上交所全新交易大厅

上交所公益基金会资助“格桑花之爱”定向扶贫项目

上交所公益基金会资助“格桑花之爱”定向扶贫项目

SHANGHAI STOCK EXCHANGE

经过二十七年的快速成长，上海证券交易所已发展成为拥有股票、债券、基金、衍生品四大类证券交易品种的、市场结构较为完整的证券交易所；拥有可支撑上海证券市场高效稳健运行的交易系统及基础通信设施；拥有可确保上海证券市场规范有序运作的、效能显著的自律监管体系。依托这些优势，上海证券市场的规模和投资者群体也在迅速壮大。2016 年末，沪市上市公司家数达 1182 家，总市值 28.5 万亿元，全年累计成交金额 50.2 万亿元，日均成交达 2056 亿元，股市筹资总额达 8056 亿元；债券市场挂牌只数达 8077 只，托管量 6.2 万亿元，累计成交 224.7 万亿元；基金市场只数 137 只，累计成交 8.9 万亿元；衍生品市场 2016 年全年累计成交 431.9 亿元。沪市投资者开户数量已达 22485 万户。

财通证券资管

CAITONG SECURITIES ASSET MANAGEMENT

财通证券资产管理有限公司（简称财通证券资管）系财通证券股份有限公司的全资子公司，于 2014 年 12 月成立，注册资本 2 亿元人民币，并于 2015 年 1 月获得中国证监会颁发的《经营证券业务许可证》。2015 年 12 月，公司获准开展公募基金管理业务。2016 年 7 月，发行并成立首只公募产品——财通资管积极收益债券型发起式基金，正式进军公募领域。

公司前身为成立于 2009 年的财通证券资产管理部，目前拥有一支稳健高效、勤勉尽责的精英团队，员工总数逾 170 人。近年来，公司强力打造主动管理优势，连续实现跨越式发展，取得了规模与业绩的稳健增长，截至 2016 年 12 月末，公司资产管理总规模达 1396 亿元，其中主动管理规模逾 976 亿元；公司总资产 9.32 亿元，净资产 5.39 亿元，净资本 14.74 亿元。据中国证券业协会公布的数据显示，公司 2016 年上半年度受托资产管理业务净收入位居证券行业第 8 名；据中国基金业协会公布的数据显示，截至 2016 年 9 月末，公司主动管理规模位居证券行业第 18 名。

核心成员

财通证券资管成立仪式

固收团队合影（部分）

www.ctzg.com

上海地址：上海市浦东新区福山路500号城建国际中心28层

杭州地址：浙江省杭州市上城区四宜路四宜大院B幢办公楼

客服热线：95336

公司荣誉

- 旗下产品财丰 1 号荣膺 2016 年度最受欢迎券商资管产品（东方财富网，2017 年 1 月评选）
- 公司荣膺 2016 年度最具成长性证券资产管理公司（新浪财经，2016 年 11 月评选）
- 公司董事长、总经理马晓立荣膺 2016 券商业资产管理年度领军人物优秀奖（全球资产管理阿尔法智库，2016 年 8 月评选）
- 公司荣膺 2016 中国最佳资产管理券商（证券时报，2016 年 7 月评选）
- 公司董事长、总经理马晓立荣膺 2016 中国最佳资产管理领军人物（证券时报，2016 年 7 月评选）
- 公司荣膺 2015 年度金牛券商集合资产管理人（中国证券报 · 金牛理财网，2016 年 5 月评选）
- 旗下产品财之道 · 策略赢荣膺 2015 年度金牛券商集合资管计划（中国证券报 · 金牛理财网，2016 年 5 月评选）
- 旗下产品财丰 1 号荣膺 2015 年度金牛券商集合资管计划（中国证券报 · 金牛理财网，2016 年 5 月评选）
- 公司固收部总经理周志远荣膺第三届中国基金业英华奖 · 三年期固定收益最佳投资主办（中国基金报，2016 年 4 月评选）
- 旗下产品月月福系列荣膺 2015 最具人气高端理财产品（东方财富网，2015 年 12 月评选）
- 公司荣膺 2015 中国最佳资产管理券商（证券时报，2015 年 6 月评选）
- 公司固收团队荣膺 2015 中国最佳固收类投资团队（证券时报，2015 年 6 月评选）

公司自成立以来屡获殊荣，公司蝉联证券时报 2015 和 2016“中国最佳资产管理券商”，荣膺中国证券报 · 金牛理财网“2015 年度金牛券商集合资产管理人”、证券时报“2015 中国最佳固收类投资团队”等一系列行业大奖。公司旗下财之道 · 策略赢和财丰 1 号同时荣膺中国证券报“2015 年度金牛券商集合理财计划”称号，财丰 1 号还获评为东方财富网“2016 最受欢迎券商资管产品”；旗下月月福系列产品被评为东方财富网“2015 最具人气高端理财产品”；公司董事长、总经理马晓立荣膺证券时报“2016 中国最佳资产管理领军人物”，公司固定收益部总经理周志远先生荣膺中国基金报第三届中国基金业英华奖“三年期固定收益最佳投资主办”称号。

财通证券资管以“控制风险、稳健投资”和“为客户提供多层次理财服务”为经营理念，在“依法、合规、稳健”的前提下，通过灵活多样的资产管理服务模式，为客户提供全方位、个性化的理财服务，力求实现客户资产的保值增值。公司秉承“和谐、开放、共享、创新”的企业文化，对内凝心聚力、对外协同共赢，致力于打造国内最佳“人居”资产管理平台，发展成为中国最佳的资产管理公司之一。

权益团队合影（部分）

办公环境

证通
E-CAPITAL TRANSFER

证通股份有限公司成立于2015年1月8日，是由国内多家证券机构、互联网企业和金融服务机构以市场化方式共同发起成立的金融综合服务企业。公司注册于中国（上海）自由贸易试验区，目前注册资本金为人民币25.1875亿元。

公司定位于市场化、专业化的第三方金融综合服务机构，面向以证券业机构为主的各类金融机构和互联网企业，提供基于互联网平台的金融综合服务解决方案，积极打造金融科技服务优势。

公司以“和谐共赢，共享发展，守法合规”为经营理念，自成立以来已获第三方支付、基金销售、融资租赁等多项核心业务资质，积极布局“移动支付、数据服务、财富管理、综合金融、IT输出”五大版块，打造综合服务生态圈，并稳步提升金融科技核心实力。

公司愿同广大金融机构、互联网企业及其个人客户携手并进，共创中国金融综合服务业的美好明天。

公司地址：上海市浦东新区锦康路 308 号陆家嘴世纪金融广场 6 号楼
联系电话：021-20538888　客服电话：400-820-1515
电子邮件：service@ect888.com　邮编：200127

科技实力

证通公司以专业化、高水准的科技力量，打造行业领先的科技保障实力。公司架构了 IT 应用云与数据云平台，可提供上千台云主机、上百 T 数据存储计算能力；同城双活架构的现代化数据中心符合国家 A 级标准，有力支撑应用系统，使系统整体可用率高于 99.95%。

公司拥有近两百名硕士以上 IT 技术人才，中坚力量来自于知名 IT、金融企业，拥有丰富的专业素养和经验。

公司已获业内领先的 ISO20000 服务管理体系与 ISO27001 信息安全管理体系国家级认证，为证通服务证券行业、与证券行业共成长提供了强有力的技术保障。

◀ 证通已获得国家 A 级标准要求的通联机房

大事记

2014年12月26日，证通公司召开创立大会暨第一次股东大会。

2015年1月8日，证通公司完成工商设立登记，正式营业。

2015年4月，证通公司完成首轮增资扩股。

2015年4月，经中国期货业协会批准同意，证通公司正式成为中国期货业协会联系会员。

2015年5月，经中国证券业协会批准同意，证通公司正式成为中国证券业协会普通会员。

2015年4月、7月，证通公司获得证券行业内从事全国公民身份信息服务和人像比对服务产品包装、市场推广、创意策划等业务的有效资质。

2015年8月，证通公司发起成立上海市互联网金融行业协会，并任会长单位。

2015年9月，证通同城双活机房获得国家A级资质认证。

2015年9月，证通系统获得上海市公安局颁发的信息系统安全等级保护三级备案证明。

2015年12月，证通全资子公司上海水滴征信服务有限公司获得企业征信业务经营备案证书。

2016年1月，证通全资子公司上海水滴征信服务有限公司获批成为上海市信用服务行业协会会员。

2016年2月，证通全资子公司上海云湾投资管理有限公司获得基金销售业务资格。

2016年3月，证通公司获批成为中国互联网金融协会常务理事单位。

2016年4月，证通公司获批成为上海市软件行业协会副会长单位。

2016年7月，证通公司获得浦东新区智慧城市建设专项资金支持。

2016年8月，证通公司全资子公司战略参股深圳市讯联智付网络有限公司90%股权获得人民银行核准批复。自此，公司获得非金融机构支付业务许可证。

2016年8月，证通公司获得外商投资融资租赁业务资质。

2016年12月，证通公司与华安证券签订战略合作协议。

2016年12月，证通公司获得 ISO/IEC27001:2013 信息安全管理体系认证。

2016年12月，证通公司获得ISO/IEC20000-1:2011 信息技术服务管理体系认证。

中泰证券股份有限公司
ZHONGTAI SECURITIES CO.,LTD.

中泰证券总部大楼

中泰证券股份有限公司(原名齐鲁证券有限公司) 是注册地在山东的唯一一家全国大型综合类券商。目前，公司在全国28个省市自治区设有38家分公司、240家证券营业部，控股鲁证期货股份有限公司、鲁证创投有限公司、中泰金融国际有限公司、齐鲁证券（上海）资产管理有限公司，参股万家基金管理有限公司、齐鲁股权交易中心有限公司、中证信用增进股份有限公司、证通股份有限公司，形成了集证券、期货、基金、直投为一体的综合性证券控股集团。近几年，公司共为近300家企业提供股权融资、债券融资服务，实现融资额2300多亿元。

公司使命： 服务好实体经济的投融资活动，让投资者充分分享经济发展的财富成果，实现资本市场的中国梦。

公司愿景： 将中泰证券打造成具有自主创新力、综合竞争力、品牌影响力，倍受社会认知，各种专业化证券业务协同发展的系统重要性现代投资银行。

公司精神： 全线发力、全心经营、全力创新、全面提升。

公司经营理念： 风控合规至上、客户利益至上、人才价值至上、创新发展至上。

经营状况与市场成就

公司按照“打造系统重要性现代投资银行”的战略目标，努力推进业务转型升级，市场竞争力和综合金融服务能力进一步提升。经纪业务，通过开展财富管理、金融产品代销、优化客户交易系统等措施，帮助客户实现资产保值、增值。截止2016年底，公司服务客户560多万，管理客户资产9000多亿元。投行业务，公司抢抓市场机遇，大力拓展IPO、债券融资、再融资、新三板等业务，实现了业务多元化和收入多元化。2016年，完成14家股票主承销项目和57家债券主承销项目，累计为企业融资700多亿元；推荐199家企业在新三板挂牌，累计推荐445家企业挂牌，行业排名第3位；累计为293家企业提供新三板做市服务，行业排名第2位。证券投资业务，在市场震荡调整的背景下，公司坚持稳健投资，加大市场研判力度，认真做好权益类、债券类、衍生品投资等业务。资产管理业务，公司在上海设立了资产管理子公司，为客户提供现金管理类、货币类、债券类、权益类、量化类等多元化金融产品。资产管理规模2400多亿元，其中主动管理规模1400多亿元，行业排名第9位。期货业务，公司控股的鲁证期货，目前已在香港联交所上市，是国内期货行业第一家在境内外主板上市的公司、香港联交所第一家以期货为主业的上市公司以及山东省第一家境外上市金融企业。基金业务，公司参股的万家基金，注册资本1亿元，目前管理资产规模600多亿元。直接投资业务，公司直投子公司--鲁证创投公司，注册资本17亿元，已完成30多单14多亿元的投资。成立了规模7亿元的新三板投资基金，目前已完成30多单项目投资。成立了并购基金，主要参与PE、上市公司定增、并购等项目。国际业务，在香港设立了中泰金融国际公司，注册资本17.9亿港币，具有证券交易、期货、投资咨询、资管、融资等全业务牌照。2016年共完成阳光100等20单境外股权、债券融资项目，实现融资额300多亿港元。

2016年3月7日，全国人大代表、中泰证券董事长李玮在小组发言中建言资本市场改革创新。

2016年5月23日，“创新发展看鲁企”集中采访报道活动启动仪式在中泰证券举行。

2016年2月23日，中泰证券与山东重工集团战略合作签约仪式在济南举行。

www.zts.com.cn

地址：山东省济南市经七路 86 号

邮编：250001

客户服务专线：95538

全线发力、全心经营、全力创新、全面提升

公司发挥自身专业优势，积极为各类市场主体提供创新性融资服务，满足多样化融资需求。公司主承销的青岛银行绿色金融债是全国首单城商行发行的绿色金融债券；寒亭区停车场建设项目收益债是山东省首单停车场专项债券；天风一中航红星爱琴海资产证券化项目是市场首家以信托公司作为原始权益人的类 REITS 产品，荣获中国证券业协会“第一届证券行业案例大赛”一等奖；中泰－易鑫资产支持专项计划是上海交易所发行的第一单互联网车贷项目；“三一重工”资产支持专项计划是上交所首单工程机械行业应收账款资产证券化项目；厦门银行信托受益权资产证券化项目是市场上首单城商行资产证券化产品。

公司积极践行普惠金融，实施了互联网金融战略，从平台、终端、产品、服务和运营管理等方面发力，推进商业模式和服务模式创新，进一步扩大客户覆盖范围、降低投资者交易成本、提高资源配置效率。积极推动移动终端齐富通 APP 的升级迭代和市场推广，为客户提供行情交易、理财专区、投顾微店、在线咨询一体化和移动化服务，目前 APP 安装量 151 万户，月活均量 173 万。加强与蚂蚁金服、同花顺、新浪、大智慧等业内知名互联网公司的战略合作，做好客户引流工作。入股股票雷达公司，合作开发大数据和智能投顾产品，该项目荣获中国证券业协会 2016 年优秀研究成果奖。建立了互联网理财账户体系和互联网理财业务平台，具有业内领先的“支付宝＋余额宝”功能，可以为客户提供便捷、实时、综合性金融服务。公司是行业内首批 5 家签约 level2 信息服务商资格券商，积极为客户提供 Level2 行情信息服务。

凭借良好的专业能力和业绩表现，中泰证券得到了社会各界的广泛认可。2016 年 1 月，公司荣获“中国债券市场优秀成员”奖项；2 月，公司荣获“省管企业文明单位”称号；4 月，公司荣获“中国区最佳股转系统挂牌推荐团队”奖项；7 月，公司荣获“中国最佳互联网证券公司”、“中国最佳投资顾问”和“中国最佳资产管理券商”奖项；8 月，公司荣获“最佳主经纪商”、“券商互联网创新奖”奖项；11 月，公司荣获“中国资本市场最佳投行”奖项；12 月，公司荣获“中国最贴心券商”、“中国最具人气券商”奖项等。

公司积极响应中国证券业协会提出的“一司一县”结对帮扶贫困县倡议，助力国家扶贫攻坚项目，对新疆喀什地区疏勒县、宁夏固原市原州区进行定点帮扶，着力在金融扶贫、产业帮扶、慈善扶贫、消费扶贫等方面发力，促进结对帮扶的县区早日脱贫。公司联合两家子公司出资 1000 万元，发起成立了山东中泰慈善基金会，创建公益事业的集中统一平台，更加专注、专业地参与扶贫和履行社会责任。

2016 年 11 月 28 日，山东中泰慈善基金会成立。

2016 年 12 月 12 日，中泰证券与盛瑞传动 IPO 项目启动会暨中泰证券与盛瑞传动合作签约仪式在济南举行。

2016 年 12 月 28 日，中国共产党中泰证券股份有限公司第一次代表大会在济南召开。

华龙证券
CHINA DRAGON SECURITIES

华龙证券股份有限公司前身为华龙证券有限责任公司，成立于 2001 年 5 月 18 日，是由甘肃省人民政府组织筹建，经中国证监会批准的综合类全牌照证券经营机构。

华龙证券股份有限公司主要业务范围包括证券经纪、证券投资咨询、证券承销与保荐、财务顾问、证券自营、证券资产管理、融资融券、代销金融产品、直接投资等。

公司保荐的吉宏股份上市仪式

华龙证券 2016 年工作会议

2016 年 4 月，公司荣获“省长金融奖”

经过多年发展，公司已拥有广泛的客户资源、良好的社会形象和品牌影响力，在全国主要省市设有 11 个专业分公司，在北京、上海、深圳、重庆、杭州、无锡、乌鲁木齐、青岛、合肥、西安和兰州等主要城市设有 70 余家经营网点。同时，公司积极实施金融控股集团战略，发起设立了华商基金管理公司，控股华龙期货公司，主发起甘肃股权交易中心，全资控股金城资本管理公司。

经国家科技部、教育部批准，公司设有博士后流动工作站，拥有一大批高学历高素质的专业人才，大学本科以上人员 85%，硕士以上人员 26%，拥有一批经验丰富、业务精湛的保荐代表人、财富管理专家、金融产品设计专家和债务融资专家。

公司坚持“开拓西部，放眼全国”的发展战略，凭借专业化的优质服务，诚信、务实、高效、敬业的团队精神，在竞争激烈的中国证券服务业中稳步提升份额。2009 年成功保荐首批创业板上市企业发行上市，成为首批保荐企业在创业板上市的全国 17 家证券公司之一，2012 年新三板扩容后，成为推荐首批企业在新三板挂牌的证券公司。公司自 2008 年起，先后七次荣获“省长金融奖”。

凝聚智慧 创造财富
成长为在国内外有一定影响的现代金融企业
www.hlzq.com
地 址：兰州市城关区东岗西路638号兰州财富中心
电 话：0931-8888088　传 真：0931-4890515
邮箱：hlzq@hlzq.com
华龙证券
融资
证券
融券
咨询
金融

华鑫证券

CHINA FORTUNE SECURITIES

地址：深圳市福田区金田路4018号安联大厦28层A01、B01(b)单元
电话：0755-82083788　邮编：518026
网址：www.cfsc.com.cn

总裁：俞洋先生

华鑫证券有限责任公司是经中国证券监督管理委员会批准，于2001年3月在深圳市注册成立的全国性综合类证券经营机构。公司前身是原西安证券有限责任公司和中国农业银行上海市信托投资公司。西安证券是中国西北地区第一家证券公司，中国农业银行上海信托公司是中国第一批证券公司。公司于2001年3月在深圳经济特区注册成立，注册资本金人民币十六亿元。在中国证监会2013年证券公司分类评价中荣获A级。

华鑫证券共有四家股东，均为实力雄厚、信誉卓著的大型国有企业集团或上市公司。其中控股股东是上海仪电（集团）有限公司，该公司是上海市国资委授权国有资产经营单位，集团聚焦"云计算、物联网"，专注发展智能安防、智能照明、智能医疗等信息技术产业。飞乐音响是公司第二大股东，该公司是"新中国第一股"，在上海证券交易所上市，主营业务为绿色智能照明。华鑫股份是公司第三大股东，在上海证券交易所上市，主营业务为商务不动产。上海贝岭是公司第四大股东，在上海证券交易所上市，主营业务为与芯片设计、芯片制造有关的信息技术产业。

分支机构

华鑫证券在全国各地设有50多家分支机构，其中公司下设7家分公司：上海分公司、自营分公司、上海自贸试验区分公司、西安分公司、马鞍山分公司、深圳分公司、贵州分公司，并在全国20个省、自治区及直辖市有50家多证券营业部。除有形网点之外，公司搭建了"华鑫商城"，帮助广大投资者在线选择公司精心筛选的各类优质金融产品。

公司综合竞争实力

公司自成立以来，通过合资合作、搭建平台、特色突破等战略措施，已发展成为中国资本市场的后起之秀。具体表现在：

（一）横跨三大领域的金融控股集团

华鑫证券经营范围横跨证券、基金、期货三大领域，形成了较为完备的金融控股架构。公司是摩根士丹利华鑫基金管理有限公司第一大股东，是摩根士丹利华鑫证券有限责任公司、华鑫期货有限公司的控股股东。

（二）完备的综合金融服务体系

华鑫证券及其子公司具有完备的证券业务资格，包括：证券经纪业务资格、证券发行与承销业务资格、证券投资咨询业务资格、证券资产管理业务资格、证券自营业务资格、与证券交易、证券投资活动有关的财务顾问业务资格、证券投资基金代销业务资格、代销金融产品业务资格、融资融券业务资格、全国中小企业股份转让系统主办券商业务资格、沪、深证券交易所约定购回式证券交易业务资格、为期货公司提供中间介绍业务资格、上证50交易型开放式指数证券投资基金一级交易商资格、全国银行间拆借业务资格、网上证券委托业务资格、上海证券交易所固定收益证券综合电子平台交易商资格、沪、深证券交易所大宗交易业务资格、沪、深证券交易所股票质押式回购交易业务资格，可以为广大投资者提供优质的综合化金融服务。

（三）特色化金融服务

华鑫证券及其子公司定位成为专业化的财富管理机构，为地方政府及中小企业发展提供全方面资本市场解决方案，目前，公司在以下领域逐步形成了较强的竞争实力：

1、积极助力地方政府融资发展。公司先后为天津城市基础设施建设投资集团、泉州市城建国有资产投资公司、深圳地铁集团、上海临港经济发展集团、秦皇岛开发区国有资产经营公司等地方融资平台发行公司债券。

2、中小企业挂牌推荐服务。公司目前在报的IPO项目有5家，主要拟上市地为中小企业板和创业板。公司是"新三板主办券商"，公司为拟挂牌中小企业量身设计"挂牌＋定增＋做市"的一条龙融资及服务模式，成为新三板设立以来的经典案例，得到中小企业的高度认可。

3、中小企业融资及财富管理服务。公司资产管理部门可以为上市公司及其股东、财务公司及其他中小企业提供股票质押融资、限售股减持、应收账款、票据证券化融资。同时为企业提供定制的非标融资方案。公司资产管理业务净收入位于行业中位数以上。

4、优质的期货套保服务。公司下属华鑫期货公司荣获第四届证券期货科学技术二等奖；荣获2014年度中金在线排行榜最佳期货路演机构；荣获上海证券交易所2014年度交易优胜会员提名奖和交易进步会员奖；被郑商所评为2014年度品种发展优秀会员（小麦、稻谷）和品种产业服务优秀会员（小麦、稻谷）；在第12届中国财经风云榜峰会上，华鑫期货荣获"2014年度最具成长性期货公司"。华鑫期货目前为上海及长三角等地区的特大型化工、金属加工企业及上市公司提供优质的期货套保服务，同时可以为广大企业及投资者等提供股指期货、股指期权等风险管理方案服务。

企业社会责任

常怀感恩之心、常思回报之责。近年来，公司及员工积极履行社会责任，在汶川地震、玉树地震、雅安地震等等重大自然灾害中，积极为灾区捐款，总计募捐人民币340万元，并为困难学生累计捐助超过100万元。

常怀感恩之心华鑫证券将偕同摩根士丹利华鑫证券、摩根士丹利华鑫基金、华鑫期货等子公司，为广大企业及投资者提供优质、高效、综合化的金融服务！

公司各证券营业部联系方式及地址

营业部	电话	地址
上海斜土路证券营业部	021-64228585 021-64222999	上海市斜土路1939号四季园D幢裙房一、二楼
上海茅台路证券营业部	021-62900100 021-62902296	上海市长宁区茅台路596号
上海景东路证券营业部	021-64525078 021-64503410	上海市闵行区景东路771-1号
上海莘庄证券营业部	021-64987847 021-64881288*419	上海市沪闵路6018号（位于沪闵路与莘建路口）
上海嘉定棋盘路证券营业部	021-59915414 021-59911319	上海市嘉定区棋盘路1192号1-3层A区
上海淞滨路证券营业部	021-56672424 021-56673424	上海市宝山区淞滨路600号二楼A区
上海宛平南路证券营业部	021-54967310 021-54967315	上海市徐汇区宛平南路8号
上海惠南镇人民东路证券营业部	021-58024374 021-58024567	上海市浦东新区惠南镇人民东路2881号5-6楼
上海松江证券营业部	021-67752822 021-67752821	上海市松江区文诚路228号2楼
上海曹杨路证券营业部	021-62573373 021-62546146	普陀区曹杨路1040弄1号二层（位于武宁路与曹杨路路口）
上海漕宝路证券营业部	021-64514647 021-64361456	上海市徐汇区漕宝路111号3、4楼
上海金山证券营业部	021-57320739 021-57331366	上海金山区朱泾镇东风路15号
西安解放路证券营业部	029-87410309 029-87410522	西安市解放路236号西安图书大厦六楼
西安科技路证券营业部	029-68912226 029-68912229	陕西省西安市高新开发区科技路18号新科大厦一、二层
西安大寨路证券营业部	029-88354121 029-88354131	西安市莲湖区大寨路与沣惠南路十字以西200米，中华世纪城小区北门F6号楼一二层
西安西大街证券营业部	029-87629755 029-87629756	陕西省西安市莲湖区西大街330号安定广场一号楼1、2层
西安阎良红安路证券营业部	029-86207886 029-86861912	西安市阎良区西飞大道中段东侧（财务大楼201幢一、二层）
西安高新路证券营业部	029-63363929	西安市雁塔区高新路51号尚中心507-508室（高新一中斜对面，浦发银行南隔壁）
深圳益田路证券营业部	0755-33665889	深圳市福田区莲花街道益田路6013号江苏大厦A2002
北京阜成门外大街证券营业部	010-88306678 010-88306852 4001099918	北京市西城区阜成门外大街甲28号京润大厦西楼第10层01
北京菜市口大街证券营业部	010-83494772 4001099918	北京西城区菜市口大街甲2号院1号楼201
北京平安大街证券营业部	010-66250500	北京市西城区平安里西大街31号一层101-101
常州晋陵中路证券营业部	0519-81199808 0519-81199818	江苏省常州市钟楼区晋陵中路168号三楼
洛阳体育场路证券营业部	0379-60661000	洛阳市西工区体育场路13号航空城商务楼10楼
珠海海滨南路证券营业部	0756-6279008	珠海市香洲区海滨南路88号504室
乐清双雁路证券营业部	0577-61571818	浙江省乐清市城东街道双雁路555号双雁大厦二楼
厦门莲岳路证券营业部	0592-3325025	福建省厦门市莲岳路1号磐基商务中心801室
长沙芙蓉中路证券营业部	0731-88281430 0731-88597826	长沙市开福区芙蓉中路一段288号华尔街中心写字楼第5层
天津十一经路证券营业部	022-58711588	天津市河东区十一经路66号（301-305室）
合肥梅山路证券营业部	0551-68991559	合肥市蜀山区梅山路18号安徽国际金融贸易中心2-1006、2-1007室
福州杨桥路证券营业部	0591-87509520	福州市杨桥路118号侨雄大厦5楼
广州广州大道中证券营业部	020-87001863	广州市越秀区广州大道中307号富力东山新天地3003
成都交子大道证券营业部	028-69760265	四川省成都市高新区交子大道333号中海国际中心E座6楼
临沂金雀山路证券营业部	0539-8135222	临沂市兰山区金雀山路十号开元上城国际B座1315室
佛山顺德新桂中路证券营业部	0757-22229799	佛山市顺德区大良新桂中路30号蓝莓公寓5楼515-520单元
南京中山北路证券营业部	025-86633098	南京市鼓楼区中山北路8号2301室（实际楼层：云峰大厦2801室）
赣州翠微路证券营业部	0797-5020178	江西赣州市章贡区翠微路1号赣州中航城8栋2-67、68、69、70号
即墨鹤山路证券营业部	0532-83506699	青岛即墨市鹤山路888号A座1504室（世贸大厦）
济南泉城路证券营业部	0531-55686881 0531-55686880	济南市历下区泉城路26号A座1009、1010
昆明北京路证券营业部	0871-68125375	云南省昆明市盘龙区北京路领域时代大厦A幢15层01室（北京路1088号）
郑州普惠路证券营业部	0371-56597953 0371-56597955	郑州市郑东新区普惠路78号1号楼10层79号
沈阳滂江街证券营业部	024-62839100	辽宁省沈阳市大东区滂江街22号长峰中心2号写字楼10楼03a
鄂尔多斯团结路证券营业部	0477-5115402 0477-5115401 0477-5115400	内蒙古鄂尔多斯市东胜区团结路7号街坊2号楼401
海口海德路证券营业部	0898-66730129 4001099918	海口市龙华区海德路9号现代花园D-1楼S107室二楼
南昌红谷中大道证券营业部	0791-83809261	江西省南昌市红谷滩新区红谷中大道998号绿地中央广场C区C1办公楼903、904室（第9层）
石家庄建设南大街证券营业部	0311-66535888	河北省石家庄市建设南大街150号国富华庭2-117
苏州时代广场证券营业部	0512-62967977	苏州工业园区时代广场24幢SIFC大楼1615室
江门迎宾大道中证券营业部	0750-3858866	江门市蓬江区迎宾大道中131号中信银行大厦12层1201室
重庆江北城西大街证券营业部	023-86712396	重庆市江北区江北城西大街25号15-1L（17-1）层（4）单元（平安财富中心）
扬州文汇西路证券营业部	0514-80783007	江苏省扬州市邗江区文汇西路268号邗上街道办4楼
泉州宝洲路证券营业部	0595-29888688	福建省泉州市丰泽区浦西万达广场甲级写字楼1B塔808/809单元
呼和浩特中山西路证券营业部	0471-3241629	内蒙古呼和浩特市回民区中山西路海亮广场A座39层01号
大连长江路证券营业部	0411-39053001	辽宁省大连市西岗区长江路539号606、607、610、1522室
烟台迎春大街证券营业部	0535-2106055	烟台市莱山区迎春大街96号悦海中心A座1103室
宁波沧海路证券营业部	0574-83008696	宁波市沧海路588号绿园大厦803室
长春工农大路证券营业部	0431-81908203	吉林省长春市朝阳区工农大路1035号海航荣御2819、2820、2821、2822室
天津大港油田幸福路证券营业部	022-63951278	天津市滨海新区海滨街幸福路536号
上海红宝石路证券营业部	021-52997638 021-52997636	上海市长宁区红宝石路500号1号楼603室（名义室号B栋803室）
泉州南山南路证券营业部	0595-87916888	泉州市南山南路锦绣公园5号楼

公司各分支机构联系方式及地址

上海分公司
021 - 64339000
上海市市辖区徐汇区宛平南路8号3层

上海证券自营分公司
021-32109999
上海市市辖区徐汇区肇嘉浜路750号

上海自贸试验区分公司
021-68957328
上海市市辖区浦东新区自由贸易试验区向城路288号世纪大道1501号1202B、1203室

西安分公司
029-68680333
西安市莲湖区南二环西段群贤路6号西安锦都花园10202号

马鞍山分公司
0555-8883939
马鞍山市花山区江秀路1277号金湖湾新城二区50-1277

贵州分公司
0851-85517681
贵州省贵阳市南明区市南路42号第六幢1单元14层5号

深圳分公司
0755-25889969
广东省深圳市罗湖区桂园街道深南东路5045号深业中心大厦25楼2512-2513室

东北证券新三板投融资对接会

东北证券新三板挂牌企业交流会

东北证券新三板挂牌企业交流会

东北证券推荐挂牌企业挂牌仪式

意大利博洛尼亚考察德国标的公司

加哥水务公司考察

东北证券新三板投融资对接会

签约，开展跨国并购业务

东北证券股份有限公司
NORTHEAST SECURITIES CO.,LTD.

打造“以固定收益业务为特色”的一流投资银行

第一创业证券股份有限公司（股票代码：002797）是经中国证监会批准，由华熙昕宇、首创集团等多家实力雄厚的股东投资设立的全国性综合类证券公司。公司前身是1993年4月成立的佛山证券公司，2002年7月更名为“第一创业证券有限责任公司”，2012年3月整体变更为股份有限公司，2016年5月11日，公司首次向社会公开发行股票并在深圳证券交易所上市交易，成为登录A股市场的第25家券商。公司注册资本21.89亿元，法定代表人为刘学民，总部设在深圳，员工总数超过1900人。

目前，公司在全国共设有近40家营业部，并在北京、上海设立了分公司，拥有3家全资子公司：第一创业期货有限责任公司、第一创业投资管理有限公司、深圳第一创业创新资本管理有限公司，控股第一创业摩根大通有限责任公司、创金合信基金管理有限公司，参股银华基金管理有限公司、证通股份有限公司、中证机构间报价系统股份有限公司。

第一创业拥有齐全的证券业务牌照与资质，目前为获得央行公开市场业务一级交易商资格的4家证券公司之一，获得全国银行间债券市场做市商资格的5家证券公司之一，拥有多项债券承销业务资质，是财政部指定的国债承销团成员，拥有国家开发银行、中国农业发展银行和中国进出口银行金融债承销商资格。

证券简称：第一创业

证券代码：002797

公司总部地址：深圳市福田区福华一路115号投行大厦20楼
公司官方网站：www.firstcapital.com.cn
全国客服热线：95358

在20多年的发展实践中，第一创业始终坚持差异化的经营策略，逐步形成了以固定收益业务为特色的发展战略，在固定收益、投资银行和资产管理等业务领域形成了竞争优势：公司的固定收益业务一直保持着行业领先的优势，自2003年进入银行间市场以来，公司现券交易量已连续10余年保持银行间市场同业前5名，近三年债券累计承销额突破1万亿，同时，公司也在积极开展债券做市业务，2015年债券做市业务在尝试做市券商中排名第一，并与国家高端智库——国家金融与发展实验室联合举办了“中国债券论坛”，获得了广泛好评；投资银行业务上，合资公司一创摩根近年来在股票、债券主承销金额及家数上均保持了良好的行业排名，竞争力持续提升；同时，公司资产管理业务获得快速发展，目前规模已突破2000亿；经纪业务正在加速向财富管理方向转型，致力于为个人和专业机构投资者提供特色化工具和产品，成为学习型投资者信赖的财富管理伙伴，旗下财富管理服务品牌——易富汇已连续五年荣获《证券时报》“中国最佳投资顾问品牌”荣誉。

截至2015年12月31日，公司总资产332.74亿元，归属于母公司的净资产61.51亿元。2015年1–12月，公司实现营业收入30.10亿元，归属于母公司所有者的净利润10.21亿元。

凭借良好的经营业绩和规范管理，第一创业得到了监管层和行业的广泛认可，获评银行间本币市场最佳证券公司、银行间本币市场最佳做市机构、中国债券市场优秀承销商，新财富最受尊敬的投行、中国区最佳融资承销商，中国最佳资产管理券商，中国最具成长性证券经纪商等多项荣誉。

展望未来，第一创业将继续秉承“诚信、进取、创新”的核心价值观，坚持“以客户为中心”的服务理念，追求可持续发展，努力打造具有独特经营模式、业绩优良、富有竞争力的一流投资银行。

第一创业
FIRST CAPITAL

提供专业的
信用风险评价产品和服务

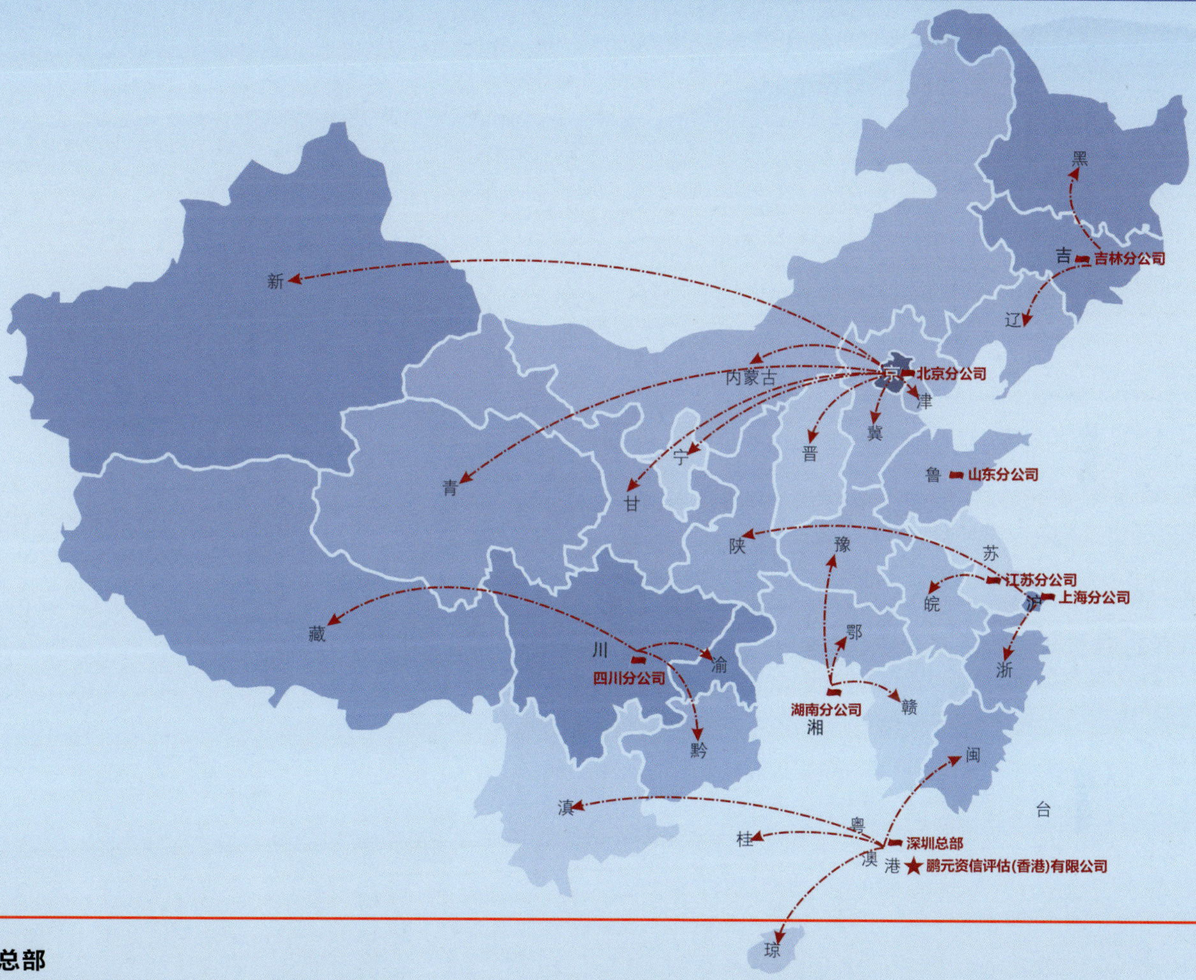

深圳总部
地址：深圳市深南大道7008号阳光高尔夫大厦三楼　电话：0755-82872897 0755-82872333　传真：0755-82872090

北京分公司
地址：北京市东城区建国门内大街26号新闻大厦八层806
电话：010-66216006　传真：010-66212002

上海分公司
地址：上海市浦东新区东三里桥路1018号上海数字产业园A幢601室
电话：021-51035670　传真：021-51917360

湖南分公司
地址：湖南省长沙市雨花区万家丽路3段36号喜盈门范城2号栋14007号
电话：0731-84285466　传真：0731-84285455

四川分公司
地址：成都市高新区天府三街19号新希望国际大厦A座1701室
电话：028-82000210　传真：028-85288932

江苏分公司
地址：南京市建邺区江东中路108号万达西地贰街区商务区15幢610室
电话：025-87781291　传真：025-87781295

山东分公司
地址：山东省济南市高新区奥体天泰广场地块四SOHO办公1号楼1006室
电话：0531-8881 3809　传真：0531-8881 3810

吉林分公司
地址：吉林省长春市南关区人民大街7088号伟峰国际商务广场2005室
电话：0431-85962598　传真：0431-85962596

鹏元香港公司
地址：香港新界荃湾白田坝街36-44号信义工业大厦9楼5室
电话：(852) 24877066　传真：(852) 24877866

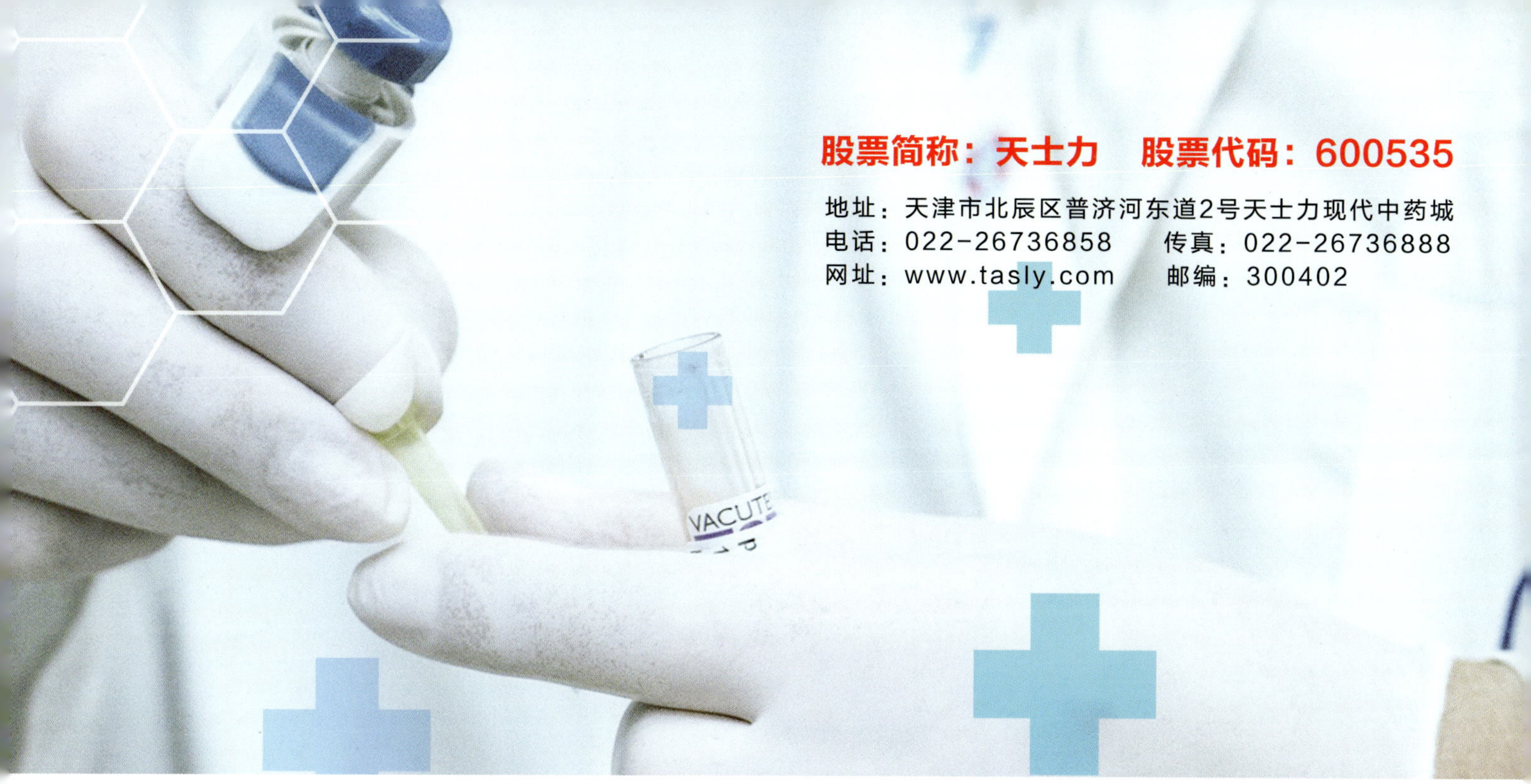

股票简称：天士力　股票代码：600535

地址：天津市北辰区普济河东道2号天士力现代中药城
电话：022-26736858　传真：022-26736888
网址：www.tasly.com　邮编：300402

公司产品以现代中药为核心，协同生物药和化学药为两翼的发展新模式，构建了现代生物医药产业集群。

在现代中药领域，公司不断打造国际化大药体系。复方丹参滴丸全球首例完成美国 FDA Ⅲ 期随机、双盲、全球多中心大样本临床试验的复方现代中药制剂，并形成《临床试验顶层分析总结报告(Topline Analysis Report)》，对推进中药现代化、国际化国家战略具有重大里程碑意义。

在生物医药领域构筑国际化产业格局，公司代表性产品普佑克为“十一五”期间我国批准的唯一一例治疗用一类生物新药，在第二届(2016)中国医药创新品牌系列评选活动被评为“最具临床价值创新药”(中国医学科学院、中国中医科学院、中国医药创新促进会、人民网颁发)，并进入《2017 版国家医保目录》“谈判目录”。

在化学医药领域以细分市场为目标，构建系列特色化学药平台。公司开发完成了替莫唑胺胶囊(蒂清)、右佐匹克隆片(文飞)等产品，形成了以抗肿瘤用药、心血管用药、精神类用药及保肝护肝用药等产品系列。其中化学原料药包含替莫唑胺、氟他胺、尼可地尔、舒必利、水飞蓟宾、苯扎贝特等 12 个品种。口服固体制剂主要为片剂、胶囊剂，品种包括抗病毒的一类新药阿德福韦酯片、治疗脑胶质瘤的二类新药替莫唑胺胶囊(蒂清)，治疗前列腺癌的二类新药氟他胺片 / 胶囊，治疗失眠症的二类新药右佐匹克隆片(文飞)和治疗高血压的四类新药赖诺普利胶囊(帝益洛)等产品。

“基础市场在国内，目标市场在国外”。天士力经过十多年的发展，经过多年的国际市场的探索，在产品体系、人才优势、营销模式以及市场基础等方面，已经基本具备了全面进入国际化的条件，天士力将继续在中药现代化与国际化的道路上进行更多的有益探索。

中医药文化的丰碑——
大世界基尼斯之最《中华医药图》巨型浮雕坐落于天士力现代中药城产业园

归心坛

中车财务有限公司
CRRC FINANCE CO., LTD.

董事长、党委书记：时景丽女士

中车财务有限公司是中国中车集团第一家持牌金融机构，由中国北车集团财务有限公司（以下简称“北车财务”）与南车财务有限公司（以下简称“南车财务”）按照对等合并原则组建而成。原南北车财务公司均于 2012 年底经中国银监会批准开业，2015 年之前各自独立运营，2015 年 9 月启动合并工作。根据《中国银监会关于中国北车集团财务有限公司吸收合并南车财务有限公司有关事项的批复》以及《北京银监局关于中国北车集团财务有限公司变更名称的批复》，合并后公司于 2017 年 1 月 18 日正式更名为“中车财务有限公司”，注册资本 22 亿元，其中中车集团出资 1.9008 亿元，持股 8.64%，中车股份出资 20.0992 亿元，持股 91.36%。

中车财务有限公司（以下简称“公司”）目前共有在岗员工 57 人，拥有本科及以上学历的员工 100%，其中硕士及博士（其中 1 人博士在读）共 24 人，占比 42%。公司属于金融行业，主营业务为：对成员单位办理财务和融资顾问、信用鉴证及相关的咨询、代理业务；协助成员单位实现交易款项的收付，经批准的保险代理业务；对成员单位提供担保；办理成员单位之间的委托贷款；对成员单位办理票据兑现与贴现；办理成员单位之间的内部转账结算及相应的结算、清算方案设计；吸收成员单位的存款；对成员单位办理贷款及融资租赁；从事同业拆借。公司同时具有保险兼业代理业务许可、全国银行间同业拆借资质、外币结售汇业务资格、跨国公司外汇资金集中运营管理、跨境双向人民币资金池业务、电票系统上线资格等业务资质。

规划发展

“十三五”期间，中车财务有限公司将依托集团，服务集团，紧紧围绕中国中车“十三五”发展战略，坚持“两化”原则（通过总部资金和财务公司一体化运营，实现集团利益最大化），积极打造“一个中心，四个平台”（资金集中管理中心、融资服务平台、金融投资平台、投行服务平台、资金监控平台）。致力于发展成为集团的司库，集团的综合金融服务商、产业链金融的龙头、金融板块的领军企业，成为产融结合的桥梁和纽带，助力集团发展，成为行业一流财务公司。

公司围绕“搭建集团统一的司库管理平台”这一战略目标，将在资金池、票据池等多个方面开展工作，抓好顶层设计，鼓励探索创新，统筹谋划推进，稳步组织实施，推动产融结合，助力集团发展。力争“十三五”末，实现营业收入 15.92 亿元，净利润 10 亿元。

中车财务有限公司正门

董事、总经理、党委副书记：黄建东先生

经营状况与市场成就

2016 年，公司按照“专注、稳健、创新”的经营理念，扎实推进各项工作；以提质增效活动为主线，深入推进全面预算管理，明确和协调各部门责任，有规划、有效率地进行公司资源配置，有效控制各类经营风险。2016 年，在国内经济步入新常态，增速不断下降，金融业效益大幅下滑的情况下，实现营业收入 82,577 万元，净利润 39,020 万元，完成集团下达指标。到 2016 年末，公司资产总额达到 3,858,747 万元，较 2015 年增加 27.92%。有序推进重点工作，全口径资金集中度、信贷规模达历史最高，国际业务实现新突破，运营质量获得提升，获得财协“A 类”评级，进入创新型财务公司行列。

企业文化与社会责任

公司十分注重企业文化建设和社会责任。2016 年，为促进合并后公司在管理、制度、作风、行为规范、薪酬标准、文化理念等等方面的融合，公司开展了深入细致的工作。领导班子以身作则，带头学习、带头奉献、带头融合、带头讲大局、带头团结协作，提高工作效率，推动工作快速执行。上有所好，下必效焉，整个公司形成了团结协作、奋力拼搏的良好氛围。2016 年，公司上缴扶贫资金 44.2 万元。工会团结动员广大群众开展了一系列主题活动。

公司荣誉

在 2016 年 6 月财务公司协会公布的 222 家财务公司行业评级中，被评为最高等级“A”级(222 家中 68 家“A”级)，进入“创新型财务公司”行列。

2016 年公司大事记

- 1 月 1 日，根据总部战略部署，经与金融监管部门沟通，南北财务公司实现机构人员到位及业务到位；
- 6 月 3 日，中国北车集团财务有限公司获得财务公司行业评级创新“A”级。
- 9 月 19 日，取得了《中国银监会关于中国北车集团财务有限公司变更股权的批复》及《中国银监会关于南车财务有限公司变更股权的批复》。
- 11 月 27 日，中车财务有限公司第一次全体党员大会召开。
- 12 月 9 日，获得中国人民银行营业管理部跨境办《跨境双向人民币资金池结算业务首次备案通知书》。
- 12 月 20 日，获得国家外汇管理局北京外汇管理部《关于中国中车集团公司开展外汇资金集中运营管理业务的备案通知书》，同意中国北车集团财务有限公司作为开展外汇资金集中运营管理的主办企业参与外汇资金集中运营管理。
- 12 月 22 日，取得《中国银监会关于中国北车集团财务有限公司吸收合并南车财务有限公司有关事项的批复》
- 12 月 28 日，取得《北京银监局关于中国北车集团财务有限公司变更名称的批复》。
- 12 月 29 日，完成了南车财务有限公司税务和工商注销手续。

2016

中國證券業年鑒

CHINA SECURITIES YEAR BOOK

招商银行
CHINA MERCHANTS BANK
因 您 而 变

信 我 信 未 来
杭州银行
hzbank
BANK OF HANGZHOU

协办单位

上

总第二十四期

声　明

图书在版编目(CIP)数据

中国证券业年鉴. 2016/ 中国证券业年鉴编辑委员会 编.
上海:复旦大学出版社, 2017.6
ISBN 978-7-309-13034-8

Ⅰ. 中… Ⅱ. 中… Ⅲ. 证券业—中国—2016—年鉴 Ⅳ. F832.91-54

中国版本图书馆 CIP 数据核字(2017)第 148036 号

中国证券业年鉴(2016·总第二十四期)
中国证券业年鉴编辑委员会 编

责任编辑　岑品杰　方毅超　谢同君　姜作达　王雅楠　戚雅斯
排版设计　上海众证文化传播有限公司
出版发行　复旦大学出版社有限公司出版发行
　　　　　上海市国权路 579 号　　邮编 200433
经　　销　新华书店
印　　刷　上海望新印刷有限公司
开　　本　850mm×1168mm　1/16
印　　张　176
插　　页　230
字　　数　5180 千字
版　　次　2017 年 6 月第 1 版　2017 年 6 月第 1 次印刷

定　　价　人民币 1980 元　港币 2280 元　美元 400 元

编辑说明

《中国证券业年鉴》秉承客观、公正、全面的原则，忠实记录我国证券市场的发展轨迹，向海内外各界人士宣传、展现我国证券市场的发展成就，并给后人查阅、研究我国证券市场历史年度的动态，提供权威资料。做好中国证券业历史的编辑整理工作，保证中国证券业历史记录的有序延续，是我们的历史使命。自1993年创刊以来，《中国证券业年鉴》已经逐渐成长为一个展示公司业绩、总结市场成就、记录中国证券业历史、向海内外各界人士展现和推介中国证券市场形象的权威窗口。《中国证券业年鉴》每年出版一次，分上、中、下三册向国内外公开发行。

《中国证券业年鉴》(2016·总第二十四期)主要反映本年度中国金融、证券、基金、期货市场及企业制度建设和发展方面的情况和最新动态，供海内外有关机关、社团、学校、研究部门、企事业单位及社会各界人士做进一步研究参考使用，为推动中国证券业的规范化和国际化、建设中国特色社会主义市场经济服务。

《中国证券业年鉴(2016)》内容设置专论、中国金融市场、中国证券市场、中国基金市场、中国期货市场、香港地区证券市场、新三板市场、中国证券业人物纪实与访谈、中国证券业年度人物、优秀企业选介等部分，另有彩色图片1200幅。

《中国证券业年鉴(2016)》的资料直接来源于公司的公告和报告，国务院有关部委及各省、自治区、直辖市相关单位提供的材料，保证了年鉴的权威性和准确性。《中国证券业年鉴(2016)》基本保持上一期的内容和体例，同时新增了香港证券市场的详细资料，记录了香港证券市场年度发展动态与市场成就，进一步展示了部分市场参与主体的良好形象。但由于中国证券业仍处于快速发展阶段，加上各地区的发展不平衡以及我们的水平有限，难免出现一些疏漏，敬请读者谅解和指正。

《中国证券业年鉴》由上海证券交易所、深圳证券交易所、香港交易所协助中国证券业年鉴编辑委员会共同编辑出版，在编辑过程中得到了国务院有关部门，中国证券监督管理委员会及各省、自治区、直辖市证监局，上海证券交易所，深圳证券交易所，香港交易所，全国中小企业股份转让系统及证券界有关领导、专家的指导和支持，在此我们表示最诚挚的感谢。

中国证券业年鉴编辑部

中国证券业年鉴理事会

（以下排名不分先后）

许义明	景顺长城基金管理有限公司	总经理
于　进	农银汇理基金管理有限公司	董事长
刘纯亮	国投瑞银基金管理有限公司	总经理
杨光裕	长城基金管理有限公司	董事长
朱治理	万和证券有限责任公司	董事长
范　力	东吴基金管理有限公司	董事长
余　政	民生证券股份有限公司	董事长
陈　重	新华基金管理股份有限公司	董事长
吴　坚	西南证券股份有限公司	总裁
秦斯朝	鹏元资信评估有限公司	副总裁
王文京	用友网络科技股份有限公司	董事长、总裁
杨　超	证通股份有限公司综合管理部	总经理
任开宇	金元顺安基金管理有限公司	董事长
徐建军	北京德恒律师事务所	副主任
张近东	苏宁云商集团股份有限公司	董事长
袁　泽	新疆新鑫矿业股份有限公司	董事局主席
陈　平	马应龙药业集团股份有限公司	董事长
李春宏	江苏连云港港口股份有限公司	董事长
徐　进	安徽口子酒业股份有限公司	董事长、总裁
方同华	黑龙江珍宝岛药业股份有限公司	董事长
倪永培	安徽迎驾贡酒股份有限公司	董事长
高　庆	南方产权联合交易中心有限责任公司	董事长
刘世春	金融街控股股份有限公司	董事长
于九洲	唐山冀东水泥股份有限公司	副董事长、总经理
宁中伟	安徽金种子酒业股份有限公司	董事长
谢长军	龙源电力股份有限公司	总经理
张永年	四川成渝高速公路股份有限公司	董事会秘书
刘　建	泰达宏利基金管理有限公司	总经理
吴晓东	华泰联合证券有限责任公司	董事长

中国证券业年鉴编辑委员会

地　　址：上海市浦东新区桃林路 18 号环球广场 B 座 2809 室
邮　　编：200135
电　　话：021－61990079
传　　真：021－68781179
邮　　箱：csybook@vip.163.com
网　　址：www.csybook.com

目 录

第一编 专 论

第二编　中国金融市场

第三编 中国证券市场

第四编　中国基金市场

第五编　中国期货市场

第六编　香港地区证券市场

第二章　香港上市企业推介 ………………… 1716

第三章　香港金融机构推介 ………………… 1743

第四章　法律法规 ………………………… 1758

第八编　中国证券业人物纪实与访谈

插页目录

上　册

中　册

下　册

2016 中国证券业年度人物

NEWS PHOTOS 新闻图片

中国证券市场新闻图片汇展
首发上市公司

证券简称：杭州银行　证券代码：600926

董事长陈震山先生在公司上市仪式上致辞

陈震山董事长与嘉宾共同鸣锣开市

董事会成员集体合影

2016年10月27日，杭州银行在上交所主板成功上市

证券简称：森特股份　证券代码：603098

森特股份上市答谢酒会

政府领导与企业领导共同鸣锣开市

2016年12月16日，森特股份在上交所主板成功上市

森特股份生产基地

NEWS PHOTOS

新闻图片

证券简称: 上海银行　证券代码: 601229

上海市副市长周波（左二）与金煜董事长（右二）共同鸣响开市锣

2016年11月16日，上海银行在上交所主板成功上市

胡友联行长（左）与上交所签署上市协议书

上市仪式现场气氛热烈

证券简称: 正平股份　证券代码: 603843

正平公司领导与上海证券交易所领导签订《上市协议书》

2016年9月5日，正平股份在上交所主板成功上市

政府领导与企业领导共同鸣锣开市

公司捐资助学成立正平学院

中国证券市场新闻图片汇展
首发上市公司

证券简称: 步长制药　证券代码: 603858 ▼

董事长赵涛先生在步长制药A股上市仪式致辞

步长制药领导与政府领导共同鸣锣开市

2016年11月18日，步长制药成功登陆上交所主板

山东步长制药股份有限公司

证券简称: 通灵珠宝　证券代码: 603900 ▼

通灵珠宝董事长兼CEO沈东军先生致辞

上市公司领导与嘉宾共同鸣锣开市

2016年11月23日，通灵珠宝成功登陆上交所主板

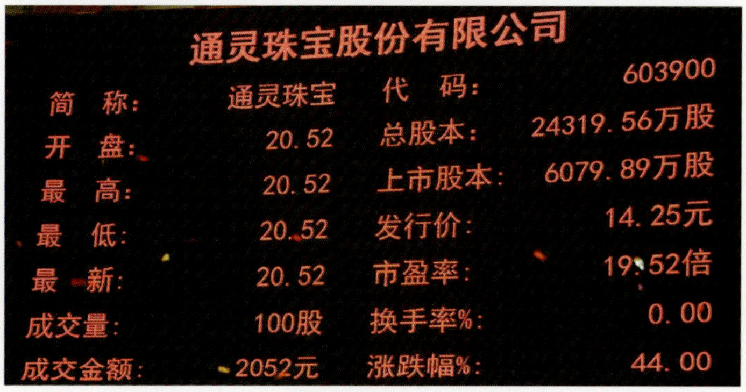

通灵珠宝股份有限公司

简　称:	通灵珠宝	代　码:	603900
开　盘:	20.52	总股本:	24319.56万股
最　高:	20.52	上市股本:	6079.89万股
最　低:	20.52	发行价:	14.25元
最　新:	20.52	市盈率:	19.52倍
成交量:	100股	换手率%:	0.00
成交金额:	2052元	涨跌幅%:	44.00

通灵珠宝成功上市

NEWS PHOTOS

新闻图片

证券简称：永吉股份　证券代码：603058

2016年12月23日，永吉股份成功登陆上交所主板

贵州永吉印务股份有限公司董事长邓维加先生致辞

贵州永吉印务公司一隅

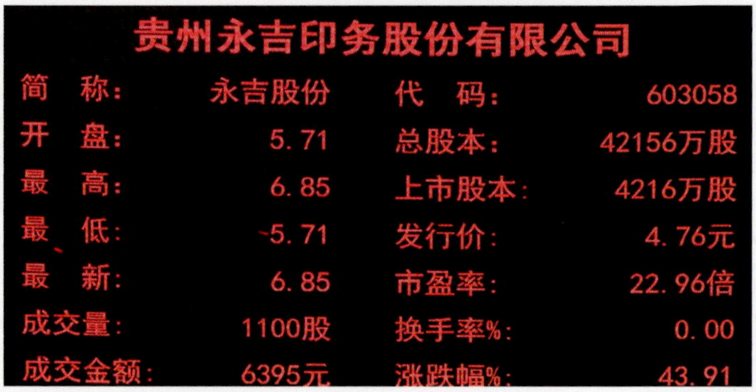

贵州永吉印务股份有限公司成功上市

证券简称：镇海股份　证券代码：603637

镇海股份上市仪式嘉宾集体合影

公司领导与嘉宾共同鸣锣开市

上市公司与上交所签订《上市协议书》

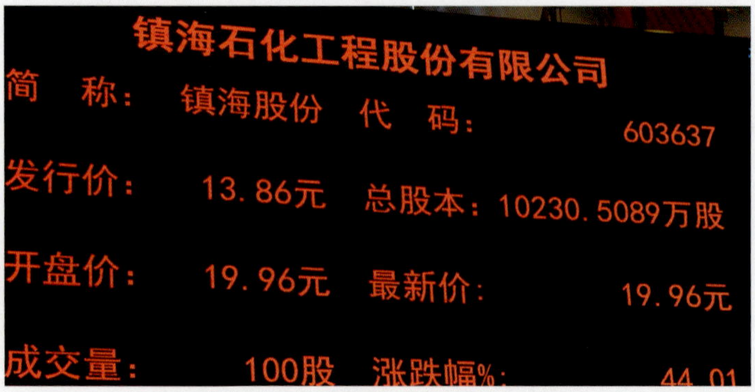

2017年2月8日，镇海股份成功登陆上交所主板

中国证券市场新闻图片汇展
首发上市公司

证券简称：中原证券　证券代码：601375

公司领导与嘉宾共同鸣锣开市

中原证券股份有限公司董事长菅明军先生致辞

2017年1月3日，中原证券A股在上海证券交易所成功挂牌上市

公司总裁周小全当选第七届（2016）“河南经济年度人物”

证券简称：来伊份　证券代码：603777

上海来伊份股份有限公司董事长施永雷先生致辞

公司领导与嘉宾共同鸣锣开市

上市精彩表演

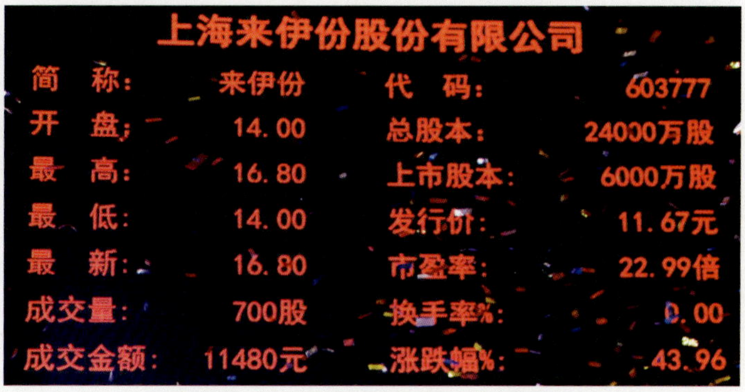

2016年11月23日，来伊份成功登陆上交所主板

NEWS PHOTOS 新闻图片

证券简称: 第一创业　证券代码: 002797

2016年5月11日，第一创业证券在深圳证券交易所隆重挂牌上市。

第一创业领导与深交所领导互赠上市纪念品

2016年11月2日，第一创业证券与平江县签署“一司一县”结对帮扶框架协议。

国家金融与发展实验室、第一创业证券联合主办“2016中国债券论坛”

证券简称: 环球印务　证券代码: 002799

2016年6月8日，环球印务在深圳证券交易所隆重挂牌上市。

上市仪式大合照

公司领导与嘉宾共同鸣钟开市

公司领导与深交所领导互赠上市纪念品

中国证券市场新闻图片汇展
首发上市公司

证券简称: 张家港行　　证券代码: 002839

党委书记、董事长王自忠先生在上市仪式上致辞

张家港行副董事长、行长季颖先生致辞

张家港行董事、监事、高级管理人员合影

上市公司领导与嘉宾共同鸣钟开市

证券简称: 和胜股份　　证券代码: 002824

2017年1月12日，和胜股份成功登陆深交所主板（上市仪式大合照）

上市公司领导与嘉宾共同鸣钟开市

2016年春茗晚会

李建湘董事长在公司上市仪式上致辞

NEWS PHOTOS 新闻图片

中泰证券股份有限公司

2016年3月7日，中泰证券董事长李玮在小组发言中建言资本市场改革创新。

2016年2月23日，中泰证券与山东重工集团战略合作签约仪式在济南举行。

2016年11月28日，山东中泰慈善基金会成立。

2016年12月28日，中国共产党中泰证券股份有限公司第一次代表大会在济南召开。

华龙证券股份有限公司

2016年4月，公司荣获“省长金融奖”

华龙证券公司2016年工作会议

2016年6月，公司赴舟曲县开展关怀贫困学子爱心助学主题活动

华龙证券公司建党95周年主题活动

中国证券市场新闻图片汇展

华宝兴业基金管理有限公司 ▼

郑安国董事长在复旦大学为学生颁发奖学金

华宝兴业基金荣获2016年度最佳海外投资基金公司大奖

黄小薏总经理在雪球嘉年华演讲

华宝兴业国际部总经理周晶领取上海金融办海外金才奖

新华基金管理股份有限公司 ▼

新华基金总经理张宗友与2017年度策略会参会嘉宾合影

研究总监张霖参加2017年度策略会

公司获得2016年度四项金牛大奖

投资总监崔建波在策略会上发言

NEWS PHOTOS
新闻图片

招商银行总行资产托管部

招商银行海外托管中心开业仪式

招行全功能网上托管银行2.0发布

第六届招商银行托管"金眼睛"奖颁奖典礼

《财资》2016年度中国最佳托管银行等三大托管奖

江苏银行资产托管部

江苏银行首次公开发行A股上市仪式领导合影

江苏银行合并重组十周年暨采纳赤道原则新闻发布会

2016年大资管时代下商业银行资管投资机会和托管服务创新研讨会圆满召开

江苏银行创造金融之美！

平安银行资产托管事业部

2016平安银行信托托管客户高峰论坛圆满召开

平安银行.花旗银行（中国）2016年跨境投资论坛顺利召开

何之江副行长会见中国银行业协会秘书长黄润中一行

平安银行网络借贷资金存管业务产品正式发布

财通证券资产管理有限公司

财通证券资管成立仪式

核心成员

权益团队合影（部分）

固收团队合影（部分）

中国驰名商标

SUN ASIA 圣亚®

大连圣亚旅游控股股份有限公司（以下简称“大连圣亚”，股票代码：600593）成立于 1994 年 1 月，2002 年上市，是国内第三代水族馆的开创者，东北旅游业首家上市公司，国家文化产业基地，正在从国内领先的海洋极地主题乐园建设运营商转型为海洋主题全文化产业链打造者，并已初见成效。现有 8 家控股子公司，6 家参股公司。

2012 年，大连圣亚联手大连出版社、大白鲸世界文化发展有限公司等战略合作伙伴共同启动文化产业链贯通工程——“大白鲸计划”，着手打造室内儿童乐园、第五代海洋公园、水（海）岸城等文化旅游休闲及城市配套复合型产品，研发设计已经全部完成，正在通过合作、投资、技术输出与管理输出等多种方式推进实施，计划用十年时间将这条产业链打通，将“大白鲸”打造成中国的“蓝色迪士尼”。

【项目建设】

大连圣亚目前已建成运营景区景点：大连圣亚海洋世界景区，位于大连地标建筑、亚洲最大的星海广场西侧，星海公园内。包括圣亚海洋世界、圣亚极地世界、圣亚珊瑚世界、深海传奇、恐龙传奇五大场馆，是国家首批 AAAA 级旅游景区（点）。2005 年，独资建成“世界首座极地演艺游乐园”——哈尔滨极地馆，建成不久即成为哈尔滨国际冰雪节四大景区之一，并于 2009 年获评国家 AAAA 级旅游景区（点）。

大连圣亚“大白鲸计划”下游产品建成 / 在线项目：大白鲸世界儿童乐园、移动企鹅馆、鲸 MALL、第五代海洋馆（芜湖大白鲸海洋公园、淮安大白鲸龙宫嬉水世界）、镇江大白鲸世界水岸城、瓦房店大白鲸世界海岸城等项目。

【大白鲸计划】

2012 年，大连圣亚提出“大白鲸计划”，该计划是以“大白鲸世界”为统一品牌，以海洋文化原创内容为主题，综合运用图书、动漫、影视、演艺、游戏、主题乐园等形式，通过无形资源共享、协同推进的全产业链发展模式，实现链上企业共赢、整体竞争力倍增的跨地区、跨行业的大型文旅产业项目。其上游为海洋主题原创儿童文学，中游为主题动漫、影视、舞台剧、游戏及动漫衍生品等，下游以“海洋文化＋复合业态”的协同模式，打造室内儿童乐园、海洋动物复合生活商业业态、众客空间、水（海）岸城等多元产业跨界联盟的全产业链多产品生态圈。截止 2016 年 3 月，下游产品已落地全国 34 座城市。

股票简称：大连圣亚　股票代码：600593

地址：中国大连市沙河口区中山路 608-6-8 号
电话：86-0411-84581113　传真：86-0411-84685217
网址：www.sunasia.com　邮编：116023

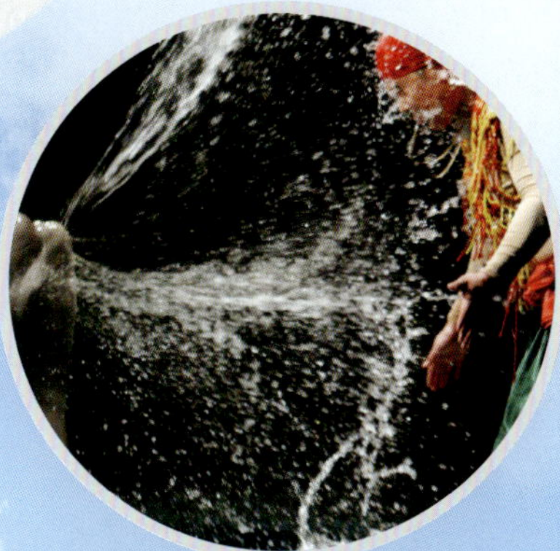

【企业荣誉】

在 20 多年的运营过程中，大连圣亚旅游控股股份有限公司先后获得亚洲大中华区最负胜名旅游景区、国家级科普教育基地、国家文化产业示范基地等殊荣，2008 年，圣亚成为了当时全国范围内唯一获准“中国驰名商标”的海洋极地主题旅游景区；并在 2008 年成为当时唯一蝉联中国广告节最高奖项“艾菲奖”金奖的中国旅游企业。2014、2015 年，圣亚凭借“不一样的圣亚：大连圣亚海洋世界”营销案例，获得“中国经典传播虎啸奖”优秀奖。

“大白鲸计划”也成绩斐然，截至 2016 年，“大白鲸世界”先后荣获“中国最具成长性商业品牌”、“中国优秀体验式创新儿童品牌奖”、“2014 中国儿童育乐知名品牌”、“中国商业地产优秀合作品牌”、“2015 中国体验商业知名品牌”、“2015 中国体验式商业地产(领航奖)”、“中国最佳体验式儿童品牌”等奖项；2015 年 4 月，“大白鲸世界”儿童乐园项目入选国家文化部“特色文化产业重点项目”(该项目全国入取 66 个，辽宁省入选 3 个，大连市仅入选 1 个)、中国商业地产行业发展论坛“中国最具成长性创新品牌”；镇江大白鲸世界水岸城项目则入选 2016 年度江苏省及镇江市重大产业项目。

大连圣亚将依托资本力量，上下游同步发力，聚集、整合产业链的优秀企业、团队，共同打造“大白鲸计划”一中国的“蓝色迪士尼”！

关注微信公众号
了解最新的活动

扫一扫二维码
官网边走边看

中国驰名商标
中华老字号

马应龙药业
MAYINGLONG PHARM

董事长：陈平先生

总经理：苏光祥先生

马应龙（600993.SH）创始于公元1582年，历经400多年的持续快速健康发展，如今已成长为一家专业化医药类上市公司。

马应龙深化实施品牌经营战略，坚持以肛肠及下消化道领域为核心定位，围绕大健康领域积极寻求发展机会；贯彻“工业重速度，商业重质量，诊疗重布局”的思路，聚焦核心优势领域，构建药品经营、诊疗技术、医疗服务的产业链，实现产业立体化和聚焦叠加。

经过多年发展，马应龙致力于肛肠及下消化道领域，马应龙麝香痔疮膏入选国家基本药物目录独家品种。据中康资讯最新市场调研数据表明，马应龙在痔疮药品零售市场销售量的占有率高。

公司生产功能齐全，肛肠及下消化道类产品生产剂型范围已涵盖膏、栓、中药饮片、口服、片剂、洗剂等，生产功能超过30种剂型，拥有马应龙麝香痔疮膏、麝香痔疮栓、龙珠软膏等独家药品超过20个品种，可供生产的国药准字号药品超过300种。各类软膏年生产能力近亿支，栓剂生产能力过亿粒。生产设施先进，主要品种生产流水线及配套设施的技术水平领先。马应龙及旗下子公司分别通过了国家药监局GMP、GSP质量管理规范体系认证，获得国际权威机构SGS颁发的环境管理体系ISO14000和职业安全与健康管理体系OHSAS18000的认证，在医药行业内率先实现了“三认证”。

选品质 马应龙 四百年精于品质 马应龙一脉相承

技术创新体系达到国内先进水平。公司秉承产品经营与资本经营相结合的理念，以市场为导向，以广泛合作的方式开展药品研发，通过资本经营加强对外新产品的引进，提高了产品的技术含量和附加值。与北京大学药学院、中国药科大学等多家科研机构建立了长期的战略合作关系，经国家人事部核准与北京大学共同组建了博士后工作站，公司被评定为高新技术企业，研发中心被国家发改委、科技部等五部委认定为“国家级企业技术中心”，创新药物研发团队被湖北省委组织部认定为首批“湖北省重点产业创新团队”。

证券简称：马应龙　证券代码：600993

积极寻求产业链的延伸，成立肛肠连锁专科医院，实现由肛肠药品经营向肛肠疾病医疗领域延伸，实现“从药到医，从医到药”的良性互动循环；介入肛肠诊断制剂领域，与达安基因达成强强合作，发起设立马应龙达安公司，专业开发肛肠诊断制剂市场；成立湖北马应龙八宝生物技术有限公司，加快化妆品产业发展步伐。

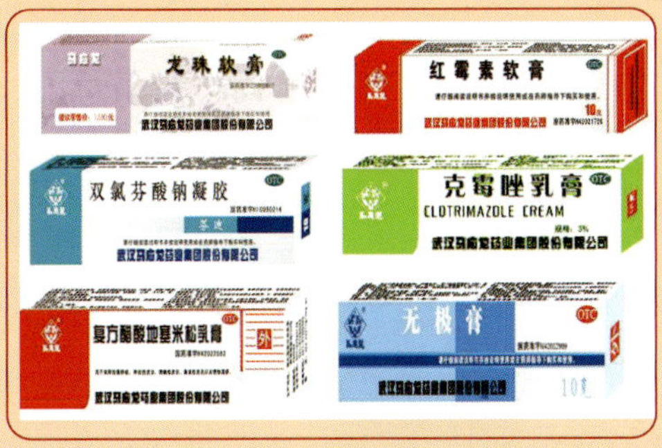

传承四百多年的历史文化，公司已逐步形成了有马应龙特色的企业文化体系。公司秉承“为顾客创造健康，为股东创造财富，为员工创造机会，为社会创造效益”的经营宗旨，倡导“以真修心，以勤修为”的哲学观、“稳健经营、协调发展”的经营观、“资源增值”的价值观，弘扬“龙马精神”的企业精神。马应龙将以实现中药现代化为己任，在品牌经营战略的指引下与时俱进，继往开来。

文化

马应龙

MA YING LONG WEN HUA

企业精神：龙马精神

价值观：资源增值

哲学观：以真修心，以勤修为

经营观：稳健经营，协调发展

经营宗旨：为顾客创造健康，为股东创造财富，为员工创造机会，为社会创造效益。

多层次、专业化、综合性的法律服务

2015-2016年国枫部分荣誉 »

· 卓越律所大奖——资本市场领域（商法，2016）
· 2016年度杰出交易（商法，2016）
· 资本市场国内发行领域领先律所（Chambers and Patners，2016）
· 亚洲股权及股权相关发行商法律顾问10强（汤森路透，2016）
· 2016年（VC/PE支持）中国企业境内上市法律顾问机构10强（清科集团，2016）
· 年度最佳证券与资本市场：国内发行律师事务所（LEGALBAND, 2016）
· 卓越律所大奖——资本市场领域（商法，2015）
· 中国A股首次公开发行发行商法律顾问第四位（汤森路透，2015）
· 中国A股股权及股权相关发行商法律顾问第四位（汤森路透，2015）
· 亚洲股权及股权相关发行商法律顾问第九位（汤森路透，2015）
· 资本市场国内发行领域领先律所（Chambers，2015）
· 中国律所品牌50强（LEGALBAND，2015）
· 亚太律师事务所100强（The Lawyer，2015）
· 2015年（VC/PE支持）中国企业新三板挂牌法律顾问机构10强（中国创业投资暨私募股权投资年度排名，2015）
· 2015年（VC/PE支持）中国企业境内上市法律顾问机构10强（中国创业投资暨私募股权投资年度排名，2015）
· IPO项目优秀律师事务所:深圳创业板五强、深圳中小板十强、上海主板十强（商法，2015）
· 年度最佳证券与资本市场国内发行律师事务所（LEGALBAND，2015）

德恒律师事务所
Deheng Law Offices

德恒创立于 1993 年 1 月，原为司法部下属的中国律师事务中心，与中国改革开放同步发展至今，已成为中国领先的大规模综合性律所，拥有 32 个国内外分支机构和包括一百多家合作机构在内的全球服务网络。

2016 年，德恒实现了高质量的快速增长。其表现包括：

在人员方面，德恒在合伙人和律师队伍上保持了一定速度的增长，全所的 Fee-earners 超过 2000 人，其中合伙人超过 400 名。

在分支机构方面，德恒今年新设了芝加哥办公室，与原来的纽约办公室一起形成了更有效的北美服务网络；并在原来迪拜办公室的基础上，将其扩张为中东办公室，提升了在中东北非一带的全面法律服务能力。2017 年 1 月，德恒无锡办公室开业，华东地区服务网络得到进一步强化。在 2017 年，德恒将继续强化全球服务网络。

在营收方面，德恒的收入增长速度明显高于人员增长速度，其关键原因在于德恒已经超越了规模化发展的阶段，通过提升内部管理，强化信息建设，推动专业化和一体化，进入内涵式增长阶段。

1、在专业化方面，德恒更新了专业委员会的设置并将其实体化，明确专业分工，提升专业服务水平。

以证券专委会为例，作为德恒内部最大的专委会之一，其成员超过 400，遍布所有办公室，专委会在内核风控、业务培训、知识管理等方面，做了卓有成效的工作，明显提升了德恒在证券领域的服务水平和综合竞争力。汤森路透发布的 2016 年度资本市场统计数据表明，德恒在中国 A 股股权及股权相关、中国 A 股首次公开发行、中国公司境外股权及股权相关发行、亚太地区 G3 债券等几乎所有领域全面进入前列。

2016 城市建设 PPP 专家高峰论坛暨德恒建设地产专委会年会在重庆举行

2016 年 6 月 27 日，德恒芝加哥分所正式挂牌成立。

王丽主任受邀为中组部机关事务管理局作“依法治国、从严治党”法律基础知识专题讲座

2、在一体化方面，德恒设立了分支机构管理中心，加强全所在业务管理、财务管理、人员管理、作业标准等领域的统一，已取得明显成效。在继续提升全国一体化水平的基础上，德恒还将积极推动国际一体化进程。

3、在信息化方面，德恒继续加大 IT 投入，建设了新的网站、邮箱系统和 OA 系统。在今后的两三年内，德恒将构建一个律师集成办公系统，把所有的信息集成在一个平台上面，实现全移动的办公，让每个律师都能非常方便地得到数据和文件的支持，提高效率和规范化、降低风险。

正是这一系列的改进完善，使德恒作为一个老牌大所，重获澎湃增长动力。2016 年度，德恒在主要法律服务领域，如资本市场、并购、银行金融、跨境、国际工程、PPP、破产重整、劳动法、反垄断、反倾销以及诉讼等诸多领域皆取得骄人业绩。如德恒承办的联盛集团破产案是迄今为止国内第一大破产重整案件，该案涉及债权数百亿，涉及员工约 1.8 万人；在诉讼领域，德恒承办了奚晓明案、周本顺案、天津“8.12 爆炸案”、徐翔等人操纵市场案等一批在社会上有重大影响力的案件；在 A 股和 H 股市场，德恒都取得了优秀业绩，增长势头明显；去年德恒在并购方面仅公开披露的交易金额就超过了 2600 亿的规模；德恒服务了包括 360 退市在内的多个高科技企业美国退市收购项目，以及国开行与俄罗斯外经银行金额为 80 亿美元的框架协议；德恒有律师一年内服务的 PPP 项目金额近 800 亿元；德恒还服务了一带一路上的诸多重大的标杆性项目，等等。2016 年，德恒屡获“年度并购律所大奖”、“年度最佳股票市场交易大奖”等各大法律媒体和评级机构的专业奖项。由于优秀的业务表现，德恒各主要办公室保持了 40% 以上的收入增长。

未来，德恒将继续砥砺前行，不断提升服务质量和客户体验，成长为一家专业领先的国际化律师事务所。

德恒昆明在 4 年时间里已帮助 30 多位澜沧籍大学生圆了读书梦，而这不过是冰山一角。

2016 年 10 月 18 日“一带一路”首家调解中心挂牌

2016 年 12 月 2 日，德恒律师事务所证券专业委员会在三亚亚龙湾瑞吉度假酒店隆重召开

为适应世界经济一体化和法律服务国际化的需求，锦天城同全球众多不同司法领域的律师事务所建立了稳定的合作关系，在争议解决、商业投资、跨境并购和贸易的交易和案件中开展广泛的合作。锦天城每年参与国际律师培训项目，这一培训项目为锦天城培养了很多具有国际视野的专业律师。

锦天城于 2013 年在香港设立分所，并与香港史蒂文生黄律师事务所联营，在香港为本地和国际客户复杂而高标准的商业、投资活动竭尽所能地提供周全的解决方案。2015 年 1 月经广东省司法厅核准，事务所和香港史蒂文生黄事务所合作设立了锦天城史蒂文生黄（前海）联营律师事务所，为前海深港合作现代服务区的建设提供全方位、高效率的法律服务。

此外，为进一步完善全国服务网络，我们还与全国多个地区的优秀律师事务所共同发起成立了中世律所联盟(SGLA)，这也是中国大陆地区第一个国际性的律师事务所合作网络，十四家成员律师事务所直接覆盖中国十多个最主要城市和地区，为当地客户提供法律服务。

步長制藥 BUCHANG PHARMA

中国的辉瑞
世界的步长

▲ 步长制药

山东步长制药股份有限公司（简称“步长制药”,证券代码603858）成立于2001年，并于2012年完成股份制改制，总股本6.12亿股，目前拥有23家子公司、2家参股公司。2015年末公司总资产规模157亿元、当年销售收入116亿元、净利润35亿元，公司在国家药监局南方医药经济研究所评选的“2014年度中国制药工业百强榜”中排名第七位，在“2015年度中国制药工业百强榜”中排名第六，公司已跻身国内最大的制药企业之列。步长制药IPO通过证监会发审会审核，已于2016年11月18日于上海证券交易所挂牌上市，正式登陆中国资本市场。

证券简称：步长制药　　证券代码：603858

在近16年的发展中，步长制药构建了清晰的发展战略，“聚焦大病种、培育大品种”，公司以专利中成药为核心，致力于中药现代化，充分发挥了中药在心脑血管这一“大病、慢病”领域中的重要作用，形成了立足心脑血管市场、覆盖中成药传统优势领域、聚焦大病种、培育大品种的立体产品格局。

▲ 步长工业园

公司目前可生产胶囊剂、颗粒剂、针剂等多种剂型，截至2015年12月31日，公司年销售收入过亿品种10个、过五千万品种17个，收录《国家医保目录》品种160多种，收录《国家基本药物目录》品种40余种，在研品种近180个。未来，公司将布局大健康产业，以专利中药为基础，积极开拓生物制药、互联网医药（移动医疗、穿戴医疗、电商等）、保健品、医疗器械、医院等。随着中国的强大和崛起，步长制药将进一步深化全球布局，通过产品并购和企业并购，向千亿市值公司奋斗和努力。

步长制药的成长得益我国市场经济体制改革和医疗卫生体制改革，更与山东地区良好的投资环境密不可分。“中国的辉瑞，世界的步长”是公司的愿景，公司将继续为地区经济发展、医药医疗行业发展做出应有贡献，并以优良的业绩回馈投资人，回馈社会。

▲ 董事长：赵涛先生

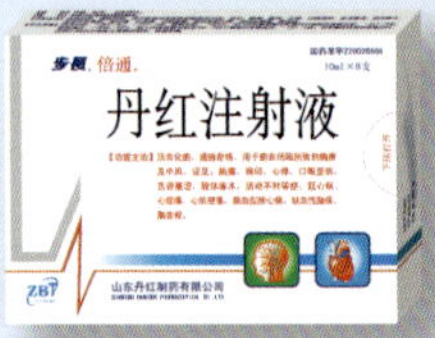

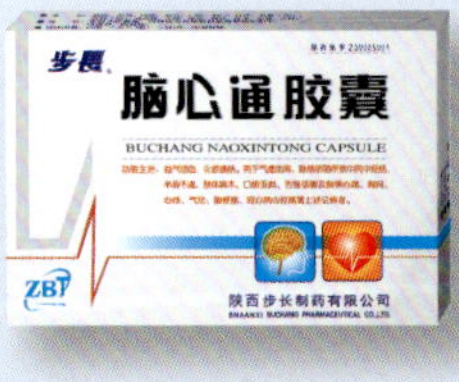

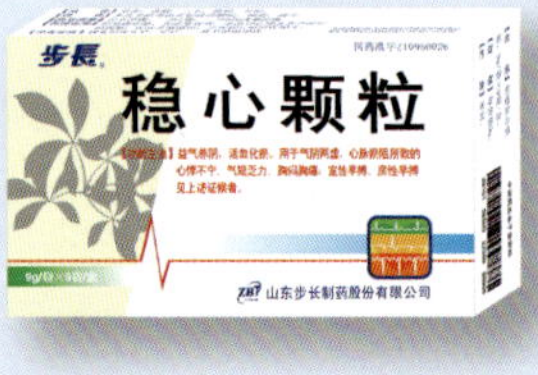

第一编
专论

专　论

2016 年国民经济和社会发展统计公报[1]

中华人民共和国国家统计局

2016 年，面对复杂多变的国际环境和国内繁重艰巨的改革发展稳定任务，在以习近平同志为核心的党中央坚强领导下，各地区各部门全面贯彻党的十八大和十八届三中、四中、五中、六中全会精神，认真落实党中央、国务院决策部署，统筹推进"五位一体"总体布局和协调推进"四个全面"战略布局，坚持稳中求进工作总基调，坚持新发展理念，以推进供给侧结构性改革为主线，适度扩大总需求，坚定推进改革，妥善应对风险挑战，引导形成良好社会预期，经济社会保持平稳健康发展，实现了"十三五"良好开局。

一、综合

初步核算，全年国内生产总值[2]744 127 亿元，比上年增长 6.7%。其中，第一产业增加值 63 671 亿元，增长 3.3%；第二产业增加值 296 236 亿元，增长 6.1%；第三产业增加值 384 221 亿元，增长 7.8%。第一产业增加值占国内生产总值的比重为 8.6%，第二产业增加值比重为 39.8%，第三产业增加值比重为 51.6%，比上年提高 1.4 个百分点。全年人均国内生产总值 53 980 元，比上年增长 6.1%。全年国民总收入[3] 742352 亿元，比上年增长 6.9%。

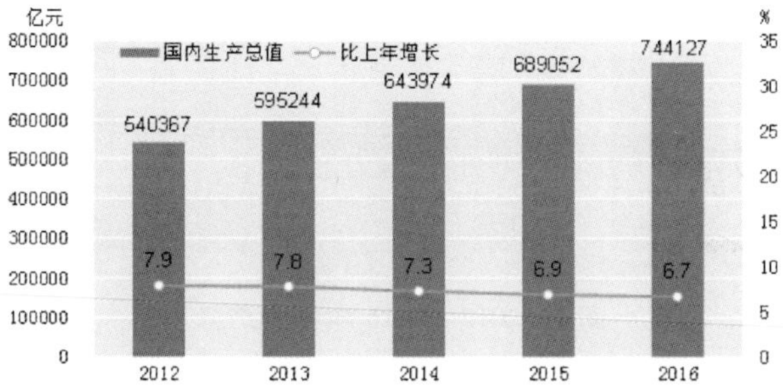

图 1　2012 – 2016 年国内生产总值及其增长速度

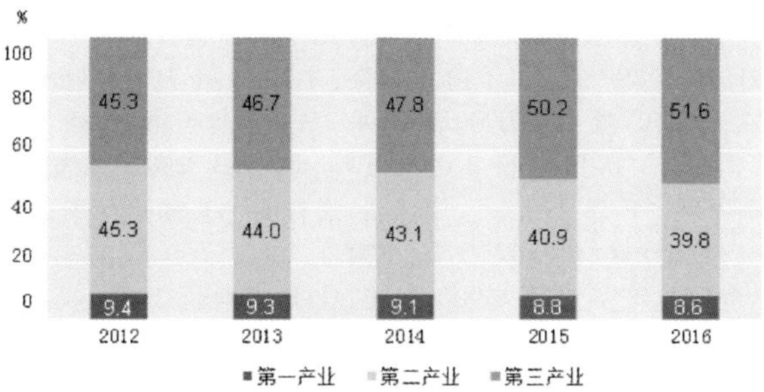

图 2　2012 – 2016 年三次产业增加值占国内生产总值比重

年末全国大陆总人口 138 271 万人，比上年末增加 809 万人，其中城镇常住人口 79 298 万人，占总人口比重（常住人口城镇化率）为 57.35%，比上年末提高 1.25 个百分点。户籍人口城镇化率为 41.2%，比上年末提高 1.3 个百分点。全年出生人口 1 786 万人，出生率为 12.95‰；死亡人口 977 万人，死亡率为 7.09‰；自然增长率为 5.86‰。全国人户分离的人口[4]2.92 亿人，其中流动人口[5]2.45 亿人。

表 1　2016 年年末人口数及其构成

指　标	年末数（万人）	比重（%）
全国总人口	138271	100.0
其中：城镇	79298	57.35
乡村	58973	42.65
其中：男性	70815	51.2
女性	67456	48.8
其中：0 – 15 岁（含不满 16 周岁）[6]	24438	17.7
16 – 59 岁（含不满 60 周岁）	90747	65.6
60 周岁及以上	23086	16.7
其中：65 周岁及以上	15003	10.8

年末全国就业人员 77 603 万人，其中城镇就业人员 41 428 万人。全年城镇新增就业 1 314 万人。年末城镇登记失业率为 4.02%。全国农民工[7]总量 28171 万人，比上年增长 1.5%。其中，外出农民工 16 934 万人，增长 0.3%；本地农民工 11 237 万人，增长 3.4%。

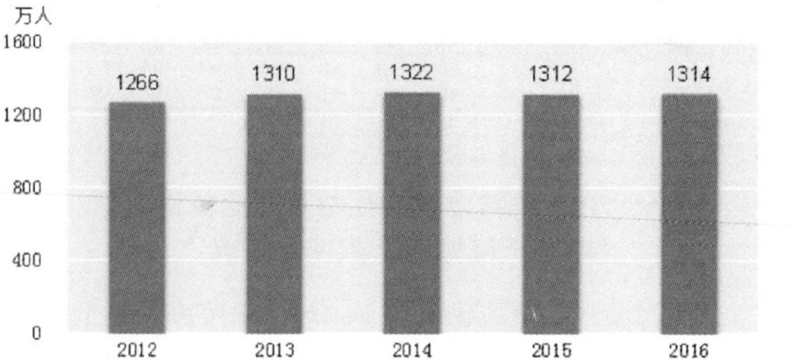

图 3　2012 – 2016 年城镇新增就业人数

全年全员劳动生产率[8]为 94825 元/人，比上年提高 6.4%。

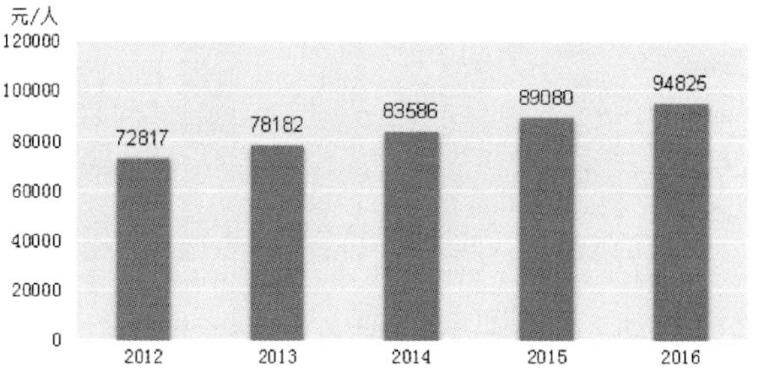

图 4　2012 – 2016 年全员劳动生产率

全年居民消费价格比上年上涨 2.0%。工业生产者出厂价格下降 1.4%。工业生产者购进价格下降 2.0%。固定资产投资价格下降 0.6%。农产品生产者价格[9]上涨 3.4%。

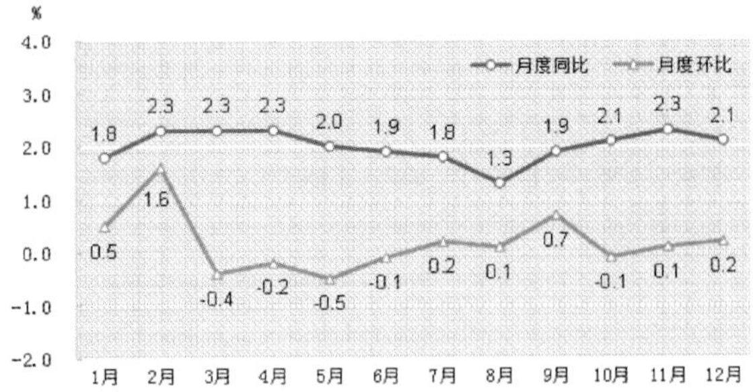

图 5　2016 年居民消费价格月度涨跌幅度

表 2　2016 年居民消费价格比上年涨跌幅度

单位：%

指　标	全国	城市	农村
居民消费价格	2.0	2.1	1.9
其中：食品烟酒	3.8	3.7	4.0
衣着	1.4	1.5	1.3
居住[10]	1.6	1.9	0.6
生活用品及服务	0.5	0.5	0.2
交通和通信	-1.3	-1.4	-1.1
教育文化和娱乐	1.6	1.5	1.9
医疗保健	3.8	4.4	2.5
其他用品和服务	2.8	2.9	2.2

12 月份 70 个大中城市新建商品住宅销售价格月同比上涨的城市个数为 65 个，下降的为 5 个；月环比上涨的城市个数为 46 个，比年内高点减少 19 个，持平的为 4 个，下降的为 20 个。

	1月	2月	3月	4月	5月	6月	7月	8月	9月	10月	11月	12月
上涨	38	47	62	65	60	55	51	64	63	62	55	46
持平	8	8	0	0	6	5	3	2	1	1	4	4
下降	24	15	8	5	4	10	16	4	6	7	11	20

图 6　2016 年新建商品住宅月环比价格上涨、持平、下降城市个数变化情况

全年全国一般公共预算收入 159 552 亿元，比上年同口径[11]增加 6 828 亿元，增长 4.5%，其中税收收入 130 354 亿元，增加 5 432 亿元，增长 4.3%。

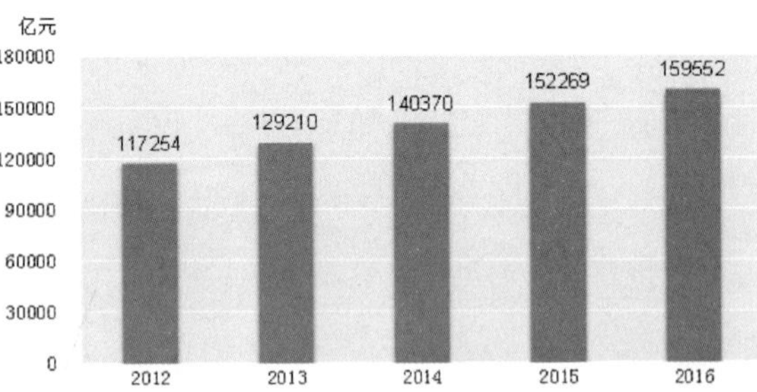

注：图中 2012 年至 2015 年数据为全国一般公共预算收入决算数，2016 年为执行数。

图 7　2012 - 2016 年全国一般公共预算收入

年末国家外汇储备 30 105 亿美元，比上年末减少 3 198 亿美元。全年人民币平均汇率为 1 美元兑 6.6423 元人民币，比上年贬值 6.2%。

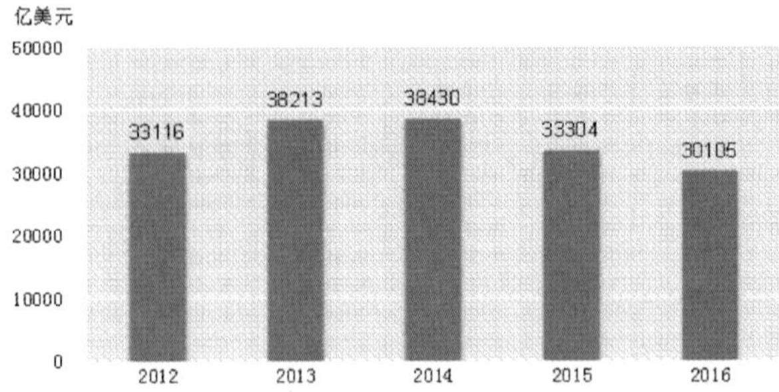

图 8　2012 - 2016 年年末国家外汇储备

二、农业

全年粮食种植面积 11 303 万公顷，比上年减少 31 万公顷。其中，小麦种植面积 2 419 万公顷，增加 5 万公顷；稻谷种植面积 3 016 万公顷，减少 5 万公顷；玉米种植面积 3 676 万公顷，减少 136 万公顷。棉花种植面积 338 万公顷，减少 42 万公顷。油料种植面积 1412 万公顷，增加 8 万公顷。糖料种植面积 168 万公顷，减少 6 万公顷。

全年粮食产量 61 624 万吨，比上年减少 520 万吨，减产 0.8%。其中，夏粮产量 13 920 万吨，减产 1.2%；早稻产量 3278 万吨，减产 2.7%；秋粮产量 44 426 万吨，减产 0.6%。全年谷物产量 56 517 万吨，比上年减产 1.2%。其中，稻谷产量 20 693 万吨，减产 0.6%；小麦产量 12 885 万吨，减产 1.0%；玉米产量 21955 万吨，减产 2.3%。

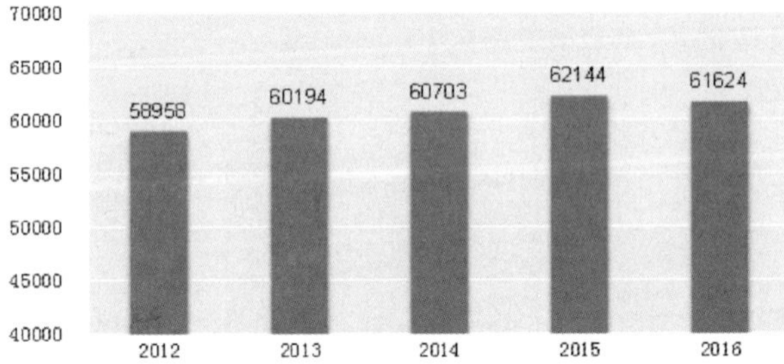

图 9　2012 - 2016 年粮食产量

全年棉花产量 534 万吨，比上年减产 4.6%。油料产量 3 613 万吨，增产 2.2%。糖料产量 12299 万吨，减产 1.6%。茶叶产量 241 万吨，增产 7.4%。

全年肉类总产量 8 540 万吨，比上年下降 1.0%。其中，猪肉产量 5 299 万吨，下降 3.4%；牛肉产量 717 万吨，增长 2.4%；羊肉产量 459 万吨，增长 4.2%；禽肉产量 1 888 万吨，增长 3.4%。禽蛋产量 3 095 万吨，增长 3.2%。牛奶产量 3 602 万吨，下降 4.1%。年末生猪存栏 43 504 万头，下降 3.6%；生猪出栏 68 502 万头，下降 3.3%。

全年水产品产量 6 900 万吨，比上年增长 3.0%。其中，养殖水产品产量 5 156 万吨，增长 4.4%；捕捞水产品产量 1 744 万吨，下降 1.0%。

全年木材产量 6 683 万立方米，比上年下降 7.0%。

全年新增耕地灌溉面积 118 万公顷，新增节水灌溉面积 211 万公顷。

三、工业和建筑业

全年全部工业增加值 247 860 亿元，比上年增长 6.0%。

规模以上工业增加值增长6.0%。在规模以上工业中，分经济类型看，国有控股企业增长2.0%；集体企业下降1.3%，股份制企业增长6.9%，外商及港澳台商投资企业增长4.5%；私营企业增长7.5%。分门类看，采矿业下降1.0%，制造业增长6.8%，电力、热力、燃气及水生产和供应业增长5.5%。

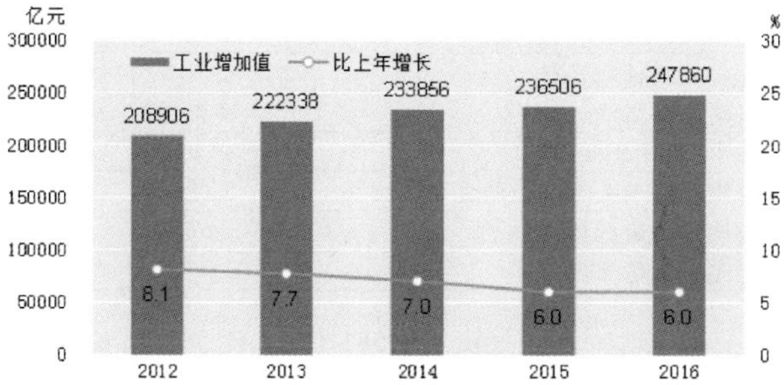

图10　2012－2016年全部工业增加值及其增长速度

全年规模以上工业中，农副食品加工业增加值比上年增长6.1%，纺织业增长5.5%，化学原料和化学制品制造业增长7.7%，非金属矿物制品业增长6.5%，黑色金属冶炼和压延加工业下降1.7%，通用设备制造业增长5.9%，专用设备制造业增长6.7%，汽车制造业增长15.5%，电气机械和器材制造业增长8.5%，计算机、通信和其他电子设备制造业增长10.0%，电力、热力生产和供应业增长4.8%。工业战略性新兴产业[12]增加值增长10.5%。高技术制造业[13]增加值增长10.8%，占规模以上工业增加值的比重为12.4%。装备制造业[14]增加值增长9.5%，占规模以上工业增加值的比重为32.9%。六大高耗能行业[15]增加值增长5.2%，占规模以上工业增加值的比重为28.1%。

表3　2016年主要工业产品产量及其增长速度

产品名称	单位	产量	比上年增长(%)
纱	万吨	3732.6	5.5
布	亿米	906.8	1.6
化学纤维	万吨	4943.7	2.3
成品糖	万吨	1443.3	-2.1
卷烟	亿支	23825.8	-8.0
彩色电视机	万台	15769.6	8.9
其中:液晶电视机	万台	15713.6	9.2
其中:智能电视	万台	9310.1	11.1
家用电冰箱	万台	8481.6	6.1
民间空气调节器	万台	14342.4	1.0
一次能源生产总量	亿吨标准煤	34.6	-4.2
原煤	亿吨	34.1	-9.0
原油	万吨	19968.5	-6.9
天然气	亿立方米	1368.7	1.7
发电量	亿千瓦小时	61424.9	5.6
其中:火电[16]	亿千瓦小时	44370.7	3.6
水电	亿千瓦小时	11933.7	5.6
核电	亿千瓦小时	2132.9	24.9
粗钢	万吨	80836.6	0.6
钢材[17]	万吨	113801.2	1.3
十种有色金属	万吨	5310.3	3.0
其中:精炼铜(电解铜)	万吨	843.6	6.0
原铝(电解铝)	万吨	3187.3	1.5
水泥	亿吨	24.1	2.3
硫酸(折100%)	万吨	8889.1	-1.0
烧碱(折100%)	万吨	3283.9	8.7
乙烯	万吨	1781.1	3.9
化肥(折100%)	万吨	7128.6	-4.1
发电机组(发电设备)	万千瓦	13218.4	6.3
汽车	万辆	2811.9	14.8
其中:基本型乘用车(轿车)	万辆	1211.1	4.1
运动型多用途乘用车(SUV)	万辆	914.4	51.8
其中:新能源汽车	万辆	45.9	40.0
大中型拖拉机	万台	63.0	-8.5
集成电路	亿块	1318.0	21.2
程控交换机	万线	1457.7	-22.5
移动通信手持机	万台	205819.3	13.6
其中:智能手机	万台	153764.1	9.9
微型计算机设备	万台	29008.5	-7.7
工业机器人	台(套)	72426.0	30.4

年末全国发电装机容量164 575万千瓦，比上年末增长8.2%。其中[18]，火电装机容量105 388万千瓦，增长5.3%；水电装机容量33 211万千瓦，增长3.9%；核电装机容量3 364万千瓦，增长23.8%；并网风电装机容量14 864万千瓦，增长13.2%；并网太阳能发电装机容量7 742万千瓦，增长81.6%。

全年规模以上工业企业实现利润68 803亿元，比上年增长8.5%。分经济类型看，国有控股企业实现利润11 751亿元，比上年增长6.7%；集体企业477亿元，下降4.2%，股份制企业47 197亿元，增长8.3%，外商及港澳台商投资企业17 352亿元，增长12.1%；私营企业24 325亿元，增长4.8%。分门类看，采矿业实现利润1 825亿元，比上年下降27.5%；制造业62 398亿元，增长12.3%；电力、热力、燃气及水生产和供应业4 580亿元，下降14.3%。全年规模以上工业企业每百元主营业务收入中的成本为85.52元，比上年下降0.1元。年末规模以上工业企业资产负债率为55.8%，比上年末下降0.4个百分点。

全年全社会建筑业增加值49 522亿元，比上年增长6.6%。全国具有资质等级的总承包和专业承包建筑业企业实现利润6 745亿元，增长4.6%。其中，国有控股企业1 879亿元，增长6.8%。

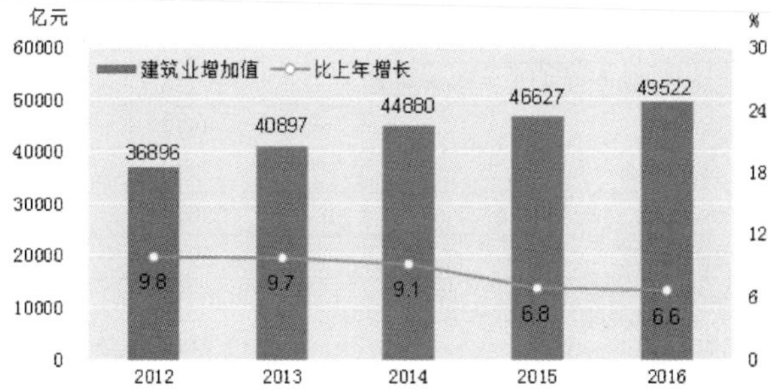

图11　2012－2016年建筑业增加值及基增长速度

四、固定资产投资

全年全社会固定资产投资606 466亿元，比上年增长7.9%，扣除价格因素，实际增长8.6%。其中，固定资产投资(不含农户)596 501亿元，增长8.1%。分区域看[19]，东部地区投资249 665亿元，比上年增长9.1%；中部地区投资156 762亿元，增长12.0%；西部地区投资154 054亿元，增长12.2%；东北地区投资30 642亿元，下降23.5%。

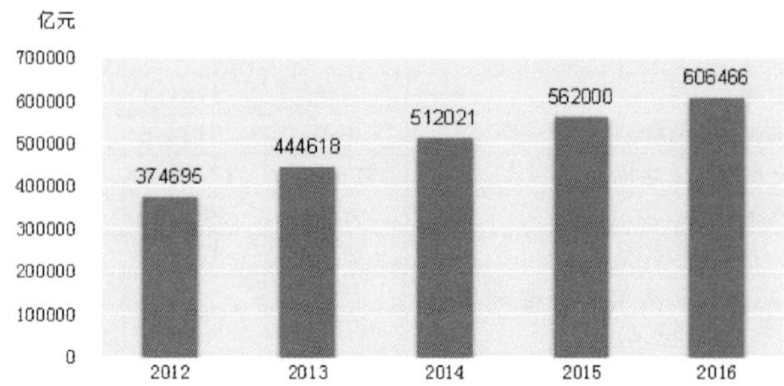

图 12　2012－2016 年全社会固定资产投资

在固定资产投资（不含农户）中，第一产业投资 18 838 亿元，比上年增长 21.1%；第二产业投资 231 826 亿元，增长 3.5%；第

三产业投资 345 837 亿元，增长 10.9%。基础设施投资[20] 118 878 亿元，增长 17.4%，占固定资产投资（不含农户）的比重为 19.9%。民间固定资产投资[21] 365 219 亿元，增长 3.2%，占固定资产投资（不含农户）的比重为 61.2%。高技术产业投资[22] 37 747 亿元，增长 15.8%，占固定资产投资（不含农户）的比重为 6.3%。六大高耗能行业投资 66 376 亿元，增长 3.1%，占固定资产投资（不含农户）的比重为11.1%。农林牧渔业、水利、环境保护等短板领域投资快速增长。

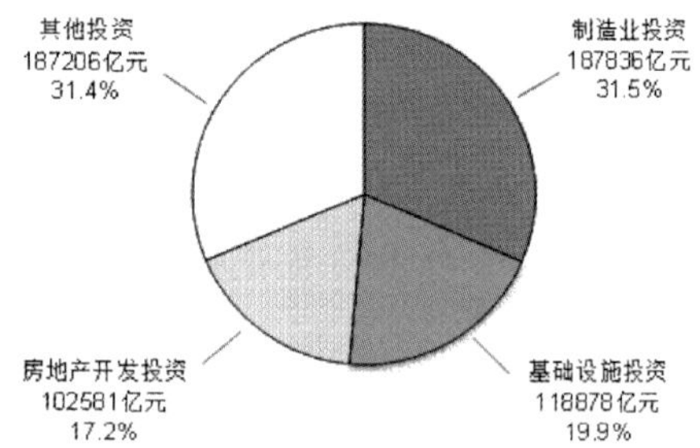

图 13　2016 年按领域分固定资产投资（不含农户）及其占比

表 4　2016 年分行业固定资产投资（不含农户）及其增长速度

行　业	投资额（亿元）	比上年增长（%）
总计	596501	8.1
农、林、牧、渔业	22774	19.5
采矿业	10320	－20.4
制造业	187836	4.2
电力、热力、燃气及水生产和供应业	29736	11.3
建筑业	4577	－6.5
批发和零售业	17939	－4.0
交通运输、仓储和邮政业	53628	9.5
住宿和餐饮业	5947	－8.6
信息传输、软件和信息技术服务业	6319	14.5
金融业	1310	－4.2
房地产业[23]	135284	6.8
租赁和商务服务业	12316	30.5
科学研究和技术服务业	5568	17.2
水利、环境和公共设备管理业	68647	23.3
居民服务、修理和其他服务业	2677	1.8
教育	9324	20.7
卫生和社会工作	6282	21.4
文化、体育和娱乐业	7830	16.4
社会管理、社会保障和社会组织	8188	4.3

表 5　2016 年固定资产投资新增主要生产与运营能力

指　标	单位	绝对数
新增 220 千伏及以上变电设备	万千伏安	24336
新建铁路投产里程	公里	3281
其中：高速铁路[24]	公里	1903
增、新建铁路复线投产里程	公里	3612
电气化铁路投产里程	公里	5899
新改建公路里程	公里	324898
其中：高速公路	公里	6745
港口万吨级码头泊位新增吞吐能力	万吨	32436
新增民用运输机场	个	8
新增光缆线路长度	万公里	554

全年房地产开发投资 102 581 亿元，比上年增长 6.9%。其中，住宅投资 68 704 亿元，增长 6.4%；办公楼投资 6 533 亿元，增长 5.2%；商业营业用房投资 15 838 亿元，增长 8.4%。年末商品房待售面积 69 539 万平方米，比上年末减少 2 314 万平方米。年末商品住宅待售面积 40 257 万平方米，比上年末减少 4 991 万平方米。

全年全国城镇棚户区住房改造开工 606 万套，棚户区改造和公租房基本建成 658 万套。全年全国农村地区建档立卡贫困户危房改造 158 万户[25]。

表 6　2016 年房地产开发和销售主要指标及其增长速度

指　标	单位	绝对数	比上年增长（%）
投资额	亿元	102581	6.9
其中：住宅	亿元	68704	6.4
其中：90 平方米及以下	亿元	24772	0.5
房屋施工面积	万平方米	758975	3.2
其中：住宅	万平方米	521310	1.9
房屋新开工面积	万平方米	166928	8.1
其中：住宅	万平方米	115911	8.7
房屋竣工面积	万平方米	106128	6.1
其中：住宅	万平方米	77185	4.6
商品房销售面积	万平方米	157349	22.5
其中：住宅	万平方米	137540	22.4
本年到位资金	亿元	144214	15.2
其中：国内贷款	亿元	21512	6.4
个人按揭贷款	亿元	24403	46.5

五、国内贸易

全年社会消费品零售总额 332 316 亿元，比上年增长10.4%，扣除价格因素，实际增长 9.6%。按经营地统计，城镇消费品零售额 285 814 亿元，增长 10.4%；乡村消费品零售额 46 503 亿元，增长 10.9%。按消费类型统计，商品零售额 296 518 亿元，增长 10.4%；餐饮收入额 35 799 亿元，增长10.8%。

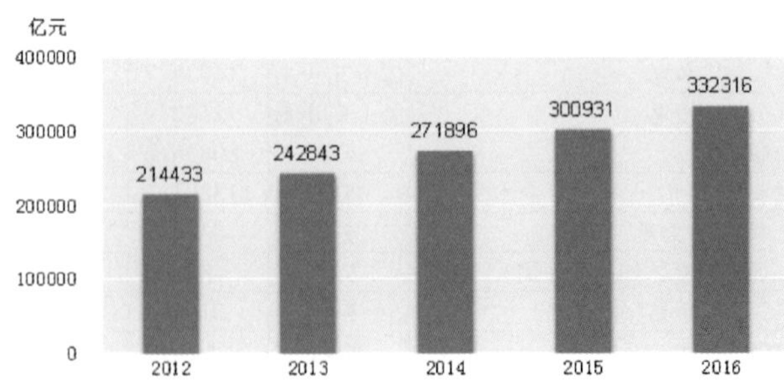

图 14　2012－2016 年社会消费品零售总额

在限额以上企业商品零售额中，粮油、食品、饮料、烟酒类零售额比上年增长 10.5%，服装、鞋帽、针纺织品类增长 7.0%，化妆品类增长 8.3%，金银珠宝类与上年持平，日用品类增长 11.4%，家用电器和音像器材类增长 8.7%，中西药品类增长 12.0%，文化办公用品类增长 11.2%，家具类增长 12.7%，通讯器材类增长 11.9%，建筑及装潢材料类增长 14.0%，汽车类增长 10.1%，石油及制品类增长 1.2%。

全年网上零售额[26]51 556 亿元，比上年增长 26.2%。其中网上商品零售额 41 944 亿元，增长 25.6%，占社会消费品零售总额的比重为 12.6%。在网上商品零售额中，吃类商品增长 28.5%，穿类商品增长 18.1%，用类商品增长 28.8%。

六、对外经济[27]

全年货物进出口总额 243 386 亿元，比上年下降 0.9%。其中，出口 138 455 亿元，下降 1.9%；进口 104 932 亿元，增长 0.6%。货物进出口差额（出口减进口）33 523 亿元，比上年减少 3 308 亿元。对“一带一路”[28]沿线国家进出口总额 62 517亿元，比上年增长 0.5%。其中，出口 38 319 亿元，增长 0.5%；进口 24 198 亿元，增长 0.4%。

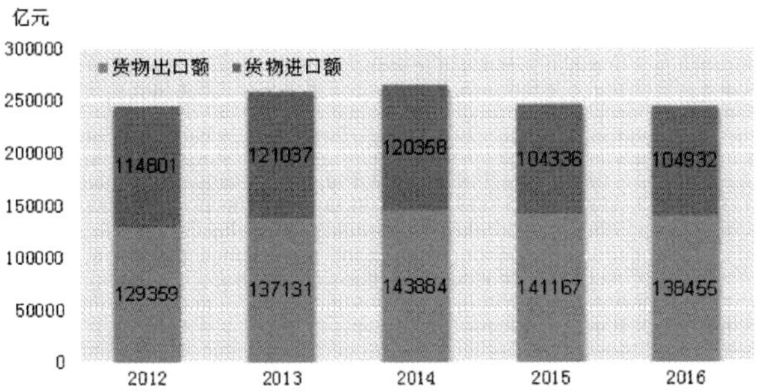

图 15　2012－2016 年货物进出口总额

表 7　2016 年货物进出口总额及其增长速度

指　标	金额（亿元）	比上年增长（%）
货物进出口总额	243386	-0.9
货物出口额	138455	-1.9
其中：一般贸易	74601	-1.1
加工贸易	47237	-4.6
其中：机电产品	79820	-1.9
高新技术产品	39876	-2.1
货物进口额	104932	0.6
其中：一般贸易	59398	3.7
加工贸易	26223	-5.5
其中：机电产品	50985	1.9
高新技术产品	34618	1.8
货物进出口差额（出口减进口）	33523	-

表 8　2016 年主要商品出口数量、金额及其增长速度

商品名称	单位	数量	比上年增长(%)	金额（亿元）	比上年增长(%)
煤（包括褐煤）	万吨	879	64.6	46	48.0
钢材	万吨	10849	-3.5	3587	-7.8
纺织纱线、织物及制品	-	-	-	6925	1.9
服装及衣着附件	-	-	-	10413	-3.7
鞋类	万吨	422	-5.6	3113	-6.2
家具及其零件	-	-	-	3151	-3.8
自动数据处理设备及其部件	万台	159257	-7.1	9068	-4.1
手持或车载无线电话	万台	127192	-5.3	7643	-0.9
集装箱	万个	199	-26.7	279	-41.2
液晶显示板	万个	190569	-16.9	1700	-11.6
汽车	万辆	79	9.4	709	1.8

表 9　2016 年主要商品进口数量、金额及其增长速度

商品名称	单位	数量	比上年增长(%)	金额（亿元）	比上年增长(%)
谷物及谷物粉	万吨	2199	-32.8	375	-35.5
大豆	万吨	8391	2.7	2247	4.1
食用植物油	万吨	553	-18.3	276	-11.5
铁矿砂及其精矿	万吨	102412	7.5	3809	7.0
氧化铝	万吨	303	-35.0	58	-43.1
煤（包括褐煤）	万吨	25551	25.2	938	25.1
原油	万吨	38101	13.6	7698	-7.5
成品油	万吨	2784	-6.5	735	-16.6
初级形状的塑料	万吨	2570	-1.5	2731	-2.2
纸浆	万吨	2106	6.2	808	2.1
钢材	万吨	1321	3.4	869	-2.3
未锻轧铜及铜材	万吨	495	2.9	1741	-3.3
汽车	万辆	107	-2.4	2942	6.1

表 10　2016 年对主要国家和地区货物进出口额及其增长速度

国家和地区	出口额（亿元）	比上年增长(%)	占我全部出口比重（%）	进口额（亿元）	比上年增长(%)	占我全部进口比重（%）
欧盟	22369	1.3	16.2	13747	5.9	13.1
美国	25415	0.0	18.4	8887	-3.2	8.5
东盟	16894	-1.9	12.2	12978	7.4	12.4
中国香港	19009	-7.6	13.7	1107	39.2	1.1
日本	8529	1.3	6.2	9626	8.4	9.2
韩国	6185	-1.7	4.5	10496	-3.2	10.0
中国台湾	2665	-4.3	1.9	9203	3.4	8.8
印度	3850	6.6	2.8	777	-6.4	0.7
俄罗斯	2466	14.2	1.8	2128	3.1	2.0

全年服务进出口[29]总额 53 484 亿元，比上年增长 14.2%。其中，服务出口 18 193 亿元，增长 2.3%；服务进口 35 291 亿元，增长 21.5%。服务进出口逆差 17 097 亿元。

全年吸收外商直接投资（不含银行、证券、保险）新设立企业 27900 家，比上年增长 5.0%。实际使用外商直接投资金额 8132 亿元（折 1260 亿美元），增长 4.1%。其中“一带一路”沿线国家对华直接投资新设立企业 2905 家，增长34.1%；对华直接投资金额 458 亿元（折 71 亿美元）。

表 11　2016 年外商直接投资（不含银行、证券、保险）及其增长速度

行　业	企业数（家）	比上年增长（%）	实际使用金额（亿元）	比上年增长（%）
总计	27900	5.0	8132.2	4.1
其中：农、林、牧、渔业	558	-8.4	123.2	30.0
制造业	4013	-11.0	2303.0	-6.1
电力、燃气及水生产和供应业	311	18.0	139.8	0.3
交通运输、仓储和邮政业	425	-5.4	329.2	26.7
信息传输、计算机服务和软件业	1463	11.6	540.4	128.0
批发和零售业	9399	2.7	1011.1	36.0
房地产业	378	-2.3	1264.4	-29.4
租赁和商务服务业	4631	3.7	1045.9	67.8
居民服务和其他服务业	245	13.0	33.0	-25.8

全年对外直接投资额（不含银行、证券、保险）11299 亿元，按美元计价为 1 701 亿美元，比上年增长 44.1%。其中，对“一带一路”沿线国家直接投资额 145 亿美元。

表 12　2016 年对外直接投资额(不含银行、证券、保险)及其增长速度

行　业	对外直接投资金额(亿美元)	比上年增长(%)
总计	1701.1	44.1
其中:农、林、牧、渔业	29.7	45.0
采矿业	86.7	-20.1
制造业	310.6	116.7
电力、热力、燃气及水生产和供应业	25.3	-9.2
建筑业	53.1	18.0
批发和零售业	275.6	72.0
交通运输、仓储和邮政业	36.2	17.1
信息传输、软件和信息技术服务业	203.6	252.2
房地产业	106.4	17.4
租赁和商务服务业	422.7	1.4

全年对外承包工程业务完成营业额 10 589 亿元,按美元计价为 1 594 亿美元,比上年增长 3.5%。其中,对"一带一路"沿线国家完成营业额 760 亿美元,增长 9.7%,占对外承包工程业务完成营业额比重为 47.7%。对外劳务合作派出各类劳务人员 49 万人,下降 6.8%。

七、交通、邮电和旅游

全年货物运输总量 440 亿吨,比上年增长 5.7%。货物运输周转量 185 295 亿吨公里,增长 4.0%。全年规模以上港口完成货物吞吐量 118.3 亿吨,比上年增长 3.2%,其中外贸货物吞吐量 37.6 亿吨,增长 4.1%。规模以上港口集装箱吞吐量 21 798 万标准箱,增长 3.6%。

表 13　2016 年各种运输方式完成货物运输量及其增长速度

指　标	单位	绝对数	比上年增长(%)
货物运输总量	亿吨	440.4	5.7
铁路	亿吨	33.3	-0.8
公路	亿吨	336.3	6.8
水运	亿吨	63.6	3.7
民航	万吨	666.9	6.0
管道	亿吨	7.0	5.3
货物运输周转量	亿吨公里	185294.9	4.0
铁路	亿吨公里	23792.3	0.2
公路	亿吨公里	61211.0	5.6
水运	亿吨公里	95399.9	4.0
民航	亿吨公里	221.1	6.3
管道	亿吨公里	4670.6	5.7

全年旅客运输总量 192 亿人次,比上年下降 1.2%。旅客运输周转量 31306 亿人公里,增长 4.1%。

表 14　2016 年各种运输方式完成旅客运输量及其增长速度

指　标	单位	绝对数	比上年增长(%)
旅客运输总量	亿人次	192.0	-1.2
铁路	亿人次	28.1	11.0
公路	亿人次	156.3	-3.5
水运	亿人次	2.7	0.1
民航	亿人次	4.9	11.8
旅客运输周转量	亿人公里	31305.7	4.1
铁路	亿人公里	12579.3	5.2
公路	亿人公里	10294.8	-4.2
水运	亿人公里	72.0	-1.4
民航	亿人公里	8359.5	14.8

年末全国民用汽车保有量 19 440 万辆(包括三轮汽车和低速货车 881 万辆),比上年末增长 12.8%,其中私人汽车保有量 16 559 万辆,增长 15.0%。民用轿车保有量 10 876 万辆,增长 14.4%,其中私人轿车 10152 万辆,增长 15.5%。

全年完成邮电业务总量[30] 43 344 亿元,比上年增长 52.7%。其中,邮政行业业务总量 7 397 亿元,增长 45.7%;电信业务总量 35 948 亿元,增长 54.2%。邮政业全年完成邮政函件业务 36.2 亿件,包裹业务 0.3 亿件,快递业务量 312.8 亿件;快递业务收入 3 974 亿元。电信业全年新增移动电话交换机容量[31] 7 318 万户,达到 218 384 万户。年末全国电话用户总数 152856 万户,其中移动电话用户 132 193 万户。移动电话普及率上升至 96.2 部/百人。固定互联网宽带接入用户[32] 29 721 万户,比上年增加 3 774 万户,其中固定互联网光纤宽带接入用户[33] 22 766 万户,比上年增加 7 941 万户;移动宽带用户[34] 94 075 万户,增加 23 464 万户。移动互联网接入流量 93.6 亿 G,比上年增长 123.7%。互联网上网人数 7.31 亿人,增加 4 299 万人,其中手机上网人数[35] 6.95 亿人,增加 7 550 万人。互联网普及率达到 53.2%,其中农村地区互联网普及率达到 33.1%。软件和信息技术服务业[36] 完成软件业务收入 48 511 亿元,比上年增长 14.9%。

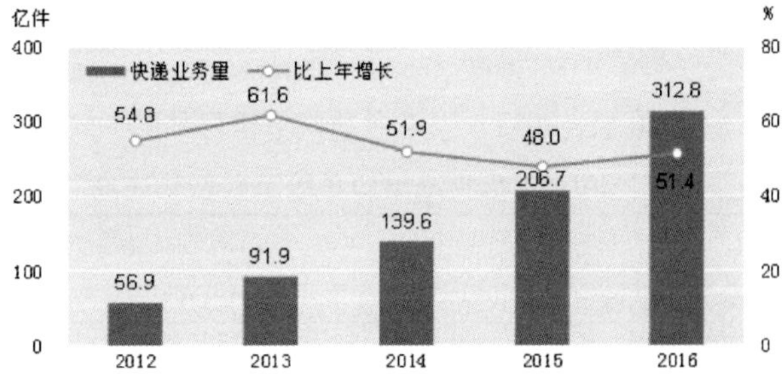

图 16　2012－2016 年快递业务量及其增长速度

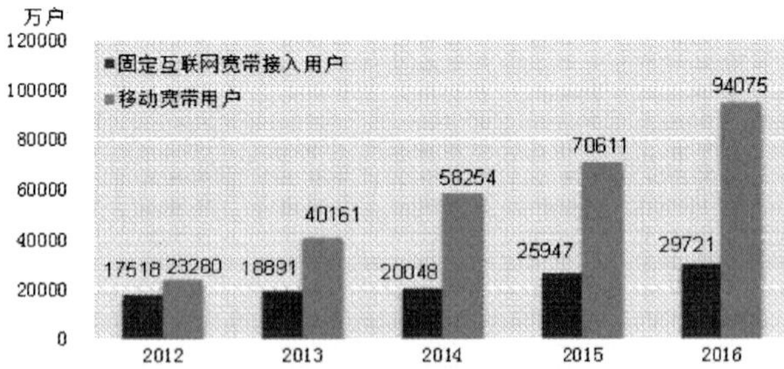

图 17　2012－2016 年年末固定互联网宽带接入用户和移动宽带用户数

全年国内游客 44 亿人次,比上年增长 11.2%,国内旅游收入 39 390 亿元,增长 15.2%。入境游客 13 844 万人次,增长 3.5%。其中,外国人 2 813 万人次,增长 8.3%;香港、澳门和台湾同胞 11 031 万人次,增长 2.3%。在入境游客中,过夜游客 5 927 万人次,增长 4.2%。国际旅游收入 1 200 亿美元,增长 5.6%。国内居民出境 13 513 万人次,增长 5.7%。其中因私出境 12 850 万人次,增长 5.6%;赴港澳台出境 8 395 万人次，下降 2.2%。

八、金融

年末广义货币供应量（M_2）余额 155.0 万亿元，比上年末增长 11.3%；狭义货币供应量（M_1）余额 48.7 万亿元，增长 21.4%；流通中货币（M_0）余额 6.8 万亿元，增长 8.1%。

全年社会融资规模增量[37] 17.8 万亿元，比上年多 2.4 万亿元。年末全部金融机构本外币各项存款余额 155.5 万亿元，比年初增加 15.7 万亿元，其中人民币各项存款余额150.6 万亿元，增加 14.9 万亿元。全部金融机构本外币各项贷款余额 112.1 万亿元，增加 12.7 万亿元，其中人民币各项贷款余额 106.6 万亿元，增加 12.6 万亿元。

表 15　2016 年年末全部金融机构本外币存贷款余额及其增长速度

指　标	年末数（亿元）	比上年末增长（%）
各项存款	155247	11.3
其中：境内住户存款	606522	9.9
其中：人民币	597751	9.5
境内非金融企业存款	530895	16.6
各项贷款	1120552	12.8
其中：境内短期贷款	380020	3.6
境内中长期贷款	635052	17.8

年末主要农村金融机构（农村信用社、农村合作银行、农村商业银行）人民币贷款余额 134 219 亿元，比年初增加 13 895 亿元。金融机构境内住户人民币消费贷款余额 250 472 亿元，增加 60 998 亿元。其中，短期消费贷款余额 49 313 亿元，增加 8 347 亿元；中长期消费贷款余额 201 159 亿元，增加 52 651 亿元。

全年上市公司通过境内市场累计筹资 23 342 亿元，比上年增加 5 088 亿元。其中，首次公开发行 A 股 248 只，筹资 1 634 亿元；A 股现金再融资（包括公开增发、定向增发[38]、配股、优先股）13 387 亿元，增加 4 618 亿元；上市公司通过沪深交易所发行公司债、可转债筹资 8 321 亿元，增加 414 亿元。全年全国中小企业股份转让系统[39] 新增挂牌公司 5 034 家，筹资 1 391 亿元，增长 14.4%。

全年发行公司信用类债券[40] 8.22 万亿元，比上年增加 1.50 万亿元。

全年保险公司原保险保费收入[41] 30 959 亿元，比上年增长 27.5%。其中，寿险业务原保险保费收入 17 442 亿元，健康险和意外伤害险业务原保险保费收入 4 792 亿元，财产险业务原保险保费收入 8 725 亿元。支付各类赔款及给付 10 513 亿元。其中，寿险业务给付 4 603 亿元，健康险和意外伤害险赔款及给付 1 184 亿元，财产险业务赔款 4 726 亿元。

九、人民生活和社会保障

全年全国居民人均可支配收入[42] 23 821 元，比上年增长 8.4%，扣除价格因素，实际增长 6.3%；全国居民人均可支配收入中位数[43] 20 883 元，增长 8.3%。按常住地分，城镇居民人均可支配收入 33 616 元，比上年增长 7.8%，扣除价格因素，实际增长 5.6%；城镇居民人均可支配收入中位数 31 554 元，增长 8.3%。农村居民人均可支配收入 12 363 元，比上年增长 8.2%，扣除价格因素，实际增长 6.2%；农村居民人均可支配收入中位数 11 149 元，增长 8.3%。按全国居民五等份收入分组[44]，低收入组人均可支配收入 5 529 元，中等偏下收入组人均可支配收入 12 899 元，中等收入组人均可支配收入 20 924 元，中等偏上收入组人均可支配收入 31 990 元，高收入组人均可支配收入 59 259 元。贫困地区[45] 农村居民人均可支配收入 8 452 元，比上年增长 10.4%，扣除价格因素，实际增长 8.4%。全国农民工人均月收入 3 275 元，比上年增长 6.6%。

全国居民人均消费支出 17 111 元，比上年增长 8.9%，扣除价格因素，实际增长 6.8%。按常住地分，城镇居民人均消费支出 23 079 元，增长 7.9%，扣除价格因素，实际增长 5.7%；农村居民人均消费支出 10 130 元，增长 9.8%，扣除价格因素，实际增长 7.8%。恩格尔系数为 30.1%，比上年下降 0.5 个百分点，其中城镇为 29.3%，农村为 32.2%。

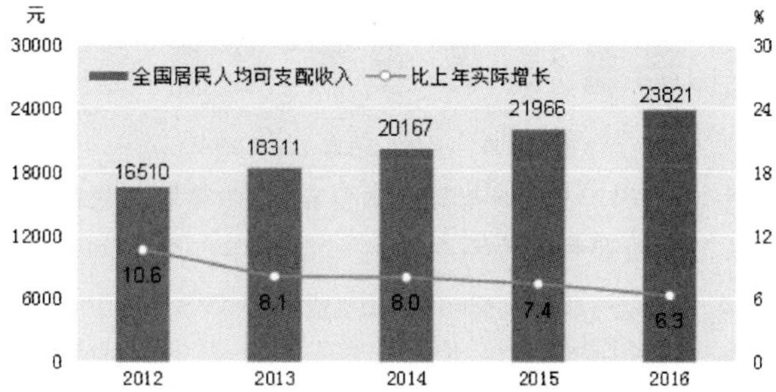

图 18　2012－2016 年全民居民人均可支配收入及其增长速度

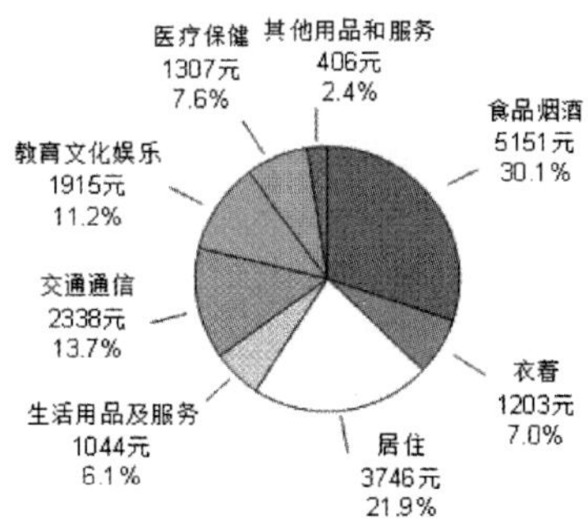

图 19　2016 年全国居民人均消费支出及其构成

年末全国参加城镇职工基本养老保险人数 37 862 万人，比上年末增加 2 501 万人。参加城乡居民基本养老保险人数 50 847 万人，增加 375 万人。参加城镇基本医疗保险人数 74 839 万人，增加 8 257 万人。其中，参加职工基本医疗保险人数 29 524 万人，增加 631 万人；参加城镇居民基本医疗保险人数 45315 万人，增加 7626 万人。参加失业保险人数 18089 万人，增加 763 万人。年末全国领取失业保险金人数 230 万人。参加工伤保险人数 21 887 万人，增加 455 万人，其中参加工伤保险的农民工 7510 万人，增加 21 万人。参加生育保险人数 18 443 万人，增加 672 万人。年末全国共有 1479.9 万人享受城市居民最低生活保障，4576.5 万人享受农村居民最低生活保障，496.9 万人享受农村特困人员[46] 救助供养。全年资助 5620.6 万人参加基本医疗保险，医疗救助 3099.8 万人次。国家抚恤、补助各类优抚对象 877.2 万人。按照每人每年 2300 元（2010 年不变价）的农村贫困标准计算，2016 年农村贫困人口 4 335 万人，比上年减少 1 240 万人[47]。

十、教育、科学技术和文化体育

全年研究生教育招生 66.7 万人，在学研究生 198.1 万人，毕业生 56.4 万人。普通本专科招生 748.6 万人，在校生 2695.8 万人，毕业生 704.2 万人。中等职业教育[48] 招生 593.3 万人，在校生 1599.1 万人，毕业生 533.7 万人。普通高中招生 802.9 万人，在校生 2366.6 万人，毕业生 792.4 万人。

初中招生 1487.2 万人，在校生 4329.4 万人，毕业生 1423.9 万人。普通小学招生 1752.5 万人，在校生 9913.0 万人，毕业生 1507.4 万人。特殊教育招生 9.2 万人，在校生 49.2 万人，毕业生 5.9 万人。学前教育在园幼儿 4413.9 万人。九年义务教育巩固率为 93.4%，高中阶段毛入学率为 87.5%。

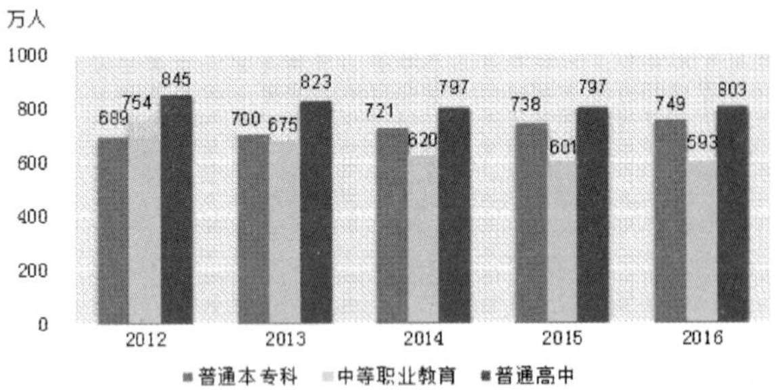

图 20　2012－2016 年普通本科专科、中等职业教育及普通高中招生人数

全年研究与试验发展（R&D）经费支出 15 500 亿元，比上年增长 9.4%，与国内生产总值之比为 2.08%，其中基础研究经费 798 亿元。全年国家重点研发计划共安排 42 个重点专项 1 163 个科技项目，国家科技重大专项共安排 224 个课题，国家自然科学基金共资助 41 184 个项目。截至年底，累计建设国家重点实验室 488 个，国家工程研究中心 131 个，国家工程实验室 194 个，国家企业技术中心 1 276 家。国家科技成果转化引导基金累计设立 9 支子基金，资金总规模 173.5 亿元。全年受理境内外专利申请 346.5 万件，授予专利权 175.4 万件。截至年底，有效专利 628.5 万件，其中境内有效发明专利 110.3 万件，每万人口发明专利拥有量 8.0 件。全年共签订技术合同 32.0 万项，技术合同成交金额 11 407 亿元，比上年增长 16.0%。

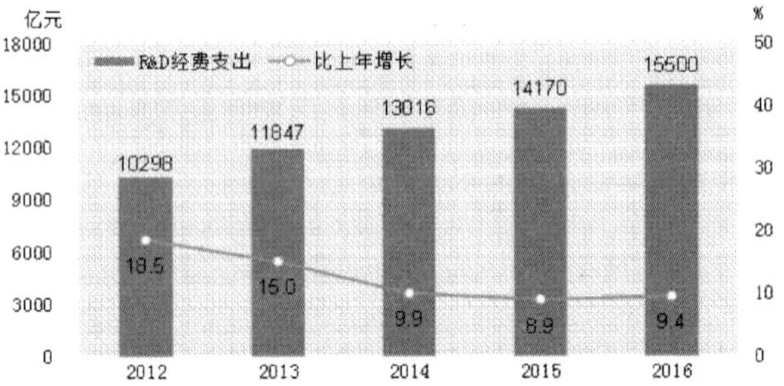

图 21　2012－2016 年研究与试验发展（R&D）经费支出及其增长速度

表 16　2016 年专利申请受理、授权和有效专利情况

指　标	专利数（万件）	比上年增长（%）
专利申请受理数	346.5	23.8
其中：境内专利申请受理	328.1	25.4
其中：发明专利申请受理	133.9	21.5
其中：境内发明专利	119.3	24.7
专利申请授权数	175.4	2.1
其中：境内专利授权	161.2	2.1
其中：发明专利授权	40.4	12.5
其中：境内发明专利	29.5	15.0
年末有效专利数	628.5	14.7
其中：境内有效专利	540.6	15.7
其中：有效发明专利	177.2	20.4
其中：境内有效发明专利	110.3	26.6

全年完成 22 次宇航发射。长征五号、长征七号新一代运载火箭成功首飞；天宫二号空间实验室、神舟十一号载人飞船成功发射，航天员在轨驻留 30 天并安全返回；新一代静止轨道气象卫星风云四号、合成孔径雷达卫星高分三号、3 颗北斗导航卫星等成功发射。

年末全国共有产品检测实验室 34 487 个，其中国家检测中心 681 个。全国现有产品质量、体系认证机构 312 个，已累计完成对 152 525 个企业的产品认证。全国共有法定计量技术机构 3 933 个，全年强制检定计量器具 7 878 万台（件）。全年制定、修订国家标准 1 763 项，其中新制定 1 255 项。

年末全国文化系统共有艺术表演团体 2046 个，博物馆 3060 个。全国共有公共图书馆 3 172 个，总流通[49] 64781 万人次；文化馆 3 338 个。有线电视实际用户 2.23 亿户，其中有线数字电视实际用户 1.97 亿户。年末广播节目综合人口覆盖率为 98.4%，电视节目综合人口覆盖率为 98.9%。全年生产电视剧 330 部 14 768 集，电视动画片 119895 分钟。全年生产故事影片 772 部，科教、纪录、动画和特种影片[50] 172 部。出版各类报纸 394 亿份，各类期刊 27 亿册，图书 86 亿册（张），人均图书拥有量[51] 6.27 册（张）。年末全国共有档案馆 4 193 个，已开放各类档案 13 388 万卷（件）。

全年我国运动员在 23 个运动大项中获得 107 个世界冠军，共创 9 项世界纪录。在里约奥运会上，我国运动员共获得 26 枚金牌，奖牌总数 70 枚，位列奥运会金牌榜第三位，奖牌榜第二位。全年我国残疾人运动员在 17 项国际赛事中获得 237 个世界冠军。在里约残奥会上，我国运动员共获得 107 枚金牌，蝉联金牌榜和奖牌榜第一位。

十一、卫生和社会服务

年末全国共有医疗卫生机构 99.3 万个，其中医院 2.9 万个，在医院中有公立医院 1.3 万个，民营医院 1.6 万个；基层医疗卫生机构 93.1 万个，其中乡镇卫生院 3.7 万个，社区卫生服务中心（站）3.5 万个，门诊部（所）21.7 万个，村卫生室 64.2 万个；专业公共卫生机构 2.9 万个，其中疾病预防控制中心 3 484 个，卫生监督所（中心）3 138 个。年末卫生技术人员 844 万人，其中执业医师和执业助理医师 317 万人，注册护士 350 万人。医疗卫生机构床位 747 万张，其中医院 575 万张，乡镇卫生院 123 万张。全年总诊疗人次[52] 78.0 亿人次，出院人数[53] 2.2 亿人。

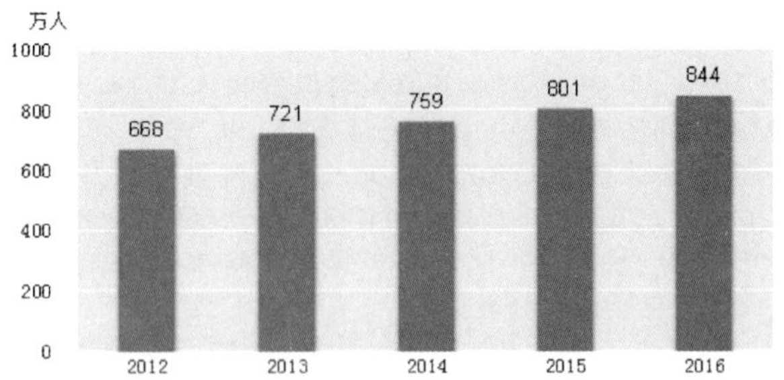

图 22　2012－2016 年卫生技术人员人数

年末全国共有各类提供住宿的社会服务机构 3.1 万个，其中养老服务机构 2.8 万个，儿童服务机构 713 个。社会服务床位[54] 716.6 万张，其中养老服务床位 680.0 万张，儿童服务床位 10.0 万张。年末共有社区服务中心 2.4 万个，社区服务站 13.0 万个。

十二、资源、环境和安全生产

全年全国国有建设用地供应总量[55] 52 万公顷，比上年下降 2.9%。其中，工矿仓储用地 12 万公顷，下降 3.2%；房地产用地[56] 11 万公顷，下降 10.3%；基础设施等用地 29 万公顷，增长 0.2%。

全年水资源总量 30 150 亿立方米。全年平均降水量 730 毫米。年末全国监测的 614 座大型水库蓄水总量 3 409 亿立方米，比上年末蓄水量略有减少。全年总用水量 6 150 亿立方米，比上年增长 0.8%。其中，生活用水增长 2.7%，工业用水减少 0.4%，农业用水增长 0.7%，生态补水增长 1.9%。万元国内生产总值用水量[57] 84 立方米，比上年下降 5.6%。万元工业增加值用水量 53 立方米，下降 6.0%。人均用水量 446 立方米，比上年增长 0.2%。

全年完成造林面积 679 万公顷，其中人工造林面积 381 万公顷，占全部造林面积的 56.1%。森林抚育面积 837 万公顷。截至年底，自然保护区达到 2 750 个，其中国家级自然保护区 446 个。新增水土流失治理面积 5.4 万平方公里，新增实施水土流失地区封育保护面积 1.6 万平方公里。

初步核算，全年能源消费总量 43.6 亿吨标准煤，比上年增长 1.4%。煤炭消费量下降 4.7%，原油消费量增长 5.5%，天然气消费量增长 8.0%，电力消费量增长 5.0%。煤炭消费量占能源消费总量的 62.0%，比上年下降 2.0 个百分点；水电、风电、核电、天然气等清洁能源消费量占能源消费总量的 19.7%，上升 1.7 个百分点。全国万元国内生产总值能耗下降 5.0%。工业企业吨粗铜综合能耗下降 9.45%，吨钢综合能耗下降 0.08%，单位烧碱综合能耗下降 2.08%，吨水泥综合能耗下降 1.81%，每千瓦时火力发电标准煤耗下降 0.97%。

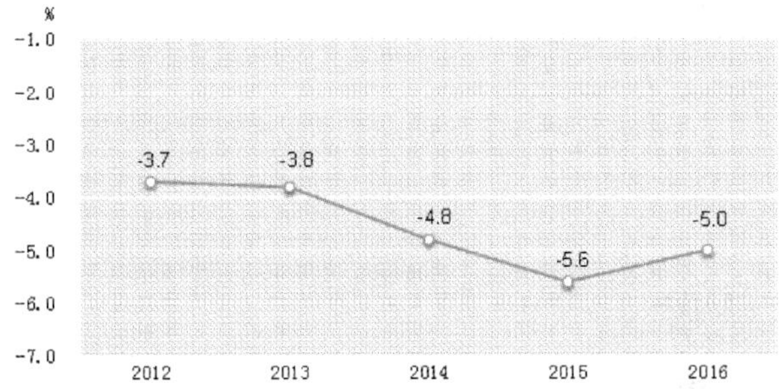

图 23　2012－2016 年万元国内生产总值能耗降低率

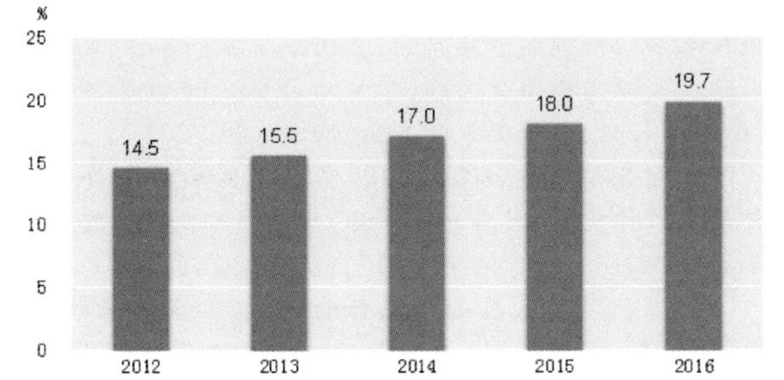

图 24　2012－2016 年清洁能源消费量占能源消费总量的比重

近岸海域 417 个海水水质监测点中，达到国家一、二类海水水质标准的监测点占 73.4%，三类海水占 10.3%，四类、劣四类海水占 16.3%。

在监测的 338 个城市中，城市空气质量达标的城市占 24.9%，未达标的城市占 75.1%。细颗粒物（PM2.5）未达标地级及以上城市年平均浓度 52 微克/立方米，比上年下降 8.8%。

在监测的 322 个城市中，城市区域声环境质量好的城市占 5.0%，较好的占 68.3%，一般的占 26.1%，较差的占 0.6%。

全年平均气温为 10.49℃，比上年下降 0.13℃。共有 8 个台风登陆。

年末城市污水处理厂日处理能力 14 823 万立方米，比上年末增长 5.6%；城市污水处理率为 92.4%，提高 0.5 个百分点。城市生活垃圾无害化处理率为 95.0%，提高 0.9 个百分点。城市集中供热面积 70.7 亿平方米，增长 5.2%。城市建成区绿地面积 197.1 万公顷，增长 3.3%；建成区绿地率为 36.44%，提高 0.08 个百分点；人均公园绿地面积 13.45 平方米，增加 0.10 平方米。

全年农作物受灾面积 2622 万公顷，其中绝收 290 万公顷。全年因洪涝和地质灾害造成直接经济损失 3 134 亿元，因旱灾造成直接经济损失 418 亿元，因低温冷冻和雪灾造成直接经济损失 179 亿元，因海洋灾害造成直接经济损失 50 亿元。全年大陆地区共发生 5.0 级以上地震 18 次，成灾 16 次，造成直接经济损失 67 亿元。全年共发生森林火灾 2 034 起，森林火灾受害森林面积 0.6 万公顷。

全年各类生产安全事故[58]共死亡 43 062 人。亿元国内生产总值生产安全事故死亡人数 0.058 人，按可比口径比上年下降 10.8%；工矿商贸企业就业人员 10 万人生产安全事故死亡人数 1.702 人，按可比口径下降 2.3%；道路交通事故万车死亡人数 2.1 人，与上年持平；煤矿百万吨死亡人数 0.156人，下降 3.7%。

注释：

［1］本公报中数据均为初步统计数。各项统计数据均未包括香港特别行政区、澳门特别行政区和台湾省。部分数据因四舍五入的原因，存在着与分项合计不等的情况。

［2］国内生产总值、各产业增加值和人均国内生产总值绝对数按现价计算，增长速度按不变价格计算。

［3］国民总收入，原称国民生产总值，是指一个国家或地区所有常住单位在一定时期内所获得的初次分配收入总额。它等于国内生产总值加上来自国外的净要素收入。

［4］人户分离的人口是指居住地与户口登记地所在的乡镇街道不一致且离开户口登记地半年及以上的人口。

［5］流动人口是指人户分离人口中扣除市辖区内人户分离的人口。市辖区内人户分离的人口是指一个直辖市或地级市所辖区内和区与区之间，居住地和户口登记地不在同一乡镇街道的人口。

［6］2016 年年末，0－14 岁（含不满 15 周岁）人口为 23 008 万人，15－59 岁（含不满 60 周岁）人口为 92177 万人。

［7］年度农民工数量包括年内在本乡镇以外从业 6 个月及以上的外出农民工和在本乡镇内从事非农产业 6 个月及以上的本地农民工两部分。

［8］全员劳动生产率为国内生产总值（以 2015 年价格计算）与全部就业人员的比率。

［9］农产品生产者价格是指农产品生产者直接出售其产品时的价格。

［10］居住类价格包括租赁房房租、住房保养维修及管理、水电燃料等价格。

［11］为推进财政资金统筹使用，2016 年起将政府住房基金等 5 个项目从政府性基金预算转列一般公共预算，将从国有资本经营预算调入一般公共预算的资金由直接列为一般

公共预算收入调整列为财政调入资金。因此,上年基数中考虑了上述因素影响,并以此为基础计算同口径增减额和增减幅。

[12]工业战略性新兴产业包括节能环保产业,新一代信息技术产业,生物产业,高端设备制造产业,新能源产业,新材料产业,新能源汽车产业等七大产业。

[13]高技术制造业包括医药制造业,航空、航天器及设备制造业,电子及通信设备制造业,计算机及办公设备制造业,医疗仪器设备及仪器仪表制造业,信息化学品制造业。

[14]装备制造业包括金属制品业,通用设备制造业,专用设备制造业,汽车制造业,铁路、船舶、航空航天和其他运输设备制造业,电气机械和器材制造业,计算机、通信和其他电子设备制造业,仪器仪表制造业。

[15]六大高耗能行业包括石油加工、炼焦和核燃料加工业,化学原料和化学制品制造业,非金属矿物制品业,黑色金属冶炼和压延加工业,有色金属冶炼和压延加工业,电力、热力生产和供应业。

[16]火电包括燃煤发电量,燃油发电量,燃气发电量,余热、余压、余气发电量,垃圾焚烧发电量,生物质发电量。

[17]钢材产量数据中含企业之间重复加工钢材约35443万吨。

[18]少量发电装机容量(如地热等)公报中未列出。

[19]固定资产投资按东部、中部、西部和东北地区计算的合计数据小于全国数据,是因为有部分跨地区的投资未计算在地区数据中。其中,东部地区是指北京、天津、河北、上海、江苏、浙江、福建、山东、广东和海南10省(市);中部地区是指山西、安徽、江西、河南、湖北和湖南6省;西部地区是指内蒙古、广西、重庆、四川、贵州、云南、西藏、陕西、甘肃、青海、宁夏和新疆12省(区、市);东北地区是指辽宁、吉林和黑龙江3省。

[20]基础设施投资是指建造或购置为社会生产和生活提供基础性、大众性服务的工程和设施的支出。公报中的基础设施投资包括交通运输、邮政业,电信、广播电视和卫星传输服务业,互联网和相关服务业,水利、环境和公共设施管理业投资。

[21]民间固定资产投资是指具有集体、私营、个人性质的内资企事业单位以及由其控股(包括绝对控股和相对控股)的企业单位建造或购置固定资产的投资。

[22]高技术产业投资包括医药制造、航空航天器及设备制造等六大类高技术制造业投资和信息服务、电子商务服务等九大类高技术服务业投资。

[23]房地产业投资除房地产开发投资外,还包括建设单位自建房屋以及物业管理、中介服务和其他房地产投资。

[24]高速铁路是指最高营运速度达到200公里/小时及以上的铁路。

[25]数据来源为各省(区、市)汇总上报截至2016年12月底建档立卡贫困户农村危房改造实际开工数。

[26]网上零售额是指通过公共网络交易平台(包括自建网站和第三方平台)实现的商品和服务零售额。其中,网上零售额包括的服务,以及少部分用于生产经营用或被转卖的商品不统计在社会消费品零售总额中。

[27]货物贸易、服务贸易、吸收外资采用人民币计价。对外投资和对外承包工程由于技术原因仍主要沿用美元计价。

[28]"一带一路"是指"丝绸之路经济带"和"21世纪海上丝绸之路"。

[29]服务进出口按照《国际收支手册(第六版)》标准统计,不含政府服务,增速按可比口径计算。

[30]邮电业务总量按2010年价格计算。

[31]移动电话交换机容量是指移动电话交换机根据一定话务模型和交换机处理能力计算出来的最大同时服务用户的数量。

[32]固定互联网宽带接入用户是指报告期末在电信企业登记注册,通过xDSL、FTTx + LAN、FTTH/0以及其他宽带接入方式和普通专线接入公众互联网的用户。

[33]固定互联网光纤宽带接入用户是指报告期末在电信企业登记注册,通过FTTH或FTTO方式接入公众互联网的用户。

[34]移动宽带用户是指报告期末在计费系统拥有使用信息,占用3G或4G网络资源的在网用户。

[35]手机上网人数是指过去半年通过手机接入并使用互联网的6周岁及以上中国居民数量。

[36]软件和信息技术服务业包括软件开发,信息系统集成服务,信息技术咨询服务,数据处理和存储服务,集成电路设计服务和其他信息技术服务等行业。

[37]社会融资规模增量是指一定时期内实体经济从金融体系获得的资金总额。

[38]定向增发不含资产认购部分。

[39]全国中小企业股份转让系统又称"新三板",是2012年经国务院批准设立的全国性证券交易场所。

[40]公司信用类债券包括非金融企业债务融资工具、企业债券以及公司债、可转债等。

[41]原保险保费收入是指保险企业确认的原保险合同保费收入。

[42]全国居民收入增速快于分城乡居民收入增速的原因是:在城镇化过程中,一部分在农村收入较高的人口进入城镇地区,但在城镇属于较低收入人群,他们的迁移对城乡居民收入均有拉低作用。但无论在城镇还是农村,其收入增长效应都会体现在全体居民收入增长中。

[43]人均收入中位数是指将所有调查户按人均收入水平从低到高(或从高到低)顺序排列,处于最中间位置调查户的人均收入。

[44]全国居民五等份收入分组是指将所有调查户按人均收入水平从低到高顺序排列,平均分为五个等份,处于最高20%的收入群体为高收入组,依此类推依次为中等偏上收入组、中等收入组、中等偏下收入组、低收入组。

[45]贫困地区包括集中连片特困地区和片区外的国家扶贫开发工作重点县,共832个县,其中国家扶贫开发工作重点县共计592个。

[46]农村特困人员是指无劳动能力,无生活来源,无法定赡养、抚养、扶养义务人或者其法定义务人无履行义务能力的农村老年人、残疾人以及未满16周岁的未成年人。

[47]减贫人口等于当年贫困人口减去上年贫困人口,也相当于当年脱贫人口减去当年返贫人口。

[48]中等职业教育包括普通中专、成人中专、职业高中和技工学校。

[49]总流通人次是指本年度内到图书馆场馆接受图书馆服务的总人次,包括借阅书刊、咨询问题以及参加各类读者活动等。

[50]特种影片是指那些采用与常规影院放映在技术、设

备、节目方面不同的电影展示方式，如巨幕电影、立体电影、立体特效(4D)电影、动感电影、球幕电影等。

[51]人均图书拥有量是指在一年内全国平均每人能拥有的当年出版图书册数。

[52]总诊疗人次指所有诊疗工作的总人次数，包括门诊、急诊、出诊、预约诊疗、单项健康检查、健康咨询指导(不含健康讲座)人次。

[53]出院人数指报告期内所有住院后出院的人数，包括医嘱离院、医嘱转其他医疗机构、非医嘱离院、死亡及其他人数，不含家庭病床撤床人数。

[54]社会服务床位数除收养性机构外，还包括救助类机构、社区类机构以及军休所、军供站等机构的床位。

[55]国有建设用地供应总量是指报告期内市、县人民政府根据年度土地供应计划依法以出让、划拨、租赁等方式将土地使用权提供给单位或个人使用的国有建设用地总量。

[56]房地产用地是指商服用地和住宅用地的总和。

[57]万元国内生产总值用水量、万元工业增加值用水量和万元国内生产总值能耗按2015年价格计算。

[58]2016年起，安全监管总局对生产安全事故统计制度进行改革，由于排除了非生产经营领域的事故，事故统计口径发生变化，数据同比按照可比口径计算。

资料来源：

本公报中户籍人口城镇化率、民用汽车、交通事故数据来自公安部；城镇新增就业、登记失业率、社会保障、技工学校数据来自人力资源社会保障部；财政数据来自财政部；外汇储备、汇率、货币金融、公司信用类债券数据来自人民银行；水产品产量数据来自农业部；木材产量、林业、森林火灾数据来自林业局；灌溉面积、水资源数据来自水利部；发电装机容量、新增220千伏及以上变电设备数据来自中电联；新建铁路投产里程、增新建铁路复线投产里程、电气化铁路投产里程、铁路运输数据来自铁路总公司；新改建公路里程、港口万吨级码头泊位新增吞吐能力、公路运输、水运、港口货物吞吐量数据来自交通运输部；新增民用运输机场、民航数据来自民航局；新增光缆线路长度、电话交换机容量、电话用户、宽带用户、移动互联网接入流量、上网人数、互联网普及率、软件业务收入等数据来自工业和信息化部；农村地区互联网普及率数据来自中国互联网络信息中心；棚户区住房改造、农村地区建档立卡贫困户危房改造、城市污水处理、城市垃圾处理、城市集中供热面积、建成区绿地数据来自住房城乡建设部；货物进出口数据来自海关总署；服务进出口、外商直接投资、对外直接投资、对外承包工程、对外劳务合作等数据来自商务部；管道数据来自中石油、中石化、中海油；邮政业务数据来自邮政局；旅游数据来自旅游局、公安部；上市公司数据来自证监会；保险业数据来自保监会；城乡低保、农村特困人员救助供养、社会服务、农作物受灾面积、洪涝地质灾害造成直接经济损失、旱灾造成直接经济损失、低温冷冻和雪灾造成直接经济损失来自民政部；教育数据来自教育部；重点研发计划、科技重大专项、国家重点实验室、科技成果转化引导基金、技术合同等数据来自科技部；自然科学基金项目数据来自自然基金委；国家工程研究中心、企业技术中心等数据来自发展改革委；专利数据来自知识产权局；宇航发射数据来自国防科工局；质量检验、国家标准制定修订等数据来自质检总局；艺术表演团体、博物馆、公共图书馆、文化馆数据来自文化部；广播电视、电影、报纸、期刊、图书数据来自新闻出版广电总局；档案数据来自档案局；体育数据来自体育总局；残疾人运动员数据来自中国残联；卫生数据来自卫生计生委；国有建设用地供应数据来自国土资源部；自然保护区、环境监测数据来自环境保护部；平均气温、登陆台风数据来自气象局；海洋灾害造成直接经济损失数据来自海洋局；地震次数、地震灾害直接经济损失数据来自地震局；安全生产数据来自安全监管总局；其他数据均来自国家统计局。

国务院关于今年以来国民经济和社会发展计划执行情况的报告

——在第十二届全国人民代表大会常务委员会第二十二次会议上

国家发展和改革委员会主任　徐绍史

（2016 年 8 月 31 日）

全国人民代表大会常务委员会：

受国务院委托，我向全国人大常委会报告今年以来国民经济和社会发展计划执行情况，请审议。

今年以来，国际经济复苏疲弱，全球市场震荡加剧，国内经济运行承压。面对错综复杂的国内外环境，党中央国务院总揽全局、科学决策，各地区各部门履职尽责、真抓实干，认真落实中央经济工作会议和十二届全国人大四次会议审议通过的政府工作报告各项部署，把握引领新常态，贯彻落实新发展理念，坚持稳中求进工作总基调，适度扩大总需求，着力推进供给侧结构性改革，积极引导市场预期，有效应对风险挑战，上半年经济运行总体平稳，稳中有进，稳中有好，符合预期。

（一）经济运行总体平稳，内需贡献进一步提高。

稳定和完善宏观政策，加强定向、精准和相机调控，经济运行保持在合理区间。

经济增速、就业收入、物价消费基本稳定。坚持实施积极的财政政策和稳健的货币政策，发挥中央预算内投资等引导带动作用，挖掘内需、稳定外需。各项政策措施效果逐步显现，经济保持平稳增长，上半年国内生产总值增长 6.7%，与一季度持平，处在年度预期目标范围内，位居世界主要经济体同期增速前列；在积极推进去产能的同时，加快培育新动能，工业生产趋于稳定，前 7 个月规模以上工业增加值增长 6%，比一季度提高 0.2 个百分点。就业和居民收入继续增加，前 7 个月城镇新增就业 835 万人，完成全年目标的83.5%，6 月末城镇登记失业率 4.05%，控制在预期目标之内。上半年居民人均可支配收入实际增长 6.5%，与经济增长基本同步。居民消费和物价水平总体稳定，前 7 个月社会消费品零售总额增长 10.3%，重要农产品产供销衔接和储备调节及时有效，市场供应总体充裕，前 7 个月居民消费价格上涨 2.1%，与一季度持平，控制在预期目标之内。

内需对经济增长的贡献率进一步提高。在外需不振的情况下，内需的主力军作用持续发挥，上半年内需贡献率达到 110.4%，同比提高 14.5 个百分点。消费潜力持续释放，出台实施十大扩消费行动，不断改善消费环境，旅游、文化、体育、健康、养老等服务消费增势强劲。有效投资继续增加，改进投资管理方式，完善政府和社会资本合作模式，开展促进民间投资专项督查。前 7 个月服务业和高技术制造业投资增长 10.8% 和 14.2%，基础设施投资增长 19.6%。在扩内需的同时，着力稳定对外贸易，出台实施促进外贸回稳向好的政策，设立第二批跨境电子商务综合试验区，开展服务贸易创新发展试点，前 7 个月以美元计价的货物贸易进出口降幅比一季度有所收窄，上半年服务贸易进出口增长 14.2%。

产业升级步伐加快。发挥政策引导作用，三次产业在调整中优化，在转型中升级。农业综合生产能力不断提高，夏粮、早稻再获丰收，种植结构调整积极推进，全国玉米播种面积调减 3000 万亩左右。工业持续向中高端迈进，“中国制造2025”深入实施，制造业增量正在向高技术制造业和装备制造业等领域集聚，前 7 个月高技术制造业和装备制造业分别增长 10.5% 和 8.5%，利润增长 18.2% 和 9.8%。服务业保持较快发展，上半年增速达到 7.5%，占国内生产总值的比重提高到 54.1%。服务业稳增长、稳就业的“压舱石”作用更加突出。

（二）供给侧结构性改革五项重点任务扎实推进，新动能加快成长。

坚持政府引导和市场主导相结合，促进要素资源在产业、城乡、区域间优化配置，着力发展新经济、培育新动能。

去产能、去库存、去杠杆、降成本、补短板成效初显。统筹兼顾重点突破，相关工作有序展开。坚定不移去产能，钢铁、煤炭行业化解过剩产能意见及配套政策出台实施，今年化解钢铁产能 4500 万吨左右、煤炭产能 2.5 亿吨的任务正在抓紧落实，前 7 个月分别完成全年任务的 47% 和 38%。因城施策去库存，通过棚改货币化安置、用好住房公积金、释放农民工市民化住房需求等措施化解房地产库存，全国商品房待售面积连续 5 个月减少。积极稳妥去杠杆，发展和规范股权融资，前 7 个月非金融企业股票融资增长 57.1%；7 月末规模以上工业企业资产负债率同比降低 0.7 个百分点。多措并举降成本，打好全面推开营改增试点、阶段性降低“五险一金”缴费比例、下调一般工商业销售电价等政策“组合拳”，促进企业成本下降和利润回升，前 7 个月规模以上工业企业利润增长 6.9%。突出重点补短板，加大对脱贫攻坚、科技创新、生态环保等领域投入，前 7 个月水利、农业和生态环保等投资增速均在 20% 以上。

经济发展新动能加快成长。全国科技创新大会隆重召开，国家创新驱动发展战略纲要发布实施，全面创新改革试验在 8 个区域开始启动。大众创业万众创新蓬勃发展，前 7 个月新设市场主体日均超过 4 万户，其中新登记企业 1.4 万户，企业活跃度保持在 70% 左右。科技创新取得新突破，超级计算、量子通信和大飞机等尖端领域创新成果不断涌现，前 7 个月国内发明专利授权量增长 49.5%。新产业新业态新模式等新经济迅猛发展，基于互联网、大数据、物联网和生物技术的应用创新快速拓展，传统产业转型提升取得积极进展，制造业企业数字化车间、智能工厂改造提速，移动支付、精准医疗、分享经济增势强劲，上半年战略性新兴产业增加值增长11%。

新增长带增长极支撑作用显现。区域城乡发展政策进一步完善，发展格局不断优化。“三大战略”和“四大板块”统筹推进，“一带一路”建设中的交通、能源、通信等标志性工程积极推进，京津冀协同发展重大项目加快实施，长江经济带生态保护、综合立体交通建设进一步加强；东部和部分中西部地区多点支撑的发展格局加速构建，新一轮东北振兴战略59项重点任务全面启动。新型城镇化质量提升，农民工融入城镇政策不断完善，全面实施居住证制度等36项重大举措陆续出台，县级市设立标准调整优化，休闲旅游、智能制造等特色小镇加快发展。农村人居环境持续改善，农村饮水安全巩固提升、新一轮农网改造、百万公里农村公路建设工程开始启动，农村环境综合整治力度不断加大。

（三）重点领域改革深入推进，对外开放进一步扩大。

全面深化改革，以开放促改革、促发展，引领经济发展新常态的体制机制和发展方式加快形成。

有效激发市场活力的重大改革陆续出台。坚持不懈攻坚克难，加快破除制约转型发展的体制机制障碍。简政放权、放管结合、优化服务改革持续加力。更加便利企业的“五证合一、一照一码”加快推进，市场准入负面清单制度试点全面启动，“双随机、一公开”监管方式稳步推行。财政金融改革不断深化，营改增试点、资源税改革全面推开；宏观审慎政策框架进一步完善，7月末广义货币M2余额增长10.2%，市场流动性总体充裕，利率、汇率市场化改革稳步实施。国有企业、投融资、价格、生态文明等改革持续推进，国有企业混合所有制改革、剥离办社会职能等10项改革试点陆续铺开，深化投融资体制改革的意见出台实施，铁路客运、医疗服务价格市场化程度继续提高，输配电价改革试点扩大到18个省级电网，生态环境损害赔偿和生态保护补偿机制试点深入开展。

开放型经济再上新台阶。统筹内外优进优出，对外开放水平不断提高。“一带一路”建设和国际产能合作扎实推进，目前共有70多个国家和国际组织参与“一带一路”建设，与30多个国家签署了共建“一带一路”的合作协议，与20多个国家签署了产能合作协议。六大国际经济合作走廊取得早期收获，铁路、核电、钢铁等领域重点项目加快推进。利用外资环境继续改善，自贸试验区试点深入开展，69项经验向全国推广；利用外资规模总体稳定，前7个月实际利用外资771亿美元，增长0.7%。多双边经贸关系稳步发展，与主要经贸伙伴合作继续深化，前7个月非金融类对外直接投资1028亿美元、增长61.8%。

（四）绿色发展态势良好，人民生活质量持续提高。

围绕人民群众关心关切，进一步加大工作力度，加快补齐民生保障短板。

环境治理和生态建设取得新成效。顺应人民群众对“蓝天白云、绿水青山”的期待，各项重点工作强力推进。环境质量继续改善，大气、水污染防治深入开展，土壤污染防治行动计划出台实施。上半年单位国内生产总值能耗下降5.2%，主要污染物排放量继续下降，细颗粒物（PM2.5）平均浓度同比下降9.3%，地级及以上城市空气质量平均优良天数比例为76.7%，达到或好于Ⅲ类水体比例为68.8%，同比分别提高4个、4.7个百分点。生态建设任务抓紧落实，设立国家生态文明试验区、大规模国土绿化行动启动实施，三江源等重大生态保护与修复工程加快推进，上半年完成造林面积6333万亩。

社会保障体系不断健全。加强民生保障，进一步织密扎牢安全网。精准扶贫精准脱贫大力推进，扶贫考核机制和贫困退出机制进一步健全，新一轮易地扶贫搬迁全面实施，上半年开展搬迁户就业技能培训34万人，实施产业扶贫13万户。保障水平进一步提高，机关事业单位养老保险制度改革稳步推进，城乡居民基本医保制度加快整合，前7个月棚户区改造新开工467万套，完成全年目标的78%。社会救助制度进一步完善，城乡困难群众基本生活得到较好保障。

基本公共服务水平持续提高。着力加强制度建设，加快推动公共服务均等化。义务教育均衡发展迈出新步伐，县域内城乡义务教育一体化改革开始启动，解决城乡教育不均衡的政策陆续出台；近12万名随迁子女在居住地参加高考，比上年增加约50%。医药卫生体制改革进一步深化，药品医疗器械审评审批制度改革深入推进，公立医院综合改革试点城市扩大到200个，新一轮药品集中采购促进药价平均下降15%以上。现代公共文化服务体系建设加快推进，基本公共文化服务标准化、均等化进度加快，25个省份出台了政府向社会力量购买公共文化服务的意见。

入汛以来，面对多年未有的大范围严重洪涝灾害，各级党委和政府按照党中央、国务院部署，高度重视、全力应对，各有关部门密切配合、通力合作，人民军队冲锋在前、敢打硬仗，广大干部群众众志成城、顽强拼搏，科学有力有序地开展防汛抗洪抢险救灾工作，有效减轻了灾害损失，受灾群众得到妥善安置。

总的来看，今年以来在党中央、国务院的正确领导和全国人民的共同努力下，国民经济和社会发展计划执行情况总体是好的，上半年经济运行保持在合理区间，转方式、调结构稳步推进，改革开放坚定有力，人民生活继续改善，社会大局保持稳定，成绩来之不易，需要倍加珍惜。

在看到成绩的同时，也要清醒认识到，当前我国经济稳定运行的基础还不牢固，下行压力依然较大，困难不可低估。从国际看，全球经济复苏不及预期，贸易投资保护主义抬头，地缘政治风险多点凸显等，都将对我国经济稳定运行造成干扰和影响。从国内看，新旧动能转换任务繁重，需求稳定增长的难度较大，区域分化现象还在发展，部分省份经济下行压力有所增加，金融、就业等领域潜在风险仍需高度重视。与此同时，促进农民增收难度加大，安全生产形势较为严峻，防灾减灾救灾任务艰巨。

按目前趋势初步预计，全年经济增长、就业、物价、居民收入等预期指标经过努力能够完成，脱贫人口、能耗强度、环境保护、棚户区改造等指标有望较好完成，但投资、外贸等预期指标完成难度很大，需要付出艰苦努力。

做好下半年经济社会发展各项工作，要全面贯彻落实党的十八大和十八届三中、四中、五中全会精神，深入学习贯彻习近平总书记系列重要讲话精神，不忘初心、继续前进，坚持发展是第一要务，牢固树立和贯彻落实创新、协调、绿色、开放、共享的发展理念，坚持稳中求进工作总基调，坚持实行宏观政策要稳、产业政策要准、微观政策要活、改革政策要实、社会政策要托底的总体思路，适度扩大总需求，在区间调控的基础上加强定向调控、相机调控，继续实施积极的财政政策和稳健的货币政策，把握好重点、节奏、力度，以推进供给侧结构性改革为主线，有力、有度、有效落实好去产能、去库存、去杠杆、降成本、补短板重点任务，坚持以深化改革开放创新为动力，积极发展培育新动能，注重引导良好发展预期，坚持用稳定的宏观经济政策稳住市场预期，用重大改革举措落地增强发展信心，防范和稳妥化解各类风险，努力实现全年经济社会发展预期目标，确保实现“十三五”良好开局，促进经济保持中高速增长、迈向中高端水平。重点做好以下工作：

（一）稳定宏观经济政策取向注重相机灵活调控。加力增效实施积极的财政政策，落实和完善营改增相关政策和过渡性措施，积极盘活用好财政存量资金，引导社会资金更多投向实体经济和基础设施建设薄弱领域。灵活适度实施稳健的货币政策，综合运用并创新流动性管理工具，保持流动性合理充裕；着力疏通货币政策传导渠道，清理不必要的资金通道和过桥环节，降低企业融资成本。强化股市、汇市、债市、互联网金融等领域的风险防范，完善金融监管体制，坚决守住不发生系统性区域性风险的底线。

（二）坚定不移推进重点领域关键环节改革。深化放管服改革，再取消一批行政审批事项，进一步减少中央层面核准的企业投资项目数量，落实好深化投融资体制改革的意见。持续深化国有企业、财税金融、价格和生态文明等领域改革，推进国有企业和金融部门基础性改革，促进中央企业瘦身健体、提质增效；完善中央银行政策利率体系，保持人民币汇率在合理均衡水平上基本稳定；落实好推进中央与地方财政事权和支出责任划分改革指导意见，推进天然气价格市场化改革，出台生态文明建设目标评价考核办法。充分调动各方面积极性主动性，改善企业微观环境，完善产权保护制度，激发和保护企业家精神。

（三）坚定不移推进去产能、去库存、去杠杆、降成本、补短板。确保实现去产能目标，通过有效市场竞争提高资源配置效率，实现优胜劣汰和产业重组，提升过剩行业集中度，落实好去产能实施方案和八项配套政策，严控新增产能。有效拓宽去库存渠道，有序引导城镇化进程和农民工市民化，合理引导过剩商业地产转向养老文化体育等用房。不断丰富和优化去杠杆方式，通过兼并重组、盘活存量资产、优化债务结构、实施市场化法治化债转股、发展股权融资等途径，积极稳妥降低企业杠杆率。进一步综合施策降成本，增加劳动力市场灵活性，抑制资产泡沫和降低宏观税负，实施降低实体经济企业成本工作方案及配套政策。集聚资源加快补短板，加强脱贫攻坚、创新能力、生态环保、软硬基础设施等薄弱环节建设，努力补齐发展短板。

（四）适度扩大总需求。进一步挖掘潜在消费需求，落实十大扩消费行动，努力增加高品质产品和服务供给，实施增品种、提品质、创品牌战略，加强消费维权社会共治。合理扩大投资特别是民间投资，抓好促进民间投资专项督查整改，清理完善涉及民间投资的政策法规，加快实施“十三五”规划纲要确定的165项重大工程，支持中小河流整治、病险水库加固和城市防洪排涝设施建设。努力促进外贸回稳向好，继续推动全国通关一体化改革试点，提升贸易便利化水平，促进加工贸易向中西部地区转移，妥善应对贸易摩擦。

（五）促进新经济新动能成长壮大。抓紧落实国家创新驱动发展战略纲要，重点通过加强科技创新、增强核心竞争力，推动新旧动能转换，加快全面创新改革试验，建设首批双创示范基地，实施科技成果转移转化行动。推进战略性新兴产业加快发展，出台实施“十三五”战略性新兴产业发展规划和信息化规划，抓紧制定“互联网+”负面清单，编制发布“中国制造2025”十一项配套措施。完善服务业发展支持政策，着力破除服务业发展的制度障碍，开展服务业质量提升专项行动，落实促进通用航空发展的指导意见。

（六）促进区域城乡协调协同发展。精准实施区域政策，加快落实京津冀协同发展规划纲要，继续推动长江经济带加快发展。出台实施西部大开发、东北振兴、海洋经济发展“十三五”规划，制定新十年促进中部地区崛起规划。综合施策缓解东北等地区困难，促进东北等地区经济加快转型升级。扶持革命老区、民族地区、边疆地区发展。深入推进新型城镇化，实施好1亿非户籍人口在城市落户方案，有序推进具备条件的县和特大镇设市，支持特色镇发展。

（七）进一步加大稳农业促增收政策力度。扎实推进农业结构调整，继续开展“粮改饲”、“米改豆”试点，实施耕地轮作休耕制度试点。强化农业农村基础设施建设，抓好高标准农田、重大水利、农网改造升级工程和农村污水垃圾等处理设施建设。努力增加农民收入，采取措施解决粮食收储信贷资金及仓容不足问题，稳步推进玉米收储制度改革，继续执行并完善小麦稻谷最低收购价，大力促进库存陈粮深加工转化。深入推进农村产业融合发展。

（八）进一步提升对外开放水平。继续放宽外资准入，修订中西部地区外商投资优势产业目录，在全国复制推广新一批自贸试验区改革试点经验，扩大服务业和一般制造业开放。扎实推进“一带一路”建设和国际产能合作，加强对“一带一路”项目建设的支持，出台“十三五”国际产能合作规划，推进铁路、核电等项目建设。强化“走出去”风险防范，合理引导对外投资。

（九）进一步提升就业和民生保障水平。认真做好就业和社会保障工作，落实高校毕业生就业促进和创业引领计划，支持返乡农民工创业，实施化解过剩产能企业职工职业培训计划；健全社会保障体系，发挥好社会救助托底保障的功能。加强精准扶贫精准脱贫，加快易地扶贫搬迁工程建设进度，加大产业、转移就业等精准脱贫工程实施力度，确保完成全年目标任务。着力解决生态环境、安全生产、公共服务等领域突出问题，推进大气、水、土壤污染防治，抓好环境保护督察；强化安全生产，坚决遏制重特大事故发生；提高基本公共服务能力，出台“十三五”基本公共服务均等化规划。切实抓好防灾减灾，强化措施、落实责任，把确保人民群众生命安全放在首位，全力做好受灾群众转移安置和基本生活保障，及早谋划灾后重建。

委员长、各位副委员长、秘书长、各位委员，今年下半年经济社会发展任务十分繁重，我们要更加紧密地团结在以习近平同志为总书记的党中央周围，深入学习习近平总书记“七一”重要讲话精神，真正把思想认识统一到党中央对经济形势的科学判断上来，进一步贯彻落实好党中央、国务院的重大决策部署，真抓实干，敢于担当，以钉钉子精神把各项工作落到实处，努力实现全年经济社会发展主要目标、实现“十三五”良好开局，推动我国经济发展长期向好。

把握好多目标货币政策:转型的中国经济的视角

——在华盛顿参加国际货币基金组织中央银行政策研讨时的发言

中国人民银行党委书记、行长 周小川

(2016 年 6 月 24 日)

全球金融危机以来,有很多关于中央银行的讨论和反思,各国情况存在差异,但也有不少有共性的问题。中国兼具一个大的转轨经济体和新兴市场经济体的特征,外界对中国央行和货币政策也存在不理解,今天我想借这个机会,和大家探讨一下危机后大家共同关心的问题,以及中国央行的目标、功能与做法。

一、问题的提出

央行应选取单目标还是多目标?危机前多数主要央行关注的重点是价格稳定,并采用了通胀目标制。危机后,许多央行强化或增加了金融稳定和金融监管职能,经济复苏的持续乏力也引发了对通胀目标制以外的货币政策框架的理论探讨,如兼顾了增长和通胀的名义 GDP 目标制。对新兴市场经济体而言,货币政策无疑会受到国际收支和资本流动的影响,涉及的问题是央行应不应该关注国际收支平衡?

相关的问题是央行的独立性。普遍的看法是央行和货币政策应该独立;也可以把央行和货币政策适当分开,强调货币政策应独立。一个实行单目标制的央行是相对容易实现独立的。但如果一个央行是多目标的,可能就更难以超脱政治现实的影响。这一方面是因为多目标就需要与其他政府部门和监管机构较多地协调、共事,另一方面,央行承担的宏观审慎和金融监管等职能,在权责上本身就比较敏感。

第三个问题是货币政策和财政政策是什么关系。财政政策和货币政策理论上是有分工的,但在实际中常有冲突,也有交集。全球金融危机以后,财政政策使用得并不充分,这就被动地造成了对货币政策过度依赖。一个具体问题是,在发生系统性风险时,特别是在财政政策受到制约或者财力有限的时候,中央银行是否应当参与救助?如何参与?

第四个问题是转轨经济体的央行有何不同。经济转轨的含义是从中央计划经济到市场经济的转变。转轨初期,宏观调控的市场基础往往尚不存在,金融市场和金融产品很不完善,而且转轨过程中通常都有巨大的财务缺口,财政能力极度脆弱。如果央行不推动金融改革和市场发展,就不会有健康的金融机构和市场机制,也就谈不上货币政策的正常传导。而且,转轨经济体和其他新兴市场经济体一样,发展水平低,有把"失去的几十年"追回来的愿望,对经济增长自然也会较多关注。因此,要在这种背景下理解一个转型经济体央行的目标选择。

二、中国央行的目标与功能选择

维持价格稳定的单一目标制是一个令人羡慕的制度——简洁、好度量、容易沟通。但对现阶段的中国尚不太现实。长期以来,中国政府赋予央行的年度目标是维护价格稳定、促进经济增长、促进就业、保持国际收支大体平衡。从中长期动态角度来看,转轨经济体的特点决定了中国央行还必须推动改革开放和金融市场发展,这么做的目的是为了实现动态的金融稳定和经济转轨,转轨最终是为了支持更有效、更稳定的经济。人民银行高度重视价格稳定,这是各国央行都有的目标。经济增长和就业重叠性较大,也是某些其他央行的目标。但中国央行功能中比较特殊的是改革开放、发展金融市场和国际收支平衡,也比较注意协调其他政府部门。这里的问题在于:为什么央行要有这些目标?为什么是央行而不是财政?

人民银行为什么要支持并组织改革开放?转轨早期的共性问题是价格严重扭曲,税收体系扭曲,非货币化实物分配,资源配置非常低效,银行也还不是真正的商业银行,缺少银行法、会计准则、审计、贷款分类、财务报告等方面的健全制度。首先,中央银行是否利用货币政策支持价格、税收等市场化、货币化改革?这些扭曲和资源配置错误的损失通常最终都集中于银行体系。大家可以观察到的现象是许多转轨国家的银行体系都被巨额的不良贷款拖垮了。中国的银行体系在转型中面临同样的问题,亚洲金融风波则进一步加剧和暴露了这些问题,中国银行部门的资本充足率、不良贷款等指标严重恶化,国际业界普遍评论中国的大型银行已经陷入了"技术性破产"。这时,不改革开放就不会有健康的金融机构体系,就没有金融稳定可言,中央银行难以实现价格稳定,货币政策的有效性也无从谈起。因此,在这一历史阶段,金融改革和实现金融系统健康化和稳定的重要性甚至要高于通胀等传统目标。

当转轨经济体的旧有银行体系被拖垮且财政虚弱时,小的转型经济体可以"出售"银行来寻求金融机构健康性,也比较容易找到愿意收购的外国银行,在中东欧的转轨国家较多见到这一模式。但中国的银行体系庞大且层级多,也难有外国银行有能力和意愿全面介入。中国不得不靠自己的力量来救助银行并进行改造。但当时财政没有足够的资源,1990 年代财政收入占 GDP 比重的低点仅约为 10%,还有大量的计划经济历史包袱,所以央行不得不设法救助金融机构和维护金融稳定。在这一过程中,人民银行剥离了政策性不良资产,对问题银行进行了注资,并推动各大型银行公开发行上市、转向混合所有制、改革其治理和提高国际竞争力,在宏观上维护了金融稳定,顺利走出了亚洲金融风波的危机。同时,注重监管体制、法规建设、会计审计标准、贷款分类、财务报告等方面的微观制度建设,为银行业可持续健康发展和金融稳定奠定了基础。

人民银行为什么要发展金融市场?转轨经济体通常价格机制僵化,缺乏成熟经济体的金融市场和金融产品。绝大多数计划经济在转轨时都没有股票市场、没有公司债,金融产品种类匮乏,更没有衍生品工具用于进行风险管理。这种情况下,即便央行想让货币政策向市场化方向靠拢、想建立现代化的宏观调控框架也不可能,货币政策也无法正常传导。改革初期,业界并没有足够的动力来发展金融市场,央行不得不考虑做这件事,中央政府也指定央行来发展金融市场。因此,人民银行推动金融市场发展,是其更好履行货币政策职责的内在要求。

人民银行为什么要关注国际收支平衡?事实上,对所有新兴市场经济体而言,国际收支、资本流动、汇率和外汇储备都是影响宏观经济和货币政策的核心内容,新兴市场经济体央行关注国际收支平衡十分正常。这一点基金组织可能更清楚。而转轨经济体还有自身特点,因为计划经济时代的价格、贸易、汇率政策往往存在严重扭曲,许多转轨经济体都经历了国际贸易的崩溃和国际收支的大幅恶化。

中国在转轨过程中借鉴了东亚外向型国家的发展道路。这对中国经济的各方面改革开放都贡献良多,但也提高了中国对国际贸易和外资的依赖度,导致国际收支在很大程度上影响到了央行的货币政策、货币供应量和价格稳定目标。因此,中国央行必须要关注国际收支平衡问题,相应也需要承担管理汇率、外汇、外汇储备、黄金储备、国际收支统计等职能。财政在转轨早期、中期面对大量显性和隐性亏损,处于极度困难的阶段,可以理解会对金融改革、汇率、国际收支取避让策略。从中国这些年的情况看,内需和外需都向正确的方向得以调节,也应对了亚洲金融风波,说明央行关注国际收支的体制是对的。

与此同时,多目标和货币政策功效之间的关系也存在不容易处理的问题。中国央行追求多个目标确实可能会影响其独立性,这个矛盾真实存在。考虑到中国央行要组织改革,要解决过去金融体系税率和税制的种种不合理之处,处理历史遗留包袱,把大型金融机构改造为健康的、现代化的企业,这都需要和政府各部门去协调并共同完成。在这种情况下,央行要想有所作为,跟政府保持比较紧密的关系是有助于改革的。反过来说,从计划经济向市场经济转轨的过程中,如果改革不到位,货币政策就难以选择合适的工具,也难以传导;如果央行过多强调低通胀目标,不在价格改革时容忍一定通胀,那么反而可能阻碍整体的改革转轨。当然,《中国人民银行法》对央行独立性也是有语言表述的,即“中国人民银行在国务院领导下依法独立执行货币政策,履行职责,开展业务,不受地方政府、各级政府部门、社会团体和个人的干涉”。如果今后央行的改革任务基本完成,目前的这种状况也可能发生变化。

综上,中国央行采取的多目标制,既包含价格稳定、促进经济增长、促进就业、保持国际收支大体平衡等四大年度目标,也包含金融改革和开放、发展金融市场这两个动态目标。这种选择与中国处于经济转轨中的国情是分不开的。

三、多目标制带来的挑战

多目标制确实会带来不少潜在的挑战,首先是能否表达为追求优化的多目标函数,如能解决好权重系数,则可表达为线性或对数线性的多目标函数,且可论证它与一般均衡目标具有对偶关系。此外有若干技术问题,比如:

第一,目标重叠。中国央行的经济增长和就业两个目标之间就有重叠,但这个问题不难解决。只要识别出重叠的部分,并赋予其与非重叠部分不同的权重系数即可。

第二,目标冲突。世界上处理经济问题经常都是面临两难、三难困境,都要有取舍和权衡,目标冲突虽难以避免,但也很正常,即表现为目标优化中的相互抵消。

第三,多目标能否加总和如何确定权重。这其实是一个比较技术的问题,可综合使用模拟市场和专家法来应对,稍后讨论。

第四,模型复杂,不够简洁,沟通不易。简单的模型和目标当然好,人人都想追求,但央行所面临的现实世界和任务是复杂的,特别是在全球金融危机之后,很多央行都被赋予了更多的使命,如美联储除就业和价格稳定外还要负责监管系统重要性金融机构,欧央行在欧洲银行业联盟建设过程中成为了单一银行业监管机构,英格兰银行也增加了审慎监管职能。所以,复杂和不够简洁难以避免,而沟通困难的本质则是事物本身的复杂性。

第五,与经济金融全球化的联结仍是难点。传统的货币政策模型多数只注重国内,但全球互动越来越显著,产生众多的关于溢出和反向溢出的讨论。而金融稳定则从 2008 年起就一直是全球性问题,将不同国家、不同类别的模型加以联结,可想而知是有难度的。多目标、多变量的方法在理论上有助于国内与国际的联系、互动,但方法不成熟,挑战众多,加大了“维度灾难”(Curse of Dimensionality)等困难。

四、多目标货币政策的优化问题

(一)多目标优化的权重问题

当央行同时追求多个目标时,央行面对的就是一个多目标的优化问题。这本身在经济学中是很常见的问题。央行的目标函数可以是各个目标的线性函数或者对数线性函数。在数学上,央行可以理解为在一个一般均衡模型(GE)中,或动态随机一般均衡模型(DSGE)中,通过选择合理的政策变量,来最优化这个目标函数,这里的关键在于如何确定目标函数中各个目标对应的权重系数。

我们知道在计算 GDP 时其实是一个线性加总的目标函数,所使用的权重系数是市场供需条件下形成的商品、劳务的公允价格。央行在求解目标函数最优化的时候,也可以模拟市场公允价格的形成机制,通过权衡决策层和专家层等各方面的意见,模拟出类似于在供求关系下得出大致公允价格,作为权重系数。

另外,几个货币政策目标均存在容忍区间,在区间之内目标权重会呈现某种调整变化,这也可以通过专家法加以大致测度。比如在危机期间,中国就调高了金融稳定和金融机构健康化的权重。而在通胀较高的时候,价格稳定的权重升高;在经常项目余额占 GDP 比重较大的时候,国际收支目标的权重又会相应得到提高。这是一个动态调整的过程,虽然这会使得中央银行的目标函数看起来不太稳定,但也难以避免,不妨碍央行的多目标制。

(二)模型复杂化

多目标优化也会使得央行的宏观经济模型复杂化。我们需要考虑更多的变量,以及这些变量间复杂的动态关系,需使用向量自回归(VAR)和结构向量自回归(SVAR)这些技术来建立行为函数,同时也会遇到更多的挑战。一个就是通常所说的维度灾难问题,但这也有一些技术方法去解决。对转轨经济体更大的挑战还是来自于经济机制的不断转变导致了样本的不可比性和结构断点。比如中国 80 年代以前的样本几乎是完全不能使用的,80、90 年代的数据也较难运用,这就导致在使用模型进行分析的时候可用的样本量很小。

(三)沟通问题

模型复杂化还会带来沟通的困难。货币政策决策实际运用的模型是多变量、动态的,各变量及其滞后的变量间有复杂的交互关系。但多数人的思维方式和教科书描述传统通常是单变量的、语言型逻辑。因此央行在沟通中一直面临着两难:

如果沟通过于简单，虽能保证公众理解，却无法反映事物本身的复杂性；如果沟通过于技术、复杂，则只有少数经济学家和市场人士能理解。这种两难是每个央行在沟通过程中都面临的。中国央行的做法是强调对专家层的沟通，以维护信息传递尽可能准确，并通过专家向广大公众做分析、解释工作；同时，我们也会向公众提供简化版的沟通。

五、结语

今天我主要介绍了中国央行的多目标货币政策框架的背景和选择的理由。当然，这种选择不可能只有收益，没有成本。我们不否认有些事是有代价的，关键是代价不能高于收益。与同样处在转轨经济中的世界其他央行相比，中国央行推进了改革，促进了金融市场的发展，大体上保持了金融稳定，也赢得了机会去更好地实现货币政策目标，可以说收益大于成本。尽管有观点认为中国的体制选择带来了信用增长过快、高杠杆率和影子银行等问题，但也只是相对其他新兴市场比较而言。当前的中国仍处于发展变化之中，货币政策的目标和理念也仍在演变。中国经历了较长时段的转型，因而央行的制度安排也体现这一特点。转型终将会大致告成，央行目标函数将走向简化，许多国际经验也将更加对中国有实践意义。我们也在密切关注国际上关于中国货币政策的讨论，并将根据今后的情况动态调整，不断适应中国改革和发展阶段的需求。

更好地发展普惠金融

——在全国政协十二届四次会议分组讨论时的发言

中国人民银行党委书记、行长 周小川

（2016 年 3 月 11 日）

大家在讨论中都发表了很好的意见，我从个人工作角度谈一下。我在政协负责联系社法委工作。刚才，大家对福利保障也对金融工作提了一些意见建议。下面，我主要讲讲普惠金融在福利保障方面的作用，这和今天的议题联系比较紧密。

一、普惠金融的内涵

从金融角度提升社会福利、增强社会保障、扶贫和保护弱势群体，向普罗大众提供更好、更便捷、更安全的金融服务，国际上的提法是普惠金融。普惠金融也写进了“十三五”规划，我国领导人在不同场合也都提到了普惠金融。

普惠金融是指将金融普遍惠及所有群体，特别强调在贫困地区、少数民族地区、偏远地区以及残疾人和其他弱势群体中提供金融服务。因为，对富裕阶层或大城市人群而言，金融服务的问题总体没那么大。国际上，讨论普惠金融的主要注意力是强调发展中国家和贫困国家的金融服务，比如非洲。

普惠金融强调的另一点是要使各个阶层跟上社会进步和现代化的步伐。刚才，一些企业界代表谈到了这一点。现代化并不一定是指致富，而是指要能跟上信息社会的发展要求和步伐，能够利用信息技术等现代化手段来创造新的机会，包括刚才提到的支持就业、创业和小微企业发展等。一般意义上的金融工作也包括支持就业、创业、小微企业，但普惠金融强调要更多地向薄弱领域倾斜。金融企业考虑到成本等因素，自然倾向于“做大户”，所以要号召金融企业分配一定的精力和资源专门来支持就业、创业和小微企业等薄弱领域。当然，发展普惠金融也要更多地与财政政策等其他政策协调配合。

普惠金融的另一个内容是强调消费者保护。金融业务、产品众多，有的还比较复杂，一方面，金融消费者要清楚地知道自己的权益，比如知情权、公平交易权、依法求偿权等基本权利；另一方面，涉及金融业务的纠纷案件也较多，包括存在一些误导甚至诈骗。有的老百姓本来过得挺好的，后来一参与这类金融活动就受骗了。这是不行的，有关部门要加强这方面的保护工作。

今年，中国是 G20 轮值主席国，习近平主席将于 9 月份主持召开 G20 峰会，议程中专门列入了普惠金融这一议题。历届 G20 峰会议题有一定延续性，也有不同之处。普惠金融就是今年峰会的一个特色议题（此外还有绿色金融议题）。G20 框架下专门设有负责普惠金融工作的组织——普惠全球合作伙伴（GPFI），重点推动数字金融、指标与数据、打通金融服务“最后一公里”、金融消费者保护和教育等普惠金融相关工作。前不久，在上海召开的 G20 财长和央行行长会上，已经对普惠金融议题做了初步讨论。再经过几轮讨论，相关成果将在今年 9 月份提交给 G20 峰会讨论。

联合国也有一个普惠金融发展计划。联合国秘书长专门请了荷兰马克西玛王后作为其普惠金融特别代表。她已多次访问中国，非常关心中国普惠金融的发展。

此外，多边金融机构方面，世界银行在推动普惠金融发展方面花了很大精力，国际货币基金组织等也做了这方面的工作。

二、发展普惠金融的重点和方向

普惠金融的工作首先要靠基层金融机构具体来做。此外，从上层和国际层面讲，主要工作之一是抓普惠金融概念的推广和明确指标体系。普惠金融的指标体系之所以重要，是因为能够做到相互比较，从而知道某个国家或地区普惠金融的发展程度到底如何，知道哪些方面存在差距，找出改进方向。从指标体系的内容看，强调对贫困地区、少数民族、弱势群体的服务时，更多是强调对个人的金融服务。因为企业在获得金融服务方面总体上还是有一套办法的，当然也有改进空间，而贫困人口获得个人金融服务的比例较小。此外，贫困地区的个人和家庭往往也是经营单位，所以要更注重对个人和家庭的金融扶贫。

中国一说到金融服务，一般都关注贷款难、贷款贵。其实，普惠金融的内涵非常丰富。第一是要能开户，账户是各种金融服务的基础。第二是存款。第三是电子支付。第四是社会福利可以便捷支付到个人，比如发放补贴款、养老金、医疗保障金。如果以上金融服务都比较顺利，银行或信用社就对客户有了基本信息，就比较容易提供贷款，这是第五。第六是购买保险，包括养老、健康、医疗等在内的各种保险是贫困地区非常重要的金融服务内容。此外，生产过程中的保险对于农业生产至关重要，包括气候、灾害以及病虫害等风险，都需要通过保险来管理。第七是农业生产经营需要及时了解价格信息、参与农产品期货市场。第八是在金融服务的基础上，将来可以把各种生产、行业、产品等方面的信息加以整合，使农民能够利用金融服务平台更便利地一并获得这些信息和金融服务。这对于扶贫是非常重要的。

中国参照国际上定义的指标体系，包括上述指标，都进行了考核。从全球发展中国家看，中国做得还是不错的，特别是在账户、储蓄等方面处于前列，但还有不少差距。特别是，我们要想办法对全国 11 个集中连片特困区及一些少数民族聚居区下更大功夫。中国地域广阔，普惠金融的指标很不平衡。通过这些指标可以看出，哪个地方做得怎么样，该从哪里抓起。现在，中国贫困阶层人群的银行账户开户率比例明显偏低，这是需要重点改进之处。

普惠金融还强调，运用新的信息技术实现普惠。有同志提到，金融机构要有一种扎根到基层提供服务的精神，这当然很重要。但金融机构也会考虑交通、成本、商业可持续等问题。现在，通过在村里的小卖部或基层行政单位布设 POS 机等自助机具，村民们可以方便地存款、取款、汇款、缴费，满足其一部分金融服务需求。近来，很多账户都与手机相连，将来电子支付、移动支付方式的普及，也能够为偏远地区群众提供更大帮助。

普惠金融从全球的经验来看，做得比较好的、比较让人放心的是手机银行服务。非洲最大的经验是肯尼亚等国广泛利用手机银行。用户通过手机，可以开账户、支付，可以获得信息，可以贷款、还款、买保险等。不少人认为手机是个高档次、现代化的产品，其实未必。在肯尼亚、南非，多数人其实并不用很高档的手机，用二代半的廉价手机就可以实现大部分金融服务的运用。

我国还存在一些缺陷，比如金融体系跟电信体系是分割的，金融体系跟互联网公司之间的配合也存在问题。但是我们有个优势，就是全国范围的手机信号覆盖率比较高，比世界上很多地方要好很多，所以是有良好基础的。如果配合好，是很有发展前景的。另外，高收入阶层、城里人手机更换速度很快，造就了二手手机市场。手机的档次越高，加密、安全和保护功能越强。用低档次的手机做支付，往往就靠一个密码，其安全度是不够的，但却易于扩大普及面，为低收入群体所运用。国际经验表明，这就需要在普及和安全之间找到平衡点。普惠金融强调普及性，要普及得好，就需要推出一些针对小额支付的技术设计和金融产品，合理设置单笔交易和日交易的限额，即便发生损失，可能也不大。同时，还要有适当监管。

三、加强金融知识普及和金融消费者教育

如果要想搞好普惠金融，就需要加强金融知识普及和金融消费者教育，学校也需要开设有关课程。现实生活中，很多误导性的金融知识都是你传我、我传你，其实都是错的。其中，非法集资是一个最大威胁。非法集资很多就是骗钱的，特别是有很多专门骗老年人，跟推销健康类产品混在一起。如果非法集资者利用手机或者互联网传播信息，速度会非常快，经常跨区域，处置难度也比较大。所以，金融教育非常重要，有助于提升消费者的风险意识和自我保护能力。

如果要在普惠性、安全性之间找到平衡，一个重要的手段就是设置和划分不同账户做交易的授权限额。对个人而言，比如说小额的 1000 元以下的，用密码就行了；1000 元以上的，用高一点的安全技术；1 万元以上的，用更高的安全等级；再大金额的，可能建议自己去银行当面办，这样划分既有便捷性，也比较安全。如果由银行对授权金额作统一规定，会遇到各种不同声音，所以有的银行倾向于把权力下放到消费者个人，让消费者自己决定。这些方面为什么会有不同的声音？不少商业性公司包括互联网公司，都喜欢做大生意，如果限定小额支付为 1000 元/日，网上反对的声音可能会铺天盖地，说对商铺造成不方便了等等，1000 元不行要 5 万元。他想要 5 万元的限额，其实可能方便的是经商的客户，而不是个人消费者，更不是普罗大众消费者。实际上，经商的客户可选用适用于企业的账户和支付技术。消费者一经忽悠，也会以为限额越高越好，也跟着呼吁提高到 5 万元。但是随着限额的提高，一旦发生案件，损失就越大，为此，也要求用更高、更新的安全、加密手段，用更新、更贵的终端设备，也就可能脱离当前的普罗大众。但来自普惠金融、弱势群体的声音基本没有，听不到诸如“我们不要 5 万元，就要 1000 元”的声音。所以，要通过消费者教育，尽量让每个人掌握好个人安全、个人隐私和便捷方面之间的平衡点，舆论上防止声音一边倒。与国际比较看，中国的多种个人交易限额，都远远高于其他国家。举个几年前的 ATM 取钱限额的例子。ATM 本来就是用来取零钱的，但实际上在个别东部沿海城市，主要是做生意的人在用，限额是每次取 2 万元，一个抽屉 20 万元，取一会钱就没了，还要取。有些用现金做生意的，可能还涉嫌洗钱、逃税。一般的消费者很少取 2 万元，更不会马上就用完了还继续取。人民银行当年配合税务等部门，要下调 ATM 取现的限额，结果某些商户通过媒体大造舆论，最终不了了之。这就把 ATM 搞变味了。与普惠金融有关的产品、制度和限额设计应该真正能够为大众服务。要合理区别服务商户和个人的技术及其安全选择，这都需要教育。

刚才大家还说到养老保险、健康保险等问题，都是改善福利保障、脱贫、普惠金融方面非常重要的题目。我非常赞成，总体看金融工作还要在这些方面发挥更大作用。有同志提到加强金融监管，以及预筹养老金如何投资、保值增值等问题，也都很有意义。总之，今天参加座谈收获很大，我也借这个机会和大家交流、讨论一下，讲得不对的地方，请大家批评指正。

在2016中国发展高层论坛上的讲话及答问

中国人民银行党委书记、行长　周小川

（2016年3月20日）

女士们，先生们，各位来宾，下午好！

很荣幸又在中国发展高层论坛跟大家进行交流，今天我要讲的题目是金融改革。刚刚结束的中国十二届全国人民代表大会第四次会议通过了“十三五规划”，我想借此机会跟大家简要讨论下“十三五规划”有关金融体制改革的内容。

“十三五规划”第十六章专门讲金融体制改革，总的提法是“完善金融机构和市场体系，促进资本市场健康发展，健全货币政策机制，深化金融监管体制改革，健全现代金融体系，提高金融服务实体经济的效率和支持经济转型的能力，有效防范和化解金融风险”。第十六章共有三节和一个专栏：第一节是“丰富金融机构体系”；第二节是“健全金融市场体系”；第三节是“改革金融监管框架”。我就其中的几项内容跟大家讨论一下。

第一，丰富金融机构体系。中国金融机构数量和种类还比较少，不能满足为经济发展提供金融服务的需要，所以要丰富金融机构体系。这一节一个突出的提法是要健全以商业性金融、开发性金融、政策性金融、合作性金融分工合理、相互补充的金融机构体系。大家知道，中国商业银行、农村信用社、合作金融都有所发展，此次强调开发性金融和政策性金融，也是应对全球金融危机的需要。

首先，过去常规的概念就是金融要么是商业性，要么是公益性，采用类似二进制的提法，非零即一。但是本次全球金融危机以来，很多商业性机构都经历了自身资产负债表调整的过程，所以充分发挥作用就心有余而力不足。同时，如果说公益性融资一般过去都是应该财政花钱，但各国财政情况也不一样，有的财政空间也不大，所以国际上就对开发性金融和政策性金融再次关注。中国正好有三家这样的机构，一个是国家开发银行，一个是中国进出口银行，一个是中国农业发展银行。这三家机构的资产负债表加在一起大概是15万亿人民币左右，其中绝大多数资产是商业可持续性的资产，所以在“零”和“一”之间有一些业务，这些业务过去大家不太在意，但是在危机期间大家觉得需要给予一定的关注。也就是说，低于商业性回报，但又不完全是公益性，这部分业务的发展可以不以盈利最大化为目标，但同时又能弥补一些在“零”和“一”之间的融资空间。

对于中国来讲，也有一些特殊含义，就是中国经济从过去集中型计划经济向市场经济转轨，在转轨过程中由于各种各样的原因（包括价格体制等）造成一部分业务的商业性融资做不了，政府融资力量也不够。因此，中国在“十三五规划”中仍旧把开发性金融和政策性金融作为一个重要的内容进行描述。

另外，在这一节里还提到了扩大民间资本进入银行业，发展普惠金融和多业态中小微金融组织，规范发展互联网金融。做好这些事也有几个认识问题需要讨论来逐渐达成共识。

第一，在中国，非法集资、金融诈骗的现象还比较多，和国际相比可能还比较突出。在这种情况下可能就会有质疑，就是说如果扩大金融机构的数量和进一步放宽准入，会不会出现更多的混乱？

第二，中国金融服务的总水平如何？是供给十分充足不需要再设立更多的机构？还是金融服务总体不足，导致一些非法、钻空子性质的欺诈金融活动反而有很多的市场和机会？所以这个问题也需要通过讨论来明确。从“十三五规划”看，我觉得中国作为这么大的经济体，虽然商业银行、证券公司、保险公司数量不少，但因为国家很大，基层金融服务总量上来讲还是不足。

第三，中国政府历来强调金融要为实体经济服务。为实体经济服务的观点也有不同，有人认为金融发展了，就会把资源占走，反而忽略了实体经济。有人认为，金融界创造的市场和一些产品自己炒来炒去，不是为实体经济服务的，所以对发展金融服务业持有比较负面的看法。我认为从博弈论的角度来看，实际上可以分三类：金融业和实体经济之间可以是双赢局面，也可以是零和博弈，也可以是双输局面。对于中国来讲应该做到什么样，至少可以有一个初步的结论，就是如果金融业不能够更好地发展，提高更普遍的金融服务，同时提供更加符合市场需求的产品，那么实体经济就会受到限制。

我们对金融业和实体经济的关系强调得比较多，说法也多种多样，要把“十三五规划”中有关金融改革的内容落实好，就需要进一步理清这方面的认识。

“十三五规划”第十六章第二节内容是“健全金融市场体系”，其中最突出和最开始提到的都是如何健康发展资本市场。中国资本市场的发展仍然有很大的空间，同时也有很多工作要做。除了有很多资本市场服务的市场需求、资本市场融资的需求以及改善公司治理的需求以外，在中国也有一个稍微特殊的考虑，就是中国经济的整体杠杆率偏高，也就是大家常讨论的总的借贷等债务和GDP的比重，特别是企业部门借贷等债务占GDP的比重偏高。“十三五规划”也希望通过发展资本市场，使更多的资金进行股权投资，减少企业对借贷杠杆的依赖，这也是大家关心的问题。

如何看待中国企业部门或者公司部门的高杠杆率？我想说三点：

第一，中国的国民储蓄率高。一般国家在GDP的20%—30%左右，中国去年的总储蓄率还是46%点多，其中居民部门在35%以上。储蓄率高有多种多样的原因，储蓄的钱多，通过银行和买债券渠道的债务融资就会高一些，所以如果说中国企业债务率高于其他一些国家，从这个角度看也不奇怪。当然也不能高得太多，否则也是有问题的。

第二，中国的股本市场发育比较晚，股票市场在90年代初才开始出现，市场发展的时间还短，所以资本市场总融资比例比较低，民间的股本融资也相对薄弱。

第三，中国改革开放以来发展比较快，但总的民间积累、民间财富还比较少，所以民间财富变为股本的机会也相对比较少。

这些因素加在一起就导致借贷比例比较高，就容易产生一些宏观上的风险，这方面我们也是和国际上很多朋友们一样给予高度重视。解决的方法也有很多种，其中一个重要的方法就是加快发展资本市场，通过资本市场股本融资能够使国民储蓄中更大比例资金进行股本融资，也就降低了债务占GDP的比重，也降低了债务股本的比例。

在健全金融市场体系这一节中还谈到了很多其他内容，包括债券市场的发展、健全利率、汇率的市场决定机制。大家都比较关心利率、汇率机制的改革，我们前一段时间在G20的场合下也讨论了汇率机制。中国的利率市场化在去年年底之前应该说基本上完成了，利率管制，不管是贷款还是存款都已经取消，金融机构都有了利率的自主定价权。当然，利率改革后续还有很多任务，比如说中央银行对利率的指导还有一个健全传导机制的问题。再比如说，利率形成机制也还有一个在市场上不断磨合、逐渐完善的过程。因此，还有很多需要不断完善的方面，但总体上看利率市场化改革已经取得了决定性的进展。

"十三五规划"的第三节内容是"金融监管体制改革"。在这方面，首先，规划中提出要加强金融宏观审慎管理制度建设，构建货币政策与审慎管理相协调的金融管理体制。这表明中国还是很重视全球金融危机中的经验教训。中央银行过去比较强调对价格总水平的调控，很多央行还实行通货膨胀目标制，仅做到这点还不够。即便有些情况下通货膨胀水平不高，但经济体系还可能出现其他的金融风险，甚至是危机。所以首先强调要加强宏观审慎管理框架的建立。

另外，"十三五规划"中提出要健全符合我国国情和国际标准的监管规则。这方面，要认真研究我国自身的经验教训，包括在去年金融市场发生波动的时候，市场上有各种各样的讨论，包括有一些观点认为我国的金融监管体制还不是很理想，因此我们要从吸收经验教训。

从国际上看，尽管没有一个非常理想的模式，但全球金融危机中出了不少问题，这些问题今后在金融监管体制改革方面应如何对待，国际上也有众多的讨论，也有很多的实践探索，这也是我们金融监管体制改革的重要参考。

在金融监管体制改革中还特别提出了要切实保护金融消费者的合法权益，这也是目前体制上的不足之处，在落实"十三五规划"过程中要大力加强，包括金融消费者合法权益的保护、隐私的保护、提高金融基础设施和金融系统的安全性，以及加强对消费者的教育，使其能够更好地保护自身权益。特别要强调的是，在互联网技术和信息科技发展的情况下，应该把这项工作做得更好。

谢谢大家！

马丁·沃尔夫：请问周行长，没有干预的自由浮动汇率制度是不是中国政府的目标？在此背景下，中国政府对中国外汇储备的快速减少是否感到担忧？

周小川：首先对于汇率改革的目标，我们没有用"自由浮动汇率"这个提法，用的是"有管理的浮动汇率制度"。和完全自由浮动汇率的差别，过去也讲过，有一些还在讨论之中，因为还需要逐渐形成共识，但有三点是比较清楚的：

第一，涉及到反洗钱和反恐融资，这方面强调是要管住的，通过反洗钱和反恐融资的有关手段，对涉及这些方面的汇兑还是会有一定的管理。

第二，根据宏观审慎管理框架，这也是危机之后国际社会形成的共识，像中国这样的发展中国家还是要防止出现宏观审慎方面的一些问题，比如企业过度地借外债和过度地货币错配，这些情况在亚洲金融风波期间的一些亚洲国家都发生过，需要通过宏观审慎措施来进行管理。

第三，从刚才拉加德女士所谈到的全球资本流动的形势看，我们目前主张鼓励和支持中长期的投资活动，包括外国人投资到中国，也包括中国人投资到外国。对于超短期、投机性的资本流动，也是要管理的，当然管理措施也不一定完全有效，对这些资本流动也不是特别鼓励的。

在这样的前提下，浮动汇率体制我们一般不用所谓完全自由浮动这样的提法。当然这也并不意味着汇率会有什么偏差，还是要尊重市场供求规律，也要参照国际市场上的多种货币篮子，特别是未来更多地参照SDR篮子，让人民币汇率保持在合理均衡水平。

至于外汇储备，我们观察中国的外汇储备增长比较快的阶段是在亚洲金融风波之后，也就是从2002年到2008年这一段时间，后来也还有一些增长。这段快速增长过程中，除了经常项目顺差或者其他原因，中国人挣到了外汇并积累起来之外，也有相当一部分，可能1/3左右是各种各样的短期资金，其中包括所谓的套利交易，这些资金在他们认为合适的时候可能会流出，因为这些资金也是牟利的。但出去的速度不见得比当年积累的速度有太大惊人的差异。

其中也有一个因素，就是去年有一段时间到今年1月份，市场对中国经济放缓的议论较多，导致信心有些不足，同时中国金融市场也出现了波动，市场信心有一些非常明显的受到损害，各种议论真假都有。在这样的情况下，资金流出也就多一些。对中国整体经济和改革发展的判断以及对中国汇率水平的判断回归理性后，就会恢复正常。现在看来，这个数据非常明显地有所减缓。

嘉宾：我是伦敦经济学院的尼克·斯顿（Nicholas Stern）。周行长和拉加德女士在应对气候变化相关的经济金融风险方面都发挥了非常重要和有价值的领导作用，这种风险也包括化石能源错误定价带来风险敞口。同时，向低碳经济的转型提供了很多增长机会，也是中国"十三五规划"的重要内容。未来要管理与气候变化相关的经济金融风险，抓住向低碳经济转型的发展机会，各国央行、金融稳定理事会（FSB）、国际货币基金组织（IMF）、二十国集团（G20）可以发挥怎样的作用？

周小川：您2月底在G20部长会后的BIS会议通过视频做了讲话，讲得非常好。在减缓气候变化和加强绿色金融方面，您问央行可以做什么？首先应该说，央行可以做的事相对于中国的发改委和财政部这些部门，可能确实少一些。因为总体来讲，货币政策和金融政策的结构性不那么强，总量性比较明显，但是我们强调要做三件事：

第一，大力支持配额交易市场。多年前我们就已经反复在说，而且也以实际行动在推动这方面的工作。配额市场，比如碳排放配额市场及其他排放物市场，在性质上很像是金融市场，而且本身就能够带来激励机制，也能带来融资功能，所以应该把金融市场的一些技能和方法应用到象碳配额交易市场中来。

第二，央行会同其他部门一起支持绿色金融的发展，这也是今年G20准备纳入的题目，为此还特别成立了工作组，现在正在积极准备。其中包括若干种支持绿色发展的融资方式，有一些看起来虽然不太像是央行直接能够做的，但央行可以在这方面发出声音，同时会同其他的部门包括监管部门一起来做。

第三，您也讲到，在风险评估和风险防范上也要给出一定的指导方针，也就是说如果金融活动过多地支持了二氧化碳排放、化石能源的使用及一些污染物排放，尽管短期来讲看不出什么问题，但是从中期来看，不仅对整体经济不利，甚至也会给金融机构本身带来更多的风险。也就是说，一开始没有体现到风险，但后面隐藏了更大的风险，包括对商业银行的风险，以及对财险公司的影响，当前有可能被社会、被金融界所低估，应该给他们一个正常的估值，同时要有前瞻性的估值，使他们真正能够重视这件事。

监管部门究竟是应该在政策上鼓励绿色融资，还是应该使金融体系对于涉及到环境的金融风险给予更高的风险权重，使大家警惕这种风险？这个问题也曾有过讨论。我认为这也是央行和监管机构共同能够做的，这样都能够在这方面做出一定的贡献，我也非常希望听到大家有哪些建议，以便我们在这方面能够尽可能地多出一点力。

在全国国有企业"三供一业"分离移交工作视频会议上的讲话

剥离国有企业办社会职能和解决历史遗留问题专项小组组长、国务院国资委主任　肖亚庆

（2016 年 7 月 13 日）

同志们：

根据国务院领导同志的指示精神，今天，国务院国资委和财政部共同组织召开全国国有企业"三供一业"分离移交工作视频会议。这次会议的主要任务是：深入贯彻落实中共中央、国务院《关于深化国有企业改革的指导意见》、国务院印发的《加快剥离国有企业办社会职能和解决历史遗留问题工作方案》（以下简称国发 19 号文）精神，按照党中央、国务院有关工作要求，加快剥离国有企业办社会职能和解决历史遗留问题，动员部署在全国全面推进国有企业"三供一业"分离移交工作。刚才，黑龙江、湖南、江西及长沙，兵器工业集团、中国石油和国家电网负责同志作了很好的发言，专项小组副组长、财政部部长助理许宏才同志作了讲话，我完全赞同。下面，我再讲三点意见。

一、统一思想，充分认识剥离国有企业办社会职能和解决历史遗留问题的重要意义

*（一）党中央、国务院高度重视国有企业剥离办社会职能和解决历史遗留问题。*剥离国有企业办社会职能和解决历史遗留问题是全面深化国资国企改革的重要内容，也是供给侧结构性改革的重大措施。党中央、国务院高度重视剥离国有企业办社会职能和解决历史遗留问题，习近平总书记、李克强总理等中央领导同志多次作出重要指示。习近平总书记在 2015 年中央经济工作会议上要求，加大政策支持力度，加快解决国有企业办社会负担和历史遗留问题。李克强总理在 2016 年《政府工作报告》中强调，要加快剥离国有企业办社会职能，解决历史遗留问题，让国有企业瘦身健体，增强核心竞争力。国务院第 115 次常务会议专题研究并明确 2016 年在全国全面推开国有企业"三供一业"分离移交工作。马凯副总理和王勇国务委员多次主持召开会议，研究这项工作，强调这是深化国有企业改革的前提和重要内容，有利于国有企业轻装上阵，公平竞争，真正确立市场主体地位，要求各方面统一认识，要直面存在的困难和矛盾，不回避、不绕开，下决心从根本上解决问题。

今年 7 月 4 日，国务院召开全国国有企业改革座谈会，习近平总书记、李克强总理作了重要批示，强调要理直气壮做强做优做大国有企业。马凯副总理在讲话中特别强调，企业办社会负担和历史遗留问题，越早解决、成本越小，越晚解决、工作越被动、成本也越大。要求切实抓好政策落地。

*（二）剥离企业办社会职能和解决历史遗留问题是国有企业真正成为市场主体、公平参与市场竞争的重要条件。*经过多年来的改革发展，国有企业逐步解决了体制转轨过程中的一些突出矛盾和问题。党中央、国务院及有关部门先后出台了一系列政策措施，支持国有企业分离办社会职能。企业办中小学、公检法机构已基本移交，部分企业所办医院移交地方或进行了改制。但目前国有企业仍然存在大量办社会职能和历史遗留问题，制约着国有企业进一步改革发展。据不完全统计，目前各级国资委监管企业办社会职能机构约1.66万个，其中职工家属区"三供一业"管理机构约 4900 个，国有企业因办社会职能每年需承担费用 1400 多亿元。深化国有企业改革必须使国有企业成为真正的市场主体。剥离企业办社会职能和解决历史遗留问题是深化国有企业改革的一项不可缺少的重要基础工作。

*（三）剥离企业办社会职能和解决历史遗留问题是国有企业瘦身健体、提质增效、推进供给侧结构性改革的重要举措。*国有企业办社会职能和历史遗留问题，增加企业经营成本，降低企业生产运营效率，影响企业发展质量和效益。解决好这个问题是当前推进供给侧改革、降低企业经营成本的重大举措。供给侧结构性改革是党中央、国务院作出的重大战略决策，是当前和今后一段时期我国经济工作的重要任务，国有企业要在推进供给侧结构性改革中发挥带头作用。只有认真解决和剥离企业办社会职能及历史遗留问题，国有企业才能真正瘦身、减负和有效降低经营成本，才能集中精力和有限资源发展主业，推进提高国有资本运营质量和效益，提升企业核心竞争力，也才能实现做强做优做大、争创世界一流目标。

*（四）剥离企业办社会职能和解决历史遗留问题是健全基本公共服务体系、创新社会治理体制的必然要求。*承担办社会职能的大多是国有老企业，设备设施超期服役，老化严重，管理粗放，服务水平低。部分企业职工饮用水不达标，用电存在安全隐患，不少企业家属区与当地城市发展脱节。将国有老企业承担的与主业发展方向不符的公共服务职能归位于相关政府部门或单位，纳入社会基本公共服务体系，由专业化的服务机构实行集中管理运营，有利于统筹协调和优化

公共服务资源配置，提高基本公共服务质量和水平，更好服务群众，惠及民生。

为加强对这项工作的组织领导，国务院明确，在国务院国有企业改革领导小组统一领导下，成立剥离国有企业办社会职能和解决历史遗留问题专项小组，由国务院国资委、财政部、中央组织部、发展改革委、教育部、公安部、民政部、人力资源社会保障部、住房城乡建设部、卫生计生委、银监会、国防科工局等 12 个部门组成。专项小组负责制定年度工作计划，做好督促检查，推动中央企业、地方政府认真落实相关改革措施。我们要认真贯彻落实习近平总书记、李克强总理等党中央、国务院领导同志的重要指示精神，充分认识剥离国有企业办社会职能和解决历史遗留问题的重要意义，进一步增强责任感和紧迫感，把思想和行动统一到党中央、国务院决策部署上来。

二、积极探索，认真总结各地区剥离国有企业办社会职能试点工作的有效经验

近年来，为认真贯彻落实党中央、国务院关于深化国有企业改革的决策部署，在国务院国资委、财政部积极协调和各有关部门的支持下，各地区和有关中央企业、地方企业积极探索解决国有企业办社会负担和历史遗留问题的有效途径，取得了显著成效。2012 年黑龙江省率先开展了国有企业“三供一业”分离移交试点工作，2014 年和 2015 年试点工作逐步扩大到河南、湖南、重庆、辽宁、吉林、广东、海南、四川、贵州等省市。2014 年在黑龙江省的分离移交试点工作已基本完成，其他 9 个省市试点工作进展总体顺利。除全国试点工作外，不少省市在剥离企业办社会职能和解决历史遗留问题方面也进行了积极探索或先行先试，取得了宝贵经验。

试点工作经验表明，“三供一业”分离移交工作，实现了多方共赢的局面。一是改善了民生，广大职工群众满意。通过“三供一业”设施设备维修改造，许多企业职工群众用上了安全电、喝上了干净水、住上了温暖房，美化了生活环境。如东北地区有的家属区通过供热管网改造，冬季室内温度平均提升了 5 度左右。不少企业反映，“三供一业”分离移交使广大群众幸福指数得到提高，有利于社会更加和谐。二是实现了企业瘦身、减负，企业满意。如哈电集团每年可节约费用 9000 多万元，兵器工业集团在黑龙江省的 5 户企业每年可减少补贴 5000 多万元。“三供一业”分离移交工作也促进了职工思想观念的转变，有利于企业机制体制转换与创新。三是提升了城市公共服务水平，地方政府满意。试点城市普遍体会到，“三供一业”分离移交促进了城市基础设施建设，消除了安全隐患，实现了公共事业管理的专业化和集约化。许多城市因为这项工作的开展，拆除了小锅炉，取消了水塔蓄水，改造供热、供水管网，减少了二氧化碳排放，为节能降耗、保护环境作出了贡献。

几年来，各地区和有关中央企业、地方企业试点工作实践，对有效解决企业办社会负担和历史遗留问题作了重要的探索，发挥了示范引领作用，为在全国推进“三供一业”分离移交工作奠定了坚实基础。各地区试点工作的主要经验：一是地方党委、政府高度重视、加强组织领导是根本保障。试点省市都成立了省领导为组长的分离移交工作领导小组。黑龙江省省委书记、省长亲自部署，辽宁省将此项任务作为政府重点工作、纳入对地市政府的考核，吉林省领导多次到重点企业调研、协调解决有关问题。河南、湖南、重庆、广东、海南、四川、贵州等省市对分离移交工作也都作了周密部署。二是统一政策标准和统一工作组织是实施关键。剥离企业办社会职能的组织实施主要在地市级。各试点地区统一执行地市级以上人民政府制定的政策标准，充分发挥了各级地方政府的作用，建立高效的工作协调机制，确保分离移交工作顺利推进。哈尔滨市组织专家组对移交接收双方分歧进行第三方裁定，建立绿色通道对需政府部门办理的事项实行特事特办，减免行政事业性收费。三是建立成本合理分担机制是必要条件。在中央财政的积极支持下，中央企业“三供一业”分离移交费用，中央国有资本经营预算补助 50%，中央企业集团公司和移交企业承担 50%，地方财政对地方国有企业分离移交也予以了一定支持。四是移交企业和接收单位密切配合、协同推进是重要基础。各试点地区移交与接收双方主动对接，摸清底数，协商做好分离移交工作。中国石油成立集团领导为组长的分离移交领导小组，同时设立片区推进工作小组以及跨企业的协调工作组，加大政策宣传和工作推动力度。国家电网、南方电网和地方有关接收单位顾全大局，积极承担接收任务，指派专人负责，建立定期报告制度，及时协调解决有关问题。

三、精心组织，今年起在全国全面推进国有企业“三供一业”分离移交工作

贯彻落实党中央、国务院深化国有企业改革重大决策部署，涉及方方面面，内容多、范围广、挑战大、任务艰巨。国有企业办社会职能和历史遗留问题，是当前制约国有企业持续健康发展的突出问题，是供给侧结构性改革的重大举措，也是当前国有企业瘦身健体、提质增效的重要工作措施，我们必须不等不靠，主动作为，勇于担当，抓紧推进。为全面贯彻落实国发 19 号文件精神，中央有关部门正抓紧制定相关配套文件，今年 6 月 11 日国务院国资委、财政部《关于国有企业职工家属区“三供一业”分离移交工作指导意见》（以下简称国办发 45 号）国办已转发，关于加快推进厂办大集体改革工作的指导意见近日将印发，关于企业办医疗教育机构深化改革、消防机构分类处理和市政社区分离移交的配套文件将在今年内陆续出台。关于国有企业退休人员社会化管理，已明确今年在上海、重庆、大连、鸡西和长沙等 5 个城市率先试点。希望各地区、各企业早谋划、早安排，统筹做好剥离企业办社会职能和解决历史遗留问题工作，确保到 2020 年基本完成。下面就全面推进国有企业“三供一业”分离移交工作，我再提几点要求。

（一）明确目标任务。2016 年开始，在全国全面推进国有企业“三供一业”分离移交工作，对相关设备设施进行必要的维修改造，达到城市基础设施的平均水平，分户设表、按户收费，交由专业化的企业或其他机构实行市场化管理，到 2018 年底基本完成。2019 年起国有企业不得再以任何方式为“三供一业”承担相关费用，不得在工资福利外对“三供一业”进行补贴。先期试点的 10 个省市要进一步巩固试点成果，率先完成本地区分离移交工作，已完成移交的国有企业从移交日起不再为“三供一业”承担相关费用。其他省市要抓紧明确职责分工，制定工作方案，尽快启动分离移交工作，按期完成目标任务。

（二）加强组织领导。按照国发 19 号文和国办发 45 号文件要求，地方各级人民政府要高度重视，加强组织领导，在国有企业改革领导小组下设立专项小组，结合本地实际，分解目标任务，制定具体落实措施。省级人民政府要明确责任分工，制订具体工作方案，协调推动本地区中央企业、地方国有企业“三供一业”分离移交工作。地市级人民政府要制定完善“三供一业”分离移交的具体办法和统一政策标准，协调落实接收单位、研究解决有关具体问题，对分离移交进行全过程控制管理。

（三）落实工作责任。企业是分离移交工作的责任主体，要提高认识，抓住机遇，积极稳妥推进“三供一业”分离移交工作。移交企业和接收单位要结合实际情况，共同协商，签订分离移交协议，明确双方责任，做好相关工作衔接，实现平稳过渡。要深入细致开展政策宣传解释工作，及时掌握职工的思想动态，研究解决职工关心的实际问题，妥善安置转岗职工，维护企业和社会稳定。“三供一业”涉及的有关从业人员原则上按照市级以上地方人民政府制定的政策标准移交，未移交的人员由移交企业妥善安置。国有企业集团公司要协调推进所属企业“三供一业”分离移交工作。中央企业集团公司应承担的分离移交资金要及时足额到位，不得以任何方式转嫁给所属移交企业。从事“三供一业”专业化运营的国有企业也要树立大局意识，主动承担社会责任，积极参与分离移交工作。国家电网、南方电网等中央企业为此一定要顾大体、识大局，严格按照工作要求，主动担当，积极作为，做好落实和配合工作。因分离移交工作对有关企业经营业绩考核指标产生较大影响的，考核时可以合理考虑。

（四）及时沟通协调。企业要主动向当地政府有关部门沟通汇报分离移交工作情况，地方有关部门要及时办理“三供一业”分离移交涉及的相关手续，建立绿色通道，简化程序，提高效率，创造便利工作环境。各级国资委要及时掌握工作进展情况，协调推动分离移交工作。专项小组将加强督促指导，建立定期报告制度，汇总掌握各地和中央企业工作进展情况，并适时组成联合督查组，计划于9月底左右对地方和中央企业组织落实情况进行专项督查。

同志们，国资国企改革发展任务艰巨、使命光荣。加快剥离企业办社会职能和解决历史遗留问题，全面推进“三供一业”分离移交工作，是利企利民的好事，也是深化改革、促进经济转型升级的实事，意义深远。我们要认真贯彻落实党中央、国务院的决策部署，进一步统一思想，凝心聚力，主动作为，勇于担当，真抓实干，按期完成目标任务，为做强做优做大国有企业、实现国民经济持续健康发展作出新的更大贡献。

在中国证券投资基金业协会第二届会员代表大会上的致辞

中国证券监督管理委员会党委书记、主席　刘士余

（2016年12月3日）

各位会员代表、各位理事，同志们：

今天，中国证券投资基金业协会第二届会员代表大会在这里隆重举行，这是资产管理行业的一件盛事。我代表中国证监会对本次会员代表大会的顺利召开表示热烈祝贺，向与会代表和广大从业人员致以诚挚的问候，向长期以来关心支持资产管理行业健康发展的国务院各部门、各单位和各界朋友表示衷心感谢！

自协会第一次会员大会召开以来，我国经济金融改革持续深化，金融市场多维持续扩展、社会财富多元持续增长，资产管理行业实现了跨越式发展，取得了令人欣慰的成绩。

一是行业管理规模持续扩大。截至今年10月底，基金公司及其子公司管理规模达到26.24万亿元，证券公司及其子公司管理规模达到16万亿元，私募证券投资基金和私募股权投资基金管理规模达到7.3万亿元。目前，协会会员管理的资产规模突破50万亿元，与2012年底相比增长6倍。二是业务和产品快速发展。资产管理产品涵盖债券、股票、期货、股权等多种基础资产，有扎根国内市场的投资，也有面向全球的资产配置，满足了不同风险偏好、不同资产规模、不同期限的多元理财需求，并有力支持了实体经济发展，也促进金融市场多元多维发展。三是行业规则不断完善。2013年6月开始实施的《证券投资基金法》，在市场准入、投资范围、业务运作等多方面优化了行业业态，还将非公开募集基金纳入法律调整范围，拓展了行业的发展空间。同时，中央编办明确证监会负责私募基金的监督管理，其他监管部门也从各自职责出发，制定了相关规章，逐步健全了行业发展的制度基础。

特别是《证券投资基金法》高度重视发挥行业自律的作用，专辟一章，明确协会的法律地位、行业属性和法定职责。2012年6月6日成立以来，协会在民政部等有关部门和广大会员的大力支持下，积极进取，勇于担当，在加强行业自律、维护行业秩序、保护投资者合法权益等方面做了大量工作，发挥了桥梁和纽带作用。具体体现在以下几个方面：一是团结和带领会员，促进行业快速发展。及时收集行业建议，反映行业利益诉求，为相关法规政策的出台提供决策参考。加强政策解读和知识培训，营造良好的发展环境。二是切实实现好、维护好广大投资者的合法权益。推动行业树立“投资者利益至上”的理念，弘扬和培育理性投资文化。不断完善多渠道的纠纷调解机制和服务，支持投资者依法行使权利。三是加强行业自律，维护行业秩序。认真落实法律赋予的自律管理职责，完善公募基金和私募基金自律管理规则，形成基本全面覆盖登记、信息披露、内部控制、托管业务等在内的完整的自律规则体系。四是加强自身建设，不断优化治理结构。制定和完善《协会章程》，充分发挥协会理事会、专业委员会和行业联席会等的功能与作用，自身建设和管理水平不断提升。总体来看，四年多来，协会各项工作取得显著成绩，来之不易。这些成绩的取得，与各会员单位、行业各主体维护行业健康发展大局、积极参与、支持协会工作密不可分。实践证明，协会已经成为中国资本市场发展中一支重要的行业自律力量，也是重要的引领创新的力量。

当然随着政府职能转换、监管方式转换，以及市场的创新，协会面临的任务会更加繁重和复杂，有些工作需要在实践过程中不断地摸索，与广大会员深入地沟通协商，真正的规则必须为会员所接受，受到会员拥护，不能有长官意志。

各位同志，资产管理行业担负着满足社会多元化投资需求，甚至满足把资金转换为资本服务实体经济的重担。行业

机构、协会、监管部门等相关方面要深入学习习近平总书记系列讲话精神，主动作为，紧紧围绕国家经济社会发展的大局，在服务供给侧结构性改革、三去一降一补的五大重点任务，在惠民生、防风险、提升民族金融业国际竞争力的方面，更好地体现和实现自身价值。

希望协会：

首先，要注重协会的自身建设，尤其是要加强协会党的建设，强化对行业机构的政治引领和示范带动。刚刚结束的党的十八届六中全会对新形势下全面从严治党进行再动员、再部署、再出发，学习贯彻好六中全会精神是今后一个时期重要的政治任务。协会要认真落实中办、国办印发的《关于改革社会组织管理制度促进社会组织健康有序发展的意见》精神，切实加强协会党委和各级党组织的建设，发挥好协会党委在协会运作过程中的政治核心作用。各行业机构也要把加强党的建设与完善公司治理统筹一致，建立健全企业党的组织，把党员日常教育管理抓好，从而为各家会员的发展打下良好的内部政治保证和外部政治基础。

第二，协会要强化“为会员服务、为行业服务、为市场服务、为党和国家利益服务”的责任意识。把协会建设成为会员之家，保护会员合法权益，推动解决行业共同面临的共性问题。要坚决落实法律法规要求，承担好自律监管职责，净化行业发展环境。要坚持把保护投资者合法权益放在最重要的位置，切实促进行业可持续健康发展。不断加强自身建设，完善治理体制，着力构建深受广大会员支持拥护爱戴、深受市场欢迎、深受政府信任的现代行业协会。

第三，行业机构要结合经济社会发展的内在需求谋求创新发展，主动服务经济结构调整、创新驱动战略、脱贫攻坚战略等国家重点战略。要加强核心能力建设，提高专业服务水平，牢记“受人之托、代人理财”的初心，忠实履行“诚实守信、勤勉尽责”这一职业操守的底线。要坚决把依法合规作为“带电的高压线”，严格遵守法律的规定。要加强投资者适当性管理，牢固树立“投资者利益至上”的展业理念。作为市场重要参与者，行业机构要秉承价值投资理念，促进资本市场健康、稳定运行。

这里我希望资产管理人，不当奢淫无度的土豪、不做兴风作浪的妖精、不做坑民害民的害人精。最近一段时间，资本市场发生了一系列不太正常的现象，你有钱，举牌、要约收购上市公司是可以的，作为对一些治理结构不完善的公司的挑战，这有积极作用。但是，你用来路不当的钱从事杠杆收购，行为上从门口的陌生人变成野蛮人，最后变成行业的强盗，这是不可以的。这是在挑战国家金融法律法规的底线，也是挑战职业操守的底线，这是人性和商业道德的倒退和沦丧，根本不是金融创新。

同志们！

资产管理行业前景无限广阔，事业大有可为。证监会在习近平同志为核心的党中央领导下，将一如既往地大力支持行业发展。一是完善制度，健全规则。进一步完善《证券投资基金法》配套规则。会同市场各方面、政府有关部门共同推动《私募投资基金管理暂行条例》尽快出台，夯实私募基金监管法律基础，构建适应股权投资、创业投资基金规律的规范和制度体系。二是坚守监管本位，加快形成职权清晰、分工合理、标准统一的业务监管体系，全面加强监管，坚决查处触碰底线的行为，及时清除害群之马，强化扶优限劣导向，为行业管理创造良好的秩序。三是努力优化行业发展的外部环境，推动形成鼓励创新发展的政策支持体系。

我相信，在社会各界的大力支持下，在全行业的不懈努力下，中国的资产管理行业一定会抓住新机遇，创造新辉煌，以优异的成绩回报人民、回报市场，以更加优异的成绩迎接党的十九大顺利召开。

预祝大会取得圆满成功。谢谢大家！

注册制改革不能单兵突进

——中国证监会主席刘士余在“银证保”三会联合发布会上回应市场关心的相关问题

（2016 年 3 月 14 日）

中国证监会主席刘士余 12 日在“银证保”三会联合发布会上，就市场关心的新股发行注册制改革、资本市场维稳政策、熔断机制等问题进行了回应。他表示，注册制改革不能单兵突进，研究论证需要相当长的一个过程；未来较长时间内中证金不会退出，并明确未来几年都不会推出熔断机制。

刘士余指出，注册制是党中央、国务院关于中国资本市场长期健康发展顶层设计下的一个重大任务，注册制是必须搞的。但是，至于怎么搞，要好好研究。注册制是不可以单兵突进的。

去年 12 月 27 日，全国人大常委会通过了特别专项授权，自今年 3 月 1 日起实施。刘士余表示，这标志着政府可以启动注册制改革与现行行政审批制、核准制之间制度转换所需要的一系列配套的规章制度，注册制的配套规章制度研究论证需要相当长的一个过程。在这个过程中，必须充分沟通，形成共识，凝聚合力。无论是核准制还是注册制，都必须时时秉承保护投资者合法权益的真诚理念，对发行人披露内容进行严格的真实性审查，这一点即使将来实行注册制了，不但不能放松，而且必须加强。

谈及去年股市的异常波动，刘士余表示，2015 年 6 月 15 日到 7 月 8 日，17 个交易日上证综指大幅下跌 32%，造成市场较大面积的恐慌，股票市场的流动性几尽枯竭，形势危急，非比寻常。

“股指下行的势头对当时的金融市场的影响就好比一辆重载的油罐车，不管它拉的是煤油还是柴油，在下坡路上刹车失灵了，轻则车毁人亡，重则引发森林火灾、破坏文物、伤及无辜，这叫多重性风险。”刘士余说，“当时作为农行行长的我很焦虑，很关心农行股价，一是投资，我对我的股东要有回报；二是客户，我比较长时间从事民生金融工作，深知老百姓挣钱不容易，在市场流动性枯竭、大面积恐慌的情况下，不果断出手还得了？那必然会引发更大规模的恐慌，引发系统性的金融风险。”

刘士余表示，果断出手对市场失灵的状况进行紧急修复，结果证明此举稳定了市场，为修复市场、建设市场、发展市场赢得了时间。今后，当陷入市场完全失灵、连续失灵的情景时，仍然应当果断出手，这符合党的十八届三中全会提出的让市场在资源配置中发挥决定性作用和更好地发挥政府作用的目标，或者说符合深化经济体制改革的目标。在国际上任何一个资本市场大体都有这样的案例。

刘士余指出，股市异常波动，原因是多方面的，其中，中国资本市场不成熟是一个重要原因，这包括不完备的交易制度、不完善的市场体系、不成熟的交易者、不适应的监管制度。对此，证监会必须深刻吸取教训，举一反三，加快改革，转换职能，全面依法加强监管，促进资本市场健康发展。

关于维稳措施何时退出，刘士余表示，有些措施是特殊时期的特殊措施，特别是一些非常规的机制性措施，在市场已经完全进入自我修复和自我发展状态之后已经解除或者正在退出。至于中证金，未来的较长时间内，谈中证金退出为时尚早。

在回应投资者关心的熔断机制时，刘士余表示，当初研究论证实施熔断机制的根本出发点是为了防止股市巨幅波动，为了更好地保护投资者，尤其是中小投资者的合法权益。但是这个制度推出以后，客观上造成了助跌的效果，制度运行的结果和推出这项制度的初衷基本背离了，证监会立即叫停了这个机制。未来几年，中国资本市场投资主体结构不会发生根本性的变化，所以未来几年也不具备推行熔断机制的基本条件。

此外，刘士余表示，作为证监会主席，我不能建议大家买卖股票。多层次资本市场搞好了，可以为注册制改革创造有利条件。

今后，当陷入市场完全失灵、连续失灵的情况时，仍然应该果断出手。在市场进入自我修复和自我发展状态后，一些临时措施已经退出，但谈中国证券金融公司的退出为时尚早。

资本市场的制度建设要借鉴国际成功做法，但每项改革必须立足中国国情。“注册制不搞单兵突进”、“谈中证金退出为时尚早”、“A 股不具备熔断机制基本条件”，这三条无论哪一条，都足以让 A 股投资者为之兴奋，更何况，在短短的一个半小时里，这三条都从证监会新任主席的嘴里说出来。

一改全国“两会”召开十多天来证监会系统官员惜字如金的姿态，在 3 月 12 日的全国人大记者会上，现年 55 岁的刘士余虽然只回答了 3 个记者提问，但是他的直白和坦诚满足了在场 200 多名记者的胃口，也赢得了不少投资者赞许的目光。多位市场人士表示，刘士余的回应给市场吃了颗定心丸，廓清了资本市场改革思路，体现了监管层悉心呵护资本市场的意图，展示证券监管的规划与方向，有助于提升投资者对 A 股市场的信心。

新股发行注册制改革事缓则圆

不同于其他领域的改革，资本市场的各项改革都需要跟市场承受力挂钩。

自 2013 年以来，新股发行注册制改革就成为了 A 股市场化改革进程中的关键词。从十八届三中全会后发布的《中共中央关于全面深化改革若干重大问题的决定》中首次提到要“推进股票发行注册制改革”，到 2014 年 11 月注册制改革方案草案形成，提交至国务院审阅，再到 2015 年底全国人大常委会通过了特别专项授权，明确国务院可调整适用现行《证券法》关于股票核准制的规定，对注册制改革的具体制度作出专门安排，注册制的一举一动都吸引着投资者的目光。

之所以投资者对注册制甚为关注，在于其还权于市场的审核体制，以及投资者对股市扩容的心理预期，这让市场上形成了一种“谈注册制色变”的独特氛围。最近，关于注册制的热点问题在于，为何今年的政府工作报告中未提注册制？这是否意味着注册制推出会延迟？注册制是否会引发新股的大扩容？

刘士余的回答足够权威。他指出：“注册制是必须搞的。但是，至于怎么搞，要好好研究。”他用两个“逗号”给实施注册制设定了两个前提条件：一个是把多层次资本市场搞好，另一个是需要相当完善的法制环境，“注册制是不可以搞单兵突进的”。

这也就意味着短期内推出注册制几无可能。“受去年股市异常波动的影响，投资者信心还没有完全恢复，不少中小散户担忧现阶段推出注册制会导致市场快速扩容。”中泰证券股份有限公司董事长李玮认为，监管层的表态指明注册制要以健全的资本市场体系为前提，需要完善的交易体系、健全的投资者结构和有效的监管制度，这一配套过程就需要较长时间，其中包括建立严格的信息披露制度，细化披露规则和信息指引，严厉追究未尽信息披露义务的当事人责任，建立法律、资本、市场和诚信多重约束机制；强化证券监管机构对发行审核资料信息的真实性审核；完善上市公司退市制度，畅通市场退出渠道等。

对于新股发行体制，刘士余表示，无论是核准制还是注册制，都必须时时秉承保护投资者合法权益的真诚理念，对发行人披露内容进行严格的真实性审查，“这一点即使将来实行注册制了，不但不能放松，而且必须加强”。

湘财证券首席经济学家李康认为，A 股暂不具备实施注册制的条件，要推进这一市场化的改革必须创造条件，事缓则圆，只有当前的新股发行审核体现出注册制中对信息披露的严格审查，才能保证未来新股发行向注册制平稳过渡。

此外，尽管在刘士余的表述中完善的多层次资本市场仅仅是作为完成注册制改革的必要条件被提出，但国信证券相关负责人认为，从“十三五”规划和今年政府工作报告的相关表述中可以明确感受到，健全完善多层次资本市场才是下一阶段资本市场建设的根本目标。

该负责人指出，未来证监会的工作重心必将继续围绕健全完善多层次资本市场进行，而其中的核心思路是尽快通过完善新三板、科创板以及其他地方股权融资交易市场，降低我国资本市场对主板的依赖，分流主板市场的系统性风险压力，优化主板的企业结构和行业结构，降低注册制等重大制度创新政策推出的风险成本和机会成本。主要工作重点将可能围绕以下两个核心举措展开：一是完善新三板的分层机制。尽管从政策安排上，新三板的分层机制将于 2016 年 5 月份实施，但是政策的市场效果依然有待检验，特别是新三板与主板市场的对接、新三板与科创板等其他融资市场的联系等问题，依然需要重点关注。二是完善新三板的融资交易功能，充实新三板市场的资本市场属性，特别是提升市场交易活跃度，真正发挥市场的价值发现功能。

维稳不以点位论成败

去年股市的异常波动，让不少投资者心有余悸，也让这位新上任的证监会掌门人感慨“担子很重”。

对于股指震荡，刘士余说，“山有多高，谷有多深，泡沫怎么吹起来的，就会怎么破灭”；对于股市异常波动时的维稳措施，刘士余打了个比方，“就像一辆重载油罐车在下坡路上刹车失灵，轻则车毁人亡，重则引发森林火灾”；对于投资者损失，刘士余表示“老百姓挣钱不容易”，他强调官方当时紧急出手修正市场有必要，稳定了市场，为修复市场、建设市场、发展市场赢得了时间。

应该说，这很好地阐述了特殊时期政府出手稳定市场的必要性，他真诚提醒所有股民，资本市场本质是竞争，涨跌都有可能，有盈利也会有亏损，“阴晴圆缺，此事古难全”。他不讳言监管层在股市异动中的工作失误，提到“不完备的交易制度、不完善的市场体系、不成熟的交易者、不适应的监管制度”是股市异常波动的原因之一。但他的目标明确，中国资本市场应该“公平、公开、公正”，否则谈不上对中小投资者的保护。

“这是一位从中小投资者角度考虑问题的监管者。”申万宏源首席战略研究员蒋健蓉表示，刘士余直视监管错误，真诚谨慎的态度有助于拉近监管层和投资者的距离，既体现出平民作风，又树立了监管者应有的权威。

“过去我们的资本市场过于强调市场的融资功能，而忽视市场的投资功能。只有同时具备融资和投资功能的市场才可能成为资源高效配置的成熟市场。”蒋健蓉指出，发挥市场的投资功能，不可忽视的就是投资者利益的保护，而保护投资者利益并不意味着要保证投资者的投资收益，“美丽”和“残酷”两种结局都需要市场参与者“以平常的心态面对”。保护投资者利益的核心在两方面：一是维护资本市场的公开、公平、公正，尤其要以完善信息披露制度为重要抓手；二是防范资本市场发生系统性风险，在市场失灵的情况下，政府要更好发挥作用，该出手时就出手。

面对市场上提出的“股指并没有因为维稳措施而扶摇直上，反倒比政府出手之时更低”的质疑时，业内人士对证券时报记者指出，当陷入市场完全失灵、连续失灵的情景时，政府理应果断出手，这符合国际惯例，目的是为了防范系统性风险的扩散，不能说现在股指点位比当时维稳措施出台时的点位低就是不成功的，政府出手救的不是点位，而是市场机制，维稳不能以点位论成败。这在刘士余的回应中也有所体现，他指出，今后市场失灵时，国家队还会出手。

市场对于前期维稳措施的必要性和作用有相当程度的共识，但股市异常波动已经过去了大半年，市场又陷入了“维稳政策可能会随时退出”的预期中，“证金资金退出”和“注册制推出”的消息一样，成为市场谈之色变的另一只“老虎”。

“坦率地告诉你，我还没考虑这件事”，刘士余当日明确，未来较长时间内，谈中证金退出都为时尚早。李康指出，这表明了短期内维稳资金还将发挥作用，投资者不需要对其过分关注，香港的盈富基金就是维稳资金退出的正面例子，或许若干年后等到市场运行平稳时，退出条件成熟了，证金资金将悄无声息地退出 A 股市场。

国信证券相关负责人预计，除了稳步推进改革外，加强监管也会是必然趋势，具体的监管方向将围绕依法监管、从严监管、全面监管展开：一是在监管改革定位方面，其核心可能会回到恢复资本市场的本质功能上来，资本市场的制度安排也可能逐步从“政府导向型”向“市场导向型”方向转变，为投资者提供公平、公正、公开的市场环境，增强市场约束机制，提高市场运作的透明度；二是在资本市场法律制度体系建设方面，将完善包括《证券法》在内的相关法律、法规，以切实维护资本市场稳定，保护投资者利益；三是在执行方面，从严执法，严厉打击各类违法违规行为。

熔断机制是与非

中国资本市场的投资者结构让被多方期待的熔断机制遇到了水土不服问题。

继今年 1 月 4 日两度触发熔断机制并在下午提前收市后，1 月 7 日更是在上午开盘仅半小时就出现第二次熔断，造成早早收市，熔断机制仅仅实施了 4 天就被叫暂停，以缓和市场的恐慌情绪。两个交易日触发熔断，造成 A 股市值缩水严重。据统计，A 股市值两日累计蒸发达 8 万亿元以上，造成 A 股投资者人均损失近 16 万元，熔断机制没有达到预期效果。

回顾这一段，刘士余先指出，此前出台熔断机制，证监会的流程和应对是规范的。“之前推出熔断机制征求意见范围比较广，共识度也比较高，当结果发生背离后证监会也立即叫停。”随后他表示，未来几年市场投资主体是中小投资者的结构难以发生根本性变化，仍不具备推行熔断机制的基本条件。

“国内股市以中小投资者为主，由于他们的资金实力有限，因此很容易在股市中跟风操作，存在明显的羊群效应。”国泰君安相关负责人指出，当大盘明显下跌时，恐慌心理易引发连锁反应，再加上熔断机制是一新鲜事物，难以从容应对，当股市开始跳水之际，在“磁吸效应”的作用下，中小投资者的反应就可想而知了。

国泰君安相关负责人指出，刘士余对资本市场有着深刻的认识，对熔断机制推出过程和处置的反思与判断，表明监管层在借鉴国外经验时将会更加谨慎合理，监管机构将在平稳继承中发展创新。

刘士余指出，“在不断扩大开放的全球化环境当中，资本市场的制度安排重构要吸取世界上其他国家好的做法、成功的经验，但是每一项改革必须牢牢地立足中国国情”。国信证券相关负责人预计，改善投资者结构是 A 股制度重构、市场化改革的必要之举，除了要培养具有长期投资理念的投资机构，比如养老金、保险资金、海外长期投资基金外，还需要推进长期稳定资金进入资本市场，大力发展机构投资者，强化机构投资者自身的自律行为，避免机构投资者行为散户化，只有在机构投资者多到一定程度时，才能改变整个市场的投资理念，使价值投资理念树立起来。

采取政府投资基金等市场化模式支持产业发展

——在第十二届全国人民代表大会常务委员会第二十五次会议上

财政部党组书记、部长 肖 捷

（2016 年 12 月 23 日）

全国人民代表大会常务委员会：

受国务院委托，现向全国人大常委会报告深化财政转移支付制度改革情况，请审议。

一、深化财政转移支付制度改革情况

近年来，党中央、全国人大、国务院高度重视转移支付制度改革工作。党的十八届三中全会通过的《中共中央关于全面深化改革若干重大问题的决定》和中央政治局会议审议通过的《深化财税体制改革总体方案》明确提出了完善转移支付制度的总体要求，新修订的预算法对完善转移支付制度作出了明确规定，《国务院关于改革和完善中央对地方转移支付制度的意见》（国发〔2014〕71 号）提出了改革和完善转移支付制度的基本思路和具体措施。按照党中央、国务院决策部署和全国人大有关要求，财政部会同各地区、各部门，认真贯彻落实预算法规定，坚持以问题为导向，大力推进转移支付制度改革，取得了阶段性成效，转移支付管理的规范性、科学性、有效性和透明度明显提高。2016 年中央对地方转移支付规模达到 5.29 万亿元，其中一般性转移支付 3.2 万亿元，专项转移支付 2.09 万亿元，有力地推进了基本公共服务均等化、促进了区域协调发展、保障了各项民生政策的顺利落实。

（一）转移支付资金管理办法逐步规范。一是落实预算法“一般性转移支付应当按照国务院规定的基本标准和计算方法编制”的要求，对均衡性转移支付、县级基本财力保障机制奖补资金等一般性转移支付逐项制定了资金管理办法。二是制定了《中央对地方专项转移支付管理办法》（财预〔2015〕230 号），对专项转移支付的设立调整、资金申报分配、下达使用、绩效管理、监督检查等进行了全面规范。三是按照《国务院关于实施支持农业转移人口市民化若干财政政策的通知》（国发〔2016〕44 号）要求，逐步调整完善现有转移支付测算分配办法，推进以人为核心的新型城镇化。四是按照全国人大有关决议和审计要求，对所有专项转移支付管理办法进行了逐项梳理和修订完善，集中解决了部分办法中存在的支持条件、范围、标准不明确，以及缺乏监督检查和责任追究条款等问题。

（二）转移支付结构进一步优化。一是落实预算法和全国人大有关决议提出的财政转移支付以一般性转移支付为主体的要求，稳步增加一般性转移支付规模，一般性转移支付占全部转移支付的比重由 2013 年的 56.7% 逐步提高至 2016 年的 60.5%。二是在所得税增量放缓的情况下，及时改变均衡性转移支付与所得税增量挂钩的方式，确保均衡性转移支付增幅高于转移支付的总体增幅。2016 年，均衡性转移支付增长 10.2%，高于转移支付总体增幅 4.6 个百分点。三是贯彻落实党的十八届三中全会要求，连续多年大幅度增加对革命老区、民族地区、边疆地区、贫困地区的转移支付，老少边穷地区转移支付由 2013 年的 1081 亿元增加到 2016 年的 1538 亿元，年均增长 12.5%。四是在整体压缩专项转移支付的前提下，优化专项转移支付内部结构，加大教科文卫、社会保障、节能环保、农林水等重点民生领域的投入力度。

（三）专项转移支付数量明显压减。贯彻落实党的十八届三中全会提出的“清理、整合、规范专项转移支付项目”的要求以及全国人大有关决议，加大清理整合力度，取消了一批政策到期、预定目标实现、绩效低下等已无必要继续实施的专项，包括竞争性领域专项以及以收定支专项，整合归并了一批政策目标相似、投入方向类同、管理方式相近的专项。与此同时，从严控制新设专项。凡是新设专项必须经过严格论证，履行必要审批程序。2016 年，专项转移支付数量已由 2013 年的 220 个大幅压减到 94 个，压减率达 57%。

（四）转移支付预算执行进度明显加快。针对转移支付存在的下达晚、使用慢、资金沉淀闲置等问题，财政部会同相关部门综合施策、多管齐下。一是做好转移支付提前下达工作，逐步提高转移支付提前下达比例，增强地方预算编制的完整性。二是进一步加快预算下达进度，凡是具备条件的项目都及时下达预算并拨付资金。三是加强资金和项目衔接。对于按项目法分配的专项转移支付，在提前下达和正式下达环节都要求一并明确到具体项目，避免资金、项目“两张皮”。四是大力盘活转移支付结转资金。对结转两年以上的专项转移支付资金收回预算重新安排使用；对结转不到两年的专项转移支付资金，也要求地方财政加大盘活力度。

（五）转移支付预算公开力度不断加大。按照“公开是常态、不公开是例外”的要求，财政部不断推进转移支付预算公开，提高预算透明度。2015 年起，在报送全国人大审议的中央预算草案中，中央对地方转移支付预算已经做到了分项目、分地区编制，并对项目预算安排及落实到地区等情况逐一做了说明，在全国人大批准后向社会公开。2016 年，财政部门户网站专门建立“中央对地方转移支付管理平台”，集中公开除涉密信息外的各项转移支付信息，包括转移支付项目基本情况、资金管理办法、申报指南、分配结果等具体内容，便于社会公众查询监督。

（六）转移支付绩效管理稳步推进。按照《深化财税体制改革总体方案》和全国人大决议提出的健全预算绩效管理机制的要求，财政部出台了《中央对地方专项转移支付绩效目标管理暂行办法》（财预〔2015〕163 号），对绩效目标的设定、审核、下达、调整与应用等进行了规定。2016 年，在报送全国人大审议的中央预算草案中增加了专项转移支付绩效目标有关内容。

二、存在的主要问题

经过近几年深入推进转移支付制度改革，尽管转移支付制度更趋完善，结构不断优化，资金使用效益明显提升，但受

我国经济社会发展不平衡、城乡二元结构比较明显、政府职能转变不到位，以及中央与地方财政事权和支出责任划分改革刚刚启动、地方税体系尚未建立等多种因素制约，转移支付改革尚需继续推进。特别是与建立现代财政制度、推进国家治理体系和治理能力现代化的要求相比，现行中央对地方转移支付制度还存在一些差距和不足。主要表现在：转移支付改革与财政事权和支出责任划分改革衔接不够；转移支付资金统筹力度有待加强，资金闲置沉淀问题依然存在；专项转移支付清理整合没有到位；转移支付管理有待规范，预算公开和绩效评价有待加强。此外，省及省以下财政转移支付制度改革进展不平衡。

三、下一步改革措施

转移支付制度改革是深化财税体制改革的重要任务，是建立现代财政制度的重要内容，是确保中央宏观调控政策和民生保障措施落实的有效手段。按照党中央、全国人大、国务院有关要求，财政部将会同有关部门认真贯彻落实预算法，结合全国人大有关决议和审计提出的整改要求，进一步推进转移支付制度改革，坚持以问题为导向，坚持以事权属性为遵循，将转移支付改革同中央与地方财政事权和支出责任划分改革相衔接，同绩效评价、预算公开、问责机制等制度建设相结合，从根本上解决转移支付与财政事权和支出责任不相匹配，转移支付交叉重叠、退出难、资金使用效益不高等问题，逐步形成一套定位清晰、规模适度、结构合理的转移支付体系和分配科学、使用规范、注重绩效、公开透明、监管严格的资金管理机制，更好发挥转移支付的职能作用，提高转移支付资金使用效益。

（一）促进转移支付与财政事权和支出责任划分相适应。根据事权属性，对于属于中央事权的，要将转移支付上划转列为中央本级支出，由中央单位直接承担；对于属于地方事权的，原则上由地方承担支出责任，相应取消专项转移支付。

（二）加大转移支付资金统筹力度。一是针对当前基层财政尤其是能源资源型地区财政困难，要加大均衡性转移支付、县级基本财力保障机制奖补资金、阶段性财力补助、产粮大县奖励资金、农村综合改革转移支付等一般性转移支付的统筹力度，兜住“保工资、保运转、保基本民生”的底线，保证基层财政正常运行。在此基础上，要逐步提高均衡性转移支付在一般性转移支付中的比重。二是全面盘活转移支付结转资金，及时收回闲置沉淀资金，统筹安排用于稳增长、补短板、保基本民生等领域。三是按照党的十八届三中全会决定要求，研究推进取消重点支出挂钩事项，增强财政统筹能力，保障重点支出需要。四是贯彻落实《国务院办公厅关于支持贫困县开展统筹整合使用财政涉农资金试点的意见》（国办发〔2016〕22 号），加大贫困县财政涉农资金统筹整合使用力度，促进脱贫攻坚任务按期完成。

（三）进一步清理整合专项转移支付。按照全国人大有关决议和审计的要求，专门制定清理整合规范专项转移支付方案。一是进一步适当压减专项转移支付数量，继续取消政策到期、预定目标实现、绩效低下的专项，逐步取消竞争性领域和以收定支专项。二是大幅度减少专项转移支付下不同支出方向的数量，同时探索建立“大专项＋工作任务清单”机制，推动同一专项下的不同支出方向资金的统筹使用，中央部门主要通过制定任务清单方式进行指导，将项目审批权下放地方，从根本上推进专项转移支付的实质性整合。三是进一步优化中央基建投资结构，优先用于全局性、基础性、战略性的重大项目，重点投向市场不能有效配置资源的社会公益服务、公共基础设施、农业农村、生态环境保护和修复、重大科技进步、社会管理、国家安全等公共领域项目。

（四）逐步取消竞争性领域专项。按照党的十八届三中全会决定提出的“逐步取消竞争性领域专项”的要求以及预算法关于“市场竞争机制能够有效调节的事项不得设立专项转移支付”的规定，着力规范竞争性领域专项，积极探索实行“由补变投”的方式，采取政府投资基金等市场化运作模式支持产业发展，并适度控制资金规模。

（五）建立健全专项转移支付设立、定期评估和退出机制。一是严格专项设立条件，新设专项必须以法律、行政法规或国务院规定为依据、符合中央与地方财政事权划分改革要求、符合政府职能转变和市场化改革方向，并明确政策目标、实施期限、退出机制等内容，按程序报国务院审批。二是研究建立常态化的评估退出机制，根据评估结果对专项进行完善，该退出的退出，该调整的调整，该压减的压减。

（六）不断强化转移支付管理。对采取项目法分配的转移支付，要积极推动实施三年滚动规划管理，加强项目库管理，做到资金与项目同步下达。要继续做好转移支付预算公开，进一步细化公开内容，完善集中公开平台，以信息公开倒逼转移支付管理水平提高。要加强绩效评价结果应用，将专项转移支付绩效目标设定同当年预算安排相结合，将各地区绩效评价结果同以后年度资金分配相结合。要进一步加强转移支付监管，推动建立追究问责机制，解决转移支付资金管理“最后一公里”问题。

（七）推动地方完善财政转移支付制度。要指导地方完善省以下财政管理体制，清理整合省级专项转移支付，优化转移支付结构，加大资金统筹和对下转移支付力度，提高基层财政保障水平；要督促地方尽早提前下达转移支付预算并将其编入当年财政预算，提高预算编制的完整性；要推动地方进一步盘活财政存量资金，加大转移支付公开和绩效评价工作力度，做到“上面放得下，下面接得住”。

最后，需要指出的是，深化转移支付制度改革还迫切需要加快政府职能转变和深化财政体制改革。要进一步深化“放管服”改革，理顺政府和市场、政府与社会的关系，充分发挥市场在资源配置中的决定性作用；要加快推进中央与地方财政事权和支出责任划分改革，理顺中央与地方之间的关系，充分调动中央和地方两个积极性；要在保持中央和地方财力格局总体稳定的前提下，加快地方税体系建设，进一步推进中央和地方收入划分改革，从根本上为深化转移支付改革奠定基础和创造条件。

委员长、各位副委员长、秘书长、各位委员，长期以来，全国人大对推进财政转移支付制度改革给予了大力支持和帮助，提出了很多宝贵意见建议。此次听取和审议国务院关于深化财政转移支付制度改革情况的报告，加强对完善转移支付制度的监督指导，充分体现了全国人大常委会对规范转移支付管理、提高转移支付资金使用效益的高度重视，必将进一步推进转移支付制度改革工作。在此，我们向全国人大常委会表示衷心的感谢！我们将按照全国人大常委会的审议意见，以高度的责任感、使命感和紧迫感，继续深化转移支付制度改革，不断完善转移支付管理，努力为经济社会持续健康发展作出积极贡献。

信托业可持续发展应遵循“五个坚持”

——中国银监会党委书记、主席尚福林在“2016 中国信托业年会”会上发表意见

（2016 年 12 月 26 日）

2016 年中国信托业年会 12 月 26 日在上海召开，会上，中国银监会党委书记、主席尚福林指出，信托行业是一个古老悠久的行业，有着独特的制度优势和功能作用。经过 30 多年的改革发展，信托业成为了我国金融体系不可或缺的重要一员，为我国经济社会的发展作出了积极贡献。2017 年是供给侧结构性改革的深化之年，信托业应全面贯彻中央经济工作会议精神，坚持稳中求进的发展总基调，牢固树立和贯彻落实新发展理念，坚持信托本源特色，服务实体经济，强化创新意识，有效管控风险，努力打造信托特色品牌，培育信托“百年老店”。

对于下一步信托业的发展，尚福林提出五点意见：

一要坚持回归信托本源的基本定位。尚福林表示，充分发挥信托本源价值和制度优势是信托公司安身立命之本。作为一项历史悠久、管理方式现代的财产管理和传承制度设计，信托的运用方式、范围和领域正在日益扩大。随着我国经济持续发展和社会财富的不断积累，信托业迎来重塑经营模式的重大机遇。今后信托公司要继续坚持信托本业为主体、固有和其他中间业务为补充的总体思路，逐步由受托人发起向由委托人发起转型，聚焦资产管理、财富管理和受托服务三大领域，提升专业的资产管理能力，构建比较优势，致力于提供门类齐全、功能齐备的信托产品和信托服务，在优势领域巩固领先地位，在特色领域形成竞争优势，力争信托业发展根深本固、长盛不衰。

二要坚持服务实体经济的根本宗旨。支持实体经济是金融业生存发展的根本。尚福林强调，信托公司必须坚持服务实体经济的本质要求，纠正目前行业发展“脱实向虚”的苗头，以提升实体经济发展的质量和效益为中心，以深化供给侧结构性改革为主线，加快发展战略转型，发挥好多层次、多领域、多渠道配置资源的独特优势，去通道、去链条、降杠杆，为实体经济提供针对性强、附加值高的金融服务，实现信托业与实体经济的良性互动、协调发展。要通过积极开展投贷联动、债转股、并购基金、资产证券化等业务，支持优质企业通过兼并重组去产能，去杠杆，升级做强；要研究推出信托直接融资工具，帮助企业降低融资成本；要积极探索土地流转信托，助力农业供给侧结构性改革、棚户区改造和新型城镇化建设；要规范发展消费信托、互联网信托，服务扩大内需、消费升级和民生改善；要扩大公益（慈善）信托规模，推动精准扶贫、精准脱贫，积极履行社会责任。

三要坚持创新发展的市场化导向。信托公司一直都处于我国金融创新的前沿，快速响应市场需求和市场化运作模式是信托业的发展动力和优势。尚福林表示，信托公司要顺应我国经济结构调整、产业转型升级的大趋势，按照“三个有利于”原则（即有利于提升服务实体经济的效率，有利于降低金融风险，有利于保护投资者的合法权益）积极开展创新。要真正发挥“实业投行”资源禀赋优势，主动创新适应市场需求的业务和产品，有效搭建起资金市场和实业市场的桥梁，大力支持国企改革、战略性新兴行业、科技企业发展，提高服务实体经济的效率；要按照“透明、隔离、可控”的原则开展交叉产品创新，不能为规避监管和隐匿风险而搞变相创新，始终做到风险“看得见、管得了、控得住”，降低跨市场和跨行业金融风险；要进一步丰富信托产品的供给，提高客户服务质量，为金融消费者提供多样化选择，保护投资者合法权益。

四要坚持培育有信托业特色的风控文化。信托业作为一个极富特色的金融子业，其业态和风险特征与传统银行业有诸多差异。以往历次信托业清理整顿的根本原因就是信托公司偏离了信托的实质，把信托业务做成了信贷业务，致使风险在信托公司体内积聚并爆发危机。尚福林指出，信托公司要认真吸取历史经验与教训，准确把握“卖者尽责、买者自负”的信托本质文化，下决心在体制机制上解决“信息不对称”问题，谨慎、勤勉履行受托责任，构建符合信托业特点的风控文化、经营理念、组织架构、交易工具和信息系统，在转型发展中守住合规底线。要完善信托业“八大机制”建设，强化信托业“八大责任”意识，清晰界定信托公司在不同类型业务中的受托责任，不断加强信托文化的培育发扬，加强金融消费者教育引导，为信托业健康发展打造良好的发展环境。

五要坚持审慎、从严的监管导向。当前，信托公司在发展过程中，显性和隐性风险同时存在，需要不断提高审慎监管的前瞻性和主动性，确保信托业风险总体可控，从而维护金融体系的稳健性。尚福林强调，要夯实监管基础，进一步丰富符合信托业务特点的风险监管指标和工具，强化风险资本约束，完善净资本管理，培育信托公司的审慎经营理念，督促行业不断提高风险识别、计量、管理和控制水平，筑牢防范单体机构风险的第一道防线。要以监管评级体系为抓手，合理配置监管资源，有效实施分类监管，充分体现扶优限劣；按照“一司一策”的原则紧盯重点风险领域，适时开展风险排查，及时做好风险防范和化解工作。要继续研究完善监管规制和长效机制建设，积极适应新的监管形势要求，及时洞察新型业务领域的风险演化趋势，构建常态化的风险揭示机制，坚决守住不发生系统性金融风险的底线。要强化属地监管责任，加强联动监管，既要各司其职，又要加强协同，优化监管方式，形成监管合力，杜绝监管盲区。要继续加大“放管服”改革，进一步贯彻落实简政放权精神要求，围绕营造公平竞争环境强化监管，探索适合信托业发展特点和风险特征的审慎监管方式，使信托业包容有序、充满活力。

规范发展互联网金融，维护金融市场稳定

中国人民银行副行长、国家外汇管理局党组书记、局长　潘功胜

（2016 年 10 月 14 日）

2016 年 10 月 14 日，中国人民银行副行长、国家外汇管理局局长潘功胜在人民日报发表题为“规范发展互联网金融，维护金融市场稳定”的署名文章。文章指出，党中央、国务院高度重视互联网金融的发展，并要求抓紧开展互联网金融领域专项整治工作，规范各类互联网金融业态，优化市场竞争环境，扭转互联网金融某些业态偏离正确创新方向的局面，并通过总结治理经验，建立完善长效机制，促进行业良性健康发展。以下为文章全文：

一、互联网金融发展迅速，需强化风险防范

近年来，在大数据、云计算、移动互联网等信息技术快速发展的推动下，以互联网支付、网络借贷（P2P）、股权众筹等为代表的互联网金融发展迅速，业务形态日趋多元，在提高金融服务效率，降低交易成本，满足多元化投融资需求，提升金融服务的普惠性和覆盖面等方面，发挥了积极作用。

互联网金融本质上仍是金融，没有改变金融风险的隐蔽性、传染性、突发性和较强的负外部性特征，而且由于互联网属性，其风险的波及面更广、扩散速度更快、溢出效应更强。当前，互联网金融在快速发展中积累了一些问题和风险：某些业态偏离了正确的创新方向，部分机构风险意识、合规意识、消费者权益保护意识不强，反洗钱、反恐怖融资制度缺失，有些甚至打着“金融创新”的幌子进行非法集资、金融诈骗等违法犯罪活动。特别是，近期爆发的一系列风险事件，对行业声誉造成了较大负面影响，引起社会各界高度关注，规范互联网金融发展成为广泛共识。

二、中央高瞻远瞩，互联网金融领域专项整治工作稳妥有序推进

党中央、国务院高度重视互联网金融发展和风险防范工作，中央经济工作会议明确要求抓紧开展互联网金融领域专项整治，规范发展互联网金融。

今年，根据国务院的决策部署，人民银行会同十六个相关部门开展了互联网金融风险专项整治工作，研究制定了互联网金融风险专项整治工作实施方案，明确了专项整治工作的目标、原则、重点、职责分工和进度安排。此次专项整治工作的目标是贯彻落实去年 7 月份人民银行等十部委联合发布的《关于促进互联网金融健康发展的指导意见》，规范各类互联网金融业态，优化市场竞争环境，扭转互联网金融某些业态偏离正确创新方向的局面，并通过总结治理经验，建立完善长效机制，促进行业良性健康发展。

专项整治以“打击非法、保护合法；积极稳妥、有序化解；明确分工、强化协作；远近结合，边整边改”为原则，突出问题导向，集中力量对 P2P 网络借贷、股权众筹、互联网保险、第三方支付、通过互联网开展资产管理及跨界从事金融业务、互联网金融领域广告等重点领域进行整治，切实防范和化解互联网金融风险。

为保证整治效果，创新运用抓准入、资金、奖惩、内控、技术、反倾销反补贴等多类整治方法。针对互联网金融跨领域、跨地域经营等特点，专项整治强调加强跨部门、跨地区协作和沟通，按照“部门统筹、属地组织、条块结合、共同负责”的精神，中央和地方共同负责、各有侧重，初步形成了全国联动、稳妥有序、方法创新、兼顾长效的工作格局。

三、建立健全适应互联网金融特征的监管体系，促进行业持续健康发展

推动互联网金融规范发展，要按照边整边改、标本兼治的思路，以整治过程中发现的问题为导向，在全面排查和妥善化解风险点的同时，抓紧开展长效机制建设。

第一，针对互联网金融跨界混业经营、贯穿多层次市场体系的特征，逐步健全并完善与之相适应的监管体系。一是强化准入管理和功能监管。设立金融机构、从事金融活动，必须依法接受准入管理。根据互联网金融业务实质与功能属性确定监管要求与监管主体，实现对各金融业态、线上线下金融行为监管全覆盖。坚持监管公平性，明确互联网企业从事金融活动适用与传统金融机构从事类似业务基本一致的市场准入政策和监管规则。二是实施“穿透式”监管。把互联网金融的资金来源、中间环节与最终投向穿透联接起来，综合全环节信息判断业务性质，执行相应的监管规定。三是完善中央与地方金融监管分工。由于互联网金融从业机构的跨区域经营特征明显，由中央金融监管部门和地方政府共同牵头开展专项整治，是对中央与地方监管分工的有益探索。

第二，针对互联网金融服务大量“长尾人群”的特征，既要发挥其在促进普惠金融发展中的积极作用，又要注重保护投资者利益。一是加强投资者教育和权益保护。互联网金融投资者人群大多风险意识不足，风险承受能力薄弱。要规范互联网金融从业机构信息披露，落实投资者适当性管理，强调“卖者有责”。加强金融知识普及，提高投资者金融素养，引导树立“买者自负”的投资理念。二是建立“反倾销、反补贴”制度。一些互联网金融从业机构为争夺“长尾”客户，承诺有悖金融规律的高额回报，其实质类似商品贸易领域的倾销行为，扰乱了金融市场秩序，要清理不正当竞争行为，完善反不正当竞争制度。三是规范关联交易。由于互联网产品通常具有用户越多、场景越多、黏性越高的特性，容易形成规模庞大、客户众多、跨领域经营的从业机构。对该类机构要立足宏观审慎监管，完善防火墙制度，加强对机构实际控制人和控股大股东的管理；对跨界混业经营的机构，强化对机构间互相持股、高管交叉任职等情况的监管，防止风险交叉传染和“多而不能倒”。四是规范广告宣传。一些从业机构进行虚假违法宣传，对社会公众具有一定误导性和迷惑性。要加强金融广告管理，未取得相关金融业务资质的机构，不得对金融业务或公司形象进行宣传；取得相关业务资质的，宣传内容应符合相关法律法规规定。

第三，针对互联网金融的技术特征，既要支持金融科技创新，又要注意防控技术风险，加强对互联网金融监管的技

术支持。互联网金融的兴起得益于网络技术的发展，但若出现网络或信息安全问题，其风险的扩散速度更快、波及范围更广、传染性更强。因此，一是继续鼓励创新。支持互联网金融从业机构依托科技创新驱动产品创新和服务创新，满足实体经济多层次投融资需求，提升金融服务效率和覆盖面。二是维护网络和信息安全。互联网金融高度依赖信息技术，但其信息系统安全面临黑客、木马病毒等威胁，尤其是一些互联网从业机构拥有大量用户数据信息，确保用户信息安全至关重要。要加强从业机构信息安全系统建设，提高技术安全标准。强化公民信息数据隐私保护，加强数据模糊化处理等隐私保护技术的开发使用。建立健全反洗钱、反恐怖融资制度，防范通过互联网金融进行洗钱、恐怖融资等行为。三是提升互联网金融监管水平。探索运用互联网思维、信息数据技术创新金融监管方式和方法，加强互联网金融监管技术支持，努力实现在线监管、实时监测、精准治理。

第四，针对互联网金融快速迭代、形态多变的特征，精准把牢互联网金融监管的关键环节。一是加强资金监测，严格执行客户资金第三方存管制度，对资金账户及跨行清算实行透明化、集中化运作，实现对互联网金融业务活动的全方位监测，从源头管控互联网金融风险。二是加强为互联网金融活动提供交易、支付清算、托管结算等服务的金融基础设施管理，建立统一标准，加强监管统筹，实现对互联网金融风险的全程动态监测和早期预警。三是加强行业自律，充分发挥中国互联网金融协会的自律作用，制定行业标准、数据统计、信息披露等制度，完善自律惩戒机制，形成依法依规监管与自律管理相结合、对互联网金融领域全覆盖的长效管理体制机制。

第五，针对互联网金融发展与外部环境交互性较强的特征，不断优化金融生态，营造法治健全、企业内控、社会监督的良性治理环境。一是完善互联网金融法律法规框架。各类互联网金融活动应按照实质重于形式的原则，适用相应的法律法规和监管要求。在确有空白的领域，抓紧推动法律法规和监管规则建设，引导互联网金融从业机构在法治轨道上健康有序发展。二是强化企业内控。互联网金融从业机构应参照金融和信息科技企业的内部控制基本原则，具备健全的内控制度和风险管理系统等软硬件条件。三是加强社会监督。探索建立举报制度，发动市场主体和社会公众举报违法违规行为。研究制定“重奖重罚”制度，在给予举报人奖励、强化正面激励的同时，提高金融违法成本和威慑。充分发挥会计师、律师、评级机构等第三方机构的鉴证和监督作用，加强社会征信体系建设。

增加绿色金融供给　助力经济绿色转型

——访中国人民银行副行长陈雨露

（2016 年 9 月 1 日）

中国人民银行、财政部等七部委 31 日联合印发了《关于构建绿色金融体系的指导意见》。出台这一指导意见有何政策考量，将对绿色产业和生态文明建设产生怎样的影响？如何看待中国在这一议题上的国际影响力？新华社记者就此独家专访了中国人民银行副行长陈雨露。

动员和激励更多社会资本投入绿色产业

问：制定《指导意见》的主要出发点和政策考量是什么？

陈雨露：加强生态环境保护和生态文明建设，建设美丽中国，已经成为国家的重大发展战略。当前，我国正处于经济结构调整和发展方式转变的关键时期，对支持绿色产业和经济社会可持续发展的绿色金融需求持续扩大。构建绿色金融体系，增加绿色金融供给，是贯彻落实“五大发展理念”和发挥金融服务供给侧结构性改革作用的重要举措。

出台这一《指导意见》，一是动员和激励更多社会资本投入到绿色产业，同时更有效地抑制污染性投资。实践表明，声誉效应可以激励绿色投资。一些绿色投资者，包括今年以来的我国绿色债券发行人，在追求商业回报的同时，也收获了良好的社会声誉。重视“声誉”的、负责任的投资者正在增多。政策层面鼓励金融机构和企业开展绿色投融资，会得到积极响应。

二是政府在适当领域运用公共资金给予激励。许多绿色项目由于其正外部效应没有被完全内生化，收益率略低于市场水平，社会资本可能不愿介入。因此，有必要通过贴息、担保、再贷款、PPP 模式等办法来降低其融资成本或提高其收益。同时，提升公共资金的使用效率，更好地发挥“四两拨千斤”的撬动作用。

三是推动金融机构和金融市场积极稳妥地加大金融创新力度。通过发展新的金融工具和服务手段，解决绿色投融资经常面临的期限错配、信息不对称、产品和分析工具缺失等问题。

多维度创新满足绿色产业投融资需求

问：《指导意见》在推动我国绿色金融发展方面推出了哪些创新性的工具和手段？

陈雨露：《指导意见》在立足我国国情的基础上，借鉴国际经验，总结了近一年来我国绿色金融发展的成功实践，研究提出了很多创新性的融资工具和激励约束机制，以更好地满足绿色产业发展多层次、多元化的投融资需求。

一是设立绿色发展基金。《指导意见》明确提出中央财政整合现有节能环保等专项资金设立国家绿色发展基金，同时鼓励有条件的地方政府和社会资本共同发起区域性绿色发展基金。这就向社会各界发出了政策层面支持绿色投资的积极、重大的政策信号，有助于提振投资者信心。

二是通过央行再贷款支持绿色金融发展。《指导意见》中提到通过再贷款等措施来支持绿色信贷和绿色金融发展。这里说的“再贷款”，应该从广义上去理解。它可以是央行给商业银行利息较低的贷款，也可以是支持商业银行购买绿色债券或绿色信贷资产支持证券，也可以是抵押补充贷款。央行会选择合适的具体操作方式，在风险可控的前提下支持绿色金融发展。

三是发展绿色债券市场为中长期绿色项目提供新的融资渠道。许多绿色项目是中长期项目，让银行发行中长期的绿色金融债券、让企业发行中长期的绿色企业（公司）债券，可一定程度缓解期限错配带来的融资难问题。

四是发展碳交易市场和碳金融产品。我国已经宣布在2017年启动全国碳交易市场，在此基础上的碳金融业务将有助于大幅提高市场的流动性和碳交易价格的有效性，并可为绿色企业提供一系列的融资工具。

五是强化环境信息披露。在《指导意见》中，特别提出要逐步建立和完善上市公司和发债企业强制性的环境信息披露制度，以解决信息不对称问题对绿色投资构成的制约。

为未来全球绿色金融发展提供重要参考

问：绿色金融已经成为今年G20的一个重要议题。如何看待中国在绿色金融议题上的国际影响力？

陈雨露：在我国的倡议下，绿色金融今年首次被纳入G20议程，并形成了G20绿色金融综合报告，明确列举了发展绿色金融的七条可选措施，为未来全球绿色金融发展提供了重要参考。

我国是全球仅有的三个建立了绿色信贷指标体系的经济体之一。2016年以来，我国绿色债券市场快速发展，已成为全球最大的绿色债券市场。随着《指导意见》的出台，中国将成为全球首个建立了比较完整的绿色金融政策体系的经济体。

《指导意见》的一项重要内容是，广泛开展绿色金融领域的国际合作。中国将继续与其他经济体一道，在G20框架和双边合作框架下，努力推动全球绿色金融的发展。

问：下一步央行等部门将如何贯彻好《指导意见》？

陈雨露：构建和完善绿色金融体系是一个系统工程，需要各部门、地方政府、金融机构和企业的互相协作和配合。下一步，人民银行等部门将着力做好以下几方面工作：

一是加强协作、形成合力。密切关注绿色金融业务发展，对激励和监管政策进行跟踪评估，适时调整完善。加强金融信息基础设施建设，推动信息和统计数据共享，建立健全相关分析预警机制，强化对绿色金融资金运用的监督和评估。

二是鼓励各地区从当地实际出发，以解决突出的生态环境问题为重点，积极探索和推动绿色金融发展。

三是完善与绿色金融相关监管机制，有效防范金融风险。加强对绿色金融业务和产品的监管协调，综合运用宏观审慎与微观审慎监管工具，统一和完善有关监管规则和标准，强化对信息披露的要求，守住不发生系统性金融风险底线。

四是加大对绿色金融的宣传力度。积极宣传绿色金融领域的优秀案例和业绩突出的金融机构和绿色企业，推动形成发展绿色金融的广泛共识，形成共建生态文明、支持绿色金融发展的良好氛围。

配合结构性改革　发挥资源配置功能

——上海证券交易所理事长吴清在上交所第三届理事会的工作报告

（2016年10月10日）

上海证券交易所理事长吴清日前在上交所第三届理事会工作报告中表示，上交所将围绕服务国民经济发展和资本市场建设大局，做好强化监管、防范风险和保护投资者合法权益的中心工作，始终把握服务发展主线、始终冲在市场监管前线、始终守住系统风险底线，对标世界领先交易所，加强基础建设，加大改革创新力度，加快提升市场化、法治化、国际化和综合性服务水平，努力将上交所建设成为有力支撑国家改革发展、有效配置国内国际资源的世界级交易所。

吴清表示，上交所未来发展要主动服从服务于国民经济发展大局。要主动配合供给侧结构性改革，充分发挥交易所市场资源配置功能，促进上市公司通过并购重组等市场化手段，实现“三去一降一补”、优化产业结构和企业资产质量。严格执行退市制度，逐步形成优胜劣汰的良好市场生态。要全力支持实体经济发展，充分发挥股票、债券的融资作用，支持国民经济支柱企业、行业龙头发行上市，吸引优质企业发行公司债券，提高企业直接融资比重，切实解决融资难、融资贵的问题。要积极助力新经济发展，顺应建设现代产业体系、培育新兴产业、发展现代服务业的经济发展趋势，主动对接新经济、新产业和新技术企业，加大市场服务力度，加快培育经济发展新动能。要服务支持市场创新，探索开发更多有效的金融工具，以满足行业机构、投资者管理风险的多样化需求。要主动融入“一带一路”倡议，从建设世界级交易所战略目标出发，以开放促改革、以开放促发展，优化沪港通机制，加快沪伦通步伐，不断推进交易所国际合作的深度和广度。

吴清强调，上交所将切实扛起一线监管和风险防范责任，筑牢市场监管、风险防范和投资者保护的第一道防线。这是当前交易所工作的重中之重。要提升上市公司监管效能。以信息披露监管为核心，持续推进分行业监管、分类监管和刨根问底式综合监管，增强信息披露监管的针对性和有效性。要完善会员监管模式。强化会员在客户管理、异常交易行为防控、投资者适当性管理等方面的责任。要强化交易行为监管。加大违法违规线索发现和处置力度，增强异常交易行为市场监察的有效性和威慑力。要健全市场风险防控体系。加快构建市场风险预警机制，重视对新产品、新业务、新技术的风险评估，增强风险事件快速反应和处置能力。

吴清表示，未来上交所应着力加强各项市场基础建设，夯实市场发展根基。完善上市制度和交易制度，对现有交易制度进行全面梳理，结合国情市情，借鉴成熟市场经验，重点对大宗交易制度、前端控制机制等交易制度进行研究、评估和完善。完善投资者保护制度。针对我国散户型市场的特点，探索有效方法，完善“教育、服务、监管、保护”四位一体的投教体系，切实保护投资者特别是中小投资者的合法权益。逐步完善会员参与的交易所治理。完善交易所治理结构既是凝聚会员力量、发挥会员作用的重要体现，也是建设世界级交易所的必由之路。

吴清还向参会的会员单位提出三点建议。一是要深刻汲取股市异常波动的教训。绝不能好了伤疤忘了疼，要化教训为动力，认真摆问题、找差距、补短板，牢固树立风险意识，坚决守住不发生系统性风险的底线。二是要脚踏实地做好各项基础工作。要树立强基础、谋长远的意识，做长跑运动员，立足长期作战，耐住性子、俯下身子，做实事、出实招、求实效，夯实行业发展根基。三是要共同担起市场稳定发展责任。要强化全局意识和“一盘棋”思想，交易所和各会员单位都要勇于担当、各负其责，共同维护好建设好发展好交易所市场。

未来深交所主要在六个方面布局

——深圳证券交易所理事长吴利军发表的新年致辞

（2016 年 1 月 4 日）

深圳证券交易所理事长吴利军近日发表新年致辞。吴利军表示，未来深交所持续推进监管转型，全力推进市场双向开放，在推进资本市场改革发展、转型提升自律监管体制机制、丰富深市特色场内产品序列、加快跨境合作、拓展平台渠道、加强自身管理与建设等六方面进行努力。

吴利军表示，2015 年深交所坚决贯彻党中央、国务院战略部署，在中国证监会领导下，维护市场稳定，推动改革创新，推进监管转型，服务实体经济。坚持市场化改革方向，深化市场组织、监管、服务基本职能，各层次板块市场运行质量稳步提升，落实金融支持实体经济、服务国家发展战略全局的能力进一步增强。

统计显示，截至 2015 年 12 月 31 日，深交所上市公司 1746 家，市值 23.61 万亿元，成交总额 122.50 万亿元，深证成份指数较年初上涨 9.93%；上市基金 476 只，挂牌债券 1457 只，资产证券化产品 53 只。2015 年，深交所完成深成指扩容改造，启动深港基金互认，落实公司债改革，建设“乐富基金超市”，推出白银 LOF、纳指 100ETF、鹏华前海 REITs 等创新产品。

吴利军表示，2016 年是“十三五”规划开局之年，多层次资本市场改革发展面临新机遇。深交所将以全面学习贯彻党的十八大，十八届三中、四中、五中全会精神为统领，认真贯彻落实中央巡视要求和中国证监会统一部署，全面加强党的建设，从严内部管理，强化安全运行和风险防控，持续推进监管转型，全力推进市场双向开放，以改革、创新引领发展，培育市场长期成长动力。未来主要在六个方面布局工作。

一是贯彻落实证监会统一部署，推进资本市场改革发展。落实股票发行注册制改革各项要求，深化创业板改革，推出创业板企业专门层次，为新三板企业向创业板转板试点创造更好的条件，恢复深市主板 IPO 发行，完善中小企业板承接中小市值中概股回归；推进落实委托执法试点工作；推进实施股债分离方案；积极推动深证 100ETF 期权、沪深 300ETF 期权落地。

二是加强一线监管，转型提升自律监管体制机制。积极推进交易制度改革，探索不同市值股票差异化交易机制；完善适应不同板块层次特点的上市公司信息披露监管，根据风险特征完善差异化监管；强化固定收益产品信用监管；坚持从严、均衡和主动监管，摸清监管底数，规划建设产品、市场运行风险监测平台，建设大数据文本挖掘监管信息支持体系。

三是丰富深市特色场内产品序列，加快产品创新发展。大力发展债券市场，推进高收益债、永续债产品发行，拓展可交换公司债券等股债关联产品；推动 REITs 等资产证券化产品在实体经济重点领域发挥更大作用；做大做强沪深 300、深证 100、深市中小企业板、创业板重点 ETF 产品，研发商品期货 ETF 等创新品种。

四是加快跨境合作，在更高起点推进市场双向开放互通。积极争取“深港通”尽快启动，推动香港互认基金在深交所 LOF 平台挂牌交易和互认 ETF 基金在深港交易所交叉挂牌；开发跟踪境外核心指数、特色指数跨境基金，开展核心指数交叉挂牌和信息服务；建设境外信息共享发布平台、境外投资服务平台、国际创新企业社区。配合自贸区金融改革发展规划，建设前海跨境金融产品交易平台。

五是拓展平台渠道，积极培育市场长期成长动力。深化服务广大投资者，提升信息公平对称，完善增值信息服务，便利股东权利行使；提高培育服务工作渗透度，全面深化辅导培训、研究信息、共享互动和投融资对接；完善培育服务工作覆盖面，建设分布式工作平台，整合创新股本证券、固定收益、并购重组、持续融资以及全链条产品业务推广；倾斜支持实体经济重点领域和薄弱环节，服务农业产业企业和新型城镇化建设，实施中西部、东北地区以及重点行业专项服务计划。

六是加强自身管理与建设，持续打造深交所核心竞争力。提升战略管理，制定实施发展战略规划，有序推进中长期目标任务；全面落实治理要求，强化理事会和专门委员会职能作用，健全会员大会常态化机制，进一步扩大会员大会决策范围，拓展和提升会员大会作为交易所最高权力机构的职能和地位，建立会员意见收集和反馈工作长效机制，研究将境外机构纳入特别会员范畴，充分发挥会员在交易所规范治理和改革发展过程中的重要作用；从严内部管理，提高工作透明度，重点防控审核监管廉政风险；夯实人才队伍和信息技术战略支撑，实现新一代交易系统上线和平稳启用，保障各项改革和创新顺利推进。

在 2016 央视财经论坛暨中国上市公司峰会上的讲话

中国证券监督管理委员会副主席　姜　洋

（2016 年 12 月 12 日）

各位来宾，朋友们：

大家上午好！

很高兴参加本次论坛，首先我代表中国证监会对论坛的成功召开表示热烈祝贺。借此机会，我就资本市场服务供给侧结构性改革谈些认识，供大家参考。

推进供给侧结构性改革，是以习近平同志为核心的党中央立足我国经济社会发展全局提出的重大战略部署，为当前做好经济金融工作指明了方向、提供了指南。在我国经济进入新常态后，有效供给不能适应需求变化的结构性矛盾突出，这是我国经济发展保持中高速、迈向中高端必须要越过的门槛。推进供给侧结构性改革，核心就是要在适度扩大总需求的同时，通过去产能、去库存、去杠杆、降成本、补短板，矫正要素配置扭曲，提高供给体系的质量和效率，增强持续增长动力，推动我国社会生产力水平实现整体跃升。作为现代经济体系最核心的组成部分，资本市场是优化资源配置、引导要素有序流动的重要渠道，对推进供给侧结构性改革具有重要作用。适应新常态、引领新常态，紧紧围绕供给侧结构性改革做好服务，是我们资本市场的使命和职责。

近年来，证监会坚决贯彻落实以习近平同志为核心的党中央决策部署，立足服务实体经济的根本宗旨，不断健全市场体系，夯实市场基础，创新体制机制，进一步激发市场活力，为推进供给侧结构性改革、落实“三去一降一补”五大重点任务、促进大众创业万众创新作出积极贡献。

一是健全多层次股权融资体系，为企业降低杠杆、培育动力提供多种渠道。在强化监管、防范风险的基础上，我们稳妥推进交易所市场股票发行，深化新三板和区域性股权市场融资功能，不断提高直接融资规模。今年 1 至 11 月，累计 995 家上市公司完成股票发行，融资 1.24 万亿元，超过去年全年水平；新三板挂牌公司完成 2541 次定向发行，融资 1050 亿元。截至今年 10 月底，区域性股权市场挂牌企业 1.41 万家，累计为企业实现融资超过 6600 亿元。股权融资规模的扩大，优化了企业财务结构，有效控制了偿债风险。

二是完善市场化并购重组和退出机制，推进企业去产能、去库存。今年以来，全市场并购重组交易 1891 单，交易金额 1.64 万亿元，持续三年保持高位运行态势，有效促进产业结构转型升级。比如，部分传统公司通过收购优质资产和业务，成为文化传媒、医疗健康等新兴行业的佼佼者，甩掉了历史包袱，成功突破发展瓶颈，实现“盘活”和“再生”。同时，稳妥推进相关上市公司的退市工作，积极参与煤炭、钢铁等领域脱困发展的专项督查，加速清理僵尸企业，化解过剩产能和高企库存。

三是降低企业融资成本，疏通经济发展“血脉”。上市公司半年报显示，非金融上市公司债务融资成本为 4.06%，较去年底下降 34 个基点。今年前 10 个月，企业通过交易所市场公开发行公司债券加权平均利率为 3.84%，较 2015 年全年下降 84 个基点。相较贷款利率，为发行人降低融资成本数百亿元，助力缓解“融资难、融资贵”。同时，加强监管，挤出水分，保证资金真正流向实体经济。

四是推进大型国企央企整合，提高产业集中度和核心竞争力。2016 年 1 至 10 月，国有控股上市公司并购重组 496 单，交易金额 5747 亿元，占整个并购重组交易金额的 35%。大型国有企业实施并购重组后，发挥了“1 + 1 > 2”的效果，国企改革红利进一步释放。比如，宝钢股份吸收合并武钢股份，提升中国钢铁行业的竞争力；招商局蛇口整合招商地产，实现蛇口自贸区整体上市，做优做强的同时，更好地服务“一带一路”战略；国药集团实施内部业务整合，契合国家深化医疗体制改革战略，实现良好的社会效益和经济效益。

五是深化资本市场扶贫功能，补齐经济社会发展的短板。今年以来，我们深刻领会党中央作出的打赢脱贫攻坚战的决定，将精准扶贫作为证监会必须担负的头等政治责任，切实发挥资本市场引导扶贫的作用。今年 9 月，发布《关于发挥资本市场作用服务国家脱贫攻坚战略的意见》，对贫困地区企业首次公开发行股票、新三板挂牌、发行债券、并购重组等开辟“绿色通道”。

在资本市场服务供给侧结构性改革的过程中，我们也充分认识到，上市公司是资本市场健康发展的基石，是提高供给质量的主力军，是新技术新产业的重要开拓者。上市公司质量如何，直接检验着资本市场服务供给侧结构性改革的成效。伴随着这几年供给侧结构性改革的有序推进，我国上市公司数量稳步增长，质量逐渐提高，价值创造能力不断增强，成为国民经济名副其实的“脊梁”。一是规模优势突出。截至今年三季度末，上市公司总数 2974 家，实现营收 22.44 万亿元，占同期 GDP 的 42.34%，净利润 2.09 万亿元，相当于同期全国规模以上工业企业利润总额近一半。二是持续回报能力增强。今年以来，2017 家上市公司实施现金分红，金额超 8000 亿元，比十年前增长逾 10 倍。三是初步构建了较为完备的信息披露规则体系，实施分行业披露，信息披露质量进一步改善。“三会”机制运作规范有效，中小投资者保护力度加大，公司治理水平稳步提高。四是社会责任意识不断增强，在稳定就业、增加税收等方面做出了积极贡献。五是结构持续优化，转型升级效果明显。第三产业取代第二产业，成为上市公司的重要支柱。同时，新兴产业表现突出，创新驱动成果显现，以深市上市公司为例，721 家战略新兴产业公司营业收入、净利润同比增幅分别为 18%、24%。

各位来宾，朋友们！

当前，我国经济正经历新旧动能转换、经济发展亟待转型升级阶段，新的动能正在孕育，旧的产能仍需逐渐出清，供给侧结构性改革的任务非常艰巨。下一步，中国证监会在以习近平同志为核心的党中央坚强领导下，将更加自觉贯彻落实党中央国务院关于资本市场的决策部署,紧扣推进供给侧结构性改革这条主线,坚持依法从严全面监管,坚持市场化法治化国际化的方向,健全多层次资本市场体系,大力发展直接融资,继续支持通过并购重组进行产业整合、结构升级,不断优化上市公司治理,提高上市公司质量,为服务实体经济、推进供给侧结构性改革增添新动力,以优异成绩喜迎党的十九大胜利召开。

最后,预祝本次论坛取得圆满成功。谢谢大家!

在第四届中国创业投资行业峰会上的讲话

中国证监会副主席 李 超

(2016 年 10 月 14 日)

尊敬的张高丽副总理,各位领导、各位来宾:

大家下午好!

很高兴参加第四届中国创业投资行业峰会。我谨代表中国证监会,对大会的召开表示热烈祝贺。

推进大众创业、万众创新是落实党中央、国务院创新驱动发展战略的重要举措,也是适应经济新常态、培育发展新动能的必然选择。国内外实践经验表明,创新创业活动的顺利开展,始终与资本的催化、促进作用相伴。特别是随着信息技术革命的深入推进,技术与资本的紧密结合,使得创新创业活动的步伐比以往更快、涉及领域更广。

近年来,创业投资机构在创新、创业中的地位日益突出,以多层次资本市场为代表的直接融资体系的作用也发挥得更加明显。首先,通过资本市场的"择优劣汰"机制,引导资金源源不断注入具有真正竞争优势的创新企业。员工持股、股权激励等制度创新,对于人力资本价值转化,吸引和稳定优秀人才,激励企业家管理才能和创新精神发挥着重要作用。其次,创业投资基金等风险投资主体的发展,推进直接融资关口前移,有效适应了技术创新活动高风险、高投入的特点,解决了创业企业"起步一公里"的资金来源问题。同时,活跃、有效的资本市场,能够为早期的风险资本提供畅通的退出渠道,实现风险资本的增值与新一轮的投资循环。第三,与传统通过一级市场认购股份不同,风险投资基金不仅为创业企业注入资金,还基于自身专长,积极参与公司治理、引导发展战略等,投资与"孵化"共举,输血与造血并重,促进了资本与技术、人才、创意的有效融合,为创业企业健康成长提供有效支持。

中国证监会认真贯彻党中央、国务院决策部署,围绕创新驱动发展战略的需要,大力推进多层次资本市场体系建设,不断拓展资本市场的服务覆盖面,积极完善投融资体制机制,推进大众创业、万众创新。

一是不断发展壮大交易所市场,为科技含量高、创新能力强的新兴产业拓宽融资渠道。以主板为例,2015 年以来,共有 155 家公司完成 IPO,募资 1806 亿元,其中属于创新创业等新兴产业企业约 50 家,募资约 390 亿元。目前,创业板 540 家公司中,高新技术企业占九成以上,战略性新兴产业企业占七成以上,公司平均研发强度 5.35%,远高于市场平均水平。

二是改革全国股转系统,更好服务中小微创新创业型企业发展。新三板设立以来,坚持以包容性理念设计准入机制,对申请企业在所有制、地域和盈利等方面不做限制性要求,支持鼓励创新型、创业型和成长型中小微企业在新三板挂牌,通过发行普通股、优先股、债券等实现直接融资。目前,9000 多家挂牌企业中,中小微企业占比 93%;高新技术企业占比 67%,先进制造业、现代服务业合计占比 73%。根据统计,有私募股权基金投资参股的挂牌公司占比约 60%。

三是鼓励面向创新创业项目的并购重组,推动行业整合、转型升级。积极支持符合条件的创新创业项目通过并购重组做大做强,鼓励传统企业针对新技术、新产品进行外延式并购。今年以来,上市公司并购重组交易共有 1500 多单,其中近 1000 单涉及创新创业型上市公司,占比 63%,金额总计 6497 亿元,占比 51%。

四是积极支持符合条件的创新创业企业进行债券融资。启动双创债、绿色债、可续期债和熊猫债等创新品种试点,满足创新创业企业的融资需求。今年以来,双创债发行 3 单,金额 6000 万元;绿色债发行 11 单,金额 177 亿元。交易所债券市场支持创新创业型企业融资机制进一步完善。

创业投资是推动创新创业的重要资本力量,是促进创新成果转化的助推器。近年来,证监会在促进多层次资本市场服务大众创新、万众创业的同时,也一直高度重视并大力培育私募基金市场,进一步吸引更多社会资本流向创新创业活动。自 2013 年 6 月《证券投资基金法》实施、中编办明确证监会的监管职责以来,证监会积极探索私募基金监管方式。加快构建私募基金法律规则体系,发布《私募投资基金监督管理暂行办法》,明确合格投资者标准和基本运作规范;坚持"适度监管、底线监管、行业自律、促进发展"的监管理念,实行私募基金备案制,不设行政审批;出台相关自律规则,建立分类公示、黑名单制度等诚信约束机制,构建行政监管与行业自律相结合的监管框架;积极配合发改委、财政部、工商总局等部门,推动解决私募基金发展涉及的税收优惠、国有股豁免转持、工商注册等相关政策问题。

截至 2016 年 9 月底,基金业协会已登记私募基金管理机构 1.77 万家,已备案私募基金 4.12 万只,认缴规模 8.57 万亿元,实缴规模 6.66 万亿元。其中,创业投资基金管理机构 1200 多家,创业投资基金 1900 多只,实缴规模 3500 亿元。与 2015 年年末相比,创业投资基金数量增幅 36%、实缴规模增幅 45%。股权投资基金特别是创业投资基金的发展,对于支持实体经济、促进创新创业起到了积极作用。2015 年以来,股权投资基金、创业投资基金共有超过 1 万亿元投向实体经济。在已列明主要投资方向的基金中,主要投资互联网及软件产业的 1315 只、规模 456 亿元;医药保健类基金 185 只、规模 835 亿元;新材料工业基金 141 只、规模 834 亿元;科技服务和科学研究类基金 162 只、规模 227 亿元;消费产品与服务业基金 258 只、规模 463 亿元。

我国创业投资行业无论在规模和深度上均取得了长足进步,涌现出一批具有很高专业水准、市场广泛认可的创投机构,这些成绩离不开创投行业的辛勤付出。今后,希望创业投资机构继续秉承价值投资和长期投资的理念,以诚信为兴业之本、发展之基，立足服务实体经济的根本宗旨，创新内部体制机制，发挥自身资源优势和专业特长，努力提升专业化运作和管理水平，进一步加大对大众创业、万众创新的支持力度。

同志们、朋友们：

实现创新驱动发展战略是一场系统性的变革，也是我们国家转变发展方式、培育新的增长源泉的重要突破口，意义重大、任务艰巨。证监会将按照党中央、国务院的战略决策部署，紧扣创新驱动发展和大众创业、万众创新这一时代主题，强化依法、从严、全面监管，推动产品创新、业务创新和服务创新，进一步丰富和完善市场功能体系。一是不断完善资本市场基础性制度，便利资本形成、积聚与流转，切实提升市场服务的包容性，提高服务创新创业的效率。二是加快多层次资本市场建设，进一步壮大交易所市场，加快完善新三板市场，拓宽服务创新企业的覆盖面，畅通创业投资退出渠道。三是加快资本市场制度创新，进一步完善上市公司股权激励、投资者回报等机制，加大债券市场品种创新，优化支持创新创业的软环境。

上个月，国务院发布了《关于促进创业投资持续健康发展的若干意见》，这是创业投资行业发展史上首个国家层面的重要文件，适应了我国创业型经济发展形势的需要，为创业投资行业的发展指明了新的方向、提供了新的机遇。中国证监会作为创业投资基金行业的监管部门，将认真贯彻落实《若干意见》的相关部署和要求，简政放权、放管结合、优化服务。区别对待不同类型私募基金，持续改进和完善创业投资基金的差异化监管制度安排，进一步完善行业自律和诚信约束机制，打造适合创业投资发展规律和特点的监管环境，推动规范有序而又充满活力的创业投资市场环境，为发展新经济、培育新动能贡献应有力量。

最后，预祝大会圆满成功。谢谢大家。

夯实发展基础　统一监管标准　推动资管行业持续健康发展

——中国证监会副主席李超在《财经》年会 2017 论坛上的讲话

尊敬的各位来宾，女士们、先生们：

大家上午好！

很高兴来参加这次《财经》年会，我谨代表中国证监会，对年会的召开表示热烈祝贺。

2016 年是我国“十三五”规划开局之年，是供给侧结构性改革深入推进的一年；也是全球经济增长普遍乏力，各种风险爆发甚至叠加的一年。财经年会汇聚国内外专家，回顾过去，展望即将到来的 2017 年，聚焦热点问题，着眼战略谋划，广角度、多维度的探讨全球政治、经济、金融、科技等的发展趋势，为政商学界充分进行沟通交流提供了很好的互动平台。

随着中国经济快速发展，社会财富逐步积累，投融资需求日益旺盛。近年来，中国的资产管理行业发展迅速，各类资管产品日益丰富，参与主体和投资者众多，管理规模大幅增长，资管行业对中国的经济、金融、社会的影响越来越大，行业发展及其监管均面临着新的课题和挑战。

我国资管行业起步较晚，目前对资管业务尚无明确、清晰的界定，对其内涵和外延也有不同的解读和认知。从实践看，资管业务主要包括银行、证券基金、保险等金融机构接受客户委托，按照合同约定对客户资产进行投资，客户获得投资收益并承担相应投资风险的各类金融业务。除了大家熟知的信托计划、公募基金之外，还有银行理财、券商资管计划、基金专户、保险资管计划等。近期市场上广为关注的万能险，除具有传统保障功能之外，也具有较强的资产管理属性。

据统计，截止 2016 年 6 月底，各大类资管产品的规模为：银行理财 26. 3 万亿元，信托计划 15. 3 万亿元，公募基金 8. 4 万亿元，基金专户 16. 5 万亿元，券商资管计划 14. 8 万亿元，私募基金 5. 6 万亿元，保险资管 2 万亿元，简单相加后的规模总计 88 万亿元。由于在实际运作中，部分资管产品互相借用“通道”，产品互相嵌套、交叉持有等，剔除这些重复计算因素，我国资管业务规模约为 60 万亿左右，大体接近上年 GDP 总量。

资产管理行业的迅猛发展，汇集了大量的社会资本，有力支持了实体经济、创新创业的发展，一定程度缓解了融资难问题；同时以其独特的产品灵活性，满足了大众不同层次的投资理财需求，丰富了金融工具和金融体系，总体风险可控。

在看到我国资管行业快速发展的同时，也必须清醒地认识到，与成熟市场相比，中国的资管行业仍处于发展的初级阶段，“卖者有责、买者自负”的行业基础文化有待形成；与国际一流资产管理机构相比，中国的资产管理机构仍存在不小的差距，核心竞争力、诚信守规意识与风险控制能力亟待提升；法律及监管框架、监管能力有待完善和提高。从近年来资管领域暴露出的问题和风险隐患分析，下述问题仍需要给予重视：

第一，法律适用混乱。按照实质重于形式的原则，各类“受人之托、代客理财”的资管产品不论使用何种名称，均应适用同种法律关系。但目前各大类资管产品的法律基础、法律关系并不相同，有的依据国家法律，如信托法、证券投资基金法，相应的法律关系为信托关系；有的依据资管机构所在行业监管部门规章，法律关系为委托代理关系；还有的产品仅仅依据当事约定，法律基础、法律关系均不清晰。

第二，监管标准不统一。在分业监管体制下，由于历史形成原因，各大类资管产品，在产品准入、投资范围、募集推介、信息披露、资金资产托管、投资者适当性管理等方面，监管标准并不一致，有的还存在比较大差异。例如对合格投资者的界定存在不同的版本；对预期收益率有的允许宣传，有的则严格禁止；对资金的托管，有的要求独立第三方托管，有的则没有这方面的要求等等。

第三，缺乏统一的监测监控。各类结构化资管产品日益复杂，资金来源、交易结构横跨银行、证券、保险业，投向上层层嵌套，对其信息报送要求在各监管部门之间不尽相同。产品难以看穿，对行业整体风险的监测统计和预测研判缺乏及时有效的信息支撑，难以适应当前资管产品跨市场、跨行业、跨机构的特点。

第四，存在隐形刚性兑付。部分资管机构从维护自身声誉出发采取了固定回报、隐性担保等经营策略，虽保障了当期投资者的本金和收益，但偏离了资产管理业务的本质，恶化了行业运行环境，积聚了行业风险。

上述问题带来的风险隐患，不容忽视。

一是不利于投资者保护。资管领域法律适用体现的主要是管理机构与投资者之间的权利义务关系。法律关系不同，权利义务配置自然不同，法律关系不清，风险收益归属自然不明。不同的法律适用对管理人承担的责任和义务要求不同，对投资者的保护力度和程度有较大差异。在当前投资者适当性标准不同，投资者居于市场相对弱势地位的状况下，不利于公平保护投资者。

二是导致市场分割。同类产品按照不同的监管要求运行，造成资产管理市场分割严重。受制于基础资产市场的割裂和分业经营的限制，部分产品通过交叉投资、借用通道间接投资，一方面导致了产品结构复杂、透明度低；另一方面，资管产品通过层层包装，不易识别和判断风险，也容易交叉传染风险。

三是影响市场功能的正常发挥。"刚性兑付"的预期，使得投资者只关注当期收益，忽视风险的存在，不利于形成"买者自负"的理性投资文化。市场对于高收益的盲目追求，反向激励金融机构将投资集中在高风险行业，不利于落实"卖者有责"。同时，"刚性兑付"也推高了无风险利率，扭曲了风险资产的定价水平，扰乱了市场配置资源的功能。

四是易引发监管套利，增大系统性风险隐患。部分机构通过产品结构调整、业务转移等途径，在不同属性的业务之间腾挪资产，将业务从监管较严的市场转向监管相对宽松的市场，变相规避监管规定。有的产品"明股实债"，以"资管"之名行"借贷"之实、叠加杠杆，风险在不同产品、不同机构、不同市场间传导，削弱了宏观调控、审慎监管的有效性，增加了系统性风险的隐患。

五是脱实向虚，加大了实体经济成本。实体经济是金融发展的根基，但从实际情况来看，部分资金并未进入实体经济，而是以不同方式、借助不同渠道热衷于以钱炒钱，不仅没有真正创造社会价值，反而延长了投融资服务链条，抬高了融资成本。

各位来宾：虽然现阶段资管行业还存在这样或那样的问题，但经济发展的需要、社会财富的快速积累、居民投资理财需求的持续提升，使得行业发展依然有着强烈的现实需求。十八大以来，党中央、国务院对资本市场发展做出了一系列重要部署，努力健全多层次资本市场体系，提高直接融资比重，都将为资管行业带来巨大发展空间。

正视问题，砥砺前行，在各方的共同努力下，进一步夯实基础，化解和消除资产管理发展中的问题和障碍，我国资产管理行业一定能够得到持续健康发展。

预祝年会圆满成功。谢谢大家！

在第十二届中国（深圳）国际期货大会上的讲话

中国证监会副主席　方星海

（2016 年 12 月 2 日）

尊敬的各位领导、各位嘉宾，女士们、先生们：

大家上午好！

非常高兴参加第十二届中国（深圳）国际期货大会。首先，请允许我代表中国证监会对本届大会的召开表示热烈祝贺！对参加会议的各位嘉宾、各界朋友表示热烈欢迎！

一年一度的中国国际期货大会又一次将海内外期货行业和相关产业的朋友聚在一起，探讨期货及衍生品市场发展的问题。今年大会的主题是"产融结合 · 金融科技——供给侧改革背景下的衍生品市场机遇与挑战"。这个主题很好。我听说出席本次大会的嘉宾有 1200 多人，来自境外的就有 100 多人，可谓盛况空前。迎来天下客，论道天下事，不亦乐乎！

我国期货市场已经取得了长足的发展，国际影响力显著提高，服务实体经济的能力扎实增强。这表现在五个方面。一是品种体系日渐丰富。目前我国上市期货期权品种 52 个，其中商品期货 46 个，金融期货 5 个，金融期权 1 个，覆盖了农产品、金属、能源、化工等国民经济主要产业领域。二是市场规模不断增长，参与主体不断增多。今年 1 至 10 月我国期货市场共成交 34.72 亿手，同比增长 19.06%。我国商品期货成交量已连续 7 年位居世界第一。105 家证券公司和 133 家基金公司及子公司进入到期货市场进行金融衍生品等交易。全市场投资者达 110 多万。三是期货经营机构实力增强，服务能力有效提升。目前 149 家期货公司总资产近五千亿元，净资本达 646.14 亿元。下设的 51 家风险管理子公司、11 家资产管理子公司围绕实体企业风险管理需求开展了仓单服务、场外期权、基差交易、"保险 + 期货"、资产管理等创新业务，有效服务实体经济风险管理需求。四是市场功能不断发挥。在众多商品领域，期货市场在稳健企业经营、改善产业链运行机制、服务国家产业政策和宏观经济管理等方面的积极作用逐步显现。一些较为成熟品种如铜、铁矿石、PTA 等期货价格已经成为国内外贸易的重要定价参考。五是多项国际排名进入前列。根据美国期货业协会（FIA）统计，2015 年全球成交量排名前 20 的农产品和金属期货中，我国各占 11 个和 8 个。从交易量来说我国已经发展成为全球最大的油脂、塑料、煤炭、黑色建材期货市场和第二大农产品、有色金属期货市场。

改革开放三十多年来，中国经济持续高速增长，成功步入中等收入国家行列，从经济总量来看已成为名副其实的经济大国。但随着全球经济增速放缓，贸易环境持续恶化，以及国内劳动力供应和环境容量等约束的加强，中国经济发展步入了"新常态"，经济发展中长期积累的结构性、体制性突出问题开始显现。为了解决这些问题，实现"两个一百年"的奋斗目标，中国确立了推进供给侧结构性改革，提高整个供给体系的质量和效率，促进经济发展跃上一个新台阶的方略。供给侧结构性改革为期货市场更好地服务实体经济提供了广阔的空间。

众所周知，价格是市场机制的核心要素，市场对资源配置的决定性作用取决于价格信号。期货市场通过公开、公正、高效、竞争的交易运行机制，形成了具有预期性、连续性、公开性和权威性的期货价格，从而引导企业通过套期保值规避风险，促进企业稳健经营；价格信息指导生产、贸易、消费等经济活动，降低交易成本，提高资源配置效率；同时为相关金融机构提供风险对冲的工具，促进金融市场的稳定。期货市场的这些功能在我国供给侧结构性改革中也将发挥积极的作用。期货市场通过合约和交割等基础制度的设计，可以引导企业淘汰落后产能，提高供给端产品质量，从而提升经济增长的质量。比如，我们将螺纹钢期货合约的标的设定为3级螺纹钢，达不到质量标准的产品价格低于标准品，即价格低于期货合约标的产品价格，这对于螺纹钢行业实现优质高价，淘汰低端产品起到了推动作用。期货市场还有利于相关实体企业进行库存管理，通过期货合约交易建立虚拟库存，降低存贮成本、节约流动资金。比如一家有色金属企业日常生产每月消耗精铜约10万吨。若没有参与期货市场，囤积现货将需要大量资金，而如果通过期货市场买入保值建立虚拟库存，则仅需不到1/5左右的保证金，大大减少了资金占用。同时，期货市场标准仓单质押业务还可以为大宗商品融资提供途径，有利于降低实体经济融资成本。

今年年初以来，我国商品期货市场出现了部分期货品种价格迅速上涨、价格波动较大的情况，引起各方关注。究其原因，既有国内供需基本面短期失衡的因素，也有国际汇率波动的因素，当然其中也有一定的投机因素。随着期货市场的发展，期货市场与现货市场联系日益密切。因此，每当现货市场价格出现大幅波动时，对期货市场的质疑也随之产生，这一点发达国家在市场发展过程中也有同样的经历。比如，上世纪80年代，美国股市大幅下跌引发了一次关于金融衍生品经济价值的大讨论，美国证监会、美联储、财政部和商品期货交易委员会历时3年，完成了有关研究报告，证明期货期权交易在促进经济增长、稳定现货市场价格和社会投资等方面的积极作用。2003年至2008年，世界原油期货价格持续大幅上涨，舆论再一次对期货市场产生质疑。美国期货监督管理委员会（CFTC）邀请政府部门研究宏观基本面和大宗商品市场影响因素的专家组成专门调查组，对原油价格上涨成因进行调查。结论是造成上涨的原因，主要是原油的供需基本面因素决定，而非期货市场带动。我国实体企业对期货市场的功能作用的认识和运用同样需要一个过程。

从今年我国大宗商品期货价格的变动看，绝大部分时间期货价格处于贴水的状态，因此期货并没有对现货价格产生助涨助跌的作用。期货市场由于交易机制设计的有效性，其价格信号通常领先于现货市场，产生一种领涨领跌的效用，使现货价格调整加速，缩短了调整时间。这其实是好事，价格尽快调整到位总是有利于资源配置效率的提高。由于今年一些期货品种交易量很大，有一种担心是期货投机是否会拉大现货价格的涨幅。这种担心其实是没有必要的。若一个投机者不顾现货价格走势，一味拉抬期货价格，那他在交割环节是要亏大钱的，因为现货价格主要取决于供求关系和货币信贷政策，而这些都不是他所能左右的。

各位嘉宾、朋友们：期货市场本身也需要进行供给侧改革，提供更好满足实体经济需要的法规、制度、产品和服务。我们应坚持市场化、法治化、国际化的改革发展方向，以服务好实体经济为根本宗旨，充分认识期货市场的功能，努力建设一个与中国经济金融发展程度相匹配，与实体经济风险管理需求相适应，具有较强国际竞争力的期货衍生品市场。为此，应做好以下几方面工作。

一是改革完善以市场需求为导向的期货产品上市机制，更好满足实体经济风险管理需求。在期货市场基础制度已经较为牢固、风险控制水平不断提高的情况下，今后应以市场需求为导向，上市更多的产品，以更好地满足实体经济风险管理需求。将不断改革完善相关制度流程，开发上市更多符合实体经济需要、市场条件具备的期货新品种，包括推出原油期货和白糖、豆粕等商品期权。

二是推动期货经营机构发展，提高服务实体经济的能力。期货经营机构通过经纪业务、风险管理业务等方式为实体企业提供风险管理服务。期货经营机构自身的服务能力和创新能力直接影响着实体企业利用期货市场管理风险的效率。为此，应在风险可控的前提下，推动风险管理公司在场外市场的创新和探索，稳步开展“保险 + 期货”等期现结合的业务试点，为实体企业量身定制风险管理服务。继续支持期货公司拓展融资渠道，鼓励其通过境内外发行上市、“新三板”挂牌等方式扩大筹资规模，不断增强资本实力，提升行业抗风险能力。

三是坚持对外开放，服务“一带一路”战略。期货市场本身是一个全球性的市场，稳步推进期货市场的对外开放，国内外企业和投资者对此都有强烈的需求。抓住我国当前产业结构转型升级的历史机遇，紧贴“一带一路”战略需要，逐步扩大期货市场对外开放，以特定品种的方式逐步引入境外投资者参与国内商品期货交易。在品种选择上，我们将以铁矿石、天然橡胶等国际化程度较高的品种为起步，逐步拓展到其他产品。此外，适应相关期货品种国际化需求，支持期货交易所在境外设立交割仓库和办事处。与相关部门一起继续推动完善税收政策，实现期货保税交割常态化。

四是全面从严依法监管，维护市场平稳运行。充分发挥期货市场功能，离不开有效的监管。证监会将进一步完善相关法律法规建设，推动《期货法》立法进程。提高期货交易所和期货市场监测中心的市场运行和一线监管水平，严格防范市场价格操纵等违法违规行为。当前我国金融市场流动性较多，容易发生过度炒作，必须提高监管警惕性。同时监管措施要尽量少而精准，避免对市场正常运行产生过多的干扰。要更好发挥期货业协会自律组织的作用，进一步完善自律管理规则，丰富行业自律管理职能，推动期货经营机构合规经营和创新发展。期货公司也应发挥风险管理的专业优势，勤勉尽责，落实好对客户尤其是大客户的管理和服务责任。

五是严厉打击非法和变相期货活动。近期此类活动在全国各地有蔓延的趋势，证监会将配合公安等部门予以严厉打击，决不手软。当前我国防范金融风险的任务很重，在已经发生了众多P2P网络贷款风险之后，决不能再发生大量的非法期货风险，给人民群众的财产带来巨大损失。

各位嘉宾，各位朋友：适应中国经济发展“新常态”，推进供给侧结构性改革，为期货市场发展带来了新机遇。我相信，在以习近平同志为核心的党中央领导下，坚持服务实体经济的根本宗旨，坚持市场化、法治化、国际化的改革方向，期货市场必将迎来更加美好的未来。

最后，预祝本届大会取得圆满成功。谢谢大家！

坚定推进期货市场开放 建设国际大宗商品定价中心
——在第十三届上海衍生品市场论坛上的致辞

中国证监会副主席 方星海

（2016年5月25日）

尊敬的光绍副市长、各位嘉宾：

上午好！

很高兴参加第十三届上海衍生品市场论坛。经过十余年的努力，上海衍生品市场论坛已发展成为中国期货行业的标志性年度盛会，也是上海国际金融中心建设的一项重要活动。首先，我谨代表中国证监会对本届论坛的成功召开表示热烈的祝贺！对长期以来关心支持中国期货市场发展的海内外各界朋友表示衷心的感谢！借此机会我想就商品期货市场开放和建设国际大宗商品定价中心的问题谈几点看法。

市场通过价格对资源配置起决定性作用，价格不仅指现货价格，还包括时间序列上的一系列期货价格。现货价格主要对当期消费起作用，期货价格则指挥着决定未来供应的生产和投资。由此可见，期货价格在资源配置中的重要性不比现货价格低。经过20多年的发展，中国期货市场共上市了46个商品期货品种，基本覆盖了农产品、金属、能源、化工等主要产业领域。同时，市场法规制度体系日益健全，监管有效性不断提升，近十多年来成功抵御了国际金融危机等冲击，没有出现大的风险事件。我国商品期货市场在发现价格、管理风险以及促进经济转型等方面的积极作用日益显现。此外，中国期货市场的国际影响力日益显著，上海、郑州、大连三家商品期货交易所交易量均名列全球前列，外资在华企业在一些成熟品种上的持仓占比超过10%，境内外期货价格相互影响在加大。

我国已是绝大部分大宗商品的最大消费国，建设国际大宗商品定价中心具有至关重要的意义。国际上主要的大宗商品已从传统的生产商和贸易商主导定价，转变为以期货市场主导定价。在任何一个时点，大宗商品的合理价格并不只有一个，而是处在一个区间里。作为消费大国，我们当然关心它处在区间的哪一点。倘若决定价格的期货市场在我国，我们对价格的影响力就会比较大。即便由于各种原因我们影响不了价格最终落在哪一点上，只要定价中心在我国，我们的企业和投资者对价格的走势就会有更好的了解，就能提前采取套利措施。从完善我国金融市场体系、建设上海国际金融中心来讲，大宗商品定价中心的形成也是必须的。为此应重点做好以下工作。

一是改革完善以市场需求为导向的期货产品上市机制。在期货市场基础制度已经较为牢固、风险控制水平不断提高的情况下，以市场需求为导向，上市更多产品并实行严格有效的监管，是发展商品期货市场的可行做法。应不断改革完善相关制度流程，开发上市更多符合实体经济需要、市场条件具备的期货新品种，包括推出原油等大宗商品期货品种和商品期权。

二是推进商品期货市场对外开放，引入境外投资者参与中国商品期货市场。大量的国际企业在中国有现货贸易和现货经营，他们需要方便地利用中国期货市场避险，这些年这种呼声很强烈，中国期货市场理应对他们开放，就像中国企业在境外开展套期保值一样。此外，随着中国经济对世界经济影响的加深，许多国际上的金融投资者也迫切要求参与我国的商品期货市场。我们将以特定品种方式逐步引入境外投资者参与国内商品期货交易。既创造条件让更多境外期货公司进入我国，从而把境外客户引进来，也鼓励境内期货公司走出去，把境外客户带进来。在品种选择上，我们将以原油、铁矿石、天然橡胶等国际化程度较高的品种为起步，逐步拓展到其他产品。此外，适应相关期货品种国际化需求，支持期货交易所在境外设立交割仓库和办事处。为与国际期货不含税交易的惯例接轨，与相关部门一起继续推动完善税收政策，实现期货保税交割常态化。

需要指出，开放一定是双向的，走出去和引进来都重要，但当前的重点是把境外投资者引进来。我国期货市场的国际化程度离国际定价中心的要求还很远，吸纳国际投资者的潜力远未发挥出来，目前的宏观经济金融形势也要求我们把重点放在引进来上。

三是吸引国内企业和金融机构广泛参与商品期货交易。目前国内商业银行只能参与黄金、白银期货交易，还不能开展国内其他大宗商品期货交易，而它们的企业客户和部分高净值个人客户利用商品期货对冲风险和进行资产配置的需求强烈。由于不能参与国内市场，一些国内商业银行选择到境外从事相关品种的期货或场外衍生品业务，这种路径成本和风险都比较高。需要适当的制度安排，在风险可控的前提下，研究推动商业银行和其他有关金融机构有序进入商品期货市场。同时，继续推动取消相关政策限制，鼓励和支持产业企业利用期货市场套期保值和管理风险。

四是不断规范市场秩序，提升监管的有效性。要成为全球大宗商品定价中心，必须要有适度有效的监管，不断规范市场交易行为，建立合理的市场交易秩序。期货公司要坚持做好风险管理的主业，配合期货交易所做好市场风险控制，并勤勉尽责，落实好对客户尤其是大客户的管理和服务责任。期货交易所要进一步提高运行和一线监管水平，满足日益增大和国际化的市场的需要。相关的期货法律法规要加快完善。从我国的实践看，对监管的挑战不在于引进来会导致系统性的金融风险，而在于不能及时发现并制止个别境外投资者基于技术优势的违规交易模式。

五是加强国际交流合作，不断提升期货市场的国际化程度和影响力。资本市场的全球化是任何人不能阻挡的历史潮流，特朗普阻挡不了，英国退欧也阻挡不了。中国要发展好就必须在全球化的大潮中占得先机。作为国际证监会正式成员和理事会成员，中国证监会与58个国家和地区的证券期货监管机构签署了监管合作谅解备忘录，已经建立或正在建立密切的沟通协调机制,积极参与对大宗商品运行的全球监管协调。三家商品期货交易所也已经与世界主要期货交易所签订了合作谅解备忘录。在上述双边和多边备忘录框架下,证监会将加强与境外期货监管机构、交易所在跨境监管合作、人员互访、培训研究、信息互换等方面的对话沟通,增进了解,促进共识,共商发展。我们也鼓励支持我国期货业走向国际市场,并为他们走出去创造条件。

前一段时间,受多重因素叠加影响,国内部分商品期货价格波动和成交量都过大。对此,我们已指导商品期货交易所采取了提高保证金、手续费,适当限仓以及强化期货公司风控责任等综合风险防控措施,坚决遏制过度投机和打击违法违规行为,已经取得明显成效。实践表明,只要重视风险防范,不把市场的价格和交易量当成实现某种结果的手段,防范风险就不难。下一步,各商品期货交易所要继续密切关注市场运行情况,加大监管执法力度,严厉打击违法违规行为,维护市场合理秩序。

各位嘉宾、各位朋友:我国建设国际大宗商品定价中心面临千载难逢的良好机遇,全世界没有另外一个大国具备这样的良好机遇,抓不住这个机遇就要犯历史性的错误。但我们必须看到,形成大宗商品定价中心的过程将充满激烈的竞争,在我们加大努力的时候,别人也没有原地踏步。我们有规模和增长的优势,但体制机制的市场化程度很不够,法规还不健全,人才也不足。既成定价中心有体制和交易技术优势,还有路径依赖带来的便利,他们维护自己地位的决心也是我们不能低估的。我国形成定价中心的道路将是不平坦的,但只要方向正确,走出一步就是胜利。在大家的共同努力下,我们有信心建设一个开放、包容、竞争、合作的期货市场,更好地服务于中国和世界经济。

最后,预祝本届论坛取得圆满成功,希望在不久的将来,上衍论坛成为国际期货界的一个标志性聚会。谢谢大家!

在新浪金麒麟论坛上的讲话

中国证监会副主席　赵争平

(2016 年 11 月 23 日)

各位来宾:

首先我代表中国证监会对这次论坛的成功举办表示热烈祝贺,对长期以来关心、支持资本市场改革发展的各位领导与各界朋友表示衷心感谢!本次论坛以寻找中国经济新动能为主题,紧扣时代脉动,贴近社会心声,具有很强的现实意义。借此机会,我就多层次资本市场建设特别是新三板市场,也就是全国中小企业股份转让系统的创新发展讲几点看法,与大家交流。

2008 年国际金融危机以来,全球经济始终处于缓慢而艰难的复苏之中。为破解发展之谜、冲破金融危机阴霾,世界各国都在积极寻找新支点,努力探索新动能。近年来,我国经济也呈现出增速调整、结构优化、动能转换的新特点,迫切需要全社会加快形成一整套有利于创新成果不断涌现并快速产业化、有利于中小微企业这支创新活动主力军蓬勃发展、有利于持续推动大众创业万众创新的新体制新机制,为经济转型升级提供新的动力源泉。

国内外实践表明,资本市场作为现代市场经济体系最活跃的组成部分,具有引导资源流动的集聚作用、促进技术转化的孵化作用、鼓励创业投资的培育作用、优化企业财务结构的直接融资效应,是推动经济创新发展的重要平台。近年来,证监会深入贯彻以习近平同志为核心的党中央的战略决策部署,认真落实《国务院关于全国中小企业股份转让系统有关问题的决定》,牢固树立五大发展理念,将新三板市场作为多层次资本市场体系服务创新创业、培育经济增长新动能的重要突破口,牢牢把握服务创新型、创业型、成长型中小微企业发展的定位,通过市场化的制度设计,多方面探索服务中小微企业创新发展。

第一,以包容性理念设置挂牌条件,对企业不做所有制、地域和盈利等方面限制性要求,企业登陆新三板预期明、用时短、成本低,一大批符合经济转型升级方向的企业成功挂牌。截至 2016 年 10 月,挂牌公司合计 9324 家,分别是 2013 年末的 26 倍、2014 年末的 5.9 倍、2015 年末的 1.8 倍;地域上覆盖了 31 个省、自治区、直辖市,行业上覆盖了 89 个大类。按国家统计局划分标准,中小微企业占比 94%,小微企业占比 64%。

第二,以主办券商为核心,引入做市商交易,构建市场化遴选机制,将企业投资价值判断权交给市场。根据 2016 年半年报,挂牌公司平均总资产 2.66 亿元、同比增长 7%,平均净资产 1.21 亿元、同比增长 10%,平均营业收入 7796 万、同比增长 17%。目前,挂牌公司中 65% 的企业是高新技术企业,先进制造业、现代服务业企业占 73%。从实践效果看,通过市场化机制筛选出来的挂牌公司总体质量保持了较高水平。

第三,基于中小微企业的需求努力构建持续融资机制和并购重组机制,初步形成包括普通股、优先股等融资工具在内的直接融资体系,市场资源配置能力快速提升。今年以来,挂牌公司完成 2200 多次股票发行,融资 924 亿元,中小微企业完成 2049 次股票发行;并购重组 257 次,交易金额合计 466 亿元。

第四,立足挂牌公司多元化实际,实施市场内部分层和差异化管理。起步阶段将企业划分为创新层和基础层,降低投资者信息收集成本,合理分配监管资源,为不同发展阶段、具有不同市场需求的挂牌公司提供针对性服务。2016 年半年报显示,创新层公司平均营收、平均利润分别为 1.88 亿元、0.17亿元,是基础层公司的 2.9 倍和 5.7 倍。

第五,坚持创新发展和风险控制相匹配,实行严格的投资者适当性制度,坚持培育机构投资者为主的市场,从源头上防控风险。同时切实加强市场监管,去年下半年以来,陆续开展挂牌公司资金占用、投资者适当性管理执行情况、私募基金资金使用核查等工作,严厉打击违法违规行为。截至 2016 年 10 月,今年已对 223 家挂牌公司及其相关市场主体实施了自律监管措施,对 4 家未按时披露定期报告的公司实施了强制摘牌;对投资者累计采取自律监管措施 1800 多人次;对 35 家主办券商采取了56次自律监管措施。

总体上看，经过三年多的发展，新三板已经成为我国多层次资本市场的重要组成部分，展示出勃勃生机，对落实创新驱动发展战略、助力“双创”、服务供给侧结构性改革、促进经济转型升级产生积极作用，突出表现在以下方面：一是畅通了民间资本投资渠道，目前，私募股权投资基金和创业投资基金持股的挂牌公司数量占比超过60%，推动改变了过去私募股权投资基金和创业投资基金集中做成熟项目的状况，证券市场支持实体经济从以往的成长后期和成熟期，前移到创业期和成长初期。二是提高了金融体系协同效应，全国中小企业股份转让系统与30多家商业银行开展了战略合作。2016年商业银行为挂牌公司提供授信额度超过1300亿元，上半年已发放936亿元。三是调动了企业家和创新人才的积极性，截至2016年10月，共有589家挂牌公司实施核心员工持股，累计激励8100多人次，实现了个人贡献与企业发展的利益共享。四是增强了对贫困地区和民族地区的服务，目前对民族地区和贫困地区企业挂牌设立单独通道，实行即报即审、审过即挂政策，同时减免费用。民族地区现共有挂牌公司403家，是2014年末的5.84倍。涉农挂牌公司共340家，是2014年末的6.42倍，有效服务了国家脱贫攻坚战略。五是推动了中小微企业规范发展，近万家股份公司在新三板平台上按照公众公司的要求，逐步规范会计信息、健全公司治理、提高运作透明度，股份定价实现了市场化，获得了快速发展，在全社会起到了很好的示范引领作用，也促进了股权文化、诚信文化、契约精神的深入发展。

同时我们也注意到，新三板市场在发展过程中也不可避免地存在许多局限性，各方对于提高公司质量、改善市场流动性、完善融资功能等有许多迫切期盼。作为一个独立市场，新三板起步晚，发展时间短，市场基础建设还有许多工作要做，相关的制度安排还需要细化完善，这些都是发展中的问题、成长中的烦恼，我们将和市场各方一道，综合施策，妥善解决。比如，融资功能是市场的基础功能，是服务中小微企业创新发展的重要途径。从股权转让到定向增发，新三板的融资功能是在不断拓展的，贯穿其中的一个重要原则就是完全市场化。进一步拓展融资功能，一方面要继续坚持市场化原则，挂牌公司要有广泛的市场认可度，另一方面，要满足现有法律法规对挂牌公司在规范运作、持续经营、信息披露、公司治理等方面的要求。再比如，提高市场流动性是促进市场功能发挥的重要保障，同时，新三板是定位于以机构投资者为主的证券交易场所，严格的投资者适当性制度，对于新三板市场起好步、稳发展至关重要，实践证明这是行之有效的，必须持续坚持。改进流动性必须坚守现有的合格投资者制度，在此基础上，推进制度建设，研究改革交易方式，丰富做市商类型，优化激励约束机制。

总之，新三板的改革发展要牢记初心，坚守功能定位、使命职责；要坚持市场化、法治化原则，加强顶层设计，健全法律规则体系，优化交易、融资、监管等制度安排，提升市场运行效率，夯实市场发展根基；要提升整个市场参与者的法治意识和诚信文化，督促挂牌公司规范运作和中介机构勤勉尽责，引导投资者理性参与，为新三板市场的健康发展积极培育良好的环境。总的看，我国多层次资本市场体系正在由建立走向不断健全，随着市场功能的进一步完善，相信会有越来越多的优秀企业借助资本市场的支持脱颖而出，为中国经济的转型升级提供新的动力源泉。

各位来宾：

对于资本市场服务创新驱动发展战略和中小微企业来说，新三板并不是单兵突进。我们还注重发挥区域性股权市场功能，促进三板和四板合作对接、协同发展、比翼齐飞。区域性股权市场是多层次资本市场的“塔基”，主要服务于所在省级行政区域内中小微企业，是地方政府扶持中小微企业政策措施的综合运用平台，将其纳入多层次资本市场体系统筹发展，有利于形成良好的投资生态链，加速创业资本有序循环，扭转资本市场“倒金字塔”结构。截至2016年9月底，各区域性股权市场共有挂牌企业1.35万家，展示企业5.41万家，累计为企业实现各类融资6450亿元。今后，证监会将按照国务院统一部署，制定区域性股权市场监管规则，指导、协调省级人民政府做好监管工作，积极为区域性股权市场的规范发展创造良好环境；加强区域性股权市场信息统计分析和风险监测，提高对苗头性、倾向性问题的发现和预警能力，并及时提示和指导地方政府防范和化解风险隐患；建立健全区域性股权市场与新三板的合作对接机制，以适当方式推广地方经验，支持地方政府将区域性股权市场作为中小微企业扶持资金的重要载体，更好服务中小微企业成长壮大。

最后，预祝本次论坛取得圆满成功。谢谢大家！

努力实现预期明确、定价适当、连续快速的IPO运行

——上海证券交易所总经理黄红元在上交所第三届理事会的工作报告

（2016年10月9日）

上交所总经理黄红元在上交所第三届理事会上做总经理工作报告时表示，上交所下一步主要工作任务包括：一，逐步增强市场融资功能，以实体经济需求为导向，研究市场分层，加快推进新经济和高新技术企业发行上市。在维护二级市场平稳发展的基础上，努力实现预期明确、定价适当、连续快速的IPO运行。优化公司债预审核机制，大力发展股债结合产品、绿色债，探索推出创新创业债等产品；完善优胜劣汰筛选机制，推进上市公司并购重组，促进上市公司转型升级，化解过剩产能，盘活存量资产。实施上市公司退市制度改革，完善配套业务规则，逐步形成有进有退、进退有序的遴选机制。

二，着力加大市场监管力度。加强上市公司监管。及时总结和进一步应用刨根问底式监管、分类监管、分行业监管的经验，提高监管针对性。加大信息披露事中监管力度，推动信

息披露与市场监察的联动监管。继续发挥交易所一线监管的优势和作用，积极探索支持证监会派出机构开展现场检查的可行方式；加强会员监管。强化会员在客户适当性管理、账户实名制、客户异常交易行为防控、“了解你的客户”原则等方面的责任；加强交易行为监管。推进异常交易行为认定标准公开，增加市场监察透明度。加大案件线索上报力度，提升市场监察威慑力；加强风险防控预警。健全新产品、新业务、新制度的风险评估和压力测试机制。加强对市场运行情况的预研预判，完善风险预警体系，提升应对市场风险的快速反应能力，形成防控与监管合力。

三，持续提升投资者保护水平，做好投资者教育和风险揭示工作，建立上市公司与投资者的沟通交流机制；优化市场回报机制，制定外在约束性和鼓励性措施，推动上市公司持续稳定高分红；推进上市公司实施管理层股权激励和员工持股计划，探索运用价外期权等创新工具，建立管理层与投资者之间的利益捆绑机制。

黄红元特别强调，必须清醒地认识到，我们日常工作中还存在诸多不足。特别是面对去年股市大起大落的异常波动，在风险预警预测、异常交易管控处置、一线监管力度和能力等方面暴露出许多问题，反映出我们防范市场风险的意识不强、敏感度不高、机制不健全、手段不得力。对于这些问题，需要高度重视，认真加以解决。

深交所积极服务供给侧结构性改革

——在“第 12 届中国(深圳)国际期货大会”的发言

深圳证券交易所总经理　王建军

(2016 年 12 月 3 日)

由中国期货业协会和深圳市人民政府共同主办、深交所协办的“第 12 届中国(深圳)国际期货大会”于 2016 年 12 月 2 日至 4 日在深圳五洲宾馆举行。王建军总经理出席论坛并发言。

王建军表示，作为国家重要的金融基础设施，深交所积极服务供给侧结构性改革和经济转型升级，主要体现在以下五个方面：一是发挥资源配置功能，助推经济结构调整。新公司 IPO 增添转型动能。2016 年 1 月至 11 月，深市 IPO 公司家数 101 家，融资金额 390.06 亿元。重组和再融资推进存量优化配置。2016 年 1 月至 11 月，433 家公司实施完成重组及再融资，实现融资金额 5935.81 亿元。其中，主板强化资本市场服务国企改革功能，中小板板块聚集效应进一步增强，创业板服务创业创新广度深度不断拓展和加深。固定收益产品便利企业融资，优化企业债务结构。截至 12 月 2 日，挂牌上市固收产品 2,734 只，托管面值 1.21 万亿元，较 2015 年底翻了一番；加强对民生、绿色和普惠金融等重点领域的服务力度，积极推动公司债券产品创新。二是服务和支持创新创业，增强经济发展新动力。大众创业、万众创新已成为我国在经济新常态下推动经济结构转型升级的战略任务。服务和支持创业创新是深交所的使命和责任。没有资本市场的支持，创业创新就没有强劲的动力，不支持创业创新，资本市场就失去了生机和活力。深交所 1800 多家上市公司中，高新技术企业占到 70% 以上，创业板的高新技术企业比例更是高达 93%。深交所已成为中国新经济的聚集地，是科技创新型企业的理想上市地。未来，我们仍将不断努力，扩大服务的广度和深度，将更多社会资源有效转化为创新资本，将更多的科技和创意转化为更好的产品和服务，为实体经济升级转型、为创新型企业做大做强提供全面的服务。三是加大市场推广培育力度，提升市场培育服务水平。深交所已经形成了包括重点企业服务、区域推广服务、产品推广服务、专业培训服务在内的全方位的市场服务体系。四是认真落实依法从严全面监管，全面加强上市公司一线监管。以信息披露监管为核心，持续推进分行业监管、分类监管，增强信息披露监管的针对性和有效性。五是不断完善交易制度，改善交易环境，丰富产品体系，推动市场互联互通。

王建军指出，股票期权是交易所场内标准化产品，是金融市场成熟的衍生工具，具有价格发现、风险管理的功能。扩大股票期权试点，有助于强化交易所现货市场的投融资功能。深港通开通在即，境内外投资者希望深交所能提供相应的风险对冲工具。深交所开展股票期权业务的目的是服务多层次的现货市场，服务实体经济。深交所开展股票 ETF 期权业务具有良好的现货基础，也有较大的市场需求。深市 ETF 期权将为指数投资提供有效的避险工具，有利于促进新兴行业股票的指数化投资，契合投资者需要和深市发展的需要。

目前，深交所期权准备工作已经就绪，现货市场运行稳定，上交所股票期权试点运行平稳、功能发挥良好，将股票 ETF 期权试点推广扩大到深交所的条件已经具备。

支持创新是深交所的使命
——在“第四届中法高级别经济财经对话配套中法企业家午餐会上的发言”

深圳证券交易所总经理 王建军

（2016年11月14日）

尊敬的马凯副总理，尊敬的塞班财长，

女士们、先生们，大家中午好！

深圳证券交易所是中国内地两大交易所之一，拥有市值超过22万亿人民币，今年股权融资列全球第二位，交易量排世界第三，是支持创新中国建设的重要力量。

创新正在深刻地改变中国经济的结构和质量。在大众创业、万众创新和中国制造2025的驱动下，各种创新源泉充分涌流，中国经济增长动力正在转换，经济结构正在迈向中高端。以我工作的深圳为例，那里曾是个小渔村，现已成为中国重要的创新中心，今年每季度新增企业近10万家，每天都有精彩的创业故事在那里上演。这是创新中国的一个缩影。周虽旧邦，其命维新。古老的中国正焕发出强大的创新力量。

支持创新是深交所的使命。自2000年开始，深交所就专注于服务创新型、成长型企业。目前，深交所有上市公司1800多家，高新技术企业占到70%以上，创业板市场的高新技术企业达93%，深交所已成为中国高科技企业的聚集地和理想上市地。近三年，深交所上市公司营业收入和净利润增长良好，创业板这两个指标今年更是高达32.4%和44.3%，充分展现了中国新经济的巨大活力。

创新中国充满了机遇，深港通打开了新的机遇之门。10月份，深交所开展了深港通全球路演，结果表明，国际投资者普遍看好中国经济前景。不少投资者还对我们讲，看中国创新、看中国新经济，要多看深交所。近三年来，境外合格机构投资者在深圳市场的开户和持股都增长了近一倍。深港通启动在即，将为各国投资者参与中国经济提供新的机会。

中法两国虽相距万里，但新的资本纽带正在形成。以深交所上市公司跨境并购为例，过去三年都保持100%的增长。今年增速更快，上半年就达到185亿美元。这些跨境并购的主要目的地是欧洲，为法国及其他欧洲国家带来了大量的投资和就业。但我们上市公司境外并购过程中，工具不够、信息不灵、经验不足的问题突出，并购整合失败时有发生。为做好对上市公司走出去的服务，近年来，深交所与泛欧交易所高层互访不断增加、交流不断深入，共同探索为企业创新和并购服务。就在上个月，在法国外交与国际发展部国务秘书费科尔先生、法国驻华大使顾山先生的见证下，双方签署了进一步深化合作的协议。我们将积极推进市场信息交换、指数产品互挂，促进投融资对接，支持人民币国际化和巴黎金融中心建设。

致天下之民，聚天下之货，交易而退，各得其所。这是中国古人建设市场的胸怀，我们将秉承这种志向，推进中国资本市场的双向开放和包容发展，增强支持创新、服务实体经济的能力，未来的深交所、未来的中国资本市场必将为法国及世界各国的企业、投资者提供更多的机会和选择。

最后，欢迎大家到中国做客，到深交所做客！

在2016年城市商业银行年会上的总结讲话

中国银监会副主席 曹 宇

（2016年9月23日）

银监会党委对城商行发展和监管工作十分重视。昨天，尚福林主席亲自到会作了重要讲话，全面深刻地分析了当前的形势，指出了城商行存在的问题，明确了城商行转型发展的方向，具有很强的指导性，大家要深刻领会、全面落实。在昨天下午的专题讨论中，各位嘉宾发表了许多很有价值的观点，刚才，专家还就宏观形势作了专题报告，希望大家认真学习思考。总的看，本次会议开得很紧凑、很成功，取得了预期效果。在这里，我做一个简要总结，主要谈五点看法。

一、关于城商行在我国金融体系中的地位

城商行是由城信社改制而来。21年来，经过化解风险、更名转制、引资重组、转型发展，城商行的综合实力、市场竞争力以及社会影响力均已发生深刻变化，站在了新的历史起点。城商行的发展，丰富了我国多层次金融机构体系，促进了银行业竞争，为服务地方经济、服务小微企业、服务城乡居民做出了重大贡献。

第一，城商行是我国银行体系的重要组成部分。城商行机构多，分布广，定位明确，是我国银行体系中最具活力和成长性的机构之一。近五年来，城商行一直保持快速发展态势。截至2016年6月末，全国133家城商行资产规模达25.2万亿元，较五年前增长近1.9倍，年均增速近40%；资产总额在商业银行中占比15.4%，较五年前提高4.6个百分点，年均增速近8.5%。各项贷款余额9.5万亿元，各项存款余额15.6万亿元，较五年前均增长近1.4倍，年均增速近30%。主要监管指标保持良好，主要经营指标增速好于商业银行平均水平。全球前一千家银行按一级资本排名，入围城商行已达73家，占我国商业银行上榜总数的61.3%。城商行营业网点达

1.4 万个，县域机构覆盖率 63%，从业人员 37 万。这些指标和变化，显示出城商行旺盛的生命力和强劲的市场竞争力。

第二，城商行是服务小微企业的生力军。小微企业是带动社会就业的主渠道，也是城商行的主要目标客户群。多年来，城商行紧紧围绕小微金融服务，建立六项机制，落实四单原则，设立专营机构，创新产品模式，改善信贷流程，建设技术平台，提升风险管控能力，已经探索出小微金融服务的有效模式。有的银行通过加强基层银行与基层党组织“双基联动”，借助基层政府，降低信息成本，为客户增信，为银行降险，有效推动普惠金融发展。截至 2016 年 6 月末，城商行小微企业贷款余额 4.2 万亿元，占商业银行小微贷款总规模的 22%，小微企业贷款占其各项贷款的 43.6%，高于商业银行平均水平；小微企业贷款增速、户数及申贷获得率持续多年实现“三个不低于”目标。特别是在扶贫工作方面，城商行充分发挥地缘人缘优势，完善网点布局，创新工作机制，开发扶贫产品，让利于民，补短板、建机制、破难题，主动打通金融服务最后一公里。如保定银行围绕做好金融扶贫这篇大文章，积极投身金融扶贫工作，探索建立金融扶贫长效机制与可持续模式，坚持了 5 年，成效显著。习近平总书记在保定阜平县考察扶贫开发工作时指出：“我们看到顾家台村，在保定银行驻村干部对口帮扶下，发生了一些可喜变化”。这是对城商行金融扶贫工作的高度肯定和极大鼓励。

二、关于城商行的发展

近年来，经济快速发展，为城商行提供了良好的发展机遇。银监会高度关注和支持城商行发展，积极呼吁各方面给予城商行平等的发展机会。同时，在监管政策方面积极予以引导，支持城商行从投贷联动、综合化经营、不良资产收益权转让等多方面探索试点，实现多元化发展。当前，我国经济发展进入新常态，经济发展长期向好的基本面没有变，经济韧性好、潜力足、回旋余地大的基本特征没有变，继续增长的良好支撑基础和条件没有变，经济结构调整优化的前进态势没有变。城商行要看清形势，顺应大势，在坚持“立足当地、服务当地”这一基本定位的基础上，按照昨天尚主席提出的转型路径，加快转型发展。

第一，要与时代发展同步。互联网时代需要相匹配的金融服务。随着互联网、大数据、移动支付等新技术发展，人们的生产、生活、消费方式均已发生深刻变化，经济运作方式改变了，对银行业服务的需求也相应改变了，银行服务手段、方式、效率必须进行相应调整。城商行要适应时代变化，保持与时代同步，利用电子信息和互联网技术，改造传统服务，提供新兴服务，提升服务质效，拓展服务时间与空间，提升服务便捷性、及时性和可获得性。

另一方面，互联网技术为城商行发展提供了新的契机。互联网技术的运用突破了传统银行经营区域的限制。如江西银行合并设立之后，推出手机离线支付产品，在当地公共交通领域实现了手机银行闪付功能，广受好评。微众银行推出小额消费贷款产品“微粒贷”，产品通过网络覆盖了全国 31 个省市、300 多个城市。目前，131 家城商行开展了网上银行，118 家行开通了手机银行服务，44 家开通了直销银行业务，占比分别达到 98.5%、88.7%和 33.1%。当前，银行服务电子化、网络化、自动化趋势明显，城商行要继续加大科技投入力度，整合科技资源，大力发展网上银行、直销银行、电子银行、手机银行等新服务，提升服务效率，降低服务成本，扩大服务空间，拓展服务的广度和深度。此外，会议期间协会发布的几份报告都很有参考价值，协会要继续深入研究，城商行、特别是领头羊的城商行也要继续加大对协会工作的支持，共同做好研究工作。

第二，要与政策导向同步。城商行发展要主动适应政策变化，提高政策敏感性，做到与政策导向同步。

一是适应发展方式转变发展消费金融。中央强调，要发挥消费的基础作用。当前，我国国民经济增长已由投资和外贸拉动，转变为内需消费为主，2015 年消费对国民经济增长的贡献率达到 66.4%。城商行要主动适应经济增长动力的变化，充分发挥地缘、人缘优势，创新产品和服务，大力发展消费金融，助推消费升级。目前，城商行个人消费贷款占个人贷款的比重达到 45%。银监会支持符合条件的城商行设立消费金融公司，发挥协同效应，拓展消费金融服务功能。

二是试点投贷联动支持创新驱动。创新驱动是供给侧结构性改革的核心，城商行要主动适应产业政策支持创新驱动。前不久，银监会会同有关部门在 5 个地方开展了投贷联动试点，城商行发挥特定区域经营的优势，成为参与试点银行法人数最多的板块，城市银行部要继续协调做好这项工作。随着试点范围的扩大，还会有越来越多的城商行投入到投贷联动试点中来。相关银行要积极探索，通过设立投资功能子公司、科技金融专营机构等形式，或者利用已有渠道，开展科创企业信贷、投资等金融服务，以投资收益抵补信贷风险，为科创企业提供持续资金支持。风险分担和机构隔离是投贷联动的关键，要及时总结试点经验，研究探索投贷联动有效模式，充分发挥银行对技术创新的助推作用。

三是积极服务三大区域发展战略。城商行要积极参与服务“一带一路”、“京津冀协同发展”和“长江经济带”三大区域发展战略，探索服务地方经济与服务区域经济的有效结合点，支持铁路、公路、高新科技园区、棚户区改造、保障性安居工程等国家重点建设项目。要积极推动城商行之间的合作，打造层级更高、服务范围更广阔的合作平台，通过参与银团贷款、业务合作等方式，在立足服务地方经济发展的同时，积极参与到国家区域发展战略中来。

第三，要与自身能力同步。将本求利是商业活动的基本规则。“没有金刚钻，别揽瓷器活”。金融是高风险行业，银行发展的规模和业务复杂程度，要与自身的实力和管理能力相匹配。

城商行的特点是机构多、差异大，有的银行资产已近两万亿元，有的不到一百亿资产，不同银行具有不同的比较优势，应当选择不同的发展模式。具备条件的城商行，可以探索多元化发展，审慎试点综合化经营，发挥协同效应，拓展服务功能。不具备条件的城商行，可以通过联合发展，克服单兵作战能力不强的缺点，分享行业发展的红利。目前，部分城商行已建立了流动性互助、信息交流、业务合作等多种互助合作平台，如浙江、河北等地的流动性互助平台、天津银行环渤海银银合作平台、山东城商行合作联盟、哈尔滨银行中俄金融联盟、青岛银行一带一路金融联盟等。

银监会支持城商行之间开展多种形式和更深层次的合作，抱团发展。要探索运用市场化手段，推动互帮互助、联合发展，实现共同进步。一是流动性互助合作。在地方性流动性互助平台试点基础上，要探索建立区域性流动性互助平台，提高区域性风险防御能力。二是技术合作。IT 技术和系统是城商行的短板，投入不少，但低水平重复建设多，有必要搭建信息科技合作平台，加强技术交流与共享，提高技术保障水平，避免重复建设。刚才，协会发起建立城商行金融科技合作平台倡议，这是一个很好的开始，争取早日开花结果。这方面部分具备条件的银行走在前面,协会要推进市场化的合作,不搞行政摊派。三是产品合作。搭建产品合作平台,共同推动产品服务创新。目前银行普遍反映可贷项目少,存在"资产荒",城商行既要加强资金方面的互助,又要加强资产方面的合作。

三、关于城商行的管理

合规经营是商业银行稳健发展的前提。目前,城商行合规管理存在一些不足,有些差距还很大,包括合规理念偏差、底线意识不强、规章制度形同虚设、管理技术存在短板、整改问责失之于宽等等。前不久银监会专门召开推进银行业合规管理长效机制建设座谈会,对加强合规管理长效机制建设提出了明确要求,结合"两个加强,两个遏制"回头看工作,强调要强化合规管理长效机制建设,夯实合规制度文化基础,树立自觉合规导向,加强关键环节薄弱环节管理,坚持监管问责到位,建立主动合规文化。银行合规管理的内容很多,这里我强调三点:

第一,加强股权规范化管理。近年来,城商行整体业务发展较快,部分城商行业绩较好,特别是一些新近进行改制重组的城商行,改革红利大,对投资者有较强的吸引力。一些城商行上市后,成为社会资本运作标的。银行业是高杠杆高风险行业,出于保护存款人利益和维护银行体系稳定的需要,世界各国都对银行股东设定了资质要求,监管者要对股东的资金来源、财务状况、资本补充能力和诚信状况进行审查。

根据现行法律法规,城商行的股东应当符合一定的资质条件。对股东的管理,主要有几个方面:一是审查主要股东资质。入股资金应为自有资金,不得以委托资金、债务资金等非自有资金入股,法律法规另有规定的除外。变更持有资本总额或者股份总额5%以上的股东应当经监管部门批准,单一股东及其关联企业持股比例原则上不超过20%(民营银行发起人不超过30%)。二是坚持"两参或一控"。一个股东入股同类银行机构不超过2家,取得控股权只能保留一家。对取得控股权的判断,法规有专门规定。三是履行书面承诺。银行股东要承诺不干预银行的日常经营事务,5年内不转让所持银行股份,持续补充资本,不向银行施加不当指标压力。对上市银行,实行更为严格的监管制度和披露要求。比如,持股达到已发行股份5%的,要严格履行"举牌"程序;持股比例达已发行股份20%的,要补充披露投资者及关联方关系结构、交易价格、资金来源、后续计划等;当收购股份达到已发行股份的30%时,应发出全面收购要约。监管部门和城商行,要主动向社会、向股东宣传相关监管政策,提高工作的主动性,防止股东不合规变化影响城商行稳健发展。最近存在部分投资城商行股权不规范的行为,对出现股权异动的,要第一时间报告地方政府和监管部门。

第二,提高制度执行力。内部管理只有更好没有最好。去年年会上我强调了"精细化"管理,点了上海银行。今年一些银行出了问题,许多都是由于管理不精细不到位所致。2015年以来,城商行发生的案件中,有好几起涉及银行内部管理问题,涉及票据、非法集资、信贷诈骗、存款柜面、违规担保等多个领域,反映出城商行在制度执行力方面有待加强,主要是管理不到位、监督不到位、制度执行不到位、责任追究不到位。这些案件为我们敲响了警钟,大家要引以为戒,要大力加强内部管控,完善业务制度,提高制度执行力,加强合规文化建设,切实防范案件的发生。

第三,加强员工管理。近些年,城商行发展很快,新入职的员工不少是80后90后年轻人,这些"新新人类"逐步走上历史舞台,成为城商行发展事业的重要力量。由于部分城商行发展速度快,新员工的教育和培训相对不够,加之管理跟不上,员工内部作案增多。如何管理员工特别是年轻一代,需要引起各位的高度重视,要研究员工心理和行为,加强理想信念和规矩意识教育,探索有效管理模式,使年轻人尽快成长,为银行健康发展贡献力量。

四、关于民营银行的发展

今年会议有6家民营银行参加,作为一个新板块,社会、监管、市场都很关注。自2014年开展试点以来,首批5家民营银行起步平稳,业务模式、治理架构、系统建设、风控体系初步构建,整体运行审慎稳健。截至2016年6月末,5家民营银行资产总额1149亿元,各项贷款512亿元,不良贷款率0.34%,主要经营指标快速增长,监管指标基本符合要求。新设民营银行工作有序推进,银监会按照"成熟一家,设立一家"的原则,今年又批筹重庆富民银行、四川希望银行和湖南三湘银行3家民营银行。随着工作推进,今后还有一些银行批筹。关于民营银行发展,我想讲三句话:

第一,定位不能变。民营银行在设立之初,已经确定了自己的业务定位,如"个存小贷"、"特定区域"、"公存公贷"、"小存小贷"等,聚焦特定领域,与现有商业银行实现互补发展、错位竞争。试点以来,民营银行发展基本上是符合设立初衷的。当然,一家银行的市场定位不可能事先都想清楚,特色定位还要在市场中不断探索和校正,但必须坚持特色定位。如果定位不清,把民营银行办成一家传统的单点机构,很难在市场上生存发展,社会价值、在金融体系中的价值不大。民营银行要不忘初心、找准定位,特别要保持定力、创新服务,成为一家特色化银行。

第二,探索不能停。中国不缺传统的商业银行,银行业总体上竞争还是非常激烈的。设立民营银行,主要是为了改善银行业的结构,拓展银行业功能,通过设立民营产权、特色定位的银行,弥补传统银行不足,改善对中小微企业、"三农"和社区金融服务。民营银行是新生事物,要与时俱进地加强产品、服务和管理模式的探索,拓展互联网金融、普惠金融、科技金融、消费金融等新的蓝海,探索出一条可持续的商业模式,这种探索不能停。应该说,首批试点的民营银行已经做了一些探索,比如有的开展运营系统创新,搭建了独创的运行系统架构,运行维护成本降到传统银行的10%;有的建立批量化流水线式贷款模式,服务种养殖户和农村小微经营者;有的探索推进科创金融服务。创新是做别人没有做过的事,风险大,失败概率也高,监管部门和民营银行股东要转变观念、提高容忍度,允许试错、容忍失败,支持民营银行大胆创新。针对试点过程中存在的问题,各监管部门要及时进行研究和回应,适时总结试点经验,完善体制机制,为民营银行发展创造良好的制度环境。

第三,风险不能松。民营银行运作时间不长,也暴露出一些风险隐患和问题,目前看主要表现在以下三个方面。一是股权不稳定。有的股东短期入股后即出售银行股权,有的股东在银行获批后立即转让股权,改变民营企业属性,有的股东面临司法纠纷,存在强制拍卖执行银行股权的隐患。要加强股东管理,提高股权稳定性。二是业务不稳定。一些民营银行表外业务增长过快,盲目开展理财业务,负债来源过于依赖同业与股东,资产负债错配严重,投资远远高于贷款,信用风险、流动性风险、操作风险以及信息网络安全风险隐患较大。要遵循银行的基本规则和规矩,加强业务稳定性管理,坚守风险底线,确保可持续发展。三是管理层不稳定。个别银行高管变换频繁，说明民营银行的企业文化、经营理念仍需磨合。高管班子相对稳定，才能坚守战略定位，才能一张蓝图绘到底。办银行是打造“百年老店”，要从容一些，保持战略定力。不是“看谁跑得快”，而是“看谁跑得远”，实现长期稳健发展。

五、关于城商行的监管

近年来，银监会持续推进简政放权、放管结合、优化服务，不断提高监管水平。同时，注重保持监管政策的连续性、稳定性，坚持法人监管，坚持属地监管，坚持风险监管，坚持依法监管，努力为银行发展创造良好的监管环境。当前，机构和市场快速变化，城商行发展面临不少风险隐患。要继续坚持寓监管于服务之中，坚持风险为本，强化分类监管，严守风险底线。城商行的风险点很多，这里我特别强调以下两点：

第一，强化信用风险管控。信用风险是城商行面临的主要风险。从账面数据看，城商行不良贷款比例还不算高，但从动态趋势看，资产质量下降的压力相当大。城商行不良贷款连续四年双升，关注类贷款和逾期 90 天以上贷款余额增长快，贷款分类偏离度较大。有的银行通过各种渠道将不良资产虚假转移出表，有的开展不良贷款互持，掩盖真实信用风险。

对于当前的信用风险，要从两个方面采取措施。一是支持多种方式化解不良。通过信贷资产流转、不良资产收益权转让、核销、市场化债转股、债务重组等措施消化存量，采取贷款重组、重签合同、收回再贷等方式减少增量，通过信贷资产流转平台批量转让不良贷款，利用市场化手段处置不良资产。近日，江苏银行通过银登中心，开展了首单不良资产收益权转让业务，就是很好的尝试。下一步，地方资产管理公司管理会进一步放开，丰富功能，成为化解不良的新渠道。城商行要在此方面加强与地方政府、机构的合作。二是支持加快补充资本。截至 2016 年 6 月末，城商行的平均资本充足率为 12.29%，低于商业银行平均水平 0.85 个百分点。资本补充是增强风险抵御能力的重要手段，通过多渠道补充资本，可以增强城商行发展后劲，提振市场信心。要支持城商行引进合格股东进行增资扩股，支持发行新型资本工具和二级资本工具，支持符合条件的银行在境内外上市融资。

第二，强化高风险机构处置工作。目前，城商行共有 6 家高风险机构，既有历史形成的，也有新风险所致。与 2011 年的 27 家相比，高风险机构数量明显减少。6 家高风险机构资产风险大、资本实力弱、公司治理和内部管理不规范，需要联动政府、股东等各方力量，一行一策，有针对性地采取措施推动解决。主要办法是三个字：一是“保”，保储户利益。要加大高风险机构的流动性等风险监测力度，积极运用存款保险等制度，严守风险底线，维护社会稳定。二是“增”，增资扩股。重点要协调地方政府和主要股东，解决资本补充问题，增强自身抗风险能力。三是“推”，推动重组处置。目前，从政策面上，城商行还是不允许跨区域发展的，但参与化解高风险机构的除外。银监局要利用现有政策，推动地方政府解放思想，做好增资扩股和新的战略投资者引进工作，通过开展股权合作，化解银行风险。同时，探索适合本地的重组方式，不求所有，但求所在，实现地方金融的长治久安。

同志们，站在新的历史起点，城商行要不忘初心、与时俱进，深入推进改革发展，切实加强风险管控，全力支持供给侧结构性改革，积极落实“三去一降一补”任务，为全面建成小康社会做出更大的贡献！

推动资产管理统一立法

——中国基金业协会会长洪磊在“中国财富管理 50 人论坛”上的发言

（2016 年 7 月 11 日）

中国基金业协会会长洪磊 9 日在“中国财富管理 50 人论坛”上指出，当前大量金融资产缺少长期安全、有效的投资渠道，资产管理业呼唤一场全面的供给侧改革，完成行业的自我革命，真正承担起提供普惠金融和推动产业创新的责任。

他从公募基金角度出发，建议在法律制度方面推动统一立法，调整《证券法》和《基金法》立法理念，让这两部法律成为某类金融服务活动的法律规范，成为全社会、全市场共同遵守的大法。

在此基础上，洪磊建议，应设立以基金为投资标的的公募 2 号牌照，为理财资金公募化提供制度通道，推动代销机构转型为真正的募集机构，承担起销售适当性职责；推动理财资金转化为公募 FOF 产品，化解非标业务、通道业务潜在风险。

公募基金买方价值远未体现

我国公募基金行业成立、发展近 20 年，已经形成较为完善的监管法规体系，也树立了专业投资管理和现代理财文化的标杆。洪磊介绍，从行业规模看，截至 2016 年 6 月末，公募基金资产规模达 7.95 万亿元，产品数量达 3114 只，是我国 A 股市场持股比例最高的专业机构投资者；从投资业绩看，自开放式基金成立以来至 2016 年 6 月末，偏股型基金年化收益率平均为 17.47%，超出同期上证综指平均涨幅 9.91 个百分点；债券型基金年化收益率平均为 8.38%，超出现行 3 年期银行定期存款基准利率 5.63 个百分点。

但是从 2012 年以来，银、证、保等各类金融机构资产管理业务规模呈爆发式增长，其中，运作最为规范、真正做到“卖者有责、买者自负”的公募基金规模在 2015 年末达到 8.2 万亿元，仅占各类资产管理总规模的 10.1%。公募基金专业能力被边缘化，结构失衡现象突出。

以精选标的为目标的股票型基金份额规模自 2013 年以来持续下降，与 2012 年末相比减少 56.0%，产品细分不足，投资工具属性弱化，自 2009 年以来，公募基金持有 A 股总市值的比重持续下降，由历史最高的 7.92% 下降到历史最低的 3.41%，作为价值投资、长期投资的机构投资者代表，公募基金在资本市场中的买方价值远未体现。

推动统一立法解决监管碎片化

洪磊指出，与其他资产管理行业迅猛发展相比，公募基金作为资产管理行业标杆的基础性地位受到挑战，法律基础不统一导致监管碎片化是根本原因。分业监管同时叠加机构监管注定为金融机构的混业经营留下大量监管空白和监管套利空间，带来的负面影响十分突出。

他建议，在法律制度方面应该推动统一立法，应调整《证券法》和《基金法》立法理念，让《证券法》和《基金法》从调整机构活动转变为调整金融服务活动。

"《证券法》和《基金法》不能只是某类机构的法律规范，而应该是某类金融服务活动的法律规范，成为全社会、全市场共同遵守的大法。《证券法》要定义什么是证券，《基金法》要定义什么是基金，进而把依附其上的证券活动和投资活动全面规范起来，确立各类主体从事证券活动和基金活动的具体规则。"洪磊指出。

要推动资产管理统一立法，公募类产品必须恪守公募本质，必须面向非特定对象，保证产品结构简单，低杠杆或无杠杆，高流动性，申赎自由。必须在公募领域严格限制对优先级保本保收益的结构化分级产品，回归收益共享、风险共担的基金本质。严禁公募类产品开展资金池业务、信贷业务以及承诺保本保收益，严守不"刚性兑付"的底线。私募类产品必须恪守向合格投资者募集的底线。

同时，要建立有助于资本形成和积累的税收体制，推动慈善捐赠等财产免税制度，对捐赠于公益基金、天使基金、早期创投基金的财产实行税收豁免或递延；依公平、中性、透明原则实现资本市场公私募基金统一税收体系，应适时开征资本利得税，允许投资者在财政年度内实行盈亏抵扣；鼓励长期投资，对养老金等长期资金在滚动投资阶段豁免征收资本利得税。

应设立公募 2 号牌照

在监管层面，洪磊提出，应鼓励专业人士、民营机构发起设立基金管理公司，吸收专业人士、民营机构、外资机构专业管理经验和灵活管理模式，形成多元化股东结构、治理结构和激励约束机制，提升公募基金行业内在竞争力。

同时，应设立以证券投资基金为投资标的的公募 2 号牌照，为理财资金公募化提供制度通道，推动代销机构转型为真正的募集机构，承担起销售适当性职责；推动理财资金转化为公募 FOF 产品，化解非标业务、通道业务潜在风险；推动理财资金转化为长期投资，促进专业机构投资者队伍的发展。应研究设置投资顾问牌照，允许符合条件的专业机构和个人从事投资组合管理服务。

除此以外，应支持符合条件的私募机构申请公募投顾牌照，为公募基金和公募 FOF 募集人提供投资决策咨询和投资组合管理服务。应支持符合条件的专业人士申请个人投顾牌照，可组建小型团队为公私募基金提供投资决策咨询和投资组合管理服务。为小型专业机构和专业人士独立开展专项业务提供制度空间，激发人力资本积极性，将专业人才价值长久地留在资产管理行业。

从产品架构来看，洪磊总结，应建设从基础资产到集合投资工具再到公募 FOF 的资产管理三层架构体系。公募基金应从社会利益和投资人利益出发，充分发挥买方对卖方的约束作用，关注科技动向、产业发展趋势、公司战略、企业家精神，跟踪经营成效，发现具有低成本、技术领先和细分市场竞争优势的企业，发挥追求相对收益的优势，承担起设立和维护稳定的集合投资工具的任务，打造适合不同市场周期的投资工具，形成"春、夏、秋、冬"完整产品链；由公募基金向养老金、理财资金设立的 FOF 提供全方位解决方案，全面开发满足养老、住房、教育等跨周期配置需求的投资产品，通过投资工具层面的分散投资化解非系统性风险，通过公募 FOF 的大类资产配置化解系统性风险。

供给侧改革　企业如何参与

国务院发展研究中心主任　李　伟

（2016 年 11 月 8 日）

上半年经济数据显示，我国经济在保持平稳发展的同时，仍面临较大下行压力。上半年国内生产总值 34.06 万亿元，同比增长 6.7%；全国固定资产投资同比增长 9%，增速比一季度回落 1.7 个百分点，其中民间投资增速 2.8%，比总体投资增速低 6.2 个百分点，民间投资增长乏力将对经济稳定增长影响巨大。上半年货物贸易按人民币计价，进出口总值 11.13 万亿元人民币，比去年同期下降 3.3%，其中出口 6.4 万亿元，下降 2.1%；按美元计价，进出口同比下降 8.7%，其中出口下降 7.7%，出口对经济增长的拉动作用日显疲弱。

当务之急是确保改革落地，增强企业的可获得感

当前我国经济发展处于"三期叠加"的历史性转折阶段，面临的问题既有周期性、总量性问题，但更突出的是结构性问题。在供给与需求这对主要矛盾体中，当前矛盾的主要方面在于供给侧。正因于此，去年以来，为积极应对当前经济运行中的重大现实问题，同时着眼长远，中央大力推进供给侧结构性改革，重点落实"三去一降一补"五大任务，用改革的办法推进结构调整，提高供给结构对需求结构变化的适应性，努力提升经济发展的质量和效益。

围绕供给侧结构性改革，中央及一些省市相继出台一系列方案，对去产能、去库存、去杠杆、降成本、补短板作了部署，一些工作已经展开并取得初步效果，一些已出台政策效果的评估尚需时间，一些实质性的改革举措仍需加快推进。总的来看，供给侧结构性改革很多政策措施都与企业发展直接相关。如果这些措施能全面落地，改革在重要领域和关键环节能如期取得实质性进展，这对降低企业经营成本、改善市场环境、增强市场活力、促进市场优胜劣汰都会产生深远的影响。仅就降成本一项任务为例，该项改革至少涉及五个方面内容：一是通过改革行政体制，推动简政放权，降低企业制度性交易成本，这项改革的效果已经开始显现；二是全面实施营改增和清理各种收费项目，使企业税费负担得以减轻，国务院已明确要求营改增改革要确保所有行业税负只减不增；三是通过社保降费，帮助企业在一定程度上缓解人工成本攀升问题，这方面改革已开始启动，还有较大空间；四是通过深化电力、石油、交通运输等价格改革，帮助解决企业反映较多的生产成本高、物流成本高等问题；五是通过金融改革，争取引导更多资金投向实体经济，降低企业融资成本。这些主要通过政府侧推动和市场侧驱动的改革，可有效降低企业经营成本，进而提升企业竞争力。目前当务之急是确保这些改革真正落地，增强企业的可获得感。

企业是供给侧改革的主体，在四个方面大有可为

供给侧结构性改革，改的是体制、调的是结构、变的是企业。改革种种的政策措施最终都要落到企业上来，改革的成效最终要体现在企业的产品质量和经营效益的提升上，以及市场供求关系的改善上。只有企业经营状况改善了，产品总体适销对路了，效益上去了，改革才能说成功。从这个意义上讲，各类企业应是落实供给侧结构性改革的主体，至少在以下几方面应有所作为。

一要坚持练好"内功"，提质增效，增强有效供给的能力。供给侧结构性改革是一个结构调整和发展方式转型的过程。我国已经迈入中高收入阶段，人民收入提高了，必然对产品和服务的质量、功能和工艺等有更高层次的要求，消费观念正从"价廉物美"向"物美不必价廉"转变。但很多企业还看不到这个阶段性变化特征，国内高技术、高质量、精工艺的产品供给不适应需求变化的问题仍较突出，这就是为什么 2015 年中国人海外消费达 12000 亿—15000 亿元人民币、跨境电子商务高速发展及国民纷纷从海外背回马桶盖、感冒药和日用品的主要原因。记得有企业家向我谈他的成功之道时，其中有非常简单的一条，就是他非常关注海关进口产品的种类和规模，哪个产品进口多，就意味着进口替代的机会多。近两年，我国作为出口主力的加工贸易掉得非常快，我前几天赴广东调研外贸形势时政府和企业对此都反映强烈。究其原因主要是企业成本上升挤掉了本已微薄的加工利润空间，相比越南、印度等地，我国东部沿海甚至一些内陆城市已处于成本劣势，再靠低成本比较优势发展加工贸易已难以为继，外贸转型迫在眉睫。对此，我们也要看到，中国在产业配套能力和人才素质方面仍有一定优势。当然，这一贸易形势变化未必不是好事，也可以说是我国发展阶段转换的重要特征。推进供给侧结构性改革，就要求企业必须在提升产品质量和企业国际竞争力上下功夫，塑造精品文化，培育工匠精神，把提供优质有效供给当作企业主攻方向，让企业的产品和服务能够匹配市场需求的阶段性、结构性变化，甚至引领市场需求。

二要坚持创新驱动，积极培育发展新动力，持续创造竞争新优势。供给侧结构性改革是一个新技术潜力、新商业模式得以快速释放的过程。当今世界正迎来新一轮科技革命和产业变革，一些重要科学技术正在酝酿突破，为我国创新发展、"弯道超车"带来了历史性机遇。当前国内新技术、新模式、新业态层出不穷，互联网应用、工业机器人、新能源汽车等一大批新产业正在快速成长，成为经济发展的新动能。无论是新兴产业还是传统领域的企业，都需抓住技术变革的机会，补齐技术和创新短板，努力占据价值链高端。在新兴产业发展上，要立足核心技术突破，不能只满足于低端组装，要减少低效低端重复投资；在传统产业发展上，要善于利用新技术特别是信息技术和互联网思维改造传统产业，大力发展智能制造，有效增加产品品种，提升生产品质，塑造全球品牌；在技术创新路径上，要坚持在开放中提升自主创新能力，利用国内资本充足、市场空间大、工业配套完备的优势，引进来与走出去相结合，深度整合全球创新资源，全面提升企业创新能力。

三要坚持遵循市场规律，坚定不移地处置"僵尸企业"和减少过剩产能。供给侧结构性改革是一个优胜劣汰、资源再配置的市场过程。国际经验表明，在经济衰退期包括经济发展阶段的更替期，必然会有一批企业不能适应新阶段，最终沦为破产企业。我国正处在自身发展阶段转换和世界经济艰难复苏的叠加阶段，面临着产能过剩和带有中国特征的"僵尸企业"等需要下决心，并且只有立足长远才能解决的棘手问题。推进供给侧结构性改革，就是要遵循市场规律，形成倒逼机制，加快市场出清，释放出土地、资金、人才等资源，使之向优秀企业集中，为新兴企业腾出更大发展空间。已深陷产能过剩的产业，不宜再抱守"过去的增长模式还会重来"的幻想，长痛不如短痛，对待落后产能和"僵尸企业"，该退出的退出，该重组的重组，让企业轻装出发。当然，政府也应出台更有针对性和操作性的配套措施，创造企业退出的环境条件，妥善处理人员安置、资产处置、银行债务等问题。

四要坚持国有企业在供给侧结构性改革中发挥带动作用，不断增强活力、影响力和抗风险能力。供给侧结构性改革是一个体制机制创新的过程，其关键是发挥市场对资源配置的决定性作用。国有企业能否成为真正的市场主体、能否与市场经济真正融合、能否从企业形态更多地转变为更具流动性的资本形态，这些都从根本上决定着市场发挥作用的程度和空间。习近平总书记在最近有关国有企业改革的重要指示中指出，国有企业要推进结构调整、创新发展、布局优化，在供给侧结构性改革中发挥带动作用。李克强总理在批示中要求，国有企业要遵循市场规律，瘦身健体提质增效，淘汰过剩落后产能，以推动供给侧结构性改革。因此，国有企业必须将国企改革与供给侧结构性改革有机结合起来，在改革上力求率先突破。比如减少管理层级、解决历史包袱，瘦身健体，精干主业，增强核心竞争力；加快国有资本投资运营公司改革试点，盘活国有资产存量，优化国有资本布局；加快建立现代企业制度，着力解决国企多年来一直存在的"一般员工难出、管理人员难下、激励机制难到位"等问题，增强企业的市场特性，使之与市场经济更加融合；加快国有企业去产能、去僵尸，支持市场出清，推动形成统一开放、竞争有序、更加法治化的市场环境。

处理好政府与市场关系是改革的核心问题

供给侧结构性改革是一项系统性工程，关乎全局，关乎长远。改革的核心问题是要处理好政府与市场的关系，使市场在资源配置中起决定性作用和更好发挥政府作用。一方面要遵循市场规律，运用市场机制解决问题；另一方面政府要有所为、有所不为，更好地发挥作用，而不是更多地发挥作用。企业作为市场参与和改革落实的主体，应立足长远，抓住机遇，勇于担当，主动作为，为供给侧结构性改革的成功实践和促进经济社会持续健康发展作出应有的贡献。

推动长期资金与并购基金对接

——中国证券投资基金业协会会长洪磊在第二届并购基金年会上的发言

(2016年11月5日)

中国证券投资基金业协会会长洪磊5日在第二届并购基金年会上表示,当前我国已备案的并购基金管理规模达4640亿元。中国证券投资基金业协会将尽快把私募股权基金专业委员会改组为并购基金专业委员会,推动长期资金与并购基金对接。

洪磊表示,并购基金活跃时期一般正是新旧经济更替、发展模式转换时期。经济新常态和供给侧结构性改革为中国并购基金发展提供了历史性机遇。中国已成为跨境并购最重要的发起者和目的地之一。

洪磊认为,并购基金是现代金融市场资本形成体系的有机环节,但目前并未得到充分发展。截至10月底,在中国证券投资基金业协会备案的并购基金共833只,管理规模4640亿元,并购基金数量和规模较去年末分别增长156%和176%。但以并购基金名义备案的私募股权投资基金数量、规模仅占全部已备案私募股权投资基金的6.2%和9.3%。

对于上述问题,洪磊表示,中国证券投资基金业协会将从三个方面积极健全行业自律管理机制、行业信用积累机制和行业环境建设,推动长期资金与并购基金对接。

一是坚定不移地拓展长期资金和长期资产对接机制,为并购基金服务实体经济开疆拓源。

从资产端看,实体经济中有太多可投资资产还没有被金融工具挖掘出来,金融资产集中于信贷、债券等被动式资产,可连续定价、交易并提供长期回报的权益型资产严重不足,特别是在"三去一降一补"的结构性改革中,大量实体经济资产有待价值重估、重组和再交易。中国证券投资基金业协会将致力推动各类资产的证券化,如不动产投资信托基金(REITs),为公私募基金提供更多有长期稳健回报的投资标的。

从资金端看,整个金融体系中存在过多短期资产,期限错配和高杠杆问题突出。影子银行、分级产品、刚性兑付等问题无不源于短期资产与长期投资需求的错配。中国证券投资基金业协会将致力于推动短期资金向长期资金转化,推动有利于长期资本形成的税收和养老体制改革,促进银行理财资金通过第三支柱养老金进行长期投资,通过并购基金等专业化方式为实体经济注入更多长期资本。

并购基金应摆脱定增依赖和监管套利投机行为,着力发展基于绿色、可持续和责任投资原则的投资活动,在传统领域有效推动产业转型升级,在新一轮科技革命和产业变革领域,把握住新产业、新业态发展机遇。

二是建设并购基金专业委员会,推动并购基金自律规则建设。中国证券投资基金业协会将尽快把私募股权基金专业委员会改组为并购基金专业委员会,集中力量建设并购基金信息披露自律规则,推动并购基金专业化发展,履行好对投资者和被投企业的双重责任。

三是完善私募行业自律,积累行业信用,为并购基金发展创造良好生态环境。中国证券投资基金业协会正在加快构建7+2(7个自律管理办法和2个行为指引)自律管理规则体系,全面覆盖登记备案、募集行为、投资顾问业务、信息披露、内部控制、合同指引、托管业务、外包业务,全面修订《会员管理办法》和《从业人员管理办法》。并购基金必须坚持销售适当性原则,忠实于客户利益,构建稳固的信托关系。

对于如何引导长期资金与长期资产对接,洪磊提出四点设想:一是应逐步加大国有资产增值部分划转全国社保基金的比例,全国社保基金通过委托管理、发展FOF等方式与并购基金等公私募基金对接,投向实体经济中最有价值的资产。二是应积极支持符合条件的公私募基金参与国有经济混合所有制改革,发挥公私募基金信托精神和透明高效优势,为公众分享国有经济未来收益提供无歧视的、可自主参与的专业化工具。三是应大力推进公募REITs发展,为公募基金、养老金和各类理财资金提供可配置的长期资产,在不动产领域拓展全民享有增值收益的机会。四是应加快第三支柱个人账户养老金制度建设,为个人自建养老账户提供金融便利和税收递延激励,将家庭短期储蓄、短期理财大量转化为养老金投资,从根本上改善长期资金来源,再通过并购基金等专业化投资转化为实体经济所需要的长期资本。这四大设想的实现离不开三大制度建设:一是资本市场制度建设,二是养老金制度建设,三是税收制度建设。

壮大做优提升实体经济,培育增长新动力

——在"国研智库论坛·2016年会"上的主旨演讲

国务院发展研究中心主任 李 伟

(2016年11月6日)

一年来,在党中央、国务院的正确领导下,在社会各方面的共同努力下,供给侧结构性改革取得了初步成效。截至9月末,钢铁、煤炭行业已退出的产能达到全年目标的80%以上,规模以上工业企业产成品存货同比下降0.8%,商品房待

售面积较2015年末减少2241万平方米，规模以上工业企业资产负债率同比下降0.6个百分点。今年前三季度，规模以上工业企业每百元主营业务收入中的成本比上年同期减少0.24元；生态保护和环境治理、水利管理、农林牧渔业投资同比增长分别高于全部投资35.2、12.3和11.9个百分点；第三产业占国内生产总值比重比上年同期提高1.6个百分点；高技术产业增加值增速比规模以上工业快4.6个百分点。

成绩固然可喜，但也要清醒地认识到，供给侧结构性改革目标还远未完成。从相对短期和表观层次看，"三去一降一补"还有许多工作要做。煤炭、钢铁行业的一些落后产能还未被真正淘汰，三四线城市房地产库存规模依然很大，企业部门杠杆率还需要进一步下降，企业成本尚有进一步降低的空间，城市基础设施和欠发达地区的基础设施还需要大力建设。从更长时期和深层次来看，经济增长的新动力尚未形成。当前，中国经济最突出的结构性矛盾之一，就是虚拟经济与实体经济的脱节：金融领域和房地产领域出现了资产泡沫现象，非实体经济聚集了过多的发展资源，严重削弱了增长新动力赖以形成的基础。

供给侧结构性改革的根本目的，就在于通过改革完善体制机制，促进形成新的增长动力，实现经济结构的优化调整，培育新的增长动力，关键是要把壮大、做优、提升实体经济作为推进供给侧结构性改革的主要目标。实体经济是发展的动力源泉和坚实基础。一方面，一些新的经济增长点往往诞生于实体经济领域；另一方面，如果没有实体经济的充分发展，虚拟经济也将难以健康发展，甚至会出现因为虚拟经济的过度膨胀而危害整个发展的情形。这次国际金融危机之后，发达国家纷纷推行"再工业化"和"再制造业化"战略，就是对虚拟经济脱离实体经济而过度发展进行深刻反思后，做出的理性选择。

发展实体经济，一要继续扩大制造业总规模，壮大实体经济。经过新中国成立以来60多年的发展，我国已成为世界制造业第一大国，已处于工业化中期向工业化后期过渡阶段。根据世界银行数据，2014年我国第二产业增加值达到4.4万亿美元，比美国第二产业增加值高27%；但我国人均第二产业增加值不到美国的1/3。如果我国人均第二产业增加值要达到美国1/2的水平，我们的第二产业增加值规模将要扩大70%左右。因此，中国实体经济相对于人民群众日益增长的物质文化需求而言，发展还远远谈不上充分，发展壮大的潜力巨大。

发展实体经济，二要加快提升制造业产品质量，做优实体经济。提高制造业产品质量，是拓展国内外市场，适应结构转型和消费需求结构升级的需要。客观地讲，近些年来，我国制造业的产品质量有所提升，但仍有一些产品的质量令人担忧，特别是一些食品和药品，其质量之低劣甚至达到了危害人们身心健康和生命安全的程度。这在相当程度上影响了中国制造业的国际形象和国内需求空间的释放。近些年来，我国公民的境外消费不仅在规模上迅速扩大，而且在结构上已正由珠宝等高端消费品向婴幼儿奶粉、非处方药、厨卫用具等日常生活用品扩展。因此，只有提升制造业产品质量，做优实体经济，才能激发和释放国内外需求对经济增长的拉动力。

发展实体经济，三要适应新技术革命蓄势待发的大趋势，提升实体经济。目前，以互联网、物联网、机器人技术、人工智能、3D打印、新型材料等为主要内容的新一轮技术革命正在孕育和发展，建立在这些新技术基础上的新产业、新业态、新模式不断兴起。实体经济只有适应这种变化，不断提升创造新产品、发展新业态、开辟新市场、研发新技术的能力，才能在未来的国际竞争中立于不败之地。

壮大、做优、提升实体经济需要全方位创新，特别是要把科技创新置于核心位置。创新是巨大的系统工程，既需要发挥市场的作用，也需要发挥政府的作用；既需要发挥企业的作用，也需要发挥科研机构和广大公众的作用。推动创新，关键是要构建良好的创新生态环境。

第一，要建立规范公平的竞争环境，增强企业创新的外在压力和内在动力。创新需要发挥各方面的主观能动性，也需要高密度的资金和人力资本投入。只有在公平公正规范的市场竞争环境下，各创新主体才有创新的强烈意愿，才有持续推动创新的动力和能力。

一要建立有力的市场监管制度。在传统产业、传统产品、传统业态领域，要严格执行国家业已颁布的技术标准、质量标准、环保标准和劳动者保护制度，并不断提高标准水平，促使企业不是通过无底线的降低成本，而是通过无止境的科技创新，来提高在国内外市场的竞争力。同时也要提高监管体系本身的适应性，加强研判新产业、新产品、新业态可能提出的监管要求，对可能出现的问题做好监管预案，使新产业、新产品、新业态能够健康发展。

二要建立有效的知识产权保护制度。当今时代，信息传播成本几乎为零，创新技术极易被他人"复制"，创新产品极易被他人"山寨"。如果缺乏有效的知识产权保护制度，创新的积极性将严重受挫。只有对侵犯知识产权的行为加大查处力度、提高惩罚标准，才能激发创新热情、保护创新成果、增强创新动力。

三要打破不合理的垄断格局。打破垄断、增强市场的竞争性，可以促使企业把发展的着力点放在创新上，而不是放在谋求垄断利润上。要有效利用《反垄断法》，打击一些高科技巨头公司利用垄断地位，通过不公平的产品高定价，侵蚀下游企业利润，削弱下游企业创新能力的行为。

第二，要改革创新体制，提高原始创新能力。作为技术赶超型国家，长期以来，我国通过引进、吸收、模仿和利用先进国家的技术，减少了自主创新阶段的高额成本和市场风险，加快了技术进步的步伐。这在发展的较低阶段具有一定的合理性，但随着发展阶段的提升，我们很难再沿用这种方式。我们必须改革创新体制，提高原始创新能力，赢得产业核心竞争优势，推动产业向价值链高端攀升，突破制约经济发展新动力形成的瓶颈，为经济持续发展提供持久动力。

改革创新体制，提高原始创新能力，必须优化国家创新体系，进行教育体制、科研体制等领域的改革。特别是要创造适宜条件，让科技创新的举国体制优势在市场经济条件下充分发挥出来。在计划经济时期，举国体制在推动我国科技进步中发挥了举足轻重的作用。在市场经济条件下，还必须继续发挥举国体制的优势。科技进步的规律显示，重大科学技术突破日益显示出资本密集、人力资源密集的特性，只有统筹使用好国内外创新资源，才能在重大技术领域取得突破。为统筹使用资金、人才等各类创新资源，必须建立起政府、企业、研发机构共同参与的创新协作平台，加强创新资源共享，进行共性技术研发和重大科技攻关，协同推进原始创新。

第三，完善财税和政绩考核制度，使得各级政府把促进创新作为推动发展的根本动力。现行的财政体制和政绩考核制度助推了我国过去几十年的高速增长，但也使得地方政府过于注重短期发展绩效，而轻视打基础利长远的工作；过于注重经济增长速度，而轻视经济结构优化；过于注重项目投资拉动，而轻视科技创新驱动，制约了增长新动力的快速成长。未来，要按照十八届三中全会的精神和中央深化改革领导小组的部署，加快完善财政体制和政绩考核制度，使各级地方政府把推动创新放到重要议程上，因地制宜地建设具有活力的区域创新体系，汇集创新资源，凝聚创新智慧，让创新成为推动经济发展的根本动力。各级政府可考虑增加创新领域的预算投入，设立政府新兴产业引导基金，以财政资金为杠杆，撬动更多社会资本参与科技创新；也可考虑运用政府采购等工具，为创新产品的成长创造市场空间。

第四，建立鼓励创造性劳动的制度，使进行创造性工作的劳动者能够获得与其付出相匹配的收入。创新体系中最核心的要素是那些从事创造性工作的劳动者。无论是进行科技基础研究的科研人员，还是联接市场需求和实验室设计的工程师；无论是改进管理效率的经理人员，还是在生产一线的技术工人，都是创新体系运转不可或缺的人力资本要素，都是创造性劳动的付出者。他们本应得到较高的收入，但在现有的社会财富分配中，所获得的收入与其对经济发展和社会进步的贡献很不匹配：在科研经费的使用中，更多的资金用于硬件投入，未能按市场经济规律体现对科研人员的人力资本投入；在科研成果的分配中，创新获得的高收益更多归资本投入方所有，而提供创造性劳动的人员所获甚少。面对不断上涨的物价、房价，以及不断加大的养老、育儿等压力，进行创造性工作的劳动者，尤其是中青年劳动者难以安心地从事创新工作。

有鉴于此，必须大幅度提高创造性劳动者的收入水平。要完善科研人员的薪酬制度，改革科研经费使用和管理方式，在合理合法的范围内，给科研人员支配科研经费以更大的自由度，使相关法规既具有严肃性、权威性，亦具有中国所处发展阶段及市场规律的时代性。要健全科技成果的产权、处置权和收益分配权制度，完善体制内科研人员科研成果入股企业的机制，使科技成果转化的收益分配向研究团队倾斜。

供给侧和需求侧是相互联系、相互影响的，两者共同发力，推动经济持续发展。培育增长新动力，既需要从供给侧发力，也要在需求侧为实体经济成长创造市场机会。企业的创新能力和市场竞争力是在生产经营过程中积累起来的。如果企业产品销售不畅，长期处于产能过剩的状态，企业的效率改进、技术创新、人力资本积累、生产设备升级、管理优化等都会受到严重影响。一些新的技术、新的产品、新的产业，如果没有相应的市场需求，可能会被扼杀在摇篮中。因此，创造和维持稳定的市场需求，不仅有利于宏观经济尽快走出短期低迷状态，而且有利于推动实体经济特别是一些重大战略性产业的成长、发展和转型。

当前为实体经济发展开辟市场需求，至少可从以下三方面发力。

一要提高劳动报酬在国民收入分配中的占比，增大国内消费升级对产业升级的拉动作用。进入“十二五”时期以来，我国劳动报酬在国民收入分配中的占比一改多年来下降的态势，逐年上升，到2014年达到了46.5%的水平，但与国际一般水平相比依然比较低。与之相伴随的，是社会各阶层的收入和财富差距仍处于扩大的趋势。在日益高企的生活成本面前，中低收入者无力消费，也不敢消费，更谈不上进行消费升级。要改变这种状况，必须加快改革收入分配制度，完善收入分配格局，为居民消费增长和产业升级奠定坚实的收入基础。

二要加快中西部地区的工业化和城镇化步伐，增强中西部地区对国内产品的吸纳能力。从区域发展格局来看，改革开放以来，我国中西部地区长期扮演着劳动力和资源能源等生产要素输出地的角色，工业化和城镇化发展明显滞后于东部沿海地区。2015年，我国东部沿海地区城镇化率已普遍超过60%，有的省份接近70%，而大多数中西部省份的城镇化率还不足50%。加快中西部地区的工业化、城镇化步伐，不仅会为资本产品、也会为消费产品创造巨大的市场需求。

三要积极探索全球化背景下，为战略性新兴产业的发育和成长创造市场机会的途径和方法。战略性新兴产业的发育和成长是实体经济实现新的发展的有力支撑，而这些产业的发育和成长特别需要创造市场机会。面对发达国家在这些领域的强大优势，我们必须借鉴国际经验，为这类产业培育市场需求、拓宽发展空间。

通过改革释放中高速增长潜力
——国务院发展研究中心副主任张军扩在“国研智库论坛·2016年会”上的发言

（2016年11月8日）

“一方面，我国经济增长的积极因素在增多，企稳的迹象更加显著；而另一方面，经济企稳回升的基础还不够牢固，下行压力依然不小。下一步的关键，是要在保持经济基本稳定的前提下，下大力气推进重点领域和关键环节的改革，在进一步促进经济结构优化升级的同时，为经济持续稳定增长奠定体制机制基础。”国务院发展研究中心副主任张军扩11月6日在“国研智库论坛·2016年会”上用两句话概括了当前我国的经济形势。

经济企稳迹象显著，但基础仍不牢固

张军扩认为，当前我国经济增长的积极因素在增多、企稳的迹象更加显著。他列举了四个方面来说明。

一是经济增长速度回落幅度在收窄，呈现企稳态势。比如，近年来我国GDP增速一直处于回落态势，2011年至2015年增速分别为9.5%、7.7%、7.7%、7.3%和6.9%，2015年四个季度GDP增速分别为7.0%、7.0%、6.9%、6.8%，而今年前三季度增速均为6.7%。再比如，规模以上工业增速也趋于稳定，一季度是5.8%，二、三季度是6.1%。

二是需求状况在改善。在消费需求继续保持稳定增长的同时，今年8月份和9月份当月固定资产投资分别增长8.2%和9.0%，增速连续两个月有所加快。特别是民间投资增速企稳回升。前三季度平均民间投资增长2.5%，而9月份当月民间投资增长4.5%，增速比8月份加快2.2个百分点。进出口降幅也有所收窄。前三季度，按人民币计算，出口下降1.6%，降幅比上半年收窄0.5个百分点；进口下降2.3%，降幅比上半年收窄2.4个百分点。

三是企业经营环境和效益状况在改善。一方面，工业品价格回升明显。虽然平均来看1—9月工业品出厂价格同比下降2.9%，购进价格同比下降3.8%，但动态来看，二者下降的幅度均呈持续收窄之势，其中出厂价格9月份环比上涨0.5%，同比上涨0.1%，同比是自2012年3月份以来首次由负转正。另一方面，由于供给侧结构调整取得成效，企业综合成本下降。比如，9月份工业企业每百元主营业务收入中的成本为85.87元，同比下降0.11元。在这两方面因素的作用下，1—9月规上工业企业利润同比增长8.4%，增速与1—8月基本持平，比上半年加快2.2个百分点。

四是预期也在改善。比如，9月份制造业PMI为50.4%，与上月持平，连续两个月处于临界点之上，而10月份更是上升至51.2%。从分项指数看，10月份生产指数为53.3%，比上月上升0.5个百分点，连续3个月上升。新订单指数为52.8%，比上月上升1.9个百分点，也连续多月处于扩张区间。

"但同时也要注意，经济企稳的基础仍不牢固。"张军扩总结了三点主要原因。

一是经济增长的新动能还不够强大，还没能对增长发挥主导作用。张军扩解释说，经济进入新常态，最大特点就是传统动能优势减弱，需要通过经济结构的转型升级培育新动能。可以说，增长新动能是否真正形成、是否在经济增长中发挥主导作用，是判断经济是否具有企稳基础的最主要因素。

张军扩表示，当前经济增长积极因素增多，在向好的方向发展，无疑首先是党中央、国务院大力推进供给侧结构调整取得成效、增长新动能有所增强的反映，这既包括新产业、新业态的不断涌现，也包括去产能、去库存、去杠杆等所取得的积极成效。同时，也是党和政府坚持适度扩大总需求、积极实施需求管理的结果，包括针对"补短板"需要大幅度增加基础和公共设施投资、针对"去库存"需要实施相对有利的货币政策等。整体来看，新动能还不够强大，新旧动能接续的任务还没有真正完成。

二是化解矛盾和促进结构优化升级的任务依然艰巨。张军扩表示，进入新常态，除了要培育新动能，还要化解之前高速增长时期积累起来的结构矛盾，促进结构优化升级，以便使经济能够轻装上阵。为此，去年党中央确定了"三去一降一补"的供给侧结构性改革的重点任务，并为此发布了一系列指导意见和实施细则，应当说已经取得了比较显著的成效，但由于问题本身的复杂性和艰巨性，化解结构矛盾和促进产业结构优化升级的任务依然十分艰巨。一方面，部分传统产业领域、部分地区、部分企业产能过剩、库存过大、杠杆过高的问题依然比较突出，所取得的成果尚需要进一步巩固；另一方面，"三去一降一补"过程中也出现了一些新情况、新问题，甚至新的矛盾，需要防范和化解。结构调整和优化升级是一个"瘦身"与"强身"并重的过程，当新的增长动能尚不足以发挥主体作用时，老产能就不可能顺利淘汰。另外，去产能也需要把政府力量与市场力量很好结合，否则也很难有效，很难持久。

三是重点领域和关键环节的一些重要改革尚有待突破。张军扩特别提醒，这是最为重要的一条。现阶段观察经济增长是否获得了持续和比较稳固的基础，最重要的，是要看关键的改革是否取得突破，是否基本建立起能够引领新常态、支持新动能的体制机制。这是因为，无论从发展需求还是供给条件看，现阶段我国经济仍然具有中高速增长潜力，这一点无论是在决策层还是学术界，都可以说是一个基本共识。

"但问题在于，历史经验和现实情况都充分说明，中高速增长的潜力并不会自动实现，并不是说高速增长阶段结束之后就会自动出现中高速增长。"张军扩说，实际上，中高速增长潜力有可能变为现实，也有可能变不成现实。关键就看我们能否根据发展条件、发展环境的变化，及时推进各项改革，构建起与新阶段新环境相适应的体制机制，否则，中高速增长潜力的释放就会受阻，中高速增长就很难变为现实。

对此，张军扩举例说明。比如，投资需求方面，现阶段我国城乡基础设施投资需求依然是很大的，比如农村道路硬化、垃圾污水处理、危房改造、农田水利设施建设、城市地下管网改造等等，而且支持这些领域建设钢材、水泥等工业产能都是过剩的。但充分释放这些方面的投资需求潜力，涉及到基础设施投融资制度、农村建设用地制度特别是宅基地制度以及乡村治理体制等方面的改革。如果这些改革能够有效推进，就不仅能够释放出巨大的需求潜力，也能够为这些投资需求筹集到比较充足和可持续的资金支持。但如果这些方面的改革不能深化，其潜力就很难实现。

再比如消费需求方面，张军扩说，我国居民每年有1万多亿元人民币要花在国外购物上，而且这个数字还在逐年增长。问题主要出在我们的产品质量、安全标准等满足不了消费者的需求。而近年来不少实际案例说明，尽管导致我国产品质量档次提升缓慢的原因复杂多样，但其中最重要的一点，与我国政府监管有效性及市场秩序不良有关。在这种情况下，市场竞争往往起不到优胜劣汰，而是"劣币驱逐良币"。如果我们在监管标准、监管执法有效性等方面的改革能够取得比较大的进展，产品质量安全标准有显著提升，也可以使这部分购买力回流。

再比如要素供给方面，张军扩表示，我国经济进入新阶段，传统比较优势减弱，但这并不是意味着我国传统比较优势的完全消失。比如劳动力成本问题，虽然我国劳动力成本高于非洲、东南亚等发展中国家，但还是远远低于美国、欧洲等发达国家。而且近年来我国劳动力又呈现出高素质劳动力资源丰富和成本相对较低的优势。但由于我国其他方面成本比较高，使得我国劳动力资源的优势很难发挥。

"最近在广东调研时，有一家企业说，他们在美国投资的生产陶瓷的分厂，其产品综合成本比国内还低。低在什么地方呢？不是低在劳动力成本，我国同样劳动力，成本只有美国的三分之一到四分之一，主要低在能源、资金、物流等方面，这些方面美国基本上都比中国低，而要降低这些方面的成本，最根本的也要靠改革。"张军扩说。

张军扩还举例说，现在鼓励创新发展，而许多创新成果的应用是需要改革来提供制度支持的，特别是需要改革来创造市场需求环境的。比如通用航空，比如干细胞治疗等新型医疗技术的应用等，没有改革，创新很难得到市场的支持。在调研中反映制度供给不足的问题很多。

"当前，我国处在增长阶段变化和经济结构优化升级的关键时期，一方面，稳增长的难度和困难更大，另一方面，推改革、调结构的任务更加艰巨。"张军扩表示，在这种情况下，中央作出的在保持总需求适度扩张的前提下着力推进供给侧结构性改革的方针是十分正确的，因为简单的大水漫灌的寻求刺激政策没有出路。

张军扩提出，正因如此，下一步宏观政策的基本方向，就是要保持政策定力，继续坚持供给侧结构性改革的主攻方向，把解决结构问题与解决需求问题相结合，把解决中长期问题与解决短期问题相结合，在继续做好需求管理的同时，着力推进各项改革，促进结构优化和效率提升，进一步释放内需潜力，增强发展动力，从而既防止增速短期的过度下滑，也为中长期可持续发展奠定基础。

下一步深化改革要着力处理好四方面关系

十八大以来，新一届领导集体改革决心之大、力度之大是前所未有的。特别是党的十八届三中全会对改革进行了比较全面的部署，社会各界也给予了很高的期待。三中全会以来，各项改革全面推进，在不少领域都取得了比较明显的成效。尤其在简政放权、改进服务方面，进展比较明显。

"但整体来看，改革的实际成效与党中央的要求，与人民群众的期待还有一定差距，其中一个比较突出的问题，就是改革的部署比较多，举措比较多，而落地情况、实际效果还不尽如人意。"张军扩说，这里边既有改革进入深水区，难度加大的问题，也有在推进改革的具体途径、方式方法方面存在的问题。下一步深化改革，要着力处理好四个方面的关系。

一是在改革的内容上，要处理好供给侧改革与需求侧改革的关系，既要坚持供给侧结构性改革的主攻方向，也要大力推进能够充分释放需求潜力的改革，比如农村宅基地改革、产品质量监管制度改革等，这两方面改革都是释放中高速增长潜力所必须的。

二是在供给侧结构性改革中，要处理好政府与市场的关系。结构优化调整的过程，是一个市场优胜劣汰的过程。什么产能是过剩产能、什么企业是僵尸企业，都不是能够通过行政办法简单认定的，而是一个政府作用与市场机制共同作用的过程。政府工作的重点，主要应当放在严格执行环保、质量、安全标准，管好就业，管好系统性风险，其他的事情则应当更多地发挥市场机制的作用。

三是在改革推进方式上，要处理好顶层设计与基层探索的关系。现阶段强调顶层设计是必要的，同时也要鼓励基层大胆创、大胆试，否则可能使一些改革陷于争论而裹足不前。习近平总书记强调，中央通过的改革方案要落地生根，必须鼓励和允许不同地方进行差别化探索。在总体原则方向确定的前提下，要进一步鼓励地方、基层结合各自实际大胆试验、大胆创新。同时，要容忍改革者犯错误，容忍改革失败，为地方基层大胆试验创造良好环境。

最后，在干部人事制度改革方面，要处理好激励和约束的关系。不论是稳增长还是调结构，都需要充分发挥广大干部的积极性。30 多年来，我国的高增长在很大程度上得益于逐步形成的对各级干部很强的激励机制。现在看来，这个机制在促进经济高增长的同时，也带来了不少问题，对之必须进行改革，以适应新任务、新要求。但在改革中，需要处理好破与立、"堵后门"与"开前门"、约束和激励的关系，以鼓励真正干事创业的干部。习近平总书记多次提出"三个区分开来"的要求，要保护那些作风正派又敢作敢为、锐意进取的干部。只有这样，才能把大家的积极性真正调动起来，把改革推向深入。

银行资产证券化的作用与发展

——在陆家嘴资产证券化论坛上的讲话

中国－中东欧基金董事长　姜建清

（2017 年 2 月 23 日）

随着中国金融体系的总量规模日渐巨大，以及中国金融结构调整压力的增加，资产证券化这个词汇越来越频繁地被经济金融界人士所提及。从小渐大的资产证券化创新试点如雨后春笋般涌现，法律法规及鼓励政策也不断出台。但总体说，资产证券化还处于起步阶段，与社会各方的期盼差距甚大。

资产证券化是以特定资产组合或特定现金流为支持，发行可交易证券的一种融资形式。传统的证券发行以企业为基础，而资产证券化则以特定的资产池为基础发行证券，主要包括实体资产、信贷资产等证券化。就像去杠杆是去产能过剩、去库存的货币表现一样，在企业高杠杆的情况下，信贷资产证券化也是实体资产证券化的货币表现。资产证券化的历史不长，但产品的种类已层出不穷，名称千变万化。国外较早的证券化产品以商业银行房地产按揭贷款为支持，称为按揭支持证券（MBS）；后可供证券化操作的基础产品越来越多，出现了资产支持证券（ABS）的称谓；再后同时具有股权和债权性质混合型证券越来越多，干脆用 CDOs（Collateralized Debt Obligations）概念代指证券化产品；近几年还出现利用金融工程方法，以信用衍生品构造合成 CDOs。

资产证券化在中国起步较迟，但市场潜力巨大。尤其是通过资产证券化在一定程度上，可以缓解中国银行业发展中存在的结构风险和成长瓶颈。

其一，有利于金融宏观审慎管理。中国的金融体系不是美国类型的资本市场导向性的体系，目前依然是银行业起主导作用，因而导致社会金融结构不同。中国金融的主要问题是间接融资和直接融资比例失衡，过度依赖银行信贷融资。2016 年末，我国全部金融机构人民币贷款余额为 106.6 万亿元，是 1978 年余额（1890 亿元）的 563 倍，38 年间年均复合增长率 14.8%。从 2000 年以来的近十六年数据分析，1999 年末贷款余额为 9.4 万亿元，十六年间增加 97.2 万亿元，占 2016 年末贷款总额的 91.2%；2000 年以来贷款年均增长 17.3%，同期 GDP 增速为 9.58%。2015 年我国广义货币 M2

与GDP的比值为2.02,较1978年的0.3扩大了6倍多,明显高于欧美国家0.6-1的水平,已接近了日本、韩国的1-2的水平,且未来仍有进一步提升趋势。银行信贷的持续快速增长较好地满足了中国经济增长对资金的需求,但信贷增长数量是有极限的,"高杠杆"意味着"高风险",况且信贷资金投入对经济增长拉动也具有边际递减效应。当信贷增长超过了实体经济的实际货币需求量,超额货币供给会对经济稳定带来不良后果。长期看会对通胀形势、资产价格走势乃至经济运行产生不利影响。信贷增量长期较快投放,在经济上行期风险不一定暴露,可能令商业银行过分自信其风控能力。但在宏观经济潜在增长速度下移、经济结构调整期会面临严峻考验。2016年中国银行业的总资产已经达到226.3万亿元人民币,其中贷款余额累积十分巨大。在全球银行业历史上,还少有一国银行体系管理过如此巨量的信贷资产,天量信贷资产在风险层次与结构上的复杂程度将导致管理上的高度脆弱性。中国的银行业要做三五年的世界最大,还是要做百年的世界最好?是继续走以扩张为主的外延式道路,还是走以结构优化、效率提升、资本节约为主要特征的内涵式发展道路?这事关中国银行业兴衰存亡的重大战略抉择。要避免社会货币信贷总量和企业债务总量高企,导致货币扩张、利率走低、投资消费停滞的"流动性陷阱",靠资产规模扩张、加杠杆拉动增长的粗放式经营模式不可持续。由"重资产、重资本"向"轻资产、轻资本"转型是未来银行业发展的重要方向。排除风险的根本措施在于企业、银行双双"去杠杆"。难点在于"去杠杆"的同时稳增长,出路在于提高资金使用效率。信贷资产发挥效能,不在于数量更重于质量。资产证券化就是一项将停留在低效部门和企业的资金挪转出来,投向具备经济合理性的高效部门和企业的有效措施。

其二,有利于深化金融体制革。中国银行业资产过分集中于信贷资产。商业银行信贷充当企业长期融资的主要来源,而国外长期融资主要靠债券融资,贷款以短期为主。贷款证券化、信贷二手市场交易发达,因此贷款增长速度明显低于国内商业银行。商业银行结构和功能的错位,也导致中国资本市场金融产品单调,有效沟通货币市场和资本市场的金融产品规模较小。虽然近年来以贷款为主的间接融资在社会融资规模中的比重开始呈下降趋势,2016年末中国社会融资规模存量为155.99万亿元,其中银行融资占社会融资规模比重为69.6%,较2002年下降20.3个百分点,但银行业信贷增长的压力依然不减。因此,优化金融资产增量、盘活存量应该是金融深化的着力点。包括资产证券化在内的直接融资,能有效分流信贷增长压力。在发达国家资本市场融资规模大于信贷市场融资,证券市场债券融资规模大于股票融资;在债券融资中,资产证券化债券融资规模又已经超过公司债券的发行规模。可见资产证券化银行对于调整优化社会和银行资产负债表具有重要意义。

其三,是有利于银行资产结构优化。信贷资产不同于GDP和财政收支等当年流量指标。信贷资产具有存量或余额属性,信贷投放后不会每年清零。通过增量信贷与存量信贷收回再贷的资金效用完全相同。要改变过分关注信贷增量,忽视信贷存量的观念。通过资产证券化手段,可将长期债权转化成可交易的证券。增强流动性,使金融市场更有效率,并降低融资交易成本。资产证券化也改变商业银行的信贷结构失衡和客户结构雷同,将存量信贷从低效率的行业、区域、企业有序退出并转换至合意领域,将流动性差的银行资产通过证券化在资本市场转换为可用流动资金,将信贷资金从过度集中或长期沉积的某些产业、大公司和大项目的存量中转化出来,腾挪出更多的信贷空间,增加小微企业和其他产业信贷可获得性。通过将过剩企业和僵尸企业的实物资产证券化,盘活了高风险企业资产,促进企业转型升级动力。同时,信贷资产证券化优化了银行资产负债结构,将银行收益及承受的信用风险、市场风险、利率风险、期限风险,通过结构性安排,部分转移、分散给资本市场上不同风险偏好的投资者,实现银行资产风险和收益的社会化,有利于提升银行流动性,加快资金周转率,降低筹融资成本,分散银行资产组合结构风险,促进金融机构差异化发展。资产证券化也为企业提供了新型融资工具。信用等级较低的困难企业若有品质优良的资产,也可实现风险隔离,增强信用,通过资产证券化获得融资能力。金融资产证券化以商品架构上的特殊设计,可将风险重新包装,使主顺位证券可获得较高信用评级。资产证券的品质不受企业信用违约影响。

其四,有利于银行业可持续发展。股改上市开启了中国银行业持续稳健发展的黄金十年,取得了业绩的大幅增长。但从2012年以来中国经济增速放缓,中国银行业面临着盈利增长率陡降和不良资产上升的挑战。同时,面临金融脱媒和利率市场化加速演进,息差持续收窄,手续费下调的压力。中国银行业到了新的发展转折点。在财务重组和改制上市红利期后,银行业利润高速增长的时代已经过去。从2014年起净利润增速降至个位数。虽仍处于国际同业的较好水平,但领先优势收窄。商业银行盈利增速的放缓,限制其资本补充的主要来源——内生资本补充能力。资本监管要求提高、资本补充能力下降与新增信贷需求刚性之间形成巨大矛盾。随着中国主要银行的规模扩大,作为"全球系统重要性银行"的监管资本等级提高,若不改变目前的发展,资本约束环境会日渐严峻。中国银行业必须改变其发展模式,由"重资产、重资本"向"轻资产、轻资本"方向转型,资产证券化会发挥重要作用。

中国目前交易所累计资产证券化产品余额1万亿元人民币左右,其中银行间市场发行的信贷资产支持证券占四分之三。银行业在资产证券化方面已发挥主力军作用。在发展中仍要注意以下着力点:

首先,要适应中国银行业资产证券化的特征。资产证券化主要目的是保证流动性、分散资产组合风险。比较中外银行业信贷组合,存在巨大差异。中国银行业信贷组合中,企业性质融资占比70%左右,个人融资占30%以下。西方银行业的信贷结构相反,个人消费性融资占比高达40%-50%。发达国家商业银行基本不承担中长期项目贷款的职能,因而个人住房贷款、汽车贷款等中长期贷款就成为调整资产组合风险的主要对象。美国90%的资产证券化产品来源是消费类贷款,其中又有90%是住房抵押贷款。而中国企业通过中长期信贷市场获得的资金远远大于企业通过发行股票、债券等从证券市场上筹集的资金。货币市场和资本市场本质上具有内在的完整性、不可分割性。国际上通行的理论是按照金融工具约定的期限把金融市场划分为货币市场和资本市场。货币市场是经营一年以内货币资金融通的金融市场,资本市场是经营一年以上中长期资金借贷和证券业务的金融市场。所以未来中国银行资产证券化的重点应是将扭曲的长期资金配置回归资本市场。银行应成为长期信贷资产证券化的提供商,这是商业银行的现实选择。这有利于对中国金融体系的内在缺陷进行改革,有利于银行释放资本占用,出表长期信贷资产,缓解流动性隐患,并获取较好的风险收益组合。值得强调的是，PPP 模式已成为地方政府解决城市公共基础设施和公共服务领域项目资金来源的重要渠道。而资产证券化可推动政府及社会资本合作方降低金融杠杆，有效盘活 PPP 项目存量。不过亦应关注的是，一些金融机构，其资产证券化的“出表”为了进一步“加表”、扩规模和“加杠杆”，那就南辕北辙了。

再次，应扩展投资产品领域，满足市场对资产证券化金融产品的渴求。虽然从历史、环境、市场、习惯等等诸方面中国资产证券化发展滞后于国外许多国家，但中国经济、金融深化发展，起步虽慢起点可高，从前段中国资产证券化的实践可以看到中国资产证券化市场的巨大发展潜力。不仅银行现有存量资产具有极大潜力，且中国经济的转型发展亦促进了资产证券化发展，混合所有制改革的权益类投资、国有资产存量转化、其他各类金融资产都需要证券化。从需求方面看，多年前中国主要银行个人负债的 90% 是银行存款，现在已经变化为 70% 左右是银行存款，其余转化为理财投资。银行需求方状况对资产证券化发展将起到重要影响。银行应逐步扩大金融资产证券化的标的范围，凡能在未来产生现金流量、信用品质易于预测、具有标准特性（例如类似的期限、利率、债务人属性等）的资产都可以考虑进行证券化，包括不动产证券化、应收账款证券化、信贷资产证券化、未来收益证券化（如高速公路收费）等。开展股权型证券化、债券型证券化和混合型证券化。不仅对银行自身表内外资产证券化，也协助企业客户的资产证券化。不仅开展境内资产证券化，也可将境内资产证券化后进行国际市场发售。有的质量较次的信贷资产通过证券化分层技术处理，获得外部信用评级，精确估值出售次级档，使风险资产的权重下降，成为符合市场接受标准的资产证券化产品。

最后，要完善商业银行在资产证券化的相关制度办法。从理论、方法、技术角度深化对资产证券化评级的认识，对证券化的资产组合品质、底层资产评估、分散程度、现金流分析、交易条款、利率定价、法律架构等进行认真核查分析，差异化地做好交易结构设计，做好产品信用增强和评级工作。要定期监测市场价值波动，适时做好信用评级的调整。尽管银行信贷存在非标化特征，但仍要努力探索产品的标准化，未来标准化的产品也更适合网上的销售。要注意有些流动资金贷款和部分项目贷款，缺乏准确历史违约数据积累，及评估标准和定价模型，通常又以私募等非公开方式发行，一旦形成违约因缺乏流动性而无法兑现。监管机构、交易所与银行要联合完善规则，推动公开发行和市场定价，明确市场各相关方责任的边界，为资产证券化产品面向个人投资者发行打下坚实的监管基础。与信贷资产管理相比，资产证券化组合需要有更高产品和履职的透明度，在各阶段要批露资产组合的重要资讯，确立投资者信心。通过市场的健康发展，逐步确立资产证券化机构的品牌。要加快完善资产证券化大规模开展所需的法律体系框架等，促进信贷资产证券化尽快由局部试点转向全面推广。

创新与经济发展的动力转换

——在“国研智库论坛·2016 年会暨中国智库创新科学园企业入园签约仪式”上的演讲

国务院发展研究中心副主任、党组成员、研究员　王一鸣

（2016 年 11 月 6 日）

中国经济下行已经持续六年多时间，现在正处在筑底的过程中。如何发挥创新的引领作用，加快培育新技术、新产业、新业态、新模式，深入推进供给侧结构性改革，提高供给体系的质量和效率，打开经济增长的新空间，这是保持中高速增长、迈向中高端水平面临的重大课题。

创新是提高投资效率的根本途径

今年以来，中国经济运行发生积极变化，特别是工业品出厂价格在经历 54 个月负增长后已转为正增长，企业利润在年初由负转正后保持稳定增长，特别是在产能过剩矛盾十分突出的重化工业部门，包括煤炭、原油、铁矿、水泥、钢铁、有色金属等行业价格明显回暖，企业利润由负转正，这与供给侧结构性改革是分不开的。供给侧改革持续发力，有效引导和改善市场预期，推动经济运行发生多方面积极变化。

与此同时，经济企稳短期内还难以摆脱对投资的依赖。从需求层面看，投资依然扮演了很重要的角色，特别是房地产和基础设施投资，对经济增长发挥了重要支撑作用。前三季度，房地产和基础设施投资占全社会投资比重超过 48%，为 2010 年以来同期最高点。现在市场也在讨论，如果明年房地产投资放缓，经济还能否保持持续增长，这是一个非常重要的问题。

从过去几年来看，投资效率是逐步下降的。2015 年我国增量资本产出比（ICOR），也就是每新增一元 GDP 所需投资达到 6.7 元，比 2010 年 4.2 元提高近 60%，这也就意味着投资的边际效率在逐步下降。继续依靠投资和生产要素的高强度投入，推动经济增长的空间在逐步收窄。与此同时，投资效率下降对应的问题就是，要保持稳定的收益，就必须提高杠杆率。过去几年，我们的债务杠杆在持续攀升。按照国际清算银行的数据测算，2010 年至 2015 年，我国非金融部门负债总规模年均增长 16.6%，比同期名义 GDP 年均增速快约 6 个百分点，是国际清算银行报告所列 43 个经济体中增长最快的。

如何摆脱这种局面，最关键的就要提高投资效率。创新是提高投资效率的根本途径。供给侧改革，从短期看，主要是以存量调整为主，即通过“三去一降一补”，把存量沉淀的生产要素解放出来；从中长期来看，则要注重培育新的增量，通过发展新技术、新产业、新业态、新模式，提高全要素生产率，提高潜在增长水平，最根本的还是要依靠创新。

习近平总书记指出，推进供给侧结构性改革，必须树立创新发展理念，推动新技术、新产业、新业态蓬勃发展，为经济持

续健康发展提供源源不断的内生动力。随着新动力加快成长，对旧动力的替代作用逐步增强，创新在供给侧结构性改革中的位置和重要性会进一步凸显出来。

供给侧改革的长期目标就是要提高全要素生产率，在推进"去降补"和存量资产调整的基础上，还要加大力度培育新的增量，提升全要素生产率，重塑经济增长的内生动力。从国际经验看，20 世纪 90 年代末美国经济摆脱困境，虽然供给学派的政策主张发挥了一定作用，但帮助美国经济走出"滞胀"泥潭的还是以信息技术为核心的"新经济"。信息技术产品的摩尔定律，推动技术突飞猛进和广泛的产业变革，在很大程度上改写了失业与通货膨胀相互替代的菲利普斯曲线，推动增长率和生产率双增、通胀率和失业率双降。

新一轮科技革命和产业变革蓄势待发

当前，从全球范围来看，尽管科技革命还没有形成，主要经济体的劳动生产率在下降，但是新技术正在加快孕育，如工业领域的工业 4.0，商贸领域的电商、跨境电商，金融领域的互联网金融，教育领域的慕课（MOOCS）和研发领域的网上研发平台等，技术融合趋势加快，制造业范式发生新变化，产业发展孕育新形态，谁能在科技创新方面占据优势，谁就能够掌握发展的主动权。

前沿技术正在发生变化。2015 年世界经济论坛十大新兴技术榜单包括：燃料电池汽车、新一代机器人、可循环利用的热固性塑料、精准基因工程技术、积材制造、自然人工智能、分布式制造、能够感知和避让的无人机、神经形态技术和数字基因组，这也表明了技术变革对生产力发展带来的巨大影响。

从全球来看，创新在五个领域最为活跃。一是信息技术进入新一波创新浪潮。以物联网、大数据、云计算、移动互联网等新一代信息技术，推动信息产业发展升级换代。例如，物联网技术正以日新月异的速度发展。据统计，自 2010 年以来传感器销售额每年增长 70%，射频识别（RFID）标签和传感器价格大幅下降。这个技术群正在改变传统的生产方式和生活方式，也带来生产率的极大提升。

二是新能源技术取得重大突破。发电效率不断提升，而成本却在大幅下降，正在悄然改变能源使用方式。上世纪 90 年代以来，太阳能成本从 1990 年的每瓦 8 美元降到 2012 年 80 美分以下，风电成本已接近煤炭和天然气发电成本。预计到 2025 年，太阳能的平准化电力成本将继续下降 60% - 65%，风电将下降 25% - 30%。新能源占全球能源消费的比重已达到 14% 左右。

三是生物技术进入产业化阶段。基因测序技术正以比"摩尔定律"更快的速度发展，目前用 1000 美元的测序机器，几个小时就能完成一个人的基因测序，而第一个人类基因测序由一个科学家团队花了近 30 亿美元、耗时 13 年才于 2003 年完成。2012 年，全球生物技术药物销售额达到 1690 亿美元，占全球药品工业销售额 18%，预计 2020 年将超过三分之一。

四是新材料技术取得重大突破。例如，从 2004 年首次人工生产出石墨烯，到 2011 年 IBM 已经制造基于石墨烯的集成电路。预计到 2025 年左右，石墨烯将成为继硅材料后的新一代信息基础材料。它可能在工业生产领域广泛渗透，包括从芯片到其他各个领域的材料应用，将会对材料技术带来革命性的变革。

五是智能制造和机器人技术广泛应用。目前，智能工业机器人的价格平均为每台 10 万 - 15 万美元，预计到 2025 年将下降 50%，并广泛应用于工业制造、康复医疗、国防军工等领域。中国是全球规模最大的机器人市场，近年来机器人产业迅猛发展，推动智能制造技术的深刻变革。

经济技术开发区在创新发展中具有特殊使命

经过 30 多年发展，国家级经济技术开发区作为先进制造业聚集区和区域经济增长极，成为我国经济发展的强大引擎、对外开放的重要载体和体制机制改革的试验区，在创新发展中承担特殊使命。

当前，国家级经济技术开发区正处在转型发展的关键期。2014 年，国务院办公厅印发《关于促进国家级经济技术开发区转型升级创新发展的若干意见》，强调国家级经济技术开发区"要成为带动地区经济发展和实施区域发展战略的重要载体，成为构建开发型经济新体制和培育吸引外资新优势的排头兵，成为科技创新驱动和绿色集约发展的示范区"，这是在新的发展阶段，赋予国家级经济技术开发区的新使命。

过去，经济技术开发区主要采取以"铺摊子"为主的发展模式，外向型产业集聚发展，形成了庞大的产业规模。面对制造业全球性产能过剩，需要转向"上台阶"为主的发展模式，关键是产业升级和创新要上台阶，而产业升级与创新是融为一体的。

从发展趋势看，传统制造业大规模扩张阶段将要结束。例如，汽车制造业，从日本和韩国经验看，在高速增长进入中速增长阶段后，随着汽车保有量增速大幅下降，汽车市场扩张速度明显放慢。我国目前的汽车保有量大约是 1.63 亿辆，相比较过去，汽车市场高增长阶段也将要结束，市场空间也会逐步收缩。尽管今年的汽车销售量还比较旺盛，但这与车购税优惠是有关联的。

从发展趋势看，未来将进入以提升产业价值链和产品附加值为主体模式的发展阶段。而进入这个阶段，最大的瓶颈不是电力、交通，而是研发和创新能力。过去，高度依赖加工组装、缺乏技术创新和品牌的产业体系，已经越来越不适应市场竞争格局的变化，不加快提升研发能力，部分已有的技术路线和生产能力将面临被淘汰的风险。

经济技术开发区如何适应市场竞争格局的变化

过去，经济技术开发区的发展主要得益于优惠政策和要素驱动，随着体制的完善和要素成本的增加，不可能再走要素驱动的路子，必须依靠科技创新、体制创新和机制创新。

更加注重发挥企业家才能。创新是科技成果的产业化、商业化、市场化过程，创新的主体是企业家，企业家最核心的功能是创新。我国在信息通信、互联网、数字经济领域，产生了华为、阿里巴巴、腾讯等引领型企业，形成了创新驱动发展的新模式，与任正非、马云、马化腾等一批创新型企业家崛起是分不开的。政府的职责主要是，加大基础研究投入，建设科研基础设施，加强知识产权保护，制定产业标准和商业规则，维护市场秩序，减轻企业家创新风险，从而为创新提供良好的外部环境。

推进市场导向的科技创新。创新以需求为导向才有生命力。创新需要市场充分竞争，需要千千万万的市场主体在试错中找到方向。要通过竞争引导资金、人才、技术等创新要素向优势企业集聚。同时完善科研院所和高校的技术成果向企业转移机制，加大对创新企业的扶持力度。

把科技创新与产业转型升级结合起来。着力突破研发、设计、标准、品牌、供应链管理等关键环节，力求掌握核心技术，增加高附加值环节的比重，提高产品的知识、技术和人力资本含量，提升传统优势产业竞争力，布局建设一批战略性新兴产业基地。

强化科技创新的人才基础。创新的根本在人才，尊重创新人才是创新活动的根本准则。进入转型升级阶段，人才相对于其他生产要素的重要性日益凸显。只有尊重和用好创新人才，才能激发和释放创新活力和潜力。要积极探索创新型人才培养和成长机制，完善人才评价、流动和配置机制，使各类人才的创新智慧和潜能竞相迸发。

建立一批新型研发机构。随着产业分工深化，要鼓励研发、设计等部门从制造业企业逐步分离出来，成为独立的市场主体。同时，在物联网、大数据、云计算、新能源汽车等新兴领域，按照国际标准，组建一批新型研发机构，取得一批原创性科研成果，打造新技术供给的“生力军”，以增量改革带动传统体制科研机构的存量改革，构建更加高效的科研体系。

充分利用国际的科技资源。随着经济全球化的深入发展，科技资源特别是科技人才的全球化趋势在不断增强。要放松管制，简化程序，搭建平台，引进国际一流创新团队和创新人才。激励企业到国际市场参与竞争，在海外建立研发中心，以充分有效地利用国外科技资源。

北京亦庄开发区具有创新资源的独特优势，在转型发展中需要重点把握以下几个方面。

第一，突出重点战略领域。加快建设“中国制造2025示范区”和“科技与文化融合发展示范区”。培育科技型文化产业，重点发展传媒影视、设计服务、文化产品交易、会展休闲版块。发展新能源汽车产业，通过建设车联网示范区，延伸智能汽车产业链。巩固集成电路产业优势。大力发展互联网产业，重点是大数据、云服务、物联网。优先发展智能装备产业。加快提升生物医药产业。

第二，培养一批有国际竞争力的创新型领军企业。强化企业创新主体地位和主导作用，支持科技型中小企业发展。鼓励企业开展基础性前沿性创新研究，重视颠覆性技术创新。依托企业、高校、科研院所建设一批国家技术创新中心，加快突破新一代信息通信、智能制造、新能源汽车、生物医药等领域核心技术。

第三，推动“大众创业，万众创新”。充分借鉴硅谷经验，完善科技创新服务体系，营造崇尚创新、宽容失败的文化，吸引集聚一批具有国际竞争力的领军人才、核心技术、高端企业，提升自主创新能力。

第四，构建有利于创新发展的体制生态。营造激励创新的公平竞争环境，实行严格的知识产权保护制度，强化金融支持创新的功能，完善成果转化激励机制，创新培养和吸引人才的机制。

投资者教育要把风险揭示落到实处

——中国证监会主席助理黄炜在投资者教育座谈会暨首批国家级证券期货投资者教育基地授牌活动上的讲话

（2016年5月6日）

各位来宾、同志们：

大家好！

今天是一个值得纪念的日子，中国资本市场首批13家国家级证券期货投资者教育基地正式授牌。这是在市场参与各方共同努力下，本着为投资者做实在事，让投资者有获得感的工作理念取得的新的工作进展。事情非常具体，但意义却很重大。在此，我谨代表证监会、代表刘士余主席向首批全国投教基地挂牌单位表示热烈祝贺！也对一直以来热心支持投资者保护工作的市场各方和社会各界的朋友们，以及今天前来参加座谈会的各位嘉宾、同志和新闻媒体的朋友们表示衷心的感谢。

投资者权益的保护关系到投资者对资本市场的信心，是资本市场长期健康稳定运行的基石。去年以来，习近平总书记就资本市场改革、发展和稳定作出了一系列重要指示，多次强调要做好投资者权益保护工作。他提出，“要防范化解金融风险，加快形成融资功能完备、基础制度扎实、市场监管有效、投资者权益得到充分保护的股票市场”；今年4月他再次强调：“要加强市场监管，保护投资者权益”。李克强总理在今年两会期间，强调各有关部门要履行职责，守土有责，保护好金融消费者和投资者的合法权益。马凯副总理在本届政府成立之初就提出了证监会工作的基本定位，即“两维护，一促进”，维护市场公开、公平，公正，维护投资者特别是中小投资者合法权益，促进资本市场长期稳定健康发展。最近，刘士余主席也在不同场合反复强调：要把保护投资者合法权益放在更加重要的位置，保护投资者合法权益重如泰山。

我在这里与大家一起重温党中央、国务院领导同志关于保护投资者合法权益的讲话，目的是要加深对于做好投资者权益保护工作重要性的认识，进一步增强我们做好投资者合法权益保护工作的自觉性。切实加强投资者特别是中小投资者保护，是有效维护公众公司股权平等，防止股东权利滥用，实现市场交易公平的必然要求，不仅反映了现代公司治理机制合理平衡的要求，而且反映了解决证券交易信息对称问题的内在逻辑。特别是从中国资本市场中小投资者占绝大多数这一结构特点出发，加强中小投资者合法权益保护具有更为重要的现实意义。能不能真正保护好投资者合法权益是市场是否公平的试金石，也是市场信心的风向标，直接关系到维护社会公平正义和亿万人民群众切身利益，关系到资本市场不断创新和健康发展的基础。有研究观点认为，全部证券法的核心精神就是保护投资者合法权益，监管机构之所以有必要存在，最主要的目的就在于保护投资者合法权益。

正是秉承这种理念，中国资本市场始终坚持把保护投资者合法权益的工作，放到突出的位置来强调。2013年12月，国务院专门印发了《关于进一步加强资本市场中小投资者合法权益保护工作的意见》，也就是我们所说的“小国九条”，围绕投资者知情权、收益权、参与权以及求偿权等核心权利，从健全投资者适当性制度，优化投资者回报机制、保护中小投资者知情权、健全中小投资者投票机制、建立多元化纠纷解决机制、健全中小投资者赔偿机制、加大监管和打击力度、强化中小投资者教育、完善投资者保护组织体系等九个方面系统提出了投资者保护的政策措施，明确了投资者保护工作的方向、目标和要求，是指导投资者保护工作的纲领性文件。

做好投资者合法权益保护工作，需要建立一整套办法机制，通过扎实有效的工作强化投资者权利意识，增长投资者维权知识，优化投资者维权机制，畅通投资者维权渠道，支持投资者维护自身权益，这其中一个最为重要、也是最为基础的环节就是要加强投资者教育。通过投资者看得见、摸得着、能参与的基地建设，让投资者方便接受教育和服务，具有实实在在的获得感，正是我们务实推进投资者保护工作的初衷所在。

这次投资者教育基地申报工作得到了市场和社会的积极响应，参与踊跃，共有144家基地单位提出申请，充分反映了社会各界对投资者保护工作的高度重视、关心和支持。按照严格标准、客观公正、鼓励多元的工作原则，经过审核考察、征求意见、专家评审等程序，评审出13家基地进入公示环节。这批基地既有交易所、协会等市场自律组织和证券公司、上市公司等市场经营主体建设的实体基地，也有新华网等主流媒体建设的网络虚拟基地，既有展示资本市场历史的特色博物馆，也有结合投资者服务建设升级的科技型、互动式场所。

此次授牌是对获授单位过往工作的肯定，但建设基地本身不是目的，而是要利用好、发挥好基地平台的作用，更加扎实持久地把投资者教育的工作做好。授牌基地要以此为起点，认真踏实做好自己的工作，为投教基地的推广建设积累经验，树立样板。刚才，5位发言的同志从不同的角度就进一步做好投资者教育和投资者保护工作说了自己的体会和想法，内容丰富，思考深入，建议针对性强，听了很受启发，下面，我谈几点个人体会，供大家参考。

一是做好投教基地工作，要始终坚持把投资者需求放在心里、抓在手里。我国投资者数量已超过1亿，而且96%以上是中小投资者，这种情况仍将长期持续存在。要充分认识我国资本市场投资者结构的特殊性，把最广大中小投资者的所思、所想、所需作为我们工作的出发点和落脚点，要想投资者之所想，急投资者之所急，投资者需要什么，关心什么，期盼什么，我们的工作就要朝什么方向努力。要尊重投资者、了解投资者，做到满足投资者的需求，答投资者之疑、解投资者之困。

二是做好投教基地工作，要把风险揭示工作做到深处、落到实处。投资者教育工作要以风险揭示为重点，除了让投资者应知应会，掌握知识外，最重要的目的是要做好风险警示和风险防范工作。要把“了解你的客户”作为基本的经营准则，做这个行业不了解客户就卖产品，不把风险讲清楚就卖产品，不仅违反法律义务，而且背离基本道义。投资者教育要讲真话、讲实话，不怕讲风险、讲隐患，就是要明明白白告诉投资者风险在哪里、风险有多大，千万不要把投资者教育简单化为介绍新业务、演示新产品，搞成变相的市场推介活动，尤其是我们市场经营机构，不要担心因为讲有风险的话而流失客户。衡量投资者教育做得好不好，就要以风险揭示是否到位，投资者是否被触动、是否对风险可能产生的后果有充分了解为标准。

三是做好投教基地工作，要在创新方式上下大力气、用真功夫。根据不同的产品、业务内容，针对不同类型投资者，如老年人、年青学生等，采取投教对象乐于接受、容易接受的方式开展工作。要积极探索各种行之有效的投资者教育方式，特别在信息化时代，要善于利用多媒体方式，让投资者能够便利地获得教育服务。各基地要积极利用自身资源和优势，把基地建设和单位运营、所在地区的特点结合起来，多渠道、广覆盖地开展内容丰富、喜闻乐见的投教活动，形成特色，树立品牌。

四是做好投教基地工作，要在规范管理上严格要求、坚持标准。要配备高素质的工作人员，通过合理有效的考核培训安排，严格管理要求，配备好认真负责、专业过硬、服务热情的投教人员。要根据投资者和市场发展需要，兼顾节约性原则，及时升级现有软硬件设施，不断完善基地环境。要建立健全并严格落实各项管理制度，确保经费投入充足、教育内容准确、业务行为规范。基地工作的规范特别要强调内容规范，体现权威性，确保严肃性，释放正能量。要采取实在措施，确保基地持续符合标准要求。

投资者教育任重道远，是一项长期系统工作，特别是目前市场发展还不成熟、机制还不完善，更凸显了投资者教育的重要性，增加了工作的难度。希望各单位以投教基地建设为契机，大胆创新、持续深入地做好投资者教育工作。证券期货监管部门在推动做好基地建设的同时，要加强基地后续监管工作，加强统筹协调，组织引导各市场主体积极开展公益性投教工作。证券期货交易场所、行业协会等系统单位要立足职责，为基地建设等投教工作提供自律指导、资源共享和交流培训等服务。各市场经营主体要切实发挥投资者教育主力军、主阵地的作用，把投资者保护纳入公司经营发展战略，把投资者教育融入各项经营活动中，做好投教基地建设和运维，在推动业务发展的同时，始终不忘抓好投资者教育，抓好投资者权益保护工作。投资者要充分利用投教基地等设施，主动学习维权知识，增强风险意识，提高自我保护能力，依法利用有效的渠道和手段维护自身权益。

投教基地建设是一项面向基层、面向大众的服务工作，要规划好、管理好、利用好，持之以恒地推进好。希望首批基地要在现有工作基础上继续努力，永远争先。同时我们也希望能够引导更多的市场和社会机构更加重视投资者保护，更加积极地参与到投教基地建设和投资者保护工作中来。结合首批基地运行情况，我们将及时总结经验，适时启动第二批国家级基地以及省级基地的申报工作。未来希望有更多机构和单位建设形成国家级、省级投教基地。通过大家的努力，使全市场、全社会重视投资者教育的工作蔚成风气，真正地把投资者合法权益的保护工作落到实处。

谢谢大家！

第二编
中国金融市场

第一章　中国金融市场概况

2016 年金融市场运行情况

2016 年，债券市场发行规模增长，交易量继续增加，债券收益率曲线整体上移，市场投资者结构进一步多元化；货币市场利率中枢有所上行，交易量同比增长；互换利率震荡上行；股指先下后上，整体下跌，成交量同比下降。

一、债券发行规模同比增长，但增速有所下降

2016 年，债券市场发行各类债券规模达 36.1 万亿元，较上年增长 54.2%，增速较上年降低 42.4 个百分点。其中，银行间债券市场发行债券 32.2 万亿元，同比增长 53.8%。2016 年 12 月末，债券市场托管余额为 63.7 万亿元，其中银行间债券市场托管余额为 56.3 万亿元。

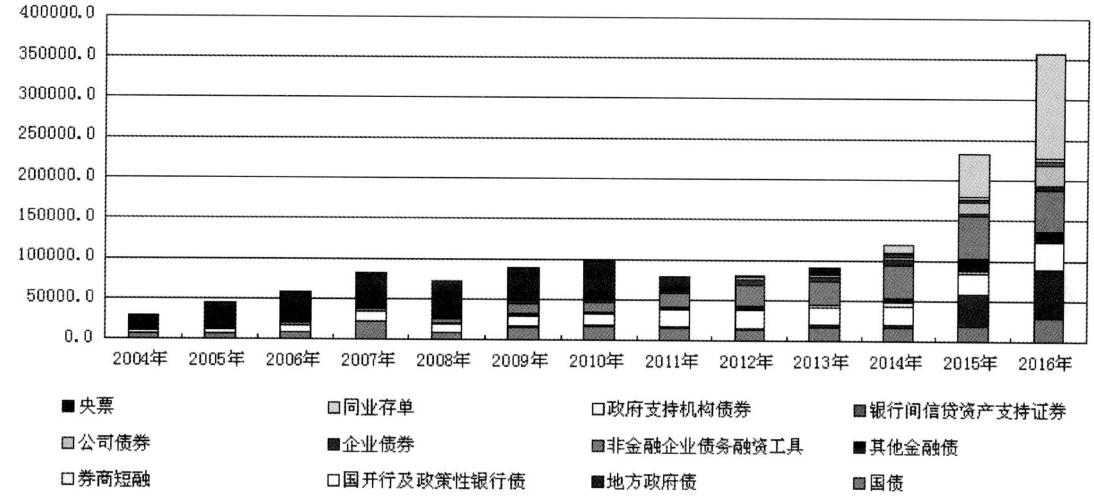

资料来源：中央国债登记结算有限责任公司、上海清算所。

图 1　近年来银行间债券市场主要债券品种发行量变化情况（单位：亿元）

2016 年，国债发行 2.9 万亿元，地方政府债券发行 6 万亿元，国家开发银行、中国进出口银行和中国农业发展银行发行债券 3.4 万亿元，政府支持机构发行债券 2 250 亿元，商业银行等金融机构发行金融债券 1.3 万亿元，信贷资产支持证券发行 3 838.1 亿元，同业存单发行 13 万亿元，公司信用类债券发行 8.2 万亿元，同比增长 16.5%，增速较上年下降19.8 个百分点。

二、银行间市场成交量同比增长

2016 年，银行间市场信用拆借、回购交易成交总量 697.2 万亿元，同比增长 33.6%。其中，同业拆借累计成交 95.9 万亿元，同比增长 49.4%；质押式回购累计成交 568.3 万亿元，同比增长 31.4%；买断式回购累计成交 33 万亿元，同比增长 30.3%。

2016 年，债券市场现券交易量 132.2 万亿元，同比增长 46.6%。其中，银行间市场现券累计成交 127 万亿元，日均成交 5 063 亿元，同比增长 44.1%。交易所现券累计成交 5.1 万亿元，日均成交 207.6 亿元，同比增长 49%。

三、货币市场利率中枢上行，债券收益率曲线整体上移

2016 年前三季度，货币市场利率窄幅震荡，10 月下旬开始货币市场利率加快上行。2016 年 12 月份，银行间货币市场质押式回购月加权平均利率为 2.56%，较上年同期上升 61 个基点。

2016 年，债券市场波动加大，国债收益率曲线整体上移。12 月末，1 年、3 年、5 年、7 年、10 年期国债收益率较上年末分别上升 35 个、24 个、15 个、16 个、19 个基点，10 年期与 1 年期国债期限利差为 36 个基点，较年初收窄 16 个基点。银行间市场债券指数由上年末的 171.37 点上升到年末的 174.44 点，升幅 1.79%；交易所市场国债指数由上年末的 154.54 点上升到年末的 159.79 点，升幅 3.39%。

公司信用类债券收益率曲线大幅上行，年末 5 年期 AAA 级、AA + 级和 AA 级企业债收益率较上年末分别上行 65 个、44 个和 24 个基点。短期、中高信用等级公司信用类债券与国开行金融债券的信用利差扩大，中长期公司信用类债券的信用利差有所收窄，3 年期 AAA 级、AA 级、A 级中短期票据与国开行金融债券的信用利差较上年末分别收窄 4 个、44 个、27 个基点。

四、投资者群体进一步丰富，投资者结构更加多元化

截至 2016 年末，银行间市场各类参与主体共计 14 127 家，较上年末增加 4 491 家。其中，境内法人类参与机构2 329 家，较上年增加 235 家；境内非法人类机构投资者11 391家，较上年增加 4 151 家；境外机构投资者 407 家，较上年增加 105 家。

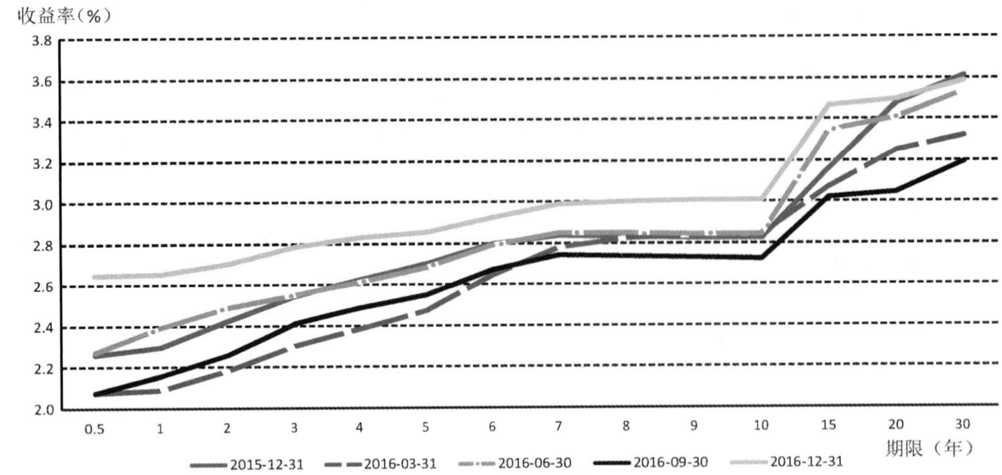

资料来源：中央国债登记结算有限责任公司。

图 2　2016 年银行间市场国债收益率曲线变化情况

2016 年末，存款类金融机构持有债券余额 34 万亿元，持债占比 60.4%，较上年末下降 1.7 个百分点；非法人机构投资者持债规模 14.5 万亿元，占比为 25.7%，较上年末提高3.5 个百分点。公司信用类债券持有者中存款类机构继续下降，存款类金融机构、非银行金融机构、非法人机构投资者和其他投资者的持有债券占比分别为 28.8%、7.8%、63.4%。

五、利率衍生品交易量继续增加，互换利率震荡上行

2016 年，银行间人民币利率衍生品市场累计成交 9.9 万亿元，同比增长 13.1%。其中，普通利率互换成交名义本金额 9.9 万亿元，同比增长 20%；标准利率互换成交 8 亿元，标准债券远期成交 1 亿元，远期利率协议成交 1 亿元。普通利率互换期限品种仍以短期品种为主，1 年期及以下交易名义本金额占总成交量的 79.3%；浮动端参考利率主要为 7 天回购定盘利率（FR007），占比达 85.9%。

互换利率震荡上行，下半年升幅较大。2016 年末，1 年期 FR007 互换利率为 3.35%，5 年期 FR007 互换利率为3.81%，分别较上年末上升 103 和 123 个基点。

六、股指下跌，两市成交量下降

2016 年，股票市场主要指数先下后上，整体下跌，成交量明显下降。上证综指年初开盘于 3 536 点，一度跌至 2 638 点，年末收于 3 103 点，较上年末下跌 12.31%；深圳成指开盘于 12 650 点，一度下跌至 8 986 点，年末收于 10 177 点，较上年末下跌 19.64%。两市全年成交额 127.8 万亿元，同比下降 50.01%。

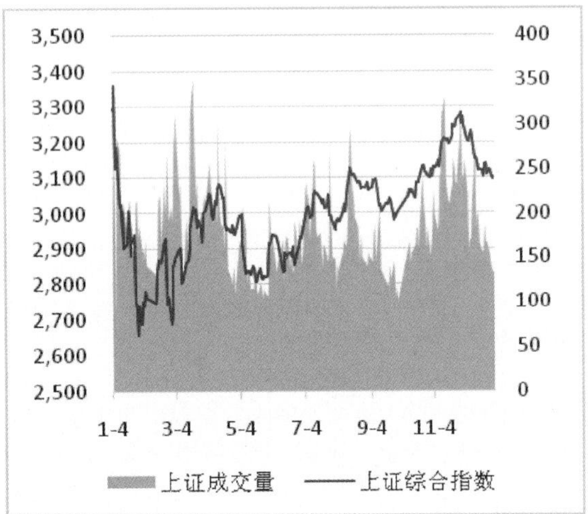

资料来源：上海证券交易所、深圳证券交易所

图 3　2016 年上交所股票成交量价走势

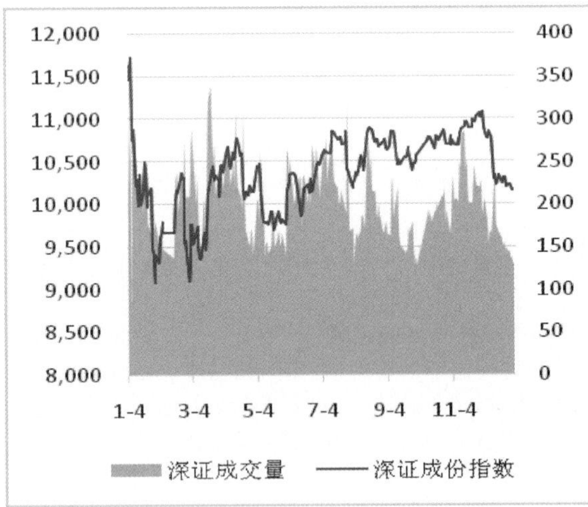

资料来源：上海证券交易所、深圳证券交易所

图 4　2016 年深交所股票成交量价走势

（资料来源：中国证券监督管理委员会、中央国债登记结算有限责任公司、全国银行间同业拆借中心、银行间市场清算所股份有限公司、上海证券交易所和深圳证券交易所）

2016 年支付体系运行总体情况①

2016 年支付业务统计数据显示，全国支付体系运行平稳，社会资金交易规模不断扩大，支付业务量保持稳步增长。

① 自 2015 年起，支付体系运行总体情况按照《支付业务统计指标》金融行业标准披露支付业务数据，由于部分指标统计口径调整，因此部分指标值变化较大。

一、非现金支付工具

2016 年，全国共办理非现金支付业务①1 251.11 亿笔，金额 3 687.24 万亿元，同比分别增长 32.64% 和 6.91%。

（一）票据

票据业务量持续下降。2016 年，全国共发生票据业务 2.93亿笔，金额 187.79 万亿元，同比分别下降 29.64% 和 21.17%。其中，支票业务 2.73 亿笔，金额 165.80 万亿元，同比分别下降 30.23% 和 21.62%；实际结算商业汇票业务 1 656.45万笔，金额 18.95 万亿元，同比分别下降 13.08% 和 9.71%；银行汇票业务 153.01 万笔，金额 9 504.63 亿元，同比分别下降 27.80% 和 39.05%；银行本票业务 234.52 万笔，金额 2.09 万亿元，同比分别下降 48.86% 和 49.59%。

电子商业汇票系统业务量快速增长。截至 2016 年末，电子商业汇票系统参与者共计 426 家，较上年末增加 30 家。2016 年，电子商业汇票系统出票 230.47 万笔，金额 8.34 万亿元，同比分别增长 71.89% 和 48.96%；承兑 237.75 万笔，金额 8.58 万亿元，同比分别增长 72.89% 和 48.29%；贴现 83.77万笔，金额 5.77 万亿元，同比分别增长 69.09% 和 54.54%；转贴现 325.08 万笔，金额 49.2 万亿元，同比分别增长 108.77% 和 122.26%。

（二）银行卡

发卡量保持稳步增长。截至 2016 年末，全国银行卡在用发卡数量 61.25 亿张，同比增长 12.54%，增速上升 2.28 个百分点。其中，借记卡在用发卡数量 56.60 亿张，同比增长 12.96%；信用卡和借贷合一卡在用发卡数量共计 4.65 亿张，同比增长 7.60%。借记卡在用发卡数量与信用卡在用发卡数量之间的比例约为 13.46∶1，较上年末有所上升。截至 2016 年末，全国人均持有银行卡 4.47 张，同比增长 11.83%。其中，人均持有信用卡 0.31 张，同比增长 6.27%。北京信用卡人均拥有量仍远高于全国平均水平，达到 1.35 张。

受理市场环境不断完善。截至 2016 年末，银行卡跨行支付系统联网商户 2 067.20 万户，联网 POS 机具 2 453.50 万台，ATM92.42 万台，较上年末分别增加 397.20 万户、171.40 万台和 5.75 万台。截至 2016 年末，每台 ATM 对应的银行卡数量为 6 627 张，同比增长 5.54%，每台 POS 机具对应的银行卡数量为 250 张，同比增长 4.68%。

银行卡交易量继续增长。2016 年，全国共发生银行卡交易② 1 154.74 亿笔，金额 741.81 万亿元，同比分别增长 35.49% 和 10.75%。日均 3.16 亿笔，金额 2.03 万亿元。其中，银行卡存现 104.74 亿笔，金额 77.17 万亿元，同比分别增长 13.94% 和 8.74%；取现 179.98 亿笔，金额 65.50 万亿元，同比分别下降 2.30% 和 10.46%；转账业务 486.73 亿笔，金额 542.64 万亿元，同比分别增长 70.27% 和 15.29%；消费业务 383.29 亿笔，金额 56.50 万亿元，同比分别增长 32.03% 和 2.72%。银行卡跨行消费业务③ 202.43 亿笔，金额 49.07 万亿元，同比分别增长 17.43% 和 14.35%，分别占银行卡消费业务量的 52.81% 和 86.85%。全年银行卡渗透率达到 48.47%，比上年上升 0.51 个百分点。银行卡卡均消费金额为 9 593 元，同比下降 5.08%；银行卡笔均消费金额为 1 474 元，同比下降 22.17%。

银行卡信贷规模继续增长。截至 2016 年末，银行卡授信总额④为 9.14 万亿元，同比增长 29.06%；银行卡应偿信贷余额为 4.06 万亿元，同比增长 23.63%。银行卡卡均授信额度 1.96 万元，授信使用率⑤44.45%。信用卡逾期半年未偿信贷总额 535.68 亿元，占信用卡应偿信贷余额的 1.40%，占比较上年末上升 0.17 个百分点。

（三）贷记转账等其他结算业务

贷记转账金额占其他结算业务金额的九成以上。2016 年，全国共发生贷记转账、直接借记、托收承付、国内信用证等其他业务 93.44 亿笔，金额 2 757.63 万亿元，同比分别增长 7.70% 和 8.53%。其中，贷记转账业务 79.00 亿笔，金额 2 675.18万亿元，分别占贷记转账、直接借记、托收承付以及国内信用证结算业务总量的 84.55% 和 97.01%。

（四）电子支付

移动支付业务保持快速增长。2016 年，银行业金融机构共处理电子支付⑥业务 1 395.61 亿笔，金额 2 494.45 万亿元。其中，网上支付业务 461.78 亿笔，金额 2 084.95 万亿元，同比分别增长 26.96% 和 3.31%；电话支付业务 2.79 亿笔，金额 17.06 万亿元，笔数同比下降 6.61%，金额同比增长 13.84%；移动支付业务 257.10 亿笔，金额 157.55 万亿元，同比分别增长 85.82% 和 45.59%。

2016 年，非银行支付机构累计发生网络支付业务⑦ 1 639.02亿笔，金额 99.27 万亿元，同比分别增长 99.53% 和 100.65%。

二、支付系统

2016 年，支付系统⑧共处理支付业务 592.87 亿笔，金额 5 114.51万亿元，同比分别增长 26.29% 和 16.70%。2016 年支付系统处理支付业务金额是全国 GDP 总量的 68.73 倍。

从支付系统资金往来情况⑨看，全国共 23 个省（市、自治区）的辖内资金流动量占本省（市、自治区）资金流动总量的比例超过 50%。2016 年，处理资金总量居前三位的地区为北京、上海、广东⑩，其资金流动总量分别占全国资金流动总量的 31.32%、17.58% 和 12.55%。

（一）人民银行支付系统

2016 年，人民银行支付系统⑪共处理支付业务 80.09 亿

---

① 非现金支付业务包含票据、银行卡及其他结算业务。其中，其他结算业务包含贷记转账、直接借记、托收承付及国内信用证业务。

② 银行卡交易量为银行卡本外币交易量之和。

③ 银行卡跨行消费业务是指通过 POS（含移动 POS）、网上、其他终端等设备受理的跨行银行卡消费的交易业务量。

④ 银行卡授信总额为信用卡和借贷合一卡的授信总额之和。

⑤ 授信使用率为银行卡应偿信贷余额与银行卡授信总额之比。

⑥ 电子支付是指客户通过网上银行、电话银行、手机银行、ATM、POS 和其他电子渠道，从结算类账户发起的账务变动类业务笔数和金额。包括网上支付、电话支付、移动支付、ATM 业务、POS 业务和其他电子支付六种业务类型。

⑦ 非银行支付机构处理网络支付业务量不包含红包类等娱乐性产品的业务量。

⑧ 包含大额实时支付系统、小额批量支付系统、网上支付跨行清算系统、同城清算系统、境内外币支付系统、全国支票影像交换系统、银行业金融机构行内支付系统、银行卡跨行支付系统、城市商业银行汇票处理系统和支付清算系统、农信银支付清算系统、人民币跨境支付系统。

⑨ 包含大额实时支付系统、小额批量支付系统和银行业金融机构行内支付系统处理的资金交易。

⑩ 含深圳市。

⑪ 包含大额实时支付系统、小额批量支付系统、网上支付跨行清算系统、同城清算系统、境内外币支付系统、全国支票影像交换系统。

笔,金额 3 821.35 万亿元,同比分别增长 33.58% 和 21.88%,分别占支付系统业务笔数和金额的 13.51% 和 74.72%。日均处理业务 2 353.98 万笔,金额 15.14 万亿元①。

大额实时支付系统业务持续平稳增长。2016 年,大额实时支付系统处理业务 8.26 亿笔,金额 3 616.30 万亿元,同比分别增长 4.67% 和 22.50%。日均处理业务 328.95 万笔,金额 14.41 万亿元。

小额批量支付系统业务持续增长。2016 年,小额批量支付系统处理业务 23.48 亿笔,金额 30.91 万亿元,同比分别增长 27.95% 和 23.95%。日均处理业务 646.91 万笔,金额 851.60 亿元。

网上支付跨行清算系统业务增长较快。截至 2016 年末,共有 195 家机构接入网上支付跨行清算系统。2016 年,网上支付跨行清算系统共处理业务 44.53 亿笔,金额 37.46 万亿元,同比分别增长 50.16% 和 34.96%。日均处理业务 1 226.76万笔,金额 1 031.98 亿元。

同城清算系统业务金额小幅增长。2016 年,同城清算系统②共处理业务 3.72 亿笔,金额 130.80 万亿元,笔数同比下降 5.74%,金额同比增长 5.20%。日均处理业务 148.39 万笔,金额 5 211.35 亿元。

境内外币支付系统业务小幅下降。2016 年,境内外币支付系统共处理业务 198.58 万笔,处理业务金额 8 199.01 亿美元(折合人民币约为 5.47 万亿元),同比分别下降 4.47% 和 9.52%。日均处理业务 7943.20 笔,金额 32.80 亿美元(折合人民币约为 218.93 亿元)。

全国支票影像交换系统业务延续下降态势。2016 年,全国支票影像交换系统共处理业务 791.67 万笔,金额 4 100.83 亿元,同比分别下降 11.65% 和 8.42%。日均处理业务 2.18 万笔,金额 11.30 亿元。

(二)其他机构支付系统

银行业金融机构行内支付系统业务持续增长。2016 年,银行业金融机构行内支付系统共处理业务 258.30 亿笔,金额 1 215.47 万亿元,同比分别增长 31.07% 和 1.80%。日均处理业务 7 057.47 万笔,金额 3.32 万亿元。

银行卡跨行支付系统业务稳步增长。2016 年,银行卡跨行支付系统共处理业务 237.62 亿笔,金额 67.07 万亿元,同比分别增长 14.97% 和 36.11%。日均处理业务 6 492.30 万笔,金额 1 832.50 亿元。

城市商业银行汇票处理系统和支付清算系统业务增长较快。2016 年,城市商业银行汇票处理系统和支付清算系统处理业务 387.46 万笔,金额 8 253.17 亿元,同比分别增长 49.22% 和 52.65%。日均处理业务 1.06 万笔,金额 22.55 亿元。

农信银支付清算系统业务保持高位增长。2016 年,农信银支付清算系统共处理业务 16.81 亿笔,金额 5.43 万亿元,同比分别增长 193.41% 和 50.96%。日均处理业务 459.28 万笔,金额 148.28 亿元。

人民币跨境支付系统平稳运行。2016 年,人民币跨境支付系统处理业务 63.61 万笔,金额 4.36 万亿元。日均处理业务 2 544.40 笔,金额 174.47 亿元。

三、人民币银行结算账户

截至 2016 年末,全国共开立人民币银行结算账户 83.53 亿户,同比增长 13.34%,增速上升 0.17 个百分点。其中,单位银行结算账户 4 939.47 万户,占银行结算账户的 0.59%;个人银行结算账户 83.03 亿户,占银行结算账户的 99.41%。

(一)单位银行结算账户

单位银行结算账户数量平稳增长,基本存款账户数量在单位银行结算账户中的占比小幅上升,临时存款账户数量呈现持续减少趋势。截至 2016 年末,全国共开立单位银行结算账户 4 939.47 万户,同比增长 11.27%,增速下降 0.35 个百分点。其中,基本存款账户 3 282.67 万户,一般存款账户 1 306.72万户,专用存款账户 330.01 万户,临时存款账户 20.07万户,分别占单位银行结算账户总量的 66.46%、26.45%、6.68% 和 0.41%。基本存款账户、一般存款账户、专用存款账户同比分别增长 15.77%、2.67% 和 6.41%,临时存款账户同比下降 3.11%。

(二)个人银行结算账户

个人银行结算账户数量稳步增长。截至 2016 年末,全国共开立个人银行结算账户 83.03 亿户,同比增长 13.35%,增速上升 0.18 个百分点。

2016 年四季度及全年金融机构直接投资数据

2016 年四季度,境外投资者对我国境内金融机构直接投资流入 185.46 亿元人民币,流出 261.12 亿元人民币,净流出 75.66 亿元人民币;我国境内金融机构对境外直接投资流出 363.34 亿元人民币,流入 336.65 亿元人民币,净流出 26.69 亿元人民币。2016 年全年,境外投资者对我国境内金融机构直接投资流入 507.78 亿元人民币,流出 684.49 亿元人民币,净流出 176.71 亿元人民币;我国境内金融机构对境外直接投资流出 1 241.69 亿元人民币,流入 607.78 亿元人民币,净流出 633.91 亿元人民币(见表 1)。

表 1　金融机构直接投资流量表(季度)

单位:亿元人民币

项　目	2016 年四季度	2016 年全年
来华直接投资净流入	-75.66	-176.71
流入	185.46	507.78
流出	261.12	684.49
对外直接投资净流出	26.69	633.91
流入	336.65	607.78
流出	363.34	1241.69

2016 年末,境外投资者对我国境内金融机构直接投资存量 8 855.33 亿元人民币,我国境内金融机构对境外直接投资存量 13 804.34 亿元人民币(见表 2)。

表 2　金融机构直接投资存量表(年度)

单位:亿元人民币

项　目	2016 年末
来华直接投资	8855.33
对外直接投资	13804.34

注:1. 本表计数采用四舍五入原则。

2. 年末存量人民币值通过年末存量美元值折算而成,折算率采用年末人民币对美元中间价。

① 2016 年大额实时支付系统实际运行 251 个工作日,小额批量支付系统实际运行 363 个工作日,网上支付跨行清算系统实际运行 363 个工作日,同城票据清算系统实际运行 251 个工作日,境内外币支付系统实际运行 250 个工作日,全国支票影像交换系统实际运行 363 个工作日,此处按实际运行工作日计算,下同。

② 同城清算系统包括同城票据交换系统和同城电子清算系统。

按美元计值，2016 年四季度，境外投资者对我国境内金融机构直接投资流入 27.11 亿美元，流出 38.16 亿美元，净流出 11.06 亿美元；我国境内金融机构对境外直接投资流出 53.10 亿美元，流入 49.20 亿美元，净流出 3.90 亿美元。2016 年全年，境外投资者对我国境内金融机构直接投资流入76.21 亿美元，流出 102.27 亿美元，净流出 26.05 亿美元；我国境内金融机构对境外直接投资流出 186.93 亿美元，流入 90.40 亿美元，净流出 96.53 亿美元（见表 3）。

表 3　金融机构直接投资流量表（季度）

单位：亿美元

项　目	2016 年四季度	2016 年全年
来华直接投资净流入	-11.06	-26.05
流入	27.11	76.21
流出	38.16	102.27
对外直接投资净流出	3.90	96.53
流入	49.20	90.40
流出	53.10	186.93

注：本表计数采用四舍五入原则。

按美元计值，2016 年末，境外投资者对我国境内金融机构直接投资存量 1 276.54 亿美元，我国境内金融机构对境外直接投资存量 1 989.96 亿美元（见表 4）。

表 4　金融机构直接投资存量表（年度）

单位：亿美元

项　目	2016 年末
来华直接投资	1276.54
对外直接投资	1989.96

注：本表计数采用四舍五入原则。

金融机构包括在我国境内依法成立的从事银行业、证券业、保险业及其他金融业务的机构总部及分支机构。

金融机构直接投资是指境外投资者对我国境内金融机构或我国境内金融机构对境外企业进行股权或债权投资，且相关股权投资使直接投资者在直接投资企业中拥有 10% 或以上的表决权。

金融机构直接投资流量表统计境内金融机构对外直接投资和来华直接投资的股权或债权投资流量数据情况（不含收益再投资）。其中：来华直接投资流入是指境外投资者对我国境内金融机构投入或新增的股权或债权投资，流出是指境外投资者从我国境内金融机构减少或撤出的股权或债权投资；对外直接投资资金流出是指我国境内金融机构对境外企业投入或新增的股权或债权投资，流入是指我国境内金融机构从境外企业减少或撤出的股权或债权投资。

2016 年全国国有及国有控股企业经济运行情况

来源：财政部资产管理司

2016 年 1－12 月，全国国有及国有控股企业①（以下简称国有企业）经济运行趋稳向好。国有企业收入和实现利润继续保持稳步增长，国有企业收入增幅有所提高，利润增幅略有下降。钢铁、化工、有色等行业亏损。

一、国有企业主要经济效益指标情况

（一）营业总收入。1－12 月，国有企业营业总收入458 978 亿元，同比增长 2.6%。（1）中央企业 276 783.6 亿元，同比增长 2%。（2）地方国有企业 182 194.4 亿元，同比增长 3.5%。

（二）营业总成本。1－12 月，国有企业营业总成本 449 885亿元，同比增长 2.5%，其中销售费用、管理费用和财务费用同比分别增长 5.9%、增长 6.7% 和下降 3.7%。（1）中央企业 268 039.9 亿元，同比增长 2.2%，其中销售费用、管理费用和财务费用同比分别增长 5.8%、增长 7.3% 和下降 5.8%。（2）地方国有企业 181 845.1 亿元，同比增长 3%，其中销售费用、管理费用和财务费用同比分别增长 6.3%、增长 5.7% 和下降 1.5%。

（三）实现利润。1－12 月，国有企业利润总额 23 157.8 亿元，同比增长 1.7%。（1）中央企业 15 259.1 亿元，同比下降 4.7%。（2）地方国有企业 7 898.7 亿元，同比增长 16.9%。

（四）应交税金。1－12 月，国有企业应交税金 38 076.1 亿元，同比下降 0.7%。（1）中央企业 29 153 亿元，同比下降 2.5%。（2）地方国有企业 8 923.1 亿元，同比增长 6%。

（五）资产、负债和所有者权益。12 月末，国有企业资产总额 1 317 174.5 亿元，同比增长 9.7%；负债总额 870 377.3 亿元，同比增长 10%；所有者权益合计 446 797.2 亿元，同比增长 9.2%。（1）中央企业资产总额 694 788.7 亿元，同比增长 7.7%；负债总额 476 526 亿元，同比增长 8.2%；所有者权益合计 218 262.7 亿元，同比增长 6.6%。（2）地方国有企业资产总额 622 385.8 亿元，同比增长 12%；负债总额 393 851.3 亿元，同比增长 12.1%；所有者权益合计 228 534.5 亿元，同比增长 11.7%。

二、主要行业盈利情况

1－12 月，建材、交通和施工房地产等行业实现利润同比增幅较大。石油、纺织、烟草和石化等行业实现利润同比降幅较大。钢铁、化工、有色等行业亏损。

2016 年货币政策操作

2016 年以来，内外部经济金融形势错综复杂，中国经济运行出现积极变化但基础并不牢固，部分城市房地产价格大幅上涨，通胀预期有所上升。根据党中央、国务院的统一部署，中国人民银行主动适应经济发展新常态，坚持稳中求进的总基调，继续实施稳健的货币政策，根据形势发展变化，保持政策灵活适度，注重稳定市场预期，为供给侧结构性改革营造了适宜的货币金融环境。

一、灵活开展公开市场操作

2016 年，受美联储加息、外汇占款下降等多种因素影响，我国银行体系流动性供求波动有所加大，同时部分市场机构加杠杆、地方政府债集中发行、金融业“营改增”、交易所可转（交）换债券发行冻结资金等也加剧了流动性供求变化的不确定性。结合流动性供求的长期性变化和季节性特点，中国人民银行以 7 天期逆回购为主搭配其他品种和工具灵活开展操作，同时进一步完善公开市场操作机制，丰富逆回购期限品种，“削峰填谷”熨平内外多种因素对流动性的扰动，推动完善金融业“营改增”相关政策，促进了银行体系流动性基本稳定和货币市场利率总体平稳运行。

年初，为进一步提高央行流动性管理的精细化程度和操作主动性，中国人民银行建立了公开市场每日操作机制，将操

① 本月报所称全国国有及国有控股企业，包括中央管理企业、中央部门和单位所属企业以及 36 个省（自治区、直辖市、计划单列市）的地方国有及国有控股企业，不含国有金融类企业。

作频率由每周两次提高到每日一次。8 月下旬和 9 月中旬，综合考虑经济运行、流动性形势以及市场"以短搏长"现象较为普遍等情况，中国人民银行在公开市场操作中先后增加了 14 天期和 28 天期逆回购品种，适当延长央行资金投放期限，引导金融机构提高负债稳定性，并通过公开市场业务一级交易商传导优化货币市场交易期限结构，对于防范资产负债期限错配和流动性风险发挥了积极作用。

2016 年，公开市场逆回购中标利率基本保持稳定。2017 年 2 月 3 日，由央行招标、公开市场业务一级交易商参与投标的 7 天期、14 天期和 28 天期逆回购中标利率均上行 10 个基点分别至 2.35%、2.50% 和 2.65%。此次中标利率上行是市场化招投标的结果，反映了 2016 年 9 月份以来货币市场利率中枢上行的走势，是在资金供求影响下随行就市的表现。为实现货币政策目标，公开市场操作也有相应的量、价目标，目标的调整和侧重点的变化服务于宏观调控的需要，这也意味着公开市场操作的招标规模和中标利率都是可变的。市场已经适应了公开市场操作招标规模的变化，也在逐步适应中标利率的变化，这无疑有利于未来更好地发挥市场供求的决定性作用。

2016 年，公开市场累计开展逆回购操作 24.8 万亿元，其中 7 天期操作 17.9 万亿元，14 天期操作 3.9 万亿元，28 天期操作 3 万亿元；开展 SLO 操作累计投放流动性 2050 亿元。年末公开市场逆回购操作余额为 13150 亿元，SLO 余额为 0。

二、开展常备借贷便利和中期借贷便利操作

增加常备借贷便利期限品种，保持常备借贷便利利率稳定。2016 年初，中国人民银行增加常备借贷便利 1 个月期限品种，满足金融机构春节期间流动性需求，要求分支机构对地方法人金融机构按需提供流动性，促进货币市场平稳运行。探索常备借贷便利利率发挥利率走廊上限的作用，保持常备借贷便利利率稳定，对符合宏观审慎要求的地方法人金融机构，隔夜、7 天、1 个月的利率分别为 2.75%、3.25%、3.60%。在春节期间和月末、季末等货币市场利率易发生波动的时点，及时运用常备借贷便利满足中小金融机构临时性流动性需求。2016 年中国人民银行累计开展常备借贷便利操作 7 122 亿元，其中第四季度开展常备借贷便利操作 1 649 亿元，期末常备借贷便利余额为 1 290 亿元。2017 年 2 月 3 日，为加强银行体系流动性管理，引导货币市场平稳运行，中国人民银行将隔夜、7 天、1 个月常备借贷便利利率调整为 3.10%、3.35%、3.70%。

开展中期借贷便利常态化操作并丰富期限品种。建立中期流动性常态化操作机制，每月适时开展中期借贷便利操作，稳定市场预期。2016 年，累计开展中期借贷便利操作 55 235亿元，期末余额为 34 573 亿元，比年初增加 27 915 亿元。中期借贷便利及时填补中期流动性缺口，成为央行基础货币供给的重要渠道。为满足金融机构不同期限的流动性需求，丰富中期借贷便利的期限品种，操作期限由 6 个月扩展为 3 个月、6 个月、1 年期。同时，根据货币政策调控需要，2016 年初两次下调中期借贷便利利率，发挥中期政策利率作用，引导金融机构降低贷款利率和社会融资成本。2017 年 1 月末，适度上调中期借贷便利利率，6 个月、1 年期利率分别为 2.95%、3.10%。

2017 年 1 月，为保障春节前由现金投放形成的集中性需求，促进银行体系流动性和货币市场平稳运行，中国人民银行通过临时流动性便利（TLF）操作为现金投放量较大的几家大型商业银行提供了临时流动性支持，通过市场化机制更有效地满足了临时性流动性需求。

三、运用存款准备金率工具，完善存款准备金制度

2016 年 3 月，中国人民银行普遍下调金融机构人民币存款准备金率 0.5 个百分点，以保持银行体系流动性合理充裕。自 2016 年 7 月起，中国人民银行进一步改革存款准备金考核制度，对金融机构存款准备金的交存基数实施平均考核。这是继 2015 年 9 月将金融机构存款准备金考核由每日达标改为维持期内日均达标后，对存款准备金平均法考核的进一步完善，由此实现了存款准备金交存基数计算和维持期考核的"双平均"。实施"双平均"考核存款准备金，有助于提高金融机构流动性管理的灵活性，增强货币市场运行的稳健性，也有利于改善货币政策传导机制，为货币政策调控框架转型创造条件。

四、进一步完善宏观审慎政策框架

将差别准备金动态调整机制"升级"为宏观审慎评估（MPA）。MPA 从资本和杠杆情况、资产负债情况、流动性情况、定价行为、资产质量情况、跨境业务风险情况、信贷政策执行情况七大方面对金融机构的行为进行多维度引导。从 2016 年宏观审慎评估情况看，货币信贷基本保持平稳增长态势，银行业金融机构总体上经营稳健，以资本约束为核心的稳健经营理念更加深入人心，自我约束和自律管理的能力及意识有所提高，市场利率定价秩序等得到有效维护，符合加强宏观审慎管理的预期。中国人民银行正在不断完善宏观审慎评估工作，研究将更多资产类型纳入评估框架，进一步加强与金融机构的沟通，引导其加强自律管理，保持审慎经营。2017 年第一季度评估时开始正式将表外理财纳入广义信贷范围，以合理引导金融机构加强对表外业务风险的管理。

完善跨境资本流动宏观审慎框架。一是将全口径跨境融资宏观审慎管理政策推广至全国，并逐步完善。自 2016 年 5 月 3 日起，对金融机构和企业，中国人民银行和国家外汇管理局不再实行外债事前审批，而是由金融机构和企业在与其资本或净资产挂钩的跨境融资上限内，自主开展本外币跨境融资，充分体现了"简政放权"的改革理念和国务院"放管服"的总体要求。之后，中国人民银行对实施情况进行了全面评估，于 2017 年初进一步完善了政策框架，适当扩大了企业和金融机构的跨境融资空间，有利于境内机构充分利用境外低成本资金，支持实体经济发展。二是根据宏观调控需要和宏观审慎评估的结果设置并调节相关参数，对金融机构和企业的跨境融资进行逆周期调节，使跨境融资水平与宏观经济热度、整体偿债能力和国际收支状况相适应，控制杠杆率和货币错配风险，有效防范系统性金融风险。三是自 2016 年 1 月起，对境外金融机构在境内金融机构存放执行正常存款准备金率，以防范宏观金融风险，促进金融机构稳健经营。

坚持"房子是用来住的、不是用来炒的"的定位，按照"因城施策"的原则对房地产市场实施调控，强化住房金融宏观审慎管理，指导分支行配合地方政府开展房地产调控，在引导个人住房贷款合理增长的同时，支持合理自住购房，严格限制信贷流向投资投机性购房。

五、支持金融机构扩大对国民经济重点领域和薄弱环节信贷投放

一是根据宏观调控形势合理增加支农、支小再贷款额度，增大运用信贷政策支持再贷款资金发放贷款利率的加点幅度弹性；适当扩大支小再贷款对象，将民营银行纳入支小再贷款发放对象范围。2016 年末，全国支农、支小再贷款余额分别为 2 089 亿元、537 亿元，再贴现余额 1 165 亿元。

二是完善抵押补充贷款制度建设，扩大抵押补充贷款适用范围。明确抵押补充贷款管理办法和监测评估操作规程，要求国家开发银行、中国农业发展银行和中国进出口银行按照“特定用途，专款专用，保本微利，确保安全”的原则发放抵押补充贷款。经国务院批准，从 2016 年 2 月起，将抵押补充贷款的适用范围扩大至国家开发银行用于发放地下管廊贷款。根据三家银行上述贷款的发放进度。2016 年，中国人民银行向三家银行提供抵押补充贷款共 9 714 亿元，期末抵押补充贷款余额为 20 526 亿元。

三是创设扶贫再贷款，为脱贫攻坚提供有力金融支持。为贯彻落实党中央、国务院关于脱贫攻坚的重要战略部署，2016 年 3 月中国人民银行正式开办扶贫再贷款业务，优先和主要支持带动贫困人口就业发展的企业和建档立卡贫困户，积极推动贫困地区发展特色产业和贫困人口创业就业，促进贫困人口脱贫致富。2016 年末，全国扶贫再贷款余额为1 127 亿元。

四是稳步推进信贷资产质押和央行内部评级试点。建立信贷资产央行内部评级操作规程，进一步完善试点各项制度。试点地区中国人民银行分支机构对辖内地方法人金融机构符合条件的贷款企业开展央行内部评级，将评级符合标准的信贷资产纳入中国人民银行发放再贷款可接受的合格抵押品范围，2016 年以信贷资产质押方式向地方法人金融机构累计发放信贷政策支持再贷款共 207 亿元。

六、充分发挥窗口指导和信贷政策的结构引导作用

中国人民银行加强窗口指导和信贷政策的信号和结构引导作用，探索货币政策在支持经济结构调整和转型升级方面发挥积极作用，引导金融机构围绕去产能、去库存、去杠杆、降成本、补短板五大任务，更好地用好增量、盘活存量，合理使用央行提供的资金支持，探索创新组织架构、抵押品、产品和服务模式，将更多信贷资金配置到重点领域和薄弱环节，支持稳增长、调结构、惠民生。

一是鼓励和引导银行业金融机构全面支持制造强国建设，继续做好产业结构战略性调整、基础设施建设和棚改、地下管廊、船舶、铁路、流通、能源等重点领域改革发展的金融服务，以扩大服务消费为重点带动产业转型，引导金融机构创新组织、产品和服务方式，加大养老、健康等新消费重点领域支持力度。二是扎实做好涉农和小微企业金融服务，慎重稳妥推进“两权”抵押贷款试点，鼓励中小企业通过发行非金融企业债务融资工具募集资金，支持符合条件的金融机构发行金融债券专项用于小微企业贷款。三是督促银行业金融机构落实好金融支持钢铁、煤炭等行业化解过剩产能的各项政策，建立完善绿色金融政策体系，大力发展绿色金融。四是做好京津冀协同发展、长江经济带发展、一带一路、西部大开发等国家战略的金融支持工作，不断提升促进区域协调发展金融服务水平。五是继续完善扶贫、就业、助学、少数民族、农民工、大学生村官、防汛抗洪抢险救灾等民生金融服务。促进金融支持“双创”，积极推动科技金融结合试点。深入推进金融精准扶贫，加强易地扶贫搬迁信贷资金筹集、投放和管理工作，完善金融精准扶贫信息系统，改进金融精准扶贫政策效果评估制度，着力支持贫困地区经济社会持续健康发展和贫困人口脱贫致富。此外，进一步完善信贷政策导向效果评估工作机制，进一步推进信贷资产证券化，以改革创新盘活存量资金，引导金融机构将盘活的信贷资源重点支持棚改、水利、中西部铁路等领域建设。

七、深入推进利率市场化改革

加快建设市场化利率形成和调控机制。一是继续培育金融市场基准利率体系。着力培育以上海银行间同业拆借利率（Shibor）、国债收益率曲线和贷款基础利率（LPR）等为代表的金融市场基准利率体系，为金融产品定价提供重要参考。扎实推进 Shibor、LPR 应用，促进其使用范围逐步扩大。自 2016 年 6 月 15 日起，通过中国人民银行网站发布中国国债收益率曲线，推动市场主体提高对国债收益率曲线的关注和使用程度，进一步夯实国债收益率曲线的基准性。二是不断健全市场利率定价自律机制。进一步拓宽自律机制成员范围，目前自律机制成员已扩大至 1 556 家，包括 12 家核心成员、873 家基础成员和 671 家观察成员。同时，进一步完善省级自律机制。三是有序推进金融产品创新。逐步扩大存单发行主体范围，推进同业存单、大额存单发行交易。2016 年 6 月 6 日进一步将个人投资人认购大额存单的起点金额由 30 万元调整至 20 万元。四是完善中央银行利率调控体系，积极疏通利率传导渠道，增强央行引导和调节市场利率的有效性。

总体看，利率市场化改革加快推进并取得重要进展。金融机构的自主定价和风险管理能力有所提升，金融市场基准利率体系逐步完善，中央银行利率调控能力显著增强，市场化利率形成和调控机制不断健全。同时，随着利率市场化的深入推进，市场在资源配置中的决定性作用得到进一步发挥，对缓解实体经济“融资难、融资贵”问题，促进经济结构调整和转型升级也发挥了积极作用。

八、进一步完善人民币汇率市场化形成机制

继续按主动性、可控性和渐进性原则，进一步完善人民币汇率市场化形成机制，保持人民币汇率在合理均衡水平上的基本稳定。2016 年 2 月份，中国人民银行明确了“收盘汇率＋一篮子货币汇率变化”的人民币兑美元汇率中间价形成机制。这一机制比较好地兼顾了市场供求指向、保持对一篮子货币基本稳定和稳定市场预期三者之间的关系，增强了汇率形成机制的规则性、透明度和市场化水平，人民币对美元双边汇率弹性进一步增强，双向浮动的特征更加显著，汇率预期总体平稳。

2016 年，人民币对美元汇率中间价最高为 6.456 5 元，最低为 6.950 8 元，244 个交易日中 114 个交易日升值、130 个交易日贬值，最大单日升值幅度为 0.57%（365 点），最大单日贬值幅度为 0.90%（599 点）。

人民币对欧元、日元等其他国际主要货币汇率有升有贬。2016 年末，人民币对欧元、日元汇率中间价分别为 1 欧元兑 7.306 8 元人民币、100 日元兑 5.959 1 元人民币，分别较 2015 年末贬值 2.90% 和贬值 9.59%。2005 年人民币汇率形成机制改革以来至 2016 年末，人民币对欧元汇率累计升值 37.05%，对日元汇率累计升值 22.60%。

为促进双边贸易和投资，中国人民银行继续采取措施推动人民币直接交易市场发展，2016 年，在银行间外汇市场推出人民币对韩元、南非兰特、阿联酋迪拉姆、沙特利亚尔、加拿大元、匈牙利福林、波兰兹罗提、丹麦克朗、瑞典克朗、挪威克朗、土耳其里拉和墨西哥比索直接交易。银行间外汇市场人民币直接交易成交活跃，流动性明显提升，降低了微观经济主体的汇兑成本。

2016 年银行间外汇即期市场人民币对各币种交易量

单位：亿元人民币

币种	美元	欧元	日元	港币	英镑	澳大利亚元	新西兰元	新加坡元	瑞士法郎	加拿大元	林吉特	卢布
交易量	382615	4598	3275	1493	490	793	137	1088	180	252	34	118
币种	南非兰特	韩元	阿联酋迪拉姆	沙特利亚尔	匈牙利福林	波兰兹罗提	丹麦克朗	瑞典克朗	挪威克朗	土耳其里拉	墨西哥比索	泰铢
交易量	9	313	0.57	0.47	0.02	0.02	0.47	0.85	0.23	0.04	0.02	1.58

数据来源：中国外汇交易中心。

2016 年末，在中国人民银行与境外货币当局签署的双边本币互换协议下，境外货币当局动用人民币余额为 221.49 亿元，中国人民银行动用外币余额折合 11.18 亿美元，对促进双边贸易投资发挥了积极作用。

九、深入推进金融机构改革

开发性、政策性金融机构改革加快推进。2016 年 11 月 24 日、11 月 30 日，国务院批准同意《国家开发银行章程》和《中国农业发展银行章程》《中国进出口银行章程》。三家银行章程对其各自的功能定位、经营范围和业务、资金来源、治理结构、风险管控等方面作出了明确规定。12 月 26 日，中国人民银行分别印发通知，要求三家银行遵照实行三家银行章程，建立促进三家银行可持续发展的体制机制安排，确保有效履行职责，充分发挥开发性、政策性金融作用。

推动邮储银行 H 股发行上市和东方、长城资产管理公司转型发展。2016 年 9 月 28 日，邮储银行 H 股成功挂牌上市，股份制改革取得重要进展。8 月 30 日、11 月 25 日，东方、长城资产管理股份有限公司创立大会暨第一次股东大会顺利召开；10 月 16 日、12 月 11 日，东方、长城资产管理股份有限公司成立大会顺利召开，东方、长城资产管理公司转型发展取得阶段性成果。

着力完善存款保险制度功能。《存款保险条例》实施各项工作稳步推进。金融机构存款平稳增长，大、中、小银行存款格局保持稳定。金融机构 50 万元限额内的客户覆盖率为 99.6%，保持稳定。在保持费率水平总体稳定的基础上，初步实施基于风险的差别费率，对投保机构的风险约束和正向激励作用正在逐步显现。积极开展存款保险宣传和业务培训，扎实、规范做好保费归集和基金管理工作。

农村信用社改革取得重要成果，农村信用社可持续发展能力显著增强，农村金融服务水平明显提升，产权制度改革稳步推进。按贷款五级分类口径统计，2016 年末，全国农村信用社不良贷款比例为 3.8%，比上年末下降 0.5 个百分点；资本充足率为 12.1%，比上年末提高 0.5 个百分点；2016 年实现利润 2 341 亿元。各项存贷款余额分别为 21.4 万亿元和 13.4 万亿元，占同期全部金融机构各项存贷款余额的比例分别为 14.2% 和 12.6%，各项贷款比例比上年末提高 0.5 个百分点。全国农村信用社涉农贷款余额和农户贷款余额分别为 8.2 万亿元和 4.0 万亿元，比上年末分别增长 5.5% 和 7.4%。截至 2016 年末，全国共组建以县（市）为单位的统一法人农村信用社 1 054 家，农村商业银行 1 114 家，农村合作银行 40 家。

十、进一步深化外汇管理体制改革

持续推进外汇管理“放管服”改革。一是推进行政审批改革和法规清理。取消 1 项行政审批，宣布废止失效 70 余件外汇管理规范性文件，提高外汇管理公共服务质量和效率。二是跨境电子商务综合试验区范围扩大到天津等 12 个城市后，做好跨境电子商务综合试验区的配套措施。三是促进货物贸易便利化。允许 A 类企业贸易外汇收入直接进入经常项目外汇账户。允许银行为符合条件的企业进行电子单证审核，促进货物贸易外汇收支便利化。此外，继续实施合格境外机构投资者外汇管理改革。进一步提高对 RQFII 和 QFII 外汇管理的一致性，推动境内资本市场开放。

在现有政策框架下强化外汇管理和执行。一是加强对外直接投资真实性审核。发展改革委、商务部、人民银行、外汇局四部委进一步规范市场秩序，按有关规定对一些企业对外投资项目进行核实，促进我国对外投资持续健康发展。二是严厉打击外汇违规违法行为，2016 年共查处违规案件近 2 000起，破获“地下钱庄”等非法买卖外汇案件 80 余起。三是创新事中事后管理方式。搭建外汇业务银行自律平台，组织 14 家核心成员银行签署《银行外汇业务展业公约》，完成全国外汇市场自律机制省级层面建设，完善外汇管理政策传导机制。四是加强跨部门联合监管。国家税务总局与国家外汇管理局签署《关于推进信息共享实施联合监管合作备忘录》，加强出口退税、跨境税源、外汇收付管理等方面的监管合作。

2016 年度股票市场统计表

月份	股票筹资额（亿元）	成交量（百万股）	成交金额（亿元）	期末总股本（亿股）	期末市价总值（亿元）	期末上市公司数（家）	期末收盘指数	
							上证综合指数	深证成份指数
2016.01	1786	826633	108234	43215	403800	2828	2738	9418
2016.02	874	620781	78185	43375	397027	2835	2688	9097
2016.03	715	1040402	133981	43625	454156	2851	3004	10455
2016.04	986	814506	114354	44073	447907	2862	2938	10142
2016.05	1097	653319	90706	45140	448641	2874	2917	10160
2016.06	1158	778054	114725	46276	462921	2887	2930	10490

月份	股票筹资额（亿元）	成交量（百万股）	成交金额（亿元）	期末总股本（亿股）	期末市价总值（亿元）	期末上市公司数(家)	期末收盘指数	
							上证综合指数	深证成份指数
2016.07	1255	897943	127257	46818	466464	2900	2979	10329
2016.08	1347	839696	111767	47315	491635	2930	3085	10758
2016.09	1890	621242	82633	47889	485008	2952	3005	10568
2016.1	1303	590804	77246	48233	504898	2974	3100	10704
2016.11	1004	1022788	136470	48452	530670	3008	3250	11012
2016.12	1096	762885	98288	48750	507686	3052	3104	10177
2016年累计	14510	9469053	1273845					

数据来源：中国证券监督管理委员会。

2016年上半年社会融资规模增量统计数据报告

初步统计，2016年上半年社会融资规模增量为9.75万亿元，比去年同期多9 618亿元。其中，对实体经济发放的人民币贷款增加7.48万亿元，同比多增8 949亿元；对实体经济发放的外币贷款折合人民币减少3 787亿元，同比少增4 223亿元；委托贷款增加1.05万亿元，同比多增5 141亿元；信托贷款增加2 792亿元，同比多增2 483亿元；未贴现的银行承兑汇票减少1.28万亿元，同比少增1.31万亿元；企业债券净融资1.73万亿元，同比多7 956亿元；非金融企业境内股票融资6 023亿元，同比多2 082亿元。2016年6月份社会融资规模增量为1.63万亿元，比上月多9457亿元，比去年同期少2 091亿元。

从结构看，2016年上半年对实体经济发放的人民币贷款占同期社会融资规模的76.7%，同比高1.8个百分点；对实体经济发放的外币贷款占比－3.9%，同比低4.4个百分点；委托贷款占比10.7%，同比高4.6个百分点；信托贷款占比2.9%，同比高2.5个百分点；未贴现的银行承兑汇票占比－13.1%，同比低13.4个百分点；企业债券占比17.8%，同比高7.1个百分点；非金融企业境内股票融资占比6.2%，同比高1.7个百分点。

注1：社会融资规模是指实体经济（境内非金融企业和住户，下同）从金融体系获得的资金。其中，增量指标是指一定时期内（每月、每季或每年）获得的资金额，存量指标是指一定时期末（月末、季末或年末）获得的资金余额。

注2：社会融资规模统计数据来源于人民银行、发改委、证监会、保监会、中央国债登记结算有限责任公司和银行间市场交易商协会等部门。

注3：社会融资规模中的本外币贷款是指一定时期内实体经济从金融体系获得的人民币和外币贷款，不包含银行业金融机构拆放给非银行业金融机构的款项和境外贷款。

注4：2015年1月起，委托贷款统计制度进行了调整，将委托贷款划分为现金管理项下的委托贷款和一般委托贷款。社会融资规模中的委托贷款只包括由企事业单位及个人等委托人提供资金，由金融机构（即贷款人或受托人）根据委托人确定的贷款对象、用途、金额、期限、利率等向境内实体经济代为发放、监督使用并协助收回的一般委托贷款。

注5：当期数据为初步统计数，当月比上月、比去年同期的数据为可比口径数据。

2016年上半年社会融资规模存量统计数据报告

初步统计，2016年6月末社会融资规模存量为147.94万亿元，同比增长12.3%。其中，对实体经济发放的人民币贷款余额为100.23万亿元，同比增长13.8%；对实体经济发放的外币贷款折合人民币余额为2.70万亿元，同比下降23.0%；委托贷款余额为12.06万亿元，同比增长22.1%；信托贷款余额为5.73万亿元，同比增长6.6%；未贴现的银行承兑汇票余额为4.58万亿元，同比下降34.1%；企业债券余额为16.47万亿元，同比增长29.5%；非金融企业境内股票余额为5.13万亿元，同比增长23.2%。

从结构看，2016年6月末对实体经济发放的人民币贷款余额占同期社会融资规模存量的67.8%，同比高0.9个百分点；对实体经济发放的外币贷款余额占比1.8%，同比低0.9个百分点；委托贷款余额占比8.1%，同比高0.6个百分点；信托贷款余额占比3.9%，同比低0.2个百分点；未贴现的银行承兑汇票余额占比3.1%，同比低2.2个百分点；企业债券余额占比11.1%，同比高1.4个百分点；非金融企业境内股票余额占比3.5%，同比高0.3个百分点。

注1：社会融资规模存量是指一定时期末（月末、季末或年末）实体经济（境内非金融企业和个人）从金融体系获得的资金余额。

注2：数据来源于人民银行、证监会、保监会、中央国债登记结算有限责任公司和银行间市场交易商协会等部门。

注3：社会融资规模中的本外币贷款是指一定时期内实体经济从金融体系获得的人民币和外币贷款，不包括银行业金融机构拆放给非银行业金融机构的款项和境外贷款。

注4：2015年1月起，委托贷款统计制度进行了调整，将委托贷款划分为现金管理项下的委托贷款和一般委托贷款。社会融资规模中的委托贷款只包括由企事业单位及个人等委托人提供资金，由金融机构（即贷款人或受托人）根据委托人确定的贷款对象、用途、金额、期限、利率等向境内实体经济代为发放、监督使用并协助收回的一般委托贷款。

注5：当期数据为初步统计数，同比增速为可比口径数据。

2016 年上半年地区社会融资规模增量统计表

单位：亿元人民币

地区	地区社会融资规模增量	其中						
		人民币贷款	外币贷款（折合人民币）	委托贷款	信托贷款	未贴现银行承兑汇票	企业债券	非金融企业境内股票融资
北京	6991	3230	-862	761	173	-192	2833	893
天津	1401	1874	-264	366	-12	-1116	470	20
河北	3208	2578	-66	209	281	-271	290	90
山西	820	823	1	-319	-3	-33	222	83
内蒙古	1265	1436	-21	182	-225	-157	-135	130
辽宁	2316	1658	-136	632	100	-387	339	31
吉林	1292	1073	-34	157	35	-165	62	88
黑龙江	623	712	-98	55	-269	124	-23	87
上海	5674	3399	-512	1018	319	-398	1363	358
江苏	11934	8086	-370	1501	31	34	1754	709
浙江	3797	3601	-337	363	95	-1630	752	764
安徽	3021	2522	-68	553	-63	-205	44	134
福建	2927	2257	-211	518	64	-683	758	140
江西	2226	2038	-105	379	-151	-319	291	57
山东	5971	3732	-113	825	251	115	836	130
河南	3911	2745	51	444	63	308	140	53
湖北	4163	3732	-12	303	110	-765	475	258
湖南	3155	2599	-130	279	-34	-588	784	170
广东	11706	8420	152	866	713	-2296	2430	1136
广西	1456	1393	-65	164	0	-294	87	80
海南	530	520	-94	124	0	-153	71	37
重庆	2183	1609	40	13	254	-753	686	121
四川	4096	2791	-57	765	203	-237	292	63
贵州	1882	1371	-8	487	56	-436	318	52
云南	961	1360	8	207	-419	-384	101	45
西藏	372	382	-1	10	-67	34	-2	6
陕西	1974	1427	-41	287	427	-412	228	2
甘肃	1495	1405	-187	186	382	-344	-71	79
青海	343	372	-2	79	25	-124	-21	0
宁夏	271	328	-2	27	0	-143	38	19
新疆	773	994	-15	-195	34	-399	120	187

注 1：地区社会融资规模增量是指一定时期内、一定区域内实体经济（非金融企业和住户）从金融体系获得的资金总额。

注 2：表中数据为初步统计数。

注 3：数据来源于人民银行、发改委、证监会、保监会、中央国债登记结算有限责任公司和银行间市场交易商协会等。

注 4：由金融机构总行（或总部）提供的社会融资规模为 3 250 亿元。

2016 年农村地区支付业务发展总体情况

一、农村地区基本情况

截至 2016 年末，所统计农村地区拥有县级行政区 2 194 个，乡级行政区 3.18 万个，村级行政区 54.68 万个，农村地区人口数量 9.1 亿人。

截至 2016 年末，农村地区银行网点数量 12.67 万个。每万人拥有的银行网点数量为 1.39 个，县均银行网点 57.75 个，乡均银行网点 3.98 个，村均银行网点 0.23 个。这些指标相比2015年末均略有增加。

二、农村银行结算账户和银行卡情况

（一）单位银行结算账户开户数量依然稳步增长，增幅有所下降。截至2016年末，农村地区累计开立单位银行结算账户1 823.07万户，2016年（以下简称当年）净增192.77万户，增长11.82%。增幅相比2015年（以下简称上年）降低了7.84个百分点。

（二）个人银行结算账户及银行卡数量持续增长，增幅放缓。截至2016年末，农村地区个人银行结算账户35.61亿户，人均3.91户；当年净增2.57亿户，增长7.78%，增幅相比上年降低了13.2个百分点。其中，借记卡23.87亿张，2016年净增3.02亿张，增长14.48%，增幅下降13.58个百分点；信用卡1.65亿张，2016年净增0.29亿张，增长21.32%，增幅下降3.94个百分点；人均持卡量2.8张。

（三）农村电子银行开通户数增长较快，手机银行业务量增长突出。截至2016年末，农村地区网上银行开通数累计4.29亿户，较上年净增0.73亿户，增幅20.5%。2016年发生网银支付业务笔数98.29亿笔，金额152.06万亿元，与上年持平。手机银行开通数累计3.73亿户，较上年净增0.97亿户，增长35.14%，发生手机支付业务笔数50.86亿笔，金额23.40万亿元，分别增长61.51%、71.05%；电话银行开通数累计2.15亿户，较上年净增0.34亿户，增长18.78%，发生支付业务笔数1.82亿笔，金额2 721.58亿元，同比分别下降26.9%、38.56%。容易看到，网上银行、手机银行、电话银行开通数依然增长较快，但仅有手机银行交易继续增长且十分迅速，网上银行交易未见增长，而电话银行交易出现明显下降。

三、农村地区支付系统覆盖情况

（一）人民银行支付系统银行网点全覆盖持续稳固。截至2016年末，农村地区接入人民银行大小额支付系统的银行网点8.41万个，代理银行网点3.43万个，合计11.84万个，覆盖比率为93.46%，比较稳固。2016年农村地区通过人民银行大小额支付系统办理业务20.06亿笔，金额227.14万亿元。

（二）农信银支付清算系统业务增长迅速。截至2016年末，以参与者身份接入农信银支付清算系统的银行网点43 433个，基本覆盖农信社等合作金融机构营业网点。2016年农村地区通过农信银支付清算系统办理业务16.81亿笔，金额5.43万亿元，增幅均超过50%，交易增长十分迅速。

四、农村地区银行卡受理市场建设情况

（一）农村特约商户数量稳步增长，增幅有所下降。截至2016年末，农村地区特约商户468.32万户，当年净增44.91万户，增长10.6%。

（二）ATM总量持续增长，增幅放缓。截至2016年末，农村地区ATM34.32万台，当年净增3.4万台，增长11%，万人拥有数量3.77台。当年发生交易171.87亿笔，金额22.45万亿元，分别增长3.94%、5.85%；单笔金额1 306.22元，人均办理18.89笔/年，依然是人均使用频率最高的各类支付终端机具。

（三）POS机数量高位企稳，交易量下降。截至2016年末，农村地区POS机676.96万台（其中，转账电话数量286.77万台），2016年净增29.91万台（转账电话减少14.82万台，出现下降），增长4.6%；万人拥有74.32台。2016年发生交易38.75亿笔，金额7.83万亿元，同比分别下降37.62%，7%；POS单笔金额2 020.31元，人均办理4.25笔/年。

（四）自助服务终端等创新型机具数量保持稳定，交易量略有增长。截至2016年末，农村地区除ATM、POS机之外的其他自助服务终端（如多媒体终端）18.92万台，减少0.24万台。2016年发生交易6.26亿笔，金额2.18万亿元，同比略有增长；单笔金额3472.58元/笔，万人拥有数量2.07台，人均办理0.69笔/年。

（五）农民工银行卡特色服务业务量持续萎缩。2016年农民工银行卡特色服务取款业务交易666.60万笔，金额124.86亿元。同比分别下降29.11%、29.71%。这反映，随着助农取款服务、银行电子渠道、非银行支付机构业务在县域的快速发展，对依托部分农村金融机构柜台办理跨行取款的农民工银行卡特色服务产生明显替代效应。

五、助农取款服务发展情况

（一）助农取款服务行政村全覆盖保持稳定，结构优化。截至2016年末，农村地区拥有助农取款服务点98.34万个，覆盖村级行政区53.17万个，村级行政区覆盖率超90%，村均拥有量为1.8个。非银行支付机构在农村设立的服务点数量共2.18万个，占全部服务点数量比重为2.22%。

2016年，助农取款服务点办理支付业务（包括取款、汇款、代理缴费）合计4.95亿笔，金额4 247.78亿元。同比分别增长13.53%、5.96%，增幅放缓。

（二）取款业务笔数仍然占服务点支付业务一半以上，查询功能使用频繁。2016年助农取款服务点办理取款业务2.55亿笔，金额为1 257.88亿元，同比增长8.05%、23.7%。取款业务笔数占全部支付业务笔数的51.52%，仍然占据服务点一半业务量。2016年服务点查询共计1.83亿笔。取款查询比仍约为4:3，查询业务频繁，在查询业务免费的情况下，收单机构查询业务成本较高。

（三）汇款笔数继续增长，金额微幅下降；代理缴费依然增长较快。2016年取款服务点办理汇款（含现金汇款和转账汇款）业务达1.35亿笔，同比增长17.39%，金额为2 880.3亿元，同比下降0.7%；代理缴费业务达1.05万笔，金额达109.63亿元，同比分别增长24.32%、21.35%。

（四）各类业务笔均金额变化不大。服务点支付业务单笔交易金额919.37元。其中，汇款、取款、代理缴费的笔均金额依次为2 130.56元、493.17元、104.56元。

（五）单点及人均业务笔数保持增长。2016年，单个服务点平均办理支付业务1.38笔/天，同比增长15%。其中，办理取款、汇款、代理缴费分别为0.71笔/天、0.38笔/天、0.29笔/天，同比分别增长9.23%、18.75%、26.08%。服务点人均办理支付业务0.55笔/年，同比增长17.39%，其中，人均办理取款、汇款、代理缴费分别为0.28笔/天、0.15笔/天、0.12笔/年，同比分别增长12%、25%、33.33%。

六、非现金支付代理发放情况

2016年，银行机构和非银行支付机构以非现金支付方式（包括存折、银行卡）代理“新农保”“新农合”（分别指新型农村养老保险和新型农村合作医疗）、以及各类财政涉农补贴资金发放合计20.27亿笔，金额4 985亿元。其中，代理发放“新农保”11.19亿笔、金额1 553.04亿元，单笔金额138.73元。代理发放“新农合”2.11亿笔、金额625.45亿元，单笔金额309.2元。代理发放各类财政涉农补贴6.97亿笔、金额2 779.52亿元，单笔金额398.84元。

2016 年社会融资规模存量统计表

单位:万亿元人民币

项目	2016.1		2016.2		2016.3		2016.4		2016.5		2016.6		2016.7		2016.8		2016.9		2016.10		2016.11		2016.12	
	存量	增速(%)	存量	增速(%)	存量	增速(%)	存量	增速(%)	存量	增速(%)	存量	增速(%)	存量	增速(%)	存量	增速(%)	存量	增速(%)	存量	增速(%)	存量	增速(%)	存量	增速(%)
社会融资规模存量	141.57	13.1	142.52	12.7	144.75	13.4	145.59	13.1	146.33	12.6	147.99	12.4	148.37	12.2	149.81	12.3	151.51	12.5	152.43	12.8	154.35	13.3	155.99	12.8
其中:人民币贷款	95.29	14.9	96.1	14.3	97.42	14.5	97.98	14.1	98.92	14	100.23	13.8	100.69	13.6	101.48	13.5	102.75	13.6	103.35	13.5	104.19	13.4	105.19	13.4
外币贷款(折合人民币)	2.87	-17.8	2.81	-19.3	2.78	-20.2	2.7	-21.3	2.7	-21.7	2.7	-23	2.66	-23.7	2.69	-25	2.63	-21	2.63	-17.6	2.65	-14.6	2.63	-12.9
委托贷款	11.23	19.1	11.39	19.2	11.56	19.6	11.73	20.9	11.88	22.1	12.06	22.1	12.23	22.5	12.38	22.5	12.52	21	12.59	20.1	12.79	20.9	13.2	19.8
信托贷款	5.51	2.9	5.54	3.4	5.61	4.9	5.64	5.5	5.65	6.1	5.73	6.6	5.78	7.1	5.83	7.5	5.93	9.8	5.99	11.2	6.15	14.8	6.31	15.8
未贴现银行承兑汇票	5.99	-15.8	5.62	-20.3	5.63	-19	5.36	-22.9	4.85	-31.2	4.58	-34.1	4.07	-38.5	4.03	-37.6	3.8	-39.8	3.62	-39.1	3.74	-34.4	3.9	-33.4
企业债券	14.97	25.3	15.26	26.9	15.89	30.6	16.24	31.6	16.27	30	16.49	29.7	16.63	29.8	16.98	29.6	17.31	28.6	17.57	27.6	18.05	27.6	17.92	22.5
非金融企业境内股票	4.67	22.3	4.75	22.7	4.81	22.2	4.9	22.7	5.01	23.6	5.13	23.2	5.25	24.3	5.35	25.4	5.49	27.6	5.6	29.8	5.69	30.1	5.77	27.6

注:1. 社会融资规模存量是指一定时期末实体经济(非金融企业和住户)从金融体系获得的资金余额。
2. 当期数据为初步统计数。
3. 存量数据基于账面值或面值计算。
4. 同比增速为可比口径数据,为年增速。
5. 数据来源于中国人民银行、中国证券监督管理委员会、中国保险监督管理委员会、中央国债登记结算有限责任公司和中国银行间市场交易商协会等。

2016 年社会融资规模增量统计表

单位:亿元人民币

月份 \ 项目	社会融资规模增量	其中						
		人民币贷款	外币贷款(折合人民币)	委托贷款	信托贷款	未贴现银行承兑汇票	企业债券	非金融企业境内股票融资
2016.01	34758	25370	-1727	2175	552	1327	5083	1469
2016.02	8312	8105	-569	1650	308	-3705	1386	810
2016.03	23931	13176	6	1660	732	173	7081	562
2016.04	7809	5642	-706	1694	269	-2776	2366	951
2016.05	6770	9374	-524	1566	121	-5067	-250	1073
2016.06	16479	13141	-267	1721	809	-2720	2008	1158
2016.07	4791	4550	-401	1775	210	-5118	2208	1135
2016.08	14605	7969	70	1432	736	-376	3236	1075
2016.09	17115	12628	-487	1451	1057	-2230	2872	1368
2016.1	8865	6010	-335	725	530	-1801	2192	1125
2016.11	18328	8463	-310	1994	1625	1171	3859	861
2016.12	16260	9943	-389	4011	1643	1589	-2048	828

注:1. 社会融资规模增量是指一定时期内实体经济(境内非金融企业和住户)从金融体系获得的资金额。
2. 社会融资规模中的本外币贷款是指一定时期内实体经济从金融体系获得的人民币和外币贷款,不包含银行业金融机构拆放给非银行业金融机构的款项和境外贷款。
3. 当期数据为初步统计数。
4. 数据来源于中国人民银行、国家发展和改革委员会、中国证券监督管理委员会、中国保险监督管理委员会、中央国债登记结算有限责任公司和中国银行间市场交易商协会等。

2016年地区社会融资规模增量统计表

单位:亿元人民币

地区	地区社会融资规模增量	其中						
		人民币贷款	外币贷款(折合人民币)	委托贷款	信托贷款	未贴现银行承兑汇票	企业债券	非金融企业境内股票融资
北京	13446	5392	-1393	2668	574	646	3768	1464
天津	3594	2821	-217	1120	99	-1297	891	72
河北	6327	5203	-80	499	575	-1003	564	342
山西	1831	1768	4	-414	60	-166	361	122
内蒙古	2138	2227	-24	378	-197	-152	-379	171
辽宁	4693	2550	-261	1748	212	-260	467	62
吉林	2790	1938	-40	451	94	5	76	109
黑龙江	1941	1453	-81	134	-3	82	45	197
上海	11466	5104	-815	2233	1882	17	1920	861
江苏	16758	12247	-534	2210	9	-2424	3626	1232
浙江	7485	5816	-717	847	445	-1843	1270	1294
安徽	6284	4690	-93	1073	33	-372	353	372
福建	6558	4239	-281	1025	851	-1156	1234	441
江西	3876	3373	-111	741	-255	-572	421	185
山东	8312	6289	-576	1255	456	-1507	1531	446
河南	6824	5077	182	484	221	-143	379	393
湖北	5911	4794	-63	395	237	-846	829	416
湖南	4437	3495	-175	294	-47	-788	1228	249
广东	21155	14285	203	1772	832	-2595	3715	2313
广西	2617	2529	-30	200	0	-610	198	148
海南	1900	893	99	459	0	-249	231	409
重庆	3411	2392	133	-221	260	-931	1180	197
四川	6651	4810	-77	930	270	-589	596	172
贵州	4327	2807	-7	902	142	-518	814	92
云南	1824	2219	-6	365	-568	-555	156	102
西藏	935	925	-2	43	-92	30	-2	14
陕西	3516	2159	-55	695	514	-344	351	78
甘肃	2720	2356	-192	345	630	-420	-206	100
青海	609	590	-2	179	105	-283	-59	53
宁夏	530	550	-5	32	0	-138	27	48
新疆	1685	1502	-15	-45	123	-523	263	262

注1:地区社会融资规模增量是指一定时期内、一定区域内实体经济(非金融企业和住户)从金融体系获得的资金总额。

注2:表中数据为初步统计数。

注3:数据来源于人民银行、发改委、证监会、保监会、中央国债登记结算有限责任公司和银行间市场交易商协会等。

注4:由金融机构总行(或总部)提供的社会融资规模为7 629亿元。

2016 年存款性公司概览

单位:亿元人民币

项目	2016.01	2016.02	2016.03	2016.04	2016.05	2016.06	2016.07	2016.08	2016.09	2016.10	2016.11	2016.12
国外净资产	276416.21	274431.50	271902.51	271562.82	271667.56	270808.24	270034.75	270782.28	268410.60	267637.29	265220.07	263947.53
国内信贷	1374237.66	1391678.59	1425206.59	1435103.51	1459755.33	1496112.44	1504800.27	1526941.58	1544356.40	1554997.98	1578634.06	1600067.21
对政府债权(净)	94772.67	96520.35	105297.31	110490.59	115394.10	128867.58	129177.26	139143.11	146868.00	143753.60	149877.63	162351.58
对非金融部门债权	1063896.66	1073870.62	1089233.25	1093085.43	1105497.52	1118050.46	1124173.47	1129523.91	1139687.60	1148327.19	1162610.03	1166092.58
对其他金融部门债权	215568.33	221287.62	230676.03	231527.49	238863.71	249194.40	251449.54	258274.56	257800.80	262917.19	266146.40	271623.05
货币和准货币	1416319.55	1424618.68	1446198.03	1445209.59	1461695.11	1490491.83	1491558.72	1510982.91	1516360.50	1519485.40	1530432.06	1550066.67
货币	412685.64	392504.70	411581.31	413504.84	424250.70	443643.70	442934.43	454543.60	454340.25	465446.65	475405.54	486557.24
流通中货币	72526.51	69421.50	64651.21	64403.17	62780.71	62818.89	63276.01	63454.70	65068.62	64214.93	64903.50	68303.87
单位活期存款	340159.13	323083.20	346930.10	349101.67	361469.99	380824.81	379658.42	391088.90	389271.63	401231.71	410502.04	418253.37
准货币	1003633.91	1032113.98	1034616.71	1031704.75	1037444.41	1046848.13	1048624.29	1056439.31	1062020.26	1054038.76	1055026.52	1063509.43
单位定期存款	294289.20	294042.64	300623.37	303423.88	302474.13	301673.99	301688.23	307806.49	315077.15	307895.68	309067.58	307989.61
个人存款	560967.63	581012.06	586855.68	577489.72	577996.21	587548.66	585217.87	589372.14	598880.53	594169.86	597374.12	603504.20
其他存款	148377.07	157059.29	147137.66	150791.14	156974.07	157625.48	161718.19	159260.68	148062.57	151973.22	148584.82	152015.62
不纳入广义货币的存款	37966.89	38392.04	38640.09	38742.00	38950.72	39130.29	38726.21	39066.70	40162.25	41818.65	43855.30	44874.49
债券	163416.56	167168.57	172910.91	174302.23	176772.83	181274.72	185295.51	188872.46	191976.90	192765.20	195276.54	201110.89
实收资本	43299.98	43413.58	44207.92	44252.58	44330.33	44560.14	44785.93	45237.18	45562.80	46135.40	46353.26	47166.59
其他(净)	-10349.12	-7482.78	-4847.84	4159.94	9673.92	11463.70	14468.64	13564.61	18704.50	22430.62	27936.97	20796.11

2016 年货币供应量

单位:亿元人民币

项目	2016.01	2016.02	2016.03	2016.04	2016.05	2016.06	2016.07	2016.08	2016.09	2016.10	2016.11	2016.12
货币和准货币(M2)	1416319.55	1424618.68	1446198.03	1445209.59	1461695.11	1490491.83	1491558.72	1510982.91	1516360.50	1519485.40	1530432.06	1550066.67
货币(M1)	412685.64	392504.70	411581.31	413504.84	424250.70	443643.70	442934.43	454543.60	454340.25	465446.65	475405.54	486557.24
流通中货币(M0)	72526.51	69421.50	64651.21	64403.17	62780.71	62818.89	63276.01	63454.70	65068.62	64214.93	64903.50	68303.87

注:自 2011 年 10 月起,货币供应量已包括住房公积金中心存款和非存款类金融机构在存款类金融机构的存款。

2016 年汇率

项目	2016.01	2016.02	2016.03	2016.04	2016.05	2016.06	2016.07	2016.08	2016.09	2016.10	2016.11	2016.12
一特别提款权单位折合人民币元(期末数)	9.0445	9.0215	9.1027	9.1789	9.2295	9.276	9.2675	9.3293	9.3209	9.2929	9.3227	9.3256
一美元折合人民币(期末数)	6.5516	6.5452	6.4612	6.4589	6.579	6.6312	6.6511	6.6908	6.6778	6.7641	6.8865	6.937
一美元折合人民币(平均数)	6.5527	6.5311	6.5064	6.4762	6.5315	6.5874	6.6774	6.6474	6.6715	6.7442	6.8375	6.9182

2016 年官方储备资产

项目	2016.01		2016.02		2016.03		2016.04		2016.05		2016.06		2016.07		2016.08		2016.09		2016.10		2016.11		2016.12	
	亿美元	亿	亿美元	亿	亿美元	亿	亿美元	亿	亿美元	亿	亿美元	亿	亿美元	亿	亿美元	亿	亿美元	亿	亿美元	亿	亿美元	亿	亿美元	亿
1.外汇储备	32308.93	23403.85	32023.21	23183.14	32125.79	22803.34	32196.68	22716.43	31917.36	22751.33	32051.62	22912.93	32010.57	22973.31	31851.67	22843.50	31663.82	22684.85	31206.55	22714.69	30515.98	22541.61	30105.17	22394.15
2.基金组织储备头寸	37.60	27.24	107.25	77.64	107.24	76.12	106.51	75.15	104.22	74.29	104.43	74.65	100.39	72.04	99.49	71.35	98.95	70.89	99.63	72.52	98.17	72.52	95.97	71.39
3.特别提款权	102.73	74.42	102.80	74.42	104.85	74.42	105.48	74.42	104.41	74.43	104.13	74.44	100.95	72.45	100.97	72.41	101.08	72.41	99.49	72.42	98.02	72.40	96.61	71.87
4.黄金	635.70	460.49	710.06	514.05	714.85	507.41	747.51	527.41	704.75	502.36	774.29	553.52	788.90	566.18	771.75	553.49	781.69	560.02	753.48	548.44	697.85	515.49	678.78	504.92
	5718 万盎司	5718 万盎司	5750 万盎司	5750 万盎司	5779 万盎司	5779 万盎司	5814 万盎司	5814 万盎司	5814 万盎司	5814 万盎司	5862 万盎司	5862 万盎司	5879 万盎司	5879 万盎司	5895 万盎司	5895 万盎司	5911 万盎司	5911 万盎司	5924 万盎司	5924 万盎司	5924 万盎司	5924 万盎司	5924 万盎司	5924 万盎司
5.其他储备资产	-2.05	-1.48	-3.30	-2.39	1.72	1.22	5.16	3.64	5.71	4.07	-2.73	-1.95	-2.20	-1.58	-6.14	-4.40	-4.69	-3.36	3.73	2.71	0.85	0.63	1.91	1.42
合计	33082.92	23964.52	32940.02	23846.86	33054.45	23462.51	33161.35	23397.05	32836.43	23406.48	33031.72	23613.59	32998.60	23682.40	32817.75	23536.35	32640.85	23384.81	32162.87	23410.78	31410.88	23202.65	30978.45	23043.75

注:自 2016 年 4 月 1 日起,除按美元公布官方储备资产外,增加以国际货币基金组织特别提款权(SDR)公布相关数据,折算汇率来源于国际货币基金组织网站,其中 2016 年 1 月 USD/SDR =0.724377,2016 年 2 月 USD/SDR =0.723948,2016 年 3 月 USD/SDR =0.709814,2016 年 4 月 USD/SDR =0.705552,2016 年 5 月 USD/SDR =0.71282,2016 年 6 月 USD/SDR =0.714876,2016 年 7 月 USD/SDR =0.717679,2016 年 8 月 USD/SDR =0.717184,2016 年 9 月 USD/SDR =0.716428,2016 年 10 月 USD/SDR =0.727882,2016 年 11 月 USD/SDR =0.738682,2016 年 12 月 USD/SDR =0.743864。

2016 年金融机构本外币信贷收支表

单位:亿元人民币

项目	2016.01	2016.02	2016.03	2016.04	2016.05	2016.06	2016.07	2016.08	2016.09	2016.10	2016.11	2016.12
来源方项目												
一、各项存款	1419931.38	1428902.30	1454211.85	1462574.29	1481100.64	1505908.81	1510397.75	1528544.93	1529633.76	1543496.53	1552611.04	1555247.07
(一)境内存款	1401861.39	1411558.90	1436228.25	1444613.73	1462949.05	1487179.84	1492341.73	1510121.43	1511184.45	1524929.51	1534101.06	1537872.46
1.住户存款	561390.34	581539.67	587366.19	578086.75	578720.04	588354.00	586274.28	590396.61	600032.96	595877.04	599675.29	606522.23
(1)活期存款	211512.62	218403.73	220585.20	214422.21	214543.02	220656.75	219506.57	222592.20	229244.30	226473.93	229738.66	236656.51
(2)定期及其他存款	349877.72	363135.94	366780.99	363664.54	364177.02	367697.25	366767.71	367804.41	370788.66	369403.11	369936.63	369865.72
2.非金融企业存款	462557.44	448181.69	471538.51	473738.48	478949.82	491593.00	487739.08	501486.76	506362.11	509366.93	518878.42	530895.41
(1)活期存款	181743.61	170712.36	184677.88	184617.11	189030.63	200363.78	197781.87	204118.04	202607.38	210261.25	216382.81	227275.07
(2)定期及其他存款	280813.83	277469.32	286860.63	289121.36	289919.18	291229.22	289957.21	297368.72	303754.73	299105.68	302495.62	303620.34
3.政府存款	249441.57	245238.11	250601.92	262218.43	269670.19	272627.86	279161.45	280998.28	278319.88	287970.51	287051.06	271064.47
(1)财政性存款	39606.91	37916.72	36177.17	45495.65	47115.06	43819.56	48701.31	46891.96	42906.54	49727.19	46851.27	35292.87
(2)机关团体存款	209834.66	207321.38	214424.75	216722.78	222555.13	228808.30	230460.14	234106.32	235413.34	238243.32	240199.79	235771.60
4.非银行业金融机构存款	128472.03	136599.43	126721.63	130570.08	135609.01	134604.98	139166.92	137239.78	126469.50	131715.02	128496.29	129390.35
(二)境外存款	18069.99	17343.40	17983.60	17960.56	18151.59	18728.97	18056.02	18423.50	18449.31	18567.02	18509.98	17374.61
二、金融债券	17925.92	17214.82	18093.68	21262.07	22794.05	26307.61	26547.95	27968.88	29788.30	30029.48	31158.67	32912.80
三、对国际金融机构负债	842.12	2297.35	2298.31	2310.34	2341.92	2347.17	2391.55	2394.08	2404.90	2415.25	2406.77	2406.79
四、其他	-60424.72	-53129.13	-52210.19	-42442.26	-40782.39	-41124.84	-29694.56	-25339.19	-9558.58	-8985.36	-562.68	11136.35
资金来源总计	1378274.70	1395285.33	1422393.65	1443704.44	1465454.22	1493438.75	1509642.69	1533568.70	1552268.37	1566955.90	1585613.80	1601703.00
运用方项目												
一、各项贷款	1018572.69	1025345.28	1037870.29	1042719.70	1052344.76	1066920.97	1071365.94	1083159.10	1094858.21	1101789.75	1110851.83	1120551.79
(一)境内贷款	990167.05	996894.66	1010170.95	1014957.73	1024690.88	1038371.67	1042670.57	1052339.58	1063753.91	1070110.28	1077790.96	1088020.78
1.住户贷款	276477.17	276421.56	282847.91	287064.32	292828.48	299866.13	304444.53	311209.75	317629.57	321960.19	328758.87	333729.46
(1)短期贷款	90392.47	88517.27	90570.22	90506.93	90989.67	92366.65	92172.61	93651.49	94358.37	93798.02	94904.33	95616.12
消费贷款	42152.84	40562.62	42096.40	42422.50	43024.65	44178.51	44527.69	45953.15	46582.75	46557.76	48048.60	49406.65
经营贷款	48239.63	47954.65	48473.82	48084.44	47965.02	48188.14	47644.93	47698.34	47775.62	47240.26	46855.73	46209.47

项目	2016.01	2016.02	2016.03	2016.04	2016.05	2016.06	2016.07	2016.08	2016.09	2016.10	2016.11	2016.12
(2)中长期贷款	186084.71	187904.28	192277.69	196557.38	201838.81	207499.48	212271.91	217558.25	223271.20	228162.17	233854.54	238113.34
消费贷款	152782.21	154647.30	158748.01	162886.02	167797.26	172892.22	177400.91	182269.94	187415.36	192055.89	197286.44	201178.31
经营贷款	33302.50	33256.98	33529.68	33671.37	34041.56	34607.27	34871.00	35288.31	35855.84	36106.28	36568.10	36935.03
2.非金融企业及机关团体贷款	705512.14	713012.02	719397.84	720099.13	723665.87	729699.72	729352.62	730781.51	736431.98	738120.74	739937.60	744715.66
(1)短期贷款	274156.80	277043.68	278031.57	276663.79	276470.97	278504.03	276345.36	275484.91	275125.23	274522.19	275014.56	275670.24
(2)中长期贷款	366135.08	370967.32	375585.69	374900.32	376756.15	380716.30	382048.71	381850.19	386220.90	387034.29	389135.98	396096.53
(3)票据融资	49553.46	48966.22	49478.01	51864.22	53431.44	53290.62	53573.05	55799.97	57215.19	58315.33	57312.68	54778.78
(4)融资租赁	13390.89	13597.80	13960.09	14235.46	14498.01	14890.69	14967.05	15213.44	15594.86	15910.78	16167.44	16285.62
(5)各项垫款	2275.92	2437.00	2342.49	2435.34	2509.30	2298.07	2418.46	2432.98	2275.81	2338.16	2306.93	1884.49
3.非银行业金融机构贷款	8177.73	7461.08	7925.20	7794.29	8196.53	8805.81	8873.41	10348.33	9692.35	10029.35	9094.49	9575.66
(二)境外贷款	28405.64	28450.62	27699.34	27761.97	27653.88	28549.30	28695.38	30819.52	31104.30	31679.47	33060.87	32531.02
二、债券投资	197639.72	197080.33	203713.72	214120.63	219646.97	228220.87	231978.04	238373.85	243399.86	247021.65	252808.02	253612.91
三、股权及其他投资	160521.63	169410.54	177358.88	183394.63	189963.55	194786.69	202789.72	208525.96	210494.89	214604.68	218420.23	224017.41
四、在国际金融机构资产	1540.65	3449.18	3450.75	3469.47	3498.95	3510.22	3508.99	3509.79	3515.41	3539.82	3533.71	3520.89
资金运用总计	1378274.70	1395285.33	1422393.65	1443704.44	1465454.22	1493438.75	1509642.69	1533568.70	1552268.37	1566955.90	1585613.80	1601703.00

注:1.本表机构包括中国人民银行、银行业存款类金融机构、银行业非存款类金融机构。

2.银行业存款类金融机构包括银行、信用社和财务公司。银行业非存款类金融机构包括信托投资公司、金融租赁公司、汽车金融公司和贷款公司等银行业非存款类金融机构。

3.自2015年起,"各项存款"含非银行业金融机构存放款项,"各项贷款"含拆放给非银行业金融机构款项。

2016年金融机构人民币信贷收支表

单位:亿元

项目	2016.01	2016.02	2016.03	2016.04	2016.05	2016.06	2016.07	2016.08	2016.09	2016.10	2016.11	2016.12
来源方项目												
一、各项存款	1377548.53	1386015.76	1411182.76	1419505.54	1437811.10	1462397.28	1467468.74	1485219.95	1485214.41	1497354.38	1504229.29	1505863.83
(一)境内存款	1366089.19	1375465.53	1400020.53	1408407.95	1426827.93	1450752.83	1456617.66	1474473.07	1474864.87	1487140.37	1494546.86	1497168.59
1.住户存款	555011.38	575047.07	580800.33	571504.14	572047.15	581520.82	579278.95	583411.07	592909.36	588229.01	591499.69	597751.05
(1)活期存款	207961.54	214816.05	217001.40	210861.88	210948.80	216944.91	215652.39	218758.39	225331.34	222213.49	225149.18	231629.61
(2)定期及其他存款	347049.84	360231.02	363798.93	360642.25	361098.35	364575.92	363626.57	364652.68	367578.01	366015.52	366350.51	366121.44
2.非金融企业存款	436746.12	421940.10	445248.33	447421.19	452835.76	465346.05	462284.05	476049.98	480302.95	482386.09	490741.75	502178.44
(1)活期存款	172960.96	161458.85	175268.68	175497.76	180098.31	191138.23	188193.42	194384.78	192839.06	199871.67	205371.49	215106.82
(2)定期及其他存款	263785.16	260481.25	269979.65	271923.43	272737.45	274207.83	274090.63	281665.21	287463.89	282514.43	285370.26	287071.63
3.政府存款	248606.83	244594.83	249959.58	261595.02	269039.11	271953.69	278486.18	280297.91	277664.91	287307.00	286391.63	270378.71
(1)财政性存款	39606.53	37916.35	36176.81	45495.30	47114.71	43819.21	48700.97	46891.50	42906.06	49726.71	46850.86	35292.31
(2)机关团体存款	209000.30	206678.48	213782.77	216099.72	221924.40	228134.49	229785.21	233406.41	234758.84	237580.28	239540.77	235086.40
4.非银行业金融机构存款	125724.86	133883.54	124012.29	127887.60	132905.93	131932.26	136568.48	134714.11	123987.65	129218.27	125913.79	126860.39
(二)境外存款	11459.34	10550.23	11162.23	11097.59	10983.17	11644.46	10851.07	10746.88	10349.54	10214.01	9682.44	8695.24
二、金融债券	17504.48	16566.79	17761.78	20513.17	22047.36	25334.91	25546.49	26909.91	28660.29	28949.77	29910.29	31578.87
三、流通中货币	72526.51	69421.50	64651.21	64403.17	62780.71	62818.89	63276.01	63454.70	65068.62	64214.93	64903.50	68303.87
四、对国际金融机构负债	842.12	2297.35	2298.31	2310.34	2341.92	2347.17	2391.55	2394.08	2404.90	2415.25	2406.77	2406.79
五、其他	94060.69	103346.23	108579.60	119092.26	122019.77	120337.41	128880.91	129038.93	140879.79	140563.55	145087.79	151798.91
资金来源总计	1562482.33	1577647.62	1604473.66	1625824.49	1647000.87	1673235.67	1687563.69	1707017.58	1722228.00	1733497.88	1746537.65	1759952.28
运用方项目												
一、各项贷款	964617.65	971884.02	985613.17	991169.46	1001024.76	1014859.39	1019495.06	1028981.69	1041137.89	1047650.47	1055596.14	1066040.06

项目	2016.01	2016.02	2016.03	2016.04	2016.05	2016.06	2016.07	2016.08	2016.09	2016.10	2016.11	2016.12
(一)境内贷款	961409.82	968730.12	982365.93	987870.32	997642.14	1011385.27	1015990.43	1025418.29	1037376.43	1043723.75	1051237.07	1061666.80
1.住户贷款	276383.08	276317.95	282755.36	286972.20	292731.40	299767.40	304342.67	311098.06	317526.01	321856.56	328652.12	333614.74
(1)短期贷款	90318.48	88433.28	90496.70	90433.22	90911.21	92286.91	92089.60	93558.57	94273.50	93713.00	94816.50	95520.45
消费贷款	42080.45	40480.26	42024.50	42350.39	42947.71	44100.28	44446.20	45861.87	46499.66	46474.51	47962.59	49312.86
经营贷款	48238.03	47953.02	48472.21	48082.83	47963.50	48186.63	47643.40	47696.70	47773.84	47238.48	46853.91	46207.59
(2)中长期贷款	186064.60	187884.67	192258.66	196538.98	201820.19	207480.48	212253.07	217539.49	223252.51	228143.56	233835.61	238094.29
消费贷款	152762.26	154627.83	158729.11	162867.76	167778.78	172873.36	177382.23	182251.35	187396.84	192037.47	197267.70	201159.43
经营贷款	33302.34	33256.84	33529.54	33671.23	34041.41	34607.13	34870.83	35288.14	35855.67	36106.09	36567.91	36934.86
2.非金融企业及机关团体贷款	676893.85	685001.18	691730.81	693146.11	696742.90	702832.70	702807.11	704016.36	710198.82	711883.19	713538.88	718520.56
(1)短期贷款	258137.82	261463.89	262343.99	261418.71	261297.78	263278.57	261267.24	260095.10	260122.92	259685.02	260112.92	260898.69
(2)中长期贷款	354459.08	359480.65	364528.92	364099.19	365923.80	369996.23	371510.06	371430.06	375982.44	376710.65	378728.32	385661.91
(3)票据融资	49482.04	48898.89	49416.88	51804.42	53368.34	53218.32	53494.82	55729.41	57151.70	58248.71	57240.17	54709.52
(4)融资租赁	12698.23	12894.38	13252.02	13541.14	13799.92	14195.00	14281.22	14499.27	14825.97	15061.83	15307.81	15507.77
(5)各项垫款	2116.68	2263.38	2189.01	2282.65	2353.06	2144.59	2253.77	2262.53	2115.78	2176.98	2149.66	1742.67
3.非银行业金融机构贷款	8132.89	7410.99	7879.76	7752.01	8167.85	8785.17	8840.65	10303.87	9651.60	9984.00	9046.07	9531.50
(二)境外贷款	3207.83	3153.90	3247.25	3299.14	3382.61	3474.12	3504.64	3563.39	3761.45	3926.72	4359.07	4373.26
二、债券投资	194062.84	193439.43	200142.56	210392.96	215675.22	224182.42	227813.86	233913.70	238372.29	241764.64	247020.71	247604.49
三、股权及其他投资	157801.62	166668.23	174484.79	180525.43	187071.79	191888.37	199841.24	205612.63	207563.31	211571.41	215242.31	220820.08
四、黄金占款	2367.35	2393.38	2416.61	2445.35	2445.35	2487.73	2502.08	2516.27	2530.43	2541.50	2541.50	2541.50
五、中央银行外汇占款	242092.21	239813.38	238365.77	237821.82	237284.80	236307.53	234402.45	232483.50	229108.68	226430.04	222603.28	219425.26
六、在国际金融机构资产	1540.65	3449.18	3450.75	3469.47	3498.95	3510.22	3508.99	3509.79	3515.41	3539.82	3533.71	3520.89
资金运用总计	1562482.33	1577647.62	1604473.66	1625824.49	1647000.87	1673235.67	1687563.69	1707017.58	1722228.00	1733497.88	1746537.65	1759952.28

注:1.本表机构包括中国人民银行、银行业存款类金融机构、银行业非存款类金融机构。

2.银行业存款类金融机构包括银行、信用社和财务公司。银行业非存款类金融机构包括信托投资公司、金融租赁公司、汽车金融公司和贷款公司等银行业非存款类金融机构。

3.自2015年起,"各项存款"含非银行业金融机构存放款项,"各项贷款"含拆放给非银行业金融机构款项。

2016年金融机构外汇信贷收支表

单位:亿美元

项目	2016.01	2016.02	2016.03	2016.04	2016.05	2016.06	2016.07	2016.08	2016.09	2016.10	2016.11	2016.12
来源方项目												
一、各项存款	6469.08	6552.36	6659.61	6668.12	6579.96	6561.64	6454.42	6475.31	6651.79	6821.62	7025.59	7118.82
(一)境内存款	5460.07	5514.48	5603.87	5605.56	5490.37	5493.28	5371.15	5327.97	5438.85	5586.72	5743.73	5867.65
1.住户存款	973.65	991.96	1016.20	1019.15	1014.27	1030.46	1051.75	1044.05	1066.76	1130.68	1187.19	1264.40
(1)活期存款	542.02	548.14	554.67	551.23	546.32	559.75	579.48	573.00	585.97	629.86	666.45	724.65
(2)定期及其他存款	431.63	443.82	461.53	467.93	467.95	470.71	472.27	471.05	480.79	500.82	520.75	539.76
2.非金融企业存款	3939.70	4009.29	4068.93	4074.58	3969.31	3958.10	3827.19	3801.75	3902.36	3988.83	4085.77	4139.68
(1)活期存款	1340.54	1413.79	1456.26	1411.91	1357.70	1391.23	1441.63	1454.72	1462.81	1535.99	1598.97	1754.11
(2)定期及其他存款	2599.16	2595.50	2612.67	2662.67	2611.60	2566.86	2385.56	2347.03	2439.55	2452.84	2486.80	2385.57
3.政府存款	127.41	98.28	99.42	96.52	95.92	101.67	101.53	104.68	98.08	98.09	95.76	98.86
(1)财政性存款	0.06	0.06	0.06	0.05	0.05	0.05	0.05	0.07	0.07	0.07	0.06	0.08
(2)机关团体存款	127.35	98.23	99.36	96.46	95.87	101.61	101.48	104.61	98.01	98.02	95.70	98.77
4.非银行业金融机构存款	419.31	414.94	419.32	415.31	410.86	403.05	390.68	377.48	371.66	369.12	375.01	364.70
(二)境外存款	1009.01	1037.89	1055.74	1062.56	1089.59	1068.36	1083.27	1147.34	1212.94	1234.90	1281.86	1251.17

项目	2016.01	2016.02	2016.03	2016.04	2016.05	2016.06	2016.07	2016.08	2016.09	2016.10	2016.11	2016.12
二、金融债券	64.33	99.01	51.37	115.95	113.50	146.69	150.57	158.27	168.92	159.62	181.28	192.29
三、卖出回购资产	3.20	3.79	17.66	14.23	40.17	43.91	34.17	27.73	21.86	38.62	52.91	52.65
四、借款及非银行业金融机构拆入	875.85	876.41	930.50	923.71	940.22	980.53	1022.46	1030.83	1043.98	1024.84	1026.42	1093.78
五、其他	2439.17	2242.37	2083.08	1857.68	1792.43	1838.78	1806.72	2119.69	1930.37	1787.16	1601.10	1428.03
资金来源总计	9851.63	9773.95	9742.23	9579.70	9466.27	9571.54	9468.34	9811.83	9816.92	9831.87	9887.29	9885.57
运用方项目												
一、各项贷款	8235.40	8168.01	8087.84	7981.27	7800.58	7851.00	7798.84	8097.30	8044.61	8003.91	8023.77	7858.11
(一)境内贷款	4389.35	4303.08	4303.38	4193.81	4111.37	4069.61	4011.39	4023.63	3950.03	3900.97	3855.93	3799.05
1. 住户贷款	14.36	15.83	14.32	14.26	14.76	14.89	15.31	16.69	15.51	15.32	15.50	16.54
(1)短期贷款	11.29	12.83	11.38	11.41	11.93	12.02	12.48	13.89	12.71	12.57	12.75	13.79
消费贷款	11.05	12.58	11.13	11.16	11.70	11.80	12.25	13.64	12.44	12.31	12.49	13.52
经营贷款	0.24	0.25	0.25	0.25	0.23	0.23	0.23	0.25	0.27	0.26	0.26	0.27
(2)中长期贷款	3.07	3.00	2.95	2.85	2.83	2.87	2.83	2.80	2.80	2.75	2.75	2.75
消费贷款	3.05	2.97	2.92	2.83	2.81	2.84	2.81	2.78	2.77	2.72	2.72	2.72
经营贷款	0.02	0.02	0.02	0.02	0.02	0.02	0.02	0.03	0.03	0.03	0.03	0.02
2. 非金融企业及机关团体贷款	4368.14	4279.60	4282.03	4173.00	4092.26	4051.61	3991.15	4000.29	3928.41	3878.94	3833.40	3776.14
(1)短期贷款	2445.05	2380.34	2427.97	2360.32	2306.31	2296.04	2267.01	2300.15	2246.59	2193.52	2163.89	2129.39
(2)中长期贷款	1782.16	1754.98	1711.26	1672.29	1646.50	1616.61	1584.50	1557.38	1533.21	1526.24	1511.31	1504.20
(3)票据融资	10.90	10.29	9.46	9.26	9.59	10.90	11.76	10.55	9.51	9.85	10.53	9.98
(4)融资租赁	105.72	107.47	109.59	107.50	106.11	104.91	103.11	106.74	115.14	125.51	124.83	112.13
(5)各项垫款	24.30	26.53	23.75	23.64	23.75	23.15	24.76	25.48	23.96	23.83	22.84	20.44
3. 非银行业金融机构贷款	6.85	7.65	7.03	6.55	4.36	3.11	4.93	6.64	6.10	6.70	7.03	6.37
(二)境外贷款	3846.06	3864.93	3784.45	3787.46	3689.20	3781.39	3787.45	4073.67	4094.59	4102.95	4167.84	4059.07
二、债券投资	545.96	556.27	552.71	577.14	603.70	609.01	626.09	666.61	752.88	777.19	840.38	866.14
三、股权及其他投资	415.17	418.98	444.82	444.22	439.54	437.07	443.31	435.42	439.00	448.44	461.47	460.91
四、买入返售资产	1.02	0.90	4.26	3.91	5.22	5.26	4.72	6.60	5.44	4.50	2.86	1.47
五、存放非银行业金融机构款项	654.08	629.79	652.60	573.15	617.23	669.19	595.39	605.90	574.97	597.82	558.81	698.93
资金运用总计	9851.63	9773.95	9742.23	9579.70	9466.27	9571.54	9468.34	9811.83	9816.92	9831.87	9887.29	9885.57

注:1. 本表机构包括中国人民银行、银行业存款类金融机构、银行业非存款类金融机构。

2. 银行业存款类金融机构包括银行、信用社和财务公司。银行业非存款类金融机构包括信托投资公司、金融租赁公司、汽车金融公司和贷款公司等银行业非存款类金融机构。

3. 自2015年起,“各项存款”含非银行业金融机构存放款项,“各项贷款”含拆放给非银行业金融机构款项。

2016年中资全国性大型银行人民币信贷收支表

单位:亿元

项目	2016.01	2016.02	2016.03	2016.04	2016.05	2016.06	2016.07	2016.08	2016.09	2016.10	2016.11	2016.12
来源方项目												
一、各项存款	684936.83	693092.74	706690.48	702190.06	708481.08	721766.17	720097.01	728007.53	729736.35	731822.99	731792.34	734370.04
(一)境内存款	680359.92	688582.54	702039.16	697594.49	703748.48	717014.40	715449.20	723304.82	725082.19	727177.06	727204.20	730006.55
1. 个人存款	333690.76	344742.53	349061.13	341684.50	341179.19	346061.08	345142.11	347485.91	353977.69	349959.92	351319.61	355408.40
其中:活期储蓄存款	140087.08	144097.71	146203.73	141717.08	141268.54	144238.56	144077.79	146093.15	150904.94	148168.53	149756.11	154275.64
定期储蓄存款	142935.05	144291.19	143816.02	142089.22	141469.82	141190.50	140067.89	139179.20	138847.41	137918.84	137380.31	136650.10
结构性存款	10544.11	11152.48	10458.05	9772.94	9297.00	9641.40	9224.20	9187.04	9614.04	9436.67	9143.12	8994.58
2. 单位存款	297187.80	289694.36	304594.59	304287.33	310954.41	316079.01	316551.94	322484.53	324230.70	325762.25	327911.71	327111.19

项目	2016.01	2016.02	2016.03	2016.04	2016.05	2016.06	2016.07	2016.08	2016.09	2016.10	2016.11	2016.12
其中:活期存款	132399.00	126935.11	135984.81	135840.79	140186.98	146588.42	146545.56	148722.77	147717.53	150798.51	150819.61	153368.10
定期存款	77360.97	76631.28	76412.27	75478.80	74478.19	72595.18	71541.09	71655.81	71713.14	71632.69	72173.06	71346.61
保证金存款	13618.77	13264.89	14670.13	13511.68	13220.60	13107.31	12195.41	12085.60	11959.66	11533.70	11561.20	11745.48
结构性存款	10730.09	10057.48	10336.71	10583.68	10779.31	10063.64	10864.96	10713.81	10740.63	10360.96	10489.29	10352.35
3.国库定期存款	3244.06	3291.47	3894.14	4342.76	4651.71	5228.70	4956.95	5274.85	4729.97	4593.28	4140.93	3700.67
4.非存款类金融机构存款	46237.30	50854.17	44489.31	47279.88	46963.17	49645.60	48798.21	48059.54	42143.82	46861.61	43831.95	43786.29
(二)境外存款	4576.91	4510.20	4651.32	4595.58	4732.60	4751.77	4647.81	4702.71	4654.16	4645.92	4588.14	4363.49
二、金融债券	81229.37	81674.54	82512.41	82737.22	83429.02	84053.89	84442.54	84988.43	84814.44	85187.18	85417.39	85977.36
三、卖出回购资产	14319.68	13377.24	5483.19	5813.74	5966.77	11258.28	8346.51	7404.74	10407.23	14648.25	11869.83	9907.34
四、向中央银行借款	4878.58	5579.63	5594.33	19562.20	20492.47	22143.12	23378.41	24319.09	25086.25	26594.88	30085.04	33362.72
五、银行业存款类金融机构往来(来源方)	15262.10	15223.08	13866.65	14712.64	18127.87	19251.03	19208.86	20136.69	20305.18	19784.19	19520.83	22628.23
六、其他	77727.06	76955.11	81208.10	68218.96	67758.46	68147.61	67276.91	66218.69	69245.79	68615.65	69566.38	71804.42
资金来源总计	878353.63	885902.34	895355.15	893234.83	904255.69	926620.10	922750.24	931075.17	939595.24	946653.15	948251.82	958050.11
运用方项目												
一、各项贷款	499416.73	502716.54	508369.09	510545.67	514850.18	521422.58	523012.51	527157.11	532328.85	534600.08	536656.25	541113.44
(一)境内贷款	498173.69	501442.94	507047.08	509182.17	513473.54	520008.29	521570.54	525670.07	530731.12	532907.54	534754.31	539223.43
1.短期贷款	132970.09	133285.26	134550.64	132606.14	132509.61	134667.93	132691.45	132726.05	132294.30	131235.63	130527.79	132169.92
2.中长期贷款	343908.28	347452.98	352378.45	353755.28	356899.35	361410.47	363978.47	366128.51	371033.02	373512.04	376428.83	381402.15
3.票据融资	20727.16	20118.64	19555.56	22238.08	23461.35	23405.03	24376.48	26292.16	26897.35	27620.49	27257.78	25172.48
4.融资租赁												
5.各项垫款	568.15	586.06	562.44	582.67	603.23	524.85	524.14	523.34	506.46	539.39	539.91	478.88
(二)境外贷款	1243.03	1273.60	1322.01	1363.50	1376.64	1414.29	1441.97	1487.04	1597.74	1692.53	1901.94	1890.01
二、债券投资	177716.73	178739.61	184139.14	190038.24	192073.94	196768.31	195550.96	198961.75	200179.55	202108.28	205685.12	203855.35
三、股权及其他投资	30864.58	33528.66	34173.13	33506.69	38316.60	38021.15	40457.36	39946.53	43118.32	42518.25	40558.35	46329.66
四、买入返售资产	28098.22	27166.87	26633.18	18223.47	19950.29	26597.12	21512.29	21226.14	19588.24	21424.64	18303.80	17951.99
五、存放中央银行存款	112146.33	112851.78	109841.31	110649.60	110140.34	110049.21	109736.57	110621.55	111033.35	113017.04	114287.41	114759.09
六、银行业存款类金融机构往来(运用方)	30111.03	30898.89	32199.32	30271.15	28924.34	33761.73	32480.54	33162.09	33346.91	32984.87	32760.90	34040.58
资金运用总计	878353.63	885902.34	895355.15	893234.83	904255.69	926620.10	922750.24	931075.17	939595.24	946653.15	948251.82	958050.11

注:1.本表机构指本外币资产总量大于等于2万亿元的银行(以2008年末各金融机构本外币资产总额为参考标准),包括工行、建行、农行、中行、国开行、交行和邮政储蓄银行。

2.自2015年起,“各项存款”含非存款类金融机构存放款项,“各项贷款”含拆放给非存款类金融机构款项。

2016年中资全国性四家大型银行人民币信贷收支表

单位:亿元

项目	2016.01	2016.02	2016.03	2016.04	2016.05	2016.06	2016.07	2016.08	2016.09	2016.10	2016.11	2016.12
来源方项目												
一、各项存款	555461.44	559685.96	570325.46	563544.18	569165.58	580106.16	577487.74	585009.76	586639.52	588484.12	588016.95	588775.85
(一)境内存款	551146.94	555383.94	565898.34	559181.93	564672.55	575610.73	573095.19	580573.75	582197.52	584044.16	583641.43	584629.54
1.个人存款	266386.31	273348.77	277077.77	270559.96	270067.49	273655.91	272795.60	274704.34	279856.23	275827.59	276668.74	279396.77
其中:活期储蓄存款	115290.93	118174.83	120214.29	116310.94	115962.54	118269.91	118066.65	119868.53	123987.14	121366.80	122668.25	125663.54
定期储蓄存款	128699.80	130705.61	130712.28	129370.58	129060.77	129041.10	128208.65	127585.68	127509.89	126839.77	126518.10	126032.68
结构性存款	6474.18	6806.37	6189.94	5812.42	5567.76	5767.74	5785.90	5720.61	5739.88	5786.93	5573.13	5454.62

项目	2016.01	2016.02	2016.03	2016.04	2016.05	2016.06	2016.07	2016.08	2016.09	2016.10	2016.11	2016.12
2.单位存款	246534.60	239520.14	251228.92	249678.43	255345.58	259226.92	260086.09	265870.21	268048.51	269221.53	271320.79	269595.05
其中:活期存款	105536.41	100448.13	106724.95	105759.37	109411.06	114189.30	114491.50	116637.62	116450.98	118521.15	118859.72	120447.07
定期存款	68421.81	67721.04	67569.30	66502.77	65561.71	63580.91	62455.83	62551.00	62698.54	62643.15	63330.67	62415.51
保证金存款	10295.06	10044.61	11305.81	10294.16	10146.80	10027.42	9135.92	9077.13	8942.89	8788.38	8818.36	9006.54
结构性存款	6386.90	5629.52	5734.06	5784.41	5942.59	5852.55	6411.25	6478.48	6510.16	6350.90	6484.00	6970.02
3.国库定期存款	2195.90	2321.37	2889.01	3255.55	3496.93	3822.89	3568.23	3712.63	3237.11	3241.47	3015.59	2941.10
4.非存款类金融机构存款	36030.13	40193.66	34702.65	35687.99	35762.54	38905.01	36645.26	36286.57	31055.67	35753.58	32636.31	32696.62
(二)境外存款	4314.50	4302.03	4427.11	4362.26	4493.03	4495.43	4392.55	4436.01	4442.01	4439.95	4375.52	4146.30
二、金融债券	6478.47	6478.53	6478.60	6458.67	6458.74	6458.80	6458.26	6458.87	6458.28	6458.27	6446.28	6444.38
三、卖出回购资产	9191.14	7651.96	1920.95	3141.56	2779.36	6435.40	4643.71	4128.16	5181.64	9169.92	6628.49	7141.70
四、向中央银行借款	3132.97	3837.27	3849.57	4482.12	4549.83	5197.74	5289.24	5834.28	6338.76	7137.61	9477.30	11738.16
五、银行业存款类金融机构往来(来源方)	9189.45	8507.14	7685.42	7651.57	10656.93	11137.54	11151.00	11733.39	12171.04	12062.98	12405.82	14392.34
六、其他	56470.16	55938.63	58131.54	58210.23	57070.64	56639.31	56470.17	55795.33	56303.35	56664.27	57367.56	58786.32
资金来源总计	639923.64	642099.49	648391.52	643488.32	650681.08	665974.94	661500.12	668959.79	673092.59	679977.17	680342.40	687278.73
运用方项目												
一、各项贷款	365715.00	368086.77	372143.07	373862.54	376703.29	381147.86	383016.61	386612.92	389733.33	390782.90	392136.43	394181.72
(一)境内贷款	364933.33	367274.27	371297.60	372988.49	375817.90	380220.98	382052.80	385602.32	388612.53	389616.46	390810.36	392866.70
1.短期贷款	108388.47	108423.23	109108.17	107325.58	106478.53	108259.98	106865.38	106453.74	105878.47	104795.12	104296.47	105250.63
2.中长期贷款	240924.79	243518.50	246864.32	247943.92	250173.02	252708.49	254653.74	256802.45	260167.85	261980.76	264145.85	266856.16
3.票据融资	15226.91	14922.31	14912.26	17288.05	18723.64	18865.11	20133.12	21942.70	22179.27	22424.85	21946.53	20380.75
4.融资租赁												
5.各项垫款	393.16	410.24	412.85	430.95	442.72	387.40	400.56	403.43	386.94	415.74	421.51	379.16
(二)境外贷款	781.67	812.49	845.47	874.05	885.39	926.89	963.80	1010.60	1120.79	1166.44	1326.07	1315.02
二、债券投资	140701.37	140839.88	143290.89	146817.53	147924.65	151172.03	149630.29	151813.86	152006.46	153253.92	155603.51	152952.61
三、股权及其他投资	8002.72	8041.26	9048.51	9089.74	10620.00	10028.00	10298.41	10217.26	11542.38	11652.51	11676.80	13451.74
四、买入返售资产	15435.52	12418.04	12885.08	6822.35	7385.13	12143.72	7300.65	7777.77	7351.15	10433.97	7039.20	9952.91
五、存放中央银行存款	88573.90	90753.31	87236.08	84736.71	87892.69	86914.84	87876.64	88780.98	89065.40	90174.24	89799.33	91577.95
六、银行业存款类金融机构往来(运用方)	21495.13	21960.23	23787.90	22159.45	20155.33	24568.50	23377.52	23757.00	23393.88	23679.63	24087.12	25161.81
资金运用总计	639923.64	642099.49	648391.52	643488.32	650681.08	665974.94	661500.12	668959.79	673092.59	679977.17	680342.40	687278.73

注:1. 本表机构包括工行、建行、农行、中行。

2. 自 2015 年起,"各项存款"含非存款类金融机构存放款项,"各项贷款"含拆放给非存款类金融机构款项。

2016 年中资全国性中小型银行人民币信贷收支表

单位:亿元

项目	2016.01	2016.02	2016.03	2016.04	2016.05	2016.06	2016.07	2016.08	2016.09	2016.10	2016.11	2016.12
来源方项目												
一、各项存款	567494.18	569720.97	581489.47	587747.52	600267.55	615561.13	619829.92	630594.36	631453.79	632180.20	640054.81	649546.11
(一)境内存款	564635.03	567011.74	578608.35	584492.36	597303.83	612267.36	616855.96	627713.32	628952.74	629822.20	637622.82	647412.85
1.个人存款	170410.50	177561.77	179299.97	178698.51	180371.32	185836.26	186412.23	188376.76	191568.50	191500.35	193704.50	196482.15
其中:活期储蓄存款	52476.14	54424.47	54726.53	53740.35	54469.27	57357.78	56797.97	57920.01	59429.63	59170.69	60455.80	62456.38
定期储蓄存款	101186.90	105382.83	106497.06	107244.74	108160.86	109893.86	111450.18	111907.60	112859.16	113645.11	114494.97	115277.80
结构性存款	10698.40	11163.94	10883.18	10959.42	10796.29	10834.14	10693.23	10713.91	10801.50	10338.49	9959.09	9691.52

项目	2016.01	2016.02	2016.03	2016.04	2016.05	2016.06	2016.07	2016.08	2016.09	2016.10	2016.11	2016.12
2.单位存款	300286.14	292010.64	305043.60	309787.33	314025.26	324787.70	323319.84	332916.27	335825.32	338104.97	345150.88	349617.77
其中:活期存款	111572.96	104906.19	112979.13	114702.36	118250.26	126757.37	125661.75	129234.23	129638.00	133994.90	138697.02	143518.60
定期存款	78731.03	78682.64	80310.68	81091.25	81653.86	81604.50	81305.25	82190.17	82653.72	82189.24	82397.86	82850.06
保证金存款	42518.83	40238.44	40960.85	40473.29	39621.23	39378.66	37037.65	37916.40	37733.91	37058.96	37061.86	37500.18
结构性存款	22555.49	23642.12	22581.29	23846.80	23375.26	21464.45	24223.35	25708.71	25320.91	25061.71	24191.50	22585.51
3.国库定期存款	4724.30	4499.03	4686.48	5152.11	5385.72	6167.41	6436.47	7151.54	7454.83	7021.29	5995.34	4944.49
4.非存款类金融机构存款	89214.07	92940.30	89578.30	90854.41	97521.53	95476.00	100687.41	99268.75	94104.10	93195.58	92772.09	96368.44
(二)境外存款	2859.16	2709.23	2881.12	3255.16	2963.73	3293.77	2973.96	2881.04	2501.05	2358.00	2431.99	2133.26
二、金融债券	60547.00	61001.83	63782.75	64537.90	65551.08	66921.43	68371.41	69531.08	70349.95	70393.48	72136.77	72477.37
三、卖出回购资产	25936.11	24634.11	20782.06	21084.17	22712.86	24827.57	27562.02	25903.54	27625.51	31697.43	30063.22	33482.06
四、向中央银行借款	13223.49	14053.80	14259.57	14993.43	16336.06	17742.65	17334.14	17691.17	18876.28	19736.14	23142.41	28687.70
五、银行业存款类金融机构往来(来源方)	84317.85	87475.95	91342.73	90249.87	87329.45	93401.98	93787.39	96452.08	100738.43	102067.99	104960.19	113355.32
六、其他	59399.34	59271.14	64101.09	65851.05	64900.74	67355.53	66250.03	64823.45	67593.01	68079.35	68605.78	70834.71
资金来源总计	810917.97	816157.80	835757.67	844463.93	857097.75	885810.28	893134.90	904995.68	916636.97	924154.59	938963.18	968383.27
运用方项目												
一、各项贷款	396754.39	400868.62	407557.09	411184.94	416633.19	423473.39	427802.94	433081.59	439414.43	443742.62	449927.59	455915.82
(一)境内贷款	395099.92	399311.64	405970.22	409577.38	414946.84	421701.33	425960.76	431206.55	437452.50	441709.16	447695.08	453663.79
1.短期贷款	198961.41	199556.27	201515.55	202708.18	203892.79	205660.93	206215.01	208000.89	207904.09	208683.84	210698.75	212128.66
2.中长期贷款	170431.86	173760.78	177697.45	180268.07	183877.71	189201.69	192975.63	196084.25	201843.37	204800.19	209602.93	215384.32
3.票据融资	24233.30	24392.18	25191.47	24962.72	25492.51	25289.58	25110.95	25448.79	26160.66	26650.83	25843.43	24930.86
4.融资租赁	0.00	0.00	0.00	0.00	0.00	0.00	0.00	0.00	0.00	0.00	0.00	0.00
5.各项垫款	1473.35	1602.40	1565.74	1638.40	1683.83	1549.13	1659.16	1672.61	1544.37	1574.30	1549.97	1219.95
(二)境外贷款	1654.47	1556.99	1586.87	1607.56	1686.35	1772.06	1842.18	1875.05	1961.93	2033.46	2232.51	2252.03
二、债券投资	118280.52	118229.43	121662.18	124481.11	127884.40	131221.14	134887.54	136381.15	138518.54	140092.24	142500.73	144008.64
三、股权及其他投资	120048.57	126210.21	133224.09	139556.62	141480.32	146654.41	151734.33	157733.63	156537.05	160912.09	166487.89	166648.77
四、买入返售资产	36452.17	30574.68	27307.92	25953.60	25450.37	25151.51	23099.04	22031.76	22393.02	21010.57	20226.95	26319.97
五、存放中央银行存款	79159.33	80108.62	81755.73	79613.73	81129.91	88679.51	86282.64	85747.79	86514.61	87423.19	86989.91	95311.90
六、银行业存款类金融机构往来(运用方)	60222.99	60166.23	64250.67	63673.93	64519.57	70630.33	69328.42	70019.75	73259.32	70973.89	72830.10	80178.16
资金运用总计	810917.97	816157.80	835757.67	844463.93	857097.75	885810.28	893134.90	904995.68	916636.97	924154.59	938963.18	968383.27

注:1.本表机构指本外币资产总量小于2万亿元的银行(以2008年末各金融机构本外币资产总额为参考标准)。

2.自2015年起,"各项存款"含非存款类金融机构存放款项,"各项贷款"含拆放给非存款类金融机构的款项。

2016年全国银行间同业拆借交易统计表

单位:亿元

月份	1天		7天		14天		21天		1个月		2个月		3个月		4个月		6个月		9个月		1年		交易量合计	加权平均利率(%)
	交易量	加权平均利率(%)	交易量	加权平均利率(%)	交易量	加权平均利率(%)	交易量	加权平均利率(%)	交易量	加权平均利率(%)	交易量	加权平均利率(%)	交易量	加权平均利率(%)	交易量	加权平均利率(%)	交易量	加权平均利率(%)	交易量	加权平均利率(%)	交易量	加权平均利率(%)		
2016.01	49988	2.03	5600	2.55	434	2.91	60	3.38	552	3.02	113	3.28	214	3.36	35	3.40	96	3.21	17	3.43	75	3.30	57184	2.11
2016.02	43420	2.02	3434	2.48	1543	2.77	74	3.10	105	2.99	124	2.87	227	3.20	7	3.17	13	3.19	4	3.28	29	3.44	48977	2.09
2016.03	65639	2.03	6943	2.45	1384	2.64	77	3.05	361	2.86	48	2.92	197	2.99	12	3.26	11	3.37	2	3.44	41	3.23	74714	2.09
2016.04	65571	2.06	6011	2.52	742	2.72	50	2.99	295	2.89	112	2.88	109	3.31	0	2.95	14	3.17	2	3.29	64	3.14	72971	2.11
2016.05	88884	2.06	8229	2.46	359	2.71	67	2.81	343	2.69	119	2.98	400	3.19	2	3.33	38	3.05	2	3.16	15	3.47	98458	2.10

月份	1天		7天		14天		21天		1个月		2个月		3个月		4个月		6个月		9个月		1年		交易量合计	加权平均利率(%)
	交易量	加权平均利率(%)	交易量	加权平均利率(%)	交易量	加权平均利率(%)	交易量	加权平均利率(%)	交易量	加权平均利率(%)	交易量	加权平均利率(%)	交易量	加权平均利率(%)	交易量	加权平均利率(%)	交易量	加权平均利率(%)	交易量	加权平均利率(%)	交易量	加权平均利率(%)		
2016.06	86021	2.07	10996	2.47	1172	2.84	188	2.91	626	2.96	131	2.93	683	3.25	12	3.14	15	3.19	—	—	4	3.30	99845	2.14
2016.07	92190	2.07	9286	2.46	386	2.67	105	2.83	357	2.76	96	2.88	117	3.16	12	2.94	15	3.17	4	3.23	3	3.13	102570	2.12
2016.08	94385	2.08	11259	2.47	762	2.64	209	2.57	330	2.63	142	2.84	142	3.10	11	3.01	20	3.03	—	—	7	3.41	107268	2.13
2016.09	67417	2.16	10116	2.52	3155	2.70	551	2.88	469	2.97	417	2.91	491	2.95	67	3.01	38	3.11	1	3.30	7	3.23	82731	2.25
2016.10	46834	2.24	6202	2.58	803	2.74	264	2.95	444	2.91	238	2.99	362	2.98	41	3.06	52	3.16	4	3.19	4	3.19	55247	2.30
2016.11	75014	2.29	6409	2.65	885	2.77	285	2.98	133	3.03	60	3.24	373	3.26	53	3.17	176	3.16	225	3.12	208	3.27	83821	2.33
2016.12	64399	2.34	8280	2.76	1146	3.13	281	4.52	447	3.84	531	4.22	162	4.09	12	3.96	22	4.74	—	—	66	4.55	75345	2.44
2016年累计	839763		92765		12771		2209		4463		2129		3477		263		510		259		522		959131	

数据来源：中国外汇交易中心。

2016 年全国银行间同业拆放利率统计表

单位：%

月份	隔夜	1周	2周	1月	3月	6月	9月	1年
2016.01	1.9890	2.3300	2.9160	3.1680	3.1030	3.1225	3.1836	3.2650
2016.02	2.0070	2.3350	2.6780	2.8000	2.8990	3.0220	3.0890	3.1860
2016.03	2.0170	2.3250	2.7880	2.8070	2.8248	2.8700	2.9700	3.0510
2016.04	2.0490	2.3860	2.8230	2.8530	2.9080	2.9270	2.9750	3.0420
2016.05	2.0100	2.3380	2.7710	2.8460	2.9460	2.9822	2.9920	3.0500
2016.06	2.0370	2.3850	2.8000	2.8870	2.9659	2.9887	3.0012	3.0500
2016.07	2.0170	2.3480	2.6920	2.7730	2.8460	2.9360	2.9658	3.0380
2016.08	2.0650	2.3690	2.5830	2.6960	2.7940	2.8915	2.9265	3.0270
2016.09	2.3270	2.4770	2.6020	2.7410	2.8015	2.8870	2.9284	3.0265
2016.10	2.2530	2.4180	2.5730	2.7453	2.8233	2.9000	2.9510	3.0320
2016.11	2.3160	2.4960	2.6380	2.8697	3.0358	3.0604	3.0714	3.1491
2016.12	2.2300	2.5430	2.8280	3.3059	3.2726	3.2864	3.3192	3.3728

注：本表数据为当月最后一个交易日数据。

数据来源：中国外汇交易中心。

2016 年全国银行间质押式回购交易统计表

单位：亿元

月份	1天		7天		14天		21天		1个月		2个月		3个月		4个月		6个月		9个月		1年		交易量合计	加权平均利率(%)
	交易量	加权平均利率(%)	交易量	加权平均利率(%)	交易量	加权平均利率(%)	交易量	加权平均利率(%)	交易量	加权平均利率(%)	交易量	加权平均利率(%)	交易量	加权平均利率(%)	交易量	加权平均利率(%)	交易量	加权平均利率(%)	交易量	加权平均利率(%)	交易量	加权平均利率(%)		
2016.01	384873	2.02	46233	2.49	4655	2.99	1736	3.46	3664	3.31	875	3.29	407	3.19	23	3.10	152	3.45	11	3.40	313	3.11	442943	2.10
2016.02	268376	2	32416	2.42	18607	2.95	1195	3.30	552	2.99	332	3.04	182	2.95	11	3.01	23	3.13	4	3.10	111	3.04	321809	2.10
2016.03	436609	2.01	58474	2.49	9437	3.08	1504	3.37	1665	3.05	120	3.11	1010	2.77	47	2.88	51	2.99	1	3.25	30	4.50	508949	2.10
2016.04	351322	2.03	45968	2.49	6674	2.96	1018	3.10	1096	2.89	106	2.94	362	2.95	25	3.09	22	3.06	3	3.25	74	3.00	406671	2.11
2016.05	460001	2.02	45248	2.42	3747	2.74	485	2.83	592	2.81	367	3.05	1107	2.89	23	3.08	22	3.14	8	3.09	—	—	511600	2.07
2016.06	456631	2.03	52564	2.50	11307	2.98	1338	3.32	2680	3.05	334	3.25	1235	2.87	35	3.07	15	3.24	2	3.10	—	—	526141	2.10
2016.07	503750	2.04	51570	2.47	5832	2.80	398	2.92	585	2.82	99	2.89	286	2.87	62	3.08	25	3.15	2	3.25	3	3.40	562613	2.09
2016.08	522573	2.06	64282	2.48	8483	2.82	560	2.87	533	2.82	243	2.80	995	2.77	19	3.10	15	2.98	—	—	3	3.00	597706	2.12
2016.09	391756	2.18	52900	2.53	28788	2.94	6541	3.36	2768	3.19	1015	3.05	814	2.81	20	3.13	15	3.10	30	3.04	9	3.13	484657	2.28
2016.10	321238	2.26	44102	2.70	11105	3.10	2046	3.35	1773	3.04	246	3.26	274	2.91	14	3.13	21	3.14	6	3.19	1	3.45	380829	2.35

月份	1天		7天		14天		21天		1个月		2个月		3个月		4个月		6个月		9个月		1年		交易量合计	加权平均利率（%）
	交易量	加权平均利率（%）	交易量	加权平均利率（%）	交易量	加权平均利率（%）	交易量	加权平均利率（%）	交易量	加权平均利率（%）	交易量	加权平均利率（%）	交易量	加权平均利率（%）	交易量	加权平均利率（%）	交易量	加权平均利率（%）	交易量	加权平均利率（%）	交易量	加权平均利率（%）		
2016.11	401892	2.3	56961	2.72	11757	3.17	1453	3.39	2105	3.08	997	3.37	1370	3.35	280	3.59	143	3.63	11	3.31	75	3.43	477045	2.38
2016.12	362112	2.31	68037	3.08	17941	3.98	3129	5.09	5660	4.75	3066	5.08	1303	4.77	119	4.87	238	4.65	5	4.94	120.71	4.61	461731	2.56
2016年累计	4861135		618755		138334		21404		23673		7801		9346		679		743		84		740		5682693	

数据来源：中国外汇交易中心。

2016年存款类金融机构本外币信贷收支表

单位：亿元人民币

项目	2016.01	2016.02	2016.03	2016.04	2016.05	2016.06	2016.07	2016.08	2016.09	2016.10	2016.11	2016.12
来源方项目												
一、各项存款	1430543.23	1439900.75	1465225.34	1473880.51	1493656.59	1519915.58	1524042.73	1541852.87	1542355.43	1554765.90	1563963.64	1568868.68
（一）境内存款	1412473.24	1422557.35	1447241.74	1455919.95	1475505.00	1501186.62	1505986.71	1523429.37	1523906.11	1536198.87	1545453.66	1551494.07
1.住户存款	561389.21	581538.54	587365.08	578085.68	578718.99	588352.99	586273.31	590395.70	600032.27	595876.36	599674.63	606521.64
（1）活期存款	211512.62	218403.73	220585.20	214422.21	214543.02	220656.75	219506.57	222592.20	229244.30	226473.93	229738.66	236656.51
（2）定期及其他存款	349876.59	363134.81	366779.88	363663.48	364175.97	367696.25	366766.74	367803.50	370787.97	369402.44	369935.97	369865.13
2.非金融企业存款	462070.65	447689.82	471039.34	473272.49	478482.53	491082.23	487207.33	500944.82	505728.14	508719.99	518204.75	530154.91
（1）活期存款	181730.23	170698.98	184664.50	184603.73	189017.25	200350.40	197768.51	204104.06	202592.05	210244.43	216368.77	227261.20
（2）定期及其他存款	280340.42	276990.84	286374.84	288668.76	289465.28	290731.83	289438.81	296840.76	303136.09	298475.57	301835.99	302893.71
3.政府存款	249440.45	245236.98	250600.80	262217.30	269669.07	272626.74	279160.32	280997.16	278318.76	287969.39	287049.94	271063.35
（1）财政性存款	39605.83	37915.64	36176.09	45494.57	47113.98	43818.47	48700.22	46890.88	42905.45	49726.11	46850.18	35291.79
（2）机关团体存款	209834.62	207321.34	214424.71	216722.74	222555.09	228808.26	230460.10	234106.28	235413.30	238243.28	240199.75	235771.56
4.非存款类金融机构存款	139572.93	148092.01	138236.52	142344.48	148634.42	149124.65	153345.75	151091.69	139826.95	143633.13	140524.34	143754.17
（二）境外存款	18069.99	17343.40	17983.60	17960.56	18151.59	18728.97	18056.02	18423.50	18449.31	18567.02	18509.98	17374.61
二、金融债券	30905.56	30307.76	30749.48	33082.43	34043.72	37322.44	37687.46	39172.26	40370.92	40423.98	41402.71	42907.56
三、对国际金融机构负债	842.12	2297.35	2298.31	2310.34	2341.92	2347.17	2391.55	2394.08	2404.90	2415.25	2406.77	2406.79
四、其他	-75507.55	-68603.49	-68115.72	-58521.53	-58208.28	-60306.33	-48698.53	-44027.93	-28272.58	-26314.35	-17395.52	-7795.49
资金来源总计	1386783.36	1403902.37	1430157.42	1450751.74	1471833.95	1499278.87	1515423.21	1539391.29	1556858.66	1571290.78	1590377.60	1606387.54
运用方项目												
一、各项贷款	1016831.56	1023475.75	1035584.05	1040511.36	1049932.01	1064246.96	1068580.79	1080313.57	1091446.96	1098309.30	1107817.21	1117809.45
（一）境内贷款	988479.62	995078.61	1007947.90	1012816.59	1022346.25	1035769.48	1039956.83	1049577.37	1060441.95	1066729.51	1074857.08	1085459.31
1.住户贷款	273336.41	273301.67	279690.98	283866.98	289548.48	296514.45	301046.51	307702.02	313984.13	318198.42	324813.41	329543.65
（1）短期贷款	90089.77	88228.75	90284.56	90227.76	90715.85	92097.90	91907.79	93387.51	94095.86	93535.20	94633.68	95332.42
消费贷款	41863.74	40288.67	41826.06	42160.12	42768.11	43927.46	44281.08	45707.20	46337.72	46312.20	47795.05	49139.74
经营贷款	48226.03	47940.08	48458.49	48067.64	47947.74	48170.44	47626.71	47680.31	47758.15	47223.01	46838.64	46192.68
（2）中长期贷款	183246.64	185072.93	189406.42	193639.21	198832.63	204416.55	209138.72	214314.51	219888.27	224663.22	230179.73	234211.23
消费贷款	149987.17	151859.26	155923.86	160019.94	164861.02	169884.65	174346.01	179105.41	184115.50	188637.31	193690.08	197354.14
经营贷款	33259.46	33213.67	33482.57	33619.27	33971.61	34531.90	34792.71	35209.10	35772.77	36025.91	36489.65	36857.09
2.非金融企业及机关团体贷款	691077.40	698347.36	704362.08	704770.24	708080.31	713643.94	713267.30	714462.81	719674.39	720964.42	722492.25	727230.30
（1）短期贷款	273224.65	276093.12	277069.37	275683.28	275500.71	277457.11	275336.47	274509.42	274087.98	273404.18	273858.06	274583.58
（2）中长期贷款	365866.07	370695.46	375336.32	374650.97	376502.60	380461.23	381807.43	381587.49	385965.88	386781.28	388889.60	395859.29
（3）票据融资	49553.46	48966.22	49478.01	51864.22	53431.44	53290.62	53573.05	55799.97	57215.19	58315.33	57312.68	54778.78
（4）融资租赁	157.29	155.56	135.90	136.43	136.26	136.91	131.90	132.95	129.52	125.47	124.98	124.16
（5）各项垫款	2275.92	2437.00	2342.49	2435.34	2509.30	2298.07	2418.46	2432.98	2275.81	2338.16	2306.93	1884.49
3.非存款类金融机构贷款	24065.81	23429.58	23894.84	24179.38	24717.46	25611.09	25643.02	27412.53	26783.43	27566.67	27551.41	28685.36

项目	2016.01	2016.02	2016.03	2016.04	2016.05	2016.06	2016.07	2016.08	2016.09	2016.10	2016.11	2016.12
(二)境外贷款	28351.94	28397.14	27636.15	27694.77	27585.76	28477.48	28623.97	30736.20	31005.01	31579.79	32960.13	32350.14
二、债券投资	211130.60	210709.69	216985.85	226611.47	231626.58	240043.10	243911.69	250478.76	254957.20	258441.01	264364.67	264991.12
三、股权及其他投资	157280.56	166267.75	174136.77	180159.44	186776.40	191478.58	199421.74	205089.16	206939.10	211000.65	214662.02	220066.08
四、在国际金融机构资产	1540.65	3449.18	3450.75	3469.47	3498.95	3510.22	3508.99	3509.79	3515.41	3539.82	3533.71	3520.89
资金运用总计	1386783.36	1403902.37	1430157.42	1450751.74	1471833.95	1499278.87	1515423.21	1539391.29	1556858.66	1571290.78	1590377.60	1606387.54

注:1. 本表机构包括中国人民银行、银行业存款类金融机构

2. 银行业存款类金融机构包括银行、信用社和财务公司。

3. 自2015年起,"各项存款"含非存款类金融机构存放款项,"各项贷款"含拆放给非存款类金融机构款项。

2016年存款类金融机构人民币信贷收支表

单位:亿元

项目	2016.01	2016.02	2016.03	2016.04	2016.05	2016.06	2016.07	2016.08	2016.09	2016.10	2016.11	2016.12
来源方项目												
一、各项存款	1388045.12	1396911.86	1422082.77	1430678.14	1450217.17	1476289.29	1480972.20	1498339.76	1497814.93	1508511.19	1515460.57	1519375.67
(一)境内存款	1376585.78	1386361.64	1410920.55	1419580.55	1439234.00	1464644.83	1470121.13	1487592.88	1487465.39	1498297.18	1505778.13	1510680.43
1. 住户存款	555010.25	575045.94	580799.22	571503.07	572046.09	581519.81	579277.99	583410.17	592908.67	588228.33	591499.03	597750.46
(1)活期存款	207961.54	214816.05	217001.40	210861.88	210948.80	216944.91	215652.39	218758.39	225331.34	222213.49	225149.18	231629.61
(2)定期及其他存款	347048.71	360229.90	363797.83	360641.19	361097.30	364574.91	363625.60	364651.78	367577.33	366014.84	366349.85	366120.85
2. 非金融企业存款	436261.21	421450.11	444751.02	446957.06	452370.36	464837.19	461754.20	475509.96	479676.84	481747.07	490076.11	501446.30
(1)活期存款	172947.57	161445.47	175255.30	175484.37	180084.93	191124.84	188180.05	194370.80	192823.73	199854.85	205357.45	215092.95
(2)定期及其他存款	263313.63	260004.64	269495.72	271472.68	272285.43	273712.35	273574.15	281139.17	286853.12	281892.22	284718.67	286353.36
3. 政府存款	248605.71	244593.70	249958.46	261593.90	269037.98	271952.57	278485.06	280296.78	277663.78	287305.87	286390.51	270377.59
(1)财政性存款	39605.45	37915.26	36175.73	45494.21	47113.62	43818.12	48699.88	46890.42	42904.98	49725.63	46849.78	35291.23
(2)机关团体存款	209000.26	206678.44	213782.73	216099.68	221924.36	228134.45	229785.17	233406.37	234758.80	237580.24	239540.73	235086.36
4. 非存款类金融机构存款	136708.61	145271.88	135411.85	139526.52	145779.56	146335.25	150603.88	148375.96	137216.09	141015.91	137812.48	141106.07
(二)境外存款	11459.34	10550.23	11162.23	11097.59	10983.17	11644.46	10851.07	10746.88	10349.54	10214.01	9682.44	8695.24
二、金融债券	30506.06	29699.42	30452.17	32371.02	33336.20	36386.03	36706.06	38132.34	39290.43	39381.33	40356.06	41785.95
三、流通中货币	72526.51	69421.50	64651.21	64403.17	62780.71	62818.89	63276.01	63454.70	65068.62	64214.93	64903.50	68303.87
四、对国际金融机构负债	842.12	2297.35	2298.31	2310.34	2341.92	2347.17	2391.55	2394.08	2404.90	2415.25	2406.77	2406.79
五、其他	78941.93	87811.83	92631.74	102926.26	104502.49	101026.92	109727.95	110283.01	122089.93	123209.10	128090.87	132674.41
资金来源总计	1570861.74	1586141.96	1612116.21	1632688.93	1653178.49	1678868.30	1693073.78	1712603.90	1726668.81	1737731.80	1751217.77	1764546.68
运用方项目												
一、各项贷款	962857.84	969984.51	983301.87	988871.47	998503.90	1012075.94	1016553.04	1026015.32	1037697.27	1044201.90	1052634.57	1063353.85
(一)境内贷款	959653.83	966834.38	980058.16	985575.82	995124.73	1008605.05	1013051.58	1022455.04	1033938.70	1040278.00	1048278.26	1058983.13
1. 住户贷款	273242.32	273198.06	279598.43	283774.86	289451.40	296415.71	300944.65	307590.34	313880.57	318094.79	324706.66	329428.93
(1)短期贷款	90015.79	88144.76	90211.04	90154.04	90637.39	92018.16	91824.78	93294.59	94010.99	93450.17	94545.86	95236.75
消费贷款	41791.35	40206.30	41754.16	42088.01	42691.16	43849.23	44199.59	45615.92	46254.63	46228.95	47709.04	49045.96
经营贷款	48224.43	47938.46	48456.88	48066.04	47946.23	48168.93	47625.19	47678.66	47756.36	47221.23	46836.82	46190.80
(2)中长期贷款	183226.53	185053.31	189387.39	193620.82	198814.01	204397.55	209119.87	214295.75	219869.58	224644.61	230160.80	234192.17
消费贷款	149967.22	151839.79	155904.96	160001.69	164842.54	169865.79	174327.32	179086.82	184096.98	188618.89	193671.34	197335.26
经营贷款	33259.31	33213.52	33482.42	33619.13	33971.47	34531.76	34792.55	35208.93	35772.60	36025.72	36489.46	36856.92

项目	2016.01	2016.02	2016.03	2016.04	2016.05	2016.06	2016.07	2016.08	2016.09	2016.10	2016.11	2016.12
2.非金融企业及机关团体贷款	663157.83	671046.01	677409.10	678517.53	681861.52	687478.77	687413.78	688418.04	694216.29	695582.09	696959.54	701819.49
(1)短期贷款	257208.30	260515.95	261384.38	260440.79	260330.16	262234.30	260261.02	259122.29	259088.35	258569.73	258959.18	259814.82
(2)中长期贷款	354193.51	359212.23	364282.94	363853.23	365673.70	369744.64	371272.27	371170.87	375730.93	376461.20	378485.55	385428.31
(3)票据融资	49482.04	48898.89	49416.88	51804.42	53368.34	53218.32	53494.82	55729.41	57151.70	58248.71	57240.17	54709.52
(4)融资租赁	157.29	155.56	135.90	136.43	136.26	136.91	131.90	132.95	129.52	125.47	124.98	124.16
(5)各项垫款	2116.68	2263.38	2189.01	2282.65	2353.06	2144.59	2253.77	2262.53	2115.78	2176.98	2149.66	1742.67
3.非存款类金融机构贷款	23253.68	22590.31	23050.63	23283.42	23811.80	24710.57	24693.15	26446.67	25841.83	26601.13	26612.07	27734.71
(二)境外贷款	3204.01	3150.13	3243.71	3295.65	3379.18	3470.89	3501.46	3560.28	3758.57	3923.90	4356.30	4370.72
二、债券投资	207437.38	206970.32	213312.85	222784.90	227555.06	235900.77	239628.10	245897.31	249803.62	253045.21	258414.57	258830.35
三、股权及其他投资	154566.32	163531.19	171268.36	177295.92	183890.43	188586.10	196479.11	202181.71	204013.39	207973.32	211490.15	216874.84
四、黄金占款	2367.35	2393.38	2416.61	2445.35	2445.35	2487.73	2502.08	2516.27	2530.43	2541.50	2541.50	2541.50
五、中央银行外汇占款	242092.21	239813.38	238365.77	237821.82	237284.80	236307.53	234402.45	232483.50	229108.68	226430.04	222603.28	219425.26
六、在国际金融机构资产	1540.65	3449.18	3450.75	3469.47	3498.95	3510.22	3508.99	3509.79	3515.41	3539.82	3533.71	3520.89
资金运用总计	1570861.74	1586141.96	1612116.21	1632688.93	1653178.49	1678868.30	1693073.78	1712603.90	1726668.81	1737731.80	1751217.77	1764546.68

注:1.本表机构包括中国人民银行、银行业存款类金融机构。

2.银行业存款类金融机构包括银行、信用社和财务公司。

3.自2015年起,“各项存款”含非存款类金融机构存放款项,“各项贷款”含拆放给非存款类金融机构款项。

2016年存款类金融机构外汇信贷收支表

单位:亿美元

项目	2016.01	2016.02	2016.03	2016.04	2016.05	2016.06	2016.07	2016.08	2016.09	2016.10	2016.11	2016.12
来源方项目												
一、各项存款	6486.68	6568.00	6677.18	6688.81	6602.74	6578.94	6475.70	6503.42	6669.94	6838.26	7043.21	7134.64
(一)境内存款	5477.66	5530.12	5621.43	5626.25	5513.15	5510.58	5392.43	5356.08	5457.00	5603.36	5761.35	5883.47
1.住户存款	973.65	991.96	1016.20	1019.15	1014.27	1030.46	1051.75	1044.05	1066.76	1130.68	1187.19	1264.40
(1)活期存款	542.02	548.14	554.67	551.23	546.32	559.75	579.48	573.00	585.97	629.86	666.45	724.65
(2)定期及其他存款	431.63	443.82	461.53	467.93	467.95	470.71	472.27	471.05	480.79	500.82	520.75	539.76
2.非金融企业存款	3939.41	4009.00	4068.64	4074.29	3969.02	3957.81	3826.90	3801.47	3901.18	3987.66	4084.61	4138.48
(1)活期存款	1340.54	1413.79	1456.26	1411.91	1357.70	1391.23	1441.63	1454.72	1462.81	1535.99	1598.97	1754.11
(2)定期及其他存款	2598.87	2595.21	2612.38	2662.38	2611.32	2566.58	2385.27	2346.74	2438.37	2451.67	2485.63	2384.37
3.政府存款	127.41	98.28	99.42	96.52	95.92	101.67	101.53	104.68	98.08	98.09	95.76	98.86
(1)财政性存款	0.06	0.06	0.06	0.05	0.05	0.05	0.05	0.07	0.07	0.07	0.06	0.08
(2)机关团体存款	127.35	98.23	99.36	96.46	95.87	101.61	101.48	104.61	98.01	98.02	95.70	98.77
4.非存款类金融机构存款	437.19	430.87	437.17	436.29	433.93	420.65	412.24	405.89	390.98	386.93	393.79	381.74
(二)境外存款	1009.01	1037.89	1055.74	1062.56	1089.59	1068.36	1083.27	1147.34	1212.94	1234.90	1281.86	1251.17
二、金融债券	60.98	92.94	46.02	110.14	107.54	141.21	147.55	155.43	161.80	154.15	151.99	161.69
三、卖出回购资产	3.20	3.79	17.66	14.23	40.17	43.91	34.17	27.73	21.86	38.62	52.91	52.65
四、借款及非存款类金融机构拆入	772.87	771.35	825.41	812.02	828.23	861.20	892.27	899.60	906.65	888.62	897.52	959.59
五、其他	2545.33	2354.45	2192.22	1975.74	1912.05	1972.74	1950.11	2254.32	2073.26	1921.70	1746.14	1585.13
资金来源总计	9869.06	9790.55	9758.48	9600.95	9490.73	9598.00	9499.80	9840.50	9833.51	9841.35	9891.76	9893.69
运用方项目												
一、各项贷款	8238.25	8172.59	8091.71	7995.15	7817.01	7867.51	7822.43	8115.36	8049.01	7999.20	8013.16	7850.02

项目	2016.01	2016.02	2016.03	2016.04	2016.05	2016.06	2016.07	2016.08	2016.09	2016.10	2016.11	2016.12
(一)境内贷款	4399.81	4315.26	4316.50	4217.56	4137.64	4096.46	4045.23	4053.67	3968.86	3910.57	3859.55	3816.66
1.住户贷款	14.36	15.83	14.32	14.26	14.76	14.89	15.31	16.69	15.51	15.32	15.50	16.54
(1)短期贷款	11.29	12.83	11.38	11.41	11.93	12.02	12.48	13.89	12.71	12.57	12.75	13.79
消费贷款	11.05	12.58	11.13	11.16	11.70	11.80	12.25	13.64	12.44	12.31	12.49	13.52
经营贷款	0.24	0.25	0.25	0.25	0.23	0.23	0.23	0.25	0.27	0.26	0.26	0.27
(2)中长期贷款	3.07	3.00	2.95	2.85	2.83	2.87	2.83	2.80	2.80	2.75	2.75	2.75
消费贷款	3.05	2.97	2.92	2.83	2.81	2.84	2.81	2.78	2.77	2.72	2.72	2.72
经营贷款	0.02	0.02	0.02	0.02	0.02	0.02	0.02	0.03	0.03	0.03	0.03	0.02
2.非金融企业及机关团体贷款	4261.49	4171.20	4171.51	4064.58	3985.22	3945.77	3887.10	3892.62	3812.35	3752.51	3707.65	3663.08
(1)短期贷款	2444.65	2379.94	2427.57	2359.92	2305.91	2295.63	2266.61	2299.74	2246.19	2193.12	2163.49	2128.98
(2)中长期贷款	1781.64	1754.45	1710.73	1671.76	1645.98	1616.09	1583.97	1556.86	1532.68	1525.71	1510.79	1503.67
(3)票据融资	10.90	10.29	9.46	9.26	9.59	10.90	11.76	10.55	9.51	9.85	10.53	9.98
(4)融资租赁												
(5)各项垫款	24.30	26.53	23.75	23.64	23.75	23.15	24.76	25.48	23.96	23.83	22.84	20.44
3.非存款类金融机构贷款	123.96	128.23	130.66	138.72	137.66	135.80	142.81	144.36	141.00	142.75	136.40	137.04
(二)境外贷款	3838.44	3857.33	3775.22	3777.60	3679.37	3771.05	3777.20	4061.69	4080.15	4088.63	4153.61	4033.36
二、债券投资	563.71	571.31	568.47	592.45	618.87	624.67	644.04	684.74	771.75	797.71	864.02	888.10
三、股权及其他投资	414.29	418.10	443.94	443.34	438.66	436.19	442.43	434.54	438.12	447.56	460.59	460.03
四、买入返售资产	1.02	0.90	4.26	3.91	5.22	5.26	4.72	6.60	5.44	4.50	2.86	1.47
五、存放非存款类金融机构款项	651.79	627.64	650.09	566.09	610.97	664.36	586.18	599.26	569.18	592.38	551.13	694.07
资金运用总计	9869.06	9790.55	9758.48	9600.95	9490.73	9598.00	9499.80	9840.50	9833.51	9841.35	9891.76	9893.69

注:1. 本表机构包括中国人民银行、银行业存款类金融机构。

2. 银行业存款类金融机构包括银行、信用社和财务公司。

3. 自 2015 年起,“各项存款”含非存款类金融机构存放款项,“各项贷款”含拆放给非存款类金融机构款项。

2016 年国内各类债券统计表

单位:亿元

月份	政府债券		中央银行票据		金融债券		公司信用类债券		国际机构债券		各类债券合计	
	发行	余额	发行	余额	发行	余额	发行	余额	发行	余额	发行	余额
2016.01	1700	155184	0	4222	11674	183999	7640	147681	30	155	21043	491241
2016.02	2568	155294	0	4222	12709	190677	4242	150865	0	155	19519	501213
2016.03	9687	163159	0	4222	18434	198063	11839	157717	0	155	39960	523316
2016.04	13528	174726	0	4222	13051	199052	6759	161207	0	125	33339	539332
2016.05	8383	182038	0	4222	16671	204366	5077	161671	15	140	30146	552437
2016.06	13567	194223	0	4222	15847	211651	6526	163925	61	251	36001	574272
2016.07	7177	198964	0	2384	15612	216919	6648	165340	30	281	29467	583888
2016.08	12218	207487	0	1114	16290	221562	8151	168204	30	311	36688	598678
2016.09	6101	213814	0	214	16014	226488	7967	172071	70	376	30151	612963
2016.1	7218	217550	0	100	12347	227580	6530	174513	61	442	26156	620185
2016.11	6255	223841	0	0	15943	229973	7960	179274	115	537	30273	633625
2016.12	2686	225734	0	0	17561	236499	3037	175180	0	537	23284	637950
2016 年累计	91086		0		182152		82377		412		356027	

注:公司信用类债券包括非金融企业债务融资工具、企业债券,以及公司债、可转债等。

数据来源:中国人民银行、国家发展和改革委员会、中国证券监督委员会、中央国债登记结算有限责任公司、上海清算所。

2016年中债国债收益率统计表

单位：%

月份	1天	1年	3年	5年	7年	10年	30年
2016.01	2.1085	2.3214	2.6149	2.7492	2.8695	2.8419	3.5391
2016.02	1.8065	2.2576	2.537	2.6454	2.867	2.8502	3.5088
2016.03	1.9637	2.0861	2.3025	2.472	2.7823	2.8419	3.3175
2016.04	1.8157	2.307	2.5817	2.7282	2.9594	2.8913	3.4737
2016.05	1.8237	2.3201	2.6074	2.7513	2.9819	2.9851	3.5411
2016.06	1.8806	2.3901	2.5484	2.6865	2.85	2.8411	3.5348
2016.07	1.9366	2.2394	2.4802	2.5827	2.7752	2.7768	3.3486
2016.08	1.8995	2.116	2.4275	2.5713	2.7895	2.7425	3.3102
2016.09	1.9812	2.1584	2.411	2.5489	2.7401	2.7258	3.1901
2016.1	2.0381	2.1711	2.3407	2.4518	2.6762	2.7425	3.1343
2016.11	2.2536	2.301	2.6027	2.7282	2.9263	2.9502	3.2998
2016.12	2.1752	2.6503	2.785	2.854	2.9918	3.0115	3.5831

注：本表数据为当月最后一个交易日数据。

数据来源：中央国债登记结算有限责任公司。

2016年货币当局资产负债表

单位：亿元人民币

项目	2016.01	2016.02	2016.03	2016.04	2016.05	2016.06	2016.07	2016.08	2016.09	2016.10	2016.11	2016.12
国外资产	247702.84	247839.98	246545.30	246256.57	246245.23	245223.59	243667.22	242070.04	238943.29	236441.23	232763.26	229795.77
外汇	242092.21	239813.38	238365.77	237821.82	237284.80	236307.53	234402.45	232483.50	229108.68	226430.04	222603.28	219425.26
货币黄金	2367.35	2393.38	2416.61	2445.35	2445.35	2487.73	2502.08	2516.27	2530.43	2541.50	2541.50	2541.50
其他国外资产	3243.28	5633.21	5762.92	5989.40	6515.07	6428.33	6762.68	7070.28	7304.17	7469.68	7618.49	7829.01
对政府债权	15312.73	15312.73	15312.73	15312.73	15312.73	15274.09	15274.09	15274.09	15274.09	15274.09	15274.09	15274.09
其中：中央政府	15312.73	15312.73	15312.73	15312.73	15312.73	15274.09	15274.09	15274.09	15274.09	15274.09	15274.09	15274.09
对其他存款性公司债权	52000.61	52604.88	44158.16	47361.98	48585.49	57566.49	56303.70	56536.77	61905.21	72549.51	77293.36	84739.02
对其他金融性公司债权	6656.59	6654.59	6654.59	6657.69	6657.69	6657.69	6657.69	6657.69	6657.69	6657.59	6657.90	6324.41
对非金融性部门债权	71.46	71.66	72.10	72.74	73.76	74.74	74.31	75.16	71.69	70.00	70.92	81.03
其他资产	15294.60	13359.22	13473.58	13427.18	13399.23	13345.56	13336.94	13322.49	12098.46	11065.63	7679.99	7497.26
总资产	337038.84	335843.07	326216.46	329088.89	330274.13	338142.16	335313.95	333936.25	334950.43	342058.04	339739.52	343711.59
储备货币	290411.80	290530.03	283376.58	279548.43	279211.98	289070.82	284118.63	285240.13	290706.67	290135.09	291922.96	308979.61
货币发行	79395.44	78394.41	71352.51	70455.90	69038.25	69030.85	69247.92	69714.12	71920.48	70642.97	71303.82	74884.44
其他存款性公司存款	211016.36	212135.62	212024.07	209092.53	210173.73	220039.97	214870.72	215526.01	218786.19	219492.12	220619.14	234095.17
不计入储备货币的金融性公司存款	3110.70	3682.53	3909.69	4252.59	4509.83	4759.53	5052.05	5350.06	5712.91	5924.23	6246.10	6485.03
发行债券	6572.00	6572.00	6572.00	6572.00	6572.00	6572.00	3669.00	1664.00	764.00	600.00	500.00	500.00
国外负债	2689.44	3579.00	3827.75	3506.94	3526.56	3881.51	3633.56	3538.16	3786.76	3730.79	3441.53	3195.07
政府存款	31099.77	29504.68	27338.77	34093.48	34809.39	31797.32	35164.43	32908.89	29920.44	37650.16	36166.56	25062.70
自有资金	219.75	219.75	219.75	219.75	219.75	219.75	219.75	219.75	219.75	219.75	219.75	219.75
其他负债	2935.38	1755.08	971.93	895.70	1424.61	1841.23	3456.53	5015.25	3839.89	3798.03	1242.61	-730.58
总负债	337038.84	335843.07	326216.46	329088.89	330274.13	338142.16	335313.95	333936.25	334950.43	342058.04	339739.52	343711.59

2016 年其他存款性公司资产负债表

单位:亿元人民币

项目	2016.01	2016.02	2016.03	2016.04	2016.05	2016.06	2016.07	2016.08	2016.09	2016.10	2016.11	2016.12
国外资产	42714.34	41491.81	41063.46	41023.16	41562.36	42585.43	42508.92	45159.14	46034.22	46708.76	48801.72	50019.57
储备资产	220080.43	224077.97	221686.94	218508.24	220246.40	230116.56	225121.87	226398.39	230545.77	231140.88	232340.77	246447.18
准备金存款	213211.52	215105.08	214985.66	212455.51	213988.86	223904.60	219149.96	220138.97	223693.91	224712.84	225940.45	239866.61
库存现金	6868.90	8972.89	6701.27	6052.73	6257.54	6211.96	5971.91	6259.42	6851.86	6428.03	6400.32	6580.57
对政府债权	110559.71	110712.30	117323.34	129271.34	134890.76	145390.81	149067.60	156777.91	161514.36	166129.66	170770.10	172140.19
其中:中央政府	110559.71	110712.30	117323.34	129271.34	134890.76	145390.81	149067.60	156777.91	161514.36	166129.66	170770.10	172140.19
对中央银行债权	6190.15	6199.62	6160.88	5959.16	5805.47	5695.55	2799.45	1284.97	677.21	600.48	522.08	525.23
对其他存款性公司债权	301050.82	296775.50	300636.14	293033.62	293461.15	304319.78	302995.45	303349.84	304521.91	304778.99	305619.70	315878.20
对其他金融机构债权	208911.73	214633.03	224021.44	224869.79	232206.02	242536.71	244791.84	251616.87	251143.08	256259.61	259488.50	265298.63
对非金融机构债权	790488.79	800497.28	809470.17	809145.72	815875.29	821461.39	823052.65	821746.73	825631.79	830058.77	837725.70	836467.90
对其他居民部门债权	273336.41	273301.67	279690.98	283866.98	289548.48	296514.34	301046.51	307702.02	313984.13	318198.42	324813.41	329543.65
其他资产	77819.72	80198.77	75906.17	80811.26	83848.42	81626.14	84139.28	87946.78	82685.66	89819.71	92044.79	87435.13
总资产	2031152.10	2047887.95	2075959.53	2086489.27	2117444.33	2170246.70	2175523.57	2201982.66	2216738.13	2243695.27	2272126.78	2303755.70
对非金融机构及住户负债	1271092.52	1275365.80	1314172.28	1310807.38	1325669.21	1356212.53	1352713.36	1372172.65	1387791.35	1392499.40	1413429.65	1420678.69
纳入广义货币的存款	1195415.97	1198137.89	1234409.16	1230015.27	1241940.32	1270047.46	1266564.52	1288267.52	1303229.32	1303297.26	1316943.74	1329747.18
单位活期存款	340159.13	323083.20	346930.10	349101.67	361469.99	380824.81	379658.42	391088.90	389271.63	401231.71	410502.04	418253.37
单位定期存款	294289.20	294042.64	300623.37	303423.88	302474.13	301673.99	301688.23	307806.49	315077.15	307895.68	309067.58	307989.61
个人存款	560967.63	581012.06	586855.68	577489.72	577996.21	587548.66	585217.87	589372.14	598880.53	594169.86	597374.12	603504.20
不纳入广义货币的存款	37966.89	38392.04	38640.09	38742.00	38950.72	39130.29	38726.21	39066.70	40162.25	41818.65	43855.30	44874.49
可转让存款	10520.62	11070.61	11354.26	11038.94	11000.07	11064.60	11620.38	11989.60	12078.45	12747.41	13554.32	14028.43
其他存款	27446.27	27321.43	27285.83	27703.06	27950.65	28065.68	27105.83	27077.09	28083.80	29071.24	30300.98	30846.06
其他负债	37709.67	38835.86	41123.03	42050.11	44778.17	47034.79	47422.64	44838.43	44399.78	47383.49	52630.61	46057.02
对中央银行负债	54883.62	55368.66	46855.28	50038.57	51448.56	60246.77	59052.83	59245.38	64388.36	74974.96	79982.82	87879.65
对其他存款性公司负债	125949.77	124447.68	123721.19	122419.81	124697.43	131786.23	132335.23	133578.18	135593.43	136959.76	136790.46	144836.81
对其他金融性公司负债	152084.65	160888.85	150575.65	154827.88	161106.99	160883.66	165706.74	163016.87	151793.89	156171.14	153603.42	157274.92
其中:计入广义货币的存款	148377.07	157059.29	147137.66	150791.14	156974.07	157625.48	161718.19	159260.68	148062.57	151973.22	148584.82	152015.62
国外负债	11311.54	11321.30	11878.50	12209.97	12613.46	13119.28	12507.83	12908.74	12780.13	11781.91	12903.39	12672.74
债券发行	163416.56	167168.57	172910.91	174302.23	176772.83	181274.72	185295.51	188872.46	191976.93	192765.20	195276.54	201110.89
实收资本	43080.23	43193.82	43988.16	44032.82	44110.57	44340.39	44566.18	45017.43	45343.06	45915.65	46133.51	46946.84
其他负债	209333.20	210133.28	211857.56	217850.59	221025.29	222383.11	223345.89	227170.95	227070.99	232627.25	234007.00	232355.17
总负债	2031152.10	2047887.95	2075959.53	2086489.27	2117444.33	2170246.70	2175523.57	2201982.66	2216738.13	2243695.27	2272126.78	2303755.70

2016 年境外机构和个人持有境内人民币金融资产情况

单位:亿元人民币

项目	2016.01	2016.02	2016.03	2016.04	2016.05	2016.06	2016.07	2016.08	2016.09	2016.10	2016.11	2016.12
股票	4877.15	4928.37	5709.51	5704.54	5773.79	6012.05	6321.76	6610.96	6562.34	6739.31	7092.51	6491.85
债券	6746.39	6637.95	6799.50	7042.74	7163.04	7639.82	7549.90	7738.73	8059.58	8209.90	8347.61	8526.24
贷款	8109.47	7674.23	7782.72	7751.71	7585.54	7474.17	7233.10	7354.96	7081.93	6735.01	6544.69	6164.35
存款	13707.58	11896.63	12744.50	11925.35	12189.93	12529.38	11867.40	11669.60	11307.15	10810.84	10271.00	9154.73

企业商品价格指数

以上年同月为100

年月	煤油电	总指数	农产品	矿产品
2016.01	93.4	104.7	88.2	85.5
2016.02	93.9	105.6	89.7	85.7
2016.03	94.9	106.8	93.4	85.5
2016.04	96	106.9	95.5	86.7
2016.05	96.2	105.3	95	89.1
2016.06	96.6	103.4	94.7	90.2
2016.07	97.9	101.4	97.5	91.7
2016.08	98.7	100.1	99.8	94.1
2016.09	100.2	101.6	101.5	98.6
2016.10	101.7	103.3	102.2	101.9
2016.11	104.5	104.6	107.3	106.3
2016.12	106.8	103.5	112.3	111.2

城镇储户收入与物价扩散指数表

	2016.Q1	2016.Q2	2016.Q3	2016.Q4
当期收入感受指数	46.2	45.3	46.1	51.9
未来收入信心指数	48.4	48.8	49.8	54.9
当期物价满意指数	25.2	25	26.7	29.2
未来物价预期指数	57.3	60.6	62.6	67.6

银行家信心与银行业景气指数表

	银行家信心指数	银行业景气指数
2016.Q1	38.1	62.9
2016.Q2	43.7	61.3
2016.Q3	46.5	62
2016.Q4	53.7	63.9

企业家信心指数与企业景气指数表

	2016.01	2016.02	2016.03	2016.04
企业家信心指数	43.7	49	51.2	54.2
企业景气指数	46.7	48.3	50.3	52.6

2016年度中国信托业发展评析

2016年，中国宏观经济缓中趋稳，供给侧结构性改革持续深化，"三去一降一补"政策效果明显，以不变价格测算的国内生产总值为735 149亿元，GDP实现了6.7%增长率。中国信托业协会发布"2016年信托公司主要业务数据"各项指标表明：信托业积极推进自身的供给侧结构性改革，加速转型升级，强化风险治理，寻求增长动力，回归信托本源，科学构建商业模式，实现行业可持续发展。2016年，信托资产规模跨入"20万亿元"时代，信托作为我国金融体系的重要一员，已经成为服务实体经济的重要力量和创造国民财富的重要途径。

2016年信托业在实现信托资产规模再创历史新高的同时，不断深化落实信托业的供给侧结构性改革，坚决避免行业发展"脱实向虚"，以提升实体经济发展的质量和效益为中心，发挥好多层次、多领域、多渠道配置资源的独特优势，去通道、去链条、降杠杆，为实体经济提供针对性强、附加值高的金融服务，通过开展投贷联动、债转股、并购基金、资产证券化等业务，支持实体经济通过兼并重组去产能，去杠杆，升级做强。诸多信托机构积极探索土地流转信托、消费信托、互联网信托、公益（慈善）信托，助力农业供给侧结构性改革、棚户区改造和新型城镇化建设，服务扩大内需、消费升级和民生改善，积极履行社会责任。

一、稳步增长：2016年信托业跨入"20万亿"时代

（一）信托资产

2016年末，全国68家信托公司管理的信托资产规模继三季度突破18万亿后，达到20.22万亿，同比增长24.01%，环比增长11.29%。与2016年2季度同比增长8.95%相比，3季度和4季度信托资产规模增速均实现两位数增长，信托业跨入了"20万亿时代"。从季度环比增速看，2016年4个季度环比增速分别是1.70%、4.25%、5.11%和11.29%，是行业进入增长态势的实际信号。如图1中所示，自2015年2季度以来，信托资产同比增速是逐季下降的，从2016年3季度开始则呈现增长态势。

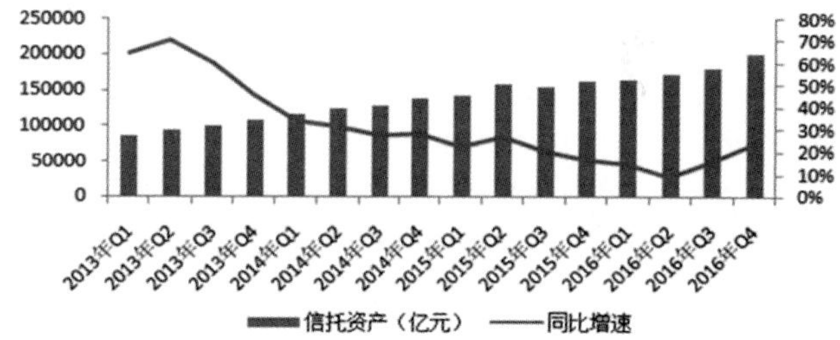

图1　季度信托资产及同比增速（2013年Q1－2016年Q4）

在资产来源方面，2016年年末单一资金信托余额为101 231亿元，占比50.07%，较前一季度降幅明显，单一资金信托占比在2016年呈现下降趋势；集合资金信托余额为73 353.32亿元，占比36.28%，与前一季度相比上升1.47个百分点，集合资金信托占比在2016年呈现波动上升趋势；管理财产信托余额为27 601.75亿元，占比13.65%，较上一季度小幅上升。集合资金信托和管理财产信托余额占比已接近50%，表明信托资产来源呈多样化分布趋势，业务结构不断优化。如图2所示。

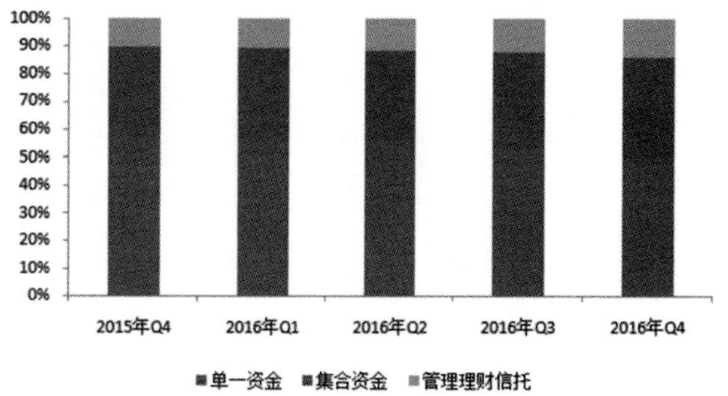

图2　信托资产来源（2015年Q4－2016年Q4）

在资产功能方面，2016年年末事务管理类信托余额为100 667.84亿元（占比49.79%），规模和占比分别较前一季度提高了 17 630.56 亿元和 4.08 个百分点，事务管理类信托占比在 2016 年呈现上升趋势；投资类信托余额为 59 893.74 亿元（占比 29.62%），规模、占比较前一季度反向变动，分别提高了 1 416.69 亿元、降低了 2.57 个百分点；融资类信托余额为 41 624.49 亿元（占比 20.59%），规模和占比分别较前一季度增加了 1 458.26 亿元、降低了 1.52 个百分点。投资类、融资类和事务管理类信托产品三分天下局面进一步改变，事务管理类信托产品发展速度明显快于其他两类产品。如图 3 所示。

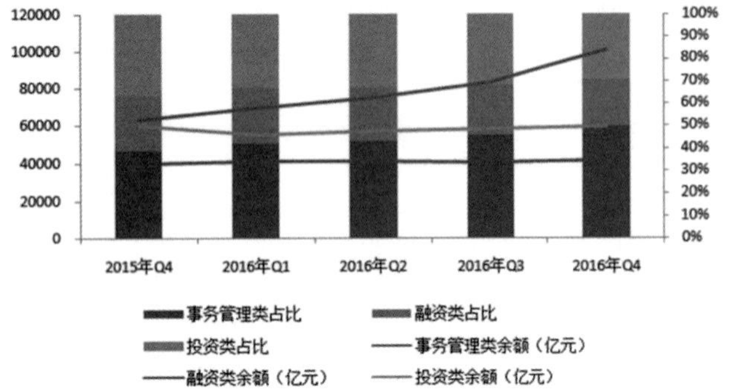

图 3　信托资产功能（2015 年 Q4 – 2016 年 Q4）

2017 年信托业在突破 20 万亿站稳金融机构体系中资产规模第二大业态领先地位的进程中，应进一步发挥信托制度优势，充分整合、联通资金、资本以及实业三大市场，灵活组合金融工具，为客户提供多样化投融资服务，帮助企业实现产融结合的发展目标，支持实体经济，更好发挥金融对经济结构调整和转型升级的支持作用。

（二）固有资产与权益

固有资产类别体现了信托公司主动配置资产的能力。2016 年年末，固有资产规模达到 5 569.96 亿元，较 2015 年末的 4 623.28 亿元同比强劲增长 20.48%，较 2016 年 3 季度末环比增长 10.50%。就资产类别而言，投资类资产一直是固有资产的主要形式，2016 年 4 个季度投资类资产情况：1 季度 3433.99 亿元，占比 74.50%；2 季度 3576.78 亿元，占比 73.30%；3 季度 3 763.06 亿元，占比 74.66%；4 季度 4 137.36 亿元，占比 74.28%，规模较 2015 年末 3 265.35 亿元同比增长 26.71%，较 2016 年 3 季度末环比增长 9.95%。贷款类资产 2016 年末规模为 294.03 亿元，同比下降 15.84%，较 3 季度末环比下降 8.25%。2016 年末，货币类资产规模达到 684.87 亿元，较 2015 年末的 725.60 亿元同比下降 5.61%，较 2016 年 3 季度末的 486.85 亿元环比增长 40.67%。

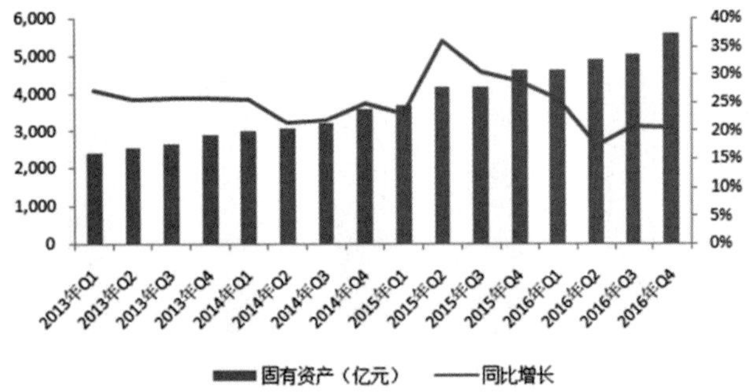

图 4　固有资产规模及其同比增长（2013 年 Q1 – 2016 年 Q4）

2016 年末，信托业的所有者权益为 4 501.86 亿元，比 2015 年同期的 3 818.69 亿元增长 17.89%，比 2016 年 3 季度末的 4 130.43 亿元增长 8.99%。

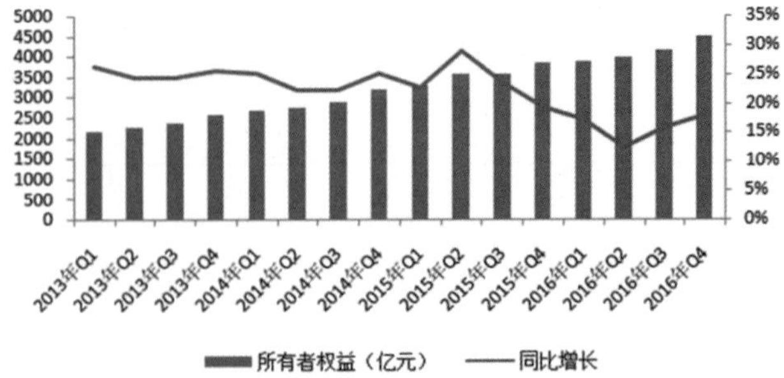

图 5　所有者权益规模及其同比增速（2013 年 Q1 – 2016 年 Q4）

从净资产的组成部分来看，信托行业的实收资本自 2013 年以来呈现企稳上升趋势，其 2013 年至 2015 年占所有者权益比例，分别为 43.70%、43.38%、43.27%。2016 年第 4 季度实收资本总额变化延续了上述趋势，其总额达到 2 038.16 亿元的规模，占比 45.27%，较去年四季度同增长了 385.65 亿元。

就信托赔偿准备而言，截至 2016 年 4 季度末，信托赔偿准备规模为 187.03 亿元，环比增长 14.39%，同比增长 18.83%。2016 年 4 个季度的信托赔偿准备规模分别是：一季度 161.06 亿元，二季度 161.32 亿元，三季度 163.5 亿元，四季度 187.03 亿元。其占所有者权益的比例较去年整体水平有小幅增加，由 2015 年末的 4.12% 增长到 2016 年末的 4.15%。信托赔偿准备规模的不断扩大，说明信托公司在有意识地增强行业抵御风险的能力。

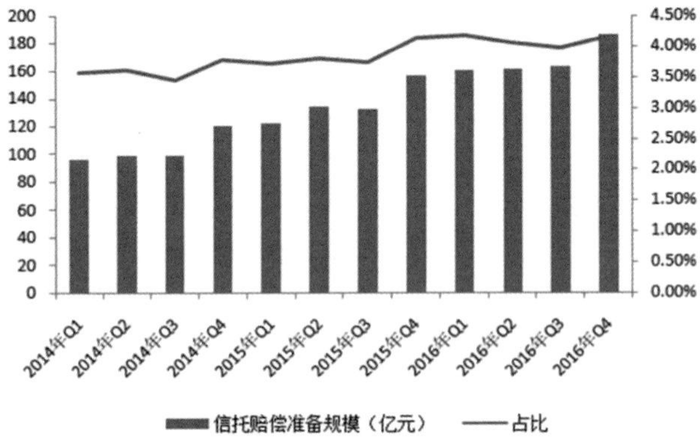

图 6　信托赔偿准备及其占比（2014 年 Q1 – 2016 年 Q4）

信托行业固有资产与所有者权益规模持续高速增长，主要得益于信托行业的增资扩股和风险治理的强化。随着信托行业评级的实施和信托监管评级的调整，信托公司资本扩张的动力增强。2016 年以来，共计有 20 家信托公司完成增资，平均每家公司增资约 17 亿元。其中增资额最大的昆仑信托，增资金额 72.27 亿元。另外，在行业整体保持盈利的基础上，部分信托公司的利润并没有全部分配，留存利润积累进一步促进了固有资产和所有者权益的增长。

（三）风险项目个数及规模

信托风险项目个数和资金规模自 2015 年第四季度持续快速增加以来，2016 年第四季度实现双双回落。2016 年末信托业的风险项目个数为 545 个，较第三季度减少 61 个，资产规模为 1 175.39 亿元，较第 3 季度末的 1 418.96 亿元减少 243.57 亿元，环比下降 17.17%。在 1 175.39 亿元的风险项目中，其中集合类信托 600.71 亿元，占比为 51.11%，较第三季度降低 21.12%；单一类信托 556.92 亿元，占比为47.38%，较第三季度降低 12.52%；财产管理权信托风险项目资金规模为 17.76 亿元，占比为 1.51%，较第三季度降低 14.71%。

伴随着信托业保障基金有效运行、中国信托登记有限责任公司的正式揭牌，加上之前已经成立的履行行业自律职能的中国信托业协会，在信托公司自身不断加强风控能力的同时，支持信托业发展的“一体三翼”架构全面建成，形成了监管部门为监管主体，行业自律、市场约束、安全保障为补充的多层次、多维度的信托业风险防控体系。因此，对应20.22万亿的信托资产规模，不良率为0.58%的中国信托行业，风险总体可控。

二、稳中求进：2016年经营业绩步入平稳增长期

2016年，信托公司依赖于外部市场环境刺激、利用相对灵活的制度安排追求“短平快”短期套利模式已经不可持续，信托投资收益增速大幅回落，信托业经营收入与信托项目年化综合实际收益率均呈现回落状态。但与此同时，伴随着信托公司风险治理的完善，成本控制能力的提升，以及逐渐回归信托本源，主营业务凸显，信托业利润总额持续上升。

（一）经营业绩

一是经营收入同比下降。2016年末，信托业实现经营收入1 116.24亿元，较2015年末的1 176.06亿元同比下降5.09%。从具体构成来看，利息收入与信托业务收入占经营收入比均呈现上升趋势，而投资收益占比则呈现下降趋势。具体而言，2016年末利息收入为62.75亿元，较2015年末同比上升5.57%，同期的利息占比从5.05%上升为5.62%；2016年末投资收益为270.73亿元，较2015年末同比下降28.02%，同期的投资收益占比从31.98%下降为24.25%；而信托业务收入占经营收入比例，则从2015年的58.61%，增加到2016年的67.16%。

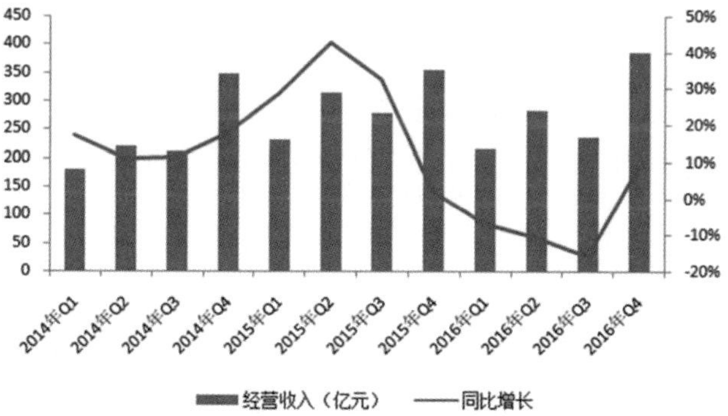

图7　经营收入及其同比增速（2014年Q1－2016年Q4）

二是利润总额保持增长势头。2016年末信托业实现利润771.82亿元，较2015年末的750.59亿元增长2.83%。2016年4个季度的利润分别是1季度139.84亿元、2季度199.43亿元、3季度179.37亿元、4季度253.18亿元，4季度较3季度环比增长41.15%。

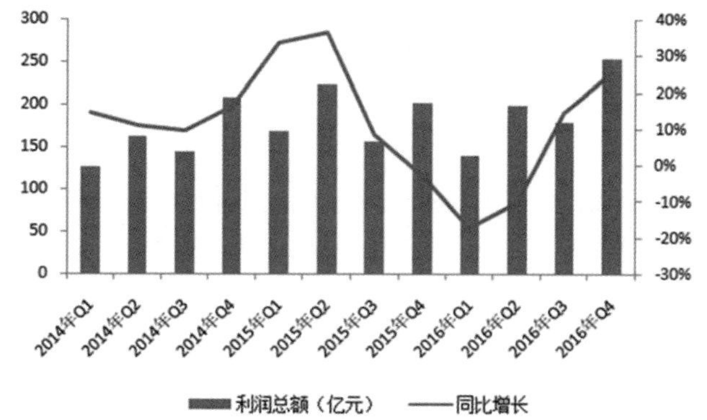

图8　各季度利润总额及其同比增速（2014年Q1－2016年Q4）

三是人均利润指标下降。人均利润是衡量行业盈利水平的主要指标，2015年末人均利润为319.91万元，2016年末则下降到316.1万元，同比下降1.19%。

（二）受托管理成效

2016年12月份清算信托项目1 882个，平均年化综合信托报酬率为0.73%，略高于2015年12月份的0.53%。2016年平均年化综合信托报酬率情况为3月份0.50%、6月份0.50%、9月份0.58%；就清算信托项目为受益人的年化综合实际收益率而言，2016年3月份8.18%、6月份6.35%、9月份7.59%、12月份7.60%。2015年该收益率情况为3月份8.11%、6月份10.19%、9月份7.30%、12月份13.96%。因此，2016年信托项目年化综合实际收益率，相对于2015年而言，整体呈现下降趋势。

2016年弱周期环境下信托业仍实现利润稳步增长主要有以下三个原因。

一是提价值。面对低迷的投资环境，信托公司发力信托业务，加大主动管理业务的研发创新，努力提高信托产品的科技含量和附加值。

二是降成本。信托公司综合管理能力普遍提升，经营成本控制达到较高水平。2016年信托公司普遍加强资产清收，资产减值大幅减少，初步统计总成本仅300多亿元，同比下降超过25%。

三是促转型。转型创新步伐大幅度加快，市场深度拓展，盈利模式得以升级。基金化信托产品广泛操作，部分信托公司不仅可以通过固定的管理佣金获得利润，而且还可以通过基金投资分成获得浮动收益。

三、服务实体：2016年信托价值和制度优势得以彰显

随着供给侧结构性改革的持续深入，我国实体经济转型升级步伐加快。信托业也在转型路口迎来了发展机遇期。2016年12月26日，银监会主席尚福林在中国信托业年会“信托业可持续发展之路”中重点提到信托业要回归信托本源并且服务实体经济。首先，信托公司要以信托本业为主体，聚焦资产管理、财富管理、受托服务。其次，信托公司要通过开展投贷联动、债转股等业务支持实体产业的发展，通过并购基金促进落后产能转型升级，通过资产证券化盘活市场流动性，将社会闲置资金引入实体经济领域。

2016年信托财产的投向依旧是在工商企业、基础产业、证券投资、金融机构和房地产五大领域。2016年四季度末信托资产投向工商企业占比24.82%，基础产业占比15.64%，证券投资占比16.2%，金融机构占比20.71%，房地产占比8.19%，其他占比14.44%。相较于2015年4季度工商企业占比上升2.31个百分点，证券投资下降4.15个百分点，金融机构上升2.78个百分点，基础产业下降2.25个百分点。

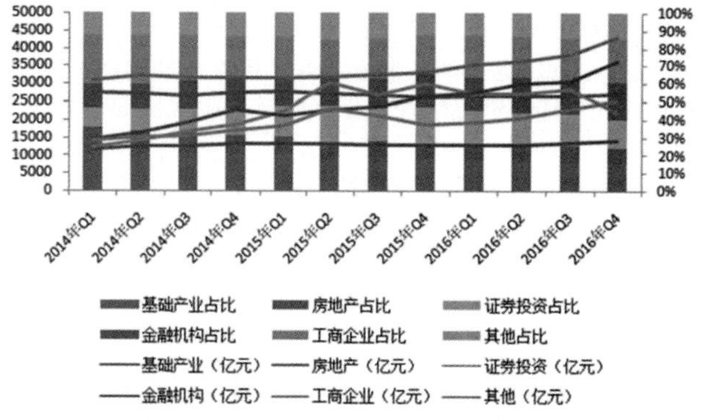

图9　信托资产投向规模及其占比（2014年Q1－2016年Q4）

(一)工商企业

2016年4季度末,工商企业继续保持其资金信托的第一大配置领域的地位,规模为43 328.03亿元,占比为24.82%。相较于2015年4季度工商企业占比22.51%,上升2.3个百分点,相较于2016年3季度占比23.79%,上升了1.03个百分点。

(二)金融机构

2016年,金融机构成为资金信托的第二大配置领域的地位。2016年4季度末,资金信托对金融机构的运用规模为36 150.18亿元,占比20.71%。自2015年2季度以来,金融机构占比就呈上升趋势。2016年1季度金融机构占比18.49%,2016年2季度金融机构占比19.56%,3季度稍有下降占比19.10%,4季度回升占比20.71%。2016年金融机构占比已上升2.78个百分点。

(三)证券投资

2016年4季度末,证券投资为资金信托的第三大配置领域。自2015年4季度以来证券投资占比一直在下降。从2015年4季度的20.35%到2016年4季度末的16.21%,已经降低了4.15个百分点。2016年4季度证券投资信托规模为28 297.44亿元,较2015年4季度同比下降5.37%。证券投资(基金)信托规模为2 800.99亿元,其在信托资金投向的占比为1.60%,较2016年3季度占比2.04%,下降0.44个百分点;证券投资(债券)信托规模为19 239.46亿元,其在信托资金投向的占比为11.02%,较2016年3季度末占比12.70%,下降1.68个百分点;证券投资(股票)信托规模为6 256.99亿元,其在信托资金投向的占比为3.58%,较2016年3季度末占比2.98%,上升了0.6个百分点。

(四)基础产业

2016年基础产业占比持续下降,最终在4季度末成为资金信托的第四大配置领域,规模为27 298.94亿元,占比为15.64%。2016年1季度为18.02%,2季度为17.31%,3季度为16.60%,4季度更是跌落至15.64%。

(五)房地产

2016年4季度末,房地产依然是资金信托的第五大配置领域。2016年4季度末,资金信托投向房地产领域的规模为14 295.37亿元,占比为8.19%,占比较2015年4季度的8.76%下降0.57个百分点,较2016年3季度的8.45%下降0.26个百分点。房地产信托占比在2016年一直持续下降,与房地产市场调控密切相关。

四、回归本源:2017年信托业发展趋势展望

2017年是深化供给侧结构性改革的一年,是"十三五"规划中的的一个战略发展时期。当前,资本金融时代已经到来,坚持资本思维尤为重要。资本思维的精髓是结构性重组,宏观层面上的资本运作包括对全社会的资源进行整合,发挥资源效益。在产业链上淘汰和重组过剩产能,以进一步提升全社会资源配置和生产效率。微观层面的资本运作,包括进行国企改革,关停低效、高污染、高耗能的企业,优化市场上的资源主体。在此背景下,2017年我国信托业将呈现如下趋势。

(一)信托业深化转型压力持续

随着资产规模扩大,风险因素也在逐步积累。这一方面与中国宏观经济的大环境有关,另一方面与信托业自身的结构性问题、业务短板有关。2017年信托业发展将更加关注于风险防控与监管,伴随较大的信托资产存量,预计2017年信托业资产规模增速将有所放缓。

而且从大资管市场背景来看,大资管市场行业竞争加剧,挤压了信托业的市场占有率,影响了信托公司的规模扩张。信托业在2017年将继续面临深化转型的压力。

(二)信托资产支持领域日益广泛

2017年,信托资产将在传统投资领域与新兴投资领域广泛布局。在传统投资领域中,受累于宏观经济基本面因素和房地产市场调控政策的影响,在证券投资领域和房地产投资领域,信托资产投资将会延续2016年的趋势。但在并购重组领域及政府与社会资本合作(PPP)领域,信托资产投资将会持续增加。2016年12月举行的中央经济工作会议,对2017年经济工作提出战略部署,要求深入实施西部开发、东北振兴战略,要通过政策扶持引导产业结构优化。在此过程中,基础设施投资缺口依然较大。因此,2017年PPP业务预期将有一定的成长空间。信托公司应挖掘金融服务优势与政府建立产业投资基金,有效对接资产运用端和资金来源端。

在新兴投资领域,受政策的支持与引导,2016年消费信托、公益(慈善)信托、绿色信托估计发展较快。《慈善法》颁布后,经过一段时间的摸索,预计2017年全社会慈善热情将上涨,信托公司也将与慈善基金会充分合作,开发慈善信托产品。同时,信托公司有机会参与到土地经营权确认和流转环节,发挥制度优势,提高农业资源的流动性和利用效率,提高农业生产率。

(三)信托业务加速创新

在信托业务上,2017年伴随居民财富的快速积累以及营改增试点,财产信托、事务类信托有望迎来更广阔的发展空间,在信托业务回归本源的行业发展方向指引下,预计市场占比将有所提高。然而,融资类信托发展则存在诸多不确定性。首先,融资类信托的发展受到企业贷款需求的约束,不能无限扩张。其次,融资类业务仍将面临严格的监管,中小信托公司难以满足资本监管要求,开展融资类信托业务也会受到政策制约。当然,预计2017年信托公司会通过产品创新来缓解这一问题。一方面,信托公司将加大投贷联动的创新力度;另一方面,资产证券化也是信托公司技术创新的有效途径。而且2017年,中国信托登记公司正式上线运营,可提高信托资产的流动性。因此,预计资产证券化信托的市场需求会更加旺盛。不良资产证券化、PPP资产证券化等创新业务领域有望成为新的行业发展动力。同时2017年,预计信托公司与互联网的结合将更加紧密。信托与互联网的结合有助于在通道业务被迫收缩的背景下,吸收积累潜在的客户群体,拓展信托业务平台。

另外,伴随老龄化程度加剧、产业结构的转变和消费模式的变化,2017年信托业将在养老服务、旅游资源开发、网络购物等新兴领域崭露头角。

(四)信托业监管规则逐步完善

在2016年中国信托业年会上,银监会主席助理杨家才将信托业务分为八类。新的分类方式表明,信托业务除了面临传统的信用风险管理责任之外,还要承担市场风险、合规风险、战略风险管理责任等,信托业风险管理形势趋于复杂化。因此,针对信托业风险的监管规则将愈发细化完善。

首先,从行业监管视角来看,2016年监管层相继出台《关于进一步加强信托公司风险监管工作的意见》《银行业金融机构全面风险管理指引》,从强调实质风险化解、引导配资业务、加大非标资金池清理力度、强化资本管理等方面明确提出信托公司要严守风险底线,促进行业稳健发展。其次,信托行业评级体系和信托监管评级体系分别建立，信托公司风险控制、资产质量、合规经营全面纳入监管体系。最后，中国信托登记有限责任公司的成立使信托业"一体三翼"监管框架建成，信托产品统一的交易、流转平台的出现将极大促进行业健康发展。

信托大数据平台建立与制度的完善也使监管工具更加灵活，信托保障基金费率的差异化调整有可能成为新常态。

（作者：中国人民大学信托与基金研究所执行所长邢成　来源：中国信托业协会）

2016年中国货币政策大事记

1月4日，银行间外汇市场交易系统每日运行时间延长至北京时间23:30。同时，符合一定条件的人民币购售业务境外参加行经向中国外汇交易中心申请成为银行间外汇市场会员后，可以进入银行间外汇市场，通过中国外汇交易中心交易系统参与全部挂牌的交易品种。此举进一步丰富了银行间外汇市场参与主体、拓宽了境内外市场主体的交易渠道，有助于促进形成境内外一致的人民币汇率。

1月20日，中国人民银行办公厅印发《关于调整境外机构人民币银行结算账户资金使用有关事宜的通知》（银办发〔2016〕15号）。

1月22日，中国人民银行发布《关于扩大全口径跨境融资宏观审慎管理试点的通知》（银发〔2016〕18号），决定自2016年1月25日起，面向27家金融机构和注册在上海、广东、天津、福建四个自贸区的企业扩大本外币一体化的全口径跨境融资宏观审慎管理试点。

1月25日，中国人民银行对境外人民币业务参加行存放境内代理行人民币存款执行正常存款准备金率，即境内代理行现行法定存款准备金率，以防范宏观金融风险，促进金融机构稳健经营。

1月26日，中国人民银行向全国人大财经委员会汇报2015年货币政策执行情况。

2月2日，为进一步完善个人住房信贷政策，支持居民合理住房消费，中国人民银行和银监会联合发布《关于调整个人住房贷款政策有关问题的通知》（银发〔2016〕26号），在不实施"限购"措施的城市，下调个人住房贷款最低首付款比例。

2月6日，发布《2015年第四季度中国货币政策执行报告》。

2月6日，发布中国人民银行公告〔2016〕第2号，进一步丰富银行间债券市场柜台业务品种，扩大柜台承办银行业务范围，并对柜台债券交易、托管、结算等进行规范。

2月15日，经国务院同意，中国人民银行、发展改革委、工业和信息化部、财政部、商务部、银监会、证监会、保监会联合印发《关于金融支持工业稳增长调结构增效益的若干意见》（银发〔2016〕42号），加大金融对工业供给侧结构性改革和工业稳增长、调结构、增效益的支持力度，推动工业转型升级。

2月17日，中国人民银行、住房城乡建设部、财政部印发《关于完善职工住房公积金账户存款利率形成机制的通知》（银发〔2016〕43号），决定自2月21日起，将职工住房公积金账户存款利率，由现行按照归集时间执行活期和三个月存款基准利率，调整为统一按一年期定期存款基准利率执行。

2月18日，中国人民银行发布公告，决定从即日起正式建立公开市场每日操作常态化机制，根据货币政策调控需要，原则上每个工作日均开展公开市场操作。

2月24日，发布中国人民银行公告〔2016〕第3号，引入更多符合条件的境外机构投资者投资银行间债券市场，取消投资额度限制，简化管理流程。

2月25日，中国人民银行按照定向降准相关制度，对参与定向降准金融机构2015年度支持"三农"和小微企业领域情况进行考核，并根据考核结果动态调整其存款准备金率。

3月1日，中国人民银行普遍下调金融机构人民币存款准备金率0.5个百分点，以保持金融体系流动性合理充裕。

3月4日，中国人民银行、民政部、银监会、证监会、保监会联合印发《关于金融支持养老服务业加快发展的指导意见》（银发〔2016〕65号），大力推动金融组织、产品和服务创新，改进完善养老领域金融服务，支持养老服务业加快发展。

3月7日，中国人民银行与新加坡金管局续签规模为3 000亿元人民币/600亿新加坡元的双边本币互换协议。

3月16日，中国人民银行、银监会、保监会、财政部、国土资源部、住房城乡建设部等六部门联合印发《农民住房财产权抵押贷款试点暂行办法》（银发〔2016〕78号）；中国人民银行、银监会、保监会、财政部、农业部等五部门联合印发《农村承包土地的经营权抵押贷款试点暂行办法》（银发〔2016〕79号）。

3月21日，中国人民银行、发展改革委、财政部、银监会、证监会、保监会、扶贫办联合印发《关于金融助推脱贫攻坚的实施意见》（银发〔2016〕84号），紧紧围绕"精准扶贫、精准脱贫"基本方略，提出了金融助推脱贫攻坚六个方面共22条细化落实措施，明确了新形势下金融助推脱贫攻坚的总体要求、目标任务和重点工作。

3月24日，中国人民银行印发《易地扶贫搬迁信贷资金筹措方案》（银发〔2016〕90号），对易地扶贫搬迁信贷资金筹措目标任务、指导思想、工作原则及具体筹措方案等内容进行明确。

3月25日，经国务院同意，中国人民银行和银监会联合印发《关于加大对新消费领域金融支持的指导意见》（银发〔2016〕92号），明确创新金融支持和服务方式，大力发展消费金融，更好地满足新消费重点领域的金融需求，发挥新消费引领作用。

3月28日，中国人民银行印发《关于开办扶贫再贷款业务的通知》（银发〔2016〕91号），创设扶贫再贷款，专门用于支持贫困地区地方法人金融机构扩大贫困地区涉农信贷投放，降低贫困地区融资成本，为打赢脱贫攻坚战提供有力金融支持。

3月28日，中国人民银行货币政策委员会召开2016年第一季度例会。

4月6日，印发《中国人民银行抵押补充贷款管理办法（试行）》（银发〔2016〕101号），进一步加强抵押补充贷款管理。

4月12日，出台《中国人民银行办公厅关于做好2016年信贷政策工作的意见》（银办发〔2016〕98号），围绕去产能、去库存、去杠杆、降成本、补短板五大任务，指导人民银行各分支机构和银行业金融机构充分发挥信贷政策在供给侧结构性改革中的能动作用，做好2016年信贷政策工作。

4月14日，印发《中国人民银行关于做好2016年易地扶贫搬迁信贷资金筹措及信贷管理服务工作的通知》（银发〔2016〕115号），对2016年易地扶贫搬迁信贷资金筹措和信贷管理服务进行明确，保证扶贫专项金融债券规范顺利发行，资金专款专用，全力支持易地扶贫搬迁工作。

4 月 18 日，中国人民银行、银监会、证监会、保监会联合印发《关于支持钢铁煤炭行业化解过剩产能实现脱困发展的意见》（银发〔2016〕118 号），引导金融机构坚持区别对待、有扶有控原则，满足钢铁、煤炭企业合理资金需求，严格控制对违规新增产能的信贷投入。支持企业债务重组和兼并重组，推动钢铁、煤炭行业结构调整优化，支持银行加快不良资产处置，依法处置企业信用违约事件。

4 月 18 日，中国人民银行向全国人大财经委员会汇报 2016 年第一季度货币政策执行情况。

4 月 27 日，发布中国人民银行公告〔2016〕第 8 号及配套实施细则，明确机构投资者的合格性标准，拓宽投资者范围，优化备案、开户、联网流程，明确依法对相关业务开展进行检查，强调中介机构与自律组织监测与自律管理职责。

4 月 29 日，中国人民银行印发通知，自 5 月 3 日起在全国范围内实施本外币一体化的全口径跨境融资宏观审慎管理框架（银发〔2016〕132 号）。

5 月 6 日，发布《2016 年第一季度中国货币政策执行报告》。

5 月 11 日，中国人民银行与摩洛哥中央银行签署规模为 100 亿元人民币/150 亿迪拉姆的双边本币互换协议。

5 月 27 日，中国人民银行、农业部、银监会、证监会、保监会、国家外汇管理局等六部门联合印发《关于做好现代种业发展金融服务的指导意见》（银发〔2016〕154 号），要求加大对现代种业的金融支持，培育壮大育繁推一体化的种子龙头企业，保障国家粮食安全和农业持续稳定发展。

5 月 27 日，中国人民银行、国务院扶贫办、银监会、证监会、保监会等五部门联合印发《关于加强金融精准扶贫信息对接共享工作的指导意见》（银发〔2016〕155 号），推动建立金融扶贫信息与扶贫基础信息对接共享机制，夯实金融精准扶贫工作基础。

6 月 6 日，为推进大额存单业务发展，拓宽个人金融资产投资渠道，增强商业银行主动负债能力，中国人民银行将个人投资人认购大额存单起点金额由不低于 30 万元调整为不低于 20 万元（中国人民银行公告〔2016〕第 13 号）。

6 月 7 日，中国人民银行与美国联邦储备委员会签署在美国建立人民币清算安排的合作备忘录，并给予美国 2 500 亿元人民币合格境外机构投资者（RQFII）额度。

6 月 16 日，印发《中国人民银行扶贫再贷款管理细则》（银发〔2016〕173 号），规范扶贫再贷款管理，提高支持精准扶贫政策效果。

6 月 17 日，经中国人民银行授权，中国外汇交易中心宣布自 6 月 20 日起在银行间外汇市场正式开展人民币对南非兰特直接交易。

6 月 17 日，中国人民银行与塞尔维亚中央银行签署规模为 15 亿元人民币/270 亿塞尔维亚第纳尔的双边本币互换协议。

6 月 24 日，全国外汇市场自律机制成立大会暨第一次工作会议召开，全国外汇市场自律机制正式成立，会议审议通过了《外汇市场自律机制工作指引》。外汇市场自律机制的建立，有助于维护外汇市场有序运作和健康发展，促进外汇市场由“他律”转向“他律”和“自律”并重。

6 月 24 日，经中国人民银行授权，中国外汇交易中心宣布自 6 月 27 日起在银行间外汇市场正式开展人民币对韩元直接交易。

6 月 25 日，中国人民银行与俄罗斯中央银行签署在俄罗斯建立人民币清算安排的合作备忘录。

6 月 29 日，印发《中国人民银行关于推广试用金融精准扶贫信息系统有关事宜的通知》（银发〔2016〕184 号），在全国推广金融精准扶贫信息系统，精准采集和动态监测金融精准扶贫信息，推动金融精准扶贫工作开展。

7 月 1 日，中国人民银行货币政策委员会召开 2016 年第二季度例会。

7 月 8 日，发布《2015 年中国区域金融运行报告》。

7 月 11 日，中国银行（香港）有限公司以直接参与者身份接入人民币跨境支付系统（CIPS），这是 CIPS 的首家境外直接参与者；同日，中信银行、上海银行、广东发展银行、江苏银行、三菱东京日联银行（中国）有限公司、瑞穗银行（中国）有限公司、恒生银行（中国）有限公司等以直接参与者身份接入 CIPS，CIPS 直接参与者数量增加至 27 家。

7 月 15 日，中国人民银行决定进一步改革存款准备金考核制度，将人民币存款准备金的交存基数由旬末一般存款余额时点数调整为旬内一般存款余额的算术平均值。同时，按季交纳存款准备金的境外人民币业务参加行存放境内代理行人民币存款，其交存基数也调整为上季度境外参加行人民币存放日终余额的算术平均值。

7 月 18 日，中国人民银行向全国人大财经委员会汇报 2016 年上半年货币政策执行情况。

7 月 21 日，中国人民银行印发《关于做好当前防汛抗洪抢险救灾金融服务工作的通知》（银发〔2016〕204 号），从切实提高责任意识、确保支付系统和主要金融信息系统网络稳定运行、做好发行基金调拨和灾区现金供应工作、优先满足抗灾救灾和灾后重建信贷资金需求、确保灾区金融稳定、加强动态监测和跟踪报告、做好受灾干部职工关怀帮助工作七个方面对当前防汛抗洪抢险救灾金融服务工作做出全面部署。

7 月 22 日，中国人民银行、财政部、人力资源社会保障部联合印发《关于实施创业担保贷款支持创业就业工作的通知》（银发〔2016〕202 号），将小额担保贷款政策调整为创业担保贷款政策，扩大贷款对象范围，统一贷款额度，调整贷款期限，支持大众创业、万众创新。

8 月 5 日，发布《2016 年第二季度中国货币政策执行报告》。

8 月 30 日，为规范人民币合格境外机构投资者境内证券投资管理，中国人民银行、国家外汇管理局发布《关于人民币合格境外机构投资者境内证券投资管理有关问题的通知》（银发〔2016〕227 号）。

8 月 31 日，经中央全面深化改革领导小组第二十七次会议审议通过，中国人民银行、财政部、发展改革委、环境保护部、银监会、证监会、保监会联合印发《关于构建绿色金融体系的指导意见》（银发〔2016〕228 号），通过创新性金融制度安排发展绿色金融，利用绿色信贷、绿色债券等金融工具和相关政策为绿色发展服务，推进供给侧结构性改革。

8 月 31 日，世界银行（国际复兴开发银行）首期特别提款权（SDR）计价债券在中国银行间债券市场成功发行。

9 月 12 日，中国人民银行与匈牙利央行续签规模为 100 亿元人民币/4160 亿匈牙利福林的双边本币互换协议。

9 月 20 日，中国人民银行授权中国银行纽约分行担任美国人民币业务清算行。

9 月 23 日，中国人民银行印发《关于完善开发性银行和政策性银行金融债券发行有关事宜的通知》(银发〔2016〕254号),进一步简化政策性金融债券发行程序,丰富政策性金融债券发行方式。

9月23日,为促进中国与阿拉伯联合酋长国之间的双边贸易和投资,便利人民币和阿联酋迪拉姆在贸易投资结算中的使用,满足经济主体降低汇兑成本的需要,经中国人民银行授权,中国外汇交易中心宣布在银行间外汇市场开展人民币对阿联酋迪拉姆直接交易。

9月23日,为促进中国与沙特阿拉伯王国之间的双边贸易和投资,便利人民币和沙特里亚尔在贸易投资结算中的使用,满足经济主体降低汇兑成本的需要,经中国人民银行授权,中国外汇交易中心宣布在银行间外汇市场开展人民币对沙特里亚尔直接交易。

9月23日,中国人民银行授权中国工商银行(莫斯科)股份有限公司担任俄罗斯人民币业务清算行。

9月27日,中国人民银行与欧洲中央银行签署补充协议,决定将双边本币互换协议有效期延长三年至2019年10月8日。互换规模仍为3500亿元人民币/450亿欧元。

9月28日,中国人民银行货币政策委员会召开2016年第三季度例会。

9月28日,中国人民银行、发展改革委、银监会、国务院扶贫办联合印发《关于加快2016年易地扶贫搬迁信贷资金衔接投放有关事宜的通知》(银发〔2016〕258号),督促指导金融机构加快2016年易地扶贫搬迁信贷资金衔接投放工作,促进2016年易地扶贫搬迁建设顺利开展。

9月30日,财政部会同人民银行联合发布了《建立国债做市支持机制有关事宜的公告》和《关于印发〈国债做市支持操作规则〉的通知》,建立国债做市支持机制。该机制明确财政部在银行间债券市场运用随买、随卖等工具,支持银行间债券市场做市商对新发关键期限国债做市,以提高国债二级市场流动性,进一步完善国债收益率曲线。

10月1日,人民币加入SDR货币篮子正式生效。

10月10日,印发《中国人民银行办公厅关于做好金融扶贫信息系统推广适用有关事项的通知》(银办发〔2016〕206号),指导各银行业金融机构改进信贷管理系统,及时采集报送信息,并确保信息安全。

10月17日,中国人民银行向全国人大财经委员会汇报2016年前三季度货币政策执行情况。

11月4日,中国人民银行、中国证券监督管理委员会联合印发《关于内地与香港股票市场交易互联互通机制有关问题的通知》(银发〔2016〕282号)。12月5日正式启动深港通。

11月8日,发布《2016年第三季度中国货币政策执行报告》。

11月14日,中国人民银行在银行间外汇市场推出人民币对加拿大元直接交易。

11月24日,国务院批准同意《国家开发银行章程》。

11月29日,中国人民银行印发《关于进一步明确境内企业境外放款业务有关事项的通知》(银发〔2016〕306号),进一步规范境内企业人民币境外放款业务,引导境外放款跨境人民币结算有序开展。

11月30日,国务院批准同意《中国农业发展银行章程》和《中国进出口银行章程》。

12月6日,中国人民银行与埃及中央银行签署规模为180亿元人民币/470亿埃及镑的双边本币互换协议。

12月6日,发布《票据交易管理办法》(中国人民银行公告〔2016〕第29号),对市场参与者票据交易、登记托管、清算结算等行为进行了规范。

12月8日,上海票据交易所成立,全国统一票据交易平台上线运行。

12月9日,中国人民银行授权中国农业银行迪拜分行担任阿联酋人民币业务清算行。

12月12日,中国人民银行在银行间外汇市场推出人民币对匈牙利福林、波兰兹罗提、丹麦克朗、瑞典克朗、挪威克朗、土耳其里拉和墨西哥比索直接交易。

12月21日,中国人民银行与冰岛央行续签规模为35亿元人民币/660亿冰岛克朗的双边本币互换协议。

12月23日,国际首单扶贫社会效应债券在银行间债券市场成功发行,募集资金专项用于山东沂南县扶贫工程。

12月26日,中国人民银行印发《国家开发银行改革工作小组关于进一步做好国家开发银行深化改革工作的通知》(银发〔2016〕320号)、《中国进出口银行改革工作小组关于进一步做好中国进出口银行改革工作的通知》(银发〔2016〕321号)、《中国农业发展银行改革工作小组关于进一步做好中国农业发展银行改革工作的通知》(银发〔2016〕322号)。

12月26日,印发《中国人民银行办公厅关于境外机构境内发行人民币债券跨境人民币结算业务有关事宜的通知》(银办发〔2016〕258号)。

12月28日,中国人民银行货币政策委员会召开2016年第四季度例会。

第二章　金融机构

第一节　银行业金融机构

”

中国工商银行股份有限公司

【企业概况】

中国工商银行成立于1984年1月1日。2005年10月28日，整体改制为股份有限公司。2006年10月27日，成功在上交所和香港联交所同日挂牌上市。经过持续努力和稳健发展，已经迈入世界领先大银行行列，拥有优质的客户基础、多元的业务结构、强劲的创新能力和市场竞争力，向全球532万公司客户和4.96亿个人客户提供广泛的金融产品和服务。通过持续推动改革创新和经营转型，资产负债业务在结构调整中保持稳定的盈利水平，零售金融、资产管理和投资银行成为盈利增长的重要引擎，领先的互联网金融发展推动了经营管理模式和服务方式的根本变革。国际化、综合化经营格局不断完善，境外网络扩展至42个国家和地区，海外业务和基金、保险、租赁等综合化子公司的盈利贡献不断提升。2015年获评《欧洲货币》"全球新兴市场最佳银行"，连续三年位列《银行家》全球1000家大银行和美国《福布斯》全球企业2000强榜首。

【经营概况】

截至2015年末，总资产222097.8亿元，比上年末增加15998.27亿元，增长7.8%；总负债204092.61亿元，比上年末增加13366.12亿元，增长7%；全年实现净利润2777.2亿元，增长0.5%，平均总资产回报率（ROA）为1.3%，加权平均净资产收益率（ROE）为17.1%，核心一级资本充足率为12.87%，一级资本充足率为13.48%，资本充足率为15.22%。营业收入6976.47亿元，增长5.9%，其中利息净收入5078.67亿元，增长2.9%，非利息收入1897.8亿元，增长14.8%；营业支出3381.12亿元，增长13%，其中业务及管理费1778.23亿元，增长0.9%，成本收入比下降1.26个百分点至25.49%。

【公司金融业务】

截至2015年末，本行公司客户532.1万户，比上年末增加22.7万户。根据人民银行数据，本行公司类贷款和公司存款余额保持同业第一。

1. 公司存贷款业务。2015年末，公司类贷款余额78,695.52亿元，比上年末增加2,569.60亿元，增长3.4%；公司存款余额84,370.14亿元，增加3,998.81亿元，增长5.0%。

2. 中小企业业务。推进小微金融业务中心建设，成立154家小微金融业务中心，促进小微贷款增长和结构优化，提高业务处理效率。积极运用互联网、大数据技术，推广"网贷通""公司逸贷""融e贷"等小微企业网络融资产品，推动小微企业融资向小额化、便捷化发展。2015年12月末，小微企业贷款余额18,832.08亿元，比上年末增长9.4%，高于境内各项贷款平均增速。

3. 机构金融业务。加强改进民生金融服务，积极推动同业合作创新。第三方存管客户数、资金量连续六年保持市场第一。代理中央财政、政府公务卡发卡量、社保资金归集发放量和主承销地方债支数均居同业首位。成功获得股票期权结算、关库银联网项目首批银行资格，首家投产债券、外汇代理清算业务系统和跨省异地缴罚系统，首家试点国税资金监控系统并覆盖全业务流程。

4. 结算与现金管理业务。创新推出"工银e缴费"、跨境实体资金池等新产品。全球现金管理服务领域拓展至全球70余个国家和地区，涵盖全球账户管理、收付款管理、流动性管理项下20余个业务品种。2015年末，对公结算账户数量639.7万户，比上年末增长4.4%，实现结算业务量2,264万亿元，比上年增长19.3%，业务规模保持市场领先。现金管理客户127.0万户，增长12.9%；全球现金管理客户4,915户，增长12.4%。

5. 国际结算与贸易融资业务。持续提升工银速汇产品功能，新推出工银速汇美元汇款，跨境汇款产品优势进一步加强。2015年，境内国际贸易融资累计发放1,040亿美元。国际结算量2.6万亿美元，其中境外机构办理9,500亿美元。

6. 投资银行业务。正式推出组合式基金、产业基金、PPP项目资本金等创新股权融资产品，不断丰富并完善资本金融资产品体系。积极推进跨境并购产业基金业务，在汤森路透的并购排名中，本行位列亚太区、中国区并购交易财务顾问交易数量首位。积极拓展债券承销业务，全年主承销各类债务融资工具11,520亿元。2015年，投资银行业务收入267.91亿元。

【个人金融业务】

截至2015年末，个人金融资产总额达11.59万亿元，比上年末增加1.09万亿元，保持和巩固个人金融资产第一大行地位。个人客户4.96亿户，比上年末增加3,151万户，其中个人贷款客户1,044万户，增加80万户。

1. 个人存款。2015年末，个人存款余额76,011.14亿元，比上年末增加4,125.07亿元，增长5.7%；其中，活期个人存款增长7.5%，定期个人存款增长4.4%。

2. 个人贷款。2015年末，个人贷款余额35,418.62亿元，比上年末增加4,783.97亿元，增长15.6%。根据人民银行数据，本行个人贷款余额继续位列同业首位。

3. 私人银行业务。启动私人银行中心（中东）业务，成为第一家在中东区域开办私人银行业务的中资银行。私人银行服务已经覆盖22个国家和地区。2015年末，私人银行客户

6.24万户,比上年末增加1.93万户,增长44.8%。管理资产1.06万亿元,增加3,259亿元,增长44.3%。

4.银行卡业务。2015年末,银行卡发卡量7.5亿张,比上年末增加8,287万张。银行卡年消费额88,416亿元,比上年增长18.0%。银行卡业务收入376.84亿元,增长7.3%。

信用卡业务方面,成立个人信用消费金融中心,开创信用卡与个人信用消费贷款协同的标准化、纯信用、全线上的消费金融运营新模式,并实现动态精准授信和风险实时监控。2015年,信用卡发卡量、消费额、透支额均保持同业领先。

借记卡方面,推出电子现金等多项借记卡支付创新产品,包括借记卡小额免密快速支付、360eID芯片卡贴卡支付、借记卡HCE云支付等。

【金融资产服务业务】

积极把握客户财富增长和资本市场发展契机,依托集团资产管理、托管、养老金、贵金属等业务优势,以及基金、保险、租赁以及投行等综合化子公司功能,构建全价值链的大资管业务体系,提升专业经营能力,为客户提供多元化、一体化的金融资产服务业务。

1.理财业务。继续积极推进理财产品向期限更合理、收益更能反映市场状况的净值型产品转型。在境外及离岸市场拓展自贸区跨境理财产品、欧洲UCITS基金和外国央行资产管理服务,提升全球配置和管理资产能力。2015年末,管理的理财产品余额26,165.98亿元,比上年末增长32.0%,保持同业第一。

2.资产托管业务。构建完善的资产托管产品和服务体系,在证券投资基金、保险、银行理财、企业年金、基金专户、全球资产托管等主要托管产品继续保持市场领先。2015年末,托管资产总净值11.5万亿元,比上年末增长97.4%。

3.养老金业务。2015年末,本行受托管理养老金827亿元,管理养老金个人账户1,523万户,托管养老金基金4,397亿元。受托管理企业年金规模、管理企业年金个人账户数量和托管企业年金规模稳居银行同业首位。

4.贵金属业务。根据市场需求变化,开发多种题材类品牌新产品,引进生肖纪念币、熊猫金银币等代销产品。2015年,贵金属业务交易额1.25万亿元。代理上海黄金交易所清算额3,884亿元,排名第一。

5.代客资金交易。提高结售汇业务网点覆盖率,丰富兑换币种。推出80个新兴市场国家币种对公外汇买卖业务。结售汇及代客外汇买卖业务量7,265亿美元。

6.资产证券化业务。分别于2015年2月10日、2015年9月17日发行两期信贷资产支持证券。该项目基础资产为公司类贷款。本行在项目中担任发起机构和贷款服务机构。

7.代理销售业务。推动代理基金业务发展,代理基金销售10,379亿元。大力拓展自助终端、网上银行等电子销售渠道,2015年,代理保险销售1,668亿元,增长62.4%。

【资金业务】

2015年,本行紧密结合金融市场走势,灵活安排投资进度和重点,适时调整投资与交易策略,多措并举提升资金业务盈利水平。

1.货币市场交易。全年境内分行累计融入融出人民币资金52.26万亿元,其中融出50.36万亿元;外币货币市场交易量1,566亿美元。

2.投资业务。全年交易账户人民币债券交易量5,889亿元,外币债券交易量101亿美元。

3.融资业务。创新负债模式,通过发行大额存单等多种负债方式,增强多元化负债对资产业务发展的支撑能力。

【互联网金融】

2015年依托三大平台的建设和互联网金融营销服务的新机制,融资、支付、投资理财产品线实现快速发展。

1.融e购。业务领域涵盖B2C、B2B和B2G(企业与政府采购电商平台),所提供的商品和服务涵盖日常消费品、金融产品、地产、旅游、汽车、教育、集中采购等领域。2015年,融e购平台全年累计实现交易额超过8,000亿元,注册客户超过3,000万户。

2.融e联。以建设成为银行与客户、银行内部、客户之间的即时信息交互、业务咨询、沟通分享的互动平台为目标,构筑社交化金融、互动式营销的金融服务新模式。2015年积极推进融e联功能完善、平台应用和组织机构建设,推动内部推广和社会化营销。

3.融e行。全力推进融e行开放式网络银行建设,突出开放化、智能化、个性化理念,实现融e行品牌、功能和服务的全面升级。2015年,融e行移动端客户达到1.9亿户。

4.融资产品线。2015年末,网络融资余额超过5,000亿元。基于客户线上线下直接消费的信用贷款产品"逸贷"客户数已达到450万户,余额突破2,100亿元。契合小微企业"短频急"融资需求的互联网贷款产品"网贷通",年累计发放3,400亿元。推广个人自助质押贷款,年累计发放1,335亿元。成立个人信用消费金融中心,开展无抵押、无担保、纯信用、全线上的个人消费信贷业务。

5.支付产品线。以小额、便捷为特色的"工银e支付"客户数同比增长超过1倍,全年实现交易额超过2,100亿元。线上POS收银台产品商户数超万户,交易金额超千亿元。

6.投资理财产品线。上线"工银e投资"移动端,成为面向个人投资者的投资交易平台,涵盖账户贵金属、账户原油等多个种类,2015年交易金额超过3,300亿元。

【渠道建设】

1.大力推进线下渠道结构调整和经营模式转型。2015年末,本行有物理网点16,732家,比上年末有所减少;自助银行29,043家,比上年末增长12.3%;自动柜员机可用设备99,789台,增长8.1%;自动柜员机交易额126,668亿元,增长16.7%。

2.加快线上渠道战略布局与功能完善。大力推进移动渠道建设,融e行移动端上线,手机银行全面升级。大力推进个人网银的开放化、智能化改造。电子银行交易额达到592万亿元,比上年增长30%;电子银行业务笔数占全行业务笔数比上年提高4.2个百分点至90.2%。2015年末,个人网银和企业网银用户分别增长11.6%和12.5%。

3.推动线上线下一体化渠道服务体系建设。搭建并丰富新型渠道入口,实现境内网点WIFI服务全覆盖,使本行和他行客户均可在网点接触本行金融产品。

【国际化、综合化经营】

2015年,工商银行国际化发展又迈出了新步伐,沙特、缅甸和墨西哥三家新设机构开业,成为当地首家中资银行。完成收购标银公众股权项目和土耳其Tekstilbank股权项目交割,正式涉足全球商品和货币市场交易业务。当年又获得泰国和阿根廷人民币清算行资格,加上已有的新加坡、卢森堡、加拿大、卡塔尔,形成了覆盖亚欧美三大时区的人民币清算网络。截至2015年末,工商银行已在全球42个国家和地区建立了404家机构,其中123家分支机构分布在"一带一路"沿线的 18 个国家和地区。此外,通过参股标准银行集团间接覆盖非洲 20 个国家,与 147 个国家和地区的 1611 家银行建立了代理行关系。境外机构实现税前利润 31.66 亿美元,剔除当年新并购机构,净利润可比口径增长 12.2%。

构建起覆盖商业银行、基金、租赁、保险和投资银行的跨市场、多元化的金融服务平台。基金、保险、租赁等综合化子公司净利润合计增长 55.4%,进一步体现出综合化经营的优势。其中,工银租赁积极服务"一带一路"建设和国际产能合作,总资产达到 2987 亿元。工银安盛总资产规模突破 665 亿元,保持并巩固了在外资和银行系寿险公司中的领先优势。工银瑞信资产管理总规模超过 9500 亿元,大幅提升 62%。

【信息化银行建设】

深化和拓展大数据应用,推进数据仓库、集团信息库的统一管理及应用服务,不断丰富面向结构化数据的数据仓库和面向非结构化数据的信息库的基础,提升数据标准与质量。加快提高数据增值应用能力,建立分析师平台,加强在客户服务、精准营销、风险防控等重点业务领域的数据挖掘分析。

推进 IT 架构转型。充分利用云计算和大数据处理等新技术,从应用架构、数据架构和基础架构层面构建符合未来业务发展要求的 IT 新技术框架,建立 API 开放平台、流数据处理平台、基础设施云平台等技术架构。

全面推动业务创新。建立适应互联网金融特点的产品研发和市场推广机制,建设统一高效的系统应用平台。围绕网络融资中心,构建网络融资产品体系,全新推出的个人自助质押贷款等产品。持续推进柜面渠道的网点组合服务业务流程优化改造。积极推进信用卡、电子银行等专业交易反欺诈功能研发。做好民生领域金融服务,拓展银医合作业务功能。持续推进国际化和综合化相关系统建设,工银美国 FOVA 系统顺利投产,工银莫斯科完成主机 FOVA 系统向平台版核心系统的整体切换;工银安盛完成新一代个人保险核心业务系统建设。

持续提升信息系统服务持续运行能力和基础设施建设水平,加强信息安全防护体系建设。基于"两地三中心"架构,实施了互为接管的操作一体化管理。完善了覆盖全集团软硬件的信息安全防护体系,实现对各类外部攻击实时监测、处置和安全分析等的集中管理。在国内同业中率先应用量子通信技术;完成金融 IC 卡和移动支付系统、电子认证系统、个人网银系统国密算法改造。

2015 年,本行获得国家知识产权局专利授权 47 项,拥有专利数量达到 404 项。

【风险管理】

2015 年,本行进一步完善全面风险管理体系,推进落实系统重要性银行等监管要求,不断完善风险管理技术和管理手段,全面风险管理水平进一步提升。强化集团风险并表管理,加强非银行子公司风险管理;深化国别风险管理,加强重点国家和地区国别风险监测和限额管理;提升市场风险管理水平,积极落实境外机构市场风险分类管理,规范开展产品控制工作,强化资产管理业务市场风险管理;推进资本管理高级方法实施,优化信用、市场、操作风险计量体系,持续加强风险计量体系的监控、验证和管理应用。

【社会责任】

本行以"提供卓越金融服务——服务客户、回报股东、成就员工、奉献社会"为社会责任工作目标,始终立足于经济社会发展中各利益相关方的普遍诉求,致力实现经济、环境、社会的可持续发展和综合价值最大化。本行履行社会责任的良好表现赢得社会各界广泛认可,荣获了"年度最具社会责任金融机构奖"、"中国最受尊敬企业"、"关注气候变化与环境保护最佳实践奖"等多个奖项。

【企业文化】

使命:提供卓越金融服务

服务客户、回报股东、成就员工、奉献社会

愿景:建设最盈利、最优秀、最受尊重的国际一流现代金融企业

价值观:工于至诚,行以致远

诚信、人本、稳健、创新、卓越

【境外获奖情况】

全球新兴市场最佳银行　《欧洲货币》
全球金融服务杰出贡献奖 - 姜建清董事长
中国最佳银行
中国最佳贵金属交易银行
中国最佳银行　《银行家》
中国最佳公司银行　《环球金融》
中国最佳个人银行
中国最佳财资及现金管理银行
中国最佳私人银行
中国最佳外汇兑换提供银行
中国最佳短期融资券/中期票据银行
中国最佳托管银行
中国最佳本地银行　《亚洲货币》
中国最佳私人银行　《金融时报》
全优公司白金奖　《财资》
中国最佳私人银行
中国最佳债券承销商
中国最佳商品衍生品交易银行
中国最佳银行　《金融亚洲》
中国最佳外汇交易银行
中国最佳私人银行
年度最佳并购交易奖
中国最佳网络银行　《亚洲银行家》
中国最佳合作银行
最具国际化现金管理银行
中国最佳客户关系管理项目技术实施奖
最佳投资者关系奖　《亚洲公司治理》
最佳社会责任奖
亚洲最佳 CEO(投资者关系) - 易会满行长
中国最佳银行　《亚洲风险》
全球华商 1000 - 最大金融企业大奖　《亚洲周刊》
全球华商 1000 - 最高纯利企业大奖
中国大陆企业香港股市排行榜 - 最大市值企业大奖
最佳公司治理上市公司　《大公报》
中国最佳收付款服务银行　《国际司库管理》
租赁结构融资奖　《海事融资》
最佳交易奖　《贸易金融》
出口信贷最佳交易奖　《贸易与福费廷》
IMA 管理会计特别贡献奖　美国会计师协会
优秀企业管治资料披露奖　香港管理专业协会
香港公司管治卓越奖　香港上市公司商会
亚太最佳呼叫中心奖　亚太客服与呼叫中心联盟
全球竞争力品牌·中国 TOP10　美国国际数据集团

最佳合作伙伴　VISA 国际组织
最佳创新支付奖
最佳商旅类信用卡发卡行　万事达卡国际组织
风险监控优化奖
跨境交易业务最佳合作伙伴
收单杰出合作奖　美国运通
最佳高端产品服务奖
最佳公务卡产品合作奖
最佳影响力奖　JCB
亚太区最佳特许经营银行　大来国际

【境内获奖情况】

银行科技发展二等奖　中国人民银行
最具社会责任金融机构奖　中国银行业协会
社会责任最佳绿色金融奖
公益慈善优秀项目奖
银团贷款最佳业绩奖
银团贷款最佳交易奖
养老金业务最佳业绩奖
养老金业务最佳发展奖
养老金行业领军人物奖
中国银行业文明规范服务工作突出贡献奖
中国银行业普及金融知识万里行活动最佳成效奖
全国银行业法律风险管理先进单位
银行卡网络支付安全宣传月“突出贡献奖”
最佳境外机构代理人　中国外汇交易中心
综合最佳做市机构
最佳做市奖
最佳即期做市奖
最佳远掉做市奖
最佳交易奖
最佳即期交易奖
最佳远掉交易奖
最佳非美货币交易奖
最佳外币对交易奖
最受欢迎即期做市机构奖
最受欢迎远掉做市机构奖
优秀卢布直接交易做市机构奖
优秀林吉特直接交易做市机构奖
优秀英镑直接交易做市机构奖
最佳后台支持做市机构奖/最佳后台支持做市商
最佳会员奖
优秀清算会员　银行间市场清算所股份有限公司
优秀结算成员
外汇清算优秀奖
债券净额清算优秀奖
托管银行优秀奖
最佳协作奖　中国银联
最具市场影响力奖　全国银行间同业拆借中心
最佳做市机构奖
优秀金融类会员　上海黄金交易所
市场杰出贡献奖
询价业务杰出贡献奖
租借业务优秀商业银行
年度影响力品牌金奖　上海理财博览会
个人贷款业务消费者满意度奖银率网

并购专项奖　中国并购公会

“银行卡网络支付安全宣传月”优秀组织奖　中国支付清算协会

最佳呼叫中心奖　中国电子商户呼叫中心与客户关系管理专业委员会

“金鼎奖”年度优秀金融品牌奖：工商银行电商平台 - 融 e 购　中国国际金融展

中国最具价值企业品牌　中国品牌建设促进会

公众透明度典范奖　中国企业管理研究会社会责任委员会

中国企业社会责任 500 强　中国企业评价协会

中国优秀企业公民　中国社会工作联合会企业公民工作委员会

优秀基金项目奖　中国下一代教育基金会

互联网金融产品创新奖　中国县镇经济交流会

互联网金融风控与安全奖　中国村镇银行发展讨论组委会

互联网金融平台优秀奖　亚太金融学会

中国最佳客户联络中心奖　中国信息化推进联盟客户关系管理专业委员会

光明功勋奖　中华健康快车基金会

最具社会责任金融机构奖　中央金融团工委

全国金融青联

中国银行业协会

中国青少年发展基金会

运营管理标杆班组奖　金融业客服中心发展联盟

呼出业务标杆团队奖

“金耳唛杯”中国最佳客户中心　客户世界机构

中国企业十大绿色行动　联合国全球契约中国网络

关注气候变化与环境保护最佳实践奖

中国最佳客户体验私人银行　《21 世纪经济报道》

最佳银行财富管理品牌

金蜜蜂. 优秀企业社会责任报告. 领袖型企业《WTO 经济导刊》

最值得信赖的银行机构《半月谈》

最具创新力企业《第一财经》

年度大数据金融机构品牌

中国企业社会责任榜杰出企业奖

年度互联网金融创新案例奖（融 e 购）

年度国际化银行

金圆桌奖最佳董事会《董事会》

金圆桌奖最具创新力董秘

互联网金融创新银行《华夏时报》

年度金牌私人银行《金融理财》

年度金牌资产管理银行

年度金牌信用卡银行

年度金牌市场潜力金融产品 - 国债期货套利产品

年度金牌变现力金融产品 - e 灵通

年度最佳移动银行 - 工银融 e 行

金牌创新力金融产品 - 工银云闪付信用卡

金牌市场影响力金融产品 - 工银环球旅行信用卡

年度金牌市场创新力金融产品 - 账户原油

年度金牌市场影响力金融产品 - “一带一路”沿线国家与新兴市场货币外汇买卖

最佳商业银行《金融时报》（中国）

十佳互联网金融创新机构中国社科院金融研究所
中国最受尊敬企业　《经济观察报》
年度最佳社会贡献银行
年度最佳现金管理产品创新银行　《贸易金融》
中国最佳私人银行奖　《每日经济新闻》
中国普惠金融榜"卓越贡献奖"
国有上市企业社会责任榜第一名　《南方周末》
最佳资产管理品牌奖　《上海证券报》
最佳银行理财产品奖
"金互联"奖－卓越应用平台奖
十年最佳全球资金管理经典案例　《首席财务官》
公司理财创新奖　《新理财》
最佳金融创新奖　《银行家》(中国)
最佳金融品牌创新奖
十佳金融产品创新奖(零售业务)
十佳互联网金融创新奖(人脉挖宝)
十佳金融产品创新奖(人民币结算商品交易)
十佳互联网金融创新奖(对公代客交易网上银行)
十佳金融产品创新奖(对公业务)
中国证券市场"卓越贡献龙鼎奖"　《证券日报》
最佳全能银行投行　《证券时报》
最佳跨境融资银行
"一带一路"最佳海外形象奖　《中国报道》
创新产品与应用奖　《中国电子报》
卓越竞争力品牌建设银行　《中国经营报》
卓越竞争力国有商业银行
卓越竞争力投资银行
最具影响力企业领袖　《中国企业家》
最具责任感企业　《中国新闻周刊》
金牛最强盈利公司　《中国证券报》
金牛最佳董秘
银行卡服务创新团队　《卓越理财》
亚洲最佳商业银行　21 世纪研究院金融研究中心
中国最佳电子银行奖　中国金融认证中心
中国最佳手机银行安全奖
最佳综合性银行　东方财富网
最佳互联网金融银行
最佳支付产品
中国企业最具影响力十大新媒体账号　国务院国资委新闻中心
中央企业媒体联盟
年度网银卓越奖　和讯网
年度网银用户体验奖
年度手机银行卓越奖
中国互联网金融优秀品牌奖　互联网金融工作委员会
杰出中资银行　金融界
杰出信用卡品牌
金融界领航奖－最佳手机银行品牌奖　金融界
清华五道口金融学院
电子银行创新奖之金融互联网最佳践行奖(人脉挖宝)网银联盟
年度最佳信用卡　新浪网
易观之星·最佳手机银行奖　易观
易观之星·最佳电商平台奖(融 e 购)
中国大学生最佳雇主 TOP50　中华英才网
大学生最佳雇主全国性银行业 Top10
通讯地址:中国北京市西城区复兴门内大街 55 号
邮编:100140
24 小时全国电话服务热线:95588
24 小时贵宾服务专线:400－66－95588
网址:www.icbc－ltd.com

中国农业银行股份有限公司

【企业概况】

本行的前身最早可追溯至 1951 年成立的农业合作银行。20 世纪 70 年代末以来,本行相继经历了国家专业银行、国有独资商业银行和国有控股商业银行等不同发展阶段。2009 年 1 月,本行整体改制为股份有限公司。2010 年 7 月,本行分别在上海证券交易所和香港联合交易所挂牌上市,完成了向公众持股银行的跨越。

本行是中国主要的综合性金融服务提供商之一,致力于建设多功能协同的现代金融服务集团。本行凭借全面的业务组合、庞大的分销网络和领先的技术平台,向广大客户提供各种公司银行和零售银行产品和服务,同时开展金融市场业务及资产管理业务,业务范围还涵盖投资银行、基金管理、金融租赁、人寿保险等领域。截至 2015 年末,本行总资产 177,913.93亿元,发放贷款和垫款 89,099.18 亿元,吸收存款 135,383.60 亿元,资本充足率 13.40%,全年实现净利润 1,807.74亿元。

截至 2015 年末,本行境内分支机构共计 23,670 个,包括总行本部、总行营业部、3 个总行专营机构、37 个一级(直属)分行、362 个二级分行(含省区分行营业部)、3,513 个一级支行(含直辖市、直属分行营业部、二级分行营业部)、19,698 个基层营业机构以及 55 个其他机构。境外分支机构包括 9 家境外分行和 3 家境外代表处。本行拥有 14 家主要控股子公司,其中境内 9 家,境外 5 家。

2014 年起,本行连续两年入选全球系统重要性银行。2015 年,在美国《财富》杂志世界 500 强排名中,本行位列第 36 位;在英国《银行家》杂志全球银行 1,000 强排名中,以一级资本排名计,本行位列第 6 位。本行标准普尔发行人信用评级为 A/A－1,穆迪银行存款评级为 A1/P－1,惠誉长/短期发行人违约评级为 A/F1。

【企业文化】

一、使命:面向"三农",服务城乡,回报股东,成就员工。
二、愿景:建设国际一流大型商业银行。
三、核心价值观:诚信立业,稳健行远。
四、核心价值观指导下的相关理念
经营理念:以市场为导向,以客户为中心,以效益为目标。
管理理念:细节决定成败,合规创造价值,责任成就事业。
服务理念:客户至上,始终如一。
风险理念:违规就是风险,安全就是效益。
人才理念:德才兼备,以德为本,尚贤用能,绩效为先。
廉洁理念:清正廉洁,风清气正。

【企业荣誉】

农业银行荣获"2016 年资产证券化介甫奖"多项大奖
中国农业银行新一代核心业务系统(BoEing)获得"2016 年度中国金融行业最佳创新大奖"
农行荣获 2015 年度最具社会责任金融机构奖等多项殊荣

农行内蒙古分行荣获“全国五一劳动奖状”

我行电子银行荣获“中国金融营销金栗子奖”两项大奖

中国农业银行荣获“中国首只绿色债券奖”

农行漂亮升级妈妈信用卡获最佳服务信用卡

农行模型实验室项目荣膺《亚洲银行家》亚太区风险管理“年度最佳操作风险技术实施奖”

农业银行荣获“最佳全能银行投行”等多个奖项

农业银行电子银行荣获两项社会化营销大奖

地址：北京东城区建国门内大街69号

邮编：100005

客服电话：95599

邮箱：95599@abchina.com

网址：www.abchina.com

中国建设银行股份有限公司

【企业概况】

中国建设银行股份有限公司是一家在中国市场处于领先地位的股份制商业银行，为客户提供全面的商业银行产品与服务。主要经营领域包括公司银行业务、个人银行业务和资金业务，多种产品和服务（如基本建设贷款、住房按揭贷款和银行卡业务等）在中国银行业居于市场领先地位。

中国建设银行股份有限公司是一家在香港和内地上市的大型国有控股商业银行，在中国内地设有14917家分支机构，在27个国家和地区设立140余家机构，拥有员工近37万人；秉持“国内最佳、国际一流”的战略愿景，加快建设最具价值创造力的银行集团，并加速向“综合性银行、多功能服务、集约化发展、创新型银行和智慧型银行”五方面转型。中国建设银行植根本土，面向全球，以强烈的使命感和敢为人先、追求卓越的进取精神，致力于成为中国金融现代化建设的先行者。

【企业文化】

愿景：建设最具创造力的国际一流银行集团

使命：为客户提供更好服务、为股东创造更大价值、为员工搭建更广阔的发展平台、为社会承担全面的企业公民责任。

核心价值观：诚实、公正、稳健、创造

经营理念：以市场为导向、以客户为中心

服务理念：客户至上、注重细节

风险理念：了解客户、理解市场、全员参与、抓住关键

人才理念：注重综合素质、突出业绩实效

作风：勤奋严谨、求真务实

【企业荣誉】

中国建设银行获美国《环球金融》流动性管理银行大奖

中国建设银行位居2016《财富》全球500强第22位

中国建设银行独家荣获英国《欧洲货币》杂志2016年“中国最佳银行”

中国建设银行居英国《银行家》杂志“全球银行1000强”榜单第二位

中国建设银行荣获《银行家》杂志“最佳金融创新奖”等三项大奖

中国建设银行荣获美国《机构投资者》杂志“2015人民币国际化服务”钻石大奖

中国建设银行荣获2016年《亚洲银行家》“中国最佳大型零售银行奖”

中国建设银行董事长王洪章荣获“最具国际视野银行家”奖项

中国建设银行荣获《亚洲银行家》杂志“中国最佳贸易融资银行”奖项

中国建设银行现金管理获美国《环球金融》两项大奖

中国建设银行荣获中国资产管理金贝奖—“2016最佳风险控制银行”

地址：中国北京西城区金融大街25号

邮编：100033

客服热线：95533

网址：www.ccb.com

中国银行股份有限公司

【企业概况】

1912年2月，经孙中山先生批准，中国银行正式成立。从1912年至1949年，中国银行先后行使中央银行、国际汇兑银行和国际贸易专业银行职能，坚持以服务社会民众、振兴民族金融为己任，历经磨难，艰苦奋斗，在民族金融业中长期处于领先地位，并在国际金融界占有一席之地。1949年以后，中国银行长期作为国家外汇外贸专业银行，统一经营管理国家外汇，开展国际贸易结算、侨汇和其他非贸易外汇业务，大力支持外贸发展和经济建设。改革开放以来，中国银行牢牢抓住国家利用国外资金和先进技术加快经济建设的历史机遇，充分发挥长期经营外汇业务的独特优势，成为国家利用外资的主渠道。1994年，中国银行改为国有独资商业银行。2004年8月，中国银行股份有限公司挂牌成立。2006年6月、7月，中国银行先后在香港联交所和上海证券交易所成功挂牌上市，成为国内首家“A＋H”发行上市的中国商业银行。2015年，中国银行再次入选全球系统重要性银行，成为新兴市场经济体中唯一连续5年入选的金融机构。

中国银行是中国国际化和多元化程度最高的银行，在中国内地及46个国家和地区为客户提供全面的金融服务。主要经营商业银行业务，包括公司金融业务、个人金融业务和金融市场业务，并通过全资子公司中银国际控股有限公司开展投资银行业务，通过全资子公司中银集团保险有限公司及中银保险有限公司经营保险业务，通过全资子公司中银集团投资有限公司经营直接投资和投资管理业务，通过控股中银基金管理有限公司经营基金管理业务，通过全资子公司中银航空租赁私人有限公司经营飞机租赁业务。

在一百多年的发展历程中，中国银行始终秉承追求卓越的精神，将爱国爱民作为办行之魂，将诚信至上作为立行之本，将改革创新作为强行之路，将以人为本作为兴行之基，树立了卓越的品牌形象，得到了业界和客户的广泛认可和赞誉。面对新的历史机遇，中国银行将积极承担社会责任，努力做最好的银行，为实现中华民族伟大复兴的中国梦做出新的更大贡献。

【企业荣誉】

《银行家》“最佳资本管理银行”奖

《环球资本》“亚太区年度绿色债券发行”奖项

《财资》“中国最佳贸易融资银行”“最佳财资及营运资本供应链方案”等五项大奖

中国银行业协会贸易金融专业委员会“最佳贸易金融银行”“最佳跨境人民币业务银行”两项大奖

《南方周末》“国有上市企业社会责任榜百强企业”排名第二位

《银行家》"全球银行品牌500强排行榜"排名第六位

地址:中国北京市复兴门内大街1号

邮编:100818

电话:010-66596688

传真:010-66016871

网址:www.boc.cn

交通银行股份有限公司

【企业概况】

交通银行始建于1908年(清光绪三十四年),是中国历史最悠久的银行之一,也是近代中国的发钞行之一。交通银行成立后,经办轮、路、邮、电等交通四政存款,还受政府委托分理国家金库、办理国外款项、发行兑换券、经办国内外汇兑及一般银行业务。解放前,交通银行与中央银行、中国银行、中国农民银行并列为中国四大银行,在近代中国金融史上占有重要地位。1958年,交通银行内地业务分别并入当地人民银行以及在交行基础上成立的中国人民建设银行,交行香港分行则持续营业。

1986年,国务院批准重新组建交通银行。1987年4月1日,重新组建后的交通银行正式对外营业,成为中国第一家全国性的国有股份制商业银行,总行设在上海。重新组建后的交通银行,身兼双重历史使命,既是百年民族金融品牌的继承者,又是中国金融体制改革的先行者,实现了六个"第一":第一家资本来源和产权形式实行股份制;第一家按市场原则和成本—效益原则设置机构;第一家打破金融行业业务范围垄断,将竞争机制引入金融领域;第一家引进资产负债比例管理,并以此规范业务运作,防范经营风险;第一家建立双向选择的新型银企关系;第一家可以从事银行、保险、证券业务的综合性商业银行。

2004年,国务院批准《交通银行深化股份制改革整体方案》。根据改革方案,交通银行2004年完成以增资扩股和集中处置不良贷款为核心内容的财务重组,在国有五大银行中第一家完成财务重组;2004年成功引进汇丰银行作为境外战略投资者,在国有五大银行中第一家成功引进外资;2005年成功发行H股并在香港联交所主板挂牌上市,成为中国境内第一家赴境外发行上市的商业银行;2007年成功发行A股并在上海证券交易所挂牌上市。

交通银行的发展战略是:走国际化、综合化道路,建设以财富管理为特色的一流公众持股银行集团(简称"两化一行"战略);企业愿景是:建设中国最佳财富管理银行;企业精神是:拼搏进取、责任立业、创新超越;企业使命是:创造共同价值;经营理念是:一个交行、一个客户;广告语是:百年交行——您的财富管理银行。

目前,交通银行是中国主要金融服务供应商之一,业务范围涵盖商业银行、证券、信托、金融租赁、基金管理、保险、离岸金融服务等。截至2016年12月31日,交通银行境内分行机构232家,其中省分行30家,直属分行7家,省辖行195家,在全国236个地级和地级以上城市、167个县或县级市共设有3,285个营业网点;旗下全资子公司包括交银国际、交银保险和交银租赁,控股子公司包括交银基金、交银国信、交银人寿及大邑交银兴民村镇银行、浙江安吉交银村镇银行、新疆石河子交银村镇银行、青岛崂山交银村镇银行。此外,交行还是江苏常熟农商行的第一大股东、西藏银行的并列第一大股东,并战略入股海南银行。

目前,交通银行已在16个国家和地区设立了20家境外银行机构,分别是香港分行、纽约分行、东京分行、新加坡分行、首尔分行、法兰克福分行、澳门分行、胡志明市分行、旧金山分行、悉尼分行、台北分行、伦敦分行/英国子行、卢森堡子行/卢森堡分行、布里斯班分行、交银(卢森堡)巴黎分行、交银(卢森堡)罗马分行、巴西子行和多伦多代表处,境外营业网点共65个(不含代表处)。

2015年,国务院批准《交通银行深化改革方案》。围绕探索大型商业银行公司治理机制、实施内部经营机制改革、推进经营模式转型创新三大重点,交通银行稳步推动深化改革项目落地实施。一年多来,交行深化改革工作取得阶段性成果,改革红利逐步释放,转型动力有效激发,核心发展指标不断提升。截至2016年9月末,交通银行集团资产总额达人民币80,918亿元,前三季度实现净利润人民币525.78亿元。2016年,交通银行已连续八年跻身《财富》(*Fortune*)世界500强,营业收入排名第153位;位列《银行家》(*The Banker*)杂志全球1000家大银行一级资本排名第13位,连续两年跻身全球银行20强。

交通银行作为一家历史悠久、战略清晰、治理规范、经营稳健、服务优质的国有大型银行集团,将始终紧紧围绕落实国家战略和服务实体经济,不断推进深化改革、转型发展,努力为广大客户提供更好服务,为股东创造更多价值,为社会做出更大贡献!

【企业荣誉】

在美国《财富》杂志发布的"2015年度全球企业500强"排行榜中,交通银行位列第190位(按营业收入排名),较上年上升27位,这是交行连续第七年跻身该榜单。

在英国《银行家》杂志发布的"2015年度全球1000家大银行"排行榜中,交通银行位列第17位(按一级资本总额排名),较上年上升2位,这是交行连续第二年跻身全球银行20强。

在中国企业联合会发布的"2015年度中国企业500强"名单中,交通银行位列第31位,较上年上升5位。在上海市企业联合会发布的"2015年度上海企业百强"名单中,交通银行位列"上海企业100强"第2位,较上年上升1位,并蝉联"上海服务业企业50强"第1名。

在中国银行业协会开展的"百佳示范单位"评选活动中,交通银行共有20家营业机构获评,获评网点数量再次蝉联行业第一。此外,交通银行已连续两年在J.DPower开展的中国零售银行客户满意度研究中排名首位。

在第一财经传媒集团主办的"2015第一财经金融价值榜CFV"颁奖盛典上,交通银行荣获全场大奖—"年度银行奖"。第一财经金融价值榜是第一财经集全媒体之力打造的年度金融评选,是国内最具权威性和前瞻力的评选之一。

在《亚洲银行家》(新加坡)开展的"亚洲银行家之选"评奖活动中,交通银行荣获最佳供应链项目奖。

在《银行家》(中国)开展的"2015中国金融创新奖"评选中,交通银行荣获本次评选的全场大奖"最佳金融创新奖"。交通银行公司机构业务部所报送的"智慧汽车金融"案例荣获"十佳金融产品创新奖"。

在由《21世纪经济报道》主办的第八届21世纪资产管理"金贝奖"评选活动中,交通银行荣获"2015年最佳银行财富管理品牌"及"最佳战略创新银行"奖项。

在由《经济观察报》主办的"2014-2015年度中国最受尊敬企业"评选活动中,交通银行荣获"最受尊敬社会推动企业”奖项。

在由《华夏时报》主办的“第九届金蝉奖”评选活动中，交通银行荣获“2015 年度银行”奖项。

在由《金融时报》（中国）主办的“2015 年度中国金融机构金牌榜”（金龙奖）评选活动中，交通银行荣获“年度最佳财富管理银行”奖项。

在由《投资者报》主办的“2015 年度最佳银行”评选活动中，交通银行荣获“最具改革力银行”奖项。

在由中国财经第一门户东方财富网主办的“2015 东方财富风云榜”评选活动中，交通银行荣获“年度最佳综合性银行”及“年度最佳财富管理银行”奖项。

在由中国证券市场研究设计中心（SEEC）与和讯网联合主办的第十三届中国财经风云榜评选活动中，交通银行荣获“最具竞争力财富管理机构”及“最佳同业财富管理银行”奖项。

在由金融界主办的“领航中国”年度评选活动中，交通银行荣获“杰出中资银行奖”。在该活动中，交行还同时荣获“杰出资本市场服务银行”和“杰出银期服务银行”奖。金融界是中国唯一在美国纳斯达克上市的以证券交易为核心的互联网平台。

在由《上海证券报》主办的“第七届金理财奖”评选活动中，交通银行高端个人财富管理品牌“沃德财富”及交通银行同业财富管理品牌“交银通业”分别荣获“年度最佳理财品牌”奖项。

在中国金融认证中心（CFCA）主办的“中国电子银行金榜奖”评选活动中，交通银行荣获“2015 年中国最佳网上银行安全奖”及“2015 年中国最佳企业网上银行奖”。

在“互联网＋商业银行金融创新”评选活动中，交通银行荣获“普惠金融服务优秀奖”。

在由工信部直属国家级大型期刊《首席财务官》杂志主办的“2015 年度中国 CFO 最信赖银行评选”活动中，交通银行荣获“最佳养老金服务奖”及“最佳资产托管奖”。

在《彭博商业周刊/中文版》主办的“领先基金大奖 2015”评选活动中，我行在强积金（自基金成立日）及强积金（1－5 年）两个类别中分别荣获“卓越大奖”。

在中国银行业主办的“银团评优”活动中，交通银行荣获“年度银团贷款最佳发展奖”及“最佳交易奖”。

在《证券时报》主办的“2015 年中国区优秀投行评选”活动中，交通银行荣获“2015 年度最佳全能银行投行奖”及“2015 年度最佳财务顾问银行奖”。

交通银行荣获由韩国企划财政部颁发的“韩国企划财政部杰出贡献奖”。韩国企划财政部向交通银行颁发该奖项，旨在表彰交通银行在推动韩国人民币资金清算、韩元对人民币直接交易、韩国人民币债券市场发展等方面做出的杰出贡献，极大提高了交通银行在韩国的知名度和美誉度，为交通银行进一步促进中韩贸易投资便利化、推动人民币国际化进程奠定了坚实的基础。

在《中国经营报》主办的“2015 卓越表现奖”评选活动中，交通银行荣获“卓越竞争力国际业务银行”奖项。

在《贸易金融》杂志及中国贸易金融网主办的“第四届中国外经贸企业最信赖的金融服务商评选”活动中，交通银行荣获“最佳贸易企业伙伴银行”奖项。

在中国银行业协会贸易金融专业委员会主办的“贸易金融卓越奖评选”活动中，交通银行荣获“最佳贸易企业伙伴银行”奖项。

交通银行荣获由上海清算所颁发的“优秀结算成员奖”、“优秀清算会员奖”、“债券净额清算优秀奖”、“外汇清算优秀奖”、“业务推进奖”等。

交通银行荣获由中国外汇交易中心颁发的“银行间本币市场交易 100 强”、“本币市场最具市场影响力奖”、“最佳会员奖”、“最佳做市奖”、“最佳即期做市奖”、“最受欢迎即期做市机构奖”、“最受欢迎货币掉期做市机构奖”、“最佳非美货币做市奖”、“最佳货币掉期交易奖”、“最佳非美货币交易奖”、“最佳非美货币交易会员奖”等。

交通银行荣获上海黄金交易所颁发的“优秀金融类会员二等奖”，“年度市场杰出贡献奖”、“询价业务杰出贡献奖”、“银行租借业务三等奖”、“国际业务杰出贡献奖”。

交通银行荣获中国黄金协会颁发的“上海黄金交易所黄金交易量十大企业”及“中国黄金自有品牌金条销量五大企业”奖项。

交通银行荣获中央国债登记结算有限责任公司颁发的“优秀中债估值成员”、“中国债券市场优秀成员”奖项。

交通银行荣获上海证券交易所颁发的“优秀债券交易商”、“优秀国债预发行交易商”奖项。

在人民银行主办的“银行科技发展奖”评选中，交通银行提交的《大机、开放一体化的远距离同城双活体系建设》项目荣获一等奖、《基于业务全视图和智能模型构建的协同测试平台》项目荣获二等奖、《基于互联网和大数据的智能信用卡申请和自动化审批系统》、《基于三种异构平台 IaaS 云及支持非结构化数据 SaaS 云的研究实践》、《汽车产业链金融系统》、《交通银行基于 IT 服务管理最佳实践的网络管理规范体系建设》、《智慧银行客户端系统》项目荣获三等奖。

交通银行“百年交行－百年传奇”传播案例荣获“中国广告长城奖互动创意类金奖”及“媒介营销类银奖”。中国广告长城奖是中国历史上最悠久、规模最大的广告奖评选例。交通银行“百年交行－神简历”传播案例在由由中国 4A 商务广告协会主办的“第十届中国 4A 金印奖”中荣获“媒体企划类银奖”。

交通银行在中国银行业协会主办的《中国银行业社会责任报告》发布暨社会责任工作表彰会上，连续第四年荣获“年度最具社会责任金融机构奖”。交通银行同时还荣获“年度社会责任最佳绿色金融奖”及“年度公益慈善优秀项目奖”。

交通银行荣获由中国青少年发展基金会颁发的“希望工程 2015 年杰出贡献奖”；荣获由共青团中央、中国青年志愿者协会颁发的“中国优秀志愿服务项目银奖”。

在中国企业文化研究会主办的“‘十二五’企业文化总结暨专项文化建设——中外企业文化 2015 重庆峰会”活动中，交通银行荣获“‘十二五’全国专项文化建设三十标杆企业”奖项。

在中国心理卫生协会主办的“心理管理行动实践”活动中，交通银行工会开展的“幸福交行”工程荣获“心理管理行动实践奖”。

交通银行荣获由中国银行业协会颁发的“全国银行业法律风险管理工作先进单位”奖项。

在由《中国证券报》主办的金牛奖评选活动中，交通银行荣获“最强盈利公司”及“最佳董秘”奖项。

香港管理专业协会授予交通银行“最佳公司治理披露奖”。中国上市公司协会授予交通银行“最受投资者尊重的上市公司董秘奖”。

在北京大学与智联招聘共同主办的年度“最佳雇主评选”活动中，交通银行荣获“最佳雇主（100 强）”奖项。在大街网主办的“非常雇主评选”活动中，交通银行荣获“非常雇主”奖项。在猎聘网主办的“年度非凡雇主”评选活动中，交通银行荣获“最佳变革雇主”奖项。

交通银行荣获中国人才研究会金融人才专业委员会颁发的“金融人才发展创新奖”、“中国金融业人力资源开发与管理最佳实践案例评选二等奖”（管理培训生项目）。

在由《银行家》杂志主办的“2015 年中国商业银行竞争力排名”活动中，交通银行荣获“最具研究能力全国性商业银行”奖项，这是交行连续第七年获此殊荣。

交通银行荣获中国银行业协会颁发的“中国银行业发展研究优秀成果评选组织奖。交通银行荣获中国监察学会金融分会颁发的“年度理论研讨三等奖”及“优秀奖”。交通银行荣获上海金融业联合会颁发的“上海金融业改革发展优秀研究成果入围奖”。

地址：上海市浦东新区银城中路 188 号

邮编：200120

电话：021 － 58766688

传真：021 － 58798398

网址：www. bankcomm. com

中国邮政储蓄银行股份有限公司

【企业概况】

中国邮政储蓄银行（以下简称“邮储银行”）是中国领先的大型零售银行，定位于服务社区、服务中小企业、服务“三农”，致力于为中国经济转型中最具活力的客户群体提供服务。同时，邮储银行积极服务于大型客户并参与重大项目建设，为中国经济发展作出了重要贡献。

邮储银行拥有营业网点超过 4 万个，服务个人客户超过 5 亿人，拥有优异的资产质量和显著的成长潜力。目前，邮储银行打造了包括网上银行、手机银行、自助银行、电话银行、电视银行、“微银行”等在内的全方位电子银行体系，形成了电子渠道与实体网络互连互通，线下实体银行与线上虚拟银行齐头并进的金融服务格局。2015 年，邮储银行引入十家境内外战略投资者，进一步提升了综合实力。2016 年，邮储银行在香港联交所主板成功上市，圆满完成“股改—引战—上市”三步走改革路线图，正式登陆国际资本市场。在“2016 年全球银行 1000 强排名”中，邮储银行总资产位居第 22 位。

在中国经济转型升级、金融改革纵深推进、信息技术蓬勃发展的大背景下，邮储银行将紧抓战略新机遇，充分发挥自身优势，不断丰富业务品种、拓宽服务渠道、提升服务能力，为广大客户提供更加全面、便捷的金融服务，致力于成为最受信赖、最具价值的一流大型零售银行。

地址：北京市西城区金融大街 3 号

邮编：100808

电话：（8610）68858158

传真：（8610）68858165

客服电话：95580

网址：www. psbc. com

招商银行股份有限公司

【企业概况】

招商银行 1987 年成立于中国改革开放的最前沿——深圳蛇口，是中国境内第一家完全由企业法人持股的股份制商业银行，也是国家从体制外推动银行业改革的第一家试点银行。

成立 29 年来，招商银行坚持“因您而变”的经营理念，从一家只有 1 亿元资本金、1 家营业网点、30 余名员工的小银行起步，发展成为沪港两地上市的国内第六大商业银行，在英国《银行家》2015 年“全球 1000 家大银行”榜单中位列第 28 位，在《财富》杂志 2015 年世界 500 强榜单中列第 235 位。截至 2015 年末，招行分支机构逾 1700 家，在中国大陆的 120 余个城市设立了服务网点，拥有 5 家境外分行和 3 家境外代表处，员工超过 7 万人。此外，招行还在境内全资拥有招银金融租赁有限公司，控股招商基金管理有限公司，持有招商信诺人寿保险有限公司 50% 股权、招联消费金融公司 50% 股权；在香港全资控股永隆银行有限公司和招银国际金融有限公司，是一家拥有商业银行、金融租赁、基金管理、人寿保险、境外投行等金融牌照的银行集团。

招商银行诞生以来，开创了中国银行业的数十个第一：创新推出了具有里程碑意义的、境内第一个基于客户号管理的借记卡——“一卡通”，首个真正意义上的网上银行——“一网通”，第一张国际标准双币信用卡，首个面向高端客户的理财产品——“金葵花理财”，并在境内银行业率先推出了离岸业务、买方信贷、国内信用证业务、企业年金业务、现金管理业务、银关通业务、公司理财与网上承兑汇票业务等等。近年来，招行又确立了“内建平台、外接流量、流量经营”的互联网金融发展策略，率先推出闪电贷、刷脸取款、“一闪通”支付等创新服务，按照“手机优先”战略，迭代创新手机银行和掌上生活 App，抢占移动互联网时代新高地。多年来，招商银行品牌形象得到了社会各界的广泛认可，相当一部分业务领域已成为国内商业银行的标杆，连续多年获得境内外权威媒体评选的“中国最佳零售银行”“中国最佳私人银行”“中国最佳现金管理银行”等殊荣。

近年来，顺应新常态下中国经济金融发展形势，招商银行依托自身优势和经营特色，确立了以“轻型银行”为目标、以“一体两翼”为定位的战略体系，经营特色更加鲜明。2015 年，招商银行以位居国内银行业第六的规模，实现了许多“轻资本”的战略新兴业务与国有大行比肩的业绩，包括零售利润占比、信用卡、私人银行客户和规模、资产管理规模、资产托管规模，以及金融市场业务、海外业务收入占比等等，走出了一条轻型银行的差异化发展之路，引起市场广泛关注。2015 年招行的经营表现得到了市场和投资者的广泛认可，全年 A 股股价累计涨幅、市净率均排名上市银行第一，获评“中国最受投资者尊重的百家上市公司”第一名。

未来几年，招商银行将坚持“一体两翼”战略定位，专注聚焦，走轻型银行发展道路，努力布局互联网金融，实现数字化思维与能力全面领先，努力把我行打造成为“创新驱动、零售领先、特色鲜明的中国最佳商业银行”。

【企业社会责任】

招商银行始终秉承“源于社会回报社会”的企业社会责任理念，积极参与公益事业，将企业公民的理念延伸至扶贫、教育、环境保护、公共卫生等众多领域，赢得了各界的肯定，多次获得“最佳企业社会责任”、“中国最受尊敬企业”、“中国儿童慈善突出贡献奖”、“中国低碳典范企业”等奖项。

我们通过贯彻国家宏观经济政策，加快管理变革，提升可持续价值创造能力，推进“两小”企业和创新型企业成长，带动就业，服务经济社会发展；我们通过持续产品和服务创新，促进服务能力的提高，为客户带来更新更好的服务体验；我们通过完善绿色信贷，加大绿色信贷支持力度，开展绿色运营和绿色公益，引领绿色金融创新，进而促进绿色经济发展；我们通过畅通员工职业成长通道，重视员工能力提升，营造良好工作环境，促进员工与企业的共同成长；我们通过深化社会责任理念，开展社会公益活动，参与社区共建，积极回馈社会，致力成为优秀企业公民。

【企业荣誉】

2016 年 1 月 7 日，在由中国银行业协会举办"2015 年中国银行业十件大事、好新闻发布暨媒体答谢会"上，招商银行推荐的新闻作品《招行发起"免费攻势"鲶鱼效应开始发挥作用》荣获"优秀作品奖"，同时，鉴于长期以来对银行业协会工作的大力支持，招行获得"优秀组织奖"。

2016 年 1 月 8 日，获《贸易金融》与中国贸易金融网正式通知，在"第五届（2015 年度）中国经贸企业最信赖的金融服务商评选"活动中，招商银行凭借自身的出色表现，荣获"2015 年最佳交易银行"、"2015 年最佳离岸金融银行"奖项。

2016 年 1 月 11 日，在《21 世纪商评评论》与全球著名金融设计顾问机构 Continuum 联手合作发起的 21 世纪金石奖评选活动中，招商银行未来银行概念网点获评"最佳金融空间设计大奖"，招商银行客服远程银行中心获评"最佳金融客服体系大奖"。

2016 年 1 月 14 日，招商银行荣获 2016 胡润百富第十二届至尚优品中国千万富豪"最青睐国内私人银行"大奖，继 2011、2013、2014、2015 年后，第五次荣获该奖项。

2016 年 1 月 15 日，在《金融理财》杂志社举办的 2015 金融理财金貔貅奖评选中，招商银行荣获"年度金牌股份制商业银行奖"。

2016 年 1 月 21 日，在财视中国举办的"2016 结构性融资与资产证券化论坛"上，招商银行荣获"最佳信贷项目发起人奖"。

2016 年 1 月 27 日，在人民在线举办的"大众心目中银行业互联网创新口碑排行榜"评选活动中，招商银行荣获"手机银行创新口碑奖"。

2016 年 1 月 21 日，胡润百富正式发布《2016 中国千万富翁品牌倾向报告》，招商银行信用卡凭借其在高端产品创新以及对服务升级方面的高瞻远瞩、顺应时代趋势，以绝对优势获得中国千万富豪"最青睐信用卡"大奖，成为唯一一家十二度蝉联此殊荣的信用卡发卡机构。

2016 年 1 月 22 日，由上海市银行同业公会主办的 2015 年度"上海银行同业 · 年度奖项"评选结果正式揭晓。得益于不断发掘持卡人需求，开创新型客服模式，招行信用卡第三次将"上海银行业最佳客服中心奖"收入囊中。

2016 年 1 月 28 日，在银率网主办的第七届"360°银行评测"活动中，招商银行荣获 2015 年度"手机银行服务消费者满意度奖"，"网上银行服务消费者满意度奖"，"服务渠道消费者满意度奖"，"银行综合服务消费者满意度奖"四个奖项。

2016 年 1 月，2015 年中国银联机构技术标准实施情况奖评选结果揭晓。招商银行获得"2015 年银联卡创新标准实施先进奖"、"2015 年技术运营合作优秀奖"。

2016 年 2 月 6 日，在腾讯网、财华社联合承办的"2015 香港上市公司 100 强"评选中入选百强主榜，招商银行荣获"综合实力 100 强主榜"第八名，以及"税后利润 10 强"的殊荣。

2016 年 2 月 16 日，招商银行首度荣获国际权威杂志《亚洲私人银行家》（*Asian Private Banker*）评选的"中国本土最佳私人银行"大奖。

2016 年 2 月，招商银行再度荣膺国际著名金融杂志《欧洲货币》（*Euromoney*）"中国区最佳私人银行"大奖。同时，凭借在国内超高端客户和国际客户服务领域做出的杰出贡献，还获得了"最佳超高净值客户服务"和"最佳国际客户服务"的奖项。不仅如此，在中国区私人银行服务评比中，招行几乎包揽了所有细分领域的榜首，超越瑞银、瑞士信贷、工行和中行，夯实业界领先地位。

2016 年 2 月，英国权威金融杂志《银行家》（*The Banker*）公布全球银行品牌 500 强，招商银行凭借品牌价值 132.39 亿美元位列全球排名第 13 位，较 2015 年上升了 12 位。

2016 年 3 月 11 日，招商银行"和家 2015 年第一期个人住房抵押贷款资产支持证券"荣获《新财富》杂志评选的最佳资产证券化项目（信贷类）。

2016 年 3 月 11 日，在上海黄金交易所举办的"2015 年度优秀会员表彰会"上，招商银行获得"上海黄金交易所 2015 年度优秀金融类会员"荣誉称号。

2016 年 3 月 16 日，由国际权威财经杂志《亚洲银行家》（*The Asian Banker*）主办的"2016 年亚太区零售卓越服务大奖"评选结果在香港揭晓，招商银行第 7 次荣获"中国最佳零售银行"、第 12 次荣膺"中国最佳股份制零售银行"两项国际奖项。

2016 年 3 月 30 日，由中央国债登记结算有限责任公司举办的"2016 年中国银行业理财市场年会"在北京隆重召开，招商银行获颁"理财直接融资工具和银行理财管理计划业务十佳单位"。

2016 年 3 月 31 日，在香港《亚洲周刊》的"2015 亚洲银行 300 排行榜"评选活动中，招商银行荣获"利息收入净值最高奖"。

2016 年 3 月，在中国银行业协会年度贸易金融卓越奖评审会上，招商银行凭借贸易金融业务的特色优势，在行业协会百余家会员中脱颖而出，荣获"最佳特色贸易金融银行"奖项，同时揽获"最佳供应链金融银行"奖项。

2016 年 3 月，中国外汇交易中心颁发了 2015 年度银行间外汇市场系列奖项，招商银行获得"期权最具做市潜力会员奖"、"最佳期权会员奖"

2016 年 4 月 7 日，在由上海清算所举办的"2016 年上海清算所业务交流会"上，招商银行荣获"2015 年度优秀结算成员奖"、"2015 年度外汇中央对手清算优秀奖"、"2015 年度利率金融衍生品中央对手清算优秀奖"等三个奖项。

2016 年 4 月 8 日，招商银行信用卡凭借"小积分 · 微慈善"积分众筹项目荣获上海金融创新成果奖三等奖。作为上海市金融办主办，上海市财政局等部门共同审定的官方奖项，上海金融创新奖自 2010 年设立以来，已成为评判上海金融机构综合竞争力的重要标杆。"小积分 · 微慈善"作为招商银行信用卡一次成功的"互联网 + 公益"的慈善创新之举，极大地降低了慈善的参与门槛、充分调动广大持卡人用更轻的"非货币模式"参与社会公益，获此殊荣实至名归。

2016 年 4 月 8 日，由中国资产证券化论坛（CSF）主办的 2016 年中国资产证券化论坛年会在北京国家会议中心举行，招商银行"和家 2015 年第一期个人住房抵押贷款资产支持证券"和"和信 2015 年第二期汽车分期资产支持证券"凭借突出的市场价值和创新特点，摘取了两项十佳交易奖，连续两年获得此项奖项。

2016 年 4 月 27 日，由《证券时报》主办的"2016 年中国区优秀投行评选颁奖盛典"落下帷幕。招行从众多银行中脱颖而出，斩获“中国区最佳全能银行投行”和“中国区最佳债券承销银行”两项商业银行领域分量最重的大奖。

2016 年 4 月，在中国外汇交易中心举办的“2016 年银行间本币市场交流会”上，招商银行荣获“2015 年度银行间本币市场同业存单突出贡献奖”。

2016 年 4 月，在大连商品交易所对期货保证金存管业务进行的年度考评中，招商银行获得“2015 年度最佳市场拓展银行”奖。

2016 年 5 月 11 日，由国际权威财经杂志《亚洲银行家》（*The Asian Banker*）主办的“2016 年度国际交易银行成就大奖”评选结果在越南揭晓。招商银行在与众多强劲外资银行较量中，凭借在交易银行领域创新的业务融合、优秀的体系架构及优秀的业绩表现，勇夺“中国最佳交易银行”大奖，这是中资银行首次在交易银行领域获得国际认可，一举摘得银行业的“小金人”。

2016 年 5 月 13 日，在中国内刊协会举办的第二期“内刊＋”创新模式高峰论坛上，《招行微刊》获中国品牌内刊 2015 年度优秀内部报刊暨内部媒体“新媒体·金旗奖”、“文化纽带奖”。

2016 年 5 月 14 日，财富管理创新发展论坛暨 2016 中国（青岛）财富管理创新创客大赛颁奖典礼在青岛大剧院举行，现场颁布了优秀财富管理研究成果奖、优秀财富管理产品奖、优秀财富管理服务奖等诸多奖项。由招商银行推送的黄金创新产品“金生利”在全国各大银行的 26 个参赛项目中脱颖而出，勇夺“优秀财富管理产品奖”。

2016 年 5 月 20 日，在广州举办的“2016 年两岸四地银行业财富管理论坛”上，中国银行业协会发布了 2015 年商业银行理财产品发行机构及产品评价结果。招商银行在综合理财能力中排名第三，产品创新中排名第一，并获中国银行业理财机构最佳综合理财能力奖、最佳创新奖、最佳社会贡献奖、最佳产品转型奖、最佳收益奖。

2016 年 5 月 28 日，第四届“金牛财富管理论坛”暨 2015 年度“金牛理财产品”颁奖典礼在全国人大会议中心隆重举行，此次活动由中国证券报·金牛理财主办，中国证券报与新华网指导，中国社会科学院金融法律与金融监管研究基地提供学术支持，陆家嘴金融网联合主办。招商银行获评“2015 年度金牛理财银行奖”，鼎鼎成金系列理财产品获“2015 年度金牛理财产品奖”。

2016 年 5 月 31 日，招商银行获选由中国服务贸易协会评选的“‘中国服务’品牌竞争力 500 强企业”。

2016 年 5 月 31 日，由国内杂志《银行家》主办的“2016 中国金融创新奖”评选结果揭晓，招商银行荣获“最佳金融创新奖”。另外，招行的“智慧供应链金融”、“移动支票”、“托管通”业务荣获“十佳金融产品创新奖”，“资产配置服务”荣获“十佳财富管理创新奖”，“智慧医疗”荣获“十佳互联网金融创新奖”。

2016 年 6 月 2 日，新加坡《国际私人银行家》（*Private Banker International*）杂志在香港举办“2016 年度大中华区金融评选颁奖典礼”，招商银行成功荣膺“中国区最佳私人银行”大奖，这是继 2011 年、2012 年、2013 年、2014 年和 2015 年后，我行连续第六次获得此殊荣。

2016 年 6 月 7 日，招商银行托管业务获得国际权威财经媒体《财资》（*The Asset*）“中国最佳托管银行奖”，成为国内唯一获得此项资产托管业务最高国际奖项的国内托管银行。

2016 年 6 月 16 日，由中国银行业协会举办的“服务小微和三农优秀金融产品”评选结果揭晓，招商银行“生意贷”产品荣获“2015 年服务小微五十佳金融产品”奖项。

2016 年 6 月 23 日，由国际权威财经杂志《亚洲银行家》（*The AsianBanker*）主办的 2016 年度中国奖项颁奖典礼在北京举行，经过多轮严格审查和国际评委会投票，招商银行从众多优秀的中外资银行及金融机构的激烈角逐中脱颖而出，再度斩获“中国最佳财富管理业务”大奖，连续两年包揽此项奖项。同时，招商银行“全币种国际信用卡”斩获“中国最佳信用卡产品”大奖。

2016 年 6 月 24 日，招商银行再次获得了由中国银行协会颁发的”年度社会责任最佳公益慈善贡献奖”和”年度公益慈善优秀项目奖”。

2016 年 6 月 30 日，英国权威金融杂志《银行家》（*The Banker*）发布 2016 年全球银行 1000 强排名，招商银行排名继续攀升，较去年提高 1 个位次，以 535.35 亿美元的一级资本（Tier1 Capital）规模位列全球第 27 位，在所有中资银行中排名第六，仅次于国有五大行。

2016 年 6 月 30 日，招商银行许世请董秘荣获《新财富》第十二届“新财富金牌董秘”称号。

2016 年 6 月，招商银行在《财资》（*The Asset*）举办的 2016 年度 TripleA 资金、贸易及风险管理大奖评选中，成功揽获包括“中国最佳交易银行”、“中国最佳现金管理解决方案”、“电子渠道解决方案最佳合作银行”、“中国最佳财资及营运资金管理银行”、“年度公司支付项目奖”等五项国际大奖，此次同时获得多项大奖创中国商业银行之最，实现交易银行发展中又一次的重大突破。

2016 年 6 月，由中国物流与采购联合会举办的“2016 年中国物流金融峰会”在镇江举办，招商银行荣获“2015－2016 年度中国物流金融杰出贡献企业”奖项，表彰本年度中为我国物流金融行业发展和经济建设做出杰出贡献的企业。

2016 年 7 月 6 日，美国权威金融杂志《机构投资者》（*Institutional Investors*）评选我行荣获“2016 全亚洲决策管理团队”的三项大奖，分别为：2016 亚洲银行“最佳分析师日”第一名，李浩常务副行长、执行董事兼财务负责人荣获 2016 亚洲银行“最佳 CFO”综合排名第二和买方组评选排名第二两项大奖。我行成为今年大中华地区的唯一获奖银行。

2016 年 7 月 6 日，腾讯财经·壹克自媒体联盟举办“壹人壹克重塑价值”主题峰会暨 2016 上半年优秀自媒体颁奖典礼，“招商银行”微信公众号入选企业类十大自媒体。

2016 年 7 月 7 日，由新浪财经主办的“2016 中国银行业发展论坛暨第四届银行综合评选颁奖典礼”在北京举行。本次评选首次设置了“最佳零售银行”奖项，招商银行脱颖而出，将“最佳零售银行”大奖收入囊中，同时还获得了“最受欢迎电子银行”奖项。

2016 年 7 月 8 日，中国银行业协会正式发布 2016 年商业银行稳健发展能力“陀螺”（GYROSCOPE）评价体系评价结果。根据我国商业银行的经营规模和性质，2016 年度“陀螺”（GYROSCOPE）评价体系将参评银行划分为全国性商业银行、城市商业银行和农村商业银行三组，招商银行在本次“陀螺”评价体系评估中，位列全国性商业银行综合发展能力评价第一名。

2016 年 7 月 12 日，中国银行业协会养老金业务专业委员会在北京颁发了 2015 年度商业银行养老金业务系列奖项。招商银行凭借“双金”服务理念和“薪福金融”产品体系荣获“2015 年度养老金业务创新奖”

2016年7月13日,2016年《财富》中国500强榜单揭晓,招商银行排名今年持续攀升,较去年上升3个位次,以201,471亿元的营业收入位列第26名,在国内所有银行中排名第五,仅次于国有四大行。7月20日,《财富》世界500强榜单正式发布,招商银行连续5年强势入榜,名列第189名,较2015年上升了46位,名次继续大幅提升。

2016年7月14日,《当代金融家》旗下"全球资产管理阿尔法智库"推出的资产管理行业2016年度领军人物系列评选公布结果,招商银行投行与金融市场总部总裁兼资产管理部总经理周松获得"资产管理2016年度领军人物卓越奖"及最具竞争力奖。

2016年7月15日,招商银行在《证券时报》"2016中国最佳财富管理机构评选"中荣获《证券时报》"2016中国最受欢迎互联网金融产品"、"2016中国最佳银行理财品牌"、"2016中国最佳私人银行品牌"等奖项。

2016年7月16日,《21世纪经济报道》在上海举办主题为"全球视野・改革智慧"的2016资产管理年会,年会上揭晓了第九届中国资产管理"金贝奖"评选结果,招商银行荣获"2016最具竞争力资产管理银行"、"2016最佳资产托管银行"。

2016年7月21日,在中国企业文化研究会举办的第三届全国企业文化传播论坛上,招商银行获"十二五"全国企业文化传播全媒体建设三十强单位,《招商银行制胜八招》企业文化宣传片获"十二五"全国企业文化优秀传媒作品。

2016年7月,在知名财富管理咨询机构Scorpio Partnership发布的全球私人银行最新排行榜单上,招商银行一举超越纽约梅隆银行、法国农业信贷银行以及瑞士隆奥银行,位列第20位,这也是中资银行在该项排名中首度挤入全球前20位。

2016年7月,国际权威财经媒体《亚洲货币》(*Asia Money*)举办的现金管理客户网上投票评选结果揭晓,招商银行第十一度蝉联"中国本土最佳现金管理银行",再度刷新了我行获奖记录。

2016年8月31日,在由中国信息化推进联盟主办的"第十四届中国呼叫中心产业高峰论坛暨第十四届中国呼叫中心及最佳管理人颁奖大会"上,我行远程银行中心再度刷新记录,连续十二年荣膺"中国最佳客户联络中心奖",并蝉联大会最高奖项"中国客户联络中心巅峰成就奖",荣膺"中国客户联络中心最佳管理创新奖"、"中国客户联络中心最佳客户体验奖"、"中国最佳在线客户服务奖";同时,招商银行刘建军副行长被授予"中国客户服务领袖奖",陈绯总经理被授予"中国客户服务杰出贡献奖"、陈中宇副总经理被授予"中国客户联络中心产业杰出贡献奖"、朱卉主管被授予"中国客户联络中心最佳管理人奖"、远程可视柜员蒲敏荣获"中国客户联络中心最佳服务代表奖"。

2016年9月1日,《亚洲金融》(*Finance Asia*)杂志在新加坡举办"2016 Finance Asia Country Awards for Achievement颁奖典礼",招商银行成功荣膺"中国区最佳私人银行"大奖,这是我行首次获得此殊荣。

2016年9月7日,招商银行荣获中国资产证券化百人会论坛评选的首届佰嘉奖"中国最佳资产证券化发起人(信贷类)"。

2016年9月7日,在财视中国举办的"第二届结构性融资与资产证券化论坛"上,招商银行"和享2016年第一期信用卡账单分期证券化"荣获"信用卡类最受投资者欢迎产品"。

2016年9月20日,《财资》(*The Asset*)杂志在香港举办"Triple A Private Banking, Wealth Management, Investment and ETF Awards 2016"颁奖典礼,招商银行成功荣膺"中国区最佳私人银行——高净值人群类"奖项,这是招行继2009－2012年连续四年荣获中国区最佳私人银行大奖后,再度荣获《财资》颁发的荣誉。

2016年9月21日,在《财富管理》杂志举办的"亚太财富论坛暨2016年度国际私人财富管理中国风云榜－金臻奖"的评选中,招商银行首度成功荣获"最佳中国私人银行",同时总行私人银行部王菁总经理被授予"年度杰出领袖人物奖"。

2016年9月24日,在国内《银行家》杂志社举办的"2016中国银行家论坛"中,招商银行荣获"最受老百姓欢迎银行"、"财务评价"、"核心竞争力评价"三项大奖。

2016年9月,在第九届Teradata EPIC颁奖典礼上,招商银行凭借在"EDW的建设规划和数据整合"的出色表现,获得"业务整合优秀奖"。同时,招商银行"大数据平台规划"荣获"大数据杰出贡献大奖"。

2016年9月,在第13届IDC Financial Insights Fin Tech Rankings峰会上,招商银行凭借数据仓库项目的出色表现,获得金融业洞察力创新大奖中的"大数据和分析"类奖项。

2016年9月,2015年度人民银行"银行科技发展奖"评选结果揭晓,招商银行五项科技成果全部获奖,其中招商银行新一代分布式核心系统、智能差旅平台项目获得二等奖,微信银行、零售产品智能推荐引擎、信用卡智能调扣机器人项目获得三等奖。

2016年9月,由工业和信息化部主管的《首席财务官》杂志社主办的"2016年度中国CFO最信赖银行评选"活动中,招商银行凭借公司金融领域的出色表现荣获"2016年度中国CFO最信赖银行评选"中的"最佳智慧供应链金融奖"、最佳中小企业服务品牌奖"两项大奖。

2016年10月14日,国际标准日当天,由招商银行总行信息技术部数据中心组织建设的《信息技术服务数据中心服务能力成熟度模型》正式获得国家质量监督检验检疫总局、国家标准化委员会批准成为国家标准,国标编号GB/T33136:2016。

2016年10月26日,在英国伦敦举行的英国《金融时报》集团(*Financial Times*)2016年全球私人银行奖项的颁奖典礼中,招商银行荣获2016年"中国区最佳私人银行"大奖。这是自英国《金融时报》集团2010年开设此奖项评选以来,我行私人银行第六次独揽此项殊荣,标志着招行私人银行服务得到了这一国际权威媒体的高度认可。

2016年10月27日,在大数据研究公司易观集团举办的"2016易观A10大数据应用峰会・易观之星颁奖盛典"中,招商银行荣获"易观之星"奖项。

2016年10月,中国银行业协会决定对第三届保理专业委员会工作中,做出突出贡献的单位进行表彰。招商银行荣获"中国银行业协会保理专业委员会突出贡献单位奖"。

2016年11月15日,在国际数据公司(IDC)举办的"2016中国数字化转型高峰论坛暨颁奖典礼"上,招商银行凭借"PAI智慧分析平台项目"荣膺2016年度中国数字化转型领军用户奖中的"总体领军者"奖项。

2016年11月19日,在《中国改革报》社举办的"2016第三届A股上市公司价值排行榜发布盛典暨高峰论坛"上,招商银行荣获"申万28行业——银行业类龙头"奖。

2016 年 11 月 22 日，在由中国银行业协会举办的“中国银行业第四届优秀客服中心评选及第三届‘客服明星’评选活动总结表彰大会”上，招商银行远程银行中心凭借在轻服务和轻经营上取得的成果，从全国各大银行的 76 家参评单位中脱颖而出，以综合评分第一的成绩四度问鼎“综合示范单位奖”荣获，同时荣膺“价值贡献奖”，“小招智能文本机器人”项目荣获“优秀创新奖”。

2016 年 11 月 23 日，由二十一世纪传媒、21 世纪经济报道主办的“2016 中国品牌价值管理论坛”暨“第十二届中国最佳品牌建设案例【金象奖】”颁奖典礼在上海举行，招商银行再次入选“中国最佳品牌建设案例奖”。

2016 年 11 月 29 日，招商银行首次荣获美国《环球金融》杂志（*Global Finance*）评选的“中国最佳本土私人银行”大奖。

2016 年 11 月 29 日，2016 年“百度品牌数字资产榜”发布，招商银行荣获“2016 百度品牌数字资产榜商业银行类第一名”，招商银行信用卡荣获“2016 百度品牌数字资产榜信用卡类第一名”。

2016 年 11 月，《财资中国》举办的 2016 年度中国财资奖银行财资服务力评选结果最终揭晓。招商银行凭借在公司银行领域为企业财资提供服务的突出综合能力和社会口碑，荣获 2016 年度“中国财资奖”年度最佳交易银行大奖。

2016 年 11 月，招商银行作为牵头行参与的腾讯集团境外并购贷款项目，获路透 IFR 亚洲 2016 年度“最佳贷款”奖。

2016 年 11 月，招商银行为中国最大民营快递企业顺丰集团迭代开发的多级现金池项目，在亚太地区最具权威性的金融评选之一的《财资》（*The Asset*）2016 年度 3A 资金、贸易及风险管理大奖评选中，荣获“中国最佳现金管理解决方案（顺丰）”国际大奖。

2016 年 12 月 2 日，在新华网举办的 2016 中国社会责任公益盛典上，招商银行获得“2016 中国社会责任杰出企业奖”。

2016 年 12 月 3 日，2016 年 We Media 移动风云榜颁奖晚会在北京隆重召开，招商银行信用卡一举夺得“2016 年度最佳信用卡品牌”和“2016 年度最佳应用”双料大奖。

2016 年 12 月 7 日，招商银行荣获英国权威金融杂志《*The Banker*》（银行家）“2016 年中国年度银行”大奖，这也是招行首次获此殊荣。

2016 年 12 月 8 日，在由 CFCA 举办的“中国电子银行金榜奖”上，招商银行荣获“2016 年最佳手机银行奖”、“2016 年最佳网上银行功能奖”。

2016 年 12 月 9 日，在金融时报社的“2016 中国金融机构金牌榜・金龙奖”评选活动中，招商银行荣获“年度最佳上市银行”奖。

2016 年 12 月 13 日，在中国经营报的“2016（第八届）卓越竞争力金融机构评选”活动中，招商银行荣获“卓越竞争力股份制商业银行”奖。

2016 年 12 月 14 日，招商银行成功获得国际权威财经杂志《亚洲银行家》（*The Asian Banker*）2016 年度中国私人银行 & 财富管理奖项计划之“最佳私人银行”和“最佳股份制私人银行”荣誉。

2016 年 12 月 27 日，由 21 世纪经济报道主办的金 V 榜评选活动中，招商银行荣获“2016 年度最具传播力商业银行”。

2016 年 12 月 28 日，在半月谈杂志社的“品牌生活榜”评选活动中，招商银行荣获“最值得百姓信赖的银行机构”大奖。

2016 年 12 月，在深圳电子金融结算中心组织的年度金融创新奖评选中，招商银行一网通支付获得一等奖。

2016 年 12 月，在 2016（第三届）全国电子商务创新推进大会上，招商银行“C + 智慧票据池”喜获“国家电子商务与供应链融合创新大奖”。招商银行为阿里巴巴度身定制的“B2B 平台票据池”获得与会专家的一致好评和积极肯定。

2016 年 12 月，在《贸易金融》杂志与中国贸易金融网联合主办的“第六届（2016 年度）中国经贸企业最信赖的金融服务商评选”活动中，招商银行凭借自身在贸易金融、财资、供应链金融、跨境金融及交易银行领域中的出色表现，荣获“最佳交易银行”、“2016 年最佳离岸金融银行”奖项。

2016 年 12 月，在银监会举办的 2016 年度银行业信息科技风险管理课题研究活动中，招商银行申报的三个课题均获佳绩。《建立及应用看板能力成熟度模型以提升基层管理能力的研究》获得 2016 年度银行业信息科技风险管理课题评审二等奖，《数据中心精益六西格玛应用的研究与实践》和《基于 TMMi 和测试过程数据构建智慧型测试管理体系研究》同获 2016 年度银行业信息科技风险管理课题评审三等奖。

地址：深圳市福田区深南大道 7088 号招商银行大厦
邮编：518040
服务热线：95555
招商银行客户投诉受理渠道：
境外服务热线：86 - 755 - 84391000
私人银行服务专线：40066 - 95555
电话渠道：95555 转 7
网络渠道：95555@ cmbchina. com
信用卡服务热线：400 - 820 - 5555
钻石贵宾服务专线：40068 - 95555
企业年金专线：4006095555 和 95555 - 9
金葵花贵宾服务专线：40088 - 95555

中国光大银行股份有限公司

【企业概况】

中国光大银行成立于 1992 年 8 月，总部设在北京，是经国务院批复并经人民银行批准设立的金融企业，为客户提供全面的商业银行产品与服务。

自成立以来，伴随着中国金融业的发展进程，中国光大银行不断开拓创新，锐意进取，在为社会提供优质金融服务的同时，取得了良好的经营业绩，在综合经营、公司业务、国际业务、理财业务、电子银行业务等方面培育了较强的比较竞争优势，基本形成了各主要业务条线均衡发展、风险管理逐步完善、创新能力日益增强的经营格局。2010 年 8 月 18 日，中国光大银行在上海证券交易所成功上市，走上更有内涵的发展之路；2013 年 12 月 20 日，中国光大银行在香港联交所主板成功上市，迎来又一个崭新的发展阶段。

2015 年 12 月末，中国光大银行在全国 29 个省、自治区、直辖市的 108 个经济中心城市和港地区设立一级分行 38 家（含香港），二级分行 68 家，分支机构 1048 家，全行从业人员超过 40000 人。

截至 2015 年 12 月 31 日，中国光大银行资产总额 31677. 10亿元，负债总额 29436. 63 亿元。在英国《银行家》杂志 2015 年发布的“世界 1000 家大银行排名中，中国光大银行位列第57位。

凭借卓越的创新能力和出色的业绩表现,中国光大银行被评为"年度最具创新银行",荣膺"CCTV中国年度品牌"。招牌业务"阳光理财"系列产品家喻户晓,是国内最具竞争优势的理财品牌之一,先后被评为"百姓最认可的理财品牌"、"最受欢迎的理财产品";投行业务、企业年金、电子银行、资金结算等领域也创造了多项行业第一。

在自身发展的同时,中国光大银行不忘履行社会责任,回报社会。连续11年捐助"大地之爱·母亲水窖"公益项目。截至2015年末,已累计募集善款2838万元,建造水窖8539口,小型水利工程55处,校园安全饮水项目6处,受益群众达10万多人,彰显了企业的社会责任与员工的精神风貌。

强大的股东背景,全国性的经营网络,高素质的员工队伍,卓越的创新能力,中国光大银行以自身的经营优势,正按照"一年奋力起步,三年改变面貌,五年形成自身特色,十年勇争同业前列"的指导思想,落实"更有内涵的发展",推进模式化经营,努力打造国内最具创新能力的银行。

【企业文化】

愿景:精品银行、诚信伙伴

价值观:诚信为本、创新为先、团队合作、卓越执行、和谐发展

实践方向:在销售、创新、风险和服务中取得最佳平衡,并融入所有的核心价值观

【企业荣誉】

1. 2015年1月,新华网发起主办的"第七届中国企业社会责任峰会"在北京举行,光大银行获"2014年度中国企业社会责任杰出企业奖"。

2. 2015年1月,和讯网发起主办的"第十二届中国财经风云榜之2014年评选"结果揭晓,光大银行获"年度最具影响力全国性银行"、"最具竞争力财富管理机构"、"年度最佳信用卡品牌"和"手机银行卓越奖"四项大奖。

3. 2015年2月,中央国债登记结算有限责任公司评选出2014年度中国债券市场优秀成员,光大银行托管业务获"债券业务进步奖";2015年4月,光大银行获银行间市场清算所股份有限公司颁发的"托管银行优秀奖"。

4. 2015年2月,光大银行"VISA境外优卡"白金信用卡荣获VISA国际卡组织颁发的2014年度"最佳高端产品设计奖";光大银行信用卡中心获JCB国际卡组织颁发的2014年度"最佳合作伙伴奖"、中国银行卡联合组织颁发的"2014年银联卡推广贡献奖"和"2014年银联卡渠道推广优秀奖"。

5. 2015年4月,在中国金融认证中心(CFCA)举办的"第三届金融品牌峰会"上,光大银行获"最佳微信公众平台"和"十大社会化营销案例"奖。

6. 2015年5月,《证券时报》主办的"2015中国区优秀投行"评选活动获奖名单公布,光大银行获"2015年度最佳银行(行业)投行电力行业投行"奖。

7. 2015年5月,在《上海证券报》主办的"2015年中国财富管理高峰论坛暨第七届'金理财'奖颁奖典礼"上,光大银行"阳光理财"品牌获"2014年度最佳银行理财品牌"奖,"阳光集优量化组合理财产品(MOM)"获"2014年度最佳银行产品创新奖";2015年6月,由《证券时报》主办的"2015中国最佳财富管理机构"评选活动结果揭晓,光大银行阳光理财被评为"2015中国最佳银行理财品牌","阳光集优量化组合理财产品(MOM)"被评为"2015中国最佳创新银行理财产品";2015年12月,华夏时报主办的"第八届投资者年会暨'金蝉奖'颁奖典礼"在北京举行,光大银行获"年度最佳理财品牌"奖。

8. 2015年6月,在《经济观察报》主办的"寻找新路径·新金融论坛暨创新金融TOP榜颁奖典礼"上,光大银行获"卓越缴费体验电子银行奖"。

9. 2015年6月,在中国银行业协会召开的"《2014年度中国银行业社会责任报告》发布暨社会责任工作表彰会议"上,光大银行获"2014年度社会责任最佳民生金融奖"。

10. 2015年7月,新浪网主办的"2015中国银行业发展论坛暨第三届银行综合评选颁奖典礼"在北京举行,光大银行获"最佳财富管理银行"奖。

11. 2015年7月,在中国网、中新网等财经及大众媒体共同主办的"2015(第四届)中国财经峰会暨'光荣与梦想'致敬盛典活动"上,光大银行信用卡获评"2015(行业)最佳品牌形象奖";在《投资者报》主办的第二届最佳银行评选活动中,光大银行信用卡获"最具创新信用卡"奖。

12. 2015年7月,《南方周末》主办的"第七届中国企业社会责任年会"在北京举行,光大银行信用卡"母亲水窖"公益活动获"2015年度最佳责任案例"奖。

13. 2015年8月,《21世纪经济报道》主办的"第八届21世纪资产管理'金贝奖'颁奖典礼"在上海举行,光大银行获"2015最佳服务创新银行"奖和"2015最佳客户体验信用卡品牌"奖;2015年9月,在《经济》杂志社举办的"2015(第十一届)中国企业诚信与竞争力论坛峰会"上,光大银行信用卡获"2015中国信用卡行业最佳金融服务奖"、"2015中国信用卡行业最具竞争力品牌奖";2015年12月,《京华时报》发起主办的2015年"金口碑"金融评选活动结果揭晓,光大银行信用卡获"金口碑信用卡"奖。

14. 2015年11月,在《每日经济新闻》主办的"2015中国普惠金融发展论坛"上,光大银行获中国普惠金融榜之"优秀品牌奖";在《21世纪经济报道》发起主办的"第十届21世纪亚洲金融年会"上,光大银行获"2015年度优秀普惠金融服务银行"奖。

15. 2015年11月,在《首席财务官》杂志社发起的2015年度中国CFO最信赖的银行评选活动中,光大银行再次获"最佳企业年金服务奖",成为国内唯一连续七年获此殊荣的商业银行。

16. 2015年12月,《中国经营报》主办的"2015卓越竞争力金融机构评选"结果揭晓,光大银行获"2015卓越竞争力品牌建设银行"、"2015卓越竞争力信用卡品牌银行"、"2015卓越竞争力小微金融服务银行"和"2015卓越竞争力养老金服务银行"四个奖项。

17. 2015年12月,在《经济观察报》举办的"2014－2015年度中国卓越金融奖"颁奖典礼上,光大银行获"年度卓越绿色银行奖"、"年度卓越信用卡服务银行奖"。

18. 2015年12月,在《中华工商时报》举办的"创新中国:新理念、新动力、新发展——十三五创新创业论坛"上,光大银行获"最具品牌影响力银行"奖。

19. 2015年12月,《董事会》杂志发起和主办的"第十一届中国上市公司董事会'金圆桌论坛'暨'金圆桌奖'颁奖盛典"在南京举行,光大银行再次获"优秀董事会"奖。

20. 2015年12月,在《金融时报》社与中国社会科学院金融研究所联合举办的"2015中国金融机构金牌奖·金龙奖颁奖盛典"上,光大银行获"年度最佳养老金服务银行"奖、"年

度最佳电子银行”奖。

21.2015 年 12 月,《经济观察报》主办的“2015 金橙奖颁奖典礼”在北京举办,光大银行“阳光银行”获“2015 年度金橙奖之互联网金融创新平台奖”。

地址:北京市西城区太平桥大街 25 号中国光大中心
邮编:100033
网址:www.cebbank.com
客户服务热线:95595
投诉邮箱地址:95595@cebbank.com
总机:010-63636363
传真:010-63639066、63639088

中国民生银行股份有限公司

【企业概况】

中国民生银行于 1996 年 1 月 12 日在北京正式成立,是中国第一家主要由民营企业发起设立的全国性股份制商业银行,也是严格按照中国《公司法》和《商业银行法》设立的一家现代化金融企业。

成立 20 年来,伴随着中国经济的快速发展,在广大客户和社会各界的支持下,中国民生银行充分发挥“新银行、新体制”的优势,从当初只有 13.8 亿元资本金的小银行,发展成为一家核心资本超过 3200 亿元、资产总额超过 5.2 万亿元、分支机构近 3000 家、员工近 6 万人的大型商业银行。在英国《银行家》杂志 2016 年 7 月发布的全球 1000 家银行排名中,中国民生银行位居第 33 位;在美国《财富》杂志 2016 年 7 月发布的世界 500 强企业排名中,中国民生银行位居第 221 位。

作为中国银行业改革试验田,中国民生银行始终秉承“为民而生、与民共生”的使命,始终以改革创新为己任,致力于为中国银行业探索现代商业银行建设之路,致力于为客户提供专业特色的现代金融服务,致力于为投资者创造更高的市场价值和投资回报。2000 年 12 月 19 日,中国民生银行 A 股股票(代码:600016)在上海证券交易所挂牌上市。2005 年 10 月 26 日,中国民生银行完成股权分置改革,成为国内首家实施股权分置改革的商业银行。2009 年 11 月 26 日,中国民生银行 H 股股票(代码:01988)在香港证券交易所挂牌上市。上市以来,中国民生银行致力于完善公司治理,大力推进改革转型,取得了良好经营业绩,成为中国证券市场中备受关注和尊敬的上市公司。

随着中国经济发展进入新常态,中国银行业面临的经济金融环境发生深刻变化,商业银行纷纷加快战略转型步伐。2015 年 2 月,中国民生银行正式启动全面转型变革的顶层设计——“凤凰计划”,并于 2015 年 6 月全面开工,全部 39 个项目陆续进入项目设计和落地实施阶段。中国民生银行以实施“凤凰计划”为主线,按照“做强公司业务、做大零售业务、做优市场业务、有序推动国际化和集团化发展”的经营思路,加快战略转型和业务结构调整,努力成为服务民营企业和小微金融的银行、互联网金融和财富管理领先的银行,不断增强持续发展能力和竞争优势。

公司银行板块,中国民生银行定位于“三优一特”,即优质的大型国企、优质的大型民企、优质的上市公司以及特色的中小企业,持续优化行业投向布局、区域投向布局及客户结构,抢抓投行业务机会,加强交易银行业务发展,加快国际业务发展步伐,不断增强差异化经营能力。截至 2016 年 6 月末,中国民生银行对公存款余额 23,310.52 亿元;对公贷款余额 14,670.43 亿元。

投资银行方面,中国民生银行聚焦多层次资本市场综合金融服务领域,债券承销发行、投资与交易领域,并购重组及混合所有制改革领域,以证券化为核心的结构金融等四大领域,着力拓展并购金融、上市金融、结构金融、跨境金融、投资管理、证券化等业务。2016 年上半年,资产证券化发行规模 670 亿元,为 156 家企业发行短期融资券、中票票据、超短期融资券、定向工具等 185 支,发行规模 1,275 亿元,同比增长 17%。

交易银行方面,中国民生银行以打造新型公司业务网络金融综合服务平台、聚焦战略客户及提升公司结算客户价值为主线,重塑国际业务竞争力,快速推动交易银行业务服务模式转型。截至 2016 年 6 月末,全行新型结算与现金管理客户数达 8,793 户,比上年末增长 979 户;新型结算与现金管理产品实现存款余额 4,404.75 亿元,比上年末增长 767.94 亿元。

零售银行板块,中国民生银行定位于个人消费、小微企业和私人银行,着力推进客群经营,提升获客、管控、盈利三大能力,大力推动消费信贷和财富管理,持续提高管理精细化程度、资产配置以及整合营销水平。截至 2016 年 6 月末,个人非零客户达 2,798.53 万户;管理个人客户金融资产余额 12,463.55 亿元;消费信贷余额 2,639.31 亿元。

消费信贷方面,中国民生银行积极打造互联网化创新产品,借助消费信贷自动化平台使客户在网银、手机银行渠道实现“自助申请+自动审批”;大力开展交叉销售,依托消费信贷定制化产品提高营销成功率,不断增强线上获客能力。截至 2016 年 6 月末,消费信贷余额达 2,639.31 亿元,比上年末增长 888.30 亿元,增幅 50.73%。

小微金融方面,作为中国银行业小微金融服务的开拓者,中国民生银行不断深化小微业务转型提升,持续优化资产结构,推进客户交叉销售,提升小微客户的综合价值贡献。截至 2016 年 6 月末,全行小微贷款余额 3,468.15 亿元,小微客户数 353.68 万户。

私人银行方面,中国民生银行基于对客户的深层理解,树立了以财富管理为主体、以“投行+”为特色、以国际化为方向、以“互联网+”为工具的“一体三翼”服务理念。截至 2016 年 6 月末,管理私人银行金融资产规模达到 2,997.39 亿元,私人银行达标客户数 15,517 户。

信用卡方面,中国民生银行持续开展产品创新,推进移动互联跨界营销,打造场景化金融服务,实现业务多元化发展。截至 2016 年 6 月末,信用卡累计发卡量 2,527.22 万张,2016 年上半年新增发卡量 167.76 万张;实现交易额 5,798.93 亿元,同比增长 7.29%;非利息净收入 73.03 亿元,同比增长 9.10%。

互联网金融方面,中国民生银行抓住国家推行“互联网+”战略所带来的重大机遇,大力创新直销银行、手机银行、网络支付、移动支付、网上银行等网络金融产品和服务,客户体验持续提升,市场份额稳居商业银行第一梯队。截至 2016 年 6 月末,直销银行客户规模达 360.92 万户,如意宝累计申购总额 11,902.21 亿元;手机银行客户总数达 2,177.54 万户,客户交易活跃度一直居银行业前列。

金融市场板块,中国民生银行坚持金融服务实体经济的原则,拓展业务创新的发展途径,促进资金业务快速健康发展。截至 2016 年 6 月末,银行账户投资净额 15,573.89 亿元;交易账户投资余额 358.74 亿元。

金融同业方面,中国民生银行定位于优质同业客户,实行白名单制，持续推进同业业务快速发展。截至 2016 年 6 月末，同业资产余额 6,287.24 亿元，同业负债余额 13,329.07 亿元。

托管方面，中国民生银行紧抓“大资管”时代的历史机遇，搭建“托管 + 代销”、“托管 + 增信”、“托管 + 投资”等合作模式，实现资产托管业务快速发展。截至 2016 年 6 月末，托管资产规模余额为 61,129.26 亿元。

资产管理方面，中国民生银行全力打造“非凡资产管理”品牌，强化资产管理理念，拓展销售渠道，促进理财业务快速健康发展。截至 2016 年 6 月末，理财产品存续规模 13,345.90亿元。

贵金属方面，中国民生银行 2016 年上半年场内黄金交易量 648.93 吨，白银交易量 2,913.47 吨，交易金额合计 1,784.81亿元，成为上海黄金交易所第九大交易商，上海期货交易所最为活跃的自营交易商之一、国内重要的大额黄金进口商之一。

20 年来，中国民生银行在经济金融转型变革的大潮中把脉方向、聚合资源、创新求变、探路前行，实现了规模和效益的持续增长。截至 2016 年 6 月末，中国民生银行资产总额达到 52,501.62 亿元。2016 年上半年，中国民生银行实现归属于母公司股东的净利润 272.23 亿元。

20 年来，中国民生银行牢固树立“民生服务社会大众、实践情系民生事业、大众情系民生银行”的责任意识，坚持民生金融的服务特色，大力发展普惠金融、绿色金融，深耕精准扶贫、医疗和教育领域，创新文化公益，努力成为金融反哺社会的重要参与者和推动者。

展望未来，中国民生银行致力于实现“长青银行、百年民生”的宏伟愿景，恪守“诚实守信、互利共赢、以人为本、追求卓越”的核心价值观，坚持“以客户为中心、以市场为导向、以创新为动力”的发展理念和“集团化、数字化、专业化、国际化”发展方向，锐意变革创新，加速战略转型，努力成为中国银行业的标杆性银行，为客户创造更大的价值，为投资者实现更高的回报。

【企业荣誉】

1. 荣获《亚洲周刊》“公司卓越管治企业”大奖；

2. 在“金紫荆”奖评选活动中获得“最具投资价值上市公司”奖；

3. 蝉联“第十一届中国上市公司董事会金圆桌奖”之“最佳董事会奖”和“最具创新力董秘”奖；

4. 手机银行在中国电子金融产业联盟、中国互联网协会互联网金融工作委员会联合主办的第二届中国互联网金融高层论坛中荣获“年度互联网金融创新奖”；

5. 在新浪财经主办的“2015 年银行综合评选”中再次荣获“年度最佳手机银行”大奖；

6. 直销银行在金融行业权威杂志《银行家》、社科院金融研究所、互联网金融千人会联合主办的“2015 中国金融创新论坛暨中国金融创新奖颁奖典礼”中荣获“十佳互联网金融创新奖”；

7. 直销银行在中国金融认证中心（CFCA）主办的第十一届中国电子银行年会中获得“中国最佳直销银行奖”；

8. 荣获 2016 胡润中国新金融 50 强和 2016 中国最具创新模式新金融企业奖；

9. 在《银行家》杂志举办的“中国金融创新奖”评选中，“小微宝”荣获“2015 年十佳金融产品创新奖（零售业务）”；

10. 在中国经营报社、中国经营报社研究院联合中国社会科学院举办的“2015 年度卓越竞争力金融机构”评选中荣获“2015 卓越竞争力小微金融服务银行”奖；

11. 在“中关村互联网金融论坛暨第三届普惠金融论坛”上荣获“2015 中国最具影响力普惠金融服务提供商”奖；

12. 荣获《欧洲货币》“中国区最佳贸易金融银行奖”；

13. 在《21 世纪经济报道》主办的 2015 年中国资产管理年会中获得“2015 中国资产管理金贝奖”；

14. 在《金融理财》举办的 2015 年度金融理财金貔貅奖评选中，荣获“金牌创新力托管银行奖”；

15. 在《欧洲货币》杂志的 2015 年黄金零售调查中获得黄金零售第一名；

16. 在 2015 年新京报行业评选活动中获得“2015 年最佳外汇资金交易银行奖”；

17. 管理会计系统荣获 IMA 美国管理会计师协会颁发的“管理会计特别贡献奖”；

18. 荣获中国银联颁发的“客户服务协作奖”；

19. 荣获 VISA 国际组织颁发的“2015 年度最佳高端产品设计奖”；

20. 荣获美国运通国际股份有限公司颁发的“2015 年度最佳深度合作伙伴奖”；

21. 荣获《亚洲银行》颁发的 2015 年度“中国最佳多渠道管理项目”大奖。

地址：中国北京市西城区复兴门内大街 2 号
民生银行大厦

邮编：100031

电话：010 - 58560975

传真：010 - 58560720

网址：www.cmbc.com.cn

邮箱：cmbc@cmbc.com.cn

中信银行股份有限公司

【企业概况】

中信银行是中信集团旗下最大子公司，成立于 1987 年，是中国改革开放中最早成立的新兴商业银行之一，是中国最早参与国内外金融市场融资的商业银行，并以屡创中国现代金融史上多个第一而蜚声海内外，为中国经济建设做出了积极的贡献。

2007 年 4 月，中信银行实现在上海证券交易所和香港联交所“A + H”同步上市；2009 年，中信银行成功收购中信国际金融控股有限公司，控股中信银行（国际）有限公司。2011 年，中信银行圆满完成 A + H 配股再融资，奠定新阶段的发展基础。2015 年，中信银行制定了三年战略规划，确定了建设“最佳综合融资服务银行”的战略愿景。目前，中信银行总资产近 6 万亿元人民币，在英国《银行家》杂志 2017 年 2 月评出的“全球银行品牌 500 强排行榜”中，中信银行品牌价值 94.79亿美元，排名第 22 位；2016 年 5 月《福布斯》杂志公布的“全球企业 2000 强”排名，中信银行位居全球企业第 79 位；同年 7 月英国《银行家》杂志公布的“世界 1000 家银行排名”中，中信银行位列一级资本排名第 30 位，总资产排名第 36 位，已成为一家资本实力雄厚，具有强大综合竞争力和品牌影响力的国际化金融机构。

在经济新常态和金融市场化的时代背景下，中信银行以“最佳综合融资服务银行”为发展愿景，充分发挥中信集团金融与实业并举的独特竞争优势，全力打造综合化服务平台，提升中信银行核心竞争力的独特优势。

中信银行坚持以客户为中心的经营理念，向企业和机构客户提供公司银行业务、国际业务、金融市场业务、机构业务、投资银行业务、同业业务、托管业务等综合金融解决方案；向个人客户提供一般零售银行、信用卡、消费金融、财富管理、私人银行、出国金融、电子银行等多元化金融产品及服务。全方位满足企业及个人客户的综合金融服务需求。

中信银行在全国 126 个大中城市设有近 1,400 家营业网点，主要分布在东部沿海地区和中西部经济发达城市，拥有员工 5 万余名。中信银行下设四家附属公司，在中国内地设有浙江临安中信村镇银行股份有限公司、中信金融租赁有限公司；在中国香港设有中信银行（国际）有限公司、信银（香港）投资有限公司（原振华国际财务有限公司），其中中信银行（国际）有限公司在中国香港、中国澳门、纽约、洛杉矶和新加坡设有 40 多家营业网点，拥有员工 1,700 余名。

中信集团作为中信银行大股东，是一家国有大型跨国企业集团，也是中国最大的综合性企业集团。成立三十多年来，中信集团一直走在中国改革开放的前沿，业务涉及金融、资源能源、装备制造、工程承包、房地产和其他领域。2014 年 8 月，中信集团改制设立中信股份（HK00267），是最大的恒生指数成分股公司之一。截至 2015 年 12 月 31 日，中信股份总资产达港币 68,033 亿元，归属于普通股东的权益为港币 4,791 亿元。在 2016 年美国《财富》杂志“世界 500 强”企业排名中位列 156 位。

【企业荣誉】

2015 年公司奖项：

一月　在银率网“第六届消费者 360°银行测评”中，中信银行获“银行产品消费者满意度奖”。

二月　在英国《银行家》杂志评出的“全球银行品牌 500 强排行榜“中，中信银行品牌价值 48.97 亿美元，排名第 52 位。

四月　中信银行被上海清算所评选为“2014 年全国银行间优秀结算成员”、“2014 年度全国银行间外汇清算优秀奖”、“2014 年度场外利率金融衍生品清算优秀奖”。

五月　中信银行被中国上市公司市值管理研究中心评选为“2015 年度中国上市公司资本品牌价值百强”。

在中国《银行家》杂志举办的“2015 中国金融创新奖”评选中，中信银行荣获“十佳金融产品创新奖”。

在德意志银行金融机构作业质量评选中，中信银行获得“2014 年度美元、欧元付款直通率奖”。

在《福布斯》杂志公布的“全球企业 2000 强排名”中，中信银行位居第 94 名。

中信银行获中国银行业协会颁发的“2014 年度最具社会责任金融机构奖”和“2014 年度社会责任最佳绿色金融奖”。

六月　中信银行被澳洲联邦银行评选为“2014 年度澳元付款高直通率奖”。

在《中国证券报》举办的“2014 年度中国上市公司金牛百强奖”评选中，中信银行获“2014 年度金牛上市公司百强”和“2014 年度金牛最强盈利公司”。

七月　在中华英才网举办的第十三届“中国大学生最佳雇主”评选中，中信银行获“银行业最佳雇主”奖项。

在英国《银行家》杂志推出的“世界 1000 家银行排名“中，中信银行一级资本排名第 33，总资产排名 46。

在摩根大通全球金融机构作业质量评选中，中信银行获得“2014 年度美元清算质量认证”。

中信银行信用卡中心被中国信息化推进联盟客户关系管理专业委员会评选为“中国最佳呼叫中心”。

八月　中信银行手机银行被《证券时报》评选为“2015 年最受欢迎互联网金融产品奖”。

九月　在《每日经济新闻》主办的“中国高端理财实力榜”评选中，中信银行私人银行被评为“私人银行品牌奖”。

在中国《银行家》主办的“2015 年全国性商业银行单项奖评选”中，中信银行被评选为“最佳财富管理商业银行”。

十一月　中信银行被《中国经营报》评选为“2015 年卓越竞争力对公业务银行”。

在《21 世纪经济报道》举办的“中国汽车金融服务”评选中，中信银行被评选为“2015 最佳对公汽车金融服务银行”。

中信银行被《每日经济新闻》评选为“2015 普惠金融优秀品牌奖”。

中信银行被香港会计师公会评选为“2015 年度最佳公司治理信息披露金奖”。

十二月　中信银行被《金融时报》评选为“2015 年度最佳创新力银行”和“2015 年度十佳互联网创新银行”。

在金融界网站举办的“2015 领航中国年度评选”中，中信银行被评为“杰出资产托管银行”。

在《经济观察报》举办的“2014 - 2015 年度中国卓越金融奖”评选中，中信银行被评为“年度卓越外汇金融服务银行”。

中信银行被东方财富网评选为 2015 年“最佳创新力银行”和“最佳互联网金融银行”。

在 CFCA 中国金融认证中心举办的“中国电子银行金榜奖”评选中，中信银行获得“2015 年中国最佳网上银行用户体验奖”。

在《金融理财》杂志社举办的“2015 年中国金融机构理财力 TOP10 总评榜”暨“金貔貅奖”评选中，中信银行被评选为“年度金牌创新力银行”和“年度金牌股份制商业银行”。

中信银行被《贸易金融》杂志评选为“2015 年度最佳外汇金融银行”。

在《中华工商时报》举办的“2015 年度创新中国特别奖”评选中，中信银行被评选为“最佳跨界合作银行”。

地址：北京市东城区朝阳门北大街 9 号
邮编：100010
电话：010 - 85230010
传真：010 - 85230079
网址：www.citicbank.com

上海银行股份有限公司

【企业概况】

上海银行成立于 1995 年 12 月 29 日，总行位于上海，是上海证券交易所主板上市公司，股票代码 601229。

上海银行以“精品银行”为战略愿景，以“精诚至上，信义立行”为核心价值观，近年来通过推进专业化经营和精细化管理，着力在中小企业、财富管理和养老金融、金融市场、跨境金融、在线金融等领域培育和塑造经营特色，不断增强可持续发展能力。

上海银行目前在上海、北京、深圳、天津、成都、宁波、南京、杭州、苏州、无锡、绍兴、南通、常州、盐城等城市设立分支机构，形成长三角、环渤海、珠三角和中西部重点城市的布局框架；发起设立四家村镇银行、上银基金管理有限公司，设立上海银行（香港）有限公司，获准筹建消费金融公司，并与全球120多个国家和地区近1500多家境内外银行及其分支机构建立了代理行关系。

成立以来上海银行市场影响力不断提升。根据未经审计数据，截至2016年末，总资产17555亿元，同比增长21%；实现净利润143亿元，同比增长10%。2016年在英国《银行家》“全球前1000家银行”排名中，按一级资本和总资产计算，上海银行分别位列全球银行业第91位和97位；多次被《亚洲银行家》杂志评为“中国最佳城市零售银行”。

【企业文化】

愿景：成为卓越的精品银行

服务上，努力实现产品精致，服务专业

管理上，努力实现管理精细，运行高效

财务上，努力实现增长稳健，盈利出众

品牌上，努力实现诚信卓越，受人尊敬

人员上，努力实现队伍精干，素质一流

核心价值观：精诚至上信义立行

经营理念：以市场为导向以客户为中心

管理理念：创新协同精细高效

人才理念：以人为本人尽其才

服务理念：点滴用心相伴成长

风险理念：稳健合规提升价值

【社会责任】

一、推进责任融合

我行将愿景和使命与社会责任相结合，在推进“精品银行”战略建设中，不断提升全体员工的社会责任感；维护股东合法权益，公平对待所有股东；维护客户利益，诚信合规经营，为社会公众提供安全、便捷、高效的金融服务；注重环境保护，支持公益事业，积极回报社会。

二、社会责任目标

通过对股东、客户、员工、合作伙伴、社区、自然环境等利益相关者承担责任和义务，为社会创造价值，实现企业和社会的和谐发展。

三、社会责任观

为股东创造价值，实现股东价值最大化，推动企业可持续发展

为客户提供卓越服务，实现价值创造，与客户相伴成长

为员工创造成长空间，实现价值提升，与企业共同发展

为合作伙伴提供发展平台，实现合作共赢

为社区提供支持帮助，推动和谐社会建设

承担环境保护的责任，推进建设节约型社会

地址：上海市浦东新区银城中路168号

邮编：200120

电话：021－68476988

传真：021－68476215

网址：www.bankofshanghai.com

杭州银行股份有限公司

【企业概况】

杭州银行股份有限公司（以下简称“杭州银行”）成立于1996年9月，总部位于杭州。截至2016年末，杭州银行共拥有191家分支机构，机构覆盖长三角、珠三角、环渤海湾等发达经济圈。此外，杭州银行还发起设立了杭银消费金融股份有限公司，与澳洲联邦银行共同投资设立了五家村镇银行，投资入股了石嘴山银行股份有限公司和浙江缙云联合村镇银行。

成立以来，杭州银行始终以“中国价值领先银行”为愿景，秉承“诚信、创新、效率、尊重、责任”的核心价值观，坚持服务区域经济、中小企业和城乡居民的市场定位。经过多年的努力，已发展成为一家资产质量较好、经营业绩优良、综合实力跻身全国城市商业银行前列的区域性商业银行。目前，杭州银行正在积极应对利率市场化的挑战，聚焦六大业务发展策略，强化六大能力建设，加快向“轻、新、精、合”的品质银行转型。

杭州银行的持续发展获得了业内广泛的认可，连续多年获得“年度最佳科技金融服务城市商业银行”、“银行业最佳服务科技企业奖”、“最佳金融服务创新奖”、“十佳金融产品创新奖”等奖项，在2016年英国《银行家》杂志公布的世界1000强银行中位列第219位，在上年排名上升37个位次的基础上，2016年排名再次提升16个位次。在新浪财经“第四届银行综合评选”中被授予“最佳城市商业银行”奖项。

杭州银行2016年10月27日正式登陆上海证券交易所，是浙江省内首家在上交所主板上市的城商行。杭州银行本次发行人民币普通股26，175万股，发行价格为14.39元/股，发行市盈率10.23倍，发行后总股本261，744.92万股。本次主板发行是杭州银行发展史上的一个重要里程碑，是杭州银行加快推进转型发展、实现战略目标非常关键的一步。杭州银行十分珍惜这来之不易的机遇，将以此为契机，充分借力资本市场，持续提升经营管理水平，不断巩固提升自身综合竞争力和在银行业的地位。

杭州银行深知肩负的责任与期许，未来将不忘初心、继续前行，着力实施“六六”战略，加快向“轻、新、精、合”的品质银行转型，深入打造中国价值领先银行，最大限度地实现客户、员工、股东与社会的共赢。

【企业荣誉】

在英国《银行家》杂志2016年公布的全球银行1000强排名中，按一级资本排名列第219位。近年来，获得了“最佳城市商业银行”、“最佳科技金融服务城商行”、“全国支持中小企业发展十佳商业银行”等荣誉。

【企业文化】

公司愿景：致力于为中小企业与城乡家庭提供专业、便捷、亲和的金融服务，成为中国价值领先银行。

价值领先：客户价值领先、员工价值领先、股东价值领先、社会价值领先

核心价值观：诚信、创新、效率、尊重、责任

形象定位：钻石银行、绿色银行

对外口号：信我信未来

市场定位：市民银行、中小企业主办银行。

地址：杭州市下城区庆春路46号

邮编：310003

电话：0571－85064656

传真：0571－85151339

公司网址：www.hzbank.com.cn

全国客户服务热线：95398/400－8888－508

上海浦东发展银行股份有限公司

【企业概况】

上海浦东发展银行股份有限公司（以下简称：浦发银行）是1992年8月28日经中国人民银行批准设立、1993年1月9

日开业、1999 年在上海证券交易所挂牌上市(股票交易代码:600000)的全国性股份制商业银行,总行设在上海。目前,注册资本金 196.53 亿元。良好的业绩、诚信的声誉,使浦发银行成为中国证券市场中备受关注和尊敬的上市公司。

秉承"笃守诚信,创造卓越"的核心价值观,浦发银行积极探索金融创新,资产规模持续扩大,经营实力不断增强。至 2016 年末,公司总资产规模达 5.86 万亿元,实现归属于母公司股东的净利润 530.99 亿元。目前,浦发银行已在全国设立了 41 家一级分行、1700 多家营业机构,拥有超过 4.8 万名员工,架构起全国性商业银行的经营服务格局。近年来,浦发银行加快国际化、综合化经营发展,以香港分行开业、伦敦代表处、浦银国际成立为标志,迈出国际化经营的实质性步伐,以投资设立浦发村镇银行、浦银金融租赁有限公司、浦发硅谷银行等机构和顺利收购上海国际信托有限公司为标志,积极推进综合化经营。

上市以来,浦发银行连续多年被《亚洲周刊》评为"中国上市公司 100 强"。目前,浦发银行是国内为数不多同时获得三大国际评级机构投资级评级的股份制商业银行之一:惠誉对浦发银行的评级为长期外币发行人违约评级(IDR)投资级 BBB -,支持评级(SR)"2";标普对浦发银行的评级为长期信用评级"BBB"、短期信用评级"A -2"、长期大中华区信用体系评级"cnA"、以及短期大中华区信用体系评级"cnA -2";穆迪对浦发银行的评级为长期存款评级 Baa1、短期存款评级 Prime -2、财务实力评级 D +(对应的基础信用评估 ba1)。

深耕金融服务的同时,浦发银行积极践行社会责任,致力于打造优秀企业公民。2016 年 6 月浦发银行获评中国银行业协会"2015 年度最佳公益慈善贡献奖";2015 年企业社会责任榜"金蜜蜂企业"称号。

浦发银行将继续推进金融创新,因势而变、顺势而为、乘势而上,以"新思维,心服务"为指引,全面提升综合化金融服务能力,打造高绩效全能型银行集团。

【企业荣誉】

2017 年 2 月,英国《银行家》杂志发布"全球银行品牌 500 强"排名,浦发银行位列第 18 位,居中资银行第 6 位,品牌价值 119.63 亿美元。2016 年 5 月,《福布斯》杂志发布"全球企业 2000 强"排名,浦发银行位列第 57 位,居上榜中资企业第 12 位、上榜中资银行第 7 位;6 月,英国《银行家》杂志发布"全球银行 1000 强"排名,根据核心资本,浦发银行排名全球第 29 位,居上榜中资银行第 7 位;7 月,美国《财富》杂志发布财富世界 500 强排行,浦发银行位列第 227 位,居上榜中资企业第 48 位、上榜中资银行第 9 位。

地址:上海市中山东一路 12 号
邮编:200002
电话:021 -61618888
传真:021 -63230807
网址:www.spdb.com.cn
邮箱:bdo@spdb.com.cn

兴业银行股份有限公司

兴业银行股份有限公司(简称:兴业银行)成立于 1988 年 8 月,总行设在福建省福州市,是经国务院、中国人民银行批准成立的首批股份制商业银行之一,也是中国首家赤道银行,2007 年 2 月 5 日正式在上海证券交易所挂牌上市(股票代码:601166),目前注册资本 207.74 亿元。截至 2016 年末,已在全国各主要城市设立 126 家分行、2003 家分支机构,在香港设立首家境外分行,与全球 1500 多家银行建立代理行关系,并建立了网上银行、电话银行、手机银行和直销银行,已建立起虚实结合、覆盖全国、衔接境内外的庞大服务网络;拥有 54208 员工组成的专业化的金融服务团队。

【经营业绩持续稳健增长】

截至 2016 年末,兴业银行总资产达 6.09 万亿元,较年初增长 14.85%,居股份制同类银行首位;实现营业收入 1570.6 亿元,实现净利润 538.5 亿元,同比增长 7.26%,总资产收益率和加权净资产收益率分别为 0.95% 和 17.28%,持续保持同业优秀水平,2016 年 7 月入围《财富》"世界 500 强最赚钱的 50 家公司"榜单,其中成本收入比指标居全球 50 强银行第二位。在业务规模取得较快增长的同时,资产质量总体保持稳定,年末不良率为 1.65%,较三季末下降 0.06 个百分点;年末拨备覆盖率 210.51%,拨贷比 3.48%,处于同业最好水平。

【现代化综合金融服务集团基本成型】

兴业银行积极把握市场机遇,从银行业务延伸和跨业经营两个维度,加速推进综合化、集团化进程。先后成立兴业信托、兴业金融租赁、兴业基金、兴业消费金融、兴业研究、兴业数字金融、兴业资产管理等机构,成为拥有最多金融牌照的商业银行之一,从单一银行已逐步演进为以银行为母体,涵盖信托、租赁、基金、消费金融、期货、资产管理、研究咨询、数字金融等在内的现代金融服务集团。旗下公司茁壮成长,部分子公司如兴业信托、兴业租赁、兴业基金等已跻身行业主流阵营。2016 年旗下子公司合计贡献净利润 28.76 亿元,同比增长 12.87%,对集团净利润贡献占比达 5.34%,各类联动业务合计留存集团内中间业务收入 31 亿元。

【打造银行业市场化、差异化、创新力标杆】

在经营管理方面,兴业银行在业内最早确立可持续发展的公司治理理念,最早实施"以块为主、条块结合"的矩阵式管理模式,最早推行以经济增加值(EVA)为核心的考核评价模式,第一批建立以资金转移定价(FTP)为核心的资产负债管理体系等。在业务层面,主动创新,大胆开辟新"蓝海",在多个细分业务领域形成独特竞争优势:率先发力绿色金融,打造中国首家"赤道银行",在绿色金融领域创造了众多"第一";深耕同业金融,率先搭建银行间合作平台,开辟全新合作模式,银银平台持续领跑市场;金融市场业务、贵金属交易、投资银行、资产管理、FICC、养老金融、出国金融、小微金融、互联网金融等一批优势业务在市场上保持领先态势。

【绿色金融领军者】

作为中国首家赤道银行和绿色金融的拓荒者、领跑者,兴业银行在国内最早建立专业团队十年深耕绿色金融,已建成覆盖绿色融资、绿色租赁、绿色信托、绿色基金、绿色投资、绿色消费等多个领域的集团绿色产品服务体系。截至 2016 年末,累计为 1 万多家节能环保企业或项目提供绿色融资超过 1 万亿元,融资余额近 5000 亿元,支持的项目已可实现每年节约标准煤 2647 万吨,年减排二氧化碳 7408 万吨,年节水 3.04亿吨,成为我国绿色金融的一面旗帜和当之无愧的领军者。

【金融市场业务领跑者】

在国内率先推出面向广大银行类金融机构的银银合作服务品牌"银银平台",通过金融与科技的深度融合创新,实现中小金融机构间资源共享、互利共赢，目前共联结起近800家中小金融机构4.6万多个网点，为300多家中小金融机构提供信息系统建设与运维服务，节约社会资源重复投入，将金融服务扩展到更多的二三线城市和农村地区。

稳步推进“大投行、大财富、大资管”转型战略，截至2016年末非金融企业债务融资工具发行规模4079亿元，连续5年蝉联股份制银行榜首；资产托管规模达9.4万亿元，位居行业前三甲；银行理财产品余额近1.4万亿元，在同类银行中业务规模居前，连续五个季度蝉联全国性银行理财能力综合排名第一。

【养老金融先行者】

提出“让金融更有温度”，率先将养老金融列入战略性业务，在国内推出首个面向老年客群的养老金融服务方案“安愉人生”，集“产品定制、健康管理、法律顾问、财产保障”四项专属服务为一体，致力于为老年人群提供高品质、专属化的金融服务。截至2016年末，“安愉人生”VIP客户数超过131万，综合金融资产接近6400亿元。

【交易银行探路者】

重点推进的互联网金融产品收付、融资、财资“三大直通车”应用场景日渐丰富，交易笔数和规模快速上升。截至2016年末，互联网金融交易64844万笔，交易金额3581亿元。创新推出的“兴业管家”“兴e付”“钱e付”等多种移动支付结算产品，市场反响良好，推出的首款企业移动支付创新产品“兴业管家”上市不到一年用户总数达3.6万户。

【金融科技探索者】

长期坚定奉行“科技兴行”战略，不仅是国内极少数具备银行核心系统自主研发能力的银行，也是唯一一家对外输出核心系统技术的银行，为超过300家小金融机构提供信息系统建设与运维服务。积极探索推进数据治理平台和大数据智能云平台构建，在精准营销、智能风控等方面拥有多项创新，如智能风控产品“黄金眼”系统获得2016年度Gartner全球数据分析创新案例奖，并建立科技金融创新实验室，探索区块链、机器人、生物识别等前沿课题。率先成立了独立法人子公司——兴业数字金融服务公司，作为科技金融创新的主要平台。

【市场地位节节攀升，品牌影响力持续扩大】

在2016年英国《银行家》杂志全球银行1000强排名中，兴业银行按总资产排名第33位，按一级资本排名第32位；在2016年《财富》世界500强中，兴业银行排名第195位；在2016年《福布斯》全球上市企业2000强排名中，兴业银行位居第59位，稳居全球银行50强、全球上市企业100强、世界企业500强。品牌价值同步提升，根据英国《银行家》杂志联合世界知名品牌评估机构BrandFinance发布的“2017全球银行品牌500强”榜单，兴业银行排名第21位，大幅上升15位，品牌价值突破百亿美元达105.67亿美元，同比增长63.70%。在国内外权威机构组织的评奖中，兴业银行连续六年蝉联中国银行业“年度最具社会责任金融机构奖”，并先后获得“亚洲卓越商业银行”、“杰出中资银行奖”、“年度最佳股份制银行”、“卓越竞争力金融控股集团”、“卓越创新银行奖”、“年度优秀绿色金融机构”、“最佳责任企业”等多项殊荣。

地址：福建省福州市湖东路154号
邮编：350003
电话：86－591－87839338
传真：86－591－87841932

平安银行股份有限公司

【企业概况】

平安银行股份有限公司是一家总部设在深圳的全国性股份制商业银行（深圳证券交易所简称：平安银行，证券代码000001）。其前身是深圳发展银行股份有限公司，于2012年6月吸收合并原平安银行并于同年7月更名为平安银行。中国平安保险（集团）股份有限公司及其子公司合计持有平安银行58%的股份，为平安银行的控股股东。截至2016年6月，平安银行在职员工38,600人，通过全国58家分行、1037家营业机构为客户提供多种金融服务。

平安银行秉承“对外以客户为中心，对内以人为本”的宗旨，始终坚持“变革、创新、发展”的经营理念，以公司、零售、同业、投行“四轮驱动”为业务重点，以“专业化、集约化、综合金融和互联网金融”四大特色为经营战略，跳出银行办银行，践行银行业供给侧改革，积极支持实体经济发展，全面助力中国经济转型。

平安银行持续深化组织模式改革，全面实施事业部制，截至2016年上半年，全行共有11个产品事业部、6个行业事业部及1个平台事业部，形成了地产、能源矿产、交通、现代物流、现代农业、医疗健康、文化旅游七大行业产业链“全覆盖”模式，以专业化的经营更好地服务实体经济。

截至2016年6月30日，平安银行资产总额28,009.83亿元，较年初增长11.72%；各项存款余额18,983.48亿元，较年初增长9.48%，增速居同业领先地位，市场份额稳步提升；各项贷款（含贴现）13,580.21亿元，较年初增长11.67%；营业收入547.69亿元，同比增长17.59%；准备前营业利润361.56亿元，同比增长28.26%；净利润122.92亿元，同比增长6.10%；资本充足率11.82%，满足监管标准。

在公司业务方面，截至2016年6月30日，公司存款余额较年初增长11.41%，公司贷款（不含贴现）余额较年初增长13.14%；贸易融资授信余额5477.77亿元，较年初增幅11.38%。平安银行全力打造的“橙e网”平台坚持“供应链金融＋互联网金融”的战略定位，全面构建面向行业产业链和中小企业转型的服务生态体系，以创新的“B2B、B2C到C2B”服务模式，全面推进“互联网＋产业＋金融”的发展形态。

在零售业务方面，截至2016年6月30日，零售贷款（含信用卡）余额较年初增长3.53%；管理个人客户资产快速增长，期末余额突破7200亿元，较年初增长8.52%。零售依托平安集团综合金融优势，通过本行的专业平台网络、丰富的产品和通道资源，加快客户迁徙转化，进一步夯实零售业务基础。客户数保持稳定增长，客户结构持续优化。截至2016年6月30日，零售客户数3,543.44万户，较年初增长11.57%，其中财富客户、私行达标客户分别达31.49万户、1.57万户，较年初分别增长10.07%、8.74%。零售已拉开深入转型的大幕，正式启动零售转型2.0战略，围绕获客、智能主账户、客群、产品、渠道、IT、架构等7大关键策略，全力推进智能化零售银行转型工程。未来，平安银行的零售业务将从人们的生活场景出发，把综合金融服务嵌入到各个生活场景中，进一步升级“一个客户、一个账户、多个产品、一站式服务”的综合金融服务平台。

在资金同业业务方面，平安银行秉承“轻资本、优结构、强客户、好效益”的经营策略，加快经营模式转变，扩大客户群及交易量，持续优化同业资产负债结构，提升投资收益水平，降低同业负债成本，拓展非利息净收入渠道，收入结构持续优化。2016 年，平安银行“黄金银行”、“期权专家”和“智慧交易”三大业务品牌影响力不断提升，“行 E 通”同业综合金融服务平台产品不断丰富，交易量超 2 万亿元，已成为业内交易规模领先的金融资产交易平台，合作客户 1,111 家、较年初新增约 600 户。

在投行业务方面，截至 2016 年 6 月 30 日，平安银行投行业务实现非利息净收入 22.78 亿元；资产托管净值余额 4.75 万亿元，较年初增幅 28.73%，实现托管费收入 20 亿元，同比增幅 31.67%。平安银行以产业基金作为投行业务的重点领域，立足于服务实体经济，支持国计民生重点领域建设，围绕战略合作客户，深耕产业链和行业龙头客户，重点投向“一路一带”等国家战略地区和重点政策扶持行业。

在小企业金融业务方面，在宏观经济环境持续波动下行的情况下，本行继续优化信贷结构，引导压降授信过度、负债过重的小微客户贷款规模。截至 2016 年 6 月 30 日，小企业金融事业部管理的贷款余额 817.51 亿元、较年初降幅 12.48%。本行为应对市场变化，大力推广的强担保类贷贷平安房易贷产品，自推出以来贷款余额已达 12.50 亿元。

在企业文化建设方面，平安银行珍视员工，培养人才。我们建立了科学的绩效考核与激励机制，为员工提供公平公正的评价机制和多种多样的成长机会；我们注重人才培养，充分利用平安综合金融资源和外部高端培训资源，启动国内首批综合金融管培生培训计划，实施高潜学员和橙航学员培养计划，为综合金融发展储备人才；同时，我们着力打造“家园文化”，开展员工关爱行动，组织各类健康文体俱乐部，解除员工后顾之忧，确保员工身心健康，努力营造员工可以托付一生的平安家园。

在企业社会责任方面，平安银行勇于担当，回馈社会。我们不断完善社会责任管理机制，把企业的可持续发展纳入银行的整体战略；我们积极发展普惠金融，推进绿色信贷，支持低碳经济、循环经济、小微经济的创新和发展；我们赈灾济困、捐资助学、扶助弱势群体、开展志愿者服务，用实际行动传播正能量，回馈社会。2016 年上半年，平安银行在全国启动“城市因您更美丽·夏日送清凉”公益活动，为户外高温劳动者送上关爱，传递社会正能量。这种将公益落到实处、落到身边的行动，受到社会广泛赞誉。

近年来，平安银行荣膺“年度最佳股份制银行”、“最受投资者尊重的百强上市公司”、“最佳供应链金融服务银行”等多项荣誉；橙 e 网荣获《银行家》颁发的“十佳金融产品创新奖”、“2015 年在线供应链金融优秀案例奖”等多项荣誉；“平安橙子”荣获中国网上银行促进联盟颁发的“年度最佳业务模式创新奖”、《银行家》颁发的“年度十佳互联网金融创新奖”等多项大奖。

2016 年，是平安银行新三步走战略的起始年，平安银行将以“提质增效”为核心，努力打造“精品金融、智慧金融和生态金融”三张名片，并全力推进“C + SIE + R”（核心客户 + 供应链客户、产业链客户和生态圈客户 + 零售客户）模式的全产业链金融战略。

未来，平安银行将继续依托平安集团综合金融平台，以为客户提供“一个客户、一个账户、多个产品、一站式”服务的全方位综合金融服务体验为目标，开启智慧经营模式，大力推动银行供给侧改革，紧紧抓住国家的战略新兴产业，以综合金融为核心优势，持续打造业务新增长点，全面发力零售业务，深耕细作橙 e 网，转型升级小企业业务，做强做大资管；同时，我行将继续全面强化风险管理，打造中后台强大的作战指挥能力，以差异化的服务、稳健的经营、出色的绩效，为客户、员工、股东以及社会创造更大的价值！

【企业荣誉】

2016 年 1 月 9 日，在由和讯网主办的“第十三届中国财经风云榜”活动评选中，平安薪易通荣获“2015 年度最具创新互联网金融产品奖”，平安交易通荣获“2015 年度金融衍生品交易服务商”，平安口袋银行荣获“2015 年度最受欢迎移动金融产品”，平安银行荣获“2015 年度最具竞争力财富管理机构”，周强先生荣获“2015 年度金牌董秘”奖项。

2016 年 1 月 11 日，在由《二十一世纪商业评论》及其集团南方报业传媒主办的“21 世纪金石奖评选暨金融体验设计尚典”活动中，社区金融品牌“平安好邻居”获得了金石奖“最佳品牌营销大奖”。

2016 年 1 月 19 日，《信息时报》在广州举办“金狮奖”颁奖礼，平安银行在此次金融行业评选中以优异的表现获得了“年度卓越银行微博号”和“年度读者推荐手机银行产品”（平安银行“口袋银行”）两项大奖。

2016 年 1 月，“2016 中国互联网金融年会暨颁奖典礼”在京举行。其中，平安银行橙 e 网荣获“2015 年度中国互联网金融优秀品牌奖”，平安银行公司网络金融事业部总裁金晓龙获得“2015 年度中国互联网金融先进人物奖”，平安银行橙 e·创业易获“2015 年度中国互联网金融创新奖”。

2016 年 3 月，在《首席财务官》杂志举办的“第九届中国 CFO 年会”和《贸易金融》杂志、中国贸易金融网联合主办的“第五届中国经贸企业最信赖的金融服务商评选”活动中，平安银行凭借在离岸金融领域的优异表现，先后获 2015 年度“最佳离岸业务奖”和“最佳离岸金融银行”荣誉。这是平安银行连续四年荣获该两项“最佳离岸银行”奖项。

2016 年 4 月，由《中国民航》杂志社、《民航管理》杂志社和飞客茶馆联合发起主办的第四届飞客旅行奖颁奖盛典在上海召开。平安白金信用卡凭借完善的保障体系、智能个性化的功能特色，荣获“最受常旅客喜爱的白金信用卡奖”。

2016 年 4 月 6 日，第四届（2016 年）中国商业保理行业峰会暨首届商业保理行业颁奖典礼在北京举行。平安银行凭借“保理云平台”和商业保理系列创新产品及服务，荣获了首届商业保理行业“贡献奖”和“创新奖”两项大奖，也是大会唯一一家同时斩获两个奖项的单位。

2016 年 5 月，由《亚洲银行家》主办的 2016 年度“交易银行奖项”在亚洲银行家峰会上揭晓，平安银行凭借在贸易金融领域的卓越表现，荣获“中国最佳中小企业贸易金融银行”奖项。

2016 年 5 月 31 日，由《银行家》杂志社主办的“中国金融创新论坛暨 2016 中国金融创新奖颁奖典礼”在京举行。平安银行蝉联该论坛最具含金量的奖项“最佳金融创新奖”。此外，平安银行对公业务的“同业线上金融产品”、零售业务的“教育行业综合金融服务平台”、“私人银行家庭医生服务平台”均荣获“十佳金融产品创新奖”，“腾龙工程 - 落地财富管理模式，助力网点产能提升”荣获“十佳财富管理创新奖”，橙 e 网的“互联网 + 产业 + 金融战略与创新实践”则斩获“十佳互联网金融创新奖”。

2016 年 7 月 7 日，“2016 年中国银行业发展论坛暨第四届银行业综合评选”颁奖典礼在京举行。该评选对银行的企业声誉、社会责任、管理能力、发展战略、服务质量、财务运营，以及业务创新等方面进行综合评估，平安银行获“最具投资价值银行”、“创新直销银行”两项大奖。

2016年7月15日，由《证券时报》主办的“2016中国财富管理高峰论坛暨最佳财富管理机构评选颁奖盛典”在上海举行，凭借在互联网金融领域的创新实践和成果，平安银行被评为“2016中国最佳互联网创新银行”。

2016年7月，2016年21世纪资产管理年会暨第九届中国资产管理金贝奖颁奖典礼在上海举行。凭借出色的风控能力，平安银行荣获“金贝奖”最佳风险控制银行奖项。

2016年7月27日，中国互联网协会、中国互联网协会互联网金融工作委员会、中国电子金融产业联盟在北京联合主办“第二届普惠金融大会——移动金融服务时代”，凭借在互联网金融领域的创新实践，平安银行入选大会组织评选的“2016年度中国普惠金融优秀企业”。

2016年8月，平安银行“新一贷”产品，凭借其创新、便捷、灵活的特点，在由经济观察报、中国经营报、新闻晨报等数家媒体发起组织的“年度消费金融品牌评选”中，得到众多金融消费者及业内权威人士的认可，荣获“年度消费金融品牌”这一重量级奖项。

2016年9月8日，在美国供应链管理专业协会（CSCMP）举办的“2016中国供应链管理（成都）论坛暨第七次CSCMP中国年会”上，平安银行荣获“中国供应链管理示范企业”奖项。

2016年9月19日，中国青少年发展基会为平安银行颁发“希望工程2015杰出贡献奖”。

2016年9月24日，由银行家杂志社联合湖北省人民政府共同主办的“2016中国银行家论坛”暨2016中国商业银行竞争力排名颁奖典礼在湖北武汉隆重召开。论坛上，平安银行以出色的创新能力，获颁“中国最佳产品创新银行”奖。

2016年9月，在《财富管理》亚太财富论坛暨2016年度国际私人财富管理中国风云榜评选中，平安银行私人银行荣获2016年最佳中国私人银行——最佳风险管理奖。

2016年9月，在《首席财务官》杂志社主办的“2016年度中国CFO最信赖银行评选”中，平安银行凭借公司金融领域的出色表现荣获“最佳离岸业务奖”。

2016年10月，中国人民银行召开2015年度银行科技发展奖评审领导小组会议，会上对各金融机构申报的项目进行评议并确定了155个获奖项目，涉及80余家申报单位。其中，平安银行橙e网凭借基于大数据下互联网＋供应链金融的出色创新能力，斩获2015年度银行科技发展奖二等奖。

2016年11月18日，在《时代周报》主办的第九届时代营销盛典上，平安银行荣获“2016年度创新营销奖”。

2016年11月18日、19日，第一财经年会在北京举行，在第一财经主办的“2016年度第一财经金融价值榜”评选中，平安银行荣获“最佳互联网创新银行”奖项和“年度直销银行”奖项。

2016年11月23日，“2016中国品牌价值管理论坛”暨“第十二届中国最佳品牌建设案例金象奖”颁奖典礼在上海举行，平安银行橙e网凭借对“互联网＋产业＋金融”战略的创新品牌传播实践，获得“中国十大优秀品牌建设案例奖”。

2016年11月25日，在南方都市报和北京大学两大机构共同主办的2016年（第二届）中国金融年会上，平安银行凭借出色的业绩和业务创新表现，一举摘得银行类分量最重的“年度最佳银行”大奖，同时，平安银行深圳分行荣获“年度最佳服务银行”大奖。

2016年11月30日，由《21世纪经济报道》主办的21世纪亚洲金融企业竞争力评选颁奖典礼在北京进行，我行荣获“2016年度卓越零售业务银行”奖项，同时，我行资产管理部获得“2016年度资产管理业务创新奖”。

2016年11月30日至12月1日，由中国电子商务创新推进联盟与宁波市人民政府主办的2016（第三届）全国电子商务创新推进大会在宁波举行。橙e网凭借在“供应链＋互联网金融”领域的出色创新能力，荣获电子商务与供应链融合创新奖。

2016年12月5日，在深圳金融电子结算中心组织的2016创新奖评选活动中，平安银行“支付结算大数据处理”和“远程柜面支付”两项目分获一等奖和三等奖。

2016年12月6日，在中国银监会“2016银行业信息科技风险管理课题成果奖”颁奖大会上，平安银行《银行信息系统智能监控方法研究与实践》、《平安银行互联网交易安全防范技术研究》两课题分获三类和四类成果奖。

2016年12月8日，由金融界网站主办的“首届智能金融国际论坛暨金融界第五届金融界领航中国年度盛典”在北京举行，在“2016金融界·领航中国年度评选”中，我行荣获“杰出智能金融奖”和“杰出客户体验奖”。

2016年12月9日，由《经济观察报》主办的“2015－2016年度观察家金融峰会”颁奖典礼在北京举行，在中国卓越金融奖评选中，平安银行荣获“年度卓越零售银行”奖项。

2016年12月9日，在由金融时报社主办、中国社科院金融研究所提供学术支持及数据分析的“2016中国金融机构金牌榜·金龙奖”评选活动中，平安银行连续三年蝉联“年度最佳股份制银行”奖项，连续两年蝉联“年度十佳互联网金融创新银行”奖项。

2016年12月13日，在“2016卓越竞争力金融颁奖盛典”上，平安银行获得“2016卓越竞争力智能银行”和“2016卓越竞争力消费金融银行。

2016年12月17日，第十二届中国上市公司董事会“金圆桌论坛”暨“金圆桌奖”颁奖盛典于在北京举行。平安银行董事会荣获“优秀董事会”奖项。

2016年12月，在《亚洲银行家》2016中国私人银行和财富管理奖评选中，平安银行私人银行荣获最佳私人财富数字渠道奖。

2016年12月22日，在《贸易金融》杂志、中国贸易金融网联合主办的“2016年交易银行年会暨第六届中国经贸企业最信赖的金融服务商颁奖典礼”上，平安银行荣获“2016年度最佳贸易融资银行”、“2015年度最佳离岸金融银行”等荣誉奖项。

2016年12月，依托在黄金业务领域较高的交易水平和报价能力，平安银行荣获《GlobalFinance》杂志“中国最佳黄金代理商”荣誉称号。

地址：中国广东省深圳市深南东路5047号
邮编：518001
24小时服务热线：95511转3
邮箱：callcenter@pingan.com.cn
网址：www.bank.pingan.com

华夏银行股份有限公司

【企业概况】

沐浴着改革开放的春风，在总设计师邓小平的亲切关怀和指导下，1992 年 10 月，华夏银行在北京成立；1995 年 3 月，实行股份制改造；2003 年 9 月，首次公开发行股票并上市交易（股票代码：600015），成为全国第五家上市银行。

截止 2015 年末，华夏银行在 88 个中心城市设立了 38 家一级分行、45 家二级分行和 9 家异地支行，营业网点达到 789 家，形成了"立足经济发达城市，辐射全国"的机构体系，与境外 1 千多家银行建立了代理业务关系，代理行网络遍及五大洲 115 个国家和地区的 354 个城市，建成了覆盖全球主要贸易区的结算网络；总资产达到 20206.04 亿元，资产规模稳步增长，盈利能力持续提升，业务结构不断优化，服务质效进一步提高，规范运营扎实推进，保持了良好的发展势头。在 2016 年 7 月出版的英国《银行家》杂志世界前 1000 家大银行评选中，华夏银行按照一级资本排名第 79 名，较上年提升两位；按照总资产排名第 72 名，较上年提升七位；在 2015 中国企业 500 强中排名第 138 名、中国服务业企业 500 强排名第 51 名。

华夏银行坚持服务实体经济的基本方针，全面打造"中小企业金融服务商"品牌，紧紧围绕国家经济发展目标，认真贯彻国家宏观经济政策，积极融入各地主流经济，切实支持民生工程，参与保障性住房建设和城乡一体化改造，努力满足广大客户的金融需求；加大对文化产业资金投放、创新"三农"金融服务模式，加快村镇银行和县域网点建设；加大对小微企业金融支持力度，持续推广以"小、快、灵"为特点的小微企业服务"龙舟计划"，加快推进小微企业特色分行建设步伐，连续举办"华夏之星"系列活动，引导和帮助小微企业客户不断成长，小微企业业务增速继续高于全行业务平均增速。在亚洲银行竞争力排名评选活动中，荣获"2011 年中小企业扶持奖"；荣获北京银监局"2012 年度北京银行业金融机构小微企业金融服务先进单位"。

华夏银行秉承"以客户为中心"的服务理念，不断提升服务功能，扩大服务群体，完善服务渠道，扩大服务范围，创新服务产品，提升服务品质，以高质量服务回馈客户。在全行范围内举办"感谢您的关爱，助力我们成长"系列客户座谈会，在改进和提升金融服务的同时，赢得了客户和社会各界的好评。在中国银行业协会开展的"百佳"、"千佳"文明规范服务示范单位评比中，华夏银行的优质服务得到了充分展现，2009 年、2011 年、2013 年、2015 年共有 18 家营业网点获得全国"百佳"文明规范示范单位的称号，2010 年、2012 年、2014 年共有 110 家营业网点获得"千佳"文明规范服务示范单位称号，2014 年、2015 年共有 80 家网点被中国银行业协会命名为"中国银行业文明规范服务五星级营业网点"，总行多次被中国银行业协会授予"突出贡献奖"；客户服务中心被中国银行业协会评为"金融业最佳客户服务中心"、荣获"优秀综合示范奖"。

华夏银行积极履行企业社会责任，坚持企业效益与社会责任的有机统一，并将其融入企业发展战略；坚持把实现人与自然的和谐共存作为发展的基本原则，积极构建绿色银行；坚决执行国家信贷政策，积极发展绿色信贷，通过信贷杠杆，促进经济结构调整，支持资源节约型、环境友好型社会的建设；积极参与公益事业，支持灾后重建，捐资助学，关注妇女儿童健康发展，推动银行和社会和谐发展；重视员工与企业共同发展，努力建设"诚信、规范、高效、进取"的企业文化。华夏银行先后荣获"最具社会责任金融机构、年度最佳绿色金融奖"、"社会责任最佳银行"、"最佳社会责任实践案例奖"、"光明公益奖"。

面对新的发展机遇和挑战，华夏银行将继续坚持以科学发展为主题，以加快转变发展方式为主线，坚持全面协调可持续发展，稳中求进，努力创新发展方式和工作方法，坚定实施"中小企业金融服务商"战略，在保持规模适度增长的基础上，加快经营转型，深化结构调整，大力降本增效，实现服务专业化、业务品牌化、经营特色化、管理精细化，努力打造"华夏服务"品牌，建设具有鲜明品牌特色的现代化商业银行。

【企业荣誉】

12 月 9 日，由经济观察报主办的 2015－2016 年度观察家金融峰会暨中国卓越金融奖颁奖典礼在京举行，华夏银行荣获"卓越资产管理银行"奖。

2016 年底，中国银行业协会公布"第四届中国银行业优秀客服中心评选活动"评选结果，华夏银行 95577 客户服务中心凭借优质的客户服务和突出的管理效能，从 86 家同业客服中心中脱颖而出，荣获行业最高奖项——"综合示范单位奖"。

中国人民银行公布 2015 年度银行科技发展奖评选结果，华夏银行 5 个科技项目获奖。其中："华夏银行基于物联网的流程化动态 IT 资源管理平台项目"获得二等奖，"华夏银行基于轻量化、平台化设计理念的移动银行项目"、"华夏银行基于人工智能技术的决策支持项目"、"华夏银行基于客户 360 度全景视图的一体化营销项目"及"华夏银行'一键通'柜面 PC 集中监管控平台项目"4 个项目获得三等奖。

地址：北京市东城区建国门内大街 22 号华夏银行大厦

邮编：100005

电话：95577

网址：www. hxb. com. cn

广发银行股份有限公司

【企业概况】

广发银行成立于 1988 年，是国内首批组建的股份制商业银行之一。围绕成为一流商业银行的愿景目标，本行确立以创新、高效、客户为中心、以 IT 为领先、关爱员工为核心的经营理念，致力于打造优秀零售银行和高效中小企业服务银行，始终将"只争朝夕，臻于至善"的企业精神贯彻于经营管理的过程之中，不断改革创新，提升发展质量和水平，成为具有较强竞争优势和影响力的全国性商业银行。2015 年，在英国《银行家》杂志全球 1,000 家大银行排名中，本行按一级资本排名列第 92 位，进入全球银行前一百名。

本行致力于为客户提供高质量、高效率、全方位的金融服务。截至 2015 年末，本行资产 1.84 万亿，在北京、天津、河北、辽宁、黑龙江、上海、江苏、浙江、安徽、福建、山东、河南、湖北、湖南、广东、重庆、四川、云南、陕西、新疆等境内 20 个省（直辖市、自治区）84 个地级及地级以上城市和澳门特别行政区设立了 40 家分行、759 家营业机构、227 家"小企业金融中心"、136 台智能银行，个人网银客户规模超 1800 万户，信用卡发卡量 4140 多万张，与全球 125 个国家和地区的 1702 家银行总部及其分支机构建立了代理行关系。

【企业荣誉】

荣获《金融时报》颁发的"2013 年度最具创新力银行"和"2013 年度互联网金融创新银行"奖项。

荣获《经济观察报》颁发的“2013 中国最具创新企业”和“年度卓越贸易融资银行”奖项。

荣获《亚洲银行家》颁发的“2013 年度中国最佳零售网点创新”奖项。

荣获《证卷时报》颁发的“2013 最具成长性银行投行”和“最佳电子银行服务创新银行”奖项。

荣获《中国经营报》颁发的“2013 卓越竞争力金融创新产品品牌奖”以及“2013 年卓越竞争力电子银行”奖项。

荣获《第一财经日报》颁发的“2013 中国企业社会责任榜优秀实践奖”和“最佳个人贷款服务品牌银行”奖项。

荣获《理财周报》颁发的“2013 中国最佳银行财富管理品牌”、“2013 最佳信贷服务创新银行”以及“2013 最佳移动金融银行”奖项。

荣获《南方日报》颁发的“2013 南方致敬公益企业创新奖”和“2013 最佳中小企业金融服务商”奖项。

荣获《每日经济新闻》颁发的“小微金融卓越品牌”奖项。

荣获《东方财富网》颁发的“2013 年度最佳资产托管银行”奖项。

荣获《中国计算机报》颁发的“2013 年度中国金融业个人信息保护突出贡献奖”。

荣获中国金融认证中心 CFCA 颁发的“2013 年最佳网络金融创新奖”。

荣获香港客户中心协会颁发的“最佳质量保证客户中心奖”。

荣获美国传媒专业联盟（LACP）颁发的“2012Vision Awards评选活动金奖”、“2012 Vision Awards 评选活动亚太地区 2012 年报最佳 50 强”、“2012 Vision Awards 评选活动 2012 中文年报最佳 50 强”。

荣获北京大学企业社会责任与雇主品牌传播研究中心、智联招聘颁发的“中国年度最佳雇主(2013)”。

荣获中华英才网颁发的“中国大学生最佳雇主”和“全国性银行业最佳雇主”。

地址：中国广东省广州市越秀区东风东路 713 号
　　　广发银行大厦
电话：020－38322888
传真：020－87311722
邮编：510080
网址：www. cgbchina. com. cn
邮箱：bodoffice@ cgbchina. com. cn

南京银行股份有限公司

【企业概况】

南京银行成立于 1996 年 2 月 8 日，是一家具有由国有股份、中资法人股份、外资股份及众多个人股份共同组成独立法人资格的股份制商业银行，实行一级法人体制。南京银行历经两次更名，先后于 2001 年、2005 年引入国际金融公司和法国巴黎银行入股，在全国城商行中率先启动上市辅导程序并于 2007 年成功上市。目前注册资本为 60.59 亿元，下辖 17 家分行，161 家营业网点，员工总数近 8000 人。自 2006 年首次入选英国《银行家》杂志公布的全球 1000 家大银行排行榜以来，我行排名逐年提升，2016 年已升至第 152 位，位次较上年提升 49 位。

自 2006 年首次入选英国《银行家》杂志公布的全球 1000 家大银行排行榜以来，我行排名逐年提升，2016 年已升至第 152 位，位次较上年提升 49 位。南京银行以建设“中国中小银行中一流综合金融服务商”为战略愿景，始终坚持做强做精做出特色的发展道路，各项业务平稳较快增长，经营效益稳步提升，风险管控不断加强，资产质量保持稳定，基础管理持续深化。

我行经营范围包括：吸收公众存款；发放短期、中期和长期贷款；办理国内结算；办理票据承兑与贴现；发行金融债券；代理发行、代理兑付、承销政府债券；买卖政府债券、金融债券；从事同业拆借；买卖、代理买卖外汇；从事银行卡业务；提供信用证服务及担保；代理收付款项及代理保险业务；提供保险箱服务；经中国银行业监督管理委员会批准的其他业务。

【企业文化】

战略愿景：南京银行致力于探索综合化经营。在全国率先尝试了城商行异地参股其他城商行的发展模式，参股日照银行并成为其第一大股东，入股江苏金融租赁有限公司、芜湖津盛农村合作银行，发起设立了宜兴阳羡、昆山鹿城两家村镇银行，投资组建鑫元基金公司，成立紫金山·鑫合金融家俱乐部，在探索综合化经营的道路上不断迈进。

发展理念：以成为“中小银行中一流的综合金融服务商”为愿景，

以服务模式创新和经营模式创新为两翼，在强总行的支撑下实现综合金融服务能力、客户服务重心下移、互联网金融发展的突破。

地址：江苏省南京市玄武区中山路 288 号
邮编：210008
电话：025－86775068
传真：025－86775054
网址：www. njcb. com. cn

宁波银行股份有限公司

【企业概况】

宁波银行成立于 1997 年 4 月 10 日，2007 年 7 月 19 日成为国内首家在深圳证券交易所挂牌上市的城市商业银行。

截至 2016 年 9 月末，宁波银行除了在宁波地区经营之外，已在上海、杭州、南京、深圳、苏州、温州、北京、无锡、金华、绍兴、台州和嘉兴设立 12 家分行，营业网点 307 家。2013 年 11 月，宁波银行发起设立永赢基金管理有限公司；2015 年 5 月，宁波银行全资子公司永赢金融租赁有限公司正式开业。

成立 19 年以来，伴随中国经济的快速增长，在广大客户和社会各界的大力支持下，宁波银行各项业务取得长足发展，已经发展成为一家资本净额超 640 亿元，总资产超 8300 亿元，员工人数 1.3 万人的区域性股份制上市银行，成功跻身全球前 200 家大银行之列。

宁波银行自成立以来，得益于广大客户的信任与支持，各项业务取得长足发展，展现出良好的经营业绩。截至 2016 年 9 月末，宁波银行总资产 8376.89 亿元，各项存款 4887.73 亿元，各项贷款 2931.34 亿元。

宁波银行 2015 年度实现净利润 65.44 亿元，同比增长 16.29%；2016 年前三季度实现净利润 63.43 亿元，同比增长 19.22%；不良贷款率为 0.91%，较年初下降 0.01 个百分点。按照《商业银行资本管理办法（试行）》计算的资本充足率 12.51%，一级资本充足率和核心一级资本充足率分别为 9.67% 和 8.74%。

宁波银行坚持“控制风险就是减少成本”的风险理念，不断完善全面、全员、全流程的风险管理体系，风险管理能力持续增强。

近年来，宁波银行的风险管理能力经受住了市场考验，在主要经营区域持续消化过剩产能、经济结构大幅调整的情况下，2016 年 9 月末不良率为 0.91%，较年初下降 0.01 个百分点，在银行同业中继续保持较低水平。

2016 年，宁波银行已完成新资本协议项目建设，已建立先进的风险管理和资本计量体系，全面接轨国际领先实践，并力争成为城商行中首批实施新资本协议的银行。

近年来，宁波银行的经营管理能力和发展前景得到了监管和业界的广泛认可。

在银监会对商业银行的综合评级中，宁波银行多年来均为城商行最高评级。

英国《银行家》杂志按照一级资本发布的 2016 年全球 1000 强银行排行榜中，宁波银行排名位列全球 177 位。

英国《银行家》杂志发布“2016 年全球银行品牌 500 强排行榜”，宁波银行位居全球银行第 215 位，品牌评级为 A+。

中国《银行家》杂志、新浪财经等专业机构举办的银行业评选中，宁波银行多次获得“中国最佳城市商业银行”称号。

作为上市银行，宁波银行有一套完备的经营信息披露机制，能够确保公众充分、及时、准确地了解银行经营状况。

一是宁波银行及时、准确、完整地披露各项经营信息，确保股东和公众能及时了解银行经营状况。

二是一旦业务有重大变化、业绩稍有波动或者涉及较大金额诉讼，宁波银行均在第一时间披露，透明度很高。

三是宁波银行聘请国际知名的安永会计师事务所对对外披露的年度报告进行严格审计，确保信息披露的完整性和准确性。

近年来，宁波银行信息披露准确、及时，社会公信力高，公众口碑良好，先后被权威机构评为“最具社会责任金融机构”、“最佳中小企业板上市公司”和“最具成长潜力上市公司”。

宁波银行前两大股东分别是宁波市政府和新加坡华侨银行，分别持股 21.38%、20%，一直以来都十分支持宁波银行的发展。

宁波市开发投资集团有限公司代表政府持有宁波银行 20% 的股份，加上同样代表政府持股的一致行动人宁兴（宁波）资产管理有限公司持有的 1.38% 股份，宁波市政府合计持有 21.38% 的股份，为宁波银行的第一大股东。

新加坡华侨银行是东南亚第二大金融服务集团，是国际上具有最高评级的银行之一，拥有穆迪 Aa1 级评级。新加坡华侨银行 2006 年成为宁波银行战略投资者后，不遗余力地支持宁波银行，使宁波银行在业务发展、风险管理、系统建设和人才培养等方面能快速与国际一流银行接轨。

得益于宁波银行良好的经营业绩和优秀的风险控制能力，宁波市政府和新加坡华侨银行都对宁波银行的发展充满信心，不断为银行提供发展的资本，使得宁波银行的资本更加雄厚，发展动力更足。

宁波银行的高级管理团队专业敬业、年富力强、稳定团结。

宁波银行管理团队成员长期从事金融和银行管理工作，具备丰富的专业知识，十多年来配合默契，非常稳定，在同业中是最稳定的团队之一，有利于推动银行长远发展战略的实施。尽管宁波银行高管成员平均年龄只有 40 多岁，但均长期从事银行业的经营管理工作，加上与新加坡华侨银行等优秀的外资银行学习交流较多，业务扎实，视野宽广，有助于宁波银行更好地迎接利率市场化的挑战。

近年来，宁波银行紧跟中国经济发展浪潮，高管团队勤勉敬业，不断推动银行向前发展，使得宁波银行成为中国银行业盈利能力强、资本充足率高、不良贷款率低的银行之一。

宁波银行牢固树立科技就是第一生产力的理念，不断加大科技系统建设投入力度，已在同类银行中建立起一定的比较优势。宁波银行以业务驱动为着力点，持续深化应用系统建设，逐步构建面向业务、面向服务、面向客户的“三位一体”应用系统体系，打造科技系统六大平台，为银行长远发展提供坚实的科技支撑。

宁波银行以“了解的市场，熟悉的客户”为准入原则，坚持“门当户对”的经营策略，以为客户提供多元化金融服务为目标，打造“公司银行、零售公司、个人银行、金融市场、信用卡、票据业务、投资银行、资产托管、资产管理”九大利润中心，初步形成多元化的业务增长模式和良好的品牌形象。

公司银行：着力打造启盈 100 金融综合服务品牌，形成“贸易融资、电子银行、现金管理、票据业务、投资银行、资产托管”六大业务平台，致力于为大中型企业提供全方位的综合金融服务。

零售公司：在同类银行中率先推出“金色池塘”小微企业全面金融服务品牌，为客户提供融资、结算、现金管理等本外币一体增值服务，满足小微企业不同层次的服务需求，全力助推企业发展。

个人银行：以优质服务为基础，不断强化储蓄存款、消费贷款、财富管理、支付结算四项基础业务，打造汇通财富、白领通和薪福宝三大业务品牌，力争成为个人客户金融服务最佳选择。

金融市场：以“完善盈利结构、改进盈利模式、提升市场地位”为出发点，着力推进外汇、债券、融资、衍生四大基础业务，实现盈利来源多元化，力争成为中小同业金融市场业务最佳合作伙伴。

信用卡：实施“差异化”的业务策略，以信用卡特色产品为抓手，以商英卡和易百分业务为纽带，推广“小额资金解决方案”，积极运用互联网金融技术，加快产品和服务创新，持续提升客户体验。

票据业务：秉承优质服务理念，以服务中小企业融资和多元化同业合作为宗旨，以丰富的产品体系和高效的业务流程为抓手，力争成为企业客户票据贴现首选银行和同业客户转贴现交易首选银行。

投资银行：发挥金融中介职能，致力搭建多元化的金融服务平台，通过金融产品创新以及金融工具组合，统筹货币市场和资本市场资源，为大中型优质企业提供投资、融资及顾问等综合金融服务。

资产托管：致力为金融机构客户提供优质的资产保管、资金清算、估值核算、基金外包、三方存管服务，通过业内领先的易托管系列产品，打造全电子化的业务流程，力争成为国内资管行业的首选托管机构。

资产管理：秉承为个人、公司、金融机构客户提供专业财富管理服务的理念，以开放式和净值型为产品创新方向，打造“汇通”、“启盈”、“永赢”三大理财品牌，多元化资产布局，全面提升风险管理能力，满足客户日益多元化与个性化的财富管理需求，为客户的财富保驾护航，实现财富不断增值。

宁波银行的发展离不开您一如既往的支持与厚爱，我们将秉承“诚信敬业、合规高效、融合创新”的理念，努力以更好更新的金融服务，在各个业务触点上给您最好的服务体验，力争成为客户首选银行，为把宁波银行打造成一家令人尊敬、具有良好口碑和核心竞争力的现代商业银行而不懈努力。

【企业文化】

诚信敬业、合规高效、融合创新

【企业荣誉】

英国《银行家》杂志按照一级资本发布的2016年全球1000强银行排行榜中，宁波银行排名位列全球177位。

英国《银行家》杂志发布“2016年全球银行品牌500强排行榜”，宁波银行位居全球银行第215位，品牌评级为A+。

中国《银行家》杂志、新浪财经等专业机构举办的银行业评选中，宁波银行多次获得“中国最佳城市商业银行”称号。

地址：中国浙江宁波市宁南南路700号

邮编：315100

电话：086－574－89068221（值班电话）

086－574－87050028（投资者关系）

网址：www.nbcb.com.cn

江苏银行股份有限公司

江苏银行是在江苏省内无锡、苏州、南通等10家城市商业银行基础上，合并重组而成的现代股份制商业银行，开创了地方法人银行改革的新模式。江苏银行于2007年1月24日正式挂牌开业，是江苏省最大的法人银行。

江苏银行秉承“融创美好生活”的使命，以“融合创新、务实担当、精益成长”企业文化为引领，致力于建设“特色化、智慧化、综合化、国际化”的一流商业银行，已成长为一家综合实力和市场竞争力较强的现代股份制银行。截至2016年末，资产总额达15983亿元，各项存款总额达9074亿元，各项贷款总额达6494亿元。

江苏银行下辖13家省内分行、4家省外分行，服务网络辐射长三角、珠三角、环渤海三大经济圈，实现了省内县域全覆盖。营业网点541家，员工1.4万人。发起设立了苏银金融租赁公司和丹阳保得村镇银行。2016年8月2日，江苏银行首次公开发行A股在上海证券交易所成功上市，股票代码600919。

江苏银行的发展得到了社会各界的肯定，获得江苏省委省政府“江苏省优秀企业”、银监会“全国银行业金融机构小微企业金融服务先进单位”、《金融时报》“最具竞争力中小银行”等多项荣誉称号。在英国《银行家》杂志2016年度全球1000强银行排名中，按一级资本列126位，是中国排名提升最快的银行之一。被美国《环球金融》杂志评为中国最佳城市商业银行。

地址：中国江苏省南京市中华路26号

邮编：210001

电话：025－58587122

传真：025－58588273

邮箱：dshbgs@jsbchina.cn

网址：www.jsbchina.cn

江苏张家港农村商业银行股份有限公司

江苏张家港农村商业银行股份有限公司（简称：张家港农商银行，股票代码：002839）成立于2001年11月27日，是全国首家由农信社改制组建的农商行。2007年5月，张家港农村商业银行在全国农村商业银行中率先启动上市工作，当年11月取得中国银监会出具的首份同意农商行上市的监管意见书，2017年1月24日在深交所挂牌上市。

作为中国农村金融改革的探路者，张家港农村商业银行成立十五年来一直秉承“领先一步，锲而不舍”的精神，深化经营转型，强化创新驱动，主动拥抱互联网，构建了涵盖公司金融、零售金融、金融市场业务的综合化产品服务体系；按照“立足张家港，布局江苏，辐射华东”的总体思路，积极稳妥地推进跨区域发展战略，在省内外开设2家分行、12家异地支行，发起设立2家控股村镇银行，并投资入股省内外5家优质农商行。截止2016年12月末，总资产超880.32亿元，据英国《银行家》杂志2016年最新公布的全球1000家银行排名，张家港农商银行位居第638位。

张家港农村商业银行将以上市为新的起点，进一步做精做优、做大做强，朝着以中小企业银行、零售银行为特色的区域性现代商业银行的目标阔步前行。

地址：江苏省张家港市人民中路66号

邮编：215600

电话：0512－96065

传真：0512－58236370

邮箱：jiandu@zrcbank.com

江苏常熟农村商业银行股份有限公司

江苏常熟农村商业银行股份有限公司（以下简称“常熟农商银行”）总部设在素有“江南鱼米之乡”美誉的江苏省常熟市，是一家具有60多年悠久历史的金融机构。2001年11月28日，由常熟市农村信用合作联社改制而来，是全国首批组建的股份制农村金融机构。

改制以来，常熟农商银行全面贯彻落实科学发展观，充分发挥法人银行的体制机制优势，大胆改革创新，灵活稳健经营，在努力发挥常熟地方金融主力军作用的同时，积极致力于探索多元化的跨区发展之路，在全国农村中小金融机构中首家成功引进战略投资者；首家走出注册地开展跨区经营；2016年9月30日在上海证券交易所成功挂牌上市（股票简称：常熟银行，股票代码601128）。目前，常熟农商银行在全国共有营业网点142家，其中常熟本地108家，异地34家。同时，开设了30家“兴福”系村镇银行，并参股6家农村金融机构。

常熟农商银行牢记农村金融改革赋予的使命，坚持服务“三农”、服务小微企业的市场定位，积极探索差异化、特色化发展之路，支持了一大批个体工商户创业、发展与成长，被广大客户亲切地称为“自己的银行”，先后获得2010年度全国银行业金融机构小企业金融服务先进单位、2012－2015年度全国银行业金融机构小微企业金融服务先进单位、《金融时报》金龙奖“年度最具竞争力农商行”、中国银行业协会（花旗集团）微型创业“年度创新发展奖”，2011－2014年连续四年获得江苏省银行业金融机构小企业金融服务工作先进单位。

截至2016年末，总资产1299.82亿元，总存款、总贷款分别为888.10亿元、642.29亿元。据英国《银行家》杂志2016年公布的全球1000家银行排名，我行位居国际银行业第578位。

在未来的征途上，常熟农商银行将继续以“农村金融领跑者”愿景为指引，以“普惠金融、责任银行”为使命，秉承“敢闯、敢试、敢为”拼搏精神，专注中小、灵活高效，勇为人先，稳健行远，全力打造客户丰富、渠道多元、管理扎实、员工幸福的现代零售银行！

地址：江苏省常熟市新世纪大道 58 号
邮编：215500
电话：0512－52909021
传真：0512－52909021
邮箱：xhch@ csrcbank. com
网址：www. csrcbank. com

江苏江阴农村商业银行股份有限公司

【基本概况】

江阴农商银行前身江阴市信用合作社联合社，是在原江阴市 35 家法人信用合作社和 3 家城市信用社的基础上，经国务院、中国人民银行总行批准，由江阴企业、自然人入股组建的地方性股份制商业银行，是全国首批三家股份制农村商业银行之一。

江阴农商银行秉承"融通天下，丰裕万家"的企业使命，坚定服务农村的宗旨，坚持服务中小企业、小微企业的市场定位，秉承"离您最近，和你最亲"的服务理念，发扬"精于勤，成于思，兴于和"的企业精神，在大力支持经济社会中，各项业务取得了快速、稳健发展，其综合经济效益在全省信用社系统位居前列；存贷款总规模在全市各金融机构中名列前茅，为地方经济发展作出了巨大贡献。开放促发展，稳健载未来。伴随着我国农村金融体制改革的不断深化，江阴农商银行正向着创建品质精益的公众持股银行的目标大步迈进。

地址：江苏省江阴市澄江中路 1 号
电话：0510～81886666
传真：0510～86805815
客服热线：0510－96078

包商银行股份有限公司

【企业概况】

包商银行成立于 1998 年 12 月，是内蒙古自治区最早成立的股份制商业银行，前身为包头市商业银行，2007 年 9 月经中国银监会批准更名为包商银行。目前，包商银行在内蒙古自治区内的包头、赤峰、巴彦淖尔、通辽、鄂尔多斯、锡林郭勒、呼伦贝尔、呼和浩特、兴安盟、乌兰察布、乌海、阿拉善、满洲里、二连浩特和自治区外的宁波、深圳、成都、北京设立了 18 家分行、291 个营业网点(含社区、小微支行)，员工 8000 多人；此外，发起设立了包银消费金融公司，设立了小企业金融服务中心，发起设立了北京昌平、天津津南、江苏南通、大连金州、四川广元、贵州毕节、吉林九台、河南郾城、山西清徐等 29 家村镇银行；机构遍布全国 16 个省、市、自治区。2016 年末，包商银行资产总额 4183 亿元，各项存款余额 1821 亿元，各项贷款余额 1448 亿元。

包商银行是中国银监会评定的首批风险最小(即二级)的七家城商行之一，监管风险评级连续多年保持在二级水平。近几年，包商银行先后荣获“全国文明单位”、“全国小企业贷款工作先进单位”、“全国小企业金融服务先进单位”、“内蒙古最具社会责任感企业”、“内蒙古社会责任最佳公益慈善贡献奖”等奖项。李镇西董事长荣获“2015—2016 年全国金融系统企业文化建设标兵”、“2015 年全国劳动模范”、“2012 年度社会责任引领人物奖”、“2011 年度全国五一劳动奖章”等荣誉。中央电视台新闻联播、对话、经济半小时等节目，以及《人民日报》、《经济日报》、《光明日报》、人民网、新华社等媒体曾多次深入报道了包商银行小微金融服务工作。

包商银行秉承“实现价值、创造大美、不屈不挠、追求卓越”的企业文化，始终坚持“建设现代化、国际化的好银行”的战略愿景，聚焦“民生”产业、“高新特”产业和“大众创业、万众创新”的市场定位，致力于打造“全面的金融服务集成商”的商业模式。围绕发展战略，包商银行坚持创新引领，以“产业链整体价值”为中心，发挥金融的力量，着力推动全产业链金融的实施，重点围绕大农业、文化、旅游、教育、医疗、养老、民生制造业等与百姓生活息息相关的产业，以及高科技、新能源、新材料、特殊产业和特色产业，运用投行思维、链化思维对产业链进行整合、提升、重构，优化资源配置，推行“以产业为依托、以金融为支撑”的业务发展模式，探索为产业链上的中小微企业提供全生命周期的金融解决方案。利用互联网、大数据、云计算等技术手段，大力发展数字银行、电子银行等金融服务，推动线上线下业务融合，进行产品、服务和流程创新，提高服务中小微企业发展的效率。与金融机构合作，创新模式，从“融资”到“融智”，从只向中小微企业提供贷款服务，发展到存款、保险、理财、信息咨询等服务。

包商银行借鉴国内外先进银行事业部制改革经验，结合自身对服务客户效率、效益和质量改善的实际需求，围绕组织架构、制度、团队、文化、习惯全方位打造流程型组织，推行事业部制，形成了端到端的客户服务流程，实现了组织扁平化管理，提高办事效率，提升服务质量，培育新的增长点。实施前中后台分离、中后台大集中，前台人员专注于销售和服务，中台人员专注于产品和风控，后台人员专注于运营。从内涵和外延两个维度进行了数字化的转型，既包括核心系统的改造，更包括数字银行——有氧金融的创新试水。

包商银行作为中央重点扶贫单位，深入贯彻落实中央和地方精准扶贫的各项政策和工作部署，创新思路方法，探索社会扶贫新模式，发起创立了“马上帮”移动公益服务平台，重点实施“精准扶贫马上帮”扶贫项目，开展“互联网＋扶贫”。同时，依托包商银行公益基金会，与社会组织或地方政府建立公益合作关系，积极开展扶贫济困、助学兴教。此外，包商银行在为农牧民和城镇居民提供便捷金融服务方面做了一些创新性探索与实践，与银联合作试点推广“村口银行”，应用互联网的便利优势，为农牧民提供全新金融服务场景；率先建立了国内首家数字银行，以“无卡、无网点、无现金交易”为特色，致力于打造“互联网上的商业银行”；创建了“咖啡银行”，将包商银行网点业务与尊享咖啡服务相融合，在醇香浓郁、轻松舒适的咖啡厅氛围中为客户提供优质金融服务。

包商银行着力打造总部经济，2016 年缴纳税金 29 亿元，自成立以来累计缴纳税金 129 亿元，成为内蒙古自治区 A 级信用纳税人和包头市纳税大户，在推动就业、促进消费、缴纳税收、助力产业升级、品牌建设等方面为经济社会发展做出了积极贡献。

【企业文化】

战略愿景：建设现代化、国际化的好银行

战略目标：全面的金融服务集成商

发展目标：立足百姓创业，立志国际品牌，做最好的小企业金融服务集成商

核心理念：包容乃大，商赢天下

市场定位：广大市民是基本客户，中小企业是核心客户

北京农商银行股份有限公司

【企业概况】

北京农商银行改制成立于2005年10月19日，是国务院批准组建的首家省级股份制农村商业银行，下辖694家网点，是唯一一家金融服务覆盖全市所有182个乡镇的金融机构。

近年来，北京农商银行在市委市政府的正确领导下，充分发挥党委推动科学发展的核心作用，坚持以“稳健可持续全面发展”经营理念为指导，着力打造“流程银行、特色银行、精品银行”，积极服务首都“四个中心”功能定位和京津冀协同发展，开启了建设特色中等商业银行的新局面。

截至2016年6月末，全行资产总额6772.8亿元；资本充足率达12.81%，核心一级资本充足率和一级资本充足率达10.80%。根据英国《银行家》杂志排名，资产规模位列全球千家银行排名第170位，一级资本位列第201位。

经营业绩连年攀升，质效创历史最佳水平。在银行业利润增速整体下行的大环境下，2016年上半年全行净利润同比增长7.9%，经营效益保持连年稳步增长，连续4年荣获“全国最佳农商银行”奖项。

经营质量大幅提升，抗风险能力显著增强。截至2016年6月末，全行五级不良贷款率0.87%；全行拨备覆盖率398.36%，非信贷不良资产拨备已足额提取，风险抵御能力达到历史最高水平。

积极履行社会责任，以实际行动助推首都经济社会建设。以服务“三农”、服务民生、服务实体经济为导向，北京农商银行大力发展普惠金融，积极支持新农村建设和城乡一体化发展，加大轨道交通、棚户区改造、新型城镇化建设、环境保护等信贷投放力度，全力服务首都产业升级、结构调整和提质增效，支持国家在推进京津冀协同发展中的重点项目，成为支持首都经济建设和服务市民百姓的重要金融力量，先后获得国务院授予的“全国新型农村和城镇居民社会养老保险工作先进单位”，北京市人民政府授予的首届“质量管理奖”提名奖等一系列荣誉称号。

实施创新驱动发展战略，积极推进流程银行建设。坚持以科技创新为支撑和引领，统筹推进组织管理体制创新、考核机制创新、营销体系创新，共投产各类科技项目超过2000个，应用系统从50个增加到140个，同城信息安全技术达到国内一流水平。深入推进“3110”工程建设，打造全方位、多层次的服务渠道，不断完善网上银行、电话银行、手机银行、微信银行、直销银行等全天候、立体化的服务网络，客户体验全面改善。积极推进“流程银行”建设，实现了票据提入集中、授权集中、后督集中、参数集中的“四集中”工程，基本建成“集约化生产平台”，大大提升了业务处理能力和服务效率。

目前，北京农商银行已进入一个新的历史发展阶段，全行上下坚持专业化经营、系统化管理、集约化控制，按照“稳增长、重质量、调结构、促转型、补短板、谋长远”的方针，深化推进“调整、巩固、优化”经营主题，狠抓改革攻坚，突出创新驱动，坚守风险底线，加快形成主动应对经济发展“新常态”的体制机制和发展方式，努力实现更高质量、更有效益、更可持续的全面发展，力争将北京农商银行的发展推向更高层次。

【企业荣誉】

2016年英国《银行家》杂志全球银行排名中，本行资产规模位列第170位，一级资本位列第201位。

本行获得《金融时报》与中国社科院金融研究所联办的“2015中国金融机构金牌榜”“金龙奖——年度最佳农商银行”奖项，这是本行连续五次荣获该奖项。

在中国国际金融展上，本行“凤凰速通信用卡”荣获“创新金融服务奖”。

在北京国际金融博览会上，本行荣获“优秀三农金融服务机构奖”；同时本行京津冀农银通卡荣获“2016年创新金融服务奖”。

在北京国际钱币博览会上，本行荣获“2016年度最具潜力奖”。

中国人民银行营业管理部2015年度北京市商业银行代理国库业务考评情况通报中，本行获得“国库经收业务”第二名、“代理国债销售与兑付业务”第六名。

本行荣获中国外汇交易中心暨全国银行间同业拆借中心银行间债券市场做市商资格。

在中国银行业协会召开的《2015年度中国银行业社会责任报告》发布暨社会责任工作表彰会上，本行荣获“2015年度中国银行业最具社会责任金融机构奖”。

本行荣获中国银行业“陀螺”评价体系农村商业银行综合发展能力序列第三名，“市场竞争能力”单项排名中位居农村商业银行序列第一名。

联系方式：

二十四小时服务热线：96198；400－66－96198（全国）；400－88－96198（信用卡）

在线客户服务：点击进入在线客户服务系统

地址：北京市西城区月坛南街1号院2号楼

邮编：100045

网址：www.bjrcb.com

客服邮箱：96198@bjrcb.com

北京银行股份有限公司

【企业概况】

北京银行成立于1996年，是一家中外资本融合的新型股份制银行。成立以来，北京银行依托中国经济腾飞崛起的大好形势，先后实现引资、上市、跨区域等战略突破。目前，已在北京、天津、上海、西安、深圳、杭州、长沙、南京、济南、南昌、石家庄及乌鲁木齐等十余个中心城市以及香港、荷兰拥有500家分支机构，开辟和探索了中小银行创新发展的经典模式。

截至2016年9月末，北京银行资产达到2.04万亿元，前三季度实现净利润150.36亿元。成本收入比23.84%，不良贷款率1.20%，拨备覆盖率为275.20%，资本充足率12.55%，各项经营指标均达到国际银行业先进水平，公司价值排名中国区域性发展银行首位，品牌价值达310亿元，一级资本排名全球千家大银行77位、排名首都金融业第一位，连续三年跻身全球银行业百强，被誉为中国最具创新能力和发展潜力的中小银行。

20年来，北京银行积极履行社会责任，在医疗、教育、慈善、赈灾等方面向社会捐助超过1.5亿元。凭借优异的经营业绩和优质的金融服务，北京银行赢得了社会各界的高度赞誉，先后荣获“全国文明单位”、“亚洲十大最佳上市银行”、“中国最佳城市商业零售银行”、“最佳区域性银行”、“最佳支持中小企业贡献奖”、“最佳便民服务银行”、“中国上市公司百强企业”、“中国社会责任优秀企业”、“最具持续投资价值上市公司”、“最受尊敬银行”、“最值得百姓信赖的银行机构”及“中国优秀企业公民”等称号。

地址：北京市西城区金融大街丙 17 号
邮编：100033
值班电话：(86)10－66426500
传真：(86)10－66426519
客服电话：95526
网址：www.bankofbeijing.com.cn

渤海银行股份有限公司

【企业概况】

渤海银行是 1996 年以来获国务院批准新设立的第一家全国性股份制商业银行，是第一家在发起设立阶段就引入境外战略投资者的中资商业银行，也是第一家总部设在天津的全国性股份制商业银行。本行由天津泰达投资控股有限公司、渣打银行（香港）有限公司、中国远洋运输（集团）总公司、国家开发投资公司、宝钢集团有限公司、天津信托有限责任公司和天津商汇投资（控股）有限公司等 7 家股东发起设立，注册资本总额 85 亿元人民币。2005 年 12 月 30 日成立，2006 年 2 月正式对外营业。截至 2014 年 12 月 31 日，本行已开设了 17 家一级分行，14 家二级分行和 89 家支行。

渤海银行自成立以来，始终坚持"审慎经营，稳健发展"的经营理念，明确提出"集约化经营、专业化管理、一体化发展"的经营思路，不断发挥后发优势、国际化优势和滨海新区综合配套改革先行先试的政策优势，圆满完成了第一个五年规划确定的目标，呈现出持续、健康、快速发展的良好态势。渤海银行在第二个五年规划中将追求股东价值、客户价值、员工价值和社会价值的和谐均衡增长，并将建设公司治理完善、依法合规经营、业务特色鲜明、经营业绩优良的现代银行作为长期愿景。

截至 2014 年末，本行资产总额 6,671.48 亿元，比年初增长 17.41%；负债总额 6,376.51 亿元，比年初增长 17.21%；实现净利润 50.31 亿元，比上年增长 10.28%；不良贷款率为 1.20%。在英国《银行家》杂志发布的全球银行 1000 强排名中，本行排名 230 位，较上年提升 48 名；在《亚洲银行家》杂志亚洲银行 500 强资产排名及实力排名中，我行分获第 63 名及第 49 名，较上年提升 11 名及 3 名。

【企业文化】

愿景：建设公司治理完善、依法合规经营、业务特色鲜明、经营业绩优良的现代银行

品牌主张：精致服务　携手创富

价值观：诚信　人本　开放　创新　有为

共同准则：

1. 坚持审慎经营，致力特色发展
2. 做人诚实守信，做事公平公正
3. 干一份工作就要干好
4. 管理者要率先垂范、亲力亲为
5. 迅速制定和执行决策，积极回应任务和需求
6. 上级为下级服务、二线为一线服务、全行为客户服务
7. 遵循并持续优化流程
8. 主动学习，关注并有效应对市场变化
9. 尊重包容同事，乐于分享合作，勇于谏言献策
10. 坚持选贤任能、人适其岗的选人用人原则
11. 厉行节约，勤俭办行
12. 珍视银行声誉，维护品牌形象

地址：天津市河西区马场道 201－205 号
邮编：300204
总机：(8622)58316666
服务咨询电话：4008888811
电子邮件：enquiry@cbhb.com.cn

长安银行股份有限公司

【企业概况】

长安银行是在陕西省委、省政府主导下，经中国银监会批准，引入延长集团、陕西煤业和陕西有色等 11 家战略投资者，以新设合并方式组建的法人股份制商业银行。总部设在西安市，2009 年 7 月 31 日开业。现注册资本金 56.41 亿元，下辖 10 个分行、10 个直属支行，开业网点 213 家（截至 2016.12 月），遍布省内 10 个设区市和杨凌示范区、西咸新区。员工总数近 4000 人。长安银行发起并控股设立陕西首家村镇银行——陕西岐山长安村镇银行有限责任公司，陕西长银消费金融有限公司。

截至 2016 年 12 月末，全行资产总额达 1813 亿元，各项存款余额 1207 亿元，各项贷款余额 768 亿元。开业以来，累计资本净额已达 129.03 亿元，实现利税 107.20 亿元，其中缴纳税金 41.02 亿元。银监会监管评级为 2C 级。2015 年中国银行业协会组织的首次商业银行稳健发展能力测试显示，长安银行在同等规模地方法人银行中排名第 4。各项衡量商业银行审慎经营的监管指标持续优良。

长安银行坚持"服务丝路强国战略，服务陕西追赶超越，服务中小提质增效，服务城乡统筹发展"的理念，主动承担"支持地方经济发展主力军"的重要作用，积极投身于我省经济社会发展。不断创新和优化银政、银企合作机制，积极支持陕南移民、西咸新区和省保障性住房等省属重点项目，重视能源资源产业的转型升级和地方特色产业扶持，重点营销支持新能源、电子信息、航天航空、新材料等产业链及城市基础设施建设项目。持续加大对教育、卫生、医疗等民生工程建设的金融服务力度，较好地满足了省内实体经济建设融资需求；积极发展小微企业金融服务业务，设立西北首家科技支行，推出"长安贷"系列小微金融产品，联合省科技厅成立了陕西省科技金融产品研究开发中心，较好地缓解了小微企业融资难、融资贵问题。超额完成了"三个不低于"的监管目标。荣获全省小微企业贷款增量考评一等奖；形成了以长长卡、e 长安电子银行和"长盈、长盛"理财产品及"安鑫宝"、长安云闪付、微道＋小微金融移动服务服务平台等互联网金融产品为代表的特色业务体系；积极开展银行卡助农取款业务，开发了"惠农通"支付业务，已在咸阳、宝鸡、汉中三市 13 个区县的乡镇签约惠农支付服务点 116 家，预计年末全省惠农支付点将达到 300 家，形成城乡金融服务的"快车道"，较好地满足了广大城乡居民金融消费需求。

开业以来，长安银行连续七年超额完成省政府下达的经营任务，并多次荣获省政府通报表彰；新增存贷款额度持续列省内中小银行机构前列。先后囊括了中国银监会"全国银行业金融机构小微企业金融服务先进单位"、"优秀团队"和"优秀个人"三项大奖，"长安贷"系列荣获中国银行业协会"2015 年服务小微五十佳金融产品"称号；连续两年被人民银行西安分行评为 A 类金融机构；被有关机构授予"陕西省最受尊敬企业"、"陕西省诚信建设示范单位"、"陕西省纳税信用 A 级纳税人"等荣誉称号。

经过近七年的发展，长安银行已全面步入快速发展的上

升通道。全行紧密围绕“二次创业、追赶超越”的主基调，积极推进管理模式、业务发展模式和盈利模式的战略性转变，努力探索多元化经营模式，积极推动内涵式发展，为尽快实现跨区经营和IPO启动创造有利条件。

【企业文化】

诚信（诚信为本）

创新（创新发展）

稳健（持续发展）

厚德（厚德长安）

地址：西安市高新技术开发区高新四路朗臣大厦13号

邮编：710075

客服电话：96669

网址：www.ccabchina.com

长沙银行股份有限公司

【企业概况】

长沙银行成立于1997年5月，是湖南省首家区域性股份制商业银行和湖南最大的法人金融企业。

长沙银行银行始终秉承“正道而行、信泽大众”的发展使命，坚持“聚焦客户，实干为本，快乐同行”的核心价值观。目前已拥有包括广州、株洲、湘潭、常德等在内的27家分行、直属支行和608个网点（营业网点201个，自助银行网点407个）。同时，在北京、上海、广州、深圳成立了业务分部，控股发起湘西、祁阳、宜章三家村镇银行。全行现有员工5000余人。

长沙银行坚持服务地方政府、服务中小企业、服务居民市民的办行理念，构建了以大批发为业务主体，大零售、大资管为两翼，网络金融为一尾的“一体两翼一尾”业务格局，着力打造智慧金融、县域金融、绿色金融、科技金融四大特色战略品牌，向“一家智造快乐的银行”全面进发。截至2015年12月末，长沙银行资产总额达2798.27亿元，一般性存款余额达2062.06亿元，表内外授信余额达1458.29亿元，全年实现利润34.54亿元，各主要监管指标均达到监管要求。近年来，长沙银行的品牌影响力不断提升，综合实力跃居全球银行业500强和中国银行业50强，在英国《银行家》杂志公布的2016全球1000强银行排名中，长沙银行排名373位，比2015年上升22位。

未来一段时期，长沙银行将坚持社区化发展，打造“湖南人的主办银行”；坚持综合化发展，打造湖南第一、全国领先的金融控股平台；坚持数字化发展，打造湖南领先、全国靠前的智慧银行、网络银行。

地址：湖南长沙市芙蓉中路1段433号

邮编：410005

服务热线：0731－96511

信用卡服务热线：400－6796511

网址：www.cscb.cn

成都银行股份有限公司

【企业概况】

成都银行成立于1996年12月，是一家以国有股本为主、股权多元化的地方性股份制商业银行，引入马来西亚丰隆银行作为境外战略投资合作伙伴。目前，成都银行注册资金32.5亿元，在岗员工5000余名，下辖重庆、西安、广安、资阳、眉山、内江、南充、宜宾、乐山、德阳、阿坝11家分行和31家直属支行（部）、170余家营业网点，发起设立国内首批、中西部第一家消费金融公司——四川锦程消费金融有限责任公司以及江苏宝应锦程和四川名山锦程村镇银行，并入股西藏银行。

成都银行以建设成为“协调发展、富有特色、价值领先、社会认可的现代商业银行”为战略愿景，秉承“服务地方经济，服务小微企业，服务城乡居民”的市场定位，积极探索差异化、特色化发展路径，形成了自身独特的业务特色和竞争优势，综合实力位居西部城商行首位，部分经营指标达到国内先进银行水平。截至2015年末，成都银行总资产3214.45亿元，各项存款2405.68亿元，各项贷款1344.08亿元。在2015年英国《银行家》公布的最新排名中，成都银行居全球前1000家商业银行第308位，中资商业银行第36位，全国城市商业银行第13位，西部地区城市商业银行第1位。

成都银行主动将自身发展融入地方发展大局，积极对接中央和地方重大发展战略，借助成都在西部地区的核心地位和辐射作用，结合川陕渝三地共同的产业优势，积极做好金融支持和资金要素保障，加大对地方重大产业、城乡基础设施建设和民生工程的支持力度，为区域经济的健康快速发展、城乡一体化的有序推进作出了积极贡献。

成都银行致力于为广大小微企业客户提供优质高效的金融服务，利用自身优势，加强产品创新和“本土化”改造，开发了一批“特色化、标准化、本土化”产品。目前，旗下“财富金翼”小微企业融资品牌包括“壮大贷”、“科票通”、“科创贷”、“多融易”、“创业贷”、“结结高”、“银税通”等10余种产品，为不同发展阶段的小微企业融资提供多种金融方案以及一站式金融服务，不遗余力支持企业成长发展。

成都银行坚持“亲民便民惠民”理念，持续开办代发工资、社保和代收煤气水电费等与市民生活息息相关的基础金融业务，坚持优惠的定价和收费策略，最大限度降低银行卡用卡成本，提供高收益的理财产品，创新推出“E城通”综合缴费平台，积极推进互联网金融和社区银行建设，通过实实在在的行动让市民百姓享受到便捷实惠的金融服务，赢得了“市民银行”美誉。

近年来，成都银行凭借优异的经营业绩和优质的金融服务，赢得了社会各界的高度赞誉，先后荣获“四川企业100强”、“最佳城市商业银行”、“最佳金融服务城商行”、“最佳优质服务银行”、“最佳民生金融奖”、“银行科技发展奖”、“最具社会责任金融机构奖”、“百姓最信得过的银行品牌”等荣誉称号。

【企业理念】

以客户为中心，以人才为根本，以风控为基础，以创新为动力，以效率为保证，实现企业价值。

【企业荣誉】

2014年7月，英国《银行家》杂志发布“2014全球银行1000强”排行榜，我行多项指标排名大幅攀升。其中，资产排名第319位，较上年提升12位；一级资本排名第337位，较上年提升43位；资产回报率排名第329位，较上年提升49位。

2014年10月，在第十届中国（成都）金融理财节之金融总评榜颁奖上，我行一举夺得“年度最佳城市商业银行”“年度最受欢迎银行卡”“年度最受欢迎电子银行”“年度最佳优质服务银行”四项大奖。

2014年，我行“基于PBOC3.0标准的地铁金融IC卡系统”荣获2013年度“银行科技发展奖”二等奖。该奖项始于上世纪八十年代，由中国人民银行组织主办，是国内面向金融业科技创新和技术进步的年度最权威评选和最高奖项。

地址：四川成都市西御街 16 号
邮编：610015
电话：400－68－96511/028－96511
网址：www.bocd.com.cn

东莞银行股份有限公司

【企业概况】

东莞银行股份有限公司（以下简称本行）是经中国人民银行批准，在东莞市工商行政管理局登记注册的股份制商业银行，成立于 1999 年 9 月 8 日。目前，本行下辖总行营业部、11 家分行（东莞分行、广州分行、深圳分行、惠州分行、长沙分行、佛山分行、合肥分行、清远分行、珠海分行、韶关分行、中山分行）、香港代表处、45 家一级支行、73 家二级支行、8 家社区支行、2 家小微支行，发起设立 6 家村镇银行，参股河北省邢台银行。

成立以来，本行在各级政府及监管机构的正确领导和监管下，紧紧围绕价值最大化的核心目标，以市场为导向，以客户为中心，以提高人力资本和科技应用能力为基础，以"提升效率"为手段，强化风险管理、销售管理和服务管理，进一步推进产品和服务创新，优化资源配置和完善激励机制，经营管理水平不断提高，业务持续增长，一直以优异的业绩在全国同行业中名列前茅。截至 2015 年 12 月 31 日（审计后合并报表数），本行总资产达 1920.62 亿元，各项存款余额为 1286.98 亿元，贷款余额为 881.06 亿元。

本行是当地一家具有独立法人资格的银行，管理半径短，决策灵活，科技开发优势明显，软硬件设备先进，自主开发设计灵活性高，更贴近市场和客户，不断创新金融产品，致力于为客户提供全方位、特色化的金融业务。随着客户金融需求的多样化发展，本行在丰富齐全的个人业务品种基础上，推出了优质单位正式员工集体授信业务、"好易居"住房公积金组合贷款、"日日盈"、"月月盈"储蓄理财产品、"快汇通"自助汇款、信用卡、代收房维基金等特色业务品种，为客户精心打造的"玉兰理财"品牌下属产品种类齐全，包括票据、债券、信托等系列理财产品，以及基金、黄金、保险、第三方存管等多种代理业务产品；竭诚为公司客户提供各项金融产品及独具匠心的贴心服务，包括传统公司融资产品：固定资产贷款、流动资金贷款、银团贷款、票据业务（银行承兑汇票、电子票据）等；中小企业特色融资产品：租金质押贷款、中标工程贷款、应收账款质押贷款、订单融资、股权质押、动产质押、机械设备按揭贷款等；特色代收代付业务及资产增值类产品：代理非税收缴业务及公司理财产品等；本行的资金业务发展迅速，投资领域不断拓宽，在业内享有较高的知名度，主要经营同业存放、债券投资、票据转贴现等业务；业务办理快捷方便，除网点柜台外，还包括自助终端、网上银行、电话银行等多种服务渠道。

本行良好的信誉和业绩，得到了来自业界、客户和权威媒体的广泛认可。在全球知名的英国《银行家》杂志揭晓的世界银行 1000 强名单中，我行 2007 年首次入围全球银行业 1000 强，2012 年入围全球银行业 500 强，在 2015 年公布的 2014 年度排名中，本行按一级资本排第 383 名。2009 年，在中国《银行家》公布的 2008 中国商业银行竞争力评价报告中，荣获"泛珠三角经济区域城市商业银行竞争力排名第一名"、"最佳品牌营销城市商业银行"。2010 年，《理财周报》评选本行为"2010 中国十大最佳城市商业银行"。2011 年，荣获中国《银行家》杂志"最佳企业社会责任奖"。2012 年，在"2012 南方金融年度系列评选活动"中荣获"最佳金融营销创意奖"；荣获广东省人民政府颁发的"金融创新奖"一等奖，是唯一荣获该奖项的法人银行。2013 年，荣获银监会颁发的"2012 年度银行业金融机构小微企业金融服务特色产品"奖；"机械设备按揭贷款"荣获市 2012 年度东莞市金融创新成果奖一等奖；2014 年，本行"松湖烟雨"小微企业集合信贷产品获"2013 年度东莞市金融创新成果奖一等奖"；2015 年，荣获"2015 年广东省自主创新标杆企业"。

地址：东莞市莞城区体育路 21 号东莞银行大厦
邮编：523011
服务热线：96228（省内）　4001196228（省外）
传真：（0769）22118020

广州银行股份有限公司

【企业概况】

一、历史沿革

成立于 1996 年 9 月 17 日，在 46 家城市信用合作社的基础上组建广州城市合作银行；

1998 年 7 月，更名为广州市商业银行股份有限公司；

2001 年 12 月，新增资本金 7 亿元；

2005 年 12 月，增资扩股 10 亿元；

2007 年 5 月，定向增资 23 亿元；

2008 年 9 月，增资扩股 30 亿元，总资本金达到 83 亿元；

2009 年 9 月，获准更名为广州银行股份有限公司；

2010 年 3 月，首家异地分行——深圳分行正式成立；

2011 年 6 月，南京、佛山分行正式成立；

2013 年 6 月，中山分行正式成立；

2013 年 11 月，惠州分行正式成立；

2014 年 6 月，江门分行正式成立；

2014 年 12 月，肇庆分行正式成立。

二、发展业绩

近年来，广州银行各项业务发展速度远高于广州地区同业平均水平，截至 2013 年底，资产总额 3047 亿元；资本充足率 12.26%，核心资本充足率 11.51%，不良贷款率 0.03%，不良资产率 0.01%，拨备覆盖率超过 300%，是国内资产质量最好的银行之一；2013 年实现利润 40 亿元，经营管理绩效不断提升。

三、市场定位

1. 服务地方：支持市政重点工程：为广州开发区、科学城、大学城、天河软件园、广州地铁、新电视塔、内环路、广园快速路、新光快速路、南沙港快速路等项目提供资金支持；

支持地方经济：为城投集团、交投集团、广药集团、珠啤集团、发展集团、岭南集团、建筑集团、南方航空、深圳航空、省交通集团、广晟资产经营有限公司等提供信贷支持；

扶持民营企业：支持美晨集团、华新集团、德豪润达、江苏雨润、大连万达、苏宁电器、明和实业等民营企业的发展。

2. 服务市民：医保卡三家发卡行之一，代理发行集多种功能于一体的社会保障市民卡；

代发广州市财政统发人员工资；

定期推出种类齐全、内容丰富、期限灵活的红棉理财系列产品，为广大市民投资理财提供帮助；

开办物业专项维修资金业务和存量房交易资金托管业务；

提供形式多样、办理便捷的个人贷款业务；

推出信用卡、公务卡、一卡通、支付宝卡通、住房公积金归集业务；

推出红棉理财卡、红棉爱车卡、淘宝红棉卡等借记卡，集多币种、多储种、多账户于一体，具有个人结算、刷卡消费、电子银行、投资理财等功能；

提供多种公用事业代缴费服务，代销多种基金、保险、黄金产品，为企事业单位提供代发工资服务。

推出网上银行、手机银行、电话银行、银信通等多种电子渠道业务，提供账户查询、转账汇款、投资理财、缴费支付、集团理财、代发工资等金融服务，全方位满足客户的资金管理需求。

【企业荣誉】

改革开放30年广州企业管理十大成就奖

广州十大最具竞争力服务品牌

广州市文明单位

广州2010年亚洲残疾人运动会爱心企业

广东银行业亚运金融服务先进单位

2010年度中国银行业社会责任践行奖

中国银行业文明规范服务示范单位

2010年度金融类国有及国有控股企业绩效评价“AAA－优”评级

2011年最佳服务中小企业银行

2011、2012、2013年度广东省纳税百强企业

2012年最值得期待金融品牌

2012年亚洲中小银行竞争力排名第一

2012年亚洲城市商业银行竞争力排名第一

2012年、2013、2014年中国服务业企业500强

2013年度最佳中小银行“最佳董事会奖”

2013年度资产规模2000亿元以上城商行综合排名第二

2014年地方经济社会发展贡献奖

2014年金质金融服务品牌“最佳本土银行”

2014年度资产规模2000亿元以上城商行竞争力评价第三名

2015年金榕奖“年度最佳中小企业服务商”

2015年金狮奖“年度最受市民喜爱银行”

2016年《TheBanker》全球银行500强（自2010年起连续七年入选）

2016年中国银行业100强

2016年广东省企业100强

2016年广东省服务业100强

2016年度广东省最佳雇主

地址：广州市天河区珠江东路30号

电话：400－83－96699

网址：www.gzcb.com.cn

邮编：510620

哈尔滨银行股份有限公司

【企业概况】

2014年3月31日，哈尔滨银行在香港联合交易所主板成功上市（股票代号：06138.HK），是中国第三家登陆香港资本市场的城市商业银行，也是中国东北地区第一家上市的商业银行，开启了从城市到世界的征途。

哈尔滨银行成立于1997年7月，总部位于中国黑龙江省哈尔滨市。现已在天津、重庆、大连、沈阳、成都、哈尔滨、大庆等地设立了17家分行，在北京、广东、江苏、吉林、黑龙江等14个省及直辖市设立了24家村镇银行，并作为战略投资者投资重组广东华兴银行，发起设立哈银金融租赁有限责任公司。截至2015年12月31日，拥有营业机构338家，在岗员工7131人，分支机构遍布全国六大行政区。截至2015年12月31日，资产总额人民币4449亿元，客户贷款及垫款总额人民币1487亿元，客户存款总额人民币3068亿元。在英国《银行家》杂志2015年全球1000强银行排名中位列209位，居榜单中国银行第30位。在美国《环球金融》杂志，2015年“中国之星”评选中被评为“2015年最佳城市商业银行”。在中国银行业协会组织评选的商业银行文件发展能力“陀螺评价体系”综合评价榜中，位列地方法人银行第五位，居东北地区城商行之首。

哈尔滨银行秉承“普惠金融，和谐共富”的经营理念，坚持“立足龙江，支持中小，服务东北，面向全国”的发展定位，努力打造“国内一流国际知名小额信贷银行”，在小额信贷领域形成了较强的竞争力。截至2015年12月31日，小额信贷余额人民币1118.941亿元，占全行客户贷款总额的75.3%。创新实施“本土化＋国际化”的小额信贷管理模式，研发“乾道嘉”系列品牌产品，探索推出符合国内经济特色并具有国际水平的小微金融核心技术，在国内银行机构中首家实现技术输出，确立了小额信贷标杆行地位。郭志文董事长、高淑珍行长分别荣获“全球微型金融领军人物提名奖”、“中国小额信贷年度人物奖”，多名员工荣获“微型创业城市信贷员一等奖”，成为全国金融机构小额信贷领军者之一。与法国沛丰、国际金融公司（IFC）、美国安信永、联合国开发计划署（UNDP）等多个国际组织开展战略合作，积极参与国际小额信贷开发项目，在国际上形成一定影响力。

哈尔滨银行不断开拓市场，深化金融创新，成为多项银行业务领域的市场领先者。是中国最早开展小额信贷业务的城市商业银行之一，是国内首家开展农村金融业务的城市商业银行。截至2015年12月31，在全国建立46个农村金融服务中心，农村金融业务覆盖黑龙江省10个市和5个农垦局的60余个国营农场及周边的700余个乡镇、5000余个村屯，“乾道嘉”助农e站1879家，成功推出国内首款农金业务APP－小易手机银行，截至2015年12月31日，小易手机银行用户数达到3.2万户，助农e站数量达到1,879个，较去年同期增长19%。

哈尔滨银行是中国东北地区首家获得外汇经营权的城市商业银行，全国银行间外汇市场人民币对卢布交易四家做市商之一，也是境内卢布现钞经营规模最大的银行，卢布现钞交易量占全国金融机构交易量的一半以上，被中国外汇交易中心评为最大进步新兴货币市场做市商。是境内卢布对人民币直接汇率的首家挂牌银行，形成的卢布汇率趋势分析是国家制定对俄金融政策的重要参考，并作为中俄总理定期会晤委员会金融合作分委会参会单位，为中俄合作发展发挥重要的金融纽带作用，荣获2015年《亚洲银行家》评选的中国最佳区域贸易金融银行大奖。同时，是中国东北地区拥有各种债券经营资格最全的城市商业银行，中国东北地区率先开展投行及同业业务的城市商业银行，“亚洲金融合作联盟”的三家牵头发起行之一，在2015年《证券时报》中国区优秀投行评选中获得“2015年度最佳城商行投行”称号。经过多年发展，哈尔滨银行逐步形成以小额信贷为核心，对俄金融、投资银行、财富管理、移动金融多项业务共同发展的经营格局，向

着集团化、多元化、特色化发展目标迈进。

哈尔滨银行以科学、稳健、协调发展为根本，注重加强经营管理，使发展的基础更加健康牢固，逐步走上规范化、标准化、科学化发展轨道。按照《商业银行法》、《公司法》以及监管要求，建立健全现代企业制度，完善法人治理结构。与德勤、普华永道等国际著名咨询公司合作，在公司治理、内控及全面风险管理、IT 系统和绩效考评体系建设等各方面进行大胆改革和有益探索，形成战略、机制、人员、风险全面管控的科学模式，树立了从严治行、规范发展的经营方针，打造了敬业、专业、职业、干净"三业一净"的员工队伍，逐步发展成为治理规范、定位清晰、特色鲜明、资本充足、团队精良、文化独特的金融企业，实现了长期稳定的低风险、高质效增长，经营指标在全国城商行中处于领先水平。

哈尔滨银行始终不忘企业的社会责任，坚持把支持经济社会事业发展作为自己义不容辞的责任，与世界知名品牌咨询公司合作开展了品牌建设与企业社会责任管理的研究，大力推进品牌创建和价值提升工作，确立了由"企业金融责任、企业环境责任和企业社会责任"三个责任系统为支撑的哈尔滨银行企业社会责任框架。先后斥资 500 多万元建立哈尔滨钱币博物馆、捐建黑龙江省抗联希望小学、成立"弘毅助学基金"和"温暖龙江基金"。出资 600 多万元支持哈尔滨市城市一卡通工程，分别向四川汶川及青海玉树地震灾区捐款 260 万元，以实际行动践行企业公民职责，树立了良好的社会形象。2015 年 3 月 30 日，哈尔滨银行发布了成立以来的首份企业社会责任报告，努力做好承担小额信贷事业的推动者、改善民生事业的践行者、投身社会公益的志愿者和环保绿色银行的建设者。哈尔滨银行被评为哈尔滨市第二十九届、三十届、三十一届劳模大会先进单位称号，第三十二届劳模大会模范单位称号，有三人次被评为全国劳动模范，获得全国"五一"劳动奖章。哈尔滨银行将坚定不移地走小额信贷特色经营之路，以惟惠之怀承社会之责，用至诚之心创至信之行，努力建设国内一流国际知名小额信贷银行，为中国金融事业发展和小康社会建设做出更大贡献。

【企业荣誉】

连续五次被中国银监会评为"全国小企业金融服务先进单位"。荣获《亚洲银行家》"中国最佳中小企业银行服务"国际大奖，是唯一获此殊荣的国内城商行，并赢得"最佳小企业贷款中小银行"等一系列荣誉。

2015 年《证券时报》中国区优秀投行评选中获得"2015 年度最佳城商行投行"称号。

荣获 2015 年《亚洲银行家》评选的中国最佳区域贸易金融银行大奖。

地址：黑龙江省哈尔滨市道里区尚志大街 160 号
电话：0451 － 86779933
传真：0451 － 86779829
网址：www. hrbb. com. cn

河北银行股份有限公司

【企业概况】

河北银行成立于 1996 年 5 月 28 日，是全国首批 5 家试点城市合作银行之一，由石家庄市区 48 家城市信用社组建为石家庄城市合作银行，1998 年 6 月和 2009 年 11 月，先后更名为石家庄市商业银行和河北银行。2012 年 6 月，省委、省政府为做大做强地方金融产业，将其纳入省级管理，成为全省唯一一家省属法人银行。截至 2016 年 6 月末，河北银行资产总额 2641. 28 亿元，较年初增长 19%；存款总额 1891. 69 亿元，较年初增长 16. 67；贷款总额 1105. 03 亿元，较年初增长 10. 48%。上半年实现净利润 12. 62 亿元，增长 10. 56%。上半年省内机构缴纳各项税费 5. 62 亿元。在英国《银行家》杂志公布的 2016 年全球 1000 家大银行中排名 371 位，较去年上升了 85 位，实现连年攀升。

一、主要股东及构成

1996 年发起设立时，主要股东为石家庄市财政局、华北制药等 25 家单位，注册资本 1. 59 亿元。此后，历经数次增资扩股及送配，目前注册资本为 50 亿元，其中国有股占 49. 45%、其他法人股占 47. 43%、自然人股占 3. 12%。相对分散的股权结构为公司治理和持续发展打下了良好基础。

二、机构及人员情况

截至 6 月末，已在河北省 11 个设区市和天津、青岛设立了 13 家分行级机构，营业网点达 220 家，并实现了环首都县域机构全覆盖。另外，2010 年还在平山县设立了平山西柏坡冀银村镇银行。目前全行正式在岗员工 4000 余人，其中本科及以上学历占比达 70%，拥有中高级职称人数占比超过 20%，队伍年龄结构、知识结构和专业结构持续优化。

三、服务地方经济情况

河北银行认真履行省属银行职责，落实省委省政府"冲在服务实体经济第一线"的要求，实现支持实体经济与自身发展的深度融合。

一是全力服务京津冀协同发展。按照京津冀协同发展战略部署，重点围绕产业转移、交通一体化和生态环境治理三个率先突破领域提供融资支持。到今年 6 月末，在上述领域授信余额 121. 44 亿元。去年以来累计向京昆高速、京新高速、京台高速等项目融资 69. 43 亿元；向保定高新区、首都第二国际机场临空经济区等产业承接平台和园区项目融资 101. 22 亿元；为华润新能源（木兰围场）风能有限公司等新能源项目授信 31. 75 亿元。同时，不断提升服务效率，对与京津冀协同发展战略紧密关联、单笔授信金额 5 亿元以上的重点项目，实行授信审批"直报"制度，使项目平均审批时间缩短到 4 天左右。

二是积极支持全省产业结构转型升级。到 6 月末，全行战略性新兴产业贷款余额 40. 86 亿元，较年初增长 18. 99%；绿色信贷余额 31. 41 亿元，较年初增长 10. 25%。积极压降高耗能、高污染和过剩产能行业授信，2014 年以来共压缩退出钢铁冶炼及压延、煤炭、水泥和平板玻璃行业客户 71 户、金额 48. 42 亿元；压缩退出钢贸、煤贸行业客户 99 户、金额 34. 5 亿元。

三是大力发展普惠金融。河北银行积极践行地方法人银行使命，努力扩大金融服务覆盖面，支持现代农业、县域镇域特色产业发展。到今年 6 月末，全行涉农贷款余额达 355. 43 亿元；机构布局持续向县域下沉，县域支行已达 80 家。同时创新小额担保贷款，专项支持下岗人员就业和大学生创业，累放贷款 6. 1 亿元。

四、创新发展情况

2013 年明确"一个转变，两条渠道，三驾马车"转型总体思路以来，不断加快推动转型发展，实施特色化、差异化经营，小微业务、零售业务和金融市场业务均取得了较快发展。

一是公司业务向投行化方向转型。除传统贷款业务外，已建立涵盖理财直接融资工具、债券承销、产业基金等在内的投行产品体系，累计实现融资规模超过 500 亿元，其中 2015

年实现融资规模 134.7 亿元，与当年新增公司贷款规模相当。2014 年，河北银行作为发起管理人成功发行首笔理财直接融资工具，成为全国第三家成功发行该产品的城商行。

二是小微业务向专业化、特色化方向发展。到 6 月末，小微企业贷款余额 427.28 亿元，占全部贷款的 39.93%。成立了全国首批小企业金融服务中心，并设立 27 家小微业务专营支行和 6 家科技支行，致力于打造小微金融和科技金融专业能力。根据小微客户融资特点，推出了年审贷、快速贷等 15 款小微特色信贷产品，实行阳光定价，除贷款利息外不收取任何费用，小微贷款平均年利率为 5.79%，打造了高效、实惠的小微信贷产品市场形象。已连续 5 年完成小微贷款“两(三)个不低于”监管指标。

三是零售业务向多产品、多渠道转变。到今年 6 月末，个人消费贷款余额 253.74 亿元，占全部贷款总额的 22.96%。基础客户 111 万户，管理个人客户总资产达到 1023.13 亿元。不断丰富资产负债产品服务，研发了个人大额存单，推出了开放式、净值型理财产品，客户投融资渠道更加丰富。移动金融和互联网金融布局加快，去年实现了省内首家直销银行“彩虹 Bank”上线运行，直销银行客户数已超过 20 万户。手机银行、微信银行和网上银行的消费支付、便民缴费等功能也在持续优化，个人网上银行、手机银行客户数分别达到 63 万户和 58 户，电子银行市场业务自营规模 787.66 亿元，占全行资产比重的 29.82%；理财业务规模 581.8 亿元，较年初增长 10.82%。

四是金融市场业务创新和投研能力实现较快发展。金融市场业务实行事业部制 3 年多来，实现了前中后台分离、专业化运营的管理模式，并建立起授信审批、风险限额管理、IT 系统控制等完备的风险管控体系。陆续获得信贷资产支持证券、理财管理计划、衍生品交易、黄金询价交易等一批新业务资格，通过这些金融工具的综合运用和全市场要素整合，拓宽了盈利空间。

五、风险管理情况

河北银行始终坚持“稳健、审慎”的经营理念，持续强化主动风险管理，确保了全行安全运营。在信用风险防控上，紧跟产业经济发展方向，动态调整授信政策；持续完善贷前调查和贷后管理，加大不良清收处置力度，实现了信用风险总体可控。在流动性风险防控上，充分利用资产负债管理系统对流动性指标及时监测；通过强化资产负债管理，对资产负债总量、结构和期限错配合理安排，有效防范了流动性风险。在信息科技风险防控上，2011 年在廊坊设立异地数据级灾备中心，2014 年完成了全部系统的同城灾备建设。去年启动了秦皇岛异地应用级灾备中心建设，目前系统进入试运行阶段。在案件风险防控上，对柜面业务、授信业务等风险易发环节及员工参与经商、非法集资等日常行为进行深入排查，并利用审计管理系统及时监测，进一步增强了案件防控能力。

六、企业文化及获得荣誉

河北银行高度重视企业文化建设，将“以卓越的金融服务，助企业发展，增居民福祉，促社会繁荣”作为自身使命；把“为股东提供可持续的丰厚回报，为客户提供更为优质高效的服务，为员工提供更多的发展机会，做有责任感的企业公民”作为企业价值主张；强调“责任心、团队、高效率”的核心价值观；推出了“朋友金融知心致行”的品牌理念。同时积极履行社会责任，开展了“捐资助学”“助听圆梦”等多项社会公益活动，并正在着手设立“河北省冀银公益基金会”。多年来，在提供优质金融服务和提升经营管理水平的同时，也获得了社会各界的认可，先后获得“全国文明单位”、“全国小微企业金融服务先进单位”、“河北省金融贡献奖”等多项荣誉。

七、发展愿景

河北银行将不断发挥地方法人金融的引领作用，以打造环渤海区域领先的公众银行为目标，持续提高服务地方经济的承载能力，助中小企业发展，增广大市民福祉，促社会繁荣，为建设经济强省美丽河北、助力京津冀协同发展做出应有的贡献。

地址：河北省石家庄市平安北大街 28 号

邮编：050011

网址：www.hebbank.com

客服电话：400－612－9999 或 0311－96368

徽商银行股份有限公司

【企业概况】

徽商银行是经中国银监会批准，全国首家由城市商业银行、城市信用社联合重组成立的区域性股份制商业银行，总部设在安徽省合肥市。1997 年 4 月 4 日注册成立。2005 年 11 月 30 日更名为徽商银行股份有限公司。2005 年 12 月 28 日正式合并安徽省内芜湖、马鞍山、安庆、淮北、蚌埠 5 家城市商业银行，及六安、淮南、铜陵、阜阳科技、阜阳鑫鹰、阜阳银河、阜阳金达等 7 家城市信用社。2006 年 1 月 1 日正式对外营业。2013 年 11 月 12 日，本行在香港联交所主板挂牌上市。本行经安徽银监局批准持有机构编码为 B0162H234010001 的金融许可证，并经安徽省工商行政管理局批准领取注册证 340000000026144 号营业执照，注册地址为中国安徽省合肥市安庆路 79 号天徽大厦 A 座。截至 2015 年末，本行注册资本人民币 110.50 亿元。

本行主要经营范围包括在中国吸收公司和零售客户存款，利用吸收的存款发放贷款，以及从事资金业务，包括货币市场业务，投资和交易业务及代客交易等。截至 2015 年 12 月 31 日，徽商银行在岗员工 7,647 人；除总行外，本行设有 17 家分行及 327 个对外营业机构(包括 7 家分行营业部和 320 家支行)，593 家自助服务区。本行有三家附属公司，即徽银金融租赁有限公司、金寨徽银村镇银行有限责任公司、无为徽银村镇银行有限责任公司，并参股奇瑞徽银汽车金融股份有限公司。

本行坚持“服务地方经济、服务中小企业、服务广大民众”的市场定位，业务持续较快发展，综合实力逐步增强，经营管理水平稳步提升，规模、质量、效益协调发展，树立了“地方银行”、“市民银行”和“中小企业银行”的良好社会形象，已经成为安徽省内乃至全国银行业具有较高知名度和一定影响力的区域性商业银行。得到了社会各界的充分肯定和广泛赞誉，入选英国《银行家》杂志“世界银行 1000 强”前 200 位，排名 191 位，比上年提升 3 位。

【企业文化】

一、愿景

创一流品质　建百年徽银

二、使命

成就客户梦想　创造股东价值

促进员工发展　承担公民责任

三、核心价值观

诚信　稳健　创新　和谐

四、理念

1. 经营理念：与市场同行与客户共赢

2. 管理理念：系统规范精细超越

3. 风险理念：审慎、理性、稳健的风险偏好设定

分层、分离、整合的风险治理结构

前瞻、客观、专业的风险度量管理

主动、量化、持续的风险管理实施

4. 服务理念：亲和　高效　专业

5. 人才理念：吸引有志之才　培育可塑之才　使用胜任之才

五、作风

正直　勤勉　协作　进取

【企业荣誉】

2015 年安徽省十大服务行业居民满意度调查中获评［银行业第一名］

2015 年获 2014 年度银团贷款最佳发展奖

2015 年金融人力资源工作最佳奖

2015 年全国银行业金融机构小微企业金融服务先进单位

2015 年最具发展潜力银行

2015 年获 2014 年度全省内审宣传先进单位

2015 年获 2015 中国（安徽）最佳直销银行

2015 年获 2014 年执行人民银行有关规定综合评价最高等级 A 类

2015 年获 2014 年度中国债券市场资产支持证券优秀发起人

2015 年获安徽省 2014 年度政风行风民主评议中，公共服务单位位列第二，参评金融机构位列第一

2015 年获 2014 年债券市场优秀自营商

2015 年中国银行业法律风险管理先进单位

2015 年获 2014 年度银行间本币市场交易 100 强，且在商业银行类成员中位列前 30 名

2015 年全国银行间外币对市场（G7）20 强

地址：合肥市安庆路 79 号徽商银行大厦

邮编：230001

24 小时客户服务电话：4008896588

安徽省内客户可直拨：96588

网址：www. hsbank. com. cn

吉林银行股份有限公司

【企业概况】

吉林银行股份有限公司（简称吉林银行）成立于 2007 年 10 月，目前在吉林省内 9 个市州和大连、沈阳拥有 11 家分行，共 357 个营业网点，在吉林省内及域外发起设立 10 家村镇银行及一家贷款公司，与一汽财务公司合资设立一汽汽车金融有限公司。

吉林银行自成立以来，通过增资扩股、引进国际战略投资者、跨区域发展，努力转变增长方式，走差异化、特色化发展道路，建设新一代核心业务系统，构建先进的人力资源管理体系，努力打造金融服务品牌，着力推进小微金融业务和零售业务发展，各项业务取得长足进步，资产规模和盈利能力已跻身全国城市商业银行前列，公司价值与品牌影响力不断提升。

吉林银行支持地方经济建设，服务百姓生活，积极参与社会公益活动，将成长的价值体现于自觉的责任担当。几年来先后被评选为“中国城市金口碑服务银行”、“中国中小企业首选服务商”、“全国金融系统企业文化建设先进单位”等，小企业金融服务中心荣膺“中国中小企业创新服务先进机构”，吉林银行所辖五家支行荣获“2014 年度中国银行业文明规范服务千佳示范单位”与“中国银行业文明规范服务五星级营业网点”称号，吉林分行荣获第四届全国文明单位称号，成为吉林省内唯一一家获得全国文明单位荣誉的金融机构。

2012 年 4 月，吉林银行加入亚洲金融合作联盟，并被推选为亚洲金融合作联盟副主席单位；2016 年 7 月，吉林银行在英国《银行家》杂志全球银行 1000 强评比中跃升至第 298 位，比 2015 年上升了 9 个位次，比 2014 年上升了 24 个位次，首次跻身于前 300 位。

吉林银行将秉承“一起成长、一起分享”的核心价值理念，以机构改革为契机，稳步推进小微金融、个人金融、综合金融服务、全面风险管理、创新发展、人才兴行、上市七大战略，完善公司治理，营造良好企业文化，建立适应新常态经济环境的体制机制，努力创造上市经营条件，围绕打造一流股份制商业银行的目标，坚持创新发展、经营转型、管理提升，打造中国价值领先银行，把吉林银行建设成为“使员工成长、让客户信赖、为股东增值、尽社会责任”的现代商业银行。

【企业文化】

企业愿景：成为资本充足、内控严密、产品创新、服务优质、效益良好、具有较强核心竞争力的现代金融企业。

企业使命：使员工成长　让客户信赖　为股东增值　尽社会责任

地址：中国长春市东南湖大路 1817 号

邮编：130033

网址：www. jlbank. com. cn

晋商银行股份有限公司

【企业概况】

晋商银行股份有限公司（简称晋商银行，英文 JINSHANGBANKCO.，LTD）经中国银监会批准于 2009 年 2 月 28 日正式挂牌成立，是一家总行设在山西太原的股份制商业银行。

晋商银行成立以来，在山西省委、省政府的正确领导下，始终以客户为中心，秉承“诚信、创新、实干”的企业文化，聚焦“转型、风控、发展”三个重心，立足“区域化发展、差异化竞争、综合化经营、网络化服务”四个方向，按照“责任，坚持，落实，效果”的经营理念，持续调整业务结构、持续改变业务增长方式、持续提升业务竞争力、持续推进业务创新，各项业务稳健发展。

截至 2015 年末，我行资产总额突破 1500 亿元，存款突破 1000 亿元，各项贷款达到 650 亿元。七年间，综合经营效益稳步提升，利税连年递增，形成了以“盈”系列理财产品、“卡易贷”等为代表的多元化明星产品，且不断受到广大客户的好评，本着“赢在服务”的服务理念，晋商银行树立了低风险、快增长、高效益的良好社会形象，成为山西百姓喜爱的银行。

经过七年的壮大发展，我行已基本实现对全省中心城市的全覆盖。践行普惠金融理念，包括社区银行在内的 121 家物理营业网点，分布于城镇社区，网上银行、手机银行、微信银行、直销银行使居民足不出户就能享受到便捷的服务。

晋商银行持续发展受到了公众和业界的高度关注和认

同。从 2010 年起，我行连续五年跨入全球前 1000 家银行行列，进入银监会监管评级二级行行列，先后被评为"中国城商行最具竞争力民族品牌"、"中国最具竞争力中小银行"、"山西省功勋企业"等，获得"山西省五一劳动奖状"。

不忘初心，在"十三五"战略机遇期，晋商银行将扛鼎振兴山西金融的使命，牢牢把握转型、改革、发展的工作方针，以做大做强晋商银行为目标，顺势而为，在支持区域经济发展中提质增效，在践行普惠金融理念中赢得市场。

【企业文化】

"诚信、敬业、守纪、和谐、创新、发展"。"诚信"就是要引导大家牢固树立企业经营诚信为本的思想，发扬晋商先辈以义制利、义利相济的优良传统，恪守商业道德，践行社会责任；"敬业"，就是要引导大家牢固树立遵纪守法、合规经营的思想，自觉学习相关法律法规，严格遵守各项经营管理制度，严以律己，坚持原则，坚决避免出现差错和漏洞，坚决杜绝盲目经营、随意操作等问题发生；"和谐"，就是要引导大家牢固树立"一盘棋"的思想，自觉维护系统、集体和单位内部团结，自觉为晋商银行的改革发展出主意、想办法，心往一处想、劲往一处使，齐心协力，共同创业；"创新"，就是要引导大家牢固树立锐意拼搏、开拓进取的思想，不因循守旧，不固步自封，不小进即满，开阔视野，超前思维，勇于和善于接受新理念、树立新思想、不断创新机制、创新业务品种、创造新的业绩；"发展"就是要引导大家牢固树立安全稳健、快速发展的理念，在安全运营的基础上，加快机构网点的设置，加快新产品的开发，加快服务功能的完善，实现规模的快速扩张。

地址：山西省太原市长风西街丽华大厦 A 座

电话：0351－6819565

网址：www. jshbank. com

昆仑银行股份有限公司

【企业概况】

2006 年 6 月 6 日，克拉玛依市商业银行成立。

2009 年 4 月，在服务国家能源安全和西部大开发战略背景下，在中国石油发展金融业务决策部署下，中国石油天然气集团公司增资控股克拉玛依市商业银行。2010 年 4 月，克拉玛依市商业银行更名为昆仑银行。寓意磅礴发展的"昆仑"商号为银行注入了强大的品牌价值。

成立之初，昆仑银行确立了坚定不移走产融结合特色化发展道路，依托能源、扎根当地、提升品质、改革创新，致力于建立特色鲜明、富有活力的优秀商业银行。

昆仑银行依托股东优势和区位优势，突出发展公司业务，大力发展零售业务，积极发展国际业务，稳健发展金融市场业务，按照"立足新疆、依托能源、面向全国、走向国际"的发展布局，将市场拓展到了北京、黑龙江、陕西、四川及石油天然气富集区产业链等省区市以及伊朗等国家，在四川乐山和新疆塔城开办了 2 家村镇银行，营业网点 70 余个，为客户提供了多元化、特色化的金融产品和服务。经过近十年的发展，昆仑银行产融结合特色初具规模，综合实力持续增强，从一家小型区域性城商行逐步发展成为跨区经营、具有一定国际影响力的特色商业银行，资产规模迈入全国城市商业银行前列，是近年来国内成长最快的银行之一。

未来的昆仑银行将强力推进产融结合发展战略，着力提升核心竞争力，谋求有质量有效益可持续发展，努力在产融结合领域探索出一条特色化的发展之路，努力建设能源领域最具竞争力的商业银行。

【企业荣誉】

2015 年 1 月昆仑银行连续第三次获得"全国银行间本币市场 100 强"的荣誉，位列第 54 名。同时，选送的交易员李皓获得 2014 年度优秀交易员奖项。

2015 年 2 月 7 日昆仑银行产融结合信息平台顺利投产上线。

2015 年 2 月中央国债登记结算公司公布了《关于发布 2014 年度中国债券市场优秀成员评选结果的通知》，昆仑银行再次荣获"优秀自营商"的荣誉，总排名位列第 46 名，在城商行中位列第 16 名，继续保持市场排名稳定。

2015 年 2 月昆仑银行在中国银联新疆分公司举办的 2014 年度新疆银行卡受理市场发展竞赛中，以优异的成绩获得"2014 度年银联卡风险防范进步奖"、"2014 年度新疆区域性银行银行卡跨行交易技术运营优胜单位"两项集体奖项。

2015 年 3 月 31 日昆仑银行与万达集团在北京签署战略合作协议。

2015 年 3 月昆仑银行大庆分行营业部被中华全国总工会授予"全国五一巾帼标兵岗"荣誉称号。

2015 年 5 月昆仑银行获得"2014 年度新疆银行业小微企业金融服务先进单位"。

2015 年 5 月昆仑银行荣获中国银监会和中央国债登记结算公司授予的"2014 年度全国银行业理财信息登记工作进步奖"称号。

2015 年 8 月 2015 年第 8 期《当代金融家》杂志以大版面刊登我行战略投资与发展部的研究成果《2015 年 TOP50 中国银行业大比较》。

2015 年 9 月 9 日昆仑银行首笔全流程线上办理的商信通贷款业务成功落地。

2015 年 9 月 11 日由《当代金融家》杂志社、刘鸿儒金融教育基金会主办的第四届中国中小银行高峰论坛在北京召开，一百多家银行机构参加。会上，昆仑银行获得"最佳特色银行奖"、"最佳金融科技安全奖"。

2015 年 10 月 20 日客户世界年度大会暨第十一届"金耳唛杯"中国最佳呼叫中心颁奖典礼在北京举行。昆仑银行运营服务中心客服中心荣获"金耳唛杯"中国最佳客户中心称号。

2015 年 12 月 25 日昆仑银行被评为 2015 年度法人金融机构统计优秀单位。

2015 年 12 月昆仑银行在中国金融认证中心（CFCA）举办的"第十一届中国电子银行年会"上获得"2015 年区域性商业银行最佳网上银行奖"。

地址：北京市西城区金融大街一号金亚光大厦 B 座 1 层

邮编：100033

电话：010－89026782

传真：010－63949491

网址：www. klb. cn

内蒙古银行股份有限公司

【企业概况】

内蒙古银行（前身为呼和浩特市商业银行）成立于 1999 年 11 月 19 日，是经中国人民银行批准，由呼和浩特市地方财政、原呼和浩特市 13 家城市信用社股东和其他企业法人共同以发起方式设立的股份制商业银行。2009 年末，经中国银监会批准，更名为内蒙古银行股份有限公司。更名以后，经营规模不断壮大，综合实力显著增强，为自治区经济发展发挥着越来越积极的作用。

一、机构和人员情况。截至 2016 年三季度末，我行机构总数已达 118 个，包括总行机关、10 家分行（含营业部）、106 家支行和 1 家小企业金融服务中心。其中，区外在哈尔滨设 1 家分行，区内设 9 家分行，分别是呼伦贝尔分行、兴安盟分行、通辽分行、锡林郭勒分行、乌兰察布分行、包头分行、乌海分行、呼市分行和总行营业部。员工总数 3067 人，其中大专及以上学历人员 2958 人，占比 96.45%，有中高级职称的 455 人，占比 14.84%。

二、业务发展整体情况。截至 2016 年三季度末，全行资产规模达到 1,031.43 亿元。各项存款余额 711.87 亿元，较年初增加 47.07 亿元，增幅 7.08%。各项贷款余额 453.69 亿元，较年初增加 25.59 亿元，增幅 5.98%。截止到 2016 年三季度末，实现拨备前利润 7.82 亿元，较上年同期增加 1.26 亿元，增长 19.2%。实现税后净利润 3.97 亿元。

三、公司治理及股权结构情况。严格按照《公司法》、《商业银行法》等法律法规要求建立“三会一层”的公司治理架构，股东大会、董事会、监事会和经营层各司其职、互相配合、协调运作。目前，我行董事会设立了薪酬与提名、风险管理、关联交易控制、战略、审计和信息科技管理 6 个专门委员会；监事会下设审计和提名 2 个委员会；经营层设立了信用审批、风险管理、资产负债管理、产品创新、绩效考核管理、财务审查、招投标管理、专业序列岗位任职资格评审、理财投资决策 9 个专门委员会，并按照前、中、后台分工的不同设立了 25 个职能部室。目前，我行总股本 31.2 亿股，其中：自治区财政厅 3.64 亿股；法人股 27.28 亿股；自然人股 0.28 亿股。

四、蒙银村镇银行情况。截至 2016 年三季度末，我行共主发起设立 31 家村镇银行，区内 22 家，区外 9 家，在国贫、省贫旗县设立 11 家。31 家村镇银行资产总额达到 319.84 亿元，负债总额 285.20 亿元。

近年来，内蒙古银行紧紧抓住“扩大内需、提高创新能力、促进经济发展方式转变”这一新机遇，积极调整优化信贷结构，加大力度支持自治区重大项目、中小企业、县域经济、非公有制经济、三农三牧等领域；下沉机构，把服务触角延伸到旗、县填补金融服务空白区域；创新金融产品，改进服务手段，提供优质高效金融服务；深入基层，广泛征求意见，倾听群众客户心声，切实解决问题，不断提高为客户、员工、股东谋福利的能力。

新的征程已经开始，在经济金融形势复杂的背景下，内蒙古银行改革不停顿，发展不止步，将积极支持自治区经济结构调整和转型升级，扩大规模，创新产品，夯实基础，优化服务，肩负服务城乡居民、支持地方经济的重任向一流城市商业银行果敢迈进。

【企业文化】

一、企业宗旨：服务客户回报股东增益社会泽惠员工

二、企业愿景：做实做强，打造国内一流的城市商业银行

三、企业核心价值观：诚信恒久创新致胜

四、企业精神：专注于心高效于行

五、经营理念：夯实基础增强能力快速扩张差异化发展

六、服务理念：客户至上服务至优

七、用人理念：因材施用因才发展

八、安全理念：科学管理防控风险

地址：呼和浩特市赛罕区腾飞南路 33 号

客服电话：40005 - 96019

总行电话：0471 - 5180111/222

传真：0471 - 5180333

网址：www.boimc.com.cn

齐鲁银行股份有限公司

【企业概况】

齐鲁银行成立于 1996 年 6 月，是山东省首家、全国第 4 家与外资银行——澳洲联邦银行实现战略合作的城商行，中国银行业协会城市商业银行工作委员会常委单位。2015 年 6 月 29 日，成功在全国中小企业股份转让系统（俗称“新三板”）挂牌，成为全国第一家挂牌新三板的商业银行，证券代码 832666。

乘金融改革风潮，齐鲁银行三易其名，从“济南城市合作银行—济南市商业银行—齐鲁银行”，历经“做实风险防控、改革组织机构、有效提升管理、转型接轨新金融”风雨考验与躬身实践，以“全心全意服务小微企业和社区居民”为宗旨，逐渐发展为一家社会关注、客户认可、价值提升的现代金融企业。截至 2016 年末，总资产 2058.73 亿元，存款 1458.23 亿元，实现净利润 16.38 亿元（未经审计）。

齐鲁银行秉承“根植济南、立足山东”的发展理念，机构拓建和区域影响力持续增强，辖有天津、青岛、聊城、泰安、德州、临沂 6 家分行。2004 年与澳大利亚四大银行之一——澳洲联邦银行（CBA）实现战略合作，发起成立了章丘齐鲁村镇银行，对外投资济宁银行和德州银行两家城商行，是济宁银行的战略投资者，全行网点数 131 家，在岗员工 2700 余人，平均年龄 32 岁，是一家富有朝气和活力的成长型中小金融机构。全行陆续搭建了“银企家园”、“泉家福”、“小快通”、“泉心 e”等业务品牌，继“银企家园”荣获“首届中国地方金融十佳特色产品奖”、“齐鲁金万通”在第二届服务中小企业及三农双十佳金融产品评选活动中荣获“服务中小企业及三农十佳特色产品奖”后，“协会（商会）担保池业务”获得山东省现代化管理创新二等奖，“泉心 e”网上银行凭借良好的客户体验和客户签约数量的快速增长，赢得“2013 年区域性商业银行最佳网上银行业务拓展奖”。

服务小微，服务实体经济，做出特色，体现担当。齐鲁银行引进德国储蓄银行微贷技术，给予中小、小微企业最优质便捷的服务。2013 年成立小微企业金融中心，开发创业贷、经营贷、季节贷、灵活贷等专属信贷产品，对济南服装市场、茶叶市场、汽配市场、水产市场等小微企业集群地开展批量金融服务。以中小企业客户需求为出发点，相继推出了担保池、1 + N 联贷通、诚信贷、市场园区社团组织整体授信、劳动密集型小企业贴息贷款、工程机械车贷款、订单融资等新型业务。设立“科技金融特色支行”，致力打造科技金融服务品牌，开展了知识产权质押融资，有效支持中小型知识密集型企业创业展业。根据供应链企业的特点，开发了订单融资、商票保贴等供应链金融产品，针对客户结算特点开发了 POS 商户贷款、法人账户透支等业务。积极创新服务模式，发起成立了以银行和中小企业为主体的民间组织——济南市银企协会，“鼓励轻松创业，支持做大做强；银企互利共赢，壮大地方经济”，得到了企业家的积极响应与广泛参与，拥有 1000 多家会员。

“最后一公里”是齐鲁银行提出发展社区银行业务、打造“大零售”银行的发展目标并付诸实践。明确了“向社区银行业务转型，向小微企业金融服务转型，向小型化、智能化、便民

化网点转型”，为广大客户提供近在“家门口”的贴心服务，成为“您身边的好邻居”。以“大零售”转型为契机，齐鲁银行积极打造社区居民的金融管家，将服务网络延伸至居民家门口。2013 年 5 月 31 日，齐鲁银行成立了山东省首家金融便利店，人工服务延长至夜晚 9 点，成为夜空下一道亮丽的风景线。以 220 万零售客户为基础，齐鲁银行将水、电、暖、气等十余项公共事业服务、养老金代扣代发业务实现一站式缴费服务，成为全省居民基础生活代理业务量最多、项目最全的银行。积极响应广大客户的金融服务需求，推出了齐鲁卡自动理财、存款利率上浮、网上银行、手机银行、网上商城、支付宝快捷支付等一系列惠民便民的产品和服务。并针对高净值客户，推出了齐鲁贵宾卡、白金卡、专属定制理财等产品，客户规模不断扩大，品牌影响力持续提升。

“泉心理财”系列产品，整合金融投资、财富管理、渠道服务，具有投资稳健、团队专业、品种多样、期限灵活等特点。投行业务通过加强与同业机构的合作，为客户搭建便捷的非信贷融资渠道，提供了类别丰富、收益丰厚的金融投资产品。实物黄金产品作为特殊的金融产品，丰富了理财服务项目，为客户资产保值增值提供更多选择。除传统的纸质票据外，齐鲁银行为企业客户提供电子票据服务，具有安全防伪、便捷高效等特点。国内权威金融理财市场服务机构“普益财富”发布 2013 年第 4 季度《银行理财能力排名报告》，齐鲁银行综合理财能力再创佳绩，综合排名位列全国城商行第 7 位、山东省第 1 位，在风控能力、理财服务丰富性、信息披露规范方面表现瞩目。

山东省首家直销银行于 2015 年 6 月正式上线，电子银行品牌“泉心 e”，涵盖网上银行（ebank. qlbchina. com）、手机银行（wap. qlbchina. com）、电话银行（40060—96588）、微信银行、短信服务、自助银行、网上支付、自助开卡等电子交易渠道体系，突破了时间、空间的限制，实现了“3A”式全天候服务，为持卡客户提供了便捷、高效的 24 小时不间断自助服务。成功开通了银联在线支付服务，与支付宝、财付通等多家第三方支付机构建立快捷支付业务合作关系。紧跟金融互联网和移动支付业务的浪潮，积极推进移动营销平台、远程视频银行建设，切入新世代和新族群的小众呼应，全心全意成就客户需求。

作为山东省首家开办国际业务、首家获得跨境贸易人民币结算资格的银行，以高起点规划经营国际业务，积极推进本外币一体化经营管理，大力支持区域内外向型企业，致力于成为“您身边的国际业务专家”，打造了跨境人民币、国际结算、贸易融资、外汇资金、代理行服务等完善的业务体系。自 2002 年开办国际业务以来，发挥自身优势，在多家境外知名银行开立账户，加快收汇速度，确保资金安全，与全球 100 多个国家和地区的 10000 多家银行建立了代理行关系，形成多地区、多层次、多币种的代理行通汇关系和账户清算网络。积极推行分支机构分散受理、总行集中审核处理的“单证中心”业务处理模式，为客户提供更加便捷、专业的国际结算业务服务。不断丰富和完善国际业务产品线，先后推出了“齐鲁泉汇通”和“齐鲁泉智结”两大国际业务品牌。“齐鲁泉汇通”着力解决中小企业国际贸易融资问题，涵盖了多种国际贸易融资产品和产品组合；“齐鲁泉智结”以全面的结算方式，灵活快速的结算效率，为中小外贸企业提供快捷、安全、专业的一站式全方位国际结算服务。

发展中的风雨使我们学会了稳健，经营中的挫折使我们懂得了防范。齐鲁银行强化内部治理，全面完善风险管理，从机制、制度、流程、技术、人员等全方位提升风险管理水平。强化全面风险管理，全面搭建起“总行—分行（管辖行）—支行”的三级管理架构，通过在管辖行配备专管营销、运营的副行长，实行风险总监总行派驻制，推行会计主管委派制，实行客户经理、风险经理平行作业等方式，增加了风险防控的层级，强化了对风险的集中管控，增强了内控能力。借助内外部检查，搭建了“三内三外”、“一防一控”的立体化风控体系。以内部专项检查、重点领域排查、内部审计和外部银监局、人民银行、审计机构的监督检查为手段，全面的内部控制体系为依托，严抓案件防控，形成立体化风险防控体系。开发上线信贷风险监控系统、押品管理系统、风险预警系统、审计管理系统等系统，持续提升技防能力。有效运用小企业现金流、大中企业财务趋势、账户冻结预警系统，及时锁定，快速化解风险隐患。通过分层培训、加大风险条线人员配置、严格问责机制、全面落实岗位交流轮换制度和“四眼原则”等方式，持续提升员工素质，培育正向风险文化。在严格的问责震慑下，员工风险意识、合规意识显著增强，制度执行力普遍提高，业务合规性取得较大进步，合规经营的文化逐步形成。

力行“为才搭台、育才提升”的做法，在人员引进和培养上，广开思路差异化招聘，采取校园招聘、专业招聘等方式多渠道、全方位、有针对性地补充人员缺口，探索建立管培生制度。以“任人唯贤、德才兼备”为标准，坚持“公平、公正、公开、透明”的选人用人机制，聘请外部评委参与用人选拔，启用能力强、素质高、踏实敬业、有思路、有干劲、有担当员工担任重要岗位，通过选人用人方式的科学转变，优化了人员的结构配置，搭建了各层次的人员发展平台。优化薪酬体系，建立收入与贡献度相匹配、不同序列有序区别、在同业具有竞争力的薪酬体系，做到薪酬留人。开展优才计划，强化柜员团队建设，开展“寓赛于训”的培训模式，组织营业室主任突击换岗，找问题、促管理，提升管理水平。以赛促学，举办柜面业务知识竞赛，激发条线活力，提升柜员业务学习能力。创建业务专家团队、飞行检查团队和服务内训师团队，精心打造三支业务精英团队，培育柜员层级积极向上文化氛围。在 2012 年济南市支付清算知识竞赛中荣获二等奖，在 2013 年山东省首届支付清算杯知识竞赛中荣获三等奖，包揽 2013 年山东省反洗钱知识竞赛团体和个人一等奖。

泉，甘甜水也，济南象征，泉融万家，带来甘甜的美好寓意。齐鲁银行始终以客户为中心，紧随外部环境的发展变化，走外延和内涵并举的特色经营之路。

一个核心目标——做大做强齐鲁银行；

两条工作主线——“突破发展”和“战略转型”；

三个能力提升——提升风险管控能力、信息科技服务能力、人力资源管理能力；

四项战略特色——放大营销能力、放大法人功能、加大市场粘度、发挥省会优势；

五个转变——业务管理模式由部门银行向流程银行转变；

资本配置模式由信贷计划主导向经济资本预算管理模式转变；

服务渠道从物理网点为主向物理网点与电子渠道相结合，多渠道功能互补、协调联动转变；

盈利模式由主要依靠存贷利差向收入结构多元化转变；

网点由传统的业务操作型向以服务、营销为主的零售营销服务型转变。

齐鲁银行以齐鲁为本土、以济南为主战场，实现业务覆盖全省，网点覆盖山东重点城市，并向更广阔资本市场挺进，成长为资产优质、管理精细、经营高效、品牌形象最佳、在省内最具影响力城商行。

齐鲁银行，在您身旁。

地址：山东省济南市市中区顺河街 176 号

电话：0531－86075850

传真：0531－81915514

邮箱：boardoffice@ qlbchina. com

网址：www. qlbchina. com

青岛银行股份有限公司

【企业概况】

1996 年 11 月，经中国人民银行批准，青岛银行作为我国首批设立的城市商业银行之一，在美丽的黄海之滨、中国品牌之都青岛成立，是山东省资产规模最大的城市商业银行。

肩负探索地方金融改革发展、推动地方区域经济发展的历史使命，从青岛城市合作银行—青岛市商业银行——青岛银行，历经“逆境中求生存、调整中求发展”的涅磐新生，特别是 2010 年以来以“达到上市银行的规范和标准”为发展目标，青岛银行坚持改革创新，坚守风险底线，加强管理，加快发展，逐步成长为治理完善、运营平稳、指标良好、核心竞争力不断提升的现代金融企业。

自 2001 年海尔集团入股至今，青岛银行开展多轮增资扩股，积极引入国内外优秀投资者，并以此为契机不断完善股权结构和公司治理机制。截至 2014 年末，总股本为 25. 56 亿股，总资产为 1561. 63 亿元。按照总资产计算，青岛银行 2014 年入围英国银行家杂志（TheBanker）世界银行 500 强，位居 474 位。

伴随青岛市及山东省经济的快速发展，在广大客户和社会各界的关心支持下，青岛银行保持了快速健康的良好发展势头，经营规模不断壮大，经济效益持续提升，资产质量稳步改善。截至 2014 年末，各项存款 1044 亿元，各项贷款余额 630 亿元。

根据本行制定的跨区域发展战略，青岛银行稳步拓展经营网络，由一家城市商业银行成长为具有一定竞争优势和影响力的区域性商业银行。目前已在青岛、济南、东营、威海、淄博、德州、枣庄、烟台等八城市设立 79 家分支机构，65 家自助银行，358 台自助设备，员工 2500 余人。本行在全国城市商业银行中率先（2011 年 3 月）成立私人银行暨财富中心，为高净值客户提供公私一体、投融资一体、境内外一体的专业性、创新性和专属性的金融服务。本行建立了网上银行（www. qdccb. com）、电话银行“400－66－96588（全国）”和“96588”（青岛）、短信通等多种便捷、优惠的服务渠道，与全球各国家和地区的 580 多家银行机构建立了代理行关系，为客户提供优质高效的金融服务。

青岛银行牢牢把握地方经济发展脉搏，充分发挥自主、灵活、快捷和本土化的特点，积极探索经营管理改革创新之路，在竞争激烈的银行业中持续快速成长，逐步脱颖而出。在经营管理上，开展“今天我发现”、“本周我巡视”、“每月我总结”管理创新活动，通过每天由全行员工提出建议和意见、每周由行领导带队巡视一线、每月由各单位负责人总结工作做出计划，极大地提升了基础管理水平；大力倡导“领导关爱员工、总行关爱一线”的文化理念，开展关爱、服务、风险、执行力等主题文化建设，有效激发全行发展活力，增强全行发展合力；启动“归巢计划”、“伯乐计划”、“蜡烛计划”等员工队伍建设计划，鼓励全行人员为青岛银行发现人才、推荐人才、培养人才；推出虚拟支行、内控评审、“五个三工程”等特色风控管理模式，多年来无案件发生，2007 年以来监管评级连续多年为二级（国内最好水平）；建立完善大堂经理、理财经理、财富管理三大服务团队，推广“两头站立、五声服务、双手接递”三大标准服务，实施“技能练兵＋持证上岗”两层考核模式，引进一流专家提供“1＋1＋N”增值服务，形成了“无处不在的人文关怀”网络，努力为客户提供“温馨加放心”的优质金融服务。在产品创新上，持续推出让利于民、服务客户、服务本地举措，率先执行存款基准利率上浮 10% 政策，积极推广结构性订单融资、关保通、链式金融等贸易融资业务，与青岛科技局合作推出以创新型中小企业为主要服务对象的科技金融服务模式，与青岛团市委合作推出支持青年就业创业贷款“青易贷”业务，根据文化创意企业实际情况提供方便、快捷、一站式服务及金融支持，与青岛市红十字会联合推出公益银行卡品牌“金桥微尘卡”，独家承办下岗失业人员担保贷款，针对“三农”相继推出养殖户担保贷款、渔船抵押贷款、种植户担保贷款等，做信贷“及时雨”解资金“旱情”，先后投入数千亿信贷资金，支持居民购房、就业、创业，推动地方经济社会发展。

产品是船，品牌是帆。青岛银行高度重视品牌建设，开展的系列品牌活动以其有声有色、富有成效而广受社会各界关注。2010 年，青岛银行实施了 VI 换标，以红色为主、蓝色为辅的新品牌标识简洁典雅惹人瞩目，热情亲和的新型服务理念有效传递了青岛银行品牌的全新定位。2012 年，凭借日益提升的服务水平和社会影响，青岛银行成为 2014 青岛世界园艺博览会唯一合作银行，并在国内率先推出绿色环保主题金融 IC 卡。通过冠名 2012 亚洲羽毛球锦标赛、连续冠名青岛国际啤酒节等世界级赛会平台，有效地提升了品牌影响力。同时加强知识产权管理，申请注册注册、推出“贸金通”、“青易贷”、“E 智青银”、“海贷”个人贷款、“海融财富”、“青馨服务”等系列业务品牌。

合则两利，和则共赢。青岛银行积极加入各类金融组织，加强与同业开展各类合作，目前为中国国债协会、中国银行间市场交易商协会、中国支付清算协会会员，亚洲金融合作联盟、中国金融思想政治研究会、山东省企业联合会理事单位，青岛市银行业协会会长单位。为发挥法人银行优势，青岛银行自 2012 年以来开始探索实践“接口银行”发展模式，积极与国内外商业银行、保险公司、证券公司等金融机构开展各类金融合作。

青岛银行在近年复杂严峻形势下的优异表现，赢得了社会各界的广泛赞誉，获得了中国银监会“银行业信息科技风险管理研究成果奖”（唯一获奖城商行）、第十八届全国企业管理现代化创新成果二等奖、金龙奖“年度最具创新力中小银行”、金蝉奖“最佳管理创新银行”、金钻奖“最佳城市商业银行”奖项等众多奖项，并荣膺世界银行 1000 强（474 位）、亚洲银行 300 强（239 位）、中国服务业企业 500 强。

随着山东半岛蓝色经济区建设上升为国家战略，蓬勃奔涌的蓝色经济大潮为青岛银行未来的发展创造了崭新的机遇，作为走向全国的总行级法人银行，青岛银行正在努力以服务山东半岛蓝色经济区发展为方向，打造特色鲜明的“蓝色银行”。

“温馨加放心，我们更努力”。未来，青岛银行将以合规立行、专业治行、创新兴行、科技强行为方针，完善公司治理，优化管理流程，突出经营特色，提升客户体验，打造优势品牌，实现科学、稳健发展，为股东和利益相关者创造最大价值，促进经济发展和社会进步，争取成为支撑山东半岛蓝色经济区发展的主要银行和服务温馨、风管坚实、科技卓越的特色银行。

地址：青岛市香港中路68号华普大厦

电话：96588（青岛）400－66－96588（全国）

邮编：266071

邮箱：fuwu@ qdbankchina. com

网址：www. qdccb. com

日照银行股份有限公司

【企业概况】

日照银行的前身是日照市商业银行，成立于2000年12月28日，是一家由国有股份、企业法人股份及自然人股份共同组成的具有独立法人资格的股份制商业银行。2004年实现本外币一体化经营，与世界上80多个国家和地区的600余家银行建立了代理行关系。2006年引进南京银行为战略投资者，成为全国城商行之间战略合作的首例。2009年由日照市商业银行更名为日照银行，设立首家异地分行青岛分行。2010年以来，先后设立济南分行、临沂分行、潍坊分行、枣庄分行、济宁分行，发起设立济宁高新村镇银行，正在筹建威海分行、烟台分行。截至2015末，辖6家分行、53家支行、1个营业部、1个小企业信贷中心，总行设20个部室，注册资本24.98亿元，从业人员1800余人，是全国银行间同业拆借中心、中国外汇交易中心、全国债券交易市场、中国国债协会、全国城市商业银行资金清算中心、中国现代化支付系统、中国银联、环球银行间金融电讯协会、中小银行贸易金融联合会、山东省城市商业银行合作联盟的成员。

日照银行成立以来，围绕“打造精品银行，成就百年老店”的企业愿景，坚持“公平、法正、抓实”的核心价值观，恪守“质量为本、稳健经营、不求做大、但求做精”的经营理念，树立“立足地方经济、支持中小企业、服务广大市民”的市场定位，塑造了“中小企业银行”“市民自己的银行”“货币市场特色银行”“物流银行”“社区银行”五大品牌，实现了由小到大、由弱到强、由地方性银行到区域性银行的成功跨越。15年资产规模增长了72倍，累计投放信贷资金1.28万亿元，实现利润95亿元，实现税金43亿元，“一基两翼”跨区域经营战略布局了全省一半地市，有力地支持了地方经济社会发展。截至2015年末，资产总额914.26亿元，贷款余额444.02亿元；存款余额667.88亿元，在日照地区市场份额居同业第一位；2015年实现经营利润21亿元，其中账面利润9.60亿元；各项监管指标达到监管要求，其中资本充足率11.42%，拨备覆盖率154.08%，贷款损失准备充足率253.26%，资产利润率0.97%，资本利润率11.03%。

日照银行连续八年监管评级保持二级，连续九年在《银行家》全国城商行竞争力排名中位居前列；在2014年度英国《银行家》世界银行1000强排名中列第594位；被国家及省级有关媒体评为中国最具影响力中小银行、最佳中型城市商业银行、最佳效益中小银行、中国金融业年度创新奖、最具发展潜力中小银行、年度最佳风控中小银行、全国支持中小企业发展十佳银行、新中国60年山东百佳领袖品牌；先后获得全国文明单位、全国模范劳动关系和谐企业、全国职工职业道德建设先进单位、全国企业文化建设先进单位、中国最具影响力中小银行、最佳中型城市商业银行、最佳效益中小银行、最佳风控中小银行、支持中小企业发展十佳银行，省级小企业金融服务先进单位，市级纳税先进企业、功勋企业、市长质量奖等百余项集体荣誉称号。

【企业文化】

文化定位：家人文化

一、核心理念篇

1. 企业愿景：打造精品银行，成就百年老店
2. 企业使命：提供最好的金融服务，创造最大的社会价值
3. 核心价值观：公平，法正，抓实
4. 企业精神：敬业，团结，创新
5. 企业作风：机制活，决策快，效率高，服务好
6. 员工作风：发自内心的工作
7. 道德观：感恩之心，包容之心，进取之心
8. 企业社会责任宣言：做优秀企业公民，以责任引领未来

二、品牌宣传语

阳光品质，真情相伴

市民自己的银行

生活因您而阳光

生活理财，成就未来—黄海卡

三、基本理念篇

1. 营理念：质量为本，稳健经营，不求做大，但求做精
2. 管理理念：发现问题靠水平，解决问题靠能力
3. 人才理念：人尽其才，人成其才
4. 团队理念：一家人，一条心，一股劲，一个目标
5. 学习理念：乐学善用，交流共享
6. 服务理念：您满意，我快乐
7. 廉洁理念：头顶悬剑，无欲则刚
8. 营销理念：敏锐，时机，团队，共赢
9. 合规理念：时时合规，事事合规
10. 险理念：风险控制优先，规模效益同步
11. 局理念：你为日照银行负责，日照银行为你负责
12. 评理念：对事不对人

地址：日照市烟台路197号

邮编：276826

电话：0633－96588（日照）

　　（0086）400－68－96588（全国）

传真：0633－8781479

网址：www. bankofrizhao. com. cn

邮箱：master@ bankofrizhao. com. cn

深圳农村商业银行股份有限公司

【企业概况】

深圳农村商业银行（以下简称“我行”）成立于2005年12月9日，是经中国银监会批准，在深圳市农村信用社基础上改制组建而成的股份制农村商业银行。我行继承了深圳市农村信用社50多年的发展历史、服务特色和文化传统，在改革发展和经营管理的各个方面都取得了较好的成绩。

截至2016年12月末，我行总资产折合人民币2353.11亿元，实现净利润人民币31.65亿元，主要财务指标均位居国内中小商业银行前列。在英国《银行家》杂志2016年发布的“世界银行1000强”中，我行排名370位。（注：以上财务数据均未经审计）

截至2016年12月末，我行在深圳地区有近200个营业网点，网点数量居深圳银行同业首位。我行已发行银行卡“信通卡”超过1300万张，安装ATM、现金存取款机、自助终端等自助银行设备超过2000台，网上银行、移动银行等相继上线，成为深圳地区服务网络和销售渠道最为完善的银行之一。

我行始终坚持社区零售银行的战略定位，以社区居民、中型企业、小微企业和城乡居民为主要服务对象，全方位推进创新发展，加快在多领域实现突破，确立了“积极进取，稳中求快，能快则快”的经营策略，坚持以客户为中心的经营理念，努力挖掘各种潜力，满足市场需求，致力于打造国内领先的中小商业银行，成为社区居民创新、消费、置业、财富管理及中型企业、小微企业展业的主选银行。

2010年5月28日我行首家异地支行——广西临桂支行顺利开业，2010年12月28日广西柳江支行开业，我行作为主发起人的宜州深通村镇银行、灵川深通村镇银行、扶绥深通村镇银行、苍梧深通村镇银行按计划相继开业，我行业务走出深圳迈向全国，顺利实现了由地方性银行向区域性银行的转变，是发展史上又一次里程碑式的跨越。的发展平台，成为深圳农村商业银行业务发展的核动力。

【企业文化】

本行坚持“质量优先、适度规模、专注服务、保证效益”的社区零售银行发展观，秉执“质量、效益、规模均衡协调发展”的经营理念，“稳健、内敛、韧性”的经营文化，“团结、积极、务实、创新”的企业文化，“始于平凡、见于细微”的服务文化，坚持以人为本，强化“合规人人有责”、“主动合规”、“合规创造价值”的合规理念和行为准则。

【社会责任】

作为社区零售银行，客户选择上专注于中小企业、居民个人和外来务工人员。本行义无返顾的承担起了外来务工人员金融服务的重任，本行利用众多网点，结算手续费低廉、小额帐户管理费低廉，不人为地设置开户障碍等措施积极服务来深务工人员。为方便外来务工人员金融需要，缓解因为外来务工人员客户数量过于庞大而导致柜面压力过大，本行加大自助设备建设，方便其存取汇划等结算业务。为了保障外来务工人员的合法利益，防止厂方拖欠工资行为发生，本行免费为宝安区、龙岗区劳动局开发了劳动工资监察系统。

本行积极履行社会责任，真心回馈社会。面对百年一遇的地震灾害，本行向四川灾区捐款339万元，向甘肃对口支援500万元，向玉树灾区捐款200万元。本行自成立以来，累计纳税近90亿元。在实现经济效益的同时我行不忘社会效益，积极倡导绿色金融、绿色信贷，加强对节能环保行业的金融服务支持，控制对“高污染、高能耗、高投资”行业的贷款投入；在机构布局方面，对部分网点效益落后却又切实存在金融服务需求的地区，仍然留守当地，向社区居民提供金融服务，帮助他们改善生活和生产条件。位于大鹏半岛的南澳支行就是一个生动的例子。

2013年4月，本行捐赠1000万元，成立深圳市慈善会·深圳农村商业银行慈善基金，以助学助医、助残济困、公益环保、关爱社会、奉献爱心为宗旨，弘扬扶弱济贫、扶危救急、共襄公益、服务社会的优良美德。深圳市慈善会·深圳农村商业银行慈善基金陆续开展了资助贫困大学生、“罗湖区小小发明家创意大赛”、“寻找深圳新锐创客之星”、中小学生公益围棋赛等活动，获得了良好的社会反响。

本行坚持质量优先的发展思想，不追求跨越式增长而是持久适度增长，为股东创造长期稳定回报，全体股东的合法权益得到有效体现。

2015年，深圳市银行业协会授予我行荣获“最佳民生金融奖”，深圳市慈善会授予我行“热心慈善企业”称号。

【企业荣誉】

1. 英国《银行家》杂志2016年发布的“世界1000强银行”排名中，深圳农村商业银行排名第370位。

2. 连续多年获得全国银行间同业拆借中心“年度银行间本币市场交易100强”。

3. 在“2016中国电子银行宣传年启动仪式暨第四届金融品牌峰会”上荣获“2016中国金融业社会化营销最佳平台”奖。

4. 2015年，深圳农村商业银行荣获中国银行业监督管理委员会颁发的“全国银行业金融机构小微企业金融服务先进单位”。

5. 荣获“2015年度银行间本币市场最佳农村金融机构”奖。

地址：深圳市深南东路3038号合作金融大厦
邮编：518001
电话：961200（深圳）4001－961200（全国）
传真：86－755－25188233
邮箱：online@4001961200.com
网址：www.4001961200.com

盛京银行股份有限公司

【企业概况】

盛京银行股份有限公司是东北地区成立最早、规模最大、实力雄厚的总部银行，成立于1997年9月，其前身是沈阳市商业银行，2007年2月经国家银监会批准更名为盛京银行，并实现跨区域经营。2014年12月29日，盛京银行在香港联合交易所主板成功上市。

截至2016年6月30日，盛京银行在沈阳地区设有总行营业部、沈阳分行，在北京、上海、天津、长春等中心城市和辽宁省内大连、营口、鞍山、本溪、盘锦、葫芦岛、朝阳、抚顺、锦州、阜新、丹东、辽阳、铁岭等地设立了17家异地分行，并相继设立了资金运营中心、小企业金融服务中心、信用卡中心等3家分行级专营机构，营业机构总数已达181家。同时，发起设立了东北地区首家消费金融公司——盛银消费金融有限公司，在上海宝山、宁波江北、沈阳沈北、新民、辽中、法库等地发起设立了6家富民村镇银行，形成了“根植沈阳、辐射东北、走向全国”的机构战略布局，市场竞争力和区域影响力不断提升。

盛京银行始终秉承“诚信、亲和、进取、敬业、奉献”的核心价值观，坚持依法合规、稳健经营、规范管理，不断改革创新、开拓进取，实现了规模与速度、质量与效益的协调均衡增长。截至2016年6月30日，盛京银行资产总额8,061.56亿元，各项存款余额4,451.94亿元。盛京银行已发展成为一家资产质量优良、盈利能力较强、具有良好成长性的股份制商业银行。截至2016年6月30日，盛京银行在沈阳地区纳税总额达17.53亿元，再次成为沈阳市纳税前三甲，稳居当地金融服务业首位，连续多年纳税额排名辽宁省金融服务业首位。近年来先后荣获“中国服务业企业500强”、“中国最具区域竞争力城市商业银行”、“最具影响力中小银行”、辽沈地区

“最受百姓喜爱的银行”等荣誉称号，总部银行持续发展与经济贡献能力大幅提高。

国家实施振兴东北老工业基地战略以来，盛京银行坚持“服务地方、服务中小、服务市民”的市场定位，勇于承担社会责任，依托体制机制和决策优势，积极发挥金融先导和战略支撑作用，不断优化服务实体经济的理念和方式，累计投放信贷资金7600余亿元，大力支持基础设施、支柱产业、重点行业、民生工程和中小微企业发展，为促进东北老工业基地经济结构战略性调整和转型升级发展提供了强有力的信贷支持和金融保障，成为区域经济发展的“牵引机”、“催化剂”，为地区金融发展与经济增长、民生改善相互促进和良性循环做出了突出贡献。

作为地方总部银行，盛京银行始终秉承“市民银行、服务市民”的经营理念，发挥地缘、人缘优势，积极打造“市民贴身服务型银行”，不断拓展和创新贴近市民生活需求的金融产品和服务渠道，大力推进社区金融服务建设，积极设立金融便民服务站，不断建立完善专业化的服务体系，成为沈阳市代收费项目最多、服务功能最全的银行，形成了“亲民、便民、利民、惠民”的服务特色和品牌优势，市民贴心、可信赖银行的品牌形象日益深入人心。

面对未来，盛京银行将紧紧抓住金融改革开放持续深化和东北老工业基地振兴战略深入实施的历史机遇，依托沈阳建设东北区域金融中心和国家优化金融生态综合试验区的区位和资源优势，积极实施战略转型和创新发展，加快转变发展方式，全力打造“区域经济战略发展牵引型、新兴产业扶植型、中小企业支持型、市民贴身服务型”的全国优秀股份制商业银行，为实现“建设一流银行、打造百年盛京”的美好愿景而努力奋斗！

【企业荣誉】

2016年，在中国银行业协会发布的2016中国前100家银行排名中位列第23名；

在网易财经发布的中国金融500强榜单里241家银行排名中位列第29名；

在《财富》杂志发布的2016年中国500强排行榜中位列第364名；

被中共沈阳市委、沈阳市人民政府评为“2014－2016年度沈阳市先进单位”。

2015年，获得联合资信评估有限公司AAA评级；

在香港知名财经杂志《中国融资》主办的“2015中国融资上市公司大奖”评选中荣获“最佳上市公司”奖项；

在《21世纪经济报道》主办、香港中文大学推出的《2014亚洲银行竞争力研究报告》中，综合竞争力排名第13位、收益指标排名第2位；

在金融时报社、中国社科院金融研究所联合评选的“2015中国金融机构金牌榜”中获得“年度最佳中小银行”殊荣；

在中国《银行家》杂志社评选的“2015中国商业银行竞争力排名”中，被评为“2014年度最佳风险管理商业银行”。

2014年，在英国《银行家》杂志所组织的排名中，盛京银行的一级资本回报率在全球排名中位列第83位，在中国银行业中位列第7位，资产回报率在全球排名中位列第214位，

在中国银行业中位列第25位；在中国《银行家》杂志发布的《2014年中国商业银行竞争力评价报告》中，盛京银行被评为“最佳城商行”并在2013年度资产规模2000亿以上的城市商业银行综合排名中位列第一。

2013年，在《亚洲周刊》所组织的排名中，盛京银行的净资产回报率在全亚洲位列第6位，在中国银行业中位列第4位。

地址：沈阳市沈河区北站路109号
邮编：110013
邮箱：shengjing@ shengjingbank. com. cn
服务热线：024－96666
信用卡24小时客户服务电话：8008907789
024－24182333

苏州银行股份有限公司

【企业概况】

苏州银行，全称“苏州银行股份有限公司”，在不断深化金融改革的过程中，依托苏州经济强大后盾应运而生，经中国银行业监督管理委员会批准，于2010年9月28日正式挂牌开业，成为苏州地区唯一一家总部设在苏州的城市商业银行。经过三年多的发展，苏州银行现已拥有128个服务网点，下辖总行营业部，苏州、宿迁、淮安、常州和南京5家分行，8家直属支行，75家二级支行、35家分理处、2家社区支行和2家小微支行，机构覆盖苏州大市；同时发起设立4家村镇银行；入股2家农商行。成立之时，注册资本30亿元。截至2014年8月末，苏州银行总资产达2014.95亿元，本外币存款余额达1186.77亿元，本外币贷款余额达610.51亿元，主要监管指标优良，发展态势良好。核心战略是：在“十二五”期间，坚持“立足苏州、面向江苏、辐射长三角”的中期发展战略，专注于“服务中小、服务市民、服务区域经济社会发展”的市场定位，用3—5年的时间，在“小微、三农、零售、文化金融”等选定的领域精耕细作，机构网点实现江苏省主要地级市和苏州市辖区主要建制乡镇的覆盖，坚定战略，不动摇，不摇摆，咬牙坚持，加快形成核心竞争力，努力打造成“以小为美、以民唯美”、特色经营、效益优良、有品牌影响力的商业银行。

【企业文化】

倡导内控为先、业绩为先、效益为先、兼顾公平的正向激励模式，形成让总行感动分行，分行感动支行，支行感动客户，用真诚的态度服务客户的良好文化，用相互的尊重来形成文化合力，增强员工集体荣誉感和团体归属感，逐步形成“我们是相亲相爱的一家人”的凝聚力。同时以谦虚上进、终身学习的自觉，以小为美、以民唯美的自信，理性智慧、勇于担当的神气和小银行大未来的志气，丰富“勤勉、智慧、简单、快乐”的企业文化内涵，真正做到“Wearefamily”。

理念愿景：

全行确立“以小为美、以民唯美”和“立足苏州、面向江苏、辐射长三角”的战略理念，专注于“服务中小、服务市民、服务区域经济社会发展”的市场定位，将全行经营目标定为“持续实现客户、股东、员工的价值增长，做有社会责任的企业，做苏州地方金融发展的排头兵”。

战略选择上，立足苏州，在苏州打出品牌，做到最好，然后面向江苏，形成在江苏省内的比较优势；在近几年中，在宏观政策没有大变化的情况下，努力实现业务辐射长三角。我行将倍加珍惜监管部门的高度关注和支持，发挥本土银行的天然优势，在较短的时间内做出自己的品牌和竞争力。

市场定位上，专注服务中小企业，专注服务市民，专注服务区域经济发展。无论公司业务还是零售业务，都将选在在

特定行业、特定区域中的中小客户。

中期战略目标上,"用 3—5 年的努力,把苏州银行打造成在选定的领域特色鲜明、效益一流的现代城市商业银行。"

实施战略的思路上,"用 2 年左右的时间,通过内部资源的优化整合,全面构建全新的内控体系和发展格局,夯实发展基础。"用 3 年左右的时间,提升公司治理能力,提升内控管理能力,提升业务发展能力,提升创新能力,提升科技支撑能力,提升网点优化与建设能力,提升整体服务客户能力,在选定的领域形成特色和品牌影响力,提升市场竞争能力。"

【企业荣誉】

全球银行业权威杂志英国《银行家》杂志联合世界知名品牌评估机构 BrandFinance 发布《2017 全球银行品牌 500 强》榜单,苏州银行凭借稳健的品牌价值增长率,位居第 366 位,国内上榜城商行中位居第 15 位。

地址:江苏省苏州市园区钟园路 728 号

邮编:215123

电话:0512 - 69868023

网址:www. suzhoubank. com

台州银行股份有限公司

【企业概况】

台州银行股份有限公司始建于 1988 年 6 月 6 日,由城市信用社发展而来,总行地处民营经济发祥地之一的浙江省台州市。2002 年 3 月,以市场化方式发起成立了全国首家政府参股不控股的城市商业银行"台州市商业银行",2010 年 9 月更名为台州银行。目前,我行注册资本 18 亿元,2008 年成功引进中国平安、招商银行为我行股东及战略合作伙伴。

目前,我行拥有员工 9000 余人。设有舟山、温州、杭州、宁波、金华、湖州、衢州、绍兴、嘉兴 9 家分行,同时主发起设立了浙江三门银座村镇银行、深圳福田银座村镇银行、北京顺义银座村镇银行、江西赣州银座村镇银行、重庆渝北银座村镇银行、重庆黔江银座村镇银行、浙江景宁银座村镇银行等 7 家"银座"系列的村镇银行。

我行始终坚持小微企业金融服务的市场定位,坚持"以市场为导向、以客户为中心"的经营理念,以"简单、方便、快捷"的服务、简单实用的个性化产品、高效的服务流程,有效地避开了同质化竞争,赢得了客户和市场的认同,业务也连年保持稳健、快速增长。截至 2016 年末,全行(含主发起设立的村镇银行)资产总额亿元 1502. 14 亿元,各项存款余额为 1181. 55 亿元,各项贷款余额为 901. 58 亿元,不良贷款率为 0. 68% 。

在小微企业金融服务过程中,我行的努力和成绩得到了各级政府的高度肯定,连续 5 年被中国银监会评为"小微企业金融服务先进单位",并获评中国最佳中小企业服务、品牌竞争力银行,被列为浙江省服务业重点企业和浙江服务名牌。"小本贷款"产品被中国银行业协会、中国地方金融研究院评为"2010 年服务小企业及三农十佳特优金融产品"。目前,我行已跻身于世界前 1000 家银行和亚洲前 300 家银行之列,在英国《银行家》杂志公布的"2016 年全球 1000 家银行"排名中,位列 515 名。

通过不断努力与多年的经验积累,我行总结出了一套实践检验、行之有效的小微企业金融服务技术,形成了"以市场化治理,提供公平对等服务;以差异化经营,满足合理信贷需求;以特色化服务,打造小微服务品牌;以精细化管理,保持稳健发展步伐"的优势竞争力。通过为客户量身定做金融产品,以"下户调查、眼见为实、自编报表、交叉检验"为核心的"十六字"信贷调查技术,为小微企业创造平等的融资机会,解决了小微企业信息不对称、缓解了小微企业融资难等问题。

我行的企业文化也紧紧围绕小微企业金融服务需求而展开,长期以来形成了"吃苦、求实、创新"的企业精神,"廉洁、诚实、高效"的信贷文化,2012 年开始,我行又提出了"积极、主动、合作、快乐"的企业文化新理念,提高员工幸福。

独特的企业个性和信贷技术决定了我行必须自行培养员工,为此,我行设立了具有社会办学资格的 1. 3 万平方米的"台州银行银座金融培训学院"。通过引进国际先进的培训理念,分条线开发培训课程,建立了高密度、高效率、标准化的培训体系,并设计出科学合理的上岗资格认证机制。目前,全行机构 99. 47% 的员工为我行自行培养。

近年来,客户在变、市场在变,我行立志成为"中国小微企业金融服务领先银行"的企业使命不变。在金融市场化加速推进、竞争越来越激烈的客观环境下,我行积极思变,2012 年 2 月,正式启动了与全球最大的战略咨询公司麦肯锡公司的战略项目合作,提出"变革转型二次创业"的号召,明确"与客户做朋友"的"社区银行"商业发展模式。2013 - 2015 年,我行积极推进"社区银行"这一战略落地,包括在业务规划、人员招聘、网点布局、流程审批等方面,都努力与"社区银行"接轨,为客户提供了全方位的金融服务。

除了为社会提供优质的金融服务外,作为一家富有社会责任感的金融企业,我行饮水思源,不断地感恩回报社会,努力打造受人尊敬的绿色银行。2010 年,我行申请加入联合国环境规划署(UNEP)气候融资创新贷款项目(CFIF),推出"绿色节能贷款",将原来只适用于大中型企业的技术改造移植到小微企业领域。2011 年底,我行出资 300 万元,与中国银行业监督管理委员会台州监管分局、浙江慈善总会合作,设立台行银座创业扶贫慈善基金,以帮助那些有劳动能力和有创业意愿的贫困创业者,尤其是贫困大学生,实现创业梦想。2012 年,我行率先在全国提出"服务不收费,服务更到位"的承诺,减费让利于广大小微客户,至 2015 年,我行连续四年保持减费让利措施不变,打造"免费银行"。

今后,我行将怀着强烈的社会责任感,继续坚持特色化、差异化的发展道路,持续提升经营管理水平和创新能力,培育核心竞争力,为更多小微客户提供专业、贴身、贴心的服务,努力实现"通过让小企业得到一流的金融服务,以改进中国的金融市场"的企业使命。

【企业文化】

以市场为导向,以客户为中心

简单、方便、快捷的优质服务

为员工营造未来

为股东创造价值

为小企业提供公平的融资机会,使小企业因为有我们而发展得更好

为社会履行责任

在全国树立一流的金融服务标杆

打造绿色的、受人尊敬的、可以信赖的精品银行

地址:浙江省台州市市府大道 699 号

电话:0576 - 89036978

传真:0576 - 81896013

网址:www. tzbank. com

邮箱:tzbank@ tzbank. com

天津银行股份有限公司

【企业概况】

天津银行成立于1996年。成立以来，天津银行依托中国经济腾飞崛起的大好形势，先后实现更名、引资、跨区域、上市等战略突破。截至2015年12月末，已在天津、北京、唐山、上海、济南、成都、东营、泰安等城市拥有313家分支机构，还发起设立了蓟县村镇银行，出资成立了南阳村镇银行。2015年，石家庄、泸州、烟台、保定4家分行及金融租赁公司批准筹办，并正积极申请在新疆和宁夏筹建7家村镇银行，正向着综合化、多元化、特色化发展目标迈进。

当前，作为全国唯一一家同时受惠于京津冀协同发展、滨海新区开发开放、自贸试验区建设、国家自主创新示范区和"一带一路"建设等五大国家级战略叠加的城商行，天津银行始终坚持以建设"好银行"为目标，稳健经营，科学发展，规范管理，取得了长足发展。截至2015年12月末，全行资产总额5657亿元；各项存款余额3347亿元；各项贷款余额1796亿元；实现净利润49.32亿元，不良贷款率1.34%，资本充足率12.23%，各项监管指标均达到良好银行水平。在英国《银行家》杂志最新排名中，天津银行一级资本计在全球排名中位列第219位。首次跻身亚洲银行50强。

凭借优异的经营业绩和优质的金融服务，天津银行赢得了社会各界的高度赞誉，荣获中国银监会"全国银行业金融机构"、"小微企业金融服务先进单位"、"全国小企业金融服务工作先进单位"及"金牌城市商业银行"、"最具成长性中小银行"、"中国金融最具创新力企业"、"最佳城市商业银行"、"最佳直接融资服务城市商业银行"等荣誉称号。

【企业文化】

天津银行标志名为"汇通天下"

1. 标志由一笔构成，体现汇通四方之涵意；

2. 左边是字母"T"，右边是字母"J"，构成"天津"的缩写；

3. 右边又是字母"A"的变形，体现我行与ANZ的战略合作伙伴关系；

4. 标志中间部分又似海河贯穿，代表天津地理特点；

5. 古有天圆地方之说，方形标志不仅象征大地，同时也似钱币方孔，体现银行独有特征，更寓意汇聚天下之财富；

6. 标志整体是放倒的"S"形状，体现银行服务（sevice）特点，并且又是数学符号无穷大的形状，寓意我行发展前景无限广阔。

【企业荣誉】

荣获中国银监会"全国银行业金融机构"、"小微企业金融服务先进单位"、"全国小企业金融服务工作先进单位"及"金牌城市商业银行"、"最具成长性中小银行"、"中国金融最具创新力企业"、"最佳城市商业银行"、"最佳直接融资服务城市商业银行"等荣誉称号。

潍坊银行股份有限公司

【企业概况】

潍坊银行成立于1997年8月，目前总行设置3大管理总部和四个一级部室，设有青岛、聊城、滨州和烟台四家分行，下设79家支行，控股设立青岛胶南海汇村镇银行。

成立十余年来，潍坊银行坚定不移的推进改革创新，逐步发展成为一家资本持续达标、管理机制灵活、经营效益显著、品牌特色鲜明的现代股份制商业银行。截止2015年12月末，全行总资产达到906亿元，本外币存款余额637.6亿元，各项贷款余额428亿元，实现经营利润19.2亿元，上缴税金6.03亿元，经营规模、效益、发展质量和潜力已经位居全省城商行前列。

按照现代企业制度要求，潍坊银行建立了完善的法人治理结构，围绕"建立一套好机制"，深入推进了人事、绩效、薪酬、营销、培训、内设机构等一系列内部改革，在管理、营销、服务、科技、产品创新等方面不断实现新突破。

近年来，面对中国金融改革不断向纵深发展和经济发展带来的重大机遇，潍坊银行将发展锁定在县域扩张、跨区域发展、业务转型、管理升级、人才培养、文化兴行、引进战略投资者进而推进公开上市等七个重点方面。经营中，坚持实践"立足中小企业，立足广大市民，立足地方经济"的市场定位，着力推进小微企业金融服务，"携手小微企业，共建和谐金融"成为拓展小微业务独有的品牌和理念。深入推进县域扩张战略，实现了在潍坊市各县域网点的全覆盖，2008年底控股设立的青岛胶南海汇村镇银行已经发展成为全国较为优秀的村镇银行，青岛、聊城、滨州和烟台等分行不断开设并实现良性运行，跨区域发展取得重大突破。成功拓展农村金融市场，搭建农金特色业务平台，助农取款点加速布局。艺术品金融业务取得持续突破，艺术金融品牌知名度不断提升。互联网金融业务先试先行，研发上线全省城商行首家直销银行。同时，把金融服务与关注民生，践行社会责任相结合，推出了青年创业贷款、巾帼创业贷款、下岗再就业小额贷款等服务项目，金融产品极大丰富，服务水平全面提升。

近年来，潍坊银行先后荣获中国企业文化建设先进单位、中国优秀企业形象单位、小企业贷款先进单位、山东省"富民兴鲁"劳动奖状、山东省劳动关系和谐企业、"山东省学习型组织先进单位"、潍坊市十佳行业文化品牌、"潍坊市和谐企业创建示范单位"等荣誉称号。

按照现代企业制度要求，建立了股东大会、董事会、监事会、经营层"三会一层"分工协作、相互制衡的法人治理架构，健全完善了各项规则、程序和工作制度，形成了责权分明、平衡制约、规章健全、运作有序的法人治理机制。

小微金融服务是潍坊银行整体发展战略格局中最为重要的战略重点和增长点。2007年，在潍坊地区率先提出了"携手小微企业，共建和谐金融"的经营理念，2009年，引进德国储蓄银行微贷技术，组建微贷金融事业部，着力细分市场，推进小微及微小金融服务，"搭平台、做批量"的营销模式得到了国务院领导的圈阅和肯定。

潍坊银行重视通过金融创新来提升服务能力。在小微金融、农村金融、文化金融、科技金融、创业金融等方面不断实现新突破。农村金融方面，先后创新推出了农民专业合作社信用贷款、农业订单融资新模式、合作社批量授信、家庭农场贷款、"金种子项目"贷款等农村金融产品；文化金融方面，在全国率先推出了艺术品质押融资业务，创新书画艺术品质押融资预收购人制度，破冰艺术品融资难题，2013年成立文化金融事业部，圆满完成"艺术品质押融资课题研究"，确立了我行在艺术品质押融资业务的领先地位；个人金融方面，电子银行、理财业务、社区银行的创新与发展力度不断加快，"潍坊通·公共自行车租赁卡"（"鸢都绿卡"）成功推出，"市民银行"形象更加鲜明。

围绕"建立一套好机制"，深入推进了人事、绩效、薪酬、培训、内控等一系列内部改革。"人人是才，适合就好"的人才管理理念,“相马更赛马,业绩论英雄”的赛车机制以及准市场化的用人管理机制成为推动潍坊银行发展的强大动力;重视培训教育,开办职工培训学院,首创了培训学院与一家兼具存、贷款功能的综合性教学实验银行并轨运行的培训机制,开展“963”内训、“翠竹计划”、“精英人才培养计划”等一系列人才培训,全方位提高人才素质,推进实施“3580”人才工程,建立完善后备人才储备体系;不断健全完善内部控制体系,努力构建“大风控”管理架构,风险防范能力和经营管理质量全面提升。

多年来,潍坊银行始终坚持企业文化的战略性地位,用独特的企业精神和服务理念影响广大员工的思想和行为,为企业发展凝聚了不竭的动力。积极打造“幸福潍坊银行”,增强员工归属感和凝聚力;以发起设立的金鼎俱乐部、“红风筝”小企业联盟为平台,打造“金鼎之约”系列服务文化品牌,以感恩之心回馈社会,积极投身社会公益事业,认真践行社会责任,以高品位的企业形象获得了社会各界的高度认可和赞誉。

【企业文化】

1. 发展愿景:定位专注、服务贴心的小微银行
方便快捷、百姓身边的市民银行
特色鲜明、运营高效的精品银行

2. 企业精神:立足潍坊、心怀天下、负重自强、敢为人先

3. 经营管理理念:文化兴行、效益富行、特色立行、制度固行

4. 市场定位:立足地方经济、立足中小企业、立足广大市民

5. 人才理念:人人是才,适合就好;相马更赛马,业绩论英雄

6. 职工教育培训理念:培训是给予员工的福利
培训贯穿员工职业生涯始终
人人为师,人人为徒,教学相长

7. 服务理念:没有最好,只有更好;
让更好的企业成为我们的客户,让我们的客户成为更好的企业;

柜面服务追求:温馨、优雅、超值

金融创新理念:自动自发,率先模仿

团队工作作风:团结务实　勤奋　廉洁　高效　创新

地址:潍坊市胜利东街 5139 号

邮编 261041

客服热线:0536－96588　400－61－96588

电话:0536－8106161

传真:0536－8106171

网址:www.wfccb.com

温州银行股份有限公司

【企业概况】

温州银行前身—温州市商业银行成立于 1998 年 12 月 17 日,由 29 家城市信用社、6 家金融服务社和 8 家营业处整合而成。成立初始,注册资本 2.9 亿元,通过 6 次增资扩股和股本结构优化,注册资本增至 25.08 亿元。2007 年温州银行顺利更名并启动跨区域经营,相继在上海、杭州、宁波等 8 地(含筹建金华分行)设立异地分行,温州辖内设有 2 家分行,现辖属 149 家营业网点(含总行营业部),员工 2800 余人,逐步形成“立足温州、布局浙江、进军长三角”的跨区域经营发展服务格局。

温州银行在社会各界的大力支持下,作为首家指名列入温州“金改”实施方案的地方法人银行,按照“创新银行、优质银行、上市银行、和谐银行”的发展目标,积极把握市场机遇,加快推进经营转型,持续深化利润中心建设,全面增强风控能力,逐步提升经营品质和核心竞争力。在全力支持实体经济发展的同时,机构规模、业绩指标等始终保持着稳健快速增长,资产规模位列全市金融机构第一、全省城商行前三。温州银行紧抓供给侧结构性改革契机,精准对接市场新需求,打造公司、个金、信用卡、零售、金融市场、票据、投行等七大利润中心,盈利更趋多元化;实施零售业务三年倍增计划,实现理财、储蓄、信用卡、个贷业务均衡发展;紧随“互联网＋”趋势,已上线推广微银行、新版手机银行、新版个人及企业网银。截至 2016 年 12 月末,总资产 2023 亿元,本外币存款 1020 亿元,本外币贷款 723 亿元,经营利润 31.5 亿元,全年缴纳各类税收 8.68 亿元,不良贷款率为 1.45%,监管评级二级(一级空缺)。

【企业荣誉】

温州银行先后获得中资商业银行 50 强、全国十佳城商行、中国城商行十大影响力品牌、中国最具影响力中小银行、中国服务业企业 500 强、中国企业信息化 500 强、中国品牌文化影响力 500 强、中国最具发展潜力中小银行、全国支持中小企业发展十佳商业银行、全国文明单位、浙江省模范集体、浙江省金融机构改革创新优秀单位、浙江省银行业金融机构安全防范工作先进集体、温州市百强企业、温州市知名商标等一系列荣誉称号。连续荣获温州市 2014、2015 年度金融机构业绩考核第一,连续五年荣获人民银行在温银行业金融机构综合评价 A 类行。

地址:浙江省温州市车站大道华海广场 196 号

客服热线:上海 962699　其他地区 0577－96699

网址:www.wzbank.cn

西安银行股份有限公司

【企业概况】

西安银行股份有限公司是由国有股份、外资股份、民营股份及众多个人股份共同组建的股份制商业银行,成立于 1997 年,注册资本 40 亿元,现辖总行营业部、榆林、宝鸡、咸阳、渭南、延安、汉中、安康 7 家分行,西安市 10 家区域支行,11 家直属支行,共 165 个营业网点.;控股 2 家村镇银行,参股一家汽车金融公司。西安银行始终秉承“立足地方、服务中小”的宗旨,以建设西北领先、国内一流、兼具综合化与特色化服务优势的股份制商业银行为目标,不断加强创新驱动,加快经营转型,目前已成为西部地区最具成长活力的区域性股份制银行。

西安银行发展战略高度契合国家区域发展战略和地方经济发展目标,积极参与丝绸之路经济带、陕西西部强省和西安国际化大都市建设中,运用“传统信贷＋投资银行”模式,创新融资方式,支持地方重大基础设施和民生工程建设;坚持“打造丝路经济带中小企业金融引擎”的战略定位,形成专业化发展的制度基础、产品基础和人才基础,自主开发“盈动力”产品体系涵盖 30 多款特色产品,全面满足企业全生命周期金融需求,率先开办大学生创业贷款,发放西部地区首笔知识产权质押贷款;以科技引领为导向,运用互联网金融思维打造“智慧型”银行,以移动终端为核心开发并运营“新丝路

BANK”直销银行、微信银行、慧管家社区开放平台等一系列新渠道，部署新型智能设备结合大数据技术提升客户体验，以人脸识别等新技术强化交易安全，初步形成互联网金融发展战略生态圈。

随着综合竞争力不断迈上新台阶，西安银行在区域性金融机构中脱颖而出，连续七年在中国《银行家》杂志推出的城市商业银行综合竞争力排名中名列前茅；连续多年被省市政府评为“支持地方经济发展”和“纳税突出贡献”的优秀金融机构。“十二五”期间，西安银行发展成效显著，经营规模快速增长，盈利能力大幅提升，监管评级实现晋升，公司治理日趋完善，公开上市已获中国证监会正式受理，已跻身全国城商行排头兵行列。

展望未来，西安银行将积极推进综合化经营，谋划实施商业银行 + 投资银行 + 金融消费 + 金融租赁 + 基金管理 + 资产管理等多元化发展战略，将西安银行打造成为综合化、多元化、相对全功能的区域性金融服务商，建设西部领先、国内一流、兼具综合化与特色化服务优势的的上市银行。

【企业荣誉】

2016 年 9 月 24 日，“2016 中国银行家论坛”发布了《2016 中国商业银行竞争力评价报告》，西安银行凭借良好的市场表现和企业知名度，在城市商业银行排名中稳步晋升，荣获“资产规模 2000 – 3000 亿元城市商业银行竞争力排名第四名”和“最佳金融科技城市商业银行”。

地址：西安市高新路 60 号

邮编：710075

客服电话：029 – 96779　4008696779

网址：www. xacbank. com

中国人民银行金融消费权益保护咨询投诉电话：12363

营口银行股份有限公司

【企业概况】

营口银行，一个充满生机、富于特色和创新力的现代商业银行。

1997 年 4 月 1 日，营口银行正式成立。19 年来，营口银行顺应中国经济发展的时代洪流，以最矫健的姿态融入其中，已发展成为中国一家公司治理完善、经营特色鲜明、经营效益良好、资产质量上乘、综合实力跻身全国城商行优秀行列的区域性股份制商业银行。

一、中国最具成长力中小银行

19 年来，营口银行将“致广大，尽精微”作为核心价值观，秉承“谦恭、诚信、创新、进取”的企业精神，坚持差异化、特色化、精细化道路，追求质量、效益、规模、结构协调发展，伴随区域经济腾飞创造了令人瞩目的业绩，走出了一条低风险、稳增长、后劲足的健康发展之路。

近年来，营口银行主要财务数据以年均 15% 左右的速度递增，营口银行资产规模成功突破 1000 亿元，构建了由物理网点、网上银行、手机银行、微信银行、自助银行、电话银行等构成的立体化、多渠道的服务体系，形成了公司业务、零售业务、投资业务等多项业务板块和功能多元、内容丰富、特色鲜明的产品体系，金融服务水平持续跃升。

营口银行视经营品质如企业生命。近年来，营口银行拨备覆盖率、流动性比率、资本利润率、资产利润率等各项主要监管指标在中国银行业始终保持优良水平，连续多年被中国银监会评定为全国金融机构的最佳监管级别。

依托各项业务的健康、快速发展和经营品质的不断提升，营口银行得到了来自社会各界的广泛认同。2007 年，营口银行入围英国《银行家》杂志评选的中国银行业 100 强；2008 年，被第四届中国金融专家年会评选为“中国最具成长力金融机构”；2009 年，被第五届中国金融专家年会评选为“中国最具成长力中小银行”。2011 年，被第七届中国金融（专家）年会授予“2010 年度中国最具特色中小银行”；2013 年，被第九届中国金融专家年会”评选为“中国城市金口碑服务银行”；2014 年，被中国中小银行发展高峰论坛授予“最佳中小企业服务奖”；2015 年，被中国中小银行发展高峰论坛授予“最具市场竞争力奖”。

二、跨省经营的区域性股份制商业银行

在中国银监会支持发展较好的城市商业银行跨区域经营的政策下，2009 年，营口银行启动了“立足东北和环渤海，做一家独具特色、在区域内具有影响力的好银行”的战略布局进程。2009 年 6 月 6 日，营口银行第一家外埠分行——沈阳分行正式开业，自此，营口银行区域化发展不断提速，2010 年 7 月、2011 年 3 月、2013 年 8 月、2013 年 10 月、2014 年 1 月、2014 年 10 月、2014 年 11 月，2015 年 12 月，大连分行、哈尔滨分行、葫芦岛分行、鞍山分行、营口分行、小企业金融服务中心、丹东分行、盘锦分行相继成立。综合竞争实力的持续走强，催生营口银行在更大范围开展金融创新与服务。当前营口银行 9 家分行共同服务市场，实现了辽宁沿海经济带、环渤海经济圈、东北老工业基地三大经济区域市场的优势互补与联动发展，区域性经营网络战略布局稳步推进。

在区域化发展的过程中，营口银行坚持传递“为您着想”的服务理念，不断优化公司治理，持续强化服务管理和品牌建设，将“中小企业伙伴银行”的经营特色拓展到更广阔的区域，塑造了营口银行优质卓越的品牌形象。

三、最具特色的“中小企业伙伴银行”

助力小企业，贷就大梦想。自成立以来，营口银行坚定不移地坚守服务中小微企业的市场定位，深入市场，贴近客户，激发灵感，着力创造，在与众多中小微企业的业务往来中，掌握了中小企业金融服务的核心技术专长，形成了独特的竞争优势，塑造了鲜明的“中小企业伙伴银行”特色品牌。立行以来，营口银行累计投放超过 3000 亿元信贷资源支持中小企业发展，中小企业贷款量占营口银行全部贷款 90% 以上，小微企业贷款占比超过 60%，为促进中小企业发展做出了持续的努力和卓越的贡献。

2012 年，营口银行在 144 家城商行中率先成立了小企业专营机构——小企业金融服务中心，并于 2014 年 10 月正式挂牌。小企业金融服务中心以中国银监会“六项机制”为指引，将资源集中服务于小企业市场，最大限度的发挥专业化经营优势，致力于为小企业提供更加高效、便捷、贴心的金融服务，并期望通过助力中小微企业的良性发展，最终推动中国民营经济的腾飞。

近年来，“新常态”下的经济结构调整深入推进，面对复杂多变的市场环境，营口银行始终坚持做中小微企业的可靠伙伴，大力促进服务模式创新、业务产品创新、流程机制创新，建立一套独具特色的综合化服务方案，在保证银行风控要求的基础上，充分发挥“灵活高效”的一贯优势，全力推动中小微企业及战略新兴产业的良好发展。

19 年深耕“中小微”，赢得广泛赞誉。营口银行先后被中国银监会授予“全国银行业金融机构小企业贷款工作先进单位”，被中国印刷及设备器材工业协会授予“中国中小印刷企业最佳服务银行”，被辽宁银监局授予“辽宁省小企业信贷服务先进单位”，被第八届中国金融（专家）年会授予“品牌竞争力小企业服务银行”，被辽宁省银行业授予小微企业金融服务“优秀金融机构”。营口银行小企业金融服务中心和大连分行中小企业品牌俱乐部分别被中国银监会评为“全国银行业金融机构小微企业金融服务优秀团队”和“小微企业金融服务银行特色产品”。2015 年，因为在小微企业金融服务领域做出的持久努力和突出贡献，营口银行先后被中国银监会、辽宁银监局、营口银监分局评为小微企业金融服务先进单位荣誉称号，其中“全国银行业金融机构小微企业金融服务先进单位”仅 40 家法人机构获此殊荣，营口银行成为东北地区唯一一家荣获表彰的城市商业银行。

四、最贴心的“市民生活的管家银行”

立行以来，营口银行始终秉承着“为您着想”的服务理念，结合当地市民金融生活需求，丰富产品、创新服务、拓宽渠道、加强合作，着力打造“市民生活的管家银行”。当前，营口银行百余家机构网点因地制宜，以专业见长、以贴心著称、产品全面丰富、服务方便快捷，已经在个人金融服务领域打造出了具有鲜明特色的服务品牌。

持久努力，营口银行业务产品体系的不断丰富。目前，营口银行已经形成了有储蓄、理财、投资、个人信贷、中间业务、卡业务、私人银行服务、增值服务等组成的多维度、立体化个人金融服务体系，近百项产品服务可供市民自由选择。

服务渠道的不断拓展以及服务平台的创新搭建为营口银行服务品质提升提供了更加广阔的渠道。多年来，营口银行持续加快网络银行建设，已经形成了由物理网点、网上银行、手机银行、微信银行、自助银行等组成的多渠道、立体化服务体系，网络渠道电子分流率已经超过 60%，成为主服务渠道。随着微信银行和电子支付平台的全新推出，营口银行网络银行已经成功实现了从功能性电子渠道建设到综合化开放式网络平台的拓展，正在为客户带来更多体验。

除了金融服务之外，营口银行还充分发挥平台效应，整合聚集资源，通过营银缴费通实现水、电、煤气、话费、取暖费等生活费用的一站式代缴；依托营银卡业务实现银企、商户与客户之间的三方共赢；通过打造以惠民服务、绿色通道、公益宣讲、社区联谊等为主要形式的公益惠民服务体系将服务送到千家万户，全面延伸服务触角，提升服务品质。

围绕着“市民生活的管家银行”的目标，营口银行优质全面、方便快捷、专业现代、热情贴心的个人金融服务得到广大市民和专业机构的高度认可。2012 年，营口分行站前支行、开发区支行被中国银行业协会授予“中国银行业文明规范服务千佳示范单位”；2013 年，营口分行开发区支行被中国银行业协会评为“全国百佳金牌示范单位”；2014 年，营口银行 11 家单位受到中国银行业协会表彰，哈尔滨分行营业部和小企业中心市府路支行被授予“中国银行业协会千佳示范单位”。2015 年，营口银行 7 家网点被中国银行业协会授予优质文明服务星级单位称号。

五、做一家受人尊敬的银行

按照“管理上成为国内一流的商业银行，在质量、获利、成长等方面成为佼佼者，做一家受人尊敬的银行”的企业愿景，营口银行追求更具内涵、更有质量的发展，努力打造“受投资者信赖、受员工热爱、受社会尊重、受大众称道”的好银行。

2009 年初，营口银行在国内城商行中率先引入境外战略投资者，与东南亚第五大、马来西亚第二大的银行集团——联昌国际银行集团（CIMB）正式启动国际战略合作，成为城商行中为数不多的成功引入境外战略投资者的银行机构之一。

目前，营口银行已形成了多元化、分散化、合理化的股权结构，作为最大的单一股东马来西亚联昌银行占比 19.36%，企业法人股占 89.93%。通过国际战略合作，营口银行增强了资本实力，优化了股权结构，直接促进公司治理机制决策科学、执行有力、监督有效，发展视野更加开阔，创新发展能力逐年增强。

品牌影响力和综合竞争力持续走强的同时，营口银行不忘践行企业公民的社会责任，始终科学贯彻执行国家各项经济调控政策，大力发展绿色信贷，全力支持中小微企业，弘扬诚信文化，关怀民生发展，热心社会公益，积极履行纳税义务，为构建和谐社会付出不懈努力，实现了企业价值与社会价值的同步提升。营口银行相继被中央文明委评为全国综合性最高集体荣誉称号——“全国文明单位”，被中华全国总工会授予企事业单位的最高荣誉——“全国五一劳动奖状”。

展望愈加开放的中国金融业，营口银行将更加坚定服务中小微企业的市场定位，倍加珍惜来之不易的发展机会，继续秉承“谦恭、诚信、创新、进取”的企业精神，不断推进现代金融企业建设，以国际化视野，致力发展成为“立足东北及环渤海地区，做一家独具特色、在区域内具有影响力的好银行”。

地址：辽宁省营口市沿海产业基地新海大街 99 号 16F

邮编：115000

电话：40078－96178

网址：www.bankofyk.com

邮箱：40078－96178@bankofyk.com

浙商银行股份有限公司

【企业概况】

浙商银行股份有限公司（以下简称“浙商银行”）是中国银监会批准的 12 家全国性股份制商业银行之一，总行设在浙江省杭州市，是唯一一家总部位于浙江的全国性股份制商业银行。前身为“浙江商业银行”，是一家于 1993 年在浙江省宁波市成立的中外合资银行。2004 年 6 月 30 日，经中国银监会批准，重组、更名、迁址，改制为现在的浙商银行，并于 2004 年 8 月 18 日正式开业。截至 2016 年 6 月末，浙商银行已在北京、天津、辽宁、上海、江苏、山东、湖北、广东、重庆、四川、陕西、甘肃等 12 个省市和浙江省内全部省辖市设立了 144 家分支机构，实现了对长三角、环渤海、珠三角以及部分中西部地区的有效覆盖，同时，积极推进香港分行筹建，加快国际化布局步伐。

凭借灵活的市场化机制、战略性的地理布局和高效的运营管理能力，浙商银行自 2004 年改制以来已发展成为一家基础扎实、效益优良、成长迅速、风控完善的优质商业银行。在英国《银行家》杂志 2016 年公布的“全球银行业 1000 强”榜单中按一级资本位列第 158 位，按总资产位列第 117 位。中诚信国际给予浙商银行金融机构评级中最高等级 AAA 主体信用评级。同时荣膺多家知名机构或权威部门评选的“最佳企业流动性服务银行”“最受投资者尊重的投行”“最佳财富管理品牌”“网络金融创新奖”“浙商最信赖金融机构”“最佳社会责任金融机构奖”等荣誉。

浙商银行的愿景是成为最具竞争力全国性股份制商业银行和浙江省最重要金融平台。“最具竞争力全国性股份制商业银行”是指在服务目标客户过程中体现出比肩一流股份制银行的专业水准，在创新能力、风控能力、市场服务能力、价值创造能力上具有明显竞争优势；规模体量上与全国性股份制商业银行的身份相匹配，能够为专业能力的持续发展提供支撑。“浙江省最重要金融平台”是指功能齐全、规模领先、业绩优良、声誉卓著的浙江省代表性金融集团，在资源投放、高效服务、模式创新上走在前列，成为省内各级政府、金融机构、核心企业和广大浙商的战略性合作伙伴。最具竞争力是最重要金融平台的能力基础，最重要金融平台是最具竞争力的物质基础，二者互为支撑。

基于对宏观经济金融的发展趋势、企业需求的变化趋势、监管机构的监管趋势、银行经营的转型趋势的判断，浙商银行提出以全资产经营战略迎接经济金融“新常态”，寻求在经济换挡期实现快速发展、弯道超车的道路。全资产经营战略是涵盖前中后台管理和协调的系统经营战略，主动适应高度不确定和快速变化的市场环境，构建方向明确、机制灵活、策略多样、工具丰富的权变经营体系。全资产经营战略由业务拓展、内部管理、战略指向三部分构成：

在业务拓展上，面向整个经济体，不断开拓客户渠道，围绕公司客户、个人客户、小微客户、同业客户需求，因变而变，强化条线联动与交叉营销，通过产品组合与产品创新，及时、有效满足客户动态的、多样化的需求。

在内部管理上，加强机构与渠道建设，强化面向市场与客户体验导向的产品和商业模式创新，形成与市场需求、客户需求相匹配的信贷类资产、交易类资产、投资类资产与同业类资产，以资产经营能力驱动负债经营，由资产持有型向资产管理型、交易型转变，不断创新全资产负债管理体系，健全全面风险管理体系。

战略指向是指形成差异化的竞争能力，开拓多元化的盈利来源，有效平衡经济、市场或业务波动对浙商银行资产规模、盈利能力的影响，从而实现领先同业的增长，最终达成“两最”愿景。差异化的竞争力体现在不同发展阶段业务、产品的组合能力，业务的重要性随市场和客户的需求变化而变化。

经过十多年的市场洗礼，浙商银行形成了明显的发展优势：

一是具有领先成长性和高效运营管理能力。得益于全资产经营战略，总资产在2015年首破万亿，截至2016年6月末达到11816.34亿元，存款余额6445.55亿元，贷款余额4106.22亿元，分别较年初增长14.54%、24.91%及18.88%，增幅在已上市全国性股份制商业银行中名列前茅。2016年上半年非息收入40.03亿元，同比增加179.93%，非息收入占比同比提高11.50个百分点；实现净利润47.35亿元，同比增加42.37%；营业收入和拨备前利润三年（2013年至2015年）复合增长率、净资产回报率与已上市全国性股份制商业银行相比均位居前列。

二是着力打造企业流动性服务银行与全价值服务银行。在全资产经营战略指导下，针对公司客户多样化的流动性服务需求，推出了以“涌金票据池”“涌金出口池”以及“涌金资产池”产品为代表的池化融资服务模式，有效提升了客户综合化资产管理能力和收益能力，真正实现了做客户财务公司和内部银行的目标。截至2016年6月末，资产池（票据池）签约客户突破6200户，比年初增长逾60%；累计入池资产金额突破2800亿元，比年初增长逾74%。积极转变传统金融服务模式，探索全链条、综合化投融资服务体系，拓宽企业融资渠道，创新贷款和资产证券化相结合的交易业务模式、创新大股东增信基础上平层参与上市公司定增业务、创新与外部私募基金合作参与政府产业基金的股权直投等，产品线和服务线已覆盖企业各个发展阶段的金融需求，与超百家上市公司或其股东建立了业务合作关系，初步具备为企业提供全价值服务的能力。

三是着力打造同业交易服务银行。同业金融板块业务致力于为浙商银行获取优质客户、打造创新产品、创造超额收益，在总行层面设立金融市场部、资本市场部、金融同业总部、资产管理部、资产托管部、金融市场风险控制部等六个部门，逐步形成完善、专业的同业金融服务平台。近两年来，为积极应对利率市场化、综合化经营和监管日益趋全、趋严的新形势，坚持转型、创新、合规，不断丰富资产负债来源，利润稳步增长，价值贡献持续提升。通过业务、模式与机制创新，加强与各类资本市场交易主体合作，参与多层次资本市场建设，探索各类资本市场业务，创新投贷联动业务合作模式，为超百家上市公司、新经济主体、地方产业基金等客户提供综合化金融服务，“脱虚向实”服务实体经济，在市场上取得了较高知名度和影响力。

四是着力打造小微企业贴心服务银行。作为中国商业银行小微企业业务的先行者，浙商银行早在2006年6月就成立了中国第一家专门服务小微企业的专营支行，并且不断发展和完善小微企业业务的相关制度和业务流程，创新开发了“桥隧模式”“村民保证贷”和“一日贷”“三年贷”以及“全额贷”等契合小企业主需求的特色产品，推出公私联动支付功能的“账户通”、额度灵活调整的“信用通”、满足小微客户规模成长后需求的“成长贷”等产品和服务，针对不同客群融资“痛点”量身定制“小微民宿贷”“青年创客贷”等专属金融服务产品，有效提升了客户服务能力，客户平均使用产品数不断增加。通过举办“千人计划”人才金融对接会等，加大对“国千、省千”等“双创”人才创业支持力度，2016年6月末“双创”贷款余额较年初增加57亿元，提高了本公司小微品牌知名度。截至2016年6月末，国标小企业贷款余额1205.46亿元，较年初增长131.32亿元，增速12.23%，超出上年同期增量61.78亿元。

五是着力打造个人财富管家银行。突出强化“互联网+”创新驱动，业务经营保持良好发展态势，实现客户规模和金融资产快速增长。积极融入互联网基因，打造个人业务特色竞争优势，先后推出了新版手机银行、一站式投资理财服务平台“财市场”、业内首款个人池化授信融资产品“增金财富池”等业务和产品。逐步发力个人住房贷款和消费贷款，推出了消费贷款新产品“浙抵贷”，截至2016年6月末个人住房贷款和消费贷款合计余额比年初增长165%，贷款质量继续保持优良。推出个性化定制卡、预制信用卡等特色服务，打造“食宿行乐，浙有生活全攻略”促销品牌，客户用卡体验和服务质量得到极大提升。截至2016年6月末，个人有效客户数152.65万户，比年初增长38.73%；个人金融资产余额942.08亿元，比年初增长31.30%；信用卡累计发卡量突破50万张。

六是具有发展互联网金融的坚实基础。浙商银行发挥金融核心优势，积极融入互联网技术和精神，重构产品、服务和管理体系，为客户提供丰富、安全、方便的金融服务。在管理体制上，已将互联网嵌入到各个业务条线，而非集中到一个独立的部门，个人业务方面推出的增金宝、理财产品在线转让等产品和服务，公司业务方面推出的“涌金票据池”，均具有互联网金融概念。领先运用人脸生物特征识别技术服务于直销银行手机客户端注册。创新推出“收付通”“存管通”“电商付”“移动云支付”等互联网金融特色产品，开展全方位的存管业务合作，已形成第三方支付公司存管、大宗商品交易存管、单用途预付费卡存管在内的多门类存管业务体系。持续优化电子银行渠道客户体验，电子银行渠道替代率超过95%，达到行业领先水平。

七是具有良好的风险管理能力。实行积极稳健的风险管理策略，注重风险管理与业务经营的匹配性以及风险管理的有效性和策略性，建立了与全资产经营战略相适应的全面风险管理体系并持续完善。在保持相对独立、有效制衡的基础上，强化风险管控与业务经营的有机结合、高效衔接，坚持相对独立、专业管控、兼顾效率、快速反应的原则，逐步形成有利于经营、有利于风险控制、有利于创新的全面风险管理体系。近年来在全国不良贷款率持续攀升的大环境下，浙商银行资产质量始终位于全国性股份制商业银行领先水平，截至2016年6月末不良贷款率1.33%，拨备覆盖率229.27%，贷款拨备率3.06%。浙商银行实行相对垂直的风险管控模式，向总行重要部门、各分行派驻风险监控官。派驻分行风险监控官协助派驻行行长组织全面风险管理工作，重点管控辖内重大、复杂、疑难的各类业务风险；派驻分行风险监控官直接向总行负责，独立于分行向总行报告风险预警事件，保持了风险控制的独立性。推行条线风险控制模式，在重要业务条线设立风险控制中心，提升风险管控的专业化水平与工作效率。

【企业文化】

一、浙商银行愿景

2016－2020年规划期内，浙商银行将深入贯彻落实“四个全面”重要战略布局和“创新、协调、绿色、开放、共享”五大发展理念，坚持金融服务实体经济的本质要求，适应国内外经济金融形势和监管要求新变化，推动深化供给侧结构性改革，优化调整客户结构、产品结构、业务结构和收入结构，依靠科技进步、业务创新和体制机制创新，显著提升综合竞争能力。

二、总目标

浙商银行的总目标是成为最具竞争力全国性股份制商业银行和浙江省最重要金融平台。“最具竞争力全国性股份制商业银行”是指在服务目标客户过程中体现出比肩一流股份制银行的专业水准，在创新能力、风控能力、市场服务能力、价值创造能力上具有明显竞争优势；规模体量上与全国性股份制商业银行的身份相匹配，能够为专业能力的持续发展提供支撑。“浙江省最重要金融平台”是指功能齐全、规模领先、业绩优良、声誉卓著的浙江省代表性金融集团，在资源投放、高效服务、模式创新上走在前列，成为省内各级政府、金融机构、核心企业和广大浙商的战略性合作伙伴。最具竞争力是最重要金融平台的能力基础，最重要金融平台是最具竞争力的客观体现和重要支撑，“两最”互为因果。

三、战略定位

深入推进全资产经营战略：创新合作，在客户中心理念下实现客群与业务聚焦；灵活应变，塑造综合化、数字化、扁平化的有机组织；对标一流，打造最具特色竞争力的中型银行。

全资产经营战略是涵盖前中后台管理和协调的系统经营战略，是主动适应高度不确定和快速变化的市场环境，构建方向明确、机制灵活、策略多样、工具丰富的权变经营体系。在内部经营层面，突破单纯以信贷资产为主的局限，根据市场与客户需求的变化随时调整信贷类资产、交易类资产、同业类资产、投资类资产及表内外资产的配置，以资产带动负债，重塑银行的资产负债表；在客户服务层面，打破资产、负债与服务，公司、同业、个人业务及产品的界限，把金融活动融合到客户的经营和生活中，优化客户的资产负债表；进而形成快速适应市场和客户需求变化的竞争能力，开拓多元化的盈利来源，有效平衡经济周期、业务波动对我行资产规模、盈利能力的影响，实现领先同业的增长，最终达成“两最”总目标。

浙商银行精神：负责、诚信、学习、专业、沟通、创新。

地址：中国浙江省杭州市庆春路288号

全国统一服务电话：95527

网址：www.czbank.com

邮箱：95527@czbank.com

郑州银行股份有限公司

【企业概况】

郑州银行成立于1996年11月，2000年2月更名为郑州市商业银行，2009年12月正式更名为“郑州银行”。我行于2015年12月在香港联交所主板挂牌上市，是河南省首家、全国第十家上市的城商行。自成立以来，郑州银行坚持“商贸物流银行、中小企业融资专家、精品市民银行”的市场定位，秉持“中意你我他”的价值主张和“服务到心”的品牌理念，专注小微领域，服务实体经济，坚持走特色化、差异化发展之路，近年来，各项业务不断取得历史性突破，市场竞争力和综合实力不断增强。目前，我行已发起成立了河南九鼎金融租赁股份有限公司，以及中牟、新密、鄢陵、扶沟4家村镇银行，综合化经营稳步推进。

截至2015年末，郑州银行在职员工3321人，分支行117家，其中省内分行8家。资产规模2,656亿元，存款总额1692亿元，贷款总额943亿元，资本充足率12.2%，不良贷款率1.10%，拨备覆盖率258.55%，各项主要监管指标均达到监管要求。

郑州银行经营管理能力的持续提升，得到了社会各界的广泛认可。2015年被《银行家》杂志社和中国社科院金融研究所评选为“最佳城市商业银行”和“资产规模2000亿元以上城市商业银行竞争力第一名”；在英国《银行家》杂志2014年世界银行1000强排名中，一级资本和资产规模分别排名第440位和第376位，较上年均有较大幅度提升，稳居世界银行500强；荣获中国银监会“2012－2015年度小微企业金融服务先进单位”；位列《当代银行家》全国区域性发展银行公司价值第10名；在中国银行业协会“全国商业银行‘陀螺’评价体系”测评中，我行竞争能力、服务能力分别位于全国城商行第3名和第5名。

【企业荣誉】

全国银行业金融机构小微企业金融服务先进单位、2014年度资产规模2,000亿以上城市商业银行竞争力评价第一名、2014年度最佳城市商业银行。

【企业文化】

企业使命：鼎铸中原、立鼎金融、盛世民生、和谐共荣

企业愿景：建一流精品、创百年鼎盛

企业精神：拔山扛鼎、追求卓越

核心价值观：合规鼎峙、革故鼎新、一言九鼎

市场定位：服务地方、立足中小、关注民生、发展高端

企业文化核心推广语：诚·立信、德·致远

品牌沟通广告语：中意你我他

客服热线：967585（河南地区） 4000967585（全国地区）

地址:郑州市郑东新区商务外环22号郑银大厦
网址:www.zzbank.cn

重庆银行股份有限公司

【企业概况】

重庆银行是中国西部和长江上游地区成立最早的地方性股份制商业银行。近年来,按照市政府制定的"龙虾三吃"发展战略,全力推进增资扩股、资产重组和引资上市工作。在完成两次增资扩股和三次不良资产剥离后,2007年4月顺利引进香港大新银行作为战略投资者,2009年4月成功发行10亿元次级债,进一步增强了资本实力,提升了抗风险能力。2013年11月6日重庆银行在香港证券交易所主板正式挂牌上市,成为第一家在港交所上市的内地城商行,也是近三年来第一家在香港上市的内地银行股。

近年来,重庆银行在上级单位和监管部门的亲切关怀下,在董事会、监事会的正确领导下,在全行员工的同心协力下,经受住了全球金融危机和宏观调控政策变化的双重考验,经营管理稳固有序,业务发展取得长足进步,各项指标均显现良好发展态势。2013年重庆银行资产总额突破2000亿元,达到2068亿元,同比增长32.4%;存款总额1488亿元,贷款总额905亿元;实现净利润23.29亿元,同比增长21.0%;平均总资产回报率为1.28%,平均权益回报率21.4%;资本充足率13.26%,同比上升2.15%;不良贷款率继续保持在0.39%的低位,在上市同业中居于最低水平。

在机构建设方面,重庆银行现下设116家分支机构,网点覆盖了重庆市所有区县。2008年12月,成都分行顺利营业,重庆银行成为西部第一家实现跨区域经营的城商行。2010年3月贵阳分行开业,2011年4月西安分行也顺利实现了开业。为应对日趋复杂的经济金融形势,提升市场竞争力,积极响应国家调整经济结构、鼓励中小微企业发展的政策号召,重庆银行坚定不移的推进战略转型步伐,走专业化、特色化发展之路,先后成立专门的中小企业业务中心、科技创新金融服务中心,以及重庆第一家独立挂牌经营的小企业信贷中心。同时,重庆银行不断加了产品和业务模式的创新,打造出"微企通"、"易捷贷"、"金翅膀"、"启动力"等在市场上享有较大声誉的品牌,在金融服务中小微企业、有效解决融资难问题上进行了有益的尝试和探索,得到社会各界的充分认可和积极评价。

2013年,重庆银行在英国《银行家》公布的全球银行业1000强中综合排名513位,比2012年提升了43位。在国际评级公司标准普尔在北京发布的"中国50大银行"排名中,重庆银行名列其中。在中国《银行家》公布的"资产规模千亿以上城商银竞争力排名"中列第13位。

【社会责任】

重庆银行自成立之初,就一直把积极履行社会责任作为经营活动的重要组成部分,在自身不断发展的同时,不忘回报社会。近年来重庆银行积极支持"五大功能区"建设、扶持小微企业发展、服务"三农"、支持地方经济、倡导绿色运营、维护消费者权益、投身公益事业,不断推动企业社会责任与企业发展战略和经营业务的有机融合。

地址:重庆市渝中区邹容路153号
邮编:400010
电话:023-63836229
传真:023-63824699
网址:www.cqcbank.com

第二节　非银行金融机构

■财务公司

中车财务有限公司

【企业概况】

中车财务有限公司是中国中车集团第一家持牌金融机构，由中国北车集团财务有限公司（以下简称“北车财务”）与南车财务有限公司（以下简称“南车财务”）按照对等合并原则组建而成。原南车财务公司、北车财务公司均于2012年底经中国银监会批准开业，2015年之前各自独立运营，2015年9月启动合并工作。根据《中国银监会关于中国北车集团财务有限公司吸收合并南车财务有限公司有关事项的批复》以及《北京银监局关于中国北车集团财务有限公司变更名称的批复》，合并后公司于2017年1月18日正式更名为“中车财务有限公司”，注册资本22亿元，其中中车集团出资1.9008亿元，持股8.64%，中车股份出资20.0992亿元，持股91.36%。

中车财务有限公司（以下简称“公司”）目前共有在岗员工57人，拥有本科及以上学历的员工100%，其中硕士及博士（其中1人博士在读）共24人，占比42%。公司属于金融行业，主营业务为：对成员单位办理财务和融资顾问、信用鉴证及相关的咨询、代理业务；协助成员单位实现交易款项的收付，经批准的保险代理业务；对成员单位提供担保；办理成员单位之间的委托贷款；对成员单位办理票据兑现与贴现；办理成员单位之间的内部转账结算及相应的结算、清算方案设计；吸收成员单位的存款；对成员单位办理贷款及融资租赁；从事同业拆借。公司同时具有保险兼业代理业务许可、全国银行间同业拆借资质、外币结售汇业务资格、跨国公司外汇资金集中运营管理、跨境双向人民币资金池业务、电票系统上线资格等业务资质。

【规划发展】

“十三五”期间，中车财务有限公司将依托集团，服务集团，紧紧围绕中国中车“十三五”发展战略，坚持“两化”原则（通过总部资金和财务公司一体化运营，实现集团利益最大化），积极打造“一个中心，四个平台”（资金集中管理中心、融资服务平台、金融投资平台、投行服务平台、资金监控平台）。致力于发展成为集团的司库，集团的综合金融服务商、产业链金融的龙头、金融板块的领军企业，成为产融结合的桥梁和纽带，助力集团发展，成为行业一流财务公司。

公司围绕“搭建集团统一的司库管理平台”这一战略目标，将在资金池、票据池等多个方面开展工作，抓好顶层设计，鼓励探索创新，统筹谋划推进，稳步组织实施，推动产融结合，助力集团发展。力争“十三五”末，实现营业收入15.92亿元，净利润10亿元。

【经营状况与市场成就】

2016年，公司以提质增效活动为主线，深入推进全面预算管理，明确和协调各部门责任，有规划、有效率地进行公司资源配置，有效控制各类经营风险。一方面，明确责任，层层分解指标。公司组织各部门上报本年指标的基本目标值和奋斗目标值，结合自身发展战略确定了年度经营指标的基本目标及奋斗目标。另一方面，强化过程控制，全面预算分析。公司实行滚动预算管理制度，定期召开行政例会对预算执行情况进行分析和通报，及时掌握市场变化，有效推进各项业务。公司在全面预算管理基础上，围绕服务集团和成员单位，稳步开展金融服务创新，持续优化资产结构，取得了较好经营业绩。实现营业收入82,577万元，净利润39,020万元，完成集团下达指标。到2016年末，公司资产总额达到3,858,747万元，较2015年增加27.92%。

【服务总部业务】

作为总部唯一一家持牌金融机构，财务公司的成立是集团战略发展的需要，是集团产融结合的需要。自诞生之日起，即为财务系统的资金运营平台。2016年，公司通过建立健全总部及下属企业资金计划报送体系，发挥财务公司信息系统直连归集及监控优势，加大合作银行融资产品种类，拓展法透规模等方式，降低闲置资金浮存，严控银行日均可动用资金余额，加快资金周转，提升资金使用效率，有效实现降双高，降融资成本。2016年，办理银行融资888亿元，超短融发行150亿元，公司债发行20亿元；累计代理完成总部二次归集813亿元，发放集团内部调剂贷款495亿元，办理受托保函业务541笔，21.9亿元，办理受托票据承兑业务399笔，99.5亿元。

【信贷业务】

2016年，公司积极争取信贷规模，有效发挥金融服务平台公司能，结合成员单位需求，全力推进信贷产品创新，取得显著成效。全年新增信贷投放45亿元、增幅达42.9%，年末公司自营贷款余额150亿元。全年累计办理票据28亿元，比上年增加7.4亿元，增幅达35.9%。

【同业业务】

充分利用金融持牌优势，积极参与同业市场，开展存放同业业务，提升存量资金收益，充分发挥规模议价优势；通过资金调配实现资金期限结构充分利用；积极开展同业拆借业务，拓展融资渠道，补充资金头寸需求。

【票据业务】

围绕实物票据管理和电子票据推广，加大产品创新力度，收到明显成效。全年累计办理承兑纸票电票合计25亿元，其中电子银票23亿元，财务公司承兑的票据已逐渐成为集团内部及成员单位与供应商之间的主要结算工具之一，降低了成员单位的资金占用和融资成本。

【结算和资金集中】

作为集团的结算主渠道，发挥金融牌照优势，运用多种流动性管理工具，在保障结算支付前提下，提高流动性资金的配置效益。2016年实现集团公司子企业全面开户，到2016年底，资金平台覆盖成员单位达到301家。全年日均存款191亿元，年末存款余额352亿元，年末全口径资金归集度64%，达历史最高水平，全年平均资金归集度45%，较上年同期41%增加4个百分点。

【外汇业务】

2016年外汇业务取得突破。办理结售汇业务量达到1

亿美元，为成员企业节省汇兑成本35万元。吸收外汇存款实现零突破，年末外币存款余额折合人民币达到9.5亿元。承担集团外汇风险敞口的定期统计分析工作，协助集团进行汇率风险管理。为成员单位提供外管咨询和顾问，开展主要币种的汇率走势和对策研究。2016年，发放首笔欧元贷款。

【业务创新】

与银行合作开展财司票据保贴。打通了工行北京分行、招行北京分行对财司承兑票据全国供应商保贴渠道。2016年全年累计为供应商提供低成本融资约7亿元。创新开展应收账款保理业务。通过开展无追索权保理业务解决成员单位应收账款积压问题，满足其优化财务结构及资金融通的需求。票据池业务取得初步进展。开展"财务公司票据池"研究，并与招行北京分行签订了《票据池合作协议》，为后续建立集团统一票据池奠定了基础。全面推动外汇业务发展。2016年底，公司获得跨国公司外汇资金集中运营管理和跨境人民币双向资金池两项业务资质，为实现中车集团跨境外汇资金池和人民币资金池的双向自由流通奠定基础，同时也能实现财务公司代理收付汇和轧差结算，拓展公司的外汇业务经营范围。

【风险管理和内部控制】

公司扎实做好风险监测、监控工作，对流动性比率、资本充足率等关键监管指标进行持续跟踪，并建立预警机制。公司不良资产继续实现了"双0"目标（0不良资产余额和0不良资产比例）；实行全面审计策略。通过开展年度内部控制自我评价，提高基础管理水平。

【综合管控与人力资源管理】

2016年，公司不断完善差异化薪酬分配办法：针对企业负责人，实施总部年薪制管理的高层管理人员薪酬与企业经营业绩、个人绩效相挂钩的差异化分配办法，同时完善高层管理人员履职待遇、业务支出管理办法；针对普通员工，完善岗位绩效工资制实施办法。2016年，公司基础管理工作得到进一步夯实。建立月度行政例会制度，以全面预算管理为核心，建立目标管理体系。推动办公自动化，提升工作效率。

【信息化建设】

金融业务的高效开展，离不开信息化系统的有效支撑。公司结合发展规划，制定信息化长、中、短期建设目标，全面完善核心业务系统建设，稳步推进业务整合；构建高性能、高并发、高可靠平台，应对互联网金融发展，确保业务运行的稳定性、连续性、安全性。

【企业文化与社会责任】

公司十分注重企业文化建设和社会责任。2016年，为促进合并后公司在管理、制度、作风、行为规范、薪酬标准、文化理念等等方面的融合，公司开展了深入细致的工作。领导班子以身作则，带头学习、带头奉献、带头融合、带头讲大局、带头团结协作，提高工作效率，推动工作快速执行。上有所好，下必效焉，整个公司形成了团结协作、奋力拼搏的良好氛围。2016年，公司上缴扶贫资金44.2万元。工会团结动员广大群众开展了一系列主题活动。

【公司荣誉】

在2016年6月财务公司协会公布的222家财务公司行业评级中，被评为最高等级"A"级（222家中68家"A"级），进入"创新型财务公司"行列。

【公司大事记（2016年）】

1月1日，根据总部战略部署，经与金融监管部门沟通，南北财务公司实现机构人员到位及业务到位。

6月3日，中国北车集团财务有限公司获得财务公司行业评级创新"A"级。

9月19日，取得了《中国银监会关于中国北车集团财务有限公司变更股权的批复》及《中国银监会关于南车财务有限公司变更股权的批复》。

11月27日，中车财务有限公司第一次全体党员大会召开。

12月9日，获得中国人民银行营业管理部跨境办《跨境双向人民币资金池结算业务首次备案通知书》。

12月20日，获得国家外汇管理局北京外汇管理部《关于中国中车集团公司开展外汇资金集中运营管理业务的备案通知书》，同意中国北车集团财务有限公司作为开展外汇资金集中运营管理的主办企业参与外汇资金集中运营管理。

12月22日，取得《中国银监会关于中国北车集团财务有限公司吸收合并南车财务有限公司有关事项的批复》

12月28日，取得《北京银监局关于中国北车集团财务有限公司变更名称的批复》。

12月29日，完成了南车财务公司税务和工商注销手续。

地址：北京丰台区芳城园一区15号楼附楼1－5层

邮编：100078

电话：010－51897086

邮箱：caiwugsb@ crrcgc. cc

网址：www. crrcgc. cc

中远财务有限责任公司

【企业概况】

中远财务有限责任公司（前身为中远集团财务公司）成立于1993年10月，注册资本27400万元（含2000万美元）。1999年9月，经中国人民银行批准改制增资，由中远集团的全资子公司改制为有限责任公司，注册资本增加至4亿元（含2000万美元）。2005年12月，经中国银监会批准，公司进行增资扩股，注册资本增加至8亿元（含2000万美元）。2011年12月，经中国银监会北京监管局批准，公司再次进行增资扩股，注册资本增加至16亿元（含2000万美元）。

经中国银监会批准，公司的业务范围包括：对成员单位办理财务和融资顾问、信用鉴证及相关的咨询、代理业务；协助成员单位实现交易款项的收付；对成员单位提供担保；办理成员单位之间的委托贷款及委托投资；对成员单位办理票据承兑与贴现；办理成员单位之间的内部转账结算及相应的结算、清算方案设计；吸收成员单位的存款；从事同业拆借；对成员单位办理贷款及融资租赁；经批准发行财务公司债券；承销成员单位的企业债券；对金融机构的股权投资；有价证券投资。

公司设有总经理办公室/党群工作部、结算业务部、投资交易部、企业金融部、计划财务部、审核部/风险管理部、网络信息部。

公司成立以来，坚持"稳健经营，不断发展"的经营理念，依托中远集团强大的产业实力，在各股东单位、集团各成员企业及金融同业的大力支持下，取得了良好的经济效益和社会效益。

【企业文化】

公司使命：聚焦产业链金融创新，提升服务集团主业及金融行业扩张能力，逐步确立集团金融运作中心地位，最大限度为成员单位带来增值服务。

公司愿景：加强资金集中管理，拓宽金融服务职能，开展集约化金融服务；集聚集团金融资产，扩张集团金融版图，实现集团化金融管理；发挥混业经营优势，提供全方位金融支持，形成集成化金融产业。

企业价值观：服务集团最优回报股东最大员工发展最好

企业精神：诚信务实创新共荣

经营理念：服务集团稳健经营创造效益

用人理念：用人所长，让合适的人做合适的事

地址：北京市西城区月坛北街 2 号月坛大厦 A 座 19 层

邮编：10004

电话：010 – 68083199

传真：010 – 68083189

网址：www. coscofinance. com

中油财务有限责任公司

【企业概况】

中油财务有限责任公司（以下简称公司），是为满足中国石油天然气集团公司财务发展战略，加强资金管理，由中国石油天然气集团公司和中国石油天然气股份有限公司共同持股，经中国人民银行批准，在国家工商行政管理总局注册的一家非银行金融机构，是全国银行间债券市场、中国外汇交易中心会员，中国证监会认可的首批 IPO 询价对象。

公司成立于 1995 年 12 月。公司始终坚持“依托集团，服务集团，奉献集团”的宗旨，充分发挥集团公司结算平台、筹融资平台、资金管理平台功能，降低筹融资成本，提高资金运作效率和效益，为中国石油产业的发展提供了金融服务与支持。在集团公司和成员企业的支持帮助下，公司保持了健康平稳的发展态势，结算量、资产、收入和利润规模连续多年位居国内同行业前列，成为目前全国资产规模最大、业务品种最多、效益最好的财务公司之一。

公司共有股东单位 3 家，注册资本 83. 3125 亿元人民币。公司最高权力机构是股东会，实行董事会领导下的总经理负责制。公司总部设有财务部、营业部、信贷部、证券部、国际业务部、管理稽核部、信息发展部、人事劳资部、金融与会计研究所、总经理办公室（党群工作部）10 个部门，在集团公司成员单位所在地分别设立了大庆分公司、沈阳分公司、吉林分公司、西安分公司和 63 个业务受理处。目前，公司服务网络覆盖集团公司石油天然气勘探开发、炼油化工、管道运输、油气炼化产品销售、石油工程技术服务等各个领域，为 400 多家成员客户提供广泛的金融产品和服务。为配合集团公司“走出去”战略，公司于 2008 年 3 月在香港设立了中国石油财务（香港）有限公司，随后又在迪拜设立了中国石油财务（迪拜）有限公司，在新加坡注册成立中国石油财务（新加坡）有限公司，为集团公司境外成员企业提供跨境金融服务。

截至 2016 年末，公司资产总额达到 6200 亿元，全年实现利润总额 89 亿元，同比增加 20. 45 亿元，增长 29. 8% 。

公司主要经营以下本外币金融业务：

对成员单位办理财务和融资顾问、信用鉴证及相关的咨询、代理业务；协助成员单位实现交易款项的收付；经批准的保险代理业务；对成员单位提供担保；办理成员单位之间的委托贷款及委托投资；对成员单位办理票据承兑与贴现；办理成员单位之间的内部转账结算及相应的结算、清算方案设计；吸收成员单位的存款；对成员单位办理贷款及融资租赁；从事同业拆借；经批准发行财务公司债券；承销成员单位的企业债券；对金融机构的股权投资；有价证券投资；成员单位产品的消费信贷、买方信贷及融资租赁。

经中国银行业监督管理委员会和国家外汇管理局批准，为中国石油天然气集团公司实施境内外资金集中管理，为各成员单位办理结售汇、外币兑换及境内衍生品交易服务。

【企业文化】

企业文化是一个企业在长期生产经营中倡导、积累，经过筛选提炼成的，是企业的灵魂和潜在的生产力，是打造企业核心竞争力的战略举措。

新中国成立六十多年来，伴随着石油工业的快速发展，石油企业文化也取得了丰硕成果。中国石油集团公司形成了丰厚的企业文化积淀，培育了以“大庆精神”、“铁人精神”等为代表的优秀企业文化，激励了几代石油人艰苦奋斗、无私奉献，并在社会上产生了很大影响，成为中华民族优秀文化的重要组成部分，有力地促进了中国石油工业的发展。

重组改制以来，集团公司大力加强企业文化建设工作，努力为建设具有国际竞争力的跨国企业集团提供强有力的文化支撑。2001 年，中国石油将企业文化建设作为“十五”期间的十大工程之一，2003 年制定颁发了《企业文化建设纲要》，成立了企业文化部，努力建设具有鲜明时代特征和石油特色的优秀企业文化，有力地促进了企业的发展。加强企业文化建设已成为中国石油建设具有国际竞争力跨国企业集团的重要措施，“文化强企”已经成为中国石油发展战略的重要组成部分和全体员工的共识。

在未来发展中，中国石油集团将继续把文化战略作为重要的发展战略之一，不断丰富和完善具有石油特色的企业文化，让优秀的石油文化成为企业发展的不竭动力。

地址：北京市东城区东直门北大街 9 号中国石油大厦 A 座 8 层 – 12 层

邮编：100007

邮箱：lvzongjian@ cnpc. com. cn

网址：cpf. cnpc. com. cn

中铝财务有限责任公司

【公司概况】

中铝财务有限责任公司（以下简称公司）是经中国银行业监督管理委员会（银监复〔2011〕199 号文）批准的非银行金融机构，于 2011 年 6 月正式设立。公司注册资本为 25 亿元人民币，由中国铝业公司（以下简称中铝公司）全额出资。公司在业务上接受中国银行业监督管理委员会和中国人民银行的监督指导，依法自主经营，具有独立企业法人资格。

公司是中铝公司旗下核心金融企业。成立以来，公司始终把服务中铝公司战略作为自身发展的出发点和落脚点，以加强集团资金集中管理和提高资金使用效率为目的，立足服务和创新，着力推进资金集中，积极拓宽金融服务功能，努力为成员单位提供优质的综合金融服务，切实发挥了金融支持作用。

公司将不断适应宏观经济形势和经营环境变化，积极探索中铝特色产融结合发展道路，稳步推进资金集中和改革创新，持续提升金融服务水平，发挥集团内各项金融业务协同优势，打造“一个平台”、“五个中心”，一个平台就是综合金融服务平台，五个中心是资金集中管理服务中心、产业融资中心、金融投资业务中心、投行业务服务中心、金融人才储备中心。

【企业文化】

经营理念：责任、诚信

企业精神：厚德载物、服务至上
地址：北京市海淀区西直门北大街62号中铝大厦7层
邮编：100035
电话：010－82298679
传真：010－82298981
网址：www. chinalcof. com

中节能财务有限公司

【企业概况】

经中国银行业监督管理委员会批准，中节能财务有限公司（以下简称财务公司）于2014年7月10日获得开业批复并领取金融许可证。财务公司现有注册本金人民币30亿元，是集团公司独资设立的第一家非银行金融机构，致力于为集团及其成员企业提供多层次、低成本、个性化金融产品服务。

财务公司的成立，对集团公司提高资金资源配置效率、加快产融结合具有重要意义。财务公司的功能作用主要体现为：一是财务公司作为资金归集平台，通过集团资金的跨账户、跨地域、跨主体集中，提高集团资金使用效益；二是财务公司作为资金结算平台，通过科学搭建账户体系，为集团成员单位提供安全、高效、优质的对外结算和内部清算服务，加快集团资金周转；三是财务公司作为资金监控平台，通过强化成员单位各类型账户和票据在线监控，控制资金风险；四是财务公司作为金融服务平台，通过内部资金融通，节省集团的财务费用、缓解存贷双高。通过发挥牌照优势，拓宽集团融资渠道；通过财务顾问业务，服务集团投融资管理和资本运作。

财务公司的业务范围包括：对成员单位办理财务和融资顾问、信用鉴证及相关的咨询、代理业务；协助成员单位实现交易款项的收付；经批准的保险代理业务；对成员单位提供担保；办理成员单位之间的委托贷款和委托投资；对成员单位办理票据承兑和贴现；办理成员单位之间的内部转账结算及相应的结算清算方案设计；吸收成员单位的存款；对成员单位办理贷款和融资租赁；从事同业拆借；中国银行业监督管理委员会批准的其他业务。

财务公司现设业务发展部、结算业务部、计划财务部、风险管理部、稽核审计部、办公室等六个部门；为健全公司治理机构，公司董事会下设审计委员会、风险管理委员会、提名与薪酬考核委员会三个专业委员会。财务公司现有在职员工中硕士学历占比超过75%，中共党员占比超过50%。

未来，财务公司经批准可以开展金融同业拆借、发行金融债券等业务，支持集团经营发展；开展成员单位产品的消费信贷、买方信贷、融资租赁等产业链金融业务，帮助成员单位拓展市场份额与产品销售；开展有价证券投资、委托投资理财、金融股权投资业务，实现资产保值增值。

【企业文化】

企业愿景：成为全球节能环保产业领先者，让天更蓝、地更绿、水更清，人类生活更美好。

企业使命：致力绿色发展、循环发展和低碳发展，引领技术进步，推进生态文明，建设美丽中国。

企业理念：聚合点滴、创生无限
企业精神：拼搏精神、奉献精神、创新精神
地址：北京市西城区平安里西大街26号新时代大厦16层
邮编：100034
电话：010－83496196
传真：010－83496188
网址：www. finance. cecep. cn

中交财务有限公司

【企业概况】

中交财务有限公司是经中国银行业监督管理委员会批准，于2013年7月成立的非银行金融机构。公司由中国交通建设集团有限公司及中国交通建设股份有限公司共同出资设立，注册资本金35亿元人民币。

中交财务有限公司作为集团内部资金管理平台，将竭诚为集团公司及下属成员单位提供资金结算、存款、信贷、委托贷款、融资租赁、财务和融资顾问等多品种、专业化的金融服务。公司将通过构建金融平台，整合内部资源，强化资金集中管理，为集团提高资金运营效率、扩宽融资渠道、改善资本结构、节约财务成本以及防范资金风险搭建新的平台；为集团促进产业资本与金融资本融合、做大做强各个业务板块贡献力量。

中交财务有限公司作为中交集团第一家控股的金融企业，将认真贯彻“依托集团、服务集团”的经营宗旨，以“稳健经营、服务至上、风险可控、开拓创新”为经营方针，坚持“安全性、流动性、效益性”平衡统一的经营原则，为成员单位提供方便快捷和优质高效的综合金融服务。公司将秉承“奉献、创新、严谨、诚实、和谐”为企业理念，围绕集团产业需要，以服务于中国交建“保基础、调结构、走出去”的战略目标作为公司的使命，以产融结合为手段，将公司打造成中交集团资金集中管理中心、金融服务中心和金融专业人才培育中心。

【企业文化】

经营宗旨：依托集团、服务集团
经营方针：稳健经营、服务至上、风险可控、开拓创新
企业理念：奉献、创新、严谨、诚实、和谐
地址：北京市西城区德胜门外大街83号德胜国际中心B座16层
邮编：100088
电话：010－82016160
传真：010－82016187
邮箱：webmaster@ cccfc. com
网址：www. cccfc. cn

中建财务有限公司

【公司概况】

中建财务有限公司是经中国银行业监督管理委员会批准，在国家工商管理总局注册的一家非银行金融机构，注册资本60亿元，中国建筑工程总公司和中国建筑股份有限公司分别持有财务公司20%、80%股权。

作为“中国建筑”集团内唯一一家全资金融机构，财务公司秉承“依托集团、服务集团、规范管理、审慎经营”的经营方针，定位于“集团资金集中平台、资金配置平台和金融核心企业”，提高集团资金运行效率、实现集团价值最大化为最高目标，围绕集团“一最两跨”的战略目标，整合集团内外各项金融资源，为集团及兄弟单位提供全方位、多品种、个性化的金融服务，为整个集团的发展提供资金支持和保障。

财务公司子2011年初正式运营以来，在集团和各兄弟单

位的支持下，始终坚持提高自身的业务能力和服务水平，积极开拓服务新领域，深入研究及开展资金集中、结算支付、信贷票据、金融投资等业务，实现了向兄弟单位分享收益，为集团及兄弟单位提供更专业的服务，促进集团产业转型升级，与兄弟单位共发展。

地址：北京三里河路15号中建大厦A座7层
邮编：100037
电话：010－88084560
传真：010－88084588
网址：cscfc. cscec. com

中化集团财务有限责任公司

【企业概况】

中化集团财务有限责任公司（以下简称“中化财务公司”）成立于2008年6月，是由中国中化集团公司投资设立的非银行金融机构，注册资本金为人民币10亿元。2009年7月，经中国银监会批准，中化财务公司股东变更为中国中化股份有限公司。2011年12月，根据中化财务公司战略发展需要，经中国银监会批准，中化财务公司注册资本金增加至人民币30亿元。

公司开业以来，以“依托集团、服务集团、规范运营、创新开拓”为宗旨，着力拓展业务范围，积极创新业务品种，服务内涵不断丰富，金融研发创新能力逐步提升，已形成全球资金池、融资服务、资产管理和金融中介四大核心业务协同发展的战略格局，为中化集团产业发展和战略转型发挥着日益重要的服务和支持作用。

公司贯彻“规范治理、稳健经营”的核心理念，构筑了以全面风险管理为主导的管理保障体制。公司打造了设计科学、执行高效的制度流程体系，构建了规范严密、覆盖全面的风险管控机制，形成了权责明晰、制约合理的内部组织机构，为企业有效管理风险、稳步增强核心竞争力、实现全面协调可持续发展夯实了基础。

公司高度重视人才引进、培养、融合工作，着力打造高素质、专业化的金融服务团队。努力创建学习型金融企业，培育学习创新氛围，建设培训交流平台，持续提升员工的职业能力和人力资源价值。

公司全体员工秉承“做人：诚信、合作、善于学习；做事：认真、创新、追求卓越”的中化核心价值观，贯彻“亲情、服务、学习、创新”财务公司文化理念，竭诚为客户提供卓越的金融服务与专业支持，为将企业建设成为国内一流财务公司的愿景而不懈奋斗。

【企业文化】

中化集团企业文化的核心是“做人：诚信、合作、善于学习；做事：认真、创新、追求卓越”。公司按以上“做人”、“做事”的准则努力推进并积极营造健康、向上的企业文化，为股东（国家）、客户、员工价值的共同提升，矢志追求中化基业长青。公司的长远目标是把中化建设成为真正受到同行业广泛尊重的具有全球地位的伟大公司。

地址：中国北京市西城区复兴门内大街28号凯晨世贸中心中座F3
邮编：100031
电话：010－59569332/9333
传真：010－59568943
网址：www. sinochemfinance. com

中化工程集团财务有限公司

【企业概况】

中化工程集团财务有限公司是中国化学工程集团公司和中国化学工程股份有限公司共同出资在京设立的非银行金融机构。公司注册资本10亿元人民币，于2012年9月正式开业。公司依托中国化学工程集团（股份）公司强大的业务运营和资金保障能力，通过开展结算、信贷、投融资等金融业务，服务集团和成员单位，实现自身的可持续发展。

未来，公司将逐步涉足资本市场，利用各类资本市场金融品种，丰富公司的资产组合，在国债、企业债券和等业务方面有所作为；积极参与货币市场运作，利用银行间同业拆借市场和债券市场调解资金余缺、增加资金收益；积极强化投资中介职能，通过快速融资、整合各成员单位资源，担任企业集团、成员单位债券的主要承销商，完成债券的承销业务；积极为集团和企业提供集事前咨询、事中参与、事后分析于一体的管理咨询、投资理财与财务顾问服务，与集团公司良性互动；积极涉足保险等金融领域，最终实现对外拓展、多元化经营的战略格局。

【企业文化】

企业愿景：提供优质金融服务，建设一流财务公司。
企业使命：做强中国化学金融，推进集团产业发展。
经营理念：“依托集团、服务集团”。
核心价值观：以奋斗者为本、以客户为中心。
地址：北京市东城区东直门内大街2号中国化学工程大厦13层
邮编：100007
电话：010－59765361
邮箱：cwgsbgs@ cncecfc. com
网址：www. cncecfc. com

中航工业集团财务有限责任公司

【企业概况】

中航工业集团财务有限责任公司（以下简称“公司”）隶属于中国航空工业集团公司，于2007年4月正式成立。公司是以加强企业集团资金集中管理和提高资金使用效率为目的，为集团成员单位提供财务管理服务的非银行金融机构。公司金融业务受中国银行业监督管理委员会北京监管局的监管，在国家工商行政管理总局登记注册，现有注册资本25亿元人民币，为中航资本控股股份有限公司所属成员单位。

公司在原西飞财务公司、贵航财务公司的基础上重组成立。集团党组书记、董事长林左鸣为公司设定了“用创新思维创建航空金融产业”的光荣使命。集团党组成员、副总经理顾惠忠，为公司成长倾注心血，提出了建设“五个一流”的奋斗目标。

公司坚持“立足集团高效服务创新管理追求卓越”的经营理念，以自身金融业务服务集团产业发展，切实履行集团贴身银行的责任与使命。

公司践行“双核”发展战略：以集团跨越发展为“核心”，为航空产业发展提供“金融驱动”；以自身快速发展为“核心”，为集团金融板块发展提供“内驱动”。确立了“抓住高效服务、风险管理、人才队伍三个关键，成为集团公司的“资金管理中心、内部结算中心、金融服务中心和融资筹资中心”的总体发展思路。

经中国银监会批准，公司先后开展了政策许可的各类业务，已成为业务种类齐全的综合金融机构。

公司致力于为客户提供更好服务，为股东创造更大价值，为员工搭建广阔发展平台，为社会承担全面企业责任，矢志建设一流财务公司，倾力打造中航工业的贴身银行，为集团"两融、三新、五化、万亿"宏伟战略的实现而努力奋斗！

【企业文化】

中航资本经营理念：凝聚、协同、分享、共赢

公司使命：用创新思维创建航空金融产业

公司愿景：实现"五个一流"，即创建一流公司、实现一流管理、建设一流团队、争做一流员工、创造一流业绩；打造国际知名、国内先进的航空工业金融品牌

公司战略：双核驱动：以集团跨越发展为"核心"，为航空产业发展提供"金融驱动"；以财务公司快速发展为"核心"，为集团金融板块发展提供"内驱动"。

公司经营理念：立足集团、高效服务、创新管理、追求卓越

公司倡导的企业文化：快乐工作，快乐生活

地址：北京市朝阳区东三环中路乙10号艾维克大厦18层

邮编：100022

服务热线：4000665019

传真：010－65675004

信访举报：xfjb@avicfinance.com.cn

网址：www.avicfinance.com.cn

中国移动通信集团财务有限公司

【企业概况】

中国移动通信集团财务有限公司（以下简称"财务公司"）于2012年1月经中国银监会批准后正式成立，目前注册资本人民币116.28亿元。作为国内通信运营商惟一一家具有金融机构资质的专业公司，财务公司定位为全集团资金集中管理平台、业务结算平台、全集团资金增值平台、筹融资平台和内部金融服务平台，为集团内部成员单位提供资金管理和金融服务。

财务公司致力于成为全集团的金融专家，始终以"实现集团整体资金效益最大化"为目标，坚持"依托服务集团、审慎稳健运营"的经营方针，在集团政策框架和整体规划指导下开展工作，具体贯彻落实集团对财务公司资金集中管理、业务结算、资金增值、筹融资和金融服务的规划，加强集团资金集中管理、提高资金使用效率，为集团提供完善的财务资金管理服务和金融服务，努力拓展集团金融板块。财务公司统筹高效集中资金，在做好结算业务、信贷业务等基础业务的同时，加强资金增值运作，创新资金运用渠道，探索产业链融资服务，积极推动产融结合，持续提升自身专业化运营水平，为集团创新发展做出有益探索。

【企业文化】

中国移动的核心价值观"正德厚生臻于至善"

地址：北京市西城区丰盛胡同20号丰铭国际大厦B座11－12层

邮编：100032

电话：010－52601603

传真：010－52601552

邮箱：cmfc@cmfc.chinamobile.com

中国铁建财务有限公司

【企业概况】

中国铁建财务有限公司（以下简称财务公司）是经中国银监会批准，具有独立法人资格的非银行金融机构，于2012年4月18日正式开业运营。财务公司是中国铁道建筑总公司重组中国长城财务公司后，引入其下属核心子公司——中国铁建股份有限公司，共同出资成立的。注册资本60亿元，其中，中国铁建股份有限公司出资人民币564,000万元，占比94%；中国铁道建筑总公司出资人民币36,000万元，占比6%。注册地址：北京市海淀区复兴路40号中国铁建大厦十10层东，邮政编码：100855；法定代表人：王秀明。

财务公司的成立对促进中国铁建资金集中管理，加强资金监管，防范资金风险；提高资金效益，降低财务成本，优化财务结构；有效配置资源，助力结构调整等方面发挥重要的作用。财务公司作为非银行金融机构，在中国铁建发展战略指引下，在中国铁建产业结构调整的大背景下，始终坚持"加强中铁建总公司、股份公司及成员单位资金集中管理，提高资金使用效率，为中铁建总公司、股份公司及成员单位提供专业的资金管理、投融资等金融服务"的经营宗旨和"依法合规、审慎稳健、依托集团、服务企业、开拓进取、创誉争效"的经营方针，实现自身规范健康发展。

【企业文化】

企业理念：诚信敬业、激情创业、工作即是快乐

企业方针：以人为本、诚实守信、和谐自然、建造精品

企业精神：不畏艰险、勇攀高峰、领先行业、创誉中外

地址：北京市海淀区复兴路40号中国铁建大厦10层

邮编：100855

电话：010－52689022

传真：010－52689029

邮箱：services@crccfc.com.cn

网址：www.crccfc.com

中国石化财务有限责任公司

【企业概况】

中国石化财务有限责任公司（以下简称"公司"）是经中国人民银行批准，1988年7月8日成立，在国家工商总局注册，中国银行业监督管理委员会直接监管的非银行金融机构。公司注册资本100亿元（含6000万美元），中国石油化工集团公司出资51%，中国石油化工股份有限公司出资49%。公司股东大会为最高权力机构，下设董事会、监事会及公司管理层，其中董事会成员8人，包括：董事长刘运，副董事长王新华，董事陈革、温冬芬、戴锭、张保龙、解正林、程忠。公司总部设在北京，设有上海、南京、广州、新疆、山东、郑州、成都、武汉、天津等9家分公司。

公司可以办理《企业集团财务公司管理办法》中列举的所有本外币业务，具体包括：对成员单位办理财务和融资顾问、信用鉴证及相关的咨询、代理业务；协助成员单位实现交易款项的收付；保险代理业务；对成员单位提供担保；办理成员单位之间的委托贷款及委托投资；对成员单位办理票据承兑与贴现；办理成员单位之间的内部转账结算及相应的结算、清算方案设计；吸收成员单位的存款；对成员单位办理贷款及融资租赁；从事同业拆借；发行财务公司债

券；承销成员单位的企业债券；对金融机构进行股权投资；有价证券投资；成员单位产品的消费信贷、买方信贷及融资租赁。此外，公司作为国内首家非银行金融机构结售汇业务试点单位，可以办理石化集团成员单位结售汇和外汇资金集中收付业务。

【企业文化】

企业精神：诚信为本、服务至上、规范高效、开拓创新

地址：北京市朝阳区朝阳门北大街 22 号

邮编：100728

电话：8610－59966700

网址：www. sfc. sinopec. com

中国能源建设集团财务有限公司

【企业概况】

中国能源建设集团财务有限公司（以下简称公司）前身为葛洲坝集团财务有限责任公司，于 1996 年 1 月 3 日经中国人民银行总行批准成立、1996 年 2 月 16 日正式对外营业，初始注册资本 1 亿元。在集团公司的大力支持下，经数次增资扩股和股权调整，公司现有注册资本 19 亿元人民币，股东单位 5 家，母公司为中国能源建设集团有限公司，注册地址为湖北省武汉市硚口区解放大道 558 号。

公司以加强中国能建集团资金集中管理和提高中国能建集团资金使用效率为目的，为中国能建集团成员单位提供财务管理服务。经中国银行业监督管理委员会批准，公司业务范围包括：对成员单位办理财务和融资顾问、信用鉴证及相关的咨询、代理业务；协助成员单位实现交易款项的收付；经批准的保险代理业务；对成员单位提供担保；办理成员单位之间的委托贷款及委托投资；对成员单位办理票据承兑与贴现；办理成员单位之间的内部转账结算及相应的结算、清算方案设计；吸收成员单位的存款；对成员单位办理贷款及融资租赁；从事同业拆借；经批准发行财务公司债券；承销成员单位的企业债券；对金融机构的股权投资；有价证券投资；中国银行业监督管理委员会批准的其他业务。

公司是全国较少拥有全口径服务功能的财务公司之一；是全国银行业同业拆借市场会员单位；具有证券投资资格，是证监会发审委审核批准的新股询价对象，具有网下新股申购、询价资格，并经上交所批准，具有上交所大宗交易投资者资格；获得即期结售汇业务资格；拥有票据行号，具有开具商业承兑汇票资格等。

公司建立了完善的公司治理结构，三会一层机构健全、议事规则规范。公司实行董事会领导下的总经理负责制，设有贷款、投资、预算三个专门委员会和办公室、党群工作部、资金部、信贷部、投资部、营业部、信息技术部、计划财会部、稽核部、风险管理与法律事务部等十个职能部门。截至 2016 年 12 月末，公司在职职工 78 名，其中本科及以上学历 53 人，中级及以上职称 47 人。

公司秉持“立足集团，服务实体”的宗旨，以实现集团整体效益最大化为终极目标，坚持“以服务促发展”经营理念，改革创新、开拓进取，充分发挥金融服务实体经济的平台功能，为推动集团转型升级发挥着重要作用。先后获得国家电力公司双文明单位标兵、湖北省文明单位、湖北省国资委文明单位、湖北省“守合同重信用”企业、葛洲坝集团最佳文明单位、中国能建文明单位、中国能建文明单位标兵等一系列荣誉。

【企业文化】

企业宗旨：立足集团、服务实体

经营理念：以服务促发展

地址：北京市朝阳区西大望路 26 号 1 号楼

邮编：100022

电话：010－59098556

传真：010－59098555

地址：湖北省武汉市硚口区解放大道 558 号葛洲坝大厦

邮编：430000

电话：027－59270600　59270947

传真：027－59270605

邮箱：gcbgs@ cggc. cn

网址：www. gzbfcl. ceec. net. cn

中国南航集团财务有限公司

【企业概况】

中国南航集团财务有限公司（以下简称南航财务公司）于 1994 年 1 月 27 日经中国人民银行批准设立，1995 年 6 月 28 日经广东省工商行政管理局登记注册正式成立，是隶属于中国南方航空集团公司（以下简称南航集团公司）的非银行金融机构。公司成立之时，由南航集团公司和中国南方航空股份有限公司（以下简称南航股份公司）共同出资设立，注册资本金为人民币 1 亿元。经过多次增资扩股，目前注册资本为人民币 7.24 亿元。股东共 6 家，包括南航集团公司、南航股份公司、汕头航空公司、厦门航空公司、珠海航空公司、广州南联食品公司。

南航财务公司建立了完善的股东会、董事会和监事会三会制度。董事会下设战略管理委员会、风险管理委员会、信用审查委员会、投资决策委员会四大专业委员会，负责对重大事项的决策审批。现设有十个部门，前台业务部门包括营业部、金融服务部、投资银行部（创新业务部）、投资业务部（研究发展部），中台风险控制部门包括资金计划部、风险管理部（合规管理部）以及董事会下设的稽核部（纪检监察办），后台保障部门包括财务部、信息与技术部、行政人事部（党群工作部），构建了前中后台分离的三道防线。

成立二十多年来，南航财务公司一直以“立足集团，服务集团”为宗旨，遵循“励精图治、创新超越、防范风险、持续发展”十六字指导方针，立足于集团内企业的行业特点，为集团企业设计并提供全方位的和适应性强的金融服务产品。在发展战略上，公司致力整合集团内部所有的金融资源，逐步打造资金集中管理平台、统一融资平台、投资理财平台以及咨询服务平台四大平台，成为集团内外金融联系的桥梁，最终实现航空金融专家的地位，努力开创集团金融产业新局面。

【企业文化】

企业核心价值观：弘扬南航人精神，锻造尽职尽责的作风，恪守尽心尽力的承诺，成就尽善尽美的服务。

服务理念：秉承“依托集团、服务集团”的经营宗旨，贯彻“以客为尊、专业专注”的服务理念，着力为集团及成员企业提供全方位和适应性强的金融服务产品，在集团资金集中管理、结算、资金融通、财务顾问等方面发挥了"内部银行"的独特作用。

企业愿景：竭尽全力把南航财务公司打造成集团企业最合适的银行

地址：广州市机场路航云南街 17 号

邮编:510405
电话:020 - 86128791
网址:www. csnfs. com. cn

中国华能财务有限责任公司

【企业概况】

中国华能财务有限责任公司("财务公司")的前身是华能金融公司,成立于1987年10月,是中国人民银行最早批准成立的财务公司之一,也是国内监管评级最高并第一批获准发行企业债的财务公司之一。公司注册地在北京,注册资本金为人民币50亿元,现有股东9家,均为华能集团系统内单位。下设有内蒙古分公司和呼伦贝尔结算部两个分支机构。

财务公司经营范围:对成员单位办理财务和融资顾问、信用鉴定及相关的咨询、代理业务;协助成员单位实现交易款项的收付;对成员单位提供担保;办理成员单位之间的委托贷款及委托投资;对成员单位办理票据承兑与贴现;办理成员单位之间的内部转帐结算及相应的结算、清算方案设计;吸收成员单位的存款;对成员单位办理贷款及融资租赁;从事同业拆借;经批准发行财务公司债券;承销成员单位的企业债券;对金融机构的股权投资;有价证券投资;成员单位产品的消费信贷、买方信贷及融资租赁。保险兼业代理。

作为华能集团的重要资金管理平台,财务公司不断致力于结算中心和内部融资中心建设,加强资金集中管理,提高资金使用效率,业务规模和经济效益稳步提升,主要经营指标在发电行业财务公司中保持领先地位。

【企业文化】

企业宗旨:立足集团、服务集团;服务是工作之本、效益之源

核心价值观:诚信、服务、创新、高效

企业精神:爱岗敬业、积极进取、开拓创新

地址:北京市复兴门南大街丙2号天银大厦C座西侧7层
邮编:100031
电话:010 - 63080886
网址:www. hnf. com. cn

中国华电集团财务有限公司

【企业概况】

中国华电集团财务有限公司(以下简称"华电财务公司")是经中国银行业监督管理委员会银监复〔2004〕7号文批准,根据《企业集团财务公司管理办法》在原北方有色金属工业财务公司基础上重组设立的财务公司。华电财务公司业务接受中国银行业监督管理委员会的监督指导,依法自主经营,自担风险,自我约束,自负盈亏,具有独立企业法人资格。华电财务公司是由中国华电集团公司控股,华电集团系统内9家企业共同参股组建的一家全国性非银行金融机构,目前注册资本金为50亿元。

华电财务公司按照国家的金融方针、政策及有关法律法规,以"加强企业集团资金集中管理和提高企业集团资金使用效率为目的,为企业集团成员单位提供财务管理服务"为目标,立足于集团、服务于集团。公司经营范围包括以下业务:对成员单位办理财务和融资顾问、信用证及相关的咨询、代理业务;协助成员单位实现交易款项的收付;经批准的保险代理业务;对成员单位提供担保;办理成员单位之间的委托贷款及委托投资;对成员单位办理票据承兑与贴现;办理成员单位之间的内部转账结算及相应的结算、清算方案设计;吸收成员单位的存款;对成员单位办理贷款及融资租赁;从事同业拆借;经批准发行财务公司债券;承销成员单位的企业债券;对金融机构的股权投资;有价证券投资;成员单位产品的消费信贷、买方信贷及融资租赁;中国银行业监督管理委员会批准的其他业务。

华电财务公司拥有一支年轻有为、充满蓬勃朝气的金融专业人才队伍,"金帆"文化赋予了这支队伍坚定的理想、饱满的干劲、勇于创新的精神和敢于拼搏的勇气。全体员工争当"金帆"文化的践行者,经过10多年的发展,公司呈现出良好势头,先后荣获"中央企业先进集体"、"中央企业文明单位"、"全国电力行业优秀企业"、"全国企业文化建设影响力十强"、"中国金融机构金牌榜·金龙奖2013年度最佳财务公司"、"华电集团先进企业"等荣誉称号,树立了华电财务公司的良好形象。

【企业文化】

企业精神:担当、超越

企业理念:运作规范、管理优秀、持续发展

地址:北京市西城区宣武门内大街2号中国华电大厦B座10层
邮编:100031
电话:010 - 83568000
传真:010 - 83568199
网址:hdcw. chd. com. cn

中国电子科技财务有限公司

【企业概况】

中国电子科技财务有限公司经中国银行业监督管理委员会(银监复〔2012〕742号文)批准,于2012年12月正式成立。公司在业务上接受中国银行业监督管理委员会的监督指导,依法自主经营,具有独立企业法人资格,属于非银行金融机构。注册资本20亿元人民币,共十家股东:中国电子科技集团公司、第十研究所、第十四研究所、第二十八研究所、第二十九研究所、第三十六研究所、第三十八研究所、第四十一研究所、第五十二研究所、第五十四研究所。其中,中国电子科技集团公司出资11亿元,占总股本的55%,其他九家成员单位分别出资1亿元,占总股本的45%。

目前,财务公司已建立完善的法人治理结构,下设8个部门:综合管理部、人力资源部、财务部、客户服务部、资金结算部、投资银行部、风险管理部、审计与纪检监察部。

财务公司定位于为集团成员单位提供金融服务,业务范围包括:对成员单位办理财务和融资顾问、信用鉴证及相关的咨询、代理业务;协助成员单位实现交易款项的收付;对成员单位提供担保;对成员单位办理票据承兑与贴现;办理成员单位之间的内部转帐结算及相应的结算、清算方案设计;吸收成员单位的存款;对成员单位办理贷款及融资租赁;从事同业拆借等。

【企业文化】

经营理念:完善产融战略布局、构建核心金融平台

地址:北京市复兴路17号国海广场A座16层
邮编:100036
电话:010 - 68589003

传真:010 - 68589037
网址:www. cetcf. com. cn

中国电子财务有限责任公司

【企业概况】

中国电子财务有限责任公司的前身为中国信息信托投资公司,是1988年经中国人民银行批准设立的非银行金融机构。2000年11月6日,根据人民银行做强集团公司的指导精神和批复,中国信息信托投资公司改组为中国电子财务有限责任公司,由面向全社会开展金融服务的非银行金融机构转变为以加强企业集团资金集中管理和提高企业集团资金使用效率为目的,为企业集团成员单位提供资金结算和筹融资服务的非银行金融机构。公司注册资本金17.5亿元(含美元1,500万元),中国电子信息产业集团有限公司是财务公司第一大股东,集团内另有7家成员单位参股。

中国电子财务有限责任公司秉承"稳健、创新、服务、共赢"的发展理念,不断提升金融服务水平,在集团公司内逐步打造资金集中结算服务平台、产业链融资平台、综合金融服务平台。公司业绩连续多年保持了20%以上增长速度,金融服务规模稳步提升,统筹盘活资源效果显著,资本实力大幅增强,风险防控卓有成效。

中国电子财务有限责任公司业务范围包括:对成员单位办理财务和融资顾问、信用鉴证及相关的咨询、代理业务;协助成员单位实现交易款项的收付;对成员单位提供担保;办理成员单位之间的委托贷款及委托投资;对成员单位办理票据承兑与贴现;办理成员单位之间的内部转账结算及相应的结算、清算方案设计;吸收成员单位的存款;对成员单位办理贷款及融资租赁;从事同业拆借;经批准发行财务公司债券;承销成员单位的企业债券;有价证券投资。

随着集团公司打造金融板块,支持成员企业发展的战略部署,中国电子财务有限责任公司逐步携手中电投控、产业基金、融资租赁公司等金融服务企业,丰富金融服务品种,充分发挥公司金融功能和产业链服务优势,围绕集团公司三大系统工程和五大产业布局,以企业改革重组为契机,以资金结算和信贷业务为基础,以集团总部管控为支撑,加强与战略银行合作,加快业务模式转型和服务模式创新,为集团成员单位提供系统化的金融支持和服务解决方案。

【企业文化】

发展理念:稳健、创新、服务、共赢
地址:北京市海淀区中关村东路66号甲1号楼
邮编:100190
电话:010 - 62672000
传真:010 - 62672007
网址:www. cec - f. com. cn

中国大唐集团财务有限公司

【企业概况】

中国大唐集团财务有限公司(China Datang Finance Co., Ltd)(以下简称"公司")是根据深银监复〔2004〕250号《关于中国大唐集团重组深圳经济特区经济发展财务公司有关问题的批复》、中国银行业监督管理委员会银监复〔2005〕95号《中国银行业监督管理委员会关于大唐集团财务有限公司业务范围及变更营业场所的批复》,于2005年5月10日正式成立的,2005年8月正式开业。公司是由中国大唐集团公司控股的系统内第一家非银行金融机构,注册资本金4,869,871,590.23元人民币(含750万美元)。

公司主要职能是为集团公司系统提供资金集中管理服务,提高资金使用效率,对成员单位办理吸收存款、贷款、结算、票据、融资租赁业务,提供担保、财务顾问等专业服务,并开展有价证券投资、发行财务公司债券、承销成员单位企业债券、对金融机构股权投资等业务。

公司拥有一批来自电力和金融领域,熟悉金融和资本市场,具有丰富经验的高素质专业人才。公司本部现设综合管理部、存款业务部、计划财务部、信贷业务部、票据业务部、创新业务部、结算业务部、风险与合规管理部、监察审计部、信息技术部、党群工作部等11个职能部门。

作为中国大唐集团公司内部资金集中管理和运作平台,公司在依法合规的前提下,充分发挥资金集团化、集约化管理平台作用,有效提高资金使用效率和效益,成为集团成员单位可信赖的"内部银行",跻身全国财务公司的先进行列,开创了大唐集团金融事业发展的新局面。"十二五"期间四获中国大唐集团公司先进单位荣誉称号,2015年荣获中国财务公司行业首次评级A级(创新型)企业和首都文明单位等重要荣誉。

面对新机遇,迎接新挑战。公司将牢牢把握"依托集团、服务集团、支撑集团、贡献集团"的战略定位,认真践行"务实、奉献、创新、奋进"的大唐精神,充分发挥金融平台作用,服从于集团公司发展战略,服务于集团公司及成员单位,坚持价值思维,效益导向,持续提升资金管控能力、金融服务能力、盈利能力、精细化管理能力,以优良的业绩回报全体股东,为大唐集团的发展提供更加有力的金融支持。

【企业文化】

战略定位:依托集团、服务集团、支撑集团、贡献集团
大唐精神:务实、奉献、创新、奋进
地址:北京市西城区菜市口大街1号院1号楼
邮编:100052
电话:010 - 83956819
邮箱:sumingyang@ china - cdt. com
网址:www. cdt - cw. com
结算服务:010 - 83956863
票据业务:010 - 83956853

中电投财务有限公司

【企业概况】

中电投财务有限公司(以下简称"公司")是经中国银行业监督管理委员会[银监复〔2005〕42号文]批准,于2005年2月改制成立的全国性非银行金融机构,由中国电力投资集团公司(以下简称"集团公司")控股。公司总部设在北京,注册资本金50亿元人民币,具备《企业集团财务公司管理办法》规定的全部经营资质,是全国银行业同业拆借市场会员、银行间外汇市场会员、银行间交易商协会会员,中国财务公司协会第八届监事长单位。

公司成立以来,在集团公司党组正确指导、国家金融监管部门的大力支持下,始终坚持"服务集团"的宗旨,以实现集团公司资金管理整体效益最大化为目标,运用金融职能和多种金融工具,不断创新业务领域,稳健经营、规范运作,资产规模不断壮大,产业结构持续优化,整体实力和竞争力快速提

升，为集团公司能源战略可持续发展提供了强有力的金融支撑。2015年，公司认真贯彻金融监管部门的各项监管要求，积极应对货币政策实际趋紧，利率市场化加快推进等诸多因素影响，稳健经营、强化服务、防控风险，实现利润11.24亿元。

【企业文化】

企业理念：专业、协同、创新、卓越

地址：北京市西城区西直门外大街18号金贸大厦C1座

邮编：100044

电话：010－56625777

邮箱：cpicwgs@cpicorp.com.cn

网址：www.cpifcl.com.cn

通用技术集团财务有限责任公司

【企业概况】

通用技术集团财务有限责任公司（以下简称“财务公司”）隶属于中国通用技术（集团）控股有限责任公司（以下简称“中国通用技术集团”）。由中国通用技术集团及中国技术进出口总公司出资组建。注册资本10亿元人民币，其中，中国通用技术集团持股95%，中国技术进出口总公司持股5%。财务公司是经中国银行业监督管理委员会批准设立的为集团公司及集团成员单位提供财务管理服务的非银行金融机构。住所位于北京市丰台区西三环中路90号通用技术大厦6层。

财务公司自2009年11月获中国银监会批筹，于2010年9月19日取得中国银监会开业批复，于2010年9月26日和30日先后领取金融许可证和法人营业执照，于2010年10月25日正式开始上线运行。

财务公司的经营宗旨为“以中国通用技术（集团）控股有限责任公司总体利益最大化为目标，通过专业化的运作，实现集团成员单位资金的全覆盖集中管理，进而有效控制资金风险，实现集团总体战略布局下的最优资源配置，并为集团成员单位提供灵活的金融产品及全方位的财务顾问服务”。

作为集团的非银行金融机构，财务公司将始终紧密围绕集团整体发展战略，始终坚持以集团整体利益最大化为目标，秉承“依托集团、服务成员、规范经营、稳健发展”的经营理念，大力推进基础业务、中间业务和创新业务的开展，充分发挥金融平台功能作用，培育、强化核心能力，提升资金集中管理水平和资源配置效率，加强业务协同，促进产融结合，打造成为有力支持集团转型升级战略实施的金融服务中心。

【企业文化】

企业愿景：努力打造支持集团健康持续发展的金融服务平台

核心价值理念：诚信共赢

地址：北京市丰台区西三环中路90号通用技术大厦六层

邮编：100055

电话：010－63348329

传真：010－63348131

网址：www.gtfc.com.cn

上海汽车集团财务有限责任公司

【企业概况】

上海汽车集团财务有限责任公司（以下简称上汽财务）是上海汽车集团（A股代码：600104）所属的非银行金融机构，于1994年5月在上海成立，现有注册资本金人民币103.8亿元，现任董事长陈志鑫，总经理沈根伟。截至2015年末，公司资产总额1,738亿元，行政部室18个。

创建初期，上汽财务公司抓住上汽集团所属企业因桑塔纳轿车国产化亟需技改贷款而银行无法充分提供的契机，充分发挥自身的资金优势，为上汽集团所属企业提供信贷服务，有力支持了集团主业发展。2000年以后，上汽财务公司的发展面临的形势日趋严峻。一方面，随着中国即将加入WTO，中外资银行对客户的争夺更加激烈，另一方面，上汽财务公司与生俱来的政策限制及上汽集团成员企业的特点，也使公司的生存与发展经历重大考验。逆水行舟、不进则退，重重困难并没有束缚住公司前进的步伐，公司管理层带领全体员发展经历重大考验。逆水行舟、不进则退，重重困难并没有束缚住公司前进的步伐，公司管理层带领全体员工突破传统、创新思路，探索出一条“新型国企”的市场化发展之道。在新的发展思路指引下，公司管理层以文化建设为引领，以行动落地为抓手，带领全体员工奋力拼搏，全力开拓新的生存发展空间。

通过多年不懈奋斗，上汽财务公司的经营业绩得以快速攀升，形成公司金融、汽车金融、投融资三大业务板块，走出一条“创新引领未来、和谐共创价值”的产融结合道路。公司利润总额2009年至2015年分别达到5.79亿元、10.20亿元、14.91亿元、18.57亿元、25.19亿元、28.63亿元、50.68亿元，连续多年保持两位数增长水平。在公司金融领域，上汽财务公司始终立足为集团产业布局服务，走产融共赢之路。目前服务覆盖集团旗下379家企业，为企业提供“私人定制”式本外币金融服务；七次为上汽通用、上汽通用五菱等集团重点企业牵头组建银团贷款，被上汽通用评为最佳金融合作伙伴；近年来集团客户在上汽财务的存款规模屡创新高，最高峰已超900亿元。在汽车金融领域，上汽财务公司虽然涉足较晚，但却后来居上，迅速赶超同业。截止2015年末，上汽财务公司汽车金融业务已覆盖全国370多个城市、1900多家经销商，累计为超过480万台车辆提供融资服务，为超过120万人次发放消费信贷，业务规模在经营本集团汽车品牌业务的金融公司中排名第一。在业务高速发展的同时，资产质量优中求优，批发业务从开业以来始终保持零不良率；零售业务30天以上逾期率仅为银行、汽车金融公司平均水平的1/3至1/4，实现发展速度和资产质量连续多年双创第一的业界奇迹。在投融资领域，上汽财务公司自营开展固定收益类和权益投资类等证券投资业务，坚持稳健投资的原则，以出色的市场预判力和团队执行力，多次成功运作，实现了总计近95亿元的投资收益。特别值得一提的是，2012年，公司正式发行了业内首单资产证券化产品——“2012上元一期个人汽车抵押贷款资产支持证券”，再创财务公司行业先河。2013年，大公国际、联合资信将“2012上元一期”优先B档的信用等级由A级上调至AA级，中债资信则直接将其信用等级由A级上调至AA+级，使其成为市场上跟踪评级上调最多的资产证券化产品。无论是在2011年和2013年发生债券系统性风险时，还是在2008年和2015年发生股票系统性风险时，我司投资团队都经受住了市场反复考验并迭创佳绩，充分显示出我司投资团队优秀的投研能力和风险控制能力。

创新是公司发展的源动力。作为一家创新型金融机构，上汽财务公司在市场化浪潮中奋力拼搏，金融新品层出不穷，凭借近年来在市场开拓和风险管理两方面的出色表现，不仅成为业内多数新业务的最早试行者和准入者，而且至今仍是业内部分业务的唯一准入者，如：业内首家获批金融衍生产品交易资格、外币对市场会员资格；业内首家开展远期结售汇业务、远期外汇买卖、卖方贴现业务；业内首家发行资产支持证券。2014 年，经过不懈努力，公司产业链金融也获得历史性突破，成为全国首批五家试点产业链金融的财务公司之一，获批对集团外供应商开展保理业务、对经销商开展建店融资业务、对汽车消费贷款客户开展维修贷款业务、对汽车消费贷款客户开展延保和保养贷款业务、对汽车消费贷款客户开展车辆保险贷款业务、对集团成员单位所属品牌的二手车零售贷款业务六项试点。2015 年，公司又获批人民币外汇掉期、外币对掉期等衍生产品交易业务资格。与此同时，公司还拥有一支强大的新产品开发队伍。2005 年以来，公司自主开发了拥有完全自主知识产权的现金管理系统、汽车金融批发系统、汽车金融零售系统、基于 RFID（互联网）技术的合格证远程监控系统及车辆远程监控系统、个人消费贷款远程面签系统、车贷 E 管家，并根据中国国情自主开发了适合中国特色的综合贷后管理系统。2014 年，为了充分融入互联网金融的浪潮，公司适时启动了 O2O“金融电商”项目——“好车 e 贷”电商平台，覆盖电脑客户端、手机客户端、微信号三个使用最广的平台。除了上述引用互联网新技术的新产品外，公司在汽车金融领域首先推出了全面浮动抵押制度，目前覆盖面已达 90%，远远高于其他各大汽车金融公司。上述各项新产品得到业内各方高度认可，曾获包括两项发明专利在内的四项国家专利、六项软件著作权，其中“车辆合格证远程监管”项目还获得上海市金融创新三等奖，并得到上海市发改委服务业发展引导资金 400 万元的现金资助。

人才是公司发展的竞争力。自成立以来，上汽财务公司在人才队伍建设上不断探索、实践，建成了一套完善的人本体系，打造了一支“敬业、专业、创新、合作”的高素质人才队伍。首先，公司独创 H 型职业发展体系，使行政干部序列和技术干部序列双轨并行，为员工提供了全新的职业发展通道，用精彩的事业吸引人。2015 年，公司为鼓励创新型人才脱颖而出，积极探索优秀人才快速成长通道，还推出了《关键岗位人才见习培训管理办法》，从制度层面将创新人才的培养与员工职业发展、绩效管理有效结合，让更多具有创新想法的员工通过此机制直接获得提拔晋升。其次，公司通过公平、公开、公正的的市场化人才招聘选拔机制，切实做到“能者上、庸者下、平者让”，用公平的环境留住人。公司建立了一套以创新和挑战为导向，目标管理（硬指标，占 70%）和能力素质（软指标，占 30%）相结合的绩效考核体系，并让全员共同参与绩效考评全过程，用科学合理的考核制度激励人。同时，公司还形成了内外训相结合、线上下相互补、岗位实践与课堂授课相交叉的人员培训体系，促使员工在工作中迅速成长，用有效的学习培养人。

文化是公司发展的软实力。多年来，上汽财务公司始终致力于深化企业文化建设，通过外塑形象、内聚合力，有效提升了员工的凝聚力、战斗力和创新力，并为公司营造了良好发展环境。一方面，塑造了具有上汽财务特色的“价值”文化体系。公司通过各类主题活动，关爱员工，使员工更好的融入企业文化中。对全体员工，公司举办了“员工家庭才艺秀”、“员工家庭趣味运动会”、“运动会”、“艺术节”、“快乐健身跑”、“企业文化知识竞赛”等活动，力争培育一支有文化凝聚力的高素质员工队伍，打造有文化支撑的企业核心竞争力。对长期奔波在外的外勤员工，不仅开展了“外勤员工家庭日”、“拓展活动”等，还建立了“太太俱乐部”、“家庭爱心卡”，将公司的关爱延伸至其家属。对青年员工，开展了“我工作、我快乐”、“将爱进行到底”青年联谊主题派对等活动，不断增强公司对青年的吸引力和凝聚力。另一方面，公司努力营造良好外部发展环境，传播了“公益在我心、与希望同行、快乐志愿者”的正能量，充分体现了国有企业的社会责任感。在汶川、玉树发生地震灾害时，公司积极筹款，支援灾区，共捐款 15.32 万元。公司还积极支持上海世博，捐赠 6000 万元用于世博建设。同时，继 1997 年捐资 20 万建造井冈山畔田希望小学后，公司每年对其进行捐赠。2013 年，公司还邀请希望小学师生代表来沪进行为期 5 天的“牵手希望，情系上财”访问之旅，使孩子们开拓眼界、增长知识。此外，为更好地服务群众、服务社会，本着“我奉献、我服务、我快乐”的理念，公司成立了多支志愿服务队，开展了汽车消费贷款咨询、“爱心伞”、外勤员工家属 24 小时就医陪诊服务热线等一系列志愿服务活动。

公司多年来取得的成绩得到业内外充分肯定，斩获多项荣誉。自 2007 以来八次获得上汽集团年度业绩优异奖。2008 年，公司被上海市总工会授予“上海市职工最满意的企业”称号，并当选中国银行间市场交易商协会理事单位，成为唯一一家财务公司理事。2010 年，公司被评为上海市首批合法经营示范企业。2011 年，当选中国财务公司协会副会长单位，成为五家副会长单位中唯一一家地方国企财务公司。2011、2012 年，公司在《金融时报》和中国社科院金融研究所联合举办的“中国金融机构金牌榜‘金龙奖’”评选中，两度当选全国三家“年度最佳财务公司”之一。2012 年，凭借高速增长的业绩和良好的发展前景，公司先后被大公国际、联合资信等权威评级机构一致评定为 AAA 最高主体信用评级。2012、2013、2014 年，三次入榜“上海市税收收入百强企业”名单。2013 年，在《21 世纪经济报道》旗下《理财周报》主办的“中国汽车金融年会暨中国汽车金引擎奖颁奖典礼”上，当选全国三家“2013 最佳创新型汽车金融公司”之一。2013 年，在金融时报社和中国社会科学院金融研究所联合举办的“2013 中国金融机构金牌榜‘金龙奖’颁奖盛典”上，荣获全国唯一“年度最佳创新财务公司”称号。2014 年，公司 LOGO 被评为“上海市著名商标”，成为本次获评的仅有五家金融类企业之一。同年，公司“车辆合格证远程监管”项目荣获上海市 2014 年度“金融创新三等奖”，并在金融时报社和中国社会科学院金融研究所联合举办的“2014 中国金融机构金牌榜‘金龙奖’颁奖盛典”上，荣获“年度最具创新力财务公司”称号。2014 - 2015 年，在 J. D. Power 亚太公司对中国汽车金融开展的满意度调研中，上汽财务公司以出色表现连续两年荣膺行业第一。2015 年，公司在“2015 年中国金融机构金牌榜？金龙奖”评选中获得“年度最佳风险管理财务公司”荣誉称号，并在第六届中国汽车金融年会上获得“汽车金融 50 人论坛第二届副主席单位”荣誉称号。

【企业文化】

企业愿景：打造中国特色的企业金融服务品牌，成为业内首选的优质金融服务专家，实现股东、客户、员工共赢。

经营战略：优质服务与合理利润并重，投资业务与金融业务并重。

企业精神：创新引领未来，和谐共创价值。

核心价值观：在为集团企业提供优质服务中体现自身价

值，在为客户创造最大价值的同时求得自身最大发展空间。

地址：上海静安区康定路1199号

邮编：200042

电话：021－62311010（总机）

网址：www.saicfinance.com

航天科技财务有限责任公司

【企业概况】

航天科技财务有限责任公司于2001年成立，是经中国银行业监督管理委员会批准，为适应社会主义市场经济的要求，支持我国航天事业持续稳定发展，由中国航天科技集团公司以及中国航天科技集团其他十六家成员单位共十七方共同出资设立的一家非银行金融机构，注册资本金人民币35亿元。

财务公司作为集团公司目前唯一一家现代金融企业，在构建航天科技工业新体系进程中，立足于自身在金融和资本市场的专业优势，紧紧围绕“建设一流财务公司”的愿景，以充分发挥“金融平台”职能为己任，以“创建一流”为第一目标，以“服务航天”为第一要求，以“科学发展”为第一要务，以“风险防范”为第一责任，充分发挥资金融通、金融服务功能，成为成员单位“密不可分”的金融服务提供商，实现集团价值最大化。

航天科技财务有限责任公司具备完善的“三会一层”法人治理结构，股东大会、董事会、监事会及经营管理层。董事会设置了执行委员会及四个专业委员会，分别为战略与投资委员会、风险管理委员会、预算与审计委员会及薪酬与考核委员会，并聘请外部专家担当独立董事；经营层下设预算与成本管理委员会、审贷委员会、投资决策委员会。

多年来，财务公司通过制定并实施人才队伍建设规划，继承和弘扬航天传统精神，建立完善市场化的人才选拔、评价、培养、激励机制，形成了一支专业素质优良、服务水平较高、作风稳健的人才队伍。公司共拥有员工88名，平均年龄38岁，其中博士研究生4名，硕士研究生47名，大学本科及以上学历占95%；员工队伍中金融、经济、财会等专业人员占66%，经济管理等专业占21%，拥有享受政府特殊津贴专家1名，航天贡献奖获得者5名，航天基金奖获得者1名。

【企业文化】

企业愿景：建设一流财务公司

地址：北京市西城区平安里西大街31号

邮编：100035

电话：010－66498800

传真：010－66498855

网址：www.astfc.com

客服电话：400－606－8800

航天科工财务有限公司

【企业概况】

航天科工财务有限责任公司由中国航天科工集团公司及其下属14家成员单位投资成立的一家非银行金融机构，于2001年11月成立，现注册资本金人民币23.85亿元。

公司本部位于北京，另在武汉设立分公司。2016年末，公司资产总额713亿元，实现利润10亿元。公司在职员工73人，平均年龄38岁，本科以上学历占比56%，硕士及以上学历占比38%。

作为集团公司金融服务平台，公司始终以支持集团公司产业发展为己任，以优化资源配置，提升运行效率为根本，充分发挥“资金集中、资金结算、资金监控和金融服务”四大平台功能，不断推动集团公司转型升级的同时，实现了自身业务领域的不断拓展，公司整体经济效益稳步提升，风险管理独具特色，金融服务效果明显，企业文化深入人心，团队建设卓有成效。

“十三五”期间，公司将以商业模式创新为核心，调整经营定位，推进新业务的开展；以技术创新为支撑，加快信息化建设，提升公司核心竞争力；以管理创新为手段，推动内部管理机制改革与创新，为公司发展提供内生动力。到2020年，实现全资质运行，建成具有航天特色的行业一流财务公司，成为制度完善，管理机制科学合理，运行规范高效的现代金融企业。

【企业文化】

公司使命：提升价值非凡助推

企业价值观：利益相关方价值最优化

战略定位：发挥财务公司作为集团战略支点、经济引擎和桥梁纽带的作用

战略目标：助推航天产业发展，提升集团整体价值，将公司打造成行业领先型企业

经营宗旨：作为连接金融与集团的纽带和桥梁，充分发挥专家理财优势，为集团和股东创造更大的经济效益

经营方针：稳健经营、诚信服务、严格管理、追求效益

管理理念：“1BP”管理——精确到1BP，精细到1BP，努力到最后1BP。

（理念阐释：BP，即Basic Point，译为基点，是金融业术语，表示利率或汇率的最小变动单位“万分之一”。“1BP管理”将金融投资的基本单位运用到公司管理理念中，既继承了航天人严慎细实的作风，又带有浓厚的金融特色，是财务公司精细化管理的重要体现）

财务公司本部：

地址：北京市海淀区紫竹院路116号嘉豪国际中心B座12层

邮编：100097

电话：010－58930256

传真：010－58930255

财务公司武汉分公司：

地址：湖北省武汉市江汉区建设大道737号广发银行大厦41楼

邮编：430013

电话：027－85357660

传真：027－85357659

海航集团财务有限公司

【企业概况】

海航集团财务有限公司（以下简称“财务公司”或“公司”）组建于2003年12月，是经中国银监会批准由海航集团有限公司等7家股东投资设立的一家全国性非银行金融机构。公司成立初期注册资本3亿元，经2006年、2008年、2010年和2015年四次增资扩股后，注册资本达80亿元（含500万等值美元）。

经中国银行业监督管理委员会核准，公司经营范围包括：对成员单位办理财务和融资顾问、信用鉴证及相关的咨询、代理业务；协助成员单位实现交易款项的收付；经批准的保险代理业务；对成员单位提供担保；办理成员单位之间的委托贷款及委托投资；对成员单位办理票据承兑与贴现；办理成员单位之间的内部转账结算及相应的结算、清算方案设计；吸收成员单位的存款；对成员单位办理贷款及融资租赁；从事同业拆借；经批准发行财务公司债券；承销成员单位的企业债券；对金融机构的股权投资；有价证券投资；成员单位产品的消费信贷、买方信贷及融资租赁。

自运营以来，财务公司严格依法合规运营，有效地加强了集团资金集中管理，提高了集团整体资金使用效率，搭建了与外部金融市场的合作渠道，并在全国同业中树立了良好的信用形象，为实现海航集团的整体效益最大化，发挥了不可替代的重要作用。

【企业文化】

海航人的共同理想，是“造福于人类的幸福与世界的和平”。

海航家园兼容并蓄，让人类文明在这座艺术殿堂共融共生。海航人坚持全球视野和世界市场的立场，让全人类都能分享全球化带来的果实，没有丝毫差异。

我们要创造一个新形态的企业，它既是有形的海航，也是无形的符号；它既能激发人努力工作的欲望，也能激发人承担起对员工、对社会、对世界的责任；它既能通过产品提供、财富分配让人们生活更加美好，也能肩负起推动人类社会文明进步的使命；它既能因竞争而永葆活力，也能使人在竞争中恪守人格和不渝信条。

海航人致力于符合道德规范和负责任的、促进全球资源高效配置与利用的企业行为。在每一个海航人的血液中都流淌着社会责任感的因子，他们都有着一个共同理想——“造福于人类的幸福与世界的和平”，这也是激励海航人不断超越自我的动力。

海航人的共同信仰，是“天佑善人、天自我立、自我主宰”，是“真、善、美”，是“无疆大爱”。

海航人的共同追求，是“大众认同、大众参与、大众分享、大众成就”。

海航人的共同理念，是“诚信、业绩、创新”。

地址：北京市朝阳区霄云路甲 26 号海航大厦写字楼 22 层

邮编：100026

电话：010－57583700

网址：www. hna－finance. com

国投财务有限公司

【企业概况】

国投财务有限公司是 2008 年底经中国银行业监督管理委员会批准设立，并核发金融许可证的非银行金融机构，于 2009 年 2 月 11 日经国家工商行政管理总局核准注册成立。公司注册资本为 50 亿元人民币，注册地点为北京西城区阜成门北大街 2 号楼 18 层。

公司由国家开发投资公司、雅砻江水电凉山有限公司、国投资本控股有限公司、国投云南大朝山水电有限公司、国投泰康信托有限公司、国投高科技投资有限公司、厦门华夏国际电力发展有限公司、国投甘肃小三峡发电有限公司、国投交通控股有限公司和国投电力控股股份有限公司共同出资组建，并由国家开发投资公司控股。公司通过提供综合性的金融产品和服务，旨在加强国投集团资金集中管理能力，提高资金使用效率，降低资金使用成本，实现产融结合。公司立足集团、强化服务、内外并举、优化协同，推动加快集团产业发展，提升集团竞争优势。

2016 年底，公司资产 248.04 亿元，负债 182.75 亿元，所有者权益 65.29 亿元。当年实现利润总额 4.53 亿元，为集团节约成本费用 5.5 亿元；8 年累计为集团节约费用 47.2 亿元。

公司将不断适应宏观经济形势和经营环境变化、适应集团发展需要，积极探索、锐意创新，持续提升经营管理与金融服务水平，努力实现“面向集团的、行业一流的卓越精品财务公司”的愿景目标。

【企业文化】

企业精神：集流成渊、融通集团

地址：北京市西城区阜成门北大街 2 号楼 18 层

邮编：100034

电话：010－83325080

传真：010－83325073

网址：www. sdicfinance. com

国机财务有限责任公司

【企业概况】

国机财务有限责任公司由中国机械工业集团有限公司及其所属 26 家成员企业共同投资组建，经中国人民银行业监督管理委员会批准于 2003 年 9 月正式成立，是具有独立法人资格的非银行金融机构，注册资本 11 亿元人民币。

深入集团成员企业经营链条，努力为集团和成员企业提供优质高效的特色金融服务。公司成立以来，以“依托集团资源，服务集团发展”为宗旨，坚持“规范、服务、发展、创新”的经营理念，不断深入集团成员企业经营链条，努力为集团和成员企业提供优质高效的特色金融服务，成功开发并推广了融资租赁、买方信贷、票据承兑与贴现、厂商一票通、转开函证、票据池、母子公司资金池等一系列创新金融产品，为成员企业的发展提供了有力的金融支持，深化了公司与成员企业的合作。

完善的法人治理结构。公司设立股东会、董事会和监事会，并在董事会下设立战略与提名委员会、审计与风险控制委员会、业绩考核与薪酬委员会三个专业委员会，完善的法人治理结构奠定了公司的经营管理基础。

有效的风险防范与控制机制。覆盖公司经营管理全范围和全过程的内部控制体系，为公司构筑起了科学有效的风险防范与控制机制。

提供安全高效的运营管理平台。网上银行、资金结算、银企直连、信贷管理、投资管理、风险管理、客户管理、财务管理、OA 办公系统等完备功能的信息系统，为公司提供了安全高效的运营管理平台。

提供有力的人才保障。专业务实、积极进取的员工队伍，为公司开展专业、高效的金融服务提供了有力的人才保障。

公司将秉持国机集团“合力同行，创新共赢”的价值理念，积极探索具有国机特色的金融服务模式，不断提升服务品质，努力为集团及成员企业创造价值，为建设“五个国机”做出更大贡献。

【企业文化】

愿景：坚持“依托集团资源，服务集团发展”的基本宗旨，坚持以集团整体发展战略为导向，以促进产融结合，支持集团实体经济发展为目标，打造集团的产业链金融综合服务商。

核心价值观：和谐、发展、诚信、共赢

公司管理概念：团队化、专业化、规范化、市场化

地址：北京市海淀区丹棱街 3 号 A 座

邮编：100080

电话：010 – 82606800

传真：010 – 82606805

邮箱：office@ sinomf. com

网址：www. sinomf. com

广东粤电财务有限公司

【企业概况】

广东粤电财务有限公司（以下简称“财务公司”）成立于 2006 年 12 月，是广东省粤电集团有限公司通过净壳收购重组原广东万家乐集团财务有限责任公司组建的一家非银行金融机构。初始注册资本为人民币 3 亿元，经过 4 次增资扩股，现注册资本为人民币 20 亿元。由广东省粤电集团有限公司、广东电力发展股份有限公司及广东省沙角（C 厂）发电公司分别持有 60%、25% 和 15% 的股权。

一、经营范围

成立之初，财务公司已获准经营八项业务；2008 年获批新增投资类业务；2009 年获进入全国银行间拆借中心资格；2012 年获批开展即期结售汇业务的资格并进一步扩大有价证券投资业务范围，现可开展《企业集团财务公司管理办法》中第二十八条全部业务及第二十九条部分业务。2015 年公司正式取得交易商协会的会员资格，为开展投行业务转型打下坚实基础。

此外，财务公司全资控股深圳天鑫保险经纪公司，并投资作为珠海农村商业银行排名第一股东，现已成为集团金融板块架构的核心。

现公司经营业务范围包括：对成员单位办理财务和融资顾问、信用鉴证及相关的咨询、代理业务；协助成员单位实现交易款项的收付；经批准的保险代理业务；对成员单位提供担保；办理成员单位之间的委托贷款及委托投资；对成员单位办理票据承兑与贴现；办理成员单位之间的内部转帐结算及相应的结算、清算方案设计；吸收成员单位的存款；对成员单位办理贷款及融资租赁；从事同业拆借；经批准发行财务公司债券；承销成员单位的企业债券；对金融机构的股权投资；有价证券投资等。

二、经营状况

财务公司成立以来，坚持合规、稳健经营，取得良好的经营业绩，在监管部门批准的经营范围内，结合集团公司管理特点和经营需求，不断探索自身发展道路，积极开展金融创新和精细化管理，在经营和管理上取得了良好的业绩——2011 年起连续多年被推选为中国财务公司协会理事单位；2012 年成为广州市人民政府认定的“广州市首批认定总部企业”。2015 年在中国财务公司协会首次行业评级中获评为最高级别“创新型财务公司”

截至 2015 年底，公司资产总额 170. 86 亿元，吸收存款余额 144. 04 亿元，信贷余额（含贴现）111. 04 亿元。开业以来累计实现利润总额 24. 41 亿元，净利润 18. 68 亿元。

围绕“依托集团、服务集团、扎根基层、服务基层”的经营宗旨，财务公司不断在实践中探索适合自身的发展方向，并努力打造国内一流财务公司品牌，为集团做强做大贡献应有的力量。

【企业文化】

企业宗旨：依托集团、服务集团、扎根基层、服务基层

地址：广州市天河区天河东路 2 号粤电广场南塔 12 – 13 层

邮编：510731

电话：020 – 8513882

网址：www. gdyd. com

福建省能源集团财务有限公司

【企业概况】

福建省能源集团财务有限公司是由福建省能源集团有限责任公司和厦门国际信托有限公司共同出资设立的非银行金融机构，注册资本 10 亿元，是福建省国资系统获批的第一家企业集团财务公司。

福建省能源集团财务公司的经营方针为：“服务集团、诚实守信、规范运作、稳健经营”。功能定位是：为企业集团成员单位提供财务管理服务，立足集团并依托集团发展，核心是服务集团，为集团成员单位提供各种优质高效的金融服务；通过加强资金集中管理，提高资金使用效率和资源配置效率，不断降低融资成本，最终实现股东成员单位和财务公司互利互赢、共同发展。

【企业文化】

核心价值观：真诚、有为、开心

核心理念：心怀感恩、创造感动

地址：福建省福州市鼓楼区琴亭路 29 号方圆大厦 16 楼

邮编：350003

电话：0591 – 87273188

网址：www. fjegfc. com

东风汽车财务有限公司

【企业概况】

东风汽车财务有限公司（以下简称公司）是东风汽车集团所属非银行金融机构，公司于 1987 年 5 月 7 日经国家银行业监督管理机关批准设立，是全国设立的第一家企业集团财务公司。公司注册资本金 35 亿元人民币，住所武汉经济技术开发区东风大道 10 号。

公司以依托东风汽车集团、服务东风汽车集团为经营宗旨，秉承“专业、效率、创新、服务”的经营理念，积极开展东风汽车集团资金集中管理服务，为东风汽车集团成员单位提供结算、融资等全方位全价值链金融服务；大力拓展汽车销售金融业务，提升东风汽车集团旗下商用车及乘用车的市场占有率。公司致力于发展成为东风汽车集团“资金集中管理平台”、“汽车金融事业单元”和“资金营运理财中心”，做大做强“东风金融”品牌。

公司建立健全法人治理结构，规范完善营运管理体系，持续创新金融服务，深化精细管理水平，提升全面风险管理能力，助推东风汽车事业发展。

【企业文化】

经营宗旨：依托东风汽车集团、服务东风汽车集团

经营理念：专业、效率、创新、服务

地址：湖北省武汉市经济开发区东风大道 10 号

邮编：430056

电话：400 - 088 - 5678

邮箱：dfcw@ df - finance. com. cn

网址：www. df - finance. com. cn

兵器装备集团财务有限公司

【企业概况】

兵器装备集团财务有限责任公司是经中国银行业监督管理委员会批准、由中国兵器装备集团公司及其所属成员单位共同出资组建、具有企业法人地位的非银行金融机构。公司于 2005 年 10 月正式成立，注册资本 5. 2 亿元人民币，2008 年 9 月底公司实现增资扩股，注册资本增至 15 亿元；2014 年 12 月底公司再次增资扩股，注册资本增至 20. 88 亿元。

兵器装备集团财务有限责任公司隶属于中国兵器装备集团公司，是加强企业集团资金集中管理、提高企业集团资金使用效率、为企业集团成员单位提供财务金融管理服务的非银行金融机构，业务上接受中国银行业监督管理委员会的管理、协调、监督和稽核。

财务公司作为集团产融结合的平台，以“汇通财智，创造价值”为公司愿景，承载着“助推一流企业集团，打造一流财务公司”的重大使命，充分发挥各种金融职能，创新金融服务手段，为各类优质客户提供一流的金融解决方案，通过科学的管理和完善的机制，发挥团队和财富的最大效用，为行业、股东、员工、社会创造价值。

【企业文化】

企业愿景 VISION——汇通财智、创造价值

企业使命 MISSION——助推一流企业集团、打造一流财务公司

地址：北京市海淀区车道沟 10 号院科研三号楼五层

邮编：100089

电话：010 - 68966770

网址：www. bzhcw. cn

兵工财务有限责任公司

【企业概况】

兵工财务有限责任公司经中国人民银行批准，于 1997 年 5 月正式成立，为隶属于中国兵器工业集团公司（以下简称“兵器工业集团”）的非银行金融机构，立足兵器工业集团，按照国资委、银监会《指导意见》要求，致力于发挥资金归集平台、资金结算平台、资金监控平台、金融服务平台职能，以全方位的金融服务支撑兵器工业集团产业发展。

目前，经监管机构核准，公司已经具备了《企业集团财务公司管理办法》允许财务公司开展的全部业务品种，成为行业里为数不多的具备全牌照经营资质的机构之一，各项业务全面发展，业务品种不断创新，建立了一套具有兵器金融特点的完整业务体系。公司目前开展的业务主要包括存款业务、贷款业务、中间业务、票据业务、结算业务、投资业务、消费信贷、买方信贷、融资租赁、外汇业务等大类，涵盖数十个业务品种。

成立十余年来，公司始终把兵器工业集团战略目标作为自身发展的出发点和落脚点。作为兵器工业集团的资金管理平台和金融服务平台，公司努力推动结构调整与转型升级，将搞好产融结合、支撑兵器工业集团产业发展作为核心使命，全力做好金融服务，各项业务稳步发展，至 2014 年末资产规模突破 650 亿元，每年为兵器工业集团及各成员单位提供金融服务 400 亿元以上。今后，公司将顺应改革大势，继续全面贯彻落实兵器工业集团决策部署，深度融入全价值链体系化精益管理战略，主动适应经济发展新常态，秉承“服务为本、客户中心”的经营理念，继续坚持结构调整、精益管理、金融创新、文化培育的工作主线，以立足服务、创造价值、创新驱动、转型发展为工作重点，着力提升金融服务能力及价值创造能力，为兵器工业集团产业发展提供全面金融支撑。

【企业文化】

企业理念：服务为本、客户中心

地址：北京市东城区青年湖南街 19 号

邮编：100011

电话：010 - 84127722

传真：010 - 84135058

邮箱：adnin@ norfico. com. cn

网址：www. norfico. com. cn

保利财务有限公司

【企业概况】

保利财务有限公司于 2007 年由中国银行业监督管理委员会批准成立，2008 年 3 月 28 日正式开业。公司隶属于中国保利集团公司，是一家以加强集团资金管理和提高资金使用效率为目的，为企业集团内部成员单位提供财务管理服务的中外合资非银行金融机构。公司现有股东单位 8 家，分别是中国保利集团公司、保利科技有限公司、保利南方集团有限公司、保利（香港）控股有限公司、保利房地产（集团）股份有限公司（股票代码：S. H. 600048）、保利置业集团有限公司（股票代码：H. K. 00119）、瑞士信贷银行股份有限公司（Credit Suisse AG）及保利能源控股有限公司。公司 2010 年启动增资工作，并于 2011 年 9 月末顺利完成全部手续，现公司注册资本为 7 亿元。截至 2013 年末，公司总资产 86 亿元，资本充足率 43%，全年实现营业收入 4. 72 亿元，利润总额 2. 5 亿元，净利润 1. 85 亿元。

保利财务有限公司是银监会新《企业集团财务公司管理办法》颁布后北京银监局辖内成立的第一家中外合资财务公司。以享誉中外的中国保利集团公司为依托、并有国际著名银行瑞士信贷的加盟，使保利财务公司备受社会瞩目。

保利财务有限公司秉承“立足集团、依托集团、服务集团”的经营宗旨，发挥集团公司整体优势，优化资源配置、降低资金成本、提高资金效率；保利财务有限公司奉行“安全性、流动性、盈利性”的经营方针，竭诚为成员企业提供专业、优质的金融服务，致力于为集团成员企业打造高效、规范、安全运营的资金结算平台、资金融通平台、资本运营平台，助力集团公司各项事业不断发展壮大。

【企业文化】

企业宗旨：立足集团、依托集团、服务集团

经营方针：安全性、流动性、盈利性

地址：北京市东城区朝阳门北大街 1 号新保利大厦 8C

邮编：100010

电话：010 - 84192372

传真：010 - 64082882

邮箱：contact@ polyfinance. com. cn

网址：www. polyfinance. com. cn

■信托公司

陕西省国际信托股份有限公司

陕西省国际信托股份有限公司(简称陕国投,证券代码:000563)前身为陕西省金融联合投资公司(简称陕金联)。1984年陕金联的设立,标志着陕西现代信托业的诞生。1994年1月10日,陕国投在深圳证券交易所上市,标志着中国非银行金融上市机构的诞生。陕国投是中西部地区唯一的上市信托公司、陕西首家上市的省属金融机构。公司总股本30.90亿股,公司净资产77.28亿元。2016年实现营业收入10.14亿元,实现利润总额6.86亿元,为省内融资206.08亿元,资本实力大幅提升,服务地方经济建设的能力在陕西省信托公司中继续大幅领先。目前,实际控制人为陕西省国资委,大股东是陕西省煤业化工集团公司。

陕国投成立33年上市23年来,积极发挥信托投融资功能,为大批企业和项目提供了大量信托贷款、信托投资、融资租赁、信用担保、财务顾问、风险投资等优质金融服务,同时推动公司自身得到快速发展,诚信铸就了良好的"陕国投"品牌。近年来,陕国投连续多年被陕西省政府评为"优秀金融机构";连续被陕西省国资委考核评比为A级省属企业;连续6年被评为"中国最具区域影响力信托公司";被评为"西安市著名商标""陕西省著名商标""陕西省重合同守信誉企业""省级纳税等级A级纳税人";公司有多款信托产品被授予创新奖。

【公司业务】

一、信托业务

信托业务:融资类信托业务、权益投资类信托业务、资产管理类信托业务

1.融资类信托业务

陕国投将信托资金按委托人(或信托计划中)指定的对象、用途、金额等或代为指定用途发放贷款,到期收回贷款本息,向受益人(即委托人)交付本金及收益。陕国投主要承担融资项目筛选、尽职调查、风险评估、交易结构设计、风险控制和贷后管理等职责。

(1)*矿产能源企业融资信托业务*。陕国投关注矿产能源领域资源整合及产业升级,适时推出面向煤炭、石油、天然气等矿产能源领域的信托计划,通过质押融资、股权投资等运作方式,将信托资金运用于矿产能源项目的生产建设、资源储备、并购整合,支持矿产能源企业转型升级,为高端投资者提供参与该领域整合、重组的机会。

近年来,公司持续支持陕北能源化工产业发展,积极推动陕北煤炭能源产业结构调整,2013年,仅公司投资银行部为陕北能源企业和项目提供投融资服务达50亿元。

(2)*基础设施融资信托业务*。陕国投接受投资者委托,将信托资金通过贷款、权益投资等方式用于大型公共基础设施项目,包括市政工程、公共设施、水务系统、道路交通或者能源通信等基础设施项目的开发建设,为投资者提供安全稳定的投资收益。

在对基础设施投融资业务深入调研的基础上,陕国投不断完善项目交易结构设计,加强后期运作管理,在该领域积累了较多投资经验。近年来,持续为地方基础设施建设提供投融资服务,先后为西咸新区组团、西安曲江临潼管委会、浐灞土储、西投控股、榆林城投等一批基础设施建设主体和项目提供投融资服务200多亿元。

(3)*文化产业融资信托业务*。陕国投积极响应国家文化产业政策,在保证投资人利益最大化和信托财产安全的基础上,探索多元化融资方式,投资旅游景点、艺术品、文化产权等文化产业领域,助力文化产业发展。近年来,公司为省内重点文化旅游产业项目、景区配套设施建设等文化相关产业提供融资服务30多亿元,有力促进了秦岭北麓文化旅游休闲产业带的发展。

(4)*银信合作业务*。陕国投充分发挥信托产品设计和运营管理的专业优势,与商业银行或非银行金融机构合作,通过发放信托贷款、转让信贷资产、投资各类收益权和证券市场产品等方式运作信托资金,为银行提供多功能综合性服务,为金融市场提供多样化系列投资理财产品,为委托人提供良好信托报酬。

2013年,陕国投与国开行、工商银行、建设银行、中国银行、农业银行、邮储银行、光大银行、兴业银行、中信银行、浦发银行等20多家金融机构合作关系不断深化,为一大批企业和项目提供融资支持368.74亿元。

(5)*房地产信托业务*。陕国投作为受托人,将信托资金通过贷款和投资的方式用于房地产项目,为投资人获取收益,先后推出房地产开发贷款信托、物业财产信托、物业受益权信托、房地产股权投资信托、房地产基金投资信托等产品,丰富的产品线满足了客户多样化投融资需求。

其中,公司信托三部积极发挥其在房地产信托投融资方面的特长,为阳光城集团、天朗地产、雅荷地产、恒天地产、丽彩集团等十余家房地产开发企业提供投融资服务近20亿元。项目投融资标的包括普通住宅、别墅、公寓、写字楼、酒店、商业综合体、保障房及城中村改造等多种业态形式。

(6)*工商企业融资信托*。陕国投针对工商企业的发展特点和融资需求,以创新、灵活的产品设计及严密的风险控制措施,通过贷款、投资、资产证券化等多种形式运作信托资金,为工商企业提供投融资服务。同时,公司积极探索与商业银行、保险公司等多方合作,搭建高效、低风险的全新融资平台,为中小企业拓宽融资渠道。

近年来,公司为运输业、装备制造业、采掘业、房地产业等一大批工商企业提供了信托资金近百亿元。

2.权益投资类信托业务

对于发展前景良好、具有一定经营规模和稳定现金流的各类企业,陕国投可以通过信托贷款、股权受益权融资、股权投资、并购融资、受托股权管理、财务顾问等形式为其提供一系列金融服务,以现金分红、上市(IPO)、溢价回购、股权转让和信托服务费等形式获取投资回报。

3.资产管理类信托业务

证券投资信托。陕国投将多个委托人的资金集合起来,形成具有一定规模和实力的资金组合,投资于证券投资基金、股票、权证、公开发行的新股、上市国债、企业债等,为投资者(委托人也即受益人)获取投资收益。

近年来,陕国投逐步搭建起了强大的证券交易平台,组建了专业化的投资团队,先后推出了开放式证券信托(阳光私募)、结构式证券信托、组合证券投资信托、信托组合基金(TOF)、开放式债券信托、伞型结构化信托等,证券投资信托业务迅猛发展,在北京设立了证券业务总部。2013年底公司管理证券资产规模余额达到445亿,在创新能力、规范管理、优质服务等方面表现突出,获得诸多行业殊荣,形成了一批品牌产品,行业影响力逐步提升。"陕国投·定向增发系列产

品”荣获“诚信托—价值信托产品奖”。

银行理财信托公司与20余家银行深度合作，充分利用信托的制度优势和信托的投资渠道优势，推出了一系列中短期理财产品，全面投资于新股、股票、基金、债券、信贷资产和股权等。

不良资产处置信托公司充分利用信托的投融资优势和灵活创新的特征，以资产证券化理念，通过结构化的产品设计，开发出了多个具有特色的不良资产处理信托产品。

二、自有资产业务

1. 资金融通业务

陕国投自有资金活跃在资本市场、货币市场、信贷资产流通市场等各类金融产品投资领域，长、中、短期投资相结合灵活运用资金，取得了较为理想的投资收益。

2. 金融股权投资

股权投资业务是陕国投固有资产长期配置的重点领域，在支持信托主业发展和为公司各项业务提供持续稳定现金流方面扮演重要角色。长期以来，陕国投通过对行业结构、期限、规模的动态调整和优化，积极把握金融、基建、能源和房地产等领域孕育的投资机会，开展具有战略意义的金融股权或与信托主业联动的实业股权投资，从客户、渠道和项目资源等方面为信托主业提供有力支持，同时获得长期稳定的投资回报。

目前公司持有永安保险、西部证券、长安银行等金融股权。

三、投资银行中介业务

(1)为企业提供长期的财务顾问服务，如财务管理、内部尽职调查、股权结构设计、激励机制设计、法律服务等；

(2)提供融资中介服务。如制作商业计划书、企业价值评估报告等；

(3)为企业吸引投资者或融入资金；

(4)为企业引入战略合作伙伴；

(5)协助企业制定、实施公开发行股票计划等；

(6)为企业提供融资租赁服务；

(7)帮助企业进行并购、重组或进行管理层收购；

(8)承销国债、银行债券或企业债券；

(9)协助企业进行资产证券化等。

【2016 大事记】

2016年12月，在省国资委对省属国有企业2016年度国有资产统计、财务监督管理、内部审计等工作的综合评价中，我公司被评为“省属企业内部审计工作先进集体”，公司计划财务部陈建岐和监察审计部颉新波两位同志分别被评为“省属企业财务管理工作先进个人”和“省属企业内部升级工作先进个人”。

2016年12月26日至12月27日，我公司董事长薛季民、总裁姚卫东与来自银监会领导、信托业协会代表和68家信托公司代表齐聚上海，共同参加了中国信托业的年度盛会——中国信托业年会。

2016年12月18日，公司携手陕西爱乐乐团举办了“不忘初心·筑梦新长征”主题新年交响音乐会回馈客户长期以来的信任和支持。

2016年12月14日，公司与陕西省公安厅民警英烈基金会签约并推出“陕国投·公安民警英烈基金公益信托计划”，成为全国第一个专注于扶助公安民警的公益信托计划。

2016年12月2日，陕国投与北京恒天财富投资管理有限公司在我公司举行家族信托业务合作签约仪式暨合作交流会，并签署了家族信托业务合作协议。

2016年11月14日，宿迁产业发展集团有限公司董事长韩锋、副总经理王兰建等一行来公司访谈交流，双方重点围绕如何开展资源互补、渠道互助、业务延伸性合作等方面进行了深入交流，均表示要进一步加强项目、资金对接合作，实现互惠双赢。

2016年11月8日，公司董事长薛季民代表公司受邀赴兰州参加了华龙证券股份有限公司定向增发竞价会暨签约仪式。

2016年10月17至10月21日，公司随省政府代表团参加了“第六届陕粤港澳经济合作活动周”金融合作交流活动。期间，姚卫东总裁参加了在香港国际会展中心举行的以“搭建金融服务平台，助推企业创新发展”为主题的陕港金融合作平台交流会。

2016年10月13日至10月14日，公司在陕西宾馆召开了2016年第三季度经营形势分析会。姚卫东总裁全面回顾和分析了公司前三季度重点工作以及面临的经营形势，针对讨论中所提问题，就下一步经营和管理工作提出了指导意见。

2016年9月23日，宜信公司创始人、CEO唐宁、宜信公司理财产品部总经理侯林一行来公司访谈交流，总裁姚卫东及相关部门负责人参加会议。双方重点围绕如何开展资源互补、渠道互助、业务延伸性合作等方面进行了深入交流，表示要进一步合作，实现互惠双赢。

2016年9月29日，中国银行陕西省分行牛长平副行长一行来公司访谈交流，双方重点围绕在客户维护、项目开发、新领域业务探索等方面展开合作进行了深入交流。

2016年9月18日至9月19日，省国资委第三督导组莅临我公司，分别就公司党委和第七支部“两学一做”学习教育开展情况进行了督查指导，并召开座谈会听取相关汇报。

2016年9月2日，公司与渤海银行西安分行于8月下旬签订了战略合作协议。

2016年8月，公司党委中心组召开“两学一做”第三次专题学习研讨会。

2016年8月30日，由陕西省人民政府主办，陕西省商务厅、陕西省金融办承办的“2016陕西－长三角地区经济合作活动——陕沪金融创新合作发展座谈会”在上海成功举办。期间，总裁姚卫东同与会代表充分交流，共商发展计划。

2016年8月26日，公司与渤海银行西安分行签订了战略合作协议。公司总裁姚卫东和渤海银行西安分行行长晏学峰出席签约仪式并签约。双方相关部门负责人出席了签约仪式，标志着双方在未来合作中将建立长期全面的金融战略合作关系。

2016年8月18日，陕西金融资产管理股份有限公司开业揭牌暨战略合作协议签约会议在西安召开，省委常委、常务副省长姚引良为陕金资产揭牌并讲话。会上，薛季民董事长代表公司与陕金资产签署了战略合作协议。

2016年8月15日，公司总裁姚卫东在业务总监黄琨及创新与研究发展部、北京业务二部相关人员的陪同下，赴捷信消费金融有限公司天津总部与首席执行官 Ondrej Frydrych、总经理 Roman Wojdyla 等进行业务合作会谈。

2016年7月28日，“陕国投青年论坛”系列——“企业就是我的船”主题读书分享活动在公司西安总部举行。本次读书分享活动充分展现了公司青年员工健康向上的精神风貌，增强了公司的凝聚力和向心力，同时也激发了青年员工的使命感与责任感。

2016年7月，《证券时报》主办的“2016 中国财富管理高峰论坛”暨“2016中国信托业发展高峰论坛”上，第九届中国优秀信托公司评选结果正式公布。公司凭借为地方经济发展做出的突出贡献和稳健的经营管理能力，连续6年荣膺“中国最具区域影响力信托公司”。

2016年7月26日，中国信托业协会副秘书长郑方带领协会各部门相关人员来公司调研，公司董事长薛季民、副总裁李玲及相关部门负责人参加了座谈会议。

2016年7月11日，公司召开了2016年上半年经营形势分析会，薛季民董事长出席会议并作重要讲话，姚卫东总裁主持会议并做分析报告，公司高管和业务部门负责人结合半年工作实际进行分析和研讨。

2016年7月6日，总裁姚卫东在副总裁孙若鹏、成都业务部总经理张光灿等的陪同下，前往中科建设开发总公司总部调研考察，并就业务合作等事宜与中科建总公司主要经营班子进行交流座谈。

2016年6月29日，公司组织党员、预备党员和入党积极分子四十余名赴西安碑林廉政教育基地进行集体廉政教育学习。

2016年6月27日至6月28日，为纪念中国共产党成立95周年暨中国工农红军到达陕北80周年，公司党委组织部分党员前往革命圣地延安践行“两学一做”学习教育，开展了“学党史、感党恩、跟党走”主题教育活动。

2016年6月28日，省国资委系统召开纪念建党95周年暨“两学一做”学习教育推进会议。大会表彰了省国资委系统优秀共产党员、优秀党务工作者和先进基层党组织。

2016年6月13日，为进一步增强全员合规意识，促进公司合规文化建设，按照陕西银行业金融机构“合规建设推进年”活动有关安排，公司分别组织员工、中层和高管人员开展了两场合规知识考试。

2016年5月26日至5月28日，董事长薛季民在总裁助理张莉等的陪同下应邀前往贵阳参加了2016中国国际大数据产业峰会暨中国电子商务创新发展峰会，并就业务合作等事宜进行了交流。

2016年5月26日，省国资委党委“两学一做”学习教育第三督导组一行三人在省国资委纪委副书记、监察室主任、第三督导组组长魏国林带领下深入我公司检查“两学一做”学习教育情况。

2016年5月19日，中国信托业保障基金有限责任公司总裁刘宏宇、首席投资官张利一行来公司访谈交流。董事长薛季民、总裁姚卫东及部分公司领导及相关部门负责人参加会议。

2016年5月18日，省国资委王浩生副主任一行来我公司调研“提质增效”工作开展情况并召开专题座谈会。

2016年5月17日，公司召开“两学一做”学习教育动员部署会，公司党委书记、董事长薛季民在会上做动员部署讲话。

2016年5月10日至5月11日，薛季民董事长在副总裁孙若鹏等的陪同下分别到成都和重庆业务部门考察指导工作。考察期间，听取了业务部门的工作汇报及部门员工对公司及驻外部门发展的意见和建议。

2016年5月6日至5月7日，公司举行了部门正副职岗位竞聘演讲和测评大会。

2016年5月4日，公司团总支举办了纪念五四青年节“青春与使命”主题演讲活动。公司35岁以下团员和青年职工近170人参加了本次活动，各驻外部门青年员工以视频形式参加。

2016年5月1日，公司作为西安市碑林区国税局“营改增”金融行业试点单位，在国税局税务人员的见证下，成功开出第一张增值税专用发票和第一张增值税普通发票，这标志着公司营业税改征增值税工作成功启动，顺利实现税制转换。

2016年4月1日至4月25日，公司举办以“寻找人间四月天”为主题的微信诗歌会，借助陕国投官方微信平台，以“新媒体”形式为广大客户带来了全新的诗歌阅读和参与体验。

2016年4月底，陕西省人民政府对2015年度支持陕西实体经济发展先进金融单位进行通报表彰，我公司第四次被表彰为“2015年度先进金融单位”。

2016年4月20至4月21日，薛季民董事长携投资银行部相关人员对安康市民企龙头企业－－安康阳晨现代农业集团有限公司、陕西莲花餐饮投资管理有限公司进行了实地调研、考察。

2016年4月18日，中国铁建投资集团副总经理周京波（总会计师）、副总会计师刘应红带领相关部门负责人来我公司进行合作交流。

2016年4月15日，公司召开了2016年第一季度经营形势分析会，对公司经营和管理进行了分析和研讨。

2016年4月12日，公司2016年度党建暨纪检监察工作会议在西安总部召开。

2016年3月29日，中国银监会信托部邓智毅主任一行在陕西银监局潘光伟局长等的陪同下来我公司进行工作调研，有关班子成员及相关部门负责人参加了座谈会议。

2016年3月17日，董事长薛季民在业务总监黄琨等的陪同下到刚组建不久的天津业务部考察指导工作，与天津业务部全体员工进行了座谈交流。

2016年3月15日，公司开展了以“承担责任，和谐金融”为主题的“3·15国际消费者权益日”宣教活动，并针对“担当责任，和谐金融”3.15金融安全举办主题沙龙。

2016年3月2日，在省国资委系统企业党建暨纪检监察工作会议上，我公司被省国资委党委、省国资委授予“文明单位”荣誉称号。

2016年2月4日，公司党委书记、董事长薛季民、总裁姚卫东和纪委书记、工会主席王晓烨带领相关部门人员，为离退休及部分家庭困难员工送去慰问品、慰问金等，并送上新春祝福。

2016年2月3日，公司纪委书记、工会主席王晓烨、市场总监王梦颖带领相关部门，前往省级“两联一包”定点扶贫村进行扶贫慰问，并送上公司的关怀及节日祝福。

2016年1月31日，公司举办2016年迎新春职工联欢会。公司领导及全体员工欢聚一堂，共庆佳节，同迎新春。公司党委书记、董事长薛季民致新年贺词。

2016年1月31日，公司围绕资产证券化业务、家族信托、并购重组业务、互联网信托创新等专题举办专项业务培训，公司总部全体员工和驻外机构的负责人、员工代表等参加。

2016年1月19日，公司与陕西秦农农村商业银行股份有限公司举行战略合作协议签约仪式暨银信合作交流会，姚卫东总裁与秦农银行行长彭祖佑代表双方签署了战略合作协议。

公司地址：陕西省西安市高新区科技路50号金桥国际广场C座24－27层

联系人：孙一娟（女士）

电话:029 - 88897633　029 - 81870262
传真:8629 - 88851989 - 0
投诉电话:029 - 88897886
邮箱:sun@ siti. com. cn
证券信托客服电话:010 - 85140208
财富管理热线:400 - 029 - 0563　029 - 88888 - 939
客户投诉电话:400 - 029 - 0563

兴业国际信托有限公司

【基本概况】

兴业国际信托有限公司成立于 2009 年 9 月,注册地为福建省福州市,现有注册资本为人民币 50 亿元,是经国务院同意以及中国银行业监督管理委员会批准设立的我国第三家银行系信托公司,也是我国第一批引进境外战略投资者的信托公司。兴业国际信托有限公司现有股东中既有中资主流商业银行及大型国有企业,又有国际知名外资银行,可持续发展前景良好。

兴业国际信托有限公司以建设"综合性、多元化、有特色的全国一流信托公司"为战略目标,坚持依法经营、稳健经营,不断夯实业务基础和客户基础,着力提升业务发展和创新能力,致力于成为国内优秀的综合信托金融服务提供商。截至 2016 年末,兴业国际信托有限公司管理的资产规模达 11070. 37 亿元,是我国最大型的信托公司之一。

根据建设全国一流信托公司的战略定位,目前兴业国际信托有限公司已在全国主要省、市、区、计划单列市设立了 34 个业务和客户服务网络,实现了全国化经营与服务。同时,兴业国际信托有限公司全资拥有兴业国信资产管理有限公司,控股兴业期货有限公司、福建交易场所清算中心股份有限公司,并参股兴业经济研究咨询股份有限公司、重庆机电控股集团财务有限公司、紫金矿业集团财务有限公司、华福证券有限责任公司。在全国优秀信托公司评选活动中,兴业国际信托有限公司先后荣获"中国优秀信托公司"、"卓越信托公司"、"信托行业杰出品牌奖"、"最佳行业影响力信托公司"、"优秀资产管理机构"、"信托行业风险管理奖"、"社会责任优秀实践奖"等多项荣誉。

【公司荣誉】

2017 年 1 月公司荣获中央国债登记结算有限责任公司评选的"2016 年度优秀资产管理机构"。

2017 年 1 月 18 日公司荣获银行业信贷资产登记流转中心评选的"2016 年度卓越服务奖"。

2016 年 12 月荣获 2016 第一财经·中国企业社会责任榜(CSR)评选的"优秀实践奖"。

2016 年 12 月 8 日,本公司荣获金融界 2016"领航中国"评选的"2016 年度信托行业杰出品牌奖"。

2016 年 9 月公司控股子公司——兴业期货有限公司荣获期货日报与证券时报联合评选的"2016 年度最具成长性期货公司"等多项荣誉。

2016 年 9 月公司发行的中誉 2016 年第一期不良资产支持证券项目荣获财视中国评选的"2016 年度创新性最受市场认可产品"。

2016 年 9 月公司杨华辉董事长荣获《当代金融家》和阿尔法智库联合评选的"2016 年度资产管理信托业领军人物卓越奖"和"2016 年度最具竞争力奖"。

2016 年 8 月公司杨华辉董事长荣获福建省企业与企业家联合会评选的"福建省优秀企业家"。

2016 年 7 月荣获《证券时报》评选的"中国优秀信托公司"奖;"兴业信托·广厦 1 号财产权信托"荣获"优秀创新信托计划"奖

2016 年 1 月荣获"2015 年度优秀资产管理机构"和"2015 年度债券优秀发行人"。

【大事记】

•2017 年

2017 年 1 月 18 日,本公司在银行业信贷资产登记流转中心举办的 2016 年度信贷资产登记流转业务优秀机构评选活动中荣获"2016 年度卓越服务奖"。

2017 年 2 月 20 日,本公司、兴业国信资管联合兴业银行成功发行国内首单银行间市场公募 REITs——兴业皖新阅嘉一期房地产投资信托基金(REIT)资产支持证券。

2017 年 3 月 2 日,本公司正式加入上海黄金交易所,并获批交易专户资格,成为全国第三家获此资格的信托公司。

2017 年 4 月 18 日,本公司联合兴业银行成功参设京津冀城际铁路发展基金。

2017 年 4 月 20 日,本公司在福州市召开 2016 年度股东会、第五届董事会第五次会议、第五届监事会第四次会议及第五届董事会各专业委员会会议。

•2016 年

2016 年 2 月 1 日 -2 日,本公司 2016 年度工作会议在福州市召开。

2016 年 2 月 19 日,本公司联合兴业银行成功参设山西省改善城市人居环境 PPP 投资引导基金。

2016 年 3 月 9 日,中国银监会福建监管局以闽银监复〔2016〕43 号文批准,同意福建省能源集团有限责任公司受让澳大利亚国民银行持有的本公司 8. 4167% 股权。2016 年 5 月 23 日,本公司完成以上股权变更事项的工商变更登记手续,并换发营业执照。

2016 年 4 月 27 日,本公司在福州市召开 2015 年度股东会、第五届董事会第二次会议、第五届监事会第二次会议及第五届董事会各专业委员会会议。

2016 年 5 月 27 日,本公司与中国银行股份有限公司成功合作在全国银行间债券市场上发行并成立了试点重启后全国首单——中誉 2016 年第一期不良资产支持证券。

2016 年 6 月 18 日,本公司携子公司兴业资管、兴业期货联合参加第十四届中国·海峡项目成果交易会金融服务展。

2016 年 7 月 15 日,本公司在《证券时报》主办的第九届中国优秀信托公司评选活动中荣获"中国优秀信托公司"奖;"兴业信托·广厦 1 号财产权信托"荣获"优秀创新信托计划"奖。

2016 年 8 月 3 日,本公司杨华辉董事长在福建省企业与企业家联合会第十六届福建省优秀企业家暨 E30 企业与企业家联盟成立大会上被授予"福建省优秀企业家"荣誉称号。

2016 年 8 月 9 日,由本公司全资子公司——兴业国信资产管理有限公司控股设立的福建交易场所清算中心股份有限公司在福州召开创立大会,产生第一届董事会、监事会及高级管理层,选举林静为董事长、王晓峰为监事长,聘任朱锋为总裁,纪成庄、黄映丰为副总裁,杨明泉为总裁助理。

2016 年 9 月 1 日,本公司成功备案国内首单慈善信托——"兴业信托·幸福一期慈善信托计划"。

2016 年 9 月 5 日,本公司杨华辉董事长在《当代金融家》和阿尔法智库联合举办的"中国资产管理信托业 2016 领军人物”评选活动中荣获“2016 年度领军人物卓越奖”和“2016 年度最具竞争力奖”。

2016 年 9 月 7 日，本公司发行的中誉 2016 年第一期不良资产支持证券项目在财视中国举办的“2016 资产证券化·介甫奖”评选活动中荣获“2016 年度创新性最受市场认可产品”。

2016 年 9 月 14 日，本公司与兴业金融租赁合作成功发行“金信 2016 年第一期租赁资产支持证券”。

2016 年 9 月 23 日，本公司控股子公司——兴业期货有限公司在期货日报与证券时报联合举办的“2016 年中国期货业创新发展论坛暨第九届中国最佳期货分析师评选”活动中蝉联“最具成长性期货公司”等多项荣誉。

2016 年 11 月 28 日，本公司控股子公司——福建交易场所清算中心股份有限公司集中清算系统正式上线。

2016 年 12 月 8 日，本公司在金融界主办的 2016“领航中国”智能金融国际高峰论坛暨金融行业年度评选颁奖盛典上荣获“2016 年度信托行业杰出品牌奖”。

2016 年 12 月 8 日，本公司成功发行首单“兴信一期”信托受益 ABS 项目。

2016 年 12 月 15 日，本公司在第一财经主办的“2016 第一财经·中国企业社会责任榜（CSR）”评选活动中荣获“优秀实践奖”。

2016 年 12 月 16 日，本公司旗下福建交易场所清算中心股份有限公司在福州正式开业。

2016 年 12 月 22 日，中共福建省委常委、常务副省长张志南等一行莅临本公司调研座谈，听取公司工作汇报，对公司下阶段发展提出新的要求。

公司地址：福建省福州市五四路 137 号信和广场 25－26 层

邮编：350003

公司总机：0591－88263888

传真：0591－88263999

华宝信托有限责任公司

华宝信托有限责任公司（简称“华宝信托”）成立于 1998 年，是中国宝武钢铁集团有限公司（简称“宝武集团”）旗下的金融板块成员公司，宝武集团持股 98%，浙江省舟山市财政局持股 2%。华宝信托注册资本金 37.44 亿元（含 1500 万美元），旗下控股华宝兴业基金管理有限公司（中法合资）。

华宝信托的大股东宝武集团信誉卓著、实力雄厚，是国有资本投资公司试点企业。秉承宝武集团一贯的严谨稳健、诚信规范作风，华宝信托始终以“受益人利益最大化”为经营理念，以专业化和差异化发展为基本战略，以资产管理与信托服务为两大主业，立足资本市场，不断强化能力建设、渠道建设和品牌建设。公司业务门类齐全、专业化分工清晰、团队阵容整齐、主动管理与创新能力强大、业绩持续良好。目前，公司为中国信托业协会第三届理事会副会长单位，公司董事长任中国信托业保障基金有限责任公司董事。

多年来，华宝信托始终保持创新意识，多项业务资格或行动处于行业领先地位。2016 年，获中诚信国际主体“AAA”评级；推出“世家华传”和“基业宝承”两个家族信托子系列服务，成功落地多单家族信托业务，为客户提供个性化、定制化的家族财富管理综合解决方案。2015 年，联手上海临港集团设立百亿元开发基金助力创业创新和产业升级，并成功发行公司首单 QDII 集合信托计划。2014 年，通过人力资源和社会保障部的企业年金管理资格延续申请，继续成为国内唯一一家拥有“法人受托机构”和“账户管理人”两项资格的信托公司。2013 年，推出公益性质的信托——“华宝爱心信托”，运用信托制度优势和专业管理职能为公益事业添砖加瓦；建立业内首个标准化信托服务平台——华宝流通宝平台，改善信托产品流通性，提升公司对客户的服务水平。2012 年，首推国内信托产品评级，申请到第一个以信托计划名义设立的股指期货套保交易编码和套利交易编码。2011 年，成为首家获得股指期货交易业务资格的信托公司。2007 年，新“两规”颁布后首家获准换发金融牌照。2005 年，第一家取得人社部颁发的年金受托人及账管人资格，并且第一家开展结构化证券信托业务。2004 年，第一家引入独立董事。2003 年，第一家在公开媒体开展信息披露，并在行业内第一家发起成立合资基金公司。

此外，公司 2015 年获得私募基金管理人资格，2012 年获得受托境外理财业务资格，2008 年获得大宗交易系统合格投资者资格，2006 年获得资产证券化业务资格，2005 年首批获得新股发行询价对象资格，业务资格全面。

华宝信托为投资者创造了良好收益，1998－2016 年累计为客户实现收益 1326 亿元。2006 年起，公司进入快速发展阶段，2006－2016 年累计清算信托项目 1113 个，成功兑付率 100%。截至 2016 年底，华宝信托管理的信托资产规模逾 5300 亿元（含年金）。华宝信托也为股东创造了良好收益，自 1998 年成立以来，公司连续 19 年都实现盈利。

近年来，华宝信托在各类专业行业评选中多次荣获优秀公司、知名品牌、最佳创新、最佳经理、最佳产品等各类奖项。其中 2016 年，公司荣获东方财富风云榜“2016 年度最佳信托公司”，《21 世纪经济报道》“金贝奖”年度最佳品牌建设信托公司，《证券时报》第九届中国优秀信托公司评选“优秀组合投资基金类信托计划”奖、“优秀证券投资信托计划”奖。

目前，华宝信托产品利用多种结构和工具覆盖了资本市场、货币市场、实体经济。同时，在风控方面，华宝信托形成了由董事会及管理层直接领导，以风险管理部门为依托，相关职能部门配合，与各个业务部门全面联系的三级风险管理组织体系，公司治理结构及风险控制水平行业领先。

展望未来，华宝信托将继续以机构、高端客户需求为核心，专注于证券、投融资、产业金融深度服务、国际业务、信托服务等专业领域，提供综合财富管理和整体金融解决方案，打造中国领先的特色金融服务商。我们将进一步丰富产品线及提升信托服务能力，为客户打造更好产品，提供更好服务，让更多的市场主体参与信托，享受信托制度的优势。

【2016 年公司大事记】

1 月，华宝信托荣获 2016 年度中国债券市场“资产支持证券优秀发行人”及“优秀资产管理机构”称号。

1 月，华宝信托荣获 2016 上海金融 TOP 榜“年度企业社会责任奖”。

1 月，由朝阳永续、华宝信托共同主办的 2015 年度（第十届）中国私募基金风云榜高峰论坛暨颁奖典礼在上海成功举行。

3 月，华宝信托薪酬福利信托部荣获“2016 年度上海市巾帼文明岗”荣誉称号。

3 月，华宝信托荣获 2015 年度浦东新区“金融业突出贡献奖”和 2015 年度“浦东新区纳税突出贡献奖”。

5 月，华宝信托刘鸿哲荣获“上海市五一劳动奖章”。

5 月，由华宝信托和宝信软件联合申报的“信托业务全生命周期信息化管理的构建和实践”项目荣获 2016 年宝钢集团管理创新成果二等奖。

7 月，华宝信托首单家族信托业务成功落地，并正式推出“世家华传”和“基业宝承”两个子系列服务产品，为客户提供个性化、定制化的家族财富管理综合解决方案。

7 月，在证券时报第九届“优秀信托公司”评选中，华宝临港新兴科技产业园区集合资金信托计划、华宝博识众彩 TOF 资产配置信托分别获得“优秀组合投资基金类信托计划”、“优秀证券投资信托计划”称号。

7 月，华宝信托荣获 21 世纪经济报道“金贝奖”2016 年最佳品牌建设信托公司。

10 月，华宝信托参展第十二届北京金博会，展示了全新的品牌形象和优质的金融服务，也普及了科学的财富管理方式和理财观念。

10 月，华宝信托与上海宝冶集团在上海签署战略合作协议，将探索和建立紧密的战略合作关系，创造双方共赢的长效合作模式。

12 月，中诚信国际信用评级有限公司发布信用评级报告，评定华宝信托的主体信用等级为 AAA 级，评级展望为稳定。

【公司荣誉（2016 年度）】

2016 年 12 月，中诚信国际主体 AAA 评级，评级展望为稳定

2016 年 7 月，21 世纪经济报道“金贝奖”——2016 年最佳品牌建设信托公司

2016 年 7 月，证券时报第九届“优秀信托公司”评选——“优秀组合投资基金类信托计划”（华宝临港新兴科技产业园区集合资金信托计划）、“优秀证券投资信托计划”（华宝博识众彩 TOF 资产配置信托）

2016 年 3 月，2015 年度浦东新区“金融业突出贡献奖”和 2015 年度“浦东新区纳税突出贡献奖”

2016 年 3 月，“2016 年度上海市巾帼文明岗”荣誉称号（薪酬福利信托部）

2016 年 1 月，2016 上海金融 TOP 榜“年度企业社会责任奖”

2016 年 1 月，2016 年度中国债券市场“资产支持证券优秀发行人”及“优秀资产管理机构”

公司地址：中国（上海）自由贸易试验区世纪大道 100 号环球金融中心 52 层、59 层

邮编：200120

客服热线：40088 – 40098

总机号码：021 – 38506666

传真号码：021 – 68403999

客服邮件：hbservice@ hwabaotrust. com

公司网站：www. hwabaotrust. com

东莞信托有限公司

东莞信托成立于 1987 年，是东莞国有控股企业，国有股份占比 91.5%。目前注册资本金人民币 12 亿元，是广东省内 5 家信托公司之一。

东莞信托致力成为“值得信赖的专业资产管理金融机构”。自成立以来，东莞信托坚持走自主管理道路，以提升资产管理能力为立足点，以寻求委托人利益最大化为目标，大力支持我市重点工程建设、基础设施建设，为广大企事业单位和个人提供多元化、综合化、个性化的金融服务，为投资者实现较高的投资回报，树立了良好的市场形象，各项业绩迅速增长。

截至 2015 年底，东莞信托净资产 36.86 亿元，管理信托资产 481.51 亿元；2015 年实现利润总额 6.49 亿元，净利润 4.92 亿元，并为客户实现收益 31.37 亿元。

根据全国信托公司 2015 年年报披露数据，东莞信托主动管理型信托资产占比达 98.06%、结束项目信托报酬率 2.82%、已清算结束集合类信托产品加权平均实际年化收益率 9.44%，多项指标在全行业 68 家信托公司中均名列前茅。

展望未来，东莞信托将继续提升资产管理能力和抗风险能力，为广大投资者提供更优质的金融服务。

【公司大事记（2016）】

12 月，东莞信托被评为“2016 年度税收突出贡献奖”，并荣获松山湖管委会颁发的“2016 年度园区纳税前十名企业”称号。

12 月，东莞信托完成股权结构调整工作，股东变更为 6 名。

12 月，东莞信托正式上线新一代核心业务系统。

12 月，东莞信托参加以“信托可持续发展之路：业务分类与商业模式”为主题的中国信托业年会。

11 月，东莞信托启用新 OA 系统处理日常行政事务。

11 月，东莞信托党委组织学习十八届六中全会会议精神。

11 月，东莞信托组织员工选民参加东莞市第十六届人民代表大会代表选举工作。

10 月，广东银监局任庆华副局长一行到公司走访。

10 月，东莞信托联合有关部门共同举办“普及金融知识 提升金融素养共建和谐金融”为主题的“金融知识进万家”活动。

9 月，东莞市市委书记吕业升，市委常委、常务副市长张科等领导一行调研市属国有企业经营发展情况，黄晓雯总经理代表东莞信托向调研组汇报了公司发展思路。

9 月，东莞信托推动设立“莞信基础设施和公共服务投资基金”，并成为该基金的有限合伙人之一。

8 月，东莞信托总经理黄晓雯参加梁维东市长等市领导到市国资委专题调研的座谈会。

7 月，东莞信托发行首个综合配置类信托产品“智荟财富 · 稳健配置 1 号”。

7 月，东莞信托召开以“稳经营保增长调结构促转型”为主题的半年工作会议。

6 月，东莞信托成立东莞信托慈善基金服务工作小组，落实慈善基金对接的资助项目，进一步推动慈善基金工作开展。

5 月，东莞信托在产品销售过程中全面开展“双录”工作。

4 月，东莞信托召开 2015 年年度股东会。

4 月，东莞信托发布 2015 年度社会责任报告。

4 月，东莞信托落实市政府新一轮扶贫工作，2016 – 2018 年对口帮扶大朗镇佛子凹村和韶关市乐昌三溪镇仕坑村。

3 月，东莞信托完成中国信托业协会信托公司评级自评工作。

3 月，东莞信托在全体党员中开展“两学一做”学习教育。

2 月，东莞信托召开以“坚定信心、迎难而上，稳步实施三年发展规划”为主题的 2015 年度总结大会。

2 月，东莞银监分局赵崇健副局长一行到东莞信托走访。

1 月，东莞信托组织第二届“东莞信托 · 与爱同行”公益徒步活动，按照每报名一人由公司捐资 200 元的额度，将总计 50 万元款项捐赠给“东莞市慈善会东莞信托慈善基金”，用于

东莞地区助学。

【公司荣誉】

2016 年 12 月，东莞信托被评为“2016 年度税收突出贡献奖”，并荣获松山湖管委会颁发的“2016 年度园区纳税前十名企业”称号。

2015 年 12 月，东莞信托荣获东莞市委市政府颁发的“2015 年度税收突出贡献奖”、松山湖管委会颁发的“2015 年度园区纳税前十名企业”称号。

2015 年 12 月，东莞信托有限公司荣获“东莞市妇女工作先进单位”称号。

2015 年 6 – 8 月，东莞信托参加东莞市银行业协会第四届综合运动会，并获乒乓球团体赛乙组第一名。

2015 年 1 月，荣获松山湖生态园 2014 年度纳税第 4 名。

2014 年 6 月，参展第三届广东省金融交易博览会并荣获最佳展示奖。

2014 年 6 月，参加东莞市银行业协会第三届综合运动会，并获羽毛球团体赛乙组第二名、乒乓球团体赛乙组第三名。

2014 年 8 月，参加“松山湖物业杯”三人篮球赛，获得第三名。

2014 年 9 月，在第二届东莞金牌理财师评比大赛中获“金牌理财师团队”大奖。

2013 年 12 月，在东莞全银行业首届金牌理财师大赛中获得金牌理财师团队和金牌理财师个人两项大奖。

2013 年 8 月，荣获 2012 年度东莞市金融创新成果奖二等奖。

2012 年 11 月，荣获 2012 年度广东省“金融创新奖”三等奖。

2011 年 11 月，荣获 2010 – 2011 年度东莞市“金融创新奖”、“融资支持先进单位三等奖”。

2010 年 12 月，荣获“2010 年度东莞市企业决算工作先进单位”。

2010 年 4 月，荣获“2009 年东莞金融统计先进单位”。

2010 年 1 月，荣获“2009 年东莞市内部审计工作先进单位”。

2009 年 12 月，荣获“2008 年度东莞市企业决算工作先进单位”。

2009 年 9 月，被市委市政府评为“东莞市尊师重教先进单位”。

2009 年 6 月，荣获“2008 年东莞市金融发展奖二等奖”。

2009 年 4 月，荣获“2008 年东莞市内部审计工作先进单位”。

2009 年 3 月，荣获“2008 年东莞金融统计先进单位”。

2008 年 12 月，荣获“2007 年度东莞市企业决算工作先进单位”。

2008 年 1 月，荣获“2007 年度东莞市内部审计工作先进单位”。

2007 年 4 月，荣获市委、市政府颁发“东莞市先进集体”称号。

2006 年 11 月，荣获证券时报首届优秀信托公司评选活动“最佳区域理财机构”。

2006 年 11 月，“东莞信托福民集团大厦集合资金信托计划”被证券时报评选为“最佳房地产信托计划”。

公司地址：东莞松山湖高新技术产业开发区创新科技园 2 号楼

邮编：523808

客服热线：400 – 168 – 3388

四川信托有限公司

【基本概况】

四川信托有限公司（简称“四川信托”）经中国银监会批准、四川省工商行政管理局登记注册，于 2010 年 11 月 28 日正式成立，公司注册资本 35 亿元，管理信托资产规模逾 3000 亿元，经营收入、净利润、净资产收益率等各项指标进入行业前列。

开业以来，公司始终坚持以市场为导向、以风险控制为核心、以稳健发展为基础、以创新研发为动力，以西部金融中心成都为大本营，服务遍及西部、华北、华东、华南等片区，积极开辟周边省份、城市的信托业务，经营触角延伸至全国各地，实现了受益人、股东、合作伙伴、员工和企业协同发展，先后荣获“年度最佳信托公司”、“中国最具成长性信托公司”、“年度最具竞争力信托公司”、“年度最佳财富管理品牌”、“年度卓越竞争力综合服务信托公司”等殊荣。

未来，公司将继续秉承“风险第一、效益第二”的经营理念和“竞争中求发展，创新中求卓越”的企业精神，立足四川、面向全国，以资产管理、投资银行、财富管理为公司核心业务，在资产端、资金端、管理端三方面齐头并进，协调发展，从“资金提供者”向“资产管理者”转变，为同业机构和高净值客户提供全方位、全流程的综合金融服务，精心打造富有川信特色的信托模式。

【企业文化】

企业使命：川汇沧海·信达天下

企业愿景：成为国内一流资产管理机构

企业目标：实现受益人利益最大化，为员工创造价值，为股东创造财富，为社会做出贡献

核心价值观：诚信、专业、创新、服务

企业精神：竞争中求发展，创新中求卓越

经营理念：风险第一，效益第二

经营定位：立足四川，面向全国

管理理念：机制与管理并行，风险与发展并重，合规与拓展并存，创新与监管相融

合规理念：人人合规、事事合规，时时合规、我要合规

人才理念：打造一支业务精湛、创新进取的资产管理团队；一支专业专注、服务优质的财富管理团队；一支严谨高效、精益求精的运营管理团队

工作理念：快乐工作，快乐生活

服务理念：4S（诚信、专业、高效、微笑——sincerity、specialty、speedy、smile）

【公司荣誉】

2017 年 1 月，荣获由四川省慈善总会授予的 2016 年度慈善之星。

2017 年 1 月，荣获由成都市慈善总会授予的 2016 年成都地区企业社会责任推动奖。

2017 年 1 月，荣获由中国慈善联合会授予的 2016 慈善推动者。

2017 年 1 月，荣获银登中心授予的卓越服务奖。

2016 年 5 月，在上海清算所的 2015 年度清算业务和登记业务优秀机构和个人评选中，荣获基金信托机构类结算业务特别奖。

2016 年 7 月，在《证券时报》主办的 2016 中国信托业峰会暨第九届中国优秀信托公司颁奖典礼中，荣获中国优秀信

托公司奖及优秀财富管理品牌奖。

2016 年 7 月，在 2015 年度四川银行业履行社会责任工作评选活动中，公司与四川省慈善总会发起设立四川省慈善总会·四川信托锦绣慈善基金助力公益慈善事业的案例，被授予 2015 年度最佳社会责任实践案例奖。

2016 年 7 月，在中国企业文化研究会主办的第三届全国企业文化传媒论坛中，荣获十二五全国企业文化优秀传媒组织奖、十二五全国企业文化优秀传播媒体奖。

2016 年 11 月，在 2016 年四川银行业助力精准扶贫工作中，荣获十大扶贫爱心组织奖。

2016 年 11 月，在《成都商报》全媒体平台主办的第十二届中国(成都)金融总评榜评选中，荣获 2016 年度最佳信托公司奖，及 2016 年度最佳财富管理机构奖。

2016 年 12 月，在《经济观察报》主办的改革驱动中国暨 2015 - 2016 年度观察家峰会上，荣获卓越综合实力信托公司奖。

2016 年 12 月，在《每日经济新闻》主办的第七届金鼎奖评选中，荣获卓越信托资管能力奖。

2016 年 12 月，在《公益时报》、中国妇女发展基金会、中国儿童少年基金会等九家公益行业领军机构联合主办的 2016 中国公益年会上，荣获 2016 年度中国公益企业奖。

2016 年 12 月，荣获由四川省财政厅授予的 2015 年度全国其他类金融企业绩效评价 AAA 级企业称号。

地址:四川省成都市人民南路二段 18 号川信大厦 9 楼
电话:86 - 28 - 86200288
传真:86 - 28 - 86200678
邮编:610016

华润深国投信托有限公司

【公司概况】

华润深国投信托有限公司(以下简称“华润信托”或“公司”)是一家历史悠久、业绩领先、实力雄厚、品牌卓越的综合金融服务机构。

公司前身是成立于 1982 年、有“信托行业常青树”之称的“深圳国际信托投资有限公司”(简称“深国投”)。华润信托注册资本人民币 60 亿元，股东分别为华润股份有限公司和深圳市人民政府国有资产监督管理委员会。

华润信托秉承华润集团优秀的企业文化，在“让资产更智慧”的品牌口号引领下，始终坚持客户导向和持续创新，在结构金融、证券信托、股权投资、财富管理、风险管理等诸多领域形成了独特的专业专长，为遍布海内外的高净值客户、高效益企业和高成长机构提供了优异的定制化和差异化金融解决方案，并实现了良好回报。

华润信托在国内信托行业开创了多个第一:第一支开放式证券投资信托计划;第一支限制性股票激励计划;第一支企业现金流资产证券化信托计划;第一个组合基金信托产品系列(托付宝 TOF);第一支煤炭资源整合并购基金，第一支信托公司自主管理量化对冲基金……

华润信托通过持有国内证券行业翘楚的国信证券股份有限公司股权和与台湾第一大券商元大宝来证券投资信托股份有限公司合资组建华润元大基金管理有限公司，形成健康、良性的业务组合。并通过积极探索产融和融融协同模式，与集团旗下的 SBU、华润银行、汉威基金等形成良好的业务合作，着力打造有自身特色、可持续发展的商业模式。

2016 年，华润信托全年取得净利润 19.39 亿元，营业收入 30.02 亿元。信托资产规模 8082.30 亿元，为委托人带来信托收益 310.94 亿元。

公司连续担任中国信托业协会理事会副会长单位，连续多年多次荣获如“中国优秀信托公司”等诸多荣誉。

30 多年经风经雨，华润信托已经成为一家发展迅速、业绩领先、实力雄厚、品牌卓越的综合金融服务机构。

【企业文化】

一、企业定位

华润是与大众生活息息相关的多元化企业

这是华润基于企业历史、顾客需求，为自己在商业竞争中确定的角色和方向，它向大众传递了华润的经营特点和管理模式，表明华润所从事的业务、所提供的产品和服务都与大众生活息息相关，华润是一个拥有多个行业、协同发展的多元化企业。

二、企业使命

与您携手，改变生活

这一使命表达了华润在促进整个社会的文明与进步中求得企业发展的价值取向，体现了华润人的崇高理想与不凡追求。

三、企业愿景

追求卓越发展，把华润建设成为具有国际竞争力的世界一流企业，实现超越利润之上的追求

建设“世界一流企业”是激发全体华润人为之拼搏奋斗的美好蓝图。“超越利润之上的追求”展现了华润人的精神境界，是华润可持续发展的重要根基。

【社会责任】

华润信托社会责任理念:践行社会责任，做诚信企业。

信托业的社会责任在于为受益人的最大利益处理信托事务，恪尽职守，履行诚实、信用、谨慎、有效管理的义务。创造社会财富并对股东利益负责的同时，承担对员工、各利益相关方、社区和环境的社会责任。

公司倡导全面的诚信观，诚信于股东、诚信于客户、诚信于员工、诚信于社会。坚持对信托事业的一腔热忱和对“受人之托、忠人之事”庄严承诺的信守，树立经营企业、服务社会、造福大众的根本宗旨。致力于为大众奉献美好高尚的生活方式，通过与其他群体和组织、社会和政府部门进行密切合作，以人为本、尊重人文精神、改善人们生活，营造和谐社会，促进社会发展，共同努力实现中国梦。

地址:深圳市福田中心四路 1 - 1 号嘉里建设广场
第三座 10 楼
邮编:518048
电话:0755 - 33380600
传真:0755 - 33380599

昆仑信托有限责任公司

【基本概况】

昆仑信托有限责任公司成立于 1986 年 11 月。2009 年 6 月，公司进行增资扩股，注册资本金达到 30 亿元人民币。中国石油天然气集团公司的全资子公司中油资产管理有限公司持股 82.18%，是昆仑信托有限责任公司的控股股东。

昆仑信托公司具有完善的公司治理结构，拥有一支富有朝气、勇于开拓、善于创新、投资管理能力强的信托基金经理人队伍，经营合规、操作稳健、严控风险、资产优良、业绩突出，

成功投资于基础设施建设、房地产开发和证券市场等多个领域，累计发行信托计划（基金）超过900支，累计管理资产超过2100亿元。

【公司业务】

一、融资信托业务

为大型企业、银行和非银行金融机构等机构客户设计信托融资方案、受托管理信托资产；并通过信托贷款、资产证券化、股权和股权收益权投资、债权或其他特定财产权益质押融资等多种模式，为机构客户量身打造个性化、专业化的信托产品。

二、证券投资信托业务

以信托资金的方式进行各种证券投资。从期货、期权、结构化证券投资等未充分竞争的领域入手，与公募基金进行差异化竞争。充分利用结构化和组合投资技术，管理的“甬江”系列、“昆仑财富”系列产品收益率稳居国内同行业前列。

三、股权投资信托业务

根据信托业务的特点，进行私募股权投资，包括对未上市公司股权及上市公司限售流通股的投资。公司已在业内建立专业化PE管理团队，实现了国内产业基金不具备的契约型基金模式。

四、房地产信托业务

利用信托资金开展房地产业务，通过信托贷款、项目收益权、股权投资以及夹层融资等多种融资方式，与众多房地产企业开展深度合作，多层次地参与房地产市场的各类业务。积极响应国家号召，重点助力各类政策性住房的建设，主要向棚户区搬迁改造、经济适用房等项目提供融资。

五、固有资产管理业务

开展存放同业、拆放同业、贷款、投资以及银监会批准的其他业务。投资业务包括金融类公司股权投资、私募股权投资、金融产品和自用固定资产投资。

【企业文化】

一、昆仑信托“信”文化

信，诚也，人以言立，是为信。内诚于心修己，外信于人立世。孔子云“民无信不立”，墨子曰“言不信者，行不果。”《左传》“信，国之宝也。”《资治通鉴》“国保于民，民保于信。”信托，乃是基于双方的信任关系而进行财产和财产权的委托转移。信，无疑是信托企业的核心灵魂。

信誉无价，托付有道。

1. 企业宗旨

奉献能源　创造和谐

以助力中国石油油气主业发展为根本，创造和谐家庭、和谐企业、和谐社会。

2. 企业精神

爱国　创业　求实　奉献

把爱国的情怀体现到立足本职岗位、勇于开拓创新的信托事业上来；

把创业的激情体现到奠基昆仑信托、打造一流企业的远大目标上来；

把求实的态度体现到专业精益求精、服务一丝不苟的职业道德上来；

把奉献的精神体现到服务社会需求、改善民众生活的企业品格上来。

3. 经营理念

诚信　创新　业绩　和谐　安全

诚信：立诚守信，言真行实。

创新：与时俱进，开拓创新。

业绩：争创一流，创造卓越。

和谐：团结协作，营造和谐。

安全：依法合规，控制风险。

4. 管理理念

以诚树人　以实立业　以信兴企

以诚树人：以铁人精神，教育员工当老实人，说老实话，做老实事；

以实立业：以大庆精神，在企业管理中强调严密的组织，严明的纪律，严格的标准，严肃的态度；

以信兴企：以契约精神，履职尽责，诚信守约，内不欺己，外不欺人。

5. 风控理念

低风险偏好　零风险容忍

以务实的态度、扎实的作风、稳健的风格，为客户提供优质的财富管理服务。

6. 人才理念

给你一个舞台，亮出你的风采！

有本事就有岗位，有能力就有舞台。大本事干大事，小本事做小事，没本事学本事。

7. 团队理念

快乐工作，健康生活！

坚持以人为本，实施人文关怀，享受工作的快乐，塑造完美的人生。

8. 企业品格

诚信稳健　分享共赢　服务社会　造福民生

二、企业文化建设目标

1. 打造三“一”型企业

一所育人成才的学校、一支作风顽强的军队、一个和谐温馨的家庭。

2/建设“六型”先锋团队

诚信型、团结型、服务型、专业型、学习型、创新型

诚信型：立诚守信，遵守契约。

团结型：互助协作，和谐友爱。

服务型：礼仪规范，周到细致。

专业型：精通业务，熟练流程。

学习型：博学深思，融会贯通。

创新型：勇于探索，推陈出新。

3. 争当“八字”模范党员干部

忠、真、善、廉、思、学、韧、勤

忠：忠于家庭，忠于企业，忠于祖国。

真：敢讲真话，肯干实事，学做真人。

善：善待家人，善待同事，善待社会。

廉：廉洁自律，明白做事，清白做人。

思：勤于思考，善于总结，勇于创新。

学：学习业务，学习文化，学习做人。

韧：认准目标，持之以恒，坚持不懈。

勤：深入调查，踏实肯干，不耻下问。

4. 争做“八个风范”标兵

语言美、品行端、善包容、积厚德，尽职责、创佳绩、讲奉献、爱生活

语言美：态度谦和，用语文明。

品行端：品格高尚，做事公正。

善包容：海纳百川，协作共荣。

积厚德：助人为乐，积善成德。

尽职责：恪尽职守，爱岗敬业。

创佳绩：开拓创新，争创一流。

讲奉献：心怀感恩，反哺报之。

爱生活：一专多能，丰富人生。

5. 战略愿景：

产融互动平台　财富管理平台　战略共赢平台

【企业荣誉】

2011 年 3 月：2010 年度江东区和谐企业

2011 年 4 月：宁波市和谐企业创建先进单位

2011 年 4 月：2010 年度宁波市"纳税 50 强"企业

2011 年 4 月：当选中国信托业协会第二届理事单位

2011 年 9 月：2010 年度宁波市服务业"纳税 20 强"企业

2011 年 12 月：2011 年浙江优秀金融企业

2012 年 3 月：2011 年度宁波市江东区经济发展突出贡献企业

2012 年 3 月：2012 年度宁波市江东区五星级骨干企业

2012 年 3 月：2011 年度宁波市江东区诚信示范企业

2012 年 8 月：2011 年度宁波市服务业"纳税 20 强"企业

【社会责任】

昆仑信托秉承"做有责任的企业"理念，忠实履行《信托公司社会责任公约》，实现利益相关方共同和谐发展。公司设立"仁爱"系列慈善信托计划，与宁波市慈善总会合作成立了昆仑信托慈善基金，将信托收益捐赠给慈善事业。公司积极为节能减排行业提供优质金融服务，努力打造绿色、环保的企业形象。公司连续荣获宁波市"纳税 50 强"、宁波市服务业"纳税 20 强"以及宁波市和谐企业创建先进单位等荣誉称号。

公司地址：宁波市江东区民安东路 268 号宁波国际金融服务中心北区 E 座 28 - 31 层(315042)

公司电话：0574 - 87033100

公司传真：0574 - 87031700

客服电话(宁波)：4008 - 59 - 0099 0574 - 87031727

公司邮箱：klinfo@ cnpc. com. cn

新华信托股份有限公司

【公司概况】

新华信托股份有限公司（以下简称"新华信托"）成立于 1979 年，是中国最早成立的信托公司之一。

自成立以来，新华信托经历了银信分离、证信分业、增资扩股、引入海外战略投资者等历程。

2001 年 10 月，新华信托成为首批 5 家通过中国人民银行审批，获准重新登记，取得信托法人机构许可证的信托公司之一。

2009 年 1 月，英国巴克莱银行（Barclays Bank PLC）入股新华信托并持有 19. 50% 的股份，新华信托成为国内首批引入海外知名战略投资者的信托公司。

2012 年，经中国银监会重庆监管局批准，新华信托于 2012 年 12 月，将部分未分配利润转增为注册资本，转增后公司注册资本为 12 亿元。

2015 年，经中国银监会重庆监管局批准，新华信托于 2015 年 7 月，注册资本增加至 42 亿元。

秉承"珍视所托，专业理财"的经营理念，新华信托始终贯彻"信托为本、面向市场、勇于创新"的经营方针，以客户为中心、以市场为导向，锐意进取、开拓创新，在稳健快速的发展中积极探索信托业务发展模式，建立了资产管理业务、综合投行业务、功能信托业务等三大核心业务架构，树立了一流的品牌形象，成长为一家真正具有先进经营管理理念、风格稳健、市场声誉卓著的优秀信托公司。

【大事记】

新华信托经历了经济改革、政策调整的许多风雨，在过去 30 多年间积累了丰富的从业经验。从公司的设立、银信分离、政信分业、增资扩股、战略重组到开展国际合作的全过程中，可以看到中国信托业成长的缩影。

经过中国人民银行对信托业的严格整顿和规范，2001 年新华信托以优良的资产结构、健全的法人治理机制、先进的经营理念，成为中国首批通过审核重新获得信托业经营牌照的公司之一。

1979 年初创，是全国最早的信托投资公司之一。

1998 年由新产业投资股份有限公司收购重组并完成股份制改造。

2001 年增资扩股至五亿元人民币，主要股东有新产业投资股份有限公司、大亚湾核电财务有限责任公司及中国诚信证券评估有限公司等机构。

2001 年 10 月，成为首批经中国人民银行总行批准重新登记，获得信托业务经营资格的 5 家信托公司之一，持有金融许可证（机构编码：K0052H250000001）、企业法人营业执照（注册号：500000400044987）和组织机构代码证（代码：20283005—3）。

2005 年 2 月成为首批公开披露年报的信托投资公司。

2005 年 5 月经重庆银监局批准取得试办异地业务的资格。

2007 年 9 月，按照新的信托投资管理办法规定，经中国银监会的批准，公司名称变更为"新华信托股份有限公司"并重新核定公司经营范围。

2007 年 12 月，公司正式进入全国银行间同业拆借市场从事同业拆借业务。

2009 年 1 月 16 日，公司正式完成了增资和股份转让工作，引入战略投资者巴克莱银行有限公司，资本金由人民币 50,000 万元增至人民币 62,112 万元；股权变更后股东构成、所持股份及持股比例如下：

1. 新产业投资股份有限公司，持 446,720,000 股，持股比例 71. 92%；

2. 巴克莱银行有限公司（Barclays Bank PLC）持 121,120,000 股，持股比例 19. 50%；

3. 中国诚信信用管理有限公司，持 51,220,000 股，持股比例 8. 25%；

4. 中国嘉陵工业股份有限公司（集团），持 2,060,000 股，持股比例 0. 33%。

2011 年 11 月 14 日，经重庆银监局《关于批准新华信托股份有限公司调整股权结构及修改 <公司章程> 等有关事项的批复》（渝银监复［2011］133 号）核准，中国诚信信用管理有限公司将其所持公司的 8. 25% 股份转让给中诚信投资有限公司，相关工商变更手续于 12 月 19 日办理完成。此次调整后，公司的股权结构如下：

1. 新产业投资股份有限公司，持 446,720,000 股，持股比例 71. 92%；

2. 巴克莱银行有限公司（Barclays Bank PLC）持 121,120,000 股，持股比例 19. 50%；

3. 中诚信投资有限公司，持 51,220,000 股，持股比例

8.25%；

4. 中国嘉陵工业股份有限公司(集团)，持2,060,000股，持股比例0.33%。

2012年12月10日，公司正式完成了转增注册资本工作，将部分未分配利润转增为注册资本。转增后，公司注册资本120,000.00万元人民币，各股东股份额及股份比例如下：

1. 新产业投资股份有限公司，持863,050,496股，持股比例71.92%；

2. 巴克莱银行有限公司(Barclays Bank PLC)，持234,001,600股，持股比例19.50%；

3. 中诚信投资有限公司，持98,977,600股份，持股比例8.25%；

4. 中国嘉陵工业股份有限公司(集团)，持3,970,304股，持股比例0.33%。

中国嘉陵工业股份有限公司(集团)2012年11月30日委托重庆联合产权交易所对转让所持公司0.33%股权进行公开挂牌，在挂牌期内，征集到意向受让方新产业投资股份有限公司，重庆联合产权交易所下达了《交易结果通知书》，2012年12月28日，双方签订了《重庆市国有产权转让合同》。该事项已于2013年3月8日经《关于批准新华信托股份有限公司调整公司股权结构的批复》(渝银监复[2013]21号)核准。

【公司荣誉】

• 2016年

1. 荣获《时代周报》"2016年度整合营销奖"

2. 荣获《经济观察报》"中国卓越金融奖——年度卓越风险管理信托公司"

3. 荣获《每日经济新闻》"高成长性信托公司奖"

4. 荣获《华夏时报》第十届金蝉奖"2016年度品牌信托公司"

【社会责任】

基于"兼容并包，崇尚道德，具有道德感和使命感"的公司文化和共同愿景，新华信托秉承"受人之托，代人理财"的信托宗旨，恪尽职守管理信托财产。

在自身发展过程中，新华信托不断深化社会责任意识，践行企业社会责任活动，关心社会环境发展，主动投身民生改善，致力推进财富管理，热心参与公益事业，全心帮助员工成长，勇于承担社会责任。

1. 认真履行受托责任

新华信托一贯秉承"受人之托，专业理财"的专业理念，恪尽职守管理信托财产，履行"诚实、信用、谨慎、有效管理"的受托人义务，通过事前项目甄选、事中严格风险管理和事后按时兑付等措施，争取受益人(委托人)利益最大化。

2. 热心公益事业

新华信托一直坚持将公益事业纳入社会责任管理体系，立足社会、回馈社会是公司坚守的义务和责任。

在公益信托方面，新华积极探索，目前共创建并运营三个准公益项目，用于教育资助以及对地震、洪涝等自然灾害地区进行救灾资助和灾后重建捐助等。

2013年，四川雅安发生7.0级地震，新华信托积极响应中国信托业协会的倡议，捐款80万元。新华信托工会组织员工捐款13.87万元，采取直接定点支援的方式，落实款项。

3. 践行节约环保低碳

一直以来，新华信托对涉嫌环境污染的信托项目、对涉嫌不良社会声誉的信托项目，实行一票否决。积极支持投资于有利于解决经济、环境与社会风险的可持续项目，倡导为生态保护、生态建设和绿色产业融资。

同时，树立节约办公理念，鼓励员工节约能源，对办公能耗进行了有效控制，提倡无纸化办公。

4. 严格履行纳税人职责

严格纳税是企业的法定义务。新华信托一向严格按照国家法律法规要求，积极申报并按期缴纳各种税款。自2008年起，新华信托已4次被评为"A级纳税人"荣誉称号，并获得2012年度重庆市独立企业纳税50强称号，为国家和地方经济社会发展做出积极贡献。

5. 维系员工关爱责任

新华信托一直注重员工关系维护，为员工提供完善的福利及良好的工作环境；注重员工的个人素质提升及职业发展，设立了管理和专业发展双通道，打通了员工职业发展上升空间；同时，注重加强员工交流与培训，培训覆盖总人次逐年递增；鼓励员工进行职业资格、学历学位类教育培训，并依培训管理办法予以奖励支持。

地址：重庆市江北区北城1路6号

客服热线：400-622-3333

公司网址：www.nct-china.com

邮箱：sercice@nct-china.com

山东省国际信托股份有限公司

【基本概况】

山东省国际信托股份有限公司初创于1987年3月，是经中国人民银行和山东省人民政府批准设立的非银行金融机构。2007年6月，获中国银监会批复同意换发新的金融许可证，名称变更为"山东省国际信托有限公司"。2015年7月，顺利完成股份改制工作和工商登记变更相关手续，正式更名为"山东省国际信托股份有限公司"。现为中国信托业协会理事单位。

自成立以来，山东信托一直致力于运用信托平台服务经济社会发展，致力于受托资产管理能力建设，紧贴市场需求，适应利率市场化创新产品；尝试信托收益权结构化实践，发展艺术品等另类信托，加强信政合作，从信托突围，作金融改革的先锋官。在诸多领域开展了业务实践和探索，目前主要业务为资金信托、财产信托、投资银行、资产管理和证券投资基金等，并受托管理山东省基本建设基金。

在信托业务领域，秉承"山东信托，可信可托"的理念，公司积极为政府机构、工商企业和重点项目以及广大投资者提供金融支持和理财服务，现已发展成为年发行信托产品三千亿元以上，投资领域涉及产业、证券、城市基础设施、房地产、服务业等；投资方式包括贷款、股权投资、资产证券化、收益权证券化、融资租赁等多种形式的专业金融服务机构。

在业务发展中，公司注重发挥信托机制灵活高效的优势，综合运用各种金融工具，引导、归集社会资金服务实体经济发展，不断加大对国家或地区重点战略区域发展，路桥建设、电力、水务、轨道交通、市政园林等民生领域基础设施项目建设，中小微企业、"三农"产业以及文化产业等重点领域的融资支持力度，实现了追求经济效益与承担社会责任的有机结合。

在长期股权投资方面，山东信托注重把握金融产业政策，致力于打造金融、类金融综合服务平台。目前，公司主要控股泰信基金，参股富国基金、民生证券、泰山财产保险、德州银行、邹平浦发村镇银行等金融机构和泰山文化艺术品交易所、金鼎租赁等类金融机构，同时也在积极研究和寻找入股商业银行等金融机构的战略机会。

下一步，山东信托将紧紧围绕做最好的财富管理机构的发展定位，加快业务转型，加强内部管理，完善产品链条，为高净值个人客户和机构提供专业化、差异化、个性化的综合金融理财服务，同时，继续发挥信托功能优势，积极履行社会责任，为国家和地方经济发展提供优质投融资服务。

【经营范围】

山东信托一直致力于运用信托平台服务经济社会发展，从信托突围，作金融改革的先锋官。在诸多领域开展了业务实践和探索，目前主要业务为资金信托、财产信托、投资银行、资产管理和证券投资基金等，并受托管理山东省基本建设基金。

目前，公司投资领域涉及产业、证券、城市基础设施、房地产、服务业等；投资方式包括贷款、股权投资、资产证券化、收益权证券化、融资租赁等多种形式的专业金融服务机构。

同时，山东信托注重把握金融产业政策，致力于打造金融、类金融综合服务平台。目前，公司主要控股泰信基金，参股富国基金、民生证券、泰山财产保险、德州银行、邹平浦发村镇银行等金融机构和泰山文化艺术品交易所、金鼎租赁等类金融机构，同时也在积极研究和寻找入股商业银行等金融机构的战略机会。

【公司荣誉】

山东信托经过多年的发展，不断提升公司治理水平，改进内控风险管理机制，依法合规开展各项经营活动，实现了平稳可持续发展。近年来，山东信托品牌价值不断提升，在综合实力、公司治理和企业社会责任等方面广受海内外评级机构和媒体的认可与好评，获得多个荣誉奖项。

先后荣获：

2009 年度“最佳金融服务机构奖”

2010 年度中国阳光私募最佳创新信托公司“金樽奖”

2011 年度山东省金融创新奖

2011 年度“最受公众喜爱的信托公司奖”

2011 年度山东十大最具成长性金融类机构

2011 年度中国阳光私募最佳服务信托公司“金樽奖”

2011 - 2012 年度中国资产管理“金贝奖”——最具发展潜力信托公司

2012 年“领航中国”信托行业最具成长性奖

2012 年度山东省金融创新奖

2012 - 2013 年度中国阳光私募最佳风控信托公司“金樽奖”

山东省“省级文明单位”

2013 年度“最受消费者信赖金融品牌”

2013 年度省管企业慈善工作先进基层单位

2013 年度“中国最具区域影响力信托公司”

2013 年度中国“诚信托 - 成长优势奖”

2013 年度山东省金融创新奖

2014 年度“最佳社会责任信托公司”

2014 年度“最受消费者信赖金融品牌”

2014 年度爱心助残捐助先进单位

2014 年度中国“诚信托 - 管理团队奖”

2014 年度“中国最具创新力信托公司”

……

【企业文化】

核心价值观：

专业——即业务精通，具备较高的业务素质及综合素质，具备较强的专业能力、持续学习和改进的能力，具备独当一面或担当重任的工作能力。

诚信——对企业来讲，就是对国家诚信、对社会诚信、对员工诚信、对客户诚信、对股东诚信、对合作伙伴诚信；对员工来讲，就是态度真诚，对企业忠诚、对工作忠诚、对岗位忠诚。

勤勉——以饱满的热情积极投入到工作中，具有强烈的责任感和使命感，具有良好的敬业精神，具有浓厚的服务意识和端正的工作态度。

成就——包括对客户、对公司、对自身的成就，要具有实干精神和结果意识，要想干事、能干事、干成事，使努力和奋斗能够转化为工作成果，从而实现工作目标。

【社会责任】

作为一家国有金融企业，山东信托在发展壮大的过程中，不仅努力为全体股东创造价值，同时充分发挥信托制度和功能优势，对国家和社会全面发展、自然环境和资源，以及广大投资者和员工、客户等利益相关方主动承担责任，实现了追求经济效益与承担社会责任的有机结合。

山东信托恪守“受人之托，代人理财”的根本宗旨，以受益人利益为出发点，尽职尽责，履行诚实、信用、有效管理的义务，不断提升公司治理水平，改进内控风险管理机制，依法合规地开展各项业务经营和管理活动，实现了平稳可持续发展。

山东信托严格遵守有关政策法规，优先保障受益人的利益，切实履行受托人的管理职责，积极开展各类客户交流活动和投资者教育活动，保障受益人利益。2011 年支付受益人信托收益 55.13 亿元，2012 年支付受益人信托收益 86.45 亿元。2013 年，支付受益人信托收益 175.07 亿元，是公司自身信托报酬收入的 18.4 倍。

山东信托积极践行“奉献爱心，回报社会”的企业价值理念，积极开展赈灾救助、爱心捐赠、扶贫帮困等各项公益活动。为山东省残疾人福利基金会、山东省送温暖基金会、山东省慈善总会慈善资金提供专业管理服务；通过中国信托业协会向四川芦山地震灾区捐款 1,042,450 元；与民间 NGO 组织合作发起捐衣、捐书活动。

山东信托采取“2 + 1”的模式，即 1 名党员干部加 1 名青年员工帮包 1 户困难家庭，共结对 48 对帮扶菏泽巨野县田庄镇 10 个村的 48 户困难家庭。山东信托捐款 300 万元为田庄镇 10 个村建设 100 个钢结构蔬菜大棚，帮助帮扶村切实解决集体经济“空壳”问题，目前蔬菜大棚都已建成并投入使用，经济带动作用明显。

山东信托积极贯彻国家宏观调控政策和产业政策，始终坚持根植于实体经济，发挥信托独特的功能优势，丰富产品服务，加强风险管理，努力为实体经济提供市场化的综合金融服务，在支持产业优化升级，促进战略新兴产业发展方面发挥了重要作用。截至 2014 年 6 月末，山东信托信托资产余额 3287.20 亿元，其中投向实体经济 2167.65 亿元，占比 65.95%。

山东信托存续的信托资产规模中，为蓝黄战略经济区重点企业融资余额 620 亿元，为“一圈一带”经济区融资余额 540 亿元；形成恒富、恒丰、信元、弘毅、远投、长江富源系列等多支产业信托品牌。

山东信托不断加大对环境治理、综合整治、绿色环保领域的融资支持。先后为济南小清河、潍坊白浪河综合治理工程提供信托融资服务；与山东最大的民营水务公司开展融资合作，支持青岛、诸城等地的污水处理项目。

山东信托积极响应国家文化产业政策，不断加强文化产业领域的业务创新，艺术品信托业务逐步形成了品牌和规模，产品标的涉及名家书法、版画、油画、国画等多个品种。2013年公司已成立艺术品信托规模达4.7亿元，稳居行业前列。同时，针对文化产业高风险的特点，大力强化风险管控措施。

山东信托针对中小企业发展特点和融资需求，以创新的信托经营模式、灵活的产品设计及严密的风险控制措施，多渠道、多方式地满足成长型、创新型中小企业的融资需求，有效缓解了中小企业融资难的问题。公司与阿里巴巴集团合作的阿里星系列产品，超过10万家小微客户从中受益。

地址：山东省济南市解放路166号

电话：0531－86566888

传真：0531－86968708

邮编：250013

网址：www.sitic.com.cn

安徽国元信托有限责任公司

安徽国元信托有限责任公司是经中国银行业监督管理委员会批准设立的非银行金融机构，由安徽国元控股（集团）有限责任公司发起设立，创立于2001年12月20日。公司注册资本20亿元人民币，法定代表人张彦，注册地安徽省合肥市宿州路20号，为中国信托业协会理事单位。

2015年，面对错综复杂的经济金融形势，公司坚持“依法合规、稳健经营”理念，积极研判发展形势、科学确定创新转型战略，强管理、保兑付、稳发展、促转型，不断提升资产管理和风险管控能力，努力破解难题、寻求发展机遇，并以资产证券化为着力点，取得了业务创新的新突破。经营管理各项工作稳健开展，经济效益再创历史新高，为实现公司的转型创新发展奠定了坚实基础。

截至2015年末，公司管理信托资产规模1154.98亿元；固有资产58.06亿元。净资产55.77亿元，较年初增长15.37%。实现各项业务收入12.19亿元，较上年增长17.55%；利润总额10.37亿元，较上年增长27.71%；净利润8.70亿元，较上年增长30.24%，以上三项指标均创公司成立以来最好成绩。全年清算信托项目450个，资金规模1089.31亿元，为信托受益人实现收益103.91亿元。全年共发行支持安徽地方建设信托项目23个，募集资金161.96亿元，资金占比新增信托资金总规模26.94%，为地方经济社会发展做出了应有贡献。

2015年，公司凭借良好的经营成绩，在安徽省政府对全省各金融机构业绩分类考核中，荣获“2014年支持经济发展业绩考核三等奖”；受到省国资委文明委表彰，荣获“第四届安徽省省属企业文明单位”称号；在《证券时报》主办的“第八届中国优秀信托公司评选”活动中，荣膺“中国最具区域影响力信托公司”称号；在中央国债登记结算有限责任公司组织的“2015年中国债券市场优秀成员评选活动”中，荣获“优秀发行人”称号。

2016年，公司将继续坚持“依法合规、稳健经营”理念，强化危机意识、加快推进转型创新，不断提升发展质量，积极打造核心竞争力，努力将公司建设成为资产质量优、创新意识强、综合服务能力突出、让广大投资者和监管部门信任的一流专业理财机构。

地址：安徽省合肥市庐阳区宿州路20号国元信托大厦

邮编：230001

电话：0551＊65226666

信箱：xtbgs@gyxt.com.cn

安信信托股份有限公司

安信信托股份有限公司（以下简称安信信托或公司）是中国第一批股份制非银行业金融机构，前身是鞍山市信托投资股份有限公司，成立于1987年，1992年转制为股份有限公司，1994年在上海证券交易所上市（股票代码：600816），2004年迁址上海。是国内最早一批金融类上市公司，也是目前我国仅有的两家上市信托公司之一。

公司一贯秉承“诚信、务实、分享、责任”的企业价值观和“理财、生财、护财、传财”的资产管理宗旨，践行“踏踏实实做人，规规矩矩做事，风险高于一切，诚信重于泰山”的公司司训，追求卓越，坚韧图成，以社会责任为导向，以信用建设为基础，以风险控制为前提，以创新服务为动力，以价值实现为目标，以差异化经营为特色，在促进公司可持续发展的同时，致力成为信托法律关系框架下，服务于实体经济、关注民生的金融服务商。

近年来，安信信托在企业发展方面取得了骄人业绩，2015年，公司的营业收入、净利润、净资产收益率、人均净利润等多项经营指标跻身业内前十，根据数据报告，在全国68家信托公司中综合实力排名荣居第五，并获得了权威媒体颁发的“诚信托成长优势奖”、“中国上市公司金牛奖最高效率公司”、“2016中国优秀信托公司”殊荣，主体信用等级被大公评级评为AA＋。

安信信托始终把感恩社会、回报社会的理念根植于企业文化中，广泛地参与社会慈善公益事业活动。自2011年以来，公司一直致力于研发多款类公益信托计划，并与上海宋庆龄基金会、上海市慈善基金会、上海市老年基金会等诸多公益机构合作，设立多个专项公益基金，以不同形式参与到社会慈善公益事业中，向社会传递了金融企业作为社会力量的一部分对公益事业的热心和支持。

2015年，安信信托捐资1000万元成立了“上海至美公益基金会”，开展了“至美校园行”、“至美公益奖学金”一系列公益项目。2016年，安信信托向上海科普教育发展基金会捐赠150万元设立了“安信信托科普影视专项基金”，拍摄反映四川卧龙大熊猫生存现状的4D电影。今年8月，又与上海市慈善基金会共同设立了上海首单永续型慈善信托项目——“蓝天至爱1号慈善信托”，截至目前，安信信托累计捐赠已达2200余万元。

安信信托一直重视参与和推动中国当代艺术的发展，捐资成立了上海至美艺术发展中心（SAAC），近期，安信信托官方赞助了2016年上海国际马拉松赛，这是继与当代艺术融合之后，与体育事业的完美相遇。

2016年，公司荣获《中国证券报》第18届中国上市公司金牛奖百强企业、金牛奖最高效率公司奖、金牛奖企业领袖奖；《证券时报》第九届中国优秀信托公司、优秀信托经理等奖项；《经济观察报》“2016年度中国上市公司卓越价值创造50强企业”称号；中国上市公司市值管理研究中心“2016年度中国上市公司市值管理绩效百佳榜”；《每日经济新闻》第七届金鼎奖评选中荣获“优秀信托公司”和“卓越信托资管能力”。

2016年，我国经济正处于转型升级发展的重要战略机遇期。安信信托面对既要保持业绩稳步增长，又要践行业务创新转型的双重挑战，在日趋激烈的泛资产管理竞争中迎难而上，度过了不平凡的一年。公司贯彻落实各项监管要求，在加强风险识别、防范和管控能力的同时，不断提升主动管理能力，保证业绩的持续稳定增长。公司明确市场定位，及时调整展业方向，克服不利因素，努力开拓市场，全年完成了公司董事会的各项任务，并在公司治理、内控体系的建立、团队建设及客户管理与维护等方面取得了优异的成绩。报告期内，公司共实现营业收入 524,595.90 万元，归属于母公司的净利润 303,394.74 万元，归属于母公司的所有者权益 1,371,816.66 万元。固有业务方面，截止报告期末，公司总资产 1,912,569.51 万元，负债总额 520,460.61 万元。信托业务方面，存续信托项目 325 个，受托管理信托资产规模 2,349.52 亿元；已完成清算的信托项目 173 个，清算信托规模 902.98 亿元；新增设立信托项目 184 个，新增信托规模 1235.87 亿元。其中，新增集合类信托项目 50 个，实收信托规模 565.95 亿元；新增单一类信托项目 134 个，实收信托规模为 669.92 亿元。

为了推动上市金融企业更好地履行社会责任，安信信托始终把感恩社会、回报社会的理念根植于企业文化中，广泛参与社会慈善公益事业活动，携手上海诸多知名公益机构，设立了多个专项公益基金，向社会传递了金融企业作为社会力量的一份子对公益事业的热心和支持。安信信托于 2014 年 10 月捐赠人民币 1000 万元设立非公募基金会—“上海至美公益基金会”，以“传递公益情怀、培训公益力量、创建公益人才平台”为目标。“至美基金会”旨在弘扬公益精神、鼓励校园公益项目、培育青年公益领袖，以此激励大学生积极参与社会公益活动，践行社会责任。并通过资助、支持大学生公益项目，提升大学生社会公益实践水平，促进社会进步。根据这一宗旨，基金会于 2016 年加大力度，进一步落实“至美公益奖学金”和“至美校园行”项目，分别在上海财经大学、北京师范大学、浙江大学开展至美奖学金的评选，共奖励“至美公益人”30 人，“至美公益项目”16 个，鼓励近 5000 名大学生关注公益践行责任。此外，还以至美公益冠名资助浙江大学两支暑期社会实践小分队分别赴陕西西安和商洛进行暑期公益社会实践。报告期内，“至美校园行”先后走进北京大学、北京师范大学、浙江大学、同济大学等 10 所高校，开展至美校园公益演讲，请公益嘉宾为在校大学生分享公益经历、传播公益思想。同时，上海至美公益基金会还与安信信托联合组织志愿者到“海上青焙坊”进行志愿服务活动、并与“美丽中国”合作组织企业员工远赴云南走访支教小学。作为一个非营利的基金会组织，上海至美公益基金会成为了安信信托与机构、客户、社会组织、行善人士等相互沟通交流的平台，“善行天下”的理念是社会各界互相沟通、增进感情的纽带，也能为安信信托的发展提供更多的机遇。履行企业公民的社会责任，创造企业公民的社会价值，形成了安信信托独特的企业文化。2016 年 3 月，安信信托向上海科普教育发展基金会捐赠 150 万元，设立“上海科普教育发展基金会安信信托科普影视专项基金”，用于支持上海科技馆科普影视的创作、制作、拍摄、推广等相关科普公益事业。2016 年 9 月，安信信托和上海市慈善基金会共同打造的上海首单永续型慈善信托项目—“蓝天至爱 1 号”正式设立，信托财产及其收益将全部用于《慈善法》规定的慈善公益项目。2016 年 6 月，安信信托捐资设立上海至美艺术发展中心（SAAC），是获得上海民政局批准注册成立的非盈利性艺术机构。SAAC 旨在推动当代艺术的发生和发展，举办、支持和扶持多种形态的非营利性艺术活动。2016 年 6 月，安信信托与 ART021 联合设立“安信信托 + ART021 扶持艺术发展专项基金”，该专项基金设在上海至美公益基金会，具体委托上海至美艺术发展中心（SAAC）负责基金日常运作和管理。

安信信托 2017 年企业社会责任工作重点将坚持加强责任管理，持续推动各责任领域制度建设，并坚持及时透明的进行信息披露工作，严格遵守“公开、公平、公正”原则，方便投资者及时获取公司信息。同时，公司将在未来积极开展各项精准扶贫工作，主动承担公众公司社会责任，积极披露扶贫相关工作情况。公司将持续加强经营管理，坚持风险管理，提高企业效益，加大审计力度，推进依法治企、从严治企。积极参与外部交流评优，加强社会责任宣传，成为优秀的企业公民，积极承担企业社会责任，继续支持慈善公益事业，进一步提升参与深度与广度，探索慈善参与新形式。

大业信托有限责任公司

【公司简介】

大业信托有限责任公司（简称“大业信托”）是经中国银监会批准的，在重组原广州科技信托投资公司的基础上，重新登记的非银行金融机构公司注册资本为 3 亿元人民币，注册地为广州市，在北京、上海、武汉设有业务管理部。

公司在 2011 年 3 月 10 日获取《金融许可证》，并在 2011 年 3 月 16 日换取新的营业执照正式开业，经允许从事经中国银行业监督管理委员会依照有关法律、行政法规和其它规定批准的业务。

【股东背景】

1. 中国东方资产管理公司

中国东方资产管理公司（简称“东方资产”），是具有独立法人资格的国有独资金融企业，公司注册资本 100 亿元人民币，由财政部全额拨入。公司目前由主营收购、管理和处置金融机构不良资产，向经营不良资产和发展其他金融服务并重过渡。公司在全国 26 个中心城市设有 25 家办事处和 1 家经营部，在直接投资领域形成了以邦信资产管理有限公司为核心的投融资平台，在金融领域控股东兴证券、外贸金融租赁有限公司等金融平台。

2. 广州金融控股集团有限公司

广州金融控股集团有限公司（简称“广州金控”），是广州市人民政府整合市属金融产业的平台。公司直属子公司包括广州市广永国有资产经营有限公司和广州产权交易所；控股企业包括广州银行、广州农村商业银行、万联证券有限责任公司、广州珠江资产管理有限公司、广永期货有限公司等优质金融资产。

3. 广东京信电力集团有限公司

广东京信电力集团有限公司（简称“京信电力”）是一家以投资运营大型火电、风电站为主营业务，兼营大型国内外贸易及投资营运大型码头、煤炭仓储、油气仓储等行业的大型能源集团，为广东省五大电力企业之一。

【经营宗旨】

恪守信用，合法经营，以市场为导向，以客户为中心，提供优质金融服务，创造良好经济效益，促进国民经济发展。

【战略规划】

依托广东省的区位经济金融优势，并充分利用重组方的行业优势地位，建立现代企业法人治理结构，以传统业务为起步，稳步有序开展创新业务，争取用 3 - 5 年的时间将新公司发展成为以投资能力、研发能力、营销能力为主要内容的核心竞争力，具备专业化、规范化、规模化的综合信托业务平台，实现股东回报最大化。

【业务范围】

经中国银行业监督管理委员会批准，大业信托可以从事下列本、外币业务：

(1)资金信托；

(2)动产信托；

(3)不动产信托；

(4)有价证券信托；

(5)其他财产或财产权信托；

(6)作为投资基金或者基金管理公司的发起人从事投资基金业务；

(7)经营企业资产的重组、购并及项目融资、公司理财、财务顾问等业务；

(8)受托经营国务院有关部门批准的证券承销业务；

(9)办理居间、咨询、资信调查等业务；

(10)代保管及保管箱业务；

(11)以存放同业、拆放同业、贷款、租赁、投资方式运用固有资产；

(12)以固有财产为他人提供担保；

(13)从事同业拆借；

(14)法律法规规定或中国银行业监督管理委员会批准的其他业务。

广州总部

地址：广州市天河区体育西路 191 号中石化大厦 B 座 25 层

电话：020 - 28028700

传真：020 - 28028701

邮编：510620

北京总部

地址：北京市西城区平安里西大街 28 号中海国际中心 11 层

电话：010 - 63227990

传真：010 - 63220981

邮编：100034

上海总部

地址：上海市浦东新区竹林路 101 号陆家嘴基金大厦 18 层

电话：021 - 60476161

传真：021 - 60476160

邮编：200120

武汉总部

地址：武汉市江汉区建设大道 568 号新世界国贸大厦 1 座 42 层

电话：020 - 28028700

传真：020 - 28028701

邮编：430032

国民信托有限公司

【公司概况】

国民信托有限公司（简称“国民信托”）前身为中国人民建设银行浙江省信托投资公司，成立于 1987 年 1 月，是受中国银行业监督管理委员会监管的金融机构。2004 年经中国银行业监督管理委员会批准，迁址北京并于 2007 年“新两规”出台后首批获得重新登记，取得了监管机构换发的新“金融机构许可证”更名为国民信托有限公司。公司目前的注册资本为 10 亿元人民币。

公司坚持“以人为本、诚信敬业、专业稳健、创新共赢”的经营方针，积极按照监管要求发挥“受人之托、代人理财”的金融功能，立足信托主业，多种业务有机结合，走差异化发展道路，同时探索创新业务。在发展中逐步建立完善风险管控体系，提高风险管理能力，发展成为风险可控、守法合规、创新不断、具有核心竞争力的现代信托机构以服务投资者，以服务实体经济，服务民生。同时，公司将充分发挥信托特有功能和制度优势，广泛探索运用公益信托模式，积极推动社会公益事业的模式创新，促进扶贫、教育、文化、科技及医疗卫生等公益事业的发展。

国民信托通过坚持市场化原则，建立有竞争力的薪酬及考核激励体系，使个人效益与团队业绩、公司业绩、风险管控实效挂钩；建立“能者上、平者让、庸者下”的有效考核机制与灵活的用人机制；加强对重要岗位、核心人员的考核激励力度；并发挥考核激励制度在公司治理和风险管控中的导向作用，逐步建立核心人员中长期激励机制等措施，已经拥有一支专业化、年轻化、国际化的团队。公司员工 81% 来自于信托、银行、证券等金融机构，44% 为研究生以上学历，23% 拥有海外学习工作经历，40 岁以下年龄的员工占比超过 75%。扎实的金融知识、丰富的投资经验和国际化视野造就了一支思想活跃的知识团队。专业的团队是国民信托的核心竞争力之一，也是为受益人及合作各方提供专业服务的重要保障。

国民信托持续推进产品创新，陆续推出大量风险可控、收益较高的信托产品，形成了多个产品种类。信托资金投向包括基础设施建设、房地产、证券投资在内的等多个领域为各地市政基础设施建设、民生改善、实体经济发展等提供了良好的金融支持，得到了广泛的社会认可和业内好评。

2006 年 8 月，公司荣获“2006 年度第四届中国信托行业客户满意最具影响力品牌”奖；此后，公司凭借“稳盈宝 1 号”、“天房瑞诚集合资金信托计划”分别获得《上海证券报》主办的“诚信托”第二届（2007 年度）、第八届（2013 年度）“最佳信托产品奖”和“价值信托产品奖”；同时，公司 2007 年在中国品牌影响力高峰论坛年会中荣获“中国信托行业最具竞争力品牌”奖；“国民信托”品牌还获得了 2008 - 2009 年度中国信托行业十大诚信品牌；2013 年度公司因在北京市西城区域经济发展中做出了突出的贡献，得到了西城区人民政府颁发的“突出贡献奖”。

今后，国民信托将进一步引导信托资金投向改善民生的实体经济、保障性安居工程、农业、重大水利工程、中西部铁路建设、新型城市化建设、节能环保产业和社会事业等领域，并通过创新产品、业务转型、创新服务模式和工具，为信托受益人提供更多的选择，在财富管理、财富传承和资产增值的领域合作、共赢。

总部地址：北京市东城区西滨河路 18 号国民信托中心

邮编：100011

电话：(8610)84268088

传真：(8610)84268000

客户服务热线：4007791888，8009901888

投诉处理专线：4007701970

网址：www. natrust. cn

电子邮件：info@ natrust. cn

北京财富管理中心地址：北京市东城区西滨河路 18 号国民信托中心

上海财富管理中心地址：上海市浦东新区张杨路 707 号生命人寿大厦 803A

国投泰康信托有限公司

【公司概况】

国投泰康信托有限公司是经中国人民银行批准设立、中国银监会监管的非银行金融机构，注册资本金 21.905 亿元人民币，公司四家股东为国投资本控股有限公司、泰康保险集团股份有限公司、悦达资本股份有限公司和泰康资产管理有限责任公司，分别持有公司 55%、32.98%、10%、2.02% 的股份。

公司秉承"有道而正、信则人任"的核心价值观，坚持"心有界，行无疆"的业务理念，不断打造高信用级别的信托产品，为客户提供专业化、多元化、个性化的金融服务。

目前公司主要开展资产管理、财富管理、固有财产投资等业务，在传统业务领域和另类投资等领域硕果颇丰。未来将着力推进业务转型，积极深化业务模式创新，加大培养主动管理能力。

国投泰康信托以务实的精神、稳健的作风以及细致的服务，成为客户心目中"值得托付的理财顾问"。公司所有产品均实现平稳运行，为投资人实现了预期收益。

公司与全球著名的资产管理机构瑞银集团（UBS AG）合资组建了国投瑞银基金管理有限公司，国投泰康信托持有国投瑞银 51% 的股权，国投泰康信托还参股了多家金融机构。

公司致力于成为稳健卓越的专业资产管理和财富管理机构。

【公司荣誉】

● 2016 年

国投泰康信托荣获"年度卓越稳健发展信托公司奖"

国投泰康信托获得"年度优秀研发团队奖"

● 2015 年

国投泰康信托荣获金貔貅评选双料大奖

国投泰康信托荣获"信托行业年度评选风险管理奖"

国投泰康信托喜获"年度值得托付财富管理机构"称号

国投泰康信托荣获"中国最具发展潜力信托公司"奖

● 2014 年

国投信托荣获信托行业"最佳品牌奖"

国投信托荣获"年度卓越金融理财产品信托公司"奖

国投信托荣获第七届优秀信托公司"最佳风险管理信托公司"奖

国投信托荣获第二届领航中国金融行业年度"最佳社会责任奖"

● 2013 年

国投信托荣获 2013 年度金牌研发力和金牌创新力信托公司奖

国投信托荣获"中国最具成长性信托公司"奖项

国投信托连续获得"纳税信用 A 级企业"称号

● 2012 年

国投信托荣获"金贝奖"年度最佳设计与创新信托公司大奖

创新先锋——国投信托"年度最佳研发团队"

"国投信托 · 中投保 · 安盛集合信托"荣获"诚信托 · 价值信托产品奖"

● 2011 年

国投信托荣膺第五届"诚信托"之创新领先奖

国投信托再获"最佳艺术品投资信托计划"大奖

国投信托获"年度优秀信托产品"奖

● 2009 年

国投信托摘获"第三届诚信托"之另类投资信托计划奖

地址：北京市西城区阜成门北大街 2 号楼 16 层、17 层

邮政编码：100034

服务热线：400 - 608 - 8800

电子邮件：sdictrust@ sdic. com. cn

华澳国际信托有限公司

华澳国际信托有限公司（以下简称"华澳信托"或"公司"）是由北京融达投资有限公司和重庆财信企业集团有限公司共同出资组建的一家非银行金融机构。公司成立于 1992 年，前身为昆明国际信托投资公司，2009 年迁址上海，更名为华澳国际信托有限公司。公司注册资本金为 6 亿元人民币。

华澳信托致力于成为中国金融机构的领先者之一。作为金融服务提供商，公司秉持"发现价值所在"的品牌口号，坚持"团结、诚信、高效、创新"的企业精神，以先进的技术和丰富的经验为客户提供优质的产品和高效的服务；通过创新产品及行业最佳实践为客户和社会创造可观价值，不断满足客户日益增长的资产管理需求，与客户一起共进共赢，发现价值之所在。

华澳信托坚持科学稳健的管理模式。资产管理：依托股东平台和资源，立足国内市场，以自主管理为核心，实现高效的资产运作及稳健的资产价值提升。财富管理：搭建全市场、多元化产品体系，提升资产配置能力，为投资者提供优质的综合金融服务，实现财富的增值与传承。风险管理：秉持稳健的风险管理理念，实行全员风控制度，强化项目全过程跟踪管理，构建科学的风险管理体系。

公司业务涵盖基础设施、房地产、供应链金融、消费金融、环保、能源、文化产业等多个领域，横跨货币市场、资本市场、实业市场三大市场，足迹遍布上海、北京、重庆、成都、郑州、昆明、南京、深圳等 160 余个省市，成立以来公司持续、健康、稳健发展。

华澳信托，您独具特色的金融伙伴，从这里，您将得到专家型理财投资团队的忠诚帮助。受人之托、代人理财，我们郑重承诺：将为投资者提供最好的服务和最佳的理财方案，永远把投资者利益放在第一位。追求卓越、不断创新，我们将谨守这一标准，努力开创投资者、交易伙伴、信托公司三赢局面。

【社会责任】

华澳信托不断完善公司治理机制，全面深化改革，推进新体制、新机制的有效运行，主动适应经济金融形势变化，加快业务转型步伐，增强可持续发展能力，通过创造卓越的价值回报社会，承担社会责任、关怀社会民生、关注社会发展，做品格健全受人尊敬的优秀企业公民。

华澳信托积极贯彻国家宏观调控政策，发挥金融杠杆作用，全力服务实体经济建设，在开展业务的过程中，向国家政策支持的绿色产业、生态农业、节能环保、保障房、中小企业等领域靠拢，以实际行动支持社会可持续发展。

公益事业是支持社会发展的重要力量，也是华澳信托的

重要发展目标。2012 年,华澳信托从公司业务收入中提取资金,发起设立"华澳信托公益基金"。华澳信托公益基金关注贫困地区青少年成长,发展青少年文化教育事业,关怀社会贫困弱势群体,参与本地社区建设。2013 年,公司启动了"华澳信托爱心图书室"公益项目,目前已向全国各贫困地区的十余所小学捐建了图书室,为当地师生提供了一座知识宝库。

地址:上海市浦东新区花园石桥路 33 号花旗
　　大厦 1702 室
邮编:200120
电话:021 - 68883098
传真:021 - 68885995
邮箱:enquiry@ huaao - trust. com

华融国际信托有限责任公司

华融国际信托有限责任公司是一家全国性非银行金融机构,是中国华融资产管理股份有限公司在重组新疆国际信托投资有限责任公司的基础上于 2008 年 5 月 19 日设立的。公司注册地在新疆乌鲁木齐市,注册资本 19.8 亿元,其中:中国华融资产管理股份有限公司持股 19.4 亿元,占比 98.09%,新疆凯迪投资有限责任公司持股 1.13%,新疆恒合投资股份有限公司持股 0.78%。

华融信托自 2008 年重组成立以来,在中国华融党委的正确领导下,在社会各界的大力支持下,公司全体员工拼搏进取,奋力争先,不断增强自主资产管理能力,提升风险防控水平,拓展资金募集渠道,实现了跨越式发展。华融信托产品类型丰富,投资方式主要包括:贷款、股权投资、权益投资、证券投资、产业投资基金、并购基金、资产证券化等。投资领域主要涵盖房地产、工商企业、基础产业、证券投资及金融机构。目前已累计为数百家国内优质企业提供了超 7000 亿元的综合金融服务,有力支持了基础设施、房地产、交通、水利、电力、现代物流等多个关系国计民生重大产业的发展,为委托人创造收益 480 多亿元,在业界形成了一定的品牌影响力和市场认可度。

华融信托坚持以客户为中心,以市场为导向,以"创新 + 稳健"为经营方针,以中国华融优秀企业文化为引领,做大做强"资产管理"、"财富管理"、"投资银行"三大业务板块,开创以基金化、高附加值、智力密集信托产品线为支撑的业务模式,形成一流的机构资产管理能力、一流的财富管理能力、一流的综合金融服务能力、一流的风险管理能力。

公司树立"价值理念领先、商业模式领先、创新能力领先、风控能力领先、经营业绩领先"的发展理念,按照"创新发展,提质转型,稳中求进,增比进位"的发展主基调,努力打造"治理科学、管控有序、主业突出、业绩优良"的一流信托公司,成就"国家托付事业,人民托付信赖,社会托付财富,员工托付梦想"的信托基业。

近年来,华融信托先后获得"全国银监会系统先进集体称号"、"中国年度金牌成长力信托公司"、"年度优秀财富管理中心"、"优秀金融服务品牌"、"优秀理财管理中心称号"、"金牛集合信托公司"、"优秀财富管理品牌奖"等多项行业大奖,发展成果得到社会广泛认可。

【经营目标】

以中国华融"五年三翻番"创新转型战略为纲领,结合华融信托五年发展规划,按照"创新发展,提质转型,稳中求进,增比进位"的发展主基调,积极推进公司创新转型,全力打造国内一流、国际知名的信托公司。努力实现"五年三变三"发展目标。一是主要经营指标"一变三",即 2020 年总资产、净资产、净利润增长为 2016 年的三倍;二是业务模式"一变三",即 2020 年构建结构合理的"资产管理、财富管理、投资银行"三驾马车共同驱动的业务模式,为客户提供一站式、全球资产配置的综合金融服务;三是资本实力和市场地位"一变三",即 2020 年完成"增资、引战、上市",资本实力强、体制机制活、市场地位高,成为中国一流的信托金融服务机构。

【经营方针】

坚持听党的话,跟政府走,按市场规律办事,以"创新 + 稳健"为经营方针,以客户为中心,以市场为导向,以中国华融优秀企业文化为引领,推动公司治理、经营管理、盈利能力、风控能力、创新能力、协同效应、内部控制、信息科技、薪酬激励等工作取得长足进步,实现公司稳健型经营、集约式增长、可持续发展。

【战略规划】

充分发挥中国华融品牌影响力和中国华融"一体两翼"协同效应,一方面要践行"平台化"创新发展策略,构建"总部管控"、"业务转型"、"财富管理"三大转型平台,形成条块清晰、管控有序、激励相容、治理科学的立体化发展架构;另一方面要践行"基金化"创新经营策略,围绕"资产管理"、"财富管理"、"股权投资"16 为三大业务板块,打造以资金端到资产端"3 + 3 + N"的基金化产品架构为依托,布局多元化金融产业链。最终,要将华融信托打造成为价值理念领先、经营业绩领先、商业模式领先、创新能力领先、风控能力领先的一流信托公司。

【信托业务】

截至 2016 年末,华融信托当年新增信托资产规模 2,104.99 亿元,管理存续信托资产规模 2,425.93 亿元。管理的存续信托资产规模中,主要投向金融机构、基础产业和房地产行业;新增信托项目的主要投向是证券投资、金融机构及房地产行业。整体来看,存续资产的行业分布较为均衡,有利于资产的风险分散和资产安全。

地址:北京市西城区太平桥丰盛胡同 28 号
　　太平洋保险大厦 A 座 7 层
联系人:袁吉伟
联系方式:13521682968
邮箱:hrxtxmtj@ chamc. com. cn

华鑫国际信托有限公司

【基本概况】

华鑫国际信托有限公司(简称"华鑫信托")于 2010 年 2 月 9 日获得中国银行业监督管理委员会批准重新登记,注册地为北京,控股股东为中国华电集团公司,公司注册资本金 22 亿元人民币。

华鑫信托以"受人之托,代人理财"为根本,秉承"稳健经营,价值至上"的理念,坚持面向市场,为客户提供全面、专业、特色金融服务。结合自身优势,华鑫信托形成了具有鲜明特色的发展思路。公司以能源和基础产业信托业务为核心,坚持多领域经营;以提供多元化、专业化、特色化金融服务为手段,坚持业务创新;以全面风险管理为保障,坚持稳健经营,规范运作。主要经营的信托业务包括:资金信托;动产信托;不动产信托;有价证券信托;其他财产或财产权信托;作为投资基金或者基金管理公司的发起人从事投资基金业务;经营企业资产的重组、购并及项目融资、公司理财、财务顾问等业务；受托经营国务院有关部门批准的证券承销业务；办理居间、咨询、资信调查等业务；代保管及保管箱业务等。主要自营业务包括：存放同业；拆放同业；贷款业务；租赁业务；投资业务；以固有财产为他人提供担保；同业拆借；法律法规规定或中国银行业监督管理委员会批准的其他业务。

按照《公司法》、《信托公司治理指引》和现代企业制度建设的要求，公司确立了法人治理基本架构。制定了包括公司业务操作、财务管理、风险管理、信息化建设在内的制度，形成了一套较为科学合理的制度体系。坚持以客户为中心、以业务为主线，建立起各类风险的监测、评估、处置等工作机制，保证风险可控在控。按照精干、高效原则，引进和培养了一批年富力强、从业经验丰富、有较强管理水平和开拓能力的高素质、专业化人才。公司努力提升盈利能力、人才支撑能力、执企能力、科学发展能力、风险管控能力，打造核心竞争力，努力把公司建设成为业绩优良、管理先进、科学发展、质形俱佳、值得信赖，具有核心竞争力，同业一流的专业化国际化信托公司。

【公司荣誉】

公司自重新挂牌营业以来，先后获得《金融理财杂志》举办的金融理财TOP10总评榜“金貔貅奖”、“年度金牌成长潜力信托公司”、“年度金牌风控力信托公司”等称号；连续获得中国华电集团公司“文明单位”、“先进集体”荣誉称号；中国企业文化促进会“企业文化建设百佳单位”、“中国企业诚信文化十佳单位”称号；北京市西城区人民政府“年度发展区域经济突出贡献奖”，成为北京市首批重点总部企业。

【企业文化】

1. 公司使命：为客户、股东、社会和员工创造更大的价值

公司以价值思维为引领，坚持稳健经营，以最优质的信托产品和服务为基础，以全面风险管理为手段，以高端人才团队为保障，确保客户利益最大化，实现公司发展与股东发展、社会发展相协调，公司利益与员工利益相一致。

2. 公司愿景：建设同业领先的专业化、国际化信托公司

公司志向高远，矢志进取，公司将以专业化的经营优势和国际化的发展视野，力争成为业绩优良、管理先进、科学发展、质形俱佳、值得信赖，具有核心竞争力的一流信托公司。

3. 核心价值：诚信　求真　和谐　创新

诚信是公司经营秉承的基本原则。公司始终以诚为根、信为本，以诚信面对客户及合作伙伴，言必行，诺必践。

求真是公司科学发展的基本要求。公司坚持实事求是，一切从实际出发，不断探求事物发展规律，提高按照客观规律办事的自觉性和坚定性。

和谐是公司不懈追求的共同理想。公司坚持以人为本、致力科学发展，营造公司与合作伙伴、员工、社会、自然友好共融的和谐环境。

创新是公司发展的不竭动力。公司始终不渝地坚持创新，大力倡导创新意识，加强创新支持，让一切智慧源泉充分云涌，让一切优秀创新成果竞相迸发，使公司始终充满生机和活力、蓬勃发展。

4. 公司精神：始于至信　臻于至善

始于至信是公司珍视商誉，崇尚道德品行、坚持职业操守，以“至诚至信”为基本准则、发展基石和出发点；臻于至善是公司永不止息、创新超越的进取状态和对完美境界孜孜不倦的追求精神，力求把工作完成的具有审美价值，以“至善至美”为目标追求，自强不息，矢志进取，永不懈怠，追求卓越的运营表现。

5. 经营理念：稳健经营　价值至上

风控创造价值。公司坚持以科学发展观为指导，牢固树立价值思维的理念，把创造价值、创造效益作为重要的决策依据和考核标准，以全面风险管理为手段，保证实现指标更优、效益更佳，努力创造更大价值。

6. 人才理念：德选其人　才尽其用　酬显其绩

优秀人才是企业效益的最大保障。公司坚持“以德为先”的选人用人原则，广纳贤才，坚持用靠得住、敢负责、肯实干、口碑好的人。通过“岗位靠竞争、收入靠贡献”和“职位能升能降、人员能进能出”的用人用工激励机制，充分挖掘员工潜力，建设一支品行兼优、团结协作、专业素质优良、充满创新活力的人才队伍。

7. 员工守则：

有三种问题必须思考：生存、发展和品牌。

有三种宗旨必须至上：尊重、服务和卓越；

有三种品质必须坚守：忠诚、尽责和奉献；

有三种管理必须遵守：纪律、执行和稳健；

有三种做法必须注重：沟通、理解和合作；

有三种习惯必须培养：细致、谦虚和好学。

公司地址：北京市西城区宣武门内大街2号

中国华电大厦B座11层

邮编：100031

客服电话：400－680－1616

传真：010－83568281

网址：www.cfitc.com

交银国际信托有限公司

【基本概况】

“交银国际信托有限公司”（以下简称“公司”）成立于1981年6月，原名为湖北省国际信托投资公司，注册资本1亿元人民币。2001年12月，按照中国人民银行关于信托投资公司清理整顿和重新登记的有关要求，公司改制并更名为湖北省国际信托投资有限公司，并于2003年1月经中国人民银行核准重新登记。2007年5月，经中国银监会批准，公司引进交通银行股份有限公司实施战略重组。重组完成后，公司更名为“交银国际信托有限公司”，注册资本12亿元人民币，交通银行股份有限公司持有85%的股份，湖北省财政厅持有15%的股份。公司注册资本分别于2011年12月增加至20亿元人民币，2013年3月增加至31.76亿元人民币，2013年11月增加至37.65亿元人民币，股东出资比例均不变。2014年10月，湖北省财政厅持有的公司15%股权划转至湖北省交通投资有限公司持有。

公司是国内首家由大型国有商业银行直接投资控股的信托公司，拥有一批具有商业银行、投资银行、信托、基金等资深从业背景的专业团队，并拥有交通银行强大的实力背景、完善的资源网络和卓越的品牌信誉支持。自成立以来，秉承“受人之托，代人理财”的经营宗旨和诚信服务的管理理念，根据客户的资产状况和风险偏好，利用信托制度及其独特的功能设计，竭诚提供跨市场、多领域、跨地区的财富管理、项目融资和受托托管等专业化信托服务，以优质周到的服务赢得赞誉。

【经营范围】

资金信托；动产信托；不动产信托；有价证券信托；其他财

产或财产权信托；作为投资基金或者基金管理公司的发起人从事投资基金业务；经营企业资产的重组、购并及项目融资、公司理财、财务顾问等业务；受托经营国务院有关部门批准的证券承销业务；办理居间、咨询、资信调查等业务；代保管及保管箱业务；存放同业、拆放同业、贷款、租赁、投资方式运用固有财产；以固有财产为他人提供担保；从事同业拆借；法律法规规定或中国银监会批准的其他业务。

【2015 年公司大事记】

1 月

公司与汇丰银行（中国）合作成功发行国内首单外资银行信贷资产证券化产品“汇元2015 年第一期信贷资产证券化信托资产支持证券”，发行总规模 13.48 亿元。

2 月

公司召开 2015 年工作会议，回顾总结 2014 年工作成绩，安排部署 2015 年经营管理各项工作。

公司第三届董事会第六次会议在上海召开。

由中国信托业协会主办、公司承办的第二期信托行业高管“合规·责任”主题沙龙在上海举行。信托业协会有关领导、10 余家信托公司的董事长、总经理等高管人员出席沙龙活动。

5 月

公司举办“三严三实”专题教育党课报告会，党组书记、董事长、总裁赵炯作专题党课报告。

6 月

公司与福建省投资开发集团有限责任公司举行福建省产业股权投资基金设立签约仪式，福建省委书记尤权、交通银行董事长牛锡明等出席签约仪式，交银国际信托董事长赵炯、福建投资集团总经理彭锦光代表双方签约。

公司在上海证券报主办的第九届“诚信托”评选中荣获 2014 年度“管理团队奖”及“价值信托产品奖”（邮元 2014 年第一期个人住房贷款证券化信托产品）。

公司在证券时报主办的第八届“中国优秀信托公司”评选中，荣获“中国优秀信托公司”综合大奖。

9 月

交通银行总行王江副行长到公司调研指导。

公司第三届董事会第九次会议在上海召开。

12 月

在银监会组织开展的 2015 年度银行业信息科技风险管理课题研究成果评选活动中，公司资产证券化管理系统荣获三类成果奖。该系统还获得了上海信息化培训中心授予的 FUTURE-S 中国 IT 治理和管理评选“2015 年度践行组织奖”。

地址：武汉市建设大道 847 号瑞通广场 B 座 16 – 17 层

邮编：430015

电话：027 – 85487417

网址：www.bocommtrust.com

上海爱建信托有限责任公司

【基本概况】

上海爱建信托有限责任公司（以下简称“爱建信托”）是由上海爱建股份有限公司投资组建，经中国人民银行及国家外汇管理局批准成立的专业信托金融机构。爱建信托创建于 1986 年 8 月，前身为上海爱建金融信托投资公司，是全国首家民营非银行金融机构，注册资本金人民币 10 亿元。2001 年 12 月，爱建信托获中国人民银行批准重新登记。2012 年 4 月，爱建信托获中国银监会批准换领新金融许可证。2012 年 5 月，公司名称变更为上海爱建信托有限责任公司。2012 年 6 月，爱建信托注册资本金增至人民币 30 亿元。

爱建信托业务范围涵盖资金信托；动产信托；不动产信托；有价证券信托；其他财产或财产权信托；作为投资基金或者基金管理公司的发起人从事投资基金业务；经营企业资产的重组、购并及项目融资、公司理财、财务顾问等业务；受托经营国务院有关部门批准的证券承销业务；办理居间、咨询、资信调查等业务；代保管及保管箱业务；以存放同业、拆放同业、贷款、租赁、投资方式运用固有财产；以固有财产为他人提供担保；从事同业拆借；法律法规规定或中国银行业监督管理委员会批准的其他业务。

爱建信托自成立以来，一直发扬“爱国建设”的精神，坚持“稳中求进”的理念，诚信经营，开拓创新，为国家尤其是为上海的许多重大项目提供了大量的金融服务，取得了较好的社会效益和经济效益。爱建信托连续多年被评为全国 500 家最大的服务性企业；多次被评为上海市级文明单位；成功推出全国第一个规范资金信托计划——上海外环隧道项目资金信托计划，被誉为“信托业立春”的标志性事件；2013 年被有关媒体评为“2013 年度最具成长性信托公司”、“第七届‘诚信托’投资回报奖”、“第六届中国资产管理‘金贝奖’最具发展潜力信托公司。

爱建信托充分发挥信托制度综合理财优势，在有效防范风险的基础上，积极开拓信托本源业务，资金信托业务、投资银行业务、资产信托业务，取得了快速的发展，通过有效发挥自身专业理财能力和经营优势，得到了广大客户的认可。爱建信托将继续秉承“受人之托、代人理财”的信托宗旨，创新发展业务，切实加强全面风险管理，不断提高核心竞争力，将公司打造成资本充足、信誉良好、经营稳健、勇于创新的资产集成商和财富管理者。

【公司业务】

1. 房地产信托业务

房地产信托业务是爱建信托的核心业务。公司组建了专业化总部，由资深房地产投资专家、房地产实务操作经验丰富的骨干等组成，具有丰富的房地产实务操作、金融、投资、法律等专业经验。与国内优质房地产开发企业、大型投资机构合作，筛选优质项目，采用纯债权融资、并购融资、夹层融资、股权投资、基金投资、投资顾问等业务形式，为投资者提供“风险可控、期限适度、回报稳健”的信托产品，同时也满足了企业不同的融资需求。

2. 金融机构合作业务

在当前泛资产管理的时代背景下，爱建信托与银行、保险、证券、资产管理公司、基金子公司以及四大专业资产管理公司等机构已达成紧密合作关系。公司的金融机构合作业务以其专业化、高效率、高质量获得了机构的广泛认可，目前已就银信合作、信托受益权买入返售、资产管理计划定向信托、银行代理信托资金收付、信贷资产证券化、银行托管等业务与各股份制商业银行等机构形成了合作关系。

3. 基础设施信托业务

基础设施信托业务是爱建信托传统业务的重要构成部分。自成立以来，爱建信托坚持探索，不断创新，于 2002 年成功推出了全国第一个规范的资金信托计划——上海外环隧道项目资金信托计划，被誉为“信托业立春“的标志性事件。近年来，爱建信托已多次成功将资金投放于多个公共基础设施项目（如市政工程、公共设施、水务系统、道路交通或者能源通信等），成功案例如：吴江开发区一体化项目信托贷款集合资金信托计划、常州交通应收账款集合资金信托计划、长兴经济技术开发总公司应收账款集合资金信托计划、常州城建集团应收帐款融资集合资金信托计划、南京新城应收债权融资集合资金信托计划等。

4. 证券信托业务

爱建信托立足于货币市场、资本市场及实业领域，充分发挥信托制度优势，积极发展证券信托业务。爱建信托通过创设证券信托产品，募集资金，投向证券市场及金融产品领域，为投资者提供专业的理财服务。证券信托产品的投资范围包括股票、债券、基金、银行理财产品、券商及基金资管产品、信托产品等证券及金融产品。

5. 固定收益产品投资业务

爱建信托固定收益业务主要包括公司固有资金和相关产品在固定收益领域的投资和流动性管理工作，同时为客户参与利率产品、信用产品、资产证券化产品、结构性产品等金融工具提供销售交易和做市服务。投资范围主要包括存款、回购、国债、金融债、短期融资券、中期票据、企业债、公司债、资产证券化产品、货币基金、债券型基金等经监管机构批准、备案或认可的固定收益类金融工具，投资场所横跨银行间市场和交易所市场，基本做到了固定收益全产品和全市场的覆盖。

地址：上海市徐汇区肇嘉浜路 746 号

电话：021 - 64396600

邮编：200030

邮箱：ajmail - 1@ ajfc. com. cn

上海国际信托有限公司

【公司简介】

上海国际信托有限公司（简称“上海信托”）成立于 1981 年，是国内最早成立的信托公司之一，公司注册资本人民币 50 亿元，在金融领域具有较高的声望和地位。

上海信托主要从事资产管理、投资银行业务和家族财富管理业务，为高净值客户提供专业的理财方案与服务，业务领域主要涵盖股权债权融资、证券投资、另类投资、工商受托、公益信托、投行服务、家族传承等范围，是目前国内信托行业业务品种最为齐全、产品服务体系最为完备的专业投资机构之一。

依托上海浦东发展银行强大的股东背景和雄厚的资金实力，上海信托一直位列行业第一梯队。旗下拥有全资子公司上信资产管理有限公司，上信资产旗下控股上信（香港）控股有限公司、上海上信健康产业投资发展有限公司、上海浦耀信晔投资管理有限公司。并在 2015 年成功打造上信赢通财富管理有限公司、上信信托有限公司（香港）等平台公司。

此外，上海信托还控股上投摩根基金管理公司、上海国利货币经纪有限公司，参股上海人寿保险股份有限公司、中国信托业保障基金有限责任公司。

【大事记】

2014 年 12 月

上海信托在金融界主办的“第三届金融界领航中国金融行业年度评选”活动中荣获“最佳风险管理奖”大奖，在金融时报主办的“首届金融时报年会”中再度荣获“年度最佳信托公司”大奖。

2014 年 11 月

上海信托国金财富中心荣获 2013 年 - 2014 年度上海市“青年文明号”称号。

2014 年 11 月

上海信托在经济观察报社主办的“2013 - 2014 年度中国卓越金融奖”颁奖典礼获“年度卓越综合服务信托公司”大奖。

2014 年 11 月

上海信托独家冠名的安东尼奥·帕帕诺与意大利圣切契利亚乐团音乐会在上海大剧院隆重上演。

2014 年 10 月

上海信托举行“上海信托赢通转让平台”上线仪式，并顺利完成线上第一笔信托转让交易。

2014 年 8 月

上海信托在第七届“金贝奖”评选中荣获“2014 年最佳品牌建设信托公司”大奖。

2014 年 7 月

上海信托在证券时报社主办的 2014 中国信托业峰会暨第七届中国优秀信托公司颁奖典礼上荣获“中国优秀信托公司”、“最佳风险管理信托公司”两项大奖。

2014 年 6 月

上海信托在上海证券报社主办的第八届“诚信托”评选中荣获 2013 年度“诚信托”卓越公司奖。

2014 年 6 月

上海信托获 2013 年度上海市银行业 A 等机构评定。

2014 年 5 月

上海信托发起设立的上海浦耀信晔投资管理有限公司以及上海信托全资子公司上信资产管理有限公司旗下的上海上信健康产业投资有限公司分别获得中国证券投资基金业协会颁发的私募投资基金管理人登记证书，成为开展私募证券投资、股权投资、创业投资等私募基金业务的专业金融机构。

2014 年 5 月

上海信托成立首单公益类信托计划“上善”系列云南地区教育助学信托，用于资助云南贫困地区中小学教师来沪参加培训。

2014 年 4 月

在人行上海分行对全市金融机构 2013 年度执行货币信贷政策的评估中，上海信托获评 2013 年度货币信贷政策导向效果评估工作 A 类金融机构。

2014 年 3 月

上海信托获评 2013 年上海市黄浦区经济发展突出贡献 100 强企业第 9 位。

【社会责任】

1. 捐建希望小学，推动教育事业发展

为更好地展示企业文化内涵，倡导并履行主流的社会价值观念和道德理想，对内搭建志愿者服务平台、创新员工教育方式、打造自身公益品牌，对外树立企业公民形象、帮扶西部贫困地区、支持和推动基础教育事业的发展，公司拟在上海市对口帮扶的经济欠发达地区（云南省）捐建希望小学。

2012 年，公司与云南扶贫办、上海市青少年发展基金会达成合作意向，累计捐建金额达 80 万余元，并分别举行签约仪式以建立长期战略合作关系。未来，公司在学校落成后，将持续开展多元化系列的帮困结对活动，通过与定点帮扶贫困地区的共建，逐渐打造成公司教育事业和社会公益事业的品牌和基地，进一步增强员工社会意识和奉献精神，同时利用公司业务资源优势，为推动西部经济项目合作开发、促进人才培养、推广地方传统文化建设贡献力量。

2. 继续深化扶贫帮困献爱心工作

为弘扬中华民族传统美德，2012 年，公司先后组织春节送温暖及夏季扶贫帮困献爱心等多次活动，一方面，组织公司青年党员和“双结对”的助学对象一起参观上海科技馆，拉近心理距离，为青年党员和助学对象提供了沟通、交流的平台，提供精神鼓励；另一方面，公司各支部为结对的助学对象、孤寡老人和因病致贫人员送上慰问品，使困难群众切实感受社会关爱，营造和谐的社会氛围，使公司广大党员关注民生，接受社会实践教育。

整体来看，公司持续推进“扶贫帮困献爱心”工作得到了行业监管部门的普遍好评。公司党委荣获“上海金融系统创先争优先进基层党组织”称号；同时，受扶助对象也对公司的慰问活动高度赞扬，永安居委先后多次赠送锦旗以示感谢。下一步，公司将继续深化扶贫帮困献爱心工作，坚持做好与各居委会之间的双结对工作，将扶贫工作落实到实处，切实履行社区责任。

3. 参与大型公益活动，树立企业公民形象

2012 年，由公司冠名赞助的“上海信托悦享年度顶级盛音德累斯顿国家管弦乐团上海音乐会”在上海大剧院隆重上演，上海市委领导、公司高端客户以及社会各界人士齐聚一堂，共飨古典音乐盛宴，同时此次演出在南京东路世纪广场进行实时直播，吸引不少普通市民和着雨声欣赏了来自世界名团的风采。公司通过现场接待、媒体宣传等方式拉近了公司与客户之间的距离，成功传递了公司品牌蕴含的高雅品位和深厚内涵。公司在为上海国际金融中心建设做出应有贡献的同时，将继续全力以赴、一如既往地推动公益事业和文化产业的发展，把公益活动进一步常态化落实，树立企业公民形象。

4. 发起“学雷锋志愿服务月”系列活动

为响应党中央的号召，大力弘扬雷锋精神，加强公司精神文明建设，倡导文明新风，培养公司员工关爱他人、服务社会的优良品质，营造爱岗敬业的企业氛围。2012 年 3 月，经公司党委会讨论，在全公司层面发起以“爱心奉献社会，行动共建和谐”为主题的“学雷锋志愿服务月”系列活动，此次活动累计 113 人次参与，其中党员参与率达 100%。

公司以五个团支部为基层组织，先后组织了“爱的传递、书香满屋”捐赠活动、“学习雷锋好榜样——黄浦区学雷锋为人民服务主题活动”、“关爱自闭症、走进小雨人”交流慰问活动等，通过一系列活动有效地提升了公司在群众中的“诚信、专业”形象，也体现了公司“心系社会、服务社会、回馈社会”的企业精神与企业责任。

为了将公司志愿者工作常态化、定期化、规范化，2012 年，公司在内部管理制度上进一步落实细化，在多年志愿服务实践的基础上，形成了《公司志愿者服务管理暂行办法》，采用志愿者注册制度，规范管理，长效运作，为公司更好地开展志愿者工作奠定制度基础。

5. 开展“理财之星社区行”活动，培养居民理财意识

2012 年，公司积极响应信托业协会以“认知信托、成就财富”为主题的投资者教育活动，将投资者教育作为公司的一项重点工作来抓。

2012 年 6 月，公司由财富管理总部牵头，参加由上海金融服务精英赛组委会与“东方信息苑”联合开展的“理财之星社区行”服务日活动，为社区居民进行了主题为“丰富金融知识，提升理财能力”的讲座，通过实际事例为社区居民普及了财富理念与信托知识，活动取得了良好的预期效果，有效地提升了居民理财意识，丰富了居民投资理念，进一步推广公司品牌形象及公司产品线。未来公司仍将加大投资者教育力度，提高公司产品的受众面，进一步提升公司影响力。

6. 积极推进与部队共建工作

与部队共建活动是公司履行企业社会责任的另一项重要工作。自 2006 年与上海警备区三营签署了军民共建协议书，结成共建单位以来，公司持续推进与军企共建工作，将业务开拓与军企共建工作紧密结合起来，通过捐赠、开展体育竞赛、聆听革命教育课程等，增进部队和企业的关系，发挥各自优势，互相支持，共同发展。

2012 年，公司多次开展拥军优属系列活动，通过打篮球、踢足球等体育活动与警备区三营的官兵们欢聚一堂，共叙军企鱼水深情，向不辱使命，扎实工作，无私奉献，为国家、上海的经济发展和社会稳定做出了积极的贡献的官兵们表示敬意与衷心的感谢。在未来，公司将进一步增强做好双拥工作的责任感和紧迫感，用实际行动继续支持部队的各项建设，携手并肩，保持良好的军企关系，同呼吸，共命运，心连心，促进部队发展，共铸企业辉煌。

地址：中国上海市九江路 111 号上投大厦

邮编：200002

电话：021 - 23131111

信托服务专线：021 - 962583

网址：www. shanghaitrust. com

苏州信托有限公司

【公司概况】

苏州信托有限公司（以下简称“苏州信托”）是经中国银行业监督管理委员会批准设立的具有独立法人资格的非银行金融机构。其前身是苏州市信托投资公司，最早于 1991 年 4 月经中国人民银行批准设立。2002 年重新注册登记。

截至目前，公司注册资本金 12 亿元人民币，第一大股东为苏州国际发展集团有限公司，持股比例 70.01%。

苏州信托秉承“受人之托，代人理财”的宗旨，以“独具特色的财富受托人”为愿景，紧紧抓住苏州经济高平台快速发展的良好机遇，为苏州城市建设提供优质的金融支持，为客户提供特色化的信托产品和综合的理财服务。

2016 年度集团实现利润总额 72,881 万元比上年减少 1.86%；实现净利润 55,496 万元比上年减少 1.21%。2016 年初集团未分配利润 134,402 万元，2016 年实现净利润 55,496万元，年末提取法定盈余公积金 5,416 万元、信托赔偿准备金 2,708 万元、一般风险准备 1,235 万元，2016 年末未分配利润余额 180,539 万元。

【公司业务】

资金信托；动产信托；不动产信托；有价证券信托；其他财产或财产权信托；作为投资基金或者基金管理公司的发起人从事投资基金业务；经营企业资产的重组、购并及项目融资、公司理财、财务顾问等业务；受托经营国务院有关部门批准的证券承销业务；办理居间、咨询、资信调查等业务；代保管及保管箱业务；以存放同业、拆放同业、贷款、租赁、投资方式运用固有财产；以固有财产为他人提供担保；从事同业拆借；法律法规规定或中国银行业监督管理委员会批准的其他业务。

【股东介绍】

苏州国际发展集团有限公司

苏州国际发展集团有限公司成立于1995年8月，是经省市政府批准的国有资产授权经营主体，2003年重组为以金融为主业的国有控股集团公司。苏州国际发展集团有限公司（简称国发集团）是一家以金融与投资为主业的国有资产授权经营控股集团公司，具有国有资产管理、金融投资、资本运作三大功能，同时也是东吴证券有限责任公司、苏州信托有限公司、苏州国发中小企业担保投资有限公司、苏州营财投资集团公司等金融及相关企业的主要股东，此外还参股投资了江苏银行等多家金融机构。2007年末公司总资产30亿元，净资产21亿元，净利润6.9亿元。

苏格兰皇家银行

苏格兰皇家银行集团通过其全资子公司苏格兰皇家银行公众有限公司入股苏州信托有限公司。苏格兰皇家银行集团是全球最大的银行和金融服务集团之一，2007年底市值为444亿英镑。苏格兰皇家银行集团总部设在英国爱丁堡，在欧洲、美洲、亚洲、中东等50多个国家设有分支机构，雇员超过17万人，为4000多万客户提供服务。集团拥有极其广泛且多元化的客户资源，包括个人客户、商业客户、大型企业和机构客户等，并为他们提供全面的金融产品和服务。集团品牌包括苏格兰皇家银行，国民西敏寺银行（NatWest），公民金融集团（Citizens Financial Group），Ulster银行以及顾资银行（Coutts）等。2007年10月，苏格兰皇家银行与比利时富通银行（Fortis）和西班牙国际银行（Santander）所组成的银行财团收购了荷兰银行（ABN AMRO）。

目前，苏格兰皇家银行在中国上海和北京两地设有分行，为大型企业和金融机构客户提供债务融资、风险管理和交易银行服务等。苏格兰皇家银行还是中国银行的战略投资者。

联想控股有限公司

联想控股有限公司（Legend Holdings Ltd.，简称“联想控股”）1984年由中科院计算所投资20万元人民币，11名科研人员创立。2007年，联想控股综合营业额1466亿元人民币，总资产681.57亿元人民币，历年累计上缴税收104.8亿元人民币，员工总数超过3万人。

作为一家战略驱动的投资控股公司，联想控股采用母子公司治理结构，初步形成了涉及IT、投资、地产等三大行业，联想集团、神州数码、联想投资、融科智地、弘毅投资五大业务单元的非相关多元化经营格局，同时紧紧抓住发展机遇，积极探索新的产业发展方向。联想控股行使定方向、选人才、配资源、监督考核的职能，为各专业子公司提供资金、品牌、管理、文化等方面的有力支持，推动子公司成为所在行业的领先企业。

经过二十年努力，公司走出了一条有中国特色的高科技产业化道路；成功实施了国有股份制改造，建立起现代企业制度；立足中国本土市场，在和国外企业竞争中初战告捷，促进了民族IT产业的发展；学习西方成功企业的管理经验，结合中国实际，提炼出具有联想特色的企业管理理念，并成为核心竞争力。

公司地址：苏州工业园区苏雅路308号信投大厦

传真：0512－65293751

邮编：215021

理财电话：086－0512－65209888

客服邮箱：service@ trustsz. com

电子邮件：szxt@ trustsz. com

西部信托有限公司

西部信托有限公司成立于2002年7月，是由原陕西信托投资有限公司和陕西省西北信托投资有限公司合并重组成立。

西部信托为国有控股的有限责任公司，属非银行金融机构，业务经营受中国银行业监督管理委员会陕西监管局的监管指导。现注册资本金15亿元人民币，公司董事长徐朝晖女士。

公司具有完善的法人治理结构。股东会为最高权力机构，董事会和监事会各行其职，聘请了金融财经界知名人士担任独立董事，选举了职工董、监事，严格按照《公司法》、《公司章程》开展工作，董事会下设五个专门委员会及公司层面的固有业务、信托业务分析论证等专业委员会，各司其职，审慎开展业务。公司内控机制健全，一百多项规章制度有效地保障各项工作的运转畅行；公司设有10个业务部门、9个综合职能部门，有机协调，相互配合，公司实行全员劳动合同聘用制，员工绝大多数都多年从事信托或金融业务，具备丰富的专业理论知识和较强的业务实践能力。

公司励精图治、一直致力于成为真正的“受人之托，代人理财”的规范信托机构。长期以来坚持稳健经营、持续发展和科学化、专业化管理，准确把握宏观经济运行的发展规律和市场形势，在资金信托、项目投、融资及资产重组等领域具有丰富的专业经验，信誉、服务和经营业绩深得社会各界赞誉。

截至2015年末，公司资产总额120.64亿，管理信托资产逾1020亿元，各项收入11.9亿元，实现税前利润9.61亿元。

【经营范围】

信托是指委托人基于对受托人的信任，将其财产权委托给受托人，由受托人按委托人的意愿以自己的名义，为受益人的利益或者特定目的，进行管理或者处分的行为。

西部信托主要经营以下业务：

1. 资金信托；
2. 动产信托；
3. 不动产信托；
4. 有价证券信托；
5. 其他财产或财产权信托；
6. 作为投资基金或基金管理公司的发起人从事投资基金业务；
7. 经营企业资产的重组、购并及项目融资、公司理财、财务顾问等业务；
8. 受托经营国务院有关部门批准的证券承销业务；
9. 办理居间、咨询、资信调查等业务；
10. 代保管及保管箱业务；
11. 存放同业、拆放同业、贷款、租赁、投资方式运用固有财产；
12. 以固有财产为他人提供担保；
13. 从事同业拆借；
14. 法律、法规规定或中国银行业监督管理委员会批准的其他业务。

【主要部门设置】

董事会办公室；办公室；人力资源部；计划财务部；审计稽核部；风险控制部；法律合规部；信托业务一部；信托业务二

部；信托业务三部；信托业务四部；信托业务五部；信托业务六部；信托业务七部；信托业务八部；证券业务部；固有业务部；资产管理部；财富管理中心。

【经营情况】

一、信托业务取得了长足发展

自2002年重新登记以来，经过艰难的创业，公司已基本确立了以集合资金信托业务为主营业务的经营模式，成效显著。13年来，公司累计发行了数百个集合信托项目，形成了以能源、电力、重化工、钢铁、水泥、房地产等基础建设为依托的信托业务领域，信托拓展方面不仅遍及陕西各个地区，而且业务触角已深入到华东、华南、东北、西北等地区，有力地支持了国家重点项目的建设，管理的信托计划均按期兑付，使投资者得到了丰厚的回报。公司凭借优质、诚信的金融服务搭建起产业资本和金融资本有机结合的中介桥梁，铸就了"西部信托"的良好品牌。

二、自有资产质量和效益不断提高

在信托业务发展壮大的同时，公司的自有资产质量不断得到改善，自有资金运作效益和投资项目收益稳步增长，为公司经营业绩的提高起到了显著的作用。

【主要成就】

2005年末，由陕西省工业经济联合会、商业联合会、社会科学界联合会、华商报社共同举办的"和谐陕西，管理力量——第二届陕西经济推动力总评榜"活动中，西部信托投资有限公司被评为"2005年陕西十大优秀管理企业"，时任董事长倪正先生被评为"2005陕西十大经济风云人物"。2008年9月，陕西省人民政府在《关于表彰支持陕西地方经济成绩显著的金融机构的通报》（陕政办发[2008]24号）中，西部信托有限公司被列为受到表彰通报的金融机构之一。

公司发起设立的"瑞和西信房地产投资基金"荣获精瑞科学技术奖（2012年第9届）投融资创新奖。

公司荣获第八届上海证券报中国"诚信托"投资回报奖，体现投资者所获实际收益率的指标——"已经清算的集合类信托产品加权平均实际年化收益率"一直稳定在7%以上，2013年度达到了12.95%，在68家信托公司中排名第一位。

陕西省"守合同、重信用"单位

陕西省著名商标

西安市著名商标

地址：西安市东新街232号

邮编：710004

电话：400－887－1025

传真：029－87406300

网址：www.wti－xa.com

厦门国际信托有限公司

【基本概况】

厦门国际信托有限公司（以下简称"公司"）是经中国银行业监督管理委员会批准设立的具有法人资格的非银行金融机构。公司前身厦门国际信托投资公司是由厦门市财政局下属的厦门经济特区财务公司组建而成，成立于1985年1月。目前，公司注册资本人民币23亿元（其中外汇资本金1500万美元），股东为厦门金圆金控股份有限公司（占股80%）、厦门建发集团有限公司（占股10%）和厦门港务控股集团有限公司（占股10%），三家股东均是厦门市属国有企业。

公司自2002年重新登记以来，稳健经营，创新发展，管理的信托资产规模超千亿元，未发生集合类信托兑付风险事件，被证券时报评为"最具区域影响力信托公司"。公司秉持"诚实、信用、谨慎、有效"的信托理念，依照"受人之托、代人理财"的信托本质，以稳健经营回报股东、诚实信用面对客户为基本经营原则，努力培育公司在产品开发、创新、营销、投资、资产管理和风险控制等方面的能力，为广大投资者、机构和各级政府提供多种投融资手段和理财服务。多年来，公司一方面致力于与各级政府合作、与地方经济实体互动、与战略伙伴实现共赢、与全国市场对接，为区域经济发展提供优质服务。另一方面，公司通过资金信托、财产信托、受益权转让信托、财富管理信托、资产证券化信托等手段，以专业化的理财和资产管理能力为委托人提供完整的、个性化的资产管理解决方案。

【经营范围】

资金信托；动产信托；不动产信托；有价证券信托；其他财产或财产权信托；作为投资基金或者基金管理公司的发起人从事投资基金业务；经营企业资产的重组、购并及项目融资、公司理财、财务顾问等业务；受托经营国务院有关部门批准的证券承销业务；办理居间、咨询、资信调查等业务；代保管及保管箱业务；以存放同业、拆放同业、贷款、租赁、投资方式运用固有财产；以固有财产为他人提供担保；从事同业拆借；法律法规规定或中国银行业监督管理委员会批准的其他业务。

【社会责任】

2013年，公司依照"诚信服务社会、有效回报股东、实现员工价值"的企业使命，诚实守信，合规经营，依法纳税，维护受益人的利益。严格按照《信托公司社会责任公约》的约定，积极维护信托业市场竞争秩序、行业声誉和良好社会形象。厦门国际信托强调公益慈善活动的"可持续性"与"专项性"相结合。将"金融知识进万家"、"送金融知识进社区"、"和谐邻里节和公交公益宣传"作为可持续性公益慈善活动的重点；将公益捐赠列为专项性的突破。同时，不忘持续推进员工履行社会责任，积极组织员工参与绿化植树、无偿献血等各类活动；关注儿童成长，赴厦门翔安同心儿童院（孤儿院）慰问。此外，2013年，厦门国际信托积极参与中国信托业协会组织的公益信托等公益研究，努力履行作为一名企业公民所应承担的社会责任。

为响应中国银监会、中国信托业协会、厦门银监局、厦门银行业协会等机构号召，将我司保护消费者权益的制度举措落到实处，积极履行普及金融知识、提升民众金融风险意识、关爱儿童成长的社会责任，2014年6月1日至2日，我司员工志愿者参与由龙岩市青少年宫举办的"红领巾相约中国梦"欢庆"六一"国际儿童节暨首届龙岩市青少年宫快乐文化节活动。

本次活动地点为龙岩市市中心青少年宫，活动内容主要为六一节目汇演和由各参展商与少年宫共同组织的游园活动。为最大化达到"关爱儿童成长、履行社会责任"的目标，我司员工志愿者为孩子们和家长们准备了不同类型的活动。

地址：厦门市思明区展鸿路82号厦门国际金融中心39－42层

邮箱：bgs@xmitic.com

传真：0592－5311906

邮编：361008

电话：0592－5311981　0592－5311983

浙商金汇信托股份有限公司

【公司简介】

浙商金汇信托股份有限公司是经中国银行业监督管理委员会批准的专业信托理财机构。注册资本为5亿元。注册地在浙江省杭州市。公司股东及股比构成为:浙江东方集团股份有限公司持股56%,中国国际金融股份有限公司持股35%,传化集团有限公司持股9%。公司将在现有法律法规的框架下,以受益人利益最大化为原则,诚实守信,勤勉尽职,充分利用并合理配置各项资源,在风险可控的前提下积极创新,开拓发展,做一个优秀的受托人。

【业务范围】

公司经营各类信托业务,包括资金信托、动产信托、不动产信托、有价证券信托、其他财产或财产权信托等。初期将重点开拓结构性融资、证券投资信托、私募股权投资、挂钩投资产品等业务领域。

公司将立足浙江、辐射上海及长三角洲地区,并服务于全国经济发达地区。高端个人客户、中小民营企业、大型国企、上市公司、保险、银行等是公司重点服务的客户群体。

【股东介绍】

一、浙江省国际贸易集团有限公司

浙江省属大型国有独资公司。注册资本为9.8亿元人民币。公司业务涉及对外贸易、经济合作、金融证券、实业投资等领域,致力于打造商贸流通、金融服务、产业投资三大业务板块协同发展的总体战略架构。2010年实现营业收入349.13亿元、利润总额14.26亿元,位列2010中国企业500强排名第211位,服务业500强排名第71位。公司将秉承"厚德载物,融通四海"的核心价值观和"诚信、创新、协同、共享"的经营理念,不断进行体制、机制、管理、经营、服务的全面创新,努力成为"具有全球视野、国际化运作的现代服务业领先者"。

二、中国国际金融有限公司

中国首家中外合资投资银行。注册资本为1.25亿美元。公司植根于中国本土市场、具有深厚的国内市场经验,并拥有丰富的国际资本市场经验和广泛的国际支持,致力于为客户提供高质量、先进、全面的金融服务和资本市场解决方案。自成立以来成功完成了数十个业内有影响力的大型国内和国际投行项目,与投资者及各类中介机构建立了良好合作关系,培养了一支具有高水准、卓越的专业团队。公司连续多年被国内外权威机构评为中国最佳投资银行、最佳中国本土券商、中国本地最佳发行银行等荣誉称号。

三、传化集团有限公司

公司创建于1986年,是一家多元化的民营企业集团、浙江省民营企业优秀代表。公司业务主要包括化工、物流、农业、科技城、投资等五大领域。2010年实现工业和服务业总收入145.8亿元、利润8.76亿元、上缴税金6.6亿元,位列"中国企业500强"、"中国民营企业500强"、"中国最具价值品牌500强"。公司坚持"开拓进取、永不满足"的企业精神,立足于具有发展潜力的产业领域,并通过创造充满活力的创新企业,为员工和客户建设共同发展的事业平台,致力于成为推动社会和谐发展的重要力量。

【经营宗旨】

立足信托信念,围绕信托本业,实践信托制度,推进中国信托业发展,为受益人、客户、股东、员工和社会持续创造价值,为中国社会财富的创造、积累和传承贡献力量。

【经营目标】

建设成为一家行业领先、特色鲜明、经营稳健、品牌卓越、能够为当地经济发展提供强大支持、具有核心竞争力和独特价值的优秀信托公司。

【战略规划】

立足浙江,面向全国,依托各方资源,逐步形成以信托投融资、债券投资为主的受托资产管理、股权投资信托(基金)业务为主要业务方向,其他融资类信托和中介服务等为补充的总体业务架构及盈利模式,打造专业化、职业化的高素质人才队伍,构建科学高效的组织管理、运作流程、交易系统和内控机制,形成良好的市场形象和品牌影响力,不断提高公司的核心能力和价值。

地址:浙江省杭州市庆春路199号6楼(310006)
电话:4008-665588
网址:www.zhejintrust.com
传真:86-571-87386123

中国金谷国际信托有限责任公司

【基本概况】

中国金谷国际信托有限责任公司(以下简称"金谷信托"或"公司",原名中国金谷国际信托投资有限责任公司)是在原全国人大副委员长、中华全国妇女联合会主席陈慕华同志倡导下,于1993年4月经中国人民银行批准成立的非银行金融机构。2007年4月中国信达资产管理公司开始对金谷信托进行重组。2009年9月1日,银监会正式批准公司重新登记,并给公司颁发了新的金融许可证。2009年9月15日,金谷信托在国家工商行政管理总局完成变更登记手续,并换领新的营业执照。

金谷信托目前注册资本为22亿元人民币,注册地址在北京市西城区金融大街33号通泰大厦C座10层。公司股东为中国信达资产管理股份有限公司、中国妇女活动中心和中国海外工程有限责任公司。其中中国信达资产管理股份有限公司持股92.29%,是金谷信托的控股股东;中国妇女活动中心持股6.25%;中国海外工程有限责任公司持股1.46%。

2009年金谷信托重新登记开业以来,公司综合实力不断增强,管理信托资产规模实现跨越式增长,盈利能力不断增强,信托主业盈利模式建立并不断巩固,公司行业地位不断提升。金谷信托将坚持"胸怀服务社会理想、坚守诚信为本理念",恪守谨慎、稳健的经营方针,以受益人的利益最大化为宗旨,专注于信托产品的创新与推广,发展目标是成为在财产管理、资金融通、投资理财和社会公益等领域具有核心竞争力的专业理财服务机构,争取在不远的将来跻身国内最具创新潜力和持续盈利能力的信托公司之列。

【企业文化】

一、使命和愿景

聚业界精英　建一流团队　搭发展舞台、创骄人业绩、筑金谷品牌、圆价值之梦。

为客户创造价值、为股东增加效益、为员工搭建舞台、为社会贡献力量。

尊重监管机构、尊重股东单位、尊重集团战略发展规划、尊重金谷信托每一个员工成长的愿望和他们自身的价值、尊重市场和行业发展规律。

从历史和时代的高度,讲政治、担责任、创效益,全体员工共同缔造美好的未来。

二、品牌理念

金谷信托　值得重托。

以市场为导向，以客户为中心。以创新为动力，以效益为目标。

三、人文理念

金谷员工价值：专业、职业、敬业、创业。

爱岗敬业、激情创业、成就事业。

德才兼备，以德为先；以德服人，以才超人。有德小才可用，有才少德慎用，有德有才大用，无德无才不用。

公司有未来，个人就有未来，为公司做贡献，就是为个人谋发展。

用好一个人，换来一片天。同是金谷人，共创兴伟业。

让每一位员工"生活上有温暖、工作上有尊严、事业上有希望"。

金谷员工"五会"：会看、会听、会想、会说、会写。

金谷员工"三能力"：学习能力、应用能力、改变能力。

金谷员工职业精神：定好位、做到位、不越位、有作为；简单、清新、阳光、奋发。

四、经营理念和业务发展战略

受人之托、忠人之事、稳健经营、诚信为本，践行社会责任。

关注市场、关注政策、关注同业、关注自身。

抓基础、抓重点、抓亮点、抓落实、抓服务。

勇于面对风险的能力、积极经营风险的能力、切实化解风险的能力。

主动拓展优质客户，主动规避风险项目，主动提高管理水平，主动化解业务风险。

【信托业务】

一、资金信托业务

（一）集合资金信托产品

1. 项目投融资类集合资金信托产品：由信托公司作为受托人，按照委托人意愿，为受益人的利益，将委托人交付的信托资金以贷款、股权投资、权益收购、租赁等方式集合管理和运用，并为受益人获取收益的理财产品。

2. 证券投资类集合资金信托产品：由信托公司担任受托人，按照委托人意愿，为受益人的利益，将委托人交付的信托资金集合投资于境内证券交易市场挂牌交易的证券品种（包括新股 IPO）、开放式基金、国债、央行票据以及其他可以在证券交易市场上流通的品种，并为受益人获取收益的理财产品。

3. 信托受益权转让类产品：是指投资者可受让其他信托产品受益人转让其所持有的受益权。转让人和受让人双方自行协商确定转让价款及支付方式。信托受益权转让后，受让人成为原信托产品的新受益人，原信托合同中约定的资金运用方式和收益分配方式等均保持不变。

4. 指定项目集合资金信托服务：是指委托人基于对信托公司的信任，将自己合法拥有的资金交付给信托公司，并指定信托公司按委托人的意愿，为受益人的利益，集合管理和运用信托资金的信托业务。

（二）单一资金信托产品

1. 项目投融资类单一资金信托产品：是指由信托公司担任受托人，接受单个委托人委托，按照委托人意愿，为受益人的利益，将委托人交付的信托资金以贷款、股权投资、权益收购、租赁等方式单独管理和运用，并为受益人获取收益的理财产品。

2. 证券投资类单一资金信托产品：是指由信托公司担任受托人，接受单个委托人委托，按照委托人意愿，为受益人的利益，将委托人交付的信托资金投资于境内证券交易市场挂牌交易的证券品种（包括新股 IPO）、开放式基金、国债、央行票据以及其他可以在证券交易市场上流通的品种，并为受益人获取收益的理财产品。

二、财产信托业务

财产信托业务是指委托人将其合法所有的财产或财产权（包括各种动产、不动产和其他权益等）交付给信托公司设立信托，由信托公司作为受托人，按照委托人意愿，为受益人的利益，根据信托文件的约定进行管理、运用和处分的业务。

【股东优势】

公司控股股东中国信达资产管理股份有限公司在全国设有 31 个分公司，控股信达证券、幸福人寿、信达澳银基金、信达期货、信达国际、信达财险、金谷信托、信达租赁等金融机构，以及信达投资、信达地产、华建国际、中润发展、汉石投资、信达资本等投资及实业平台。金谷信托可以依托中国信达机构遍布全国的渠道优势发掘项目资源，依靠中国信达实力雄厚的客户资源优势建立营销渠道，发挥中国信达功能完备的金融平台优势展开各种金融工具联动，借鉴中国信达卓越严谨的风险控制经验完善自己的风险控制体系，在行业内迅速起步、培育实力并成长壮大。

公司老股东中国妇女活动中心隶属于全国妇联，全国妇联管理有两个基金会，即中国儿童少年基金会和中国妇女发展基金会，其资金具有保值增值需求，而这正可与我公司资产管理功能对接。

【管理优势】

公司建立了以股东会、董事会、监事会及高级管理层为主体的完善的法人治理结构。股东会、董事会和监事会依照《公司法》、《公司章程》和议事规则行使职责。公司通过建立股东会、董事会和高级管理层之间的合理授权机制从而实现各层级之间有效权利制衡与风险控制。

公司董事会现由九名董事组成，其中两名为独立董事。董事会下设风险控制与审计委员会、人事与薪酬委员会和信托委员会，各委员会依据各自的工作条例对公司经营管理与风险控制进行指导与监督。人事与薪酬委员会在实现公司市场化运作、建立合理的激励与约束机制方面发挥重要作用；信托委员会为保护受益人的利益，促进公司信托业务的发展发挥重要作用；风险控制与审计委员会在进一步提高董事会对风险的控制能力与水平方面发挥重要作用。

公司总经理负责公司日常的经营管理，副总经理及总经理助理协助总经理工作，高级管理团队对董事会负责，接受监事会监督。

公司的经营管理采取前、中、后台分区的模式。前台负责公司业务的拓展和客户服务；中、后台负责依法合规履行管理职责；各平台分工负责，相互配合、相互制约，确保有效防范和控制经营管理风险。

【风控优势】

作为重新登记的信托公司，公司将风险控制放在首位。公司建立健全了点面结合的风控机制和风控制度，形成多层次全方位的风险控制组织体系。

公司已经形成了包含 100 多个制度，以符合监管部门评级要求和 ISO 质量管理体系认证要求为基础，以提高公司运行效率为前提，以实现公司健康、可持续发展为目标的制度体系，为公司的风险防范、风险控制提供了有利支持和保障。

公司已基本构建并形成了"全员、全过程"的风险管理框架体系,有效支持了业务发展。根据监管要求并结合国内信托行业的实践经验,公司建立了"三横三纵"的风险管理体系。在纵向上,我们建立了董事会、经营层以及风险管理职能部门三级风险管理体系并制定了相应的制度。在横向上,根据业务发展的不同阶段,形成了事前、事中与事后三个风险管理的条线,业务部门是风险控制的第一责任人,法律合规部、风险管理、项目管理部以及稽核审计部等风险管理职能部门分别从事前、事中、事后等不同阶段有侧重地承担了风险管理不同阶段的任务。

地址:北京市西城区金融大街33号通泰大厦C座10层

邮编:100033

电话:010-88086686

网址:www.jingutrust.com

中海信托股份有限公司

【基本概况】

中海信托股份有限公司(以下简称"中海信托"或"公司")是由中国海洋石油总公司和中国中信有限公司(以下简称"中信有限")共同投资设立的国有非银行金融机构,是按照信托业"新两规"规定较早完成换牌的信托公司之一,中国海洋石油总公司和中国中信有限公司各占95%和5%。经2011年同比例增资扩股后,公司注册资本为25亿元人民币。

中海信托秉承"诚信稳健、忠人所托"的经营理念,坚持"风控优先"的低风险发展道路,经过多年的探索和实践,资产管理能力持续提升。2015年,中海信托管理信托资产余额为4,116.93亿元,全年累计管理信托资产规模8,297.93亿元,实现营业收入15.90亿元,实现利润总额13.04亿元,人均净利润820.19万元。多年来,公司未发生任何信托项目不能按期兑付、损害受益人利益的情况,连续十二年保持新增不良资产为零。

在业务持续稳健发展的同时,公司以稳健经营和专业理财能力树立起良好的社会形象,凸显了差异化竞争优势,巩固了中海信托在业内及社会中的品牌及影响力。在《上海证券报》主办的"诚信托"评选活动中,公司连续多年荣获"诚信托-卓越公司"等奖项;在证券时报社主办的"中国优秀信托公司评选"中,公司连续荣获"优秀信托公司"、"最佳风险管理信托公司"等奖项;在上海市黄浦区经济发展突出贡献百强企业评选活动中,公司连续多年蝉联该荣誉称号,排名前列。

伴随着信托业的高速发展,中海信托将始终坚持风控优先、合规稳健的经营理念,持续提升资产管理能力,建设完善风控体系,保持健康、稳健、可持续的发展态势,为投资者提供安全可靠的金融服务,打造委托人信得过的信托理财平台。

【股东信息】

1. 中国海洋石油总公司

中国海洋石油总公司(以下简称"中国海油")是国务院国有资产监督管理委员会直属的特大型国有企业,是中国最大的海上油气生产商。中国海油成立于1982年,总部设在北京。自成立以来,中国海油保持了良好的发展态势,由一家单纯从事油气开采的上游公司,发展成为主业突出、产业链完整的国际能源公司。

2014年,中国海油在《财富》杂志"世界500强企业"排名中位列第79位,较上年的93位上升了14位。中国海油继续享有标普和穆迪授予的AA-和Aa3级国家主权级资信评级,为国内企业最高评级。

截至2014年底,中国海油海外资产占总资产的38%,海外收入和产量分别超过总收入与总产量的40%。2014年,中国海油与壳牌、BP、道达尔等石油集团签署全球战略合作协议,分别与俄罗斯天然气工业股份公司、墨西哥国家石油公司签署合作谅解备忘录。国际业务在多个国家与地区取得长足进步,在《石油情报周刊》"世界最大50家石油公司"排名第31位,在中国企业国际化50强榜单中位列第9位。

中国海油紧紧抓住国家建设"海洋强国"带来的新机遇,积极应对发展中所遇到的挑战和困难,紧紧围绕《"二次跨越"发展纲要》,加快转变经济发展方式,推动产业结构调整,不断提升发展质量和效益,现已形成油气勘探开发、工程技术与服务、炼化与销售、天然气及发电、金融服务等业务板块,为早日建成国际一流能源公司奠定了坚实基础。

2. 中国中信有限公司

中国中信有限公司(简称"中信有限",原名为"中国中信股份有限公司")成立于2011年12月,由中国中信集团公司(简称"中信集团")重组改制而来。中信集团以绝大部分经营性净资产作为出资,联合其全资子公司北京中信企业管理公司共同发起设立。中信有限注册资本现为1,390亿元人民币,法定代表人常振明。

中信有限承继原中信集团的全部业务及资产,是一家金融与实业并举的大型国际化综合性企业集团,业务涉及银行、证券、信托、保险、基金等金融服务领域和房地产、工程承包、基础设施、资源能源、装备制造和信息产业等实业领域,具有独特的综合优势和较强的市场竞争力。

中信集团是1979年在邓小平先生的倡导和支持下,由荣毅仁先生创办。成立以来,中信集团充分发挥经济改革试点和对外开放窗口的重要作用,成功开辟出一条通过吸收和运用外资、引进先进技术、设备和管理经验为中国改革开放和现代化建设服务的创新发展之路,树立了良好的信誉和形象,并取得了显著的经营业绩。中信集团已成为中国最大的国际化综合性企业集团,2009年以来连续五年入选美国《财富》杂志"世界500强"企业排行榜。

【2016 大事记】

2016年7月,杨皓鹏同志荣获上海市总工会2016年"上海市五一劳动奖章"。

2016年7月,中海信托在《证券时报》主办的"2016中国信托业发展高峰论坛"暨第九届中国优秀信托公司评选活动中荣获"优秀风控信托公司"奖。

2016年4月,公司荣获"2015年度上海市黄浦区高端服务业100强企业"荣誉称号,排名第20位。

2016年3月24日起,公司在上海市工商行政管理局正式完成法定代表人变更登记,公司法定代表人:黄晓峰。启用统一社会信用代码:91310000132206502W,原工商注册号、税务登记证、组织机构代码证不再使用。

2016年3月8日,上海银监局核准批复黄晓峰任中海信托董事、总裁任职资格(沪银监复[2016]68号)。

2016年1月,公司在中央国债登记结算有限责任公司举办的2015年中国债券市场优秀成员评选中荣获"优秀发行人";信托公司类"优秀资产管理机构"荣誉称号。

地址：上海市黄浦区蒙自路763号36楼
邮编：200023
电话：021－23191688
传真：021－63086070
网址：www.zhtrust.com

中航信托股份有限公司

【基本概况】

中航信托股份有限公司是由中国航空工业集团公司、(新加坡)华侨银行有限公司等单位共同发起组建，是国内唯一集央企控股、上市背景、中外合资、军工概念于一身的信托公司，注册地为江西南昌，注册资本为40.22亿元。

公司成立以来，秉持成为卓越金融整合服务商的梦想，致力于为客户提供安全的金融产品、优质的金融服务。业务网点辐射全国，在全国17个大中城市共设立了30个信托业务团队与14个区域财富中心。2016年末，公司净资产逾60亿元，管理信托资产规模逾4700亿元。

公司积极倡导"绿色信托"理念，将绿色理念和绿色行动引入信托业务及公司治理，信守对客户、员工、合作伙伴及社会各界的庄重承诺，努力践行社会责任，打造可持续发展的信托生态圈。先后获得"中国优秀信托公司"、"中国优秀风控信托公司"、"最具影响力信托公司"等荣誉称号，在2016年行业协会首次试行评级中，获评为A级。

2016年，中航信托昂首迈入战略"品牌"期，重点打造中航私募、中航资管、中航财富、中航研究、中航运营"五位一体"的品牌发展体系。

【股东信息】

1. 第一大股东——中航投资控股有限公司

中航工业重要的金融平台，国内首家金融控股上市公司。中航投资控股有限公司是中航资本控股股份有限公司(股票代码：600705)的全资子公司，中国航空工业集团公司是中航资本控股股份有限公司的控股股东。作为航空工业金融产业发展平台，中航投资控股有限公司辖有信托公司、证券公司、财务公司、租赁公司、期货公司、保险公司及产业基金，为国内首家金融控股上市公司。

2. 实际控制人——中航工业集团公司

由中央管理的国有特大型企业，是国家授权投资的机构。中国航空工业集团公司是由中央管理的国有特大型企业，设有航空武器装备、军用运输类飞机、直升机、机载系统与汽车零部件、通用航空、航空研究、飞行试验、航空供应链与军贸、资产管理、金融、工程建设、汽车等产业，下辖100余家成员单位、近27家上市公司、员工逾45万人。

3. 境外战略投资者——华侨银行

东南亚第二大的金融服务集团，世界上最高评价的银行之一。华侨银行是新加坡成立时间最早的本土银行，是东南亚第二大的金融服务集团，也是世界上最高度评价的银行之一，拥有穆迪Aa1级评级，在18各国家和地区拥有超过610家分行和代表处。截至2016年9月，华侨银行资产规模约4000亿新币。

【公司业务】

1. 私募投行业务

公司作为融资中介方，基于融资方或项目的资金需求，通过创设金融产品，向投资者募集资金，并作为管理人将该资金运用于特定企业或项目，发挥投行即为融资者提供融资工具又为投资者提供投资工具的业务，其领域可以延伸至各行各业，依靠灵活多变的模式设计及严格的风险控制，为投资客户和融资客户带来收益，实现共赢。

2. 资产管理业务

针对客户对投资风险、收益、流动性等方面的不同需求，按照一定的投资策略为客户提供量身定制的资产配置服务。以金融资产为核心，对资产进行管理和运用，把金融产品变成投资组合，通过集合产品、基金产品或专户产品的形式提供给客户，为客户获取长期、稳定的收益回报。

3. 财富管理业务

中航财富是中航信托面向投资人推出的财富管理服务品牌。汇聚法律、税务、财务等领域专业专家，为高净值个人客户、金融机构及工商企业提供量身定制的专业化财富管理解决方案，满足您在资产配置、产业投资、财富管理、家族传承、海外投资等多方面的金融服务需求。

地址：江西省南昌市红谷滩新区赣江北大道1号
　　　中航广场24－25层
邮编：330038
电话：0791－86667992
传真：0791－86772268
网址：www.avictc.com

中江国际信托股份有限公司

【公司简介】

中江国际信托股份有限公司(简称中江信托或中江国际)成立于1981年6月，是经中国银监会批准的全国性金融控股集团。2003年3月由原江西省国际信托投资公司、江西省发展信托投资股份有限公司、江西赣州地区信托投资公司以新设合并方式组建。2012年10月由江西国际信托股份有限公司更名为中江国际信托股份有限公司，注册资本人民币11.56亿元。至2014年末，公司总资产49.15亿元，净资产44.86亿元。

中江国际坚持"发挥信托功能、服务经济发展"的经营宗旨，先后为省内外各级政府、上市公司、大中型企业提供信托融资2000多亿元。

自2004年以来，中江国际先后推出了政信合作、银信合作、企信合作、信证合作、信保合作等业务模式，业务遍及全国。截止2014年末，累计管理信托财产突破6331.36亿元，累计交付信托财产4205.5亿元，全部按期实现了信托财产的保值增值，体现了稳健发展的经营风格。

中江国际治理规范，建立了"五个两、十环节"的内部控制和风险决策体系，拥有一支具有信托、证券、保险、商业银行、投资银行、基金管理等资深从业背景的专业团队，构建了以北京、上海、深圳、浙江、江苏、福建、四川、陕西、辽宁、山东、河北等50个金融研发中心为依托的全国性业务布局、资源网络和营销体系，可根据客户的资产状况、风险偏好，利用信托独特的制度优势和功能，为客户提供跨越多个金融市场、多个行业、多个地域的专业化、综合型金融服务。

中江国际作为"受人之托、代人理财"的专业化理财机构，以"为了共同利益观"为核心价值观，以"忠诚拼搏、艰苦创业"为核心理念，以"简单直接"为管理理念，以"风险第一、效益第一"为经营理念，以"热情、快捷、细致、高效的服务"为核心竞争力，在支持政府融资、企业发展、不断满足投资者理财需求的过程中获得快乐，获得成长。

联系地址:江西省南昌市北京西路 88 号
江信国际金融大厦
联系电话:079186304514
财富中心:079186304686
邮箱:office@ zjgjxt. com

中融国际信托有限公司

【公司简介】

中融国际信托有限公司是经中国银监会批准设立的金融机构,前身为哈尔滨国际信托投资公司,成立于 1987 年。公司目前注册资本 80 亿元,经纬纺织机械股份有限公司(央企恒天集团下属上市公司)、中植企业集团有限公司、哈尔滨投资集团有限责任公司及沈阳安泰达商贸有限公司分别持股 37.47%、32.99%、21.54% 和 8.01%。

2015 年末,公司资产管理总规模 7,805.33 亿元,公司净资产 113.2 亿元,净资本 102.02 亿元,实现营业总收入 65.88 亿元。公司拥有数万名高净值客户及上千家机构客户。

公司主营业务覆盖房地产、证券、工商企业及基础设施领域,"多元化"交易模式包括股权投资、信托贷款、股权收益权、财产权管理等。二十多年来,公司秉持诚信、包容、创新、高效的价值理念,不断提升资产管理能力,提高金融服务水平,已经发展成为公司治理完善、风险管控有效、业务创新积极、人员覆盖全国的大型金融机构。

【主营业务】

1. 证券投资信托

证券投资信托是指个人或机构将其合法持有资金委托给信托机构进行有价证券投资的信托业务。证券投资信托的投资范围涉及多种产品类别,包括新股申购、阳光私募基金和其他在一二级市场上市的其他证券。中融信托已搭建了强大的证券交易平台,组建了专业化的证券投资团队,并与商业银行、证券公司、基金管理公司及投资管理公司等广泛合作,推出了多款证券投资信托产品。2012 年,"中融增强 50 号 - 宬隆一期结构化证券投资集合资金信托计划"凭借优秀的产品结构设计及优异的产品净值表现获得"最佳证券投资类信托计划"(《证券时报》评选)的称号。中融信托的证券投资平台已经发展成为国内最大的证券投资平台之一,多款信托产品投资业绩名列前茅。

2. 房地产信托

中融信托致力于拓展优质物业和具备融资条件的房地产开发项目的信托业务。公司运用债权、股权、收益权及夹层融资等方式,先后推出了多个物业及房地产信托计划。根据国务院及银监会对房地产信托有关政策和意见,目前公司已组建了专业化的房地产信托团队,积极拓展房地产开发项目及优质物业的信托投资。

3. 基础设施投融资业务

基础设施信托是指将信托资金专门用于投资大型公共基础设施项目,包括市政工程、公共设施、水务系统、道路交通或者能源通信等基础设施项目。中融信托在对基础设施投融资业务进行深入调研的基础上开展主动管理型业务,不断完善项目交易结构设计及后期运作管理,在该领域积累了较多的投资经验。

4. 股权收益权信托

中融信托通过对资本市场运作的充分研究,推行股权收益权类信托计划,以信托资金购买股权持有人的股权收益权,在不影响原有股权持有人行使股东权力的基础上,为投资人和融资人搭建了资金融通平台,在提高产业资本的利用效率同时,为社会闲置资金提供了新的投资渠道。

5. 私募股权投资信托

私募股权投资信托是通过信托方式对非上市企业股权,或上市企业非公开交易股权进行投资,并通过上市、并购或管理层回购等方式,出售持股获利,谋求受托人财产的稳定增值。先后推出了"中融铧融精品基金集合资金信托"等信托计划。中融信托推出的私募股权投资信托业务以稳健的投资风格和规范的投资操作,赢得了投资人和合作各方的信任和高度评价。作为一个全新的投资品种,私募股权投资信托为投资者提供了新的投资渠道。

6. 矿产能源类信托

中融信托运用敏锐的市场洞察力,抓住矿产能源领域整合重组机会,适时推出面向矿产能源领域的信托计划,选择优质企业,通过质押融资、股权投资等运作方式,为高端投资者提供参与该领域整合、重组的机会。

7. 另类创新业务

另类业务主要是指投资于艺术品、酒类、贵金属及其他名贵饰品等具有收藏及投资价值的信托业务。公司从 2011 年开始推出了一系列艺术品投资、酒类投资信托产品,在另类信托开展中积累了一定的经验。

8. 银信合作

中融信托通过与国有银行、股份制商业银行、城市商业银行等银行机构合作,利用银行在业务渠道、投资范围、风险控制方面的优势,参与信贷资产转让、证券二级市场投资、银行间债券市场投资、等多种产品为客户提供低风险的稳定回报。

9. 高端客户财富管理

中融信托在国内信托业率先成立了专门服务于高端客户的财富管理中心。公司根据高端客户的理财需求,通过信托计划为客户提供细致入微的个性化、量身定制的理财规划、投资方案及高增值服务。为高端客户进行财富管理,不仅符合信托"新两规"对信托业务转型的要求,也促进了信托公司从融资平台到财富管理专家的转变。

【公司荣誉】

·2016 年

中央国债登记结算有限责任公司颁发"优秀发行人"

银行间市场清算所股份有限公司颁发"基金信托机构类结算业务特别奖"

证券时报主办的"第九届中国优秀信托公司评选"中,荣获"年度优秀信托公司"

由经济观察报颁发"卓越财富管理信托公司"奖项

每日经济新闻主办的"2016 第七届金鼎奖"评选中荣获"卓越风控能力奖"奖项

金融时报颁发"年度最佳财富管理信托公司"荣誉

中泰信托有限责任公司

中泰信托有限责任公司(以下简称"中泰信托"或"公司")是经中国银行业监督管理委员会批准设立的非银行金融机构,注册地为上海市,公司前身是中国农业银行厦门信托投资公司,成立于 1988 年。

经过长期的发展,中泰信托已成为国内优秀的资产管理和财富管理金融机构。2003 年,公司布局公募基金业,是大成基金管理有限公司控股股东,大成基金管理有限公司综合实力强劲，是中国首批获准成立的老十家基金管理公司之一；2014 年，公司进驻保险业，成为都邦财产保险股份有限公司主要股东。中泰信托业已打通实业投资、资本市场和货币市场，小金控平台初具规模，为公司业务横向跨越发展提供战略支持。

中泰信托始终坚持市场化、差异化、规模化的发展路线，致力于在明晰的战略指导下，依托优秀的企业文化和价值观、人力资本体系、法人治理结构，构建运转流畅的资产管理体系、风险运营体系和财富管理体系，将公司打造成为可持续创新的综合性金融服务平台。

【2015 年成绩单】

截至 2015 年 12 月 31 日，公司以及下属企业受托管理客户资产规模总计近 2500 亿，公司资产总计为 40.67 亿元，负债总计为 3.31 亿元，所有者权益总计为 37.36 亿元，净资本为 30.41 亿元。净资本/净资产的比率为 81.40%，净资本/各项风险资本之和的比率为 284.21%，远高于 40% 和 100% 的监管标准。公司全年实现营业收入 7.62 亿元，其中信托业务收入 5.58 亿元，利润总额 4.46 亿元，净利润 3.63 亿元。

2015 年度，公司受托管理信托资产规模为 824.03 亿元。全年累计兑现信托本金超过 700 亿元，为投资者实现信托收益 69.24 亿元，为集合项目投资者提供近 10% 左右的投资收益。目前公司所管理的信托计划全部如约兑付。过去三年，公司信托业务已累计兑付信托本金 2,008 亿元，共为投资者实现收益总额 169.55 亿元。

【业务资质】

2015 年，公司特定目的信托受托机构资格申请通过中国银行业监督管理委员会上海监管局的审核，公司获得管理特定目的信托财产并发行资产支持证券的资格。这进一步丰富了公司的业务资质。

【创新转型】

2015 年，除了继续通过大量实践在消费信贷业务和传统优势业务领域优化业务模式、标准化运营管理，公司重点布局证券投资类业务，在资产证券化、阳光私募、FOF、债券、新股申购等领域进行积极探索并取得一定成效，亦在产业引导基金、信托产品评级等方面进行深入研究。如中泰稳进共赢·铸山 2 号证券投资信托计划、中泰－弘瑞系列·佰仟消费金融信托贷款计划等都在当年取得良好的市场反响。

【核心服务】

中泰信托通过资金信托、财产权信托等方式涵盖信托贷款、财产权信托等法律法规所许可的全品类。目前中泰信托已经与越来越多的金融机构开展更为紧密的合作，业务条线齐全，布局合理，全面覆盖资本市场、货币市场、实业投资市场各产品，包括加工制造业等实业领域及房地产、基础设施、棚户区改造和新型城镇化，为机构客户及个人客户提供投资回报有竞争力的产品。过去三年，公司服务的客户遍及 20 个省、市、自治区，为上述地区的实业发展累计提供近 1300 亿元的资金支持，更为包括上海、重庆、江苏、浙江、四川、贵州、广西、福建等 15 个省、市、自治区的基础设施建设、新型城镇化、产业结构调整工作累计提供近 400 亿元的信托资金。

公司资产管理业务可为各类需要融资的企业客户，提供全生命周期一站式金融服务，包括前期的股权投资、中期的债权以及夹层融资、中后期的兼并重组以及相关的金融咨询与管理咨询等，帮助企业改善财务状况，持续经营发展。

公司财富管理业务面向个人高净值客户，借助信托财产多元化、投资领域广等制度优势，可从广泛的市场层面选取各种固定收益类和浮动收益类理财产品，通过专业顾问团队，为每位客户提供最优投资组合，累计已服务近万名客户。在实现客户资产保值增值的基础上，公司还可提供量身定制的全方位财富管理服务，包括税务筹划、保险规划、家族财富传承规划等系列内容。

【公司企业公民行动】

中泰信托倡导将企业的发展与社会责任的承担相结合，积极投身公益事业。2013 年“4.20”雅安地震发生后，公司率先响应中国信托业协会号召，深入灾区捐助救灾物资，支援灾后重建工作及其他社会公益事业。2011 年，中泰信托捐赠成立“中泰信托·获得国家级工艺美术大师称号的老技师爱心基金”，表达对老技师的关爱和对人才的尊重。2015 年，公司组织员工自愿参加“鞋盒礼物”等社会公益活动，传递对乡村孩子的关心。公司坚信充分发挥信托机制的资源整合与再分配功能，既能实现公司长足发展，又能以专业回报社会。

【我们的荣誉】

精心耕耘，载誉驰行。中泰信托得到了社会各界广泛的认可，2004 年当选为中国信托业协会第一届理事单位；2011 年入选由中国金融四十人论坛成立的上海新金融研究院首批创始理事单位；2014、2015 年连续在《上海证券报》“诚信托”评选中荣获“成长优势奖”；连续数年被《证券时报》评选为“中国最具成长性信托公司”；2015 年在《金融时报》和中国社科院金融研究所共同评选的“2015 年中国金融机构金牌榜·金龙奖”中荣获“年度最佳稳健增长信托公司”等。

【公司倡导的价值观】

我们以“致力于成为中国信托行业最值得客户信赖的专业伙伴，构建平等、自由、开放的员工发展平台，打造拥有社会使命感、责任感和创新意识的财富管理机构”为愿景。

坚持“为客户提供诚信、透明、专业的服务；始终为客户创造价值；崇尚创新、追求进取；珍惜人才，努力实现每一位员工的抱负”的价值观。

以行动践行“用方便、诚信、透明的新型财富管理手段帮助国民（投资者）实现财产增值；在国内金融行业中，成为专业、可信赖、提供优质产品服务和良好口碑的典范；成为满足员工职业发展需求的雇主，吸引最杰出、最有抱负和最具企业家精神的人才”的使命。

在每一个行动中展现“简单可依赖”的企业文化。

未来，中泰信托将继续坚持市场化发展的道路，开拓进取、严控风险、发挥优势，通过专业团队，持续稳健的为包括客户、员工、股东、社会等利益相关者创造价值，参与多层次资本市场的建设、推进中国金融市场改革。

地址：上海市中华路 1600 号黄浦中心大厦 17、18 楼
电话：021－63871888
传真：021－63872700
邮箱：zhongtai@ zhongtaitrust. com

中铁信托有限责任公司

【公司概况】

中铁信托有限责任公司（简称中铁信托，原名为衡平信托有限责任公司）是经中国银行业监督管理委员会批准，以金融信托为主营业务的非银行金融机构，注册资本 32 亿元。2007 年 7 月，公司按照中国银监会《信托公司管理办法》换发了新的金融许可证，公司名称由“衡平信托投资有限责任公

司”变更为“衡平信托有限责任公司”，成为全国首批换发金融许可证的信托公司之一。2008 年 12 月，经四川银监局批准，公司正式更名为“中铁信托有限责任公司”。

中铁信托的控股股东——中国中铁股份有限公司是由中国铁路工程总公司以整体重组、独家发起方式设立的股份有限公司，是集勘察设计、施工安装、工业制造、房地产开发、资源矿产、金融投资等为一体的多功能、特大型中央企业集团，是全球最大建筑工程承包商之一，在 2016 年《财富》世界 500 强中排名第 57 位。

中铁信托业务范围涵盖资金信托、动产信托、不动产信托、有价证券信托、投资基金、证券承销、投资银行业务等；办理居间、咨询、资信调查等业务；以存放同业、拆放同业、贷款、租赁、投资方式运用固有财产；以固有财产为他人提供担保，从事同业拆借以及法律法规规定或中国银行业监督管理委员会批准的其他业务。2008 年 9 月，中国银监会核准我公司特定目的信托受托机构资格；2009 年 11 月，经中国银行业监督管理委员会四川监管局批复，中铁信托获得以固有资产从事股权投资的创新业务资格；2012 年 12 月，经中国银行间市场交易商协会批准，中铁信托获得银行间市场交易商协会会员资格。

自 2005 年 9 月中国中铁入主以来，中铁信托坚持“创新、服务、可持续”的核心经营理念，按照现代金融企业的要求，着力进行管理创新和业务创新，不断提高专业管理水平和综合理财能力。同时，公司积极发挥信托优势，在支持地方经济建设、活跃地方金融市场、促进民间资金向民间资本转化等方面发挥了积极而独特的作用，为大批实体企业提供了全面金融服务，目前公司的信托资产管理规模超过 3000 亿元，在业界享有良好声誉。

中铁信托于 2004 年通过 ISO9001 国际质量管理体系认证，并荣幸入选中国信托业协会第一届理事会，成为当时西部地区唯一的理事单位；2011 年 4 月，入选中国信托业协会第一届监事会；2012 年，当选四川省银行业协会第六届理事会理事单位。2012 年 10 月，公司正式取得博士后创新实践基地资格，是四川省内第一家获得该资格的金融机构，也是信托行业内第四家获取该资格的公司。2012 年 12 月，牵头与四川省慈善总会成立了“中铁信托爱心基金”，已成功募集善款 270 余万元，成功实施了一养老助学慈善公益项目。2010 年起，中铁信托连续五年荣获“中国优秀信托公司”称号；近年来，还先后获得“年度优秀信托品牌”、“年度最佳理财服务品牌”、“最佳研发团队”、“年度最佳信托公司”、“年度最佳理财服务品牌”、“优秀理财管理团队”、“中华全国铁路总工会全路模范职工之家”、“年度最佳公益慈善贡献奖”等荣誉。

信任源于专业，专业创造价值。中铁信托将始终铭记使命、珍惜托付，竭诚为广大投资者提供专业的理财服务；同时，坚持以合作共赢为基础，竭诚为广大企业、金融同业等提供综合金融服务。

地址：四川省成都市航空路 1 号国航世纪中心 B 座
邮编：610041
电话：028 － 86029144
财富热线：4008 － 085 － 085，028 － 87789999，
028 － 86277999
传真：028 － 86029198
网址：www. crtrust. com
邮箱：crtc@ crtrust. com

紫金信托有限责任公司

紫金信托有限责任公司（简称“紫金信托”或“公司”）前身为南京市信托投资公司，成立于 1992 年，是受中国银行业监督管理委员会监管的非银行金融机构，注册资本 24.53 亿元人民币，净资产超过 30 亿元。公司控股股东为国资全资设立的南京紫金投资集团有限责任公司。2010 年 10 月，经中国银行业监督管理委员会批准，公司引入日本三井住友信托银行股份有限公司（Sumitomo Mitsui Trust Bank, Limited）以及三胞集团等多家国内外知名企业作为战略投资者，形成了“国有资本把方向、境外资本扩视野、民营资本增活力”的多元股权结构。

多年来，公司充分发挥“受人之托、代人理财”的功能，秉承“行远者，必有信”的经营理念，积极探索转型时代下的信托公司发展之道，着力打造“责任、专业、开放、分享”的企业经营文化，坚持做“定制式服务的财富管理人”。

公司致力于成为“中小金融机构产品供应商、中产家庭理财好伙伴”，成为行业领先的固定收益产品供应商，立足信托主业，探索金融创新，按照信托法开展了基础产业信托、不动产投资信托、证券投资信托、城市发展基金、资产证券化、消费金融信托、资本市场投资信托、中小企业贷款资金信托、海外资产配置等多种业务，形成了“紫金 · 睿金”、“紫金 · 远航”、“紫金 · 智慧”、“紫金 · 成长”、“紫金 · 安居”、“紫金 · 私享”、“紫金 · 杏花”等多个产品系列，为企业提供全方位的综合金融解决方案，为投资者提供立体化的资产管理、财富管理方案，满足城市中产家庭日益增长的资产稳健增值、家族治理等财富管理需求。

公司遵循“风控至上、合规于心”的风险文化理念，以“预防、权变、平衡、奇正”的风险管理指导思想，建立了审慎稳健的风险管理体系。多年来，公司在严控风险、行稳致远、合规经营的道路上砥砺前行，获得“最佳风险控制信托公司”、“优秀风控信托公司”等诸多荣誉。

2016 年，在中国信托业协会发布的信托行业评级初评中获得最高评级 A 级，并先后荣获“年度最佳稳健增长信托公司”、“金融创新奖”、“最佳收益表现信托公司”、“年度影响力品牌”等荣誉。

【企业文化】

责任 · 专业 · 开放 · 分享

“责任”是紫金信托文化理念的根基。公司不仅“受人之托、代人理财”，更注重“承人之信、忠人之事”。坚持为客户提供最佳增值，为股东创造最大的价值，为员工搭建实现自我价值的平台，为社会做出最大的贡献，我们一直在努力。

地址：南京市中山北路 2 号紫峰大厦 30、31 层
邮编：210008
总机：025 － 66775858
传真：025 － 66770666
财富热线：400 － 895 － 8888

第三编

中国证券市场

财通证券资管

CAITONG SECURITIES ASSET MANAGEMENT

第一章 中国证券市场概况

第一节 中国证券市场

2016 年中国证券市场概况统计表

	2016 年	2015 年	比 2015 年
期末境内上市公司数(A、B 股)(家)	3052	2827	7.96%
期末境内上市外资股(B 股)(家)	100	101	-0.99%
期末境外上市公司数(H 股)(家)	241	229	5.24%
期末股票总发行股本(A、B、H 股亿股)	55820.50	49997.26	11.65%
其中:流通股本(亿股)	48206.26	44026.44	9.49%
期末股票市价总值(A、B 股亿元)	508245.11	531304.20	-4.34%
其中:股票流通市值(亿元)	393266.27	417925.40	-5.90%
股票成交金额(亿元)	98288.01	182388.19	–
日均股票成交金额(亿元)	4467.64	7929.92	–
期末上证综合指数(收盘)	3103.64	3539.18	-12.31%
期末深证综合指数(收盘)	1969.11	2308.91	-14.72%
期末平均市盈率(静态)			
上海	18.03	18.94	-4.80%
深圳	52.20	62.36	-16.30%
期末证券投资基金只数(只)	–	2723.00	–
交易所上市证券投资基金成交金额(亿元)	903.69	2315.49	–

2016 年中国证券市场筹资统计表

时间	境内外筹资合计(亿元)	境内筹资合计(亿元)	首次发行金额			再筹资金额						债券市场筹资金额			
			A 股(亿元)	B 股(亿元)	H 股(亿元)	A 股(亿元)				B 股(亿元)	H 股(亿元)	可转债(亿元)	可分离债(亿元)	公司债(亿元)	可交换公司债
						公开增发	定向增发	配股	权证行权						
2016.01	4536.17	4534.65	40.07	0.00	1.52	0.00	1927.46	122.58	0.00	0.00	72.13	129.06	0.00	2243.34	0.00
2016.02	1734.41	1676.74	38.41	0.00	0.00	0.00	1022.14	68.68	0.00	0.00	57.67	35.00	0.00	680.60	4.40
2016.03	4575.05	4419.81	58.94	0.00	0.00	0.00	1130.04	0.00	0.00	0.00	0.00	11.80	0.00	3722.28	3.00
2016.04	2997.65	2824.83	75.95	0.00	172.57	0.00	1839.75	40.18	0.00	0.00	0.25	8.45	0.00	1705.04	0.00
2016.05	3183.73	3183.73	47.57	0.00	0.00	0.00	1376.71	17.72	0.00	0.00	0.00	0.00	0.00	2013.20	0.00
2016.06	3866.92	3866.92	138.67	0.00	0.00	0.00	1336.30	31.59	0.00	0.00	0.00	11.11	0.00	2603.60	9.03
2016.07	5017.57	4897.00	209.96	0.00	119.74	0.00	1540.37	17.76	0.00	0.00	0.83	0.00	0.00	3128.91	0.00
2016.08	4408.53	4334.84	146.05	0.00	73.69	0.00	1231.60	0.00	0.00	0.00	0.00	0.00	0.00	2880.67	76.52
2016.09	5923.46	5427.65	255.95	0.00	495.78	0.00	1760.32	0.00	0.00	0.00	0.03	0.00	0.00	3362.08	49.30
2016.10	5031.72	4724.73	189.81	0.00	92.08	0.00	1586.40	0.00	0.00	0.00	214.90	0.00	0.00	2886.03	62.50
2016.11	3688.88	3599.06	199.15	0.00	28.99	0.00	897.35	0.00	0.00	0.00	60.83	0.00	0.00	2446.08	56.48
2016.12	2963.30	2746.55	233.04	0.00	94.43	0.00	1329.85	0.00	0.00	0.00	122.32	0.00	0.00	1130.40	53.26

注:本表首发筹资金额以 IPO 完成申购为基础统计。

2016 年中国证券市场股票交易情况统计表

日期	交易天数	股票成交金额(亿元)	日均成交金额(亿元)	股票成交数量(亿股)	日均成交数量(亿股)	交易印花税(亿元)
2016.01	20	108234.22	5411.69	8266.33	413.32	108.23
2016.02	16	78185.38	4886.59	6207.81	387.99	78.19
2016.03	23	133981.16	5825.27	10404.02	452.35	133.98
2016.04	20	114353.47	5717.67	8145.06	407.25	114.35
2016.05	21	90706.10	4319.34	6533.19	311.10	90.71
2016.06	20	114724.86	5736.24	7780.53	389.03	114.72
2016.07	21	127256.94	6059.85	8979.43	427.59	127.26
2016.08	23	111766.98	4859.43	8396.96	365.09	111.77
2016.09	20	82633.00	4132.00	6212.00	311.00	82.63
2016.10	16	77246.00	4828.00	5908.00	369.00	77.25
2016.11	22	129886.53	5903.93	9738.98	442.68	129.89
2016.12	22	98288.01	4467.64	7628.85	346.77	98.29
2016 年累计	244	1267262.64	5193.70	94201.17	386.07	1267.26

2016 年度中证及上证 A 股指数概况

一、A 股市场概览

2016 年 A 股市场走势分化，年初受人民币贬值等多方因素作用暴跌，中小板指和创业板指最大跌幅达到 28.54% 和 30.73%。进入 3 月份后，随着两会召开，注册制、战兴板暂缓推出以及经济指标向好影响，A 股市场出现小幅反弹，随后继续低位横盘震荡。下半年度，随着沪深市场两融余额持续增长、深港通正式获批，A 股市场小幅回升。9 月 A 股市场再度震荡下行，而后随着千亿量级养老金入市，首批公募 FOF 问世在即，上证综指和沪深 300 指数平稳上涨。但由于年底险资受到的监管力度加强，市场再度下行。2016 年上证综指、沪深 300、中小板指和创业板指分别下降 12.31%、11.28%、22.89%、27.71%。

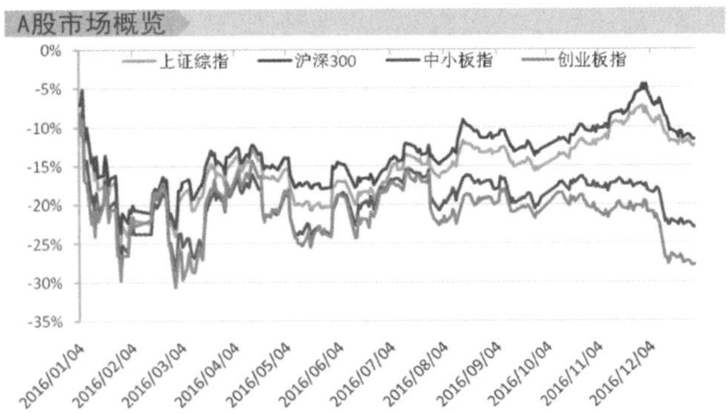

二、主要规模指数

2016 年中小规模指数全年跌幅大于大盘蓝筹，其中创业板指数跌幅达到 27.71%。

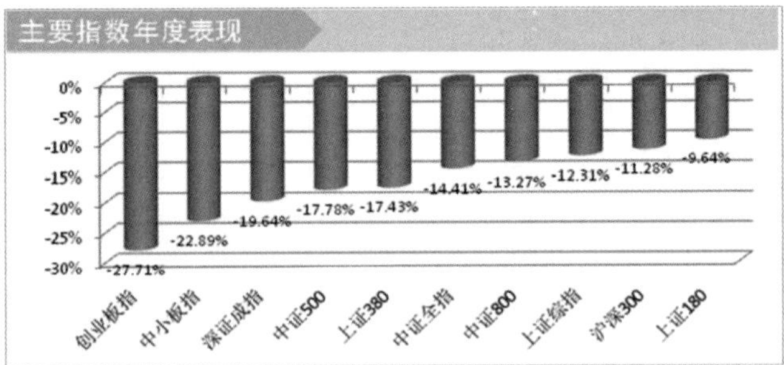

三、中证系列行业指数

2016 年行业指数全面下跌，信息技术、公用事业、可选消费、工业行业下跌最为明显。其中，中证全指信息技术指数跌幅达到 25.78%，排名末位。主要消费和能源行业下跌幅度最小，分别为 1.90%、2.95%。

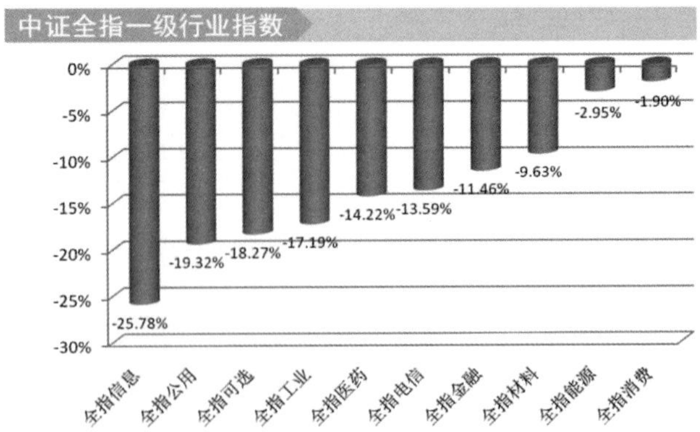

四、上证系列行业指数

上证系列行业指数中，信息技术行业指数以 26.94% 的跌幅居于最末，仅有主要消费行业一个行业指数小幅上涨，表现最佳。

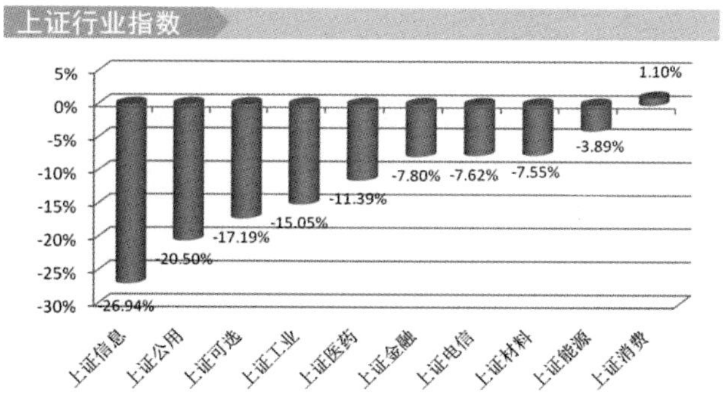

五、风格指数

2016 年 6 个系列价值风格指数均明显超越成长风格指数，其中上证 380 风格系列指数表现最差。

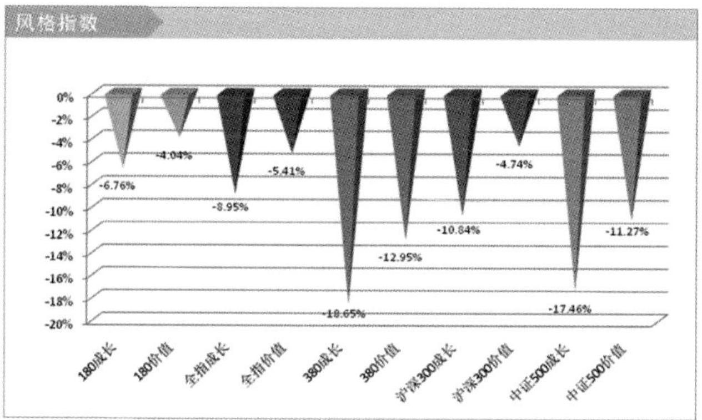

六、基本面指数

基本面指数中，基本面 50 指数以 0.98% 的上涨居于涨幅榜首，以小市值股票为主要样本的上证 F300 和中证基本面 400 指数下跌最多，其中上证 F300 指数年跌幅达到 15.17%。

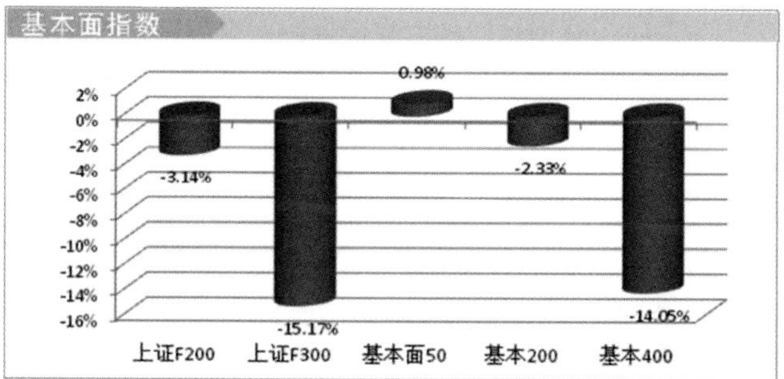

七、红利指数

2016 年，除上证红利潜力指数上涨 2.37% 以外，其余红利指数均下跌，跌幅最大的中证红利指数下跌 7.64%，但所有红利指数均跑赢市场基准水平。

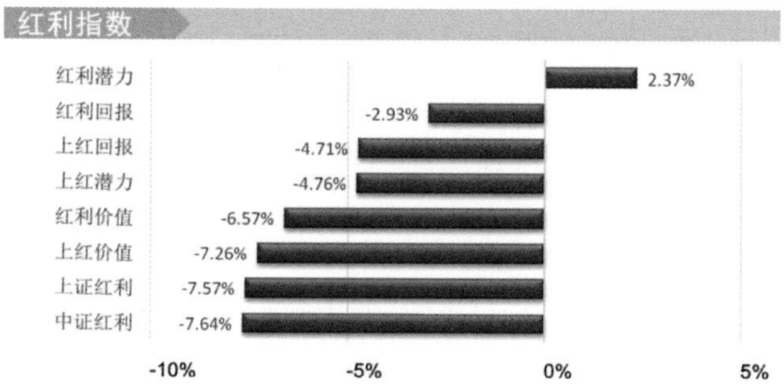

八、贝塔与波动率指数

由于 2016 年市场走势不佳，贝塔与波动率指数全面下跌，中证 500 高贝塔指数跌幅最为显著，沪深 300 波动率指数下跌最少。2016 年，沪深 300（低）波动率指数、中证 500（低）波动率指数均跑赢于母指数。

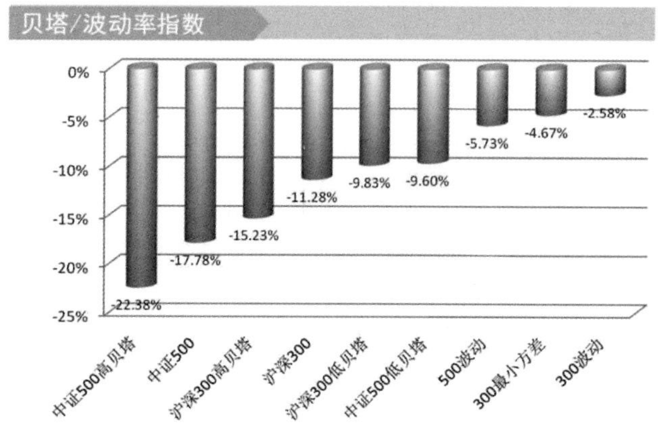

九、主题指数

2016 年白酒、黄金采掘、消费红利、细分食品行业表现最为优异，占据主题指数涨幅榜单的前四名。其中，中证白酒指数、中证黄金采掘指数涨幅达到 14.02% 和 10.22%。

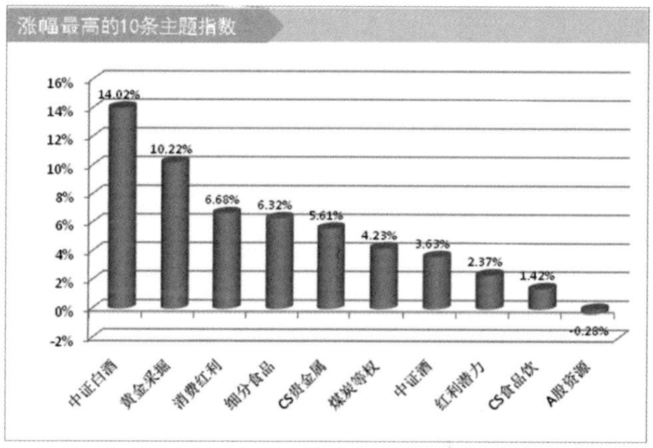

2016 年仍有多条主题指数走势落后于市场基准指数，主要集中在信息技术和文娱等行业。

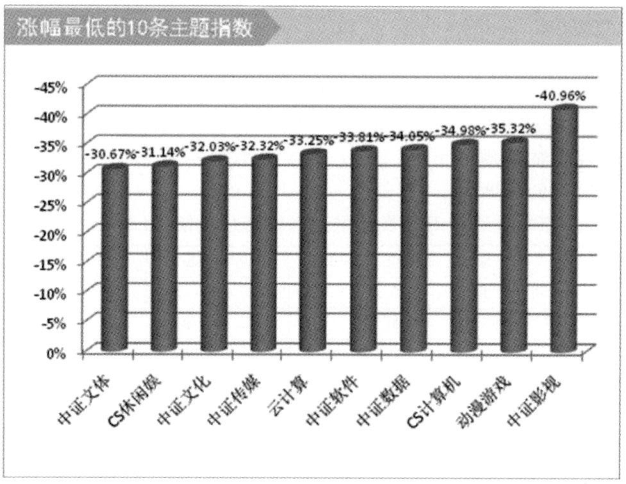

2016 年 A 股 IPO 市场总体概况

2016 年 A 股 IPO 市场整体呈现以下特点：一是新股发行数量和融资规模保持合理水平；二是制造业和金融业依旧是 IPO 的主力军，新兴行业 IPO 融资规模增幅较大；三是 IPO 企业来源地以苏浙粤三地最多;四是 IPO 发行通过率整体较高,IPO 审核被否集中于财务与会计、持续盈利能力、规范运行等方面问题。

从 A 股市场 IPO 发行与上市角度看,有以下特点:一是 IPO 在下半年发行节奏有所加快;二是取消新股申购预缴款制度后,网上申购倍数激增,新股收益率在年中达到最高;三是个人投资者大量进入网下申购,导致个人投资者占网下配售对象家数比例首次超过机构投资者;四是四季度网下申购所需市值不断提高,导致个人投资者网下配售获配比例有所下降。

一、发行数量与融资规模保持合理水平

2016 年 A 股 IPO 发行节奏呈现前低后高的态势,上半年整体保持缩量发行,下半年发行节奏有所加快。全年 IPO 家数 227 家,同比增加 3.65%;IPO 融资规模 1496.07 亿元,同比减少 5%。

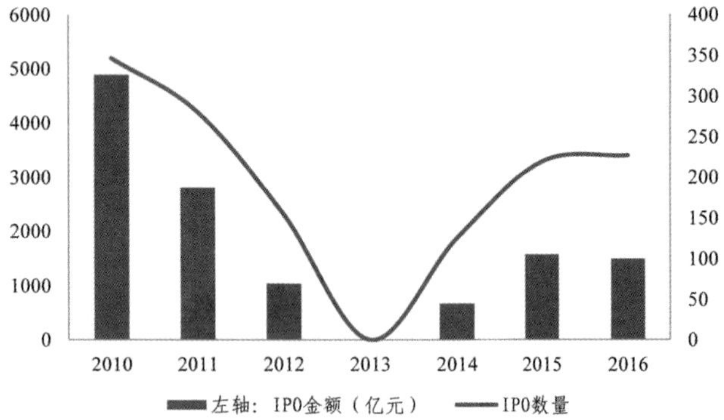

注:首发筹资金额以 IPO 上市首日为统计基础。

资料来源:Wind 资讯。

图 1　A 股历年 IPO 发行数量与融资规模情况(2010—2016)

从全年 IPO 家数看,自 2015 年以来在证监会关于沪深交易所均衡审核的指引下,沪市与深市的 IPO 发行数量大致均衡,2016 年主板 IPO 发行量为 103 家,中小板和创业板合计为 124 家。从过去五年 IPO 家数看,2016 年 IPO 发行数量位居第三,较 2010 年、2011 年分别减少 34.3%、18.9%。

从 IPO 募资总额看,除中小板融资规模均较去年有所增加外,主板、创业板总体融资规模较去年均有所减少。其中,主板、创业板的首发融资规模分别为 1017.23 亿元、257.64亿元,分别较去年减少 6.4%和 16.2%。从单只新股 IPO 募资规模看,自 2010 年以来,各上市板块单只新股平均 IPO 融资额呈现降低的趋势。可见,无论从 IPO 发行家数还是首发融资规模上看,2016 年 A 股 IPO 市场发行情况总体上处于合理区间。

各上市板块历年 IPO 发行数量与融资规模情况(2010—2016)

	上市板块	2010	2011	2012	2014	2015	2016
IPO 家数(个)	主板	25	38	25	43	89	103
	中小板	204	115	55	31	44	46
	创业板	117	127	74	51	86	78
IPO 融资总额(亿元)	主板	1894.06	1014.01	333.57	311.77	1086.90	1017.23
	中小板	2027.73	1018.95	349.25	197.66	181.86	221.21
	创业板	963.34	776.73	351.49	159.46	307.63	257.64
单只新股 IPO 平均融资	主板	75.76	26.68	13.34	7.25	12.21	9.88
	中小板	9.94	8.86	6.35	6.38	4.13	4.81
	创业板	8.23	6.12	4.75	3.13	3.58	3.30

资料来源:Wind 资讯。

二、制造业和金融业融资规模较大

从行业角度看,全年 IPO 融资额分布于 13 大行业。其中,148 家制造业企业合计融资 725.7 亿元,较去年增加 5.25%,平均每家企业融资额为 4.9 亿元;10 家金融业公司合计融资 368.89 亿元,较去年减少 17.4%,平均每家企业融资 36.89 亿元。代表新兴产业的信息传输、软件和信息技术服务业,文化、体育和娱乐业融资额为 129.72 亿元、73.72 亿元,分别较去年增加 33.2%、191.5%,体现出资本市场助力经济转型升级、支持实体经济成效显著。

2016 年 A 股 IPO 行业分布统计

行业	融资额(亿元)	比例	发行数量(家)	比例	平均融资额(亿元)
制造业	725.70	48.51%	148	65.20%	4.90
金融业	368.89	24.66%	10	4.41%	36.89
信息传输、软件和信息技术服务业	129.72	8.67%	27	11.89%	4.80
文化、体育和娱乐业	73.72	4.93%	5	2.20%	14.74
建筑业	67.03	4.48%	13	5.73%	5.16
批发和零售业	48.60	3.25%	9	3.96%	5.40
采矿业	19.47	1.30%	3	1.32%	6.49
科学研究和技术服务业	16.81	1.12%	5	2.20%	3.36
租赁和商务服务业	16.51	1.10%	2	0.88%	8.26
水、电、燃气生产和供应业	10.66	0.71%	1	0.44%	10.66
教育	8.20	0.55%	1	0.44%	8.20
农、林、牧、渔业	6.31	0.42%	1	0.44%	6.31
交通运输、仓储和邮政业	4.46	0.30%	2	0.88%	2.23

资料来源:Wind 资讯。

三、IPO 企业来源以粤苏浙三地居前

从 2016 年各地区 IPO 分布情况看,广东、江苏、浙江三省的 IPO 家数和首发融资额位居前列,上述三省 IPO 发行家数合计为 118 家,占比 51.9%;IPO 融资额合计为 667.44 亿元,占比 44.6%。从沪深交易所 IPO 来源地分布看,两所分别形成了数量均衡、地位稳固的优势区域。上交所前五大 IPO 来源地分别是江苏、浙江、上海、山东、北京;深交所前五大 IPO 来源地是广东、江苏、浙江、北京、四川。

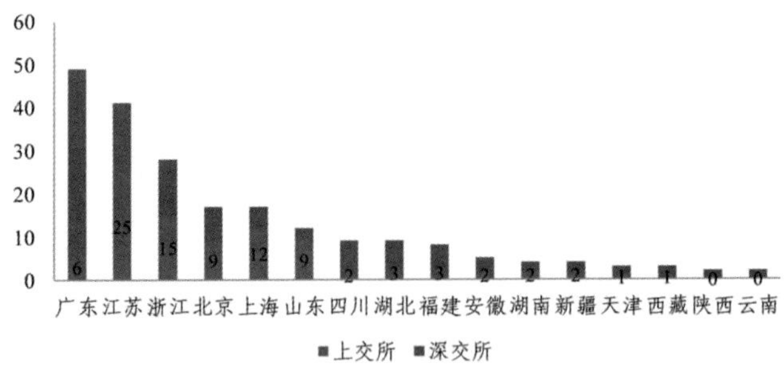

资料来源:Wind 资讯。

图 2　沪深交易所主要 IPO 来源地分布情况

四、IPO 审核通过率较高,财务会计问题是审核重点

2016 年证监会发审委全年共审核 275 家公司的首发上市申请,其中 247 家审核通过,18 家审核未通过,5 家取消审核,5 家暂缓表决,整体 IPO 通过率为 89.8%。从 IPO 审核未通过的原因构成看,主要集中在财务与会计、规范运行、信息披露等问题上,占 IPO 审核未通过的比重分别为 40%、33.3%、20%。

财务与会计方面,持续盈利能力依然是 IPO 审核关注的重点领域,占财务与会计方面审核未通过意见数的 41.7%。其中,发行人的经营模式及产品或服务、对关联方或重大客户的销售依赖、商标、专利、专有技术以及特许经营权等的取得/使用存在重大不利变化等三方面的被否案例较多,分别占财

务与会计方面审核未通过意见数的8.33%、16.66%、8.33%。此外，会计基础、会计政策、财务报表、审计报告的合规性等问题也是审核被否的主要原因。

2016 年财务与会计方面未通过的具体原因统计

	类别	占比
1	持续盈利能力	41.65%
	(1)经营模式、产品或服务重大变化的影响	8.33%
	(2)行业地位/行业经营环境重大变化的影响	0%
	(3)营业收入/净利润对关联方/客户重大依赖	16.66%
	(5)商标、专利、专有技术以及特许经营权等的取得/使用存在重大不利变化的风险	8.33%
	(6)其他可能对持续盈利能力的重大不利影响	8.33%
2	会计基础、会计政策、财务报表、审计报告的合规性	58.35%

资料来源：证监会官方网站、Wind 资讯。

2016 年 A 股市场新股发行与上市分析

一、新股发行节奏在四季度有所加快

从每季度新股发行家数看，前三季度新股发行节奏较为温和，第四季度新股发行提速明显。第四季度新股发行量为 101 家，而前三季度新股发行量分别为 24 家、37 家、65 家，第四季度新股发行量分别为前三季度的 4.2 倍、2.72 倍、1.55 倍。从每季度新股首发融资规模看，前三季度新股融资规模分别为 112.93 亿元、170.58 亿元、484.64 亿元，而第四季度新股融资规模较大，为 727.92 亿元，占全年新股融资规模的 48.65%。

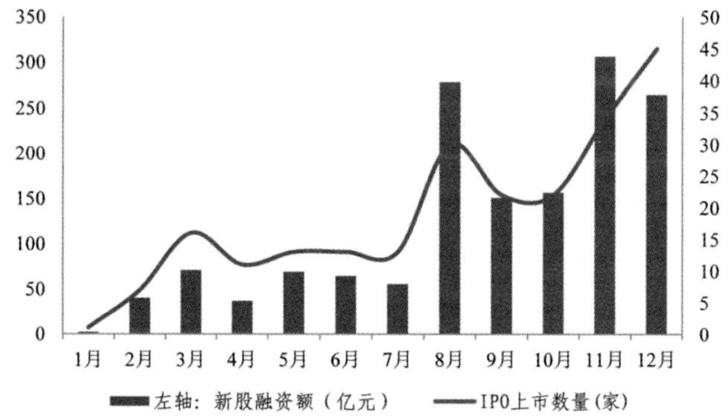

资料来源：Wind 资讯。

图 1　2016 年 A 股月度新股发行数量与融资规模

二、新股收益在年中较高，年初与年尾较低

从每月新股"一字板"个数分布看，年中达到峰值，年初与年尾则较低。2016 年新股一字板数在五月份之前分布较为平稳，月均每只新股一字板数为 11.8 个。一字板数最多的月份集中在 6 月和 7 月，月均每只新股一字板数分别为 18.38 个和 17.6 个。在经历了第四季度新股发行节奏加快后，新股一字板数趋于减少，月均每只新股一字板数为 12.5 个，较 6 月、7 月分别降低 32%、29%。

2016 年新股一字板个数分布统计

2016 年	1 月	2 月	3 月	4 月	5 月	6 月	7 月	8 月	9 月	10 月	11 月	12 月
一字板最高	14	12	20	15	22	22	23	20	19	20	29	21
一字板最低	14	8	6	9	5	14	9	3	5	3	2	4
一字板平均	14	9.71	10.69	11.18	13.62	18.38	17.62	14.50	11.91	13.77	13.56	10.33

资料来源：Wind 资讯。

从新股收益月度分布看，高收益月份集中在年中，第一季度和第四季度新股收益较低。2016 年 1 月至 5 月打新收益表现平稳，月均每只新股收益维持在 2.57 万元左右。6 月、7 月、10 月为全年新股收益最高的 3 个月，月均每只新股收益分别为 5.61 万元、4.15 万元、4.72 万元。随着四季度新股发行节奏加快，次新股炒作氛围有所降温，11 月至 12 月打新收益逐月降低，分别为 3.62 万元和 2.41 万元。

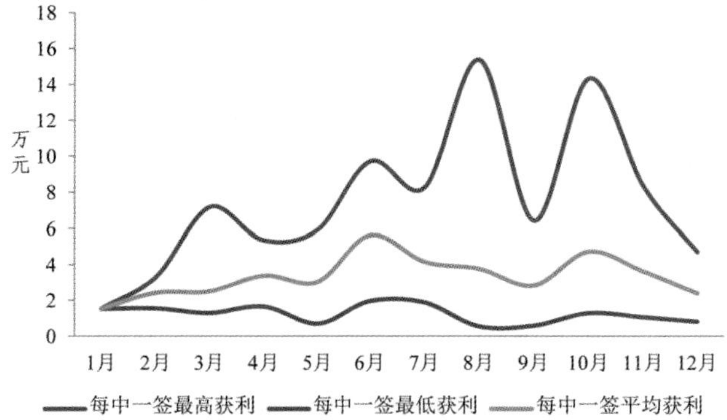

资料来源：Wind 资讯。

图 2　2016 年新股月均收益分布情况

三、个人投资者网下申购占比首次超越机构投资者

2016 年上半年个人投资者占网下配售对象家数的比例总体较为稳定，第一季度、第二季度平均每只新股网下申购的个人投资者占比分别为 6.4% 和 18.8%。下半年，大量个人投资者参与新股网下申购，个人投资者占网下配售对象家数的比例从 7 月的 36.55% 提高至 12 月的 52.74%，并于 7 月份首次超越公募基金及社保基金。

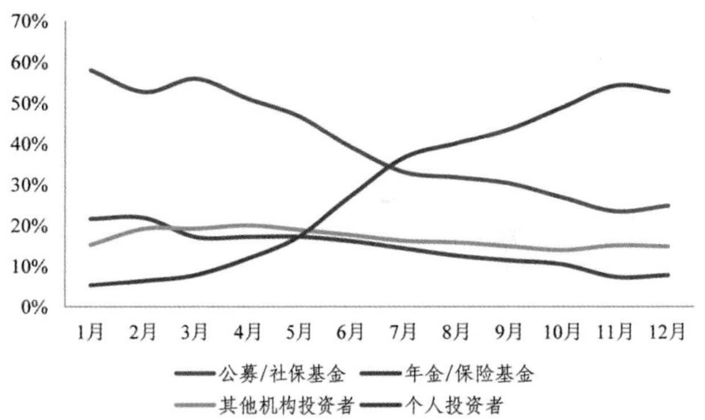

资料来源：Wind 资讯。

图 3　2016 年各类投资者占网下配售对象家数比例

四、网下投资者数量逐月增加，对市值要求变动敏感

总体来看，下半年网下投资者数量呈现逐月增加的趋势。

2016 年下半年月均每只新股网下投资者数量为 2103 家，网下打新月均所需最低市值要求为 2306 万元，分别是上半年的 4.75 倍和 2.16 倍。与此同时，每只新股网下申购所需最低市值门槛自 9 月份以来显著提高，9 月至 12 月，月均每只新股网下申购所需市值门槛分别为 2000 万元、2437.5 万元、3033.33 万元、3736.84 万元。其中，有 9 只新股将网下申购市值门槛提高至 5000 万元，有 50 只新股将网下申购市值门槛升至 3000 万元。

随着新股网下申购所需市值门槛不断提高，对各类投资者的"挤出效应"也呈现分化。其中，个人投资者网下配售占比在 9 月达到全年最高值 32.9% 后，第四季度开始逐月下

滑。而公募及社保基金所受网下申购所需市值门槛提高的影响较小，四季度网下配售比例在触底后有所回升。

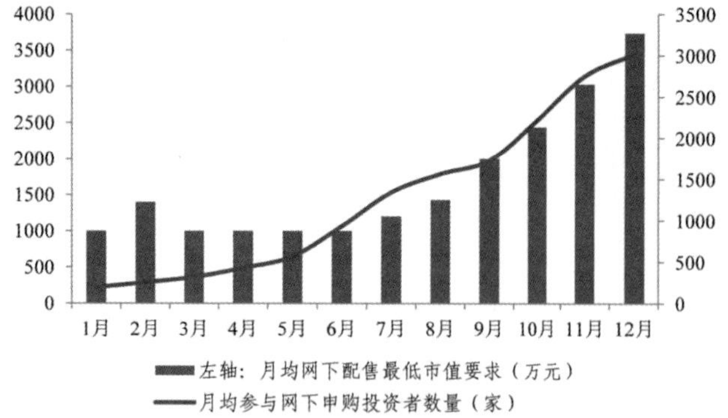

资料来源：Wind 资讯。

图 4　2016 年各类投资者占网下配售对象家数比例

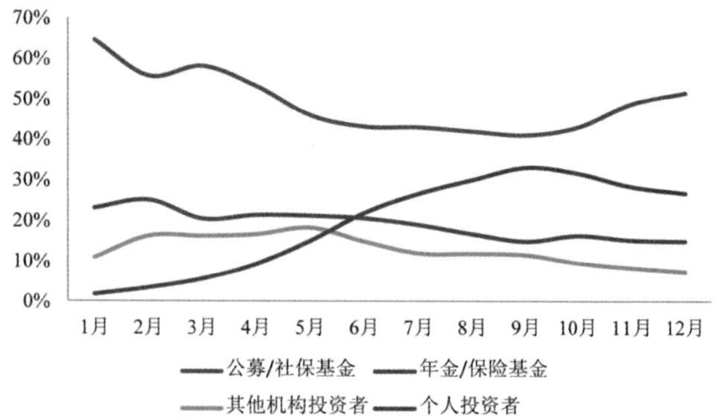

资料来源：Wind 资讯。

图 5　2016 年各类投资者所参与网下配售的获配比例

2016 年上市证券公司业绩综述

一、证券行业业绩：营收和净利润同比接近减半

整体来看受到资本市场的影响，2016 年证券行业的营业收入及净利润分别同比下降 43.00% 和 49.60%，行业总资产出现缩水，但是净资产和净资本分别同比增长 13.10% 和 17.60%，同时 2016 年券商资管业务发展良好，行业资管业务受托资金规模也增长到 17.82 万亿元，同比增长 50.00%。

表 1　2016 年证券行业整体数据

行业财务指标	2016	2015	同比变化
营业收入	3279.94 亿	5751.55 亿	-43.00%
净利润	1234.45 亿	2447.63 亿	-49.60%
总资产	5.79 万亿	6.42 万亿	-9.80%
净资产	1.64 万亿	1.45 万亿	13.10%
净资本	1.47 万亿	1.25 万亿	17.60%
客户交易结算资金余额	1.44 万亿	2.06 万亿	-30.10%
托管证券市值	33.77 万亿	33.63 万亿	0.40%
资管业务受托资金	17.82 万亿	11.88 万亿	50.00%

资料来源：证券业协会网站、平安证券研究所。

二、上市券商业绩：与行业基本相符，利润大幅下降

2016 年上市的 27 家券商总营业收入 2550.61 亿元，同比减少 39.34%；归母净利润总计 855.68 亿元，同比下降 49.73%，两者均较 2015 年出现明显下降，与行业整体情况相当，但均高于 2014 年。

2016 年上市券商 ROE 为 7.58%，也较 2015 年的17.22%出现明显下降。

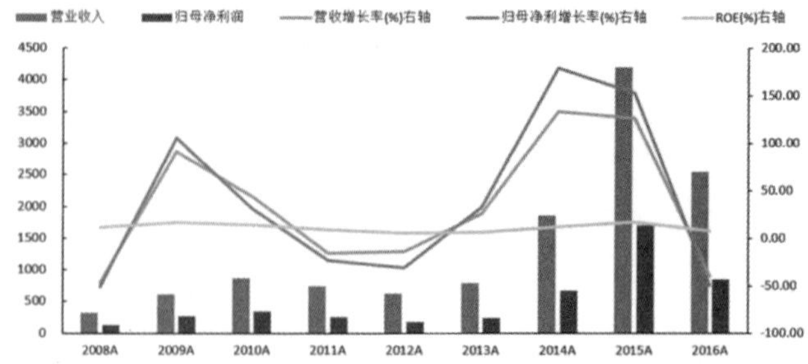

数据来源：上市券商年报、平安证券研究所。

图 1　上市券商 2008—2016 年主要业绩指标（亿元）

从归母净利润来看，中信证券、国泰君安和海通证券排名靠前；仍同比情况来看，东兴证券（-33.81%）、方正证券（-36.78%）和长江证券（36.84%）降幅明显低于行业速度。从盈利能力来看，申万宏源、长江证券和广发证券的 ROE 居前，总体来说，大券商规模居前，也有中小券商以单项业务为突破口，实现利润高速增长。

表 2　各上市券商 2015 年和 2016 年主要业绩指标（亿元）

	营业收入			归母净利润			ROE（%）		
	2015A	2016A	同比增长（%）	2015A	2016A	同比增长（%）	2015A	2016A	同比增长（%）
中信证券	560.13	380.02	-32.16%	198.00	103.65	-47.65%	16.62	7.36	-55.75%
海通证券	380.86	280.12	-26.45%	158.39	80.43	-49.22%	17.99	7.39	-58.96%
国泰君安	375.97	257.65	-31.47%	157.00	98.41	-37.32%	22.86	10.08	-55.91%
广发证券	334.47	207.12	-38.07%	132.01	80.30	-39.17%	22.54	10.29	-54.34%
华泰证券	262.62	169.17	-35.58%	106.97	62.71	-41.38%	17.52	7.59	-56.66%
申万宏源	304.63	147.20	-51.68%	121.54	54.09	-55.50%	33.87	10.55	-68.86%
国信证券	291.39	127.49	-56.25%	139.49	45.56	-67.34%	33.75	9.27	-72.53%
招商证券	252.92	116.95	-53.76%	109.09	54.03	-50.47%	24.27	9.99	-58.84%
光大证券	165.71	91.65	-44.70%	76.47	30.13	-60.60%	23.07	6.87	-70.21%
方正证券	109.15	77.60	-28.91%	40.64	25.69	-36.78%	12.45	7.30	-41.36%
安信证券	132.41	76.81	-41.99%	45.78	25.54	-44.21%	33.42	9.49	-71.60%
兴业证券	115.41	75.89	-34.24%	41.67	20.46	-50.89%	25.10	8.15	-67.53%
东方证券	154.35	68.77	-55.44%	73.25	23.14	-68.41%	27.48	6.13	-77.68%
长江证券	85.00	58.57	-31.09%	34.93	22.07	-36.84%	22.72	10.43	-54.11%
国金证券	67.48	46.71	-30.78%	23.60	12.99	-44.96%	17.91	7.65	-57.32%
东吴证券	68.30	46.45	-31.99%	27.08	14.98	-44.68%	17.69	8.15	-53.93%
东北证券	67.46	44.82	-33.56%	26.30	13.15	-50.00%	26.21	9.75	-62.81%
国海证券	49.59	38.38	-22.62%	17.93	10.16	-43.36%	17.92	7.52	-58.05%
西南证券	84.97	36.32	-57.26%	35.55	9.18	-74.19%	19.88	4.83	-75.71%
东兴证券	53.57	35.73	-33.30%	20.44	13.53	-33.81%	19.45	8.48	-56.39%
西部证券	56.41	34.06	-39.61%	19.73	11.25	-42.99%	22.55	9.16	-59.37%
国元证券	57.73	33.76	-41.53%	27.84	14.05	-49.52%	14.89	6.91	-53.60%
山西证券	38.39	23.46	-38.89%	14.39	4.68	-67.50%	14.44	3.76	-73.95%
第一创业	30.10	20.28	-32.64%	10.21	5.62	-44.99%	18.10	7.61	-57.95%
中原证券	40.04	20.27	-49.38%	14.06	7.19	-48.87%	20.15	7.67	-61.95%
太平洋	27.43	18.04	-34.24%	11.33	6.68	-41.07%	6.64	3.09	-53.47%
华安证券	38.16	17.34	-54.55%	18.65	6.02	-67.72%	31.94	6.49	-79.68%

数据来源：上市券商年报、平安证券研究所。

三、上市券商业务结构：经纪自营业务占比降低，投行业务快速增长

2016 年上市券商业务结构来看，传统的收入主要来源于经纪业务和自营业务，通常会占到总收入比重的 70% 左右。但是由于受到股票市场行情的影响，2016 年经纪业务和自营

业务净收入占比为53.83%，较2015年下降了20个百分点，占比也创了近年来新低，其中经纪业务净收入占比为29.98%，较上一年下降13.79个百分点，自营业务占比为23.85%，较上一年同期下降6.21个百分点。投行业务超越利息收入成为第三大业务收入来源，占比由2015年的8.06%上升到16.10%；同时资管业务也取得明显突破，由2015年的5.92%上升为9.27%，虽然受到政策影响规模一度有所收紧，但许多上市券商，尤其是许多中小规模的券商加强了大资管业务的发展。

从绝对收入情况来看，经纪业务净收入由2015年的1807.58亿元大幅缩减了超过1000亿元，2016年经纪业务同比下降57.43%，为769.50亿元；自营业务净收入也同比腰斩。而投行业务净收入由2015年的344.59亿元增加到2016年的413.28亿元，同比增长19.93%；资管业务净收入基本保持稳定。

表3　上市券商2015—2016年各业务收入变化情况(亿元)

	2015	2016	变动值	同比增长(%)
经纪业务	1807.58	769.50	-1038.08	-57.43%
自营业务	1215.72	612.11	-603.61	-49.65%
投行业务	344.59	413.28	68.68	19.93%
资管业务	241.29	238.05	-3.23	-1.34%
利息收入	416.86	283.19	-133.67	-32.07%
其他业务	175.97	250.88	74.91	42.57%

数据来源：上市券商年报、平安证券研究所。

具体到各家券商来看，在仍然以大经纪业务(交易、利息收入)和投资业务构成了收入主要来源的一致性下，各券商也存在一定的差异性。华安证券的经纪业务占比最高，高达58.00%，而第一创业经纪业务仅占比16.31%；西南证券的投行业务占比为37.66%，而华安证券的投行业务占比仅为2.86%；东兴证券的自营收入占比为47.69%，而安信证券占比为1.94%；资管业务方面，第一创业占比为25.52%，国信证券仅为1.94%；华安证券的利息收入占比为26.97%，而东兴证券、东方证券和东北证券三家利息收入为负数，主要因为两融收入下降，同时公司债券等负债利息支出增加。

2016年所有上市券商的经纪业务收入同比均出现了明显的下降，其中中原证券、山西证券和西部证券均下降超过65%，而安信证券仅下降了36.43%；22家券商投行业务净收入出现增长，其中以太平洋证券(+90.16%)、东方证券(+66.33%)和方正证券(+59.89%)居前，而华安证券、安信证券、第一创业、招商证券和西南证券出现负增长；自营业务仅方正证券(+22.45%)为正增长，主要因为子公司处置可供出售金融资产和自营收益相对较好，而华安证券(-84.95%)和安信证券(-81.39)降幅较大；资管业务也出现了较大分化，华泰证券(+652.72%)、太平洋证券(+294.84%)、山西证券(+159.04%)、国海证券(+158.67%)均出现了同比翻倍的业绩，而西南证券(-83.44%)、海通证券(-56.34%)降幅明显；利息收入方面也有太平洋证券(+38.80%)、第一创业(35.20%)、长江证券(12.37%)和安信证券(+4.55%)等四家券商在市场两融缩减的背景下逆市增长。

表4　各上市券商2016年各业务收入同比情况(%)

	经纪业务	投行业务	自营业务	资管业务	利息收入	其他业务
中信证券	-48.30%	20.36%	-57.26%	4.47%	-15.87%	40.32%
海通证券	-57.78%	44.89%	-45.33%	-56.34%	-19.26%	55.33%
国泰君安	-59.99%	14.25%	-16.18%	6.85%	-16.18%	3299.73%
广发证券	-60.78%	55.30%	-34.67%	15.71%	-75.16%	-51.52%
申万宏源	-62.38%	26.07%	-62.15%	-23.30%	-34.23%	-49.18%
国信证券	-64.54%	24.28%	-73.41%	-44.53%	-46.06%	15.94%
华泰证券	-57.06%	35.20%	-38.28%	652.72%	-14.63%	-35.13%
招商证券	-62.06%	-16.05%	-67.52%	0.04%	-65.84%	162.12%
光大证券	-58.45%	21.01%	-74.49%	-4.68%	-28.11%	57.70%
东方证券	-52.72%	66.33%	-67.15%	-36.05%	–	209.14%
兴业证券	-56.62%	25.27%	-49.59%	-28.41%	-21.66%	-6.43%
方正证券	-46.92%	59.89%	22.45%	71.76%	-89.87%	-21.45%
长江证券	-55.27%	31.93%	-43.46%	90.90%	12.37%	62.42%
西南证券	-59.42%	-6.90%	-72.05%	-83.44%	-83.93%	11.01%
东吴证券	-50.87%	18.40%	-54.10%	6.74%	-32.90%	229.92%
国金证券	-51.73%	14.24%	-61.22%	-28.41%	-21.33%	82.06%
东北证券	-60.92%	24.25%	-29.77%	86.02%	–	35.88%
国元证券	-62.86%	42.18%	-40.92%	-23.30%	-25.69%	424.75%
西部证券	-65.49%	21.31%	-24.01%	97.13%	-46.72%	5.65%
东兴证券	-56.47%	18.55%	-15.27%	-36.35%	–	77.98%
国海证券	-62.86%	53.64%	-13.86%	158.67%	-30.86%	18.93%
中原证券	-66.39%	45.40%	-36.31%	19.02%	-43.32%	-47.53%
山西证券	-65.94%	5.21%	-59.91%	159.04%	-24.04%	100.73%
第一创业	-56.36%	-23.53%	-74.08%	81.22%	35.20%	16.94%
太平洋	-64.23%	90.16%	-56.30%	294.84%	38.80%	677.95%
安信证券	-36.43%	-25.20%	-81.39%	-44.75%	4.55%	105.09%
华安证券	-59.46%	-37.87%	-84.95%	-5.46%	-2.39%	-18.82%

数据来源：上市券商年报、平安证券研究所

2016年12月及全年证券公司开展柜台市场业务情况

一、柜台试点公司账户开立情况

12月，投资者在柜台市场共新开立账户44.85万个。在集中度方面，12月开户数最多的试点公司新开账户14.24万个，占本月新开账户总数31.75%；开户数排名前三的试点公司新开账户32.80万个，占本月新开账户总数的73.13%。在账户类型方面，投资者所新开立账户基本为个人账户，占比超过99%。

截至12月底，共23家试点公司报告开立客户专用资金存管账户24个，月末账户余额为1.35亿元。

表1　柜台市场投资者账户开立情况

单位：万个

账户类型	月初账户数量	本月新增	本月销户	月末账户数量	本年累计净增
机构投资者账户	1.12	0.06	0.00	1.18	0.46
个人投资者账户	1,226.90	44.78	2.51	1,269.17	656.32
合计	1,228.02	44.85	2.51	1,270.35	656.78

表2　客户专用资金存款账户开立情况

单位：亿元

	月初金额	当月增加金额	当月减少	月末金额	证券公司数量金额
客户专用资金存管账户	1.75	500.66	501.04	1.35	23

表 3　柜台市场全年投资者账户开立数排名

单位：万个

排名	本年新增账户开立情况		本年末账户总数情况	
	证券公司	本年新增账户数	证券公司	本年末总账户数
第一名	国泰君安	198.44	海通证券	454.60
第二名	海通证券	190.44	方正证券	363.63
第三名	方正证券	167.10	国泰君安	213.36
第四名	中泰证券	60.50	中泰证券	131.59
第五名	华龙证券	19.33	广发证券	22.14
第六名	申万宏源	11.23	华泰证券	18.98
第七名	华泰证券	6.03	中国银河	11.01
第八名	东方证券	6.02	东方证券	9.47
第九名	国信证券	4.33	中信证券	8.95
第十名	广发证券	4.29	国信证券	8.29

二、柜台市场转让情况

12 月，柜台市场新增可转让份额涉及产品 1 222 只，包括 799 只收益凭证、422 只资管计划和 1 只私募基金。截至 12 月末，可转让产品 1 085 只，其中收益凭证占比达到48.94%。

12 月，9 家证券公司报送了 518 只产品的转让交易，转让金额 31.77 亿元；截至 12 月底，本年累计 2，880 只产品发生转让，转让金额累积达到 337.72 亿元（表 3）。在产品类型方面，本月转让产品以资管计划与收益凭证为主。

全年证券公司柜台市场共有 613 只产品进行了 2，880 只/次转让交易，行业转让交易规模排名前三的证券公司：广发证券、中泰证券与中信证券，合计占到总规模的 97.53%。其中，转让交易规模最大的广发证券占到全行业转让规模的 69.20%。

表 4　柜台市场转让情况表

单位：只/亿元

产品类型	月末可转让情况	本月转让情况		本年累计转让	
	产品数量	产品数量	转让金额	产品数量	转让金额
资产证券化产品	1	0	0.00	0	0.00
信托计划	0	0	0.00	1	0.01
资管计划	485	491	31.63	2,554	324.48
收益凭证	531	25	0.03	288	11.07
基金专户	0	0	0.00	10	0.35
私募基金	68	2	0.11	27	1.81
合计	1,085	518	31.77	2,880	337.72

全年证券公司柜台市场共有 613 只产品进行了 2，880 只/次转让交易，行业转让交易规模排名前三的证券公司：广发证券、中泰证券与中信证券，合计占到总规模的 97.53%。其中，转让交易规模最大的广发证券占到全行业转让规模的 69.20%。

表 5　柜台市场全年转让交易量排名

单位：次/只/亿元

证券公司	排名	全年累计发生转让次数	全年累计发生转让产品数	全年累计成交转让金额
广发证券	第一名	867	147	233.73
中泰证券	第二名	480	120	50.93
中信证券	第三名	327	91	44.71
国泰君安	第四名	366	108	8.46
海通证券	第五名	46	41	6.45
长江证券	第六名	1	1	1.04
兴业证券	第七名	4	3	0.93
山西证券	第八名	52	43	0.74
华泰证券	第九名	9	7	0.32
国信证券	第十名	733	4	0.28

2016 年度证券公司绿色债券及双创债承销排名

截至 2016 年末，13 家证券公司作为绿色债券主承销商或绿色资产证券化产品管理人（沪深交易所市场）共承销发行 11 只产品，合计金额 210.20 亿元，其中发行资产证券化产品 2 只 27.80 亿元。1 家公司承销发行 3 只创新创业公司债，合计金额 0.75 亿元。具体情况如下：

表 1　绿色债券（含资产证券化产品）发行主承销（或管理人）家数

序号	公司名称	家数
1	中信建投	2.00
2	银河证券	1.00
2	浙商证券	1.00
2	中山证券	1.00
2	瑞信方正	1.00
2	华泰证券	1.00
2	华泰资管	1.00
8	安信证券	0.50
8	平安证券	0.50
8	西部证券	0.50
8	中金公司	0.50
8	中信证券	0.50
8	中银国际	0.50

表 2　绿色债券（含资产证券化产品）已发行金额

序号	公司名称	发行金额（亿元）
1	中信建投	58.50
2	中信证券	30.00
3	中金公司	30.00
4	中山证券	19.80
5	中银国际	14.00
5	平安证券	14.00
7	银河证券	11.40
8	瑞信方正	10.00
8	华泰证券	10.00
10	华泰资管	8.00
11	浙商证券	3.00
12	西部证券	1.50

表 3　创新创业公司债发行主承销家数

序号	公司名称	家数
1	东吴证券	3.00

表 4　创新创业公司债已发行金额

序号	公司名称	发行金额(亿元)
1	东吴证券	0.75

2016 年证券公司收益凭证发行兑付情况

2016 年 12 月，证券公司新发收益凭证 1,669 只，发行规模 1,082.33 亿元。在发行场所方面，本月通过报价系统发行收益凭证 514 只，发行规模为 454.45 亿元，占本月发行总规模的 41.99%。在兑付方面，本月兑付本金 669.95 亿元，是本月发行规模的 61.90%，无到期违约情况发生。

表 1　收益凭证发行兑付情况

单位：只/亿元

发行场所	月初存量规模		本月新增发行规模		本月兑付规模		本年累计发行规模		月末存量规模	
	只数	本金	只数	本金	只数	本金	只数	本金	只数	本金
报价系统	1,151	1,825.27	514	454.45	454	323.29	2,904	2,223.42	1,211	1,956.43
柜台市场	1,843	1,618.83	1,155	627.88	913	346.66	7,693	2,318.92	2,085	1,900.05
合计	2,994	3,444.10	1,669	1,082.33	1,367	669.95	10,597	4,542.34	3,296	3,856.48

截至 2016 年 12 月底，未兑付的收益凭证发行期限以 12 个月以上为主，收益结构以固定收益型为主；12 月内，新发行收益凭证发行期限分布较为平均，发行期限在 12 个月以内的收益凭证占比达到 90.22%，收益结构仍以固定收益型为主，非固定收益型占比达到 9.17%。

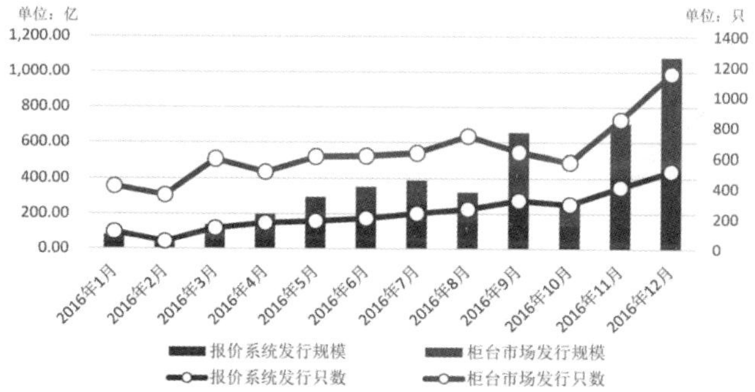

图 1　收益凭证发行场所情况

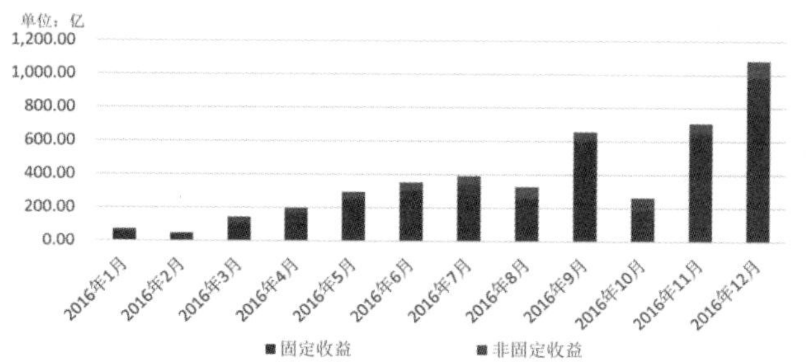

图 2　收益凭证收益结构情况

表 2　全年收益凭证发行情况排名

按募集金额排名	2016 年全年券商柜台发行规模统			2016 年全年报价系统发行规模统计		
	证券公司	只数	金额	证券公司	只数	金额
第一名	海通证券	3,635	620.44	东北证券	29	105.06
第二名	中信证券	260	356.40	中信证券	212	96.93
第三名	申万宏源	85	168.90	东方证券	217	90.14
第四名	招商证券	19	162.10	申万宏源	9	89.10
第五名	国泰君安	679	129.36	长江证券	273	86.40
第六名	中金公司	86	115.76	山西证券	23	79.88
第七名	广发证券	1,094	108.67	华融证券	16	73.58
第八名	长江证券	41	106.25	光大证券	142	70.78
第九名	华泰证券	62	103.89	方正证券	42	65.77
第十名	兴业证券	29	102.51	华龙证券	196	61.61

2016 年度中国证券投资者保护基金统计概要

一、投保基金筹集和使用

2016 年，投保基金累计筹集金额为 172.921 亿元，其中，交易经手费 36.387 亿元，占 21.04%；证券公司上缴基金 35.870亿元，占 20.74%；申购冻结资金利息 2.959 亿元，占 1.71%；利息收入(包括基金存款及贷款利息)3.167 亿元，占 1.83%；基金投资收益 7.463 亿元，占 4.32%；有关责任方追偿收入和破产财产清偿收入 4.412 亿元，占 2.55%；收到退回已拨付风险处置基金 0.005 亿元，占 0.01%；其他收入 82.658 亿元，占 47.8%。

2016 年，投保基金公司累计使用投保基金净额 -52.643 亿元，其中，风险处置支出 0.005 亿元；风险监测支出 0.262 亿元；基金委托管理费 0.730 亿元；基金投资成本支出 -85 亿元，其他支出 31.360 亿元。

二、证券公司分类与上缴基金

2016 年，证券公司累计按证监会批准的缴纳比例上缴投保基金 35.870 亿元，其中，AA 类证券公司上缴 10.447 亿元，A 类证券公司上缴 9.448 亿元，BBB 类证券公司上缴 11.700 亿元，BB 类证券公司上缴 1.568 亿元，B 类证券公司上缴 0.913亿元，CCC 类证券公司上缴 0.574 亿元，CC 类证券公司上缴 0.158 亿元，C 类证券公司上缴 1.062 亿元。

三、发放投保基金情况

截至 2016 年 12 月底，投保基金公司累计向 24 家被处置证券公司发放投保基金 225.205 亿元，其中，用于弥补客户证券交易结算资金 162.650 亿元，占发放总额的 72.22%；用于收购个人债权 62.555 亿元，占发放总额的 27.78%。

四、证券公司风险处置基本情况

账户清理工作：截至 2016 年 12 月底，共有 24 家被处置证券公司完成了账户清理工作，占全部被处置证券公司(24 家，下同)的 100%。

第三方存管工作：截至 2016 年 12 月底，共有 24 家被处置证券公司完成了第三方存管工作，占全部被处置证券公司的 100%。在全部被处置证券公司的 624 家营业部中，共 624 家营业部完成上线，占全部营业部数量的 100%。

证券类资产处置工作：截至 2016 年 12 月底，24 家被处置证券公司的证券类资产转让工作已全部完成。

司法破产工作：截至 2016 年 12 月底，共有 24 家(占比 100%)被处置证券公司的司法破产已被法院受理。

五、已拨付投保基金涉及账户及个人债权人人数情况

截至 2016 年 12 月底，投保基金公司共发放投保基金 162.650 亿元用于弥补客户证券交易结算资金缺口(含休眠账户、单资金账户缺口)，涉及 967.571 万户正常经纪类账户；发放投保基金 62.555 亿元用于收购个人债权，涉及个人债权

人 6.131 万人。

六、被处置证券公司休眠账户、单资金账户情况

截至 2016 年 12 月底，24 家被处置证券公司报备休眠账户涉及处置日资金余额 4.500 亿元、单资金账户涉及资金余额 0.661 亿元。

七、客户证券交易结算资金收购情况

截至 2016 年 12 月底，按照各被处置证券公司账户清理报告统计，24 家公司需申请收购资金的客户证券交易结算资金缺口为 165.289 亿元，其中包括暂不拨付收购资金的休眠账户、单资金账户余额 5.161 亿元；投保基金公司共发放投保基金 161.688 亿元用于弥补客户证券交易结算资金缺口（不含休眠账户、单资金账户收购资金），其中弥补缺口后结余资金 1.196 亿元已退回。

八、债权基本情况

截至 2016 年 12 月底，共有 26 家证券公司进入破产清算程序。投保基金公司是第一大债权人的有 20 家，担任债委会主席的有 19 家。

投保基金公司正式申报债权总额为 252.631 亿元，预申报债权总额为 27.939 亿元。

九、债权受偿情况

截至 2016 年 12 月底，共有 24 家证券公司进行了破产财产分配。投保基金公司共受偿现金 42.588 亿元（包括代财政部管理的债权受偿现金 0.059 亿元）、受偿股票 11 只，基金 1 只；投保基金公司代财政部管理的债权受偿股票 2 只。

十、专项审计

截至 2016 年 12 月底，24 家被处置证券公司的客户证券交易结算资金专项审计报告已全部正式出具；个人债权部分有 22 家已出具正式报告。

十一、热线基本情况

2016 年 1 月 1 日至 12 月 31 日，热线通过电话和网络渠道共受理投资者诉求 131574 件，生成并处理有效工单 74201 件，其中，建议类 19808 件，占比 28.41%；咨询类 33316 件，占比 44.90%；投诉类 21077 件，占比 26.70%。

2016 年度证券公司沪深市合计交易数据排名

（单位：亿元）

序号	券商名称	总成交		总成交（股权基）		总成交（股基）		股票		权证		基金		债券	
		成交额	排名	成交额	排名	成交额	排名	成交额	排名	成交额	排名	成交额	排名	成交额	排名
1	国泰君安	536,932.8277	1	123,229.2651	5	123,229.2651	5	118,223.1704	4	0.0000	9	5,006.0946	13	414,194.7386	2
2	中信证券	520,237.1289	2	159,400.4524	2	159,383.2824	2	143,894.7646	2	17.1700	2	15,488.5175	3	361,418.1829	3
3	申万宏源	448,450.7420	3	120,334.6273	7	120,331.3873	7	111,508.4839	7	3.2400	6	8,822.9036	6	328,970.7709	4
4	世纪证券	422,736.9182	4	6,954.0333	68	6,954.0333	68	6,845.6966	67	0.0000	9	108.3369	76	415,812.8278	1
5	广发证券	422,720.4881	5	121,932.3099	6	121,917.5999	6	116,102.2672	5	14.7100	5	5,815.3328	10	300,860.7211	5
6	海通证券	400,895.3313	6	128,256.0556	4	128,239.8896	4	114,016.7488	6	16.1660	3	14,223.1408	4	272,751.0476	6
7	华泰证券	376,795.6475	7	241,279.7650	1	241,279.7650	1	196,085.0494	1	0.0000	9	45,194.7157	1	135,571.9284	13
8	招商证券	269,888.3569	8	104,110.9358	8	104,110.0638	8	98,039.7862	8	0.8720	7	6,070.2777	9	166,067.2547	9
9	中国银河	265,300.4428	9	135,585.6366	3	135,585.6366	3	122,037.8569	3	0.0000	9	13,547.7797	5	129,877.7545	14
10	中信建投证券	242,765.8031	10	80,760.6587	10	80,760.6587	10	76,022.5401	10	0.0000	9	4,738.1184	15	162,816.1805	10
11	平安证券	237,646.8147	11	49,655.4897	17	49,655.4897	17	48,452.4899	17	0.0000	9	1,202.9999	33	188,085.7312	7
12	国信证券	230,121.9038	12	92,728.9695	9	92,728.9695	9	87,105.7452	9	0.0000	9	5,623.2244	11	137,518.0932	12
13	安信证券	214,729.1518	13	74,363.7581	11	74,363.7581	11	57,974.1994	13	0.0000	9	16,389.5588	2	140,441.8008	11
14	中金公司	204,271.3897	14	19,473.9999	38	19,473.9999	38	16,921.0260	39	0.0000	9	2,552.9740	20	184,885.1699	8
15	兴业证券	151,385.5224	15	38,105.6217	19	38,105.6217	19	35,811.5529	19	0.0000	9	2,294.0687	21	113,432.2328	15
16	东方证券	139,838.6560	16	35,335.6088	21	35,312.9128	21	32,265.7653	23	22.6960	1	3,047.1475	18	104,518.7760	16
17	中泰证券	129,630.2521	17	64,621.9598	13	64,621.9598	13	59,883.0107	12	0.0000	9	4,738.9487	14	65,076.6623	18
18	光大证券	126,947.8929	18	67,574.0934	12	67,573.9384	12	63,842.0490	11	0.1550	8	3,731.8893	16	59,424.3356	20
19	长江证券	113,095.4852	19	52,011.9324	16	52,011.9324	16	49,935.3832	16	0.0000	9	2,076.5495	22	61,254.2365	19
20	方正证券	111,189.6350	20	60,228.1462	14	60,228.1462	14	54,855.3088	14	0.0000	9	5,372.8372	12	51,777.7556	22
21	国金证券	99,018.0053	21	40,232.1475	18	40,232.1475	18	36,866.6292	18	0.0000	9	3,365.5183	17	58,821.8527	21
22	中投证券	88,785.3347	22	54,322.8322	15	54,322.8322	15	51,752.5915	15	0.0000	9	2,570.2405	19	34,489.0766	24
23	第一创业	84,103.9489	23	10,603.6227	57	10,603.6227	57	9,470.9637	58	0.0000	9	1,132.6592	36	73,899.1061	17
24	中银国际证券	60,128.0036	24	27,104.1623	25	27,088.8123	25	20,988.9224	32	15.3500	4	6,099.8898	8	33,094.5845	25
25	华融证券	56,731.1267	25	8,839.3839	60	8,839.3839	60	8,223.5866	60	0.0000	9	615.7970	46	48,315.0890	23
26	东吴证券	54,006.7722	26	34,675.4563	22	34,675.4563	22	33,593.8781	21	0.0000	9	1,081.5779	39	19,510.2668	34
27	浙商证券	51,132.6140	27	36,573.3608	20	36,573.3608	20	35,474.5395	20	0.0000	9	1,098.8211	37	16,033.3063	38
28	财通证券	50,417.7717	28	34,174.3072	23	34,174.3072	23	32,955.7511	22	0.0000	9	1,218.5563	32	16,655.3545	37
29	长城证券	47,990.6330	29	25,043.1613	26	25,043.1613	26	23,574.1836	27	0.0000	9	1,468.9778	27	22,984.3743	31

序号	券商名称	总成交		总成交(股权基)		总成交(股基)		股票		权证		基金		债券	
		成交额	排名	成交额	排名	成交额	排名	成交额	排名	成交额	排名	成交额	排名	成交额	排名
30	东北证券	47,748.1839	30	21,996.8334	33	21,996.8334	33	20,191.4126	34	0.0000	9	1,805.4207	23	26,239.9055	27
31	华福证券	47,707.7416	31	24,427.4638	28	24,427.4638	28	24,022.4214	26	0.0000	9	405.0421	54	23,281.9940	30
32	信达证券	46,845.7404	32	20,179.8188	36	20,179.8188	36	19,390.0170	36	0.0000	9	789.8016	42	26,673.5486	26
33	西南证券	43,631.8117	33	22,313.9410	31	22,313.9410	31	21,638.6512	30	0.0000	9	675.2894	44	21,342.5007	33
34	恒泰证券	42,517.5329	34	16,440.5949	42	16,440.5949	42	15,946.2331	41	0.0000	9	494.3618	50	26,212.8460	28
35	东兴证券	42,022.4436	35	28,921.6015	24	28,921.6015	24	27,412.3360	24	0.0000	9	1,509.2655	26	13,180.2683	42
36	华西证券	37,506.8588	36	24,341.0843	29	24,341.0843	29	23,259.4740	28	0.0000	9	1,081.6102	38	13,163.1805	43
37	湘财证券	36,501.5748	37	22,101.4673	32	22,101.4673	32	20,898.5745	33	0.0000	9	1,202.8930	34	14,379.2175	40
38	国元证券	36,250.9354	38	24,980.0923	27	24,980.0923	27	24,206.4456	25	0.0000	9	773.6467	43	11,305.2941	48
39	广州证券	35,478.4270	39	10,882.6034	56	10,882.6034	56	10,258.1252	56	0.0000	9	624.4782	45	24,602.8027	29
40	国海证券	33,108.0821	40	21,911.4710	35	21,911.4710	35	14,302.2863	45	0.0000	9	7,609.1845	7	11,297.9781	49
41	国都证券	32,581.2804	41	10,171.7648	58	10,171.7648	58	9,820.5896	57	0.0000	9	351.1753	57	22,461.9876	32
42	东莞证券	31,268.4628	42	22,551.9498	30	22,551.9498	30	22,046.4134	29	0.0000	9	505.5361	49	8,717.1340	64
43	上海证券	30,227.5770	43	19,918.7434	37	19,918.7434	37	19,502.2762	35	0.0000	9	416.4669	53	10,313.5857	53
44	国联证券	29,947.5821	44	17,974.0188	40	17,974.0188	40	17,005.2104	38	0.0000	9	968.8086	40	11,971.5283	45
45	渤海证券	29,753.6540	45	12,389.1966	52	12,389.1966	52	10,665.2505	55	0.0000	9	1,723.9461	25	17,371.3795	36
46	华安证券	29,423.5727	46	19,273.4631	39	19,273.4631	39	18,751.6717	37	0.0000	9	521.7915	48	10,148.6066	54
47	东方财富证券	29,380.5830	47	21,943.5776	34	21,943.5776	34	21,414.4795	31	0.0000	9	529.0980	47	7,446.1366	68
48	西部证券	27,477.4606	48	13,451.9435	47	13,451.9435	47	13,238.1882	47	0.0000	9	213.7557	66	14,150.5736	41
49	新时代证券	27,124.6791	49	12,045.9970	54	12,045.9970	54	10,764.9219	54	0.0000	9	1,281.0750	28	15,094.1505	39
50	民生证券	25,202.5867	50	12,261.5065	53	12,261.5065	53	12,116.8428	50	0.0000	9	144.6638	73	13,038.5260	44
51	东海证券	24,717.2399	51	15,021.3470	46	15,021.3470	46	14,131.5111	46	0.0000	9	889.8359	41	9,760.6109	55
52	华创证券	24,488.1893	52	6,990.0703	67	6,990.0703	67	6,898.1663	66	0.0000	9	91.9041	79	17,561.2631	35
53	国盛证券	24,243.2342	53	12,619.8166	49	12,619.8166	49	11,344.6978	52	0.0000	9	1,275.1185	29	11,624.1504	47
54	财达证券	23,875.7096	54	15,239.8224	44	15,239.8224	44	14,975.5068	43	0.0000	9	264.3157	60	8,639.9040	65
55	南京证券	23,657.9385	55	16,502.1037	41	16,502.1037	41	16,249.5559	40	0.0000	9	252.5476	61	7,155.3216	69
56	中原证券	23,300.5221	56	16,421.7098	43	16,421.7098	43	15,253.9136	42	0.0000	9	1,167.7963	35	6,876.9761	70
57	山西证券	21,753.0380	57	12,618.3343	50	12,618.3343	50	12,274.9503	48	0.0000	9	343.3842	59	9,296.8510	60
58	万联证券	21,235.9695	58	12,651.4304	48	12,651.4304	48	11,394.8185	51	0.0000	9	1,256.6117	30	8,730.4199	63
59	财富证券	20,875.3186	59	15,126.2143	45	15,126.2143	45	14,755.9903	44	0.0000	9	370.2241	56	5,864.4752	72
60	华鑫证券	20,754.7019	60	11,241.1471	55	11,241.1471	55	11,033.9603	53	0.0000	9	207.1874	67	9,541.6536	56
61	民族证券	20,618.8520	61	12,516.0925	51	12,516.0925	51	12,268.9129	49	0.0000	9	247.1795	63	8,102.1366	66
62	华宝证券	20,120.2093	62	8,176.5115	62	8,176.5115	62	6,385.5521	70	0.0000	9	1,790.9594	24	11,865.1667	46
63	金元证券	17,889.7173	63	7,378.1233	65	7,378.1233	65	7,028.7368	63	0.0000	9	349.3863	58	10,586.9041	52
64	英大证券	17,385.0499	64	6,636.7971	70	6,636.7971	70	6,436.2838	68	0.0000	9	200.5133	68	10,748.1978	51
65	太平洋	17,210.1940	65	8,241.6220	61	8,241.6220	61	6,991.4094	64	0.0000	9	1,250.2125	31	9,041.5673	61
66	天风证券	16,377.2513	66	6,866.6272	69	6,866.6272	69	6,388.7906	69	0.0000	9	477.8365	51	9,538.7832	57
67	首创证券	15,855.8235	67	6,452.0853	71	6,452.0853	71	6,233.3883	72	0.0000	9	218.6972	65	9,534.8964	58
68	宏信证券	15,638.6936	68	6,269.9994	73	6,269.9994	73	6,153.5087	73	0.0000	9	116.4906	74	9,455.9003	59
69	江海证券	13,613.8087	69	8,098.0470	63	8,098.0470	63	7,857.0865	61	0.0000	9	240.9603	64	5,514.3281	73
70	高华证券	13,571.6155	70	2,411.1712	88	2,411.1712	88	1,942.8897	88	0.0000	9	468.2814	52	11,203.6698	50
71	中航证券	13,087.6051	71	9,180.9964	59	9,180.9964	59	8,932.0542	59	0.0000	9	248.9422	62	3,906.2078	79
72	德邦证券	12,526.0838	72	3,721.4048	81	3,721.4048	81	3,548.4449	81	0.0000	9	172.9600	69	8,894.8790	62
73	华林证券	12,253.6806	73	7,508.3678	64	7,508.3678	64	7,360.9831	62	0.0000	9	147.3848	72	4,830.2331	76
74	华龙证券	11,901.8902	74	6,449.6049	72	6,449.6049	72	6,348.1344	71	0.0000	9	101.4704	77	5,451.5144	74
75	中山证券	10,368.1489	75	5,235.0500	75	5,235.0500	75	5,070.2905	76	0.0000	9	164.7594	70	5,171.9398	75
76	联讯证券	10,160.9584	76	7,041.5879	66	7,041.5879	66	6,929.4778	65	0.0000	9	112.1104	75	3,159.4902	82
77	华金证券	8,902.9049	77	1,155.0056	94	1,155.0056	94	1,110.6512	94	0.0000	9	44.3541	90	7,751.8824	67
78	爱建证券	8,656.7113	78	4,559.4835	78	4,559.4835	78	4,461.9551	78	0.0000	9	97.5284	78	4,113.8949	77
79	大通证券	8,382.6330	79	5,481.9763	74	5,481.9763	74	5,430.7004	74	0.0000	9	51.2761	88	2,900.4716	84
80	中天证券	8,162.0070	80	4,196.6603	79	4,196.6603	79	4,139.6460	79	0.0000	9	57.0141	86	3,965.1837	78

序号	券商名称	总成交		总成交(股权基)		总成交(股基)		股票		权证		基金		债券	
		成交额	排名	成交额	排名	成交额	排名	成交额	排名	成交额	排名	成交额	排名	成交额	排名
81	大同证券	7,303.0325	81	5,229.0121	76	5,229.0121	76	5,075.2814	75	0.0000	9	153.7306	71	2,079.4705	89
82	九州证券	6,871.3697	82	1,258.8409	93	1,258.8409	93	1,241.0945	93	0.0000	9	17.7465	93	5,886.0915	71
83	银泰证券	6,155.4902	83	4,614.3594	77	4,614.3594	77	4,528.5954	77	0.0000	9	85.7638	81	1,543.9758	93
84	瑞银证券	6,003.2065	84	2,771.0793	85	2,771.0793	85	2,376.5637	87	0.0000	9	394.5158	55	3,232.1272	81
85	红塔证券	5,844.8603	85	3,935.4732	80	3,935.4732	80	3,851.4878	80	0.0000	9	83.9854	82	1,909.3392	92
86	五矿证券	5,773.2561	86	3,431.5946	82	3,431.5946	82	3,380.7010	82	0.0000	9	50.8935	89	2,352.3317	86
87	开源证券	5,533.7810	87	3,272.9742	84	3,272.9742	84	3,206.5237	84	0.0000	9	66.4504	85	2,263.9579	87
88	国融证券	5,475.1286	88	2,766.1582	86	2,766.1582	86	2,676.6774	85	0.0000	9	89.4809	80	2,915.8736	83
89	长城国瑞证券	5,379.2442	89	3,342.0839	83	3,342.0839	83	3,259.8146	83	0.0000	9	82.2692	83	2,053.2664	90
90	川财证券	4,951.6511	90	1,744.7170	90	1,744.7170	90	1,727.2918	90	0.0000	9	17.4253	94	3,277.2811	80
91	万和证券	4,612.2650	91	2,583.7213	87	2,583.7213	87	2,545.5065	86	0.0000	9	38.2147	91	2,028.5438	91
92	国开证券	4,221.3048	92	1,683.1796	91	1,683.1796	91	1,667.3772	91	0.0000	9	15.8024	95	2,538.1264	85
93	中邮证券	3,967.3666	93	1,887.4708	89	1,887.4708	89	1,832.0924	89	0.0000	9	55.3786	87	2,080.8976	88
94	联储证券	2,172.3689	94	1,437.0864	92	1,437.0864	92	1,408.8537	92	0.0000	9	28.2326	92	735.2826	96
95	网信证券	2,044.4818	95	942.7221	95	942.7221	95	929.9858	95	0.0000	9	12.7363	96	1,104.2426	95
96	上海华信证券	1,920.9558	96	610.5485	96	610.5485	96	601.3577	96	0.0000	9	9.1911	97	1,313.9905	94
97	瑞信方正	512.0499	97	357.7403	97	357.7403	97	285.3362	97	0.0000	9	72.4041	84	154.3106	100
98	申港证券	422.7528	98	2.1397	98	2.1397	98	2.0462	98	0.0000	9	0.0935	98	420.6141	97
99	东方花旗证券	254.7767	99	0.2790	99	0.2790	99	0.2790	99	0.0000	9	0.0000	99	254.4977	98
100	华英证券	235.2180	100	0.0000	104	0.0000	104	0.0000	104	0.0000	9	0.0000	99	235.1230	99
101	士丹利华鑫	10.8305	101	0.1436	100	0.1436	100	0.1436	100	0.0000	9	0.0000	99	10.6869	101
102	长江承销保荐	0.1270	102	0.1270	101	0.1270	101	0.1270	101	0.0000	9	0.0000	99	0.0000	102
103	中德证券	0.1050	103	0.1050	102	0.1050	102	0.1050	102	0.0000	9	0.0000	99	0.0000	102
104	一创摩根	0.0630	104	0.0630	103	0.0630	103	0.0630	103	0.0000	9	0.0000	99	0.0000	102

数据来源：东方财富 Choice 数据。

2016 年度证券公司承销情况统计

机构名称	承销家数						承销金额/发行规模(万元)						销及保荐费用(万元)
	总计	首发	增发	配股	可转债	债券发行	总计	首发	增发	配股	可转债	债券发行	
中信建投证券股份有限公司	540	15	43	0	1	481	55490614.14	1873074.68	6721225.05	0.00	111100.00	46785214.41	115558.98
国泰君安证券股份有限公司	373	6	31	1	0	335	40162929.31	773363.83	6355535.09	58965.83	0.00	32975064.57	61257.91
中信证券股份有限公司	329	19	37	2	2	269	48206266.67	1190205.04	14530442.90	493474.82	532111.60	31460032.32	170948.64
招商证券股份有限公司	325	12	16	0	0	297	25354126.51	599235.92	3212315.69	0.00	0.00	21542574.90	45149.63
国金证券股份有限公司	294	8	19	0	0	267	8577809.97	455132.19	2244965.78	0.00	0.00	5877712.00	56816.20
广发证券股份有限公司	268	16	37	1	0	214	26761099.29	708412.68	8564407.12	53844.79	0.00	17434434.69	135937.89
海通证券股份有限公司	246	4	28	0	2	212	25707603.26	166200.75	5321926.56	0.00	400000.00	19819475.95	76967.84
国信证券股份有限公司	195	11	33	0	1	150	19925644.04	639712.56	6856354.56	0.00	75000.00	12354576.92	76275.32
国海证券股份有限公司	187	3	4	1	0	179	11742824.27	144166.28	658725.74	174012.24	0.00	10765920.00	25956.05
德邦证券股份有限公司	184	1	4	0	0	179	11920493.36	32389.80	338562.83	0.00	0.00	11549540.73	5696.99
光大证券股份有限公司	181	2	5	1	0	173	15533921.41	133007.71	1148167.75	39641.95	0.00	14213104.00	7697.05
平安证券股份有限公司	164	0	5	0	0	159	15125712.24	0.00	837401.98	0.00	0.00	14288310.26	6032.00
中国国际金融股份有限公司	163	11	19	0	1	132	20910064.06	1285341.57	5190246.55	0.00	82111.60	14352364.34	90294.32
兴业证券股份有限公司	157	5	10	1	2	139	13848825.65	247591.26	1646619.89	109904.25	127000.00	11717710.26	41502.83
华泰联合证券有限责任公司	145	7	34	0	0	104	21037257.12	1252570.61	9199424.99	0.00	0.00	10585261.52	75754.36
中山证券有限责任公司	132	0	0	0	0	132	9094176.92	0.00	0.00	0.00	0.00	9094176.92	0.00
中银国际证券有限责任公司	117	3	4	1	0	109	8820386.80	470151.60	337298.33	429827.41	0.00	7583109.46	15208.20
长城证券股份有限公司	106	5	8	0	0	93	7042971.34	213504.76	1169311.99	0.00	0.00	5660154.59	26257.80
东方花旗证券有限公司	103	7	12	0	0	84	8309598.56	234863.66	1795742.39	0.00	0.00	6278992.51	29470.78
国开证券有限责任公司	100	0	0	0	0	100	11445784.52	0.00	0.00	0.00	0.00	11445784.52	0.00
西南证券股份有限公司	97	2	18	0	0	77	9913150.87	96218.72	3485775.00	0.00	0.00	6331157.14	48999.57
申万宏源证券承销保荐有限责任公司	94	11	19	0	0	64	11077917.99	911440.21	2941001.60	0.00	0.00	7225476.19	56307.42
华泰证券股份有限公司	89	0	0	0	0	89	6284906.81	0.00	0.00	0.00	0.00	6284906.81	0.00
广州证券股份有限公司	89	2	10	0	1	76	8015811.54	40743.44	2394623.17	0.00	82111.60	5498333.33	16508.26

机构名称	承销家数						承销金额/发行规模(万元)						销及保荐费用(万元)
	总计	首发	增发	配股	可转债	债券发行	总计	首发	增发	配股	可转债	债券发行	
中国中投证券有限责任公司	88	1	3	1	2	81	4995433.86	27776.64	177270.70	88586.53	126500.00	4575300.00	5750.00
中泰证券股份有限公司	87	7	6	0	0	74	6627151.17	306784.78	963875.37	0.00	0.00	5356491.02	33600.99
西部证券股份有限公司	87	2	2	0	0	83	6093237.18	147542.15	214995.03	0.00	0.00	5730700.00	13744.55
东吴证券股份有限公司	86	0	9	1	0	76	5956422.22	0.00	1177709.98	174012.24	0.00	4604700.00	15367.30
华福证券有限责任公司	81	0	2	0	0	79	4702281.17	0.00	252436.50	0.00	0.00	4449844.67	982.00
中国银河证券股份有限公司	79	6	10	0	1	62	10056995.92	338609.65	2127309.35	0.00	350000.00	7241076.92	36788.65
东兴证券股份有限公司	77	2	11	0	0	64	7643851.14	103859.00	1640625.47	0.00	0.00	5899366.67	23700.68
天风证券股份有限公司	75	2	3	0	0	70	4965280.60	55334.60	260250.00	0.00	0.00	4649696.00	5824.58
摩根士丹利华鑫证券有限责任公司	70	2	5	0	1	62	8947758.92	50194.56	4174301.45	0.00	75000.00	4648262.90	11420.04
中德证券有限责任公司	69	3	21	1	0	44	8952101.57	68848.22	5472106.24	88586.53	0.00	3322560.58	33084.14
民生证券股份有限公司	65	4	17	0	0	44	3872479.09	188758.00	2006321.09	0.00	0.00	1677400.00	24841.62
华创证券有限责任公司	59	1	7	0	0	51	2556973.01	29839.80	842572.21	0.00	0.00	1684561.00	8125.00
申万宏源证券有限公司	59	0	0	0	0	59	3737170.00	0.00	0.00	0.00	0.00	3737170.00	0.00
开源证券股份有限公司	56	0	0	0	0	56	3149800.00	0.00	0.00	0.00	0.00	3149800.00	0.00
财通证券股份有限公司	55	0	2	0	0	53	3128318.60	0.00	181068.60	0.00	0.00	2947250.00	1200.00
华融证券股份有限公司	54	2	3	0	0	49	7135099.54	129888.00	660823.90	0.00	0.00	6344387.64	10098.48
瑞银证券有限责任公司	53	2	6	0	0	45	8195089.58	107146.25	1753693.33	0.00	0.00	6334250.00	10380.50
东海证券股份有限公司	52	2	3	0	0	47	3750329.12	43855.45	223060.14	0.00	0.00	3483413.53	6315.86
信达证券股份有限公司	51	1	1	0	0	49	2552600.54	31608.00	37125.87	0.00	0.00	2483866.67	4050.00
安信证券股份有限公司	50	12	17	0	0	21	6434698.67	1156596.79	2541235.21	0.00	0.00	2736866.67	73984.76
第一创业摩根大通证券有限责任公司	49	2	3	0	0	44	4671545.81	139650.20	589999.99	0.00	0.00	3941895.62	15694.29
浙商证券股份有限公司	39	1	7	0	0	31	3828013.86	17714.40	1264222.54	0.00	0.00	2546076.92	16750.80
财富证券有限责任公司	37	1	0	0	0	36	4229858.00	37858.00	0.00	0.00	0.00	4192000.00	2321.48
中国民族证券有限责任公司	32	2	3	0	0	27	1965547.78	28520.00	287027.78	0.00	0.00	1650000.00	4590.00
华金证券股份有限公司	31	0	0	0	0	31	1674378.20	0.00	0.00	0.00	0.00	1674378.20	0.00
长江证券股份有限公司	30	0	0	0	0	30	2306000.00	0.00	0.00	0.00	0.00	2306000.00	0.00
国融证券股份有限公司	30	0	0	0	0	30	1130300.00	0.00	0.00	0.00	0.00	1130300.00	0.00
渤海证券股份有限公司	28	0	0	0	0	28	1779000.00	0.00	0.00	0.00	0.00	1779000.00	0.00
国元证券股份有限公司	27	4	8	0	0	15	2529434.78	135480.96	1198484.03	0.00	0.00	1195469.80	28842.06
华英证券有限责任公司	26	0	4	0	0	22	2266660.04	0.00	201660.04	0.00	0.00	2065000.00	1350.00
万联证券股份有限公司	25	1	0	0	0	24	1763493.91	21160.58	0.00	0.00	0.00	1742333.33	2300.00
高盛高华证券有限责任公司	24	0	4	0	1	19	4531531.64	0.00	2206562.90	0.00	82111.60	2242857.14	8431.16
恒泰长财证券有限责任公司	23	3	3	0	0	17	2436325.98	114670.00	582655.98	0.00	0.00	1739000.00	7207.50
长江证券承销保荐有限公司	23	5	6	0	0	12	1943789.28	153582.35	746873.60	0.00	0.00	1043333.33	19682.36
东北证券股份有限公司	23	3	5	0	0	15	2889177.86	123847.50	985330.36	0.00	0.00	1780000.00	17150.51
九州证券股份有限公司	23	0	2	0	0	21	1862045.56	0.00	132045.56	0.00	0.00	1730000.00	2160.00
湘财证券股份有限公司	22	1	4	0	0	17	1912274.65	32994.65	662680.00	0.00	0.00	1216600.00	9637.22
中航证券有限公司	22	1	6	0	0	15	1854378.71	45360.00	1346518.71	0.00	0.00	462500.00	7100.00
英大证券有限责任公司	21	2	1	0	0	18	1714312.85	53795.12	34327.26	0.00	0.00	1626190.48	4923.73
恒泰证券股份有限公司	21	0	0	0	0	21	1152613.00	0.00	0.00	0.00	0.00	1152613.00	0.00
华林证券股份有限公司	20	7	6	0	0	7	1203110.97	374446.70	591164.27	0.00	0.00	237500.00	26168.39
爱建证券有限责任公司	19	0	0	0	0	19	1718000.00	0.00	0.00	0.00	0.00	1718000.00	0.00
上海华信证券有限责任公司	18	0	0	0	0	18	869931.00	0.00	0.00	0.00	0.00	869931.00	0.00
宏信证券有限责任公司	17	0	2	1	0	14	1433166.67	0.00	228000.00	48500.01	0.00	1156666.67	0.00
南京证券股份有限公司	16	2	2	0	0	12	1291520.00	39020.00	82500.00	0.00	0.00	1170000.00	5454.79
川财证券有限责任公司	16	0	2	0	0	14	1557823.33	0.00	264490.00	0.00	0.00	1293333.33	2943.88
中原证券股份有限公司	15	0	5	0	0	10	1388033.39	0.00	680533.39	0.00	0.00	707500.00	5250.00
首创证券有限责任公司	15	0	1	0	0	14	988000.00	0.00	60000.00	0.00	0.00	928000.00	0.00
瑞信方正证券有限责任公司	15	1	2	0	1	11	1481421.74	140000.00	359310.14	0.00	82111.60	900000.00	5900.65
华西证券股份有限公司	15	3	5	0	0	7	1472059.78	238893.78	688166.00	0.00	0.00	545000.00	22912.34
华龙证券股份有限公司	15	2	3	0	0	10	1266860.03	48030.88	329329.15	0.00	0.00	889500.00	12600.00
新时代证券股份有限公司	14	0	4	0	0	10	2031405.97	0.00	1054155.97	0.00	0.00	977250.00	13478.56
大通证券股份有限公司	13	0	0	0	0	13	635000.00	0.00	0.00	0.00	0.00	635000.00	0.00
国都证券股份有限公司	12	3	2	0	0	7	750613.00	109113.00	210000.00	0.00	0.00	431500.00	11695.76
东莞证券股份有限公司	11	2	2	0	0	7	458210.58	59637.58	93573.00	0.00	0.00	305000.00	10248.23
华鑫证券有限责任公司	10	0	0	0	0	10	225600.00	0.00	0.00	0.00	0.00	225600.00	0.00
金元证券股份有限公司	10	2	0	0	0	8	552926.00	52926.00	0.00	0.00	0.00	500000.00	4552.99
五矿证券有限公司	9	0	0	0	0	9	868333.33	0.00	0.00	0.00	0.00	868333.33	0.00

机构名称	承销家数						承销金额/发行规模(万元)						销及保荐费用(万元)
	总计	首发	增发	配股	可转债	债券发行	总计	首发	增发	配股	可转债	债券发行	
西藏东方财富证券股份有限公司	9	0	0	0	0	9	453000.00	0.00	0.00	0.00	0.00	453000.00	0.00
太平洋证券股份有限公司	7	1	0	0	0	6	264400.00	24400.00	0.00	0.00	0.00	240000.00	1800.00
方正证券股份有限公司	7	0	0	0	0	7	240921.00	0.00	0.00	0.00	0.00	240921.00	0.00
海际证券有限责任公司	7	0	3	0	0	4	846204.86	0.00	646204.86	0.00	0.00	200000.00	1850.00
联讯证券股份有限公司	7	0	0	0	0	7	229500.00	0.00	0.00	0.00	0.00	229500.00	0.00
红塔证券股份有限公司	6	1	3	0	0	2	818050.21	21088.81	698961.40	0.00	0.00	98000.00	8026.00
第一创业证券股份有限公司	6	0	0	0	0	6	546213.66	0.00	0.00	0.00	0.00	546213.66	0.00
江海证券有限公司	6	2	0	0	0	4	625495.00	45495.00	0.00	0.00	0.00	580000.00	5050.00
上海证券有限责任公司	6	0	0	0	0	6	447500.00	0.00	0.00	0.00	0.00	447500.00	0.00
中邮证券有限责任公司	5	0	0	0	0	5	190833.61	0.00	0.00	0.00	0.00	190833.61	0.00
国盛证券有限责任公司	5	0	0	0	0	5	467000.00	0.00	0.00	0.00	0.00	467000.00	0.00
财达证券股份有限公司	3	0	0	0	0	3	270000.00	0.00	0.00	0.00	0.00	270000.00	0.00
网信证券有限责任公司	3	0	0	0	0	3	100000.00	0.00	0.00	0.00	0.00	100000.00	0.00
联储证券有限责任公司	3	0	0	0	0	3	260000.00	0.00	0.00	0.00	0.00	260000.00	0.00
大同证券有限责任公司	3	0	0	0	0	3	178000.00	0.00	0.00	0.00	0.00	178000.00	0.00
东方证券股份有限公司	2	0	0	0	0	2	1050000.00	0.00	0.00	0.00	0.00	1050000.00	0.00
银泰证券有限责任公司	1	0	0	0	0	1	100000.00	0.00	0.00	0.00	0.00	100000.00	0.00
世纪证券有限责任公司	1	1	0	0	0	0	23933.75	23933.75	0.00	0.00	0.00	0.00	2775.00
华安证券股份有限公司	1	0	1	0	0	0	129999.99	0.00	129999.99	0.00	0.00	0.00	4400.00

数据来源:东方财富 Choice 数据。

2016 年转融通业务月度统计表

时间	借入人数量(家)	交易金额(亿元)							归还金额(亿元)			余额(亿元)			保证金(亿元)			保证金比例(%)	
		转融资交易金额			转融券交易金额			融通交易金额	转融资归还金额	转融券归还金额	小计	转融资余额	转融券余额	小计	货币资金金额	可充抵保证金证券价值	小计	市场平均	市场最低
		新合约融出	展期融出	小计	新合约融出	展期融出	小计												
2016.01	80	8.72	0.00	8.72	0.67	0.00	0.67	9.39	19.27	0.04	19.31	180.56	0.60	181.16	81.91	14.05	95.97	51.37	20.28
2016.02	80	24.95	0.00	24.95	1.34	0.00	1.34	26.29	59.65	0.65	60.30	145.86	1.26	147.12	68.95	13.29	82.24	54.29	20.28
2016.03	80	8.86	0.00	8.86	1.72	0.00	1.72	10.58	54.05	2.47	56.52	100.67	0.79	101.46	41.07	6.16	47.24	45.29	20.37
2016.04	80	0.00	0.00	0.00	0.00	0.00	0.00	0.00	17.25	0.80	18.05	83.42	0.00	83.42	37.78	2.85	40.64	47.42	22.18
2016.05	80	116.05	0.00	116.05	0.00	0.00	0.00	116.05	21.95	0.00	21.95	177.52	0.00	177.52	47.92	7.19	55.11	30.61	19.84
2016.06	79	34.24	0.00	34.24	8.12	0.00	8.12	42.36	18.94	5.47	24.41	192.82	3.28	196.10	50.75	9.81	60.55	30.53	20.04
2016.07	79	124.00	0.00	124.00	8.35	0.02	8.36	132.36	8.72	5.82	14.54	308.10	5.88	313.98	64.34	17.32	81.66	25.68	20.01
2016.08	79	248.40	0.00	248.40	13.51	0.00	13.51	261.91	141.00	6.45	147.45	415.50	13.26	428.76	78.82	21.84	100.65	23.14	20.00
2016.09	79	262.23	0.00	262.23	11.48	0.03	11.51	273.74	43.10	15.13	58.23	634.63	9.35	643.98	96.69	52.61	149.30	22.84	20.09
2016.10	79	86.60	0.00	86.60	12.68	0.59	13.27	99.87	0.00	7.79	7.79	721.23	15.36	736.59	110.49	58.59	169.08	22.62	20.00
2016.11	79	138.50	0.00	138.50	20.22	0.33	20.55	159.05	7.80	19.43	27.23	851.93	16.95	868.88	133.96	71.19	205.14	23.29	20.00
2016.12	92	7.00	0.00	7.00	26.75	0.02	26.78	33.78	9.00	27.66	36.66	849.93	14.90	864.83	135.38	65.47	200.85	22.91	20.08

备注:

1. 转融通交易金额 = 转融资交易金额 + 转融券交易金额 = 转融资新合约融出金额 + 转融资展期融出合约金额 + 转融券新合约融出金额 + 转融券展期融出合约金额。
2. 归还金额是指归还转融通本金金额,不包含息费。
3. 转融资和转融券余额为月底数。
4. 归还金额不包含息费,不包含展期归还。
5. 本月转融资余额 = 上月转融资余额 + 本月转融资新合约融出金额 - 本月归还金额。
6. 可充抵保证金证券价值是指折算后的可充抵保证金证券市值。
7. 保证金仅统计月底有转融通余额的证券公司。
8. 转融资业务于 2012 年 8 月 30 日启动,转融券业务于 2013 年 2 月 28 日启动。

2016 年基金发行规模统计(按托管人)

托管银行名称	期间新发基金(只)	期间成立基金(只)	期间首次募集规模(亿份)	本年度新托管基金(只)	本年度新托管基金首次募集规模(亿份)	本年度新托管基金最新份额(亿份)	本年度新托管基金资产净值(亿元)	托管基金数量(只)	托管基金份额(亿份)	托管基金资产净值(亿元)
中国工商银行股份有限公司	167	198	1,451.54	167	1,440.50	1,620.30	1,526.34	700	15,263.33	15,939.18
中国建设银行股份有限公司	132	145	1,352.89	132	1,344.48	1,418.51	1,325.27	675	13,490.28	14,022.65
中信银行股份有限公司	57	58	417.3657	57	415.9982	663.7557	629.0168	116	10,314.65	10,323.83
中国银行股份有限公司	129	142	1,122.62	129	1,096.64	1,089.01	1,022.79	529	8,171.00	8,404.29
交通银行股份有限公司	113	105	1,251.41	113	1,245.84	2,197.09	2,133.94	245	6,992.81	7,060.77
中国农业银行股份有限公司	55	63	529.97	55	513.74	853.73	842.43	350	6,292.34	6,577.95
兴业银行股份有限公司	77	75	727.89	77	727.89	1,657.88	1,658.44	146	4,460.90	4,605.33

托管银行名称	期间新发基金(只)	期间成立基金(只)	期间首次募集规模(亿份)	本年度新托管基金(只)	本年度新托管基金首次募集规模(亿份)	本年度新托管基金最新份额(亿份)	本年度新托管基金资产净值(亿元)	托管基金数量(只)	托管基金份额(亿份)	托管基金资产净值(亿元)
招商银行股份有限公司	110	110	853.9331	110	828.6058	1,134.41	1,127.47	253	4,438.95	4,528.54
中国民生银行股份有限公司	79	81	570.8802	79	570.8802	829.27	810.48	147	2,644.14	2,725.75
中国光大银行股份有限公司	31	32	727.2803	31	727.2803	794.3457	798.6542	76	1,919.63	1,961.66
上海浦东发展银行股份有限公司	61	59	300.3925	61	299.3765	826.45	829.1259	93	1,819.81	1,850.37
平安银行股份有限公司	51	49	317.0367	51	317.0367	447.596	444.5497	79	1,319.77	1,320.86
中国邮政储蓄银行股份有限公司	24	27	191.2154	24	184.1358	325.4894	325.5935	60	870.57	894.05
宁波银行股份有限公司	27	27	459.626	27	459.626	520.9604	523.1765	36	646.2775	652.0787
上海银行股份有限公司	9	9	29.1365	9	29.1365	396.4494	390.9069	26	636.607	639.8177
广发银行股份有限公司	8	9	20.023	8	20.023	304.87	305.4538	29	593.0934	598.1661
华夏银行股份有限公司	3	4	8.026	3	8.026	12.3254	12.3349	25	460.7464	455.6574
南京银行股份有限公司	12	13	34.5848	12	34.5848	80.378	80.9653	16	349.2902	350.4214
招商证券股份有限公司	5	5	153.756	5	153.756	166.6501	166.6529	20	387.6083	345.3581
北京银行股份有限公司	15	13	61.4843	15	61.4843	114.0205	112.8521	30	243.3216	252.3639
江苏银行股份有限公司	9	9	54.6836	9	54.6836	126.7757	122.2441	10	227.3871	227.6079
渤海银行股份有限公司	7	7	35.0846	7	35.0846	33.0551	32.9185	18	222.4282	223.3583
浙商银行股份有限公司	6	6	26.8406	6	26.8406	37.5246	35.2572	11	199.6803	200.475
国泰君安证券股份有限公司	7	8	84.6298	7	84.6298	171.5723	171.5603	16	196.0563	193.8884
杭州银行股份有限公司	7	7	38.8128	7	38.8128	132.2818	133.3189	9	164.4256	168.6607
中信建投证券股份有限公司	4	4	30.163	4	30.163	145.5543	145.7549	5	146.1219	146.3368
包商银行股份有限公司	6	6	20.6803	6	20.6803	61.2926	61.3141	8	83.2585	84.1805
恒丰银行股份有限公司	1	1	2.0001	1	2.0001	2.0001	2.0019	5	71.8189	71.9805
海通证券股份有限公司	0	1		0				7	66.3776	54.2765
中国银河证券股份有限公司	4	5	6.8984	4	6.8984	6.1322	6.1572	13	49.2483	50.1487
广发证券股份有限公司	3	3	12.7754	3	12.7754	4.625	4.7868	16	55.7634	49.1721
国信证券股份有限公司	0	0		0				6	29.295	26.7329
广州农村商业银行股份有限公司	5	6	59.1455	5	57.145	19.0689	19.0852	7	21.1772	25.6681
徽商银行股份有限公司	1	1	2.008	1	2.008	5.4981	5.5467	2	24.8896	24.9382
中信证券股份有限公司	0	0		0				6	15.4413	16.5723
华泰证券股份有限公司	1	1	3.1566	1	3.1566	2.543	2.6048	2	3.1334	3.2049

数据来源：Wind资讯。

2016年非公开发行公司债券备案情况

今年以来，非公开发行公司债券发行规模在6月达到顶峰后（289笔；3,881亿），后半年保持持续回落的趋势。全年，共接收非公开发行公司债券发行备案1,695笔，涉及债券本金20,306亿元。其中，上交所发行1,005支，涉及金额12,720亿元；深交所发行602支，共6,993亿元。

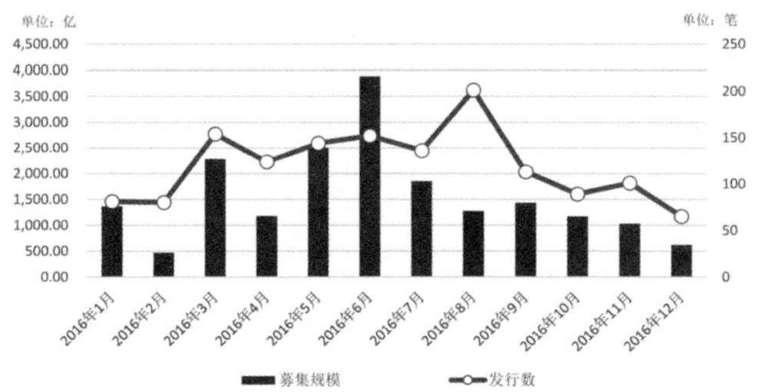

图1 非公开发行公司债券月度发行备案情况

2016年全年，房地产业与金融业的发债规模共占据了近50%的份额。具体而言，发行规模最大的四个行业：房地产业、金融业、建筑业、综合类，其发行规模分别达到5,012.33亿、4,815.60亿、3,755.69亿元与2,520.78亿。

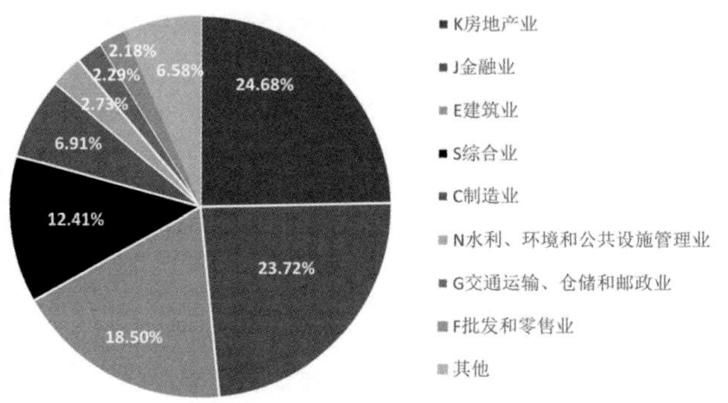

图2 全年非公开发行公司债券发行行业分布（证监会行业分类标准2016）情况

表 1　全年证券公司担任非公开发行公司债主承销商募集金额排名

单位：笔/亿元

按募集金额排名	担任主承证券公司名称	募集金额	募集支数
第一名	中信建投证券股份有限公司	1,995.53	144
第二名	国泰君安证券股份有限公司	1,203.00	81
第三名	海通证券股份有限公司	1,199.65	55
第四名	广发证券股份有限公司	992.30	43
第五名	兴业证券股份有限公司	788.90	51
第六名	光大证券股份有限公司	782.40	59
第七名	国信证券股份有限公司	707.50	54
第八名	中山证券有限责任公司	696.50	77
第九名	国海证券股份有限公司	585.50	79
第十名	申万宏源证券有限公司	550.60	29
合计		9,501.88	672

2016 年全年，共有 88 家证券公司担任非公开发行公司债券主承销商。其中，中信建投证券、国泰君安证券和海通证券分列发行规模前三名，帮助发行主体分别募集资金1,995.531,203.00亿元和1,199.65亿元。按照担任主承销商帮助募集金额排名，前 10 名证券公司共担任主承募集总金额9,501.88亿元。

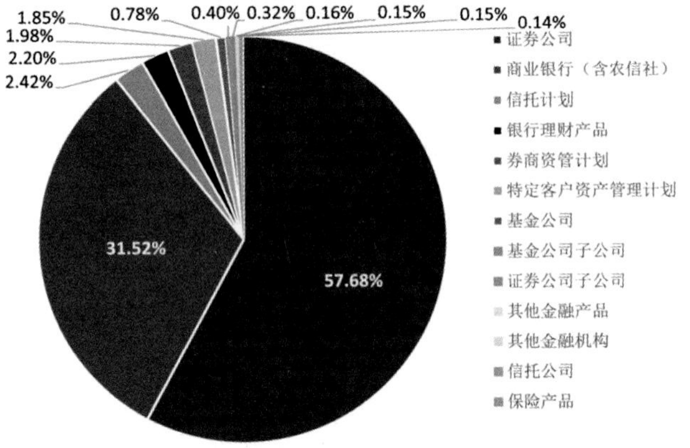

图 3　本年非公开发行公司债发行持有人类型分布情况

2016 年全年，从债券数量来看，非公开发行公司债发行时有债项评级的占比达 33.92%，无评级的占比达 66.08%。从债券募集金额来看，非公开发行公司债发行时有债项评级的占比达 40.95%，无评级的占比达 59.05%。

2016 年全年，从主要行业的债项评级分布情况来看：发行规模位居前列的房地产业、建筑业普遍拥有更高的评级，仅各有一支债项评级未达到投资级以上；金融业发行的有评级非公债中 AA 级以下的占比为 18%，其中 A－1 评级的债券均为证券公司短期公司债。AAA 级非公债共 84 支，其中房地产行业和金融行业发行数量占比较多，分别发行 28 支和 22 支。

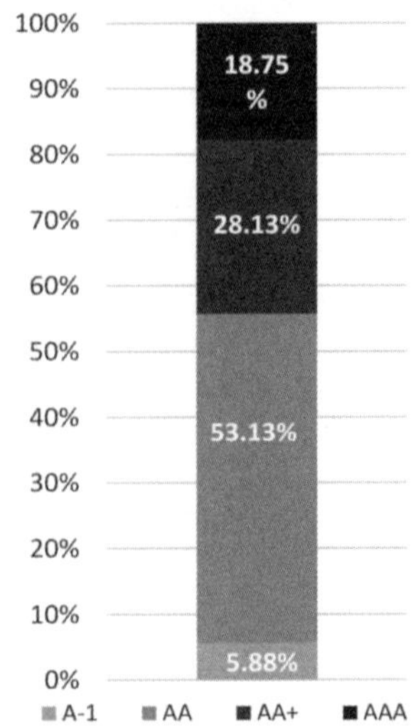

图 4　有评级非公债债项评级分布情况图

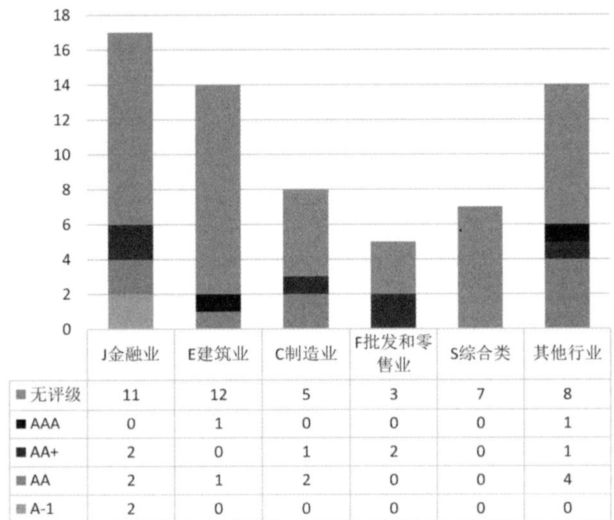

图 5　主要行业非公债债项评级分布情况

2017 年 A 股 IPO 市场展望

一、IPO“堰塞湖”问题有望得到有效化解

从新增报会企业情况看，截至 2016 年 12 月 30 日，A 股全年新增 328 家报会企业，同比减少 16%。其中，上交所新增报会企业 139 家，深交所新增报会企业 189 家（中小板 57 家、创业板 132 家）。

从在会审核企业情况看，截至 2016 年 12 月 30 日，A 股首发申报企业共计 731 家，同比减少 5.3%。其中，已过会 44 家，未过 687 会家（包括正常待审 637 家和中止审查 50 家）。其中，上交所在会首发申报 337 家，深交所在会首发申报 394 家（中小板 131 家、创业板 263 家）。此外，2016 年证监会终止审查企业共 78 家，其中上交所 25 家，深交所 53 家（中小板 15 家、创业板 38 家）。

可以预见，2017 年新股发行将日益常态化，坚持稳中求进的总基调，新股发行节奏会有条不紊。

表 1　2016 年 A 股首发申报企业概况表（截至 12 月 30 日）

	上交所		深交所		总计
	主板	中小板	创业板	合计	
已公布申报企业总家数	337	131	263	394	731
已受理家数	197	73	121	194	391
已反馈家数	52	29	73	102	154
预先披露更新家数	46	17	27	44	90
已提交发审会讨论，暂缓表决	1	0	1	1	
已通过发审会家数	23	7	14	21	44
中止审查家数	18	8	27	32	50

资料来源：证监会网站、Wind 资讯。

二、新三板挂牌企业转至 A 股 IPO 数量有望增长

截至 2016 年底，新三板挂牌企业已有 13 家实现转至 A 股 IPO，其中 2016 年度实现转至 A 股 IPO 的新三板挂牌企业分别是拓斯达和中旗股份。2017 年 1 月 6 日，三星新材通过证监会发审委首发审核，成为新三板首家转上交所主板实施首发上市的企业。

2016 年新三板挂牌企业转至 A 股实施 IPO 的数量显著增长。截至 2016 年 12 月 31 日，共有 323 家新三板企业发布了拟申请在 A 股市场首次公开发行股票并上市的提示性公告，占新三板挂牌企业总数的 3.13%。其中，有 245 家企业处于 IPO 上市辅导阶段，有 78 家企业已申报材料并获证监会受理，处于 IPO 排队审核阶段。基于现有新三板企业转至 A 股实施 IPO 的增长势头，可以预期 2017 年将会有更多的新三板企业谋求转至 A 股实施 IPO。

表 2　新三板挂牌企业转至 A 股实施 IPO 概况（2009—2017）

转板前			转板后			证监会行业
股份代码	股份简称	挂牌日期	A 股代码	上市板块	上市日期	
430007	久其软件	2006.09.07	002279	中小板	2009.08.11	软件和信息技术服务业
430006	北陆药业	2006.08.26	300016	创业板	2009.10.30	医药制造业
430001	世纪瑞尔	2006.01.23	300150	创业板	2010.12.22	软件和信息技术服务业
430023	佳讯飞鸿	2007.10.26	300213	创业板	2011.05.05	计算机、通信和其他电子设备制造业
430008	华宇软件	2006.08.30	300271	创业板	2011.10.26	软件和信息技术服务业
430012	博晖创新	2007.02.16	300318	创业板	2012.05.23	专用设备制造业
430045	东土科技	2009.02.18	300353	创业板	2012.09.27	计算机、通信和其他电子设备制造业
430030	安控科技	2008.08.20	300370	创业板	2014.01.23	仪器仪表制造业
430049	双杰电气	2009.02.18	300444	创业板	2015.04.24	仪器仪表制造业
430040	康斯特	2008.12.26	300445	创业板	2015.04.24	仪器仪表制造业
430018	合纵科技	2007.09.19	300477	创业板	2015.06.10	电气机械和器材制造业
831223	中旗股份	2014.10.28	300575	创业板	2016.12.20	化学原料和化学制品制造业
831535	拓斯达	2014.12.24	300607	创业板	2017.02.09	通用设备制造业
831645	三星新材	2015.01.07	603578	主板	2017.03.06	非金属矿物制品业

资料来源：证监会网站、Wind 资讯。

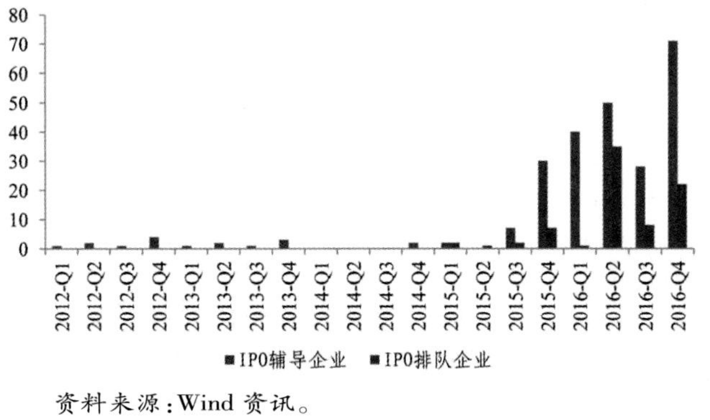

资料来源：Wind 资讯。

图 1　新三板企业转至 A 股实施 IPO 的增长情况（2012—2016 年）

三、网下市值门槛提高对个人投资者产生"挤出效应"

2016 年下半年新股网下配售所需最低市值要求逐月提高，四季度将新股网下配售市值要求提升为 2000 万、3000 万、5000 万的公司分别有 16 家、47 家、9 家，对应的网下个人投资者参与数量平均为 2998 人、2414 人、1050 人。可见，当新股网下配售所需市值要求从 3000 万提升至 5000 万时，网下个人投资者数量将下降 65%，会减少 1948 位个人投资者，假设每位网下个人投资者各持有沪深两市 3000 万元的流通市值，由此会带来 1168 亿元打新市值的松动。因此，过高的网下市值配售门槛会对个人投资者会产生"挤出效应"。

四、制造业企业继续占据 IPO 行业主导地位

目前在会企业中，制造业企业 451 家，占比 66%，非制造业企业 232 家，占比 34%，制造业企业未来仍将占据 IPO 行业主导地位。在制造业企业中，主板 208 家（45.4%）、中小板 86 家（18.8%）、创业板 164 家（35.8%）；在非制造业企业中，主板 118 家（51.3%）、中小板 41 家（17.8%）、创业板 71 家（30.9%）。其中，计算机、通信和其他电子设备制造业，信息传输、软件和信息技术服务业分别是制造业和非制造业占比最高的细分行业。

表 3　所有在会企业行业分布情况（截至 2016 年 12 月 30 日）

	主板	中小板	创业板	合计
制造业（家数）	208	86	164	458
制造业各板块占比	45.4%	18.8%	35.8%	
非制造业（家数）	118	41	71	230
非制造业各板块占比	51.3%	17.8%	30.9%	
合计（家数）	326	127	235	688
所有在审公司各板块占比	47.4%	18.5%	34.2%	

资料来源：证监会网站。

五、粤浙苏仍是 IPO 企业主要来源地

截至 2017 年 1 月 19 日，共有 674 家在会企业处于首次公开发行股票正常审核状态，其中上交所 313 家，深交所 361 家（中小板 124 家、创业板 237 家）。按照各地在会企业数量大致可以分为三大梯队，第一梯队是广东、浙江、江苏、上海、北京，上述五省市在会企业数均超过 50 家，合计占比 67%；第二梯队是福建、山东、湖南、安徽、四川、重庆、河南，上述 7 省市在会企业数均超过 10 家，合计占比 23%；第三梯队是其余 22 个省份，目前在会企业数均低于 10 家，合计占比 10%。

2016 年中国证监会政府信息公开工作年度报告

为贯彻落实党中央、国务院决策部署，根据《中华人民共和国政府信息公开条例》有关规定，现公布中国证监会 2016 年政府信息公开工作年度报告。本报告内容包括主动公开信息情况、依申请公开信息情况、信息公开机制平台建设情况、信息公开收费及减免情况、因信息公开申请行政复议及提起行政诉讼情况、存在的问题及改进措施。

一、主动公开信息情况

2016 年，中国证监会及其派出机构通过网站等形式对外公开政府信息 12130 条，其中会机关公开 4516 条，各派出机构公开 7614 条（派出机构信息公开情况详见各证监局发布的本单位 2016 年政府信息公开工作年度报告）。会机关主动公开的政府信息主要涵盖以下方面：

（一）重要监管政策措施及工作动态信息

在“证监会要闻”栏目发布重大监管新闻 230 条。主要包括我会重要工作会议、重要监管政策、新品种上市、市场违法案件查处、国际监管合作以及重点工作进展等情况。在“证监会令”及“证监会公告”专栏发布证监会令 7 项、证监会公告 36 项。落实《国务院办公厅关于做好全国人大代表建议和全国政协委员提案办理结果公开工作的通知》要求，公开了 29 件我会办理的全国人大代表建议和全国政协委员提案的办理复文。

（二）行政审批信息

推进行政审批项目取消、下放等信息的公开。根据国务院有关决定，对在我会网站公开的行政审批事项目录进行了调整，删除了 1 项已取消的行政审批事项并进行公告。经过上述调整，我会共有行政审批事项 40 项。为深化行政审批制度改革，规范行政审批行为，改进行政审批工作，进一步提高审批工作效率和为人民群众服务水平，我会编制完成行政审批事项服务指南并在网站“办事指南”栏目中予以发布。服务指南的主要内容包括事项名称、设定依据、受理机构、审核机构、审批数量、审批收费依据及标准、办理时限、申请条件、申请材料、申请接收、办理程序、审批结果、申请人权利和义务、咨询途径、监督和投诉渠道、办公地址和时间、公开查询、办理流程图、申请材料示范文本等要素。

在公司公开发行股票审核中，公开首次公开发行股票招股说明书（预披露及补充预披露）637 件、发审会会议公告和审核结果公告 296 件、首次公开发行股票申请文件反馈意见 277 件、再融资反馈意见 46 件、发审委审核意见 18 件、发行监管问答 2 件、终止审查首发企业及审核中关注的主要问题 2 件、首发企业信息披露质量抽查抽签情况 2 件。在非上市公众公司审核工作中，公开发行说明书及反馈意见回复 92 件、审核反馈意见 91 件。在上市公司并购重组审核中，公开并购重组委会议公告和审核结果公告 216 件、并购重组反馈意见 337 件。在公司债券发行审核中，公开监管问答 10 件、公司债券募集说明书（预披露）6 件、反馈意见 87 件。对首次公开发行股票，上市公司并购重组，证券投资基金募集，证券机构、基金管理公司、资信评级机构等的行政许可事项受理及审核进度情况每周予以更新发布。

（三）稽查、处罚和行政复议信息

在“稽查局”栏目发布各类稽查执法工作信息 9 条、案情 9 件。在“行政处罚委”栏目发布行政处罚决定书 139 件、市场禁入决定书 20 件。在“行政复议”栏目发布行政复议决定书 102 件。

（四）市场统计信息

在“统计数据”栏目发布《证券市场月报》12 期、《上市公司行业分类》4 期、《期货市场周报》51 期、《期货市场月报》12 期。

（五）合法机构名录及监管合作信息

在“合法机构名录”栏目更新发布证券公司名录、期货公司名录、公募证券投资基金名录、公募基金管理机构名录、基金管理公司从事特定客户资产管理业务子公司名录、证券投资基金托管人名录、公开募集基金销售机构名录、公开募集基金销售支付结算机构名录、合格境外机构投资者托管行名录、人民币合格境外机构投资者名录、合格境外机构投资者名录、证券投资咨询机构名录、证券市场资信评级机构名录。

（六）《证监会年报》及《证监会白皮书》

在“了解证监会”栏目，发布我会 2015 年年报，系统介绍我会监管职责与架构以及在监管改革、制度建设、创新发展、风险防范、法制建设、稽查执法、投资者保护、对外开放与国际合作等方面的工作情况。同时，按照依法行政、阳光行政的要求，按月将我会出台的规范性文件、行政许可批复、官方网站新闻稿以及证券期货市场统计报表等公开信息汇编成《证监会白皮书》，2016 年共发布 12 期。

（七）部门预决算

2016 年 4 月 15 日，公布我会 2016 年度部门预算。2016 年 7 月 22 日，公布我会 2015 年度部门决算。公开内容细化到支出功能分类的项级科目。“三公”经费按财政部要求已公开全部财政拨款安排预算数，以及公务用车购置和保有量、国内公务接待情况、“三公”经费增减变化原因等信息，并细化说明了因公出国（境）团组、人数。

二、依申请公开信息情况

2016 年，我会共收到政府信息公开申请 1142 件。其中，现场申请 32 件，占比 2.8%；网络申请 763 件，占比 66.81%；信函申请 346 件，占比 31.11%。

答复政府信息公开申请 1142 件。其中，属于已主动公开范围的 412 件，占比 36.07%；同意公开答复的 121 件，占比 10.59%；同意部分公开答复的 1 件，占比 0.08%；不同意公开答复的 50 件，占比 4.37%；不属于本行政机关公开的 257 件，占比 22.5%；申请信息不存在的 277 件，占比 24.25%；告知作出更改补充的 22 件，占比 1.92%；告知通过其他途径办理 2 件，占比 0.17%。

三、信息公开机制平台建设情况

坚持和完善例行新闻发布会制度。2016 年，全年举办 47 场例行新闻发布会，主动发布新闻 230 余条，回应公众关注热点或重大舆情 110 余个。

加强官方网站、微博、微信平台建设，构建综合性宣传平台。做好官方网站建设和日常运维，启动网站优化升级，调整、新设网站栏目 24 个。微博微信运转良好，影响力不断增强。截至 2016 年 12 月 31 日，证监会微博粉丝 811 万，微信订阅数 55 万，通过微博微信直播例行新闻发布会 47 场，发布微博 1336 条，微信 145 期信息 317 条，转发国务院常务会议信息 48 条、中国政府网微博 144 条。

四、信息公开收费及减免情况

2016 年，我会未收取与政府信息公开相关的检索、复制、邮寄等费用。

五、因信息公开申请行政复议及提起行政诉讼情况

2016 年，我会共收到涉及会机关政府信息公开工作的行政复议申请 4 件，均决定维持具体行政行为。以我会机关为被告的信息公开类行政诉讼案件 21 件。其中，维持具体行政行为或判决驳回原告诉讼请求的 5 件，被依法纠错 1 件，裁定撤诉 1 件，其他 14 件尚在法院审理过程中。

六、存在问题及改进措施

我会政府信息公开工作存在的主要问题是政府信息主动公开的范围和内容与市场需求相比还有一定差距，依申请公开政府信息的水平需进一步提高。2017 年，我会将认真贯彻落实《国务院办公厅关于印发 2017 年政务公开工作要点的通知》要求，全面推进决策、执行、管理、服务、结果公开，加强解读回应，增强公开实效，进一步提高监管工作透明度，助力资本市场稳定健康发展。

证券公司名录

序号	公司名称	辖区
1	爱建证券有限责任公司	上海
2	安信证券股份有限公司	深圳
3	北京高华证券有限责任公司	北京
4	渤海证券股份有限公司	天津
5	财达证券股份有限公司	河北
6	财富证券有限责任公司	湖南
7	财通证券股份有限公司	浙江
8	财通证券资产管理有限公司	浙江
9	长城国瑞证券有限公司	厦门
10	长城证券股份有限公司	深圳
11	长江证券(上海)资产管理有限公司	上海
12	长江证券承销保荐有限公司	上海
13	长江证券股份有限公司	湖北
14	网信证券有限责任公司	辽宁
15	川财证券有限责任公司	四川
16	大通证券股份有限公司	大连
17	大同证券经纪有限责任公司	山西
18	德邦证券股份有限公司	上海
19	第一创业摩根大通证券有限责任公司	北京
20	第一创业证券股份有限公司	深圳
21	东北证券股份有限公司	吉林
22	东方花旗证券有限公司	上海
23	东方证券股份有限公司	上海
24	东海证券股份有限公司	江苏
25	东莞证券股份有限公司	广东
26	东吴证券股份有限公司	江苏
27	东兴证券股份有限公司	北京
28	方正证券股份有限公司	湖南
29	高盛高华证券有限责任公司	北京
30	光大证券股份有限公司	上海
31	广发证券股份有限公司	广东
32	广发证券资产管理(广东)有限公司	广东
33	广州证券股份有限公司	广东
34	国都证券股份有限公司	北京
35	国海证券股份有限公司	广西
36	国金证券股份有限公司	四川
37	国开证券有限责任公司	北京
38	国联证券股份有限公司	江苏
39	国盛证券有限责任公司	江西
40	国泰君安证券股份有限公司	上海
41	国信证券股份有限公司	深圳
42	国元证券股份有限公司	安徽
43	海际证券有限责任公司	上海
44	海通证券股份有限公司	上海
45	恒泰长财证券有限责任公司	吉林
46	恒泰证券股份有限公司	内蒙古
47	红塔证券股份有限公司	云南
48	宏信证券有限责任公司	四川
49	华安证券股份有限公司	安徽
50	华宝证券有限责任公司	上海
51	华创证券有限责任公司	贵州
52	华福证券有限责任公司	福建
53	华金证券有限责任公司	上海
54	华林证券有限责任公司	西藏
55	华龙证券股份有限公司	甘肃
56	华融证券股份有限公司	北京
57	华泰联合证券有限责任公司	深圳
58	华泰证券(上海)资产管理有限公司	上海
59	华泰证券股份有限公司	江苏
60	华西证券股份有限公司	四川
61	华鑫证券有限责任公司	深圳
62	华英证券有限责任公司	江苏
63	江海证券有限公司	黑龙江
64	金通证券有限责任公司	浙江
65	金元证券股份有限公司	海南
91	九州证券股份有限公司	青海
66	开源证券股份有限公司	陕西
67	联讯证券股份有限公司	广东
68	民生证券股份有限公司	北京
69	摩根士丹利华鑫证券有限责任公司	上海
70	南京证券股份有限公司	江苏
71	平安证券股份有限公司	深圳
72	齐鲁证券(上海)资产管理有限公司	上海
73	中泰证券股份有限公司	山东
74	国融证券股份有限公司	内蒙古
75	瑞信方正证券有限责任公司	北京
76	瑞银证券有限责任公司	北京
77	山西证券股份有限公司	山西
78	上海东方证券资产管理有限公司	上海
79	上海光大证券资产管理有限公司	上海
80	上海国泰君安证券资产管理有限公司	上海
81	上海海通证券资产管理有限公司	上海
82	上海华信证券有限责任公司	上海
83	上海证券有限责任公司	上海
84	申万宏源西部证券有限公司	新疆
85	申万宏源证券承销保荐有限责任公司	新疆
86	申万宏源证券有限公司	上海
87	世纪证券有限责任公司	深圳
88	首创证券有限责任公司	北京
89	太平洋证券股份有限公司	云南
90	天风证券股份有限公司	湖北
92	万和证券股份有限公司	海南
93	万联证券有限责任公司	广东
94	五矿证券有限公司	深圳
95	西部证券股份有限公司	陕西
96	西藏东方财富证券股份有限公司	西藏
97	西南证券股份有限公司	重庆
98	湘财证券有限责任公司	湖南
99	新时代证券股份有限公司	北京
100	信达证券股份有限公司	北京

序号	公司名称	辖区
101	兴业证券股份有限公司	福建
102	兴证证券资产管理有限公司	福建
103	银河金汇证券资产管理有限公司	深圳
104	银泰证券有限责任公司	深圳
105	英大证券有限责任公司	深圳
106	招商证券股份有限公司	深圳
107	招商证券资产管理有限公司	深圳
108	浙江浙商证券资产管理有限公司	浙江
109	浙商证券股份有限公司	浙江
110	中德证券有限责任公司	北京
111	中国国际金融股份有限公司	北京
112	中国民族证券有限责任公司	北京
113	中国银河证券股份有限公司	北京
114	中国中投证券有限责任公司	深圳
115	中航证券有限公司	江西
116	中山证券有限责任公司	深圳
117	中天证券股份有限公司	辽宁
118	中信建投证券股份有限公司	北京
119	中信证券(山东)有限责任公司	青岛
120	中信证券股份有限公司	深圳
121	中银国际证券有限责任公司	上海
122	中邮证券有限责任公司	陕西
123	中原证券股份有限公司	河南
124	联储证券有限责任公司	深圳
125	国盛证券资产管理有限公司	深圳
126	东证融汇证券资产管理有限公司	上海
127	渤海汇金证券资产管理有限公司	深圳
128	申港证券股份有限公司	上海
129	华菁证券有限公司	上海

证券投资咨询机构名录

序号	公司名称	辖区
1	鼎信汇金(北京)投资管理有限公司	北京
2	和讯信息科技有限公司	北京
3	天一星辰(北京)科技有限公司	北京
4	北京指南针科技发展股份有限公司	北京
5	北京中富金石咨询有限公司	北京
6	北京盛世创富证券投资顾问有限公司	北京
7	北京博星证券投资顾问有限公司	北京
8	北京东方高圣投资顾问有限公司	北京
9	北京海问咨询有限公司	北京
10	北京金美林投资顾问有限公司	北京
11	北京股商投资有限责任公司	北京
12	北京盛世华商投资咨询有限公司	北京
13	北京中方信富投资管理咨询有限公司	北京
14	北京中和应泰财务顾问有限公司	北京
15	北京中资北方投资顾问有限公司	北京
16	北京首证投资顾问有限公司	北京
17	北京和众汇富咨询有限公司	北京
18	天相投资顾问有限公司?	北京
19	辽宁弘历投资咨询有限公司	辽宁
20	沈阳麟龙投资顾问有限公司	辽宁
21	四川省钱坤证券投资咨询有限公司	四川
22	成都汇阳投资顾问有限公司	四川
23	四川大决策证券投资顾问有限公司	四川
24	杭州顶点财经网络传媒有限公司	浙江
25	浙江同花顺云软件有限公司	浙江
26	广州市万隆证券咨询顾问有限公司	广东
27	广州汇正财经顾问有限公司	广东
28	广州越声理财咨询有限公司	广东
29	广东科德投资顾问有限公司	广东
30	广东博众证券投资咨询有限公司	广东
31	广州广证恒生证券研究所有限公司	广东
32	湖南金证投资咨询顾问有限公司	湖南
33	湖南巨景证券投资顾问有限公司	湖南
34	广州经传多赢投资咨询有限公司	广东
35	深圳市国诚投资咨询有限公司	深圳
36	深圳市珞珈投资咨询有限公司	深圳
37	深圳市启富证券投资顾问有限公司	深圳
38	深圳市中证投资资讯有限公司	深圳
39	深圳市尊悦证券资讯有限公司	深圳
40	深圳大德汇富咨询顾问有限公司	深圳
41	深圳市怀新企业投资顾问股份有限公司	深圳
42	深圳市中广资本管理有限公司	深圳
43	深圳君银证券投资咨询顾问有限公司	深圳
44	深圳市新兰德证券投资咨询有限公司	深圳
45	上海东方财富证券研究所有限公司	上海
46	上海海能证券投资顾问有限公司	上海
47	深圳市优品投资顾问有限公司	深圳
48	上海凯石证券投资咨询有限公司	上海
49	上海迈步投资管理有限公司	上海
50	上海荣正投资咨询有限公司	上海
51	上海森洋投资咨询有限公司	上海
52	上海证券之星综合研究有限公司	上海
53	上海申银万国证券研究所有限公司	上海
54	上海世基投资顾问有限公司	上海
55	上海新兰德证券投资咨询顾问有限公司	上海
56	江苏百瑞赢证券咨询有限公司	江苏
57	上海亚商投资顾问有限公司	上海
58	上海益盟软件技术股份有限公司	上海
59	上海涌金理财顾问有限公司	上海
60	上海证券通投资资讯科技有限公司	上海
61	陕西巨丰投资资讯有限责任公司	陕西
62	联合信用投资咨询有限公司	天津
63	北部资产经营股份有限公司	大连
64	大连华讯投资股份有限公司	大连
65	海南港澳资讯产业股份有限公司	海南

序号	公司名称	辖区
66	海顺证券投资咨询有限公司	宁波
67	重庆东全投资顾问有限公司	重庆
68	河南九鼎德盛投资顾问有限公司	河南
69	云南产业投资管理有限公司	云南
70	安徽华安新兴证券投资咨询有限责任公司	安徽
71	安徽大时代投资咨询有限公司	安徽
72	青岛市大摩投资咨询有限公司	青岛
73	河北源达证券投资顾问股份有限公司	河北
74	山东神光咨询服务有限责任公司	山东
75	山东点掌资本管理有限公司	山东
76	江苏全百临投资咨询有限公司	江苏
77	江苏天鼎投资咨询有限公司	江苏
78	厦门市鑫鼎盛控股有限公司	厦门
79	厦门市新汇通投资咨询有限公司	厦门
80	厦门高能投资咨询有限公司	厦门
81	厦门中证通投资咨询有限公司	厦门
82	福建天信投资咨询顾问股份有限公司	福建
83	福建中讯证券研究有限责任公司	福建
84	黑龙江省容维证券数据程序化有限公司	黑龙江

取得中国证监会证券评级业务许可的资信评级机构名录

（按公司名称拼音顺序排列）

截至2016年12月31日

公司名称	注册地址	网址	电话	邮政编码
大公国际资信评估有限公司	北京市朝阳区霄云路26号鹏润大厦A座2901	www.dagongcredit.com	010－51087768	100125
东方金诚国际信用评估有限公司	北京市西城区德胜门外大街83号701室（德胜园区）	www.dfratings.com	010－62299800	100088
联合信用评级有限公司	天津市南开区水上公园北道38号爱俪园公寓508号	www.unitedratings.com.cn	010－85172818	300000
鹏元资信评估有限公司	深圳市福田区深南大道7008号阳光高尔夫大厦3楼	www.pyrating.cn	0755－82872897 0755－82872318	518040
上海新世纪资信评估投资服务有限公司	上海市杨浦区控江路1555号A座103室K－22	www.shxsj.com	021－63501349	200001
上海远东资信评估有限公司	上海市黄浦区淮海中路622弄7号	www.sfecr.com	021－61428000	200082
中诚信证券评估有限公司	上海市青浦区新业路599号1幢968室	www.ccxr.com.cn	021－51019090	200011

第二节　上海证券交易所

2016 年上海市场情况

2016－12－30

			值	较上年±	较上年%
指数	上证指数		3,103.64	－435.54	－12.31
	上证 180		7,224.60	－771.17	－9.64
	上证 380		5,542.39	－1,170.37	－17.43
品种	上市公司数		1,182	101	9.34
	股票	合计	1,226	101	8.98
		A 股	1,175	102	9.51
		B 股	51	－1	－1.92
	优先股	合计	24	8	50.00
	债券	合计	8,130	3,592	79.15
		现货挂牌数	8,077	3,588	79.93
		回购挂牌数	53	4	8.16
	基金	基金数	161	26	19.26
		其中:ETF	76	3	4.11
	期权	合计	106	6	6.00
规模	股票	市价总值	284,608	－10,587	－3.59
		非限售股市值	240,006	－14,122	－5.56
		发行股本	32,708	2,472	8.18
		非限售股股本	29,372	1,954	7.13
	债券	托管量合计	62,090	27,689	80.49
	基金	市值合计	3,608	－935	－20.58
		其中:ETF	1,586	138	9.53
	期权	持仓量	132 万	89 万	207.47
市盈率	股票市场		15.94	－1.70	－9.61
	上证 180		11.90	－1.05	－8.13
	上证 380		32.32	－10.60	－24.69
开户	一码通总数		1.46 亿	2011 万	16.02
	新增		2036 万	－474 万	－18.89
			值	较上年±	较上年%
成交	股票	现货	497,865	－827,723	－62.44
		回购	3,836	－1,568	－29.02
	债券	合计	2,247,175	1,018,641	82.92
		现货	43,823	13,142	42.83
		回购	2,203,352	1,005,499	83.94
	基金	合计	89,360	－14,454	－13.92
		其中:ETF	6,511	－22,380	－77.46
	期权	合计	432	195	82.49
筹融资	股票	筹资总额	8,056	－657	－7.53
		其中:IPO 公司数	103	14	15.73
		IPO 筹资额	1,017	－70	－6.41
	优先股	筹资总额	1,378	－581	－29.66
		筹资公司数	6	－4	－40.00
	债券	融资总额	25,547	8,134	46.71

说明:市值、成交、股本单位为亿元(股);股票成交不含回购;债券融资指公司债券。债券托管数据、开户数据截至 2016—12—29。

2016 年上海股票市场情况

年度情况	上海市场	A 股	B 股
市价总值(亿元)	284607.63	283555.04	1052.59
流通市值(亿元)	240006.24	238953.65	1052.59
总成交笔数(万笔)	238318.84	237630.38	668.5
最高成交笔数(万笔)	1628.79 (2016－03－21)	1623.02 (2016－03－21)	10.43 (2016－01－11)
最低成交笔数(万笔)	360.05 (2016－01－07)	357.73 (2016－01－07)	0.94 (2016－09－02)
总成交量(万股)	457186235.82	447517997.74	1319160.74
最高成交量(万股)	3565695.75 (2016－03－21)	3538857.69 (2016－03－21)	22009.66 (2016－01－11)
最低成交量(万股)	714814.7 (2016－01－07)	700810.65 (2016－01－07)	1706.95 (2016－05－24)
总成交金额(亿元)	501700.42	496880.34	984.49
最高成交金额(亿元)	3861.08 (2016－03－21)	3841.41 (2016－03－21)	16.76 (2016－01－05)
最低成交金额(亿元)	803.43 (2016－01－07)	795.91 (2016－01－07)	1.33 (2016－09－20)
平均市盈率	15.94	15.91	28.03
换手率(%)	－	－	－

2016 年上海市场规模统计(按月份)

日期	上市公司总数	上市证券总数	上市股票总数	上市 A 股总数	总股本(亿股)	总市值(亿元)	流通股本(亿股)	流通市值(亿元)	股票、基金累计成交金额(亿元)	A 股累计成交金额(亿元)	基金累计成交金额(亿元)	债券累计成交金额(亿元)	平均市盈率	A 股平均市盈率	代扣 A 股交易印花税(亿元)
2016－12	1,182	9,647	1,226	1,175	32,708.0000	284,608.0000	29,372.0000	240,006.0000	587,224.6000	496,880.3400	89,359.7700	2,247,175.2000	15.9400	15.9100	496.8976
2016－11	1,161	9,440	1,205	1,153	32,535.0000	295,303.0000	29,131.0000	247,745.0000	529,916.5000	452,511.3500	76,469.6600	2,015,796.7200	16.5800	16.5600	452.5275
2016－10	1,146	8,840	1,190	1,138	32,406.0000	278,042.0000	29,064.0000	234,796.0000	458,925.4100	393,662.7900	64,395.8000	1,793,547.8900	15.7600	15.7300	393.6775
2016－09	1,134	8,543	1,178	1,126	32,239.0000	265,741.0000	29,031.0000	227,337.0000	422,671.9500	362,902.8000	58,963.8900	1,620,811.3300	15.1200	15.0900	362.9167
2016－08	1,124	8,202	1,168	1,116	31,997.0000	270,601.0000	28,907.0000	232,185.0000	385,165.8400	331,321.5900	53,083.6900	1,406,154.4100	15.4500	15.4200	331.3345
2016－07	1,110	7,828	1,154	1,102	31,602.0000	256,920.0000	28,641.0000	223,022.0000	334,295.2700	286,680.2500	46,906.3800	1,161,910.9400	14.8000	14.7700	286.6918
2016－06	1,106	7,530	1,150	1,098	31,328.0000	250,920.0000	28,434.0000	217,932.0000	281,358.9900	239,373.5000	41,341.5400	948,446.3200	14.4600	14.4300	239.3828
2016－05	1,100	7,184	1,144	1,092	30,892.0000	248,544.0000	28,034.0000	216,077.0000	236,824.1000	201,500.5500	34,737.8700	762,683.9800	14.3500	14.3200	201.5088
2016－04	1,096	6,941	1,140	1,088	30,621.0000	249,671.0000	27,759.0000	216,558.0000	198,637.1200	169,836.7900	28,287.6200	582,743.1300	14.7700	14.7500	169.8441
2016－03	1,090	6,582	1,134	1,082	30,494.0000	254,082.0000	27,668.0000	220,363.0000	149,118.1800	127,650.3600	21,041.2900	421,724.7800	15.1100	15.0800	127.6566
2016－02	1,084	6,272	1,128	1,076	30,384.0000	226,321.0000	27,583.0000	196,616.0000	85,980.3600	73,989.2500	11,692.4700	250,314.2900	13.5200	13.5000	73.9925
2016－01	1,081	6,093	1,125	1,073	30,326.0000	229,464.0000	27,530.0000	199,178.0000	49,204.5100	43,263.7700	5,743.8300	138,757.2800	13.7500	13.7300	43.2656

数据来源:东方财富 Choice 数据。

2016 年上证指数基本数据

	上证综指	上证 50	上证 180	上证 380	上证 100	上证 150
年涨跌幅%	－12.31	－5.53	－9.64	－17.43	－16.67	－14.55
市盈率	15.94	9.94	11.9	32.32	27.53	91.47
市净率	1.84	1.24	1.45	2.96	3.59	5.4
股息率	1.79	2.96	2.5	1.05	1.15	0.21
指数总市值(万亿元)	28.46	11.88	17.23	5.4	1.53	1.12
指数流通市值(万亿元)	24	11.51	15.96	4.32	1.17	0.75
样本股日均成交额(亿元)	2040	290	712	588	127	204
换手率%	158.42	44.89	84.41	317.2	274.31	588.76

说明:市盈率＝市价总值/年报净利润,市净率＝市价总值/年报净资产

上证指数走势图(2014—2016 年)

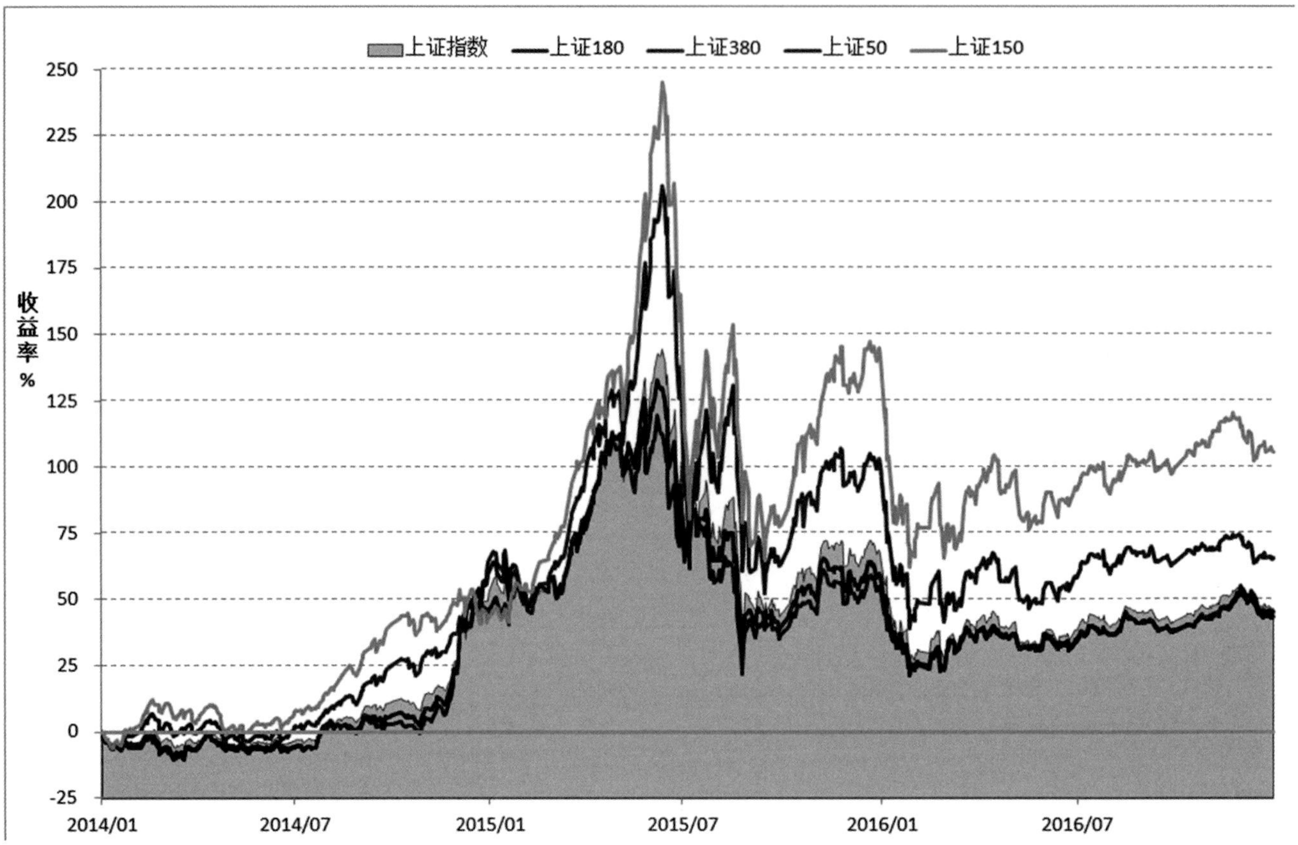

上证指数产品

近年来,上证指数体系在体现上海市场品牌、反映市场板块层次结构和价格测量功能的同时,创新发展出了更为广阔的投资应用功能空间。围绕上证 50、上证 180 等指数,目前已有多只指数基金产品推出。截至 2016 年底,以上证股票指数为投资标的的指数型产品数量共有 79 只,资产净值近 1000 亿元。其中在上交所上市的交易所交易基金(ETF)数量为 33 只,基金资产净值合计 607 亿元。

上证指数体系为投资者提供了良好的投资标的,投资者可以通过指数投资产品以较低成本分享到上海资本市场的发展成果,优秀的指数投资产品也有助于引导市场资金的合理配置,对资本市场的建设有积极推动作用。

上交所将不断丰富和完善指数产品的构成、品种、数量,使指数基金成为与股票、债券相并列的重要市场类别。通过不同主题、策略、风格和不同行业的指数编制以及相应指数产品的开发,满足大、中、小型投资者,以及券商渠道、银行、信托、私募渠道投资者,各类基金、社会保险、商业保险公司等专业投资者,以及央企、民企等一般机构投资者等多层次投资者对于不同风险、收益投资属性的多元化需求。

2016 年度上交所基金交易统计

年度情况	基金总体	封闭式基金	ETF	LOF	分级 LOF
总成交笔数(万笔)	3260.83	77.19	962.64	40.73	354.25
最高成交笔数(万笔)	42.11	0.95	8.93	0.6	5.21
最低成交笔数(万笔)	6.01	0.05	1.96	0.01	0.37
总成交量(万份)	45784532.91	1979811.02	29070888.1	876281.06	5674318.8
最高成交量(万份)	361497.66	29308.34	295758.58	16061.97	141898.66
最低成交量(万份)	84334.98	1681.79	37291.09	262.99	4337.3
总成交金额(亿元)	89359.77	212.8	6510.84	86.64	523.98
最高成交金额(亿元)	1256.19	3.21	64.22	1.6	10.25
最低成交金额(亿元)	210.13	0.18	8.65	0.02	0.43
累计交易日(天)	244	244	244	244	244

2016 年度上交所债券交易统计

年度情况	国债现货	地方政府债	公司债	企业债现货	可转债	可分离债	企业债回购	国债买断式回购	新质押式债券回购
总成交量(万手)	56429.04	19793.33	151108.93	73048.17	8804.42	–	0	0	21648835.62
最高成交量(万手)	2081.26	605	1280.68	772.31	274.02	–	0	0	125819.48
最低成交量(万手)	31.48	0	85.27	47.51	1.41	–	0	0	54767.94
总成交金额(亿元)	5769.95	1992.51	15236.29	7275.06	1034.95	–	0	0	2164883.56
最高成交额(亿元)	213.43	60.99	129.03	73.42	31.93	–	0	0	12581.95
最低成交额(亿元)	3.21	0	8.66	4.66	0.18	–	0	0	5476.79
总成交笔数(万笔)	26.57	0.41	60.86	77.99	109.66	–	0	0	7702.67
最高笔数(万笔)	0.35	0.01	0.43	0.73	3.49	–	0	0	67.57
最低笔数(万笔)	0.05	0	0.11	0.18	0.03	–	0	0	16.68

2016 年度新发行、上市与利润分配统计

	上市公司/股票数	股本数(亿股)	金额(万元)
募资	–		84979907.79
首发	116	113.79	11212635.67
增发	298	823.92	72843969.9
配股	3	20.5	923302.22
流通	–		–
上市 *	407	6584.01	–
非流通股流通			–
分红	796	–	0
送股及转增	152	1957.57	–

* 上市统计以上市日为准,包括首发、增发、配股及送股的上市

2016 年沪市上市公司规模排名(前 30 名)

公司简称	已发行股票	股票类型	总资产(亿元)	营业总收入(亿元)	员工人数(人)	合计	A 股	B 股	H 股	其他(BPS 估算)	合计	A 股	B 股	H 股	证监会行业(2012)
工商银行	601398. SH、01398. HK	A 股、H 股	241,372.6500	6,758.9100	461,749.0000	15,500.0721	11,889.8986	0.0000	3,610.1735	—	15,500.0721	11,889.8986	0.0000	3,610.1735	金融业
建设银行	00939. HK、601939. SH	H 股、A 股	209,637.0500	6,050.9000	362,482.0000	13,360.7201	521.8950	0.0000	12,838.8251	—	13,360.7201	521.8950	0.0000	12,838.8251	金融业
中国农业银行	601288. SH、01288. HK	A 股、H 股	195,700.6100	5,060.1600	496,698.0000	9,990.0928	9,115.7141	0.0000	874.3787	—	9,990.0928	9,115.7141	0.0000	874.3787	金融业
中国银行	601988. SH、03988. HK	A 股、H 股	181,488.8900	4,836.3000	308,900.0000	9,823.4868	7,250.3337	0.0000	2,573.1531	—	9,823.4868	7,250.3337	0.0000	2,573.1531	金融业
交通银行	601328. SH、03328. HK	A 股、H 股	84,031.6600	1,931.2900	92,556.0000	4,021.7405	2,264.7749	0.0000	1,756.9657	—	4,021.7405	2,264.7749	0.0000	1,756.9657	金融业
兴业银行	601166. SH	A 股	60,858.9500	1,570.6000	56,236.0000	3,075.0472	3,075.0472	0.0000	0.0000	—	3,075.0472	3,075.0472	0.0000	0.0000	金融业
招商银行	600036. SH、03968. HK	A 股、H 股	59,423.1100	2,090.2500	70,461.0000	4,377.2754	3,630.6942	0.0000	746.5812	—	4,377.2754	3,630.6942	0.0000	746.5812	金融业
中信银行	601998. SH、00998. HK	A 股、H 股	59,310.5000	1,537.8100	58,023.0000	2,839.0674	2,182.7738	0.0000	656.2936	—	2,701.4146	2,045.1210	0.0000	656.2936	金融业
中国民生银行	600016. SH、01988. HK	A 股、H 股	58,958.7700	1,552.1100	56,168.0000	3,197.4594	2,683.3007	0.0000	514.1587	—	3,197.4594	2,683.3007	0.0000	514.1587	金融业
浦发银行	600000. SH	A 股	58,572.6300	1,607.9200	52,832.0000	3,504.3232	3,504.3232	0.0000	0.0000	—	3,326.1005	3,326.1005	0.0000	0.0000	金融业
中国平安	601318. SH、02318. HK	A 股、H 股	55,769.0300	7,124.5300	318,588.0000	6,422.8427	3,838.0130	0.0000	2,584.8296	—	6,422.8427	3,838.0130	0.0000	2,584.8296	金融业
光大银行	601818. SH、06818. HK	A 股、H 股	40,200.4200	940.3700	42,250.0000	1,773.4736	1,556.5851	0.0000	216.8886	—	1,773.4736	1,556.5851	0.0000	216.8886	金融业
中国人寿	601628. SH、02628. HK	A 股、H 股	26,969.5100	5,497.7100	99,739.0000	6,360.9419	5,016.3884	0.0000	1,344.5535	—	6,360.9419	5,016.3884	0.0000	1,344.5535	金融业
中国石油	601857. SH、00857. HK	A 股、H 股	23,969.5000	16,169.0300	508,757.0000	13,963.6748	12,872.8052	0.0000	1,090.8696	—	13,963.6748	12,872.8052	0.0000	1,090.8696	采矿业
华夏银行	600015. SH	A 股	23,562.3500	640.2500	39,098.0000	1,159.3846	1,159.3846	0.0000	0.0000	—	1,159.3846	1,159.3846	0.0000	0.0000	金融业
北京银行	601169. SH	A 股	21,163.3900	474.5600	14,534.0000	1,484.1715	1,484.1715	0.0000	0.0000	—	1,484.1715	1,484.1715	0.0000	0.0000	金融业
上海银行	601229. SH	A 股	17,553.7110	344.0881	10,149.0000	1,397.8360	1,397.8360	0.0000	0.0000	—	139.7848	139.7848	0.0000	0.0000	金融业
江苏银行	600919. SH	A 股	15,982.9245	313.5905	14,552.0000	1,111.7305	1,111.7305	0.0000	0.0000	—	111.1735	111.1735	0.0000	0.0000	金融业
中国石化	600028. SH、00386. HK	A 股、H 股	14,986.0900	19,309.1100	451,611.0000	6,424.8868	5,169.6754	0.0000	1,255.2114	—	6,424.8868	5,169.6754	0.0000	1,255.2114	采矿业
中国建筑	601668. SH	A 股	13,919.5328	9,597.6549	255,878.0000	2,658.0000	2,658.0000	0.0000	0.0000	—	2,653.2148	2,653.2148	0.0000	0.0000	建筑业
南京银行	601009. SH	A 股	10,638.9983	266.2067	8,818.0000	656.7652	656.7652	0.0000	0.0000	—	624.8101	624.8101	0.0000	0.0000	金融业
中国太保	601601. SH、02601. HK	A 股、H 股	10,206.9200	2,670.1400	97,032.0000	2,417.3419	1,745.8166	0.0000	671.5253	—	2,417.3419	1,745.8166	0.0000	671.5253	金融业
中国交建	601800. SH、01800. HK	A 股、H 股	8,014.6308	4,317.4343	118,765.0000	2,137.6766	1,784.4051	0.0000	353.2715	—	2,137.6766	1,784.4051	0.0000	353.2715	建筑业
中国铁建	601186. SH、01186. HK	A 股、H 股	7,593.4503	6,293.2709	259,460.0000	1,561.1435	1,375.7882	0.0000	185.3553	—	1,561.1435	1,375.7882	0.0000	185.3553	建筑业
中国中铁	601390. SH、00390. HK	A 股、H 股	7,545.0927	6,433.5732	283,511.0000	1,891.3450	1,651.2304	0.0000	240.1146	—	1,863.9782	1,623.8636	0.0000	240.1146	建筑业

公司简称	已发行股票	股票类型	总资产（亿元）	营业总收入（亿元）	员工人数（人）	合计	A股	B股	H股	其他（BPS估算）	合计	A股	B股	H股	证监会行业（2012）
绿地控股	600606.SH	A股	7,331.3796	2,474.0015	26,686.0000	1,059.8462	1,059.8462	0.0000	0.0000	—	280.7554	280.7554	0.0000	0.0000	房地产业
杭州银行	600926.SH	A股	7,204.2418	137.3284	6,176.0000	548.3556	548.3556	0.0000	0.0000	—	54.8366	54.8366	0.0000	0.0000	金融业
新华保险	601336.SH、01336.HK	A股、H股	6,991.8100	1,461.7300	54,378.0000	1,242.3122	913.0053	0.0000	329.3069	—	1,242.3122	913.0053	0.0000	329.3069	金融业

2016年度沪市公司股票简称更名一览

代码	名称	更名日期	更名前简称	更名后简称	证监会行业（2012）
600428	中远海特	2016.12.30	中远航运	中远海特	交通运输、仓储和邮政业
601866	中远海发	2016.12.22	中海集运	中远海发	交通运输、仓储和邮政业
601919	中远海控	2016.12.08	中国远洋	中远海控	交通运输、仓储和邮政业
600026	中远海能	2016.11.28	中海发展	中远海能	交通运输、仓储和邮政业
600896	览海投资	2016.11.28	中海海盛	览海投资	卫生和社会工作
600381	青海春天	2016.11.21	ST春天	青海春天	制造业
600793	宜宾纸业	2016.11.21	ST宜纸	宜宾纸业	制造业
600179	安通控股	2016.11.17	黑化股份	安通控股	交通运输、仓储和邮政业
600242	中昌数据	2016.11.10	中昌海运	中昌数据	交通运输、仓储和邮政业
600346	恒力股份	2016.11.03	*ST橡塑	恒力股份	制造业
600179	安通控股	2016.11.03	*ST黑化	黑化股份	交通运输、仓储和邮政业
600608	*ST沪科	2016.10.27	ST沪科	上海科技	制造业
600233	圆通速递	2016.10.20	大杨创世	圆通速递	交通运输、仓储和邮政业
600055	万东医疗	2016.09.28	华润万东	万东医疗	制造业
603018	中设集团	2016.09.26	设计股份	中设集团	科学研究和技术服务业
600217	中再资环	2016.09.23	秦岭水泥	中再资环	制造业
600556	ST慧球	2016.09.13	慧球科技	ST慧球	信息传输、软件和信息技术服务业
600882	广泽股份	2016.08.26	华联矿业	广泽股份	制造业
600090	同济堂	2016.08.08	啤酒花	同济堂	批发和零售业
600539	狮头股份	2016.07.15	狮头股份	ST狮头	制造业
600777	新潮能源	2016.07.06	新潮实业	新潮能源	综合
600568	中珠医疗	2016.07.04	中珠控股	中珠医疗	制造业
600381	青海春天	2016.06.29	青海春天	ST春天	制造业
600980	北矿科技	2016.06.29	北矿磁材	北矿科技	制造业
600892	大晟文化	2016.06.27	宝诚股份	大晟文化	信息传输、软件和信息技术服务业
600602	云赛智联	2016.06.22	仪电电子	云赛智联	信息传输、软件和信息技术服务业
600683	京投发展	2016.06.16	京投银泰	京投发展	房地产业
601599	鹿港文化	2016.06.15	鹿港科技	鹿港文化	制造业
600136	当代明诚	2016.05.31	道博股份	当代明诚	文化、体育和娱乐业
600978	宜华生活	2016.05.30	宜华木业	宜华生活	制造业
600462	九有股份	2016.05.24	石岘纸业	九有股份	制造业
603011	合锻智能	2016.05.20	合锻股份	合锻智能	制造业
600862	中航高科	2016.05.20	南通科技	中航高科	制造业
600623	华谊集团	2016.05.18	双钱股份	华谊集团	制造业
600292	远达环保	2016.05.12	中电远达	远达环保	水利、环境和公共设施管理业
600393	粤泰股份	2016.05.12	东华实业	粤泰股份	房地产业
600539	狮头股份	2016.05.11	*ST狮头	狮头股份	制造业
600984	建设机械	2016.05.10	*ST建机	建设机械	制造业
600482	中国动力	2016.05.10	风帆股份	中国动力	制造业
600247	ST成城	2016.05.09	*ST成城	ST成城	批发和零售业
600779	水井坊	2016.05.09	*ST水井	水井坊	制造业
600608	*ST沪科	2016.05.05	*ST沪科	ST沪科	制造业
600401	*ST海润	2016.05.04	*ST海润	海润光伏	制造业
600552	凯盛科技	2016.05.04	方兴科技	凯盛科技	制造业
600234	ST山水	2016.05.03	山水文化	*ST山水	制造业

代码	名称	更名日期	更名前简称	更名后简称	证监会行业(2012)
601918	新集能源	2016.05.03	国投新集	*ST 新集	采矿业
600546	山煤国际	2016.05.03	山煤国际	*ST 山煤	批发和零售业
600265	ST 景谷	2016.05.03	ST 景谷	*ST 景谷	农、林、牧、渔业
600725	ST 云维	2016.05.03	云维股份	*ST 云维	制造业
600432	*ST 吉恩	2016.05.03	吉恩镍业	*ST 吉恩	制造业
600179	安通控股	2016.05.03	ST 黑化	*ST 黑化	交通运输、仓储和邮政业
600390	五矿资本	2016.04.29	金瑞科技	*ST 金瑞	制造业
600346	恒力股份	2016.04.29	大橡塑	*ST 橡塑	制造业
600817	*ST 宏盛	2016.04.28	ST 宏盛	*ST 宏盛	房地产业
600306	商业城	2016.04.27	商业城	*ST 商城	批发和零售业
600760	中航黑豹	2016.04.27	中航黑豹	*ST 黑豹	制造业
600866	星湖科技	2016.04.27	星湖科技	*ST 星湖	制造业
600965	福成股份	2016.04.26	福成五丰	福成股份	农、林、牧、渔业
600681	百川能源	2016.04.26	万鸿集团	百川能源	电力、热力、燃气及水生产和供应业
600444	国机通用	2016.04.25	*ST 国通	国机通用	制造业
600701	工大高新	2016.04.25	工大高新	*ST 工新	信息传输、软件和信息技术服务业
600691	阳煤化工	2016.04.21	*ST 阳化	阳煤化工	制造业
600339	中油工程	2016.04.19	天利高新	*ST 天利	采矿业
600520	中发科技	2016.04.18	中发科技	*ST 中发	制造业
600375	华菱星马	2016.04.12	华菱星马	*ST 星马	制造业
600212	江泉实业	2016.04.11	江泉实业	*ST 江泉	综合
600242	中昌数据	2016.04.07	*ST 中昌	中昌海运	交通运输、仓储和邮政业
601886	江河集团	2016.04.07	江河创建	江河集团	建筑业
600311	荣华实业	2016.04.07	ST 荣华	荣华实业	采矿业
600962	国投中鲁	2016.04.07	*ST 中鲁	国投中鲁	制造业
600715	文投控股	2016.04.07	松辽汽车	文投控股	文化、体育和娱乐业
600318	新力金融	2016.04.07	巢东股份	新力金融	金融业
600870	厦华电子	2016.04.06	*ST 厦华	厦华电子	制造业
600828	茂业商业	2016.04.05	成商集团	茂业商业	批发和零售业
600069	银鸽投资	2016.04.05	*ST 银鸽	银鸽投资	制造业
600806	*ST 昆机	2016.04.01	昆明机床	*ST 昆机	制造业
600091	ST 明科	2016.03.30	*ST 明科	ST 明科	制造业
600581	八一钢铁	2016.03.30	八一钢铁	*ST 八钢	制造业
600319	亚星化学	2016.03.29	亚星化学	*ST 亚星	制造业
600230	沧州大化	2016.03.25	沧州大化	*ST 沧大	制造业
600675	中华企业	2016.03.22	中华企业	*ST 中企	房地产业
600163	中闽能源	2016.03.18	*ST 闽能	中闽能源	电力、热力、燃气及水生产和供应业
600408	安泰集团	2016.03.15	*ST 安泰	安泰集团	制造业
600715	文投控股	2016.03.14	*ST 松辽	松辽汽车	文化、体育和娱乐业
600179	安通控股	2016.03.11	黑化股份	ST 黑化	交通运输、仓储和邮政业
600644	乐山电力	2016.03.10	*ST 乐电	乐山电力	电力、热力、燃气及水生产和供应业
600071	凤凰光学	2016.03.09	*ST 光学	凤凰光学	制造业
600217	中再资环	2016.03.09	*ST 秦岭	秦岭水泥	制造业
600721	百花村	2016.03.08	百花村	*ST 百花	科学研究和技术服务业
600110	诺德股份	2016.02.22	中科英华	诺德股份	制造业
600555	海航创新	2016.02.18	九龙山	海航创新	房地产业
600603	广汇物流	2016.02.15	大洲兴业	*ST 兴业	综合
600722	金牛化工	2016.02.05	*ST 金化	金牛化工	制造业
601100	恒立液压	2016.02.02	恒立油缸	恒立液压	制造业
600076	康欣新材	2016.02.01	青鸟华光	康欣新材	制造业
600515	海航基础	2016.01.29	海岛建设	海航基础	批发和零售业
600679	上海凤凰	2016.01.28	金山开发	上海凤凰	制造业

代码	名称	更名日期	更名前简称	更名后简称	证监会行业(2012)
600186	莲花健康	2016.01.15	莲花味精	莲花健康	制造业

数据来源:东方财富 Choice 数据。

2016 年度沪市公司名称更名一览

代码	名称	更名日期	更名前名称	更名后名称	证监会行业(2012)
600338	西藏珠峰	2016.12.21	西藏珠峰工业股份有限公司	西藏珠峰资源股份有限公司	采矿业
600428	中远海特	2016.12.07	中远航运股份有限公司	中远海运特种运输股份有限公司	交通运输、仓储和邮政业
600861	北京城乡	2016.12.02	北京城乡贸易中心股份有限公司	北京城乡商业(集团)股份有限公司	批发和零售业
603066	音飞储存	2016.11.29	南京音飞储存设备股份有限公司	南京音飞储存设备(集团)股份有限公司	交通运输、仓储和邮政业
600167	联美控股	2016.11.29	联美控股股份有限公司	联美量子股份有限公司	电力、热力、燃气及水生产和供应业
600896	览海投资	2016.11.24	中海(海南)海盛船务股份有限公司	览海医疗产业投资股份有限公司	卫生和社会工作
601866	中远海发	2016.11.18	中海集装箱运输股份有限公司	中远海运发展股份有限公司	交通运输、仓储和邮政业
600418	江淮汽车	2016.11.18	安徽江淮汽车股份有限公司	安徽江淮汽车集团股份有限公司	制造业
600179	安通控股	2016.11.10	黑龙江黑化股份有限公司	安通控股股份有限公司	交通运输、仓储和邮政业
601919	中远海控	2016.11.04	中国远洋控股股份有限公司	中远海运控股股份有限公司	交通运输、仓储和邮政业
600026	中远海能	2016.10.18	中海发展股份有限公司	中远海运能源运输股份有限公司	交通运输、仓储和邮政业
600233	圆通速递	2016.10.17	大连大杨创世股份有限公司	圆通速递股份有限公司	交通运输、仓储和邮政业
600242	中昌数据	2016.10.14	中昌海运股份有限公司	中昌大数据股份有限公司	交通运输、仓储和邮政业
600186	莲花健康	2016.09.30	河南莲花健康产业股份有限公司	莲花健康产业集团股份有限公司	制造业
601018	宁波港	2016.09.28	宁波港股份有限公司	宁波舟山港股份有限公司	交通运输、仓储和邮政业
603909	合诚股份	2016.09.24	合诚工程咨询股份有限公司	合诚工程咨询集团股份有限公司	科学研究和技术服务业
600217	中再资环	2016.09.07	陕西秦岭水泥(集团)股份有限公司	中再资源环境股份有限公司	制造业
600882	广泽股份	2016.08.12	山东华联矿业控股股份有限公司	上海广泽食品科技股份有限公司	制造业
600485	信威集团	2016.07.29	北京信威通信科技集团股份有限公司	北京信威科技集团股份有限公司	制造业
600090	同济堂	2016.07.20	新疆啤酒花股份有限公司	新疆同济堂健康产业股份有限公司	批发和零售业
603018	中设集团	2016.06.27	江苏省交通规划设计院股份有限公司	中设设计集团股份有限公司	科学研究和技术服务业
600777	新潮能源	2016.06.27	烟台新潮实业股份有限公司	山东新潮能源股份有限公司	综合
600568	中珠医疗	2016.06.24	中珠控股股份有限公司	中珠医疗控股股份有限公司	制造业
600980	北矿科技	2016.06.21	北矿磁材科技股份有限公司	北矿科技股份有限公司	制造业
601011	宝泰隆	2016.06.17	七台河宝泰隆煤化工股份有限公司	宝泰隆新材料股份有限公司	制造业
603611	诺力股份	2016.06.13	浙江诺力机械股份有限公司	诺力机械股份有限公司	制造业
600346	恒力股份	2016.06.08	大连橡胶塑料机械股份有限公司	恒力石化股份有限公司	制造业
600747	*ST 大控	2016.06.08	大连大显控股股份有限公司	大连大福控股股份有限公司	批发和零售业
600683	京投发展	2016.06.06	京投银泰股份有限公司	京投发展股份有限公司	房地产业
600892	大晟文化	2016.06.06	宝诚投资股份有限公司	大晟时代文化投资股份有限公司	信息传输、软件和信息技术服务业
600602	云赛智联	2016.06.03	上海仪电电子股份有限公司	云赛智联股份有限公司	信息传输、软件和信息技术服务业
601599	鹿港文化	2016.06.02	江苏鹿港科技股份有限公司	江苏鹿港文化股份有限公司	制造业
600136	当代明诚	2016.05.20	武汉道博股份有限公司	武汉当代明诚文化股份有限公司	文化、体育和娱乐业
600978	宜华生活	2016.05.17	广东省宜华木业股份有限公司	宜华生活科技股份有限公司	制造业
600862	中航高科	2016.05.16	南通科技投资集团股份有限公司	中航航空高科技股份有限公司	制造业
600292	远达环保	2016.05.07	中电投远达环保(集团)股份有限公司	国家电投集团远达环保股份有限公司	水利、环境和公共设施管理业
603011	合锻智能	2016.05.04	合肥合锻机床股份有限公司	合肥合锻智能制造股份有限公司	制造业
600393	粤泰股份	2016.05.03	广州东华实业股份有限公司	广州粤泰集团股份有限公司	房地产业
600482	中国动力	2016.04.29	风帆股份有限公司	中国船舶重工集团动力股份有限公司	制造业
600555	海航创新	2016.04.29	海航创新(上海)股份有限公司	海航创新(海南)股份有限公司	房地产业
600462	九有股份	2016.04.26	延边石岘白麓纸业股份有限公司	深圳九有股份有限公司	制造业
600623	华谊集团	2016.04.22	双钱集团股份有限公司	上海华谊集团股份有限公司	制造业
600552	凯盛科技	2016.04.22	安徽方兴科技股份有限公司	凯盛科技股份有限公司	制造业
600658	电子城	2016.04.21	北京电子城投资开发股份有限公司	北京电子城投资开发集团股份有限公司	房地产业
600681	百川能源	2016.04.21	万鸿集团股份有限公司	百川能源股份有限公司	电力、热力、燃气及水生产和供应业

代码	名称	更名日期	更名前名称	更名后名称	证监会行业(2012)
600444	国机通用	2016.04.15	安徽国通高新管业股份有限公司	国机通用机械科技股份有限公司	制造业
600715	文投控股	2016.04.05	松辽汽车股份有限公司	文投控股股份有限公司	文化、体育和娱乐业
600318	新力金融	2016.03.25	安徽巢东水泥股份有限公司	安徽新力金融股份有限公司	金融业
600828	茂业商业	2016.03.24	成商集团股份有限公司	茂业商业股份有限公司	批发和零售业
600606	绿地控股	2016.03.18	绿地控股股份有限公司	绿地控股集团股份有限公司	房地产业
600110	诺德股份	2016.02.05	中科英华高技术股份有限公司	诺德投资股份有限公司	制造业
600859	王府井	2016.02.04	北京王府井百货(集团)股份有限公司	王府井集团股份有限公司	批发和零售业
600555	海航创新	2016.02.02	上海九龙山旅游股份有限公司	海航创新(上海)股份有限公司	房地产业
601100	恒立液压	2016.01.27	江苏恒立高压油缸股份有限公司	江苏恒立液压股份有限公司	制造业
600515	海航基础	2016.01.26	海南海岛建设股份有限公司	海南海航基础设施投资集团股份有限公司	批发和零售业
600076	康欣新材	2016.01.21	潍坊北大青鸟华光科技股份有限公司	康欣新材料股份有限公司	制造业
600679	上海凤凰	2016.01.15	金山开发建设股份有限公司	上海凤凰企业(集团)股份有限公司	制造业
600186	莲花健康	2016.01.05	河南莲花味精股份有限公司	河南莲花健康产业股份有限公司	制造业

数据来源:东方财富 Choice 数据。

2016 年沪市行业规模统计

行业代码	行业名称	交易日期	总市值(亿元)	流通A股市值(亿元)	流通B股市值(亿元)	平均市盈率	平均市净率	总股本(亿股)	流通股本(亿股)	流通A股(亿股)	流通B股(亿股)	流通H股(亿股)	非流通股(亿股)	限售A股(亿股)	限售B股(亿股)
A	农、林、牧、渔业	2016.12.30	5,618.5569	3,998.5269	7.4189	29.8271	4.4833	441.2026	439.9219	318.1913	1.3800	—	1.2807	120.3506	—
B	采矿业	2016.12.30	38,078.3785	30,385.9449	85.4905	90.1817	1.3517	5,260.7057	5,244.7057	4,099.6353	13.2800	699.7714	16.0000	432.0190	—
C	制造业	2016.12.30	240,152.0939	168,214.2884	1,081.4212	45.5707	3.3160	17,958.6249	17,935.5488	13,524.3128	159.0808	407.2773	23.0761	3,841.6037	1.2743
D	电力、热力、燃气及水生产和供应业	2016.12.30	18,777.1809	13,066.7867	61.7164	23.7072	1.9174	2,525.6171	2,525.6171	1,901.4260	16.0401	105.5224	—	502.6286	—
E	建筑业	2016.12.30	20,101.5041	15,189.0126	33.4310	17.7739	1.9105	2,030.1547	2,029.2197	1,621.0118	7.1216	135.8219	0.9350	265.2644	—
F	批发和零售业	2016.12.30	19,063.5001	12,786.8592	87.7778	53.9459	2.6421	1,483.4836	1,483.4836	1,022.6736	7.2303	7.6589	—	445.9208	—
G	交通运输、仓储和邮政业	2016.12.30	19,221.3679	13,265.6867	175.9301	26.4831	1.8154	2,661.8415	2,658.0473	2,054.3085	26.5978	295.9215	3.7942	281.2165	0.0031
H	住宿和餐饮业	2016.12.30	1,051.6870	610.2663	28.6992	53.3569	3.0739	56.5710	56.5710	42.0332	2.4400	—	—	12.0979	—
I	信息传输、软件和信息技术服务业	2016.12.30	29,457.6095	18,297.9915	40.8696	61.2460	4.9455	1,605.5167	1,605.5167	1,115.1245	5.2217	—	—	485.1700	—
J	金融业	2016.12.30	123,595.6511	80,085.7535	15.8758	8.0128	1.0489	18,374.1486	18,374.1486	12,030.4515	3.4467	5,453.1919	—	887.0585	—
K	房地产业	2016.12.30	24,514.8333	18,011.6316	232.8217	20.9127	2.2072	2,325.3715	2,318.4134	1,817.3597	33.5416	20.2198	6.9581	447.2843	0.0082
L	租赁和商务服务业	2016.12.30	7,515.5946	4,614.0745	27.6241	43.7828	4.3757	540.9001	540.2346	364.6369	3.1246	—	0.6656	172.4731	—
M	科学研究和技术服务业	2016.12.30	1,891.3290	1,018.3681	—	64.9781	4.9766	101.0614	101.0614	59.1094	—	—	—	41.9520	—
N	水利、环境和公共设施管理业	2016.12.30	3,842.2095	2,800.4661	21.8328	31.0819	3.1014	297.3164	284.5164	210.1097	2.3400	—	—	72.0664	—
P	教育	2016.12.30	280.7159	109.2635	—	78.1354	10.8448	7.7527	7.7527	3.2760	—	—	—	4.4768	—
Q	卫生和社会工作	2016.12.30	1,279.5369	848.4040	—	58.7512	8.1865	60.9940	60.9940	37.1451	—	—	—	23.8489	—
R	文化、体育和娱乐业	2016.12.30	7,990.5245	5,011.7151	—	39.8919	3.7944	475.2234	475.2234	321.2453	—	4.4194	—	149.5587	—
S	综合	2016.12.30	2,289.6540	1,986.6912	—	176.7367	3.7939	218.0002	218.0002	170.3115	—	—	—	47.6887	—

数据来源:东方财富 Choice 数据。

2016 年末沪市发行股本最大的十种股票

名次	股票代码	股票简称	股票全称	发行股本(万股)	所占比例(%)
1	601288	农业银行	中国农业银行股份有限公司	29405529.39	9
2	601398	工商银行	中国工商银行股份有限公司	26961221.25	8.25
3	601988	中国银行	中国银行股份有限公司	21076551.48	6.45
4	601857	中国石油	中国石油天然气股份有限公司	16192207.78	4.95
5	600028	中国石化	中国石油化工股份有限公司	9555777.1	2.92
6	601818	光大银行	中国光大银行股份有限公司	3981035.95	1.22
7	601328	交通银行	交通银行股份有限公司	3925086.4	1.2
8	601998	中信银行	中信银行股份有限公司	3405263.36	1.04
9	600010	包钢股份	内蒙古包钢钢联股份有限公司	3256073.76	1
10	601668	中国建筑	中国建筑股份有限公司	3000000	0.92
总计				120758746.5	36.95

2016 年末沪市流通股本最大的十种股票

名次	股票代码	股票简称	股票全称	发行股本(万股)	所占比例(%)
1	601288	农业银行	中国农业银行股份有限公司	29405529.39	10.02
2	601398	工商银行	中国工商银行股份有限公司	26961221.25	9.18
3	601988	中国银行	中国银行股份有限公司	21076551.48	7.18
4	601857	中国石油	中国石油天然气股份有限公司	16192207.78	5.51
5	600028	中国石化	中国石油化工股份有限公司	9555777.10	3.25
6	601818	光大银行	中国光大银行股份有限公司	3981035.95	1.36
7	601328	交通银行	交通银行股份有限公司	3925086.40	1.34
8	601998	中信银行	中信银行股份有限公司	3190516.41	1.09
9	601668	中国建筑	中国建筑股份有限公司	2994681.56	1.02
10	600016	民生银行	中国民生银行股份有限公司	2955176.93	1.01
总计				120237784.30	40.96

2016 年末流通市值排名前十名股票

名次	股票代码	股票简称	流通市值总值(万元)	所占总市值的比例(%)
1	601398	工商银行	139119901.70	5.51
2	601857	中国石油	125489610.30	4.97
3	601288	农业银行	103213408.20	4.09
4	601988	中国银行	77350943.95	3.07
5	600028	中国石化	58194682.57	2.31
6	600519	贵州茅台	57705958.34	2.29
7	601628	中国人寿	57243883.97	2.27
8	601318	中国平安	49808591.36	1.97
9	600036	招商银行	46456382.85	1.84
10	601088	中国神华	36758523.60	1.46

注:所占总市值的比例总计:29.78%

2016 年末市价总值排名前十名股票

名次	股票代码	股票简称	市价总值(万元)	所占总市值的比例(%)
1	601857	中国石油	128728051.90	4.52
2	601398	工商银行	118898985.70	4.18
3	601288	农业银行	91157141.11	3.2
4	601988	中国银行	72503337.11	2.55
5	600028	中国石化	51696754.14	1.82
6	601628	中国人寿	50163883.77	1.76
7	600519	贵州茅台	41975849.49	1.47
8	601318	中国平安	38380130.32	1.35
9	600036	招商银行	36306942.20	1.28
10	600000	浦发银行	35043231.75	1.23

注:所占总市值的比例总计:23.36%

2016 年度成交金额最多的前 20 种股票

名次	股票代码	股票简称	开盘价	收盘价	平均价	累计成交量(万股)	累计成交金额(万元)	累计涨跌幅(%)	期间振幅(%)	累计换手率%
1	600030	中信证券	19.29	16.06	16.39	2852293.70	47265993.79	-9.67	8.49	290.62
2	601668	中国建筑	6.33	8.86	6.3	5709181.92	43865789.11	44.35	7.21	190.72
3	600570	恒生电子	60.6	47.14	54.73	667614.16	37461606.7	-10.14	5.27	1080.62
4	601318	中国平安	35.84	35.43	32.92	1055573.37	34781916.08	1.85	2.89	97.44
5	600547	山东黄金	20.92	36.51	34.14	943574.44	32484783.79	69.52	6.21	663.05

名次	股票代码	股票简称	开盘价	收盘价	平均价	累计成交量（万股）	累计成交金额（万元）	累计涨跌幅（%）	期间振幅（%）	累计换手率%
6	601989	中国重工	9.87	7.09	6.77	3381702.67	23606053.66	-20.31	8.98	188.31
7	601198	东兴证券	29.5	20.06	23.19	939538.98	22451991.31	-27.6	9.94	1213.54
8	600489	中金黄金	9.89	12.09	11.73	1757967.12	21644677.21	37.11	6.05	538.46
9	600446	金证股份	0	25.13	31.15	665122.21	21602406.42	-51.13	0	830.09
10	600887	伊利股份	16.34	17.6	16.1	1233281.99	20632169.6	15.06	5.35	204.43
11	601766	中国中车	12.8	9.77	9.74	2036257.75	20528385.35	-20.97	8.9	88.85
12	600519	贵州茅台	218	334.15	275.06	73248.15	20238120.10	48.18	1.79	58.31
13	601166	兴业银行	17.05	16.14	15.76	1272090.52	20071428.44	-0.52	2.81	67.08
14	601688	华泰证券	19.64	17.86	17.96	1093499.8	19784953	1.71	4.78	200.87
15	600050	中国联通	6.18	7.31	4.67	3618275.4	19718175.44	26.53	5.78	170.7
16	600100	同方股份	18.15	13.85	14	1351249.76	19134203.18	-16.82	11.8	643.11
17	600016	民生银行	9.48	9.08	9.1	2068177.15	18909387.09	-0.28	3.42	69.98
18	601099	太平洋	9.78	5.15	6.21	2997278.15	18578033.03	-3.9	11.43	615.56
19	600503	华丽家族	13.85	8.29	9.4	1874965.53	17992545.91	-37.4	12.33	1199.83
20	600111	北方稀土	14.08	12.27	13.04	1282121.36	17215948.55	-4.29	5.36	455.94

2016年度成交量最大的前20种股票

名次	股票代码	股票简称	开盘价	收盘价	平均价	累计成交量（万股）	累计成交金额（万元）	累计涨跌幅（%）	期间振幅（%）	累计换手率%
1	601668	中国建筑	6.33	8.86	6.3	5709181.92	43865789.11	44.35	7.21	190.72
2	601899	紫金矿业	3.52	3.34	3.32	3892918.8	13362690.73	2.87	5.19	246.33
3	600050	中国联通	6.18	7.31	4.67	3618275.4	19718175.44	26.53	5.78	170.7
4	601989	中国重工	9.87	7.09	6.77	3381702.67	23606053.66	-20.31	8.98	188.31
5	601988	中国银行	4.01	3.44	3.37	3346395.43	11372652.23	-8.72	3.62	15.88
6	601288	农业银行	3.24	3.1	3.13	3099233.31	9734899.83	2.13	1.85	10.54
7	601099	太平洋	9.78	5.15	6.21	2997278.15	18578033.03	-3.9	11.43	615.56
8	600868	梅雁吉祥	6.24	6.03	5.44	2880971.96	17107739.4	10.4	8.17	1517.78
9	600030	中信证券	19.29	16.06	16.39	2852293.7	47265993.79	-9.67	8.49	290.62
10	600028	中国石化	4.97	5.41	4.84	2529627.93	12353267.42	13.8	2.69	26.47
11	600839	四川长虹	5.67	4.18	4.28	2393811.26	10384455.33	-23.5	10.17	519.26
12	601618	中国中冶	6.02	4.66	4.2	2355678.43	10375696.54	-15.01	11.62	145.06
13	600010	包钢股份	3.62	2.79	2.93	2327964.33	6943850.72	-18.68	10.24	147.88
14	601600	中国铝业	4.96	4.22	4.16	2304814.93	9869675.58	-8.6	7.22	222.79
15	601398	工商银行	4.58	4.41	4.34	2275921.68	9895626.04	2.29	2.19	8.44
16	600795	国电电力	3.93	3.17	3.04	2176765.42	6749663.07	-14.63	8.86	111
17	600221	海南航空	3.88	3.26	3.26	2166141.18	7139764.96	-12.46	7.69	183.38
18	601818	光大银行	4.24	3.91	3.78	2138950.72	8148426.41	-1.04	3.62	53.73
19	601939	建设银行	5.77	5.44	5.05	2105095.27	10587506.92	0.88	3.73	219.43
20	601377	兴业证券	0	7.65	8	2100048.44	17145313.33	-22.37	7.3	317.18

2016年度跌幅最多的前20种股票

名次	股票代码	股票简称	开盘价	收盘价	平均价	累计成交量（万股）	累计成交金额（万元）	累计涨跌幅（%）	期间振幅（%）	累计换手率%
1	600645	中源协和	63.9	26.8	35.78	213729.56	8035133.7	-78.08	10.29	651.11
2	600556	慧球科技	26.87	11.93	14.2	298378	4577831.25	-71.63	16.95	755.78
3	600160	巨化股份	23.5	10.58	11.33	714424.33	8192447.07	-63.53	11.61	394.51
4	600978	宜华生活	0	10.65	11.59	735297.79	8515198.1	-62.37	0	495.86
5	600871	石化油服	8.19	4.1	4.54	1477371.86	6849774.69	-61.06	12.52	900.78
6	603227	雪峰科技	33.7	8.26	15.25	161589.69	2221816.71	-58.19	10.96	874.61
7	600650	锦江投资	44.8	23.12	30.31	224906.91	7342928.43	-57	12.41	575.86
8	601918	国投新集	9.2	4.72	5.05	958486.71	5352454.17	-55.2	11.84	369.99

名次	股票代码	股票简称	开盘价	收盘价	平均价	累计成交量（万股）	累计成交金额（万元）	累计涨跌幅(%)	期间振幅(%)	累计换手率%
9	600756	浪潮软件	50.5	23.08	29.55	394884.36	12218970.87	-54.04	9.94	1416.64
10	601558	华锐风电	4.21	2.34	2.86	1444638.12	4177562.08	-53.98	11.72	527.78
11	600745	中茵股份	40.12	21.4	24.12	246511.36	6097831.28	-52.89	10.63	510.04
12	600485	信威集团	28.1	14.6	18.18	736191.58	13669664.83	-52.51	7.41	451.25
13	600630	龙头股份	29.57	15.44	18.11	454639.88	8791081.44	-52.34	6.33	1070.09
14	600606	绿地控股	16.3	8.71	11.01	1228626.21	12189890.03	-51.61	10.58	532.77
15	600446	金证股份	0	25.13	31.15	665122.21	21602406.42	-51.13	0	830.09
16	600589	广东榕泰	16.84	8.75	9.52	397544.92	3830510.53	-50.93	12.71	660.67
17	600165	新日恒力	23.01	12.2	13.43	290096.21	4060664.34	-50.57	10.47	526.38
18	600410	华胜天成	26.48	10.87	13.3	561832.04	7748511.56	-49.88	11.06	729.07
19	600136	道博股份	60.55	16.43	33.42	105755.22	3155154.63	-49.2	4.96	561.25
20	600770	综艺股份	18.25	10.35	11.87	432436.44	5324159.64	-49.18	11.07	391.49

2016 年度换手率最高的前 20 种股票

名次	股票代码	股票简称	开盘价	收盘价	平均价	累计成交量（万股）	累计成交金额（万元）	累计涨跌幅(%)	期间振幅(%)	累计换手率%
1	603299	井神股份	5.84	17.41	17.14	345021.54	6266352.21	143.93	11.09	3833.57
2	601020	华钰矿业	-	39.18	31.72	194872.07	6534285.09	153.4	14.3	3747.54
3	603988	中电电机	57.5	67.95	58.08	83153.66	4930901.29	31.89	5.81	3712.22
4	603936	博敏电子	47.57	31.67	39.55	154208.36	6498527.72	-26.33	12.24	3670.78
5	603029	天鹅股份	-	48.57	49.37	84748.26	4291417.31	151.01	8.32	3631.03
6	603696	安记食品	52.3	40.52	39.9	106729.14	4416979.09	-11.18	14.56	3540.97
7	603861	白云电器	-	31.58	32.47	171759.3	5839506.85	112.58	5.22	3498.15
8	603996	中新科技	32.49	19.92	29.24	215387.28	6653116.26	25.83	0	3373.81
9	603999	读者传媒	56.77	29.32	36.11	218583.59	8739283.82	-30.66	14.17	3249.07
10	603398	邦宝益智	89	33.52	52.48	107812.44	6002052.5	-0.23	17.74	3139.02
11	603778	乾景园林	30.06	24.71	36.92	113174.95	3947904.5	103.43	7.38	3063.15
12	603028	赛福天	-	26.45	26.49	166029.97	4784161.16	166.57	8.18	3007.79
13	603026	石大胜华	40.31	39.74	39.47	256857.87	10511973.17	14.62	6.77	2891.53
14	603800	道森股份	48.69	30.17	30.52	151936.54	4946791.84	-40.45	12.1	2885.97
15	603822	嘉澳环保	-	60.94	61.43	50815.85	3190614.13	143.27	6.8	2769.26
16	603608	天创时尚	-	23	23.85	186334.1	4681450.91	64.16	8.09	2661.92
17	600610	中毅达	12.66	10.38	14	768664.1	11843554.35	0.1	14.13	2606.75
18	603027	千禾味业	-	44.97	33.95	102788.11	3461833.83	135.39	5.19	2569.7
19	603726	朗迪集团	-	51.23	50.22	60085.17	3088474.53	126.79	6.93	2537.38
20	603866	桃李面包	42.47	43.9	40.89	113261.73	4521405.01	30.53	8.53	2513.99

2016 年度涨幅最大的前 20 种股票

名次	股票代码	股票简称	开盘价	收盘价	平均价	累计成交量（万股）	累计成交金额（万元）	累计涨跌幅(%)	期间振幅(%)	累计换手率%
1	601882	海天精工	-	25.24	14.81	17848.98	519462.97	261.15	9.38	341.93
2	603159	上海亚虹	-	80.48	49.88	42872.35	2427351.73	225.26	12.09	1714.89
3	603779	威龙股份	-	43.2	34.28	97270.07	3833209.41	204.04	7.95	1937.65
4	603986	兆易创新	-	177.97	94.12	3202.99	563336.92	175.09	6.47	128.12
5	603528	多伦科技	-	65.35	77.22	72278.5	6193544.26	172.46	8.98	1398.58
6	603663	三祥新材	-	36.52	38.62	47563.74	2108858.79	170.43	5.57	1417.7
7	603859	能科股份	-	53.43	43.58	14617.62	785090.98	169.54	4.95	514.89
8	603028	赛福天	-	26.45	26.49	166029.97	4784161.16	166.57	8.18	3007.79
9	603322	超讯通信	-	79.25	69.96	25721.16	2023579.77	163.97	8.09	1286.06
10	603633	徕木股份	-	41.01	32.45	18405.8	819056.93	153.76	14.02	611.69
11	603131	上海沪工	-	58.52	66.66	25824.6	2010052.95	153.68	4.85	1032.98

名次	股票代码	股票简称	开盘价	收盘价	平均价	累计成交量（万股）	累计成交金额（万元）	累计涨跌幅（%）	期间振幅（%）	累计换手率%
12	601020	华钰矿业	–	39.18	31.72	194872.07	6534285.09	153.4	14.3	3747.54
13	603090	宏盛股份	–	47.67	48.91	35829.94	1998904.7	151.33	11.11	1433.2
14	603029	天鹅股份	–	48.57	49.37	84748.26	4291417.31	151.01	8.32	3631.03
15	603299	井神股份	5.84	17.41	17.14	345021.54	6266352.21	143.93	11.09	3833.57
16	603990	麦迪科技	–	55.06	32.74	2244.98	123840.45	143.91	8.34	112.25
17	603822	嘉澳环保	–	60.94	61.43	50815.85	3190614.13	143.27	6.8	2769.26
18	603016	新宏泰	–	43.01	43.68	71861.12	3508624.63	141.82	11.88	1939.57
19	603160	汇顶科技	–	102.74	107.79	15627.66	2126036.15	140.96	4.11	347.28
20	603319	湘油泵	–	56.5	39.85	5671.14	317652.81	139.08	9.17	280.33

2016 年度振幅最大的前 20 种股票

名次	股票代码	股票简称	开盘价	收盘价	平均价	累计成交量（万股）	累计成交金额（万元）	累计涨跌幅（%）	期间振幅（%）	累计换手率%
1	601882	海天精工	–	25.24	14.81	17848.98	519462.97	261.15	9.38	341.93
2	603528	多伦科技	–	65.35	77.22	72278.5	6193544.26	172.46	8.98	1398.58
3	601222	林洋能源	36.85	8.07	27.97	246243.03	5767276.88	–16.92	8.49	403.97
4	603028	赛福天	–	26.45	26.49	166029.97	4784161.16	166.57	8.18	3007.79
5	603322	超讯通信	–	79.25	69.96	25721.16	2023579.77	163.97	8.09	1286.06
6	603779	威龙股份	–	43.2	34.28	97270.07	3833209.41	204.04	7.95	1937.65
7	603986	兆易创新	–	177.97	94.12	3202.99	563336.92	175.09	6.47	128.12
8	601388	怡球资源	0	3.83	10.51	731349.33	6665970.22	–33.71	6.15	735.25
9	603663	三祥新材	–	36.52	38.62	47563.74	2108858.79	170.43	5.57	1417.7
10	603859	能科股份	–	53.43	43.58	14617.62	785090.98	169.54	4.95	514.89
11	603131	上海沪工	–	58.52	66.66	25824.6	2010052.95	153.68	4.85	1032.98
12	603069	海汽集团	–	18.79	20.17	117977.58	2718888.11	134.68	4.4	1493.39
13	603160	汇顶科技	–	102.74	107.79	15627.66	2126036.15	140.96	4.11	347.28
14	603777	来伊份	–	53.09	53.29	83467.27	5013099.42	125.45	16.01	1391.12
15	601020	华钰矿业	–	39.18	31.72	194872.07	6534285.09	153.4	14.3	3747.54
16	603633	徕木股份	–	41.01	32.45	18405.8	819056.93	153.76	14.02	611.69
17	601116	三江购物	12.78	42.55	13.42	130054.76	3482532.95	137.69	13.6	316.62
18	603159	上海亚虹	–	80.48	49.88	42872.35	2427351.73	225.26	12.09	1714.89
19	603090	宏盛股份	–	47.67	48.91	35829.94	1998904.7	151.33	11.11	1433.2
20	601127	小康股份	–	26.74	29.38	111402.89	3713201.49	127.39	10	781.77

2016 年沪市上市公司并购重组及监管情况

2016 年沪市上市公司并购重组及监管情况，上交所相关负责人答记者问。

1. 如何发挥并购重组服务实体经济的功能，是市场各方十分关注的问题。上交所作为主板蓝筹市场，一直是并购重组的重要平台。近日召开的中央经济工作会议也提出，资本市场要配合企业兼并重组，要尽可能多兼并重组、少破产清算，并购重组在过剩产能化解中被寄予了更大的期望。为此，能否简单介绍一下上交所市场 2016 年并购重组的总体情况和主要特点？

答：2016 年，在证监会“依法、从严、全面”监管下，上交所市场总体运行平稳，沪市并购重组，也体现了这一良好态势。上市公司实施并购重组更加理性务实，紧贴实体经济运行轨道，数量虽略有下降，质量效率却有所提升。全年共完成并购重组 594 家次，交易总金额 8500 亿，较上一年度同比分别下降 31% 和 18%。重大资产重组方面，共有 178 家公司停牌启动重组，同比下降 28%；共披露 150 个重组预案，同比下降1.32%；89 家公司完成重大资产重组，涉及交易金额 3,500 亿元，合计增加市值约 1900 亿元，新增市值超过百亿公司 13 家。

总体而言，2016 年，沪市并购重组沿着服务实体经济主方向，助改革、强主业、促转型、去产能，产业逻辑和价值导向贯穿始终。

一是成为供给侧改革和国企改革的新亮点。2016 年，沪市国有控股上市公司国企改革与供给侧改革同向发力，并购重组主渠道作用发挥更加充分，共完成并购重组 61 单，交易金额近 3000 亿元，占居沪市并购重组交易的半壁江山。这其中，钢铁、煤炭、水泥、化工等行业的产能出清迈出实质性步伐，TMT、高端设备制造等新兴产业越来越多地进入上市公司，国有上市公司的治理结构、资产质量、体制机制得到同步优化。沪市上市公司也由此成为供给侧改革重要的试水者和排头兵。例如，宝钢股份吸收合并武钢股份，避免重复建设，有效统筹平衡内部产能；金隅股份收购冀东水泥，提高了水泥行业集中度，过剩产能得以化解；国药集团实施内部业务整合，与国家深化医疗体制改革战略相契合。此外，17 家国有上市公司借助并购重组，引入战略合作伙伴，实施股权激励和员工持股计划，国企改革开始向纵深推进。

二是成为转型升级和培育新动能的支撑点。2016 年，围绕主业，做长做强做精做细产业链，成为沪市并购重组的主基调。150 单重大重组中，接近 130 家公司涉及横向或纵向产业整合，交易金额近 4000 亿元，方案数量和交易金额的占比均达到沪市整体重组公司的 8 成。从产业情况看，90% 的重组，是通过同行业产业升级以及同一产业的内部整合，实现了向产业链高端、新兴环节的跃升，部分传统行业散小弱差的局面有所改观，体现了并购重组回归实体经济的良好态势。从并购标的看，近 1/3 标的资产集中于计算机通信设备制造、信息传输、软件和信息技术服务等信息技术行业，近 1/2 集中于高端制造、节能环保、生物医疗、新能源等其他的新兴行业，展现出并购重组接轨高端价值创造的新方向。典型案例包括，青岛海尔收购通用电气家电板块业务，通过全球产业布局提高协同效应；新疆城建收购智能纺织设备制造企业，由建筑业转型升级为高端装备制造业；圆通速递借壳大杨创世，成为国内快递服务行业首家上市公司。

三是成为响应“一带一路”倡议的发力点。2016 年，“一带一路”倡议的引领和辐射效应开始显现。沪市上市公司跨境并购持续增长，共发生海外并购 25 起，涉及金额超过 1200 亿元，占并购总金额的比例接近 2 成，呈现出质、量双增的“新常态”。同时，沪市涉及“一带一路”概念的 200 余家上市公司中，超过 100 家已开展海外业务，10 家公司海外业务收入占比已超过总收入的 50%。典型案例包括：上海电力现金收购巴基斯坦 KE 公司，助力中巴经济走廊建设；上海电气收购上海集优和自仪泰雷兹，助力公司参与“一带一路”重点工程及交通基础设施的建设；博威合金收购宁波康奈特，在越南设立光伏产品生产中心，在美国设立销售和服务中心，实现跨境协同发展。

同时，并购重组的协同效应、财富效应和市值效应也得以体现。2016 年前三季度，完成重组的 89 家公司共实现营业收入 3843 亿元，同比增长 39.4%；实现净利润 202 亿元，同比增长 112.6%。其中，52 家公司实现净利润同比增长，21 家公司净利润增幅在 100% 以上。市值方面，剔除大盘影响，较重组前平均增长 101%，21 家公司实现了市值翻番。

2. 许多市场人士都认为，监管是 2016 年重组市场的主题词。重组方案的事后问询，也已成为上交所的一项日常性监管任务，事后问询成为重组方案“标配”。能否介绍一下上交所重组问询主要关注哪些问题？

2016 年，在证监会的指导下，上交所围绕实体经济主线，着重发挥重组问询的警示功能和纠偏功能，突出一个“严”字，切实履行并购重组一线监管职责。共事后问询重组预案 150 单，提出各类审核关注问题近 2000 个，要求中介机构发表意见 1500 余项，要求公司作出重大风险提示近 300 项。坚持“六必问”，全方位堵住违规“暗道”。

一是重组上市必问。从严把握重组上市认定标准，对于媒体和投资者质疑较大的“规避”方案，直击要害，多次问询，一问到底，并要求 12 家存在市场质疑公司召开媒体说明会，当面回应媒体质疑。经问询，近 10 家公司主动终止了重组。二是双高疑点必问。要求说明评估增值率明显高于同行业公司的合理性、预测业绩爆发式增长的可实现性以及业绩承诺对于交易金额的覆盖度和保障措施。三是行业特征必问。强化标的资产所处行业信息的问询，要求披露标的资产所处行业的总体情况、行业地位、盈利模式、行业壁垒、准入条件、技术更替等要素。四是利益输送必问。对于标的资产在停牌期间和前六个月实施过突击入股的，要求披露引入新股东的必要性、股份作价的公允性、是否存在损害中小投资者权益等不当行为。五是协同效应必问。对于跨主业并购，要求详细披露置入资产与现有业务如何实现整合；对于跨境并购，要求说明收购完成后是否会造成主要客户流失。六是会计处理必问。重点关注标的资产收入确认、关联交易、存货和商誉减值、资产买卖及税务处理的合规性，防止标的资产业绩“虚胖”“注水”。

问询同时，严厉打击并购重组中的违法违规行为，对公司、中介机构和相关责任人实施 8 次纪律处分和 17 次监管措施，共涉及公司 20 余家，责任人 40 余名，中介机构相关人员 6 名。主要违规情形包括，一是“忽悠式”式重组，例如，某公司筹划重组期间，先后称与 7 家标的公司进行磋商，与 3 家签订了框架协议书，但长期停牌后仍未实质性进展，7 个月后宣告失败。二是风险揭示不充分，例如，某公司披露重组预案 5 个月后，交易对方提出需重新评估上市公司股权诉讼等事项对公司治理稳定性的影响，双方决定终止重组，但公司前期并未进行针对性风险揭示，严重影响投资者预期。三是进展披露不及时，例如，某公司在重组预案中涉及的资金占用、标的资产借款、股权质押、交易对方股权等事项发生了重大变化的情况下，未及时披露。四是中介机构未能履行“看门人”职责，例如，某公司披露的重组预案遗漏交易价格，且多处出现错字、漏字和语法错误等现象，但中介机构未能给予必要的督促提醒。

3. 2016 年，不仅是重组问询函，还有很多上交所发出的其他类型的信息披露问询函，也引起了投资者的广泛关注，许多违规情形和“擦边球”行为，在一而再、再而三的问询下不得不“见光死”。一些问询函，甚至出现“现象级”的影响力，引发市场热议。这一情况让我们感到，上交所信息披露监管的方式和手段都出现了不小的变化，能否简要介绍一下相关情况。

近年来，上交所的信息披露一线监管确实发生了重大变革。这一改变，是在证监会统筹下次第展开、逐步深化的，也是顺应市场形势变化、强化一线监管的必然选择。应该说，重组问询质量的提升，即受益于此。具体而言，信息披露监管转型经历了“三步曲”。

第一步，是责任回归，经过事先全面培训上市公司、颁布一系列工作指引等近一年准备工作，于 2013 年 7 月率先全面实施信息披露直通车。直通车推出后，上市公司作为第一责任人，信披的意识强了、责任实了、效率高了。上交所的监管人员与投资者同一时间看到公告，监管行为被置于市场的监督之下，监管标准需要更加统一，监管公开成为必然选择，直通车也由此成为监管转型的“牛鼻子”。第二步，是“含金量”提升，于 2015 年 1 月实施分行业信息披露监管。分行业监管，是更加科学的监管模式，可以提升信息披露的有效性，更好发挥信息披露的价值传递和风险提示功能。目前，行业监管的逻辑和方法，已被充分运用于定期报告和临时公告的问询中。许多证券分析师表示，现在的定期报告更有看头了。第三步，是“刨根问底”，从2015年下半年开始逐步深化。“刨根问底”式监管问询，主要是针对热点类、题材类、误导类公告，在事中监管这个环节，抓早抓小、抓实抓细，刨到根、问到底，亮明监管态度，督促及时改正，避免不当披露误导投资者交易，充分发挥信息披露监管在抑制题材股炒作、防范不当利益输送、化解市场风险中的作用。经过问询，百余起可能损害中小投资者的行为得到纠正。

总体来说，这些努力取得了一定的成效，得到了市场的认可。下一步，我们考虑在总结经验的基础上，邀请更多市场专业人士和投资者共同参与到信息披露监管中来，集市场智慧、聚市场力量，使监管问询这个“软约束”，成为打击信披违规的“硬手段”。

4. 我们注意到，在监管驱动下，A股并购重组市场已趋于理性，2017年开局也延续了这一态势。请问上交所在2017年重组监管方面还有哪些考虑？

答：2017年，上交所将继续按照三个监管要求，按照“稳中求进”的总基调，全面提升一线监管的力度、深度和广度。就并购重组而言，在做深做细重组方案事后问询的基础上，更加突出监管的风险导向和服务导向，确保重组市场健康有序发展。

一是严防五大风险。第一，杠杆风险。要求上市公司详细披露杠杆资金的来源、比例、后续还款安排、需要支付的利息费用以及还款期限等关键信息，并进行“置顶式”的风险提示。第二，交易风险。上市公司和交易对方，应当充分估计和如实披露重组失败的风险，便利投资者知悉。第三，跨界风险。对于跨主业购买资产的，重点关注上市公司是否具备跨界经营的技术条件、人才储备、运营经验。第四，整合风险。要求上市公司详细披露标的资产核心技术人员、主要客户、知识产权是否存在流失或无法续期风险。对于境外并购，还特别要求披露是否存在地缘政治风险，是否会出现“水土不服”等问题。第五，减值风险。上市公司应当充分提示商誉和公允价值计量下各类资产可能存在的减值风险，以及由此引发的业绩波动。

二是全面提升服务国家战略能力。围绕国企混合所有制改革、落后产能化解、节能环保和生态建设、上市公司“走出去”战略等重点难点问题，构建“咨询、培训、信披”三位一体的服务模式，发挥好上交所的平台功能和示范功能。信息披露方面，尊重并购交易的市场规律，合理运用规则弹性，支持“三去一降一补”重点上市公司的差异化重组方案；推动跨境并购，在停牌时间、财务资料披露等方面，给予必要的政策空间。培训咨询方面，设置专人专岗解答上市公司并购重组政策、法规咨询，做到事前有解答、事中有提醒、事后有回溯；借助董秘资格培训、后续培训、新上市公司培训等平台，便利公司准确掌握政策法规，促进重组提质增效。

2016年沪市证券交易市场质量综述

2016年沪市证券交易市场整体质量有所上升，沪市市场质量指数相比2015年的316点上升了46.8%，达到464点的历史最高值。从流动性上看，市场交易活跃度有明显下降，流动性指数大幅下降25.9%。从波动性上看，2016年沪市日内波动率、超额波动率和收益波动率与2015年相比均有大幅下降。

2016年沪市流动性指数为577万元，比2015年的779万元下降了25.9%，价格冲击指数与2015年基本持平。沪市绝对买卖价差为1.8分，重新回到了2分以下的水平，相对买卖价差仍保持在14个基点的良好水平。沪市绝对有效价差和相对有效价差有较大下降，绝对有效价差为4分，是2015年的60%，与2011的水平接近；相对有效价差为29个基点，比2015年降低了10个基点。2016年沪市成交活跃，订单深度继续保持较大值，达2006年以来的第三位，与2014年基本持平，其中5档订单深度为664万元，10档订单深度为1186万元。

从流动性指标日内特征来看，2016年沪市日内流动性较2015年有较大幅度下降，开盘后市场流动性相对最差，开盘一小时内流动性大幅快速增长，随后开始缓慢增长，接近收盘时出现小幅急跌，与上年收盘半小时流动性出现小幅爬升有所不同，反映了2016年的尾盘博弈较上年有所趋缓。

从订单申报金额来看，2016年沪市平均每笔申报金额4.04万元，是2015年的81%；平均每笔成交金额2.08万元，是2015年的82%。订单大多集中在每笔申报金额较小的分段，有48.45%的订单申报金额不超过1万元，另有44.23%的订单在1万与10万元之间，6.31%的订单在10万与50万元之间，0.66%的订单超过50万元，0.36%的订单超过100万元。

从订单申报、成交及撤单笔数来看，2016沪市平均每天有效报单1497.17万笔，为2015年3337.65万笔的45%；平均每天成交973.892万笔（单向），为2015年2098.64万笔（单向）的46%；撤单笔数平均每交易日有363.07万笔，约占有效报单笔数的24.25%，撤单笔数占比略低于2015年。从主要板块来看，市值越大的股票撤单比例越低，上证50成分股的撤单比例最低，为21.60%。

从沪市各主要板块的订单笔数上看，上证380的交易活跃度最高，上证180次之，上证50最低；从按股数统计的各板块情况看，上证380的交易活跃度仍是最高的。从订单类型在各证券品种中应用的分布来看，限价订单的使用都最为广泛，市价订单使用都很少。其中，从申报笔数来看，2016年限价订单的比例为99.60%；从申报股数来看，2016年限价订单的比例为99.64%。

从订单成交情况来看，全年有63.18%的订单得以成交，略低于去年水平。从投资者类型的订单成交情况来看，机构投资者提交的订单占比有所上升，从2015年的4.83%提高到2016年的6.99%，成交股数也略有上升。

从订单执行时间来看，以笔数计算，51.50%的订单在提交后1秒内成交，低于2015年的52.73%；10秒至5分钟内成交的订单累计占24.46%，较2015的21.27%有所上升。

2016上海证券交易所股票期权市场发展报告

2016年，上证50ETF期权总成交7906.9万张，日均成交32.4万张，单日最大成交106.7万张；年末持仓131.5万张，日均持仓94.9万张，单日最大持仓172.2万张；累计成交面值17651.3亿元，日均成交面值72.3亿元；累计权利金成交431.9亿元，日均权利金成交1.8亿元。投资者开户数超过20万户。

总体上看，2016年期权市场运行平稳，定价合理，投资者参与理性。市场成交持仓比平均为33.82%、期现成交比平均为26.63%。此外，上交所为准确把握市场整体运行状况，综合评估市场风险水平，编制了市场质量指数、市场风险指数和投机指数。2016 年全年，市场质量指数稳定在 100～110 之间，市场风险指数均值为 42.94，投机指数均值为 40.69，三项指数均处于合理水平。

在风险可控的情况下，市场规模稳步增长，经济功能逐步发挥。2016 年，市场保险交易行为占比为 14.61%，年末市场受保市值为 86 亿元，较年初增长 153%，单日受保市值最高达到 107 亿元，日均受保市值达到 58 亿元，较 2015 年增长 243%。

2016 年，上交所持续推进期权市场创新与发展。适时优化调整持仓限额和收费机制，推出中国波指，进一步完善保证金、合约和交易机制，积极推动通用衍生品开发实验平台建设和相关创新产品研究。在全国 30 个省、区、市开展了 470 场形式多样、内容丰富的市场推广活动，累计培训 4.7 万名投资者、1.7 万名投资顾问和 200 多名期权交易员。

一、市场篇

（一）市场概况

上证 50ETF 期权上市近两年来，大致经历了起步期、探索期和发展期三个阶段。2015 年 2 至 4 月为起步期，按照高标准、稳起步、严监管、控风险的思路，上交所采取了较为严格的风险管理措施，市场规模较小；2015 年 5 月至 2016 年 7 月为探索期，上交所稳步放宽交易限制，加强市场培育和推广，推动市场规模逐步扩大。同时，在股市异常波动时及时加强风控和监管，确保市场平稳运行；2016 年 8 月至今，随着股市企稳和功能的恢复，上交所调整了期权风险管理措施，降低期权交易经手费，市场步入快速发展阶段，期权经济功能进一步发挥。

2016 年，上证 50ETF 期权总成交 7906.93 万张，日均成交 32.41 万张，单日最大成交 106.65 万张；年末持仓 131.53 万张，日均持仓 94.86 万张，单日最大持仓 172.24 万张；累计成交面值 17651.29 亿元，日均成交面值 72.34 亿元；累计权利金成交 431.89 亿元，日均权利金成交 1.77 亿元。同期，上海市场股票总成交 50.17 万亿元，上证 50 指数成分股累计成交 6.99 万亿元。

图 1　2016 年 50ETF 期权合约成交量和持仓量

上证 50ETF 期权市场运行平稳、定价合理、参与理性、规模渐增、功能初显。一是运行平稳。上交所建立了制度化、流程化、规范化、标准化的运行机制，并不断优化完善，以保障期权交易运行安全。2016 年全年，交易组织安全高效，市场运行平稳有序，没有发生操作风险和过度投机等市场风险。当年新挂 330 个合约，首次实施了因标的分红除息引起的合约调整。上市以来，累计挂牌合约 840 个，摘牌 734 个，当日挂牌合约最高达到 224 个（2015 年 8 月 26 日）。目前，包括合约挂牌、标的分红合约调整、合约停复牌等在内的全业务链运行操作均已顺利完成。

二是定价合理。期权是基于标的证券的衍生产品，期权合约价格与现货价格、不同期权合约价格之间均存在关联，期现关联性越高、市场套利空间越小，则市场定价越合理、效率越高。2016 年以来，期现价格（收益率）相关性高达 96.91%，期现联动较好，全市场垂直价差套利收益仅为 0.25%，水平价差套利收益仅为 0.14%，平价关系套利收益平均为 1.83%，几乎不存在垂直价差及水平价差套利机会，市场套利空间较小。

三是参与理性。第一，投资者结构较为均衡，机构投资者成交占比为 56.71%，个人投资者成交占比为 43.29%，机构投资者持仓占比约 47.88%，个人投资者持仓占比约 52.12%。第二，各类交易行为分布较为合理，保险、套利、方向性交易和增强收益四类交易行为占比分别为 14.61%、26.37%、20.46% 和 38.56%，与 2015 年相比，方向性交易占比显著下降，增强收益交易占比略有提升，保险、套利交易占比保持稳定。第三，衡量市场投机程度的关键指标均处于合理偏低水平，成交持仓比平均为 33.82%，期现成交比平均为 26.63%，上交所编制的期权投机指数均值为 40.69（小于 60 表示投机程度很低）。

四是规模渐增。随着投资者对期权产品的日渐熟悉，投资者参与人数稳步增加，市场规模逐渐扩大。2016 年，期权日均成交张数 32.41 万张，日均持仓合约数 94.86 万张，日均成交面值 72.34 亿元，日均权利金成交额 1.77 亿元，月均增长率分别为 9.74%、10.98%、8.56% 和 4.20%。投资者开户数稳步增长至 202013 户，较 2015 年增加 147.70%。市场规模稳步增长的同时，市场流动性显著提升，平均相对买卖价差约 1.57%，平均价格冲击成本约 1.87%，较 2015 年分别下降了 45.30% 和 50.53%。

五是功能初显。随着期权市场规模稳步扩大，期权经济功能开始逐步发挥。首先，对标的证券市场影响积极正面，有利于改善流动性和定价效率，提升标的证券规模。2016 年，上证 50ETF 日均交易份数和交易额分别为 2.49 亿份、5.45 亿元，基金规模达到 293.08 亿元，规模排名维持市场第一。其次，为股票持有者提供了独有的市场化风险转移（保险）工具，不同风险偏好的投资者可运用期权构建灵活的交易策略来满足不同投资需求。2016 年，市场保险交易行为占比为 14.61%，年末市场受保市值（基于保险目的的交易合约面值）为 85.99 亿元，较年初增长 153%，单日受保市值最高达到 106.55 亿元，日均受保市值达到 58.17 亿元，较 2015 年增长 243%。最后，拓展了证券、期货公司经纪、资产管理和自营业务范围。资产管理公司通过期权组合、期权与股票、期货等资产的不同搭配，可设计出满足不同投资者风险偏好和收益需求的结构性产品，2016 年期权相关产品专户已达 2500 户，较 2015 年增加了 363%。

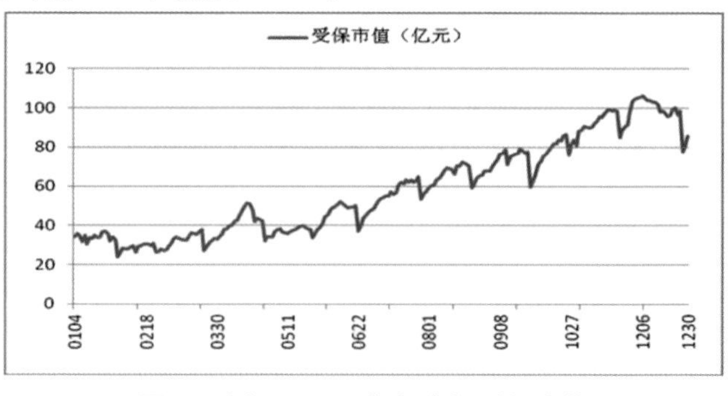

图 2　上证 50ETF 期权市场受保市值

（二）投资者

自上证50ETF期权上市以来，投资者开户数稳步增长。2016年，期权开户数达到202013户，较2015年年末增加147.70%，其中，个人投资者198495户，机构投资者3518户。期权经营机构全年月均开户数为10021户。

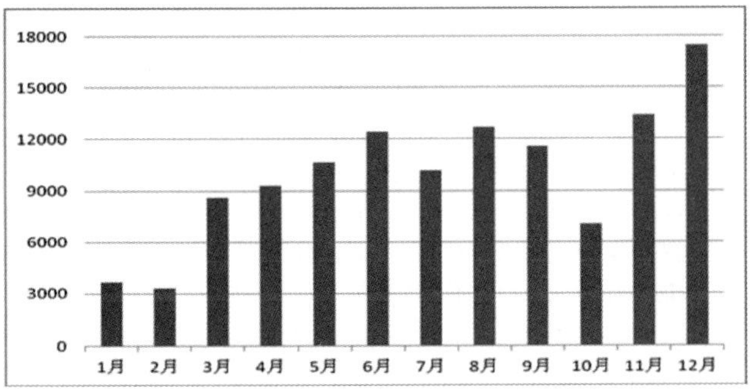

图3　2016年期权经营机构月度开户数

从交易的期权合约类型来看，投资者更偏好交易认购期权。全年认购期权交易量占总交易量的57.21%，认沽期权占42.79%。从投资者类别看，机构投资者交易认购期权占比略高于个人投资者，机构投资者认购期权交易占比为54.74%，个人投资者为45.26%。

从期权买卖方向来看，个人投资者偏好买入开仓，占其所有开仓交易的58.50%。机构投资者偏好卖出开仓（不含备兑开仓），占其所有开仓交易的61.33%。备兑开仓主要由个人投资者使用。

表1　2016年不同类型投资者交易偏好

	个人投资者	机构投资者	全部投资者占比
买入开仓	13.98%	13.07%	27.05%
卖出开仓 （不含备兑开仓）	9.86%	20.72%	30.58%
备兑开仓	0.06%	0.01%	0.07%
卖出平仓	11.27%	8.09%	19.36%
买入平仓 （不含备兑平仓）	8.08%	14.81%	22.89%
备兑平仓	0.04%	0.01%	0.05%
合计	43.29%	56.71%	100.00%

从交易目的看，保险、套利、方向性交易和增强收益四类交易行为分布较为均衡，占比分别为14.61%、26.37%、20.46%和38.56%。从投资者类别看，机构投资者主要以套利和增强收益交易为主，个人投资者则主要以方向性和增强收益交易为主。

（三）交易参与人

截至2016年底，共有84家证券公司和18家期货公司取得了上交所股票期权交易参与人资格，59家证券公司取得自营业务资格。表2按业务类型列出了证券公司和期货公司的期权业务成交量情况。

表2　上证50ETF期权总成交量

公司类型	业务	2015年	2016年
证券公司	经纪业务成交量（万张）	2745.91	8270.58
	自营业务成交量（万张）	1765.17	6241.18
期货公司	经纪业务成交量（万张）	142.94	1302.12
合计（万张，单向）		2327.01	7906.94

注：自营业务成交量包括做市商成交量

证券公司期权经纪业务成交量为8270.58万张（双向），占全市场成交量的52.30%。证券公司累计开立期权经纪业务账户200004户，较2015年新增119356户，占全市场总开户数的99.01%。证券公司期权成交量和开户数分布均较为集中，成交量排名前十的证券公司累计成交量4954.39万张（双向），占全市场经纪业务交易量的51.76%；开户数排名前十的证券公司累计开立126787户，占全市场经纪业务账户数的62.81%。

表3　2016年证券公司经纪业务前十名情况

排名	成交量		开户数	
	公司名称	市场份额（%）	公司名称	市场份额（%）
1	华宝证券	11.40	银河证券	8.91
2	华泰证券	10.40	国信证券	7.31
3	海通证券	4.77	广发证券	7.19
4	广发证券	4.48	国泰君安	6.61
5	国泰君安	4.21	招商证券	6.59
6	国信证券	3.58	安信证券	6.25
7	中信证券	3.55	中泰证券	5.26
8	中信建投	3.34	光大证券	5.01
9	招商证券	3.03	华泰证券	4.94
10	安信证券	3.00	长江证券	4.74
合计		51.76		62.81

证券公司自营业务（不含做市商）累计成交401.35万张（双向），占全市场成交量的2.54%，较2015年新增338.9万张（双向）。自营成交集中度较高，成交量排名前五的证券公司成交占比合计为62.03%，相比2015年成交量排名前五的证券公司成交占比上升了6.21%。15家证券公司成交量大于5万张，12家证券公司成交量低于5千张。

期货公司经纪业务成交量为1302.12万张（双向），占全市场成交量的8.23%。期货公司共开立期权经纪业务账户1854户，较2015年新增1065户，占全市场总开户数的0.92%。期货公司交易量和期权开户数分布也较集中，成交量排名前五的期货公司累计成交1029.55万张（双向），占全市场经纪业务交易量的10.75%；开户数排名前五的期货公司的开户数为1272户，占全市场经纪业务账户数的0.63%。

期货公司虽然投资者数量少，但是通过加大业务资源投入和提供特色服务，2016年的经纪业务成交量市场占比较2015年有显著提升，从4.95%增加至13.60%。

表4　2016年期货公司经纪业务前五名情况

排名	成交量		开户数	
	公司名称	市场份额（%）	公司名称	市场份额（%）
1	光大期货	2.77	永安期货	0.19
2	银河期货	2.72	银河期货	0.15
3	永安期货	2.54	南华期货	0.12
4	南华期货	1.85	国际期货	0.09
5	华西期货	0.87	光大期货	0.08
合计		10.75		0.63

随着期权业务的发展，期权从业人员队伍也逐步壮大。目前，通过上交所期权策略顾问培训的人员已达19317名，根据上交所专项问卷调查显示，全部期权经营机构共有1.9万名人员从事期权业务，平均每家机构约有186人。

（四）做市商

截至2016年底，上证50ETF期权做市商共有13家，其中主做市商 10 家，一般做市商 3 家。10 家主做市商分别为：光大证券股份有限公司、广发证券股份有限公司、国泰君安证券股份有限公司、国信证券股份有限公司、海通证券股份有限公司、华泰证券股份有限公司、招商证券股份有限公司、中泰证券股份有限公司、中信建投证券股份有限公司和中信证券股份有限公司；3 家一般做市商分别为：长江证券股份有限公司、东方证券股份有限公司和西部证券股份有限公司。

2016 年，做市商没有发生期权交易与报价方面的风险事件，全部做市商均能够按照上交所要求履行做市义务，为市场提供流动性。在成交量方面，做市商日均成交 23.93 万张（双向），占全市场 36.93%，日均持仓 32.41 万张（双向），占全市场 16.85%。随着做市商业务模式、报价策略、技术系统、组织架构等方面的不断完善和成熟，做市商成交量占比远低于美国期权市场 46% 和香港股票期权市场 65% 的做市商市场成交占比。2016 年，做市商之间、做市商与投资者之间以及投资者之间的成交占比分别为 7%、51% 和 42%，其中，做市商之间的成交占比由 2015 年底的 16% 下降至 7%，市场各主体之间的成交占比情况合理。

2016 年，3 家主做市商的年度评价结果为 AA，7 家主做市商的年度评价结果为 A。

表 5　2016 年主做市商月度评级及年度评级

	1月	2月	3月	4月	5月	6月	7月	8月	9月	10月	11月	12月	2016年度
光大证券	–	–	A	B	A	A	A	A	A	A	B	AA	A
广发证券	B	A	A	A	A	A	A	AA	AA	AA	A	A	A
国泰君安	A	A	A	A	A	A	A	A	A	AA	A	AA	A
国信证券	–	–	B	AA	AA	AA	AA	AA	A	A	A	C	A
海通证券	A	A	B	A	B	A	A	A	B	A	A	A	A
华泰证券	A	A	A	A	A	A	A	A	A	A	A	A	A
中泰证券	A	A	A	A	A	A	AA	AA	AA	AA	AA	AA	AA
招商证券	AA	AA	AA	AA	AA	AA	A	A	A	A	A	AA	AA
中信建投	AA	–	A	A	A	B	A	B	A	A	A	B	A
中信证券	A	AA	AA	AA	AA	AA	AA	AA	AA	AA	AA	AA	AA

注：光大证券、国信证券于 2016 年 3 月起成为 50ETF 期权主做市商，中信建投 2016 年 2 月不是 50ETF 期权主做市商。

二、组织篇

（一）运行管理

为确保期权市场交易运行管理的安全、可靠和高效，上交所进一步强化和提升股票期权交易运行管理水平。从业务流程电子化、操作步骤可视化、业务数据闭环化三方面进一步优化业务运行模式，完善操作规范，提高业务运行工作水平。

2016 年，全年平稳运行 244 天，没有发生运行安全事件。11 月 29 日，上证 50ETF 在股票期权上市以来首次分红，上交所顺利完成首次期权合约调整相关工作。2016 年全年，上证 50ETF 期权合约新挂 330 个（波动加挂 170 个、到期加挂 120 个、调整加挂 40 个），合约摘牌 324 个，合约调整 74 个，合约提醒 1968 个（到期提醒 1598 个、除息调整提醒 370 个）。

为提高期权市场应急处置能力，2016 年全年，上交所还在期权全真模拟交易环境组织了 9 次应急演练，2 次特别场景演练（现金结算演练、除权除息演练），以及 1 次全市场应急演练，有效加强了应急保障力度。

（二）发展与创新

在期权市场平稳运行、投资者参与数量与交易量稳步增长的情况下，针对上市初期稳起步要求采取的部分监管措施和机制设计已不能满足市场需要，一些新的市场需求也不断出现。为此，2016 年上交所适时调整了部分不适应市场发展需要的监管措施，优化了相关制度设计，积极探索产品与交易机制创新，为期权市场稳健发展创造条件。

一是适时优化持仓限额管理，确保期权市场功能得以发挥。2015 年 9 月 8 日，在股市异常波动的背景下，上交所临时调整期权持仓限额标准，将单日买入开仓限额最高不超过 5 万张调整为单日开仓限额最高不超过 5 千张。2016 年 8 月 8 日，根据市场发展需要，经认真评估，上交所再次将单日开仓限额调回单日买入开仓限额，最大不超过 1 万张。

二是调整收费标准，进一步降低投资者交易和保险成本。2016 年 11 月 1 日，上交所调整上证 50ETF 期权交易经手费，由原每张 2 元下调至每张 1.3 元，降幅达 35%。

三是推出波动率指数，为投资者提供了观察市场的新角度。2015 年 6 月，上交所自主编制并试发布了波动率指数。2016 年 11 月 28 日，上交所正式发布了“上证 50ETF 波动率指数”，简称“中国波指”，该指数反映了投资者对未来 30 天 50ETF 波动率的预期。

四是持续研究组合保证金和证券保证金机制，提高期权市场资金使用效率。期权组合保证金对特定组合策略减少保证金的收取，可在确保风险可控前提下大幅降低投资者卖出开仓的成本，已于 11 月在上交所期权全真模拟环境中推出。同时，上交所也在探索证券保证金机制，为投资者提供使用已持有证券作为期权保证金的途径。

五是完善期权合约设计，便利投资者精确对冲，满足交易需求。上交所拟将期权合约初始行权价格数量从原有的 5 个增加至 9 个（包括 1 个平值、4 个实值和 4 个虚值）。另外，在现有 4 个到期月份基础上再增加 1 个近月合约序列。增加合约行权价格已在期权全真模拟环境上线，未来择机正式推出，增加期权到期月份已完成方案设计准备技术开发。

六是优化相关交易机制，促进市场功能发挥。研究提高期权单笔最大申报数量，以提高市场流动性和盘口深度。研究优化熔断机制，减少不必要的熔断，避免对正常交易的过度中断。研究推出组合行权机制，对同时持有认购和认沽权利仓的投资者实行价差结算，便利投资者行权，避免不必要的筹备钱券环节，可大幅提升结算效率。确定大宗撮合和协议交易机制方案，以降低大宗订单对市场价格的影响和冲击，更好地发挥期权市场经济功能。目前，提高单笔最大申报数量、优化熔断机制已在期权全真模拟交易环境上线，组合行权和大宗交易机制已完成方案设计准备技术开发。

七是开发创新实验平台。完成通用衍生品开发实验平台（STAR）一期建设，平台采用互联网接入方式，实现交易清算一体化，为投资者提供创新衍生产品与交易机制的模拟交易，打造衍生品试验推广田。目前，该平台已经用于上交所高校期权精品课堂教学。

八是研究开发创新交易产品。重点研究了证券借贷合约和信用利差期权两类产品。证券借贷合约是欧洲、我国台湾等地较为成熟的交易品种，对提升股票期权市场效率具有重要意义。信用利差期权以信用债收益率与无风险收益率之间的利差为标的，有助于丰富我国债券市场的风险管理手段。

（三）市场推广

2016 年，上交所继续坚持“覆盖面广、形式多样、渠道丰富、注重实效”的总体市场培育思路，推出一系列市场推广与投资者教育品牌活动，丰富市场培育层次。

一是期权策略顾问培训。针对期权经营机构投资顾问举办了初、高级培训班，通过有难易梯度的培训，来提升投资顾问期权专业水平。初级班全年在 37 个城市，共举办了 102

期，累计培训17038名投资顾问。高级班全年举办2期，累计284名投资顾问参加培训，期权策略顾问培训的开展为期权业务市场发展培育了专业的人才队伍。

二是期权讲堂。为夯实期权市场发展基础，培育合格的期权个人投资者，上交所第一次开展了直面个人投资者的大规模教育培训活动。2016年在北京、上海、深圳、广州、重庆等102个城市，与72家期权经营机构合作举办了320场培训，累计培训46814名个人投资者。

三是期权交易员培训。为综合提高我国期权市场机构投资者期权交易专业能力，建立期权交易商队伍，上交所面向期权经营机构自营和资管、保险、基金、信托、银行等从事期权交易的专业人员举办交易员培训，由具有市场实战经验的专业人员从实务角度讲解期权交易策略、技巧及风险管理。2016年共举办2期培训，累计200人参加培训。

四是高校期权精品课堂。为进一步营造良好的金融衍生品市场发展环境，培养潜在专业人才，上交所与全国重点高校联合开设《股票期权交易理论与实务》学分课程，将理论知识、模拟交易、市场案例研究融于一体。上交所已与清华大学、北京大学、复旦大学、上海交通大学、上海财经大学等22所高校开展合作，累计2013名学生选修了合作课程，理论与实务相结合的教学模式深受师生好评。

五是期权系列丛书。为更好推动投资者培训工作，满足不同知识水平投资者多角度、全方位学习期权投资知识的需求，3月出版了《股票期权产品设计：关键主题》，对股票期权产品设计的一系列关键问题进行了详细介绍与分析。5月出版了《三小时快学期权》，用通俗的语言来讲解期权知识。同时，组织出版《期权高阶文库》系列丛书，填补了国内市场高阶期权图书的空白，2016年已出版《期权交易策略十讲》和《动态对冲》。

六是新媒体推广平台。充分利用网络、手机APP等新媒体平台开展期权市场培育和推广工作，制作了系列期权投教动漫作品，推出了"上交所期权之家"微信公众号。公众号主要用于发布股票期权每日交易信息、政策解读和期权投教知识，搭建了与投资者互动交流的高效平台，目前关注人数近十万人。

三、监管篇

期权是资本市场最复杂、最多样性的金融产品，期权的一线监管和风险监控对交易所是一项全新的挑战。为保障期权市场的健康发展，上交所逐步构建了期权的一线监管制度，提出了四项基本监管原则，确立了五位一体的监管体系，并不断总结监管实践经验。

2016年上交所处理日常监控预警8万余次，日均处理预警200余次；电话风险提醒2000余次，日均电话提醒9次；发布市场风险提醒公告200余次，现场检查10余次。总体上看，一线监管工作取得了较好成效。

（一）五位一体的期权一线监管体系

与期货、现货相比，期权在市场组织、运行、风险管理、定价等方面更复杂，因此，上交所建立了一套不同于期货、也不同于现货的监管制度安排，提出以下四项基本监管原则：

一是底线监管原则。上交所确定了三条监管底线，即严守不发生系统性风险的底线，严防风险溢出、防止期权市场风险蔓延至现货市场的底线，以及严防过度投机的底线。

二是动态监管原则。上交所定期评估各项风控制度的实施效果，不断细化、完善风控制度和监管手段，并根据市场环境及时调整监管重点。

三是联动监管原则。上交所作为组织现货与股票期权交易的一线监管机构，可以实时监察证券和期权的交易，实现期现联动的无缝监管，有效防范市场操纵和内幕交易行为。

四是功能本位原则。股票期权市场为投资者提供了高效的风险管理工具，提升了资本市场定价效率和服务实体经济的能力。上交所在开展监管工作，防范市场风险的同时，注重促进期权经济功能的发挥，避免简单粗暴的行政管制。

基于四项基本监管原则，上交所逐步构建了涵盖宏观风险监控、交易行为监管、做市商监管、期权经营机构监管和市场运行风险监控在内的五位一体一线监管体系。

上交所根据上市近两年来的监管实践，总结了六条监管实践经验，确保监管原则和制度安排能落到实处。

一是宏观监管。上交所编制了一系列宏观监管指数，包括市场质量指数、市场风险指数和市场投机指数等，从各方面反映市场整体运行状况，及时进行预警，确保期权市场平稳运行。

二是超前监管。上交所坚持主动监管，提高监管的前瞻性，及时发现并处置潜在风险隐患。深入研究投资者交易行为及期现风险传导机制，对可疑账户提前关注，并采取相应监管措施。同时，对程序交易进行严格的事前事中事后监管，防止风险发生。

三是全面监管。监管对象全面覆盖了做市商、期权经营机构、套保投资者、程序交易投资者等各类群体。监管内容涵盖了流动性风险、违约风险、投机炒作风险、保证金风险、结算价操作风险、价量异常、期现联动异常、程序交易异常、套保行为异常等各个方面。

四是精准监管。为了精准发现问题、精准定位风险事件原因并及时采取相应的监管措施，上交所设计了全面的风险预警指标体系，保障了风控系统能快速识别风险点，精准定位到账户，分析交易行为，以"精准手术"的方式处理潜在风险。

五是大数据监管。上交所运用大数据、人工智能等手段推动监管方式创新，建立了强大的风控系统，不断完善投资者行为识别模型，全面构建网状矩阵式监管。

六是预防性监管。充分采取风险提示等预防性监管措施，是上交所期权市场一线监管的一项重要经验。上交所预防性监管措施主要包括三个方面：一是反复进行风险提醒，如波动风险提醒、权行提醒、交收提醒和分红提醒；二是定期组织期权经营机构进行沙盘推演及应急演练，防范期权经营机构操作风险。三是举办期权经营机构风险控制与合规经营培训，强化投资者和期权经营机构风险控制意识。

在对期权市场一线监管过程中，上交所提出了多项全球首创性的监管制度安排，例如，首次编制了衡量市场总体风险状况的市场风险指数，首次对程序交易实施报备管理并重点监控，首次建立模型对投资者的交易行为进行分类识别（分为保险、投机、套利、增强收益等行为）和分类监管，首次将做市商的流动性服务、评级和监管有机结合，首次对个人投资者采取限购、限交易等监管制度等等。

（二）宏观风险监控

为了从宏观上准确把握市场整体运行状况，综合评估市场整体风险水平，上交所自主研发编制了一系列期权市场宏观监控指数，主要包括市场质量、市场风险和投机风险三大指数。

市场质量指数衡量流动性和定价效率，使用相对买卖价差、价格冲击成本、平价关系套利空间、垂直价差套利空间及水平价差套利空间等指标进行编制。目前，该指数稳定在

100 至 110 的区间，期权市场质量良好。

市场风险指数衡量投机风险、流动性风险和信用风险，使用期现成交比、成交持仓比、近月深度虚值成交占比、投机行为占比、相对买卖价差、价格冲击成本、会员信用风险、投资者信用风险和市场资金缺口等指标进行编制。2016 年该指数均值为 42.94，期权市场风险较小。

市场投机指数使用期现成交比、成交持仓比、近月深度虚值成交比及投机行为占比等指标进行编制。2016 年该指数均值为 40.69，期权市场不存在过度投机。

（三）交易行为监管

上交所基于账户层面对投资者的交易行为进行了多方面、多维度、深层次的监管，涵盖了程序交易监管、异常交易监管、跨市场交易监管、套保账户监管等各个方面。

在程序交易监管方面，上交所逐步加大监管力度。根据试运行一年来的监管经验，2016 年 5 月向市场发布了《关于加强股票期权程序交易报备管理的通知》，加强对程序交易账户及投资者的审核和监管力度，在事前、事中、事后多维度进行全面监管。事前，上交所要求所有程序交易必须报备，并在制度与流程上明确了报备范围、报备程序与审核流程，对程序交易账户的企业性质、交易员背景、资金来源、技术系统、交易策略、风控措施、应急处置等多方面进行审核把关。事中，上交所采取严格的风控措施，专门设计了监控指标，专人专岗监控，做到实时发现、及时处置。事后，上交所建立了程序交易未报备排查机制，及时发现并处置未报备程序交易账户。同时，上交所要求期权经营机构加强对程序交易接入和交易行为的管理，不断完善应急机制。

在异常交易监管方面，上交所注重强化一线监管职能，在异常交易行为认定标准、"看穿式"监管、异常交易行为研判等多方面加大了监管力度。此外，上交所还设计了相关的风险预警指标体系，对影响开盘价、影响结算价、影响熔断集合竞价、频繁报撤单、虚假申报、拉抬打压价格、账户组自成交、利益输送等异常行为进行重点预警监控。

在跨市场交易监管方面，上交所充分发挥现货与期权在同一交易所交易的优势，实施无缝隙的期现联动监管，并利用技术手段对投资者现货和期权的申报、成交及持仓等数据进行挖掘，通过高效、精准的风险预警和违规交易识别模型，能够及时有效地监控可能存在的跨市场异常交易行为，有效地防范了跨市场风险。

在套保账户监管方面，上交所通过相关业务规则对套期保值申请提高持仓限额的流程进行了严格规定。为防止套保账户利用申请提高持仓限额的机制进行其他性质的交易，上交所通过从套保账户的投机交易占比、Delta 值、现货和期权持仓量的比值以及交易行为是否偏离申请时提交的套保方案等多个方面对套保账户进行监控。

（四）做市商监管

上交所对做市商的监管主要体现在准入资格管理、实时交易监控、定期压力测试、评级考核等四个方面。一是严格准入标准。通过规则制度、现场检查、实验室测试、专业评审等方式全面考核做市商业务资格；二是实时监控做市商交易行为，对自成交、异常报价、希腊字母指标、单位时间内申报笔数、持仓集中度、保证金占用比例等指标进行监控，建立快速反应和处置机制；三是建立定期压力测试机制，要求做市商按季度进行风控及系统压力测试并提交相应报告，确保做市商业务风险可测、可控；四是建立了一套量化的做市商考核、评级和激励机制，将做市商的流动性服务、评级和监管有机结合起来。

（五）期权经营机构监管

上交所对期权经营机构监管的重点是资格准入、保证金监控、投资者适当性和持仓限额管理等方面。一是期权经营机构准入管理。上交所实施严格的准入标准，发布期权经营机构经纪和自营业务现场检查工作底稿，通过机构自查、现场检查等形式全面考核期权经营机构的业务资格。二是保证金监控。对期权经营机构的经纪、自营业务保证金进行全方位监控，做到问题及时发现、及时处置。三是投资者适当性管理。要求期权经营机构全面了解自己的客户，通过盘后核查、现场检查等方式监管期权经营机构是否严格执行投资者适当性管理制度；四是加强持仓限额管理。对于持仓限额对投资者持仓限额较大的调整（权利仓限额调至 2000 张以上的）实行报备制度，要求期权经营机构提前 1 个交易日向上交所报备。

（六）市场运行风险监控

上交所着重对结算风险和行权交收风险进行监控，保证市场运行平稳有序。结算风险主要通过对保证金、出入金异常进行监控，并进行盘中试算和压力测试。一是当期权经营机构出现盘前、盘中、盘后保证金不足，盘中保证金占用比例过高等情形时，上交所将采取电话提醒措施。全年对保证金盘前不足电话提醒 4 次，保证金盘中不足电话提醒 34 次，盘中保证金占用比例高于 80% 电话提醒 106 次，经上交所电话提醒，期权经营机构及时防范保证金不足风险；二是当市场出现大额或异常出入金时，上交所与中国结算、期权经营机构及时进行联系，确保市场出入金正常、准确，2016 年未出现市场异常出入金情况；三是当盘中现货出现大幅波动时，上交所启动盘中保证金试算，提前评估风险。当盘中标的涨跌 2% 时，本所将对进行盘中保证金试算，并对保证金不足的期权经营机构进行电话提醒，全年共计电话提醒 1627 次；四是上交所每日盘后对全市场保证金风险进行压力测试，及时发现并处理相关风险。市场风险压力测试表明，在标的涨跌 20% 的情况下，会员层面保证金缺口可控。

对于行权交收风险，主要在行权前、行权日、交收日进行监控和提醒，并保持后续跟踪。首先，上交所于行权前 4 个交易日开始连续发布五次行权提醒公告、一次行权交收提醒公告。全年共计发布行权、交收提醒公告 72 次；其次，上交所在行权日，实时监控客户行权情况，对持有实值期权较多的账户通过期权经营机构进行提醒。行权结束后，上交所将进一步跟踪深度实值期权未行权、深度虚值期权行权、交收违约的账户对应的期权经营机构，视情况采取相关处置措施。每月行权日对持有实值期权超过 50 张的客户对应的期权经营机构进行电话提醒平均 52 次，全年共计 623 次；最后，上交所在交收日实时监控被指派行权账户的备券情况，通过期权经营机构提醒投资者备券。每月交收日对指派证券不足的账户对应的期权经营机构进行电话提醒平均 9 次，全年共计 105 次。上述监控措施较好的控制了行权交收风险。自上市以来，上证 50ETF 期权行权交收有序进行，未出现交收违约事件。

四、展望篇

上证 50ETF 期权上市近两年来，总体上看市场运行平稳有序，规模稳步增长，功能初步彰显，股票期权业务试点取得了较好的效果。但同时，市场发展也存在一些亟待完善之处。主要表现在两个方面：一是标的单一，不能满足投资者的多样化风险管理需求。从标的覆盖面和代表性而言，上证 50ETF

对证券市场覆盖面不足，其中金融行业权重近70%，具有较大局限性；二是市场交易成本较高，在当前缺乏组合保证金和大宗交易机制的情况下，机构投资者的大单交易需求较难得到满足。

2017年，上交所将继续本着“期现联动发展，服务民富国强”的市场建设初心，按照稳中求进的工作思路，进一步加强监管和风险控制，加大市场培育和推广力度，推动增加新的股票期权交易标的，择机推出组合保证金、大宗撮合交易机制等创新制度安排。

展望未来，我国股票期权市场发展前景广阔。从国际经验看，美国股票期权的期现成交比约1.6倍，我国目前仅0.01倍，与国际市场存在显著差距，但发展潜力巨大。2017年，我国资本市场面临的全球政治经济不确定性因素加大，可以预期，股票期权的风险管理功能将日益凸显，在化解金融风险中会发挥更加重要的作用。我们相信，随着投资者对股票期权产品的日渐熟悉、相关交易机制的逐步完善和产品体系的日益丰富，我国股票期权市场必将成为全球场内衍生品市场的重要组成部分，与股票市场形成联动发展的良性格局。

（资料来源：上海证券交易所衍生品业务部）

2016年上海证券交易所大事记

1月7日

上交所、深交所、中金所发布通知，自1月8日起暂停实施指数熔断机制。

2月1日

中央第七巡视组向上交所党委反馈专项巡视情况。

3月21日

上交所发布关于终止＊ST博元上市的公告，＊ST博元成为我国证券市场首家因触及重大信息披露违法情形被终止上市的公司。

4月26日

上交所党委发布关于巡视整改情况的通报。

5月11日

经党中央决定，吴清同志任上交所党委书记。5月20日，经国务院同意，上交所第三届理事会第65次会议选举吴清同志任上交所理事长。

5月27日

上交所发布《上市公司筹划重大事项停复牌业务指引》，规范上市公司筹划重大资产重组、非公开发行等重大事项期间股票及其衍生品种的停复牌行为。

5月30日

上交所发布《上市公司信息披露暂缓与豁免业务指引》。自6月10日起，取消信息披露暂缓、豁免业务的事前申请制度，改由信息披露义务人根据标准自行审慎判断，交易所实行事中事后监管。

6月21日

世界交易所联合会董事会会议在沪召开，这是上交所首次承办世界交易所联合会董事会会议。中国证监会主席刘士余到会致辞。

7月1日

中共上海证券交易所党校正式成立，网络党校和移动党校同步上线。

8月10日

上交所发布《上海证券交易所“练内功、补短板”活动方案》，正式启动“练内功、补短板”活动，着力用一年左右时间在全所各条线摆问题、找差距、补短板、强基础，为建成世界级交易所构建牢固基石。

8月16日

根据《中国证券监督管理委员会 香港证券及期货事务监察委员会联合公告》，沪港股票市场交易互联互通机制取消总额度限制，并于公告之日起即时生效。

8月26日

由新疆金风科技股份有限公司发行的上交所首单绿色资产支持证券——“农银穗盈－金风科技风电收费收益权绿色资产支持证券”在上交所成功挂牌上市。

9月10日

上交所召开第七次会员大会。中国证监会主席刘士余、副主席姜洋，上海市副市长周波出席大会并作重要讲话。上交所112家会员单位全部出席大会。会议审议通过了上交所第三届理事会工作报告、总经理工作报告、第一届监事会工作报告。会议审议通过了《上海证券交易所章程（修订草案）》。会议产生了上交所第四届理事会、第二届监事会以及理事会政策咨询委员会。

9月12日

上海国际金融中心上交所项目完成结构封顶。

9月13日

上交所对广西慧球科技股份有限公司股票实施了其他风险警示处理（ST处理）。这是沪市首家因信息披露和公司治理存在重大缺陷而被实施ST处理的公司。

9月20日

上交所与哈萨克斯坦阿斯塔纳国际金融中心管理局签署合作谅解备忘录。

9月30日

上交所发布《上海证券交易所公司债券簿记建档发行业务指引》，规范公司债券的发行定价和配售方式。

11月11日

经中国证监会批准，上交所发布《上海证券交易所章程》。

11月28日

上交所和中证指数有限公司正式发布上证50ETF波动率指数，指数简称“中国波指”，指数代码000188。

12月2日

经中国证监会批准，沪、深证券交易所对《融资融券交易实施细则》进行了修订，对可充抵保证金证券折算率进行调整，并同步扩大融资融券标的证券范围。

12月27日

中金所、上交所、深交所、中巴投资公司及哈比银行组成的联合体与巴基斯坦证券交易所股权出售委员会和巴基斯坦证券交易所签署《股权收购协议》，购买巴基斯坦证券交易所40%股权。

第三节　深圳证券交易所

2016 年深圳证券市场回顾

2016 年，深圳证券交易所多层次资本市场服务实体经济发展的功能作用持续发挥，主板、中小企业板、创业板层次清晰、特色鲜明、功能互补，主板服务市场化蓝筹企业，中小企业板服务行业细分龙头，创业板服务自主创新企业和成长型创业企业，充分匹配中国经济多元协同发展优势，包容性强，市场化程度高，成长性突出，创业创新特色显著。

一、市场数据

截至 2016 年 12 月 31 日，深圳证券交易所上市公司1 870 家，其中主板 478 家，中小板 822 家，创业板 570 家；总市值 22.31 万亿元。2016 年全年，深市股票成交金额累计 77.6 万亿元，股票筹资额 7 344 亿元，其中 IPO 融资 479 亿元，再融资募集资金 6 865 亿元。上市基金 511 只，挂牌债券 2 744 只，资产证券化产品 125 只。年内推出首单创新创业公司债券，推出沪港深基金、定增基金，推出标普 500、标普生物科技等跟踪美国市场主流指数的 LOF 产品。

二、产品情况

深市产品契合实体经济需求，贴近居民资产配置和风险管理需要，拓展有序、相互衔接，为企业、公共机构、商业机构和个人提供多元化投融资工具，引领证券市场行业创新。

固定收益包括公募债、私募债、资产支持证券等各类产品，股债结合品种和资产支持证券特色突出，标准化质押式回购优势显著。创新推出保障房、小额贷款、不动产等开创性证券化品种，积极推动绿色证券化创新，拓宽投融资渠道，降低投融资成本。截至 2016 年 12 月 31 日，挂牌债券（含资产支持证券）2 869 只，托管总面值 13 333.4 亿元。资产支持证券的基础资产涵盖融资租赁、公用事业、小额贷款、应收账款、商业物业等 9 大类，对基础设施建设、中小微企业融资、绿色金融等关键领域提供了重点支持。

“基金超市”包括 ETF、LOF、分级基金和封闭式基金四大类，其中 LOF 为深市首创。覆盖境内外主要市场，开创推出“乐富基金超市”并形成独特品牌，打造低成本、高效率的一站式资产配置交易和转换平台。截至 2016 年 12 月 31 日，共有 511 只上市基金，资产规模 1 943.36 亿元。近年来，先后推出商品期货基金（白银 LOF）、跨时区 ETF（纳指 100）、类 REITs（鹏华前海）产品，进一步丰富了上市基金品种；推动跨境产品实施日内回转交易，推出 ETF 实时逐笔全额非担保交收（RTGS）业务，不断完善基金配套机制建设。

指数序列全覆盖规模、综合、行业、风格、主题和策略六大类，深证成指、中小企业板指数和创业板指数分别表征深市全市场和特色板块，充分展示中国经济面貌，助力投资者分享市场成长回报。积极发展深市特色期权等金融衍生品，为投资者提供风险管理工具。

中小板公司交出满意答卷　2016 年业绩实现较快增长

2016 年是“十三五规划”开局之年，中小板上市公司作为我国广大优秀中小企业群体的代表，在服务实体经济、服务供给侧结构性改革、支持自主创新和转型升级、促进产业整合和结构优化等方面发挥着重要作用。

在稳中有进的国内经济环境下，中小板上市公司辛勤努力、开拓创新，交出了一份满意的答卷。2017 年 2 月 28 日前，834 家公司均披露了年度业绩快报或年度报告。2016 年，中小板公司实现平均营业收入 35.92 亿元，比上年增长 17.81%，实现平均净利润 2.72 亿元，比上年增长 32.56%。在国家政策的大力支持下，中小板公司继续积极推进自主创新、转型升级、优化结构，净利润增长率创出近五年的新高，展现出中小企业强大的经济活力和良好的发展态势。

在 16 大行业中，农林牧渔、软件和信息技术服务、建筑业、制造业等 12 个行业 2016 年度净利润实现同比增长，其中公司家数占比最多的制造业净利润同比增长 39%，远高于 2015 年制造业净利润同比增长率，在服务供给侧结构性改革方面取得了良好成效。

中小板作为培育行业龙头和领军企业的摇篮，聚集了一大批细分行业优秀公司，在经济发展中发挥了良好的示范引导作用，超过六成的公司实现收入、利润双增长。2016 年，中小板营业收入、净利润实现增长的公司分别为 641 家和 604 家，占比分别为 77% 和 72%，实现收入利润双增长的公司 528 家，占比 63%。2016 年，中小板 54 家公司营业收入超过 100 亿元，44 家公司净利润超过 10 亿元，分别比去年同期增加 18 家和 19 家，越来越多的中小板公司利用资本市场平台做优做强，逐步成长为优质蓝筹企业。中小板净利润前 30 名的公司主要集中在金融、计算机通信、设备制造、医药等领域，实现平均营业收入 201.81 亿元，同比增长 21%，实现平均净利润 26.32 亿元，同比增长 25%，其中海康威视、比亚迪、顺丰控股、歌尔股份、老板电器、新和成等 20 家公司净利润增幅超过了 20%。

中小板成为推动自主创新、产业升级的重要力量，超过 7 成公司为高新技术企业，这些公司净利润增长率超过板块平均水平。中小板有 647 家高新技术企业和 249 家战略新兴产业企业，坚持创新发展、重视研发投入，实现技术升级、产品升级、服务升级，净利润分别同比增长 35% 和 39%，具有良好的发展前景。

中小板并购重组活跃，整体态势良好。中小板公司深耕主业，围绕产业整合开展并购重组，实现产业链拓展、转型升级，同时，一些行业标杆企业通过重组加入中小板，对板块整体业绩提升产生积极作用。2016 年，78 家公司完成重大资产重组，平均营业收入和净利润分别同比增长 37% 和 149%，远高于板块平均水平。活跃的并购重组，优化了资源配置，提高了资源使用效率，提升了公司业绩。

专注创新创业　创业板上市公司业绩再上新台阶

截至 2017 年 2 月 28 日，创业板 603 家上市公司均披露了年度业绩快报或年度报告。数据显示，2016 年度，创业板上市公司适应把握经济发展新常态，切实服务供给侧结构性改革，专注创新创业，整体业绩再上新台阶，在服务实体经济、支持自主创新和经济转型升级方面发挥了重要作用。

2016 年创业板上市公司经营业绩实现持续快速增长，高成长性优势进一步显现。603 家公司年度合计实现营业收入 8 052.72 亿元，较上年同期增长 34.46%；合计实现净利润 932.16 亿元，较上年同期增长 38.15%。营业收入和净利润的增长速度皆达到了近 5 年以来的最高水平，净利润增长速度 5 年来首次超过营业收入的增长速度，创业板公司收入的质量和盈利能力得到了进一步提升。具有高成长性的公司群体不断扩大，高成长性优势进一步体现。2016 年度有83.9% 的公司实现营业收入的同比增长，75.0% 的公司实现了净利润的同比增长，皆高于 2015 年度相应比例，其中29.7% 的公司净利润同比增长超过 50%。

坚持走创新发展之路，战略性新兴行业上市公司经营业绩表现突出。2016 年度，379 家战略新兴产业公司营业收入同比增长 38.7%，计算机制造、软件和信息技术服务、医药制造这三个创新活跃行业的上市公司净利润同比分别增长 48.5%、46.3% 和 39.5%，均超过了创业板整体水平。

一大批创新型公司利用资本市场做大做强，成为行业龙头。2016 年度 603 家公司平均实现营业收入 13.4 亿元，平均实现净利润 1.5 亿元，209 家公司营业收入超过 10 亿元，250 家公司净利润超过 1 亿元，企业规模持续增长，出现了一批具有较大影响力的行业龙头企业。温氏股份、三聚环保、蓝思科技等 6 家公司营业收入超过 100 亿元；温氏股份净利润达 117.72 亿元，占整个板块净利润总额的 12.6%，另外有碧水源、三聚环保、蓝思科技等 7 家公司净利润超过 10 亿元。

借助并购重组，一批具有成长潜力和创新优势的创新创业企业进入上市公司体系。2016 年创业板公司并购重组继续保持活跃态势，全年共有 79 家公司完成重大资产重组，这些公司 2016 年度营业收入和净利润增幅分别达 64.5% 和 127.9%，显著高于创业板整体水平。并购重组不仅极大地提升了上市公司的业绩，也为创新创业者提供了良好的示范作用，有力推动了国家创新创业战略的实施。

2016 年深圳证券市场概况

截至 2016.12.30

指标名称	数值	同比±	增减(%)
上市公司数	1870	124	7.10
上市证券数	4506	1066	30.99
总股本(亿股)	16042.53	3263.25	25.54
流通股本(亿股)	11763.80	2138.20	22.21
总市值(亿元)	223078.25	-13031.75	-5.52
流通市值(亿元)	153395.44	-10402.12	-6.35
总市值占 GDP 比重	35.07	-2.05	-5.52
深证成份指数	10177.14	-2487.75	-19.64
深证综合指数	1969.11	-339.80	-14.72
深证 B 股指数	1127.70	-181.66	-13.87
加权平均股价(元/股)	13.91	-4.57	-24.73
平均市盈率	41.21	-11.54	-21.88
投资者开户总数(万)	20886.82	4009.38	23.76
其中:机构开户总数	56.08	6.89	14.01
本年累计股票成交金额(亿元)	775979.90	-448970.11	-36.65
本年累计基金成交金额(亿元)	22085.09	-26799.62	-54.82
本年累计债券成交金额(亿元)	136377.38	49160.79	56.37
本年累计优先股成交金额(亿元)	16.50	-	-
本年累计股票筹资额(亿元)	10618.33	3929.31	58.74
其中:IPO 公司数(家)	124	-6	-4.62
IPO 筹资额(亿元)	478.85	-12.29	-2.50
本年累计股票交易印花税(亿元)	775.98	-448.99	-36.65
本年累计新增投资者开户数(万)	4007.79	-895.34	-18.26
其中:机构开户总数	8.12	-0.10	-1.22

2016 年中小企业板市场概况

截至 2016.12.30

指标名称	数值	同比±	增减(%)
上市公司数	822	46	5.93
总股本(亿股)	6423.69	1569.75	32.34
流通股本(亿股)	4465.89	965.24	27.57
总市值(亿元)	98113.97	-5836.50	-5.61
流通市值(亿元)	64088.77	-5648.27	-8.10
中小板指数 P	6472.23	-1921.60	-22.89
加权平均股价(元/股)	15.27	-6.15	-28.71
平均市盈率	50.35	-17.71	-26.02
本年累计成交金额(亿元)	344164.94	-153391.24	-30.83
本年累计股票筹资额(亿元)	4702.2	1473.84	45.65
其中:IPO 公司数(家)	46	2	4.55
IPO 筹资额(亿元)	221.21	39.35	21.64
本年累计交易印花税(亿元)	344.16	-153.40	-30.83

2016 年创业板市场概况

截至 2016.12.30

指标名称	数值	同比±	增减(%)
上市公司数	570	78	15.85
总股本(亿股)	2630.61	790.16	42.93
流通股本(亿股)	1700.44	531.55	45.47
总市值(亿元)	52254.50	-3661.75	-6.55
流通市值(亿元)	30536.90	-1541.78	-4.81
创业板指数 P	1962.05	-752.00	-27.71
加权平均股价(元/股)	19.86	-10.52	-34.63
平均市盈率	73.21	-35.80	-32.84
本年累计成交金额(亿元)	216831.62	-68521.19	-24.01
本年累计股票筹资额(亿元)	2241.19	672.04	42.83
其中:IPO 公司数(家)	78	-8	-9.30
IPO 筹资额(亿元)	257.64	-51.64	-16.70
本年累计交易印花税(亿元)	216.83	-68.52	-24.01

2016 年度深市成交概况

2016 年1—12 月份	交易日数	成交金额		成交数量		成交笔数	
		人民币元	占总计(%)	数量	单位	笔	占总计(%)
股票	244	77,597,990,350,925	83.04	4,980,681,314,622	股	3,623,916,707	95
主板 A 股	244	21,448,181,657,637	22.95	1,964,067,028,920	股	1,055,649,633	27.67
中小板	244	34,416,494,123,198	36.83	2,057,812,662,597	股	1,682,426,491	44.1
创业板	244	21,683,161,619,677	23.2	950,990,198,751	股	881,415,658	23.11
主板 B 股	244	50,152,950,414	0.05	7,811,424,354	股	4,424,925	0.12
基金	244	2,208,508,510,966	2.36	2,003,205,156,285	基金单位	85,642,136	2.25
ETFs	244	796,013,141,644	0.85	129,313,214,976	基金单位	7,680,785	0.2
LOFS	244	59,185,637,150	0.06	86,498,993,551	基金单位	4,091,272	0.11

2016 年 1—12 月份	交易日数	成交金额		成交数量		成交笔数	
		人民币元	占总计(%)	数量	单位	笔	占总计(%)
分级基金	244	1,341,874,765,826	1.44	1,776,824,103,888	基金单位	73,323,662	1.92
封闭基金	244	11,434,966,347	0.01	10,568,843,870	基金单位	546,417	0.01
债券	244	13,637,738,327,178	14.59	136,270,135,102	张	105,153,765	2.76
国债	244	3,725,088,318	0	36,789,361	张	42,903	0
公司债	244	347,407,531,618	0.37	3,422,727,609	张	461,591	0.01
企业债	244	9,379,542,277	0.01	92,755,601	张	115,073	0
可转债	244	29,807,069,965	0.03	243,671,581	张	353,628	0.01
债券回购	244	13,247,419,095,000	14.18	132,474,190,950	张	104,180,570	2.73
权证		0	0	0	份	0	0
优先股	244	1,650,000,000	0	16,500,000	股	5	0
合计	244	93,445,887,189,069	100	7,120,173,106,009		3,814,712,613	100

2016 年末深市股票行业成交数据

2016 年 1—12 月份	交易日数	成交金额		成交数量		成交笔数	
		人民币元	占总计(%)	数量	单位	笔	占总计(%)
农林牧渔	244	1,049,531,786,704	1.35	72,100,546,047	1.45	52,037,832	1.44
采矿业	244	1,464,864,018,189	1.89	148,910,761,007	2.99	72,258,114	1.99
制造业	244	50,507,239,344,021	65.09	3,248,871,315,846	65.23	2,399,861,673	66.22
水电煤气	244	873,977,442,814	1.13	99,076,437,907	1.99	50,738,652	1.4
建筑业	244	2,079,850,404,991	2.68	143,060,756,481	2.87	101,395,822	2.8
批发零售	244	2,654,349,588,685	3.42	176,151,238,895	3.54	129,358,547	3.57
运输仓储	244	708,734,572,440	0.91	60,381,219,272	1.21	41,194,885	1.14
住宿餐饮	244	161,651,789,019	0.21	15,522,714,092	0.31	9,076,696	0.25
信息技术	244	9,218,180,283,070	11.88	363,116,963,975	7.29	359,739,877	9.93
金融业	244	2,208,680,254,986	2.85	149,408,790,545	3	90,255,792	2.49
房地产	244	2,982,434,558,364	3.84	290,776,290,549	5.84	155,279,261	4.28
商务服务	244	920,634,589,328	1.19	57,286,657,273	1.15	43,145,547	1.19
科研服务	244	385,707,738,235	0.5	17,871,527,288	0.36	17,552,858	0.48
公共环保	244	600,229,421,378	0.77	44,010,952,436	0.88	28,691,135	0.79
教育	36	2,086,005,232	0.03	50,518,199	0.01	85,672	0.02
卫生	244	148,918,104,886	0.19	5,502,417,520	0.11	6,179,639	0.17
文化传播	244	1,199,727,593,792	1.55	57,387,827,880	1.15	47,315,083	1.31
综合	244	431,192,854,790	0.56	31,194,379,410	0.63	19,749,622	0.54
合计	244	77,597,990,350,926	100	4,980,681,314,622	100	3,623,916,707	100

2016 年末深市会员交易金额

百万元

2016 年 1—12 月	总计	本地会员	异地会员	其他
股票	155,195,980.70	33,336,318.96	121,849,142.84	10,518.90
主板 A 股	42,896,363.32	9,481,736.60	33,414,585.74	40.98
中小板	68,832,988.25	14,668,513.91	54,164,471.64	2.7
创业板	43,366,323.24	9,155,978.61	34,210,344.62	
主板 B 股	100,305.90	30,089.84	59,740.84	10,475.23
基金	4,417,017.02	1,059,276.86	3,330,502.67	27,237.50
ETFs	1,592,026.28	467,791.78	1,117,321.91	6,912.59

2016 年 1—12 月	总计	本地会员	异地会员	其他
LOFs	118,371.27	22,257.62	96,088.70	24.95
分级基金	2,683,749.53	564,645.40	2,099,994.92	19,109.20
封闭基金	22,869.93	4,582.05	17,097.13	1,190.75
债券	27,275,476.65	7,143,151.21	20,131,902.60	422.84
国债	7,450.18	1,988.53	5,461.65	0
公司债	694,815.06	205,180.52	489,489.37	145.18
企业债	18,759.08	4,893.39	13,865.69	0
可转债	59,614.14	12,376.42	47,217.17	20.55
债券回购	26,494,838.19	6,918,712.36	19,575,868.72	257.1
优先股	3,300.00		3,300.00	
总交易金额(百万元)	186,891,774.38	41,538,747.02	145,314,848.11	38,179.24

2016 年末深市股票行业分布

2016 年 12 月底	上市数目	总发行股本	总流通股本	市价总值	流通市值
合计	1908	1,604,253,416,584	1,176,379,927,549	22,307,825,458,781	15,339,543,542,687
农林牧渔	30	28,629,614,716	18,437,411,414	425,795,032,993	283,231,651,948
采矿业	29	38,424,555,865	28,829,944,255	317,293,823,323	242,164,997,027
制造业	1308	966,625,663,371	727,985,579,268	13,938,792,950,041	9,801,767,350,544
水电煤气	41	51,092,199,661	41,387,295,048	418,989,318,430	326,126,477,263
建筑业	50	42,771,472,053	28,757,627,743	537,754,466,796	335,003,326,493
批发零售	68	57,136,602,381	35,820,427,224	782,198,123,379	497,495,883,336
运输仓储	30	20,298,556,236	16,553,709,789	204,114,317,360	162,252,512,517
住宿餐饮	9	3,920,905,017	3,493,323,357	43,488,907,345	39,299,047,089
信息技术	159	97,307,040,705	60,933,994,736	2,065,495,533,076	1,191,891,906,468
金融业	17	87,653,872,106	57,755,607,585	997,723,732,084	668,942,898,781
房地产	66	110,861,477,518	87,734,441,347	1,101,901,115,122	845,488,971,271
商务服务	27	37,718,658,932	23,104,644,905	520,176,296,379	285,839,449,789
科研服务	15	5,505,302,316	3,801,048,765	98,212,289,393	58,433,174,753
公共环保	21	22,410,270,136	17,886,391,041	260,197,640,870	208,799,019,347
教育	1	96,195,107	96,195,107	3,750,647,222	3,750,647,222
卫生	5	4,905,472,115	2,809,825,107	106,405,597,644	66,844,076,831
文化传播	24	23,952,854,426	16,235,294,350	422,370,251,184	261,597,471,796
综合	8	4,942,703,923	4,757,166,508	63,165,416,140	60,614,680,214

2016 年末深市上市证券类别统计

2016 年 12 月底	上市数目	总发行股本	总流通股本	市价总值	流通市值
股票	1,908	1,604,253,416,584	1,176,379,927,549	22,307,825,458,781	15,339,543,542,687
主板 A 股	467	686,005,308,619	547,057,118,303	7,184,924,476,120	5,791,964,812,013
中小板	822	642,368,825,976	446,589,058,279	9,811,397,456,898	6,408,877,206,876
创业板	570	263,060,925,701	170,044,109,164	5,225,450,433,682	3,053,690,292,756
主板 B 股	49	12,818,356,288	12,689,641,803	86,053,092,080	85,011,231,042
基金	511	192,227,450,056	192,127,883,074	192,493,577,723	192,392,938,899
ETFs	48	19,217,999,256	19,217,999,256	42,569,954,216	42,569,954,216
LOFs	202	23,106,740,161	23,062,173,179	22,786,785,642	22,739,956,818
分级基金	257	142,572,201,239	142,572,201,239	119,919,970,340	119,919,970,340

2016年12月底	上市数目	总发行股本	总流通股本	市价总值	流通市值
封闭基金	4	7,330,509,400	7,275,509,400	7,216,867,525	7,163,057,525
债券	2,082	17,475,800,277,700	481,111,952,900	17,515,875,242,028	487,747,085,152
国债	1,620	16,988,539,990,000	8,522,849,300	17,021,879,679,050	8,584,740,976
公司债	405	429,844,766,800	429,844,766,800	434,916,469,600	434,916,469,600
企业债	40	48,708,000,000	34,036,815,900	49,042,730,300	34,209,511,497
可转债	8	8,707,520,900	8,707,520,900	10,036,363,078	10,036,363,078
债券回购	9	0	0	0	0
权证	0	0	0	0	0
优先股	5	29,350,000,000	29,350,000,000	29,126,900,000	29,126,900,000
合计	4,506	19,301,631,144,340	1,878,969,763,523	40,045,321,178,532	16,048,810,466,738

2016年深市成交金额最大的二十家上市公司

序号	证券代码	证券简称	前收	收盘	成交金额(元)	成交量(股)
1	300059	东方财富	52.03	16.93	506,490,573,004.84	18,859,761,719
2	002673	西部证券	32.91	20.77	452,818,325,956.43	18,223,109,095
3	002407	多氟多	76.26	27.29	415,640,227,730.68	8,222,627,870
4	000002	万科A	24.43	20.55	414,877,303,242.24	18,267,158,674
5	000839	中信国安	20.35	9.18	408,531,803,034.40	28,635,424,072
6	002466	天齐锂业	140.75	32.45	379,712,397,630.69	5,253,288,915
7	000413	东旭光电	9.08	11.26	360,982,893,357.53	28,630,965,913
8	002460	赣锋锂业	62.93	26.51	327,777,932,677.99	7,267,076,716
9	000651	格力电器	22.35	24.62	242,834,061,773.53	10,108,194,672
10	300431	暴风集团	95.83	46.00	217,899,124,587.84	3,201,002,422
11	300168	万达信息	33.13	20.22	216,363,217,831.71	8,421,622,092
12	000776	广发证券	19.45	16.86	213,192,928,277.02	12,887,353,666
13	002292	奥飞娱乐	51.71	22.70	204,758,146,527.04	6,052,519,779
14	000333	美的集团	32.82	28.17	200,336,224,390.45	7,392,952,757
15	000858	五粮液	27.28	34.48	198,703,944,377.66	6,292,083,620
16	002797	第一创业	10.64	34.80	196,030,057,607.16	5,386,848,978
17	002431	棕榈股份	26.84	9.16	195,869,211,371.16	13,058,988,707
18	000009	中国宝安	17.96	10.36	191,425,698,690.89	15,681,312,009
19	300033	同花顺	71.05	68.78	188,744,865,537.79	2,663,108,748
20	002500	山西证券	15.24	12.02	186,979,292,413.88	13,572,302,161

2016年深市成交笔数最多的二十家上市公司

序号	证券代码	证券简称	前收	收盘	成交金额(元)	成交量(股)	成交笔数
1	000839	中信国安	20.35	9.18	408,531,803,034.40	28,635,424,072	17,268,481
2	000002	万科A	24.43	20.55	414,877,303,242.24	18,267,158,674	16,972,830
3	000413	东旭光电	9.08	11.26	360,982,893,357.53	28,630,965,913	16,762,236
4	002673	西部证券	32.91	20.77	452,818,325,956.43	18,223,109,095	16,736,041
5	002407	多氟多	76.26	27.29	415,640,227,730.68	8,222,627,870	14,106,872
6	300059	东方财富	52.03	16.93	506,490,573,004.84	18,859,761,719	13,002,468
7	002460	赣锋锂业	62.93	26.51	327,777,932,677.99	7,267,076,716	11,362,488
8	000725	京东方A	2.97	2.86	184,624,316,021.65	72,172,089,183	9,967,848
9	002431	棕榈股份	26.84	9.16	195,869,211,371.16	13,058,988,707	9,902,242

序号	证券代码	证券简称	前收	收盘	成交金额(元)	成交量(股)	成交笔数
10	002466	天齐锂业	140.75	32.45	379,712,397,630.69	5,253,288,915	9,549,015
11	002797	第一创业	10.64	34.80	196,030,057,607.16	5,386,848,978	9,310,849
12	002500	山西证券	15.24	12.02	186,979,292,413.88	13,572,302,161	9,042,615
13	300315	掌趣科技	14.00	9.24	180,275,576,791.51	16,534,946,587	8,862,800
14	002176	江特电机	17.60	11.93	168,347,026,681.14	12,708,297,248	8,800,557
15	000630	铜陵有色	3.58	3.08	115,664,559,129.76	39,700,046,805	8,790,452
16	002340	格林美	15.20	6.55	140,255,046,286.12	15,349,973,978	8,751,092
17	000838	财信发展	40.23	9.09	154,654,031,885.99	7,959,300,566	8,654,986
18	002043	兔宝宝	14.07	11.57	101,815,375,553.61	8,801,463,696	8,631,249
19	002024	苏宁云商	13.45	11.45	182,858,766,661.78	16,106,848,460	8,466,371
20	002716	金贵银业	11.75	23.14	166,186,481,558.88	8,041,094,589	8,455,077

2016 年深市成交量最大的二十家上市公司

序号	证券代码	证券简称	前收	收盘	成交金额(元)	成交量(股)
1	000725	京东方 A	2.97	2.86	184,624,316,021.65	72,172,089,183
2	000630	铜陵有色	3.58	3.08	115,664,559,129.76	39,700,046,805
3	000709	河钢股份	3.33	3.34	97,160,434,394.61	30,545,863,821
4	000839	中信国安	20.35	9.18	408,531,803,034.40	28,635,424,072
5	000413	东旭光电	9.08	11.26	360,982,893,357.53	28,630,965,913
6	000979	中弘股份	4.00	2.64	58,613,088,494.75	19,947,917,034
7	000629	*ST 钒钛	3.67	2.39	58,635,016,919.94	19,354,571,624
8	300059	东方财富	52.03	16.93	506,490,573,004.84	18,859,761,719
9	000002	万科 A	24.43	20.55	414,877,303,242.24	18,267,158,674
10	002673	西部证券	32.91	20.77	452,818,325,956.43	18,223,109,095
11	000656	金科股份	5.28	5.24	81,123,422,063.28	17,581,823,187
12	000983	西山煤电	6.08	8.46	148,625,404,656.49	17,436,122,213
13	300315	掌趣科技	14.00	9.24	180,275,576,791.51	16,534,946,587
14	002024	苏宁云商	13.45	11.45	182,858,766,661.78	16,106,848,460
15	000009	中国宝安	17.96	10.36	191,425,698,690.89	15,681,312,009
16	002340	格林美	15.20	6.55	140,255,046,286.12	15,349,973,978
17	000727	华东科技	9.91	3.37	76,877,724,190.10	15,238,592,602
18	000778	新兴铸管	6.49	5.17	76,475,121,312.13	14,805,617,495
19	000750	国海证券	12.85	6.97	126,644,218,287.59	14,632,161,774
20	000425	徐工机械	4.25	3.38	47,539,187,593.32	14,163,922,282

2016 年深市涨幅最大的二十家上市公司

序号	证券代码	证券简称	前收	收盘	成交金额(元)	成交量(股)	涨幅
1	300506	名家汇	8.58	48.31	124,354,820,478.26	2,428,047,787	1310.93
2	300556	丝路视觉	5.54	62.36	14,116,402,576.33	205,134,981	1025.63
3	300531	优博讯	13.36	145.30	42,993,149,446.00	344,210,912	987.57
4	300526	中潜股份	10.50	107.03	17,876,206,085.60	193,394,824	919.33
5	002806	华锋股份	6.20	62.10	16,329,836,936.78	241,123,262	901.61
6	002819	东方中科	4.96	47.61	7,190,359,102.60	149,248,938	859.88
7	300503	昊志机电	7.72	68.08	64,239,166,357.99	980,822,003	781.87
8	002805	丰元股份	5.80	50.13	26,093,562,576.78	434,128,875	764.31

序号	证券代码	证券简称	前收	收盘	成交金额(元)	成交量(股)	涨幅
9	002800	天顺股份	7.70	63.95	27,828,410,698.31	320,419,504	730.52
10	300484	蓝海华腾	18.75	76.83	59,567,816,166.53	477,073,351	720.61
11	300513	恒泰实达	11.73	95.36	23,856,835,626.77	205,716,964	712.96
12	002803	吉宏股份	6.37	51.78	33,704,768,021.73	600,745,443	712.87
13	300474	景嘉微	13.64	53.87	81,657,507,330.88	735,087,151	691.07
14	300520	科大国创	10.05	76.32	39,174,503,699.83	326,093,472	659.40
15	002813	路畅科技	6.89	50.84	10,047,720,444.66	153,182,724	637.88
16	300539	横河模具	6.12	44.79	16,870,473,337.32	323,879,960	631.86
17	300525	博思软件	11.68	84.95	17,507,242,139.43	161,664,539	628.83
18	300548	博创科技	11.75	84.58	12,888,650,006.88	131,148,979	619.83
19	300505	川金诺	10.25	71.58	72,196,970,136.19	1,113,211,906	598.34
20	300519	新光药业	12.20	81.00	28,147,305,706.39	247,898,935	563.93

2016 年深市跌幅最多的二十家上市公司

序号	证券代码	证券简称	前收	收盘	成交金额(元)	成交量(股)	涨幅
1	300372	欣泰电气	18.75	3.03	9,804,822,009.52	943,666,403	83.84
2	300333	兆日科技	48.00	16.97	70,760,550,197.88	2,914,802,905	64.58
3	002667	鞍重股份	74.80	28.16	32,953,940,620.34	889,884,298	62.34
4	300245	天玑科技	42.03	17.11	61,850,067,871.18	2,748,058,958	59.23
5	300028	金亚科技	34.51	14.18	79,979,079,860.97	4,428,396,999	58.91
6	300188	美亚柏科	50.70	21.39	91,409,132,738.98	3,337,324,785	57.76
7	300392	腾信股份	40.02	16.99	32,333,146,883.17	1,313,446,741	57.44
8	300299	富春通信	47.07	20.27	26,213,749,352.39	967,422,370	56.86
9	002751	易尚展示	107.40	46.44	96,096,308,298.93	1,364,895,459	56.72
10	002018	华信国际	44.08	10.17	80,991,308,004.77	7,966,636,764	56.13
11	002292	奥飞娱乐	51.71	22.70	204,758,146,527.04	6,052,519,779	56.04
12	300364	中文在线	178.00	39.52	71,363,854,820.79	1,024,106,383	55.91
13	300288	朗玛信息	61.72	27.35	35,434,531,411.24	1,009,767,323	55.69
14	300383	光环新网	55.71	24.96	91,940,160,414.10	2,488,281,221	55.17
15	002739	万达院线	120.00	54.07	105,896,692,783.80	1,405,432,994	54.82
16	002368	太极股份	67.10	30.61	51,217,630,048.68	1,394,311,616	54.18
17	300336	新文化	42.00	19.65	49,786,242,542.04	2,048,171,865	53.02
18	300109	新开源	104.05	48.92	45,280,901,474.21	836,347,623	52.90
19	300479	神思电子	108.50	25.57	34,324,494,380.96	650,756,471	52.68
20	002312	三泰控股	27.80	8.75	96,773,377,908.76	7,279,659,413	52.67

2016 年深市换手率最高的二十家上市公司

序号	证券代码	证券简称	前收	收盘	成交金额(元)	成交量(股)	换手率(%)
1	300506	名家汇	8.58	48.31	124,354,820,478.26	2,428,047,787	4911.78
2	002785	万里石	5.84	31.55	70,495,645,343.01	2,425,699,517	4773.30
3	300505	川金诺	10.25	71.58	72,196,970,136.19	1,113,211,906	4767.48
4	002782	可立克	21.27	27.31	116,081,543,419.71	3,169,668,021	4600.32
5	300491	通合科技	15.09	74.50	69,337,256,839.28	851,246,443	4256.07
6	002786	银宝山新	27.36	20.81	85,228,304,364.33	2,483,978,517	4102.44
7	300503	昊志机电	7.72	68.08	64,239,166,357.99	980,822,003	3923.30

序号	证券代码	证券简称	前收	收盘	成交金额(元)	成交量(股)	换手率(%)
8	002778	高科石化	8.50	46.60	40,145,848,442.39	859,627,348	3854.78
9	002787	华源包装	16.37	40.11	57,980,234,749.18	1,315,568,491	3737.49
10	002722	金轮股份	35.81	48.01	76,242,883,692.53	1,675,128,379	3662.25
11	002114	罗平锌电	19.76	22.16	83,657,095,926.50	3,348,167,705	3553.80
12	300500	苏州设计	20.91	91.27	45,991,009,789.95	530,226,117	3534.84
13	300501	海顺新材	22.02	104.00	48,818,055,078.00	465,939,463	3482.36
14	300497	富祥股份	43.03	58.31	62,009,446,030.63	656,309,672	3403.13
15	002788	鹭燕医药	18.65	59.00	64,687,648,156.05	1,064,094,034	3320.19
16	002793	东音股份	11.97	66.41	54,408,458,116.13	819,105,125	3276.42
17	300499	高澜股份	15.52	44.22	45,175,701,410.15	637,643,998	3271.21
18	002780	三夫户外	62.34	67.50	48,205,489,684.41	573,346,446	3262.77
19	300492	山鼎设计	17.59	52.52	31,487,570,990.94	674,859,442	3236.75
20	300493	润欣科技	41.34	48.42	54,620,504,366.26	954,337,899	3161.23

2016 年深市主板上市公司年报主要财务指标

股票代码	股票简称	净利润（万元）	每股收益（元）	每股经营性现金流量(元)	分配预案
000001	平安银行	2259948.74	1.3162	0.6399	10 派 1.58 元(含税)
000002	万科 A	2102260.63	1.9	3.5842	10 派 7.9 元(含税)
000004	国农科技	3929.93	0.468	1.7616	不分配不转增
000005	世纪星源	10865.74	0.1026	-0.1756	不分配不转增
000006	深振业 A	77858.09	0.5767	1.2655	10 派 1.8 元(含税)
000007	全新好	7801.90	0.3378	-0.1046	10 转增 5 股
000008	神州高铁	52186.62	0.192	-0.02	10 派 0.1 元(含税)
000009	中国宝安	23338.39	0.11	-0.0057	10 派 0.2 元(含税)
000010	美丽生态	3987.71	0.0486	-0.0988	不分配不转增
000011	深物业 A	35485.72	0.5954	3.7787	10 派 1.8 元(含税)
000012	南玻 A	79772.16	0.38	1.0798	10 转增 1.5 股派 1 元(含税)
000014	沙河股份	2859.68	0.1418	2.2028	10 派 0.15 元(含税)
000016	深康佳 A	9567.30	0.0397	-0.4037	不分配不转增
000017	深中华 A	260.36	0.0047	0.0012	不分配不转增
000018	神州长城	47366.19	0.28	-0.9939	10 派 0.6 元(含税)
000019	深深宝 A	9662.07	0.2139	0.1367	10 送 1 股派 0.5 元(含税)
000020	深华发 A	545.77	0.0193	-0.066	不分配不转增
000021	深科技	21442.35	0.1457	0.2423	10 派 0.5 元(含税)
000022	深赤湾 A	53237.65	0.826	1.2838	10 派 4.96 元(含税)
000023	深天地 A	995.22	0.0717	0.5116	10 派 0.4 元(含税)
000025	特力 A	2719.36	0.0915	0.1947	不分配不转增
000026	飞亚达 A	11066.27	0.2522	1.0388	10 派 1 元(含税)
000027	深圳能源	134707.03	0.34	0.6944	10 派 1.5 元(含税)
000028	国药一致	118660.19	2.8	4.0607	10 派 3.3 元(含税)
000029	深深房 A	31156.74	0.308	0.5206	不分配不转增
000030	富奥股份	67671.17	0.52	0.4645	10 派 2 元(含税)
000031	中粮地产	72015.39	0.4	3.7699	10 派 0.4 元(含税)
000032	深桑达 A	6071.29	0.1438	0.1861	10 派 0.2 元(含税)
000033	*ST 新都	560.65	0.01	-0.0703	不分配不转增

股票代码	股票简称	净利润（万元）	每股收益（元）	每股经营性现金流量(元)	分配预案
000034	神州数码	40379.52	0.67	0.5288	不分配不转增
000035	中国天楹	21172.45	0.1709	0.182	不分配不转增
000036	华联控股	134854.24	1.18	1.842	10派3元(含税)
000037	深南电A	130669.48	2.17	1.5368	不分配不转增
000038	深大通	23325.44	0.9278	1.0893	10转增6股派1元(含税)
000039	中集集团	53966.00	0.14	0.79	10派0.6元(含税)
000040	东旭蓝天	17537.95	0.19	-0.2119	10派0.14元(含税)
000042	中洲控股	26053.26	0.3959	2.6299	10派0.8元(含税)
000043	中航地产	16139.09	0.242	3.5046	10派0.7元(含税)
000045	深纺织A	-8727.06	-0.17	-0.1091	不分配不转增
000046	泛海控股	310910.49	0.6045	-2.9308	10派1.5元(含税)
000048	康达尔	596.08	0.0153	-1.581	不分配不转增
000049	德赛电池	25530.13	1.2439	0.4169	10派2.5元(含税)
000050	深天马A	56917.74	0.4062	0.6999	10派0.6元(含税)
000055	方大集团	69795.64	0.91	0.5902	10转增5股派3.5元(含税)
000056	皇庭国际	11347.58	0.1	0.0251	不分配不转增
000058	深赛格	10756.02	0.1371	-0.1529	不分配不转增
000059	华锦股份	180324.35	1.13	2.6408	10派2.24元(含税)
000060	中金岭南	32322.88	0.15	0.6356	10派0.3元(含税)
000061	农产品	8845.95	0.0521	0.3111	10派0.5元(含税)
000062	深圳华强	42586.09	0.5904	-0.512	10派2元(含税)
000063	中兴通讯	-235741.80	-0.57	1.257	不分配不转增
000065	北方国际	46104.90	0.95	0.2808	10派0.9元(含税)
000066	中国长城	3314.78	0.025	1.5674	不分配不转增
000068	华控赛格	997.52	0.0099	0.0478	不分配不转增
000069	华侨城A	688841.79	0.8395	0.5367	10派1元(含税)
000070	特发信息	19578.51	0.6245	0.9585	10送3转增7股派0.75元(含税)
000078	海王生物	41839.57	0.1884	-0.5653	不分配不转增
000088	盐田港	35182.45	0.18	0.0286	10派0.16元(含税)
000089	深圳机场	56243.09	0.2743	0.5562	10派0.95元(含税)
000090	天健集团	44651.81	0.3728	-0.6104	10派2元(含税)
000096	广聚能源	29288.74	0.55	-0.0861	10派1元(含税)
000099	中信海直	8592.95	0.14	0.4794	不分配不转增
000100	TCL集团	160212.53	0.1312	0.6573	10派0.8元(含税)
000150	宜华健康	74438.61	1.6623	-1.2636	10派2元(含税)
000151	中成股份	10087.99	0.3408	-1.1841	10派3元(含税)
000153	丰原药业	4583.63	0.1468	0.2506	不分配不转增
000155	*ST川化	86858.33	1.85	-0.9278	不分配不转增
000156	华数传媒	60219.71	0.42	1.0362	10派1.4元(含税)
000157	中联重科	-93369.75	-0.12	0.2829	10派1.5元(含税)
000158	常山股份	34991.45	0.28	0.3434	10转增3股派0.6元(含税)
000159	国际实业	3521.76	0.0732	-0.0699	10派0.3元(含税)
000166	申万宏源	540905.83	0.27	-1.9199	10派1元(含税)
000301	东方市场	14737.93	0.121	0.7023	10派0.5元(含税)
000333	美的集团	1468435.70	2.29	4.1331	10派10元(含税)
000338	潍柴动力	244118.86	0.61	2.0633	10送10股派2.5元(含税)

股票代码	股票简称	净利润（万元）	每股收益（元）	每股经营性现金流量（元）	分配预案
000400	许继电气	86892.50	0.8617	1.2367	10 派 1 元(含税)
000401	冀东水泥	5288.55	0.039	1.9972	不分配不转增
000402	金融街	280437.04	0.94	5.7164	10 派 4 元(含税)
000403	ST 生化	5389.59	0.1977	0.2292	不分配不转增
000404	华意压缩	25229.08	0.4508	0.3493	10 派 0.4 元(含税)
000407	胜利股份	-29268.85	-0.35	0.0581	不分配不转增
000408	*ST 金源	91180.98	0.5	0.1943	不分配不转增
000409	山东地矿	-19355.82	-0.4095	-0.4255	不分配不转增
000410	沈阳机床	-140332.93	-1.83	-2.5288	不分配不转增
000411	英特集团	8684.76	0.42	0.6822	不分配不转增
000413	东旭光电	123992.89	0.29	0.2814	10 派 0.7 元(含税)
000415	渤海金控	227680.20	0.37	2.2548	10 派 0.5 元(含税)
000416	民生控股	1664.30	0.0313	-0.7205	10 派 0.5 元(含税)
000417	合肥百货	28347.66	0.3635	0.8757	10 派 1.5 元(含税)
000418	小天鹅 A	117505.49	1.86	6.1599	10 派 7.5 元(含税)
000419	通程控股	10224.85	0.1881	0.1634	10 派 1.2 元(含税)
000420	吉林化纤	3250.47	0.0279	-0.0582	不分配不转增
000421	南京公用	19260.45	0.3363	-0.2393	10 派 1 元(含税)
000422	湖北宜化	-124944.73	-1.431	2.7328	不分配不转增
000423	东阿阿胶	185247.35	2.8324	0.955	10 派 9 元(含税)
000425	徐工机械	20858.32	0.03	0.3204	10 派 0.15 元(含税)
000426	兴业矿业	8945.87	0.0568	0.1134	10 派 0.2 元(含税)
000428	华天酒店	-28854.88	-0.28	0.1009	不分配不转增
000429	粤高速 A	100120.59	0.52	0.9203	10 派 3.36 元(含税)
000430	张家界	6115.59	0.19	0.4129	10 派 0.84 元(含税)
000488	晨鸣纸业	206398.68	0.99	1.1119	10 派 6 元(含税)
000498	山东路桥	42970.66	0.3836	0.7269	不分配不转增
000501	鄂武商 A	99163.41	1.79	2.5125	10 转增 3 股派 4.2 元(含税)
000502	绿景控股	3211.34	0.17	1.1025	不分配不转增
000503	海虹控股	2802.12	0.0312	0.0255	不分配不转增
000504	*ST 生物	2175.61	0.07	-0.0469	不分配不转增
000505	*ST 珠江	7330.06	0.17	0.6044	不分配不转增
000506	中润资源	878.93	0.0095	-0.2913	不分配不转增
000507	珠海港	10421.92	0.132	0.3538	10 派 0.2 元(含税)
000509	华塑控股	-7136.68	-0.0865	-0.0841	不分配不转增
000510	金路集团	5807.48	0.0953	0.4274	不分配不转增
000513	丽珠集团	78435.36	1.98	3.0048	10 转增 3 股派 5 元(含税)
000514	渝开发	12266.15	0.1454	0.2575	10 派 0.2 元(含税)
000516	国际医学	20159.21	0.1	0.2229	10 派 0.3 元(含税)
000517	荣安地产	14893.44	0.0468	0.057	不分配不转增
000518	四环生物	447.29	0.0043	0.0112	不分配不转增
000519	中兵红箭	13765.02	0.11	0.1521	不分配不转增
000520	长航凤凰	971.63	0.0096	-0.0094	不分配不转增
000521	美菱电器	22021.67	0.2717	0.9433	10 派 0.6 元(含税)
000523	广州浪奇	3927.16	0.08	-1.3297	10 派 0.2 元(含税)
000524	岭南控股	3061.49	0.11	0.1572	不分配不转增

股票代码	股票简称	净利润（万元）	每股收益（元）	每股经营性现金流量(元)	分配预案
000525	红太阳	12641.31	0.222	0.4583	10派3元(含税)
000526	*ST紫学	-9868.32	-1.0259	0.8966	不分配不转增
000528	柳工	4926.01	0.0438	1.2248	10派1元(含税)
000529	广弘控股	10563.22	0.18	0.3193	10派0.45元(含税)
000530	大冷股份	17863.27	0.31	-0.0126	10转增4股派1元(含税)
000531	穗恒运A	57346.18	0.8371	1.2328	10派2.5元(含税)
000532	华金资本	4084.72	0.1185	0.2608	10派0.6元(含税)
000533	万家乐	22665.79	0.33	0.3787	10派0.5元(含税)
000534	万泽股份	7619.02	0.15	-0.4167	10派0.5元(含税)
000536	华映科技	39566.97	0.3892	-0.1005	10转增6股派1元(含税)
000537	广宇发展	34529.96	0.67	-12.9688	10派0.6元(含税)
000538	云南白药	291987.68	2.8	2.8661	10派8元(含税)
000539	粤电力A	93653.49	0.18	1.658	10派0.8元(含税)
000540	中天金融	293936.93	0.6332	0.0949	10派2元(含税)
000541	佛山照明	107234.21	0.8429	0.2279	10派4.2元(含税)
000543	皖能电力	88903.30	0.5	1.0839	10派0.5元(含税)
000544	中原环保	29750.02	0.5	0.3662	10派0.5元(含税)
000545	金浦钛业	12080.38	0.12	-0.1311	10派0.3元(含税)
000546	金圆股份	30550.97	0.5133	-0.0405	10派5元(含税)
000547	航天发展	24402.04	0.17	0.1235	10派0.55元(含税)
000548	湖南投资	5868.30	0.12	0.468	10派0.5元(含税)
000550	江铃汽车	131801.61	1.53	5.3213	10派6.1元(含税)
000551	创元科技	4977.11	0.12	0.5014	不分配不转增
000552	靖远煤电	22171.86	0.0969	0.2134	10派0.2元(含税)
000553	沙隆达A	-7449.00	-0.1254	0.4519	不分配不转增
000554	泰山石油	432.75	0.009	0.1437	不分配不转增
000555	神州信息	24199.06	0.2637	0.5856	10派0.26元(含税)
000557	西部创业	833.95	0.006	0.0511	不分配不转增
000558	莱茵体育	2519.22	0.03	0.3392	10转增5股
000559	万向钱潮	83380.66	0.363	0.544	10送2股派1元(含税)
000560	昆百大A	7916.58	0.0676	0.1132	10派0.14元(含税)
000561	烽火电子	8824.01	0.15	-0.048	不分配不转增
000563	陕国投A	51523.76	0.1667	0.0511	10派0.2元(含税)
000564	供销大集	40140.11	0.1155	0.7428	10派0.22元(含税)
000565	渝三峡A	22348.12	0.52	0.1897	10派0.5元(含税)
000566	海南海药	16462.90	0.14	-0.0133	10派1.5元(含税)
000567	海德股份	297.77	0.0197	-6.0499	不分配不转增
000568	泸州老窖	192774.35	1.375	1.8721	10派9.6元(含税)
000570	苏常柴A	6253.99	0.11	0.1772	10派0.3元(含税)
000571	新大洲A	3284.92	0.0404	0.1324	10派0.3元(含税)
000572	海马汽车	23023.09	0.14	0.2155	不分配不转增
000573	粤宏远A	19716.65	0.3166	0.9527	10派1元(含税)
000576	广东甘化	10240.62	0.23	0.0029	不分配不转增
000581	威孚高科	167222.43	1.66	0.5227	10派6元(含税)
000582	北部湾港	45173.84	0.473	1.155	10转增3股派1.39元(含税)
000584	友利控股	-40911.48	-0.667	-0.1241	不分配不转增

股票代码	股票简称	净利润（万元）	每股收益（元）	每股经营性现金流量（元）	分配预案
000585	东北电气	-9949.38	-0.1139	-0.0342	不分配不转增
000586	汇源通信	301.95	0.02	-0.0176	不分配不转增
000587	金洲慈航	103729.00	0.98	1.46	10 转增 10 股派 1.5 元(含税)
000589	黔轮胎 A	1522.72	0.0196	0.2868	不分配不转增
000590	启迪古汉	5517.52	0.2471	-0.1456	不分配不转增
000591	太阳能	65324.93	0.525	0.9943	10 送 2 转增 10 股派 0.52 元(含税)
000592	平潭发展	2027.96	0.0105	-0.0191	不分配不转增
000593	大通燃气	-5508.43	-0.169	-0.2495	不分配不转增
000595	*ST 宝实	-8443.25	-0.11	-0.0591	不分配不转增
000596	古井贡酒	82963.01	1.65	2.3495	10 派 6 元(含税)
000597	东北制药	2378.81	0.05	0.8101	不分配不转增
000598	兴蓉环境	87421.51	0.29	0.4755	10 派 0.585 元(含税)
000599	青岛双星	9533.89	0.14	0.0435	10 派 0.2 元(含税)
000600	建投能源	145313.66	0.811	1.5915	10 派 4 元(含税)
000601	韶能股份	44057.31	0.41	1.0638	10 派 2 元(含税)
000603	盛达矿业	20209.71	0.28	0.493	10 派 5 元(含税)
000605	渤海股份	4254.59	0.22	0.7621	不分配不转增
000606	神州易桥	4581.83	0.0726	0.0288	不分配不转增
000607	华媒控股	22306.40	0.22	0.2846	10 派 0.22 元(含税)
000608	阳光股份	-46823.80	-0.62	0.2346	不分配不转增
000609	绵石投资	13311.34	0.45	-0.1087	不分配不转增
000610	西安旅游	1071.33	0.0453	-0.2125	10 派 0.2 元(含税)
000611	*ST 天首	512.89	0.0159	0.1504	不分配不转增
000612	焦作万方	9922.36	0.084	0.1929	不分配不转增
000613	*ST 东海 A	-266.11	-0.0073	0.0076	不分配不转增
000615	京汉股份	10924.51	0.14	1.0577	10 派 0.4 元(含税)
000616	海航投资	-43530.90	-0.3	0.0322	不分配不转增
000617	中油资本	553542.19	0.76	-2.7376	不分配不转增
000619	海螺型材	7597.19	0.211	0.9299	10 派 1 元(含税)
000620	新华联	52389.37	0.28	-0.5218	10 派 1 元(含税)
000622	*ST 恒立	4799.91	0.1129	-0.0072	不分配不转增
000623	吉林敖东	166649.14	1.89	0.3732	10 送 3 股派 3 元(含税)
000625	长安汽车	1028528.41	2.19	0.4761	10 派 6.42 元(含税)
000626	远大控股	39093.82	0.75	-0.0522	不分配不转增
000627	天茂集团	177871.89	0.44	-0.55	10 派 0.25 元(含税)
000628	高新发展	2936.67	0.094	0.2055	不分配不转增
000629	*ST 钒钛	-598782.02	-0.6971	-0.0391	不分配不转增
000630	铜陵有色	18032.40	0.02	0.5061	不分配不转增
000631	顺发恒业	36631.76	0.16	1.3585	10 派 1 元(含税)
000632	三木集团	1657.50	0.0356	0.5171	不分配不转增
000633	*ST 合金	2640.71	0.0686	-0.1409	不分配不转增
000635	英力特	10979.40	0.36	0.6599	不分配不转增
000636	风华高科	13890.61	0.16	0.2425	10 派 0.2 元(含税)
000637	茂化实华	6140.64	0.12	0.5929	10 派 1 元(含税)
000638	万方发展	1044.07	0.0337	2.2968	不分配不转增
000639	西王食品	13481.51	0.3	-0.3254	10 派 0.9 元(含税)

股票代码	股票简称	净利润（万元）	每股收益（元）	每股经营性现金流量(元)	分配预案
000650	仁和药业	37238.03	0.3	0.4216	10 派 1 元(含税)
000651	格力电器	1542096.50	2.56	2.4702	10 派 18 元(含税)
000652	泰达股份	27086.84	0.1836	-0.7176	10 派 0.15 元(含税)
000655	金岭矿业	-56256.37	-0.945	-0.161	不分配不转增
000656	金科股份	139526.03	0.28	1.1686	10 派 2 元(含税)
000657	中钨高新	1330.40	0.0212	0.7431	不分配不转增
000659	珠海中富	-57349.47	-0.45	0.202	不分配不转增
000661	长春高新	48485.25	3.08	1.811	10 派 8 元(含税)
000662	天夏智慧	32349.90	0.4604	0.7584	10 派 0.5 元(含税)
000663	永安林业	12291.03	0.36	0.6726	不分配不转增
000665	湖北广电	30326.83	0.48	1.6556	10 派 0.8 元(含税)
000666	经纬纺机	54455.25	0.77	0.5774	10 派 0.55 元(含税)
000667	美好置业	66485.62	0.2598	1.3336	10 派 0.25 元(含税)
000668	荣丰控股	-4093.56	-0.28	-0.6966	不分配不转增
000669	金鸿能源	19053.95	0.3921	1.435	10 派 1 元(含税)
000670	盈方微	2417.17	0.0296	0.0572	不分配不转增
000671	阳光城	123005.98	0.3	-0.6373	10 派 0.5 元(含税)
000672	上峰水泥	14522.93	0.18	0.6695	10 派 0.3 元(含税)
000673	当代东方	17747.05	0.2245	-0.1186	不分配不转增
000676	智度股份	31611.38	0.4552	0.1735	不分配不转增
000677	恒天海龙	452.14	0.0052	0.0032	不分配不转增
000678	襄阳轴承	1165.25	0.03	-0.0772	不分配不转增
000679	大连友谊	13373.00	0.3752	0.5883	10 派 1 元(含税)
000680	山推股份	4345.54	0.035	0.2201	不分配不转增
000681	视觉中国	21465.92	0.3064	0.3347	不分配不转增
000682	东方电子	5972.58	0.0611	-0.0615	不分配不转增
000683	远兴能源	-51277.60	-0.16	0.1236	不分配不转增
000685	中山公用	96267.75	0.65	0.2927	10 派 2 元(含税)
000686	东北证券	131494.12	0.58	-6.934	10 派 1 元(含税)
000687	华讯方舟	16108.68	0.2127	0.0079	不分配不转增
000688	建新矿业	23432.33	0.206	0.3634	不分配不转增
000690	宝新能源	67456.37	0.33	0.5165	10 派 0.33 元(含税)
000691	ST 亚太	134.63	0.0042	0.0291	不分配不转增
000692	惠天热电	5260.56	0.0987	-0.3182	10 派 0.36 元(含税)
000693	*ST 华泽	-40424.53	-0.6769	-1.4842	不分配不转增
000695	滨海能源	388.33	0.0175	0.3843	不分配不转增
000697	炼石有色	-3803.83	-0.068	-0.1377	不分配不转增
000698	沈阳化工	34049.22	0.42	0.8804	10 派 0.65 元(含税)
000700	模塑科技	18617.31	0.26	0.4353	10 派 1.1 元(含税)
000701	厦门信达	13979.09	0.093	1.5656	10 派 0.62 元(含税)
000702	正虹科技	202.45	0.0076	0.2379	不分配不转增
000703	恒逸石化	83033.74	0.61	1.9113	10 派 1 元(含税)
000705	浙江震元	4527.56	0.14	0.3472	10 派 0.2 元(含税)
000707	双环科技	-62807.15	-1.3532	0.3815	不分配不转增
000708	大冶特钢	29268.07	0.651	1.7585	10 派 2 元(含税)
000709	河钢股份	155547.92	0.15	0.1154	10 派 0.8 元(含税)

股票代码	股票简称	净利润（万元）	每股收益（元）	每股经营性现金流量(元)	分配预案
000710	＊ST 天仪	-418.59	-0.0277	-0.0939	不分配不转增
000711	京蓝科技	1198.89	0.06	-0.7908	10 转增 10 股派 1 元(含税)
000712	锦龙股份	36556.41	0.41	-1.6135	10 派 1 元(含税)
000713	丰乐种业	2138.38	0.07	-0.8966	10 派 0.2 元(含税)
000715	中兴商业	8867.11	0.32	0.1818	10 派 0.7 元(含税)
000716	黑芝麻	1631.61	0.025	-0.1075	不分配不转增
000717	韶钢松山	10142.73	0.04	0.1785	不分配不转增
000718	苏宁环球	107119.48	0.353	1.1766	10 派 2 元(含税)
000719	大地传媒	67307.33	0.66	0.6864	10 派 1.8 元(含税)
000720	新能泰山	-6670.57	-0.0773	0.5634	不分配不转增
000721	西安饮食	1235.12	0.0247	0.0493	不分配不转增
000722	湖南发展	14049.14	0.3	0.245	10 派 0.5 元(含税)
000723	美锦能源	67965.91	0.3	0.1073	10 转增 8 股派 1 元(含税)
000725	京东方 A	188257.17	0.054	0.2866	10 派 0.3 元(含税)
000726	鲁泰 A	80544.63	0.85	1.4207	10 派 5 元(含税)
000727	华东科技	2359.70	0.0052	0.1966	不分配不转增
000728	国元证券	140540.44	0.72	-3.277	10 转增 5 股派 3 元(含税)
000729	燕京啤酒	31208.45	0.111	0.4418	10 派 0.36 元(含税)
000731	四川美丰	-25037.38	-0.4233	0.5113	不分配不转增
000732	泰禾集团	170732.24	1.3719	-8.1489	10 派 1 元(含税)
000733	振华科技	18150.27	0.387	0.3567	10 派 0.4 元(含税)
000735	罗牛山	7988.14	0.0737	0.2508	不分配不转增
000736	中房地产	1186.73	0.04	-6.8074	10 派 0.2 元(含税)
000737	南风化工	2094.23	0.0382	0.0849	不分配不转增
000738	航发控制	20884.44	0.1823	0.163	10 派 0.2 元(含税)
000739	普洛药业	26289.71	0.23	0.1573	10 派 0.69 元(含税)
000750	国海证券	101551.17	0.24	-1.2508	10 派 1 元(含税)
000751	锌业股份	13439.62	0.095	0.0057	不分配不转增
000752	西藏发展	797.43	0.0302	0.3684	10 派 0.2 元(含税)
000753	漳州发展	20397.09	0.231	0.1642	10 派 0.3 元(含税)
000755	＊ST 三维	-67490.91	-1.4382	0.1184	不分配不转增
000756	新华制药	12227.15	0.27	0.9607	不分配不转增
000757	浩物股份	2631.98	0.06	0.1402	不分配不转增
000758	中色股份	29601.33	0.1503	-1.1609	10 派 0.2 元(含税)
000759	中百集团	646.60	0.01	1.0178	10 派 0.8 元(含税)
000760	斯太尔	4605.31	0.06	0.0585	不分配不转增
000761	本钢板材	78127.48	0.249	3.0476	不分配不转增
000762	西藏矿业	2127.04	0.0417	0.5352	不分配不转增
000766	通化金马	21346.15	0.23	0.0938	不分配不转增
000767	漳泽电力	8562.40	0.037	0.5318	不分配不转增
000768	中航飞机	41313.34	0.1492	0.5135	10 派 0.5 元(含税)
000776	广发证券	803010.66	1.05	-2.7755	10 派 3.5 元(含税)
000777	中核科技	10542.27	0.275	0.0284	10 派 0.8 元(含税)
000778	新兴铸管	44022.21	0.1208	0.303	10 派 0.3 元(含税)
000779	三毛派神	1314.13	0.0704	0.1552	不分配不转增
000780	＊ST 平能	-32360.65	-0.32	0.2498	不分配不转增

股票代码	股票简称	净利润（万元）	每股收益（元）	每股经营性现金流量（元）	分配预案
000782	美达股份	-8151.26	-0.15	0.6757	10派0.2元(含税)
000783	长江证券	220657.60	0.44	-2.4826	10派1.5元(含税)
000785	武汉中商	204.11	0.01	0.9121	不分配不转增
000786	北新建材	117106.86	0.793	0.9551	10派1.8元(含税)
000788	北大医药	1255.91	0.02	-0.1962	不分配不转增
000789	万年青	22925.00	0.3738	1.4884	10派2元(含税)
000790	泰合健康	8249.74	0.1914	0.1197	不分配不转增
000791	甘肃电投	-10674.05	-0.1129	1.0584	10派0.2元(含税)
000792	盐湖股份	34126.47	0.1837	1.0923	10转增5股派0.2元(含税)
000793	华闻传媒	87280.61	0.429	0.3374	10派0.45元(含税)
000795	英洛华	3458.08	0.03	0.1244	不分配不转增
000796	凯撒旅游	21258.81	0.2647	0.4023	10派1元(含税)
000797	中国武夷	21966.42	0.46	2.7539	10转增10股派1元(含税)
000798	中水渔业	3565.68	0.1116	0.0949	不分配不转增
000799	酒鬼酒	10858.44	0.3342	0.6749	10派1.1元(含税)
000800	一汽轿车	-95432.73	-0.59	0.3488	不分配不转增
000801	四川九洲	19056.41	0.1863	0.0627	10派0.2元(含税)
000802	北京文化	52239.92	0.8625	0.0003	10派0.77元(含税)
000803	*ST金宇	-6163.91	-0.4826	-0.0805	不分配不转增
000806	银河生物	1287.34	0.0117	0.0786	不分配不转增
000807	云铝股份	11052.95	0.05	0.3496	不分配不转增
000809	*ST新城	-24047.05	-0.29	-0.3623	不分配不转增
000810	创维数字	48640.20	0.48	0.427	10派1.1元(含税)
000811	烟台冰轮	30088.55	0.69	0.6064	10转增5股派0.5元(含税)
000812	陕西金叶	3492.67	0.0781	0.3781	10派0.3元(含税)
000813	德展健康	66167.19	0.67	0.1756	10转增5股
000815	美利云	353.05	0.01	0.1267	不分配不转增
000816	智慧农业	-13808.06	-0.1	0.0933	不分配不转增
000818	方大化工	11207.66	0.16	0.2238	10派0.47元(含税)
000819	岳阳兴长	3033.76	0.117	0.3101	10送0.5股派0.5元(含税)
000820	神雾节能	33330.22	0.75	-0.1632	不分配不转增
000821	京山轻机	8536.30	0.18	0.1593	10派0.2元(含税)
000822	山东海化	-12308.68	-0.14	0.3214	不分配不转增
000823	超声电子	18722.18	0.3487	0.9317	10派1元(含税)
000825	太钢不锈	114565.52	0.201	1.3437	10派0.2元(含税)
000826	启迪桑德	108135.94	1.249	-0.5418	10派2元(含税)
000828	东莞控股	82901.82	0.7975	-0.938	10派3元(含税)
000829	天音控股	22342.68	0.24	-1.1449	不分配不转增
000830	鲁西化工	25259.80	0.09	0.739	不分配不转增
000831	*ST五稀	1858.91	0.019	0.1567	不分配不转增
000833	贵糖股份	3873.81	0.06	0.4937	不分配不转增
000835	长城动漫	-8063.21	-0.25	0.1914	不分配不转增
000836	鑫茂科技	4744.71	0.0393	0.0165	不分配不转增
000837	秦川机床	1496.83	0.0216	-0.1113	不分配不转增
000838	财信发展	11130.79	0.1011	-0.0413	10派0.21元(含税)
000839	中信国安	23020.17	0.0587	-0.0607	10派0.5元(含税)

股票代码	股票简称	净利润（万元）	每股收益（元）	每股经营性现金流量（元）	分配预案
000848	承德露露	45036.71	0.46	0.8497	10 派 4 元(含税)
000850	华茂股份	9857.48	0.1	0.2219	10 派 0.5 元(含税)
000851	高鸿股份	8009.69	0.1347	0.5099	10 派 0.2 元(含税)
000852	石化机械	-82872.20	-1.39	-0.1995	不分配不转增
000856	冀东装备	2312.46	0.1	0.0258	不分配不转增
000858	五粮液	678453.33	1.787	3.0814	10 派 9 元(含税)
000859	国风塑业	1835.77	0.0248	0.0362	10 派 0.1 元(含税)
000860	顺鑫农业	41256.88	0.7231	1.767	10 派 1 元(含税)
000861	海印股份	20634.72	0.09	0.2254	10 派 0.1 元(含税)
000862	银星能源	1103.02	0.02	0.8448	不分配不转增
000863	三湘印象	70532.53	0.58	0.4997	不分配不转增
000868	安凯客车	5135.07	0.07	-1.8062	不分配不转增
000869	张裕 A	98246.05	1.43	1.2983	10 派 5 元(含税)
000875	吉电股份	1300.49	0.0089	1.0026	不分配不转增
000876	新希望	246906.65	0.59	0.7465	10 派 5 元(含税)
000877	天山股份	9978.54	0.1134	0.6578	10 派 0.36 元(含税)
000878	云南铜业	20342.72	0.144	1.9322	不分配不转增
000880	潍柴重机	1967.96	0.07	-0.2594	不分配不转增
000881	中广核技	31191.36	0.6512	0.0633	10 派 0.3 元(含税)
000882	华联股份	11597.69	0.0521	0.0528	10 派 0.31 元(含税)
000883	湖北能源	190896.55	0.29	0.5574	10 派 0.91 元(含税)
000885	同力水泥	4269.42	0.0899	0.9213	10 派 0.1 元(含税)
000886	海南高速	6341.41	0.064	0.0947	不分配不转增
000887	中鼎股份	90104.69	0.76	0.7377	10 派 1 元(含税)
000888	峨眉山 A	19119.95	0.3629	0.4662	10 派 0.8 元(含税)
000889	茂业通信	21995.41	0.3537	0.2387	10 派 0.36 元(含税)
000890	法尔胜	14134.74	0.37	-6.646	10 派 1 元(含税)
000892	欢瑞世纪	26507.31	0.62	0.0504	不分配不转增
000893	东凌国际	1952.09	0.03	0.1572	不分配不转增
000895	双汇发展	440505.64	1.3346	1.6808	10 派 12 元(含税)
000897	津滨发展	4705.62	0.0291	0.5085	不分配不转增
000898	鞍钢股份	161600.00	0.223	0.6011	10 派 0.67 元(含税)
000899	赣能股份	37823.58	0.4	0.3811	10 派 3 元(含税)
000900	现代投资	82168.31	0.81	1.4745	10 转增 5 股派 0.5 元(含税)
000901	航天科技	10264.04	0.2507	1.0743	不分配不转增
000902	新洋丰	56308.67	0.43	0.5707	10 派 1.5 元(含税)
000903	云内动力	22389.34	0.28	0.16	10 送 3 转增 7 股派 0.8 元(含税)
000905	厦门港务	20660.79	0.39	0.5793	10 派 0.52 元(含税)
000906	浙商中拓	12534.88	0.32	0.7311	10 转增 3 股派 0.5 元(含税)
000908	景峰医药	34002.86	0.39	0.014	不分配不转增
000909	数源科技	2144.30	0.073	2.5859	10 派 0.39 元(含税)
000910	大亚圣象	54111.82	1.02	1.9514	10 派 1.2 元(含税)
000911	南宁糖业	1897.99	0.06	1.1595	不分配不转增
000912	泸天化	-63720.06	-1.09	0.5381	不分配不转增
000913	*ST 钱江	32824.46	0.72	0.5613	10 派 1 元(含税)
000915	山大华特	19838.52	1.1	2.7789	10 送 3 股派 1.5 元(含税)

股票代码	股票简称	净利润（万元）	每股收益（元）	每股经营性现金流量（元）	分配预案
000916	华北高速	30001.00	0.2752	0.4912	10 派 1.6 元(含税)
000917	电广传媒	33314.18	0.24	-0.2078	10 派 0.3 元(含税)
000918	嘉凯城	39883.10	0.22	-0.4627	不分配不转增
000919	金陵药业	18015.13	0.3574	0.1908	10 派 1.7 元(含税)
000920	南方汇通	9865.72	0.23	0.4477	10 派 0.3 元(含税)
000921	海信科龙	108773.21	0.7982	2.1471	10 派 3 元(含税)
000922	*ST 佳电	-43666.84	-0.8032	0.1248	不分配不转增
000923	河北宣工	209.16	0.011	0.7498	不分配不转增
000925	众合科技	-10763.88	-0.336	-0.843	不分配不转增
000926	福星股份	58105.62	0.61	2.4686	10 派 2.5 元(含税)
000927	一汽夏利	16232.70	0.1018	-1.3668	不分配不转增
000928	中钢国际	51241.29	0.7917	-2.0021	10 转增 8 股派 0.5 元(含税)
000929	兰州黄河	-2509.36	-0.1351	0.5678	10 派 0.66 元(含税)
000930	中粮生化	12707.87	0.132	0.8136	不分配不转增
000931	中关村	2735.81	0.0405	-0.0481	不分配不转增
000932	华菱钢铁	-105516.68	-0.3499	2.1887	不分配不转增
000933	神火股份	34213.92	0.18	0.3216	10 派 0.25 元(含税)
000935	四川双马	8453.89	0.11	0.706	不分配不转增
000936	华西股份	60445.10	0.68	0.2627	10 派 1.2 元(含税)
000937	冀中能源	24397.57	0.069	-0.0691	10 派 1 元(含税)
000938	紫光股份	81482.26	1.07	1.2552	10 派 1 元(含税)
000939	凯迪生态	33352.79	0.22	0.1522	10 转增 10 股
000948	南天信息	2068.94	0.0839	0.2809	10 派 0.5 元(含税)
000949	新乡化纤	11501.55	0.106	0.4875	10 派 0.3 元(含税)
000950	*ST 建峰	-66446.50	-1.11	0.4134	不分配不转增
000951	中国重汽	41817.89	0.62	-0.4596	10 派 2.3 元(含税)
000952	广济药业	14183.92	0.564	0.6638	不分配不转增
000953	*ST 河化	-14176.06	-0.4821	0.3642	不分配不转增
000955	欣龙控股	3206.14	0.0595	-0.1231	不分配不转增
000957	中通客车	58581.18	0.99	-0.0279	不分配不转增
000958	东方能源	28268.90	0.51	0.8599	10 转增 10 股派 1 元(含税)
000959	首钢股份	40096.40	0.0758	1.4862	不分配不转增
000960	锡业股份	13611.93	0.0925	1.2215	不分配不转增
000961	中南建设	40772.13	0.1161	-1.213	10 派 0.15 元(含税)
000962	东方钽业	2900.49	0.0658	0.7782	不分配不转增
000963	华东医药	144659.17	3	2.7712	10 转增 10 股派 13.5 元(含税)
000965	天保基建	29063.20	0.29	1.3724	10 派 0.12 元(含税)
000966	长源电力	39880.35	0.3598	0.6865	10 派 0.9 元(含税)
000967	盈峰环境	24578.99	0.34	-0.293	10 转增 5 股派 0.4 元(含税)
000968	*ST 煤气	38445.72	0.82	1.0517	不分配不转增
000969	安泰科技	7903.46	0.0788	0.3941	不分配不转增
000970	中科三环	31659.31	0.3	0.325	10 派 1 元(含税)
000971	高升控股	11104.25	0.25	0.1168	不分配不转增
000972	*ST 中基	-25411.15	-0.3295	-0.2683	不分配不转增
000973	佛塑科技	12565.51	0.13	0.3188	10 派 0.5 元(含税)
000975	银泰资源	21964.36	0.2031	0.313	不分配不转增

股票代码	股票简称	净利润（万元）	每股收益（元）	每股经营性现金流量（元）	分配预案
000976	春晖股份	3085.38	0.02	-0.0032	不分配不转增
000977	浪潮信息	28702.47	0.2882	0.072	10 派 0.3 元(含税)
000978	桂林旅游	738.78	0.021	0.7904	不分配不转增
000979	中弘股份	15704.85	0.03	-0.4858	10 转增 4 股派 0.1 元(含税)
000980	金马股份	8678.44	0.16	-0.0101	不分配不转增
000981	银亿股份	51388.43	0.2	0.1538	10 派 0.21 元(含税)
000982	中银绒业	-106021.41	-0.5874	0.0647	不分配不转增
000983	西山煤电	43407.65	0.1377	0.8322	10 派 0.11 元(含税)
000985	大庆华科	3334.20	0.26	0.6782	10 派 1.25 元(含税)
000987	越秀金控	62049.58	0.344	-2.6242	10 派 0.8 元(含税)
000988	华工科技	22980.98	0.26	0.3307	10 派 0.35 元(含税)
000989	九芝堂	65180.98	0.75	0.7044	10 派 4 元(含税)
000990	诚志股份	11078.01	0.29	-0.0165	10 派 0.2 元(含税)
000993	闽东电力	2633.05	0.07	0.9669	10 派 0.25 元(含税)
000995	*ST 皇台	-12667.75	-0.71	0.0997	不分配不转增
000996	中国中期	2049.30	0.0891	0.0304	10 转增 5 股派 0.3 元(含税)
000997	新大陆	46134.73	0.5	1.1793	10 派 0.6 元(含税)
000998	隆平高科	50115.76	0.41	0.2499	10 派 1.5 元(含税)
000999	华润三九	119784.06	1.22	1.4221	10 派 1.6 元(含税)
001696	宗申动力	29111.76	0.2542	0.0669	10 派 0.3 元(含税)
001896	豫能控股	45979.41	0.5376	0.8958	不分配不转增
001979	招商蛇口	958141.68	1.2122	-1.6086	10 派 5 元(含税)
200011	深物业 B	35485.72	0.5954	3.7787	10 派 1.8 元(含税)
200012	南玻 B	79772.16	0.38	1.0798	10 转增 1.5 股派 1 元(含税)
200016	深康佳 B	9567.30	0.0397	-0.4037	不分配不转增
200017	深中华 B	260.36	0.0047	0.0012	不分配不转增
200018	神州 B	47366.19	0.28	-0.9939	10 派 0.6 元(含税)
200019	深深宝 B	9662.07	0.2139	0.1367	10 送 1 股派 0.5 元(含税)
200020	深华发 B	545.77	0.0193	-0.066	不分配不转增
200022	深赤湾 B	53237.65	0.826	1.2838	10 派 4.96 元(含税)
200025	特力 B	2719.36	0.0915	0.1947	不分配不转增
200026	飞亚达 B	11066.27	0.2522	1.0388	10 派 1 元(含税)
200028	一致 B	118660.19	2.8	4.0607	10 派 3.3 元(含税)
200029	深深房 B	31156.74	0.308	0.5206	不分配不转增
200030	富奥 B	67671.17	0.52	0.4645	10 派 2 元(含税)
200037	深南电 B	130669.48	2.17	1.5368	不分配不转增
200045	深纺织 B	-8727.06	-0.17	-0.1091	不分配不转增
200053	深基地 B	191.81	0.01	1.6109	不分配不转增
200054	建摩 B	1226.70	0.103	0.9099	不分配不转增
200055	方大 B	69795.64	0.91	0.5902	10 转增 5 股派 3.5 元(含税)
200056	皇庭 B	11347.58	0.1	0.0251	不分配不转增
200058	深赛格 B	10756.02	0.1371	-0.1529	不分配不转增
200152	山航 B	53283.46	1.33	6.0676	10 派 3 元(含税)
200160	南江 B	376.08	0.01	0.0771	不分配不转增
200168	舜喆 B	223.37	0.007	-0.5194	不分配不转增
200413	东旭 B	123992.89	0.29	0.2814	10 派 0.7 元(含税)

股票代码	股票简称	净利润（万元）	每股收益（元）	每股经营性现金流量(元)	分配预案
200418	小天鹅 B	117505.49	1.86	6.1599	10 派 7.5 元(含税)
200429	粤高速 B	100120.59	0.52	0.9203	10 派 3.36 元(含税)
200468	*ST 宁通 B	-643.46	-0.03	0.5077	不分配不转增
200488	晨鸣 B	206398.68	0.99	1.1119	10 派 6 元(含税)
200505	*ST 珠江 B	7330.06	0.17	0.6044	不分配不转增
200512	闽灿坤 B	4822.95	0.26	0.5835	10 派 1.2 元(含税)
200521	皖美菱 B	22021.67	0.2717	0.9433	10 派 0.6 元(含税)
200530	大冷 B	17863.27	0.31	-0.0126	10 转增 4 股派 1 元(含税)
200539	粤电力 B	93653.49	0.18	1.658	10 派 0.8 元(含税)
200541	粤照明 B	107234.21	0.8429	0.2279	10 派 4.2 元(含税)
200550	江铃 B	131801.61	1.53	5.3213	10 派 6.1 元(含税)
200553	沙隆达 B	-7449.00	-0.1254	0.4519	不分配不转增
200570	苏常柴 B	6253.99	0.11	0.1772	10 派 0.3 元(含税)
200581	苏威孚 B	167222.43	1.66	0.5227	10 派 6 元(含税)
200596	古井贡 B	82963.01	1.65	2.3495	10 派 6 元(含税)
200613	*ST 东海 B	-266.11	-0.0073	0.0076	不分配不转增
200625	长安 B	1028528.41	2.19	0.4761	10 派 6.42 元(含税)
200706	*ST 瓦轴 B	3087.30	0.08	0.051	10 派 0.1 元(含税)
200725	京东方 B	188257.17	0.054	0.2866	10 派 0.3 元(含税)
200726	鲁泰 B	80544.63	0.85	1.4207	10 派 5 元(含税)
200761	本钢板 B	78127.48	0.249	3.0476	不分配不转增
200771	杭汽轮 B	3195.54	0.04	0.6713	不分配不转增
200869	张裕 B	98246.05	1.43	1.2983	10 派 5 元(含税)
200986	粤华包 B	6132.41	0.12	0.8094	10 派 0.32 元(含税)
200992	中鲁 B	5258.51	0.2	0.3286	不分配不转增

2016 年深市中小企业板上市公司年报主要财务指标

股票代码	股票简称	净利润（万元）	每股收益（元）	每股经营性现金流量(元)	分配预案
002001	新和成	120263.35	1.1	1.0931	10 派 6 元(含税)
002002	鸿达兴业	81780.24	0.3382	0.2615	10 派 1 元(含税)
002003	伟星股份	29547.54	0.7	0.7462	10 转增 3 股派 5 元(含税)
002004	华邦健康	56686.83	0.28	0.2516	10 派 1.5 元(含税)
002005	德豪润达	3171.99	0.0227	0.8769	不分配不转增
002006	精功科技	6285.68	0.14	0.4078	10 派 0.2 元(含税)
002007	华兰生物	78031.25	0.839	0.3547	10 派 4 元(含税)
002008	大族激光	75426.21	0.71	0.7463	10 派 2 元(含税)
002009	天奇股份	10394.01	0.28	0.0876	10 派 0.5 元(含税)
002010	传化智联	58098.54	0.18	-0.123	10 派 1 元(含税)
002011	盾安环境	8301.31	0.09	0.124	10 派 1 元(含税)
002012	凯恩股份	868.91	0.02	0.1916	不分配不转增
002013	中航机电	58314.09	0.37	0.5074	10 转增 5 股派 0.35 元(含税)
002014	永新股份	20271.06	0.6	0.8358	10 派 5 元(含税)
002015	霞客环保	-4124.19	-0.103	-0.1192	不分配不转增
002016	世荣兆业	9363.08	0.1157	3.1381	10 派 3.8 元(含税)

股票代码	股票简称	净利润（万元）	每股收益（元）	每股经营性现金流量（元）	分配预案
002017	东信和平	8171.16	0.24	0.4691	10派0.3元(含税)
002018	华信国际	36803.93	0.16	-0.8482	10派0.17元(含税)
002019	亿帆医药	70476.27	0.64	0.7775	10派1元(含税)
002020	京新药业	21194.63	0.332	0.3953	10派1元(含税)
002021	中捷资源	1555.54	0.02	-0.0061	不分配不转增
002022	科华生物	23240.05	0.4534	0.5487	10派1.35元(含税)
002023	海特高新	4076.84	0.05	0.0683	10派1元(含税)
002024	苏宁云商	70441.40	0.08	0.4124	10派0.7元(含税)
002025	航天电器	26106.72	0.61	0.5622	10派2.5元(含税)
002026	山东威达	10397.60	0.26	0.0566	10派0.6元(含税)
002027	分众传媒	445121.17	0.52	0.5494	10转增4股派4.08元(含税)
002028	思源电气	35142.51	0.49	0.2239	10派1元(含税)
002029	七匹狼	26719.16	0.35	0.7798	10派1元(含税)
002030	达安基因	10668.55	0.15	-0.526	10派0.45元(含税)
002031	巨轮智能	3154.66	0.0143	0.1095	10派0.05元(含税)
002032	苏泊尔	107751.92	1.712	2.1986	10送3股派7.7元(含税)
002033	丽江旅游	22382.36	0.5295	0.8127	10转增3股派1元(含税)
002034	美欣达	2019.79	0.2	0.2751	不分配不转增
002035	华帝股份	32752.16	0.91	2.2509	10转增6股派3元(含税)
002036	联创电子	21047.95	0.36	0.2609	10派0.35元(含税)
002037	久联发展	6193.75	0.19	2.3879	10派0.4元(含税)
002038	双鹭药业	45210.76	0.6601	0.5794	10派2元(含税)
002039	黔源电力	12961.37	0.4244	6.4565	10派3元(含税)
002040	南京港	8461.13	0.3364	0.2047	10派0.2元(含税)
002041	登海种业	44219.68	0.5025	0.1193	10派0.56元(含税)
002042	华孚色纺	47915.80	0.58	0.9907	10派0.48元(含税)
002043	兔宝宝	25983.01	0.32	0.4692	10派0.5元(含税)
002044	美年健康	33891.04	0.14	0.292	10派0.15元(含税)
002045	国光电器	6042.35	0.14	0.4147	10派0.8元(含税)
002046	轴研科技	1257.81	0.04	0.1101	10派0.11元(含税)
002047	宝鹰股份	33950.82	0.27	-0.4508	10派0.4元(含税)
002048	宁波华翔	71388.56	1.35	2.7033	10派1.5元(含税)
002049	紫光国芯	33610.64	0.5539	0.2142	10派0.56元(含税)
002050	三花智控	85745.53	0.48	0.7273	10派3元(含税)
002051	中工国际	127960.73	1.38	-0.858	10送2股派3.5元(含税)
002052	同洲电子	-61038.73	-0.82	0.3113	不分配不转增
002053	云南能投	27012.68	0.4838	0.7739	10派1元(含税)
002054	德美化工	14832.93	0.35	0.4227	10派1.2元(含税)
002055	得润电子	3867.56	0.0858	0.1444	10派0.2元(含税)
002056	横店东磁	44118.38	0.54	1.1424	10转增10股派0.6元(含税)
002057	中钢天源	3437.69	0.1724	0.1709	10派0.2元(含税)
002058	威尔泰	524.34	0.04	0.0948	10派0.2元(含税)
002059	云南旅游	6679.74	0.0914	-0.0497	10派0.2元(含税)
002060	粤水电	13465.12	0.224	0.8886	10转增10股派0.5元(含税)
002061	江山化工	6627.97	0.12	1.2463	不分配不转增
002062	宏润建设	23299.46	0.21	1.7955	10派0.5元(含税)

股票代码	股票简称	净利润（万元）	每股收益（元）	每股经营性现金流量（元）	分配预案
002063	远光软件	13137.43	0.2206	0.1205	10派0.5元(含税)
002064	华峰氨纶	-30380.88	-0.18	0.3667	不分配不转增
002065	东华软件	89964.72	0.5731	-0.3192	10送10股派1.5元(含税)
002066	瑞泰科技	2523.84	0.1093	0.5778	不分配不转增
002067	景兴纸业	31882.91	0.29	0.5082	10派0.7元(含税)
002068	黑猫股份	9413.41	0.16	0.8068	10派0.5元(含税)
002069	獐子岛	7959.34	0.1119	0.4325	不分配不转增
002070	众和股份	-4829.56	-0.076	0.2296	不分配不转增
002071	长城影视	25632.85	0.49	0.5783	10派0.52元(含税)
002072	凯瑞德	1435.64	0.082	-0.0329	不分配不转增
002073	软控股份	-77139.42	-0.9166	0.0503	不分配不转增
002074	国轩高科	103093.97	1.19	1.4549	10派1.5元(含税)
002075	沙钢股份	21999.55	0.1	0.1408	不分配不转增
002076	雪莱特	4050.39	0.1103	0.0102	10转增10股派0.3元(含税)
002077	大港股份	4159.49	0.08	0.128	不分配不转增
002078	太阳纸业	105676.18	0.42	1.1104	10派0.5元(含税)
002079	苏州固锝	11340.97	0.156	0.2322	10派0.33元(含税)
002080	中材科技	40140.33	0.5276	1.3415	10派1.15元(含税)
002081	金螳螂	168338.94	0.64	0.4164	10派1.5元(含税)
002082	栋梁新材	6973.56	0.29	1.3055	10派2.5元(含税)
002083	孚日股份	37816.20	0.42	1.2844	10派2元(含税)
002084	海鸥卫浴	8497.55	0.1862	0.4532	10派1元(含税)
002085	万丰奥威	95796.14	0.53	0.7372	10送2股派1元(含税)
002086	东方海洋	7661.71	0.1114	0.1708	不分配不转增
002087	新野纺织	20745.52	0.2721	0.1882	10派0.2元(含税)
002088	鲁阳节能	10466.82	0.45	1.5185	10转增5股派1元(含税)
002089	新海宜	2738.77	0.04	0.2999	10送5转增5股派0.6元(含税)
002090	金智科技	10918.75	0.468	1.0212	10派1.5元(含税)
002091	江苏国泰	54073.86	0.75	2.4766	10转增3股派2元(含税)
002092	中泰化学	184347.44	0.9487	0.8958	10派0.9元(含税)
002093	国脉科技	7734.54	0.0894	0.1769	10派0.1元(含税)
002094	青岛金王	18533.78	0.53	-0.1647	不分配不转增
002095	生意宝	1261.92	0.05	-0.0651	10派0.5元(含税)
002096	南岭民爆	3385.11	0.09	0.004	10派0.4元(含税)
002097	山河智能	6692.10	0.0886	0.2598	10派1元(含税)
002098	浔兴股份	11849.59	0.33	0.455	10派0.8元(含税)
002099	海翔药业	22501.83	0.15	0.3879	10派0.3元(含税)
002100	天康生物	39254.14	0.41	0.3281	10派1元(含税)
002101	广东鸿图	16608.65	0.69	1.2628	10派1元(含税)
002102	冠福股份	24540.11	0.112	0.0072	不分配不转增
002103	广博股份	11949.70	0.26	0.4549	10转增2股派1元(含税)
002104	恒宝股份	14640.53	0.205	0.4269	不分配不转增
002105	信隆健康	2855.17	0.077	0.2783	不分配不转增
002106	莱宝高科	21177.35	0.3	0.2311	10派1元(含税)
002107	沃华医药	4880.94	0.14	0.2021	不分配不转增
002108	沧州明珠	48731.95	0.79	0.2693	10转增7股派1.6元(含税)

股票代码	股票简称	净利润（万元）	每股收益（元）	每股经营性现金流量(元)	分配预案
002109	兴化股份	2808.24	0.04	0.304	不分配不转增
002110	三钢闽光	92653.47	0.98	0.7265	10 派 2 元(含税)
002111	威海广泰	16853.96	0.46	0.2234	10 派 1.5 元(含税)
002112	三变科技	525.60	0.03	0.3494	不分配不转增
002113	天润数娱	5411.31	0.074	0.0162	不分配不转增
002114	罗平锌电	8291.35	0.31	0.6778	不分配不转增
002115	三维通信	2760.05	0.0672	0.3221	10 派 1 元(含税)
002116	中国海诚	13427.28	0.33	1.0013	10 派 2 元(含税)
002117	东港股份	21914.37	0.6	0.529	10 派 3 元(含税)
002118	紫鑫药业	16316.64	0.13	-0.1811	不分配不转增
002119	康强电子	4361.79	0.21	0.7584	10 派 1 元(含税)
002120	韵达股份	117722.43	1.32	1.942	10 转增 2 股派 1.17 元(含税)
002121	科陆电子	27179.54	0.2293	-0.0551	10 派 0.25 元(含税)
002122	天马股份	-25216.16	-0.21	0.7535	不分配不转增
002123	梦网荣信	25613.32	0.3	0.3631	10 派 1.2 元(含税)
002124	天邦股份	37288.93	0.59	0.8058	10 派 1.25 元(含税)
002125	湘潭电化	2224.07	0.06	0.0703	不分配不转增
002126	银轮股份	25672.92	0.36	0.6592	10 派 0.38 元(含税)
002127	南极电商	30114.47	0.2	0.2973	不分配不转增
002128	露天煤业	82395.56	0.5	0.6445	10 派 3 元(含税)
002129	中环股份	40200.63	0.152	0.3098	10 派 0.3 元(含税)
002130	沃尔核材	10727.64	0.1854	0.0759	10 转增 10 股派 0.3 元(含税)
002131	利欧股份	57101.18	0.37	0.0472	10 转增 25 股派 0.37 元(含税)
002132	恒星科技	10576.31	0.09	0.1738	10 派 0.5 元(含税)
002133	广宇集团	15140.13	0.2	2.3906	10 派 0.8 元(含税)
002134	*ST 普林	-9882.79	-0.4	-0.0602	不分配不转增
002135	东南网架	4912.46	0.06	0.0464	10 派 0.06 元(含税)
002136	安纳达	4251.11	0.1977	0.3029	不分配不转增
002137	麦达数字	14998.77	0.263	0.0604	不分配不转增
002138	顺络电子	35913.15	0.48	0.5765	不分配不转增
002139	拓邦股份	14429.37	0.35	0.4134	10 转增 5 股派 1.5 元(含税)
002140	东华科技	8180.02	0.18	0.4285	10 派 0.5 元(含税)
002141	贤丰控股	843.42	0.0103	-0.0133	10 派 0.02 元(含税)
002142	宁波银行	781041.70	1.95	28.06	10 转增 3 股派 3.5 元(含税)
002143	印纪传媒	73095.49	0.6608	0.046	10 转增 6 股派 0.9 元(含税)
002144	宏达高科	10081.22	0.57	0.7862	10 派 1 元(含税)
002145	中核钛白	8409.07	0.05	0.2311	不分配不转增
002146	荣盛发展	414809.31	0.95	-0.8498	10 派 4 元(含税)
002147	新光圆成	152965.62	1.22	0.4351	不分配不转增
002148	北纬通信	7883.05	0.31	0.1683	10 转增 12 股派 1.1 元(含税)
002149	西部材料	2122.11	0.1114	-0.3383	10 转增 10 股
002150	通润装备	9932.96	0.39	0.6364	10 派 1.5 元(含税)
002151	北斗星通	5168.30	0.11	-0.0818	10 派 0.5 元(含税)
002152	广电运通	84397.21	0.54	0.6866	10 转增 5 股派 1 元(含税)
002153	石基信息	38879.03	0.36	0.5748	10 派 0.4 元(含税)
002154	报喜鸟	-38669.71	-0.33	0.2369	10 派 0.1 元(含税)

股票代码	股票简称	净利润（万元）	每股收益（元）	每股经营性现金流量（元）	分配预案
002155	湖南黄金	14350.25	0.12	0.383	10派0.5元(含税)
002156	通富微电	18081.46	0.19	0.8069	不分配不转增
002157	正邦科技	104595.56	0.52	0.8394	10派0.5元(含税)
002158	汉钟精机	16645.29	0.3138	0.3911	10派2.2元(含税)
002159	三特索道	-5394.03	-0.39	0.2743	不分配不转增
002160	常铝股份	15666.78	0.226	-0.584	10派1元(含税)
002161	远望谷	4027.13	0.05	-0.0224	10派0.1元(含税)
002162	悦心健康	1702.63	0.02	0.1467	不分配不转增
002163	中航三鑫	946.25	0.01	0.3413	不分配不转增
002164	宁波东力	1156.72	0.03	0.3521	不分配不转增
002165	红宝丽	12678.52	0.22	0.1936	10派0.8元(含税)
002166	莱茵生物	6966.34	0.16	-0.1145	不分配不转增
002167	东方锆业	2544.48	0.04	0.1348	不分配不转增
002168	深圳惠程	7591.25	0.09	-0.0008	不分配不转增
002169	智光电气	11137.49	0.3319	0.1088	10转增10股派1.8元(含税)
002170	芭田股份	8953.69	0.1019	0.3393	10派0.4元(含税)
002171	楚江新材	18740.15	0.421	-0.2114	10派2元(含税)
002172	澳洋科技	25924.22	0.38	0.7568	不分配不转增
002173	创新医疗	11471.35	0.26	0.5476	不分配不转增
002174	游族网络	58787.99	0.68	0.6518	10派0.7元(含税)
002175	东方网络	6117.07	0.0828	0.0981	不分配不转增
002176	江特电机	19729.70	0.14	0.0841	10派0.14元(含税)
002177	御银股份	2324.62	0.03	0.4983	不分配不转增
002178	延华智能	4446.38	0.06	-0.0365	10派0.16元(含税)
002179	中航光电	73376.59	1.22	0.3834	10转增3股派1元(含税)
002180	艾派克	6107.51	0.0613	0.1248	10派0.3元(含税)
002181	粤传媒	18953.67	0.1632	0.3013	不分配不转增
002182	云海金属	16930.22	0.5385	0.3749	10转增10股派1元(含税)
002183	怡亚通	51875.25	0.25	-1.9665	10派0.8元(含税)
002184	海得控制	1342.69	0.058	-0.0566	10派1元(含税)
002185	华天科技	39092.07	0.3669	0.8095	10转增10股派0.5元(含税)
002186	全聚德	13958.98	0.4525	0.7027	10派2.4元(含税)
002187	广百股份	15765.42	0.46	0.7959	10派3元(含税)
002188	巴士在线	9360.07	0.31	-0.1337	不分配不转增
002189	利达光电	1732.20	0.09	0.2744	10派0.2元(含税)
002190	成飞集成	13771.64	0.4	0.6922	10派1.2元(含税)
002191	劲嘉股份	57072.14	0.44	0.698	10派2.5元(含税)
002192	融捷股份	530.54	0.02	-0.0011	不分配不转增
002193	山东如意	3276.79	0.13	1.5081	10派0.2元(含税)
002194	武汉凡谷	-16526.29	-0.3	0.6542	不分配不转增
002195	二三四五	63496.56	0.33	0.0461	10转增7股派0.5元(含税)
002196	方正电机	11829.02	0.46	0.1368	10转增7股派0.5元(含税)
002197	证通电子	5439.56	0.12	0.2825	10派0.5元(含税)
002198	嘉应制药	5517.20	0.1087	0.1047	不分配不转增
002199	东晶电子	1619.67	0.07	0.1023	不分配不转增
002200	云投生态	3343.57	0.1816	-2.8407	不分配不转增

股票代码	股票简称	净利润（万元）	每股收益（元）	每股经营性现金流量(元)	分配预案
002201	九鼎新材	479.15	0.02	0.2188	10 转增 3 股
002202	金风科技	300298.20	1.0841	1.1342	10 送 3 股派 2 元(含税)
002203	海亮股份	55124.85	0.3298	0.524	10 派 0.6 元(含税)
002204	大连重工	2728.28	0.01	-0.0882	10 派 0.1 元(含税)
002205	国统股份	1332.86	0.1148	2.4426	不分配不转增
002206	海利得	25510.96	0.54	1.0159	10 转增 15 股派 5 元(含税)
002207	*ST 准油	-9172.49	-0.38	0.1226	不分配不转增
002208	合肥城建	10875.94	0.34	-1.1776	10 派 1 元(含税)
002209	达意隆	-4531.81	-0.2321	-0.5499	不分配不转增
002210	飞马国际	153198.36	1.58	-1.717	10 转增 7 股派 1.1 元(含税)
002211	宏达新材	1103.87	0.03	0.5788	不分配不转增
002212	南洋股份	7027.58	0.14	-0.0963	10 派 0.18 元(含税)
002213	特尔佳	798.28	0.04	0.1781	10 派 0.1 元(含税)
002214	大立科技	3310.87	0.07	0.0774	10 派 0.25 元(含税)
002215	诺普信	-27624.67	-0.3	-0.4137	不分配不转增
002216	三全食品	3947.23	0.05	0.4132	10 派 0.1 元(含税)
002217	合力泰	87379.46	0.61	0.1616	10 转增 10 股派 0.84 元(含税)
002218	拓日新能	12871.21	0.21	0.053	10 转增 10 股派 0.5 元(含税)
002219	恒康医疗	40363.15	0.2139	-0.3739	不分配不转增
002220	天宝股份	18153.38	0.34	0.4424	10 派 0.5 元(含税)
002221	东华能源	46988.11	0.325	0.6009	10 派 0.5 元(含税)
002222	福晶科技	7032.99	0.1645	0.2397	10 派 1 元(含税)
002223	鱼跃医疗	50025.52	0.8	1.013	10 转增 5 股派 4 元(含税)
002224	三力士	22582.89	0.34	0.337	10 派 1 元(含税)
002225	濮耐股份	-18494.73	-0.21	0.1997	10 派 0.2 元(含税)
002226	江南化工	6130.97	0.0747	0.2143	10 派 0.55 元(含税)
002227	奥特迅	911.55	0.0413	-0.1868	10 派 0.1 元(含税)
002228	合兴包装	10293.65	0.1	0.3751	10 派 0.5 元(含税)
002229	鸿博股份	1268.01	0.0409	0.3807	10 转增 5 股派 0.15 元(含税)
002230	科大讯飞	48443.04	0.37	0.2275	10 派 1 元(含税)
002231	奥维通信	724.91	0.0203	0.0994	不分配不转增
002232	启明信息	4571.71	0.1119	0.3392	10 派 1 元(含税)
002233	塔牌集团	45423.02	0.5077	1.0854	10 派 2.1 元(含税)
002234	民和股份	15378.98	0.51	0.9391	不分配不转增
002235	安妮股份	1165.95	0.0366	0.1801	不分配不转增
002236	大华股份	182519.94	0.63	0.1624	10 派 1 元(含税)
002237	恒邦股份	20331.51	0.22	0.2854	不分配不转增
002238	天威视讯	30263.41	0.49	1.0537	10 派 3 元(含税)
002239	奥特佳	44607.23	0.41	0.4539	10 转增 18 股派 0.6 元(含税)
002240	威华股份	2340.58	0.05	0.102	不分配不转增
002241	歌尔股份	165149.66	1.08	1.4861	10 转增 10 股派 1.5 元(含税)
002242	九阳股份	69772.68	0.91	1.3116	不分配不转增
002243	通产丽星	2627.85	0.072	0.5461	10 派 0.5 元(含税)
002244	滨江集团	139880.70	0.46	4.2203	10 派 0.68 元(含税)
002245	澳洋顺昌	20562.14	0.211	0.1523	10 派 0.25 元(含税)
002246	北化股份	8397.24	0.2	0.1756	10 派 0.25 元(含税)

股票代码	股票简称	净利润（万元）	每股收益（元）	每股经营性现金流量(元)	分配预案
002247	帝龙文化	37868.59	0.54	0.3595	10 派 1 元(含税)
002248	*ST 东数	-23299.27	-0.7577	-0.0158	不分配不转增
002249	大洋电机	50935.01	0.23	0.227	10 派 0.8 元(含税)
002250	联化科技	26385.21	0.32	0.6563	10 派 1 元(含税)
002251	步步高	13270.47	0.1688	1.1391	10 派 1 元(含税)
002252	上海莱士	161315.36	0.325	0.1285	10 派 0.3 元(含税)
002253	川大智胜	3889.10	0.17	0.2503	10 派 1.2 元(含税)
002254	泰和新材	5883.82	0.1	0.5334	10 派 1 元(含税)
002255	海陆重工	7535.26	0.121	0.0855	不分配不转增
002256	兆新股份	11593.49	0.06	0.0755	10 派 0.5 元(含税)
002258	利尔化学	20834.73	0.4	0.3525	不分配不转增
002259	升达林业	7138.27	0.101	0.1275	10 派 0.14 元(含税)
002260	德奥通航	514.21	0.02	0.1635	不分配不转增
002261	拓维信息	21152.86	0.19	0.1793	10 派 0.2 元(含税)
002262	恩华药业	30974.30	0.4911	0.4394	10 转增 6 股派 0.6 元(含税)
002263	大东南	-18560.78	-0.1	0.0569	不分配不转增
002264	新华都	5438.36	0.08	-0.2461	不分配不转增
002265	西仪股份	701.26	0.02	0.0898	不分配不转增
002266	浙富控股	6432.45	0.03	0.3616	10 派 0.1 元(含税)
002267	陕天然气	50853.57	0.4573	0.8995	10 派 1.5 元(含税)
002268	卫士通	15575.13	0.3601	-0.3173	10 转增 6 股派 0.5 元(含税)
002269	美邦服饰	3615.86	0.01	0.1297	不分配不转增
002270	华明装备	23704.88	0.47	-0.2581	不分配不转增
002271	东方雨虹	102870.97	1.22	0.6689	10 派 1.5 元(含税)
002272	川润股份	1454.82	0.0347	0.0101	不分配不转增
002273	水晶光电	25366.90	0.39	0.4988	10 派 1 元(含税)
002274	华昌化工	3060.30	0.0482	0.5893	10 派 1 元(含税)
002275	桂林三金	39366.00	0.67	0.9096	10 派 4 元(含税)
002276	万马股份	21521.82	0.23	0.2984	不分配不转增
002277	友阿股份	29917.18	0.4695	0.7519	10 转增 10 股派 1 元(含税)
002278	神开股份	-10917.09	-0.3	-0.148	不分配不转增
002279	久其软件	21860.97	0.4037	0.1782	10 转增 3 股派 0.3 元(含税)
002280	联络互动	35363.09	0.17	0.0645	10 派 0.45 元(含税)
002281	光迅科技	28502.13	1.36	0.8631	10 转增 20 股派 5 元(含税)
002282	博深工具	1248.45	0.04	0.2955	10 派 0.3 元(含税)
002283	天润曲轴	19429.68	0.17	0.3397	10 派 0.18 元(含税)
002284	亚太股份	14419.34	0.2	0.2972	10 派 1 元(含税)
002285	世联行	74721.52	0.37	1.1219	10 派 0.8 元(含税)
002286	保龄宝	4934.27	0.13	0.2951	10 派 0.8 元(含税)
002287	奇正藏药	28986.16	0.7139	0.9586	10 派 3.9 元(含税)
002288	超华科技	-6193.43	-0.0665	0.1349	不分配不转增
002289	*ST 宇顺	2985.50	0.1598	-1.293	10 转增 5 股
002290	中科新材	2796.62	0.13	-0.0153	不分配不转增
002291	星期六	2083.96	0.05	0.2763	不分配不转增
002292	奥飞娱乐	49844.44	0.39	0.1422	10 派 0.4 元(含税)
002293	罗莱生活	31729.69	0.4521	0.7201	10 派 2 元(含税)

股票代码	股票简称	净利润（万元）	每股收益（元）	每股经营性现金流量（元）	分配预案
002294	信立泰	139641.42	1.33	1.3717	10 派 7 元(含税)
002295	精艺股份	918.43	0.0365	0.081	不分配不转增
002296	辉煌科技	8507.01	0.2259	0.3626	10 派 0.1 元(含税)
002297	博云新材	629.17	0.01	0.1835	不分配不转增
002298	中电鑫龙	15579.78	0.2394	0.4186	10 派 0.4 元(含税)
002299	圣农发展	67872.80	0.611	1.1975	10 派 5 元(含税)
002300	太阳电缆	15533.08	0.29	0.7106	10 派 2.1 元(含税)
002301	齐心集团	10489.14	0.28	0.9839	10 派 0.2 元(含税)
002302	西部建设	31630.98	0.31	0.8945	10 派 0.65 元(含税)
002303	美盈森	22339.71	0.1542	0.0646	10 派 0.22 元(含税)
002304	洋河股份	582716.89	3.87	4.9138	10 派 21 元(含税)
002305	南国置业	4328.14	0.03	0.2711	10 派 0.5 元(含税)
002306	*ST 云网	-5407.84	-0.07	-0.0227	不分配不转增
002307	北新路桥	4015.22	0.07	0.3156	10 派 0.8 元(含税)
002308	威创股份	18223.35	0.22	0.3571	不分配不转增
002309	中利集团	7425.16	0.12	-2.0986	10 派 1 元(含税)
002310	东方园林	129560.85	0.51	0.5856	10 派 0.3 元(含税)
002311	海大集团	85581.02	0.55	0.741	10 派 3 元(含税)
002312	*ST 三泰	-130383.54	-0.95	-0.2314	不分配不转增
002313	日海通讯	6746.58	0.22	0.9559	10 派 0.3 元(含税)
002314	南山控股	52699.71	0.28	0.5206	10 派 2.07 元(含税)
002315	焦点科技	11104.59	0.95	0.7346	10 转增 10 股派 10 元(含税)
002316	键桥通讯	254.15	0.0065	0.0242	不分配不转增
002317	众生药业	41436.90	0.55	0.4152	10 派 1.8 元(含税)
002318	久立特材	16776.67	0.2	0.3643	10 派 0.6 元(含税)
002319	乐通股份	88.17	0.004	0.448	不分配不转增
002320	海峡股份	15686.93	0.37	0.7636	10 派 0.28 元(含税)
002321	华英农业	9147.05	0.171	0.5203	不分配不转增
002322	理工环科	15192.77	0.38	-0.024	10 派 3 元(含税)
002323	雅百特	24090.29	0.323	-0.2172	10 派 0.34 元(含税)
002324	普利特	27794.21	1.03	0.4658	10 派 1 元(含税)
002325	洪涛股份	13080.58	0.11	-0.46	10 派 0.2 元(含税)
002326	永太科技	27701.89	0.35	0.1055	不分配不转增
002327	富安娜	43902.07	0.52	0.4929	10 派 1 元(含税)
002328	新朋股份	9540.76	0.21	1.3005	10 派 0.45 元(含税)
002329	皇氏集团	29060.25	0.3469	0.2927	10 派 0.6 元(含税)
002330	得利斯	903.17	0.018	0.1765	不分配不转增
002331	皖通科技	7687.27	0.2194	0.3151	10 派 0.5 元(含税)
002332	仙琚制药	14618.69	0.24	0.2552	10 转增 5 股派 1 元(含税)
002333	罗普斯金	14082.20	0.28	-0.0831	10 派 1 元(含税)
002334	英威腾	6806.73	0.0933	-0.0589	10 派 0.5 元(含税)
002335	科华恒盛	17156.71	0.67	1.0617	10 派 3 元(含税)
002336	人人乐	6048.06	0.1512	0.2512	不分配不转增
002337	赛象科技	1291.05	0.02	0.0678	不分配不转增
002338	奥普光电	5262.04	0.44	-0.1583	10 转增 10 股派 2 元(含税)
002339	积成电子	7898.45	0.21	-0.4391	10 派 0.3 元(含税)

股票代码	股票简称	净利润（万元）	每股收益（元）	每股经营性现金流量(元)	分配预案
002340	格林美	26373.19	0.09	0.0398	10 转增 3 股派 0.1 元(含税)
002341	新纶科技	5014.69	0.1343	0.212	10 派 0.11 元(含税)
002342	巨力索具	2063.36	0.02	0.0872	10 派 0.04 元(含税)
002343	慈文传媒	29010.92	0.92	0.3216	10 派 0.93 元(含税)
002344	海宁皮城	54998.82	0.49	0.4004	10 派 0.5 元(含税)
002345	潮宏基	23363.62	0.28	0.2921	不分配不转增
002346	柘中股份	2016.19	0.05	-0.5186	10 派 1 元(含税)
002347	泰尔股份	1003.85	0.0223	0.0056	不分配不转增
002348	高乐股份	4254.67	0.0449	0.097	10 派 0.2 元(含税)
002349	精华制药	16502.97	0.3927	0.818	10 转增 10 股派 1.5 元(含税)
002350	北京科锐	7646.22	0.3503	0.2809	10 转增 7 股派 1.5 元(含税)
002351	漫步者	8691.23	0.15	-0.1069	10 派 1 元(含税)
002352	顺丰控股	418042.62	1.06	1.3565	10 派 1 元(含税)
002353	杰瑞股份	12067.41	0.13	0.3616	10 派 0.3 元(含税)
002354	天神娱乐	54673.41	1.87	1.7192	10 转增 18 股派 4.1226 元(含税)
002355	兴民智通	5081.63	0.1	0.3356	10 派 0.1 元(含税)
002356	赫美集团	13924.24	0.4485	0.1683	10 派 1 元(含税)
002357	富临运业	9485.58	0.3026	0.7578	10 派 1.5 元(含税)
002358	森源电气	33055.74	0.39	0.3672	10 派 0.9 元(含税)
002359	齐星铁塔	-4841.51	-0.1162	0.0138	不分配不转增
002360	同德化工	8273.91	0.2113	0.3827	10 派 1 元(含税)
002361	神剑股份	16891.43	0.2	0.2511	10 派 0.5 元(含税)
002362	汉王科技	2131.92	0.0996	0.2426	不分配不转增
002363	隆基机械	6015.60	0.16	0.4703	10 派 0.2 元(含税)
002364	中恒电气	15828.18	0.29	0.2208	10 派 1 元(含税)
002365	永安药业	6229.70	0.33	0.4521	10 派 1 元(含税)
002366	台海核电	39233.42	0.9	0.2394	10 转增 10 股派 0.91 元(含税)
002367	康力电梯	42406.83	0.5592	0.4513	不分配不转增
002368	太极股份	30159.54	0.7327	0.2659	10 派 2.18 元(含税)
002369	卓翼科技	1682.00	0.04	0.5447	不分配不转增
002370	亚太药业	12529.06	0.57	-0.1418	10 派 1 元(含税)
002371	北方华创	9290.16	0.2202	-0.4398	10 派 0.22 元(含税)
002372	伟星新材	67070.35	0.88	1.2495	10 转增 3 股派 6 元(含税)
002373	千方科技	33587.38	0.3	0.2267	10 派 0.5 元(含税)
002374	丽鹏股份	15559.19	0.2	-0.5969	10 派 0.3 元(含税)
002375	亚厦股份	31929.39	0.24	0.1151	10 派 0.4 元(含税)
002376	新北洋	22712.66	0.37	0.2897	10 派 2 元(含税)
002377	国创高新	521.64	0.01	0.0623	10 派 0.45 元(含税)
002378	章源钨业	4712.07	0.05	0.1185	10 派 0.15 元(含税)
002379	*ST 鲁丰	1415.06	0.0153	-0.2073	不分配不转增
002380	科远股份	8248.51	0.36	0.1026	10 派 1 元(含税)
002381	双箭股份	5390.45	0.13	0.0534	10 派 1 元(含税)
002382	蓝帆医疗	18106.94	0.37	0.3316	10 派 2 元(含税)
002383	合众思壮	9644.97	0.4613	-0.3562	10 转增 20 股派 1 元(含税)
002384	东山精密	14421.07	0.17	0.0886	不分配不转增
002385	大北农	88268.19	0.22	0.1567	10 派 0.6 元(含税)

股票代码	股票简称	净利润(万元)	每股收益(元)	每股经营性现金流量(元)	分配预案
002386	天原集团	5513.83	0.0821	0.7243	10 派 0.3 元(含税)
002387	黑牛食品	2618.54	0.0558	-0.1024	不分配不转增
002388	新亚制程	1089.05	0.03	-0.7352	不分配不转增
002389	南洋科技	12277.68	0.17	0.1451	10 派 0.2 元(含税)
002390	信邦制药	24601.28	0.15	-0.1165	10 派 0.3 元(含税)
002391	长青股份	16264.59	0.45	0.5402	10 派 3 元(含税)
002392	北京利尔	14750.69	0.12	0.0362	10 派 0.2 元(含税)
002393	力生制药	11560.63	0.63	0.9514	10 派 3 元(含税)
002394	联发股份	39402.02	1.22	0.8818	10 派 3 元(含税)
002395	双象股份	3555.09	0.1988	0.6788	10 派 0.8 元(含税)
002396	星网锐捷	31945.80	0.5926	1.0081	10 派 1 元(含税)
002397	梦洁股份	9727.28	0.14	0.1709	10 派 1 元(含税)
002398	建研集团	16728.32	0.49	0.8407	10 派 1 元(含税)
002399	海普瑞	39689.17	0.3165	0.2775	10 派 2.5 元(含税)
002400	省广股份	61124.64	0.5	0.4452	10 转增 3 股派 0.38 元(含税)
002401	中海科技	5918.95	0.1952	1.16	10 派 0.2 元(含税)
002402	和而泰	11966.04	0.14	0.1517	不分配不转增
002403	爱仕达	13736.66	0.41	0.8979	10 派 2 元(含税)
002404	嘉欣丝绸	9957.60	0.19	0.1247	10 派 1.5 元(含税)
002405	四维图新	15656.91	0.1502	0.3738	10 派 0.37 元(含税)
002406	远东传动	11694.10	0.2085	0.2962	10 派 1.5 元(含税)
002407	多氟多	47776.48	0.76	0.0972	10 派 1.5 元(含税)
002408	齐翔腾达	50251.02	0.28	0.359	10 派 0.5 元(含税)
002409	雅克科技	6784.09	0.2034	0.2126	10 派 0.2 元(含税)
002410	广联达	42309.60	0.377	0.463	10 派 3 元(含税)
002411	必康股份	95364.45	0.652	0.9873	10 派 0.8 元(含税)
002412	汉森制药	8493.92	0.287	0.5811	10 派 5 元(含税)
002413	雷科防务	10531.28	0.1	-0.1772	10 派 0.3 元(含税)
002414	高德红外	7085.75	0.1169	-0.1976	10 派 0.15 元(含税)
002415	海康威视	742226.20	1.227	1.0182	10 送 5 股派 6 元(含税)
002416	爱施德	18775.19	0.1861	1.3457	10 派 1.5 元(含税)
002417	三元达	-10543.58	-0.39	0.2646	不分配不转增
002418	康盛股份	19081.48	0.17	-2.0505	10 派 0.3 元(含税)
002419	天虹股份	52411.06	0.65	2.0397	10 派 3.6 元(含税)
002420	毅昌股份	1920.52	0.05	0.8679	不分配不转增
002421	达实智能	27549.54	0.1453	-0.0077	10 派 0.3 元(含税)
002422	科伦药业	58463.88	0.41	1.1982	10 派 1.39 元(含税)
002423	中原特钢	519.79	0.01	-0.2079	不分配不转增
002424	贵州百灵	48232.71	0.34	0.3307	10 派 0.8 元(含税)
002425	凯撒文化	15205.59	0.32	0.6899	10 转增 6 股派 0.5 元(含税)
002426	胜利精密	42942.11	0.1122	-0.0438	10 派 0.3 元(含税)
002427	尤夫股份	16861.62	0.42	0.966	10 派 0.2 元(含税)
002428	云南锗业	-10321.34	-0.16	0.2906	不分配不转增
002429	兆驰股份	37439.09	0.23	0.3516	10 转增 15 股派 0.25 元(含税)
002430	杭氧股份	-28261.87	-0.34	0.5099	不分配不转增
002431	棕榈股份	12082.61	0.09	0.0487	10 派 0.2 元(含税)

股票代码	股票简称	净利润（万元）	每股收益（元）	每股经营性现金流量(元)	分配预案
002432	九安医疗	1449.79	0.04	-0.0843	不分配不转增
002433	太安堂	24332.76	0.32	-0.1511	10 派 0.32 元(含税)
002434	万里扬	31225.56	0.3	0.1642	10 派 1 元(含税)
002435	长江润发	16014.80	0.48	1.2999	10 派 1 元(含税)
002436	兴森科技	19260.68	0.13	0.1508	10 派 0.3 元(含税)
002437	誉衡药业	71664.83	0.3289	0.4733	10 派 0.5 元(含税)
002438	江苏神通	5158.89	0.24	0.0505	10 转增 10 股派 0.5 元(含税)
002439	启明星辰	26517.19	0.31	0.109	10 派 1 元(含税)
002440	闰土股份	66010.42	0.86	1.6258	10 派 3.5 元(含税)
002441	众业达	14338.36	0.27	0.6219	10 派 0.8 元(含税)
002442	龙星化工	3081.87	0.0642	0.5958	不分配不转增
002443	金洲管道	6282.04	0.12	0.0574	10 派 0.4 元(含税)
002444	巨星科技	62163.84	0.58	0.5651	10 派 1 元(含税)
002445	中南文化	22861.90	0.3	0.1405	10 派 0.3 元(含税)
002446	盛路通信	16137.89	0.36	0.238	10 转增 7 股派 0.5 元(含税)
002447	壹桥股份	29567.89	0.31	0.4388	10 送 1 转增 4 股派 0.3 元(含税)
002448	中原内配	21454.75	0.3648	0.4084	10 派 1 元(含税)
002449	国星光电	19232.02	0.4042	1.2151	10 派 2 元(含税)
002450	康得新	196290.80	0.6	-0.0135	10 派 0.57 元(含税)
002451	摩恩电气	870.24	0.02	-0.0279	10 派 1.75 元(含税)
002452	长高集团	12055.62	0.229	0.2723	10 派 0.5 元(含税)
002453	天马精化	-30704.57	-0.54	-0.2161	不分配不转增
002454	松芝股份	23413.83	0.58	0.5156	10 派 1 元(含税)
002455	百川股份	7979.44	0.17	0.3883	10 派 1 元(含税)
002456	欧菲光	71882.59	0.6892	0.7463	10 转增 15 股派 1.1 元(含税)
002457	青龙管业	2120.73	0.06	0.5165	10 派 0.15 元(含税)
002458	益生股份	56215.99	1.7	1.7128	不分配不转增
002459	天业通联	2011.21	0.05	-0.0129	不分配不转增
002460	赣锋锂业	46436.51	0.6155	0.8748	10 派 1 元(含税)
002461	珠江啤酒	11389.34	0.17	1.503	10 派 0.6 元(含税)
002462	嘉事堂	22309.96	0.89	0.4642	10 派 1.5 元(含税)
002463	沪电股份	13050.51	0.078	0.1852	10 派 0.5 元(含税)
002464	金利科技	18457.53	1.27	1.494	10 转增 6 股
002465	海格通信	53015.07	0.25	-0.1534	10 派 1 元(含税)
002466	天齐锂业	151205.09	1.54	1.7863	10 派 1.8 元(含税)
002467	二六三	-37826.62	-0.48	0.1261	不分配不转增
002468	申通快递	126164.96	1.23	1.1891	10 派 1 元(含税)
002469	三维工程	1176.70	0.02	0.2876	10 派 1 元(含税)
002470	金正大	101694.68	0.32	0.003	10 派 1 元(含税)
002471	中超控股	11194.66	0.0883	0.4635	10 派 0.1 元(含税)
002472	双环传动	18574.91	0.28	0.3066	10 派 0.8 元(含税)
002473	*ST 圣莱	-3473.86	-0.22	0.1693	不分配不转增
002474	榕基软件	2484.53	0.0399	0.0919	10 派 0.1 元(含税)
002475	立讯精密	115653.35	0.6	0.6179	10 转增 5 股派 0.8 元(含税)
002476	宝莫股份	1482.97	0.0242	0.2371	10 派 0.3 元(含税)
002477	雏鹰农牧	86910.88	0.28	0.5753	10 派 0.65 元(含税)

股票代码	股票简称	净利润（万元）	每股收益（元）	每股经营性现金流量(元)	分配预案
002478	常宝股份	10969.62	0.27	0.3766	10 转增 10 股派 10 元(含税)
002479	富春环保	24492.80	0.31	0.7081	10 派 1 元(含税)
002480	新筑股份	1870.23	0.029	0.3004	10 派 0.2 元(含税)
002481	双塔食品	5692.54	0.05	0.3171	10 派 0.4 元(含税)
002482	广田集团	40272.19	0.26	0.1386	10 派 0.5 元(含税)
002483	润邦股份	8383.60	0.2	0.5623	10 转增 6 股派 1 元(含税)
002484	江海股份	14904.66	0.2643	0.2803	10 转增 3 股派 1 元(含税)
002485	希努尔	746.86	0.0233	0.1658	不分配不转增
002486	嘉麟杰	1185.84	0.0143	0.0142	不分配不转增
002487	大金重工	7138.45	0.13	0.0165	10 派 0.1 元(含税)
002488	金固股份	-13816.43	-0.27	-0.1543	不分配不转增
002489	浙江永强	6094.84	0.03	0.0794	10 派 0.6 元(含税)
002490	*ST 墨龙	-61247.64	-0.77	0.1309	不分配不转增
002491	通鼎互联	53896.34	0.4532	0.5567	10 派 0.5 元(含税)
002492	恒基达鑫	4437.08	0.1643	0.4091	10 转增 5 股派 0.6 元(含税)
002493	荣盛石化	192078.77	0.76	1.1087	10 转增 5 股派 1.2 元(含税)
002494	华斯股份	1506.52	0.04	0.1284	10 派 0.1 元(含税)
002495	佳隆股份	3227.92	0.0345	0.0645	不分配不转增
002496	辉丰股份	17440.01	0.12	-0.2886	10 派 0.5 元(含税)
002497	雅化集团	13381.40	0.14	0.0892	10 派 0.5 元(含税)
002498	汉缆股份	41677.43	0.13	0.0974	10 派 0.36 元(含税)
002499	科林环保	1929.72	0.1	0.2443	10 派 0.08 元(含税)
002500	山西证券	46768.56	0.17	-0.3229	10 派 0.9 元(含税)
002501	利源精制	55028.48	0.58	0.7418	10 派 0.5 元(含税)
002502	骅威文化	30301.85	0.35	0.3443	10 派 0.4 元(含税)
002503	搜于特	36170.60	0.26	-0.396	10 转增 10 股派 0.25 元(含税)
002504	弘高创意	23976.34	0.23	0.0426	不分配不转增
002505	大康农业	7622.33	0.0139	-0.079	不分配不转增
002506	协鑫集成	-2691.16	-0.01	-0.8653	不分配不转增
002507	涪陵榨菜	25722.89	0.49	0.7655	10 转增 5 股派 1 元(含税)
002508	老板电器	120683.39	1.67	2.1169	10 转增 3 股派 5 元(含税)
002509	天广中茂	42107.09	0.27	-0.2481	10 转增 6 股派 0.3 元(含税)
002510	天汽模	15004.10	0.18	0.1167	10 派 0.4 元(含税)
002511	中顺洁柔	26041.66	0.54	1.8384	10 转增 5 股派 1 元(含税)
002512	达华智能	15911.14	0.1453	0.1634	不分配不转增
002513	蓝丰生化	10718.06	0.32	0.9871	10 派 0.4 元(含税)
002514	宝馨科技	-8106.86	-0.15	0.0354	不分配不转增
002515	金字火腿	1989.63	0.03	0.1642	10 转增 6 股
002516	旷达科技	30128.66	0.2304	0.2569	10 派 0.2 元(含税)
002517	恺英网络	68174.26	1	0.7084	10 派 1 元(含税)
002518	科士达	29585.85	0.67	0.2659	10 转增 3 股派 2 元(含税)
002519	银河电子	30997.94	0.52	0.3371	10 转增 7 股派 1.5 元(含税)
002520	日发精机	4112.47	0.07	-0.0133	不分配不转增
002521	齐峰新材	14193.28	0.29	0.7873	10 派 3 元(含税)
002522	浙江众成	10339.52	0.12	0.1685	10 派 1 元(含税)
002523	天桥起重	10698.65	0.13	0.0471	10 转增 2 股派 0.2 元(含税)

股票代码	股票简称	净利润（万元）	每股收益（元）	每股经营性现金流量(元)	分配预案
002524	光正集团	484.19	0.01	0.134	不分配不转增
002526	山东矿机	1068.74	0.02	0.2604	不分配不转增
002527	新时达	17114.37	0.28	0.3825	10派1元(含税)
002528	英飞拓	-42083.11	-0.436	-0.0646	不分配不转增
002529	海源机械	-3817.72	-0.1625	-0.4763	不分配不转增
002530	丰东股份	4655.68	0.16	0.4523	不分配不转增
002531	天顺风能	40647.72	0.27	0.3103	10派1.2元(含税)
002532	新界泵业	11664.82	0.36	0.7598	10转增6股派0.5元(含税)
002533	金杯电工	16897.05	0.309	0.672	10派1.5元(含税)
002534	杭锅股份	19153.01	0.31	1.0928	10转增2股派1.5元(含税)
002535	林州重机	1475.08	0.02	-0.6506	不分配不转增
002536	西泵股份	10785.72	0.32	0.2086	10派1元(含税)
002537	海立美达	23292.26	0.6	0.7623	10转增12股派0.5元(含税)
002538	司尔特	24395.68	0.34	0.8236	10派1元(含税)
002539	云图控股	14272.14	0.14	0.6308	10派0.8元(含税)
002540	亚太科技	29677.22	0.2854	-0.1001	10派0.6元(含税)
002541	鸿路钢构	14576.18	0.49	0.491	10派0.5元(含税)
002542	中化岩土	24854.80	0.14	-0.0897	10派0.2元(含税)
002543	万和电气	43116.77	0.9799	2.0091	10派7.3元(含税)
002544	杰赛科技	10644.69	0.21	0.1214	10派0.3元(含税)
002545	东方铁塔	13649.50	0.1569	0.3222	10派0.2元(含税)
002546	新联电子	9017.22	0.11	0.1222	10派0.11元(含税)
002547	春兴精工	16345.32	0.16	0.3279	10派0.5元(含税)
002548	金新农	15882.27	0.42	-0.1278	10派1.5元(含税)
002549	凯美特气	2109.15	0.03	0.1467	10转增1股派1元(含税)
002550	千红制药	22446.15	0.18	0.1727	10派0.8元(含税)
002551	尚荣医疗	11415.36	0.26	0.6337	10转增5股派1元(含税)
002552	宝鼎科技	-16684.33	-0.56	0.3106	不分配不转增
002553	南方轴承	7228.00	0.2077	0.2002	10派2元(含税)
002554	惠博普	13102.67	0.13	0.0125	10派0.25元(含税)
002555	三七互娱	107016.23	0.513	0.5046	10派1元(含税)
002556	辉隆股份	10260.22	0.143	-0.2164	10派0.7元(含税)
002557	洽洽食品	35370.96	0.7	0.9317	10派4元(含税)
002558	世纪游轮	106893.70	0.68	0.6743	10转增2股派2元(含税)
002559	亚威股份	11678.96	0.3154	0.3335	10派1.75元(含税)
002560	通达股份	8368.73	0.2	-0.0347	10派0.5元(含税)
002561	徐家汇	24146.85	0.58	0.7792	10派3.6元(含税)
002562	兄弟科技	16766.84	0.32	0.2191	10派1元(含税)
002563	森马服饰	142650.99	0.53	0.3182	10派3.75元(含税)
002564	天沃科技	-29971.09	-0.41	0.3604	不分配不转增
002565	顺灏股份	9840.76	0.14	0.0914	不分配不转增
002566	益盛药业	1319.44	0.0399	-0.0529	不分配不转增
002567	唐人神	20102.04	0.408	0.7215	10转增5股派1.5元(含税)
002568	百润股份	-14702.19	-0.16	-0.2827	不分配不转增
002569	步森股份	659.96	0.05	0.0966	不分配不转增
002570	贝因美	-78066.54	-0.76	-0.414	不分配不转增

股票代码	股票简称	净利润（万元）	每股收益（元）	每股经营性现金流量（元）	分配预案
002571	*ST 德力	-6130.99	-0.1564	0.3401	不分配不转增
002572	索菲亚	66401.69	1.48	2.583	10 转增 10 股派 7 元(含税)
002573	清新环境	74420.14	0.6984	0.0792	10 派 1 元(含税)
002574	明牌珠宝	4371.38	0.08	0.4901	10 派 0.5 元(含税)
002575	群兴玩具	1276.43	0.0217	0.0904	不分配不转增
002576	通达动力	484.47	0.03	0.0148	10 派 0.1 元(含税)
002577	雷柏科技	1793.53	0.06	-0.0742	不分配不转增
002578	闽发铝业	1767.26	0.04	-0.0337	10 转增 10 股
002579	中京电子	11098.64	0.31	-0.0106	10 派 1 元(含税)
002580	圣阳股份	5386.30	0.24	0.0783	10 转增 6 股派 0.5 元(含税)
002581	未名医药	41769.51	0.6331	0.2566	不分配不转增
002582	好想你	3927.24	0.21	-1.3636	10 转增 10 股派 0.7 元(含税)
002583	海能达	40182.84	0.25	-0.2321	10 派 0.35 元(含税)
002584	西陇科学	9678.96	0.17	0.0188	10 派 0.5 元(含税)
002585	双星新材	13302.27	0.1854	0.1732	10 转增 3 股派 0.2 元(含税)
002586	围海股份	9306.21	0.13	0.0473	10 派 0.5 元(含税)
002587	奥拓电子	8628.24	0.23	0.3826	10 转增 5 股派 1 元(含税)
002588	史丹利	51253.47	0.44	0.7623	10 派 1 元(含税)
002589	瑞康医药	59075.89	1.005	-2.6888	10 转增 13 股派 0.91 元(含税)
002590	万安科技	12676.34	0.27	0.2735	10 派 0.25 元(含税)
002591	恒大高新	1412.16	0.0542	0.1195	不分配不转增
002592	八菱科技	12841.34	0.45	0.4678	10 派 2.5 元(含税)
002593	日上集团	6884.33	0.1	0.2337	10 派 0.5 元(含税)
002594	比亚迪	505215.40	1.88	-0.6765	10 派 1.78 元(含税)
002595	豪迈科技	71766.57	0.9	0.7272	10 派 3.75 元(含税)
002596	海南瑞泽	7021.65	0.22	-0.3333	10 转增 20 股派 0.3 元(含税)
002597	金禾实业	55146.36	0.97	1.649	10 派 4 元(含税)
002598	山东章鼓	5586.19	0.179	0.101	10 派 2 元(含税)
002599	盛通股份	3649.90	0.27	1.1127	10 转增 10 股派 0.3 元(含税)
002600	江粉磁材	23406.83	0.22	-0.0378	10 转增 10 股派 1 元(含税)
002601	龙蟒佰利	44210.51	0.43	0.2127	10 派 2 元(含税)
002602	世纪华通	50345.57	0.49	0.6949	不分配不转增
002603	以岭药业	54202.32	0.48	0.5596	10 派 1 元(含税)
002604	龙力生物	11747.32	0.216	0.3365	不分配不转增
002605	姚记扑克	9746.41	0.258	0.3803	不分配不转增
002606	大连电瓷	9416.75	0.47	0.2938	10 转增 10 股派 1 元(含税)
002607	亚夏汽车	6587.41	0.16	-0.1028	10 转增 8 股派 0.5 元(含税)
002608	江苏国信	107756.26	0.33	1.5946	不分配不转增
002609	捷顺科技	18212.30	0.31	0.2308	10 派 1.2 元(含税)
002610	爱康科技	14743.39	0.04	0.0087	不分配不转增
002611	东方精工	9565.79	0.15	0.439	10 派 0.2 元(含税)
002612	朗姿股份	16401.58	0.41	0.3311	10 派 0.5 元(含税)
002613	北玻股份	2409.89	0.0334	0.1031	10 转增 3 股
002614	蒙发利	25103.05	0.46	0.2147	10 派 1 元(含税)
002615	哈尔斯	11914.52	0.44	0.9634	10 转增 5 股派 2.1 元(含税)
002616	长青集团	16312.88	0.4508	0.8012	10 转增 10 股

股票代码	股票简称	净利润（万元）	每股收益（元）	每股经营性现金流量(元)	分配预案
002617	露笑科技	6476.35	0.09	-0.3994	10派0.3元(含税)
002618	丹邦科技	2458.99	0.07	0.3805	10转增5股派0.07元(含税)
002619	巨龙管业	21416.15	0.27	0.3042	10转增8股
002620	瑞和股份	9495.27	0.721	-0.3672	10转增15股派2.5元(含税)
002621	三垒股份	1004.75	0.04	-0.0351	10转增5股
002622	融钰集团	1567.17	0.02	-0.0395	不分配不转增
002623	亚玛顿	1705.40	0.11	1.2374	10派0.13元(含税)
002624	完美世界	116631.31	0.96	0.8785	10派0.888元(含税)
002625	龙生股份	6594.25	0.22	0.2795	不分配不转增
002626	金达威	29976.79	0.51	0.6068	10派2元(含税)
002627	宜昌交运	5088.61	0.3812	0.9555	10派1.5元(含税)
002628	成都路桥	4392.05	0.0596	0.7913	10派0.5元(含税)
002629	仁智股份	2452.35	0.06	0.2267	不分配不转增
002630	华西能源	20507.13	0.2779	-0.6438	10派0.3元(含税)
002631	德尔未来	19104.33	0.29	0.3144	10派0.3元(含税)
002632	道明光学	4871.04	0.08	0.1304	10派0.3元(含税)
002633	申科股份	-2570.58	-0.17	0.4254	不分配不转增
002634	棒杰股份	4039.81	0.09	0.3038	10派0.5元(含税)
002635	安洁科技	38710.92	1	1.4583	10转增5股派3元(含税)
002636	金安国纪	34107.33	0.469	0.7433	10派0.65元(含税)
002637	赞宇科技	15179.28	0.42	-0.1681	10派1.5元(含税)
002638	勤上股份	-42747.65	-0.4339	0.0868	不分配不转增
002639	雪人股份	3305.40	0.05	-0.0002	10派0.148元(含税)
002640	跨境通	39376.82	0.29	-0.7413	10派0.56元(含税)
002641	永高股份	21484.74	0.25	0.6359	10送2转增1股派0.5元(含税)
002642	荣之联	24010.41	0.379	0.2673	10派0.2元(含税)
002643	万润股份	31865.27	0.92	0.4198	10转增15股派3.5元(含税)
002644	佛慈制药	6092.62	0.1193	0.1114	10派0.12元(含税)
002645	华宏科技	6302.61	0.3009	0.3023	10派0.25元(含税)
002646	青青稞酒	21612.39	0.4803	0.7238	10派1.7元(含税)
002647	民盛金科	11046.28	0.5	3.2879	10转增7股
002648	卫星石化	31156.46	0.39	0.9236	10派1.16元(含税)
002649	博彦科技	11717.98	0.7	1.0083	10转增20股派1.7元(含税)
002650	加加食品	15009.84	0.13	0.3152	10派0.4元(含税)
002651	利君股份	9592.98	0.1	0.0717	10派0.5元(含税)
002652	扬子新材	8127.49	0.25	0.3345	10送4转增2股派1元(含税)
002653	海思科	45272.39	0.42	0.3944	10派4.6元(含税)
002654	万润科技	14330.71	0.18	0.3148	10派0.4元(含税)
002655	共达电声	1800.81	0.05	0.0643	10派0.11元(含税)
002656	摩登大道	-28690.55	-0.8	-0.3047	不分配不转增
002657	中科金财	17793.39	0.53	0.7926	10派0.5元(含税)
002658	雪迪龙	19390.36	0.32	0.2538	10派0.66元(含税)
002659	中泰桥梁	-9604.54	-0.25	-0.6315	不分配不转增
002660	茂硕电源	-178.81	-0.01	0.0079	不分配不转增
002661	克明面业	13706.28	0.413	0.0806	10派2元(含税)
002662	京威股份	63545.18	0.85	1.0416	10转增10股派3.5元(含税)

股票代码	股票简称	净利润（万元）	每股收益（元）	每股经营性现金流量(元)	分配预案
002663	普邦股份	10517.91	0.06	-0.0382	10 派 0.07 元(含税)
002664	信质电机	23095.78	0.58	0.7682	10 派 0.6 元(含税)
002665	首航节能	15503.59	0.08	0.0973	10 派 0.1573 元(含税)
002666	德联集团	14055.28	0.19	0.2435	10 派 0.47 元(含税)
002667	鞍重股份	-2322.22	-0.17	0.3167	不分配不转增
002668	奥马电器	29804.49	1.8	3.947	10 转增 18 股派 2.5 元(含税)
002669	康达新材	8262.51	0.41	0.228	10 派 0.72 元(含税)
002670	国盛金控	49814.56	0.7915	-6.6591	10 转增 6 股派 0.2 元(含税)
002671	龙泉股份	3002.35	0.07	0.342	10 派 0.12 元(含税)
002672	东江环保	53381.38	0.62	0.7776	10 派 1.21 元(含税)
002673	西部证券	112462.11	0.4	-1.8734	10 派 1.1 元(含税)
002674	兴业科技	6311.92	0.2418	1.387	10 派 1.5 元(含税)
002675	东诚药业	13095.26	0.1968	0.279	10 派 0.4 元(含税)
002676	顺威股份	3079.67	0.08	0.2026	10 转增 8 股派 0.15 元(含税)
002677	浙江美大	20265.61	0.32	0.4126	10 派 3.1 元(含税)
002678	珠江钢琴	15149.01	0.16	0.2602	10 派 0.7 元(含税)
002679	福建金森	2556.53	0.18	-0.1027	10 派 0.78 元(含税)
002680	长生生物	42486.75	0.4383	0.3059	10 派 3 元(含税)
002681	奋达科技	38525.57	0.31	0.2879	10 派 0.5 元(含税)
002682	龙洲股份	5031.25	0.19	-0.3954	10 派 0.75 元(含税)
002683	宏大爆破	6263.27	0.09	-0.1483	10 派 0.5 元(含税)
002684	猛狮科技	9397.69	0.29	-0.9637	10 转增 5 股派 0.5 元(含税)
002685	华东重机	2971.79	0.0445	0.2477	10 派 0.25 元(含税)
002686	亿利达	11985.02	0.291	0.4447	10 派 0.7 元(含税)
002687	乔治白	6293.74	0.18	0.3641	10 派 1.5 元(含税)
002688	金河生物	16412.92	0.26	0.4603	10 派 1.5 元(含税)
002689	远大智能	7012.78	0.0756	0.0172	不分配不转增
002690	美亚光电	30933.33	0.4576	0.4897	10 派 3 元(含税)
002691	冀凯股份	835.52	0.04	-0.2979	10 派 0.27 元(含税)
002692	睿康股份	9103.68	0.1268	0.1971	10 派 0.3 元(含税)
002693	双成药业	-38841.06	-0.96	0.0954	不分配不转增
002694	顾地科技	3978.18	0.12	0.3477	10 转增 6 股派 0.12 元(含税)
002695	煌上煌	8820.01	0.18	0.3354	10 派 0.1 元(含税)
002696	百洋股份	5925.59	0.3367	0.4456	10 派 1 元(含税)
002697	红旗连锁	14431.67	0.1061	0.2	10 派 0.19 元(含税)
002698	博实股份	10982.21	0.16	0.0132	10 派 0.7 元(含税)
002699	美盛文化	18995.86	0.41	0.0758	10 转增 8 股派 2.5 元(含税)
002700	新疆浩源	8005.53	0.19	0.3074	10 派 0.32 元(含税)
002701	奥瑞金	115358.13	0.49	0.3228	不分配不转增
002702	海欣食品	1307.16	0.0462	0.2796	10 转增 7 股
002703	浙江世宝	6348.75	0.201	0.2913	10 转增 15 股派 1 元(含税)
002705	新宝股份	43099.00	0.7501	1.6638	10 转增 3 股派 3.5 元(含税)
002706	良信电器	16219.62	0.65	0.8596	10 转增 10 股派 4 元(含税)
002707	众信旅游	21486.49	0.26	0.0597	10 派 0.25 元(含税)
002708	光洋股份	6450.94	0.142	0.0724	10 派 0.3 元(含税)
002709	天赐材料	39632.79	1.23	0.719	10 派 2 元(含税)

股票代码	股票简称	净利润（万元）	每股收益（元）	每股经营性现金流量(元)	分配预案
002711	欧浦智网	22217.11	0.34	-0.2204	10送6股派1.5元(含税)
002712	思美传媒	14155.41	0.51	1.368	10派0.7元(含税)
002713	东易日盛	17287.08	0.69	1.7597	10派8元(含税)
002714	牧原股份	232189.87	2.25	1.2406	10派6.91元(含税)
002715	登云股份	827.82	0.09	0.7453	不分配不转增
002716	金贵银业	14451.13	0.29	0.0006	10派0.5元(含税)
002717	岭南园林	26080.41	0.67	-0.1811	10派1.25元(含税)
002718	友邦吊顶	12648.14	1.48	1.5154	10派5元(含税)
002719	麦趣尔	2811.24	0.26	0.3505	10派0.46元(含税)
002721	金一文化	17406.50	0.27	-0.8086	10派0.42元(含税)
002722	金轮股份	12481.67	0.73	-0.3278	10派1.3元(含税)
002723	金莱特	658.54	0.0353	0.5	不分配不转增
002724	海洋王	11123.91	0.2781	0.2398	10转增5股派0.55元(含税)
002725	跃岭股份	4530.63	0.28	0.2395	10派1元(含税)
002726	龙大肉食	23275.44	0.53	0.6543	10派1.6元(含税)
002727	一心堂	35337.70	0.6788	0.37	10派2元(含税)
002728	特一药业	9477.70	0.47	0.5065	10派0.75元(含税)
002729	好利来	2140.49	0.32	0.5359	10派1元(含税)
002730	电光科技	3853.62	0.12	0.267	10派0.25元(含税)
002731	萃华珠宝	5822.31	0.39	2.666	10派0.8元(含税)
002732	燕塘乳业	10608.74	0.67	0.86	10派1.5元(含税)
002733	雄韬股份	12004.97	0.37	0.2216	10派1.5元(含税)
002734	利民股份	11299.23	0.83	1.5751	10派3.5元(含税)
002735	王子新材	3711.15	0.46	0.2508	10派1.2元(含税)
002736	国信证券	455615.23	0.56	-0.8866	10派2元(含税)
002737	葵花药业	30301.56	1.04	1.1686	10派3元(含税)
002738	中矿资源	5340.67	0.2851	-0.2965	10派1元(含税)
002739	万达院线	136644.61	1.1636	1.6414	10派2元(含税)
002740	爱迪尔	5779.58	0.19	-0.0913	10派0.3元(含税)
002741	光华科技	6318.42	0.18	0.1196	10派0.5元(含税)
002742	三圣股份	11791.47	0.55	0.5793	10派1.5元(含税)
002743	富煌钢构	5037.91	0.18	-1.646	10派0.3元(含税)
002745	木林森	47345.94	0.96	0.9623	10派1.7元(含税)
002746	仙坛股份	24551.60	1.49	2.3653	10派2元(含税)
002747	埃斯顿	6858.96	0.27	-0.2367	10转增20股派2元(含税)
002748	世龙实业	10467.83	0.4362	0.2255	10派1.5元(含税)
002749	国光股份	13924.66	1.8566	2.2713	10派30元(含税)
002750	龙津药业	9103.44	0.2273	0.2603	10派1.5元(含税)
002751	易尚展示	1511.65	0.11	0.8181	10派0.25元(含税)
002752	昇兴股份	18269.34	0.29	0.5795	10送1转增2股派0.5元(含税)
002753	永东股份	7920.90	0.535	0.2341	10转增5股派0.81元(含税)
002755	东方新星	460.46	0.05	0.1651	10派0.12元(含税)
002756	永兴特钢	25360.50	0.7	0.6536	10派1.3元(含税)
002757	南兴装备	6640.38	0.6073	1.0927	10派1元(含税)
002758	华通医药	4015.52	0.29	0.0325	10转增5股派1.1元(含税)
002759	天际股份	7700.90	0.3	0.1412	10派0.3元(含税)

股票代码	股票简称	净利润（万元）	每股收益（元）	每股经营性现金流量(元)	分配预案
002760	凤形股份	1022.98	0.12	-0.2296	10派0.4元(含税)
002761	多喜爱	2148.29	0.18	0.2069	10派0.23元(含税)
002762	金发拉比	7275.57	0.36	0.3979	10派1元(含税)
002763	汇洁股份	18332.10	0.85	0.9848	10派4元(含税)
002765	蓝黛传动	12863.26	0.62	-0.3495	10转增10股派1元(含税)
002766	索菱股份	7654.18	0.42	-0.2811	10转增10股派1元(含税)
002767	先锋电子	4531.43	0.3	0.2741	10派0.8元(含税)
002768	国恩股份	13091.43	0.55	-0.0559	10派1元(含税)
002769	普路通	19090.84	0.51	-1.6416	10派1元(含税)
002770	科迪乳业	8949.53	0.16	0.3688	10转增9股派0.24元(含税)
002771	真视通	6903.58	0.86	0.4748	10转增10股派3元(含税)
002772	众兴菌业	15851.03	0.4902	0.6252	10派1元(含税)
002773	康弘药业	49675.19	0.7421	1.2542	10派1.5元(含税)
002774	快意电梯	9827.90	0.3914	0.26	
002775	文科园林	13957.06	0.5736	0.3109	10派1元(含税)
002776	柏堡龙	11837.22	0.55	0.4714	10派0.7元(含税)
002777	久远银海	7726.63	0.97	0.9819	10派5元(含税)
002778	高科石化	3402.22	0.38	0.3529	10派0.8元(含税)
002779	中坚科技	3545.49	0.27	0.1685	10派0.55元(含税)
002780	三夫户外	3537.16	0.52	-0.0135	10转增5股派0.6元(含税)
002781	奇信股份	10875.24	0.48	-2.3258	10派0.49元(含税)
002782	可立克	5889.57	0.1383	0.102	10派1元(含税)
002783	凯龙股份	10877.98	1.3	1.7484	10转增15股派8元(含税)
002785	万里石	2308.53	0.12	-0.1914	10派0.12元(含税)
002786	银宝山新	9904.33	0.26	0.233	10派0.17元(含税)
002787	华源控股	10752.09	0.76	0.7098	10转增10股派5元(含税)
002788	鹭燕医药	11552.31	0.95	-0.9989	10派2元(含税)
002789	建艺集团	8225.23	1.08	-2.8713	10派1.06元(含税)
002790	瑞尔特	17615.76	1.17	0.9311	10派4元(含税)
002791	坚朗五金	25317.91	1.25	1.1082	10转增5股派2.5元(含税)
002792	通宇通讯	20906.07	0.96	0.7563	10派2元(含税)
002793	东音股份	10036.28	1.09	0.7274	10转增10股派6元(含税)
002795	永和智控	6737.78	0.74	0.6784	10转增10股派5元(含税)
002796	世嘉科技	4861.83	0.68	0.7074	10派3元(含税)
002797	第一创业	56178.13	0.27	-3.1329	10转增6股派0.4元(含税)
002798	帝王洁具	5063.11	0.65	0.3627	10派3元(含税)
002799	环球印务	2679.60	0.31	0.4127	10送5股派2元(含税)
002800	天顺股份	3543.48	0.53	-0.419	10派1元(含税)
002801	微光股份	9993.81	1.94	1.5812	10转增10股派3元(含税)
002802	洪汇新材	5262.01	0.56	0.5652	10派1.5元(含税)
002803	吉宏股份	4299.61	0.43	-0.0681	10派1.2元(含税)
002805	丰元股份	2271.71	0.27	0.2885	10派0.55元(含税)
002806	华锋股份	2626.54	0.38	0.2816	10转增7股派1元(含税)
002807	江阴银行	77792.56	0.4779	8.1036	10派1.5元(含税)
002808	苏州恒久	4104.72	0.41	0.3898	10转增6股派1元(含税)
002809	红墙股份	6613.61	0.99	1.127	10转增5股派3元(含税)

股票代码	股票简称	净利润（万元）	每股收益（元）	每股经营性现金流量(元)	分配预案
002810	山东赫达	4818.44	0.61	0.4709	10派0.5元(含税)
002811	亚泰国际	8092.62	0.55	-1.0341	10派2元(含税)
002812	创新股份	16539.19	1.52	0.8293	10派7.5元(含税)
002813	路畅科技	4079.27	0.43	-0.9945	10派2.5元(含税)
002815	崇达技术	37575.34	1.0087	1.1066	10派4.5元(含税)
002816	和科达	3022.01	0.38	-0.2872	10派0.5元(含税)
002817	黄山胶囊	5228.48	0.76	0.3753	10派1.3元(含税)
002818	富森美	55597.13	1.38	1.906	10派5元(含税)
002819	东方中科	3075.87	0.3521	0.1458	10派1元(含税)
002820	桂发祥	9176.68	0.93	0.7645	10派2.5元(含税)
002821	凯莱英	25273.52	2.75	2.4663	10转增10股派5元(含税)
002822	中装建设	15618.32	0.68	-0.3729	10转增10股派2元(含税)
002823	凯中精密	12870.26	1.16	0.7196	10转增10股派2.778元(含税)
002824	和胜股份	7501.55	0.83	0.3085	10转增5股派1.67元(含税)
002825	纳尔股份	6491.74	0.84	0.3712	10派2元(含税)
002826	易明医药	5535.85	0.38	0.3014	10派0.6元(含税)
002827	高争民爆	11033.66	0.8	0.8417	10派3元(含税)
002828	贝肯能源	6260.89	0.71	0.686	10派1.25元(含税)
002829	星网宇达	7332.61	1.29	1.0448	10转增10股派2元(含税)
002830	名雕股份	5057.89	1.01	1.4579	10转增10股派2.5元(含税)
002831	裕同科技	87481.60	2.43	0.6621	10派5元(含税)
002832	比音勒芬	13259.64	1.66	0.9796	10派2元(含税)
002833	弘亚数控	15512.77	1.55	1.1945	10派1.6元(含税)
002835	同为股份	6424.41	0.79	0.6062	10转增10股派1.5元(含税)
002836	新宏泽	5031.07	0.84	1.3786	10转增10股派2元(含税)
002837	英维克	7180.56	1.2	0.6852	10转增15股派3元(含税)
002838	道恩股份	7932.10	1.26	0.5318	10转增5股派2.5元(含税)
002839	张家港行	68947.08	0.42	3.8515	10派1元(含税)
002840	华统股份	9218.54	0.688	1.9711	10派1.05元(含税)
002841	视源股份	74195.62	2.04	2.0801	10派4.2元(含税)
002842	翔鹭钨业	5711.19	0.76	1.1336	10派1元(含税)
002843	泰嘉股份	4115.24	0.3919	0.8126	10派1.5元(含税)
002845	同兴达	9764.78	1.36	-1.3488	10派1元(含税)
002846	英联股份	5541.99	0.62	0.61	不分配不转增
002847	盐津铺子	8565.65	0.92	1.3904	10派2元(含税)
002848	高斯贝尔	6013.06	0.4797	-0.2221	10派0.6元(含税)
002849	威星智能	5222.86	0.8	0.63	10派1.1元(含税)
002850	科达利	23266.77	2.22	2.97	
002851	麦格米特	10967.69	0.8232	0.54	不分配不转增
002852	道道全	20573.36	2.74	1.86	
002853	皮阿诺	8753.99	1.88	2.12	
002855	捷荣技术	7218.58	0.4	0.56	
002856	美芝股份	5211.78	0.69	1.01	
002857	三晖电气	4007.81	0.67	0.2637	10派2元(含税)
002858	力盛赛车	3267.39	0.69	1.15	不分配不转增
002859	洁美科技	13811.67	1.75	1.04	

股票代码	股票简称	净利润（万元）	每股收益（元）	每股经营性现金流量(元)	分配预案
002860	星帅尔	7373.71	1.21	1.18	
002861	瀛通通讯	10415.46	1.13	1.03	10 派 5 元(含税)
002862	实丰文化	4007.67	0.67	1.07	
002863	今飞凯达	7311.25	0.44	0.99	
002865	钧达股份	5575.37	0.62	1.92	
002866	传艺科技	9000.92	0.84	0.33	
002867	周大生	42667.13	1.06	1.04	
002868	绿康生化	9236.07	1.03	1.5	
002869	金溢科技	12164.28	1.38	0.22	
002870	香山股份	10412.58	1.25	0.96	
002871	伟隆股份	5244.05	1.03	1.35	
002872	天圣制药	22449.70	1.41	3.19	

2016 年深市创业板上市公司年报主要财务指标

股票代码	股票简称	净利润（万元）	每股收益（元）	每股经营性现金流量(元)	分配预案
300001	特锐德	25152.76	0.25	0.3884	10 派 0.2 元(含税)
300002	神州泰岳	50733.17	0.2565	0.0466	10 派 0.26 元(含税)
300003	乐普医疗	67925.57	0.3913	0.3968	10 派 0.98 元(含税)
300004	南风股份	9270.92	0.18	0.1811	10 派 0.2 元(含税)
300005	探路者	16560.51	0.2953	0.4784	10 转增 5 股派 2 元(含税)
300006	莱美药业	698.11	0.009	0.1547	10 派 0.5 元(含税)
300007	汉威电子	9062.95	0.31	0.6875	10 派 0.35 元(含税)
300008	天海防务	14434.81	0.426	-0.5294	10 转增 15 股派 1 元(含税)
300009	安科生物	19730.28	0.3681	0.4712	10 转增 3 股派 1.5 元(含税)
300010	立思辰	28031.20	0.3524	0.3202	10 派 0.3 元(含税)
300011	鼎汉技术	11122.42	0.2104	0.1114	10 派 0.3 元(含税)
300012	华测检测	10153.79	0.13	0.4336	10 转增 10 股派 0.5 元(含税)
300013	新宁物流	6098.36	0.2	0.1143	10 派 0.1 元(含税)
300014	亿纬锂能	25181.52	0.59	0.1106	10 转增 10 股派 1.2 元(含税)
300015	爱尔眼科	55746.72	0.56	0.6682	10 送 5 股派 1.8 元(含税)
300016	北陆药业	1637.95	0.05	0.2336	10 派 0.1 元(含税)
300017	网宿科技	125039.66	1.6175	1.3367	10 转增 20 股派 2.5 元(含税)
300018	中元股份	10678.02	0.22	0.2483	10 派 0.5 元(含税)
300019	硅宝科技	9064.42	0.2764	0.2363	10 派 1 元(含税)
300020	银江股份	15337.73	0.23	-0.2091	10 派 0.5 元(含税)
300021	大禹节水	6048.72	0.2002	-0.3363	10 转增 15 股派 1 元(含税)
300022	吉峰农机	1176.04	0.0309	0.3764	不分配不转增
300023	宝德股份	6285.02	0.2	-5.5577	不分配不转增
300024	机器人	41077.36	0.2633	-0.1006	不分配不转增
300025	华星创业	7498.30	0.17	0.0065	10 派 0.28 元(含税)
300026	红日药业	65853.22	0.22	0.1488	10 派 0.25 元(含税)
300027	华谊兄弟	80813.40	0.29	0.2725	10 派 0.3 元(含税)
300028	金亚科技	-2109.83	-0.0612	0.1077	不分配不转增
300029	天龙光电	-5701.03	-0.2851	0.1373	不分配不转增

股票代码	股票简称	净利润（万元）	每股收益（元）	每股经营性现金流量(元)	分配预案
300030	阳普医疗	3047.74	0.1	0.0751	不分配不转增
300031	宝通科技	14072.57	0.3827	0.3688	10派1元(含税)
300032	金龙机电	13634.58	0.19	0.2595	10派1元(含税)
300033	同花顺	121157.67	2.25	1.5781	10派9元(含税)
300034	钢研高纳	9596.79	0.2294	0.029	10派0.6元(含税)
300035	中科电气	2271.72	0.1	0.222	10转增10股派1元(含税)
300036	超图软件	12745.02	0.58	0.4964	10派0.6元(含税)
300037	新宙邦	25591.97	1.39	1.0289	10转增10股派5元(含税)
300038	梅泰诺	10810.48	0.5677	0.8441	不分配不转增
300039	上海凯宝	28260.68	0.3397	0.3796	10转增3股
300040	九洲电气	13051.44	0.39	0.3307	10派1元(含税)
300041	回天新材	9703.92	0.2421	0.2683	10派1.5元(含税)
300042	朗科科技	4443.88	0.3326	0.159	10派1.6元(含税)
300043	星辉娱乐	45802.77	0.37	0.1551	10派0.6元(含税)
300044	赛为智能	10081.95	0.3	-0.2339	10派0.3元(含税)
300045	华力创通	5102.64	0.09	0.0493	10派0.1元(含税)
300046	台基股份	3854.35	0.2713	0.4311	10派0.5元(含税)
300047	天源迪科	11490.37	0.34	-0.5939	10派0.35元(含税)
300048	合康新能	17895.08	0.23	0.2024	10转增4股派0.5元(含税)
300049	福瑞股份	12104.79	0.4596	0.5654	10派1元(含税)
300050	世纪鼎利	11993.82	0.24	0.4815	10派0.5元(含税)
300051	三五互联	5688.85	0.16	0.2314	不分配不转增
300052	中青宝	-4972.93	-0.19	0.3535	不分配不转增
300053	欧比特	8458.95	0.145	0.2277	10派0.15元(含税)
300054	鼎龙股份	24010.18	0.51	0.6078	10转增8股派1元(含税)
300055	万邦达	26224.83	0.3191	0.1207	10派0.15元(含税)
300056	三维丝	22061.48	0.6	-0.0753	不分配不转增
300057	万顺股份	7569.34	0.1722	0.2881	10派0.4元(含税)
300058	蓝色光标	63967.55	0.33	-0.0451	10派0.6535元(含税)
300059	东方财富	71376.88	0.2059	-1.1882	10转增2股派0.4元(含税)
300061	康耐特	10852.47	0.4	0.3183	10派0.2元(含税)
300062	中能电气	7843.58	0.51	0.3632	10转增10股派1元(含税)
300063	天龙集团	14234.46	0.4899	0.4058	10转增15股派0.5元(含税)
300064	豫金刚石	13756.26	0.1796	0.0311	10派0.15元(含税)
300065	海兰信	8198.35	0.34	0.6503	10转增5股派0.8元(含税)
300066	三川智慧	13357.63	0.1284	0.1043	10派0.2元(含税)
300067	安诺其	8185.80	0.15	0.1989	10转增2股派0.2元(含税)
300068	南都电源	32934.34	0.48	0.0066	10派2元(含税)
300069	金利华电	2388.59	0.2	0.0327	不分配不转增
300070	碧水源	184576.00	0.6	0.2404	10派0.56元(含税)
300071	华谊嘉信	13123.64	0.19	0.0455	10派0.4元(含税)
300072	三聚环保	161705.30	1.38	0.2688	10转增5股派2元(含税)
300073	当升科技	9928.78	0.5425	-0.3905	10转增10股派1.1元(含税)
300074	华平股份	7072.15	0.1337	0.0352	10派0.2元(含税)
300075	数字政通	13136.49	0.34	0.0588	10派0.3元(含税)
300076	GQY视讯	-2169.51	-0.05	0.0607	不分配不转增

股票代码	股票简称	净利润（万元）	每股收益（元）	每股经营性现金流量(元)	分配预案
300077	国民技术	10120.73	0.18	-0.1014	10派0.2元(含税)
300078	思创医惠	18797.89	0.45	0.2999	10转增8股派2.5元(含税)
300079	数码视讯	22949.55	0.1666	0.1633	10派0.3元(含税)
300080	易成新能	2055.72	0.0409	0.0433	不分配不转增
300081	恒信移动	1582.32	0.0356	0.0062	10派0.1元(含税)
300082	奥克股份	7633.58	0.11	0.321	10派0.65元(含税)
300083	劲胜精密	13144.14	0.09	-0.237	10派0.2元(含税)
300084	海默科技	707.58	0.0205	0.0031	10派0.1元(含税)
300085	银之杰	8079.68	0.1182	0.0697	10派0.15元(含税)
300086	康芝药业	4615.66	0.1026	0.202	不分配不转增
300087	荃银高科	3067.72	0.1	0.5667	10转增3股派1元(含税)
300088	长信科技	34709.78	0.3	0.2264	10派0.5元(含税)
300089	文化长城	13679.72	0.35	0.3515	10派0.25元(含税)
300090	盛运环保	11908.15	0.0902	-0.4774	不分配不转增
300091	金通灵	4640.54	0.09	0.0289	10派0.09元(含税)
300092	科新机电	3188.97	0.1402	-0.1021	不分配不转增
300093	金刚玻璃	468.38	0.02	0.2345	10派0.02元(含税)
300094	国联水产	9394.46	0.12	-0.2736	10派0.1元(含税)
300095	华伍股份	4642.77	0.131	0.0712	10派0.3元(含税)
300096	易联众	1059.82	0.025	-0.6409	10派0.05元(含税)
300097	智云股份	9302.29	0.63	-0.947	10转增8股派0.5元(含税)
300098	高新兴	31595.77	0.2961	0.2602	10派0.3元(含税)
300099	精准信息	2991.19	0.045	0.154	10派1元(含税)
300100	双林股份	32675.31	0.82	0.8618	10派0.2元(含税)
300101	振芯科技	4000.76	0.072	-0.283	不分配不转增
300102	乾照光电	4838.24	0.07	-0.1018	10派0.1元(含税)
300103	达刚路机	2364.37	0.1117	0.1785	10派0.5元(含税)
300104	乐视网	55475.92	0.29	-0.539	10转增10股派0.28元(含税)
300105	龙源技术	-16448.47	-0.3205	0.4407	不分配不转增
300106	西部牧业	-5221.47	-0.26	-1.2756	10派0.1元(含税)
300107	建新股份	2275.28	0.042	0.2168	10派0.3元(含税)
300108	双龙股份	18636.13	0.37	0.1606	10派0.5元(含税)
300109	新开源	8003.98	0.47	0.6695	10派1元(含税)
300110	华仁药业	2394.62	0.0363	0.2763	10送1转增4股派0.15元(含税)
300111	向日葵	3064.38	0.03	0.3261	不分配不转增
300112	万讯自控	2670.52	0.1	0.2933	10派0.32元(含税)
300113	顺网科技	52100.91	0.76	1.0009	10派1.2元(含税)
300114	中航电测	10303.51	0.26	0.5943	10转增5股派0.5元(含税)
300115	长盈精密	68373.99	0.76	1.2062	10派1.5元(含税)
300116	坚瑞沃能	42455.15	0.57	-1.7708	10转增10股派0.1元(含税)
300117	嘉寓股份	7627.17	0.11	-0.0566	10派0.1元(含税)
300118	东方日升	68884.59	1.06	0.4923	10派1.5元(含税)
300119	瑞普生物	13278.25	0.3368	0.5134	10派1.5元(含税)
300120	经纬电材	1567.92	0.0766	-0.094	不分配不转增
300121	阳谷华泰	15677.84	0.56	0.5965	10派1元(含税)
300122	智飞生物	3252.03	0.02	0.0562	10派0.1元(含税)

股票代码	股票简称	净利润（万元）	每股收益（元）	每股经营性现金流量(元)	分配预案
300123	太阳鸟	1827.00	0.06	-0.001	不分配不转增
300124	汇川技术	93183.75	0.59	0.261	10派2.75元(含税)
300125	易世达	-6225.83	-0.53	0.6252	不分配不转增
300126	锐奇股份	624.79	0.02	0.2531	10派0.15元(含税)
300127	银河磁体	11829.09	0.37	0.2167	10派2.5元(含税)
300128	锦富技术	3820.12	0.08	0.0208	10转增8股派0.1元(含税)
300129	泰胜风能	21910.57	0.3	0.2581	10派0.65元(含税)
300130	新国都	13902.17	0.6	1.0885	10派0.6元(含税)
300131	英唐智控	20143.02	0.19	0.0252	10派1.2元(含税)
300132	青松股份	3273.46	0.0848	0.1935	不分配不转增
300133	华策影视	47847.06	0.27	-0.3953	10派0.3元(含税)
300134	大富科技	12466.69	0.18	0.4409	不分配不转增
300135	宝利国际	2724.11	0.03	0.2092	10派0.2元(含税)
300136	信维通信	53156.87	0.5551	0.1573	10派0.5元(含税)
300137	先河环保	10531.20	0.31	0.4408	10派1元(含税)
300138	晨光生物	9247.40	0.3558	-1.227	10转增4股派0.8元(含税)
300139	晓程科技	2798.51	0.1	0.0865	10派0.11元(含税)
300140	中环装备	9017.29	0.2613	-0.693	不分配不转增
300141	和顺电气	2972.91	0.18	-0.1199	10转增5股派0.5元(含税)
300142	沃森生物	7045.87	0.05	-0.0585	不分配不转增
300143	星河生物	5508.04	0.22	0.158	不分配不转增
300144	宋城演艺	90230.52	0.62	0.7092	10派1元(含税)
300145	中金环境	50998.61	0.77	0.8651	10转增8股派0.8元(含税)
300146	汤臣倍健	53521.18	0.37	0.4656	10派2.6元(含税)
300147	香雪制药	6602.41	0.1	0.3001	不分配不转增
300148	天舟文化	24356.90	0.44	0.4675	10转增3股派0.45元(含税)
300149	量子高科	6498.10	0.15	0.1688	10派0.5元(含税)
300150	世纪瑞尔	9078.40	0.17	0.098	10派0.6元(含税)
300151	昌红科技	3150.20	0.06	0.0883	10派0.3元(含税)
300152	科融环境	-13184.07	-0.18	0.3411	10派0.03元(含税)
300153	科泰电源	4845.61	0.15	-0.0783	10派1元(含税)
300154	瑞凌股份	7325.30	0.16	0.3923	10派1.5元(含税)
300155	安居宝	1760.03	0.03	0.0753	10派0.1元(含税)
300156	神雾环保	70575.74	0.7	0.2154	10派1元(含税)
300157	恒泰艾普	8495.38	0.13	-0.2845	不分配不转增
300158	振东制药	20306.39	0.5558	-0.086	10派0.5元(含税)
300159	新研股份	25093.73	0.17	0.1284	10派0.17元(含税)
300160	秀强股份	11954.70	0.2	0.2583	10派0.4元(含税)
300161	华中数控	1331.83	0.08	-0.0341	10派0.2元(含税)
300162	雷曼股份	3076.02	0.09	0.2827	10派1元(含税)
300163	先锋新材	6792.31	0.14	0.3092	10派0.5元(含税)
300164	通源石油	2197.44	0.05	-0.035	10派0.1元(含税)
300165	天瑞仪器	5574.40	0.12	-0.065	10派0.25元(含税)
300166	东方国信	32790.11	0.53	0.1375	10转增6股派0.5元(含税)
300167	迪威视讯	2938.57	0.0979	-0.3764	10派1元(含税)
300168	万达信息	23827.32	0.2343	0.1117	10派0.3元(含税)

股票代码	股票简称	净利润（万元）	每股收益（元）	每股经营性现金流量（元）	分配预案
300169	天晟新材	1819.18	0.0558	-0.0566	10 派 0.21 元（含税）
300170	汉得信息	24138.20	0.28	-0.3136	10 派 0.5 元（含税）
300171	东富龙	23451.15	0.37	0.1693	10 派 1 元（含税）
300172	中电环保	10904.30	0.22	0.0137	10 派 0.5 元（含税）
300173	智慧松德	7439.99	0.13	-0.0395	10 派 0.4 元（含税）
300174	元力股份	4254.78	0.3129	0.6547	10 转增 8 股派 2 元（含税）
300175	朗源股份	2832.37	0.06	0.8331	10 派 0.1 元（含税）
300176	鸿特精密	5011.15	0.4671	2.3603	10 派 2 元（含税）
300177	中海达	1888.29	0.0432	0.2604	10 派 0.15 元（含税）
300178	腾邦国际	17828.90	0.33	0.3622	10 派 0.33 元（含税）
300179	四方达	2951.52	0.0618	0.0903	不分配不转增
300180	华峰超纤	10054.81	0.22	-0.3717	10 派 0.3 元（含税）
300181	佐力药业	7202.04	0.12	0.0958	10 派 0.2 元（含税）
300182	捷成股份	96145.26	0.3877	0.244	10 派 0.37 元（含税）
300183	东软载波	35647.28	0.7865	0.5606	10 派 2.5 元（含税）
300184	力源信息	4734.90	0.1221	0.0021	不分配不转增
300185	通裕重工	16621.43	0.05	0.0631	10 派 0.4 元（含税）
300187	永清环保	14152.25	0.22	0.4752	10 派 0.25 元（含税）
300188	美亚柏科	18262.40	0.38	0.6943	10 派 0.4 元（含税）
300189	神农基因	1703.69	0.0166	-0.8339	10 派 0.05 元（含税）
300190	维尔利	9275.34	0.24	0.0771	10 派 0.5 元（含税）
300191	潜能恒信	1136.35	0.04	-0.2441	10 派 0.1 元（含税）
300192	科斯伍德	3600.00	0.15	0.2419	10 派 0.2 元（含税）
300193	佳士科技	10100.88	0.2054	0.4982	10 派 0.3 元（含税）
300194	福安药业	22195.82	0.68	0.9435	10 转增 20 股派 2 元（含税）
300195	长荣股份	13564.82	0.4	0.8067	10 派 1.5 元（含税）
300196	长海股份	25762.73	1.3	1.5513	10 派 3 元（含税）
300197	铁汉生态	52206.56	0.35	-0.4129	10 派 0.5 元（含税）
300198	纳川股份	6386.81	0.0633	0.0318	10 派 0.1 元（含税）
300199	翰宇药业	29192.47	0.33	0.3228	10 派 1 元（含税）
300200	高盟新材	5685.35	0.27	0.5046	10 派 2 元（含税）
300201	海伦哲	8838.28	0.089	-0.0687	10 派 0.15 元（含税）
300202	聚龙股份	31160.45	0.57	0.1601	10 派 3 元（含税）
300203	聚光科技	40233.32	0.9	0.2638	10 派 1.5 元（含税）
300204	舒泰神	25727.47	0.54	0.4441	10 派 1.8 元（含税）
300205	天喻信息	1984.98	0.0462	0.1874	10 派 0.3 元（含税）
300206	理邦仪器	2635.28	0.045	-0.0767	10 派 0.34 元（含税）
300207	欣旺达	44993.00	0.36	0.8107	10 派 0.35 元（含税）
300208	恒顺众昇	25278.64	0.33	-0.2374	不分配不转增
300209	天泽信息	9737.66	0.36	0.0581	10 派 1 元（含税）
300210	森远股份	7647.10	0.28	-0.1246	10 转增 8 股派 0.3 元（含税）
300211	亿通科技	379.63	0.0125	0.1185	10 派 0.1 元（含税）
300212	易华录	14110.56	0.3816	-1.1372	10 派 1.2 元（含税）
300213	佳讯飞鸿	10320.67	0.39	0.2517	10 转增 10 股派 1 元（含税）
300214	日科化学	7998.41	0.2	-0.1385	10 派 0.5 元（含税）
300215	电科院	7067.07	0.1	0.4492	10 派 0.55 元（含税）

股票代码	股票简称	净利润（万元）	每股收益（元）	每股经营性现金流量(元)	分配预案
300216	千山药机	20579.41	0.57	-0.0462	10派0.6元(含税)
300217	东方电热	4586.09	0.036	0.0618	10派0.1元(含税)
300218	安利股份	5837.91	0.269	0.7871	10派0.86元(含税)
300219	鸿利智汇	13816.59	0.21	0.3496	10派0.3元(含税)
300220	金运激光	673.40	0.0534	0.1593	10派0.06元(含税)
300221	银禧科技	15299.30	0.38	0.1221	10派1元(含税)
300222	科大智能	27673.49	0.44	0.0799	10派0.6元(含税)
300223	北京君正	705.21	0.0424	-0.395	不分配不转增
300224	正海磁材	19089.40	0.38	-0.1027	10转增5股派3元(含税)
300225	金力泰	7023.55	0.149	0.1916	10派0.5元(含税)
300226	上海钢联	2210.49	0.1402	-4.8329	不分配不转增
300227	光韵达	1618.58	0.1179	0.1775	10派0.1元(含税)
300228	富瑞特装	-29863.25	-0.63	-0.1351	不分配不转增
300229	拓尔思	13700.53	0.2941	0.1899	10派0.5元(含税)
300230	永利股份	15355.43	0.6843	0.7326	10转增8股派2元(含税)
300231	银信科技	11596.78	0.3511	0.0002	10派1.5元(含税)
300232	洲明科技	16645.30	0.29	0.359	10派0.5元(含税)
300233	金城医药	15939.02	0.63	0.9537	10派1.5元(含税)
300234	开尔新材	2845.57	0.1	0.1966	10派0.1元(含税)
300235	方直科技	1841.26	0.12	0.0609	10派0.15元(含税)
300236	上海新阳	5439.94	0.28	0.3534	10派1元(含税)
300237	美晨科技	44664.92	0.55	-0.4683	10派0.6元(含税)
300238	冠昊生物	6537.11	0.26	0.2339	10派0.8元(含税)
300239	东宝生物	1922.70	0.0417	0.088	10派0.25元(含税)
300240	飞力达	6612.59	0.18	0.3402	10派0.3元(含税)
300241	瑞丰光电	5000.39	0.2262	0.0068	10派0.2元(含税)
300242	明家联合	18219.39	0.29	-0.2533	10派0.29元(含税)
300243	瑞丰高材	1781.12	0.09	2.0438	10派0.1元(含税)
300244	迪安诊断	26276.09	0.48	0.24	10派0.25元(含税)
300245	天玑科技	5777.35	0.22	0.2017	10派0.5元(含税)
300246	宝莱特	6714.35	0.46	0.3478	10派0.5元(含税)
300247	乐金健康	8563.45	0.12	0.0546	10派0.3元(含税)
300248	新开普	8485.02	0.28	0.4326	10派0.55元(含税)
300249	依米康	4442.85	0.13	0.2408	不分配不转增
300250	初灵信息	13635.23	0.6	0.5968	10派2.2元(含税)
300251	光线传媒	74091.13	0.25	0.2546	10派0.4元(含税)
300252	金信诺	19543.69	0.47	0.4071	10派1元(含税)
300253	卫宁健康	51862.28	0.6413	0.1701	10转增9股派0.65元(含税)
300254	仟源医药	3014.77	0.1447	0.1999	10派0.5元(含税)
300255	常山药业	17548.72	0.2	0.1839	10派0.15元(含税)
300256	星星科技	14605.19	0.2269	0.4777	不分配不转增
300257	开山股份	9945.57	0.12	0.0952	10派1.5元(含税)
300258	精锻科技	19068.57	0.4708	0.7677	10派1元(含税)
300259	新天科技	10530.02	0.22	0.2572	10派0.3元(含税)
300260	新莱应材	1219.02	0.1218	0.7227	10转增10股派0.2元(含税)
300261	雅本化学	1620.52	0.0304	0.0393	10派0.4元(含税)

股票代码	股票简称	净利润（万元）	每股收益（元）	每股经营性现金流量（元）	分配预案
300262	巴安水务	14090.61	0.3595	-0.9402	10 转增 5 股派 0.1 元(含税)
300263	隆华节能	1524.95	0.0173	0.1332	10 派 0.1 元(含税)
300264	佳创视讯	1364.46	0.03	0.0542	10 派 0.2 元(含税)
300265	通光线缆	12557.14	0.37	-0.0391	10 派 0.5 元(含税)
300266	兴源环境	18578.17	0.37	-0.0869	10 转增 10 股派 0.5 元(含税)
300267	尔康制药	102643.45	0.5	0.2361	10 派 0.2 元(含税)
300268	万福生科	587.97	0.044	0.0204	不分配不转增
300269	联建光电	40296.02	0.6976	0.7378	10 派 2 元(含税)
300270	中威电子	4355.57	0.16	0.3277	10 派 0.2 元(含税)
300271	华宇软件	27169.42	0.43	0.3681	10 派 0.5 元(含税)
300272	开能环保	9024.96	0.272	0.1506	10 送 2 股派 1 元(含税)
300273	和佳股份	8922.63	0.11	-0.5203	10 派 0.15 元(含税)
300274	阳光电源	55361.31	0.41	0.6121	10 派 0.5 元(含税)
300275	梅安森	-6989.81	-0.42	-0.3868	不分配不转增
300276	三丰智能	1486.46	0.0397	0.0943	10 派 0.1 元(含税)
300277	海联讯	2612.10	0.078	0.1295	10 派 0.5 元(含税)
300278	华昌达	11647.07	0.2137	-0.1577	10 派 0.22 元(含税)
300279	和晶科技	6850.13	0.4535	0.278	10 转增 18 股派 1 元(含税)
300280	南通锻压	223.65	0.0175	0.261	10 派 0.1 元(含税)
300281	金明精机	3266.74	0.13	0.0207	10 派 0.5 元(含税)
300282	汇冠股份	12570.25	0.56	0.7189	不分配不转增
300283	温州宏丰	2426.10	0.06	-0.3644	10 派 0.11 元(含税)
300284	苏交科	37920.96	0.6821	0.1381	10 派 1.4 元(含税)
300285	国瓷材料	13039.66	0.45	0.4782	10 转增 10 股派 1 元(含税)
300286	安科瑞	8012.96	0.57	0.7578	10 派 2 元(含税)
300287	飞利信	34008.46	0.25	0.0061	10 派 0.48 元(含税)
300288	朗玛信息	8514.58	0.25	0.2644	10 派 0.6 元(含税)
300289	利德曼	6964.86	0.17	0.193	10 派 0.1 元(含税)
300290	荣科科技	3239.75	0.1008	0.1535	10 派 0.21 元(含税)
300291	华录百纳	37845.78	0.515	-0.5687	10 派 1 元(含税)
300292	吴通控股	16796.32	0.13	0.1371	10 派 0.5 元(含税)
300293	蓝英装备	1543.18	0.06	1.0689	10 派 0.5 元(含税)
300294	博雅生物	27204.18	1.02	0.7433	10 转增 5 股派 1 元(含税)
300295	三六五网	10835.48	0.56	-1.7218	10 派 1.2 元(含税)
300296	利亚德	66882.95	0.87	0.0169	10 转增 10 股派 1.3 元(含税)
300297	蓝盾股份	32289.49	0.3	0.292	10 派 0.3 元(含税)
300298	三诺生物	11519.83	0.3611	0.6012	10 转增 2 股派 3.6 元(含税)
300299	富春股份	10980.17	0.29	0.3951	10 转增 5 股派 0.8 元(含税)
300300	汉鼎宇佑	3823.68	0.09	-0.6605	10 派 0.1 元(含税)
300301	长方集团	-6274.47	-0.0838	-0.0051	不分配不转增
300302	同有科技	12876.12	0.31	-0.1651	10 派 0.5 元(含税)
300303	聚飞光电	15521.20	0.23	0.2006	10 转增 8 股派 1 元(含税)
300304	云意电气	11005.26	0.51	0.407	10 转增 28 股派 1 元(含税)
300305	裕兴股份	7224.31	0.25	0.2928	10 派 0.6 元(含税)
300306	远方光电	8713.55	0.36	0.3526	10 派 0.68 元(含税)
300307	慈星股份	12421.27	0.15	0.0813	10 派 1 元(含税)

股票代码	股票简称	净利润（万元）	每股收益（元）	每股经营性现金流量（元）	分配预案
300308	中际装备	1005.41	0.05	0.1566	10派0.1元(含税)
300309	吉艾科技	-43931.83	-0.99	-1.632	不分配不转增
300310	宜通世纪	17073.83	0.39	0.2308	10转增8股派0.8元(含税)
300311	任子行	10954.94	0.25	0.2045	10派0.5元(含税)
300312	邦讯技术	1968.18	0.06	-0.0409	不分配不转增
300313	天山生物	-13962.98	-0.72	0.6164	不分配不转增
300314	戴维医疗	6216.59	0.22	0.2672	10派0.6元(含税)
300315	掌趣科技	50858.58	0.18	0.3161	10派0.19元(含税)
300316	晶盛机电	20374.86	0.23	-0.0671	10派1元(含税)
300317	珈伟股份	31404.68	0.7189	0.522	10转增8股派1元(含税)
300318	博晖创新	2359.92	0.029	0.0949	10派0.03元(含税)
300319	麦捷科技	15646.20	0.73	1.4113	10转增20股派1.4元(含税)
300320	海达股份	8298.12	0.2829	0.0865	10派0.61元(含税)
300321	同大股份	3314.04	0.3732	0.9259	10派1元(含税)
300322	硕贝德	6715.65	0.16	0.0157	10派0.3元(含税)
300323	华灿光电	26719.04	0.35	0.3792	10派0.5元(含税)
300324	旋极信息	37729.90	0.3726	0.5072	10派0.7元(含税)
300325	德威新材	7743.92	0.08	-0.3472	10派0.2元(含税)
300326	凯利泰	15884.09	0.2287	0.1823	10派0.25元(含税)
300327	中颖电子	10763.25	0.5669	0.4435	10转增1股派3.5元(含税)
300328	宜安科技	3068.77	0.0759	0.071	10派0.2元(含税)
300329	海伦钢琴	3328.48	0.1325	0.1672	10派0.25元(含税)
300330	华虹计通	-2894.72	-0.17	0.0611	不分配不转增
300331	苏大维格	3163.92	0.17	-0.0453	10派0.5元(含税)
300332	天壕环境	5837.26	0.08	0.1859	10派0.15元(含税)
300333	兆日科技	1910.26	0.0569	0.1009	10派0.45元(含税)
300334	津膜科技	4739.58	0.1717	-0.2544	10派0.2元(含税)
300335	迪森股份	12750.98	0.35	0.6469	10派0.8元(含税)
300336	新文化	26520.20	0.49	0.8308	10派1元(含税)
300337	银邦股份	730.66	0.0089	-0.2989	不分配不转增
300338	开元股份	589.16	0.0234	0.1326	10派0.1元(含税)
300339	润和软件	30357.91	0.85	0.8096	10转增10股派2元(含税)
300340	科恒股份	3358.59	0.3309	0.0151	不分配不转增
300341	麦迪电气	11366.89	0.2241	0.2214	10派0.5元(含税)
300342	天银机电	16527.62	0.52	0.3649	10转增3股派2元(含税)
300343	联创互联	20140.22	0.36	-0.083	10派1元(含税)
300344	太空板业	2472.23	0.1025	-0.2104	10转增4股派0.2元(含税)
300345	红宇新材	913.54	0.02	-0.2063	10派0.3元(含税)
300346	南大光电	754.87	0.0469	0.2055	10派0.6元(含税)
300347	泰格医药	14065.20	0.3	0.4041	不分配不转增
300348	长亮科技	10125.29	0.3648	-0.0744	10派0.8元(含税)
300349	金卡智能	8760.84	0.48	1.1048	10派1元(含税)
300350	华鹏飞	13190.22	0.44	1.1329	10转增8股派0.35元(含税)
300351	永贵电器	16138.00	0.45	0.1018	10派0.65元(含税)
300352	北信源	8034.72	0.15	-0.035	10转增15股派0.4元(含税)
300353	东土科技	12314.39	0.2502	0.0818	10派0.48元(含税)

股票代码	股票简称	净利润（万元）	每股收益（元）	每股经营性现金流量(元)	分配预案
300354	东华测试	197.83	0.0143	0.1017	10 派 0.05 元(含税)
300355	蒙草生态	33931.30	0.35	0.1054	10 转增 6 股派 0.6 元(含税)
300356	光一科技	6378.67	0.3888	0.9344	10 转增 15 股派 0.3 元(含税)
300357	我武生物	12920.10	0.8	0.7597	10 派 2.5 元(含税)
300358	楚天科技	14312.50	0.33	-0.0671	10 派 0.61 元(含税)
300359	全通教育	10294.37	0.16	-0.0662	10 派 0.26 元(含税)
300360	炬华科技	25549.01	0.71	0.6631	10 派 1.5 元(含税)
300362	天翔环境	12659.41	0.3035	0.0812	10 派 0.6 元(含税)
300363	博腾股份	17118.97	0.41	0.6712	10 派 0.6 元(含税)
300364	中文在线	3504.47	0.1368	0.7021	10 转增 15 股派 0.4 元(含税)
300365	恒华科技	12542.89	0.71	0.0822	10 派 0.75 元(含税)
300366	创意信息	11688.89	0.5149	0.0168	10 转增 10 股派 1 元(含税)
300367	东方网力	33471.07	0.4186	0.1	10 派 0.4 元(含税)
300368	汇金股份	4573.67	0.0841	0.0795	10 派 0.2 元(含税)
300369	绿盟科技	22012.41	0.61	0.2515	10 转增 10 股派 1.2 元(含税)
300370	安控科技	8631.67	0.1569	-0.1193	10 转增 6 股派 0.3 元(含税)
300371	汇中股份	5292.06	0.441	0.4759	10 派 0.9 元(含税)
300372	欣泰电气	-10780.87	-0.6284	-0.5767	不分配不转增
300373	扬杰科技	20182.09	0.47	0.5365	10 派 1.2 元(含税)
300374	恒通科技	5021.87	0.26	0.1853	10 派 0.3 元(含税)
300375	鹏翎股份	15731.50	0.86	0.6663	10 派 2.4 元(含税)
300376	易事特	47164.50	0.8968	0.9769	10 转增 30 股派 0.9 元(含税)
300377	赢时胜	12103.94	0.4239	0.1783	10 转增 15 股派 3 元(含税)
300378	鼎捷软件	4108.22	0.16	0.3885	10 派 1 元(含税)
300379	东方通	11136.36	0.8792	1.065	10 转增 10 股派 2 元(含税)
300380	安硕信息	-1949.26	-0.14	-0.0699	不分配不转增
300381	溢多利	11356.61	0.2959	-0.1085	10 派 0.6 元(含税)
300382	斯莱克	10848.70	0.91	0.174	10 转增 15 股派 10 元(含税)
300383	光环新网	33515.98	0.5	0.6631	10 转增 10 股派 1 元(含税)
300384	三联虹普	8172.75	0.5472	0.2583	10 派 3 元(含税)
300385	雪浪环境	8870.73	0.7392	-0.1524	10 派 1.25 元(含税)
300386	飞天诚信	11958.96	0.29	0.2364	10 派 1 元(含税)
300387	富邦股份	8531.29	0.69	0.7555	10 派 1.37 元(含税)
300388	国祯环保	12981.83	0.41	-1.7045	10 派 1 元(含税)
300389	艾比森	15135.31	0.4765	0.222	10 派 1.1 元(含税)
300390	天华超净	1606.79	0.05	0.0637	不分配不转增
300391	康跃科技	422.11	0.03	-0.108	10 派 0.1 元(含税)
300392	腾信股份	-26582.68	-0.69	-0.0144	不分配不转增
300393	中来股份	16516.45	0.92	-0.8372	不分配不转增
300394	天孚通信	12157.77	0.6542	0.8261	10 派 3.2 元(含税)
300395	菲利华	10803.11	0.5527	0.5331	10 转增 5 股派 2.5 元(含税)
300396	迪瑞医疗	12513.62	0.82	1.3938	10 派 2 元(含税)
300397	天和防务	-7069.57	-0.29	-0.1379	不分配不转增
300398	飞凯材料	6778.68	0.65	0.5639	10 转增 25 股派 1 元(含税)
300399	京天利	1513.19	0.1	0.2101	10 派 0.4 元(含税)
300400	劲拓股份	5210.82	0.43	0.2195	10 送 5 转增 5 股派 1.25 元(含税)

股票代码	股票简称	净利润（万元）	每股收益（元）	每股经营性现金流量(元)	分配预案
300401	花园生物	4377.28	0.24	0.2716	10派0.5元(含税)
300402	宝色股份	-9961.51	-0.49	-0.329	不分配不转增
300403	地尔汉宇	19156.60	1.4296	1.2598	10转增15股派2.5元(含税)
300404	博济医药	208.71	0.0157	-0.2568	不分配不转增
300405	科隆精化	1573.25	0.2013	0.2665	10转增5股
300406	九强生物	27164.61	0.55	0.4865	10派3元(含税)
300407	凯发电气	12176.54	0.45	-0.4606	10派0.21元(含税)
300408	三环集团	105918.64	0.62	0.5486	10派2元(含税)
300409	道氏技术	10114.65	0.47	-0.1687	10派1.2元(含税)
300410	正业科技	7283.65	0.45	0.284	10派0.7元(含税)
300411	金盾股份	4265.50	0.27	0.1066	10派0.5元(含税)
300412	迦南科技	5704.04	0.48	0.1904	10转增10股派2.5元(含税)
300413	快乐购	6652.81	0.17	-0.1274	10派0.45元(含税)
300414	中光防雷	5777.35	0.343	0.4068	10派0.75元(含税)
300415	伊之密	10884.71	0.45	0.9542	10转增8股派1.8元(含税)
300416	苏试试验	5397.38	0.4297	0.2734	10派1元(含税)
300417	南华仪器	3512.30	0.4304	0.4276	10派2.5元(含税)
300418	昆仑万维	53149.71	0.47	0.3168	10派1.05元(含税)
300419	浩丰科技	6141.81	0.34	0.2119	10转增10股派1元(含税)
300420	五洋科技	7268.71	0.3	0.1	10转增10股
300421	力星股份	5813.78	0.4453	0.256	10派4元(含税)
300422	博世科	6267.89	0.4896	-0.3923	10转增15股派0.6元(含税)
300423	鲁亿通	2476.46	0.23	0.4926	10派0.5元(含税)
300424	航新科技	5986.22	0.45	-0.0638	10派3元(含税)
300425	环能科技	6953.38	0.39	0.3485	10转增10股派1.30元(含税)
300426	唐德影视	17911.54	0.45	-0.436	10派0.45元(含税)
300427	红相电力	7381.59	0.26	0.4601	10派0.45元(含税)
300428	四通新材	6991.64	0.29	0.1254	10派0.83元(含税)
300429	强力新材	11601.56	0.4614	0.3898	10派1元(含税)
300430	诚益通	5373.77	0.55	-0.2377	10派0.9元(含税)
300431	暴风集团	5281.17	0.2	-0.6351	10转增2股派0.25元(含税)
300432	富临精工	22882.91	0.6356	0.3613	10派3元(含税)
300433	蓝思科技	120359.48	0.57	1.549	10送1转增1股派1元(含税)
300434	金石东方	2552.65	0.1877	0.185	10派0.5元(含税)
300435	中泰股份	5686.86	0.24	0.2048	10派0.6元(含税)
300436	广生堂	6641.30	0.4681	0.5205	10派2.5元(含税)
300437	清水源	4523.68	0.2296	0.1254	10派0.8元(含税)
300438	鹏辉能源	13878.17	0.55	0.0176	10派1元(含税)
300439	美康生物	17749.47	0.52	0.0071	10派0.6元(含税)
300440	运达科技	13459.64	0.6009	0.2956	10转增10股派2元(含税)
300441	鲍斯股份	7061.09	0.21	0.2353	10派1.5元(含税)
300442	普丽盛	724.84	0.07	-0.6172	10派0.15元(含税)
300443	金雷风电	20988.36	1.82	1.9497	10转增10股派3.6元(含税)
300444	双杰电气	9696.18	0.3484	0.2199	10派1元(含税)
300445	康斯特	4408.01	0.2701	0.262	10派0.5元(含税)
300446	乐凯新材	10797.76	0.8793	0.9736	10派3元(含税)

股票代码	股票简称	净利润（万元）	每股收益（元）	每股经营性现金流量(元)	分配预案
300447	全信股份	9090.50	0.5604	0.1398	10 转增 7 股派 1 元(含税)
300448	浩云科技	8716.01	0.44	0.2724	10 派 0.87 元(含税)
300449	汉邦高科	3190.93	0.22	-1.0544	10 派 0.22 元(含税)
300450	先导智能	29065.21	0.7124	0.2579	10 派 1.3 元(含税)
300451	创业软件	6300.35	0.31	0.5639	10 派 1 元(含税)
300452	山河药辅	4878.56	0.53	0.5963	10 派 1.5 元(含税)
300453	三鑫医疗	3661.40	0.23	0.3862	10 派 1 元(含税)
300455	康拓红外	6748.29	0.24	-0.0478	10 送 2 转增 2 股派 0.55 元(含税)
300456	耐威科技	5905.92	0.34	0.1763	10 派 0.5 元(含税)
300457	赢合科技	12387.15	1.06	0.2433	10 派 3 元(含税)
300458	全志科技	14870.34	0.92	0.4639	10 转增 10 股派 3 元(含税)
300459	金科娱乐	20499.89	0.19	0.2134	10 派 0.3 元(含税)
300460	惠伦晶体	2874.79	0.17	0.2889	10 派 0.45 元(含税)
300461	田中精机	1336.42	0.2	-0.3389	10 派 0.55 元(含税)
300462	华铭智能	4857.38	0.35	0.0486	10 派 0.7 元(含税)
300463	迈克生物	31202.28	0.56	0.0884	10 派 1.12 元(含税)
300464	星徽精密	4184.37	0.1995	0.4445	10 派 0.55 元(含税)
300465	高伟达	2310.96	0.054	0.1168	10 派 0.08 元(含税)
300466	赛摩电气	5645.56	0.21	-0.0946	10 转增 8 股派 0.3 元(含税)
300467	迅游科技	3911.51	0.24	0.2378	10 派 0.3 元(含税)
300468	四方精创	7563.28	0.74	0.5509	10 派 2.53 元(含税)
300469	信息发展	3000.88	0.445	-0.9336	10 派 1.1 元(含税)
300470	日机密封	9775.56	0.92	0.6558	10 派 2 元(含税)
300471	厚普股份	16732.74	1.142	-0.6501	10 转增 15 股派 3.3 元(含税)
300472	新元科技	1619.69	0.19	-0.4538	10 派 0.33 元(含税)
300473	德尔股份	10970.84	1.0971	1.9822	10 派 2.6 元(含税)
300474	景嘉微	10528.65	0.47	0.1757	不分配不转增
300475	聚隆科技	9663.45	0.48	0.4468	10 派 0.97 元(含税)
300476	胜宏科技	23207.12	0.62	0.5689	不分配不转增
300477	合纵科技	8779.37	0.32	0.1514	10 派 1.5 元(含税)
300478	杭州高新	3531.49	0.53	0.6535	10 派 1.5 元(含税)
300479	神思电子	2060.58	0.1288	-0.2945	10 派 0.6 元(含税)
300480	光力科技	3091.05	0.17	0.1057	10 派 0.5 元(含税)
300481	濮阳惠成	6488.97	0.41	0.3621	10 派 1.25 元(含税)
300482	万孚生物	14498.67	0.82	0.6364	10 派 1.5 元(含税)
300483	沃施股份	1476.46	0.24	0.3066	10 派 0.8 元(含税)
300484	蓝海华腾	15527.47	1.59	0.4411	10 转增 10 股派 3 元(含税)
300485	赛升药业	25840.59	1.08	0.8871	10 派 2.5 元(含税)
300486	东杰智能	-4904.94	-0.35	0.2661	不分配不转增
300487	蓝晓科技	6169.56	0.77	0.6251	10 转增 15 股派 1.4 元(含税)
300488	恒锋工具	7463.92	1.19	1.1211	10 转增 6 股派 2.5 元(含税)
300489	中飞股份	3133.76	0.3453	-0.1387	10 派 0.32 元(含税)
300490	华自科技	4821.40	0.24	-0.2038	10 派 0.5 元(含税)
300491	通合科技	4103.80	0.51	0.191	10 转增 8 股派 2 元(含税)
300492	山鼎设计	2015.51	0.24	0.0105	10 派 0.5 元(含税)
300493	润欣科技	4931.38	0.41	-2.0834	10 转增 15 股派 1.5 元(含税)

股票代码	股票简称	净利润（万元）	每股收益（元）	每股经营性现金流量（元）	分配预案
300494	盛天网络	10975.02	0.46	0.4622	10派1.38元(含税)
300495	美尚生态	20898.89	1.0257	-0.7668	10转增15股派1.5元(含税)
300496	中科创达	12028.22	0.3039	0.1835	10派0.7元(含税)
300497	富祥股份	17390.94	1.61	1.6828	10派5元(含税)
300498	温氏股份	1178987.93	2.7101	3.3682	10转增2股派10元(含税)
300499	高澜股份	5724.33	0.5	-0.0112	10派1.05元(含税)
300500	启迪设计	6218.68	1.07	1.6514	10转增10股派2.5元(含税)
300501	海顺新材	6460.35	1.26	0.6269	10转增2.6股派5元(含税)
300502	新易盛	10528.68	1.45	0.0814	10转增20股派3.5元(含税)
300503	昊志机电	6278.08	0.66	-0.3881	10转增15股派2.3元(含税)
300505	川金诺	5808.73	0.6637	0.5522	10派1.5元(含税)
300506	名家汇	10054.16	0.36	-0.3886	10派1元(含税)
300507	苏奥传感	9633.04	1.58	0.7557	10转增8股派3元(含税)
300508	维宏股份	4436.33	0.8389	0.439	10派1.41元(含税)
300509	新美星	5959.16	0.81	0.1737	10派4.5元(含税)
300510	金冠电气	5636.68	0.34	0.139	10派0.6元(含税)
300511	雪榕生物	10480.58	0.76	2.1181	10转增5股派1.5元(含税)
300512	中亚股份	16107.32	0.7	0.7064	10派4.5元(含税)
300513	恒泰实达	3954.42	0.5797	-0.4048	10转增6股派1.2元(含税)
300514	友讯达	4371.80	0.5829	1.01	
300515	三德科技	3478.60	0.3976	0.3149	10转增10股派2元(含税)
300516	久之洋	14093.20	1.31	0.7749	10派3.6元(含税)
300517	海波重科	4334.62	0.5	0.4278	10派1.2元(含税)
300518	盛讯达	9967.39	1.22	0.9472	10派1.65元(含税)
300519	新光药业	11895.88	1.7	1.5148	10转增10股派5元(含税)
300520	科大国创	5692.74	0.72	1.1939	10转增12股派1.2元(含税)
300521	爱司凯	4667.48	0.67	0.3932	不分配不转增
300522	世名科技	6465.12	1.11	0.693	10转增8股派3元(含税)
300523	辰安科技	7935.57	1.16	0.4471	10转增8股派2元(含税)
300525	博思软件	3830.16	0.66	0.4843	不分配不转增
300526	中潜股份	3567.26	0.49	0.0678	10转增10股派1.5元(含税)
300527	华舟应急	15502.60	0.3923	-0.3493	10送0.5股派0.403元(含税)
300528	幸福蓝海	11249.91	0.43	1.4954	10转增2股派1元(含税)
300529	健帆生物	20211.85	0.52	0.4336	10派2元(含税)
300530	达志科技	4807.81	0.82	0.6239	10派6.19元(含税)
300531	优博讯	6756.54	1.01	0.3958	10转增25股派1.5元(含税)
300532	今天国际	5464.03	0.78	-0.0184	10转增8股派6元(含税)
300533	冰川网络	15546.40	1.87	1.0926	10派7元(含税)
300534	陇神戎发	4725.23	0.671	0.1516	10送3转增22股派1元(含税)
300535	达威股份	5782.11	1.16	0.8136	10派2.3元(含税)
300536	农尚环境	5092.19	0.67	0.1042	10转增8股派1.1元(含税)
300537	广信材料	4241.30	0.51	0.4165	10转增6股派1.5元(含税)
300538	同益股份	2791.25	0.6	0.3734	10派2元(含税)
300539	横河模具	3753.69	0.47	0.4549	10转增12股派0.92元(含税)
300540	深冷股份	3858.87	0.58	-0.7386	10派1元(含税)
300541	先进数通	5950.77	0.61	-0.6402	10派1元(含税)

股票代码	股票简称	净利润（万元）	每股收益（元）	每股经营性现金流量（元）	分配预案
300542	新晨科技	3439.64	0.47	-0.111	10 派 0.7 元(含税)
300543	朗科智能	7658.08	1.53	1.0779	10 转增 10 股派 6.25 元(含税)
300545	联得装备	3843.22	0.66	-0.0468	10 派 2 元(含税)
300546	雄帝科技	6041.13	1.39	0.8417	10 转增 15 股派 5 元(含税)
300547	川环科技	8432.83	1.74	0.9175	10 派 5 元(含税)
300548	博创科技	6790.59	1.01	0.8025	10 派 2 元(含税)
300549	优德精密	5200.11	0.96	0.8731	10 转增 10 股派 2 元(含税)
300550	和仁科技	5207.10	0.82	0.1986	10 派 1 元(含税)
300551	古鳌科技	3801.49	0.6548	-0.5126	10 派 0.6 元(含税)
300552	万集科技	6934.76	0.82	-0.1133	10 派 2.5 元(含税)
300553	集智股份	2728.84	0.72	0.5584	10 派 2.5 元(含税)
300554	三超新材	3791.72	0.97	0.2	
300555	路通视信	5281.27	0.83	-0.2694	10 转增 15 股派 1.5 元(含税)
300556	丝路视觉	2707.07	0.32	-0.0749	10 派 2.4 元(含税)
300557	理工光科	4357.54	0.99	0.5086	10 派 4 元(含税)
300558	贝达药业	36879.59	1.01	1.0151	10 派 1.8 元(含税)
300559	佳发安泰	6177.66	1.0876	0.9356	10 派 1.8 元(含税)
300560	中富通	3815.33	0.69	0.084	10 转增 5 股派 1.1 元(含税)
300561	汇金科技	7886.15	1.83	1.133	10 转增 5 股派 3.6 元(含税)
300562	乐心医疗	8052.07	1.77	1.325	10 转增 22 股派 2 元(含税)
300563	神宇股份	3599.99	0.58	0.4012	10 派 2 元(含税)
300565	科信技术	6182.39	0.5	0.1199	10 派 2 元(含税)
300566	激智科技	5925.26	0.97	-0.4181	10 转增 5 股派 2 元(含税)
300567	精测电子	9868.42	1.6	0.5002	10 派 4 元(含税)
300568	星源材质	15542.43	1.68	1.4138	10 转增 6 股派 6 元(含税)
300569	天能重工	17134.53	2.67	-0.2575	10 转增 8 股派 3.36 元(含税)
300570	太辰光	10139.68	1.0297	1.2247	10 转增 8 股派 3.8 元(含税)
300571	平治信息	4842.60	1.61	2.066	10 派 2.5 元(含税)
300572	安车检测	4903.38	0.9542	1.8442	10 派 5 元(含税)
300573	兴齐眼药	5427.93	0.9	0.3515	10 派 1.25 元(含税)
300575	中旗股份	7715.93	1.4	1.4247	10 派 2.2 元(含税)
300576	容大感光	3416.21	0.57	0.5128	10 转增 5 股派 1 元(含税)
300577	开润股份	8400.45	1.68	1.3199	10 转增 8 股派 5 元(含税)
300578	会畅通讯	3148.32	0.58	0.4374	10 派 4 元(含税)
300579	数字认证	5996.08	1	0.5021	10 派 3 元(含税)
300580	贝斯特	11695.62	0.7797	0.7383	10 派 1.35 元(含税)
300581	晨曦航空	5243.56	1.55	0.3363	10 转增 10 股派 2.1 元(含税)
300582	英飞特	6688.02	0.68	0.158	10 转增 5 股派 1.1 元(含税)
300583	赛托生物	10117.67	1.26	1.0018	10 派 1 元(含税)
300584	海辰药业	4523.64	0.75	0.629	10 派 3 元(含税)
300585	奥联电子	5110.12	0.85	0.2629	10 转增 10 股派 4 元(含税)
300586	美联新材	4731.67	0.66	0.5152	10 派 2 元(含税)
300587	天铁股份	7052.77	0.9	0.5353	10 派 1.3 元(含税)
300588	熙菱信息	4259.73	0.568	0.3142	10 派 0.4 元(含税)
300589	江龙船艇	3684.32	0.57	0.2808	10 送 1.2 转增 1.8 股派 0.3 元(含税)
300590	移为通信	9526.94	1.5878	1.3456	10 转增 10 股派 8 元(含税)

股票代码	股票简称	净利润（万元）	每股收益（元）	每股经营性现金流量（元）	分配预案
300591	万里马	3700.23	0.2056	0.3759	10送2.5转增0.5股派0.65元(含税)
300592	华凯创意	4002.76	0.44	-0.2115	10派1元(含税)
300593	新雷能	4409.67	0.51	0.196	10派0.7元(含税)
300595	欧普康视	11403.80	2.24	2.1334	10送8股派3.5元(含税)
300596	利安隆	9057.75	1.0064	0.2666	10转增5股派1.05元(含税)
300597	吉大通信	5498.42	0.31	0.1003	10派0.25元(含税)
300598	诚迈科技	5056.20	0.84	0.87	10派1元(含税)
300599	雄塑科技	10012.41	0.44	0.3712	10派1元(含税)
300600	瑞特股份	10170.74	1.36	1.016	10派4.5元(含税)
300601	康泰生物	8621.35	0.23	0.2123	10派0.6元(含税)
300602	飞荣达	11588.85	1.55	1.0433	10派1元(含税)
300603	立昂技术	3547.44	0.46	1.0429	10派0.4元(含税)
300604	长川科技	4141.66	0.72	0.29	
300605	恒锋信息	3762.86	0.5973	-0.0036	10派0.5元(含税)
300606	金太阳	4020.83	0.6	0.7784	不分配不转增
300607	拓斯达	7757.41	1.43	1.4973	10转增8股派2元(含税)
300608	思特奇	5545.79	1.1	1.6236	10转增3股派3元(含税)
300609	汇纳科技	4830.14	0.64	0.6557	10派2元(含税)
300610	晨化股份	5551.26	0.74	1.0867	10转增5股派1元(含税)
300611	美力科技	5535.13	0.82	1.0736	10转增10股派2.5元(含税)
300612	宣亚国际	5871.01	1.09	0.944	10送5股派5元(含税)
300613	富瀚微	11184.07	3.36	2.54	10派2.52元(含税)
300615	欣天科技	5741.25	0.96	0.5607	10派5元(含税)
300616	尚品宅配	25551.07	3.15	8.86	
300617	安靠智电	7258.36	1.45	1.76	
300618	寒锐钴业	6657.50	0.74	1.65	
300619	金银河	4311.77	0.77	0.16	10派1.16元(含税)
300620	光库科技	4956.39	0.751	0.64	
300621	维业股份	5513.00	0.54	0.82	
300622	博士眼镜	3778.47	0.59	1.04	10派2元(含税)
300623	捷捷微电	11642.64	1.66	1.94	10派3元(含税)
300625	三雄极光	24655.31	1.17	1.06	
300626	华瑞股份	3950.69	0.53	1.25	
300627	华测导航	10209.79	1.14	0.68	
300628	亿联网络	43232.33	7.72	6.25	10派18元(含税)
300629	新劲刚	2681.55	0.54	0.41	
300630	普利制药	6977.85	0.76	0.61	
300631	久吾高科	4306.47	0.8964	0.3247	10送6股派2元(含税)
300632	光莆股份	4302.69	0.4954	0.38	
300633	开立医疗	13042.71	0.36	0.3816	10派0.33元(含税)
300635	达安股份	5502.03	0.87	1.21	
300636	同和药业	5799.63	0.97	1.01	
300637	扬帆新材	6026.38	0.67	1.07	
300638	广和通	4032.15	0.67	0.81	
300639	凯普生物	7609.46	1.13	0.94	
300640	德艺文创	4446.56	0.74	0.79	10派2元(含税)

股票代码	股票简称	净利润（万元）	每股收益（元）	每股经营性现金流量(元)	分配预案
300641	正丹股份	13444.99	0.62	0.48	
300642	透景生命	9776.55	2.17	2.19	
300643	万通智控	3907.03	0.26	0.28	
300645	正元智慧	4575.09	0.92	0.31	
300646	侨源气体	4312.76	0.48	1.47	
300647	超频三	5281.01	0.59	0.6	
300648	星云股份	5077.26	1	0.73	
300649	杭州园林	2524.38	0.53	0.29	
300650	太龙照明	4157.40	0.88	1.03	
300651	金陵体育	4631.09	0.8153	0.76	
300652	雷迪克	6790.92	1.03	1.35	
300653	正海生物	4547.01	0.76	0.82	
300657	弘信电子	4536.81	0.58	0.77	

2016 年深圳证券市场各省股票集资情况一览表

单位：百万元

省/区/市	总集资		主板						中小板						创业板					
			首次发行		增发		配股集资		首次发行		增发		配股集资		首次发行		增发		配股集资	
	只数	集资金额	只数	集资金额	只数	集资金额	只数	集资金额	只数	集资金额	只数	集资金额	只数	集资金额	只数	集资金额	只数	集资金额	只数	集资金额
广东	173	215084.26			18	67591.08			19	11763.22	66	94611.56	1	538.45	24	7994.88	45	32585.08		
江苏	88	125959.39			4	9996.02			5	1908.72	45	97418.98			11	3387.93	23	13247.73		
浙江	78	125284.38			1	3500			3	957.69	42	95607.07			10	3385.62	22	21834		
北京	77	113707.99			8	44018.43			2	475.92	17	14131.22			6	1772.68	44	53309.73		
湖北	26	44405.65			10	34618.56					4	4283.95			6	2504.3	6	2998.84		
重庆	9	42885.78			4	22316.81					2	18200.71					3	2368.26		
安徽	21	38191.51			3	7665.96			1	300.78	9	22620.98			2	557.55	6	7046.24		
陕西	9	37935.64			1	26800			1	199.5	2	2988.14			1	273.8	4	7674.2		
山东	34	33457.69			3	2144.57			2	378.17	19	24000.72	1	485	1	866.32	8	5582.92		
河南	20	33191.98			3	9492.46					10	17141.62					7	6557.9		
福建	28	32521.47			2	11300	1	1099.04	3	1445.66	14	16306.64			2	379.59	6	1990.54		
新疆	8	31657.15			2	25076.16			2	496.02	2	5532.54					1	156	1	396.42
上海	34	30437.37			1	2810			1	254.25	8	5209.99			4	1391.86	20	20771.27		
江西	7	18383.75			3	14614.1					2	3258.22					2	511.42		
湖南	17	16635.53			1	3076.92					7	6798.04			2	671.19	7	6089.38		
吉林	9	14102.09			4	6810.65	2	5251.98			2	1771.32			1	268.14				
山西	7	13228.2			3	3744.17					2	6160.44					2	3323.59		
青海	2	12938.96			2	12938.96														
河北	8	11701.8			2	8250					2	1148.8					4	2303		
四川	21	11000.88			3	1125.59			2	1261.87	3	967.39	1	589.66	5	1672.33	7	5384.04		
广西	6	9699.56			3	7968.56					2	1181.01					1	550		
贵州	3	7278.97			2	3629.4					1	3649.57								
内蒙古	4	6806.27			2	5865.62					1	473.4					1	467.25		
云南	5	6551.89			2	4332.78			1	783.77					1	239.34	1	1196		
宁夏	2	6273.75			2	6273.75														
辽宁	7	5221.24			2	3898.43					2	868.68			1	103.2	2	350.93		

省/区/市	总集资		主板						中小板						创业板					
			首次发行		增发		配股集资		首次发行		增发		配股集资		首次发行		增发		配股集资	
	只数	集资金额	只数	集资金额	只数	集资金额	只数	集资金额	只数	集资金额	只数	集资金额	只数	集资金额	只数	集资金额	只数	集资金额	只数	集资金额
甘肃	5	4755.9			1	1810					1	1220.97			1	295.58	2	1429.36		
海南	3	4659.57			2	4650					1	9.57								
黑龙江	3	4357.49			2	4355.55											1	1.94		
天津	4	2382.45							2	1229.22	1	924.25					1	228.98		
西藏	3	1134.63			1	468.62			2	666.01										
合计	721	1061833.2			97	361143.17	3	6351.02	46	22120.79	267	446485.79	3	1613.11	78	25764.3	226	197958.6	1	396.42

2016 年深圳证券市场各地区交易金额分布

省/区/市	总交易金额(元)	占市场	股票交易金额	基金交易金额	债券交易金额	权证交易金额	优先股交易金额
上海	29227650224330.70	15.64	21919284683459.80	769503597484.05	6538861943386.84		
浙江	20311374228019.90	10.87	18917806052515.10	327862022370.51	1065706153134.28		
深圳	18405321786351.40	9.85	13057318623320.80	492400356643.50	4855602806387.08		
北京	16563964966257.70	8.86	12050182176499.00	589622161556.00	3923150628202.75		1010000000.00
江苏	15979268747916.40	8.55	13975727429168.50	511405455538.86	1492135863209.09		
广东	9391733618321.37	5.03	8399995543311.68	278360529177.17	713377545832.51		
福建	8531804959147.19	4.57	7541405278858.61	172388433153.97	818011247134.61		
广州	8350550139186.15	4.47	6370961425352.10	246062816882.86	1733525896951.19		
四川	6681064486975.67	3.58	5765554451750.94	94503391799.47	821006643425.26		
山东	6599673494693.30	3.53	5910931147916.22	177127050713.53	509965296063.54		1650000000.00
湖北	5608480872619.43	3.00	4755056969551.03	95814833539.63	757609069528.77		
湖南	4681637699998.40	2.51	4104567105832.94	84151003399.99	492919590765.47		
辽宁	4018521249585.19	2.15	3578290057976.65	56285899809.83	383945291798.71		
河南	3881813494492.21	2.08	3573711609098.64	61316634540.66	246785250852.91		
安徽	3187064247930.45	1.71	2950073246297.91	42081255233.29	194909746399.26		
江西	3114847852433.07	1.67	2857500934731.08	30044795781.06	227302121920.93		
河北	2462565551267.43	1.32	2153974418000.34	39667863770.62	268923269496.47		
重庆	2395779191876.70	1.28	2190149413669.35	30914808562.04	174714969645.30		
陕西	2380541828999.99	1.27	2117506721291.86	35608700038.61	227426407669.52		
天津	2116617974064.87	1.13	1815191410278.22	52658552606.82	248128011179.83		640000000.00
黑龙江	1772019182086.01	0.95	1521428291214.12	22811276585.93	227779614285.96		
广西	1694240921103.48	0.91	1472280498529.58	52838703383.01	169121719190.88		
山西	1513039877449.35	0.81	1362706464180.51	30000789004.97	120332624263.87		
吉林	1417029524922.12	0.76	1171982032506.14	22373025400.16	222674467015.82		
云南	1238882113170.26	0.66	1008034408183.14	16663743286.49	214183961700.63		
西藏	1098651795804.61	0.59	1032467256351.34	30517999096.82	35666540356.44		
新疆	934607372169.71	0.50	834186754876.68	9725193377.90	90695423915.14		
贵州	767292368048.59	0.41	610061960927.07	6623504324.05	150606902797.47		
内蒙古	747580908953.92	0.40	591681141370.74	15327725597.53	140572041985.66		
甘肃	746155944740.45	0.40	633858069157.94	6860071240.11	105437804342.41		
海南	602274966068.08	0.32	544713706069.62	10632020143.21	46929239855.25		
宁夏	273611989352.17	0.15	259923193436.77	3715001204.78	9973794710.62		
青海	159445140244.10	0.09	110802566607.56	1147806685.50	47494766951.05		
境外地区	36665659719.54	0.02	36665659719.54				

2016 年深市上市公司更名信息统计

变更日期	证券代码	证券简称	变更前全称	变更后全称
2016 - 12 - 30	002468	申通快递	浙江艾迪西流体控制股份有限公司	申通快递股份有限公司
2016 - 12 - 23	002565	顺灏股份	上海绿新包装材料科技股份有限公司	上海顺灏新材料科技股份有限公司
2016 - 12 - 16	000820	神雾节能	金城造纸股份有限公司	神雾节能股份有限公司
2016 - 12 - 13	002548	金新农	深圳市金新农饲料股份有限公司	深圳市金新农科技股份有限公司
2016 - 12 - 05	002156	通富微电	南通富士通微电子股份有限公司	通富微电子股份有限公司
2016 - 12 - 02	300048	合康新能	北京合康亿盛变频科技股份有限公司	北京合康新能科技股份有限公司
2016 - 11 - 18	002050	三花智控	浙江三花股份有限公司	浙江三花智能控制股份有限公司
2016 - 11 - 16	002010	传化智联	浙江传化股份有限公司	传化智联股份有限公司
2016 - 11 - 15	300084	海默科技	兰州海默科技股份有限公司	海默科技(集团)股份有限公司
2016 - 11 - 14	300086	康芝药业	海南康芝药业股份有限公司	康芝药业股份有限公司
2016 - 11 - 08	002256	兆新股份	深圳市彩虹精细化工股份有限公司	深圳市兆新能源股份有限公司
2016 - 11 - 08	002622	融钰集团	吉林永大集团股份有限公司	融钰集团股份有限公司
2016 - 11 - 07	002728	特一药业	广东台城制药股份有限公司	特一药业集团股份有限公司
2016 - 11 - 04	002629	仁智股份	四川仁智油田技术服务股份有限公司	浙江仁智股份有限公司
2016 - 10 - 31	300116	坚瑞沃能	陕西坚瑞消防股份有限公司	陕西坚瑞沃能股份有限公司
2016 - 10 - 25	000626	远大控股	连云港如意集团股份有限公司	远大产业控股股份有限公司
2016 - 10 - 24	002589	瑞康医药	山东瑞康医药股份有限公司	瑞康医药股份有限公司
2016 - 10 - 21	002310	东方园林	北京东方园林生态股份有限公司	北京东方园林环境股份有限公司
2016 - 10 - 21	002742	三圣股份	重庆三圣特种建材股份有限公司	重庆三圣实业股份有限公司
2016 - 10 - 19	000910	大亚圣象	大亚科技股份有限公司	大亚圣象家居股份有限公司
2016 - 10 - 18	000863	三湘印象	三湘股份有限公司	三湘印象股份有限公司
2016 - 10 - 17	000813	德展健康	新疆天山毛纺织股份有限公司	德展大健康股份有限公司
2016 - 10 - 11	002019	亿帆医药	亿帆鑫富药业股份有限公司	亿帆医药股份有限公司
2016 - 10 - 11	002637	赞宇科技	浙江赞宇科技股份有限公司	赞宇科技集团股份有限公司
2016 - 09 - 27	000790	泰合健康	成都华神集团股份有限公司	成都泰合健康科技集团股份有限公司
2016 - 09 - 26	300054	鼎龙股份	湖北鼎龙化学股份有限公司	湖北鼎龙控股股份有限公司
2016 - 09 - 20	002539	云图控股	成都市新都化工股份有限公司	成都云图控股股份有限公司
2016 - 09 - 19	002247	帝龙文化	浙江帝龙新材料股份有限公司	浙江帝龙文化发展股份有限公司
2016 - 09 - 14	002425	凯撒文化	凯撒(中国)股份有限公司	凯撒(中国)文化股份有限公司
2016 - 08 - 26	000676	智度股份	智度投资股份有限公司	智度科技股份有限公司
2016 - 08 - 23	002102	冠福股份	福建冠福现代家用股份有限公司	冠福控股股份有限公司
2016 - 08 - 22	002102	冠福股份	冠福控股股份有限公司	福建冠福现代家用股份有限公司
2016 - 08 - 19	002105	信隆健康	深圳信隆实业股份有限公司	深圳信隆健康产业发展股份有限公司
2016 - 08 - 19	300157	恒泰艾普	恒泰艾普石油天然气技术服务股份有限公司	恒泰艾普集团股份有限公司
2016 - 08 - 17	000620	新华联	新华联不动产股份有限公司	新华联文化旅游发展股份有限公司
2016 - 08 - 17	002123	梦网荣信	荣信电力电子股份有限公司	梦网荣信科技集团股份有限公司
2016 - 08 - 17	002670	国盛金控	广东华声电器股份有限公司	广东国盛金控集团股份有限公司
2016 - 08 - 16	002053	云南能投	云南盐化股份有限公司	云南能源投资股份有限公司
2016 - 08 - 11	000423	东阿阿胶	山东东阿阿胶股份有限公司	东阿阿胶股份有限公司
2016 - 08 - 02	000815	美利云	中冶美利纸业股份有限公司	中冶美利云产业投资股份有限公司
2016 - 08 - 02	002707	众信旅游	北京众信国际旅行社股份有限公司	众信旅游集团股份有限公司
2016 - 08 - 01	002355	兴民智通	山东兴民钢圈股份有限公司	兴民智通(集团)股份有限公司
2016 - 07 - 29	000987	越秀金控	广州友谊集团股份有限公司	广州越秀金融控股集团股份有限公司
2016 - 07 - 27	002509	天广中茂	天广消防股份有限公司	天广中茂股份有限公司

变更日期	证券代码	证券简称	变更前全称	变更后全称
2016－07－26	002624	完美世界	完美环球娱乐股份有限公司	完美世界股份有限公司
2016－07－26	300459	金科娱乐	浙江金科过氧化物股份有限公司	浙江金科娱乐文化股份有限公司
2016－07－21	002607	亚夏汽车	芜湖亚夏汽车股份有限公司	亚夏汽车股份有限公司
2016－07－19	000711	京蓝科技	黑龙江京蓝科技股份有限公司	京蓝科技股份有限公司
2016－07－19	300219	鸿利智汇	广州市鸿利光电股份有限公司	鸿利智汇集团股份有限公司
2016－07－15	000040	东旭蓝天	宝安鸿基地产集团股份有限公司	东旭蓝天新能源股份有限公司
2016－07－15	300359	全通教育	广东全通教育股份有限公司	全通教育集团(广东)股份有限公司
2016－07－13	000526	＊ST 紫学	厦门银润投资股份有限公司	厦门紫光学大股份有限公司
2016－07－13	000609	绵石投资	北京绵世投资集团股份有限公司	北京绵石投资集团股份有限公司
2016－07－08	002588	史丹利	史丹利化肥股份有限公司	史丹利农业集团股份有限公司
2016－07－06	002113	天润数娱	湖南天润实业控股股份有限公司	湖南天润数字娱乐文化传媒股份有限公司
2016－06－29	000611	＊ST 天首	内蒙古敕勒川科技发展股份有限公司	内蒙古天首科技发展股份有限公司
2016－06－23	002410	广联达	广联达软件股份有限公司	广联达科技股份有限公司
2016－06－22	002173	创新医疗	千足珍珠集团股份有限公司	创新医疗管理股份有限公司
2016－06－22	002450	康得新	康得新集团股份有限公司	康得新复合材料集团股份有限公司
2016－06－22	300300	汉鼎宇佑	汉鼎信息科技股份有限公司	汉鼎宇佑互联网股份有限公司
2016－06－21	000421	南京公用	南京中北(集团)股份有限公司	南京公用发展股份有限公司
2016－06－21	002100	天康生物	新疆天康畜牧生物技术股份有限公司	天康生物股份有限公司
2016－06－21	002788	鹭燕医药	鹭燕(福建)药业股份有限公司	鹭燕医药股份有限公司
2016－06－21	300355	蒙草生态	内蒙古和信园蒙草抗旱绿化股份有限公司	内蒙古蒙草生态环境(集团)股份有限公司
2016－06－20	002049	紫光国芯	同方国芯电子股份有限公司	紫光国芯股份有限公司
2016－06－17	002102	冠福股份	福建冠福现代家用股份有限公司	冠福控股股份有限公司
2016－06－17	002482	广田集团	深圳广田装饰集团股份有限公司	深圳广田集团股份有限公司
2016－06－15	000606	神州易桥	青海明胶股份有限公司	神州易桥信息服务股份有限公司
2016－06－14	000709	河钢股份	河北钢铁股份有限公司	河钢股份有限公司
2016－06－07	002241	歌尔股份	歌尔声学股份有限公司	歌尔股份有限公司
2016－06－03	300343	联创互联	山东联创节能新材料股份有限公司	山东联创互联网传媒股份有限公司
2016－06－02	002757	南兴装备	东莞市南兴家具装备制造股份有限公司	南兴装备股份有限公司
2016－05－31	002270	华明装备	山东法因数控机械股份有限公司	华明电力装备股份有限公司
2016－05－31	002505	大康农业	湖南大康牧业股份有限公司	湖南大康国际农业食品股份有限公司
2016－05－27	300431	暴风集团	北京暴风科技股份有限公司	暴风集团股份有限公司
2016－05－26	000557	西部创业	广夏(银川)实业股份有限公司	宁夏西部创业实业股份有限公司
2016－05－26	000615	京汉股份	湖北金环股份有限公司	京汉实业投资股份有限公司
2016－05－25	300008	天海防务	上海佳豪船舶工程设计股份有限公司	天海融合防务装备技术股份有限公司
2016－05－24	002356	赫美集团	深圳浩宁达仪表股份有限公司	深圳赫美集团股份有限公司
2016－05－23	200168	舜喆 B	广东雷伊(集团)股份有限公司	广东舜喆(集团)股份有限公司
2016－05－11	000972	＊ST 中基	新疆中基实业股份有限公司	中基健康产业股份有限公司
2016－05－11	002502	骅威文化	骅威科技股份有限公司	骅威文化股份有限公司
2016－05－10	002445	中南文化	江阴中南重工股份有限公司	中南红文化集团股份有限公司
2016－05－09	000010	美丽生态	北京深华新股份有限公司	深圳美丽生态股份有限公司
2016－05－09	300448	浩云科技	广州市浩云安防科技股份有限公司	浩云科技股份有限公司
2016－05－06	002305	南国置业	武汉南国置业股份有限公司	南国置业股份有限公司
2016－05－03	000662	天夏智慧	索芙特股份有限公司	天夏智慧城市科技股份有限公司
2016－05－03	300495	美尚生态	江苏美尚生态景观股份有限公司	美尚生态景观股份有限公司
2016－04－26	002147	新光圆成	马鞍山方圆回转支承股份有限公司	新光圆成股份有限公司
2016－04－26	300145	中金环境	南方泵业股份有限公司	南方中金环境股份有限公司
2016－04－25	000034	神州数码	深圳市深信泰丰(集团)股份有限公司	神州数码集团股份有限公司

变更日期	证券代码	证券简称	变更前全称	变更后全称
2016-04-25	000587	金洲慈航	金叶珠宝股份有限公司	金洲慈航集团股份有限公司
2016-04-18	002027	分众传媒	七喜控股股份有限公司	分众传媒信息技术股份有限公司
2016-04-15	002431	棕榈股份	棕榈园林股份有限公司	棕榈生态城镇发展股份有限公司
2016-04-14	002322	理工环科	宁波理工监测科技股份有限公司	宁波理工环境能源科技股份有限公司
2016-04-11	000590	启迪古汉	紫光古汉集团股份有限公司	启迪古汉集团股份有限公司
2016-04-06	002191	劲嘉股份	深圳劲嘉彩印集团股份有限公司	深圳劲嘉集团股份有限公司
2016-04-01	002292	奥飞娱乐	广东奥飞动漫文化股份有限公司	奥飞娱乐股份有限公司
2016-03-28	000591	太阳能	重庆桐君阁股份有限公司	中节能太阳能股份有限公司
2016-03-28	002656	摩登大道	广州卡奴迪路服饰股份有限公司	摩登大道时尚集团股份有限公司
2016-03-25	300233	金城医药	山东金城医药化工股份有限公司	山东金城医药股份有限公司
2016-03-24	002291	星期六	佛山星期六鞋业股份有限公司	星期六股份有限公司
2016-03-17	002680	长生生物	连云港黄海机械股份有限公司	长生生物科技股份有限公司
2016-03-17	300242	明家联合	广东明家科技股份有限公司	广东明家联合移动科技股份有限公司
2016-03-07	000795	英洛华	太原双塔刚玉股份有限公司	英洛华科技股份有限公司
2016-03-07	002127	南极电商	江苏新民纺织科技股份有限公司	南极电商股份有限公司
2016-03-07	002653	海思科	海思科医药集团股份 1 有限公司	海思科医药集团股份有限公司
2016-03-04	000893	东凌国际	广州东凌粮油股份有限公司	广州东凌国际投资股份有限公司
2016-03-04	002411	必康股份	江苏九九久科技股份有限公司	江苏必康制药股份有限公司
2016-03-04	002653	海思科	海思科医药集团股份有限公司	海思科医药集团股份 1 有限公司
2016-03-03	002036	联创电子	汉麻产业投资股份有限公司	联创电子科技股份有限公司
2016-03-02	000967	盈峰环境	浙江上风实业股份有限公司	盈峰环境科技集团股份有限公司
2016-03-01	300301	长方集团	深圳市长方半导体照明股份有限公司	深圳市长方集团股份有限公司
2016-02-23	000415	渤海金控	渤海租赁股份有限公司	渤海金控投资股份有限公司
2016-02-23	002552	宝鼎科技	宝鼎重工股份有限公司	宝鼎科技股份有限公司
2016-02-17	000007	全新好	深圳市零七股份有限公司	深圳市全新好股份有限公司
2016-02-03	002517	恺英网络	泰亚鞋业股份有限公司	恺英网络股份有限公司
2016-01-29	300066	三川智慧	江西三川水表股份有限公司	三川智慧科技股份有限公司
2016-01-29	300479	神思电子	山东神思电子技术股份有限公司	神思电子技术股份有限公司
2016-01-26	002434	万里扬	浙江万里扬变速器股份有限公司	浙江万里扬股份有限公司
2016-01-22	002188	巴士在线	浙江新嘉联电子股份有限公司	巴士在线股份有限公司
2016-01-14	002503	搜于特	东莞市搜于特服装股份有限公司	搜于特集团股份有限公司
2016-01-12	002343	慈文传媒	浙江禾欣实业集团股份有限公司	慈文传媒股份有限公司
2016-01-12	300253	卫宁健康	上海金仕达卫宁软件股份有限公司	卫宁健康科技集团股份有限公司
2016-01-08	002044	美年健康	江苏三友集团股份有限公司	美年大健康产业控股股份有限公司
2016-01-08	300362	天翔环境	成都天保重型装备股份有限公司	成都天翔环境股份有限公司
2016-01-05	300256	星星科技	浙江星星瑞金科技股份有限公司	浙江星星科技股份有限公司

2016 年深交所个人投资者状况调查

近期，为落实国务院办公厅《关于进一步加强资本市场中小投资者合法权益保护工作的意见》和 2017 年全国证券期货监管会议精神，我所组织开展了 2016 年度个人投资者状况调查，形成《关于深交所 2016 年个人投资者状况调查的报告》。本次调查采用问卷方式，涉及 5628 个调查样本，涵盖全国 32 个省级行政区域（不含港澳台）的 254 个大中小城市。具体调查结果如下：

一、中小投资者仍是主力，投资者结构有所改善

2016 年，证券市场仍以中小投资者为主。调查显示，77% 的受访投资者和超 9 成新入市投资者证券账户资产量低于 50 万元。但与 2015 年相比，上述中小投资者占比下降 7.4 个百分点，投资者平均证券账户资产量增长 14.2 万元，投资者结构有所改善。

二、非理性投资行为较普遍，行为趋向理性谨慎

一是超半数投资者存在不同类型非理性行为特征。本次调查列举11种常见投资心理偏差与非理性投资行为，其中，“投资自己买过的股票比其他股票更容易挣钱”（熟悉偏好，占64.7%）行为发生比例最高，其次分别为“通过学习研究可以找到炒股致富方法”（过度自信，占56.5%）、“自己操作股票比购买基金收益更高”（过度自信，占52.8），表明投资者容易高估自身投资能力，低估投资风险。但从行为发生频率看，2016年平均为4.7种，较2015年6.4种有所下降，且每种行为比例均有不同程度降低，表明经过2015年股市异常波动后，投资者逐渐趋向理性、谨慎。

二是投资者交易频率、持股集中度普遍较高。超半数投资者至少每周交易一次，交易频率均值为5.6次/月，较2015年5.9次/月略有下降；超半数投资者持有股票低于3支，平均持股5.1支，较2015年4.3支有所增加。股票下跌时，54.4%的投资者经常使用止损策略，其余投资者几乎没有使用过止损策略。

三是短线交易型和追涨型投资者比例有所下降。从投资风格类型看，长期价值投资者占比约2成，追涨型投资者占比约4成，相比2015年，投机性较强的短线交易和追涨型投资者比例有所下降，投资者投资风格更趋于理性。

三、实际收益远低于期望收益，投资行为存在偏差

2016年，投资者投资股市实际收益率为2.47%，亏损投资者占比达43.5%。与此形成鲜明对比的是，投资者平均期望收益率为23%，84%的投资者期望收益率高于10%。从主观原因看，投资者认为亏损的主要原因依次是“投资经验不足”、“投资知识不足”、“经济形势变化”和“市场操纵行为严重”。从客观原因看，主要在于投资行为偏差，表现为止损策略平均使用率较低、追涨行为和短线交易人数比例较高、阅读上市公司公告及参加投资者教育活动的投资者比例较低。

四、投资知识水平普遍较低，决策依据过于单一

从投资知识得分看，受访投资者平均63.1分（满分100分），较2015年58.8分有所提高。其中，42.4%的投资者低于60分，仅21.3%的投资者超过80分。分项目看，股东与债权人的权利和责任、对投资知识的理解和数理逻辑能力的得分率均低于40%。

从投资决策依据及投资信息渠道看，逾4成投资者主要依靠网络媒体和技术指标分析，不足3成投资者依据上市公司信息披露内容，仅7.1%的投资者实地调研公司。过度倚赖网络媒体和技术指标，对上市公司公告和实际经营情况关注不足，导致投资者容易听信市场传言，忽视公司基本面，进而引发一系列错误投资行为。但从调查反馈信息看，这一状况有所改善。2016年依据金融机构研究报告和上市公司公告进行投资决策的投资者比例有所上升，听信市场传闻跟风投资的现象有所缓解。

五、认可投资者保护新政，对深港通反映积极

对于监管机构2016年推出的多项投资者保护举措，6成以上投资者表示认可。其中，投资者认为最有效的三项举措依次是“设立欣泰电气虚假陈述先行赔付专项基金”（65.5%），“集中开展IPO欺诈发行和信息披露违法专项执法行动”（64.2%）和“优化投资分红回报机制”（63.7%）。谈及深港通时，超半数投资者认为利好深市，超4成投资者愿意投资港股市场，且基本掌握深港两地交易规则差异。

六、担心定向增发解禁高峰，期待提振市场信心

对于2017年股市，57%的投资者持中性态度，28.2%的投资者倾向乐观，14.8%的投资者表示悲观。相比2015年，悲观情绪比例有所减少，中性情绪有所增加。投资者最担心的市场风险分别为：“上市公司定向增发解禁将进入高峰期造成下跌”（70%）、“金融市场去杠杆，流动性紧张引发下跌”（67.6%）、“人民币汇率持续贬值”（66.5%）。此外，房地产调控、企业去产能、中小创高估值以及特普朗新政等国际国内政治经济冲击，也是投资者较为关心的风险因素。

投资者最期待的提振持股信心的四项举措包括：“从严把关IPO质量”（72.2%）、“规范大股东减持行为”（71.5%）、“规范再融资制度”（71.4%）和“严格退市制度”（70.7%）。此外，“加强并购重组监管”、“养老金重入市‘提速’”、“混合所有制改革全面落实”也是提升市场信心的重要举措。

2016年深圳证券交易所大事记

1月

▲1月5日，我所和中国证券登记结算有限责任公司（以下简称“中国结算”）联合修订并发布《深圳市场首次公开发行股票网上发行实施细则》和《深圳市场首次公开发行股票网下发行实施细则》。

▲1月5日，我所修订并发布《深圳证券交易所会员持续开展创业板市场投资者适当性管理业务指引》。

▲1月8日，内地与香港基金互认服务平台启动工作会议在我所举行。

▲1月11日，我所与以色列特拉维夫交易所签署合作谅解备忘录。

▲1月15日，我所在北京召开理事会战略规划委员会咨询顾问会议。

▲1月22日，我所修订并发布《深圳证券交易所会员客户高风险证券交易风险警示业务指引》。

2月

▲2月4日，中央第七巡视组向我所党委反馈专项巡视情况。

▲2月4日，我所制定并发布《债券业务办理指南第1号——公开发行公司债券上市预审核、发行及上市业务办理》和《债券业务办理指南第2号——非公开发行公司债券转让条件确认、发行、转让及投资者适当性管理业务办法》。

▲2月16日，我所召开落实中央第七巡视组专项巡视深交所党委反馈意见动员大会。

3月

▲3月18日，我所制定并发布《上市公司信息披露简明展示业务操作指南》。

▲3月31日，我所与香港特许秘书公会签署合作谅解备忘录。

▲3月31日，我所党委向中央巡视办上报《中共深圳证券交易所委员会关于巡视整改情况的报告》。

4月

▲4月1日，天津副市长阎庆民一行来访并进行工作座谈。

▲4月15-16日，中国证监会刘士余主席一行来我所调研并召开部分机构座谈会。

▲4月20日，我所与希腊交易所签署合作谅解备忘录。

▲4月22日，我所制定并发布《深圳证券交易所关于开展绿色公司债券业务试点的通知》。

▲4月25日，我所发布了《深圳证券交易所下属公司管理办法（2016年修订）》及《深圳证券交易所下属公司报批报告工作指引》。

▲4 月 26 日，中央纪委监察部网站向社会发布《中共深圳证券交易所委员会关于巡视整改情况的通报》。

▲4 月 28 日，我所修订并发布《深圳证券交易所交易规则》、《深圳证券交易所投资者网络服务身份认证业务指引》、《深圳证券交易所上市公司股东大会网络投票实施细则》、《深圳证券交易所债券交易实施细则》、《深圳证券交易所证券投资基金交易和申购赎回实施细则》和《深圳证券交易所交易终端管理指引》。

5 月

▲5 月 6 日，我所"互动体验中心"被中国证监会命名为首批"全国证券期货投资者教育基地"。

▲5 月 9 日，我所新一代交易系统（即第五代交易系统）成功切换投入试运行。

▲5 月 10 日，我所组织召开"学党章党规、学系列讲话、做合格党员"学习教育动员会。

▲5 月 13 日，我所召开中国共产党深圳证券交易所直属部门代表大会，正式成立直属党委。

▲5 月 23—24 日，我所与韩国交易所联合举办韩国创新型企业路演对接会。

▲5 月 24 日，我所和前海管理局联合主办第一期深港资本市场合作沙龙。

▲5 月 25—26 日，我所举办第一期资产证券化业务培训班。

▲5 月 27 日，我所制定并发布《上市公司停复牌业务备忘录》。

▲5 月 30 日，中国证监会姜洋副主席一行来我所调研并听取我所工作汇报。

▲5 月，中共中央宣传部、中华人民共和国司法部授予我所"2011—2015 年全国法治宣传教育先进单位"荣誉称号。

6 月

▲6 月 2 日，中国船舶重工集团副总经理姜仁锋一行来访并进行工作座谈。

▲6 月 3 日，国务院参事室王红副主任一行来我所调研并听取我所工作汇报。

▲6 月 6 日，我所举办新一代交易系统上线暨中国证券期货业南方信息技术中心启用仪式。

▲6 月 14 日，我所举行深交所党校成立大会暨 2016 年第一期培训班开班仪式。

▲6 月 15 日，我所召开保密和信息安全联席会议，传达学习所党委关于做好保密工作的部署要求，通报下阶段重点工作。

▲6 月 20 日，我所和深圳证券信息有限公司对深证成份指数、中小板指、创业板指等指数调整样本股。

▲6 月 27 日，内蒙古自治区政府云光中副主席一行来访并进行工作座谈。

▲6 月 29 日，我所与证监会中央监管信息平台接口一期完成开发，启动向证监会中央数据库的日常数据传输。

7 月

▲7 月 1 日，越南河内交易所阮氏光中副总经理一行来访。

▲7 月 1 日，我所与香港上海汇丰银行有限公司签署合作谅解备忘录。

▲7 月 1 日，我所制定并发布《重大资产重组媒体说明会备忘录》。

▲7 月 8 日，我所召开纪念建党 95 周年暨学习习近平总书记"七一"重要讲话大会。

▲7 月 8 日，我所修订并发布《上市委员会工作细则》。

▲7 月 12 日，我所召开全面从严治党工作领导小组第一次会议，研究部署进一步推动"两学一做"学习教育。

▲7 月 13 日，上海证券交易所吴清理事长一行来访并进行工作座谈。

▲7 月 14 日，我所修订并发布《创业板行业信息披露指引第 1 号——上市公司从事广播电影电视业务》。

▲7 月 15 日，我所召开第三届理事会第 47 次会议。

▲7 月 15 日，我所召开第一届监事会第 5 次会议。

▲7 月 22 日，中国证监会黄炜主席助理一行来我所调研并进行工作座谈。

▲7 月—9 月，深沪交易所首次联合举办 6 期证券交易合规管理培训班，共有 500 家专业机构近 1200 人参加培训。

8 月

▲8 月 5 日，中国船舶重工集团党组书记、董事长胡问鸣一行来访并进行工作座谈。

▲8 月 12 日，我所修订并发布《主板信息披露业务备忘录第 3 号——股权激励及员工持股计划》。

▲8 月 16 日，中国证监会、香港证券及期货事务监察委员会发布《联合公告》，原则批准深交所、港交所、中国结算和香港中央结算建立深港股票交易互联互通机制。

▲8 月 18 日，新疆维吾尔自治区常务副主席黄卫一行来访并进行工作座谈。

▲8 月 22 日，我所联合中国结算，发布《关于启动深港通相关准备工作的通知》，正式启动内地券商等市场机构业务、技术准备工作。

▲8 月 25 日，中国证监会方星海副主席在深主持召开深港通工作座谈会，听取深港交易所、中国结算以及部分证券公司准备工作进展情况汇报和意见建议，并就相关工作进行部署，确保年内开通深港通。

▲8 月 27 日，我所公布异常交易行为监管典型案例，共计五大类十三个案例。

▲8 月 31 日，我所联合中国结算组织深港通业务和技术全市场的培训会。

▲8 月 31 日，我所启动"两个加强、两个遏制"回头看检查工作。

9 月

▲9 月 2 日，我所作出自 9 月 6 日起暂停丹东欣泰电气股份有限公司股票上市的决定。

▲9 月 7 日，我所聘任第九届上市委员会委员。

▲9 月 9 日，我所与上交所签订中国证券市场数据互换合作协议。

▲9 月 12 日，我所与内蒙古自治区签署战略合作协议。

▲9 月 19 日，我所发布《关于进一步加强与上市公司重大资产重组相关股票异常交易监管的通知》。

▲9 月 20 日，我所制定并发布《创业板行业信息披露指引第 8 号——上市公司从事互联网营销业务》。

▲9 月 21 日，泛欧交易所董事长兼总裁斯特凡纳・布伊纳一行来访并进行工作座谈。

▲9 月 22 日，中国铁塔公司佟吉禄总经理一行来访并进行工作座谈。

▲9 月 27 日，我所与四川省金融办、上海证券交易所在成都市联合举办四川上市公司并购重组高层研讨会，中国证监会姜洋副主席做主旨演讲，我所王建军总经理做主题演讲。

▲9月29日，我所在深圳举办“资本市场服务贫困地区发展”研讨班，来自有“国家扶贫开发工作重点县和集中连片特殊困难地区县”的22个省份、162个地市共210多位地方金融工作干部参会。

▲9月30日，我所发布与深港通相关的八大业务规则，包括:《深港通业务实施办法》、《港股通投资者适当性管理指引》、《港股通交易风险揭示书必备条款》、《港股通委托协议必备条款》、《关于深港通业务中上市公司信息披露及相关事项的通知》、《香港结算参与网络投票实施指引》，以及修订后的《股东大会网络投票实施细则》和《交易规则》。

▲9月30日，我所修订并发布《上市公司业务办理指南——重大资产重组》。

▲9月30日，我所制定并发布《深圳证券交易所公司债券簿记建档发行业务指引》。

▲9月30日，为进一步规范组织管理，推进我所国际化发展，适应对外交流合作需要，经研究决定，策划国际部更名为国际部。

10月

▲10月11日，我所、港交所、中国结算和香港中央结算在深圳共同就深港通签署《四方协议》。

▲10月13日，科技部火炬中心与我所在深圳联合举办国家高新区科技金融座谈会，我所与中关村、深圳、苏州等12家国家级高新区签署战略合作协议。

▲10月13日，我所和港交所在香港举行深港通全球路演启动仪式。

▲10月16日，深圳证券信息公司与泛欧交易所香港有限公司签署合作协议。

▲10月17—18日，姜洋副主席一行来深调研并听取工作汇报。

▲10月17日—11月9日，我所组织开展深港通仿真测试，并连续四个周末开展全网测试。

▲10月18日，我所与新疆证监局在乌鲁木齐联合举办新疆辖区2016年度上市公司董事监事高管培训班暨深交所支持新疆资本市场发展专题培训。

▲10月19日，证监会内审部调研会在我所召开。

▲10月20日、26日、28日，我所联合香港交易及结算所有限公司、中国结算，在深圳、北京、上海组织召开三场深港通投教讲师培训会。

▲10月25日，我所联合中国结算在香港举办首期“深港通面对面”培训会。

▲10月27日，我所联合中国结算在香港举办第二期“深港通面对面”培训会。

▲10月28日，卢森堡证券交易所首席执行官罗伯特·施瓦夫先生一行来访并进行工作座谈。

▲10月28日，我所与美国太平洋养老金投资组织共同举办“2016年亚洲圆桌论坛”深圳座谈会活动和“境外投资者走进上市公司”活动。

▲10月28日，我所实施《创业板公司上市首日行业交流工作制度(试行)》，开展新公司上市首日行业交流活动。

▲10月31日，我所党委召开专题会议，认真学习党的十八届六中全会精神，研究贯彻中国证监会党委要求，部署深交所系统学习全会精神相关工作。

11月

▲11月2—9日，按证监会统一部署，我所联合相关单位，对15家证券公司港股通业务准备情况进行现场检查。

▲11月3日，国家发改委副主任连维良、体改司巡视员王强、财金司副司长李聚合一行来我所调研并进行工作座谈。

▲11月3日，我所举办第一期深港通标的上市公司境外投资者关系管理培训班。

▲11月3日，我所制定并发布《信息披露业务备忘录——变更公司名称》。

▲11月4—6日，中国证监会宣昌能主席助理来深调研并参加深港通现场检查工作座谈会。

▲11月8日，我所、中国创盈市场服务有限公司获得香港证监会的ATS牌照。

▲11月9-15日，中国证监会市场部就证券交易所履行股票交易一线监管职责的情况对我所进行专项现场检查。

▲11月10日，中国创盈市场服务有限公司获得联交所特别交易参与人SP资格。

▲11月11日，中科院秘书长邓麦村一行参加东方中科上市仪式并与我所座谈交流。

▲11月15日，我所制定并发布《行业信息披露指引第4号——上市公司从事种业、种植业务》、《行业信息披露指引第5号——上市公司从事工程机械相关业务》和《行业信息披露指引第6号——上市公司从事装修装饰业务》。

▲11月16日，中央政治局委员、广东省委书记胡春华出席第十八届高交会开幕式，视察我所展位并听取我所工作汇报。

▲11月16日，内蒙古自治区副主席白向群一行来访并进行工作座谈。

▲11月23日，我所修订并发布《上市公司高比例送转方案的公告格式》。

▲11月25日，中国证监会、香港证券及期货事务监察委员会发布第二次联合公告，批准深港通正式启动。

▲11月25日，我所和国家海洋局战略规划与经济司在广东湛江市联合举办国内首场海洋中小企业投融资路演暨项目推介。

▲11月25日，我所制定并发布《分级基金业务管理指引》。

▲11月28日—12月2日，我所配合中国证监会稽查局在深圳举办“2016年证券期货违法犯罪案件执法培训班”。

▲11月30日，我所制定并发布《关于进一步规范深交所系统工作人员及其亲属遵守禁止买卖股票规定的通知》。

▲11月30日，我所“互动易”推出“即时译”功能，为境外投资者提供中文问答的在线英文翻译服务。

12月

▲12月1日，我所发布深证创新系列指数，包括深证创新指数、中小板创新指数和创业板创新指数。

▲12月1日，我所纪检监察信息系统上线运行。

▲12月2日，我所修订并发布《融资融券交易实施细则》，调整可充抵保证金证券折算率要求，扩大标的股票范围。

▲12月3日，方星海副主席一行来深调研并听取我所工作汇报。

12月4日，刘士余主席、姜洋副主席一行来深调研并听取我所工作汇报。

▲12月4日，我所举办“资本市场服务区域经济发展”座谈会。

▲12月5日，深港股票市场交易互联互通机制开通仪式在深圳、香港同时举行。

▲12 月 5 日，我所香港子公司中国创盈市场服务有限公司与香港中资证券业协会、香港投资基金公会、香港证券业协会、香港证券及投资学会在香港分别签署合作谅解备忘录。

▲12 月 8 日，审计署党组成员、中央经济责任审计工作联席会议办公室主任张通、金融审计司副司长王志成、深圳特派办副特派员段大波一行来我所调研。

▲12 月 9 日，我所与西藏自治区人民政府丁业现副主席一行举行座谈并签署与西藏自治区战略合作协议。

▲12 月 9 日，我所会同中国结算、上海证券交易所发布实施《中国证券登记结算有限责任公司、上海证券交易所、深圳证券交易所债券质押式回购交易结算风险控制指引》。

▲12 月 12 日，国际货币基金组织与世界银行“金融部门评估规划”评估团来访我所进行现场会谈。

▲12 月 13 日，悉尼证券交易所总裁王人庆、首席执行官托尼·萨克一行来访并进行工作座谈。

▲12 月 14 日，四川省朱鹤新副省长一行来访并进行工作座谈。

▲12 月 16 日，我所制定并发布《公司债券临时报告信息披露格式指引》。

▲12 月 21—22 日，我所联合中国兵器工业集团举办首期央企资本运作专题培训。

▲12 月 23 日，我所组织召开异地灾备中心建设方案专家评审会。

▲12 月 24 日，民革中央副主席刘凡一行来访并进行工作座谈。

▲12 月 30 日，我所党委向证监会党委上报《关于深圳证券交易所巡视整改工作的报告》。

▲12 月 30 日，我所党委组织召开全所党建工作座谈会暨全面从严治党工作领导小组会议。

▲12 月 30 日，科学技术部副部长黄卫一行来访并进行工作座谈。

▲12 月 30 日，我所修订并发布《信息披露业务备忘录——定期报告披露相关事项》和《信息披露业务备忘录——上市公司与专业投资机构合作投资》。

▲12 月 30 日，我所制定并发布《上市公司股东业务办理指南》，并在官网上线“股东业务专区”及开通股东权益变动信息自行披露渠道。

▲12 月 30 日，我所制定并发布《关于做好上市公司扶贫工作信息披露的通知》。

▲12 月 30 日，我所修订并发布《创业板信息披露业务备忘录第 10 号：定期报告披露相关事项》《创业板信息披露业务备忘录第 11 号：业绩预告、业绩快报及修正公告》和《创业板信息披露业务备忘录第 21 号——上市公司与专业投资机构合作投资》。

第二章　证券监管与经营机构

第一节　证券监管机构

中国证券监督管理委员会

中国证监会为国务院直属正部级事业单位，依照法律、法规和国务院授权，统一监督管理全国证券期货市场，维护证券期货市场秩序，保障其合法运行。

中国证监会设在北京，现设主席 1 名，纪检组长 1 名，副主席 4 名，主席助理 2 名；会机关内设 21 个职能部门，1 个稽查总队，3 个中心；中国证监会还设有股票发行审核委员会，委员由中国证监会专业人员和所聘请的会外有关专家担任。中国证监会在省、自治区、直辖市和计划单列市设立 36 个证券监管局，以及上海、深圳证券监管专员办事处。

依据有关法律法规，中国证监会在对证券市场实施监督管理中履行下列职责：

（一）研究和拟订证券期货市场的方针政策、发展规划；起草证券期货市场的有关法律、法规，提出制定和修改的建议；制定有关证券期货市场监管的规章、规则和办法。

（二）垂直领导全国证券期货监管机构，对证券期货市场实行集中统一监管；管理有关证券公司的领导班子和领导成员。

（三）监管股票、可转换债券、证券公司债券和国务院确定由证监会负责的债券及其他证券的发行、上市、交易、托管和结算；监管证券投资基金活动；批准企业债券的上市；监管上市国债和企业债券的交易活动。

（四）监管上市公司及其按法律法规必须履行有关义务的股东的证券市场行为。

（五）监管境内期货合约的上市、交易和结算；按规定监管境内机构从事境外期货业务。

（六）管理证券期货交易所；按规定管理证券期货交易所的高级管理人员；归口管理证券业、期货业协会。

（七）监管证券期货经营机构、证券投资基金管理公司、证券登记结算公司、期货结算机构、证券期货投资咨询机构、证券资信评级机构；审批基金托管机构的资格并监管其基金托管业务；制定有关机构高级管理人员任职资格的管理办法并组织实施；指导中国证券业、期货业协会开展证券期货从业人员资格管理工作。

（八）监管境内企业直接或间接到境外发行股票、上市以及在境外上市的公司到境外发行可转换债券；监管境内证券、期货经营机构到境外设立证券、期货机构；监管境外机构到境内设立证券、期货机构、从事证券、期货业务。

（九）监管证券期货信息传播活动，负责证券期货市场的统计与信息资源管理。

（十）会同有关部门审批会计师事务所、资产评估机构及其成员从事证券期货中介业务的资格，并监管律师事务所、律师及有资格的会计师事务所、资产评估机构及其成员从事证券期货相关业务的活动。

（十一）依法对证券期货违法违规行为进行调查、处罚。

（十二）归口管理证券期货行业的对外交往和国际合作事务。

（十三）承办国务院交办的其他事项。

领导介绍：

主席：刘士余

刘士余同志，1961 年 11 月出生，汉族，江苏灌云人，工学硕士。

现任中国证券监督管理委员会主席、党委书记。

1987 年开始先后在上海市经济体制改革办公室、国家经济体制改革委员会工作。1994 年 11 月起先后任中国建设银行房地产信贷部副主任，中国人民银行银行司助理巡视员、副司长，中国人民银行监管二司副司长、司长，中国人民银行办公厅主任、党委办公室主任。2004 年 7 月任中国人民银行行长助理、党委委员。2006 年 6 月任中国人民银行副行长。2014 年 10 月任中国农业银行党委书记，2014 年 12 月任中国农业银行董事长。2016 年 2 月任中国证券监督管理委员会主席、党委书记。

纪委书记：王会民

王会民同志，1959 年 2 月出生，汉族，甘肃宁县人，工商管理硕士。

现任中国证券监督管理委员会纪委书记、党委委员。

王会民同志 1975 年 7 月参加工作。1984 年 1 月进入中国建设银行新疆分行，1992 年 7 月起先后任中国建设银行新疆分行办公室主任，巴音郭楞蒙古自治州中心支行党组副书记、副行长，乌鲁木齐支行党组书记、行长，新疆分行党组副书记、副行长，新疆分行党委书记、行长。2002 年 2 月起先后任新疆维吾尔自治区政府主席助理、党组成员，2005 年 8 月起兼任自治区金融工作办公室主任、党组书记，2008 年 8 月起兼任自治区农村信用社联合社党委书记，2012 年 1 月任新疆维吾尔自治区人大常委会副主任。2014 年 1 月任中国证券监督管理委员会纪委书记、党委委员。2015 年 12 月任中央纪委驻中国证券监督管理委员会纪检组组长、党委委员。

副主席：姜洋

姜洋同志，1956 年 9 月出生，汉族，四川泸州人，经济学博士。

现任中国证券监督管理委员会副主席、党委委员。

姜洋同志 1982 年起任经济日报社编辑、记者；1989 年任金融时报经济部负责人；1990 年起任中国人民银行办公厅新闻处副处长、处长、办公厅秘书处处长、办公厅副主任、非银行金融机构监管司副司长;1998 年任中国证券监督管理委员会机构监管部主任;2001 年 7 月任上海期货交易所总经理、党委书记;2006 年 7 月任中国证券监督管理委员会主席助理、党委委员;2006 年 8 月至 2009 年 4 月兼任期货监管部主任;2012 年 9 月任中国证券监督管理委员会副主席、党委委员。

副主席:李超

李超同志,1965 年 12 月出生,汉族,河南焦作人,管理学博士。

现任中国证券监督管理委员会副主席、党委委员。

李超同志 1987 年 7 月在中国建设银行参加工作。1997 年 7 月起先后任中国建设银行人事教育部机关干部管理处处长,办公室副主任。2000 年 6 月任中国证券监督管理委员会办公厅副主任。2003 年 1 月任中国人民银行办公厅副主任。2004 年 10 月任中国人民银行办公厅主任。2008 年 12 月任国家外汇管理局副局长、党组成员,2011 年 9 月起兼任中国人民银行营业管理部主任、党委书记,国家外汇管理局北京外汇管理部主任。2015 年 9 月任中国证券监督管理委员会副主席、党委委员。

副主席:方星海

方星海同志,1964 年 5 月出生,汉族,浙江乐清人,经济学博士。

现任中国证券监督管理委员会副主席、党委委员。

方星海同志 1998 年 8 月起先后任中国建设银行集团协调委员会办公室主管、中国银河证券公司经营管理委员会秘书长。2001 年 7 月起任上海证券交易所总经理助理、副总经理、党委委员。2005 年 12 月任上海市金融服务办公室副主任(正局级),2007 年 10 月任上海市金融工作党委副书记、市金融服务办公室主任。2013 年 9 月任中央财经领导小组办公室经济一组巡视员,2014 年 6 月任中央财经领导小组办公室经济四局局长。2015 年 10 月任中国证券监督管理委员会副主席、党委委员。

副主席:赵争平

赵争平同志,1962 年 10 月出生,汉族,河南博爱人,工商管理硕士。

现任中国证券监督管理委员会副主席、党委委员。

赵争平同志 1984 年 8 月参加工作。先后在农业部办公厅、国务院办公厅工作。2000 年 11 月起历任中国证监会政策研究室副局级干部,办公厅副主任、党委办公室副主任兼党委宣传部副部长(主持工作),党委宣传部部长兼办公厅副主任、党委办公室副主任。2006 年 2 月任郑州商品交易所党委书记、总经理。2009 年 11 月任中国证监会办公厅主任、党委办公室主任。2015 年 2 月任中国证券监督管理委员会主席助理、党委委员。2016 年 5 月任中国证券监督管理委员会副主席、党委委员。

主席助理:黄炜

黄炜同志,1965 年 4 月出生,汉族,江苏宜兴人,法学博士。

现任中国证券监督管理委员会主席助理、党委委员。

黄炜同志 1989 年 1 月在司法部参加工作。1998 年 9 月起先后任中国证监会稽查部综合处处长,人事教育部组织处处长。2001 年 2 月起历任中国证监会人事教育部副主任、党委组织部副部长、党委宣传部副部长,法律部副主任(其间:2004 年 2 月至 2006 年 2 月挂职任安徽省芜湖市委常委、副市长),法律部主任,首席律师兼法律部主任。2015 年 2 月任中国证券监督管理委员会主席助理、党委委员。

主席助理:宣昌能

宣昌能同志,1967 年 2 月出生,汉族,安徽无为人,哲学博士。

现任中国证券监督管理委员会主席助理、党委委员。

宣昌能同志 1988 年 7 月参加工作。2000 年 8 月起先后任中国证券监督管理委员会规划发展委员会委员、机构监管部副主任。2004 年 9 月起历任中国建设银行重组改制办公室资深顾问、董事会秘书。2006 年 9 月任美国 J. C 佛劳尔斯投资公司董事总经理。2008 年 9 月起先后任中国人民银行金融研究所所长(正局级)、金融稳定局局长。2016 年 8 月任中国证券监督管理委员会主席助理、党委委员。

地址:中国北京西城区金融大街 19 号富凯大厦

邮编:100033

信访投诉电话:010 - 66210182、66210166

上海证券交易所

上海证券交易所成立于 1990 年 11 月 26 日,同年 12 月 19 日开业,受中国证监会监督和管理。按照"法制、监管、自律、规范"的八字方针,上海证券交易所致力于创造透明、开放、安全、高效的市场环境,其主要职能包括:提供证券交易的场所和设施;制定证券交易所的业务规则;接受上市申请,安排证券上市;组织、监督证券交易;对会员、上市公司进行监管;管理和公布市场信息。

上海证券交易所下设办公室(党委办公室、理事会办公室、监事会办公室)、人事部(党委组织部)、党建办公室(党委宣传部)、纪检监察办公室、交易管理部、发行上市中心、上市公司监管一部、上市公司监管二部、监管执行部、会员部、债券业务中心、国际发展部、产品创新中心、市场监察一部、市场监察二部、法律部、投资者教育部(企业培训部)、总工程师办公室、信息管理部、北京中心、财务部、风控与内审部、资本市场研究所、自贸区交易平台筹备工作小组、基建工作小组、花桥基地工作小组等内设部门或小组,以及控股子公司——上交所技术有限责任公司、上证所信息网络有限公司、上证金融服务有限公司,通过其合理分工和协调运作,有效地担当起证券市场组织者、监管者的角色。此外,上海证券交易所还参股了 21 家公司机构。

经过 27 年的快速成长,上海证券交易所已发展成为拥有股票、债券、基金、衍生品四大类证券交易品种的、市场结构较为完整的证券交易所;拥有可支撑上海证券市场高效稳健运行的交易系统及基础通信设施;拥有可确保上海证券市场规范有序运作的、效能显著的自律监管体系。依托这些优势,上海证券市场的规模和投资者群体也在迅速壮大。2016 年末,沪市上市公司家数达 1182 家,总市值 28.5 万亿元,全年累计成交金额 50.2 万亿元,日均成交达 2056 亿元,股市筹资总额达 8056 亿元;债券市场挂牌只数达 8077 只,托管量 6.2 万亿元,累计成交 224.7 万亿元;基金市场只数 137 只,累计成交 8.9 万亿元;衍生品市场 2016 年全年累计成交 431.9 亿元。沪市投资者开户数量已达 22485 万户。

地址:上海市浦东南路 528 号证券大厦

邮编:200120

总机:021 - 68808888

传真:021 - 68804868

深圳证券交易所

深圳证券交易所(以下简称“深交所”或“本所”)于1990年12月1日开始营业，是经国务院批准设立的全国性资本市场。主要职能包括:提供证券交易的场所和设施;制定本所业务规则;接受上市申请、安排证券上市;组织、监督证券交易;对会员和上市公司进行监管;管理和公布市场信息;中国证监会许可的其他职能。

深交所根植于中国改革开放的前沿，服务中国经济发展战略，致力于建设全球最具活力的资本市场平台。20多年来，在中国证监会领导下，深交所努力建设完善深市多层次市场体系、多样化产品体系，已经成为我国国民经济不可分割的重要组成部分，成为支持实体经济发展、服务国家战略的重要基础平台和推动支持创新中国建设的重要力量。

一、市场数据

深市市场体系完整，主板、中小企业板、创业板层次清晰、特色鲜明、功能互补，主板服务市场化蓝筹企业，中小企业板服务行业细分龙头，创业板服务自主创新企业和成长型创业企业，充分匹配中国经济多元协同发展优势，包容性强，市场化程度高，成长性突出，创业创新特色显著。

截至2016年12月31日，本所上市公司1870家，其中主板478家，中小板822家，创业板570家;总市值22.31万亿元。2016年全年，深市股票成交金额累计77.6万亿元，股票筹资额7344亿元，其中IPO融资479亿元，再融资募集资金6865亿元。

二、产品情况

深市产品契合实体经济需求，贴近居民资产配置和风险管理需要，拓展有序、相互衔接，为企业、公共机构、商业机构和个人提供多元化投融资工具，引领证券市场行业创新。

固定收益包括公募债、私募债、资产支持证券等各类产品，股债结合品种和资产支持证券特色突出，标准化质押式回购优势显著。创新推出保障房、小额贷款、不动产等开创性证券化品种，积极推动绿色证券化创新，拓宽投融资渠道，降低投融资成本。截至2016年12月31日，挂牌债券(含资产支持证券)2869只，托管总面值13333.4亿元。资产支持证券的基础资产涵盖融资租赁、公用事业、小额贷款、应收账款、商业物业等9大类，对基础设施建设、中小微企业融资、绿色金融等关键领域提供了重点支持。

“基金超市”包括ETF、LOF、分级基金和封闭式基金四大类，其中LOF为深市首创。覆盖境内外主要市场，开创推出“乐富基金超市”并形成独特品牌，打造低成本、高效率的一站式资产配置交易和转换平台。截至2016年12月31日，共有511只上市基金，资产规模1943.36亿元。近年来，先后推出商品期货基金(白银LOF)、跨时区ETF(纳指100)、类REITs(鹏华前海)产品，进一步丰富了上市基金品种;推动跨境产品实施日内回转交易，推出ETF实时逐笔全额非担保交收(RTGS)业务，不断完善基金配套机制建设。

指数序列全覆盖规模、综合、行业、风格、主题和策略六大类，深证成指、中小企业板指数和创业板指数分别表征深市全市场和特色板块，充分展示中国经济面貌，助力投资者分享市场成长回报。积极发展深市特色期权等金融衍生品，为投资者提供风险管理工具。

三、组织架构

在深交所党委的统一领导下，治理运营架构包括以下几个层次:一是会员大会为最高权力机构。二是理事会为日常决策机构，目前由5名会员理事和2名非会员理事组成，下设战略规划委员会、风险管理委员会、自律监管委员会、创新发展委员会、中小企业培育发展委员会、上诉复核委员会等6个专门委员会。三是监事会为监督机构，目前由1名会员监事、1名专职监事、2名职工监事组成。四是经理层，包括总经理1人、副总经理5人，下设上市委员会、纪律处分委员会等2个专门委员会。六是内设及下属机构，设有28个直属部室和5家下属机构，下属机构分别为深圳证券通信有限公司、深圳证券信息有限公司、深圳证券交易所行政服务有限公司、深圳证券交易所创业企业培训中心、中国创盈市场服务有限公司。

党的工作机构方面，设有党委办公室、党务工作部(党委宣传部)、党委组织部，实现党办、宣传、组织、党群工作职能全覆盖。党组织实行“所党委－基层党委－党支部”三级管理。群团方面，设有工会、团委，成立了职工代表大会。

深交所在中国证监会领导下，将以服务全面建成小康社会、全面深化改革为宗旨，以加快建设中国多层次资本市场体系为使命，贯彻创新、协调、绿色、开放、共享的发展理念，全力服务供给侧结构性改革和“一带一路”国家战略，推进自主创新，服务实体经济，支持中小企业，打造创新资本形成中心，释放成长新动力。

四、品牌建设

一套完整的品牌识别系统是组织愿景的外在表达，能够更好地帮助员工认清定位，把使命与责任内化于心，外化于形。深交所的品牌识别系统，来自长时间的积淀和发展。新LOGO创意源自“两块燧石相互擦亮，共同点燃创新之光”。“释放成长新动力”则是深交所品牌核心理念的简短语言表述。深交所一直以建设中国多层次资本市场体系为己任，全力支持企业发展，服务投资者，推进经济转型升级。深交所将一如既往地把“支持中小企业，创造无限机会，推进自主创新，服务中国经济”的品牌核心理念，贯穿到监管、创新、培育、服务的每一个细节，努力营造公开、公平、公正的市场环境。

五、生态建设工程

坚持开展国情教育和生态建设活动。2003年开始，深交所连续9年开展阿拉善生态和国情教育基地建设活动。目前，深交所共有12批次近500名员工参加了该项活动。深交所历年累计为阿拉善生态基地建设捐助1,836,850元，深交所员工累计捐助2,669,900元;2011年2月，深交所出资500万元，发起设立了阿拉善生态基金会。

六、教育公益事业

回馈社会，支持教育、救灾公益事业。1993年以来，深交所先后援建9所希望小学;2008年，在甘肃省康县、文县、舟曲县和武都区捐建4所灾后重建学校。截至2011年6月，经履行相关批准程序，深交所历年累计为2008年雪灾灾区、2008年汶川地震灾区、2010年青海玉树地震灾区、2010年甘肃舟曲泥石流灾区、2011年为云南盈江地震灾区等捐款45,762,971元，员工累计捐助6,158,863元。

地址:深圳市福田区深南大道2012号

邮编:518038

电话:0755－88668888

邮箱:cis@ szse. cn

投资者服务热线:4008089999

技术咨询服务热线:0755－82083500

中国证券登记结算有限责任公司

经中国证监会批准，2001 年 3 月 30 日，中国证券登记结算有限责任公司（以下简称中国结算）设立，公司是依据《中华人民共和国公司法》（以下简称《公司法》）和《中华人民共和国证券法》（以下简称《证券法》）设立的不以营利为目的的企业法人。上海、深圳证券交易所分别持有公司 50% 的股份。2001 年 10 月 1 日起，上海、深圳证券交易所承担的全部证券登记结算业务划归中国结算承担，《证券法》规定的全国集中统一运营的证券登记结算体制由此形成。

根据《公司法》和公司《章程》，公司设立股东会、董事会、监事会和经营管理层。公司总部内设 16 个部门（含 1 个工作组），公司下设上海、深圳、北京三家分公司及中国证券登记结算（香港）有限公司、中证证券期货业信息基地建设公司两家全资子公司。中国证监会是公司主管单位。

公司的宗旨是，作为中国资本市场最重要的金融基础设施，秉承安全、高效的基本原则，根据多层次市场加快发展的需要，健全完善集中统一的登记结算体系，为登记结算系统各类参与者参与场内场外、公募私募以及跨境证券现货和衍生品投融资提供规范、灵活、多样的登记结算基础设施服务。

根据《证券法》、证监会发布实施的《证券登记结算管理办法》和公司《章程》，公司的职能包括：证券账户、结算账户的设立和管理；证券的存管和过户；证券持有人名册登记及权益登记；证券和资金的清算交收及相关管理；受发行人的委托派发证券权益；依法提供与证券登记结算业务有关的查询、信息、咨询和培训服务；中国证监会批准的其他业务。

目前公司业务覆盖的场所范围：（一）为上海、深圳证券交易所及全国中小企业股份转让系统公司全部上市或挂牌的证券提供登记、清算和交收服务；（二）为上海、深圳证券交易所上市的股票期权等金融衍生品提供清算、交收服务；（三）为沪港通等跨境证券交易提供登记、存管、清算、交收服务；（四）为内地发行的开放式基金产品、证券公司资产管理产品及陆港基金互认产品提供登记、清算、交收及托管服务；（五）为中国证券金融公司转融通业务提供登记结算服务；（六）为中国金融期货交易所上市国债期货提供实物交割服务；（七）为非上市公众公司提供集中登记存管服务；（八）为境外上市公司（主要在香港）非境外上市股份提供集中登记存管服务；（九）为债券在证券交易所市场与银行间市场流动提供转托管（转登记）服务。

公司对登记结算系统参与者提供的主要服务内容：（一）为上市公司等证券发行人提供持有名册、证券权益派发、公司行为网络投票、股权激励和员工持股计划等服务。（二）通过电子化证券簿记系统为证券持有人设立证券账户，提供登记、存管服务及证券交易后的证券交收服务。（三）为结算参与人设立担保和非担保资金交收账户，为证券、金融衍生品交易提供清算、交收服务。就场内集中交易的证券品种，公司作为中央对手方（CCP）以结算参与人为单位，提供多边净额担保结算服务。就非场内集中交易的证券品种，提供双边全额、双边净额、实时逐笔全额（RTGS）及资金代收付服务。（四）为公募、私募基金发行人提供基金资产的托管服务。

公司总部

地址：北京市西城区太平桥大街 17 号
邮编：100033
客服电话：4008058058
值班室电话：010－50938888

中国证券登记结算有限公司上海分公司

中国证券登记结算有限公司上海分公司，简称中国结算上海分公司，是为证券交易提供集中的登记、存管与结算服务的证券登记结算机构。分公司前身是上海证券中央登记结算公司，成立于 1993 年 3 月 8 日。2001 年 9 月 20 日，改组为中国证券登记结算有限公司上海分公司。二十多年来，分公司与资本市场参与各方紧密合作，正确处理发展与规范、改革创新与风险控制的关系，向资本市场提供了持续不间断的安全、高效的服务。

分公司主要业务职能包括：证券账户、结算账户的设立和管理；证券的存管和过户；证券持有人名册登记及权益登记；证券和资金的清算交收及相关管理；受发行人的委托派发证券权益；依法提供与证券登记结算业务有关的查询、信息、咨询和培训服务；中国证监会批准的其他业务。

展望未来，任重道远，分公司将在公司统一领导下，继续牢固树立使命意识、责任意识、服务意识，继续深化与社会各界的合作与交流，进一步完善证券登记结算的业务管理、技术管理和服务体系，努力为多层次资本市场建设做出更大贡献，为资本市场促进实体经济转型发展提供坚实可靠的服务。

地址：上海市浦东新区陆家嘴东路 166 号
　　　中国保险大厦 3 层
邮编：200120
值班室电话：021－68870587

中国证券登记结算有限公司深圳分公司

中国证券登记结算有限公司深圳分公司的前身深圳证券登记有限公司成立于 1991 年 1 月 24 日，1995 年 9 月 16 日并入深圳证券交易所，2001 年 9 月 21 日改组为中国结算深圳分公司，现有员工 175 人。中国结算深圳分公司二十几年来一直致力于为中国证券市场的快速发展提供安全、高效的证券登记结算服务。

中国结算深圳分公司依法对在深圳证券交易所上市的证券进行登记结算，主要业务范围包括：证券账户的设立和管理；证券登记和托管；证券、资金的清算与交收；证券权益分派等代理服务；提供与登记结算业务有关的信息服务、咨询服务和培训服务；中国证券监督管理委员会批准的其他业务。

中国作为一个经济发展和改革开放的发展中国家，经济增长潜力巨大，证券市场发展的空间极其广阔。中国结算深圳分公司将在社会各界的关心和支持下，继续励精图治，开拓创新，进一步完善登记结算运作体系和服务体系，为中国证券市场和国民经济的发展作出新的贡献。

地址：广东省深圳市福田区深南大道 2012 号
　　　深圳证券交易所广场 22－28 楼
邮编：518038
电话：0755－21899999
传真：0755－21899000
服务热线：4008058058

中国证券登记结算有限公司北京分公司

中国证券登记结算有限责任公司北京分公司注册成立于 2010 年 11 月 25 日，目前设立了综合部、结算业务部、发行人业务部、投资者业务部、信息服务部共5个职能部门。

中国结算北京分公司主要职责、业务范围包括：为全国中小企业股份转让系统挂牌证券提供登记结算服务；开展公司数据增值业务；公司总部授权的其他业务。

中国结算北京分公司将在公司总部的统一领导下，以确保新三板登记结算系统安全高效运行为宗旨，为在全国中小企业股份转让系统挂牌证券提供良好的登记结算服务，为多层次资本市场的创新发展做出积极贡献。

地址：北京市西城区金融大街26号金阳大厦5层

邮编：100033

电话：010－50939980

传真：010－50939716

中国证券登记结算（香港）有限公司

中国证券登记结算（香港）有限公司是随着沪港通项目的推出，为确保沪港通证券登记结算业务的顺利开展，由中国证券登记结算有限责任公司申请在香港设立的跨境证券登记结算服务公司。中国结算（香港）服务于内地资本市场的双向开放和互联互通，并致力于不断提升内地资本市场的国际化水平。

作为中国结算首个境外业务延伸点，中国结算（香港）于2014年12月31日成立，目前主要服务于沪港通、深港通及其他证券跨境交易业务。

母公司中国证券登记结算有限责任公司是内地资本市场最重要的金融基础设施，承担着沪港通项目跨境结算业务和风险管理的重要职责，肩负着确保沪港通项目安全运行、维护境内广大投资者和结算参与人合法权益的重要使命。

地址：香港中环康乐广场八号交易广场二期9楼
906－908室

电话：（852）2803 8221

传真：（852）2868 3772

邮箱：info@chinaclear.com.hk

中国证券业协会

中国证券业协会是依据《中华人民共和国证券法》和《社会团体登记管理条例》的有关规定设立的证券业自律性组织，属于非营利性社会团体法人，接受中国证监会和国家民政部的业务指导和监督管理。

中国证券业协会成立于1991年8月28日。2011年6月23日至24日，协会召开了第五次会员大会，陈共炎同志当选为会长。二十多年来，协会认真贯彻执行“法制、监管、自律、规范”的八字方针和《中国证券业协会章程》，在中国证监会的监督指导下，团结和依靠全体会员，切实履行“自律、服务、传导”三大职能，在推进行业自律管理、反映行业意见建议、改善行业发展环境等方面做了一些工作，发挥了行业自律组织的应有作用。

中国证券业协会的最高权力机构是由全体会员组成的会员大会，理事会为其执行机构。中国证券业协会实行会长负责制。截至2016年年底，协会共有会员1123家，其中，法定会员129家，普通会员845家，特别会员149家。

协会的宗旨是：在国家对证券业实行集中统一监督管理的前提下，进行证券业自律管理；发挥政府与证券行业间的桥梁和纽带作用；为会员服务，维护会员的合法权益；维持证券业的正当竞争秩序，促进证券市场的公开、公平、公正，推动证券市场的健康稳定发展。

会员大会通过的章程明确了协会在以下三方面的主要职责：

依据《证券法》的有关规定，行使下列职责：教育和组织会员遵守证券法律、行政法规；依法维护会员的合法权益，向中国证监会反映会员的建议和要求；收集整理证券信息，为会员提供服务；制定会员应遵守的规则，组织会员单位的从业人员的业务培训，开展会员间的业务交流；对会员之间、会员与客户之间发生的证券业务纠纷进行调解；组织会员就证券业的发展、运作及有关内容进行研究；监督、检查会员行为，对违反法律、行政法规或者协会章程的，按照规定给予纪律处分。

依据行政法规、中国证监会规范性文件规定，行使下列职责：制定自律规则、执业标准和业务规范，对会员及其从业人员进行自律管理；负责证券业从业人员资格考试、认定和执业注册管理；负责组织证券公司高级管理人员资质测试和保荐代表人胜任能力考试，并对其进行持续教育和培训；负责做好证券信息技术的交流和培训工作，组织、协调会员做好信息安全保障工作，对证券公司重要信息系统进行信息安全风险评估，组织对交易系统事故的调查和鉴定；行政法规、中国证监会规范性文件规定的其他职责。

依据行业规范发展的需要，行使其他涉及自律、服务、传导的自律管理职责：推动行业诚信建设，督促会员依法履行公告义务，对会员信息披露的诚信状况进行评估和检查；制定证券从业人员职业标准，组织证券从业人员水平考试和水平认证；组织开展证券业国际交流与合作，代表中国证券业加入相关国际组织，推动相关资质互认；其他自律、服务、传导职责。

中国证券业协会连续被国家社团管理机关民政部评为全国先进社会组织。

领导介绍：

陈共炎　会长，博士

历任国务院发展研究中心副研究员，北京商品交易所理事、副总裁，中国证券监督委员会信息中心负责人，中国证券监督委员会政策研究室助理巡视员、机构监管部副主任、证券公司风险处置办公室主任，中国证券投资者保护基金有限责任公司党委书记、董事长，中国证券业协会党委书记、会长。

方向瑜　副会长，大专

曾任甘肃省体改委企业处办公室副主任、机关服务中心主任，甘肃省证监会行政负责人，中国证监会兰州特派员办事处党委书记、纪委书记、主任，中国证监会甘肃监管局党委书记、纪委书记、局长，中国证监会安徽监管局党委书记、局长。现任中国证券业协会副会长。

欧阳昌琼　副会长，博士

曾任厦门大学副教授，福建省证券监督管理委员会主任，证监会广州证管办副主任，广东证监局副局长，证监会机构监管部副主任，证监会机构监管部巡视员，证监会创新业务监管部巡视员。现任中国证券业协会副会长。

葛伟平　副会长，硕士

曾任湖南省体改委副处长，湖南省证监委副处长，证监会长沙特派办副处长，证监会机构部、风险办处长，证监会深圳专员办副专员，证监会风险办副主任，保护基金公司执行董事、副董事长、纪委书记。现任中国证券业协会副会长。

王　旻　副会长，博士

曾任中国证监会培训中心干部、培训一处主任科员，中国证监会机构监管部检查三处主任科员、检查四处副处长，中国证监会证券公司风险处置办公室二处副处长、处长，中国证监会上海证券监管专员办事处副专员，中国证监会河北监管局党委委员、副局长，中国证券业协会副会长兼秘书长。现任中国证券业协会副会长。

王燕红　副会长，本科

曾任北京市档案局干部；中国证券业协会内刊编辑，会员部副主任、主任，专业联络部主任，证券公司会员部主任，会员管理部主任，副秘书长。现任中国证券业协会副会长。

孟宥慈　秘书长，硕士

曾任中国证监会政策研究室（规划委）主任科员，中国证监会机构监管部主任科员、助理调研员、副处长、处长，中国证券业协会副秘书长。现任中国证券业协会秘书长。

储晓明　副会长，硕士，申银万国证券股份有限公司党委书记、副董事长、总经理

曾任工商银行商业信贷部科员、副主任科员、技改信贷部项目评估处负责人、技改信贷部调查评估处副处长、固定资产信贷部调查评估处处长、评估咨询部基础设施评估处处长、资产风险管理部副总经理级调研员，中海石油财务有限公司副总经理，中海信托股份有限公司党委书记、总经理。现任申银万国证券股份有限公司党委书记、副董事长、总经理。

兰　荣　副会长，硕士，兴业证券股份有限公司董事长

证券从业时间20年。曾任福建省福兴财务公司综合处科长，福建兴业银行计划资金部副总经理（主持工作）、证券业务部副总经理，福建兴业证券公司总裁。现任兴业证券股份有限公司董事长、总裁、党委书记。

王　岩　副会长，经济学博士，招商证券股份有限公司总裁兼首席执行官

历任中国工商银行国际融资处负责人、总行办公室秘书处副处长兼行长秘书，纽约代表处首席代表，香港分行副总经理兼行政总裁，中国工商银行（亚洲）有限公司副总经理、董事副总经理兼行政总裁，中银国际控股有限公司总裁兼首席营运官，中银国际控股有限公司首席执行官。

何　如　副会长，硕士研究生，国信证券股份有限公司董事长、党委书记

曾任中国电子器件公司深圳公司总会计师、总经理，深圳发展银行行长助理、副行长、副董事长兼行长等职务。现任国信证券股份有限公司董事长、党委书记。

林义相　副会长，博士，天相投资顾问有限公司董事长兼总经理

曾在法国储蓄与信托银行（CDC）从事股票分析与投资管理，在中国证券监督管理委员会担任研究信息部副主任、证券交易监控系统负责人、高级专家，在华夏证券有限公司任副总裁。现任天相投资顾问有限公司董事长兼总经理。

地址：北京市西城区金融大街19号富凯大厦B座2层

邮编：100032

电话：010－66575653

邮箱：xhbgs@ sac. net. cn

中国证券投资基金业协会

一、协会简介

中国证券投资基金业协会（以下简称“协会”）成立于2012年6月6日，是依据《中华人民共和国证券投资基金法》和《社会团体登记管理条例》，经国务院批准，在国家民政部登记的社会团体法人，是证券投资基金行业的自律性组织，接受中国证监会和国家民政部的业务指导和监督管理。根据《中华人民共和国证券投资基金法》，基金管理人、基金托管人应当加入协会，基金服务机构可以加入协会。

协会主要职责包括：教育和组织会员遵守有关证券投资的法律、行政法规，维护投资人合法权益；依法维护会员的合法权益，反映会员的建议和要求；制定和实施行业自律规则，监督、检查会员及其从业人员的执业行为，对违反自律规则和协会章程的，按照规定给予纪律处分；制定行业执业标准和业务规范，组织基金从业人员的从业考试、资质管理和业务培训；提供会员服务，组织行业交流，推动行业创新，开展行业宣传和投资人教育活动；对会员之间、会员与客户之间发生的基金业务纠纷进行调解；依法办理非公开募集基金的登记、备案；协会章程规定的其他职责。

协会最高权力机构为全体会员组成的会员大会，负责制定和修改章程。协会设立会员代表大会，行使选举和罢免理事、监事，审议理事会工作报告、监事会工作报告和财务报告，制定和修改会费标准等职权。会员代表大会闭会期间的执行机构为理事会。本届理事会由50名理事组成，其中4名非会员理事，46名会员理事。本届监事会由12名监事组成，其中监事长1名，副监事长2名。

二、协会领导

党委书记、会长：洪磊

洪磊同志，男，1963年2月生，汉族，现任中国证券投资基金业协会党委书记、会长。

洪磊同志毕业于北京大学经济系。曾先后在北京市委、北京市证券监督管理委员会、北京证券有限责任公司、嘉实基金管理有限公司、北京中兴发投资有限公司工作，历任副处长、处长、副总经理、董事总经理。2001年6月进入中国证监会工作，担任基金监管部副主任（副厅局级），2012年4月至2014年9月任证监会稽查局巡视员（正厅局级）。2014年9月底任中国证券投资基金业协会党委书记。2014年10月至2015年10月任中国证券投资基金业协会党委书记、副会长（主持工作）。2015年10月起，担任中国基金业协会党委书记、会长。

党委副书记、纪委书记：胡家夫

专职副会长：钟蓉萨　张小艾

兼职副会长：刘晓艳　汤进喜　汤晓东　李　文
李　浩　李道滨　杨小松　张　伟
其　实　赵令欢　赵观甫　赵学军
祝献忠　郭特华　黄小薏　蒋月勤
储晓明　靳海涛

秘书长：贾红波

副秘书长：郑富仕　陈春艳

三、会长致辞

2012年6月6日，在社会各界的关心支持和中国证监会的领导推动下，中国证券投资基金业协会正式成立。几年来，基金业协会在中国证监会和国家民政部的正确领导下，创新立业，励精图治，秉承“服务、自律、创新”宗旨，积极履行新《基金法》赋予的职责，在推动行业自律规范、促进行业创新发展等方面取得了积极成效。

我们正处在一个新的历史起点，中华民族伟大复兴的曙光越来越接近、中国经济科学发展的根基越来越牢固、资本市场改革开放的美好蓝图越来越清晰，为资产管理行业带来了前所未有的历史新机遇，为我们正在建设的伟大事业汇集了强大的正能量。作为促进资本市场良性循环的关键部分，资产管理行业对于促进大众创业万众创新，巩固和扩大企业竞争优势，推动产业结构转型升级，健全支持实体经济发展的现代金融体系，促进宏观经济稳定，具有重要作用，已成为实现“中国梦”的重要载体。

我们正与全体会员共促行业创新发展。行业的发展就是我们的目标。我们将持续推动解决制约行业发展的瓶颈问题，落实《基金法》，推动完善现代公司治理结构，建立健全基金持有人、管理人与股东长期利益相一致的激励约束机制，支持符合条件的管理人上市和发债，推动私募基金管理人转为公募基金管理人，以资产证券化产品备案为契机，大力发展固定收益产品，打造跨周期配置的养老理财产品，推动市场主体创新商业模式、业务结构、产品设计和服务方式，支持行业多元化、集团化、专业化、特色化发展，努力打造专业、高效的资产管理服务产业链，稳步推动行业双向开放，不断提升行业核心竞争力，共同推动我国资产管理行业健康发展。我们始终致力于成为行业拥护的协会。

我们正与广大投资者共创投资价值财富。投资者的利益就是我们的追求。我们将继续推动行业以投资者权益至上为目标，引导和支持市场主体增强持续回报能力、积极主动回报投资者、优化客户服务与体验。同时，继续支持投资者依法行使权利和履行义务，细化投资者适当性原则，规范市场主体销售行为，不断提高投资者风险识别能力和自我保护能力，弘扬和培育投资者理性成熟投资文化。我们始终致力于成为市场欢迎的协会。

我们正与监管机构共护市场公平正义。监管机构的期望就是我们的方向。我们将继续探索建设现代行业协会，深入配合推进监管转型，厘清法定授权与自律管理边界，寓自律管理于服务之中，践行“依法治市”理念，以信息披露与行为规范为核心，不断完善行规行约和行业诚信体系建设，不断创新优化服务方式，维护公平竞争行业秩序，推动塑造行业良好形象，构建企业自治、行业自律、监管他律的格局，推进国家治理体系和治理能力现代化。我们始终致力于成为监管信赖的协会。

展望未来，伟大时代赋予我们崇高使命与责任。我们将继续以高度的使命感和责任感，积极助力会员机构做大做强，助推资产管理行业发展壮大，着力发挥协会自律管理与专业服务功能。我们将继续按照现代社会组织的要求，加强协会组织能力建设，依法自治、依法履责，更好地“接力”行业管理与市场治理职能。我们坚信，在证监会、民政部的监督指导和协会理事会的支持引领下，一定能将协会建成行业拥护、市场欢迎、监管信赖的现代行业协会，一定能在实现“两个一百年”目标、实现中华民族伟大复兴中国梦的壮丽征程中再立新功！

地址：北京市西城区金融大街20号交通银行大厦B座9层

咨询热线：4000178200

中国证券金融股份有限公司

中国证券金融股份有限公司（简称中证金融公司）成立于2011年10月28日，是经国务院同意，中国证监会批准设立的全国性证券类金融机构，是中国境内唯一从事转融通业务的金融机构，旨在为证券公司融资融券业务提供配套服务。其股东单位有：上海证券交易所、深圳证券交易所、上海期货交易所、中国证券登记结算有限责任公司、中国金融期货交易所、大连商品交易所和郑州商品交易所。

公司的经营宗旨是：坚持平等、自愿、公平和诚实信用原则，发挥维护市场稳定、活跃市场交易、提供市场服务的职责作用；通过稳步发展转融通业务，完善融资融券交易机制；推动建立信用交易方式，健全资本市场功能；建立融资融券统计监测系统，加强对全市场融资融券交易情况的监测监控；运用市场化手段开展转融资和转融券，防范和化解市场风险，促进资本市场稳定健康发展。

公司的经营范围是：为证券公司融资融券业务提供转融资和转融券服务；运用市场化手段调节证券市场资金和证券的供给；管理证券公司提交的转融通担保品；统计监控证券公司融资融券业务运行情况，监测分析融资融券交易情况，防控市场风险和信用风险；经中国证监会批准同意的其他业务。

我国自2010年3月31日正式启动证券公司融资融券业务试点以来，该项业务蓬勃发展。经过近几年的发展，融资融券业务已经成为我国资本市场重要的信用交易形式，为完善证券市场双向交易机制，促进证券公司业务创新与发展，增加投资者证券投资资金和证券来源，丰富资产管理方式发挥了重要作用。

作为为证券公司融资融券业务提供资金和证券来源的特别机构，中国证券金融股份有限公司主要为证券公司、基金管理公司、上市公司机构持有人等市场参与者提供转融资和转融券服务。经中国证监会批准，2012年8月30日，转融资业务试点成功启动并稳步扩大；2013年2月28日，转融券业务试点也正式启动；2014年12月1日，转融券约定申报方式及其展期业务正式推出。截至2016年11月末，参与转融通证券公司79家，转融通业务为融资融券业务提供资金和证券累计达到10741.06亿元。同时，为履行对融资融券业务进行统计和风险监测监控职能，2013年3月22日，融资融券统计监测系统正式上线并平稳运行，能掌握融资融券业务涉及的各项明细数据，能对任意期间的业务情况进行数据统计，能对融资融券业务总体风险和个体风险、以及由突发事件引发的业务风险等进行评估分析。

中国证券金融股份有限公司将认真贯彻落实党的十八大等重要会议精神，在中国证监会的正确领导下，切实发挥公司各项职能，配合监管转型要求，着眼于服务完善资本市场交易机制，促进资本市场健康稳定发展的大局，做好转融通市场服务和融资融券业务风险监测监控工作，为深化金融体制改革，维护资本市场稳定健康发展做出应有的贡献。

地址：北京市西城区丰盛胡同28号

　　　太平洋保险大厦15层

邮编：100032

电话：010－63211663　010－63211666

网址：www.csf.com.cn

中国证券投资者保护基金有限责任公司

2005年6月，国务院批准中国证监会、财政部、中国人民银行发布《证券投资者保护基金管理办法》（以下简称《管理办法》），同意设立国有独资的中国证券投资者保护基金有限责任公司（以下简称投保基金公司），并批准了公司章程。2005年8月30日，投保基金公司在国家工商总局注册成立，由国务院出资，财政部一次性拨付注册资金63亿元。投保基金公司归口中国证监会管理。其主要职责包括筹集、管理和运作证券投资者保护基金；监测证券公司风险，参与证券公司风险处置工作；证券公司被撤销、被关闭、破产或被证监会实施行政接管、托管经营等强制性监管措施时，按照国家有关政策规定对债权人予以偿付；组织、参与被撤销、关闭或破产证券公司的清算工作；管理和处分受偿资产，维护基金权益；发现证券公司经营管理中出现可能危及投资者利益和证券市场安全的重大风险时，向证监会提出监管、处置建议；对证券公司运营中存在的风险隐患会同有关部门建立纠正机制。

公司设董事会，为公司的决策机构；设经理层，主持公司的经营管理工作。公司内设 10 个部门，分别为党委（纪检监察）办公室、综合部、交易结算资金监控部、法律事务部、资产管理部、调查评价部、投资者教育服务部、统计分析与研究中心、财务部、信息技术部；董事会下设专业委员会，分别为战略发展委员会、薪酬管理委员会、投资决策委员会；公司下设 1 个控股子公司，北京华证普惠信息股份有限公司。

投保基金公司在继续做好证券公司风险处置收尾工作，切实履行投保基金筹集、管理和运作等职责的基础上，以证券交易结算资金监控系统为抓手，保护投资者资金安全；担任专项补偿基金管理人，积极探索投资者赔付的新途径；强化投资者权益保护和服务体系建设，整合 12386 热线、调查样本库等多个平台，畅通中小投资者诉求反映渠道。

地址：北京西城区金融大街 5 号新盛大厦 B 座 22 层
邮编：100033
电话：010 - 66580883

第二节　证券经营机构

爱建证券有限责任公司

公司简介

爱建证券有限责任公司（简称“爱建证券”）于2002年经中国证监会批准成立，原控股股东为爱建集团。2006年10月完成第二次重组，现控股股东为陆家嘴集团，目前注册资本为11亿元人民币。

爱建证券是全牌照、综合类证券公司，开展经纪业务、投资咨询、资产管理、投资银行、信用交易、销售交易等业务。公司总部在上海浦东新区，注册地在上海自贸区，业务辐射全国。截至2016年8月底，在14个省、自治区、市设立了35家证券营业部，公司员工总数700余人。2015年末，公司总资产63.53亿元，净资产13.46亿元。

公司董事长、党委书记由黎作强担任，同时兼任上海陆家嘴（集团）有限公司党委委员、副总经理，上海陆家嘴金融发展有限公司党委书记、董事长。公司总经理由钱华担任。

爱建证券秉承“诚信、稳健、开拓”的经营管理理念，战略定位是财富管理型证券公司，为企业、金融机构和政府客户等机构投资者提供融资、投资服务，为个人客户提供财富管理服务。

资产管理业务

爱建证券有限责任公司是经中国证监会批准获得受托资产管理业务资格的综合类券商。公司2003年经中国证监会批准获得受托资产管理业务资格。

爱建证券资产管理总部按照集中运营管理的原则，全面负责客户资产管理业务的运营管理。

根据《证券公司客户资产管理业务管理办法》、《证券公司定向资产管理业务实施细则》、《证券公司集合资产管理业务实施细则》及有关法律法规，我公司为客户提供证券及其他金融产品的投资管理服务。

立足于为客户提供全方位的证券投资理财服务，爱建证券资产管理总部致力于开展定向资产管理业务、集合资产管理业务和专项资产管理业务。

为单一客户办理定向资产管理业务：即应当与客户签订定向资产管理合同，通过该客户的账户为客户提供资产管理服务。

为多个客户办理集合资产管理业务：即应当设立集合资产管理计划，与客户签订集合资产管理合同，将客户资产交由具有客户交易结算资金法人存管业务资格的商业银行或者中国证监会认可的其他机构进行托管，通过专门账户为客户提供资产管理服务。

为客户办理特定目的的专项资产管理业务：即应当签订专项资产管理合同，针对客户的特殊要求和资产的具体情况，设定特定投资目标，通过专门账户为客户提供资产管理服务。

地址：上海市浦东新区世纪大道1600号32楼

总机：021－32229888

邮编：200122

网址：www. ajzq. com

安信证券股份有限公司

公司简介

安信证券股份有限公司（以下简称“安信证券”、“公司”）成立于2006年8月18日，并先后于2006年9月、12月以市场化方式收购了原广东证券、中国科技证券和中关村证券的证券类资产。

安信证券总部设于深圳，截至2016年底，拥有员工6400余人，在北京、上海、广东、江苏等地设立43家分公司（其中2家筹建中），在27个省级行政区设有291家证券营业部（其中40家筹建中），全资拥有国投安信期货有限责任公司、安信国际金融控股有限公司、安信乾宏投资有限公司，参股安信基金管理有限责任公司等企业。公司从单一的经纪业务发展为全牌照业务综合券商，多项业务排名进入全国前列，行业地位不断提升。2009年以来，公司在证券行业分类评级中连续获A类A级以上评级，其中2011年至2013年达到行业获评评级最高的A类AA级。

安信证券自成立以来，始终坚持“为客户提供高效服务、为股东持续创造价值、为员工搭建广阔发展平台”的经营理念，稳健经营，合规运作，不断提升专业能力，重视履行社会责任，力争成为中国证券行业诚信经营、管理卓越的典范，为促进国内资本市场的发展作出自己的贡献。

资产管理业务

2008年9月，经中国证监会批准，安信证券获得集合资产管理业务和定向资产管理业务资格。至2011年底，公司受托管理资产市值达到60亿元。安信证券以稳健投资风格、高水平投研能力、良好投资业绩、专业化服务获得市场与客户的认可。资产管理团队致力于为客户提供全面的资产管理服务，产品线已涵盖债券、股票等证券品种，产品投资风格及风险收益特征丰富多样，可满足客户多层次投资管理需求，并为高净值客户提供“量体裁衣”式的个性化投资管理服务。依照相关法规及规定，安信证券已建立了严格的内控体系和运作流程，形成了事前、事中、事后的全面风险管理能力，力争在可承受风险范围内为客户实现稳健持续的绝对回报。

投资理念：以创造绝对回报为目标，以深入的宏观研究为支持，以严格的风险预算和严密的投资流程管理为保障，在承担有限风险的前提下，为投资者创造稳健投资收益。

安信证券的独特优势：宏观经济与市场策略研究处于行业领先地位；业务资源丰富，具有股票、债券等证券承销资格；综合服务模式，为客户提供投资银行、交易、资产管理、投资顾问等服务。

地址：深圳市福田区金田路4018号安联大厦35楼

总机：0755－82825551

电话：95517

邮编：518026

网址：www. essence. com. cn

北京高华证券有限责任公司

公司简介

北京高华证券有限责任公司可从事证券经纪、自营，证券投资咨询（含财务顾问），资产管理及中国证监会批准的其他业务。公司总部按照管理功能进行组织机构的设置，下设自营与固定收益部、经纪业务总部、研究部、资产管理部、营运部、财务部、资金部、风险管理部、信息技术部、合规部（含内部审计）、法务部、人力资源部和行政办公室（安全及行政服务）。2012 年，高华完成收购乾坤期货有限公司，开拓国内期货产品业务。

公司总部设在北京，管理层由国内外资深的证券界人士担任，他们包括首席执行官章星、副总经理姚嘉仁、首席财务官孟秋和合规总监屠卫东。

高华于 2004 年由中国资深投资银行家方风雷先生领导的若干投资者及中国知名企业集团联想控股共同创立。

同年，高华与全球领先的投资银行高盛集团成立了一家合资公司，即高盛高华证券有限责任公司，总部亦设在北京。高盛高华可向客户提供广泛的投资银行服务，包括承销股票、债券与可转债等各类证券，还可提供收购兼并等财务顾问服务及其他相关服务。

资产管理业务

着眼于中国资产管理市场的广阔前景，高华证券于 2009 年 6 月获批增加资产管理业务范围，并于 2010 年 9 月通过北京证监局相关验收，同年 10 月正式获批开展资产管理业务。高华证券资产管理部目前已有包括股指套利、量化分析投资、固定收益投资、基本面股票投资的投资团队，交易、销售、产品及后台职能团队。

高华证券资产管理部的资产管理业务依据国家法律、法规和监管部门的规章制度，以完善的风险防范机制为坚强后盾，坚持以客户利益优先为基本原则，在专业化管理和科学运作的基础上，寻求最佳的投资回报。

更加值得一提的是，高华证券资产管理部自成立以来，与高盛资产管理建立了密切的战略合作关系。高盛集团在海外拥有近 30 年的资产管理业务的经验。高盛资产管理自创建以来，并没有盲目地兼并和收购，而是不断挖掘自身潜力和创新。在经过了创建之初的摸索和实践后，在管资产额从 1995 年起开始飞速增长。这样的发展策略，一方面保证了增长的稳健性，另外也为公司培养了一批熟知公司业务的老员工，作为资产管理公司最重要的延续性得以维持。

高盛资产管理设有四大产品部门，分别是固定收益与外汇部，量化投资策略部，基本面股票部，以及另类投资部。四大部门相辅相成，涵盖了金融市场中绝大部分的资产类别，共同组成了高盛资产管理强大完整的产品线。

在业务规模快速膨胀的同时，高盛资产管理创建了业界领先的风险管理体系，实现了每日管理和独立监控为核心的风控体系。先进的风险预算和控制技术让高盛资产管理在瞬息万变的环球金融市场中立于不败之地，实现了业务的逐年稳健增长。

地址：北京市西城区金融大街 7 号英蓝国际中心 18 楼
邮编：100140
电话：010 – 66273000
传真：010 – 66273001
网址：www. ghsl. cn

渤海证券股份有限公司

公司简介

渤海证券股份有限公司是唯一一家注册在天津滨海新区的综合类证券公司。前身为渤海证券有限责任公司，是在原天津证券有限责任公司、天津市国际信托投资公司、天津信托投资公司、天津北方国际信托投资公司、天津滨海信托投资有限公司等四家信托机构的证券营业部合并重组的基础上，吸收国内多家有影响、有实力的企业共同参股组建的大型证券公司，并于 2001 年 6 月 8 日正式开业。

2007 年 8 月，经中国证券业协会评审，公司获得规范类券商资格。2008 年 5 月，经中国证监会核准，公司改制为股份有限公司，2016 年的券商分类监管年度评级中，公司获得 B 类 BBB 级。目前公司实际控制人为天津泰达投资控股有限公司，股东 41 家，注册资本为 8,037,194,486 元。

公司总部座落于天津，设有上海分公司、北京分公司、江苏分公司和北京办事处。截至 2015 年 12 月，公司在全国重要省市和地区共有 52 家证券营业部。

地址：天津市南开区宾水西道 8 号
邮编：300381
邮箱：email@ bhzq. com
客服热线：4006515988　4006511717
网址：www. ewww. com. cn

财富证券有限责任公司

公司简介

财富证券有限责任公司成立于 2002 年 8 月，现为湖南省唯一的省属国有控股证券公司，注册资本 29.83 亿元，控股股东为湖南财信投资控股有限责任公司。截至 2016 年 12 月 31 日，公司总资产规模 312.82 亿元，净资产规模 65.06 亿元。

公司业务范围涵盖证券经纪、投资银行、资产管理、投资咨询、融资融券、固定收益、证券投资、场外市场、期货经纪等，全资拥有德盛期货有限公司及另类投资公司深圳惠和投资。公司设立了 3 家分公司和 66 家证券营业部，拥有 1600 余人组成的专业团队，可以全方位满足企业与个人投资者多元化金融服务需求。

公司依托控股股东牌照齐全、实力雄厚的金融控股平台，锐意进取，创新发展，并在债券承销、互联网金融、场外市场等领域保持、形成了行业竞争优势。近年来，公司荣获长沙市规模效益奖，湖南省文明单位、湖南省科学技术二等奖，中国证券业协会优秀课题报告，以及证券时报“中国区最佳债券投行”、“中国区最佳企业债承销团队”、“中国最具突破证券经纪商”等奖项。

合力天下、筑梦湖湘，财富证券秉承“专注、协同、共享、规范”的经营理念，坚持“贤者在位，能者在职”的人才理念，致力于为客户提供优质、高效的综合金融服务，积极履行社会责任，努力实现客户、股东、员工的和谐共赢。

地址：湖南省长沙市芙蓉中路二段 80 号
　　　顺天国际财富中心 26 – 28 层
邮编：410005
网址：www. cfzq. com
客服热线：95317　4008835316

财通证券股份有限公司

公司简介

财通证券股份有限公司（以下简称“公司”）前身是成立于1993年5月的浙江财政证券公司。2003年6月，以浙江财政证券公司为主体，联合省内部分市县国债服务中介机构转制设立财通证券经纪有限责任公司。2006年10月，公司吸收合并天和证券经纪有限公司。2007年6月，浙江省委、省政府明确公司为省直属国有企业，由省政府授权省国资委监管。2009年3月，更名为财通证券有限责任公司。2011年1月，公司改由浙江省财政厅监管。2013年10月，公司整体变更设立为股份有限公司。

截至2016年12月31日，公司注册资本32.3亿元人民币，有各类分支机构146家，其中证券分支机构106家（营业网点102家，分布在北京、上海、深圳、福州、青岛、大连、南京、无锡、重庆、拉萨、成都、苏州等城市及浙江省内各市县；分公司4家，分设在台州、宁波、湖州、成都）。公司控股财通证券资产管理有限公司、财通基金管理有限公司、永安期货股份有限公司、财通证券（香港）有限公司、浙江财通资本投资有限公司和浙江财通创新投资有限公司。公司（包括子公司、分支机构）员工人数达3600余人。

公司经营范围：证券经纪；证券投资咨询；证券自营；证券承销与保荐；融资融券；证券投资基金代销；代销金融产品以及中国证监会核准的其他业务。此外，公司通过子公司永安期货股份有限公司开展商品期货经纪、金融期货经纪、期货投资咨询、资产管理等业务；通过子公司财通证券资产管理有限公司开展证券资产管理业务；通过子公司浙江财通资本投资有限公司开展实业投资、股权投资等相关业务；通过子公司财通证券（香港）有限公司开展境外证券经纪业务和资产管理等业务；通过子公司财通创新投资有限公司开展另类投资、大财富管理业务；通过子公司财通基金管理有限公司开展基金管理业务。截至2016年12月31日，公司合并报表总资产840.06亿元，合并报表净资产183.49亿元，归属于母公司净资产148.99亿元，母公司净资本134.76亿元。

公司坚持“专业化、特色化、集团化、国际化”的发展战略，通过全面转型、提升和跨越，努力成为一家专业卓越、功能完备、特色鲜明、机制领先、治理完善的现代金融控股集团和具有区域特色优势的综合金融服务商。

地址：杭州市杭大路15号嘉华国际商务中心

邮编：310007

邮箱：95336@ ctsec. com

客服电话：95336，4008696336

网址：www. ctsec. com

长城国瑞证券有限公司

长城国瑞证券有限公司（以下简称“长城国瑞证券”或“公司”）前身是成立于1988年的厦门证券公司，是中国最早设立的证券公司之一。2014年11月，经财政部、中国银监会批准，并经厦门证监局核准，中国长城资产管理公司（现“中国长城资产管理股份有限公司”）以增资扩股方式，成为公司控股股东。2015年1月，公司完成工商变更登记，企业性质正式由民营企业变更为国有控股企业，并更名为长城国瑞证券有限公司。公司注册资本增至人民币17.5亿元。

中国长城资产入主后，公司对业务发展目标及路径进行了重新评估，并根据集团公司的发展战略，结合证券行业发展趋势及特点，提出了“证券公司 + 资产管理公司”即“SC + AMC”的差异化发展战略，确立了“五、四、三、二、一”的指导思想，即坚持“创新发展、协调发展、绿色发展、开放发展、共享发展”五大发展理念，坚持“大资管、大投行、大财富、大协同”的四大发展方向，坚持“机制、人才、科技”三大保障，坚持自身发展和与集团协同双轮驱动，坚持合规风险一票否决，全面推进各项业务上台阶、创品牌。

现阶段，公司在全国各地设立了36家证券营业部、3家分公司和2家子公司。公司经营范围包括证券经纪、证券资产管理、证券投资咨询、与证券交易及证券投资活动有关的财务顾问、证券投资基金代销、代销金融产品、证券自营、融资融券、证券承销与保荐等，已正式迈入全牌照综合券商行列。

未来，公司将继续秉承控股股东中国长城资产“以人为本、效益优先、诚信至上、奉献社会”的价值理念，“团结、拼搏、求实、创新”的精神，以集团协同业务为核心竞争力，以创新发展为推动力，积极参与国内资本市场的发展，以至诚的服务精神为社会各界提供全方位的综合金融服务。

投资银行业务

长城国瑞证券是经中国证监会核准的保荐机构，同时具有企业债券主承销商资格和全国中小企业股份转让系统主办券商资格。长城国瑞证券投资银行业务以打造“精品投行”为战略目标，面向国内成长性好的优秀企业，为其提供高质量、全方位的金融服务，形成了立足北京、上海及深圳三地，服务全国的战略格局。长城国瑞证券投资银行为客户提供股票、债券和衍生产品等有价证券的发行与承销、企业重组改制、兼并收购财务顾问、资产证券化等服务。此外，对于因条件限制不能在证券交易所上市的企业，长城国瑞证券可以推荐其在全国中小企业股份转让系统（即三板市场）挂牌并融资。

长城国瑞证券拥有一支高素质、富有经验、复合型人才为主的专业投行团队，从业人员现近20人，硕士或以上学历者占90%，具备三年以上从业经验者占比超70%，具备十年以上从业经验的资深投行人士逾40%。

长城国瑞证券为数家企业提供了投资银行业务服务，融资额逾万亿元；同时，为100多家企业提供了重大资产重组财务顾问服务，还为众多企业提供了交易形式丰富、创新的各类财务顾问服务。

长城国瑞证券是经中国证监会核准的保荐机构，同时具有企业债券主承销商资格和全国中小企业股份转让系统主办券商资格。长城国瑞证券投资银行业务以打造“精品投行”为战略目标，面向国内成长性好的优秀企业，为其提供高质量、全方位的金融服务，形成了立足北京、上海及深圳三地，服务全国的战略格局。

资产管理业务

定向资产管理业务是指证券公司接受单一客户委托，与客户签订合同，根据合同约定的方式、条件、要求及限制，通过客户的账户管理客户委托资产的活动。

新型的定向资产管理业务可根据客户的特定需求，提供资产管理所需要的各项服务，如独具特色的投资计划、组合选择、风险评估与绩效衡量等，量身定制个性化管理方案，能充分发挥资产管理投资研究团队的实战研究能力和投资技能，与委托资产管理客户达到互惠共赢的效果。

目前我司将定向资产管理客户分为两大类型，一类是中大型客户;另一类是小型客户。

对于中大型客户,我们可以量身定做产品方案,包括:低风险型、稳健型、灵活配置型、积极型等产品方案。我司已开发了完整的产品线,储备了策略保本系列、套利系列、FOF 投资系列、股票投资系列、数量化投资系列等丰富的产品方案。定向资产管理客户可以选择产品线的某一产品方案,也可以根据客户个性化需求单独设计。

对于小型客户,目前提供标准化产品方案:通过管理人的分析,精选受益于中国经济持续高速增长而呈现出可持续竞争优势、未来良好成长性以及盈利持续增长潜力的上市公司,同时密切追踪宏观经济和细分行业的各项领先指标优化资产配置,在力争资本本金安全性的前提下,控制风险,追求获得绝对投资收益的最大化。

北京地址:北京市西城区月坛北街 2 号月坛大厦 3 层

厦门地址:厦门市思明区深田路 46 号深田国际大厦 20 楼

电话:400 - 0099 - 886

邮箱:khts@ gwgsc. com

传真:0592 - 2079228

长城证券股份有限公司

公司简介

长城证券股份有限公司(2015 年 4 月 17 日,由长城证券有限责任公司正式更名为长城证券股份有限公司)成立于 1995 年 11 月,是经中国人民银行总行批准、在原深圳长城证券营业部和海南汇通国际信托投资公司所属证券机构合并基础上设立,我国最早成立的 8 家全国性综合证券公司之一,公司注册地在广东省深圳市,注册资本 27. 93 亿元。股东有华能资本服务有限公司、深圳能源集团股份有限公司、深圳新江南投资有限公司、中核财务有限责任公司、四川长虹电子控股集团有限公司等。目前在北京、深圳、上海、武汉、广州、杭州、大连、成都、海口、呼和浩特等全国各大中城市设有 101 家营业部。控参股长城基金、景顺长城基金和宝城期货、长城长富投资公司、长城证券投资有限公司,为客户提供全方位金融服务。

长城证券凭借规范稳健的经营作风,已经成长为一家资质齐全、业务覆盖全国的综合类证券公司,形成了多功能协调发展的金融业务体系。公司未来发展的战略定位是:以供应链金融为切入口,重点服务中小企业,致力于将长城证券打造成为全能的资产管理资源整合商、互联网服务商、金融投资商。在新形势下,公司致力于不断加强 TMT(电子、通信、传媒)、环保新材料、医药健康业(生物医药、养老保健)、军工(高端制造业)、汽车、商贸零售旅游(消费业)、能源(电力、煤炭、新能源)、房地产、金属、金融等十大行业研究,以切入宏观经济发展趋势和互联网金融跨越式发展为两轴,以金融研究所、投行、资产管理为战略导向,以供应链金融和"少将班长"项目制管理模式为战略实施路径,提升公司的核心竞争力,为客户提供综合性增值服务。

公司不懈的努力,得到权威专业机构乃至社会各方面的广泛认可。2014 年,长城证券在《证券时报》、《新财富》、《理财周报》、和讯网、东方财富网、天天基金网等权威媒体的各种评选中,先后荣获"证券行业年度最佳创新业务券商"、"中国互联网金融领军榜 100 强品牌"、"2014 中国区最佳再融资承销商"、"2014 中国区最佳私募债承销商"、"2014 中国区最佳再融资项目"、"2014 中国最佳投顾服务团队","2014 最受欢迎互联网金融理财产品"、"最具潜力证券公司"等一系列奖项;2015 年在上海证券交易所、《证券时报》、《证券市场周刊》组织的各种评选中,先后荣获"我是股东"2014 年度优秀组织提名奖、2015 年中国区优秀投行"最佳并购重组顾问投行"、"2015 中国最佳投资顾问品牌"、"2015 中国十大最具人气证券营业部"、"卖方分析师水晶球奖"等;2016 年在《证券时报》、《21 世纪经济报道》主办的评选中,先后荣获"2016 中国区最佳突破性证券投行"、"2016 中国区最佳债券投行"、"2016 中国区最佳公募债承销团队"、"2016 中国最佳量化投资团队"奖,"最佳资产管理领军人物"、"2016 年最具人气理财产品奖"、"2016 券商互联网创新奖"等。

地址:深圳市福田区深南大道 6008 号特区报业大厦 16 - 17 层

电话:0755 - 83516222

传真:0755 - 83460310

投诉邮箱:tousu@ cgws. com

投诉电话:0755 - 33680000

长江证券股份有限公司

公司简介

长江证券股份有限公司(下称公司)是全国性的全牌照上市证券公司,也是中西部最大的证券公司。公司前身为湖北证券公司,于 1991 年成立,总部设在武汉,于 2007 年在深圳证券交易所挂牌上市(股票代码为 000783),是中国第 6 家上市券商。

经过 20 多年坚持不懈的努力,公司已发展成为一家实力雄厚、功能齐全、管理规范、业绩突出的优秀上市金融企业。

公司实力雄厚,截至 2016 年 7 月底,注册资本由最初的 1700 万元增至 55. 29 亿元,总资产、净资产和净资本分别达到 919. 59 亿元、237. 04 亿元、207. 32 亿元,员工人数近 6000 人。公司积极把握资本市场深化改革和行业创新发展的机遇,稳中求进、转型整合、创新发展,经营业绩持续增长、股票市值快速提升。

公司功能齐全,可为广大客户提供全方位综合金融服务,目前已形成证券类控股集团的架构,旗下拥有长江证券承销保荐有限公司、长江期货有限公司、长江成长资本投资有限公司、长江证券(上海)资产管理有限公司、长江证券控股(香港)有限公司、长信基金管理有限责任公司、上海长江财富资产管理有限公司等多家全资和控参股子公司,并在全国 30 个省、自治区、直辖市的 106 个大中城市设立了 30 家分公司、178 家证券营业部和 19 家期货分支机构,业务网络覆盖全国。

公司管理规范,始终坚持"稳健经营、规范运作"的理念,自觉遵守各项法律、法规和行业公约,不断完善内部控制体系,持续加强合规建设、合规管理和合规操作,努力构建与业务发展水平相匹配的风控机制,以制度建设强化风险意识,以规范运作防范经营风险,保证公司稳定、健康和持续发展。

公司在"坚持稳中求进,力推全面转型,突出创新发展,加强合规风控"总体思想的指导下,全力推动全面转型、创新驱动、合规风控、深耕湖北战略。

公司与时俱进,积极适应市场形势变化,主动探索变革的方向与道路,"实现转型梦,打造升级版"。公司全力推动经纪业务由通道型服务向财富管理服务转型,推动投行业务由单一的融资渠道服务向综合的金融服务转型,推动自营业务由相对单一的投资模式向多样化的策略型的投资模式转型，推动资产管理业务由"小资管"向"大资管"转型。

公司以创新求发展，不断强化创新意识，提升创新能力，加大创新力度，培育创新文化，营造有利于创新的企业氛围，激发全体员工的创新潜能，将创新融入到工作的每一个环节，持续推进组织创新、制度创新和业务创新。公司密切跟踪市场和行业创新动态，明确PB业务、柜台业务、互联网金融、新三板、资产证券化和FICC为业务创新的六大主攻方向，定向发力，抢占先机。

公司提倡全员风控、高管带头风控、全业务链条风控的理念，积极培育良好的风险管理文化，不断建立与创新发展相匹配的全面风险管理体系。公司以"质量管理"为核心建立传统标准业务的合规管理体系，以"合约管理"为核心建立创新非标准业务的风险管理体系，以"流动性管理"为核心建立全面风险管理体系，逐步实现风险管理"全覆盖"，力争将风险管理能力打造成公司的核心竞争力。

公司是湖北省唯一金融类上市公司，坚持"深耕湖北"战略，以湖北为根据地，不断提高当地企业直接融资比重，并积极培育市场主体，帮助湖北每一个市场主体都能找到满足自身发展需求的融资方式。公司作为湖北省政府及武汉、襄阳、宜昌、荆州、恩施、咸宁、鄂州等市政府的财务顾问，全面参与湖北资本市场建设，服务湖北实体经济发展。

公司拥有齐全的业务资格以及领先行业的服务能力，其中多数资格均为业内首批获得，业务体系覆盖场内、场外市场，并始终坚持以客户为导向，寻找新机遇，融合新理念，拓展新业务，发掘新渠道，不断提升投资银行、资产管理、经纪、交易与投资业务的专业能力。

公司投资银行业务拥有多个经验丰富、专业精深的业务团队，注重"全业务链"整合，以实现"一个客户、一个团队、一个平台、一个整体、一揽子解决方案"为目标，为政府、企业和其他机构提供更加全面且满足客户不同发展阶段需求的投融资服务；公司资产管理业务始终以客户需求为中心，将客户需求与产品设计进行快速有效对接，打通投融资市场，初步搭建"大资管"平台，有效满足多样化投融资需求；公司经纪业务通过遍布全国的营业网点、丰富的证券交易品种、安全高速便捷的交易平台、专业的理财服务团队和业内领先的资源整合优势，为广大客户提供多元化的财富管理服务；公司交易与投资业务多年来在业内享有较高声誉，拥有一流的业务团队，在证券自营、债券交易、流动性管理和直接投资方面具备丰富经验，排名始终保持行业前列。

公司的愿景是成为提供综合金融服务的具有品牌影响力的现代投资银行。公司秉承以"追求卓越"为核心价值观的企业文化，以"汇聚财智，共享成长"为使命，坚持"诚信经营，规范运作，创新发展"的经营理念，通过服务客户、成就员工、回报股东、反哺社会，实现多方共赢。公司坚持有目标，有追求，努力保持综合实力居行业前列，让客户信赖、股东满意、员工自豪，力争成为拥有一流人才团队、一流管理水平、一流服务品质、一流经营业绩和一流品牌声誉的金融企业。

公司在谋求自身发展的同时，努力践行作为企业公民的社会责任，追求与各方的合作双赢，共同进步，在重大灾难救助以及教育慈善、社群服务等公益事业中持续投入。公司成立了国内第一家由证券公司发起的公益慈善基金会，组建了志愿者团队，先后组织了"情系灾区，共建家园"、"冬衣暖人心"、"汶川爱心接力"、"为玉树灾区人民工作一天"、"心系雅安长江同心"、"为芦山灾区捐款"、"爱心助学"、"敬老孝亲"等公益慈善活动。

近年来，公司屡获"中国证券行业十大影响力品牌"、"最具发展力券商"、"最具成长性证券公司"、"中国上市公司价值百强"、"中国证券市场20年最具影响力证券公司"、"中国最佳证券经纪商"等多项殊荣，在行业和市场上树立了良好的品牌形象。

在资本市场持续繁荣发展、证券行业加快转型升级的新形势下，公司将进一步完善战略布局，建立以客户需求为导向的业务模式，构建丰富的产品服务体系，搭建统一高效的中后台支撑体系，不断加快创新转型步伐，为中国资本市场建设和证券行业发展谱写更加波澜壮阔的篇章。

地址：武汉市新华路特8号长江证券大厦

邮编：430015

总机：027－65799999

传真：027－85481900

网址：www.95579.com

统一客户服务热线：95579　4008888999

川财证券有限责任公司

公司简介

川财证券有限责任公司是经中国证监会批准成立的、全国首家由财政国债中介机构整体转制而成的专业证券公司。公司成立于1988年，前身是经四川省人民政府批准，由四川省财政出资兴办的四川省川财证券公司。

经过二十余载的变革与成长，现今公司已发展成为由中国华电集团资本控股有限公司、四川省国有资产经营投资管理有限责任公司、四川省水电投资经营集团有限公司等资本和实力雄厚的大型企业共同持股的证券公司。

公司一贯秉承诚实守信、专业运作、健康发展的经营理念，矢志服务客户、服务社会，创造了良好的经济效益和社会效益；目前，公司是中国证券业协会、中国国债协会、上海证券交易所、深圳证券交易所、中国银行间市场交易商协会会员。

公司资源优势明显、专业优势突出、交易设施先进、从业经验丰富、发展特色鲜明；设有经纪业务部、研究所、机构业务部、投资银行部、固定收益部、证券投资部、资产管理部等业务部门，在北京、上海、深圳等城市设有异地办事处；业务范围涵盖证券经纪、证券投资咨询、证券承销等传统业务和金融创新业务；拥有一支来自外资券商、上市证券公司、大型会计师事务所和银行等金融机构的专业人员队伍，业务人员资本市场经验丰富、渠道资源广泛，在专业领域具有一定的影响力，具有较强的竞争意识、管理意识和服务意识。

展望未来，公司将恪守"以客户为中心、服务创造价值"和"至精至诚、专业严谨"的理念；依托强大的股东背景，秉承"规范经营、稳健发展"的基本方针；突出专业金融服务能力、着眼于金融创新业务和服务，完善个性化的服务体系，打造主流产品、锁定主流客户、提供主流服务、创享主流价值；以前瞻的视野、完善的服务，高起点的工作，通过整合内外部资源提供适应客户需求的金融产品解决方案；将公司打造为具有一定市场地位，特色鲜明格，提供多渠道、多层次、全方位金融服务的新锐券商。

资产管理业务

川财证券资产管理业务接受客户的委托，针对客户在投资风险、收益、流动性等方面的不同需求，提供多元化的资产管理解决方案，打造了包括股票、基金、债券、货币等多品种和量化、市值管理、海外投资等多策略的产品链,管理客户的金融资产,为各类机构和个人投资者提供多种证券投资增值服务。

(1)集合资产管理业务

为中高端客户开发理财服务新产品,集合资产管理计划涵盖股票市场、债券市场、货币市场及混合型基金。

(2)定向资产管理业务

接受单一客户委托并与客户签订合同,根据合同约定方式、条件、要求及限制,通过专门账户管理客户委托资产。

(3)专项资产管理业务

为客户的特定目的管理其委托资产,具备更灵活的投资范围和业务模式。

(4)荣誉

2016 年:中央国债登记结算有限责任公司评选的"2016 年度债券业务资产管理机构进步奖"

地址:四川省成都市高新区交子大道 177 号
中海国际中心 B 座 17 楼

电话:028 - 86583000

邮编:610041

网址:www. cczq. com

大通证券股份有限公司

公司简介

大通证券股份有限公司是总部设在大连的唯一一家证券公司,注册资本 33 亿元,经营范围包括:证券经纪;证券投资咨询;与证券交易、证券投资活动有关的财务顾问;证券承销与保荐;证券自营;证券资产管理;为期货公司提供中间介绍业务;证券投资基金销售业务;融资融券业务;代销金融产品业务;中国证监会批准的其他业务。公司目前在大连、上海、北京、天津、广州、深圳等全国 30 余个城市拥有 53 家营业部和 3 家分公司。

2007 年 8 月,公司通过中国证券业协会组织的规范类证券公司评审,取得规范类证券公司资格。

公司是经中国证监会《关于同意大通证券股份有限公司开业的批复》(证监机构字〔2001〕90 号)批准,于 2001 年 7 月 18 日领取了《中华人民共和国经营证券业务许可证》,同年 7 月 28 日正式注册登记成立,注册资本 11.188 亿元。

2006 年 12 月,在中国证监会及国家相关部委的关心帮助下,在大连市人民政府的主导下,公司进行了重整,重新变更登记,注册资本 5 亿元。2007 年 10 月,公司增资扩股获得中国证监会批准,注册资本增至 12 亿元,2010 年 11 月,公司增资扩股至 22 亿元,2015 年 12 月,公司增资扩股至 33 亿元。

立足大连,面向全国,积极培育国际视野,在资本实力、资产规模、业务开拓、管理水平、技术手段、市场占有率等方面实现跨越式发展,最终成为具有较强核心竞争力和综合实力的证券公司。

资产管理业务

大通证券是东北首家,全国第 21 家获准开展集合资产管理业务的券商,公司资产管理业务专职于接受客户的委托,管理客户的金融资产,为各类机构和个人投资者提供证券投资增值服务,目前开展的资产管理业务有集合资产管理业务、定向资产管理业务、专项资产管理、投资顾问业务等。

专业的投研团队、严格的业务原则和规范的业务流程是大通证券资产管理业务的基础。团队主要负责人和研发人员具有 20 年以上的证券从业经验,有较强的宏观经济研究与行业分析能力;投资人员长期从事交易所、银行间和场外市场投资工作,有丰富的大资金和资产管理经验。

地址:大连市沙河口区会展路 129 号大连期货大厦 39 层

邮编:116023

网站:www. daton. com. cn　　www. estock. com. cn

全国统一客服热线:4008169169

大同证券股份有限公司

公司简介

大同证券的前身"晋冀内蒙古地盟市大同证券公司",是 1988 年 5 月经中国人民银行总行批准成立的股份制非银行金融机构,是中国证券史上最早成立的证券公司之一,也是山西省改革开放后资本市场起步的标志。2000 年 1 月,公司名称规范为"大同证券经纪有限责任公司",注册资本人民币 1 亿元。2015 年,公司名称变更为"大同证券有限责任公司",注册资本人民币 7.3 亿元。现旗下共有 42 家分支机构和大证保险经纪股份有限公司 1 家控股子公司,主要分布于北京、上海、重庆三大直辖市,广东、江苏、浙江、山东、山西等十二个省区。法定代表人是董祥董事长。

作为一家全国性券商,大同证券的业务链涵盖了证券经纪、证券投资咨询、财务顾问、融资融券、金融产品代销、证券承销及保荐、证券自营及资产管理等领域,并已实现证券业务的全牌照。基于此,公司从服务实体经济出发,参与了山西汾酒、山西焦化、中兴通讯等十几家公司的发行上市工作,为省内外的几十家中小微企业提供了资本结构完善、股份制改造、上市前持续辅导、新三板推荐挂牌等财务顾问及中介服务;从满足客户需求出发,通过线下的实体网点,线上的网上营业厅、大证金管家等互联网平台,为全国各地的客户提供实时开户、业务办理、综合理财等一揽子的投融资服务。

通过近三十年的探索和实践,大同证券总体规模实现了历史性的突破,公司总资产、净资产、客户资产存量、交易总额、利润总额、上缴税金、分支机构等实现了数倍乃至数十倍的增长。近十年来,公司的盈利能力和成本管理能力也不断提升,年度财务指标在全国 100 多家券商的排名一直居前,其中净资本收益率三年位居第 2,两年位居第 6,两年位居前 20;净资产收益率两年位居前 10,五年位居前 20;成本管理能力两年位居第 6,两年位居前 20,三年位居前 30;2015 年代理销售金融产品净收入位居第 28。

"打造专注客户需求的综合金融服务平台,走特色化发展之路"是大同证券新时期的企业定位;涉足保险、基金等其他金融行业并走向金融控股集团模式,为客户提供资本中介、资本投资等专业化、定制化服务是公司既定的中长期目标。为此,在当前资本市场十年黄金发展期已经开启、证券行业创新发展战略稳步实施的背景下,大同证券将继续以服务实体经济为己任,以客户价值最大化为目标,认真践行"沟通于心、服务于行"的服务理念,切实弘扬"同创、同赢、同分享"的核心价值观,始终致力于企业与客户的共同成长,并与全国广大客户共同开创公司走特色化发展之路的新格局。

地址:太原市长治路 111 号山西世贸中心 A 座 12、13 层

邮编:030012

电邮:webmaster@ dtsbc. com. cn

网址:www. dtsbc. com. cn

客服电话:4007121212

德邦证券股份有限公司

公司简介

德邦证券股份有限公司成立于2003年5月，是经中国证券监督管理委员会批准设立的全国性综合类证券公司，目前注册资本39.41亿元人民币，净资产69.80亿元人民币，已连续十四年实现盈利。德邦证券旗下拥有中州期货有限公司、德邦基金管理有限公司、德邦星睿投资管理有限公司、德邦星盛资本管理有限公司，并在财富管理、资产管理、投资银行、私募及PE基金评价、互联网金融、国际并购等方面不断创新，始终秉承"心连心、手拉手"的服务理念，为广大客户提供投资、融资等全面、专业的金融服务。

创新推动德邦证券各项业务迅猛发展。德邦证券创立"财富玖功"财富管理品牌，推动国内首家广告公司省广股份在A股挂牌上市，管理中国青年创业就业基金会的创业基金，在消费贷、票据等大类资产证券化方面取得较高的市场影响力。德邦证券开创性地提出面对PE机构的全方位特色服务，并与China Venture投中集团联合编写、出版了《中国私募股权投资(PE)年度报告》，以翔实的数据和独特的视角，把对中国私募股权投资市场的研究推向了更高境界。数年来德邦证券赢得了投资者、合作伙伴等的充分信任和广泛肯定，获得了"2011中国区优秀投行——最具创新奖"、"2012年度中国最佳创新证券公司奖"、"2013年度最佳互联网应用券商奖"、"2014中国最佳财富管理品牌"、"2015年度财富管理品牌"、"2016优秀资产支持专项计划管理人"等多项荣誉。

德邦证券是中国财富管理领域的先行者，率先为机构客户与高端私人客户提供全面财富管理服务。公司与交通银行、上海证券报社等发起主办了"中国阳光私募高峰论坛"及"中国财富管理高峰论坛"，共同推进中国财富管理事业的蓬勃发展。公司在财富管理方面的研究实力卓越，连续两年编写、出版了《中国财富管理年度报告》，并连续七年编写、出版了《中国阳光私募年度报告》，成为国内首创的全景式行业年度报告，深受各界好评。

作为较早获批"互联网证券业务试点资格"的券商，德邦证券积极探索互联网金融业务，与支付宝等BAT平台开展业务对接，尝试在其海量流量优势和德邦的专业化特色化服务能力之间找到有效的结合点，为互联网用户提供全方位的产品与服务。此外，德邦证券还以"中国好投资"项目为载体，探索MOM(管理人的管理人)基金管理人孵化平台这一创新性的互联网资产管理模式，并在互联网众筹等互联网金融领域开展了前沿性实践。同时，德邦证券跟随复星集团布局海外业务、服务全球，为国内外投资人在全球范围内提供投资、财富管理、资产并购的通道及财务顾问服务。

地址：上海市福山路500号城建国际中心29楼
电话：021－68761616
传真：021－68767880
电邮：webmaster@tebon.com.cn
网址：www.tebon.com.cn

第一创业摩根大通证券有限责任公司

公司简介

第一创业摩根大通证券有限责任公司(J.P. Morgan First Capital Securities Co., Ltd.)(中文简称"一创摩根"，英文简称"JPMFC")由第一创业证券股份有限公司(简称"第一创业")和摩根大通共同出资组建。公司总部位于中国北京。公司法定代表人和董事长为刘学民先生，首席执行官为王勇先生。

一创摩根，是第一创业和摩根大通基于相互认同的企业价值观、互利共赢的发展愿景，依照规范的公司治理架构所创建的合资证券公司，体现了双方对中国资本市场的长期承诺。一创摩根借助第一创业长期根植本土资本市场所积累的丰富经验与摩根大通作为具有悠久历史的全球领先金融机构的国际视野和平台，秉承以一流方式做一流业务的传统，坚持开放、创新、包容、协作的发展理念，努力成为推动中国资本市场发展的重要力量。

一创摩根致力于成为备受尊敬的一流中国投资银行。

地址：北京市西城区武定侯街6号卓著中心10层
邮编：100033
电话：010－63212001
传真：010－66032671

第一创业证券股份有限公司

公司简介

第一创业证券股份有限公司(以下简称"公司"、"第一创业")前身是1993年4月成立的佛山证券公司。公司注册资本21.89亿元，法定代表人为刘学民，总部设在深圳，员工总数超过2800人。2016年5月11日，公司首次公开发行股票并在深圳证券交易所上市交易，证券简称"第一创业"，证券代码"002797"。

目前，公司在全国共设有40家营业部，并在北京、上海、深圳、河北设立了分公司；拥有3家全资子公司：第一创业期货有限责任公司(简称"一创期货")、第一创业投资管理有限公司(简称"一创投资")、深圳第一创业创新资本管理有限公司(简称"创新资本")；控股第一创业摩根大通证券有限责任公司(简称"一创摩根")、创金合信基金管理有限公司(简称"创金合信")；参股银华基金管理有限公司、证通股份有限公司、中证机构间报价系统股份有限公司；并与国家高端智库——国家金融与发展实验室联合发起设立了"深圳市第一创业债券研究院"。

第一创业拥有齐全的证券业务牌照，经营范围涵盖：证券经纪；证券投资咨询；与证券交易、证券投资活动有关的财务顾问；证券(不含股票、中小企业私募债券以外的公司债券)承销；证券自营；证券资产管理；融资融券；证券投资基金代销；代销金融产品。公司还通过控股子公司一创摩根从事投资银行业务，通过全资子公司一创期货从事期货业务，通过全资子公司一创投资、创新资本从事私募股权基金管理和另类投资业务，以及通过控股子公司创金合信开展基金管理业务。

经过20多年的发展，第一创业已经从一家业务单一的小型证券公司，发展成为"业务特色鲜明、收入结构均衡、布局全国"的上市证券公司，并在固定收益、资产管理、私募股权基金管理、投资银行、证券经纪等多项业务上形成了差异化竞争优势，实现了可持续发展。

目前，公司固定收益业务已发展成为市场地位领先、业务资质齐全、业务品种丰富的特色业务；资产管理业务有了长足进步，公司资产管理部及创金合信子公司都已建立起专业能力强、业务经验丰富的投资和研究团队，并将投研优势转化为产品优势和品牌优势，公司正在新能源、新材料、机器人、环保、文化、生物医药等战略新兴产业布局私募股权基金管理业务，大力推进与政府投融资平台、大型国有企业、细分行业龙头的上市公司及具有资深产业背景的专家合作，共同组建私募基金管理机构并发起设立私募股权基金；投资银行业务已具备一定市场影响力，尤其在企业兼并收购、资产重组以及资产证券化领域已积累了丰富的经验，拥有较强的市场竞争力；证券经纪业务实现了更为全面的布局，公司通过产品、业务创新，不断开发新的收入和利润增长点。同时，公司还积极开展股指期货、期货中间介绍业务（IB 业务）、直接投资、融资融券、利率互换、国债期货、股票质押式回购、证券收益互换、收益凭证、场外市场、互联网金融、个股期权等创新业务。

截至 2016 年 12 月 31 日，公司总资产为 317.00 亿元，归属于上市公司股东的净资产 86.13 亿元。2016 年 1—12 月，公司实现营业收入 20.28 亿元，归属于归属于上市公司股东的净利润 5.62 亿元。

展望未来，第一创业将继续秉承“诚信、进取、创新”的经营理念，坚持“追求可持续发展，努力打造具有独特经营模式、业绩优良、富有竞争力的一流投资银行”的公司愿景，以客户为中心，以创新为动力，致力于成为一家“有固定收益特色的”的上市证券公司，为成就企业家、投资者的梦想，助力实体经济发展贡献力量！

地址：深圳市福田区福华一路 115 号投行大厦 20 楼
邮编：518048
传真：0755 – 23838877
网址：www. firstcapital. com. cn
全国统一客服热线：95358
总机：0755 – 23838190
投资者热线：0755 – 23838868
投资者邮箱：IR@ fcsc. com

东北证券股份有限公司

公司简介

东北证券股份有限公司（以下简称“公司”）前身为吉林省证券公司。2000 年 6 月经中国证监会批准，经过增资扩股成立东北证券有限责任公司。2007 年 8 月，锦州经济技术开发区六陆实业股份有限公司定向回购股份，以新增股份换股吸收合并东北证券有限责任公司，并更名为“东北证券股份有限公司”。2007 年 8 月 27 日，公司在深圳证券交易所挂牌上市，股票简称为“东北证券”，股票代码为 000686。公司注册地为吉林省长春市，注册资本为 23.40 亿元。

经过近三十年的努力，公司规范经营，不断进取，无论经营规模还是综合实力都取得了翻天覆地的变化。截至目前，公司已经开展全面证券及与证券相关的业务，包括证券经纪、证券承销与保荐、证券自营、证券研究咨询、IB、直接投资、融资融券、中小企业私募债、约定购回式证券交易、股票质押式回购交易、代销金融产品等业务，形成了较为完整的业务体系。同时公司坚持多元化发展，积极开展对外投资业务，已设立东证融通直投子公司、东证融达另类投资子公司、东证融汇证券资产管理子公司，控股渤海期货、东方基金，参股银华基金，建立起集证券、基金、期货为一体的开展综合金融服务的控股集团。公司已在全国 24 个省、自治区、直辖市的 57 个大中城市设立 98 家证券营业部，35 家区域分公司，并在北京、上海设立了 4 家分公司，公司全国战略布局趋于合理并形成了一定的规模优势和品牌优势。

公司肩负“融通资源，创造财富”的使命，坚持“一切以客户收益为重，一切以员工利益为重，一切以股东权益为重，一切以社会效益为重”的核心价值观，在稳健中经营、在创新中发展、在服务中共赢。公司致力于建立和谐的经营管理团队，通过充分调动全体员工的积极性，从根本上提高公司的创利能力，回报股东，回报社会。

地址：长春市生态大街 6666 号
邮编：130119
电话：0431 – 85096806
传真：0431 – 85096816
网址：www. nesc. cn
邮箱：000686@ nesc. cn

东方证券股份有限公司

公司简介

东方证券股份有限公司（以下简称“公司”）是一家经中国证券监督管理委员会批准设立的综合类证券公司，其前身是于 1998 年 3 月 9 日开业的东方证券有限责任公司，总部设在上海，现有注册资本 62.15 亿元，公司于 2015 年 3 月 23 日成功登陆上交所，2016 年 7 月 8 日 H 股成功发行并上市，成为行业内第五家 A + H 股上市券商。

公司经过 18 年的发展，已从一家仅有 586 名员工、36 家营业网点的证券公司，逐渐壮大为一家总资产达 2000 亿，净资产超过 400 亿，员工 3000 余人、在全国 61 个城市设有 128 家分支机构，提供证券、期货、资产管理、理财、投行、投资咨询及证券研究等全方位、一站式专业综合金融服务的上市证券金融控股集团。公司形成了自营投资，固定收益，证券、期货研究及资产管理等优势业务的业内领先地位。

公司全资持有上海东证期货有限公司、上海东方证券资产管理有限公司、上海东方证券资本投资有限公司、东方金融控股（香港）有限公司、上海东方证券创新投资有限公司，与花旗集团合资设立并控股东方花旗证券有限公司，同时作为第一大股东参股汇添富基金管理股份有限公司。

公司将继续秉承“团结进取务实高效”的企业精神，致力于创建“具有国内一流核心竞争力、为客户提供综合金融服务的现代投资银行”。

资产管理业务

东方证券资产管理有限公司成立于 2010 年 7 月 28 日，注册资本 3 亿元人民币，是东方证券股份有限公司的全资子公司，也是获中国证监会批准设立的业内首家券商系资产管理公司。

公司前身为东方证券资产管理业务总部，自 1998 年开始从事资产管理业务，2002 年首批获得从事客户资产管理业务资格，2005 年首批开展券商集合理财业务，2010 年首家获批设立券商系资产管理公司。公司 2012 年首批获得可受托管理保险资金投资管理人资格，2013 年成为业内首家获得公开募集证券投资基金业务资格的证券公司。

公司一直专注于核心竞争力的培养，以追求绝对收益为根本理念，致力于“寻找满意客户”，以专业化投资为基石，“让客户满意”。

公司主要业务范围包括证券资产管理业务和公开募集证券投资基金管理业务，其中，证券资产管理业务，包括集合资产管理业务、定向资产管理业务和专项资产管理业务。

公司公募基金管理业务，自 2014 年推出首只券商基金——东方红新动力混合基金后，已相继推出了多只公募基金产品。

公司集合资产管理业务，已先后推出40余只东方红系列集合理财产品，涵盖权益、固定收益、量化、折价主题、现金管理等投资领域，拥有“东方红”系列、“东方红——先锋”系列、“东方红——新睿”系列、“东方红——量化”系列、“东方红——增利”系列等不同风险收益的产品系列。

公司定向资产管理业务，为客户提供“一对一”的专业投资管理服务，并依托该平台开展股权质押融资和其他债权、收益权类资产融资业务。

公司专项资产管理业务，立足于开展资产证券化平台业务，为客户提供投融资解决方案。

东方红资产管理团队自1998年开始从事资产管理业务以来，经历多轮牛熊市的考验，积累了丰富的资产管理经验和风险管理经验。团队始终坚持价值投资理念，追求绝对收益，长期投资业绩领先，多次荣获“最佳资产管理人（机构）”称号，被业内誉为“金牌资产管理团队”。

公司崇尚“感恩、责任、梦想”的团队文化，始终坚持自己的核心价值观——始终以投资业绩为导向，不受做大规模的诱惑；始终以最专业的态度勤勉尽责，坚持在长跑中胜出；始终以投资者的信任作为公司生存和发展的基础，不辜负投资者的信任，致力于为客户带来长期投资回报。

地址：上海市中山南路318号2号楼22楼
邮编：200010
电话：021－63326373
传真：021－63326010
邮箱：ir@ orientses. com. cn
网址：www. dfzq. com. cn
客服热线：95503

东方证券资产管理有限公司

公司简介

东方证券资产管理有限公司（简称：东方红资产管理、东证资管）成立于2010年7月28日，注册资本3亿元人民币，是东方证券股份有限公司的全资子公司，也是获中国证监会批准设立的业内首家券商系资产管理公司。

公司前身为东方证券资产管理业务总部，自1998年开始从事资产管理业务，2002年首批获得从事客户资产管理业务资格，2005年首批开展券商集合理财业务，2010年首家获批设立券商系资产管理公司。公司2012年首批获得可受托管理保险资金投资管理人资格，2013年成为业内首家获得公开募集证券投资基金业务资格的证券公司。

公司一直专注于核心竞争力的培养，以追求绝对收益为根本理念，致力于“寻找满意客户”，以专业化投资为基石，“让客户满意”。

公司主要业务范围包括证券资产管理业务和公开募集证券投资基金管理业务，其中，证券资产管理业务，包括集合资产管理业务、定向资产管理业务和专项资产管理业务。

公司集合资产管理业务，已先后推出40余只东方红系列集合理财产品，涵盖权益、固定收益、量化、折价主题、现金管理等投资领域，拥有“东方红”系列、“东方红－先锋”系列、“东方红－新睿”系列、“东方红－量化”系列、“东方红－增利”系列等不同风险收益的产品系列。

公司定向资产管理业务，为客户提供“一对一”的专业投资管理服务，并依托该平台开展股权质押融资和其他债权、收益权类资产融资业务。

公司专项资产管理业务，立足于开展资产证券化平台业务，为客户提供投融资解决方案。

资产管理业务

东方红资产管理团队自1998年开始从事资产管理业务以来，经历多轮牛熊市的考验，积累了丰富的资产管理经验和风险管理经验。团队始终坚持价值投资理念，追求绝对收益，长期投资业绩领先，多次荣获“最佳资产管理人”称号，被业内誉为“金牌资产管理团队”。

地址：上海市中山南路318号东方国际金融广场
2号楼31楼
邮编：200010
电话：4009200808
传真：021－63326981
电邮：service@ dfham. com
网址：www. dfham. com

东海证券股份有限公司

公司简介

东海证券的前身是1993年成立的常州证券。2003年5月，在行业大潮转折之际，常州证券改名为“东海证券有限责任公司”，2005年成为全国首批十家创新试点券商。2013年7月公司改制为“东海证券股份有限公司”，目前公司注册资本为16.7亿元。10多年来，东海证券在董事长朱科敏先生的带领下，经历了证券市场的变革和洗礼，一路稳健发展，从9个营业网点发展到64家营业部和8个分公司，客户数量从12万发展到100余万户，经纪业务客户资产从30亿发展到逾2000亿，受托客户资产管理规模逾1000亿，集团员工人数从170人发展到3000余人。

公司坚持规范诚信经营，业务均衡稳定发展，在获得经纪业务、网上交易、投资咨询、证券自营、客户资产管理、上市承销及保荐业务、短期融资券承销等综合业务牌照的基础上，又在行业创新的大潮流中，积极开展融资融券、新三板、互联网金融、利率互换等创新业务，获得了互联网、同业拆借、股票质押贷款、银行间市场交易、权证创设、权证一级交易商、资产证券化、代办转让市场、甲类结算人、私募基金综合托管、股票期权交易（经纪及自营）等创新业务资格，成为国内业务牌照最齐全的大型综合业务券商之一，并拥有较强的持续盈利能力。

东海证券积极进行全方位金融布局，目前拥有东海期货有限责任公司、东海瑞京资产管理（上海）有限公司、东海投资有限责任公司、东海证券创新产品投资有限责任公司、东海国际金融控股有限公司等子公司，参股东海基金有限责任公司、江苏股权交易中心有限责任公司，为公司未来业务模式的拓宽提供了广阔的平台和契机。

2015年7月27日，公司登陆新三板市场，并以当年净利润排名第一的成绩成为新三板领跑者。2016年6月24日，东海证券进入全国中小企业股份转让系统创新层，成为仅有的两家券商之一。

东海证券在国际化的道路上稳步前行。2015年8月11日，东海国际金融控股有限公司在香港成立，已经获得香港证监会获批的1号证券经纪业务、2号期货经纪业务、4号证券提供意见、9号资管管理业务，各种业务目前有序进行。2015年10月29日，东海证券作为唯一券商成员，加入中德经济顾问委员会，并在德国总理默克尔和国务院总理李克强的见证下，与德国高科技风险投资基金签署了战略合作备忘录。

东海证券通过在文化建设、品牌打造、产品创新、管理变革、提升服务等方面孜孜不倦、扎实有效的工作，为经营发展及业绩取得长足进步奠定了扎实的基础。在中国证券业协会公布的2015年度证券公司经营业绩排名中，东海证券净资本收益率40.12%位列第6，投资银行业务净收入列第17位，承销与保荐业务净收入列第16位，债券承销净收入列第12位，证券投资收入列第23位。

公司拥有良好的业绩和品牌。2007年度，公司进入“中国独立企业属地纳税总排名五百强排行榜”，并在2007年、2008年、2011年分别获得常州市企业“特别重大贡献奖”，董事长朱科敏荣获“常州市杰出企业家”称号；2011年被评为“江苏省十佳优秀企业”、“江苏省十佳诚信企业”；2012年被评为“江苏省用户满意服务明星企业”；2013年被江苏省政府评为“满意客户放心五星级单位”，同年获得江苏省文明委颁发的“2010—2012年度江苏省文明单位”称号；2015年，董事长朱科敏荣获“江苏省劳动模范”称号。2016年，公司进入中国金融500强。

2012年在中国A股最佳IPO投行排行榜上，公司跻身福布斯中国A股最佳IPO投行。2008至2011年，公司连续四年获得“年度全国银行间债券市场交易量100强”称号；2010年公司交易量居券商中第七名，2009年、2010年，公司研究所在第七届、第八届新财富评选中分别获得“最具有潜力研究机构第三名”；2010年5月，在《证券时报》举办的“2010中国区优秀投行评选”活动中，获得“最具成长性投行”称号；2011年，在中国区优秀投行评选中获得“最具定价能力投行”、“最具投资价值保荐项目”、“最佳并购重组项目主办人”三个奖项；2011年4月，在深交所举办的2010年度保荐工作评比中获得“2010年度保荐工作最佳进步奖”；2011年4月，获《中国改革报》评选的“中国资本市场20年十佳保荐机构”奖。2015年，获“新财富”医药行业最佳投行、“证券时报”中国区最佳保荐承揽项目团队。2016年，东海证券凭借在股权融资、并购重组等投行业务的突出表现，荣获了“2016中国区股权类再融资投行”大奖。东海证券龙点金与东海通APP分别获得证券时报“2016中国最佳财富管理品牌”奖项与“2016中国最受欢迎互联网金融产品”奖项。

资产管理业务

东海证券客户资产管理业务由专门的业务分公司——东海证券资产管理分公司具体负责。东海证券其他部门和分支机构严格禁止对外独立开展客户资产管理业务。东海证券资产管理分公司目前在职员工52人。分公司下设权益投资部、固定收益投资部、研究部、市场营销部、运营部、集中交易室、风控部及产品设计部等部门。投研、合规、风控、系统、结算等相关配套人员配备齐整，能够确保各项投资运作工作的顺利开展。东海证券总公司合规与风险管理部负责进行合规监控，内部审计部定期对资产管理业务进行稽核，计划财务部进行账务核算和资金划拨，运营管理总部负责登记结算工作。

地址：上海市浦东新区东方路1928号东海证券大厦

邮编：200125

电话：021－20333333

传真：021－50588876

邮箱：service@longone.com.cn

网址：www.longone.com.cn

客服电话：95531　4008888588

东莞证券股份有限公司

公司简介

东莞证券成立于1988年6月，注册资本15亿元，是国有控股的全国性综合类证券公司，也是全国首批承销保荐机构之一。公司业务范围涵盖了经纪、投资咨询、财务顾问、承销与保荐、证券自营、资产管理、基金代销、期货IB、直接投资、融资融券、做市、股票期权等领域。

截至2016年12月底，公司有分支机构69家（其中营业网点66家，上海分公司1家，深圳分公司1家，北京办事处1家），营业网点遍布珠三角、长三角及环渤海经济圈，“立足东莞、面向华南、走向全国”的格局基本形成。公司全资拥有东证锦信投资管理有限公司，并参股华联期货有限公司。

公司紧跟国家政策和行业发展动态，不断丰富公司业务品种，大力优化收入来源结构。当前，公司以经纪、资管、投行三大业务为核心，积极发展两融、直投、债融、新三板和投资咨询等业务，实现了从收入来源单一型券商向收入来源多元化型券商的转型。

地址：莞城区可园南路1号金源中心30楼

邮编：523000

电邮：service@dgzq.com.cn

网址：www.dgzq.com.cn

委托、服务电话：95328

东吴证券股份有限公司

公司简介

东吴证券股份有限公司前身为苏州证券公司，成立于1993年。同年8月3日正式对外营业。

1997年苏州证券增资扩股，变更为苏州证券有限责任公司，注册资本金为1.04亿元

2002年公司更名东吴证券有限责任公司，注册资本增至10亿元。

2008年公司改制为东吴证券股份有限公司，注册资本金为15亿元。

2011年东吴证券在上海证券交易所挂牌上市，股票简称“东吴证券”，股票代码“601555”。

2014年公司完成上市后的首次非公开发行，发行数量70000万股，募集资金净额约人民币50亿元，注册资本增加至27亿元。

2016年东吴证券完成上市以来的第二次非公开发行，募得资金总额35.4亿元，注册资本增加至30亿元。

资产管理业务

资产管理总部以客户需求为导向，提供具有东吴特色的全面、多样的投资理财服务。业务范围包括为单一客户服务的定向资产管理业务、汇集多个客户资金的集合资产管理业务、针对特定目标的专项资产管理业务。

东吴证券证券资产管理业务遵循公平、公正、诚实守信、勤勉尽责、避免利益冲突的原则，为客户提供多样化、专业化、个性化的客户资产管理服务，满足不同客户的需要。

目前东吴证券资产管理总部拥有一支具有优秀管理能力、雄厚研究力量和丰富投资经验的团队，其中博士占10%，硕士占75%，本科占15%。

地址：苏州市工业园区星阳街5号
传真：0512－62938833
电邮：dwzq601555@dwzq.com.cn
网址：www.dwzq.com.cn
客服电话：95330

东兴证券股份有限公司

公司简介

东兴证券股份有限公司（股票简称“东兴证券”，股票代码“601198”）是2008年经财政部和中国证监会批准，由中国东方资产管理股份有限公司作为主要发起人发起设立的全国性综合类证券公司，2015年2月26日在上海证券交易所上市，是境内首家资产管理公司系上市证券公司。

公司注册资本27.58亿元，总部设在北京，在全国各地设有72家分公司和证券营业部；拥有东兴期货有限责任公司、东兴证券投资有限公司、东兴资本投资管理有限公司、东兴证券（香港）金融控股有限公司4家一级全资子公司。公司业务涵盖证券经纪、证券投资咨询、与证券交易和证券投资活动有关的财务顾问、证券承销与保荐、证券投资基金销售业务、证券自营和证券资产管理业务、融资融券业务、代销金融产品业务、公开募集证券投资基金管理业务，形成覆盖场内与场外、线下和线上、国内和海外的综合金融服务体系。

公司控股股东中国东方资产管理股份有限公司是由财政部与全国社会保障基金理事会共同发起设立，拥有银行、证券、期货、信托、保险、金融租赁、信用评级等多种业务的国有综合金融服务集团，注册资本553.63亿元人民币，在全国26个中心城市设有分支机构以及多个平台子公司。中国东方资产管理股份有限公司以其深厚的金融背景和雄厚实力为东兴证券的发展提供强有力的支持，共同为客户提供境内外全面金融服务。

公司秉承“诚信、专业、创新、高效”的经营理念，把客户利益放在首位，以高水准的专业技能、至诚有效的服务和稳健的经营风格赢得客户信任；积极构建具有鲜明时代特色和符合自身特点的企业文化体系，精心打造结构优化、素质精良、战斗力强的专业化人才队伍；深入推进业务的开拓创新，在产品设计、项目运作上追求高质量、低风险；奉行以严格的风险控制为前提、以合理的投资收益为目标的稳健投资策略，建立科学、严谨、高效的业务流程和风险管控体系，追求稳步增长的经营效益，为客户、股东和员工创造价值最大化，将东兴证券建设成为品牌领先、能力突出、业绩优良、特色鲜明的现代金融服务企业。

公司自2008年成立以来，始终坚持稳健经营的发展思路，经营业绩持续增长，公司净资产收益率（ROE）持续保持在10%以上，2015年被评为AA级券商。未来公司将结合控股股东中国东方资产管理股份有限公司金控集团的优势和资源，以客户为中心，综合运用跨行业、跨领域的金融工具，借助场内和场外、网下和网上、国内和海外平台，为不同需求的客户提供覆盖融资、资产管理、投资顾问、衍生工具、非证券类金融产品的全生命周期、全产业链的财富管理和投融资服务，着力打造成为有特色的综合财富管理机构。

总部地址：北京市西城区金融大街5号（新盛大厦B座）
客户服务与投诉电话：95309
投诉传真号码：010－66555246
投诉邮箱：dxzqts@dxzq.net

方正证券股份有限公司

公司简介

方正证券股份有限公司（以下简称“方正证券”或“公司”）是中国首批综合类证券公司，上海证券交易所、深圳证券交易所首批会员，于2010年改制为股份有限公司，并于2011年在上海证券交易所上市（股票代码：601901）。

公司目前已设立投行、期货、直投、合资基金、另类投资、香港金控等六家子公司，并持有盛京银行股份有限公司部分股权。2014年8月，公司完成对中国民族证券有限责任公司的收购，民族证券成为方正证券的第七家子公司，公司总股本扩增至82.32亿股。截至2016年12月，公司总资产1523.39亿元，净资产354.29亿元。

通过多年积累，方正证券及其子公司各项业务资格种类齐全，范围涵盖：证券经纪、期货经纪、投资银行、证券自营、资产管理、研究咨询、IB业务、QFII业务、融资融券、直投业务、证券投资基金业务、场外市场业务、质押式报价回购业务、代销金融产品业务、受托管理保险资金业务、私募基金托管业务、新三板做市业务、收益凭证业务、私募客户资产托管业务、互联网证券业务试点及证监会核准的其他业务。

公司现拥有区域分公司10家，证券营业部296家，期货营业部30家，分布在全国28个省（市、自治区）的重要中心城市。秉承“开放包容、简单专注、勤奋坚持、追求卓越”的企业精神，方正证券致力于为客户提供交易、投融资、财富管理等全方位金融服务。

公司坚持以调整及改善收入结构、积极寻求多业务发力点为主的战略思路，引进一流人才，建立高度市场化的激励机制，力争成为各项业务均衡发展，特色鲜明，具有重要影响力和一定国际竞争力的大型综合类券商。

资产管理业务

方正证券资产管理业务范围主要包括集合资产管理业务、定向资产管理业务及专项资产管理业务。可根据机构和个人投资者的财务状况、资产特征和风险收益偏好的不同需求，设计科学的资产配置方案，竭力为客户提供多方位、多渠道的专业理财服务，形成一条包括股票、基金、债券、货币、市值管理等多个系列的完整产品线。

集合资产管理业务：集合资产管理业务是指证券公司设立集合资产管理计划，与客户签订集合资产管理合同，将客户资产交由具有客户交易结算资金法人存管业务资格的商业银行或者中国证监会认可的其他机构进行托管，通过专门账户为客户提供资产管理服务。

定向资产管理业务：证券公司与客户签订定向资产管理合同，接受单一客户委托，通过该客户的账户，为客户提供资产管理服务。

专项资产管理计划：专项资产管理业务是指证券公司为客户办理特定目的的投资业务，签订资产管理合同。针对客户的特殊要求和资产的具体情况，设定特定投资目标，通过专门账户为客户提供资产管理服务。证券公司可以通过设立综合性的集合资产管理计划办理专项资产管理业务。

方正证券资产管理分公司拥有一支经验丰富、稳定团结的投资研究队伍，配备了多名具有丰富从业经验的证券资产管理业务人员。我们坚持从基本面出发的价值投资，同时配合金融工程等数量化和程序化等交易工具，成熟完善的风控管理体系，力争客户的资产保值和增值。

地址：北京市西城区太平桥大街丰盛胡同 28 号
太平洋保险大厦 B 座 11 层
邮编：100032
地址：北京市西城区阜外大街甲 34 号
方正证券大厦 7－8 楼
邮编：100037
地址：湖南省长沙市芙蓉中路二段 200 号
华侨国际大厦 22－24 层
邮编：410015
全国统一客服热线：95571
网址：www.foundersc.com

光大证券股份有限公司

公司简介

光大证券股份有限公司（以下简称“光大证券”）创建于 1996 年，系由“世界 500 强”中国光大集团股份公司投资控股的全国性综合类股份制证券公司，是中国证监会批准的首批三家创新试点公司之一。2009 年 8 月 18 日，光大证券 A 股在上海证券交易所挂牌上市，股票代码“601788”。2016 年 8 月 18 日，公司 H 股成功登陆香港联交所主板，股票代码“6178”，正式成为 A＋H 股上市券商。

光大证券成立二十余年来，秉承“以客户为中心”的理念和“为国家图富强，为天下聚财富”的核心价值观，持续推进管理体制、运营机制和商业模式的市场化改革，着力推动转型发展，业务规模及主要经营指标居国内证券公司前列，综合实力排名行业前十。继 2016 首次入选《财富》中国 500 强后，光大证券蝉联“年度最佳证券公司”、亚洲品牌 500 强、中国品牌 500 强及“年度最佳财富管理机构”等行业重要奖项，公司品牌形象和社会影响力持续提升。

光大证券总部位于上海，已在全国 30 个省级行政单位的 109 个城市设立了 13 家分公司，证券网点总数达到 203 家。公司托管资产近万亿元，服务客户逾 340 万户。依托线上线下全面布局，公司形成了 7＊24 小时的用户服务体系。光大证券以香港为平台，多点布局海外，依托光证国际现有资源，同时充分整合新鸿基金融集团业务，通过 4 家证券网点全方位服务客户跨境需求。

作为全牌照证券公司，光大证券业务覆盖全面，包括证券经纪、证券投资咨询、财务顾问、证券承销与保荐、证券自营、为期货公司提供中间介绍业务、证券投资基金代销、融资融券业务、证券资产管理、证券期权业务、代销金融产品、中国证监会批准的其他业务等。公司围绕零售客户、机构客户、金融同业与战略客户等市场主体，以资本中介为纽带，坚持综合经营、创新引领、协同联动与境内外一体，着力打造零售业务、投资银行、机构证券、资产管理、国际化和综合经营等业务板块。

作为一家拥有完善公司治理结构的上市公司，光大证券布局完善，目前拥有资产管理、直投、期货、国际业务、基金、另类投资、租赁和互联网金融等 11 家专业化子公司，业务链条较为完整，协同效应逐步显现，以金融综合服务为特征的证券控股金融集团框架已基本形成。

展望未来，光大证券将依托中国光大集团金控平台资源，通过去市场化、国际化、综合化经营等战略举措，走差异化发展道路，争做投融资的安排者、市场的组织者、产品的创设者、流动性的提供者和风险的管理者，致力于将公司打造成为具有国际竞争力的一流全能型投资银行。

资产管理业务

光大证券资产管理有限公司（以下简称“光证资管”）正式成立于 2012 年 5 月 9 日，前身为原光大证券股份有限公司资产管理总部，是国内上市券商旗下首家资产管理公司，承继了光大证券的客户资产管理业务与资格，公司注册资本 2 亿元，净资本 9 亿元，由光大证券全资控股。

光大阳光资产管理团队开展资产管理业务长达十六载，秉承“聚一流人才，创持久佳绩，与客户共赢”的经营理念，业务范围涉及集合资产管理业务、定向资产管理业务和专项资产管理业务。光证资管以合规稳健为基石，以改革创新为动力，提高专业投资能力、产品创新能力和风险管理能力，走在券商资产管理业务的前列。光大阳光资产管理团队建立了完善的组织架构和严谨的投资研究体系，将客户利益放在第一位，以稳健的投资风格，致力于为客户获得中长期稳定的收益，实现客户资产的保值增值。

地址：上海市新闸路 1508 号
电话：021－22169999
传真：021－62151789
网址：www.ebscn.com
邮箱：95525@ebscn.com　　4008888788@ebscn.com

广发证券股份有限公司

公司简介

广发证券成立于 1991 年，是国内首批综合类证券公司，先后于 2010 年和 2015 年分别在深圳证券交易所及香港联合交易所主板上市（股票代码：000776.SZ，1776.HK）。公司被誉为资本市场上的“博士军团”，秉承“知识图强，求实奉献；客户至上，合作共赢”的核心价值观，贯彻执行“稳健经营，持续创新；绩效导向，协同高效”的经营管理理念，在竞争激烈、复杂多变的行业环境中努力开拓、锐意进取，经受住了多次行业重大变化的考验。并以卓越的经营业绩、完善的风险管理及优质的服务成功实现持续稳健发展，多年来是中国资本市场最具影响力的证券公司之一。

公司是定位于专注中国优质中小企业及富裕人群，拥有行业领先创新能力的资本市场综合服务商。本集团提供多元化业务以满足企业、个人（尤其是富裕人群）及机构投资者、金融机构及政府客户的多样化需求。截至 2016 年 12 月 31 日，公司有证券营业部 264 个，已实现全国 31 个省市自治区全覆盖。

公司拥有投资银行、财富管理、交易及机构客户服务及投资管理等全业务牌照，各项主要业务相对均衡发展，均取得了靠前的行业排名。同时，公司控股广发期货、广发基金、广发控股香港、广发信德、广发乾和及广发资管，投资参股易方达基金（并列第一大股东）、证通公司、中证信用增进股份有限公司和中证机构间报价系统股份有限公司，并积极探索发展融资租赁、PPP 和 QDLP 等业务，形成了初步的金融集团化架构。

广发证券总资产、净资产、净资本、营业收入和净利润等多项主要经营指标从 1994 年起连续多年位居十大券商行列。截至 2016 年 12 月 31 日，集团总资产 3,598.01 亿元，归属于上市公司股东的所有者权益为 785.30 亿元，2016 年营业收入为 207.12 亿元，营业利润为 105.26 亿元，归属于上市公司股东的净利润为 80.30 亿元。资本实力及盈利能力在国内证券行业持续领先，总市值居国内上市证券公司前列。

2015 至 2016 年，广发证券连续两年位居“胡润品牌榜”

中国券商第二。公司依托"广发证券社会公益基金会"积极履行社会责任，聚焦扶贫济困、助学兴教两大领域，主动践行社会责任，公司美誉度和品牌影响力持续提升。

资产管理业务

广发证券资产管理（广东）有限公司的前身是广发证券资产管理部，系广发证券旗下全资子公司，注册资本10亿元，于2014年1月2日成立，是华南地区首家券商系资产管理公司。公司现办公场所位于广州市天河北路183号大都会广场36楼。

广发资管全面承继了广发证券原资产管理部的相关业务，截至2015年底，公司累计发行111只集合计划、17只专项计划，资产管理总规模达到5319.24亿元，集合资产管理规模2980.07亿元，定向资产管理规模2179.19亿元，主动管理规模行业排名第二。

地址：广州市天河北路183号大都会广场42楼
电话：020－87555888
邮编：510075
网址：www.gf.com.cn
全国客服热线：95575

广州证券股份有限公司

公司简介

广州证券股份有限公司1988年经中国人民银行批准成立，是全国最早设立的证券公司之一，2014年9月1日召开股份公司创立大会，正式变更为"广州证券股份有限公司"。2016年1月，公司完成增资扩股，注册资本为53.6亿元。

广州证券业务范围涵盖证券经纪、证券投资咨询、与证券交易、证券投资活动有关的财务顾问、证券承销与保荐、证券自营、证券资产管理、融资融券业务、以及中国证监会批准的其他业务等所有综合性业务。

广州证券在全国设立了27家分公司、135个证券营业部，分支机构数量达到了162家。旗下拥有全资子公司广州证券创新投资管理有限公司、广证领秀投资有限公司，控股广州期货股份有限公司、广州广证恒生证券研究所有限公司，参股金鹰基金管理有限公司。其中广证恒生为CEPA框架协议下国内首家合资证券投资咨询公司，广州期货于2017年初成功挂牌新三板。

广州证券由广州越秀金融控股集团有限公司（简称"广州越秀金控"）控股，为广州越秀金控的核心主体。广州越秀金控成立于2012年1月，是广州越秀金融控股集团股份有限公司（简称"越秀金控"）的主要全资子公司，目前拥有广州证券、越秀融资租赁、越秀产业基金、广州担保、越秀小额贷款、越秀金融科技等金融业务平台，初步形成了以证券为核心的非银行金融控股发展格局。

"广州友谊"（股票代码000987）于2000年在深圳证券交易所主板上市。2016年4月，"广州友谊"非公开发行股票募集100亿元资金收购广州越秀金控100%股权顺利完成，由单一的百货业务转型为"金融＋百货"的双主业模式。2016年8月，"广州友谊"证券简称变更为"越秀金控"，成为国内首个地方金控上市平台。

资产管理业务

资产管理事业部是公司设立的对客户委托的资产进行投资管理、实现客户资产保值和增值的专门业务部门，负责统筹公司资产管理业务，是公司的产品中心，整合各业务部门的资源，将客户需求与产品设计进行对接，通过资管投行化，打通投融资市场，为客户提供全方位服务。资产管理事业部下设产品与研发总部、市场与渠道总部、权益证券总部、固定收益总部、结构金融总部、综合业务总部六个二级部门。

资产管理事业部始终坚持以客户需求为核心的业务宗旨。开展业务前，与目标客户进行充分接洽，主动了解客户的投资目标、委托期限、收益预期和风险承受能力，根据客户不同的需求，提供有针对性的资产管理服务。经过几年的发展，目前已经形成了以客户和市场为中心的涵盖客户资源开发、产品设计、投资管理、客户服务、风险监控等方面内容的业务体系，在业内树立了稳健创新的良好形象，拥有数量庞大的境内外合作伙伴，包括建行、工行、中行、交行，招商银行、交通银行、光大、兴业等股份制银行、城商行、农商行等。

地址：广州市珠江西路5号广州国际金融中心主塔19层、20层
邮编：510623
电话：020－88836999
传真：020－88836914
网址：www.gzs.com.cn
客户服务热线（委托、投诉）：95396
投诉邮箱：khts@gzs.com.cn

国都证券股份有限公司

公司简介

国都证券股份有限公司（以下简称"国都证券"）是由国都证券有限责任公司整体变更而来。国都证券有限责任公司是经中国证监会批准，在中诚信托有限责任公司和北京国际信托有限公司原有证券业务整合的基础上，吸收其他股东出资，于2001年12月28日成立的综合性证券公司，注册地为北京。2015年6月23日公司组织形式由有限责任公司整体变更为股份有限公司，公司正式更名为"国都证券股份有限公司"，注册资本变更为460000.0009万元。2015年12月31日完成增资扩股，注册资本增至530000.0009万元。

2010年至2015年，国都证券在证券公司分类评价中连续6年被评为A类A级证券公司。截至2015年末，公司净资产88.10亿元。

国都证券前身早在1990年开始从事证券经纪业务、1992年开始从事承销业务，并于1992年在北京设立了第一家证券营业部——工体营业部。多年的业务积淀使公司在金融服务领域拥有丰富的成功经验和众多的资深专业人士。

国都证券成立以来，始终秉承"关注客户需求，与客户共成长"的服务理念，在坚持合规经营的基础上，努力为客户提供便捷、多样化、个性化的金融服务，深得客户认可与信赖，并在业内赢得了良好的声誉。为拓展业务发展空间，公司通过设立另类子公司、香港子公司、控股期货公司、参股基金公司，整合股东、银行等金融机构的资源，搭建起一个多元化的金融服务平台。公司发展至今，已形成了门类齐全、服务模式多样化的业务体系，可针对客户的个性化需求，提供一揽子金融解决方案。

在管理方面，公司构建了完善的法人治理结构、科学严密的内部控制机制和风险管理体系，形成了以人为本、和谐发展的企业文化，打造了一支独具特色、精诚团结、锐意进取的精英团队，为公司健康稳步的发展奠定了坚实的基础。

"互信、共赢、美好生活"是国都证券的发展愿景，也是国

都人的责任所在。国都证券全体同仁愿凭借自身的专业优势，携手广大客户及各界伙伴，把握经济发展的契机，共同开创我们健康丰盛的财富人生。

地址：北京市东城区东直门南大街 3 号国华投资大厦 9 层、10 层
邮编：100007
电话：010－84183126
传真：010－84183100
网址：www. guodu. com
客服信箱：guodu@ guodu. com
客服热线：4008188118

国金证券股份有限公司

公司简介

国金证券股份有限公司是一家资产质量优良、专业团队精干、创新能力突出的上市证券公司，是沪深 300 指数、上证 50 指数、上证 180 指数、上证 180 金融股指数和上证中型企业指数成份股，证券分类评价 A 类 AA 级券商，注册地在四川省成都市。公司目前控股国金期货有限责任公司、国金鼎兴投资有限公司、国金创新投资有限公司，国金证券（香港）有限公司、粤海融资有限公司、参股国金基金管理有限公司。

国金证券尊崇“责任、和谐、共赢”的企业核心价值观，秉承“规范管理、稳健经营、深化服务、科学创新”的经营理念及“专业创造价值，诚信铸就未来”的服务理念，打造了一支专业化、高素质的职业人才团队，取得了良好的经营业绩。

公司经营范围包括：证券经纪；证券投资咨询；与证券交易、证券投资活动有关的财务顾问；证券承销与保荐；证券自营；融资融券；证券资产管理；证券投资基金代销；为期货公司提供中间介绍业务；代销金融产品。（依法须经批准的项目，经相关部门批准后方可开展经营活动）。

公司还拥有参与股指期货、国债期货交易业务；股票质押式回购业务；股票收益互换业务；参与利率互换交易业务；直接投资业务；全国中小企业股份转让系统从事推荐业务、做市业务和经纪业务；中小企业私募债券主承销业务；向保险机构投资者提供交易单元服务；约定购回式证券交易业务；全国银行间同业拆借市场同业拆借业务；沪港通业务；私募基金综合托管业务试点；银行间尝试做市商；互联网证券业务试点；柜台市场业务试点；股票期权交易参与人；开展黄金现货合约自营资格、上市公司股权激励行权融资业务、合格境内机构投资者（QDII）资格等其他业务资格。

作为一家为广大投资者谋利益的、负责任的证券公司，国金证券一直将“合规经营、风险可控”作为公司长期稳健发展的基石。公司树立优秀的企业形象，创立了值得信赖的券商品牌。

公司自成立以来，严格遵守各项法律法规，不断完善公司法人治理结构，建立了比较健全的内控制度，始终坚持合规管理和稳健经营。公司合规与风险管理的整体状况及市场竞争力处于证券行业领先水平。

地址：成都市青羊区东城根上街 95 号成证大厦 16 楼
邮编：610015
电话：028－86690021　　028－86690021
传真：028－86695681　　028－86695681
网址：www. gjzq. com. cn
电邮：bgs@ gjzq. com. cn

国联证券股份有限公司

公司简介

国联证券股份有限公司创立于 1992 年 11 月，前身为无锡市证券公司，2008 年 5 月通过改制更名为国联证券股份有限公司，注册资本 19.024 亿元人民币，2015 年 7 月 6 日在香港联合交易所上市交易，股票代码为“01456”。作为一家国有控股的现代金融服务企业，公司多年来秉承“诚信、稳健、开放、创新”的经营理念，现控股华英证券有限责任公司、参股中海基金管理有限公司，设立国联通宝资本投资有限责任公司，证券金融控股集团构架初具。

作为综合类、创新类券商，国联证券现已形成包括经纪业务、投资银行、资产管理及投资、证券投资及信用交易等在内较为完善的业务体系。在江苏、上海、北京、浙江、广东、广西、重庆、山东、江西和湖南等省市区重要区域设立了分支机构。在行业内较早推出全国呼叫中心 95570，净资本收益率和成本管理能力等指标排位表现突出。

伴随着中国资本市场进入了一个崭新的发展阶段，国联证券将积极把握这难得的历史性机遇，不断提升企业的核心竞争力，用国联人的智慧和努力，去迎接挑战、创造价值，续写更加精彩的篇章！

资产管理业务

自 2002 年获得受托投资管理业务资格以来，经过十余年的努力开拓，资产管理业务已成为公司核心业务之一，专业从事客户理财业务的产品设计、市场推广和投资运作等工作，为客户提供多样化的投资管理以及融资服务。其中投资管理服务包括对权益类、固定收益类、现金管理类、衍生品以及其他多种创新金融工具的综合投资管理；融资服务则包括股权质押融资、平台融资等多种融资方式。

资产管理部下设产品中心、权益投资部、固定收益部、金融投资部、企业金融部、金融同业部、市政金融部七个二级部门；资产管理业务发展委员会下设客户资产管理权益投资决策小组、客户资产管理固定收益投资决策小组和客户资产管理项目评审小组。

资产管理部专业的投资团队为提供优质的客户服务保驾护航：截至 2015 年 8 月，资产管理部有员工 48 人，平均年龄 31 岁，其中获博士学位的 2 名，硕士学位的 32 名，获 ACCA 资格的 3 名，获 FRM 资格的 1 名，具有海外学习或工作经验的 10 名。

地址：无锡市太湖新城金融一街 8 号国联金融大厦
邮箱：glsc@ glsc. com. cn
网址：www. glsc. com. cn
客户服务或投诉电话：95570

国融证券股份有限公司

公司简介

国融证券股份有限公司（原日信证券有限责任公司，以下简称“国融证券”）是经中国证监会核准的综合性证券公司。公司成立于 2002 年 4 月，注册资本为 1,782,511,536 元人民币。公司主要股东包括长安投资集团、普润投资、内蒙古日信担保集团等国内知名大中型企业。

公司秉承“合规经营、稳健发展”的经营理念，自成立以来，资产质量一直保持优良，经营业绩稳步提高，拥有较高的

市场美誉度。

截至2017年5月,公司在全国设有六十六家分支机构,旗下控股北京首创期货有限责任公司,拥有一家全资子公司国融汇通资本投资有限公司。

公司拥有一支专业、高素质的人才队伍,在投资、融资、交易、托管以及证券研究、产品设计、风险管理及定价等方面拥有经验丰富的专家团队,致力于为客户提供卓越的金融服务。"规范守法、诚信尽职"是公司发展经营中恪守的最高准则,在步入规范发展的繁荣轨道后,面对激烈的市场竞争,公司将继续秉承"稳健、长远"的经营思路,进一步增强"改革、创新"意识,完善经营管理体制和运行机制,稳步前进,全面提升服务品质,打造公司核心竞争能力。

资产管理业务

投研团队拥有30多名博硕士专业研究人员,研究方向涵括宏观经济、投资策略、债券、金融产品、金融衍生品等多个领域。2012年,公司荣获第十届《新财富》"最具潜力研究机构"(第五名)殊荣。投研团队分为固定收益团队、资本市场团队、金融工程团队。

秉承敬业负责、稳中求进的精神,构建严密的风控流程和业内领先的债券内部评级系统,凭借涵盖投资、交易、研究、中台四大团队,实现宏观投资研究、利率品种和策略投资研究、信用投资研究及数量投资研究四大领域全覆盖。固定收益团队注重绝对收益,致力于帮助投资人把握确定性收益,追求稳健的长期绝对回报。

拥有强大的信托、资产管理计划等资本市场金融产品投资、研究和创新能力,熟悉宏观经济政策及相关法律、法规,通过风险控制制度和流动性标准来筛选品种,并拥有一套严密的风险控制体系以及在业内领先的信用分析系统,在保持产品流动性的同时,最终实现相对稳定的较高的收益率。

具有良好的数量化投研知识背景、丰富的金融产品设计经验和出色的数量化投研经验,理论基础扎实,善于数量化投资,可精确把握市场的投资机会。

地址:内蒙古自治区呼和浩特市武川县腾飞大道与呈祥路交汇处武川立农村镇银行股份有限公司四楼

邮编:010020

网址:www. grzq. com

客服及投诉电话:95385　4006609839

全国统一电话委托号码:95385　4006609839

公司呼叫中心回访电话:95385　0471-6919911

国盛证券有限责任公司

公司简介

国盛证券有限责任公司是2002年12月经江西省人民政府和中国证监会批准设立的证券公司。公司注册地为江西省南昌市,注册资本20.35亿元。2007年2月2日,经中国证券业协会评审通过,公司成为规范发展类证券公司,2015年证券评级为A级。统一社会信用代码:91360000746053029P。

公司是中国证监会注册的保荐机构,曾首批获准参与股权分置改革试点。是全国银行间和交易所间同业拆借及债券市场成员单位,中国证券业协会监事单位。公司目前拥有证券经纪、证券自营、证券主承销与保荐、证券资产管理、证券投资咨询、财务顾问、融资融券、转融通、代办系统主办券商、中小企业私募债、约定购回式证券交易、证券投资基金销售、新三板做市商、港股通、股票期权、消费支付等多牌照业务资格。

截至目前,公司控股了江信国盛期货有限责任公司,发起设立了江信基金管理有限公司。在北京和新疆拥有两家分公司,共有207家营业部,分布于北京、上海、深圳、天津、杭州等国内中心城市及江西省各地市。

公司始终致力于建设昂扬向上的企业文化,以"共同利益观"为核心价值观,即国家、股东、客户、员工利益一体,互利共赢。以"忠诚拼搏、艰苦创业"为企业精神,始终以优质高效的服务,不断满足投资者多方位需求,实现公司的可持续发展。

地址:江西省南昌市西湖区北京西路88号

电话:0791-86282257

网址:www. gsstock. com

国泰君安证券股份有限公司

公司简介

国泰君安,中国证券行业长期、持续、全面领先的综合金融服务商。国泰君安跨越了中国资本市场发展的全部历程和多个周期,始终以客户为中心,深耕中国市场,为个人和机构客户提供各类金融服务,确立了全方位的行业领先地位。从2007到2015年的九年里,国泰君安的营业收入有七年名列行业前三,在致力于实现高质量增长、规模领先的同时,注重盈利能力和风险管理。自2008年以来,国泰君安连续九年获得中国证监会授予的A类AA级监管评级,该评级是迄今为止中国证券公司获得的最高评级。

在二十余年创新发展过程中,国泰君安逐渐形成了风控为本、追求卓越的企业文化,成为中国资本市场全方位的领导者以及中国证券行业科技和创新的引领者。这样的成绩源自于全体国泰君安人的共识:客户至上、统筹兼顾的利益观,风控为本、追求卓越的业务观,以人为本、协同协作的人才观,创新超越、珍惜声誉的处世观;源自于对共识的高度认同和持续实践。

基于在中国本土强大的竞争优势,未来,国泰君安将主动满足客户跨境需求,务实推进国际化,建立覆盖全球的业务网络和执行能力,为客户提供综合金融服务,努力成为根植本土、覆盖全球、有重要影响力的综合金融服务商。

资产管理业务

国泰君安资产管理业务接受客户的委托,针对客户在投资风险、收益、流动性等方面的不同需求,提供多元化的资产管理解决方案,打造了包括股票、基金、债券、货币等多品种和量化、市值管理、海外投资等多策略的产品链,管理客户的金融资产,为各类机构和个人投资者提供多种证券投资增值服务。

集合资产管理业务:国泰君安为中高端客户开发理财服务新产品,集合资产管理计划涵盖股票市场、债券市场、货币市场及混合型基金。

定向资产管理业务:国泰君安接受单一客户委托并与客户签订合同,根据合同约定方式、条件、要求及限制,通过专门账户管理客户委托资产。

专项资产管理业务:国泰君安为客户的特定目的管理其委托资产。

地址:上海市来安路685号

电话:021-38676798

邮编:201201

传真:021-38670798

网址：www. gtja. com

邮箱：dshbgs@ gtjas. com

国泰君安证券资产管理公司

公司简介

国泰君安证券资产管理有限公司正式成立于2010年10月18日，是业内首批券商系资产管理公司。作为国泰君安证券的全资子公司，公司注册资本8亿元。

强大的综合实力母公司国泰君安证券拥有经纪业务、投行业务、研究所、海外业务、固定收益业务和资产管理业务等证券业的全牌照业务，各项业务均位居行业最前列。业务覆盖全面，综合管理能力和资源整合能力强大，满足综合金融服务的需求。悠久的历史国泰君安证券自1993年起开展客户资产管理业务，是国内最早开展资产管理业务的证券公司。早在2003年起展开低风险套利的投资实践，是国内最早从事ETF、权证等金融衍生品领域套利投资的证券公司之一。2005年，成为首批获准开展集合资产管理业务的证券公司。2010年，成立国泰君安证券资产管理有限公司。2012年，获得保险资金委托投资。业内最全的产品链国泰君安证券资产管理公司拥有业内最齐全产品线，既有高风险、高收益的权益产品、风险可控、收益适中的量化投资产品，也有低风险的固定收益产品。公司通过对投资者的风险偏好分析，提供优化的资产配置服务，提升客户的满意度。公司的产品数量和种类均在全行业处于第一名。管理的客户资产规模保持券商资产管理行业的领先地位。

公司的产品数量和种类均在全行业处于第一名。截至2012年底，公司管理的客户资产规模超过2000亿元，位居券商资产管理行业前列。突出的创新优势国泰君安证券资产管理的创新业务已在业内树立优秀的品牌，尤其是套利对冲类创新产品享有很高声誉。公司率先引入金融工程技术，参与交易所ETF、权证、股指期货等创新金融产品的设计开发，开展了业内第一单定向资产管理和第一单股指期货套利资产管理。2011年，公司发行国内首只对冲基金“君享量化”，一日售罄；同年更创下一月连发5只对冲基金的发行纪录；2012年，发行国内首只高频统计套利量化产品；公司在产品数量、量化模型的设计及应用，均处于行业领先地位。稳健高效的营运团队国泰君安证券资产管理拥有专业、稳健、全面的营运团队，以严谨、细致的工作作风，制定严格的后台运作管理制度、严密的风险管理体系，通过先进可靠的信息技术系统，保证各项投资、研究活动以高效稳健运行，协助业务创新和管理创新，保障客户委托资产安全和增值。

地址：上海市浦东新区银城中路168号上海银行大厦24层

邮编：200120

网址：www. gtjazg. com

客服热线：95521

国信证券股份有限公司

公司简介

国信证券股份有限公司（简称“国信证券”）前身是1994年6月30日成立的深圳国投证券有限公司。公司总部设在深圳，法定代表人为何如。

经过20多年的发展，国信证券已成长为全国性大型综合类证券公司：截至2015年末，注册资本82亿元；员工总数9143人；在全国112个城市和地区共设有48家分公司、158家营业部；拥有国信期货有限责任公司、国信弘盛创业投资有限公司、国信证券（香港）金融控股有限公司等3家全资子公司；参股鹏华基金管理有限公司、深圳前海股权交易中心等10家金融机构；经营范围涵盖：证券经纪，证券投资咨询，与证券交易、证券投资活动有关的财务顾问，证券承销与保荐，证券自营，证券资产管理，融资融券，证券投资基金代销，金融产品代销，为期货公司提供中间介绍业务，证券投资基金托管，股票期权做市。

2014年12月29日，公司首次向社会公开发行股票并在深圳证券交易所上市交易，证券代码“002736”。截至2015年末，公司总资产2443.53亿元，净资产498.88亿元，净资本（母公司）478.39亿元。根据中国证券业协会公布的全国证券公司经营业绩排名，国信证券近三年（2012—2014年）的总资产、净资产、净资本、营业收入、净利润五项指标均进入行业前十。

2015年，公司实现营业收入291.39亿元；归属于上市公司股东的净利润139.49亿元。经纪业务手续费收入排名行业第一；投行IPO项目主承销家数排名行业第一；资产托管产品数量排名行业第二；公募基金佣金分仓收入排名行业第四；重大资产重组项目家数排名行业第五；新三板新增挂牌企业家数排名行业第五；母公司资产管理净值达1402.40亿元。

展望未来，国信证券将继续弘扬“务实、专业、和谐、自律”的企业精神，始终秉持“创造价值、成就你我”的核心理念，开拓进取，不断创新，全力打造国际一流投资银行。

地址：深圳市红岭中路1012号国信证券大厦

邮编：518001

传真：0755－82130570

网址：www. guosen. com. cn

总机：0755－82130833

全国统一客服热线：95536

投资者热线：0755－82130188

海通证券股份有限公司

公司简介

海通证券股份有限公司（以下简称“海通证券”）成立于1988年，是国内最早成立的证券公司中唯一未被更名、注资的大型证券公司。公司前身是上海海通证券公司，于1994年改制并发展成全国性的证券公司。2001年底，公司整体改制为股份有限公司。2002年，公司完成增资扩股，注册资本金增至87.34亿元，成为当时国内证券行业中资本规模最大的综合性证券公司。2005年，公司成功托管甘肃证券和兴安证券，实现低成本快速扩张，同年公司成为创新试点券商。海通证券A股于2007年在上海证券交易所挂牌上市并完成定向增发，H股于2012年在香港联合交易所挂牌上市，2015年完成H股定向增发，公司注册资本金增至115.02亿元。自2007年以来，公司总资产和净资产一直位居国内证券行业第二位。

公司经纪业务基础雄厚，截至2016年年底，在境内拥有337家营业部，逾856万零售客户和超过2万个机构客户及高净值客户，客户资产规模超2.3万亿元，经纪业务总交易量市场份额稳居市场前列。公司投资银行业务具有较高的市场影响力，拥有专业的服务能力、卓越的创新能力和优秀的销售定价能力，可以为客户提供个性化、全方位的融资解决方案。尤其在金融、高科技企业和民营企业的发行承销、国有企业改制重组、文化传媒企业并购重组等方面享有盛誉。公司首批取得新三板主办券商资格，新三板做市业务处于行业领先地位。公司研究实力和影响力排名行业前茅，荣获2016年《新财富》"最具影响力研究机构"第二名、"本土最佳研究团队"第三名。

公司创新业务始终走在市场前列，首批获得融资融券、约定购回式证券交易、券商柜台市场、保险资金管理、公募基金托管、合伙企业独立托管、期货资产管理、RQFLP等创新业务资格。公司融资融券和股票质押融资等资本中介业务规模行业第一，柜台市场业务处于行业领先地位，行业内首批通过人民银行自贸区分账核算单元（FTU）验收。

公司大力推进国际化战略，积极推动境内外业务联动，着力打造海外发展的业务平台。2010年1月，公司成功收购香港本地老牌券商大福证券，更名为海通国际证券。近年来海通国际证券经营业绩快速提升，在香港人民币产品领域始终保持领先地位，首批获得合格境外机构投资者（QFII）资格，成功完成多个大型IPO项目发售，在香港市场赢得了"公开发售之王"的美誉，主要财务指标位居在港中资投资第一位，客户数、孖展融资规模和资产管理业务规模位居在港中资券商第一位，IPO业务规模位居在港投行第一位。2015年9月，公司成功收购葡萄牙圣灵投资银行，将其更名为海通银行，进一步提升了国际知名度和品牌影响力，业务范围覆盖了14个国家和地区，海外布局进一步完善，国际化战略继续深化。

公司积极推进金融控股集团建设，基本建成了以证券为核心，业务涵盖期货、直接股权投资、基金和融资租赁等多个业务领域的金融控股集团。公司拥有一家直投子公司（海通开元）和七家股权投资管理子公司（海富产业、海通吉禾、海通创新、海通新能源、海通创意、海通并购和海通新创），在国内证券业PE投资领域处于领先地位，打造了国内PE投资领域的知名品牌。公司拥有海通资产管理、海富通基金和富国基金等专业资产管理子公司，资产管理总规模突破1万亿元。公司成立海通创新证券投资公司，打造另类投资的专业平台。公司控股子公司海通期货稳居期货行业市场份额前三位。公司2013年成功收购恒信金融集团，成为第一家涉足融资租赁业务的证券公司。

海通证券将继续以客户为中心，以经纪、投资银行、资产管理等卖方业务为本体，以资本型中介业务和投资业务为两翼，以创新和国际化为驱动力，加强研究、人才、IT和合规风控四根支柱建设，加强资本与投资管理、资产和财富管理、投行承揽与销售定价、机构经纪与销售交易和互联网证券等五大能力建设，致力于把海通建设成为以网上证券、财富管理证券、中小企业证券、机构业务证券为核心的国内一流、国际有影响力的金融控股集团。

资产管理业务

海通资产管理有限公司（以下简称"海通资管"）是公司全资子公司，于2012年7月开业，注册资本为人民币22亿元。

海通资管在权益类投资、固定收益、量化投资、另类投资、海外QDII、股权质押、资产证券化ABS、专户管理、银证保信平台业务、券商PB业务等方面形成了全产品链，并在各条业务线中基本建成了一支高素质队伍。在"2015东方财富风云榜"评选中荣膺"2015年度最佳券商资管公司"及多个产品类别的年度最佳奖。

定向资产管理业务

为高净值（1000万元以上）机构和个人客户提供高端专属的定制服务，投资范围在符合国家法律法规要求的基础上由双方协商确定。

海通在股权质押、市值管理、量化对冲投资等定向业务模式均独具特色，股权质押、市值管理规模、交易金额都在业内名列前茅。

专项资产管理业务

针对特定目的的客户提供资产管理服务。相比普通的集合资产管理业务，专项资产管理业务具备更灵活的投资范围和业务模式。

QDII业务

公司于2008年获得了中国证监会批准的QDII业务资格，通过集合计划、定向计划、专项计划受托投资于全球市场。

集合资产管理业务

为中等净值（5万元以上）机构和个人客户提供优质的理财服务，其中，对于净值在100万元以上的客户提供"小众化"专属的限额特定集合资产管理计划。

产品序列覆盖了风险收益水平由低至高的各类投资业务。

为不同风险偏好的投资者推出了分级型集合计划。

为证券公司经纪业务客户打造现金管理产品。

银证保信平台合作业务

银行以理财资金或自有资金委托投资于资管定向计划，管理人依据与委托人的约定投资于指定的资产，获取投资本金和收益；定向计划资产投资在法律法规允许的范围内可灵活配置。

管理人根据资金端及资产端需求提供市场询价、交易撮合等价值服务；或依据资金端客户诉求，为其量身定制集合、定向等投资产品，实现客户风险收益预期及特定需求。

地址：上海市广东路689号

邮编：200001

邮箱：haitong@ htsec. com

网址：www. htsec. com

服务热线：95553　4008888001

投资者热线：63411000

恒泰长财证券有限责任公司

公司简介

恒泰长财证券有限责任公司前身为长财证券经纪有限责任公司，经中国证券监督管理委员会批准（证监机构字〔2001〕327号文件），长财证券经纪有限责任公司于2002年1月10日成立。2009年6月，恒泰证券股份有限公司［01476－HK］收购长财证券经纪有限责任公司，长财证券成为恒泰证券［01476－HK］全资子公司，并更名为"恒泰长财证券有限责任公司"。2014年1月3日，恒泰长财证券与母公司恒泰证券［01476－HK］进行业务整合，整合之后，恒泰长财证券成为专门从事投行业务的证券公司，注册地为吉林省长春市。

恒泰长财证券有限责任公司坚持"创新、务实、诚信、合作"的核心价值观，遵循"为客户创造价值，为员工创造机会，为股东创造回报，为社会创造财富"的企业使命，全体员工为实现恒泰证券"致力财富管理，成为具有强大市场影响力的证券控股集团"的企业愿景而努力工作。

地址：吉林省长春市宽城区珠江路 439 号恒泰长财大厦
邮编：130051
电话：0431 – 82951762
邮箱：htcc@ cczq. net
网址：www. cczq. net

恒泰证券股份有限公司

公司简介

恒投证券于内地以中文公司名称“恒泰证券股份有限公司”注册成立的股份有限公司，在香港以“恒投证券”（中文）及“HENGTOU SECURITIES”（英文）名义开展业务，“本公司”，股份代号：1476. HK）是在中国经济发达地区的主要城市中设有战略性分布的综合性服务证券公司，通过经纪与财富管理、投资管理、自营交易及投资银行业务向公司、金融机构、政府实体及个人提供广泛的金融产品及服务。

本公司在整体业务快速发展的同时，在资产支持证券、新三板做市、互联网金融等创新业务上取得了突破。截至 2015 年 9 月 20 日，根据中国证券投资基金业协会备案和批准的交易数量，本公司的资产支持证券名列第一。本公司已开发在线证券平台及移动应用程序，为新三板报价证券设立私募股权融资平台，亦与深圳市腾讯计算机系统有限公司（腾讯）在内的领先互联网公司合作开发互联网金融渠道。2012 年至 2014 年，本公司的总收益及纯利复合年增长率分别为 61. 1% 及 142. 1%。中国证监会于 2015 年授予本公司「A」监管评级。

资产管理业务

恒泰证券资产管理部业务参照和借鉴了国际投资管理行业标准，并充分考虑了中国市场的特殊国情。同时，注重规范的业务运作和严格的风险控制。

资产管理总部组织架构参照国际投资公司的典型架构设置；设立集中决策的投资决策委员会，负责制定整体投资策略；设立独立风险管理委员会，负责监控整个资产管理业务中的风险。

地址：北京市西城区金融大街 17 号中国人寿中心 11 楼
电话：010 – 83270996
传真：010 – 83270998
电邮：zcbgs@ cnht. com. cn
网址：www. cnht. com. cn

红塔证券股份有限公司

公司简介

红塔证券股份有限公司是在对云南省三家信托投资公司（云南省国际信托投资公司、云南金旅信托投资有限公司、昆明国际信托投资公司）证券业务重组的基础上，由红塔集团等 13 家国内知名企业共同发起，并经中国证监会批准设立的综合类证券公司。2002 年 1 月 31 日，公司在云南省工商行政管理局领取了《企业法人营业执照》。2002 年 3 月 23 日，公司正式开业。2007 年 12 月 21 日，公司股东由 13 家变更为 8 家。2007 年 5 月 11 日，经中国证券业协会评审，公司成为西南地区首家创新试点类证券公司。2015 年 7 月，晋升为 A 类 A 级证券公司。2015 年 7 月 28 日，公司注册资本增至 32. 69亿元人民币，公司股东变更为 12 家。2015 年 12 月 23 日，公司股东变更为 11 家，云南合和（集团）股份有限公司成为公司第一大股东。

公司按照《公司法》、《证券法》等法律、法规的要求，建立了规范的法人治理结构，形成了股东大会、董事会、监事会和经理层权责明确、各司其职、协调运转、有效制衡的机制。股东大会是公司的权力机构，董事会是公司的决策机构，对股东大会负责；董事会下设发展战略委员会、提名及薪酬委员会、审计委员会和风险控制委员会四个专门委员会；监事会是公司的监督机构，对股东大会负责；经理层是公司的执行机构，对董事会负责；经理层下设证券自营业务投资决策委员会、资产管理业务投资决策委员会、风险管理委员会、融资融券业务决策委员会、投资银行业务内核小组、场外市场业务内核小组六个专业委员会。公司总部设有 16 个职能部门，下辖 38 家营业部、1 家分公司（上海分公司）、3 家全资子公司（红塔期货有限责任公司、红证利德资本管理有限公司、红正均方投资有限公司）、1 家控股子公司（红塔红土基金管理有限公司）。

资产管理业务

2003 年 5 月，红塔证券获得中国证监会核准（证监机构字〔2003〕207 号），拥有开展客户资产管理业务资格并设立资产管理总部负责客户资产管理业务。

2009 年，公司将资产管理总部设立为专门从事客户资产管理业务的上海分公司。上海分公司以“在有效控制风险的前提下，为客户创造最大价值”为已任，形成了以客户需求为动力，以产品创新为先导，以专业投资为核心，以风险管理为保障的运营体系，通过不断地业务流程再造，致力于资产管理业务品牌建设，建立健全了职责分明、执行通畅、保障有力、监管到位的制度保证体系和运营管理体系，通过强化决策能力和执行能力，实现客户资产的长期稳定增值。

红塔证券拥有一支高素质的资产管理团队，汇集海内外优秀人才，投资研究人员 90% 以上拥有硕士以上学历，投研核心成员具有 10 年以上的证券从业经历，历经多轮牛熊转换，沉淀出深厚的投资理论素养和丰富的投资实践经验。

地址：云南省昆明市北京路 155 号附 1 号红塔大厦
邮编：650011
电话：0871 – 3577888
网址：www. hongtazq. com

宏信证券有限责任公司

公司简介

宏信证券有限责任公司前身为和兴证券经纪有限责任公司，于 2001 年 8 月经中国证监会批准由四川省的 6 家信托投资机构剥离证券资产合并成立。2012 年 11 月，经四川省工商行政管理局核准，公司名称更名为宏信证券有限责任公司。

公司现有股东 12 家。公司前三大股东分别为：四川信托有限公司（占总股本的 60. 376%）、凉山州国有投资发展有限责任公司（占 9. 589%）、南充市国有资产投资经营有限责任公司（占 6. 705%）。

公司第一大股东四川信托的资产规模和盈利能力短期内已在行业具有较为领先地位。宏信证券与四川信托积极开展信证合作，形成跨业强强联合的业务态势。

公司设有 6 家分公司，分别设立于北京、上海、深圳、成都、西安、武汉。

公司所属证券营业部 53 家，员工 1000 余人。营业网点分布在全国一、二线城市及四川省内其他市州。公司所属证券营业部大部分系西南地区证券业先驱，从 1988 年起作为信托机构的证券营业部就为四川省股份制改造和证券市场的发展做出积极的贡献，公司现已成为西南地区历史悠久、发展稳定、占重要地位的综合类券商。

公司法人治理结构健全，经营管理规范，资产质量优良，经营业绩良好，自2006年以来实现连续盈利，各项经营指标持续符合中国证监会风险监控的要求，在2016年监管分类评级中获评B类BBB级。

公司总体战略定位为“财富增值服务商”。宏信证券作为西南地区的资深券商，在中国市场经济转型、行业深化改革创新发展中，将继续秉承“专业、高效、务实、创新”的经营理念，“以客户为中心、以市场为导向”，竭诚为广大客户提供规范化、个性化、多元化的优质服务，全面推进公司战略发展规划，实现“与客户一起成长，为股东创造价值，携员工共享未来”的公司愿景。

资产管理业务

2012年10月公司获准从事资产管理业务资格后，资管总部秉承“诚信、稳健、开拓、创新”的经营理念，在风险可测、可控的基础上，迅速建立了以客户需求为导向、以证券投资为重心、以风险控制为核心三位一体的资产管理运营管理体系；积极尝试运用自身及股东单位的优势，为客户捕捉市场机会，不断进行产品创新。

宏信证券资产管理总部现可开展定向资产管理业务、集合资产管理业务、专项资产管理业务及中国证监会批准开展的其他资产管理业务。

宏信证券资产管理总部正在逐步打造高素质、专业的投资管理团队。投资主办和投资研究团队主要人员拥有5年以上资本市场投资经验，50%为经济金融专业硕士以上学历；研究人员均拥有出色的教育背景，具备扎实的理论基础，具备较强的宏观经济研究与行业发展分析能力；投资管理团队具备良好的职业素养。全体员工无任何不良记录，在合作伙伴中拥有良好的声誉。

地址：四川省成都市人民南路二段十八号川信大厦10楼
邮编：610016
电话：028－86199665
传真：028－86199079
电邮：hxzq@ hxzb. cn
网址：www. hxzq. cn
客服热线：4008366366

华安证券股份有限公司

公司简介

华安证券公司前身是1991年成立的安徽省证券公司，安徽省第一家专营证券机构。2001年，在整合原安徽省证券公司、安徽证券交易中心的证券类资产的基础上，成立了华安证券有限责任公司，是安徽省最早设立的综合类证券公司。2012年，公司整体变更为股份有限公司。2016年4月27日，公司IPO申请获得中国证监会无条件通过，同年11月11日获得中国证监会发行批文，12月6日正式在上海证券交易所挂牌上市（股票代码：600909）。

公司业务范围涵盖证券经纪，证券投资咨询，与证券交易、证券投资活动有关的财务顾问，证券承销与保荐，证券自营，证券资产管理，融资融券，代销金融产品，证券投资基金代销，为期货公司提供中间介绍业务等。截至2016年12月末，公司总资产345.88亿元，净资产120.69亿元，母公司净资本98.38亿元，共有证券营业部128家、分公司11家，形成了对安徽省内的深度覆盖和省外各大中心城市的广泛布局。公司是华富基金的主发起人和第一大股东，控股华安期货公司，参股安徽股权托管交易中心和中证报价系统公司，全资拥有华富嘉业和华安新兴咨询，初步建立起集团化发展框架。

长期以来，公司以响应客户需求为驱动、以提升客户价值为目标，整合财富管理、投资银行、资产管理、直接投资等业务资源，协同参控股公司和合作伙伴，致力为客户量身打造综合化的投融资解决方案。历经二十余载深耕细作，公司证券经纪、投资顾问等业务稳居行业领先位次，投资银行业务在IPO、并购重组、再融资、新三板挂牌等方面经验丰富，资产管理业务形成了以固定收益为主的经营风格、产品投资业绩位居行业前列，新三板做市、主经纪商等创新业务也各具发展特色和竞争优势。

公司建立了完善的现代企业制度和规范的法人治理结构，形成了稳健务实的经营风格，分类评级连续三年保持A类A级。立足新的发展起点，公司将继续坚持“诚信、稳健、专业、和谐”的经营理念，秉承“敬业、担当、协同、进取”的核心价值观，以“成就客户事业、助力员工成长、创造股东价值”为使命，致力发展成为金融功能完善、业务发展均衡、经营效率领先、管理机制灵活的现代证券金融服务集团。

地址：安徽省合肥市政务文化新区天鹅湖路198号
邮编：230081
电话：0551－65161666
传真：0551－65161600
电邮：bgs@ hazq. com
网址：www. hazq. com

华创证券有限责任公司

公司简介

华创证券有限责任公司于2002年1月经中国证监会证监机构字〔2002〕6号文批准成立，注册资本15亿元，经营范围为证券经纪；证券投资咨询；证券投资基金销售；证券自营；与证券交易、证券投资活动有关的财务顾问；证券资产管理；证券承销与保荐；为期货公司提供中间介绍业务；融资融券；金融产品销售。

公司成立以来，抓住机遇低成本扩张，业务规模和机构数量快速增长，现有全资直投业务子公司1家，控股期货子公司1家，并在北京、上海、贵州各设有1家分公司，营业网点立足贵州，分布北京、上海、深圳、江苏、浙江、四川、重庆等地。公司不断强化基础管理，严格规范经营，资产质量和财务状况良好，2005年成为全国第一批规范类证券公司；2009—2011年连续三年被中国证监会评为A类A级证券公司；2010、2011年连续两年被《金融时报》评为“年度最具成长性券商”；2012、2013年分类评级为B类BB级。

继往开来，公司将坚持以客户为中心、市场为导向，不断提高投融资服务能力和风险管理能力，走差异化发展道路，以更高的服务质量、更好的服务设施、更新的服务理念、更丰富的服务品种为广大客户提供更及时、高效、专业的服务。

资产管理业务

1. 集合资产管理计划

集合资产管理业务是资产管理业务的重要形式之一。证券公司通过设立集合资产管理计划集合客户资产，并担任计划管理人为客户提供专业化的资产管理服务。证券公司可以以自有资金参与集合计划，在产品成立六个月内，不得收回参与的自有资金。集合资产管理计划分为限定性和非限定性，其中限定性集合资产管理计划最低参与金额为5万元，非限定性集合资产管理计划最低参与金额为10万元。

2. 限额特定资产管理计划

限额特定资产管理计划为面向高端净值客户，募集资金规模在50亿元以下，单个客户参与金额不低于100万元，客户人数在200人以下（单笔委托金额在300万元以上的客户数量不受限制）的集合资产管理计划。其与一般集合资产管理计划相比投资范围更广，除集合资产管理计划所能投资的品种外，还可以投资商品期货等证券期货交易所交易的投资品种，利率远期、利率互换等银行间市场交易的投资品种，证券公司专项资产管理计划、商业银行理财计划、集合资金信托计划等金融监管部门批准或备案发行的金融产品以及中国证监会认可的其他投资品种。

3. 定向资产管理计划

定向资产管理业务是指证券公司接受单一客户委托，与客户签订定向资产管理合同，根据合同约定的方式、条件、要求及限制，通过客户的账户管理客户委托资产的业务。定向资产管理客户应当是符合法律、行政法规和中国证监会规定的自然人、法人或者依法成立的其他组织。不同客户的委托资产相互独立，独立建账、独立核算、分账管理。定向资产管理计划投资范围灵活，计划委托人和管理人可在法律法规所允许的客户投资范围内，通过定向资产管理合同协商约定投资范围。根据规定客户的最低委托规模为100万元，存续期内，投资者可以随时追加或提取委托资产。

地址：贵州省贵阳市云岩区中华北路216号华创大厦

邮编：550004

电话：0851－86820115

网址：www. hczq. com

客服热线：4008－6666－89

华福证券有限责任公司

公司简介

华福证券前身为福建省华福证券公司，成立于1988年6月，是全国首批成立的证券公司之一。2003年4月，经中国证监会批准，公司增资改制并更名为广发华福证券有限责任公司。2011年8月，更名为华福证券有限责任公司，为福建省属全资国有金融机构。2016年8月，公司增资至33亿元。公司法定代表人黄金琳，注册地址为福建省福州市鼓楼区温泉街道五四路157号7—8层。

公司在监管层及股东单位的大力支持下紧抓行业创新机遇，坚持创新发展和合规经营并重，构建起包括证券经纪、融资融券、资产管理、保荐承销和新三板主办等完整的证券全牌照业务体系。公司经营范围包括：证券经纪；证券投资咨询；与证券交易、证券投资活动有关的财务顾问；证券承销与保荐；证券自营；证券投资基金代销；为期货公司提供中间介绍业务；证券资产管理业务；融资融券业务；代销金融产品业务。

经过近三十年的不断发展，公司已经形成全国化经营网点布局，在全国设有20家分公司及126家证券营业网点，拥有兴银成长资本管理有限公司和兴银投资有限公司2家全资子公司，控股1家子公司兴银基金管理有限责任公司，实现以福州为行政总部、上海和北京为业务总部的三总部制全国化经营管理体系，集团化综合经营成效彰显。

公司始终秉承“诚信专业，创造价值”的经营宗旨，坚持“规范经营，稳健发展”的经营理念，连续5年（2012—2016年）被证监会评为A类券商。公司将业务发展与履行社会责任并重，积极致力于投资者合法权益保护，公司实体投资者教育基地被证监会授牌为“首批国家级投资者教育基地”。2015年，公司还出资设立了“福建省兴银慈善基金会”，致力于履行社会责任。

公司始终把建立健全法人治理结构放在内部规范管理的首要位置。根据《证券法》、《公司法》和《证券公司治理准则》等法律法规制定公司章程、三会议事规则等，切实推动股东会、董事会和监事会的规范运作，并充分发挥其职能作用，形成职责分工明确、相互推动促进、权力制衡有效的治理格局。

公司推动制定了“十三五”发展战略规划，借势借智借力深入与国内外优秀机构合作，致力在规划期内把公司打造成“股权结构合理、法人治理完善、资本实力较强、资产质量优质、独具经营特色”的一流现代投资银行。

地址：福州市五四路157号新天地大厦7至9层

传真：0591－87841150

网址：www. hfzq. com. cn

服务热线：4008896326　96326（福建）

华金证券股份有限公司

公司简介

华金证券前身是设立于2000年9月的上海久联证券经纪有限责任公司；2005年3月，由中国航天科工集团公司等单位实施重组并更名为航天证券有限责任公司；2014年3月，公司引进战投，并增资扩股，成为珠海金融投资控股集团有限公司旗下的重要成员企业。2014年12月，公司更名为华金证券有限责任公司。2016年12月，公司完成股份制改制，更名为“华金证券股份有限公司”。目前，公司注册资本为人民币32亿元。华金之名，有“放眼中华”、“风华正茂”之意，含“金融创新”、“点石成金”之喻，公司总部位于上海市浦东新区陆家嘴世纪金融广场，公司立足沪上金融制高点，以奋斗者为本，为成功者点赞，汇英才、融财富、聚正气，为上海金融创新驱动，转型发展贡献正能量。

公司将依托珠海横琴区位、政策优势，联动港澳，面向全国，放眼全球。重点围绕“三大引擎＋两大支撑”，即：以固定收益、资产管理、投资银行为主导业务，以经纪（含融资融券）、研究销售为核心支撑业务，坚持创新与互联网金融的发展方向，走出多元化、国际化道路，打造成为具有核心竞争力的特色型资本新锐券商。

地址：上海浦东区杨高南路759号30层

邮编：200127

电话：021－20655588

传真：021－20655566

邮箱：hjzq@ huajinsc. cn

网址：www. huajinsc. cn

客服热线：4008211357

华菁证券有限公司

公司简介

华菁证券有限公司（以下简称“华菁证券”或“公司”）是经中国证监会批准成立的全国性的多牌照证券公司，也是根据《<内地与香港关于建立更紧密经贸关系的安排>(CEPA)补充协议十》设立的合资证券公司。2016年8月,华菁证券在上海市虹口区注册成立,并于2016年10月取得中国证监会颁发的《经营证券期货业务许可证》并正式开业。公司总部设在上海,注册资本为人民币10亿元。

华菁证券的业务范围包括证券经纪、证券投资咨询、证券承销与保荐、证券资产管理。依托于股东在境内外资本市场的布局及在新经济领域十余年的深厚积累,华菁证券致力为新经济企业、个人及机构投资者、金融机构等各类客户提供多元化、一站式的综合金融服务,成为服务中国新经济最专业的投资银行。作为国内证券市场的新生力量,华菁证券将坚守合规底线、积极创造价值,助力中国新经济的成长与产业转型升级。

资产管理业务

华菁证券资产管理业务是公司核心业务之一。资产管理事业部秉承客户利益至上的原则,坚持"高度安全,稳健增值"的投资理念,凭借强大的投资研究能力,积极挖掘市场各类投资机会,着重控制风险,用"工匠精神"为客户创造长期、稳定的投资回报。业务范围包括集合资产管理业务、定向资产管理业务、专项资产管理业务。

集合资产管理业务致力于为投资者提供各种风险收益配比的理财产品,通过不同策略为客户创造稳定收益。

定向资产管理业务是与单一客户签订定向资产管理合同,为客户提供定制化的方案和专业的投资管理服务。

专项资产管理业务针对客户的特殊要求和基础资产的具体情况,设定特定投资目标,提供投融资解决方案。

资产管理事业部已经建立了涵盖权益投资、量化对冲、固定收益、新三板等领域的产品线及投研支持体系。核心投研团队成员均来自于国内知名资产管理机构,致力于打造业界一流的精品资产管理机构。

地址:上海市虹口区吴淞路575号虹口SOHO25楼

邮编:200080

电邮:huajing@ huajingsec. com

电话:021-60156666

传真:021-60156733

投资者热线:4000976600

华林证券股份有限公司

公司简介

华林证券股份有限公司(以下简称"华林证券"或"公司")是国内首批成立的综合类证券公司之一。华林证券总部位于深圳,分支机构覆盖全国重点城市及自治区,并设有子公司:华林资本投资有限公司、华林创新投资有限公司和华林投资服务(深圳)有限公司。

作为全牌照业务券商,华林证券主营业务涵盖:证券经纪、投资银行、资产管理、投资管理、信用业务、互联网金融等。其中,证券经纪业务逐年扩大,覆盖全国主要地区,通过APP、O2O、大数据等战略方式,形成营销、产品、服务三大体系的差异化经营特色。

投资银行业务常年稳居市场前列,IPO、再融资、并购重组、债权融资、新三板等投资银行业务全面发展,为企业经营规划与资本运作提供贴身、周到的专业服务,协助客户实现战略目标;根据wind数据统计,公司IPO项目承销家数市场排名连续两年保持市场前十强。

公司专注特色资产管理,重视投研力量建设,坚持"长期稳定持续收益"的投资理念。目前,资产管理业务进入快速发展阶段,集合产品线不断完备,定向资管业务不断提升,主动管理产品以固定收益为主,业务优势明显。

经过多年不懈努力,公司形成了差异化竞争能力和品牌影响力,屡获业界殊荣。连续获得了由《证券时报》颁发的2015/2016"中国最佳投资顾问品牌"、2016"中国区最佳IPO投行",获得由全国银行间同业拆借中心颁发的"2016年度银行间本币市场最佳进步奖"等。公司在发展业务的同时,不忘积极投身慈善公益,践行企业社会责任,获得了由中国儿童少年基金会、中国扶贫基金会颁发的"2016年度中国公益企业"、"2016年度扶贫爱心奖"。

公司自成立以来,始终坚持业务发展与合规经营并重,以客户为中心,未来,华林证券将以持续发展为驱动力,致力于打造特色鲜明、线上线下融合的全国性综合券商。

资产管理业务

华林证券资产管理事业部坚持以"客户需求"为导向,提供有针对性的资产管理服务。华林证券资产管理事业部致力于为客户提供全方位优质的理财服务,实现客户资产长期稳定增值。资产管理事业部已经形成了以客户和市场为中心的涵盖客户资源开发、产品设计、投资管理、客户服务、风险监控等方面内容的业务体系,在业内树立了稳健创新的良好形象。

集合资产管理业务是指证券公司设立集合资产管理计划,与多个客户签订集合资产管理合同,将客户资产交由负责客户交易结算资金存管的指定商业银行、中国证券登记结算有限责任公司或者中国证监会认可的证券公司等其他资产托管机构进行托管,通过专门账户为客户提供资产管理服务。

华林证券资产管理团队组建以来,创建了投资于二级市场的"富贵竹"系列,投资于定增市场的"富贵增"系列等集合资管品牌,今后将继续推出"金谷信""金穗信"等系列产品。

地址:深圳市福田区民田路178号华融大厦6楼

邮编:518048

电话:0755-82707888

传真:0755-82707700

网址:www. chinalions. com

华龙证券股份有限公司

华龙证券股份有限公司(以下简称:公司)成立于2001年5月18日,是由甘肃省人民政府组织筹建,经中国证监会批准的综合类全牌照证券经营机构,注册资本63.26亿元。2016年1月21日,公司在全国中小企业股份转让系统(下称"新三板")挂牌,证券代码835337。

华龙证券经营范围包括:证券经纪、证券投资咨询、证券承销与保荐、财务顾问、证券自营、证券资产管理、融资融券、代销金融产品、直接投资、证券投资基金代销、为期货公司提供中间介绍业务等。

经过多年发展,公司已拥有广泛的客户资源、良好的社会形象和品牌影响力,形成了在全国金融中心及重点城市有机构、无缝隙覆盖甘肃全省的网点布局。在北京、上海、深圳、重庆、杭州、无锡、合肥、乌鲁木齐、西安、成都、长沙、武汉、济南等国内主要中心城市及甘肃省内各地市设立了12家分公司和80余家证券营业部。同时,公司始终坚持多元化发展的理念,积极构建金融控股集团架构,主发起设立了华商基金管理公司,控股华龙期货股份有限公司,主发起设立甘肃股权交易中心,全资控股金城资本管理有限公司。

公司大力实施人才战略,现有员工中本科以上学历员工超过 90%,其中硕博士以上学历人数达 26%,拥有一批经验丰富、业务精湛的保荐代表人、财富管理专家、金融产品设计专家和债务融资专家。经国家科技部、教育部批准,公司设有博士后流动工作站,成为公司培养优选后备人才的基地。

公司坚持"开拓西部,放眼全国"的发展战略,凭借专业化的优质服务,诚信、务实、高效、敬业的团队精神,在竞争激烈的中国证券服务业中稳步提升份额。2009 年成功保荐首批创业板上市企业发行上市,成为首批保荐企业在创业板上市的全国 17 家证券公司之一,2012 年新三板扩容后,成为推荐首批企业在新三板挂牌的证券公司,自 2008 年起,公司先后 7 次荣获"省长金融奖"。

2016 年年底,公司圆满完成了新三板增资扩股工作,募集资金 96 亿元,资本实力大幅提升,同时引进多家实力雄厚的战略投资者。未来,公司将以经纪、投行等传统业务为主体,以资本型中介业务和资本投资业务为两翼,以创新业务为驱动,以机制改革、业务创新、规模扩张、品牌建设为抓手,把公司打造成为治理健全、风控有效、专业精湛、收益良好的现代金融控股集团。

地址:兰州市城关区东岗西路 638 号兰州财富中心

邮编:730000

电话:0931 - 8888088

传真:0931 - 4890515

邮箱:hlzq@ hlzq. com

网址:www. hlzq. com

华融证券股份有限公司

公司简介

华融证券股份有限公司(以下简称"公司")是经中国证监会批准,由中国华融资产管理股份有限公司(以下简称"中国华融")作为主发起人,联合中国葛洲坝集团有限公司共同发起设立的全国性证券公司。2007 年 9 月,公司在北京正式挂牌成立。目前,公司注册资本 51. 42 亿元,其中:中国华融出资 42. 04 亿元,中国葛洲坝集团有限公司、中国葛洲坝集团股份有限公司、深圳市科铭实业有限公司、北京纽森特投资有限公司、九江和汇进出口有限公司、星星集团有限公司、浙江金财控股集团有限公司、广州南雅房地产开发有限公司、吉林昊融集团股份有限公司、北京双融福泰投资有限公司、张家港市中达针织服饰制造有限公司、北京立磐国际贸易有限公司等 12 家股东共出资 9. 38 亿元。公司的注册地址:北京市西城区金融大街 8 号。

公司总部设在北京,下设深圳总部、上海总部,北京、上海、深圳、湖南、新疆、湖北、陕西、贵州、四川、江西、海南、浙江、山东、福建、辽宁、广东等 16 家分公司,66 家营业部,控股华融期货有限责任公司与华融瑞泽投资管理有限公司。公司紧紧依托中国华融在资产管理、银行、信托和金融租赁等方面的综合优势,可为客户提供证券经纪、融资融券、证券承销与保荐、与证券交易及证券投资活动有关的财务顾问、证券投资咨询、证券自营、证券资产管理、投资顾问等综合化的财富管理服务。公司 2011—2016 年连续六年被中国证监会评为 A 类 A 级券商,2015 年被中国证监会评为 A 类 AA 级券商。2009 年、2011 年两次获评为"首都文明单位",2014 年获评"首都精神文明建设标兵单位",荣获 2014 年最佳资产管理券商,2015 年公司荣获中国债券市场优秀成员及债券业务进步奖第一名,"中国新三板最具投资眼光券商",2016 年荣获中国最佳财富管理品牌,最具创新性的证券资产管理公司等奖项。

公司坚持以市场为导向,以客户为中心,以诚信、专业、稳健、共赢为经营宗旨,在社会各界和投资者的大力支持下,努力打造一家有尊严、有价值、有内涵、有实力、有责任的"五有"现代一流投资银行!

资产管理业务

华融证券资产管理部于 2009 年 3 月正式成立,2009 年 4 月取得中国证监会同意开展资产管理业务的批复(证监许可〔2009〕297 号)。华融证券资产管理部专门负责开展客户资产管理业务,致力于打造资产管理业务高端品牌。

华融证券坚持以资管为切入点做大投行业务、以投行为引领做大资管业务,着力构建大投行、大资管、大财富管理的业务格局。同时,华融证券传承其大股东中国华融资产管理股份有限公司的信用风险管理能力及非标投资能力并为己所用,从而打造了在非标资产投资方面的核心投资能力;债券投资能力业已处在行业领先地位。

经过两年多的努力,华融证券已经形成了华融分级固利系列、华融质押宝系列、华融固收系列、华融定增系列、华融安康系列、华融金三板掘金系列、华融通质押宝系列等多个产品系列。

市场研究

依托中国华融的雄厚实力和"一体两翼"的战略,华融证券自成立以来取得了长足的发展。市场研究部是公司专司研究的业务部门,紧贴市场需求、发挥专业优势,以服务于股权投资和服务于财富管理为使命。

股权投资:基于公司的研究体系和上下游印证的方法,为客户提供深入的行业研究服务、公司价值判断,以及为二级市场投资者提供股票投资建议。

财富管理:以为客户创造财富为核心,以大类资产配置研究为核心,为客户提供各类金融资产的投资建议,以及针对客户需求提供大类资产配置建议。

华融证券拥有一支充满活力、积极进取的研究团队,秉承"深入思考、独立研究"的理念,遵循科学的研究方法、建立了较为完善的研究体系,研究范围覆盖宏观经济、市场策略、金融工程以及煤炭、机械、汽车、节能环保、TMT 等全部 29 个行业。

财富管理

华融证券财富管理中心以"为客户创造价值,实现资产保值增值"为理念,汇集多名具备丰富投资经验和业内知名度的资深投资顾问,精心制作涵盖资讯、策略、组合、模拟账户、财智管家等五大产品系列的华融金投顾服务体系,为客户量身定制个性化的投资建议和资产配置方案。

投资银行

华融证券投资银行致力于为各类型、各行业企业提供优质的股权融资、债券融资、并购重组和综合财务顾问、新三板等融资、咨询服务,具体涵盖首次公开发行(IPO)、增发、配股、公司债券、企业债券、可转换债券、中小企业私募债、金融债券、资产证券化、全国中小企业股份转让系统推荐挂牌与做市、重大资产重组等多种业务类型。

作为一家 2007 年 9 月成立的新锐券商,华融证券牢固树立"稳健、创新、和谐、发展"的核心价值观,始终秉承"诚信、专业、稳健、共赢"的经营宗旨,目前已具备资产证券化、金融债券、公司债券主承销商业务资格，中国证监会批准的承销保荐业务资格，国家发改委批准的企业债券主承销商资格以及新三板主办券商业务资格。公司于2008年取得保荐机构资格后，成功完成了杭氧股份(002430)、国泰君安(601211)、百利科技(603959)的首次公开发行，并先后完成了中航三鑫(002163)、特变电工(600089)、金隅股份(601992)、太行水泥(600553)、苏宁环球(000718)、联化科技(002250)、亚泰集团(600881)、欧亚集团(600697)、华微电子(600360)、通葡股份(600365)、蓝科高新(601798)、湘电股份(600416)、吉林化纤(000420)、赣能股份(000899)等多家上市公司的增发、配股、公司债业务，作为副主承销商完成了工商银行可转债发行项目，并多次担任上市公司并购重组业务的财务顾问。

公司未来将紧紧依托中国华融的强大股东背景，坚持以市场为导向、以客户为中心，着力构建"一站式"投资银行服务平台，在社会各界和投资者的大力支持下，努力打造一家有尊严、有价值、有内涵、有实力、有责任的"五有"现代一流投资银行！

企业文化

公司愿景：建设"有尊严、有价值、有内涵、有实力、有责任"的"五有"现代金融企业。有尊严的企业拥有声誉，有价值的企业拥有市场，有内涵的企业拥有品质，有实力的企业拥有现在，有责任的企业拥有未来。

公司定位：专业的资产经营管理者，优秀的综合金融服务商。

核心文化：稳健、创新、和谐、发展。

品牌理念：华英成秀，融通致远。

地址：北京市朝阳区朝阳门北大街18号中国人保寿险大厦11至18层

邮编：100020

传真：010－85556155

邮箱：jjywb@ hrsec. com. cn

客服热线：95390

业务投诉：95390

华泰证券股份有限公司

公司简介

华泰证券股份有限公司(以下简称"公司")是一家中国领先的综合性证券集团，具有庞大的客户基础、领先的互联网平台和敏捷协同的全业务链体系。

公司于1991年5月成立。2010年2月26日，公司A股在上海证券交易所挂牌上市交易，股票代码601688。2015年6月1日，公司H股在香港联合交易所有限公司挂牌上市交易，股票代码6886。在20多年的发展历程中，公司抓住了中国资本市场及证券业变革创新的历史机遇，实现了快速成长，主要财务指标和业务指标均位居国内证券行业前列。

目前，公司在境内控股华泰联合证券有限责任公司、华泰期货有限公司、江苏股权交易中心有限责任公司；在境内外全资设立华泰金融控股(香港)有限公司、华泰紫金投资有限责任公司、华泰创新投资有限公司、华泰证券(上海)资产管理有限公司；参股南方基金管理有限公司、华泰柏瑞基金管理有限公司、江苏银行股份有限公司、金浦产业投资基金管理有限公司、证通股份有限公司。

近年来，公司着力为客户提供全生命周期综合金融服务，逐步形成了以投资银行业务为龙头，以经纪与财富管理业务为基础，以投资与交易业务和资产管理业务为两翼的全业务链业务体系。

公司将基于证券业务优势积极拓展综合金融服务，致力于成为兼具本土优势和全球视野，在亚太市场拥有较强影响力的一流综合金融集团。

资产管理业务

华泰证券(上海)资产管理有限公司成立于2014年10月16日，注册资本10亿元，是华泰证券股份有限公司的全资子公司。公司前身为华泰证券股份有限公司资产管理总部，早在1999年开始从事资产管理业务。

母公司华泰证券股份有限公司成立于1991年5月26日，是中国证监会首批批准的综合券商，是中国最早获得创新试点资格的券商之一，于2010年2月在上海证券交易所挂牌上市，于2015年6月1日在香港联合交易所挂牌上市。在2010—2014证券公司分类监管评级中，连续被评为A类AA级。截至2014年12月31日母公司注册资本56亿，总资产2722亿，净资产419亿。

截至2014年年末，华泰证券资产管理业务总规模行业排名第五，集合资产管理业务规模行业排名第二，资产管理业务净收入行业排名第三，是业内领先的资产管理人之一。

地址：江苏省南京市江东中路228号

邮编：210019

电话：025－83389999

传真：025－83387337

邮箱：95597@ htsc. com

网址：www. htsc. com. cn

华鑫证券有限责任公司

一、历史沿革

华鑫证券有限责任公司是经中国证券监督管理委员会批准，于2001年3月在深圳市注册成立的全国性综合类证券经营机构。公司前身是原西安证券有限责任公司和中国农业银行上海市信托投资公司。西安证券是中国西北地区第一家证券公司，中国农业银行上海信托公司是中国第一批证券公司。公司于2001年3月在深圳经济特区注册成立，注册资本金人民币16亿元。在中国证监会2013年证券公司分类评价中荣获A级。

二、股东情况

华鑫证券共有四家股东，均为实力雄厚、信誉卓著的大型国有企业集团或上市公司。其中控股股东是上海仪电(集团)有限公司，该公司是上海市国资委授权国有资产经营单位，集团聚焦"云计算、物联网"，专注发展智能安防、智能照明、智能医疗等信息技术产业。飞乐音响是公司第二大股东，该公司是"新中国第一股"，在上海证券交易所上市，主营业务为绿色智能照明。华鑫股份是公司第三大股东，在上海证券交易所上市，主营业务为商务不动产。上海贝岭是公司第四大股东，在上海证券交易所上市，主营业务为与芯片设计、芯片制造有关的信息技术产业。

三、公司文化、价值观及愿景

企业文化：规范、专业、创新

企业价值观：对客户负责，满足客户需求，不断提升客户价值

企业愿景：抓住发展机遇，不断完善现代金融企业管理机制，塑造优秀的公司品牌，成为规范经营、特色鲜明、竞争力强

的国内一流证券公司。

四、公司综合竞争实力

公司自成立以来，通过合资合作、搭建平台、特色突破等战略措施，已发展成为中国资本市场的后起之秀。具体表现在：

（一）横跨三大领域的金融控股集团

华鑫证券经营范围横跨证券、基金、期货三大领域，形成了较为完备的金融控股架构。公司是摩根士丹利华鑫基金管理有限公司第一大股东，是摩根士丹利华鑫证券有限责任公司、华鑫期货有限公司的控股股东。

（二）完备的综合金融服务体系

华鑫证券及其子公司具有完备的证券业务资格，包括：证券经纪业务资格、证券发行与承销业务资格、证券投资咨询业务资格、证券资产管理业务资格、证券自营业务资格、与证券交易、证券投资活动有关的财务顾问业务资格、证券投资基金代销业务资格、代销金融产品业务资格、融资融券业务资格、全国中小企业股份转让系统主办券商业务资格、沪、深证券交易所约定购回式证券交易业务资格、为期货公司提供中间介绍业务资格、上证50交易型开放式指数证券投资基金一级交易商资格、全国银行间拆借业务资格、网上证券委托业务资格、上海证券交易所固定收益证券综合电子平台交易商资格、沪、深证券交易所大宗交易业务资格、沪、深证券交易所股票质押式回购交易业务资格，可以为广大投资者提供优质的综合化金融服务。

（三）特色化金融服务

华鑫证券及其子公司定位成为专业化的财富管理机构，为地方政府及中小企业发展提供全方面资本市场解决方案，目前，公司在以下领域逐步形成了较强的竞争实力：

1. 积极助力地方政府融资发展。公司先后为天津城市基础设施建设投资集团、泉州市城建国有资产投资公司、深圳地铁集团、上海临港经济发展集团、秦皇岛开发区国有资产经营公司等地方融资平台发行公司债券。

2. 中小企业挂牌推荐服务。公司目前在报的IPO项目有5家，主要拟上市地为中小企业板和创业板。公司是“新三板主办券商”，公司为拟挂牌中小企业量身设计“挂牌+定增+做市”的一条龙融资及服务模式，成为新三板设立以来的经典案例，得到中小企业的高度认可。

3. 中小企业融资及财富管理服务。公司资产管理部门可以为上市公司及其股东、财务公司及其他中小企业提供股票质押融资、限售股减持、应收账款、票据证券化融资。同时为企业提供定制的非标融资方案。公司资产管理业务净收入位于行业中位数以上。

4. 优质的期货套保服务。公司下属华鑫期货公司荣获第四届证券期货科学技术二等奖；荣获2014年度中金在线排行榜最佳期货路演机构；荣获上海证券交易所2014年度交易优胜会员提名奖和交易进步会员奖；被郑商所评为2014年度品种发展优秀会员（小麦、稻谷）和品种产业服务优秀会员（小麦、稻谷）；在第12届中国财经风云榜峰会上，华鑫期货荣获“2014年度最具成长性期货公司”。华鑫期货目前为上海及长三角等地区的特大型化工、金属加工企业及上市公司提供优质的期货套保服务，同时可以为广大企业及投资者等提供股指期货、股指期权等风险管理方案服务。

五、分支机构

华鑫证券在全国各地设有50多家分支机构，其中公司下设7家分公司：上海分公司、自营分公司、上海自贸试验区分公司、西安分公司、马鞍山分公司、深圳分公司、贵州分公司，并在全国20个省、自治区及直辖市有50家多证券营业部。除有形网点之外，公司搭建了“华鑫商城”，帮助广大投资者在线选择公司精心筛选的各类优质金融产品。

六、企业社会责任

常怀感恩之心、常思回报之责。近年来，公司及员工积极履行社会责任，在汶川地震、玉树地震、雅安地震等等重大自然灾害中，积极为灾区捐款，总计募捐人民币340万元，并为困难学生累计捐助超过100万元。

华鑫证券将偕同摩根士丹利华鑫证券、摩根士丹利华鑫基金、华鑫期货等子公司，为广大企业及投资者提供优质、高效、综合化的金融服务！

地址：深圳市福田区金田路4018号安联大厦28层A01、B01(b)单元

邮编：518026

电话：0755-82083788

网址：www.cfsc.com.cn

公司各分支机构联系方式及地址：

1. 上海分公司

地址：上海市徐汇区宛平南路8号3层

电话：021-64339000

2. 上海证券自营分公司

地址：上海市徐汇区肇嘉浜路750号

电话：021-32109999

3. 上海自贸试验区分公司

地址：上海市浦东新区自由贸易试验区向城路288号世纪大道1501号1202B、1203室

电话：021-68957328

4. 西安分公司

地址：西安市莲湖区南二环西段群贤路6号西安锦都花园10202号

电话：029-68680333

5. 马鞍山分公司

地址：马鞍山市花山区汇秀路1277号金湖湾新城二区50-1277

电话：0555-8883939

6. 贵州分公司

地址：贵州省贵阳市南明区市南路42号第六幢1单元14层5号

电话：0851-85517681

7. 深圳分公司

地址：广东省深圳市罗湖区桂园街道深南东路5045号深业中心大厦25楼2512-2513室

电话：0755-25889969

江海证券股份有限公司

公司简介

江海证券有限公司（Jianghai Securities Company Limited，以下简称“江海证券”或“公司”）成立于2003年，总部坐落在美丽的冰城哈尔滨，并在京津冀、长三角、珠三角建立了业务中心。2016年，公司完成资产重组，成为上市公司哈投股份（600864）独资子公司，注册资本达到67.67亿元。

江海证券是黑龙江省辖区内唯一一家国有控股券商，多年来，在黑龙江省及哈尔滨市政府的深切关怀及社会各界的

鼎力支持下，秉承"稳健经营、创新发展"的经营理念，以风险控制为前提，以人才队伍建设为依托，通过卓有成效的产品、服务和技术创新，已成为一家全国性综合证券公司，建立了涵盖证券经纪、证券投资咨询、证券自营、证券承销与保荐、证券资产管理、融资融券、证券投资基金代销、代销金融产品等综合业务体系。

江海证券现有分支机构55家，其中2家分公司，53家营业部，遍布北京、上海、深圳、厦门、青岛、济南、大连、沈阳及黑龙江省内等主要城市，形成了"覆盖龙江、辐射沿海、布局全国"的业务发展格局。

江海证券下设100%控股另类投资子公司——江海证券投资（上海）有限公司，控股江海汇鑫期货有限公司。

江海证券确立了"以经纪业务为基础，以投资银行业务为龙头，以资产管理业务和证券投资业务为两翼"的战略发展思路，旨在打通投行业务与资管业务、投资业务、经纪业务之间的协同渠道，建立利益共享机制，实现各项业务协同发展。

经纪业务方面，公司秉持"以客户为中心，以财富管理为依托"的理念，并依此构建服务体系和框架，帮助客户实现资产保值、增值的目标，打造综合金融服务平台，有效满足了客户日益增长的财富管理需求。

信用业务方面，公司通过融资融券、股票质押回购、约定购回、小额股票质押融资等方式为客户提供便捷、多元化的融资服务。

投行业务方面，公司核心团队长期以来一直活跃于投资银行业务一线，对中国资本市场有着深刻理解，具有为企业提供IPO上市、定向增发、债券融资、新三板挂牌、资产证券化等一体化的综合服务功能，并与众多机构投资者建立了良好的合作关系。

自营业务方面，公司能够立足于多层次资本市场投资，在多种盈利模式上全面创新，坚持以价值投资为基础，顺应市场变化，适时操作，锁定收益，投资效果良好。

资管业务方面，公司积极探索"以服务客户为中心、以卓有成效的产品为驱动、以投研能力为核心"三位一体的综合业务模式，打造全面满足客户个性化资产管理需求的业务体系，以经验丰富、业绩优异的专家团队为客户提供长期稳定的投资回报，打造富有江海特色的一流资产管理业务品牌，定向管理业务规模连续三年排名行业前10%。

江海证券集聚了一批年轻化、专业化的优秀人才，拥有一支具备博士、硕士学历和丰富实践经验的管理团队，构建了责权清晰、科学规范、运营高效的现代金融企业制度和管理体系。为了应对新的行业竞争局面，公司未来还将通过制度创新，吸引优秀业务人才加盟江海证券，实现公司稳健快速发展。

多年来，江海证券积极为经济建设及社会发展服务，被共青团中央授予"青年就业创业见习基地"，被黑龙江省政府评为"金融机构促进经济社会发展先进单位"，通过发行热力ABS、灾后重建债券等多种形式金融产品、为地方政府平台实现融资、支持实体经济发展。

面对新的发展形势，江海证券确定了新的市场定位和发展方向，抓住行业创新发展的有利时机，全面提升公司核心竞争力，力争发展成为"规模适度、业态优化、持续盈利、个性突出"的现代金融企业集团，践行"服务客户、回报股东、激励员工、奉献社会"的责任与使命，与社会各界一道为中国资本市场的健康稳定发展贡献力量！

资产管理业务

资产管理部是公司设立的负责对客户委托的资产进行投资管理、实现客户资产保值和增值的专门业务部门。2011年8月，中国证监会核准了江海证券有限责任公司证券资产管理业务资格。公司成立了资产管理部，负责客户资产管理业务的产品设计、推广销售和投资运作，为客户提供股票、债券、基金等多种金融工具的组合投资管理服务。

江海证券资产管理业务秉承"稳健经营、创新发展"的公司经营理念，以风险控制为前提，依托专业化的投资管理人才、优秀的管理团队，积极探索"以服务客户为中心、以卓有成效的产品为驱动、以投研能力为核心"三位一体的综合业务模式，致力于建立以"集合理财、定向理财、专项理财、投资顾问服务多平台"方式全面满足客户个性化理财需求的业务体系，以经验丰富、业绩优异的专家团队为客户提供长期稳定的投资回报，打造富有江海特色的一流资产管理业务品牌。

地址：黑龙江哈尔滨市南岗区哈尔滨市南岗区沈阳街

网址：www. jhzq. com. cn

服务热线：4006662288

金元证券股份有限公司

公司简介

金元证券股份有限公司成立于2002年8月，是经中国证监会批准，由首都机场集团公司作为核心股东出资成立的综合类证券公司，是首都机场集团金融板块的核心企业。公司注册资本32.11亿元，公司自成立以来没有发生一起重大风险事件，自成立以来连续盈利。

公司总部位于深圳，营业网点遍布全国，其中以珠江三角洲、长江三角洲和环渤海经济带为重点，各地区中心城市为辅助，形成了面向全国的立体、多元业务营销网络。同时，金元证券旗下控股金元期货有限公司和金元顺安基金管理有限公司，并全资设立金元资本投资管理（深圳）有限公司，现已形成证券、期货、基金业务良性互动的证券控股集团运作模式。

金元证券坚持"诚信、亲和、创新、志成"的企业精神和"稳健经营、规范管理、风险控制"的经营理念，并将其贯穿于经营管理和客户服务的每个环节，在跌宕起伏的资本市场上实现了较好的业绩，实现连续多年盈利。公司全体同仁以高度使命感、事业心和专业追求致力于为客户提供优质、高效的全方位服务。并努力为繁荣和发展中国证券市场，推动中国资本市场建设进程贡献力量。

地址：广东省深圳市深南大道4001号时代金融中心17层

邮编：518048

邮箱：jyzq@ jyzq. cn

网址：www. jyzq. cn

客服电话：4008888228

九州证券股份有限公司

公司简介

九州证券股份有限公司（以下简称"九州证券"）是一家综合类证券公司，以投资银行业务为龙头，固定收益、资产管理、证券经纪、证券交易等其他业务同步发展，构建了极具竞争力的全业务链体系，致力于为客户提供高度专业化的综合金融解决方案。

目前，九州证券已拥有近两千人的专业团队，汇聚了大量具备丰富资本市场投融资经验的业界人才，展业空间遍布全国各地。已在北京、上海、深圳等省市核心地区开业40余家分公司及营业部，搭建起辐射全国、经纬交织的强大业务开发体系和营销服务体系。

九州证券旗下设有期货子公司九州期货、金融服务子公司九禹金服、全资控股子公司西藏九证资本、全资私募基金子公司西藏九证嘉达，业务范围进一步扩大。

秉承合规守信、客户至上、开拓创新、强力执行、简单坦诚的核心价值观，九州证券以服务实体经济为导向，以满足客户需求为中心，打造具有独特竞争力的综合类证券公司。

资产管理业务

1. 产品中心：站在金融前线，捕捉市场机会、把握真实需求；透过严密的风控机制和投资组合手段，根据客户对资金的安全性、流动性、收益性的综合要求，量身定制投资方案。

2. 固收及量化资产管理：由海内外电子金融工程硕、博士等精尖人才汇聚组合的顶尖团队，对公司管理的固定收益及量化产品进行定期跟踪，并制定相应的调整政策；对资产管理产品研发予以支持和协助。

3. 权益资产管理：致力于权益类投资的研究及投资业务，发掘投资机会，对投资标的进行估值定价并管理权益类账户投资；针对市场现状的研判，运用合理的投资策略，合理配置投资比例，从总体上把控投资收益、风险管理。

4. 资产证券化：资产证券化业务对项目进行尽职调查、项目协调，针对专项计划进行方案设计、制作相关材料及申报；对业务的投资运作及销售工作进行及时协调。

5. 非标资产管理：多渠道搜寻拓展非标融资业务，从事各类非标债权及股债结合的夹层投资项目的承揽及承做，积极开拓与维护金融同业渠道及客户关系，为资管其他业务寻找资金和资产。

6. 运营中心：提供运营保障，负责资管产品的交易工作，严格执行既定交易策略，准确完成场内外交易任务，控制场内外交易风险；负责资产管理业务的信息披露及报备。

地址：北京市朝阳区安立路30号仰山公园东一门2号楼

邮编：100107

电话：010－57672000

传真：010－57672020

邮箱：jiuzhou@jzsec.com

网址：www.jzsec.com

客服热线：95305

联储证券有限责任公司

公司简介

联储证券有限责任公司（以下简称“联储证券”）是一家以“创造价值”为使命的综合性券商，致力于成为财富管理行业的改变者和推动者。联储证券原名众成证券，成立于2001年2月28日，注册资本13.594亿元，注册地为深圳，上海资产管理总部位于上海陆家嘴东方汇经中心。

公司于2015年进入高速发展阶段，现已成长为一家全牌照券商。业务涵盖证券经纪、证券资产管理、融资融券、证券承销与保荐、证券自营、证券投资咨询、基金代销、金融产品代销、股票质押式回购、财务顾问等。

联储证券的前身是众成证券，2001年7月5日经中国证券监督管理委员会证监机构字〔2001〕103号文批准，由山东、河南、湖南、沈阳、西安五家证券交易中心联合改组设立；2001年12月4日，经证监机构字〔2001〕272号文批准开业；经营范围：证券经纪；注册资本人民币5,000万元，资本公积5,050万元。

2002年8月16日，经证监机构字〔2002〕243号文批准，将原河南证券登记股份有限公司改组为公司的证券营业部，以更名后的“河南豫证产业投资股份有限公司”作为对公司的投资主体。改组后的郑州文化路营业部于2003年3月正式开业。

2002年10月24日，经证监机构字〔2002〕323号文批准，平顶山市信托投资公司以其所有的三家证券营业部投资入股，评估后的净资产为人民币1,500万元，其中：注册资本750万元，资本公积750万元。增资后的注册资本为5,750万元，资本公积5,800万元。

2006年7月26日，经证监机构字〔2006〕168号文批准，同意将原河南豫证产业投资股份有限公司投入的现金500万元进行增资，增资后的注册资本6,250万元。

2014年8月5日，经深圳证监局备案，公司注册资本由6,250万元增至20,000万元。

2015年6月3日，经深圳证监局核准，公司名称由“众成证券经纪有限公司”变更为“众成证券有限责任公司”，注册资本由2亿元增加至6.1亿元。

2016年2月5日，经深圳证监局核准，注册资本由6.1亿元增加至13.594亿元。

2016年2月22日完成营业执照企业名称变更，由众成证券有限责任公司正式更名为联储证券有限责任公司。

联储证券布局全国，现拥有证券资产管理分公司1家、北京和济南2家分公司，营业部45家，覆盖上海、北京、广州、深圳、杭州、成都、厦门、合肥、天津、武汉、济南、郑州、长沙、西安、沈阳等全国主要大中城市。目前正积极筹备各直投子公司、公募基金公司等的设立。9月7日，我司顺利获批设立15家分公司和12家证券营业部。至此，我司将在全国形成57家证券营业部和18家分公司的网点分布，进一步深化联储争取全国布局的发展战略，并形成以资管业务为核心带动新业务发展的战略布局。

资产管理业务

目前资产管理分公司已设立19个专业团队，涉及全方位的权益投资、固收、量化对冲、结构融资、资本市场、金融同业等业务。

截至2016年8月26日，资产管理分公司已成功发起成立资产管理项目42个，募集规模达103.65亿元，成功发行了莱金1号、莱金2号、鑫安1号、众赢1号、创新阿尔法对冲1号、众慧1号、传化股份收益权等集合资产管理计划以及瑞海1号、冲浪1号、民生1号等定向资产管理计划。产品设计科学，投研实力雄厚，风控规范务实。

地址：上海市浦东新区陆家嘴环路333号东方汇经中心8层

邮编：200120

电话：021－80295888

网址：www.lczq.com

客服：4006206868

联讯证券股份有限公司

公司简介

联讯证券股份有限公司（以下简称“公司”）成立于1988

年6月，注册资本31.26亿元。2014年8月1日在全国中小企业股份转让系统（下称“新三板”）挂牌，证券代码830899。

公司秉承“财富联讯，服务贴心”的经营理念，致力于在传统业务中创新，成为传统业务某些领域中的领先者。联讯证券的经营特色，以客户利益为中心的服务模式在业内和监管机构均受佳评，经营管理经验和体会在《证券时报》、《证券日报》、《中国证券报》、《上海证券报》、《中国证券》等媒体均有报道和转载。

2014年起，公司抓住机遇，创新发展，率先在行业内开拓新三板的融资渠道，短短半年时间，实施两轮融资38亿元，公司注册资本从5亿元增至31.26亿元，净资产从6.5亿元增至近50亿元，完成联讯的跨跃式发展。截至2016年底，公司新增多项业务资格：获得企业债主承销资格，获准开通深港通、转融通业务，私募基金综合和外包服务、银行委外业务有序开展；新设两家全资子公司“联讯资本投资有限公司”和“联讯创新投资有限责任公司”；设立81家（含筹建）分支机构；固定收益业务银行间本币市场债券交易交割量在券商中排名第7位，其中11月和12月单月排名在券商中排名第3位！资产管理业务中主动管理收入和规模占比正在提升，资产管理总规模突破500亿；新三板累计成功推荐47家企业挂牌，并为190余家企业提供做市报价服务，2016年新增做市企业142家，行业排名第2；2016年也是公司全面向互联网证券转型的一年，公司已与腾讯、新浪、金融界等互联网平台开展合作。同时，公司于2014年荣获华新奖“最受投资机构欢迎奖”；2015年荣获华新奖“最佳公众公司治理奖”、“金融企业最佳表现奖”，2015年荣获金融界领航中国证券行业年度评选“杰出服务奖”，公司被评选为银行间本币市场“最佳证券公司奖”，公司荣获上海清算所“证券机构类结算业务特别奖”；2016年荣获华新奖“新三板最佳券商研究机构奖”，《新财富》评选中获得最具潜力研究机构大奖第四名，券商中国的“最贴心券商”评比中获得“2016最具互联网精神券商”奖。

公司坚持“诚信、规范、创新、和谐”企业文化，联讯证券将以登陆新三板为新起点，以客户需求为导向，以客户价值为中心，以人为本，广揽英才，用心服务客户，发展多元化业务，全力打造集证券、期货、基金、直投、海外业务等为一体，具备投资融资、销售交易、资产管理、支付结算和风险管理等功能的现代投资银行。

资产管理业务

联讯证券资产管理部成立于2012年3月，是公司设立的负责对客户委托的资产进行投资管理、实现客户资产保值和增值的专门业务部门。资产管理总部目前的业务包括集合资产管理业务、定向资产管理业务和专项资产管理业务。其中，集合资产管理业务可以为多个客户提供现金类、固定收益类、权益类、FOF类和定向增发类等财富管理服务；定向资产管理业务可以为单个客户提供证券投资、股权融资、市值管理、限售股增值等服务；专项资产管理业务可以为机构投资者提供资产证券化服务。

目前，联讯证券资产管理部已基本建成一支高素质的权益类、固定收益、量化投资和资产证券化队伍，形成了高效快捷的客户需求反应机制。联讯证券资产管理总部将继续加大产品创设团队和投研团队的建设力度，打造一支兼具国际视野和本土经验的优秀团队，实现以市场需求引导产品研发，以研究驱动价值创造，以良好的投资表现回报客户，更好地满足客户多样化、个性化的需求。

地址：广东省惠州市惠城区江北东江三路55号
　　惠州广播电视新闻中心三、四楼
邮编：516003
电话：95564
电话：0752－2119391
邮箱：hjzx@lxsec.com
网址：www.lxsec.com

民生证券股份有限公司

公司简介

民生证券股份有限公司成立于1986年，注册资本为45.8亿元，注册地为北京。公司具备中国证监会批准的证券经纪、证券承销与保荐等全牌照业务资格，是中国成立最早的证券公司之一。

公司在北京、上海、深圳、广州、郑州等地设立了55家分支机构，业务范围覆盖全国近30个省市；公司控股并管理着三家子公司：民生期货有限公司、民生通海投资有限公司和民生证券投资有限公司。民生证券与子公司优势互补，实现协同发展。

公司坚持“民生在勤，守正出新”的基本理念；坚持以诚信为根，责任为本，创新为源的核心价值观；坚持在目标、责任、利益上实现社会、企业、个人“三统一”的行为准则。不断通过业务和产品创新、管理和机制创新，为客户提供全方位、多层次的优质、规范、高效投融资工具和专业化、个性化的金融服务。

公司以完善的法人治理结构，科学的管理体系，高效的决策执行机制，有力的激励约束机制，严谨的合规内控机制以及完备的风险控制系统确保了各项业务的健康发展。

公司坚持以人为本，着力打造一支以事业经理人和职业经理人为主体，以普通经理人为基础的队伍，努力成为国内一流、具有特色的多元化、集团化、国际化的现代投资银行。

资产管理业务

民生证券资产管理业务以合规为基石，以创新为动力，致力于打造专业化、特色化和个性化的资产管理模式。在强化协同效应、提升主动管理能力、健全风控体系的基础上，一方面完善传统投融资产品线架构，优化业务结构，通过整合货币市场、债券市场、股票市场等各类市场的投资机会，以客户需求为导向，为客户量身定制全面、多样的资产管理计划；另一方面，着眼于产品创新，加强合规管理的同时以市场发展为导向，致力于前瞻性产品设计，引领财富不断升级。

目前民生证券资产管理事业部业务范围包括为单一客户服务的定向资产管理业务、汇集多个客户资金的集合资产管理业务和针对特定目的的专项资产管理业务，构建了包括定向通道、股票质押、非标项目融资、定向增发、员工持股计划、资产证券化等较为完备的资管产品池。

未来，民生证券资产管理事业部将继续坚持以合规稳健为发展前提，不断提高风险管理能力、投资决策能力和产品设计能力，努力构建大资管平台，为客户提供一站式、多元化、专业化的资产管理服务。

地址：北京市东城区建国门内大街28号民生金融中心
　　A座18层
电话：010－85127999
邮箱：zcglzb@mszq.com
网址：www.mszq.com

南京证券股份有限公司

公司简介

南京证券创建于1990年12月，由中国人民银行南京分行发起设立，与新中国资本市场"同龄"。1995年，南京证券划归南京市人民政府管理。2012年，南京证券完成股份制改造，变更为股份有限公司。2015年10月，南京证券成功挂牌全国股转系统。

南京证券大楼历经二十多年的风雨洗礼和岁月磨炼，南京证券逐步成长为一家总部在南京的全国性、多功能、综合类的证券公司，先后成为全国首批规范类证券公司和创新试点类证券公司。目前，公司注册资本24.7亿元，业务范围涵盖证券经纪、证券承销与保荐、证券自营、证券资产管理、信用交易、场外市场、金融衍生品、互联网金融等诸多领域，在江苏、宁夏、北京、上海、浙江、山东、福建、重庆、湖南、广东、广西、江西、陕西、云南等省（区、市）设有百余家分支机构，拥有南证期货、巨石创投、宁夏股权托管交易中心等子公司，形成了覆盖证券、期货、基金、创投、股权交易等较为完整的证券金融产业链。南京证券坚持稳健与创新并重的经营之道，创造了自成立以来持续盈利、从未亏损、稳定回报的优良业绩。公司先后成为证券行业首家"全国文明单位"、首家"全国五一劳动奖状"获得单位，并荣获"全国企业文化优秀奖"、"江苏省文明单位标兵"、"江苏省国有企业'四好'领导班子先进集体"、"江苏省先进基层党组织"等荣誉称号，形成并彰显"正规、正统、正道"的企业文化。

岁月有情，铭刻着南京证券光辉的历程；沧海桑田，凝聚着南京证券永恒的追求。迎着中国资本市场改革开放、创新发展的春风，南京证券将顺天时、应地利、聚人和，秉承"以人为本、以心为桥、以诚为基、以德兴业"的经营宗旨，发扬"稳健、规范、勤俭、和睦"的企业精神，践行"以客户为中心、以市场为导向、以人才为支撑"的发展理念，努力建设"规模适度、平台高效、业绩显著、特色鲜明"的一流现代金融企业，为中国资本市场建设和经济社会发展作出应有贡献。

资产管理业务

投资管理团队风格：秉承价值投资理念，定量和定性相结合对投资目标进行深入研究、谨慎决策、稳健操作，同时强化风险控制，致力于为投资者获取持续、稳定、可比性高收益。

地址：南京市江东中路389号

邮编：210019

电话：025－83367888

传真：025－83367377

客服热线：95386

平安证券股份有限公司

公司简介

平安证券股份有限公司是中国平安（保险）集团股份有限公司旗下重要成员，前身为1991年8月创立的平安保险证券业务部，目前拥有平安财智投资管理有限公司、平安期货有限公司、平安商贸有限责任公司、中国平安证券（香港）有限公司、平安磐海资本有限责任公司共五家子公司。截至2016年6月，平安证券注册资本为85.74亿元，净资产247.17亿元，总资产1021.03亿元。

平安证券确立了"中国最领先的资产管理公司之一"的战略定位，力争在未来几年经济结构转型、居民财富增长、金融市场化和多层次资本市场建设加快过程中，围绕机构与个人两类客户，贯彻落实"5＋1"工程，包括大经纪、大投行、大交易、大投资、大销售五大业务线落地以及APP战略实施，力求打造"有券商牌照的互联网金融产品提供商"；以再融资为突破口，1＋N做实的现代投行；最专业的债券及衍生品交易商、做市商；建立另类资产投资管理品牌"等四大杀手锏，建立差异化竞争优势。同时，平安证券着手组建多家分公司，根植当地，全方位满足当地客户的金融需求，致力于成为"最佳企业主办财务顾问及个人主办财富管理平台"。

具体而言，经纪业务事业部（大经纪）围绕"有券商牌照的互联网综合财富管理平台"战略目标，坚决向互联网转型，在行业树立起券商互联网转型引领者形象。作为行业首批获得互联网业务试点资格的券商，平安证券通过互联网技术与传统金融的结合，打造了一站式智能理财平台，践行普惠金融理念。公司下设获客、经营、融资三大业务中心及科技商务智能中心，通过线上线下O2O业务模式，开展证券经纪、融资融券、金融产品销售和财富管理服务等业务。利用互联网平台及技术，推出全功能交易账户，通过平安证券APP、牛人牛股、视频投顾等服务，为广大客户提供简单、快捷、专业的线上投资体验，通过与众多专业投资机构建立合作关系，为客户提供基金、信托、理财等各类投资产品销售服务。截至2015年底，公司经纪客户数突破400万，客户数规模市场排名进入前8，客户总资产超过5000亿，市场份额稳定增长。

投资银行事业部（大投行）设立多个产品团队，为全国三大区域和22家分公司提供产品分析、政策解读协同获客并提供后续产品承做服务。区域分公司客户经理与总部产品经理通过各种科技手段高效沟通，合力为企业及各类金融机构提供覆盖客户全生命周期的投融资服务，主要产品涵盖IPO、再融资、债券、新三板挂牌及做市交易、并购重组、财务顾问、结构融资及资产证券化、PE及产业并购基金、股权质押融资等。投资银行事业部拥有数百家股权融资、债券融资、财务顾问等项目的成功运作经验。2015年，股票IPO和债券主承销家数均位列行业第三。截至2015年底，创业板IPO累计保荐家数排名行业第一，中小板IPO累计保荐家数排名行业第二，债券发行累计家数排名行业第三，曾连续四年荣膺深交所"中小企业板最佳保荐机构"。同时，投资银行事业部还致力于积累资金和资产，构建立足资本市场的机构综合金融服务平台。

在管理合规的前提下，大交易业务由固定收益交易、资产管理、交易与衍生品团队以及平安磐海、平安商贸公司组成。2015年，固收交易团队在银行间市场交易量达2.13万亿，在券商中排名第五；利率互换交易量券商第一；短融中票分销量券商第四；在券商中是仅有的两家国债甲类承销团成员之一；投顾业务管理规模在券商中排名前列。2015年，公司接连荣获外汇交易中心固收类"最佳证券公司奖"，中债登固收类"优秀自营商"以及上交所"优秀国债预发行交易商"等奖项。同时，固收交易团队致力于为投资机构提供专业的研究、信用管理、投资顾问服务，以及丰富的固定收益类产品。

资产管理团队重点开展第三方主动管理、资产证券化财务顾问、结构融资、上市公司服务、银证通道等服务。截至2015年底，共管理运作19只集合资产管理计划，170只定向资产管理计划，整体资产管理规模1135亿。主动管理型产品规模、收益同比分别增长190%、293%。其中，固定收益类主动管理型产品(债券单策略)在同批次管理人业绩排名第二;集合产品“现金宝”近1年在同类产品中收益排名行业前6%,规模破百亿。资产证券化业务取得突破性进展,首只上交所挂牌资产支持专项计划顺利成立;两融债权资产证券化产品成功发行三期,规模共35亿。

交易与衍生品团队重点推动与利率互换做市和政府债做市相关的创新交易业务,致力于成为中国领先的利率互换与优选利率债的做市商。该团队自主研发业内领先的量化分析工具及电子交易系统,核心成员拥有20年以上在美国、欧洲、日本等发达资本市场的丰富经验并取得瞩目的业绩。凭借平安集团全牌照优势及前瞻理念,公司将努力打造盈利能力领先、服务品质一流、资金组织与资产经营双轮驱动的国内顶级做市商,并进一步推动中国固定收益市场的改革和进步。

平安磐海专注于量化投资策略、交易系统和量化产品的研发,致力打造国际顶级的量化对冲基金,拥有一支具备国际顶级对冲基金投资及管理经验的专业化团队,力争成为满足机构与高净值等私募类客户投融资需求的综合性资产管理机构。

平安商贸聚焦贵金属、基本金属、能源化工、农产品等领域,为各类金融机构、大宗商品产业链企业及供应商和贸易商、机构和个人客户投资者提供大宗商品仓单服务、库存管理、贸易融资、场外衍生品交易、产业基金等商品相关的综合金融服务和现货解决方案。

大投资业务由产业基金管理公司(筹)以及平安财智组成。产业基金管理公司(筹)在发挥证券资产管理业务优势的同时,引入平安集团保险资金,聚焦地方政府PPP基金、不动产基金、医养基金,开展与基建、房地产等行业的大型国企、龙头企业合作,以基金形式开展固定收益类、夹层、股权类主动投资,打造平安私募基金管理品牌。

平安财智是证监会批准设立的第一批券商直投子公司。主要从事Pre－IPO投资基金、并购基金以及通道业务,侧重战略新兴产业和成长型企业等早中期投资。重点投资领域为健康产业、消费升级、高端装备、节能环保、新能源新材料、TMT。2013年、2014年连续两年跻身《福布斯》杂志中国最佳PE投资机构前15强,2015年当选中国最佳回报创业投资暨私募股权投资机构TOP10。

销售交易事业部(大销售)秉承服务投资者对接机构经纪业务、服务企业对口大投行业务的定位,以研究、定价、销售和资产配置为核心功能。借助综合研究所和资本市场部(ECM/DCM)力量,以机构销售服务＋家族财富管理＋金融同业合作为抓手,将公司的债权、股权类资产服务企业财团、专业机构以及超高净值客户。2015年,机构销售覆盖678机构客户家,三年间实现市场份额增长2倍、佣金收入增长7倍;债券销售团队全年主承销债券52只;综合研究所斩获《新财富》、金牛、汤森路透等多家权威机构22项嘉奖;2016年,家族财富管理、金融同业团队与机构销售合力组建明星销售队形,按计划布局销售层次和策略;研究所重点布局大金融、大消费、大制造及包含TMT、医药生物、化工新材料和新能源等在内的新兴产业领域,建立优势特色研究;资本市场团队围绕股、债类资产,持续为投资者打造一级市场交易的枢纽平台。

子公司平安期货拥有商品期货经纪、金融期货经纪、期货投资咨询、资产管理业务资格,曾多次获得“中国最具成长性期货公司”、“最佳宏观策略分析师”、“最佳棉花分析师”等奖项。平安证券(香港)围绕机构客户打造最具活力的海外并购生态圈和最具实力的红筹回归通道,针对个人用户做强经纪与孖展业务,助力客户资产全球配置。

未来,平安证券将围绕新的战略定位,把握机遇、迎难而上,在风险引领业务发展的基础上,朝着“中国最领先的资产管理公司之一”战略目标执着前行。

地址:深圳市福田中心区金田路荣超大厦4036号16－20层
邮编:518026
网址:stock. pingan. com
客服热线:95511－8

申港证券股份有限公司

公司简介

申港证券股份有限公司(以下简称“公司”)于2016年3月14日经中国证监会批复设立,系国内首家根据CEPA协议设立的合资全牌照证券公司,由3家香港持牌金融机构、11家国内机构投资者共同发起设立,经营范围包括“证券资产管理、证券经纪、证券承销与保荐、证券自营”等业务。

公司注册在上海自贸区,注册资本35亿元人民币,其中港资投资额合计12.2亿元人民币,占总股份的34.86%。

公司根植上海、服务全国、联动两地,立足差异化、特色化经营,致力于打造“机制灵活、治理完善、服务卓越、绩效优良,具有独特核心竞争力的现代投资银行”。

地址:上海市浦东新区世纪大道1589号长泰国际金融大厦16楼
邮编:200122
电话:021－20639568
传真:021－20639538
邮箱:zcgl@ shgsec. com
网址:www. shgsec. com

申万宏源证券有限公司

公司简介

申万宏源证券有限公司(简称“申万宏源”),是由新中国第一家股份制证券公司——申银万国证券股份有限公司与国内资本市场第一家上市证券公司——宏源证券股份有限公司,于2015年1月16日合并组建而成。公司注册资本330亿元,拥有员工近8000名,在全国设有24家区域分公司和309家营业部(含西部证券),并设有香港、伦敦、东京、新加坡、首尔等海外分支机构。

申万宏源证券有限公司目前拥有全面的证券类业务资格,主要包括:证券经纪、证券投资咨询、融资融券、代销金融产品、证券投资基金代销、为期货公司提供中间介绍业务(以上各项业务限新疆、甘肃、陕西、宁夏、青海、西藏以外区域),证券资产管理,证券承销与保荐(限国债、非金融企业债务融资工具、政策性银行金融债、企业债承销),证券自营(除服务新疆、甘肃、陕西、宁夏、青海、西藏区域证券经纪业务客户的证券自营外),股票期权做市。

公司将在中投公司、中央汇金公司等股东单位的大力支持下,契合国家发展战略重点布局上海、新疆、香港、新加坡等区域,通过转型创新不断做大做强,朝着“具有国际竞争力、品牌影响力和系统重要性的现代投资银行”的目标加快迈进,为中国资本市场的创新发展作出积极贡献。

资产管理业务

1. 历史与优势

多年来，公司一方面利用资产管理平台促进各项业务转型，另一方面通过与银行、信托等金融机构合作推动业务加快发展。公司资产管理业务规模和净收入位居行业前列，树立了良好市场形象。业务体系涵盖制定投资方案、设计创新投资策略与产品、开发客户资源与后续服务、业务统计与风险监控等方面的全链条。

2. 服务内容

集合资产管理：具有丰富的集合资产管理产品线，涉及权益类、固定收益类、现金类、量化对冲、信托投资等集合资产管理计划。管理产品投资范围丰富、投资期限灵活，投资收益稳健，以“信托宝”为代表的产品在客户中形成了良好品牌效应。

定向资产管理：定向资管业务成为机构和高净值客户进行委托资产管理和开展各类业务合作的最有效渠道。为客户提供多对一的资产管理服务，具有单独定制、单户操作、投向灵活、沟通无障碍等特点，投资范围涵盖股票、基金、债券、票据、信托、资产收益权、市值管理等所有品种。不断开发和完善各类投资理财产品，为各类客户提供不同投资规模、持有期限和收益与风险特征的产品线，其中“灵通”系列、“宝鼎”系列理财产品等，受到了客户的广泛欢迎。

地址：上海市徐汇区长乐路 989 号世纪商贸广场 45 层
邮编：200031
电话：021 - 33389888
电邮：swhysc@ swhysc. com
网址：www. swhysc. com

世纪证券有限责任公司

公司简介

世纪证券有限责任公司前身为成立于 1990 年的江西省证券公司。2001 年 7 月，经中国证监会批准，公司增资扩股并更名为“世纪证券有限责任公司”，注册地址迁至广东省深圳市。多年来，公司逐步发展成为以深圳为总部，业务网络覆盖全国的综合型证券公司，目前注册资本为 7 亿元人民币，在全国所有省会城市及部分大中城市设立了分支机构，拥有 19 家分公司、33 家证券营业部。

公司的经营范围包括：证券经纪；证券投资咨询；与证券交易、证券投资活动有关的财务顾问；证券承销与保荐；证券自营；证券资产管理；融资融券；证券投资基金代销；代销金融产品。公司以雄厚的资金实力、一流的人才队伍、丰富的专业经验、稳健的经营作风为广大投资者和机构客户提供全方位的专业证券服务。

历经多年的发展，公司培养和造就了一支高素质的骨干员工队伍，公司现有员工 1000 余人。

面对全球化背景下资本市场的机遇与挑战，公司将继续坚持“合规经营、稳健发展”的经营思想，进一步完善战略布局，不断改革创新，努力提升公司的核心竞争力，为建设和谐社会、促进证券市场健康发展贡献新的力量。

地址：广东省深圳市福田区深南大道招商银行大厦 40 - 42 层
邮编：518040
网址：www. csco. com. cn
客服热线：4008323000

首创证券有限责任公司

公司简介

首创证券有限责任公司于 2000 年初成立，注册地为北京，是北京市国资委所属首创集团控股的综合类证券公司。2004 年初，公司完成了增资扩股工作，增资扩股后的注册资本为 65,000 万元人民币。公司股东包括北京首都创业集团有限公司、北京能源集团有限责任公司等多家大型国有企业。

经过十多年快速发展，首创证券逐步发展成为业务种类基本齐全、拥有多家分公司及数十家营业部的综合类证券公司。公司经营范围包括证券经纪、承销、自营、投资咨询、资产管理、融资融券、投资银行、直接投资等多项金融业务。公司先后参股北京股权交易中心有限公司、中证机构间报价系统股份有限公司，相对控股中邮创业基金管理股份有限公司，全资控股首创京都期货有限公司和首正德盛资本管理有限公司，可进一步为客户提供多元化金融服务。

自成立以来，公司一直坚持“稳健经营、规范管理”的经营原则，高度重视健全内部管理体制和完善风险防范机制，初步形成了一套具有自身特色、合乎证券业规范运作要求的制度化管理体系。

首创证券将一如既往的秉承稳健经营的原则，遵循专业化、规范化的经营方针，积极开拓市场，吸引人才，不断地推行业务创新和机制创新，抓住机遇做大做强。

资产管理业务

首创证券资产管理业务的服务特色以“客户至上、规范运作、开拓创新”为基本准则，以“诚实信用、客户至上、安全第一、绝对回报”为业务基本理念，借鉴业内最佳实践经验，通过构建科学投资管理系统与后台支持体系，严格按照相关监管规定设计投资决策流程，风险管理流程及内部控制体系，提供完整的理财产品系列，使客户获得稳定、卓越的投资回报，并享受差异化与个性化的理财服务。

地址：北京市西城区德胜门外大街 115 号德胜尚城 E 座
邮编：100088
电话：010 - 59366000
传真：010 - 59366281
网址：assets. sczq. com. cn

太平洋证券股份有限公司

公司简介

太平洋证券股份有限公司是 2004 年在云南昆明注册成立的全国性综合类证券公司。2007 年，公司整体变更为股份有限公司，并在上海证券交易所上市。近年来，公司通过多种融资、增资手段，不断增强资本实力。先后成功实施定向增发和配股，注册资本增至人民币 68.16 亿元。截至 2016 年末，公司资产总计 403.65 亿元，净资本达 114.16 亿元。

经过多年发展，不断壮大资本实力，公司各项业务取得了长足进步，营业网点逐年增加并布局全国，公司已逐步由偏居一隅的地方性证券公司发展成为全国性的中等规模券商。公司目前共设有 99 家分支机构，其中，云南省内 33 家证券营业部，上海、北京等城市共 66 家分支机构，是云南省内营业网点最多、市场份额最大的证券公司。近年来，公司资产管理业务以固定收益投资为重点，业务规模快速提升，具备差异化竞争优势；以股权质押为主要支撑的信用业务提升了业务规模；固定收益业务具有较好的客户积累和市场口碑；投资银行业务已逐步从通道业务转型为向企业提供多途径融资、上市、增发、及以并购重组为核心的财务顾问等综合金融服务，在财务顾问、债券、ABS 等领域均取得了突破性进展；此外，公司股份转让业务在行业内业绩排名靠前。

公司在充分利用区域政策和发展红利深耕云南本地市场的同时，省外异地布局也取得了成效，与此同时，公司业务范围正随着"一带一路"政策逐步辐射至东南亚。面对行业发展的新形势，公司确立了未来业务发展的目标和方向，即以资管业务为切入点，各部门分工合作，打造企业投融资——资管产品设计——产品销售投融资产业链，有效连接、满足客户投融资需求。

公司将抓住中国经济结构性调整的机遇，充分整合资源，拼搏进取，致力于发展成为以证券业务为核心的，具备一定国际竞争力的大型金融控股集团。公司以"守正、出奇"为行为准则，追求"宁静、致远"的精神境界，以客户需求为导向，追求股东和社会价值的最大化；以经济效益为中心，追求公司与员工的共同成长。

资产管理业务

太平洋证券的资产管理业务范围包括为多个客户服务的集合资产管理业务、为单一客户服务的定向资产管理业务、针对特定目标的专项资产管理业务以及投资顾问服务。具体包含如下四条业务线：(1)为银行、信托、保险等金融机构提供金融市场专项服务。(2)为银行、私募机构、企业、个人客户提供固定收益及权益理财管理服务。(3)为上市公司及其股东提供投资、融资、并购、市值管理等综合服务。(4)资产证券化业务的承销商和管理人服务。太平洋证券核心资管客户包括多家股份制银行、城商行、多地农村金融机构，数十家上市公司以及多省各级地方政府，拥有一套涵盖客户资源开发、产品设计、投资管理、风险监控、运营维护的全面业务体系。截至2016 年末，太平洋证券管理客户资产总规模为 1,618.33 亿元，资产净值合计 350.61 亿元（行业排名第 16 名，数据来源为东方财富 Choice 数据），居于行业前列。

地址：云南省昆明市北京路 926 号同德广场写字楼 31 楼
邮编：650224
电话：0871－68885858
传真：0871－68898100
邮箱：tpy@ tpyzq. com
网址：www. tpyzq. com

万和证券股份有限公司

公司简介

万和证券股份有限公司成立于 2002 年 1 月 18 日，是经中国证监会批准，由原深圳市深财证券业务部、成都财盛证券公司和海口财政证券公司三家财政国债中介机构重组设立的证券公司。公司注册地在海口市，总部办公地在深圳市。公司在深圳、海南、四川、广东、北京、湖北、湖南、江苏、浙江、安徽、山东、甘肃、辽宁、云南、福建、上海、河北、河南、重庆等地共设有 43 家分支机构。公司是拥有证券经纪、证券投资基金销售、证券承销与保荐、证券自营、证券投资咨询、证券资产管理、融资融券、代销金融产品、银行同业拆借、新三板主办券商、新三板经纪商、新三板做市商、与证券交易、证券投资活动有关的财务顾问等各类业务资格的综合类券商。

公司目前正在进行增资扩股，增资完成后注册资本将达到 15.6 亿元。万和证券将充分利用好资本市场，在产业协同、资源互补基础上，通过并购、重组、参股等多种形式，完善在互联网金融、银行、保险、第三方支付、小贷公司、网络众筹、网络征信、金融大数据等领域的业务布局，构建全产业链综合金融平台，实现超常规跨越式发展。

资产管理业务

资产管理业务是指证券公司作为资产管理人，依照有关法律法规的规定，与客户签订资产管理合同，根据资产管理合同约定的方式、条件、要求及限制，对客户资产进行经营运作，为客户提供证券及其它金融产品的投资管理服务行为。

重点业务：资产证券化、产内标准化投资产品业务、非标类投融资业务、股票质押式回购业务、通道类业务。

万和资产管理部恪守客户利益放在第一位，以稳健的投资风格，实现客户资产的保值增值。在泛资管时代下，万和资产管理部以"专业高效、务实敬业，勇于创新、实现共赢"为经营理念，努力打造成为机制灵活，具有特色的资管品牌，并能为客户提供全方位金融服务。

万和证券坚持"以人为本、人才为本"，科学打造资产管理业务团队，以企业文化凝聚人、以拓展业务锻炼人。目前团队中近 90% 具有硕士以上学历，博士后、博士近 30%，多数具有金融、经济、财务等教育背景以及丰富的证券投资、风险管理经验。

地址：深圳市福田区深南大道 7028 号时代科技大厦 20 层西厅
邮编：518040
电话：0755－82830333
电邮：vanhots@ wanhesec. com
网址：www. wanhesec. com. cn
全国统一客服热线：4008882882

网信证券有限责任公司

公司简介

网信证券有限责任公司是将传统证券业务与互联网技术结合，搭建全新资本媒介平台，开启互联网经营模式的新型券商。公司具有完善的法人治理结构，拥有良好的运作机制，坚持依法经营。公司管理团队拥有多年行业管理经验和丰富的资本市场运作经验，业务核心团队来自国内金融管理高端人士，在财富管理、资产管理、投资银行等业务领域均有专长。

公司的业务范围包括证券经纪、证券自营、证券投资咨询、证券投资基金销售、证券资产管理、证券承销、代销金融产品、证券保荐。

公司总部位于辽宁省沈阳市，目前公司下设北京、深圳两家分公司及 39 家证券交易营业部，其中 11 家营业部在辽宁省内，另 28 家营业部分布在北京、上海、天津、长春、哈尔滨、苏州、杭州、青岛、武汉、东莞、厦门、深圳、广州、珠海、成都、西安、佛山、福州、济南等城市。随着资本金的增加，公司将继续拓展业务版图。

网信证券依托于集团金融领域的优势，追求服务便捷、特色鲜明的发展路径，在依法合规的前提下融通金融渠道，致力于打造一家提供线上便捷服务、线下优质体验的新型互联网金融综合券商，为投资者提供全方位、多维度、一站式全面金融服务。

网信证券将把握互联网金融的发展契机，以科技助力投资，始终以客户需求为中心，创造价值最大化为经营宗旨，将实现全国性互联网综合券商作为未来发展方向，实现人与金融，共生共融的美好愿景。

资产管理业务

网信证券资产管理部：网信证券资产管理部经中国证监会批准成立于2015年9月8日，设在辽宁省沈阳市，下设北京资管团队、深圳资管团队与沈阳资管团队，目前资产管理部已开展集合资产管理、定向资产管理、专项资产管理等业务。网信证券资产管理部以合法合规运营为守则，配备先进的投资技术系统，实施严格的风险控制机制，资产管理部秉承“专业、稳健、高效”职业精神，致力打造高水平的资产管理业务品牌。

北京资管团队：网信证券北京资管团队自2015年发展至今已有五个资管业务业务部门，团队成员来自银行、保险、信托、券商、投资、审计、法律等多个行业，北京资管团队利用各个行业的资源和专业优势，开展综合性的资管业务，承揽承做股票质押式回购等定向通道业务，服务资金资产方；利用集合资管计划为政府平台、企业提供便捷的融资服务；紧跟市场动向，为上市公司提供投融资，参与定增，并购等项目；利用资产证券化、产业基金等创新业务为融资人提供多样化的融资服务。

深圳资管团队：网信证券深圳资管团队是一支具有丰富的金融投资和管理经验的团队。利用自身综合实力的优势，为客户捕捉市场机会；利用严密的风险控制机制和组合投资手段，为客户提供自有资金或闲置资金的保值增值服务。在实际运作中，根据客户的实际情况，从委托期限、收益预期、风险承受能力、投资限制等多角度出发，为客户度身定制投资方案，从而满足客户对资金的安全性、流动性、收益性的综合要求。

沈阳资管团队：网信证券沈阳资管团队是一支年轻、专业的投资管理团队，团队成员来自国内金融圈前沿，从事券商、信托、融资租赁投资运作多年，在业界拥有广泛的人脉与资源。他们具备扎实的投资调研功底，丰富的投资管理经验，依赖专业的投资技能，跨领域金融知识储备，敏锐的洞察力与行动，能有效把握市场投资热点，实现较为稳健的投资回报。

地址：辽宁省沈阳市沈河区热闹路49号

邮编：110014

电话：024－22955438

网址：www. wxzq. com

全国客服电话：4006183355

五矿证券有限公司

公司简介

五矿证券有限公司成立于2000年，总部位于中国改革开放的前沿城市深圳，是一家全牌照综合券商，也是深圳首批荣获规范类券商资格的证券公司。公司在北京、上海、广州、深圳、杭州等金融产业核心城市均设有营业网点，在国内遍布34家营业部。注册资本是7,291,678,893.24元人民币。

五矿证券始终秉承“规范运作、稳健经营、务实创新”的经营宗旨，在规范中保生存，在稳健中谋进步，在创新中求发展，经营范围涵盖证券经纪、证券自营、投资咨询、财务顾问、基金销售、资产管理、融资融券、承销与保荐、金融产品代销等业务，并为期货公司提供中间介绍业务，连续多年在全国证券公司代理买卖证券业务净收入增长率排行榜中名列前茅，并多年被评为“中国最具成长性券商”。

未来，五矿证券将继续秉承“珍惜有限、创造无限”的价值理念，依托股东优势，力争将公司打造成规模适中、业务牌照齐全、经营特色明显、合规文化突出的市场化专业化券商。

地址：深圳市福田区金田路4028号荣超经贸中心大厦47楼

邮编：518035

电话：0755－82545555　83233338

传真：0755－82545500

邮箱：zongcai@ wkzq. com. cn

网址：www. wkzq. com. cn

客服热线：4001840028

西部证券股份有限公司

公司简介

西部证券股份有限公司成立于2001年元月，注册地陕西省西安市，是全国首批规范类证券公司、第19家创新类证券公司。2012年5月3日，公司在深圳证券交易所正式挂牌上市(股票代码:002673)，成为我国第19家上市证券公司，是陕西省唯一一家全牌照的上市证券公司。2015年3月24日，公司完成了上市后的首次非公开发行股票工作，募集资金近50亿元，创陕西省上市企业中单次再融资规模最大的记录，目前公司总股本为27.96亿股。公司在陕西、北京、上海、山东、深圳等地区共设有99家证券营业部及9家经纪业务分公司，在上海设有从事自营业务、客户资产管理业务的第一、二分公司及研究发展中心，在北京设有从事场外市场业务、固定收益业务的北京第一分公司及固定收益部。西部期货有限公司和西部优势资本投资有限公司作为公司全资子公司与公司主营业务协同运作，独立经营。公司与上海利得财富资产管理有限公司合资设立的西部利得基金管理有限公司在公募和私募基金管理业务领域为客户提供服务。

公司成立以来，建立了完善的法人治理结构和严密科学的内部控制体系，合规守法经营，造就了一支具有共同使命感和价值观的员工队伍，形成了“和衷共济、共谋发展、风控至上、稳中求先”的企业文化，走出了一条规范管理、稳中求先、注重效益的渐进式发展之路。在2001—2005年市场持续低迷的环境中，取得了连续5年盈利的经营业绩。在此期间，公司的投资业务在为股东和客户创造超越市场基准价值的过分公司及固定收益部。西部期货有限公司和西部优势资本投资有限公司作为公司全资子公司与公司主营业务协同运作，独立经营。公司与上海利得财富资产管理有限公司合资设立的西部利得基金管理有限公司在公募和私募基金管理业务领域为客户提供服务。

公司成立以来，建立了完善的法人治理结构和严密科学的内部控制体系，合规守法经营，造就了一支具有共同使命感和价值观的员工队伍，形成了“和衷共济、共谋发展、风控至上、稳中求先”的企业文化，走出了一条规范管理、稳中求先、注重效益的渐进式发展之路。在2001—2005年市场持续低迷的环境中，取得了连续5年盈利的经营业绩。在此期间，公司的投资业务在为股东和客户创造超越市场基准价值的过程中奠定了其应有的市场地位，并形成了与价值投资、长线投资理念相匹配的管理体制、运营模式和操作手法。公司曾作为全国第一批规范类证券公司和第二批创新类证券公司在市场中留下了成长过程中的发展轨迹。2006年以来，公司在扩大经纪业务规模、不断提升投资业务管理能力的同时，加大对投资银行业务的培植力度，不仅继续在经营效率方面保持了良好的业绩，而且开始形成各项业务适应市场竞争环境要求的良性运行格局，从而使公司始终沿着最具盈利价值和最具增值潜力券商的轨道前行。

2007年以来，公司全面导入ISO9000质量管理体系，使用国际化标准全面规范公司的运营体制、管理模式和操作流程，在实现由业务为中心向以客户为中心转变的过程中迈出了坚实的一步。公司将在此基础上，致力于持续有效提升治理能力、管理水程中奠定了其应有的市场地位，并形成了与价值投资、长线投资理念相匹配的管理体制、运营模式和操作手法。公司曾作为全国第一批规范类证券公司和第二批创新类证券公司在市场中留下了成长过程中的发展轨迹。2006年以来，公司在扩大经纪业务规模、不断提升投资业务管理能力的同时，加大对投资银行业务的培植力度，不仅继续在经营效率方面保持了良好的业绩，而且开始形成各项业务适应市场竞争环境要求的良性运行格局，从而使公司始终沿着最具盈利价值和最具增值潜力券商的轨道前行。

2007年以来，公司全面导入ISO9000质量管理体系，使用国际化标准全面规范公司的运营体制、管理模式和操作流程，在实现由业务为中心向以客户为中心转变的过程中迈出了坚实的一步。公司将在此基础上，致力于持续有效提升治理能力、管理水平和员工素质，不断为现有客户和潜在客户提供我们力所能及的服务。在此过程中，实现我们忠实于客户，效力于客户，与客户共成长的目标。

资产管理业务

上海第二分公司是西部证券股份有限公司从事客户资产管理业务的具体部门，具有完善的组织构架与科学的投资运作机制，在多年的投资实践中形成了健全的风险防范机制和符合市场发展规律的投资理念，培养了一批高水平的投资理财专家，能为客户提供适合其自身投资特点和风险承受能力的理财产品，满足客户专业化、个性化、人性化的投资需求，实现客户资产的长期稳定增值。

上海第二分公司遵循稳健、创新、规范、诚信的原则，规范运作，取得了良好的投资业绩，为客户创造了丰厚的投资回报。

地址：陕西省西安市东新街232号信托大厦16－17楼
邮编：710004
电邮：95582@xbmail.com.cn
网址：www.westsecu.com
客服电话：95582

西藏东方财富证券股份有限公司

公司简介

西藏东方财富证券股份有限公司简称东方财富证券，前身是西藏自治区信托投资公司证券部。公司注册资本46亿元，法定代表人为陈宏，注册地拉萨，总部办公地设在上海，员工总数超过1000人，2015年12月8日，西藏东方财富证券股份有限公司控股股东变更为东方财富信息股份有限公司（简称“东方财富”，证券代码300059）。2016年5月，经过新一轮增资扩股，东方财富股权占比99.87%，东方财富的全资子公司上海东方财富证券研究所有限公司是我公司第二大股东，股权占比0.13%。

公司拥有齐全的证券业务牌照，经营范围涵盖：经纪业务、证券投资基金代销、证券自营、财务顾问、证券投资咨询、证券资产管理、证券承销与保荐、融资融券、代销金融产品、为期货公司提供中间介绍业务、新三板推荐挂牌、交易、做市业务，创新业务也已有所起步，取得了约定购回、质押回购、互联网业务等资格。

截至2016年6月，公司在全国20个省、自治区、直辖市共设有44家营业部和5个分公司；拥有1家全资子公司：同信投资有限责任公司；拥有1家控股子公司：同信久恒期货有限责任公司。

自2000年成立以来，经过15年的发展，东方财富证券已经成长为全国性中型综合类证券公司。根据中国证券业协会公布的证券公司经营业绩排名，2015年，投资咨询业务净收入排名行业第22；约定购回业务规模排名行业第28；约定购回利息收入排名行业第30；资产收益率排名行业第28；净资本收益率排名行业第26；财务杠杆倍数排名行业第34，代理销售金融产品规模（亿元）排名行业第47。

地址：上海市徐汇区宛平南路88号金座
邮编：200030
电话：021－54660526
传真：021－54660501
网址：www.xzsec.com
全国统一客服热线：95357

兴业证券股份有限公司

公司简介

兴业证券股份有限公司（601377SH）是中国证监会核准的全国创新类证券公司，经营范围包括证券经纪；证券投资咨询；与证券交易、证券投资活动有关的财务顾问；证券承销与保荐；证券自营；融资融券；证券投资基金代销；为期货公司提供中间介绍业务；代销金融产品。互联网信息服务（不含新闻、出版、教育、医疗保健、药品和医疗器械等内容及电子公告服务）；证券投资基金托管业务。

兴业证券前身可追溯至1991年设立的兴业银行证券业务部，1994年在证券业务部基础上改组设立福建兴业证券公司，1999年根据国家关于金融业“分业经营和分业管理”的政策要求，改制增资并与兴业银行脱钩，更名为兴业证券股份有限公司。2010年10月，公司在上海证券交易所首次公开发行并上市（601377SH）。

经过25年坚持不懈的努力，兴业证券今天已发展成为拥有38家分公司（含筹）、147家营业部（含筹）、6家控股金融子公司的中大型证券公司，基本搭建起涵盖证券、基金、期货、直接投资、另类投资和跨境业务等专业领域的证券金融控股集团。尤其是近年来，兴业证券抓住市场机遇，取得优良的经营业绩，综合实力和主要业务进入行业15强，部分业务和经营指标进入行业10强，综合竞争实力、抗风险能力、行业地位和市场影响力进一步提升，公司发展跃上了一个又快又好的新时期。

在长期的证券市场运作中，兴业证券始终坚持“市场化、规范化、专业化”的经营方针，逐步形成特色鲜明的稳健经营风格。公司坚持证券主业经营，自觉遵守各项法律、法规和行业公约，把合规管理、加强自律、防范风险放在十分突出的位置上，依靠完善的管理体制和风险控制机制防范经营风险，资产质量良好，连续3年（2013—2015年）被分类评价为A类AA级，风险管理和市场应变能力处于证券业先进行列。

兴业证券注册地设在福州市，注册资本66.97亿元，第一大股东为福建省财政厅。公司始终把建立健全法人治理放在首要位置，按照《公司法》和《证券公司治理准则》等法律法规制定公司章程，设立股东大会、董事会和监事会并规范运作，发挥其职能作用，形成与经营层相互促进和相互制约的制衡机制。

兴业证券十分重视队伍建设，持续推进队伍转型，通过多种方式改善队伍结构，提升队伍专业素质，本科以上人员占比达到 88%。公司认真履行企业公民对于股东、员工和社会的责任，让员工享受企业发展的成果，激发员工工作积极性，积极支持社会公益事业，“十二五”期间公司及职员公益捐赠总额 3350 万元，曾被评为中国金融企业慈善榜证券业突出贡献奖；公司设有兴业证券慈善基金会，用于持续开展社会公益事业。

兴业证券秉承“艰苦创业、勤勉敬业、廉洁自律、励精图治”16 字兴业精神，坚持“专业化、规范化、市场化”的战略指导思想，坚持“稳健规范、长远发展”的经营原则，坚持“业务必须增长、管理必须领先”的内在经营要求，坚持“提升员工价值，创造客户价值”的核心价值观，率先在证券业内倡导产业升级和推行变革转型，并取得明显成效。

在经济新常态下，证券行业正成为未来最具发展前景的朝阳行业。面对新的机遇和挑战，兴业证券进一步明确了第二个五年(2016—2020 年)战略规划，争取用 5 年时间，使公司综合实力进入行业 10 强，利用 10 年时间，实现公司综合实力进入行业前 5 强，将兴业证券建设成为我国具有系统重要性的大型现代投资银行。

地址：上海市浦东新区长柳路 36 号兴业证券大厦 9 层
邮编：200135
电话：021 - 38565866
电邮：zcgl@ xyzq. com
网址：www. ixzzcgl. com

银泰证券有限责任公司

公司简介

银泰证券有限责任公司成立于 2006 年 7 月，是证券行业综合治理期间首家批准设立的证券公司。公司注册地为深圳市，注册资本 14 亿元，主要股东为北京嘉鑫世纪投资有限公司、国银金融租赁股份有限公司和武汉致远投资有限公司。通过多年积累，公司取得了多项业务资格，目前经营范围包括：证券经纪；证券投资基金代销；证券自营；证券资产管理；证券投资咨询；与证券交易、证券投资活动有关的财务顾问；融资融券；证券承销；代销金融产品；为期货公司提供中间介绍业务；直接投资业务等。公司现有分支机构 41 家，主要分布在珠三角、长三角、环渤海经济圈、江浙地区及中西部南方地区等 33 个中心城市，构建了面向全国的经纪业务框架及完善的营销和服务网络，并设有全资直投子公司 1 家。

在九年的蓬勃岁月中，银泰证券通过不断累积区域经济动能、谋略全国布局发展，公司业绩取得了长足进步，同时也聚集了大批高素质的金融、经济、法律、财务和计算机等各类专业人才。公司始终坚持合规守法经营，建立了完善的法人治理结构和严密的内部控制体系，为公司规范管理、高效发展、稳健经营提供各项保障。

在深化金融体制改革，推进行业创新发展的大背景下，银泰证券沉着面对多变的市场形势，始终秉承“诚信、稳健、专业、和谐”的经营理念，以“服务客户、成就员工、回报股东、反哺社会，实现多方共赢”为使命，不断提升治理能力和管理水平，致力于打造国内最具特色的综合类金融服务平台，为客户提供更优质、更安全、更具价值的财富增值服务，并最终实现成为卓越领先金融服务集团的企业愿景，为中国证券市场的发展及中国券商在全球金融市场的发展贡献力量。

资产管理业务

公司资产管理业务始终遵循“公平、公正、诚实守信、勤勉尽责、避免利益冲突”的原则，为客户提供定向资产管理、集合资产管理、专项资产管理等多样化、专业化、个性化的资产管理服务，满足不同客户的需要，达到客户资产保值增值的目的。

银泰证券已构建职能清晰、人员齐备的资产管理业务团队。投资团队核心成员具有较长时间从业经历、历经不同经济周期考验、倡导稳健的投资风格、拥有较为成熟的投资理念，在严控风险的前提下力争为客户实现资产的长期稳定增值。

公司资产管理业务发展目标是根据客户的财务状况及风险收益偏好，设计并提供适合其风险特征的个性化财富管理产品；追求产品创新，努力为客户提供特色鲜明的差异化财富管理服务。

地址：深圳市福田区竹子林四路紫竹七道 18 号光大银行 18 楼
邮编：518040
电话：0755 - 28810131
网址：www. ytzq. com
客服热线：4008505505

英大证券有限责任公司

公司简介

英大证券有限责任公司是一家全国性的证券经营机构，注册资本 27 亿元，注册地在深圳。公司聚集了大批高素质的金融、经济、法律、财务和计算机等各类专业人才，构建了面向全国的综合性金融理财服务平台，为广大客户提供证券代理买卖、证券承销与保荐、证券资产管理、证券投资咨询、证券投资基金销售、融资融券、期货中间介绍、代销金融产品、新三板做市、期权经纪以及与证券交易、证券投资活动有关的财务顾问等全方位、多样化的证券服务。

公司股东实力雄厚，目前控股股东英大国际控股集团有限公司为国家电网公司设立的全资子公司。国家电网公司是关系国家能源安全和国民经济命脉的国有重要骨干企业，以建设和运营电网为核心业务，承担着为经济社会发展提供安全、经济、清洁、可持续的电力供应的基本使命，经营区域覆盖 26 个省(自治区、直辖市)，覆盖国土面积的 88%，供电人口超过 11 亿人，管理员工 186 万人，名列 2015 年《财富》全球企业 500 强第 7 位，是全球最大的公用事业企业。

公司树立“以客户为中心”的服务理念，致力于创建体现个性化、差异化、专业化的客户服务体系。公司在深圳、北京、上海、天津、广州、郑州、成都、沈阳、南京、武汉、南昌、长沙、兰州、重庆、福州、无锡、济南等国内经济发达地区和省会所在地设有分支机构，并控股英大期货有限公司，构建了面向全国的经纪业务框架及完善的营销和服务网络，及时满足客户各类投资需求。此外，公司研究咨询团队覆盖宏观、策略、债券及电力行业，为广大客户提供高质量的研究咨询服务。

“客户至上、回报股东、奉献社会”是我们的企业宗旨，

“努力超越、追求卓越”是我们的企业精神，“以人为本、诚信立业、合规经营、创新发展”是我们的经营理念。英大证券致力于推动我国资本市场繁荣发展，为国内外企业、个人和机构投资者提供全面专业的证券服务，努力实现客户资产的保值增值。

资产管理业务

英大证券资产管理业务部成立于2008年。部门自成立以来，逐步搭建了资产管理业务的组织架构，积极引进市场化人才，建立健全了各项业务制度，建设完善了信息技术系统，并于2009年获得证券资产管理业务资格。公司积极开展定向资产管理业务，2010年公司资产管理业务受托资产管理本金规模21亿，在中国证券业协会公布的2010年该项指标排名中位于行业第23位。在不断发展壮大定向业务的同时，公司大力发展集合业务，实现集合、定向齐头并进。

英大证券资产管理业务部是公司专门负责客户资产管理业务的部门。遵循公平、公正、诚实守信、勤勉尽责的原则，对公司客户资产业务进行集中统一的管理，为客户提供专业化、个性化的资产管理服务，满足不同客户的投资需要，实现客户资产保值增值的目的。

英大证券资产管理业务部拥有一支有着丰富金融投资和管理经验的团队。部门人员构成合理，人员专业涵盖投研、交易、产品设计、市场营销、风险管理、运维支持等，并均具有多年丰富证券从业经验。部门以实力雄厚的研究开发力量为基础，科学的决策管理和严密的内部控制为保障，树立价值投资、组合投资理念，在大力拓展定向资产管理业务的基础上，坚持市场需求导向，注重产品创新，积极稳妥地发展集合资产管理业务，逐步形成稳健持久的英大资产管理业务品牌。

地址：深圳市深南中路华能大厦30楼

电话：0755－26982993

传真：0755－26998301

邮箱：jgbts@ydzq.sgcc.com.cn

咨询服务热线：0755－26982993

浙商证券股份有限公司

公司简介

浙商证券股份有限公司（ZHESHANG SECURITIES CO.，LTD.）是中国证监会批准成立的综合性证券公司，成立于2002年5月9日。总部位于浙江省杭州市，注册资本30亿元人民币。

浙商证券是长三角南翼地区的重要财富管理机构，全资控股浙商期货有限公司、浙江浙商资本管理有限公司和浙江浙商证券资产管理有限公司，主发起设立浙商基金管理有限公司，形成“证券＋期货＋基金＋资管＋创投”的金融产业布局，为客户提供全方位、多层次、宽领域的综合投融资服务和产品。公司主要业务包括证券经纪、投资银行、资产管理、财务顾问、投资咨询、证券自营、期货业务、直接投资、融资融券等，其中，资产管理、投资银行、证券经纪、期货经纪等业务已跻身行业前列。

公司在全国范围内设有100多家分支机构，服务覆盖中国三大经济区——珠三角、长三角和环渤海地区，在全国21个经济最活跃的省份打下了综合性投融资服务的基石，形成全国性财富管理网络布局。

浙商证券致力于撮合投融资需求，管理居民财富，积极服务实体经济发展，以优质的财富管理服务赢得市场的良好口碑和客户的认可，获得了多项荣誉。

千百年文化传承，十余年励精图治，浙商证券将浙商的文化基因化为宝贵的精神财富，延续务实、创新的浙商精神，以“同创同享同成长”为核心企业文化，立志将浙商证券打造为最具浙商特色的财富增值服务商。

地址：浙江省杭州市杭大路1号黄龙世纪广场A座

邮编：310007

电话：95345

传真：0571－87901955

邮箱：webmaster@stocke.com.cn

网址：www.stocke.com.cn

中国国际金融股份有限公司

公司简介

中国国际金融股份有限公司（中金，3908.HK）是由国内外著名金融机构和公司基于战略合作关系共同投资组建的中国第一家中外合资投资银行。

自1995年成立以来，中金一直致力于为客户提供高质量金融增值服务，建立了以研究为基础，投资银行、股票业务、固定收益、财富管理和投资管理全方位发展的业务结构。凭借深厚的经济、行业、法律法规等专业知识和优质的客户服务，中金在海内外媒体评选中屡获“中国最佳投资银行”“最佳销售服务团队”“最具影响力研究机构”等殊荣。

中金一直以高标准开展业务，并始终坚守以下核心价值：以人为本，以国为怀，勤奋专业，积极进取，客户至上，至诚至信，植根中国，融通世界。

中金总部设在北京，在境内设有多家子公司，在上海和深圳设有分公司，在北京、上海、深圳等19个城市设有21家证券营业部。公司亦积极开拓海外市场，在香港、纽约、伦敦、新加坡四个国际金融中心设有子公司。凭借广泛的业务网络及杰出的跨境能力，中金能够为客户提供全方位的金融服务。

2015年，中金在香港联交所主板成功挂牌上市。秉承“植根中国，融通世界”的理念，通过境内外业务的无缝对接，中金将持续为客户提供一流的金融服务，协助客户实现其战略发展目标。

资产管理业务

资产管理部成立于2002年，参照国际行业标准与国内监管要求，构建了面向境内外市场统一的资产管理业务平台，致力于为境内外客户提供全方位优质服务，实现客户资产的长期稳步增值。

中金资产管理业务牌照齐全、产品丰富。拥有全国社保基金管理人、企业年金投资管理人、境内集合/定向资产管理（定向专户）、QDII集合/定向资产管理、人民币境外合格机构投资者（RQFII）等多项业务资格，并在香港设立了独立的资产管理子公司，获得香港资产管理牌照。作为内地和香港地区的专业投资管理机构，资产管理部已建立了包括集合理财业务、定向专户业务、养老金业务（社保与企业年金）和跨境业务（QDII、RQFII、离岸）在内的四大业务线，产品线涵盖股票、债券、FOF、指数、对冲基金、衍生品、海外市场等全系列。

中金资产管理部主要服务于国内最大型的机构投资、银行和企业，包括全国社会保障基金理事会、中国电信集团公司、中国工商银行、中国建设银行、中国农业银行等。为了抓住中国资产管理行业快速发展的机遇，资产管理部正积极开发新的客户群，例如保险公司、地方养老以及高净值个人。资产管理部专注于对客户需求的深刻理解，致力于与客户建立长期稳定的合作关系。

中金资产管理部通过“定向专户”的形式为单一客户量身定制境内、境外或跨境的资产管理业务，包括定制化的投资策略和产品方案、开设独立账户、配备专属投资团队、提供个性化客户服务等全方位金融服务。中金资产管理部的 QDII 专户业务，可以为客户提供全方位多样化的海外投资管理服务，包括海外新股认购（锚定或基石投资）、上市公司增持、上市公司市值管理，投资境外对冲基金、PE 基金等。

中金是国内最早提供海外投资管理服务的机构之一，投资范围包括股票、债券、衍生品等，投资市场涵盖香港等亚太地区市场。中金是首家获得 QDII 资格、首家发行 QDII 产品、首批获得 RQFII 资格、首批全额募集 RQFII 产品的证券公司。中金在香港的全资资产管理子公司拥有香港 Type4 证券咨询牌照和 Type9 资产管理牌照。

中金资产管理部拥有一支具备国际化背景和丰富投资经验的专业团队。成立以来，资产管理部已建立了严谨的投资流程、完善的内控制度以及领先的风险控制和运营体系。

地址：北京建国门外大街 1 号国贸写字楼 2 座 28 层
邮编：100004
电话：010－65051166
传真：010－65051156
电邮：info@ cicc. com. cn
网址：www. cicc. com

中国银河证券股份有限公司

公司简介

中国银河证券股份有限公司（简称“中国银河、银河证券”，以下简称“公司”，股票代码：06881. HK；601881. SH）是中国证券行业领先的综合性金融服务提供商，公司及旗下子公司提供经纪、销售和交易、投资银行等综合性证券服务。

2007 年 1 月 26 日，公司经中国证监会批准，由中国银河金融控股有限责任公司作为主发起人，联合 4 家国内机构投资者共同发起正式成立。中央汇金投资有限责任公司为公司实际控制人。公司本部设在北京，注册资本为人民币 101. 37 亿元。截至 2016 年 12 月 31 日，公司共有员工 9，473 人。

公司的经营宗旨是：根据国家法律法规、方针政策及国际惯例，致力开拓证券业务，秉承“忠诚、包容、创新、卓越”的企业精神和“客户至上、员工为本”的经营理念，坚持“创造价值、增长财富”的企业使命，倾力打造“一流服务、最佳投行”，实现股东长期利益和公司价值的最大化，促进、支持国民经济和证券市场的发展。

公司的经营范围为：证券经纪；证券投资咨询；与证券交易、证券投资活动有关的财务顾问；证券承销与保荐；证券自营；融资融券；证券投资基金代销；为银河期货经纪公司提供中间介绍业务；代销金融产品业务；证券投资基金托管业务；保险兼业代理业务；销售贵金属制品；中国证监会批准的其他业务。

公司旗下拥有银河创新资本管理有限公司、中国银河国际金融控股有限公司、银河期货有限公司、银河金汇证券资产管理有限公司和银河源汇投资有限公司。

公司于 2013 年 5 月 22 日在香港联合交易所上市，2015 年 5 月完成 H 股配售，2017 年 1 月 23 日在上海证券交易所 A 股上市。控股股东为中国银河金融控股有限责任公司。

资产管理业务

公司资产管理业务通过于 2014 年 4 月成立的全资子公司——银河金汇证券资产管理有限公司承接，注册资本为人民币 5 亿元，经营范围为证券资产管理。银河金汇在稳健发展非主动管理业务的同时，积极提升主动管理能力。通过团队建设、完善机制与流程、强化产品设计能力多措并举，显著提升竞争力。在固定收益产品方面已建立起较完善的产品体系，可以满足客户全方位的投资需求。

地址：中国北京西城区金融大街 35 号国际企业大厦 C 座
邮编：100033
电话：95551　4008888888（客服电话）
传真：010－66568532
邮箱：webmaster@ chinastock. com. cn
网址：www. chinastock. com. cn

中航证券有限公司

公司简介

中航证券有限公司（以下简称“中航证券”或者“公司”）是经中国证券监督管理委员会批准设立的全国性综合类证券公司，是中国十二大军工央企集团唯一证券公司，于 2002 年 10 月 18 日成立。中航证券现有注册资本金 198，522. 10 万元，公司实际控制人为中国航空工业集团公司（以下简称“航空工业”），是航空工业金融板块的重要组成部分，系全牌照证券公司。公司在全国主要省市设有分支机构。

中航证券在航空工业“两融、三新、五化、万亿”的发展战略指引下，秉承“航空报国、强军富民”的宗旨，践行“敬业诚信、创新超越”的理念，立足航空工业，建设具有综合金融服务能力的、拥有广泛客户基础的、中国军工产业投融资首选的现代投资银行。近年来，公司各项业务迅猛发展，经营业绩连创新高；与深交所、上交所的战略合作，开创了中国军工产融年会新模式；获得第十届中国证券市场年会最佳券商“金钥匙”奖。公司立足金融创新，响应党中央国务院号召，在“一带一路”央企先行、地方政府 PPP 模式投融资创新、国有企业存量资产证券化等领域，已经成为证券行业领跑者。随着品牌知名度和行业影响力的不断提升，公司也已成为航空工业军民融合、产能合作的中坚力量。

资产管理业务

2003 年 9 月 28 日，经证监会核准（〔2003〕202 号）。中航证券有限公司具备从事受托投资管理业务的资格。《证券公司客户资产管理业务试行办法》颁布后，公司的受托投资管理业务资格自动变更为客户资产管理业务资格。

中航证券有限公司秉持“专业创造价值、客户利益至上”的经营理念，在开展传统业务的同时，也在积极探寻券商资产管理业务的新型发展模式。目前已将金融工程引入资产管理业务平台，并组建了一只由金融工程、理工、金融、经济等方面专业人才组成的投研团队。同时，中航证券有限公司针对不同客户对于风险、收益、流动性等方面的不同需求提供各种量身定制的理财产品与服务，已经形成了包括低风险套利类专户理财产品、固定收益类专户理财产品、市值管理、投资顾问服务、集合理财产品、现金管理服务等 6 个系列的完整产品线。

地址：江西省南昌市红谷滩红谷中大道 1619 号
　　南昌国际金融大厦 A 栋 41 层
电话：0791－83811898
网址：www. avicsec. com

中泰证券股份有限公司

【基本概况】

中泰证券股份有限公司(原名齐鲁证券有限公司)是注册地在山东的唯一一家全国大型综合类券商。

目前,公司在全国28个省市自治区设有38家分公司、240家证券营业部,控股鲁证期货股份有限公司、鲁证创投有限公司、中泰金融国际有限公司、齐鲁证券(上海)资产管理有限公司,参股万家基金管理有限公司、齐鲁股权交易中心有限公司、中证信用增进股份有限公司、证通股份有限公司,形成了集证券、期货、基金、直投为一体的综合性证券控股集团。近几年,公司共为近300家企业提供股权融资、债券融资服务,实现融资额2300多亿元。

【企业文化】

公司使命:服务好实体经济的投融资活动,让投资者充分分享经济发展的财富成果,实现资本市场的中国梦。

公司愿景:将中泰证券打造成具有自主创新力、综合竞争力、品牌影响力,倍受社会认知,各种专业化证券业务协同发展的系统重要性现代投资银行。

公司精神:全线发力、全心经营、全力创新、全面提升。

公司经营理念:风控合规至上、客户利益至上、人才价值至上、创新发展至上。

公司道德观:倡导用心经营、精益求精,反对粗枝大叶、应付混事;倡导五湖四海、人尽其才,反对团团伙伙、任人唯亲;倡导系统思考、理性决策,反对盲目自信、感性武断;倡导创新求变、开拓进取,反对墨守成规、固步自封;倡导诚实守信、遵纪守法,反对误导欺诈、唯利是图;倡导团结友爱、协同互助,反对冷漠内讧、互掐互斗;倡导客观公道、公平正义,反对主观偏见、厚此薄彼。

【经营状况与市场成就】

公司按照“打造系统重要性现代投资银行”的战略目标,努力推进业务转型升级,市场竞争力和综合金融服务能力进一步提升。经纪业务,通过开展财富管理、金融产品代销、优化客户交易系统等措施,帮助客户实现资产保值、增值。截至2016年底,公司服务客户560多万,管理客户资产9000多亿元。投行业务,公司抢抓市场机遇,大力拓展IPO、债券融资、再融资、新三板等业务,实现了业务多元化和收入多元化。2016年,完成14家股票主承销项目和57家债券主承销项目,累计为企业融资700多亿元;推荐199家企业在新三板挂牌,累计推荐445家企业挂牌,行业排名第3位;累计为293家企业提供新三板做市服务,行业排名第2位。证券投资业务,在市场震荡调整的背景下,公司坚持稳健投资,加大市场研判力度,认真做好权益类、债券类、衍生品投资等业务。资产管理业务,公司在上海设立了资产管理子公司,为客户提供现金管理类、货币类、债券类、权益类、量化类等多元化金融产品。资产管理规模2400多亿元,其中主动管理规模1400多亿元,行业排名第9位。期货业务,公司控股的鲁证期货,目前已在香港联交所上市,是国内期货行业第一家在境内外主板上市的公司、香港联交所第一家以期货为主业的上市公司以及山东省第一家境外上市金融企业。基金业务,公司参股的万家基金,注册资本1亿元,目前管理资产规模600多亿元。直接投资业务,公司直投子公司－－鲁证创投公司,注册资本17亿元,已完成30多单14多亿元的投资。成立了规模7亿元的新三板投资基金,目前已完成30多单项目投资。成立了并购基金,主要参与PE、上市公司定增、并购等项目。国际业务,在香港设立了中泰金融国际公司,注册资本17.9亿港币,具有证券交易、期货、投资咨询、资管、融资等全业务牌照。2016年共完成阳光100等20单境外股权、债券融资项目,实现融资额300多亿港元。

公司发挥自身专业优势,积极为各类市场主体提供创新性融资服务,满足多样化融资需求。公司主承销的青岛银行绿色金融债是全国首单城商行发行的绿色金融债券;寒亭区停车场建设项目收益债是山东省首单停车场专项债券;天风—中航红星爱琴海资产证券化项目是市场首家以信托公司作为原始权益人的类REITS产品,荣获中国证券业协会“第一届证券行业案例大赛”一等奖;中泰－易鑫资产支持专项计划是上海交易所发行的第一单互联网车贷项目;“三一重工”资产支持专项计划是上交所首单工程机械行业应收账款资产证券化项目;厦门银行信托受益权资产证券化项目是市场上首单城商行资产证券化产品。

公司积极践行普惠金融,实施了互联网金融战略,从平台、终端、产品、服务和运营管理等方面发力,推进商业模式和服务模式创新,进一步扩大客户覆盖范围、降低投资者交易成本、提高资源配置效率。积极推动移动终端齐富通APP的升级迭代和市场推广,为客户提供行情交易、理财专区、投顾微店、在线咨询一体化和移动化服务,目前APP安装量151万户,月活均量173万。加强与蚂蚁金服、同花顺、新浪、大智慧等业内知名互联网公司的战略合作,做好客户引流工作。入股股票雷达公司,合作开发大数据和智能投顾产品,该项目荣获中国证券业协会2016年优秀研究成果奖。建立了互联网理财账户体系和互联网理财业务平台,具有业内领先的“支付宝+余额宝”功能,可以为客户提供便捷、实时、综合性金融服务。公司是行业内首批5家签约level2信息服务商资格券商,积极为客户提供Level2行情信息服务。

【公司荣誉】

凭借良好的专业能力和业绩表现,中泰证券得到了社会各界的广泛认可。2016年1月,公司荣获“中国债券市场优秀成员”奖项;2月,公司荣获“省管企业文明单位”称号;4月,公司荣获“中国区最佳股转系统挂牌推荐团队”奖项;7月,公司荣获“中国最佳互联网证券公司”、“中国最佳投资顾问”和“中国最佳资产管理券商”奖项;8月,公司荣获“最佳主经纪商”、“券商互联网创新奖”奖项;11月,公司荣获“中国资本市场最佳投行”奖项;12月,公司荣获“中国最贴心券商”、“中国最具人气券商”奖项等。

【社会责任】

公司积极响应中国证券业协会提出的“一司一县”结对帮扶贫困县倡议,助力国家扶贫攻坚项目,对新疆喀什地区疏勒县、宁夏固原市原州区进行定点帮扶,着力在金融扶贫、产业帮扶、慈善扶贫、消费扶贫等方面发力,促进结对帮扶的县区早日脱贫。公司联合两家子公司出资1000万元,发起成立了山东中泰慈善基金会,创建公益事业的集中统一平台,更加专注、专业地参与扶贫和履行社会责任。

【2016年大事记】

公司上市申请获证监会受理拟登陆上海证券交易所。

公司开展党建提升工程,明确党组织在法人治理结构中的法定地位。

公司召开第一次党代会,完成换届选举首次实行党委常委制。

公司发起设立省管企业第一家非公募慈善基金会,在整合自身力量精准扶危济困方面作出有益探索。

公司子公司齐鲁资管摘中国最佳资产管理券商奖项，荣膺中国最佳财富管理机构评选两项大奖。

公司喜获"中国资本市场最佳投行"奖项，服务实体经济取得新成效。

公司子公司鲁证期货荣获"最佳期货公司"等多项荣誉，发起设立山东交易市场清算所有限公司。

李迅雷出任首席经济学家、研究所所长，中泰证券研究品牌影响力大幅提升。

中泰齐富通 APP 推出不足一年即冲入行业前 15 名，APP 在行情交易等多个领域都形成了自有特色。

公司开展基础管理提升工程，管理规范化、科学化水平提升。

地址：山东省济南市经七路 86 号

邮编：250001

网址：www. zts. com. cn

客户服务专线：95538

中天证券股份有限公司

公司简介

中天证券股份有限公司（公司）是辽宁省国资委控股的省属国有证券企业。公司于 2004 年 7 月 14 日成立，注册地及总部办公地点在辽宁省沈阳市。初始注册资本 5 亿元，经过四次增资扩股，目前注册资本 22.25 亿元人民币，股东分别为辽宁省人民政府国有资产监督管理委员会、本钢集团有限公司、辽宁省投资集团有限公司、辽宁省大连海洋渔业集团公司、北方联合出版传媒（集团）股份有限公司和辽宁能源投资（集团）有限责任公司。

公司现有员工 798 人，62 家证券营业部。其中，辽宁地区 33 家证券营业部，分别为沈阳市 15 家，辽阳市、葫芦岛市、锦州市、盘锦市、朝阳市、鞍山市、抚顺市、铁岭市、本溪市、盖州市、兴城市、大石桥市、大连瓦房店市、阜新市各 1 家，大连市、营口市各 2 家。吉林省长春市 1 家。黑龙江省哈尔滨市 2 家，大庆市 1 家。山东省济南市 1 家。北京市 2 家。天津市 3 家。深圳市 5 家。上海分公司所辖 14 家证券营业部，分别为上海市 5 家，杭州市 2 家、江阴市 1 家、无锡市 1 家、台州市 1 家、合肥市 1 家、温州市 1 家、宁波宁海县 1 家、绍兴市 1 家。北京设有一家子公司——中天期货有限责任公司，沈阳设有一家子公司——中天辽创投资管理有限公司。

公司业务范围包括：证券经纪；证券自营；证券承销；证券投资咨询；与证券交易、证券投资活动有关的财务顾问；证券资产管理；证券投资基金代销；为期货公司提供中间介绍业务；融资融券；代销金融产品；中国证监会批准的其他业务。

公司成立十余年来，秉承"价值、责任、成长、创新"的核心价值体系，坚持立足辽宁，辐射全国的经营思路，开拓创新，锐意进取，逐渐形成了经营理念稳、投资能力强、服务质量高、员工素质优的竞争优势。在 2015 年证券公司分类评价中获评 B 类 BBB 级，取得自成立以来的最好评级，呈现出跨越式发展的良好态势。

经过十余年的发展，公司取得了较好的经营业绩，积累了较丰富的业务经验，培养和储备了一批具有专业知识的金融人才，具备了比较坚实的实力基础。我们有信心、有能力全面推进业务转型和创新发展，不断提高经营能力和综合服务能力，不断做强做大，力争将公司打造成一流券商。

地址：辽宁省沈阳市和平区光荣街 23 甲

电话：024 - 23255256

传真：024 - 23255606

邮箱：ztzq@ ztportal. com

网址：www. iztzq. com

客服电话：4006180315

中信建投证券股份有限公司

公司简介

中信建投证券成立于 2005 年 11 月 2 日，是经中国证监会批准设立的全国性大型综合证券公司。公司注册于北京，注册资本 61 亿元，截至 2016 年 6 月 30 日，在全国 30 个省、市、自治区设有 245 家营业网点，并设有中信建投期货有限公司、中信建投资本管理有限公司、中信建投（国际）金融控股有限公司、中信建投基金管理有限公司等 4 家子公司，拥有约 530 万名财富管理客户及约 9，000 家机构客户。在为政府、企业、机构和个人投资者提供优质专业的金融服务过程中，公司建立了良好的声誉，连续七年被中国证监会评为目前行业最高级别的 A 类 AA 级证券公司。

中信建投证券拥有实力强大的股东背景，北京国有资本经营管理中心、中央汇金投资有限责任公司、中信证券股份有限公司等均为拥有雄厚资本实力、成熟资本运作经验与较高社会知名度的大型企业。

经相关监管部门批准，中信建投证券的主要业务范围包括：证券经纪，与证券交易、证券投资活动有关的财务顾问，证券承销与保荐，证券自营，证券资产管理，证券投资基金代销，为期货公司提供中间业务介绍，融资融券业务，代销金融产品业务，保险兼业代理业务，股票期权做市业务，证券投资基金托管业务，销售贵金属制品以及监管部门批准的其它业务。

自成立以来，中信建投证券各项业务快速发展，在企业融资、收购兼并、证券经纪、证券金融、固定收益、资产管理、股票及衍生品交易等领域形成了自身特色和核心业务优势，并搭建了研究咨询、信息技术、运营管理、风险管理、合规管理等专业高效的业务支持体系。

资产管理业务

中信建投证券资产管理部是中信建投证券接受投资人资产委托，为投资人提供全面资产管理服务的专设部门。目前资产管理部已开展集合资产管理、定向资产管理、投资顾问等业务。合作机构包括商业银行、信托公司、保险公司及大型企业等。经过多年发展，产品已涵盖权益类、固定收益类、现金类、衍生品类、项目类等各种类型，满足不同风险收益特征的客户理财需求。中信建投证券资产管理部恪守诚信为本、投资者利益至上的原则，过往投资业绩优异，得到了合作伙伴的广泛认可，并获得了多项市场荣誉。

中信建投证券资产管理部拥有一只成熟稳重、具有职业操守的优秀投资管理团队，团队成员大多拥有海内外硕士及以上学历，并大都具有在基金公司、保险公司、证券公司从事资产管理相关的工作经验。

秉承着珍视客户利益为中心的服务理念、强调前瞻性的研究与判断的原则，中信建投证券资产管理部为客户提供专业的资产管理服务，并且致力于客户委托资产的保值增值。

地址：北京市东城区朝内大街 188 号

邮编：100010

电话:010 - 85130588
邮箱:investorrelations@ csc. com. cn
网址:www. csc108. com

中信证券股份有限公司

公司简介

中信证券股份有限公司(以下简称"中信证券"或"公司"),于1995年10月25日在北京成立。2002年12月13日,经中国证券监督管理委员会核准,中信证券向社会公开发行4亿股普通A股股票,2003年1月6日在上海证券交易所挂牌上市交易,股票简称"中信证券",股票代码"600030"。2011年10月6日在香港联合交易所上市交易,股票代码为"6030"。

中信证券经营范围包括:证券经纪(限山东省、河南省、浙江省天台县、浙江省苍南县以外区域);证券投资咨询;与证券交易、证券投资活动有关的财务顾问;证券承销与保荐;证券自营;证券资产管理;融资融券;证券投资基金代销;为期货公司提供中间介绍业务;代销金融产品;股票期权做市。

2016年,公司实现营业收入人民币380亿元,实现净利润人民币104亿元,净资产收益率7.36%,收入和净利润继续位居国内证券公司首位,公司各项业务继续保持市场前列。公司紧紧围绕服务实体经济这一中心,进一步完善融资安排者、财富管理者、交易服务与流动性提供者、市场重要投资者和风险管理者五大角色,不断重塑并巩固核心竞争力。

2016年,公司主要业务保持市场前列。股权融资主承销规模人民币2,408亿元,市场份额11.76%,排名行业第一;债券主承销规模人民币3,797亿元,市场份额2.55%,排名同业第二;境内并购(发行股份购买资产及重大资产重组)完成交易规模人民币1,197亿元,市场份额14.15%,排名行业第一;代理股票基金交易总量人民币14.92万亿元,市场份额5.72%,排名行业第二;受托资产管理规模人民币1.8万亿元,市场份额10.5%,排名行业第一;融资融券余额市场份额6.67%,排名行业第一;新三板股票发行人民币141亿元,市场份额10.15%,市场排名第一。

截至2016年12月31日,中信证券持股5%以上的股东为中国中信有限公司(持股比例为16.50%)。公司依托第一大股东与中信银行、中信信托、信诚人寿保险等公司共同组成中信控股之综合经营模式,并与中信国际金融控股共同为客户提供境内外全面金融服务。

中信证券下属中信证券(山东)有限责任公司、中信证券国际有限公司、中信期货有限公司、金石投资有限公司、华夏基金管理有限公司、中信证券投资有限公司等6家主要控股子公司,下属中信产业投资基金管理有限公司、建投中信资产管理有限公司等2家主要参股子公司。

上市以来,中信证券进行了两次A股增资扩股,2006年非公开发行5亿股,募集资金约46亿元;2007年公开发行3.34亿股,募集资金约250亿元。2008年4月,公司实施资本公积转增。转增完成后,公司总股本达6,630,467,600股。2010年6月,公司实施资本公积转增。转增完成后,公司总股本达9,945,701,400股。2011年9月-10月公司首次完成H股发行,公司总股本达1,101,690.84万股,其中,A股983,858.07万股,H股117,832.77万股。2015年6月,公司完成非公开发行H股,公司总股本达1,211,690.84万股,其中,A股983,858.07万股,H股227,832.77万股。截至2016年12月31日,公司总资产5974亿元,净资产1427亿元,净资本935亿元,是国内规模最大的证券公司。

地址:广东省深圳市福田区中心三路8号中信证券大厦
　　　北京市朝阳区亮马桥路48号中信证券大厦
电话:0755 - 23835383　010 - 60836030
传真:0755 - 23835525　010 - 60836031
邮箱:ir@ citics. com
网址:www. cs. ecitic. com

中银国际证券有限责任公司

公司简介

中银国际证券有限责任公司(以下简称"中银国际证券")经中国证监会批准于2002年2月28日在上海成立,注册资本25亿元人民币。中银国际证券由中银国际控股有限公司、中国石油集团资本有限责任公司、上海金融发展投资基金(有限合伙)、云南省投资控股集团有限公司、江西铜业股份有限公司、凯瑞富海实业投资有限公司、中国通用技术(集团)控股有限责任公司、上海祥众投资合伙企业(有限合伙)、江苏洋河酒厂股份有限公司、上海联新投资中心(有限合伙)、江西铜业集团财务有限公司、达濠市政建设有限公司、万兴投资发展有限公司共同投资。

中银国际证券的经营范围包括:证券经纪、证券投资咨询、与证券交易、证券投资活动有关的财务顾问、证券承销与保荐、证券自营、证券资产管理、融资融券、证券投资基金代销、代销金融产品、公开募集证券投资基金管理。

中银国际证券还通过全资子公司中银国际期货有限责任公司和中银国际投资有限责任公司分别从事期货业务和直接投资业务。

中银国际证券注册地在上海,并在北京、深圳、广州、成都、哈尔滨等全国80个主要城市设有100家营业部。自成立以来,中银国际证券积极发挥"深厚中行背景、跨境金融服务"业务优势,依托中国银行全方位的金融服务平台,努力为客户提供高品质、专业化、个性化的投资银行和证券服务。公司在资产管理和投资银行业务领域保持了行业优势地位,经纪业务部均收入排名行业前列。

中银国际证券在多项评比中获得荣誉。近年来,公司先后获得财政部"记账式国债承销团成员优秀奖"、国家开发银行"金融债券优秀承销商"、中国证券业协会"年度证券公司投资者教育与服务优秀单位"、中国证券投资者保护基金组织"年度保护基金投资者调查年终考评优秀证券公司"、中央国债登记结算有限责任公司"中国债券市场优秀资产管理机构"、"中国债券市场优秀发行人(证券公司短融发行人)"等荣誉称号;《21世纪经济报道》"中国最佳投行证券公司"奖、"最佳承销保荐业务证券公司"、"优秀移动交易服务证券公司"奖;《证券时报》"中国最佳资产管理券商"、"中国最佳债券投行"、"中国最佳再融资投行"、"中国最佳零售客户服务商"、中国最佳机构服务商;《新财富》"大项目能力最佳投行"、"最佳再融资项目"、"最佳IPO项目"、"最佳公司债项目";"亚洲货币(Asiamoney)最佳分析师"集体奖项评比"中国最佳券商"第三名、"进步最快研究机构"第二名、"最具独立性研究机构"第三名等各项荣誉。在《证券市场周刊》卖方分析师"水晶球"奖评选活动中,名列"本土金牌研究团队"综合排名第三,并获"进步最快研究机构"、"最具创新能力研究机构"、"最具独立性研究机构"、"金牌销售服务团队"、"进步最快销售服务团队”、“金牌路演和客户访问人”等多项评比第一。此外,公司各类集合资产管理计划表现优异,在业内评比中荣获众多奖项。中国红 1 号集合资产管理计划分别荣获《上海证券报》“最佳混合型券商集合理财计划”、“朝阳永续中国私募基金风云榜最受欢迎理财产品券商集合理财组冠军”;中国红稳定价值集合资产管理计划分别荣获《中国证券报》“三年期金牛券商集合资管计划”产品大奖、《上海证券报》“年度最佳奖”、《证券时报》“中国最佳权益类资管产品”;中国红基金宝集合资产管理计划获“金牛理财网”中长期(两年、三年)最高 5 星评级、《上海证券报》券商大集合理财产品三年长期优胜奖;中国红货币宝集合资产管理计划还荣获《证券时报》“中国最佳固收资管产品”和“朝阳永续中国私募基金风云榜最受欢迎理财产品券商集合理财组冠军”。

在未来的发展中,中银国际证券将牢牢把握中国经济增长与资本市场发展的机遇,积极发挥业务优势,努力为客户提供高质量、专业化、多元化的投资银行服务,为促进证券市场的发展作出贡献。

资产管理业务

中银国际证券有限责任公司由中银国际控股有限公司联合中国境内五家大型企业共同投资,经中国证监会批准,于 2002 年 2 月 28 日在上海正式成立。2006 年获得创新试点类证券公司资格。

中银国际证券资产管理业务以“规范运作、科学管理、开拓创新”为基本准则,借鉴国际最佳实践经验,通过构建科学投资管理系统与业务板块联动,充分发挥资源优势,提供完整的理财产品系列,使客户获得稳定、卓越的投资回报,并享受差异化与个性化的理财服务。

地址:上海市浦东新区银城中路 200 号中银大厦 39F

邮编:200120

电话:021 - 20328000

传真:021 - 58883554

邮箱:webmaster@ bocichina. com

网址:www. bocichina. com

中原证券股份有限公司

公司简介

中原证券股份有限公司是在河南省注册的唯一一家法人证券公司。成立 14 年来,中原证券紧紧围绕服务实体经济,不断转型创新,走出了一条由小到大、由弱渐强的发展之路。特别是 2012 年以来,公司发展提速,先后实现了香港上市、香港增发和 A 股上市,已步入持续健康快速增长的轨道,稳居全国证券公司第一方阵,成为“金融豫军”的代表性企业之一。因贡献突出,公司 2014、2015 年度连续两年受到河南省委、省政府通报嘉奖;在 2015 年和 2016 年证监会组织的证券公司分类评价中,公司连续两年被评为 A 类券商。

中原证券的发展历程,大致可分为四个阶段:

第一个阶段是 2002 年底到 2007 年,主要是在打基础,业务形态以单一的经纪业务为主。

第二个阶段是 2008 年到 2012 年初,公司开始推进整体转型,重点发展服务实体经济的投行、投资等业务,逐步形成了以投行业务为先导、经纪业务为基础的多元化业务协同发展格局。

第三个阶段是 2012 年初到 2016 年,公司进入了以上市为抓手,全面追赶行业先进水平的阶段。在这个阶段,中原证券围绕打造现代化大型金融控股集团的战略目标,坚持两手抓,即一手抓上市、增强资本实力和竞争力,一手抓经营管理,积极打造涵盖直投、股权交易、投行等业务的“六位一体”全产业链,逐步形成了其独特的核心竞争力,实现了经营业绩的持续快速增长。

第四个阶段从 2017 年开始,中原证券将乘 A 股上市的东风,着眼深耕实体经济,开始向“投资导向、投行跟进、证券经纪等基础业务为重要保障”的现代经营模式全面转型,在更好服务实体经济的基础上,朝着建设现代化、国际化大型金融控股集团的战略目标不断前行。

展望未来,中原证券将秉承“朴实善良、诚信厚道、严谨执着、务求实效”的企业文化理念,充分发挥在香港和内地两地上市的优势,紧紧围绕金融服务实体经济的本质要求,在严格遵守香港、内地监管规则的前提下,再用三年左右的时间,把公司打造成以证券主业为基础的,横跨四板市场、保险业务和其他金融业态在内的现代化、国际化大型金融控股集团,使公司综合实力和经济效益稳居全国券商第一方阵,争取成为内地和香港两地上市公司中的标杆之一,以持续快速增长的业绩和丰厚的回报,更好地反馈投资者、回馈社会。

资产管理业务

中原证券资产管理总部自成立以来,始终坚持“专业化、市场化、规范化”原则,逐渐打造了集合理财、定向理财、信托顾问和市值管理等四大业务模块,已经形成较为完备的产品开发体系、营销体系、投资管理体系、风险控制体系和服务体系,综合服务能力日益增强,受托管理资产规模迅速扩大。

中原证券资产管理总部的客户广泛分布在地方国有大中型企业、上市公司、民企、企业家及社会富裕人士等。中原证券资产管理总部在为客户提供最大增值服务的同时,以自己的诚信、规范化、专业化、个性化服务赢得了客户的肯定或好评。

地址:河南省郑州市郑东新区商务外环路 10 号中原广发金融大厦 19 楼

邮编:450018

电话:0371 - 65585018

传真:0371 - 65586278

邮箱:khts@ ccnew. com

网址:www. ccnew. com

广东通宇通讯股份有限公司

广东通宇通讯股份有限公司首次公开发行股票上市公告书

特别提示

本公司股票将于2016年3月28日在深圳证券交易所上市。本公司提醒投资者应充分了解股票市场风险及本公司披露的风险因素，在新股上市初期切忌盲目跟风"炒新"，应当审慎决策、理性投资。

第一节 重要声明与提示

广东通宇通讯股份有限公司(以下简称"本公司"、"公司"、或"通宇通讯")及全体董事、监事、高级管理人员保证上市公告书的真实性、准确性、完整性，承诺上市公告书不存在虚假记载、误导性陈述或重大遗漏，并承担个别和连带的法律责任。

深圳证券交易所、其他政府机关对本公司股票上市及有关事项的意见，均不表明对本公司的任何保证。

本公司提醒广大投资者注意，凡本上市公告书未涉及的有关内容，请投资者查阅巨潮资讯网(www.cninfo.com.cn)的本公司招股说明书全文。

如无特别说明，本上市公告书中简称或名词的释义与本公司首次公开发行股票招股说明书释义相同。

本公司及实际控制人、董事、监事、高级管理人员、中介机构等就首次公开发行股票上市作出的重要承诺及说明如下：

一、股份流通限制和自愿锁定承诺

公司控股股东吴中林及实际控制人吴中林、时桂清承诺：本人承诺自公司股票上市交易之日起36个月内，不转让或者委托他人管理本人直接或间接持有的公司股份，也不由公司回购本人直接或间接持有的股份。作为公司董事/高级管理人员，前述承诺期满后，在本人任职期间每年转让的股票不超过所持公司股票总数的25%，离职后半年内不转让所持有的公司股票。本人直接持有的股票在锁定期满后两年内减持的，其减持价格不低于发行价(发行人上市后发生派发股利、转增股本等除权、除息行为的，上述发行价格也做相应调整)；公司上市后六个月内如公司股票连续二十个交易日的收盘价均低于发行价，或者上市后六个月期末(即2016年9月28日)收盘价低于发行价，持有公司股票的锁定期限自动延长六个月；若发生职务变更、离职情况，仍将遵守上述承诺。

公司法人股东宇兴投资承诺：本公司承诺自公司股票上市交易之日起36个月内，不转让或者委托他人管理其持有的公司股份，也不由公司回购该部分股份；本公司直接持有的股票在锁定期满后两年内减持的，其减持价格不低于发行价(发行人上市后发生派发股利、转增股本等除权、除息行为的，上述发行价格也做相应调整)；公司上市后六个月内如公司股票连续二十个交易日的收盘价均低于发行价，或者上市后六个月期末(即2016年9月28日)收盘价低于发行价，持有公司股票的锁定期限自动延长六个月。

公司机构投资者股东中科创投、祥禾投资、比邻投资和子瑞投资承诺：本企业承诺自公司本次发行的股票上市交易之日起12个月内，不转让或委托他人管理本企业直接或者间接持有的公司股份，也不由公司回购本企业直接或者间接持有的股份。承诺期限届满之后，上述股份可以流通和转让。

担任公司董事、高级管理人员的股东刘木林、方锋明、陈红胜、杨晨东、李春阳5名自然人股东以及股东余波承诺：本人承诺自公司股票上市交易之日起36个月内，不转让或者委托他人管理其持有的公司股份，也不由公司回购该部分股份。作为公司董事/高级管理人员，前述承诺期满后，在本人任职期间每年转让的股票不超过本人所持公司股票总数的25%，离职后半年内不转让所持有的公司股票。本人直接持有的股票在锁定期满后两年内减持的，其减持价格不低于发行价(发行人上市后发生派发股利、转增股本等除权、除息行为的，上述发行价格也做相应调整)；公司上市后六个月内如公司股票连续二十个交易日的收盘价均低于发行价，或者上市后六个月期末(即2016年9月28日)收盘价低于发行价，持有公司股票的锁定期限自动延长六个月；若发生职务变更、离职情况，仍将遵守上述承诺。

担任公司监事的自然人股东高卓锋承诺：本人承诺自公司股票上市交易之日起36个月内，不转让或者委托他人管理其持有的公司股份，也不由公司回购该部分股份。作为公司监事，前述承诺期满后，在本人任职期间每年转让的股票不超过本人所持公司股票总数的25%，离职后半年内不转让所持有的公司股票。

公司其他股东魏晓燕、唐南志、石磊、林闵、李俊华、屈亮、吴中魁、张水波、孙军权9名自然人股东承诺：本人承诺自公司本次发行的股票上市交易之日起36个月内，不转让或委托他人管理本人直接或者间接持有的公司股份，也不由公司回购本人直接或者间接持有的股份。

二、关于上市后稳定股价的承诺

2014年3月17日，公司召开2013年年度股东大会审议通过了《关于稳定广东通宇通讯股份有限公司股价的预案》。

(一)启动股价稳定措施的具体条件上市后三年内，如公司股票收盘价连续20个交易日低于最近一期经审计的每股净资产(若公司最近一期审计基准日后有派发股利、转增股本等除权、除息行为，以调整后的股票价格为基数)，则公司将启动稳定公司股价的措施。股价稳定措施实施后，公司的股权分布应当符合上市条件。

(二)稳定股价的具体措施

1.实际控制人增持

公司控股股东吴中林及实际控制人吴中林、时桂清承诺：公司上市后3年内若公司股价持续20个交易日低于最近一期每股净资产时，将于该情形出现5个交易日内拟定增持计划，明确增持数量、方式和期限，对外公告，并于30个交易日内完成增持计划；计划每年用于增持股份的资金金额合计不超过2,000万元人民币；如果公司股价已经不满足启动稳定公司股价措施的条件的，可不再实施增持公司股份计划。

2.公司股份回购

实际控制人增持公司股票的计划实施完毕，公司股价仍低于最近一期每股净资产时，董事会应在5个交易日内参照公司股价表现并结合公司经营状况拟定回购股份的方案，回购方案须经股东大会审议通过后30个交易日内实施完毕，回购的股份将在法定期限内予以注销。公司计划用于回购的资金总额不超过上一年度经审计的归属于母公司所有者净利润的50%。如果公司股价已经不满足启动稳定公司股价措施的条件的，公司可不再实施向社会公众股东回购股份。

3.董事(外部董事及独立董事除外)、高级管理人员增持

实际控制人增持股票以及公司股份回购计划实施完毕后，公司股价仍低于最近一期每股净资产时，公司董事(外部董事及独立董事除外)和高级管理人员承诺：该情形出现5个交易日内，依照公司内部决策程序拟定增持方案，并于30个交易日内完成增持计划；计划每年用于增持股份的资金金额不超过本人上一年度从公司所取得的税后收入的30%。但如果公司股价已经不满足启动稳定公司股价措施的条件的，本人可不再实施增持公司股份计划。

(三)稳定股价措施的约束措施在启动稳定股价措施的前提条件满足时，如公司、实际控制人、董事(外部董事及独立董事除外)、高级管理人员未采取上述稳定股价的具体措施，公司、实际控制人、董事(外部董事及独立董事除外)、高级管理人员承诺接受以下约束措施：

(1)公司、实际控制人、董事(外部董事及独立董事除外)、高级管理人员将在公司股东大会及中国证券监督管理委员会指定报刊上公开说明未采取上述稳定股价措施的具体原因并向公司股东和社会公众投资者道歉。

(2)实际控制人未按规定提出增持计划和/或未实际实施增持计划的，公司有权责令实际控制人在限期内履行增持股票义务，实际控制人仍不履行的，每违反一次，应向公司按如下公式支付现金补偿：实际控制人合计增持金额上限(即人民币2,000万元)减去其合计实际增持股票金额(如有)。

实际控制人拒不支付现金补偿的，公司有权扣减应支付其的分红。实际控制人多次违反上述规定的，现金补偿金额累计计算。

(3)公司董事(外部董事及独立董事除外)、高级管理人员未按规定提出增持计划和/或未实际实施增持计划的，公司有权责令董事(外部董事及独立董事除外)、高级管理人员在限期内履行增持股票义务，董事(外部董事及独立董事除外)、高级管理人员仍不履行，应向公司按如下公式支付现金补偿：

每名董事(外部董事及独立董事除外)、高级管理人员年增持金额上限(即其上年度从公司所取得的税后收入的30%)减去其实际增持股票金额(如有)。董事(外部董事及独立董事除外)、高级管理人员拒不支付现金补偿的，公司有权扣减其应向董事(外部董事及独立董事除外)、高级管理人员支付的报酬。

公司董事(外部董事及独立董事除外)、高级管理人员拒不履行股票增持义务的，控股股东或董事会、监事会、半数以上的独立董事有权提请股东大会同意更换相关董事(外部董事及独立董事除外)，公司董事会有权解聘相关高级管理人员。

(4)公司未来聘任新的董事、高级管理人员前，将要求其签署承诺书，保证其履行公司首次公开发行上市时董事、高级管理人员已做出的稳定股价承诺及约束措施。

三、公开发行前持股5%以上股东的持股意向及减持意向

持有公司5%以上股份的股东吴中林、时桂清就持股意向及减持意向承诺如下：

(1)本人拟长期持有公司股票；

(2)在锁定期满后，本人将认真遵守证监会、交易所关于股东减持的相关规定，结合公司稳定股价、开展经营、资本运作的需要，审慎制定股票减持计划，在股票锁定期满后逐步减持；

(3)本人减持公司股份应符合相关法律、法规、规章的规定，具体方式包括但不限于交易所集中竞价交易方式、大宗交易方式等；减持价格不低于发行价(指发行人首次公开发行股票的发行价格，如因公司上市后派发股利、转增股本、增发新股等原因进行除权、除息的，则按照证券交易所的有关

规定作除权除息处理)；

(4)本人减持公司股份前，应提前3个交易日予以公告，并按照证券交易所的规则及时、准确地履行信息披露义务；

(5)在锁定期满后两年内，夫妻二人每年减持公司股份数量合计不超过公司上市时股份总数的5%，因公司进行权益分派、减资缩股等导致公司股份变化的，相应年度可转让股份额度做相应变更；

(6)如果本人未履行以上减持承诺，本人将在股东大会及中国证监会指定的披露媒体上公开说明未履行承诺的具体原因并向公司股东和社会公众投资者道歉；

(7)若其因未履行上述承诺而获得收入的，所得收入归公司所有，将在获得收入的五日内将前述收入支付给公司指定账户。

四、关于招股说明书存在虚假记载、误导性陈述或者重大遗漏后的赔偿承诺

1.发行人承诺

发行人承诺：若发行人招股说明书有虚假记载、误导性陈述或者重大遗漏，对判断发行人是否符合法律规定的发行条件构成重大、实质影响的，并已由有权部门作出行政处罚或人民法院作出相关判决的，在相关行政处罚或判决作出之日起10个交易日内，本公司将召开董事会并作出决议，通过回购首次公开发行所有新股的具体方案的议案，并进行公告。本公司将以不低于发行价格回购首次公开发行的全部新股(在发行人上市后至上述期间，发行人发生派发股利、转增股本等除息、除权行为，上述发行价格亦将作相应调整)。若发行人招股说明书有虚假记载、误导性陈述或者重大遗漏，致使投资者在证券交易中遭受损失的，将依法赔偿投资者损失。

2.发行人实际控制人吴中林、时桂清承诺

发行人实际控制人吴中林、时桂清承诺：发行人招股说明书和有关申报文件真实、准确、完整。如招股说明书存在虚假记载、误导性陈述或者重大遗漏，对判断发行人是否符合法律规定的发行条件构成重大、实质影响的，在该项事实经有权机关生效法律文件确认后30日内，本人将督促发行人依法回购首次公开发行的全部新股，并将以不低于本次发行价格购回本人已转让的股份。发行人招股说明书有虚假记载、误导性陈述或者重大遗漏，致使投资者在证券交易中遭受损失的，本人将依法赔偿投资者损失。有权获得赔偿的投资者资格、投资者损失的范围认定、赔偿主体之间的责任划分和免责事由按照《证券法》、《最高人民法院关于审理证券市场因虚假陈述引发的民事赔偿案件的若干规定》(法释〔2003〕2号)等相关法律法规的规定执行，如相关法律法规相应修订，则按届时有效的法律法规执行。

3.公司董事、监事、高级管理人员承诺

公司全体董事、监事、高级管理人员承诺：发行人招股说明书和有关申报文件真实、准确、完整。如发行人招股说明书存在虚假记载、误导性陈述或者重大遗漏，致使投资者在证券交易中遭受损失的，依法赔偿投资者损失。有权获得赔偿的投资者资格、投资者损失的范围认定、赔偿主体之间的责任划分和免责事由按照《证券法》、《最高人民法院关于审理证券市场因虚假陈述引发的民事赔偿案件的若干规定》(法释[2003]2号)等相关法律法规的规定执行，如相关法律法规相应修订，则按届时有效的法律法规执行。

五、避免同业竞争及规范关联交易的承诺

(一)避免同业竞争的承诺为避免发生同业竞争，公司控股股东吴中林、实际控制人吴中林、时桂清出具了《关于避免同业竞争的承诺函》，承诺如下：

(1)截至本承诺函出具之日，本人及控制企业未以任何方式直接或间接从事与公司相竞争的业务。本人及控制企业今后也不会以任何方式直接或间接经营任何与公司的主营业务有实质性竞争或可能构成实质性竞争的业务。

(2)本人保证公司上市后，根据持有的公司权益所行使的一切股东权利和相关决策均以公司的最大利益为前提。

(3)本人保证遵循上市公司治理结构有关法律法规和中国证监会相关规范性规定，确保公司按上市公司的规范独立自主经营，本人保证公司的人员独立和董事、监事及高级管理人员稳定，保障公司具有独立完整的业务体系和直接面向市场独立经营的能力。

(4)如因本人违反本承诺函而给公司造成损失的，本人愿意承担由于违反上述承诺给公司造成的直接、间接的经济损失、索赔责任及额外的费用支出。

(二)减少和规范关联交易的承诺公司控股股东吴中林、实际控制人吴中林、时桂清出具《承诺》："本人将继续严格按照《公司法》等法律法规以及股份公司章程的有关规定行使股东权利；在股东大会对有关涉及本人事项的关联交易进行表决时，履行回避表决的义务；本人承诺杜绝一切非法占用上市公司资金、资产的行为；在任何情况下，不要求上市公司向本人提供任何形式的担保；在双方的关联交易上，严格遵循市场原则，避免不必要的关联交易发生，对持续经营所发生的必要的关联交易，应以双方协议规定的方式进行处理，遵循市场化的定价原则，避免损害广大中小股东权益的情况发生。"

六、关于承诺履行的约束措施

1.发行人未能履行承诺的约束措施

公司承诺严格遵守下列约束措施：(1)如果本公司未履行相关承诺事项，本公司将在股东大会及中国证券监督管理委员会指定报刊上公开说明未履行承诺的具体原因并向股东和社会公众投资者道歉；(2)如果因本公司未履行相关承诺事项，致使投资者在证券交易中遭受损失的，本公司将依法向投资者赔偿损失。

2.公司控股股东、实际控制人未能履行承诺的约束措施

公司控股股东、实际控制人承诺严格遵守下列约束措施：(1)如果本人未履行相关承诺事项，本人将在发行人的股东大会及中国证券监督管理委员会指定报刊上公开说明未履行承诺的具体原因并向公司股东和社会公众投资者道歉；(2)本人因违反承诺而获得的收益归公司所有；(3)如果因本人未履行相关承诺事项，致使公司或者投资者遭受损失的，本人将向公司或者投资者依法承担赔偿责任。

3.公司董事、监事、高级管理人员未能履行承诺的约束措施

公司董事(外部董事及独立董事除外)、监事、高级管理人员承诺严格遵守下列约束措施：(1)如果本人未履行相关承诺事项，本人将在发行人的股东大会及中国证券监督管理委员会指定报刊上公开说明未履行承诺的具体原因并向公司股东和社会公众投资者道歉；(2)本人因违反承诺而获得的收益归公司所有；(3)如果因本人未履行相关承诺事项，致使公司或者投资者遭受损失的，本人将向公司或者投资者依法承担赔偿责任。公司外部董事及独立董事承诺：如因招股说明书存在虚假记载、误导性陈述或者重大遗漏，致使投资者在证券交易中遭受损失的，将依法赔偿投资者损失。

七、中介机构对申报文件的承诺

1.保荐机构承诺

保荐人承诺因其为发行人首次公开发行股票制作、出具的文件有虚假记载、误导性陈述或者重大遗漏，给投资者造成损失的，将先行赔偿投资者损失。

2.会计师事务所承诺

如果因本所为发行人首次公开发行出具文件的执业行为存在过错，违反了法律法规、中国注册会计师协会依法拟定并经国务院财政部门批准后施行的执业准则和规则以及诚信公允的原则，从而导致上述文件中存在虚假记载、误导性陈述或者重大遗漏，并由此给基于对该等文件的合理信赖而将其用发行人股票投资决策的投资者造成损失的，本所将依照相关法律法规的规定对该等投资者承担相应的民事赔偿责任。

3.律师事务所承诺

本所为发行人本次发行上市制作、出具的相关法律文件不存在虚假记载、误导性陈述或者重大遗漏。如因本所过错致使上述法律文件存在虚假记载、误导性陈述或者重大遗漏，并因此给投资者造成直接损失的，本所将依法与发行人承担连带赔偿责任。

作为中国境内专业法律服务机构及执业律师，本所及本所律师与发行人的关系受《中华人民共和国律师法》的规定及本所与发行人签署的律师聘用协议所约束。本承诺函所述本所承担连带赔偿责任的证据审查、过错认定、因果关系及相关程序等均适用本承诺函出具之日有效的相关法律及最高人民法院相关司法解释的规定。如果投资者依据本承诺函起诉本所，赔偿责任及赔偿金额由被告所在地或发行人本次公开发行股票的上市交易地有管辖权的法院确定。

第二节　股票上市情况

一、公司股票发行上市审批情况

本上市公告书是根据《中华人民共和国公司法》、《中华人民共和国证券法》、《深圳证券交易所股票上市规则》等国家有关法律、法规的规定，并按照《深圳证券交易所股票上市公告书内容与格式指引》而编制，旨在向投资者提供有关本公司首次公开发行股票上市的基本情况。

经中国证券监督管理委员会"证监许可[2016]383号"文核准，本公司首次公开发行新股不超过4,000万股，公司股东可公开发售股份不超过750万股，本次公开发行股票总量不超过4,000万股。根据询价结果和募集资金投资项目的资金需求量，本次公开发行股份总量为3,750万股，其中新股发行3,000万股，老股转让750万股。本次发行采用网下向股票配售对象询价配售(以下简称"网下配售")与网上向社会公众投资者定价发行(以下简称"网上发行")相结合的方式进行，其中网下配售1,050万股，网上定价发行2,700万股，发行价格为22.94元/股。

经深圳证券交易所《关于广东通宇通讯股份有限公司人民币普通股股票上市的通知》(深证上〔2016〕153号)同意，本公司发行的人民币普通股股票在深圳证券交易所上市，股票简称"通宇通讯"，股票代码"002792"。本公司公开发行的3,000万股新股将于2016年3月28日起上市交易；老股东公开发售的750万股股票自公司上市之日起锁定12个月后(即2017年3月28日)上市交易。

本次发行的招股意向书、招股说明书全文及相关备查文件可以在巨潮资讯网(www.cninfo.com.cn)查询，故与其重复的内容不再重述，敬请投资者查阅上述内容。

二、公司股票上市概况

(1)上市地点：深圳证券交易所。

(2)上市时间：2016年3月28日。

(3)股票简称：通宇通讯。

(4)股票代码：002792。

(5)首次公开发行后总股本：15,000万股。

(6)首次公开发行股票数量：3,750万股，包括新股发行3,000万股，老股转让750万股。

(7)发行前股东所持股份的流通限制及期限：详见本公告书"第一节重要声明与提示"。

(8)发行前股东对所持股份自愿锁定的承诺：详见本公告书"第一节重要声明与提示"。

(9)公司股东公开发售股份的流通限制及期限：根据有关规定，公司股东本次公开发售的750万股股份，自公司股票在深圳证券交易所上市交易之日起一年内不得转让(即自2017年3月28日起可上市交易)。

(10)本次上市股份的其他锁定安排：详见本公告书"第一节重要声明与提示"。

(11)本次上市的无流通限制及锁定安排的股份：本次公开发行的3,000万股新股无流通限制及锁定安排。

(12)公司股份可上市交易时间。

项　目	股东名称	数量(万股)	比例	可上市交易时间(非交易日顺延)
首次公开发行前已发行的股份	吴中林	5,905.3274	39.37%	2019年3月28日
	时桂清	3,916.9448	26.11%	2019年3月28日
	中科创投	374.8290	2.50%	2017年3月28日
	宇兴投资	323.8241	2.16%	2019年3月28日
	祥禾投资	249.8860	1.67%	2017年3月28日
	比邻投资	249.8860	1.67%	2017年3月28日
	子瑞投资	124.9430	0.83%	2017年3月28日
	唐南志	7.4966	0.05%	2019年3月28日
	刘木林	13.6551	0.09%	2019年3月28日
	方锋明	11.7045	0.08%	2019年3月28日
	余　波	11.7045	0.08%	2019年3月28日
	魏晓燕	10.7291	0.07%	2019年3月28日
	陈红胜	7.8029	0.05%	2019年3月28日
	高卓锋	5.8522	0.04%	2019年3月28日
	石　磊	4.8769	0.03%	2019年3月28日
	李俊华	4.0362	0.03%	2019年3月28日
	林　岗	5.0079	0.03%	2019年3月28日
	屈　亮	2.9262	0.02%	2019年3月28日
	吴中魁	2.9262	0.02%	2019年3月28日
	杨晨东	6.4702	0.04%	2019年3月28日
	张水波	1.9507	0.01%	2019年3月28日
	孙军权	3.0570	0.02%	2019年3月28日
	李春阳	4.1635	0.03%	2019年3月28日
	小　计	11,250.0000	75.00%	—
首次公开发行的股份	网下询价发行的股份(有限售期)	750.0000	5.00%	2017年3月28日
	网下询价发行的股份(无限售期)	300.0000	2.00%	2016年3月28日
	网上定价发行的股份	2700.0000	18.00%	2016年3月28日
	小　计	3,750.0000	25.00%	—
	合　计	15,000.0000	100.00%	

(13)股票登记机构：中国证券登记结算有限责任公司深圳分公司。

(14)上市保荐机构：东北证券股份有限公司。

第三节　发行人、股东和实际控制人情况

一、公司基本情况

中文名称：广东通宇通讯股份有限公司

英文名称：TONGYUCOMMUNICATIONINC.

法定代表人：吴中林

注册资本(发行前)：12,000.00万元

注册资本(发行后)：15,000.00万元

住所：中山市火炬开发区金通街3号

邮政编码：528437

电话：0760-85312820

传真：0760-85594662

互联网网址：www.tycc.cn

电子邮箱：zqb@tycc.cn

董事会秘书：李春阳

经营范围：研发、生产、销售：天线、射频器件、微波设备、信号放大设备、信号测试设备、信号发射接收及处理设备、电子产品、馈线及电器配件(上述产品不含卫星接收设备)；承接通信铁塔工程，通信工程的设计、施工，通信设备安装及维护；通信网络系统集成；软件开发；技术转让及技术服务；货物进出口、技术进出口(国家限定公司经营和国家禁止进出口商品除外)。

主营业务：公司主要从事通信天线及射频产品的研发、生产、销售和服务业务，为移动通信运营商、设备集成商提供通信天线、射频器件产品及综合解决方案。

所属行业：计算机、通信和其他电子设备制造业(C39)。

二、董事、监事、高级管理人员任职及其持股情况

本次发行后，公司董事、监事、高级管理人员及其持有公司的股票情况如下：

姓　名	职　务	任职起止日期	直接持股数量(万股)	间接持股数量(万股)	合计持股数量(万股)
吴中林	董事长	2013年9月26日至2016年9月	5,905.3274	210.7507	6,116.0781
时桂清	董事、总经理	2013年9月26日至2016年9月	3,916.9448	0	3,916.9448
刘木林	董事、副总经理	2013年9月26日至2016年9月	13.6551	0	13.6551
方锋明	副总经理	2013年10月10日至2016年10月	11.7045	0	11.7045
陈红胜	董事、副总经理	2015年8月17日至2016年9月 2013年10月10日至2016年10月	7.8029	0	7.8029
杨晨东	财务总监	2013年10月10日至2016年10月	6.4702	0	6.4702
李春阳	董事会秘书	2013年10月10日至2016年10月	4.1635	0	4.1635
高卓锋	监事会主席	2013年9月26日至2016年9月	5.8522	0	5.8522
凌　平	董事	2013年9月26日至2016年9月	–	–	–
胡斌杰	外部董事	2013年9月26日至2016年9月	–	–	–
龚书喜	独立董事	2016年1月20日至2016年9月	–	–	–
赵玉萍	独立董事	2013年9月26日至2016年9月	–	–	–
陈耀明	独立董事	2013年9月26日至2016年9月	–	–	–
晁静婷	监事	2015年8月17日至2016年9月	–	–	–
杨利华	监事	2013年9月26日至2016年9月	–	–	–
杨旭东	职工监事、国际营销部副经理	2013年9月26日至2016年9月	–	–	–
陈桂兰	职工监事、品质管理部助理	2015年7月20日至2016年9月	–	–	–
	合计		9,871.9206	210.7507	10,082.6713

三、公司控股股东及实际控制人的情况

自然人股东吴中林为公司控股股东，同时吴中林、时桂清夫妇为公司的实际控制人。本次发行后，吴中林先生直接持有公司股本总额的39.37%，通过持有宇兴投资间接持有公司1.41%的股份；时桂清女士直接持有公司股本总额的26.11%，吴中林、时桂清夫妇合计持有公司66.89%的股份。

吴中林，男，1967年1月出生，中国国籍，无永久境外居留权，西安电子科技大学电磁场与微波技术专业本科、工商管理硕士学历。曾任广东三水西南通讯设备厂助理工程师、广东省中山市邮电局移动分局工程师、中山职业技术学院客座教授等职务。自公司成立至今，吴中林曾担任公司董事长、执行董事、总经理等职务，现任公司董事长。

时桂清，女，1967年10月出生，澳大利亚国籍，工商管理硕士学历。自公司成立至今，曾担任公司副董事长、监事、副总经理等职务，现任公司董事、总经理。时桂清长期管理国内销售、采购等工作，具备丰富的企业管理经验。

截至本上市公告书签署日，公司实际控制人吴中林、时桂清夫妇控制本公司、吴中林持有中山市宇兴投资管理有限公司65.08%股权；除上述情况外，吴中林、时桂清无其他投资。

四、公司前十名股东持有公司发行后股份情况

此次发行后上市前，公司股东总数为50,435人，其中，公司前10名股东持有公司发行后股份情况如下：

序号	股东名称	持股数(股)	持股比例(%)
1	吴中林	59,053,274	39.37
2	时桂清	39,169,448	26.11
3	中山中科创业投资有限公司	3,748,290	2.50
4	中山市宇兴投资管理有限公司	3,238,241	2.16
5	上海祥禾股权投资合伙企业(有限合伙)	2,498,860	1.67
6	广东比邻股权投资基金管理有限公司	2,498,860	1.67
7	上海子瑞投资有限公司	1,249,430	0.83
8	华泰证券股份有限公司客户信用交易担保证券账户	161,532	0.11
9	中国银河证券股份有限公司客户信用交易担保证券账户	160,000	0.11
10	刘木林	136,551	0.09
	合计	111,914,486	74.62

第四节　股票发行情况

一、发行数量

公司本次公开发行股票总量为3,750万股，包括公司公开发行新股3,000万股，公司股东公开发售股份750万股。网下发行数量为1,050万股，其中网下发行新股300万股，占本次公开发行新股数量的10%，老股转让750万股；网上发行数量为2,700万股，占本次公开发行新股数量的90%。

二、发行价格：

本次公开发行的价格为22.94元/股，对应的市盈率为：

(1)9.7361倍(每股收益按照经会计师事务所遵照中国会计准则审核的扣除非经常性损益前后孰低的2014年净利润除以本次发行后总股本计算)；

(2)7.7889倍(每股收益按照经会计师事务所遵照中国会计准则审核的扣除非经常性损益前后孰低的2014年净利润除以本次发行前总股本计算)。

三、发行方式及认购情况：

本次发行采用网下向股票配售对象询价配售和网上向社会公众投资者定价发行相结合的方式。

本次发行网下有效申购总量为2,985,440万股，其中，网下新股发行有效申购数量(无锁定)为

2,645,140 万股，老股转让有效申购数量为 340,300 万股；网上投资者初步有效认购倍数为 4,940.23070 倍，超过 150 倍。本次回拨后，网下最终发行数量为 1,050 万股，其中，网下新股发行数量(无锁定)为 300 万股，占本次公开发行新股数量的 10%；老股转让数量为 750 万股(即本次公开发行中设定 12 个月锁定期的股票数量为 750 万股)。网上最终发行数量为 2,700 万股，占本次公开发行新股数量的 90%。

本次网上投资者合计放弃认购的股份共计 96,455 股，全部由主承销商包销。

四、募集资金总额及注册会计师对资金到位的验证情况：

本次发行募集资金总额为 86,025.00 万元（其中发行新股募集资金净额为 61,115.818 万元，老股转让资金净额为 16,084.872 万元，发行费用总额 8,824.31 万元）。瑞华会计师事务所(特殊普通合伙)已于 2016 年 3 月 23 日对本公司首次公开发行股票的资金到位情况进行了审验，并出具了《验资报告》瑞华验字〔2016〕48370001 号。

五、发行费用

发行人与公开发售股份的发行人股东根据公开发行新股和公开发售股份的数量按比例分摊承销费，其中新股部分承销费率不高于老股部分承销费率，其余费用由发行人承担。

本次发行新股费用总额为 7,704.182 万元，明细如下：

项　目	金额(万元)
保荐费用	2,120.00
承销费用	4,480.512
审计验资费用	377.00
律师费用	270.00
用于本次发行的信息披露费用	422.00
发行手续费及材料制作费	34.67
合计	7,704.182

老股转让承担承销费用 1,120.128 万元。

每股发行费用：2.57 元。(每股发行费用=发行新股费用总额/本次发行新股股本)

六、募集资金净额及发行前公司股东转让股份资金净额：

本次发行新股的募集资金净额为 61,115.818 万元，公司股东公开发售股份资金净额为 16,084.872 万元。

七、发行后每股净资产：

10.74 元(按照 2015 年 9 月 30 日归属于母公司的净资产值加上本次发行新股募集资金净额，除以本次发行后总股本计算)。

八、发行后每股收益：

2.3562 元/股（以发行人 2014 年扣除非经常性损益前后孰低的归属于母公司股东的净利润按照发行后股本摊薄计算)。

第五节　财务会计资料

本公司已在招股说明书中披露最近三年一期(2012 年、2013 年、2014 年及 2015 年 1-9 月)的财务报表，上述财务数据已经瑞华会计师事务所(特殊普通合伙)(以下简称"瑞华所")审计，并出具了标准无保留意见的《审计报告》(瑞华审字〔2015〕48370007 号)，本上市公告书中不再披露，敬请投资者注意。

一、主要财务信息

本公司 2015 年年度财务报表已经瑞华所审阅，并出具了《审阅报告》瑞华阅字〔2016〕48370002 号，根据上述《审阅报告》，公司 2015 年主要财务数据如下：

项目	2015 年末(经审阅)	2014 年末(经审计)	本报告期末比上年度期末增减(%)
流动资产(万元)	163,031.84	147,598.03	10.46
非流动资产(万元)	24,525.22	18,458.28	32.87
资产总额(万元)	187,557.06	166,056.31	12.95
归属于发行人股东的所有者权益(万元)	106,738.77	84,738.53	25.96
归属于发行人股东的每股净资产(元/股)	8.89	7.06	25.92
项目	2015 年(经审阅)	2014 年(经审计)	本报告期比上年同期增减(%)
营业收入(万元)	132,832.65	150,013.27	-11.45
营业利润(万元)	26,664.46	41,255.98	-35.37
利润总额(万元)	29,411.81	41,255.98	-28.71
归属于发行人股东的净利润(万元)	24,842.23	35,411.98	-29.85
归属于发行人股东的扣除非经常性损益后的净利润(万元)	22,322.07	35,342.58	-36.84
基本每股收益(元/股)	2.07	2.95	-29.83
扣除非经常性损益后的基本每股收益(元/股)	1.86	2.95	-36.95
加权平均净资产收益率(%)	26.24	50.93	-48.48
扣除非经常性损益后的加权平均净资产收益率(%)	23.58	50.83	-53.61
经营活动产生的现金流量净额(万元)	23,166.94	28,223.40	-17.92
每股经营活动产生的现金流量净额(元)	1.93	2.35	-17.87

公司 2015 年末非流动资产较上年末增长 32.87%，主要是由于公司 2015 年增加固定资产投资，固定资产、在建工程等科目数额增长较快。

公司 2015 年营业利润较上年同期下降 35.37%，主要是由于随着 4G 产品的逐步应用及市场竞争的加剧，公司产品毛利率有所下降，导致营业利润相应下降较多。

公司 2015 年归属于发行人股东的扣除非经常性损益后的净利润较上年同期下降 36.84%，主要是由于公司 2015 年收到的政府补助较多，使得非经常性收益较上年增长较多，因而扣除非经常性损益后的净利润相应下降幅度较大。

二、主要经营情况分析

公司 2015 年四季度实现营业收入 34,671.39 万元，实现净利润 6,769.49 万元。2015 年实现营业收入 132,832.65 万元，较 2014 年同期下降 11.45%。公司 2015 年净利润为 24,842.23 万元，较 2014 年同期下降了 29.85%。公司 2015 年主营业务毛利率为 39.52%，相比 2014 年下降了 4.02 个百分点。

根据公司实际经营情况，公司预计 2016 年 1 季度营业收入较上年同期下降 5%至 10%，公司 2016 年 1 季度净利润较上年同期下降 10%至 20%。公司主要从事通信天线及射频产品的研发、生产、销售和服务业务。2014 年以来，随着 4G 技术的成熟并在全球范围内多个国家开始大规模投资建设，基站天线的市场需求快速增长，公司 2014 年经营业绩大幅提高。由于 2014 年公司凭借快速反应优势推出多款 4G 产品，在市场中获得了较高的利润水平。但随着 4G 产品的逐步应用及市场竞争的加剧，更多的厂商加入到市场竞争中来使得公司 2015 年前三个季度相关产品售价、毛利率均有所下降，营业收入及净利润相应下降。另由于国内及国外主要市场投资进度放缓，使得公司收入水平有所下降。

第六节　其他重要事项

一、本公司已向深圳证券交易所承诺，将严格按照中小板的有关规则，在上市后三个月内尽快完善公司章程等相关规章制度。

二、本公司自 2016 年 3 月 9 日刊登首次公开发行股票招股意向书至本上市公告书刊登前，没有发生可能对公司有较大影响的重要事项，具体如下：

(1)本公司严格依照《公司法》、《证券法》等法律法规的要求，规范运作，生产经营状况正常，主营业务发展目标进展正常。

(2)本公司生产经营情况、外部条件或生产环境未发生重大变化(包括原材料采购和产品销售价格、原材料采购和产品销售方式、所处行业或市场的重大变化等)。

(3)除正常经营活动签订的销售、采购、借款等商务合同外，本公司未订立其他对公司资产、负债、权益和经营成果产生重大影响的重要合同。

(4)本公司与关联方未发生重大关联交易。

(5)本公司未进行重大投资。

(6)本公司未发生重大资产(或股权)购买、出售及置换。

(7)本公司住所没有变更。

(8)本公司董事、监事、高级管理人员及核心技术人员没有变化。

(9)本公司未发生重大诉讼、仲裁事项。

(10)本公司未发生除正常经营业务之外的重大对外担保等或有事项。

(11)本公司的财务状况和经营成果未发生重大变化。

(12)本公司未召开董事会、监事会或股东大会。

(13)本公司未发生其他应披露的重大事项。

第七节　上市保荐机构及其意见

一、上市保荐机构情况

保荐人(主承销商)：东北证券股份有限公司

法定代表人：李福春

住所：吉林省长春市自由大路 1138 号

办公地址：北京市西城区锦什坊街 28 号恒奥中心 D 座 5 层

电话：010-68573828

传真：010-68573837

保荐代表人：赵明、田树春

项目协办人：牟悦佳

二、上市保荐机构的推荐意见

上市保荐机构东北证券股份有限公司已向深圳证券交易所提交了《东北证券股份有限公司关于广东通宇通讯股份有限公司股票上市保荐书》，上市保荐机构的推荐意见如下：

通宇通讯申请其股票上市符合《中华人民共和国公司法》、《中华人民共和国证券法》及《深圳证券交易所股票上市规则》等国家有关法律、法规的有关规定，发行人股票具备在深圳证券交易所上市的条件。东北证券愿意推荐通宇通讯的股票在深圳证券交易所上市交易，并承担相关保荐责任。

江苏江阴农村商业银行股份有限公司

江苏江阴农村商业银行股份有限公司首次公开发行股票上市公告书

特别提示

如无特别说明，本上市公告书中的简称或名词的释义与本行首次公开发行股票招股说明书中的相同。

本行股票将于2016年9月2日在深圳证券交易所中小板上市。本公司提醒投资者应充分了解股票市场风险及本公司披露的风险因素，在新股上市初期切忌盲目跟风"炒新"，应当审慎决策、理性投资。

第一节　重要声明与提示

江苏江阴农村商业银行股份有限公司(以下简称"本行"、"本公司"、"发行人"或"江阴银行")股票将在深圳证券交易所上市。

本行及全体董事、监事、高级管理人员承诺本上市公告书的真实性、准确性、完整性，承诺上市公告书不存在虚假记载、误导性陈述或者重大遗漏，并承担个别和连带的法律责任。

深圳证券交易所、其他政府机关对本行股票上市及有关事项的意见，均不表明对本行的任何保证。

本行提醒广大投资者注意，凡本上市公告书未涉及的有关内容，请投资者查阅刊载于巨潮资讯网(www.cninfo.com.cn)的本行招股说明书全文。

本行及实际控制人、董事、监事、高级管理人员、中介机构等就首次公开发行股票上市作出的重要承诺及说明如下：

一、股份限制流通和自愿锁定承诺

本行法人股东(1)江阴长江投资集团有限公司、(2)江阴新锦南投资发展有限公司、(3)江苏省华贸进出口有限公司、(4)江阴市长达钢铁有限公司、(5)江阴市华发实业有限公司、(6)江阴市爱衣思团绒毛纺有限公司、(7)江阴市振宏印染有限公司、(8)海澜集团有限公司、(9)无锡市嘉亿商贸有限公司、(10)江阴法尔胜钢铁制品有限公司、(11)江阴美纶纱业有限公司、(12)江阴市蓝宝石纺织有限公司、(13)江苏双良科技有限公司、(14)无锡宏源集团有限责任公司、(15)江阴飞雁创业投资有限公司、(16)江阴市久远金属科技有限公司、(17)江阴一棉纺织服装有限公司承诺：自本行股票在深圳证券交易所上市交易之日起36个月内不转让，亦不由本行回购。其中，前五大股东江阴长江投资集团有限公司、江阴新锦南投资发展有限公司、江苏省华贸进出口有限公司、江阴市长达钢铁有限公司和江阴市华发实业有限公司还特别承诺：所持股票在锁定期满后两年内减持的，减持价格将不低于发行价；若江阴银行股票上市后6个月内如公司股票连续20个交易日的收盘价均低于发行价，或者上市后6个月期末(2017年3月1日，非交易日顺延)收盘价低于发行价，所持江阴银行股票的锁定期限自动延长6个月(如遇除权除息事项，上述发行价作相应调整)。

根据《关于规范金融企业内部职工持股的通知》(财金[2010]97号文)的规定，本行董事、监事和高级管理人员以及持股超过5万股的内部职工股东应当承诺：①自本行股票上市之日起36个月内，不转让或者委托他人管理本人直接或间接持有的公司公开发行股票前已发行的股份，也不由公司回购本人直接或间接持有的公司公开发行股票前已发行的股份；②前述锁定期满后，每年转让的股份不超过持股总数的15%，且5年内转让的股份总数不超过持股总数的50%。截止本行招股意向书签署日，13名持有本行股份的董事、监事和高级管理人员均已签署上述承诺，732名持股超过5万股的内部职工股东中除1名外均已签署上述承诺(该名内部职工股东持股数为10.22万股，占本行总股本的0.01%)。

本行现任董事、监事和高级管理人员的近亲属共11人承诺：自本行股票上市之日起36个月内，不转让或者委托他人管理本人直接或间接持有的公司公开发行股票前已发行的股份，也不由公司回购本人直接或间接持有的公司公开发行股票前已发行的股份；前述锁定期满后，每年转让的股份不超过持股总数的15%，且5年内转让的股份总数不超过持股总数的50%。

持有本行股份的董事和高级管理人员特别承诺：所持股票在锁定期满后两年内减持的，减持价格将不低于发行价；若江阴银行股票上市后6个月内如公司股票连续20个交易日的收盘价均低于发行价，或者上市后6个月期末(2017年3月1日，非交易日顺延)收盘价低于发行价，所持江阴银行股票的锁定期限自动延长6个月；如遇除权除息事项，上述发行价作相应调整；不再担任公司董事或高级管理人员职务后的6个月内，不转让本人直接或间接持有的公司股份；保证不会因职务变更、离职等原因而拒绝履行上述承诺。

持有本行股份的监事特别承诺：不再担任公司监事后的6个月内，不转让本人直接或间接持有的公司股份；保证不会因职务变更、离职等原因而拒绝履行上述承诺。

除上述股东外的其余各股东所持有的本行股份，自本行股票在深圳证券交易所上市交易日起12个月内不得转让。

二、关于上市后稳定股价的承诺

1.本行关于上市后三年内稳定股价的预案

经本行2013年度股东大会审议通过，本行承诺：公司股票自挂牌上市之日起三年内，一旦出现连续20个交易日公司股票收盘价均低于公司上一个会计年度末经审计的每股净资产(每股净资产=合并财务报表中归属于母公司普通股股东权益合计数÷年末公司股份总数，下同)情形时(若因除权除息等事项致使上述股票收盘价与公司上一会计年度末经审计的每股净资产不具可比性的，上述股票收盘价应做相应调整)，本公司将根据《上市公司回购社会公众股份管理办法》的规定向社会公众股东回购公司部分股票，同时保证回购结果不会导致公司的股权分布不符合上市条件。本公司将依据法律、法规及公司章程的规定，在上述条件成就之日起3个交易日内召开董事会讨论稳定股价方案，并提交股东大会审议。具体实施方案将在股价稳定措施的启动条件成就时，本公司依法召开董事会、股东大会做出股份回购决议后公告。

在股东大会审议通过股份回购方案后，公司将依法通知债权人，并向证券监督管理部门、证券交易所等主管部门报送相关材料，办理审批或备案手续。

公司回购股份的资金为自有资金，回购股份的价格不超过上一个会计年度经审计的每股净资产，回购股份的方式为集中竞价交易方式、要约方式或证券监督管理部门认可的其他方式。但如果股份回购方案实施前本公司股价已经不满足启动稳定公司股价措施条件的，可不再继续实施该方案。

公司用于稳定股价而回购股份的金额为上市之日起每十二个月内不少于上一个会计年度经审计的归属于母公司股东净利润的10%。

自公司股票挂牌上市之日起三年内，若公司新聘任董事、高级管理人员的，公司将要求该等新聘任的董事、高级管理人员履行公司上市时董事、高级管理人员已作出的相应承诺。

在启动股价稳定措施的前提条件满足时，如公司未采取上述稳定股价的具体措施，公司将在股东大会及中国证监会指定报刊上公开说明未采取上述稳定股价措施的具体原因并向股东和社会公众投资者道歉。

2.本行董事(不包含独立董事)和高级管理人员关于本行上市后三年内稳定股价的预案

本行董事(不包含独立董事)和高级管理人员制订了本行上市后三年内的稳定股价预案：公司股票挂牌上市之日起三年内，一旦出现连续二十个交易日公司股票收盘价均低于其上一个会计年度末经审计的每股净资产(每股净资产=合并财务报表中归属于母公司普通股股东权益合计数÷年末公司股份总数，下同)情形时(若因除权除息等事项致使上述股票收盘价与公司上一会计年度末经审计的每股净资产不具可比性的，上述股票收盘价应做相应调整)，其将依据法律、法规及公司章程的规定，在不影响公司上市条件的前提下实施以下具体股价稳定措施：

(1)当公司出现需要采取股价稳定措施的情形时，如公司已采取股价稳定措施并实施完毕后公司股票收盘价仍低于其上一个会计年度末经审计的每股净资产的，其将通过二级市场以竞价交易方式买入公司股份以稳定股价。公司应按照相关规定披露其买入公司股份的计划。在公司披露其买入公司股份计划的三个交易日后，其将按照方案开始实施买入公司股份的计划。

(2)其通过二级市场以竞价交易方式买入公司股份的，买入价格不高于公司上一会计年度经审计的每股净资产。但如果公司披露其买入计划后3个交易日内公司股价已经不满足启动稳定公司股价措施的条件的，其可不再实施上述买入公司股份计划；

(3)其自公司股票上市之日起每十二个月内用于稳定公司股价的金额不少于其在担任董事/高级管理人员职务期间上一会计年度从公司领取的税后薪酬累计额的20%，但不超过50%。

若公司新聘任董事(不包括独立董事)、高级管理人员的，公司将要求该等新聘任的董事、高级管理人员履行公司上市时董事、高级管理人员已作出的上述承诺。

在启动股价稳定措施的前提条件满足时，如其未采取上述稳定股价的具体措施，其将在公司股东大会及中国证监会指定报刊上公开说明未采取上述稳定股价措施的具体原因并向公司股东和社会公众投资者道歉；如果其未采取上述稳定股价的具体措施的，则其将在前述事项发生之日起5个工作日内停止在公司领取薪酬及股东分红(如有)，同时其持有的公司股份(如有)不得转让，直至其按上述预案内容的规定采取相应的股价稳定措施并实施完毕时为止。

三、公开发行前持股5%以上股东的持股意向及减持意向

本行无持股5%以上的股东。

四、关于因信息披露重大违规回购新股、赔偿损失的承诺及相应约束措施

1.本行关于因信息披露重大违规回购新股、赔偿损失的承诺及相应约束措施

经本行2013年度股东大会审议通过，本行承诺：如公司招股说明书有虚假记载、误导性陈述或者重大遗漏，对判断公司是否符合法律规定的发行条件构成重大、实质影响的，公司将依法回购首次公开发行的全部新股。公司将在中国证监会认定有关违法事实的当日进行公告，并在3个交易日

内根据相关法律、法规及公司章程的规定召开董事会并发出召开临时股东大会通知,在召开临时股东大会并经相关主管部门批准\核准\备案后启动股份回购措施;回购价格以本公司股票发行价格和有关违法事实被中国证监会认定之日前 30 个交易日本公司股票交易均价的孰高者确定;公司上市后发生除权除息事项的,上述回购价格及回购股份数量应做相应调整。

如公司招股说明书有虚假记载、误导性陈述或者重大遗漏,致使投资者在证券交易中遭受损失的,将依法赔偿投资者损失。公司将在该等违法事实被中国证监会、深圳证券交易所或司法机关认定后,本着简化程序、积极协商、先行赔付、切实保障投资者特别是中小投资者利益的原则,按照投资者直接遭受的可测算的经济损失选择与投资者和解、通过第三方与投资者调解及设立投资者赔偿基金等方式积极赔偿投资者由此遭受的直接经济损失。

若公司违反上述承诺,则将在股东大会及中国证监会指定报刊上公开就未履行上述赔偿措施向股东和社会公众投资者道歉,并按中国证监会及有关司法机关认定的实际损失向投资者进行赔偿。

2.本行全体董事、监事和高级管理人员关于因信息披露重大违规回购新股、赔偿损失的承诺及相应约束措施

本行全体董事、监事和高级管理人员承诺:如公司招股说明书有虚假记载、误导性陈述或者重大遗漏,致使投资者在证券交易中遭受损失的,其将依法赔偿投资者损失;将在该等违法事实被中国证监会、深圳证券交易所或司法机关认定后,本着简化程序、积极协商、先行赔付、切实保障投资者特别是中小投资者利益的原则,按照投资者直接遭受的可测算的经济损失选择与投资者和解、通过第三方与投资者调解及设立投资者赔偿基金等方式积极赔偿投资者由此遭受的直接经济损失。

若其违反上述承诺,则将在公司股东大会及中国证监会指定报刊上公开就未履行上述赔偿措施向公司股东和社会公众投资者道歉,并在违反上述赔偿措施发生之日起 5 个工作日内,停止在公司领取薪酬(或津贴)及股东分红(如有),同时其持有的公司股份(如有)将不得转让,直至其按上述承诺采取相应的赔偿措施并实施完毕时为止。

五、中介结构对申报文件的承诺

1.保荐机构承诺

光大证券承诺:如其在本次发行工作期间未勤勉尽责,导致其所制作、出具的文件对重大事件作出违背事实真相的虚假记载、误导性陈述,或在披露信息时发生重大遗漏,并造成投资者直接经济损失的,在该等违法事实被认定后,其将本着积极协商、切实保障投资者特别是中小投资者利益的原则,自行并督促公司及其他过错方一并对投资者直接遭受的、可测算的经济损失,选择与投资者和解、通过第三方与投资者调解及设立投资者赔偿基金等方式进行赔偿。光大证券保证遵守以上承诺,勤勉尽责地开展业务,维护投资者合法权益,并对此承担责任。

2.会计师事务所承诺

信永中和会计师事务所(特殊普通合伙)承诺:如其在本次发行工作期间未勤勉尽责,导致所制作、出具的文件对重大事件作出违背事实真相的虚假记载、误导性陈述,或在披露信息时发生重大遗漏,并造成投资者直接经济损失的,在该等违法事实被认定后,其将本着积极协商、切实保障投资者特别是中小投资者利益的原则,自行并督促公司及其他过错方一并对投资者直接遭受的、可测算的经济损失,选择与投资者和解、通过第三方与投资者调解及设立投资者赔偿基金等方式进行赔偿。保证遵守以上承诺,勤勉尽责地开展业务,维护投资者合法权益,并对此承担责任。

3.律师事务所承诺

江苏世纪同仁律师事务所承诺:如在本次发行工作期间未勤勉尽责,导致其所制作、出具的文件对重大事件作出违背事实真相的虚假记载、误导性陈述,或在披露信息时发生重大遗漏,并造成投资者直接经济损失的,在该等违法事实被认定后,将本着积极协商、切实保障投资者特别是中小投资者利益的原则,自行并督促江苏江阴农村商业银行股份有限公司及其他过错方一并对投资者直接遭受的、可测算的经济损失,选择与投资者和解、通过第三方与投资者调解及设立投资者赔偿基金等方式进行赔偿。保证遵守以上承诺,勤勉尽责地开展业务,维护投资者合法权益,并对此承担责任。

六、发行人董事、高级管理人员关于本次发行摊薄即期回报填补措施的承诺

公司董事、高级管理人员承诺忠实、勤勉地履行职责,维护公司和全体股东的合法权益,并根据中国证监会相关规定对公司填补即期回报措施能够得到切实履行作出如下承诺:

(1)本人不会无偿或以不公平条件向其他单位或者个人输送利益,也不采用其他方式损害公司利益。

(2)本人将严格遵守公司的预算管理,本人的任何职务消费行为均将在为履行本人职责之必须的范围内发生,并严格接受公司监督管理,避免浪费或超前消费。

(3)本人不会动用公司资产从事与履行本人职责无关的投资、消费活动。

(4)本人将尽最大努力促使公司填补即期回报的措施实现。本人将尽责促使由董事会或薪酬委员会制定的薪酬制度与公司填补回报措施的执行情况相挂钩。本人将尽责促使公司未来拟公布的公司股权激励的行权条件(如有)与公司填补回报措施的执行情况相挂钩。本人将支持与公司填补回报措施的执行情况相挂钩的相关议案,并愿意投赞成票(如有投票权)。

(5)本承诺出具日后,如监管机构作出关于填补回报措施及其承诺的相关规定有其他要求的,且上述承诺不能满足监管机构的相关要求时,本人承诺届时将按照相关规定出具补充承诺。

如违反上述承诺,将遵守如下约束措施:(1)在监管机构指定媒体上公开说明未履行承诺的原因,并向投资者道歉;(2)如因非不可抗力事件引起违反承诺事项,且无法提供正当且合理的理由的,因此取得收益归发行人所有,发行人有权要求本人于取得收益之日起 10 个工作日内将违反承诺所得支付到发行人指定账户;(3)本人暂不领取现金分红和 50%薪酬,发行人有权将应付本人及本人持股的发行人股东的现金分红归属于本人的部分和 50%薪酬予以暂时扣留,直至本人实际履行承诺或违反承诺事项消除。”

七、保荐机构先行赔付承诺

保荐人承诺因其为发行人首次公开发行股票制作、出具的文件有虚假记载、误导性陈述或者重大遗漏,给投资者造成损失的,将先行赔偿投资者损失。

第二节　股票上市情况

一、公司股票发行上市审批情况

本上市公告书是根据《中华人民共和国公司法》、《中华人民共和国证券法》、《首次公开发行股票并上市管理办法》和《深圳证券交易所股票上市规则(2014 年修订)》等国家有关法律、法规的规定,并按照《深圳证券交易所股票上市公告书内容与格式指引》而编制,旨在向投资者提供有关本公司首次公开发行股票上市的基本情况。

经中国证券监督管理委员会《关于核准江苏江阴农村商业银行股份有限公司首次公开发行股票的批复》(证监许可[2016]1659 号)核准,本公司首次公开发行新股不超过 209,445,500 股。根据询价结果和募集资金投资项目的资金需求量,本次公开发行股份总量为 20,944.55 万股。本次发行采用网下向投资者询价配售(以下简称“网下配售”)与网上按市值申购向公众投资者定价发行(以下简称“网上发行”)相结合的方式进行,其中网下配售 2,094.45 万股,网上定价发行 18,850.10 万股,发行价格为 4.64 元/股。

经深圳证券交易所《关于江苏江阴农村商业银行股份有限公司人民币普通股股票上市的通知》(深证上[2016]590 号)同意,本行发行的人民币普通股股票在深圳证券交易所上市,股票简称“江阴银行”,股票代码“002807”。本行公开发行的 20,944.55 万股新股将于 2016 年 9 月 2 日起上市交易。

本次发行的招股意向书、招股说明书全文及相关备查文件可以在巨潮资讯网(www.cninfo.com.cn)查询,故与其重复的内容不再重述,敬请投资者查阅上述内容。

二、公司股票上市概况

(1)上市地点:深圳证券交易所。

(2)上市时间:2016 年 9 月 2 日。

(3)股票简称:江阴银行。

(4)股票代码:002807。

(5)发行后总股本:1,767,354,347 元。

(6)首次公开发行股票数量:209,445,500 股。

(7)发行前股东所持股份的流通限制及期限:详见本公告书“第一节重要声明与提示”。

(8)发行前股东对所持股份自愿锁定的承诺:详见本公告书“第一节重要声明与提示”。

(9)本次上市股份的其他锁定安排:详见本公告书“第一节重要声明与提示”。

(10)本次上市的无流通限制及锁定安排的股份:本次公开发行的 209,445,500 股股票无流通限制及锁定安排。

(11)公司股份可上市交易时间:

项	目	数量(万股)	比例(%)	可上市交易时间(非交易日顺延)
首次公开发行前已发行的股份	江阴长江投资集团有限公司等 17 家法人股东	84,488.3391	47.81	2019 年 9 月 2 日
	董事、监事和高级管理人员等股东	2,288.3603	1.29	2019 年 9 月 2 日
	董监高近亲属等 11 名股东	987.4987	0.56	2019 年 9 月 2 日
	持股 5 万股以上的内部职工股东(董监高及其近亲属除外)	17,141.9021	9.70	2019 年 9 月 2 日
	持股 5 万股以下的内部职工股东及非职工股东(董监高近亲属除外)	50,884.7845	28.79	2017 年 9 月 4 日
	小计	155,790.8847	88.15	
	网下询价发行的股份	2,094.4500	1.19	2016 年 9 月 2 日
	网上定价发行的股份	18,850.1000	10.67	2016 年 9 月 2 日
	小计	20,944.5500	11.85	
	合计	176,735.4347	100.00	

(12)股票登记机构:中国证券登记结算有限责任公司深圳分公司。

(13)上市保荐机构:光大证券股份有限公司。

第三节　发行人、股东和实际控制人情况

一、公司基本情况

中文名称:江苏江阴农村商业银行股份有限公司

英文名称:JiangsuJiangyinRuralCommercialBankCO.,LTD.

法定代表人:孙伟

注册资本(发行前):1,557,908,847 元

注册资本(发行后):1,767,354,347 元

住所:江苏省江阴市澄江中路 1 号

邮政编码:214431

电话:0510-86851978

传真:0510-86850069

互联网网址:http://www.jybank.com.cn/

电子邮箱:jyrcbank@sina.com

董事会秘书:陆建生

经营范围:吸收公众存款;发放短期、中期和长期贷款;办理国内结算;办理票据承兑与贴现;代理收付款项及代理保险业务,代理发行、代理兑付、承销政府债券,从事银行卡业务,提供信用证服务与担保;买卖政府债券和金融债券;从事同业拆借;提供保管箱服务;外汇存款;外汇贷款,外汇汇款;外汇兑换;结汇、售汇;资信调查、咨询、见证业务;代客外汇买卖业务;经银行业监督管理机构批准的其他业务。(依法须经批准的项目,经相关部门批准后主可开展经营活动)。

主营业务:吸收公众存款;发放短期、中期和长期贷款;办理国内结算;办理票据承兑与贴现等金融业务。

所属行业:金融、保险业-银行业

二、董事、监事、高级管理人员任职及其持股情况

本次发行后,本行董事、监事、高级管理人员任职及其持有本行的股票情况如下:

姓　名	职务	任职起始日期	股份(万股)	持股比例
孙　伟	董事长	2014.07.31~2017.07.30	50	0.03%
任素惠	董事、行长	2014.07.31~2017.07.30	50	0.03%
陆建生	董事兼董事会秘书	2014.07.31~2017.07.30	50	0.03%
邹朝军	董事	2014.07.31~2017.07.30	51.4693	0.03%
龚秀芬	董事	2014.07.31~2017.07.30	–	–
陈　强	董事	2014.07.31~2017.07.30	–	–
范新凤	董事	2014.07.31~2017.07.30	–	–
程　斌	独立董事	2016.02.03~2017.07.30	–	–
康吉言	独立董事	2014.07.31~2017.07.30	–	–
耿　强	独立董事	2014.07.31~2017.07.30	–	–
宋　超	独立董事	2014.07.31~2017.07.30	–	–
宋　萍	监事长	2014.07.31~2017.07.30	50	0.03%
缪淡国	监事	2014.07.31~2017.07.30	50	0.03%
赵建华	监事	2014.07.31~2017.07.30	26.9527	0.02%
费庆和	监事	2014.07.31~2017.07.30	476.9138	0.27%
楚健健	监事	2014.07.31~2017.07.30	–	–
陈　忠	监事	2014.07.31~2017.07.30	10.2193	0.01%
唐良君	外部监事	2014.07.31~2017.07.30	952.7046	0.54%
李秋雁	外部监事	2014.07.31~2017.07.30	408.7833	0.23%
陈协东	外部监事	2014.07.31~2017.07.30	61.3173	0.03%
仲国良	副行长	2014.07.31~2017.07.30	50	0.03%
卜新锋	副行长	2014.07.31~2017.07.30	–	–
金　武	副行长	2014.07.31~2017.07.30	–	–
吴　开	副行长	2014.07.31~2017.07.30	–	–
王　峰	副行长	2014.07.31~2017.07.30	–	–
合　计			2288.3603	1.29%

三、公司控股股东及实际控制人的情况

本行无控股股东或实际控制人。

四、公司前十名股东持有公司发行后股份情况

本行前 10 名股东持有本行发行后股份情况如下:

序号	股东名称	持股数(股)	持股比例
1	江阴长江投资集团有限公司	75,743,750	4.29%
2	江阴新锦南投资发展有限公司	75,743,750	4.29%
3	江苏省华贸进出口有限公司	75,368,750	4.26%
4	江阴市长达钢铁有限公司	75,112,960	4.25%
5	江阴市华发实业有限公司	69,379,250	3.93%
6	江阴市爱衣思团绒毛纺有限公司	60,902,415	3.45%
7	江阴市振宏印染有限公司	60,223,110	3.41%
8	海澜集团有限公司	58,019,503	3.28%
9	无锡市嘉亿商贸有限公司	56,528,737	3.20%
10	江阴法尔胜钢铁制品有限公司	45,684,355	2.58%
	合计	652,706,580	36.93%

第四节　股票发行情况

一、发行数量

本行本次公开发行股票总量为 20,944.55 万股，全部为本行公开发行新股。网下发行数量为 2,094.45 万股,占本次公开发行新股数量的 10%;网上发行数量为 18,850.10 万股,占本次公开发行新股数量的 90%。

二、发行价格

本次公开发行的价格为 4.64 元/股,对应的市盈率为:

(1)10.17 倍（每股收益按照经会计师事务所遵照中国会计准则审核的扣除非经常性损益前后孰低的 2015 年净利润除以本次发行后总股本计算);

(2)8.97 倍(每股收益按照经会计师事务所遵照中国会计准则审核的扣除非经常性损益前后孰低的 2015 年净利润除以本次发行前总股本计算)。

三、发行方式及认购方式

本次发行采用网下向符合条件的投资者询价配售和网上向社会公众投资者定价发行相结合的方式。

本次发行网上有效申购总量为 19,755,836.85 万股；网上投资者初步有效申购倍数为 3,323.35 倍,超过 150 倍。网下向网上回拨后,网下最终发行数量为 2,094.45 万股,占本次公开发行新股数量的 10%。网上最终发行数量为 18,850.10 万股,占本次公开发行新股数量的 90%。本次网上、网下投资者合计放弃认购的股份共计 454,517 股,全部由主承销商包销。

四、募集资金总额及注册会计师对资金到位的验证情况

本次发行募集资金总额为 971,827,120.00 元,发行费用总额 4,794.373293 元。信永中和会计师事务所（特殊普通合伙）已于 2016 年 8 月 30 日对本行首次公开发行股票的资金到位情况进行了审验,并出具了《验资报告》(XYZH/2016NJA20246 号)。

五、发行费用

本次发行新股费用总额为 4,794.373293 万元,明细如下:

项目	金额(万元)
保荐和承销费用	3,401.394920
审计验资费用	561.10
律师费用	210
用于本次发行的信息披露费用	514
发行手续费、材料制作费	107.878373

每股发行费用:0.23 元。(每股发行费用=发行新股费用总额/本次发行新股股本)

六、募集资金净额:

本次发行新股的募集资金净额为 92,388.338707 万元

七、发行后每股净资产:

4.62 元(按照 2015 年 12 月 31 日归属于母公司的净资产值加上本次发行新股募集资金净额,除以本次发行后总股本计算)。

八、发行后每股收益:

0.46 元/股（发行人 2015 年扣除非经常性损益前后孰低的归属于母公司股东的净利润按照发行后股本摊薄计算)。

第五节　财务会计资料

本行已在招股说明书中披露了最近三年(2013 年、2014 年、2015 年)的财务报表,上述财务数据已经信永中和会计师事务所(特殊普通合伙)(以下简称"信永中和"),并出具了标准无保留意见的《审计报告》(XYZH/2016NJA20026 号),本上市公告书中不再披露,敬请投资者注意。

一、主要财务信息

本行 2016 年半年度财务报表已经信永中和审计,并出具了《审计报告》,根据上述《审计报告》(XYZH/2016NJA20231 号),本行 2016 年半年度主要财务数据如下:

(一)财务报表及财务指标主要数据

项目	2016 年 6 月 30 日	2015 年末	本报告期末比上年度末增减(%)
资产总计(元)	95,508,784,846.05	90,478,408,389.52	5.56
负债总计(元)	87,685,625,468.58	82,964,237,231.66	5.69
所有者权益合计(元)	7,823,159,377.44	7,514,171,157.86	4.11
归属于发行人股东的所有者权益(元)	7,552,062,182.82	7,234,314,877.15	4.39
归属于发行人股东的每股净资产(元/股)	4.85	4.64	4.39
项目	2016 年 1–6 月	2015 年 1–6 月	本报告期

			比上年度同期增减(%)
营业收入(元)	1,183,603,589.59	1,231,756,188.07	-3.91
营业利润(元)	384,185,098.05	411,642,975.20	-6.67
利润总额(元)	402,624,784.74	417,451,365.21	-3.55
归属于发行人股东的净利润(元)	361,747,897.42	372,165,779.00	-2.80
归属于发行人扣除非经常性损益后的净利润(元)	350,737,842.57	385,268,028.27	-8.96
基本每股收益(元/股)	0.2322	0.2389	-2.80
扣除非经常性损益后的基本每股收益(元/股)	0.2251	0.2368	-4.94
加权平均净资产收益率(%)	4.89	5.83	-0.94
扣除非经常性损益后的加权平均净资产收益率(%)	4.74	5.78	-1.04
经营活动产生的现金流量净额(元)	2,131,914,154.74	-696,910,517.66	-

注:基本每股收益(元/股)、加权平均净资产收益率、扣除非经常性损益后的加权平均净资产收益率等指标的本报告期比上年同期增减为两期数的差值。

(二)监管指标主要数据

监管指标		指标值	2016.06.30 2016年1-6月	2015.12.31 2015年度
资本状况(新办法)	资本充足率	≥10.5	13.83	13.99
	一级资本充足率	≥8.5	12.69	12.87
	核心一级资本充足率	≥7.5	12.69	12.87
流动性	流动性比例	≥25	81.04	85.98
	流动性缺口	≥-10	-3.43	-2.94
信用风险	不良资产率	≤4	1.18	1.26
	不良贷款率	≤5	2.21	2.17
	单一集团客户授信集中度	≤15	7.01	9.84
	单一客户贷款集中度	≤10	4.84	4.30
	全部关联度	≤50	3.10	3.30
盈利能力	成本收入比	≤45	33.30	31.59
	资产利润率	≥0.6	0.39	0.94
	资本利润率	≥11	4.71	11.59
拨备情况	拨备覆盖率	>150	168.01	169.72
	贷款拨备比	≥2.5	3.71	3.68

注:

1、相关监管指标的解释参见招股说明书"第十二节管理层讨论与分析——主要财务指标和监管指标分析"。

2、自 2015 年 1 月 1 日起,根据相关监管要求,本行已不再披露资本充足率(老办法)、资产损失准备率、资产损失准备充足率及贷款损失准备充足率。

二、经营业绩和财务状况的简要说明

截至 2016 年 6 月 30 日,本行资产总额为 955.09 亿元,股东权益总额 78.23 亿元,分别较 2016 年初增长 5.56%和 4.11%。2016 年 1-6 月,本行营业收入 11.84 亿元,利润总额 4.03 亿元,归属于母公司所有者的净利润 3.62 亿元,扣除非经常性损益后净利润 3.51 亿元,分别较去年同期下降 3.91%、3.55%、2.80%和 8.96%。主要系整体宏观经济形势不佳,企业经营环境变差所致。

三、2016 年 1-9 月的经营情况预计

根据截至本上市公告书签署之日的实际经营情况,假定本上市公告书出具之日至 2016 年第三季度末本行所处的经济环境、行业状况、遵循的政策法规等内外部环境及经营条件无重大变动。根据本行当前业务开展情况、经营计划,并考虑上市发行支出等,预计 2016 年 1-9 月本行营业收入为 17.16 亿元至 18.65 亿元之间,较上年同期下降 0-8%;归属于母公司的净利润为 5.11 亿元至 5.55 亿元,较上年同期下降 0-8%。

上述业绩变动的预测只是本行的初步预测。若实际经营情况与初步预测发生较大变化,本行将根据实际情况进行及时披露。请广大投资者谨慎决策,注意投资风险。

第六节 其他重要事项

一、本行已向深圳证券交易所承诺,将严格按照中小板的有关规则,在上市后三个月内尽快完善公司章程等相关规章制度。

二、本行自 2016 年 7 月 26 日刊登首次公开发行股票招股意向书至本上市公告书刊登前,除上述所述事项外,未发生可能对本行有较大影响的重要事项,具体如下:

(1)本行严格依照《公司法》、《证券法》等法律法规的要求,规范运作,经营状况正常,主要业务发展目标进展正常;

(2)所处行业和市场未发生重大变化;主营业务目标进展情况正常;

(3)本行未订立可能对本行资产、负债、权益和经营成果产生重大影响的重要合同;

(4)本行未发生重大关联交易事项,资金未被关联方非经营性占用;

(5)本行未发生重大投资行为;

(6)本行未发生重大资产(或股权)购买、出售及置换行为;

(7)本行住所没有变更;

(8)本行董事、监事、高级管理人员及核心技术人员未发生变化;

(9)本行未发生重大诉讼、仲裁事项;

(10)本行未发生对外担保等或有事项;

(11)本行财务状况和经营成果的未发生重大变化;

(12)本行未召开董事会、监事会和股东大会;

(13)本行无其他应披露的重大事项。

第七节 上市保荐机构及其意见

一、上市保荐机构情况

保荐机构(主承销商):光大证券股份有限公司

法定代表人:薛峰

注册地址:上海市静安区新闸路 1508 号

联系电话:021-21669999

传真:021-22169344

保荐代表人:魏贵云、刘海涛

项目协办人:周平

项目其他成员:张向红、刘钦、张晶晶、王杰

二、上市保荐机构的保荐意见

上市保荐机构光大证券股份有限公司认为,本行首次公开发行的股票符合上市条件,已向深圳证券交易所提交了《光大证券股份有限公司关于江苏江阴农村商业银行股份有限公司之上市保荐书》,保荐意见如下:

江苏江阴农村商业银行股份有限公司申请其股票上市符合《公司法》、《证券法》及《深圳证券交易所股票上市规则》(2014 年修订)等法律、法规及规范性文件的有关规定,江苏江阴农村商业银行股份有限公司的股票具备在深圳证券交易所上市的条件。光大证券股份有限公司同意担任江苏江阴农村商业银行股份有限公司本次发行上市的保荐人,推荐其股票在深圳证券交易所上市交易,并承担相关保荐责任。

深圳市亚泰国际建设股份有限公司

深圳市亚泰国际建设股份有限公司首次公开发行股票上市公告书

特别提示

本公司股票将于2016年9月8日在深圳证券交易所上市。本公司提醒投资者应充分了解股票市场风险及本公司披露的风险因素，在新股上市初期切忌盲目跟风"炒新"，应当审慎决策、理性投资。

如无特别说明，本上市公告书中的简称或名词释义与本公司首次公开发行股票招股说明书中的相同。

第一节 重要声明与提示

深圳市亚泰国际建设股份有限公司(以下简称"本公司"、"公司"或"亚泰国际")及全体董事、监事、高级管理人员保证上市公告书的真实性、准确性、完整性，承诺上市公告书不存在虚假记载、误导性陈述或重大遗漏，并承担个别和连带的法律责任。

深圳证券交易所、其他政府机关对本公司股票上市及有关事项的意见，均不表明对本公司的任何保证。

本公司提醒广大投资者注意，凡本上市公告书未涉及的有关内容，请投资者查阅刊载于巨潮资讯网(http://www.cninfo.com.cn)的本公司招股说明书全文。

如无特别说明，本上市公告书中的简称及其释义与本公司招股说明书一致。

一、发行前股东自愿锁定股份的承诺

深圳市亚泰一兆投资有限公司、深圳市亚泰中兆投资管理有限公司、郑忠、邱艾、郑虹、邱卉、林霖承诺：自本公司股票上市之日起三十六个月内，不转让或委托他人管理其直接或者间接持有的本公司公开发行股票前已发行的股份，也不由本公司回购该部分股份。

担任公司董事、监事、高级管理人员的郑忠、邱小维、聂红、梁颂镛、林铮、李胜林、刘春东、蔡彭华、黄丽文、林霖、刘云贵、王小颖、宋伟东分别承诺：除前述锁定期外，在公司任职期间，每年转让的股份不超过持有公司股份总数的百分之二十五；离职后六个月内，不转让所持有的公司股份；在申报离任六个月后的十二个月内通过证券交易所挂牌交易出售本公司股票数量占其直接或间接持有本公司股票总数的比例不得超过百分之五十，并向本公司及时申报所持公司股份及其变动情况。

深圳市亚泰一兆投资有限公司、郑忠、邱艾、邱小维、聂红、梁颂镛、林铮、李胜林、刘春东、蔡彭华、黄丽文、林霖、刘云贵、王小颖、宋伟东除遵守上述承诺外，还承诺：如在上述锁定期满后两年内减持所持发行人股票的，减持价格不低于本次发行的发行价；发行人上市后6个月内如股票连续20个交易日的收盘价均低于本次发行的发行价，或者上市后6个月期末收盘价低于本次发行的发行价，所持有的发行人股票将在上述锁定期限届满后自动延长6个月的锁定期。持有公司股份的董事、监事和高级管理人员同时承诺：不因职务变更、离职等原因而放弃履行已作出的承诺。

二、发行前滚存利润的分配方案

2014年4月8日召开的本公司2013年年度股东大会通过决议，若本次发行成功，则本次发行前的滚存利润将由新老股东按持股比例共享。

三、发行后公司股利分配政策和决策程序

2014年8月29日召开的本公司2014年第一次临时股东大会审议通过了上市后适用的《公司章程(草案)》，公司本次发行上市后的股利分配政策和决策程序为：

(一)决策机制与程序

公司的利润分配政策和具体股利分配方案由董事会制定及审议通过后报由股东大会批准；董事会在制定利润分配政策、股利分配方案时应充分考虑独立董事、监事会和公众投资者的意见。

(二)利润分配的原则

公司实行连续、稳定的利润分配政策，公司的利润分配应重视对投资者的合理的、稳定的投资回报并兼顾公司的长远和可持续发展。

(三)利润的分配形式

公司可采取现金、股票或者现金股票相结合的方式分配股利。公司将优先考虑采取现金方式分配股利；若公司增长快速，在考虑实际经营情况的基础上，可采取股票或者现金股票相结合的方式分配股利。

(四)利润分配的期间间隔

原则上公司应按年将可供分配的利润进行分配，公司也可以进行中期现金分红。

(五)利润分配的条件

(1)现金分红的比例在满足公司正常生产经营的资金需求情况下，如公司外部经营环境和经营状况未发生重大不利变化，公司每年以现金形式分配的利润应当不少于当年实现的可供分配利润的10%。

(2)发放股票股利的具体条件。

公司经营状况良好，公司可以在满足上述现金分红后，提出股票股利分配预案。

如公司同时采取现金及股票股利分配利润的，在满足公司正常生产经营的资金需求情况下，公司实施差异化现金分红政策：

①公司发展阶段属成熟期且无重大资金支出安排的，进行利润分配时，现金分红在本次利润分配中所占比例最低应达到80%；

②公司发展阶段属成熟期且有重大资金支出安排的，进行利润分配时，现金分红在本次利润分配中所占比例最低应达到40%；

③公司发展阶段属成长期且有重大资金支出安排的，进行利润分配时，现金分红在本次利润分配中所占比例最低应达到20%。

公司发展阶段不易区分但有重大资金支出安排的，可以按照前项规定处理。股东大会授权董事会每年综合考虑公司所处行业特点、发展阶段、自身经营模式、盈利水平以及是否有重大资金支出安排等因素，并根据上述原则提出当年利润分配方案。

(六)利润分配应履行的审议程序

(1)利润分配预案应经公司董事会、监事会分别审议通过后方能提交股东大会审议。董事会在审议利润分配预案时，须经全体董事过半数表决同意，且经公司二分之一以上独立董事表决同意。监事会在审议利润分配预案时，须经全体监事过半数以上表决同意。

(2)股东大会在审议利润分配方案时，须经出席股东大会的股东所持表决权的二分之一以上表决同意；股东大会在表决时，应向股东提供网络投票方式。

(3)公司对留存的未分配利润使用计划安排或原则作出调整时，应重新报经董事会、监事会及股东大会按照上述审议程序批准，并在相关提案中详细论证和说明调整的原因，独立董事应当对此发表独立意见。

(4)公司股东大会对利润分配方案作出决议后，公司董事会须在股东大会召开后2个月内完成股利派发事项。

(七)董事会、监事会和股东大会对利润分配政策的研究论证程序和决策机制

(1)定期报告公布前，公司董事会应在充分考虑公司持续经营能力、保证生产正常经营及发展所需资金和重视对投资者的合理投资回报的前提下，研究论证利润分配的预案，独立董事应在制定现金分红预案时发表明确意见。

(2)独立董事可以征集中小股东的意见，提出分红提案，并直接提交董事会审议。

(3)公司董事会制定具体的利润分配预案时，应遵守法律、法规和本章程规定的利润分配政策；利润分配预案中应当对留存的当年未分配利润的使用计划安排或原则进行说明，独立董事应当就利润分配预案的合理性发表独立意见。

(4)公司董事会审议并在定期报告中公告利润分配预案，提交股东大会批准；公司董事会未做出现金利润分配预案的，应当征询独立董事和监事的意见，并在定期报告中披露原因，独立董事应当对此发表独立意见。

(5)董事会、监事会和股东大会在有关决策和论证过程中应当充分考虑独立董事、监事和公众投资者的意见。

(八)利润分配政策调整

(1)公司如因外部经营环境或者自身经营状况发生较大变化而需要调整利润分配政策的，调整后的利润分配政策不得违反中国证监会和证券交易所的有关规定。

"外部经营环境或者自身经营状况的较大变化"是指以下情形之一：

①国家制定的法律法规及行业政策发生重大变化，非因公司自身原因导致公司经营亏损；

②出现地震、台风、水灾、战争等不能预见、不能避免并不能克服的不可抗力因素，对公司生产经营造成重大不利影响导致公司经营亏损；

③公司法定公积金弥补以前年度亏损后，公司当年实现净利润仍不足以弥补以前年度亏损；

④中国证监会和证券交易所规定的其他事项。

(2)公司董事会在利润分配政策的调整过程中，应当充分考虑独立董事、监事会和公众投资者的意见。董事会在审议调整利润分配政策时，须经全体董事过半数表决同意，且经公司二分之一以上独立董事表决同意；监事会在审议利润分配政策调整时，须经全体监事过半数以上表决同意。

(3)利润分配政策调整应分别经董事会和监事会审议通过后方能提交股东大会审议。公司应以股东权益保护为出发点，在股东大会提案中详细论证和说明原因。股东大会在审议利润分配政策调整时，须经出席会议的股东所持表决权的三分之二以上表决同意。

除上述规定之外，发行人董事会制定了本次发行上市完成后适用的公司股东分红回报三年规划，对本次发行完成后三年的利润分配作出了进一步安排。公司报告期内股利分配情况、发行上市后股利分配政策、股东分红回报规划等具体情况，见《招股说明书》"第十四章股利分配政策"。

四、相关承诺

（一）发行人及其控股股东、公司董事及高级管理人员关于稳定公司股价的预案

为维护公众投资者的利益，公司及其实际控制人、控股股东、董事及高级管理人员承诺，如果首次公开发行上市后三年内公司股价出现低于每股净资产的情况时，将启动稳定股价的预案，具体如下：

1.启动股价稳定措施的具体条件

（1）预警条件：当公司股票连续 5 个交易日的收盘价低于每股净资产的 120%时，在 10 个工作日内召开投资者见面会，与投资者就上市公司经营状况、财务指标、发展战略进行深入沟通；

（2）启动条件：当公司股票连续 20 个交易日的收盘价低于每股净资产时，应当在 30 日内实施相关稳定股价的方案，并应提前公告具体实施方案。

2.稳定股价的具体措施

当上述启动股价稳定措施的条件成就时，公司将及时采取以下部分或全部措施稳定公司股价：

（1）由公司回购股票。

1）公司为稳定股价之目的回购股份，应符合《中华人民共和国公司法》、《中华人民共和国证券法》等法律法规及与回购有关的部门规章、规范性文件的规定，且不应导致公司股权分布不符合上市条件。

2）公司股东大会对回购股份做出决议，须经出席会议的股东所持表决权的三分之二以上通过。

3）公司为稳定股价之目的进行股份回购的，除应符合相关法律法规之要求之外，还应符合下列各项：

①公司用于回购股份的资金总额累计不超过公司首次公开发行新股所募集资金的总额；

②公司单次用于回购股份的资金不得低于人民币 1,000 万元。

4）公司董事会公告回购股份预案后，公司股票若连续 5 个交易日收盘价超过每股净资产时，则公司可终止回购股份事宜。

（2）控股股东、实际控制人增持。

1）公司控股股东、实际控制人应在符合《中华人民共和国公司法》、《中华人民共和国证券法》等法律法规及与上市公司股东增持有关的部门规章、规范性文件所规定条件的前提下，对公司股票进行增持；

2）控股股东或实际控制人承诺单次增持总金额不少于人民币 1,000 万元。

（3）董事、高级管理人员增持。

1）在公司任职并领取薪酬的公司董事（不包括独立董事）、高级管理人员应在符合《中华人民共和国公司法》、《中华人民共和国证券法》等法律法规及与上市公司董事、高级管理人员增持有关的部门规章、规范性文件所规定条件的前提下，对公司股票进行增持；

2）有义务增持的公司董事、高级管理人员承诺，其用于增持公司股份的货币资金不少于该等董事、高级管理人员上年度薪酬总和的 20%。

（4）其他法律、法规以及中国证监会、证券交易所规定允许的措施。

3.预案停止条件

（1）在上述稳定股价具体方案的实施期间内，如公司股票连续 20 个交易日收盘价高于每股净资产时，将停止实施股价稳定措施。

（2）若某一会计年度内公司股价多次触发上述需启动股价稳定措施的，则公司应遵循下列原则：

1）用以稳定股价的回购资金累计不超过上一会计年度经审计的归属于母公司股东净利润的 30%，如已达到该比例，则以通过公司回购股票方式稳定公司股价措施不再实施。

2）单一会计年度，作为稳定公司股价措施，公司董事（不含实际控制人）和高级管理人员增持公司股票已实施，则除非董事和高级管理人员另行自愿提出增持计划，通过该种方式稳定公司股价措施不再实施。

3）单一会计年度，公司控股股东亚泰一兆或实际控制人郑忠、邱艾采取稳定股价的措施最多不超过两次。公司在未来聘任新的董事、高级管理人员前，将要求其签署承诺书，保证其履行公司首次公开发行上市时董事、高级管理人员已做出的相应承诺。

（二）发行人关于回购首次公开发行新股的承诺

发行人承诺：如《招股说明书》存在虚假记载、误导性陈述或者重大遗漏，对判断发行人是否符合法律规定的发行条件构成重大、实质影响的，发行人将以二级市场价格依法回购本次发行上市时公开发行的全部新股。

（三）发行人及发行人控股股东、实际控制人、发行人全体董事、监事、高级管理人员关于赔偿投资者损失的承诺

发行人及发行人控股股东深圳市亚泰一兆投资有限公司、实际控制人郑忠和邱艾、发行人全体董事、监事、高级管理人员承诺：如发行人《招股说明书》存在虚假记载、误导性陈述或者重大遗漏，致使投资者在证券交易中遭受损失的，将依法赔偿投资者损失。

（四）发行人持股 5%以上主要股东关于公开发行上市后的持股意向及减持意向

首次公开发行并在中小板上市前，直接、间接持有发行人股份超过股本总额的 5%的股东深圳市亚泰一兆投资有限公司、深圳市亚泰中兆投资管理有限公司、郑忠及邱艾承诺：

对于本次公开发行前直接、间接持有的公司股份，深圳市亚泰一兆投资有限公司、深圳市亚泰中兆投资管理有限公司、郑忠及邱艾将严格遵守已做出的关于所持公司股份流通限制及自愿锁定的承诺，在限售期内，不出售本次公开发行前直接、间接持有的公司股份。

在上述锁定期届满后两年内，未发生延长锁定期情形的，深圳市亚泰一兆投资有限公司、深圳市亚泰中兆投资管理有限公司、郑忠及邱艾可以以不低于发行价的价格进行减持。

深圳市亚泰一兆投资有限公司、深圳市亚泰中兆投资管理有限公司、郑忠及邱艾承诺：根据中国证监会、证券交易所有关法律、法规的相关规定进行减持，并提前三个交易日公告。

如未履行上述承诺出售股票，深圳市亚泰一兆投资有限公司、深圳市亚泰中兆投资管理有限公司、郑忠及邱艾将该部分出售股票所取得的收益（如有），上缴公司所有。

（五）发行人、发行人控股股东、发行人实际控制人及发行人董事、监事、高级管理人员关于未能履行承诺的约束措施

发行人、发行人控股股东、发行人实际控制人、发行人董事、监事、高级管理人员出具了保证首次公开发行上市全套文件不存在虚假记载、误导性陈述或重大遗漏的承诺及在出现虚假记载、误导性陈述或者重大遗漏致使投资者在证券交易中遭受损失将依法赔偿投资者损失的承诺，关于所持发行人股份限售安排及自愿锁定承诺，关于避免同业竞争及规范关联交易的承诺，发行人关于回购股份的承诺等相关公开承诺。如在实际执行过程中，上述责任主体违反首次公开发行上市时已作出的公开承诺的，则采取或接受以下措施：（1）在有关监管机关要求的期限内予以纠正；（2）给投资者造成直接损失的，依法赔偿损失；（3）有违法所得的，按相关法律法规处理；（4）如该违反的承诺属可以继续履行的，将继续履行该承诺；（5）根据届时规定可以采取的其他措施。

发行人董事、监事、高级管理人员承诺不因职务变更、离职等原因而放弃履行已作出的承诺。

（六）本次发行相关机构的承诺

本次公开发行发行人保荐机构和主承销商国泰君安证券股份有限公司承诺：由于国泰君安为发行人首次公开发行制作、出具的文件有虚假记载、误导性陈述或者重大遗漏，给投资者造成损失的，国泰君安将依法赔偿投资者损失，但国泰君安没有过错的除外。

本次公开发行发行人律师事务所北京市中伦律师事务所承诺：本所为发行人本次发行上市制作、出具的法律文件（《北京市中伦律师事务所关于深圳市亚泰国际建设股份有限公司首次公开发行股票并上市的法律意见书》、《北京市中伦律师事务所关于为深圳市亚泰国际建设股份有限公司首次公开发行股票并上市出具法律意见书的律师工作报告》以及历次补充法律意见书和其他相关法律文件）不存在虚假记载、误导性陈述或者重大遗漏。如因本所过错致使上述法律文件存在虚假记载、误导性陈述或者重大遗漏，并因此给投资者造成直接损失的，本所将依法与发行人承担连带赔偿责任。作为中国境内专业法律服务机构及执业律师，本所及本所律师与发行人的关系受《中华人民共和国律师法》的规定及本所与发行人签署的律师聘用协议相关约定所约束。本承诺函所述本所承担连带赔偿责任的证据审查、过错认定、因果关系及相关程序等均适用本承诺函出具之日有效的《中华人民共和国民事诉讼法》及最高人民法院相关司法解释的规定。如果投资者依据本承诺函起诉本所，赔偿责任及赔偿金额由被告所在地或发行人本次公开发行股票的上市交易地有管辖权的法院确定。

本次公开发行发行人申报会计师瑞华会计师事务所（特殊普通合伙）承诺：如果因我们出具文件《财务报表审计报告》（报告编号：瑞华审字〔2016〕48320018 号）、《原始财务报表与申报财务报表差异情况的专项审核报告》（报告编号：瑞华核字〔2016〕48320024 号）、《非经常性损益的专项审核报告》（报告编号：瑞华核字〔2016〕48320021 号）、《主要税种纳税情况的专项审核报告》（报告编号：瑞华核字〔2016〕48320023 号）及《内部控制鉴证报告》（报告编号：瑞华核字〔2016〕48320022 号）的执业行为存在过错，违反了法律法规、中国注册会计师协会依法拟定并经国务院财政部门批准后施行的执业准则和规则以及诚信公允的原则，从而导致上述文件中存在虚假记载、误导性陈述或者重大遗漏，并由此给基于对该等文件的合理信赖而将其用于深圳市亚泰国际建设股份有限公司股票投资决策的投资者造成损失的，我们将依照相关法律法规的规定对该等投资者承担相应的民事赔偿责任。

本次公开发行发行人验资机构瑞华会计师事务所（特殊普通合伙）承诺：如果因《验资报告》（报告编号：瑞华核字〔2014〕48250010 号）出现虚假记载、误导性陈述或重大遗漏，将对验资报告的真实性、准确性和完整性根据有关法律法规的规定承担相应的法律责任。

本次公开发行发行人资产评估机构国众联资产评估土地房地产估价有限公司承诺：由于本公司为发行人首次公开发行制作、出具的文件有虚假记载、误导性陈述或者重大遗漏，给投资者造成损失的，本公司将依法赔偿投资者损失，但本公司没有过错的除外。

五、本次募集资金到位后即期回报被摊薄的相关情况分析

（一）本次募集资金后即期回报分析

公司本次募集资金用于创意设计中心项目、木制品工业化建设项目、营销网络建设项目、信息化建设项目以及补充装饰工程施工业务营运资金项目。由于创意设计中心项目、木制品工业化建设项目、营销网络建设项目有一定的建设期和达产期，同时信息化建设项目不直接产生效益，预计募集资金到位当年，除补充装饰工程施工业务营运资金项目能够增加公司经营周转资金，改善公司资产负债结构，减少公司财务费用外，在此期间股东回报仍将通过现有业务产生收入和利润实现。

与 2015 年经营业绩比较，2016 年公司预计业务经营稳定，不会发生重大变化。

按照本次发行 4,500 万股，发行完成后，公司总股本较上一年度将增加 33.33%，预计募集资金到位当年，本公司每股收益（扣除非经常性损益后的稀释每股收益）受股本摊薄影响，相对上年度每股收益呈下降趋势，从而导致公司即期回报被摊薄。

（二）公司应对本次公开发行摊薄即期回报采取的措施

1.公司现有业务板块运营状况，发展态势，面临的主要风险及改进措施

公司报告期内专注于建筑装饰行业，具备多年的经营经验，了解建筑装饰行业发展趋势，在人员、技术、市场方面均进行了一定的储备，能够实现募集资金投资项目的有效开展。

(1)公司现有业务板块运营状况，发展态势。

报告期内，国内经济增长、固定资产投资和房地产投资均步入常态增长阶段。新常态下，建筑装饰行业增速放缓但市场依然广阔。2013 年，全国建筑装饰行业完成工程总产值 2.89 万亿元，比 2012 年增加了 2600 亿元，增长幅度为 9.8%，比宏观经济增长速度高出约 2.1 个百分点；2014 年全国建筑装饰行业完成工程总产值 3.16 万亿元，比 2013 年增加了 2690 亿元，增长幅度为 9.3%，比宏观经济增长速度高出约 2%。2015 年，全国建筑装饰行业完成工程总产值 3.4 万亿元。(数据来源：中装新网)

建筑装饰行业是高度市场化的竞争行业，行业内竞争对手之间差异主要体现在经营规模、设计能力、营销网络、品牌效应、运营模式以及融资渠道等方面。公司未来如果不能实现扩大经营规模，保持在设计领域领先优势的既定目标，将难以保持目前的行业地位。公司募投项目的实施有助于公司实现前述目标，对于保持和提升公司的行业地位，具有十分积极的意义。

(2)面临的主要风险及改进措施。

①“抑制三公消费”政策可能导致的高端星级酒店装饰工程设计和施工业务需求量减少的风险

“抑制三公消费”政策导致的高端星级酒店装饰工程设计和施工业务订单减少的风险详见《招股说明书》“第四章”之“三、‘抑制三公消费’政策带来的风险”。

为应对“抑制三公消费”政策可能导致的高端星级酒店装饰工程设计和施工业务需求量减少对公司经营业绩的影响，一方面公司通过强化设计理念创新、突出设计方案的差异化、加强工程质量的监控、加强销售服务体系的建设、适当优化内部销售激励政策等方式，尽量减少对公司高端星级酒店装饰业务市场份额的影响；另一方面，公司利用自身的设计和工程施工优势，进一步向高档写字楼、豪华会所、高品质住宅等业务领域拓展，优化公司的收入类型结构。

②客户集中度较高的风险

客户集中度较高的风险详见《招股说明书》“第四章”之“四、客户集中度较高的风险”。

报告期内，公司的客户集中度较高与自身的业务特点有关。公司主要业务为高端星级酒店及其他高端公共建筑的装饰装修，通常来说上述业务需要开发商或业主具有较强的实力。随着房地产行业集中度的日趋提高，行业内主要企业的规模逐步扩大。而公司在承接业务时倾向于选择部分综合实力较强的企业作为业务合作伙伴。

为应对客户集中度较高的风险：一方面公司通过不断提高自身的设计能力、施工能力、客户服务等综合实力巩固与重要客户的合作关系。另一方面，公司将依托自身优势，在稳定现有客户关系的基础上，开拓优质新客户资源，预计未来公司的客户结构将更加合理，降低对单一客户的集中度。

③应收账款余额较大的风险

应收账款余额较大的风险详见《招股说明书》“第四章”之“五、(一)应收账款余额较大及产生坏账损失的风险”。

为应对应收账款增加的风险：首先，公司根据客户的财务状况、信用状况及以往的经验，确定不同的营销策略，加强对应收账款的事前管理。其次，在设计和施工过程中，对客户的信用状况进行持续的跟踪，通过建立和落实应收账款负责制，加强对应收账款的管理。第三，公司财务管理中心设置专职应收会计管理应收账款，应收会计按月对应收账款回款情况进行分析、核算和考核。第四，公司对应收账款回收情况采取目标管理，回款目标完成情况与中、高层管理人员年度绩效薪酬挂钩。第五，公司针对大额应收款和账龄达到 3 年以上的长账龄款项进行专项管理。

2.提高公司日常运营效率、降低公司运营成本，提升公司经营业绩的具体措施

公司将通过加强募集资金管理、提升公司盈利能力和水平、完善分红政策等措施，提高投资者回报。具体如下：

(1)加强募集资金管理。

本次发行募集资金到位后，公司将加强募集资金安全管理，对募集资金进行专项存储，保证募集资金合理、规范、有效地使用，防范募集资金使用风险，从根本上保障投资者特别是中小投资者利益。

(2)加快募投项目实施进度。

募集资金到位后，公司将加快募投项目建设进度，确保募集资金使用效率。随着公司募集资金投资项目的全部建设完成，公司业务覆盖能力、营销能力、项目管理效率、信息化水平等将有较大提升，预期将为公司带来良好的经济效益。

(3)提高公司日常运营效率、降低公司运营成本，提升公司经营业绩。

公司积极加强成本、费用管理，根据整体经营目标，按各运营中心、各部门分担成本、费用优化任务，明确成本、费用管理的地位和作用，加大成本、费用控制力度，提升公司盈利水平。

(4)择机开展并购，快速拓展市场。

本次发行上市将有助于公司资金实力和品牌的提升。公司将把握这一机遇，择机开展并购，重点对行业上下游具有优势互补特征的公司或具有一定市场规模和较强盈利能力的企业实施并购，提升公司核心竞争力和盈利能力。

(5)进一步完善现金分红政策，注重投资者回报及权益保护。

公司已根据中国证监会的要求并结合公司实际情况完善现金分红政策，上市后适用的公司章程等文件中对利润分配政策作出制度性安排。同时，公司制订了本次发行完成后适用的《公司未来三年分红回报规划》，尊重并维护股东利益，建立科学、持续、稳定的股东回报机制。

上述填补即期回报被摊薄的措施并不等同于对未来利润情况作出预测，投资者不应据此进行投资决策，投资者据此进行投资决策造成损失的，公司不承担任何责任。

(三)董事、高级管理人员的承诺

公司董事和高级管理人员作出承诺：

(1)本人承诺不得无偿或以不公平条件向其他单位或者个人输送利益，也不得采用其他方式损害深圳市亚泰国际建设股份有限公司的公司利益。

(2)本人承诺对董事和高级管理人员的职务消费行为进行约束。

(3)本人承诺不得动用深圳市亚泰国际建设股份有限公司的公司资产从事与其履行职责无关的投资、消费活动。

(4)本人承诺由董事会或薪酬委员会制订的薪酬制度与公司填补回报措施的执行情况相挂钩。

(5)本人承诺若公司未来实施股权激励计划，其行权条件将与公司填补回报措施的执行情况相挂钩。

(四)公司控股股东、实际控制人承诺

公司控股股东、实际控制人承诺不越权干预公司经营管理活动，不得侵占公司利益。

第二节 股票上市情况

一、公司股票发行上市审批情况

本上市公告书是根据《中华人民共和国公司法》、《中华人民共和国证券法》、《首次公开发行股票并上市管理办法》和《深圳证券交易所股票上市规则》等有关规定，并按照《深圳证券交易所股票上市公告书内容与格式指引》(2013 年 12 月修订)而编制，旨在向投资者提供有关本公司首次公开发行股票并在中小板上市的基本情况。

经中国证券监督管理委员会证监许可〔2016〕1711 号文核准，本公司首次公开发行 4,500 万股人民币普通股。本次发行采用网下向投资者询价配售(以下简称“网下配售”)与网上按市值申购向投资者定价(以下简称“网上发行”)发行相结合的方式，其中，网下发行 450 万股，占本次发行数量的 10%；网上发行 4,050 万股，占本次发行数量的 90%。本次发行的股票发行价格为 13.99 元/股。

经深圳证券交易所《关于深圳市亚泰国际建设股份有限公司人民币普通股股票上市的通知》(深证上〔2016〕603 号)同意，本公司发行的人民币普通股股票在深圳证券交易所中小板上市，股票简称“亚泰国际”，股票代码“002811”；其中本次公开发行的 4,500 万股股票将于 2016 年 9 月 8 日起上市交易。

公司本次发行的招股意向书、招股说明书全文及相关备查文件可以在巨潮资讯网(http://www.cninfo.com.cn)查询，故与其重复的内容不再重述，敬请投资者查阅上述内容。

二、公司股票上市概况

(1)上市地点：深圳证券交易所。

(2)上市时间：2016 年 9 月 8 日。

(3)股票简称：亚泰国际。

(4)股票代码：002811。

(5)首次公开发行后总股本：18,000 万股。

(6)首次公开发行股票数量：4,500 万股。

(7)发行前股东所持股份的流通限制及期限：详见本上市公告书第一节“重要声明与提示”的相关内容。

(8)发行前股东对所持股份自愿锁定的承诺：详见本上市公告书第一节“重要声明与提示”的相关内容。

(9)本次上市股份的其他锁定安排：除上述(7)、(8)外，本次上市股份无其他锁定安排。

(10)本次上市的无流通限制及锁定安排的股份：本次公开发行的 4,500 万股新股股份均无流通限制及锁定安排。

(11)公司股份可上市交易时间：

股东名称	持股数(万股)	占发行后股本比例	可上市交易日期(非交易日顺延)
一、首次公开发行前已发行的股份			
亚泰一兆	8,503.650	47.24%	2019 年 9 月 8 日
郑忠	2,034.450	11.30%	2019 年 9 月 8 日
邱艾	149.850	0.83%	2019 年 9 月 8 日
亚泰中兆	1,534.950	8.53%	2019 年 9 月 8 日
郑虹	638.550	3.55%	2019 年 9 月 8 日
邱卉	319.275	1.77%	2019 年 9 月 8 日
林霖	319.275	1.77%	2019 年 9 月 8 日
小计	13,500.00	75.00%	–
二、本次公开发行的股份			
网下询价发行的股份	450.00	2.50%	2016 年 9 月 8 日
网上定价发行的股份	4,050.00	22.50%	2016 年 9 月 8 日
小计	4,500.00	25.00%	–

合计	18,000.00	100.00%	–

(12)股票登记机构:中国证券登记结算有限责任公司深圳分公司。

(13)上市保荐机构:国泰君安证券股份有限公司(以下简称"国泰君安"、"保荐机构"或"本保荐机构")。

第三节 发行人、股东和实际控制人的情况

一、公司的基本情况

中文名称:深圳市亚泰国际建设股份有限公司

英文名称:ShenzhenAsiantimeInternationalConstructionCo.,Ltd.

发行前注册资本:人民币 135,000,000 元

发行后注册资本:人民币 180,000,000 元

法定代表人:郑忠

董事会秘书:王小颖

股份公司成立日期:2012 年 9 月 13 日

住所:深圳市福田区中心区益田路与福华路交汇处卓越时代广场 4B01、4B02

邮编:518048

电话:0755-83028871

传真:0755-23609266

邮箱:atg@atgcn.com

网址:www.atgcn.com

经营范围:装饰工程的设计施工,空调系统和水电上门安装,建筑材料、装饰材料、家居饰品、五金交电、工艺品、家具、日用百货的国内贸易、货物及技术进出口(以上范围法律、行政法规、国务院决定禁止的项目除外,限制的项目须取得许可后方可经营,涉及前置性行政许可的,须取得前置性行政许可文件后方可经营)

主营业务:高端建筑装饰工程的设计与施工

所属行业:建筑装饰业(E50)

二、公司董事、监事、高级管理人员及其持有公司股票情况

姓名	职务	直接持有公司股份(万股)	间接持有公司股份(万股)	直接、间接持有公司股份占发行后总股本比例	任职起止日期
郑 忠	董事长、总经理	2,034.45	5,733.95	43.16%	2015 年 8 月 31 日至 2018 年 8 月 30 日
KEN WEI JIAN HU (胡伟坚)	董事、副总经理	–	–	–	2015 年 8 月 31 日至 2018 年 8 月 30 日
邱小维	董事、副总经理	–	55.53	0.31%	2015 年 8 月 31 日至 2018 年 8 月 30 日
林 铮	副总经理	–	44.43	0.25%	2015 年 8 月 31 日至 2018 年 8 月 30 日
梁颂镛	副总经理	–	22.22	0.12%	2015 年 8 月 31 日至 2018 年 8 月 30 日
唐 旭	副总经理	–	–	–	2015 年 8 月 31 日至 2018 年 8 月 30 日
刘春东	副总经理	–	33.32	0.19%	2015 年 8 月 31 日至 2018 年 8 月 30 日
李胜林	副总经理	–	33.32	0.19%	2015 年 8 月 31 日至 2018 年 8 月 30 日
林 霖	副总经理	319.275	–	1.77%	2015 年 8 月 31 日至 2018 年 8 月 30 日
蔡彭华	副总经理	–	22.22	0.12%	2015 年 8 月 31 日至 2018 年 8 月 30 日
刘云贵	副总经理、财务总监	–	22.22	0.12%	2015 年 8 月 31 日至 2018 年 8 月 30 日
黄丽文	副总经理	–	27.76	0.15%	2015 年 8 月 31 日至 2018 年 8 月 30 日
王小颖	副总经理、董事会秘书	–	13.33	0.07%	2015 年 8 月 31 日至 2018 年 8 月 30 日
聂 红	监事会主席	–	8.89	0.05%	2015 年 8 月 31 日至 2018 年 8 月 30 日
罗荣祥	监事	–	–	–	2015 年 8 月 31 日至 2018 年 8 月 30 日
宋伟东	监事	–	8.89	0.05%	2015 年 8 月 31 日至 2018 年 8 月 30 日
贾和亭	独立董事	–	–	–	2015 年 8 月 31 日至 2018 年 8 月 30 日
刘书锦	独立董事	–	–	–	2015 年 8 月 31 日至 2018 年 8 月 30 日
张建伟	独立董事	–	–	–	2015 年 8 月 31 日至 2018 年 8 月 30 日
高 刚	独立董事	–	–	–	2015 年 8 月 31 日至 2018 年 8 月 30 日

三、公司控股股东及实际控制人情况

(一)公司控股股东亚泰一兆本公司的控股股东为亚泰一兆,本次发行前其持有本公司 62.99%的股份。亚泰一兆成立于 1997 年 2 月 26 日,注册资本为 2,000 万元,统一社会信用代码为 440301103787985,法定代表人为郑忠,注册地址为深圳市福田区皇岗路高科利花园大厦高尚阁 22C;股东为郑忠和邱艾,其中郑忠持有 60%的股权,邱艾持有 40%的股权,郑忠与邱艾为夫妻关系。亚泰一兆的经营范围为兴办实业(具体项目另行申报);受托资产管理(不含保险、证券和银行业务及其他限制项目);投资管理(不含证券、期货、保险及其它金融业务);投资咨询(不含人才中介服务、证券及限制项目)。除持有发行人 62.99%的股份外,亚泰一兆目前还持有亚泰中兆 68.5968%的股权。

序号	股东名称	出资额(万元)	出资比例(%)
1	郑忠	1,200.00	60.00
2	邱艾	800.00	40.00
	合计	2,000.00	100.00

根据瑞华深圳审字〔2016〕48320001 号《审计报告》,亚泰一兆最近一个年度报告期的主要财务数据如下:

单位:万元

项目	2015 年 12 月 31 日/2015 年度
总资产	169,895.22
净资产	65,084.28
营业收入	181,248.47
净利润	10,184.16

(二)公司实际控制人郑忠、邱艾

公司实际控制人为郑忠和邱艾夫妇。本次发行前,本次发行前,郑忠和邱艾夫妇直接和间接合计控制本公司 90.54%的股份。

郑忠,中国国籍,拥有香港永久居留权。发起人股东,公司的实际控制人之一,直接持有发行人股份 2,034.45 万股,占发行人股本总额的 15.07%,香港身份证号码为 P86755★(★);住址为香港九龙尖沙咀漾日居★★★★,现任发行人董事长和总经理。

邱艾,中国国籍,拥有香港永久居留权。发起人股东,公司的实际控制人之一,直接持有发行人股份 149.85 万股,占发行人股本总额的 1.11%,香港身份证号码为 R35051★(★);住址为香港九龙尖沙咀漾日居★★★★。

(三)控股股东及实际控制人控制或有重大影响的其他企业截至本上市公告书出具日,公司控股股东亚泰一兆除持有亚泰国际 62.99%的股权和亚泰中兆 68.5968%的股权外,不存在对其他企业的投资。

报告期内,公司实际控制人郑忠和邱艾夫妇除持有亚泰一兆股权外,控制或有重大影响的其他企业包括深圳亚泰时代文化产业发展有限公司、深圳市深华贸易有限公司和深圳市星术海投资有限公司。

(1)公司实际控制人郑忠和邱艾夫妇对外投资的其他企业的基本情况如下:

企业名称	成立时间	注册资本	主要经营业务	注册地址	股权结构
深圳亚泰时代文化产业发展有限公司	2007 年 9 月	500 万元	投资文化创意产业;房地产经纪;文艺、活演艺动策划;展览展示设计策划	深圳市福田区深南路车公庙天安高尔夫海景花园怡景阁 8D	邱艾 49% 邱卉 21% 深圳市亚泰时代影视有限公司 30%
深圳市深华贸易有限公司	1983 年 11 月	300 万元	进出口贸易	深圳市罗湖区桂园路电影大厦 2 栋 6C	邱艾 45% 陈国标 50% 王若然 5%
深圳市星术海投资有限公司	2008 年 4 月	10 万元	投资兴办实业	深圳市盐田区园林路云深处 d3a	邱艾 49% 陈国标 49% 陈国斌 2%

(2)公司实际控制人郑忠和邱艾夫妇对外投资的其他企业的主要财务指标如下:

单位:元

企业名称	2016年6月末总资产	2016年6月末净资产	2016年1-6月营业收入	2016年1-6月净利润
深圳亚泰时代文化产业发展有限公司	5,224,022.32	4,356,439.30	0.00	-8,615.80
深圳市深华贸易有限公司	2,838,837.40	2,838,837.40	0.00	0.00
深圳市星术海投资有限公司	247,417.51	187,162.60	0.00	0.00

注:以上数据未经审计。

四、本次上市前的股东情况

本次发行结束后上市前,公司股东总数为76,310人,其中持股数量前十名股东持股情况如下:

股东名称	持股数(万股)	持股比例
亚泰一兆	8,503.650	47.24%
郑忠	2,034.450	11.30%
邱艾	149.850	0.83%
亚泰中兆	1,534.950	8.53%
郑虹	638.550	3.55%
邱卉	319.275	1.77%
林霖	319.275	1.77%
华泰证券股份有限公司客户信用交易担保证券账户	240.475	0.13%
中国银河证券股份有限公司客户信用交易担保证券账户	196,500	0.11%
国泰君安证券股份有限公司客户信用交易担保证券账户	175,475	0.10%
合计	385,715.48	75.33%

第四节　股票发行情况

一、本次公开发行股票数量

公司本次公开发行股份数量为4,500万股。其中,网下配售数量为450万股,占本次发行数量的10%;网上定价发行数量为4,050万股,占本次发行总量的90%。

二、发行价格

本次发行的发行价格为:13.99元/股,此发行价格对应的市盈率为:

(1)17.24倍(每股收益按照经会计师事务所遵照中国会计准则审核的扣除非经常性损益前后孰低的2015年度净利润除以本次发行前的总股数计算);

(2)22.98倍(每股收益按照经会计师事务所遵照中国会计准则审核的扣除非经常性损益前后孰低的2015年度净利润除以本次发行后的总股数计算,发行后总股数按本次发行4,500万股计算)。

三、发行方式及认购情况

本次发行采用网下向投资者询价配售与网上按市值申购向投资者定价发行相结合的方式进行。本次发行中通过网下配售向配售对象配售的股票为450万股,有效申购为6,168,380万股,有效申购获得配售的比例为0.0072952704%,认购倍数为13,707.51倍。本次发行网上定价发行为4,050万股,中签率为0.0338954885%,认购倍数为2,950.24514倍。本次网上投资者放弃认购股数100,148股,网下投资者放弃认购股数为1,475股,全部由主承销商包销,主承销商包销比例为0.2258%。

四、募集资金总额及注册会计师对资金到位的验证情况

本次发行股票募集资金总额为62,955.00万元;扣除发行费用6,754.40万元后,募集资金净额为56,200.60万元。瑞华会计师事务所(特殊普通合伙)已于2016年9月5日对发行人首次公开发行股票的资金到位情况进行了审验,并出具了瑞华验字〔2016〕48320008号《深圳市亚泰国际建设股份有限公司验资报告》。

五、发行费用总额及明细构成、每股发行费用

本次发行费用共计6,754.40万元,明细如下:

序号	项目	金额(万元)
1	承销及保荐费	5,351.00
2	审计验资费	565.00
3	律师费用	340.00
4	评估费	10.00
5	信息披露费	454.00
6	发行手续费及印刷费	34.40
合计		6,754.40

注:每股发行费用1.50元/股(每股发行费用=发行费用总额/本次发行股本)。

六、募集资金净额

本次发行股票募集资金净额为56,200.60万元。

七、发行后每股净资产

本次发行后每股净资产为6.63元(按截止2016年6月30日经审计净资产加上募集资金净额之和除以本次发行后总股本计算)。

八、发行后每股收益

本次发行后每股收益为0.61元(每股收益按照2015年度经会计师事务所审计的扣除非经常性损益前后孰低的净利润除以本次发行后总股本计算)。

第五节　财务会计资料

本公司在《招股说明书》"第十节财务会计信息"中披露了截止2013年12月31日、2014年12月31日、2015年12月31日和2016年6月30日的资产负债表,以及2013年度、2014年度、2015年度和2016年1-6月的利润表及现金流量表。上述数据已经瑞华会计师事务所(特殊普通合伙)审计并出具了标准无保留意见的审计报告(瑞华审字〔2016〕48320018号)。相关的财务分析在《招股说明书》"第十一章管理层讨论与分析"做了相应披露。本上市公告书中不再披露上述财务会计信息,敬请投资者注意。

公司预计2016年1-9月营业收入区间为124,000万元至143,000万元,相比上年同期同比增长将在-12.16%至1.30%之间;归属于母公司股东的净利润区间为5,900万元至6,800万元,相比上年同期同比增长将在-7.59%至6.5%之间;扣除非经常性损益后归属于母公司股东的净利润为5,600万元至6,500万元,相比上年同期同比增长将在-10.42%至3.98%之间。

第六节　其他重要事项

一、本公司已向深圳证券交易所承诺,将严格按照中小板的有关规则,在上市后三个月内尽快完善公司章程等相关规章制度。

二、本公司自2016年8月22日刊登首次公开发行股票招股意向书至本上市公告书刊登前,没有发生可能对公司有较大影响的重要事项:

(1)本公司严格依照《公司法》、《证券法》等法律法规的要求,规范运作,生产经营状况正常,主营业务发展目标进展正常。

(2)本公司生产经营情况、外部条件或生产环境未发生重大变化(包括原材料采购和产品销售价格、原材料采购和产品销售方式、所处行业或市场的重大变化等)。

(3)本公司未订立可能对发行人的资产、负债、权益和经营成果产生重大影响的重要合同。

(4)本公司未发生重大关联交易。

(5)本公司未进行重大投资。

(6)本公司未发生重大资产(或股权)购买、出售及置换。

(7)本公司住所未发生变更。

(8)本公司董事、监事、高级管理人员及核心技术人员未发生变化。

(9)本公司未发生重大诉讼、仲裁事项。

(10)本公司未发生对外担保等或有事项。

(11)本公司的财务状况和经营成果未发生重大变化。

(12)本公司未召开董事会、监事会和股东大会。

(13)本公司无其他应披露的重大事项。

第七节　上市保荐机构及其意见

一、上市保荐机构情况

保荐机构(主承销商):国泰君安证券股份有限公司

法定代表人:杨德红

联系地址:上海市银城中路168号20F

电话:021-38676666

传真:021-68870180

保荐代表人:成曦、伍前辉

二、上市保荐机构的保荐意见

国泰君安已向深圳证券交易所出具了《国泰君安证券股份有限公司关于深圳市亚泰国际建设股份有限公司股票上市保荐书》。推荐意见如下:国泰君安认为亚泰国际申请其股票上市符合《中华人民共和国公司法》、《中华人民共和国证券法》及《深圳证券交易所股票上市规则》(2014年修订)等有关法律、法规的有关规定,亚泰国际股票具备在深圳证券交易所上市的条件。国泰君安愿意推荐亚泰国际的股票在深圳证券交易所上市交易,并承担相关保荐责任。

深圳市中装建设集团股份有限公司

深圳市中装建设集团股份有限公司首次公开发行股票上市公告书

特别提示

如无特别说明，本上市公告书中的简称或名词的释义与本公司首次公开发行股票招股说明书中的相同。

本公司股票将于 2016 年 11 月 29 日在深圳证券交易所上市，本公司提醒投资者应充分了解股票市场风险及本公司披露的风险因素，在新股上市初期切忌盲目跟风“炒新”，应当审慎决策、理性投资。

第一节　重要声明与提示

深圳市中装建设集团股份有限公司(以下简称“中装建设”、“公司”、“本公司”或“发行人”)全体董事、监事、高级管理人员保证上市公告书的真实性、准确性、完整性，承诺上市公告书不存在虚假记载、误导性陈述或重大遗漏，并承担个别和连带的法律责任。

证券交易所、其他政府机关对本公司股票上市及有关事项的意见，均不表明对本公司的任何保证。

首次公开发行股票上市初期具有一定的投资风险，本公司提醒广大投资者充分了解风险、理性参与新股交易。

本公司提醒广大投资者注意，凡本上市公告书未涉及的有关内容，请投资者查阅刊载于巨潮资讯网(www.cninfo.com.cn)的本公司招股说明书全文。

如无特别说明，本上市公告书中简称或名词的释义与本公司首次公开发行股票招股说明书释义相同。

公司、控股股东、实际控制人、董事、监事、高级管理人员、中介机构等就首次公开发行股票上市作出的重要承诺及说明，包括：

一、本次发行前股东关于所持股份的锁定承诺

发行人股东庄小红、庄展诺承诺：自中装建设股票在证券交易所上市交易之日起三十六个月内，不转让或者委托他人管理本人所持中装建设的股份，也不要求发行人回购本人所持有的该公司股份。如发行人上市后 6 个月内股票连续 20 个交易日的收盘价均低于发行价（如遇除权、除息事项，则上述股票收盘价的计算方法按照证券交易所的有关规定作除权除息处理，下同)，或者上市后 6 个月期末收盘价低于发行价，本人持有发行人股票的锁定期限自动延长 6 个月。股份锁定期满后两年内，本人转让的股份不超过上市时本人所持中装建设股票数量的 50%，且转让价格不低于发行价(如遇除权、除息事项，则上述股票转让价格的计算方法按照证券交易所的有关规定作除权除息处理，下同)。本人在转让所持中装建设股票时，将在减持前 3 个交易日通过中装建设公告。

发行人股东邓会生承诺：自中装建设股票在证券交易所上市交易之日起三十六个月内，不转让或者委托他人管理本人所持中装建设的股份，也不要求发行人回购本人所持有的该公司股份。发行人上市前本人所持有的股票在锁定期满后两年内转让的，转让价格不低于发行价；如发行人上市后 6 个月内股票连续 20 个交易日的收盘价均低于发行价，或者上市后 6 个月期末收盘价低于发行价，本人持有发行人股票的锁定期限自动延长 6 个月。

发行人股东、董事庄展诺还承诺：在本人任职期间，每年转让的发行人股份不超过本人直接或间接持有的发行人股份总数的百分之二十五；在离职后半年内，不转让直接或间接持有的发行人股份；在申报离职六个月后的十二个月内，通过证券交易所挂牌交易出售的中装建设股票数量占本人直接或间接持有中装建设股票总数的比例不超过百分之五十。

发行人股东陈一、鼎润天成承诺：自中装建设股票在证券交易所上市交易之日起十二个月内，不转让或者委托他人管理本人(本企业)所持中装建设股份，也不要求发行人回购本人(本企业)所持有的该公司股份。股份锁定期满后两年内，本人(本企业)转让的股份不超过上市时本人(本企业)所持中装建设股票数量的 50%，转让价格为届时市场价格。本人(本企业)在转让所持中装建设股票时，将在减持前 3 个交易日通过中装建设公告。

发行人股东昆山中科、刘广华、福州中科、国投衡盈、上海融银、盐城中科、骥业投资、华浩投资、江西中嘉、中科汇通(深圳)承诺：自中装建设股票在证券交易所上市交易之日起十二个月内，不转让或者委托他人管理本人(本企业)所持中装建设股份，也不要求发行人回购本人(本企业)所持有的该公司股份。

如上述承诺方未能履行上述承诺，则因未履行上述承诺而获得的收入归发行人所有。相关方不因控股地位、职务的变更或离职等原因不遵守上述承诺。

二、关于因信息披露重大违规回购新股、回购股份、赔偿损失的相关承诺

1.发行人承诺

如本公司首次公开发行股票并上市招股说明书中有虚假记载、误导性陈述或者重大遗漏，对判断本公司是否符合法律规定的发行条件构成重大、实质影响的，并已由人民法院作出相关判决的，本公司将依法回购首次公开发行的全部新股，回购价格为首次公开发行股票时的发行价格(如遇除权、除息事项，则上述股票回购价格的计算方法按照证券交易所的有关规定作除权除息处理，下同)。

如本公司首次公开发行股票并上市招股说明书中有虚假记载、误导性陈述或者重大遗漏，致使投资者在证券交易中遭受损失，并已由人民法院作出相关判决的，本公司将依法赔偿投资者损失。

本公司严格履行上述承诺内容。如本公司违反相关承诺，将在股东大会上公开说明未履行的具体原因并向股东和社会公众投资者道歉；如果因未履行相关公开承诺事项给投资者造成损失的，将依据人民法院做出相关判决，依法向投资者赔偿相关损失。

2.控股股东、实际控制人承诺

如发行人首次公开发行股票并上市招股说明书中有虚假记载、误导性陈述或者重大遗漏，对判断发行人是否符合法律规定的发行条件构成重大、实质影响的，并已由人民法院作出相关判决的，本人将依法购回已转让的原限售股份（即本人在中装建设首次公开发行新股时所公开发售的股份)，购回价格为中装建设首次公开发行股票时的发行价格。

如发行人首次公开发行股票并上市招股说明书中有虚假记载、误导性陈述或者重大遗漏，致使投资者在证券交易中遭受损失，并已由人民法院作出相关判决的，本人将依法赔偿投资者损失。

本人严格履行上述承诺内容。若本人违反相关承诺，本人将在发行人股东大会上公开说明未履行的具体原因并向发行人股东和社会公众投资者道歉，并在违反相关承诺发生之日起 5 个工作日内，暂停在发行人处领取薪酬(或津贴)及股东分红，直至按承诺采取相应的回购或赔偿措施并实施完毕时为止。

3.公司全体董事、监事、高级管理人员承诺

如发行人首次公开发行股票并上市招股说明书中有虚假记载、误导性陈述或者重大遗漏，致使投资者在证券交易中遭受损失，并已由人民法院作出相关判决的，本人将依法赔偿投资者损失。

本人严格履行上述承诺内容，如有违反，本人将在发行人股东大会上公开说明未履行的具体原因并向发行人股东和社会公众投资者道歉，并在违反承诺发生之日起 5 个工作日内，暂停在发行人处领取薪酬(如有)、津贴(如有)及股东分红(如有)，直至按承诺采取相应的赔偿措施并实施完毕时为止。

4.就本次发行事宜，各中介机构向投资者作出如下承诺

发行人保荐机构国海证券承诺：因本公司为深圳市中装建设集团股份有限公司首次公开发行过程中制作、出具的文件有虚假记载、误导性陈述或者重大遗漏，给投资者造成损失的，并已由有权部门作出行政处罚或人民法院作出相关判决的，本公司将依法赔偿投资者损失。

发行人审计及验资机构天职国际承诺：本所为发行人首次公开发行股票并上市制作、出具的文件不存在虚假记载、误导性陈述或者重大遗漏的情形；若因本所在发行人首次公开发行过程中制作、出具的文件有虚假记载、误导性陈述或者重大遗漏，给投资者造成损失，并已由有权部门作出行政处罚或人民法院作出相关判决的，其将依法赔偿投资者的实际损失。

发行人律师华商律师承诺：本所为发行人首次公开发行股票并上市制作、出具的文件不存在虚假记载、误导性陈述或者重大遗漏的情形；若因本所在发行人首次公开发行过程中制作、出具的文件有虚假记载、误导性陈述或者重大遗漏，给投资者造成损失，并已由有权部门作出行政处罚或人民法院作出相关判决的，本所将依法赔偿投资者的实际损失。

发行人评估机构国有大正承诺；若因本评估机构在发行人首次公开发行过程中制作、出具的文件有虚假记载、误导性陈述或者重大遗漏，给投资者造成损失，并已由有权部门作出行政处罚或人民法院作出相关判决的，本评估机构将依法赔偿投资者的实际损失。

三、关于稳定股价的承诺

为维护投资者的利益，经公司 2013 年年度股东大会审议通过，发行人上市后三年内股价稳定的预案如下：

(一)启动和停止股价稳定措施的条件

本公司上市后三年内，当公司股票连续 20 个交易日的收盘价低于每股净资产(指公司上一年度末经审计的每股净资产，下同)时，应当在 5 日内召开董事会、25 日内召开股东大会，审议稳定股价具体方案，明确该等具体方案的实施期间，并在股东大会审议通过该等方案后的 5 个交易日内启动稳定股价具体方案的实施。

在股价稳定措施的实施期间内，如公司股票连续 20 个交易日收盘价高于每股净资产时，将停止实施股价稳定措施。

（二）稳定股价的具体措施

当触发前述股价稳定措施的启动条件时，公司应依照相关法律、法规、规范性文件、《公司章程》及公司内部治理制度的规定，及时履行相关法定程序后采取以下部分或全部措施稳定公司股价，并保证股价稳定措施实施后，公司的股权分布仍符合上市条件：

（1）在不影响公司正常生产经营的情况下，经董事会、股东大会审议同意，通过交易所集中竞价交易方式或证券监督管理部门认可的其他方式回购公司股票。公司每十二个月内回购资金不超过上一个会计年度经审计的净利润的 20%（资金来源包括但不限于自有资金、银行贷款等方式），回购价格不高于每股净资产；

（2）在符合股票交易相关规定的前提下，按照公司关于稳定股价具体方案中确定的增持方案和期间，公司控股股东、实际控制人以不超过等值于股价稳定措施启动条件成就当天其控制或直接持有的股票市值的 10%且不低于 1,000 万元的自有资金在二级市场增持流通股股份，其增持的价格不高于每股净资产；

（3）在符合股票交易相关规定的前提下，按照公司关于稳定股价具体方案中确定的增持方案和期间，公司董事（独立董事除外）、高级管理人员通过交易所集中竞价交易方式增持公司股票。增持价格不高于每股净资产，购买所增持股票的总金额不低于其上年度从公司获取的税后薪酬及津贴的 30%。

股价稳定措施启动时，控股股东和实际控制人增持股票为第一顺位，公司回购股票为第二顺位，董事（独立董事除外）和高级管理人员增持股票为第三顺位。控股股东、实际控制人增持到承诺的最大金额后，公司股价仍未达到停止股价稳定方案条件的，则由公司实施回购；公司增持到最大回购资金后，公司股价仍未达到停止股价稳定方案的条件的，则由董事（独立董事除外）、高级管理人员承担增持义务。

（三）约束措施

在启动股价稳定措施的前提条件满足时，如公司未采取上述稳定股价的具体措施：

（1）公司、控股股东、董事（独立董事除外）、高级管理人员将在公司股东大会上公开说明未采取上述稳定股价措施的具体原因并向公司股东和社会公众投资者道歉；

（2）公司有权责令控股股东在限期内履行增持股票义务，控股股东仍不履行的，应以其最低增持金额减去其实际增持股票金额（如有）向公司支付现金补偿。控股股东拒不支付现金补偿的，公司有权扣减其应向控股股东支付的分红；控股股东多次违反上述规定的，现金补偿金额累计计算；

（3）公司有权责令董事（独立董事除外）、高级管理人员在限期内履行增持股票义务，董事（独立董事除外）、高级管理人员仍不履行的，应以其最低增持金额减去其实际增持股票金额（如有）向公司支付现金补偿。董事（独立董事除外）、高级管理人员拒不支付现金补偿的，公司有权扣减其应向董事（独立董事除外）、高级管理人员支付的薪酬或分红（如有）。公司董事（独立董事除外）、高级管理人员拒不履行本预案规定的股票增持义务情节严重的，控股股东或董事会、监事会、半数以上的独立董事有权提请股东大会更换相关董事，公司董事会有权解聘相关高级管理人员。

（四）法律程序

本稳定股价预案经公司股东大会审议通过，自公司完成首次公开发行股票并上市之日起生效。如因法律、法规修订或政策变动等情形导致本预案与相关规定不符，公司董事会应对本预案进行调整，并需经出席股东大会的股东所持表决权三分之二以上同意通过。

四、持有发行人股份 5%以上股东的持股意向、减持意向及约束措施

本次发行前持股 5%以上的股东为庄小红、庄展诺、陈一和鼎润天成，其持股意向及减持意向如下：

1.股东庄小红和庄展诺承诺

本人作为持有中装建设 5%以上股份的股东，在股份锁定期满后，可根据需要以集中竞价交易、大宗交易、协议转让或其他合法的方式转让所持中装建设的部分股票。其中，锁定期满后两年内转让的股份不超过上市时本人所持中装建设股票数量的 50%，且转让价格不低于发行价（如遇除权、除息事项，则上述股票转让价格的计算方法按照证券交易所的有关规定作除权除息处理，下同）。本人在转让所持中装建设股票时，将在减持前 3 个交易日通过中装建设公告。

本人将忠实履行承诺，且保证不会因控股地位、职务变更、离职等原因不遵守上述承诺。如本人未能履行上述承诺，则因未履行上述承诺而获得的收入归公司所有，本人还将在公司股东大会上公开说明未履行的具体原因并向发行人股东和社会公众投资者道歉。如果因未履行上述承诺给公司或者其他投资者造成损失的，本人自违约之日起将应得的现金分红及薪酬由中装建设直接用于执行未履行的承诺或用于赔偿因本人未履行承诺而给上市公司或投资者带来的损失，直至本人履行承诺或依法弥补完上市公司、投资者的损失为止。

2.股东陈一和鼎润天成承诺

本人（本企业）作为持有中装建设 5%以上股份的股东，在股份锁定期满后，可根据需要以集中竞价交易、大宗交易、协议转让或其他合法的方式转让所持中装建设的部分股票。其中，股份锁定期满后两年内，本人（本企业）转让的股份数不超过期满前直接持有的股份数的 50%，转让价格为届时市场价格。本人（本企业）在转让所持中装建设股票时，将在减持前 3 个交易日通过中装建设公告。

本人（本企业）将忠实履行承诺，如本人（本企业）未能履行上述承诺，则因未履行上述承诺而获得的收入归公司所有，本人（本企业）还将在公司股东大会上公开说明未履行的具体原因并向发行人股东和社会公众投资者道歉。如果因未履行上述承诺给公司或者其他投资者造成损失的，本人（本企业）自违约之日起将应得的现金分红由中装建设直接用于执行未履行的承诺或用于赔偿因本人（本企业）未履行承诺而给上市公司或投资者带来的损失，直至本人（本企业）履行承诺或依法弥补完上市公司、投资者的损失为止。

五、本次发行后公司股利分配政策的承诺

（一）滚存利润的分配安排

经发行人 2012 年度股东大会审议通过，若发行人本次公开发行股票（A 股）并上市方案经中国证监会核准并得以实施，本次发行前滚存的未分配利润由本次发行后公司新老股东共同享有。

（二）本次发行后的股利分配政策及现金分红比例的规定

发行人 2013 年年度股东大会及 2014 年度第一次临时股东大会审议通过了《关于修改<公司章程>（草案）的议案》，对发行人上市后的股利分配政策进行了修订。根据修订后的《公司章程（草案）》，公司发行后的股利分配政策如下：

（1）利润分配原则：本公司的利润分配应重视对社会公众股东的合理投资回报，以可持续发展和维护股东权益为宗旨，应保持利润分配政策的连续性和稳定性，并符合法律、法规的相关规定；

（2）利润分配方式：本公司利润分配可采取现金、股票、现金股票相结合或者法律许可的其他方式；在有条件的情况下，本公司可以进行中期现金利润分配；

（3）利润分配顺序：公司优先选择现金分红的利润分配方式，如不符合现金分红条件，再选择股票股利的利润分配方式；

（4）现金分红的条件及最低比例：当本公司当年可供分配利润为正数时，同时满足公司正常生产经营的资金需求情况下，公司每年以现金形式分配的利润不少于当年实现的可供分配利润的 10%；

（5）分配股票股利的条件及最低比例：当本公司当年可供分配利润为正数时，本公司可以采用股票股利方式进行利润分配；每次分配股票股利时，每 10 股股票分得的股票股利不少于 1 股；采用股票股利进行利润分配的，应当具有公司成长性、每股净资产的摊薄等真实合理因素；

（6）利润分配需履行的决策程序：进行利润分配时，本公司董事会应当先制定分配预案，董事会在制定利润分配方案时应充分考虑独立董事、监事会、公众投资者的意见，并经独立董事认可后方能提交董事会审议；本公司董事会审议通过的公司利润分配方案，应当提交公司股东大会进行审议；

（7）本公司当年盈利但未提出现金利润分配预案，董事会应当在定期报告中披露未进行现金分红的原因以及未用于现金分红的资金留存公司的用途，并由公司独立董事对此发表相关的独立意见；

（8）本公司根据生产经营情况、投资规划和长期发展的需要，或者外部经营环境发生变化，确需调整利润分配政策的，调整后的利润分配政策不得违反中国证监会和证券交易所的有关规定；有关调整利润分配政策的议案由董事会制定，并经独立董事认可后方能提交董事会审议，独立董事及监事会应当对利润分配政策调整发表独立意见；调整利润分配政策的议案经董事会审议后提交股东大会批准，本公司应当安排通过证券交易所交易系统、互联网投票系统等网络投票方式为社会公众股东参加股东大会提供便利；

（9）本公司应当在年度报告中详细披露现金分红政策的制定及执行情况，并进行专项说明；

（10）本公司利润分配不得超过累计可分配利润金额；

（11）股东违规占用本公司资金的，本公司应当扣减该股东所分配的现金红利，以偿还其占用的资金。

关于本次发行后股利分配政策的具体内容，详见本招股意向书“第十四节股利分配政策”。

六、未能履行承诺时的约束措施

1.股东关于所持股份流通限制和自愿锁定股份的承诺的约束措施

发行人股东庄小红、庄展诺、邓会生、陈一、鼎润天成及昆山中科、刘广华、福州中科、国投衡盈、上海融银、盐城中科、骥业投资、华浩投资、江西中嘉、中科汇通（深圳）承诺，则因未履行上述承诺而获得的收入归发行人所有。相关方不因控股地位、职务的变更或离职等原因不遵守上述承诺。

2.稳定股价预案的约束措施

在启动股价稳定措施的前提条件满足时，如公司未采取上述稳定股价的具体措施：

（1）公司、控股股东、董事（独立董事除外）、高级管理人员将在公司股东大会上公开说明未采取上述稳定股价措施的具体原因并向公司股东和社会公众投资者道歉；

（2）公司有权责令控股股东在限期内履行增持股票义务，控股股东仍不履行的，应以其最低增持金额减去其实际增持股票金额（如有）向公司支付现金补偿。控股股东拒不支付现金补偿的，公司有权扣减其应向控股股东支付的分红；控股股东多次违反上述规定的，现金补偿金额累计计算；

（3）公司有权责令董事（独立董事除外）、高级管理人员在限期内履行增持股票义务，董事（独立董事除外）、高级管理人员仍不履行的，应以其最低增持金额减去其实际增持股票金额（如有）向公司支付现金补偿。董事（独立董事除外）、高级管理人员拒不支付现金补偿的，公司有权扣减其应向

董事(独立董事除外)、高级管理人员支付的薪酬或分红(如有)。公司董事(独立董事除外)、高级管理人员拒不履行本预案规定的股票增持义务情节严重的,控股股东或董事会、监事会、半数以上的独立董事有权提请股东大会更换相关董事,公司董事会有权解聘相关高级管理人员。

3.持股 5%以上股东的持股意向及减持意向的约束措施

股东庄小红和庄展诺承诺:本人将忠实履行承诺,且保证不会因控股地位、职务变更、离职等原因不遵守上述承诺。如本人未能履行上述承诺,则因未履行上述承诺而获得的收入归公司所有,本人还将在公司股东大会上公开说明未履行的具体原因并向发行人股东和社会公众投资者道歉。如果因未履行上述承诺给公司或者其他投资者造成损失的,本人自违约之日起将应得的现金分红及薪酬由中装建设直接用于执行未履行的承诺或用于赔偿因本人未履行承诺而给上市公司或投资者带来的损失,直至本人履行承诺或依法弥补完上市公司、投资者的损失为止。

股东陈一和鼎润天成承诺:本人(本企业)将忠实履行承诺,如本人(本企业)未能履行上述承诺,则因未履行上述承诺而获得的收入归公司所有,本人(本企业)还将在公司股东大会上公开说明未履行的具体原因并向发行人股东和社会公众投资者道歉。如果因未履行上述承诺给公司或者其他投资者造成损失的,本人(本企业)自违约之日起将应得的现金分红由中装建设直接用于执行未履行的承诺或用于赔偿因本人(本企业)未履行承诺而给上市公司或投资者带来的损失,直至本人(本企业)履行承诺或依法弥补完上市公司、投资者的损失为止。

七、其他承诺

1.补缴社会保险或住房公积金的相关承诺

公司控股股东庄小红及实际控制人庄重、庄小红和庄展诺分别出具《承诺函》,承诺:如应有权部门要求或根据其决定,中装建设或其子公司需要为其员工补缴社保或住房公积金,或者中装建设或其子公司因未为员工缴纳住房公积金而受到任何罚款或其他损失,本人愿意在无需中装建设或其子公司支付任何对价的情况下承担所有相关金钱赔付义务和责任。

2.避免同业竞争承诺

为避免同业竞争,更好地维护中小股东的利益,公司控股股东庄小红、实际控制人庄重、庄小红和庄展诺已向公司出具了《避免同业竞争承诺函》,承诺具体内容如下:

(1)截至本承诺函签署之日,本人及本人控制的其他公司均未生产、开发任何与中装建设及其下属子公司生产的产品构成竞争或可能构成竞争的产品,未直接或间接经营任何与中装建设及其下属子公司经营的业务构成竞争或可能构成竞争的业务,也未参与投资任何与中装建设及其下属子公司生产的产品或经营的业务构成竞争或可能构成竞争的其他企业。

(2)自本承诺函签署之日起,本人及本人控制的其他公司将不生产、开发任何与中装建设及其下属子公司生产的产品构成竞争或可能构成竞争的产品,不直接或间接经营任何与中装建设及其下属子公司经营的业务构成竞争或可能构成竞争的业务,也不参与投资任何与中装建设及其下属子公司生产的产品或经营的业务构成竞争或可能构成竞争的其他企业。

(3)自本承诺函签署之日起,如本人及本人控制的其他公司进一步拓展产品和业务范围,本人及本人控制的其他公司将不与中装建设及其下属子公司拓展后的产品或业务相竞争;若与中装建设及其下属子公司拓展后产品或业务产生竞争,则本人及本人控制的其他公司将以停止生产或经营相竞争的业务或产品的方式,或者将相竞争的业务纳入到中装建设经营的方式,或者将相竞争的业务转让给无关联关系的第三方的方式避免同业竞争。

(4)在本人及本人控制的其他公司与中装建设存在关联关系期间,本承诺函为有效之承诺。如上述承诺被证明是不真实或未被遵守,本人将向中装建设赔偿一切直接和间接损失,并承担相应的法律责任。

3.减少及规范关联交易承诺

公司实际控制人庄重、庄小红和庄展诺分别出具了《减少及规范关联交易承诺函》,具体内容如下:

(1)本人不利用实际控制人地位促使中装建设股东大会或董事会做出侵犯其他中小股东合法权益的决议;在与中装建设发生关联交易时,将按照公平合理和正常的商业交易条件进行,将不会要求或接受中装建设给予比在任何一项市场公平交易中第三者更优惠的条件,并善意、严格的履行与中装建设签订的各种关联交易协议,不会向中装建设谋求任何超出上述规定以外的利益或收益。

(2)在本人及本人控制的其他公司与中装建设存在关联关系期间,本承诺函为有效之承诺。如上述承诺被证明是不真实或未被遵守,本人将向中装建设赔偿一切直接和间接损失,并承担相应的法律责任。

4.填补回报措施能够得到切实履行的承诺

为对公司填补回报措施能够得到切实履行,公司董事、高级管理人员作出如下承诺:

(1)承诺不无偿或以不公平条件向其他单位或者个人输送利益,也不采用其他方式损害公司利益;

(2)承诺对董事和高级管理人员的职务消费行为进行约束;

(3)承诺不动用公司资产从事与其履行职责无关的投资、消费活动;

(4)承诺由董事会或薪酬委员会制定的薪酬制度与公司填补回报措施的执行情况相挂钩;

(5)承诺拟公布的公司股权激励的行权条件与公司填补回报措施的执行情况相挂钩。

第二节 股票上市情况

一、公司股票发行上市审批情况

本上市公告书是根据《中华人民共和国公司法》、《中华人民共和国证券法》、《深圳证券交易所股票上市规则》等有关法律、法规的规定,并按照《深圳证券交易所股票上市公告书内容与格式指引(2013 年 12 月修订)》而编制,旨在向投资者提供有关中装建设首次公开发行股票上市的基本情况。

经中国证券监督管理委员会"证监许可[2016]2351 号"文核准,本公司公开发行新股数量不超过 7,500 万股。本次发行采用网下向投资者询价配售(以下简称"网下配售")与网上向持有深圳市场非限售 A 股股份市值的社会公众投资者定价发行(以下简称"网上发行")相结合的方式,本次发行的股票数量为 7,500 万股,不进行老股转让。其中,网下发行 750 万股,占本次发行总量的 10%;网上发行 6,750 万股,占本次发行总量的 90%。发行价格为 10.23 元/股。

经深圳证券交易所《关于深圳市中装建设集团股份有限公司人民币普通股股票上市的通知》(深证上[2016]837 号)同意,本公司发行的人民币普通股股票在深圳证券交易所上市,股票简称"中装建设",股票代码"002822";本次公开发行的 7,500 万股股票将于 2016 年 11 月 29 日起上市交易。

本次发行的招股意向书、招股说明书全文及相关备查文件可以在巨潮资讯网(www.cninfo.com.cn)查询。本公司招股意向书及招股说明书的披露距今不足一个月,故与其重复的内容不再重述,敬请投资者查阅上述内容。

二、公司股票上市概况

(1)上市地点:深圳证券交易所。

(2)上市时间:2016 年 11 月 29 日。

(3)股票简称:中装建设。

(4)股票代码:002822。

(5)首次公开发行后总股本:30,000 万股。

(6)首次公开发行股票数量:7,500 万股,本次发行不设老股转让,全部为公开发行新股。

(7)发行前股东所持股份的流通限制及期限:根据《公司法》的有关规定,公司首次公开发行股份前已发行的股份,自公司股票在证券交易所上市交易之日起一年内不得转让。

(8)发行前股东对所持股份自愿锁定的承诺:详见"第一节重要声明与提示"。

(9)本次上市股份的其他锁定安排:除上述 7、8 外,本次上市股份无其他锁定安排。

(10)本次上市的无流通限制及锁定安排的股份:本次公开发行股票中公司发行的新股 7,500 万股无流通限制及锁定安排。

(11)公司股份可上市交易日期:

序号	股东名称	持股数量(万股)	占发行后股本比例	可上市交易日期(非交易日顺延)
首次公开发行前已发行股份:				
1	庄小红	9,921.98	33.07%	2019 年 11 月 29 日
2	庄展诺	3,650.47	12.17%	2019 年 11 月 29 日
3	陈　一	2,724.75	9.08%	2017 年 11 月 29 日
4	鼎润天成	1,198.13	3.99%	2017 年 11 月 29 日
5	昆山中科	843.75	2.81%	2017 年 11 月 29 日
6	刘广华	583.88	1.95%	2017 年 11 月 29 日
7	福州中科	562.50	1.87%	2017 年 11 月 29 日
8	邓会生	525.49	1.75%	2019 年 11 月 29 日
9	国投衡盈	450.00	1.50%	2017 年 11 月 29 日
10	上海融银	450.00	1.50%	2017 年 11 月 29 日
11	盐城中科	421.88	1.41%	2017 年 11 月 29 日
12	骥业投资	351.56	1.17%	2017 年 11 月 29 日
13	华浩投资	281.25	0.94%	2017 年 11 月 29 日
14	江西中嘉	281.25	0.94%	2017 年 11 月 29 日
15	中科汇通(深圳)	253.13	0.84%	2017 年 11 月 29 日
	小计	22,500.00	75.00%	–
首次公开发行股份:				
1	网下配售股份	750.00	2.50%	2016 年 11 月 29 日
2	网上发行股份	6,750.00	22.50%	2016 年 11 月 29 日
	小计	7,500.00	25.00%	–
	合计	30,000.00	100.00%	–

注:①本次发行的股票数量为 7,500 万股,全部为新股。②各数加总之和与合计数在尾数上如存在差异是由计算过程中四舍五入造成。

(12)股票登记机构:中国证券登记结算有限责任公司深圳分公司。

(13)上市保荐机构:国海证券股份有限公司。

第三节　发行人、股东和实际控制人情况

一、公司基本情况

公司名称：深圳市中装建设集团股份有限公司

英文名称：ShenzhenZhongzhuangConstructionGroupCo.,Ltd.

发行前注册资本：人民币 22,500 万元

发行后注册资本：人民币 30,000 万元

法定代表人：庄重

成立日期：1994 年 4 月 29 日

整体变更日期：2012 年 4 月 16 日

住所：深圳市罗湖区深南东路 4002 号鸿隆世纪广场四—五层（仅限办公）

主营业务：建筑装饰施工及设计

经营范围：建筑装修装饰工程专业承包壹级；建筑智能化工程专业承包壹级；机电设备安装工程专业承包壹级；建筑幕墙工程专业承包壹级；金属门窗工程专业承包壹级；建筑防水工程专业承包贰级（以上均按建设部 B1034044030435-6/2 号建筑业企业资质证书经营）；消防设施工程设计与施工贰级（凭建设部 C244002490 号工程设计与施工资质证书经营）；安全技术防范系统设计、施工、维修叁级（凭广东省公安厅粤 GB765 号广东省安全技术防范系统设计、施工、维修资格证经营）；建筑装饰工程设计专项甲级（凭建设部 2493[6-1]工程设计证书经营）；建筑智能化系统设计专项乙级（凭建设部 A244002490-4/2 工程设计证书经营）；建筑幕墙工程设计专项乙级（凭建设部 A244002490-4/3 工程设计证书经营）；园林绿化、灯光音响、舞台设备安装，建筑智能化产品的技术开发；国内贸易（不含专营、专卖、专控商品）；经营进出口业务（法律、行政法规、国务院决定禁止的项目除外，限制的项目须取得许可后方可经营）。

所属行业：E50 建筑业—建筑装饰和其他建筑业

电话：0755-83598225

传真：0755-83567197

互联网网址：www.zhongzhuang.com

电子信箱：zhengquan@zhongzhuang.com

董事会秘书：于桂添

二、公司董事、监事、高级管理人员持有公司的股票情况

姓　名	职务	任职起止日期	持股数量（万股）	占发行后总股本的比例(%)
庄　重	董事长兼总经理	2015.04-2018.03	-	-
庄展诺	董事兼总经理助理	2015.04-2018.03	3,650.47	12.17%
熊谨慎	董事	2015.04-2018.03	-	-
任顺标	董事	2015.04-2018.03	-	-
肖幼美	独立董事	2015.04-2018.03	-	-
高　刚	独立董事	2015.12-2018.03	-	-
袁易明	独立董事	2015.04-2018.03	-	-
何玉辉	监事会主席	2015.04-2018.03	-	-
张　雄	监事	2015.04-2018.03	-	-
张水霞	职工代表监事	2015.04-2018.03	-	-
何　斌	常务副总经理	2015.04-2018.03	-	-
廖伟潭	副总经理兼运营管理中心总经理	2015.04-2018.03	-	-
庄超喜	副总经理兼工程管理中心总经理	2015.04-2018.03	-	-
赵海峰	副总经理兼行政管理中心总经理	2015.04-2018.03	-	-
于桂添	副总经理、董事会秘书、财务总监	2015.04-2018.03	-	-

三、公司控股股东和实际控制人的情况

本公司实际控制人为庄重、庄小红夫妇及其子庄展诺，其中，庄重未直接和间接持有公司股票，现任公司董事长兼总经理。本次发行前，庄小红直接持有公司 44.10%的股份、庄展诺直接持有公司 16.22%的股份，公司实际控制人合计持有公司 60.32%的股份。

本次发行后，庄小红持有本公司 33.07%的股份，庄展诺持有本公司 12.17%的股份，公司实际控制人合计持有本公司 45.24%的股份。

除本公司外，控股股东、实际控制人未投资或控制其他企业。

四、本次发行后上市公司前十名股东持有公司股份情况

此次发行后，公司股东总数为 125,676 名。公司发行后前 10 名股东持有公司股份情况如下：

序号	股东名称	所持股份（万股）	所占比例(%)
1	庄小红	9,921.98	33.07%
2	庄展诺	3,650.47	12.17%
3	陈　一	2,724.75	9.08%
4	鼎润天成	1,198.13	3.99%
5	昆山中科	843.75	2.81%
6	刘广华	583.88	1.95%
7	福州中科	562.50	1.87%
8	邓会生	525.49	1.75%
9	国投衡盈	450.00	1.50%
10	上海融银	450.00	1.50%
	合计	20,910.95	69.69%

第四节　股票发行情况

一、发行数量

公司本次公开发行股票数量为 7,500 万股，全部为新股发行，本次发行不设老股转让。其中，网下发行 750 万股，占本次发行总量的 10%；网上发行 6,750 万股，占本次发行总量的 90%。

二、发行价格

本次发行价格为 10.23 元/股，此价格对应的市盈率为：

(1)16.01 倍（每股收益按照经会计师事务所遵照中国会计准则审核扣除非经常性损益前后孰低的 2015 年净利润除以本次公开发行前的总股数计算）；

(2)21.35 倍（每股收益按照经会计师事务所遵照中国会计准则审核的扣除非经常性损益前后孰低的 2015 年净利润除以本次公开发行后的总股数计算）。

三、发行方式与认购情况

本次发行通过网下向投资者发行股票数量为 750 万股，为本次发行数量的 10%，网下有效申购数量为 37,519,500,000 股，网下有效申购倍数为 5,002.6 倍，网下有效申购获配比例为 0.01998961%。通过网上向投资者发行数量为 6,750 万股，为本次发行数量的 90%，网上有效申购数量为 172,565,915,500 股，网上有效申购倍数为 2,556.53 倍，网上定价发行的中签率为 0.0391154880%。

网上投资者放弃认购 135,905 股，网下投资者放弃认购 12,712 股。网上、网下投资者放弃认购股数全部由保荐机构（主承销商）包销。保荐机构（主承销商）包销股份的数量为 148,617 股，包销金额为 1,520,351.91 元。保荐机构（主承销商）包销比例为 0.1982%。

四、募集资金总额及注册会计师对资金到位的验证情况

本次发行新股募集资金总额为 76,725.00 万元，天职国际会计师事务所（特殊普通合伙）已于 2016 年 11 月 23 日对发行人首次公开发行股票的资金到位情况进行了审验，并出具了天职业字〔2016〕16751 号《验资报告》。

五、发行费用总额及项目、每股发行费用

本次发行费用总额为 9,121.80 万元，具体构成如下：

项目	金额
承销及保荐费用：	7,100 万元
律师费用：	480 万元
审计、评估及验资费用：	990.50 万元
用于本次发行信息披露费用	431 万元
用于本次发行的手续费、印刷费等其他费用：	120.30 万元
合计	9,121.80 万元

本次公司发行股票的每股发行费用为 1.22 元/股。（每股发行费用=发行费用总额/本次发行股数）

六、募集资金净额

本次发行募集资金净额为 67,603.20 万元。天职国际会计师事务所（特殊普通合伙）已于 2016 年 11 月 23 日对发行人首次公开发行股票的资金到位情况进行了审验，并出具了天职业字〔2016〕16751 号《验资报告》。

七、发行后每股净资产

本次发行后每股净资产为 5.91 元。（按照 2015 年 12 月 31 日经审计的净资产加上本次发行募集资金净额除以本次发行后总股本计算）。

八、发行后每股收益

本次发行后每股收益为 0.48 元（按照 2015 年度经审计的扣除非经常性损益前后孰低的净利润除以本次发行后总股本计算）。

第五节　财务会计资料

本公司 2013 年、2014 年、2015 年和 2016 年 1-6 月的财务数据已经天职国际会计师事务所（特殊普通合伙）审计，并出具了天职业字〔2016〕13746 号的标准无保留意见的审计报告。公司 2013 年、2014 年、2015 年和 2016 年 1-6 月经审计的财务数据详细披露于《深圳市中装建设集团股份有限公司首次公开发行股票招股说明书》，投资者欲了解相关情况请详细阅读招股说明书“第十节财务会计信息”。

公司 2016 年 1-9 月财务数据未经审计，但已经会计师审阅。公司 2016 年 1-9 月份财务报表已经公司第二届董事会第九次会议决议通过，并在本上市公告书中披露，详见深圳证券交易所网站。公司上市后三季度财务报表不再单独披露，敬请投资者注意。

一、2016 年 1–9 月份主要财务信息及经营情况的说明

根据天职国际会计师事务所(特殊普通合伙)出具的《审阅报告》(天职业字[2016]15957 号)，2016 年 1–9 月，公司经审阅后的主要财务报表项目及同期对比情况如下：

1.2016 年 1–9 月主要会计数据及财务指标

项目	2016 年 9 月 30 日	2015 年 12 月 31 日	本报告期末比上年度期末增减
流动资产(元)	2,341,718,371.17	2,107,167,921.16	11.13%
流动负债(元)	1,307,711,299.50	1,193,882,784.26	9.53%
总资产	2,524,793,649.25	2,295,753,017.66	9.98%
归属于发行人股东的所有者权益(元)	1,213,159,978.02	1,097,560,513.85	10.53%
归属于发行人股东的每股净资产(元/股)	5.39	4.88	10.53%
项目	2016 年 1–9 月	2015 年 1–9 月	本报告期比上年同期增减
营业收入(元)	1,910,432,985.85	1,814,165,027.37	5.31%
营业利润(元)	141,140,645.05	119,808,836.88	17.80%
利润总额(元)	144,109,668.64	130,603,936.71	10.34%
归属于发行人股东的净利润(元)	115,610,610.26	88,144,195.05	31.16%
归属于发行人股东的扣除非经常性损益后的净利润(元)	113,093,985.14	80,047,870.18	41.28%
基本每股收益(元/股)	0.39	0.51	–23.53%
扣除非经常性损益后的基本每股收益(元/股)	0.36	0.50	–28.00%
加权平均净资产收益率(%)	8.92	10.01	–1.09
扣除非经常性损益后加权平均净资产收益率(%)	8.10	9.79	–1.69
经营活动产生的现金流量净额(元)	–103,373,196.19	–124,219,900.55	16.78%
每股经营活动产生的现金流量净额(元)	–0.46	–0.55	16.36%

注：净资产收益率和扣除非经常性损益后的净资产收益率两个指标的本报告期比上年同期增减为两期数的差值。

2.公司经营情况及财务情况

2016 年 1–9 月，公司保持良好的经营态势，实现营业收入 191,043.30 万元，较上年同期增长 5.31%；实现营业利润 14,114.06 万元，较上年同期增长 17.80%；实现净利润 11,526.91 万元，较上年同期增长 30.89%。公司 2016 年 1–9 月收入、营业利润和净利润同比上升，一方面系公司开工项目增加所致；另一方面系"营改增"后，公司营业税金及附加显著下降以及公司获得国家高新技术企业资质后，所得税率由原来的 25%降至 15%所致。

二、2016 年全年业绩预测情况

结合行业发展趋势及公司实际经营情况，公司预计 2016 年 1–12 月营业收入约为 259,880 万元至 285,868 万元，较上年同期变化为 0%至 10.00%；归属于母公司股东的净利润约为 15,905 万元至 18,581 万元，较上年同期变化为 0%至 17.00%；归属于母公司股东扣除非经常性损益后的净利润约为 14,980 万元至 18,182 万元，较上年同期变化为 0.5%至 22.03%。

上述业绩变动的预测，只是公司的初步预测。若实际经营情况与公司初步预测发生较大变化，公司将根据实际情况及时进行披露，请广大投资者谨慎决策，注意投资风险。

第六节　其他重要事项

一、本公司已向深圳证券交易所承诺，将严格按照中小板的有关规则，在公司股票上市后三个月内完善公司章程等规章制度。

二、本公司自 2016 年 11 月 8 日刊登首次公开发行股票招股意向书至本上市公告书刊登前，没有发生可能对本公司有较大影响的重要事项，具体如下：

(1)本公司严格依照《公司法》、《证券法》等法律法规的要求，规范运作，生产经营状况正常，主营业务发展目标进展正常。

(2)本公司生产经营情况、外部条件或生产环境未发生重大变化(包括原材料采购和产品销售价格、原材料采购和产品销售方式、所处行业或市场的重大变化等)。

(3)本公司未订立可能对公司的资产、负债、权益和经营成果产生重大影响的重要合同。

(4)本公司未发生重大关联交易。

(5)本公司未发生重大投资行为。

(6)本公司未发生重大资产(或股权)购买、出售及置换行为。

(7)本公司住所未发生变更。

(8)本公司董事、监事、高级管理人员及核心技术人员未发生变化。

(9)本公司未发生重大诉讼、仲裁事项。

(10)本公司未发生对外担保等或有事项。

(11)本公司的财务状况和经营成果未发生重大变化。

(12)本公司未召开董事会、监事会和股东大会。

(13)本公司无其他应披露的重大事项。

第七节　上市保荐机构及其意见

一、上市保荐机构情况

上市保荐机构：国海证券股份有限公司

法定代表人：何春梅

公司住所：广西壮族自治区桂林市辅星路 13 号

联系地址：广东省深圳市福田区竹子林光大银行大厦 28 楼

邮编：518040

电话：0755–83598225

传真：0755–83567197

保荐代表人：陈贤德、关建宇

二、上市保荐机构的推荐意见

上市保荐机构国海证券股份有限公司(以下简称"国海证券")已向深圳证券交易所提交了《国海证券股份有限公司关于深圳市中装建设集团股份有限公司首次公开发行股票之上市保荐书》，保荐机构的保荐意见主要内容如下：国海证券认为中装建设申请其股票上市符合《公司法》、《证券法》及《深圳证券交易所股票上市规则》(2014 年修订)等国家有关法律、法规的有关规定，中装建设股票具备在深圳证券交易所中小板上市的条件。国海证券愿意保荐中装建设的股票在深圳证券交易所中小板上市交易，并承担相关保荐责任。

广东和胜工业铝材股份有限公司

广东和胜工业铝材股份有限公司首次公开发行股票上市公告书

特别提示

本公司股票将于2017年1月12日在深圳证券交易所上市，本公司提醒投资者应充分了解股票市场风险及本公司披露的风险因素，在新股上市初期切忌盲目跟风"炒新"，应当审慎决策、理性投资。

第一节　重要声明与提示

本公司及全体董事、监事、高级管理人员保证上市公告书的真实性、准确性、完整性，承诺上市公告书不存在虚假记载、误导性陈述或重大遗漏，并承担个别和连带的法律责任。

深圳证券交易所、其他政府机关对本公司股票上市及有关事项的意见，均不表明对本公司的任何保证。

本公司提醒广大投资者注意，凡本上市公告书未涉及的有关内容，请投资者查阅巨潮资讯网站(www.cninfo.com.cn)的本公司招股说明书全文。

本公司及其控股股东、实际控制人、董事、监事和高级管理人员等就首次公开发行股票上市作出的重要承诺及说明如下：

一、股份流通限制和自愿锁定承诺及5%以上股东的减持意向

1.公司控股股东及实际控制人李建湘(5%以上股东)、担任公司董事的股东李江(5%以上股东)承诺

自公司股票在证券交易所上市之日起36个月内，不转让或者委托他人管理本人直接或间接持有的公司公开发行股票前已发行的股份，也不由公司回购该部分股份；若公司上市后6个月内出现连续20个交易日的股票收盘价(指复权后的价格，下同)均低于发行价，或者上市后6个月期末的股票收盘价低于发行价的情形，本人所持公司股票的锁定期限自动延长6个月。上述承诺不可撤销，且不因职务变更、离职等原因而失效或终止履行。

上述锁定期满后两年内减持公司股份，每年通过大宗交易或集中竞价方式减持不超过所持公司股份的10%，且减持价格(指复权后的价格)不低于发行价，并至少提前5个交易日将减持计划告知公司，积极配合公司的公告等信息披露工作。

上述锁定期满后，在担任公司董事期间每年转让公司股份的比例不超过所持公司股份总数的25%；离任后6个月内，不转让本人所持有的公司股份；在申报离任6个月后的12个月内通过证券交易所挂牌交易出售公司股份的数量占本人所持公司股份总数的比例不超过50%。

若违反上述承诺，违反承诺所得收益归公司所有；公司可扣留违反承诺当年度及其后一个年度应付本人的现金分红，同时本人在违反承诺期间不得转让持有的公司股份，直至本人履行承诺为止；如本人未履行承诺，本人愿依法承担相应的责任。

上述承诺不可撤销，且不因职务变更、离职等原因而失效或终止履行。

2.担任公司高级管理人员的股东宾建存(5%以上股东)承诺

自公司股票在证券交易所上市之日起36个月内，不转让或者委托他人管理本人直接或间接持有的公司公开发行股票前已发行的股份，也不由公司回购该部分股份；若公司上市后6个月内出现连续20个交易日的股票收盘价(指复权后的价格，下同)均低于发行价，或者上市后6个月期末的股票收盘价低于发行价的情形，本人所持公司股票的锁定期限自动延长6个月。上述承诺不可撤销，且不因职务变更、离职等原因而失效或终止履行。

上述锁定期满后两年内减持公司股份，每年通过大宗交易或集中竞价方式减持不超过所持公司股份的10%，且减持价格(指复权后的价格)不低于发行价，并至少提前5个交易日将减持计划告知公司，积极配合公司的公告等信息披露工作。

上述锁定期满后，在担任公司高级管理人员期间每年转让公司股份的比例不超过所持公司股份总数的25%；离任后6个月内，不转让本人所持有的公司股份；在申报离任6个月后的12个月内通过证券交易所挂牌交易出售公司股份的数量占本人所持公司股份总数的比例不超过50%。

若本人违反上述承诺，违反承诺所得收益归公司所有；公司可扣留违反承诺当年度及其后一个年度应付本人的现金分红或薪酬的50%，同时本人在违反承诺期间不得转让持有的公司股份，直至本人履行承诺为止；如本人未履行承诺，本人愿依法承担相应的责任。

上述承诺不可撤销，且不因职务变更、离职等原因而失效或终止履行。

3.公司股东李清、张良承诺

自公司股票在证券交易所上市之日起36个月内，不转让或者委托他人管理本人直接或间接持有的公司公开发行股票前已发行的股份，也不由公司回购该部分股份。

4.担任董事及公司高级管理人员的股东金炯(5%以上股东)承诺

自公司股票在证券交易所上市之日起12个月内，不转让或者委托他人管理本人直接或间接持有的公司公开发行股票前已发行的股份，也不由公司回购该部分股份；若公司上市后6个月内出现连续20个交易日的股票收盘价(指复权后的价格，下同)均低于发行价，或者上市后6个月期末的股票收盘价低于发行价的情形，本人所持公司股票的锁定期限自动延长6个月。

上述锁定期满后两年内本人将减持公司股份，每年通过大宗交易或集中竞价方式减持不超过所持公司股份的10%，且减持价格(指复权后的价格)不低于发行价，并至少提前5个交易日将减持计划告知公司，积极配合公司的公告等信息披露工作。

上述锁定期满后，在本人担任公司董事、高级管理人员期间内每年转让公司股份的比例不超过所持公司股份总数的25%；离任后6个月内，不转让本人所持有的公司股份；在申报离任6个月后的12个月内通过证券交易所挂牌交易出售公司股份的数量占本人所持公司股份总数的比例不超过50%。

若本人违反上述承诺，违反承诺所得收益归公司所有；公司可扣留违反承诺当年度及其后一个年度应付本人的现金分红或薪酬的50%，同时本人在违反承诺期间不得转让持有的公司股份，直至本人履行承诺为止；如本人未履行承诺，本人愿依法承担相应的责任。

上述承诺不可撤销，且不因职务变更、离职等原因而失效或终止履行。

5.担任公司董事的股东黄嘉辉(5%以上股东)承诺

自公司股票在证券交易所上市之日起12个月内，不转让或者委托他人管理本人直接或间接持有的公司公开发行股票前已发行的股份，也不由公司回购该部分股份；若公司上市后6个月内出现连续20个交易日的股票收盘价(指复权后的价格，下同)均低于发行价，或者上市后6个月期末的股票收盘价低于发行价的情形，本人所持公司股票的锁定期限自动延长6个月。

上述锁定期满后两年内本人将减持公司股份，每年通过大宗交易或集中竞价方式减持不超过所持公司股份的10%，且减持价格(指复权后的价格)不低于发行价，并至少提前5个交易日将减持计划告知公司，积极配合公司的公告等信息披露工作。

上述锁定期满后，在本人担任公司董事期间内每年转让公司股份的比例不超过所持公司股份总数的25%；离任后6个月内，不转让本人所持有的公司股份；在申报离任6个月后的12个月内通过证券交易所挂牌交易出售公司股份的数量占本人所持公司股份总数的比例不超过50%。

若本人违反上述承诺，违反承诺所得收益归公司所有；公司可扣留违反承诺当年度及其后一个年度应付本人的现金分红，同时本人在违反承诺期间不得转让持有的公司股份，直至本人履行承诺为止；如本人未履行承诺，本人愿依法承担相应的责任。

上述承诺不可撤销，且不因职务变更、离职等原因而失效或终止履行。

6.担任公司高级管理人员的股东唐启宙、邹红湘承诺

自公司股票在证券交易所上市之日起12个月内，不转让或者委托他人管理本人直接或间接持有的公司公开发行股票前已发行的股份，也不由公司回购该部分股份；若公司上市后6个月内出现连续20个交易日的股票收盘价(指复权后的价格，下同)均低于发行价，或者上市后6个月期末的股票收盘价低于发行价的情形，本人所持公司股票的锁定期限自动延长6个月。

上述锁定期满后两年内本人减持公司股份的，减持价格不低于发行价。上述锁定期满后，在本人担任公司高级管理人员期间内每年转让公司股份的比例不超过所持公司股份总数的25%；离任后6个月内，不转让本人所持有的公司股份；在申报离任6个月后的12个月内通过证券交易所挂牌交易出售公司股份的数量占本人所持公司股份总数的比例不超过50%。

若本人违反上述承诺，违反承诺所得收益归公司所有；公司可扣留违反承诺当年度及其后一个年度应付本人的现金分红或薪酬的50%，同时本人在违反承诺期间不得转让持有的公司股份，直至本人履行承诺为止；如本人未履行承诺，本人愿依法承担相应的责任。

上述承诺不可撤销，且不因职务变更、离职等原因而失效或终止履行。

7.公司股东霍润(5%以上股东)承诺

自公司股票在证券交易所上市之日起12个月内，不转让或者委托他人管理本人直接或间接持有的公司公开发行股票前已发行的股份，也不由公司回购该部分股份。

上述锁定期满后两年内本人减持公司股份的，每年通过大宗交易或集中竞价方式减持不超过所持公司股份的10%，且减持价格不低于发行价，并至少提前5个交易日将减持计划告知公司，积极配合公司的公告等信息披露工作。

若本人违反上述承诺，违反承诺所得收益归公司所有；公司可扣留违反承诺当年度及其后一个年度应付本人的现金分红，同时本人在违反承诺期间不得转让持有的公司股份，直至本人履行承诺为止；如本人未履行承诺，本人愿依法承担相应的责任。

二、本次公开募集及上市文件不存在虚假记载、误导性陈述或者重大遗漏的相关承诺

1.公司承诺

(1)如公司本次公开发行股票的招股意向书有虚假记载、误导性陈述或者重大遗漏，对判断公司是否符合法律规定的发行条件构成重大、实质影响的，公司将依法回购首次公开发行的全部新股(不含公司股东公开发售的股份)。公司董事会将在上述违法事实被中国证监会认定后的当日进行公告，并在上述事项认定后5个交易日内提出股份回购预案，预案内容包括回购股份数量、价格区间、完成时间等信息，在提交股东大会审议通过，并经相关主管部门批准/核准/备案后启动股份回购措施。公司已发行尚未上市的，回购价格为发行价并加算银行同期存款利息；公司已上市的，回购价格以发行价并加算银行同期存款利息和回购义务触发时点前最后一个交易日公司股票的收盘价孰高确定，并根据相关法律、法规和规范性文件规定的程序实施。在实施上述股份回购时，如法律、法规和规范性文件另有规定的，从其规定；

(2)如公司本次公开发行股票的招股意向书有虚假记载、误导性陈述或者重大遗漏,致使投资者在证券交易中遭受损失的,将依法赔偿投资者损失。公司将在上述违法事实被中国证监会、证券交易所或司法机关认定后,本着简化程序、积极协商、先行赔付、切实保障投资者特别是中小投资者利益的原则,按照投资者直接遭受的可测算的经济损失选择与投资者和解、通过第三方与投资者调解及设立投资者赔偿基金等方式积极赔偿投资者由此遭受的直接经济损失;

(3)如公司违反上述承诺,公司将在股东大会及中国证监会指定报刊上公

开就未履行上述赔偿措施向股东和社会公众投资者道歉,按中国证监会及有关司法机关认定的实际损失向投资者进行赔偿,并将在定期报告中披露公司及公司控股股东、实际控制人、董事、监事、高级管理人员关于回购股份、购回股份、赔偿损失等承诺的履行情况以及未履行承诺时的补救及改正情况。

上述承诺不可撤销。

2.公司控股股东、实际控制人李建湘承诺

(1)如公司本次公开发行股票的招股意向书有虚假记载、误导性陈述或者重大遗漏,对判断公司是否符合法律规定的发行条件构成重大、实质影响的,本人将依法督促公司依法回购首次公开发行的全部新股,并依法购回公司首次公开发行股票时本人公开发售的股份(如有)。本人将在上述违法事实被中国证监会认定后的当日通过公司进行公告,并在上述事项认定后3个交易日内启动购回事项。公司已发行尚未上市的,购回价格为发行价并加算银行同期存款利息;公司已上市的,购回价格以发行价并加算银行同期存款利息和购回义务触发时点前最后一个交易日公司股票的收盘价孰高确定,并根据相关法律、法规和规范性文件规定的程序实施。在实施上述股份购回时,如法律、法规和规范性文件另有规定的,从其规定;

(2)如公司本次公开发行股票的招股意向书有虚假记载、误导性陈述或者重大遗漏,致使投资者在证券交易中遭受损失的,本人将依法赔偿投资者损失。本人将在上述违法事实被中国证监会、证券交易所或司法机关认定后,本着简化程序、积极协商、先行赔付、切实保障投资者特别是中小投资者利益的原则,按照投资者直接遭受的可测算的经济损失选择与投资者和解、通过第三方与投资者调解及设立投资者赔偿基金等方式积极赔偿投资者由此遭受的直接经济损失;

(3)如本人违反上述承诺,本人将在公司股东大会及中国证监会指定报刊上公开就未履行上述赔偿措施向公司股东和社会公众投资者道歉,并以违反上述承诺发生之日起当年度或以后年度公司利润分配方案中本人享有的现金分红作为履约担保,同时本人持有的公司股份将不得转让,直至按上述承诺采取相应的购回或赔偿措施并实施完毕时为止。

上述承诺不可撤销。

3.公司其他董事、监事、高级管理人员承诺

(1)如公司本次公开发行股票的招股意向书有虚假记载、误导性陈述或者重大遗漏,致使投资者在证券交易中遭受损失的,本人将依法赔偿投资者损失。本人将在上述违法事实被中国证监会、证券交易所或司法机关认定后,本着简化程序、积极协商、先行赔付、切实保障投资者特别是中小投资者利益的原则,按照投资者直接遭受的可测算的经济损失选择与投资者和解、通过第三方与投资者调解及设立投资者赔偿基金等方式积极赔偿投资者由此遭受的直接经济损失;

(2)如本人违反上述承诺,本人将在公司股东大会及中国证监会指定报刊上公开就未履行上述赔偿措施向公司股东和社会公众投资者道歉,并以违反上述承诺发生之日起当年度或以后年度公司应付本人的现金分红或薪酬/津贴作为履约担保,同时本人持有的公司股份将不得转让,直至按上述承诺采取相应的购回或赔偿措施并实施完毕时为止;如本人未履行承诺,本人愿依法承担相应的责任。

上述承诺不可撤销,且不因职务变更、离职等原因而失效或终止履行。

三、股价稳定措施

(一)公司的股价稳定措施

在满足公司法定上市条件的前提下,自公司上市后36个月内,一旦出现连续20个交易日公司股票收盘价均低于每股净资产的情形,公司将采取如下措施:

(1)公司将根据《上市公司回购社会公众股份管理办法》等相关法律、法规及规范性文件的规定,向社会公众股东回购公司部分股票,公司回购股份的价格依据市场价确定,并通过证券交易所集中竞价交易方式实施;

(2)公司将用自有资金进行股份回购,用于回购股份的资金总额按以下方式执行:

①单次不低于发行人上一年度归属于发行人股东净利润的5%,不高于发行人上一年度归属于发行人股东净利润的10%;

②单次用于回购股份的资金不得低于人民币500万元;如与上述A项的上限冲突,按照本项执行。

如果在12个月内发行人多次采取上述股份回购措施,则累计用于股份回购的资金总额按以下方式执行:

①不高于发行人上一年度归属于发行人股东净利润的20%;

②不低于2,000万元;如与上述A项冲突的,按照本项执行。

(3)本公司将根据有关法律、法规、规范性文件及公司章程的规定,在上述股份回购计划的启动条件成就时3个交易日内召开董事会讨论股份回购预案并公告,提交股东大会审议,具体实施方案将在股东大会作出决议后公告。同时,在股东大会审议通过股份回购方案后,本公司将依法通知债权人,并向证券交易监管部门、证券交易所等报送相关材料,办理审批或备案手续;

(4)公司董事会公告股份回购预案后,公司股票若连续5个交易日收盘价均超过每股净资产,公司董事会可以做出决议终止股份回购事宜;

(5)公司上市后36个月内,若公司新聘任董事(指非独立董事)和高级管理人员的,公司将要求该等新聘任的人员,履行公司上市时董事(指非独立董事)和高级管理人员已作出的关于稳定股价的相应承诺;

(6)如本公司未履行上述股份回购的承诺,则本公司将在股东大会及中国证监会指定报刊上公开说明未采取上述稳定股价措施的具体原因并向所有股东道歉。

上述承诺不可撤销。

(二)公司控股股东、实际控制人李建湘稳定股价的承诺

在满足公司法定上市条件同时不触及要约收购义务的前提下,自公司上市后36个月内,一旦出现连续20个交易日公司股票收盘价均低于每股净资产(公司公开披露的最近定期报告中的每股净资产,下同)的情形,若(1)公司未实施股份回购或(2)公司实施股份回购后仍未达到"公司股票连续5个交易日的收盘价均超过每股净资产",本人将在3个交易日内提出增持股份方案并公告,具体如下:

(1)本人将在12个月内通过证券交易所以集中竞价方式增持公司股份,用于增持股份的金额不低于本人上一年度现金分红的20%,不高于本人上一年度现金分红的70%。同时,本人增持公司股份的期间内,本人直接或间接持有的公司股份不予转让;

(2)本人在股份增持完成后的6个月内将不出售所增持的股份,增持股份的行为应符合有关法律、法规、规范性文件的规定以及深圳证券交易所相关业务规则、备忘录的要求;

(3)公司上市后36个月内出现连续20个交易日公司股票收盘价均低于每股净资产的情形时,本人承诺就公司股份回购方案以本人的董事(如有)身份在董事会上投赞成票,并以所拥有的全部表决票数在股东大会上投赞成票;

(4)如本人未履行上述增持股份的承诺,则公司可将本人股份增持义务触发当年及其后一个年度公司应付本人的现金分红予以扣留,直至本人履行承诺为止;如本人未履行承诺,本人愿依法承担相应的责任。

上述承诺不可撤销。

(三)公司的其他股东、董事、高级管理人员稳定股价的承诺

在满足公司法定上市条件的前提下,自公司上市后36个月内,一旦出现连续20个交易日公司股票收盘价均低于每股净资产(公司公开披露的最近定期报告中的每股净资产,下同)的情形,若公司控股股东增持公司股份方案实施完成后,仍未达到"公司股票连续5个交易日的收盘价均超过每股净资产",本人将在3个交易日内提出增持股份方案并公告,具体如下:

(1)本人将在12个月内通过证券交易所以集中竞价方式增持公司股份,用于增持股份的金额不低于公司高级管理人员上一年度人均薪酬的20%,不高于公司高级管理人员上一年度人均薪酬的50%。同时,本人增持公司股份的期间内,本人直接或间接持有的公司股份不予转让;

(2)本人在股份增持完成后的6个月内将不出售所增持的股份,增持股份的行为应符合有关法律、法规、规范性文件的规定以及深圳证券交易所相关业务规则、备忘录的要求;

(3)公司上市后36个月内出现连续20个交易日公司股票收盘价均低于每股净资产的情形时,本人承诺就公司股份回购方案以本人的董事(如有)身份在董事会上投赞成票,并以所拥有的全部表决票数(如有)在股东大会上投赞成票;

(4)如本人未履行上述增持股份的承诺,则公司可将本人股份增持义务触发当年及其后一个年度公司应付本人现金分红的100%或薪酬的50%予以扣留,同时本人持有的公司股份将不得转让,直至按上述承诺采取相应的增持公司股票措施并实施完毕时为止。如本人连续两次违反承诺的,公司有权在履行相应的法定程序后对本人予以解聘。

四、其他承诺

1.控股股东、实际控制人关于可能补缴社会保险金、住房公积金的承诺

对于因未严格按照规定为员工办理住房公积金而可能带来的补缴风险,公司控股股东、实际控制人李建湘出具了《承诺函》承诺:"若应中山市有关部门要求或决定,公司需为员工补缴住房公积金或因未为员工缴纳住房公积金而承担任何罚款或损失,本人愿在毋需公司支付对价的情况下承担所有相关赔付责任。"

2.控股股东、实际控制人关于租赁房屋拆迁的承诺

租赁厂房面积中有部分属于无证房产,控股股东及实际控制人李建湘承诺:"若所租赁的房屋被相关部门要求强制拆除,本人将承担公司因拆除、搬迁所产生的一切成本及费用。"

3.控股股东及实际控制人关于关于避免同业竞争的承诺

为避免同业竞争,维护公司的利益和保证公司的长期稳定发展,公司控股股东、实际控制人李建湘向公司出具了《避免同业竞争的承诺函》,承诺如下:

"截至本承诺函签署之日,本人及本人控制的公司未生产、开发任何与发行人及其下属子公司生产的产品构成竞争或可能构成竞争的产品,未直接或间接经营任何与发行人及其下属子公司经营的业务构成竞争或可能构成竞争的业务,也未参与投资任何与发行人及其下属子公司生产的产品或经营的业务构成竞争或可能构成竞争的其他企业。

自本承诺函签署之日起,本人及本人控制的公司将不生产、开发任何与发行人及其下属子公司生产的产品构成竞争或可能构成竞争的产品,不直接或间接经营任何与发行人及其下属子公司经营的业务构成竞争或可能构成竞争的业务,也不参与投资任何与发行人及其下属子公司生产的产品或经营的业务构成竞争或可能构成竞争的其他企业。

自本承诺函签署之日起,如本人及本人控制的公司进一步拓展产品和业务范围,本人及本人控制的公司将不与发行人及其下属子公司拓展后的产品或业务相竞争;若与发行人及其下属子公司拓展后的产品或业务产生竞争,则本人及本人控制的公司将以停止生产或经营相竞争的业务或产品的方式,或者将相竞争的业务纳入到发行人经营的方式,或者将相竞争的业务转让给无关联关系的第三方的方式避免同业竞争。

在本人及本人控制的公司与发行人存在关联关系期间,本承诺函为有效之承诺。如上述承诺被证明是不真实或未被遵守,本人将向发行人赔偿一切直接和间接损失,并承担相应的法律责任。"

4.公司董事、高级管理人员关于填补被摊薄即期回报的承诺

公司董事、高级管理人员根据中国证监会的有关规定及要求，就公司本次发行涉及的每股收益即期回报被摊薄的填补回报措施等有关事项作出如下确认及承诺：

(1)其不无偿或以不公平条件向其他单位或者个人输送利益，也不采用其他方式损害公司利益。

(2)其将全力支持及配合公司对董事和高级管理人员职务消费行为的规范，包括但不限于参与讨论及拟定关于董事、高级管理人员行为规范的制度和规定、严格遵守及执行公司该等制度及规定等。

(3)其将严格遵守相关法律法规、中国证监会和深圳证券交易所等监管机构规定和规则、以及公司制度规章关于董事、高级管理人员行为规范的要求，坚决不动用公司资产从事与履行职责无关的投资、消费活动。

(4)其将全力支持公司董事会或薪酬委员会在制定及/或修订薪酬制度时，将相关薪酬安排与公司填补回报措施的执行情况挂钩，并在公司董事会或股东大会审议该薪酬制度议案时投赞成票(如有投票表决权)。

(5)其进一步承诺，若公司未来实施员工股权激励，将全力支持公司将该员工股权激励的行权条件等安排与公司填补回报措施的执行情况相挂钩，并在公司董事会或股东大会审议该员工股权激励议案时投赞成票(如有投票表决权)。

若上述承诺与中国证监会关于填补回报措施及其承诺的明确规定不符或未能满足相关规定的，其将根据中国证监会最新规定及监管要求进行相应调整；若违反或拒不履行上述承诺，其愿意根据中国证监会和深圳证券交易所等监管机构的有关规定和规则承担相应责任。

五、证券服务机构关于本次发行申请文件的承诺

就和胜股份本次发行事宜，保荐机构、瑞华会计师事务所、发行人律师向投资者作出如下承诺：

1.保荐机构承诺

如国信证券在本次发行工作期间未勤勉尽责，导致国信证券所制作、出具的文件对重大事件作出违背事实真相的虚假记载、误导性陈述，或在披露信息时发生重大遗漏，并造成投资者直接经济损失的，在该等违法事实被认定后，国信证券将本着积极协商、切实保障投资者特别是中小投资者利益的原则，自行并督促发行人及其他过错方一并对投资者直接遭受的、可测算的经济损失，选择与投资者和解、通过第三方与投资者调解及设立投资者赔偿基金等方式进行赔偿。

为进一步保护投资者权益，国信证券承诺：如因其为发行人首次公开发行股票制作、出具的文件有虚假记载、误导性陈述或者重大遗漏，给投资者造成损失的，将先行赔偿投资者损失。

2.瑞华会计师事务所(特殊普通合伙)承诺

如果因其出具上述文件的执业行为存在过错，违反了法律法规、中国注册会计师协会依法拟定并经国务院财政部门批准后施行的执业准则和规则以及诚信公允的原则，从而导致上述文件中存在虚假记载、误导性陈述或者重大遗漏，并由此给基于对该等文件的合理信赖而将其用于广东和胜工业铝材股份有限公司股票投资决策的投资者造成损失的，我们将依照相关法律法规的规定对该等投资者承担相应的民事赔偿责任。

3.国浩律师(深圳)事务所承诺

如国浩在本次发行工作期间未勤勉尽责，导致国浩所制作、出具的文件对重大事件作出违背事实真相的虚假记载、误导性陈述，或在披露信息时发生重大遗漏，导致发行人不符合法律规定的发行条件，造成投资者直接经济损失的，在该等违法事实被认定后，国浩将本着积极协商、切实保障投资者特别是中小投资者利益的原则，自行并督促发行人及其他过错方一并对投资者直接遭受的、可测算的经济损失，选择与投资者和解、通过第三方与投资者调解及设立投资者赔偿基金等方式进行赔偿。

国浩保证遵守以上承诺，勤勉尽责地开展业务，维护投资者合法权益，并对此承担相应的法律责任。

第二节　股票上市情况

一、公司股票上市审批情况

本上市公告书是根据《中华人民共和国公司法》、《中华人民共和国证券法》、《首次公开发行股票管理办法》和《深圳证券交易所股票上市规则》等国家有关法律、法规的规定，并按照《深圳证券交易所股票上市公告书内容与格式指引》编制而成，旨在向投资者提供有关本公司首次公开发行股票的基本情况。

经中国证监会证监许可〔2016〕3051 号文核准，本公司首次公开发行股票总量不超过 3,000 万股人民币普通股。本次发行采用网下向投资者询价配售(以下简称“网下发行”)和网上向社会公众投资者定价发行(以下简称“网上发行”)相结合的方式，其中，网下发行数量为 300 万股，占本次发行总量的 10%；网上发行数量 2,700 万股，占本次发行总量的 90%。发行价格为 9.80 元/股。

经深圳证券交易所《关于广东和胜工业铝材股份有限公司人民币普通股股票上市的通知》(深证上〔2017〕26 号)同意，本公司发行的人民币普通股股票在深圳证券交易所上市，股票简称“和胜股份”，股票代码“002824”；其中本次发行的 3,000 万股股票将于 2017 年 1 月 12 日起上市交易。

本次发行的招股意向书、招股说明书全文及相关备查文件可以在巨潮资讯网站(www.cninfo.com.cn)查询，故与其重复的内容不再重述，敬请投资者查阅上述内容。

二、股票上市的相关信息

上市地点：深圳证券交易所

上市时间：2017 年 1 月 12 日

股票简称：002824

股票代码：和胜股份

首次公开发行后总股本：12,000.00 万股

首次公开发行股票数量：3,000 万股，本次发行不设老股转让，全部为公开发行新股

发行前股东所持股份的流通限制及期限：根据《公司法》的有关规定，公司首次公开发行股份前已发行的股份，自公司股票在证券交易所上市交易之日起一年内不得转让。详见本上市公告书第一节“重要声明与提示”的相关内容

发行前股东对所持股份自愿锁定的承诺：详见本上市公告书第一节“重要声明与提示”的相关内容

本次上市的无流通限制及锁定安排的股份：本次公开发行的 3,000 万股均无流通限制及锁定安排

本次上市股份的其他安排：无

公司股份可交易上市日时间：

	股　东	持股数量(万股)	占发行后股本比例	可上市交易时间(非交易日顺延)
首次公开发行前的股份	李建湘	3,670.3083	30.5859%	2020 年 1 月 12 日
	霍　润	1,426.3614	11.8863%	2018 年 1 月 12 日
	金　炯	1,320.3532	11.0029%	2018 年 1 月 12 日
	黄嘉辉	652.7976	5.4400%	2018 年 1 月 12 日
	李　江	554.0019	4.6167%	2020 年 1 月 12 日
	宾建存	547.0815	4.5590%	2020 年 1 月 12 日
	李　清	444.7313	3.7061%	2020 年 1 月 12 日
	张　良	275.3619	2.2947%	2020 年 1 月 12 日
	唐启宙	66.6514	0.5554%	2018 年 1 月 12 日
	邹红湘	42.3515	0.3529%	2018 年 1 月 12 日
	合　计	9,000.0000	75.0000%	
首次公开发行的股份	网下配售的股份小计	300.0000	2.5000%	2017 年 1 月 12 日
	网上发行的股份小计	2,700.0000	22.5000%	2017 年 1 月 12 日
	合计	3,000.0000	25.0000%	2017 年 1 月 12 日

股票登记机构：中国证券登记结算有限责任公司深圳分公司

上市保荐机构：国信证券股份有限公司

第三节　发行人、股东和实际控制人情况

一、发行人基本情况

公司名称：广东和胜工业铝材股份有限公司

英文名称：GUANGDONGHOSHIONINDUSTRIALALUMINIUMCO.,LTD.

注册资本：9,000.00 万元(发行前)；12,000.00 万元(发行后)

法定代表人：李建湘

成立日期：2005 年 4 月 20 日

住所：广东省中山市三乡镇前陇工业区美源路 5 号、中山市三乡镇西山社区华曦路 3 号

主营业务：工业铝挤压材及深加工制产品的研发、生产和销售

经营范围：加工、生产、销售：铝合金型材及其制品、模具、五金零部件、金属材料(不含金银及炼钢)。货物进出口、技术进出口(法律、行政法规禁止的项目除外；法律、行政法规限制的项目须取得许可后方可经营)；以下项目由分支机构经营：金属表面处理。

所属行业：C32 有色金属冶炼和压延加工业

联系电话：0760-23802288

传真：0760-23802227

互联网网址：http://www.hoshion.com

电子信箱：zqb@hoshion.com

董事会秘书：邹红湘

二、本公司董事、监事、高级管理人员任职及持有公司股票情况

本公司董事、监事和高级管理人员任职情况及持有公司股票情况如下：

姓　名	公司职务	直接持有股份(万股)	直接持股比例
李建湘	董事长	3,670.3083	30.5859%
金　炯	董事、总经理	1,320.3532	11.0029%
黄嘉辉	董事	652.7976	5.4400%
李　江	董事	554.0019	4.6167%
李韩冰	独立董事	-	-
徐仲南	独立董事	-	-
袁鸽成	独立董事	-	-
谢侃如	监事会主席、行政与人力资源部经理	-	-
周凤辉	监事	-	-
张炳辉	监事、生产管理部经理	-	-
宾建存	副总经理	547.0815	4.5590%
唐启宙	副总经理	66.6514	0.5554%
邹红湘	财务总监、董事会秘书	42.3515	0.3529%

三、公司控股股东及实际控制人的情况

李建湘先生持有公司 30.5859%的股权，为公司的实际控制人。李建湘先生基本情况如下：

李建湘先生：1963 年出生，中国国籍，无境外永久居留权，毕业于中南大学冶金学院有色金属冶金专业，硕士研究生学历。1989 年 7 月至 1991 年 10 月任珠海美饰铝异型材企业有限公司车间主任；1991 年 11 月至 1995 年 12 月任中山市豪展铝异型材制品有限公司厂长；1996 年 1 月至 2005 年

4 月任和胜铝厂厂长；2005 年 4 月至 2008 年 12 月任金胜铝业董事；2008 年 12 月至 2012 年 5 月任金胜铝业董事长兼总经理；2012 年 5 月至今任公司董事长。

除持有公司股权外，公司董事、监事、高级管理人员的其他对外投资情况如下：

序号	姓名	本公司职务	企业名称	注册资本（万元）	持股比例	与发行人关联关系
1	李建湘	董事长	湖南麦肯特资产管理有限公司	2,500.00	19.23%	公司董事投资的其他企业
			广东湘银投资股份有限公司	750.00	15.00%	公司董事投资的其他企业
			湘潭龙安置业有限公司	150.00	30.00%	公司董事投资的其他企业
			中山市湘商文化传媒有限公司	18.00	18.00%	公司董事投资的其他企业
			珠海市大宅门饮食服务有限公司	0.50	1.00%	公司董事投资的其他企业
2	李　江	董事	湘潭龙安置业有限公司	200.00	40.00%	公司董事控制的企业
3	黄嘉辉	董事	佛山市特高珠江工业电炉有限公司	34.54	34.54%	公司董事控制的企业
4	张炳辉	监事、生产管理部经理	中山市金典企业管理服务有限公司	5.00	50.00%	公司监事及其配偶控制的企业
6	谢侃如	监事会主席、行政与人力资源部经理	中山龙御汽车饰品有限公司	50.00	50.00%	公司监事控制的企业

除上述对外投资情况外，公司董事、监事、高级管理人员不存在其他对外投资，也不存在其他与公司利益冲突情况。

四、公司前十名股东持有公司发行后股份情况

本次发行上市后的公司股东总数为 56,644 名，持股数量前 10 名股东的名称、持股数量及持股比例情况如下：

序号	股东名称	持股数(万股)	比例
1	李建湘	3,670.3083	30.5859%
2	霍　润	1,426.3614	11.8863%
3	金　炯	1,320.3532	11.0029%
4	黄嘉辉	652.7976	5.4400%
5	李　江	554.0019	4.6167%
6	宾建存	547.0815	4.5590%
7	李　清	444.7313	3.7061%
8	张　良	275.3619	2.2947%
9	唐启宙	66.6514	0.5554%
10	邹红湘	42.3515	0.3529%
	合　计	9,000.0000	75.0000%

第四节　股票发行情况

一、首次公开发行股票数量

公司本次公开发行新股 3,000 万股，其中：网下向投资者询价配售股票数量为 300 万股，占本次发行总量的 10%；网上向社会公众投资者定价发行股票数量为 2,700 万股，占本次发行总量的 90%。

二、发行价格

本次股票发行价格为 9.80 元/股，该价格对应的市盈率为：

(1)17.23 倍(每股收益按照公司 2015 年度经审计的扣除非经常性损益前后孰低的净利润除以本次发行前总股本计算)；

(2)22.98 倍(每股收益按照公司 2015 年度经审计的扣除非经常性损益前后孰低的净利润除以本次发行后总股本计算)。

三、发行方式及认购情况

本次发行采用网下向投资者询价配售与网上按市值申购定价发行相结合的方式。

本次发行中通过网下向投资者询价配售的股票数量为 300 万股，为本次发行数量的 10%，有效申购数量为 2,333,500 万股，有效申购获得配售的比例为 0.0128562246%，有效申购倍数为 7,778.33 倍。本次网上发行的股票数量为 2,700 万股，为本次发行数量的 90%，中签率为 0.0241855800%，有效申购倍数为 4,134.70 倍。本次网上发行余股 33,671 股、网下发行余股 4,515 股，合计 38,186 股，全部由主承销商包销。

四、募集资金总额及注册会计师对资金到位的验证情况

本次发行募集资金总额为 29,400 万元。瑞华会计师事务所(特殊普通合伙)已于 2017 年 1 月 9 日对本公司首次公开发行股票的资金到位情况进行了审验，并出具瑞华验字[2017]48380001 号《验资报告》。

五、发行费用总额及项目、每股发行费用

本次发行费用合计 2,917.60 万元，明细情况如下：

项　目	金额(万元)
承销保荐费	2,264.00
审计、验资费	155.00
律师费	127.00
信息披露及发行手续	371.60
合　计	2,917.60

每股发行费用：0.97 元。(每股发行费用=发行费用总额/本次发行股本)

六、公司募集资金净额及发行前公司股东转让股份资金净额

公司本次募集资金净额为 26,482.40 万元。发行前公司股东未转让股份。

七、发行后每股净资产

本次发行后公司每股净资产为 5.45 元。(按 2016 年 6 月 30 日经审计后的归属于母公司所有者权益与本次发行筹资净额之和除以本次发行后总股本计算)

八、发行后每股收益

本次发行后公司每股收益为 0.43 元。(以发行人 2015 年扣除非经常性损益后的归属母公司所有者权益的净利润按照发行后股本摊薄计算)

第五节　财务会计资料

公司报告期内 2013 年、2014 年、2015 年及 2016 年 1-6 月的财务数据已经瑞华会计师事务所(特殊普通合伙)审计；公司 2016 年 9 月 30 日的资产负债表及 2016 年 1-9 月的利润表、现金流量表未经审计，但已经瑞华会计师事务所(特殊普通合伙)审阅。以上财务数据已在招股说明书“第九节财务会计信息”及“重大事项提示六、财务报告审计截止日后公司主要财务信息及经营状况”进行了披露，投资者欲了解相关情况请详细阅读招股说明书。

公司预计 2016 年可实现营业收入 76,122.62 万元至 78,322.62 万元之间，较上年变动幅度在 8.24%至 11.37%之间；实现扣除非经常性损益后归属于母公司股东的净利润 6,700.51 至 6,959.19 万元，较上年变动 30.93%至 35.98%之间。

上述业绩变动的预测，只是公司的初步预测。若实际经营情况与公司初步预测发生较大变化，公司将根据实际情况及时进行披露，请广大投资者谨慎决策，注意投资风险。

第六节　其他重要事项

一、本公司已向深圳证券交易所承诺，将严格按照深圳证券交易所的有关规则，在公司股票上市后三个月内完善公司章程等相关规章制度并办理工商登记变更手续。

二、本公司自 2016 年 12 月 22 日刊登首次公开发行股票招股意向书至本上市公告书刊登前，没有发生可能对公司有较大影响的重要事项，具体如下：

(1)本公司严格依照《公司法》、《证券法》等法律法规的要求，规范运作，经营状况正常，主营业务发展目标进展正常；

(2)本公司生产经营情况、外部条件或生产环境未发生重大变化(包括原材料采购和产品销售价格、原材料采购和产品销售方式、所处行业或市场的重大变化等)；

(3)本公司未订立可能对公司的资产、负债、权益和经营成果产生重大影响的重要合同；

(4)本公司未发生重大关联交易事项，资金未被关联方非经营性占用；

(5)本公司未进行重大投资；

(6)本公司未发生重大资产(或股权)购买、出售及置换；

(7)本公司住所没有变更；

(8)本公司董事、监事、高级管理人员及核心技术人员未发生变化；

(9)本公司未发生重大诉讼、仲裁事项；

(10)本公司未发生对外担保等或有事项；

(11)本公司的财务状况和经营成果未发生重大变化；

(12)本公司未召开董事会、监事会和股东大会；

(13)本公司无其他应披露的重大事项。

第七节　上市保荐机构及其意见

一、上市保荐机构情况

上市保荐机构：国信证券股份有限公司

法定代表人：何如

联系地址：深圳市红岭中路 1012 号国信证券大厦十六至二十六层

电话：0755-82130833

传真：0755-82135199

保荐代表人：刘瑛、周服山

项目协办人：李东方

二、保荐机构的保荐意见

本公司的上市保荐机构国信证券股份有限公司已向深圳证券交易所提交了《国信证券股份有限公司关于广东和胜工业铝材股份有限公司股票上市保荐书》，上市保荐机构的推荐意见如下：

和胜股份申请其股票上市符合《中华人民和国公司法》、《中华人民共和国证券法》及《深圳证券交易所股票上市规则》等法律、法规的有关规定，和胜股份股票具备在深圳证券交易所中小板上市的条件。国信证券愿意推荐和胜股份股票在深圳证券交易所中小板上市交易，并承担相关保荐责任。

北京星网宇达科技股份有限公司

北京星网宇达科技股份有限公司首次公开发行股票并上市之上市公告书

特别提示

本公司股票将于2016年12月13日在深圳证券交易所上市。本公司提醒投资者应充分了解股票市场风险及本公司披露的风险因素，在新股上市初期切忌盲目跟风"炒新"，应当审慎决策、理性投资。

第一节 重要声明与提示

北京星网宇达科技股份有限公司(以下简称"星网宇达"、"公司"或"本公司")股票将在深圳证券交易所上市。

本公司及全体董事、监事、高级管理人员保证上市公告书的真实性、准确性、完整性，承诺上市公告书不存在虚假记载、误导性陈述或重大遗漏，并承担个别和连带的法律责任。

深圳证券交易所、其他政府机关对本公司股票上市及有关事项的意见，均不表明对本公司的任何保证。

本公司提醒广大投资者注意，凡本上市公告书未涉及的有关内容，请投资者查阅刊载于巨潮资讯网(http://www.cninfo.com.cn)的本公司招股说明书全文。

如无特别说明，本上市公告书中的简称或名词的释义与本公司首次公开发行股票并上市招股说明书中的释义相同。本上市公告书中部分合计数与各加数直接相加之和在尾数上存在差异，这些差异是由于四舍五入所致。

本公司、本公司的股东、实际控制人、本公司的董事、监事、高级管理人员及其他核心技术人员以及本次发行的保荐人及证券服务机构等作出的重要承诺、履行情况以及未能履行承诺的约束措施如下：

一、本次发行前股东所持股份的流通限制和自愿锁定股份的承诺

实际控制人迟家升、李国盛均承诺：根据证监会的相关规定，本人将按照

发行方案的内容公开发售部分老股的，承诺不会因此导致公司实际控制人发生变更。除在公司首次公开发行股票时根据公司股东大会决议将持有的部分公司老股公开发售外，自公司股票上市之日起三十六个月内，不转让或者委托他人管理本次发行前直接或间接持有的公司股份，也不由公司回购该部分股份。所持公司股份在锁定期满后两年内每年减持的数量不超过上一年度末直接和间接持有公司股份总数的25%，且减持价格不低于发行价(公司上市后发生除权除息事项的，上述价格应做相应调整)；如超过上述期限拟减持公司股份的，承诺将依法按照《公司法》、《证券法》、中国证监会及深圳证券交易所相关规定办理。上述股份锁定承诺期限届满后，在担任公司董事、监事或高级管理人员期间每年转让的股份不超过上一年度末直接和间接持有公司股份总数的25%；不再担任上述职务后半年内，不转让持有的公司股份。申报离任六个月后的十二个月内通过深圳证券交易所挂牌交易出售公司股份数量占所持有公司股份总数(包括有限售条件和无限售条件的股份)的比例不超过50%。公司上市后6个月内如公司股票连续20个交易日的收盘价(公司上市后发生除权除息事项的，上述价格应做相应调整)均低于发行价，或者上市后6个月期末(2017年6月13日)收盘价低于发行价，所持公司股票的锁定期限自动延长6个月。不会因职务变更、离职等原因而拒绝履行上述承诺。

担任公司董事、高级管理人员的股东徐烨烽、张志良、刘玉双均承诺：自公司股票上市之日起三十六个月内，不转让或者委托他人管理本次发行前直接或间接持有的公司股份，也不由公司回购该部分股份。所持公司股份在锁定期满后两年内减持的，减持价格不低于发行价(公司上市后发生除权除息事项的，上述价格应做相应调整)，如超过上述期限拟减持公司股份的，承诺将依法按照《公司法》、《证券法》、中国证监会及深圳交易所相关规定办理。所持公司股份自锁定承诺期限届满后，在担任公司董事、高级管理人员期间每年转让的股份不超过上一年度末直接和间接持有公司股份总数的25%。不再担任上述职务后半年内，不转让持有的公司股份。申报离职六个月后的十二个月内通过深圳交易所挂牌交易出售公司股票数量占所持有公司股票总数（包括有限售条件和无限售条件的股份)的比例不超过50%。公司上市后6个月内如公司股票连续20个交易日的收盘价均低于发行价（公司上市后发生除权除息事项的，上述价格应做相应调整），或者上市后6个月期末(2017年6月13日)收盘价低于发行价，所持公司股票的锁定期限自动延长6个月。不会因职务变更、离职等原因而拒绝履行上述承诺。

担任公司监事的股东尚修磊、李艳卓、李雪芹以及曾担任公司监事的股东李江城承诺：自公司股票上市之日起三十六个月内，不转让或者委托他人管理本次发行前直接或间接持有的股票，也不由公司回购该部分股票。所持公司股份自锁定承诺期限届满后，在担任公司监事期间每年转让的股份不超过上一年度末直接和间接持有公司股份总数的25%。不再担任上述职务后半年内，不转让持有的公司股份。申报离职六个月后的十二个月内通过深圳交易所挂牌交易出售公司股票数量占所持有公司股票总数(包括有限售条件和无限售条件的股份)的比例不超过50%。不会因职务变更、离职等原因而拒绝履行上述承诺。

公司股东黄重钧、孙雪峰、李红宙、黄前昊均承诺：自公司股票上市之日起三十六个月内，不转让或者委托他人管理本次发行前直接或间接持有的股票，也不由公司回购该部分股票。

焦水卿、丁巧玲、费宏山、宋光威、韩月、杨宦春、薛宏滨、郭元明、张勇、马永亮、王振华、李世昌、段素平、王靖、许飞、王梅、周佳静、张丽燕、胡顺、李彩琴等20名股东均承诺：自公司股票上市之日起十二个月内，不转让或者委托他人管理本次发行前直接或间接持有的股票，也不由公司回购该部分股票。

杭州鏖鼎投资合伙企业(有限合伙)承诺：自公司股票上市之日起十二个月内，不转让或者委托他人管理本次发行前直接或间接持有的股票，也不由公司回购该部分股票。

天津雷石天翼股权投资合伙企业(有限合伙)承诺：自公司股票上市之日起十二个月内，不转让或者委托他人管理本次发行前直接或间接持有的股票，也不由公司回购该部分股票。

二、关于公司上市后三年内稳定股价预案及相应约束措施

本公司及实际控制人迟家升和李国盛、公司全体董事及高级管理人员均承诺：本公司上市后三年内，如公司股票连续20个交易日收盘价均低于公司最近一期经审计的每股净资产(审计基准日后发生权益分派、公积金转增股本、配股等情况的，应做除权、除息处理)，则公司应启动稳定股价预案措施。

(一)实施主体

本公司及实际控制人迟家升和李国盛、公司董事及高级管理人员，包括上市后三年内新聘的董事及高级管理人员。

(二)稳定股价预案启动情形

1.预警条件

当公司股票连续5个交易日的收盘价低于每股净资产的120%时，公司将在10个交易日内召开投资者见面会，与投资者就公司经营状况、财务指标、发展战略进行深入沟通。

2.启动条件及程序

当公司股票连续20个交易日的收盘价低于最近一期经审计的每股净资产时(审计基准日后发生权益分派、公积金转增股本、配股等情况的，应做除权、除息处理，以下简称"启动条件")，各实施主体应当在触发启动条件的2个交易日内公告股价低于每股净资产的时间及启动股价稳定措施的具体条件及拟采取的具体措施等事项，并在5日内召开董事会、25日内召开股东大会，审议稳定股价具体方案，明确该等具体方案的实施期间，并在股东大会审议通过该等方案后的5个交易日内启动稳定股价具体方案的实施。

3.停止条件

在上述第2项稳定股价具体方案实施期间，如公司股票连续20个交易日收盘价高于每股净资产时，将停止实施股价稳定措施。

上述第2项稳定股价具体方案实施期满后，如再次发生上述第2项的启动条件，则再次启动稳定股价措施。

(三)稳定股价具体措施

1.公司稳定股价措施

当触发前述股价稳定措施的启动条件时，公司应依照法律、法规、规范性文件、公司章程及公司内部治理制度的规定，及时履行相关法定程序后采取以下部分或全部措施稳定公司股价，并保证股价稳定措施实施后，公司的股权分布仍符合上市条件：

(1)在不影响公司正常生产经营的情况下，经董事会、股东大会审议同意，通过交易所集中竞价交易方式回购公司股票。公司单次用于回购股份的资金总额不低于1,000万元，或回购股份数量不低于回购时股份公司股本的2%；

(2)在保证公司经营资金需求的前提下，经董事会、股东大会审议同意，通过实施利润分配或资本公积金转增股本的方式稳定公司股价；

(3)通过削减开支、限制高级管理人员薪酬、暂停股权激励计划等方式提升公司业绩、稳定公司股价；

(4)法律、行政法规、规范性文件规定以及中国证监会认可的其他方式。

2.公司控股股东稳定股价措施

当触发前述股价稳定措施的启动条件时，公司控股股东、实际控制人应依照法律、法规、规范性文件和公司章程的规定，积极配合并保证公司按照要求制定并启动稳定股价的实施方案。

控股股东、实际控制人应在不迟于股东大会审议通过稳定股价具体方案后的5个交易日内，根据股东大会审议通过的稳定股价具体方案，积极采取下述措施以稳定公司股价，并保证股价稳定措

施实施后，公司的股权分布仍符合上市条件：

（1）控股股东、实际控制人为稳定股价之目的增持股份，应符合《上市公司收购管理办法》等相关法律、法规的规定；

（2）控股股东、实际控制人在符合股票交易相关规定的前提下，按照公司关于稳定股价具体方案中确定的增持金额和期间，通过交易所集中竞价交易方式增持公司股票。迟家升、李国盛单次用于增持公司股票的资金总额不低于 1，000 万元，或回购股份数量不低于回购时股份公司股本的 2%。

除因继承、被强制执行或上市公司重组等情形必须转股或触发前述股价稳定措施的停止条件外，在股东大会审议稳定股价具体方案及方案实施期间，不转让其持有的公司股份。除经股东大会非关联股东同意外，不由公司回购其持有的股份。

触发前述股价稳定措施的启动条件时，公司的控股股东、实际控制人不因在股东大会审议稳定股价具体方案及方案实施期间内不再作为控股股东或实际控制人等情形而拒绝实施上述稳定股价的措施。

3.公司董事及高级管理人员的稳定股价措施

当触发前述股价稳定措施的启动条件时，公司董事（不包括独立董事）、高级管理人员应依照法律、法规、规范性文件和公司章程的规定，积极配合并保证公司按照要求制定并启动稳定股价的实施方案。

董事（不包括独立董事）、高级管理人员应在不迟于股东大会审议通过稳定股价具体方案后的 5 个交易日内，根据股东大会审议通过的稳定股价具体方案，积极采取下述措施以稳定公司股价，并保证股价稳定措施实施后，公司的股权分布仍符合上市条件：

（1）公司董事（不包括独立董事）及高级管理人员为稳定股价之目的增持股份，应符合《上市公司收购管理办法》等相关法律、法规的规定；

（2）董事（不包括独立董事）、高级管理人员在符合股票交易相关规定的前提下，按照公司关于稳定股价具体方案中确定的增持金额和期间，通过交易所集中竞价交易方式增持公司股票。董事（不包括独立董事）、高级管理人员用于购入股份公司股票的资金总额不低于其上一年度从股份公司获得薪酬的 20%。

触发前述股价稳定措施的启动条件时公司的董事（不包括独立董事）、高级管理人员不因在股东大会审议稳定股价具体方案及方案实施期间不再作为董事或高级管理人员等情形而拒绝实施上述稳定股价的措施。

本公司于上市后三年内新聘用的董事、高级管理人员须遵照《预案》要求履行相关义务。

（四）相关惩罚措施

1.公司违反本预案的惩罚措施

（1）及时充分披露承诺未能履行、无法履行或无法按期履行的具体原因；

（2）向投资者提出补充承诺或替代承诺，以尽可能保护投资者的权益；

（3）将上述补充承诺或替代承诺提交星网宇达股东大会审议；

（4）因违反承诺给投资者造成损失的，将依法对投资者进行赔偿。

2.公司控股股东、实际控制人违反本预案的惩罚措施

公司控股股东、实际控制人不得有下列情形：

（1）对公司股东大会提出的股份回购计划投弃权票或反对票，导致稳定股价议案未予通过；

（2）在公司出现应启动预案情形且控股股东符合收购上市公司情形时，如经股东大会审议通过的方案并通知由控股股东、实际控制人实施稳定股价预案的，控股股东、实际控制人在收到通知后 5 个工作日内不履行公告增持具体计划；

（3）控股股东、实际控制人已公告增持具体计划但不能实际履行。

当公司控股股东、实际控制人存在上述违反承诺情形时，控股股东、实际控制人应：

（1）及时充分披露承诺未能履行、无法履行或无法按期履行的具体原因；

（2）向投资者提出补充承诺或替代承诺，以尽可能保护投资者的权益；

（3）将上述补充承诺或替代承诺提交星网宇达股东大会审议；

（4）因违反承诺给星网宇达或投资者造成损失的，将依法进行赔偿；

（5）公司有权将控股股东、实际控制人履行其增持义务相等金额的应付控股股东、实际控制人现金分红予以截留，直至控股股东、实际控制人履行其增持义务；如已经连续两次以上存在上述情形时，则公司可将与控股股东、实际控制人履行其增持义务相等金额的应付控股股东、实际控制人现金分红予以截留用于股份回购计划，控股股东、实际控制人丧失对相应金额现金分红的追索权。

对于应当截留应付控股股东、实际控制人的现金分红，公司董事、高级管理人员应当促成公司按时足额截留，否则，公司董事、高级管理人员应当向中小股东承担赔偿责任，中小股东有权向人民法院提起诉讼。

3.公司董事及高级管理人员违反本预案的惩罚措施

公司董事及高级管理人员不得有下列情形：

（1）对公司股东大会提出的股份回购计划投弃权票或反对票，导致稳定股价议案未予通过；

（2）在公司出现应启动预案情形且董事及高级管理人员符合收购上市公司情形时，如股东大会审议通过的方案并通知由公司董事及高级管理人员实施稳定股价预案的，董事及高级管理人员在收到通知后 5 个工作日内不履行公告增持具体计划；

（3）董事及高级管理人员已公告增持具体计划但不能实际履行。

公司董事（不包括独立董事）及高级管理人员在任职期间未能按本预案的相关约定履行其增持义务时，公司有权将其履行增持义务相等金额的工资薪酬（扣除当地最低工资标准后的部分）予以截留用于代其履行增持义务；公司董事、高级管理人员如个人在任职期间连续两次以上未能主动履行本预案规定义务的，由控股股东或董事会、监事会、半数以上的独立董事提请股东大会同意更换相关董事，由公司董事会解聘相关高级管理人员。

三、关于因信息披露重大违规回购新股、购回股份、赔偿损失的承诺

（一）公司因信息披露重大违规回购新股、购回股份、赔偿损失承诺

经公司 2013 年年度股东大会通过，公司承诺：如招股说明书有虚假记载、误导性陈述或者重大遗漏，对判断本公司是否符合法律规定的发行条件构成重大、实质影响的，并已由有权部门作出行政处罚或人民法院作出相关判决的，本公司将在中国证监会认定有关违法事实后 10 日内启动依法回购本公司首次公开发行的全部新股工作；公司回购股份的价格按相关事项公告日收盘价且不低于本公司首次公开发行股票时的发行价（期间如有派发股利、送股、转增股本等除权除息事项，该价格相应调整）确定。

因本公司招股说明书有虚假记载、误导性陈述或者重大遗漏，致使投资者在证券交易中遭受损失的，将在该等违法事实被中国证监会认定后 10 日内依法赔偿投资者损失。

（二）控股股东、实际控制人因信息披露重大违规回购新股、购回股份、赔偿损失承诺

实际控制人迟家升、李国盛均承诺：因发行人招股说明书有虚假记载、误导性陈述或者重大遗漏，对判断发行人是否符合法律规定的发行条件构成重大、实质影响的，并已由有权部门作出行政处罚或人民法院作出相关判决的，本人将购回首次公开发行股票时本人公开发售的股份（不包括锁定期满后在二级市场减持的股份），并督促发行人依法回购首次公开发行的全部新股。本人自相关事项认定之日起 10 个交易日内依法启动回购股份程序；本人回购股份的价格按相关事项公告日收盘价且不低于发行人首次公开发行股票时的发行价（期间如有派发股利、送股、转增股本等除权除息事项，该价格相应调整）确定。

因发行人招股说明书有虚假记载、误导性陈述或者重大遗漏，致使投资者在证券交易中遭受损失的，将在该等违法事实被中国证监会认定后 10 日内依法赔偿投资者损失。

（三）公司全体董事、监事及高级管理人员因信息披露重大违规回购新股、购回股份、赔偿损失承诺

公司全体董事、监事及高级管理人员承诺：因发行人招股说明书有虚假记载、误导性陈述或者重大遗漏，对判断发行人是否符合法律规定的发行条件构成重大、实质影响的，并已由有权部门作出行政处罚或人民法院作出相关判决的，本人将利用发行人的董事、监事及高级管理人员的身份促成发行人在中国证监会认定有关违法事实后 10 日内依法启动回购程序，并督促发行人依法回购首次公开发行的全部新股，以及督促实际控制人依法回购其在首次发行时公开发售的股份（不包括其他股东本次公开发售部分及锁定期满后在二级市场减持的股份）；公司回购股份的价格按相关事项公告日收盘价且不低于发行人首次公开发行股票时的发行价（期间如有派发股利、送股、转增股本等除权除息事项，该价格相应调整）确定。

因发行人招股说明书有虚假记载、误导性陈述或者重大遗漏，致使投资者在证券交易中遭受损失的，将在该等违法事实被中国证监会认定后 10 日内依法赔偿投资者损失。

（四）其他中介机构的承诺

就星网宇达发行事宜，民生证券股份有限公司、立信会计师事务所（特殊普通合伙）、北京市康达律师事务所特向投资者作出如下承诺：

民生证券股份有限公司承诺：因公司为发行人首次公开发行制作、出具的文件有虚假记载、误导性陈述或者重大遗漏，给投资者造成损失的，将依法先行赔偿投资者损失。

立信会计师事务所（特殊普通合伙）承诺：若为发行人首次公开发行股票事宜制作、出具的文件存在虚假记载、误导性陈述或者重大遗漏，并因此给投资者造成损失，本所将依法赔偿投资者损失。

北京市康达律师事务所承诺：因为发行人首次公开发行制作、出具的文件有虚假记载、误导性陈述或者重大遗漏，给投资者造成损失的，本所将依法赔偿投资者损失。

四、公司发行前持股 5%以上股东的持股意向及减持计划

公司本次发行前持股 5%以上的股东共有 4 名，分别为迟家升、李国盛、鏖鼎投资及雷石天翼。

（一）公司股东迟家升、李国盛的持股意向及减持计划

1.减持满足的条件

在锁定期内，能够及时有效地履行首次公开发行股票时公开承诺的各项义务。

2.减持意向

在锁定期满后两年内，迟家升、李国盛每年减持所持公司股份的数量不超过上一年度末其直接或间接所持公司股份总数的 25%。

在锁定期满后两年内，其按照深圳证券交易所规定的大宗交易方式、集中竞价方式或其他合法方式进行减持，迟家升、李国盛承诺减持价格不低于星网宇达首次公开发行股票的发行价，期间星网宇达如有派发股利、送股、转增股本等除权除息事项，上述价格相应调整。

3.减持期限

减持期限自公告减持计划之日起 6 个月。减持期满后，若拟继续减持股份，则需重新公告减持计划。

4.信息披露

迟家升、李国盛将及时、充分履行股份减持的信息披露义务，减持前 3 个工作日将发布减持提示性公告，公告应当至少包括以下内容：

(1)本次减持是否符合已披露的持股意向、减持意向、减持条件以及减持承诺的说明；

(2)本次拟减持的数量、减持期间、减持方式、减持价格等具体减持安排；

(3)拟减持的原因；

(4)深圳证券交易所要求的其他事项。

迟家升、李国盛均承诺：在本计划减持股份期间，严格遵守《深圳证券交易所股票上市规则》等有关法律法规及公司章程制度，并按照相关规定在减持计划实施完毕后或减持期限届满后 2 个交易日内进行公告。

5.违反承诺的约束措施

迟家升、李国盛均承诺：将严格按照本减持意向进行股份减持，如有违反，应当在事实发生后两个交易日内，通知公司并公告未履行承诺或未履行披露义务的原因，将不符合承诺的所得收益划归星网宇达所有，并且本人承担相应的法律后果，赔偿因未履行承诺而给星网宇达或投资者带来的损失。

(二)鏖鼎投资、雷石天翼的持股意向及减持计划

鏖鼎投资、雷石天翼作为星网宇达的持股股东，分别持有其本次公开发行前 8.25%、5.94%的股份，鏖鼎投资、雷石天翼对锁定期满后两年内的持股意向及减持意向承诺如下：

1.减持满足的条件

在锁定期内，能够及时有效地履行首次公开发行股票时公开承诺的各项义务。

2.减持意向

在锁定期满后两年内，鏖鼎投资、雷石天翼每年减持所持公司老股的数量不超过公司发行前持有公司股票数量的 50%。

3.减持期限

减持期限自公告减持计划之日起 6 个月。减持期满后，若拟继续减持股份，则需重新公告减持计划。

4.信息披露

鏖鼎投资、雷石天翼将及时、充分履行股份减持的信息披露义务，减持前 3 个工作日将发布减持提示性公告，公告应当至少包括以下内容：

(1)本次减持是否符合已披露的持股意向、减持意向、减持条件以及减持承诺的说明；

(2)本次拟减持的数量、减持期间、减持方式、减持价格等具体减持安排；

(3)拟减持的原因；

(4)深圳证券交易所要求的其他事项。

鏖鼎投资、雷石天翼均承诺：在本计划减持股份期间，严格遵守《深圳证券交易所股票上市规则》等有关法律法规及公司章程制度，并按照相关规定在减持计划实施完毕后或减持期限届满后 2 个交易日内进行公告。

5.违反承诺的约束措施

鏖鼎投资、雷石天翼均承诺将严格按照本减持意向进行股份减持，如有违反，应当在事实发生后两个交易日内，通知公司并公告未履行承诺或未履行披露义务的原因，将不符合承诺的所得收益划归星网宇达所有，并且本企业承担相应的法律后果，赔偿因未履行承诺而给星网宇达或投资者带来的损失。

五、关于未履行承诺的约束措施

(一)发行人的承诺

本公司承诺，对本公司作出的承诺事项，如未能履行、确已无法履行或无法按期履行的，本公司将依据具体情况采取以下措施：

(1)及时、充分披露本公司承诺未能履行、无法履行或无法按时履行的具体原因；

(2)向投资者提出补充承诺或替代承诺，以尽可能保护投资者利益；

(3)将上述补充承诺或替代承诺提交股东大会审议；

(4)本公司违反承诺给投资者造成损失的，将依法对投资者进行赔偿。

(二)控股股东、实际控制人、董事、监事、高级管理人员的承诺

本人承诺，对本人作出的承诺事项，如未能履行、确已无法履行或无法按期履行的，本人将依据具体情况采取以下措施：

(1)通过星网宇达及时、充分披露本人承诺未能履行、无法履行或无法按时履行的具体原因；

(2)向星网宇达及其投资者提出补充承诺或替代承诺，以尽可能保护星网宇达及其投资者利益；

(3)将上述补充承诺或替代承诺提交星网宇达股东大会审议；

(4)本人违反承诺给星网宇达或投资者造成损失的，将依法对星网宇达或投资者进行赔偿。

保荐机构认为，发行人股东、发行人以及董事、监事及高级管理人员、相关中介机构对相关事项均已做出承诺，承诺的内容符合相关法律法规的规定，内容合理，具有可操作性。若发生相关承诺未被履行的情形，发行人控股股东、发行人及其董事、监事、高级管理人员已提出相应的约束措施，该等约束措施及时、有效，具备可操作性，能够保障投资者的利益不受到重大侵害。

发行人律师认为，发行人及其实际控制人、股东、董事、监事、高级管理人员、中介机构就本次发行及上市相关事宜做出的承诺及约束措施符合有关法律、法规、规范性文件的规定。

第二节　股票上市情况

一、公司股票发行上市审批情况

本上市公告书系根据《中华人民共和国公司法》、《中华人民共和国证券法》、《首次公开发行股票管理办法》和《深圳证券交易所股票上市规则》等有关法律法规规定，并按照《深圳证券交易所股票上市公告书内容与格式指引》编制而成，旨在向投资者提供有关本公司首次公开发行股票并上市的基本情况。

经中国证券监督管理委员会证监许可[2016]2750 号文核准，本公司首次公开发行股票 1,900 万股人民币普通股，不进行老股转让。本次发行采用直接定价方式，全部股份通过网上向社会公众投资者发行，不进行网下询价和配售，发行价格为 17.65 元/股。经深圳证券交易所《关于北京星网宇达科技股份有限公司人民币普通股股票上市的通知》(深证上[2016]896 号)批准，本公司发行的人民币普通股股票在深圳证券交易所上市，股票简称"星网宇达"，股票代码"002829"，本次公开发行的 1,900 万股股票将于 2016 年 12 月 13 日起上市交易。

本次发行的招股说明书全文及相关备查文件已在巨潮资讯网(www.cninfo.com.cn)披露，故与其重复的内容不再重述，敬请投资者查阅上述内容。

二、公司股票上市概况

(1)上市地点：深圳证券交易所。

(2)上市时间：2016 年 12 月 13 日。

(3)股票简称：星网宇达。

(4)股票代码：002829。

(5)首次公开发行后总股本：7,600 万股。

(6)首次公开发行股票数量：1,900 万股，全部为新股发行。

(7)发行前股东所持股份的流通限制及期限：详见本上市公告书"第一节重要声明与提示"。

(8)发行前股东对所持股份自愿锁定的承诺：详见本上市公告书"第一节重要声明与提示"。

(9)本次上市股份的其他锁定安排：除上述(七)、(八)外，本次上市股份无其他锁定安排。

(10)本次上市的无流通限制及锁定安排的股份：本次公开发行的 1,900 万股新股无流通限制及锁定安排，自 2016 年 12 月 13 日起上市交易。

(11)公司股份可上市交易日期：

项目	股东名称	持股数量(万股)	占发行后总股本的比例	可上市交易日期(非交易日顺延)
首次公开发行前已发行的股份	迟家升	2,174.56	28.61%	2019 年 12 月 13 日
	李国盛	2,029.28	26.70%	2019 年 12 月 13 日
	杭州鏖鼎投资合伙企业(有限合伙)	470.4796	6.19%	2017 年 12 月 13 日
	天津雷石天翼股权投资合伙企业(有限合伙)	338.7454	4.46%	2017 年 12 月 13 日
	徐烨烽	175.2768	2.31%	2019 年 12 月 13 日
	李江城	75.2768	0.99%	2019 年 12 月 13 日
	焦水卿	37.6384	0.50%	2017 年 12 月 13 日
	黄重钧	37.6384	0.50%	2019 年 12 月 13 日
	张志良	30.00	0.39%	2019 年 12 月 13 日
	刘玉双	30.00	0.39%	2019 年 12 月 13 日
	丁巧玲	18.8192	0.25%	2017 年 12 月 13 日
	费宏山	18.8192	0.25%	2017 年 12 月 13 日
	宋光威	18.8192	0.25%	2017 年 12 月 13 日
	孙雪峰	18.8192	0.25%	2019 年 12 月 13 日
	李艳卓	18.8192	0.25%	2019 年 12 月 13 日
	韩　月	18.8192	0.25%	2017 年 12 月 13 日
	杨宦春	18.8192	0.25%	2017 年 12 月 13 日
	李红亩	18.8192	0.25%	2019 年 12 月 13 日
	黄前昊	18.8192	0.25%	2019 年 12 月 13 日
	尚修磊	13.1734	0.17%	2019 年 12 月 13 日
	薛宏滨	9.4096	0.12%	2017 年 12 月 13 日
	郭元明	9.4096	0.12%	2017 年 12 月 13 日
	张　勇	9.4096	0.12%	2017 年 12 月 13 日
	马永亮	9.4096	0.12%	2017 年 12 月 13 日
	王振华	9.4096	0.12%	2017 年 12 月 13 日
	李世昌	9.4096	0.12%	2017 年 12 月 13 日
	段素平	9.4096	0.12%	2017 年 12 月 13 日
	王　靖	9.4096	0.12%	2017 年 12 月 13 日
	许　飞	9.4096	0.12%	2017 年 12 月 13 日

	王 梅	5.6458	0.07%	2017 年 12 月 13 日
	李雪芹	5.6458	0.07%	2019 年 12 月 13 日
	周佳静	5.6458	0.07%	2017 年 12 月 13 日
	张丽燕	5.6458	0.07%	2017 年 12 月 13 日
	胡 顺	5.6458	0.07%	2017 年 12 月 13 日
	李彩琴	5.6458	0.07%	2017 年 12 月 13 日
	小 计	5,700.00	75.00%	–
首次公开发行的股份	网上发行的股份	1,900.00	25.00%	2016 年 12 月 13 日
	小计	1,900.00	25.00%	–
	合计	7,600.00	100.00%	–

(12)股票登记机构:中国证券登记结算有限责任公司深圳分公司。

(13)上市保荐机构:民生证券股份有限公司(以下简称"民生证券")。

第三节 发行人、股东和实际控制人情况

一、公司基本情况

中文名称:北京星网宇达科技股份有限公司

英文名称:BeiJingStarNetoTechnologyCo.,Ltd.

注册地址:北京市海淀区蓝靛厂东路 2 号院 2 号楼 4 层 1 单元(A 座)5C

法定代表人:迟家升

注册资本:5,700 万元人民币(发行前),7,600 万元人民币(发行后)

成立日期:2005 年 5 月 20 日

整体变更日期:2011 年 11 月 7 日

经营范围:生产倾角传感器、惯性测量单元、姿态方位组合导航系统;第二类基础电信业务中的国内甚小口径终端地球站(VSAT)通信业务(比照增值电信业务管理)(增值电信业务经营许可证有效期至 2019 年 2 月 21 日);技术开发、技术推广、技术转让、技术咨询、技术服务;计算机系统服务;数据处理(数据处理中的银行卡中心、PUE 值在 1.5 以上的云计算数据中心除外);应用软件服务;销售计算机、软件及辅助设备、电子产品、机械设备、通讯设备、仪器仪表;货物进出口、技术进出口、代理进出口。(依法须经批准的项目,经相关部门批准后依批准的内容开展经营活动)。

主营业务:惯性技术开发及应用,主要开展惯性组合导航、惯性测量、惯性稳控产品的研发、生产及销售,并为航空、航天、航海、电子、石油、测绘、交通及通讯等领域用户提供全自主、高动态的位置、速度、姿态等信息的感知及稳定控制服务。

所属行业:根据证监会行业分类方法和发行人的主营业务,发行人的行业划分为计算机、通信和其他电子设备制造业(C39)。

邮政编码:100097

联系电话:010-88893232

联系传真:010-88861465

电子信箱:zzl@starneto.com

互联网网址:www.starneto.com

董事会秘书:张志良

二、公司董事、监事、高级管理人员及其持有公司股票的情况

序号	姓 名	职务	任职期限	直接持股数量(万股)	占发行后总股本的比例(%)	间接持股情况
1	迟家升	董事长、总经理	2014 年 10 月 31 日至 2017 年 10 月 30 日	2,174.56	28.61%	–
2	李国盛	董事、副总经理	2014 年 10 月 31 日至 2017 年 10 月 30 日	2,029.28	26.70%	–
3	徐烨烽	董事、副总经理	2014 年 10 月 31 日至 2017 年 10 月 30 日	175.28	2.31%	–
4	张云祥	董事	2014 年 10 月 31 日至 2017 年 10 月 30 日	–	–	持有鏖鼎投资 10%股份,鏖鼎投资持有星网宇达股份 6.19%
5	马永鸿	独立董事	2014 年 10 月 31 日至 2017 年 10 月 30 日	–	–	–
6	陈家斌	独立董事	2014 年 10 月 31 日至 2017 年 10 月 30 日	–	–	–
7	刘广明	独立董事	2014 年 10 月 31 日至 2017 年 10 月 30 日	–	–	–
8	张志良	副总经理、董事会秘书	2014 年 11 月 5 日至 2017 年 11 月 4 日	30.00	0.39%	–
9	刘玉双	财务总监	2014 年 11 月 5 日至 2017 年 11 月 4 日	30.00	0.39%	–
10	李艳卓	监事	2014 年 10 月 31 日至 2017 年 10 月 30 日	18.82	0.25%	–
11	尚修磊	监事会主席	2014 年 10 月 31 日至 2017 年 10 月 30 日	13.17	0.17%	–
12	李雪芹	监事	2014 年 10 月 31 日至 2017 年 10 月 30 日	5.65	0.07%	–

三、公司控股股东及实际控制人的情况

本公司为迟家升、李国盛共同控制,该两人为本公司的实际控制人。

截至本上市公告书签署日,迟家升持有公司股份 2,174.56 万股,发行前持股比例为 38.15%(发行后持股比例为 28.61%),为公司控股股东;李国盛持有公司股份 2,029.28 万股,发行前持股比例为 35.60%(发行后持股比例为 26.70%),两人合计持有公司股份 4,203.84 万股,发行前持股比例为 73.75%(发行后持股比例为 55.31%)。

上述两人均在本公司任职,可以共同决定公司财务决策和经营决策,依其持有股份所享有的表决权足以对股东大会的决议产生重大影响。迟家升、李国盛签署了《一致行动协议》,约定二人在发行人的董事会会议、股东大会会议中行使提案权和表决权时保持一致。自公司成立以来,该两人就董事会、股东会及股东大会所有会议表决事项均表达一致意见。

迟家升先生,1960 年 4 月出生,中国国籍,无境外永久居留权,大专学历、工程师。曾任军事科学院军事运筹分析研究所技术员、助理工程师、工程师;北京京惠达新技术公司副总经理;北京星网迅达科技发展有限公司执行董事兼经理;日月星通监事;星网宇达有限执行董事、总经理。现任公司董事长、总经理,董事任期自 2014 年 10 月 31 日至 2017 年 10 月 30 日。兼任星网卫通、星网测通执行董事。

李国盛先生,1971 年 6 月出生,中国国籍,无境外永久居留权,大专学历。曾于北京武警总队武警 3 支队 1 中队、国防科技工业委员会第 32 试验基地、国防科工委司令部管理局汽车二队服役;曾任北京京惠达新技术公司销售部经理;北京星网迅达科技发展有限公司监事;日月星通执行董事兼经理;星网宇达有限监事。现任公司董事、副总经理,董事任期自 2014 年 10 月 31 日至 2017 年 10 月 30 日。兼任星网智控执行董事,星网光测执行董事。公司的控股股东及实际控制人不存在对外投资情况。

四、公司前十名股东持有公司发行后股份情况

公司本次发行结束后上市前的共有 34,909 名股东,其中前十名股东的持股情况如下表:

序号	股东名称	持有股本(万股)	占发行后总股本的比例
1	迟家升	2,174.5570	28.61%
2	李国盛	2,029.2802	26.70%
3	杭州鏖鼎投资合伙企业(有限合伙)	470.4796	6.19%
4	天津雷石天翼股权投资合伙企业(有限合伙)	338.7454	4.46%
5	徐烨烽	175.2768	2.31%
6	李江城	75.2768	0.99%
7	焦水卿	37.6384	0.50%
8	黄重钧	37.6384	0.50%
9	张志良	30.0000	0.39%
10	刘玉双	30.0000	0.39%
	合计	5,398.8926	71.04%

第四节 股票发行情况

一、本次公开发行股票数量

本次公开发行股票 1,900 万股,全部为新股发行,无发行人股东公开发售股份。

二、发行价格

发行价格:17.65 元/股,对应发行市盈率:

(1)17.24 倍(每股收益按照 2015 年经审计扣除非经常性损益前后孰低的归属于母公司所有者净利润除以本次发行前总股本计算);

(2)22.99 倍(每股收益按照 2015 年经审计扣除非经常性损益前后孰低的归属于母公司所有者净利润除以本次发行后总股本计算)。

三、发行方式及认购情况

本次发行采用网上按市值申购向公众投资者直接定价发行的方式。

本次网上发行数量为 1,900 万股,有效申购股数为 141,509,871,000 股,配号总数为 283,019,742 个,中签率为 0.0134266252%,网上投资者有效申购倍数为 7,447.88795 倍。本次发行网上投资者缴款认购 18,959,991 股,缴款认购金额为 334,643,841.15 元,放弃认购 40,009 股,网上投资者放弃认购股数全部由主承销商包销,包销金额为 706,158.85 元,主承销商包销比例为 0.21%。

四、募集资金总额及注册会计师对资金到账的验证情况

(1)本次发行募集资金总额为33,535万元。

(2)立信会计师事务所(特殊普通合伙)已于2016年12月8日对公司首次公开发行股票的资金到位情况进行了审验,并出具信会师报字〔2016〕第190910号《验资报告》。

五、发行费用

本次发行费用总额为2,690.18万元,具体构成如下表:

项　目	金　额
保荐承销费用	2,063.73万元
审计费用	165.00万元
律师费用	65.00万元
发行手续费用	43.20万元
信息披露费用	353.25万元

每股发行费用为1.42元/股。(每股发行费用=发行费用总额/本次发行股数)

六、募集资金净额

本次发行新股募集资金净额为30,844.82万元。

本次发行无发行前股东公开发售股份。

七、发行后每股净资产

本次发行后每股净资产为8.36元。(按2015年12月31日经审计的归属于母公司股东的净资产加上本次发行募集资金净额之和除以本次发行后总股本计算)

八、发行后每股收益

本次发行后的每股收益为0.77元。(按照2015年度经审计的扣除非经常性损益前后孰低的归属于母公司股东的净利润除以本次发行后总股本计算)

第五节　财务会计资料

公司报告期内2013年、2014年、2015年和2016年1-6月的财务数据已经立信会计师事务所(特殊普通合伙)审计;以上财务数据已在招股说明书进行了披露,投资者欲了解相关情况请详细阅读招股说明书。

一、2016年1-9月主要会计数据及财务指标

公司2016年1-9月的财务数据未经审计(已审阅),其主要会计数据及财务指标如下:

项　目	2016年9月30日	2015年12月31日	本报告期末比上年度期末增减(%)
流动资产(元)	273,174,823.88	271,240,337.85	0.71%
流动负债(元)	140,509,996.04	136,983,518.14	2.57%
总资产(元)	532,222,986.61	507,368,437.59	4.90%
归属于发行人股东的所有者权益(元)	368,067,537.90	327,205,185.99	12.49%
归属于发行人股东的每股净资产(元/股)	6.46	5.74	12.54%

项　目	2016年1-9月	2015年1-9月	本报告期比上年同期增减(%)
营业总收入(元)	181,201,360.46	116,881,000.15	55.03%
营业利润(元)	39,151,537.73	19,535,302.44	100.41%
利润总额(元)	49,419,009.70	32,349,857.24	52.76%
归属于发行人股东的净利润(元)	42,005,643.94	29,189,300.79	43.91%
归属于发行人股东的扣除非经常性损益后的净利润(元)	39,772,647.24	24,891,621.13	59.78%
基本每股收益(元/股)	0.74	0.51	45.10%
扣除非经常性损益后的基本每股收益(元/股)	0.70	0.44	59.09%
加权平均净资产收益率(%)	12.17	10.41	16.91%
扣除非经常性损益后的加权平均净资产收益率(%)	11.52	8.88	29.73%
经营活动产生的现金流量净额(元)	17,249,939.02	-24,411,017.74	-170.66%
每股经营活动产生的现金流量净额(元)	0.30	-0.43	-169.77%

注:净资产收益率和扣除非经常性损益后的净资产收益率两个指标的本报告期比上年同期增减为两期数的差值。

公司2016年1-9月较去年同期财务指标变动的主要原因为2016年前三季度营业收入较2015年同期大幅增加。本年度新增客户成都国铁电气设备有限公司,上半年作为公司第一大客户销售金额1,806.92万元,第三季度新增收入金额1,191.72万元;公司在报告期内对某部队A的销售收入呈逐年上升趋势,在以前年度对其收入来源于各年度的四季度,因2016年某部队A的军事训练任务提前,本年度的销售收入1,837.10万元实现于9月份。2016年度1-9月份,营业总收入增加6,432.04万元,本期内公司综合毛利率为49.03%,使毛利额增加较大且公司的费用同比增长相对较少,致本期内营业利润增长100.41%,利润总额及归属于发行人股东的净利润分别增长52.76%和43.91%。

本期经营活动产生的现金流量净额的变动主要是因为销售商品、提供劳务收到的现金由2015年1-9月份10,864.95万元增至15,119.32万元所引起。主要由于公司本期内分别收到2015年度某军工企业A、某部队A和湖南博睿基电子科技有限公司销售回款1,510.38万元、1,994.58万元和855.86万元,致使本期内经营活动产生的现金流量净额增加4,166.10万元。

二、公司经营情况和财务状况的简要说明

2016年1-9月财务报表的相关财务信息未经审计,但已经申报会计师审阅并出具了信会师报字〔2016〕第190899号《审阅报告》。2016年1-9月,公司营业收入为18,120.14万元,较上年同期增长55.03%,归属于母公司所有者的净利润为4,200.56万元,较上年同期增长43.91%。

财务报告审计截止日后,公司经营情况良好,整体经营环境、经营模式、主要客户和供应商构成以及其他可能影响投资者判断的重大事项等方面未发生重大变化。

三、公司2016年度业绩预测情况

2016年公司所处行业及市场处于正常的发展状态,未出现重大变化。公司预计2016年度营业收入区间为25,000.00万元至28,000.00万元,较上年同期增长5.43%至18.08%;2016年度归属于母公司所有者的净利润区间为6,800万元至7,400万元,较上年同期增长1.92%至10.91%。

上述有关公司2016年度业绩的表述仅为公司对业绩的展望,并不构成公司的盈利预测。

第六节　其他重要事项

一、本公司已向深圳证券交易所承诺,将严格按照中小板的有关规则,在上市后三个月内尽快完善公司章程等相关规章制度。

二、本公司自2016年11月30日刊登首次公开发行股票招股说明书至本上市公告书刊登前,没有发生可能对本公司有较大影响的重要事项,具体如下:

(一)本公司严格依照《公司法》、《证券法》等法律法规的要求,规范运作,生产经营状况正常,主营业务目标进展情况正常;

(二)本公司生产经营情况、外部条件或生产环境未发生重大变化(包括原材料采购和产品销售价格、原材料采购和产品销售方式、所处行业或市场的重大变化等);

(三)本公司未订立可能对发行人的资产、负债、权益和经营成果产生重大影响的重要合同;

(四)本公司未发生重大关联交易,包括未出现本公司资金被关联方非经营性占用的事项;

(五)本公司未进行重大投资;

(六)本公司未发生重大资产(或股权)购买、出售及置换;

(七)本公司住所没有变更;

(八)本公司董事、监事、高级管理人员及核心技术人员没有变化;

(九)本公司未发生重大诉讼、仲裁事项;

(十)本公司未发生对外担保等或有事项;

(十一)本公司的财务状况和经营成果未发生重大变化;

(十二)本公司未召开董事会、监事会和股东大会;

(十三)本公司无其他应披露的重大事项。

第七节　股票上市情况

一、上市保荐机构情况

保荐机构(主承销商):民生证券股份有限公司

法定代表人:余政

住所:北京市东城区建国门内大街28号民生金融中心A座16-18层

联系地址:北京市东城区建国门内大街28号民生金融中心A座16-18层

保荐代表人:贺骞、马初进

电话:010-85127999

传真:010-85127888

二、上市保荐机构的推荐意见

上市保荐机构民生证券股份有限公司认为本公司首次公开发行的股票符合上市条件,已向深圳证券交易所出具了《民生证券股份有限公司关于北京星网宇达科技股份有限公司股票上市保荐书》,上市保荐机构的保荐意见如下:

星网宇达申请其股票上市符合《公司法》、《证券法》及《深圳证券交易所股票上市规则》(2014年修订)等法律、法规的有关规定,发行人股票具备在深圳证券交易所上市的条件,民生证券愿意推荐星网宇达的股票在深圳证券交易所上市交易,并承担相关保荐责任。

江苏张家港农村商业银行股份有限公司

江苏张家港农村商业银行股份有限公司首次公开发行股票上市公告书

特别提示

如无特别说明，本上市公告书中的简称或名词的释义与本行首次公开发行股票招股说明书中的相同。

本行股票将于 2017 年 1 月 24 日在深圳证券交易所上市。本行提醒投资者应充分了解股票市场风险及本行披露的风险因素，在新股上市初期切忌盲目跟风"炒新"，应当审慎决策、理性投资。

第一节　重要声明与提示

本行及全体董事、监事、高级管理人员保证上市公告书的真实性、准确性、完整性，承诺上市公告书不存在虚假记载、误导性陈述或者重大遗漏，并承担个别和连带的法律责任。

深圳证券交易所、其他政府机关对本行股票上市及有关事项的意见，均不表明对本行的任何保证。

本行提醒广大投资者注意，凡本上市公告书未涉及的有关内容，请投资者查阅刊载于巨潮资讯网(http://www.cninfo.com.cn)的本行招股说明书全文。

本行及控股股东、实际控制人、董事、监事、高级管理人员及其他股东等就首次公开发行股票并上市作出的重要承诺及说明如下：

一、发行前股东关于自愿锁定股份的承诺

(1)本行全部 14 家法人股东以及持有本行股份的外部董事、外部监事均已承诺：自本行首次公开发行股票并上市之日起的三十六个月内，不通过包括但不限于签署转让协议、进行股权托管等任何方式，减少其所持有或者实际持有的本行股份；亦不通过由本行回购所直接或间接持有股份等方式，减少其所持有或者实际持有的本行股份。但上述所指股份不包括在此期间内的新增股份。

(2)根据《财政部人民银行银监会证监会保监会关于规范金融企业内部职工持股的通知》(财金〔2010〕97 号)的要求，已上市和以后上市的金融企业，对金融企业高管和其他持有内部职工股超过 5 万股的个人，应当承诺自金融企业上市之日起，股份转让锁定期不得低于 3 年，持股锁定期满后，每年可出售股份不得超过持股总数的 15%，5 年内不得超过持股总数的 50%。据此，本行相关股东做出如下承诺：

①持有本行员工股数超过 5 万股的股东(包括内部董事、内部监事和高级管理人员)共 782 人，均已经分别签署《内部职工股东关于禁售所持股份的承诺函》并确认：自张家港农商行首次公开发行股票并上市之日起的三年内，其不通过包括但不限于签署转让协议、进行股权托管等任何方式，减少其所持有或者实际持有的张家港农商行股份；亦不通过由张家港农商行回购其所直接或间接持有股份等方式，减少其所持有或者实际持有的张家港农商行股份。上述三年持股锁定期届满以后，每年所出售股份不超过其所持股份总额的 15%，五年内不超过本人所持股份总额的 50%。

②持有本行员工股数少于 5 万股的股东共 65 人，均分别签署《内部职工股东关于禁售所持股份的承诺函》并确认：自张家港农商行首次公开发行股票并上市之日起的三年内，其不通过包括但不限于签署转让协议、进行股权托管等任何方式，减少其所持有或者实际持有的张家港农商行股份；亦不通过由张家港农商行回购其所直接或间接持有股份等方式，减少本人所持有或者实际持有的张家港农商行股份。

(3)根据《境内证券市场转持部分国有股充实全国社会保障基金实施办法》(财企【2009】94 号)，现由本行 6 家国有股东(张家港市直属公有资产经营有限公司、江苏国泰国际集团有限公司、张家港市工业发展有限公司、张家港市金城投资发展有限公司、张家港市市属工业公有资产经营有限公司、张家港保税区金港资产经营有限公司)所持并将在本行上市后转由全国社会保障基金理事会持有的国有股部分，由全国社会保障基金理事会承继原 6 家国有股东的锁定承诺。

(4)持有本行股份的董事和高级管理人员承诺：本行上市后六个月内如本行股票连续二十个交易日的收盘价(指复权后的价格，下同)均低于发行价，或者上市后六个月期末收盘价低于发行价，其持有本行股票的锁定期限自动延长六个月。

(5)自 2013 年至招股说明书签署之日本行新增股东一共 166 名，均已做出如下承诺：

自所持张家港农商行股份登记在股东名册之日/法院判决生效之日/上市之日起 36 个月内，其不通过包括但不限于签署转让协议、进行股权托管等任何方式，减少其所持有或者实际持有的张家港农商行股份；亦不通过由张家港农商行回购其所直接或间接持有股份等方式，减少其所持有或者实际持有的张家港农商行股份。

二、持有公司 5%以上股份股东的持股意向

持有本行 5%以上股份的股东张家港市直属公有资产经营有限公司、江苏沙钢集团有限公司和江苏国泰国际集团有限公司承诺预计在锁定期满且不违背限制性条件下，针对其持有的本行首次公开发行前已发行的股份(指扣除转由全国社会保障基金理事会持有的股份后的剩余股份，下同)，将认真遵守相关法律、法规、规章的规定，减持的具体方式包括但不限于交易所集中竞价交易方式、大宗交易方式、协议转让方式等进行减持；其第一年减持比例不超过其持有的本行首次公开发行前已发行股份的 20%，且减持价格不低于发行价；第二年减持比例不超过剩余股份的 20%，且减持价格不低于发行价。若本行股份在该期间内发生派息、送股、资本公积转增股本等除权除息事项的，发行价应相应作除权除息处理。

上述股东拟减持发行人股票的，将提前三个交易日通过本行进行公告，其承诺将按照《公司法》、《证券法》、中国证监会及深圳证券交易所相关规定办理。若未履行公告程序，该次减持所得收入将归本行所有，其将在获得收入的五日内将前述收入支付给发行人指定账户。

三、稳定股价的预案

根据《中国证监会关于进一步推进新股发行体制改革的意见》相关要求，公司制定了《关于江苏张家港农村商业银行股份有限公司上市后三年内股价低于每股净资产时稳定股价的预案》(以下简称"本预案")，预案具体内容如下：

本行股票自正式挂牌上市之日起三年内，一旦出现连续二十个交易日股票收盘价均低于本行最近一期经审计的每股净资产之情形（若因除息除权等事项致使上述股票收盘价与本行上一会计年度末经审计的每股净资产不具可比性的，上述股票收盘价应做相应调整)，本行将在上述条件成立之日起一个月内启动股份回购方案，回购价格不超过最近一期经审计的每股净资产，回购的资金总额不超过上一年度经审计的归属于母公司所有者可供分配的净利润。具体回购股票的数量等事项将在启动股价稳定措施时提前公告。持有公司股份的董事和高级管理人员将于上述条件成立之日起一个月内，共同通过深圳证券交易所系统以合法方式增持公司股票直至公司股价高于最近一期经审计的每股净资产。

如本行未采取上述稳定股价的具体措施，将在股东大会及中国证监会指定报刊上公开说明未采取上述稳定股价措施的具体原因并向股东和社会公众投资者道歉。

如本行董事和高级管理人员未履行上述增持措施，将在本行股东大会及中国证监会指定报刊上公开说明未采取上述稳定股价措施的具体原因并向本行股东和社会公众投资者道歉。同时，其将在前述事项发生之日起 5 个工作日内停止在本行领取薪酬及股东分红(如有)，持有的本行股份(如有)不得转让，直至其按上述预案内容的规定采取相应的股价稳定措施并实施完毕时为止。公司承诺，对于未来新聘任的董事、高级管理人员，将要求其履行公司发行上市时董事、高级管理人员已作出的相应承诺。

四、招股说明书不存在虚假记载、误导性陈述或者重大遗漏的承诺

(一)发行人承诺

本行为公开发行股票并上市制作的招股说明书如果存在虚假记载、误导性陈述或者重大遗漏，对判断本行是否符合法律规定的发行条件构成重大、实质影响的，在中国证监会对本行作出行政处罚决定之日起一个月内，本行将依法启动回购首次公开发行的全部新股的程序，本行将通过深圳证券交易所以发行价并加算银行同期存款利息回购首次公开发行的全部新股（本行上市后发生除权除息事项的，回购价格及回购股份数量应做相应调整)。

如本行招股说明书有虚假记载、误导性陈述或者重大遗漏，致使投资者在证券交易中遭受损失的，本行将依法赔偿投资者损失。本行将在该等违法事实被中国证监会、证券交易所或司法机关认定后，本着简化程序、积极协商、先行赔付、切实保障投资者特别是中小投资者利益的原则，按照投资者直接遭受的可测算的经济损失选择与投资者和解、通过第三方与投资者调解及设立投资者赔偿基金等方式积极赔偿投资者由此遭受的直接经济损失。若本行违反上述承诺，则将在股东大会及中国证监会指定报刊上公开就未履行上述赔偿措施向股东和社会公众投资者道歉，并按中国证监会及有关司法机关认定的实际损失向投资者进行赔偿。

(二)董事、监事、高级管理人员承诺

发行人全体董事、监事和高级管理人员承诺，本次为发行 A 股所作的申请文件真实、准确、完整。若招股说明书存在虚假记载、误导性陈述或者重大遗漏，致使投资者在证券交易中遭受损失的，将依法赔偿投资者损失。其将在该等违法事实被中国证监会、证券交易所或司法机关认定后，本着简化程序、积极协商、先行赔付、切实保障投资者特别是中小投资者利益的原则，按照投资者直接遭受的可测算的经济损失选择与投资者和解、通过第三方与投资者调解及设立投资者赔偿基金等方式积极赔偿投资者由此遭受的直接经济损失。发行人全体董事、监事和高级管理人员承诺，若其未依法予以赔偿，则将在本行股东大会及中国证监会指定报刊上公开就未履行上述赔偿措施向公司股东和社会公众投资者道歉，并在违反上述赔偿措施发生之日起 5 个工作日内，停止在公司领取薪

酬(或津贴)及股东分红(如有),同时其持有的公司股份(如有)将不得转让,直至其按上述承诺采取相应的赔偿措施并实施完毕时为止。

(三)中介机构承诺

东吴证券股份有限公司承诺为江苏张家港农村商业银行股份有限公司首次公开发行股票并上市制作、出具的文件若存在虚假记载、误导性陈述或者重大遗漏,给投资者造成损失的,将依法赔偿投资者损失。

国浩律师(上海)事务所承诺如其在本次发行工作期间未勤勉尽责,导致国浩所制作、出具的文件对重大事件作出违背事实真相的虚假记载、误导性陈述,或在披露信息时发生重大遗漏,导致发行人不符合法律规定的发行条件,造成投资者直接经济损失的,在该等违法事实被认定后,其将本着积极协商、切实保障投资者特别是中小投资者利益的原则,自行并督促发行人及其他责任方一并对投资者直接遭受的、可测算的经济损失,选择与投资者和解、通过第三方与投资者调解及设立投资者赔偿基金等方式进行赔偿。江苏公证天业会计师事务所(特殊普通合伙)承诺如其为江苏张家港农村商业银行股份有限公司首次公开发行股票并上市过程中出具的审计报告、内部控制鉴证报告及其他审核报告和专项说明等文件有虚假记载、误导性陈述或者重大遗漏,给投资者造成直接经济损失的,将依法赔偿投资者损失。

五、本次发行相关主体所作出的承诺事项的约束措施

(一)发行人未能履行承诺的约束措施

本行就本行首次公开发行人民币普通股股票并上市相关事宜作出了相关公开承诺。如本行未能履行相关承诺,本行将采取如下约束措施:

1.关于稳定股价的承诺

本行股票自正式挂牌上市之日起三年内,一旦出现连续二十个交易日股票收盘价均低于本行最近一期经审计的每股净资产之情形(若因除息除权等事项致使上述股票收盘价与本行上一会计年度末经审计的每股净资产不具可比性的,上述股票收盘价应做相应调整),本行将在上述条件成立之日起一个月内启动股份回购方案,回购价格不超过最近一期经审计的每股净资产,回购的资金总额不超过上一年度经审计的归属于母公司所有者可供分配的净利润。具体回购股票的数量等事项将在启动股价稳定措施时提前公告。持有公司股份的董事和高级管理人员将于上述条件成立之日起一个月内,共同通过深圳证券交易所系统以合法方式增持公司股票直至公司股价高于最近一期经审计的每股净资产。

如本行未采取上述稳定股价的具体措施,本行将在股东大会及中国证监会指定报刊上公开说明未采取上述稳定股价措施的具体原因并向股东和社会公众投资者道歉。

2.关于招股说明书信息披露的承诺

本行为公开发行股票并上市制作的招股说明书如果存在虚假记载、误导性陈述或者重大遗漏,对判断本行是否符合法律规定的发行条件构成重大、实质影响的,在中国证监会对本行作出行政处罚决定之日起一个月内,本行将依法启动回购首次公开发行的全部新股的程序,本行将通过深圳证券交易所以发行价并加算银行同期存款利息回购首次公开发行的全部新股(本行上市后发生除权除息事项的,回购价格及回购股份数量应做相应调整)。

如本行招股说明书有虚假记载、误导性陈述或者重大遗漏,致使投资者在证券交易中遭受损失的,本行将依法赔偿投资者损失。本行将在该等违法事实被中国证监会、证券交易所或司法机关认定后,本着简化程序、积极协商、先行赔付、切实保障投资者特别是中小投资者利益的原则,按照投资者直接遭受的可测算的经济损失选择与投资者和解、通过第三方与投资者调解及设立投资者赔偿基金等方式积极赔偿投资者由此遭受的直接经济损失。

若本行违反上述承诺,则将在股东大会及中国证监会指定报刊上公开就未履行上述赔偿措施向股东和社会公众投资者道歉,并按中国证监会及有关司法机关认定的实际损失向投资者进行赔偿。

(二)董事、监事及高级管理人员未能履行承诺的约束措施

公司董事、监事及高级管理人员就公司首次公开发行人民币普通股股票并上市相关事宜作出了相关公开承诺。如未能履行相关承诺,将接受如下约束措施:

1.关于减持意向的承诺

持有本行股份的董事和高级管理人员承诺:其所持本行首次公开发行股份前已发行的股份在锁定期期满后两年内减持,减持价格不低于发行价;若在该期间内以低于发行价的价格减持其所持本行公开发行股份前已发行的股份,减持所得收入归本行所有。

2.关于稳定股价的承诺

本行股票自正式挂牌上市之日起三年内,一旦出现连续二十个交易日股票收盘价均低于本行最近一期经审计的每股净资产之情形(若因除息除权等事项致使上述股票收盘价与本行上一会计年度末经审计的每股净资产不具可比性的,上述股票收盘价应做相应调整),本行将在上述条件成立之日起一个月内启动股份回购方案,回购价格不超过最近一期经审计的每股净资产,回购的资金总额不超过上一年度经审计的归属于母公司所有者可供分配的净利润。具体回购股票的数量等事项将在启动股价稳定措施时提前公告。持有公司股份的董事和高级管理人员将于上述条件成立之日起一个月内,共同通过深圳证券交易所系统以合法方式增持公司股票直至公司股价高于最近一期经审计的每股净资产。

如董事和高级管理人员未履行上述稳定股价的措施,本行董事和高级管理人员将在本行股东大会及中国证监会指定报刊上公开说明未采取上述稳定股价措施的具体原因并向本行股东和社会公众投资者道歉。同时,其将在前述事项发生之日起5个工作日内停止在本行领取薪酬及股东分红(如有),持有的本行股份(如有)不得转让,直至其按上述预案内容的规定采取相应的股价稳定措施并实施完毕时为止。

3.关于招股说明书信息披露的承诺

发行人全体董事、监事和高级管理人员承诺,若招股说明书存在虚假记载、误导性陈述或者重大遗漏,致使投资者在证券交易中遭受损失的,将依法赔偿投资者损失。其将在该等违法事实被中国证监会、证券交易所或司法机关认定后,本着简化程序、积极协商、先行赔付、切实保障投资者特别是中小投资者利益的原则,按照投资者直接遭受的可测算的经济损失选择与投资者和解、通过第三方与投资者调解及设立投资者赔偿基金等方式积极赔偿投资者由此遭受的直接经济损失。

发行人全体董事、监事和高级管理人员承诺,若其未依法予以赔偿,则将在本行股东大会及中国证监会指定报刊上公开就未履行上述赔偿措施向公司股东和社会公众投资者道歉,并在违反上述赔偿措施发生之日起5个工作日内,停止在公司领取薪酬(或津贴)及股东分红(如有),同时其持有的公司股份(如有)将不得转让,直至其按上述承诺采取相应的赔偿措施并实施完毕时为止。

六、本次公开发行股份安排

本行首次公开发行股票数量18,076万股,占发行后总股本的10.0004%。本次发行股份均为公开发行的新股,不涉及本行股东公开发售老股。本次发行募集资金扣除发行费用后,将用于补充本行资本金。

第二节　股票上市情况

一、股票发行上市审批情况

本上市公告书系根据《中华人民共和国公司法》、《中华人民共和国证券法》、《首次公开发行股票并上市管理办法》、《深圳证券交易所股票上市规则》等有关法律法规及规范性文件的规定,并按照《深圳证券交易所股票上市公告书内容与格式指引》编制,旨在向投资者提供有关本行首次公开发行股票(A股)上市的基本情况。

经中国证券监督管理委员会证监许可〔2016〕3050号文核准,本行公开发行18,076万股人民币普通股。本次发行采用网下向投资者询价配售(以下简称"网下配售")与网上向持有深圳市场非限售A股股份市值的社会公众投资者定价发行(以下简称"网上发行")相结合的方式,本次发行的股票数量为18,076万股,全部为新股,不公开发售股份,其中:网下配售1,807.60万股,网上发行16,268.40万股,发行价格为4.37元/股。

经深圳证券交易所《关于江苏张家港农村商业银行股份有限公司人民币普通股股票上市的通知》(深证上〔2017〕69号)同意,本行发行的人民币普通股股票在深圳证券交易所上市,证券简称"张家港行",证券代码"002839";其中本次公开发行的18,076万股股票将于2017年1月24日起上市交易。

公司本次发行的招股意向书、招股说明书全文及相关备查文件可以在巨潮资讯网(www.cninfo.com.cn)查询。本行招股意向书及招股说明书的已经披露,故与其重复的内容不再重述,敬请投资者查阅上述内容。

二、公司股票上市概况

(1)上市地点:深圳证券交易所。

(2)上市时间:2017年1月24日。

(3)股票简称:张家港行。

(4)股票代码:002839。

(5)首次公开发行后总股本:180,752.6665万股。

(6)首次公开发行股票数量:18,076万股。

(7)发行前股东所持股份的流通限制及期限:根据《公司法》的有关规定,公司公开发行股份前已发行的股份,自公司股票在证券交易所上市交易之日起一年内不得转让。

(8)发行前股东对所持股份自愿锁定的承诺:具体情况详见本上市公告书"第一节重要声明与提示"。

(9)本次上市股份的其他锁定安排:无。

(10)本次上市的无流通限制及锁定安排的股份:本次公开发行的18,076万股股票无流通限制及锁定安排。

(11)公司股份可上市交易日期:

股份类别	公开发行前		公开发行后		可上市交易时间(遇非交易日顺延)
	持股数(万股)	持股比例(%)	持股数(万股)	持股比例(%)	
一、有限售条件A股流通股					

张家港市直属公有					
资产经营有限公司	14,797.8372	9.0965	14,008.6406	7.7502	2020 年 1 月 24 日
江苏沙钢集团有限公司	14,782.8660	9.0873	14,782.8660	8.1785	2020 年 1 月 24 日
江苏国泰国际集团有限公司	14,587.8660	8.9674	13,809.8675	7.6402	2020 年 1 月 24 日
华芳集团有限公司	8,070.6660	4.9612	8,070.6660	4.4650	2020 年 1 月 24 日
江苏联峰实业股份有限公司	6,901.7478	4.2426	6,901.7478	3.8183	2020 年 1 月 24 日
张家港市锦丰镇资产经营公司	4,812.1020	2.9581	4,812.1020	2.6623	2020 年 1 月 24 日
张家港市杨舍镇资产经营公司	4,784.8254	2.9413	4,784.8254	2.6472	2020 年 1 月 24 日
张家港市工业发展有限公司	1,851.0768	1.1379	1,752.3554	0.9695	2020 年 1 月 24 日
张家港市塘桥镇资产经营公司	1,456.8660	0.8956	1,456.8660	0.8060	2020 年 1 月 24 日
江苏华尔润集团有限公司	1,456.8660	0.8956	1,456.8660	0.8060	2020 年 1 月 24 日
张家港市金港镇资产经营公司	1,456.8660	0.8956	1,456.8660	0.8060	2020 年 1 月 24 日
张家港市金城投资发展有限公司	1,456.8660	0.8956	1,379.1686	0.7630	2020 年 1 月 24 日
张家港市市属工业公有					
资产经营有限公司	771.2820	0.4741	730.1481	0.4039	2020 年 1 月 24 日
张家港保税区金港					
资产经营有限公司	428.4900	0.2634	405.6378	0.2244	2020 年 1 月 24 日
原其他股东	85,060.4433	52.288	85,060.4433	47.059	2018 年 1 月 24 日至 2020 年 1 月 24 日
全国社会保障基金理事会	–	–	1,807.6000	1.0000	2020 年 1 月 24 日
小计	162,676.6665	100.00	162,676.6665	89.9996	–
二、无限售条件 A 股流通股					
网下询价发行的股份	–	–	1,807.6000	1.0000	2017 年 1 月 24 日
网上定价发行的股份	–	–	16,268.4000	9.0004	2017 年 1 月 24 日
小计	–	–	18,076.0000	10.0004	–
合计	162,676.6665	100.00	180,752.6665	100.00	–

(12)股票登记机构:中国证券登记结算有限责任公司深圳分公司

(13)上市保荐机构:东吴证券股份有限公司

第三节　发行人、股东和实际控制人情况

一、公司基本情况

中文名称:江苏张家港农村商业银行股份有限公司

英文名称:JiangsuZhangjiagangRuralCommercialBankCo.,Ltd

注册资本:180,752.6665 万元(本次公开发行股票后)

法定代表人:王自忠

住所:江苏省张家港市杨舍镇人民中路 66 号

经营范围:吸收公众存款;发放短期、中期和长期贷款;办理国内外结算;办理票据承兑与贴现;代理收付款项及代理保险业务;代理发行、代理兑付、承销政府债券;买卖政府债券、金融债券;从事同业拆借;提供保管箱服务;办理借记卡业务;外汇存款;外汇贷款;外汇汇款;外币兑换;结汇、售汇;资信调查、咨询、见证服务;经中国银行业监督管理委员会批准的其他业务。

主营业务:本行主营业务主要包括公司业务、个人业务、金融市场业务等业务,各业务之间互为补充,密切配合,构成本行的业务体系。

所属行业:金融业中的货币金融服务业(J66)

电话:0512-56961859

传真:0512-58236370

董事会秘书:张平

互联网网址:www.zrcbank.com

电子信箱:office@zrcbank.com

二、公司董事、监事、高级管理人员及其持有公司股票的情况

姓　名	职　务	任职起止日期	直　接持股数(万股)	间　接持股数(万股)	占发行后总股本比例(%)
王自忠	董事长	2014 年 5 月—2017 年 5 月	50.0000	–	0.0277
季　颖	副董事长、行长	2014 年 5 月—2017 年 5 月	50.0000	–	0.0277
陈步杨	董事、副行长	2014 年 5 月—2017 年 5 月	50.0000	–	0.0277
张　平	董事、董事会秘书	2014 年 5 月—2017 年 5 月	50.0000	–	0.0277
陈建兴	董事	2014 年 5 月—2017 年 5 月	–	–	–
沈文荣	董事	2014 年 5 月—2017 年 5 月	–	4,334.8762	2.3982
周建娥	董事	2014 年 5 月—2017 年 5 月	–	–	–
黄金兰	董事	2014 年 5 月—2017 年 5 月	74.5200	–	0.0412
杨钧辉	独立董事	2014 年 5 月—2017 年 5 月	–	–	–
汪激清	独立董事	2014 年 5 月—2017 年 5 月	–	–	–
陈和平	独立董事	2014 年 5 月—2017 年 5 月	–	–	–
张新泽	独立董事	2014 年 5 月—2017 年 5 月	–	–	–
张　兵	独立董事	2015 年 2 月—2017 年 5 月	–	–	–
朱建新	监事长	2014 年 5 月—2017 年 5 月	50.0000	–	0.0277
陆　斌	监事	2014 年 5 月—2017 年 5 月	50.0000	–	0.0277
郁霞秋	监事	2014 年 5 月—2017 年 5 月	74.5200	–	0.0412
黄和芳	监事	2014 年 5 月—2017 年 5 月	116.5491	–	0.0645
陈鹤忠	监事	2014 年 5 月—2017 年 5 月	116.5491	–	0.0645
顾晓菲	副行长	2014 年 5 月—2017 年 5 月	31.3200	–	0.0173
孙　瑜	副行长	2014 年 5 月—2017 年 5 月	50.0000	–	0.0277
陆亚明	副行长	2014 年 5 月—2017 年 5 月	50.0000	–	0.0277
郭卫东	副行长	2016 年 5 月—2017 年 5 月	–	–	–
合　计	–	–	813.4582	4,334.8762	2.8482

三、控股股东及实际控制人情况

本行不存在控股股东或实际控制人。

四、发行后前十名股东持有公司股份情况

公司本次发行结束后上市前的股东总数为 298,143 名,其中前十名股东的持股情况如下:

序号	股东名称	持股数量(万股)	持股比例(%)
1	江苏沙钢集团有限公司	14,782.8660	8.18
2	张家港市直属公有资产经营有限公司	14,008.6406	7.75
3	江苏国泰国际集团有限公司	13,809.8675	7.64
4	华芳集团有限公司	8,070.6660	4.47
5	江苏联峰实业股份有限公司	6,901.7478	3.82
6	张家港市锦丰镇资产经营公司	4,812.1020	2.66
7	张家港市杨舍镇资产经营公司	4,784.8254	2.65
8	全国社会保障基金理事会转持一户	1,807.6000	1.00
9	张家港市工业发展有限公司	1,752.3554	0.97
10	张家港市塘桥镇资产经营公司	1,456.8660	0.81
10	江苏华尔润集团有限公司	1,456.8660	0.81
10	张家港市金港镇资产经营公司	1,456.8660	0.81
	合计	75,101.2687	41.55

第四节　股票发行情况

一、发行数量

本次公开发行新股 18,076 万股,不存在老股转让的情形。其中,网下向配售对象询价配售股票数量为 1,807.60 万股,占本次发行总量的 10%;网上向社会公众投资者定价发行股票数量为 16,268.40 万股,占本次发行总量的 90%。

二、发行价格

本次公开发行的价格为 4.37 元/股,对应的市盈率为:

(1)13.17 倍(每股收益按 2015 年度经审计的扣除非经常性损益前后孰低的净利润除以本次发行前总股本计算);

(2)14.64 倍(每股收益按 2015 年度经审计的扣除非经常性损益前后孰低的净利润除以本次发行后总股本计算)。

三、发行方式及认购情况

本次发行采用网下向询价对象配售与网上向社会公众投资者定价发行相结合的方式。其中,网下向配售对象询价配售股票数量为 1,807.60 万股,有效申购数量为 39,461,530 万股,有效申购获得配售的比例为 0.0045806638%,有效申购倍数为 21,830.90 倍;网上定价发行股票数量为 16,268.40 万股,中签率为 0.0732898012%,有效认购倍数为 1,364.45 倍。余股情况:网上、网下投资者放弃认购股数全部由主承销商包销,主承销商包销股份的数量为 340,422 股,包销金额为 1,487,644.14 元,主承销商包销比例为 0.1883%。

四、募集资金总额及注册会计师对资金到位的验证情况

本次发行募集资金总额为 78,992.12 万元。江苏公证天业会计师事务所(特殊普通合伙)对公司首次公开发行股票的资金到位情况实施了验证,出具了苏公 W[2017]B009 号《验资报告》。

五、发行费用

内容	金额(万元)
保荐及承销费	4,200.00

审计、验资费	479.00
律师费	200.00
与本次发行相关的信息披露费	600.00
发行手续及印刷费	113.43
合计	5,592.43

每股发行费用:0.31 元/股。(每股发行费用=发行费用总额/本次发行股本)

六、发行人募集资金净额及发行前公司股东转让股份资金净额

公司本次公开发行募集资金净额为 73,399.69 万元,发行前公司股东未转让老股。

七、发行后每股净资产

本次发行后每股净资产为 4.34 元。(按公司 2016 年 6 月 30 日经审计的归属于母公司所有者权益和本次募集资金净额之和除以发行后总股本计算)

八、发行后每股收益

本次发行后每股收益为 0.2985 元。(按照 2015 年经审计的扣除非经常性损益前后孰低的净利润除以本次发行后的总股本计算)

第五节　财务会计资料

一、主要会计数据及财务指标

本行 2013 年度、2014 年度、2015 年度、2016 年 1-6 月经审计的财务数据和 2016 年 1-9 月经审阅的财务数据均披露于《江苏张家港农村商业银行股份有限公司首次开发行股票招股说明书》,投资者欲了解相关情况请详细阅读招股说明书"第十一节财务会计信息"和"第十二节管理层讨论与分析"。

二、2016 年业绩预计情况

本行预计 2016 年营业收入在 230,000 万元至 232,000 万元之间,净利润在 68,500 万元至 70,500 万元之间, 扣除非经常性损益后的归属于母公司股东的净利润在 42,000 万元至 43,000 万元之间,与去年同比变化幅度分别为-4.40%至-3.57%、0.57%至 3.51%、-22.16%至-20.31%。(数据未经审计,且不构成盈利预测)上述业绩变动的预计,只是本行的初步测算。若实际经营情况与公司初步测算发生较大变化,本行将根据实际情况及时进行披露。关于本行 2016 年度具体财务数据以法定时间披露的 2016 年度报告为准。

第六节　其他重要事项

一、本行已向深圳证券交易所承诺,将严格按照中小企业板的有关规则,在公司股票上市后三个月内完善公司章程等规章制度。

二、本行自 2016 年 12 月 13 日刊登首次公开发行股票招股意向书至本上市公告书刊登前,没有发生可能对公司有较大影响的重要事项,具体如下:

(1)本行严格按照《公司法》、《证券法》等法律法规的要求,规范运作,生产经营状况正常,主要业务发展目标进展正常;

(2)本行经营模式、业务范围、业务种类、客户群体、税收政策等未发生重大变化;

(3)本行未订立可能对本行的资产、负债、权益和经营成果产生重大影响的重要合同;

(4)本行未发生重大关联交易,本行资金不存在被关联方非经营性占用等情况;

(5)本行未进行重大投资;

(6)本行未发生重大资产(或股权)购买、出售及置换;

(7)本行住所没有变更;

(8)本行董事、监事、高级管理人员及核心技术人员没有变化;

(9)本行未发生重大诉讼、仲裁事项;

(10)本行未发生对外担保等或有事项;

(11)本行的财务状况和经营成果未发生重大变化;

(12)本行未召开董事会、监事会和股东大会;

(13)本行无其他应披露的重大事项。

第七节　上市保荐机构及其意见

一、上市保荐机构情况

保荐机构(主承销商):东吴证券股份有限公司

法定代表人:范力

住所:江苏省苏州工业园区星阳街 5 号

电话:0512-62938503

传真:0512-62938500

保荐代表人:杨淮、刘立乾

项目协办人:张玉仁

二、上市保荐机构的推荐意见

本行的上市保荐机构东吴证券股份有限公司认为江苏张家港农村商业银行股份有限公司首次公开发行的股票符合上市条件,并已向深圳证券交易所出具了《东吴证券股份有限公司关于江苏张家港农村商业银行股份有限公司股票上市保荐书》。保荐机构的保荐意见主要内容如下:

东吴证券认为江苏张家港农村商业银行股份有限公司申请其股票上市符合《中华人民共和国公司法》、《中华人民共和国证券法》及《深圳证券交易所股票上市规则》等有关规定,江苏张家港农村商业银行股份有限公司股票具备在深圳证券交易所上市的条件。东吴证券同意推荐江苏张家港农村商业银行股份有限公司的股票在深圳证券交易所上市交易,并承担相关保荐责任。

杭州银行股份有限公司

杭州银行股份有限公司首次公开发行股票上市公告书

特别提示

如无特别说明，本上市公告书中的相关用语或简称具有与杭州银行股份有限公司（以下简称“本公司”、“本行”、“杭州银行”或“发行人”）首次公开发行股票招股说明书中相同的含义。本公司股票将于 2016 年 10 月 27 日在上海证券交易所上市。本公司提醒投资者应充分了解股票市场风险及本公司披露的风险因素，在新股上市初期切忌盲目跟风“炒新”，应当审慎决策、理性投资。

第一节 重要声明与提示

杭州银行股份有限公司及全体董事、监事、高级管理人员保证上市公告书所披露信息的真实、准确、完整，承诺上市公告书不存在虚假记载、误导性陈述或重大遗漏，并承担个别和连带的法律责任。

证券交易所、其他政府机关对本公司股票上市及有关事项的意见，均不表明对本公司的任何保证。

本公司提醒广大投资者注意，凡本上市公告书未涉及的有关内容，请投资者查阅刊载于上海证券交易所网站(http://www.sse.com.cn)的本公司招股说明书全文。

本公司提醒广大投资者注意首次公开发行股票(以下简称“新股”)上市初期的投资风险，广大投资者应充分了解风险、理性参与新股交易。

一、实际控制人及一致行动人、持有本行内部职工股 5 万股以上的股东及本行董事、监事、高级管理人员等关于股份锁定的承诺

根据相关法律法规，本次发行前已发行的股份，自本行股票在上海证券交易所上市交易之日起一年内不得转让。

杭州市财政局、杭州市财开投资集团有限公司、杭州经济技术开发区财政局、杭州市下城区财政局、杭州市江干区财政局、杭州市西湖区财政局、杭州上城区投资控股集团有限公司、杭州余杭金融控股集团有限公司承诺：1)自发行人股票在证券交易所上市交易之日起 36 个月内，不转让或者委托他人管理直接和间接持有的发行人股份，也不由发行人收购该部分股份；2)发行人上市后六个月内如发行人股票连续 20 个交易日的收盘价均低于发行价，或者上市后六个月期末收盘价低于发行价，本公司/本局持有发行人股份的锁定期自动延长六个月；3)锁定期满后两年内若拟进行股份减持，减持价格不低于发行价的 100%(若发行人股票有派息、送股、资本公积金转增股本等除权、除息事项的，发行价将进行除权、除息调整)。若未履行该承诺，减持发行人股份所得收益归发行人所有；4)锁定期满两年后若拟进行股份减持，减持股份数量等具体事宜将在减持前予以公告。本局/本公司同意承担并赔偿因违反上述承诺而给发行人及其下属企业造成的一切损失、损害和开支。

澳洲联邦银行承诺：在 2005 年认购、2006 年受让及 2009 年增资扩股中认购的股份，自发行人股票在证券交易所上市交易之日起锁定 36 个月；其在发行人 2014 年增资扩股中认购的股份，自交割之日起锁定 5 年。同时澳洲联邦银行将按照本次发行上市时有关中国法律法规、相关有权监管部门与证券交易所的要求进行锁定。

杭州市财政局、杭州市财开投资集团有限公司就其在发行人 2014 年增资扩股中认购的股份承诺自交割之日起锁定 5 年。

红狮控股集团有限公司承诺：其在发行人 2014 年增资扩股中认购的 15,000 万股股份，自交割之日起锁定 5 年。

中国人寿保险股份有限公司承诺：其自亚洲开发银行受让的股份，自交割之日起 5 年内不转让；其自杭州新闻物业管理开发有限公司受让的股份，自交割之日起 5 年内不转让。

杭州汽轮机股份有限公司承诺：自发行人股票在证券交易所上市交易之日起 36 个月内，不转让或者委托他人管理直接和间接持有的发行人股份，也不由发行人收购该部分股份。

澳洲联邦银行、杭州市财政局、杭州市财开投资集团有限公司、红狮控股集团有限公司、中国人寿保险股份有限公司、杭州汽轮机股份有限公司、中国太平洋人寿保险股份有限公司作为发行人发行前持股 5%以上的股东，作出承诺：发行人上市后，其在锁定期满后可根据需要减持其所持发行人的股票。其将在减持前 3 个交易日公告减持计划。减持发行人股票应符合相关法律、法规、规章的规定，具体方式包括但不限于交易所集中竞价交易方式、大宗交易方式、协议转让方式等。若未履行上述承诺，其减持发行人股份所得收益归发行人所有。

上海国鑫投资发展有限公司承诺：其在发行人 2014 年增资扩股中认购的股份锁定期为自交割之日起 36 个月。

截至 2016 年 6 月 30 日，持有发行人 5 万股以上的内部职工股股东人数为 431 人(含持有发行人股份的董事及高级管理人员)，均已承诺针对其于发行人股票在证券交易所上市交易之日持有的发行人股份(下称“该等股份”)：1)自发行人首次公开发行 A 股在证券交易所上市交易之日起 3 年内，其持有的该等股份不转让；2)发行人首次公开发行 A 股在证券交易所上市交易的 3 年之后，其每年转让该部分股份的数量不超过该等股份总数的 15%；3) 发行人首次公开发行 A 股在证券交易所上市交易 3 年期满之日起的 5 年内，其转让该部分股份的总数不超过该等股份总数的 50%。

持有发行人股份的董事及高级管理人员承诺：1)发行人上市后六个月内如发行人股票连续 20 个交易日的收盘价均低于发行价，或者上市后六个月期末收盘价低于发行价，本人持有发行人股份的锁定期自动延长六个月；2) 锁定期满后两年内若拟进行股份减持，减持价格不低于发行价的 100%(若发行人股票有派息、送股、资本公积金转增股本等除权、除息事项的，发行价将进行除权、除息调整)。若未履行该承诺，减持发行人股份所得收益归发行人所有；3)锁定期满两年后若拟进行股份减持，减持股份数量等具体事宜将在减持前予以公告。

持有发行人股份的董事、监事及高级管理人员承诺：在满足上市锁定期之后，1)在任职期间每年转让的股份不超过其所持有发行人股份总数的 25%；2)离职后 6 个月内，不转让其持有的发行人股份。

持有发行人股份的高级管理人员近亲属承诺：1)发行人上市后六个月内如发行人股票连续 20 个交易日的收盘价均低于发行价，或者上市后六个月期末收盘价低于发行价，本人持有发行人股份的锁定期自动延长六个月；2) 锁定期满后两年内若拟进行股份减持，减持价格不低于发行价的 100%(若发行人股票有派息、送股、资本公积金转增股本等除权、除息事项的，发行价将进行除权、除息调整)。若未履行该承诺，减持发行人股份所得收益归发行人所有；3)锁定期满两年后若拟进行股份减持，减持股份数量等具体事宜将在减持前予以公告；4)在本人近亲属任职高级管理人员期间每年转让的股份不超过本人所持有发行人股份总数的 25%；5)在本人近亲属离职后 6 个月内，不转让本人持有的发行人股份。

除前述股东外，其余在 2013 年 7 月 1 日至 2016 年 6 月 30 日期间因股权转让、拍卖继承等方式成为发行人新增股东的投资者承诺：持有的发行人股份的锁定期为自股份在浙江股权托管服务有限公司完成登记之日起 36 个月。在上述股份锁定期内，因送红股、转增股本等原因增加的股份自股份登记之日起锁定，并与上述股份同时解锁。

二、发行前持股 5%以上股东关于减持股份意向的承诺

澳洲联邦银行、杭州市财政局、杭州市财开投资集团有限公司、红狮控股集团有限公司、中国人寿保险股份有限公司、杭州汽轮机股份有限公司、中国太平洋人寿保险股份有限公司作为杭州银行股份有限公司发行前持股 5%以上的股东，作出承诺：“发行人上市后，公司股东在锁定期满后可根据需要减持其所持发行人的股票。公司股东将在减持前 3 个交易日公告减持计划。公司股东减持发行人股票应符合相关法律、法规、规章的规定，具体方式包括但不限于交易所集中竞价交易方式、大宗交易方式、协议转让方式等。若公司股东未履行上述承诺，其减持公司股份所得收益归公司所有。”

三、发行人制定的股价稳定计划

为强化股东、管理层诚信义务，保护投资者利益，稳定股价，按照中国证券监督管理委员会《关于进一步推进新股发行体制改革的意见》相关要求，本行特制订《关于公司上市后三年内稳定公司股价的预案》。

本行上市后三年内，若本行股价持续低于每股净资产，将通过：1)本行回购股票；2)本行实际控制人及其一致行动人增持本行股票；3)董事(不含独立董事，下同)、高级管理人员增持本行股票等方式启动股价稳定措施。

《关于公司上市后三年内稳定公司股价的预案》具体内容如下：

1.启动股价稳定措施的条件

本行股票每年首次连续 20 个交易日的收盘价均低于本行最近一年经审计的每股净资产。

2.股价稳定措施的方式及顺序

股价稳定措施包括：1)本行回购股票；2)本行实际控制人及其一致行动人增持本行股票；3)董事(不含独立董事，下同)、高级管理人员增持本行股票等方式。

选用前述方式时应考虑：1)不能导致本行不满足法定上市条件；2)不能迫使实际控制人及其一致行动人履行要约收购义务。

股价稳定措施的实施顺序如下：

1)第一选择为本行回购股票，但如本行回购股票将导致本行不满足法定上市条件，则第一选择为实际控制人及其一致行动人增持本行股票；

2)第二选择为实际控制人及其一致行动人增持本行股票。在下列情形之一出现时将启动第二选择：

i.本行无法实施回购股票或回购股票议案未获得本行股东大会批准，且实际控制人及其一致行动人增持本行股票不会致使本行将不满足法定上市条件或触发实际控制人及其一致行动人的要约收购义务；

ii.本行虽实施股票回购计划但仍未满足“本行股票连续 3 个交易日的收盘价均已高于本行最

近一年经审计的每股净资产”之条件。

3)第三选择为董事(不含独立董事,下同)、高级管理人员增持本行股票。启动该选择的条件为：在实际控制人及其一致行动人增持本行股票方案实施完成后,如本行股票仍未满足“本行股票连续3个交易日的收盘价均已高于本行最近一年经审计的每股净资产”之条件,并且董事、高级管理人员增持本行股票不会致使本行将不满足法定上市条件或触发实际控制人及其一致行动人或实际控制人的要约收购义务。

在每一个自然年度,本行需强制启动股价稳定措施的义务仅限一次。

3.实施本行回购股票的程序

在达到触发启动股价稳定措施条件的情况下,本行将在10日内召开董事会,依法做出实施回购股票的决议、提交股东大会批准并履行相应公告程序。

本行将在董事会决议出具之日起30日内召开股东大会,审议实施回购股票的议案,本行股东大会对实施回购股票做出决议,必须经出席会议的股东所持表决权的2/3以上通过。

本行股东大会批准实施回购股票的议案后本行将依法履行相应的公告、备案及通知债权人等义务。在满足法定条件下依照决议通过的实施回购股票的议案中所规定的价格区间、期限实施回购。

除非出现下列情形,本行将在股东大会决议做出之日起6个月内回购股票,且回购股票的数量将达到回购前本行股份总数的2%：

1)通过实施回购股票,本行股票连续3个交易日的收盘价均已高于本行最近一年经审计的每股净资产；

2)继续回购股票将导致本行不满足法定上市条件。单次实施回购股票完毕或终止后,本次回购的本行股票应在实施完毕或终止之日起10日内注销,并及时办理本行减资程序。

4.实施实际控制人及其一致行动人增持本行股票的程序

1)启动程序

i.本行未实施股票回购计划

在达到触发启动股价稳定措施条件的情况下，并且在本行无法实施回购股票或回购股票议案未获得本行股东大会批准，且实际控制人及其一致行动人增持本行股票不会致使本行将不满足法定上市条件或触发实际控制人及其一致行动人的要约收购义务的前提下，本行实际控制人及其一致行动人将在达到触发启动股价稳定措施条件或本行股东大会做出不实施回购股票计划的决议之日起30日内向本行提交增持本行股票的方案并由本行公告。

ii.本行已实施股票回购计划

本行虽实施股票回购计划但仍未满足“本行股票连续3个交易日的收盘价均已高于本行最近一年经审计的每股净资产”之条件,本行实际控制人及其一致行动人将在本行股票回购计划实施完毕或终止之日起30日内向本行提交增持本行股票的方案并由本行公告。

2)实际控制人及其一致行动人增持本行股票的计划

在履行相应的公告等义务后，实际控制人及其一致行动人将在满足法定条件下依照方案中所规定的价格区间、期限实施增持。

本行不得为实际控制人及其一致行动人实施增持本行股票提供资金支持。

除非出现下列情形，实际控制人及其一致行动人将在增持方案公告之日起6个月内实施增持本行股票计划,且增持股票的数量将达到本行股份总数的2%：

i.通过增持本行股票,本行股票连续3个交易日的收盘价均已高于本行最近一年经审计的每股净资产；

ii.继续增持股票将导致本行不满足法定上市条件；

iii.继续增持股票将导致实际控制人及其一致行动人需要履行要约收购义务且实际控制人及其一致行动人未计划实施要约收购。

5.董事、高级管理人员增持本行股票的程序

在实际控制人及其一致行动人增持本行股票方案实施完成后,仍未满足“本行股票连续3个交易日的收盘价均已高于本行最近一年经审计的每股净资产”之条件并且董事、高级管理人员增持本行股票不会致使本行将不满足法定上市条件或触发实际控制人及其一致行动人或实际控制人的要约收购义务的情况下，董事、高级管理人员将在实际控制人及其一致行动人增持本行股票方案实施完成后90日内增持本行股票，且用于增持股票的资金不低于其上一年度于本行取得薪酬总额的15%。

董事、高级管理人员增持本行股票在达到以下条件之一的情况下终止：

1)通过增持本行股票,本行股票连续3个交易日的收盘价均已高于本行最近一年经审计的每股净资产；

2)继续增持股票将导致本行不满足法定上市条件；

3)继续增持股票将导致需要履行要约收购义务且其未计划实施要约收购。

上述预案已经本行第五届董事会第四次会议和本行2013年年度股东大会审议通过。董事及高级管理人员增持本行股票需符合法律法规及监管要求(包括对外籍人士的限制要求)

四、关于招股说明书不存在虚假记载、误导性陈述或重大遗漏的承诺及未能履行承诺的约束措施

1.发行人承诺

本行招股说明书不存在虚假记载、误导性陈述或重大遗漏,并对其真实性、准确性、完整性承担个别和连带的法律责任。

本行招股说明书有虚假记载、误导性陈述或者重大遗漏,对判断本行是否符合法律规定的发行条件构成重大、实质影响的,本行将在中国证券监督管理委员会、证券交易所或司法机关等有权机关依法对上述事实作出认定或处罚决定时按如下方式依法回购首次公开发行的全部新股：

(1)若上述情形发生于公司本次发行的新股已完成发行但未上市交易的阶段,则公司将于上述情形发生之日起5个工作日内，按发行价并加算银行同期存款利息返还给持有本次发行新股的投资者(如公司股票有分红、派息、送股、资本公积金转增股本、配股等除权、除息事项,回购股数及回购价格将相应调整)；

(2)若上述情形发生于公司本次发行的新股已完成上市交易之后,则公司将在中国证监会依法对上述事实作出认定或处罚决定后5个工作日内，召集召开董事会通过股份回购方案并提交股东大会审议,股东大会审议批准后通过上海证券交易所交易系统回购公司首次公开发行的全部新股。股份回购价格按下列方式确定:1) 发行价格加新股上市日至回购要约发出日期间的同期银行活期存款利息;2)或不低于中国证监会对公司《招股说明书》存在虚假记载、误导性陈述或者重大遗漏问题进行立案稽查之日前30个交易日公司股票的每日加权平均价格的算术平均值(如公司股票有分红、派息、送股、资本公积金转增股本、配股等除权、除息事项,前述价格将相应调整);3)或证券监督管理部门认可的其他价格。

本行招股说明书有虚假记载、误导性陈述或者重大遗漏，致使投资者在证券交易中遭受损失的,本行将依法赔偿投资者损失。

若本行未能履行承诺的,具体约束措施如下：

(1)本行将在发行人股东大会及中国证券监督管理委员会指定报刊上公开说明未履行承诺的具体原因并向发行人股东和社会公众投资者道歉。

(2)本行将按照有关法律、法规的规定及监管部门的要求承担相应的责任。

(3)若因本行违反或未能履行上述承诺事项致使投资者在证券交易中遭受损失,本行将依法向投资者赔偿相关损失,投资者损失根据发行人与投资者协商确定的金额,或者依据证券监督管理部门、司法机关认定的方式或金额确定。

2.发行人实际控制人及其一致行动人承诺

杭州市财政局为本行的实际控制人。本行股东杭州市财开投资集团有限公司、杭州余杭金融控股集团有限公司、杭州经济技术开发区财政局、杭州上城区投资控股集团有限公司、杭州市下城区财政局、杭州市江干区财政局及杭州市西湖区财政局为本行股东杭州市财政局的一致行动人。

发行人实际控制人及其一致行动人承诺如下:发行人招股说明书不存在虚假记载、误导性陈述或重大遗漏,并对其真实性、准确性、完整性承担个别和连带的法律责任。

发行人招股说明书有虚假记载、误导性陈述或者重大遗漏,对判断发行人是否符合法律规定的发行条件构成重大、实质影响的,本局/本公司将督促发行人依法回购首次公开发行的全部新股及其派生股份。发行人招股说明书有虚假记载、误导性陈述或者重大遗漏,致使投资者在证券交易中遭受损失的,本局/本公司将依法赔偿投资者损失。

如本局/本公司未能履行上述承诺的,具体约束措施如下：

(1)本局/本公司将在发行人股东大会及中国证券监督管理委员会指定报刊上公开说明未履行承诺的具体原因并向发行人股东和社会公众投资者道歉。

(2)本局/本公司将按照有关法律、法规的规定及监管部门的要求承担相应的责任。

(3)若因本局/本公司违反或未能履行上述承诺事项致使投资者在证券交易中遭受损失,本局/本公司将依法向投资者赔偿相关损失,投资者损失根据发行人与投资者协商确定的金额,或者依据证券监督管理部门、司法机关认定的方式或金额确定。本局/本公司将自愿按相应的赔偿金额申请冻结所持有的相应市值的发行人股票,从而为本局/本公司根据法律法规的规定及监管部门的要求赔偿投资者的损失提供保障。如果本局/本公司未承担前述赔偿责任,则本局/本公司持有的发行人上市前股份在本局/本公司履行完毕前述赔偿责任之前不得转让，同时发行人有权扣减本局/本公司所获分配的现金红利用于承担前述赔偿责任。

3.发行人董事、监事及高级管理人员承诺

发行人招股说明书不存在虚假记载、误导性陈述或重大遗漏,并对其真实性、准确性、完整性承担个别和连带的法律责任。

发行人招股说明书有虚假记载、误导性陈述或者重大遗漏,致使投资者在证券交易中遭受损失的,发行人全体董事、监事、高级管理人员将依法赔偿投资者损失。

承诺人不会因职务变更、离职等原因而拒绝履行上述承诺。

若承诺人未履行承诺的,则将依法承担相应的法律责任;并且在证券监督部门或有关政府机构认定前述承诺被违反或未得到实际履行，或司法机关认定因前述承诺被违反或未得到实际履行而致使投资者在证券交易中遭受损失后,公司全体董事、监事、高级管理人员自愿将各自在公司上市当年全年从公司所领取的全部薪酬对投资者先行进行赔偿。

五、证券服务机构承诺

保荐人承诺:“如因本公司未能依照适用的法律法规、规范性文件及行业准则的要求勤勉尽责地履行法定职责而导致本公司为发行人首次公开发行制作、出具的文件有虚假记载、误导性陈述或者重大遗漏,给投资者造成实际损失的,本公司将按照有管辖权的人民法院依照法律程序作出的有效司法裁决,依法赔偿投资者损失。”

发行人会计师承诺:“因本所为杭州银行股份有限公司首次公开发行A股股票出具的以下文

件有虚假记载、误导性陈述或重大遗漏,从而给投资者造成损失的,本所将依法赔偿投资者损失:于2016年7月23日出具的标准审计报告(报告编号:安永华明〔2016〕审字第60467483_B05号);于2016年7月23日出具的标准内部控制审核报告(报告编号:安永华明〔2016〕专字第60467483_B06号);于2016年7月23日出具的非经常性损益明细表专项说明(专项说明编号:安永华明〔2016〕专字第60467483_B07号)。"

发行人律师承诺:"如本所在为发行人制作、出具发行文件期间未能勤勉尽责,导致本所为杭州银行股份有限公司首次公开发行股票制作、出具的律师工作报告、法律意见书、补充法律意见书及关于发行人房屋所有权证清单、国有土地使用证清单和租赁合同清单的鉴证意见对重大事项作出虚假记载、误导性陈述,或在披露信息时发生重大遗漏,并造成投资者直接经济损失的,在该等违法事实被生效司法文书认定后,本所将本着积极协商、切实保障投资者特别是中小投资者利益的原则,自行并督促发行人及其他过错方共同对投资者遭受的直接经济损失进行赔偿。有权获得赔偿的投资者资格、投资者损失的范围认定、赔偿主体之间的责任划分和免责事由按照届时有效的相关法律法规及司法解释,根据生效司法文书确定。本所将严格履行以上承诺,并接受社会监督,确保投资者合法权益得到有效保护。"

六、本次募集资金到位后对本行即期回报的影响

本次公开发行前,本行总股本为2,355,699,200股,本次发行股份数量为26,175万股。本次募集资金到位后将充实本行资本金,本行将通过及时有效配置资本,从而实现合理的资本回报水平。但考虑到商业银行业务模式的特殊性,本次发行的募集资金到位后将与现有资本金共同使用,本次募集资金带来的收入贡献无法单独衡量。一般情况下募集资金投入当期就可以产生一定效益,但是从发行完成到资产规模相应扩张还需一定时间,直接产生的盈利和效益不能立即全面体现,因此短期内本行扣除非经常性损益后的基本每股收益、稀释每股收益将有所下降,股东即期回报存在被摊薄的风险。

为维护公司和全体股东的合法权益,本行董事、高级管理人员根据《关于首发及再融资、重大资产重组摊薄即期回报有关事项的指导意见》的要求,就确保本行填补回报措施的切实履行作出了承诺。承诺内容具体如下:

(1)不无偿或以不公平条件向其他单位或者个人输送利益,也不采用其他方式损害公司利益;

(2)对本人的职务消费行为进行约束,同时督促公司对其他董事、高级管理人员的职务消费行为进行约束,严格执行公司相关费用使用和报销的相关规定;

(3)不动用公司资产从事与履行董事、高级管理人员职责无关的投资、消费活动;

(4)由董事会或董事会提名与薪酬委员会制定的薪酬制度与公司填补回报措施的执行情况相挂钩;

(5)未来公司如实施股权激励计划,股权激励计划设置的行权条件将与公司填补回报措施的执行情况相挂钩。

本行提示投资者,尽管本行董事、高级管理人员做出上述承诺,制定填补回报措施不等于对本行未来利润做出保证。

关于填补被摊薄即期回报事宜,具体请见招股说明书"第十二节管理层讨论分析"之"七、本次发行摊薄即期回报有关事项及填补回报措施"。

七、财务报告审计截止日后主要财务信息及经营情况

财务报告审计截止日后,本行整体经营状况良好,业务运营情况正常稳定,在经营模式、主要客户的构成、税收政策以及其他可能影响投资者判断的重大事项等方面均不存在重大变化。公司2016年前三季度主要财务数据请参见本上市公告书"第五节财务会计资料"相关内容。

截至本上市公告书签署日,公司各项业务状况正常,未出现影响公司经营的重大不利因素。综合宏观环境、银行业发展及公司业绩增长情况,本行预计2016年全年的营业收入、净利润与上年相比无重大变化。

第二节　股票上市情况

一、股票发行上市审核情况

(一)编制上市公告书的法律依据

本上市公告书系根据《中华人民共和国公司法》、《中华人民共和国证券法》和《上海证券交易所股票上市规则》等有关法律法规规定,按照上海证券交易所《股票上市公告书内容与格式指引(2013年修订)》编制而成,旨在向投资者提供有关本公司首次公开发行A股股票上市的基本情况。

(二)股票发行的核准部门和文号

本公司首次公开发行股票已经中国证券监督管理委员会"证监许可[2016]2058号"核准。

(三)交易所同意股票上市文件的文号

本公司首次公开发行股票上市已经上海证券交易所"自律监管决定书[2016]263号"批准。

二、股票上市相关信息

(一)上市地点:上海证券交易所

(二)上市时间:2016年10月27日

(三)股票简称:杭州银行

(四)股票代码:600926

(五)本次公开发行后的总股本:261,744.92万股

(六)本次公开发行的股票数量:26,175万股

(七)本次上市的无流通限制及锁定安排的股票数量:26,175万股

(八)发行前股东所持股份的流通限制及期限:参见本上市公告书之"第一节重要声明与提示"

(九)发行前股东对所持股份自愿锁定的承诺:参见本上市公告书之"第一节重要声明与提示"

(十)本次上市股份的其他锁定安排:参见本上市公告书之"第一节重要声明与提示"

(十一)股票登记机构:中国证券登记结算有限责任公司上海分公司

(十二)上市保荐机构:中国国际金融股份有限公司

第三节　发行人、股东和实际控制人情况

一、发行人基本情况

中文名称:杭州银行股份有限公司

英文名称:BANKOFHANGZHOUCO.,LTD

发行后注册资本:261,744.92万元

法定代表人:陈震山

住所:杭州市下城区庆春路46号

经营范围:经中国银监会批准,并经公司登记机关核准,本行经营范围包括:吸收公众存款;发放短期、中期和长期贷款;办理国内外结算;办理票据承兑与贴现;发行金融债券;代理发行、代理兑付、承销政府债券;买卖政府债券、金融债券;从事同业拆借;买卖、代理买卖外汇;从事银行卡业务;提供信用证服务及担保;代理收付款项及代理保险业务;从事衍生产品交易业务;提供保管箱服务;外汇存款,外汇贷款,外汇汇款,外币兑换,国际结算,同业外汇拆借,外汇票据的承兑和贴现,结汇、售汇,资信调查、咨询、鉴证业务;开办个人理财业务;从事短期融资券承销业务;以及从事经国务院银行业监督管理机构批准的其他业务。

主营业务:银行业务

所属行业:货币金融服务

电话:(0571)85064656

传真:(0571)85151339

电子邮箱:ir@hzbank.com.cn

董事会秘书:徐国民

截至2016年6月30日,本行现任董事、监事与高级管理人员持有本行股份的情况如下:

姓　名	本行职务	任职起止日期	持股数量(股)
陈震山	董事长	2015.01-2016.09	无
宋剑斌	副董事长、行长	2013.09-2016.09	480,000
	财务负责人	2014.04-2016.09	
SimonRobertSaunders Blair	董事	2013.09-2016.09	无
王卫华	董事	2013.09-2016.09	无
王家华	董事	2014.04-2016.09	无
章小华	董事	2015.05-2016.09	无
JohnLaw	独立董事	2013.09-2016.09	无
刘　峰	独立董事	2013.09-2016.09	无
刘煜辉	独立董事	2013.09-2016.09	无
任勤民	监事长、职工监事	2015.07-2016.09	480,000
吕汉泉	监事	2013.09-2016.09	无
顾卫平	监事	2013.09-2016.09	无
张克夫	监事	2013.09-2016.09	无
MichaelYahng	外部监事	2013.09-2016.09	无
孙　枫	外部监事	2013.09-2016.09	无
邢承益	外部监事	2013.09-2016.09	无
张　静	职工监事、工会主席	2013.09-2016.09	480,000
楼　缨	职工监事	2013.09-2016.09	39,600
金燮煌	副行长	2013.09-2016.09	480,000
江　波	副行长	2013.09-2016.09	480,000
丁　锋	副行长	2013.09-2016.09	480,000
敖一帆	副行长	2015.07-2016.09	366,000
徐国民	董事会秘书	2013.09-2016.09	480,000
潘来法	行长助理	2013.09-2016.09	480,000
何建克	合规总监	2014.10-2016.09	无
合　计			4,245,600

注:本行本届董事、监事与高级管理人员任期届满,待下一次股东大会对董事和监事(职工监事除外)进行换届以及由新一届董事会对高级管理人员进行换届,换届完成前,本届董事、监事与高级管理人员继续履行职责。

除上述直接持股情况以外,本行董事章小华通过其控制的红狮控股集团有限公司间接持有本行150,000,000股股份,本行监事吕汉泉通过其控制的杭州河合电器股份有限公司间接持有本行78,000,000股股份,本行监事张克夫通过其控制的浙江恒励控股集团有限公司间接持有本行

48,000,000 股股份。

本行高级管理人员敖一帆的配偶高燕燕也是本行员工并持有本行 3,600 股股份。除此之外，本行董事、监事与高级管理人员的父母、配偶或子女不存在直接或间接持有本行股份的情况。

二、发行人控股股东及实际控制人的基本情况

本公司无控股股东，实际控制人为杭州市财政局。

本行股东杭州市财政局、杭州经济技术开发区财政局、杭州市下城区财政局、杭州市江干区财政局、杭州市西湖区财政局是杭州市、区政府的财政主管职能部门，其中杭州市财政局为四家区财政局的业务主管单位。本行股东杭州市财开投资集团有限公司为杭州市金融投资集团有限公司的全资子公司，杭州市金融投资集团有限公司的出资人为杭州市政府。本行股东杭州上城区投资控股集团有限公司为上城区人民政府授权经营的国有全资公司，注册资本由杭州市上城区财政局投入；本行股东杭州余杭金融控股集团有限公司为余杭区人民政府授权经营的国有全资公司，注册资本由杭州市余杭区财政局投入。上述四家区财政局、杭州市财开投资集团有限公司、杭州上城区投资控股集团有限公司及杭州余杭金融控股集团有限公司基于行政关系或出资关系成为杭州市财政局的一致行动人。

三、股东情况

(一)本次发行前后的股本结构情况

股东名称	发行前		发行后	
	股份数量(股)	股权比例	股份数量(股)	股权比例
一、有限售条件 A 股流通股				
澳洲联邦银行	471,040,000	19.9958%	471,040,000	17.9961%
杭州市财政局	290,320,000	12.3242%	284,309,330	10.8621%
杭州市财开投资集团有限公司	206,589,600	8.7698%	202,312,451	7.7294%
红狮控股集团有限公司	150,000,000	6.3675%	150,000,000	5.7308%
中国人寿保险股份有限公司	145,200,000	6.1638%	145,200,000	5.5474%
杭州汽轮机股份有限公司	138,711,840	5.8884%	138,711,840	5.2995%
中国太平洋人寿保险股份有限公司	120,000,000	5.0940%	120,000,000	4.5846%
其他上市前股东	833,837,760	35.3965%	827,080,203	31.5987%
全国社会保障基金理事会 1	–	–	17,045,376	0.6512%
合计	2,355,699,200	100.0000%	2,355,699,200	89.9998%
二、无限售条件 A 股流通股				
社会公众股	–	–	261,750,000	10.0002%
合计	–	–	261,750,000	10.0002%
总合计	2,355,699,200	100.0000%	2,617,449,200	100.0000%

注：全国社会保障基金理事会持有的该等股份系国有股转持形成，同时承继转持股份的锁定期限。

关于各股东持有股份的锁定期情况，可参见本上市公告书之“第一节重要声明与提示”之“一、实际控制人及一致行动人、持有本行内部职工股 5 万股以上的股东及本行董事、监事、高级管理人员等关于股份锁定的承诺”。

(二)本次发行后、上市前股东户数为 236,149 户，持股数量前十名的股东情况如下：

序号	股东姓名	持股数量(万股)	持股比例
1	澳洲联邦银行	47,104.00	17.9961%
2	杭州市财政局	28,430.93	10.8621%
3	杭州市财开投资集团有限公司	20,231.25	7.7294%
4	红狮控股集团有限公司	15,000.00	5.7308%
5	中国人寿保险股份有限公司	14,520.00	5.5474%
6	杭州汽轮机股份有限公司	13,871.18	5.2995%
7	中国太平洋人寿保险股份有限公司	12,000.00	4.5846%
8	杭州河合电器股份有限公司	7,800.00	2.9800%
9	上海国鑫投资发展有限公司	5,581.99	2.1326%
10	华能资本服务有限公司	5,405.72	2.0653%

第四节　股票发行情况

一、发行数量

26,175 万股，其中新股发行数量为 26,175 万股，老股转让数量为 0 股。

二、发行价格：14.39 元/股

三、每股面值：1.00 元

四、发行方式

本次发行采用网下向符合条件的投资者询价配售和网上向持有上海市场非限售 A 股股份市值的社会公众投资者定价发行相结合的方式进行。

其中网下发行量 2,617.5 万股，占本次发行总量的 10%；网上发行量 23,557.5 万股，占本次发行总量的 90%。

本次发行网上、网下投资者放弃认购股份由主承销商中金公司包销，包销股份数量为 747,394 股，包销比例为 0.29%。

五、募集资金总额及注册会计师对资金到位的验证情况

本次发行募集资金总额 376,658.25 万元，全部为发行新股募集资金金额，扣除发行费用后，募集资金净额 361,070.53 万元。

中汇会计师事务所(特殊普通合伙)对本公司本次公开发行新股的资金到位情况进行了审验，并 2016 年 10 月 22 日出具了《验资报告》(中汇会验〔2016〕4413 号)。

六、发行费用总额及明细构成、每股发行费用：

序号	项目	金额(万元)
1	承销及保荐费用	13,936.36
2	律师费用	440.00
3	审计及验资费用	425.00
4	用于本次发行的信息披露费用	461.00
5	股份托管登记费用	71.17
6	摇号及发行手续费用	73.65
7	印花税	180.54
	本次发行费用合计	15,587.72

每股发行费用为：0.596 元/股(发行费用除以发行股数)

七、募集资金净额：361,070.53 万元

八、发行后每股净资产

14.32 元（按本行 2016 年 6 月 30 日经审计归属于母公司股东权益和本次发行募集资金净额之和除以本次发行后总股本计算）。

九、发行后每股收益

1.41 元(按本行 2015 年经审计的、扣除非经常性损益前后孰低的归属于母公司股东的净利润除以发行后总股本计算)。

第五节　财务会计资料

安永华明会计师事务所(特殊普通合伙)(以下简称“安永华明”)依据中国注册会计师独立审计准则对本行 2013 年度、2014 年度、2015 年度以及 2016 年 1–6 月的财务报表进行了审计，并出具了标准无保留意见的审计报告(安永华明〔2016〕审字第 60467483_B05 号)。相关财务会计信息已在公告的招股说明书中详细披露，投资者欲了解相关情况，请详细阅读招股说明书“第十一节财务会计信息”和“第十二节管理层讨论分析”。

本上市公告书已披露截至 2016 年 9 月 30 日的资产负债表、2016 年 1–9 月的利润表及现金流量表，上述数据均未经审计。本行上市后将不再另行披露 2016 年第三季度报告，敬请投资者注意。本行 2016 年三季度报表已经第五届董事会第二十五次会议审议通过。

一、主要会计数据及财务指标

项目	2016 年 9 月 30 日(未经审计)	2015 年 12 月 31 日(经审计)	本报告期末比上年度期末增减(%)	说明
资产总计(千元)	634,141,609	545,314,565	16.29	–
负债总计(千元)	599,428,985	513,420,123	16.75	–
归属于母公司股东权益(千元)	34,712,624	31,835,281	9.04	–
归属于母公司股东的每股净资产(元/股)注	14.74	13.51	9.10	–

注：每股净资产=期末净资产/期末总股本，即均为发行前总股本

项目	2016 年 1–9 月(未经审计)	2015 年 1–9 月(未经审计)	本报告期比上年同期增减(%)	说明
营业收入(千元)	10,720,246	9,460,822	13.31	–
营业利润(千元)	4,012,532	3,852,549	4.15	–
利润总额(千元)	4,014,316	3,846,970	4.35	–

项目	2016 年 1–9 月(未经审计)	2015 年 1–9 月(未经审计)	本报告期比上年同期增减(%)	说明
归属于母公司股东的净利润(千元)	3,356,808	3,132,874	7.15	–
归属于母公司股东的扣除非经常性损益后的净利润(千元)	3,357,107	3,140,701	6.89	–
基本每股收益(元/股)	1.42	1.40	1.43	–
扣除非经常性损益后的				

基本每股收益(元/股)	1.43	1.40	2.14	-
加权平均净资产收益率(年化)	13.45%	15.05%	减少 1.60 个百分点	
扣除非经常性损益后的加权平均净资产收益率(年化)	13.45%	15.08%	减少 1.63 个百分点	
经营活动产生的现金流量净额(千元)	51,280,290	20,949,218	144.78	收到的拆入资金、卖出回购贵金属及债券的现金净额增加

注 1:基本每股收益=当期归属于母公司股东的净利润/加权平均股本;

注 2:加权平均净资产收益率和扣除非经常性损益后的加权平均净资产收益率两个指标的本报告期比上年同期增减为两期数的差值。

二、经营业绩和财务状况的简要说明

截至 2016 年 9 月 30 日,本行资产总额为 6,341.42 亿元,归属于母公司股东权益总额 347.13 亿元,较 2015 年 12 月 31 日分别增长 16.29%和 9.04%。2016 年 1-9 月,本行营业收入 107.20 亿元,归属于母公司股东的净利润 33.57 亿元,较 2015 年 1-9 月分别增长 13.31%和 7.15%。本行财务报告截止日后经营情况良好,主要得益于生息资产规模的扩大和经营业绩的增长。

三、2016 年全年经营业绩预计

截至本上市公告书签署日,本行各项业务状况正常,未出现影响本行经营的重大不利因素。综合宏观环境、银行业发展及本行业绩增长情况,本行预计 2016 年全年的营业收入、净利润与上年相比无重大变化。

第六节　其他重要事项

一、募集资金专户存储监管协议安排

根据中国证监会《上市公司监管指引第 2 号——上市公司募集资金管理和使用的监管要求》、《上海证券交易所上市公司募集资金管理办法(2013 年修订)》等法律法规及《杭州银行股份有限公司募集资金存储及使用管理办法》,本行(甲方)与中国国际金融股份有限公司(乙方)签订《募集资金专户存储监管协议》,协议的主要条款如下:

(1)甲方开设的募集资金专项账户仅用于甲方首次公开发行 A 股股票募集资金的存储和使用,不得用作其他用途。

(2)甲方承诺遵守《中华人民共和国票据法》、《支付结算办法》、《人民币银行结算账户管理办法》等法律、法规、规章以及《杭州银行股份有限公司募集资金存储及使用管理办法》等内部规定。

(3)乙方作为甲方的保荐人,应当依据有关规定指定保荐代表人或其他工作人员对甲方募集资金使用情况进行监督。

乙方承诺按照《证券发行上市保荐业务管理办法》、《上海证券交易所上市公司募集资金管理办法(2013 年修订)》以及甲方制订的募集资金管理制度对甲方募集资金管理事项履行保荐职责,进行持续督导工作。

乙方可以采取现场调查、书面问询等方式行使其监督权。甲方应当配合乙方的调查与查询。乙方每半年度对甲方现场调查时应当同时检查专户存储情况。

(4)甲方按月向乙方提供真实、准确、完整的专户对账单。

(5)甲方 1 次或 12 个月以内累计从专户支取的金额超过 5,000 万元且达到发行募集资金总额扣除发行费用后的净额(以下简称“募集资金净额”)的 20%的,甲方应当及时以传真方式通知乙方,同时提供专户的支出清单。

(6)乙方有权根据有关规定更换指定的保荐代表人。乙方更换保荐代表人的,应当将相关证明文件书面通知甲方,同时按本协议第十二条的要求书面通知更换后保荐代表人的联系方式。更换保荐代表人不影响本协议的效力。

(7)甲方存在未配合乙方调查专户情形的,乙方有权要求甲方改正并配合乙方调查募集资金专户。

(8)乙方发现甲方未按约定履行本协议的,应当在知悉有关事实后及时向上海证券交易所书面报告。

(9)乙方对在执行监督募集资金使用职责过程中所知悉的甲方及募集资金专户的信息负有保密义务。除按照有关法律法规规定的披露义务外,乙方不得向任何第三方泄露甲方及募集资金专户信息。

(10)本协议自甲、乙双方法定代表人或其授权代表签署并加盖各自单位公章之日起生效,至专户资金全部支出完毕并依法销户之日起失效。

二、其他事项

本公司在招股说明书刊登日至上市公告书刊登前,没有发生可能对本公司有较大影响的重要事项。具体如下:

(1)本公司主要业务发展目标进展情况正常;

(2)本公司所处行业和市场未发生重大变化;

(3)除与正常业务经营相关的采购、销售等商务合同外,本公司未订立其他对本公司资产、负债、权益和经营成果产生重大影响的重要合同;

(4)本公司与关联方未发生重大关联交易;

(5)本公司未发生重大投资;

(6)本公司未发生重大资产(或股权)购买、出售及转换;

(7)本公司住所未发生变更;

(8)本公司董事、监事、高级管理人员及核心技术人员未发生变化;

(9)本公司未发生重大诉讼、仲裁事项;

(10)本公司未发生除正常经营业务之外的重大对外担保等或有事项;

(11)本公司的财务状况和经营成果未发生重大变化;

(12)本公司未召开股东大会,本行于 2016 年 10 月 22 日召开了第五届董事会第二十五次会议,审议通过了 2016 年三季度财务报表及在上市公告书中进行相应披露的议案;本行于 2016 年 10 月 22 日召开了第五届监事会第十五次会议,审议通过了 2016 年三季度财务报表及首次公开发行股票上市公告书第五节财务会计资料的议案;

(13)本公司未发生其他应披露的重大事项。

第七节　上市保荐机构及其意见

一、上市保荐机构基本情况

保荐机构名称:中国国际金融股份有限公司

法定代表人:丁学东

住所:北京市朝阳区建国门外大街 1 号国贸大厦 2 座 27 层及 28 层

联系电话:(010)65051166

传真:(010)65051156

保荐代表人:王子龙、余燕

联系人:陈究、周家祺、徐磊、梁晶晶、陈众煌、徐勖、王煜忱、童璇子、宫远鹏、刘逸琨、廉盟

二、上市保荐机构的推荐意见

上市保荐机构中国国际金融股份有限公司认为,发行人申请其股票上市符合《中华人民共和国公司法》、《中华人民共和国证券法》及《上海证券交易所股票上市规则》等法律、法规的规定,发行人股票具备在上海证券交易所上市的条件。上市保荐机构同意推荐杭州银行股份有限公司在上海证券交易所上市。

江苏常熟农村商业银行股份有限公司

江苏常熟农村商业银行股份有限公司首次公开发行股票上市公告书

特别提示

如无特别说明，本上市公告书中的简称或名词释义与江苏常熟农村商业银行股份有限公司（以下简称“本行”）首次公开发行股票招股说明书中的相同。本行股票将于2016年9月30日在上海证券交易所上市。本行提醒投资者应充分了解股票市场风险及本行披露的风险因素，在新股上市初期切忌盲目跟风“炒新”，应当审慎决策、理性投资。

第一节　重要声明与提示

一、重要提示

江苏常熟农村商业银行股份有限公司（以下简称“本行”）及全体董事、监事、高级管理人员保证上市公告书的真实性、准确性、完整性，承诺上市公告书不存在虚假记载、误导性陈述或重大遗漏，并承担个别和连带的法律责任。

上海证券交易所、其他政府机关对本行股票上市及有关事项的意见，均不表明对本行的任何保证。

本行提醒广大投资者注意，凡本上市公告书未涉及的有关内容，请投资者查阅刊载于上海证券交易所网站（http://www.sse.com.cn）的本行招股说明书书全文。

二、本行及相关责任主体的承诺事项

本行股东持股分散且不存在控股股东或实际控制人。

（一）关于股份稳定的承诺

1.本行持股5%以上的股东交通银行承诺：

（1）自发行人股票上市交易之日起三十六个月内，不转让或委托他人管理交通银行所持有的发行人公开发行股票前已发行的股票，也不由发行人回购交通银行所持有的发行人公开发行股票前已发行的股票。

（2）锁定期满后，交通银行在实施减持发行人股份时，将提前五个交易日告知发行人，提前三个交易日通过发行人进行公告，未履行公告程序前不实施减持。

（3）发行人股票上市交易之日起十二个月届满后二十四个月，交通银行无减持计划。

（4）若交通银行未履行上述承诺，交通银行所减持公司股份所得收益（如有）归发行人所有。

2.发行人董事、监事、高级管理人员及近亲属按照财政部〔2010〕97号文要求出具的股份锁定承诺：

（1）董事、监事、高级管理人员承诺

持有本行股份的董事、监事、高级管理人员宋建明、徐惠春、邹振荣、张义良、钱月宝、陈瑜、黄勇斌、施健、薛文、彭晓东分别承诺：

自发行人股票上市交易之日起三年内，其不转让或委托他人管理其所持有的发行人的股权，也不由发行人回购其所持有的发行人的股权；

在本人任职期间每年转让的股份不得超过其所持有本行股份总数的百分之二十五。本人离职后半年内，不得转让其所持有的本行股份。

持有本行股份的董事、高级管理人员宋建明、徐惠春、邹振荣、黄勇斌、施健、薛文、彭晓东分别承诺：

其所持发行人股票在锁定期满后两年内减持的，减持价格不低于发行人已发行股票首次公开发行价格。自发行人股票上市至其减持期间，发行人如有派息、送股、资本公积金转增股本、配股等除权除息事项，减持底价下限将相应进行调整；

发行人股票上市后6个月内如公司股票连续20个交易日的收盘价均低于首次公开发行价格，或者上市后6个月期末收盘价低于首次公开发行价格，其持有发行人股票的锁定期限在原有锁定期限基础上自动延长6个月。

（2）发行人董事、监事、高级管理层近亲属承诺

自发行人股票上市交易之日起三年内，其不转让或委托他人管理其所持有的发行人的股权，也不由发行人回购其所持有的发行人的股权。

（3）持股超过5万股的员工股东

持有发行人股份超过5万股的内部职工共计784人，已有767人签署了关于股份锁定的承诺函，承诺：

自发行人股票上市之日起，本人所持股份转让锁定期不低于三年；

股份转让锁定期满后，本人每年出售所持发行人的股份数不超过所持发行人股份总数的15%；

上述锁定期限届满后五年内，本人转让所持发行人的股份数不超过本人所持发行人股份总数的50%。

另有17人因去世、无法取得联系等原因尚未签署该等承诺函。该等股东持股3,041,843股，占发行前总股本的0.15%。

3.合计持股达51%的股东承诺

合计持有发行人51.22%股份的68名股东签订承诺：自发行人股票上市之日起三十六个月内，不转让或者委托他人管理持有的发行人股份，也不由发行人回购其持有的股份。

4.报告期内新增股东承诺

报告期内发行人新增61名股东，其中60名股东签署承诺：自本人所持发行人股份登记在股东名册之日起三十六个月内，不转让或者委托他人管理本人直接或间接持有的上述股份，也不由发行人收购上述股份。

仅有1名股东无法取得联系未签订该承诺，该等股东持股155,796股，占发行前总股本的0.008%。

（二）关于招股说明书内容真实、准确、完整的承诺

1.发行人关于招股说明书有虚假记载、误导性陈述或者重大遗漏方面的承诺及约束措施

本行承诺：“本行招股说明书若有虚假记载、误导性陈述或者重大遗漏，对判断本行是否符合法律规定的发行条件构成重大、实质影响的，本行董事会将在监管部门依法对上述事实作出认定或处罚决定后五个工作日内，制定股份回购方案，并提交股东大会审议批准。稳定股价具体方案需银行业监督管理部门审批的部分，应在股东大会审议通过后的5个工作日内上报有权机关审批，自得到有权机关批准之日起5个工作日内启动实施。本行将依法回购首次公开发行的全部新股，回购价格按照发行价格加上同期银行存款利息，如公司股票有派息、送股、资本公积金转增股本等除权、除息事项的，回购的股份包括首次公开发行的全部新股及其派生股份，发行价格将相应进行除权、除息调整，并根据相关法律法规规定的程序实施，上述回购实施时法律法规另有规定的从其规定。

本行招股说明书若有虚假记载、误导性陈述或者重大遗漏，致使投资者在证券交易中遭受损失的，本行将依法赔偿投资者损失。在该等违法事实被中国证监会、证券交易所或司法机关认定后，本行将本着主动沟通、尽快赔偿、切实保障投资者特别是中小投资者利益的原则，按照投资者直接遭受的可测算的经济损失选择与投资者沟通赔偿，通过设立投资者赔偿基金等方式积极赔偿投资者由此遭受的直接经济损失。

本行若违反相关承诺，将在股东大会及中国证监会指定报刊上公开说明未履行的具体原因并向股东和社会公众投资者道歉，并依法承担相应法律责任。”

2.董事、监事、高级管理人员关于招股说明书有虚假记载、误导性陈述或者重大遗漏方面的承诺及约束措施

发行人董事、监事、高级管理人员承诺：“江苏常熟农村商业银行股份有限公司招股说明书若有虚假记载、误导性陈述或者重大遗漏，致使投资者在证券交易中遭受损失的，由发行人董事、监事及高级管理人员将依法赔偿投资者损失。若未能履行上述承诺，则发行人董事、监事及高级管理人员将按有关法律、法规的规定及监管部门的要求承担相应的责任；同时，若因发行人董事、监事及高级管理人员未能履行相关承诺致使投资者在证券交易中遭受损失且相关损失数额经司法机关以司法认定形式予以认定的，发行人董事、监事及高级管理人员自愿将各自在江苏常熟农村商业银行股份有限公司上市当年全年从公司所领取的全部薪金对投资者进行赔偿。”

3.本次发行相关中介机构关于出具文件真实性的承诺

保荐人中信建投证券承诺：“如因本单位为常熟农商银行首次公开发行制作、出具的文件有虚假记载、误导性陈述或者重大遗漏，给投资者造成损失的，本单位将按相应法律法规的规定，赔偿投资者全部损失。”

发行人律师世纪同仁承诺：“如因本所为常熟农商银行首次公开发行制作、出具的文件有虚假记载、误导性陈述或者重大遗漏，给投资者造成损失的，本所将依法承担相应的法律责任。”

发行人会计师立信会计师承诺：“本所为常熟农商银行首次公开发行股票事宜制作、出具的文件有虚假记载、误导性陈述或者重大遗漏，给投资者造成损失的，将依法赔偿投资者损失。”

（三）上市后三年内公司股价低于每股净资产时稳定公司股价的预案

为强化股东、管理层诚信义务，保护中小股东权益，本行特制定以下稳定股价预案。本预案经本行股东大会审议通过、并在本行完成首次公开发行A股股票并上市后自动生效，在此后三年内有效。

本行上市后三年内，如公司股票连续20个交易日的收盘价均低于本行最近一期经审计的每股净资产（最近一期审计基准日后，因利润分配、资本公积金转增股本、增发、配股等情况导致本行净

资产或股份总数出现变化的,每股净资产相应进行调整),非因不可抗力因素所致,本行及相关主体将采取以下措施中的一项或多项稳定公司股价:

①本行回购公司股票;

②本行董事(独立董事除外)、高级管理人员增持公司股票;

③其他证券监管部门认可的方式。本行董事会将在公司股票价格触发启动股价稳定措施条件之日起的五个工作日内制订具体方案,并在履行完毕相关内部决策程序和外部审批/备案程序(如需)后实施,且按照上市公司信息披露要求予以公告。本行稳定股价措施实施完毕及承诺履行完毕之日起两个交易日内,本行应将稳定股价措施实施情况予以公告。本行稳定股价措施实施完毕及承诺履行完毕后,如公司股票价格再度触发启动股价稳定措施的条件,则本行、董事(独立董事除外)、高级管理人员等相关责任主体将继续按照上述承诺履行相关义务。自股价稳定方案公告之日起 90 个自然日内,若股价稳定方案终止的条件未能实现,则本行董事会制定的股价稳定方案即刻自动重新生效,本行、董事(独立董事除外)、高级管理人员等相关责任主体继续履行股价稳定措施;或者本行董事会即刻提出并实施新的股价稳定方案,直至股价稳定方案终止的条件实现。

1.本行回购公司股票的具体安排

本行将自股价稳定方案公告之日起 90 个自然日内通过证券交易所以集中竞价的交易方式回购本行社会公众股份,回购价格不高于本行最近一期经审计的每股净资产(最近一期审计基准日后,因利润分配、资本公积金转增股本、增发、配股等情况导致本行净资产或股份总数出现变化的,每股净资产相应进行调整),回购股份数量不低于本行股份总数的 1%,回购后本行的股权分布应当符合上市条件,回购行为及信息披露、回购后的股份处置应当符合《公司法》、《证券法》及其他相关法律、行政法规的规定。

本行全体董事(独立董事除外)承诺,在本行就回购股份事宜召开的董事会上,对本行承诺的回购股份方案的相关决议投赞成票。

2.本行董事(独立董事除外)、高级管理人员增持公司股票的具体安排

本行董事(独立董事除外)、高级管理人员将自股价稳定方案公告之日起 90 个自然日内通过证券交易所以集中竞价交易方式增持本行社会公众股份,增持价格不高于本行最近一期经审计的每股净资产(最近一期审计基准日后,因利润分配、资本公积金转增股本、增发、配股等情况导致公司净资产或股份总数出现变化的,每股净资产相应进行调整),用于增持公司股份的资金额不低于本人上一年度从本行领取收入的三分之一,增持计划完成后的六个月内将不出售所增持的股份,增持后本行的股权分布应当符合上市条件,增持股份行为及信息披露应当符合《公司法》、《证券法》及其他相关法律、行政法规的规定。

对于未来新聘的董事(独立董事除外)、高级管理人员,本行将在其作出承诺履行公司发行上市时董事、高级管理人员已作出的相应承诺要求后,方可聘任。

3.稳定股价方案的终止情形

自股价稳定方案公告之日起 90 个自然日内,若出现以下任一情形,则视为本次稳定股价措施实施完毕及承诺履行完毕,已公告的稳定股价方案终止执行:

(1)公司股票连续 10 个交易日的收盘价均高于本行最近一期经审计的每股净资产(最近一期审计基准日后,因利润分配、资本公积金转增股本、增发、配股等情况导致本行净资产或股份总数出现变化的,每股净资产相应进行调整);

(2)继续回购或增持公司股份将导致本行股权分布不符合上市条件。

4.未履行稳定公司股价措施的约束措施

若本行董事会制订的稳定公司股价措施涉及本行董事(独立董事除外)、高级管理人员增持公司股票,如董事(独立董事除外)、高级管理人员未能履行稳定公司股价的承诺,则本行有权自股价稳定方案公告之日起 90 个自然日届满后将对其从本行领取的收入予以扣留,直至其履行增持义务。

(四)董事、高级管理人员对本行填补回报措施能够得到切实履行作出的承诺

本行董事、高级管理人员对本行填补回报措施能够得到切实履行作出如下承诺:

(1)承诺不无偿或以不公平条件向其他单位或者个人输送利益,也不采用其他方式损害公司利益;

(2)承诺对董事和高级管理人员的职务消费行为进行约束;

(3)承诺不动用本行资产从事与其履行职责无关的投资、消费活动;

(4)承诺由董事会或薪酬委员会制定的薪酬制度与本行填补回报措施的执行情况相挂钩;

(5)承诺拟公布的本行股权激励的行权条件与本行填补回报措施的执行情况相挂钩。

(五)公开发行前持股 5%以上的股东交通银行关于持股意向及减持意向的承诺

"常熟农商银行股票上市交易之日起十二个月届满后二十四个月,本公司无减持计划。"

(六)不适用老股转让情况的说明

本次发行 222,272,797 股,占发行后总股本的 10%,在扣除发行费用后,将全部用于补充本行资本金。本行本次发行股份全部为新股,不涉及存量股的转让,不适用老股转让情况。

三、本行盈利预测

基于 2016 年度已实现的经营业绩、各项监管指标等情况,并考虑近期宏观经济形势,预计公司 2016 年 1-9 月营业收入(合并口径)为 332,014 万元至 360,885 万元,较上年同期变动幅度为 15%至 25%;归属于母公司股东的净利润为 75,816 万元至 83,398 万元,较上年同期变动幅度为 0%至 10%;扣除非经常性损益后归属于母公司股东的净利润为 75,330 万元至 82,863 万元,较上年同期变动幅度为 0%至 10%。营业收入、归属于母公司股东的净利润、扣除非经常性损益后归属于母公司股东的净利润在 2016 年 1-9 月与去年同期相比均上升,不存在大幅下滑或亏损的情形。

第二节 股票上市情况

一、本上市公告书系根据《公司法》、《证券法》和《上海证券交易所股票上市规则》等有关法律法规规定,按照上海证券交易所《股票上市公告书内容与格式指引》编制而成,旨在向投资者说明本行首次公开发行 A 股股票上市的基本情况。

二、本行首次公开发行 A 股股票(简称"本次发行")经中国证券监督管理委员会"证监许可〔2016〕1660 号"文核准。本次发行采用网下向投资者询价配售与网上按市值申购定价发行相结合的方式。

三、本行 A 股股票上市经上海证券交易所"自律监管决定书"[2016]244 号文批准。证券简称"常熟银行",股票代码"601128"。本次发行的 222,272,797 股社会公众股将于 2016 年 9 月 30 日起上市交易。

四、股票上市概况

上市地点:上海证券交易所

上市时间:2016 年 9 月 30 日

股票简称:常熟银行

股票代码:601128

本次公开发行后的总股本:2,222,727,969 股

本次公开发行的股票数量:222,272,797 股

本次上市的无流通限制及锁定安排的股票数量:本次公开发行新股 222,272,797 股,股份无流通限制及锁定安排。

发行前股东所持股份的流通限制及期限以及发行前股东对所持股份自愿锁定的承诺请参见"第一节 重要声明与提示"之"二、股份锁定及减持承诺"所述。

股票登记机构:中国证券登记结算有限公司上海分公司

上市保荐机构:中信建投证券股份有限公司

第三节 发行人、股东和实际控制人情况

一、公司基本情况

中文名称:江苏常熟农村商业银行股份有限公司英文名称:Jiangsu Changshu Rural Commercial Bank Co., Ltd..

法定代表人:宋建明

成立日期:2001 年 12 月 3 日

注册资本:(本次发行前)2,000,455,172 元

住所:江苏省常熟市新世纪大道 58 号(邮政编码:215500)

经营范围:吸收公众存款;发放短期、中期和长期贷款;办理国内结算,办理票据贴现;代理收付款项及代理保险业务,代理发行、代理兑付、承销政府债券,代理其他银行的金融业务;买卖政府债券和金融债券;按中国人民银行的规定从事同业拆借;提供保管箱服务;中国人民银行批准的其他业务。

主营业务:本行的主要业务包括公司金融业务、个人金融业务、资金业务及其他

所属行业:根据《中国证监会上市公司行业分类指引》和本行的主营业务,本行的行业划分为"J 金融业"大类下的"J66 货币金融服务业"

联系电话:0512-52909021

传真号码:0512-52909021

互联网网址:http://www.csrcbank.com

电子信箱:csnsh@csebank.com

董事会秘书:徐惠春

董事、监事、高级管理人员

(1)董事

本行董事会由 13 名成员组成,其中 5 名为独立董事。董事列表如下:

姓 名	在本行任职	国籍	提名人	任职期间
宋建明	董事长、董事	中国	董事会	2014/02/21-2017/02/20
秦卫明	董事、行长	中国	董事会	2014/02/21-2017/02/20
徐惠春	董事、董事会秘书	中国	董事会	2014/02/21-2017/02/20
樊 军	董事	中国	董事会	2014/02/21-2017/02/20

赵海慧	董事	中国	董事会	2014/02/21-2017/02/20
朱勤保	董事	中国	董事会	2014/02/21-2017/02/20
王春华	董事	中国	董事会	2014/02/21-2017/02/20
邹振荣	董事	中国	董事会	2014/02/21-2017/02/20
曹　中	独立董事	中国	董事会	2014/02/21-2017/02/20
谢建刚	独立董事	中国	董事会	2014/02/21-2017/02/20
张国平	独立董事	中国	董事会	2014/02/21-2017/02/20
何　平	独立董事	中国	董事会	2014/02/21-2017/02/20
殷　峰	独立董事	中国	董事会	2015/03/03-2017/02/2

(2)监事

本行监事会由6名监事组成,其中2名职工监事,4名外部监事。本行监事任期3年,可连选连任。监事列表如下:

姓　名	在本行任职	国籍	提名人	任职期间
张义良	监事长、职工监事	中国	职工代表大会	2014/02/21-2017/02/20
周勇军	职工监事	中国	职工代表大会	2014/02/21-2017/02/20
钱月宝	外部监事	中国	监事会	2014/02/21-2017/02/20
陈　瑜	外部监事	中国	监事会	2014/02/21-2017/02/20
丁韶华	外部监事	中国	监事会	2014/02/21-2017/02/20
马晓虹	外部监事	中国	监事会	2014/02/21-2017/02/20

(3)高级管理人员

本行高级管理人员包括:行长、副行长、财务负责人、董事会秘书、行长助理。高级管理人员列表如下:

姓　名	在本行任职
秦卫明	董事、行长
徐惠春	董事、董事会秘书
黄勇斌	副行长、财务负责人
施　健	副行长
薛　文	副行长
王　玮	副行长
彭晓东	行长助理

董事、监事、高级管理人员持有本行股票、债券情况

本行现任董事、监事及高级管理人员持有本行股份情况如下:

姓　名	本行职务	在本行持股情况(股)	持股比例(%)
宋建明	董事长	500,000	0.02
徐惠春	董事、董事会秘书	500,000	0.02
邹振荣	董事	1,669,293	0.08
张义良	监事长、职工监事	500,000	0.02
钱月宝	外部监事	1,669,293	0.08
陈　瑜	外部监事	1,408,962	0.07
黄勇斌	副行长	500,000	0.02
施　健	副行长	287,952	0.01
薛　文	副行长	287,952	0.01
彭晓东	行长助理	206,228	0.01
合　计	-	7,529,680	0.34

本行董事、监事及高级管理人员的近亲属持有本行股份情况如下:

董监高近亲属姓名	持股数(股)	持股比例	亲属关系	董监高姓名	是否为发行人职工	签署股份锁定承诺身份
陶丽霞	2,326,279	0.12%	配偶	宋建明	否	董监高近亲属
陆玉芳	1,669,293	0.08%	配偶	邹振荣	否	董监高近亲属
邹雅婷	3,338,586	0.17%	子女	邹振荣	否	董监高近亲属
顾瑞亚	1,012,306	0.05%	配偶	谢建刚	否	董监高近亲属
陈必亮	1,669,293	0.11%	父子	陈　瑜	否	董监高近亲属
高桂英	834,646	0.05%	母子	陈　瑜	否	董监高近亲属
王也吉	1,669,293	0.08%	配偶	周勇军	否	董监高近亲属
谈瑞英	1,669,293	0.08%	岳母	黄勇斌	否	董监高近亲属
陈　芳	287,952	0.01%	配偶	施　健	是	持股超过5万股的员工股东、董监高近亲属
龚　颖	287,952	0.01%	配偶	薛　文	是	持股超过5万股的员工股东、董监高近亲属

二、控股股东及实际控制人的基本情况

本行股东持股分散且不存在控股股东或实际控制人。

三、股本结构及前十名股东情况

1.本次发行前后的股本结构变动情况

本次发行前,本行总股本为2,000,455,172股,本次发行股数为222,272,797股,本次发行前后本行的股本结构如下:

股东名称	本次发行前		本次发行后		
	持股数量(股)	持股比例	持股数量(股)	持股比例	锁定期限制
一、有限售条件A股流通股					
交通银行股份有限公司	200,045,824	10.00%	200,045,824	9.00%	36个月
常熟市发展投资有限公司(SS)	92,825,166	4.64%	81,382,062	3.66%	36个月
江苏江南商贸集团有限责任公司(SS)	87,480,021	4.37%	76,695,845	3.45%	36个月
常熟市苏华集团有限公司	78,960,000	3.95%	78,960,000	3.55%	36个月
江苏隆力奇集团有限公司	57,246,000	2.86%	57,246,000	2.58%	36个月
江苏白雪电器股份有限公司	46,302,933	2.31%	46,302,933	2.08%	36个月
常熟风范电力设备股份有限公司	27,411,753	1.37%	27,411,753	1.23%	36个月
江苏灵丰纺织集团有限公司	27,411,753	1.37%	27,411,753	1.23%	36个月
常熟华联商厦有限责任公司	24,194,133	1.21%	24,194,133	1.09%	36个月
江苏梦兰集团有限公司	23,207,133	1.16%	23,207,133	1.04%	36个月
原其他股东	1,335,370,456	66.76%	1,335,370,456	60.08%	12个月至96个月
全国社会保证基金理事会	-	-	22,227,280	1.00%	36个月
合计	2,000,455,172	100.00%	2,000,455,172	90.00%	
二、无限售条件A股流通股					
本次公开发行股份	-	-	222,272,797	10.00%	无
合计	-	-	2,222,727,969	100.00%	-

注:本次发行前本行股东所持股份的锁定期限自本行股票上市之日起计算。

2015年9月29日,江苏省国资委出具《江苏省国资委关于江苏常熟农村商业银行股份有限公司国有股权管理有关事项的批复》(苏国资复〔2015〕156号),确认发行人共有两家国有股东,国有股东及其持股情况如下:

国有股东名称	持股数(股)	持股比例
常熟发展投资有限公司	92,825,166	4.64%
江苏江南商贸集团有限责任公司	87,480,021	4.37%

2015年12月8日,江苏省国资委出具《江苏省国资委关于同意江苏常熟农村商业银行股份有限公司国有股转持的批复》(苏国资复〔2015〕189号),同意常熟发展投资有限公司、江苏江南商贸集团有限责任公司分别向全国社会保证基金理事会转持部分股权。两家国有股东均以转持股份的方式履行国有股转持义务,合计转持股份数为22,227,280股。

2.本次发行后、上市前的股东人数为183,226名,持股数量前10名股东的名称、持股数量及持股比例如下表所示:

序号	股东名称	持股数额(股)	持股比例(%)
1	交通银行股份有限公司	200,045,824	9.00%
2	常熟市发展投资有限公司(SS)	81,382,062	3.66%
3	常熟市苏华集团有限公司	78,960,000	3.55%
4	江苏江南商贸集团有限责任公司(SS)	76,695,845	3.45%
5	江苏隆力奇集团有限公司	57,246,000	2.58%
6	江苏白雪电器股份有限公司	46,302,933	2.08%
7	常熟风范电力设备股份有限公司	27,411,753	1.23%
8	江苏灵丰纺织集团有限公司	27,411,753	1.23%
9	常熟华联商厦有限责任公司	24,194,133	1.09%
10	江苏梦兰集团有限公司	23,207,133	1.04%

第四节　股票发行情况

一、发行数量:222,272,797股

二、发行价格:4.28元/股

三、每股面值:人民币1.00元

四、发行方式：本次发行采用网下向投资者询价配售与网上按市值申购定价发行相结合的发行方式。其中，网下向投资者配售 22,150,011 股，占本次发行总量的 9.97%；网上向社会公众投资者发行 199,604,034 股，占本次发行总量 89.80%。本次发行网下投资者弃购 76,786 股，网上投资者弃购 441,966 股，合计 518,752 股，由主承销商包销。

五、募集资金总额及注册会计师对资金到位的验证情况

本次发行募集资金总额为 951,327,571.16 元。立信会计师事务所于 2016 年 9 月 26 日对本次发行的资金到位情况进行了审验，并出具了信会师报字〔2016〕第 510397 号《验资报告》。

六、发行费用总额及明细构成、每股发行费用

1.本次发行费用总额为 40,150,945.25 元，其中保荐及承销费 26,437,171.99 元；审计、验资费 3,400,000.00 元；律师费 2,880,000.00 元；用于本次发行的信息披露费用 6,000,000.00 元，发行手续费用 1,433,773.26 元。

2.本次公司公开发行新股的每股发行费用为 0.1806 元(按本次发行费用总额除以发行股数计算)。

七、本次公司公开发行新股的募集资金净额：911,176,625.91 元。

八、发行后每股净资产：4.26 元(按本行 2016 年 6 月 30 日经审计的归属于母公司股东权益和本次募集资金净额之和除以发行后总股本计算)

九、发行后每股收益：0.43 元(按本行 2015 年度经审计的扣除非经常性损益前后孰低的净利润除以本次发行后总股本计算)

第五节　财务会计信息

立信会计师事务所依据《中国注册会计师审计准则》，对本行 2013 年、2014 年、2015 年及 2016 年 1-6 月的财务报表进行了审计，并出具了信会师报字〔2016〕第 510352 号标准无保留意见的审计报告。以上数据已在公告的招股说明书中进行了详细披露，投资者欲了解相关情况请详细阅读招股说明书，本公告不再披露，敬请投资者注意。

基于 2016 年度已实现的经营业绩、各项监管指标等情况，并考虑近期宏观经济形势，预计公司 2016 年 1-9 月营业收入(合并口径)为 332,014 万元至 360,885 万元，较上年同期变动幅度为 15%至 25%；归属于母公司股东的净利润为 75,816 万元至 83,398 万元，较上年同期变动幅度为 0%至 10%；扣除非经常性损益后归属于母公司股东的净利润为 75,330 万元至 82,863 万元，较上年同期变动幅度为 0%至 10%。营业收入、归属于母公司股东的净利润、扣除非经常性损益后归属于母公司股东的净利润在 2016 年 1-9 月与去年同期相比均上升，不存在大幅下滑或亏损的情形。

第六节　其他重要信息

一、募集资金专户存储监管协议安排

根据《上海证券交易所上市公司募集资金管理办法》及本行《募集资金管理办法》的规定，本行(协议“甲方”和“乙方”)与保荐机构中信建投证券股份有限公司(协议“丙方”)签订了《募集资金专户存储监管协议》(以下简称“本协议”)，本协议约定的主要条款如下：

1.甲方已在乙方开设本次发行募集资金专用账户(以下简称“专户”)，该专户仅用于甲方首次公开发行股票补充核心一级资本项目募集资金的存储和使用，不得用作其他用途。

2.甲乙双方应当共同遵守《中华人民共和国票据法》、《支付结算办法》、《人民币银行结算账户管理办法》等法律、法规、规章。

3.丙方作为甲方的保荐人，应当依据有关规定指定保荐代表人或其他工作人员对甲方募集资金使用情况进行监督。

丙方承诺按照《证券发行上市保荐业务管理办法》、《上海证券交易所上市公司募集资金管理办法》以及甲方制订的募集资金管理制度对甲方募集资金管理事项履行保荐职责，进行持续督导工作。

丙方可以采取现场调查、书面问询等方式行使其监督权。甲方和乙方应当配合丙方的调查与查询。丙方每半年度对甲方现场调查时应当同时检查专户存储情况。

4.甲方授权丙方指定的保荐代表人可以随时到乙方查询、复印甲方专户的资料；乙方应当及时、准确、完整地向其提供所需的有关专户的资料。

保荐代表人向乙方查询甲方专户有关情况时应当出具本人的合法身份证明；丙方指定的其他工作人员向乙方查询甲方专户有关情况时应当出具本人的合法身份证明和单位介绍信。

5.乙方按月向甲方出具真实、准确、完整的专户对账单，并抄送给丙方。

6.甲方 1 次或 12 个月以内累计从专户支取的金额超过 5000 万元且达到发行募集资金总额扣除发行费用后的净额(以下简称“募集资金净额”)的 20%的，甲方应当及时以传真方式通知丙方，同时提供专户的支出清单。

7.丙方有权根据有关规定更换指定的保荐代表人。丙方更换保荐代表人的，应当将相关证明文件书面通知乙方，同时按本协议第十二条的要求书面通知更换后保荐代表人的联系方式。更换保荐代表人不影响本协议的效力。

8.乙方连续三次未及时向甲方出具对账单，以及存在未配合丙方调查专户情形的，甲方可以主动或在丙方的要求下单方面终止本协议并注销募集资金专户。

9.本协议自甲、乙、丙三方法定代表人或其授权代表签署并加盖各自单位公章之日起生效，至专户资金全部支出完毕并依法销户之日起失效。

二、其他事项

本行在招股意向书刊登日至上市公告书刊登前，没有发生可能对本行有较大影响的重要事项，具体如下：

1.本行主营业务发展目标进展情况正常。

2.本行所处行业和市场未发生重大变化。

3.除正常经营活动签订的销售、采购、借款等商务合同外，本行未订立其他对公司资产、负债、权益和经营成果产生重大影响的重要合同。

4.本行没有发生未履行法定程序的关联交易。

5.本行未进行重大投资。

6.本行未发生重大资产(或股权)购买、出售及置换。

7.本行住所没有变更。

8.本行董事、监事、高级管理人员及核心技术人员没有变化。

9.本行未发生重大诉讼、仲裁事项。

10.本行未发生除正常经营业务之外的重大对外担保等或有事项。

11.本行的财务状况和经营成果未发生重大变化。

12.本行未召开监事会或股东大会，本行于 2016 年 9 月 27 日召开了 2016 年第五届董事会第二十二次会议(临时会议)，审议通过了《关于“董事会审计委员会”更名为“董事会审计与消费者权益保护委员会”的议案》《关于修订本行<董事会审计与消费者权益保护委员会工作细则>的议案》《关于启用本行上市后<江苏常熟农村商业银行股份有限公司章程（草案）>的议案》《关于启用本行上市后<江苏常熟农村商业银行股份有限公司股东大会议事规则>的议案》《关于启用<江苏常熟农村商业银行股份有限公司董事会议事规则>的议案》。

13.本行未发生其他应披露的重大事项。

第七节　上市保荐机构及其意见

一、上市保荐机构基本情况

保荐机构(主承销商)：中信建投证券股份有限公司

住所：北京市朝阳区安立路 66 号 4 号楼

联系地址：北京市东城区朝内大街 2 号凯恒中心 B、E 座二、三层

法定代表人：王常青

电话：021-68801586

传真：021-68801551

保荐代表人：常亮、王国艳

联系人：常亮、王广学、李林峰、周明圆、陈陆、肖闻逸

二、上市保荐机构的推荐意见

保荐机构认为，发行人申请股票上市符合《中华人民共和国公司法》、《中华人民共和国证券法》及《上海证券交易所股票上市规则》等有关法律、法规的规定，发行人股票已具备公开上市的条件。中信建投证券股份有限公司同意推荐江苏常熟农村商业银行股份有限公司的股票在上海证券交易所上市。

三角轮胎股份有限公司

三角轮胎股份有限公司首次公开发行股票上市公告书

特别提示

三角轮胎股份有限公司(以下简称"三角轮胎"、"公司"、"本公司"或"发行人")股票将于2016年9月9日在上海证券交易所上市。本公司提醒投资者应充分了解股票市场风险及本公司披露的风险因素,在新股上市初期切忌盲目跟风"炒新",应当审慎决策、理性投资。

第一节　重要说明与提示

本公司及全体董事、监事、高级管理人员保证上市公告书所披露信息的真实、准确、完整,承诺上市公告书不存在虚假记载、误导性陈述或重大遗漏,并承担个别和连带的法律责任。

证券交易所、其他政府机关对本公司股票上市及有关事项的意见,均不表明对本公司的任何保证。

本公司提醒广大投资者注意,凡本上市公告书未涉及的有关内容,请投资者查阅刊载于上海证券交易所网站(http://www.sse.com.cn)的本公司招股说明书全文。

本公司提醒广大投资者注意首次公开发行股票(以下简称"新股")上市初期的投资风险,广大投资者应充分了解风险、理性参与新股交易。

一、股份限制流通、自愿锁定与减持的承诺及约束措施

(一)实际控制人

公司实际控制人丁玉华承诺:"自公司首次公开发行的股票上市之日起三十六个月内,不以任何方式减持或者委托他人管理、代持本人直接或者间接持有的三角股份公开发行股票前已发行的股份,也不由三角股份回购本人直接或者间接持有的公司公开发行股票前已发行的股份;三角股份上市后六个月内若股票连续二十个交易日的收盘价均低于发行价,或者上市后六个月期末收盘价低于发行价,

则本人直接或间接持有的公司公开发行股票前已发行的股份之锁定期限将在上述三十六个月锁定期届满后再自动延长六个月。自上述锁定期满两年内,本人如减持直接或者间接持有的公司公开发行股票前已发行的股份,则本人保证减持价格将不低于三角股份本次公开发行的发行价格(如遇除权除息,上述价格相应调整);若出现减持价格低于发行价格的情形,本人愿意就差价部分以现金(包括取得的现金分红)形式进行补偿,该项补偿归公司所有;特别承诺:本人若在上述三十六个月锁定期内离职不再担任公司董事、监事、高级管理人员职务,则将继续遵守三十六个月锁定期的禁售规定;本人若在上述三十六个月锁定期届满前六个月以内离职或在锁定期届满后离职不再担任公司董事、监事、高级管理人员

职务,则均在离职后半年内,不以任何方式减持所持有的公司股票;本人若在上

述三十六个月锁定期届满后继续担任公司董事、监事、高级管理人员职务,则在本人担任公司董事、监事或高级管理人员期间内,每年减持的股份数量不超过截止上一年末本人持有的公司股份总数之25%。"

(二)控股股东三角集团

公司控股股东三角集团有限公司承诺:"自三角股份首次公开发行的股票上市之日起三十六个月内,不以任何方式减持或者委托他人管理、代持本公司直接或者间接持有的三角股份公开发行股票前已发行的股份,也不由三角股份回购本公司直接或者间接持有的三角股份公开发行股票前已发行的股份;三角股份上市后六个月内若股票连续二十个交易日的收盘价均低于发行价,或者上市后六个月期末收盘价低于发行价,则本公司直接或间接持有的三角股份公开发行股票前已发行的股份之锁定期限将在上述三十六个月锁定期届满后再自动延长六个月。自上述锁定期满两年内,本公司如减持直接或者间接持有的三角股份公开发行股票前已发行的股份,则本公司保证减持价格将不低于三角股份本次公开发行股票的发行价格(如三角股份上市后有利润分配或送配股份等除权、除息行为,上述发行价为除权除息后的价格),减持股份数量不超过在三角股份本次公开发行股份前所持有股份数量的10%,若违反上述关于股份减持意向的承诺,减持所得收益上缴三角股份;若出现减持价格低于发行价格的情形,本公司愿意就差价部分以现金(包括取得的现金分红)形式进行补偿,该项补偿归三角股份所有。"

(三)第二大股东中国重汽集团济南投资有限公司

除三角集团外,其他持股5%以上股东中国重汽集团济南投资有限公司承诺:自公司股票在证券交易所上市交易之日起十二个月内,不转让或者委托他人管理其持有的公司公开发行股票前已发行的股份,也不由公司回购该等股份。

另外中国重汽集团济南投资有限公司还承诺:"本公司持有三角股份股票在满足上市锁定期之后,在锁定期满12个月内本公司累计减持的股份总数不超过本公司目前持股数量的50%,减持价格不低于本次发行价格的110%;锁定期满13-24个月内本公司减持股数不受限制,但减持价格不低于本次发行价格;锁定期满24个月后本公司可以任意价格自由减持。期间三角股份如有派息、送股、资本公积金转增股本、配股等除权除息事项,减持底价相应进行调整。本公司将在减持前

4个交易日通知三角股份,并由三角股份在本公司减持前3个交易日予以公告。本

公司将严格遵守我国法律法规关于股东持股及股份变动的有关规定,规范诚信履行股东义务。如本公司违反本承诺进行减持,自愿将减持所得收益上缴三角股份。"

(四)持有公司股份的董事、监事、高级管理人员

担任公司董事、监事、高级管理人员的单国玲、丁木、林小彬、邓世涛、谷志福、孙庆江、孙树民、曹广宇、史卫权、马文力、钟丹芳承诺:"自公司股票在证券交易所上市交易之日起三十六个月内,不转让或者委托他人管理其直接或间接持有的公司公开发行股票前已发行的股份,也不由公司回购该部分股份。公司上市后六个月内若股票连续二十个交易日的收盘价均低于发行价,或者上市后六个月期末收盘价低于发行价,则本人直接或间接持有的公司公开发行股票前已发行的股份之锁定期限将在上述三十六个月锁定期届满后再自动延长六个月。上述锁定期限届满后,在公司担任董事、监事或高级管理人员期间,每年转让直接或间接持有的公司股份不超过25%,且在不再担任公司董事、监事或高级管理人员后半年内,不转让直接或间接持有的公司股份。"

(五)在三角股份或三角集团任职的其他自然人股东

公司股东侯汝成、王文浩、谭峻、张涛、赵利波、郑乾、姜秀波、梁栋、夏吉亮承诺:自公司股票在证券交易所上市交易之日起三十六个月内,不转让或者委托他人管理其直接或间接持有的公司公开发行股票前已发行的股份,也不由公司回购该部分股份。

(六)其他股东

公司股东桂林橡胶机械有限公司、中国化工建设青岛有限公司、威海橡胶化工进出口有限公司、北京橡胶工业研究设计院、驰发电动车科技有限公司、荣成市阜盛贸易有限公司、王百忠、李志刚承诺:自公司股票在证券交易所上市交易之日起十二个月内,不转让或者委托他人管理其持有的公司公开发行股票前已发行的股份,也不由公司回购该等股份。

根据《境内证券市场转持部分国有股充实全国社会保障基金实施办法》(财企[2009]94号)以及《关于三角轮胎股份有限公司国有股权管理有关问题的批复》(鲁国资产权函[2012]28号),中国重汽集团济南投资有限公司、桂林橡胶机械有限公司、中国化工建设青岛有限公司和北京橡胶工业研究设计院将按本次实际发行股份总数的10%的国有股转由全国社会保障基金理事会持有,全国社会保障基金理事会将在本公司本次发行的股票上市后承继上述公司的股份锁定承诺。

二、关于公司上市后三年内稳定股价的相关承诺

(一)发行人稳定股价的承诺

1.关于股价稳定措施的启动

发行人保证并承诺:自发行人股票首次公开发行并上市之日起三十六个月内,如出现连续二十个交易日收盘价均低于发行人最近一期经审计的每股净资产时,发行人将以回购公司股票的方式稳定公司股价。

2.关于回购公司股票的内容及实施程序

(1)公司将自股价触发股价稳定预案启动条件之日起,至迟七个交易日内召开董事会,对采取以回购公司股票方式稳定公司股价的实施方案作出决议并进行公告。

(2)发行人上市后三年内,回购股票的单笔资金总额不超过人民币4,000万元,十二个月内不超过两次。回购股票的价格不超过公司最近一期经审计的每股净资产,回购股票的方式为集中竞价交易方式、要约方式或证券监督管理部门认可的其他方式;公司回购股票资金为自有或自筹资金。

(3)公司董事会审议通过回购股票实施方案后将依法召开股东大会审议批准该方案。公司股东大会审议批准回购股票实施方案后,公司将依法刊登债权人公告,通知有关债权人并依法对债权人的债权进行清偿或提供担保。

(4)公司回购股票需要按照规定聘请中介机构出具中介机构意见并报送证券监管部门审批或备案的,公司将按法定程序就回购股票事宜向证券监管部门报送相关材料,办理审批或备案手续。

(5)公司将在回购股票实施方案获得证券监管部门审批或备案同意后或在股东大会审议批准回购股票实施方案后,按照方案回购公司股票。

3.附加保证条款

(1)发行人将根据《公司法》、《证券法》、《上市公司回购社会公众股份管理办法(试行)》以及《关于上市公司以集中竞价交易方式回购股份的补充规定》等有关法律、法规、规范性文件的规定向社会公众股东回购公司部分股票,同时保证本次回购将不会导致公司股权分布不符合上市公司股权分布条件。若届时法律、法规或规范性文件对公司回购股票作出修改或有新的规定时,公司将依据

该等规定回购股票。

(2)发行人保证并承诺不为控股股东或董事、高级管理人员增持公司股票所需资金提供任何形式的财务资助,包括但不限于贷款担保。

上述承诺对公司具有法律效力,公司愿意遵守并履行上述承诺事项。如公司违反上述承诺,则公司愿意接受如下惩罚措施:

若回购公司股票的实施条件满足后,发行人未按照上述承诺回购公司股票,则应于第一时间在中国证监会指定报刊上公开说明未采取上述稳定股价措施的具体原因、可能采取的补救措施并向投资者道歉。

(二)公司董事、高级管理人员关于稳定股价的承诺公司董事:丁玉华、单国玲、王祖省、丁木、林小彬公司高级管理人员:王祖省、孙庆江、曹广宇、姜荣生、史卫权、孙树民、孙建一、宋起镗、马文力、钟丹芳以上董事、高级管理人员承诺:"1、本人在担任发行人董事、高级管理人员期间保证并承诺按照法律、法规、规范性文件的规定及《三角轮胎股份有限公司股价稳定预案》的要求以增持股票的方式稳定公司股价。

2.本人增持股票的具体条件为:

(1)发行人股票首次公开发行并上市之日起三十六个月内,连续二十个交易日收盘价均低于公司最近一期经审计的每股净资产。

(2)在公司采取回购股票等措施后,公司股价仍不能稳定。

3.本人将根据公司董事会确定的数量增持公司股票。本人增持股票的资金为自有资金,本人并承诺十二个月内用于增持股票的资金金额不得低于上一会计年度从公司实际获取的税后薪酬总额的 30%。

4.本人增持股票的方式为通过二级市场以竞价交易方式买入公司部分股票,买入价格不高于公司最近一期经审计的每股净资产。

5.本人保证自公司作出关于确定每名董事、高级管理人员增持股票数量的董事会决议并公告之日起三个交易日内按照《上海证券交易所股票上市规则》、《上市公司董事、监事、高级管理人员所持本公司股份及其变动管理规则》及《公司章程》等有关法律、法规、规范性文件的规定增持公司股票并履行相应的信息披露义务。

上述承诺对本人具有法律效力,本人愿意遵守并履行上述承诺事项。如本人违反上述承诺,则本人愿意接受如下惩罚措施:

(1)若本人未按照上述承诺实施稳定股价措施,则应于第一时间在中国证监会指定报刊上公开说明未采取上述稳定股价措施的具体原因、可能采取的补救措施并向投资者道歉。

(2)若本人未按照上述承诺实施股价稳定措施的,公司有权停止向本人发放与本人增持股票支付资金最高限额相等的薪酬(如有)或股东分红款(如有)。"

(三)公司控股股东关于稳定股价的承诺

1.关于股价稳定措施的启动三角集团保证并承诺

自发行人股票首次公开发行并上市之日起三十六个月内,如出现连续二十个交易日收盘价均低于发行人最近一期经审计的每股净资产且发行人及其董事、高级管理人员已经采取回购股票、增持股票等措施后,公司股价仍不能稳定时,三角集团将以增持股票的方式稳定发行人股价。

2.关于股价稳定措施的方式及内容

(1)三角集团拟采取的稳定发行人股价之方式为增持股票,具体为从二级市场买入发行人已发行的流通股股份。

(2)发行人上市后三年内,三角集团增持股票的单笔资金总额不超过 3,500 万元人民币,十二个月内不超过两次。

(3)三角集团增持发行人股票的价格不高于发行人最近一期经审计的每股净资产。

(4)三角集团保证并承诺,将按照《上市公司收购管理办法》、《上海证券交易所股票上市规则》及《上市公司股东及其一致行动人增持股份行为指引》等有关法律、法规的规定增持(收购)发行人股份,并履行相应的信息披露义务。

(5)在采取上述股价稳定措施时,三角集团保证将使发行人的股权分布继续符合法律、法规、规范性文件要求的上市公司股权分布条件。若继续增持股票将导致发行人的股权分布不再符合上市公司股权分布条件时,三角集团将停止实施上述股价稳定措施。

3.关于稳定股价措施的实施

三角集团保证并承诺将在发行人股价稳定预案启动条件成就后至迟五个交易日内召开董事会对增持三角股份股票的实施方案(包括但不限于拟增持股票的数量、价格区间、方式、时间、增持资金的最高限额及资金来源等)作出决议并通知发行人。在发行人披露本公司的增持股票实施方案后至迟五个交易日内,三角集团将按照增持方案增持发行人股票。

4.其他承诺

三角集团保证在发行人股东大会审议有关回购公司股票以稳定股价的议案时,对回购公司股票的方案投赞成票。上述承诺对三角集团具有法律效力,三角集团愿意遵守并履行上述承诺事项。

如三角集团违反上述承诺,则三角集团愿意接受如下惩罚措施:

(1)若股价稳定预案启动条件满足后,三角集团未按照上述承诺实施稳定股价措施,则应于第一时间在中国证监会指定报刊上公开说明未采取上述稳定股价措施的具体原因、可能采取的补救措施并向投资者道歉。

(2)若三角集团未及时采取上述股价稳定措施的,则发行人有权暂扣三角集团应获得的现金分红且不计算同期银行存款利息,直至三角集团严格履行增持义务和稳定股价预案项下的其他义务。

(四)关于股价稳定措施的停止

在上述三项股价稳定预案的具体措施正式实施前及实施期间,如公司股价连续三个交易日收盘价高于每股净资产时,股价稳定措施将停止实施。

三、关于信息披露文件无虚假记载、误导性陈述或重大遗漏的承诺

(一)发行人

1.无虚假记载、误导性陈述或重大遗漏的承诺

发行人承诺:招股说明书中若有虚假记载、误导性陈述或者重大遗漏,对判断发行人是否符合法律规定的发行条件构成重大、实质影响的,发行人将自相关部门依法对上述事实作出认定或处罚决定后的 30 个交易日内,依法回购首次公开发行的全部新股。发行人将以要约等合法方式回购全部新股,回购价格不低于新股发行价格加新股上市日至回购要约发出日期间的同期银行活期存款利息,或回购价格不低于国务院证券监督管理机构对本公司招股说明书存在虚假记载、误导性陈述或者重大遗漏问题进行立案稽查之日前 30 个交易日本公司股票的每日加权平均价格的算术平均值,以孰高者为准(公司如有分红、派息、送股、资本公积金转增股本、配股等除权除息事项,前述价格应相应调整)。该等回购要约的期限不少于 30 日,并不超过 60 日。

若因本公司本次公开发行股票的招股说明书有虚假记载、误导性陈述或者重大遗漏,致使投资者在证券交易中遭受损失的,本公司将依法赔偿投资者损失。在该等违法事实被中国证监会、证券交易所或司法机关认定后,本公司将本着简化程序、积极协商、先行赔付、切实保障投资者特别是中小投资者利益的原则,按照投资者直接遭受的可测算的经济损失选择与投资者和解、通过第三方与投资者调解及设立投资者赔偿基金等方式积极赔偿投资者由此遭受的直接经济损失。

2.约束措施

若发行人未履行上述承诺事项,则自愿承担相应的法律后果、民事赔偿责任。

(二)发行人控股股东

1.无虚假记载、误导性陈述或重大遗漏的承诺

发行人控股股东三角集团承诺:招股说明书中若有虚假记载、误导性陈述或者重大遗漏,致使投资者在证券交易中遭受损失的,三角集团将依法赔偿投资者损失。

2.约束措施

若三角集团不履行上述承诺,发行人有权暂扣三角集团应从发行人获得的现金分红,直至其实际履行上述各项承诺义务为止;同时,三角集团持有的发行人的股份不得进行转让,否则转让所得将被全部冻结并用于赔偿投资者损失。

(三)发行人实际控制人、董事、监事及高级管理人员

1.无虚假记载、误导性陈述或重大遗漏的承诺

发行人实际控制人、董事、监事及高级管理人员承诺:招股说明书中若有虚假记载、误导性陈述或者重大遗漏,并致使投资者在证券交易中遭受损失的,实际控制人、董事、监事及高级管理人员将依法赔偿投资者损失。

2.约束措施

若实际控制人、董事、监事及高级管理人员不履行上述承诺,则发行人有权暂扣实际控制人、董事、监事及高级管理人员应从发行人获得的现金分红(如有)并停止发放其应获得的薪酬(如有)。

(四)保荐机构、律师、会计师

保荐机构承诺:"本公司已对招股说明书及其摘要进行了核查,确认不存在虚假记载、误导性陈述或重大遗漏,并对其真实性、准确性和完整性承担相应的法律责任。因本公司为发行人首次公开发行制作、出具的文件有虚假记载、误导性陈述或者重大遗漏,给投资者造成损失的,将依法赔偿投资者损失并承担先行赔付义务。"

发行人律师承诺:"本所为三角轮胎股份有限公司首次公开发行并上市制作的法律意见书、律师工作报告等文件中不存在虚假记载、误导性陈述或者重大遗漏的情形;若存在虚假记载、误导性陈述或者重大遗漏且给投资者造成损失的,本所将依法赔偿投资者所受损失。"

发行人会计师承诺:"若因本所为发行人首次公开发行股票事宜制作、出具的文件存在虚假记载、误导性陈述或者重大遗漏,并因此给投资者造成损失,本所将依法赔偿投资者损失。"

四、保荐机构及发行人律师关于发行人及其他相关责任主体承诺事项及约束措施的核查意见

保荐机构认为:发行人及其实际控制人、主要股东、董事、监事、高级管理人员所作出的承诺及相关约束措施均系自愿作出,履行了必要的法律程序,已依法生效;该等承诺的内容合理,具有可执行性,可以有效保护投资者的利益;失信补救措施及时、有效。

发行人律师认为:发行人及其股东、董事、监事及高级管理人员等责任主体已根据相关法律、法规、规范性文件的要求在招股说明书等申报文件中作出相关承诺,同时出具了履行承诺约束措施的承诺,发行人及其股东、董事、监事及高级管理人员等责任主体出具的相关承诺及约束措施符合法律、法规、规范性文件的相关规定,合法有效。

五、财务报告审计截止日后的主要财务信息及经营状况

公司财务报告审计基准日为 2016 年 3 月 31 日。公司 2016 年 6 月 30 日的资产负债表、2016 年 1-6 月的利润表及现金流量表未经审计,但已由瑞华审阅,并于 2016 年 7 月 26 日出具了瑞华阅字[2016]37060002 号《审阅报告》。公司财务报告审计基准日之后经审阅(未经审计)的主要财务数据如下:

截至 2016 年 6 月 30 日,公司的资产总额为 958,977.48 万元,负债总额为 647,033.77 万元,股

东权益为 311,943.71 万元。2016 年 1-6 月，公司实现的营业收入为332,462.38 万元，同比下降12.98%;归属于母公司股东的净利润 38,777.36 万元,同比上升 1.87%。具体情况请参见本上市公告书"第五节财务会计资料"。

截至本上市公告书签署日,公司主要经营状况正常,经营业绩稳定。公司的经营模式、主要税收政策、主要客户及供应商构成、原材料采购价格、产品销售价格及其他可能影响投资者判断的重大事项方面均未发生重大变化。公司预计 2016 年 1-9 月实现的营业收入为 50~53 亿元,较上年同期下降 3.11%~8.59%;归属于母公司股东的净利润为 5.50~6.50 亿元,同比变动-3.34%~14.24%;扣除非经常性损益后归属于母公司股东的净利润为 5.30~6.30 亿元,同比变动-3.64%~14.55%。

如无特别说明，本上市公告书中的简称或名词的释义与本公司首次公开发行股票招股说明书中的释义相同。

第二节　股票上市情况

一、股票发行上市审核情况

(一)编制上市公告书的法律依据

本上市公告书系根据《中华人民共和国公司法》、《中华人民共和国证券法》和《上海证券交易所股票上市规则》等有关法律法规规定，按照上海证券交易所《股票上市公告书内容与格式指引》(2013 年修订)编制而成,旨在向投资者提供有关本公司首次公开发行 A 股股票上市的基本情况。

(二)股票发行的核准部门和文号

本公司首次公开发行股票已经中国证券监督管理委员会证监许可[2016]1609 号文核准。

(三)交易所同意股票上市文件的文号

本公司首次公开发行股票已经上海证券交易所自律监管决定书[2016]231 号文批准。

二、股票上市相关信息

(一)上市地点:上海证券交易所

(二)上市时间:2016 年 9 月 9 日

(三)股票简称:三角轮胎

(四)股票代码:601163

(五)本次公开发行后的总股本:80,000 万股

(六)本次公开发行的股票数量:20,000 万股

(七)本次上市的无流通限制及锁定安排的股票数量:20,000 万股

(八)发行前股东所持股份的流通限制及期限:参见本上市公告书之"第一节 重要声明与提示"

(九)发行前股东对所持股份自愿锁定的承诺:参见本上市公告书之"第一节 重要声明与提示"

(十)本次上市股份的其他锁定安排:参见本上市公告书之"第一节 重要声明与提示"

(十一)股票登记机构:中国证券登记结算有限责任公司上海分公司

(十二)上市保荐机构:安信证券股份有限公司

第三节　发行人、股东和实际控制人情况

一、发行人基本情况

(一)发行人基本情况

公司名称:三角轮胎股份有限公司

英文名称:TRIANGLETYRECO.,LTD.

注册资本:60,000 万元(本次发行前)

法定代表人:丁玉华

成立日期:2001 年 2 月 22 日

住所:威海市青岛中路 56 号

经营范围:轮胎、橡胶制品、橡胶机械及仪器仪表、化工产品(不含化学危险品)、尼龙帘线、钢丝帘线轮胎原辅材料的研制、生产、销售及技术服务;备案范围进出口业务;化工工程设计、安装(须凭资质证书经营),机械设备及房屋租赁,仓储(不含化学危险品)装卸及物流服务,企业管理咨询服务;再生物资回收与批发(不含危险废物及须经许可的项目)。

主营业务:公司主要从事各种轮胎的研发、制造和销售,主要轮胎产品分为商用车胎、乘用车胎、斜交工程胎、子午工程胎和子午工程巨胎五大类,近 4,200 个轮胎品种,年制造能力达 2,200 万条(重量近 60 万吨),已成为国内产品最齐全的轮胎制造商和供应商之一。

所属行业:橡胶和塑料制品业。电话:0631-5305527

传真:0631-5319950

互联网网址:www.triangle.com.cn

电子信箱:jqgc@triangle.com.cn

董事会秘书:钟丹芳

(二)公司董事、监事和高级管理人员基本情况

1.公司董事、监事和高级管理人员任职情况截至本上市公告书刊登之日,本公司董事、监事和高级管理人员任职情况如下:

姓 名	担任公司职务	任职期间
丁玉华	董事长、总裁	2014 年 6 月-2017 年 6 月
单国玲	董事	2014 年 6 月-2017 年 6 月
王祖省	董事、安全运营管理委员会副主任、安全消防和环保能源管理部部长	2014 年 6 月-2017 年 6 月
丁　木	董事、全球贸易与市场网络建设中心副总裁、采购及供应链管理中心执行副总裁	2014 年 6 月-2017 年 6 月
林小彬	董事、全球贸易与市场网络建设中心常务副总裁,兼大区总裁	2014 年 6 月-2017 年 6 月
迟　雷	董事	2014 年 6 月-2017 年 6 月
李宪德	独立董事	2014 年 6 月-2017 年 6 月
于勇	独立董事	2014 年 6 月-2017 年 6 月
耿建新	独立董事	2014 年 6 月-2017 年 6 月
魏　楠	监事会主席	2014 年 6 月-2017 年 6 月
邓世涛	职工代表监事、技术研发创新与质量管理中心执行副总裁、三角研究院院长	2014 年 6 月-2017 年 6 月
谷志福	监事、华茂分公司副经理、董事长办公室主任、公司事务服务与支持管理部部长	2014 年 6 月-2017 年 6 月
王丽芳	监事	2014 年 6 月-2017 年 6 月
李秋红	职工代表监事、价格与审计督查管理中心主任、经济运行审批与管理中心主任	2014 年 6 月-2017 年 6 月
金锡澔	三角轮胎股份有限公司副总经理、质量管理者代表	2015 年 10 月-2017 年 6 月
孙庆江	转型升级管理中心主任、执行总裁,华阳分公司副经理	2014 年 6 月-2017 年 6 月
曹广宇	中国市场策划与销售中心副主任、市场服务执行总裁	2014 年 6 月-2017 年 6 月
姜荣生	中国市场策划与销售中心副主任、商用车胎、工程胎及巨胎市场销售执行总裁,兼任商用车胎替换销售部部长、商用车胎配套二部部长	2014 年 6 月-2017 年 6 月
史卫权	乘用车胎市场销售执行总裁,兼任乘用车胎替换销售部部长、市场部部长、技术研发创新与质量管理中心副主任	2014 年 6 月-2017 年 6 月
孙树民	全球贸易与市场网络建设中心大区总裁	2014 年 6 月-2017 年 6 月
孙建一	仓储与物流运输管理中心副主任	2014 年 6 月-2017 年 6 月
宋起鏗	安全生产管理指挥中心总指挥长、华盛公司经理	2014 年 6 月-2017 年 6 月
马文力	财务负责人、财务与资本运营服务保障发展中心执行总裁、中国市场策划与销售中心副主任	2014 年 6 月-2017 年 6 月
钟丹芳	董事会秘书、财务与资本运营服务保障发展中心执行副总裁、董事会办公室主任	2014 年 6 月-2017 年 6 月

2.公司董事、监事和高级管理人员持股情况

(1)直接持有本公司股份的情况公司董事、监事、高级管理人员直接持有本公司股份的情况如下表所示:

序号	姓 名	担任本公司职务	直接持股情况(股)	直接持股比例(%)
1	丁玉华	董事长、总裁	27,715,050	3.464
2	单国玲	董事	15,332,750	1.917
3	丁　木	董事、全球贸易与市场网络建设中心副总裁、采购及供应链管理中心执行副总裁	100,000	0.013
4	林小彬	董事、全球贸易与市场网络建设中心常务副总裁,兼大区总裁	100,000	0.013
5	邓世涛	职工代表监事、技术研发创新与质量管理中心执行副总裁、三角研究院院长	100,000	0.013
6	谷志福	监事、华茂分公司副经理、董事长办公室主任、公司事务服务与支持管理部部长	50,000	0.006
7	孙庆江	转型升级管理中心主任、执行总裁、华阳分公司副经理	80,000	0.010
8	曹广宇	中国市场策划与销售中心副主任、市场服务执行总裁	50,000	0.006
9	史卫权	乘用车胎市场销售执行总裁,兼任乘用车胎替换销售部部长、市场部部长、技术研发创新与质量管理中心副主任	100,000	0.013
10	孙树民	全球贸易与市场网络建设中心大区总裁	70,000	0.007
11	马文力	财务负责人、财务与资本运营服务保障发展中心执行总裁、中国市场策划与销售中心副主任	200,000	0.025
12	钟丹芳	董事会秘书、财务与资本运营服务保障发展中心执行副总裁、董事会办公室主任	150,000	0.018
	合计		44,047,800	5.505

(2)间接持有本公司股份的情况

公司董事、监事、高级管理人员间接持有本公司股份的情况如下图所示:

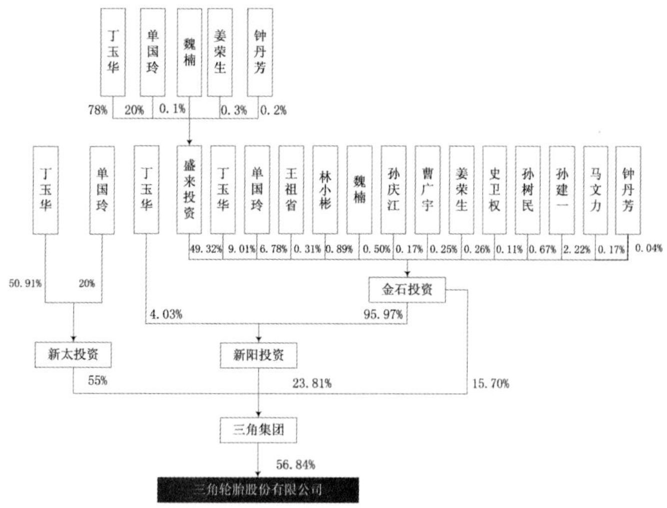

除上述人员外,公司其他董事、监事、高级管理人员无直接或间接持有公司股份的情形。

二、控股股东及实际控制人情况

(一)控股股东

本公司控股股东为三角集团。三角集团持有本公司 45,473.975 万股,占本次发行后公司总股本的 56.84%。三角集团注册资本 46,880 万元,成立于 1997 年 9 月 26 日,法定代表人为丁玉华,注册地为威海市青岛中路 56 号。经营范围:汽油、柴油零售(仅限分支机构经营)。经营国家对外贸易经济合作部批准范围内的进出口业务;机械设备的加工、维修;土地使用权、房屋的租赁。(依法须经批准的项目,经相关部门批准后方可开展经营活动)。

(二)实际控制人

本公司实际控制人为丁玉华先生。丁玉华先生直接持有本公司 3.46%股权,另通过新太投资、新阳投资和金石投资间接控制三角集团,三角集团直接持有本公司 56.84%股权,为本公司控股股东。2003 年 12 月三角集团改制以来,丁玉华先生一直为本公司实际控制人,至今未发生变化。丁玉华先生,中国国籍,无境外永久居留权,现任公司董事长、总裁,兼任三角集团董事长。

三、股东情况

(一)发行人本次发行前后股本情况

本次发行前,公司总股本为 60,000 万股,按发行 20,000 万股计算,发行后总股本为 80,000 万股,本次发行的股份占发行后总股本的 25%。本次发行前后,公司的股本结构如下所示:

序号	股东名称	发行前		发行后	
		股数(股)	比例(%)	股数(股)	比例(%)
有限	三角集团	454,739,750	75.790	454,739,750	56.842
售条	重汽投资(SS)	60,000,000	10.000	41,789,417	5.224
件 A	丁玉华	27,715,050	4.619	27,715,050	3.464
股流	单国玲	15,332,750	2.555	15,332,750	1.917
通股	侯汝成	13,337,480	2.223	13,337,480	1.667
	驰发科技	9,000,000	1.500	9,000,000	1.125
	王文浩	6,932,220	1.155	6,932,220	0.867
	桂林橡胶机械有限公司(SS)	3,293,750	0.549	2,294,065	0.287
	中国化工建设青岛有限公司(SS)	1,778,500	0.296	1,238,708	0.155
	威海橡胶化工进出口有限公司	1,647,000	0.275	1,647,000	0.206
	李志刚	1,500,000	0.250	1,500,000	0.187
	荣成阜盛	1,200,000	0.200	1,200,000	0.150
	王百忠	1,200,000	0.200	1,200,000	0.150
	北京橡胶工业研究设计院(SS)	823,500	0.137	573,560	0.072
	马文力	200,000	0.033	200,000	0.025
	钟丹芳	150,000	0.025	150,000	0.018
	林小彬	100,000	0.017	100,000	0.013
	邓世涛	100,000	0.017	100,000	0.013
	谭　峻	100,000	0.017	100,000	0.013
	史卫权	100,000	0.017	100,000	0.013
	赵利波	100,000	0.017	100,000	0.013
	郑　乾	100,000	0.017	100,000	0.013
	丁　木	100,000	0.017	100,000	0.013
	孙庆江	80,000	0.013	80,000	0.010
	孙树民	70,000	0.013	70,000	0.007
	张　涛	50,000	0.008	50,000	0.006
	曹广宇	50,000	0.008	50,000	0.006
	谷志福	50,000	0.008	50,000	0.006
	夏吉亮	50,000	0.008	50,000	0.006
	梁　栋	50,000	0.008	50,000	0.006
	姜秀波	50,000	0.008	50,000	0.006
	社保基金会(SS)	0	0.00	20,000,000	2.500
无限售条件	社会公众股	0	0.00	200,000,000	25.000
	合计	600,000,000	100.000	800,000,000	100.000

(二)本次发行后前十大股东持股情况

本次公开发行后,发行人上市前的股东户数为 162,876 户,其中前十大股东持股情况如下:

序号	股东名称	持数数量(股)	比例(%)
1	三角集团有限公司	454,739,750	56.84
2	中国重汽集团济南投资有限公司	41,789,417	5.22
3	丁玉华	27,715,050	3.46
4	全国社会保障基金理事会转持二户	20,000,000	2.50
5	单国玲	15,332,750	1.92
6	侯汝成	13,337,480	1.67
7	驰发电动车科技有限公司	9,000,000	1.13
8	王文浩	6,932,220	0.87
9	桂林橡胶机械有限公司	2,294,065	0.29
10	威海橡胶化工进出口有限公司	1,647,000	0.21
	合计	592,787,732	74.1

第四节　股票发行情况

(一)发行数量:20,000 万股(全部为公司公开发行新股,无老股转让)

(二)发行价格:22.07 元/股

(三)每股面值:人民币 1.00 元

(四)发行方式:本次发行采用网下向询价对象配售和网上按市值申购定价发行相结合的方式。

(五)募集资金总额及注册会计师对资金到位的验证情况:本次发行募集资金总额 441,400 万元,全部为发行新股募集资金金额。瑞华

会计师事务所(特殊普通合伙)对公司本次公开发行新股的资金到位情况进行了审验,并于 2016 年 9 月 5 日出具了《验资报告》(瑞华验字[2016]37060002 号)。

(六)本次发行费用总额及构成

序号	项目	公司公开发行新股发行费用金额(万元)
1	承销保荐费	11,909.47
2	审计费及验资费	103.77
3	律师费用	160.38
4	信息披露费用	430.19
5	发行手续费	111.23
6	印花税	214.24
	费用合计	12,929.28

(七)募集资金净额:428,470.72 万元

(八)发行后每股净资产:8.97 元(按 2016 年 3 月 31 日经审计归属于母公司所有者净资产加上本次发行募集资金净额之和除以发行后总股本计算)

(九)发行后每股收益:0.96 元(按照 2015 年度扣除非经常性损益前后净利润的孰低额和发行后总股本全面摊薄计算)

第五节　财务会计资料

瑞华会计师事务所(特殊普通合伙)对公司最近三年一期的财务报告进行了审计,并出具了瑞华审字[2016]37060016 号标准无保留意见的《审计报告》。投资者欲了解相关情况请详细阅读招股说明书"第十节财务会计信息"和"第十一节管理层讨论与分析"。本上市公告书不再进行披露,敬请投资者注意。

2016 年 7 月 26 日,公司 2016 年半年度财务会计报告已经公司第四届董事会第二十二次会议审议通过,并在首次公开发行股票上市公告书中披露。公司上市后半年度财务会计报告不再单独披露。

瑞华对公司 2016 年 6 月 30 日的合并及公司资产负债表,2016 年 1-6 月的合并及公司利润表、合并及公司现金流量表以及财务报表附注进行审阅,并出具了瑞华阅字[2016]37060002 号《审阅报告》。公司 2016 年半年度财务报表请查阅本上市公告书附件,主要财务数据列示如下:

项目	2016 年 6 月 30 日	2015 年 12 月 31 日	本报告期末比上年度期末增减
流动资产(元)	4,316,739,580.01	3,905,773,863.82	10.52%
流动负债(元)	4,237,112,780.51	3,827,605,859.47	10.70%
资产总计(元)	9,589,774,752.13	8,863,605,007.33	8.19%
负债合计(元)	6,470,337,698.73	6,130,437,016.09	5.54%
归属于母公司股东权益合计	3,120,768,394.72	2,733,443,676.46	14.17%
归属于发行人股东的每股净资产(元/股)	5.20	4.56	14.04%
项目	2016 年 1–6 月	2015 年 1–6 月	本报告期比上年同期增减
营业总收入(元)	3,324,623,793.87	3,820,420,182.64	−12.98%
营业利润(元)	447,106,077.04	438,855,623.53	1.88%
利润总额(元)	458,296,161.93	450,161,436.62	1.81%
归属于发行人股东的净利润(元)	387,773,622.71	380,641,932.96	1.87%
归属于发行人股东的扣除非经常性损益后的净利润(元)	376,459,955.38	370,931,683.07	1.49%
基本每股收益(元/股)	0.65	0.63	3.17%
扣除非经常性损益后的基本每股收益(元/股)	0.63	0.62	1.61%
加权平均净资产收益率(%)	13.25	12.61	上升 0.64 个百分点
扣除非经常性损益后的加权净资产收益率(%)	12.86	12.29	上升 0.57 个百分点
经营活动产生的现金流量净额(元)	588,051,809.59	277,020,117.43	112.28%
每股经营活动产生的现金流量净额(元)	0.98	0.46	113.04%

受全球宏观经济增速下滑影响，2016 年 1–6 月，公司实现营业收入 332,462.38 万元，较去年同期下降 12.98%；实现归属于母公司股东的净利润 38，777.36 万元，较去年同期上升 1.87%，基本持平。

截至本上市公告书签署日，公司主要经营状况正常，经营业绩稳定。公司的经营模式、主要税收政策、主要客户及供应商构成、原材料采购价格、产品销售价格及其他可能影响投资者判断的重大事项方面均未发生重大变化。公司预计 2016 年 1–9 月实现的营业收入为 50~53 亿元，较上年同期下降 3.11%~8.59%；归属于母公司股东的净利润为 5.50~6.50 亿元，同比变动−3.34%~14.24%；扣除非经常性损益后归属于母公司股东的净利润为 5.30~6.30 亿元，同比变动−3.64%~14.55%。

第六节　其他重要事项

三角轮胎(甲方)、募集资金专户的开户行(乙方)和保荐机构(丙方)已签署《募集资金专户存储三方监管协议》。公司一共开立 3 个募集资金专户，具体情况如下：

序号	开户银行	专户用途	专户募集资金额(万元)
1	中国银行威海分行营业部	南海新区 800 万条高性能乘用车胎转型升级项目	225,504.00
2	中国工商银行威海经开支行营业室	年产 200 万条高性能智能化全钢载重子午胎搬迁升级改造项目	100,000.00
3	中国建设银行股份有限公司威海分行营业部	年产 200 万条高性能智能化全钢载重子午胎搬迁升级改造项目以及支付发行费用	103,271.96

三方监管协议主要条款如下：

一、募集资金专户信息详见上表，该等专户仅用于甲方募集资金投向项目资金的存储和使用，不得用作其他用途。

二、甲乙双方应当共同遵守《中华人民共和国票据法》、《支付结算办法》、《人民币银行结算账户管理办法》等法律、法规、规章。

三、丙方作为甲方的保荐人，应当依据有关规定指定保荐代表人或其他工作人员对甲方募集资金使用情况进行监督。丙方承诺按照《证券发行上市保荐业务管理办法》、《上海证券交易所上市公司募集资金管理办法》以及甲方制订的募集资金管理制度对甲方募集资金管理事项履行保荐职责，进行持续督导工作。

丙方可以采取现场调查、书面问询等方式行使其监督权。甲方和乙方应当配合丙方的调查与查询。丙方每半年度对甲方现场调查时应当同时检查专户存储情况。

四、甲方授权丙方指定的保荐代表人范道远、温桂生可以随时到乙方查询、复印甲方专户的资料；乙方应当及时、准确、完整地向其提供所需的有关专户的资料。

保荐代表人向乙方查询甲方专户有关情况时应当出具本人的合法身份证明；丙方指定的其他工作人员向乙方查询甲方专户有关情况时应当出具本人的合法身份证明和单位介绍信。

五、乙方按月(每月 5 日前)向甲方出具真实、准确、完整的专户对账单，并抄送给丙方。

六、甲方 1 次或 12 个月以内累计从专户支取的金额超过 5000 万元且达到发行募集资金总额扣除发行费用后的净额(以下简称“募集资金净额”)的 20%的，甲方应当及时以传真方式通知丙方，同时提供专户的支出清单。

七、丙方有权根据有关规定更换指定的保荐代表人。丙方更换保荐代表人的，应当将相关证明文件书面通知乙方，同时按本协议第十二条的要求向甲方、乙方书面通知更换后的保荐代表人的联系方式。更换保荐代表人不影响本协议的效力。

八、乙方连续三次未及时向甲方出具对账单，以及存在未配合丙方调查专户情形的，甲方可以主动或在丙方的要求下单方面终止本协议并注销募集资金专户。

九、丙方发现甲方、乙方未按约定履行本协议的，应当在知悉有关事实后及时向上海证券交易所书面报告。

十、本协议自甲、乙、丙三方法定代表人或其授权代表签署并加盖各自单位公章之日起生效，至专户资金全部支出完毕并依法销户且丙方督导期结束之日(2018 年 12 月 31 日)起失效。”本公司在招股说明书刊登日至上市公告书刊登前，除签署《募集资金专户存储三方监管协议》外没有发生可能对本公司有较大影响的重要事项。具体如下：

(一)本公司主要业务发展目标进展情况正常；

(二)本公司所处行业和市场未发生重大变化；

(三)除与正常业务经营相关的采购、销售等商务合同外，本公司未订立其他对本公司资产、负债、权益和经营成果产生重大影响的重要合同；

(四)本公司与关联方未发生重大关联交易；

(五)本公司未发生重大投资；

(六)本公司未发生重大资产(或股权)购买、出售及转换；

(七)本公司住所未发生变更；

(八)本公司董事、监事、高级管理人员未发生变化；

(九)本公司未发生重大诉讼、仲裁事项；

(十)本公司未发生对外担保等或有事项；

(十一)本公司的财务状况和经营成果未发生重大变化；

(十二)本公司未召开董事会、监事会或股东大会；

(十三)本公司未发生其他应披露的重大事项。

第七节　上市保荐机构及其意见

一、上市保荐人基本情况

保荐机构名称：安信证券股份有限公司

法定代表人：王连志

住所：深圳市福田区金田路 4018 号安联大厦 35 层、28 层 A02 单元

联系地址：北京市西城区阜成门北大街 2 号楼国投金融大厦 12 层

电话：010–83321201

传真：010–83321155

保荐代表人：范道远、温桂生

项目协办人：李岩

二、上市保荐机构的推荐意见

上市保荐机构安信证券股份有限公司认为，发行人申请其股票上市符合《中华人民共和国公司法》、《中华人民共和国证券法》及《上海证券交易所股票上市规则》等法律、法规的规定，发行人股票具备在上海证券交易所上市的条件。上市保荐机构同意推荐三角轮胎股份有限公司在上海证券交易所上市。

发行人：三角轮胎股份有限公司

保荐机构：安信证券股份有限公司

2016 年 9 月 8 日

上海银行股份有限公司

上海银行股份有限公司首次公开发行 A 股股票上市公告书

特别提示

如无特别说明,本上市公告书中的简称或名词的释义与本行首次公开发行股票招股说明书中的相同。本行股票将于 2016 年 11 月 16 日在上海证券交易所上市。本行提醒投资者应充分了解股票市场风险及本行披露的风险因素,在新股上市初期切忌盲目跟风"炒新",应当审慎决策、理性投资。

第一节　重要声明与提示

上海银行股份有限公司(以下简称"上海银行"、"本行"或"发行人")及全体董事、监事、高级管理人员保证上市公告书所披露信息的真实、准确、完整,承诺上市公告书不存在虚假记载、误导性陈述或重大遗漏,并承担个别和连带的法律责任。

证券交易所、其他政府机关对本行股票上市及有关事项的意见,均不表明对本行的任何保证。

本行提醒广大投资者注意,凡本上市公告书未涉及的有关内容,请投资者查阅刊载于上海证券交易所网站(http://www.sse.com.cn)的本行招股说明书全文。

本行提醒广大投资者注意首次公开发行股票(以下简称"新股")上市初期的投资风险,广大投资者应充分了解风险,理性参与新股交易。

一、本次发行前股东所持股份的流通限制和自愿锁定股份的承诺

根据《公司法》的有关规定,本行本次发行前的股份,自上市交易之日起一年内不得转让。

本行发行前累计持股超过 51%的股东为本行前十大股东。除桑坦德银行外,联和投资公司、上港集团、建银投资公司、中船国际贸易有限公司、TCL 集团股份有限公司、上海商业银行有限公司、上海市黄浦区国有资产总公司、上海汇鑫投资经营有限公司和中信国安有限公司承诺,自本行 A 股股票在证券交易所上市之日起三十六个月内,不转让或者委托他人管理其直接或间接在本次发行前已持有的本行股份,也不由本行回购上述股份。

桑坦德银行承诺,自本行首次公开发行 A 股股票并在证券交易所上市交易之日起三年内,不自愿转让本公司首次公开发行股票之日前已持有的本行股份或自愿将所持股份的表决权委托第三方行使,也不向本行回售所持股份。若本行首次公开发行股票未于 2017 年 5 月 10 日前发生,则本承诺将不再有效。

上海徐汇科技创业投资有限公司和上海启润实业有限公司承诺,从第三方处受让的本行股份,自本行股东名册就前述股份转让变更之日起三十六个月内,不转让或者委托他人管理该部分股份,也不由本行回购该部分股份。

中国商用飞机有限责任公司、上海市闵行资产投资经营有限公司、上海松江城镇建设投资开发有限公司、深圳市绿景房地产开发有限公司、上海振兴粮油公司、上海杨浦粮油食品有限公司、上海佳艺维修技术服务部和上海南升中外企业精品实业有限公司承诺,参与本行第五次增资扩股并认购本行新增股份,若自本行第五次增资扩股工商变更登记日至招股说明书刊登日不超过 12 个月,则该部分新增股份自本行第五次增资扩股工商变更登记日起锁定 36 个月;若自本行第五次增资扩股工商变更登记日至招股说明书刊登日超过 12 个月,则该部分新增股份自本行 A 股股票上市之日起锁定 12 个月。

根据《公司法》的规定,本行董事、监事和高级管理人员应当向本行报告其持有的本行股份及其变化情况,其持有的本行股份自上市交易之日起 1 年内不得转让。同时,在任职期间每年转让的股份不得超过其持有的本行股份总数的 25%,离职后半年以内不转让其持有的本行股份。持有本行股份的本行董事、监事和高级管理人员的关系密切的家庭成员参照本行董事、监事和高级管理人员出具股份锁定承诺。持有本行股份的董事、监事和高级管理人及其关系密切的家庭成员均已经根据上述规定出具锁定承诺。

持有本行股份的董事、高级管理人员承诺,所持本行 A 股股票在锁定期满后两年内减持的,其减持价格不低于发行价;本行在上海证券交易所上市后 6 个月内如本行 A 股股票连续 20 个交易日的收盘价均低于发行价,或者上市后 6 个月期末收盘价低于发行价,持有本行 A 股股票的锁定期限自动延长 6 个月。

根据《关于规范金融企业内部职工持股的通知》(财金〔2010〕97 号)的规定,持有本行股票的本行高级管理人员和其他持有内部职工股超过 5 万股的个人,自本行股票在证券交易所上市交易之日起,股份转让锁定期不得低于 3 年,持股锁定期满后,每年可出售股份不得超过持股总数的 15%,5 年内不得超过持股总数的 50%。

根据《境内证券市场转持部分国有股充实全国社会保障基金实施办法》(财企〔2009〕94 号),由本行国有股东转由全国社保基金理事会持有的本行国有股,全国社保基金理事会承继原国有股东的禁售义务。

二、发行前持股 5%以上股东的持股意向及减持承诺

(一)上海联和投资有限公司持股意向及减持承诺

联和投资公司承诺:

"上海银行首次公开发行 A 股股票并在上海证券交易所上市后,若本公司因故需转让本公司持有的上海银行股份,本公司郑重承诺将严格按照法律法规的规定及本声明转让股份。

1.减持条件

(1)法律法规及规范性文件规定的本公司所持上海银行股份锁定期届满;

(2)本公司承诺的所持上海银行股份锁定期届满;

(3)本公司不存在法律法规及规范性文件规定的不得转让股份的情形;

(4)减持前 3 个交易日发布减持股份意向公告。

2.减持数量

若本公司在所持上海银行股份锁定期届满后两年内拟减持上海银行股份,每年减持股份数量不超过持有股份数量的 10%。

3.减持方式

在满足股份交易和转让的条件后,本公司将通过证券交易所集中竞价交易系统、大宗交易系统减持上海银行股份,或通过协议转让等法律法规允许的交易方式进行减持。

4.减持价格

若本公司在所持上海银行股份锁定期届满后两年内减持,减持价格不低于发行价(若上海银行股票发生派发股利、送红股、转增股本、增发新股或配股等除权、除息事项,减持价格应相应作除权、除息调整)。

若本公司未履行上述关于股份减持的承诺,本公司减持上海银行股份所得收益归上海银行所有。如未将违规减持所得收益交付上海银行,则上海银行有权扣留应付本公司的现金分红中与应交付上海银行的违规减持所得收益金额相等的部分。"

(二)西班牙桑坦德银行有限公司持股意向及减持承诺

桑坦德银行承诺:

"本声明为上海银行首次公开发行 A 股股票并在上海证券交易所上市('首次公开发行股票')而出具。

本公司对上海银行未来发展前景充满信心,目前的意向是拟长期持有所持股份。

考虑到以上因素,本公司承诺上海银行首次公开发行股票后,若本公司因任何原因需自愿转让其在首次公开发行股票之日前已持有的上海银行股份('所持股份'),需严格遵守有关法律法规的规定及本声明。

1.减持条件

任何对所持股份的自愿减持均需在符合以下条件的情况下方可进行:

(1)有关法律法规及规范性文件规定的适用于所持股份的股份锁定期届满;

(2)本公司签署的《关于自愿锁定所持上海银行股份有限公司股份的承诺函》项下所载的自愿承诺的适用于所持股份的股份锁定期届满;

(3)不存在有关法律法规及规范性文件规定的使本公司不得转让所持股份的情形;

(4)所持股份减持前 3 个交易日发布减持股份意向公告。

2.减持数量

在遵守第一条项下所载条件的前提下,本公司可根据需要减持所有或部分所持股份。该等对所持股份的减持应按本函下文所载方式有序进行,并应遵守有关法律法规及规范性文件所规定的相关程序和要求。

3.减持方式

在遵守本函所载条款与条件的前提下,本公司将通过证券交易所集中竞价交易系统、大宗交易系统减持所持股份,或通过协议转让等法律法规允许的交易方式进行减持。

4.减持价格

若本公司在上述第一条第 1 和第 2 项下所载的股份锁定期届满后两年内减持所持股份,减持价格不低于以下两者中的较低者:首次公开发行股票的发行价(若上海银行股票发生派发股利、送红股、资本公积金转增股本、增发新股或配股等除权、除息事项,发行价应相应作除权、除息调整)和上海银行届时最近一期经审计的合并报表中所载的每股净资产(最近一期审计基准日后,因利润分配、资本公积金转增股本、增发新股或配股等情况导致上海银行净资产或股份总数出现变化的,每股净资产应相应进行调整)。

若首次公开发行股票未于 2017 年 5 月 10 日前发生,则本函所载的承诺将不再有效。

若本公司未履行上述关于减持所持股份的承诺,本公司所持的其余所持股份的锁定期应延长

三个月。

特此承诺。以上承诺仅为上海银行的利益而作出,不得转让给任何其他方,且任何其他方均不得基于本函所载承诺作出任何决策或采取任何行为。

若在上海银行首次公开发行股票并上市前本公司在上海银行中的持股比例低于5%,则以上承诺将不生效。"

(三)上海国际港务(集团)股份有限公司持股意向及减持承诺

上港集团承诺:

"上海银行首次公开发行A股股票并在上海证券交易所上市后,若本公司因故需转让本公司持有的上海银行股份,本公司郑重承诺将严格按照法律法规的规定及本声明转让股份。

1.减持条件

(1)法律法规及规范性文件规定的本公司所持上海银行股份锁定期届满;

(2)本公司承诺的所持上海银行股份锁定期届满;

(3)本公司不存在法律法规及规范性文件规定的不得转让股份的情形;

(4)减持前3个交易日发布减持股份意向公告。

2.减持数量

若本公司在所持上海银行股份锁定期届满后两年内拟减持上海银行股份,每年减持股份数量不超过持有股份数量的5%。

3.减持方式

在满足股份交易和转让的条件后,本公司将通过证券交易所集中竞价交易系统、大宗交易系统减持上海银行股份,或通过协议转让等法律法规允许的交易方式进行减持。

4.减持价格

若本公司在所持上海银行股份锁定期届满后两年内减持,减持价格不低于发行价(若上海银行股票发生派发股利、送红股、转增股本、增发新股或配股等除权、除息事项,减持价格应相应作除权、除息调整)。

若本公司未履行上述关于股份减持的承诺,本公司减持上海银行股份所得收益归上海银行所有。如未将违规减持所得收益交付上海银行,则上海银行有权扣留应付本公司的现金分红中与应交付上海银行的违规减持所得收益金额相等的部分。"

(四)中国建银投资有限责任公司持股意向及减持承诺

建银投资公司承诺:

"上海银行首次公开发行A股股票并在上海证券交易所上市后,若本公司因故需转让本公司持有的上海银行股份,本公司郑重承诺将严格按照法律法规的规定及本声明转让股份。

1.减持条件

(1)法律法规及规范性文件规定的本公司所持上海银行股份锁定期届满;

(2)本公司承诺的所持上海银行股份锁定期届满;

(3)本公司不存在法律法规及规范性文件规定的不得转让股份的情形;

(4)减持前3个交易日发布减持股份意向公告。

2.减持数量

本公司在所持上海银行股份锁定期届满后两年内可减持全部所持上海银行股份。

3.减持方式

若本公司在所持上海银行股份锁定期届满后两年内减持,在满足股份交易和转让的条件后,本公司将通过证券交易所集中竞价交易系统、大宗交易系统减持上海银行股份,或通过协议转让等法律法规允许的交易方式进行减持。

4.减持价格

本公司在所持上海银行股份锁定期届满后两年内可以在符合法律法规和中国证监会要求的条件下,以市场价格减持。

若本公司未履行上述关于股份减持的承诺,本公司减持上海银行股份所得收益归上海银行所有。如未将违规减持所得收益交付上海银行,则上海银行有权扣留应付本公司的现金分红中与应交付上海银行的违规减持所得收益金额相等的部分。"

三、上市后三年内稳定A股股价预案

根据《公司法》、《证券法》、《中国证监会关于进一步推进新股发行体制改革的意见》等相关法律法规及规范性文件的要求,为加强对本行、持股5%以上的股东、董事(不含独立董事,本部分同)和高级管理人员等相关责任主体的市场约束,保护中小股东权益,本行于2014年7月31日召开的2014年第一次临时股东大会审议通过了《上海银行股份有限公司首次公开发行A股股票并上市后三年内稳定A股股价的预案》(以下简称"稳定股价预案")。稳定股价预案具体内容如下:

(一)本行稳定股价措施的触发条件

本行A股股票上市后3年内,如本行A股股票连续20个交易日的收盘价均低于本行最近一期经审计的每股净资产(本行最近一期审计基准日后,因派息、送股、资本公积转增股本、股份拆细、增发、配股或缩股等事项导致本行净资产或股份总数发生变化的,则每股净资产相应进行调整,本部分同),非因不可抗力,则在符合相关法律法规且本行股份分布符合上市条件的前提下,本行、持股5%以上的股东、董事和高级管理人员等相关主体将启动稳定本行股价的相关程序并实施相关措施。上述第20个收盘价低于本行每股净资产的交易日为触发稳定股价措施日,简称触发日。

(二)稳定本行股价的具体措施

本行、持股5%以上的股东、董事和高级管理人员承担稳定股价的义务。

1.本行回购股票

本行A股股票上市后三年内,本行应在触发日后10个交易日内制定稳定股价方案并由董事会公告。本行可以采用包括但不限于通过交易所集中竞价交易方式回购本行股票或符合相关法律法规的其他措施稳定本行股价。如本行采用回购股票的措施,则用于回购本行股票的总金额不低于1亿元。相关方案须经股东大会审议通过后方可实施。

2.持股5%以上的股东增持股票

本行A股股票上市后三年内,如本行董事会未能如期公告前述稳定股价方案,在持股5%以上的股东增持本行股票不会致使本行不满足法定上市条件或触发股东要约收购义务并且符合相关法律法规的前提下,则持股5%以上的股东应在触发日后20个交易日内向本行提交增持本行股票的方案并由本行公告;如本行董事会公告的稳定股价方案未能经股东大会审议通过,在持股5%以上的股东增持本行股票不会致使本行不满足法定上市条件或触发股东要约收购义务并且符合相关法律法规的前提下,则持股5%以上的股东应在本行稳定股价方案未能通过股东大会之日的次日起10个交易日内向本行提交增持本行股票的方案并由本行公告。

本行A股股票上市后三年内,持股5%以上的股东在触发日后应通过包括但不限于交易所集中竞价交易方式或符合相关法律法规的其他方式,以不低于触发日前最近一个年度自本行获得现金分红总额的15%增持本行股票。

3.董事和高级管理人员增持股票

本行A股股票上市后三年内,如持股5%以上的股东未如期公告前述稳定股价方案,则在符合相关法律法规的前提下,董事和高级管理人员应在触发日后30个交易日内公告增持本行A股股票的方案;如持股5%以上的股东公告的稳定股价方案未能如期实施,在符合相关法律法规的前提下,董事和高级管理人员应在持股5%以上的股东的稳定股价方案应实施但未实施之日的次日起10个交易日内公告增持本行A股股票的方案。董事和高级管理人员应在公告后10个交易日内(如期间存在N个交易日限制董事、高级管理人员直接或间接买卖股票,则董事、高级管理人员增持期顺延为N+10个交易日内)增持本行A股股票,并且用于增持本行A股股票的资金不低于其于触发日上一年度从本行取得税后薪酬总额的15%。

在实施上述三项任一稳定股价措施的过程中,如本行A股股票连续10个交易日的收盘价均高于本行最近一期经审计的每股净资产,则本行、持股5%以上的股东、董事和高级管理人员可中止实施稳定股价措施。

在履行完毕上述三项任一稳定股价措施后的120个交易日内,本行、持股5%以上的股东、董事和高级管理人员的稳定股价义务自动解除。自履行完毕前述三项任一稳定股价措施后的第121个交易日开始,如果出现本行A股股票收盘价连续20个交易日低于最近一期经审计的每股净资产的情况,则本行、持股5%以上的股东、董事和高级管理人员的稳定股价义务将按照前述1、2、3的顺序自动产生。

(三)未能履行稳定股价预案的约束措施

如本行董事会未能制订或实施应由本行实施的稳定股价方案,董事会应向投资者说明具体原因,本行将根据相关法律法规及监管机构的要求承担相应责任。

如持股5%以上的股东未能履行应由其履行的稳定本行股价的义务,本行可等额扣留其在当年及以后年度的现金分红,直至其履行相应的稳定股价义务。

如董事和高级管理人员未能履行应由其履行的稳定本行股价的义务,本行可等额扣留其在当年及以后年度从本行所领取的税后薪酬,直至其履行相应的稳定股价义务。

如因相关法律法规等客观原因导致本行、持股5%以上的股东、董事和高级管理人员在一定时期内无法履行其稳定股价义务的,相关责任主体可免于前述惩罚,但亦应积极采取其他措施稳定股价。

(四)其他说明

(1)本行、持股5%以上股东、董事和高级管理人员在履行其稳定股价义务时,应符合相关法律、法规和规范性文件的要求,充分考虑保护境内外股东的合法权益,并履行相应的信息披露义务。

(2)稳定股价预案自动适用于自稳定股价预案经股东大会审议通过至本行A股股票上市后三年内本行股东大会新选举产生的董事以及新聘任的高级管理人员。

(3)稳定股价预案实施时如相关法律法规另有规定,本行遵从相关规定。

(4)稳定股价预案自本行首次公开发行A股股票并上市之日起三年内有效。

四、关于招股说明书不存在虚假记载、误导性陈述或重大遗漏的承诺

(一)本行承诺

本行关于投资者利益保护承诺:

(1)如果本行首次公开发行A股股票并上市的招股说明书有虚假记载、误导性陈述或者重大遗漏,对判断本行是否符合法律规定的发行条件构成重大、实质影响的,本行将在证券监管部门等有权部门依法对上述事实作出认定或处罚决定后10个工作日内进行公告,并根据相关法律法规及公司章程的规定召开董事会和股东大会。股东大会通过回购方案后,本行将依法回购首次公开发行的全部A股新股,回购价格为发行价加上同期银行活期存款利息。期间,本行如有派发股利、送红股、转增股本、增发新股或配股等除权除息事项,回购股数及回购价格将相应调整。

(2)如果本行首次公开发行 A 股股票并上市的招股说明书有虚假记载、误导性陈述或者重大遗漏,致使投资者在证券交易中遭受损失的,本行将依法赔偿投资者损失,赔偿方式与金额依据本行与投资者协商或证券监督管理部门及司法机关认定的方式和金额确定。

若未能履行上述承诺,本行将按照有关法律法规的规定及监管部门的要求承担相应的责任。

(二)本行全体董事、监事及高级管理人员承诺

本行全体董事、监事及高级管理人员关于依法赔偿投资者损失承诺:

“若上海银行为首次公开发行 A 股股票并上市制作的招股说明书有虚假记载、误导性陈述或者重大遗漏,致使投资者在证券交易中遭受损失的,本人将按照有效的司法裁决文书依法赔偿投资者损失,但是能够证明本人没有过错的除外。

若本人未能履行上述承诺,本人同意,自违反上述承诺事实发生当日起,上海银行停止向本人发放工资、奖金和津贴等,用于赔偿投资者损失,直至停止发放的工资、奖金和津贴等于本人履行上述赔偿承诺应赔偿投资者损失的金额时为止。

本人将不因职务变更或离职等原因而放弃履行上述承诺。”

(三)证券服务机构承诺

保荐机构承诺:

“由于本公司为发行人首次公开发行制作、出具的文件有虚假记载、误导性陈述或者重大遗漏,给投资者造成损失的,本公司将依法赔偿投资者损失,但本公司没有过错的除外。”

会计师事务所承诺:

“本所及签字注册会计师对上海银行股份有限公司在招股说明书及其摘要中引用的上述本所出具的审计报告、内部控制审计报告及关于非经常性损益明细表专项说明的内容无异议,确认招股说明书不致因上述所引用内容而出现虚假记载、误导性陈述或重大遗漏,并对上述报告依法承担本所相关报告中所述之相应责任(包括依法赔偿投资者损失)。”

本行律师承诺:

“如国浩在本次发行工作期间未勤勉尽责,导致国浩所制作、出具的文件对重大事件作出违背事实真相的虚假记载、误导性陈述,或在披露信息时发生重大遗漏,导致发行人不符合法律规定的发行条件,造成投资者直接经济损失的,在该等违法事实被认定后,国浩将本着积极协商、切实保障投资者特别是中小投资者利益的原则,自行并督促发行人及其他责任方一并对投资者直接遭受的、可测算的经济损失,选择与投资者和解、通过第三方与投资者调解及设立投资者赔偿基金等方式进行赔偿。

国浩保证遵守以上承诺,勤勉尽责地开展业务,维护投资者合法权益,并对此承担相应的法律责任。”

五、本次募集资金到位后摊薄即期回报影响及填补措施

(一)本次募集资金到位当年本行每股收益的变动趋势

按照本次发行不超过 6.0045 亿股计算,发行完成后,本行总股本较上年将增加不超过 11.11%。本次首次公开发行募集资金到位后,本行的净资产也会相应增加,但募集资金使用产生效益需要一定的时间,在本行总股本和净资产均增加的情况下,如果本行未来业务规模和净利润未能产生相应幅度的增长,预计短期内本行基本每股收益和稀释每股收益等指标将出现一定幅度的下降,本次募集资金到位后股东即期回报(基本每股收益、稀释每股收益等财务指标)存在被摊薄的风险。

(二)本行填补被摊薄即期回报的措施

为保护投资者利益,本行将采取多种措施保证本次募集资金有效使用、有效防范即期回报被摊薄的风险、提高未来的回报能力。本行拟采取的主要措施包括:

1.围绕新一轮发展规划,着力推动“精品银行”目标实现

本行将继续围绕新一轮发展规划,推进转型发展,培育业务特色,持续提升专业化经营和精细化管理能力。本行将切入制约发展规划实施的深层次问题,以管理层重点工作为带动,进一步加强战略性人力资源管理、完善总分行管理机制、提升零售业务转型能力、加强大数据管理与运用、推进业务运营体系改革。

2.加快内涵式发展,促进业务结构转型

未来本行将围绕战略重点,经营工作的重心进一步切入服务、客户、产品、渠道等要素,在更大范围内抓好拓展和整合;坚持“双轮驱动”,重在加快突破、拓展深度,纵深推动全行转变经营方式,提升资源整合能力、市场竞争能力、投入产出效能,特别是加快培育特色,打通综合金融服务与网点转型。同时,本行将依托产品创新与支持体系,着力加快产品创新、组合运用和下沉,并注重与战略推进要求相吻合、与培育局部竞争优势相匹配,促进业务结构的转型。

3.继续强化资本管理,合理配置资源

本行将进一步推进新资本管理办法的实施,贯彻资本节约意识,不断完善资本占用核算机制,深化资本投入产出机制建设;另一方面,本行将加强资本使用的管理,加大资产、客户、收入结构调整力度,优先发展综合回报较高、资本占用较少、符合国家政策导向和本行发展战略的业务,提高资本利用效率与资本回报水平。

4.加强全面风险管理、完善风险管理体系建设

本行立足于建设精品银行、提升风险价值,将通过构建责任清晰、适应转型发展和结构调整的风险与内控管理体系,统一风险偏好,强化底线管理,创新方法工具,稳步提高风险管理的有效性、针对性和预见性。

5.注重股东回报,实行持续稳定的利润分配政策

本行兼顾股东的合理投资回报与本行合理利润留存需要,在盈利和资本充足率满足公司持续经营和长远发展要求的前提下,实施科学的利润分配方案,优先采用现金分红,为股东提供持续、稳定、合理的投资回报。根据本行经股东大会审议通过的《上海银行股份有限公司股东分红回报规划(上市后未来三年)》,本行 A 股上市后未来三年内,本行在资本充足率满足监管要求条件下,在当年盈利且累计未分配利润为正,并在满足本行正常经营资金需求的情况下,平均每年以现金方式分配的利润不少于三年内实现的年均可分配利润的 20%。

(三)本行董事、高级管理人员的承诺

本行的董事、高级管理人员将忠实、勤勉地履行职责,维护本行和全体股东的合法权益。根据中国证监会相关规定为保证本行填补回报措施能够得到切实履行作出以下承诺:

(1)本人承诺不无偿或以不公平条件向其他单位或者个人输送利益,也不采用其他方式损害上海银行利益。

(2)本人承诺对职务消费行为进行约束。

(3)本人承诺不动用上海银行资产从事与其履行职责无关的投资、消费活动。

(4)本人承诺由董事会或提名与薪酬委员会制定的薪酬制度与上海银行填补回报措施的执行情况相挂钩。

(5)若上海银行后续推出股权激励政策,本人承诺拟公布的上海银行股权激励的行权条件与上海银行填补回报措施的执行情况相挂钩。

六、财务报告审计截止日后主要财务信息及经营状况

财务报告审计截止日后,本行经营状况良好,存贷业务保持稳定,主营业务、经营模式未发生重大变化。本行业务结构持续优化,未出现对本行经营能力产生重大不利影响的事项,也未出现其他可能影响投资者判断的重大事项。

本行 2016 年前三季度的主要财务数据请参见本上市公告书“第五节财务会计资料”相关内容。

第二节　股票上市情况

一、公司股票发行上市审批情况

(一)编制上市公告书的法律依据

本上市公告书是根据《公司法》、《证券法》、《首次公开发行股票并上市管理办法》和《上海证券交易所股票上市规则》等有关法律、法规的规定,并按照《上海证券交易所股票上市公告书内容与格式指引(2013 年 12 月修订)》而编制,旨在向投资者提供有关本行首次公开发行 A 股股票上市的基本情况。

(二)股票发行的核准部门和文号

本行首次公开发行 A 股股票(以下简称“本次发行”)经中国证券监督管理委员会“证监许可〔2016〕1638 号”文核准,公开发行新股不超过 60,045 万股。

(三)证券交易所同意股票上市文件的文号

本行 A 股股票上市经上海证券交易所“自律监管决定书[2016]276 号”文批准。

二、公司股票上市概况

上市地点:上海证券交易所

上市时间:2016 年 11 月 16 日

股票简称:上海银行

股票代码:601229

本次公开发行后总股本:600,445 万股

本次公开发行股票数量:60,045 万股

本次上市的无流通限制及锁定安排的股票数量:本次发行的 60,045 万股股票无流通限制及锁定安排

发行前股东所持股份的流通限制及期限以及发行前股东对所持股份自愿锁定的承诺请参见本上市公告书“第一节重要声明与提示”之“一、本次发行前股东所持股份的流通限制和自愿锁定股份的承诺”所述

本次上市股份的其他锁定安排:无

股票登记机构:中国证券登记结算有限责任公司上海分公司

上市保荐机构:国泰君安证券股份有限公司

第三节　发行人、股东和实际控制人情况

一、发行人的基本情况

中文名称:上海银行股份有限公司

英文名称:BankofShanghaiCo.,Ltd.

发行前注册资本:540,400 万元发行后

注册资本:600,445 万元

法定代表人:金煜

成立日期:1996 年 1 月 30 日

住所:上海市浦东新区银城中路 168 号

经营范围:吸收公众存款;发放短期、中期和长期贷款;办理国内外结算;办理票据承兑与贴现;发行金融债券;代理发行、代理兑付、承销政府债券;买卖政府债券、金融债券;从事同业拆借;买卖、

代理买卖外汇；从事银行卡业务；提供信用证服务及担保；代理收付款项及代理保险业务；提供保管箱服务；提供资信调查、咨询、见证业务；经中国银行业监督管理机构、中国人民银行和国家外汇管理局等监管机构批准的其他业务；(依法须经批准的项目，经相关部门批准后方可开展经营活动)

主营业务：本行的主要业务包括公司金融业务、零售金融业务和资金业务等

所属行业：根据《中国证监会上市公司行业分类指引》和本行的主营业务，本行的行业划分为"J金融业"大类下的"J66 货币金融服务业"。

电话号码：021-68476988

传真号码：021-68476215

电子信箱：ir@bankofshanghai.com

互联网网址：http://www.bankofshanghai.com

董事会秘书：李晓红

董事、监事、高级管理人员

(一)董事

截至本上市公告书出具之日，本行共有 18 名董事。本行董事姓名、董事类型和职务、任职期限情况如下：

姓　名	董事类型和职务	任职期限
金　煜	董事、董事长	于 2013 年 4 月 8 日 2012 年度股东大会被选举为第四届董事会董事，任期与第四届董事会任期一致 于 2015 年 2 月 26 日董事会四届五次临时会议被选举为第四届董事会董事长，任期与第四届董事会任期一致
胡友联	董事、副董事长、行长	于 2016 年 2 月 19 日 2016 年度第一次临时股东大会被选举为第四届董事会董事，任期与第四届董事会任期一致于 2016 年 1 月 27 日董事会四届七次临时会议被选举为第四届董事会副董事长，并自 2016 年 2 月 19 日 2016 年度第一次临时股东大会选举其为第四届董事会董事后生效，任期与第四届董事会任期一致
张伟国	董事、副行长	于 2013 年 4 月 8 日 2012 年度股东大会被选举为第四届董事会董事，任期与第四届董事会任期一致
叶　峻	董事	于 2013 年 4 月 8 日 2012 年度股东大会被选举为第四届董事会董事，任期与第四届董事会任期一致
应晓明	董事	于 2015 年 8 月 3 日 2015 年度第一次临时股东大会被选举为第四届董事会董事，任期与第四届董事会任期一致
JuanManuel San RománLópez (盛儒焕)	董事	于 2014 年 7 月 31 日 2014 年第一次临时股东大会被选举为第四届董事会董事，任期与第四届董事会任期一致
陈戌源	董事	于 2014 年 4 月 15 日 2013 年度股东大会被选举为第四届董事会董事，任期与第四届董事会任期一致
杨金龙	董事	于 2015 年 8 月 3 日 2015 年度第一次临时股东大会被选举为第四届董事会董事，任期与第四届董事会任期一致
李朝坤	董事	于 2015 年 8 月 3 日 2015 年度第一次临时股东大会被选举为第四届董事会董事，任期与第四届董事会任期一致
黄旭斌	董事	于 2015 年 8 月 3 日 2015 年度第一次临时股东大会被选举为第四届董事会董事，任期与第四届董事会任期一致
郭锡志	董事	于 2013 年 4 月 8 日 2012 年度股东大会被选举为第四届董事会董事，任期与第四届董事会任期一致
李任	董事	于 2013 年 4 月 8 日 2012 年度股东大会被选举为第四届董事会董事，任期与第四届董事会任期一致
陈祥麟	独立董事	于 2013 年 4 月 8 日 2012 年度股东大会被选举为第四届董事会独立董事，任期与第四届董事会任期一致
程静萍	独立董事	于 2013 年 4 月 8 日 2012 年度股东大会被选举为第四届董事会独立董事，任期与第四届董事会任期一致
金炳荣	独立董事	于 2013 年 4 月 8 日 2012 年度股东大会被选举为第四届董事会独立董事，任期与第四届董事会任期一致
万建华	独立董事	于 2015 年 8 月 3 日 2015 年度第一次临时股东大会被选举为第四届董事会独立董事，任期与第四届董事会任期一致
袁志刚	独立董事	于 2013 年 4 月 8 日 2012 年度股东大会被选举为第四届董事会独立董事，任期与第四届董事会任期一致
徐建新	独立董事	于 2015 年 8 月 3 日 2015 年度第一次临时股东大会被选举为第四届董事会独立董事，任期与第四届董事会任期一致

注：2016 年 4 月 22 日，本行召开 2015 年度股东大会，审议通过本行第四届董事会董事的任期顺延至股东大会选举产生第五届董事会止。

(二)监事

截至本上市公告书出具之日，本行共有 4 名监事，低于公司章程中监事会由五名至七名监事组成的规定，目前本行正在按照法律法规和公司章程的规定积极开展监事和监事长的选任工作。本行监事姓名、监事类型和职务、任职期限情况如下：

姓　名	董事类型和职务	任职期限
傅长禄	外部监事	于 2013 年 4 月 8 日 2012 年度股东大会被选举为第四届监事会外部监事，任期与第四届监事会任期一致
戴国强	外部监事	于 2013 年 4 月 8 日 2012 年度股东大会被选举为第四届监事会外部监事，任期与第四届监事会任期一致
刘济南	职工监事	于 2012 年 9 月 21 日二届九次职工代表大会被选举为第四届监事会职工监事，任期三年(任期已届满，但按照公司章程规定，在改选后的监事就任前，原监事仍履行监事职务)
尹社申	职工监事	于 2012 年 9 月 21 日二届九次职工代表大会被选举为第四届监事会职工监事，任期三年(任期已届满，但按照公司章程规定，在改选后的监事就任前，原监事仍履行监事职务)

注：2016 年 4 月 22 日，本行召开 2015 年度股东大会，审议通过本行第四届监事会监事的任期顺延至股东大会选举产生第五届监事会止。

(三)高级管理人员

截至本上市公告书出具之日，本行高级管理人员姓名、职务和任职期限情况如下：

姓　名	董事类型和职务	任职期限
胡友联	董事、副董事长、行长	于 2016 年 1 月 27 日董事会四届七次临时会议被聘任为本行行长，任期与第四届董事会任期一致
张伟国	董事、副行长	于 2013 年 4 月 8 日董事会四届一次会议被聘任为本行副行长，任期与第四届董事会任期一致
蒋　洪	副行长	于 2013 年 4 月 8 日董事会四届一次会议被聘任为本行副行长，任期与第四届董事会任期一致
李建国	副行长	于 2013 年 4 月 8 日董事会四届一次会议被聘任为本行副行长，任期与第四届董事会任期一致
施红敏	副行长，首席财务官	于 2013 年 4 月 8 日董事会四届一次会议被聘任为本行首席财务官，任期与第四届董事会任期一致 于 2016 年 5 月 24 日董事会四届九次临时会议被聘任为本行副行长，继续兼任本行首席财务官，任期与第四届董事会任期一致
黄　涛	副行长，首席风险官	于 2013 年 4 月 8 日董事会四届一次会议被聘任为本行首席风险官，任期与第四届董事会任期一致 于 2016 年 5 月 24 日董事会四届九次临时会议被聘任为本行副行长，继续兼任本行首席风险官，任期与第四届董事会任期一致
胡德斌	副行长，首席信息官	于 2013 年 4 月 8 日董事会四届一次会议被聘任为本行首席信息官，任期与第四届董事会任期一致 于 2016 年 5 月 24 日董事会四届九次临时会议被聘任为本行副行长，继续兼任本行首席信息官，任期与第四届董事会任期一致
李晓红	董事会秘书	于 2013 年 4 月 8 日董事会四届一次会议被聘任为本行董事会秘书，任期与第四届董事会任期一致

注：2016 年 4 月 22 日，本行召开 2015 年度股东大会，审议通过本行第四届董事会董事的任期顺延至股东大会选举产生第五届董事会止。

董事、监事和高级管理人员持有本行股份的情况

截至本上市公告书出具之日，本行董事、监事和高级管理人员持有本行股份情况如下：

姓　名	在本行担任的职务	持股数量(股)
胡友联	董事、副董事长、行长	73,000
张伟国	董事、副行长	87,600
戴国强	外部监事	438
刘济南	职工监事	81,687
尹社申	职工监事	110,887
蒋　洪	副行长	124,100

三、控股股东及实际控制人的基本情况

截至本上市公告书出具之日，本行股权结构分散，单一股东无法控制董事会和股东大会，或对董事会和股东大会决议产生重大影响，本行持股 5%以上的股东之间不存在一致行动关系，并且也不存在虽不是本行股东，但通过投资关系、协议或者其他安排能够实际支配本行行为的主体，因此本行不存在控股股东和实际控制人。

四、股东情况

（一）本次发行前后的股本结构

本次发行前，本行总股本为 540,400 万股，本次发行股数 60,045 万股，发行后总股本为 600,445 万股。本次发行前后，本行股本结构情况如下表所示。

股东	发行前		发行后	
一、有限售条件流通股	股数（股）	比例（%）	股数（股）	比例（%）
上海联和投资有限公司	814,803,808	15.08	798,638,319	13.30
西班牙桑坦德银行有限公司	389,120,000	7.20	389,120,000	6.48
上海国际港务（集团）股份有限公司	389,120,000	7.20	389,120,000	6.48
中国建银投资有限责任公司	296,380,000	5.48	290,499,900	4.84
中船国际贸易有限公司	250,000,000	4.63	245,040,067	4.08
TCL 集团股份有限公司	201,480,876	3.73	201,480,876	3.36
上海商业银行有限公司	162,120,000	3.00	162,120,000	2.70
上海市黄浦区国有资产总公司	118,729,244	2.20	116,373,688	1.94
上海汇鑫投资经营有限公司	116,526,400	2.16	114,214,547	1.90
中信国安有限公司	107,950,000	2.00	107,950,000	1.80
其他上市前股东	2,557,769,672	47.32	2,589,442,603	43.13
二、无限售条件流通股	–	–	600,450,000	10.00
本次公开发行股份	–	–	600,450,000	10.00
合计	5,404,000,000	100.00	6,004,450,000	100.00

关于各股东持有股份的锁定期情况，可参见本上市公告书"第一节重要声明与提示一、本次发行前股东所持股份的流通限制和自愿锁定股份的承诺"中相关内容。

（二）本次发行后前十名股东情况

本次发行后、上市前的股东户数为 551,958 户，其中前十大股东情况如下：

序号	股东名称	持股数量（股）	持股比例（%）
1	上海联和投资有限公司	798,638,319	13.30
2	西班牙桑坦德银行有限公司	389,120,000	6.48
3	上海国际港务（集团）股份有限公司	389,120,000	6.48
4	中国建银投资有限责任公司	290,499,900	4.84
5	中船国际贸易有限公司	245,040,067	4.08
6	TCL 集团股份有限公司	201,480,876	3.36
7	上海商业银行有限公司	162,120,000	2.70
8	上海市黄浦区国有资产总公司	116,373,688	1.94
9	上海汇鑫投资经营有限公司	114,214,547	1.90
10	中信国安有限公司	107,950,000	1.80
	合计	2,814,557,397	46.87

第四节　股票发行情况

一、发行数量：60,045 万股

二、发行价格：17.77 元/股

三、每股面值：人民币 1.00 元

四、发行市盈率

7.44 倍（每股收益按本行 2015 年经审计的扣除非经常性损益前后孰低的归属于母公司的净利润除以本次发行前总股本计算）；

8.26 倍（每股收益按本行 2015 年经审计的扣除非经常性损益前后孰低的归属于母公司的净利润除以本次发行后总股本计算）。

五、发行方式及认购情况

本次发行采用网下投资者询价配售和网上按市值申购定价发行相结合的方式进行。其中，网下配售 6,004.50 万股，占本次发行总量的 10%；网上发行 54,040.50 万股，占本次发行总量的 90%。本次联席主承销商包销股份的数量为 1,706,112 股，包销比例为 0.28%。

六、募集资金总额及注册会计师对资金到账的验证情况

本次发行募集资金总额为 106.70 亿元，扣除发行费用后募集资金净额为 104.50 亿元。毕马威华振会计师事务所（特殊普通合伙）已于 2016 年 11 月 9 日对本次发行股票的资金到位情况进行了审验，并出具了《验资报告》（毕马威华振验字第 1600962 号）。

七、发行费用总额及明细构成、每股发行费用

（1）本行本次发行的发行费用总额为 21,956.44 万元，其中，保荐承销费 18,672.49 万元；审计和验资费 2,385.00 万元；律师费 280.00 万元；用于本次发行的信息披露等费用 389.00 万元；上市及登记等费用 229.94 万元。

（2）本次公开发行新股的每股发行费用为 0.37 元（每股发行费用=发行费用总额/本次发行股本）。

八、募集资金净额：104.50 亿元

九、发行后每股净资产

17.74 元（按 2016 年 3 月 31 日经审计的归属于母公司股东权益加上本次发行募集资金净额后除以本次发行后股份总数计算）。

十、发行后每股收益

2.15 元（以 2015 年度经审计的扣除非经常性损益前后孰低的归属于母公司所有者的净利润和本次发行后总股本为基础计算）。

第五节　财务会计资料

本行在招股说明书中已披露 2016 年 3 月 31 日、2015 年 12 月 31 日、2014 年 12 月 31 日及 2013 年 12 月 31 日的合并资产负债表和资产负债表，2016 年 1—3 月、2015 年年度、2014 年年度及 2013 年年度合并利润表和利润表、合并现金流量表和现金流量表、合并所有者权益变动表和所有者权益变动表。毕马威华振会计师事务所（特殊普通合伙）依据中国注册会计师审计准则的规定对上述财务报表进行了审计，发表了标准无保留意见的审计结论，出具了毕马威华振审字第 1602161 号《审计报告》。

本上市公告书已披露截至 2016 年 9 月 30 日的合并资产负债表和资产负债表、2016 年 1—9 月的合并利润表和利润表及合并现金流量表和现金流量表，上述数据均未经审计。本行上市后将不再另行披露 2016 年第三季度报告，敬请投资者注意。本行 2016 年第三季度报告已经董事会四届十九次会议审议通过。

一、主要会计数据及财务指标

（一）合并资产负债表主要数据

单位：千元

项目	2016 年 9 月 30 日（未经审计）	2015 年 12 月 31 日（经审计）	本报告期末比上年度末变动（%）	说明
资产总计	1,650,924,142	1,449,140,487	13.92	–
负债总计	1,547,105,645	1,356,306,092	14.07	–
股东权益合计	103,818,497	92,834,395	11.83	–
归属于母公司股东权益合计	103,352,739	92,390,498	11.87	–
归属于母公司股东的每股净资产	19.13	17.10	11.87	–

注：归属于母公司股东的每股净资产=归属于母公司股东权益/发行前总股本

（二）合并利润表主要数据

单位：千元

项目	2016 年 1—9 月（未经审计）	2015 年 1—9 月（未经审计）	本报告期比上年同期变动（%）	说明
营业收入	26,419,222	24,419,431	8.19	–
营业支出	(14,009,898)	(12,232,554)	14.53	–
营业利润	12,409,324	12,186,877	1.83	–
利润总额	12,531,176	12,265,686	2.16	–
净利润	10,942,003	9,943,013	10.05	–
归属于母公司股东的净利润	10,911,430	9,909,448	10.11	–
扣除非经常性损益后的归属于母公司股东的净利润	10,826,657	9,860,044	9.80	–

（三）合并现金流量表主要数据

单位：千元

项目	2016 年 1—9 月（未经审计）	2015 年 1—9 月（未经审计）	本报告期比上年同期变动（%）	说明
经营活动产生的现金流量净额	104,919,760	19,728,496	431.82	卖出回购金融资产、向中央银行借款等现金流入增加
投资活动使用的现金流量净额	(210,277,621)	(170,926,749)	23.02	–
筹资活动产生的现金流量净额	89,681,127	78,571,250	14.14	–

（四）净资产收益率及每股收益

单位：千元

项目	2016 年 1—9 月（未经审计）	2015 年 1—9 月（未经审计）	本报告期比上年同期变动（%）	说明
归属于母公司股东的净利润	10,911,430	9,909,448	10.11	–

扣除非经常性损益后的归属于母公司股东的净利润	10,826,657	9,860,044	9.80	-
加权平均净资产收益率(年化)	14.86%	16.39%	下降 1.53 个百分点	-
扣除非经常性损益后的加权平均净资产收益率(年化)	14.75%	16.31%	下降 1.56 个百分点	-
基本每股收益(元/股)	2.02	1.90	6.32	-
稀释每股收益(元/股)	2.02	1.90	6.32	-

截至 2016 年 9 月 30 日，本行资产总额为 16,509.24 亿元，贷款和垫款总额为 5,490.94 亿元，存款总额为 8,507.91 亿元，股东权益总额 1,038.18 亿元，较 2015 年 12 月 31 日分别增长 13.92%、2.35%、7.33%和 11.83%。2016 年 1–9 月，本行营业收入 264.19 亿元，利润总额 125.31 亿元，归属母公司所有者的净利润 109.11 亿元，扣除非经常性损益后归属于母公司股东的净利润 108.27 亿元，较 2015 年 1–9 月分别增长 8.19%、2.16%、10.11%和 9.80%。

二、经营业绩和财务状况的简要说明

截至 2016 年 9 月 30 日，本行资产总额为 16,509.24 亿元，归属于母公司股东权益总额为 1,033.53 亿元，较 2015 年 12 月 31 日分别增长 13.92%和 11.87%。2016 年 1–9 月，本行营业收入为 264.19 亿元，归属于母公司股东的净利润为 109.11 亿元，较 2015 年 1–9 月分别增长 8.19%和 10.11%。

综上，本行 2016 年三季度经营状况良好，存贷业务保持稳定，主营业务、经营模式未发生重大变化。本行业务结构持续优化，未出现对本行经营能力产生重大不利影响的事项，也未出现其他可能影响投资者判断的重大事项。

三、2016 年全年经营业绩预计

截至本上市公告书签署日，本行经营状况良好，各项业务运行正常，未出现对本行经营能力产生重大不利影响的事项，本行预计 2016 年全年的营业收入、净利润与上年相比无重大变化。

第六节　其他重要事项

一、募集资金专户存储三方监管协议的安排

根据有关法律法规及《上海证券交易所上市公司募集资金管理办法(2013 年修订)》要求，本行已与保荐机构国泰君安证券股份有限公司签订《上海银行股份有限公司首次公开发行股票募集资金专户存储监管协议》，协议的主要条款如下：

(1)甲方应当遵守《中华人民共和国票据法》、《支付结算办法》、《人民币银行结算账户管理办法》等法律、法规、规章。

(2)乙方作为甲方本次发行的保荐机构，应当依据有关规定指定保荐代表人或其他工作人员对甲方募集资金使用情况进行监督。

(3)乙方承诺按照《证券发行上市保荐业务管理办法》、《上海证券交易所上市公司募集资金管理办法(2013 年修订)》以及甲方制订的募集资金管理制度对甲方募集资金管理事项履行保荐职责，进行持续督导工作。

(4)乙方可以采取现场调查、书面问询等方式行使其监督权。甲方应当配合乙方的调查与查询。募集资金全部使用完成前，乙方每半年度对甲方现场调查时应当同时检查专户存储情况。

(5) 甲方应当按照首次公开发行股票之发行申请文件中承诺的募集资金使用计划使用募集资金。

(6) 甲方 1 次或 12 个月以内累计从专户支取的金额超过 5,000 万元且达到发行募集资金总额扣除发行费用后的净额的 20%的，甲方应当及时以传真方式通知乙方，同时提供专户的支出清单。

(7)甲方连续三次未及时向乙方出具对账单或通知专户大额支取情况，以及存在未配合乙方调查专户情形的，乙方有权要求甲方改正并配合调查募集资金专户。

(8)乙方发现甲方未按约定履行本协议的，应当在知悉有关事实后及时向上海证券交易所书面报告。”

二、其他事项

本行自刊登首次公开发行股票招股意向书至本上市公告书刊登前，没有发生可能对本行有较大影响的重要事项，具体如下：

(1)本行主营业务发展目标进展正常；

(2)本行所处行业或市场未发生重大变化；

(3)除正常经营活动相关的采购、销售等商务合同外，本行未订立可能对本行的资产、负债、权益和经营成果产生重大影响的重要合同；

(4)本行未发生重大关联交易事项，资金未被关联方非经营性占用；

(5)本行未发生重大投资；

(6)本行未发生重大资产(或股权)购买、出售及置换；

(7)本行住所没有变更；

(8)本行董事、监事、高级管理人员及核心技术人员未发生变化；

(9)本行未发生重大诉讼、仲裁事项；

(10)本行未发生对外担保等或有事项；

(11)本行的财务状况和经营成果未发生重大变化；

(12)本行未召开股东大会。本行于 2016 年 10 月 21 日召开董事会四届十九次会议，审议通过了《关于上海银行股份有限公司 2016 年第三季度报告的议案》等议案；本行于 2016 年 10 月 28 日召开第四届监事会 2016 年第一次临时会议审议通过了《上海银行股份有限公司监事会对本行 2016 年三季度报告出具书面审核意见的议案》；

(13)本行其他应披露的重大事项如下：

本行拟于 2016 年 11 月 16 日发布新的视觉形象(即行徽标志)，使其更契合

本行建设“精品银行”的企业文化愿景。因涉及需要更新的视觉形象应用广泛，本行计划 2019 年 12 月 31 日前完成所有涉及视觉形象应用的更换。在此期间，本行新旧视觉形象将会在一些应用中并存。为避免公众产生疑惑，本行将通过各种渠道进行广泛告知和宣传，做好更换期各项工作。

本行已申请新的视觉形象为本行注册商标，并取得受理通知书。本行新旧视觉形象如下所示：

图 1:新视觉形象　　图 2:旧视觉形象

第七节　上市保荐机构及其意见

一、上市保荐机构情况

保荐机构(主承销商)：国泰君安证券股份有限公司

法定代表人：杨德红

住所：中国(上海)自由贸易试验区商城路 618 号

联系电话：021–38676666

传真：021–38670666

保荐代表人：李鸿、丁颖华

联系人：徐岚、刘登舟、李甲稳、蔡锐

二、上市保荐机构的推荐意见

本行的上市保荐机构国泰君安证券股份有限公司认为，上海银行股份有限公司首次公开发行的股票符合上市条件，并已向上海证券交易所提交了《国泰君安证券股份有限公司关于上海银行股份有限公司股票上市保荐书》，保荐意见如下：

“本保荐机构认为，发行人申请其股票上市符合《中华人民共和国公司法》、《中华人民共和国证券法》及《上海证券交易所股票上市规则》等相关法律、法规的规定，发行人股票已具备在上海证券交易所公开上市的条件。鉴于上述内容，本保荐机构同意推荐上海银行股份有限公司的股票在贵所上市交易。”

中原证券股份有限公司

中原证券股份有限公司首次公开发行A股股票上市公告书

特别提示

本公司股票将于2017年1月3日在上海证券交易所上市。本公司提醒投资者应充分了解股票市场风险及本公司披露的风险因素，在新股上市初期切忌盲目跟风"炒新"，应当审慎决策、理性投资。

第一节　重要声明与提示

中原证券股份有限公司(以下简称"公司"、"本公司"、"中原证券"或"发行人")及全体董事、监事、高级管理人员保证上市公告书所披露信息的真实、准确、完整，承诺上市公告书不存在虚假记载、误导性陈述或重大遗漏，并承担个别和连带的法律责任。

上海证券交易所、其他政府机关对本公司股票上市及有关事项的意见，均不表明对本公司的任何保证。

本公司提醒广大投资者注意，凡本上市公告书未涉及的有关内容，请投资者查阅刊载于上海证券交易所网站(http://www.sse.com.cn)的本公司招股说明书全文。

一、本次发行前股东所持股份的限售安排、股东对所持股份自愿锁定的承诺

(1)本公司控股股东河南投资集团承诺，自公司首次公开发行A股股票并在证券交易所上市之日起三十六个月内，不转让或者委托他人管理其在本次发行前已直接和间接持有的公司股份，也不由公司回购该部分股份；若公司首次公开发行A股股票上市后6个月内股票连续20个交易日的收盘价均低于发行价(期间内公司若发生分红派息、公积金转增股本、配股等情况，该发行价应进行相应除权除息处理，下同)，或者上市后6个月期末收盘价低于发行价的，其所持公司股票的锁定期限自动延长6个月。

(2)本公司股东渤海公司(代表渤海基金)、安钢集团、安阳经开、神火集团、焦作经开、鹤壁建投、中平能化、江苏苏豪、广州立白、河南金龙、山东环球、江苏惠友、深圳广晟、保税科技和施普雷特分别承诺，自公司首次公开发行A股股票上市之日起十二个月内不转让或者委托他人管理其所直接或间接持有的公司股份，也不由公司回购该等股份。

如渤海公司(代表渤海基金)、安钢集团、安阳经开、神火集团、焦作经开、鹤壁建投、中平能化、江苏苏豪、广州立白、河南金龙、山东环球、江苏惠友、深圳广晟、保税科技和施普雷特未能履行上述承诺，其将在中国证监会指定报刊上公告相关情况，及时、充分披露承诺未能履行、无法履行或无法按期履行的具体原因并向投资者道歉；如在上述期间转让的，转让所得收益归公司所有。

(3)根据《境内证券市场转持部分国有股充实全国社会保障基金实施办法》(财企[2009]94号)和河南省国资委《关于中原证券股份有限公司发行A股国有股权管理方案及国有股转持的批复》(豫国资产权[2015]26号)，本公司首次公开发行A股并上市后，按本次发行7.00亿股计算，国有股东河南投资集团、安钢集团、中平能化、安阳经开、江苏苏豪、神火集团、焦作经开、深圳广晟和鹤壁建投分别将其持有的47,979,175股、10,348,840股、4,375,124股、2,846,433股、1,578,336股、1,034,804股、793,645股、526,112股和517,531股股份划转给全国社会保障基金理事会持有，上述9家划转由全国社会保障基金理事会持有的股份合计70,000,000股，全国社会保障基金理事会将承继上述原国有股东的禁售期义务。

二、公司上市后三年内稳定公司股价的预案

(一)触发股价稳定措施的条件

公司A股股票自挂牌上市之日起三年内，若出现连续20个交易日公司A股股票收盘价均低于公司最近一期经审计的每股净资产情形时，则公司应按下述"股价稳定方案的具体措施"所述规则启动稳定股价措施。(每股净资产=合并财务报表中归属于母公司普通股股东权益合计数÷期末公司股份总数，下同；若发生除权除息等事项，上述股票收盘价应做相应调整，下同)。

公司回购股份、控股股东增持股份、董事、高级管理人员(在法律法规允许下，可进行A股股票买卖的董事、高级管理人员，下同)增持股份均应符合中国证监会、证券交易所及其他证券监管机关的相关法律、法规和规范性文件，若出现以下任一情形，则视为本次稳定股价措施实施完毕，已公告的稳定股价方案终止执行：(1)公司股票连续5个交易日的收盘价均已高于公司最近一期经审计的每股净资产；(2)继续实施导致公司股权分布不符合上市条件的要求。若其中任何一项措施的实施或继续实施将导致公司股权分布不符合上市条件的要求时，则不得实施或应立即终止继续实施，且该项措施所对应的股价稳定义务视为已履行。

(二)股价稳定方案的具体措施

1.公司稳定股价的措施

公司A股股票连续20个交易日收盘价低于公司最近一期经审计的每股净资产的，公司董事会应在10个交易日内启动回购股份计划，公告具体股份回购计划，披露拟回购股份的数量范围、价格区间、完成时间等信息。公司股份回购计划须经公司股东大会以特别决议审议通过。

公司因此回购股份的，除应符合相关法律法规、规范性文件的要求之外，还应符合如下要求：回购公司股份价格原则上不超过公司最近一期经审计的每股净资产，单一年度用于回购股份的资金金额不高于最近一期经审计的净利润的20%，否则，该稳定股价措施在当年度不再继续实施。

2.控股股东稳定股价的措施

公司控股股东在遵守证券监督管理部门、证券交易所关于控股股东增持上市公司股份有关规定的前提下，应在触发启动稳定股价措施条件之日起10个交易日内，提出增持公司股份的计划并抄报公司董事会，由公司按相关规定进行公告，增持股份计划应包括拟增持股份的数量、价格区间、完成时间等，控股股东应依法履行所需的审批手续(如需)，在获得批准后的3个交易日内通知公司披露经批准的股份增持计划。控股股东将以集中竞价或证券监督管理部门认可的其他方式增持公司股份；控股股东增持公司股份价格原则上不超过公司最近一期经审计的每股净资产，控股股东单一会计年度用于增持股份的资金金额不低于其上一会计年度从公司所获现金分红总额的20%，但不超过50%，否则，该稳定股价措施在当年度不再继续实施。

3.董事、高级管理人员稳定股价的措施

公司A股股票于公司回购股份和公司控股股东增持股份的稳定股价措施实施完毕之日或不能实施之日起连续20个交易日收盘价仍低于公司最近一期经审计的每股净资产的，公司董事、高级管理人员应在法律法规允许买卖A股股票的情形下，在10个交易日内将其增持公司股份计划(包括拟增持的数量范围、价格区间、完成时间等)书面通知公司并由公司进行公告。

公司董事、高级管理人员因此增持公司股份的，除应符合相关法律法规、规范性文件的要求之外，还应符合如下要求：公司董事、高级管理人员增持公司股份价格原则上不超过公司最近一期经审计的每股净资产，单一年度用于购买股份的资金金额不超过其上一年度从公司领取的税后薪酬和/或津贴累计额的20%，否则，该稳定股价措施在当年度不再继续实施。

自公司A股股票挂牌上市之日起三年内，若公司新聘任董事、高级管理人员的，公司将要求该等新聘任的董事、高级管理人员履行公司A股上市时董事作出的相应承诺。

三、关于招股说明书无虚假记载、误导性陈述或重大遗漏的承诺

(一)本公司承诺

本公司首次公开发行A股股票招股说明书和有关申报文件真实、准确、完整。如招股说明书存在虚假记载、误导性陈述或者重大遗漏，对判断本公司是否符合法律规定的发行条件构成重大、实质影响的，在该项事实经有权机关生效法律文件确认后30日内，本公司将依法回购首次公开发行A股的全部新股。本公司将通过交易所竞价系统回购上述股份，股份回购的价格按照发行价加计银行同期活期存款利息和有权机关生效法律文件确认之日前30个交易日股票交易加权平均价格孰高确定(期间内若发生分红派息、公积金转增股本、配股等情况，该价格应进行相应除权除息处理)。本公司招股说明书有虚假记载、误导性陈述或者重大遗漏，致使投资者在证券交易中遭受损失的，将先行赔偿投资者损失。

(二)本公司控股股东河南投资集团承诺

如发行人首次公开发行A股股票招股说明书存在虚假记载、误导性陈述或者重大遗漏，对判断发行人是否符合法律规定的发行条件构成重大、实质影响的，将督促发行人依法回购首次公开发行A股的全部新股，同时将购回其已转让的原限售股股份(如有)，购回价格按照发行价加计银行同期活期存款利息和有权机关生效法律文件确认之日前30个交易日股票交易加权平均价格孰高确定(期间内若发生分红派息、公积金转增股本、配股等情况，该价格应进行相应除权除息处理)。发行人招股说明书有虚假记载、误导性陈述或者重大遗漏，致使投资者在证券交易中遭受损失的，将依法赔偿投资者损失。

(三)本公司董事、监事、高级管理人员承诺

发行人A股招股说明书和有关申报文件真实、准确、完整。如发行人招股说明书存在虚假记载、误导性陈述或者重大遗漏，致使投资者在证券交易中遭受损失的，本人将依法赔偿投资者损失。有权获得赔偿的投资者资格、投资者损失的范围认定、赔偿主体之间的责任划分和免责事由按照《证

券法》、《最高人民法院关于审理证券市场因虚假陈述引发的民事赔偿案件的若干规定》（法释〔2003〕2号）等相关法律法规的规定执行，如相关法律法规相应修订，则按届时有效的法律法规执行。

（四）保荐机构中泰证券股份有限公司承诺

因保荐机构为发行人首次公开发行A股股票制作、出具的文件有虚假记载、误导性陈述或者重大遗漏，给投资者造成损失的，将先行赔偿投资者损失。

（五）发行人申报会计师信永中和会计师事务所（特殊普通合伙）承诺

因本所为发行人首次公开发行A股股票制作、出具的文件有虚假记载、误导性陈述或者重大遗漏，给投资者造成损失的，本所将依法赔偿投资者损失，如能证明无过错的除外。

（六）发行人律师北京市君致律师事务所承诺

如因本所在本次发行工作期间未勤勉尽责，导致本所制作、出具的文件对重大事件作出违背事实真相的虚假记载、误导性陈述或在披露信息时发生重大遗漏，导致发行人不符合法律规定的发行条件，造成投资者直接经济损失的，在该等违法事实被认定后，本所将本着积极协商、切实保障投资者特别是中小投资者利益的原则，自行并督促发行人及其它责任方对投资者直接遭受的、可测算的经济损失，选择与投资者和解、通过第三方与投资者调解及设立投资者赔偿基金等方式进行赔偿。

四、公开发行前持股5%以上股东的持股意向及减持意向

（一）本公司控股股东河南投资集团承诺

所持发行人A股股票在锁定期满后两年内进行减持的，减持价格不低于发行价（期间内中原证券若发生分红派息、公积金转增股本、配股等情况，该发行价应进行相应除权除息处理），并且每年减持数量不超过发行人总股本的5%。所持发行人A股股票在锁定期满后进行减持的，须提前三个交易日予以公告。

（二）本公司持股5%以上股东渤海公司承诺

在所持发行人股票锁定期满后两年内，在符合相关法律法规、中国证监会、证券交易所相关规定及其他对其有约束力的规范性文件规定并同时满足下述条件的情形下，将根据自身资金需求、实现投资收益、发行人股票价格波动等情况减持其所持有的发行人公开发行股票前已发行的股票，并提前三个交易日予以公告：

（1）减持前提：不存在违反其在发行人首次公开发行时所作出的公开承诺的情况。

（2）减持价格：若在持股流通限制期满后两年内减持的，减持价格将不低于每股净资产。

（3）减持方式：通过大宗交易方式、集中竞价方式及/或其他符合相关法律法规的方式进行减持。

（4）减持数量：在其所持发行人股票锁定期届满后两年内，可减持全部其所持有的发行人公开发行股票前已发行的股票。

（5）减持期限：在减持前提前5个交易日将具体减持计划以书面方式告知发行人，由发行人提前3个交易日公告。

所做该等减持计划不对抗现行中国证监会、证券交易所等监管部门对持股5%以上股东股份减持所做的相关规定。若未来监管部门对持股5%以上股东股份减持所出台的相关规定比本减持计划更为严格，其将按照监管部门相关规定修改减持计划。违反作出的公开承诺减持发行人股票的，将减持所得收益上缴中原证券。

（三）本公司持股5%以上股东安钢集团就其所持发行人股票在锁定期满后的持股意向、减持意向声明

（1）将视自身实际经营情况进行增持或减持。

（2）所持发行人股票在锁定期满后两年内进行减持的，减持价格不低于A股发行价（期间发行人若发生分红派息、公积金转增股本、配股等情况，该发行价应进行相应除权除息处理），并且每年减持数量不超过发行人总股本的5%。如违反上述承诺，由此产生的收益将归发行人所有。

（3）减持行为将通过竞价交易以及大宗交易的方式进行。每次减持时，将提前三个交易日通知发行人公告本次减持的数量、减持价格区间、减持时间区间等。

（4）增减持行为不得违反在公开募集及上市文件中所作出的相关承诺。

（5）增减持行为违反了相关承诺的，增减持收益归发行人所有。

五、未能履行承诺时的约束措施

（一）本公司承诺

如本公司违反所作出的关于招股说明书信息披露的承诺事项，本公司将在中国证监会指定报刊上公告相关情况，及时充分披露承诺未能履行、无法履行或无法按期履行的具体原因并向投资者道歉，并接受社会监督，确保投资者合法权益得到有效保护；若本公司未履行稳定股价承诺，则公司及负有责任的董事、高级管理人员应在证券监管机构指定的信息披露媒体上公开道歉，本公司应继续履行尽快制定股份回购计划的义务，董事和高级管理人员应督促本公司履行前述义务。

（二）本公司控股股东河南投资集团承诺

如未能履行所作出的有关发行人首次公开发行A股股票的承诺事项，将在中国证监会指定报刊上公告相关情况，及时、充分披露承诺未能履行、无法履行或无法按期履行的具体原因并向投资者道歉。同时如违反其所作出的有关稳定股价的承诺，发行人有权将相等金额的应付现金分红予以暂时扣留，直至其履行增持义务完毕为止。

（三）本公司董事、高级管理人员承诺

如本人未能履行有关发行人首次公开发行A股股票的承诺事项，本人将在中国证监会指定报刊上公告相关情况，及时、充分披露其承诺未能履行、无法履行或无法按期履行的具体原因并向投资者道歉；另外，如本人违反所作出的关于股份锁定及减持的承诺，由此产生的收益将归发行人所有，且公司有权扣留相等于应履行但未履行增持义务的董事、高级管理人员应承担的用于增持的资金总额的薪酬，本人将放弃对该部分薪酬的所有权。

本公司监事承诺：如本人未能履行有关发行人首次公开发行A股股票的承诺事项，本人将在中国证监会指定报刊上公告相关情况，及时、充分披露其承诺未能履行、无法履行或无法按期履行的具体原因并向投资者道歉。

六、保荐机构及律师对上述承诺及约束措施的意见

保荐机构认为，发行人及其控股股东、其他持股5%以上股东、董事、监事、高级管理人员作出的上述承诺内容合法、合理，相关约束措施及时有效，具有可操作性，能够保护投资者特别是中小投资者的合法权益。

发行人律师认为，发行人及其控股股东、其他持股5%以上股东、董事、监事、高级管理人员就本次发行上市的相关事宜出具的承诺及未能履行承诺时的约束措施内容符合法律、法规及规范性文件的规定。

七、财务报告审计截止日后主要财务信息及经营状况

公司财务报告审计截止日为2016年6月30日。公司已在招股意向书中披露2016年1-9月/2016年9月30日的主要财务信息及财务报告审计截止日后的主要经营状况。2016年1-9月/2016年9月30日相关财务信息未经审计，但已经信永中和审阅。2016年1-9月，公司实现营业收入159,036.59万元，较2015年同期下降49.48%；实现归属于母公司股东的净利润54,975.58万元，较2015年同期下降56.24%。上述营业收入和净利润下降主要系证券市场行情波动、市场交易活跃度下降所致，公司业绩变动趋势与同行业上市公司业绩变动趋势基本一致。

财务报告审计截止日后，公司主营业务和经营模式未发生重大不利变化，公司在税收政策等其他可能影响投资者判断的重大事项方面未发生重大变化。受资本市场波动的影响，公司预计2016年度营业收入在229,760.00万元至234,011.00万元之间，同比下降41.56%-42.62%，归属于母公司所有者的净利润在74,500.00万元至77,302.00万元之间，同比下降45.00%-46.99%，扣除非经常性损益后归属于母公司所有者的净利润在72,299万元至75,101万元之间，同比下降46.28%-48.28%。

八、其他

如无特别说明，本上市公告书中的简称或名词的释义与本公司首次公开发行股票招股说明书中的相同。

第二节　股票上市情况

一、股票发行上市审核情况

（一）编制上市公告书的法律依据

本上市公告书系根据《中华人民共和国公司法》、《中华人民共和国证券法》和《上海证券交易所股票上市规则》等有关法律法规规定，并按照上海证券交易所《股票上市公告书内容与格式指引（2013年修订）》编制而成，旨在向投资者提供有关本公司首次公开发行股票（A股）上市的基本情况。

（二）股票发行的核准部门和文号

本公司首次公开发行A股股票（简称"本次发行"）经中国证券监督管理委员会"证监许可〔2016〕2868号"文批复核准。本次发行采用网下向符合条件的投资者询价配售和网上向持有上海市场非限售A股股份市值的社会公众投资者定价发行相结合的方式进行。

（三）上海证券交易所同意股票上市文件的文号

本公司A股股票上市经上海证券交易所自律监管决定书（〔2016〕323号）批准。本公司发行的A股股票在上海证券交易所上市，证券简称"中原证券"，证券代码"601375"；其中本次发行的70,000.00万股股票中的69,998.2485万股将于2017年1月3日起上市交易。

二、股票上市相关信息

（一）上市地点：上海证券交易所

（二）上市时间：2017年1月3日

（三）股票简称：中原证券

（四）股票代码：601375

（五）本次公开发行后的总股本：392,373.47万股

（六）本次公开发行的股票数量：70,000.00万股

（七）本次上市的无流通限制及锁定安排的股票数量：本次公开发行获得网下配售的股份中，10,509 股自愿锁定 12 个月，3,503 股自愿锁定 4 个月，3,503 股自愿锁定 1 个月；剔除上述自愿锁定的股份合计 1.7515 万股后，本次公开发行并上市的无流通限制及锁定安排的股票数量为 69,998.2485 万股。

（八）发行前股东所持股份的流通限制及期限：详见"第一节重要声明与提示"部分相关内容。

（九）发行前股东对所持股份自愿锁定的承诺：详见"第一节重要声明与提示"部分相关内容。

（十）本次上市股份的其他锁定安排：无

（十一）股票登记机构：中国证券登记结算有限责任公司上海分公司

（十二）上市保荐机构：中泰证券股份有限公司

第三节　发行人、股东和实际控制人情况

一、发行人基本情况

（一）公司名称：中原证券股份有限公司

（二）英文名称：CENTRAL CHINASECURITIES CO.,LTD.

（三）注册资本：322,373.47 万元

（四）法定代表人：菅明军

（五）住所：郑州市郑东新区商务外环路 10 号

（六）经营范围：

本公司经营范围：证券经纪；证券投资咨询；与证券交易、证券投资活动有关的财务顾问；证券承销与保荐；证券自营；证券资产管理；证券投资基金代销；

为期货公司提供中间介绍业务；融资融券业务；代销金融产品业务。本公司子公司中原期货经营范围：商品期货经纪；金融期货经纪；期货投资咨询；资产管理。

本公司子公司中鼎开源创投的经营范围：使用自有资金或设立直投基金，对企业进行股权投资或债权投资，或投资于与股权投资、债权投资相关的其他投资基金；为客户提供与股权投资、债权投资相关的财务顾问服务；经中国证监会认可开展的其他业务。

本公司子公司中州蓝海投资从事的经营范围：以自有资金进行金融产品投资、证券投资、投资管理、投资咨询服务。

本公司子公司中州国际金控及其控股的中州国际证券、中州国际期货、中州国际投资、中州国际财务、中州国际资管和中州国际融资拟在取得相关牌照后，在香港地区开展证券、期货等相关业务。其中，中州国际证券已取得香港证券及期货事务监察委员会第 1 类受规管活动（证券交易）及第 4 类受规管活动（就证券提供意见）的牌照并已开业运营；中州国际融资已取得香港证券及期货事务监察委员会第 1 类受规管活动（证券交易）及第 6 类受规管活动（就机构融资提供意见）的牌照并已开业运营；中州国际资管已取得香港证券及期货事务监察委员会第 9 类受规管活动（提供资产管理）的牌照并已开业运营；中州国际投资已取得香港特别行政区东区裁判法院放债人的牌照并已开业运营。

本公司子公司中原股权中心的经营范围：为企业提供股权、债权和其他权益类资产的登记、托管、挂牌、转让和融资等服务；投资与资产管理；财务顾问、企业推介、企业展示、培训和咨询服务。

（七）主营业务：

经中国证监会批准，公司从事的主要业务为：证券经纪；证券投资咨询；与证券交易、证券投资活动有关的财务顾问；证券承销与保荐；证券自营；证券资产管理；融资融券；证券投资基金代销；为中原期货提供中间介绍业务；代销金融产品。

经中国证监会批准，公司控股子公司中原期货从事的主要业务为：商品期货经纪；金融期货经纪；期货投资咨询；资产管理。

经中国证监会批准，公司控股子公司中鼎开源创投从事的主要业务为：使用自有资金或设立直投基金，对企业进行股权投资或债权投资，或投资于与股权投资、债权投资相关的其他投资基金；为客户提供与股权投资、债权投资相关的财务顾问服务；经中国证监会认可开展的其他业务。

经中国证监会核准，公司全资子公司中州蓝海投资从事的主要业务为：以自有资金进行金融产品投资、证券投资、投资管理、投资咨询服务。

经中国证监会批准，公司控股子公司中原英石基金从事的主要业务为：基金募集、基金销售、特定客户资产管理、资产管理和中国证监会许可的其他业务。

经中国证监会批准，公司全资子公司中州国际金控及其全资子公司中州国际证券、中州国际期货、中州国际投资、中州国际财务、中州国际资产、中州国际融资拟在取得相关牌照后，在香港地区开展证券、期货等相关业务。其中，中州国际证券已取得香港证券及期货事务监察委员会第 1 类受规管活动（证券交易）、第 4 类受规管活动（就证券提供意见）；中州国际融资已经取得香港证券及期货事务监察委员会第 1 类受规管活动（证券交易）、第 6 类受规管活动（就机构融资提供意见）；中州国际资产已经取得香港证券及期货事务监察委员会第 9 类受规管活动（提供资产管理）；中州国际投资已经取得香港东区裁判法院放债人牌照并已开业运营。公司控股子公司中原股权中心从事的主要业务为：为企业提供股权、债权和其他权益类资产的登记、托管、挂牌、转让和融资等服务；投资与资产管理；财务顾问、企业推介、企业展示、培训和咨询服务。

（八）所属行业：资本市场服务业

（九）联系电话：037169177590

（十）传真：037165585118

（十一）电子邮箱：investor@ccnew.com

（十二）董事会秘书：徐海军

（十三）董事、监事、高级管理人员的姓名、任职起止日期以及直接或间接持有发行人的股票、债券情况：

1.董事、监事、高级管理人员的姓名、任职起止日期基本情况如下：

姓　名	职　务	任期起止日期
董事		
菅明军先生	董事长	2015 年 9 月-2018 年 9 月
周小全先生	董事	2015 年 9 月-2018 年 9 月
李兴佳先生	董事	2015 年 10 月-2018 年 9 月
王立新先生	董事	2015 年 9 月-2018 年 9 月
张强先生	董事	2015 年 9 月-2018 年 9 月
张笑齐先生	董事	2015 年 9 月-2018 年 9 月
于泽阳先生	董事	2015 年 9 月-2018 年 9 月
苑德军先生	独立董事	2015 年 9 月-2018 年 9 月
袁志伟先生	独立董事	2015 年 9 月-2018 年 9 月
宁金成先生	独立董事	2015 年 9 月-2018 年 9 月
于绪刚先生	独立董事	2015 年 12 月-2018 年 9 月
监事		
鲁智礼先生	监事会主席	2015 年 9 月-2018 年 9 月
王金昌先生	监事	2015 年 9 月-2018 年 9 月
闫长宽先生	监事	2015 年 9 月-2018 年 9 月
谢俊生先生	监事	2016 年 10 月-2018 年 9 月
项思英女士	监事	2015 年 9 月-2018 年 9 月
夏晓宁先生	监事	2016 年 5 月-2018 年 9 月
王静女士	职工代表监事	2015 年 9 月-2018 年 9 月
韩军阳先生	职工代表监事	2015 年 9 月-2018 年 9 月
赖步连先生	职工代表监事	2015 年 9 月-2018 年 9 月
高级管理人员		
周小全先生	执行董事、总裁	2015 年 9 月-2018 年 9 月
朱建民先生	常务副总裁	2015 年 9 月-2018 年 9 月
朱军红女士 总会计师	副总裁、财务负责人、	2015 年 9 月-2018 年 9 月
徐海军先生	副总裁、董事会秘书	2015 年 9 月-2018 年 9 月
谢雪竹女士	副总裁、合规总监	2015 年 9 月-2018 年 9 月
赵丽峰先生	副总裁	2015 年 9 月-2018 年 9 月
朱启本先生	首席风险官	2015 年 11 月-2018 年 9 月

2.董事、监事、高级管理人员直接或间接持有发行人的股票、债券情况

截至本上市公告书签署之日，本公司现任董事、监事、高级管理人员持有本公司 H 股的情况如下表所示：

姓　名	在本公司任职情况	持股数量（股）	占公司本次发行后总股本的比例（%）	是否质押或冻结
菅明军	董事长	1,289,754.00	0.03	否
周小全	执行董事、总裁	762,000.00	0.02	否

除上述持股情况外，本公司现任董事、监事、高级管理人员未持有本公司股份。

二、发行人控股股东及实际控制人基本情况

河南投资集团是本公司的控股股东。本次发行前，河南投资集团持有本公司股份 87,096.30 万股，占本次发行前总股本的 27.017%；本次发行后，河南投资集团持有本公司股份 82,298.3847 万股，占本次发行后总股本的 20.975%。

河南投资集团是根据河南省人民政府《河南省人民政府关于组建河南投资集团有限公司的批复》（豫政文〔2007〕176 号），由河南建投、河南经开、河南省科技投资总公司合并，于 2007 年 12 月 6 日根据《公司法》设立的国有独资公司。河南投资集团的注册资本为 1,200,000 万元；住所为郑州市

农业路东41号投资大厦。河南投资集团有限公司的经营范围为投资管理、建设项目的投资、建设项目所需工业生产资料和机械设备、投资项目分的产品原材料的销售(国家专项规定的除外);房屋租赁(以上范围凡需审批的,未获批准前不得经营)。

河南投资集团隶属于河南省人民政府,由河南省政府授权河南省发展和改革委员会履行出资人职责,河南省国资委履行监管职责。河南省发展和改革委员会为本公司实际控制人。

三、发行人股本结构变动情况

(一)本次发行前后的股本结构变动情况

公司本次发行前总股本为322,373.47万股,本次发行70,000万股A股,占发行后总股本的17.84%。

根据河南省国资委《关于中原证券股份有限公司发行A股国有股权管理方案及国有股转持的批复》(豫国资产权[2015]26号),在本公司完成首次公开发行A股并上市后,国有股东河南投资集团、安钢集团、中平能化、安阳经开、江苏苏豪、神火集团、焦作经开、深圳广晟和鹤壁建投分别将其持有的47,979,175股、10,348,840股、4,375,124股、2,846,433股、1,578,336股、1,034,804股、793,645股、526,112股和517,531股股份划转给全国社会保障基金理事会持有,上述9家划转由全国社会保障基金理事会持有的股份合计70,000,000股,全国社会保障基金理事会将承继上述国有股东的禁售期义务。

本次发行前后公司股本结构变动情况如下:

股东名称	发行前		发行后		
	持股数量(股)	持股比例(%)	持股数量(股)	持股比例(%)	锁定期限制
一、有限售条件A股流通股					
河南投资集团(SS)	870,963,022	27.017	822,983,847	20.975	自上市之日起锁定36个月
渤海公司(代表渤海基金)	608,000,000	18.860	608,000,000	15.495	自上市之日起锁定12个月
安钢集团(SS)	187,861,855	5.827	177,513,015	4.524	自上市之日起锁定12个月
中平能化(SS)	79,421,369	2.464	75,046,245	1.913	自上市之日起锁定12个月
安阳经开(SS)	51,671,126	1.603	48,824,693	1.244	自上市之日起锁定12个月
江苏苏豪(SS)	28,651,425	0.889	27,073,089	0.690	自上市之日起锁定12个月
施普雷特	24,000,000	0.744	24,000,000	0.612	自上市之日起锁定12个月
广州立白	20,000,000	0.620	20,000,000	0.510	自上市之日起锁定12个月
神火集团(SS)	18,784,734	0.583	17,749,930	0.452	自上市之日起锁定12个月
河南金龙	16,000,000	0.496	16,000,000	0.408	自上市之日起锁定12个月
山东环球	15,000,000	0.465	15,000,000	0.382	自上市之日起锁定12个月
焦作经开(SS)	14,406,987	0.447	13,613,342	0.347	自上市之日起锁定12个月
江苏惠友	10,000,000	0.310	10,000,000	0.255	自上市之日起锁定12个月
保税科技	10,000,000	0.310	10,000,000	0.255	自上市之日起锁定12个月
深圳广晟(SS)	9,550,475	0.296	9,024,363	0.230	自上市之日起锁定12个月
鹤壁建投(SS)	9,394,707	0.291	8,877,176	0.226	自上市之日起锁定12个月
全国社会保障基金理事会	–	–	70,000,000	1.784	自上市之日起,47,979,175股锁定36个月,22,020,825股锁定12个月
网下发行社会公众股(A股)	–	–	17,515	0.000	自上市之日起,10,509股锁定12个月,3,503股锁定4个月,3,503股锁定1个月
合计	1,973,705,700	61.224	1,973,723,215	50.302	–
二、无限售条件A股流通股					
网上发行社会公众股(A股)	–	–	630,000,000	16.056	–
网下发行社会公众股(A股)	–	–	69,982,485	1.784	–
合计	–	–	699,982,485	17.840	–
三、外资股					
H股股东	1,250,029,000	38.776	1,250,029,000	31.858	–
总合计	3,223,734,700	100.00	3,923,734,700	100.000	–

注:其中包含公司股东安钢集团网上认购的1,000股。

(二)本次发行后、上市前的股东情况

本次发行后、上市前,本公司A股股东户数为602,819户。公司前10名A股股东及其持股情况如下:

序号	股东名称	持股数量(股)	占发行后总股本比例(%)
1	河南投资集团有限公司	822,983,847	20.975
2	渤海产业投资基金管理有限公司——渤海产业投资基金一期	608,000,000	15.495
3	安阳钢铁集团有限责任公司	177,514,015(注)	4.524
4	中国平煤神马能源化工集团有限责任公司	75,046,245	1.913
5	全国社会保障基金理事会转持一户	70,000,000	1.784
6	安阳经济开发集团有限公司	48,824,693	1.244
7	江苏省苏豪控股集团有限公司	27,073,089	0.690
8	许昌施普雷特节能科技有限公司	24,000,000	0.612
9	广州立白投资有限公司	20,000,000	0.510
10	河南神火集团有限公司	17,749,930	0.452
	合计	1,891,191,819	48.199

注:其中包含安钢集团网上认购的1,000股。

第四节　股票发行情况

(一)发行数量:70,000.00万股

其中:回拨后,网下最终发行数量为7,000万股,占本次发行数量的10%;网上最终发行数量为63,000万股,占本次发行数量的90%。网上、网下投资者放弃认购股份全部由联席主承销商包销,本次联席主承销商包销股份的数量为1,345,505股,包销金额为5,382,020元,包销比例为0.192215%。

(二)发行价格:4.00元

(三)每股面值:人民币1.00元

(四)发行方式:本次发行采用网下向符合条件的投资者询价配售和网上向持有上海市场非限售A股股份市值的社会公众投资者定价发行相结合的方式进行

(五)募集资金总额及注册会计师对资金到位的验证情况

(1)本次新股募集资金总额为2,800,000,000.00元。

(2)信永中和会计师事务所(特殊普通合伙)对本次发行的资金到位情况进行了审验,并于2016年12月23日出具了《验资报告》(XYZH/2016BJA10719号)。

(六)发行费用总额及明细构成、每股发行费用

发行费用总额为130,188,257.58元,明细构成如下:

序号	项　目	金额(元)
1	承销及保荐费用	112,800,000.00
2	审计及验资费用	5,106,000.00
3	律师费用	4,072,791.97
4	信息披露费用	5,300,000.00
5	发行手续费用等	2,909,465.61
	合计	130,188,257.58

注:发行费用总额与招股说明书披露的发行费用概算数存在差异,主要是根据本次发行的验资报告,计入发行费用的律师费以及与本次发行直接相关的税费有所增加所致。

每股发行费用为0.19元/股(发行费用总额除以发行股数)。

(七)募集资金净额:2,669,811,742.42元

(八)发行后每股净资产:2.66元/股

(九)发行后每股收益:0.3563元

第五节　财务会计情况

公司财务报告审计截止日为2016年6月30日。公司已在招股意向书中披露本公司2016年6月30日、2015年12月31日、2014年12月31日、2013年12月31日的合并及母公司资产负债表,2016年1-6月、2015年度、2014年度、2013年度的合并及母公司利润表、合并及母公司现金流量表、合并及母公司股东权益变动表以及财务报表附注。上述财务数据已经信永中和会计师事务所(特殊普通合伙)审计,并出具了XYZH/2016BJA10669号标准无保留意见的审计报告。本公司在招股意向书中进行了详细披露,投资者欲了解相关情况请详细阅读招股意向书。

公司已披露2016年1-9月/2016年9月30日的主要财务信息及财务报告审计截止日后的主要经营状况,详见招股意向书"第十二节管理层讨论与分析"之"十、审计截止日后主要财务信息及经营状况"。2016年1-9月/2016年9月30日相关财务信息未经审计,但已经信永中和审阅。2016年1-9月,公司实现营业收入159,036.59万元,较2015年同期下降49.48%;实现归属于母公司股东的净利润54,975.58万元,较2015年同期下降56.24%。上述营业收入和净利润下降主要系证券市场行情波动、市场交易活跃度下降所致,公司业绩变动趋势与同行业上市公司业绩

变动趋势基本一致。

财务报告审计截止日后，公司主营业务和经营模式未发生重大不利变化，公司在税收政策等其他可能影响投资者判断的重大事项方面未发生重大变化。受资本市场波动的影响，公司预计 2016 年度营业收入在 229,760.00 万元至 234,011.00 万元之间，同比下降 41.56%-42.62%，归属于母公司所有者的净利润在 74,500.00 万元至 77,302.00 万元之间，同比下降 45.00%-46.99%，扣除非经常性损益后归属于母公司所有者的净利润在 72,299 万元至 75,101 万元之间，同比下降 46.28%-48.28%。

第六节　其他重要事项

一、募集资金专户存储三方监管协议的安排

根据《上海证券交易所上市公司募集资金管理办法(2013 年修订)》，本公司(协议“甲方”)已与中泰证券股份有限公司(协议“丙方”)以及募集资金专户的开户行(协议“乙方”)签订了《募集资金专户存储三方监管协议》，对公司、保荐机构及开户银行的相关责任和义务进行了详细约定，具体情况如下：

序号	银行名称	募集资金专户账号
1	中国工商银行股份有限公司河南省分行营业部	1702020629200566665
2	恒丰银行股份有限公司郑州分行	837110010125700477
3	中国建设银行股份有限公司郑州期货城支行	41050100400800000371
4	交通银行股份有限公司河南省分行	411899991010003720319
5	上海浦东发展银行股份有限公司郑州分行	76080153400000011
6	中原银行股份有限公司郑州金水路支行	410101015110000901

(1)甲方已在乙方开设募集资金专项账户(以下简称“专户”)，该专户仅用于甲方补充公司营运资金等募集资金投向项目募集资金的存储和使用，不得用作其他用途。

(2)甲乙双方应当共同遵守《中华人民共和国票据法》、《支付结算办法》、《人民币银行结算账户管理办法》等法律、法规、规章。

(3)丙方作为甲方的保荐机构，应当依据有关规定指定保荐代表人或者其他工作人员对甲方募集资金使用情况进行监督。

丙方承诺按照《证券发行上市保荐业务管理办法》、《上海证券交易所上市公司募集资金管理办法》以及甲方制订的募集资金管理制度对甲方募集资金的管理与使用履行保荐职责，进行持续督导工作。

丙方可以采取现场调查、书面问询等方式行使其监督权。甲方和乙方应当配合丙方的调查与查询。丙方每半年度对甲方现场调查时应当同时检查专户存储情况。

(4)甲方授权丙方指定的保荐代表人可以随时到乙方查询、复印甲方专户的资料；乙方应当及时、准确、完整地向其提供所需的有关专户的资料。

保荐代表人向乙方查询甲方专户有关情况时应当出具本人的合法身份证明；丙方指定的其他工作人员向乙方查询甲方专户有关情况时应当出具本人的合法身份证明和单位介绍信。

(5)乙方按月(每月 5 日前)向甲方出具真实、准确、完整的专户对账单，并抄送给丙方。

(6) 甲方 1 次或者 12 个月以内累计从专户支取的金额超过 5000 万元且达到发行募集资金总额扣除发行费用后的净额(以下简称“募集资金净额”)的 20%的，甲方应当及时以传真方式通知丙方，同时提供专户的支出清单。

(7)丙方有权根据有关规定更换指定的保荐代表人。丙方更换保荐代表人的，应当将相关证明文件书面通知乙方，同时按本协议第十二条的要求书面通知更换后保荐代表人的联系方式。更换保荐代表人不影响本协议的效力。

(8)乙方连续三次未及时向甲方出具对账单，以及存在未配合丙方调查专户情形的，甲方可以主动或者在丙方的要求下单方面终止本协议并注销募集资金专户。

(9)丙方发现甲方、乙方未按约定履行本协议的，应当在知悉有关事实后及时向上海证券交易所书面报告。

(10)本协议自甲、乙、丙三方法定代表人或者其授权代表签署并加盖各自单位公章之日起生效，至专户资金全部支出完毕并依法销户之日起失效。

二、其他重要事项

本公司在招股意向书刊登日至上市公告书刊登前，除召开一次董事会外，未发生其他可能对本公司有较大影响的重要事项，具体如下：

(1)本公司主要业务发展目标进展情况正常。

(2)本公司所处行业和市场未发生重大变化。

(3)除正常经营活动签订的业务、借款等商务合同外，本公司未订立其他对公司资产、负债、权益和经营成果产生重大影响的重要合同。

(4)本公司与关联方未发生重大关联交易。

(5)本公司未进行重大投资。

(6)本公司未发生重大资产(或股权)购买、出售及置换。

(7)本公司住所没有变更。

(8)本公司董事、监事、高级管理人员及核心技术人员没有变化。

(9)本公司未发生重大诉讼、仲裁事项。

(10)本公司未发生除正常经营业务之外的重大对外担保等或有事项。

(11)本公司的财务状况和经营成果未发生重大变化。

(12)本公司召开董事会、监事会或股东大会情况：除公司于 2016 年 12 月 17 日召开第五届董事会第二十六次会议，审议通过《中原证券股份有限公司关于确定募集资金专用账户的议案》外，公司未召开其他董事会、监事会或股东大会。

(13)本公司未发生其他应披露的重大事项。

第七节　上市保荐机构及其意见

一、保荐机构的有关情况

保荐机构：中泰证券股份有限公司

法定代表人：李玮

住所：济南市市中区经七路 86 号

联系地址：广东省深圳市福田区深南大道 2008 号中国凤凰大厦 1 栋 24C

联系电话：0755-82773722

传真：0755-82772171

保荐代表人：葛文兵、解锐

项目经办人：韩松、尹文浩、胡伟、宋文文、郭思婷、蒋舟、吴迪、李沛昕、林煜、陈宾辉、李维

二、保荐机构推荐意见

保荐机构认为：发行人申请其股票上市符合《中华人民共和国公司法》、《中华人民共和国证券法》及《上海证券交易所股票上市规则(2014 年修订)》等法律、法规及规范性文件的规定，其股票具备在上海证券交易所上市的条件。中泰证券股份有限公司同意推荐发行人股票在上海证券交易所上市交易，并承担相关保荐责任。

山东天鹅棉业机械股份有限公司

山东天鹅棉业机械股份有限公司首次公开发行股票上市公告书

特别提示

山东天鹅棉业机械股份有限公司(以下简称"发行人"、"公司"或"本公司")股票将于 2016 年 4 月 27 日在上海证券交易所上市。本公司提醒投资者应充分了解股票市场风险及本公司披露的风险因素,在新股上市初期切忌盲目跟风"炒新",应当审慎决策、理性投资。

第一节　重要声明与提示

本公司及全体董事、监事、高级管理人员保证上市公告书所披露信息的真实、准确、完整,承诺上市公告书不存在虚假记载、误导性陈述或重大遗漏,并承担个别和连带的法律责任。

证券交易所、其他政府机关对本公司股票上市及有关事项的意见,均不表明对本公司的任何保证。

本公司提醒广大投资者注意,凡本上市公告书未涉及的有关内容,请投资者查阅刊载于上海证券交易所网站(http://www.sse.com.cn)的本公司招股说明书全文。

本公司提醒广大投资者注意首次公开发行股票(以下简称"新股")上市初期的投资风险,广大投资者应充分了解风险、理性参与新股交易。

一、主要股东所持股份的流通限制和自愿锁定股份的承诺

(一)公司控股股东、实际控制人山东省供销合作社联合社承诺

自公司依法获准向中国境内社会公众首次公开发行的人民币普通股股票在证券交易所上市之日起 36 个月内,不转让或者委托他人管理本单位直接或间接持有的公司公开发行股票前已发行的股份,也不由公司回购该等股份;

如本单位持有的公司股票在锁定期满后两年内减持,减持价格将不低于公司股票发行价(如果因利润分配、配股、资本公积转增股本、增发新股等原因进行除权、除息的,须按照证券交易所的有关规定作相应调整);

公司上市后 6 个月内如公司股票连续 20 个交易日的收盘价(如果因利润分配、配股、资本公积转增股本、增发新股等原因进行除权、除息的,须按照证券交易所的有关规定作相应调整)均低于发行价,或者上市后 6 个月期末收盘价低于发行价,本单位所持有的公司股票锁定期限自动延长 6 个月。

(二)公司其他股东承诺

自公司依法获准向中国境内社会公众首次公开发行的人民币普通股股票在证券交易所上市之日起 12 个月内,不转让或者委托他人管理本人或本企业持有的公司公开发行股票前已发行的股份,也不由公司回购该等股份;

新疆古月杨股权投资合伙企业(有限合伙)同时还承诺:自持有公司股份锁定期满之日起两年内,在符合相关法律法规的情形下,本企业计划减持所持公司股份的数量为公司上市时所持有的股份数量的 10%至 100%,减持价格不低于入股价格,且提前三个交易日通知公司减持事宜并予以公告后,再实施减持计划。

(三)担任公司董事、监事、高级管理人员及其他核心人员的股东吴俊英、李学江、乙树崑、杨丙生、王中兴、陈璐、王树全、陈玉东、王伟的承诺

担任公司董事、监事、高级管理人员及其他核心人员的股东吴俊英、李学江、乙树崑、杨丙生、王中兴、陈璐、王树全、陈玉东、王伟承诺:在上述承诺期限届满后,在本人任职期间每年转让的公司股份不超过本人持有的公司股份总数的 25%;如本人离职,离职后半年内不直接或间接转让本人所持有的公司股份;

持有公司股份的公司董事、高级管理人员及其他核心人员吴俊英、李学江、杨丙生、王中兴、陈璐、陈玉东、王伟分别承诺:本人所持公司股票如在锁定期满后两年内减持的,减持价格不低于发行价;

公司上市后 6 个月内如公司股票连续 20 个交易日的收盘价均低于发行价,或者上市后 6 个月期末收盘价低于发行价,本人所持有的公司股票的锁定期限自动延长 6 个月。

二、公司 5%以上股东关于减持意向的承诺

公司股东新疆古月杨股权投资合伙企业(有限合伙)承诺自公司依法获准向中国境内社会公众首次公开发行的人民币普通股股票在证券交易所上市之日起 12 个月内,不转让或者委托他人管理本企业持有的公司公开发行股票前已发行的股份,也不由公司回购该等股份。

自持有公司股份锁定期满之日起两年内,在符合相关法律法规的情形下,计划减持所持公司股份的数量为公司上市时所持有的股份数量的 10%至 100%,减持价格不低于入股价格,且须提前 3 个交易日通知公司减持事宜并予以公告,再实施减持计划。

本企业将严格遵守我国法律法规关于股东持股及股份变动的有关规定,规范诚信履行股东的义务。如违反本承诺进行减持所获得的收益归公司所有,因违反承诺给公司或投资者造成损失的,将依法对公司或投资者进行赔偿。

三、发行人制定的股价稳定计划

为强化股东、管理层诚信义务,保护投资者权益,发行人及其控股股东、公司董事、高级管理人员及其他核心人员制订了公司上市三年内股价低于每股净资产时稳定公司股价的预案,具体情况如下:

(一)启动股价稳定预案的具体条件

当公司股票连续 20 个交易日的收盘价低于最近一期末经审计的每股净资产时(若因除权除息等事项致使上述股票收盘价与公司最近一期经审计的每股净资产不具可比性的,上述股票收盘价应作相应调整)。

(二)股价稳定预案的具体措施

发行人及公司控股股东、董事和高级管理人员及其他核心人员承担稳定公司股价的义务。在达到启动股价稳定措施的条件后,根据公司实际情况、股票市场情况,采取以下股价稳定的具体措施:

(1)控股股东增持公司股票;

(2)发行人回购公司股票;

(3)在公司领薪的非独立董事、高级管理人员及其他核心人员增持公司股票等其他证券监督管理部门认可的方式。

(三)回购/增持公司股票的具体安排

自股价稳定措施启动条件触发之日起十个交易日内,公司将由公司制定或要求公司控股股东、董事、高级管理人员及其他核心人员提出股价稳定具体方案提交股东大会审议、批准后实施,并按照上市公司信息披露要求予以公告。

1.控股股东增持公司股票

控股股东承诺:"自公司稳定股价具体方案公告之日起 120 个自然日内,本单位将通过交易所以集中竞价、要约或证券监督管理部门认可的其他方式增持公司股票以稳定公司股价,增持价格不高于公司最近一期经审计的每股净资产,增持股份数量不少于该轮股价稳定方案实施前公司股份总数的 2%,增持计划完成后六个月内将不出售本单位所增持股份。但如果公司股价连续 10 个交易日的收盘价均高于公司最近一期经审计的每股净资产或继续增持将导致公司股权分布不符合法定上市条件的,本单位可不再增持公司股份。

若本单位本次股票增持完成后再次触发上述需采取股价稳定措施条件的(不包括公司实施稳定股价措施期间连续 20 个交易日股票收盘价仍低于最近一期经审计的每股净资产的情形),自再次触发上述需采取股价稳定措施条件之日起 60 个自然日内,本单位将继续通过交易所以集中竞价、要约或证券监督管理部门认可的其他方式增持公司股票以稳定公司股价,增持价格不高于公司最近一期经审计的每股净资产,但应遵循增持股份数量累计不超过该轮股价稳定方案实施前公司总股本的 3%的原则,增持计划完成后六个月内将不出售本单位所增持股份。若本单位增持股份数量累计达到该轮股价稳定方案实施前公司总股本的 3%,但仍触发上述需采取股价稳定措施条件的,将由山东天鹅棉业机械股份有限公司回购公司股票稳定股价"。

2.发行人回购公司股票

发行人承诺:"当有关股价稳定措施启动条件成就且第一阶段由公司控股股东暨实际控制人山东省供销合作社联合社增持公司 A 股股票的方案实施完毕后(即山东省供销合作社联合社已累计增持公司股票达到稳定股价方案实施前公司总股本的 3%)仍满足启动股价稳定措施条件时,公司应在十个交易日内召开董事会讨论制定稳定股价具体实施方案,提交股东大会审议,并在两个交易日内予以公告。

公司应自上述稳定股价具体方案公告之日起 120 个自然日内实施第二阶段稳定股价措施,通过证券交易所回购公司股票以稳定公司股价。回购股份资金为自有资金,回购股份的价格不超过最近一期经审计的每股净资产,回购股份数量不少于该轮股价稳定方案实施前公司股份总数的 2%,回购股份的方式为集中竞价交易、要约或证券监督管理部门认可的其他方式。但如果公司股价连续 10 个交易日的收盘价均高于公司最近一期经审计的每股净资产或继续回购将导致公司股权分布不符合法定上市条件的,可不再实施回购公司股份。

若公司股票回购完成后再次触发上述需采取股价稳定措施条件的(不包括公司实施稳定股价措施期间连续 20 个交易日股票收盘价仍低于最近一期经审计的每股净资产的情形),自再次触发上述需采取股价稳定措施条件之日起 60 个自然日内,公司将继续通过交易所以集中竞价、要约或证券监督管理部门认可的其他方式回购公司股票以稳定公司股价,回购价格不高于公司最近一期

经审计的每股净资产，但应遵循回购股份数量累计不超过山东省供销合作社联合社第一轮增持前公司总股本的 3%的原则，回购计划完成后六个月内将不出售本公司所回购股份。若公司回购股份数量累计达到山东省供销合作社联合社前次增持前公司总股本的 3%但仍触发上述需采取股价稳定措施条件的，将由山东天鹅棉业机械股份有限公司董事（独立董事及不在公司领取薪酬的董事除外）、高级管理人员及其他核心人员增持公司股票稳定股价”。

3.董事（独立董事及不在公司领取薪酬的董事除外，下同）、高级管理人员及其他核心人员增持股票

董事、高级管理人员及其他核心人员承诺：“当上述采取股价稳定措施的条件满足且第一阶段由公司控股股东暨实际控制人山东省供销合作社联合社增持公司 A 股股票的方案、第二阶段由公司回购 A 股股票的方案实施完毕后（即山东省供销合作社联合社及公司均已累计增持公司股票达到稳定方案实施前公司总股本的 3%）仍满足启动股价稳定措施条件时，本人应自公司稳定股价措施执行完毕后的 120 个自然日内通过交易所以集中竞价的方式增持公司股票以稳定公司股价。

本人通过二级市场以竞价交易方式增持本公司股份，增持价格不高于公司最近一期经审计的每股净资产，用于购买股份的资金金额不低于自公司上市后在担任职务期间上一年度从公司领取的薪酬总额的 20%且不高于 30%，增持计划完成后的六个月内将不出售本次为稳定股价所增持的股份。但如果公司股价连续 10 个交易日的收盘价均高于公司最近一期经审计的每股净资产或继续增持将导致公司股权分布不符合法定上市条件时，本人可不再买入公司股份。

（四）股价稳定措施终止

自股价稳定方案公告之日起，若出现以下任一情形，则视为股价稳定措施实施完毕，公告的稳定股价方案终止执行：

（1）公司股票连续 10 个交易日的收盘价均高于公司最近一期经审计的每股净资产；

（2）继续实施股份回购或增持将导致公司股权分布不符合法定上市条件。

（五）股价稳定措施的约束措施

（1）控股股东、实际控制人山东省供销合作社联合社承诺：在启动股价稳定措施的条件满足时，如本单位未采取上述稳定股价具体措施，则公司有权将与用于实施增持股票计划相等金额的应付本单位现金分红予以扣留或扣减。

（2）如公司为首次公开发行上市作出的承诺未能履行、确已无法履行或无法按期履行的（因相关法律法规、政策变化、自然灾害及其他不可抗力等本公司无法控制的客观原因导致的除外），公司将采取以下措施：

①及时、充分披露公司承诺未能履行、无法履行或无法按期履行的具体原因；

②向公司投资者提出补充承诺或替代承诺，以尽可能保护投资者的权益；

如因相关法律法规、政策变化、自然灾害及其他不可抗力等公司无法控制的客观原因导致公司承诺未能履行、确已无法履行或无法按期履行的，公司将及时披露相关信息。

（3）公司董事、高级管理人员及其他核心人员承诺：在启动股价稳定措施的条件满足时，如本人未采取上述稳定股价具体措施，则公司有权将应付本人的薪酬及现金分红予以扣留或扣减。

四、发行人招股说明书如存在虚假记载、误导性陈述或者重大遗漏相关承诺

（一）发行人承诺

发行人承诺：本次公开募集上市文件中如有虚假记载、误导性陈述或者重大遗漏，对判断公司是否符合法律规定的发行条件构成重大、实质影响的，公司将自虚假陈述揭露日或虚假陈述更正日起，以发行价格（如因派发现金红利、送股、转增股本、增发新股等原因进行除权、除息的，须按照证券交易所的有关规定作除权除息价格调整）或中国证监会认定的价格，回购首次公开发行的全部新股。公司招股说明书中如存在虚假记载、误导性陈述或者重大遗漏，致使投资者在证券交易中遭受损失的，公司将按照相关规定，赔偿投资者损失。

（二）发行人控股股东、实际控制人承诺

发行人控股股东暨实际控制人山东省供销合作社联合社承诺：发行人招股说明书中如有虚假记载、误导性陈述或者重大遗漏，对判断公司是否符合法律规定的发行条件构成重大、实质影响的，本单位作为控股股东、实际控制人，将督促发行人自虚假陈述揭露日或虚假陈述更正日起，以发行价格（如因派发现金红利、送股、转增股本、增发新股等原因进行除权、除息的，须按照证券交易所的有关规定作除权除息价格调整）或中国证监会认定的价格，回购首次公开发行的全部新股。本单位将在证券监督管理部门依法对上述事实作出认定或处罚决定后五个工作日内，制订股份回购方案并予以公告，依法购回已转让的原限售股份，回购价格为发行价格（若公司股票有派息、送股、资本公积金转增股本等除权、除息事项的，回购的股份包括原限售股份及其派生股份，发行价格将相应进行除权、除息调整）加上同期银行存款利息。

发行人招股说明书中如有虚假记载、误导性陈述或者重大遗漏，致使投资者在证券交易中遭受损失的，本单位将依法赔偿投资者损失。

（三）发行人全体董事、监事、高级管理人员承诺

发行人董事、监事、高级管理人员承诺：发行人招股说明书中如有虚假记载、误导性陈述或者重大遗漏，致使投资者在证券交易中遭受损失的，本人将依照相关规定，赔偿投资者损失。

（四）中介机构承诺

中德证券有限责任公司承诺：中德证券为山东天鹅棉业机械股份有限公司首次公开发行制作、出具的文件不存在虚假记载、误导性陈述或者重大遗漏的情形；若因中德证券为发行人首次公开发行制作、出具的文件有虚假记载、误导性陈述或者重大遗漏，给投资者造成损失的，中德证券将先行赔偿投资者损失。

信永中和会计师事务所（特殊普通合伙）承诺：本所为本项目制作、出具的申请文件真实、准确、完整、及时，无虚假记载、误导性陈述或重大遗漏；若因本所未能勤勉尽责，为本项目制作、出具的申请文件有虚假记载、误导性陈述或重大遗漏，给投资者造成损失的，本所将依法赔偿投资者损失。

北京国枫律师事务所承诺：本所为本项目制作、出具的申请文件真实、准确、完整、及时，无虚假记载、误导性陈述或重大遗漏；若因本所未能勤勉尽责，为本项目制作、出具的申请文件有虚假记载、误导性陈述或重大遗漏，给投资者造成损失的，本所将依法赔偿投资者损失。

五、保荐机构及发行人律师关于相关责任主体的承诺及约束措施的意见

保荐机构认为，发行人及其他相关责任主体已经按照《关于进一步推进新股发行体制改革的意见》（证监会公告〔2013〕42 号）以及其他有关要求出具了相关承诺，同时对其未履行承诺提出相应的约束措施。发行人及相关责任主体出具的上述承诺及约束措施内容符合相关法律、法规的规定，合法、有效；相关约束措施明确、具体，具有可操作性和实施性，符合相关法律、法规、规范性文件的规定。

发行人律师认为，作出承诺及相关约束措施的责任主体均系具有完全民事权利能力和民事行为能力的民事主体，具备做出已披露的承诺及相关约束措施的主体资格；该等承诺及相关约束措施均由相关责任主体签字或盖章确认，相关内容未违反法律、行政法规的禁止性规定，不存在损害社会公共利益的情形；因此，发行人及其控股股东等责任主体所作出的承诺及相关约束措施合法。

第二节　股票上市情况

一、股票发行上市审核情况

（一）编制上市公告书的法律依据

本上市公告书系根据《中华人民共和国公司法》、《中华人民共和国证券法》和《上海证券交易所股票上市规则》等有关法律法规规定，按照上海证券交易所《股票上市公告书内容与格式指引》（2013 年修订）编制而成，旨在向投资者提供有关本公司首次公开发行 A 股股票上市的基本情况。

（二）股票发行的核准部门和文号

本公司首次公开发行股票已经中国证券监督管理委员会证监许可〔2016〕551 号核准。

（三）交易所同意股票上市文件的文号

本公司首次公开发行股票已经上海证券交易所自律监管决定书〔2016〕114 号文批准。

二、股票上市相关信息

（一）上市地点：上海证券交易所

（二）上市时间：2016 年 4 月 27 日

（三）股票简称：天鹅股份

（四）股票代码：603029

（五）本次公开发行后的总股本：9,334.00 万股

（六）本次公开发行的股票数量：2,334.00 万股

（七）发行市盈率：22.98 倍（每股收益按照 2015 年度经审计的扣除非经常性损益前后孰低的归属于母公司股东的净利润除以本次发行后总股本计算）

（八）本次上市的无流通限制及锁定安排的股票数量：2,334.00 万股

（九）发行前股东所持股份的流通限制及期限：参见本上市公告书之“第一节重要声明与提示”

（十）发行前股东对所持股份自愿锁定的承诺：参见本上市公告书之“第一节重要声明与提示”

（十一）本次上市股份的其他锁定安排：参见本上市公告书之“第一节重要声明与提示”

（十二）股票登记机构：中国证券登记结算有限责任公司上海分公司

（十三）上市保荐机构：中德证券有限责任公司

第三节　发行人、股东和实际控制人情况

一、发行人基本情况

注册中文名称：山东天鹅棉业机械股份有限公司

英文名称：ShanDongSwanCottonIndustrialMachineryStockCo.,Ltd.

注册资本（本次发行前）：7,000 万元

法定代表人：魏华

成立日期：2002 年 7 月 8 日

经营范围：动力柜（低压成套开关设备）、农业机械及配件、环保专用设备及配件、棉花加工机械及配件的生产、销售；棉机设备、电器的安装、调试；棉花、钢材、五金交电的销售；资格证书范围内自营进出口业务。（依法须经批准的项目，经相关部门批准后方可开展经营活动）。

主营业务：棉花加工成套设备及配件的研发、生产和销售

住所：济南市天桥区大魏庄东路 99 号

所属行业：专用设备制造业

邮政编码：250032

联系电话：0531-58675810

传真号码：0531-58675810

互联网网址：http://www.sdmj.com.cn

电子信箱：swan@sdmj.com.cn

董事会秘书：王友刚

发行人董事、监事、高级管理人员任职以及持股情况如下：

姓　名	职务	任期起止日期	持有公司股份的数量(股)
魏　华	董事长	2014年11月-2017年10月	无
王志勇	董事	2014年11月-2017年10月	无
赵德利	董事	2014年11月-2017年10月	无
吴俊英	董事、总经理	2014年11月-2017年10月	126,000
李学江	董事、副总经理、财务总监	2014年11月-2017年10月	126,000
杨一航	董事	2014年11月-2017年10月	无
刘不峰	独立董事	2014年11月-2017年10月	无
任彦领	独立董事	2014年11月-2017年10月	无
王乐锦	独立董事	2014年11月-2017年10月	无
杨志萍	监事会主席	2014年11月-2017年10月	无
陈　伟	监事	2014年11月-2017年10月	无
李小燕	监事	2014年10月-2017年10月	无
杨丙生	副总经理	2014年12月-2017年10月	126,000
王中兴	副总经理	2014年12月-2017年10月	126,000
王友刚	董事会秘书	2014年12月-2017年10月	无
张　凌	副总经理	2014年12月-2017年10月	无

二、控股股东及实际控制人情况

公司控股股东暨实际控制人为省供销社。省供销社作为山东省供销合作社的经济联合组织，2011年10月27日在国家事业单位登记管理局登记为事业单位，领取了注册号为事证第137000002324号的事业单位法人证书，开办资金为2,325万元，其宗旨和业务范围为"指导全省供销社的改革与发展，服务'三农'；推动农村现代经营服务新体系和新时期供销合作社组织体系建设；按照政府授权，对棉花等重要农副产品、农业生产资料、再生资源及系统烟花爆竹经营进行组织、协调、管理；承办省委、省政府交办的其他事项"。

截至2015年6月30日，省供销社的法定代表人为侯成君，住所为济南市历山路157号，合并口径资产总额为647,885.50万元，净资产为163,751.32万元，2015年1-6月实现收入77,363.28万元，利润总额-3,001.55万元。(以上数据经山东中宇审计)

三、股东情况

(一)本次A股发行前后股本情况

本次发行前后本公司的股权结构如下：

单位：股

股份类型	发行前股本结构		发行后股本结构		
(股东名称)	股数	比例	股数	比例	锁定限制及期限
一、有限售条件流通股					
山东省供销合作社联合社	56,814,540	81.16%	56,814,540	60.87%	自上市之日起锁定36个月
新疆古月杨股权投资合伙企业(有限合伙)	9,820,000	14.03%	9,820,000	10.52%	自上市之日起锁定12个月
王锡忠	378,000	0.54%	378,000	0.40%	自上市之日起锁定12个月
乙树崑	378,000	0.54%	378,000	0.40%	自上市之日起锁定12个月
刘大新	378,000	0.54%	378,000	0.40%	自上市之日起锁定12个月
王树全	378,000	0.54%	378,000	0.40%	自上市之日起锁定12个月
陈玉东	378,000	0.54%	378,000	0.40%	自上市之日起锁定12个月；
杨丙生	126,000	0.18%	126,000	0.13%	承诺期限届满后，在发行人处任职期间，每年转让的股份不超过其所持有发行人股份总数的25%，且减持价格不低于发行价；离职后半年内，不转让其所持有的发行人股份
吴俊英	126,000	0.18%	126,000	0.13%	
王中兴	126,000	0.18%	126,000	0.13%	
李学江	126,000	0.18%	126,000	0.13%	
陈　璐	126,000	0.18%	126,000	0.13%	
王　伟	126,000	0.18%	126,000	0.13%	
陈建中	126,000	0.18%	126,000	0.13%	自上市之日起锁定12个月
林基新	126,000	0.18%	126,000	0.13%	自上市之日起锁定12个月
高春元	126,000	0.18%	126,000	0.13%	自上市之日起锁定12个月
李树东	126,000	0.18%	126,000	0.13%	自上市之日起锁定12个月
郭泗常	37,800	0.05%	37,800	0.04%	自上市之日起锁定12个月
朱振德	37,800	0.05%	37,800	0.04%	自上市之日起锁定12个月
彭兴起	37,800	0.05%	37,800	0.04%	自上市之日起锁定12个月
姜元升	31,500	0.05%	31,500	0.03%	自上市之日起锁定12个月
邱广军	25,200	0.04%	25,200	0.03%	自上市之日起锁定12个月
张　锋	25,200	0.04%	25,200	0.03%	自上市之日起锁定12个月
步仲秋	12,600	0.02%	12,600	0.01%	自上市之日起锁定12个月
步红星	6,300	0.01%	6,300	0.01%	自上市之日起锁定12个月
张立田	1,260	0.0018%	1,260	0.00%	自上市之日起锁定12个月
小　计	70,000,000	100.00%	70,000,000	74.99%	
二、无限售条件流通股					
本次网下发行社会公众股	–	–	2,334,000	2.50%	无
本次网上发行社会公众股	–	–	21,006,000	22.50%	无
合计	70,000,000	100.00%	93,340,000	100.00%	

(二)本次发行后上市前的股东情况

本次发行后上市前股东户数为21,372户。本次发行后上市前，前十大股东情况如下：

序号	股东名称	发行后	
		持有股份数量	持股比例
1	山东省供销合作社联合社	56,814,540	60.87%
2	新疆古月杨股权投资合伙企业(有限合伙)	9,820,000	10.52%
3	刘大新	378,000	0.40%
3	王锡忠	378,000	0.40%
3	乙树崑	378,000	0.40%
3	王树全	378,000	0.40%
3	陈玉东	378,000	0.40%
8	李树东	126,000	0.13%
8	陈建中	126,000	0.13%
8	王　伟	126,000	0.13%
8	吴俊英	126,000	0.13%
8	林基新	126,000	0.13%
8	陈　璐	126,000	0.13%
8	王中兴	126,000	0.13%
8	李学江	126,000	0.13%
8	杨丙生	126,000	0.13%
8	高春元	126,000	0.13%

第四节　股票发行情况

(一)发行数量：2,334万股(无老股转让)

(二)发行价格：8.93元/股

(三)每股面值：人民币1.00元

(四)发行方式：采用网下向投资者询价配售和网上向社会公众投资者定价发行相结合的方式

回拨后，网下最终发行数量为233.40万股，网上最终发行数量为2,100.60万股。网上、网下投资者放弃认购股数全部由保荐人(主承销商)包销，保荐人(主承销商)包销股份的数量为118,150股，包销金额为1,055,079.50元，包销比例为0.51%。

(五)募集资金总额及注册会计师对资金到位的验证情况：本次发行募集资金总额20,842.62万元。信永中和会计师事务所(特殊普通合伙)对公司本次公开发行新股的资金到位情况

进行了审验，并于2016年4月21日出具了XYZH/2016JNA40062号《验资报告》。

(六)发行费用：

本次发行费用总额为3,644.22万元，费用明细如下：

序号	项　目	金额注
1	承销保荐费	2,380.00万元
2	会计师费	250.00万元
3	律师费	525.00万元
4	信息披露费	464.00万元
5	手续费	14.32万元
6	印花税及招股书印刷费	10.90万元
	合计	3,644.22万元

注:本次首次公开发行不涉及老股转让,因此发行费用全部为公开发行新股发行费用

本次发行每股发行费用为 1.56 元。

(七)募集资金净额:17,198.40 万元

(八)发行后每股净资产:7.26 元(以截至 2015 年 12 月 31 日经审计的合并报表中归属于母公司所有者权益和发行后总股本全面摊薄计算,扣除发行费用)

(九)发行后每股收益:0.39 元(按照 2015 年经审计的扣除非经常性损益前后孰低的归属于母公司股东的净利润除以本次发行后总股本计算)

第五节　财务会计资料

本公司在招股意向书中已披露 2015 年 12 月 31 日的资产负债表、2015 年度的利润表及现金流量表,上述数据已经信永中和会计师事务所(特殊普通合伙)审计,并出具了 XYZH/2016JNA40003 号标准无保留意见的审计报告,本上市公告书中不需再次披露,敬请投资者注意。

公司 2016 年第一季度财务会计报告已经公司第四届董事会第十二次会议及第四届监事会第八次会议审议通过,并在首次公开发行股票上市公告书中披露。公司上市后第一季度财务会计报告不再单独披露。

主要会计数据及财务指标如下:

项目	2016.3.31	2015.12.31	本报告期末比上年度期末增减(%)
流动资产(元)	406,079,378.75	464,964,843.16	-12.66
流动负债(元)	174,947,165.18	249,137,455.25	-29.78
总资产(元)	796,015,720.43	867,493,874.97	-8.24
归属于发行人股东的所有者权益(元)	508,591,072.85	505,862,651.69	0.54
归属于发行人股东的每股净资产(元/股)	7.27	7.23	0.54
项目	2016 年 1-3 月	2015 年 1-3 月	本报告期比上年同期增减(%)
营业总收入(元)	60,364,825.78	58,284,546.94	3.57
营业利润(元)	3,173,493.11	3,967,399.65	-20.01
利润总额(元)	3,387,094.69	3,952,652.70	-14.31
归属于发行人股东的净利润(元)	2,385,726.51	2,691,049.02	-11.35
归属于发行人股东的扣除非经常性损益后的净利润(元)	2,199,218.77		-18.66
基本每股收益(元/股)	0.03	0.04	-11.35
扣除非经常性损益后的基本每股收益(元/股)	0.03	0.04	-18.66
加权平均净资产收益率(%)	0.47	0.58	-0.11
扣除非经常性损益后的加权净资产收益率(%)	0.43	0.58	-0.15
经营活动产生的现金流量净额(元)	15,241,955.28	32,068,207.28	-52.47
每股经营活动产生的现金流量净额(元)	0.22	0.46	-52.47

注:2016 年第一季度财务数据未经审计

公司 2016 年 1-3 月经营活动产生的现金流量净额及每股经营活动产生的现金流量净额较 2016 年 1-3 月下降 52.47%,主要为本期收到的承兑汇票较多及支付的税款金额增加所致。

公司最近一期财务报表审计截止日为 2015 年 12 月 31 日。财务报告审计截止日至本上市公告书签署日期间,公司经营模式、主要原材料的采购规模和采购价格、主要产品的销售规模和销售价格、主要客户及供应商的构成、主要核心业务人员、税收优惠政策以及其他可能影响投资者判断的重大事项等方面均未发生重大不利变化。公司预计 2016 年 1-6 月生产经营情况和主要财务指标与 2015 年同期相比不会发生重大变化。

第六节　其他重要事项

一、募集资金客户存储三方监管协议的安排

天鹅股份在中国农业银行股份有限公司天桥支行开立两个募集资金专项账户,账号为 15121301040010684 及 15121301040010692,天鹅股份在中国民生银行股份有限公司济南分行开立一个募集资金专项账户,账号为 696963089。

根据有关法律法规及《上海证券交易所上市公司募集资金管理办法》,本公司分别与中国农业银行股份有限公司天桥支行和中国民生银行股份有限公司济南分行,以及保荐机构中德证券有限责任公司签订了《募集资金专户存储三方监管协议》。

《募集资金专户存储三方监管协议》对发行人、保荐机构及开户银行的相关责任和义务进行了详细约定,保荐机构可以采取现场调查、书面问询等方式行使其监督权。发行人和开户银行应当配合保荐机构的调查与查询。

二、其他事项

本公司在招股意向书刊登日至上市公告书刊登前,没有发生可能对本公司有较大影响的重要事项,具体如下:

(1)本公司主要业务发展目标的进展情况正常;

(2)本公司所处行业或市场未发生重大变化;

(3)除与正常业务经营相关的采购、销售、借款等商务合同外,本公司未订立其他对本公司的资产、负债、权益和经营成果产生重大影响的重要合同;

(4)本公司与关联方未发生重大关联交易;

(5)本公司未发生重大投资;

(6)本公司未发生重大资产(或股权)购买、出售及置换;

(7)本公司住所未发生变更;

(8)本公司董事、监事、高级管理人员及核心技术人员未发生变化;

(9)本公司未发生重大诉讼、仲裁事项;

(10)本公司未发生对外担保等或有事项;

(11)本公司的财务状况和经营成果未发生重大变化;

(12)2016 年 4 月 19 日,公司召开第四届董事会第十二次会议,审议通过了

《关于审议公司 2016 年第一季度财务会计报告的议案》;2016 年 4 月 19 日,公司召开第四届监事会第八次会议,审议通过了《关于审议公司 2016 年第一季度财务会计报告的议案》;2016 年 4 月 19 日,公司召开 2015 年度股东大会,审议通过了《关于公司 2015 年度报告及摘要的议案》、《关于公司 2015 年度董事会工作报告的议案》、《关于公司 2015 年度监事会工作报告的议案》、《关于公司 2015 年度利润分配的预案》及《关于公司 2016 年度向中国民生银行股份有限公司济南分行申请综合授信额度的议案》;

(13)本公司无其他应披露的重大事项。

第七节　上市保荐机构及其意见

一、上市保荐机构基本情况保荐机构(主承销商):中德证券有限责任公司法定代表人:侯巍

保荐代表人:崔学良、刘萍

住所:北京市朝阳区建国路 81 号华贸中心 1 号写字楼 22 层电话:(010)59026662

传真:(010)59026670

联系人:崔学良、刘萍

二、上市保荐机构的推荐意见

上市保荐机构认为,发行人申请其 A 股股票上市符合《公司法》、《证券法》及《上海证券交易所股票上市规则》等国家法律、法规的有关规定,发行人 A 股股票具备在上海证券交易所上市的条件。中德证券有限责任公司同意推荐山东天鹅棉业机械股份有限公司 A 股股票在上海证券交易所上市。

贵州永吉印务股份有限公司

贵州永吉印务股份有限公司首次公开发行股票上市公告书

特别提示

本公司股票将于2016年12月23日在上海证券交易所上市。本公司提醒投资者应充分了解股票市场风险及本公司披露的风险因素，在新股上市初期切忌盲目跟风“炒新”，应当审慎决策、理性投资。

第一节　重要提示与声明

一、重要提示

贵州永吉印务股份有限公司(以下简称“永吉股份”、“本公司”或“发行人”、“公司”)及全体董事、监事、高级管理人员保证上市公告书所披露信息的真实、准确、完整，承诺上市公告书不存在虚假记载、误导性陈述或重大遗漏，并承担个别和连带的法律责任。

上海证券交易所、其他政府机关对本公司股票上市及有关事项的意见，均不表明对本公司的任何保证。

本公司提醒广大投资者注意，凡本上市公告书未涉及的有关内容，请投资者查阅刊载于上海证券交易所网站(http://www.sse.com.cn)的本公司招股说明书全文。

本公司提醒广大投资者注意首次公开发行股票(以下简称“新股”)上市初期的投资风险，广大投资者应充分了解风险、理性参与新股交易。

二、发行人股东关于其所持股份流通限制及自愿锁定的承诺

(一)发行人控股股东承诺

(1)自发行人首次公开发行的股票在上海证券交易所上市之日起三十六个月内，不转让或者委托他人管理其在首次公开发行股票前所直接或间接持有的发行人股份，也不由发行人回购本公司持有的发行人公开发行股票前已发行的股份；

(2)本公司持有发行人股票的锁定期届满后两年内减持发行人股票的，股票减持价格不低于发行人首次公开发行股票的价格；若发行人上市后六个月内股票连续二十个交易日的收盘价均低于发行价，或者发行人上市后六个月期末股票收盘价低于发行价，本公司持有发行人股票的锁定期将自动延长六个月。

(3)本公司所持发行人股份锁定期满后两年内，每年减持股份数量累计不超过本公司持有发行人股份总数的10%。如超过上述期限本公司拟减持发行人股份的，承诺将按照《中华人民共和国公司法》、《中华人民共和国证券法》、中国证监会及上海证券交易所相关规定办理。本公司拟减持发行人股票的，将提前三个交易日通过发行人进行公告。

(二)发行人实际控制人邓维加、邓代兴承诺

自公司首次公开发行的股票在上海证券交易所上市之日起三十六个月内，不转让或者委托他人管理其在首次公开发行股票前所直接或间接持有的公司股份，也不由公司回购该部分股份。

(三)发行人股东云商印务、裕美纸业、圣泉实业、雄润印务承诺

(1)自发行人首次公开发行的股票在上海证券交所上市之日起12个月内，不转让或者委托他人管理本公司在首次公开发行股票前所持有的发行人股份，也不由发行人回购本公司持有的发行人公开发行股票前已发行的股份。

(2)本公司所持发行人股份锁定期满后两年内，每年减持股份数量累计不超过本公司持有公司股份总数的25%，减持价格不低于发行人首次公开发行股票的价格。本公司拟减持发行人股票的，将提前三个交易日通过发行人进行公告。

(四)发行人其他股东承诺

自公司股票上市之日起12个月内，不转让或者委托他人管理本公司已直接或间接持有的公司股份，也不由公司回购该部分股份。

(五)直接和间接持有发行人股份的董事、监事、高级管理人员邓维加、蔡瑞民、王昆雄、高翔承诺

除上述承诺外，在本人担任公司董事、监事、高级管理人员期间，每年转让的股份不超过所直接或间接持有公司股份总数的25%；离任后半年内，不转让本人直接或间接持有的公司股份；在申报离任6个月后的12个月内通过证券交易所挂牌交易出售本公司股票数量占本人所持有本公司股票总数的比例不得超过50%。

三、关于招股说明书不存在虚假记载、误导性陈述或者重大遗漏的承诺

(一)发行人关于公司首次公开发行股票招股说明书不存在虚假记载、误导性陈述或者重大遗漏的承诺

(1)本公司招股说明书不存在虚假记载、误导性陈述或重大遗漏，并对其真实性、准确性、完整性承担个别和连带的法律责任。

(2)若本公司本次公开发行股票的招股说明书有虚假记载、误导性陈述或者重大遗漏，导致对判断本公司是否符合法律规定的发行条件构成重大、实质影响的，本公司将依法回购首次公开发行的全部新股，回购价格按照发行价(若发行人股票在此期间发生派息、送股、资本公积转增股本等除权除息事项的，发行价应相应调整)加算银行同期存款利息确定，并根据相关法律法规规定的程序实施。上述回购实施时法律法规、公司章程等另有规定的从其规定。本公司将及时提出预案，并提交董事会、股东大会讨论。

(3)若因本公司本次公开发行股票的招股说明书有虚假记载、误导性陈述或者重大遗漏，致使投资者在证券交易中遭受损失的，本公司将依法赔偿投资者损失。在该等违法事实被中国证监会、证券交易所或司法机关认定后，本公司、本公司实际控制人及本公司董事、监事及高级管理人员将本着简化程序、积极协商、先行赔付、切实保障投资者特别是中小投资者利益的原则，按照投资者直接遭受的可测算的经济损失选择与投资者和解、通过第三方与投资者调解及设立投资者赔偿基金等方式积极赔偿投资者由此遭受的直接经济损失。

若公司本次公开发行股票的招股说明书被中国证监会、公司上市所在证券交易所或司法机关认定为有虚假记载、误导性陈述或者重大遗漏，在公司收到相关认定文件后2个交易日内，相关各方应就该等事项进行公告，并在前述事项公告后及时公告相应的回购新股、购回股份、赔偿损失的方案的制定和进展情况。

约束措施：若上述回购新股、购回股份、赔偿损失承诺未得到及时履行，公司将及时进行公告，并且本公司将在定期报告中披露公司、公司实际控制人以及公司董事、监事及高级管理人员关于回购股份、购回股份以及赔偿损失等承诺的履行情况以及未履行承诺时的补救及改正情况。

(二)董事、监事、高级管理人员关于公司首次公开发行股票招股说明书不存在虚假记载、误导性陈述或者重大遗漏的承诺

1.发行人实际控制人、董事长邓维加关于公司首次公开发行股票招股说明书不存在虚假记载、误导性陈述或者重大遗漏的承诺

(1)若因发行人本次公开发行股票的招股说明书有虚假记载、误导性陈述或者重大遗漏，致使投资者在证券交易中遭受损失的，将依法赔偿投资者损失。

(2)若因上述事项或本人提供资料存在虚假记载、误导性陈述或者重大遗漏，或者未履行有关承诺事项给中介机构带来损失的，将赔偿有关中介机构的损失。

本人以在前述事实认定当年度或以后年度公司利润分配方案中其享有的现金分红作为履约担保，若未履行上述赔偿义务，本人及永吉房开所持的公司股份不得转让。

除此以外，本人还将依据公司首发上市公开募集及上市文件中披露的内容履行其他有关承诺事项及其相应的约束措施。如本人未能履行上述承诺，将依法赔偿公司、公众股东及其他第三方因本人未能履行上述承诺导致的损失。

2.发行人其他董事、监事和高级管理人员关于公司首次公开发行股票招股说明书不存在虚假记载、误导性陈述或者重大遗漏的承诺

(1)若因发行人本次公开发行股票的招股说明书有虚假记载、误导性陈述或者重大遗漏，致使投资者在证券交易中遭受损失的，将依法赔偿投资者损失。

(2)若因上述事项或本人提供资料存在虚假记载、误导性陈述或者重大遗漏，或者未履行有关承诺事项给中介机构带来损失的，应赔偿有关中介机构的损失。

本人以在前述事实认定当年度在公司所取得的薪酬作为履约担保，若未履行上述赔偿义务，扣减上述薪酬的1/2归公司所有。

除此以外，本人还将依据公司首发上市公开募集及上市文件中披露的内容履行其他有关承诺事项及其相应的约束措施。如本人未能履行上述承诺，将依法赔偿公司、公众股东及其他第三方因本人未能履行上述承诺导致的损失。

(三)各中介机构关于公司首次公开发行股票招股说明书不存在虚假记载、误导性陈述或者重大遗漏的承诺

保荐机构承诺：因其为发行人首次公开发行股票制作、出具的文件有虚假记载、误导性陈述或者重大遗漏，给投资者造成损失的，将先行赔偿投资者损失。

发行人会计师承诺：若监管部门认定因本所为发行人首次公开发行制作、出具的文件有虚假记载、误导性陈述或者重大遗漏，给投资者造成损失的，本所将依照相关法律、法规规定承担民事赔偿责任，赔偿投资者损失。

发行人律师承诺：因本所为贵州永吉印务股份有限公司首次公开发行制作、出具的文件有虚假记载、误导性陈述或者重大遗漏，给投资者造成损失的，经司法机关生效判决认定后，本所将依法赔偿投资者因本所制作、出具的文件所载内容存在虚假记载、误导性陈述或者重大遗漏而遭受的损失。

四、稳定股价预案

上市后三年内公司股价低于每股净资产时稳定公司股价的预案如下：

(一)启动稳定股价措施的条件

公司上市后三年内，如公司股票连续20个交易日除权后的加权平均价格(按当日交易数量加权平均，不包括大宗交易)低于公司上一财务年度经审计的除权后每股净资产值，则公司应按下述

规则启动稳定股价措施。

(二)稳定股价的具体措施和程序

1.公司回购

(1)公司为稳定股价的目的回购股份,应符合《上市公司回购社会公众股份管理办法(试行)》及《关于上市公司以集中竞价交易方式回购股份的补充规定》等相关法律、法规的规定,且不应导致公司股份分布不符合上市条件。

(2)公司董事会应在公司回购启动条件触发之日起的 15 个交易日内做出回购股份的决议。

(3)公司董事会应当在做出回购股份决议后的 2 个工作日内公告董事会决议、回购股份预案,并发布召开股东大会的通知。

(4)公司董事会公告回购股份预案后,若公司股票连续 5 个交易日除权后的加权平均价格(按当日交易数量加权平均,不包括大宗交易)超过公司上一财务年度经审计的除权后每股净资产值,公司董事会应作出决议终止回购股份事宜,且未来 3 个月内不再启动股份回购事宜。

(5) 公司股东大会对回购股份作出决议, 须经出席会议的股东所持表决权的三分之二以上通过,持有公司 5%以上股份的股东承诺就该等回购事宜在股东大会中投赞成票。

(6)公司为稳定股价的目的进行股份回购的,除应符合相关法律法规之要求之外,还应符合下列各项:

A、公司单次回购股份不超过公司总股本的 2%;B、公司单次用于回购股份的资金不得低于人民币 1,000 万元;C、公司用于回购股份的资金总额累积不超过公司首次公开发行新股所募集资金的总额。

(7)公司回购应在股东大会决议做出之日起次日开始启动回购,并应在履行相关法定手续后的 30 日内实施完毕。

(8)公司回购方案实施完毕后,应在 2 个工作日内公告公司股份变动报告,并在 10 日内依法注销所回购的股份,办理工商变更登记手续。

2.控股股东增持

(1)公司控股股东应在符合《上市公司收购管理办法》及《主板信息披露业务备忘录第 5 号-股东及其一致行动人增持股份业务管理》等法律法规的条件和要求的前提下,对公司股票进行增持:

A、公司回购股份方案实施期限届满之日后的 10 个交易日除权后的公司股份加权平均价格(按当日交易数量加权平均,不包括大宗交易)低于公司上一财务年度经审计的除权后每股净资产值;

B、公司回购股份方案实施完毕之日起的 3 个月内启动条件再次被触发。

(2)公司董事会应在控股股东增持启动条件触发之日起 2 个交易日内做出增持公告。

(3)控股股东承诺单次增持总金额不应少于人民币 1,000 万元,但单次增持公司股份数量不超过公司总股本的 2%。

(4)控股股东应在增持公告做出之日起次日开始启动增持,并应在履行相关法定手续后的 30 日内实施完毕。

3.董事、高级管理人员增持

(1)下列任一条件发生时,在公司任职并领取薪酬的公司董事(不包括独立董事)、高级管理人员应在符合《上市公司收购管理办法》及《上市公司董事、监事和高级管理人员所持本公司股份及其变动管理规则》等法律法规的条件和要求的前提下,对公司股票进行增持:

A、控股股东增持股份方案实施期限届满之日后的 10 个交易日除权后的公司股份加权平均价格(按当日交易数量加权平均,不包括大宗交易)低于公司上一会计年度经审计的除权后每股净资产值;

B、控股股东增持股份方案实施完毕之日起的 3 个月内启动条件再次被触发。

(2)公司董事会应在董事、高级管理人员增持启动条件触发之日起 2 个交易日内做出增持公告。

(3)有义务增持的公司董事、高级管理人员承诺,其用于增持公司股份的货币资金不少于该等董事、高级管理人员上年度领取的现金分红和薪酬总和的

30%,但不超过该等董事、高级管理人员上年度的现金分红和薪酬总和的 80%。

(4)董事、高级管理人员应在增持公告做出之日起次日开始启动增持,并应在履行相关法定手续后的 30 日内实施完毕。

(5)在公司董事、高级管理人员增持完成后,如果公司股票价格再次出现连续 20 个交易日除权后的加权平均价格(按当日交易数量加权平均,不包括大宗交易)低于公司上一财务年度经审计的除权后每股净资产值,则公司应依照本预案的规定,依次开展公司回购、控股股东增持及董事、高级管理人员增持工作。

(三)股价稳定方案的保障措施

发行人负有回购股份义务的,在启动股价稳定措施的前提条件满足时,如发行人未按照上述预案采取稳定股价的具体措施,将在发行人股东大会及中国证监会指定报刊上公开说明未采取上述稳定股价措施的具体原因并向公司股东和社会公众投资者道歉;发行人董事会未在回购条件满足后十五个交易日内作出回购股份决议的,发行人将延期向董事发放 50%的薪酬(津贴),董事同时担任发行人其他职务的,发行人延期向其发放除基本工资外的其他奖金或津贴,直至董事会审议通过稳定股价方案之日止。发行人董事、高级管理人员在公司回购生效后未按该方案执行的,发行人将自稳定股价方案期限届满之日起延期十二个月发放未按该方案执行的董事、高级管理人员 50%的董事薪酬(津贴)、以及除基本工资外的其他奖金或津贴。

发行人控股股东、董事、高级管理人员负有增持股票义务,但未按本议案的规定提出增持计划或未实际实施增持计划的,公司有权责令控股股东、董事、高级管理人员在限期内履行增持股票义务。控股股东、董事、高级管理人员仍不履行,未履行增持义务的控股股东、董事、高级管理人员所持的发行人股票的锁定期限自动延长六个月;且公司延期向控股股东、董事、高级管理人员支付分红、以及除基本工资外的薪酬(津贴),直至控股股东、董事、高级管理人员履行完毕增持股票义务。

公司董事、高级管理人员拒不履行本预案规定的股票增持义务情节严重的,控股股东或董事会、监事会、半数以上的独立董事有权提请股东大会同意更换相关董事,公司董事会有权解聘相关高级管理人员。

(四)预案的生效及有效期本预案在经公司股东大会审议通过、公司完成首次公开发行 A 股股票并在主板上市之日起生效,有效期三年。

(五)相关主体关于公司上市后三年内稳定公司股价的承诺

公司承诺:如公司股票挂牌上市之日起三年内,一旦出现连续二十个交易日公司股票收盘价均低于其上一个会计年度末经审计的每股净资产 (每股净资产=合并财务报表中归属于母公司普通股股东权益合计数÷年末公司股份总数,下同)情形时(若因除权除息等事项致使上述股票收盘价与公司上一会计年度末经审计的每股净资产不具可比性的,上述股票收盘价应做相应调整),本公司将依据法律、法规、规范性文件及《关于公司股票上市后三年内稳定公司股价预案的议案》的相关规定履行回购公司股票的义务。

在启动股价稳定措施的前提条件满足时,如本公司未按照上述预案采取稳定股价的具体措施,将在公司股东大会及中国证监会指定报刊上公开说明未采取上述稳定股价措施的具体原因并向公司股东和社会公众投资者道歉; 如果公司董事会未在回购条件满足后十五个交易日内作出回购股份决议的,公司将延期向董事发放百分之五十的薪酬(津贴),董事同时担任公司其他职务的,公司延期向其发放除基本工资外的其他奖金或津贴,直至董事会审议通过稳定股价方案之日止。公司董事、高级管理人员在公司回购决议生效后未按该方案执行的,公司将自稳定股价方案期限届满之日起延期十二个月发放未按该方案执行的董事、高级管理人员百分之五十的董事薪酬(津贴)、以及除基本工资外的其他奖金或津贴。

控股股东承诺:如发行人股票挂牌上市之日起三年内,一旦出现连续二十个交易日股票收盘价均低于其上一个会计年度末经审计的每股净资产 (每股净资产=合并财务报表中归属于母公司普通股股东权益合计数÷年末公司股份总数,下同)情形时(若因除权除息等事项致使上述股票收盘价与公司上一会计年度末经审计的每股净资产不具可比性的, 上述股票收盘价应做相应调整),本公司将依据法律、法规、规范性文件及《关于公司股票上市后三年内稳定公司股价预案的议案》的相关规定履行增持发行人股票的义务。

在启动股价稳定措施的前提条件满足时,如本公司未按照上述预案采取稳定股价的具体措施,将在发行人股东大会及中国证监会指定报刊上公开说明未采取上述稳定股价措施的具体原因并向发行人股东和社会公众投资者道歉;如果本公司未履行上述承诺的,自未履行承诺之日起,本公司所持发行人股票的锁定期自动延长六个月;且同意发行人延期向本公司支付分红、以及除基本工资外的薪酬(津贴),直至本公司按上述预案的规定采取相应的稳定股价措施并实施完毕时为止。

负有增持股票义务的董事、高级管理人员承诺:如公司股票挂牌上市之日起三年内,一旦出现连续二十个交易日公司股票收盘价均低于其上一个会计年度末经审计的每股净资产 (每股净资产=合并财务报表中归属于母公司普通股股东权益合计数÷年末公司股份总数,下同)情形时(若因除权除息等事项致使上述股票收盘价与公司上一会计年度末经审计的每股净资产不具可比性的,上述股票收盘价应做相应调整),本人将依据法律、法规、规范性文件及公司审议通过的《关于公司股票上市后三年内稳定公司股价预案的议案》的相关规定履行增持公司股票的义务。

在启动股价稳定措施的前提条件满足时,如本人未按照上述预案采取稳定股价的具体措施,将在公司股东大会及中国证监会指定报刊上公开说明未采取上述稳定股价措施的具体原因并向公司股东和社会公众投资者道歉;如果本人未履行上述承诺的,自未履行承诺之日起,本人所持发行人股票的锁定期自动延长六个月; 且同意公司延期向本人支付分红、以及除基本工资外的薪酬 (津贴),直至本人按上述预案的规定采取相应的稳定股价措施并实施完毕时为止。

五、关于未履行承诺时的约束措施的承诺

除前述披露的各责任主体相关承诺及约束措施外,发行人及全体董事承诺:本公司及全体董事承诺将依据公司本次首发公开募集及上市文件所披露的内容履行其他有关承诺事项及其相应的约束措施。如本公司或公司董事未能履行上述承诺,应依法赔偿公司、公众投资者及其他第三方因本公司或公司董事未能履行上述承诺导致的损失,公司与全体董事互负连带责任。

六、滚存利润的分配安排

根据公司 2014 年年度股东大会审议通过的《关于公司首次公开发行人民币普通股(A 股)股票并上市前滚存未分配利润的分配方案》,本公司发行完成前可供分配的滚存利润由发行后的新老股东按发行后的持股比例共同享有。

七、本次发行上市后的股利分配政策

公司实施积极的股利分配政策,公司可以采取现金、股票或者现金和股票相结合的方式分配利润。公司实施股利分配应当遵守以下规定:

(一)利润分配原则

公司的利润分配应重视对投资者的合理投资回报兼顾公司的可持续发展,利润分配政策保持连续性和稳定性。

(二)利润分配的形式和比例

公司可以采取现金、股票或者现金与股票相结合的方式分配股利,并优先进行现金分红,具备现金分红条件的,应当优先采用现金分红进行分配利润,采取股票股利进行利润分配的,应当具有公司成长性、每股净资产的摊薄等真实合理因素。

以现金形式分配的利润不少于当年实现的可供分配利润的 20%。在实施上述现金分配股利的同时,可以派发股票股利。公司的公积金用于弥补公司的亏损、扩大生产经营规模或转增公司资本,法定公积金转为资本时,所留的该项公积金将不少于转增前公司注册资本的 25%。

公司董事会应当综合考虑所处行业特点上市公司董事会应当综合考虑所处行业特点、发展阶段、自身经营模式、盈利水平以及是否有重大资金支出安排等因素,区分下列情形,并按照公司章程规定的程序,提出差异化的现金分红政策:

(1)公司发展阶段属成熟期且无重大资金支出安排的,进行利润分配时,现金分红在本次利润分配中所占比例最低应达到 80%;

(2)公司发展阶段属成熟期且有重大资金支出安排的,进行利润分配时,现金分红在本次利润分配中所占比例最低应达到 40%;

(3)公司发展阶段属成长期且有重大资金支出安排的,进行利润分配时,现金分红在本次利润分配中所占比例最低应达到 20%;

公司发展阶段不易区分但有重大资金支出安排的,可以按照前项规定处理。

(三)现金分红的条件

(1)公司该年度实现的可分配利润为正值;

(2)审计机构对公司当年财务报告出具标准无保留意见的审计报告;

(3)公司无重大投资计划或重大现金支出发生。

重大投资计划或重大现金支出事项指以下情形之一:

公司未来十二个月内拟对外投资、收购资产或购买设备累计支出达到或超过公司最近一期经审计净资产的 50%,且超过 5,000 万元;

公司未来十二个月内拟对外投资、收购资产或购买设备累计支出达到或超过公司最近一期经审计总资产的 30%。

(四)现金分红的时间间隔

原则上每年度进行一次现金分红,在有条件的情况下,公司可以进行中期分红。

(五)利润分配的决策程序和机制

(1)公司董事会根据公司业务发展情况和前述利润分配政策制订利润分配方案,经过半数董事及三分之二以上独立董事表决通过后提交股东大会决议通过,监事会应当对提请股东大会审议的利润分配方案进行审核并经过半数监事通过。

(2)董事会审议现金分红具体方案时,应当认真研究和论证公司现金分红的时机、条件和最低比例、调整条件及其决策程序要求等事宜,独立董事应对利润分配方案发表明确的独立意见;

(3)独立董事可以征集中小股东的意见,提出分红方案,并直接提交董事会审议;

(4)在股东大会对现金分红具体方案审议进行前,应当通过多种渠道(包括但不限于电话、传真、邮箱等)主动与股东特别是中小股东进行沟通和交流,充分听取中小股东的意见和诉求,并及时回答中小股东关心的问题。

(5)因特殊情况不进行现金分红的,董事会应就不现金分红的具体原因、公司留存收益的确切用途等事项进行说明,独立董事发表意见后提交股东大会审议,并在公司制定的媒体上披露。

(6)监事会对董事会拟定和审核的利润分配方案的程序是否符合法律、行政法规、中国证监会和上海交易所的规定提出审核意见,监督公司利润分配的执行。

(六)公司利润分配政策的调整程序

公司因生产经营情况,投资规划或者长期发展的需要调整利润分配政策的时,在不违反中国证监会和上海交易所有关规定的情况下,可以提交利润分配政策调整议案,并经全体董事过半数及三分之二独立董事审议通过后,提交股东大会审批,议案经出资股东大会的股东所持表决权的三分之二以上通过。监事会应当对董事会提交的利润分配调整议案进行审议,并经过半数监事通过。为充分考虑中小股东的意见,本次股东大会应当同时采取网络投票的方式召开。

(七)占用即冻结机制

股东违规占用公司资金的,公司应当扣减该股东所分配的现金红利,以偿还其占用的资金。

八、填补被摊薄即期回报的措施

本次发行完成后,公司股本和净资产都将有所增加,但鉴于募集资金投资项目有一定的实施周期,并且项目预期产生的效益存在一定的不确定性,因此公司每股收益、净资产收益率等指标短期内可能出现一定程度的下降,请投资者注意公司即期回报被摊薄的风险。公司拟采取以下方式提高未来回报能力:

(一)加快募投项目实施进度,加强募集资金管理

本次募投项目均围绕公司主营业务展开,其实施有利于提升公司竞争力和盈利能力。本次发行募集资金到位后,公司将加快推进募投项目实施,使募投项目早日实现预期收益。同时,公司将根据《公司章程(草案)》、《募集资金管理和使用办法》及其他相关法律法规的要求,加强募集资金管理,规范使用募集资金,以保证募集资金按照既定用途实现预期收益。

(二)扩大业务规模,加强研发投入

公司将在稳固现有市场和客户的基础上,加强现有业务的市场开拓力度,不断扩大主营业务的盈利规模。同时,公司将进一步加大研发投入,加强人才队伍建设,重视技术创新,提升产品竞争力和公司盈利能力。

(三)提高管理水平,严格控制成本费用

公司将不断提高管理水平,通过建立有效的成本和费用考核体系,对采购、生产、销售等各方面进行管控,加大成本、费用控制力度,提高公司利润率。

九、财务报告审计截止日后的主要财务信息及经营状况

(一)财务报告审计截止日后的主要财务信息及经营状况

公司财务报告审计截止日为 2016 年 6 月 30 日。公司 2016 年 1-9 月财务报告未经审计,但已经申报会计师审阅。

2016 年 9 月末公司资产总额为 63,957.38 万元,较 2016 年年初增加 4,381.59 万元,增幅 7.35%;2016 年 9 月末公司负债总额为 6,079.51 万元,较 2016 年年初减少 715.33 万元,减少比例 10.53%;2016 年 9 月末公司所有者权益为 57,877.86 万元,较 2016 年年初增加 5,096.93 万元,增幅 9.66%。

2016 年 1-9 月公司营业收入为 22,403.90 万元,较上年同期减少 2,624.04 万元,减少比例 10.48%;2016 年 1-9 月公司净利润为 6,726.40 万元,较上年同期减少 394.12 万元,减少比例 5.53%。营业收入与净利润减少的主要原因是公司主要客户贵州中烟 2016 年三季度的订单总量同比有所减少,公司对贵州中烟存在的重大依赖以及相应的经营风险已在本节"八、对单一客户贵州中烟存在重大依赖以及相应的经营风险"以及"第四节风险因素"中披露。

财务报告审计截止日后,公司经营模式,主要原材料的采购规模及采购价格,主要产品的生产、销售规模及销售价格,主要客户及供应商的构成,税收政策以及其他可能影响投资者判断的重大事项等方面均未发生重大变化,经营情况保持稳定。

(二)2016 年度全年经营业绩预计情况

公司管理层结合审计截止日后的经营情况和主要客户已下达订单情况,以及贵州中烟的 12 月份烟标采购计划,预计 2016 年全年营业收入为 32,000.00 万-33,500.00 万元,相比于去年同期 32,876.34 万元,变动幅度在-2.67%至 1.90%之间;预计 2016 年全年扣除非经常性损益后归属于母公司股东的净利润为 8,300.00 万-9,050.00 万元,相比于去年同期 8,741.22 万元,变动幅度在-5.05%至 3.53%之间。公司经营业绩总体保持稳定,经营状况及经营成果等未发生重大不利变化。(本次业绩预测未经注册会计师审计)

第二节 股票上市情况

一、股票发行上市审核情况

(一)编制上市公告书的法律依据

本上市公告书系根据《中华人民共和国公司法》、《中华人民共和国证券法》和《上海证券交易所股票上市规则》等有关法律法规规定,按照上海证券交易所《股票上市公告书内容与格式指引》(2013 年修订)编制而成,旨在向投资者提供有关本公司首次公开发行 A 股股票上市的基本情况。

(二)股票发行的核准部门和文号

本公司首次公开发行股票已经中国证券监督管理委员会证监许可[2016]2754 号文核准。

(三)交易所同意股票上市文件的文号

本公司首次公开发行股票已经上海证券交易所自律监管决定书[2016]315 号文批准。

公司发行的 A 股股票在上海证券交易所上市,证券简称"永吉股份",股票代码"603058"。本次网上网下公开发行的合计 4,216 万股股票将于 2016 年 12 月 23 日起上市交易。

二、股票上市相关信息

(一)上市地点:上海证券交易所

(二)上市时间:2016 年 12 月 23 日

(三)股票简称:永吉股份

(四)股票代码:603058

(五)本次公开发行后的总股本:42,156 万股

(六)本次公开发行的股票数量:4,216 万股

(七)本次上市的无流通限制及锁定安排的股票数量:4,216 万股

(八)发行前股东所持股份的流通限制及期限:参见本上市公告书之"第一节重要提示与声明"之"二、发行人股东关于其所持股份流通限制及自愿锁定的承诺"

(九)股票登记机构:中国证券登记结算有限责任公司上海分公司

(十)上市保荐机构:英大证券有限责任公司

第三节 公司、公司股东和实际控制人情况

一、公司基本情况

(一)公司基本情况

中文名称:贵州永吉印务股份有限公司

英文名称:YongjiPrintingCo.,Ltd.

发行前注册资本:37,940 万元

发行后注册资本:42,156 万元

法定代表人:邓维加

有限公司成立时间:1997 年 3 月 12 日

股份公司成立日期:2007 年 12 月 18 日

住所:贵州省贵阳市云岩区观山东路 198 号

经营范围:法律、法规、国务院决定规定禁止的不得经营;法律、法规、国务院决定规定应当许可(审批)的,经审批机关批准后凭许可(审批)文件经营;法律、法规、国务院决定规定无需许可(审批)的,市场主体自主选择经营。章程记载的经营范围:包装装潢印刷品印刷(在许可证有效期内经营);销售:印刷物资,化工产品(需前置许可的项目除外)

主营业务：烟标和其他包装印刷品的设计、生产和销售

所属行业：印刷和记录媒介复制业

电话：0851-86607332

传真：0851-86608777

电子邮箱：yugx_777@sina.com

董事会秘书：余根潇

（二）公司董事、监事、高级管理人员基本情况

1.公司董事会成员及其任职情况

姓 名	职位	国籍	境外永久居留权	董事任期
邓维加	董事长	中国	无	任期至 2017 年 5 月
蔡瑞民	副董事长	中国	无	任期至 2017 年 5 月
王昆雄	董事	中国	无	任期至 2017 年 5 月
黄 凯	董事	中国	无	任期至 2017 年 5 月
陈世贵	独立董事	中国	无	任期至 2017 年 5 月
杨通河	独立董事	中国	无	任期至 2017 年 5 月
王 忱	独立董事	中国	无	任期至 2017 年 5 月

2.公司监事会成员及其任职情况

姓 名	职位	国籍	境外永久居留权	监事任期
高 翔	监事会主席	中国	加拿大居留权	任期至 2017 年 5 月
弋才伟	监事	中国	无	任期至 2017 年 5 月
蒲永宁	职工代表监事	中国	无	任期至 2017 年 5 月

3.公司高级管理人员及其任职情况

姓 名	职位	国籍	境外永久居留权
李秀玉	总经理	中国	无
黄 凯	副总经理	中国	无
黄 革	副总经理	中国	无
孔德新	副总经理	中国	无
杨顺祥	副总经理	中国	无
熊昕明	技术总监	中国	无
吴秋桂	财务总监	中国	无
余根潇	董事会秘书	中国	无

4.公司董事、监事、高级管理人员持股情况

姓 名	职 位	持股情况		占发行后总
		直接持股（万股）	间接持股（万股）	股本比例（%）
邓维加	董事长	–	5,766.12	13.68
蔡瑞民	副董事长	–	3,095.90	7.34
王昆雄	董事	–	1,174.81	2.79
高 翔	监事会主席	1,487.24	–	3.53
合 计		1,487.24	10,036.83	27.34

二、公司控股股东及实际控制人的基本情况

（一）控股股东情况

贵州永吉房地产开发有限责任公司持有公司 19,349.40 万股，占本次发行前发行人股份比例 51.00%，占本次发行后发行人股份比例 45.90%，为发行人的控股股东。基本情况如下：

项目	基本情况
法定代表人	邓维加
成立日期	1995 年 9 月 20 日
注册资本	5,000 万元
实收资本	5,000 万元
注册地	贵州省贵阳市陕西路 99 号创世纪新城北楼
主要生产经营地	贵州省贵阳市陕西路 99 号创世纪新城北楼
股东构成	邓维加持股 29.80%，邓代兴持股 70.20%
经营范围	法律、法规、国务院决定规定禁止的不得经营；法律、法规、国务院决定规定应当许可（审批）的，经审批机关批准后凭许可（审批）文件经营；法律、法规、国务院决定规定无需许可（审批）的，市场主体自主选择经营。（房地产开发、销售；房屋租赁。）
主要产品及服务	房地产开发及销售

（二）实际控制人情况

公司实际控制人为邓维加、邓代兴父子，合计持有发行人控股股东贵州永吉房地产开发有限责任公司 100.00%的股权，并合计间接持有公司股份 19,349.40 万股，占公司发行前总股本的 51.00%，占公司发行前总股本的 45.90%。基本情况如下：

邓维加，男，中国国籍，未拥有永久境外居留权，身份证号 52010319580128****，住所：贵州省贵阳市云岩区 ** 路。

邓代兴，男，中国国籍，拥有加拿大居留权及香港居留权，身份证号 52010319850321****，住所：贵州省贵阳市云岩区 ** 路。

（三）控股股东、实际控制人对外其他投资情况

公司控股股东、实际控制人对外其他投资情况已在公告中的招股说明书“第七节同业竞争与关联交易”之“三、（一）关联方与关联关系”进行了详细披露，投资者欲了解相关情况请详细阅读招股说明书。

三、股本结构及前十名股东情况

（一）本次发行前后的股本结构变动情况

本次发行前，公司总股本为 37,940 万股，本次发行 4,216 万股，占发行后公司总股本的 10.00%。本次发行前后的股本结构及股东持股情况如下：

单位：万股、%

股东名称	发行前		发行后		
	持股数量	持股比例	持股数量	持股比例	锁定期限制
一、有限售条件 A 股流通股					
贵州永吉房地产开发有限责任公司	19,349.40	51.00	19,349.40	45.90	上市之日起锁定 36 个月
贵州云商印务有限公司	6,070.40	16.00	6,070.40	14.40	上市之日起锁定 12 个月
贵州裕美纸业有限责任公司	4,173.40	11.00	4,173.40	9.90	上市之日起锁定 12 个月
贵州圣泉实业发展有限公司	3,414.60	9.00	3,414.60	8.10	上市之日起锁定 12 个月
贵州雄润印务有限公司	2,086.70	5.50	2,086.70	4.95	上市之日起锁定 12 个月
高 翔	1,487.24	3.92	1,487.24	3.53	上市之日起锁定 12 个月
刘 伟	569.10	1.50	569.10	1.35	上市之日起锁定 12 个月
彭 辉	432.52	1.14	432.52	1.03	上市之日起锁定 12 个月
张 渝	356.64	0.94	356.64	0.85	上市之日起锁定 12 个月
小 计	37,940.00	100.00	37,940.00	90.00	
二、无限售条件 A 股流通股					
社会公众股	–	–	4,216.00	10.00	
合 计	37,940.00	100.00	42,156.00	100.00	

（二）本次发行后、上市前股东情况

本次发行后、上市前，本公司 A 股股东户数为 37,408 户，公司前 10 名股东持有公司发行后股份情况如下：

序号	股东名称	持股数（万股）	持股比例（%）
1	贵州永吉房地产开发有限责任公司	19,349.40	45.90
2	贵州云商印务有限公司	6,070.40	14.40
3	贵州裕美纸业有限责任公司	4,173.40	9.90
4	贵州圣泉实业发展有限公司	3,414.60	8.10
5	贵州雄润印务有限公司	2,086.70	4.95
6	高翔	1,487.24	3.53
7	刘伟	569.10	1.35
8	彭辉	432.52	1.03
9	张渝	356.64	0.85
10	中国银河证券股份有限公司客户信用交易担保证券账户	18.30	0.04
	合计	37,958.30	90.04

第四节　股票发行情况

一、发行数量

公开发行新股 4,216 万股，原股东不公开发售股份。其中，网下向投资者询价配售股票数量为 421.6 万股，占本次发行总量的 10%；网上向投资者定价发行股票数量为 3,794.4 万股，占本次发行总量的 90%。

二、发行价格：4.76 元/股

三、每股面值：人民币 1.00 元

四、发行方式

本次发行采用网下向符合条件的投资者询价配售（以下简称“网下发行”）与网上向持有上海市场非限售 A 股股份市值的投资者定价发行（以下简称“网上发行”）相结合的方式进行。其中，网下向投资者询价配售股票数量为 421.6 万股，网上向投资者定价发行股票数量为 3,794.4 万股。本次发行网下发行投资者弃购 1,015 股，网上发行投资者弃购 84,731 股，合计 85,746 股，由主承销商包销。

五、募集资金总额及注册会计师对资金到位的验证情况

本次公开发行募集资金总额为 20,068.16 万元，全部为发行新股募集资金金额。

大信会计师事务所（特殊普通合伙）于 2016 年 12 月 19 日对发行人本次公开发行新股的资金到位情况进行了审验，并出具了大信验字［2016］第 5-00049 号《验资报告》。

六、发行费用总额及明细构成、每股发行费用：

本次发行全部为新股发行，无股东公开发售股份。本次公开发行新股的发行费用明细如下：

单位:万元

费用明细	金额
承销保荐费用	2,000.00
审计、验资费用	223.00
律师费用	238.00
评估费用	10.00
信息披露费用	392.00
发行上市手续费用	105.06
合计	2,968.06

本次公司公开发行新股的每股发行费用:0.70 元(按本次发行费用总额除以发行股数计算)。

七、募集资金净额:17,100.10 万元

八、发行后每股净资产:1.73 元/股(按照 2016 年 6 月 30 日经审计的归属于母公司所有者权益加上本次发行募集资金净额之和除以本次发行后总股本计算)

九、发行后每股收益:0.21 元(按照 2015 年经审计的扣除非经常性损益前后孰低的归属于母公司股东的净利润除以本次发行后的总股本计算)

十、本次发行摊薄后市盈率为 22.96 倍(发行价格除以每股收益,每股收益按 2015 年度经审计的扣除非经常性损益前后孰低的净利润除以本次发行后总股本计算)

第五节　财务会计信息

本公司聘请大信会计师事务所(特殊普通合伙)依据中国注册会计师审计准则对本公司 2016 年 6 月 30 日、2015 年 12 月 31 日、2014 年 12 月 31 日及 2013 年 12 月 31 日的公司及合并资产负债表,2016 年 1-6 月、2015 年度、2014 年度及 2013 年度公司及合并利润表、公司及合并现金流量表、公司及合并所有者权益变动表进行了审计。大信会计师事务所(特殊普通合伙)出具了标准无保留意见的《审计报告》(大信审字〔2016〕第 5-00380 号)。上述数据已在公告的招股说明书中进行了详细披露,相关信息请详细阅读招股说明书"第十节财务会计信息"和"第十一节管理层讨论与分析",本公告不再披露,敬请投资者注意。

公司 2016 年 9 月 30 日的合并及母公司资产负债表、2016 年 1-9 月的合并及母公司利润表、合并及母公司现金流量表、合并及母公司股东权益变动表以及财务报表附注未经审计,但已经大信会计师事务所(特殊普通合伙)审阅,并出具了大信阅字〔2016〕第 5-00001 号《审阅报告》,相关信息请详细阅读招股说明书"第十一节管理层讨论与分析",本公告不再披露,敬请投资者注意。

财务报告审计截止日后,公司经营模式,主要原材料的采购规模及采购价格,主要产品的生产、销售规模及销售价格,主要客户及供应商的构成,税收政策以及其他可能影响投资者判断的重大事项等方面均未发生重大变化,经营情况保持稳定。

公司管理层结合审计截止日后的经营情况和主要客户已下达订单情况,以及贵州中烟拟安排给公司的 12 月份烟标采购计划,预计 2016 年全年营业收入为 32,000.00-33,500.00 万元,相比于去年同期 32,876.34 万元,变动幅度在-2.67%至 1.90%之间;预计 2016 年全年扣除非经常性损益后归属于母公司股东的净利润为 8,300.00-9,050.00 万元,相比于去年同期 8,741.22 万元,变动幅度在-5.05%至 3.53%之间。公司经营业绩总体保持稳定,经营状况及经营成果等未发生重大不利变化。(本次业绩预测未经注册会计师审计)

第六节　其他重要事项

一、募集资金专户存储三方监管协议的安排

根据有关法律法规及《上海证券交易所上市公司募集资金管理规定办法(2013 年修订)》的要求,本公司已与保荐机构英大证券有限责任公司及专户存储募集资金的商业银行兴业银行股份有限公司贵阳分行(账号:602010100100320818)、交通银行贵阳经济技术开发区支行(账号:521000123012016003928)于 2016 年 12 月 16 日分别签订《募集资金专户存储三方监管协议》。

(一)募集资金专户开设情况

银行名称:兴业银行股份有限公司贵阳分行

账户名称:贵州永吉印务股份有限公司

金额:87,883,500.00 元

用途:冷烫工艺及后加工配套设施技改项目

银行名称:交通银行贵阳经济技术开发区支行

账户名称:贵州永吉印务股份有限公司

金额:94,798,100.00 元

用途:年产 1 万吨复合转移纸搬迁技改项目、研发设计中心建设项目

(二)募集资金专户三方监管协议主要内容

本公司简称"甲方",开户银行简称"乙方",英大证券有限责任公司简称"丙方"。

(1)甲方在不影响募集资金使用的情况下,可以以协定存款、通知存款、定期存款等方式存放募集资金,金额和期限由甲方根据募集资金的使用情况而定,但必须及时通知丙方,各种具体存放方式下的明细按月向丙方报送。甲方承诺上述存单到期后的本息将及时转入本协议规定的专户进行管理或以存单方式续存,并通知丙方。甲方存单不得质押。

(2)甲乙双方应当共同遵守《中华人民共和国票据法》、《支付结算办法》、《人民币银行结算账户管理办法》等法律法规。

(3)丙方作为甲方首次公开发行股票的保荐机构,应当依据有关规定指定保荐代表人或其他工作人员对甲方募集资金使用情况进行监督。丙方应当依据《上海证券交易所上市公司募集资金管理办法》以及甲方制订的募集资金使用管理制度履行其督导职责,并有权采取现场调查、书面问询等方式行使其监督权。甲方和乙方应当配合丙方的调查与查询。丙方每季度对甲方现场调查时应同时检查专户存储情况。

(4)甲方授权丙方指定的保荐代表人杜承彪、黎友强或其他工作人员可以随时到乙方查询、复印甲方专户的资料;乙方应及时、准确、完整地向其提供所需的有关专户的资料。

保荐代表人向乙方查询甲方专户有关情况时应出具本人的合法身份证明;丙方指定的其他工作人员向乙方查询甲方专户有关情况时应出具本人的合法身份证明和单位介绍信。

若丙方更换指定的保荐代表人或其他工作人员,应当将盖有丙方公章的证明文件书面通知乙方。被更换的保荐代表人或其他工作人员的所有相关授权自动失效。

(5)乙方按月(每月 8 日之前)向甲方出具专户银行对账单,并抄送丙方。乙方应保证对账单内容的真实、准确、完整。

(6)甲方 1 次或 12 个月以内累计从募集资金专户支取的金额超过人民币 5000 万元且达到募集资金净额的 20%的,甲方和乙方应当于支取之日起 5 个工作日以电话、传真等方式通知丙方保荐代表人,同时提供专户的支取凭证及说明。

(7)乙方连续三次未及时向丙方出具对账单,或未按照本协议第七条的约定向丙方通知专户大额支取情况,以及存在未配合丙方调查专户情形的,甲方或丙方均有权单方面终止本协议并注销专户。

(8)若丙方发现甲方从专户支取款项违反本协议规定或中国证监会、上海证券交易所相关规定,丙方有权要求甲方公告以澄清事实;若在丙方提醒后而甲方未作纠正,且后果可能危及丙方声誉的情况下,丙方有权向监管部门报告。

(9)协议任何一方如不履行或不完全履行各自在本协议中的各项责任和义务,即构成违约,应向其他各方承担违约赔偿责任。

(10)本协议适用中华人民共和国的法律法规;本协议项下及与之有关的一切争议,应首先友好协商解决,协商不成的,应交由乙方所在地的人民法院诉讼解决。

(11)本协议自甲、乙、丙三方法定代表人/负责人或其授权代表签署并加盖各自单位公章之日起生效,至专户资金全部支出完毕且丙方持续督导期结束之日后失效。

(三)开户银行承诺

事项开户银行已承诺:在《募集资金专户存储三方监管协议》生效前,未获得保荐机构英大证券有限责任公司的书面同意,将不接受贵州永吉印务股份有限公司从募集资金专户支取资金的申请。

二、其他事项

本公司在招股意向书刊登日(2016 年 12 月 2 日)至上市公告书刊登前,没有发生可能对本公司有较大影响的重要事项,具体如下:

(1)本公司主营业务发展目标进展情况正常。

(2)本公司所处行业和市场未发生重大变化,原材料采购价格和产品销售价格、原材料采购和产品销售方式等未发生重大变化。

(3)本公司未订立对公司的资产、负债、权益和经营成果产生重大影响的重要合同。

(4)本公司没有发生未履行法定程序的关联交易,且没有发生未在招股说明书中披露的重大关联交易。

(5)本公司未进行重大投资。

(6)本公司未发生重大资产(或股权)购买、出售及置换。

(7)本公司住所未发生变更。

(8)本公司董事、监事、高级管理人员及核心技术人员未发生变化。

(9)本公司未发生重大诉讼、仲裁事项。

(10)本公司未发生除正常经营业务之外的重大对外担保等或有事项。

(11)本公司的财务状况和经营成果未发生重大变化。

(12)本公司未发生其他应披露的重大事项。

第七节　上市保荐机构及其意见

一、上市保荐机构基本情况

保荐机构:英大证券有限责任公司

法定代表人:吴骏

注册地址:广东省深圳市福田区深南中路华能大厦三十、三十一层

联系地址:广东省深圳市福田区深南中路华能大厦三十、三十一层

联系电话:0755-83007352

传真号码:0755-83007150

保荐代表人:杜承彪,黎友强

联系人:黄婷婷、刘江、韩冬、吴任撷

二、上市保荐机构的推荐意见

上市保荐机构英大证券有限责任公司认为,发行人申请其 A 股股票上市符合《中华人民共和国公司法》、《中华人民共和国证券法》及《上海证券交易所股票上市规则》等法律、法规的有关规定,发行人 A 股股票具备在上海证券交易所上市的条件。上市保荐机构同意推荐贵州永吉印务股份有限公司 A 股股票在上海证券交易所上市。

森特士兴集团股份有限公司

森特士兴集团股份有限公司首次公开发行A股股票上市公告书

特别提示

本公司股票将于2016年12月16日在上海证券交易所上市。本公司提醒投资者应充分了解股票市场风险及本公司披露的风险因素，在新股上市初期切忌盲目跟风"炒新"，应当审慎决策、理性投资。

第一节 重要声明与提示

本公司及全体董事、监事、高级管理人员保证上市公告书的真实性、准确性、完整性，承诺上市公告书不存在虚假记载、误导性陈述或重大遗漏，并承担个别和连带的法律责任。

证券交易所、其他政府机关对本公司股票上市及有关事项的意见，均不表明对本公司的任何保证。

本公司提醒广大投资者注意，凡本上市公告书未涉及的有关内容，请投资者查阅刊载于上海证券交易所网站(http://www.sse.com.cn)的本公司招股说明书全文。

本公司首次公开发行股票在上市初期具有较大的价格波动风险，并存在跌破发行价格的风险，本公司提醒投资者应充分了解股票市场风险及本公司披露的风险因素，理性参与新股交易。

一、本公司特别提醒投资者特别注意下列事项

(一)股份限制流通及自愿锁定承诺

1.公司控股股东刘爱森以及担任公司董事、高级管理人员的股东翁家恩、黄亚明、刘德顺、蒋海峰、陈伟林、陈文、颜坚、苗泽献、齐涛承诺：

(1)自公司股票在证券交易所上市交易之日起三十六个月内，不转让或者委托他人管理本次发行前本人持有的公司股份，也不由公司回购所持有的公司股份；(2)本人持有公司股票的锁定期届满后两年内减持公司股票，股票减持的价格不低于公司首次公开发行股票的发行价(如有派息、送股、资本公积金转增股本等除权除息事项，则对价格做相应除权除息处理)；(3)若公司上市后6个月内公司股票连续20个交易日的收盘价均低于发行价，或者公司上市后6个月期末股票收盘价低于发行价，本人持有公司股票的锁定期限将自动延长6个月；(4)除了上述锁定期外，在其任职期间每年转让的股份不超过本人直接或间接所持公司股份总数的百分之二十五；自申报离职之日起六个月内不转让直接或间接所持公司股份。本人不因职务变更、离职等原因而放弃履行上述延长锁定期限的承诺。

2.法人股东盛亚投资和华永集团承诺

自公司股票在证券交易所上市交易之日起三十六个月内，不转让或者委托他人管理本次发行前其持有的公司股份，也不由公司回购所持有的公司股份。

3.担任公司监事的股东高伟和叶渊承诺

(1)自公司股票在证券交易所上市交易之日起三十六个月内，不转让或者委托他人管理本次发行前本人持有的公司股份，也不由公司回购所持有的公司股份；(2)除了上述锁定期外，在本人任职期间每年转让的股份不超过本人直接或间接所持公司股份总数的百分之二十五，自申报离职之日起六个月内不转让直接或间接所持公司股份。

4.其他自然人股东陈俊臣、孟托、苟军利、黄平良、郑锦泉、魏良庆、任黎明、李宏乾、叶树周、李艳霞、马继峰、时冬娅、朱天永、林平、滕飞、王立永、方如华和王跃清承诺

自公司股票在证券交易所上市交易之日起三十六个月内，不转让或者委托他人管理本次发行前本人持有的公司股份，也不由公司回购所持有的公司股份。

(二)稳定公司股价的预案

1.启动股价稳定措施的具体条件

公司上市后3年内股票收盘价连续20个交易日低于最近一期经审计的每股净资产，且满足监管机构对于回购、增持公司股份等行为的规定，则触发公司、公司董事、高级管理人员及公司控股股东履行稳定公司股价的义务(以下简称"触发稳定股价义务")。

2.稳定公司股价的具体措施

(1)于触发稳定股价义务之日起10个交易日内，公司控股股东应通过增持公司股份的方式以稳定公司股价，并向公司送达增持公司股票书面通知(以下简称"增持通知书")，增持通知书应包括增持股份数量、增持价格、增持期限、增持目标及其他有关增持的内容。公司控股股东应于触发稳定股价义务之日起3个月内增持股份，但股票收盘价连续20个交易日高于最近一期经审计的每股净资产，则控股股东可中止实施增持计划。

(2)如公司控股股东于触发稳定股价义务之日起10个交易日内未向公司送达增持通知书或未按披露的增持计划实施，公司董事会应于确认前述事项之日起10个交易日内公告回购公司股份的预案，回购预案包括但不限于回购股份数量、回购价格区间、回购资金来源、回购对公司股价及公司经营的影响等内容。公司应于触发回购义务起3个月内回购公司股份，但股票收盘价连续20个交易日高于最近一期经审计的每股净资产，则公司可中止回购股份计划。用于回购股份的资金自回购当年起分配给公司控股股东的分红款项中扣除。

(3)公司董事(不包括独立董事，下同)、高级管理人员应于触发稳定股价义务之日起10个交易日内(如期间存在N个交易日限制董事、高级管理人员买卖股票，则董事、高级管理人员应于触发稳定股价义务之日起10+N个交易日内)，向公司送达增持通知书，增持通知书应包括增持股份数量、增持价格确定方式、增持期限、增持目标及其他有关增持的内容，其累计增持资金金额不低于其上一年度公司对其现金股利分配总额之和的50%，但公司股票收盘价连续20个交易日高于最近一期经审计的每股净资产，则董事、高级管理人员可中止实施增持计划。

(4)公司、公司董事、高级管理人员及公司控股股东在履行上述增持或回购义务时，应按照上海证券交易所股票上市规则及其他适用的监管规定履行其相应的信息披露义务。

(5)任何对本预案的修订均应经股东大会审议通过，且需经出席股东大会的股东所持有表决权股份总数的三分之二以上同意通过。

3.未能履行增持或回购义务的约束措施

(1)如控股股东已向公司送达增持通知书但未能实际履行增持义务的，则公司有权将用于实施回购股票计划相等金额的应付控股股东现金分红予以扣留。

(2)如控股股东、公司的董事及高级管理人员增持股份影响公司上市地位的，则公司有权将应付控股股东、公司的董事及高级管理人员的现金分红用于股份回购计划。

(3)如公司董事、高级管理人员如未能履行其增持义务的，则公司有权将应付董事、高级管理人员的薪酬及现金分红予以扣留，直至董事、高级管理人员履行其增持义务。

(三)关于因信息披露重大违规赔偿损失、回购新股的承诺

1.发行人承诺

森特士兴集团股份有限公司首次公开发行股票并上市的招股说明书如有虚

假记载、误导性陈述或者重大遗漏，对判断本公司是否符合法律规定的发行条件构成重大、实质影响的，公司应该在得知该事实的次一交易日公告，并将依法回购公司股份。公司董事会在公告后的七个交易日内制定股份回购预案并公告，按证监会、交易所的规定和预案启动股份回购措施。公司将以不低于发行价的价格回购所有首次公开发行的新股。

2.控股股东及实际控制人承诺

森特士兴集团股份有限公司首次公开发行股票并上市的招股说明书如有虚假记载、误导性陈述或者重大遗漏，对判断本公司是否符合法律规定的发行条件构成重大、实质影响的，本人将督促发行人依法回购首次公开发行的全部新股，并且本人将以不低于发行价的价格回购已转让的原限售股份。

3.董事、监事、高级管理人员承诺

森特士兴集团股份有限公司首次公开发行股票并上市的招股说明书如有虚假记载、误导性陈述或者重大遗漏，致使投资者在证券交易中遭受损失的，本人承诺将依法赔偿投资者损失。

4.保荐机构承诺

保荐机构兴业证券承诺：如因本保荐机构为发行人首次公开发行股票制作、出具的文件有虚假记载、误导性陈述或者重大遗漏，给投资者造成损失的，将先行赔偿投资者损失。

5.发行人律师承诺

发行人律师北京市天元律师事务所承诺：因为发行人首次公开发行制作、出具的文件有虚假记载、误导性陈述或者重大遗漏，给投资者造成损失的，北京天元将依法赔偿投资者损失。

6.申报会计师、验资机构承诺

申报会计师、验资机构华普天健会计师事务所(特殊普通合伙)承诺：如华普天健在本次发行工作期间未勤勉尽责，导致华普天健所制作、出具的文件对重大事项作出违背事实真相的虚假记载、误导性陈述，或在披露信息时发生重大遗漏，并造成投资者直接经济损失的，在该等违法事实被认定后，华普天健将本着积极协商、切实保障投资者特别是中小投资者利益的原则，自行并督促发行人及其他过错方一并对投资者直接遭受的、可测算的经济损失，选择与投资者和解、通过第三方与投资者调解及设立投资者赔偿基金等方式进行赔偿。华普天健保证遵守以上承诺，勤勉尽责地开展业务，维护投资者合法权益，并对此承担责任。

(四)持股5%以上股东持股意向及减持意向

本次发行完成前持股5%以上股份的股东刘爱森、翁家恩、盛亚投资、华永集团做出声明及承诺如下：

(1)持股及减持意向：锁定期届满后两年内，若减持，则每年减持不超过公司总股数的10%。

(2)减持条件：出售价格不低于发行价(如有派息、送股、资本公积金转增股本等除权除息事项，则对价格做相应除权除息处理)，并在减持前3个交易日予以公告。

(3)减持方式：自第一笔减持起算，预计未来1个月内公开出售股份的数量不超过该公司股份总数1%的，通过证券交易所集中竞价交易系统转让所持股份；超过1%的，通过证券交易所大宗交易系统转让所持股份。

(4)未能履行承诺约束措施：违反承诺部分获利归公司所有。

(五)未履行承诺的约束措施

1.发行人承诺

如果本公司未能履行作出的相关承诺，将及时、充分披露未能履行相关承诺的具体原因，向公司投资者或者利益相关方提出补充承诺，以保护公司投资者或者利益相关方的利益；致使投资者在证券交易中遭受损失的，本公司承诺将依法赔偿投资者损失。

2.发行人控股股东、实际控制人、董事、监事和高级管理人员承诺

如果本人或者森特士兴集团股份有限公司的董事、监事和高级管理人员违反了做出的关于《招股说明书》真实、准确、完整的承诺，森特士兴集团股份有限公司有权将应付给本人的现金分红(或独立董事津贴、个人从公司领取的工资)予以暂时扣留，直至相关董事、监事、高级管理人员实际履行相关承诺义务为止。

(六)保荐机构和发行人律师核查意见

发行人已披露了发行人及其控股股东、实际控制人、发行前的全体股东、公司董事、监事、高级管理人员及持有公司5%以上股份的股东作出的承诺及其约束措施。保荐机构、发行人律师经核查认为：发行人及其相关方作出的上述承诺合法、合理，失信补救措施及时、有效。

(七)本次发行完成前滚存利润的分配安排

经公司2014年第二次临时股东大会决议，本次公开发行股票前的滚存未分配利润由公司公开发行股票后登记在册的新老股东按持股比例共享。

(八)发行后的股利分配政策和决策程序

根据《公司章程(草案)》，公司发行上市后的股利分配政策如下：

公司在制定利润分配政策和具体方案时，应当重视投资者的合理投资回报，并兼顾公司的长远利益和可持续发展，保持利润分配政策的连续性和稳定性。在有条件的情况下，公司可以进行中期利润分配。

公司利润分配可采取现金、股票、现金与股票相结合或者法律、法规允许的其他方式。公司在选择利润分配方式时，相对于股票股利等分配方式优先采用现金分红的利润分配方式。根据公司现金流状况、业务成长性、每股净资产规模等真实合理因素，公司可以采用发放股票股利方式进行利润分配。

1.差异化的现金分红政策

公司具备现金分红条件的，公司应当采取现金方式分配股利，以现金方式分配的利润不少于当年实现的可分配利润的20%；公司在实施上述现金分配股利的同时，可以派发股票股利。

公司董事会应当综合考虑所处行业特点、发展阶段、自身经营模式、盈利水平以及是否有重大资金支出安排等因素，区分下列情形，并按照公司章程规定的程序，提出差异化的现金分红政策：

(1)公司发展阶段属成熟期且无重大资金支出安排的，进行利润分配时，现金分红在本次利润分配中所占比例最低应达到80%；

(2)公司发展阶段属成熟期且有重大资金支出安排的，进行利润分配时，现金分红在本次利润分配中所占比例最低应达到40%；

(3)公司发展阶段属成长期且有重大资金支出安排的，进行利润分配时，现金分红在本次利润分配中所占比例最低应达到20%；

公司发展阶段不易区分但有重大资金支出安排的，可以按照前项规定处理。

2.公司利润分配方案的决策程序和机制

(1)公司每年利润分配预案由董事会结合公司章程的规定、盈利情况、资金供给和需求情况提出、拟订。董事会审议现金分红具体方案时，应当认真研究和论证公司现金分红的时机、条件和最低比例、调整的条件及决策程序要求等事宜，独立董事应对利润分配方案进行审核并发表独立明确的意见，董事会通过后提交股东大会审议。

独立董事可以征集中小股东的意见，提出分红提案，并直接提交董事会审议。股东大会对现金分红具体方案进行审议时，应通过多种渠道主动与股东特别是中小股东进行沟通和交流，包括但不限于电话、传真和邮件沟通或邀请中小股东参会等方式，充分听取中小股东的意见和诉求，并及时答复中小股东关心的问题。

(2)公司因特殊情况而不进行现金分红时，公司应在董事会决议公告和年报全文中披露未进行现金分红或现金分配低于规定比例的原因，以及公司留存收益的确切用途及预计投资收益等事项进行专项说明，经独立董事发表意见后提交股东大会审议。

(3)董事会审议制定或修改利润分配相关政策时，须经全体董事过半数表决通过方可提交股东大会审议；股东大会审议制定或修改利润分配相关政策时，须经出席股东大会会议的股东(包括股东代理人)所持表决权的三分之二以上表决通过。

(4)公司股东大会对利润分配方案作出决议后，公司董事会须在股东大会召开后2个月内完成股利的派发事项。存在股东违规占用公司资金情况的，公司应当扣减该股东所分配的现金红利，以偿还其占用的资金。

3.公司利润分配政策的调整

如遇到战争、自然灾害等不可抗力，并对公司生产经营造成重大影响时，或公司自身经营状况发生重大变化时，公司可对利润分配政策进行调整，但调整后的利润分配政策不得违反相关法律、行政法规、部门规章和政策性文件的规定。

公司调整利润分配方案，应当按照“2、公司利润分配方案的决策程序和机制”的规定履行相应决策程序。

4.利润分配政策的披露

公司应当在年度报告中详细披露利润分配政策的制定及执行情况，说明是否符合公司章程的规定或者股东大会决议的要求；现金分红标准和比例是否明确和清晰；相关的决策程序和机制是否完备；独立董事是否尽职履责并发挥了应有的作用；中小股东是否有充分表达意见和诉求的机会，中小股东的合法权益是否得到充分保护等。如涉及利润分配政策进行调整或变更的，还要详细说明调整或变更的条件和程序是否合规和透明等。

(九)财务报告审计截止日后的主要财务信息及经营情况

截至本上市公告书签署日，公司经营情况良好，主营业务、经营模式未发生重大变化，管理层及核心业务人员稳定，主要原材料及劳务采购价格、主要客户和供应商构成等未发生重大变化，公司在税收政策等其他可能影响投资者判断的重大事项方面未发生重大变化，不存在可能影响投资者判断的重大事项。

根据华普天健会计师事务所(特殊普通合伙)出具的“会专字[2016]4897号”《审阅报告》，2016年1-9月，公司实现营业收入104,292.91万元，较去年同期增长62.70%，2016年1-9月实现净利润14,008.00万元，较去年同期增长50.22%，主要原因是公司当期执行中的工程项目施工工程量较去年同期有大幅提高。

预计2016年全年公司营业收入比2015年变动幅度为44.57%-53.90%，即15.50-16.50亿元；净利润变动幅度为15.48%-21.25%，即2.00-2.10亿元；归属于母公司股东的净利利润变动幅度为15.48%-21.25%，即2.00-2.10亿元。

二、其他说明事项

本次发行不涉及老股转让情形。

如无特别说明，本上市公告书中的简称或名词的释义与本公司首次公开发行股票招股说明书中的相同。

第二节　股票上市情况

一、公司股票发行上市审核情况

(一)编制上市公告书的法律依据

本上市公告书是根据《中华人民共和国公司法》、《中华人民共和国证券法》和《上海证券交易所股票上市规则》等国家有关法律、法规的规定，并按照上海证券交易所《股票上市公告书内容与格式指引》编制而成，旨在向投资者提供有关森特士兴集团股份有限公司(以下简称“本公司”、“公司”、或“森特股份”)首次公开发行股票(A股)并上市的基本情况。

(二)股票发行的核准部门及文号

本公司首次公开发行A股股票(简称“本次发行”)经中国证券监督管理委员会“证监许可[2016]2618号”批复核准。

本次发行采用网下向符合条件的投资者询价配售(以下简称“网下发行”)与网上按市值申购向社会公众投资者定价发行(以下简称“网上发行”)相结合的方式。

(三)上海证券交易所同意股票上市文件的文号

本公司A股股票上市经上海证券交易所“自律监管决定[2016]308号”文核准。本公司发行的人民币普通股股票在上海证券交易所上市，股票简称“森特股份”，股票代码“603098”；其中本次公开发行的6,251万股股票将于2016年12月16日起上市交易。

二、股票上市相关信息

(一)上市地点：上海证券交易所

(二)上市时间：2016年12月16日

(三)股票简称：森特股份

(四)股票代码：603098

(五)本次公开发行后的总股本：40,001万股

(六)本次公开发行的股票数量:6,251 万股

(七)本次上市的无流通限售及锁定安排的股票数量:6,251 万股

(八)发行前股东所持股份的流通限制及期限以及发行前股东对所持股份自愿锁定的承诺

1.公司控股股东刘爱森以及担任公司董事、高级管理人员的股东翁家恩、黄亚明、刘德顺、蒋海峰、陈伟林、陈文、颜坚、苗泽献、齐涛承诺

(1)自公司股票在证券交易所上市交易之日起三十六个月内,不转让或者委托他人管理本次发行前本人持有的公司股份,也不由公司回购所持有的公司股份;(2)本人持有公司股票的锁定期届满后两年内减持公司股票,股票减持的价格不低于公司首次公开发行股票的发行价(如有派息、送股、资本公积金转增股本等除权除息事项,则对价格做相应除权除息处理);(3)若公司上市后 6 个月内公司股票连续 20 个交易日的收盘价均低于发行价,或者公司上市后 6 个月期末股票收盘价低于发行价,本人持有公司股票的锁定期限将自动延长 6 个月;(4)除了上述锁定期外,在其任职期间每年转让的股份不超过本人直接或间接所持公司股份总数的百分之二十五; 自申报离职之日起六个月内不转让直接或间接所持公司股份。本人不因职务变更、离职等原因而放弃履行上述延长锁定期限的承诺。

2.法人股东盛亚投资和华永集团承诺

自公司股票在证券交易所上市交易之日起三十六个月内, 不转让或者委托他人管理本次发行前其持有的公司股份,也不由公司回购所持有的公司股份。

3.担任公司监事的股东高伟和叶渊承诺

(1)自公司股票在证券交易所上市交易之日起三十六个月内,不转让或者委托他人管理本次发行前本人持有的公司股份,也不由公司回购所持有的公司股份;(2)除了上述锁定期外,在本人任职期间每年转让的股份不超过本人直接或间接所持公司股份总数的百分之二十五, 自申报离职之日起六个月内不转让直接或间接所持公司股份。

4.其他自然人股东陈俊臣、孟托、荀军利、黄平良、郑锦泉、魏良庆、任黎明、李宏乾、叶树周、李艳霞、马继峰、时冬娅、朱天永、林平、滕飞、王立永、方如华和王跃清承诺

自公司股票在证券交易所上市交易之日起三十六个月内, 不转让或者委托他人管理本次发行前本人持有的公司股份,也不由公司回购所持有的公司股份。

(九)股票登记机构:中国证券登记结算有限责任公司上海分公司

(十)上市保荐机构:兴业证券股份有限公司

第三节 公司、股东和实际控制人情况

一、公司基本情况

中文名称:森特士兴集团股份有限公司

英文名称:CENTERINTERNATIONALGROUPCO.,LTD.

法定代表人:刘爱森

注册资本:33,750 万元(本次发行前)

成立日期:2001 年 12 月 5 日

住所:北京市北京经济技术开发区永昌北路 3 号 3 幢 8404 室

经营范围:生产高端建筑金属屋面系统、高端建筑金属墙面系统、金属复合幕墙系统、金属工业门、C 型钢、薄壁型钢、环保吸音建材、新型屋面通风采光系统、压型钢板及其配套机具;钢结构的制造加工;新型金属建筑材料的研发与制造;钢结构工程专业承包;对外承包工程;工程勘察设计;销售高端建筑金属屋面系统、高端建筑金属墙面系统、金属复合幕墙系统、压型彩钢板、金属工业门、C 型钢、薄壁型钢、环保吸音建材、新型屋面通风采光系统、新型金属建筑材料、压型钢板及其配套机具、各类幕墙、门窗;钢结构构件及配套安装与服务;环境噪音治理;钢结构工程设计;投资与资产管理;技术进出口、货物进出口、代理进出口;仓储服务;技术开发、技术服务、技术推广。

主营业务:研发、生产、销售绿色、环保、节能新型建材并提供相关工程设计、生产、安装和售后等一体化服务,主要承接金属围护系统工程(屋面系统、墙面系统)和声屏障系统工程,提供从工程咨询、设计、专用材料供应和加工制作到安装施工全过程的工程承包服务。

所属行业:建筑装饰和其他建筑业

电话号码:010-67856668

传真:010-67856669

互联网地址:http://www.centerint.com

电子信箱:stock@centerint.com

董事会秘书:齐涛

董事、监事、高级管理人员名单

(1)截至本上市公告书刊登之日,本公司董事名单如下:

姓 名	公司职务	本届任期
刘爱森	董事长、总经理	2015 年 12 月-2018 年 12 月
李桂茹	董事	2015 年 12 月-2018 年 12 月
翁家恩	董事、副总经理	2015 年 12 月-2018 年 12 月
刘培华	董事	2015 年 12 月-2018 年 12 月
李建群	董事	2015 年 12 月-2018 年 12 月
杨冠三	独立董事	2015 年 12 月-2018 年 12 月
王树平	独立董事	2015 年 12 月-2018 年 12 月
苏中一	独立董事	2015 年 12 月-2018 年 12 月

(2)截至本上市公告书刊登之日,本公司监事名单如下:

姓 名	公司职务	本届任期
叶 渊	监事会主席	2015 年 12 月-2018 年 12 月
高 伟	监事	2015 年 12 月-2018 年 12 月
谢 莉	监事	2015 年 12 月-2018 年 12 月

(3)截至本上市公告书刊登之日,本公司高级管理人员名单如下:

姓 名	公司职务	本届任期
刘爱森	董事长、总经理	2015 年 12 月-2018 年 12 月
翁家恩	董事、副总经理	2015 年 12 月-2018 年 12 月
齐 涛	副总经理、董事会秘书	2015 年 12 月-2018 年 12 月
刘德顺	副总经理、财务总监	2015 年 12 月-2018 年 12 月
黄亚明	副总经理	2015 年 12 月-2018 年 12 月
颜 坚	副总经理	2015 年 12 月-2018 年 12 月
苗泽献	副总经理	2015 年 12 月-2018 年 12 月
蒋海峰	副总经理	2015 年 12 月-2018 年 12 月
陈 文	副总经理	2015 年 12 月-2018 年 12 月
陈伟林	副总经理	2015 年 12 月-2018 年 12 月

董事、监事、高级管理人员直接或间接持有本公司股票、债券等情况

姓 名	职 务	直接持股		间接持股		合计持股
		股份数(万股)	比例	股份数(万股)	比例	数(万股)(注 2)
刘爱森	董事长、总经理	14,168.985	35.42%	–	–	14,168.985
李桂茹(注 1)	董事	–	–	8,805.39	22.01%	8,805.39
翁家恩	董事、副总经理	2,325.00	5.81%	–	–	2,325.00
叶 渊	监事会主席	45.00	0.11%	–	–	45.00
高 伟	监事	75.00	0.19%	–	–	75.00
齐 涛	董事会秘书、副总经理	120.00	0.30%	–	–	120.00
黄亚明	副总经理	120.00	0.30%	–	–	120.00
刘德顺	副总经理、财务总监	120.00	0.30%	–	–	120.00
蒋海峰	副总经理	120.00	0.30%	–	–	120.00
陈伟林	副总经理	120.00	0.30%	–	–	120.00
陈 文	副总经理	120.00	0.30%	–	–	120.00
颜 坚	副总经理	120.00	0.30%	–	–	120.00
苗泽献	副总经理	60.00	0.15%	–	–	60.00

注 1:盛亚投资持有公司 8,805.39 万股,李桂茹和刘爱森分别持有盛亚投资 65.30%和 34.70%股权

注 2:上述持股情况为本次公开发行后董事、监事和高级管理人员持股情况,本次公开发行不设老股转让

二、公司控股股东及实际控制人的情况

刘爱森发行后直接持有公司 35.42%的股份,是公司控股股东。刘爱森、李桂茹夫妇发行后通过盛亚投资间接持有公司 22.01%的股份,刘爱森、李桂茹夫妇发行后直接和间接合计持有公司 57.43%的股份。刘爱森、李桂茹夫妇为公司的实际控制人。刘爱森、刘桂茹其基本情况如下:

刘爱森先生:中国国籍,无境外永久居留权,1972 年出生,硕士研究生学历。现任森特士兴集团股份有限公司董事长(法定代表人)、总经理,森特(北京)国际建筑系统有限公司董事,森特国际集团投资有限公司董事,北京烨兴钢制品有限公司监事。

李桂茹女士:中国国籍,无境外永久居留权,1971 年出生,大学本科学历。现任森特士兴集团股份有限公司董事,北京士兴盛亚投资有限公司执行董事(法定代表人),北京华氢创世科技有限公司执行董事(法定代表人),森特(北京)国际建筑系统有限公司董事长(法定代表人),北京华油士兴钢结构有限公司董事长(法定代表人)。

三、股东情况

(一)本次发行前后的股本结构变动情况

本次发行前,该公司的总股本为 33,750 万股,本次发行 6,251 万股 A 股,占发行后该公司总股

本的 15.63%。本次发行前后的股本结构如下：

股份类型 (股东名称)	发行前股本结构		发行后股本结构		
	股数 (万股)	比例	股数 (万股)	比例	锁定限制及期限
一、有限售条件流通股	33,750.00	100%	33,750.00	84.37%	—
刘爱森	14,168.99	41.98%	14,168.99	35.42%	自上市之日起锁定 36 个月
盛亚投资	8,805.39	26.09%	8,805.39	22.01%	自上市之日起锁定 36 个月
华永集团	6,530.63	19.35%	6,530.63	16.33%	自上市之日起锁定 36 个月
翁家恩	2,325.00	6.89%	2,325.00	5.81%	自上市之日起锁定 36 个月
刘德顺	120.00	0.36%	120.00	0.30%	自上市之日起锁定 36 个月
黄亚明	120.00	0.36%	120.00	0.30%	自上市之日起锁定 36 个月
颜　坚	120.00	0.36%	120.00	0.30%	自上市之日起锁定 36 个月
蒋海峰	120.00	0.36%	120.00	0.30%	自上市之日起锁定 36 个月
陈伟林	120.00	0.36%	120.00	0.30%	自上市之日起锁定 36 个月
陈　文	120.00	0.36%	120.00	0.30%	自上市之日起锁定 36 个月
齐　涛	120.00	0.36%	120.00	0.30%	自上市之日起锁定 36 个月
陈俊臣	90.00	0.27%	90.00	0.22%	自上市之日起锁定 36 个月
孟　托	90.00	0.27%	90.00	0.22%	自上市之日起锁定 36 个月
苟军利	75.00	0.22%	75.00	0.19%	自上市之日起锁定 36 个月
高　伟	75.00	0.22%	75.00	0.19%	自上市之日起锁定 36 个月
郑锦泉	75.00	0.22%	75.00	0.19%	自上市之日起锁定 36 个月
魏良庆	75.00	0.22%	75.00	0.19%	自上市之日起锁定 36 个月
苗泽献	60.00	0.18%	60.00	0.15%	自上市之日起锁定 36 个月
李宏乾	60.00	0.18%	60.00	0.15%	自上市之日起锁定 36 个月
叶树周	60.00	0.18%	60.00	0.15%	自上市之日起锁定 36 个月
李艳霞	45.00	0.13%	45.00	0.11%	自上市之日起锁定 36 个月
叶　渊	45.00	0.13%	45.00	0.11%	自上市之日起锁定 36 个月
时冬娅	45.00	0.13%	45.00	0.11%	自上市之日起锁定 36 个月
朱天永	45.00	0.13%	45.00	0.11%	自上市之日起锁定 36 个月
林　平	45.00	0.13%	45.00	0.11%	自上市之日起锁定 36 个月
滕　飞	45.00	0.13%	45.00	0.11%	自上市之日起锁定 36 个月
王立永	30.00	0.09%	30.00	0.07%	自上市之日起锁定 36 个月
方如华	30.00	0.09%	30.00	0.07%	自上市之日起锁定 36 个月
王跃清	30.00	0.09%	30.00	0.07%	自上市之日起锁定 36 个月
任黎明	30.00	0.09%	30.00	0.07%	自上市之日起锁定 36 个月
马继峰	15.00	0.04%	15.00	0.04%	自上市之日起锁定 36 个月
黄平良	15.00	0.04%	15.00	0.04%	自上市之日起锁定 36 个月
二、无限售条件流通股	—	—	6,251.00	15.63%	—
本次发行社会公众股	—	—	6,251.00	15.63%	—
合计	33,750.00	100%	40,001.00	100%	—

(二)前十名股东持股情况

本次发行后、上市前,公司股东户数为 54,115 户,其中前十名股东持股情况如下:

序号	股东名称	持股数量(万股)	持股比例
1	刘爱森	14,168.99	35.42%
2	北京士兴盛亚投资有限公司	8,805.39	22.01%
3	华永投资集团有限公司	6,530.63	16.33%
4	翁家恩	2,325.00	5.81%
5	齐　涛	120.00	0.30%
6	刘德顺	120.00	0.30%
7	黄亚明	120.00	0.30%
8	陈伟林	120.00	0.30%
9	颜　坚	120.00	0.30%
10	蒋海峰	120.00	0.30%
合计		32,550.01	81.37%

第四节　股票发行情况

一、发行数量:6,251 万股

二、发行价格:9.18 元/股

三、每股面值:1.00 元

四、发行方式

本次发行采用网下向符合条件的投资者询价配售与网上按市值申购向社会公众投资者定价发行相结合的方式。其中,网下向配售对象配售 6,229,999 股;网上申购发行 56,140,545 股;主承销商包销股份的数量为 139,456 股,包销金额为 1,280,206.08 元,主承销商包销比例为 0.22%。

五、募集资金总额及注册会计师对资金到位的验证情况

(1)本次募集资金总额为 57,384.18 万元,均为新股发行。

(2)华普天健会计师事务所(特殊普通合伙)于 2016 年 12 月 7 日对本次发行的资金到位情况、新增注册资本及股本情况进行了审验,并出具了《验资报告》(会验字[2016]5097 号)。

六、发行费用总额及明细构成、每股发行费用

本次发行费用总计为 6,270 万元,均由发行人承担。根据华普天健会计师事务所(特殊普通合伙)出具的《验资报告》(会验字[2016]5097 号),发行费用主要包括:

序号	项目	费用金额(元)
1	承销保荐费	47,600,000.00
2	审计费用	6,250,000.00
3	律师费用	3,800,000.00
4	信息披露费等	5,050,000.00
合计		62,700,000.00

每股发行费用:1.00 元。(每股发行费用=发行费用总额/本次新股发行股数)

七、募集资金净额:51,114.18 万元

八、发行后每股净资产

3.67 元/股(按照 2016 年 6 月 30 日经审计的归属于母公司股东的净资产加上本次募集资金净额除以本次发行后总股本计算)。

九、发行后每股收益

0.3995 元/股(每股收益按照 2015 年经审计归属于母公司股东的扣除非经常性损益前后孰低的净利润除以本次发行后总股本计算)。

十、发行市盈率

22.98 倍(每股收益按照 2015 年经审计归属于母公司股东的扣除非经常性损益前后孰低的净利润除以本次发行后总股本计算)。

第五节　财务会计资料

公司 2013 年年度、2014 年年度、2015 年年度的财务数据已经华普天健会计师事务所(特殊普通合伙)审计,2016 年 1–9 月的财务数据已经华普天健会计师事务所(特殊普通合伙)审阅,并在招股说明书中进行了详细披露。

一、合并资产负债表主要数据

单位:万元

项目	2016.9.30	2015.12.31	2014.12.31	2013.12.31
流动资产合计	141,509.68	128,031.45	117,716.66	88,667.16
非流动资产合计	32,912.86	27,489.09	19,918.87	13,558.91
资产总计	174,422.54	155,520.55	137,635.52	102,226.07
流动负债合计	68,507.89	51,881.31	54,854.56	42,361.14
非流动负债合计	4,947.88	6,771.16	3,507.22	20.00
负债合计	73,455.77	58,652.47	58,361.78	42,381.14
股东权益	100,966.77	96,868.08	79,273.74	59,844.93
归属于母公司股权权益合计	100,966.77	96,868.08	79,273.74	59,844.93

二、合并利润表主要数据

单位:万元

项目	2016 年 1–9 月	2015 年	2014 年	2013 年
营业收入	104,292.91	107,215.55	137,849.49	120,882.81
营业利润	15,194.59	18,460.34	30,275.81	27,533.38
利润总额	16,657.64	20,145.58	30,295.46	27,907.44
净利润	14,008.00	17,319.34	25,766.73	23,641.13
其中:归属于母公司股东的净利润	14,008.00	17,319.34	25,766.73	23,641.13
其中:扣除非经常性损益后				
归属于母公司股东的净利润	12,915.36	15,978.40	25,751.27	23,315.38

三、合并现金流量表主要数据

单位:万元

项　目	2016 年 1–9 月	2015 年	2014 年	2013 年

经营活动产生的现金流量净额	6,075.86	8,859.45	1,868.49	-683.93
投资活动产生的现金流量净额	-5,560.12	-5,452.91	-7,046.86	-7,277.53
筹资活动产生的现金流量净额	-1,267.27	-4,741.08	7,072.83	9,299.99
现金及现金等价物净增加额	-751.53	-1,334.54	1,894.47	1,338.54

四、主要财务指标

主要财务指标	2016 年 1-9 月/2016 年 9 月末	2015 年/2015 年末	2014 年/2014 年末	2013 年/2013 年末
流动比率(倍)	2.07	2.47	2.15	2.09
速动比率(倍)	0.97	1.13	0.87	0.82
资产负债率(母公司)	41.93%	37.49%	43.03%	40.60%
应收账款周转率(次/年)	2.11	2.57	4.52	5.51
存货周转率(次/年)	1.08	1.06	1.49	1.89
息税折旧摊销前利润(万元)	18,600.30	22,756.36	32,728.69	29,396.13
利息保障倍数(倍)	13.08	11.78	22.87	46.69
净资产收益率(加权平均)	14.39%	19.63%	35.23%	48.10%
基本每股收益(元/股)	0.42	0.51	0.76	0.70
扣除非经常性损益后的基本每股收益(元/股)	0.38	0.47	0.76	0.69
每股经营活动产生的现金流量净额(元/股)	0.18	0.26	0.06	-0.02
每股净现金流量(元/股)	-0.02	-0.04	0.06	0.04
无形资产(扣除土地使用权)占净资产比例	0.15%	0.22%	0.48%	0.10%

五、2016 年全年经营业绩预计

预计 2016 年全年公司营业收入比 2015 年变动幅度为 44.57%~53.90%，即 15.50~16.50 亿元；净利润变动幅度为 15.48%~21.25%，即 2.00~2.10 亿元；归属于母公司股东的净利利润变动幅度为 15.48%~21.25%,即 2.00~2.10 亿元。

第六节　其他重要事项

一、募集资金专户存储三方监管协议的安排

为规范本公司募集资金管理,保护投资者权益,根据有关法律法规及《上海证券交易所上市公司募集资金管理办法》的规定,本公司分别在北京银行股份有限公司金运支行、兴业银行股份有限公司北京经济技术开发区支行、中国民生银行股份有限公司北京分行、南京银行股份有限公司北京分行和招商银行股份有限公司北京方庄支行(以下简称"开户行")开设专户作为募集资金专项账户,2016 年 12 月 7 日,本公司及保荐机构兴业证券股份有限公司(以下简称"保荐机构"、"兴业证券")与开户行分别签署《森特士兴集团股份有限公司募集资金专户存储三方监管协议》(以下简称"协议")。协议约定的主要条款如下：

(1) 本公司已在开户行开设募集资金专用账户（以下简称"专户"），账号分别为 20000023076500013780728、321130100100295661、699226689、0518270000000002 和 755925021110203。专户仅用于本公司补充工程承包业务营运资金项目和新型材料生产基地建设项目募集资金的存储和使用,不得用作其他用途。

本公司对募集资金专用账户中部分募集资金可以以不同期限的定期存单等允许方式存储,并及时通知兴业证券。本公司承诺上述存单等到期后将及时转入本协议规定的募集资金专户进行管理或以存单等方式续存,并通知兴业证券。本公司存单等不得质押。

(2)本公司和开户行应当共同遵守《中华人民共和国票据法》、《支付结算办法》、《人民币银行结算账户管理办法》等法律、行政法规、部门规章。

(3)兴业证券作为本公司的保荐机构,应当依据有关规定指定保荐代表人或者其他工作人员对本公司募集资金使用情况进行监督。

兴业证券承诺按照《证券发行上市保荐业务管理办法》、《上海证券交易所上市公司募集资金管理办法》以及本公司制订的募集资金管理制度对本公司募集资金的管理与使用履行保荐职责,进行持续督导工作。

兴业证券可以采取现场调查、书面问询等方式行使其监督权。本公司和开户行应当配合兴业证券的调查与查询。兴业证券每半年度对本公司现场调查时应当同时检查募集资金专户存储情况。

(4)本公司授权兴业证券指定的保荐代表人余银华、唐勇俊可以随时到开户行查询、复印本公司专户的资料;开户行应当及时、准确、完整地向其提供所需的有关专户资料。

保荐代表人向开户行查询本公司专户有关情况时应出具本人的合法身份证明；兴业证券指定的其他工作人员向开户行查询本公司专户有关情况时应出具本人的合法身份证明和单位介绍信。

(5)开户行按月(每月 15 日之前)向本公司出具上月对账单,并同时抄送兴业证券。开户行应保证对账单内容真实、准确、完整。

(6)本公司一次或 12 个月以内累计从专户中支取的金额超过 _5,000_ 万元或达到发行募集资金总额扣除发行费用后的净额(以下简称"募集资金净额")的 20%的,本公司及开户行应当及时以传真方式通知兴业证券,同时提供专户的支出清单。

(7)兴业证券有权根据有关规定更换指定的保荐代表人。兴业证券更换保荐代表人的,应将相关证明文件书面通知开户行。更换保荐代表人不影响本协议的效力。

(8)开户行连续三次未及时向本公司、兴业证券出具或抄送对账单,以及存在未配合兴业证券调查专户情形的，本公司可以主动或者在兴业证券的要求下单方面终止本协议并注销募集资金专户。

(9)兴业证券发现本公司、开户行未按约定履行本协议的,应当在知悉有关事实后及时向上海证券交易所书面报告。

(10)本协议自本公司、开户行、兴业证券三方法定代表人/负责人或者其授权代表签署并加盖各自单位公章之日起生效,至专户资金全部支出完毕且兴业证券督导期结束(2018 年 12 月 31 日)后失效。

二、其他事项

本公司自 2016 年 11 月 23 日刊登首次公开发行股票招股意向书至本上市公告书刊登前,没有发生可能对公司有较大影响的重要事项,具体如下：

(1)本公司严格依照《公司法》、《证券法》等法律法规的要求,规范运作,经营状况正常,主营业务目标进展情况正常;

(2)本公司生产经营情况、外部条件或生产环境未发生重大变化(包括原材料采购和产品销售价格、原材料采购和产品销售方式、所处行业或市场的重大变化等);

(3)除正常经营活动签订的采购、销售等商务合同外,本公司未订立可能对公司的资产、负债、权益和经营成果产生重大影响的重要合同;

(4)本公司未发生重大关联交易事项,资金未被关联方非经营性占用;

(5)本公司未进行重大投资;

(6)本公司未发生重大资产(或股权)购买、出售及置换;

(7)本公司住所没有变更;

(8)本公司董事、监事、高级管理人员及核心技术人员未发生变化;

(9)本公司未发生重大诉讼、仲裁事项;

(10)本公司未发生对外担保等或有事项;

(11)本公司的财务状况和经营成果未发生重大变化;

(12)本公司未召开董事会、监事会和股东大会;

(13)本公司无其他应披露的重大事项。

第七节　上市保荐机构及其意见

一、上市保荐机构情况

保荐人(主承销商):兴业证券股份有限公司

法定代表人:兰荣

注册地址:福建省福州市湖东路 268 号

联系地址:南京市建邺区庐山路 188 号新地中心 21 层

电话:025-84669536

传真:025-84669502

保荐代表人:余银华、唐勇俊

二、上市保荐机构的推荐意见

上市保荐机构兴业证券股份有限公司认为，森特士兴集团股份有限公司申请其股票上市符合《中华人民共和国公司法》、《中华人民共和国证券法》及《上海证券交易所股票上市规则》等有关法律、法规的有关规定,森特士兴集团股份有限公司股票具备在上海证券交易所上市的条件。兴业证券股份有限公司同意推荐森特士兴集团股份有限公司的股票在上海证券交易所上市交易，并承担相关保荐责任。

新疆汇嘉时代百货股份有限公司

新疆汇嘉时代百货股份有限公司首次公开发行股票上市公告书

特别提示

新疆汇嘉时代百货股份有限公司(以下简称"公司"、"本公司"、"发行人"或"汇嘉时代")股票将于2016年5月6日在上海证券交易所上市。本公司提醒投资者应充分了解股票市场风险及本公司披露的风险因素,在新股上市初期切忌盲目跟风"炒新",应当审慎决策、理性投资。

第一节　重要声明和提示

一、重要提示

本公司及全体董事、监事、高级管理人员保证上市公告书所披露信息的真实、准确、完整,承诺上市公告书不存在虚假记载、误导性陈述或重大遗漏,并承担个别和连带的法律责任。

上海证券交易所、其他政府机关对本公司股票上市及有关事项的意见,均不表明对本公司的任何保证。

本公司提醒广大投资者注意,凡本上市公告书未涉及的有关内容,请投资者查阅刊载于上海证券交易所网站(http://www.sse.com.cn)的本公司招股说明书全文。

本公司提醒广大投资者注意首次公开发行股票(以下简称"新股")上市初期的投资风险,广大投资者应充分了解风险、理性参与新股交易。

如无特别说明,本上市公告书中的简称或名词的释义与本公司招股说明书中的相同。

二、发行前公司股东所持股份锁定期及锁定期届满后减持价格的承诺

(1)本公司控股股东潘锦海及其关联方潘艺尹承诺:自本公司股票上市之日起36个月内,不转让或者委托他人管理其已持有的本公司股份,也不由本公司收购该部分股份。

(2)本公司股东金汇佳、博瑞尚荣及其他33名自然人承诺:自本公司股票上市之日起36个月内,不转让或者委托他人管理其已持有的本公司股份,也不由本公司收购该部分股份。

(3)本公司股东鑫源汇信承诺:自公司股票上市之日起12个月内,不转让或者委托他人管理已持有的公司首次公开发行前已发行股份,也不由公司回购该部分股份。

(4)担任本公司董事、监事、高级管理人员的股东潘锦海、樊文瑞、王立峰、胡建忠、董凤华、罗仁全、王芳承诺:各自持有的本公司股权锁定期满后,在任职期间每年转让的股份不超过其所持有公司股份的25%;在离职后6个月内,不转让其所持有的公司股份;在申报离任六个月后的12个月内通过证券交易所挂牌交易出售股份不超过其所持有公司股份的50%。

(5)股东潘艺尹承诺:自持有的本公司股权锁定期满后,在公司控股股东、实际控制人潘锦海任职期间,其每年转让的股份不超过本人所持有公司股份总数的25%;且在潘锦海离职后半年内,不转让本人所持有的公司股份。

(6)担任本公司董事或高级管理人员的股东潘锦海、樊文瑞、王立峰、胡建忠、董凤华、马丽、师银郎及关联股东潘艺尹承诺:本人直接或间接持有的公司股票若在锁定期满后两年内减持的,减持价格应不低于发行价;公司上市后6个月内如公司股票连续20个交易日的收盘价均低于发行价,或者上市后6个月期末收盘价低于发行价,本人直接或间接持有公司股票的锁定期限自动延长6个月;如遇除权除息事项,上述发行价作相应调整。若本人出现未能履行上述关于股票锁定期及(或)减持价格的承诺情况时,本人承诺:(1)本人若因未履行承诺事项而获得收入,则所得的收入归公司所有,并将在获得收入的5日内将前述款项支付给公司指定账户。本人未能及时足额缴纳的款项,公司可从之后发放的本人应得现金分红中扣发,直至扣减金额累计达到应缴纳金额。(2)本人若仍直接或间接持有公司股票,则该等股票锁定期自动延长3个月。本承诺并不因本人或本人关联方在公司职务变更、离职或其他原因而发生变更。

三、稳定股价的预案及相关方承诺

为保护投资者特别是中小投资者利益,公司根据《关于进一步推进新股发行体制改革的意见》等规定,特制定《首次公开发行A股并上市后稳定股价的预案》,本预案已经公司2014年第一次临时股东大会审议通过,且相关责任主体已就此出具承诺。预案具体内容为:

(一)稳定股价启动条件及具体措施

公司上市后三年内,如公司股票连续20个交易日的收盘价均低于公司最近一期经审计的每股净资产(最近一期审计基准日后,因利润分配、资本公积金转增股本、增发、配股等情况导致公司净资产或股份总数出现变化的,每股净资产相应进行调整)(以下简称"触发稳定股价义务"),非因不可抗力因素所致,公司、控股股东、董事(不含独立董事,下同)、高级管理人员将采取以下措施稳定公司股价:

1.控股股东增持

公司控股股东承诺于触发稳定股价义务之日起10个交易日内向公司提交增持股票以稳定股价的书面方案(以下简称"增持方案"),增持方案应包括增持股票数量范围、增持价格区间、增持期限等,且增持总金额不应低于3,000万元。

2.公司回购

若控股股东未履行前述承诺的,公司董事会应于触发稳定股价义务之日起25个交易日内公告公司回购股票方案(如有,以下简称"回购方案")并提请召开股东大会,回购方案应包括回购股票数量范围、回购价格区间、回购期限等,且回购总金额不应低于3,000万元。

3.董事、高级管理人员增持

若公司股东大会未通过回购方案,或者,公司董事会未如期公告回购方案的,公司董事、高级管理人员承诺于触发稳定股价义务之日起30个交易日内无条件增持公司股票,且各自累计增持金额不低于其上年度税后薪酬总额的20%。

若公司、控股股东、董事及高级管理人员履行其回购或增持义务不符合公司股票上市地上市规则等证券监管法规要求的(包括但不限于社会公众股股权分布的最低比例要求等),则其回购或增持义务之履行期限相应顺延,直至满足或符合相关监管要求。

公司稳定股价措施实施完毕之日起2个交易日内,公司应将稳定股价措施实施情况予以公告。

若公司股票连续20个交易日的收盘价均高于公司最近一期经审计的每股净资产(最近一期审计基准日后,因利润分配、资本公积金转增股本、增发、配股等情况导致公司净资产或股份总数出现变化的,所参照的每股净资产相应进行调整),则视为公司、控股股东、董事、高级管理人员已经履行相关承诺,已公告的增持或回购方案(如有)亦将终止执行。

若公司股票价格再度触发启动股价稳定措施的条件,则公司、控股股东、董事、高级管理人员将继续按照本预案规定履行相关义务。

在本预案有效期内,新聘任的公司董事、高级管理人员应履行本预案规定的董事、高级管理人员义务并按同等标准履行公司首次公开发行A股股票时董事、高级管理人员已作出的其他承诺义务。对于公司拟聘任的董事、高级管理人员,应在获得提名前书面同意履行前述承诺和义务。

(二)未能履行承诺的约束措施

(1)若控股股东未履行本预案所述承诺或未履行增持方案,则公司有权从控股股东当年度及以后年度应得的现金分红中予以扣减并用于回购公司股票,直至扣减额度达到按下列方式确定的较高金额:

①本预案规定的控股股东承诺增持总金额最低限额的120%;

②公司股东大会通过的回购方案确定的回购总金额;

③触发本预案董事、高级管理人员增持情形的,等值于董事、高级管理人员增持金额,或者,董事、高级管理人员未履行增持承诺情形下等值于董事、高级管理人员上年度税后薪酬总额的120%。

控股股东自愿放弃对所扣减现金分红的追索权。

(2)若公司不履行股东大会通过的回购方案,其应在中国证监会指定报刊上公开说明未履行的具体原因并向股东和社会公众投资者道歉,并将以不超过上一会计年度经审计的归属于母公司股东净利润的20%向全体股东实施现金分红。若公司股票价格在一个会计年度内反复触发启动股价稳定措施的条件,且公司不履行回购方案的,公司合计向全体股东实施现金分红的金额将不超过上一会计年度经审计的归属于母公司股东净利润的50%。

(3)若董事、高级管理人员未履行上述承诺的,则发行人有权从其当年度及以后年度应取得的薪酬中予以扣减并用于回购公司股票,直至扣减金额达到其上年度税后薪酬总额的120%。董事、高级管理人员自愿放弃对所扣减薪酬的追索权。

四、公开发行前持股5%以上股东持股意向

(一)公司控股股东潘锦海承诺

(1)本人作为公司控股股东,意向通过长期持有公司之股份以实现和确保本人对公司的控股地位,进而持续分享公司的经营成果。

(2)在不丧失本人对公司控股股东地位、不违反本人已作出的相关承诺的前提下,本人存在减持所持公司老股的可能性,但届时减持幅度将以此为限:

①在锁定期届满后的12个月内,本人通过证券交易所直接或间接转让所持公司老股不超过本人直接或间接持有公司老股的15%。转让价格不低于公司股票发行价格(如遇除权除息事项,发行价作相应调整)。

②在锁定期届满后的第13至第24个月内,本人通过证券交易所直接或间接转让所持公司老股不超过在锁定期届满后第13月初本人直接或间接持有公司老股的15%。转让价格不低于公司股票发行价格(如遇除权除息事项,发行价作相应调整)。

(3)本人所持公司股份的锁定期届满后,本人减持直接或间接所持公司股份时,应提前将减持意向和拟减持数量等信息以书面方式通知公司,并由公司及时予以公告,自公告之日起3个交易日后,本人方可减持公司股份。

(4)如本人违反上述承诺或法律强制性规定减持公司股份的，本人承诺：违规减持公司股票所得(以下称"违规减持所得")归公司所有，在获得收入的5日内将前述收入支付给公司指定账户；同时本人直接或间接持有的剩余公司股份的锁定期在原锁定期届满后自动延长1年。如本人未将违规减持所得上交公司，则公司有权将应付本人的现金分红中与违规减持所得相等的金额收归公司所有。

(二)其他持有公司5%以上股份的股东承诺

其他持有公司5%以上股份的股东潘艺尹、鑫源汇信承诺：

(1)在锁定期届满后的12个月内，其通过证券交易所直接或间接转让所持公司老股(现直接或间接所持公司股份，不包括在公司公开发行股票后从公开市场新买入的公司股份，下同)不超过其直接或间接持有公司老股的15%。转让价格不低于公司股票发行价格(如遇除权除息事项，发行价作相应调整)。

(2)在锁定期届满后的第13至第24个月内，其通过证券交易所直接或间接转让所持公司老股不超过在锁定期届满后第13月初其直接或间接持有公司老股的15%。转让价格不低于公司股票发行价格(如遇除权除息事项，发行价作相应调整)。

(3)其持有的公司股份的锁定期限届满后，减持直接或间接所持公司股份时，应提前将减持意向和拟减持数量等信息以书面方式通知公司，并由公司及时予以公告，自公司公告之日起3个交易日后，方可减持公司股份。

(4)若其违反上述承诺或法律强制性规定减持公司股份，违规减持公司股票所得归公司所有，在获得收入的5日内将前述收入支付给公司指定账户；同时其直接或间接持有的剩余发行人股份的锁定期在原锁定期届满后自动延长1年。如其未将违规减持所得上交发行人，则公司有权将应付其现金分红中与违规减持所得相等的金额收归公司所有。

五、关于申报文件虚假记载、误导性陈述或者重大遗漏方面的承诺

(一)公司及控股股东关于回购公司股份的承诺

根据中国证监会《关于进一步推进新股发行体制改革的意见》的要求，公司及控股股东潘锦海承诺：

(1)公司招股说明书有虚假记载、误导性陈述或者重大遗漏，对判断公司是否符合法律规定的发行条件构成重大、实质影响的，公司及控股股东将在证券监管部门依法对上述事项作出认定或处罚决定之日(以下简称"触发日")起5个交易日内，制订针对公司公开发行之全部新股的回购方案(以下简称"回购方案")并提交股东大会表决：

①股东大会通过回购方案的，公司应自股东大会通过之日起2个交易日内予以公告，并在触发日起6个月内完成回购。回购价格不低于公司股票发行价格加算银行同期活期存款利息之和。

②股东大会未通过回购方案，或者公司未如期公告的，控股股东应在触发日起6个月内完成回购。回购价格不低于公司股票发行价格加算银行同期活期存款利息之和。

(2)若公司股票有派息、送股、资本公积金转增股本等除权、除息事项的，回购或/及购回的股份包括相应派生股份，发行价格将相应调整。

(二)公司及其控股股东、实际控制人、董事、监事、高级管理人员关于依法赔偿投资者损失的承诺

公司及其控股股东、实际控制人、董事、监事、高级管理人员承诺：公司招股说明书有虚假记载、误导性陈述或者重大遗漏，致使投资者在证券交易中遭受损失的，将依法赔偿投资者损失，且公司及其控股股东、实际控制人、董事、监事、高级管理人员依法对投资者遭受的损失承担连带赔偿责任。

(三)中介机构关于依法赔偿投资者损失的承诺

(1)银河证券承诺："因本公司为发行人首次公开发行股票制作、出具的文件有虚假记载、误导性陈述或者重大遗漏，给投资者造成损失的，将先行赔偿投资者损失。"

(2)启元律师承诺："因本所为发行人首次公开发行制作、出具的文件有虚假记载、误导性陈述或者重大遗漏，给投资者造成损失的，将依法赔偿投资者损失。"

(3)天职国际承诺："因本所为发行人首次公开发行制作、出具的文件有虚假记载、误导性陈述或者重大遗漏，给投资者造成损失的，将依法赔偿投资者损失。"

六、董事、高级管理人员关于首次公开发行摊薄即期回报后采取填补措施的承诺

公司全体董事、高级管理人员将尽最大努力促使公司填补即期回报的措施实现，并承诺：

"(一)本人不无偿或以不公平条件向其他单位或者个人输送利益，也不采用其他方式损害公司利益；

(二)本人将严格遵守公司的预算管理，对本人职务消费行为进行约束，本人的任何职务消费行为均将在为履行本人职责之必须的范围内发生，并严格接受公司监督管理，避免浪费或超前消费；

(三)本人不动用公司资产从事与本人履行职责无关的投资、消费活动；

(四)本人将尽责促使由董事会或薪酬委员会制定的薪酬制度与公司填补回报措施的执行情况相挂钩；

(五)本人将尽责促使公司未来拟公布的公司股权激励的行权条件(如有)与公司填补回报措施的执行情况相挂钩；

(六)若本人违反上述承诺，将在股东大会及中国证监会指定报刊公开作出解释并道歉；本人自愿接受证券交易所、上市公司协会对本人采取的自律监管措施；若违反承诺给公司或者股东造成损失的，依法承担补偿责任。"

七、保荐机构及律师服务机构关于相关责任主体的承诺及约束措施的意见

保荐机构银河证券认为，相关责任主体的承诺文件已经相关责任主体或其授权代表签署，相关承诺及约束措施合法、合理，失信补救措施及时有效。

发行人律师启元律师认为，相关责任主体作出承诺的程序、所承诺内容以及约束措施合法、合规。

八、财务报告审计截止日后的主营经营状况

财务报告审计截止日后，公司主营业务、经营模式未发生重大不利变化，主要商品的采购规模及采购价格未发生重大变化，主要供应商、客户的构成未发生重大变化，在税收政策等其他可能影响投资者判断的重大事项方面未发生重大变化。公司2016年第一季度主要财务数据请参见本上市公告书"第五节财务会计情况"相关内容。截至本上市公告书签署日，公司各项业务状况正常，未出现影响公司经营的重大不利因素，公司预计2016年半年度的营业收入、净利润与上年同期相比无重大变化。

第二节　股票上市情况

一、股票发行上市审核情况

(一)编制上市公告书的法律依据

本上市公告书系根据《中华人民共和国证券法》、《中华人民共和国公司法》和《上海证券交易所股票上市规则》等有关法律法规规定，按照上海证券交易所《股票上市公告书内容与格式指引》(2013年修订)编制而成，旨在向投资者提供有关本公司首次公开发行股票上市的基本情况。

(二)股票发行的核准部门和文号

本公司首次公开发行A股股票(简称"本次发行")已经中国证券监督管理委员会"证监许可〔2016〕710号"文件核准。

(三)证券交易所同意股票上市文件的文号

本公司股票上市经上海证券交易所"自律监管决定书[2016]122号"文批准。

二、股票上市概况

上市地点：上海证券交易所

上市时间：2016年5月6日

股票简称：汇嘉时代

股票代码：603101

本次公开发行后总股本：24,000万股

本次公开发行的股票数量：6,000万股，均为新股

本次上市的无流通限制及锁定安排的股票数量：本次发行中网上、网下申购发行的6,000万股。

本次发行前股东所持股份的流通限制及期限、本次发行前股东对所持股份自愿锁定的承诺、本次上市股份的其他锁定安排：参见本上市公告书之"第一节重要声明与提示"

股票登记机构：中国证券登记结算有限责任公司上海分公司

上市保荐机构：中国银河证券股份有限公司

第三节　发行人、股东和实际控制人情况

一、发行人基本情况

中文名称：新疆汇嘉时代百货股份有限公司

英文名称：XinjiangWinkaTimesDepartmentStoreCo.,Ltd.

注册资本：18,000万元(本次发行前)

法定代表人：潘锦海

公司住所：新疆乌鲁木齐高新技术产业开发区北京南路钻石城5号1栋23层

经营范围：烟酒零售(限分支机构凭有效许可证经营)；肉食分割；生产经营主食；图书、音像制品零售(限分支机构凭有效许可证经营)；批发兼零售：预包装食品(冷藏，冷冻)、散装食品(冷藏，冷冻)、乳制品(含婴幼儿配方乳粉)(液体乳、乳粉、婴幼儿配方乳粉，其他乳制品)(限分支机构凭有效许可证经营)；现做现卖(面制品、糕点类)(限分支机构凭有效许可证经营)；儿童室内游戏娱乐服务(限分支机构凭有效许可证经营)；日用百货、服装鞋帽、针纺织品、文化用品、五金交电产品、工艺美术品、钟表、照相器材、家用电器、家具、体育用品、农畜产品、洗涤化妆品、计算机及其相关设备、通讯终端设备(地面卫星接收设备除外)、建筑装饰装修材料的销售；广告设计、制作及发布；房屋租赁；金、银、珠宝、玉器等首饰的加工零售；机动车临时占道停车场服务；物业管理。(依法须经批准的项目，经相关部门批准后方可开展经营活动)

主营业务：百货零售业务

所属行业：F52"零售业"

电话号码：(0991)2806989

传真号码：(0991)2826501

电子邮箱：ir@winkatimes.com

董事会秘书：董凤华

二、董事、监事、高级管理人员任职及持股情况

(一)董事、监事、高级管理人员任职情况

序号	姓　名	职　务	任职期限
1	潘锦海	董事长、总经理	2014 年 6 月至 2017 年 6 月
2	樊文瑞	董事、副总经理	2014 年 6 月至 2017 年 6 月
3	胡建忠	董事、财务总监	2014 年 6 月至 2017 年 6 月
4	王立峰	董事、副总经理	2014 年 6 月至 2017 年 6 月
5	马　丽	董事	2014 年 6 月至 2017 年 6 月
6	师银郎	董事	2014 年 6 月至 2017 年 6 月
7	汤　洋	独立董事	2014 年 6 月至 2017 年 6 月
8	邵　宇	独立董事	2014 年 6 月至 2017 年 6 月
9	邓　峰	独立董事	2014 年 6 月至 2017 年 6 月
10	罗仁全	监事会主席	2014 年 6 月至 2017 年 6 月
11	王　芳	监事	2014 年 6 月至 2017 年 6 月
12	宋丽芬	职工监事	2014 年 6 月至 2017 年 6 月
13	董凤华	副总经理、董事会秘书	2014 年 6 月至 2017 年 6 月

(二)董事、监事、高级管理人员持股情况

董事、监事、高级管理人员直接或间接持有本公司股票、债券情况如下：

序号	姓　名	持股数量(万股)		持股合计占本次发行后总股本的比例	持有债券情况
		直接持股	间接持股		
1	潘锦海	14,974.76	272.25	63.53%	–
2	樊文瑞	37.50	–	0.16%	–
3	胡建忠	37.50	–	0.16%	–
4	王立峰	30.00	–	0.13%	–
5	罗仁全	30.00	–	0.13%	–
6	王　芳	4.50	3.00	0.03%	–
7	董凤华	30.00	–	0.13%	–
8	马　丽	–	7.50	0.03%	–
9	师银郎	–	7.50	0.03%	–
10	宋丽芬	–	7.50	0.03%	

三、控股股东及实际控制人情况

本公司控股股东潘锦海先生即为本公司实际控制人。潘锦海先生直接持有本公司 14,974.755 万股股份，占本次发行后总股本的 62.39%；并通过金汇佳及博瑞尚荣间接持有本公司股份。

四、股本结构及前十名股东情况

(一)本次发行前后公司股本结构情况

股东名称	公开发行前		公开发行后			备注
	持股数量(万股)	持股比例	持股数量(万股)	持股比例	锁　定期限制	
一、有限售条件 A 股流通股						
潘锦海	14,974.755	83.193%	14,974.755	62.395%	36 个月	–
鑫源汇信	1,200.000	6.667%	1,200.000	5.000%	12 个月	–
潘艺尹	973.245	5.407%	973.245	4.055%	36 个月	–
博瑞尚荣	275.250	1.529%	275.250	1.147%	36 个月	–
金汇佳	270.750	1.504%	270.750	1.128%	36 个月	–
其他 33 名自然人股东	306.000	1.700%	306.000	1.275%	36 个月	–
合计	18,000.000	100.000%	18,000.000	75.000%	–	–
二、无限售条件 A 股流通股						
社会公众股	–	–	6,000.000	25.000%	–	–
合计	–	–	6,000.000	25.000%	–	–
三、外资股						
无	–	–	–	–	–	–
合计	–	–	–	–	–	–
总合计	18,000.000	100.000%	24,000.000	100.000%	–	–

(二)本次发行后、上市前公司股东情况

本次发行后、上市前公司股东户数为 50,867 户，持股数量前十名的股东情况如下：

序号	股东名称	持股数量(万股)	持股比例
1	潘锦海	14,974.76	62.395%
2	鑫源汇信	1,200.00	5.000%
3	潘艺尹	973.25	4.055%
4	博瑞尚荣	275.25	1.147%
5	金汇佳	270.75	1.128%
6	樊文瑞	37.50	0.156%
6	胡建忠	37.50	0.156%
8	欧阳卫	30.00	0.125%
8	王立峰	30.00	0.125%
8	董凤华	30.00	0.125%
8	罗仁全	30.00	0.125%
	合计	17,889.00	74.538%

第四节　股票发行情况

一、发行数量：6,000 万股，全部为新股

二、发行价格：8.81 元/股

三、每股面值：人民币 1.00 元

四、发行方式：本次发行采用网下向符合条件的投资者询价配售和网上按市值申购方式向社会公众投资者定价发行相结合的方式进行，其中网下向配售对象配售 600 万股，网上申购发行 5,400 万股。网上、网下投资者放弃认购股数全部由主承销商包销，主承销商银河证券包销股份的数量为 257,119 股，包销金额为 2,265,218.39 元，主承销商包销比例为 0.43%。

五、募集资金总额及注册会计师对资金到位的验证情况

(1)本次发行募集资金总额为 52,860 万元，全部为公司公开发行新股募集。

(2)天职国际会计师事务所(特殊普通合伙)对本次发行的资金到位情况进行了审验，并于 2016 年 5 月 3 日出具了"天职业字[2016]11448 号"《验资报告》。

六、发行费用总额及明细构成、每股发行费用

序号	项　目	金额(万元)
1	保荐、承销费用	4,000
2	审计及验资费	397.59
3	律师费用	149.81
4	用于本次发行的信息披露费用	333.96
5	发行手续费用及印刷费	48.71
	发行费用合计：	4,930.07
	每股发行费用	0.82 元/股[注]

注：每股发行费用按本次发行费用总额除以发行股数计算

七、本次发行的募集资金净额：47,929.93 万元

八、发行后每股净资产

4.64 元（根据 2015 年 12 月 31 日经审计归属于母公司的股东权益加上本次发行募集资金净额后除以本次发行后总股本计算）

九、发行后每股收益

0.3833 元(根据 2015 年经审计的扣除非经常性损益前后孰低的归属于母公司股东的净利润除以发行后总股本计算)

第五节　财务会计情况

一、主要财务数据

本公司 2013 年、2014 年及 2015 年财务数据已经天职国际会计师事务所(特殊普通合伙)审计，并在招股说明书中进行了详细披露，本上市公告书中不再另行披露，投资者欲了解相关情况请详细阅读招股说明书。

2016 年 4 月 15 日，公司第三届董事会第十六次会议审议并通过了公司 2016 年第一季度财务会计报告。本公司截至 2016 年 3 月末及 2016 年 1–3 月末经审计的主要财务数据如下(完整财务报表请参见本上市公告书附件)：

项目	2016 年 3 月 31 日	2015 年 12 月 31 日	变动幅度
流动资产(元)	254,681,828.77	401,726,628.35	−36.60%
流动负债(元)	802,984,557.11	1,012,674,169.28	−20.71%
总资产(元)	1,895,492,248.06	2,068,654,539.13	−8.37%
归属于发行人股东的所有者权益(元)	655,682,033.95	634,461,086.85	3.34%
归属于发行人股东的每股净资产(元/股)	3.64	3.52	3.41%
项目	2016 年 1–3 月	2015 年 1–3 月	同比变动
营业总收入(元)	724,458,838.37	802,364,545.03	−9.71%
营业利润(元)	26,839,819.01	28,894,605.67	−7.11%
利润总额(元)	25,628,349.77	26,331,345.95	−2.67%
归属于发行人股东的净利润(元)	21,220,947.10	21,481,333.54	−1.21%
归属于发行人股东的扣除非经常性损益后的净利润(元)	21,634,754.58	23,128,657.02	−6.46%
基本每股收益(元/股)	0.1179	0.1193	−1.17%
扣除非经常性损益后的基本每股收益(元/股)	0.1202	0.1285	−6.46%

加权平均净资产收益率(%)	3.29%	3.79%	-0.50%
扣除非经常性损益后的加权净资产收益率(%)	3.35%	4.08%	-0.73%
经营活动产生的现金流量净额(元)	-66,944,073.24	65,840,977.01	-201.68%
每股经营活动产生的现金流量净额(元)	-0.3719	0.3658	-201.68%

注：净资产收益率和扣除非经常性损益后的净资产收益率两个指标的本报告期比上年同期增减为两期数的差值。

二、主要财务数据变动情况分析

(一)经营情况简要分析

2016 年 1-3 月，公司实现营业收入 7.24 亿元，较上年同期下降 9.71%；实现归属于母公司股东的净利润 2,122.09 万元，较上年同期下降 1.21%。公司 2016 年一季度营业收入较上年同期下降，主要是受市场大环境影响，百货销售收入较去年同期有所下降。2016 年一季度归属于母公司股东的净利润略有下降，但降幅低于同期营业收入的降幅，主要原因系：一方面公司营业收入下降导致销售毛利相应下降；另一方面，公司贷款本金较上年同期减少导致利息支出减少，以及银行承兑汇票保证金利息收入增加，使得财务费用下降。

(二)财务状况简要分析

1.资产

截至 2016 年 3 月 31 日，公司资产总额 189,549.22 万元，较上年末下降 17,316.23 万元，降幅 8.37%，主要是货币资金减少所致。

截至 2016 年 3 月 31 日，公司货币资金余额 5,757.01 万元，较上年末下降 17,186.85 万元，降幅 74.91%，主要 2016 年一季度公司偿还短期银行借款及兑付应付票据所致。

2.负债

截至 2016 年 3 月 31 日，公司负债总额 123,981.02 万元，较上年末下降 19,438.32 万元，降幅 13.55%，主要是流动负债减少所致。

截至 2016 年 3 月 31 日，公司流动负债总额 80,298.46 万元，较上年末下降 20,968.96 万元，降幅 20.71%，主要是短期银行借款及应付票据减少所致。

3.所有者权益

截至 2016 年 3 月 31 日，公司归属于母公司所有者权益为 65,568.20 万元，较上年末增加 2,122.09 万元，增幅 3.34%，系 2016 年一季度实现盈利所致。

(三)现金流量分析

2016 年 1-3 月，公司经营活动产生的现金流量净额为-6,694.41 万元，较上年同期减少 13,278.51 万元，降幅 201.68%，主要系因公司当期支付“应付票据”金额较高使得经营活动现金流出增加所致。

综上，财务报告审计截止日后，公司主营业务、经营模式未发生重大不利变化，主要商品的采购规模及采购价格未发生重大变化，主要供应商、客户的构成未发生重大变化，在税收政策等其他可能影响投资者判断的重大事项方面未发生重大变化。

公司上市后不再另行披露 2015 年第一季度报告。敬请投资者注意。

三、2016 年半年度经营业绩预计

截至本上市公告书签署日，公司各项业务状况正常，未出现影响公司经营的重大不利因素，公司预计 2016 年半年度的营业收入、净利润与上年同期相比无重大变化。

第六节　其他重要事项

一、募集资金专户存储三方监管协议的安排

根据《上海证券交易所上市公司募集资金管理办法》，本公司将在募集资金到账后一个月内会同保荐机构中国银河证券股份有限公司与存放募集资金的兴业银行股份有限公司乌鲁木齐分行(募集资金专项账户账号为：512010100100641352)、中国工商银行股份有限公司新疆维吾尔自治区分行(募集资金专项账户账号为：3002010229200255650)签订《募集资金专户存储三方监管协议》，并在协议签订后两个交易日内报告上海证券交易所备案并履行公告义务。本次存放募集资金的商业银行已出具承诺：在《募集资金专户存储三方监管协议》签订前，未获得保荐机构中国银河证券股份有限公司书面同意，其将不接受本公司从募集资金专户支取资金的申请。

二、其他事项

本公司在招股意向书刊登日至上市公告书刊登前，没有发生可能对本公司有较大影响的重要事项，具体如下：

(1)本公司主要业务发展目标进展情况正常。

(2)本公司所处行业和市场未发生重大变化。

(3)除与正常业务经营相关的采购、销售、借款等商务合同外，本公司未订立其他对本公司的资产、负债、权益和经营成果产生重大影响的重要合同。

(4)本公司没有发生未履行法定程序的关联交易，且没有发生重大关联交易。

(5)本公司未进行重大投资。

(6)本公司未发生重大资产(或股权)购买、出售及置换。

(7)本公司住所未变更。

(8)本公司董事、监事、高级管理人员及核心技术人员未发生变化。

(9)本公司未发生重大诉讼、仲裁事项。

本公司在招股意向书中披露的“与乌鲁木齐达美纵横商贸有限公司的诉讼事项”进展情况如下：根据公司取得的新疆维吾尔自治区乌鲁木齐市新市区人民法院于 2016 年 4 月 12 日出具的(2016)新 0104 民初 516 号《民事判决书》，判决如下：乌鲁木齐达美纵横商贸有限公司向本公司偿还 1,602,878.84 元，并支付利息损失 86,457 元、保全费 5,000 元。

(10)本公司未发生除正常经营业务之外的重大对外担保等或有事项。

(11)本公司的财务状况和经营成果未发生重大变化。

(12)本公司在招股意向书刊登日至上市公告书刊登前，召开董事会及股东大会情况如下：

1)2016 年 4 月 15 日，公司召开第三届董事会第十六次会议，审议通过了以下议案。

①关于修订《董事会秘书工作细则》的议案；

②关于修订《投资者关系管理办法》的议案；

③关于修订《信息披露管理办法》的议案；

④关于修订《关联交易管理办法》的议案，该议案需提交股东大会审议；

⑤关于修订《募集资金管理办法》的议案，该议案需提交股东大会审议；

⑥关于修订《对外投资管理办法》的议案，该议案需提交股东大会审议；

⑦关于公司拟向兴业银行乌鲁木齐分行申请流动资金贷款的议案，该议案需提交公司股东大会审议；

⑧关于批准报出 2016 年一季度财务报告的议案；

⑨关于开立募集资金专户的议案。

2)2016 年 4 月 30 日，公司召开 2016 年第三次临时股东大会，审议通过了以下议案。

①关于修订公司《关联交易管理办法》的议案；

②关于修订公司《募集资金管理办法》的议案；

③关于修订公司《外投资管理办法》的议案；

④关于公司拟向兴业银行乌鲁木齐分行申请流动资金贷款的议案。

(13)本公司未发生其他应披露的重大事项。

第七节　上市保荐机构及其意见

一、上市保荐机构基本情况

保荐机构(主承销商)：中国银河证券股份有限公司

法定代表人：陈有安

住所：北京市西城区金融大街 35 号国际企业大厦 C 座 2-6 层

电话号码：(010)66568888

传真号码：(010)66568857

保荐代表人：李宁、李雪斌

联系人：朱晓丹、江镓伊、高原

二、上市保荐机构的推荐意见

上市保荐机构认为，发行人申请其 A 股股票上市符合《中华人民共和国公司法》、《中华人民共和国证券法》及《上海证券交易所股票上市规则》等法律、法规的有关规定，发行人 A 股股票具备在上海证券交易所上市的条件。银河证券同意推荐汇嘉时代 A 股股票在上海证券交易所上市。

镇海石化工程股份有限公司

镇海石化工程股份有限公司首次公开发行A股股票上市公告书

特别提示

镇海石化工程股份有限公司(以下简称“镇海股份”、“本公司”、“公司”或“发行人”)股票将于2017年2月8日在上海证券交易所上市。本公司提醒投资者应充分了解股票市场风险及本公司披露的风险因素,在新股上市初期切忌盲目跟风“炒新”,应当审慎决策、理性投资。

第一节　重要声明与提示

本公司及全体董事、监事、高级管理人员保证上市公告书的真实性、准确性、完整性,承诺上市公告书不存在虚假记载、误导性陈述或重大遗漏,并承担个别或连带的法律责任。

上海证券交易所、其他政府机关对本公司股票上市及有关事项的意见,均不表明对本公司的任何保证。

本公司提醒广大投资者注意,凡本上市公告书未涉及的有关内容,请投资者查阅刊载于上海证券交易所网站(http://www.sse.com.cn)的本公司招股说明书全文。

本公司提醒广大投资者注意首次公开发行股票(以下简称“新股”)上市初期的投资风险,广大投资者应充分了解风险、理性参与新股交易。

如无特别说明,本上市公告书中的简称或名词的释义与本公司首次公开发行股票招股说明书中的相同。

一、股份流通限制和自愿锁定承诺

本次发行前总股本7,672.8789万股,本次发行2,557.63万股,发行后总股本10,230.5089万股,上述股份均为流通股。本次发行前股东所持股份的流通限制及股东对所持股份自愿锁定的承诺如下:

(一)担任公司董事或高级管理人员的赵立渭、范其海、范晓梅、翁巍、蔡劲松、宋涛、尤佩娣、冯鲁苗、杨相益、盖晓冬、金燕凤十一名股东承诺

自本公司股票上市之日起36个月内,不转让或者委托他人管理本次发行前已持有的本公司股份,也不由本公司回购该部分股份;本公司上市后6个月内如本公司股票连续20个交易日的收盘价均低于发行价,或者上市后6个月期末收盘价低于发行价,其所持本公司股票的锁定期限自动延长6个月;上述股份锁定承诺期限届满后,在担任本公司董事、监事或高级管理人员期间内每年转让的本公司股份不超过其所持本公司股份的25%,且在离职后的半年内不转让其所持的本公司股份。所持本公司股票在锁定期满后两年内减持的,减持价格不低于发行价,如遇除权除息事项,上述发行价应作相应调整;不会因职务变更、离职等原因而拒绝履行上述承诺。

(二)担任公司监事的张一钢、余瑾两名股东承诺

自本公司股票上市之日起36个月内,不转让或者委托他人管理本次发行前已持有的本公司股份,也不由本公司回购该部分股份;上述股份锁定承诺期限届满后,在担任本公司董事、监事或高级管理人员期间内每年转让的本公司股份不超过其所持本公司股份的25%,且在离职后的半年内不转让其所持的本公司股份。不会因职务变更、离职等原因而拒绝履行上述承诺。

(三)公司其他股东承诺

自本公司股票上市之日起36个月内,不转让或者委托他人管理本次发行前已持有的本公司股份,也不由本公司回购该部分股份。

二、公司发行前持股5%以上及在公司任董事、监事、高级管理人员的股东的持股及减持意向

公司发行前持股5%以上的股东及在公司任董事、监事、高级管理人员的股东为赵立渭、范其海、范晓梅、翁巍、宋涛、蔡劲松、尤佩娣、冯鲁苗、杨相益、盖晓冬、金燕凤、张一钢、余瑾,上述股东持股及减持意向如下:

(1)本人将严格遵守公司本次发行上市前其做出的股份限售安排和自愿锁定的承诺。

(2)本人在锁定期满后两年内进行减持时,减持价格(如因派息、送股、资本公积金转增股本、增发新股等原因除权、除息的,则须按照上海证券交易所的有关规定进行调整)不低于本次公开发行股票的发行价格。

(3)所持镇海股份股票锁定期满后,本人在减持镇海股份股票时应符合相关法律法规及上海证券交易所的相关规则要求,减持方式包括但不限于交易所集中竞价交易方式、大宗交易方式、协议转让方式等。

(4)本人将根据相关法律法规及上海证券交易所规则,结合证券市场情况、公司股票走势及公开信息、承诺人需要等情况,自主决策、择机进行减持。

(5)本人在减持镇海股份股票前,应提前3个交易日公告,并按照上海证券交易所的规则及时、准确、完整地履行信息披露义务。本人持有镇海股份股票低于5%时除外。

(6)在上述承诺履行期间,本人职务变更、离职等原因不影响本承诺的效力。

三、关于发行人股价稳定措施的承诺

(一)启动稳定股价措施的条件

公司自上市后三年内,如出现连续20个交易日公司股票的收盘价(如因派息、送股、资本公积金转增股本、增发新股等原因除权、除息的,则须按照上海证券交易所的有关规定进行调整,下同)均低于公司最近一期经审计的每股净资产(每股净资产=合并财务报表中归属于母公司普通股股东权益合计数÷公司股份总数,下同)情形时,非因不可抗力因素所致,则启动稳定股价的预案。

(二)稳定股价的具体措施

公司将在启动稳定股价措施的条件触发之日起3个交易日内与公司董事及高级管理人员协商确定稳定股价的措施。公司及相关主体将采取以下措施中的一项或多项稳定公司股价:

1.公司回购公司股票

如各方最终确定以公司回购公司股票作为稳定股价的措施,则公司将在符合相关法律、法规的规定且不应导致公司股权分布不符合上市条件的前提下,向社会公众股东依法回购股份,回购价格不高于公司最近一期经审计的每股净资产。

公司董事会应在启动稳定股价预案的条件触发之日起10个交易日内,做出实施回购股份的决议。公司董事会应当在做出决议后及时公告董事会决议、回购股份预案,并发布召开股东大会的通知。公司股东大会对回购股份做出决议,须经出席会议的股东所持表决权的三分之二以上通过。经股东大会决议决定实施回购的,公司将依法通知债权人,并向证券监督管理部门、证券交易所等主管部门报送相关材料,办理审批或备案手续。公司回购公司股票应在履行完毕法律法规规定的程序后90个交易日内实施完毕。单次实施回购股票完毕或终止后,本次回购的公司股票应在实施完毕或终止之日起10内注销,并及时办理公司减资程序。

公司董事会公告回购股份预案后,公司股票收盘价连续10个交易日高于最近一期经审计的每股净资产,则公司可不再继续实施回购股份计划。

若某一会计年度内公司股价多次触发上述启动稳定股价措施的条件的(不包括公司实施稳定股价措施期间及自实施完毕当次稳定股价措施并由公司公告日后开始计算的连续20个交易日股票收盘价仍低于上一个会计年度经审计的每股净资产的情形),公司将继续按照上述稳定股价预案执行。

公司为稳定股价进行股份回购的,除应符合相关法律法规要求之外,还应遵循以下原则:单次用于回购股份的资金金额不高于上一个会计年度经审计的归属于母公司股东净利润的20%,单一会计年度用以稳定股价的回购资金合计不超过上一会计年度经审计的归属于母公司股东净利润的40%;超过上述标准的,有关稳定股价措施在当年度不再继续实施。

2.公司董事、高级管理人员增持公司股票

如各方最终确定以公司董事、高级管理人员增持公司股票作为稳定股价的措施,则在公司领取薪酬的董事(独立董事除外)、高级管理人员将在符合相关法律、法规的规定且不应导致公司股权分布不符合上市条件的前提下,依法对公司股票进行增持,增持价格不高于公司最近一期经审计的每股净资产。

有义务增持的董事、高级管理人员应在启动稳定股价预案的条件触发之日起10个交易日内,就其增持公司股票的具体计划书面通知公司并由公司进行公告,并应在履行完毕法律法规规定的程序后90个交易日内实施完毕。

增持公告作出之日后,公司股票收盘价连续10个交易日高于最近一期经审计的每股净资产,则董事、高级管理人员可不再继续实施增持计划。

若某一会计年度内公司股价多次触发上述启动稳定股价措施的条件的(不包括董事、高级管理人员实施稳定股价措施期间及自实施完毕当次稳定股价措施并由公司公告日后开始计算的连续20个交易日股票收盘价仍低于上一个会计年度经审计的每股净资产的情形),董事、高级管理人员将继续按照上述稳定股价预案执行。

有义务增持的公司董事、高级管理人员应遵循以下原则:单次用于增持公司股份的资金不少于该等董事、高级管理人员上年度从公司取得的薪酬总和(税后,下同)的20%,单一年度内用于增持公司股份的资金不超过该等董事、高级管理人员上年度从公司取得的薪酬总和的50%;超过上述标准的,有关稳定股价措施在当年度不再继续实施。公司在首次公开发行A股股票上市后三年内新聘任的在公司领取薪酬的董事和高级管理人员应当遵守本预案关于公司董事、高级管理人员的义务及责任的规定,并签署相关承诺。

(三)约束措施

若公司董事会制订的稳定公司股价措施涉及公司董事、高级管理人员增持公司股票的,如果公司董事、高级管理人员未能履行其增持义务,则公司有权将应付董事、高级管理人员的薪酬及现金分红予以扣留或扣减。

四、关于招股说明书中有虚假记载、误导性陈述或者重大遗漏影响发行条件回购公司股份及赔偿投资者损失的承诺

公司承诺:公司本次发行上市招股说明书不存在虚假记载、误导性陈述或重大遗漏,并对其真实性、准确性、完整性承担法律责任。若因公司本次发行上市招股说明书有虚假记载、误导性陈述或

者重大遗漏,致使投资者在证券交易中遭受损失的,公司将依法赔偿投资者损失。

若因公司本次发行上市招股说明书有虚假记载、误导性陈述或者重大遗漏,对判断公司是否符合法律规定的发行条件构成重大、实质影响的,公司董事会将在证券监管部门或司法机关依法对上述事实作出认定或处罚决定后 10 个交易日内,制订股份回购方案并提交股东大会审议批准。本公司将依法回购首次公开发行的全部新股,回购价格为公司股票首次公开发行价格(如因派息、送股、资本公积金转增股本、增发新股等原因除权、除息的,则须按照上海证券交易所的有关规定作复权处理)加上同期银行活期存款利息。

公司董事、监事、高级管理人员承诺:公司本次发行上市招股说明书不存在虚假记载、误导性陈述或重大遗漏,并对其真实性、准确性、完整性承担法律责任。如因公司本次发行上市招股说明书有虚假记载、误导性陈述或者重大遗漏,致使投资者在证券交易中遭受损失的,将依法赔偿投资者损失。

保荐机构浙商证券股份有限公司承诺:如经证明本保荐机构为镇海石化工程股份有限公司首次公开发行股票并上市制作、出具的文件有虚假记载、误导性陈述或者重大遗漏,给投资者造成损失的,将依法赔偿投资者损失。

发行人律师北京市天元律师事务所承诺:若因本所未勤勉尽责而为镇海石化工程股份有限公司首次公开发行股票制作、出具的文件有虚假记载、误导性陈述或者重大遗漏,给投资者造成损失的,本所将根据中国证监会或人民法院等有权部门的最终处理决定或生效判决,依法赔偿投资者损失。

发行人会计师天健会计师事务所(特殊普通合伙)承诺:若因本所为镇海石化工程股份有限公司首次公开发行制作、出具的文件存在虚假记载、误导性陈述或者重大遗漏,给投资者造成损失的,本所将依法赔偿投资者损失,如能证明本所无过错的除外。

五、关于被摊薄即期回报填补措施的相关承诺

本次发行完成后,随着募集资金的到位,公司总股本将有所增加,由于募集资金投资项目的实施及产生收益需要一定的时间,因此公司营业收入及净利润较难立即实现同步增长,故公司短期内存在每股收益被摊薄的风险。公司拟通过多种措施防范即期回报被摊薄的风险,积极应对外部环境变化,增厚未来收益,实现公司业务的可持续发展,以填补股东回报,充分保护中小股东的利益。公司董事、高级管理人员根据中国证监会的相关规定,对公司填补回报措施能够得到切实履行作出如下承诺:

(1)本人承诺不无偿或以不公平条件向其他单位或者个人输送利益,也不采用其他方式损害公司利益;

(2)本人承诺对本人的职务消费行为进行约束;

(3)本人承诺不动用公司资产从事与本人履行职责无关的投资、消费活动;

(4)本人承诺由董事会或薪酬委员会制定的薪酬制度与公司填补回报措施的执行情况相挂钩;

(5)本人承诺,如公司拟实施股权激励,则拟公布的公司股权激励的行权条件与公司填补回报措施的执行情况相挂钩;

(6)本承诺出具之日后,若中国证监会作出关于填补回报措施及其承诺的其他新的监管规定的,且上述承诺不能满足中国证监会该等规定时,本人承诺届时将按照中国证监会的最新规定;

(7)本人承诺切实履行公司制定的有关填补回报措施以及对此作出的任何有关填补回报措施的承诺,若违反该等承诺并给公司或者投资者造成损失的,本人愿意依法承担对公司或者投资者的补偿责任。

六、财务报告审计截止日后的主要财务信息及经营情况

公司财务报告审计截止日为 2016 年 6 月 30 日。财务报告审计截止日后,公司目前经营情况正常,经营模式、财务状况和其他可能影响投资者判断的重大事项等方面均未发生重大变化。公司 2016 年 1-9 月主要财务数据请参见本上市公告书"第五节财务会计资料"相关内容。

七、发行前公司滚存未分配利润的安排及利润分配方案

(1)根据公司 2014 年第一次临时股东大会决议,如公司本次向社会公众发行股票成功,则本次发行前滚存未分配利润余额由新老股东按发行后的股权比例享有。

(2)发行后公司股利分配政策及未来分红回报计划

公司上市后适用的《公司章程(草案)》约定:

1)公司可采取现金或者股票方式或者现金与股票相结合的方式或者法律法规允许的其它方式分配利润,利润分配不得超过累计可分配利润的范围,不得损害公司持续经营能力。

2)在符合现金分红的条件下,公司应当采取现金分红的方式进行利润分配。符合现金分红的条件为:

①该年度无重大投资计划或重大现金支出;

②公司该年度实现的可分配利润(即公司弥补亏损、提取公积金后所余的税后利润)及累计未分配利润为正值;

③审计机构对公司该年度财务报告出具标准无保留意见的审计报告。重大投资计划或重大现金支出是指以下情形之一:

i 公司未来十二个月内拟对外投资、收购资产或购买资产累计支出达到或超过公司最近一期经审计净资产的 40%;(募集资金投资的项目除外)

ii 公司未来十二个月内拟对外投资、收购资产或购买资产累计支出达到或超过公司最近一期经审计总资产的 20%。(募集资金投资的项目除外)

3)在满足上述现金分红条件情况下,公司应当采取现金方式分配利润,原则上每年度进行一次现金分红,公司董事会可以根据公司盈利及资金需求情况提议公司进行中期现金分红。

4)现金分红比例:公司应保持利润分配政策的连续性与稳定性,在符合现金分红的条件下,每年以现金方式分配的利润不少于当年实现的可供分配利润的 20%。

公司进行利润分配时,公司董事会应当综合考虑所处行业特点、发展阶段、自身经营模式、盈利水平以及是否有重大资金支出安排等因素,区分下列情形,并按照公司章程规定的程序,提出差异化的现金分红政策:

①公司发展阶段属成熟期且无重大资金支出安排的,进行利润分配时,现金分红在本次利润分配中所占比例最低应达到 80%;

②公司发展阶段属成熟期且有重大资金支出安排的,进行利润分配时,现金分红在本次利润分配中所占比例最低应达到 40%;

③公司发展阶段属成长期且有重大资金支出安排的,进行利润分配时,现金分红在本次利润分配中所占比例最低应达到 20%;

公司发展阶段不易区分但有重大资金支出安排的,可以按照前项规定处理。

5)公司在经营情况良好,并且根据公司成长性、每股净资产的摊薄等真实合理因素,董事会认为公司股票价格与公司股本规模不匹配、发放股票股利有利于公司全体股东整体利益时,可以在满足上述现金分红的条件下,提出股票股利分配预案。

6)存在股东违规占用公司资金情况的,公司在进行利润分配时,应当扣减该股东所分配的现金红利,以偿还其占用的资金。

另外,公司制定了《公司上市后三年具体股东分红回报规划》,并经 2014 年第一次临时股东大会批准,主要内容如下:

1)公司在上市后前三年,将采取现金股利、股票股利或者现金股利与股票股利相结合的方式进行利润分配,其中优先选择现金股利方式进行分配。在提取法定公积金后,每年以现金方式分配的利润均不低于当年实现的可分配利润的 20%。

2)董事会可以在现金股利分配的基础上,根据公司的经营业绩与股本规模的匹配情况择机发放股票股利;也可以根据公司盈利情况及资金需求状况提议公司进行中期现金分红。

3)鉴于公司及所属行业处于快速发展阶段,业务需要较大的资金投入,公司董事会综合考虑所处行业特点、发展阶段、自身经营模式、盈利水平以及是否有重大资金支出安排等因素,认为公司发展阶段属成长期,资金需求较大,因此,未来三年进行利润分配时,现金分红在当次利润分配中所占比例最低达到 20%。

4) 公司上述利润分配后的留存未分配利润将用于补充公司生产经营所需的流动资金及投资等方面,逐步扩大生产经营规模,实现股东利益最大化。

5)公司董事会结合具体经营情况、充分考虑公司盈利和现金流量状况、发展阶段及当期资金需求,并结合股东(特别是公众投资者)、独立董事的意见,制定年度或中期分红方案,并经公司股东大会表决通过后实施。公司股东大会对现金分红具体方案进行审议时,充分听取中小股东的意见和诉求,除安排在股东大会上听取股东的意见外,还通过股东热线电话、互联网等方式主动与股东特别是中小股东进行沟通和交流,及时答复中小股东关心的问题。公司切实保障社会公众股股东参与股东大会对利润分配预案表决的权利,董事会、独立董事和持股 5%以上的股东可以向公司股东征集其在股东大会上的投票权。公司安排审议分红预案的股东大会会议时,应当向股东提供网络投票平台,鼓励股东出席会议并行使表决权。

6)公司当年盈利但董事会未做出现金分红预案的,公司除召开股东大会现场会议时向股东提供网络形式的投票平台外,公司应在定期报告中披露未做出现金分红预案的原因及未用于分红的资金留存公司的用途。

7)存在股东违规占用公司资金情况的,公司有权扣减该股东所分配的现金红利,以偿还其占用的资金。

八、公司 2016 年经营业绩预计(不构成盈利预测)

截至本上市公告书签署日,公司各项业务状况正常,未出现影响公司经营的重大不利因素,根据公司现有在手订单和经营情况,公司预计 2016 年实现营业收入 31,000 万元至 34,000 万元,较 2015 年减少 44.11%至 38.71%;预计实现归属于母公司股东扣除非经常性损益后的净利润 5,049.79 万元至 5,415.82 万元,较 2015 年减少 18.12%至 12.19%,公司经营业绩总体保持相对稳定(未经审计机构审核)。

以上数据不构成盈利预测,发行人提醒投资者注意公司的业绩变动。

九、本公司特别提醒投资者注意招股意向书"第四节风险因素"中的下列风险:

(一)工程总承包项目的不确定性风险

报告期内,公司陆续实施了金山硫磺项目、中化南通项目、九江硫磺项目、燕山硫磺项目、武汉硫磺项目、中化兴中油气回收项目等工程总承包项目。其中,金山硫磺项目、九江硫磺项目、燕山硫磺项目、武汉硫磺项目为各石化企业按照国家环保和油品升级的要求对原有炼油设施新建或改扩建的环保装置,中化南通项目为新建储油罐区,中化兴中油气回收项目为环保项目。相比公司其它业务,工程总承包合同金额较大,其业务收入波动较大。2013 年、2014 年、2015 年、2016 年 1-6 月,工程总承包业务收入分别为 5,614.39 万元、10,824.36 万元、44,060.35 万元和 15,231.08 万元,占主营业务收入的比例分别为 25.24%、42.41%、79.69%和 81.87%。工程总承包业务作为公司主营业务之一,该项业务合同金额大、项目周期长、承接难度大。随着国家生态文明建设的加速和石化产业转型升级战略的推进,石化企业正在加快建设绿色环保、提质增效和节能减排项目,大型石油化工集团对硫磺回收、加氢、油气回收等装置的建设需求逐步提高。虽然公司在行业内有较大的知名度,且在不断加强业务承接能力,但在承接大型工程总承包项目上仍然受到宏观经济形势、行业发展情

况、公司资金实力、市场竞争风险、技术风险等影响。同时,工程总承包项目大多系国家级、省级重点项目,建设周期长,存在因国家法律法规变化、行业政策调整等因素的影响而导致项目延期甚至取消的风险。

(二)经营业绩波动较大的风险

相比公司其它业务,工程总承包合同金额较大,2013 年、2014 年、2015 年、2016 年 1-6 月,占主营业务收入的比例分别为 25.24%、42.41%、79.69%和 81.87%。工程总承包业务作为公司主营业务之一,该项业务合同金额大、项目周期长、承接难度大,虽然公司在行业内有较大的知名度,且在不断加强业务承接能力,但在承接大型工程总承包项目上仍然受到宏观经济形势、行业发展情况、公司资金实力、市场竞争风险、技术风险等影响,若公司未能保证工程总承包项目承接的延续性,则可能对本公司的经营业绩及盈利状况产生不利影响,甚至可能出现公司上市当年营业利润比上年下降50%以上的情形。

(三)股东分散引致的风险

报告期内,公司的股东均为自然人,持股较为分散。持股比例超过 5%的股东仅赵立渭先生一人,且其仅持有 5.89%的股权,不能单独控制公司。除赵立渭以外的其他公司股东,单一持股比例均不超过5%,均无法单独控制公司。同时,公司自然人股东之间不存在一致行动关系,不形成共同控制关系。

由于公司股权过于分散,使得公司上市后有可能成为被收购的对象,如果公司被收购,会导致公司控制权发生变化,可能会给公司业务或经营管理带来一定的影响。

虽然公司所有股东已出具锁定股份的承诺,但是股东所持股份锁定到期后,则可能存在股东结构、管理层结构发生重大变动的风险。另外,因公司股权分散,无实际控制人,若决策效率不高可能存在错失市场机遇的风险。

(四)市场竞争风险

公司主要服务于石油化工行业,从事以石油化工项目为主的工程设计和工程总承包业务,在硫磺回收、加氢、常减压蒸馏、大型石油天然气储运、酸性水汽提等领域技术先进、业绩突出。但行业内其他企业为谋求自身发展,同本公司一样,亦在不断地提升技术与管理水平,积极拓展市场。同时,公司积极开拓国际市场,在行业高端业务领域,本公司也面临国际竞争对手的强大竞争压力。因此,未来的市场竞争将进一步加剧。

(五)在实施项目存在缓建甚至取消的风险

公司目前在实施项目存在缓建、延期情形,主要为中委揭阳项目。

中委揭阳项目系国家战略重点项目中委合资广东石油炼油项目的一部分,发行人于 2013 年 4 月取得该项目中标通知书,中标金额暂订合同价达 13.24 亿元,并已于 2013 年 7 月开工建设。后来受中国石油天然气股份有限公司项目建设计划调整的影响,中委揭阳项目目前建设进度较慢,较原计划有所延缓。根据中国石油天然气股份有限公司(股票代码:601857)公开披露的 2014 年年度报告,中委合资广东石油炼油项目作为正在建设的大型工程项目,预算数为 499.77 亿元,扣除已转入固定资产及油气资产等金额之外,截至 2014 年 12 月 31 日形成的在建工程金额为 45.47 亿元,但工程总投入占预算数的比例为 14%。2014 年之后,中国石油(股票代码:601857)未在其年度报告中单独披露中委揭阳项目的进展情况。截至目前,中委合资广东石油炼油项目四栋建筑主体施工完成、产品码头、原油码头、厂前区、地管阴极保护等前期工程、配套辅助工程仍在施工过程中。中委揭阳项目作为中委合资广东石油炼油项目整体不可分割的一部分,而中委合资广东石油炼油项目目前在缓慢推进中,预计中委揭阳项目后期将根据整体项目的推进而加快实施,但仍存在可能因中国石油天然气股份有限公司项目建设计划调整等因素的影响,继续缓建甚至取消的风险。

(六)PMB 石油化工项目之工程总承包项目实施的风险

2016 年 10 月,发行人与上市公司恒逸石化股份有限公司(000703)之项目子公司恒逸实业(文莱)有限公司就 PMB 石油化工项目硫磺回收联合装置总承包项目签订了工程总承包合同,合同金额为 39,000.00 万元。该项目系业主 PMB 石油化工项目整体的一部分。PMB 石油化工项目是恒逸石化与文莱政府合作的一个以原油、凝析油为原料的炼油化工一体化项目,作为我国"一带一路"结点上重大项目,也是浙江省迎合"一带一路"政策的重要项目,整体项目已完成了环评、安评等合法合规的全部审批程序,由发行人实施的 PMB 石油化工项目之工程总承包项目目前正在顺利实施,并预计 2017 年能为发行人带来较大的经营业绩。虽然发行人和业主为 PMB 石油化工项目之工程总承包项目做好了充分准备,但该项目若出现工程延期、缓建等情形,将对发行人 2017 年业绩产生较大的不利影响。

(七)客户集中度风险

本公司客户主要为石油化工等行业中的大型企业。由于石油化工业务主要集中于中石化集团、中石油集团、中海油集团、中化集团等国家大型集团,导致公司业务也主要集中在上述集团成员企业,报告期内公司主要业务客户集中度较高。公司各大集团客户的收入占当期营业收入总额的比例见下表:

客户	2016 年 1-6 月		2015 年		2014 年		2013 年	
	收入（万元）	占比(%)	收入（万元）	占比(%)	收入（万元）	占比(%)	收入（万元）	占比(%)
中石化集团成员企业	11,813.14	63.24	49,852.37	89.87	16,896.75	65.81	12,240.27	54.68
中石油集团成员企业	–	–	183.34	0.33	428.89	1.67	1,999.25	8.93
中海油集团成员企业	167.52	0.90	1,340.42	2.42	4,734.78	18.44	508.30	2.27
中化集团成员企业	5,402.50	28.92	1,428.36	2.57	457.64	1.78	2,867.18	12.81
合计	17,383.16	93.06	52,804.48	95.19	22,518.06	87.71	17,615.00	78.69

从上表可见,报告期内,公司从上述集团获得的营业收入占当期营业收入的比重较高,分别为78.69%、87.71%、95.19%和 93.06%,符合公司业务特点。公司主要服务于石油化工行业,业务性质决定了公司每年业务来源于资质范围内的新建、改扩建项目。而这些项目主要集中在中石化集团、中石油集团、中海油集团、中化集团等前述国家大型集团,公司需凭借自身业务经验和实力通过公开招投标等方式获得这些项目,因此公司客户集中度在性质上与一般生产性企业对客户的依赖有所不同。相反,一定的客户集中度符合公司

的发展战略与经营特点,保证了公司较高的盈利水平和回款速度,但同时也导致公司存在

对大型客户依赖的风险。公司主要客户均为大型石油化工企业,经营状况良好,业务发展的可持续性较强,但若国内外经济以及石油化工行业持续发生重大不利变化,客户与公司的业务量可能有所下降,将会给公司经营业绩造成不利影响。

第二节　股票上市情况

一、股票上市审核情况

(一)编制上市公告书的法律依据

本上市公告书系根据《公司法》、《证券法》和《上海证券交易所股票上市规则》等有关法律法规规定,并按照上海证券交易所《股票上市公告书内容与格式指引》(2013 年修订)编制而成,旨在向投资者提供有关公司首次公开发行股票(A 股)上市的基本情况。

(二)股票发行的核准部门和文号

公司首次公开发行 A 股股票(以下简称"本次发行")已经中国证券监督管理委员会证监许可[2017]29 号文核准。

(三)证券交易所同意股票上市文件的文号

本公司 A 股股票上市经上海证券交易所"自律监管决定书〔2017〕30 号"文批准。公司发行的 A 股股票在上海证券交易所上市,证券简称"镇海股份",股票代码"603637"。本次网上网下公开发行的合计 2,557.63 万股股票将于 2017 年 2 月 8 日起上市交易。

二、股票上市相关信息

(一)上市地点:上海证券交易所

(二)上市时间:2017 年 2 月 8 日

(三)股票简称:镇海股份

(四)股票代码:603637

(五)本次发行完成后总股本:10,230.5089 万股

(六)本次 A 股公开发行的股份数:2,557.63 万股

(七)本次上市的无流通限制及锁定安排的股票数量:2,557.63 万股

(八)发行前股东所持股份的流通限制及期限:参见本上市公告书之"第一节重要声明与提示"

(九)发行前股东对所持股份自愿锁定的承诺:参见本上市公告书之"第一节重要声明与提示"

(十)本次上市股份的其他锁定安排:本次发行并上市的 2,557.63 万股股份无流通限制及锁定安排

(十一)股票登记机构:中国证券登记结算有限责任公司上海分公司

(十二)上市保荐机构:浙商证券股份有限公司

第三节　发行人、股东和实际控制人情况

一、发行人基本情况

(一)基本资料

发行人名称:镇海石化工程股份有限公司

英文名称:ZhenhaiPetrochemicalEngineeringCO.,LTD

法定代表人:范其海

注册资本:本次发行前:7,672.8789 万元;本次发行后:10,230.5089 万元

有限公司成立日期:1994 年 6 月 30 日

整体变更日期:2009 年 12 月 28 日

住所:宁波市高新区星海南路 36 号

邮政编码:315042

联系电话:0574-87917820

传真:0574-87917800

互联网网址:http://www.izpec.com

电子信箱:zpec@izpec.com

董事会秘书:金燕凤

经营范围:工程总承包;工程设计;工程管理、监理;工程咨询;工程审价;工程招投标代理;工程测量;化工产品、机电设备、金属材料批发、零售;技术服务;技术开发;自有房屋租赁;自营和代理各类货物和技术的进出口,但国家限定经营或禁止出口的货物和技术除外。(依法须经批准的项目,经相关部门批准后方可开展经营活动)

主营业务:向客户提供从工程前期的规划咨询到设计、采购、施工管理、开车、结算审核直到运营服务的一站式解决方案

所属行业：专业技术服务业（行业代码 M74）

（二）董事、监事、高级管理人员任职和持股情况

公司董事、监事、高级管理人员姓名、职务、任期起止日期及持有公司股份情况如下：

1.董事会成员

本公司共有董事 9 名，其中独立董事 3 名。

姓　名	职　务	任　期
赵立渭	董事长	2016 年 1 月-2019 年 1 月
范其海	副董事长	2016 年 1 月-2019 年 1 月
范晓梅	董事	2016 年 1 月-2019 年 1 月
翁巍	董事	2016 年 1 月-2019 年 1 月
蔡劲松	董事	2016 年 1 月-2019 年 1 月
宋　涛	董事	2016 年 1 月-2019 年 1 月
汪　炜	独立董事	2016 年 1 月-2019 年 1 月
陈良照	独立董事	2016 年 4 月-2019 年 1 月
罗　杰	独立董事	2016 年 1 月-2019 年 1 月

2.监事会成员

本公司监事会共有监事 3 名，其中股东代表监事 2 名，职工监事 1 名。

姓　名	职　务	任　期
张一钢	监事会主席	2016 年 1 月-2019 年 1 月
余　瑾	监事	2016 年 1 月-2019 年 1 月
金　昌	监事	2016 年 1 月-2019 年 1 月

3.高级管理人员

高级管理人员共 9 名。

姓　名	职　务
范其海	总经理
翁　巍	副总经理
蔡劲松	副总经理
宋　涛	副总经理
尤佩娣	副总经理
冯鲁苗	副总经理
杨相益	总工程师
金燕凤	董事会秘书
盖晓冬	财务总监

4.董事、监事、高级管理人员及其近亲属持有本公司股票、债券情况

姓　名	职　务	直接持股数量(股)	间接持股数量(股)	总持合计股数(股)	占比(%)[注]
赵立渭	发行人董事长	4,520,826	0	4,520,826	5.89
范其海	发行人副董事长兼总经理	3,614,577	0	3,614,577	4.71
范晓梅	发行人董事	3,614,580	0	3,614,580	4.71
翁巍	发行人董事兼副总经理	3,614,577	0	3,614,577	4.71
金燕凤	发行人董事会秘书、证券事务部主任	1,499,655	0	1,499,655	1.95
杨相益	发行人总工程师	1,080,636	0	1,080,636	1.41
尤佩娣	发行人副总经理	751,773	0	751,773	0.98
张一钢	发行人监事会主席、副总工程师	703,854	0	703,854	0.92
盖晓冬	发行人财务总监	605,580	0	605,580	0.79
蔡劲松	发行人董事兼副总经理	601,299	0	601,299	0.78
宋　涛	发行人董事兼副总经理	451,065	0	451,065	0.59
余　瑾	发行人监事、人事主管	449,997	0	449,997	0.59
冯鲁苗	发行人副总经理	331,887	0	331,887	0.43
郑群芳	发行人董事兼副总经理宋涛之配偶	295,665	0	295,665	0.39

注：占比计算取公司本次发行前总股数。

二、控股股东及实际控制人

公司无控股股东、实际控制人。

三、股东情况

（一）本次发行前后的股本结构

本次发行前，本公司股本为 76,728,789 股，本次公开发行新股 25,576,300 股。本次发行前后的股本结构变化如下：

股东	本次发行前		本次发行后	
	持股数量(股)	持股比例(%)	持股数量(股)	持股比例(%)
一、有限售条件流通股	76,728,789	100.00	76,728,789	75.00
赵立渭	4,520,826	5.89	4,520,826	4.42
范晓梅	3,614,580	4.71	3,614,580	3.53
范其海	3,614,577	4.71	3,614,577	3.53
翁巍	3,614,577	4.71	3,614,577	3.53
顾国荣	1,503,534	1.96	1,503,534	1.47
金燕凤	1,499,655	1.95	1,499,655	1.47
姚琦	1,394,814	1.82	1,394,814	1.36
叶月华	1,189,431	1.55	1,189,431	1.16
夏尧根	1,090,089	1.42	1,090,089	1.07
杨相益	1,080,636	1.41	1,080,636	1.06
其他上市前股东	53,606,070	69.87	53,606,070	52.40
二、无限售条件流通股	0	0	25,576,300	25.00
本次公开发行股份	0	0	25,576,300	25.00
合　计	76,728,789	100.00	102,305,089	100.00

关于各股东持有股份的锁定期情况，可参见本上市公告书"第一节重要声明与提示之一、股份流通限制和自愿锁定承诺"中相关内容。

（二）本次发行后、上市前公司股东情况

本次发行后，上市前的股东人数为 25,801 名，持股数量前 10 名股东的名称、持股数量及持股比例如下表所示：

	股东名称	持股数量(股)	持股比例(%)
1	赵立渭	4,520,826	4.42
2	范晓梅	3,614,580	3.53
3	范其海	3,614,577	3.53
4	翁　巍	3,614,577	3.53
5	顾国荣	1,503,534	1.47
6	金燕凤	1,499,655	1.47
7	姚　琦	1,394,814	1.36
8	叶月华	1,189,431	1.16
9	夏尧根	1,090,089	1.07
10	杨相益	1,080,636	1.06
	合　计	23,122,719	22.60

另外，公司股东周波近期因病逝世。周波所持公司 39,645 股股份在履行继承的有关法定程序前，公司根据有关规定将周波所持公司股份暂登记在镇海石化工程股份有限公司未确认持有人证券专用账户名下。

第四节　股票发行情况

一、发行数量：2557.63 万股（全部为公司公开发行的新股，无老股东公开发售股份）

二、发行价格：13.86 元/股

三、每股面值：1.00 元

四、发行方式

本次发行采用网下向询价对象配售和网上按市值申购定价发行结合的方式。其中，网下发行数量为 255.63 万股，占本次发行总量的 9.9948%；网上发行数量为 2,302 万股，占本次发行总量的 90.0052%。本次主承销商包销股份的数量为 73,632 股，包销金额为 1,020,539.52 元，主承销商包销比例为本次发行总量的 0.2879%。

五、发行市盈率

22.99 倍（每股收益按照经会计师事务所审计的、遵照中国会计准则确定的扣除非经常性损益前后孰低的 2015 年归属于母公司所有者的净利润除以本次发行后的总股数计算）

六、募集资金总额及注册会计师对资金到位的验证情况

本次发行募集资金总额 35,448.7518 万元，天健会计师事务所（特殊普通合伙）于 2017 年 2 月 3 日对本次发行的资金到位情况进行了审验，并出具了天健验〔2017〕25 号《验资报告》。

七、发行费用总额及明细构成、每股发行费用

	项目	金额
1	保荐费及承销费	2,635.00 万元
2	审计验资费用	820.00 万元
3	律师费用	350.00 万元
4	法定信息披露费	408.00 万元
5	发行手续费及其他	42.00 万元
	合计	4,255.00 万元
	每股发行费用	1.66 元（发行费用总额除以发行股数）

八、本次发行募集资金净额：31,193.7518 万元

九、发行后每股净资产

6.34 元（按照 2015 年 12 月 31 日经审计归属于母公司股东的权益加上本次发行募集资金净额之和除以本次发行后总股本计算）。

十、发行后全面摊薄每股收益

0.6029 元(按照 2015 年度经审计扣除非经常性损益前后孰低得归属于母公司股东的净利润除以本次发行后总股本计算)。

第五节 财务会计资料

一、主要财务数据

公司 2013 年、2014 年、2015 年、2016 年 1-6 月财务数据已经天健会计师事务所（特殊普通合伙)审计,出具了天健审〔2016〕7188 号标准无保留意见的《审计报告》,并在招股说明书中进行了详细披露,本上市公告书中不再另行披露,投资者欲了解相关情况请详细阅读招股说明书。

天健会计师事务所(特殊普通合伙)审阅了发行人 2016 年 9 月 30 日的资产负债表,2016 年 1-9 月的合并及母公司利润表、合并及母公司现金流量表以及财务报表附注,并于 2016 年 12 月 16 日出具了天健审〔2016〕8109 号审阅报告,公司 2016 年 1-9 月财务会计报表请参阅本上市公告书附件。公司截至 2016 年 9 月 30 日及 2016 年 1-9 月未经审计的主要财务数据如下:

单位:万元

项目	2016 年 9 月 30 日	2015 年 12 月 31 日
资产总计	53,595.84	54,155.83
负债总计	16,482.72	20,462.01
归属于母公司的所有者权益	37,113.13	33,693.82
所有者权益合计	37,113.13	33,693.82
项目	2016 年 1-9 月	2015 年 1-9 月
营业收入	24,513.02	33,641.90
营业成本	17,068.62	26,085.51
营业利润	4,835.56	4,872.83
利润总额	5,635.09	5,783.53
净利润	4,857.97	4,967.53
归属于母公司所有者的净利润	4,857.97	4,967.53
归属于母公司所有者扣除非经常性损益后的净利润	3,930.58	3,893.72
经营活动产生的现金流量净额	−9,342.01	12,202.52
投资活动产生的现金流量净额	−1,827.34	2,160.79
筹资活动产生的现金流量净额	−1,438.66	−2,877.33

二、主要财务数据变动情况分析

2016 年 1-9 月,公司实现营业收入 24,513.02 万元,较上年同期下降 27.14%,主要系受公司同期实现的工程总承包业务收入下降所致。工程总承包业务一般具有合同金额大、项目周期长等特点,公司一般在特定年度内承揽、实施的总承包项目数量较少,导致公司收入受某一单个项目的影响较大。2016 年 1-9 月,公司实现归属于母公司所有者扣除非经常性损益后的净利润 3,930.58 万元,较上年同期增长 0.95%,主要原因系公司毛利率受主营业务结构、单个工程总承包项目毛利率等因素影响使得公司 2016 年 1-9 月虽然较上年同期实现的营业收入较低,但实现的毛利未明显降低。

财务报告审计截止日后,公司目前经营情况正常,经营模式、财务状况和其他可能影响投资者判断的重大事项等方面均未发生重大变化。

公司上市后不再另行披露 2016 年第三季度财务报告。敬请投资者注意。

三、2016 年全年经营业绩预计

截至本上市公告书签署日,公司各项业务状况正常,未出现影响公司经营的重大不利因素,根据公司现有在手订单和经营情况,公司预计 2016 年实现营业收入 31,000 万元至 34,000 万元,较 2015 年减少 44.11%至 38.71%;预计实现归属于母公司股东扣除非经常性损益后的净利润 5,049.79 万元至 5,415.82 万元,较 2015 年减少 18.12%至 12.19%,

公司经营业绩总体保持相对稳定(未经审计机构审核)。

上述测算不构成公司对 2016 年度的业务预测及利润承诺。

第六节 其他重要事项

一、募集资金专户存储三方监管协议的安排

(一)募集资金专户开设情况

根据《上海证券交易所上市公司募集资金管理办法(2013 年修订)》要求,本公司已于 2017 年 2 月 7 日与保荐机构、存放募集资金的商业银行签订募集资金专户存储三方监管协议,具体情况如下:

开户行	募集资金专户账号	用途	金额(万元)
中国银行股份有限公司宁波市科技支行	375372218001	镇海石化技术研发中心扩建工程	2,600.00
中国建设银行股份有限公司宁波国家高新区支行	33150198513600000557	补充工程总承包业务营运资金	28,593.7518

(二)募集资金专户与三方监管协议主要内容

本公司简称为"甲方",开户银行简称为"乙方",浙商证券股份有限公司简称为"丙方"。

为规范甲方募集资金管理,保护中小投资者的权益,根据有关法律法规及《上海证券交易所上市公司募集资金管理办法(2013 年修订)》等规定,甲、乙、丙三方经协商,达成如下协议:

(1)甲方在不影响募集资金使用的情况下,可以以定期存款或通知存款等方式存放募集资金,金额和期限由甲方根据募集资金的使用情况而定,但需将存入金额、开户时间、存放期限等基本情况及时电子邮件及传真通知丙方指定的保荐代表人,经同意后方可办理相关手续。甲方存单开立后,需在 2 个工作日内向丙方提供存单开户证明书的电子扫描件。甲方承诺存单到期后及时转入本协议规定的专户进行管理或以存单方式续存,并通知丙方。甲方存单不得质押。

(2)甲乙双方应当共同遵守《中华人民共和国票据法》、《支付结算办法》、《人民币银行结算账户管理办法》等法律、法规、规章。

(3)丙方作为甲方的保荐机构,应当依据有关规定指定保荐代表人或其他工作人员对甲方募集资金使用情况进行监督。丙方应当依据照《证券发行上市保荐业务管理办法》、《上海证券交易所上市公司募集资金管理办法》以及甲方制订的募集资金管理制度履行其督导职责,并有权采取现场调查、书面问询等方式行使其监督权。甲乙双方应当配合丙方的调查与查询。丙方每季度对甲方现场调查时应同时检查募集资金专户存储情况。

(4)甲方授权丙方指定的保荐代表人郑周、邹颖可以在乙方营业时间内随时到乙方查询、复印甲方专户的资料;乙方应及时、准确、完整地向其提供所需的有关专户的资料。保荐代表人向乙方查询甲方专户有关情况时应出具本人的合法身份证明;若因工作需要,甲方授权丙方指定的其他工作人员向乙方查询甲方专户有关情况时,应出具本人的合法身份证明和丙方出具的单位介绍信。

(5)乙方按月(每月 10 日之前)向甲方出具对账单,并抄送丙方。乙方应保证对账单内容真实、准确、完整。

(6)甲方一次或 12 个月以内累计从募集资金专户支取的金额超过 5,000 万元且达到发行募集资金总额扣除发行费用后的净额的 20%的,甲方应及时以电子邮件及传真方式通知丙方,同时提供专户的支出清单。

(7)丙方有权根据有关规定更换指定的保荐代表人。丙方更换保荐代表人的,应将相关证明文件书面通知乙方,同时按本协议第十二条的要求向甲方、乙方书面通知更换后的保荐代表人联系方式。更换保荐代表人不影响本协议的效力。

(8)乙方连续三次未及时向丙方出具对账单或向丙方通知专户大额支取情况,以及存在未配合丙方调查专户情形的,甲方或丙方有权单方面终止本协议并注销募集资金专户。

(9)丙方发现甲方、乙方未按约定履行本协议的,应当在知悉有关事实后及时向上海证券交易所书面报告。

(10)协议自甲、乙、丙三方法定代表人(负责人)或其授权代表签署并加盖各自单位公章之日起生效,至专户资金全部支出完毕且丙方督导期(2019 年 12 月 31 日)结束后失效。

二、其他事项

本公司在招股意向书刊登日至上市公告书刊登前,没有发生可能对本公司有较大影响的重要事项,具体如下:

(1)本公司主营业务目标的进展情况正常;

(2)本公司所处行业和市场未发生重大变化;

(3)除与正常业务经营相关的采购、销售、借款等商务合同外,本公司未订立其他对本公司的资产、负债、权益和经营成果产生重大影响的重要合同;

(4)本公司与关联方未发生重大关联交易;

(5)本公司未进行重大投资;

(6)本公司未发生重大资产(或股权)购买、出售及置换;

(7)本公司住所未变更;

(8)本公司董事、监事、高级管理人员及核心技术人员未发生变化;

(9)本公司未发生重大诉讼、仲裁事项;

(10)本公司未发生除正常经营业务之外的重大对外担保等或有事项;

(11)本公司的财务状况和经营成果未发生重大变化;

(12)本公司未召开董事会、监事会或股东大会;

(13)本公司未发生其他应披露的重大事项。

第七节 上市保荐机构及其意见

一、上市保荐机构基本情况

保荐机构:浙商证券股份有限公司

法定代表人:吴承根

住所:浙江省杭州市杭大路 1 号

保荐代表人:郑周、邹颖

项目组成员:朱献晖、王宁、鲁枳彤

电话:021-80108506

传真:021-80108515

二、上市保荐机构的推荐意见

保荐机构浙商证券股份有限公司认为:镇海石化工程股份有限公司申请其股票上市符合《中华人民共和国公司法》、《中华人民共和国证券法》及《上海证券交易所股票上市规则》等法律、法规及规范性文件的规定,镇海股份本次发行的股票具备在上海证券交易所上市的条件。浙商证券同意推荐镇海股份本次发行的股票在上海证券交易所上市交易,并承担相关保荐责任。

通灵珠宝股份有限公司

通灵珠宝股份有限公司首次首次公开发行股票上市公告书

特别提示

本公司股票将于2016年11月23日在上海证券交易所上市。本公司提醒投资者应充分了解股票市场风险及本公司披露的风险因素，在新股上市初期切忌盲目跟风"炒新"，应当审慎决策、理性投资。

第一节 重要声明与提示

通灵珠宝股份有限公司(以下简称"公司"、"本公司"、"发行人"或"通灵珠宝")及全体董事、监事、高级管理人员保证上市公告书所披露信息的真实、准确、完整，承诺上市公告书不存在虚假记载、误导性陈述或重大遗漏，并承担个别和连带的法律责任。

证券交易所、其他政府机关对本公司股票上市及有关事项的意见，均不表明对本公司的任何保证。

本公司提醒广大投资者注意，凡本上市公告书未涉及的有关内容，请投资者查阅刊载于上海证券交易所网站(http://www.see.com.cn)的本公司招股说明书全文。

一、关于公司股东股份锁定及减持价格承诺

1.公司实际控制人沈东军、马峻承诺

本人除在发行人首次公开发行股票时根据发行人股东大会决议将持有的部分发行人老股公开发售外，自发行人股票上市之日起36个月内，不转让或者委托他人管理本次发行前本人直接或间接持有的发行人股份，也不由发行人回购该部分股份。发行人上市后6个月内如发行人股票连续20个交易日的收盘价均低于发行价，或者上市后6个月期末收盘价低于发行价，本人所持发行人股票的锁定期限自动延长6个月。本人所持上述股份在锁定期满后两年内减持的，减持价格不低于发行价；在担任发行人董事、监事或高级管理人员期间每年转让的股份不超过本人直接和间接持有发行人股份总数的百分之二十五；不再担任上述职务后半年内，不转让本人持有的发行人股份。本人拟减持发行人股份的，本人将提前3个交易日通知发行人并予以公告，并承诺将依法按照《公司法》、《证券法》、中国证监会及证券交易所相关规定办理。本人不会因职务变更、离职等原因而拒绝履行上述承诺。

若本人未履行上述承诺，本人将在符合法律、法规及规范性文件规定的情况下10个交易日内回购违规卖出的股票，且自回购完成之日起自动延长持有全部股份的锁定期3个月。如果本人因未履行上述承诺事项而获得收入的，所得的收入归发行人所有，本人将在获得收入的5日内将前述收入支付给发行人指定账户；如果因本人未履行上述承诺事项给发行人或者其他投资者造成损失的，本人将向发行人或者其他投资者依法承担赔偿责任。

2.实际控制人亲属、公司董事蔺毅泽承诺

自发行人股票上市之日起36个月内，不转让或者委托他人管理本次发行前本人直接或间接持有的发行人股份，也不由发行人回购该部分股份。发行人上市后6个月内如发行人股票连续20个交易日的收盘价均低于发行价，或者上市后6个月期末收盘价低于发行价，本人所持发行人股票的锁定期限自动延长6个月。本人所持上述股份在锁定期满后两年内减持的，减持价格不低于发行价；在担任发行人董事、监事或高级管理人员期间每年转让的股份不超过本人直接和间接持有发行人股份总数的百分之二十五；不再担任上述职务后半年内，不转让本人持有的发行人股份。本人拟减持发行人股份的，本人将提前3个交易日通知发行人并予以公告，并承诺将依法按照《公司法》、《证券法》、中国证监会及证券交易所相关规定办理。本人不会因职务变更、离职等原因而拒绝履行上述承诺。

如果本人未履行上述承诺，本人将在符合法律、法规及规范性文件规定的情况下10个交易日内回购违规卖出的股票，且自回购完成之日起自动延长持有全部股份的锁定期3个月。如果本人因未履行上述承诺事项而获得收入的，所得的收入归发行人所有，本人将在获得收入的五日内将前述收入支付给发行人指定账户；如果因本人未履行上述承诺事项给发行人或者其他投资者造成损失的，本人将向发行人或者其他投资者依法承担赔偿责任。

3.公司股东Eurostar Diamonds International S.A.承诺

对于已持有的公司股份，自公司股票上市之日起36个月内，不转让或者委托他人管理该部分股份，也不由公司回购该部分股份。上述锁定期满两年内，本公司将减持发行人股份。减持股份的数量上限依据如下原则确定：减持的股份数量上限=(本公司对发行人进行投资的原始出资额9625.28万元-持有发行人股份期间累积获得的现金分红金额)/折算价格，其中折算价格为上述锁定期满当月发行人股价的平均价格；减持价格不低于发行价。因发行人进行权益分派、减资缩股等导致本公司所持发行人股份变化的，相应年度可转让股份额度做相应变更。本公司减持发行人股份应符合相关法律、法规、规章的规定，具体方式包括但不限于交易所集中竞价交易方式、大宗交易方式、协议转让方式等。本公司拟减持发行人股票时，将提前3个交易日通知发行人并予以公告，本公司承诺将按照《公司法》、《证券法》、中国证监会及上海证券交易所相关规定办理，本公司持有发行人股份低于5%以下时除外。

如果本公司未履行上述承诺，本公司将在符合法律、法规及规范性文件规定的情况下10个交易日内回购违规卖出的股票，且自回购完成之日起自动延长持有全部股份的锁定期3个月。如果本公司因未履行上述承诺事项而获得收入的，所得的收入归发行人所有，本公司将在获得收入的五日内将前述收入支付给发行人指定账户；如果因本公司未履行上述承诺事项给发行人或者其他投资者造成损失的，本公司将向发行人或者其他投资者依法承担赔偿责任。

4.公司董事王芳承诺

本人除在发行人首次公开发行股票时根据发行人股东大会决议将持有的部分发行人老股公开发售外，自发行人股票上市之日起36个月内，不转让或者委托他人管理本次发行前本人直接或间接持有的发行人股份，也不由发行人回购该部分股份。发行人上市后6个月内如发行人股票连续

20个交易日的收盘价均低于发行价，或者上市后6个月期末收盘价低于发行价，本人所持发行人股票的锁定期限自动延长6个月。上述股份锁定承诺期限届满后，本人在担任董事/监事/高级管理人员职务期间，将向公司申报所直接或间接持有的公司的股份及其变动情况；在任职期间每年转让的股份不超过本人所持有股份公司股份总数的百分之二十五；本人作为董事/监事/高级管理人员在离职后半年内，不转让本人所直接或间接持有的股份公司股份。本人所持发行人股票在锁定期满后两年内减持的，减持价格不低于发行价。本人不会因职务变更、离职等原因而拒绝履行上述承诺。

若本人未履行上述承诺，本人将在符合法律、法规及规范性文件规定的情况下10个交易日内回购违规卖出的股票，且自回购完成之日起自动延长持有股份的锁定期3个月。如果本人因未履行上述承诺事项而获得收入的，所得的收入归发行人所有，本人将在获得收入的5日内将前述收入支付给发行人指定账户；如果因本人未履行上述承诺事项给发行人或者其他投资者造成损失的，本人将向发行人或者其他投资者依法承担赔偿责任。

5.公司董事Jiang Jacky、监事王小文、庄瓯承诺

本人现所持有发行人的股份自发行人股票上市之日起36个月内，不转让或者委托他人管理本次发行前本人直接或间接持有的发行人股份，也不由发行人回购该部分股份。发行人上市后6个月内如发行人股票连续20个交易日的收盘价均低于发行价，或者上市后6个月期末收盘价低于发行价，本人所持发行人股票的锁定期限自动延长6个月。上述股份锁定承诺期限届满后，本人在担任董事/监事职务期间，将向公司申报所直接或间接持有的公司的股份及其变动情况；在任职期间每年转让的股份不超过本人所持有股份公司股份总数的百分之二十五；本人作为董事/监事在离职后半年内，不转让本人所直接或间接持有的股份公司股份。本人所持发行人股票在锁定期满后两年内减持的，减持价格不低于发行价。本人不会因职务变更、离职等原因而拒绝履行上述承诺。

若本人未履行上述承诺，本人将在符合法律、法规及规范性文件规定的情况下10个交易日内回购违规卖出的股票，且自回购完成之日起自动延长持有股份的锁定期3个月。如果本人因未履行上述承诺事项而获得收入的，所得的收入归发行人所有，本人将在获得收入的5日内将前述收入支付给发行人指定账户；如果因本人未履行上述承诺事项给发行人或者其他投资者造成损失的，本人将向发行人或者其他投资者依法承担赔偿责任。

上述发行价指公司首次公开发行股票的发行价格，如果公司上市后因派发现金红利、送股、转增股本、增发新股等原因进行除权、除息的，则按照证券交易所的有关规定作除权除息处理。

二、关于上市后三年内公司股价低于每股净资产时稳定股价的预案

(一)发行人稳定股价的承诺

本公司股票自挂牌上市之日起三年内，一旦出现连续20个交易日公司股票收盘价均低于公司上一个会计年度末经审计的每股净资产（每股净资产=合并财务报表中归属于母公司普通股股东权益合计数÷年末公司股份总数，下同)情形时(若因除权除息等事项致使上述股票收盘价与公司上一会计年度末经审计的每股净资产不具可比性的，上述股票收盘价应做相应调整)，本公司将根据《上市公司回购社会公众股份管理办法》的规定向社会公众股东回购公司部分股票，同时保证回购结果不会导致公司的股权分布不符合上市条件。本公司将依据法律、法规及公司章程的规定，在上述条件成就之日起10个交易日内召开董事会讨论稳定股价方案，并提交股东大会审议。具体实施方案将在股价稳定措施的启动条件成就时，本公司依法召开董事会、股东大会做出股份回购决议后公告。

在股东大会审议通过股份回购方案后，本公司将依法通知债权人，并向证券监督管理部门、证券交易所等主管部门报送相关材料，办理审批或备案手续。

本公司回购股份的资金为自有资金，回购股份的价格不超过上一个会计年度末经审计的每股净资产，回购股份的方式为集中竞价交易方式、要约方式或证券监督管理部门认可的其他方式。但如果股份回购方案实施前本公司股价已经不满足启动稳定公司股价措施条件的，可不再继续实施该方案。

若某一会计年度内公司股价多次触发上述需采取股价稳定措施条件的（不包括本公司实施稳定股价措施期间及实施完毕当次稳定股价措施并公告日后开始计算的连续20个交易日股票收盘价仍低于上一个会计年度末经审计的每股净资产的情形），本公司将继续按照上述稳定股价预案执行，但应遵循以下原则：(1)单次用于回购股份的资金金额不高于上一个会计年度经审计的归属于母公司股东净利润的20%，和(2)单一会计年度用以稳定股价的回购资金合计不超过上一会计年度经审计的归属于母公司股东净利润的50%。超过上述标准的，有关稳定股价措施在当年度不再继续实施。但如下一年度继续出现需启动稳定股价措施的情形时，本公司将继续按照上述原则执行稳定股价预案。

若本公司新聘任董事(不包括独立董事)、高级管理人员的，本公司将要求该新聘任的董事、高级管理人员履行本公司上市时董事、高级管理人员已作出的相应承诺。

本公司承诺：在启动股价稳定措施的前提条件满足时，如本公司未采取上述稳定股价的具体措施，本公司将在股东大会及中国证监会指定报刊上公开说明未履行的具体原因并向股东和社会公众投资者道歉，并将以单次不低于上一会计年度经审计的归属于母公司股东净利润的20%、单一会计年度合计不超过上一会计年度经审计的归属于母公司股东净利润的50%的标准向全体股东实施现金分红。

（二）控股股东稳定股价的承诺

发行人股票挂牌上市之日起三年内，一旦出现连续20个交易日发行人股票收盘价均低于其上一个会计年度末经审计的每股净资产（每股净资产=合并财务报表中归属于母公司普通股股东权益合计数÷年末公司股份总数，下同）情形时(若因除权除息等事项致使上述股票收盘价与发行人上一会计年度末经审计的每股净资产不具可比性的，上述股票收盘价应做相应调整)，控股股东沈东军、马峻将依据法律、法规及公司章程的规定，在不影响发行人上市条件的前提下实施以下具体股价稳定措施：

(1)发行人回购股票为稳定股价措施的第一顺序，如①回购股票将导致发行人不满足法定上市条件或回购股票议案未获得股东大会批准等导致无法实施股票回购的，且控股股东增持股票不会致使发行人将不满足法定上市条件；或②发行人虽实施股票回购计划但仍未满足“公司股票连续3个交易日的收盘价均已高于公司最近一年经审计的每股净资产”之条件，则第一顺序为本人增持公司股票。在启动股价稳定措施的前提条件满足时，本人将以增持发行人股份的方式稳定股价。本人将在有关股价稳定措施启动条件成就后10个交易日内提出增持发行人股份的方案(包括拟增持股份的数量、价格区间、时间等)，发行人应按照相关规定披露本人增持股份的计划。在发行人披露本人增持发行人股份计划的10个交易日后，本人将按照方案开始实施增持发行人股份的计划。

(2)本人增持发行人股份的价格不高于发行人上一会计年度经审计的每股净资产。但如果发行人披露本人买入计划后10个交易日内其股价已经不满足启动稳定公司股价措施的条件的，本人可不再实施上述买入发行人股份计划。

(3)若某一会计年度内发行人股价多次触发上述需采取股价稳定措施条件的(不包括本人实施稳定股价措施期间及自实施完毕当次稳定股价措施并由发行人公告日后开始计算的连续20个交易日股票收盘价仍低于上一个会计年度末经审计的每股净资产的情形)，本人将继续按照上述稳定股价预案执行，但应遵循以下原则：(1)单次用于增持股份的资金金额不低于本人自发行人上市后累计从发行人所获得现金分红金额的20%，和(2)单一年度本人用以稳定股价的增持资金不超过自发行人上市后本人累计从发行人所获得现金分红金额的50%。超过上述标准的，有关稳定股价措施在当年度不再继续实施。但如下一年度继续出现需启动稳定股价措施的情形时，本人将继续按照上述原则执行稳定股价预案。下一年度触发股价稳定措施时，以前年度已经用于稳定股价的增持资金额不再计入累计现金分红金额。控股股东沈东军、马峻承诺：在启动股价稳定措施的前提条件满足时，如本人未按照上述预案采取稳定股价的具体措施，本人将在前述事项发生之日起5个工作日内停止在发行人处获得股东分红，直至本人按上述预案的规定采取相应的稳定股价措施并实施完毕时为止。

（三）公司董事、高级管理人员稳定股价的承诺

发行人股票挂牌上市之日起三年内，一旦出现连续20个交易日发行人股票收盘价均低于其上一个会计年度末经审计的每股净资产（每股净资产=合并财务报表中归属于母公司普通股股东权益合计数÷年末公司股份总数，下同）情形时(若因除权除息等事项致使上述股票收盘价与发行人上一会计年度末经审计的每股净资产不具可比性的，上述股票收盘价应做相应调整)，公司董事及高级管理人员将依据法律、法规及公司章程的规定，在不影响发行人上市条件的前提下实施以下具体股价稳定措施：

(1)董事、高级管理人员增持股份为稳定股价措施的第三顺序。当发行人出现需要采取股价稳定措施的情形时，如发行人、控股股东均已采取股价稳定措施并实施完毕后发行人股票收盘价仍低于其上一个会计年度末经审计的每股净资产的，本人将通过二级市场以竞价交易方式买入发行人股份以稳定发行人股价。发行人应按照相关规定披露本人买入公司股份的计划。在发行人披露本人买入发行人股份计划的10个交易日后，本人将按照方案开始实施买入发行人股份的计划。

(2)本人通过二级市场以竞价交易方式买入发行人股份的，买入价格不高于发行人上一会计年度经审计的每股净资产。但如果发行人披露本人买入计划后10个交易日内其股价已经不满足启动稳定公司股价措施的条件的，本人可不再实施上述买入发行人股份计划。

(3)若某一会计年度内发行人股价多次触发上述需采取股价稳定措施条件的(不包括本人实施稳定股价措施期间及自实施完毕当次稳定股价措施并由发行人公告日后开始计算的连续20个交易日股票收盘价仍低于上一个会计年度末经审计的每股净资产的情形)，本人将继续按照上述稳定股价预案执行，但应遵循以下原则：①单次用于购买股份的资金金额不低于本人在担任董事或高级管理人员职务期间上一会计年度从发行人处领取的税后薪酬或津贴累计额的20%，和②单一年度用以稳定股价所动用的资金应不超过本人在担任董事或高级管理人员职务期间上一会计年度从发行人处领取的税后薪酬或津贴累计额的50%。超过上述标准的，有关稳定股价措施在当年度不再继续实施。但如下一年度继续出现需启动稳定股价措施的情形时，本人将继续按照上述原则执行稳定股价预案。

公司董事及高级管理人员承诺：在启动股价稳定措施的前提条件满足时，除非因法律、法规、规范性文件等要求导致本人无法履行上述措施的，如本人未采取上述稳定股价的具体措施，则本人将在前述事项发生之日起5个工作日内停止在发行人处领取薪酬或津贴及股东分红，同时本人持有的发行人股份不得转让，直至本人按上述预案内容的规定采取相应的股价稳定措施并实施完毕时为止。

三、持股5%以上股东持股意向及减持意向

公司控股股东、实际控制人沈东军、马峻的持股意向及减持意向如下：本人拟长期持有发行人股票。如果在锁定期满后，本人拟减持股票的，将认真遵守证监会、交易所关于股东减持的相关规定，结合公司稳定股价、开展经营、资本运作的需要，审慎制定股票减持计划，在股票锁定期满后逐步减持。本人减持发行人股份应符合相关法律、法规、规章的规定，具体方式包括但不限于交易所集中竞价交易方式、大宗交易方式、协议转让方式等。本人减持发行人股份前，将提前三个交易日予以公告，并按照证券交易所的规则及时、准确地履行信息披露义务；本人持有发行人股份低于5%以下时除外。如果在锁定期满后两年内，本人拟减持股票的，减持价格不低于发行价(指发行人首次公开发行股票的发行价格，如果因公司上市后派发现金红利、送股、转增股本、增发新股等原因进行除权、除息的，则按照证券交易所的有关规定作除权除息处理)。锁定期满后两年内，本人每年减持所持有的公司股份数量合计不超过上一年度最后一个交易日登记在本人名下的股份总数的25%。因公司进行权益分派、减资缩股等导致本人所持公司股份变化的，相应年度可转让股份额度做相应变更。

若本人未履行上述承诺，本人将在符合法律、法规及规范性文件规定的情况下10个交易日内回购违规卖出的股票，且自回购完成之日起自动延长持有全部股份的锁定期3个月。如果本人因未履行上述承诺事项而获得收入的，所得的收入归发行人所有，本人将在获得收入的5日内将前述收入支付给发行人指定账户；如果因本人未履行上述承诺事项给发行人或者其他投资者造成损失的，本人将向发行人或者其他投资者依法承担赔偿责任。

公司其余持股5%以上的自然人股东蔺毅泽的持股意向及减持意向如下：

如果在锁定期满后，本人拟减持股票的，将认真遵守证监会、交易所关于股东减持的相关规定，结合发行人稳定股价、开展经营、资本运作的需要，审慎制定股票减持计划，在股票锁定期满后逐步减持。本人减持发行人股份应符合相关法律、法规、规章的规定，具体方式包括但不限于交易所集中竞价交易方式、大宗交易方式、协议转让方式等。本人拟减持发行人股份时，本人将提前三个交易日通知发行人并予以公告，并承诺将依法按照《公司法》、《证券法》、中国证监会及证券交易所相关规定办理，本人持有发行人股份低于5%以下时除外。如果在锁定期满后两年内，本人拟减持股票的，减持价格不低于发行价（指发行人首次公开发行股票的发行价格，如果因公司上市后派发现金红利、送股、转增股本、增发新股等原因进行除权、除息的，则按照证券交易所的有关规定作除权除息处理)。锁定期满后两年内，本人每年减持所持有的公司股份数量合计不超过上一年度最后一个交易日登记在本人名下的股份总数的25%。因公司进行权益分派、减资缩股等导致本人所持公司股份变化的，相应年度可转让股份额度做相应变更。

如果本人未履行上述承诺，本人将在符合法律、法规及规范性文件规定的情况下10个交易日内回购违规卖出的股票，且自回购完成之日起自动延长持有全部股份的锁定期3个月。如果本人因未履行上述承诺事项而获得收入的，所得的收入归发行人所有，本人将在获得收入的五日内将前述收入支付给发行人指定账户；如果因本人未履行上述承诺事项给发行人或者其他投资者造成损失的，本人将向发行人或者其他投资者依法承担赔偿责任。

公司持股5%以上的法人股东Eurostar Diamonds International S.A.的持股意向及减持意向如下：

本公司所持发行人股份将在锁定期满两年内减持。减持股份的数量上限依据如下原则确定：

减持的股份数量上限=(本公司对发行人进行投资的原始出资额 9625.28 万元-持有发行人股份期间累积获得的现金分红金额)/折算价格所得出的股份数量，其中折算价格为上述锁定期满当月发行人股价的平均价格；减持价格不低于发行价(指发行人首次公开发行股票的发行价格，如果因公司上市后派发现金红利、送股、转增股本、增发新股等原因进行除权、除息的，则按照证券交易所的有关规定作除权除息处理)。因发行人进行权益分派、减资缩股等导致本公司所持发行人股份变化的，相应年度可转让股份额度做相应变更。本公司减持发行人股份应符合相关法律、法规、规章的规定，具体方式包括但不限于交易所集中竞价交易方式、大宗交易方式、协议转让方式等。本公司拟减持发行人股票时，将提前三个交易日通知发行人并予以公告，本公司承诺将按照《公司法》、《证券法》、中国证监会及上海证券交易所相关规定办理，本公司持有发行人股份低于5%以下时除外。

如果本公司未履行上述承诺，本公司将在符合法律、法规及规范性文件规定的情况下 10 个交易日内回购违规卖出的股票，且自回购完成之日起自动延长持有全部股份的锁定期 3 个月。如果本公司因未履行上述承诺事项而获得收入的，所得的收入归发行人所有，本公司将在获得收入的五日内将前述收入支付给发行人指定账户；如果因本公司未履行上述承诺事项给发行人或者其他投资者造成损失的，本公司将向发行人或者其他投资者依法承担赔偿责任。

四、发行人及公司控股股东、董事、监事、高级管理人员关于招股说明书无虚假记载、误导性陈述或重大遗漏的承诺

发行人承诺：如本公司招股说明书有虚假记载、误导性陈述或者重大遗漏，对判断本公司是否符合法律规定的发行条件构成重大、实质影响的，本公司将在中国证监会对上述事项做出有法律效力的认定后 60 天内启动依法回购首次公开发行的全部新股工作。回购价格以本公司股票发行价格和有关违法事实被中国证监会认定之日前三十个交易日本公司股票交易均价的孰高者确定。公司上市后发生除权除息事项的，上述发行价格及回购股份数量应做相应调整。如本公司招股说明书有虚假记载、误导性陈述或者重大遗漏，致使投资者在证券交易中遭受损失的，将依法赔偿投资者损失。对于未来新聘任的董事(不包括独立董事)、高级管理人员，本公司将要求其履行本次发行、上市时董事、高级管理人员所做出的相应承诺要求。

如果因未履行上述公开承诺事项给投资者造成损失的，本公司将依法向投资者赔偿相关损失。

控股股东及实际控制人沈东军、马峻承诺：如发行人招股说明书有虚假记载、误导性陈述或者重大遗漏，对判断发行人是否符合法律规定的发行条件构成重大、实质影响的，本人将在中国证监会对上述事项做出有法律效力的认定后 60 日内启动依法购回发行人首次公开发行股票时本人公开发售股份的工作，督促发行人依法回购首次公开发行的全部新股，并在前述期限内启动依法购回本人已转让的原限售股份工作。购回价格以发行人股票发行价格和有关违法事实被中国证监会认定之日前三十个交易日发行人股票交易均价的孰高者确定。如遇除权除息事项，上述发行价格及购回股份数量应作相应调整。

如发行人招股说明书有虚假记载、误导性陈述或者重大遗漏，致使投资者在证券交易中遭受损失的，本人将依法赔偿投资者损失。

若本人违反上述承诺，则将在违反上述承诺发生之日起 5 个工作日内，停止在发行人处获得股东分红，同时本人持有的发行人股份将不得转让，直至本人按上述承诺采取相应的购回或赔偿措施并实施完毕时为止。

公司全体董事、高级管理人员承诺：如发行人招股说明书有虚假记载、误导性陈述或者重大遗漏，致使投资者在证券交易中遭受损失的，本人将依法赔偿投资者损失。本人将在中国证券监督管理委员会对上述事项做出有法律效力的认定后 60 日内依法赔偿投资者损失。

若本人违反上述承诺，本人将停止在发行人处领取薪酬或津贴，直至本人按上述承诺采取相应的赔偿措施并实施完毕时为止。

五、中介机构关于为公司首次公开发行制作、出具的文件无虚假记载、误导性陈述或重大遗漏的承诺

保荐机构(主承销商)华泰联合证券有限责任公司承诺：本公司为发行人本次发行制作、出具的文件有虚假记载、误导性陈述或者重大遗漏，致使投资者在证券交易中遭受损失的，本公司将依法先行赔偿投资者损失。

审计机构、验资机构天衡会计师事务所(特殊普通合伙)承诺：本所为发行人首次公开发行所制作、出具的文件不存在虚假记载、误导性陈述或者重大遗漏的情形，对其真实性、准确性和完整性承担法律责任。

如因本所未能依照适用的法律法规、规范性文件及行业准则的要求勤勉尽责地履行法定职责而导致本所为发行人首次公开发行制作、出具的文件有虚假记载、误导性陈述或者重大遗漏，给投资者造成实际损失的，将依法赔偿投资者损失。

发行人律师北京国枫律师事务所承诺：本所为发行人首次公开发行制作、出具的文件不存在虚假记载、误导性陈述或者重大遗漏的情形；若因本所为发行人首次公开发行制作、出具的文件有虚假记载、误导性陈述或者重大遗漏，给投资者造成损失的，本所将依法承担相应法律责任。

六、填补即期回报措施及相关承诺

报告期，本公司主营业务发展态势良好。但根据公司的合理预测，募集资金到位当年，受股本摊薄的影响，本公司每股收益相对上年度呈下降趋势，可能导致公司即期回报被摊薄。

为应对本次发行摊薄即期回报的影响，本公司制订了多项填补即期回报的措施，董事、高级管理人员出具了相关承诺，具体详见招股说明书“第十一节管理层讨论与分析”之“七、本次发行对即期回报摊薄的影响及应对措施”中的相关内容。

前述填补回报措施的实施，有利于增强公司的核心竞争力和持续经营能力，增厚未来收益，填补股东回报。公司提示投资者：由于公司面临的内外部风险客观存在，制定填补回报措施不等于对公司未来利润做出保证。

七、未履行承诺的约束措施

发行人控股股东、实际控制人沈东军、马峻就下列承诺事项，提出相应未能履行的约束措施。

(1)沈东军、马峻向发行人出具的《关于避免同业竞争的承诺函》；

(2)如发行人及其子公司因租赁沈东军、马峻的房屋存在产权瑕疵或者政府拆迁等原因而导致发行人及其子公司在合同到期前被迫搬迁，沈东军，马峻将一起全额补偿发行人及其子公司搬迁产生的费用和因搬迁造成的损失，保证发行人及其子公司不会因此遭受任何损失；

(3) 如因发行人租赁的房屋存在产权瑕疵等原因而导致发行人及其子公司在合同到期前被迫搬迁或对发行人及其子公司造成其他不利影响，沈东军、马峻一起全额补偿发行人及其子公司搬迁产生的费用和因搬迁造成的损失，保证发行人及其子公司不会因此遭受任何损失；

(4) 针对发行人承租的沈东军与马峻所有的位于南京市新街口正洪街综合楼 A 区 1 至 3 层房屋涉及与南京市住房和城市建设委员会的行政诉讼，沈东军、马峻承诺如发行人在合同到期前被迫搬迁，沈东军、马峻全额补偿发行人搬迁产生的费用和因搬迁造成的损失，保证发行人不会因此遭受任何损失。

若沈东军、马峻违反上述承诺，则将在违反上述承诺发生之日起 5 个工作日内，停止在发行人处获得股东分红，同时本人持有的发行人股份将不得转让，直至本人按上述承诺采取相应的措施并实施完毕时为止。

八、发行人发行上市后的股利分配政策

公司的利润分配原则为：公司实行连续、稳定的利润分配政策，重视对投资者的合理回报并兼顾公司的可持续发展。

公司采取现金、股票或二者相结合的方式分配利润，以现金分红为主，并优先采用现金分红的利润分配方式。

公司一般进行年度利润分配，董事会也可以根据公司的资金需求状况提议进行中期利润分配。

综合考虑所处行业特点、发展阶段、自身经营模式、盈利水平以及是否有重大资金支出安排等因素，公司进行利润分配时，现金分红在本次利润分配中所占比例最低应达到 20%。

公司股利分配不得超过累计可供分配利润的范围。

公司利润分配方案应由董事会制订。在具体方案制订过程中，董事会应充分研究和论证公司现金分红的时机、条件和最低比例、调整的条件以及决策程序要求等事宜，通过多种渠道充分听取中小股东、独立董事、监事及公司高级管理人员的意见。独立董事可以征集中小股东的意见，提出分红提案，并直接提交董事会审议。

利润分配方案经董事会通过后，交由股东大会审议。股东大会对现金分红具体方案进行审议时，应当通过现场、电话、公司网站及交易所互动平台等媒介主动与股东特别是中小股东进行沟通和交流，充分听取中小股东的意见和诉求，并及时答复中小股东关心的问题。审议利润分配方案应采取现场投票和网络投票相结合的方式，为中小股东提供便利。股东大会审议通过利润分配方案 2 个月内，董事会必须实施利润分配方案。

公司不进行现金分红时，董事会就不进行现金分红的具体原因、公司留存收益的确切用途及预计投资收益等事项进行专项说明，经独立董事发表意见后提交股东大会审议，并在公司指定媒体上予以披露。如遇到战争、自然灾害等不可抗力时，并对公司生产经营造成重大影响，或公司自身经营状况发生重大变化时，公司可对利润分配政策进行调整。

公司对章程规定的既定利润分配政策尤其是现金分红政策作出调整的，调整后的利润分配政策不得违反中国证监会和证券交易所的有关规定；且有关调整利润分配政策的议案，需事先征求独立董事及监事会的意见，经公司董事会审议通过后，方可提交公司股东大会审议，该事项须经出席股东大会股东所持表决权 2/3 以上通过。董事会应就调整利润分配政策做专题讨论，通过多种渠道充分听取中小股东、独立董事、监事及公司高级管理人员的意见。独立董事应就利润分配调整方案发表明确意见，公司应在发布召开股东大会的通知时，公告独立董事意见。

股东大会对利润分配政策进行审议时，应当通过现场、电话、公司网站及交易所互动平台等媒介主动与股东特别是中小股东进行沟通和交流，充分听取中小股东的意见和诉求，并及时答复中小股东关心的问题。

审议利润分配政策调整方案应采取现场投票和网络投票相结合的方式，为中小股东提供便利。必要时独立董事可公开征集中小股东投票权。

公司至少每三年重新审阅一次股东分红回报规划，对公司股利分配政策作出适当且必要的修改，确定该时段的股东回报计划，并由公司董事会结合具体经营数据，充分考虑公司目前盈利规模、

现金流量状况、发展所处阶段及当期资金需求，制订具体的年度或中期分红方案。

九、公司财务报告审计截止日后的主要财务信息及经营情况

公司财务报告审计截止日为2016年6月30日。公司编制的2016年9月30日财务报告未经审计，已经天衡会计师事务所(特殊普通合伙)审阅，并出具了"天衡专字[2016]01364号"《审阅报告》。2016年1-9月，本公司所处行业未出现重大不利变化。本公司主要从事钻石饰品和翡翠饰品的零售业务，本公司的经营不存在明显的周期性和季节性特征。2016年1-9月，经天衡会计师审阅，公司实现营业收入122,505.05万元，较2015年同期收入增长12.01%，公司归属于母公司股东的净利润为17,480.30万元，较2015年同期净利润增长23.64%，公司营业收入和归属于母公司股东的净利润与上年相比均保持了增长。财务报告审计截止日至本上市公告书签署日，公司仍采用"自营为主、加盟为辅"的销售模式，采购、生产、销售等经营模式未发生重大变化；主要原材料采购情况正常，主要原材料价格变动幅度不大；主要产品生产情况正常，销售价格变动幅度不大；主要客户变化与公司行业及产品特征相适应，主要供应商未发生重大变化；税收政策保持稳定。公司主要经营状况良好，未出现重大不利变化。

如无特别说明，本上市公告书中的简称或名词的释义与本公司首次公开发行股票并上市招股说明书中的相同。

本上市公告中所列出的数据可能因四舍五人原因而与根据上市公告书中所列示的相关单项数据计算得出的结果略有不同。

第二节　股票上市情况

一、公司股票发行上市审批情况

(一)编制上市公告书的法律依据

本上市公告书系根据《中华人民共和国公司法》、《中华人民共和国证券法》和《上海证券交易所股票上市规则》等有关法律法规规定，并按照《上海证券交易所股票上市公告书内容与格式指引》编制而成，旨在向投资者提供有关本公司首次公开发行股票并上市的基本情况。

(二)股票发行的核准部门和文号

本公司首次公开发行股票已经中国证券监督管理委员会"证监许可[2016]2445号"文批准。

(三)交易所同意股票上市文件的文号本公司首次公开发行股票已经上海证券交易所"[2016]285号"《关于通灵珠宝股份有限公司人民币普通股股票上市交易的通知》批准。

二、公司股票上市的相关信息

上市地点：上海证券交易所

上市时间：2016年11月23日

股票简称：通灵珠宝

股票代码：603900

本次公开发行后的总股本：24,319.56万股

本次公开发行的股票数量：6,079.89万股

本次上市的无流通限制及锁定安排的股票数量：6,079.89万股

发行前股东所持股份的流通限制及期限：根据《公司法》的有关规定，公司首次公开发行股份前已发行的股份，自公司股票在证券交易所上市交易之日起一年内不得转让

发行前股东对所持股份自愿锁定的承诺：详见"第一节重要声明与提示"

本次上市股份的其他锁定安排：详见"第一节重要声明与提示"

股票登记机构：中国证券登记结算有限责任公司上海分公司

上市保荐机构：华泰联合证券有限责任公司

第三节　发行人、股东和实际控制人情况

一、发行人基本情况

中文名称：通灵珠宝股份有限公司

英文名称：TESIROJewelryInc.

注册资本：18,239.67万元(发行前)；24,319.56万元(发行后)

法定代表人：沈东军

公司住所：南京市雨花台区花神大道19号

经营范围：珠宝饰品、工艺美术品、铂金制品及黄金制品的零售、收购、生产、加工、修理改制、以旧换新，办公用品零售、批发，经营本企业自产产品及技术的出口业务，经营本企业生产、科研所需的原辅材料、仪器仪表、机械设备、零配件及技术的进口业务，经营进料加工和"三来一补"业务，企业管理咨询及服务。

主营业务：珠宝首饰产品的设计、研发及销售业务，产品定位于中高端珠宝首饰零售市场，主要产品为钻石饰品和翡翠饰品。

所属行业：零售业(F52)

电话：025-52486808

传真：025-52486732

邮箱：tesiro-dm@tesiro.com

董事会秘书：王芳

二、发行人董事、监事、高级管理人员及其持有公司股票、债券情况

发行人董事、监事、高级管理人员姓名、任职情况如下：

姓名	职务	任职起止日期	直接持股(万股)	间接持股(万股)	持有债券情况
沈东军	董事长、总裁	2015年1月至2018年1月	7,462.50	189.58	—
马峻	董事	2015年1月至2018年1月	6,112.50	189.58	—
蔄毅泽	董事	2015年1月至2018年1月	1,350.00	—	—
王芳	董事、常务副总裁、董事会秘书	2015年1月至2018年1月	137.01	—	—
Jiang Jacky	董事	2015年1月至2018年1月	—	882.35	—
周婷	独立董事	2015年1月至2018年1月	—	—	—
韩虎	独立董事	2016年7月至2018年1月	—	—	—
王怀芳	独立董事	2016年7月至2018年1月	—	—	—
庄瓯	监事会主席	2015年1月至2018年1月	—	35.02	—
王小文	监事	2015年1月至2018年1月	—	35.02	—
刘昆	职工代表监事	2015年1月至2018年1月	—	—	—
朱跃华	财务负责人	2015年6月至今	—	—	—

三、控股股东和实际控制人

本公司的实际控制人为沈东军先生和马峻先生。本次发行前，沈东军先生直接持有本公司7,462.50万元的股权，持股比例为40.91%；马峻先生直接持有本公司6,112.50万元的股权，持股比例为33.51%。此外，沈东军先生和马峻先生通过持有传世美瑾的股权间接控制公司2.91%的股权。另外，马峻先生之配偶蔄毅泽女士直接持有发行人7.40%的股份，马峻及沈东军合计控制公司的股权比例为84.73%。

四、股本结构及前十名股东情况

(一)本次发行前后的股本结构变动情况

股份类型(股东名称)	发行前股本结构		发行后股本结构		
	股数(万股)	比例	股数(万股)	比例	锁定限制及期限
一、有限售条件流通股					
沈东军	7,462.50	40.91	7,462.50	30.68	自上市之日起锁定36个月，在担任发行人董事、监事或高级管理人员期间每年转让的股份不超过本人直接和间接持有发行人股份总数的百分之二十五；不再担任上述职务后半年内，不转让本人持有的发行人股份。
马峻	6,112.50	33.51	6,112.50	25.13	自上市之日起锁定36个月，在担任发行人董事、监事或高级管理人员期间每年转让的股份不超过本人直接和间接持有发行人股份总数的百分之二十五；不再担任上述职务后半年内，不转让本人持有的发行人股份。
Eurostar Diamonds International S.A.	1,764.71	9.68	1,764.71	7.26	自上市之日起锁定36个月
蔄毅泽	1,350.00	7.40	1,350.00	5.55	自上市之日起锁定36个月，在担任发行人董事、监事或高级管理人员期间每年转让的股份不超过本人直接和间接持有发行人股份总数的百分之二十五；不再担任上述职务后半年内，不转让本人持有的发行人股份。
EURODIAMOND (HK) LIMITED	882.35	4.84	882.35	3.63	自上市之日起锁定36个月

南京传世美瑶投资管理有限公司	530.60	2.91	530.60	2.18	自上市之日起锁定 36 个月
王　芳	137.01	0.75	137.01	0.56	自上市之日起锁定 36 个月，在担任发行人董事、监事或高级管理人员期间每年转让的股份不超过本人直接和间接持有发行人股份总数的百分之二十五；不再担任上述职务后半年内，不转让本人持有的发行人股份。
小计	18,239.67	100.00	18,239.67	75.00	
二、无限售条件流通股					
本次发行社会公众股	—	—	6,079.89	25.00	
合计	18,239.67	100.00	24,319.56	100.00	

（二）前十名股东持有公司股份情况

公司本次发行结束后，上市前的股东总数为 58,899 户，其中前十名股东的持股情况如下：

序号	股东名称	持股数量（万股）	持股比例（%）
1	沈东军	7,462.50	30.68
2	马　峻	6,112.50	25.13
3	卢森堡欧陆之星	1,764.71	7.26
4	蔄毅泽	1,350.00	5.55
5	香港欧陆之星	882.35	3.63
6	南京传世美璟投资管理有限公司	530.60	2.18
7	王　芳	137.01	0.56
8	华泰联合证券有限责任公司	13.96	0.06
9	中国石油天然气集体公司企业年金计划-中国工商银行股份有限公司	4.37	0.02
10	中国石油化工集体公司企业年金计划-中国工商银行股份有限公司	2.78	0.01
10	中国农业银行股份有限公司企业年金计划-中国银行股份有限公司	2.78	0.01

第四节　股票发行情况

一、发行数量：6,079.89 万股（全部为公司公开发行新股，无公司股东公开发售股份）

二、发行价格：14.25 元/股

三、每股面值：人民币 1.00 元

四、发行方式

网下向符合条件的投资者询价配售和网上向持有上海市场非限售 A 股股份市值的社会公众投资者定价发行相结合的方式。本次发行网下最终发行数量为 5,472 万股，占本次发行总量的 90.00%；网上最终发行数量为 607.89 万股，占本次发行总量的 10.00%。保荐机构（主承销商）包销投资者未缴款认购的 139,579 股股票。

五、募集资金总额及注册会计师对资金到位的验证情况

本次公开发行募集资金总额为 866,384,325.00 元，全部为发行新股募集资金金额。

天衡会计师事务所（特殊普通合伙）对公司本次公开发行新股的资金到位情况进行了审验，并于 2016 年 11 月 17 日出具了“天衡验字（2016）00216 号”《验资报告》。

六、发行费用总额及明细构成、每股发行费用

本次发行全部为新股发行，无股东公开发售股份。本次公开发行新股的发行费用明细如下：

发行费用合计	71,454,325.00 元
每股发行费用（发行费用除以本次发行股数）	1.18 元

发行费用概算明细如下：

承销和保荐费用	50,250,300.00 元
审计费用	5,360,000.00 元
律师费用	700,000.00 元
评估费用	10,260,000.00 元
用于本次发行的信息披露费用	3,730,000.00 元
其他发行费用	1,154,025.00 元

七、募集资金净额：794,930,000.00 元

八、发行后每股净资产（按 2016 年 6 月 30 日经审计的归属于母公司所有者权益加上本次发行募集资金净额后除以本次发行后总股本计算）：7.95 元

九、发行后每股收益（按 2015 年 12 月 31 日经审计的扣除非经常性损益前后孰低的归属于母公司股东净利润除以本次发行后总股本计算）：0.73 元

第五节　财务会计情况

一、主要财务数据

本公司 2013 年、2014 年、2015 年及 2016 年 1-6 月财务数据已经天衡会计师事务所（特殊普通合伙）审计，并在招股说明书中进行了详细披露，本上市公告书不再另行披露，投资者欲了解相关情况请详细阅读招股说明书。

公司财务报告审计截止日为 2016 年 6 月 30 日。公司编制的 2016 年 9 月 30 日财务报告未经审计，已经天衡会计师事务所（特殊普通合伙）审阅，并出具了“天衡专字（2016）01364 号”《审阅报告》。天衡会计师认为：“根据我们的审阅，我们没有注意到任何事项使我们相信通灵珠宝 2016 年 1-9 月财务报表没有按照企业会计准则的规定编制，未能在所有重大方面公允反映 2016 年 1-9 月公司合并及母公司财务状况、经营成果及现金流量。”

公司董事、监事及其高级管理人员已出具专项声明，保证公司 2016 年 1-9 月的财务报表不存在虚假记载、误导性陈述或者重大遗漏，并对其内容的真实性、准确性及完整性承担个别及连带责任。公司法定代表人、主管会计工作负责人及会计机构负责人已出具专项声明，保证该等财务报表的真实、准确、完整。

本上市公告书已披露截至 2016 年 9 月 30 日的合并资产负债表和资产负债表、2016 年 1-9 月的合并利润表和利润表及合并现金流量表和现金流量表，上述数据均未经审计。本公司上市后将不再另行披露 2016 年第三季度财务报告，敬请投资者注意。2016 年 10 月 25 日，本公司 2016 年第三季度财务报表已经公司第二届董事会第十一次会议审议通过。

公司 2016 年 1-9 月经审阅但未经审计的主要财务数据如下：

（一）合并资产负债表主要数据

单位：元

项目	2016 年 9 月 30 日	2015 年 12 月 31 日	变动幅度
流动资产	1,556,390,125.45	1,389,863,357.21	11.98%
非流动资产	175,490,211.71	171,191,983.58	2.51%
资产合计	1,731,880,337.16	1,561,055,340.79	10.94%
流动负债	554,760,865.69	480,491,182.71	15.46%
非流动负债	10,233,255.01	8,151,623.25	25.54%
负债合计	564,994,120.70	488,642,805.96	15.63%
所有者权益合计	1,166,886,216.46	1,072,412,534.83	8.81%

（二）合并利润表主要数据

单位：元

项目	2016 年 1-9 月	2015 年 1-9 月	变动幅度
营业收入	1,225,050,523.92	1,093,740,643.60	12.01%
营业成本	990,147,524.46	906,001,698.62	9.29%
营业利润	234,902,999.46	187,738,944.98	25.12%
利润总额	235,091,990.36	187,479,862.92	25.40%
净利润	174,473,681.63	140,991,355.00	23.75%
归属于母公司股东的净利润	174,802,980.68	141,377,030.40	23.64%
扣除非经常性损益后归属于母公司股东的净利润	174,664,252.02	141,568,256.11	23.38%

（三）合并现金流量表主要数据

单位：元

项目	2016 年 1-9 月	2015 年 1-9 月
经营活动产生的现金流量净额	51,733,073.78	104,249,418.87
投资活动产生的现金流量净额	-23,702,424.45	-29,662,691.53
筹资活动产生的现金流量净额	-19,514,076.16	-73,786,802.81
现金及现金等价物净增加额	6,578,005.31	771,559.46
期末现金及现金等价物	93,002,398.42	70,866,821.18

（四）非经常性损益的主要项目和金额

单位：元

项目（损失为负数）	2016 年 1-9 月	2015 年 1-9 月
非流动性资产处置损益	-171,866.52	-152,082.90
计入当期损益的政府补助，但与公司正常经营业务密切相关，符合国家政策规定、按照一定标准定额或定量持续享受的政府补助除外	374,940.43	350,000.00
除上述各项之外的其他营业外收支净额	-14,083.01	-456,999.16

非经常性损益合计	188,990.90	-259,082.06
减:所得税费用影响额	52,180.55	-68,270.71
少数股东损益影响额	-1,918.31	414.36
扣除所得税费用和少数股东损益影响额后非经常性损益	138,728.66	-191,225.71

二、财务报告审计截止日后的主要经营情况

2016年1-9月,本公司所处行业未出现重大不利变化。本公司主要从事钻石饰品和翡翠饰品的零售业务,本公司的经营不存在明显的周期性和季节性特征。

2016年1-9月,经天衡会计师审阅,公司实现营业收入122,505.05万元,较2015年同期收入增长12.01%,公司归属于母公司股东的净利润为17,480.30万元,较2015年同期净利润增长23.64%,公司营业收入和归属于母公司股东的净利润与上年相比均保持了增长。

财务报告审计截止日至本上市公告书签署日,公司仍采用"自营为主、加盟为辅"的销售模式,采购、生产、销售等经营模式未发生重大变化;主要原材料采购情况正常,主要原材料价格变动幅度不大;主要产品生产情况正常,销售价格变动幅度不大;主要客户变化与公司行业及产品特征相适应,主要供应商未发生重大变化;税收政策保持稳定。公司主要经营状况良好,未出现重大不利变化。

基于珠宝零售行业及本公司发展、经营状况,本公司预计2016年度营业收入在15.00亿元-16.57亿元之间,较上年同期变动幅度在1%到11%之间,归属母公司股东的净利润在1.89亿元-2.08亿元之间,较上年同期变动幅度在5%到15%之间,营业收入及净利润较上年同期基本保持稳定,不存在收入及利润水平大幅下降的情形。(上述数据未经注册会计师审计,且不构成盈利预测)。

第六节 其他重要事项

一、募集资金专户存储三方监管协议的安排

根据《上海证券交易所上市公司募集资金管理规定(2013年修订)》要求,本公司将在公司公开发行新股募集资金到账后一个月内与保荐机构华泰联合证券有限责任公司及专户存储募集资金的浦发银行南京分行、浦发银行南京分行城西支行以及北京银行大光路支行等三家商业银行签订《募集资金专户存储三方监管协议》,并在协议签订后两个交易日内报上海证券交易所备案并公告。

二、其他事项

本公司在招股意向书刊登日至上市公告书刊登前,没有发生可能对本公司有较大影响的重要事项,具体如下:

(1)本公司主营业务目标进展情况正常;

(2)本公司所处行业和市场未发生重大变化;

(3)除与正常业务经营相关的采购、销售、借款等商务合同外,本公司未订立其他对本公司的资产、负债、权益和经营成果产生重大影响的重要合同;

(4)本公司没有发生未履行法定程序的关联交易,且没有发生未在招股意向书中披露的重大关联交易;

(5)本公司未进行重大投资;

(6)本公司未发生重大资产(或股权)购买、出售及置换;

(7)本公司住所没有变更;

(8)本公司董事、监事、高级管理人员及核心技术人员没有变化;

(9)本公司未发生重大诉讼、仲裁事项;

(10)本公司未发生对外担保等或有事项;

(11)本公司的财务状况和经营成果未发生重大变化;

(12)本公司未召开股东大会、董事会或监事会会议;

(13)本公司未发生其他应披露的重大事项。

第七节 上市保荐机构及其意见

一、上市保荐机构基本情况

保荐机构:华泰联合证券有限责任公司

法定代表人:刘晓丹

住所:深圳市深南大道4011号香港中旅大厦25楼

联系地址:南京市建邺区江东中路228号华泰证券广场1号楼

联系电话:025-83387687

联系传真:025-83387711

保荐代表人:沙伟、胡宏辉

二、上市保荐机构的推荐意见

上市保荐机构华泰联合证券有限责任公司认为本公司首次公开发行的股票符合上市条件,已向上海证券交易所提交了《华泰联合证券有限责任公司关于通灵珠宝股份有限公司股票上市保荐书》,推荐意见如下:

通灵珠宝股份有限公司申请其股票上市符合《中华人民共和国公司法》、《中华人民共和国证券法》及《上海证券交易所股票上市规则》等法律、法规的有关规定,发行人股票具备在上海证券交易所上市的条件,华泰联合证券有限责任公司愿意推荐发行人的股票上市交易,并承担相关保荐责任。

上海浦东发展银行股份有限公司

公司概况						
公司名称	上海浦东发展银行股份有限公司			证券简称	浦发银行
法人代表	吉晓辉	董秘	穆矢	证券代码	600000
公司网址	www.spdb.com.cn		电子信箱	bdo@spdb.com.cn	
电　话	021-63611226 61618888		传　真	021-63230807	
办公地址	上海市中山东一路 12 号				
经营范围	(一)吸收公众存款;(二)发放短期、中期和长期贷款;(三)办理结算;(四)办理票据贴现等				

主要财务指标 指标\报告期	2016.06.30	2015.12.31	2015.06.30	2014.12.31
基本每股收益(元)	1.2290	2.6650	1.1650	2.5210
基本每股收益(扣除后)(元)	1.2020	2.6090	1.1440	2.5010
稀释每股收益(元)	1.2290	2.6650	1.1650	2.5210
每股净资产(元)	14.5950	13.9020	13.7120	13.1460
每股经营现金净流量(元)	-6.2007	19.2361	0.0192	0.0237
每股现金流量(元)	0.7245	4.0691	1.0905	-4.1458
每股资本公积金(元)	3.4544	3.2508	3.2509	3.2509
每股盈余公积金(元)	3.6399	3.4123	3.4124	2.6616
每股未分配利润(元)	3.3260	4.8608	3.4780	4.1900
净资产收益率(%)	8.2200	17.4200	9.3500	19.1800
加权净资产收益率(%)	8.5900	18.8200	9.3700	21.0200
净资产收益率(扣除)(%)	8.0400	17.0600	8.2136	19.0200
总资产(万元)	537129300.00	504435200.00	460374000.00	419592400.00
归属母公司股东权益(万元)	34544200.00	31517000.00	28569600.00	26016900.00
营业收入(万元)	8217200.00	14655000.00	7070100.00	12318100.00
营业支出(万元)	4693300.00	8048300.00	-3949000.00	16400.00
投资收益(万元)	371000.00	46100.00	68900.00	-26200.00
净利润(万元)	2704000.00	5099700.00	2412600.00	4736000.00
营业利润(万元)	3523900.00	6606700.00	3121100.00	6175100.00
利润总额(万元)	3532200.00	6687700.00	3152600.00	6203000.00

广州白云国际机场股份有限公司

公司概况						
公司名称	广州白云国际机场股份有限公司			证券简称	白云机场
法人代表	刘建强	董秘	戚耀明	证券代码	600004
公司网址	www.gbiac.net		电子信箱	irm@gbiac.net	
电　话	020-36063595 36063593		传　真	020-36063416	
办公地址	广东省广州市白云国际机场南工作区自编一号股份公司本部办公大楼				
经营范围	旅客过港服务,与航空运输有关的地面服务、交通运输和仓储服务等				

主要财务指标 指标\报告期	2016.06.30	2015.12.31	2015.06.30	2014.12.31
基本每股收益(元)	0.6000	1.0900	0.5400	0.9500
基本每股收益(扣除后)(元)	0.6000	1.0800	0.5300	0.9700
稀释每股收益(元)	0.6000	1.0900	0.5400	0.9500
每股净资产(元)	8.9319	8.3229	7.8081	7.3832
每股经营现金净流量(元)	0.8729	1.5123	0.9258	1.5859
每股现金流量(元)	1.5210	-1.5267	-0.7445	1.1754
每股资本公积金(元)	3.2916	2.9535	2.9593	2.7955
每股盈余公积金(元)	0.5000	0.5000	0.5000	0.5000
每股未分配利润(元)	4.0844	3.8001	3.2480	3.0004
净资产收益率(%)	6.7664	13.0921	6.8852	12.8098
加权净资产收益率(%)	7.0100	14.0000	7.0300	13.3800
净资产收益率(扣除)(%)	6.6762	12.9257	6.7843	13.0710
总资产(万元)	1660957.11	1232475.43	1179102.46	1107389.78
归属母公司股东权益(万元)	1027165.58	957136.87	897929.70	849073.70
营业收入(万元)	298465.03	561973.54	277393.27	552767.86
营业支出(万元)	181590.18	336617.54	166857.51	339268.50
投资收益(万元)	1260.57	1794.53	108.97	969.99
净利润(万元)	69807.73	129456.61	64954.36	115685.47
营业利润(万元)	92597.59	174733.82	85305.85	157595.89
利润总额(万元)	93846.03	175227.10	86537.00	154964.78

武汉钢铁股份有限公司

公司概况						
公司名称	武汉钢铁股份有限公司			证券简称	武钢股份
法人代表	马国强	董秘	李海涛	证券代码	600005
公司网址	www.wisco.com.cn		电子信箱	wiscl@wisco.com.cn	
电　话	027-86217195		传　真	027-86217296	
办公地址	湖北省武汉市青山区厂前武钢 2 号门				
经营范围	冶金产品及副产品、钢铁延伸产品制造、冶金产品的技术开发等				

主要财务指标 指标\报告期	2016.06.30	2015.12.31	2015.06.30	2014.12.31
基本每股收益(元)	0.0270	-0.7440	0.0520	0.1250
基本每股收益(扣除后)(元)	0.0260	-0.7490	0.0500	0.0390
稀释每股收益(元)	0.0270	-0.7440	0.0520	0.1250
每股净资产(元)	2.8405	2.8028	3.5789	3.5923
每股经营现金净流量(元)	0.3122	-0.2675	0.2241	0.7632
每股现金流量(元)	0.1014	0.1423	-0.0680	-0.0483
每股资本公积金(元)	0.9837	0.9837	0.9837	0.9837
每股盈余公积金(元)	0.4707	0.4707	0.4707	0.4707
每股未分配利润(元)	0.4058	0.3787	1.1749	1.1732
净资产收益率(%)	0.9514	-26.5626	1.4439	3.4678
加权净资产收益率(%)	0.9580	-23.2830	1.4510	3.1760
净资产收益率(扣除)(%)	0.9016	-26.7115	1.4091	1.0865
总资产(万元)	9736220.83	9445584.20	9831062.64	9606350.92
归属母公司股东权益(万元)	2867098.70	2829094.31	3612446.79	3626035.52
营业收入(万元)	2884954.96	5833803.99	3451833.99	9937308.94
营业支出(万元)	2658656.39	5922347.13	3145131.53	9193349.76
投资收益(万元)	-20655.30	-1040.35	5650.35	61904.62
净利润(万元)	27325.72	-751063.68	53472.06	129259.73
营业利润(万元)	33967.87	-793477.71	68594.02	116241.23
利润总额(万元)	35978.57	-787932.38	70361.20	154679.70

东风汽车股份有限公司

公司概况						
公司名称	东风汽车股份有限公司			证券简称	东风汽车
法人代表	欧阳洁	董秘	张斌	证券代码	600006
公司网址	www.dfac.com		电子信箱	zhangxinfeng@dfac.com	
电　话	027-84287896 84287977		传　真	027-84287988	
办公地址	湖北省武汉市经济技术开发区创业路 58 号				
经营范围	集团的主要业务是制造和销售汽车、发动机及其他汽车零部件				

主要财务指标 指标\报告期	2016.06.30	2015.12.31	2015.06.30	2014.12.31
基本每股收益(元)	0.1112	0.1722	0.1179	0.0703
基本每股收益(扣除后)(元)	0.1044	0.1130	0.1025	0.0510
稀释每股收益(元)	0.1112	0.1722	0.1179	0.0703
每股净资产(元)	3.2537	3.1951	3.1425	3.0455
每股经营现金净流量(元)	0.0283	0.1841	0.0049	-0.1642
每股现金流量(元)	0.2334	-0.7345	0.0766	0.0302
每股资本公积金(元)	0.3073	0.3073	0.3073	0.3071
每股盈余公积金(元)	0.3521	0.3521	0.3521	0.3521
每股未分配利润(元)	1.5843	1.5250	1.4708	1.3741
净资产收益率(%)	3.4178	5.3892	3.7519	2.3081
加权净资产收益率(%)	3.4300	5.5141	3.8000	2.3300
净资产收益率(扣除)(%)	3.2073	3.5368	3.2604	1.6759
总资产(万元)	1988455.11	2021793.87	2038952.17	1943925.27
归属母公司股东权益(万元)	650748.49	639020.52	628500.70	609090.79
营业收入(万元)	688634.61	1687518.68	780176.66	1747125.18
营业支出(万元)	579423.97	1425693.91	657705.56	1500519.56
投资收益(万元)	16364.04	40759.99	21022.00	47461.52
净利润(万元)	15537.54	28643.20	21585.47	17624.43
营业利润(万元)	12559.06	19179.69	18253.85	16966.35
利润总额(万元)	14363.74	27600.79	19143.24	19632.57

中国国际贸易中心股份有限公司

公司概况					
公司名称	中国国际贸易中心股份有限公司			证券简称	中国国贸
法人代表	洪敬南	董秘	王京京	证券代码	600007
公司网址	www.cwtc.com		电子信箱	dongmi@cwtc.com	
电　　话	010-65052288		传　　真	010-65053862	
办公地址	北京市朝阳区建国门外大街一号				
经营范围	出租办公场所、公寓、商场及展览场地等				

主要财务指标 指标\报告期	2016.06.30	2015.12.31	2015.06.30	2014.12.31
基本每股收益(元)	0.3700	0.6200	0.3000	0.5300
基本每股收益(扣除后)(元)	0.3700	0.6100	0.3000	0.5400
稀释每股收益(元)	0.3700	0.6200	0.3000	0.5300
每股净资产(元)	5.7839	5.6092	5.2889	5.1861
每股经营现金净流量(元)	0.5719	1.1363	0.5632	1.0809
每股现金流量(元)	–	–0.3152	–0.1166	0.3638
每股资本公积金(元)	1.8590	1.8590	1.8590	1.8590
每股盈余公积金(元)	0.5000	0.5000	0.5000	0.5000
每股未分配利润(元)	2.4249	2.2502	1.9300	1.8271
净资产收益率(%)	6.4790	11.1079	5.7256	10.2703
加权净资产收益率(%)	6.5400	11.6100	5.7500	10.7000
净资产收益率(扣除)(%)	6.4372	10.9159	5.6652	10.3305
总资产(万元)	1066695.61	1021915.70	982988.50	970553.14
归属母公司股东权益(万元)	582603.16	565002.18	532745.18	522387.96
营业收入(万元)	114509.02	227127.84	109514.58	223426.66
营业支出(万元)	50855.79	110553.37	52050.69	112453.67
投资收益(万元)	63.94	1285.64	825.12	1651.20
净利润(万元)	37757.32	62826.31	30531.60	53709.95
营业利润(万元)	50006.03	82446.68	40273.75	72007.09
利润总额(万元)	50330.25	83892.83	40702.71	71587.49

北京首创股份有限公司

公司概况					
公司名称	北京首创股份有限公司			证券简称	首创股份
法人代表	刘晓光	董秘	郭鹏	证券代码	600008
公司网址	www.capitalwater.cn		电子信箱	securities@capitalwater.cn	
电　　话	010-64689035		传　　真	010-64689030	
办公地址	北京市朝阳区北三环东路8号静安中心三层				
经营范围	公用基础设施的投资及投资管理，高科技产品的技术开发、咨询、转让等				

主要财务指标 指标\报告期	2016.06.30	2015.12.31	2015.06.30	2014.12.31
基本每股收益(元)	0.0533	0.2241	0.0681	0.3333
基本每股收益(扣除后)(元)	0.0389	0.1040	0.0155	0.1708
稀释每股收益(元)	0.0533	0.2241	0.0681	0.3333
每股净资产(元)	1.7657	3.5414	3.3593	2.8397
每股经营现金净流量(元)	0.2252	0.4177	0.0059	0.1554
每股现金流量(元)	–0.1688	0.1609	0.7772	0.0670
每股资本公积金(元)	0.1107	1.2212	1.3906	0.7116
每股盈余公积金(元)	0.1628	0.3257	0.3060	0.3352
每股未分配利润(元)	0.3486	0.7408	0.6258	0.7551
净资产收益率(%)	3.0160	6.2824	2.5766	9.7679
加权净资产收益率(%)	3.0100	6.8600	2.9100	9.8900
净资产收益率(扣除)(%)	2.2012	2.9152	0.9164	6.0153
总资产(万元)	3828267.13	3612520.02	3346274.26	2517439.24
归属母公司股东权益(万元)	851161.46	853584.67	809693.40	624732.93
营业收入(万元)	306804.58	706149.35	183774.35	558938.32
营业支出(万元)	194900.79	478064.73	117421.54	387457.28
投资收益(万元)	14582.95	12953.69	10487.27	31737.34
净利润(万元)	28709.29	70138.75	22704.02	68813.94
营业利润(万元)	27698.62	70654.46	20286.75	76236.56
利润总额(万元)	38568.45	92387.52	27429.93	87195.63

上海国际机场股份有限公司

公司概况					
公司名称	上海国际机场股份有限公司			证券简称	上海机场
法人代表	贾锐军	董秘	黄晔	证券代码	600009
公司网址	www.shairport.com		电子信箱	ir@shairport.com	
电　　话	021-68341609		传　　真	021-68341615	
办公地址	上海市浦东新区启航路900号				
经营范围	为国内外航空运输企业及旅客提供地面保障服务等				

主要财务指标 指标\报告期	2016.06.30	2015.12.31	2015.06.30	2014.12.31
基本每股收益(元)	0.7300	1.3100	0.6700	1.0900
基本每股收益(扣除后)(元)	0.7300	1.2900	0.6500	1.0900
稀释每股收益(元)	0.7300	1.3100	0.6700	1.0900
每股净资产(元)	10.8449	10.5449	9.9015	9.5812
每股经营现金净流量(元)	0.3174	1.6645	0.4276	1.5470
每股现金流量(元)	–0.2673	0.7544	0.2471	1.1854
每股资本公积金(元)	1.3366	1.3366	1.3366	1.3366
每股盈余公积金(元)	0.6797	0.6797	0.6797	0.6797
每股未分配利润(元)	7.8286	7.5286	6.8852	6.5649
净资产收益率(%)	6.7309	12.4581	6.7697	11.3502
加权净资产收益率(%)	6.6900	13.0500	6.7600	11.7700
净资产收益率(扣除)(%)	6.7314	12.2531	6.5567	11.3484
总资产(万元)	2644254.89	2563941.38	2420414.04	2301506.25
归属母公司股东权益(万元)	2089761.09	2031960.48	1907982.31	1846260.72
营业收入(万元)	339779.48	628540.03	309410.46	575088.29
营业支出(万元)	188223.29	339771.37	164209.20	323406.88
投资收益(万元)	40911.20	60847.07	30343.44	59244.53
净利润(万元)	147829.18	268421.34	136096.01	225017.59
营业利润(万元)	183568.15	332485.63	166002.35	280565.45
利润总额(万元)	183558.86	338043.59	171420.51	280609.56

内蒙古包钢钢联股份有限公司

公司概况					
公司名称	内蒙古包钢钢联股份有限公司			证券简称	包钢股份
法人代表	周秉利	董秘	董林	证券代码	600010
公司网址	www.btsteel.com		电子信箱	glgfzqb@126.com	
电　　话	0472-2189515 2189529		传　　真	0472-2189530	
办公地址	内蒙古自治区包头市包钢信息大楼东副楼				
经营范围	生产销售黑色金属及其延压加工产品、冶金机械、设备及配件、汽车等				

主要财务指标 指标\报告期	2016.06.30	2015.12.31	2015.06.30	2014.12.31
基本每股收益(元)	0.0008	–0.1288	–0.0089	0.0728
基本每股收益(扣除后)(元)	–0.0081	–0.1855	–0.0170	0.0781
稀释每股收益(元)	0.0008	–0.1288	–0.0367	0.0728
每股净资产(元)	1.4483	1.4464	1.4750	1.1843
每股经营现金净流量(元)	0.1340	–0.0299	0.1528	0.1852
每股现金流量(元)	–0.2067	0.1969	0.4955	0.0176
每股资本公积金(元)	0.4430	0.4430	0.4148	0.0351
每股盈余公积金(元)	0.0269	0.0269	0.0269	0.0546
每股未分配利润(元)	–0.0274	–0.0282	0.0287	0.0867
净资产收益率(%)	0.0584	–7.0202	–0.9464	1.0569
加权净资产收益率(%)	0.0584	–9.5095	–1.9212	1.0568
净资产收益率(扣除)(%)	–0.5588	–10.1050	–1.4324	1.5100
总资产(万元)	14007775.28	14493216.26	13879502.12	10366616.34
归属母公司股东权益(万元)	4715613.84	4709728.32	4802801.32	1895509.46
营业收入(万元)	1203712.74	2250101.65	1149660.75	2979189.36
营业支出(万元)	1141812.74	2571130.70	1095899.86	2654349.82
投资收益(万元)	2491.83	4587.71	1978.70	4775.12
净利润(万元)	1109.81	–330233.31	–46492.20	20130.87
营业利润(万元)	–31283.56	–599431.54	–84035.70	51929.39
利润总额(万元)	7876.99	–435383.52	–61321.84	42224.79

华能国际电力股份有限公司

公司概况						
公司名称	华能国际电力股份有限公司				证券简称	华能国际
法人代表	曹培玺	董秘	杜大明		证券代码	600011
公司网址	www.hpi.com.cn				电子信箱	zqb@hpi.com.cn
电　话	010-63226999　66086765				传　真	010-63226888
办公地址	北京市西城区复兴门内大街 6 号华能大厦					
经营范围	投资建设、经营管理电厂及开发、投资、经营与电厂有关的以出口为主的其他相关企业等					

主要财务指标				
指标\报告期	2016.06.30	2015.12.31	2015.06.30	2014.12.31
基本每股收益(元)	0.4100	0.9500	0.6300	0.8600
基本每股收益(扣除后)(元)	0.4100	0.9300	0.6000	0.7500
稀释每股收益(元)	0.4100	0.9500	0.6300	0.8600
每股净资产(元)	5.2344	5.2241	4.8552	4.7986
每股经营现金净流量(元)	1.2806	2.7869	1.6677	2.3106
每股现金流量(元)	0.0908	-0.3647	-0.2101	0.2009
每股资本公积金(元)	1.2007	1.2007	0.9949	1.3012
每股盈余公积金(元)	0.5386	0.5386	0.5677	0.5022
每股未分配利润(元)	2.4180	2.4740	2.2812	2.0632
净资产收益率(%)	7.9083	17.3608	12.9383	15.2399
加权净资产收益率(%)	7.6000	19.2900	12.5800	16.2700
净资产收益率(扣除)(%)	7.7384	17.0170	12.4167	15.2804
总资产(万元)	29828720.72	29972972.26	29640541.10	27216494.96
归属母公司股东权益(万元)	7956554.10	7940897.03	7001343.05	6919821.85
营业收入(万元)	5292437.12	12890487.25	6530547.20	12540685.50
营业支出(万元)	3783384.98	9152126.38	4540932.88	9401050.11
投资收益(万元)	69130.45	169719.60	90941.37	142388.94
净利润(万元)	775506.92	1754967.71	1118228.73	1336421.30
营业利润(万元)	1007220.34	2300572.00	1434494.55	1855199.85
利润总额(万元)	1023100.81	2338512.72	1479407.88	1887479.25

安徽皖通高速公路股份有限公司

公司概况						
公司名称	安徽皖通高速公路股份有限公司				证券简称	皖通高速
法人代表	周仁强	董秘	韩榕		证券代码	600012
公司网址	www.anhui-expressway.net				电子信箱	wtgs@anhui-expressway.cn
电　话	0551-65338697　63738923				传　真	0551-65338696
办公地址	安徽省合肥市望江西路 520 号					
经营范围	高等级公路投资、建设、设计、监理、收费、养护、施救、路产路权管理等					

主要财务指标				
指标\报告期	2016.06.30	2015.12.31	2015.06.30	2014.12.31
基本每股收益(元)	0.2904	0.5655	0.2839	0.5190
基本每股收益(扣除后)(元)	0.2899	0.5662	0.2844	0.5010
稀释每股收益(元)	0.2904	0.5655	0.2839	0.5190
每股净资产(元)	4.9578	4.8936	4.6146	4.5833
每股经营现金净流量(元)	0.5236	0.9169	0.4421	0.9621
每股现金流量(元)	0.5243	0.1485	0.0519	-0.0499
每股资本公积金(元)	0.1691	0.1691	0.1691	0.1691
每股盈余公积金(元)	0.5386	0.5386	0.5386	0.5386
每股未分配利润(元)	3.2171	3.1567	2.8751	2.8212
净资产收益率(%)	5.8574	11.5550	6.1524	11.3243
加权净资产收益率(%)	5.8100	11.9500	6.0600	11.8300
净资产收益率(扣除)(%)	5.8481	11.5706	6.1627	10.9247
总资产(万元)	1284546.37	1214070.22	1167627.81	1153244.05
归属母公司股东权益(万元)	822311.97	811657.39	765387.36	760195.85
营业收入(万元)	125000.29	242700.49	120194.82	233956.95
营业支出(万元)	51261.88	97067.31	49045.49	92909.13
投资收益(万元)	2933.82	7440.19	5424.96	12701.32
净利润(万元)	47421.02	96745.99	48922.95	86766.16
营业利润(万元)	63276.64	126273.50	62799.62	117010.40
利润总额(万元)	63379.59	126087.00	62695.42	117153.24

华夏银行股份有限公司

公司概况						
公司名称	华夏银行股份有限公司				证券简称	华夏银行
法人代表	吴建	董秘	赵军学		证券代码	600015
公司网址	www.hxb.com.cn				电子信箱	zhdb@hxb.com.cn
电　话	010-85239938　85238570				传　真	010-85239605
办公地址	北京市东城区建国门内大街 22 号华夏银行大厦					
经营范围	吸收公众存款、发放短期、中期和长期贷款、办理国内外结算等					

主要财务指标				
指标\报告期	2016.06.30	2015.12.31	2015.06.30	2014.12.31
基本每股收益(元)	0.9200	1.7700	0.8700	2.0200
基本每股收益(扣除后)(元)	0.9200	1.7500	0.8600	2.0100
稀释每股收益(元)	0.9200	1.7700	0.8700	2.0200
每股净资产(元)	11.5400	11.0100	10.4000	9.4900
每股经营现金净流量(元)	6.9163	0.1503	0.0051	0.0193
每股现金流量(元)	-0.1303	10.3635	1.5261	0.4358
每股资本公积金(元)	2.6917	2.6917	3.4299	3.4299
每股盈余公积金(元)	0.9144	0.7405	0.8887	0.6888
每股未分配利润(元)	4.5397	4.4522	4.6972	4.3453
净资产收益率(%)	6.8547	16.0463	8.3400	17.7226
加权净资产收益率(%)	8.0200	17.1800	8.7200	19.3100
净资产收益率(扣除)(%)	6.8338	15.8840	8.3189	17.6546
总资产(万元)	225054500.00	202060400.00	191723200.00	185162800.00
归属母公司股东权益(万元)	14334600.00	11767800.00	11110800.00	10145800.00
营业收入(万元)	3120500.00	5884400.00	2832800.00	5488500.00
营业支出(万元)	1807700.00	-3391000.00	-1594200.00	-3099400.00
投资收益(万元)	33500.00	12200.00	-27500.00	58000.00
净利润(万元)	987700.00	1895200.00	931200.00	1802300.00
营业利润(万元)	1312800.00	2493400.00	1238600.00	2389100.00
利润总额(万元)	1316900.00	2520500.00	1241600.00	2400300.00

中国民生银行股份有限公司

公司概况						
公司名称	中国民生银行股份有限公司				证券简称	民生银行
法人代表	洪崎	董秘	万青元		证券代码	600016
公司网址	www.cmbc.com.cn				电子信箱	cmbc@cmbc.com.cn
电　话	010-58560975				传　真	010-58560720
办公地址	北京市西城区复兴门内大街 2 号民生银行大厦					
经营范围	吸收公众存款、发放短期、中期和长期贷款、发放委托贷款等					

主要财务指标				
指标\报告期	2016.06.30	2015.12.31	2015.06.30	2014.12.31
基本每股收益(元)	0.7500	1.3000	0.7800	1.3100
基本每股收益(扣除后)(元)	0.7500	1.2900	0.7800	1.3100
稀释每股收益(元)	0.7500	1.2700	0.7400	1.2400
每股净资产(元)	8.7400	8.2600	7.6820	7.0300
每股经营现金净流量(元)	19.9686	6.1702	0.0067	0.0249
每股现金流量(元)	2.7451	-0.1555	0.2220	-0.7282
每股资本公积金(元)	1.7745	1.7745	1.7749	1.4625
每股盈余公积金(元)	0.7687	0.6951	0.6430	0.5000
每股未分配利润(元)	3.4178	3.2020	2.8160	2.6358
净资产收益率(%)	8.5399	15.3082	9.5541	18.5499
加权净资产收益率(%)	8.7450	16.9800	10.4900	20.4100
净资产收益率(扣除)(%)	8.5474	15.2209	9.5212	18.5290
总资产(万元)	525016200.00	452068800.00	430107300.00	401513600.00
归属母公司股东权益(万元)	31877400.00	30121800.00	28027900.00	24014200.00
营业收入(万元)	7795100.00	15442500.00	7690200.00	13546900.00
营业支出(万元)	4276900.00	-	-4159700.00	7599000.00
投资收益(万元)	600700.00	426400.00	306900.00	173700.00
净利润(万元)	2770200.00	4702200.00	2727200.00	4556700.00
营业利润(万元)	3518200.00	6025000.00	3530500.00	5947900.00
利润总额(万元)	3518100.00	6077400.00	3552900.00	5979300.00

日照港股份有限公司

公司概况

公司名称	日照港股份有限公司			证券简称	日照港
法人代表	杜传志	董秘	余慧芳	证券代码	600017
公司网址	www.rzpcl.com			电子信箱	yhfang@rzport.com
电　话	0633-8388822			传　真	0633-8387361
办公地址	山东省日照市海滨二路				
经营范围	港口货物中转、装卸、搬运和仓储(不含易燃易爆危险品)服务等				

主要财务指标

指标\报告期	2016.06.30	2015.12.31	2015.06.30	2014.12.31
基本每股收益(元)	0.0500	0.1000	0.0700	0.1860
基本每股收益(扣除后)(元)	0.0500	0.0990	0.0700	0.1840
稀释每股收益(元)	0.0500	0.1000	0.0700	0.1860
每股净资产(元)	3.3473	3.2907	3.2609	3.2325
每股经营现金净流量(元)	0.1262	0.3716	0.2147	0.3645
每股现金流量(元)	0.0304	-0.1052	0.1420	0.0751
每股资本公积金(元)	0.9610	0.9610	0.9610	0.9610
每股盈余公积金(元)	0.1652	0.1652	0.1547	0.1547
每股未分配利润(元)	1.1979	1.1457	1.1295	1.0960
净资产收益率(%)	1.5581	3.0447	2.2543	5.7585
加权净资产收益率(%)	1.5700	3.0000	2.2500	5.9100
净资产收益率(扣除)(%)	1.5474	3.0079	2.2511	5.6794
总资产(万元)	1928231.98	1859632.34	1846748.81	1756384.85
归属母公司股东权益(万元)	1029505.82	1012101.99	1002953.93	994198.97
营业收入(万元)	216183.54	437792.08	220276.75	508360.38
营业支出(万元)	171219.09	347542.66	166798.06	376230.01
投资收益(万元)	-563.22	-221.46	-30.31	335.35
净利润(万元)	19184.15	37171.25	25862.57	72075.45
营业利润(万元)	24874.28	45377.92	32781.37	84946.87
利润总额(万元)	25025.36	45865.24	32829.99	85055.30

上海国际港务(集团)股份有限公司

公司概况

公司名称	上海国际港务(集团)股份有限公司			证券简称	上港集团
法人代表	陈戌源	董秘	丁向明	证券代码	600018
公司网址	www.portshanghai.com.cn			电子信箱	dongmi@portshanghai.com.cn
电　话	021-55333388			传　真	021-35308688
办公地址	上海市虹口区东大名路358号(国际港务大厦)				
经营范围	集装箱装卸业务、散杂货装卸业务、港口服务和港口物流业务等				

主要财务指标

指标\报告期	2016.06.30	2015.12.31	2015.06.30	2014.12.31
基本每股收益(元)	0.1259	0.2853	0.1357	0.2974
基本每股收益(扣除后)(元)	0.1171	0.2473	0.1318	0.2734
稀释每股收益(元)	0.1259	0.2853	0.1357	0.2974
每股净资产(元)	2.5422	2.5722	2.4392	2.3978
每股经营现金净流量(元)	0.0689	0.4172	0.1979	0.4486
每股现金流量(元)	0.1112	0.1002	0.1717	0.1668
每股资本公积金(元)	0.3746	0.3745	0.3733	0.3022
每股盈余公积金(元)	0.2048	0.2048	0.1762	0.1795
每股未分配利润(元)	0.9050	0.9333	0.8127	0.8457
净资产收益率(%)	4.9516	11.0093	5.4805	12.4014
加权净资产收益率(%)	4.8240	11.5338	5.5777	13.1346
净资产收益率(扣除)(%)	4.6061	9.5420	5.3230	11.4000
总资产(万元)	10219767.46	9851491.73	9868087.71	9427950.04
归属母公司股东权益(万元)	5891299.50	5960819.74	5652453.23	5456276.18
营业收入(万元)	1541600.62	2951083.19	1477329.05	2877870.35
营业支出(万元)	1038855.50	1972122.65	959043.44	1824965.01
投资收益(万元)	82086.17	226119.59	90087.38	169811.97
净利润(万元)	348535.20	786527.20	376510.76	784779.33
营业利润(万元)	406208.05	858574.88	433847.78	892646.91
利润总额(万元)	438074.69	985154.52	471444.02	982908.37

宝山钢铁股份有限公司

公司概况

公司名称	宝山钢铁股份有限公司			证券简称	宝钢股份
法人代表	陈德荣	董秘	朱可炳	证券代码	600019
公司网址	www.baosteel.com			电子信箱	ir@baosteel.com
电　话	021-26647000			传　真	021-26646999
办公地址	上海市宝山区富锦路885号宝钢指挥中心				
经营范围	钢铁产品的制造和销售以及钢铁产销过程中产生的副产品的销售与服务等				

主要财务指标

指标\报告期	2016.06.30	2015.12.31	2015.06.30	2014.12.31
基本每股收益(元)	0.2100	0.0600	0.1900	0.3500
基本每股收益(扣除后)(元)	0.2200	0.0700	0.1900	0.3500
稀释每股收益(元)	0.2100	0.0600	0.1900	0.3500
每股净资产(元)	7.0216	6.8500	6.9802	6.9369
每股经营现金净流量(元)	0.5026	1.2860	0.5712	1.7170
每股现金流量(元)	0.2195	-0.1325	0.2240	-0.0187
每股资本公积金(元)	2.0511	2.0489	2.0485	2.0189
每股盈余公积金(元)	1.6103	1.6102	1.5697	1.5695
每股未分配利润(元)	2.4066	2.2248	2.4273	2.4143
净资产收益率(%)	2.9998	0.8979	2.7614	5.0695
加权净资产收益率(%)	3.0300	0.8400	2.7600	5.1600
净资产收益率(扣除)(%)	3.1844	0.9619	2.7349	5.0710
总资产(万元)	26626532.20	23412314.70	23301403.60	22865251.40
归属母公司股东权益(万元)	11562493.83	11280324.38	11495877.81	11425792.31
营业收入(万元)	7799279.98	16378954.85	8077060.72	18741364.01
营业支出(万元)	6707025.99	14925835.62	7152536.97	16893113.55
投资收益(万元)	35585.07	103820.75	42472.15	37890.60
净利润(万元)	362140.88	64560.36	329377.56	609069.22
营业利润(万元)	511201.82	175916.32	442835.24	764074.68
利润总额(万元)	502195.23	176284.20	439925.08	827777.38

河南中原高速公路股份有限公司

公司概况

公司名称	河南中原高速公路股份有限公司			证券简称	中原高速
法人代表	金雷	董秘	许亮	证券代码	600020
公司网址	www.zygs.com			电子信箱	zygs600020@163.com
电　话	0371-67717696 67717695			传　真	0371-87166867
办公地址	河南省郑州市郑东新区农业东路100号				
经营范围	高速公路和特大桥梁的投资,经营管理和维护等				

主要财务指标

指标\报告期	2016.06.30	2015.12.31	2015.06.30	2014.12.31
基本每股收益(元)	0.0449	0.5093	0.3535	0.3962
基本每股收益(扣除后)(元)	0.0420	0.5149	0.3469	0.3844
稀释每股收益(元)	0.0449	0.5093	0.3535	0.3962
每股净资产(元)	5.2855	5.3887	5.1701	3.4382
每股经营现金净流量(元)	0.5716	1.1454	0.4893	1.1308
每股现金流量(元)	-0.3151	0.1917	1.3108	-0.4330
每股资本公积金(元)	0.7782	0.7782	0.7812	0.7812
每股盈余公积金(元)	0.5112	0.5112	0.4720	0.4720
每股未分配利润(元)	1.4525	1.5676	1.4094	1.1759
净资产收益率(%)	3.1940	9.4508	6.8366	11.5227
加权净资产收益率(%)	1.1500	13.8600	9.7800	12.1100
净资产收益率(扣除)(%)	3.1383	9.5551	6.7095	11.1789
总资产(万元)	4898617.11	4740685.41	4562537.79	3931425.65
归属母公司股东权益(万元)	1187842.46	1211051.50	1161916.49	772686.26
营业收入(万元)	179786.31	453914.66	263536.11	388515.17
营业支出(万元)	73321.18	184835.87	93749.33	156971.38
投资收益(万元)	18544.32	41161.91	24551.99	41709.06
净利润(万元)	37846.05	115368.22	79869.17	89582.66
营业利润(万元)	45462.69	148429.02	102107.01	107794.55
利润总额(万元)	45896.04	145375.60	102680.77	108153.34

上海电力股份有限公司

公司概况	公司名称	上海电力股份有限公司		证券简称	上海电力
	法人代表	王运丹	董秘 夏梅兴	证券代码	600021
	公司网址	www.shanghaipower.com		电子信箱	sepco@shanghaipower.com
	电 话	021-23108718 23108800		传 真	021-23108717
	办公地址	上海市中山南路 268 号			
	经营范围	从事火力发电厂的运营、向用户提供电力和热力产品等			

主要财务指标	指标\报告期	2016.06.30	2015.12.31	2015.06.30	2014.12.31
	基本每股收益(元)	0.2786	0.6227	0.3339	0.6195
	基本每股收益(扣除后)(元)	0.2700	0.4790	0.2475	0.3041
	稀释每股收益(元)	0.2786	0.6227	0.3339	0.6195
	每股净资产(元)	4.8569	4.7936	4.5581	4.5611
	每股经营现金净流量(元)	1.4151	2.1643	1.4633	1.2578
	每股现金流量(元)	0.1090	0.7451	0.3333	0.4543
	每股资本公积金(元)	1.9644	1.9647	1.9647	1.9647
	每股盈余公积金(元)	0.3291	0.3291	0.2951	0.2951
	每股未分配利润(元)	1.5801	1.5515	1.2967	1.2128
	净资产收益率(%)	5.7361	12.9904	7.3256	13.5831
	加权净资产收益率(%)	5.6100	13.3100	7.3200	14.9600
	净资产收益率(扣除)(%)	5.5585	9.9922	5.4310	6.6669
	总资产(万元)	5297122.21	5199075.34	4759214.90	4734365.41
	归属母公司股东权益(万元)	1039254.63	1025709.90	975309.16	975948.60
	营业收入(万元)	754762.60	1700634.39	831449.02	1610196.68
	营业支出(万元)	544878.63	1259917.56	606492.10	1260135.94
	投资收益(万元)	31625.50	84169.40	44449.78	81684.13
	净利润(万元)	102214.17	222979.85	120418.75	195236.41
	营业利润(万元)	128887.22	265657.64	150977.63	184197.44
	利润总额(万元)	131842.70	284540.40	153830.06	249788.19

山东钢铁股份有限公司

公司概况	公司名称	山东钢铁股份有限公司		证券简称	山东钢铁
	法人代表	陶登奎	董秘 金立山	证券代码	600022
	公司网址	www.sdsteel.cc		电子信箱	sdgt600022@126.com
	电 话	0531-67606889 67606888		传 真	0531-67606881
	办公地址	山东省济南市高新区舜华路 2000 号舜泰广场 4 号楼			
	经营范围	钢铁冶炼、加工、钢材、水渣生产、销售等			

主要财务指标	指标\报告期	2016.06.30	2015.12.31	2015.06.30	2014.12.31
	基本每股收益(元)	0.0027	0.0107	0.0012	-0.2173
	基本每股收益(扣除后)(元)	0.0046	-0.2534	-	-0.2153
	稀释每股收益(元)	0.0027	0.0107	0.0012	-0.2173
	每股净资产(元)	1.9770	1.9740	1.8058	1.8042
	每股经营现金净流量(元)	-0.1596	0.4779	0.0234	-0.1950
	每股现金流量(元)	-0.3467	0.9262	0.0892	-0.0264
	每股资本公积金(元)	1.2637	1.2637	1.1908	1.1908
	每股盈余公积金(元)	0.0849	0.0849	0.1111	0.1111
	每股未分配利润(元)	-0.3734	-0.3762	-0.4987	-0.4998
	净资产收益率(%)	0.1391	0.4568	0.0641	-12.0422
	加权净资产收益率(%)	0.1392	0.4581	0.0600	-11.3592
	净资产收益率(扣除)(%)	0.2302	-0.0013	0.0012	-11.9349
	总资产(万元)	5362412.44	5327591.00	4747133.65	4696273.10
	归属母公司股东权益(万元)	1664740.77	1662230.78	1162268.51	1161260.40
	营业收入(万元)	2195974.46	3897231.64	2300392.30	5186521.74
	营业支出(万元)	2069845.15	3808771.01	2172693.97	4973779.40
	投资收益(万元)	2666.40	2702.18	206.59	282.91
	净利润(万元)	4921.56	8871.53	959.62	-139357.42
	营业利润(万元)	7458.34	-211639.27	113.14	-136019.92
	利润总额(万元)	5399.61	10128.24	1133.00	-137571.00

浙江浙能电力股份有限公司

公司概况	公司名称	浙江浙能电力股份有限公司		证券简称	浙能电力
	法人代表	吴国潮	董秘 曹路	证券代码	600023
	公司网址	www.zzepc.com.cn		电子信箱	zzep@zjenergy.com.cn
	电 话	0571-87210223		传 真	0571-89938659
	办公地址	浙江省杭州市天目山路 152 号浙能大楼			
	经营范围	火力发电业务，辅以提供热力产品，以及对核电投资等			

主要财务指标	指标\报告期	2016.06.30	2015.12.31	2015.06.30	2014.12.31
	基本每股收益(元)	0.3100	0.5400	0.3200	0.5000
	基本每股收益(扣除后)(元)	0.3000	0.5300	0.3100	0.4900
	稀释每股收益(元)	0.3100	0.5400	0.3200	0.4900
	每股净资产(元)	4.0948	4.0894	3.9013	3.6726
	每股经营现金净流量(元)	0.6169	0.9305	0.6038	0.8806
	每股现金流量(元)	0.1379	-0.1537	0.1072	0.3685
	每股资本公积金(元)	1.7234	1.7220	1.7244	1.4011
	每股盈余公积金(元)	0.1461	0.1461	0.1010	0.1161
	每股未分配利润(元)	1.0959	1.0597	0.8792	0.9672
	净资产收益率(%)	7.4763	12.5434	7.3659	13.7199
	加权净资产收益率(%)	7.3200	13.8800	8.3000	15.3000
	净资产收益率(扣除)(%)	7.3489	12.2565	7.2561	13.3005
	总资产(万元)	10258534.05	10366230.55	10570289.72	10420358.80
	归属母公司股东权益(万元)	5569192.43	5561879.35	5306092.64	4347226.57
	营业收入(万元)	1784293.78	3968793.38	1955014.91	4417896.09
	营业支出(万元)	1252101.00	2933808.92	1445178.92	3540935.30
	投资收益(万元)	177440.66	315529.47	197767.16	299870.95
	净利润(万元)	484228.00	840592.74	458713.22	707808.12
	营业利润(万元)	573770.48	1016713.82	545412.75	834311.81
	利润总额(万元)	582663.95	1027930.89	551750.58	854874.96

中远海运能源运输股份有限公司

公司概况	公司名称	中远海运能源运输股份有限公司		证券简称	中海发展
	法人代表	许立荣	董秘 姚巧红	证券代码	600026
	公司网址	www.cnshippingdev.com		电子信箱	csd@cnshipping.com
	电 话	021-65967678		传 真	021-65966160
	办公地址	上海市东大名路 700 号 16 楼			
	经营范围	主营沿海、远洋、长江货物运输、船舶租赁、货物代理、代运业务等			

主要财务指标	指标\报告期	2016.06.30	2015.12.31	2015.06.30	2014.12.31
	基本每股收益(元)	0.4515	0.0980	0.0762	0.0913
	基本每股收益(扣除后)(元)	0.1253	0.1676	0.1252	0.0162
	稀释每股收益(元)	0.4515	0.0980	0.0762	0.0913
	每股净资产(元)	6.6670	6.3733	6.2256	6.2702
	每股经营现金净流量(元)	0.6550	1.2813	0.5414	0.9441
	每股现金流量(元)	-0.1248	-0.0901	-0.0318	0.1522
	每股资本公积金(元)	1.8843	3.5284	1.9261	1.2724
	每股盈余公积金(元)	0.7136	0.7136	0.7136	0.8265
	每股未分配利润(元)	3.0835	2.7320	2.7861	3.1756
	净资产收益率(%)	6.7718	1.5165	1.1917	1.4246
	加权净资产收益率(%)	5.5400	0.7790	1.2200	1.4600
	净资产收益率(扣除)(%)	1.8798	2.5931	1.9571	0.2526
	总资产(万元)	7234036.90	8561712.15	6696519.09	6575040.16
	归属母公司股东权益(万元)	2688139.19	3174453.97	2510197.78	2182900.07
	营业收入(万元)	854660.98	1277652.90	584374.69	1233382.04
	营业支出(万元)	648739.76	1042281.19	476816.72	1096728.87
	投资收益(万元)	114252.43	28920.42	6224.57	29754.33
	净利润(万元)	184301.20	46244.92	32941.29	40337.98
	营业利润(万元)	205246.67	85229.96	40729.15	-6338.87
	利润总额(万元)	194347.86	56469.97	22487.09	32354.61

华电国际电力股份有限公司

公司概况					
公司名称	华电国际电力股份有限公司			证券简称	华电国际
法人代表	李庆奎	董秘	周连青	证券代码	600027
公司网址	www.hdpi.com.cn		电子信箱	zhoulq@hdpi.com.cn	
电　话	010-83567779 83567900		传　真	010-83567963 83567967	
办公地址	北京市西城区宣武门内大街2号				
经营范围	建设、经营发电厂和其他与发电相关的产业				

主要财务指标　指标\报告期	2016.06.30	2015.12.31	2015.06.30	2014.12.31
基本每股收益(元)	0.2670	0.8420	0.3980	0.7360
基本每股收益(扣除后)(元)	0.2490	0.8150	0.3940	0.8890
稀释每股收益(元)	–	–	–	–
每股净资产(元)	4.2479	4.2957	3.7308	3.5941
每股经营现金净流量(元)	1.1917	3.1964	1.6742	2.6978
每股现金流量(元)	-0.0818	0.3500	0.0830	0.2594
每股资本公积金(元)	1.3333	1.3480	1.0520	1.0519
每股盈余公积金(元)	0.2556	0.2556	0.2078	0.2078
每股未分配利润(元)	1.6476	1.6806	1.4470	1.3190
净资产收益率(%)	6.2904	18.1593	10.6681	18.6444
加权净资产收益率(%)	6.1200	21.0000	10.6300	21.8800
净资产收益率(扣除)(%)	5.8628	17.5762	10.5727	22.5312
总资产(万元)	20283069.10	20665519.60	18697585.10	18826458.20
归属母公司股东权益(万元)	4189667.30	4236883.10	3285821.80	3165458.70
营业收入(万元)	2955675.00	7101469.30	3058063.10	6839771.70
营业支出(万元)	2146253.90	4721301.20	2101973.10	4932651.40
投资收益(万元)	10474.10	39844.20	23221.40	83177.20
净利润(万元)	353680.80	1047999.90	434122.10	745868.00
营业利润(万元)	440640.70	1385557.80	556492.60	973947.40
利润总额(万元)	470697.70	1381528.10	565180.90	940172.60

中国石油化工股份有限公司

公司概况					
公司名称	中国石油化工股份有限公司			证券简称	中国石化
法人代表	王玉普	董秘	黄文生	证券代码	600028
公司网址	www.sinopec.com		电子信箱	ir@sinopec.com	
电　话	010-59960028		传　真	010-59960386	
办公地址	北京市朝阳区朝阳门北大街22号				
经营范围	石油、天然气勘探、开采，石油炼制，石油化工，成品油销售等				

主要财务指标　指标\报告期	2016.06.30	2015.12.31	2015.06.30	2014.12.31
基本每股收益(元)	0.1590	0.2660	0.2030	0.4060
基本每股收益(扣除后)(元)	0.1510	0.2390	0.1940	0.3700
稀释每股收益(元)	0.1590	0.2660	0.2020	0.4060
每股净资产(元)	5.7234	5.5880	5.6287	5.0890
每股经营现金净流量(元)	0.6287	1.3696	0.5570	1.2542
每股现金流量(元)	0.0357	0.4829	0.5218	-0.0481
每股资本公积金(元)	0.9864	1.0042	0.9835	0.4118
每股盈余公积金(元)	1.6242	1.6242	1.5987	1.6364
每股未分配利润(元)	2.1274	2.0287	2.0800	2.0352
净资产收益率(%)	2.7780	4.7688	3.5844	7.9784
加权净资产收益率(%)	2.8100	5.0400	3.8100	8.1400
净资产收益率(扣除)(%)	2.6395	4.2793	3.4383	7.2732
总资产(万元)	143262400.00	144726800.00	147035500.00	145136800.00
归属母公司股东权益(万元)	69293400.00	67753800.00	68147400.00	59448300.00
营业收入(万元)	87922000.00	201888300.00	104036200.00	282591400.00
营业支出(万元)	66519300.00	159277100.00	81973300.00	242901700.00
投资收益(万元)	539400.00	857300.00	446100.00	813700.00
净利润(万元)	2638100.00	4334600.00	3054200.00	4891000.00
营业利润(万元)	3427800.00	5208100.00	3928400.00	6548100.00
利润总额(万元)	3476000.00	5595900.00	4021600.00	6648100.00

中国南方航空股份有限公司

公司概况					
公司名称	中国南方航空股份有限公司			证券简称	南方航空
法人代表	司献民	董秘	谢兵	证券代码	600029
公司网址	www.csair.com		电子信箱	webmaster@csair.com	
电　话	020-86124462		传　真	020-86659040	
办公地址	广东省广州市机场路278号				
经营范围	国内、地区和国际定期及不定期航空客、货、邮、行李运输业务等				

主要财务指标　指标\报告期	2016.06.30	2015.12.31	2015.06.30	2014.12.31
基本每股收益(元)	0.3200	0.3900	0.3500	0.1800
基本每股收益(扣除后)(元)	0.2900	0.3400	0.3400	0.1400
稀释每股收益(元)	0.3200	0.3900	0.3500	0.1800
每股净资产(元)	4.1957	3.9688	3.9367	3.6213
每股经营现金净流量(元)	0.9711	2.6191	1.1443	1.5396
每股现金流量(元)	0.1151	-1.2780	-0.5981	0.5804
每股资本公积金(元)	1.4602	1.4618	1.4654	1.4655
每股盈余公积金(元)	0.1581	0.1581	0.1330	0.1330
每股未分配利润(元)	1.5816	1.3660	1.3320	1.0174
净资产收益率(%)	7.5523	9.8830	9.0088	4.9868
加权净资产收益率(%)	7.7100	10.3300	9.3400	5.0900
净资产收益率(扣除)(%)	6.8968	8.5074	8.5742	3.9967
总资产(万元)	19121100.00	18649900.00	18817500.00	18969700.00
归属母公司股东权益(万元)	4119300.00	3919100.00	3865100.00	3555400.00
营业收入(万元)	5405400.00	11146700.00	5332700.00	10831300.00
营业支出(万元)	4426800.00	9138200.00	4356300.00	9515100.00
投资收益(万元)	42500.00	58200.00	44000.00	41600.00
净利润(万元)	367200.00	498600.00	409700.00	241800.00
营业利润(万元)	304600.00	262400.00	400000.00	40500.00
利润总额(万元)	476200.00	634100.00	530800.00	309500.00

中信证券股份有限公司

公司概况					
公司名称	中信证券股份有限公司			证券简称	中信证券
法人代表	张佑君	董秘	郑京	证券代码	600030
公司网址	www.cs.ecitic.com		电子信箱	ir@citics.com	
电　话	0755-23835383 010-60836030		传　真	0755-23835525 010-60836031	
办公地址	广东省深圳市福田区中心三路8号中信证券大厦 北京市朝阳区亮马桥路48号中信证券大厦				
经营范围	证券(含境内上市外资股)的代理买卖，代理证券还本付息，分红派息等				

主要财务指标　指标\报告期	2016.06.30	2015.12.31	2015.06.30	2014.12.31
基本每股收益(元)	0.4300	1.7100	1.1300	1.0300
基本每股收益(扣除后)(元)	0.4400	1.7300	1.1300	0.8800
稀释每股收益(元)	0.4300	1.7100	1.1300	1.0300
每股净资产(元)	11.2400	11.4829	10.7500	9.0000
每股经营现金净流量(元)	-3.4302	7.1178	1.3960	1.1964
每股现金流量(元)	-3.0367	6.3395	15.5863	6.0466
每股资本公积金(元)	4.4936	4.4937	4.4857	3.0970
每股盈余公积金(元)	0.6210	0.6210	0.5854	0.6438
每股未分配利润(元)	3.6216	3.6962	3.4322	2.9691
净资产收益率(%)	3.8483	14.2303	9.5710	11.4403
加权净资产收益率(%)	3.7300	16.6300	11.7900	12.1800
净资产收益率(扣除)(%)	3.8849	14.4294	9.5644	9.7467
总资产(万元)	57005879.95	61610824.22	77550570.59	47962645.02
归属母公司股东权益(万元)	13622003.05	13913778.70	13029217.71	9909867.03
营业收入(万元)	1815932.46	5601343.60	3111140.06	2919753.11
营业支出(万元)	1079177.37	–	1419655.41	1601725.21
投资收益(万元)	542247.28	1880078.46	865551.79	1031126.02
净利润(万元)	549434.86	2036034.40	1274230.26	1186149.92
营业利润(万元)	736755.10	2765418.64	1691484.65	1318027.90
利润总额(万元)	732990.54	2728714.43	1692671.92	1542194.67

三一重工股份有限公司

公司概况					
公司名称	三一重工股份有限公司			证券简称	三一重工
法人代表	梁稳根	董秘	肖友良	证券代码	600031
公司网址	www.sany.com.cn		电子信箱	sany@sany.com.cn	
电　话	010-60738888		传　真	010-60738868	
办公地址	北京市昌平区回龙观镇北清路 8 号				
经营范围	建筑工程机械、起重机械、停车库、通用设备及机电设备的生产、销售与维修等				

主要财务指标：指标\报告期	2016.06.30	2015.12.31	2015.06.30	2014.12.31
基本每股收益(元)	0.0180	0.0180	0.0400	0.0930
基本每股收益(扣除后)(元)	-0.0120	0.0050	0.0300	0.0330
稀释每股收益(元)	0.0180	0.0180	0.0400	0.0930
每股净资产(元)	3.0697	2.9765	3.0829	3.1229
每股经营现金净流量(元)	0.2041	0.2804	0.0365	0.1617
每股现金流量(元)	-0.1751	0.2243	-0.3643	-0.1024
每股资本公积金(元)	0.0771	0.2100	0.1002	0.1002
每股盈余公积金(元)	0.3430	0.3430	0.3430	0.3430
每股未分配利润(元)	1.7776	1.7695	1.8057	1.8097
净资产收益率(%)	0.5900	0.6113	1.4259	2.9817
加权净资产收益率(%)	0.5900	0.6000	1.4000	2.9500
净资产收益率(扣除)(%)	-0.4054	0.1552	1.1139	1.0691
总资产(万元)	6201331.00	6257703.80	6049818.50	6300944.50
归属母公司股东权益(万元)	2338060.60	2342776.90	2348109.60	2378543.10
营业收入(万元)	1122009.00	2336686.90	1369685.20	3036472.10
营业支出(万元)	816729.60	1757677.00	1003943.10	2253867.00
投资收益(万元)	67680.00	-2697.30	7535.90	40717.10
净利润(万元)	15582.80	13815.00	36456.90	75597.20
营业利润(万元)	16944.90	17053.60	35646.20	71742.90
利润总额(万元)	18923.10	11988.90	44382.10	98513.00

福建发展高速公路股份有限公司

公司概况					
公司名称	福建发展高速公路股份有限公司			证券简称	福建高速
法人代表	黄祥谈	董秘	何高文	证券代码	600033
公司网址	www.fjgs.com.cn		电子信箱	stock@fjgs.com.cn	
电　话	0591-87077366		传　真	0591-87077366	
办公地址	福建省福州市东水路 18 号福建交通综合大楼 26 层				
经营范围	高速公路的建设、运营、收费、养护与管理等				

主要财务指标：指标\报告期	2016.06.30	2015.12.31	2015.06.30	2014.12.31
基本每股收益(元)	0.1250	0.2007	0.1168	0.2189
基本每股收益(扣除后)(元)	0.1236	0.1968	0.1138	0.2131
稀释每股收益(元)	0.1250	0.2007	0.1168	0.2189
每股净资产(元)	2.9581	2.9331	2.8492	2.8324
每股经营现金净流量(元)	0.2822	0.8380	0.4772	0.6664
每股现金流量(元)	-0.0421	0.0987	0.0286	0.0277
每股资本公积金(元)	0.6051	0.6051	0.6051	0.6051
每股盈余公积金(元)	0.2922	0.2922	0.2708	0.2708
每股未分配利润(元)	1.0608	1.0359	0.9733	0.9565
净资产收益率(%)	4.2250	6.8424	4.0999	7.7286
加权净资产收益率(%)	4.2000	6.9600	4.0400	7.9200
净资产收益率(扣除)(%)	4.1796	6.7080	3.9940	7.5240
总资产(万元)	1823750.73	1831539.52	1910989.27	1869010.64
归属母公司股东权益(万元)	811815.71	804960.15	781940.51	777325.63
营业收入(万元)	121982.77	257775.50	126577.69	263602.77
营业支出(万元)	36851.38	94250.08	37525.11	86223.67
投资收益(万元)	-3179.32	-11158.64	-3744.43	-10280.80
净利润(万元)	44889.86	73019.55	42218.88	79093.82
营业利润(万元)	60394.34	100442.60	56388.90	107330.53
利润总额(万元)	60872.31	101624.61	58205.75	109764.99

湖北楚天高速公路股份有限公司

公司概况					
公司名称	湖北楚天高速公路股份有限公司			证券简称	楚天高速
法人代表	肖跃文	董秘	郭生辉	证券代码	600035
公司网址	www.hbctgs.com		电子信箱	600035@hbctgs.com	
电　话	027-87576667		传　真	027-87576667	
办公地址	湖北省武汉市汉阳区龙阳大道 9 号				
经营范围	对汉荆段及江宜段高速公路的经营管理等				

主要财务指标：指标\报告期	2016.06.30	2015.12.31	2015.06.30	2014.12.31
基本每股收益(元)	0.1500	0.3000	0.1900	0.2300
基本每股收益(扣除后)(元)	0.1500	0.2900	0.1900	0.1800
稀释每股收益(元)	0.1500	0.3000	0.1900	0.2300
每股净资产(元)	2.8594	2.7985	2.6980	3.0734
每股经营现金净流量(元)	0.2993	0.4743	0.2359	0.5845
每股现金流量(元)	-0.0033	-0.1232	0.1314	-0.1412
每股资本公积金(元)	0.2468	0.2468	0.2468	0.4961
每股盈余公积金(元)	0.5108	0.5108	0.4470	0.5363
每股未分配利润(元)	1.1019	1.0409	1.0029	1.0410
净资产收益率(%)	5.2785	10.5638	7.1804	7.6256
加权净资产收益率(%)	5.2500	11.0700	7.2400	7.8400
净资产收益率(扣除)(%)	5.2639	10.4460	7.1814	5.8107
总资产(万元)	881012.25	890340.54	927869.61	901303.29
归属母公司股东权益(万元)	415577.39	406721.51	392126.22	372234.37
营业收入(万元)	63114.07	123065.05	59920.07	113024.25
营业支出(万元)	19083.91	44607.46	18345.18	41270.51
投资收益(万元)	-	-245.39	-245.39	8819.81
净利润(万元)	21797.98	42621.34	27964.07	27817.59
营业利润(万元)	29794.87	43821.19	24042.96	43821.68
利润总额(万元)	29875.59	44463.08	24037.38	43962.81

招商银行股份有限公司

公司概况					
公司名称	招商银行股份有限公司			证券简称	招商银行
法人代表	李建红	董秘	王良	证券代码	600036
公司网址	www.cmbchina.com		电子信箱	cmb@cmbchina.com	
电　话	0755-83198888		传　真	0755-83195109	
办公地址	广东省深圳市福田区深南大道 7088 号				
经营范围	从事银行业及相关金融服务等				

主要财务指标：指标\报告期	2016.06.30	2015.12.31	2015.06.30	2014.12.31
基本每股收益(元)	1.4000	2.2900	1.3100	2.2200
基本每股收益(扣除后)(元)	1.3800	2.2600	1.3000	2.2000
稀释每股收益(元)	1.4000	2.2900	1.3100	2.2200
每股净资产(元)	15.0000	14.3100	13.1700	12.4700
每股经营现金净流量(元)	-11.9083	15.8772	0.0113	0.0321
每股现金流量(元)	-8.6405	6.5176	3.3397	4.8185
每股资本公积金(元)	2.6774	2.6774	2.6774	2.6774
每股盈余公积金(元)	1.3485	1.3485	1.1376	1.1376
每股未分配利润(元)	7.1845	6.4746	6.1307	5.4941
净资产收益率(%)	9.3160	15.9909	9.9303	17.7832
加权净资产收益率(%)	9.5350	17.0900	10.2000	19.2800
净资产收益率(扣除)(%)	9.2184	15.8104	9.8737	17.6178
总资产(万元)	553729800.00	547497800.00	522122100.00	473182900.00
归属母公司股东权益(万元)	37817700.00	36080600.00	33207500.00	31440400.00
营业收入(万元)	11291900.00	20147100.00	10413500.00	16586300.00
营业支出(万元)	6789900.00	12722300.00	6099700.00	9309400.00
投资收益(万元)	828300.00	712700.00	598500.00	576200.00
净利润(万元)	3533200.00	5801800.00	3316900.00	5604900.00
营业利润(万元)	4502000.00	7424800.00	4313800.00	7276900.00
利润总额(万元)	4549500.00	7507900.00	4338400.00	7343100.00

北京歌华有线电视网络股份有限公司

公司概况					
公司名称	北京歌华有线电视网络股份有限公司			证券简称	歌华有线
法人代表	郭章鹏	董秘	梁彦军	证券代码	600037
公司网址	www.bgctv.com.cn		电子信箱	600037@bgctv.com.cn	
电　话	010-62364114 62035573		传　真	010-62035573 62364114	
办公地址	北京市东城区青龙胡同1号歌华大厦7层				
经营范围	广播电视网络的建设开发、经营管理和维护、广播电视节目收转等				

主要财务指标：指标\报告期	2016.06.30	2015.12.31	2015.06.30	2014.12.31
基本每股收益(元)	0.2912	0.5934	0.2721	0.5359
基本每股收益(扣除后)(元)	0.2127	0.2649	0.0790	0.1224
稀释每股收益(元)	0.2912	0.5934	0.2721	0.5359
每股净资产(元)	8.3956	8.2844	6.7385	5.9122
每股经营现金净流量(元)	0.3364	0.9490	0.3242	1.1256
每股现金流量(元)	-1.2678	1.9626	-0.1150	0.5213
每股资本公积金(元)	4.7046	4.7046	2.9851	1.6936
每股盈余公积金(元)	0.4634	0.4634	0.4932	0.5417
每股未分配利润(元)	2.2276	2.1164	2.2602	2.3988
净资产收益率(%)	3.4689	5.8349	3.8000	9.0431
加权净资产收益率(%)	3.4800	8.9900	4.3500	9.4400
净资产收益率(扣除)(%)	2.5337	2.6047	1.1034	2.0659
总资产(万元)	1404000.07	1402123.78	1030311.44	1045367.29
归属母公司股东权益(万元)	1168479.37	1152998.27	787289.34	628930.88
营业收入(万元)	122072.73	256806.78	112999.67	246599.85
营业支出(万元)	87717.64	205464.36	93913.34	209216.51
投资收益(万元)	3470.17	4957.44	2824.76	3324.41
净利润(万元)	40480.19	67290.35	29908.81	56900.90
营业利润(万元)	29659.01	32128.13	10604.35	13546.18
利润总额(万元)	40586.36	67541.95	29999.84	57435.21

中航直升机股份有限公司

公司概况					
公司名称	中航直升机股份有限公司			证券简称	中直股份
法人代表	余枫	董秘	顾韶辉	证券代码	600038
公司网址	www.hafei.com		电子信箱	gsh0808@sina.com	
电　话	0451-86528350		传　真	0451-86524324	
办公地址	黑龙江省哈尔滨市平房区友协大街15号				
经营范围	航空产品及零部件的开发、设计研制、生产和销售等				

主要财务指标：指标\报告期	2016.06.30	2015.12.31	2015.06.30	2014.12.31
基本每股收益(元)	0.2969	0.7414	0.3169	0.5629
基本每股收益(扣除后)(元)	0.2940	0.7182	0.3080	0.5153
稀释每股收益(元)	0.2969	0.7414	0.3169	0.5629
每股净资产(元)	11.1833	11.1093	10.6645	10.4732
每股经营现金净流量(元)	-1.7690	1.0221	-1.8626	-0.4350
每股现金流量(元)	-1.0742	-0.2450	-0.7719	-0.8592
每股资本公积金(元)	7.1805	7.1805	7.1805	7.1805
每股盈余公积金(元)	0.5426	0.5426	0.5246	0.5246
每股未分配利润(元)	2.2692	2.2223	1.8157	1.6388
净资产收益率(%)	2.6549	6.6739	2.9715	5.3751
加权净资产收益率(%)	2.6342	6.8780	2.9787	5.5005
净资产收益率(扣除)(%)	2.6290	6.4649	2.8878	4.9200
总资产(万元)	1883172.50	2269336.81	2099906.01	2038615.39
归属母公司股东权益(万元)	659231.56	654866.97	628646.30	617368.01
营业收入(万元)	555693.84	1254412.14	555216.28	1245543.61
营业支出(万元)	501865.87	1062166.64	469476.35	1105272.38
投资收益(万元)	-1217.73	-111.07	-30.43	-262.36
净利润(万元)	17515.63	43737.93	18690.16	33186.46
营业利润(万元)	20162.89	50774.01	19625.37	35369.90
利润总额(万元)	20390.71	52169.79	20354.38	39450.89

四川路桥建设集团股份有限公司

公司概况					
公司名称	四川路桥建设集团股份有限公司			证券简称	四川路桥
法人代表	孙云	董秘	孙云(代)	证券代码	600039
公司网址	www.scrbc.com.cn		电子信箱	srbcdsh@163.com	
电　话	028-85126085		传　真	028-85126084	
办公地址	四川省成都市高新区九兴大道12号				
经营范围	各级公路工程和桥梁、隧道工程的施工等				

主要财务指标：指标\报告期	2016.06.30	2015.12.31	2015.06.30	2014.12.31
基本每股收益(元)	0.1189	0.3395	0.1117	0.2958
基本每股收益(扣除后)(元)	0.1196	0.3339	0.1042	0.1813
稀释每股收益(元)	0.1189	0.3395	0.1117	0.2958
每股净资产(元)	2.8798	2.8573	2.5472	2.4721
每股经营现金净流量(元)	0.0244	1.0109	0.3662	0.5883
每股现金流量(元)	0.1369	0.4289	0.6242	-0.4675
每股资本公积金(元)	0.3785	0.4364	0.2938	0.2938
每股盈余公积金(元)	0.0702	0.0702	0.0671	0.0671
每股未分配利润(元)	1.2882	1.2193	0.9759	0.9184
净资产收益率(%)	4.1296	11.8806	4.2205	11.9660
加权净资产收益率(%)	3.7000	12.7200	3.6000	12.8000
净资产收益率(扣除)(%)	4.1516	11.6855	3.9249	7.3323
总资产(万元)	5883886.20	5685009.79	5315978.95	5217515.84
归属母公司股东权益(万元)	869615.58	881701.09	769199.03	746513.56
营业收入(万元)	1567379.77	3077118.42	1087157.55	2697274.35
营业支出(万元)	1430300.26	2697462.16	937318.95	2346154.08
投资收益(万元)	-455.15	3310.71	3496.93	1205.68
净利润(万元)	40474.61	102121.30	30259.12	92495.17
营业利润(万元)	49127.50	128638.18	37689.35	117830.93
利润总额(万元)	49173.06	127410.39	37298.98	118161.24

保利房地产(集团)股份有限公司

公司概况					
公司名称	保利房地产(集团)股份有限公司			证券简称	保利地产
法人代表	宋广菊	董秘	黄海	证券代码	600048
公司网址	www.polycn.com		电子信箱	stock@polycn.com	
电　话	020-89898833		传　真	020-89898666 8831	
办公地址	广东省广州市海珠区阅江中路688号保利国际广场北塔29-33层				
经营范围	房地产开发、销售、租赁及其物业管理等				

主要财务指标：指标\报告期	2016.06.30	2015.12.31	2015.06.30	2014.12.31
基本每股收益(元)	0.4600	1.1500	0.4600	1.1400
基本每股收益(扣除后)(元)	0.4600	1.1400	0.4600	1.1200
稀释每股收益(元)	0.4600	1.1500	0.4600	1.1400
每股净资产(元)	6.8993	6.6491	5.9726	5.7233
每股经营现金净流量(元)	1.6893	1.6536	0.9160	-0.9747
每股现金流量(元)	0.7498	-0.2236	-0.1221	0.5815
每股资本公积金(元)	1.2479	0.6466	0.6580	0.6447
每股盈余公积金(元)	0.1815	0.2000	0.1594	0.1598
每股未分配利润(元)	4.4612	4.8014	4.1552	3.9189
净资产收益率(%)	6.0642	17.2639	7.7071	19.8671
加权净资产收益率(%)	6.7500	18.6300	7.7900	21.6500
净资产收益率(扣除)(%)	6.0159	17.1048	7.6058	19.5617
总资产(万元)	43404587.19	40383320.30	37944711.28	36576564.33
归属母公司股东权益(万元)	8179576.54	7152255.99	6422174.74	6140953.76
营业收入(万元)	5514660.73	12342878.42	4234496.18	10905649.71
营业支出(万元)	3716646.98	8245330.57	2697191.28	7412257.33
投资收益(万元)	39850.07	99255.88	34821.26	115279.36
净利润(万元)	698454.22	1682771.79	590079.04	1423136.13
营业利润(万元)	981111.04	2272440.83	800733.20	1898053.42
利润总额(万元)	988536.61	2290075.91	807458.01	1903182.31

中国联合网络通信股份有限公司

公司概况					
公司名称	中国联合网络通信股份有限公司			证券简称	中国联通
法人代表	王晓初	董秘	王霞	证券代码	600050
公司网址	www.chinaunicom-a.com		电子信箱	ir@chinaunicom.cn	
电　话	010-66259179		传　真	010-66259544	
办公地址	北京市西城区金融大街21号				
经营范围	从事国(境)内外电信行业的投资等				

主要财务指标 指标\报告期	2016.06.30	2015.12.31	2015.06.30	2014.12.31
基本每股收益(元)	0.0211	0.1638	0.1087	0.1878
基本每股收益(扣除后)(元)	0.0260	0.0677	0.1078	0.1886
稀释每股收益(元)	0.0211	0.1638	0.1061	0.1839
每股净资产(元)	3.6665	3.7120	3.6894	3.6485
每股经营现金净流量(元)	2.0784	4.2098	1.9047	4.3606
每股现金流量(元)	–0.0226	–0.1670	–0.3563	0.1797
每股资本公积金(元)	1.3121	1.3121	1.3121	1.3121
每股盈余公积金(元)	0.0568	0.0568	0.0493	0.0493
每股未分配利润(元)	1.4093	1.4454	1.3978	1.3564
净资产收益率(%)	0.5745	4.4122	2.9467	5.1486
加权净资产收益率(%)	0.5700	4.4100	2.9400	5.2000
净资产收益率(扣除)(%)	0.7091	1.8249	2.9222	5.1703
总资产(万元)	60041410.99	61531938.31	54024189.37	54712456.88
归属母公司股东权益(万元)	7771704.37	7868217.66	7820207.97	7733651.94
营业收入(万元)	14025452.51	27704852.91	14468466.43	28857087.44
营业支出(万元)	10689873.82	20770432.36	10543463.36	19993689.04
投资收益(万元)	9430.95	–40532.79	–21903.69	36332.47
净利润(万元)	135060.13	1043439.42	692292.46	1196788.96
营业利润(万元)	213147.46	571121.19	876674.10	1589340.37
利润总额(万元)	172041.87	1386672.58	884375.05	1583649.57

宁波联合集团股份有限公司

公司概况					
公司名称	宁波联合集团股份有限公司			证券简称	宁波联合
法人代表	李水荣	董秘	董庆慈	证券代码	600051
公司网址	www.nug.com.cn		电子信箱	dqc@nug.com.cn	
电　话	0574-86221609		传　真	0574-86221320	
办公地址	浙江省宁波市开发区东海路1号联合大厦				
经营范围	基础设施、房地产、对外贸易、医药生物和其他高新技术产业的开发等				

主要财务指标 指标\报告期	2016.06.30	2015.12.31	2015.06.30	2014.12.31
基本每股收益(元)	0.1080	0.4200	0.3580	0.3800
基本每股收益(扣除后)(元)	0.0680	0.1800	0.1490	0.1900
稀释每股收益(元)	0.1070	0.4200	0.3550	0.3800
每股净资产(元)	6.0101	6.0346	6.7858	5.9793
每股经营现金净流量(元)	1.4211	0.0633	–0.1939	–0.6329
每股现金流量(元)	0.9300	–0.3519	–0.0576	–0.3672
每股资本公积金(元)	0.4670	0.4623	0.7186	0.7066
每股盈余公积金(元)	0.7353	0.7353	0.6528	0.6528
每股未分配利润(元)	2.5956	2.5695	2.5914	2.2428
净资产收益率(%)	1.7653	6.7812	5.1373	6.1489
加权净资产收益率(%)	1.7500	6.6900	5.4700	6.3400
净资产收益率(扣除)(%)	1.1099	2.8592	2.1374	3.0846
总资产(万元)	847657.05	810565.87	802588.18	767367.44
归属母公司股东权益(万元)	186843.01	187602.47	210957.64	185883.35
营业收入(万元)	140386.38	369839.51	138834.86	444256.13
营业支出(万元)	110838.90	303004.98	100613.88	349773.96
投资收益(万元)	1077.60	7985.97	6297.55	3834.52
净利润(万元)	6672.57	20798.28	16118.30	24459.35
营业利润(万元)	9681.18	23503.88	19303.63	32166.97
利润总额(万元)	10891.87	27003.93	20879.79	35826.61

浙江广厦股份有限公司

公司概况					
公司名称	浙江广厦股份有限公司			证券简称	浙江广厦
法人代表	张汉文	董秘	包宇芬	证券代码	600052
公司网址	www.gsgf.com		电子信箱	stock600052@gsgf.com	
电　话	0571-87974176		传　真	0571-85125355	
办公地址	浙江省杭州市西湖区莫干山路231号锐明大厦15层				
经营范围	房地产投资、实业投资、房地产中介代理、园林、绿化、市政、幕墙等				

主要财务指标 指标\报告期	2016.06.30	2015.12.31	2015.06.30	2014.12.31
基本每股收益(元)	0.5600	–0.7500	–0.0800	0.2400
基本每股收益(扣除后)(元)	–0.0200	–0.9600	–0.0800	–0.3800
稀释每股收益(元)	0.5600	–0.7500	–0.0800	0.2400
每股净资产(元)	2.4621	1.4923	2.1680	2.2982
每股经营现金净流量(元)	1.3390	0.2834	0.0889	–0.5971
每股现金流量(元)	0.0792	–0.2367	–0.0838	0.0670
每股资本公积金(元)	0.1185	0.0522	0.0522	0.0301
每股盈余公积金(元)	0.1922	0.1922	0.1922	0.1922
每股未分配利润(元)	0.8091	0.2482	0.9235	1.0758
净资产收益率(%)	22.7779	–50.4332	–3.5657	10.5825
加权净资产收益率(%)	28.7200	–39.9500	–3.4400	11.0800
净资产收益率(扣除)(%)	–0.9335	–64.6332	–3.8329	–16.5080
总资产(万元)	521082.09	587029.81	964746.15	940528.35
归属母公司股东权益(万元)	214642.47	130095.44	189004.95	200351.03
营业收入(万元)	41657.13	234209.64	39009.12	175915.17
营业支出(万元)	30540.08	189481.74	24111.42	135463.70
投资收益(万元)	52743.21	17691.59	185.80	53956.59
净利润(万元)	48891.01	–65620.10	–6698.28	21594.00
营业利润(万元)	49747.85	–59995.84	–5182.09	26933.35
利润总额(万元)	49775.41	–59584.88	–4760.68	27333.89

昆吾九鼎投资控股股份有限公司

公司概况					
公司名称	昆吾九鼎投资控股股份有限公司			证券简称	九鼎投资
法人代表	康青山	董秘	黄震	证券代码	600053
公司网址	www.jzjt.com		电子信箱	zjre600053@126.com	
电　话	0791-88666003 010-63221185		传　真	0791-88666007	
办公地址	江西省南昌市东湖区沿江北大道1379号紫金城A栋写字楼				
经营范围	房地产开发及经营、土地开发及经营、对旅游项目的投资、装饰工程等				

主要财务指标 指标\报告期	2016.06.30	2015.12.31	2015.06.30	2014.12.31
基本每股收益(元)	0.3828	0.6609	0.0635	0.1743
基本每股收益(扣除后)(元)	0.3798	0.3519	0.0636	0.1726
稀释每股收益(元)	0.3828	0.6609	0.0635	0.1743
每股净资产(元)	2.9814	2.6678	2.0259	2.0224
每股经营现金净流量(元)	0.4873	1.1548	0.4663	0.7532
每股现金流量(元)	–0.3103	1.2370	0.1083	–0.0880
每股资本公积金(元)	0.4352	0.4352	0.4352	0.4352
每股盈余公积金(元)	0.1235	0.1235	0.0960	0.0960
每股未分配利润(元)	1.1974	1.0646	0.4947	0.4911
净资产收益率(%)	12.8387	24.7738	3.1300	8.6163
加权净资产收益率(%)	13.1600	28.5100	3.1070	8.9600
净资产收益率(扣除)(%)	12.7384	13.1907	3.1380	8.5361
总资产(万元)	439305.57	459222.09	261045.30	251873.78
归属母公司股东权益(万元)	129257.56	115660.94	87832.06	87679.83
营业收入(万元)	65797.32	112376.43	16932.08	80321.94
营业支出(万元)	18392.38	71762.29	10348.02	59111.59
投资收益(万元)	624.90	969.61	3.20	3.10
净利润(万元)	16746.15	28562.12	2753.48	7554.77
营业利润(万元)	19255.51	19422.99	3660.42	10466.64
利润总额(万元)	19415.05	33013.11	3636.01	10440.74

黄山旅游发展股份有限公司

公司概况	公司名称	黄山旅游发展股份有限公司		证券简称	黄山旅游
	法人代表	叶正军	董秘 丁维	证券代码	600054
	公司网址	www.huangshan.com.cn		电子信箱	hstd56@126.com
	电 话	0559-5580567 5580526		传 真	0559-5580505
	办公地址	安徽省黄山市黄山风景区温泉			
	经营范围	园林门票、客运索道、酒店食宿及旅游服务等			

主要财务指标	指标\报告期	2016.06.30	2015.12.31	2015.06.30	2014.12.31
	基本每股收益(元)	0.2344	0.6200	0.2637	0.4400
	基本每股收益(扣除后)(元)	0.2335	0.6100	0.2574	0.4700
	稀释每股收益(元)	0.2344	0.6200	0.2637	0.4400
	每股净资产(元)	4.0985	5.9761	4.9160	4.7122
	每股经营现金净流量(元)	0.2134	1.2750	0.2277	0.8679
	每股现金流量(元)	0.1553	0.8482	-0.0086	-0.0501
	每股资本公积金(元)	0.4611	1.1916	0.2797	0.2797
	每股盈余公积金(元)	0.3660	0.5489	0.5802	0.5802
	每股未分配利润(元)	2.2714	3.2355	3.0561	2.8523
	净资产收益率(%)	5.7197	9.9349	5.3651	9.4206
	加权净资产收益率(%)	5.8000	11.7600	5.4800	9.8600
	净资产收益率(扣除)(%)	5.6965	9.8907	5.2364	9.8711
	总资产(万元)	407948.80	403671.10	341694.69	343170.18
	归属母公司股东权益(万元)	306278.08	297727.64	231714.18	222110.53
	营业收入(万元)	73211.59	166462.23	65621.99	148991.00
	营业支出(万元)	36529.13	83436.59	35799.87	76330.43
	投资收益(万元)	1457.71	437.31	525.26	119.10
	净利润(万元)	18519.13	31222.36	12545.47	22185.95
	营业利润(万元)	24359.86	42761.00	16493.07	32530.65
	利润总额(万元)	24457.93	43273.84	16895.04	30712.01

华润万东医疗装备股份有限公司

公司概况	公司名称	华润万东医疗装备股份有限公司		证券简称	万东医疗
	法人代表	吴光明	董秘 任志林	证券代码	600055
	公司网址	www.wandong.com.cn		电子信箱	wdyL055@263.net.cn
	电 话	010-84569688		传 真	010-84575717
	办公地址	北京市朝阳区酒仙桥东路9号院3号楼			
	经营范围	各类医疗器械的生产和销售等			

主要财务指标	指标\报告期	2016.06.30	2015.12.31	2015.06.30	2014.12.31
	基本每股收益(元)	0.0840	0.1860	0.0930	0.1190
	基本每股收益(扣除后)(元)	0.0830	0.1720	0.0912	0.0840
	稀释每股收益(元)	0.0840	0.1860	0.0930	0.1190
	每股净资产(元)	4.3902	3.2272	3.1381	3.0851
	每股经营现金净流量(元)	-0.0286	-0.0723	-0.3207	0.1586
	每股现金流量(元)	0.9451	-0.4532	-0.2561	0.0375
	每股资本公积金(元)	2.3836	0.5241	0.5241	0.5241
	每股盈余公积金(元)	0.2214	0.3952	0.3722	0.3722
	每股未分配利润(元)	0.7879	1.3128	1.2425	1.1896
	净资产收益率(%)	1.9028	5.7690	2.9621	3.8475
	加权净资产收益率(%)	2.1900	5.9000	3.0100	3.8100
	净资产收益率(扣除)(%)	1.8803	5.3173	2.9071	2.7341
	总资产(万元)	203874.64	133030.81	133525.34	122688.78
	归属母公司股东权益(万元)	169592.50	69853.11	67923.71	66777.55
	营业收入(万元)	38086.44	81821.81	34406.00	73987.49
	营业支出(万元)	23057.66	54596.29	22734.78	51877.25
	投资收益(万元)	54.05	-381.86	-50.36	-3.81
	净利润(万元)	3026.33	4265.89	1912.30	2538.39
	营业利润(万元)	1726.02	1290.73	799.04	-1284.62
	利润总额(万元)	3029.95	4989.66	1915.15	2751.03

中国医药健康产业股份有限公司

公司概况	公司名称	中国医药健康产业股份有限公司		证券简称	中国医药
	法人代表	高渝文	董秘 侯文玲	证券代码	600056
	公司网址	www.meheco.cn		电子信箱	meheco600056@sina.com
	电 话	010-67164267		传 真	010-67152359
	办公地址	北京市东城区光明中街18号			
	经营范围	高新技术及成套设备的进出口贸易、易货贸易、国际招标采购等			

主要财务指标	指标\报告期	2016.06.30	2015.12.31	2015.06.30	2014.12.31
	基本每股收益(元)	0.5034	0.6069	0.3690	0.5568
	基本每股收益(扣除后)(元)	0.4985	0.5769	0.3641	0.5326
	稀释每股收益(元)	0.5034	0.6069	0.3690	0.5568
	每股净资产(元)	5.6162	5.3336	5.1345	4.9145
	每股经营现金净流量(元)	0.1728	1.0096	-0.6096	0.9825
	每股现金流量(元)	-1.0447	0.8628	-0.6950	0.4116
	每股资本公积金(元)	1.7081	1.7081	1.7081	1.7081
	每股盈余公积金(元)	0.3072	0.3072	0.2639	0.2639
	每股未分配利润(元)	2.3346	2.0132	1.8186	1.6127
	净资产收益率(%)	8.9635	11.3781	7.1857	11.0567
	加权净资产收益率(%)	9.1400	11.9100	7.1500	11.0700
	净资产收益率(扣除)(%)	8.8765	10.8160	7.0911	10.5752
	总资产(万元)	1860153.29	1615828.76	1476772.92	1420361.57
	归属母公司股东权益(万元)	568643.14	540031.68	519877.95	497597.18
	营业收入(万元)	1202945.61	2057022.60	950986.41	1785737.26
	营业支出(万元)	1052186.50	1805114.68	822598.57	1578953.22
	投资收益(万元)	6.67	1799.42	240.82	1157.04
	净利润(万元)	58856.73	71876.70	42282.53	61368.49
	营业利润(万元)	75559.46	91454.53	54060.32	77731.63
	利润总额(万元)	76560.37	93188.18	54612.98	79570.88

厦门象屿股份有限公司

公司概况	公司名称	厦门象屿股份有限公司		证券简称	象屿股份
	法人代表	张水利	董秘 高晨霞	证券代码	600057
	公司网址	www.xiangyu.cn		电子信箱	stock@xiangyu.cn
	电 话	0592-6516003 5603375		传 真	0592-5051631
	办公地址	福建省厦门市现代物流园区象屿路99号厦门国际航运中心E栋9层			
	经营范围	物流园区相关项目的开发经营、房地产租赁服务等			

主要财务指标	指标\报告期	2016.06.30	2015.12.31	2015.06.30	2014.12.31
	基本每股收益(元)	0.1300	0.2800	0.1700	0.3200
	基本每股收益(扣除后)(元)	0.2200	0.1800	0.1700	0.1900
	稀释每股收益(元)	0.1300	0.2800	0.1700	0.3200
	每股净资产(元)	5.2812	5.1565	3.8175	3.6407
	每股经营现金净流量(元)	1.1932	2.4964	2.0007	-4.6371
	每股现金流量(元)	0.0967	1.0306	0.6169	0.0374
	每股资本公积金(元)	2.9952	2.9952	1.6259	1.6259
	每股盈余公积金(元)	0.0625	0.0625	0.0697	0.0697
	每股未分配利润(元)	1.2479	1.1174	1.1575	0.9860
	净资产收益率(%)	2.4706	4.7847	4.5275	7.5145
	加权净资产收益率(%)	2.5000	7.2100	4.6400	13.5700
	净资产收益率(扣除)(%)	4.1008	0.0003	4.3454	4.3354
	总资产(万元)	3043781.47	2609804.48	2269548.14	2079278.34
	归属母公司股东权益(万元)	618309.46	603706.59	395586.76	377269.81
	营业收入(万元)	4960401.59	5992330.70	2641625.92	4838397.21
	营业支出(万元)	4820614.35	5763917.95	2521448.98	4675082.23
	投资收益(万元)	464.67	56749.69	17709.03	49719.53
	净利润(万元)	26770.23	46240.67	27086.04	35542.03
	营业利润(万元)	22334.13	51288.00	31437.11	41956.64
	利润总额(万元)	32521.91	58563.64	33251.77	51392.49

五矿发展股份有限公司

公司概况					
公司名称	五矿发展股份有限公司			证券简称	五矿发展
法人代表	刘青春	董秘	王宏利	证券代码	600058
公司网址	www.minlist.com.cn		电子信箱	wanghl@minmetals.com	
电　话	010-68494205 68494267		传　真	010-68494207	
办公地址	北京市海淀区三里河路5号B座				
经营范围	国内外贸易、国际货运、货代、仓储、国际招标投标、酒店经营、工业生产等				

主要财务指标				
指标\报告期	2016.06.30	2015.12.31	2015.06.30	2014.12.31
基本每股收益(元)	0.1049	-3.6878	-0.2739	0.1960
基本每股收益(扣除后)(元)	-0.2074	-3.6167	-0.3095	-0.2495
稀释每股收益(元)	0.1049	-3.6878	-0.2739	0.1960
每股净资产(元)	4.7435	4.6397	7.7106	8.0600
每股经营现金净流量(元)	9.0212	1.3319	-0.5104	-1.5436
每股现金流量(元)	0.1933	1.1682	0.9521	0.0290
每股资本公积金(元)	3.8434	3.8434	3.5362	3.5371
每股盈余公积金(元)	0.9042	0.9042	0.9042	0.9042
每股未分配利润(元)	-1.0672	-1.1721	2.2418	2.5957
净资产收益率(%)	2.2111	-79.4839	-3.5519	2.4312
加权净资产收益率(%)	2.2356	-59.3622	-3.4557	2.4450
净资产收益率(扣除)(%)	-4.3733	-77.9510	-4.0141	-3.0960
总资产(万元)	2433264.75	3265459.84	5131341.34	4681890.55
归属母公司股东权益(万元)	508463.04	497334.23	826504.33	863958.66
营业收入(万元)	1686394.86	6198552.42	3556472.49	13455938.50
营业支出(万元)	1596336.27	6022407.33	3435585.71	13078845.05
投资收益(万元)	15111.17	12266.34	-216.88	21944.20
净利润(万元)	10632.44	-597339.88	-62524.65	-13023.02
营业利润(万元)	3684.38	-543858.33	-59298.57	21956.84
利润总额(万元)	9436.44	-585332.07	-58911.22	32935.85

浙江古越龙山绍兴酒股份有限公司

公司概况					
公司名称	浙江古越龙山绍兴酒股份有限公司			证券简称	古越龙山
法人代表	傅建伟	董秘	周娟英	证券代码	600059
公司网址	www.shaoxingwine.com.cn		电子信箱	zjy@shaoxingwine.com.cn	
电　话	0575-85158435 85176000		传　真	0575-85166884	
办公地址	浙江省绍兴市北海桥				
经营范围	黄酒、白酒、饮料、副食品及食品原辅料开发、制造、销售等				

主要财务指标				
指标\报告期	2016.06.30	2015.12.31	2015.06.30	2014.12.31
基本每股收益(元)	0.1000	0.1600	0.0900	0.2600
基本每股收益(扣除后)(元)	0.0900	0.1100	0.0800	0.1000
稀释每股收益(元)	0.1000	0.1600	0.0900	0.2600
每股净资产(元)	4.7656	4.6652	4.6664	4.5799
每股经营现金净流量(元)	-0.0669	0.0700	-0.1646	-0.0860
每股现金流量(元)	-0.1474	-0.0835	-0.2393	0.1788
每股资本公积金(元)	2.3258	2.3258	2.3258	2.3258
每股盈余公积金(元)	0.2612	0.2612	0.2474	0.2474
每股未分配利润(元)	1.1820	1.0818	1.0972	1.0107
净资产收益率(%)	2.1029	3.5338	1.8539	4.9919
加权净资产收益率(%)	2.1300	3.5700	1.8700	6.1600
净资产收益率(扣除)(%)	1.9167	2.2700	1.7260	1.9790
总资产(万元)	426989.81	440569.48	417371.56	432772.17
归属母公司股东权益(万元)	385308.11	377193.44	377287.98	370296.02
营业收入(万元)	86554.89	137594.56	70993.80	133794.77
营业支出(万元)	56518.33	90101.07	45584.79	86206.74
投资收益(万元)	679.37	2660.51	385.01	14265.74
净利润(万元)	8033.45	13364.05	6979.17	18593.75
营业利润(万元)	10832.33	14163.37	9419.31	24076.94
利润总额(万元)	11025.32	18075.04	9499.51	24700.04

青岛海信电器股份有限公司

公司概况					
公司名称	青岛海信电器股份有限公司			证券简称	海信电器
法人代表	刘洪新	董秘	舒鹏	证券代码	600060
公司网址	www.hisense.com		电子信箱	zqb@hisense.com	
电　话	0532-83889556		传　真	0532-83889556	
办公地址	山东省青岛市经济技术开发区前湾港路218号				
经营范围	电视机、广播电视设备、通讯产品制造，信息技术产品，家用、商用电器、电子产品的制造、销售等				

主要财务指标				
指标\报告期	2016.06.30	2015.12.31	2015.06.30	2014.12.31
基本每股收益(元)	0.5660	1.1380	0.4780	1.0700
基本每股收益(扣除后)(元)	0.5350	1.0230	0.4430	1.0090
稀释每股收益(元)	0.5660	1.1380	0.4780	1.0700
每股净资产(元)	9.6489	9.0824	8.4223	8.2695
每股经营现金净流量(元)	1.2105	0.8447	0.4074	0.7295
每股现金流量(元)	1.0350	0.2069	-0.2177	0.0573
每股资本公积金(元)	1.7263	1.7263	1.7262	1.7262
每股盈余公积金(元)	1.1405	1.1405	1.1405	1.1405
每股未分配利润(元)	5.7820	5.2157	4.5556	4.4029
净资产收益率(%)	5.8690	12.5274	5.6726	12.9388
加权净资产收益率(%)	6.0500	13.1100	5.6200	13.5200
净资产收益率(扣除)(%)	5.5484	11.2620	5.2650	12.1997
总资产(万元)	2003988.58	2092131.83	1954975.58	2070351.33
归属母公司股东权益(万元)	1262539.04	1188417.70	1102036.01	1082045.60
营业收入(万元)	1328940.30	3018998.68	1400144.50	2900706.92
营业支出(万元)	1107407.23	2504997.24	1186582.83	2412394.90
投资收益(万元)	1522.24	1094.64	926.59	4506.29
净利润(万元)	74124.51	153647.85	64480.85	144280.22
营业利润(万元)	81763.76	147955.41	67007.18	141912.11
利润总额(万元)	91672.39	178825.43	76100.16	165885.12

国投安信股份有限公司

公司概况					
公司名称	国投安信股份有限公司			证券简称	国投安信
法人代表	施洪祥	董秘	李樱	证券代码	600061
公司网址	www.sdicessence.com.cn		电子信箱	600061@essence.com.cn	
电　话	010-83325163		传　真	010-83325148	
办公地址	北京西城区阜成门北大街2号国投金融大厦19层				
经营范围	纺织品、纺织原材料、化纤材料、新产品的开发、生产、销售等				

主要财务指标				
指标\报告期	2016.06.30	2015.12.31	2015.06.30	2014.12.31
基本每股收益(元)	0.3800	1.3300	0.8100	0.4200
基本每股收益(扣除后)(元)	0.3700	1.2900	0.7400	-0.0100
稀释每股收益(元)	0.3800	1.3300	0.8000	0.0100
每股净资产(元)	7.2818	7.1579	6.8961	1.4435
每股经营现金净流量(元)	-1.6234	2.9408	9.8064	0.4027
每股现金流量(元)	-4.4908	8.5838	17.6400	-0.0737
每股资本公积金(元)	4.5079	4.5079	4.7504	22.9055
每股盈余公积金(元)	0.0104	0.0104	0.0090	0.0774
每股未分配利润(元)	1.5914	1.2161	0.9017	1.9546
净资产收益率(%)	5.1533	17.1037	9.7836	1.0012
加权净资产收益率(%)	5.2000	19.7500	11.7700	1.0200
净资产收益率(扣除)(%)	5.0940	15.2505	9.1028	-0.5132
总资产(万元)	12317948.96	14114065.55	19272760.94	9511966.67
归属母公司股东权益(万元)	2689990.78	2644219.78	2547515.29	1157789.03
营业收入(万元)	30015.65	228071.97	135541.46	471684.32
营业支出(万元)	28272.36	223576.24	137577.14	449797.07
投资收益(万元)	94210.77	215217.10	119390.67	582.20
净利润(万元)	138603.32	467021.82	262271.38	488.52
营业利润(万元)	183732.26	613855.02	355876.56	283.18
利润总额(万元)	185860.01	621279.24	355883.85	598.01

华润双鹤药业股份有限公司

	公司名称	华润双鹤药业股份有限公司			证券简称	华润双鹤
公司概况	法人代表	王春城	董秘	范彦喜	证券代码	600062
	公司网址	www.dcpc.com		电子信箱	mss@dcpc.com	
	电　话	010-64398099		传　真	010-64398086	
	办公地址	北京市朝阳区望京利泽东二路1号				
	经营范围	加工、制造、销售制剂药品、化学原料药、制药装备等				

	指标\报告期	2016.06.30	2015.12.31	2015.06.30	2014.12.31
主要财务指标	基本每股收益(元)	0.5984	0.9125	0.5668	1.0168
	基本每股收益(扣除后)(元)	0.5575	0.7074	0.5434	0.9140
	稀释每股收益(元)	0.5984	0.9125	0.5668	1.0168
	每股净资产(元)	8.8412	8.4291	10.5161	9.9338
	每股经营现金净流量(元)	0.4247	0.9681	0.4094	1.6248
	每股现金流量(元)	0.5703	-0.8179	-0.0819	-0.0938
	每股资本公积金(元)	0.9109	0.9109	2.0277	2.3606
	每股盈余公积金(元)	0.4780	0.4780	0.5333	0.5333
	每股未分配利润(元)	6.4522	6.0388	6.9532	6.8696
	净资产收益率(%)	6.7683	10.8253	5.5191	9.5421
	加权净资产收益率(%)	6.8600	10.5000	6.5800	12.3100
	净资产收益率(扣除)(%)	6.3062	6.7701	5.1678	9.2009
	总资产(万元)	808851.23	776310.72	682386.19	740535.70
	归属母公司股东权益(万元)	640521.88	610666.03	601201.14	615341.07
	营业收入(万元)	284590.95	513839.54	257053.04	515322.89
	营业支出(万元)	136934.41	247312.28	120003.75	251401.67
	投资收益(万元)	624.57	2371.80	1314.38	486.38
	净利润(万元)	44497.99	66482.16	41164.19	73853.32
	营业利润(万元)	50569.49	76433.02	49254.78	83913.53
	利润总额(万元)	53526.75	80676.23	50631.79	88077.34

安徽皖维高新材料股份有限公司

	公司名称	安徽皖维高新材料股份有限公司			证券简称	皖维高新
公司概况	法人代表	吴福胜	董秘	吴尚义	证券代码	600063
	公司网址	www.wwgf.com.cn		电子信箱	wusy@wwgf.com.cn	
	电　话	0551-82189280 82189294		传　真	0551-82189447	
	办公地址	安徽省巢湖市皖维路56号				
	经营范围	系列聚乙烯醇、高强高模PVA纤维、超高强高模PVA纤维、环保水泥等				

	指标\报告期	2016.06.30	2015.12.31	2015.06.30	2014.12.31
主要财务指标	基本每股收益(元)	0.0370	0.0700	0.0330	0.1200
	基本每股收益(扣除后)(元)	0.0290	0.0500	0.0230	0.0800
	稀释每股收益(元)	0.0370	0.0700	0.0330	0.1200
	每股净资产(元)	2.0832	2.2295	2.6951	2.4632
	每股经营现金净流量(元)	0.1866	0.5143	0.1735	0.5451
	每股现金流量(元)	0.0742	-0.0376	0.1501	0.0733
	每股资本公积金(元)	0.3638	0.3638	0.3604	0.4160
	每股盈余公积金(元)	0.0780	0.0780	0.0776	0.0806
	每股未分配利润(元)	0.1408	0.1035	0.0906	0.0707
	净资产收益率(%)	1.7898	2.9768	1.1336	4.8738
	加权净资产收益率(%)	1.7000	2.7500	1.3200	7.1700
	净资产收益率(扣除)(%)	1.3980	2.0683	0.7916	3.2710
	总资产(万元)	767809.49	744361.24	861651.09	753022.09
	归属母公司股东权益(万元)	342870.52	366945.55	443577.73	391446.27
	营业收入(万元)	169128.71	348464.33	165629.30	412609.25
	营业支出(万元)	134880.43	282664.81	133733.98	335982.81
	投资收益(万元)	-1760.37	3403.88	3448.21	2847.93
	净利润(万元)	6136.72	10923.12	5028.41	18401.76
	营业利润(万元)	6552.35	10717.88	5640.08	19629.71
	利润总额(万元)	7704.01	13791.92	6179.36	23687.83

南京高科股份有限公司

	公司名称	南京高科股份有限公司			证券简称	南京高科
公司概况	法人代表	徐益民	董秘	谢建晖	证券代码	600064
	公司网址	www.600064.com		电子信箱	600064@600064.com	
	电　话	025-85800728		传　真	025-85800720	
	办公地址	江苏省南京市栖霞区学津路8号高科中心A座				
	经营范围	高新技术产业投资、开发、市政基础设施建设、投资及管理等				

	指标\报告期	2016.06.30	2015.12.31	2015.06.30	2014.12.31
主要财务指标	基本每股收益(元)	0.9880	1.0960	0.6670	1.1810
	基本每股收益(扣除后)(元)	0.9790	0.6930	0.2420	0.8950
	稀释每股收益(元)	0.9880	1.0960	0.6670	1.1810
	每股净资产(元)	11.7582	11.6186	13.3488	15.9993
	每股经营现金净流量(元)	1.1526	2.2201	1.2003	2.4568
	每股现金流量(元)	0.4243	0.3117	0.1875	-0.0654
	每股资本公积金(元)	0.5591	0.5945	0.5945	0.8917
	每股盈余公积金(元)	0.6571	0.6555	0.5849	0.8774
	每股未分配利润(元)	3.7848	3.1396	2.7821	3.7721
	净资产收益率(%)	8.4002	9.4280	4.9993	7.3831
	加权净资产收益率(%)	8.3600	9.8300	5.5500	9.2300
	净资产收益率(扣除)(%)	8.3263	5.9623	1.8125	5.5934
	总资产(万元)	2304281.14	2264755.56	2304065.47	2036705.05
	归属母公司股东权益(万元)	908287.72	899662.86	1033636.56	825915.03
	营业收入(万元)	402356.43	383812.13	156371.38	324207.41
	营业支出(万元)	267323.22	272147.05	115936.88	219226.59
	投资收益(万元)	25131.72	81178.31	62373.37	48178.98
	净利润(万元)	84328.32	88097.34	52261.27	63916.82
	营业利润(万元)	102974.93	107120.19	68816.00	77300.88
	利润总额(万元)	103061.01	107224.17	68834.49	77587.91

郑州宇通客车股份有限公司

	公司名称	郑州宇通客车股份有限公司			证券简称	宇通客车
公司概况	法人代表	汤玉祥	董秘	于莉	证券代码	600066
	公司网址	www.yutong.com		电子信箱	sbd@yutong.com	
	电　话	0371-66718281 66899008		传　真	0371-66899399-1389	
	办公地址	河南省郑州市管城区宇通路宇通工业园				
	经营范围	客车及其附件的生产和销售等				

	指标\报告期	2016.06.30	2015.12.31	2015.06.30	2014.12.31
主要财务指标	基本每股收益(元)	0.5600	1.6000	0.4300	1.7700
	基本每股收益(扣除后)(元)	0.5500	1.4700	0.4000	1.4800
	稀释每股收益(元)	0.5600	1.6000	0.4300	1.7700
	每股净资产(元)	4.8669	5.8089	4.6393	7.3135
	每股经营现金净流量(元)	-0.8423	2.7145	0.8400	2.1696
	每股现金流量(元)	-2.0633	0.3658	-0.7055	0.2256
	每股资本公积金(元)	0.5776	0.5776	0.5816	1.3677
	每股盈余公积金(元)	0.7022	0.7022	0.5667	0.8500
	每股未分配利润(元)	2.5865	3.5286	2.4907	4.0956
	净资产收益率(%)	11.4644	27.4888	9.2033	24.1810
	加权净资产收益率(%)	10.7000	30.1900	8.5700	25.5400
	净资产收益率(扣除)(%)	11.2161	25.2511	8.5314	17.4714
	总资产(万元)	2558588.00	3013913.13	2278162.97	2382349.98
	归属母公司股东权益(万元)	1077506.69	1286057.67	1028077.20	1080446.09
	营业收入(万元)	1326812.14	3121087.39	1038723.97	2572829.95
	营业支出(万元)	997121.55	2330589.85	795874.66	1948136.06
	投资收益(万元)	2826.88	6173.78	1234.62	9789.70
	净利润(万元)	126763.39	358768.91	96598.35	265263.11
	营业利润(万元)	135846.65	382828.30	103533.37	290271.13
	利润总额(万元)	145756.71	410434.49	108927.26	305084.04

冠城大通股份有限公司

公司概况					
公司名称	冠城大通股份有限公司			证券简称	冠城大通
法人代表	韩国龙	董秘	肖林寿	证券代码	600067
公司网址	www.gcdt.net		电子信箱	gcdt@gcdt.net	
电　话	0591-83350026		传　真	0591-83350013	
办公地址	福建省福州市五一北路153号正祥商务中心2#楼8-10层				
经营范围	自动化仪表及系统制造、维修、销售等				

主要财务指标 指标\报告期	2016.06.30	2015.12.31	2015.06.30	2014.12.31
基本每股收益(元)	0.0200	0.1500	0.2400	0.6300
基本每股收益(扣除后)(元)	0.0200	0.1200	0.2000	0.5900
稀释每股收益(元)	0.0200	0.1500	0.2400	0.5800
每股净资产(元)	4.6751	4.7500	4.8122	4.6335
每股经营现金净流量(元)	0.8282	0.8027	0.0224	1.1399
每股现金流量(元)	-0.1283	0.4424	-0.8099	1.9304
每股资本公积金(元)	1.1351	1.1351	1.1242	0.1203
每股盈余公积金(元)	0.2343	0.2343	0.2246	0.2824
每股未分配利润(元)	2.3012	2.3782	2.4601	3.1725
净资产收益率(%)	0.4923	3.0084	4.3243	13.5834
加权净资产收益率(%)	0.4900	3.2600	5.0000	14.7400
净资产收益率(扣除)(%)	0.3222	2.2834	3.6660	12.6914
总资产(万元)	2025102.81	1988909.06	1890938.08	1979284.84
归属母公司股东权益(万元)	695559.39	706182.16	713602.44	552931.46
营业收入(万元)	242862.27	740220.51	292264.12	756420.67
营业支出(万元)	199951.00	524912.76	217157.66	538843.48
投资收益(万元)	5406.00	9176.03	8350.45	3189.94
净利润(万元)	4504.54	45533.55	35083.89	90745.13
营业利润(万元)	9561.82	70365.80	40485.00	119869.80
利润总额(万元)	10223.10	77194.58	46738.60	123218.02

中国葛洲坝集团股份有限公司

公司概况					
公司名称	中国葛洲坝集团股份有限公司			证券简称	葛洲坝
法人代表	聂凯	董秘	彭立权	证券代码	600068
公司网址	www.cggc.cn		电子信箱	gzb@cggc.cn	
电　话	027-59270353		传　真	027-59270357	
办公地址	湖北省武汉市硚口区解放大道558号葛洲坝大厦				
经营范围	水泥生产销售、建筑工程承包施工、民用爆破、水力发电、高速公路等				

主要财务指标 指标\报告期	2016.06.30	2015.12.31	2015.06.30	2014.12.31
基本每股收益(元)	0.3110	0.5830	0.2730	0.5290
基本每股收益(扣除后)(元)	0.2950	0.5280	0.2400	0.4690
稀释每股收益(元)	0.3110	0.5830	0.2730	0.5290
每股净资产(元)	5.1645	4.3956	4.1749	4.5040
每股经营现金净流量(元)	-1.3059	-1.0314	-0.7737	0.2489
每股现金流量(元)	-0.6413	1.4493	0.1574	0.4830
每股资本公积金(元)	1.6381	1.6315	1.6148	1.5682
每股盈余公积金(元)	0.1992	0.1992	0.1834	0.1834
每股未分配利润(元)	1.3997	1.2632	0.9690	0.8464
净资产收益率(%)	6.0617	13.2558	6.5289	11.0271
加权净资产收益率(%)	6.8570	13.8160	6.5180	12.5750
净资产收益率(扣除)(%)	5.7508	12.0204	5.7538	9.7716
总资产(万元)	13646586.53	12762977.10	11484960.13	10490025.50
归属母公司股东权益(万元)	2378148.37	2024056.50	1922439.26	1859824.65
营业收入(万元)	3927620.28	8227493.24	3383240.13	7160539.03
营业支出(万元)	3406196.50	7074481.08	2852877.11	6138931.28
投资收益(万元)	10453.24	31272.42	31554.12	24836.21
净利润(万元)	174584.64	343127.92	169417.56	296012.67
营业利润(万元)	204953.15	399598.62	206421.35	354209.54
利润总额(万元)	221201.48	439849.86	220218.36	390527.27

河南银鸽实业投资股份有限公司

公司概况					
公司名称	河南银鸽实业投资股份有限公司			证券简称	银鸽投资
法人代表	贾粮钢	董秘	谭洪涛	证券代码	600069
公司网址	www.yinge.com.cn		电子信箱	yinge@yinge.cn	
电　话	0395-5615559 5615539		传　真	0395-5615583	
办公地址	河南省漯河市人民东路与东环路交叉口银鸽投资科技研发大厦703室				
经营范围	纸张、纸浆及其深加工产品，百货销售，技术服务，投资咨询等				

主要财务指标 指标\报告期	2016.06.30	2015.12.31	2015.06.30	2014.12.31
基本每股收益(元)	-0.0600	0.0500	-0.0900	-0.8400
基本每股收益(扣除后)(元)	-0.0500	-0.2900	-0.1300	-0.8700
稀释每股收益(元)	-0.0600	0.0500	-0.0900	-0.8400
每股净资产(元)	1.8775	1.9378	0.9715	1.0658
每股经营现金净流量(元)	0.0003	0.0678	-0.0365	-0.0032
每股现金流量(元)	-0.0694	0.1749	-0.0796	-0.1157
每股资本公积金(元)	1.4730	1.4730	0.9324	0.9324
每股盈余公积金(元)	0.0589	0.0589	0.0892	0.0892
每股未分配利润(元)	-0.6544	-0.5942	-1.0501	-0.9559
净资产收益率(%)	-3.2083	1.9325	-9.6979	-79.1790
加权净资产收益率(%)	-3.1600	3.0700	-9.2500	-56.7200
净资产收益率(扣除)(%)	-2.7803	-12.1311	-13.8768	-81.8659
总资产(万元)	544609.56	507552.61	517993.97	556378.86
归属母公司股东权益(万元)	234521.33	242045.57	80187.74	87964.30
营业收入(万元)	118996.68	282023.84	122776.36	300524.27
营业支出(万元)	110023.01	267591.57	114562.33	284464.32
投资收益(万元)	203.36	-	-	1659.84
净利润(万元)	-8708.04	1995.25	-8781.71	-74396.28
营业利润(万元)	-10144.26	-30814.59	-14454.10	-92904.44
利润总额(万元)	-8585.94	9170.17	-10158.94	-90766.87

浙江富润股份有限公司

公司概况					
公司名称	浙江富润股份有限公司			证券简称	浙江富润
法人代表	赵林中	董秘	卢伯军	证券代码	600070
公司网址	www.furun.net		电子信箱	whf65@126.com	
电　话	0575-87015296 87015763		传　真	0575-87026018	
办公地址	浙江省诸暨市陶朱南路12号				
经营范围	绢丝及绢丝绸、精纺呢绒、纺织服装、纺织品印染加工，药品零售等				

主要财务指标 指标\报告期	2016.06.30	2015.12.31	2015.06.30	2014.12.31
基本每股收益(元)	0.0158	0.0700	0.0007	-0.1800
基本每股收益(扣除后)(元)	0.0139	-0.0100	0.0002	-0.1900
稀释每股收益(元)	0.0158	0.0700	0.0007	-0.1800
每股净资产(元)	2.2509	2.6444	3.1405	3.5412
每股经营现金净流量(元)	0.0298	0.0511	-0.1429	-0.0472
每股现金流量(元)	-0.0514	-0.0227	-0.2891	-0.2971
每股资本公积金(元)	0.0923	0.0923	0.0923	0.2200
每股盈余公积金(元)	0.1815	0.1815	0.1675	0.2177
每股未分配利润(元)	0.1625	0.1667	0.1411	0.4325
净资产收益率(%)	0.7040	2.5322	0.0220	-6.7573
加权净资产收益率(%)	0.6000	2.4900	0.0200	-7.2100
净资产收益率(扣除)(%)	0.6168	-0.2680	0.0048	-6.8802
总资产(万元)	191367.89	209286.83	227792.58	204635.50
归属母公司股东权益(万元)	80268.96	94302.84	111993.94	97140.80
营业收入(万元)	41424.52	80464.06	39537.53	96389.04
营业支出(万元)	34759.71	70621.48	34259.25	85507.14
投资收益(万元)	293.62	3263.02	905.72	1045.06
净利润(万元)	2183.59	2065.41	150.68	-4269.29
营业利润(万元)	2295.19	2820.07	268.71	-4013.94
利润总额(万元)	2499.05	3211.74	374.06	-3797.50

凤凰光学股份有限公司

公司概况					
公司名称	凤凰光学股份有限公司			证券简称	凤凰光学
法人代表	刘翔	董秘	王炜	证券代码	600071
公司网址	www.phenixoptics.com.cn			电子信箱	600071@phenixoptics.com.cn
电　话	0793-8259547　8259523			传　真	0793-8259547
办公地址	江西省上饶市凤凰西大道197号				
经营范围	光学镜头、照相器材、钢片快门、光学原材料、仪器零配件等产品的生产和销售				

主要财务指标 指标＼报告期	2016.06.30	2015.12.31	2015.06.30	2014.12.31
基本每股收益(元)	–0.1363	0.0835	–0.0249	–0.4245
基本每股收益(扣除后)(元)	–0.1313	–0.1523	–0.0348	–0.4478
稀释每股收益(元)	–0.1363	0.0835	–0.0249	–0.4245
每股净资产(元)	1.9937	2.1585	2.0484	2.0733
每股经营现金净流量(元)	–0.1225	0.0307	–0.0501	–0.2035
每股现金流量(元)	–0.3701	0.4007	0.2884	–0.3173
每股资本公积金(元)	0.4371	0.4656	0.4640	0.4640
每股盈余公积金(元)	0.2961	0.2961	0.2961	0.2961
每股未分配利润(元)	0.2605	0.3968	0.2883	0.3133
净资产收益率(%)	–6.8372	3.8703	–1.2173	–20.4749
加权净资产收益率(%)	–6.6000	3.9500	–1.2100	–18.5700
净资产收益率(扣除)(%)	–6.5862	–7.0575	–1.6998	–21.5991
总资产(万元)	96287.05	108718.44	112900.82	107484.29
归属母公司股东权益(万元)	47346.07	51258.78	48643.65	49235.80
营业收入(万元)	32507.68	80323.29	36514.66	89097.23
营业支出(万元)	30167.90	72174.09	33464.78	85499.91
投资收益(万元)	–	9415.61	450.08	584.97
净利润(万元)	–3369.17	1986.67	–1180.03	–15817.85
营业利润(万元)	–3044.76	3371.09	–1444.66	–15625.03
利润总额(万元)	–3326.17	3393.23	–1112.15	–15376.86

中船科技股份有限公司

公司概况					
公司名称	中船科技股份有限公司			证券简称	钢构工程
法人代表	高康	董秘	陈慧	证券代码	600072
公司网址	www.jnhi.com			电子信箱	mail@jnhi.com
电　话	021-66990372			传　真	021-66990300
办公地址	上海市崇明区长兴岛长兴江南大道988号钢构工程公司办公室				
经营范围	大型钢结构、压力容器、港口机械等				

主要财务指标 指标＼报告期	2016.06.30	2015.12.31	2015.06.30	2014.12.31
基本每股收益(元)	–0.1060	0.0470	–0.0610	0.0220
基本每股收益(扣除后)(元)	–0.1060	–0.2500	–0.0770	–0.0410
稀释每股收益(元)	–0.1060	0.0470	–0.0610	0.0220
每股净资产(元)	2.2905	2.4111	2.3034	2.3742
每股经营现金净流量(元)	–0.1495	0.1741	0.0603	–0.2343
每股现金流量(元)	–0.5735	0.1105	–0.4433	0.3284
每股资本公积金(元)	0.8477	0.8477	0.8477	0.8477
每股盈余公积金(元)	0.2654	0.2654	0.2611	0.2611
每股未分配利润(元)	0.1774	0.2980	0.1946	0.2653
净资产收益率(%)	–4.6125	1.9468	–2.6383	0.9094
加权净资产收益率(%)	–4.4800	1.9320	–2.5980	0.9080
净资产收益率(扣除)(%)	–4.6379	–10.3559	–3.3278	–1.7430
总资产(万元)	193750.06	219210.44	216090.65	239376.99
归属母公司股东权益(万元)	109582.80	115354.91	110201.70	113587.62
营业收入(万元)	30593.60	91359.03	44152.14	97974.38
营业支出(万元)	31146.80	83934.11	41026.95	84205.67
投资收益(万元)	248.39	16578.89	169.23	3583.89
净利润(万元)	–6463.84	2399.51	–2851.36	1178.56
营业利润(万元)	–6491.69	4366.01	–3610.76	1038.33
利润总额(万元)	–6463.84	2399.51	–2851.36	1178.56

上海梅林正广和股份有限公司

公司概况					
公司名称	上海梅林正广和股份有限公司			证券简称	上海梅林
法人代表	马勇健	董秘	汤爱娣	证券代码	600073
公司网址	www.shanghaimaling.com			电子信箱	ml@shanghaimaling.com
电　话	021-22257010　22257016			传　真	021-22257015
办公地址	上海市恒丰路601号(邮电大厦)				
经营范围	资产经营、电子商务、信息采集、信息加工、信息发布、经济信息服务等				

主要财务指标 指标＼报告期	2016.06.30	2015.12.31	2015.06.30	2014.12.31
基本每股收益(元)	0.2160	0.1700	0.0800	0.0800
基本每股收益(扣除后)(元)	0.1980	0.1700	0.0620	0.1327
稀释每股收益(元)	0.2160	0.1700	0.0800	0.0800
每股净资产(元)	3.3712	3.1650	3.3619	3.2714
每股经营现金净流量(元)	0.5153	0.2554	0.2701	0.2904
每股现金流量(元)	0.6680	0.1367	0.0781	0.7336
每股资本公积金(元)	1.8118	1.8118	1.9200	2.1401
每股盈余公积金(元)	0.0694	0.0694	0.0694	0.0694
每股未分配利润(元)	0.4803	0.2638	0.3651	0.1738
净资产收益率(%)	6.4201	5.5088	2.5214	4.3273
加权净资产收益率(%)	6.6200	5.0800	2.3400	6.3100
净资产收益率(扣除)(%)	5.8650	5.3940	2.1593	3.6015
总资产(万元)	786318.31	768975.71	625256.58	744999.76
归属母公司股东权益(万元)	316123.26	296795.86	315255.81	317780.40
营业收入(万元)	657691.38	1223344.57	586908.99	1310143.50
营业支出(万元)	551537.64	1044495.61	502987.38	1133369.25
投资收益(万元)	1638.51	3139.02	1647.91	3148.66
净利润(万元)	31637.19	22708.04	8909.12	10024.82
营业利润(万元)	33264.32	24291.69	9979.85	18847.28
利润总额(万元)	35543.52	29215.19	11224.73	15421.88

江苏保千里视像科技集团股份有限公司

公司概况					
公司名称	江苏保千里视像科技集团股份有限公司			证券简称	保千里
法人代表	庄敏	董秘	周皓琳	证券代码	600074
公司网址	www.protruly.com.cn			电子信箱	stock@protruly.com.cn
电　话	0755-26009465			传　真	0755-26008476
办公地址	广东省深圳市南山区登良路23号汉京国际大厦16层				
经营范围	生产、销售双向拉伸聚酯薄膜、双向拉伸聚丙烯薄膜、聚乙烯薄膜等				

主要财务指标 指标＼报告期	2016.06.30	2015.12.31	2015.06.30	2014.12.31
基本每股收益(元)	0.1500	0.1800	0.0600	0.0290
基本每股收益(扣除后)(元)	0.1500	0.1800	0.0600	–0.0180
稀释每股收益(元)	0.1500	0.1800	0.0600	0.0290
每股净资产(元)	0.7950	0.6299	0.5226	0.6961
每股经营现金净流量(元)	0.0198	–0.0642	–0.0332	0.0499
每股现金流量(元)	–0.0660	0.2658	0.1932	0.0011
每股资本公积金(元)	–0.4948	–0.5138	–0.6820	–0.9118
每股盈余公积金(元)	0.0230	0.0230	0.0084	0.0140
每股未分配利润(元)	0.4405	0.2947	0.1963	0.2500
净资产收益率(%)	18.3432	25.7137	8.7219	4.2360
加权净资产收益率(%)	20.7500	33.5300	19.3900	4.5200
净资产收益率(扣除)(%)	18.3279	25.6183	8.7207	–2.4692
总资产(万元)	417448.71	266992.77	161747.99	90268.90
归属母公司股东权益(万元)	183307.53	145243.57	117900.57	47903.09
营业收入(万元)	141412.25	165699.35	49476.21	73962.59
营业支出(万元)	76940.71	95992.92	28471.92	63550.86
投资收益(万元)	–177.25	1.73	–	4124.26
净利润(万元)	33624.47	37347.54	10283.21	2275.33
营业利润(万元)	34083.02	38575.46	10612.77	3105.86
利润总额(万元)	39154.42	43170.37	11801.37	3030.25

新疆天业股份有限公司

公司概况						
公司概况	公司名称	新疆天业股份有限公司			证券简称	新疆天业
	法人代表	吴彬	董秘	李刚	证券代码	600075
	公司网址	www.xj-tianye.com		电子信箱	ygdq@sohu.com	
	电　话	0993-2623118 2623109		传　真	0993-2623163	
	办公地址	新疆维吾尔自治区石河子市经济技术开发区北三东路 36 号				
	经营范围	化工产品、塑料制品的生产和销售、商贸、番茄制品加工、柠檬酸的生产和销售等				

主要财务指标	指标＼报告期	2016.06.30	2015.12.31	2015.06.30	2014.12.31
	基本每股收益(元)	0.5900	0.0938	0.3100	0.0900
	基本每股收益(扣除后)(元)	0.2200	0.0509	0.0600	-0.2100
	稀释每股收益(元)	0.5900	0.0938	0.3100	0.0900
	每股净资产(元)	3.5617	3.6088	5.2400	3.5151
	每股经营现金净流量(元)	0.4517	-0.1782	0.0467	1.6322
	每股现金流量(元)	0.1828	-0.0821	0.0191	-0.0791
	每股资本公积金(元)	0.0126	1.7044	0.5644	0.5644
	每股盈余公积金(元)	0.3792	0.4846	0.4846	0.4846
	每股未分配利润(元)	2.1699	2.0524	1.5257	1.4660
	净资产收益率(%)	14.0065	2.5979	1.6698	2.5278
	加权净资产收益率(%)	11.5600	2.6300	1.6800	2.5600
	净资产收益率(扣除)(%)	5.1347	1.4111	1.3415	-5.9131
	总资产(万元)	869362.76	834007.27	340174.82	366830.32
	归属母公司股东权益(万元)	191864.11	229885.61	156786.18	154168.17
	营业收入(万元)	287047.42	227503.64	104373.69	427004.29
	营业支出(万元)	213627.92	207643.85	94758.16	390590.68
	投资收益(万元)	212.20	14852.48	6076.16	12738.35
	净利润(万元)	27001.41	3100.65	1382.63	4037.02
	营业利润(万元)	32009.37	3072.12	1772.00	4191.91
	利润总额(万元)	33035.06	4673.21	2068.18	5600.02

康欣新材料股份有限公司

公司概况						
公司概况	公司名称	康欣新材料股份有限公司			证券简称	康欣新材
	法人代表	郭志先	董秘	牟儆	证券代码	600076
	公司网址	www.hbkangxin.com.cn		电子信箱	zqbir@hbkangxin.cn	
	电　话	027-83223386		传　真	027-83081999	
	办公地址	湖北省武汉市东西湖区金银湖环湖路 57 号中部慧谷 30 栋				
	经营范围	通信类产品、计算机类产品、广电类产品、锂离子二次电池类产品的研发、生产和销售				

主要财务指标	指标＼报告期	2016.06.30	2015.12.31	2015.06.30	2014.12.31
	基本每股收益(元)	0.1900	0.4509	0.1900	0.3400
	基本每股收益(扣除后)(元)	0.1800	0.4434	0.1900	0.3371
	稀释每股收益(元)	0.1900	0.4509	0.1900	0.3400
	每股净资产(元)	2.6446	2.4564	0.3127	0.3473
	每股经营现金净流量(元)	0.0629	0.0492	0.1709	0.4786
	每股现金流量(元)	-0.3527	0.6949	-0.6754	0.0433
	每股资本公积金(元)	0.4979	0.4979	1.3344	0.0288
	每股盈余公积金(元)	0.0717	0.0717	0.2290	0.1498
	每股未分配利润(元)	1.0750	0.8868	-2.2507	1.8252
	净资产收益率(%)	7.1161	10.6045	-11.0648	-8.7788
	加权净资产收益率(%)	7.3800	17.8800	8.0500	15.7300
	净资产收益率(扣除)(%)	6.9761	10.4277	-10.5402	-15.4387
	总资产(万元)	376273.53	366246.59	78415.84	294137.85
	归属母公司股东权益(万元)	273516.74	254053.13	11430.99	129019.11
	营业收入(万元)	62041.42	103084.71	39509.37	90617.14
	营业支出(万元)	37051.53	60940.20	21162.52	55643.93
	投资收益(万元)	-	-	15.89	1.39
	净利润(万元)	19463.61	26941.12	10827.78	18816.31
	营业利润(万元)	18092.96	23293.12	10486.26	17843.16
	利润总额(万元)	21441.97	28529.76	11581.78	19976.14

宋都基业投资股份有限公司

公司概况						
公司概况	公司名称	宋都基业投资股份有限公司			证券简称	宋都股份
	法人代表	俞建午	董秘	郑羲亮	证券代码	600077
	公司网址	www.songdu.com		电子信箱	600077@songdu.com	
	电　话	0571-86759621		传　真	0571-86056788	
	办公地址	浙江省杭州市富春路 789 号宋都大厦				
	经营范围	实业投资、企业管理咨询等				

主要财务指标	指标＼报告期	2016.06.30	2015.12.31	2015.06.30	2014.12.31
	基本每股收益(元)	0.0780	0.0600	0.0050	0.0300
	基本每股收益(扣除后)(元)	0.0757	0.0500	0.0004	0.0400
	稀释每股收益(元)	0.0780	0.0600	0.0053	0.0300
	每股净资产(元)	2.8944	2.8224	2.7910	2.7913
	每股经营现金净流量(元)	0.7432	1.5731	0.5054	-2.0179
	每股现金流量(元)	0.8275	-0.4784	-0.3561	1.5808
	每股资本公积金(元)	0.9456	0.9456	2.6669	2.6826
	每股盈余公积金(元)	0.0765	0.0765	0.2056	0.2056
	每股未分配利润(元)	1.5135	1.4415	3.9075	3.8927
	净资产收益率(%)	2.6935	2.0501	0.1913	0.9915
	加权净资产收益率(%)	2.7200	2.0600	0.1900	1.4300
	净资产收益率(扣除)(%)	2.6138	1.6825	0.0144	1.1211
	总资产(万元)	1231816.16	1376798.55	1384168.21	1368507.12
	归属母公司股东权益(万元)	387884.66	378240.90	374023.78	374063.51
	营业收入(万元)	404945.51	347349.02	137370.01	232303.10
	营业支出(万元)	339190.94	284564.09	114026.69	185697.87
	投资收益(万元)	-809.10	-1607.31	-440.19	735.49
	净利润(万元)	11174.27	8217.02	1381.68	5455.79
	营业利润(万元)	20417.41	12497.65	3426.17	11102.05
	利润总额(万元)	20032.07	12497.16	3310.97	8737.34

江苏澄星磷化工股份有限公司

公司概况						
公司概况	公司名称	江苏澄星磷化工股份有限公司			证券简称	澄星股份
	法人代表	李兴	董秘	夏正华	证券代码	600078
	公司网址	http://jscxchem.company.lookchem.cn		电子信箱	cx@phosphatechina.com	
	电　话	0510-80622329		传　真	0510-86281884	
	办公地址	江苏省江阴市梅园大街 618 号				
	经营范围	精细磷化工系列产品的生产和销售、自产化工原料和化工产品的进出口等				

主要财务指标	指标＼报告期	2016.06.30	2015.12.31	2015.06.30	2014.12.31
	基本每股收益(元)	0.0395	0.0270	0.0312	0.0340
	基本每股收益(扣除后)(元)	0.0368	0.0150	0.0263	0.0130
	稀释每股收益(元)	0.0395	0.0270	0.0312	0.0340
	每股净资产(元)	2.7344	2.6948	2.6953	2.6791
	每股经营现金净流量(元)	0.3724	0.5811	0.0485	0.3965
	每股现金流量(元)	-0.8135	0.7690	-0.2399	-0.0539
	每股资本公积金(元)	0.5887	0.5887	0.5875	0.5875
	每股盈余公积金(元)	0.1963	0.1963	0.1898	0.1898
	每股未分配利润(元)	0.9300	0.8905	0.9012	0.8850
	净资产收益率(%)	1.4452	1.0042	1.1564	1.2534
	加权净资产收益率(%)	1.4600	1.0100	1.1600	1.2600
	净资产收益率(扣除)(%)	1.3441	0.5609	0.9770	0.4978
	总资产(万元)	636275.94	638639.63	567548.26	512132.62
	归属母公司股东权益(万元)	181170.61	178552.29	178581.90	177510.62
	营业收入(万元)	147683.77	238772.65	129551.11	259556.13
	营业支出(万元)	127388.99	203348.37	109937.84	223642.41
	投资收益(万元)	-	-	-	141.49
	净利润(万元)	2287.33	3389.48	3129.89	4039.30
	营业利润(万元)	2920.33	3012.45	3410.73	3552.12
	利润总额(万元)	3127.75	4085.75	3822.52	5223.93

人福医药集团股份公司

公司概况

公司名称	人福医药集团股份公司			证券简称	人福医药
法人代表	王学海	董秘	李前伦	证券代码	600079
公司网址	www.humanwell.com.cn		电子信箱	renfu.pr@renfu.com.cn	
电　话	027-87597232		传　真	027-87596393	
办公地址	湖北省武汉市东湖高新区高新大道666号				
经营范围	医药、医疗器械、生殖健康等产品及技术的研发、生产、销售及技术服务等				

主要财务指标

指标\报告期	2016.06.30	2015.12.31	2015.06.30	2014.12.31
基本每股收益(元)	0.3300	0.5200	0.5100	0.8500
基本每股收益(扣除后)(元)	0.1700	0.4500	0.4900	0.8100
稀释每股收益(元)	0.3300	0.5200	0.5100	0.8500
每股净资产(元)	6.4272	6.1280	11.8278	8.9316
每股经营现金净流量(元)	0.2273	0.2420	0.1642	0.9507
每股现金流量(元)	1.1696	0.5939	1.0942	0.3201
每股资本公积金(元)	2.9958	3.0111	6.9888	3.8450
每股盈余公积金(元)	0.1585	0.1585	0.2798	0.3402
每股未分配利润(元)	2.2817	1.9497	3.5364	3.7333
净资产收益率(%)	5.1654	8.2963	3.9438	9.5656
加权净资产收益率(%)	5.3100	9.4200	4.8700	9.9700
--	2.7220	7.1649	3.7646	9.0459
总资产(万元)	2620012.65	1815180.68	1550620.23	1216713.11
归属母公司股东权益(万元)	826566.49	788087.30	760557.89	472285.16
营业收入(万元)	571503.29	1005397.84	447538.09	705162.80
营业支出(万元)	366261.68	639983.37	279669.71	413751.50
投资收益(万元)	22206.43	14185.11	8186.59	3687.55
净利润(万元)	54801.33	85322.39	38768.88	63573.23
营业利润(万元)	62385.34	98416.13	47082.93	79486.09
利润总额(万元)	68506.22	107196.95	48570.07	82149.25

金花企业(集团)股份有限公司

公司概况

公司名称	金花企业(集团)股份有限公司			证券简称	金花股份
法人代表	吴一坚	董秘	孙明	证券代码	600080
公司网址	www.ginwa.com.cn		电子信箱	irm@ginwa.com.cn	
电　话	029-88336635		传　真	029-81778626	
办公地址	陕西省西安市高新技术产业开发区科技四路202号				
经营范围	生物制药、旅游开发、影视等				

主要财务指标

指标\报告期	2016.06.30	2015.12.31	2015.06.30	2014.12.31
基本每股收益(元)	0.0413	0.0832	0.0396	0.1014
基本每股收益(扣除后)(元)	0.0427	0.0627	0.0322	0.0926
稀释每股收益(元)	0.0413	0.0832	0.0396	0.1014
每股净资产(元)	3.4647	3.4234	3.3799	3.3403
每股经营现金净流量(元)	0.0300	0.0993	0.0429	0.1125
每股现金流量(元)	-0.2473	-0.0396	0.0242	0.0669
每股资本公积金(元)	0.8274	0.8274	0.8274	0.8274
每股盈余公积金(元)	0.3365	0.3365	0.3289	0.3289
每股未分配利润(元)	1.3008	1.2596	1.2237	1.1840
净资产收益率(%)	1.1918	2.4287	1.1731	3.0351
加权净资产收益率(%)	1.1989	2.4900	1.1800	3.0600
净资产收益率(扣除)(%)	1.2330	1.8301	0.9536	2.7716
总资产(万元)	127128.89	125809.17	126311.67	126676.23
归属母公司股东权益(万元)	105776.13	104515.52	103187.56	101977.11
营业收入(万元)	30480.58	73014.45	40134.34	71279.01
营业支出(万元)	11422.18	39839.48	25994.73	35552.37
投资收益(万元)	-28.95	416.80	18.65	9.79
净利润(万元)	1260.16	2575.68	1204.93	2980.81
营业利润(万元)	1533.95	2873.16	1161.36	2782.66
利润总额(万元)	1511.92	3210.24	1427.53	3099.70

东风电子科技股份有限公司

公司概况

公司名称	东风电子科技股份有限公司			证券简称	东风科技
法人代表	高大林	董秘	天涯	证券代码	600081
公司网址	www.detc.com.cn		电子信箱	tianya@detc.com.cn	
电　话	021-62033003*52 53		传　真	021-62032133	
办公地址	上海市中山北路2000号22楼				
经营范围	研究、开发、采购、制造、销售汽车仪表系统、饰件系统、制动系统等				

主要财务指标

指标\报告期	2016.06.30	2015.12.31	2015.06.30	2014.12.31
基本每股收益(元)	0.1941	0.4884	0.3771	0.6472
基本每股收益(扣除后)(元)	0.1838	0.4487	0.3398	0.4300
稀释每股收益(元)	0.1941	0.4884	0.3771	0.6472
每股净资产(元)	3.4884	3.4420	3.3306	3.1535
每股经营现金净流量(元)	0.3591	1.7934	0.7662	1.1548
每股现金流量(元)	-0.2519	0.4937	0.2691	0.6830
每股资本公积金(元)	0.0486	0.0486	0.0486	0.0486
每股盈余公积金(元)	0.4030	0.4030	0.3507	0.3507
每股未分配利润(元)	2.0365	1.9904	1.9313	1.7542
净资产收益率(%)	5.5638	14.1905	11.3220	20.5230
加权净资产收益率(%)	5.4842	14.7367	11.2832	22.1131
净资产收益率(扣除)(%)	5.2695	13.0374	10.2023	13.6358
总资产(万元)	430385.57	430317.25	423175.62	424329.27
归属母公司股东权益(万元)	109381.27	107927.30	104435.57	98882.54
营业收入(万元)	249944.62	482492.71	225687.99	490161.46
营业支出(万元)	204847.67	398475.10	185591.83	388996.17
投资收益(万元)	2979.66	8332.68	4840.64	7313.88
净利润(万元)	11829.16	28092.78	18883.70	38155.24
营业利润(万元)	14048.39	29935.92	18500.54	30637.05
利润总额(万元)	14541.52	31431.24	19967.21	45524.61

天津海泰科技发展股份有限公司

公司概况

公司名称	天津海泰科技发展股份有限公司			证券简称	海泰发展
法人代表	宋克新	董秘	李刚	证券代码	600082
公司网址	www.hitech-develop.com		电子信箱	irm@hitech-develop.com	
电　话	022-85689891		传　真	022-85689889	
办公地址	天津市新技术产业园区华苑产业区海泰西路18号				
经营范围	高新技术企业孵化器建设和经营、创业孵化服务、高新技术产业开发、投资及管理等				

主要财务指标

指标\报告期	2016.06.30	2015.12.31	2015.06.30	2014.12.31
基本每股收益(元)	-0.0512	0.0161	0.0133	0.0631
基本每股收益(扣除后)(元)	-0.0504	-0.0236	0.0007	0.0430
稀释每股收益(元)	-0.0512	0.0161	0.0133	0.0631
每股净资产(元)	2.6668	2.7180	2.7152	2.7019
每股经营现金净流量(元)	-0.1189	-0.1757	-0.1351	-0.1999
每股现金流量(元)	-0.3742	0.3288	-0.0679	0.0024
每股资本公积金(元)	0.6386	0.6386	0.6386	0.6386
每股盈余公积金(元)	0.1555	0.1555	0.1555	0.1555
每股未分配利润(元)	0.8727	0.9239	0.9211	0.9078
净资产收益率(%)	-1.9190	0.5913	0.4896	2.3343
加权净资产收益率(%)	-1.9000	0.5900	0.4900	2.3600
净资产收益率(扣除)(%)	-1.8911	-0.8677	0.0251	1.5919
总资产(万元)	346471.74	356737.28	343003.14	343126.03
归属母公司股东权益(万元)	172305.24	175611.78	175432.40	174573.43
营业收入(万元)	54439.87	68375.11	37348.41	92141.04
营业支出(万元)	52757.96	61704.45	32705.90	74845.32
投资收益(万元)	16.20	185.78	81.27	198.66
净利润(万元)	-3306.54	1038.35	858.97	4075.07
营业利润(万元)	-3084.04	-2079.88	304.88	3919.83
利润总额(万元)	-3150.46	1150.53	1310.23	5444.56

广东博信投资控股股份有限公司

公司概况	公司名称	广东博信投资控股股份有限公司			证券简称	博信股份
	法人代表	石志敏	董秘	孙金伟	证券代码	600083
	公司网址	www.600083.com		电子信箱	gdbx600083@163.com	
	电　话	0763-3663333		传　真	0763-3663311	
	办公地址	广东省清远市新城方正二街1号自来水大厦7楼				
	经营范围	偏转线圈、金属漆包线、会聚磁组件等电子元器件的研究、开发、生产、销售等				

主要财务指标	指标\报告期	2016.06.30	2015.12.31	2015.06.30	2014.12.31
	基本每股收益(元)	0.0120	0.0490	0.0420	0.0250
	基本每股收益(扣除后)(元)	0.0120	0.0490	0.0420	0.0250
	稀释每股收益(元)	0.0120	0.0490	0.0420	0.0250
	每股净资产(元)	0.2393	0.2250	0.2152	0.1684
	每股经营现金净流量(元)	0.0236	-0.3368	-0.3669	0.2667
	每股现金流量(元)	0.0231	-0.3527	-0.3685	0.2859
	每股资本公积金(元)	0.4193	0.4193	0.4193	0.4193
	每股盈余公积金(元)	-	-	-	-
	每股未分配利润(元)	-1.2002	-1.2119	-1.2189	-1.2612
	净资产收益率(%)	4.8695	21.9492	19.6910	15.0394
	加权净资产收益率(%)	4.6700	25.1100	22.3500	16.8700
	净资产收益率(扣除)(%)	4.8658	21.8746	19.6222	14.8215
	总资产(万元)	12419.45	11800.17	12861.16	18137.34
	归属母公司股东权益(万元)	5504.40	5174.56	4948.46	3873.13
	营业收入(万元)	4130.12	11450.68	6771.16	9057.71
	营业支出(万元)	2663.07	7225.32	4096.98	6508.52
	投资收益(万元)	-	-	-	-
	净利润(万元)	455.08	1639.70	1323.26	871.01
	营业利润(万元)	793.44	2530.75	1933.47	1389.63
	利润总额(万元)	793.78	2537.26	1939.23	1398.87

中信国安葡萄酒业股份有限公司

公司概况	公司名称	中信国安葡萄酒业股份有限公司			证券简称	中葡股份
	法人代表	赵欣	董秘	侯伟	证券代码	600084
	公司网址	www.guoanwine.com		电子信箱	zpjy600084@163.com	
	电　话	0991-8881238		传　真	0991-8882439	
	办公地址	新疆维吾尔自治区乌鲁木齐市红山路39号				
	经营范围	农业综合开发、葡萄酒生产销售等				

主要财务指标	指标\报告期	2016.06.30	2015.12.31	2015.06.30	2014.12.31
	基本每股收益(元)	-0.0420	0.0138	-0.0454	0.0129
	基本每股收益(扣除后)(元)	-0.0621	-0.2167	-0.0484	-0.1341
	稀释每股收益(元)	-0.0420	0.0138	-0.0454	0.0129
	每股净资产(元)	2.1380	2.1800	2.1208	2.1662
	每股经营现金净流量(元)	-0.1040	-0.0500	-0.1736	-0.3329
	每股现金流量(元)	-0.8632	0.2746	-0.5162	0.8291
	每股资本公积金(元)	2.4102	2.4102	2.4102	2.4102
	每股盈余公积金(元)	0.0744	0.0744	0.0744	0.0744
	每股未分配利润(元)	-1.3465	-1.3046	-1.3637	-1.3184
	净资产收益率(%)	-1.9625	0.6331	-2.1393	0.4305
	加权净资产收益率(%)	-1.9435	0.6352	-2.1167	1.0941
	净资产收益率(扣除)(%)	-2.9024	-9.9426	-2.2809	-4.4632
	总资产(万元)	353518.19	392414.67	423104.28	396371.37
	归属母公司股东权益(万元)	240258.38	244973.57	238324.09	243422.54
	营业收入(万元)	12658.48	30314.08	16970.52	52345.36
	营业支出(万元)	5575.45	12426.73	7678.78	18091.94
	投资收益(万元)	2134.60	24386.66	2368.40	8305.95
	净利润(万元)	-4790.79	2768.83	-5209.41	840.80
	营业利润(万元)	-4914.22	-1010.45	-6424.53	-1634.11
	利润总额(万元)	-4790.79	4259.70	-5209.41	953.14

北京同仁堂股份有限公司

公司概况	公司名称	北京同仁堂股份有限公司			证券简称	同 仁 堂
	法人代表	高振坤	董秘	贾泽涛	证券代码	600085
	公司网址	www.tongrentang.com		电子信箱	jiazetao@tongrentang.com	
	电　话	010-67020018		传　真	010-67020018	
	办公地址	北京市崇文区东兴隆街52号 北京市崇文门外大街42号				
	经营范围	中药生产、科研、销售等				

主要财务指标	指标\报告期	2016.06.30	2015.12.31	2015.06.30	2014.12.31
	基本每股收益(元)	0.4110	0.6450	0.3650	0.5820
	基本每股收益(扣除后)(元)	0.4050	0.6400	0.3640	0.5690
	稀释每股收益(元)	0.4110	0.6390	0.3580	0.5620
	每股净资产(元)	5.3832	5.1900	4.8600	4.2090
	每股经营现金净流量(元)	0.4860	0.6070	0.4310	0.5308
	每股现金流量(元)	0.3299	0.1003	0.3772	-0.2254
	每股资本公积金(元)	1.4628	1.4676	1.4504	0.7196
	每股盈余公积金(元)	0.3835	0.3835	0.3430	0.3588
	每股未分配利润(元)	2.5246	2.3440	2.0999	2.0529
	净资产收益率(%)	7.6292	12.2954	7.3490	13.8372
	加权净资产收益率(%)	7.6000	13.3300	7.8400	14.4900
	净资产收益率(扣除)(%)	7.5167	12.1978	7.3208	13.5110
	总资产(万元)	1575019.30	1436089.69	1417221.48	1294667.59
	归属母公司股东权益(万元)	738289.16	712309.70	666532.82	551895.78
	营业收入(万元)	638478.63	1080876.12	565744.14	968586.75
	营业支出(万元)	331134.69	582817.57	294563.78	550425.76
	投资收益(万元)	5.33	89.68	234.49	284.75
	净利润(万元)	95153.91	146509.79	83045.21	125396.53
	营业利润(万元)	114336.71	176339.90	99084.65	149974.51
	利润总额(万元)	115687.89	177841.51	99510.26	152251.51

东方金钰股份有限公司

公司概况	公司名称	东方金钰股份有限公司			证券简称	东方金钰
	法人代表	赵宁	董秘	刘雅清	证券代码	600086
	公司网址	www.goldjade.cn		电子信箱	dfjy600086@sina.cn	
	电　话	0755-25266298		传　真	0755-25266279	
	办公地址	广东省深圳市罗湖区贝丽北路水贝工业区2栋东方金钰珠宝大厦3楼				
	经营范围	宝石及珠宝饰品的加工、批发、销售、翡翠原材料的批发销售等				

主要财务指标	指标\报告期	2016.06.30	2015.12.31	2015.06.30	2014.12.31
	基本每股收益(元)	0.1446	0.2308	0.6265	0.2802
	基本每股收益(扣除后)(元)	0.1937	0.2322	0.6274	0.2878
	稀释每股收益(元)	0.1446	0.2308	0.6265	0.2802
	每股净资产(元)	2.1841	2.0395	6.0336	2.8143
	每股经营现金净流量(元)	0.0145	-1.2447	-2.0594	-0.9649
	每股现金流量(元)	-0.0915	0.1288	0.3546	-0.2114
	每股资本公积金(元)	0.4676	0.4676	3.4039	0.4750
	每股盈余公积金(元)	0.0297	0.0297	0.0892	0.1140
	每股未分配利润(元)	0.6868	0.5422	1.5404	1.2253
	净资产收益率(%)	6.6208	10.9063	9.6323	9.9552
	加权净资产收益率(%)	9.1100	16.4100	12.4700	10.4300
	净资产收益率(扣除)(%)	8.8665	10.9724	9.6452	10.2272
	总资产(万元)	879006.95	957103.68	850056.25	612750.13
	归属母公司股东权益(万元)	294854.04	275332.30	271510.16	99141.72
	营业收入(万元)	401153.48	866060.08	433185.05	454255.27
	营业支出(万元)	347859.04	790284.35	384836.36	423853.60
	投资收益(万元)	-2197.84	10910.13	7900.50	6223.95
	净利润(万元)	19400.46	29955.85	26119.17	9821.04
	营业利润(万元)	27882.17	38383.77	34913.73	13182.73
	利润总额(万元)	25962.17	38714.36	34914.78	13042.37

中视传媒股份有限公司

公司概况				
公司名称	中视传媒股份有限公司		证券简称	中视传媒
法人代表	赵刚	董秘 贺芳	证券代码	600088
公司网址	www.ctv-media.com.cn		电子信箱	irmanager@ctv-media.com.cn
电　话	021-68765168		传　真	021-68763868
办公地址	上海市浦东新区福山路450号新天国际大厦17层A座			
经营范围	影视拍摄基地开发、经营，影视拍摄[摄制电影(单片)]，电视剧节目制作等			

主要财务指标：指标\报告期	2016.06.30	2015.12.31	2015.06.30	2014.12.31
基本每股收益(元)	-0.0100	0.0800	0.0920	0.1590
基本每股收益(扣除后)(元)	-0.0100	0.0650	0.0910	0.1360
稀释每股收益(元)	-0.0100	0.0800	0.0920	0.1590
每股净资产(元)	3.4589	3.4687	3.4809	3.4371
每股经营现金净流量(元)	0.0244	-0.1400	-0.2261	0.2805
每股现金流量(元)	-1.0067	-0.2309	-0.2800	0.1544
每股资本公积金(元)	0.9653	0.9653	0.9653	0.9653
每股盈余公积金(元)	0.3887	0.3887	0.3815	0.3815
每股未分配利润(元)	1.1049	1.1146	1.1341	1.0902
净资产收益率(%)	-0.2828	2.2947	2.6385	4.6267
加权净资产收益率(%)	-0.2800	2.3100	2.6400	4.6900
净资产收益率(扣除)(%)	-0.2766	1.8601	2.6214	3.9483
总资产(万元)	139782.79	147090.50	142836.90	150823.09
归属母公司股东权益(万元)	114634.79	114958.99	115364.91	113911.80
营业收入(万元)	22622.96	51355.04	22651.99	75603.83
营业支出(万元)	20507.42	37855.82	15302.18	59932.20
投资收益(万元)	42.67	356.58	-	-
净利润(万元)	-859.11	2858.96	3091.14	5620.32
营业利润(万元)	-1133.65	3515.75	4094.59	6457.70
利润总额(万元)	-1142.52	3826.02	4121.52	7512.56

特变电工股份有限公司

公司概况				
公司名称	特变电工股份有限公司		证券简称	特变电工
法人代表	张新	董秘 郭俊香	证券代码	600089
公司网址	www.tbea.com.cn		电子信箱	guojunxiang@tbea.com
电　话	0994-6508000		传　真	0994-2723615
办公地址	新疆维吾尔自治区昌吉市北京南路189号			
经营范围	变压器、电线电缆以及输变电成套工程业务等			

主要财务指标：指标\报告期	2016.06.30	2015.12.31	2015.06.30	2014.12.31
基本每股收益(元)	0.3736	0.5816	0.3427	0.5240
基本每股收益(扣除后)(元)	0.3312	0.4627	0.3058	0.4357
稀释每股收益(元)	0.3736	0.5816	0.3427	0.5240
每股净资产(元)	6.7771	6.4319	6.1576	6.0329
每股经营现金净流量(元)	0.0653	0.6333	0.2341	-0.4264
每股现金流量(元)	-0.1642	0.7890	0.9353	0.2165
每股资本公积金(元)	2.5350	2.5231	2.5080	2.4888
每股盈余公积金(元)	0.2850	0.2845	0.2522	0.2529
每股未分配利润(元)	2.9633	2.7774	2.5705	2.3953
净资产收益率(%)	5.5191	9.0323	5.5499	8.4339
加权净资产收益率(%)	5.6500	9.3312	5.5447	8.9076
净资产收益率(扣除)(%)	4.8950	7.1852	4.9528	7.0131
总资产(万元)	7795194.86	7025940.40	6607977.57	5929171.12
归属母公司股东权益(万元)	2198127.16	2089772.56	2000637.67	1954742.46
营业收入(万元)	1792936.06	3745196.22	1859390.56	3607475.63
营业支出(万元)	1448478.00	3070554.91	1530430.56	2993441.27
投资收益(万元)	3505.09	5654.41	1828.57	-12715.96
净利润(万元)	140160.19	202512.73	117983.73	181141.85
营业利润(万元)	150124.66	190676.57	119432.98	169316.60
利润总额(万元)	164710.29	236875.75	135194.58	205092.26

新疆同济堂健康产业股份有限公司

公司概况				
公司名称	新疆同济堂健康产业股份有限公司		证券简称	同济堂
法人代表	黎启基	董秘 李冲	证券代码	600090
公司网址	www.xjhops.com		电子信箱	xjhops@163.com
电　话	0991-3687305		传　真	0991-3687310
办公地址	新疆维吾尔自治区乌鲁木齐市经济技术开发区上海路130号			
经营范围	啤酒花、啤酒大麦、食品饮料、房地产开发、农副产品等			

主要财务指标：指标\报告期	2016.06.30	2015.12.31	2015.06.30	2014.12.31
基本每股收益(元)	0.1700	0.0350	0.1500	0.1030
基本每股收益(扣除后)(元)	0.1700	0.0100	0.1500	0.0900
稀释每股收益(元)	0.1700	0.0350	0.1500	0.1030
每股净资产(元)	3.6172	1.2362	1.3094	1.2279
每股经营现金净流量(元)	-0.0400	0.6692	0.7275	0.5330
每股现金流量(元)	1.4351	0.4475	0.7741	0.1159
每股资本公积金(元)	1.3488	2.2573	1.0468	1.0468
每股盈余公积金(元)	0.0843	0.3299	0.1041	0.1041
每股未分配利润(元)	1.1840	4.1581	-0.8386	-0.9201
净资产收益率(%)	3.3566	2.8178	6.2255	8.3581
加权净资产收益率(%)	4.6100	2.7970	6.4250	8.4440
净资产收益率(扣除)(%)	3.3503	0.8475	4.6758	7.3338
总资产(万元)	784227.14	520654.58	150134.32	135001.44
归属母公司股东权益(万元)	520748.83	344161.17	48175.95	45176.77
营业收入(万元)	375539.82	120497.71	72075.44	113216.49
营业支出(万元)	323844.57	72738.95	44141.42	70301.80
投资收益(万元)	2.60	1267.29	1124.64	111.87
净利润(万元)	21184.83	6427.55	6916.93	9470.60
营业利润(万元)	29092.45	9172.87	8036.09	10831.38
利润总额(万元)	29126.61	9652.62	8185.24	11922.12

包头明天科技股份有限公司

公司概况				
公司名称	包头明天科技股份有限公司		证券简称	ST明科
法人代表	李国春	董秘 关明	证券代码	600091
公司网址	www.tomotech.com		电子信箱	600091@sina.com
电　话	0472-2207068 2207058		传　真	0472-2207059
办公地址	内蒙古自治区包头市稀土高新技术产业开发区曙光路22号			
经营范围	生产、销售烧碱、聚氯乙烯树脂、苯酚、盐酸、硫酸、氢氟酸、电石等化工产品			

主要财务指标：指标\报告期	2016.06.30	2015.12.31	2015.06.30	2014.12.31
基本每股收益(元)	-0.0800	0.1000	-0.2300	-0.4800
基本每股收益(扣除后)(元)	-0.1100	-0.6900	-0.2300	-0.5400
稀释每股收益(元)	-0.0800	0.1000	-0.2300	-0.4800
每股净资产(元)	1.9245	1.9989	0.6469	0.8532
每股经营现金净流量(元)	-0.1050	0.0090	-0.1092	-0.1773
每股现金流量(元)	-0.6220	0.6380	-0.0019	-0.1112
每股资本公积金(元)	3.8188	3.8188	3.6190	3.6190
每股盈余公积金(元)	0.1473	0.1473	0.1915	0.1915
每股未分配利润(元)	-3.0459	-2.9672	-4.1986	-3.9573
净资产收益率(%)	-4.0878	3.8706	-37.3131	-56.2355
加权净资产收益率(%)	-4.0100	11.1300	-32.9500	-43.8900
净资产收益率(扣除)(%)	-5.4728	-26.4277	-37.3161	-62.9582
总资产(万元)	120823.13	126518.05	119981.03	121529.41
归属母公司股东权益(万元)	84180.27	87434.11	21768.85	28711.24
营业收入(万元)	972.64	2202.34	703.68	2134.01
营业支出(万元)	950.04	2155.49	649.72	2082.67
投资收益(万元)	-1671.48	18479.97	-2235.60	-5648.70
净利润(万元)	-3441.11	3384.21	-8122.63	-16145.92
营业利润(万元)	-3875.40	2882.07	-8123.28	-18076.09
利润总额(万元)	-3441.11	3384.21	-8122.63	-16145.92

易见供应链管理股份有限公司

公司概况					
公司名称	易见供应链管理股份有限公司			证券简称	易见股份
法人代表	冷天辉	董秘	徐德智	证券代码	600093
公司网址	www.hejia.com		电子信箱	dmb@hejia.com	
电　话	028-85155498		传　真	028-85178855	
办公地址	四川省成都市高新技术产业开发区九兴大道 3 号				
经营范围	供应链管理，商品批发与零售，进出口业，社会经济咨询				

主要财务指标 指标＼报告期	2016.06.30	2015.12.31	2015.06.30	2014.12.31
基本每股收益(元)	0.2280	0.4630	0.1320	0.1100
基本每股收益(扣除后)(元)	0.2270	0.1500	0.1320	0.1110
稀释每股收益(元)	0.2280	0.4630	0.1320	0.1100
每股净资产(元)	5.2157	4.9876	4.7274	1.4239
每股经营现金净流量(元)	−0.3907	−2.1366	−0.3431	0.2907
每股现金流量(元)	−1.2713	1.7178	3.8344	−0.5238
每股资本公积金(元)	3.5983	3.5983	3.5983	0.1063
每股盈余公积金(元)	0.0173	0.0173	0.0119	0.0413
每股未分配利润(元)	0.5760	0.3526	0.1172	0.2762
净资产收益率(%)	4.3743	5.9763	0.8014	7.7175
加权净资产收益率(%)	4.4700	11.0500	8.8500	8.0300
净资产收益率(扣除)(%)	4.3476	1.9946	0.8001	7.8074
总资产(万元)	1018028.82	980261.92	569183.33	77149.38
归属母公司股东权益(万元)	585437.97	559829.19	530624.49	45912.19
营业收入(万元)	681652.96	527129.14	18097.33	40500.83
营业支出(万元)	637518.73	506046.09	14407.29	29931.85
投资收益(万元)	-	3004.45	3334.18	−100.49
净利润(万元)	28269.31	35221.50	4252.53	3543.29
营业利润(万元)	37719.83	30375.20	4484.41	4479.24
利润总额(万元)	37875.99	45626.68	4491.22	4430.89

上海大名城企业股份有限公司

公司概况					
公司名称	上海大名城企业股份有限公司			证券简称	大 名 城
法人代表	俞培俤	董秘	张燕琦	证券代码	600094
公司网址	www.greattown.cn		电子信箱	dmc@greattown.cn	
电　话	021-62478900		传　真	021-62479099	
办公地址	上海市闵行区红松东路 1116 号上海虹桥元一大厦 5 楼				
经营范围	房地产综合开发、建造，销售商品房，物业管理，物业租赁等				

主要财务指标 指标＼报告期	2016.06.30	2015.12.31	2015.06.30	2014.12.31
基本每股收益(元)	0.1742	0.2273	0.0649	0.2111
基本每股收益(扣除后)(元)	0.1692	0.2399	0.0586	0.2121
稀释每股收益(元)	0.1742	0.2273	0.0649	0.2111
每股净资产(元)	2.6568	2.4826	2.7813	2.7564
每股经营现金净流量(元)	−1.2623	−3.3412	−2.3715	−1.3108
每股现金流量(元)	−0.4059	0.8743	0.3188	−0.0381
每股资本公积金(元)	0.7741	0.7741	1.2351	1.2351
每股盈余公积金(元)	0.1587	0.1587	0.1190	0.1190
每股未分配利润(元)	0.7240	0.5499	0.4272	0.4023
净资产收益率(%)	6.5563	9.1560	2.3337	6.2301
加权净资产收益率(%)	6.7800	8.4500	2.3400	10.1800
净资产收益率(扣除)(%)	6.3687	9.6633	2.1066	6.2593
总资产(万元)	3943591.14	3647638.31	3111252.48	2152855.45
归属母公司股东权益(万元)	534430.68	499391.99	559470.86	554460.77
营业收入(万元)	441893.72	516757.19	206384.30	537990.33
营业支出(万元)	262257.17	318713.24	129079.40	347402.92
投资收益(万元)	−4433.93	10523.30	1522.35	195.13
净利润(万元)	29733.06	64065.97	18967.20	58828.84
营业利润(万元)	42331.87	86029.51	26329.66	81425.30
利润总额(万元)	42256.96	81611.66	25925.59	80943.70

哈尔滨高科技(集团)股份有限公司

公司概况					
公司名称	哈尔滨高科技(集团)股份有限公司			证券简称	哈 高 科
法人代表	杨登瑞	董秘	马昆	证券代码	600095
公司网址	www.hgk-group.com		电子信箱	mkn@hgk-group.com	
电　话	0451-84348141 84346722		传　真	0451-84348057 84346722	
办公地址	黑龙江省哈尔滨市高新技术产业开发区迎宾路集中区天平路 2 号				
经营范围	大豆深加工、药业、房地产开发等				

主要财务指标 指标＼报告期	2016.06.30	2015.12.31	2015.06.30	2014.12.31
基本每股收益(元)	−0.0246	0.0404	−0.0295	0.0320
基本每股收益(扣除后)(元)	−0.0364	−0.0295	−0.0449	0.0042
稀释每股收益(元)	−0.0246	0.0404	−0.0295	0.0320
每股净资产(元)	1.9457	1.9899	1.9463	1.9736
每股经营现金净流量(元)	−0.0510	0.5976	0.0781	0.0850
每股现金流量(元)	−0.2847	0.3639	0.0556	−0.2203
每股资本公积金(元)	0.7402	0.7402	0.7402	0.7402
每股盈余公积金(元)	0.1003	0.1003	0.1003	0.1003
每股未分配利润(元)	0.0859	0.1235	0.0536	0.0931
净资产收益率(%)	−1.2620	2.0277	−1.5144	1.6239
加权净资产收益率(%)	−1.2478	2.0400	−1.5038	1.5600
净资产收益率(扣除)(%)	−1.8701	−1.4842	−2.3083	0.2106
总资产(万元)	109093.12	113979.07	120134.22	120464.78
归属母公司股东权益(万元)	70291.58	71888.94	70314.44	71298.68
营业收入(万元)	11007.92	26462.00	10605.09	44016.54
营业支出(万元)	6616.65	15505.32	6188.24	28263.35
投资收益(万元)	299.61	153.74	447.40	−96.73
净利润(万元)	−1260.03	1747.84	−1361.73	565.29
营业利润(万元)	−820.78	226.21	−1330.04	1515.72
利润总额(万元)	−915.60	2615.44	−1198.11	1484.03

云南云天化股份有限公司

公司概况					
公司名称	云南云天化股份有限公司			证券简称	云 天 化
法人代表	张文学	董秘	钟德红	证券代码	600096
公司网址	www.yyth.com.cn		电子信箱	zhongdehong@yth.cn	
电　话	0871-64327127		传　真	0871-64327155	
办公地址	云南省昆明市滇池路 1417 号				
经营范围	化肥、化工原料、新材料、新能源及产品的研发、生产、销售				

主要财务指标 指标＼报告期	2016.06.30	2015.12.31	2015.06.30	2014.12.31
基本每股收益(元)	−0.7363	0.0896	0.0304	−2.2881
基本每股收益(扣除后)(元)	−0.7805	−0.4187	−0.0469	−2.3924
稀释每股收益(元)	−0.7363	0.0896	0.0304	−2.2881
每股净资产(元)	4.6927	4.9902	4.9345	4.8972
每股经营现金净流量(元)	0.5317	2.4989	3.4657	−0.3568
每股现金流量(元)	0.1113	−1.6628	−0.9442	−0.6093
每股资本公积金(元)	4.1327	3.6245	3.6156	3.6156
每股盈余公积金(元)	0.2038	0.2398	0.2398	1.2084
每股未分配利润(元)	−0.7142	0.0260	−0.0333	−1.0323
净资产收益率(%)	−15.6905	1.7960	0.6158	−46.7230
加权净资产收益率(%)	−14.5300	1.8100	0.6200	−37.6000
净资产收益率(扣除)(%)	−16.6329	−8.3915	−0.9510	−48.8529
总资产(万元)	6748364.57	6707703.17	6543849.39	6850913.83
归属母公司股东权益(万元)	623349.94	563427.35	557147.70	552934.18
营业收入(万元)	1603472.92	5026690.35	2542388.97	5449227.81
营业支出(万元)	1407317.29	4300819.81	2154881.98	4933383.94
投资收益(万元)	−12574.58	37908.64	1244.96	4320.85
净利润(万元)	−97385.33	19128.27	7011.75	−275647.52
营业利润(万元)	−98076.64	2407.12	4352.43	−274980.88
利润总额(万元)	−92676.20	26736.68	14814.75	−263010.57

上海开创国际海洋资源股份有限公司

公司概况						
公司概况	公司名称	上海开创国际海洋资源股份有限公司			证券简称	开创国际
	法人代表	汤期庆	董秘	汪涛	证券代码	600097
	公司网址	www.skmic.sh.cn		电子信箱	ir@skmic.sh.cn	
	电　话	021-65686875　65690310		传　真	021-65696280	
	办公地址	上海市杨浦区安浦路661号滨江国际广场3号楼3层				
	经营范围	远洋捕捞、食品销售管理、渔用设备、产品销售等				

主要财务指标	指标\报告期	2016.06.30	2015.12.31	2015.06.30	2014.12.31
	基本每股收益(元)	-0.5800	-0.5500	-0.4100	0.5200
	基本每股收益(扣除后)(元)	-0.5700	-0.7100	-0.4500	0.3200
	稀释每股收益(元)	-0.5800	-0.5500	-0.4100	0.5200
	每股净资产(元)	3.3408	3.8938	4.4009	4.5341
	每股经营现金净流量(元)	-0.0990	0.4036	-0.2205	0.4148
	每股现金流量(元)	0.1950	-0.0467	-0.2343	0.1675
	每股资本公积金(元)	0.1258	0.1258	0.0622	0.0622
	每股盈余公积金(元)	0.3507	0.3507	0.1733	0.1733
	每股未分配利润(元)	0.8156	1.3988	0.9752	1.0406
	净资产收益率(%)	-17.4580	-14.0464	0.6290	11.5566
	加权净资产收益率(%)	-16.1500	-13.0200	0.6100	12.0400
	净资产收益率(扣除)(%)	-17.1543	-18.3549	-0.3132	7.1627
	总资产(万元)	168362.71	117651.09	134227.16	135121.88
	归属母公司股东权益(万元)	67684.82	78888.47	89160.58	91860.75
	营业收入(万元)	30611.76	67504.79	27911.05	83101.09
	营业支出(万元)	29879.29	56706.37	26822.16	69388.37
	投资收益(万元)	-	-	-	-
	净利润(万元)	-11813.86	-11033.52	560.84	10615.95
	营业利润(万元)	-11524.39	-14461.90	-9212.30	-9055.36
	利润总额(万元)	-11728.49	-11027.47	560.84	10615.95

广州发展集团股份有限公司

公司概况						
公司概况	公司名称	广州发展集团股份有限公司			证券简称	广州发展
	法人代表	伍竹林	董秘	张雪球	证券代码	600098
	公司网址	www.gdg.com.cn		电子信箱	600098@gdgc.com.cn	
	电　话	020-37850968　37850978		传　真	020-37850938	
	办公地址	广东省广州市天河区临江大道3号31-32楼				
	经营范围	电力、能源物流、基建等产业的投资、建设、生产管理和经营业务等				

主要财务指标	指标\报告期	2016.06.30	2015.12.31	2015.06.30	2014.12.31
	基本每股收益(元)	0.1822	0.4778	0.1959	0.4477
	基本每股收益(扣除后)(元)	0.1801	0.4521	0.1793	0.4294
	稀释每股收益(元)	0.1822	0.4778	0.1959	0.4477
	每股净资产(元)	5.3978	5.4095	5.1265	5.0987
	每股经营现金净流量(元)	0.1502	1.1698	0.6895	1.1870
	每股现金流量(元)	-0.3142	0.1620	0.3128	-0.1891
	每股资本公积金(元)	1.4034	1.4034	1.4033	1.4033
	每股盈余公积金(元)	1.0033	1.0033	0.9714	0.9714
	每股未分配利润(元)	1.9742	1.9819	1.7319	1.7160
	净资产收益率(%)	3.3761	8.8328	3.8217	8.8066
	加权净资产收益率(%)	3.3100	9.0900	3.7700	9.0522
	净资产收益率(扣除)(%)	3.3361	8.3568	3.4973	8.4454
	总资产(万元)	3616184.96	3486127.28	3468709.06	3377915.60
	归属母公司股东权益(万元)	1471537.00	1474742.39	1397576.83	1390013.42
	营业收入(万元)	1065581.13	2111665.07	845788.10	1944579.52
	营业支出(万元)	917443.70	1777228.72	693365.37	1618299.20
	投资收益(万元)	23823.78	51988.00	17980.57	58638.74
	净利润(万元)	69221.07	183819.04	79076.11	170666.10
	营业利润(万元)	90957.19	229655.66	97254.53	214677.91
	利润总额(万元)	91915.14	238477.01	104178.26	218208.14

林海股份有限公司

公司概况						
公司概况	公司名称	林海股份有限公司			证券简称	林海股份
	法人代表	刘群	董秘	袁瑞明	证券代码	600099
	公司网址	www.linhai.cn		电子信箱	18052610333@189.cn	
	电　话	0523-86992016		传　真	0523-86551403	
	办公地址	江苏省泰州市迎春西路199号				
	经营范围	林业及园林动力机械、农业机械、喷灌机械、木材采运设备等				

主要财务指标	指标\报告期	2016.06.30	2015.12.31	2015.06.30	2014.12.31
	基本每股收益(元)	0.0062	0.0108	0.0066	0.0134
	基本每股收益(扣除后)(元)	0.0047	0.0093	0.0065	0.0127
	稀释每股收益(元)	0.0062	0.0108	0.0066	0.0134
	每股净资产(元)	2.1627	2.1568	2.1500	2.1433
	每股经营现金净流量(元)	-0.1444	0.0910	-0.1251	-0.1033
	每股现金流量(元)	-0.1487	0.0162	-0.1322	-0.1431
	每股资本公积金(元)	0.9100	0.9100	0.9100	0.9100
	每股盈余公积金(元)	0.1141	0.1141	0.1140	0.1140
	每股未分配利润(元)	0.1361	0.1300	0.1259	0.1193
	净资产收益率(%)	0.2851	0.4994	0.3083	0.6237
	加权净资产收益率(%)	0.2900	0.5000	0.3100	0.6100
	净资产收益率(扣除)(%)	0.2192	0.4314	0.3021	0.5902
	总资产(万元)	60419.66	58089.11	58814.42	56258.25
	归属母公司股东权益(万元)	47388.95	47260.71	47109.92	46964.68
	营业收入(万元)	20770.15	35700.39	17349.41	35783.47
	营业支出(万元)	18324.22	30855.33	15006.59	30953.84
	投资收益(万元)	-	-	-	-119.86
	净利润(万元)	135.10	236.03	145.24	292.91
	营业利润(万元)	143.88	286.89	178.20	327.59
	利润总额(万元)	182.03	325.60	181.70	346.15

同方股份有限公司

公司概况						
公司概况	公司名称	同方股份有限公司			证券简称	同方股份
	法人代表	周立业	董秘	张园园	证券代码	600100
	公司网址	www.thtf.com.cn		电子信箱	600100@thtf.com.cn	
	电　话	010-82399888		传　真	010-82399765	
	办公地址	北京市海淀区清华同方科技大厦A座29层				
	经营范围	计算机产品、商品销售、网络、软件、系统集成与信息服务等				

主要财务指标	指标\报告期	2016.06.30	2015.12.31	2015.06.30	2014.12.31
	基本每股收益(元)	1.6724	0.4448	0.3255	0.3438
	基本每股收益(扣除后)(元)	-0.1620	0.1925	0.1381	0.2795
	稀释每股收益(元)	1.6724	0.4448	0.3255	0.3438
	每股净资产(元)	7.6916	5.9555	5.8986	5.2518
	每股经营现金净流量(元)	-1.2324	0.8437	-0.6544	0.3895
	每股现金流量(元)	-1.0895	1.1844	-0.0637	0.3789
	每股资本公积金(元)	3.1265	3.1899	3.2564	2.1910
	每股盈余公积金(元)	0.2983	0.2983	0.2558	0.3449
	每股未分配利润(元)	3.0306	1.4881	1.4025	1.5981
	净资产收益率(%)	21.7433	7.1473	5.0431	6.5464
	加权净资产收益率(%)	24.3400	7.6700	5.7100	6.7800
	净资产收益率(扣除)(%)	-2.1066	3.0938	2.1398	5.3218
	总资产(万元)	5772543.51	5686083.59	5274732.24	4972500.89
	归属母公司股东权益(万元)	2279725.44	1765144.24	1748279.77	1154289.93
	营业收入(万元)	1065548.85	2844728.42	1056095.30	2599372.40
	营业支出(万元)	893298.19	2293073.89	839941.80	2082969.22
	投资收益(万元)	720448.64	264167.64	144763.51	87740.26
	净利润(万元)	505806.62	216280.73	99925.13	121341.07
	营业利润(万元)	595965.31	193050.11	96384.19	112941.69
	利润总额(万元)	621674.93	237336.32	110436.29	142318.00

四川明星电力股份有限公司

公司概况	公司名称	四川明星电力股份有限公司			证券简称	明星电力
	法人代表	秦怀平	董秘	唐敏	证券代码	600101
	公司网址	www.mxdl.com.cn		电子信箱	600101@mxdl.com.cn	
	电　话	0825-2210081		传　真	0825-2210089	
	办公地址	四川省遂宁市开发区明月路 88 号				
	经营范围	电力、热力生产供应，送变电工程，线路、设备安装、施工、批发等				

主要财务指标	指标\报告期	2016.06.30	2015.12.31	2015.06.30	2014.12.31
	基本每股收益(元)	0.1470	0.2700	0.1430	0.3000
	基本每股收益(扣除后)(元)	0.1170	0.2500	0.1370	0.2800
	稀释每股收益(元)	0.1470	0.2700	0.1430	0.3000
	每股净资产(元)	6.0069	5.8571	5.7155	5.6229
	每股经营现金净流量(元)	0.3569	0.6355	0.1314	0.5619
	每股现金流量(元)	0.1271	–0.1083	–0.0509	–0.1133
	每股资本公积金(元)	1.4256	1.4251	1.4233	1.4233
	每股盈余公积金(元)	0.3472	0.3472	0.3174	0.3174
	每股未分配利润(元)	3.2077	3.0605	2.9583	2.8655
	净资产收益率(%)	2.4517	4.6918	2.4997	5.3481
	加权净资产收益率(%)	2.4800	4.7900	2.5200	5.4700
	净资产收益率(扣除)(%)	1.9433	4.2828	2.4053	5.0359
	总资产(万元)	280488.08	278263.55	274226.36	269211.85
	归属母公司股东权益(万元)	194731.89	189873.63	185284.96	182283.53
	营业收入(万元)	64873.52	126797.26	59834.64	124489.71
	营业支出(万元)	55507.58	105207.19	49790.01	100193.93
	投资收益(万元)	1504.76	2433.47	1483.90	2434.59
	净利润(万元)	4357.57	8178.07	4267.99	8142.98
	营业利润(万元)	4000.80	8838.61	4840.90	9515.44
	利润总额(万元)	4990.71	9770.91	5015.92	10260.86

福建省青山纸业股份有限公司

公司概况	公司名称	福建省青山纸业股份有限公司			证券简称	青山纸业
	法人代表	潘士颖	董秘	林建平	证券代码	600103
	公司网址	www.qingshanpaper.com		电子信箱	dm@qingshanpaper.com	
	电　话	0591-83367773		传　真	0591-87110973	
	办公地址	福建省沙县青州镇				
	经营范围	纸袋纸系列产品及副产品、高强牛皮卡纸、精制牛皮纸、高强瓦楞纸等				

主要财务指标	指标\报告期	2016.06.30	2015.12.31	2015.06.30	2014.12.31
	基本每股收益(元)	0.0028	–0.1380	–0.0700	0.0258
	基本每股收益(扣除后)(元)	0.0008	–0.1413	–0.0709	–0.2275
	稀释每股收益(元)	0.0028	–0.1380	–0.0700	0.0258
	每股净资产(元)	1.0359	1.0334	1.1014	1.1714
	每股经营现金净流量(元)	0.1568	0.0988	–0.0224	0.1150
	每股现金流量(元)	0.0902	–0.0401	–0.0319	0.0489
	每股资本公积金(元)	0.0070	0.0070	0.0070	0.0070
	每股盈余公积金(元)	0.1925	0.1927	0.1927	0.1927
	每股未分配利润(元)	–0.1636	–0.1663	–0.0983	–0.0284
	净资产收益率(%)	0.2685	–13.3526	–6.3516	2.1989
	加权净资产收益率(%)	0.2700	–12.5200	–6.1600	2.1500
	净资产收益率(扣除)(%)	0.0796	–13.6724	–6.4354	–19.4260
	总资产(万元)	327710.46	327721.28	353185.81	337839.21
	归属母公司股东权益(万元)	109998.03	109728.37	116951.63	124379.95
	营业收入(万元)	112698.64	211161.04	101383.03	189548.85
	营业支出(万元)	94139.05	181160.33	89811.55	173509.63
	投资收益(万元)	99.42	–17.37	–44.74	27503.82
	净利润(万元)	1593.29	–13038.96	–6767.36	4115.35
	营业利润(万元)	2746.86	–11284.10	–6017.28	6353.37
	利润总额(万元)	2978.35	–10904.76	–5940.45	5761.99

上海汽车集团股份有限公司

公司概况	公司名称	上海汽车集团股份有限公司			证券简称	上汽集团
	法人代表	陈虹	董秘	王剑璋	证券代码	600104
	公司网址	www.saicmotor.com		电子信箱	saicmotor@saic.com.cn	
	电　话	021-22011138		传　真	021-22011777	
	办公地址	上海市静安区威海路 489 号				
	经营范围	汽车、摩托车、拖拉机等各种机动车整车，机械设备，总成及零部件的生产、销售等				

主要财务指标	指标\报告期	2016.06.30	2015.12.31	2015.06.30	2014.12.31
	基本每股收益(元)	1.3660	2.7020	1.2850	2.5370
	基本每股收益(扣除后)(元)	1.2670	2.4790	1.2450	2.3510
	稀释每股收益(元)	–	–	–	–
	每股净资产(元)	15.9536	15.8839	14.4267	14.2999
	每股经营现金净流量(元)	–0.4387	2.3575	1.0659	2.1118
	每股现金流量(元)	0.6980	–0.9037	–0.7419	–0.2001
	每股资本公积金(元)	3.7173	3.5318	3.4222	3.4453
	每股盈余公积金(元)	2.4242	2.4242	1.9805	1.9805
	每股未分配利润(元)	7.8289	7.8361	6.8709	6.9008
	净资产收益率(%)	8.5616	17.0125	8.9056	17.7424
	加权净资产收益率(%)	8.3400	17.9100	8.5600	18.9700
	净资产收益率(扣除)(%)	7.9420	15.6061	8.6278	16.4376
	总资产(万元)	51509148.79	51163069.08	47426246.02	41487067.35
	归属母公司股东权益(万元)	17589702.08	17512873.87	15906289.10	15766438.60
	营业收入(万元)	34629474.86	66137392.98	31975613.06	62671239.45
	营业支出(万元)	30336929.43	58583288.32	28696708.94	54923602.59
	投资收益(万元)	1441798.49	2966313.44	1508279.71	2783466.87
	净利润(万元)	2131416.73	4007396.92	1990483.58	3825077.30
	营业利润(万元)	2289468.65	4358803.04	2226419.23	4033376.85
	利润总额(万元)	2449063.21	4580967.65	2286008.04	4268879.52

江苏永鼎股份有限公司

公司概况	公司名称	江苏永鼎股份有限公司			证券简称	永鼎股份
	法人代表	莫林弟	董秘	彭勇泉	证券代码	600105
	公司网址	www.yongding.com.cn		电子信箱	zqb@yongding.com.cn	
	电　话	0512-63272489		传　真	0512-63271866	
	办公地址	江苏省苏州市吴江区芦墟镇 318 国道 72K 北侧				
	经营范围	光缆、电缆的生产和销售，房地产开发和销售，境外工程承揽与施工等				

主要财务指标	指标\报告期	2016.06.30	2015.12.31	2015.06.30	2014.12.31
	基本每股收益(元)	0.1210	0.4000	0.1080	0.3900
	基本每股收益(扣除后)(元)	0.1100	0.2800	0.0750	0.0400
	稀释每股收益(元)	0.1210	0.4000	0.1080	0.3900
	每股净资产(元)	2.4181	4.6347	4.4989	4.4528
	每股经营现金净流量(元)	–0.2104	0.1064	–0.2038	0.5948
	每股现金流量(元)	–0.2626	–0.0035	–0.3280	0.3170
	每股资本公积金(元)	0.4737	1.6475	1.4050	1.9030
	每股盈余公积金(元)	0.2548	0.5097	0.5789	0.5888
	每股未分配利润(元)	0.6895	1.4775	1.5151	1.5515
	净资产收益率(%)	4.9932	8.2533	4.3586	8.4559
	加权净资产收益率(%)	5.0800	8.8400	4.7900	9.5200
	净资产收益率(扣除)(%)	4.5551	5.7320	3.8273	1.0408
	总资产(万元)	352242.74	338069.26	260225.66	312606.44
	归属母公司股东权益(万元)	228509.75	218985.84	171389.06	192126.78
	营业收入(万元)	105011.12	225562.44	96623.17	250250.76
	营业支出(万元)	88055.24	195842.21	81165.74	220595.34
	投资收益(万元)	6421.27	11046.90	4884.89	12889.16
	净利润(万元)	13765.06	19887.53	12972.58	22669.45
	营业利润(万元)	14488.20	19495.43	11989.12	21466.16
	利润总额(万元)	15215.38	21587.69	12972.58	25885.18

重庆路桥股份有限公司

公司概况	公司名称	重庆路桥股份有限公司			证券简称	重庆路桥
	法人代表	江津	董秘	张漫	证券代码	600106
	公司网址	www.cqrb.com.cn		电子信箱	cqrb@cqrb.com.cn	
	电　话	023-62803632		传　真	023-62909387	
	办公地址	重庆市南坪经济技术开发区丹龙路 11 号				
	经营范围	长江石板坡大桥、嘉陵江石门大桥、嘉华嘉陵江大桥、长寿湖旅游专用高速公路经营、维护等				

主要财务指标	指标\报告期	2016.06.30	2015.12.31	2015.06.30	2014.12.31
	基本每股收益(元)	0.1800	0.2500	0.1630	0.2700
	基本每股收益(扣除后)(元)	0.1700	0.2300	0.1527	0.2400
	稀释每股收益(元)	0.1800	0.2500	0.1630	0.2700
	每股净资产(元)	3.5735	3.5886	3.5028	3.2436
	每股经营现金净流量(元)	0.1544	0.4243	0.2152	0.3093
	每股现金流量(元)	-0.5879	1.0049	1.2514	-0.0238
	每股资本公积金(元)	0.0598	0.0598	0.0598	0.0598
	每股盈余公积金(元)	0.3468	0.3468	0.3220	0.3220
	每股未分配利润(元)	1.5389	1.4318	1.3719	1.2909
	净资产收益率(%)	5.0984	6.8994	4.6541	8.3861
	加权净资产收益率(%)	5.0900	7.2600	4.7900	8.7600
	净资产收益率(扣除)(%)	4.7612	6.3327	4.3595	7.4380
	总资产(万元)	671684.58	734069.00	760348.98	630317.96
	归属母公司股东权益(万元)	324380.01	325751.19	317961.18	294438.66
	营业收入(万元)	15674.53	32033.48	16002.08	33960.94
	营业支出(万元)	1985.39	3932.20	1852.04	3288.69
	投资收益(万元)	12902.23	17665.36	11853.08	15529.38
	净利润(万元)	16538.19	22474.99	14798.22	24691.94
	营业利润(万元)	17247.49	23208.56	15234.21	26035.65
	利润总额(万元)	17389.64	23397.83	15243.65	26465.86

湖北美尔雅股份有限公司

公司概况	公司名称	湖北美尔雅股份有限公司			证券简称	美尔雅
	法人代表	杨闻孙	董秘	王黎	证券代码	600107
	公司网址	www.mailyard.com.cn		电子信箱	gufen@mailyard.com.cn	
	电　话	0714-6360298 6360238		传　真	0714-6360219	
	办公地址	湖北省黄石市团城山开发区美尔雅工业园				
	经营范围	精毛纺织制品，服装及辅料制造、加工和销售，兼营酒店业等				

主要财务指标	指标\报告期	2016.06.30	2015.12.31	2015.06.30	2014.12.31
	基本每股收益(元)	-0.0350	0.0100	0.0060	-0.0200
	基本每股收益(扣除后)(元)	-0.0400	-0.0200	-	-0.0500
	稀释每股收益(元)	-0.0350	0.0100	0.0060	-0.0200
	每股净资产(元)	1.4302	1.4650	1.4614	1.4557
	每股经营现金净流量(元)	0.0441	0.0020	0.1358	1.6764
	每股现金流量(元)	-0.1526	0.0391	0.1514	-2.1275
	每股资本公积金(元)	0.4432	0.4432	0.4432	0.4432
	每股盈余公积金(元)	0.0674	0.0674	0.0674	0.0674
	每股未分配利润(元)	-0.0802	-0.0454	-0.0492	-0.0549
	净资产收益率(%)	-2.4304	0.6521	0.3907	-1.4244
	加权净资产收益率(%)	-2.4000	0.6500	0.3900	-1.4100
	净资产收益率(扣除)(%)	-2.7772	-1.0827	0.0001	-3.6156
	总资产(万元)	127596.37	124861.49	130716.43	124665.59
	归属母公司股东权益(万元)	51487.46	52738.81	52610.21	52404.65
	营业收入(万元)	21080.72	47095.38	24628.35	46040.20
	营业支出(万元)	13739.30	25672.25	14561.15	24741.55
	投资收益(万元)	445.19	1368.21	824.39	570.49
	净利润(万元)	-1361.04	396.47	207.01	758.18
	营业利润(万元)	-1315.13	940.96	753.30	1635.88
	利润总额(万元)	-1315.13	959.41	754.19	1856.11

甘肃亚盛实业(集团)股份有限公司

公司概况	公司名称	甘肃亚盛实业(集团)股份有限公司			证券简称	亚盛集团
	法人代表	杨树军	董秘	唐亮	证券代码	600108
	公司网址	www.yasheng.com.cn		电子信箱	ysjtdshbgs@163.com	
	电　话	0931-8857057		传　真	0931-8857182	
	办公地址	甘肃省兰州市城关区雁兴路 21 号				
	经营范围	高科技农业新技术，新品种开发、加工、生产等				

主要财务指标	指标\报告期	2016.06.30	2015.12.31	2015.06.30	2014.12.31
	基本每股收益(元)	0.0204	0.0632	0.0447	0.1059
	基本每股收益(扣除后)(元)	0.0178	0.0284	0.0058	0.0941
	稀释每股收益(元)	0.0204	0.0632	0.0447	0.1059
	每股净资产(元)	2.4036	2.4191	2.4212	2.4194
	每股经营现金净流量(元)	0.0199	0.0286	0.0791	0.0701
	每股现金流量(元)	0.1123	-0.0414	0.0913	-0.0540
	每股资本公积金(元)	0.2768	0.2761	0.2769	0.2827
	每股盈余公积金(元)	0.1588	0.1588	0.1507	0.1507
	每股未分配利润(元)	0.8856	0.8652	0.8756	0.8251
	净资产收益率(%)	0.8501	2.6134	1.8467	4.3761
	加权净资产收益率(%)	0.8500	2.6000	1.8300	4.4300
	净资产收益率(扣除)(%)	0.7397	1.1740	0.2411	3.8909
	总资产(万元)	758832.21	761938.80	734510.00	761082.97
	归属母公司股东权益(万元)	467958.82	470981.11	471386.89	471029.78
	营业收入(万元)	101996.78	219111.76	89139.74	224484.88
	营业支出(万元)	82680.91	168697.18	70144.50	174684.30
	投资收益(万元)	899.72	7868.07	7076.62	770.61
	净利润(万元)	3835.79	12279.61	8772.63	20978.02
	营业利润(万元)	2665.25	15075.22	9334.31	20062.81
	利润总额(万元)	4058.26	13369.08	9850.00	21172.28

国金证券股份有限公司

公司概况	公司名称	国金证券股份有限公司			证券简称	国金证券
	法人代表	冉云	董秘	周洪刚	证券代码	600109
	公司网址	www.gjzq.com.cn		电子信箱	tzzgx@gjzq.com.cn	
	电　话	028-86690021		传　真	028-86695681	
	办公地址	四川省成都市青羊区东城根上街 95 号成证大厦 16 楼				
	经营范围	证券代理买卖、证券的自营买卖、证券的承销、证券投资咨询等				

主要财务指标	指标\报告期	2016.06.30	2015.12.31	2015.06.30	2014.12.31
	基本每股收益(元)	0.2110	0.8010	0.4300	0.3230
	基本每股收益(扣除后)(元)	0.1910	0.7930	0.4250	0.3210
	稀释每股收益(元)	0.2110	0.8010	0.4300	0.3230
	每股净资产(元)	5.5113	5.4486	5.1695	3.4788
	每股经营现金净流量(元)	-0.8316	4.5079	0.5326	0.3769
	每股现金流量(元)	-1.0702	6.3447	10.9364	2.0748
	每股资本公积金(元)	2.5931	2.5929	2.5929	1.2717
	每股盈余公积金(元)	0.2165	0.2165	0.1411	0.1504
	每股未分配利润(元)	1.3545	1.2235	1.0776	0.7440
	净资产收益率(%)	3.8274	14.3203	7.8892	8.4760
	加权净资产收益率(%)	3.8200	17.4400	10.9200	11.2900
	净资产收益率(扣除)(%)	3.4695	14.1849	7.7927	8.4305
	总资产(万元)	5148735.79	5635185.26	7134562.25	2628075.51
	归属母公司股东权益(万元)	1666818.12	1647856.53	1563441.00	986891.99
	营业收入(万元)	214707.82	674845.27	330293.60	272172.25
	营业支出(万元)	135998.12	364944.19	169228.21	165256.21
	投资收益(万元)	29637.46	99937.05	47386.43	69460.71
	净利润(万元)	63785.83	235815.07	123214.26	83658.68
	营业利润(万元)	78709.70	309901.08	161065.39	106916.04
	利润总额(万元)	85870.13	312821.82	163078.60	107515.15

诺德投资股份有限公司

公司概况					
公司名称	诺德投资股份有限公司			证券简称	诺德股份
法人代表	王为钢	董秘	王寒朵	证券代码	600110
公司网址	www.kinwa.com.cn		电子信箱	ir@kinwa.com.cn	
电　　话	0431-85161088		传　　真	0431-85161071	
办公地址	广东省深圳市南山区深南大道 9672 号华润城大冲商务中心 D 座 21 层				
经营范围	热缩材料等高技术、新材料、新产品的开发、生产与经营等				

主要财务指标：指标\报告期	2016.06.30	2015.12.31	2015.06.30	2014.12.31
基本每股收益(元)	0.0172	0.1257	0.0310	-0.2279
基本每股收益(扣除后)(元)	0.0135	-1.0427	0.0288	-0.3029
稀释每股收益(元)	0.0172	0.1257	0.0310	-0.2279
每股净资产(元)	1.6118	1.6255	1.5776	1.5184
每股经营现金净流量(元)	-0.3441	0.4348	0.1949	0.1945
每股现金流量(元)	0.0933	-0.0217	-0.0127	-0.0525
每股资本公积金(元)	0.5896	0.6184	0.6204	0.6204
每股盈余公积金(元)	0.0648	0.0648	0.0628	0.0628
每股未分配利润(元)	-0.0334	-0.0505	-0.1452	-0.1762
净资产收益率(%)	1.0669	7.7301	1.9675	-15.0058
加权净资产收益率(%)	1.0530	7.9500	2.0052	-14.0300
净资产收益率(扣除)(%)	0.8402	-64.1481	1.8276	-19.9471
总资产(万元)	563666.48	617498.27	679023.98	692378.26
归属母公司股东权益(万元)	185408.91	186984.76	181475.34	174667.68
营业收入(万元)	86747.64	172646.65	87988.57	189237.21
营业支出(万元)	66168.62	150775.48	77830.68	172351.78
投资收益(万元)	-2093.56	164186.45	21777.99	7691.35
净利润(万元)	2532.03	10914.47	3195.22	-28566.37
营业利润(万元)	2973.33	21578.05	3299.75	-29024.84
利润总额(万元)	3917.73	21250.89	3564.36	-28920.62

中国北方稀土(集团)高科技股份有限公司

公司概况					
公司名称	中国北方稀土(集团)高科技股份有限公司			证券简称	北方稀土
法人代表	孟志泉	董秘	李金玲	证券代码	600111
公司网址	www.reht.com		电子信箱	cnrezqb@126.com	
电　　话	0472-2207525 2207799		传　　真	0472-2207788	
办公地址	内蒙古自治区包头市稀土高新技术产业开发区黄河路 83 号				
经营范围	稀土精矿、稀土深加工产品、稀土新材料生产与销售等				

主要财务指标：指标\报告期	2016.06.30	2015.12.31	2015.06.30	2014.12.31
基本每股收益(元)	0.0086	0.0897	0.0720	0.2650
基本每股收益(扣除后)(元)	0.0025	0.0729	0.0620	0.2530
稀释每股收益(元)	0.0086	0.0897	0.0720	0.2650
每股净资产(元)	2.2677	2.2889	2.2745	3.4284
每股经营现金净流量(元)	0.1780	0.7455	0.6287	0.2879
每股现金流量(元)	0.3614	0.1037	0.2183	-0.8178
每股资本公积金(元)	0.0429	0.0429	0.0457	0.0685
每股盈余公积金(元)	0.3013	0.3013	0.2969	0.4454
每股未分配利润(元)	0.9169	0.9382	0.9252	1.9051
净资产收益率(%)	0.3793	3.9168	3.1544	7.7438
加权净资产收益率(%)	0.3751	3.9310	3.1300	7.8580
净资产收益率(扣除)(%)	0.1090	3.1836	2.7233	7.3899
总资产(万元)	1588967.39	1453762.91	1536908.42	1708620.08
归属母公司股东权益(万元)	823883.06	831584.37	826348.66	830376.01
营业收入(万元)	221806.35	654880.54	322488.93	583782.64
营业支出(万元)	172214.81	501113.51	238772.69	392391.85
投资收益(万元)	-3.64	2366.99	638.95	-90.96
净利润(万元)	2254.07	5763.71	21989.75	26345.79
营业利润(万元)	4084.92	28004.50	26578.15	37001.09
利润总额(万元)	7737.15	36813.83	31581.00	42701.88

贵州长征天成控股股份有限公司

公司概况					
公司名称	贵州长征天成控股股份有限公司			证券简称	天成控股
法人代表	王国生	董秘	陈磊	证券代码	600112
公司网址	www.tckg.cn		电子信箱	czdq600112@126.com	
电　　话	0852-8620788		传　　真	0852-8654903	
办公地址	贵州省遵义市武汉路 1 号(长征电气工业园)				
经营范围	高、中、低压电器元件及成套设备,风力发电设备的设计、研制、生产、销售等				

主要财务指标：指标\报告期	2016.06.30	2015.12.31	2015.06.30	2014.12.31
基本每股收益(元)	0.0119	-0.3468	0.0067	0.0312
基本每股收益(扣除后)(元)	0.0074	-0.3583	0.0034	-0.1000
稀释每股收益(元)	0.0119	-0.3468	0.0067	0.0312
每股净资产(元)	2.2889	2.2770	2.4912	2.4895
每股经营现金净流量(元)	-0.0166	0.5756	0.1168	-0.0762
每股现金流量(元)	-0.0029	-0.1859	0.0605	-0.3752
每股资本公积金(元)	0.9098	0.9098	0.7704	0.7704
每股盈余公积金(元)	0.0449	0.0449	0.0449	0.0449
每股未分配利润(元)	0.3343	0.3223	0.6759	0.6741
净资产收益率(%)	0.5209	-15.2305	0.2696	1.2552
加权净资产收益率(%)	0.5222	-14.9925	0.2695	1.2794
净资产收益率(扣除)(%)	0.3231	-15.7369	0.1374	-4.0189
总资产(万元)	245411.34	237898.98	276082.19	263341.61
归属母公司股东权益(万元)	116552.52	115945.43	126851.61	126764.19
营业收入(万元)	28889.29	67034.74	28300.70	48916.26
营业支出(万元)	18050.74	48205.10	20555.63	28528.35
投资收益(万元)	968.51	928.42	2607.71	6635.50
净利润(万元)	607.09	-17659.10	342.02	1591.12
营业利润(万元)	560.88	-17739.29	431.37	1792.61
利润总额(万元)	801.07	-17227.08	611.16	2481.06

浙江东日股份有限公司

公司概况					
公司名称	浙江东日股份有限公司			证券简称	浙江东日
法人代表	杨作军	董秘	谢小磊	证券代码	600113
公司网址	www.dongri.com		电子信箱	600113@dongri.com	
电　　话	0577-88812155		传　　真	0577-88842287	
办公地址	浙江省温州市矮凳桥 92 号				
经营范围	房地产销售、租赁以及物业管理等				

主要财务指标：指标\报告期	2016.06.30	2015.12.31	2015.06.30	2014.12.31
基本每股收益(元)	0.1600	0.2900	0.1200	0.0500
基本每股收益(扣除后)(元)	0.1600	0.0800	0.0300	0.0500
稀释每股收益(元)	0.1600	0.2900	0.0400	0.0500
每股净资产(元)	1.6499	1.4882	1.8794	1.8436
每股经营现金净流量(元)	0.2346	0.7524	0.1697	0.1492
每股现金流量(元)	0.1043	-0.2744	0.0425	0.0778
每股资本公积金(元)	-	-	0.3368	0.3368
每股盈余公积金(元)	0.0105	0.0105	0.1403	0.1403
每股未分配利润(元)	0.6394	0.4777	0.4023	0.3665
净资产收益率(%)	9.8017	19.5004	1.9066	2.8549
加权净资产收益率(%)	10.3100	12.6600	1.9200	2.8800
净资产收益率(扣除)(%)	9.8048	5.3090	1.8413	2.7477
总资产(万元)	91209.78	88181.18	122910.16	106713.09
归属母公司股东权益(万元)	52566.93	47414.46	59878.31	58736.65
营业收入(万元)	16401.48	98844.80	11644.31	44409.29
营业支出(万元)	7200.98	70729.42	9701.59	40603.38
投资收益(万元)	702.00	962.26	953.45	938.35
净利润(万元)	5172.81	10347.73	955.79	1528.22
营业利润(万元)	6704.98	14586.27	1178.26	1744.78
利润总额(万元)	6691.95	14404.09	1168.93	1792.16

东睦新材料集团股份有限公司

公司概况					
公司名称	东睦新材料集团股份有限公司			证券简称	东睦股份
法人代表	芦德宝	董秘	肖亚军	证券代码	600114
公司网址	www.pm-china.com		电子信箱	caoyang@pm-china.com	
电　话	0574-87841061		传　真	0574-87831133	
办公地址	浙江省宁波市鄞州工业园区(姜山)景江路8号				
经营范围	粉末冶金机械零件的生产和销售				

主要财务指标				
指标＼报告期	2016.06.30	2015.12.31	2015.06.30	2014.12.31
基本每股收益(元)	0.2000	0.4300	0.2300	0.3500
基本每股收益(扣除后)(元)	0.1900	0.3900	0.2000	0.3200
稀释每股收益(元)	0.2000	0.4200	0.2300	0.3400
每股净资产(元)	3.9856	3.9061	3.8028	3.6600
每股经营现金净流量(元)	0.3849	0.4729	0.2870	0.5235
每股现金流量(元)	0.0214	0.0768	−0.0338	0.0406
每股资本公积金(元)	2.2100	2.1660	1.9734	1.9674
每股盈余公积金(元)	0.2000	0.2000	0.1761	0.1761
每股未分配利润(元)	0.8344	0.8351	0.6970	0.5910
净资产收益率(%)	4.9990	10.5077	5.9427	8.9407
加权净资产收益率(%)	4.9800	11.0900	6.0600	10.4200
净资产收益率(扣除)(%)	4.7453	9.5291	5.1674	8.1532
总资产(万元)	250707.77	231440.11	216721.65	209110.87
归属母公司股东权益(万元)	155744.11	152636.65	143446.65	137987.64
营业收入(万元)	70314.52	136871.23	68784.09	123066.54
营业支出(万元)	46534.79	92799.85	46374.36	85524.93
投资收益(万元)	−13.33	1315.54	293.35	55.84
净利润(万元)	8082.52	16516.64	9120.76	13112.05
营业利润(万元)	8776.49	18936.91	9949.77	13997.74
利润总额(万元)	9287.77	19372.53	10622.70	15077.75

中国东方航空股份有限公司

公司概况					
公司名称	中国东方航空股份有限公司			证券简称	东方航空
法人代表	刘绍勇	董秘	汪健	证券代码	600115
公司网址	www.ceair.com		电子信箱	ir@ceair.com	
电　话	021-22330928 22330921		传　真	021-62686116	
办公地址	上海市长宁区空港三路92号				
经营范围	国内和经批准的地区、国际航空客、货、邮、行李运输业务及延伸服务等				

主要财务指标				
指标＼报告期	2016.06.30	2015.12.31	2015.06.30	2014.12.31
基本每股收益(元)	0.2460	0.3550	0.2812	0.2696
基本每股收益(扣除后)(元)	0.2217	0.2496	0.2553	−0.0181
稀释每股收益(元)	0.2460	0.3550	0.2812	0.2696
每股净资产(元)	3.2340	2.6740	2.4665	2.1852
每股经营现金净流量(元)	0.7282	1.8512	0.8080	0.9667
每股现金流量(元)	0.2857	0.5879	−0.0412	−0.0540
每股资本公积金(元)	1.8497	1.4876	1.3737	1.3737
每股盈余公积金(元)	0.0127	0.0140	-	-
每股未分配利润(元)	0.5568	0.3670	0.3179	0.0367
净资产收益率(%)	6.9100	12.9237	11.4012	12.3375
加权净资产收益率(%)	8.8100	14.7300	12.0900	13.0600
净资产收益率(扣除)(%)	6.2261	9.0844	10.3519	−0.8304
总资产(万元)	21175000.00	19570900.00	17611200.00	16354200.00
归属母公司股东权益(万元)	4678700.00	3513700.00	3126000.00	2769600.00
营业收入(万元)	4633200.00	9384400.00	4431100.00	8974600.00
营业支出(万元)	3773500.00	7714600.00	3694000.00	7964500.00
投资收益(万元)	21100.00	23900.00	11300.00	14200.00
净利润(万元)	353300.00	504700.00	385900.00	354700.00
营业利润(万元)	185000.00	21800.00	210000.00	−40000.00
利润总额(万元)	457400.00	567100.00	469000.00	412000.00

重庆三峡水利电力(集团)股份有限公司

公司概况					
公司名称	重庆三峡水利电力(集团)股份有限公司			证券简称	三峡水利
法人代表	叶建桥	董秘	陈丽娟	证券代码	600116
公司网址	www.cqsxsl.com		电子信箱	sxsl600116@163.com	
电　话	023-63801161		传　真	023-63801165	
办公地址	重庆市渝中区邹容路68号大都会商厦3611室 重庆市万州区高笋塘85号				
经营范围	发电、供电、电力建设咨询服务、制造第一类压力容器等				

主要财务指标				
指标＼报告期	2016.06.30	2015.12.31	2015.06.30	2014.12.31
基本每股收益(元)	0.1200	0.6400	0.1200	0.5300
基本每股收益(扣除后)(元)	0.1200	0.5400	0.1100	0.4100
稀释每股收益(元)	0.1200	0.6400	0.1200	0.5300
每股净资产(元)	2.3297	6.7832	6.3386	4.3096
每股经营现金净流量(元)	0.2051	1.1540	0.1189	1.3330
每股现金流量(元)	0.0743	0.7014	1.5427	−0.4672
每股资本公积金(元)	0.7471	4.2413	3.8788	1.9189
每股盈余公积金(元)	0.0816	0.2447	0.2089	0.2584
每股未分配利润(元)	0.5202	1.3535	1.2487	1.1301
净资产收益率(%)	5.1092	9.2276	5.2891	12.3195
加权净资产收益率(%)	5.1700	10.3600	5.8300	12.9100
净资产收益率(扣除)(%)	5.0469	7.8398	5.1795	9.5702
总资产(万元)	454018.05	433694.30	443456.63	360706.16
归属母公司股东权益(万元)	231342.61	224524.85	209807.27	115296.09
营业收入(万元)	48112.40	131575.29	49732.57	129783.46
营业支出(万元)	29395.49	93500.46	31782.79	97786.92
投资收益(万元)	1330.05	2523.11	737.19	2593.25
净利润(万元)	11339.90	18146.75	10686.08	12547.63
营业利润(万元)	13580.25	19550.75	11998.32	9831.15
利润总额(万元)	13278.02	22384.81	12267.14	13083.91

西宁特殊钢股份有限公司

公司概况					
公司名称	西宁特殊钢股份有限公司			证券简称	西宁特钢
法人代表	郭海荣	董秘	杨凯	证券代码	600117
公司网址	www.xntg.com		电子信箱	xntg@public.xn.qh.cn	
电　话	0971-5299673 5299865		传　真	0971-5218389	
办公地址	青海省西宁市柴达木西路52号				
经营范围	特殊钢冶炼及压延、机械设备制造、来料加工、副产品出售等				

主要财务指标				
指标＼报告期	2016.06.30	2015.12.31	2015.06.30	2014.12.31
基本每股收益(元)	−0.4900	−2.1800	−0.3200	0.0600
基本每股收益(扣除后)(元)	−0.5000	−2.1800	−0.3300	−0.0800
稀释每股收益(元)	−0.4900	−2.1800	−0.3200	0.0600
每股净资产(元)	0.9601	1.4461	3.3182	3.6371
每股经营现金净流量(元)	−0.2100	−1.6134	−0.1826	−0.1421
每股现金流量(元)	−0.6893	0.0487	−0.0091	0.0023
每股资本公积金(元)	0.5395	0.5395	0.5395	0.5395
每股盈余公积金(元)	0.2597	0.2597	0.2597	0.2597
每股未分配利润(元)	−0.8564	−0.3705	1.4959	1.8137
净资产收益率(%)	−50.6166	−151.0393	−9.5786	1.5424
加权净资产收益率(%)	−40.4000	−85.9400	−9.1400	1.4700
净资产收益率(扣除)(%)	−51.8569	−150.9435	−9.8432	−2.0996
总资产(万元)	2506517.50	2538015.90	2421512.32	2268725.37
归属母公司股东权益(万元)	71167.65	107186.75	245954.72	269591.89
营业收入(万元)	357217.43	605334.76	237116.88	731438.75
营业支出(万元)	338970.01	615751.42	205238.72	583232.32
投资收益(万元)	107.33	243.58	240.00	240.00
净利润(万元)	−39446.36	−167549.97	−23728.50	7217.57
营业利润(万元)	−37516.02	−174519.60	−24858.09	5470.32
利润总额(万元)	−36402.54	−174094.17	−23904.75	21438.37

中国东方红卫星股份有限公司

公司概况					
公司名称	中国东方红卫星股份有限公司			证券简称	中国卫星
法人代表	张洪太	董秘	万银娟	证券代码	600118
公司网址	www.spacesat.com.cn		电子信箱	600118@spacesat.com.cn	
电　话	010-68197793 68118118		传　真	010-68197777	
办公地址	北京市海淀区中关村南大街31号神舟科技大厦12层				
经营范围	卫星及相关产品研制、设计、制造、销售等				

主要财务指标：指标\报告期	2016.06.30	2015.12.31	2015.06.30	2014.12.31
基本每股收益(元)	0.1400	0.3200	0.1400	0.3000
基本每股收益(扣除后)(元)	0.1300	0.3000	0.1300	0.2800
稀释每股收益(元)	0.1400	0.3200	0.1400	0.3000
每股净资产(元)	3.9276	3.8847	3.7051	3.6383
每股经营现金净流量(元)	-0.4165	0.0982	-0.3511	0.1969
每股现金流量(元)	-0.6335	-0.2503	-0.4830	-0.2096
每股资本公积金(元)	1.3635	1.3635	1.3638	1.3638
每股盈余公积金(元)	0.0724	0.0724	0.0611	0.0611
每股未分配利润(元)	1.4811	1.4438	1.2726	1.2108
净资产收益率(%)	3.4945	8.3484	3.8275	8.2830
加权净资产收益率(%)	3.4800	8.6400	3.8300	8.5400
净资产收益率(扣除)(%)	3.2484	7.6409	3.5182	7.5605
总资产(万元)	1058495.36	962525.06	987325.18	877646.79
归属母公司股东权益(万元)	464429.25	459367.33	438125.13	430220.53
营业收入(万元)	219831.03	544838.09	200483.40	466410.38
营业支出(万元)	185357.66	467707.30	171346.88	397602.52
投资收益(万元)	21.80	104.95	104.95	-29.99
净利润(万元)	18365.13	44417.21	18233.82	41014.77
营业利润(万元)	18558.27	44857.17	17372.95	41026.31
利润总额(万元)	20075.13	49723.34	19407.03	46626.89

长发集团长江投资实业股份有限公司

公司概况					
公司名称	长发集团长江投资实业股份有限公司			证券简称	长江投资
法人代表	居亮	董秘	俞泓	证券代码	600119
公司网址	www.cjtz.cn		电子信箱	litie@cjtz.cn	
电　话	021-66601817 66601819		传　真	021-66601820	
办公地址	上海市静安区永和路118弄35号				
经营范围	实业投资、国内贸易、信息咨询服务等				

主要财务指标：指标\报告期	2016.06.30	2015.12.31	2015.06.30	2014.12.31
基本每股收益(元)	0.2400	0.2800	0.0800	0.1326
基本每股收益(扣除后)(元)	0.2300	0.0200	0.0200	0.0860
稀释每股收益(元)	0.2400	0.2800	0.0800	0.1326
每股净资产(元)	2.8664	2.7287	2.4928	2.5298
每股经营现金净流量(元)	-0.3949	-0.2501	0.2847	0.0715
每股现金流量(元)	0.1285	0.1222	0.1639	0.1646
每股资本公积金(元)	1.0790	1.0792	1.0465	1.0465
每股盈余公积金(元)	0.1178	0.1178	0.0864	0.0864
每股未分配利润(元)	0.6607	0.5252	0.3587	0.3611
净资产收益率(%)	8.2389	10.1362	3.1517	5.2407
加权净资产收益率(%)	8.3900	10.5700	3.0900	5.4100
净资产收益率(扣除)(%)	8.0647	0.6597	0.9972	3.4012
总资产(万元)	239186.68	232496.77	222656.48	206442.13
归属母公司股东权益(万元)	88113.09	83878.78	76627.76	77766.36
营业收入(万元)	66636.15	235168.67	114381.47	152712.15
营业支出(万元)	54707.21	215358.14	104358.88	132713.35
投资收益(万元)	6298.12	7044.42	-312.26	279.90
净利润(万元)	8111.02	9301.12	3045.25	5397.52
营业利润(万元)	8463.23	7947.81	1647.80	4590.38
利润总额(万元)	8755.22	10568.92	3785.84	7442.76

浙江东方集团股份有限公司

公司概况					
公司名称	浙江东方集团股份有限公司			证券简称	浙江东方
法人代表	胡承江	董秘	金朝萍(代)	证券代码	600120
公司网址	www.zjorient.com		电子信箱	invest@zjorient.com	
电　话	0571-87600383		传　真	0571-87600324	
办公地址	浙江省杭州市西湖大道12号				
经营范围	以毛、棉、麻、睛纶为主要原料的针织、梭织服装、服饰和家用纺织品出口业务				

主要财务指标：指标\报告期	2016.06.30	2015.12.31	2015.06.30	2014.12.31
基本每股收益(元)	0.7700	1.1600	0.5900	1.2200
基本每股收益(扣除后)(元)	0.1900	-0.1500	-0.0900	-0.1400
稀释每股收益(元)	0.7700	1.1600	0.5900	1.2200
每股净资产(元)	9.7648	10.1464	10.6496	8.1927
每股经营现金净流量(元)	0.0162	0.7811	0.1697	-0.4211
每股现金流量(元)	-0.4389	-0.0533	-0.2301	-0.7074
每股资本公积金(元)	0.0838	0.0846	0.0846	0.0846
每股盈余公积金(元)	0.5728	0.5728	0.5728	0.5728
每股未分配利润(元)	5.5422	4.8877	4.4317	3.8435
净资产收益率(%)	7.9316	11.4817	5.5248	14.8929
加权净资产收益率(%)	7.4800	12.6900	5.8800	14.5200
净资产收益率(扣除)(%)	1.9687	-1.4544	-0.8306	-1.7064
总资产(万元)	874823.66	1132360.14	1188153.86	1123076.41
归属母公司股东权益(万元)	493586.14	512872.05	538309.79	414119.71
营业收入(万元)	262364.88	770276.35	322069.53	1052235.50
营业支出(万元)	213462.35	662365.29	283321.86	955712.75
投资收益(万元)	42431.98	98714.69	46756.79	95618.52
净利润(万元)	43362.97	62079.76	31851.33	68424.63
营业利润(万元)	56630.08	94998.97	43834.88	90072.67
利润总额(万元)	57192.06	97721.65	43645.62	95175.67

郑州煤电股份有限公司

公司概况					
公司名称	郑州煤电股份有限公司			证券简称	郑州煤电
法人代表	郭矿生	董秘	陈晓燕	证券代码	600121
公司网址	www.zzce.com.cn		电子信箱	zzce@zmjt.cn	
电　话	0371-87785116		传　真	0371-87785126	
办公地址	河南省郑州市中原西路188号				
经营范围	煤炭生产和销售、企业专用通信网建设与服务等				

主要财务指标：指标\报告期	2016.06.30	2015.12.31	2015.06.30	2014.12.31
基本每股收益(元)	-0.1900	-0.5360	-0.1700	0.0600
基本每股收益(扣除后)(元)	-0.1900	-0.7490	-0.3700	-0.2000
稀释每股收益(元)	-0.1900	-0.5360	-0.1700	0.0600
每股净资产(元)	3.3389	3.3874	3.8979	4.1539
每股经营现金净流量(元)	0.3871	-0.2930	-0.7635	-0.3037
每股现金流量(元)	-0.2933	0.3795	-0.2251	-0.5638
每股资本公积金(元)	0.4955	0.4955	0.4955	0.4955
每股盈余公积金(元)	0.4205	0.4205	0.4205	0.4205
每股未分配利润(元)	0.7965	0.9861	1.3529	1.5221
净资产收益率(%)	-5.6780	-15.8239	-4.3418	1.4770
加权净资产收益率(%)	-5.6400	-14.2200	-4.1600	1.5400
净资产收益率(扣除)(%)	-5.6493	-22.1152	-9.5441	-4.7320
总资产(万元)	1175148.12	1109590.84	1072380.11	1136503.94
归属母公司股东权益(万元)	339014.94	343941.23	395773.69	421761.02
营业收入(万元)	489909.88	1199551.67	680190.56	1949455.31
营业支出(万元)	468084.72	1174574.84	666500.43	1834809.65
投资收益(万元)	-	29607.17	29607.17	34147.57
净利润(万元)	-19986.17	-59963.69	-19026.71	16258.33
营业利润(万元)	-19357.63	-47922.04	-11388.55	27284.61
利润总额(万元)	-19568.65	-48878.01	-12064.35	29303.07

江苏宏图高科技股份有限公司

公司概况				
公司名称	江苏宏图高科技股份有限公司		证券简称	宏图高科
法人代表	杨怀珍	董秘 韩宏图	证券代码	600122
公司网址	www.hiteker.cn		电子信箱	hiteker@hiteker.com.cn
电　话	025-83274878 83274692		传　真	025-83274701
办公地址	江苏省南京市雨花台区软件大道 68 号			
经营范围	计算机(软硬件)、打印机、网络设备、系统工程集成、通信设备等			

主要财务指标 指标\报告期	2016.06.30	2015.12.31	2015.06.30	2014.12.31
基本每股收益(元)	0.1211	0.3693	0.2271	0.3212
基本每股收益(扣除后)(元)	0.1183	0.2620	0.1272	0.2354
稀释每股收益(元)	0.1204	0.3652	0.2253	0.3195
每股净资产(元)	6.7230	6.7138	6.9133	6.9645
每股经营现金净流量(元)	0.1326	0.4469	0.3455	0.3574
每股现金流量(元)	0.3937	0.9794	0.1399	0.8550
每股资本公积金(元)	1.8192	1.8140	1.8046	1.7998
每股盈余公积金(元)	0.1016	0.1015	0.0867	0.0867
每股未分配利润(元)	1.9393	1.8578	1.7385	1.5512
净资产收益率(%)	1.8017	5.4603	3.2848	4.5937
加权净资产收益率(%)	1.7990	5.3800	3.2850	5.3400
净资产收益率(扣除)(%)	1.7593	3.8743	1.8393	3.3667
总资产(万元)	1797331.06	1800312.36	1767413.77	1783354.80
归属母公司股东权益(万元)	773125.37	772218.93	792503.63	798477.73
营业收入(万元)	884301.54	1871440.86	830253.70	1747210.71
营业支出(万元)	811644.21	1712576.99	759339.17	1587230.30
投资收益(万元)	6589.71	23338.26	21137.39	14080.22
净利润(万元)	11794.01	40416.26	25035.87	40157.50
营业利润(万元)	14920.31	51793.19	30215.09	52808.86
利润总额(万元)	15368.60	52321.64	30417.00	53707.62

山西兰花科技创业股份有限公司

公司概况				
公司名称	山西兰花科技创业股份有限公司		证券简称	兰花科创
法人代表	郝跃洲	董秘 王立印	证券代码	600123
公司网址	www.chinalanhua.com		电子信箱	wly@chinalanhua.com
电　话	0356-2189656		传　真	0356-2189608 2189600
办公地址	山西省晋城市凤台东街 2288 号兰花科技大厦			
经营范围	煤炭、化肥的生产和销售等			

主要财务指标 指标\报告期	2016.06.30	2015.12.31	2015.06.30	2014.12.31
基本每股收益(元)	-0.1596	0.0120	0.0695	0.0585
基本每股收益(扣除后)(元)	-0.1407	0.0370	0.1016	0.2545
稀释每股收益(元)	-0.1596	0.0120	0.0695	0.0585
每股净资产(元)	8.0518	8.4265	8.4775	8.3333
每股经营现金净流量(元)	-0.1627	-0.0020	0.2215	0.0713
每股现金流量(元)	0.2684	-0.4055	-0.0293	-0.1067
每股资本公积金(元)	0.2190	0.2095	0.3457	0.3392
每股盈余公积金(元)	1.1720	1.1720	1.1476	1.1476
每股未分配利润(元)	5.0705	5.3301	5.4577	5.4062
净资产收益率(%)	-1.9823	0.1426	0.8193	0.7014
加权净资产收益率(%)	-1.9500	0.1400	0.8300	0.6900
净资产收益率(扣除)(%)	-1.7479	0.4389	1.1983	3.0546
总资产(万元)	2367696.80	2278896.14	2225742.66	2183310.97
归属母公司股东权益(万元)	919834.53	942481.56	968467.56	951991.67
营业收入(万元)	175118.84	456451.71	242288.16	521590.03
营业支出(万元)	146507.10	333861.51	163700.96	363544.16
投资收益(万元)	5684.39	13601.95	4646.06	13054.65
净利润(万元)	-25765.12	-11983.31	2712.83	-1693.91
营业利润(万元)	-24062.55	1713.24	15045.62	12279.12
利润总额(万元)	-25836.70	-1891.59	11097.21	9866.70

中铁铁龙集装箱物流股份有限公司

公司概况				
公司名称	中铁铁龙集装箱物流股份有限公司		证券简称	铁龙物流
法人代表	吴云天	董秘 畅晓东	证券代码	600125
公司网址	www.chinacrt.com		电子信箱	changxiaodong@chinacrt.com
电　话	0411-82810881		传　真	0411-82816639
办公地址	辽宁省大连市中山区新安街 1 号			
经营范围	铁路特种集装箱业务、铁路货运及临港物流业务、房地产业务等			

主要财务指标 指标\报告期	2016.06.30	2015.12.31	2015.06.30	2014.12.31
基本每股收益(元)	0.0970	0.2150	0.1200	0.2620
基本每股收益(扣除后)(元)	0.0850	0.1990	0.1130	0.2380
稀释每股收益(元)	0.0970	0.2150	0.1200	0.2620
每股净资产(元)	3.7508	3.7241	3.6289	3.5887
每股经营现金净流量(元)	0.2490	0.3238	0.2003	0.4435
每股现金流量(元)	-0.3101	0.2241	-0.1078	0.2295
每股资本公积金(元)	0.1209	0.1209	0.1209	0.1209
每股盈余公积金(元)	0.3827	0.3827	0.3623	0.3623
每股未分配利润(元)	2.2472	2.2205	2.1458	2.1056
净资产收益率(%)	2.5786	5.7822	3.3125	7.2922
加权净资产收益率(%)	2.5640	5.9000	3.3070	7.5680
净资产收益率(扣除)(%)	2.2570	5.3361	3.1138	6.6319
总资产(万元)	679855.29	755963.66	660522.50	670446.22
归属母公司股东权益(万元)	489671.41	486183.56	473764.88	468515.54
营业收入(万元)	291082.16	631602.25	339347.61	590565.83
营业支出(万元)	266435.40	579236.80	310737.41	533748.61
投资收益(万元)	1440.86	2593.67	713.94	1765.33
净利润(万元)	12529.76	28045.84	15528.05	34098.04
营业利润(万元)	15962.32	35805.75	20302.35	41614.41
利润总额(万元)	16961.12	37414.00	21255.97	44657.04

杭州钢铁股份有限公司

公司概况				
公司名称	杭州钢铁股份有限公司		证券简称	杭钢股份
法人代表	汤民强	董秘 周尧福	证券代码	600126
公司网址	www.hzsteel.com		电子信箱	hggf@hzsteel.com
电　话	0571-88132917		传　真	0571-88132919
办公地址	浙江省杭州市拱墅区半山路 178 号			
经营范围	钢铁及压延产品、焦炭及其副产品的生产、销售等			

主要财务指标 指标\报告期	2016.06.30	2015.12.31	2015.06.30	2014.12.31
基本每股收益(元)	0.2300	-1.3000	-0.3500	0.0100
基本每股收益(扣除后)(元)	0.2100	-1.3200	-0.3500	-0.1100
稀释每股收益(元)	0.2300	-1.3000	-0.3500	0.0100
每股净资产(元)	5.3893	2.6395	3.5894	3.9425
每股经营现金净流量(元)	0.5618	1.1651	0.4342	1.2995
每股现金流量(元)	1.2798	-0.0827	0.0004	0.0395
每股资本公积金(元)	4.3477	8.4647	0.8770	0.8770
每股盈余公积金(元)	0.2028	0.6281	0.6281	0.6281
每股未分配利润(元)	-0.1617	-0.9043	1.0842	1.4373
净资产收益率(%)	2.4188	-14.0492	-9.8378	0.3245
加权净资产收益率(%)	3.0500	-39.4100	-9.3800	0.3200
净资产收益率(扣除)(%)	2.2773	-50.1200	-9.8424	-2.8117
总资产(万元)	2520708.16	2517174.52	637564.52	702852.40
归属母公司股东权益(万元)	1400049.46	770865.98	301125.71	330749.84
营业收入(万元)	935302.82	835029.39	543507.13	1444905.28
营业支出(万元)	850874.62	893135.66	545683.22	1390652.53
投资收益(万元)	-140.57	-78.74	-16.90	448.28
净利润(万元)	34221.20	-108222.64	-28812.90	2413.31
营业利润(万元)	33746.76	-107951.48	-27572.32	-4329.49
利润总额(万元)	35294.90	-107380.69	-27842.51	4405.08

金健米业股份有限公司

公司概况					
公司名称	金健米业股份有限公司			证券简称	金健米业
法人代表	谢文辉	董秘	陈绍红	证券代码	600127
公司网址	www.jjmy.cn		电子信箱	dm_600127@163.com	
电　　话	0736-2588288 2588216		传　　真	0736-2588220	
办公地址	湖南省常德市常德经济技术开发区德山办事处莲池居委会崇德路 158 号				
经营范围	开发、生产、销售定型包装粮油及制品、食品包装材料等				

主要财务指标				
指标＼报告期	2016.06.30	2015.12.31	2015.06.30	2014.12.31
基本每股收益(元)	0.0152	-0.2690	-0.1336	0.0191
基本每股收益(扣除后)(元)	0.0065	-0.1961	-0.1385	-0.1000
稀释每股收益(元)	0.0152	-0.2690	-0.1336	0.0191
每股净资产(元)	1.1584	1.1433	1.2787	1.4123
每股经营现金净流量(元)	-0.0325	-0.0894	-0.1015	-0.0382
每股现金流量(元)	-0.1431	0.0414	-0.0240	-0.3106
每股资本公积金(元)	0.7261	0.7261	0.7261	0.7261
每股盈余公积金(元)	0.0254	0.0254	0.0254	0.0254
每股未分配利润(元)	-0.5931	-0.6082	-0.4728	-0.3392
净资产收益率(%)	1.3097	-23.5324	-10.4440	1.3551
加权净资产收益率(%)	1.3200	-21.0600	-9.9257	1.3600
净资产收益率(扣除)(%)	0.5603	-17.1519	-10.8303	-7.3524
总资产(万元)	140554.02	150474.90	141907.85	137021.48
归属母公司股东权益(万元)	74345.93	73372.25	82067.42	90638.53
营业收入(万元)	100794.10	228524.36	89023.54	168090.41
营业支出(万元)	88685.26	207109.20	78155.41	147830.67
投资收益(万元)	85.93	754.63	19.68	264.92
净利润(万元)	1027.44	-17228.08	-8494.00	1296.41
营业利润(万元)	-5.17	-18255.26	-9220.79	-7030.07
利润总额(万元)	1265.56	-16744.52	-8491.87	1588.05

江苏弘业股份有限公司

公司概况					
公司名称	江苏弘业股份有限公司			证券简称	弘业股份
法人代表	吴廷昌	董秘	王翠	证券代码	600128
公司网址	www.artall.com.cn		电子信箱	hyzqb@artall.com	
电　　话	025-52262530		传　　真	025-52278488	
办公地址	江苏省南京市中华路 50 号弘业大厦				
经营范围	承包与其实力、规模、业绩相适应的国外工程项目等				

主要财务指标				
指标＼报告期	2016.06.30	2015.12.31	2015.06.30	2014.12.31
基本每股收益(元)	0.0901	0.2683	0.0869	0.2859
基本每股收益(扣除后)(元)	0.0437	0.0926	0.0334	0.1574
稀释每股收益(元)	0.0901	0.2683	0.0869	0.2859
每股净资产(元)	6.1090	6.1315	6.0918	6.0110
每股经营现金净流量(元)	-0.0621	1.2962	0.4434	-0.8707
每股现金流量(元)	-0.5370	0.7541	0.3058	-0.7116
每股资本公积金(元)	2.8781	2.8781	2.8675	2.8645
每股盈余公积金(元)	0.5381	0.5381	0.5108	0.5108
每股未分配利润(元)	1.6853	1.6852	1.5311	1.5442
净资产收益率(%)	1.4751	4.3764	1.4267	4.7567
加权净资产收益率(%)	1.4724	4.4163	1.4363	4.8591
净资产收益率(扣除)(%)	0.7147	1.5096	0.5486	2.6182
总资产(万元)	282123.90	287458.53	303609.45	325991.88
归属母公司股东权益(万元)	150750.43	151304.35	150326.09	148333.00
营业收入(万元)	147558.10	368727.38	193579.44	400213.60
营业支出(万元)	135804.93	340609.04	179830.96	369307.19
投资收益(万元)	1112.68	7735.69	3591.41	3477.52
净利润(万元)	1883.52	6780.41	1946.42	7896.37
营业利润(万元)	1093.18	7414.33	2309.38	7832.84
利润总额(万元)	2411.03	8453.97	2635.33	9675.64

重庆太极实业(集团)股份有限公司

公司概况					
公司名称	重庆太极实业(集团)股份有限公司			证券简称	太极集团
法人代表	白礼西	董秘	蒋茜	证券代码	600129
公司网址	www.taiji.com		电子信箱	tjzq@taiji.com	
电　　话	023-89886129		传　　真	023-89887399	
办公地址	重庆市涪陵区太极大道 1 号				
经营范围	中成药、西药加工、销售等				

主要财务指标				
指标＼报告期	2016.06.30	2015.12.31	2015.06.30	2014.12.31
基本每股收益(元)	2.2592	0.5434	0.4216	-0.6500
基本每股收益(扣除后)(元)	-0.4896	-1.2558	-0.5948	-0.6600
稀释每股收益(元)	2.2592	0.5434	0.4216	-0.6500
每股净资产(元)	3.8383	2.3836	3.1814	2.3733
每股经营现金净流量(元)	-0.4403	-0.1411	0.0460	-0.6472
每股现金流量(元)	-0.4309	0.1973	0.5025	0.6404
每股资本公积金(元)	0.5140	0.7495	1.0726	1.0726
每股盈余公积金(元)	0.3507	0.3507	0.2395	0.2395
每股未分配利润(元)	1.5931	-0.6661	-0.6767	-1.0983
净资产收益率(%)	58.8585	22.7979	13.2527	-27.3047
加权净资产收益率(%)	72.6200	23.1400	15.1800	-29.8900
净资产收益率(扣除)(%)	-12.7556	-52.6847	-18.6953	-27.7387
总资产(万元)	958172.87	1002996.08	1045889.97	1035228.52
归属母公司股东权益(万元)	163855.58	101755.23	135812.74	101314.37
营业收入(万元)	388662.27	716463.30	384743.92	695805.35
营业支出(万元)	275219.90	506151.70	274132.07	499149.26
投资收益(万元)	114058.55	80033.45	43422.21	243.89
净利润(万元)	95863.21	23055.13	18611.49	-26400.44
营业利润(万元)	98525.63	31151.71	21976.63	-26093.16
利润总额(万元)	102359.77	36944.04	22059.08	-25354.49

宁波波导股份有限公司

公司概况					
公司名称	宁波波导股份有限公司			证券简称	波导股份
法人代表	徐立华	董秘	马思甜	证券代码	600130
公司网址	www.chinabird.com		电子信箱	birdzq@chinabird.com	
电　　话	0574-88918855		传　　真	0574-88929054	
办公地址	浙江省奉化市大成东路 999 号				
经营范围	电子通讯产品,通讯系统,计算机及配件,现代办公室设备研究开发、制造、维修等				

主要财务指标				
指标＼报告期	2016.06.30	2015.12.31	2015.06.30	2014.12.31
基本每股收益(元)	0.0200	0.0800	0.0300	0.1000
基本每股收益(扣除后)(元)	0.0100	0.0500	0.0110	0.0500
稀释每股收益(元)	0.0200	0.0800	0.0300	0.1000
每股净资产(元)	1.2758	1.2560	1.1968	1.1700
每股经营现金净流量(元)	-0.3034	0.1217	0.0876	-0.1530
每股现金流量(元)	-0.3691	0.1256	0.1418	-0.1643
每股资本公积金(元)	0.5936	0.5936	0.5936	0.5936
每股盈余公积金(元)	0.0865	0.0865	0.0865	0.0865
每股未分配利润(元)	-0.4108	-0.4306	-0.4832	-0.5100
净资产收益率(%)	1.5558	6.3217	2.2446	8.2749
加权净资产收益率(%)	1.5700	6.5500	2.2700	8.6300
净资产收益率(扣除)(%)	0.8197	3.8197	0.9110	4.4850
总资产(万元)	137165.89	137665.02	122606.66	120098.28
归属母公司股东权益(万元)	97980.68	96464.39	91916.30	89852.99
营业收入(万元)	181222.35	191177.05	75926.03	160277.99
营业支出(万元)	170234.19	176039.96	69189.99	142887.05
投资收益(万元)	915.28	2042.01	1000.75	2925.25
净利润(万元)	1524.38	6098.24	2063.19	7435.22
营业利润(万元)	903.16	3957.50	1305.12	6202.30
利润总额(万元)	1733.55	6318.73	2115.91	7821.23

四川岷江水利电力股份有限公司

公司概况					
公司名称	四川岷江水利电力股份有限公司			证券简称	岷江水电
法人代表	张有才	董秘	肖劲松	证券代码	600131
公司网址	www.mjsdgs.com		电子信箱	xjs600131@263.net	
电　话	028-80808131		传　真	028-80808132	
办公地址	四川省都江堰市奎光路 301 号				
经营范围	电力生产、电力购售				

主要财务指标 指标＼报告期	2016.06.30	2015.12.31	2015.06.30	2014.12.31
基本每股收益(元)	0.2450	0.2500	0.1520	0.3100
基本每股收益(扣除后)(元)	0.2230	0.2700	0.1500	0.2700
稀释每股收益(元)	0.2450	0.2500	0.1520	0.3100
每股净资产(元)	1.9945	1.7992	1.7003	1.5980
每股经营现金净流量(元)	0.2363	0.3053	0.1130	0.3440
每股现金流量(元)	0.0913	−0.0161	−0.0596	−0.0089
每股资本公积金(元)	0.0935	0.0935	0.0935	0.0935
每股盈余公积金(元)	0.2820	0.2820	0.2547	0.2547
每股未分配利润(元)	0.6189	0.4236	0.3521	0.2497
净资产收益率(%)	12.2984	13.9635	8.9615	19.3816
加权净资产收益率(%)	12.7600	14.7900	9.1000	21.4600
净资产收益率(扣除)(%)	11.1954	15.0237	8.8157	16.6432
总资产(万元)	248386.16	238467.86	232953.40	227575.19
归属母公司股东权益(万元)	100546.92	90701.85	85718.35	80557.34
营业收入(万元)	54541.44	93593.34	43429.92	82981.27
营业支出(万元)	41889.25	74977.03	35670.96	64785.07
投资收益(万元)	5509.04	9890.25	6613.71	10509.13
净利润(万元)	12243.15	12377.33	7429.91	15182.35
营业利润(万元)	12235.01	14171.62	7633.19	13267.99
利润总额(万元)	13551.69	13044.13	7791.12	15977.50

重庆啤酒股份有限公司

公司概况					
公司名称	重庆啤酒股份有限公司			证券简称	重庆啤酒
法人代表	黎启基	董秘	邓炜	证券代码	600132
公司网址	www.chongqingbeer.com		电子信箱	600132@chongqingbeer.com	
电　话	023-89139399		传　真	023-89139393	
办公地址	重庆市九龙坡区马王乡龙泉村一号				
经营范围	生产及销售啤酒等				

主要财务指标 指标＼报告期	2016.06.30	2015.12.31	2015.06.30	2014.12.31
基本每股收益(元)	0.2000	−0.1400	0.1700	0.1500
基本每股收益(扣除后)(元)	0.1900	−0.1400	0.1700	0.1500
稀释每股收益(元)	0.2000	−0.1400	0.1700	0.1500
每股净资产(元)	2.3615	2.3583	2.6080	2.6380
每股经营现金净流量(元)	1.0005	0.9263	0.8597	0.8558
每股现金流量(元)	0.2272	0.1954	0.2478	−0.4376
每股资本公积金(元)	−	−	−	−
每股盈余公积金(元)	0.5000	0.5000	0.5000	0.5000
每股未分配利润(元)	0.8816	0.8785	1.1842	1.2142
净资产收益率(%)	8.6019	−5.7544	6.5183	5.7520
加权净资产收益率(%)	8.3700	−5.4700	6.2400	5.6900
净资产收益率(扣除)(%)	8.2111	−6.0407	6.6925	5.8368
总资产(万元)	386791.63	372119.40	405832.25	392529.07
归属母公司股东权益(万元)	114287.55	114136.13	126217.65	127669.80
营业收入(万元)	163624.94	332374.53	168315.47	316860.54
营业支出(万元)	99472.45	209646.49	101999.60	175549.82
投资收益(万元)	2371.87	4309.14	2057.37	4480.09
净利润(万元)	9541.10	−15355.20	4970.53	−3150.22
营业利润(万元)	8860.32	−11402.39	8163.83	2870.57
利润总额(万元)	9500.91	−11057.24	7943.53	2502.84

武汉东湖高新集团股份有限公司

公司概况					
公司名称	武汉东湖高新集团股份有限公司			证券简称	东湖高新
法人代表	喻中权	董秘	段静	证券代码	600133
公司网址	www.elht.com		电子信箱	dhgx@hotmail.com	
电　话	027-87172038		传　真	027-87172038	
办公地址	湖北省武汉市东湖开发区佳园路 1 号东湖高新大楼				
经营范围	科技工业园、烟气脱硫和环保电力的建设、开发及运营等				

主要财务指标 指标＼报告期	2016.06.30	2015.12.31	2015.06.30	2014.12.31
基本每股收益(元)	0.0248	0.2239	0.0196	0.4661
基本每股收益(扣除后)(元)	0.0123	0.1776	0.0041	0.4420
稀释每股收益(元)	0.0248	0.2239	0.0196	0.4661
每股净资产(元)	2.7035	2.6986	2.4097	2.3922
每股经营现金净流量(元)	0.0552	−0.9514	0.2564	−2.6204
每股现金流量(元)	0.5694	0.4202	1.1507	−0.7660
每股资本公积金(元)	0.8970	0.8971	0.8556	0.8556
每股盈余公积金(元)	0.2151	0.2151	0.2151	0.2151
每股未分配利润(元)	0.4904	0.4655	0.2612	0.2416
净资产收益率(%)	0.9181	8.2970	0.8134	19.4853
加权净资产收益率(%)	0.9200	8.7900	0.8200	21.9300
净资产收益率(扣除)(%)	0.4534	6.5825	0.1682	18.4748
总资产(万元)	1814148.33	1642122.50	1478048.04	1348065.56
归属母公司股东权益(万元)	171474.07	171158.22	152836.11	151728.97
营业收入(万元)	179510.69	619809.18	213350.56	745120.08
营业支出(万元)	143976.29	524862.19	175178.74	635989.29
投资收益(万元)	279.00	1808.61	493.51	356.88
净利润(万元)	1430.54	15937.90	1590.41	29643.77
营业利润(万元)	5478.82	23930.70	4337.34	41536.79
利润总额(万元)	6612.51	25883.03	4630.89	42629.01

乐凯胶片股份有限公司

公司概况					
公司名称	乐凯胶片股份有限公司			证券简称	乐凯胶片
法人代表	滕方迁	董秘	张永光	证券代码	600135
公司网址	gufen.luckyfilm.com.cn		电子信箱	stock@luckyfilm.com.cn	
电　话	0312-3302372 3302386		传　真	0312-3302386	
办公地址	河北省保定市乐凯南大街 6 号				
经营范围	彩色胶卷、彩色相纸、彩色电影胶片等彩色感光材料的科研、生产、销售等				

主要财务指标 指标＼报告期	2016.06.30	2015.12.31	2015.06.30	2014.12.31
基本每股收益(元)	0.0793	0.1015	0.0282	0.0806
基本每股收益(扣除后)(元)	0.0713	0.0988	0.0252	0.0555
稀释每股收益(元)	0.0793	0.1015	0.0282	0.0806
每股净资产(元)	4.3679	4.3187	4.2466	2.9020
每股经营现金净流量(元)	0.0692	−0.0960	−0.1357	−0.2023
每股现金流量(元)	−0.2238	1.0094	1.4595	−0.2738
每股资本公积金(元)	2.4127	2.4127	2.4127	0.9948
每股盈余公积金(元)	0.3820	0.3820	0.3767	0.4108
每股未分配利润(元)	0.5732	0.5240	0.4572	0.4950
净资产收益率(%)	1.8146	2.2752	0.6177	2.7763
加权净资产收益率(%)	1.8207	2.7200	0.8952	2.7900
净资产收益率(扣除)(%)	1.6321	2.2133	0.5531	1.9112
总资产(万元)	196474.77	191421.25	173011.00	118749.03
归属母公司股东权益(万元)	162917.90	161085.34	158393.95	99248.76
营业收入(万元)	69385.22	118317.00	50033.75	94621.94
营业支出(万元)	57497.35	96276.04	41175.55	76171.88
投资收益(万元)	491.85	251.38	236.38	387.06
净利润(万元)	3183.31	4011.22	1171.27	3113.17
营业利润(万元)	3158.72	4360.46	1466.39	3236.49
利润总额(万元)	3501.50	4498.34	1512.05	3653.74

武汉当代明诚文化股份有限公司

公司概况					
公司名称	武汉当代明诚文化股份有限公司			证券简称	当代明诚
法人代表	易仁涛	董秘	高维	证券代码	600136
公司网址	www.whggfz.com		电子信箱	fwq_whdb@126.com	
电　　话	027-87115482		传　　真	027-87115487	
办公地址	湖北省武汉市武昌区中南路 99 号保利大厦 A 座 33 楼				
经营范围	影视产品制作销售、磷矿石销售、学生公寓运营				

主要财务指标 指标\报告期	2016.06.30	2015.12.31	2015.06.30	2014.12.31
基本每股收益(元)	0.0400	0.3500	0.0770	0.0100
基本每股收益(扣除后)(元)	0.0400	0.3500	0.0630	0.0100
稀释每股收益(元)	0.0400	0.3500	0.0770	0.0100
每股净资产(元)	4.6695	5.2995	5.1089	1.2902
每股经营现金净流量(元)	-0.1739	-0.4775	-0.1760	0.0514
每股现金流量(元)	1.1992	0.3540	0.1077	-0.1509
每股资本公积金(元)	3.4611	3.8119	3.7998	0.0174
每股盈余公积金(元)	0.0143	0.0423	0.0423	0.0665
每股未分配利润(元)	0.1914	0.4453	0.2668	0.2063
净资产收益率(%)	0.8879	6.1516	2.6512	0.7081
加权净资产收益率(%)	0.9900	7.3200	3.7000	0.7100
净资产收益率(扣除)(%)	0.7550	6.2837	2.1491	0.7417
总资产(万元)	312490.89	121820.22	117647.68	19153.30
归属母公司股东权益(万元)	227489.91	86921.27	83795.75	13475.37
营业收入(万元)	16011.74	43117.43	10474.70	7096.90
营业支出(万元)	8151.64	25099.61	6000.95	5824.89
投资收益(万元)	-12.48	498.62	4.92	5.90
净利润(万元)	3291.64	6869.78	2204.76	132.64
营业利润(万元)	3624.86	8611.04	2214.08	381.34
利润总额(万元)	4134.74	10109.25	2774.98	375.06

四川浪莎控股股份有限公司

公司概况					
公司名称	四川浪莎控股股份有限公司			证券简称	浪莎股份
法人代表	翁荣弟	董秘	马中明	证券代码	600137
公司网址	www.langshastock.com		电子信箱	cjbz@vip.163.com	
电　　话	0831-8216216		传　　真	0831-8216016	
办公地址	四川省宜宾市外南街 63 号				
经营范围	生产、销售针织品、针织品面料、针织内衣等内装产品等				

主要财务指标 指标\报告期	2016.06.30	2015.12.31	2015.06.30	2014.12.31
基本每股收益(元)	0.0310	-0.2130	0.0110	0.0200
基本每股收益(扣除后)(元)	0.0270	-0.2220	0.0080	0.0020
稀释每股收益(元)	0.0310	-0.2130	0.0110	0.0200
每股净资产(元)	4.5608	4.5293	4.7529	4.7421
每股经营现金净流量(元)	-0.0034	0.1875	-0.2814	0.6010
每股现金流量(元)	-0.3707	0.1894	-0.2878	0.5838
每股资本公积金(元)	3.5158	3.5158	3.5158	3.5158
每股盈余公积金(元)	0.1078	0.1078	0.1078	0.1078
每股未分配利润(元)	-0.0628	-0.0943	0.1293	0.1185
净资产收益率(%)	0.6888	-4.6972	0.2273	0.4249
加权净资产收益率(%)	0.6900	-4.5900	0.2300	0.4300
净资产收益率(扣除)(%)	0.5821	-4.9044	0.1611	0.0450
总资产(万元)	54070.68	54504.88	55516.48	59966.73
归属母公司股东权益(万元)	44338.56	44033.18	46206.50	46101.49
营业收入(万元)	7579.70	20519.59	7069.08	33065.73
营业支出(万元)	6345.22	17983.37	6014.83	28647.28
投资收益(万元)	27.60	-	-	-
净利润(万元)	305.39	-2068.31	105.01	195.87
营业利润(万元)	392.57	-2409.67	249.14	77.68
利润总额(万元)	420.62	-2302.31	285.14	283.73

中青旅控股股份有限公司

公司概况					
公司名称	中青旅控股股份有限公司			证券简称	中 青 旅
法人代表	康国明	董秘	王蕾	证券代码	600138
公司网址	www.aoyou.com		电子信箱	zhqb@aoyou.com	
电　　话	010-58158702 58158717		传　　真	010-58158708	
办公地址	北京市东城区东直门南大街 5 号中青旅大厦				
经营范围	旅游、高科技、风险投资领域的投资、旅游服务、高新技术产品开发等				

主要财务指标 指标\报告期	2016.06.30	2015.12.31	2015.06.30	2014.12.31
基本每股收益(元)	0.4396	0.4100	0.2287	0.5300
基本每股收益(扣除后)(元)	0.3040	0.3500	0.1990	0.3900
稀释每股收益(元)	-	-	-	-
每股净资产(元)	6.8021	6.4277	6.3330	6.1029
每股经营现金净流量(元)	0.4308	0.7049	0.0480	0.7242
每股现金流量(元)	0.0665	0.0678	-0.1269	0.1043
每股资本公积金(元)	2.4171	2.3841	2.3665	2.3665
每股盈余公积金(元)	0.2086	0.2086	0.2041	0.2041
每股未分配利润(元)	3.2107	2.8711	2.7967	2.5679
净资产收益率(%)	6.4621	6.3434	3.6118	8.2334
加权净资产收益率(%)	6.6200	6.5100	3.6800	9.6000
净资产收益率(扣除)(%)	4.4699	5.4809	3.1430	6.0475
总资产(万元)	1048133.93	955477.60	908594.07	887823.69
归属母公司股东权益(万元)	492360.51	465263.87	458404.55	441753.79
营业收入(万元)	497557.47	1057701.59	477215.79	1060723.17
营业支出(万元)	376311.17	833801.63	372605.50	849156.16
投资收益(万元)	6140.65	1668.25	-256.37	6136.47
净利润(万元)	46910.33	45658.93	24224.98	50747.14
营业利润(万元)	42823.66	57370.65	28891.79	63194.96
利润总额(万元)	61944.86	65464.20	33255.16	66994.33

四川西部资源控股股份有限公司

公司概况					
公司名称	四川西部资源控股股份有限公司			证券简称	西部资源
法人代表	王成	董秘	王娜	证券代码	600139
公司网址	www.scxbzy.com		电子信箱	hua.qin@scxbzy.com	
电　　话	028-85917855		传　　真	085910202*8160	
办公地址	四川省成都市锦江区锦江工业开发区毕升路 168 号				
经营范围	铜矿石、铜精矿采选、销售等				

主要财务指标 指标\报告期	2016.06.30	2015.12.31	2015.06.30	2014.12.31
基本每股收益(元)	-0.1750	-0.4073	0.0114	0.0242
基本每股收益(扣除后)(元)	-0.1439	-0.3258	-0.1315	-0.0173
稀释每股收益(元)	-0.1750	-0.4073	0.0114	0.0242
每股净资产(元)	1.3693	1.5470	1.9692	1.9600
每股经营现金净流量(元)	-0.8217	0.4520	0.0886	0.1061
每股现金流量(元)	-0.5568	0.2401	-0.0226	-0.3897
每股资本公积金(元)	0.5726	0.5726	0.5695	0.5751
每股盈余公积金(元)	0.1272	0.1272	0.1195	0.1195
每股未分配利润(元)	-0.3581	-0.1831	0.2433	0.2319
净资产收益率(%)	-12.7775	-26.3303	0.5777	1.2329
加权净资产收益率(%)	-11.9900	-23.1700	0.5800	1.2400
净资产收益率(扣除)(%)	-10.5104	-21.0609	-6.6792	-0.8824
总资产(万元)	720526.06	803738.07	620371.09	646820.92
归属母公司股东权益(万元)	90633.49	102395.42	130341.35	129986.15
营业收入(万元)	50580.21	146803.32	59618.31	46254.20
营业支出(万元)	37509.65	108611.65	44491.50	23401.25
投资收益(万元)	3239.84	7685.77	9118.83	1774.38
净利润(万元)	-12131.60	-26873.07	1200.58	1267.04
营业利润(万元)	-6273.38	-15631.83	2074.94	998.36
利润总额(万元)	-11306.06	-25848.01	2589.60	3091.75

湖北兴发化工集团股份有限公司

公司概况				
公司名称	湖北兴发化工集团股份有限公司		证券简称	兴发集团
法人代表	李国璋	董秘 程亚利	证券代码	600141
公司网址	www.xingfagroup.com	电子信箱	yalicheng@xingfagroup.com	
电　　话	0717-6760939	传　　真	0717-6760850	
办公地址	湖北省宜昌市兴山县古夫镇高阳大道 58 号			
经营范围	磷化工系列产品及精细化工产品生产销售等			

主要财务指标 指标\报告期	2016.06.30	2015.12.31	2015.06.30	2014.12.31
基本每股收益(元)	0.0700	0.1456	0.1000	1.0404
基本每股收益(扣除后)(元)	0.0400	0.0917	0.0600	0.0788
稀释每股收益(元)	0.0700	0.1456	0.1000	1.0404
每股净资产(元)	9.1431	9.1898	9.1508	9.2439
每股经营现金净流量(元)	0.4343	1.3944	0.8617	1.2529
每股现金流量(元)	0.3288	-0.1548	-0.1371	0.3570
每股资本公积金(元)	5.4062	5.4062	5.4027	5.3933
每股盈余公积金(元)	0.4388	0.4388	0.4015	0.4010
每股未分配利润(元)	2.2859	2.3207	2.3091	2.4091
净资产收益率(%)	0.7131	1.5866	1.0590	10.0755
加权净资产收益率(%)	0.7100	1.5500	0.5200	12.2300
净资产收益率(扣除)(%)	0.3961	0.9988	0.6734	0.7627
总资产(万元)	2274027.38	2137331.02	2132799.98	1966181.96
归属母公司股东权益(万元)	484570.38	487042.34	484978.16	490605.84
营业收入(万元)	661372.34	1239234.15	666941.44	1139197.65
营业支出(万元)	572820.14	1050170.96	578770.22	983367.68
投资收益(万元)	1657.06	1907.34	-10.44	52040.63
净利润(万元)	6689.83	10236.17	6833.17	53932.22
营业利润(万元)	8704.56	15282.74	6444.83	56638.09
利润总额(万元)	10866.61	18372.14	8880.27	58629.71

金发科技股份有限公司

公司概况				
公司名称	金发科技股份有限公司		证券简称	金发科技
法人代表	袁志敏	董秘 宁凯军	证券代码	600143
公司网址	www.kingfa.com.cn	电子信箱	kjning@kingfa.com.cn	
电　　话	020-66818881	传　　真	020-66818881	
办公地址	广东省广州市广州高新技术产业开发区科学城科丰路 33 号			
经营范围	塑料、化工产品、塑料回收及再生利用,日用机械,金属制品等			

主要财务指标 指标\报告期	2016.06.30	2015.12.31	2015.06.30	2014.12.31
基本每股收益(元)	0.1762	0.2800	0.1650	0.1900
基本每股收益(扣除后)(元)	0.1514	0.2100	0.1400	0.1600
稀释每股收益(元)	0.1762	0.2800	0.1650	0.1900
每股净资产(元)	3.3311	3.2538	3.1912	3.1197
每股经营现金净流量(元)	0.2694	0.5937	0.2212	0.3922
每股现金流量(元)	0.1189	-0.1779	-0.0984	-0.1163
每股资本公积金(元)	1.0973	1.0973	1.1035	1.0975
每股盈余公积金(元)	0.1599	0.1599	0.1566	0.1566
每股未分配利润(元)	1.0704	0.9942	0.9303	0.8653
净资产收益率(%)	5.2888	8.5442	5.1709	6.2400
加权净资产收益率(%)	5.2700	8.7700	5.1500	6.3400
净资产收益率(扣除)(%)	4.5443	6.4771	4.4952	5.1306
总资产(万元)	1695007.31	1471351.41	1400295.11	1373811.38
归属母公司股东权益(万元)	852752.92	832981.06	816938.20	798640.77
营业收入(万元)	793583.26	1568209.82	764585.48	1609362.91
营业支出(万元)	648805.25	1309585.47	637942.39	1378648.10
投资收益(万元)	450.78	1583.13	1316.86	-1295.66
净利润(万元)	45171.65	69214.48	41973.39	48245.41
营业利润(万元)	48121.67	58974.73	40773.20	45070.76
利润总额(万元)	55670.79	77455.29	45681.02	58101.35

新疆亿路万源实业投资控股股份有限公司

公司概况				
公司名称	新疆亿路万源实业投资控股股份有限公司		证券简称	*ST 新亿
法人代表	庞建东	董秘 庞建东	证券代码	600145
公司网址	www.gc145.com	电子信箱	gcny600145@163.com	
电　　话	0901-6291128	传　　真	0851-85973347	
办公地址	新疆维吾尔自治区塔城市辽塔新区巴克图路幸福小区底商 2 楼			
经营范围	建筑卫生陶瓷、复合材料浴缸、塑料制品、五金配件、厨房设备等			

主要财务指标 指标\报告期	2016.06.30	2015.12.31	2015.06.30	2014.12.31
基本每股收益(元)	0.0096	0.1600	-0.2149	-3.9900
基本每股收益(扣除后)(元)	0.0003	-0.2600	-0.2148	-0.4200
稀释每股收益(元)	0.0096	0.1600	-0.2149	-3.9900
每股净资产(元)	0.4152	0.4056	-3.8110	-3.7925
每股经营现金净流量(元)	-0.2203	-0.0034	-0.0125	-0.0008
每股现金流量(元)	0.1667	0.0742	-0.0001	-
每股资本公积金(元)	1.0067	1.0067	0.1786	0.1786
每股盈余公积金(元)	0.0239	0.0239	0.1038	0.0945
每股未分配利润(元)	-1.6154	-1.6250	-5.0933	-6.5792
净资产收益率(%)	2.3166	10.2143	-	-
加权净资产收益率(%)	2.3400	-	-	-
净资产收益率(扣除)(%)	0.0739	-15.7998	-	11.1822
总资产(万元)	107232.31	88500.18	3479.41	3051.78
归属母公司股东权益(万元)	61914.39	60480.11	-143934.75	-200404.38
营业收入(万元)	-	390.28	373.46	4225.43
营业支出(万元)	-	468.85	329.97	4247.34
投资收益(万元)	-	6895.83	-	-9693.57
净利润(万元)	1434.28	5908.20	-8126.86	-150798.09
营业利润(万元)	45.73	-7480.31	-301.04	-16184.91
利润总额(万元)	1434.28	5908.20	-8126.86	-150798.09

商赢环球股份有限公司

公司概况				
公司名称	商赢环球股份有限公司		证券简称	商赢环球
法人代表	罗俊	董秘 张子君	证券代码	600146
公司网址	www.600146.net	电子信箱	zhang.zijun@600146.net	
电　　话	021-64698668*3018	传　　真	021-64699688	
办公地址	上海市徐汇区中山西路 1600 号宏汇国际广场 A 座 606-608 室			
经营范围	生产销售工程用塑料板材、管材、异型材、电线、电缆等			

主要财务指标 指标\报告期	2016.06.30	2015.12.31	2015.06.30	2014.12.31
基本每股收益(元)	-0.0590	-0.3050	-0.0590	0.0660
基本每股收益(扣除后)(元)	-0.0590	-0.2800	-0.0570	-0.1540
稀释每股收益(元)	-0.0590	-0.3050	-0.0590	0.0660
每股净资产(元)	0.3642	0.4227	0.6836	0.7421
每股经营现金净流量(元)	-0.0189	-0.2080	-0.0465	-0.1481
每股现金流量(元)	-0.0097	0.0172	-0.0325	-0.0911
每股资本公积金(元)	0.5976	0.5976	0.6121	0.6121
每股盈余公积金(元)	0.0207	0.0207	0.0207	0.0207
每股未分配利润(元)	-1.2541	-1.1955	-0.9492	-0.8906
净资产收益率(%)	-16.0803	-72.2345	-8.5716	8.8938
加权净资产收益率(%)	-14.6700	-51.8000	-8.2200	9.0900
净资产收益率(扣除)(%)	-16.0905	-66.1461	-8.2944	-20.7953
总资产(万元)	17814.09	19678.24	29428.55	29574.28
归属母公司股东权益(万元)	7283.58	8454.81	13671.07	14842.89
营业收入(万元)	459.74	1486.02	233.42	2162.12
营业支出(万元)	507.28	1615.70	290.53	2075.88
投资收益(万元)	-101.59	-453.57	-	3112.82
净利润(万元)	-1171.23	-6848.83	-1496.57	512.56
营业利润(万元)	-1171.97	-6563.49	-1423.61	-257.31
利润总额(万元)	-1171.23	-6848.83	-1496.57	512.56

长春一东离合器股份有限公司

公司概况	公司名称	长春一东离合器股份有限公司		证券简称	长春一东
	法人代表	李艰	董秘 李东毅	证券代码	600148
	公司网址	www.ccyd.com.cn	电子信箱	600148@ccyd.com.cn	
	电　　话	0431-85158520 85158570	传　　真	0431-85174234	
	办公地址	吉林省长春市高新技术产业开发区超然街 2555 号			
	经营范围	制造汽车离合器、机械配件和汽车零件			

主要财务指标	指标＼报告期	2016.06.30	2015.12.31	2015.06.30	2014.12.31
	基本每股收益(元)	0.0161	0.0079	0.0547	0.2721
	基本每股收益(扣除后)(元)	0.0161	-0.0093	0.0472	0.2400
	稀释每股收益(元)	0.0161	0.0079	0.0547	0.2721
	每股净资产(元)	2.5817	2.5579	2.6002	2.6188
	每股经营现金净流量(元)	0.1942	0.2203	0.3279	0.4068
	每股现金流量(元)	0.0784	0.0194	0.1795	0.0703
	每股资本公积金(元)	0.6297	0.6297	0.6297	0.6297
	每股盈余公积金(元)	0.2031	0.2031	0.1996	0.1996
	每股未分配利润(元)	0.7044	0.6883	0.7385	0.7655
	净资产收益率(%)	0.6234	0.3088	2.1023	10.3921
	加权净资产收益率(%)	0.6300	0.3100	2.0900	10.8900
	净资产收益率(扣除)(%)	0.6238	-0.3627	1.8142	9.1880
	总资产(万元)	86433.80	83613.24	86583.31	88266.21
	归属母公司股东权益(万元)	36534.71	36198.39	36796.77	37060.32
	营业收入(万元)	26568.07	51049.22	26143.63	66868.14
	营业支出(万元)	18134.27	36375.28	18616.62	45602.43
	投资收益(万元)	-	-	-	-
	净利润(万元)	966.93	796.12	1181.54	5515.62
	营业利润(万元)	1319.89	737.87	1272.03	5871.06
	利润总额(万元)	1320.36	1022.13	1400.02	6378.80

廊坊发展股份有限公司

公司概况	公司名称	廊坊发展股份有限公司		证券简称	廊坊发展
	法人代表	王大为	董秘 张春岭	证券代码	600149
	公司网址		电子信箱	lf600149@163.com	
	电　　话	0316-6066958	传　　真	0316-6069858	
	办公地址	河北省廊坊市开发区科技谷园区青果路 99 号			
	经营范围	各类轧辊的设计制造及销售			

主要财务指标	指标＼报告期	2016.06.30	2015.12.31	2015.06.30	2014.12.31
	基本每股收益(元)	-0.0380	-0.1687	-0.0120	0.0160
	基本每股收益(扣除后)(元)	-0.0240	-0.1911	-0.0160	-0.0174
	稀释每股收益(元)	-0.0380	-0.1687	-0.0120	0.0160
	每股净资产(元)	0.5113	0.5489	0.7060	0.7177
	每股经营现金净流量(元)	0.0412	-0.0818	-0.0141	0.0151
	每股现金流量(元)	0.0425	0.2883	-0.0192	-0.0433
	每股资本公积金(元)	0.2788	0.2788	0.2788	0.2788
	每股盈余公积金(元)	0.1224	0.1224	0.1224	0.1224
	每股未分配利润(元)	-0.8899	-0.8523	-0.6952	-0.6835
	净资产收益率(%)	-7.3539	-30.7414	-1.6544	2.2266
	加权净资产收益率(%)	-7.0700	-26.5600	-1.6400	2.2500
	净资产收益率(扣除)(%)	-4.7201	-34.8076	-2.2013	-2.4201
	总资产(万元)	37057.30	38831.67	29790.38	30157.78
	归属母公司股东权益(万元)	19438.58	20868.06	26839.17	27283.19
	营业收入(万元)	1651.23	1173.95	138.31	3968.50
	营业支出(万元)	1233.12	1025.90	26.14	2821.04
	投资收益(万元)	-771.57	1102.69	129.46	273.13
	净利润(万元)	-1441.82	-6448.20	-456.13	591.58
	营业利润(万元)	-1472.77	-6449.32	-456.13	-432.32
	利润总额(万元)	-1441.82	-6448.20	-456.13	591.58

中国船舶工业股份有限公司

公司概况	公司名称	中国船舶工业股份有限公司		证券简称	中国船舶
	法人代表	董强	董秘 陶健	证券代码	600150
	公司网址	csscholdings.cssc.net.cn	电子信箱	stock@csscholdings.com	
	电　　话	021-68860618	传　　真	021-68860568	
	办公地址	上海市浦东新区浦东大道 1 号 15A 层			
	经营范围	船舶行业和柴油机生产行业内的投资、民用船舶销售			

主要财务指标	指标＼报告期	2016.06.30	2015.12.31	2015.06.30	2014.12.31
	基本每股收益(元)	0.0120	0.0400	0.1250	0.0300
	基本每股收益(扣除后)(元)	-0.0600	-0.1400	0.0970	-0.1800
	稀释每股收益(元)	0.0120	0.0400	0.1250	0.0300
	每股净资产(元)	12.7492	12.7344	12.7456	12.6272
	每股经营现金净流量(元)	-1.9683	-2.9556	-2.8553	-0.6461
	每股现金流量(元)	1.0326	2.4834	-0.2676	-0.0123
	每股资本公积金(元)	3.3527	3.3333	3.2650	3.2650
	每股盈余公积金(元)	0.4416	0.4416	0.4199	0.4199
	每股未分配利润(元)	7.9424	7.9500	8.0514	7.9368
	净资产收益率(%)	0.0972	0.3524	0.9775	0.2539
	加权净资产收益率(%)	0.1000	0.3500	0.9800	0.2500
	净资产收益率(扣除)(%)	-0.4667	-1.0697	0.7596	-1.4025
	总资产(万元)	5190081.01	5133178.65	5379408.95	5178532.90
	归属母公司股东权益(万元)	1756994.38	1754947.31	1756487.45	1740182.02
	营业收入(万元)	1179691.86	2776384.63	1424107.42	2832366.59
	营业支出(万元)	1053505.29	2540557.35	1334491.03	2554403.50
	投资收益(万元)	-4026.77	396.50	-2814.33	-5061.61
	净利润(万元)	-21304.40	-23373.75	4286.87	-4036.81
	营业利润(万元)	-14678.69	-41620.19	1999.85	-26483.98
	利润总额(万元)	-17725.61	-5826.89	6271.75	-3039.64

上海航天汽车机电股份有限公司

公司概况	公司名称	上海航天汽车机电股份有限公司		证券简称	航天机电
	法人代表	姜文正	董秘 王慧莉	证券代码	600151
	公司网址	www.ht-saae.com	电子信箱	saae@ht-saae.com	
	电　　话	021-64827176	传　　真	021-64827177	
	办公地址	上海市徐汇区漕溪路 222 号航天大厦南楼			
	经营范围	研制、开发卫星及卫星应用、运载火箭应用等			

主要财务指标	指标＼报告期	2016.06.30	2015.12.31	2015.06.30	2014.12.31
	基本每股收益(元)	0.0771	0.1381	-0.0140	0.0179
	基本每股收益(扣除后)(元)	0.0215	0.1246	-0.0230	-0.0026
	稀释每股收益(元)	0.0771	0.1381	-0.0140	0.0179
	每股净资产(元)	3.2941	3.2996	3.2401	2.9961
	每股经营现金净流量(元)	-0.0406	0.0987	-0.0471	0.2176
	每股现金流量(元)	0.0183	-0.0871	-0.0058	-0.0921
	每股资本公积金(元)	2.2864	2.2864	2.2905	2.2905
	每股盈余公积金(元)	0.1777	0.1777	0.1673	0.1673
	每股未分配利润(元)	-0.2793	-0.3064	-0.4690	-0.4546
	净资产收益率(%)	2.3401	4.1845	-0.4452	0.5978
	加权净资产收益率(%)	2.3210	4.3445	-0.4830	0.5953
	净资产收益率(扣除)(%)	0.6520	3.7759	-0.7126	-0.0868
	总资产(万元)	1292690.34	1079995.79	963491.01	873683.55
	归属母公司股东权益(万元)	411826.26	412513.02	405074.39	374568.97
	营业收入(万元)	240679.90	403994.01	135495.98	378681.09
	营业支出(万元)	194491.41	335625.67	118431.36	309268.18
	投资收益(万元)	7866.98	25414.34	8581.81	21299.57
	净利润(万元)	8947.77	18017.33	-2122.74	4798.57
	营业利润(万元)	8390.34	15286.37	-3132.86	4689.55
	利润总额(万元)	9472.24	19565.09	-2161.29	7219.73

宁波维科精华集团股份有限公司

公司概况						
公司名称	宁波维科精华集团股份有限公司			证券简称	维科精华	
法人代表	何承命	董秘	薛春林	证券代码	600152	
公司网址	www.vekenelite.com		电子信箱	xcl@mail.veken.com		
电　话	0574-87341480		传　真	0574-87279527		
办公地址	浙江省宁波市柳汀街225号20楼					
经营范围	纱、线、带制品，床上用品，家纺织品，针织品，装饰布等					

主要财务指标：指标\报告期	2016.06.30	2015.12.31	2015.06.30	2014.12.31
基本每股收益(元)	-0.1524	0.1507	0.0657	-0.7522
基本每股收益(扣除后)(元)	-0.1677	-0.3326	-0.1473	-0.8700
稀释每股收益(元)	-0.1524	0.1507	0.0657	-0.7522
每股净资产(元)	1.8651	2.0207	1.9396	1.9799
每股经营现金净流量(元)	0.0454	0.0951	-0.0905	-0.1717
每股现金流量(元)	-0.2106	-0.0069	-0.1111	-0.2228
每股资本公积金(元)	0.4651	0.4483	0.4380	0.5477
每股盈余公积金(元)	0.4231	0.4231	0.4231	0.4231
每股未分配利润(元)	-0.0231	0.1492	0.0642	-0.0015
净资产收益率(%)	-8.1686	7.4585	3.3853	-37.9897
加权净资产收益率(%)	-7.7900	7.6400	3.2600	-32.0800
净资产收益率(扣除)(%)	-8.9901	-16.4608	-7.5921	-43.9408
总资产(万元)	124533.13	138845.03	149918.15	176804.46
归属母公司股东权益(万元)	54739.19	59305.31	56925.10	58108.59
营业收入(万元)	26039.88	75333.27	36317.80	125372.18
营业支出(万元)	24025.92	67913.37	33435.59	116853.47
投资收益(万元)	2260.01	8546.66	6696.56	6850.78
净利润(万元)	-5385.99	3620.07	1425.50	-25932.61
营业利润(万元)	-4506.92	-3154.43	1148.11	-25110.27
利润总额(万元)	-5286.97	3921.72	1517.43	-25465.97

厦门建发股份有限公司

公司概况						
公司名称	厦门建发股份有限公司			证券简称	建发股份	
法人代表	张勇峰	董秘	江桂芝	证券代码	600153	
公司网址	www.chinacnd.com		电子信箱	lm@chinacnd.com		
电　话	0592-2132319		传　真	0592-2592459		
办公地址	福建省厦门市思明区环岛东路1699号建发国际大厦29层					
经营范围	进出口及国内贸易、房地产开发与经营、物流服务及实业投资等					

主要财务指标：指标\报告期	2016.06.30	2015.12.31	2015.06.30	2014.12.31
基本每股收益(元)	0.3000	0.9300	0.2600	0.9400
基本每股收益(扣除后)(元)	0.3100	0.7900	0.1900	0.8100
稀释每股收益(元)	-	-	-	-
每股净资产(元)	6.9044	6.7350	6.3317	6.0218
每股经营现金净流量(元)	0.1184	2.0378	-0.1992	-0.1665
每股现金流量(元)	1.5028	1.0989	-0.0779	-0.1428
每股资本公积金(元)	0.8635	0.8639	0.9150	0.9137
每股盈余公积金(元)	0.3268	0.3268	0.2686	0.2686
每股未分配利润(元)	4.6289	4.4416	4.0498	3.7932
净资产收益率(%)	4.4010	13.8327	4.0627	14.6851
加权净资产收益率(%)	4.4200	14.5400	4.1600	16.2000
净资产收益率(扣除)(%)	4.5466	11.7367	2.9471	12.5849
总资产(万元)	12045970.61	9943261.71	10216339.79	9352337.38
归属母公司股东权益(万元)	1957526.20	1909493.94	1795158.64	1707302.54
营业收入(万元)	5517964.77	12808856.17	5222802.17	12092483.10
营业支出(万元)	5138027.69	11573875.75	4884679.43	11077860.42
投资收益(万元)	6849.44	61345.18	23281.36	56059.02
净利润(万元)	110389.94	356374.61	89142.81	337449.69
营业利润(万元)	142667.99	493229.08	113547.23	460632.28
利润总额(万元)	147522.83	502383.94	116849.70	468350.47

河北宝硕股份有限公司

公司概况						
公司名称	河北宝硕股份有限公司			证券简称	宝硕股份	
法人代表	李建雄	董秘	赵长栓	证券代码	600155	
公司网址	www.baoshuo.com.cn		电子信箱	baoshuo600155@sina.com		
电　话	0312-3109607		传　真	0312-3109607		
办公地址	河北省保定市高新区隆兴中路177号					
经营范围	塑料制品和化工产品的生产和销售					

主要财务指标：指标\报告期	2016.06.30	2015.12.31	2015.06.30	2014.12.31
基本每股收益(元)	-0.0800	0.4700	-0.1100	-0.3600
基本每股收益(扣除后)(元)	-0.0800	-0.2900	-0.1300	-0.3400
稀释每股收益(元)	-0.0800	0.4700	-0.1100	-0.3600
每股净资产(元)	0.6642	0.7424	0.1563	0.2688
每股经营现金净流量(元)	-0.0829	-0.0582	-0.0749	-0.2484
每股现金流量(元)	-0.1190	0.1080	0.0147	0.1058
每股资本公积金(元)	0.7741	0.7741	0.7741	0.7741
每股盈余公积金(元)	0.0340	0.0340	0.0340	0.0340
每股未分配利润(元)	-1.1439	-1.0656	-1.6518	-1.5392
净资产收益率(%)	-11.7860	63.7895	-71.9922	-114.9630
加权净资产收益率(%)	-11.1300	93.6600	-52.9400	-2228.3700
净资产收益率(扣除)(%)	-12.4033	-38.5807	-80.1244	-110.9760
总资产(万元)	60793.65	67566.95	191389.11	189445.13
归属母公司股东权益(万元)	31653.89	35384.63	7449.73	12812.95
营业收入(万元)	15522.05	34851.58	16378.37	40946.73
营业支出(万元)	14852.22	34042.13	15538.08	39974.19
投资收益(万元)	-3047.45	34566.68	326.73	11.60
净利润(万元)	-3863.28	21707.86	-5482.72	-15179.02
营业利润(万元)	-4759.84	22095.05	-5762.02	-14706.51
利润总额(万元)	-4645.71	23373.50	-5482.44	-15178.03

湖南华升股份有限公司

公司概况						
公司名称	湖南华升股份有限公司			证券简称	华升股份	
法人代表	刘政	董秘	蒋贤明	证券代码	600156	
公司网址			电子信箱	hnhsgf@163.com		
电　话	0731-85237818		传　真	0731-85237861		
办公地址	湖南省长沙市芙蓉中路三段420号华升大厦					
经营范围	苎麻纺织品的开发、生产和进出口贸易					

主要财务指标：指标\报告期	2016.06.30	2015.12.31	2015.06.30	2014.12.31
基本每股收益(元)	-0.0766	0.0233	-0.0039	-0.0788
基本每股收益(扣除后)(元)	-0.0811	-0.1088	-0.0255	-0.1105
稀释每股收益(元)	-0.0766	0.0233	-0.0039	-0.0788
每股净资产(元)	1.6510	1.7421	1.6920	1.6959
每股经营现金净流量(元)	-0.0274	0.0126	0.0622	-0.2742
每股现金流量(元)	-0.0614	0.2106	0.0408	0.0857
每股资本公积金(元)	0.3555	0.3555	0.3327	0.3327
每股盈余公积金(元)	0.0519	0.0519	0.0490	0.0490
每股未分配利润(元)	0.2435	0.3346	0.3103	0.3142
净资产收益率(%)	-4.6390	1.3365	-0.2318	-4.6462
加权净资产收益率(%)	-4.5000	1.3600	-0.2300	-4.5400
净资产收益率(扣除)(%)	-4.9120	-6.2453	-1.5072	-6.5161
总资产(万元)	115983.60	118383.57	111276.94	111080.02
归属母公司股东权益(万元)	66388.86	70049.90	68037.02	68194.74
营业收入(万元)	28727.62	76336.68	29559.60	90708.68
营业支出(万元)	27839.80	70191.29	27237.27	83238.62
投资收益(万元)	44.32	1452.85	75.84	224.36
净利润(万元)	-3979.09	221.14	-391.70	-3301.21
营业利润(万元)	-4111.89	-4088.52	-1407.60	-4588.98
利润总额(万元)	-3847.09	1065.55	-284.67	-3078.79

永泰能源股份有限公司

公司概况					
公司名称	永泰能源股份有限公司			证券简称	永泰能源
法人代表	徐培忠	董秘	李军	证券代码	600157
公司网址	www.wtecl.com		电子信箱	wteclzqb@126.com	
电　话	0351-8366507		传　真	0351-8366501	
办公地址	山西省太原市小店区亲贤北街9号双喜广场26-27F				
经营范围	煤炭开采与经营、煤炭洗选加工				

主要财务指标				
指标\报告期	2016.06.30	2015.12.31	2015.06.30	2014.12.31
基本每股收益(元)	0.0209	0.0583	0.0386	0.0392
基本每股收益(扣除后)(元)	-0.0281	0.0348	0.0119	0.0320
稀释每股收益(元)	0.0209	0.0583	0.0386	0.0392
每股净资产(元)	1.9245	1.8277	1.7908	2.8200
每股经营现金净流量(元)	0.1752	0.2553	0.1102	0.5601
每股现金流量(元)	0.3453	0.2090	0.2957	-0.3872
每股资本公积金(元)	0.7310	0.6159	0.6183	1.3329
每股盈余公积金(元)	0.0201	0.0188	0.0177	0.0563
每股未分配利润(元)	0.1626	0.1628	0.1493	0.3971
净资产收益率(%)	0.9941	2.9473	2.1932	4.0651
加权净资产收益率(%)	1.1600	3.2700	2.6300	4.0900
净资产收益率(扣除)(%)	-1.3390	1.7606	0.6757	1.1349
总资产(万元)	9442496.28	8755596.88	8586920.32	5210945.63
归属母公司股东权益(万元)	2391396.98	2046009.43	2004771.69	996900.16
营业收入(万元)	430581.79	1078422.31	451378.38	791205.99
营业支出(万元)	263065.15	599879.72	243018.04	469415.97
投资收益(万元)	51549.34	12357.39	3932.27	9915.56
净利润(万元)	26627.23	98433.02	56430.97	48432.69
营业利润(万元)	36299.80	101660.31	42147.26	41756.75
利润总额(万元)	47600.94	129445.82	70750.07	63931.72

中体产业集团股份有限公司

公司概况					
公司名称	中体产业集团股份有限公司			证券简称	中体产业
法人代表	刘军	董秘	许宁宁	证券代码	600158
公司网址	www.csig158.com		电子信箱	csig@csig158.com	
电　话	010-85160816 85160999		传　真	010-65515338	
办公地址	北京市朝阳区朝外大街225号				
经营范围	体育用品的生产、加工、销售,体育场馆、设施的建设、开发、经营等				

主要财务指标				
指标\报告期	2016.06.30	2015.12.31	2015.06.30	2014.12.31
基本每股收益(元)	0.0084	0.0920	0.0146	0.1222
基本每股收益(扣除后)(元)	0.0075	0.0147	-0.0106	0.0710
稀释每股收益(元)	0.0084	0.0920	0.0146	0.1222
每股净资产(元)	1.8210	1.8405	1.7632	1.7882
每股经营现金净流量(元)	0.0475	0.0260	0.0023	-0.0389
每股现金流量(元)	-0.1451	-0.0002	-0.0679	-0.3757
每股资本公积金(元)	0.0282	0.0282	0.0282	0.0282
每股盈余公积金(元)	0.1281	0.1281	0.1177	0.1177
每股未分配利润(元)	0.6473	0.6669	0.5999	0.6233
净资产收益率(%)	0.4630	4.9965	0.8264	6.8347
加权净资产收益率(%)	0.4600	5.0900	0.8200	7.0100
净资产收益率(扣除)(%)	0.4141	0.7984	-0.5995	3.9721
总资产(万元)	380205.28	389733.76	359910.62	364389.33
归属母公司股东权益(万元)	153642.34	155293.40	148765.19	150877.85
营业收入(万元)	44449.64	85140.80	26814.41	115164.08
营业支出(万元)	35265.85	65001.61	20939.23	86378.15
投资收益(万元)	937.60	6248.20	3070.73	8129.69
净利润(万元)	-56.06	7113.55	291.50	10805.85
营业利润(万元)	596.09	7694.20	373.68	13396.15
利润总额(万元)	563.63	8298.64	355.39	13841.36

北京市大龙伟业房地产开发股份有限公司

公司概况					
公司名称	北京市大龙伟业房地产开发股份有限公司			证券简称	大龙地产
法人代表	马云虎	董秘	马志方	证券代码	600159
公司网址	www.dldc.com.cn		电子信箱	mazhifang2005@tom.com	
电　话	010-69446339		传　真	010-69446339	
办公地址	北京市顺义区府前东街甲2号				
经营范围	房地产开发经营等				

主要财务指标				
指标\报告期	2016.06.30	2015.12.31	2015.06.30	2014.12.31
基本每股收益(元)	0.1093	0.0719	-0.0198	0.1600
基本每股收益(扣除后)(元)	0.1097	0.0585	-0.0274	0.1400
稀释每股收益(元)	0.1093	0.0719	-0.0198	0.1600
每股净资产(元)	2.6694	2.5885	2.4968	2.5667
每股经营现金净流量(元)	0.1641	-0.0893	-0.0891	0.3543
每股现金流量(元)	0.1371	0.1654	-0.2113	-0.1962
每股资本公积金(元)	0.4171	0.4171	0.4171	0.4171
每股盈余公积金(元)	0.0325	0.0325	0.0325	0.0325
每股未分配利润(元)	1.2199	1.1389	1.0473	1.1171
净资产收益率(%)	4.0946	2.7756	-0.7933	6.1575
加权净资产收益率(%)	4.1500	2.7900	-0.7800	6.3500
净资产收益率(扣除)(%)	4.1095	2.2588	-1.0952	5.5609
总资产(万元)	298016.47	292092.95	274028.06	300360.23
归属母公司股东权益(万元)	221563.25	214846.52	207239.09	213033.18
营业收入(万元)	51900.50	66891.98	19053.20	121744.83
营业支出(万元)	26949.57	44356.60	17200.57	100964.69
投资收益(万元)	-	1485.48	908.48	1582.77
净利润(万元)	9083.71	5977.31	-1664.41	13369.39
营业利润(万元)	12520.52	8146.58	-1614.77	17410.19
利润总额(万元)	12476.82	8135.94	-1692.38	17526.08

浙江巨化股份有限公司

公司概况					
公司名称	浙江巨化股份有限公司			证券简称	巨化股份
法人代表	胡仲明	董秘	刘云华	证券代码	600160
公司网址	www.jhgf.com.cn		电子信箱	jhgf@juhua.com.cn	
电　话	0570-3091758 3091704		传　真	0570-3091777	
办公地址	浙江省衢州市柯城区				
经营范围	氟化工原料及后续产品、基本化工原料及后续产品和化肥、农药的生产与销售				

主要财务指标				
指标\报告期	2016.06.30	2015.12.31	2015.06.30	2014.12.31
基本每股收益(元)	0.0270	0.0900	0.0470	0.0900
基本每股收益(扣除后)(元)	0.0210	0.0500	0.0400	0.0600
稀释每股收益(元)	0.0270	0.0900	0.0470	0.0900
每股净资产(元)	3.9390	4.0069	3.9610	4.0079
每股经营现金净流量(元)	0.1290	0.4375	0.0871	0.3436
每股现金流量(元)	-0.0320	0.0606	-0.0580	-0.7278
每股资本公积金(元)	1.3635	1.3635	1.3607	1.3607
每股盈余公积金(元)	0.2767	0.2767	0.2693	0.2693
每股未分配利润(元)	1.2816	1.3546	1.3200	1.3727
净资产收益率(%)	0.6837	2.2295	1.1937	2.2391
加权净资产收益率(%)	0.6700	2.2400	1.1800	2.2100
净资产收益率(扣除)(%)	0.5309	1.2608	1.0119	1.3723
总资产(万元)	943596.29	919314.13	906354.12	895736.97
归属母公司股东权益(万元)	713327.66	725612.10	717302.75	725805.57
营业收入(万元)	496067.01	951615.73	442152.08	976354.69
营业支出(万元)	444577.31	853891.74	394014.44	888673.30
投资收益(万元)	1430.94	3900.83	2215.53	7690.07
净利润(万元)	5279.80	16436.34	8659.67	16387.50
营业利润(万元)	6941.46	16643.70	9866.58	20303.26
利润总额(万元)	7444.98	22330.77	10401.90	21703.52

北京天坛生物制品股份有限公司

公司概况	公司名称	北京天坛生物制品股份有限公司		证券简称	天坛生物
	法人代表	魏树源	董秘	慈翔	证券代码	600161
	公司网址	www.tiantanbio.com		电子信箱	jlb@TiantanBio.com
	电　话	010-60963010 60963333		传　真	010-60963311
	办公地址	北京市经济技术开发区博兴二路 6 号,9 号			
	经营范围	制造生物制品、体外诊断试剂等			

主要财务指标	指标\报告期	2016.06.30	2015.12.31	2015.06.30	2014.12.31
	基本每股收益(元)	0.1900	0.0200	0.1100	0.2500
	基本每股收益(扣除后)(元)	0.1700	-0.0200	0.0900	0.2200
	稀释每股收益(元)	0.1900	0.0200	0.1100	0.2500
	每股净资产(元)	3.9547	3.7666	3.8759	3.7655
	每股经营现金净流量(元)	0.0350	0.9181	0.2029	0.9272
	每股现金流量(元)	0.1161	-0.7536	-0.8548	0.5545
	每股资本公积金(元)	0.3183	0.3183	0.3221	0.3183
	每股盈余公积金(元)	0.2809	0.2809	0.2809	0.2809
	每股未分配利润(元)	2.3794	2.1914	2.2785	2.1720
	净资产收益率(%)	4.7549	0.5139	2.7484	6.6148
	加权净资产收益率(%)	4.8700	0.5100	2.7900	6.8400
	净资产收益率(扣除)(%)	4.3569	-0.6000	2.3787	5.7597
	总资产(万元)	574892.36	563192.64	576452.27	601544.84
	归属母公司股东权益(万元)	203851.05	194158.20	199788.74	194097.69
	营业收入(万元)	88057.85	161798.60	82413.39	182655.11
	营业支出(万元)	46320.13	83170.07	41104.81	77299.66
	投资收益(万元)	-	-	-	173.68
	净利润(万元)	10991.21	11558.15	11234.84	22615.59
	营业利润(万元)	13996.47	18177.63	15025.58	28489.91
	利润总额(万元)	14835.67	19793.15	15093.58	30357.13

深圳香江控股股份有限公司

公司概况	公司名称	深圳香江控股股份有限公司			证券简称	香江控股
	法人代表	翟美卿	董秘	舒剑刚	证券代码	600162
	公司网址	www.hkhc.com.cn		电子信箱	hkhc@hkhc.com.cn	
	电　话	020-34821006		传　真	020-34821008	
	办公地址	广东省广州市番禺区迎宾路锦绣香江花园香江控股办公楼				
	经营范围	从事工程机械和商贸物流业务的经营				

主要财务指标	指标\报告期	2016.06.30	2015.12.31	2015.06.30	2014.12.31
	基本每股收益(元)	0.1000	0.3285	0.2100	0.3340
	基本每股收益(扣除后)(元)	0.0900	0.2766	0.1940	0.3460
	稀释每股收益(元)	0.1000	0.3285	-	-
	每股净资产(元)	1.8889	2.7659	2.4415	2.3555
	每股经营现金净流量(元)	0.2821	-0.0961	0.1451	-0.4812
	每股现金流量(元)	-0.6543	0.9060	-0.6530	0.2711
	每股资本公积金(元)	0.5228	1.2841	0.0200	0.0885
	每股盈余公积金(元)	0.0144	0.0216	0.1382	0.1382
	每股未分配利润(元)	0.3758	0.5007	1.2832	1.1835
	净资产收益率(%)	5.4006	8.8258	8.5884	14.1649
	加权净资产收益率(%)	5.4700	12.0500	8.6440	14.9700
	净资产收益率(扣除)(%)	4.7863	5.5003	7.9492	14.6919
	总资产(万元)	1495191.17	1723251.08	1392084.61	1427397.05
	归属母公司股东权益(万元)	452331.85	441568.33	187461.19	185065.27
	营业收入(万元)	191159.50	421165.39	186087.64	440740.85
	营业支出(万元)	104917.70	241066.69	107828.55	282706.10
	投资收益(万元)	-361.17	583.84	-119.62	1093.14
	净利润(万元)	22847.05	32816.23	13493.19	24760.97
	营业利润(万元)	32557.70	53412.39	27795.82	44340.32
	利润总额(万元)	34066.90	56062.87	28999.51	42158.72

中闽能源股份有限公司

公司概况	公司名称	中闽能源股份有限公司			证券简称	中闽能源
	法人代表	张骏	董秘	李永和	证券代码	600163
	公司网址	www.zhongminEnergy.com		电子信箱	nzzqb@fjnz163.com	
	电　话	0591-87868796		传　真	0591-87865515	
	办公地址	福建省福州市鼓楼区五四路 210 号国际大厦二十二层				
	经营范围	新闻纸、纸浆、纸制品及副产品等的生产和销售				

主要财务指标	指标\报告期	2016.06.30	2015.12.31	2015.06.30	2014.12.31
	基本每股收益(元)	0.0520	0.0060	-0.0730	-0.6110
	基本每股收益(扣除后)(元)	0.0510	-0.0660	-0.1690	-0.6700
	稀释每股收益(元)	0.0520	0.0060	-0.0730	-0.6110
	每股净资产(元)	1.5278	1.4757	1.4013	1.3527
	每股经营现金净流量(元)	0.0943	0.3290	0.1669	0.4163
	每股现金流量(元)	0.1402	0.1194	0.1814	-0.0057
	每股资本公积金(元)	2.0929	2.0929	2.0487	2.5928
	每股盈余公积金(元)	0.0708	0.0708	0.0708	0.0980
	每股未分配利润(元)	-1.6358	-1.6880	-1.7181	-2.3465
	净资产收益率(%)	3.4128	0.3922	-4.3376	-554.2653
	加权净资产收益率(%)	3.4720	0.4420	-5.8330	-41.9920
	净资产收益率(扣除)(%)	3.3149	-4.0458	-9.0546	-477.6059
	总资产(万元)	299128.49	297317.88	278888.93	472368.39
	归属母公司股东权益(万元)	152698.95	147487.65	140058.37	97588.68
	营业收入(万元)	16756.44	67900.00	46519.87	143618.04
	营业支出(万元)	7039.53	44440.07	37184.22	133737.60
	投资收益(万元)	141.59	1819.89	1680.94	927.23
	净利润(万元)	5728.86	3043.78	-5441.88	-50684.55
	营业利润(万元)	5918.82	4611.48	-4860.63	-48688.61
	利润总额(万元)	6659.05	4765.68	-4684.09	-47764.60

宁夏新日恒力钢丝绳股份有限公司

公司概况	公司名称	宁夏新日恒力钢丝绳股份有限公司			证券简称	新日恒力
	法人代表	高小平	董秘	赵丽莉	证券代码	600165
	公司网址	www.nxhengli.com.cn		电子信箱	root@nxhengli.com.cn	
	电　话	0951-6898015 0952-3671222		传　真	0951-6898221	
	办公地址	宁夏回族自治区石嘴山市惠农区河滨街				
	经营范围	丝、钢丝绳、钢绞线等钢丝及其制品的生产与销售				

主要财务指标	指标\报告期	2016.06.30	2015.12.31	2015.06.30	2014.12.31
	基本每股收益(元)	-0.0780	0.0670	-0.2130	-0.3940
	基本每股收益(扣除后)(元)	-0.0800	-0.0900	-0.2180	-0.7520
	稀释每股收益(元)	-0.0780	0.0670	-0.2130	-0.3940
	每股净资产(元)	1.3217	1.4067	3.1475	3.3610
	每股经营现金净流量(元)	-0.0612	-0.3428	0.4745	-0.8830
	每股现金流量(元)	0.0909	-0.0107	-0.0893	-0.0517
	每股资本公积金(元)	0.4044	0.4094	2.5359	2.5359
	每股盈余公积金(元)	0.0539	0.0539	0.1348	0.1348
	每股未分配利润(元)	-0.1400	-0.0620	-0.5357	-0.3232
	净资产收益率(%)	-5.9014	4.7839	-6.7517	-11.7252
	加权净资产收益率(%)	-5.7070	4.8870	-6.5290	-11.0690
	净资产收益率(扣除)(%)	-6.0687	-6.3637	-6.9262	-22.3616
	总资产(万元)	406012.98	392265.28	248458.97	240079.47
	归属母公司股东权益(万元)	90523.36	96340.87	86227.90	92078.39
	营业收入(万元)	159339.73	107665.15	38205.65	134316.57
	营业支出(万元)	152150.92	97336.09	35203.85	126288.13
	投资收益(万元)	2053.91	14566.23	1800.76	8634.24
	净利润(万元)	-5173.85	4716.52	-5841.21	-11408.23
	营业利润(万元)	-5195.35	1292.48	-6047.06	-12679.78
	利润总额(万元)	-4926.25	4865.96	-5784.83	-11314.83

北汽福田汽车股份有限公司

公司概况						
公司名称	北汽福田汽车股份有限公司			证券简称	福田汽车
法人代表	徐和谊	董秘	龚敏	证券代码	600166
公司网址	www.foton.com.cn		电子信箱	600166@foton.com.cn	
电　话	010-80716459		传　真	010-80716459	
办公地址	北京市昌平区沙河镇沙阳路老牛湾村北				
经营范围	轻型载货汽车、中重型载货汽车、轻型客车、大中客车等				

主要财务指标

指标\报告期	2016.06.30	2015.12.31	2015.06.30	2014.12.31
基本每股收益(元)	0.0400	0.1300	0.0460	0.1700
基本每股收益(扣除后)(元)	-0.0500	-0.2100	-0.0240	-0.1980
稀释每股收益(元)	-	0.1300	-	0.1700
每股净资产(元)	5.5506	5.5596	5.4689	5.4408
每股经营现金净流量(元)	-0.6130	0.1469	-0.1818	0.3923
每股现金流量(元)	0.1212	0.4868	0.1745	-0.1795
每股资本公积金(元)	3.0508	3.0508	3.0507	2.7614
每股盈余公积金(元)	0.5994	0.5994	0.5593	0.6639
每股未分配利润(元)	0.9337	0.9267	0.8913	1.0540
净资产收益率(%)	0.7932	2.1919	0.8477	3.1210
加权净资产收益率(%)	0.7900	2.3000	0.9200	3.1400
净资产收益率(扣除)(%)	-0.8480	-3.6268	-0.4403	-3.6327
总资产(万元)	5013341.31	4275296.13	3930788.84	3469747.04
归属母公司股东权益(万元)	1851165.10	1854148.45	1823926.46	1528676.64
营业收入(万元)	1947336.52	3399749.24	1722058.15	3369128.36
营业支出(万元)	1713651.47	2975470.00	1501338.41	2967952.30
投资收益(万元)	24940.72	7380.84	4751.20	19753.79
净利润(万元)	11439.29	35653.14	11333.39	45863.34
营业利润(万元)	-20700.85	-85095.95	-12624.63	-63163.25
利润总额(万元)	15087.68	40148.20	15114.38	45955.55

武汉三镇实业控股股份有限公司

公司概况						
公司名称	武汉三镇实业控股股份有限公司			证券简称	武汉控股
法人代表	王贤兵	董秘	涂立俊	证券代码	600168
公司网址	www.600168.com.cn		电子信箱	dmxx@600168.com.cn	
电　话	027-85725739		传　真	027-85725739	
办公地址	湖北省武汉市武昌区友谊大道特8号长江隧道公司管理大楼				
经营范围	城市给排水、污水综合处理、道路、桥梁、供气、供电、通讯等				

主要财务指标

指标\报告期	2016.06.30	2015.12.31	2015.06.30	2014.12.31
基本每股收益(元)	0.2500	0.4700	0.2600	0.4600
基本每股收益(扣除后)(元)	0.2300	0.4300	0.2400	0.4200
稀释每股收益(元)	0.2500	0.4700	0.2600	0.4600
每股净资产(元)	6.2686	6.1654	5.9573	5.8296
每股经营现金净流量(元)	0.2363	0.3958	0.2193	0.8309
每股现金流量(元)	0.2999	-0.4764	-0.3234	-0.0873
每股资本公积金(元)	2.1318	2.1318	2.1318	2.1318
每股盈余公积金(元)	0.2995	0.2995	0.2804	0.2804
每股未分配利润(元)	2.8214	2.7181	2.5238	2.4015
净资产收益率(%)	3.9279	7.6844	4.3693	7.8536
加权净资产收益率(%)	3.9600	7.8100	4.4200	8.1000
净资产收益率(扣除)(%)	3.5954	7.0170	4.0224	7.1644
总资产(万元)	841892.35	797297.23	769793.24	750070.00
归属母公司股东权益(万元)	444804.10	437479.52	422711.45	413653.86
营业收入(万元)	55443.38	119867.34	55927.10	117820.50
营业支出(万元)	39037.02	82255.76	35128.76	77301.00
投资收益(万元)	95.64	1056.90	133.66	455.19
净利润(万元)	17375.14	34078.89	18387.61	32543.58
营业利润(万元)	7624.96	18020.90	13337.06	21718.12
利润总额(万元)	19388.12	40503.86	21825.54	39523.19

联美量子股份有限公司

公司概况						
公司名称	联美量子股份有限公司			证券简称	联美控股
法人代表	苏壮强	董秘	刘思生	证券代码	600167
公司网址	www.dawn-garments.com		电子信箱	zqb@shnd.sina.net	
电　话	024-23784835		传　真	024-83781352	
办公地址	辽宁省沈阳市浑南新区远航中路1号				
经营范围	供热、供水、房屋租赁、市政建设、工程施工、物业管理				

主要财务指标

指标\报告期	2016.06.30	2015.12.31	2015.06.30	2014.12.31
基本每股收益(元)	0.4643	0.8370	0.4017	0.7700
基本每股收益(扣除后)(元)	0.4998	0.9259	0.6266	0.7256
稀释每股收益(元)	0.4643	0.8370	0.4017	0.7700
每股净资产(元)	3.0936	5.5238	5.3149	4.6868
每股经营现金净流量(元)	-0.2558	2.1752	-0.4735	1.8336
每股现金流量(元)	-1.0290	-3.0521	-5.6304	1.0544
每股资本公积金(元)	0.1116	2.5829	1.1707	1.1707
每股盈余公积金(元)	0.1188	0.3830	0.0495	0.0495
每股未分配利润(元)	1.8515	4.4718	3.0947	2.4666
净资产收益率(%)	15.0069	15.1524	11.8184	16.4618
加权净资产收益率(%)	16.2200	16.3900	13.9900	17.1400
净资产收益率(扣除)(%)	6.8689	16.7615	11.7901	15.4833
总资产(万元)	527069.57	595452.55	275234.06	289310.02
归属母公司股东权益(万元)	210410.34	178843.54	112144.53	98890.86
营业收入(万元)	99097.79	75772.51	87990.61	66148.55
营业支出(万元)	50037.03	43655.52	44214.64	41828.33
投资收益(万元)	-90.95	-79.07	-	-
净利润(万元)	32366.41	17661.43	27843.65	16280.09
营业利润(万元)	40908.71	25861.13	35791.54	20359.27
利润总额(万元)	42103.01	23323.57	36322.13	21656.44

太原重工股份有限公司

公司概况						
公司名称	太原重工股份有限公司			证券简称	太原重工
法人代表	王创民	董秘	李迎魁	证券代码	600169
公司网址	www.tyhi.com.cn		电子信箱	tyhi@tz.com.cn	
电　话	0351-6361155		传　真	0351-6362554	
办公地址	山西省太原市万柏林区玉河街53号				
经营范围	制造销售火车轴、冶金、轧钢、锻压、起重、非标设备、加压气化炉等				

主要财务指标

指标\报告期	2016.06.30	2015.12.31	2015.06.30	2014.12.31
基本每股收益(元)	-0.2442	0.0091	0.0031	0.0133
基本每股收益(扣除后)(元)	-0.2507	-0.0257	-0.0154	-0.0210
稀释每股收益(元)	-0.2442	-	0.0031	-
每股净资产(元)	1.9990	2.2424	2.2362	2.2331
每股经营现金净流量(元)	-0.4879	-0.2483	-0.1641	-0.5950
每股现金流量(元)	0.0523	-0.2692	-0.2105	-0.0584
每股资本公积金(元)	0.5072	0.5072	0.5072	0.5072
每股盈余公积金(元)	0.1122	0.1122	0.1122	0.1122
每股未分配利润(元)	0.3790	0.6232	0.6172	0.6141
净资产收益率(%)	-12.2175	0.4068	0.1398	0.5937
加权净资产收益率(%)	-11.5185	0.4100	0.1399	0.5939
净资产收益率(扣除)(%)	-12.5407	-1.1471	-0.6890	-0.9425
总资产(万元)	2809777.72	2839985.73	2707190.09	2760071.30
归属母公司股东权益(万元)	484542.36	543548.67	542040.21	541282.15
营业收入(万元)	115155.17	686110.18	298406.12	902332.17
营业支出(万元)	103587.13	544383.68	244711.79	762437.96
投资收益(万元)	-	-	-	-
净利润(万元)	-59351.36	2302.34	733.32	3322.64
营业利润(万元)	-61966.84	-6154.17	-2074.64	-7825.92
利润总额(万元)	-60122.42	3740.65	3235.29	2033.62

上海建工集团股份有限公司

公司概况	公司名称	上海建工集团股份有限公司		证券简称	上海建工
	法人代表	徐征	董秘	李胜	证券代码	600170
	公司网址	www.scg.com.cn		电子信箱	ir@scg.com.cn
	电　话	021-35100838 35318170		传　真	021-55886222
	办公地址	上海市虹口区东大名路666号			
	经营范围	各类建设工程总承包、设计、施工、咨询、设备、材料、构配件生产等			

主要财务指标	指标\报告期	2016.06.30	2015.12.31	2015.06.30	2014.12.31
	基本每股收益(元)	0.1500	0.3100	0.1300	0.3000
	基本每股收益(扣除后)(元)	0.1400	0.2400	0.1300	0.3800
	稀释每股收益(元)	0.1500	0.3100	0.1300	0.3000
	每股净资产(元)	3.0862	3.7077	3.2360	3.9281
	每股经营现金净流量(元)	-1.1184	1.4729	-1.1614	-0.2314
	每股现金流量(元)	-0.7001	1.1711	-1.0153	0.8636
	每股资本公积金(元)	0.4039	0.6850	0.6920	1.2351
	每股盈余公积金(元)	0.1147	0.1377	0.1223	0.1610
	每股未分配利润(元)	1.1456	1.3432	1.1895	1.5549
	净资产收益率(%)	4.9015	8.4887	4.9373	9.8662
	加权净资产收益率(%)	5.2000	9.7800	5.1000	11.1300
	净资产收益率(扣除)(%)	4.5088	6.5421	4.8551	7.8389
	总资产(万元)	14693153.22	14220024.71	12108234.62	11788212.98
	归属母公司股东权益(万元)	2201027.22	2203560.93	1923205.92	1817142.08
	营业收入(万元)	6055646.79	12543070.74	6017694.05	11552793.83
	营业支出(万元)	5608073.38	11411540.98	5509919.01	10571677.19
	投资收益(万元)	6498.14	13363.09	7209.14	3289.84
	净利润(万元)	111041.81	197106.50	98228.93	187038.61
	营业利润(万元)	133961.24	208854.65	129978.77	202009.26
	利润总额(万元)	145987.79	258685.16	134155.93	242202.34

上海贝岭股份有限公司

公司概况	公司名称	上海贝岭股份有限公司		证券简称	上海贝岭
	法人代表	董浩然	董秘	周承捷	证券代码	600171
	公司网址	www.belling.com.cn		电子信箱	bloffice@belling.com.cn
	电　话	021-24261157		传　真	021-64854424
	办公地址	上海市漕河泾开发区宜山路810号			
	经营范围	集成电路的设计、制造、销售和技术服务			

主要财务指标	指标\报告期	2016.06.30	2015.12.31	2015.06.30	2014.12.31
	基本每股收益(元)	0.0410	0.0800	0.0330	0.0600
	基本每股收益(扣除后)(元)	0.0360	0.0600	0.0220	-0.0400
	稀释每股收益(元)	0.0410	0.0800	0.0330	0.0600
	每股净资产(元)	2.7282	2.7121	2.6691	2.4146
	每股经营现金净流量(元)	0.0459	0.0751	0.0068	0.0220
	每股现金流量(元)	0.0870	1.2417	0.9808	-0.2078
	每股资本公积金(元)	1.1899	1.1899	1.1899	1.1899
	每股盈余公积金(元)	0.2079	0.2079	0.2037	0.2037
	每股未分配利润(元)	0.3304	0.3143	0.2756	0.2626
	净资产收益率(%)	1.5055	2.7986	1.2332	2.3782
	加权净资产收益率(%)	1.5100	3.1000	1.2900	2.1700
	净资产收益率(扣除)(%)	1.3249	2.1379	0.8135	-1.7314
	总资产(万元)	206193.85	206780.47	201618.28	185573.60
	归属母公司股东权益(万元)	183828.02	182745.04	179848.62	162695.44
	营业收入(万元)	24841.25	48921.02	24609.32	46790.22
	营业支出(万元)	18464.44	36662.26	18379.76	36411.20
	投资收益(万元)	132.36	1258.38	443.04	3307.92
	净利润(万元)	2914.98	5363.65	2359.36	4044.45
	营业利润(万元)	2706.91	3417.12	1450.95	-525.76
	利润总额(万元)	2944.98	5023.29	2415.85	4531.65

河南黄河旋风股份有限公司

公司概况	公司名称	河南黄河旋风股份有限公司		证券简称	黄河旋风
	法人代表	乔秋生	董秘	杜长洪	证券代码	600172
	公司网址	www.hhxf.com		电子信箱	hhxfzjb@hhxf.com
	电　话	0374-6108986 6165530		传　真	0374-6108986
	办公地址	河南省长葛市人民路200号			
	经营范围	人造金刚石、人造金刚石磨料磨具磨削及其他金刚石制品等			

主要财务指标	指标\报告期	2016.06.30	2015.12.31	2015.06.30	2014.12.31
	基本每股收益(元)	0.2296	0.4007	0.1577	0.4192
	基本每股收益(扣除后)(元)	0.2161	0.3801	0.1464	0.4114
	稀释每股收益(元)	0.2296	0.4007	0.1577	0.4192
	每股净资产(元)	5.8856	5.7100	5.0700	4.5200
	每股经营现金净流量(元)	0.1150	0.6000	0.1069	0.8012
	每股现金流量(元)	-0.0205	0.3943	0.2640	-0.1537
	每股资本公积金(元)	2.9741	2.9741	2.3413	1.4073
	每股盈余公积金(元)	0.2452	0.2452	0.2455	0.3199
	每股未分配利润(元)	1.6662	1.4866	1.4850	1.7897
	净资产收益率(%)	3.9011	6.0794	2.9892	9.2812
	加权净资产收益率(%)	3.9400	7.8100	3.1700	9.6800
	净资产收益率(扣除)(%)	3.6714	5.7665	2.7747	9.1081
	总资产(万元)	836472.34	758411.46	624990.83	496840.24
	归属母公司股东权益(万元)	466371.68	452137.56	352505.96	240915.86
	营业收入(万元)	115747.21	181694.90	84755.16	166206.20
	营业支出(万元)	69950.32	116401.74	56139.00	111873.90
	投资收益(万元)	696.25	2879.55	1419.06	1295.38
	净利润(万元)	18193.81	27487.03	10536.94	22359.94
	营业利润(万元)	20649.16	30961.11	11746.11	25268.82
	利润总额(万元)	21171.96	31806.50	11894.60	25762.39

卧龙地产集团股份有限公司

公司概况	公司名称	卧龙地产集团股份有限公司		证券简称	卧龙地产
	法人代表	陈嫣妮	董秘	马亚军	证券代码	600173
	公司网址	www.wolong-re.com		电子信箱	wolong600173@wolong.com
	电　话	0575-82177017 82176751		传　真	0575-82177000
	办公地址	浙江省绍兴市上虞区经济开发区人民西路1801号			
	经营范围	房地产开发与经营、建筑工程、装饰装潢工程设计、施工、物业管理			

主要财务指标	指标\报告期	2016.06.30	2015.12.31	2015.06.30	2014.12.31
	基本每股收益(元)	0.0680	0.0833	0.0650	0.3600
	基本每股收益(扣除后)(元)	0.0670	0.0737	0.0630	0.3452
	稀释每股收益(元)	0.0680	0.0833	0.0650	0.3585
	每股净资产(元)	2.2661	2.2483	2.2298	2.2150
	每股经营现金净流量(元)	0.6412	0.6498	0.0444	0.6227
	每股现金流量(元)	-0.2663	0.0684	0.0582	0.9529
	每股资本公积金(元)	0.0218	0.0218	0.0218	0.0218
	每股盈余公积金(元)	0.2458	0.2458	0.1713	0.1713
	每股未分配利润(元)	0.9984	0.9807	1.0367	1.0219
	净资产收益率(%)	2.9897	3.7050	2.9070	16.1870
	加权净资产收益率(%)	2.9800	3.7300	2.8900	16.5800
	净资产收益率(扣除)(%)	2.9442	3.2795	2.8079	15.5838
	总资产(万元)	404270.51	440176.95	453052.72	445108.41
	归属母公司股东权益(万元)	164323.38	163036.28	161696.26	160621.50
	营业收入(万元)	72381.68	153001.73	67122.75	194347.78
	营业支出(万元)	54297.22	113599.77	47899.57	130764.42
	投资收益(万元)	-	694.91	163.46	1156.28
	净利润(万元)	4927.68	6052.12	4696.02	25409.24
	营业利润(万元)	7294.16	12164.11	7766.09	38469.78
	利润总额(万元)	7396.74	12123.72	7767.06	38609.48

美都能源股份有限公司

公司概况	公司名称	美都能源股份有限公司			证券简称	美都能源
	法人代表	闻掌华	董秘	王勤	证券代码	600175
	公司网址	www.chinameidu.com		电子信箱	wangqin5182@sohu.com	
	电　　话	0571-88301613　88301610		传　　真	0571-88301607	
	办公地址	浙江省杭州市密渡桥路 70 号美都恒升名楼 4 楼				
	经营范围	房地产开发、酒店业、贸易及实业投资等				

主要财务指标	指标\报告期	2016.06.30	2015.12.31	2015.06.30	2014.12.31
	基本每股收益(元)	0.0100	0.0200	0.0700	0.1100
	基本每股收益(扣除后)(元)	0.0100	-0.0675	-0.0800	-0.0800
	稀释每股收益(元)	0.0100	0.0200	0.0700	0.1100
	每股净资产(元)	3.0046	1.8447	1.8954	1.8290
	每股经营现金净流量(元)	-0.0764	-0.6249	0.0904	0.0767
	每股现金流量(元)	0.7003	-0.6214	-0.5670	0.3495
	每股资本公积金(元)	1.8114	0.5744	0.5719	0.5711
	每股盈余公积金(元)	0.0480	0.0700	0.0618	0.0617
	每股未分配利润(元)	0.1501	0.2116	0.2618	0.1985
	净资产收益率(%)	0.1687	1.1043	3.6316	4.2087
	加权净资产收益率(%)	0.4000	1.1100	3.6900	6.2700
	净资产收益率(扣除)(%)	0.3255	-3.6654	-3.9913	-3.0663
	总资产(万元)	1759375.02	1502759.67	1438236.73	1443887.60
	归属母公司股东权益(万元)	1074578.84	453792.20	464559.72	449413.04
	营业收入(万元)	271835.77	491088.17	239533.06	421139.27
	营业支出(万元)	248900.50	438567.27	221777.24	319440.86
	投资收益(万元)	8925.84	42549.49	11527.16	37984.12
	净利润(万元)	2141.53	7049.61	17213.01	22164.24
	营业利润(万元)	-3267.38	7384.97	22776.90	24802.88
	利润总额(万元)	-3213.74	8918.74	23303.75	24571.23

中国巨石股份有限公司

公司概况	公司名称	中国巨石股份有限公司			证券简称	中国巨石
	法人代表	曹江林	董秘	李畅	证券代码	600176
	公司网址	www.jushi.com		电子信箱	cfgcl@cnbm.com.cn	
	电　　话	0573-88181888		传　　真	0573-88181097	
	办公地址	浙江省嘉兴市桐乡市梧桐街道文华南路 669 号				
	经营范围	新材料的研发、生产和销售、商业房地产开发与经营等				

主要财务指标	指标\报告期	2016.06.30	2015.12.31	2015.06.30	2014.12.31
	基本每股收益(元)	0.3133	1.1265	0.1979	0.5438
	基本每股收益(扣除后)(元)	0.3109	1.1242	0.1925	0.5345
	稀释每股收益(元)	0.3133	1.1265	0.1979	0.5438
	每股净资产(元)	4.1996	8.7911	5.1600	4.6071
	每股经营现金净流量(元)	0.6733	2.7842	0.8806	1.9060
	每股现金流量(元)	-0.1791	2.1320	0.7115	-0.9719
	每股资本公积金(元)	1.8343	6.6329	1.4640	1.4195
	每股盈余公积金(元)	0.1145	0.3192	0.2023	0.2023
	每股未分配利润(元)	1.2393	2.9762	2.5181	2.1315
	净资产收益率(%)	7.4593	10.1149	10.6902	11.8034
	加权净资产收益率(%)	7.4436	22.1300	10.9248	12.2100
	净资产收益率(扣除)(%)	7.4029	10.0941	10.3983	11.6007
	总资产(万元)	2309417.29	2408362.82	2068856.33	1932512.51
	归属母公司股东权益(万元)	1021413.00	971879.70	450278.59	402033.18
	营业收入(万元)	371635.89	705478.73	345316.58	626815.35
	营业支出(万元)	208887.80	421159.36	205379.14	405032.78
	投资收益(万元)	-61.18	422.04	-225.07	-468.46
	净利润(万元)	77188.87	98653.16	48004.95	47338.26
	营业利润(万元)	93194.58	113802.80	55703.56	59007.88
	利润总额(万元)	93800.88	118109.32	57711.54	60595.81

雅戈尔集团股份有限公司

公司概况	公司名称	雅戈尔集团股份有限公司			证券简称	雅 戈 尔
	法人代表	李如成	董秘	刘新宇	证券代码	600177
	公司网址	www.youngor.com		电子信箱	ir@youngor.com	
	电　　话	0574-87425136		传　　真	0574-87425390	
	办公地址	浙江省宁波市鄞州区鄞县大道西段 2 号				
	经营范围	服装服饰产品及服装辅料的设计制造、销售、房地产开发、销售等				

主要财务指标	指标\报告期	2016.06.30	2015.12.31	2015.06.30	2014.12.31
	基本每股收益(元)	1.3100	1.9600	1.3000	1.4200
	基本每股收益(扣除后)(元)	0.8500	0.9900	0.6500	0.6200
	稀释每股收益(元)	1.3100	1.9600	1.3000	1.4200
	每股净资产(元)	8.8763	9.0506	8.5171	7.4226
	每股经营现金净流量(元)	-0.2010	0.8820	0.5311	1.4310
	每股现金流量(元)	0.7237	-0.4776	0.2320	-0.0163
	每股资本公积金(元)	1.9098	0.1650	0.1531	0.1531
	每股盈余公积金(元)	0.5899	0.6778	0.5601	0.5601
	每股未分配利润(元)	5.8451	6.2556	5.7135	4.9099
	净资产收益率(%)	13.5225	21.6925	15.3062	19.1347
	加权净资产收益率(%)	14.2000	23.9600	16.0200	20.8900
	净资产收益率(扣除)(%)	8.7406	10.9503	7.6689	8.4089
	总资产(万元)	6443840.80	6627728.31	4597800.68	4762372.21
	归属母公司股东权益(万元)	2270726.36	2015211.84	1896425.04	1652717.87
	营业收入(万元)	866698.07	1452739.26	871278.57	1590321.60
	营业支出(万元)	482110.18	902887.82	590617.90	964711.01
	投资收益(万元)	249150.41	353190.16	188336.52	314845.42
	净利润(万元)	319333.32	437601.47	290623.12	321481.87
	营业利润(万元)	371976.70	451487.20	271901.55	379174.38
	利润总额(万元)	403232.51	536393.40	351889.89	389930.64

哈尔滨东安汽车动力股份有限公司

公司概况	公司名称	哈尔滨东安汽车动力股份有限公司			证券简称	东安动力
	法人代表	陈笠宝	董秘	王江华	证券代码	600178
	公司网址	www.daae.com.cn		电子信箱	dadl600178@263.net.cn	
	电　　话	0451-86528172　86528173		传　　真	0451-86505502	
	办公地址	黑龙江省哈尔滨市平房区保国街 51 号				
	经营范围	微型汽车发动机、变速器、零部件及相关产品的研制、生产销售等				

主要财务指标	指标\报告期	2016.06.30	2015.12.31	2015.06.30	2014.12.31
	基本每股收益(元)	0.1204	0.0507	0.1459	0.0702
	基本每股收益(扣除后)(元)	0.1191	-0.2207	-0.1152	-0.0868
	稀释每股收益(元)	0.1204	0.0507	0.1459	0.0702
	每股净资产(元)	3.9051	3.7847	3.8788	3.7329
	每股经营现金净流量(元)	-0.0943	0.1716	0.1296	-0.1893
	每股现金流量(元)	-0.2213	0.1077	0.0113	-0.2569
	每股资本公积金(元)	1.8610	1.8610	1.8599	1.8599
	每股盈余公积金(元)	0.5242	0.5242	0.5242	0.5242
	每股未分配利润(元)	0.5199	0.3994	0.4946	0.3487
	净资产收益率(%)	3.0837	1.3401	3.7622	1.8801
	加权净资产收益率(%)	3.1300	1.3500	3.8300	1.9000
	净资产收益率(扣除)(%)	3.0502	-5.8324	-2.9698	-2.3251
	总资产(万元)	395322.14	342153.22	310091.28	286429.86
	归属母公司股东权益(万元)	180446.56	174882.16	179231.69	172488.67
	营业收入(万元)	119834.57	126139.51	60766.70	74320.44
	营业支出(万元)	106358.09	116317.58	55679.36	69901.34
	投资收益(万元)	5101.11	6322.05	2519.54	10462.35
	净利润(万元)	5564.40	2343.59	6743.02	3243.03
	营业利润(万元)	5537.88	1800.11	6677.17	2085.07
	利润总额(万元)	5564.40	2343.59	6743.02	3243.03

安通控股股份有限公司

公司概况					
公司名称	安通控股股份有限公司			证券简称	安通控股
法人代表	郭东泽	董秘	颜联源	证券代码	600179
公司网址	www.hh.chemchina.com		电子信箱	antong@renjian.cn	
电　话	0595-28092211		传　真	0595-28092211	
办公地址	福建省泉州市丰泽区刺桐北路868号仁建大厦				
经营范围	生产与销售焦炭及焦化产品、化学肥料、甲醇等				

主要财务指标 指标\报告期	2016.06.30	2015.12.31	2015.06.30	2014.12.31
基本每股收益(元)	-0.2600	-0.6900	-0.4200	-0.7800
基本每股收益(扣除后)(元)	-0.3300	-0.7000	-0.4200	-0.7400
稀释每股收益(元)	-0.2600	-0.6900	-0.4200	-0.7800
每股净资产(元)	-0.9801	-0.7183	-0.4280	0.0176
每股经营现金净流量(元)	-0.0580	0.2298	0.7269	0.1228
每股现金流量(元)	-0.0023	-0.1802	-0.1728	0.0978
每股资本公积金(元)	0.8350	0.1976	0.8350	0.8350
每股盈余公积金(元)	0.0720	0.1976	0.0720	0.0720
每股未分配利润(元)	-2.9101	1.7818	-2.3798	-1.9642
净资产收益率(%)	-	95.5897	-	-4447.7759
加权净资产收益率(%)	-	210.8300	-	-191.0000
净资产收益率(扣除)(%)	-	96.8503	98.4533	-4228.4518
总资产(万元)	86912.27	570624.77	129276.40	156398.63
归属母公司股东权益(万元)	-38223.53	138127.20	-16692.32	687.54
营业收入(万元)	9134.14	86646.63	51717.44	108018.07
营业支出(万元)	10622.09	101006.81	60987.20	125305.06
投资收益(万元)	-	-	-	-
净利润(万元)	-10208.65	-26848.69	-16262.73	-30779.43
营业利润(万元)	-12846.95	-27201.83	-16486.46	-29271.50
利润总额(万元)	-10208.65	-26848.69	-16262.73	-30779.43

瑞茂通供应链管理股份有限公司

公司概况					
公司名称	瑞茂通供应链管理股份有限公司			证券简称	瑞 茂 通
法人代表	万永兴	董秘	张菊芳	证券代码	600180
公司网址	www.ccsoln.com		电子信箱	ir@ccsoln.com	
电　话	010-56735855		传　真	010-59715880	
办公地址	北京市西城区宣武门外大街10号庄胜广场中央办公楼北翼13层				
经营范围	投资、房地产租赁及建材生产等				

主要财务指标 指标\报告期	2016.06.30	2015.12.31	2015.06.30	2014.12.31
基本每股收益(元)	0.1806	0.4509	0.1397	0.5739
基本每股收益(扣除后)(元)	0.1232	0.3057	0.1043	0.2778
稀释每股收益(元)	0.1806	0.4487	0.1397	0.5726
每股净资产(元)	4.1951	4.0564	3.7400	2.4584
每股经营现金净流量(元)	-1.6890	0.3679	-0.4832	-0.8266
每股现金流量(元)	0.1644	-0.1148	1.3304	0.0642
每股资本公积金(元)	1.4738	1.4668	1.4410	0.0935
每股盈余公积金(元)	0.0925	0.0924	0.0894	0.1035
每股未分配利润(元)	1.6475	1.5074	1.2110	1.2629
净资产收益率(%)	4.3103	10.3603	3.2291	23.2794
加权净资产收益率(%)	4.3600	13.6000	5.5200	25.7100
净资产收益率(扣除)(%)	2.9398	7.0233	2.4101	11.2683
总资产(万元)	1488147.44	1147028.22	1021622.96	798787.12
归属母公司股东权益(万元)	426418.50	412703.59	380460.89	215909.72
营业收入(万元)	762936.56	940503.82	349472.93	833948.58
营业支出(万元)	691896.32	798678.23	298822.59	711378.47
投资收益(万元)	9272.40	5710.52	5599.95	31049.62
净利润(万元)	18058.52	42579.89	12245.73	50156.94
营业利润(万元)	23978.08	41086.87	14529.13	46431.16
利润总额(万元)	24611.35	55485.14	15307.23	58421.55

佳通轮胎股份有限公司

公司概况					
公司名称	佳通轮胎股份有限公司			证券简称	S 佳 通
法人代表	李怀靖	董秘	张翠	证券代码	600182
公司网址	www.giticorp.com		电子信箱	giticorp@giti.com	
电　话	021-22073132		传　真	021-22073002	
办公地址	上海市长宁区临虹路28-2号				
经营范围	轮胎生产及销售等				

主要财务指标 指标\报告期	2016.06.30	2015.12.31	2015.06.30	2014.12.31
基本每股收益(元)	0.2185	0.6000	0.3100	0.6151
基本每股收益(扣除后)(元)	0.2175	0.5879	0.3100	0.5981
稀释每股收益(元)	0.2185	0.6000	0.3100	0.6151
每股净资产(元)	2.5796	3.3111	3.0305	3.3161
每股经营现金净流量(元)	1.7460	1.8618	1.0048	3.5011
每股现金流量(元)	-0.4405	0.0345	-0.0882	-0.1051
每股资本公积金(元)	0.0035	0.0035	0.0035	0.0035
每股盈余公积金(元)	0.2793	0.2793	0.1787	0.1787
每股未分配利润(元)	1.2968	2.0283	1.8483	2.1339
净资产收益率(%)	8.4698	17.9701	10.3731	18.5487
加权净资产收益率(%)	6.7000	18.2300	9.3200	19.6800
净资产收益率(扣除)(%)	8.4330	17.7562	10.2991	18.0368
总资产(万元)	228123.72	286132.89	297282.79	315985.51
归属母公司股东权益(万元)	87707.37	112578.76	103036.34	112748.29
营业收入(万元)	132434.19	316959.79	169656.70	398813.53
营业支出(万元)	99582.99	239710.43	127733.42	312950.13
投资收益(万元)	-	-	-	-
净利润(万元)	14998.07	40549.25	21413.79	41808.76
营业利润(万元)	20055.29	53741.08	28504.94	54530.24
利润总额(万元)	20139.54	54370.48	28704.37	56039.31

广东生益科技股份有限公司

公司概况					
公司名称	广东生益科技股份有限公司			证券简称	生益科技
法人代表	刘述峰	董秘	温世龙	证券代码	600183
公司网址	www.syst.com.cn		电子信箱	tzzgx@syst.com.cn	
电　话	0769-22271828*8225		传　真	0769-22174183	
办公地址	广东省东莞市万江区莞穗大道411号				
经营范围	生产和销售覆铜板和粘结片、印刷线路板、陶瓷电子元件、液晶产品等				

主要财务指标 指标\报告期	2016.06.30	2015.12.31	2015.06.30	2014.12.31
基本每股收益(元)	0.2200	0.3800	0.1600	0.3600
基本每股收益(扣除后)(元)	0.2200	0.3800	0.1700	0.3500
稀释每股收益(元)	0.2200	0.3800	0.1600	0.3600
每股净资产(元)	3.1742	3.2539	3.0053	52000.0000
每股经营现金净流量(元)	0.2314	0.7859	0.2751	0.1446
每股现金流量(元)	-0.2155	0.1914	-0.0428	-0.5113
每股资本公积金(元)	0.8068	0.8067	0.7651	0.7551
每股盈余公积金(元)	0.4124	0.4124	0.3569	0.3569
每股未分配利润(元)	0.9548	1.0349	0.8845	0.9727
净资产收益率(%)	6.9302	11.6346	5.3813	11.7459
加权净资产收益率(%)	6.7400	12.3100	5.3100	12.1000
净资产收益率(扣除)(%)	6.8182	11.7290	5.6830	11.3088
总资产(万元)	906248.37	886009.70	848531.55	831433.27
归属母公司股东权益(万元)	456311.74	467764.56	427662.34	438808.36
营业收入(万元)	389567.93	761023.42	358746.60	741806.74
营业支出(万元)	311800.47	617724.12	293824.49	612674.55
投资收益(万元)	595.25	905.22	348.84	906.95
净利润(万元)	31984.50	55293.50	23202.55	52238.76
营业利润(万元)	34998.42	60336.00	26931.93	56962.88
利润总额(万元)	36298.49	62096.49	26351.96	59063.49

北方光电股份有限公司

公司概况	公司名称	北方光电股份有限公司			证券简称	光电股份
	法人代表	叶明华	董秘	孙峰	证券代码	600184
	公司网址	www.sicong.com		电子信箱	newhgzqb@163.com	
	电　话	029-82537951		传　真	029-82526666	
	办公地址	陕西省西安市长乐中路35号				
	经营范围	光电装备、光电仪器产品、信息技术产品、太阳能电池及太阳能发电系统等				

主要财务指标	指标\报告期	2016.06.30	2015.12.31	2015.06.30	2014.12.31
	基本每股收益(元)	0.0100	0.1100	0.0400	0.3000
	基本每股收益(扣除后)(元)	0.0100	0.1100	0.0300	0.2800
	稀释每股收益(元)	0.0100	0.1100	0.0400	0.3000
	每股净资产(元)	4.3666	4.4098	2.3969	4.7203
	每股经营现金净流量(元)	–1.1182	0.4662	–1.2783	1.9429
	每股现金流量(元)	–1.6315	2.3059	–0.7802	–0.3836
	每股资本公积金(元)	2.6626	2.6626	0.5639	2.1279
	每股盈余公积金(元)	0.0977	0.0977	0.1099	0.2197
	每股未分配利润(元)	0.6039	0.6493	0.7207	1.3698
	净资产收益率(%)	0.3338	2.1057	1.4931	6.2575
	加权净资产收益率(%)	0.3300	4.6700	1.5000	6.4800
	净资产收益率(扣除)(%)	0.2596	2.0091	1.3677	6.0373
	总资产(万元)	376857.16	416604.35	296293.19	292748.76
	归属母公司股东权益(万元)	222156.63	224355.49	100373.23	98834.73
	营业收入(万元)	49783.99	274690.88	92727.20	183604.49
	营业支出(万元)	40857.88	246746.36	81993.75	154469.35
	投资收益(万元)	–1248.78	104.07	86.70	222.64
	净利润(万元)	774.11	4801.84	1535.87	6205.30
	营业利润(万元)	926.50	4888.82	1593.41	6456.60
	利润总额(万元)	956.57	5144.76	1726.79	6712.62

格力地产股份有限公司

公司概况	公司名称	格力地产股份有限公司			证券简称	格力地产
	法人代表	鲁君四	董秘	黄华敏	证券代码	600185
	公司网址	www.greedc.com		电子信箱	gldc@greedc.com	
	电　话	0756-8860606		传　真	0756-8309666	
	办公地址	广东省珠海市石花西路213号				
	经营范围	实业投资、投资及投资管理、房地产开发经营、物业管理等				

主要财务指标	指标\报告期	2016.06.30	2015.12.31	2015.06.30	2014.12.31
	基本每股收益(元)	0.1400	2.3700	0.5700	0.5400
	基本每股收益(扣除后)(元)	0.1400	0.7800	–0.0200	0.1700
	稀释每股收益(元)	0.1300	2.2100	0.5300	0.5400
	每股净资产(元)	2.4808	6.7597	5.9989	5.6889
	每股经营现金净流量(元)	0.4373	0.3153	–4.4764	–1.9829
	每股现金流量(元)	1.8746	1.0889	–1.5964	1.6728
	每股资本公积金(元)	–0.8775	–0.6572	–0.6600	–0.6604
	每股盈余公积金(元)	0.2049	0.5736	0.2986	0.2987
	每股未分配利润(元)	2.0252	5.4770	4.9690	3.3796
	净资产收益率(%)	5.6689	35.1031	26.4963	9.5306
	加权净资产收益率(%)	5.6900	40.1200	27.2000	10.2200
	净资产收益率(扣除)(%)	5.6392	11.5953	–0.7614	3.0446
	总资产(万元)	2467100.94	2061264.18	1992481.64	1851876.13
	归属母公司股东权益(万元)	401277.98	390497.39	346500.72	328587.07
	营业收入(万元)	136657.70	254492.38	11517.19	146630.33
	营业支出(万元)	91933.46	149768.30	8928.44	98093.82
	投资收益(万元)	29.17	101777.89	109061.35	26545.25
	净利润(万元)	22678.02	136956.37	91762.10	31284.86
	营业利润(万元)	30426.76	172937.85	115010.95	37574.20
	利润总额(万元)	30637.91	174798.44	105426.97	21439.04

莲花健康产业集团股份有限公司

公司概况	公司名称	莲花健康产业集团股份有限公司			证券简称	莲花味精
	法人代表	夏建统	董秘	时祖健	证券代码	600186
	公司网址	www.chinalotus.com.cn		电子信箱	a600186@sina.com	
	电　话	0394-4298666		传　真	0394-4298899	
	办公地址	河南省项城市莲花大道18号				
	经营范围	味精和调味品的生产及销售、热力、电力的生产及销售等				

主要财务指标	指标\报告期	2016.06.30	2015.12.31	2015.06.30	2014.12.31
	基本每股收益(元)	–0.0053	–0.4800	–0.4716	0.0225
	基本每股收益(扣除后)(元)	–0.0350	–0.4700	–0.4728	–0.2500
	稀释每股收益(元)	–0.0053	–0.4800	–0.4716	0.0225
	每股净资产(元)	0.0808	0.0860	0.0932	0.5648
	每股经营现金净流量(元)	0.0114	0.0049	–0.0069	–0.0364
	每股现金流量(元)	0.1757	–0.0120	–0.0120	–0.0035
	每股资本公积金(元)	0.2999	0.2999	0.2999	0.2999
	每股盈余公积金(元)	0.0781	0.0781	0.0781	0.0781
	每股未分配利润(元)	–1.2973	–1.2920	–1.2848	–0.8132
	净资产收益率(%)	–6.5084	–556.6112	–505.8098	3.9793
	加权净资产收益率(%)	–6.3000	–1.4700	–143.3300	4.0500
	净资产收益率(扣除)(%)	–43.3388	–549.8102	–507.0907	–44.2985
	总资产(万元)	241568.51	224553.59	215171.28	263625.81
	归属母公司股东权益(万元)	8577.17	9135.41	9901.47	59984.11
	营业收入(万元)	87235.36	177627.54	88029.08	200493.88
	营业支出(万元)	75854.28	169430.82	87077.24	189073.60
	投资收益(万元)	–646.06	–965.42	–284.18	2301.94
	净利润(万元)	–1787.53	–54665.07	–52756.38	1650.96
	营业利润(万元)	–4964.38	–86659.51	–52883.20	–24005.05
	利润总额(万元)	–1805.37	–87280.82	–52756.38	1650.96

黑龙江国中水务股份有限公司

公司概况	公司名称	黑龙江国中水务股份有限公司			证券简称	国中水务
	法人代表	尹峻	董秘	刘玉萍	证券代码	600187
	公司网址	www.interchina.com		电子信箱	liuyuping@interchina.com	
	电　话	021-62265371		传　真	021-62187072	
	办公地址	上海市长宁区虹桥路2188弄49号楼				
	经营范围	机制纸及纸浆、供排水及污水处理				

主要财务指标	指标\报告期	2016.06.30	2015.12.31	2015.06.30	2014.12.31
	基本每股收益(元)	0.0139	–0.0810	0.0084	0.1032
	基本每股收益(扣除后)(元)	–0.0111	–0.0497	0.0016	0.0860
	稀释每股收益(元)	0.0139	–0.0810	0.0084	0.1032
	每股净资产(元)	1.7629	1.7481	1.8373	1.8289
	每股经营现金净流量(元)	0.2091	–0.0506	0.0044	0.0724
	每股现金流量(元)	–0.0499	0.0905	0.0123	–0.0840
	每股资本公积金(元)	0.9188	0.9189	0.9189	0.9189
	每股盈余公积金(元)	0.0210	0.0210	0.0210	0.0210
	每股未分配利润(元)	–0.1782	–0.1921	–0.1028	–0.1111
	净资产收益率(%)	0.7896	–4.6324	0.4552	5.6412
	加权净资产收益率(%)	0.7900	–4.5279	0.4600	5.8100
	净资产收益率(扣除)(%)	–0.6271	–2.8410	0.0875	4.6995
	总资产(万元)	501075.46	406527.98	418393.06	393953.95
	归属母公司股东权益(万元)	256608.63	254456.44	267440.85	266220.55
	营业收入(万元)	16928.35	47470.48	25855.49	71992.72
	营业支出(万元)	11138.00	32154.23	15272.44	36234.72
	投资收益(万元)	3224.99	–5953.42	–177.25	368.44
	净利润(万元)	1960.96	–11941.66	1331.71	15492.34
	营业利润(万元)	712.48	–14227.86	33.55	14938.96
	利润总额(万元)	2477.48	–11539.60	1913.88	18542.35

兖州煤业股份有限公司

公司概况	公司名称	兖州煤业股份有限公司		证券简称	兖州煤业
	法人代表	李希勇	董秘 靳庆彬	证券代码	600188
	公司网址	www.yanzhoucoal.com.cn		电子信箱	yzc@yanzhoucoal.com.cn
	电　　话	0537-5382319　5385343		传　　真	0537-5383311　0852-31706606
	办公地址	山东省邹城市凫山南路298号			
	经营范围	地下煤炭开采、洗选加工、销售和煤炭铁路运输等			

主要财务指标	指标＼报告期	2016.06.30	2015.12.31	2015.06.30	2014.12.31
	基本每股收益(元)	0.1205	0.1700	0.1009	0.4570
	基本每股收益(扣除后)(元)	0.0196	0.0400	0.0116	0.2602
	稀释每股收益(元)	0.1205	0.1700	0.1009	0.4570
	每股净资产(元)	8.2736	8.1000	8.3926	7.9700
	每股经营现金净流量(元)	-0.0101	0.5737	-0.1193	1.1505
	每股现金流量(元)	-1.4027	0.6267	0.0801	1.8790
	每股资本公积金(元)	0.2589	0.0003	0.2615	0.2615
	每股盈余公积金(元)	1.2012	0.0012	1.2150	1.1996
	每股未分配利润(元)	6.0775	0.0060	5.9436	5.8511
	净资产收益率(%)	1.4558	2.1592	1.5243	5.8272
	加权净资产收益率(%)	1.5000	2.2100	1.6400	5.8900
	净资产收益率(扣除)(%)	0.2367	0.5490	0.4607	3.3572
	总资产(万元)	13944785.10	13906196.20	13199102.10	13113519.80
	归属母公司股东权益(万元)	4069263.80	3980767.90	4127800.00	3919867.80
	营业收入(万元)	2463521.80	6900738.20	2514340.60	6392273.80
	营业支出(万元)	2001828.70	5899038.40	2021559.00	5170399.60
	投资收益(万元)	38514.50	60871.30	19679.20	2354.90
	净利润(万元)	57072.40	83121.00	54488.70	185844.80
	营业利润(万元)	9621.30	83908.90	66801.40	254662.80
	利润总额(万元)	71768.50	151073.40	96908.50	336624.50

吉林森林工业股份有限公司

公司概况	公司名称	吉林森林工业股份有限公司		证券简称	吉林森工
	法人代表	于海军	董秘 时军	证券代码	600189
	公司网址	www.jlsg.com.cn		电子信箱	gfgs@jlsg.com.cn
	电　　话	0431-88912969		传　　真	0431-88930595
	办公地址	吉林省长春市朝阳区延安大街1399号			
	经营范围	森林采伐、人造板及饰面材料、进出口贸易、林化产品等的生产与销售等			

主要财务指标	指标＼报告期	2016.06.30	2015.12.31	2015.06.30	2014.12.31
	基本每股收益(元)	0.1900	0.1400	-0.0800	0.0300
	基本每股收益(扣除后)(元)	-0.2700	-0.6100	-0.0700	-0.0800
	稀释每股收益(元)	0.1900	0.1400	-0.0800	0.0300
	每股净资产(元)	4.6404	4.2757	4.0736	4.2288
	每股经营现金净流量(元)	-1.2081	0.5034	-0.0980	0.0124
	每股现金流量(元)	-1.0221	0.8720	0.8925	-0.3445
	每股资本公积金(元)	2.3043	2.0826	2.1070	2.0793
	每股盈余公积金(元)	0.6001	0.6001	0.5670	0.5670
	每股未分配利润(元)	0.7345	0.5915	0.3996	0.5821
	净资产收益率(%)	4.1580	3.3675	-2.0247	0.8078
	加权净资产收益率(%)	4.4100	3.3900	-1.9700	0.8000
	净资产收益率(扣除)(%)	-5.8282	-14.2958	-1.8019	-1.8911
	总资产(万元)	419231.75	460417.34	493346.30	387435.37
	归属母公司股东权益(万元)	144084.13	132759.50	126485.91	131304.46
	营业收入(万元)	17977.48	134798.44	78850.65	141750.18
	营业支出(万元)	13719.57	101617.32	56278.23	106784.44
	投资收益(万元)	17187.41	5290.35	112.98	3776.51
	净利润(万元)	5749.28	2846.61	-3195.38	1223.48
	营业利润(万元)	5298.50	-22868.93	-3034.25	-2535.11
	利润总额(万元)	5749.71	2684.60	-1966.26	3567.29

锦州港股份有限公司

公司概况	公司名称	锦州港股份有限公司		证券简称	锦 州 港
	法人代表	徐健	董秘 李桂萍	证券代码	600190
	公司网址	www.jinzhouport.com		电子信箱	JZP@jinzhouport.com
	电　　话	0416-3586462　3586234		传　　真	0416-3582431
	办公地址	辽宁省锦州市经济技术开发区锦港大街一段1号			
	经营范围	港口装卸、仓储及船货代理服务等			

主要财务指标	指标＼报告期	2016.06.30	2015.12.31	2015.06.30	2014.12.31
	基本每股收益(元)	0.0125	0.0645	0.0550	0.1100
	基本每股收益(扣除后)(元)	0.0021	0.0311	0.0370	0.0600
	稀释每股收益(元)	0.0125	0.0645	0.0550	0.1100
	每股净资产(元)	2.9312	2.9383	2.9623	2.9036
	每股经营现金净流量(元)	0.0518	0.2724	0.1983	0.1576
	每股现金流量(元)	0.6004	-0.1156	-0.0706	-0.3151
	每股资本公积金(元)	1.3302	1.3302	1.3302	1.3302
	每股盈余公积金(元)	0.1716	0.1716	0.1600	0.1600
	每股未分配利润(元)	0.4220	0.4294	0.4658	0.4106
	净资产收益率(%)	0.4275	2.1938	1.8655	3.7982
	加权净资产收益率(%)	0.4300	2.2000	1.8900	3.8600
	净资产收益率(扣除)(%)	0.0718	1.0586	1.2454	1.9006
	总资产(万元)	1333713.09	1200415.84	1183968.59	1219498.29
	归属母公司股东权益(万元)	586909.98	588333.96	593143.08	581390.95
	营业收入(万元)	99797.03	180554.94	118494.42	212699.47
	营业支出(万元)	84944.41	136743.82	90288.53	160815.17
	投资收益(万元)	3379.79	3430.12	1145.28	3823.55
	净利润(万元)	2123.16	12947.20	11289.52	23191.76
	营业利润(万元)	2109.12	13226.24	12647.23	19550.77
	利润总额(万元)	3394.87	16644.64	14712.02	30796.58

包头华资实业股份有限公司

公司概况	公司名称	包头华资实业股份有限公司		证券简称	华资实业
	法人代表	宋卫东	董秘 李怀庆	证券代码	600191
	公司网址	www.huazi.com		电子信箱	hzsy@huazi.com
	电　　话	0472-6957558　6957240		传　　真	0472-4190473
	办公地址	内蒙古自治区包头市东河区			
	经营范围	生产、销售糖、食用酒精、颗粒粕,电子元器件、计算机的研制、生产等			

主要财务指标	指标＼报告期	2016.06.30	2015.12.31	2015.06.30	2014.12.31
	基本每股收益(元)	0.0255	0.3044	0.3239	0.0266
	基本每股收益(扣除后)(元)	0.0260	0.2970	0.3248	0.0233
	稀释每股收益(元)	0.0255	0.3044	0.3239	0.0266
	每股净资产(元)	4.4141	4.7325	4.4275	3.9544
	每股经营现金净流量(元)	-0.0297	-0.1033	-0.0938	-0.1166
	每股现金流量(元)	-0.4417	0.2639	-0.0393	-0.2688
	每股资本公积金(元)	1.3040	1.3040	0.8720	0.8720
	每股盈余公积金(元)	0.2324	0.2324	0.2003	0.2003
	每股未分配利润(元)	0.6631	0.7376	0.7891	0.4752
	净资产收益率(%)	0.5788	6.4327	7.3168	0.6738
	加权净资产收益率(%)	0.5500	7.0100	7.7300	0.7200
	净资产收益率(扣除)(%)	0.5892	6.2749	7.3352	0.5902
	总资产(万元)	248632.83	272631.61	288792.09	264922.60
	归属母公司股东权益(万元)	214054.88	229492.23	214702.36	191760.47
	营业收入(万元)	3341.29	3276.72	2922.11	27697.56
	营业支出(万元)	3216.29	3488.07	3041.02	29511.85
	投资收益(万元)	4125.83	27391.67	21613.58	16022.80
	净利润(万元)	1237.27	14758.93	15707.62	1286.61
	营业利润(万元)	1195.33	15618.52	15418.50	843.95
	利润总额(万元)	1173.01	15980.54	15378.99	1004.20

兰州长城电工股份有限公司

公司概况					
公司名称	兰州长城电工股份有限公司			证券简称	长城电工
法人代表	杨林	董秘	白天洪	证券代码	600192
公司网址	www.chinagwe.com		电子信箱	gwe@chinagwe.com	
电　话	0931-8415501		传　真	0931-8414606	
办公地址	甘肃省兰州市城关区农民巷 215 号				
经营范围	电器机械及器材、电器元件的研究开发、生产、批发零售等				

主要财务指标 指标\报告期	2016.06.30	2015.12.31	2015.06.30	2014.12.31
基本每股收益(元)	0.0437	0.0916	0.0785	0.1759
基本每股收益(扣除后)(元)	0.0060	0.0031	0.0405	0.0389
稀释每股收益(元)	–	0.0916	–	0.1759
每股净资产(元)	4.3077	4.2719	4.2600	4.2000
每股经营现金净流量(元)	0.0070	0.0099	0.0048	0.2691
每股现金流量(元)	–0.3285	0.3334	0.0236	0.0247
每股资本公积金(元)	2.0464	2.0444	2.0444	2.0444
每股盈余公积金(元)	0.1076	0.1076	0.1076	0.1076
每股未分配利润(元)	1.1537	1.1120	1.1069	1.0464
净资产收益率(%)	1.0150	2.1446	1.8437	4.1901
加权净资产收益率(%)	1.0192	2.1600	1.8569	4.2700
净资产收益率(扣除)(%)	0.1395	0.0729	0.9499	0.9267
总资产(万元)	471253.75	466492.34	438445.07	422448.49
归属母公司股东权益(万元)	190290.79	188358.97	188135.23	185461.65
营业收入(万元)	90688.57	180515.15	104272.04	205800.28
营业支出(万元)	69383.17	133382.61	79592.13	154793.51
投资收益(万元)	22.25	–175.68	–131.42	215.64
净利润(万元)	2093.50	4519.96	3813.18	8228.70
营业利润(万元)	826.29	1028.15	2401.83	2920.17
利润总额(万元)	2631.07	5739.12	4204.94	9935.33

上海创兴资源开发股份有限公司

公司概况					
公司名称	上海创兴资源开发股份有限公司			证券简称	创兴资源
法人代表	翟金水	董秘	连福汉	证券代码	600193
公司网址			电子信箱	dayang@public.xm.fj.cn	
电　话	021-58125999		传　真	021-58125066	
办公地址	上海市浦东新区康桥路 1388 号				
经营范围	矿业投资、实业投资、从事货物及技术的进出口业务				

主要财务指标 指标\报告期	2016.06.30	2015.12.31	2015.06.30	2014.12.31
基本每股收益(元)	0.0020	0.1500	0.0400	–0.9400
基本每股收益(扣除后)(元)	0.0010	–0.2000	–0.0300	–0.8900
稀释每股收益(元)	0.0020	0.1500	0.0400	–0.9400
每股净资产(元)	0.9050	0.9027	0.8196	0.7889
每股经营现金净流量(元)	–0.0213	–0.0663	–0.1333	–0.0013
每股现金流量(元)	–0.0210	–0.2215	–0.0367	–0.0059
每股资本公积金(元)	0.3209	0.3207	0.3207	0.3257
每股盈余公积金(元)	0.1148	0.1148	0.1148	0.1148
每股未分配利润(元)	–0.5306	–0.5328	–0.6484	–0.6841
净资产收益率(%)	0.2399	16.7620	4.3534	–118.6629
加权净资产收益率(%)	0.2400	9.7800	4.4200	–76.8300
净资产收益率(扣除)(%)	0.1035	–21.7321	–3.4025	–112.8704
总资产(万元)	39812.38	40325.79	64176.92	82913.90
归属母公司股东权益(万元)	38497.68	38399.40	34863.20	33557.45
营业收入(万元)	1945.40	1855.19	137.37	5123.80
营业支出(万元)	1556.32	1633.28	98.65	5849.20
投资收益(万元)	–104.63	16137.73	2831.48	–1369.20
净利润(万元)	92.35	6436.49	1517.74	–40154.78
营业利润(万元)	22.36	6014.52	1959.35	–37736.10
利润总额(万元)	92.36	7215.76	2235.95	–39679.78

中牧实业股份有限公司

公司概况					
公司名称	中牧实业股份有限公司			证券简称	中牧股份
法人代表	胡启毅	董秘	梁传玉	证券代码	600195
公司网址	www.cahic.com		电子信箱	600195@cahic.com	
电　话	010-63702195		传　真	010-63702196	
办公地址	北京市丰台区南四环西路 188 号八区 16–19 号楼				
经营范围	饲料行业、动物保健品行业及畜牧业生产资料贸易等				

主要财务指标 指标\报告期	2016.06.30	2015.12.31	2015.06.30	2014.12.31
基本每股收益(元)	0.3096	0.6414	0.3282	0.6747
基本每股收益(扣除后)(元)	0.2941	0.6280	0.3241	0.6280
稀释每股收益(元)	0.3096	0.6414	0.3282	0.6747
每股净资产(元)	7.3847	7.0665	6.7681	6.6327
每股经营现金净流量(元)	–0.4444	1.2334	–0.2913	0.6662
每股现金流量(元)	–0.8575	0.7180	–0.1877	–1.3194
每股资本公积金(元)	2.1268	2.1268	2.1317	2.1422
每股盈余公积金(元)	0.5528	0.5528	0.5528	0.5528
每股未分配利润(元)	3.6932	3.3836	3.0799	2.9472
净资产收益率(%)	4.1926	9.0764	4.9896	10.1861
加权净资产收益率(%)	4.2900	9.0765	4.8000	10.4000
净资产收益率(扣除)(%)	3.9824	8.8870	4.9293	8.2203
总资产(万元)	582367.13	439036.14	429328.42	428654.78
归属母公司股东权益(万元)	317394.95	303719.05	290891.10	285527.60
营业收入(万元)	175408.00	423418.99	208823.51	403544.13
营业支出(万元)	126931.32	313705.30	161100.22	306903.36
投资收益(万元)	3772.01	3636.42	2710.53	11245.59
净利润(万元)	14352.63	28117.03	14989.53	28306.48
营业利润(万元)	16111.01	32411.57	17586.36	32181.52
利润总额(万元)	17042.50	33609.61	17789.99	33162.04

上海复星医药(集团)股份有限公司

公司概况					
公司名称	上海复星医药(集团)股份有限公司			证券简称	复星医药
法人代表	陈启宇	董秘	董晓娴	证券代码	600196
公司网址	www.fosunpharma.com		电子信箱	ir@fosunpharma.com	
电　话	021-23138196　33987870		传　真	021-23138035	
办公地址	上海市徐汇区宜山路 1289 号 A 楼				
经营范围	药品制造、药品销售、医疗器械和医疗诊断产品等				

主要财务指标 指标\报告期	2016.06.30	2015.12.31	2015.06.30	2014.12.31
基本每股收益(元)	0.6500	1.0700	0.5600	0.9200
基本每股收益(扣除后)(元)	0.4800	0.7200	0.3800	0.5800
稀释每股收益(元)	0.6500	1.0600	0.5600	0.9200
每股净资产(元)	8.2075	7.8569	7.5683	7.2135
每股经营现金净流量(元)	0.4045	0.7005	0.2931	0.5192
每股现金流量(元)	0.2148	0.1463	–0.0672	0.2569
每股资本公积金(元)	2.6726	2.6187	2.6225	2.6490
每股盈余公积金(元)	0.8623	0.8623	0.7192	0.7191
每股未分配利润(元)	3.3261	2.9977	2.6449	2.3607
净资产收益率(%)	7.8991	13.5307	7.4514	12.6710
加权净资产收益率(%)	8.0900	14.2100	7.4800	13.3800
净资产收益率(扣除)(%)	5.8914	9.1093	5.0445	7.9822
总资产(万元)	4094409.57	3820172.58	3634631.05	3533627.73
归属母公司股东权益(万元)	1899282.48	1818157.01	1749319.81	1667484.88
营业收入(万元)	693709.12	1260864.83	592138.40	1202553.20
营业支出(万元)	322857.45	630804.07	292946.51	671856.88
投资收益(万元)	107879.87	234662.28	126771.21	192501.15
净利润(万元)	174862.55	287066.09	151610.55	236983.89
营业利润(万元)	184902.87	329717.22	178803.41	239434.68
利润总额(万元)	192977.07	337183.15	181009.36	271805.36

新疆伊力特实业股份有限公司

公司概况

公司名称	新疆伊力特实业股份有限公司			证券简称	伊力特
法人代表	徐勇辉	董秘	君洁	证券代码	600197
公司网址	www.xjyilite.com		电子信箱	yilitedm@163.com	
电　　话	0991-3667490		传　　真	0991-3672172	
办公地址	新疆维吾尔自治区伊犁哈萨克自治州新源县肖尔布拉克				
经营范围	白酒生产和销售等业务				

主要财务指标

指标＼报告期	2016.06.30	2015.12.31	2015.06.30	2014.12.31
基本每股收益(元)	0.3124	0.6393	0.3002	0.6079
基本每股收益(扣除后)(元)	0.3120	0.5948	0.2970	0.5347
稀释每股收益(元)	0.3124	0.6393	0.3002	0.6079
每股净资产(元)	4.0437	4.1313	3.7920	3.7219
每股经营现金净流量(元)	0.5119	0.5646	0.1497	0.5575
每股现金流量(元)	0.0801	0.2270	0.1098	0.9587
每股资本公积金(元)	0.4617	0.4617	0.4617	0.4617
每股盈余公积金(元)	0.6410	0.6410	0.5788	0.5788
每股未分配利润(元)	1.9409	2.0285	1.7515	1.6813
净资产收益率(%)	7.7265	15.4745	7.9154	16.3326
加权净资产收益率(%)	7.2900	16.2000	7.7500	17.0200
净资产收益率(扣除)(%)	7.7163	14.3980	7.8319	14.3655
总资产(万元)	224111.62	244355.07	223290.29	230918.30
归属母公司股东权益(万元)	178327.31	182188.76	167227.58	164133.88
营业收入(万元)	81966.92	163753.43	80692.96	162829.34
营业支出(万元)	41734.83	79561.78	40366.33	77587.08
投资收益(万元)	-302.99	190.93	182.95	-23.59
净利润(万元)	13782.55	28228.56	13227.18	26881.61
营业利润(万元)	20861.49	40243.57	20261.54	37686.33
利润总额(万元)	20875.02	40849.23	20372.64	39320.29

大唐电信科技股份有限公司

公司概况

公司名称	大唐电信科技股份有限公司			证券简称	大唐电信
法人代表	黄志勤	董秘	蒋昆	证券代码	600198
公司网址	www.datang.com		电子信箱	dt600198@datang.com	
电　　话	010-58919172		传　　真	010-58919173	
办公地址	北京市海淀区永嘉北路6号				
经营范围	各类通讯网络系统、各类通信终端、计算机软硬件等产品开发、生产、销售等				

主要财务指标

指标＼报告期	2016.06.30	2015.12.31	2015.06.30	2014.12.31
基本每股收益(元)	-0.4254	0.0322	-0.3326	0.2562
基本每股收益(扣除后)(元)	-0.4627	-0.8005	-0.3744	-0.0648
稀释每股收益(元)	-0.4254	0.0322	-0.3326	0.2562
每股净资产(元)	4.1877	4.6154	4.2316	4.5695
每股经营现金净流量(元)	-0.1181	1.0243	0.1283	-0.6655
每股现金流量(元)	-0.1513	-0.5577	-0.4513	0.4139
每股资本公积金(元)	4.1876	4.1876	4.1752	4.1752
每股盈余公积金(元)	0.0686	0.0686	0.0678	0.0678
每股未分配利润(元)	-1.0633	-0.6367	-1.0080	-0.6754
净资产收益率(%)	-10.1585	0.6987	-7.8597	5.3846
加权净资产收益率(%)	-9.6650	0.7034	-7.5579	6.1289
净资产收益率(扣除)(%)	-11.0478	-17.3441	-8.8482	-1.3621
总资产(万元)	1371660.96	1379458.08	1400934.29	1396461.01
归属母公司股东权益(万元)	369403.41	407125.54	373269.94	403076.87
营业收入(万元)	397966.86	860258.88	265744.94	798403.10
营业支出(万元)	352635.93	749401.23	226675.23	638428.92
投资收益(万元)	1369.57	46574.87	-66.76	2742.06
净利润(万元)	-37776.79	4497.86	-29676.98	24767.53
营业利润(万元)	-38344.46	-21054.52	-33620.05	5808.47
利润总额(万元)	-34840.64	8489.46	-28984.29	31733.30

安徽金种子酒业股份有限公司

公司概况

公司名称	安徽金种子酒业股份有限公司			证券简称	金种子酒
法人代表	宁中伟	董秘	金彪	证券代码	600199
公司网址	www.jzz.cn		电子信箱	jinbiao@600199.com.cn	
电　　话	0558-2210568		传　　真	0558-2212666	
办公地址	安徽省阜阳市莲花路259号				
经营范围	白酒的生产与销售等				

主要财务指标

指标＼报告期	2016.06.30	2015.12.31	2015.06.30	2014.12.31
基本每股收益(元)	0.0195	0.0900	0.0617	0.1600
基本每股收益(扣除后)(元)	0.0052	0.0400	0.0282	0.1100
稀释每股收益(元)	0.0195	0.0900	0.0617	0.1600
每股净资产(元)	4.0217	4.0323	3.9990	3.9875
每股经营现金净流量(元)	-0.2931	0.6363	0.5104	0.0959
每股现金流量(元)	0.0762	1.5668	1.4333	-0.6823
每股资本公积金(元)	1.2609	1.2609	1.2609	1.2609
每股盈余公积金(元)	0.1994	0.1994	0.1944	0.1944
每股未分配利润(元)	1.5040	1.5145	1.4875	1.4758
净资产收益率(%)	0.4848	2.3240	1.5417	3.9962
加权净资产收益率(%)	0.4800	2.3400	1.5300	4.0400
净资产收益率(扣除)(%)	0.1288	0.9492	0.7043	2.7936
总资产(万元)	316657.64	331006.60	329585.51	322025.65
归属母公司股东权益(万元)	223514.17	224107.69	222252.76	221615.82
营业收入(万元)	75968.46	172759.95	86350.52	207503.46
营业支出(万元)	32429.83	69836.13	34228.45	78134.86
投资收益(万元)	373.02	3118.87	2099.69	3310.12
净利润(万元)	1109.68	5235.40	3434.91	8857.32
营业利润(万元)	1631.30	5354.96	4992.81	11221.44
利润总额(万元)	2294.58	6312.76	5355.48	11660.06

江苏吴中实业股份有限公司

公司概况

公司名称	江苏吴中实业股份有限公司			证券简称	江苏吴中
法人代表	赵唯一	董秘	朱菊芳	证券代码	600200
公司网址	www.600200.com		电子信箱	jswz@600200.com	
电　　话	0512-66981888 65626898		传　　真	0512-65270086	
办公地址	苏州市吴中区东方大道988号				
经营范围	服装与医药等				

主要财务指标

指标＼报告期	2016.06.30	2015.12.31	2015.06.30	2014.12.31
基本每股收益(元)	0.0060	0.0770	0.0280	0.0650
基本每股收益(扣除后)(元)	-0.0070	0.0560	0.0190	0.0420
稀释每股收益(元)	0.0060	0.0770	0.0280	0.0650
每股净资产(元)	2.3076	2.3025	1.5923	1.5878
每股经营现金净流量(元)	0.7396	0.0614	-0.2079	-0.5094
每股现金流量(元)	-0.0461	0.2680	-0.1049	-0.2719
每股资本公积金(元)	0.7792	0.7769	0.0829	0.0327
每股盈余公积金(元)	0.1767	0.1767	0.1882	0.1897
每股未分配利润(元)	0.3780	0.3949	0.3703	0.3654
净资产收益率(%)	0.2573	3.1853	1.7387	4.1249
加权净资产收益率(%)	0.2600	4.3100	1.7500	4.1800
净资产收益率(扣除)(%)	-0.2936	2.3269	1.1736	2.6360
总资产(万元)	414701.58	424244.50	400679.72	401888.54
归属母公司股东权益(万元)	154480.40	154187.13	100090.41	99031.05
营业收入(万元)	156836.13	292835.62	137898.64	306648.73
营业支出(万元)	139833.15	257329.03	118890.61	258846.21
投资收益(万元)	477.75	8664.29	3676.14	718.94
净利润(万元)	1416.27	6298.10	3223.02	8682.80
营业利润(万元)	1457.09	7123.48	4093.83	11659.21
利润总额(万元)	2409.07	8540.45	4613.93	13293.71

金宇生物技术股份有限公司

公司概况				
公司名称	金宇生物技术股份有限公司		证券简称	生物股份
法人代表	张翀宇	董秘 尹松涛	证券代码	600201
公司网址	www.jinyu.com.cn		电子信箱	stock@jinyu.com.cn
电　　话	0471-6539434		传　　真	0471-6539430
办公地址	内蒙古自治区呼和浩特市鄂尔多斯西街 58 号			
经营范围	生物药品制造、房地产开发、羊绒纺织、生物技术开发应用等			

主要财务指标：指标\报告期	2016.06.30	2015.12.31	2015.06.30	2014.12.31
基本每股收益(元)	0.5000	0.8500	0.4400	0.7200
基本每股收益(扣除后)(元)	0.4900	0.8400	0.4300	1.4300
稀释每股收益(元)	0.5000	0.8500	0.4400	0.7200
每股净资产(元)	3.7687	3.6115	6.4139	5.7115
每股经营现金净流量(元)	0.2163	0.8629	0.1051	2.0471
每股现金流量(元)	-0.2236	0.1424	-0.4474	0.8283
每股资本公积金(元)	0.0969	0.0867	1.1260	1.0381
每股盈余公积金(元)	0.2699	0.2699	0.4109	0.4117
每股未分配利润(元)	2.4588	2.3634	4.0769	3.4870
净资产收益率(%)	13.1463	23.1888	13.4636	24.7647
加权净资产收益率(%)	12.9900	26.0700	14.1700	28.0000
净资产收益率(扣除)(%)	12.9074	23.0637	13.4151	24.6212
总资产(万元)	262083.86	255021.99	221017.05	209799.48
归属母公司股东权益(万元)	215882.40	206878.96	183704.93	163265.40
营业收入(万元)	62022.19	124650.58	55787.13	106293.20
营业支出(万元)	15149.66	28632.77	12825.44	25283.91
投资收益(万元)	263.87	760.11	493.78	423.02
净利润(万元)	28303.26	47775.77	24488.27	40211.70
营业利润(万元)	32889.95	59052.37	29630.54	48031.37
利润总额(万元)	33487.32	59354.86	29732.42	48296.53

哈尔滨空调股份有限公司

公司概况				
公司名称	哈尔滨空调股份有限公司		证券简称	哈空调
法人代表	杨凤明	董秘 孙淑玲	证券代码	600202
公司网址	www.hac.com.cn		电子信箱	ssl@hac.com.cn
电　　话	0451-84644521		传　　真	0451-84676205
办公地址	黑龙江省哈尔滨市高新技术开发区迎宾路集中区滇池街 7 号			
经营范围	空气冷却设备、空气调节设备、节能换热设备的开发、生产与销售等			

主要财务指标：指标\报告期	2016.06.30	2015.12.31	2015.06.30	2014.12.31
基本每股收益(元)	0.4400	0.7200	0.0056	0.0588
基本每股收益(扣除后)(元)	0.4300	1.4300	-0.0025	0.0325
稀释每股收益(元)	0.4400	0.7200	0.0056	0.0588
每股净资产(元)	6.4139	5.7115	2.2388	2.2332
每股经营现金净流量(元)	0.1051	2.0471	-0.1969	0.6908
每股现金流量(元)	-0.4474	0.8283	-0.0791	-0.0959
每股资本公积金(元)	1.1260	1.0381	0.1996	0.1996
每股盈余公积金(元)	0.4109	0.4117	0.3362	0.3362
每股未分配利润(元)	4.0769	3.4870	0.7026	0.6970
净资产收益率(%)	13.4636	24.7647	0.2481	2.6346
加权净资产收益率(%)	14.1700	28.0000	0.2500	2.6700
净资产收益率(扣除)(%)	13.4151	24.6212	-0.1123	1.4573
总资产(万元)	221017.05	209799.48	255533.42	261535.19
归属母公司股东权益(万元)	183704.93	163265.40	85821.65	85608.73
营业收入(万元)	55787.13	106293.20	35152.13	105899.05
营业支出(万元)	12825.44	25283.91	27961.58	81247.39
投资收益(万元)	493.78	423.02	1689.42	156.97
净利润(万元)	24488.27	40211.70	212.96	2255.45
营业利润(万元)	29630.54	48031.37	-390.33	1326.11
利润总额(万元)	29732.42	48296.53	-51.25	2417.45

福建福日电子股份有限公司

公司概况				
公司名称	福建福日电子股份有限公司		证券简称	福日电子
法人代表	卞志航	董秘 许政声	证券代码	600203
公司网址	www.furielec.com		电子信箱	xuzs@furielec.com
电　　话	0591-83315984 83318998		传　　真	0591-83319978
办公地址	福建省福州市鼓楼区五一北路 153 号正祥商务中心 2 号楼 12、13 层			
经营范围	电子计算机及配件、电子产品及通讯设备、家用电器、电子元、器件的制造、销售			

主要财务指标：指标\报告期	2016.06.30	2015.12.31	2015.06.30	2014.12.31
基本每股收益(元)	0.0892	0.3100	0.0621	0.2878
基本每股收益(扣除后)(元)	0.0854	0.0700	-0.0616	-0.2039
稀释每股收益(元)	0.0892	0.3100	0.0621	0.2878
每股净资产(元)	4.9913	4.3235	4.4315	3.8853
每股经营现金净流量(元)	0.0633	-0.2902	-0.3181	-0.1791
每股现金流量(元)	0.1182	0.1318	-0.4310	0.3419
每股资本公积金(元)	3.5745	2.8100	2.8100	2.8100
每股盈余公积金(元)	0.0536	0.0643	0.0586	0.0586
每股未分配利润(元)	0.0231	-0.0578	-0.2984	-0.2905
净资产收益率(%)	1.5877	7.1328	1.4018	5.3179
加权净资产收益率(%)	1.9800	7.4900	1.4800	11.7900
净资产收益率(扣除)(%)	1.5207	1.7330	-1.3894	-3.7670
总资产(万元)	476966.27	468289.62	431596.05	398192.71
归属母公司股东权益(万元)	227827.18	164415.81	168523.23	147748.72
营业收入(万元)	328789.03	618266.73	309454.12	351128.96
营业支出(万元)	305386.52	573836.63	293388.05	339144.14
投资收益(万元)	196.32	11317.27	5536.88	17951.43
净利润(万元)	1955.89	12011.54	2735.70	6352.98
营业利润(万元)	1945.86	11758.18	3367.39	9109.56
利润总额(万元)	2912.37	14061.08	4176.34	9315.73

有研新材料股份有限公司

公司概况				
公司名称	有研新材料股份有限公司		证券简称	有研新材
法人代表	张少明	董秘 上官永恒	证券代码	600206
公司网址	www.gritek.com		电子信箱	stock@griam.cn
电　　话	010-62369559		传　　真	010-62362059
办公地址	北京市海淀区北三环中路 43 号			
经营范围	单晶硅、锗、化合物、半导体材料及相关电子材料的研究、开发生产和销售			

主要财务指标：指标\报告期	2016.06.30	2015.12.31	2015.06.30	2014.12.31
基本每股收益(元)	0.0210	0.0400	0.0270	0.0700
基本每股收益(扣除后)(元)	0.0030	0.0200	0.0200	-0.1300
稀释每股收益(元)	0.0210	0.0400	0.0270	0.0700
每股净资产(元)	3.3141	3.2913	3.2813	3.2545
每股经营现金净流量(元)	-0.2094	-0.1372	-0.2175	-0.0979
每股现金流量(元)	-0.0693	0.0497	-0.0835	0.2472
每股资本公积金(元)	1.6753	1.6753	1.6753	1.6784
每股盈余公积金(元)	0.0764	0.0764	0.0764	0.0764
每股未分配利润(元)	0.5600	0.5394	0.5299	0.5032
净资产收益率(%)	0.6218	1.0990	0.8152	2.2064
加权净资产收益率(%)	0.6200	1.0500	0.8200	1.9300
净资产收益率(扣除)(%)	0.0789	0.6486	0.6242	-3.9344
总资产(万元)	320787.67	309281.07	309046.98	313553.67
归属母公司股东权益(万元)	277982.94	276070.58	275226.20	273241.01
营业收入(万元)	161950.89	258954.85	117094.92	242293.78
营业支出(万元)	152111.82	237514.92	106195.75	219085.54
投资收益(万元)	948.27	995.96	-	4851.29
净利润(万元)	1862.64	3318.14	2539.59	6951.37
营业利润(万元)	1514.97	2573.77	2411.11	-3319.51
利润总额(万元)	2251.32	3456.94	3054.25	10003.52

河南安彩高科股份有限公司

公司概况						
	公司名称	河南安彩高科股份有限公司			证券简称	安彩高科
	法人代表	蔡志端	董秘	冯武	证券代码	600207
	公司网址	www.acht.com.cn		电子信箱	achtzqb@acbc.com.cn	
	电　话	0372-3732533		传　真	0372-3938035	
	办公地址	河南省安阳市中州路南段				
	经营范围	21#、25#、29# 彩玻的生产和销售				

主要财务指标	指标＼报告期	2016.06.30	2015.12.31	2015.06.30	2014.12.31
	基本每股收益(元)	0.0018	0.0270	-0.1384	-0.3912
	基本每股收益(扣除后)(元)	-0.0025	-0.2457	-0.1407	-0.4052
	稀释每股收益(元)	0.0018	0.0270	-0.1384	-0.3912
	每股净资产(元)	1.1507	1.1491	0.9840	1.1214
	每股经营现金净流量(元)	0.1193	0.8102	-0.1807	0.1840
	每股现金流量(元)	-0.0369	0.0151	-0.0987	-0.0395
	每股资本公积金(元)	2.8388	2.8388	2.8388	2.8388
	每股盈余公积金(元)	0.5624	0.5624	0.5624	0.5624
	每股未分配利润(元)	-3.2585	-3.2603	-3.4256	-3.2872
	净资产收益率(%)	0.1524	2.3459	-14.0648	-34.8893
	加权净资产收益率(%)	0.1525	2.3700	-13.1535	-29.7500
	净资产收益率(扣除)(%)	-0.2214	-21.3797	-14.2953	-36.1305
	总资产(万元)	230121.05	235560.24	326966.11	290593.67
	归属母公司股东权益(万元)	79398.55	79288.38	67895.58	77374.13
	营业收入(万元)	95333.68	176847.21	85786.88	191273.23
	营业支出(万元)	83109.77	162128.80	80460.47	170671.23
	投资收益(万元)	-426.26	18111.06	334.28	-
	净利润(万元)	364.61	2238.30	-9278.13	-26349.04
	营业利润(万元)	268.92	2495.85	-9121.06	-25681.11
	利润总额(万元)	632.99	3081.74	-8970.54	-24914.39

新湖中宝股份有限公司

公司概况						
	公司名称	新湖中宝股份有限公司			证券简称	新湖中宝
	法人代表	林俊波	董秘	虞迪锋	证券代码	600208
	公司网址	www.600208.net		电子信箱	yudf@600208.net	
	电　话	0571-87395003　85171837		传　真	0571-87395052	
	办公地址	浙江省杭州市西溪路 128 号新湖商务大厦 11 层				
	经营范围	港口设施、酒店服务、教育产业和房地产业				

主要财务指标	指标＼报告期	2016.06.30	2015.12.31	2015.06.30	2014.12.31
	基本每股收益(元)	0.0340	0.1400	0.0540	0.1700
	基本每股收益(扣除后)(元)	0.0310	0.1200	0.0390	0.1000
	稀释每股收益(元)	0.0340	0.1400	0.0540	0.1700
	每股净资产(元)	2.4731	2.6511	2.5538	2.3928
	每股经营现金净流量(元)	0.2805	0.0771	-0.1596	-0.6235
	每股现金流量(元)	-0.1319	0.2762	-0.5140	0.2422
	每股资本公积金(元)	0.8909	0.9727	0.5966	0.5511
	每股盈余公积金(元)	0.0915	0.0865	0.0849	0.0861
	每股未分配利润(元)	0.7223	0.6958	0.7011	0.7124
	净资产收益率(%)	1.4589	4.8115	2.1114	5.6289
	加权净资产收益率(%)	1.3200	5.8900	2.1600	8.0900
	净资产收益率(扣除)(%)	1.3005	4.1833	1.5065	3.3219
	总资产(万元)	9667174.69	8906743.93	7689761.80	7084923.32
	归属母公司股东权益(万元)	2126734.95	2412398.53	2078326.60	1922077.45
	营业收入(万元)	414013.95	1163629.88	497961.44	1103833.91
	营业支出(万元)	331424.06	864611.37	383595.54	859646.79
	投资收益(万元)	35385.21	97981.49	39368.27	105607.47
	净利润(万元)	20694.62	104167.96	50084.27	114600.44
	营业利润(万元)	5445.45	150895.78	70920.19	148656.52
	利润总额(万元)	4579.04	149453.58	70460.73	149567.77

罗顿发展股份有限公司

公司概况						
	公司名称	罗顿发展股份有限公司			证券简称	罗顿发展
	法人代表	高松	董秘	林丽娟	证券代码	600209
	公司网址	www.lawtonfz.com.cn		电子信箱	golden@public.hk.hi.cn	
	电　话	0898-66258868-801		传　真	0898-66254868	
	办公地址	海南省海口市人民大道 68 号 12 楼				
	经营范围	酒店经营与管理、装饰工程等				

主要财务指标	指标＼报告期	2016.06.30	2015.12.31	2015.06.30	2014.12.31
	基本每股收益(元)	-0.0890	0.0057	0.0621	0.2878
	基本每股收益(扣除后)(元)	-0.0930	-0.0560	-0.0616	-0.2039
	稀释每股收益(元)	-0.0890	0.0057	0.0621	0.2878
	每股净资产(元)	1.5490	1.6430	4.4315	3.8853
	每股经营现金净流量(元)	-0.0797	-0.0503	-0.3181	-0.1791
	每股现金流量(元)	-0.0389	-0.0499	-0.4310	0.3419
	每股资本公积金(元)	0.2697	0.2697	2.8100	2.8100
	每股盈余公积金(元)	0.0744	0.0744	0.0586	0.0586
	每股未分配利润(元)	0.1839	0.2751	-0.2984	-0.2905
	净资产收益率(%)	-5.7751	0.3488	1.4018	5.3179
	加权净资产收益率(%)	-5.6000	0.3500	1.4800	11.7900
	净资产收益率(扣除)(%)	-6.0220	-3.4099	-1.3894	-3.7670
	总资产(万元)	90518.89	97578.49	431596.05	398192.71
	归属母公司股东权益(万元)	68001.62	72144.89	168523.23	147748.72
	营业收入(万元)	2577.03	10976.00	309454.12	351128.96
	营业支出(万元)	2079.28	9028.15	293388.05	339144.14
	投资收益(万元)	-312.87	143.33	5536.88	17951.43
	净利润(万元)	-4681.16	-593.37	2735.70	6352.98
	营业利润(万元)	-4789.38	-3246.15	3367.39	9109.56
	利润总额(万元)	-4793.38	-312.52	4176.34	9315.73

上海紫江企业集团股份有限公司

公司概况						
	公司名称	上海紫江企业集团股份有限公司			证券简称	紫江企业
	法人代表	沈雯	董秘	高军	证券代码	600210
	公司网址	www.zijiangqy.com		电子信箱	zijiangqy@zijiangqy.com	
	电　话	021-62377118		传　真	021-62377327	
	办公地址	上海市虹桥路 2272 号虹桥商务大厦 7 楼 C 座				
	经营范围	包装业务和房地产业务				

主要财务指标	指标＼报告期	2016.06.30	2015.12.31	2015.06.30	2014.12.31
	基本每股收益(元)	0.1210	0.0710	0.1240	0.1130
	基本每股收益(扣除后)(元)	0.1170	0.0560	0.1210	0.0860
	稀释每股收益(元)	0.1210	0.0710	0.1240	0.1130
	每股净资产(元)	2.7701	2.6886	2.7509	2.5487
	每股经营现金净流量(元)	0.3540	0.6363	0.2332	0.5794
	每股现金流量(元)	0.1850	-0.3025	-0.0399	0.1235
	每股资本公积金(元)	0.2488	0.2487	0.2638	0.1935
	每股盈余公积金(元)	0.3012	0.3012	0.2893	0.3054
	每股未分配利润(元)	1.0293	0.9083	1.0223	0.9497
	净资产收益率(%)	4.3683	2.6276	4.4621	4.4221
	加权净资产收益率(%)	4.4300	2.7800	4.6700	4.3800
	净资产收益率(扣除)(%)	4.2208	2.0806	4.3679	3.3900
	总资产(万元)	1102675.61	1079590.26	1135752.35	1079526.91
	归属母公司股东权益(万元)	420154.53	407790.21	417236.45	366177.90
	营业收入(万元)	434755.16	838975.36	433865.24	850135.05
	营业支出(万元)	343494.20	688261.11	348637.96	708051.74
	投资收益(万元)	1665.65	3206.17	1945.20	5836.42
	净利润(万元)	19110.29	11434.60	19170.77	17428.49
	营业利润(万元)	23875.42	15574.02	24368.17	21514.14
	利润总额(万元)	24630.11	17637.93	24829.62	23013.29

西藏诺迪康药业股份有限公司

公司概况					
公司名称	西藏诺迪康药业股份有限公司			证券简称	西藏药业
法人代表	陈达彬	董秘	刘岚	证券代码	600211
公司网址	www.xzyy.cn		电子信箱	zqb@xzyy.cn	
电　话	0891-6835752 028-86653915		传　真	0891-6837749 028-86660740	
办公地址	西藏自治区拉萨市北京中路 93 号				
经营范围	生产、销售诺迪康胶囊、诺迪康颗粒、诺迪康口服液、藏药产品及医疗器械等				

主要财务指标	2016.06.30	2015.12.31	2015.06.30	2014.12.31
指标\报告期	2016.06.30	2015.12.31	2015.06.30	2014.12.31
基本每股收益(元)	0.4240	0.6290	0.1680	0.1440
基本每股收益(扣除后)(元)	0.3080	0.4460	0.1660	0.1320
稀释每股收益(元)	0.4240	0.6290	0.1680	0.1440
每股净资产(元)	3.5931	3.3619	2.8967	2.7774
每股经营现金净流量(元)	0.2490	0.9199	0.0826	-0.9713
每股现金流量(元)	-0.7001	0.3578	-0.1993	-1.0615
每股资本公积金(元)	1.4882	1.4882	1.4882	1.4882
每股盈余公积金(元)	0.2682	0.2682	0.2057	0.2057
每股未分配利润(元)	0.8095	0.5757	0.1770	0.0593
净资产收益率(%)	11.7961	18.7221	5.7891	5.1885
加权净资产收益率(%)	11.8600	20.5800	5.9100	5.1300
净资产收益率(扣除)(%)	8.5804	13.2677	5.7375	4.7467
总资产(万元)	207762.94	70633.00	98122.91	104644.37
归属母公司股东权益(万元)	52311.60	48945.27	42172.32	40435.35
营业收入(万元)	25225.31	138275.58	91549.52	166803.60
营业支出(万元)	3223.96	93546.49	71374.49	132831.52
投资收益(万元)	95.62	2995.61	71.25	156.95
净利润(万元)	6177.91	9073.73	2399.51	2020.89
营业利润(万元)	5240.90	10664.72	3287.45	2564.15
利润总额(万元)	6920.39	10632.57	3156.42	2651.36

山东江泉实业股份有限公司

公司概况					
公司名称	山东江泉实业股份有限公司			证券简称	*ST 江泉
法人代表	查大兵	董秘	张谦	证券代码	600212
公司网址	www.jiangquan.com.cn		电子信箱	jiangquan600212@126.com	
电　话	0539-7100051		传　真	0539-7100153	
办公地址	山东省临沂市罗庄区江泉工业园三江路 6 号				
经营范围	电力生产供应、供热、供汽等				

主要财务指标	2016.06.30	2015.12.31	2015.06.30	2014.12.31
指标\报告期	2016.06.30	2015.12.31	2015.06.30	2014.12.31
基本每股收益(元)	0.0796	-0.6654	0.0540	0.1700
基本每股收益(扣除后)(元)	0.0306	-0.6582	0.0390	0.1000
稀释每股收益(元)	0.0796	-0.6654	0.0540	0.1700
每股净资产(元)	1.3906	1.3101	2.5538	2.3928
每股经营现金净流量(元)	0.0058	0.0418	-0.1596	-0.6235
每股现金流量(元)	0.1082	-0.0728	-0.5140	0.2422
每股资本公积金(元)	0.8632	0.8632	0.5966	0.5511
每股盈余公积金(元)	0.1899	0.1899	0.0849	0.0861
每股未分配利润(元)	-0.6671	-0.7466	0.7011	0.7124
净资产收益率(%)	5.7214	-50.7911	2.1114	5.6289
加权净资产收益率(%)	5.8900	-40.5500	2.1600	8.0900
净资产收益率(扣除)(%)	2.2015	-50.2375	1.5065	3.3219
总资产(万元)	76117.21	75094.71	7689761.80	7084923.32
归属母公司股东权益(万元)	71157.33	67037.88	2078326.60	1922077.45
营业收入(万元)	12797.34	27222.07	497961.44	1103833.91
营业支出(万元)	11235.50	25153.41	383595.54	859646.79
投资收益(万元)	1641.62	-953.67	39368.27	105607.47
净利润(万元)	4071.22	-34049.25	50084.27	114600.44
营业利润(万元)	1566.51	-32740.50	70920.19	148656.52
利润总额(万元)	4071.22	-33111.59	70460.73	149567.77

扬州亚星客车股份有限公司

公司概况					
公司名称	扬州亚星客车股份有限公司			证券简称	亚星客车
法人代表	金长山	董秘	盛卫宁	证券代码	600213
公司网址	www.asiastarbus.com		电子信箱	600213@asiastarbus.com	
电　话	0514-82989118		传　真	0514-87852329	
办公地址	江苏省扬州市邗江汽车产业园潍柴大道 2 号				
经营范围	客车、特种车、农用车、汽车零部件的开发、制造、销售、进出口等				

主要财务指标	2016.06.30	2015.12.31	2015.06.30	2014.12.31
指标\报告期	2016.06.30	2015.12.31	2015.06.30	2014.12.31
基本每股收益(元)	0.0600	0.0900	-0.1900	-0.6600
基本每股收益(扣除后)(元)	0.0600	0.0800	-0.1900	-0.7200
稀释每股收益(元)	0.0600	0.0900	-0.1900	-0.6600
每股净资产(元)	0.3696	0.2996	0.0211	0.2047
每股经营现金净流量(元)	-0.7508	-0.8492	-0.7321	-1.3792
每股现金流量(元)	-0.2937	0.0853	-0.2009	-0.4325
每股资本公积金(元)	1.5550	1.5550	1.5550	1.5550
每股盈余公积金(元)	0.1935	0.1935	0.1935	0.1935
每股未分配利润(元)	-2.3906	-2.4552	-2.7340	-2.5470
净资产收益率(%)	17.4850	30.6442	-884.6024	-321.7854
加权净资产收益率(%)	19.3200	36.4100	-165.6000	-123.1100
净资产收益率(扣除)(%)	15.5627	25.7443	-910.8943	-349.8305
总资产(万元)	306044.15	268766.84	219494.08	216561.46
归属母公司股东权益(万元)	8132.23	6590.58	465.13	4504.15
营业收入(万元)	97924.84	201543.97	63829.68	147314.66
营业支出(万元)	86303.07	170720.16	59443.45	135884.96
投资收益(万元)	-	23.59	23.59	23.59
净利润(万元)	1482.02	1579.22	-4314.68	-14476.88
营业利润(万元)	1561.17	1466.06	-4436.98	-16029.49
利润总额(万元)	1756.63	1859.62	-4314.68	-14476.88

长春经开(集团)股份有限公司

公司概况					
公司名称	长春经开(集团)股份有限公司			证券简称	长春经开
法人代表	陈平	董秘	王昱人	证券代码	600215
公司网址	www.ccjk600215.com		电子信箱	ccjk8508@mail.cetdz.com.cn	
电　话	0431-84644225		传　真	0431-84630809	
办公地址	吉林省长春市经济技术开发区自由大路 5188 号				
经营范围	公用设施投资、开发、建设、租赁、经营、管理、实业与科技投资				

主要财务指标	2016.06.30	2015.12.31	2015.06.30	2014.12.31
指标\报告期	2016.06.30	2015.12.31	2015.06.30	2014.12.31
基本每股收益(元)	0.0575	0.0100	-0.0643	0.0200
基本每股收益(扣除后)(元)	0.0580	0.0100	-0.0646	0.0200
稀释每股收益(元)	0.0575	0.0100	-0.0643	0.0200
每股净资产(元)	5.2553	5.2008	5.1266	5.1967
每股经营现金净流量(元)	-0.0859	-0.1266	-0.1465	0.9738
每股现金流量(元)	-0.6486	0.4603	-0.1568	-0.5727
每股资本公积金(元)	2.1042	2.1042	2.1043	2.1043
每股盈余公积金(元)	0.4291	0.4291	0.4233	0.4233
每股未分配利润(元)	1.7220	1.6674	1.5990	1.6692
净资产收益率(%)	1.0947	0.1935	-1.2550	0.3823
加权净资产收益率(%)	1.1001	0.1900	-1.2458	0.3800
净资产收益率(扣除)(%)	1.1035	0.2631	-1.2593	0.4322
总资产(万元)	347287.18	404625.24	392963.37	404903.55
归属母公司股东权益(万元)	244388.01	241852.15	238403.60	241664.75
营业收入(万元)	20212.62	37288.85	9166.70	99123.85
营业支出(万元)	15141.70	27073.97	6325.49	81824.67
投资收益(万元)	3777.35	6628.98	124.08	6331.93
净利润(万元)	2675.35	465.69	-2992.87	922.41
营业利润(万元)	3993.98	1291.97	-2974.69	1956.87
利润总额(万元)	3981.13	1064.77	-2957.34	1778.07

浙江医药股份有限公司

公司概况						
公司名称	浙江医药股份有限公司			证券简称	浙江医药	
法人代表	李春波	董秘	叶伟东	证券代码	600216	
公司网址	www.china-zmc.com			电子信箱	zmc3@163.com	
电　话	0575-85211969			传　真	0575-85211976	
办公地址	浙江省绍兴市滨海新城马欢路398号科创园A楼(综合楼)3层					
经营范围	化学原料药及其制剂产品的研制、开发、生产与销售					

主要财务指标

指标\报告期	2016.06.30	2015.12.31	2015.06.30	2014.12.31
基本每股收益(元)	0.2100	0.1700	0.1440	0.1800
基本每股收益(扣除后)(元)	0.2000	-0.0600	-0.0730	0.2300
稀释每股收益(元)	0.2100	0.1700	0.1440	0.1800
每股净资产(元)	7.1250	7.0455	7.0578	6.9845
每股经营现金净流量(元)	0.0807	0.1138	-0.0295	0.5874
每股现金流量(元)	-0.1842	-0.1232	0.1076	-0.4573
每股资本公积金(元)	0.9717	0.9717	0.9717	0.9717
每股盈余公积金(元)	1.0001	1.0001	0.9681	0.9681
每股未分配利润(元)	3.9466	3.7914	3.7947	3.7106
净资产收益率(%)	2.8803	2.4533	2.0412	2.5961
加权净资产收益率(%)	2.8900	2.4600	2.0400	2.6200
净资产收益率(扣除)(%)	2.7561	-0.8266	-1.0347	3.2956
总资产(万元)	836579.95	824881.36	831204.99	786942.53
归属母公司股东权益(万元)	666973.50	659531.75	660682.14	653825.12
营业收入(万元)	264250.66	449666.24	214564.01	483229.18
营业支出(万元)	197653.09	374359.45	179669.58	379340.49
投资收益(万元)	140.75	23543.55	23445.21	125.68
净利润(万元)	19333.77	15822.31	13171.57	17134.13
营业利润(万元)	24028.64	17910.13	16582.30	27227.97
利润总额(万元)	24714.45	19286.23	17108.90	21008.02

中再资源环境股份有限公司

公司概况						
公司名称	中再资源环境股份有限公司			证券简称	中再资环	
法人代表	管爱国	董秘	朱连升	证券代码	600217	
公司网址	www.qinling.com			电子信箱	1794463177@qq.com	
电　话	010-59535600			传　真	010-59535600	
办公地址	北京市西城区宣武门外大街甲1号环球财讯中心B座8层					
经营范围	水泥生产与销售					

主要财务指标

指标\报告期	2016.06.30	2015.12.31	2015.06.30	2014.12.31
基本每股收益(元)	0.0200	0.1732	0.1000	-0.3788
基本每股收益(扣除后)(元)	0.0100	0.1647	0.0900	-0.3644
稀释每股收益(元)	0.0200	0.1732	0.1000	-0.3788
每股净资产(元)	0.6721	0.6530	0.9859	-0.3175
每股经营现金净流量(元)	-0.2287	0.0511	-0.0086	-0.0501
每股现金流量(元)	0.0074	0.0271	0.0213	0.0008
每股资本公积金(元)	-0.2901	-0.2901	-0.4915	0.7094
每股盈余公积金(元)	0.0408	0.0408	0.0444	0.0875
每股未分配利润(元)	0.3313	0.3122	0.4330	0.6551
净资产收益率(%)	2.8370	19.9914	10.2015	119.3015
加权净资产收益率(%)	2.8800	22.2200	10.7600	4574.0500
净资产收益率(扣除)(%)	2.2112	19.0130	9.5562	114.7653
总资产(万元)	285848.99	243684.32	232020.56	217407.79
归属母公司股东权益(万元)	90170.00	87611.87	78060.35	70016.89
营业收入(万元)	56829.74	160713.74	77725.32	67423.76
营业支出(万元)	33430.07	68348.89	36081.13	62919.44
投资收益(万元)	-	158.20	158.20	-
净利润(万元)	2707.68	18672.28	8362.98	-25036.63
营业利润(万元)	2762.08	22908.62	10024.53	-24823.83
利润总额(万元)	3647.73	24026.66	10700.05	-25036.63

安徽全柴动力股份有限公司

公司概况						
公司名称	安徽全柴动力股份有限公司			证券简称	全柴动力	
法人代表	谢力	董秘	徐明余	证券代码	600218	
公司网址	www.quanchai.com.cn			电子信箱	qcxumy@163.com	
电　话	0550-5038369			传　真	0550-5011156	
办公地址	安徽省滁州市全椒县襄河镇吴敬梓路788号					
经营范围	多缸柴油机、单缸柴油机及新型塑料管材的开发、生产和销售					

主要财务指标

指标\报告期	2016.06.30	2015.12.31	2015.06.30	2014.12.31
基本每股收益(元)	0.1646	0.2200	0.1430	0.1300
基本每股收益(扣除后)(元)	0.1213	0.1100	0.1176	0.0700
稀释每股收益(元)	0.1646	0.2200	0.1430	-
每股净资产(元)	5.0065	4.8994	4.8036	3.9066
每股经营现金净流量(元)	0.1233	0.3752	0.1538	0.1330
每股现金流量(元)	-0.0924	0.5261	0.2824	-0.0940
每股资本公积金(元)	2.8319	2.8319	2.8326	1.6940
每股盈余公积金(元)	0.2176	0.2176	0.1928	0.2509
每股未分配利润(元)	0.9010	0.8063	0.7529	0.9380
净资产收益率(%)	3.2887	4.2637	2.7468	3.2227
加权净资产收益率(%)	3.3000	5.2700	3.1100	3.3000
净资产收益率(扣除)(%)	2.4229	2.2362	2.2585	1.7745
总资产(万元)	331876.22	304529.31	320669.75	246775.98
归属母公司股东权益(万元)	184618.74	180666.04	177134.58	110819.98
营业收入(万元)	159017.18	285619.12	173651.58	271289.03
营业支出(万元)	137894.12	250250.89	151473.69	239129.89
投资收益(万元)	724.39	1116.95	249.94	-656.19
净利润(万元)	6034.65	7583.94	4842.76	3540.15
营业利润(万元)	6531.51	6848.64	5220.88	2737.95
利润总额(万元)	7253.93	8939.82	6021.17	4397.74

山东南山铝业股份有限公司

公司概况						
公司名称	山东南山铝业股份有限公司			证券简称	南山铝业	
法人代表	宋昌明	董秘	隋冠男	证券代码	600219	
公司网址	www.600219.com.cn			电子信箱	suiguannan@nanshan.com.cn	
电　话	0535-8666352 8616188			传　真	0535-8616230	
办公地址	山东省龙口市东江镇南山村					
经营范围	铝制品、毛纺织品的开发、生产及销售,电力的生产及供应					

主要财务指标

指标\报告期	2016.06.30	2015.12.31	2015.06.30	2014.12.31
基本每股收益(元)	0.0900	0.2100	0.1300	0.4700
基本每股收益(扣除后)(元)	0.0800	0.2100	0.1300	0.4600
稀释每股收益(元)	0.0900	0.2100	0.1300	0.4700
每股净资产(元)	8.4660	8.3611	8.2461	9.2255
每股经营现金净流量(元)	0.0605	0.3152	0.1413	0.7405
每股现金流量(元)	-0.2708	0.3846	-0.1143	-0.7801
每股资本公积金(元)	5.0345	5.0345	5.0345	5.0381
每股盈余公积金(元)	0.2229	0.2229	0.2142	0.3091
每股未分配利润(元)	2.1896	2.1031	2.0254	2.9153
净资产收益率(%)	1.0225	2.3636	1.2760	5.0370
加权净资产收益率(%)	1.0300	2.4800	1.3800	5.1900
净资产收益率(扣除)(%)	0.9390	2.3436	1.2659	4.9593
总资产(万元)	3502331.43	3478917.95	3233652.54	3171403.02
归属母公司股东权益(万元)	2400275.02	2370517.98	2337932.99	1812525.65
营业收入(万元)	618980.01	1366989.16	673955.71	1405602.70
营业支出(万元)	536116.35	1190184.03	585104.46	1197983.77
投资收益(万元)	3177.85	1323.35	2287.22	4421.53
净利润(万元)	28425.22	67079.61	34236.69	99493.22
营业利润(万元)	34337.49	80871.44	43342.35	114291.07
利润总额(万元)	35754.01	83858.58	44478.89	116570.78

江苏阳光股份有限公司

公司概况						
	公司名称	江苏阳光股份有限公司			证券简称	江苏阳光
	法人代表	陈丽芬	董秘	徐伟民	证券代码	600220
	公司网址	www.sunshine.com.cn		电子信箱	jsyg88@pub.wx.jsinfo.net	
	电　话	0510-86121688		传　真	0510-86121688	
	办公地址	江苏省江阴市新桥镇马嘶桥				
	经营范围	中高档精毛纺呢绒、高档男士西服和女式时装生产和销售				

主要财务指标	指标\报告期	2016.06.30	2015.12.31	2015.06.30	2014.12.31
	基本每股收益(元)	0.0470	0.0624	0.0158	0.0443
	基本每股收益(扣除后)(元)	0.0352	0.0381	0.0143	0.0400
	稀释每股收益(元)	0.0470	0.0624	0.0158	0.0443
	每股净资产(元)	1.0569	1.0099	0.9633	0.9475
	每股经营现金净流量(元)	0.0497	0.2696	0.1200	0.1232
	每股现金流量(元)	0.2130	–0.0651	–0.0090	0.0699
	每股资本公积金(元)	–	–	–	–
	每股盈余公积金(元)	0.0856	0.0856	0.0856	0.0856
	每股未分配利润(元)	–0.0287	–0.0757	–0.1223	–0.1381
	净资产收益率(%)	4.4498	6.1775	1.6424	4.6706
	加权净资产收益率(%)	4.5500	6.3700	1.6600	4.7700
	净资产收益率(扣除)(%)	3.3343	3.7737	1.4836	4.2187
	总资产(万元)	425234.07	424278.68	436809.53	387731.78
	归属母公司股东权益(万元)	188483.29	180096.23	171792.25	168970.81
	营业收入(万元)	102092.46	204955.64	95258.42	226520.19
	营业支出(万元)	74404.98	159290.50	75097.14	180871.34
	投资收益(万元)	2151.01	2902.42	243.03	178.84
	净利润(万元)	10153.44	12670.47	3258.95	9142.08
	营业利润(万元)	12316.01	14481.58	4048.46	10340.77
	利润总额(万元)	12951.79	15460.31	4335.17	11105.73

海南航空控股股份有限公司

公司概况						
	公司名称	海南航空控股股份有限公司			证券简称	海航控股
	法人代表	王斐	董秘	李瑞	证券代码	600221
	公司网址	www.hnair.com		电子信箱	webmaster@hnair.com	
	电　话	0898-66739961		传　真	0898-66739960	
	办公地址	海南省海口市国兴大道7号海航大厦				
	经营范围	航空客货运输业务				

主要财务指标	指标\报告期	2016.06.30	2015.12.31	2015.06.30	2014.12.31
	基本每股收益(元)	0.1370	0.2460	0.1315	0.2130
	基本每股收益(扣除后)(元)	0.1080	0.1810	0.1086	0.1670
	稀释每股收益(元)	0.1370	0.2460	0.1315	0.2130
	每股净资产(元)	3.0871	2.7484	2.4279	2.3519
	每股经营现金净流量(元)	0.6795	1.0291	0.5798	0.4929
	每股现金流量(元)	0.5163	–0.1640	0.2159	0.0133
	每股资本公积金(元)	0.4733	0.4739	0.4669	0.4669
	每股盈余公积金(元)	0.0963	0.0963	0.0796	0.0796
	每股未分配利润(元)	1.0519	0.9146	0.8163	0.7485
	净资产收益率(%)	4.4494	8.9682	5.4180	9.0437
	加权净资产收益率(%)	4.8800	10.0000	5.5000	9.0000
	净资产收益率(扣除)(%)	3.5032	6.5912	4.4720	7.0801
	总资产(万元)	13138097.10	12538122.70	12330012.30	12198204.10
	归属母公司股东权益(万元)	3760795.00	3348155.60	2957686.10	2865163.50
	营业收入(万元)	1899599.10	3522543.90	1662201.90	3604377.10
	营业支出(万元)	1402689.70	2575617.00	1228095.40	2770288.20
	投资收益(万元)	40069.90	97815.30	39080.40	80465.10
	净利润(万元)	182020.40	325725.10	172905.40	264264.80
	营业利润(万元)	189266.30	303471.30	182539.40	249865.10
	利润总额(万元)	232990.70	391381.90	215133.60	321262.60

河南太龙药业股份有限公司

公司概况						
	公司名称	河南太龙药业股份有限公司			证券简称	太龙药业
	法人代表	李景亮	董秘	付胜龙	证券代码	600222
	公司网址	www.taloph.com		电子信箱	ljc@taloph.com	
	电　话	0371-67982194 67986158		传　真	0371-67993600	
	办公地址	河南省郑州市高新技术产业开发区金梭路8号				
	经营范围	研制、开发、生产和销售中成药和西药				

主要财务指标	指标\报告期	2016.06.30	2015.12.31	2015.06.30	2014.12.31
	基本每股收益(元)	0.0032	0.0100	0.0032	0.0645
	基本每股收益(扣除后)(元)	–0.0018	0.0073	0.0022	0.0615
	稀释每股收益(元)	0.0032	0.0100	0.0032	0.0645
	每股净资产(元)	2.5834	2.5802	2.5737	2.1434
	每股经营现金净流量(元)	–0.0756	0.0859	–0.1617	0.1803
	每股现金流量(元)	0.0669	–0.1350	–0.0477	0.3895
	每股资本公积金(元)	1.1369	1.1369	1.1369	0.6308
	每股盈余公积金(元)	0.0887	0.0887	0.0882	0.1020
	每股未分配利润(元)	0.3577	0.3545	0.3485	0.4106
	净资产收益率(%)	0.1230	0.3753	0.1253	3.0096
	加权净资产收益率(%)	0.1200	0.4000	0.1500	3.0400
	净资产收益率(扣除)(%)	–0.0708	0.2716	0.0858	2.8674
	总资产(万元)	271165.76	263955.83	266500.23	229170.66
	归属母公司股东权益(万元)	148255.20	148072.88	147702.22	106443.02
	营业收入(万元)	40815.15	101738.08	48993.51	125423.02
	营业支出(万元)	28106.34	77458.24	38289.84	100477.22
	投资收益(万元)	82.25	316.01	53.15	245.90
	净利润(万元)	11.11	440.57	275.57	5017.27
	营业利润(万元)	–687.36	–855.74	343.46	6420.64
	利润总额(万元)	–472.35	–715.67	345.55	6517.70

鲁商置业股份有限公司

公司概况						
	公司名称	鲁商置业股份有限公司			证券简称	鲁商置业
	法人代表	李彦勇	董秘	李璐	证券代码	600223
	公司网址	www.lshzy.com.cn		电子信箱	600223lszy@163.com	
	电　话	0531-66699999		传　真	0531-66697128	
	办公地址	山东省济南市经十路9777号				
	经营范围	房地产开发与经营				

主要财务指标	指标\报告期	2016.06.30	2015.12.31	2015.06.30	2014.12.31
	基本每股收益(元)	0.0300	0.1100	0.0400	0.2100
	基本每股收益(扣除后)(元)	0.0300	0.1300	0.0500	0.2200
	稀释每股收益(元)	0.0300	0.1100	0.0400	0.2100
	每股净资产(元)	2.1669	2.1341	2.0662	2.0217
	每股经营现金净流量(元)	–0.0826	–1.7958	–0.8232	–2.3608
	每股现金流量(元)	2.2478	–0.1202	0.0001	–1.4555
	每股资本公积金(元)	0.2989	0.2989	0.2989	0.2989
	每股盈余公积金(元)	0.1006	0.1006	0.1006	0.1006
	每股未分配利润(元)	0.7674	0.7346	0.6668	0.6223
	净资产收益率(%)	1.5119	5.2660	2.1535	10.2002
	加权净资产收益率(%)	1.5200	5.4100	2.1800	10.6800
	净资产收益率(扣除)(%)	1.5769	6.0734	2.6399	10.6672
	总资产(万元)	3919502.03	3476090.38	3182811.78	3081763.16
	归属母公司股东权益(万元)	216898.19	213619.00	206823.77	202369.83
	营业收入(万元)	201071.00	586443.47	200466.65	568186.32
	营业支出(万元)	170075.37	469542.03	157231.89	441205.16
	投资收益(万元)	2016.80	6687.37	1105.93	2353.33
	净利润(万元)	2841.24	14098.34	5170.97	24403.01
	营业利润(万元)	4038.08	27374.95	10261.80	38464.20
	利润总额(万元)	4082.00	25492.80	9100.61	36986.04

天津松江股份有限公司

公司概况					
公司名称	天津松江股份有限公司			证券简称	天津松江
法人代表	曹立明	董秘	詹鹏飞	证券代码	600225
公司网址	www.ciity.com.cn		电子信箱	songjiangzqb@sina.com	
电　话	022-58915818		传　真	022-58915816	
办公地址	天津市西青区友谊南路与外环线交口东北侧环岛西路天湾园公建 1 号楼				
经营范围	房地产、高新技术产业、公用事业、环保业、物流业等				

主要财务指标 指标\报告期	2016.06.30	2015.12.31	2015.06.30	2014.12.31
基本每股收益(元)	-0.5200	-0.7700	-0.4430	0.0200
基本每股收益(扣除后)(元)	-0.5520	-0.8400	-0.4840	-0.0800
稀释每股收益(元)	-0.5200	-0.7700	-0.4430	0.0200
每股净资产(元)	1.4949	2.0146	2.3470	1.5064
每股经营现金净流量(元)	-0.3018	-0.8471	-0.4194	-2.3561
每股现金流量(元)	0.4462	0.4177	0.2762	-2.5684
每股资本公积金(元)	1.2277	1.2277	1.2276	-0.2602
每股盈余公积金(元)	0.1681	0.1681	0.1681	0.2511
每股未分配利润(元)	-0.9009	-0.3811	-0.0487	0.5156
净资产收益率(%)	-34.7701	-36.0552	-16.7860	1.4120
加权净资产收益率(%)	-29.6200	-34.1400	-19.7200	1.4200
净资产收益率(扣除)(%)	-36.9262	-39.3113	-18.3330	-4.9871
总资产(万元)	1603061.35	1479894.56	1458130.16	1349922.37
归属母公司股东权益(万元)	139844.60	188468.69	219557.69	94363.11
营业收入(万元)	45017.46	63276.01	19237.15	254767.42
营业支出(万元)	30201.92	35435.37	11843.21	112107.04
投资收益(万元)	539.04	1372.65	337.40	3043.80
净利润(万元)	-52172.62	-75634.00	-41933.35	4426.32
营业利润(万元)	-58695.14	-79481.66	-45040.65	21962.13
利润总额(万元)	-58741.02	-79676.57	-45152.29	23810.36

浙江瀚叶股份有限公司

公司概况					
公司名称	浙江瀚叶股份有限公司			证券简称	瀚叶股份
法人代表	沈培今	董秘	王旭光	证券代码	600226
公司网址	www.biok.com		电子信箱	600226@hugeleafgroup.com	
电　话	021-68365799		传　真	021-68365693	
办公地址	上海市浦东新区民生路 1199 弄证大五道口广场 1 号楼 2506 室				
经营范围	农药、兽药、销业务				

主要财务指标 指标\报告期	2016.06.30	2015.12.31	2015.06.30	2014.12.31
基本每股收益(元)	0.1400	0.1300	0.0800	0.0800
基本每股收益(扣除后)(元)	0.1200	0.0900	0.0700	0.1300
稀释每股收益(元)	0.1400	0.1300	0.0800	0.0800
每股净资产(元)	1.4221	1.2869	3.6086	3.5154
每股经营现金净流量(元)	-0.0145	0.0632	0.0912	0.0602
每股现金流量(元)	0.8490	0.1007	0.0965	-0.2749
每股资本公积金(元)	0.0561	0.0561	0.8510	0.8510
每股盈余公积金(元)	0.1486	0.1486	0.4050	0.3794
每股未分配利润(元)	0.2156	0.0795	1.3445	1.2915
净资产收益率(%)	9.5735	9.9270	6.3348	5.8153
加权净资产收益率(%)	10.0500	9.7100	6.3000	5.9700
净资产收益率(扣除)(%)	8.2040	7.2850	5.2478	3.6045
总资产(万元)	320922.86	223587.81	229149.17	233377.72
归属母公司股东权益(万元)	155721.08	140912.64	146347.96	142565.02
营业收入(万元)	46290.81	101010.24	52973.55	134393.18
营业支出(万元)	39019.48	86806.52	45078.44	116276.43
投资收益(万元)	18112.70	22739.61	11117.53	13145.63
净利润(万元)	14780.56	13455.11	8883.89	7688.01
营业利润(万元)	14587.40	12727.09	8846.79	8209.11
利润总额(万元)	14906.94	13466.95	9006.83	8855.52

贵州赤天化股份有限公司

公司概况					
公司名称	贵州赤天化股份有限公司			证券简称	赤 天 化
法人代表	丁林洪	董秘	吴善华	证券代码	600227
公司网址	www.chth.com.cn		电子信箱	gfgs_bgs@chth.cn	
电　话	0851-84396315		传　真	0851-84391503	
办公地址	贵州省贵阳市阳关大道 28 号 1 号楼				
经营范围	尿素的生产和销售				

主要财务指标 指标\报告期	2016.06.30	2015.12.31	2015.06.30	2014.12.31
基本每股收益(元)	-0.1510	0.0213	-0.1466	-0.6047
基本每股收益(扣除后)(元)	-0.1519	-0.2113	-0.1554	-0.6761
稀释每股收益(元)	-0.1510	0.0213	-0.1466	-0.6047
每股净资产(元)	2.8721	3.0250	2.8456	2.9990
每股经营现金净流量(元)	0.1564	0.0403	0.0526	0.3571
每股现金流量(元)	0.0631	-0.0323	0.0355	-0.0874
每股资本公积金(元)	1.4174	1.4174	1.4256	1.4272
每股盈余公积金(元)	0.2631	0.2631	0.2479	0.2479
每股未分配利润(元)	0.1480	0.2991	0.1331	0.2797
净资产收益率(%)	-5.2590	0.7043	-5.1525	-20.1636
加权净资产收益率(%)	-5.1200	0.7100	-5.0100	-17.8400
净资产收益率(扣除)(%)	-5.2874	-6.9854	-5.4609	-22.5462
总资产(万元)	747606.23	726011.53	722807.83	722992.42
归属母公司股东权益(万元)	272961.01	287496.24	270443.60	285018.60
营业收入(万元)	131990.44	276147.82	149663.06	328670.03
营业支出(万元)	124993.37	251669.76	140450.60	332498.48
投资收益(万元)	132.76	23982.48	-21.91	7452.05
净利润(万元)	-13341.28	4160.86	-13243.89	-56429.17
营业利润(万元)	-13094.06	3628.21	-13756.98	-56253.66
利润总额(万元)	-13105.81	5867.58	-12889.03	-55620.20

江西昌九生物化工股份有限公司

公司概况					
公司名称	江西昌九生物化工股份有限公司			证券简称	昌九生化
法人代表	姚伟彪	董秘	黄伟雄	证券代码	600228
公司网址	www.600228.net		电子信箱	cjsh600228@sina.com	
电　话	0791-88504560　88504386		传　真	0791-88397931	
办公地址	江西省南昌市青山湖区尤氨路				
经营范围	化工、化肥、环保及生化产品的生产与销售等				

主要财务指标 指标\报告期	2016.06.30	2015.12.31	2015.06.30	2014.12.31
基本每股收益(元)	-0.0700	-0.1000	-0.0200	0.1400
基本每股收益(扣除后)(元)	-0.0400	-0.0600	-0.0100	-0.1600
稀释每股收益(元)	-0.0700	-0.1000	-0.0200	0.1400
每股净资产(元)	0.1822	0.2426	0.3193	0.3353
每股经营现金净流量(元)	-0.0162	0.3976	0.1339	0.0259
每股现金流量(元)	-0.0216	0.0265	-0.0457	-0.0095
每股资本公积金(元)	1.3922	1.3922	1.3922	1.3922
每股盈余公积金(元)	0.0544	0.0544	0.0544	0.0544
每股未分配利润(元)	-2.3268	-2.2616	-2.1837	-2.1597
净资产收益率(%)	-35.7437	-42.0132	-7.4962	43.2384
加权净资产收益率(%)	-31.0100	-35.2700	-7.4000	-
净资产收益率(扣除)(%)	-24.0516	-23.8414	-2.9689	-46.8807
总资产(万元)	48889.95	51296.10	61007.39	62206.14
归属母公司股东权益(万元)	4397.41	5854.48	7706.27	8091.97
营业收入(万元)	18988.66	54237.61	30244.56	72581.99
营业支出(万元)	16739.97	47825.38	25995.82	66525.37
投资收益(万元)	-	-	-	-
净利润(万元)	-1953.28	-2178.93	-440.44	4038.53
营业利润(万元)	-1417.51	-614.52	155.95	-3671.67
利润总额(万元)	-1971.99	-1820.29	-277.57	4085.85

青岛城市传媒股份有限公司

公司概况	公司名称	青岛城市传媒股份有限公司			证券简称	城市传媒
	法人代表	孟鸣飞	董秘	马琪	证券代码	600229
	公司网址	www.citymedia.com		电子信箱	QCMC@citymedia.cn	
	电　　话	0532-68068888		传　　真	0532-68068645	
	办公地址	山东省青岛市崂山区海尔路 182 号				
	经营范围	纯碱、肥料、农药氯化钙及其他化工产品的生产和销售				

主要财务指标	指标\报告期	2016.06.30	2015.12.31	2015.06.30	2014.12.31
	基本每股收益(元)	0.1677	0.6059	0.1500	0.1900
	基本每股收益(扣除后)(元)	0.1662	0.5681	0.0800	0.0170
	稀释每股收益(元)	0.1677	0.6059	0.1500	0.1900
	每股净资产(元)	2.7944	2.7282	3.0643	2.9141
	每股经营现金净流量(元)	0.1724	0.4146	-0.3571	0.3746
	每股现金流量(元)	-0.3823	0.7750	-0.4376	0.0840
	每股资本公积金(元)	0.6907	0.6922	1.8749	1.8749
	每股盈余公积金(元)	0.0202	0.0202	0.3451	0.3451
	每股未分配利润(元)	1.0835	1.0158	-0.1661	-0.3137
	净资产收益率(%)	6.0001	12.1805	4.8165	6.6582
	加权净资产收益率(%)	5.9600	15.2500	4.9400	6.8900
	净资产收益率(扣除)(%)	5.9463	11.4210	2.6275	0.5934
	总资产(万元)	270343.11	263272.06	314241.39	316142.72
	归属母公司股东权益(万元)	196195.65	191544.87	121281.83	115337.51
	营业收入(万元)	84650.11	153890.44	90185.43	183336.63
	营业支出(万元)	53861.55	96459.02	67604.74	146390.59
	投资收益(万元)	-	419.33	112.42	241.72
	净利润(万元)	12011.31	23799.57	6001.36	7671.16
	营业利润(万元)	10971.50	20288.17	4947.28	2482.01
	利润总额(万元)	12090.05	23939.87	8161.17	8676.46

沧州大化股份有限公司

公司概况	公司名称	沧州大化股份有限公司			证券简称	*ST 沧大
	法人代表	谢华生	董秘	李丽	证券代码	600230
	公司网址	www.czdh.chemchina.com		电子信箱	czdhzqb@126.com	
	电　　话	0317-3556143 3556897		传　　真	0317-3025065	
	办公地址	河北省沧州市运河区永济东路 19 号				
	经营范围	尿素、TDI 等化工产品的生产及销售				

主要财务指标	指标\报告期	2016.06.30	2015.12.31	2015.06.30	2014.12.31
	基本每股收益(元)	-0.0769	-2.0734	-0.7972	-0.6879
	基本每股收益(扣除后)(元)	-0.1256	-2.0722	-0.8060	-0.6962
	稀释每股收益(元)	-0.0769	-2.0734	-0.7972	-0.6879
	每股净资产(元)	3.7780	3.8474	5.0908	5.8718
	每股经营现金净流量(元)	0.8106	-0.4538	-0.2745	0.5255
	每股现金流量(元)	-0.1167	-1.4178	-1.1011	0.2321
	每股资本公积金(元)	2.1829	2.1829	2.1829	2.1829
	每股盈余公积金(元)	0.5994	0.5994	0.5994	0.5994
	每股未分配利润(元)	-0.0701	0.0068	1.2830	2.0802
	净资产收益率(%)	-2.0357	-53.8918	-15.6591	-11.1369
	加权净资产收益率(%)	-2.0200	-38.6100	-14.5500	-11.3700
	净资产收益率(扣除)(%)	-3.3249	-53.9186	-15.8333	-11.2711
	总资产(万元)	373906.56	397643.81	427128.00	470178.19
	归属母公司股东权益(万元)	111144.95	113185.90	149765.26	172741.51
	营业收入(万元)	112527.79	179445.43	95695.39	311603.33
	营业支出(万元)	97492.99	186389.02	95268.39	282450.79
	投资收益(万元)	-42.58	-	-	-0.30
	净利润(万元)	-2186.04	-73107.91	-27290.60	-21735.06
	营业利润(万元)	-3703.17	-74150.19	-27512.45	-20978.61
	利润总额(万元)	-2186.04	-74113.79	-27290.60	-20723.30

凌源钢铁股份有限公司

公司概况	公司名称	凌源钢铁股份有限公司			证券简称	凌钢股份
	法人代表	张振勇	董秘	王宝杰	证券代码	600231
	公司网址	www.lggf.com.cn		电子信箱	lggf_zqb@126.com	
	电　　话	0421-6838192 6838259		传　　真	0421-6831910	
	办公地址	辽宁省凌源市钢铁路 3 号				
	经营范围	生产、经营、开发冶金产品(含副产品)、进出口业务				

主要财务指标	指标\报告期	2016.06.30	2015.12.31	2015.06.30	2014.12.31
	基本每股收益(元)	-0.0300	0.0600	-0.1800	-0.8900
	基本每股收益(扣除后)(元)	-0.0300	-0.7000	-0.1800	-0.9100
	稀释每股收益(元)	-0.0300	0.0600	-0.1800	-0.8900
	每股净资产(元)	1.9856	4.0500	3.6700	3.8400
	每股经营现金净流量(元)	0.1138	0.9152	1.0529	1.7266
	每股现金流量(元)	-0.8614	0.6696	1.3250	0.3309
	每股资本公积金(元)	0.1794	1.2588	0.0651	0.0651
	每股盈余公积金(元)	0.2285	0.4569	0.7152	0.7152
	每股未分配利润(元)	0.5707	1.3247	1.8400	2.0166
	净资产收益率(%)	-1.5940	0.9331	-4.8077	-23.0920
	加权净资产收益率(%)	-1.5800	1.5300	-4.7100	-20.5900
	净资产收益率(扣除)(%)	-1.6387	-11.0577	-4.8471	-23.6035
	总资产(万元)	1486583.91	1529908.90	1517594.70	1432157.89
	归属母公司股东权益(万元)	500200.40	510341.63	295441.35	308583.95
	营业收入(万元)	610364.51	1245284.11	618449.44	1437296.43
	营业支出(万元)	578032.84	1205966.53	591110.12	1388342.61
	投资收益(万元)	54.43	1173.12	198.28	122.66
	净利润(万元)	-7973.15	4762.23	-14203.99	-71258.27
	营业利润(万元)	-10304.71	-74417.98	-20202.96	-94696.09
	利润总额(万元)	-10006.35	6004.58	-20047.89	-92591.57

浙江金鹰股份有限公司

公司概况	公司名称	浙江金鹰股份有限公司			证券简称	金鹰股份
	法人代表	傅国定	董秘	程涌	证券代码	600232
	公司网址	www.cn-goldeagle.com		电子信箱	gecl@zsptt.zj.cn	
	电　　话	0580-8021228		传　　真	0580-8020228	
	办公地址	浙江省舟山市定海区小沙镇				
	经营范围	绢、麻、丝、毛纺机械成套设备制造销售等				

主要财务指标	指标\报告期	2016.06.30	2015.12.31	2015.06.30	2014.12.31
	基本每股收益(元)	0.0220	0.0800	0.0290	0.0700
	基本每股收益(扣除后)(元)	0.0210	0.0700	0.0280	0.0600
	稀释每股收益(元)	0.0220	0.0800	0.0290	0.0700
	每股净资产(元)	3.1671	3.2253	3.1726	3.2240
	每股经营现金净流量(元)	-0.0939	0.2834	0.0026	0.2256
	每股现金流量(元)	-0.3076	-0.0362	-0.0600	-0.0436
	每股资本公积金(元)	1.0895	1.0895	1.0895	1.0895
	每股盈余公积金(元)	0.3188	0.3188	0.3168	0.3168
	每股未分配利润(元)	0.7589	0.8171	0.7663	0.8174
	净资产收益率(%)	0.6879	2.5371	0.9112	2.1857
	加权净资产收益率(%)	0.6820	2.5400	0.9040	2.1800
	净资产收益率(扣除)(%)	0.6609	2.2828	0.8849	1.9701
	总资产(万元)	164061.63	166272.01	177594.66	180659.89
	归属母公司股东权益(万元)	115511.28	117634.39	115712.20	117575.56
	营业收入(万元)	43316.01	111474.91	48444.22	117597.23
	营业支出(万元)	37466.91	95324.91	41226.58	99500.88
	投资收益(万元)	-	0.14	-	-
	净利润(万元)	841.56	3164.82	1131.66	2722.00
	营业利润(万元)	1322.76	4494.75	1716.47	4088.94
	利润总额(万元)	1314.26	4701.39	1696.74	4306.58

圆通速递股份有限公司

公司概况						
	公司名称	圆通速递股份有限公司			证券简称	圆通速递
	法人代表	李桂莲	董秘	朱锐	证券代码	600233
	公司网址	www.trands.com		电子信箱	panlixiang@dayang.net	
	电　话	021-69777777		传　真	021-59832913	
	办公地址	上海市青浦区华新镇华徐公路 3029 弄 18 号				
	经营范围	国内、国际快递				

主要财务指标	指标＼报告期	2016.06.30	2015.12.31	2015.06.30	2014.12.31
	基本每股收益(元)	0.0439	0.2736	0.1231	0.2920
	基本每股收益(扣除后)(元)	0.0255	0.1075	0.0214	0.1020
	稀释每股收益(元)	–	–	–	–
	每股净资产(元)	3.2419	6.4846	6.3324	6.3093
	每股经营现金净流量(元)	0.0032	0.6197	0.1401	0.3520
	每股现金流量(元)	–0.1195	0.1450	0.0100	–0.1114
	每股资本公积金(元)	0.0510	15.8296	1.1019	1.1019
	每股盈余公积金(元)	0.2853	0.8226	0.5706	0.5706
	每股未分配利润(元)	1.9044	2.5600	3.6606	3.6375
	净资产收益率(%)	1.3540	4.2193	1.9440	4.6330
	加权净资产收益率(%)	1.3500	4.2830	1.9400	4.6900
	净资产收益率(扣除)(%)	0.7852	1.6583	0.3379	1.6144
	总资产(万元)	153595.41	620339.77	147127.65	148915.94
	归属母公司股东权益(万元)	106982.65	343134.71	104484.63	104103.07
	营业收入(万元)	39209.09	90778.23	43709.86	91855.98
	营业支出(万元)	27897.58	70357.87	34384.65	72152.41
	投资收益(万元)	998.32	3785.62	2061.86	4215.13
	净利润(万元)	2592.61	7030.43	2983.61	6951.64
	营业利润(万元)	3753.67	9446.42	4341.46	9373.47
	利润总额(万元)	3884.52	9676.62	4488.13	9409.11

山西广和山水文化传播股份有限公司

公司概况						
	公司名称	山西广和山水文化传播股份有限公司			证券简称	ST 山水
	法人代表	游念东	董秘	戴蓉	证券代码	600234
	公司网址			电子信箱	tljt600234@163.com	
	电　话	0755-36378080		传　真	0755-36378084	
	办公地址	广东省深圳市福田区福华三路与金田路交汇处卓越世纪中心 3 号楼 A 座 1006-1007 室				
	经营范围	文化活动策划，文化传播策划，企业形象策划				

主要财务指标	指标＼报告期	2016.06.30	2015.12.31	2015.06.30	2014.12.31
	基本每股收益(元)	0.0100	–0.0800	–0.0900	–0.0500
	基本每股收益(扣除后)(元)	–0.0300	–0.1400	–0.0800	–0.2000
	稀释每股收益(元)	0.0100	–0.0800	–0.0900	–0.0500
	每股净资产(元)	0.2423	0.2313	0.2237	0.3108
	每股经营现金净流量(元)	0.0379	–0.0020	–0.0021	–0.1199
	每股现金流量(元)	0.0333	–0.0059	–0.0061	–0.0020
	每股资本公积金(元)	1.4495	1.4495	1.4495	1.4495
	每股盈余公积金(元)	0.0623	0.0623	0.0623	0.0623
	每股未分配利润(元)	–2.2696	–2.2806	–2.2882	–2.2010
	净资产收益率(%)	4.5350	–34.4063	–38.9747	–17.3434
	加权净资产收益率(%)	4.6400	–29.3600	–32.6200	–20.4000
	净资产收益率(扣除)(%)	–11.7018	–61.7537	–34.7477	–64.1029
	总资产(万元)	49023.73	48156.53	45967.02	46941.89
	归属母公司股东权益(万元)	4904.38	4681.97	4528.06	6292.86
	营业收入(万元)	733.02	1095.26	548.98	1057.83
	营业支出(万元)	–	–	–	1.11
	投资收益(万元)	–	–	–	–
	净利润(万元)	202.10	–1687.01	–1787.97	–2097.84
	营业利润(万元)	–590.03	–675.03	–1596.57	–1176.38
	利润总额(万元)	202.97	–1122.41	–1787.97	–1128.88

民丰特种纸股份有限公司

公司概况						
	公司名称	民丰特种纸股份有限公司			证券简称	民丰特纸
	法人代表	卢卫伟	董秘	姚名欢	证券代码	600235
	公司网址	www.minfenggroup.com		电子信箱	dsh@mfspchina.com	
	电　话	0573-82812992		传　真	0573-82812992	
	办公地址	浙江省嘉兴市甪里街 70 号				
	经营范围	纸浆、纸和纸制品的制造、销售等				

主要财务指标	指标＼报告期	2016.06.30	2015.12.31	2015.06.30	2014.12.31
	基本每股收益(元)	0.0060	–0.4400	–0.0350	0.0100
	基本每股收益(扣除后)(元)	0.0002	–0.4600	–0.0370	–0.0800
	稀释每股收益(元)	0.0060	–0.4400	–0.0350	0.0100
	每股净资产(元)	3.5575	3.5515	3.9583	4.0082
	每股经营现金净流量(元)	0.1980	–0.0569	0.0739	0.3504
	每股现金流量(元)	–0.1095	–0.0414	0.2921	–0.2096
	每股资本公积金(元)	2.3599	2.3599	2.3599	2.3599
	每股盈余公积金(元)	0.2000	0.2000	0.2000	0.2000
	每股未分配利润(元)	–0.0024	–0.0084	0.3984	0.4483
	净资产收益率(%)	0.1685	–12.4387	–0.8829	0.3020
	加权净资产收益率(%)	0.1700	–11.6900	–0.8800	0.3000
	净资产收益率(扣除)(%)	0.0045	–12.8504	–0.9435	–1.8891
	总资产(万元)	244893.71	257717.78	263903.88	237637.83
	归属母公司股东权益(万元)	124973.73	124763.19	139054.29	140809.00
	营业收入(万元)	74614.62	141143.28	69082.55	137311.41
	营业支出(万元)	61301.40	120382.36	58173.51	115233.08
	投资收益(万元)	–108.15	–155.74	9.73	–5.63
	净利润(万元)	167.23	–15798.19	–1287.69	83.90
	营业利润(万元)	401.49	–15711.36	–1215.07	–2854.67
	利润总额(万元)	528.69	–15500.58	–1287.69	246.25

广西桂冠电力股份有限公司

公司概况						
	公司名称	广西桂冠电力股份有限公司			证券简称	桂冠电力
	法人代表	王森	董秘	张云	证券代码	600236
	公司网址	www.ggep.com.cn		电子信箱	zhangyun@ggep.com.cn	
	电　话	0771-6118880		传　真	0771-6118899	
	办公地址	广西壮族自治区南宁市青秀区民族大道 126 号				
	经营范围	开发建设和管理水电站、火电厂和输变电工程等				

主要财务指标	指标＼报告期	2016.06.30	2015.12.31	2015.06.30	2014.12.31
	基本每股收益(元)	0.3007	0.5421	0.2899	0.3060
	基本每股收益(扣除后)(元)	0.3001	0.3517	0.2440	0.2740
	稀释每股收益(元)	0.3007	0.5421	0.2899	0.3060
	每股净资产(元)	2.0478	2.0700	1.8567	1.7160
	每股经营现金净流量(元)	0.5603	1.3142	1.6959	2.9080
	每股现金流量(元)	–0.4745	0.2795	0.5830	0.5657
	每股资本公积金(元)	0.3519	0.3747	0.0254	1.4116
	每股盈余公积金(元)	0.1083	0.1083	0.2566	0.2566
	每股未分配利润(元)	0.5829	0.5822	0.5648	0.5827
	净资产收益率(%)	14.6830	20.4694	14.2723	15.1489
	加权净资产收益率(%)	13.6100	29.9900	14.3400	20.2900
	净资产收益率(扣除)(%)	14.6547	6.3905	13.1626	15.9363
	总资产(万元)	3989598.27	4340438.64	2110653.37	4644133.92
	归属母公司股东权益(万元)	1241685.68	1255137.30	423420.65	742327.26
	营业收入(万元)	496947.33	1031074.87	515774.43	931361.69
	营业支出(万元)	185300.35	426125.35	214925.08	467525.90
	投资收益(万元)	–1638.11	6215.26	5384.19	765.05
	净利润(万元)	207581.96	400637.05	204981.11	226946.89
	营业利润(万元)	234753.04	397440.36	200485.53	235557.57
	利润总额(万元)	249828.33	477729.63	239268.05	269613.54

安徽铜峰电子股份有限公司

公司概况	公司名称	安徽铜峰电子股份有限公司		证券简称	铜峰电子
	法人代表	王晓云	董秘 徐文焕	证券代码	600237
	公司网址	www.tong-feng.com		电子信箱	600237@tong-feng.com
	电　　话	0562-2819178		传　　真	0562-5881888
	办公地址	安徽省铜陵市经济技术开发区铜峰工业园			
	经营范围	薄膜电容器及其相关材料的研究、开发、生产、销售等			

主要财务指标	指标\报告期	2016.06.30	2015.12.31	2015.06.30	2014.12.31
	基本每股收益(元)	–0.0538	0.0200	0.0033	–0.1500
	基本每股收益(扣除后)(元)	–0.0630	–0.2000	0.0011	–0.1600
	稀释每股收益(元)	–0.0538	–	0.0033	–0.1500
	每股净资产(元)	2.4820	2.5359	2.5111	2.5110
	每股经营现金净流量(元)	–0.0608	–0.0604	0.0788	0.0807
	每股现金流量(元)	–0.2358	0.6492	–0.2257	–0.2308
	每股资本公积金(元)	1.4839	1.4839	1.4807	1.4839
	每股盈余公积金(元)	0.1228	0.1228	0.1228	0.1228
	每股未分配利润(元)	–0.1247	–0.0708	–0.0924	–0.0957
	净资产收益率(%)	–2.1682	0.9788	0.1307	–5.8883
	加权净资产收益率(%)	–2.1400	0.9800	0.1300	–5.8800
	净资产收益率(扣除)(%)	–2.5382	–7.9743	0.0421	–6.4704
	总资产(万元)	232312.60	248544.66	215332.21	211628.81
	归属母公司股东权益(万元)	140079.14	143116.32	141719.83	141715.51
	营业收入(万元)	31332.50	59957.25	34851.42	67246.12
	营业支出(万元)	27119.85	53095.30	28434.98	58451.15
	投资收益(万元)	3.10	274.04	164.84	236.23
	净利润(万元)	–3356.64	929.02	145.58	–8583.66
	营业利润(万元)	–3263.89	–12014.15	141.86	–9878.87
	利润总额(万元)	–2535.68	710.80	305.28	–8903.05

海南椰岛(集团)股份有限公司

公司概况	公司名称	海南椰岛(集团)股份有限公司		证券简称	海南椰岛
	法人代表	冯彪	董秘 王一博	证券代码	600238
	公司网址	www.yedao.com		电子信箱	yedaohainan@163.com
	电　　话	0898-66532987		传　　真	0898-66780881
	办公地址	海南省海口市龙昆北路 13-1 号			
	经营范围	药酒、饮料、医疗保健品、营养食品的生产与销售及贸易			

主要财务指标	指标\报告期	2016.06.30	2015.12.31	2015.06.30	2014.12.31
	基本每股收益(元)	–0.1007	0.0300	0.0033	0.0900
	基本每股收益(扣除后)(元)	–0.0898	–0.0300	–0.0192	–0.0300
	稀释每股收益(元)	–0.1007	0.0300	0.0033	0.0900
	每股净资产(元)	1.9060	2.0069	1.9813	1.9800
	每股经营现金净流量(元)	–0.0422	0.0598	–0.1680	–0.3947
	每股现金流量(元)	0.0529	0.0551	–0.1871	–0.3591
	每股资本公积金(元)	0.2844	0.2844	0.2844	0.2844
	每股盈余公积金(元)	0.2739	0.2739	0.2706	0.2706
	每股未分配利润(元)	0.3522	0.4530	0.4304	0.4270
	净资产收益率(%)	–5.2854	1.4584	0.1672	4.7250
	加权净资产收益率(%)	–5.1500	1.4700	0.1700	4.7200
	净资产收益率(扣除)(%)	–4.7117	–1.5474	–0.9703	–1.3096
	总资产(万元)	130397.55	133133.68	126958.26	141682.80
	归属母公司股东权益(万元)	85428.71	89950.57	88800.96	88652.17
	营业收入(万元)	48997.72	43860.23	18799.57	49155.74
	营业支出(万元)	42611.26	25881.61	10955.51	28273.31
	投资收益(万元)	–122.60	–327.91	445.89	4764.91
	净利润(万元)	–4542.68	1327.99	146.42	4241.10
	营业利润(万元)	–4258.34	–2505.99	–1146.69	5426.66
	利润总额(万元)	–4524.36	1286.76	226.59	5718.53

云南城投置业股份有限公司

公司概况	公司名称	云南城投置业股份有限公司		证券简称	云南城投
	法人代表	许雷	董秘 栗亭倩	证券代码	600239
	公司网址	www.ynctzy.com		电子信箱	ynctzy@163.com
	电　　话	0871-7199767		传　　真	0871-7199767
	办公地址	云南省昆明市民航路 869 号融城金阶广场 A 座			
	经营范围	房地产开发与经营、商品房销售、房屋租赁			

主要财务指标	指标\报告期	2016.06.30	2015.12.31	2015.06.30	2014.12.31
	基本每股收益(元)	–0.3011	0.2600	–0.1663	0.5400
	基本每股收益(扣除后)(元)	–0.3294	–0.1700	–0.2164	0.2100
	稀释每股收益(元)	–0.3011	0.2600	–0.1663	0.5400
	每股净资产(元)	3.7531	4.0162	3.5755	4.8949
	每股经营现金净流量(元)	–0.9916	–1.1263	–0.5493	–3.1171
	每股现金流量(元)	–0.5105	–0.9632	–0.2257	2.6235
	每股资本公积金(元)	1.7529	1.7149	1.7342	2.2666
	每股盈余公积金(元)	0.1539	0.1539	0.1539	0.2001
	每股未分配利润(元)	0.7809	1.0820	0.6874	1.4282
	净资产收益率(%)	–8.0218	6.4815	–3.7562	10.9347
	加权净资产收益率(%)	–7.7900	6.7000	–3.6776	11.1200
	净资产收益率(扣除)(%)	–8.7755	–4.2020	–4.8884	4.2007
	总资产(万元)	4653821.98	4519229.97	3585545.67	3347804.37
	归属母公司股东权益(万元)	401755.13	429912.97	382745.44	403061.59
	营业收入(万元)	293334.24	401290.99	28211.76	394747.17
	营业支出(万元)	251712.68	292345.19	16714.14	237348.20
	投资收益(万元)	5604.66	–6235.56	–2700.99	17425.93
	净利润(万元)	–36026.80	21132.88	–17259.62	49646.57
	营业利润(万元)	–44224.66	–446.75	–18454.28	74163.10
	利润总额(万元)	–45603.68	35019.40	–18467.86	72024.56

北京华业资本控股股份有限公司

公司概况	公司名称	北京华业资本控股股份有限公司		证券简称	华业资本
	法人代表	徐红	董秘 赵双燕	证券代码	600240
	公司网址	www.huayedc.com		电子信箱	hy@huayedc.com
	电　　话	010-85710735		传　　真	010-85710505
	办公地址	北京市朝阳区东四环中路 39 号 A 座 16 层			
	经营范围	在合法取得地块上从事房地产开发经营业务、物业管理			

主要财务指标	指标\报告期	2016.06.30	2015.12.31	2015.06.30	2014.12.31
	基本每股收益(元)	0.2326	0.6200	0.3141	0.2900
	基本每股收益(扣除后)(元)	0.2367	0.3100	0.3143	0.1900
	稀释每股收益(元)	0.2326	0.6200	0.3141	0.2900
	每股净资产(元)	3.3541	3.2215	3.0159	2.7021
	每股经营现金净流量(元)	–0.2278	2.4060	1.2639	0.9726
	每股现金流量(元)	–0.2842	0.4173	0.1378	0.3661
	每股资本公积金(元)	0.1973	0.1973	0.1973	0.1975
	每股盈余公积金(元)	0.0484	0.0484	0.0285	0.0285
	每股未分配利润(元)	2.1084	1.9759	1.7902	1.4761
	净资产收益率(%)	6.9338	19.2365	10.4144	10.7744
	加权净资产收益率(%)	6.9700	20.8600	10.9900	11.3800
	净资产收益率(扣除)(%)	7.0562	9.5469	10.4213	7.0878
	总资产(万元)	1745474.65	2026308.27	1973970.84	1688801.16
	归属母公司股东权益(万元)	477705.09	458824.60	429539.44	384841.84
	营业收入(万元)	305083.72	468136.58	315908.94	275095.23
	营业支出(万元)	244174.44	292753.84	196833.70	159069.70
	投资收益(万元)	33459.71	49701.28	458.36	8639.58
	净利润(万元)	33026.18	87922.06	44635.38	41041.46
	营业利润(万元)	43221.22	128079.07	63465.45	58385.43
	利润总额(万元)	42439.55	126589.33	63435.77	58105.00

辽宁时代万恒股份有限公司

公司概况

公司名称	辽宁时代万恒股份有限公司			证券简称	时代万恒
法人代表	魏钢	董秘	蒋明	证券代码	600241
公司网址	www.shidaiwanheng.com			电子信箱	600241@shidaiwanheng.com
电　　话	0411-82357777-756			传　　真	0411-82798000
办公地址	辽宁省大连市中山区港湾街7号				
经营范围	服装、服饰的出口业务及化工原料、矿产品等进口业务				

主要财务指标

指标\报告期	2016.06.30	2015.12.31	2015.06.30	2014.12.31
基本每股收益(元)	-0.0800	0.0900	-0.2500	-0.4800
基本每股收益(扣除后)(元)	-0.0800	-0.3700	-0.2500	-0.5100
稀释每股收益(元)	-0.0800	0.0900	-0.2500	-0.4800
每股净资产(元)	3.1011	3.1502	1.6684	1.9614
每股经营现金净流量(元)	-0.2177	0.0748	-0.7130	-0.1185
每股现金流量(元)	0.4327	0.8350	0.2809	0.1033
每股资本公积金(元)	1.6780	1.6780	0.4453	0.4726
每股盈余公积金(元)	0.1622	0.1622	0.2070	0.2074
每股未分配利润(元)	0.2941	0.3737	0.1105	0.3632
净资产收益率(%)	-2.5665	2.3363	-14.7609	-24.6802
加权净资产收益率(%)	-2.5600	3.4900	-13.2700	-21.7400
净资产收益率(扣除)(%)	-2.5220	-10.1347	-14.9629	-26.0740
总资产(万元)	232079.71	215267.71	217860.91	206382.94
归属母公司股东权益(万元)	70143.79	71255.30	30065.31	35670.54
营业收入(万元)	41463.37	146378.98	41972.37	134391.70
营业支出(万元)	31856.10	122184.65	35560.67	116148.75
投资收益(万元)	-816.80	9581.70	-131.79	1016.77
净利润(万元)	-2250.18	191.05	-4821.24	-8672.99
营业利润(万元)	-1812.37	-332.82	-4929.68	-6693.28
利润总额(万元)	-1850.77	1377.96	-4826.41	-6729.00

中昌大数据股份有限公司

公司概况

公司名称	中昌大数据股份有限公司			证券简称	中昌海运
法人代表	黄启灶	董秘	谢晶	证券代码	600242
公司网址	www.zchy.net.cn			电子信箱	a600242@163.com
电　　话	0662-3229088			传　　真	0662-2881697
办公地址	广东省阳江市江城区安宁路富华小区A7号(7-8层)				
经营范围	经营沿海、内河货物运输、船舶租赁、买卖、货物代理、代运业务等				

主要财务指标

指标\报告期	2016.06.30	2015.12.31	2015.06.30	2014.12.31
基本每股收益(元)	-0.0680	0.0700	-0.1310	-1.2100
基本每股收益(扣除后)(元)	-0.1460	-0.2000	-0.2010	-0.8500
稀释每股收益(元)	-0.0680	0.0700	-0.1310	-1.2100
每股净资产(元)	0.1659	0.2343	-0.3582	-0.2281
每股经营现金净流量(元)	-0.0460	0.7652	-0.0378	0.2183
每股现金流量(元)	-0.0552	-0.0053	0.0592	0.0068
每股资本公积金(元)	1.8946	1.8946	1.4491	1.4491
每股盈余公积金(元)	0.1141	0.1141	0.1151	0.1151
每股未分配利润(元)	-2.8428	-2.7744	-2.9224	-2.7909
净资产收益率(%)	-41.2423	28.0447	-	529.6675
加权净资产收益率(%)	-34.1900	94.2800	-	-321.3300
净资产收益率(扣除)(%)	-87.7776	-87.1080	56.0449	373.9229
总资产(万元)	178371.94	171364.22	213526.72	214351.15
归属母公司股东权益(万元)	4534.55	6404.70	-9789.57	-6195.83
营业收入(万元)	17055.51	40630.41	12950.24	25780.82
营业支出(万元)	14080.78	26073.79	12799.89	28864.02
投资收益(万元)	-	-	-	-
净利润(万元)	-2977.42	2584.68	-4066.79	-36496.35
营业利润(万元)	-2948.75	-1595.08	-6589.66	-26284.58
利润总额(万元)	-2928.22	3368.03	-4065.49	-36005.79

青海华鼎实业股份有限公司

公司概况

公司名称	青海华鼎实业股份有限公司			证券简称	青海华鼎
法人代表	于世光	董秘	李祥军	证券代码	600243
公司网址	www.qhhdsy.com			电子信箱	liuwzhd@21cn.com
电　　话	0971-7111668 7111159			传　　真	0971-7111669
办公地址	青海省西宁市七一路318号				
经营范围	数控机床、小型食品机械、齿轮箱、电梯件等机械产品的生产				

主要财务指标

指标\报告期	2016.06.30	2015.12.31	2015.06.30	2014.12.31
基本每股收益(元)	-0.0926	0.0350	-0.0806	-0.0200
基本每股收益(扣除后)(元)	-0.1085	-0.0890	-0.1179	-0.1400
稀释每股收益(元)	-0.0926	0.0350	-0.0806	-0.0200
每股净资产(元)	4.0096	4.1234	3.0249	3.1055
每股经营现金净流量(元)	-0.3520	-0.1284	-0.2188	-0.2552
每股现金流量(元)	-1.3304	1.6774	-0.0619	-0.5485
每股资本公积金(元)	2.8346	2.8358	1.6078	1.6078
每股盈余公积金(元)	0.0419	0.0419	0.0764	0.0764
每股未分配利润(元)	0.1331	0.2457	0.3406	0.4212
净资产收益率(%)	-2.3083	0.4603	-2.6648	-0.7324
加权净资产收益率(%)	-2.2700	1.1000	-2.6600	-0.6700
净资产收益率(扣除)(%)	-2.7054	-1.1824	-3.8963	-4.4369
总资产(万元)	293819.61	334572.09	253148.84	233903.84
归属母公司股东权益(万元)	175960.50	180953.82	71644.87	73554.03
营业收入(万元)	42572.38	115852.16	50592.63	112578.80
营业支出(万元)	34486.21	86492.81	39893.49	87341.85
投资收益(万元)	-	21.12	21.12	21.89
净利润(万元)	-4158.67	2607.55	-1899.97	-405.81
营业利润(万元)	-5642.35	-79.19	-3082.36	-2679.31
利润总额(万元)	-4823.68	3548.69	-2063.56	499.95

北京万通地产股份有限公司

公司概况

公司名称	北京万通地产股份有限公司			证券简称	万通地产
法人代表	李虹	董秘	程晓晞	证券代码	600246
公司网址	www.vantone.com			电子信箱	chengxiaoxi@vantone.com
电　　话	010-59070788 59071169			传　　真	010-59071159
办公地址	北京市朝阳区朝外大街甲6号万通中心写字楼D座4层				
经营范围	住宅的开发和销售及商用物业的开发和出租				

主要财务指标

指标\报告期	2016.06.30	2015.12.31	2015.06.30	2014.12.31
基本每股收益(元)	0.2177	-0.5031	0.0122	0.0371
基本每股收益(扣除后)(元)	0.0068	-0.5064	0.0116	-0.0670
稀释每股收益(元)	0.2177	-0.5031	0.0122	0.0371
每股净资产(元)	2.6205	2.4015	2.9124	2.9002
每股经营现金净流量(元)	0.3587	0.0198	-0.0978	-0.9725
每股现金流量(元)	-0.5394	0.0367	-0.5398	-0.5525
每股资本公积金(元)	0.6784	0.6784	0.6777	0.6777
每股盈余公积金(元)	0.1398	0.1398	0.1372	0.1372
每股未分配利润(元)	0.8009	0.5832	1.1010	1.0888
净资产收益率(%)	8.3078	-20.9514	0.4177	1.2777
加权净资产收益率(%)	8.6700	-18.9800	0.4200	1.2200
净资产收益率(扣除)(%)	0.2586	-21.0887	0.3970	-2.3109
总资产(万元)	1213313.51	1366789.80	1382069.94	1423081.64
归属母公司股东权益(万元)	318859.38	292210.33	354375.01	352901.21
营业收入(万元)	119249.83	261886.13	78485.62	191157.59
营业支出(万元)	74699.65	182911.38	41254.95	135786.96
投资收益(万元)	25076.48	-158.63	-177.45	5921.26
净利润(万元)	26469.27	-58901.34	1952.07	9764.91
营业利润(万元)	32792.95	-51678.57	6063.89	2167.21
利润总额(万元)	32647.29	-51549.71	6183.28	13759.27

吉林成城集团股份有限公司

公司概况	公司名称	吉林成城集团股份有限公司		证券简称	ST 成城
	法人代表	方项	董秘 徐昕欣	证券代码	600247
	公司网址			电子信箱	ccgcxu@126.com
	电　话	0755-83558842		传　真	0755-83556248
	办公地址	广东省深圳市福田区深南大道 6008 号特区报业大厦 10B			
	经营范围	商品销售业务、商业地产租赁业务、物业管理咨询及房地产销售业务			

主要财务指标	指标\报告期	2016.06.30	2015.12.31	2015.06.30	2014.12.31
	基本每股收益(元)	-0.0630	0.0874	-0.0180	-1.0295
	基本每股收益(扣除后)(元)	-0.0630	-0.2666	-0.0180	-0.9200
	稀释每股收益(元)	-0.0630	0.0874	-0.0180	-1.0295
	每股净资产(元)	0.2358	0.2978	0.1175	0.1360
	每股经营现金净流量(元)	-0.0061	0.0116	-0.0002	0.0066
	每股现金流量(元)	-0.0053	-0.0015	-0.0001	0.0059
	每股资本公积金(元)	0.0902	0.0902	0.0158	0.0158
	每股盈余公积金(元)	0.1744	0.1744	0.1744	0.1744
	每股未分配利润(元)	-1.0288	-0.9668	-1.0727	-1.0542
	净资产收益率(%)	-26.8640	29.3562	-15.7363	-757.1216
	加权净资产收益率(%)	-23.8000	40.3100	-14.5900	-156.3500
	净资产收益率(扣除)(%)	-26.8966	-89.5363	-15.1118	-681.8329
	总资产(万元)	101412.59	100800.96	86231.07	87435.95
	归属母公司股东权益(万元)	7931.72	10019.59	3952.64	4574.64
	营业收入(万元)	16904.79	100589.81	1009.66	2267.75
	营业支出(万元)	16094.15	98455.70	181.29	553.86
	投资收益(万元)	-	-573.24	1218.00	-1384.43
	净利润(万元)	-2159.51	2884.68	-662.43	-34763.38
	营业利润(万元)	-2161.13	735.15	-637.75	-31319.20
	利润总额(万元)	-2159.51	2951.00	-662.43	-34763.38

陕西延长石油化建股份有限公司

公司概况	公司名称	陕西延长石油化建股份有限公司		证券简称	延长化建
	法人代表	高建成	董秘 赵永宏	证券代码	600248
	公司网址	www.ycpcec.com		电子信箱	zhaoyonghong@vip.sina.com
	电　话	029-87016796		传　真	029-87035723
	办公地址	陕西省西安市杨凌农业高新技术产业示范区新桥北路 2 号延长化建大厦			
	经营范围	化工石油工程施工			

主要财务指标	指标\报告期	2016.06.30	2015.12.31	2015.06.30	2014.12.31
	基本每股收益(元)	0.0891	0.2557	0.1519	0.4325
	基本每股收益(扣除后)(元)	0.0886	0.2540	0.1495	0.4224
	稀释每股收益(元)	0.0891	0.2557	0.1519	0.4325
	每股净资产(元)	3.0202	3.8538	3.7272	3.6254
	每股经营现金净流量(元)	0.4368	-0.5958	-0.6951	0.6089
	每股现金流量(元)	0.3822	-1.0496	-1.0048	0.9392
	每股资本公积金(元)	0.8049	1.3464	1.3464	1.3464
	每股盈余公积金(元)	0.0497	0.0646	0.0543	0.0543
	每股未分配利润(元)	0.9714	1.1969	1.1034	1.0015
	净资产收益率(%)	2.9514	6.6357	4.0742	11.5286
	加权净资产收益率(%)	2.9700	6.8500	4.1200	12.8500
	净资产收益率(扣除)(%)	2.9319	6.5907	4.0114	11.2600
	总资产(万元)	518787.83	502765.97	502276.19	508355.66
	归属母公司股东权益(万元)	185985.58	182550.85	176552.30	171730.48
	营业收入(万元)	133545.44	381730.33	211589.83	519497.26
	营业支出(万元)	126571.81	337972.19	193224.24	467373.29
	投资收益(万元)	401.04	-	-	-
	净利润(万元)	5489.09	12113.56	7193.11	19798.05
	营业利润(万元)	6515.15	15003.16	8440.85	23267.88
	利润总额(万元)	6557.71	15056.33	8571.38	23364.09

柳州两面针股份有限公司

公司概况	公司名称	柳州两面针股份有限公司		证券简称	两 面 针
	法人代表	钟春彬	董秘 莫善军	证券代码	600249
	公司网址	www.lmz.com.cn		电子信箱	lmzstock@lmz.com.cn
	电　话	0772-2506159		传　真	0772-2506158
	办公地址	广西壮族自治区柳州市东环路 282 号			
	经营范围	牙膏、日用化妆品、香皂、膏霜、香水类、牙刷、旅游用品、家用卫生品等			

主要财务指标	指标\报告期	2016.06.30	2015.12.31	2015.06.30	2014.12.31
	基本每股收益(元)	-0.1420	-0.3249	-0.1679	0.0487
	基本每股收益(扣除后)(元)	-0.1470	-0.3184	-0.1734	-0.3935
	稀释每股收益(元)	-0.1420	-0.3249	-0.1679	0.0487
	每股净资产(元)	3.6264	3.8823	4.3324	4.8127
	每股经营现金净流量(元)	-0.0177	-0.5154	-0.3414	-0.3699
	每股现金流量(元)	0.0471	-0.4303	0.1459	0.5249
	每股资本公积金(元)	1.5589	1.5589	1.5595	1.1277
	每股盈余公积金(元)	0.4320	0.4320	0.4320	0.5280
	每股未分配利润(元)	0.1529	0.2949	0.4471	0.7454
	净资产收益率(%)	-3.9166	-8.1142	-3.7583	1.0116
	加权净资产收益率(%)	-3.7800	-7.5300	-3.6900	1.1100
	净资产收益率(扣除)(%)	-4.0534	-7.9527	-3.8817	-8.1766
	总资产(万元)	369300.13	396822.89	429508.66	410896.72
	归属母公司股东权益(万元)	199453.47	213525.39	238282.34	216570.63
	营业收入(万元)	81716.12	135319.25	64905.11	118698.92
	营业支出(万元)	72336.77	117503.02	57171.19	104817.20
	投资收益(万元)	824.59	3110.52	878.97	27195.81
	净利润(万元)	-9392.39	-23079.04	-11392.87	-3238.18
	营业利润(万元)	-9458.90	-21519.69	-11806.19	-367.85
	利润总额(万元)	-8993.40	-24136.65	-11398.33	-23.84

南京纺织品进出口股份有限公司

公司概况	公司名称	南京纺织品进出口股份有限公司		证券简称	南纺股份
	法人代表	徐德健	董秘 张金源	证券代码	600250
	公司网址	www.nantex.com.cn		电子信箱	zgx@nantex.com.cn
	电　话	025-83331634 83331603		传　真	025-83331639
	办公地址	江苏省南京市鼓楼区云南北路 77 号			
	经营范围	纺织、丝绸、针织、服装机电设备、化工原料、轻工产品等产品的进出口业务			

主要财务指标	指标\报告期	2016.06.30	2015.12.31	2015.06.30	2014.12.31
	基本每股收益(元)	-0.0600	-0.1700	-0.3800	0.0600
	基本每股收益(扣除后)(元)	-0.0600	-0.2900	-0.3500	-0.1500
	稀释每股收益(元)	-	-	-	-
	每股净资产(元)	1.1963	1.2664	1.1051	1.4640
	每股经营现金净流量(元)	0.0795	-0.8430	-0.1559	0.9629
	每股现金流量(元)	-0.2015	-0.0712	-0.3685	-0.3691
	每股资本公积金(元)	0.7128	0.7162	0.7007	0.6880
	每股盈余公积金(元)	0.4095	0.4095	0.4095	0.4095
	每股未分配利润(元)	-0.8613	-0.8016	-1.0114	-0.6331
	净资产收益率(%)	-4.9919	-13.3057	-34.2310	4.2018
	加权净资产收益率(%)	-4.8400	-12.2100	-29.5300	4.1300
	净资产收益率(扣除)(%)	-4.8854	-23.2225	-31.8137	-10.0810
	总资产(万元)	169498.40	179075.57	172187.63	201784.24
	归属母公司股东权益(万元)	30946.24	32761.96	28588.74	37871.45
	营业收入(万元)	45114.10	135660.58	54176.36	279166.16
	营业支出(万元)	43168.53	129915.66	51028.32	267404.17
	投资收益(万元)	1873.74	8924.49	-4467.42	8482.22
	净利润(万元)	-1630.24	-4825.80	-9853.61	1272.11
	营业利润(万元)	-1563.93	-3536.43	-9507.13	569.17
	利润总额(万元)	-1611.93	-4732.89	-9746.69	1569.60

新疆冠农果茸集团股份有限公司

公司概况					
公司名称	新疆冠农果茸集团股份有限公司			证券简称	冠农股份
法人代表	郭良	董秘	金建霞	证券代码	600251
公司网址	www.gngf.cn		电子信箱	gn600251@126.com	
电 话	0996-2113386 2113788		传 真	0996-2113676	
办公地址	新疆维吾尔自治区库尔勒市团结南路 48 号小区				
经营范围	果业种植、仓储、加工及销售				

主要财务指标 指标\报告期	2016.06.30	2015.12.31	2015.06.30	2014.12.31
基本每股收益(元)	0.0128	0.1671	0.1454	0.4290
基本每股收益(扣除后)(元)	0.0003	0.1350	0.1354	0.3766
稀释每股收益(元)	0.0128	0.1671	0.1454	0.4290
每股净资产(元)	2.3707	2.4490	2.4343	4.7778
每股经营现金净流量(元)	0.3309	−0.1796	0.2618	−1.2779
每股现金流量(元)	0.0987	0.0269	0.0121	0.0355
每股资本公积金(元)	0.4718	0.4718	0.4718	1.9436
每股盈余公积金(元)	0.1759	0.1759	0.1578	0.3157
每股未分配利润(元)	0.7406	0.8078	0.8041	1.5175
净资产收益率(%)	0.5419	6.8228	5.9716	8.6318
加权净资产收益率(%)	0.5200	6.9200	6.1600	11.3400
净资产收益率(扣除)(%)	0.0128	5.5112	5.5604	7.5767
总资产(万元)	355041.46	378592.77	340864.27	365555.07
归属母公司股东权益(万元)	186063.69	192210.55	191052.86	187492.46
营业收入(万元)	68419.78	153167.84	84829.45	115359.78
营业支出(万元)	60832.29	134109.62	75087.44	100998.71
投资收益(万元)	1982.37	20582.68	12846.24	24465.61
净利润(万元)	1249.02	15201.08	12721.19	17907.91
营业利润(万元)	−17.86	13564.56	12798.45	17451.08
利润总额(万元)	1401.41	16197.79	13200.93	18534.54

广西梧州中恒集团股份有限公司

公司概况					
公司名称	广西梧州中恒集团股份有限公司			证券简称	中恒集团
法人代表	欧阳静波	董秘	崔鼎昌	证券代码	600252
公司网址	www.wz-zhongheng.com		电子信箱	zhongheng@wz-zhongheng.com	
电 话	0774-3939128		传 真	0774-3939053	
办公地址	广西壮族自治区梧州市工业园区工业大道 1 号				
经营范围	对医药、能源、基础设施、城市公用事业、酒店旅游业、物流业的投资与管理等				

主要财务指标 指标\报告期	2016.06.30	2015.12.31	2015.06.30	2014.12.31
基本每股收益(元)	0.0810	0.1500	0.5350	1.4530
基本每股收益(扣除后)(元)	0.0780	0.0600	0.2680	0.7830
稀释每股收益(元)	0.0810	0.1500	0.5350	1.4530
每股净资产(元)	1.4854	1.4250	4.8062	51050.0000
每股经营现金净流量(元)	0.1847	0.0839	0.0036	0.4920
每股现金流量(元)	0.0694	−0.3762	−0.5380	1.8472
每股资本公积金(元)	0.0247	0.0247	0.7738	0.7735
每股盈余公积金(元)	0.1220	0.1220	0.4933	0.4393
每股未分配利润(元)	0.2342	0.1537	2.0445	2.1639
净资产收益率(%)	5.4194	10.5063	11.1225	26.9627
加权净资产收益率(%)	5.5300	8.9700	9.9700	36.1700
净资产收益率(扣除)(%)	5.2350	4.2294	5.5696	14.5227
总资产(万元)	588965.94	613009.71	722589.08	802622.34
归属母公司股东权益(万元)	516196.35	495093.71	556735.24	591386.97
营业收入(万元)	72499.59	134308.51	105224.41	321440.64
营业支出(万元)	23081.03	36901.26	24846.77	70764.25
投资收益(万元)	607.32	39615.73	39495.68	85960.70
净利润(万元)	27975.14	52005.95	61923.79	159447.75
营业利润(万元)	34101.55	62428.21	74613.86	186001.50
利润总额(万元)	35178.88	64930.80	77064.26	198130.70

安徽鑫科新材料股份有限公司

公司概况					
公司名称	安徽鑫科新材料股份有限公司			证券简称	鑫科材料
法人代表	张晓光	董秘	沈俊锋	证券代码	600255
公司网址	www.ahxinke.com		电子信箱	yll@ahxinke.com	
电 话	0553-5847423 5840468		传 真	0553-5847423	
办公地址	安徽省芜湖市经济技术开发区珠江路 3 号				
经营范围	铜基合金材料、金属基复合材料及制品、超细金属及特种粉末材料等				

主要财务指标 指标\报告期	2016.06.30	2015.12.31	2015.06.30	2014.12.31
基本每股收益(元)	−0.0300	0.0200	−0.0200	0.0200
基本每股收益(扣除后)(元)	−0.0400	−0.0040	−0.0300	−0.0200
稀释每股收益(元)	−0.0300	0.0200	−0.0200	0.0200
每股净资产(元)	1.7860	1.8251	1.8294	1.2807
每股经营现金净流量(元)	−0.0413	−0.0172	−0.0262	0.1668
每股现金流量(元)	−0.2135	−0.0343	−0.0120	−0.1266
每股资本公积金(元)	0.6550	0.6550	0.6561	0.1248
每股盈余公积金(元)	0.0285	0.0285	0.0285	0.0322
每股未分配利润(元)	0.0693	0.1029	0.0650	0.0954
净资产收益率(%)	−1.8835	1.0211	−1.0549	1.3051
加权净资产收益率(%)	−1.8600	1.2200	−1.3000	1.3100
净资产收益率(扣除)(%)	−2.0600	−0.1927	−1.4578	−1.8671
总资产(万元)	484762.92	495937.94	525285.17	348087.89
归属母公司股东权益(万元)	316047.01	322975.91	323724.38	200274.20
营业收入(万元)	223390.27	577195.54	258734.65	589186.53
营业支出(万元)	216684.31	547416.10	252491.79	571463.11
投资收益(万元)	−13.08	3829.63	1114.82	5479.21
净利润(万元)	−5501.10	4136.31	−3130.83	3553.06
营业利润(万元)	−5170.92	6450.27	−3203.44	2902.09
利润总额(万元)	−4673.51	7391.35	−2946.38	4525.62

广汇能源股份有限公司

公司概况					
公司名称	广汇能源股份有限公司			证券简称	广汇能源
法人代表	宋东升	董秘	倪娟	证券代码	600256
公司网址	www.xjguanghui.com		电子信箱	guanghuigufen@xjghjt.com	
电 话	0991-2365211 3759961		传 真	0991-8637008	
办公地址	新疆维吾尔自治区乌鲁木齐市新华北路 165 号广汇中天广场 27 层				
经营范围	液化天然气、现代物流、住宅消费服务、石材和化学建材等				

主要财务指标 指标\报告期	2016.06.30	2015.12.31	2015.06.30	2014.12.31
基本每股收益(元)	0.0130	0.0476	0.0779	0.3137
基本每股收益(扣除后)(元)	−0.0119	0.0030	0.0392	0.1578
稀释每股收益(元)	0.0130	0.0476	0.0779	0.3137
每股净资产(元)	2.1033	2.0829	2.1459	2.0687
每股经营现金净流量(元)	0.1384	0.1322	0.1778	0.1042
每股现金流量(元)	0.3309	−0.0524	0.0773	0.2067
每股资本公积金(元)	0.1347	0.1340	0.1344	0.1344
每股盈余公积金(元)	0.1497	0.1497	0.1484	0.1484
每股未分配利润(元)	0.7969	0.7839	0.8657	0.7878
净资产收益率(%)	0.6173	2.2838	3.6296	15.1652
加权净资产收益率(%)	0.6200	2.3000	3.7000	16.3800
净资产收益率(扣除)(%)	−0.5668	0.1434	1.8287	7.6304
总资产(万元)	4347653.41	4087085.86	4004196.85	3763626.43
归属母公司股东权益(万元)	1098242.51	1087592.24	1120454.42	1080132.18
营业收入(万元)	183797.82	482524.45	288756.26	671726.88
营业支出(万元)	130055.61	345036.32	196128.65	447469.67
投资收益(万元)	526.05	580.33	355.75	62761.24
净利润(万元)	4856.69	22998.15	41420.09	168387.70
营业利润(万元)	−6287.51	5684.27	27545.81	169688.71
利润总额(万元)	7696.82	30289.42	53036.23	163803.86

大湖水殖股份有限公司

公司概况	公司名称	大湖水殖股份有限公司			证券简称	大湖股份
	法人代表	罗订坤	董秘	童菁	证券代码	600257
	公司网址	www.dhszgf.com		电子信箱	dhgf@dhszgf.com	
	电　话	0736-7252796		传　真	0736-7266736	
	办公地址	湖南省常德市建设东路348号泓鑫桃林六号楼				
	经营范围	水产品、水禽养殖、加工、销售及深度综合开发				

主要财务指标	指标\报告期	2016.06.30	2015.12.31	2015.06.30	2014.12.31
	基本每股收益(元)	0.0172	0.0062	0.0163	0.0038
	基本每股收益(扣除后)(元)	0.0055	-0.0107	0.0051	0.0054
	稀释每股收益(元)	0.0172	0.0062	0.0163	0.0038
	每股净资产(元)	1.7630	1.7458	1.7891	1.7728
	每股经营现金净流量(元)	-0.1193	0.0422	-0.1195	0.0015
	每股现金流量(元)	-0.1152	0.0998	-0.0117	-0.1883
	每股资本公积金(元)	0.2819	0.2819	0.2316	0.2316
	每股盈余公积金(元)	0.1034	0.1034	0.0991	0.0991
	每股未分配利润(元)	0.3776	0.3605	0.4585	0.4422
	净资产收益率(%)	0.9745	0.3523	0.9113	0.2115
	加权净资产收益率(%)	0.9800	0.3500	0.9200	0.2100
	净资产收益率(扣除)(%)	0.3130	-0.6106	0.2823	0.3038
	总资产(万元)	150204.72	150357.62	148331.64	141865.29
	归属母公司股东权益(万元)	75287.59	74553.91	76404.23	75707.95
	营业收入(万元)	34361.53	80892.47	32100.29	67646.62
	营业支出(万元)	25285.69	62798.53	23349.14	50973.53
	投资收益(万元)	7.58	-1.58	-136.18	2192.78
	净利润(万元)	1122.28	502.88	943.42	336.45
	营业利润(万元)	566.90	-93.52	598.75	981.06
	利润总额(万元)	1237.88	1082.82	1231.53	880.88

北京首旅酒店(集团)股份有限公司

公司概况	公司名称	北京首旅酒店(集团)股份有限公司			证券简称	首旅酒店
	法人代表	张润钢	董秘	段中鹏	证券代码	600258
	公司网址	www.btghg.com		电子信箱	dzpxx@sohu.com	
	电　话	010-66014466*3846		传　真	010-66019471	
	办公地址	北京市西城区复兴门内大街51号				
	经营范围	项目投资及管理、旅游服务、饭店经营及管理				

主要财务指标	指标\报告期	2016.06.30	2015.12.31	2015.06.30	2014.12.31
	基本每股收益(元)	0.0603	0.4327	0.1811	0.4861
	基本每股收益(扣除后)(元)	0.1355	0.1357	0.0392	0.4229
	稀释每股收益(元)	-	-	-	-
	每股净资产(元)	4.8078	5.1253	5.0847	4.9514
	每股经营现金净流量(元)	2.0525	1.5720	0.5301	1.0650
	每股现金流量(元)	4.0640	-0.3522	-0.5811	-0.2185
	每股资本公积金(元)	0.3067	0.3707	0.5272	0.5051
	每股盈余公积金(元)	0.8082	0.8082	0.7690	0.7690
	每股未分配利润(元)	2.5088	2.5985	2.3861	2.3550
	净资产收益率(%)	1.2534	8.4427	3.5622	9.8165
	加权净资产收益率(%)	1.2100	8.4400	3.5900	10.2500
	净资产收益率(扣除)(%)	2.8183	2.6479	0.7718	8.5400
	总资产(万元)	1735926.39	396096.52	400706.27	222914.32
	归属母公司股东权益(万元)	111253.45	118599.15	117658.85	114575.61
	营业收入(万元)	232785.18	133279.96	63681.61	279062.24
	营业支出(万元)	13387.44	18133.53	8440.08	185752.89
	投资收益(万元)	6297.61	9556.37	3863.18	3621.68
	净利润(万元)	6974.25	11272.01	3847.94	13359.21
	营业利润(万元)	14834.51	13331.12	6137.61	16901.92
	利润总额(万元)	15704.11	14674.99	6488.72	17001.17

广晟有色金属股份有限公司

公司概况	公司名称	广晟有色金属股份有限公司			证券简称	广晟有色
	法人代表	兰亚平	董秘	胡远芳	证券代码	600259
	公司网址	www.gsysgf.com		电子信箱	ysgsys@gdmi.com	
	电　话	020-87226381 87705052		传　真	020-87649987	
	办公地址	广东省广州市天河区林和西路157号保利中汇广场A栋31-32楼				
	经营范围	有色金属的开采、加工与销售				

主要财务指标	指标\报告期	2016.06.30	2015.12.31	2015.06.30	2014.12.31
	基本每股收益(元)	-0.3800	-1.0500	-0.1300	0.0700
	基本每股收益(扣除后)(元)	-0.4200	-1.2200	-0.2500	-0.0900
	稀释每股收益(元)	-0.3800	-1.0500	-0.1300	0.0700
	每股净资产(元)	1.6414	2.0258	2.9397	3.1394
	每股经营现金净流量(元)	-0.5398	-0.1960	-0.8855	-1.7279
	每股现金流量(元)	0.4456	-0.1042	0.4092	-0.9768
	每股资本公积金(元)	2.9034	2.9034	2.9034	2.9034
	每股盈余公积金(元)	0.0819	0.0819	0.0819	0.0819
	每股未分配利润(元)	-2.3755	-1.9906	-1.0771	-0.9436
	净资产收益率(%)	-23.4515	-51.6837	-4.5424	2.2719
	加权净资产收益率(%)	-20.9900	-40.0300	-4.3500	2.5700
	净资产收益率(扣除)(%)	-25.4628	-59.9834	-8.6670	-2.8715
	总资产(万元)	380103.78	327902.69	412270.65	372719.63
	归属母公司股东权益(万元)	43025.30	53101.62	77055.49	82289.70
	营业收入(万元)	131591.06	342761.86	140999.24	262113.42
	营业支出(万元)	127897.82	330918.78	130956.69	229835.60
	投资收益(万元)	-351.44	1878.56	2193.34	292.12
	净利润(万元)	-11071.16	-31165.73	-4424.57	1838.17
	营业利润(万元)	-13527.28	-36074.02	-6252.41	-730.79
	利润总额(万元)	-11929.87	-32916.59	-4441.34	4622.42

湖北凯乐科技股份有限公司

公司概况	公司名称	湖北凯乐科技股份有限公司			证券简称	凯乐科技
	法人代表	朱弟雄	董秘	陈杰	证券代码	600260
	公司网址	www.cnkaile.com		电子信箱	kaile@cnkaile.com	
	电　话	027-87250890		传　真	027-87250586	
	办公地址	湖北省荆州市公安县斗湖堤镇城关				
	经营范围	塑料硬管及管件、软管、管材、塑料零件及塑料土工合成材料等				

主要财务指标	指标\报告期	2016.06.30	2015.12.31	2015.06.30	2014.12.31
	基本每股收益(元)	0.1200	0.1900	0.1300	0.0900
	基本每股收益(扣除后)(元)	0.1100	0.1300	0.1100	-0.0200
	稀释每股收益(元)	0.1200	0.1900	0.1300	0.0900
	每股净资产(元)	4.3262	4.2525	4.1845	3.3076
	每股经营现金净流量(元)	-0.7245	1.4351	0.1386	-0.1555
	每股现金流量(元)	0.1677	-0.0167	0.5547	0.0571
	每股资本公积金(元)	1.7581	1.7581	1.7475	0.6599
	每股盈余公积金(元)	0.4010	0.4010	0.3323	0.4072
	每股未分配利润(元)	1.1588	1.0824	1.0796	1.2406
	净资产收益率(%)	2.7918	4.3512	2.5801	2.7226
	加权净资产收益率(%)	2.8000	4.8900	3.4300	2.7000
	净资产收益率(扣除)(%)	2.5617	2.9334	2.3625	-0.5328
	总资产(万元)	983944.58	774612.75	698489.92	559635.51
	归属母公司股东权益(万元)	288450.60	283156.99	279000.13	174524.22
	营业收入(万元)	366809.84	323011.25	138909.15	174309.14
	营业支出(万元)	334485.52	267938.71	111866.46	132870.77
	投资收益(万元)	1087.11	5148.45	605.13	6601.38
	净利润(万元)	8965.12	12377.83	7161.86	5131.88
	营业利润(万元)	9470.93	13441.30	8455.17	5723.95
	利润总额(万元)	9754.84	13676.20	8582.62	5932.50

浙江阳光照明电器集团股份有限公司

公司概况					
公司名称	浙江阳光照明电器集团股份有限公司			证券简称	阳光照明
法人代表	陈卫	董秘	赵芳华	证券代码	600261
公司网址	www.yankon.com		电子信箱	ygjt@yankon.com	
电　话	0575-82027721		传　真	0575-82027720	
办公地址	浙江省上虞市百官镇凤山路485号				
经营范围	节能电光源、照明电器、仪器设备的开发、制造、销售、照明电器等				

主要财务指标 指标＼报告期	2016.06.30	2015.12.31	2015.06.30	2014.12.31
基本每股收益(元)	0.1500	0.2600	0.1200	0.3000
基本每股收益(扣除后)(元)	0.1300	0.2400	0.1100	0.2700
稀释每股收益(元)	0.1500	0.2600	0.1200	0.3000
每股净资产(元)	2.0119	2.0113	1.8761	2.7789
每股经营现金净流量(元)	0.3599	0.3925	0.1631	0.6215
每股现金流量(元)	0.1315	0.0545	-0.0640	0.2763
每股资本公积金(元)	0.1826	0.1826	0.1835	0.7753
每股盈余公积金(元)	0.1695	0.1695	0.1506	0.2259
每股未分配利润(元)	0.6667	0.6668	0.5527	0.7947
净资产收益率(%)	7.4523	12.7248	6.5502	10.7090
加权净资产收益率(%)	7.2700	13.3000	6.4800	11.1400
净资产收益率(扣除)(%)	6.3873	12.0363	5.8965	9.8320
总资产(万元)	498630.46	504885.18	462201.87	444366.28
归属母公司股东权益(万元)	292153.22	292067.81	272432.24	269018.92
营业收入(万元)	212639.01	425792.44	190000.36	325118.73
营业支出(万元)	155932.62	318440.36	144273.59	247328.50
投资收益(万元)	11.78	72.85	110.81	32.18
净利润(万元)	22678.44	35856.80	18260.66	29377.43
营业利润(万元)	23654.57	31481.85	19726.03	31182.61
利润总额(万元)	27207.23	42794.10	21579.14	33962.62

内蒙古北方重型汽车股份有限公司

公司概况					
公司名称	内蒙古北方重型汽车股份有限公司			证券简称	北方股份
法人代表	高汝森	董秘	常德明	证券代码	600262
公司网址	www.chinanhl.com		电子信箱	cdm@chinanhl.com	
电　话	0472-2642210 2642244		传　真	0472-2207538	
办公地址	内蒙古自治区包头市稀土高新技术产业开发区北方股份大厦				
经营范围	制造、销售各种型号的特雷克斯牌非公路矿用自卸汽车及相应的零部件				

主要财务指标 指标＼报告期	2016.06.30	2015.12.31	2015.06.30	2014.12.31
基本每股收益(元)	-0.0434	-0.9500	-0.0564	0.7300
基本每股收益(扣除后)(元)	-0.0681	-1.0800	-0.1417	0.3700
稀释每股收益(元)	-0.0434	-0.9500	-0.0564	0.7300
每股净资产(元)	5.8135	5.8505	6.7386	7.0339
每股经营现金净流量(元)	1.4987	0.7755	0.7500	1.0075
每股现金流量(元)	0.3933	-0.6837	-2.0319	0.1432
每股资本公积金(元)	2.3761	2.3761	2.3761	2.3761
每股盈余公积金(元)	1.9670	1.9670	1.9670	1.9670
每股未分配利润(元)	0.3840	0.4274	1.3240	1.6303
净资产收益率(%)	-0.7473	-16.2882	-0.8368	10.4247
加权净资产收益率(%)	-0.8300	-14.5300	-0.8000	10.8800
净资产收益率(扣除)(%)	-1.1713	-18.5233	-2.1025	5.3039
总资产(万元)	252764.32	271368.55	274098.52	325491.26
归属母公司股东权益(万元)	98828.90	99458.84	114557.02	119576.13
营业收入(万元)	28145.10	99033.45	50934.23	147974.15
营业支出(万元)	22405.64	79766.73	41816.36	115324.85
投资收益(万元)	1759.84	1551.70	1465.31	2218.53
净利润(万元)	-877.67	-23652.89	-1849.70	10736.62
营业利润(万元)	-1392.49	-25619.64	-3745.90	6241.63
利润总额(万元)	-875.95	-23010.82	-2018.87	13487.33

云南景谷林业股份有限公司

公司概况					
公司名称	云南景谷林业股份有限公司			证券简称	*ST景谷
法人代表	蓝来富	董秘	蓝来富(代)	证券代码	600265
公司网址	www.jgly.cn		电子信箱	jgan2301@sina.com	
电　话	0879-5226908		传　真	0879-5228008	
办公地址	云南省普洱市景谷傣族彝族自治县林纸路201号				
经营范围	林产化工产品制造、人造板制造、森林资源培育、木材采运、加工等				

主要财务指标 指标＼报告期	2016.06.30	2015.12.31	2015.06.30	2014.12.31
基本每股收益(元)	-0.1000	-0.7000	-0.2000	-0.3500
基本每股收益(扣除后)(元)	-0.1400	-0.5500	-0.1900	-0.5800
稀释每股收益(元)	-0.1000	-0.7000	-0.2000	-0.3500
每股净资产(元)	-0.7302	-0.6278	-0.1217	0.0789
每股经营现金净流量(元)	-0.0351	0.0948	-0.0088	0.2563
每股现金流量(元)	0.0726	-0.0086	-0.0109	-0.4594
每股资本公积金(元)	1.3551	1.3551	1.3604	1.3604
每股盈余公积金(元)	0.1062	0.1062	0.1062	0.1062
每股未分配利润(元)	-3.1916	-3.0892	-2.5883	-2.3877
净资产收益率(%)	14.0216	111.7250	164.8746	-446.3367
加权净资产收益率(%)	15.0800	258.0800	-938.7800	-138.1100
净资产收益率(扣除)(%)	18.9448	86.9213	169.5672	-730.8553
总资产(万元)	34962.05	34293.99	42146.61	41614.39
归属母公司股东权益(万元)	-9478.38	-8149.37	-1579.21	1024.51
营业收入(万元)	3833.90	8784.72	5207.64	9592.73
营业支出(万元)	3251.04	8671.58	4624.85	9685.78
投资收益(万元)	-	-	-	-
净利润(万元)	-1347.26	-9132.03	-2608.86	-4670.81
营业利润(万元)	-1813.90	-7038.71	-2682.96	-7586.05
利润总额(万元)	-1347.26	-9132.03	-2608.86	-4670.81

北京城建投资发展股份有限公司

公司概况					
公司名称	北京城建投资发展股份有限公司			证券简称	北京城建
法人代表	陈代华	董秘	张财广	证券代码	600266
公司网址	www.bucid.com		电子信箱	tz@bucid.com	
电　话	010-82275665 82275598		传　真	010-82275598	
办公地址	北京市朝阳区北土城西路11号城建开发大厦				
经营范围	房地产开发、销售商品房、投资及投资管理等				

主要财务指标 指标＼报告期	2016.06.30	2015.12.31	2015.06.30	2014.12.31
基本每股收益(元)	0.2775	0.9100	0.1863	1.1100
基本每股收益(扣除后)(元)	0.2804	0.8800	0.1830	0.9200
稀释每股收益(元)	0.2775	0.9100	0.1863	1.1100
每股净资产(元)	12.0233	12.3867	12.3645	9.9972
每股经营现金净流量(元)	-0.2389	-3.5936	-0.0421	-3.8965
每股现金流量(元)	0.7270	0.2524	-0.0825	0.7949
每股资本公积金(元)	2.4232	2.4232	2.4232	2.4232
每股盈余公积金(元)	0.4607	0.4607	0.3813	0.3813
每股未分配利润(元)	4.6792	4.6817	4.0354	4.1191
净资产收益率(%)	2.3081	7.3622	1.5067	8.7628
加权净资产收益率(%)	2.2500	8.1500	1.8500	13.1000
净资产收益率(扣除)(%)	2.3322	7.0833	1.4802	7.2744
总资产(万元)	7098464.03	6403455.95	5861053.83	5035193.15
归属母公司股东权益(万元)	1884102.80	1941044.24	1937562.50	1566604.36
营业收入(万元)	300329.04	917820.40	327457.88	1001104.74
营业支出(万元)	205543.39	565244.47	238354.74	654133.05
投资收益(万元)	23022.73	21135.25	11802.86	9903.03
净利润(万元)	44534.43	148359.66	31353.08	149954.22
营业利润(万元)	57507.99	188862.47	48574.85	190314.78
利润总额(万元)	57863.98	192257.24	49971.36	192141.73

浙江海正药业股份有限公司

公司概况	公司名称	浙江海正药业股份有限公司			证券简称	海正药业
	法人代表	白骅	董秘	白骅(代)	证券代码	600267
	公司网址	www.hisunpharm.com		电子信箱	hy@hisunpharm.com	
	电　　话	0576-88827809		传　　真	0576-88827887	
	办公地址	浙江省台州市椒江区外沙路46号				
	经营范围	化学原料药、化学中间体、医药制剂、生物制药、中成药、中药制剂等				

	指标\报告期	2016.06.30	2015.12.31	2015.06.30	2014.12.31
主要财务指标	基本每股收益(元)	0.0210	0.0100	0.0380	0.3500
	基本每股收益(扣除后)(元)	-0.0440	-0.1400	0.0290	0.2100
	稀释每股收益(元)	0.0210	0.0100	0.0380	0.3500
	每股净资产(元)	7.1156	7.1666	7.2028	7.2747
	每股经营现金净流量(元)	0.1248	0.7624	0.4592	0.5914
	每股现金流量(元)	0.6128	-0.2583	-0.1273	0.3264
	每股资本公积金(元)	3.7801	3.7801	3.7846	3.7846
	每股盈余公积金(元)	0.3472	0.3472	0.3343	0.3343
	每股未分配利润(元)	1.9924	2.0413	2.0851	2.1571
	净资产收益率(%)	0.2961	0.1961	0.5285	4.3835
	加权净资产收益率(%)	0.2940	0.1900	0.5220	5.6200
	净资产收益率(扣除)(%)	-0.6130	-2.0097	0.3976	2.6087
	总资产(万元)	2056058.07	1917442.63	1808162.40	1729830.37
	归属母公司股东权益(万元)	687038.64	691957.83	695449.63	702393.82
	营业收入(万元)	472936.43	876742.81	451053.31	1009674.79
	营业支出(万元)	345638.88	632711.41	331171.11	671626.80
	投资收益(万元)	6831.18	8898.13	1964.60	4220.66
	净利润(万元)	9216.87	12630.07	9764.12	55197.05
	营业利润(万元)	13958.01	6019.61	13142.37	64224.78
	利润总额(万元)	16836.02	20936.63	14190.96	79842.82

国电南京自动化股份有限公司

公司概况	公司名称	国电南京自动化股份有限公司			证券简称	国电南自
	法人代表	王凤蛟	董秘	王茹	证券代码	600268
	公司网址	www.sac-china.com		电子信箱	s-dept@sac-china.com	
	电　　话	025-83410173 83537368		传　　真	025-83410871	
	办公地址	江苏省南京市浦口高新技术开发区星火路8号				
	经营范围	继电保护系统、控制系统、电力自动化系统、监测系统、管理信息系统等				

	指标\报告期	2016.06.30	2015.12.31	2015.06.30	2014.12.31
主要财务指标	基本每股收益(元)	-0.1800	0.0500	-0.1900	-0.5400
	基本每股收益(扣除后)(元)	-0.1900	0.0100	-0.2000	-0.5700
	稀释每股收益(元)	-0.1800	0.0500	-0.1900	-0.5400
	每股净资产(元)	2.7544	3.0727	2.8375	3.1247
	每股经营现金净流量(元)	-1.2150	0.7843	-0.5651	0.5615
	每股现金流量(元)	0.2257	0.1278	-0.4778	-0.2727
	每股资本公积金(元)	1.5188	1.6106	1.6106	1.6106
	每股盈余公积金(元)	0.2673	0.2673	0.2621	0.2621
	每股未分配利润(元)	-0.0318	0.1947	-0.0352	0.2520
	净资产收益率(%)	-6.4087	1.5599	-6.5993	-17.1772
	加权净资产收益率(%)	-6.0100	1.5500	-6.1800	-15.5800
	净资产收益率(扣除)(%)	-6.9778	0.2751	-7.0422	-18.2347
	总资产(万元)	1140168.70	1102080.11	1006071.93	1038893.81
	归属母公司股东权益(万元)	174970.04	195189.08	180249.21	198496.81
	营业收入(万元)	218192.02	558539.66	177682.87	486057.83
	营业支出(万元)	171421.00	414925.75	132725.73	376364.58
	投资收益(万元)	-338.88	-764.61	-268.61	-483.25
	净利润(万元)	-7603.01	15369.42	-11228.89	-27718.21
	营业利润(万元)	-11704.56	9433.35	-14230.95	-38711.49
	利润总额(万元)	-7435.98	24034.74	-9438.94	-24428.35

江西赣粤高速公路股份有限公司

公司概况	公司名称	江西赣粤高速公路股份有限公司			证券简称	赣粤高速
	法人代表	吴克海	董秘	熊长水	证券代码	600269
	公司网址	www.600269.cn		电子信箱	xcs@600269.cn	
	电　　话	0791-86539322 86527021		传　　真	0791-86527021 86539322	
	办公地址	江西省南昌市西湖区朝阳洲中路367号赣粤大厦				
	经营范围	高速公路等交通基础设施项目的投资、建设、经营管理和维护				

	指标\报告期	2016.06.30	2015.12.31	2015.06.30	2014.12.31
主要财务指标	基本每股收益(元)	0.3200	0.3000	0.1800	0.3000
	基本每股收益(扣除后)(元)	0.1200	0.1600	0.1400	0.2300
	稀释每股收益(元)	0.3200	0.3000	0.1800	0.3000
	每股净资产(元)	5.7990	5.4955	5.4129	5.2866
	每股经营现金净流量(元)	0.3081	0.8132	0.3338	0.6663
	每股现金流量(元)	0.2104	-0.3187	0.0388	0.0980
	每股资本公积金(元)	0.7871	0.7871	0.7870	0.7870
	每股盈余公积金(元)	0.5105	0.5105	0.4791	0.4791
	每股未分配利润(元)	3.1606	2.9942	2.9048	2.8224
	净资产收益率(%)	5.4568	5.5485	3.3698	5.6331
	加权净资产收益率(%)	5.5800	5.6700	3.4000	5.8600
	净资产收益率(扣除)(%)	2.1552	2.8413	2.6328	4.3169
	总资产(万元)	3174355.81	3105883.08	3153534.15	3082072.90
	归属母公司股东权益(万元)	1354299.34	1283425.72	1264128.50	1234625.02
	营业收入(万元)	229380.96	550160.07	232171.57	408050.81
	营业支出(万元)	139659.40	383897.82	137862.99	236994.12
	投资收益(万元)	55907.01	27451.08	1981.83	3655.10
	净利润(万元)	68870.09	60055.59	38486.35	57251.67
	营业利润(万元)	97929.04	87782.54	52136.68	78397.79
	利润总额(万元)	97843.15	97128.55	58176.40	90048.08

中外运空运发展股份有限公司

公司概况	公司名称	中外运空运发展股份有限公司			证券简称	外运发展
	法人代表	李关鹏	董秘	王晓征	证券代码	600270
	公司网址	www.sinoair.com		电子信箱	stock@sinoair.com	
	电　　话	010-80418928		传　　真	010-80418933	
	办公地址	北京市顺义区天竺空港工业区A区天柱路20号				
	经营范围	经营国际航空货运代理、航空快递和国内物流综合服务业务				

	指标\报告期	2016.06.30	2015.12.31	2015.06.30	2014.12.31
主要财务指标	基本每股收益(元)	0.5390	1.1157	0.5321	0.6819
	基本每股收益(扣除后)(元)	0.4924	0.9941	0.5107	0.8343
	稀释每股收益(元)	-	-	-	-
	每股净资产(元)	7.8416	8.0430	8.8010	7.2056
	每股经营现金净流量(元)	-0.1337	0.0600	0.0172	0.0381
	每股现金流量(元)	-0.1945	0.4463	-0.1271	0.0610
	每股资本公积金(元)	0.5947	0.5947	0.5947	0.5773
	每股盈余公积金(元)	0.5412	0.5412	0.5412	0.5412
	每股未分配利润(元)	5.1930	5.1540	4.9703	4.4419
	净资产收益率(%)	6.8736	13.8722	6.0455	9.4634
	加权净资产收益率(%)	6.7300	14.7000	7.0100	10.1500
	净资产收益率(扣除)(%)	6.2838	12.3600	5.8032	11.5781
	总资产(万元)	879302.65	842178.39	950475.30	761738.79
	归属母公司股东权益(万元)	710044.36	728283.11	796911.28	652449.95
	营业收入(万元)	219399.61	435279.54	205378.68	417113.11
	营业支出(万元)	201415.55	396832.62	187527.51	377419.42
	投资收益(万元)	47405.85	99709.61	47657.77	75484.30
	净利润(万元)	48774.29	100989.53	48128.23	61665.11
	营业利润(万元)	48002.67	102483.30	48066.20	59913.47
	利润总额(万元)	49168.86	101039.18	48392.85	60796.26

航天信息股份有限公司

公司概况					
公司名称	航天信息股份有限公司			证券简称	航天信息
法人代表	时旸	董秘	陈仕俗	证券代码	600271
公司网址	www.aisino.com		电子信箱	stock@aisino.com	
电　话	010-88896053		传　真	010-88896055	
办公地址	北京市海淀区杏石口路甲 18 号航天信息园				
经营范围	电子及通信设备、计算机及外部设备、智能机电产品、财税专用设备的研制、生产、销售				

主要财务指标 指标\报告期	2016.06.30	2015.12.31	2015.06.30	2014.12.31
基本每股收益(元)	0.3300	1.6800	0.8800	1.2400
基本每股收益(扣除后)(元)	0.3300	1.6500	0.8800	1.1900
稀释每股收益(元)	0.3300	1.6800	0.8600	1.2400
每股净资产(元)	4.4825	8.8063	8.0011	7.2695
每股经营现金净流量(元)	0.0472	2.7204	0.4182	1.9036
每股现金流量(元)	-0.6140	3.9118	1.8855	0.3754
每股资本公积金(元)	0.1168	0.2332	0.7103	0.2331
每股盈余公积金(元)	0.4570	0.9140	0.7277	0.7277
每股未分配利润(元)	2.6671	6.1757	5.5628	5.3084
净资产收益率(%)	7.4572	19.1187	11.0542	17.0968
加权净资产收益率(%)	7.2500	22.0400	11.6300	18.0400
净资产收益率(扣除)(%)	7.3170	18.7166	10.9364	16.3250
总资产(万元)	1508935.67	1449185.10	1413887.24	1063804.16
归属母公司股东权益(万元)	827837.02	813176.14	738817.09	671261.58
营业收入(万元)	1089377.00	2238342.05	925459.42	1995919.05
营业支出(万元)	902966.45	1823199.90	730939.27	1653034.54
投资收益(万元)	942.87	1082.46	1080.20	459.11
净利润(万元)	88931.41	213954.42	111523.83	167183.96
营业利润(万元)	109121.02	223335.37	118536.45	194299.41
利润总额(万元)	114833.67	256873.84	134959.02	206194.33

上海开开实业股份有限公司

公司概况					
公司名称	上海开开实业股份有限公司			证券简称	开开实业
法人代表	王强	董秘	刘光靓	证券代码	600272
公司网址	www.chinesekk.com		电子信箱	dm@chinesekk.com	
电　话	021-62712138 62712230		传　真	021-62712138	
办公地址	上海市黄浦区新闸路 921 号二楼				
经营范围	生产衬衫、羊毛衫、针绵织品、服装、鞋帽、纺织面料等				

主要财务指标 指标\报告期	2016.06.30	2015.12.31	2015.06.30	2014.12.31
基本每股收益(元)	0.0500	0.0800	0.0500	0.1500
基本每股收益(扣除后)(元)	0.0300	0.0200	0.0200	-0.0200
稀释每股收益(元)	0.0500	0.0800	0.0500	0.1500
每股净资产(元)	1.9965	2.1046	1.9123	1.6804
每股经营现金净流量(元)	0.0445	0.0501	0.0317	0.1134
每股现金流量(元)	-0.0613	0.1006	0.2172	-0.1238
每股资本公积金(元)	0.0552	0.0552	0.0552	0.0552
每股盈余公积金(元)	0.1717	0.1717	0.1620	0.1620
每股未分配利润(元)	0.3648	0.3415	0.3599	0.3145
净资产收益率(%)	2.4173	3.8808	2.3713	8.9008
加权净资产收益率(%)	2.4500	4.8000	2.6600	9.2700
净资产收益率(扣除)(%)	1.4681	0.8067	0.8683	-1.4671
总资产(万元)	99223.74	103154.96	96625.71	92658.64
归属母公司股东权益(万元)	48515.13	51141.21	46468.13	40833.83
营业收入(万元)	44859.38	88127.91	43958.60	88279.82
营业支出(万元)	35150.64	69681.16	34781.80	71160.38
投资收益(万元)	130.04	176.41	193.78	3708.72
净利润(万元)	1152.64	1954.64	1098.68	3663.93
营业利润(万元)	1537.50	2065.85	1235.26	4171.50
利润总额(万元)	1922.84	3164.03	1708.54	4675.22

浙江嘉化能源化工股份有限公司

公司概况					
公司名称	浙江嘉化能源化工股份有限公司			证券简称	嘉化能源
法人代表	管建忠	董秘	林琳	证券代码	600273
公司网址	www.jhec.com.cn		电子信箱	jhnydsh@163.com	
电　话	0573-85585166		传　真	0573-85585033	
办公地址	浙江省嘉兴市乍浦滨海大道 2288 号				
经营范围	化学危险品的生产等				

主要财务指标 指标\报告期	2016.06.30	2015.12.31	2015.06.30	2014.12.31
基本每股收益(元)	0.3000	0.5100	0.2400	0.5700
基本每股收益(扣除后)(元)	0.3000	0.4800	0.2100	0.5300
稀释每股收益(元)	0.3000	0.5100	0.2400	0.5700
每股净资产(元)	2.7755	2.6289	2.3535	2.1929
每股经营现金净流量(元)	0.2535	0.3871	0.1461	0.2555
每股现金流量(元)	-0.0097	-0.1618	-0.3127	0.3784
每股资本公积金(元)	1.0802	1.0802	1.0783	1.0783
每股盈余公积金(元)	0.0775	0.0775	0.0330	0.0330
每股未分配利润(元)	0.6162	0.4702	0.2400	0.0629
净资产收益率(%)	10.8468	19.5793	10.2034	20.2155
加权净资产收益率(%)	10.8300	21.3500	10.5700	33.6500
净资产收益率(扣除)(%)	10.8209	18.3355	8.8607	18.6328
总资产(万元)	659574.68	587713.34	580042.50	500781.18
归属母公司股东权益(万元)	362555.91	343407.20	307433.51	286453.82
营业收入(万元)	201691.57	339133.03	157550.43	338539.00
营业支出(万元)	134187.39	232033.65	111123.19	247433.28
投资收益(万元)	246.38	5060.66	4608.00	5900.14
净利润(万元)	39446.34	67529.72	31402.86	58205.16
营业利润(万元)	47467.85	79944.79	37399.21	67963.52
利润总额(万元)	47427.77	80039.41	37360.51	67691.33

湖北武昌鱼股份有限公司

公司概况					
公司名称	湖北武昌鱼股份有限公司			证券简称	武昌鱼
法人代表	高士庆	董秘	许轼	证券代码	600275
公司网址	www.wuchangyu.com.cn		电子信箱	wuchangyu@263.net	
电　话	0711-5115556 010-84094197		传　真	0711-5115556	
办公地址	湖北省鄂州市洋澜路中段东侧第三幢第四层				
经营范围	淡水鱼类及其他水产品养殖、畜禽养殖(屠宰)、蔬菜种植等				

主要财务指标 指标\报告期	2016.06.30	2015.12.31	2015.06.30	2014.12.31
基本每股收益(元)	-0.0295	-0.0705	-0.0389	0.0113
基本每股收益(扣除后)(元)	-0.0295	-0.0671	-0.0446	-0.0430
稀释每股收益(元)	-0.0295	-0.0705	-0.0389	0.0113
每股净资产(元)	0.3326	0.3621	0.3937	0.4326
每股经营现金净流量(元)	0.0293	-0.0226	-0.0283	0.0004
每股现金流量(元)	-0.0367	0.0492	0.0583	0.0029
每股资本公积金(元)	0.2596	0.2596	0.2596	0.2596
每股盈余公积金(元)	0.0495	0.0495	0.0495	0.0495
每股未分配利润(元)	-0.9765	-0.9469	-0.9153	-0.8765
净资产收益率(%)	-8.8765	-19.4541	-9.8694	2.6178
加权净资产收益率(%)	-8.4993	-17.7295	-9.6703	2.6525
净资产收益率(扣除)(%)	-8.8765	-18.5173	-11.3328	-9.9374
总资产(万元)	34738.88	38579.33	39205.64	36666.74
归属母公司股东权益(万元)	16925.11	18427.47	20035.03	22012.37
营业收入(万元)	591.40	1126.64	694.51	1191.24
营业支出(万元)	111.24	492.81	218.59	772.04
投资收益(万元)	-250.96	-580.40	-217.12	2212.03
净利润(万元)	-1514.38	-3583.35	-1980.53	569.72
营业利润(万元)	-1514.38	-3409.55	-1883.77	967.87
利润总额(万元)	-1514.38	-3583.25	-1980.43	569.92

江苏恒瑞医药股份有限公司

公司概况						
	公司名称	江苏恒瑞医药股份有限公司			证券简称	恒瑞医药
	法人代表	孙飘扬	董秘	刘笑含	证券代码	600276
	公司网址	www.hrs.com.cn		电子信箱	600276@hrs.com.cn	
	电　话	0518-81220012		传　真	0518-85453845	
	办公地址	江苏省连云港市经济技术开发区昆仑山路 7 号				
	经营范围	原料药、片剂、硬胶囊剂、注射剂的制造、销售				

主要财务指标	指标＼报告期	2016.06.30	2015.12.31	2015.06.30	2014.12.31
	基本每股收益(元)	0.5589	1.1149	0.5424	1.0100
	基本每股收益(扣除后)(元)	0.5606	1.1145	0.5452	0.9973
	稀释每股收益(元)	0.5575	1.1125	0.5424	1.0100
	每股净资产(元)	4.7135	5.0761	4.5414	5.2720
	每股经营现金净流量(元)	0.5465	1.1640	0.5331	1.0460
	每股现金流量(元)	0.2807	0.8608	0.3547	0.8504
	每股资本公积金(元)	0.1855	0.2147	0.2033	0.3372
	每股盈余公积金(元)	0.4213	0.5056	0.4005	0.5206
	每股未分配利润(元)	3.1444	3.4015	2.9391	3.4156
	净资产收益率(%)	11.8769	21.8658	11.9437	19.1013
	加权净资产收益率(%)	12.4100	24.3700	12.5200	21.2800
	净资产收益率(扣除)(%)	11.9120	21.8572	12.0044	18.8616
	总资产(万元)	1273278.35	1149670.04	1023695.00	908686.09
	归属母公司股东权益(万元)	1106618.99	993136.45	888533.08	793439.19
	营业收入(万元)	527911.14	931596.02	438620.12	745225.31
	营业支出(万元)	70459.22	137167.05	68604.45	131321.61
	投资收益(万元)	20.09	–252.12	20.09	20.09
	净利润(万元)	132052.13	222396.98	108580.23	157292.91
	营业利润(万元)	154132.75	255887.05	129191.50	177244.81
	利润总额(万元)	153725.87	256197.05	128544.24	179965.11

亿利洁能股份有限公司

公司概况						
	公司名称	亿利洁能股份有限公司			证券简称	亿利洁能
	法人代表	田继生	董秘	侯菁慧	证券代码	600277
	公司网址	www.elion.cn		电子信箱	Elion_yl600277@163.com	
	电　话	010-56632450 56632432		传　真	010-56632585	
	办公地址	北京市西城区复兴门内大街 28 号凯晨世贸中心东座 6 层				
	经营范围	环保节能技术开发、转让、推广、咨询、服务、规划设计、投资建设等				

主要财务指标	指标＼报告期	2016.06.30	2015.12.31	2015.06.30	2014.12.31
	基本每股收益(元)	0.0751	0.0600	0.0500	0.1200
	基本每股收益(扣除后)(元)	0.0328	–0.1200	0.0500	–0.0300
	稀释每股收益(元)	0.0751	–	0.0500	–
	每股净资产(元)	4.5781	4.4091	4.4125	4.3226
	每股经营现金净流量(元)	0.2573	0.5273	0.2094	0.2289
	每股现金流量(元)	0.9246	–0.2204	–0.1438	–0.4521
	每股资本公积金(元)	2.9146	2.8262	2.8098	2.7680
	每股盈余公积金(元)	0.0966	0.0966	0.0879	0.0879
	每股未分配利润(元)	0.5353	0.4602	0.4923	0.4443
	净资产收益率(%)	1.6400	1.4187	1.0883	2.8536
	加权净资产收益率(%)	1.5300	1.4300	1.1000	2.8900
	净资产收益率(扣除)(%)	0.7157	–2.6863	1.0649	–0.6091
	总资产(万元)	2213822.21	2072511.90	2095912.60	2016163.60
	归属母公司股东权益(万元)	956626.21	921310.96	922034.41	903239.24
	营业收入(万元)	446253.75	805609.44	382679.09	1201001.65
	营业支出(万元)	386161.13	728505.05	321794.30	1090446.84
	投资收益(万元)	4155.94	797.96	–1511.43	41466.57
	净利润(万元)	18076.81	15229.72	7737.02	23173.08
	营业利润(万元)	9483.27	6373.23	5479.72	24488.22
	利润总额(万元)	18234.81	24191.20	8551.29	30354.51

东方国际创业股份有限公司

公司概况						
	公司名称	东方国际创业股份有限公司			证券简称	东方创业
	法人代表	吕勇明	董秘	陈乃轶	证券代码	600278
	公司网址	www.oie.com.cn		电子信箱	oiehq@oie.com.cn	
	电　话	021-62785521 62789999		传　真	021-62784020	
	办公地址	上海市长宁区娄山关路 85 号 A 座				
	经营范围	自营和代理商品、技术进出口业务等				

主要财务指标	指标＼报告期	2016.06.30	2015.12.31	2015.06.30	2014.12.31
	基本每股收益(元)	0.1400	0.2800	0.1700	0.2600
	基本每股收益(扣除后)(元)	0.0700	0.0700	0.0400	0.1300
	稀释每股收益(元)	0.1400	0.2800	0.1700	0.2600
	每股净资产(元)	5.5852	5.5908	5.8017	5.6757
	每股经营现金净流量(元)	0.3122	0.4277	0.3998	–0.4662
	每股现金流量(元)	0.3252	0.6627	0.7318	–0.7144
	每股资本公积金(元)	1.6846	1.6846	1.6852	1.6852
	每股盈余公积金(元)	0.3360	0.3360	0.3080	0.3080
	每股未分配利润(元)	2.0740	1.9323	1.9263	1.7581
	净资产收益率(%)	2.5381	5.0468	2.8983	4.5531
	加权净资产收益率(%)	2.5300	4.9800	2.9200	5.0700
	净资产收益率(扣除)(%)	1.3144	1.2302	0.6801	2.3557
	总资产(万元)	655957.11	623738.24	649533.93	611814.67
	归属母公司股东权益(万元)	291681.47	291972.91	302991.04	296410.03
	营业收入(万元)	668975.24	1417438.59	633476.96	1454868.77
	营业支出(万元)	630661.13	1344776.41	602039.99	1378975.94
	投资收益(万元)	9003.26	14519.64	10202.59	8129.04
	净利润(万元)	8731.80	18020.50	10229.87	16794.57
	营业利润(万元)	11091.17	19175.71	12597.94	18788.54
	利润总额(万元)	11693.73	24976.86	14425.01	22295.15

重庆港九股份有限公司

公司概况						
	公司名称	重庆港九股份有限公司			证券简称	重庆港九
	法人代表	孙万发	董秘	张强	证券代码	600279
	公司网址	www.cqgj.com.cn		电子信箱	zhangqiang921@sina.com	
	电　话	023-63100700		传　真	023-63100700	
	办公地址	重庆市江北区海尔路 298 号				
	经营范围	内河货物运输、货物装卸、搬运、商品储存、船舶修理等				

主要财务指标	指标＼报告期	2016.06.30	2015.12.31	2015.06.30	2014.12.31
	基本每股收益(元)	0.0503	0.1700	0.0900	0.2200
	基本每股收益(扣除后)(元)	0.0393	0.1500	0.0745	0.1900
	稀释每股收益(元)	0.0503	0.1700	0.0900	0.2200
	每股净资产(元)	4.6338	6.9321	7.1248	7.1017
	每股经营现金净流量(元)	0.1860	0.7237	0.0425	0.5509
	每股现金流量(元)	–0.4664	0.1939	–0.0500	0.9475
	每股资本公积金(元)	3.0420	5.0630	5.0630	5.0630
	每股盈余公积金(元)	0.1172	0.1758	0.1676	0.1676
	每股未分配利润(元)	0.4952	0.7273	0.8872	0.8672
	净资产收益率(%)	1.0860	2.4293	1.2631	2.9133
	加权净资产收益率(%)	1.0800	2.4400	1.2600	3.2100
	净资产收益率(扣除)(%)	0.8471	2.1074	1.0461	2.0701
	总资产(万元)	713400.34	734296.90	753398.84	717886.15
	归属母公司股东权益(万元)	321106.09	320243.67	329144.15	328077.62
	营业收入(万元)	66869.14	206605.88	89639.08	189529.59
	营业支出(万元)	48353.88	167245.79	69063.88	149392.65
	投资收益(万元)	–81.63	283.07	18.00	83.31
	净利润(万元)	5832.10	12540.92	6677.19	15470.22
	营业利润(万元)	5559.23	11860.84	6857.17	13897.87
	利润总额(万元)	7171.07	14083.38	8038.44	18489.29

南京中央商场(集团)股份有限公司

公司概况	公司名称	南京中央商场(集团)股份有限公司		证券简称	中央商场
	法人代表	吴晓国	董秘	刘宇袖	证券代码	600280
	公司网址	www.600280.com		电子信箱	liuyuxiu@njzsgroup.com
	电　话	025-66008022		传　真	025-66008020
	办公地址	江苏省南京市建邺区雨润路10号			
	经营范围	百货、食品、针织服装、五金交电化工等商品的零售、批发等			

主要财务指标	指标\报告期	2016.06.30	2015.12.31	2015.06.30	2014.12.31
	基本每股收益(元)	0.0650	0.0980	0.1440	0.7100
	基本每股收益(扣除后)(元)	0.0760	0.0560	0.1410	0.5600
	稀释每股收益(元)	0.0650	0.0980	0.1440	0.7100
	每股净资产(元)	1.4699	1.4351	1.4808	2.9237
	每股经营现金净流量(元)	-0.1162	-0.6748	0.1181	-3.0564
	每股现金流量(元)	-0.0383	-0.3698	-0.1971	-0.5989
	每股资本公积金(元)	0.0111	0.0111	0.0111	0.0222
	每股盈余公积金(元)	0.2407	0.2407	0.2264	0.4033
	每股未分配利润(元)	0.0911	0.0563	0.1163	1.2442
	净资产收益率(%)	4.4054	6.8469	9.7244	24.2799
	加权净资产收益率(%)	4.4100	6.7800	9.3900	27.4600
	净资产收益率(扣除)(%)	5.1653	3.8873	9.4913	19.1531
	总资产(万元)	1638801.44	1565481.71	1524827.47	1356392.47
	归属母公司股东权益(万元)	168788.10	164797.24	170050.09	167867.85
	营业收入(万元)	316931.19	664613.54	348443.13	687130.05
	营业支出(万元)	246208.81	520486.36	275815.89	539951.58
	投资收益(万元)	157.74	8543.79	254.95	2289.84
	净利润(万元)	7665.27	11500.27	16642.63	40870.31
	营业利润(万元)	14401.67	19256.17	24502.52	47770.45
	利润总额(万元)	13965.31	19554.98	24518.17	57803.66

太原化工股份有限公司

公司概况	公司名称	太原化工股份有限公司		证券简称	太化股份
	法人代表	杨培武	董秘	贾晓亮	证券代码	600281
	公司网址	www.thgf.cn		电子信箱	sxtjjxl@126.com
	电　话	0351-5638003 5638016		传　真	0351-5638000 5638066
	办公地址	山西省太原市晋源区义井街20号			
	经营范围	研制、开发、生产、销售化工产品及原料、化肥、焦炭、煤气等			

主要财务指标	指标\报告期	2016.06.30	2015.12.31	2015.06.30	2014.12.31
	基本每股收益(元)	-0.1850	-0.3445	-0.0340	0.0371
	基本每股收益(扣除后)(元)	-0.0701	-0.1546	-0.0350	-0.0726
	稀释每股收益(元)	-	-	-	-
	每股净资产(元)	0.8229	1.0078	1.3181	1.3518
	每股经营现金净流量(元)	-0.2930	-0.0900	-0.1172	-0.2354
	每股现金流量(元)	-0.1296	0.0807	-0.0806	0.0547
	每股资本公积金(元)	1.1226	1.1226	1.1226	1.1226
	每股盈余公积金(元)	0.1062	0.1062	0.1062	0.1062
	每股未分配利润(元)	-1.4218	-1.2368	-0.9260	-0.8923
	净资产收益率(%)	-22.4800	-34.1886	-2.5573	2.7475
	加权净资产收益率(%)	-20.2100	-29.2100	-2.5200	2.7800
	净资产收益率(扣除)(%)	-8.5149	-15.3363	-2.6292	-5.3707
	总资产(万元)	196714.47	230902.28	243068.71	253958.49
	归属母公司股东权益(万元)	42329.50	51840.37	67803.13	69538.99
	营业收入(万元)	41428.34	230557.86	178400.95	337014.42
	营业支出(万元)	40034.88	226579.73	176630.11	331791.55
	投资收益(万元)	-	17.72	17.72	-
	净利润(万元)	-9498.69	-17729.93	-1750.94	2120.01
	营业利润(万元)	-8309.38	-24383.14	-1980.26	-2988.41
	利润总额(万元)	-9715.24	-17803.55	-1915.69	2697.55

南京钢铁股份有限公司

公司概况	公司名称	南京钢铁股份有限公司		证券简称	南钢股份
	法人代表	黄一新	董秘	徐林	证券代码	600282
	公司网址	www.600282.net		电子信箱	webmaster@600282.net
	电　话	025-57072073 57072083		传　真	025-57072064
	办公地址	江苏省南京市六合区卸甲甸			
	经营范围	黑色金属冶炼及压延加工、钢材、钢坯及其他金属材料销售等			

主要财务指标	指标\报告期	2016.06.30	2015.12.31	2015.06.30	2014.12.31
	基本每股收益(元)	0.0367	-0.6276	0.0090	0.0753
	基本每股收益(扣除后)(元)	0.0356	-0.6362	0.0030	0.0297
	稀释每股收益(元)	0.0367	-0.6276	0.0090	0.0753
	每股净资产(元)	1.6268	1.5916	2.2186	2.2082
	每股经营现金净流量(元)	0.5697	0.2627	0.2241	0.9738
	每股现金流量(元)	-0.1195	-0.1635	-0.1329	0.1581
	每股资本公积金(元)	0.1550	0.1550	0.1313	0.1313
	每股盈余公积金(元)	0.1662	0.1662	0.1699	0.1699
	每股未分配利润(元)	0.3099	0.2731	0.9158	0.9068
	净资产收益率(%)	2.2583	-38.5733	0.4052	3.4110
	加权净资产收益率(%)	2.2800	-33.1600	0.4100	3.4700
	净资产收益率(扣除)(%)	2.1890	-39.1003	0.1448	1.3450
	总资产(万元)	3387237.25	3634342.35	4270584.99	3953769.36
	归属母公司股东权益(万元)	644543.61	630597.94	859856.00	855833.49
	营业收入(万元)	1087529.07	2225188.88	1186726.06	2788548.08
	营业支出(万元)	962064.07	2160272.11	1067418.34	2526701.19
	投资收益(万元)	1180.11	-5377.58	-2036.58	47621.44
	净利润(万元)	14516.31	-243252.82	3493.31	29227.78
	营业利润(万元)	9730.71	-226270.93	-4827.24	23760.73
	利润总额(万元)	18626.69	-208861.32	5707.72	37520.70

钱江水利开发股份有限公司

公司概况	公司名称	钱江水利开发股份有限公司		证券简称	钱江水利
	法人代表	刘正洪	董秘	刘正洪(代)	证券代码	600283
	公司网址	www.qjwater.com.cn		电子信箱	qjsl@qjwater.com.cn
	电　话	0571-87974378 87974387		传　真	0571-87974400
	办公地址	浙江省杭州市三台山路3号			
	经营范围	水力发电、供水、水利资源开发、水利工程承包等			

主要财务指标	指标\报告期	2016.06.30	2015.12.31	2015.06.30	2014.12.31
	基本每股收益(元)	-0.0100	0.1200	0.0800	0.0600
	基本每股收益(扣除后)(元)	-0.0400	0.0300	0.0700	0.0100
	稀释每股收益(元)	-0.0100	0.1200	0.0800	0.0600
	每股净资产(元)	4.8725	5.0311	5.0314	3.4053
	每股经营现金净流量(元)	0.2556	0.5441	0.1487	0.1085
	每股现金流量(元)	0.4602	0.6415	0.1886	-0.3211
	每股资本公积金(元)	3.3110	3.3110	3.3110	1.8130
	每股盈余公积金(元)	0.2305	0.2305	0.2071	0.2562
	每股未分配利润(元)	0.0815	0.1935	0.1796	0.1733
	净资产收益率(%)	-0.2479	2.3225	1.5804	1.8221
	加权净资产收益率(%)	-0.2400	2.5600	1.9200	1.8400
	净资产收益率(扣除)(%)	-0.7783	0.5148	1.3049	0.3761
	总资产(万元)	545212.73	523900.07	468678.59	427699.47
	归属母公司股东权益(万元)	171998.54	177595.11	177606.32	97163.47
	营业收入(万元)	37743.44	80443.07	36119.00	80297.99
	营业支出(万元)	21093.26	48044.97	20653.30	49000.56
	投资收益(万元)	2168.07	4294.93	2068.97	-126.73
	净利润(万元)	211.38	-3731.80	-121.43	-1097.53
	营业利润(万元)	1091.39	-4991.79	400.65	-451.65
	利润总额(万元)	1430.09	-854.43	944.50	1293.69

上海浦东路桥建设股份有限公司

公司概况	公司名称	上海浦东路桥建设股份有限公司		证券简称	浦东建设
	法人代表	郭亚兵	董秘 马家顺	证券代码	600284
	公司网址	www.pdjs.com.cn		电子信箱	majs@pdjs.com.cn
	电话	021-58206677-226		传真	021-68765759
	办公地址	上海市浦东新区银城中路 8 号中融碧玉蓝天大厦 14F			
	经营范围	道路、公路、桥梁路面摊铺施工，其他基础工程总包施工、沥青销售			

主要财务指标	指标\报告期	2016.06.30	2015.12.31	2015.06.30	2014.12.31
	基本每股收益(元)	0.2087	0.5471	0.2083	0.5089
	基本每股收益(扣除后)(元)	0.2069	0.4965	0.1787	0.4296
	稀释每股收益(元)	0.2087	0.5471	0.2083	0.5089
	每股净资产(元)	7.2905	7.2534	6.9117	6.8524
	每股经营现金净流量(元)	−0.6306	−0.3315	−0.9133	0.3581
	每股现金流量(元)	−0.6056	−0.0754	2.9127	−0.8703
	每股资本公积金(元)	3.2733	3.2818	3.2818	3.2818
	每股盈余公积金(元)	0.3834	0.3834	0.3231	0.3231
	每股未分配利润(元)	2.6235	2.5798	2.3013	2.2480
	净资产收益率(%)	2.8625	7.5425	3.0131	7.4271
	加权净资产收益率(%)	2.8500	7.7600	2.9900	7.3000
	净资产收益率(扣除)(%)	2.8382	6.8658	2.5849	6.2698
	总资产(万元)	1194772.64	1336437.50	1543399.85	1490352.32
	归属母公司股东权益(万元)	505258.05	502692.91	479005.06	474897.08
	营业收入(万元)	93023.94	316361.25	122222.40	376531.58
	营业支出(万元)	78169.98	282240.51	112184.34	326993.25
	投资收益(万元)	16992.44	60211.57	29620.94	54290.50
	净利润(万元)	17252.01	48025.78	18117.28	44711.81
	营业利润(万元)	23624.61	56916.08	21939.86	53169.83
	利润总额(万元)	23603.62	61388.69	23407.83	56813.68

河南羚锐制药股份有限公司

公司概况	公司名称	河南羚锐制药股份有限公司		证券简称	羚锐制药
	法人代表	程剑军	董秘 叶强	证券代码	600285
	公司网址	www.lingrui.com		电子信箱	yeqiang@lingrui.com
	电话	0376-2973569		传真	0376-2973606
	办公地址	河南省信阳市新县城关解放路 59 号			
	经营范围	中药硬膏剂、冲剂、搽剂、片剂、胶囊剂的生产和销售			

主要财务指标	指标\报告期	2016.06.30	2015.12.31	2015.06.30	2014.12.31
	基本每股收益(元)	0.1780	0.2500	0.1530	0.1400
	基本每股收益(扣除后)(元)	0.1680	0.2300	0.1330	0.1300
	稀释每股收益(元)	0.1780	0.2500	0.1530	0.1400
	每股净资产(元)	3.6202	3.1862	3.4185	2.8820
	每股经营现金净流量(元)	−0.0378	0.2929	0.1015	0.2321
	每股现金流量(元)	0.0901	0.0779	0.0189	−0.1329
	每股资本公积金(元)	0.9322	0.3130	0.2438	0.2331
	每股盈余公积金(元)	0.1250	0.1384	0.1128	0.1128
	每股未分配利润(元)	0.8024	0.6833	0.6329	0.5399
	净资产收益率(%)	4.5899	7.7648	4.4736	4.9350
	加权净资产收益率(%)	5.3200	8.2100	4.7200	6.7900
	净资产收益率(扣除)(%)	4.3475	7.0741	3.8791	4.4494
	总资产(万元)	310747.75	283318.09	283568.04	247445.32
	归属母公司股东权益(万元)	214448.51	172725.30	183056.12	154347.79
	营业收入(万元)	66357.77	107076.72	52190.78	82627.41
	营业支出(万元)	21754.10	39600.82	19959.95	33216.82
	投资收益(万元)	1661.66	3297.95	3066.40	2874.14
	净利润(万元)	9960.87	13370.62	8277.82	7621.70
	营业利润(万元)	10996.12	14963.36	9297.82	8033.95
	利润总额(万元)	11605.33	15479.52	9534.80	8578.61

江苏舜天股份有限公司

公司概况	公司名称	江苏舜天股份有限公司		证券简称	江苏舜天
	法人代表	杨青峰	董秘 陈浩杰	证券代码	600287
	公司网址	www.saintycorp.com		电子信箱	ir@saintycorp.com
	电话	025-52875628		传真	025-84201927
	办公地址	江苏省南京市雨花台区软件大道 21 号 B 座			
	经营范围	主营服装、纺织品及其他产品的进出口业务			

主要财务指标	指标\报告期	2016.06.30	2015.12.31	2015.06.30	2014.12.31
	基本每股收益(元)	0.0716	0.1745	0.0922	0.1198
	基本每股收益(扣除后)(元)	0.0714	0.0701	0.0643	0.0804
	稀释每股收益(元)	-	-	-	-
	每股净资产(元)	2.8666	2.8670	2.7836	2.7440
	每股经营现金净流量(元)	0.0976	0.9101	0.1933	−0.5677
	每股现金流量(元)	−0.1670	0.1975	0.1611	−0.2445
	每股资本公积金(元)	0.4429	0.4429	0.4366	0.4366
	每股盈余公积金(元)	0.2986	0.2986	0.2844	0.2844
	每股未分配利润(元)	1.1216	1.1199	1.0518	1.0196
	净资产收益率(%)	2.4994	6.0859	3.3108	4.3648
	加权净资产收益率(%)	2.4800	6.2400	3.3100	4.4100
	净资产收益率(扣除)(%)	2.4915	2.4447	2.3084	2.9301
	总资产(万元)	334027.19	326374.62	444110.40	436983.87
	归属母公司股东权益(万元)	125210.88	125229.92	121585.25	119856.41
	营业收入(万元)	213973.28	584059.52	281278.86	577757.62
	营业支出(万元)	192535.88	532816.26	256979.59	528141.00
	投资收益(万元)	2502.88	4091.87	1107.43	3916.79
	净利润(万元)	3909.31	11274.12	5440.70	9025.86
	营业利润(万元)	5610.30	9178.93	7429.24	12349.21
	利润总额(万元)	5892.17	14495.90	7669.53	12683.43

大恒新纪元科技股份有限公司

公司概况	公司名称	大恒新纪元科技股份有限公司		证券简称	大恒科技
	法人代表	鲁勇志	董秘 严宏深	证券代码	600288
	公司网址	www.dhxjy.com.cn		电子信箱	600288@dhkj.sina.net
	电话	010-82827855 82827852		传真	010-82827853
	办公地址	北京市海淀区苏州街 3 号大恒科技大厦北座 15 层			
	经营范围	光机电一体化产品开发、生产、销售等			

主要财务指标	指标\报告期	2016.06.30	2015.12.31	2015.06.30	2014.12.31
	基本每股收益(元)	−0.0148	0.0632	0.0233	0.0608
	基本每股收益(扣除后)(元)	−0.0194	0.0353	0.0140	0.0512
	稀释每股收益(元)	−0.0148	0.0632	0.0233	0.0608
	每股净资产(元)	3.3679	3.4045	3.3421	3.3378
	每股经营现金净流量(元)	−0.4160	0.3951	−0.2434	0.4726
	每股现金流量(元)	−0.4573	−0.2855	−0.7714	0.1308
	每股资本公积金(元)	0.4283	0.4283	0.4279	0.4279
	每股盈余公积金(元)	0.2147	0.2147	0.2020	0.2020
	每股未分配利润(元)	1.6649	1.6987	1.6716	1.6673
	净资产收益率(%)	−0.4380	1.8554	0.6981	1.8209
	加权净资产收益率(%)	−0.4300	1.8800	0.7000	1.8800
	净资产收益率(扣除)(%)	−0.5761	1.0381	0.4198	1.5352
	总资产(万元)	295996.11	306621.64	294220.40	316257.57
	归属母公司股东权益(万元)	147107.95	148706.51	145984.93	145795.77
	营业收入(万元)	112841.10	268202.61	110994.61	334948.53
	营业支出(万元)	85880.94	212310.38	89916.85	276317.74
	投资收益(万元)	2053.56	7287.92	5677.92	4908.26
	净利润(万元)	−1052.92	4536.13	606.44	915.46
	营业利润(万元)	−2210.54	−1994.43	−2095.91	−795.33
	利润总额(万元)	−242.31	5500.40	928.94	2049.44

亿阳信通股份有限公司

	项目			
公司概况	公司名称	亿阳信通股份有限公司	证券简称	亿阳信通
	法人代表	曲飞　董秘　方圆	证券代码	600289
	公司网址	www.boco.com.cn	电子信箱	bit@boco.com.cn
	电　话	010-88157899 88128686	传　真	010-88140589
	办公地址	北京市海淀区杏石口路 99 号 B 座		
	经营范围	电信、交通、能源、金融、政府等行业的 IT 应用为主		

	指标＼报告期	2016.06.30	2015.12.31	2015.06.30	2014.12.31
主要财务指标	基本每股收益(元)	0.0322	0.1862	0.0234	0.1718
	基本每股收益(扣除后)(元)	0.0319	0.1591	0.0240	0.1605
	稀释每股收益(元)	0.0322	0.1862	0.0234	0.1718
	每股净资产(元)	3.5719	3.5647	3.4077	3.4184
	每股经营现金净流量(元)	–0.3047	0.2528	–0.2491	0.3937
	每股现金流量(元)	–0.3608	0.2185	–0.4700	–0.3212
	每股资本公积金(元)	0.6710	0.6710	0.7005	0.7005
	每股盈余公积金(元)	0.4453	0.4453	0.4143	0.4143
	每股未分配利润(元)	1.4554	1.4482	1.2930	1.3038
	净资产收益率(%)	0.9010	5.2321	0.6854	5.0458
	加权净资产收益率(%)	0.8987	5.3600	0.6821	5.1700
	净资产收益率(扣除)(%)	0.8932	4.4708	0.7053	4.7149
	总资产(万元)	298876.00	300474.89	280037.19	279829.02
	归属母公司股东权益(万元)	202143.68	201737.25	193344.64	193955.45
	营业收入(万元)	62643.88	119753.65	59831.52	117203.90
	营业支出(万元)	24902.57	47771.71	27254.74	43681.98
	投资收益(万元)	–307.09	631.05	–254.49	–11.95
	净利润(万元)	1804.17	10511.85	1099.36	9097.88
	营业利润(万元)	2839.73	8283.47	2155.51	8666.22
	利润总额(万元)	3400.08	12102.75	2438.43	11724.59

华仪电气股份有限公司

	项目			
公司概况	公司名称	华仪电气股份有限公司	证券简称	华仪电气
	法人代表	陈道荣　董秘　张传晕	证券代码	600290
	公司网址	www.heag.com	电子信箱	hyzqb@heag.com
	电　话	0577-62661122	传　真	0577-62237777
	办公地址	浙江省乐清市经济开发区中心大道 228 号		
	经营范围	高压电器和风电设备制造		

	指标＼报告期	2016.06.30	2015.12.31	2015.06.30	2014.12.31
主要财务指标	基本每股收益(元)	0.0684	0.1100	0.1531	0.1700
	基本每股收益(扣除后)(元)	0.0546	0.1100	0.1540	0.1400
	稀释每股收益(元)	0.0684	0.1100	0.1531	0.1700
	每股净资产(元)	5.5385	5.5001	3.8814	3.7882
	每股经营现金净流量(元)	–0.4017	0.0905	–0.4910	–0.5304
	每股现金流量(元)	–1.1138	2.8237	–0.0737	–0.7042
	每股资本公积金(元)	3.7780	3.7780	1.8009	1.8009
	每股盈余公积金(元)	0.0570	0.0570	0.0809	0.0809
	每股未分配利润(元)	0.7035	0.6651	0.9995	0.9064
	净资产收益率(%)	1.2354	1.4386	3.9452	4.5454
	加权净资产收益率(%)	1.2400	3.0000	3.9800	4.6300
	净资产收益率(扣除)(%)	0.9861	1.4325	3.9677	3.8098
	总资产(万元)	769845.54	734543.05	515909.42	475064.63
	归属母公司股东权益(万元)	420875.38	417954.88	204502.21	199595.53
	营业收入(万元)	89099.26	205988.50	89396.59	174903.22
	营业支出(万元)	64117.79	156549.69	61792.75	133127.22
	投资收益(万元)	1436.65	474.94	223.32	2091.13
	净利润(万元)	5159.17	5928.87	7950.66	9288.83
	营业利润(万元)	6406.16	10174.40	10844.33	11458.15
	利润总额(万元)	6681.80	9966.05	10699.84	10940.80

内蒙古西水创业股份有限公司

	项目			
公司概况	公司名称	内蒙古西水创业股份有限公司	证券简称	西水股份
	法人代表	郭予丰　董秘　苏宏伟	证券代码	600291
	公司网址		电子信箱	xishuigufen@163.com
	电　话	0473-6953126	传　真	0473-6953126
	办公地址	内蒙古自治区乌海市海勃湾滨河区世景苑西 4-21 号		
	经营范围	水泥、熟料的制造、销售、计算机硬件销售及软件开发、网络产品的研制等		

	指标＼报告期	2016.06.30	2015.12.31	2015.06.30	2014.12.31
主要财务指标	基本每股收益(元)	0.0059	0.4631	0.9604	0.2219
	基本每股收益(扣除后)(元)	0.0041	0.1576	0.6586	0.0939
	稀释每股收益(元)	0.0059	0.4631	0.9604	0.2219
	每股净资产(元)	10.1295	15.5608	9.7793	8.1672
	每股经营现金净流量(元)	92.9663	141.9178	148.5014	66.3554
	每股现金流量(元)	–12.2962	49.7492	26.4680	9.9127
	每股资本公积金(元)	5.4456	10.4174	1.1420	0.8375
	每股盈余公积金(元)	0.0930	0.1518	0.2353	0.2353
	每股未分配利润(元)	0.7101	1.2011	2.6205	1.6671
	净资产收益率(%)	0.0543	1.7070	9.8206	2.7174
	加权净资产收益率(%)	0.0600	5.2400	10.7000	3.1800
	净资产收益率(扣除)(%)	0.0380	0.5809	6.7344	1.1493
	总资产(万元)	29191571.42	17295579.49	11762109.80	4874953.95
	归属母公司股东权益(万元)	1107217.94	1041675.36	375524.24	313619.69
	营业收入(万元)	1411451.35	2002926.70	3327.38	5037.42
	营业支出(万元)	1415059.46	–	250959.03	128461.71
	投资收益(万元)	836301.78	1073880.06	518672.16	179056.56
	净利润(万元)	–2236.33	48754.88	174618.82	41188.97
	营业利润(万元)	–3608.11	72601.00	246447.17	24630.04
	利润总额(万元)	–2842.35	76220.50	247949.05	15947.12

国家电投集团远达环保股份有限公司

	项目			
公司概况	公司名称	国家电投集团远达环保股份有限公司	证券简称	远达环保
	法人代表	郑武生　董秘　黄青华	证券代码	600292
	公司网址	www.zdydep.com	电子信箱	dm@jiulongep.com
	电　话	023-65933051 65933055	传　真	023-65933000
	办公地址	重庆市北部新区黄环北路 10 号 1 栋		
	经营范围	电力生产、电力技术服务、销售电机及输变电设备等		

	指标＼报告期	2016.06.30	2015.12.31	2015.06.30	2014.12.31
主要财务指标	基本每股收益(元)	0.0700	0.3700	0.3000	0.3200
	基本每股收益(扣除后)(元)	0.0700	0.2200	0.1200	0.3000
	稀释每股收益(元)	0.0700	0.3700	0.3000	0.3200
	每股净资产(元)	6.1208	6.1960	7.9566	7.9345
	每股经营现金净流量(元)	0.0701	0.6325	0.7779	–0.2607
	每股现金流量(元)	–0.1996	–0.3605	0.2932	0.5818
	每股资本公积金(元)	3.8145	3.8145	5.2589	5.2589
	每股盈余公积金(元)	0.1789	0.1789	0.1907	0.1907
	每股未分配利润(元)	0.9780	1.0033	1.2526	0.9989
	净资产收益率(%)	1.2211	5.9249	4.8216	4.8757
	加权净资产收益率(%)	1.2200	5.9800	4.8400	6.5900
	净资产收益率(扣除)(%)	1.1470	3.4895	1.9614	4.6053
	总资产(万元)	834757.86	856021.63	893413.83	865527.67
	归属母公司股东权益(万元)	477920.71	483790.96	477896.27	476570.65
	营业收入(万元)	161937.79	353613.79	173596.69	348430.61
	营业支出(万元)	134990.69	291411.66	144748.23	283688.12
	投资收益(万元)	1236.82	18768.68	18331.46	1351.56
	净利润(万元)	6873.75	31332.49	24047.88	25306.99
	营业利润(万元)	6998.87	41538.69	30108.26	28688.56
	利润总额(万元)	7519.98	40091.07	30907.15	30114.94

湖北三峡新型建材股份有限公司

公司概况					
公司名称	湖北三峡新型建材股份有限公司			证券简称	三峡新材
法人代表	许锡忠	董秘	杨晓凭	证券代码	600293
公司网址	www.sxxc.com.cn		电子信箱	zhanggc@sxxc.com.cn	
电　话	0717-3280108		传　真	0717-3285258	
办公地址	湖北省当阳市经济技术开发区				
经营范围	平板玻璃及玻璃深加工制品、石膏及制品的生产和销售等				

主要财务指标 指标＼报告期	2016.06.30	2015.12.31	2015.06.30	2014.12.31
基本每股收益(元)	0.0123	–0.1920	0.0068	0.0330
基本每股收益(扣除后)(元)	0.0076	–0.3173	–0.0008	0.0221
稀释每股收益(元)	0.0123	–0.1920	0.0068	0.0330
每股净资产(元)	1.9706	1.9583	2.1555	2.1590
每股经营现金净流量(元)	0.0288	–0.0268	0.0099	–0.4426
每股现金流量(元)	0.0777	0.0859	0.0637	–0.3082
每股资本公积金(元)	0.9391	0.9391	0.9288	0.9391
每股盈余公积金(元)	0.1676	0.1676	0.1676	0.1676
每股未分配利润(元)	–0.1367	–0.1490	0.0590	0.0522
净资产收益率(%)	0.6249	–9.8230	0.3154	1.5296
加权净资产收益率(%)	0.6300	–9.3300	0.3200	1.5400
净资产收益率(扣除)(%)	0.3832	–16.2045	–0.0358	1.0227
总资产(万元)	260965.34	260411.91	253966.18	256767.05
归属母公司股东权益(万元)	67887.70	67463.46	74256.06	74377.68
营业收入(万元)	54088.24	100735.07	49737.20	130280.28
营业支出(万元)	47082.15	96154.18	42523.11	111029.75
投资收益(万元)	–	–464.22	–	–69.94
净利润(万元)	425.36	–6640.72	237.20	1124.22
营业利润(万元)	263.85	–12389.58	–16.60	966.04
利润总额(万元)	427.94	–7505.53	244.15	1409.32

内蒙古鄂尔多斯资源股份有限公司

公司概况					
公司名称	内蒙古鄂尔多斯资源股份有限公司			证券简称	鄂尔多斯
法人代表	张奕龄	董秘	曾广春	证券代码	600295
公司网址	www.chinaerdos.com		电子信箱	zeng_gc@chinaerdos.com	
电　话	0477-8543509 8543776		传　真	0477-8520402	
办公地址	内蒙古自治区鄂尔多斯市东胜区罕台镇羊绒工业园区				
经营范围	生产无毛绒、羊绒纱、羊绒衫并销售公司自产产品				

主要财务指标 指标＼报告期	2016.06.30	2015.12.31	2015.06.30	2014.12.31
基本每股收益(元)	0.1000	0.2300	0.1100	0.4100
基本每股收益(扣除后)(元)	–	–0.0100	0.0200	0.2800
稀释每股收益(元)	0.1000	0.2300	0.1100	0.4100
每股净资产(元)	7.0593	6.8511	6.7443	6.7251
每股经营现金净流量(元)	3.3715	4.8509	1.4492	4.7837
每股现金流量(元)	1.1885	–0.0013	–0.5135	–0.5267
每股资本公积金(元)	1.4106	1.2798	1.2613	1.4357
每股盈余公积金(元)	0.4767	0.4767	0.4633	0.4633
每股未分配利润(元)	4.1100	4.0587	3.9465	3.9393
净资产收益率(%)	1.4363	3.4077	1.5903	6.0736
加权净资产收益率(%)	1.4700	3.3200	1.5200	6.1500
净资产收益率(扣除)(%)	0.0123	–0.1620	0.2373	4.2180
总资产(万元)	4486998.75	4448218.26	4366010.89	4397367.74
归属母公司股东权益(万元)	728516.91	707034.67	696007.07	712031.35
营业收入(万元)	726628.49	1524009.00	714229.62	1556840.02
营业支出(万元)	507404.25	1117888.65	500371.69	1097844.12
投资收益(万元)	–2315.10	6459.83	2425.57	10735.62
净利润(万元)	28491.78	48799.27	32667.67	86747.92
营业利润(万元)	24905.50	32955.64	31090.92	78713.99
利润总额(万元)	40612.02	67298.48	42652.13	106938.90

广汇汽车服务股份公司

公司概况					
公司名称	广汇汽车服务股份公司			证券简称	广汇汽车
法人代表	李建平	董秘	许星	证券代码	600297
公司网址	www.chinagrandauto.com.cn		电子信箱	IR@chinagrandauto.com	
电　话	021-24032833		传　真	021-24032811	
办公地址	上海市闵行区虹莘路 3998 号				
经营范围	汽车及配件销售、二手车销售、汽车维修、汽车保险代理、汽车及配件进出口的项目开发等				

主要财务指标 指标＼报告期	2016.06.30	2015.12.31	2015.06.30	2014.12.31
基本每股收益(元)	0.2509	0.3939	0.2942	0.0967
基本每股收益(扣除后)(元)	0.2298	0.3719	0.2919	0.0455
稀释每股收益(元)	0.2509	0.3939	0.2942	0.0967
每股净资产(元)	4.0639	3.8148	5.4278	2.7504
每股经营现金净流量(元)	–0.6904	1.0115	–0.8919	0.2073
每股现金流量(元)	0.2778	–0.1307	0.7175	–0.3240
每股资本公积金(元)	1.4825	1.4829	2.7255	0.7210
每股盈余公积金(元)	0.0512	0.0512	0.0751	0.1117
每股未分配利润(元)	1.5317	1.2808	1.6272	0.7758
净资产收益率(%)	6.1739	9.4759	4.5416	3.5148
加权净资产收益率(%)	6.3700	11.4100	6.2100	3.5200
净资产收益率(扣除)(%)	5.6551	8.9478	4.5058	1.6558
总资产(万元)	10419368.52	7581148.05	6796881.70	150634.29
归属母公司股东权益(万元)	2235292.38	2098308.72	1990326.25	96264.61
营业收入(万元)	5374264.06	9370003.52	4334634.55	37151.41
营业支出(万元)	4874957.20	8505406.80	3920541.82	29882.78
投资收益(万元)	7905.74	3839.34	2652.52	839.04
净利润(万元)	146396.08	211847.28	99800.67	3409.53
营业利润(万元)	188021.21	257343.92	127063.23	1960.43
利润总额(万元)	189715.75	270046.15	127207.94	3579.31

安琪酵母股份有限公司

公司概况					
公司名称	安琪酵母股份有限公司			证券简称	安琪酵母
法人代表	俞学锋	董秘	周帮俊	证券代码	600298
公司网址	www.angelyeast.com		电子信箱	zbj@angelyeast.com	
电　话	0717-6369865		传　真	0717-6369865	
办公地址	湖北省宜昌市城东大道 168 号				
经营范围	酵母及深加工产品、保健食品、特殊营养食品、烘焙原料、食品添加剂等				

主要财务指标 指标＼报告期	2016.06.30	2015.12.31	2015.06.30	2014.12.31
基本每股收益(元)	0.3150	0.8497	0.4250	0.4465
基本每股收益(扣除后)(元)	0.2690	0.7404	0.3350	0.3405
稀释每股收益(元)	0.3150	0.8497	0.4250	0.4465
每股净资产(元)	3.8535	9.2200	8.7529	8.5600
每股经营现金净流量(元)	0.2715	1.7308	0.2975	2.1214
每股现金流量(元)	–0.0756	0.3065	–0.1432	0.2174
每股资本公积金(元)	0.7898	3.4745	3.4744	3.4744
每股盈余公积金(元)	0.1982	0.4955	0.3731	0.3731
每股未分配利润(元)	1.9831	4.4698	4.1678	3.8924
净资产收益率(%)	8.1785	9.2167	4.8593	5.2152
加权净资产收益率(%)	8.2800	9.5500	4.8700	5.2900
净资产收益率(扣除)(%)	6.9904	8.0304	3.8276	3.9763
总资产(万元)	653176.85	619676.48	599297.31	628220.79
归属母公司股东权益(万元)	317561.41	303898.67	288525.17	282235.73
营业收入(万元)	237738.44	421336.03	205344.64	365411.46
营业支出(万元)	162474.49	295420.17	143056.33	258373.66
投资收益(万元)	6.82	249.85	261.21	–1512.32
净利润(万元)	27898.43	31871.07	15835.99	17682.35
营业利润(万元)	30032.63	33396.07	17991.14	19307.43
利润总额(万元)	31781.60	37676.92	19987.62	23789.40

蓝星安迪苏股份有限公司

公司概况					
公司名称	蓝星安迪苏股份有限公司			证券简称	安迪苏
法人代表	Jean Marc Dublanc	董秘	王鹏	证券代码	600299
公司网址	www.bluestar-adisseo.com		电子信箱	investor-service@bluestar-adisseo.com	
电　话	010-61958799		传　真	010-61958805	
办公地址	北京市朝阳区北土城西路9号				
经营范围	有机硅单体及相关产品的研制、生产、销售等				

主要财务指标				
指标\报告期	2016.06.30	2015.12.31	2015.06.30	2014.12.31
基本每股收益(元)	0.4100	0.5800	0.2000	0.5600
基本每股收益(扣除后)(元)	0.4100	0.1600	-1.4100	-1.9300
稀释每股收益(元)	0.4100	0.5800	0.2000	0.5600
每股净资产(元)	4.2360	3.7993	0.5082	1.9029
每股经营现金净流量(元)	0.5645	1.3259	3.5065	4.7279
每股现金流量(元)	0.2676	1.2094	1.7369	0.3652
每股资本公积金(元)	0.8324	0.8324	3.4993	6.0822
每股盈余公积金(元)	0.0731	0.0513	0.2634	0.2634
每股未分配利润(元)	2.6353	2.4113	-4.2985	9.4033
净资产收益率(%)	9.6962	15.0025	-276.1870	24.4806
加权净资产收益率(%)	10.0700	17.6000	-116.4200	19.3800
净资产收益率(扣除)(%)	9.6731	2.5481	-277.0217	-101.3670
总资产(万元)	1890834.88	1791308.11	1829119.09	3271224.32
归属母公司股东权益(万元)	1136058.31	1018933.51	26562.00	763495.18
营业收入(万元)	543495.61	1517333.17	894982.81	1946459.33
营业支出(万元)	264199.89	890637.29	588909.97	1527020.93
投资收益(万元)	-	-	-	112740.86
净利润(万元)	135206.53	200279.56	74894.52	169970.71
营业利润(万元)	200136.39	360724.53	148565.36	215588.37
利润总额(万元)	200593.56	362585.32	149359.72	231030.15

维维食品饮料股份有限公司

公司概况					
公司名称	维维食品饮料股份有限公司			证券简称	维维股份
法人代表	杨启典	董秘	孟召永	证券代码	600300
公司网址	www.vvgroup.com		电子信箱	mengzy@vvgroup.com	
电　话	0516-83398138 83398890		传　真	0516-83394888	
办公地址	江苏省徐州市维维大道300号				
经营范围	研究、开发、生产食品、饮料系列产品及相关产品、销售自产产品				

主要财务指标				
指标\报告期	2016.06.30	2015.12.31	2015.06.30	2014.12.31
基本每股收益(元)	0.0500	0.0600	0.0600	0.1200
基本每股收益(扣除后)(元)	0.0560	0.0200	0.0010	0.0400
稀释每股收益(元)	0.0500	0.0600	0.0600	0.1200
每股净资产(元)	1.6269	1.6087	1.6090	1.5680
每股经营现金净流量(元)	-	-0.0166	0.0045	0.0785
每股现金流量(元)	0.1746	0.0602	0.1467	-0.1213
每股资本公积金(元)	0.1523	0.1523	0.1523	0.1523
每股盈余公积金(元)	0.1045	0.1045	0.1007	0.1007
每股未分配利润(元)	0.3702	0.3520	0.3561	0.3150
净资产收益率(%)	2.9640	3.7738	3.7946	7.6533
加权净资产收益率(%)	2.9600	3.8300	3.8300	7.9500
净资产收益率(扣除)(%)	3.4156	1.1671	0.0881	2.5966
总资产(万元)	868990.43	803087.93	789128.62	752045.21
归属母公司股东权益(万元)	272018.25	268971.65	269029.72	262165.17
营业收入(万元)	237275.81	388776.96	236908.61	446242.48
营业支出(万元)	165478.52	260795.05	166148.62	290697.76
投资收益(万元)	2261.46	10734.63	9392.01	1693.37
净利润(万元)	8409.20	6916.86	10209.02	17890.94
营业利润(万元)	12813.71	11067.25	15765.34	30633.08
利润总额(万元)	12933.28	16126.61	16329.93	30819.79

南宁化工股份有限公司

公司概况					
公司名称	南宁化工股份有限公司			证券简称	*ST南化
法人代表	覃卫国	董秘	蔡桂生	证券代码	600301
公司网址	www.nh.com.cn		电子信箱	nhzq@nnchem.com	
电　话	0771-4835135 4821093		传　真	0771-4835643 4821093	
办公地址	广西壮族自治区南宁市南建路26号				
经营范围	氯碱化学工业及其系列产品、农药、消毒剂等无机和有机化工产品等				

主要财务指标				
指标\报告期	2016.06.30	2015.12.31	2015.06.30	2014.12.31
基本每股收益(元)	-0.0622	-0.1779	-0.0434	-1.0283
基本每股收益(扣除后)(元)	-0.0622	-0.5073	-0.2780	-0.9574
稀释每股收益(元)	-0.0622	-0.1779	-0.0434	-1.0283
每股净资产(元)	1.0026	1.0648	-0.9217	-0.8784
每股经营现金净流量(元)	-0.6169	-0.3633	-0.1862	-0.5385
每股现金流量(元)	-0.8442	1.5538	-0.1976	-0.2459
每股资本公积金(元)	4.6515	4.6515	2.4885	2.4885
每股盈余公积金(元)	0.2424	0.2424	0.2424	0.2424
每股未分配利润(元)	-4.8913	-4.8291	-4.6945	-4.6512
净资产收益率(%)	-6.2031	-16.7082	-	-117.0759
加权净资产收益率(%)	-6.0200	-	-	-
净资产收益率(扣除)(%)	-6.2029	-47.6454	30.1610	108.9949
总资产(万元)	82466.38	90640.70	133691.50	141516.47
归属母公司股东权益(万元)	23576.23	25038.67	-21674.58	-20654.29
营业收入(万元)	4019.52	6393.95	11165.86	64290.66
营业支出(万元)	3528.69	5559.50	10597.53	63311.74
投资收益(万元)	-	-66.68	-49.77	-10870.96
净利润(万元)	-1649.44	-6114.79	-1203.83	-31786.43
营业利润(万元)	-1649.39	-24929.89	-6721.58	-42002.88
利润总额(万元)	-1649.44	-6114.79	-1203.83	-31786.43

西安标准工业股份有限公司

公司概况					
公司名称	西安标准工业股份有限公司			证券简称	标准股份
法人代表	耿莉萍	董秘	郑璇	证券代码	600302
公司网址	www.chinatypical.com		电子信箱	typical@chinatypical.com	
电　话	029-88279352		传　真	029-88263001	
办公地址	陕西省西安市太白南路335号				
经营范围	缝制设备研发、生产、销售				

主要财务指标				
指标\报告期	2016.06.30	2015.12.31	2015.06.30	2014.12.31
基本每股收益(元)	-0.0859	0.1368	-0.1003	-0.2826
基本每股收益(扣除后)(元)	-0.0888	-0.2513	-0.1035	-0.2960
稀释每股收益(元)	-0.0859	0.1368	-0.1003	-0.2826
每股净资产(元)	3.2579	3.3428	3.1038	3.2067
每股经营现金净流量(元)	-0.2039	-0.1174	-0.1755	0.0514
每股现金流量(元)	-0.3555	-0.0804	-0.1958	-0.0763
每股资本公积金(元)	1.0041	1.0041	1.0037	1.0032
每股盈余公积金(元)	0.6665	0.6665	0.6665	0.6665
每股未分配利润(元)	0.5887	0.6746	0.4375	0.5378
净资产收益率(%)	-2.6373	4.0933	-3.2325	-8.8123
加权净资产收益率(%)	-2.6000	4.1800	-3.1798	-8.4400
净资产收益率(扣除)(%)	-2.7255	-7.5177	-3.3336	-9.2314
总资产(万元)	153737.40	161350.70	153369.31	159591.10
归属母公司股东权益(万元)	112726.92	115662.72	107394.16	110953.96
营业收入(万元)	27904.26	64231.34	37026.85	79825.94
营业支出(万元)	22953.07	53189.77	31402.98	68733.48
投资收益(万元)	207.67	123.91	79.76	111.94
净利润(万元)	-2882.13	4988.87	-3381.76	-9600.35
营业利润(万元)	-3066.18	-8715.59	-3550.09	-9973.11
利润总额(万元)	-2950.08	4670.98	-3426.09	-9564.25

辽宁曙光汽车集团股份有限公司

公司概况						
	公司名称	辽宁曙光汽车集团股份有限公司			证券简称	曙光股份
	法人代表	李海阳	董秘	那涛	证券代码	600303
	公司网址	www.sgautomotive.com		电子信箱	dongban@sgautomotive.com	
	电　　话	0415-4146825		传　　真	0415-4142821	
	办公地址	辽宁省丹东市振安区曙光路 50 号				
	经营范围	汽车前后桥、汽车底盘、汽车零部件、客车的生产、销售等				

主要财务指标 指标\报告期	2016.06.30	2015.12.31	2015.06.30	2014.12.31
基本每股收益(元)	0.1300	0.1700	–	0.0200
基本每股收益(扣除后)(元)	-0.1800	-0.0900	-0.1500	-0.4500
稀释每股收益(元)	0.1300	0.1700	–	0.0200
每股净资产(元)	3.9482	3.8157	3.6714	3.6459
每股经营现金净流量(元)	-0.2713	-1.1916	-0.2520	0.3224
每股现金流量(元)	-0.4053	0.5532	-0.4176	0.1243
每股资本公积金(元)	1.2800	1.2800	1.3013	1.2800
每股盈余公积金(元)	0.4097	0.4097	0.3986	0.3986
每股未分配利润(元)	1.2635	1.1321	0.9805	0.9765
净资产收益率(%)	3.3268	4.3691	0.1092	0.4508
加权净资产收益率(%)	3.3800	4.4700	0.1100	0.4700
净资产收益率(扣除)(%)	-4.5510	-2.3968	-4.0139	-11.9975
总资产(万元)	958150.22	1009929.40	827147.40	836805.54
归属母公司股东权益(万元)	244914.36	236698.64	227746.70	226164.98
营业收入(万元)	156155.53	443184.52	157117.97	405648.09
营业支出(万元)	132972.66	369008.02	136329.55	345220.80
投资收益(万元)	23479.09	-1260.73	-1.39	2212.68
净利润(万元)	8924.73	10825.41	337.06	2373.80
营业利润(万元)	12442.07	-4180.85	-9630.23	-18728.32
利润总额(万元)	10488.60	15088.09	3220.44	7359.57

江苏恒顺醋业股份有限公司

公司概况						
	公司名称	江苏恒顺醋业股份有限公司			证券简称	恒顺醋业
	法人代表	张玉宏	董秘	魏陈云	证券代码	600305
	公司网址	www.zjhengshun.com		电子信箱	wcy08@163.com	
	电　　话	0511-85226003		传　　真	0511-85230209	
	办公地址	江苏省镇江市丹徒新城恒顺大道 66 号				
	经营范围	食醋、酱油、酱菜、复合调味料、调味剂、副食品、粮油制品、饮料等				

主要财务指标 指标\报告期	2016.06.30	2015.12.31	2015.06.30	2014.12.31
基本每股收益(元)	0.1261	0.7952	0.6008	0.2618
基本每股收益(扣除后)(元)	0.1206	0.3761	0.1893	0.2342
稀释每股收益(元)	0.1261	0.7952	0.6008	0.2618
每股净资产(元)	2.4506	4.8890	4.7107	4.1884
每股经营现金净流量(元)	0.2499	0.9359	0.4130	0.7724
每股现金流量(元)	-0.1011	-0.2376	-0.2655	-0.1928
每股资本公积金(元)	0.7819	2.5639	2.5800	2.6083
每股盈余公积金(元)	0.1166	0.2333	0.1443	0.1443
每股未分配利润(元)	0.5520	1.0918	0.9863	0.4605
净资产收益率(%)	5.1446	16.2650	12.7541	5.9254
加权净资产收益率(%)	5.0300	17.4900	13.3600	7.3900
净资产收益率(扣除)(%)	4.9196	7.6927	4.0184	5.2994
总资产(万元)	226198.02	226187.02	219350.78	224669.71
归属母公司股东权益(万元)	147704.08	147338.13	141964.65	126973.36
营业收入(万元)	69417.46	130542.82	64826.27	120758.04
营业支出(万元)	40586.81	78686.67	38212.47	72828.00
投资收益(万元)	15.31	14630.82	14433.37	-3725.49
净利润(万元)	7588.41	23760.60	18344.23	8119.88
营业利润(万元)	8438.69	27834.14	21660.14	10058.71
利润总额(万元)	8960.88	28187.67	21924.40	11072.52

沈阳商业城股份有限公司

公司概况						
	公司名称	沈阳商业城股份有限公司			证券简称	*ST 商城
	法人代表	王奇	董秘	谢中华	证券代码	600306
	公司网址	www.sysyc.cn		电子信箱	sycgf3801@sina.com.cn	
	电　　话	024-24865832		传　　真	024-24848007 24865832	
	办公地址	辽宁省沈阳市沈河区中街路 212 号				
	经营范围	日用百货、箱包皮具、食品、服装、鞋帽、针纺织品、文化钟表等				

主要财务指标 指标\报告期	2016.06.30	2015.12.31	2015.06.30	2014.12.31
基本每股收益(元)	-0.4400	-0.9200	-0.4100	0.1800
基本每股收益(扣除后)(元)	-0.4400	-0.8800	-0.4100	-1.5088
稀释每股收益(元)	-0.4400	-0.9200	-0.4100	0.1800
每股净资产(元)	-0.6848	-0.2449	0.2667	0.6717
每股经营现金净流量(元)	-0.0621	0.0896	-0.8605	-0.0841
每股现金流量(元)	-0.5605	-0.3473	-0.6862	0.2830
每股资本公积金(元)	1.1446	1.1455	1.1455	1.1455
每股盈余公积金(元)	0.1056	0.1056	0.1056	0.1056
每股未分配利润(元)	-2.9350	-2.4959	-1.9844	-1.5794
净资产收益率(%)	-64.1141	-374.3094	-151.8722	26.9617
加权净资产收益率(%)	-94.5500	-429.4800	-86.3200	38.6950
净资产收益率(扣除)(%)	-63.9357	357.8005	-153.0972	-224.6319
总资产(万元)	209267.90	223260.74	224651.92	247960.28
归属母公司股东权益(万元)	-12199.48	-4361.87	4750.43	11965.02
营业收入(万元)	49408.92	125089.70	65720.27	149369.65
营业支出(万元)	40584.37	103916.57	54173.63	124330.95
投资收益(万元)	–	2351.25	–	31552.58
净利润(万元)	-7822.84	-16339.06	-7222.07	549.11
营业利润(万元)	-7861.03	-15697.42	-6993.17	1489.32
利润总额(万元)	-7782.80	-16273.66	-6933.43	1557.53

甘肃酒钢集团宏兴钢铁股份有限公司

公司概况						
	公司名称	甘肃酒钢集团宏兴钢铁股份有限公司			证券简称	酒钢宏兴
	法人代表	程子建	董秘	齐晓东	证券代码	600307
	公司网址	www.jisco.cn		电子信箱	irjg@jiugang.com	
	电　　话	0937-6715370		传　　真	0937-6715370	
	办公地址	甘肃省嘉峪关市雄关东路 12 号				
	经营范围	钢、铁及其压延产品的生产和销售				

主要财务指标 指标\报告期	2016.06.30	2015.12.31	2015.06.30	2014.12.31
基本每股收益(元)	0.0363	-1.1757	-0.2450	0.0062
基本每股收益(扣除后)(元)	0.0363	-1.1814	-0.2450	0.0005
稀释每股收益(元)	0.0363	-1.1757	-0.2450	0.0062
每股净资产(元)	1.4864	1.4480	2.3800	2.6194
每股经营现金净流量(元)	0.1355	-0.0518	-0.2390	1.0772
每股现金流量(元)	-0.0355	-1.4149	-0.9443	0.1724
每股资本公积金(元)	1.0963	1.0963	1.0963	1.0963
每股盈余公积金(元)	0.2025	0.2025	0.2025	0.2025
每股未分配利润(元)	-0.8277	-0.8640	0.0668	0.3117
净资产收益率(%)	2.4420	-81.1977	-10.2950	0.2385
加权净资产收益率(%)	2.4757	-57.8127	-9.8100	0.2380
净资产收益率(扣除)(%)	2.4417	-81.5924	-10.2954	0.0205
总资产(万元)	3790637.77	3878165.08	4720794.94	5314566.40
归属母公司股东权益(万元)	930968.96	906906.90	1490290.99	1640608.61
营业收入(万元)	1843023.88	5477679.62	3378686.80	9575319.61
营业支出(万元)	1551425.22	5505803.48	3245456.85	8868174.61
投资收益(万元)	-1420.80	-3059.32	-54.16	10504.83
净利润(万元)	21989.59	-741082.43	-154253.60	2230.39
营业利润(万元)	28525.60	-742924.81	-189533.07	-673.66
利润总额(万元)	28527.68	-738567.83	-189518.60	3642.60

山东华泰纸业股份有限公司

公司概况	公司名称	山东华泰纸业股份有限公司		证券简称	华泰股份
	法人代表	李晓亮	董秘　魏文光	证券代码	600308
	公司网址	www.huataipaper.com		电子信箱	htjtzq@163.com
	电　话	0546-7798799 7798848		传　真	0546-6888018
	办公地址	山东省东营市广饶县大王镇			
	经营范围	造纸、纸制品及纸料加工、热电等			

主要财务指标	指标\报告期	2016.06.30	2015.12.31	2015.06.30	2014.12.31
	基本每股收益(元)	0.0610	0.0550	0.0500	0.0515
	基本每股收益(扣除后)(元)	0.0370	-0.1480	-0.0120	-0.1376
	稀释每股收益(元)	0.0610	0.0550	0.0500	0.0515
	每股净资产(元)	5.4800	5.4325	5.4266	5.3908
	每股经营现金净流量(元)	0.2049	1.5714	0.6277	1.0389
	每股现金流量(元)	0.1212	-0.2251	-0.2075	0.0278
	每股资本公积金(元)	1.9218	1.9218	1.9218	1.9218
	每股盈余公积金(元)	0.4183	0.4183	0.3990	0.3990
	每股未分配利润(元)	2.1170	2.0735	2.0877	2.0535
	净资产收益率(%)	1.1045	1.0181	0.9259	0.9552
	加权净资产收益率(%)	1.1080	1.0220	0.9280	0.9570
	净资产收益率(扣除)(%)	0.6681	-2.7331	-0.2211	-2.5518
	总资产(万元)	1598107.14	1603219.84	1682035.25	1706600.55
	归属母公司股东权益(万元)	639818.47	634281.10	633588.44	629411.46
	营业收入(万元)	482682.93	941678.21	484252.02	926178.23
	营业支出(万元)	417436.83	818329.11	420475.78	798937.07
	投资收益(万元)	-137.02	-466.16	-92.80	-999.20
	净利润(万元)	6805.79	4701.01	5008.48	5174.59
	营业利润(万元)	7002.13	-13605.15	-514.52	-14575.04
	利润总额(万元)	10430.62	9980.69	6937.15	8439.07

万华化学集团股份有限公司

公司概况	公司名称	万华化学集团股份有限公司		证券简称	万华化学
	法人代表	丁建生	董秘　寇光武	证券代码	600309
	公司网址	www.whchem.com		电子信箱	stocks@whchem.com
	电　话	0535-6698537		传　真	0535-6837894
	办公地址	山东省烟台市幸福南路7号			
	经营范围	聚氨酯及助剂、异氰酸酯(MDI)及衍生产品开发、生产和销售			

主要财务指标	指标\报告期	2016.06.30	2015.12.31	2015.06.30	2014.12.31
	基本每股收益(元)	0.6300	0.7400	0.4700	1.1200
	基本每股收益(扣除后)(元)	0.6200	0.7200	0.4500	1.1400
	稀释每股收益(元)	-	-	-	-
	每股净资产(元)	5.7844	5.3511	5.0684	4.8994
	每股经营现金净流量(元)	1.4785	2.1284	0.8964	1.8593
	每股现金流量(元)	-0.0539	0.4938	-0.0061	0.0026
	每股资本公积金(元)	0.0224	0.0224	0.0224	0.0224
	每股盈余公积金(元)	0.7304	0.7304	0.7304	0.7304
	每股未分配利润(元)	4.0292	3.5966	3.3232	3.1521
	净资产收益率(%)	10.9370	13.9119	9.2950	22.8370
	加权净资产收益率(%)	11.3600	14.6700	9.3600	24.1700
	净资产收益率(扣除)(%)	10.7858	13.4356	8.9159	23.1909
	总资产(万元)	5034067.15	4780441.71	4432629.94	4159208.56
	归属母公司股东权益(万元)	1250777.98	1157097.29	1095961.17	1059408.44
	营业收入(万元)	1247577.00	1949238.29	1004226.34	2208836.85
	营业支出(万元)	885195.20	1361996.54	671802.88	1526963.97
	投资收益(万元)	3047.42	338.75	531.06	-125.71
	净利润(万元)	163343.88	227956.08	139634.81	321754.71
	营业利润(万元)	197872.34	281501.29	189835.97	414531.36
	利润总额(万元)	202182.71	295444.88	187222.42	416852.74

广西桂东电力股份有限公司

公司概况	公司名称	广西桂东电力股份有限公司		证券简称	桂东电力
	法人代表	秦敏	董秘　陆培军	证券代码	600310
	公司网址	www.gdep.com.cn		电子信箱	600310@gdep.com.cn
	电　话	0774-5297796 5283977		传　真	0774-5285255
	办公地址	广西壮族自治区贺州市平安西路12号			
	经营范围	水力发电、供电、电力投资开发、供水、交通建设及其基础设施开发			

主要财务指标	指标\报告期	2016.06.30	2015.12.31	2015.06.30	2014.12.31
	基本每股收益(元)	0.1364	0.4541	1.4176	-0.0294
	基本每股收益(扣除后)(元)	0.1293	-0.2719	-0.3671	-1.6216
	稀释每股收益(元)	0.1364	0.4541	-	-
	每股净资产(元)	3.2136	3.2349	11.8879	13.8347
	每股经营现金净流量(元)	0.1807	0.5183	0.3776	-0.1604
	每股现金流量(元)	1.4261	-0.0295	1.6053	2.1745
	每股资本公积金(元)	0.3343	0.3310	2.0895	2.0889
	每股盈余公积金(元)	0.1983	0.1983	0.4371	0.4371
	每股未分配利润(元)	0.1263	0.0499	1.6029	0.4653
	净资产收益率(%)	4.2444	14.0383	11.9251	1.0040
	加权净资产收益率(%)	4.2700	11.8700	11.0100	-0.2300
	净资产收益率(扣除)(%)	4.0240	-8.4044	-3.0877	-10.5046
	总资产(万元)	1098213.65	924585.07	939472.35	926254.06
	归属母公司股东权益(万元)	266010.20	267777.76	328015.71	377092.03
	营业收入(万元)	224610.88	359060.38	163817.85	211453.47
	营业支出(万元)	186138.00	304546.43	140006.38	174228.28
	投资收益(万元)	1571.73	65445.80	60369.07	50893.03
	净利润(万元)	13008.84	39925.47	39292.91	-420.21
	营业利润(万元)	16033.98	48177.83	53106.20	9186.79
	利润总额(万元)	16228.16	54260.40	53652.85	13187.20

甘肃荣华实业(集团)股份有限公司

公司概况	公司名称	甘肃荣华实业(集团)股份有限公司		证券简称	荣华实业
	法人代表	刘永	董秘　辛永清	证券代码	600311
	公司网址	www.rong-hua.net		电子信箱	rhxyongqin@163.com
	电　话	0935-6151222		传　真	0935-6151333
	办公地址	甘肃省武威市凉州区发放镇沙子沟村			
	经营范围	谷氨酸,生物发酵肥,淀粉及其副产品,饲料,包装材料,塑料制品的生产,批发零售等			

主要财务指标	指标\报告期	2016.06.30	2015.12.31	2015.06.30	2014.12.31
	基本每股收益(元)	-0.0630	0.0065	-0.0220	-0.0376
	基本每股收益(扣除后)(元)	-0.0630	-0.1091	-0.0213	-0.0450
	稀释每股收益(元)	-0.0630	0.0065	-0.0220	-0.0376
	每股净资产(元)	1.2756	1.3403	1.3122	1.3350
	每股经营现金净流量(元)	-0.0694	0.0783	-0.0018	0.0194
	每股现金流量(元)	-0.0696	0.2694	0.1618	0.1645
	每股资本公积金(元)	0.3297	0.3297	0.3297	0.3297
	每股盈余公积金(元)	0.0787	0.0787	0.0787	0.0787
	每股未分配利润(元)	-0.1312	-0.0681	-0.0961	-0.0746
	净资产收益率(%)	-4.9481	0.4821	-1.6437	-2.8199
	加权净资产收益率(%)	-4.8300	0.4800	-1.6300	-2.7800
	净资产收益率(扣除)(%)	-4.9492	-8.1408	-1.6208	-3.3734
	总资产(万元)	94725.43	98271.99	96811.81	97899.22
	归属母公司股东权益(万元)	84905.43	89207.91	87336.82	88858.48
	营业收入(万元)	666.90	7876.37	7133.18	21531.45
	营业支出(万元)	562.45	7308.37	6978.72	20087.18
	投资收益(万元)	-	-	-	-
	净利润(万元)	-4201.23	430.09	-1435.53	-2505.76
	营业利润(万元)	-4202.18	-7150.72	-1415.53	-3965.63
	利润总额(万元)	-4201.23	616.88	-1435.53	-3473.84

河南平高电气股份有限公司

公司概况					
公司名称	河南平高电气股份有限公司			证券简称	平高电气
法人代表	任伟理	董秘	常永斌	证券代码	600312
公司网址	www.pinggao.com		电子信箱	changyb@pinggao.sgcc.com.cn	
电　话	0375-3804039		传　真	0375-3804464	
办公地址	河南省平顶山市南环东路 22 号				
经营范围	制造、销售高压开关设备、控制设备及其配件、技术服务、咨询服务				

主要财务指标：指标\报告期	2016.06.30	2015.12.31	2015.06.30	2014.12.31
基本每股收益(元)	0.4615	0.7300	0.2583	0.6600
基本每股收益(扣除后)(元)	0.4597	0.7100	0.2378	0.6100
稀释每股收益(元)	0.4615	0.7300	0.2583	0.6600
每股净资产(元)	5.3478	5.3863	5.4177	5.1595
每股经营现金净流量(元)	0.0075	0.2794	-0.2018	0.2427
每股现金流量(元)	-0.1175	0.1967	-0.1796	0.2341
每股资本公积金(元)	2.6581	2.6581	2.6581	2.6581
每股盈余公积金(元)	0.2952	0.2952	0.2238	0.2238
每股未分配利润(元)	1.3945	1.4330	1.5359	1.2776
净资产收益率(%)	8.6294	13.4940	4.7670	11.8120
加权净资产收益率(%)	8.4700	13.5700	4.8800	13.3300
净资产收益率(扣除)(%)	8.5960	13.2310	4.3897	11.0627
总资产(万元)	1228693.82	1195137.93	1088881.86	991154.13
归属母公司股东权益(万元)	608304.04	612685.17	616260.97	586883.82
营业收入(万元)	261508.88	583059.62	194143.55	460582.65
营业支出(万元)	164733.73	409646.22	135107.37	327607.69
投资收益(万元)	-	-	-	5019.12
净利润(万元)	54090.97	85556.81	31245.82	70339.46
营业利润(万元)	64026.64	99502.82	34263.18	79279.79
利润总额(万元)	64280.90	101423.95	37036.13	80907.14

中农发种业集团股份有限公司

公司概况					
公司名称	中农发种业集团股份有限公司			证券简称	农发种业
法人代表	陈章瑞	董秘	陈章瑞(代)	证券代码	600313
公司网址	znfzy.com		电子信箱	zziyu2003@163.com	
电　话	010-83607371　56342171		传　真	0010-56342170	
办公地址	北京市朝阳区东三环北路 16 号全国农业展览馆文化产业楼				
经营范围	小麦、水稻、杂交水稻、杂交玉米、棉花、油菜、大豆、蔬菜、花卉等				

主要财务指标：指标\报告期	2016.06.30	2015.12.31	2015.06.30	2014.12.31
基本每股收益(元)	0.0074	0.2235	0.0019	0.3010
基本每股收益(扣除后)(元)	0.0039	0.1103	-0.0043	0.0741
稀释每股收益(元)	0.0074	0.2235	0.0019	0.3010
每股净资产(元)	1.5948	4.0284	3.0060	3.1012
每股经营现金净流量(元)	0.0263	0.2980	-0.1391	0.0010
每股现金流量(元)	-0.0296	-0.0869	-0.3368	0.0366
每股资本公积金(元)	0.4373	2.5931	1.7181	1.7181
每股盈余公积金(元)	0.0120	0.0301	0.0234	0.0234
每股未分配利润(元)	0.1447	0.4031	0.2645	0.3597
净资产收益率(%)	0.4667	4.8466	0.1590	9.7054
加权净资产收益率(%)	0.4600	6.8000	0.1600	10.2300
净资产收益率(扣除)(%)	0.2430	2.3919	-0.3596	2.3894
总资产(万元)	398075.35	376624.26	232750.56	232398.31
归属母公司股东权益(万元)	172592.40	174381.29	110406.00	113903.37
营业收入(万元)	224501.06	377297.79	107929.12	305035.96
营业支出(万元)	214778.12	349847.20	101606.28	283808.96
投资收益(万元)	363.44	1025.56	536.08	1615.47
净利润(万元)	1084.10	13692.11	-107.36	15386.94
营业利润(万元)	690.25	7676.36	-1275.00	6264.28
利润总额(万元)	1586.44	15316.00	-91.74	15580.39

上海家化联合股份有限公司

公司概况					
公司名称	上海家化联合股份有限公司			证券简称	上海家化
法人代表	谢文坚	董秘	韩敏	证券代码	600315
公司网址	www.jahwa.com.cn		电子信箱	zengwei@jahwa.com.cn	
电　话	021-35907000　35907666		传　真	021-65129748	
办公地址	上海市杨浦区江湾城路 99 号尚浦商务中心 5 幢				
经营范围	六神、美加净、清妃、高夫、佰草集、飘洒等系列洗浴、护肤、护发及美容产品等				

主要财务指标：指标\报告期	2016.06.30	2015.12.31	2015.06.30	2014.12.31
基本每股收益(元)	0.5500	3.3100	0.9500	1.3400
基本每股收益(扣除后)(元)	0.5400	1.2200	0.9300	1.3000
稀释每股收益(元)	0.5500	3.3000	0.9500	1.3400
每股净资产(元)	9.0376	8.4992	6.3173	5.6590
每股经营现金净流量(元)	-0.0503	0.7456	0.4609	1.6800
每股现金流量(元)	-0.4777	0.4463	-1.5386	1.3393
每股资本公积金(元)	1.7067	1.6965	1.7158	1.7021
每股盈余公积金(元)	0.5822	0.5822	0.5836	0.5836
每股未分配利润(元)	5.7741	5.2217	2.9008	2.5578
净资产收益率(%)	6.1125	38.5767	15.0865	23.5990
加权净资产收益率(%)	6.3000	46.5000	15.6100	26.5300
净资产收益率(扣除)(%)	5.9545	14.2764	14.6436	22.9598
总资产(万元)	834240.50	815939.00	633222.95	553363.37
归属母公司股东权益(万元)	609166.25	572874.75	424751.11	380490.46
营业收入(万元)	306573.08	584586.53	321505.63	533465.93
营业支出(万元)	120005.13	238630.85	126357.17	203699.16
投资收益(万元)	2445.32	178737.82	9907.27	22566.31
净利润(万元)	37235.18	220996.21	64080.06	90753.28
营业利润(万元)	43169.71	257583.61	74579.75	112310.21
利润总额(万元)	44207.89	261146.02	76281.97	114210.20

江西洪都航空工业股份有限公司

公司概况					
公司名称	江西洪都航空工业股份有限公司			证券简称	洪都航空
法人代表	宋承志	董秘	邓峰	证券代码	600316
公司网址	www.hongdu-aviation.com		电子信箱	hdhk600316@126.com	
电　话	0791-88468162　87668769		传　真	0791-88467843	
办公地址	江西省南昌市新溪桥				
经营范围	航空产品的开发与研制、生产与销售、航空制造技术的开发、咨询、服务				

主要财务指标：指标\报告期	2016.06.30	2015.12.31	2015.06.30	2014.12.31
基本每股收益(元)	0.0013	0.1090	0.0211	0.1376
基本每股收益(扣除后)(元)	-0.0487	-0.0259	-0.0329	0.0386
稀释每股收益(元)	-	-	0.0211	0.1376
每股净资产(元)	7.2678	7.3657	7.1681	6.8579
每股经营现金净流量(元)	-0.8635	0.4839	-1.0429	-0.5586
每股现金流量(元)	0.3919	0.3741	-0.3166	-0.8257
每股资本公积金(元)	4.3788	4.3788	4.3788	4.3799
每股盈余公积金(元)	0.2408	0.2408	0.2295	0.2295
每股未分配利润(元)	0.9307	0.9394	0.8627	0.8517
净资产收益率(%)	0.0172	1.4798	0.2937	2.0072
加权净资产收益率(%)	0.0200	1.5300	0.3000	2.0300
净资产收益率(扣除)(%)	-0.6695	-0.3512	-0.4586	0.5632
总资产(万元)	1129923.36	961738.87	996024.80	891121.40
归属母公司股东权益(万元)	521185.35	528201.55	514034.84	491789.76
营业收入(万元)	128769.05	281557.52	110888.63	345074.03
营业支出(万元)	120385.36	258137.11	103041.26	324701.73
投资收益(万元)	-125.04	4987.98	4711.98	9038.55
净利润(万元)	131.75	7960.61	1548.02	10106.00
营业利润(万元)	-3828.53	2179.36	1769.91	10744.39
利润总额(万元)	270.48	9005.23	1780.38	11863.63

营口港务股份有限公司

公司概况				
公司名称	营口港务股份有限公司		证券简称	营口港
法人代表	李和忠	董秘 周志旭	证券代码	600317
公司网址	www.ykplc.com		电子信箱	lili_ykp@ykport.com.cn
电　　话	0417-6268506		传　　真	0417-6268506
办公地址	辽宁省营口市鲅鱼圈区营港路 1 号			
经营范围	港口装卸、堆存和运输服务			

主要财务指标 指标\报告期	2016.06.30	2015.12.31	2015.06.30	2014.12.31
基本每股收益(元)	0.0341	0.0773	0.0498	0.0834
基本每股收益(扣除后)(元)	0.0340	0.0794	0.0499	0.0834
稀释每股收益(元)	0.0341	0.0773	0.0498	0.0834
每股净资产(元)	1.5767	1.5410	1.5224	1.4713
每股经营现金净流量(元)	0.0419	0.2677	0.1284	0.1418
每股现金流量(元)	–0.0064	–0.0631	–0.0154	0.1649
每股资本公积金(元)	0.2401	0.2401	0.2401	0.2401
每股盈余公积金(元)	0.0651	0.0651	0.0594	0.0594
每股未分配利润(元)	0.2660	0.2319	0.2201	0.1704
净资产收益率(%)	2.1636	5.0135	3.2684	5.6665
加权净资产收益率(%)	2.1883	5.1310	3.3256	5.5979
净资产收益率(扣除)(%)	2.1587	5.1502	3.2808	5.6658
总资产(万元)	1633892.22	1632972.78	1686279.42	1722295.39
归属母公司股东权益(万元)	1020569.25	997515.85	985434.88	952373.24
营业收入(万元)	171345.26	378776.31	191144.55	391048.76
营业支出(万元)	120910.27	256170.63	121226.62	269305.02
投资收益(万元)	2170.82	1002.86	1632.14	3617.21
净利润(万元)	23294.53	52448.30	33762.10	56305.92
营业利润(万元)	29033.95	68949.49	44093.92	68119.06
利润总额(万元)	29074.96	66913.34	43894.15	68141.31

安徽新力金融股份有限公司

公司概况				
公司名称	安徽新力金融股份有限公司		证券简称	新力金融
法人代表	徐立新	董秘 桂晓斌	证券代码	600318
公司网址	www.xinlijinrong.cn		电子信箱	xljr@xinlijinrong.cn
电　　话	0551-63542136　63542160		传　　真	0551-63542136
办公地址	安徽省合肥市祁门路 1777 号			
经营范围	水泥及相关产品、轻钢结构、新型建材产品的生产、销售、建材设计等			

主要财务指标 指标\报告期	2016.06.30	2015.12.31	2015.06.30	2014.12.31
基本每股收益(元)	0.3300	0.3100	0.0100	0.4400
基本每股收益(扣除后)(元)	0.0300	0.2900	0.0100	0.4300
稀释每股收益(元)	0.3300	0.3100	0.0100	0.4400
每股净资产(元)	5.0257	4.7945	4.4897	4.4813
每股经营现金净流量(元)	–1.3082	–4.2460	0.3577	1.8044
每股现金流量(元)	–0.1918	0.8682	0.2597	0.0385
每股资本公积金(元)	1.4612	1.4612	1.4621	1.4621
每股盈余公积金(元)	0.3022	0.3022	0.3022	0.3022
每股未分配利润(元)	2.1790	1.9381	1.7156	1.7073
净资产收益率(%)	6.5678	6.5502	0.1859	9.7121
加权净资产收益率(%)	6.7200	6.7700	0.1900	10.1200
净资产收益率(扣除)(%)	0.6794	6.1135	0.1462	9.5776
总资产(万元)	646104.04	731435.63	636641.43	190041.73
归属母公司股东权益(万元)	121621.15	116026.81	108649.65	108447.69
营业收入(万元)	16120.59	94459.76	43894.27	122227.77
营业支出(万元)	8441.28	69022.42	35415.99	84038.42
投资收益(万元)	110.22	255.24	18.75	23.63
净利润(万元)	13635.89	19972.59	2203.73	10532.59
营业利润(万元)	11543.42	26796.75	4866.74	16153.00
利润总额(万元)	21136.31	27792.13	4886.08	16379.58

潍坊亚星化学股份有限公司

公司概况				
公司名称	潍坊亚星化学股份有限公司		证券简称	*ST 亚星
法人代表	王瑞林	董秘 孙岩	证券代码	600319
公司网址	www.chinayaxing.com		电子信箱	info@chinayaxing.com
电　　话	0536-8591007　8591189		传　　真	0536-8663853　8660047
办公地址	山东省潍坊市奎文区北宫东街 321 号			
经营范围	生产经营烧碱、聚氯乙烯、氯化聚乙烯、液氯、漂液、非药品易制毒化学品盐酸等			

主要财务指标 指标\报告期	2016.06.30	2015.12.31	2015.06.30	2014.12.31
基本每股收益(元)	–0.2250	–1.0500	–0.2740	–0.5700
基本每股收益(扣除后)(元)	–0.2190	–1.0500	–0.2640	–0.5700
稀释每股收益(元)	–0.2250	–1.0500	–0.2740	–0.5700
每股净资产(元)	–0.7170	–0.4928	0.2876	0.5605
每股经营现金净流量(元)	0.0078	0.0931	–0.1630	0.2592
每股现金流量(元)	–0.2298	0.1466	–0.0794	–0.1425
每股资本公积金(元)	2.2686	2.2686	2.2686	2.2686
每股盈余公积金(元)	0.1578	0.1578	0.1578	0.1578
每股未分配利润(元)	–4.1518	–3.9263	–3.1495	–2.8751
净资产收益率(%)	–	–213.2980	–95.3976	–101.2905
加权净资产收益率(%)	–	–3010.7600	–63.6000	–67.2200
净资产收益率(扣除)(%)	30.4977	–212.0587	–91.9137	–102.4473
总资产(万元)	207328.61	202284.24	225537.07	228934.88
归属母公司股东权益(万元)	–22628.23	–15553.50	9075.68	17689.55
营业收入(万元)	65237.54	131150.34	68742.64	148902.44
营业支出(万元)	62684.95	129904.72	67877.32	146701.03
投资收益(万元)	31.63	18.27	–	–
净利润(万元)	–8042.59	–37812.15	–9993.49	–19686.77
营业利润(万元)	–7796.53	–38082.27	–9541.91	–19861.48
利润总额(万元)	–8042.59	–37812.15	–9993.49	–19686.77

上海振华重工(集团)股份有限公司

公司概况				
公司名称	上海振华重工(集团)股份有限公司		证券简称	振华重工
法人代表	宋海良	董秘 王珏	证券代码	600320
公司网址	www.zpmc.com		电子信箱	zpmc@public.sta.net.cn
电　　话	021-50390727		传　　真	021-31193316
办公地址	上海市浦东新区东方路 3261 号			
经营范围	从事设计、建造、销售大型港口设备、工程船舶及大型金属结构及其部件、配件等			

主要财务指标 指标\报告期	2016.06.30	2015.12.31	2015.06.30	2014.12.31
基本每股收益(元)	0.0300	0.0500	0.0300	0.0500
基本每股收益(扣除后)(元)	0.0300	–0.0500	–0.0700	–0.0200
稀释每股收益(元)	0.0300	0.0500	0.0300	0.0500
每股净资产(元)	3.4100	3.3869	3.3829	3.3667
每股经营现金净流量(元)	0.0239	–0.4173	–0.3996	–0.1989
每股现金流量(元)	0.0459	0.1038	–0.1519	–0.2927
每股资本公积金(元)	1.2589	1.2589	1.2626	1.2626
每股盈余公积金(元)	0.3590	0.3590	0.3541	0.3541
每股未分配利润(元)	0.7473	0.7217	0.7022	0.6772
净资产收益率(%)	0.7501	1.4285	0.7406	1.3490
加权净资产收益率(%)	0.7500	1.4100	0.7400	1.3600
净资产收益率(扣除)(%)	0.7392	–1.4419	–1.9853	–0.5384
总资产(万元)	6147462.87	5902075.23	5520063.96	5614522.73
归属母公司股东权益(万元)	1497073.26	1486957.29	1485203.67	1478060.38
营业收入(万元)	1180164.26	2327239.47	1032394.14	2506942.15
营业支出(万元)	998920.67	1971731.49	928509.56	2170068.09
投资收益(万元)	4054.63	49823.70	37784.82	37092.30
净利润(万元)	13369.58	19420.57	8832.82	14804.84
营业利润(万元)	16407.75	20668.80	12643.25	11307.39
利润总额(万元)	17200.78	27173.56	15126.13	16250.30

四川国栋建设股份有限公司

公司概况					
公司名称	四川国栋建设股份有限公司			证券简称	国栋建设
法人代表	王春鸣	董秘	曾莉	证券代码	600321
公司网址	www.guodong.cn		电子信箱	executive@guodong.cn	
电　话	028-86119148		传　真	028-86154162	
办公地址	四川省成都市金盾路52号国栋中央商务大厦28/29楼				
经营范围	生产销售溅射镀膜玻璃、中空玻璃、钢化及夹胶玻璃等				

主要财务指标 指标\报告期	2016.06.30	2015.12.31	2015.06.30	2014.12.31
基本每股收益(元)	-0.0900	-0.0400	0.0090	0.0050
基本每股收益(扣除后)(元)	-0.0900	-0.0400	0.0090	0.0040
稀释每股收益(元)	-0.0900	-0.0400	0.0090	0.0050
每股净资产(元)	1.6842	1.7707	1.8209	1.8200
每股经营现金净流量(元)	-0.0852	-0.0079	0.0244	0.0432
每股现金流量(元)	-0.0043	-0.0343	0.0086	0.0448
每股资本公积金(元)	0.6763	0.6763	0.6686	0.6357
每股盈余公积金(元)	0.0642	0.0642	0.0642	0.0821
每股未分配利润(元)	-0.0563	0.0302	0.0881	0.0970
净资产收益率(%)	-5.1338	-2.1352	0.6754	0.2817
加权净资产收益率(%)	-5.0100	-2.2400	0.7600	0.2800
净资产收益率(扣除)(%)	-5.1405	-2.2543	0.6754	0.2124
总资产(万元)	327139.21	341192.95	356546.64	348600.73
归属母公司股东权益(万元)	254410.16	267471.14	275053.48	214305.69
营业收入(万元)	23612.83	56442.57	30283.03	77302.68
营业支出(万元)	25417.30	51645.79	26264.54	68418.69
投资收益(万元)	-	-	-	-
净利润(万元)	-13061.38	-5707.90	1859.36	604.05
营业利润(万元)	-13077.59	-6452.06	1364.56	-441.64
利润总额(万元)	-13060.56	-5673.23	1860.80	725.67

天津市房地产发展(集团)股份有限公司

公司概况					
公司名称	天津市房地产发展(集团)股份有限公司			证券简称	天房发展
法人代表	熊光宇	董秘	杨新喆	证券代码	600322
公司网址	www.tffzgroup.cn		电子信箱	tffz@sina.com	
电　话	022-23317185		传　真	022-23317185	
办公地址	天津市和平区常德道80号				
经营范围	房地产的开发经营、销售与出租				

主要财务指标 指标\报告期	2016.06.30	2015.12.31	2015.06.30	2014.12.31
基本每股收益(元)	-0.0794	0.0041	0.0295	0.1500
基本每股收益(扣除后)(元)	-0.1670	-0.0532	0.0295	0.1500
稀释每股收益(元)	-0.0794	0.0041	0.0295	0.1500
每股净资产(元)	4.0266	4.1080	4.1336	4.1501
每股经营现金净流量(元)	0.0328	-3.2609	-0.6831	-2.9270
每股现金流量(元)	0.9947	2.1515	0.7223	-2.2469
每股资本公积金(元)	1.9944	1.9944	1.9944	1.9944
每股盈余公积金(元)	0.2673	0.2673	0.2673	0.2673
每股未分配利润(元)	0.7649	0.8463	0.8719	0.8884
净资产收益率(%)	-1.9729	0.0990	0.7142	3.6691
加权净资产收益率(%)	-1.9500	0.1000	0.7100	3.7200
净资产收益率(扣除)(%)	-4.1472	-1.2958	0.7133	3.6677
总资产(万元)	2724419.45	2439101.31	2074583.18	1878021.04
归属母公司股东权益(万元)	445219.52	454224.43	457050.99	458873.15
营业收入(万元)	117437.33	380217.63	80289.94	318103.74
营业支出(万元)	77388.77	286731.72	42114.25	212498.92
投资收益(万元)	-295.53	-368.76	-580.04	235.70
净利润(万元)	-1553.79	18226.03	8181.01	30750.71
营业利润(万元)	-6840.77	21668.25	12393.13	43136.65
利润总额(万元)	6077.83	30007.29	12397.23	43146.52

瀚蓝环境股份有限公司

公司概况					
公司名称	瀚蓝环境股份有限公司			证券简称	瀚蓝环境
法人代表	金铎	董秘	黄春然	证券代码	600323
公司网址	www.grandblue.cn		电子信箱	600323@grandblue.cn	
电　话	0757-86280996		传　真	0757-86328565	
办公地址	广东省佛山市南海区桂城南海大道建行大厦				
经营范围	供水业务、污水处理业务和固废处理业务等				

主要财务指标 指标\报告期	2016.06.30	2015.12.31	2015.06.30	2014.12.31
基本每股收益(元)	0.3400	0.5300	0.2500	0.4900
基本每股收益(扣除后)(元)	0.3300	0.4900	0.2500	0.4200
稀释每股收益(元)	0.3400	0.5300	0.2500	0.4900
每股净资产(元)	5.9802	5.7348	5.4535	4.6444
每股经营现金净流量(元)	0.6059	1.6478	0.7645	1.1568
每股现金流量(元)	-0.1183	0.6869	0.9686	0.1662
每股资本公积金(元)	2.2776	2.2776	2.2776	1.4791
每股盈余公积金(元)	0.4823	0.4823	0.4514	0.4826
每股未分配利润(元)	2.1746	1.9329	1.6849	1.6441
净资产收益率(%)	5.7144	9.1685	4.5281	9.2733
加权净资产收益率(%)	5.7800	9.8100	4.4300	13.6000
净资产收益率(扣除)(%)	5.4386	8.5064	4.4933	7.2797
总资产(万元)	1253352.47	1235928.40	1222817.27	1097984.82
归属母公司股东权益(万元)	458242.83	439440.12	417880.17	332905.59
营业收入(万元)	172433.32	335696.72	166470.49	243529.59
营业支出(万元)	113771.18	230004.72	114647.29	167765.82
投资收益(万元)	-	519.28	-	-
净利润(万元)	28648.70	44564.73	21536.33	35163.00
营业利润(万元)	32417.69	49767.30	26239.63	45401.20
利润总额(万元)	36905.05	57550.60	28331.25	46739.39

珠海华发实业股份有限公司

公司概况					
公司名称	珠海华发实业股份有限公司			证券简称	华发股份
法人代表	李光宁	董秘	侯贵明	证券代码	600325
公司网址	www.cnhuafas.com		电子信箱	zqb@cnhuafas.com	
电　话	0756-8282111		传　真	0756-8281000	
办公地址	广东省珠海市昌盛路155号				
经营范围	房地产开发和销售				

主要财务指标 指标\报告期	2016.06.30	2015.12.31	2015.06.30	2014.12.31
基本每股收益(元)	0.2900	0.8400	0.2900	0.7900
基本每股收益(扣除后)(元)	0.2900	0.7600	0.2300	0.7400
稀释每股收益(元)	0.2900	0.8400	0.2900	0.7900
每股净资产(元)	10.7513	10.0262	8.6588	8.4620
每股经营现金净流量(元)	6.9292	0.5524	0.6899	2.4872
每股现金流量(元)	7.8122	1.2926	1.2462	0.1155
每股资本公积金(元)	5.2889	4.7268	2.0187	2.0211
每股盈余公积金(元)	0.2348	0.2348	0.2524	0.2524
每股未分配利润(元)	4.2117	4.0672	5.3709	5.1732
净资产收益率(%)	2.7385	6.0405	3.4388	9.3538
加权净资产收益率(%)	2.9200	9.2900	3.4600	9.7300
净资产收益率(扣除)(%)	2.7099	5.5210	2.7960	8.7661
总资产(万元)	11233841.66	9346688.42	7558904.16	6743109.10
归属母公司股东权益(万元)	1256879.12	1174081.27	707460.42	691380.43
营业收入(万元)	497717.89	834233.91	223252.43	710430.20
营业支出(万元)	376118.26	587530.30	134181.61	466582.03
投资收益(万元)	544.08	12497.65	5966.13	4858.00
净利润(万元)	32599.47	68878.68	23509.25	62876.10
营业利润(万元)	41917.85	97829.54	33632.69	84471.43
利润总额(万元)	42581.10	97292.46	34235.44	84104.11

西藏天路股份有限公司

公司概况	公司名称	西藏天路股份有限公司		证券简称	西藏天路
	法人代表	多吉罗布	董秘	西虹	证券代码	600326
	公司网址	www.xztianlu.com		电子信箱	xztlgf@263.net
	电　话	0891-6902701		传　真	0891-6903003
	办公地址	西藏自治区拉萨市夺底路14号			
	经营范围	公路工程施工的基础设施建设、主要承担西藏自治区内的公路桥梁的建设任务			

主要财务指标	指标\报告期	2016.06.30	2015.12.31	2015.06.30	2014.12.31
	基本每股收益(元)	0.1178	0.2600	0.1047	0.1200
	基本每股收益(扣除后)(元)	0.1120	0.2600	0.1051	0.1200
	稀释每股收益(元)	0.1178	0.2600	0.1047	0.1200
	每股净资产(元)	3.3274	3.2657	2.1135	2.0571
	每股经营现金净流量(元)	0.1784	0.3053	0.0243	0.2856
	每股现金流量(元)	-0.7867	1.8043	0.3567	-0.0709
	每股资本公积金(元)	1.4996	1.5078	0.3505	0.3505
	每股盈余公积金(元)	0.1119	0.1119	0.1201	0.1201
	每股未分配利润(元)	0.7126	0.6449	0.6380	0.5832
	净资产收益率(%)	3.5395	6.7283	4.9547	5.6593
	加权净资产收益率(%)	3.5600	10.8100	5.0200	5.8000
	净资产收益率(扣除)(%)	3.3674	6.7540	4.9722	5.6719
	总资产(万元)	507808.58	496485.70	382261.87	317065.11
	归属母公司股东权益(万元)	221499.11	217390.82	115649.99	112566.91
	营业收入(万元)	125514.27	208696.92	89778.41	141582.74
	营业支出(万元)	100843.88	153250.13	69902.86	104199.98
	投资收益(万元)	2000.48	1763.22	566.14	14.42
	净利润(万元)	11114.44	20110.45	8464.19	11120.54
	营业利润(万元)	11771.42	23440.53	9847.71	14706.45
	利润总额(万元)	12325.00	22992.75	9754.46	14674.67

无锡商业大厦大东方股份有限公司

公司概况	公司名称	无锡商业大厦大东方股份有限公司			证券简称	大东方
	法人代表	高兵华	董秘	陈辉	证券代码	600327
	公司网址	www.eastall.com		电子信箱	cmc@eastall.com	
	电　话	0510-82702093		传　真	0510-82700159	
	办公地址	江苏省无锡市中山路343号				
	经营范围	国内一般商业百货零售				

主要财务指标	指标\报告期	2016.06.30	2015.12.31	2015.06.30	2014.12.31
	基本每股收益(元)	0.2870	0.3400	0.2230	0.2820
	基本每股收益(扣除后)(元)	0.2410	0.2920	0.1920	0.2500
	稀释每股收益(元)	0.2870	0.3400	0.2230	0.2820
	每股净资产(元)	4.0729	4.1808	4.4513	2.7841
	每股经营现金净流量(元)	0.3099	0.7843	0.2479	0.2723
	每股现金流量(元)	0.0834	0.1228	-0.0481	0.0903
	每股资本公积金(元)	0.1330	0.1330	0.1475	0.0693
	每股盈余公积金(元)	0.3863	0.3863	0.3561	0.3561
	每股未分配利润(元)	1.8554	1.5682	1.4814	1.3587
	净资产收益率(%)	7.0501	8.1252	5.0043	10.1247
	加权净资产收益率(%)	6.8000	10.8900	6.1600	10.3600
	净资产收益率(扣除)(%)	5.9135	6.9743	4.3245	8.9873
	总资产(万元)	455951.64	497876.56	535676.46	456859.58
	归属母公司股东权益(万元)	212490.12	218117.41	232231.26	145250.19
	营业收入(万元)	433639.92	838152.46	422726.26	855367.88
	营业支出(万元)	376623.34	732660.67	366300.37	748063.21
	投资收益(万元)	3331.35	4865.61	2548.69	3253.68
	净利润(万元)	15506.14	17697.49	12857.83	15207.48
	营业利润(万元)	18901.12	22255.67	16172.88	20937.71
	利润总额(万元)	20003.80	23764.83	16778.91	22130.22

内蒙古兰太实业股份有限公司

公司概况	公司名称	内蒙古兰太实业股份有限公司			证券简称	兰太实业
	法人代表	李德禄	董秘	陈云泉	证券代码	600328
	公司网址	www.lantaicn.com		电子信箱	ltzqb@lantaicn.com	
	电　话	0483-8182016 8182718		传　真	0483-8182022	
	办公地址	内蒙古自治区阿拉善盟阿拉善左旗乌斯太镇阿拉善经济开发区				
	经营范围	加碘食用盐、化工原料盐、农牧渔业盐产品、金属钠、液氯、CPE等				

主要财务指标	指标\报告期	2016.06.30	2015.12.31	2015.06.30	2014.12.31
	基本每股收益(元)	0.0970	-0.0920	-0.0540	0.0400
	基本每股收益(扣除后)(元)	0.0780	-0.1590	-0.0700	-0.0050
	稀释每股收益(元)	0.0970	-0.0920	-0.0540	0.0400
	每股净资产(元)	4.4743	3.3774	3.4419	3.4958
	每股经营现金净流量(元)	0.3363	0.7959	0.5778	0.7458
	每股现金流量(元)	0.6742	0.3243	0.0783	-0.0793
	每股资本公积金(元)	2.2947	1.0492	1.0488	1.0431
	每股盈余公积金(元)	0.2138	0.2608	0.2550	0.2550
	每股未分配利润(元)	0.9510	1.0417	1.0984	1.1528
	净资产收益率(%)	2.1669	-2.7304	-1.5812	1.1548
	加权净资产收益率(%)	2.6770	-2.6830	-1.5700	1.1520
	净资产收益率(扣除)(%)	1.7394	-4.7173	-2.0342	-0.1376
	总资产(万元)	694956.07	670320.93	683503.58	682270.63
	归属母公司股东权益(万元)	195987.57	121287.49	123604.22	125539.86
	营业收入(万元)	114291.40	236780.91	119022.49	271687.80
	营业支出(万元)	81549.98	171506.56	85322.89	199968.06
	投资收益(万元)	-399.82	-187.29	-933.02	1157.82
	净利润(万元)	3778.95	-7635.00	-3629.10	-9333.59
	营业利润(万元)	3771.57	-8676.99	-3608.17	-11130.57
	利润总额(万元)	4994.10	-5864.96	-3040.45	-10414.26

天津中新药业集团股份有限公司

公司概况	公司名称	天津中新药业集团股份有限公司			证券简称	中新药业
	法人代表	王志强	董秘	焦艳	证券代码	600329
	公司网址	www.zhongxinyaoye.com		电子信箱	zxyy600329@163.com	
	电　话	022-27020892		传　真	022-27020926	
	办公地址	天津市南开区白堤路17号				
	经营范围	生产及出售中药、西药、保健品及医疗器械				

主要财务指标	指标\报告期	2016.06.30	2015.12.31	2015.06.30	2014.12.31
	基本每股收益(元)	0.3400	0.6000	0.3200	0.4800
	基本每股收益(扣除后)(元)	0.3200	0.4600	0.2800	0.4600
	稀释每股收益(元)	0.3400	0.6000	0.3200	0.4800
	每股净资产(元)	5.2674	5.1006	4.8403	3.7383
	每股经营现金净流量(元)	0.1885	0.4690	0.2933	0.3880
	每股现金流量(元)	0.0935	0.2678	1.0886	-0.1382
	每股资本公积金(元)	1.7005	1.7005	1.7005	0.7070
	每股盈余公积金(元)	0.4644	0.4644	0.4051	0.4213
	每股未分配利润(元)	2.0379	1.8515	1.6344	1.5270
	净资产收益率(%)	6.3863	11.5114	6.4183	12.9461
	加权净资产收益率(%)	6.4300	13.5400	8.4200	13.8500
	净资产收益率(扣除)(%)	6.0759	8.7837	5.4930	12.4243
	总资产(万元)	625273.92	606887.71	641804.59	543720.74
	归属母公司股东权益(万元)	404995.57	392170.80	372159.10	276377.65
	营业收入(万元)	324647.23	708055.22	336168.09	708687.93
	营业支出(万元)	223917.64	499003.40	221529.79	493618.72
	投资收益(万元)	9527.28	13187.22	3602.56	8360.62
	净利润(万元)	25032.76	45786.81	24289.88	37943.66
	营业利润(万元)	27333.55	49901.15	26385.46	41328.19
	利润总额(万元)	28869.27	53717.07	28987.08	43087.86

天通控股股份有限公司

公司概况	公司名称	天通控股股份有限公司			证券简称	天通股份
	法人代表	潘建清	董秘	郑晓彬	证券代码	600330
	公司网址	www.tdgcore.com		电子信箱	tdga@tdgcore.com	
	电　话	0573-80701330		传　真	0573-80701300	
	办公地址	浙江省海宁市经济开发区双联路 129 号				
	经营范围	软磁铁氧体 MnZn 和 NiZn 磁芯的生产和销售				

	指标＼报告期	2016.06.30	2015.12.31	2015.06.30	2014.12.31
主要财务指标	基本每股收益(元)	0.1120	0.0930	0.0280	0.0210
	基本每股收益(扣除后)(元)	0.0660	0.0170	-0.0040	-0.1030
	稀释每股收益(元)	0.1120	0.0930	0.0280	0.0210
	每股净资产(元)	4.3111	4.2255	4.1619	2.2851
	每股经营现金净流量(元)	-0.0586	-0.0014	0.0801	0.0865
	每股现金流量(元)	-0.2368	0.9681	1.4568	0.0598
	每股资本公积金(元)	3.1449	3.1784	3.1566	1.3098
	每股盈余公积金(元)	0.0984	0.0984	0.0984	0.1259
	每股未分配利润(元)	0.0728	-0.0391	-0.0878	-0.1440
	净资产收益率(%)	2.5959	2.0855	0.5932	0.9151
	加权净资产收益率(%)	2.6100	2.4500	0.8300	0.9500
	净资产收益率(扣除)(%)	1.5225	0.3911	-0.0843	-4.4271
	总资产(万元)	433894.87	440325.09	437949.58	286118.64
	归属母公司股东权益(万元)	358028.22	351518.09	345636.60	148260.21
	营业收入(万元)	81510.42	131614.01	63514.22	116822.91
	营业支出(万元)	63391.27	104484.15	50477.79	91550.97
	投资收益(万元)	2142.24	1717.75	94.94	1011.49
	净利润(万元)	9536.26	7381.98	2074.92	1303.47
	营业利润(万元)	8415.04	3186.28	-278.00	-5590.16
	利润总额(万元)	10451.67	8499.08	2167.28	1761.68

四川宏达股份有限公司

公司概况	公司名称	四川宏达股份有限公司			证券简称	宏达股份
	法人代表	王国成	董秘	王延俊	证券代码	600331
	公司网址	www.sichuanhongda.com		电子信箱	dshbgs@sinohongda.com	
	电　话	028-86141081		传　真	028-86140372	
	办公地址	四川省成都市锦里东路 2 号宏达国际广场 28 楼				
	经营范围	工业硫酸、普通过磷酸钙、复合肥、锌锭、氧化锌、硝酸钾、氯化氨等				

	指标＼报告期	2016.06.30	2015.12.31	2015.06.30	2014.12.31
主要财务指标	基本每股收益(元)	0.0124	0.0194	-0.0003	-0.2060
	基本每股收益(扣除后)(元)	0.0105	-0.0191	-0.0069	-0.1614
	稀释每股收益(元)	0.0124	0.0194	-0.0003	-0.2060
	每股净资产(元)	2.2764	2.2630	2.0392	2.0886
	每股经营现金净流量(元)	0.1806	0.4997	0.3808	-0.3113
	每股现金流量(元)	0.0054	0.1150	0.2429	0.0570
	每股资本公积金(元)	1.5149	1.5149	1.5147	1.5147
	每股盈余公积金(元)	0.0850	0.0850	0.0850	0.0850
	每股未分配利润(元)	-0.3296	-0.3421	-0.5638	-0.5181
	净资产收益率(%)	0.5463	0.8583	-2.2430	-7.9667
	加权净资产收益率(%)	0.5500	0.8600	-2.2200	-18.1200
	净资产收益率(扣除)(%)	0.4616	-0.8459	-2.5657	-5.1938
	总资产(万元)	1026586.18	1023617.73	987630.08	1018111.23
	归属母公司股东权益(万元)	462558.63	459848.86	414360.15	424411.24
	营业收入(万元)	148416.00	436875.58	224371.63	375912.36
	营业支出(万元)	128401.55	384198.09	202753.03	325518.19
	投资收益(万元)	11808.28	29359.96	2524.95	5286.59
	净利润(万元)	1312.80	4350.84	-10436.93	-33954.95
	营业利润(万元)	1416.90	-1832.18	-12479.35	-28807.18
	利润总额(万元)	1779.73	4596.01	-11169.66	-30457.90

广州白云山医药集团股份有限公司

公司概况	公司名称	广州白云山医药集团股份有限公司			证券简称	白 云 山
	法人代表	李楚源	董秘	陈静	证券代码	600332
	公司网址	www.gybys.com.cn		电子信箱	chenj@gybys.com.cn	
	电　话	020-66281217　66281219		传　真	020-66281229	
	办公地址	广东省广州市荔湾区沙面北街 45 号				
	经营范围	中成药的制造与销售及天然药物和生物医药的研究开发等				

	指标＼报告期	2016.06.30	2015.12.31	2015.06.30	2014.12.31
主要财务指标	基本每股收益(元)	0.6440	1.0070	0.6000	0.9250
	基本每股收益(扣除后)(元)	0.5400	0.8740	0.5960	0.8460
	稀释每股收益(元)	0.6440	1.0070	0.6000	0.9250
	每股净资产(元)	7.2000	6.5500	6.3000	5.9900
	每股经营现金净流量(元)	1.3268	1.5041	0.9862	1.3640
	每股现金流量(元)	0.2368	0.6104	0.7884	0.8597
	每股资本公积金(元)	1.8174	1.8174	1.9102	1.9254
	每股盈余公积金(元)	0.7207	0.7207	0.6316	0.6315
	每股未分配利润(元)	3.6522	3.0080	2.7479	2.4272
	净资产收益率(%)	8.9515	15.3900	9.5265	15.4100
	加权净资产收益率(%)	9.3800	15.9100	9.5400	16.3800
	净资产收益率(扣除)(%)	7.5044	13.3600	9.4622	14.3800
	总资产(万元)	1781214.94	1587057.73	1649076.97	1421078.35
	归属母公司股东权益(万元)	929232.10	845081.44	813543.38	773930.05
	营业收入(万元)	1085726.93	1912465.83	1047215.65	1879988.06
	营业支出(万元)	673523.95	1220050.00	660710.73	1217391.88
	投资收益(万元)	14528.54	-368.76	10041.18	16098.32
	净利润(万元)	86312.81	134528.70	79246.76	121064.35
	营业利润(万元)	88567.24	141033.55	95755.10	136283.50
	利润总额(万元)	105913.59	162812.21	96298.05	146717.69

长春燃气股份有限公司

公司概况	公司名称	长春燃气股份有限公司			证券简称	长春燃气
	法人代表	张志超	董秘	孙树怀	证券代码	600333
	公司网址	www.ccrq.com.cn		电子信箱	ccrq_zy@163.com	
	电　话	0431-85954615　85954383		传　真	0431-85954383	
	办公地址	吉林省长春市朝阳区延安大街 421 号				
	经营范围	焦炉煤气、冶金焦炭、煤焦油的生产、销售、天然气、液化石油气供应等				

	指标＼报告期	2016.06.30	2015.12.31	2015.06.30	2014.12.31
主要财务指标	基本每股收益(元)	0.0030	-0.6200	-0.0300	0.0400
	基本每股收益(扣除后)(元)	-0.0030	-0.5900	-0.0300	-0.5900
	稀释每股收益(元)	0.0030	-0.6200	-0.0300	0.0400
	每股净资产(元)	2.9270	2.9725	3.5716	3.5945
	每股经营现金净流量(元)	0.0751	-0.1731	-0.3424	-0.0589
	每股现金流量(元)	-0.4841	0.3809	0.1462	-0.3826
	每股资本公积金(元)	1.0636	1.0636	1.0636	1.0636
	每股盈余公积金(元)	0.2695	0.2695	0.2703	0.2703
	每股未分配利润(元)	0.5844	0.6318	1.2280	1.2564
	净资产收益率(%)	0.0882	-20.7707	-0.7949	1.2772
	加权净资产收益率(%)	0.0900	-18.8300	-0.7900	1.2800
	净资产收益率(扣除)(%)	-0.1019	-19.7068	-0.8216	0.4778
	总资产(万元)	476960.82	475434.73	470760.10	440053.56
	归属母公司股东权益(万元)	155017.91	157426.95	189157.76	190370.35
	营业收入(万元)	56535.03	151374.45	73465.10	164192.56
	营业支出(万元)	34089.58	109301.11	56744.66	125256.48
	投资收益(万元)	1399.21	3301.68	1645.01	1987.40
	净利润(万元)	-149.81	-33330.80	-1739.78	2076.87
	营业利润(万元)	-526.26	-40726.16	-1891.94	1248.97
	利润总额(万元)	-133.43	-42407.70	-1823.91	3258.40

国机汽车股份有限公司

公司概况					
公司名称	国机汽车股份有限公司			证券简称	国机汽车
法人代表	丁宏祥	董秘	谈正国	证券代码	600335
公司网址	www.sinomach-auto.com		电子信箱	600335@sinomach-auto.com	
电　话	010-88825988		传　真	010-88825988	
办公地址	北京市海淀区中关村南三街6号中科资源大厦北楼				
经营范围	生产和销售工程机械产品				

主要财务指标 指标\报告期	2016.06.30	2015.12.31	2015.06.30	2014.12.31
基本每股收益(元)	0.4554	0.7664	0.4824	1.3900
基本每股收益(扣除后)(元)	0.4818	0.6667	0.4824	1.3388
稀释每股收益(元)	0.4554	0.7664	0.4824	1.3900
每股净资产(元)	6.1195	8.7744	8.7694	8.1096
每股经营现金净流量(元)	5.3411	14.7278	6.8234	-5.6895
每股现金流量(元)	-1.1597	-2.7097	3.1246	2.1577
每股资本公积金(元)	1.3210	1.9815	1.9803	1.9796
每股盈余公积金(元)	0.1101	0.1651	0.1472	0.1472
每股未分配利润(元)	3.4103	5.0523	5.0274	4.5038
净资产收益率(%)	7.4425	8.7343	8.2510	16.8132
加权净资产收益率(%)	7.5800	9.0800	8.4700	19.0100
净资产收益率(扣除)(%)	7.8740	7.5986	8.0294	15.4455
总资产(万元)	2023295.13	2881453.88	3028720.01	3453047.71
归属母公司股东权益(万元)	575669.44	550283.78	549969.59	508589.15
营业收入(万元)	2619049.43	6416371.45	3556765.07	9034353.93
营业支出(万元)	2491186.81	6043738.98	3400599.85	8679170.85
投资收益(万元)	2568.19	1400.29	208.73	6211.69
净利润(万元)	38111.51	37995.51	41451.69	78179.37
营业利润(万元)	55840.90	53009.00	53875.05	111037.26
利润总额(万元)	54667.64	61754.17	55574.48	112572.20

澳柯玛股份有限公司

公司概况					
公司名称	澳柯玛股份有限公司			证券简称	澳柯玛
法人代表	李蔚	董秘	孙武	证券代码	600336
公司网址	www.aucma.com.cn		电子信箱	sunwu@aucma.com.cn	
电　话	0532-86765129		传　真	0532-86765129	
办公地址	山东省青岛市经济技术开发区前湾港路315号				
经营范围	冷柜系列、水净化设备、车用冷热转换箱、自动售货机、锂电池等				

主要财务指标 指标\报告期	2016.06.30	2015.12.31	2015.06.30	2014.12.31
基本每股收益(元)	0.0942	0.0300	0.1101	0.1000
基本每股收益(扣除后)(元)	0.0815	0.0100	0.0967	0.0900
稀释每股收益(元)	0.0942	0.0300	0.1101	0.1000
每股净资产(元)	1.5753	1.4812	1.5631	1.4530
每股经营现金净流量(元)	-0.0505	0.5430	0.1733	-0.0505
每股现金流量(元)	0.1877	0.0498	0.0339	-0.2400
每股资本公积金(元)	0.7340	0.7340	0.7340	0.7340
每股盈余公积金(元)	0.1042	0.1042	0.0958	0.0958
每股未分配利润(元)	-0.2628	-0.3570	-0.2666	-0.3767
净资产收益率(%)	5.9771	1.9025	7.0464	7.2118
加权净资产收益率(%)	6.1600	1.9200	7.3000	7.4800
净资产收益率(扣除)(%)	5.1766	0.8807	6.1843	5.9646
总资产(万元)	329495.43	282902.99	316666.59	300683.17
归属母公司股东权益(万元)	107449.28	101026.88	106617.60	99104.88
营业收入(万元)	220672.05	360685.77	215380.49	412110.57
营业支出(万元)	166833.57	272500.55	160736.45	314079.44
投资收益(万元)	-148.09	44.48	-36.22	-186.63
净利润(万元)	6384.83	1261.40	7327.94	7082.81
营业利润(万元)	7593.23	907.06	8318.57	8273.96
利润总额(万元)	8419.65	1797.44	9193.65	9334.44

美克国际家居用品股份有限公司

公司概况					
公司名称	美克国际家居用品股份有限公司			证券简称	美克家居
法人代表	寇卫平	董秘	黄新	证券代码	600337
公司网址	www.markorfurniture.com		电子信箱	mkzq1@markor.com.cn	
电　话	0991-3836028		传　真	0991-3838191	
办公地址	新疆维吾尔自治区乌鲁木齐市北京南路506号				
经营范围	装饰装修材料、实木家具、聚脂家具及配套产品生产及销售等				

主要财务指标 指标\报告期	2016.06.30	2015.12.31	2015.06.30	2014.12.31
基本每股收益(元)	0.2040	0.4600	0.2000	0.3600
基本每股收益(扣除后)(元)	0.2040	0.4600	0.1940	0.3430
稀释每股收益(元)	0.2040	0.4600	0.2000	0.3600
每股净资产(元)	4.6200	4.7266	4.4600	4.4073
每股经营现金净流量(元)	0.1630	0.4287	0.1897	-0.0569
每股现金流量(元)	-0.0183	0.3977	0.1287	-0.3871
每股资本公积金(元)	1.4730	1.4632	1.4687	1.4689
每股盈余公积金(元)	0.3062	0.3062	0.2671	0.2669
每股未分配利润(元)	1.8854	1.9908	1.7633	1.7135
净资产收益率(%)	4.4097	9.8403	4.4596	8.1934
加权净资产收益率(%)	4.2200	10.1800	4.4800	8.3900
净资产收益率(扣除)(%)	4.4168	9.7229	4.3425	7.7844
总资产(万元)	490788.67	481929.91	429106.38	399649.54
归属母公司股东权益(万元)	298586.67	305495.13	288167.88	285067.28
营业收入(万元)	148570.60	285881.97	128874.60	271377.15
营业支出(万元)	58162.13	110682.08	51199.13	112090.02
投资收益(万元)	-28.21	-51.69	0.97	-47.88
净利润(万元)	13166.78	30061.52	12851.11	23356.57
营业利润(万元)	16460.78	37227.88	15479.49	29622.07
利润总额(万元)	16455.11	37724.47	15918.85	30828.65

西藏珠峰资源股份有限公司

公司概况					
公司名称	西藏珠峰资源股份有限公司			证券简称	西藏珠峰
法人代表	黄建荣	董秘	胡晗东	证券代码	600338
公司网址	www.zfmotor.com		电子信箱	zhufengdb@zhufenggufen.com	
电　话	021-66284908		传　真	021-66284923	
办公地址	西藏自治区拉萨市北京中路65号				
经营范围	锌、铟等有色金属冶炼及相关产品生产、销售				

主要财务指标 指标\报告期	2016.06.30	2015.12.31	2015.06.30	2014.12.31
基本每股收益(元)	0.4037	0.2451	0.2531	0.4092
基本每股收益(扣除后)(元)	0.4117	-0.0723	-0.1873	-0.1032
稀释每股收益(元)	0.4037	0.2451	0.2531	0.4092
每股净资产(元)	1.2932	1.0205	0.0511	0.2385
每股经营现金净流量(元)	0.0638	0.3009	-0.8969	0.3426
每股现金流量(元)	-0.0058	-0.0185	-0.4121	0.4640
每股资本公积金(元)	0.0342	0.0342	0.3155	0.3155
每股盈余公积金(元)	0.0218	0.0218	0.0901	0.0901
每股未分配利润(元)	0.8643	0.4606	-1.4082	-1.2207
净资产收益率(%)	31.2173	24.0163	-366.9870	22.6380
加权净资产收益率(%)	23.2900	22.6200	-	26.3100
净资产收益率(扣除)(%)	30.5952	-7.0874	-366.7321	-178.4916
总资产(万元)	141852.63	120732.88	39677.09	49930.86
归属母公司股东权益(万元)	84445.25	66637.45	808.67	3776.39
营业收入(万元)	64877.56	149144.88	56190.22	154160.33
营业支出(万元)	23643.59	95288.03	56806.21	152559.57
投资收益(万元)	323.87	-592.07	19.46	7545.95
净利润(万元)	26099.40	13960.43	-3241.80	1037.11
营业利润(万元)	30989.22	20026.57	-3315.16	1265.01
利润总额(万元)	30968.46	20069.21	-3317.23	1432.47

中国石油集团工程股份有限公司

公司概况	公司名称	中国石油集团工程股份有限公司		证券简称	中油工程
	法人代表	陈俊豪	董秘 唐涛	证券代码	600339
	公司网址	www.600339.cc		电子信箱	tangtac@cpec.com.cn
	电　话	010-59983451		传　真	010-62099351
	办公地址	北京市东城区东直门北大街 9 号中国石油集团工程股份有限公司			
	经营范围	许可经营项目：普通货物运输等			

主要财务指标 指标\报告期	2016.06.30	2015.12.31	2015.06.30	2014.12.31
基本每股收益(元)	-0.6838	-1.6390	-0.3636	-0.2929
基本每股收益(扣除后)(元)	-0.6844	-1.6726	-0.3780	-0.3323
稀释每股收益(元)	-0.6838	-1.6390	-0.3636	-0.2929
每股净资产(元)	-0.5861	0.0978	1.3731	1.7364
每股经营现金净流量(元)	0.3068	0.2027	0.4467	0.1516
每股现金流量(元)	0.0797	0.2079	0.0142	-0.0820
每股资本公积金(元)	0.7788	0.7788	0.7788	0.7788
每股盈余公积金(元)	0.1794	0.1794	0.1794	0.1794
每股未分配利润(元)	-2.5450	-1.8612	-0.5858	-0.2222
净资产收益率(%)	-	-1675.0565	-26.4798	-16.8657
加权净资产收益率(%)	-	-178.7100	-23.3900	-15.5500
净资产收益率(扣除)(%)	-	-1709.3890	-27.5265	-19.1389
总资产(万元)	277582.17	324539.25	376933.74	393385.05
归属母公司股东权益(万元)	-33885.67	5657.21	79386.98	100391.63
营业收入(万元)	110826.02	192928.07	85103.24	262640.25
营业支出(万元)	98413.29	196878.27	83734.50	241185.18
投资收益(万元)	65.63	1269.98	614.60	2356.26
净利润(万元)	-44844.16	-99412.17	-23588.01	-19595.16
营业利润(万元)	-45079.92	-99921.86	-24481.76	-19293.32
利润总额(万元)	-44962.18	-97656.94	-23578.29	-17613.59

华夏幸福基业股份有限公司

公司概况	公司名称	华夏幸福基业股份有限公司		证券简称	华夏幸福
	法人代表	王文学	董秘 林成红	证券代码	600340
	公司网址	www.cfldcn.com		电子信箱	ir@cfldcn.com
	电　话	010-56982988		传　真	010-56982989
	办公地址	北京市朝阳区东三环北路霞光里 18 号佳程广场 A 座 23 层			
	经营范围	实业投资、企业管理咨询、建筑装饰材料的销售			

主要财务指标 指标\报告期	2016.06.30	2015.12.31	2015.06.30	2014.12.31
基本每股收益(元)	1.3600	1.8100	1.1500	1.3400
基本每股收益(扣除后)(元)	1.3000	1.7200	1.0800	2.6300
稀释每股收益(元)	1.3600	1.8100	1.1500	1.3400
每股净资产(元)	7.6255	5.1126	4.3815	7.4032
每股经营现金净流量(元)	-1.6131	2.8157	-0.6279	-3.7449
每股现金流量(元)	1.0952	7.9206	3.6546	3.3066
每股资本公积金(元)	2.2864	0.1735	0.0079	0.0158
每股盈余公积金(元)	0.3293	0.3677	0.2052	0.4103
每股未分配利润(元)	3.9850	3.5584	3.1682	5.9762
净资产收益率(%)	17.5591	35.4909	26.1448	36.1210
加权净资产收益率(%)	18.9100	42.0700	26.3600	42.8300
净资产收益率(扣除)(%)	16.7969	33.5638	24.5445	35.5187
总资产(万元)	21698982.37	16862335.21	13840094.41	11396418.91
归属母公司股东权益(万元)	2253286.69	1352678.52	1159236.47	979356.52
营业收入(万元)	1760483.54	3833468.97	1687224.37	2688554.85
营业支出(万元)	874654.08	2510336.30	1046661.46	1726920.40
投资收益(万元)	15729.74	30378.86	21387.08	9015.79
净利润(万元)	385534.33	498709.13	316489.05	380140.61
营业利润(万元)	559505.21	690304.31	427394.27	506373.34
利润总额(万元)	566246.96	694856.10	431101.12	505963.86

陕西航天动力高科技股份有限公司

公司概况	公司名称	陕西航天动力高科技股份有限公司		证券简称	航天动力
	法人代表	谭永华	董秘 崔积堂	证券代码	600343
	公司网址	www.china-htdl.com		电子信箱	cjt@china-htdl.com
	电　话	029-81881823		传　真	029-81881812
	办公地址	陕西省西安市高新区锦业路 78 号			
	经营范围	航天技术流体机械系列液力变矩器、特种泵的研究、设计、试验、生产、销售等			

主要财务指标 指标\报告期	2016.06.30	2015.12.31	2015.06.30	2014.12.31
基本每股收益(元)	0.0221	0.0782	0.0206	0.0959
基本每股收益(扣除后)(元)	0.0165	0.0586	0.0165	0.0609
稀释每股收益(元)	0.0221	0.0782	0.0206	0.0959
每股净资产(元)	3.4062	3.4830	3.4238	3.4024
每股经营现金净流量(元)	-0.4885	0.0065	-0.3050	0.2401
每股现金流量(元)	-0.4266	-0.1841	-0.4556	0.3353
每股资本公积金(元)	1.8577	1.8577	1.8543	1.8543
每股盈余公积金(元)	0.0684	0.0684	0.0629	0.0629
每股未分配利润(元)	0.4751	0.5530	0.5010	0.4804
净资产收益率(%)	0.6498	2.2441	0.6018	2.8179
加权净资产收益率(%)	0.6394	2.2693	0.6037	2.8409
净资产收益率(扣除)(%)	0.4845	1.6820	0.4818	1.7886
总资产(万元)	419355.85	407950.00	386916.92	399900.27
归属母公司股东权益(万元)	217383.55	222287.44	218511.18	217142.13
营业收入(万元)	62294.80	150335.99	53944.73	131061.60
营业支出(万元)	52856.34	129431.01	45035.31	108625.77
投资收益(万元)	-	24.00	-	46.51
净利润(万元)	1543.00	5616.99	1499.95	7545.91
营业利润(万元)	1107.59	3800.38	1229.83	4315.75
利润总额(万元)	1801.57	6289.33	1774.36	8536.54

武汉长江通信产业集团股份有限公司

公司概况	公司名称	武汉长江通信产业集团股份有限公司		证券简称	长江通信
	法人代表	童国华	董秘 梅勇	证券代码	600345
	公司网址	www.ycig.com		电子信箱	sh600345@ycig.com
	电　话	027-67840308 67840265		传　真	027-67840308 67840274
	办公地址	湖北省武汉市东湖开发区关东工业园文华路 2 号			
	经营范围	通信、电子、计算机技术及产品的开发、研制、技术服务等			

主要财务指标 指标\报告期	2016.06.30	2015.12.31	2015.06.30	2014.12.31
基本每股收益(元)	0.1300	0.3700	0.1100	0.2200
基本每股收益(扣除后)(元)	0.1300	0.3000	0.1000	0.0300
稀释每股收益(元)	0.1300	0.3700	0.1100	0.2200
每股净资产(元)	6.3343	6.3265	6.0859	5.9885
每股经营现金净流量(元)	-0.3264	-0.0647	-0.6099	-0.0668
每股现金流量(元)	-0.3283	-0.5192	-0.9998	0.0171
每股资本公积金(元)	1.9906	1.9906	1.9057	1.9057
每股盈余公积金(元)	1.3776	1.3776	1.2876	1.2876
每股未分配利润(元)	1.8184	1.7915	1.7197	1.6110
净资产收益率(%)	2.0037	5.8561	1.7872	3.7171
加权净资产收益率(%)	2.0000	6.0500	1.8000	3.8600
净资产收益率(扣除)(%)	1.9802	4.7712	1.6856	0.5059
总资产(万元)	169553.89	167633.55	167284.50	166799.64
归属母公司股东权益(万元)	125419.78	125264.67	120501.00	118571.81
营业收入(万元)	22920.82	57733.32	28709.43	86593.28
营业支出(万元)	19680.82	49445.74	25223.86	77006.82
投资收益(万元)	6634.77	12232.43	5916.15	11573.86
净利润(万元)	2147.35	6606.48	2184.62	3962.92
营业利润(万元)	1850.50	5074.66	1836.24	730.66
利润总额(万元)	2003.18	6273.57	2198.98	3993.60

恒力石化股份有限公司

公司概况					
公司名称	恒力石化股份有限公司			证券简称	恒力股份
法人代表	范红卫	董秘	李峰	证券代码	600346
公司网址	hengliinc.com		电子信箱	hlzq@hengli.com	
电　话	0411-86641378		传　真	0411-82224480	
办公地址	辽宁省大连市中山区世纪街26号1107				
经营范围	从事橡胶机械专用设备、塑料机械专用设备及其零配件的研制、生产和销售				

主要财务指标				
指标\报告期	2016.06.30	2015.12.31	2015.06.30	2014.12.31
基本每股收益(元)	0.1900	−0.3600	0.1900	−0.6700
基本每股收益(扣除后)(元)	0.1800	−0.4000	0.0900	−0.7100
稀释每股收益(元)	0.1900	−0.3600	0.1900	−0.6700
每股净资产(元)	1.8036	0.6180	1.8089	2.2809
每股经营现金净流量(元)	−0.0858	−0.1437	0.0339	0.5371
每股现金流量(元)	−0.1863	−0.0548	−0.0046	0.1668
每股资本公积金(元)	0.1158	2.6396	2.0355	2.0355
每股盈余公积金(元)	0.0580	0.2455	0.0469	0.0469
每股未分配利润(元)	0.6298	1.1726	−1.1865	−0.7552
净资产收益率(%)	9.1349	−58.9107	−23.8477	−28.8725
加权净资产收益率(%)	11.2600	−45.0100	−21.1000	−25.9300
净资产收益率(扣除)(%)	8.6156	−64.7567	−25.0330	−30.4806
总资产(万元)	1729252.83	2234814.38	301431.87	300480.12
归属母公司股东权益(万元)	509641.31	461600.39	52520.45	66223.76
营业收入(万元)	748561.74	84070.31	40430.47	87605.56
营业支出(万元)	634783.96	75622.87	36349.33	74667.48
投资收益(万元)	–	273.87	271.73	359.62
净利润(万元)	46560.08	−24918.78	−12142.39	−18976.74
营业利润(万元)	54586.59	−27137.39	−12718.87	−19495.09
利润总额(万元)	58007.34	−24734.82	−12095.61	−18432.99

阳泉煤业(集团)股份有限公司

公司概况					
公司名称	阳泉煤业(集团)股份有限公司			证券简称	阳泉煤业
法人代表	白英	董秘	成晓宇	证券代码	600348
公司网址	www.yqmy.cc		电子信箱	yqmy600348@sina.com	
电　话	0353-7080590 7071015		传　真	0353-7080589	
办公地址	山西省阳泉市北大街5号				
经营范围	煤炭生产、洗选加工、销售、电力生产、销售、热力生产、销售等				

主要财务指标				
指标\报告期	2016.06.30	2015.12.31	2015.06.30	2014.12.31
基本每股收益(元)	0.0400	0.0300	0.1300	0.3300
基本每股收益(扣除后)(元)	0.0300	0.0400	0.1400	0.3300
稀释每股收益(元)	0.0400	0.0300	0.1300	0.3300
每股净资产(元)	5.5146	5.3449	5.6385	5.3743
每股经营现金净流量(元)	−0.8400	0.4078	−0.3349	0.5030
每股现金流量(元)	0.1956	0.0531	−0.0867	−0.6742
每股资本公积金(元)	–	–	–	0.2551
每股盈余公积金(元)	0.4669	0.4669	0.4519	0.5067
每股未分配利润(元)	3.0788	3.0435	3.1620	3.0280
净资产收益率(%)	0.6403	0.6487	2.3752	6.1249
加权净资产收益率(%)	0.5700	0.5800	2.0300	5.5500
净资产收益率(扣除)(%)	0.6194	0.7358	2.4102	6.0664
总资产(万元)	3482813.41	3367533.27	3177193.24	3187762.88
归属母公司股东权益(万元)	1326269.85	1285453.03	1356064.86	1354891.81
营业收入(万元)	758363.91	1686390.81	910767.17	2072267.85
营业支出(万元)	645874.61	1371300.93	744464.07	1715776.03
投资收益(万元)	5123.12	9253.72	4690.37	9149.19
净利润(万元)	602.08	−2056.77	24489.44	64050.98
营业利润(万元)	1449.04	19295.92	30910.56	90330.60
利润总额(万元)	1746.66	18162.16	30137.93	90556.30

山东高速股份有限公司

公司概况					
公司名称	山东高速股份有限公司			证券简称	山东高速
法人代表	孙亮	董秘	张震	证券代码	600350
公司网址	www.sdecl.com.cn		电子信箱	zhangz@sdecl.com.cn	
电　话	0531-89260052		传　真	0531-89260050	
办公地址	山东省济南市奥体中路5006号				
经营范围	从事对高等级公路、桥梁、隧道基础设施的投资、管理、养护等				

主要财务指标				
指标\报告期	2016.06.30	2015.12.31	2015.06.30	2014.12.31
基本每股收益(元)	0.2640	0.5730	0.2050	0.5380
基本每股收益(扣除后)(元)	0.2510	0.5160	0.1980	0.4730
稀释每股收益(元)	0.2640	0.5730	0.2050	0.5380
每股净资产(元)	4.8052	4.7693	4.4131	4.4026
每股经营现金净流量(元)	0.4264	0.6872	0.1219	0.5599
每股现金流量(元)	1.1643	0.0138	−0.1277	0.2132
每股资本公积金(元)	0.9621	1.0004	1.0169	1.0169
每股盈余公积金(元)	0.4705	0.4705	0.4109	0.4109
每股未分配利润(元)	2.3658	2.2809	1.9852	1.9747
净资产收益率(%)	5.4922	12.0190	4.6344	12.1533
加权净资产收益率(%)	5.4300	12.4800	4.5700	12.7100
净资产收益率(扣除)(%)	5.2273	10.8118	4.4933	11.0219
总资产(万元)	5377319.75	4495734.13	4301635.00	4400897.96
归属母公司股东权益(万元)	2311884.61	2288783.44	2123201.62	2118141.29
营业收入(万元)	301233.87	695460.85	291105.41	635473.85
营业支出(万元)	97153.70	242377.48	102264.94	225268.45
投资收益(万元)	5235.29	7782.02	5734.49	30687.26
净利润(万元)	124224.49	268638.07	91003.03	243841.36
营业利润(万元)	163768.20	366903.95	135558.03	322339.57
利润总额(万元)	171925.81	372435.01	139559.07	337022.06

亚宝药业集团股份有限公司

公司概况					
公司名称	亚宝药业集团股份有限公司			证券简称	亚宝药业
法人代表	任武贤	董秘	任蓬勃	证券代码	600351
公司网址	www.yabao.com.cn		电子信箱	yabaorpb@vip.sina.com	
电　话	010-57809936		传　真	010-57809937	
办公地址	北京经济技术开发区天华北街11号院2号楼11层				
经营范围	中西药制剂、化学合成原料药的生产与销售				

主要财务指标				
指标\报告期	2016.06.30	2015.12.31	2015.06.30	2014.12.31
基本每股收益(元)	0.1130	0.3209	0.2050	0.2458
基本每股收益(扣除后)(元)	0.0510	0.2807	0.1780	0.2330
稀释每股收益(元)	0.1130	0.3209	0.2050	0.2458
每股净资产(元)	3.4192	3.4058	2.6436	2.6186
每股经营现金净流量(元)	0.2821	0.1823	0.2288	0.2581
每股现金流量(元)	−0.2451	1.0048	0.0808	−0.5524
每股资本公积金(元)	1.3698	1.3698	0.5813	0.5813
每股盈余公积金(元)	0.1844	0.1844	0.1779	0.1779
每股未分配利润(元)	0.8650	0.8516	0.8845	0.8595
净资产收益率(%)	3.3165	8.2854	7.7549	9.3882
加权净资产收益率(%)	3.2900	12.0000	7.6200	9.7500
净资产收益率(扣除)(%)	1.5013	7.2455	6.7379	8.8996
总资产(万元)	384005.96	425182.36	342584.78	318499.84
归属母公司股东权益(万元)	269103.45	268049.06	182939.54	181208.83
营业收入(万元)	92525.13	206562.71	108806.56	188965.74
营业支出(万元)	50612.03	97964.86	49562.19	89674.56
投资收益(万元)	23.08	1341.29	1364.88	220.25
净利润(万元)	9985.78	21804.82	14000.67	16510.67
营业利润(万元)	4321.95	22415.46	15385.93	18361.30
利润总额(万元)	11035.21	24782.48	16303.56	19006.15

浙江龙盛集团股份有限公司

公司概况				
公司名称	浙江龙盛集团股份有限公司		证券简称	浙江龙盛
法人代表	阮伟祥	董秘	姚建芳	证券代码 600352
公司网址	www.longsheng.com		电子信箱	mail@longsheng.com
电话	0575-82048616		传真	0575-82041589
办公地址	浙江省绍兴市上虞区道墟镇龙盛大道1号			
经营范围	染料、助剂、中间体的生产和销售			

主要财务指标 指标\报告期	2016.06.30	2015.12.31	2015.06.30	2014.12.31
基本每股收益(元)	0.2962	0.7929	0.5837	0.8290
基本每股收益(扣除后)(元)	0.1935	0.5157	0.3743	0.7202
稀释每股收益(元)	0.2962	0.7929	0.5837	0.8290
每股净资产(元)	4.4481	4.2455	3.9598	7.3124
每股经营现金净流量(元)	-1.3222	0.5006	0.3323	1.7317
每股现金流量(元)	-0.3044	0.7388	0.7543	-0.0248
每股资本公积金(元)	0.4748	0.4748	0.4685	1.3731
每股盈余公积金(元)	0.1265	0.1265	0.1009	0.2145
每股未分配利润(元)	2.7627	2.6164	2.4011	4.4145
净资产收益率(%)	6.6595	18.3995	14.5229	22.6436
加权净资产收益率(%)	6.6700	20.0900	15.3700	24.9700
净资产收益率(扣除)(%)	4.3512	11.9654	9.3112	19.6702
总资产(万元)	3388049.65	2683754.75	2605348.58	2302455.66
归属母公司股东权益(万元)	1447105.73	1392541.54	1288248.07	1118765.21
营业收入(万元)	628132.28	1484211.31	758864.78	1514998.60
营业支出(万元)	405416.81	973070.65	467220.47	942350.65
投资收益(万元)	6243.03	84920.03	66885.25	44432.08
净利润(万元)	119837.42	287807.38	202139.15	280773.35
营业利润(万元)	139780.15	318338.50	227186.55	332784.87
利润总额(万元)	153694.89	333287.68	231651.10	333222.01

成都旭光电子股份有限公司

公司概况				
公司名称	成都旭光电子股份有限公司		证券简称	旭光股份
法人代表	葛行	董秘	刘卫东	证券代码 600353
公司网址	www.xuguang.com.cn		电子信箱	xgzq@xuguang.com.cn
电话	028-83967182		传真	028-83967187
办公地址	四川省成都市新都区新都镇新工大道318号			
经营范围	电子管、开关管和开关柜及电器元件等三大系列			

主要财务指标 指标\报告期	2016.06.30	2015.12.31	2015.06.30	2014.12.31
基本每股收益(元)	0.0377	0.0893	0.0683	0.2325
基本每股收益(扣除后)(元)	0.0366	0.0709	0.0388	0.0413
稀释每股收益(元)	0.0377	0.0893	0.0683	0.2325
每股净资产(元)	1.9148	1.9041	3.6783	3.6101
每股经营现金净流量(元)	-0.0535	-0.0063	0.0584	0.0020
每股现金流量(元)	-0.1077	0.4336	0.1668	-0.5062
每股资本公积金(元)	0.2092	0.2092	1.3289	1.3289
每股盈余公积金(元)	0.1746	0.1746	0.3367	0.3367
每股未分配利润(元)	0.5309	0.5202	1.0127	0.9444
净资产收益率(%)	1.9691	4.6899	1.8563	6.4400
加权净资产收益率(%)	1.9608	4.8663	1.8813	6.4888
净资产收益率(扣除)(%)	1.9127	3.7253	1.0560	1.1448
总资产(万元)	145162.74	150657.87	131549.59	126143.31
归属母公司股东权益(万元)	104111.94	103529.89	99999.56	98143.29
营业收入(万元)	46066.73	83501.47	32927.49	54539.23
营业支出(万元)	38172.44	66500.41	26580.01	43061.86
投资收益(万元)	-	673.63	536.62	5241.28
净利润(万元)	3155.12	6819.45	2559.47	6559.23
营业利润(万元)	3821.28	7203.24	2691.61	7549.93
利润总额(万元)	3943.42	7809.70	3021.82	8163.39

甘肃省敦煌种业股份有限公司

公司概况				
公司名称	甘肃省敦煌种业股份有限公司		证券简称	敦煌种业
法人代表	马宗海	董秘	顾生明	证券代码 600354
公司网址	www.dhseed.com		电子信箱	dhzyzqp@sina.com
电话	0937-2663908		传真	0937-2663908
办公地址	甘肃省酒泉市肃州区肃州路28号			
经营范围	农作物制种和棉花收购加工业务			

主要财务指标 指标\报告期	2016.06.30	2015.12.31	2015.06.30	2014.12.31
基本每股收益(元)	-0.1957	0.0485	-0.2305	-0.7437
基本每股收益(扣除后)(元)	-0.2272	-0.3147	-0.2306	-0.7872
稀释每股收益(元)	-0.1957	0.0485	-0.2305	-0.7437
每股净资产(元)	1.9796	2.1752	1.2754	1.5068
每股经营现金净流量(元)	-0.3658	0.5824	0.0301	1.0544
每股现金流量(元)	-0.5140	-0.5861	-0.6405	0.1326
每股资本公积金(元)	1.7094	1.7094	1.1544	1.1544
每股盈余公积金(元)	0.0584	0.0584	0.0689	0.0689
每股未分配利润(元)	-0.7883	-0.5927	-0.9479	-0.7165
净资产收益率(%)	-9.8836	1.9463	-18.1456	-48.0260
加权净资产收益率(%)	-9.4200	3.3300	-16.6400	-39.0000
净资产收益率(扣除)(%)	-11.4757	-12.6415	-18.1980	-50.9200
总资产(万元)	294876.46	352736.05	317442.83	368622.56
归属母公司股东权益(万元)	104481.86	114808.39	57112.17	67475.51
营业收入(万元)	13520.17	130402.67	32023.75	125586.05
营业支出(万元)	12240.89	91439.94	26057.73	81995.72
投资收益(万元)	2069.94	15939.23	351.76	-669.61
净利润(万元)	-13756.69	5613.38	-12965.80	-25565.04
营业利润(万元)	-14398.37	8798.04	-12657.94	-24371.90
利润总额(万元)	-13735.31	9394.54	-12871.78	-22549.53

精伦电子股份有限公司

公司概况				
公司名称	精伦电子股份有限公司		证券简称	精伦电子
法人代表	张学阳	董秘	张万宏	证券代码 600355
公司网址	www.routon.com		电子信箱	IR@routon.com
电话	027-87921111*3221		传真	027-87467166
办公地址	湖北省武汉市东湖开发区光谷大道70号			
经营范围	媒体屏产品、二代身份证阅读机具、工业缝纫机伺服控制器等			

主要财务指标 指标\报告期	2016.06.30	2015.12.31	2015.06.30	2014.12.31
基本每股收益(元)	0.0040	-0.1900	-0.1100	0.0100
基本每股收益(扣除后)(元)	-0.0140	-0.2000	-0.2400	0.0030
稀释每股收益(元)	0.0040	-0.1800	-0.1100	0.0100
每股净资产(元)	0.8141	0.8102	1.7676	1.7016
每股经营现金净流量(元)	-0.0707	0.0528	-0.0428	-0.0677
每股现金流量(元)	-0.0517	0.0726	0.0288	-0.1278
每股资本公积金(元)	0.3067	0.3067	1.6135	1.3293
每股盈余公积金(元)	0.0841	0.0841	0.1683	0.1683
每股未分配利润(元)	-0.5767	-0.5806	-1.0141	-0.7960
净资产收益率(%)	0.4786	-22.5417	-12.3386	1.4514
加权净资产收益率(%)	0.4800	-18.5200	-12.5700	1.4700
净资产收益率(扣除)(%)	-1.7248	-23.7283	-13.4000	0.2598
总资产(万元)	57534.99	58752.98	59569.43	55069.43
归属母公司股东权益(万元)	40062.46	39870.73	43491.96	41867.15
营业收入(万元)	19722.96	40792.41	19604.15	38329.70
营业支出(万元)	15115.87	29335.82	14080.90	28139.17
投资收益(万元)	-447.24	245.23	-256.43	31.19
净利润(万元)	191.73	-8987.53	-5366.30	607.68
营业利润(万元)	-653.29	-10432.10	-5929.02	-144.24
利润总额(万元)	305.93	-9178.47	-5341.91	597.02

牡丹江恒丰纸业股份有限公司

公司概况					
公司名称	牡丹江恒丰纸业股份有限公司			证券简称	恒丰纸业
法人代表	徐祥	董秘	刘新欢	证券代码	600356
公司网址	www.hengfengpaper.com	电子信箱	sh356@hengfengpaper.com		
电　话	0453-6886668	传　真	0453-6886667		
办公地址	黑龙江省牡丹江市阳明区恒丰路 11 号				
经营范围	纸、纸浆和纸制品的制造、销售、造纸原辅材料生产等				

主要财务指标　指标\报告期	2016.06.30	2015.12.31	2015.06.30	2014.12.31
基本每股收益(元)	0.1300	0.3100	0.1100	0.3200
基本每股收益(扣除后)(元)	0.1300	0.3000	0.1100	-
稀释每股收益(元)	0.1300	0.3100	0.1100	0.3100
每股净资产(元)	6.5213	6.4815	6.3667	6.3008
每股经营现金净流量(元)	0.1225	1.3119	0.4265	1.0944
每股现金流量(元)	0.2767	0.3709	0.1432	0.3150
每股资本公积金(元)	3.0987	3.0987	3.0987	2.7366
每股盈余公积金(元)	0.5041	0.5041	0.4748	0.5613
每股未分配利润(元)	1.9186	1.8788	1.7933	2.0029
净资产收益率(%)	1.9904	4.5433	1.5598	4.9986
加权净资产收益率(%)	1.9800	4.8300	1.7300	5.0900
净资产收益率(扣除)(%)	1.9497	4.4291	1.5161	4.8955
总资产(万元)	264156.83	265878.56	264835.25	270284.39
归属母公司股东权益(万元)	194811.74	193622.84	190193.00	159193.37
营业收入(万元)	64070.56	139502.67	63058.98	149727.89
营业支出(万元)	47716.60	102382.63	47363.79	110750.14
投资收益(万元)	-	-	-	-
净利润(万元)	3786.84	8781.35	2943.61	7978.86
营业利润(万元)	5076.60	11548.78	3877.61	10510.36
利润总额(万元)	5184.13	11857.63	3989.30	10729.18

国旅联合股份有限公司

公司概况					
公司名称	国旅联合股份有限公司			证券简称	国旅联合
法人代表	施亮	董秘	陆邦一	证券代码	600358
公司网址	www.cutc.com.cn	电子信箱	webmaster@cutc.com.cn		
电　话	025-84700028 59409356	传　真	025-84702099		
办公地址	江苏省南京市江宁区汤山街道温泉路 8 号				
经营范围	旅行服务、旅游综合服务业务、旅游客运业务等				

主要财务指标　指标\报告期	2016.06.30	2015.12.31	2015.06.30	2014.12.31
基本每股收益(元)	-0.0711	0.0300	0.0900	-0.3800
基本每股收益(扣除后)(元)	-0.0703	-0.1600	-0.0600	-0.3800
稀释每股收益(元)	-0.0711	0.0300	0.0900	-0.3800
每股净资产(元)	1.2745	0.7222	0.7700	0.6776
每股经营现金净流量(元)	-0.0401	-0.0296	-0.0379	0.1153
每股现金流量(元)	0.3232	0.0269	-0.0720	-0.2218
每股资本公积金(元)	0.7037	0.1337	0.1337	0.1337
每股盈余公积金(元)	0.0162	0.0190	0.0190	0.0190
每股未分配利润(元)	-0.4464	-0.4457	-0.3827	-0.4751
净资产收益率(%)	-5.1084	4.0811	12.0033	-56.6757
加权净资产收益率(%)	-15.2600	4.2100	12.7700	-44.1600
净资产收益率(扣除)(%)	-5.0481	-21.4917	-7.7200	-56.3184
总资产(万元)	95969.35	73237.52	71169.07	73134.10
归属母公司股东权益(万元)	64354.76	31197.16	33263.91	29271.15
营业收入(万元)	4320.22	8832.67	4524.30	8855.79
营业支出(万元)	634.40	1170.47	522.74	1506.00
投资收益(万元)	31.81	10002.74	8163.81	-427.84
净利润(万元)	-3231.51	1288.93	4038.22	-16574.50
营业利润(万元)	-3152.90	3476.55	5381.27	-16428.58
利润总额(万元)	-3223.54	3253.55	5995.19	-16542.29

新疆塔里木农业综合开发股份有限公司

公司概况					
公司名称	新疆塔里木农业综合开发股份有限公司			证券简称	新农开发
法人代表	李远晨	董秘	张春疆	证券代码	600359
公司网址	www.xnkf.com	电子信箱	zhang-chunjiang@126.com		
电　话	0997-6378567 6378568	传　真	0997-6378500		
办公地址	新疆维吾尔自治区阿拉尔市军垦大道东 75 号领先商业写字楼 11、12 层				
经营范围	农业种植、牧渔养殖、农产品、畜产品的生产、加工及销售等				

主要财务指标　指标\报告期	2016.06.30	2015.12.31	2015.06.30	2014.12.31
基本每股收益(元)	-0.1700	0.0400	0.1800	0.0600
基本每股收益(扣除后)(元)	-0.1700	-0.3900	-0.2200	-0.2500
稀释每股收益(元)	-0.1700	0.0400	0.1800	0.0600
每股净资产(元)	1.9739	2.1389	2.7596	2.5894
每股经营现金净流量(元)	0.0396	0.2163	0.0998	-0.0896
每股现金流量(元)	-0.3123	-0.6698	-0.9743	1.0510
每股资本公积金(元)	2.4575	2.4575	2.9370	2.9432
每股盈余公积金(元)	0.1670	0.1670	0.1670	0.1670
每股未分配利润(元)	-1.6505	-1.4855	-1.3443	-1.5207
净资产收益率(%)	-8.3604	1.6457	6.3920	2.0578
加权净资产收益率(%)	-8.0200	1.4900	6.6000	2.9100
净资产收益率(扣除)(%)	-8.6862	-18.0335	-8.0276	-8.0693
总资产(万元)	283191.40	274528.23	249817.71	244805.85
归属母公司股东权益(万元)	75307.55	81603.59	105282.62	98789.68
营业收入(万元)	50096.88	63126.86	29701.62	66772.97
营业支出(万元)	42833.75	47991.32	22302.67	54230.80
投资收益(万元)	-62.04	-775.80	-1.75	-221.43
净利润(万元)	-7315.31	-1390.09	4541.45	-484.50
营业利润(万元)	-7569.32	-17600.12	-10576.21	-10769.54
利润总额(万元)	-7315.31	-1482.72	4567.19	-47.41

吉林华微电子股份有限公司

公司概况					
公司名称	吉林华微电子股份有限公司			证券简称	华微电子
法人代表	夏增文	董秘	聂嘉宏	证券代码	600360
公司网址	www.hwdz.com.cn	电子信箱	niejiahong@hwdz.com.cn		
电　话	0432-64684562	传　真	0432-64665812		
办公地址	吉林省吉林市高新区深圳街 99 号				
经营范围	半导体器件、集成电路、电力电子产品、汽车电子产品、自动化仪表等				

主要财务指标　指标\报告期	2016.06.30	2015.12.31	2015.06.30	2014.12.31
基本每股收益(元)	0.0350	0.0600	0.0260	0.0500
基本每股收益(扣除后)(元)	0.0290	0.0500	0.0210	0.0300
稀释每股收益(元)	0.0350	0.0600	0.0260	0.0500
每股净资产(元)	2.7183	2.7032	2.6863	2.6602
每股经营现金净流量(元)	0.0930	0.3209	0.1739	0.3207
每股现金流量(元)	0.0181	0.2460	0.0398	0.0118
每股资本公积金(元)	0.6669	0.6669	0.6622	0.6622
每股盈余公积金(元)	0.1282	0.1282	0.1221	0.1221
每股未分配利润(元)	0.9232	0.9081	0.9021	0.8760
净资产收益率(%)	1.2910	2.1556	0.9710	1.8164
加权净资产收益率(%)	1.2900	2.1800	0.9800	1.8300
净资产收益率(扣除)(%)	1.0606	1.7201	0.7736	1.2127
总资产(万元)	357725.82	358188.26	350322.24	358228.10
归属母公司股东权益(万元)	200633.43	199519.44	198271.27	196346.11
营业收入(万元)	61112.98	130065.97	54871.83	123581.42
营业支出(万元)	46578.71	101204.75	42538.65	97642.52
投资收益(万元)	65.82	403.42	333.76	435.53
净利润(万元)	2252.68	3763.22	1460.07	2728.31
营业利润(万元)	2081.02	3198.91	1731.38	2230.16
利润总额(万元)	2558.63	4303.08	2191.44	3624.99

北京华联综合超市股份有限公司

公司概况				
公司名称	北京华联综合超市股份有限公司		证券简称	华联综超
法人代表	罗志伟	董秘 李春生	证券代码	600361
公司网址	zc.beijing-hualian.com		电子信箱	zczqb@beijing-hualian.com
电　话	010-68364982		传　真	010-68364982
办公地址	北京市西城区阜成门外大街1号四川大厦6层			
经营范围	商业零售、经营大型综合超市和百货店			

主要财务指标：指标\报告期	2016.06.30	2015.12.31	2015.06.30	2014.12.31
基本每股收益(元)	-0.1100	0.0800	0.0900	0.1500
基本每股收益(扣除后)(元)	-0.0700	-0.0400	0.0006	0.0100
稀释每股收益(元)	-	-	-	-
每股净资产(元)	4.2179	4.6197	4.6354	4.6439
每股经营现金净流量(元)	-0.0342	0.3829	-0.1512	0.8291
每股现金流量(元)	0.1684	-3.5983	1.5505	0.2553
每股资本公积金(元)	2.5086	2.5198	2.5183	2.5183
每股盈余公积金(元)	0.2158	0.2158	0.2145	0.2148
每股未分配利润(元)	0.4939	0.8895	0.9048	0.9124
净资产收益率(%)	-2.5077	1.7273	1.9675	3.3139
加权净资产收益率(%)	-2.3400	1.7300	1.9400	3.3500
净资产收益率(扣除)(%)	-1.7522	-0.9105	0.0132	0.1644
总资产(万元)	1160039.88	1161279.05	1241089.48	1150886.83
归属母公司股东权益(万元)	280829.75	307584.03	308630.65	309192.91
营业收入(万元)	671939.30	1342980.94	686517.18	1333170.41
营业支出(万元)	525926.48	1039473.28	532456.54	1039479.95
投资收益(万元)	855.74	3911.93	2292.26	3985.32
净利润(万元)	-7068.67	5206.88	6010.05	10179.73
营业利润(万元)	-3509.11	-2865.27	308.73	1958.15
利润总额(万元)	-6619.98	5737.67	7250.83	12738.75

江西铜业股份有限公司

公司概况				
公司名称	江西铜业股份有限公司		证券简称	江西铜业
法人代表	李保民	董秘 李保民(代)	证券代码	600362
公司网址	www.jxcc.com		电子信箱	jccl@jxcc.com
电　话	0791-82710117 82710111		传　真	0791-82710114
办公地址	江西省南昌市昌东大道7666号			
经营范围	有色金属矿、稀贵金属矿及非金属矿、有色金属及相关副产品的冶炼等			

主要财务指标：指标\报告期	2016.06.30	2015.12.31	2015.06.30	2014.12.31
基本每股收益(元)	0.1400	0.1800	0.2600	0.8200
基本每股收益(扣除后)(元)	0.1000	0.0400	0.1300	0.5000
稀释每股收益(元)	-	0.1800	-	0.8200
每股净资产(元)	13.3651	13.2573	13.3046	13.2075
每股经营现金净流量(元)	0.1908	0.5493	1.4410	0.5012
每股现金流量(元)	-0.9391	-0.7766	-0.3381	-0.0785
每股资本公积金(元)	3.3748	3.3748	3.3748	3.3748
每股盈余公积金(元)	4.1116	4.1116	4.0731	4.0731
每股未分配利润(元)	4.7480	4.7113	4.8249	4.7661
净资产收益率(%)	1.0229	1.3881	1.9456	6.2331
加权净资产收益率(%)	1.0300	1.3900	1.9500	6.3200
净资产收益率(扣除)(%)	0.7671	0.2655	0.9993	3.7905
总资产(万元)	9320010.60	8975521.11	9005420.36	9532237.49
归属母公司股东权益(万元)	4627955.17	4590638.01	4607024.16	4573387.62
营业收入(万元)	9020443.44	18578249.13	7554552.54	19883348.60
营业支出(万元)	8783276.25	18147825.53	7330354.06	19222468.56
投资收益(万元)	56444.01	55202.77	75715.18	125640.68
净利润(万元)	56792.78	68475.47	91718.77	284955.63
营业利润(万元)	80663.34	99107.81	123552.05	379466.92
利润总额(万元)	85477.12	116441.78	130691.31	386381.54

江西联创光电科技股份有限公司

公司概况				
公司名称	江西联创光电科技股份有限公司		证券简称	联创光电
法人代表	曾智斌	董秘 邓方俊	证券代码	600363
公司网址	www.lianchuang.com.cn		电子信箱	600363@lianchuang.com.cn
电　话	0791-88161979		传　真	0791-88162001
办公地址	江西省南昌市高新产业技术开发区京东大道168号			
经营范围	光电器件、继电器、通信线缆等			

主要财务指标：指标\报告期	2016.06.30	2015.12.31	2015.06.30	2014.12.31
基本每股收益(元)	0.2237	0.3200	0.1908	0.3000
基本每股收益(扣除后)(元)	0.2110	0.2900	0.1786	0.2800
稀释每股收益(元)	0.2237	0.3200	0.1908	0.3000
每股净资产(元)	4.5004	4.3079	4.1662	4.0196
每股经营现金净流量(元)	-0.2182	0.0399	-0.2293	0.1055
每股现金流量(元)	-0.1396	0.0817	0.4735	0.1804
每股资本公积金(元)	1.4322	1.4299	1.4287	1.4313
每股盈余公积金(元)	0.2513	0.2513	0.2189	0.2189
每股未分配利润(元)	1.8118	1.6210	1.5233	1.3695
净资产收益率(%)	4.9715	7.4578	4.5797	7.4804
加权净资产收益率(%)	5.0600	7.6900	4.6400	7.7300
净资产收益率(扣除)(%)	4.6880	6.6763	4.2879	6.8546
总资产(万元)	365629.05	358101.67	368139.73	320770.09
归属母公司股东权益(万元)	199582.05	191047.29	184759.50	178258.35
营业收入(万元)	118667.55	249727.99	115817.41	195704.95
营业支出(万元)	100524.49	215164.00	100500.57	165786.50
投资收益(万元)	10601.55	17215.57	9169.97	14231.79
净利润(万元)	11004.22	15075.34	8829.63	14544.35
营业利润(万元)	10567.23	13422.60	8045.62	13152.22
利润总额(万元)	11348.07	15236.74	8672.85	14381.73

通化葡萄酒股份有限公司

公司概况				
公司名称	通化葡萄酒股份有限公司		证券简称	通葡股份
法人代表	何为民	董秘 孙永成	证券代码	600365
公司网址	www.tonhwa.com		电子信箱	gaozhencai@163.com
电　话	0435-3530506 3949249		传　真	0435-3949616
办公地址	吉林省通化市前兴路28号			
经营范围	果露酒、葡萄酒制造、销售、土特产品收购、加工、物资运输等			

主要财务指标：指标\报告期	2016.06.30	2015.12.31	2015.06.30	2014.12.31
基本每股收益(元)	0.0060	0.0100	0.0200	0.0100
基本每股收益(扣除后)(元)	0.0080	-0.0400	-0.0040	-0.0200
稀释每股收益(元)	0.0060	0.0100	0.0200	0.0100
每股净资产(元)	1.7182	1.7176	3.4457	3.4224
每股经营现金净流量(元)	-0.0708	-0.2900	0.2062	-0.1304
每股现金流量(元)	-0.2836	-0.2625	-0.6438	0.5182
每股资本公积金(元)	1.3698	1.3698	3.7395	3.7395
每股盈余公积金(元)	0.0179	0.0179	0.0358	0.0358
每股未分配利润(元)	-0.6695	-0.6753	-1.3296	-1.3529
净资产收益率(%)	0.3383	0.3709	0.6760	0.3285
加权净资产收益率(%)	0.3400	0.3700	0.6100	0.3300
净资产收益率(扣除)(%)	0.4746	-1.2070	-0.0726	-0.6160
总资产(万元)	90861.85	98358.05	95257.05	76353.13
归属母公司股东权益(万元)	68727.54	68495.04	68913.29	68447.41
营业收入(万元)	23483.86	47470.71	18537.00	10979.44
营业支出(万元)	18464.62	37290.49	12709.22	6569.97
投资收益(万元)	-	-90.40	-	594.90
净利润(万元)	1034.27	1456.28	1405.81	222.81
营业利润(万元)	1783.06	1331.66	1549.37	-136.23
利润总额(万元)	1689.37	2618.44	2065.29	132.82

宁波韵升股份有限公司

公司概况	公司名称	宁波韵升股份有限公司		证券简称	宁波韵升
	法人代表	竺晓东	董秘 傅健杰	证券代码	600366
	公司网址	www.yunsheng.com		电子信箱	fujj@ysweb.com
	电话	0574-87776939		传真	0574-87776466
	办公地址	浙江省宁波市国家高新区扬帆路1号			
	经营范围	钕铁硼永磁材料、八音琴和电机产品的生产和销售及进出口贸易			

	指标\报告期	2016.06.30	2015.12.31	2015.06.30	2014.12.31
主要财务指标	基本每股收益(元)	1.3797	0.6620	0.4362	0.3849
	基本每股收益(扣除后)(元)	0.5763	0.5244	0.3066	0.2339
	稀释每股收益(元)	1.3568	0.6605	0.4362	0.3849
	每股净资产(元)	8.5595	6.4152	6.3321	6.0092
	每股经营现金净流量(元)	0.0035	0.3820	–0.0270	0.3246
	每股现金流量(元)	0.1467	0.2035	–0.2051	–1.4583
	每股资本公积金(元)	1.1826	1.1797	0.8287	0.5684
	每股盈余公积金(元)	0.5027	0.5036	0.5238	0.5447
	每股未分配利润(元)	5.1566	4.0325	3.9824	3.8990
	净资产收益率(%)	15.5541	9.5423	6.7125	6.4054
	加权净资产收益率(%)	17.7100	10.6500	7.0500	6.5300
	净资产收益率(扣除)(%)	6.4966	7.5590	4.7186	3.8919
	总资产(万元)	613222.97	484636.61	415843.86	393811.92
	归属母公司股东权益(万元)	477181.52	356956.74	338752.19	309172.44
	营业收入(万元)	75299.49	143558.87	71469.69	143537.67
	营业支出(万元)	56466.36	105199.58	52842.79	103510.86
	投资收益(万元)	85204.95	18192.51	15094.84	9330.95
	净利润(万元)	77280.81	36817.38	23450.70	21960.84
	营业利润(万元)	92415.71	34997.68	22219.04	24107.55
	利润总额(万元)	96030.79	39966.93	25502.29	25748.67

贵州红星发展股份有限公司

公司概况	公司名称	贵州红星发展股份有限公司		证券简称	红星发展
	法人代表	郭汉光	董秘 万洋	证券代码	600367
	公司网址	www.hxfz.com.cn		电子信箱	chenguoqiang@hxfz.com.cn
	电话	0851-36780388 36780003		传真	0851-36780066
	办公地址	贵州省安顺市镇宁县丁旗镇			
	经营范围	钡、锶、锰盐产品的研发、生产和销售			

	指标\报告期	2016.06.30	2015.12.31	2015.06.30	2014.12.31
主要财务指标	基本每股收益(元)	0.1000	–0.6500	–0.0300	0.0900
	基本每股收益(扣除后)(元)	0.0900	–0.6800	–0.0600	0.0300
	稀释每股收益(元)	0.1000	–0.6500	–0.0300	0.0900
	每股净资产(元)	3.6200	3.5200	4.1661	4.2000
	每股经营现金净流量(元)	0.3421	0.3938	0.1727	–0.1561
	每股现金流量(元)	0.2418	0.0533	0.0462	–0.1337
	每股资本公积金(元)	0.9794	0.9794	0.9794	0.9756
	每股盈余公积金(元)	0.6607	0.6607	0.6607	0.6607
	每股未分配利润(元)	0.9751	0.8768	1.5218	1.5566
	净资产收益率(%)	2.7162	–18.5687	–0.8350	2.0590
	加权净资产收益率(%)	2.7500	–16.9400	–0.8300	2.0800
	净资产收益率(扣除)(%)	2.4270	–19.3570	–1.4952	0.8308
	总资产(万元)	159445.75	160783.31	182041.63	180468.27
	归属母公司股东权益(万元)	105400.88	102533.43	121317.93	122217.10
	营业收入(万元)	53980.84	104259.99	50786.21	109278.39
	营业支出(万元)	39873.24	81216.62	39669.23	83423.05
	投资收益(万元)	–275.35	–13365.42	–423.60	–668.18
	净利润(万元)	3461.29	–20108.94	–1007.71	2904.72
	营业利润(万元)	3745.70	–19311.57	–1951.87	1690.84
	利润总额(万元)	4067.07	–18390.98	–1303.31	4359.38

广西五洲交通股份有限公司

公司概况	公司名称	广西五洲交通股份有限公司		证券简称	五洲交通
	法人代表	梁君	董秘 韩钢	证券代码	600368
	公司网址			电子信箱	wzjt600368@sohu.com
	电话	0771-5568918 5518383		传真	0771-5518111
	办公地址	广西壮族自治区南宁市民族大道115-1号现代国际大厦27层			
	经营范围	经营收费公路、桥梁			

	指标\报告期	2016.06.30	2015.12.31	2015.06.30	2014.12.31
主要财务指标	基本每股收益(元)	0.1700	–0.1147	0.0800	0.0900
	基本每股收益(扣除后)(元)	0.1700	–0.2850	0.0700	0.0800
	稀释每股收益(元)	0.1700	–0.1147	0.0800	0.0900
	每股净资产(元)	3.6061	3.4323	3.6302	3.5470
	每股经营现金净流量(元)	0.7956	1.1596	0.7843	0.3207
	每股现金流量(元)	0.8638	0.3464	0.4437	–0.6599
	每股资本公积金(元)	0.6956	0.6956	0.6956	0.6956
	每股盈余公积金(元)	0.4314	0.4314	0.4284	0.4284
	每股未分配利润(元)	1.4780	1.3043	1.4856	1.4220
	净资产收益率(%)	4.8176	–3.3421	2.2768	2.4830
	加权净资产收益率(%)	4.9400	–3.2900	2.3000	2.4300
	净资产收益率(扣除)(%)	4.7212	–8.3031	1.8631	2.1651
	总资产(万元)	1229573.93	1233503.40	1383778.21	1395389.42
	归属母公司股东权益(万元)	300673.36	286188.17	302686.33	295753.01
	营业收入(万元)	59881.70	208569.24	128699.92	328978.41
	营业支出(万元)	15455.16	111877.31	79093.03	233289.28
	投资收益(万元)	292.10	12379.52	744.36	5072.17
	净利润(万元)	13395.10	–21831.41	2822.37	2084.55
	营业利润(万元)	16417.82	–17718.62	5395.99	8587.90
	利润总额(万元)	16621.89	–15732.50	6786.87	7870.96

西南证券股份有限公司

公司概况	公司名称	西南证券股份有限公司		证券简称	西南证券
	法人代表	余维佳	董秘 徐鸣镝	证券代码	600369
	公司网址	www.swsc.com.cn		电子信箱	xmd@swsc.com.cn
	电话	023-63786433		传真	023-63786477
	办公地址	重庆市江北区桥北苑8号西南证券大厦			
	经营范围	证券经纪、证券投资、投资银行			

	指标\报告期	2016.06.30	2015.12.31	2015.06.30	2014.12.31
主要财务指标	基本每股收益(元)	0.1500	0.6300	0.5000	0.2400
	基本每股收益(扣除后)(元)	0.1500	0.6200	0.9900	0.2300
	稀释每股收益(元)	0.1500	0.6300	0.5000	0.2400
	每股净资产(元)	3.2957	3.3689	6.6007	5.9345
	每股经营现金净流量(元)	–2.1355	0.4353	1.2518	0.5831
	每股现金流量(元)	–0.8568	2.2553	10.7552	2.6231
	每股资本公积金(元)	1.3910	1.3910	3.7819	3.7819
	每股盈余公积金(元)	0.1465	0.1465	0.1792	0.1792
	每股未分配利润(元)	0.5314	0.5090	1.2274	0.4003
	净资产收益率(%)	4.6245	18.6912	15.2569	7.9941
	加权净资产收益率(%)	4.5700	19.8300	15.9900	8.8300
	净资产收益率(扣除)(%)	4.4517	18.3901	15.0057	7.9123
	总资产(万元)	7905437.23	7174943.82	9560437.65	5820255.52
	归属母公司股东权益(万元)	1860438.24	1901773.60	1863091.29	1675048.71
	营业收入(万元)	200295.32	849679.92	603920.24	367482.92
	营业支出(万元)	102914.91	–	250597.11	202886.47
	投资收益(万元)	55242.31	394801.86	342269.07	124855.91
	净利润(万元)	88031.38	354506.01	285194.72	134679.70
	营业利润(万元)	97380.42	426609.69	353323.13	164596.45
	利润总额(万元)	97632.39	434274.20	359563.16	166428.66

江苏三房巷实业股份有限公司

公司概况						
公司名称	江苏三房巷实业股份有限公司			证券简称	三房巷
法人代表	卞平刚	董秘	张民	证券代码	600370
公司网址	www.jssfx.com		电子信箱	jssfx@sfxjt.com	
电　话	0510-86229867		传　　真	0510-86229823	
办公地址	江苏省江阴市周庄镇三房巷村				
经营范围	各类棉纱、印染布、涤棉布加工与销售；布匹染整、印花及进出口业务等				

主要财务指标				
指标\报告期	2016.06.30	2015.12.31	2015.06.30	2014.12.31
基本每股收益(元)	0.0410	0.0582	0.0599	0.0472
基本每股收益(扣除后)(元)	0.0408	0.0470	0.0518	0.0304
稀释每股收益(元)	0.0410	0.0582	0.0599	0.0472
每股净资产(元)	1.5448	3.7695	3.7715	3.7263
每股经营现金净流量(元)	0.0866	0.6687	0.3509	0.4004
每股现金流量(元)	0.0752	0.6926	0.3258	0.2651
每股资本公积金(元)	0.0740	1.6850	1.6850	1.6850
每股盈余公积金(元)	0.1295	0.3238	0.3238	0.3238
每股未分配利润(元)	0.3413	0.7607	0.7627	0.7175
净资产收益率(%)	2.6557	1.5438	1.5869	1.2666
加权净资产收益率(%)	2.6800	1.5500	1.5900	1.2700
净资产收益率(扣除)(%)	2.6403	1.2466	1.3723	0.8168
总资产(万元)	164841.46	161567.40	155626.04	155405.29
归属母公司股东权益(万元)	123161.23	120207.23	120270.95	118829.77
营业收入(万元)	42589.47	99626.88	52084.27	111374.51
营业支出(万元)	34749.29	88826.71	46903.42	100959.14
投资收益(万元)	–	–	–	525.20
净利润(万元)	4565.94	3368.74	2860.67	3037.05
营业利润(万元)	5905.40	4671.24	3645.52	4332.85
利润总额(万元)	5911.40	5059.38	3976.95	4352.07

万向德农股份有限公司

公司概况					
公司名称	万向德农股份有限公司			证券简称	万向德农
法人代表	管大源	董秘	祁堃	证券代码	600371
公司网址	www.wxdoneed.com		电子信箱	wxdoneed@163.com	
电　话	0451-82368448		传　　真	0451-82368448	
办公地址	黑龙江省哈尔滨市南岗区玉山路18号				
经营范围	专门经营不再分装的包装种子、化肥零售等				

主要财务指标				
指标\报告期	2016.06.30	2015.12.31	2015.06.30	2014.12.31
基本每股收益(元)	0.1300	0.0300	0.0500	0.0200
基本每股收益(扣除后)(元)	0.1200	0.0800	0.0300	–0.0600
稀释每股收益(元)	0.1300	0.0300	0.0500	0.0200
每股净资产(元)	1.7866	1.6860	1.9187	1.8701
每股经营现金净流量(元)	0.8216	0.4936	0.6230	1.3483
每股现金流量(元)	0.8531	0.1817	0.2937	0.1853
每股资本公积金(元)	0.1373	0.1373	0.1582	0.1582
每股盈余公积金(元)	0.1947	0.1947	0.1987	0.1987
每股未分配利润(元)	0.4546	0.3540	0.5618	0.5132
净资产收益率(%)	7.0827	1.4964	2.5347	1.1586
加权净资产收益率(%)	7.2900	1.5200	2.6100	1.2400
净资产收益率(扣除)(%)	6.9764	4.4968	1.6999	–3.1906
总资产(万元)	79747.43	66831.53	76103.71	79495.66
归属母公司股东权益(万元)	40208.80	37945.93	39256.63	38261.59
营业收入(万元)	14070.46	37171.59	17529.97	43819.93
营业支出(万元)	9376.69	26352.59	12698.52	30855.07
投资收益(万元)	1287.00	817.14	–	805.62
净利润(万元)	2960.17	623.98	1059.17	262.52
营业利润(万元)	2915.63	1807.84	742.88	–1675.92
利润总额(万元)	2960.17	623.98	1059.17	265.41

中航航空电子系统股份有限公司

公司概况					
公司名称	中航航空电子系统股份有限公司			证券简称	中航电子
法人代表	卢广山	董秘	卢广山(代)	证券代码	600372
公司网址			电子信箱	chccb@tom.com	
电　话	010-58355270　84409808		传　　真	010-58355275	
办公地址	北京市朝阳区曙光西里甲5号院20号楼第八、九层				
经营范围	航空机载照明与控制系统产品的制造业务				

主要财务指标				
指标\报告期	2016.06.30	2015.12.31	2015.06.30	2014.12.31
基本每股收益(元)	0.0727	0.2712	0.0871	0.3400
基本每股收益(扣除后)(元)	0.0509	0.1501	0.0795	0.2600
稀释每股收益(元)	0.0727	0.2712	0.0871	0.3400
每股净资产(元)	3.2715	3.2131	2.9989	2.9319
每股经营现金净流量(元)	–0.4455	0.2955	–0.3658	0.0518
每股现金流量(元)	–0.0738	0.2673	–0.1431	0.0135
每股资本公积金(元)	0.7245	0.6618	0.5700	0.5681
每股盈余公积金(元)	0.2237	0.2237	0.2048	0.2048
每股未分配利润(元)	1.3056	1.2829	1.1177	1.0807
净资产收益率(%)	2.2216	8.4390	2.9035	11.6445
加权净资产收益率(%)	2.2400	8.8000	2.9400	11.5500
净资产收益率(扣除)(%)	1.5558	4.6723	2.6498	8.9341
总资产(万元)	1703478.78	1623108.94	1496646.11	1448754.11
归属母公司股东权益(万元)	575502.62	565243.16	527547.06	515777.71
营业收入(万元)	247525.10	680946.60	270574.63	660665.94
营业支出(万元)	164791.78	455990.56	182583.01	445600.26
投资收益(万元)	516.24	13717.38	16.57	1162.78
净利润(万元)	13678.25	50752.50	15958.78	61317.74
营业利润(万元)	13097.59	62739.16	19595.21	67834.48
利润总额(万元)	17707.31	68093.38	21176.75	72219.61

中文天地出版传媒股份有限公司

公司概况					
公司名称	中文天地出版传媒股份有限公司			证券简称	中文传媒
法人代表	赵东亮	董秘	吴涤	证券代码	600373
公司网址	www.600373.com.cn		电子信箱	zwcm@600373.com.cn	
电　话	0791-85896008		传　　真	0791-85896008	
办公地址	江西省南昌市红谷滩新区学府大道299号中文传媒大厦				
经营范围	国内版图书、电子、期刊批发、文化艺术品经营				

主要财务指标				
指标\报告期	2016.06.30	2015.12.31	2015.06.30	2014.12.31
基本每股收益(元)	0.4600	0.7800	0.3900	0.6800
基本每股收益(扣除后)(元)	0.3900	0.7600	0.3700	0.6400
稀释每股收益(元)	0.4600	0.7800	0.3900	0.6800
每股净资产(元)	7.4621	7.0827	6.7040	5.4082
每股经营现金净流量(元)	0.2387	0.7342	0.1974	0.6829
每股现金流量(元)	–0.3937	1.3407	0.0101	–0.3039
每股资本公积金(元)	3.9451	3.9451	3.9451	2.6302
每股盈余公积金(元)	0.0690	0.0690	0.0576	0.0670
每股未分配利润(元)	2.4592	2.0787	1.7012	1.7110
净资产收益率(%)	6.1703	10.8402	5.6518	12.6187
加权净资产收益率(%)	6.3000	11.5400	6.0600	13.3200
净资产收益率(扣除)(%)	5.2044	10.5219	5.4137	11.9031
总资产(万元)	1880555.97	1760726.67	1632844.98	1240370.57
归属母公司股东权益(万元)	1028228.13	975957.41	923765.67	641243.28
营业收入(万元)	609886.30	1160162.00	526958.22	1050313.96
营业支出(万元)	361191.05	745880.71	364749.32	840503.31
投资收益(万元)	2930.16	7566.73	3090.24	4494.62
净利润(万元)	65817.33	116195.97	53118.11	90329.32
营业利润(万元)	65531.24	117504.33	49167.05	87225.49
利润总额(万元)	68614.65	122020.40	53272.66	95202.88

华菱星马汽车(集团)股份有限公司

公司概况					
公司名称	华菱星马汽车(集团)股份有限公司			证券简称	*ST 星马
法人代表	刘汉如	董秘	李峰	证券代码	600375
公司网址	www.camc.cc			电子信箱	leef7951@163.com
电　　话	0555-8323038			传　　真	0555-8323031
办公地址	安徽省马鞍山市经济技术开发区				
经营范围	重卡、专用车及汽车零部件的研发、生产与销售				

主要财务指标：指标\报告期	2016.06.30	2015.12.31	2015.06.30	2014.12.31
基本每股收益(元)	-0.3700	-1.7000	-0.4000	-0.6800
基本每股收益(扣除后)(元)	-0.5600	-1.7300	-0.4200	-0.7300
稀释每股收益(元)	-0.3700	-1.7000	-0.4000	-0.6800
每股净资产(元)	4.3430	4.7169	6.0184	6.4145
每股经营现金净流量(元)	1.0013	0.9315	-0.2804	-0.4334
每股现金流量(元)	0.4300	-0.0980	0.0898	-1.8472
每股资本公积金(元)	4.7952	4.7952	4.7952	4.7952
每股盈余公积金(元)	0.1840	0.1840	0.1840	0.1840
每股未分配利润(元)	-1.6351	-1.2615	0.0392	0.4353
净资产收益率(%)	-8.4299	-35.9732	-6.5816	-10.5578
加权净资产收益率(%)	-8.0700	-30.4800	-6.3700	-9.8500
净资产收益率(扣除)(%)	-12.8490	-36.5814	-7.0168	-11.3996
总资产(万元)	950849.14	878013.77	963420.21	882238.11
归属母公司股东权益(万元)	241357.47	262138.89	334468.84	356481.57
营业收入(万元)	167478.34	354266.37	229073.97	499736.23
营业支出(万元)	150653.42	333289.53	207593.07	449343.24
投资收益(万元)	-	287.03	287.03	-27.41
净利润(万元)	-20689.16	-94819.35	-22152.24	-38349.31
营业利润(万元)	-30627.17	-82162.29	-23073.97	-46805.01
利润总额(万元)	-20089.02	-80782.40	-21361.02	-43177.21

北京首都开发股份有限公司

公司概况					
公司名称	北京首都开发股份有限公司			证券简称	首开股份
法人代表	潘利群	董秘	王怡	证券代码	600376
公司网址	www.shoukaigufen.com			电子信箱	bcdc@bcdh.com.cn
电　　话	010-66428156 66428113			传　　真	010-66428061
办公地址	北京市西城区复兴门内大街 156 号招商国际金融中心 D 座				
经营范围	房地产的开发与经营				

主要财务指标：指标\报告期	2016.06.30	2015.12.31	2015.06.30	2014.12.31
基本每股收益(元)	0.3116	0.8927	0.4107	0.7349
基本每股收益(扣除后)(元)	0.2325	0.7530	0.3608	0.6405
稀释每股收益(元)	0.3116	0.8927	0.4107	0.7349
每股净资产(元)	11.5183	9.8328	6.6668	6.5016
每股经营现金净流量(元)	0.1691	-4.2682	-1.0327	1.4675
每股现金流量(元)	4.6622	3.5481	2.4698	-0.6240
每股资本公积金(元)	2.9709	1.8073	1.8073	1.8073
每股盈余公积金(元)	0.5761	0.6629	0.5869	0.5869
每股未分配利润(元)	3.4454	3.6505	3.2444	3.0737
净资产收益率(%)	3.1557	9.4510	6.1608	11.3040
加权净资产收益率(%)	4.2900	13.1200	6.0900	11.8000
净资产收益率(扣除)(%)	2.5547	8.0302	5.4123	9.8510
总资产(万元)	16142616.67	14051541.12	11098118.00	9761388.46
归属母公司股东权益(万元)	2971211.03	2204527.05	1494706.27	1457677.75
营业收入(万元)	1245245.29	2361788.26	748638.62	2085050.29
营业支出(万元)	805302.85	1403317.26	410096.82	1364720.22
投资收益(万元)	13071.85	13469.56	2312.73	8957.26
净利润(万元)	133724.10	255425.66	104535.36	198165.79
营业利润(万元)	188109.10	387349.53	143435.60	285583.60
利润总额(万元)	190695.87	391251.38	146116.61	289207.96

江苏宁沪高速公路股份有限公司

公司概况					
公司名称	江苏宁沪高速公路股份有限公司			证券简称	宁沪高速
法人代表	常青	董秘	姚永嘉	证券代码	600377
公司网址	www.jsexpressway.com			电子信箱	jsnh@jsexpwy.com
电　　话	025-84362700*301836			传　　真	025-84466643
办公地址	江苏省南京市栖霞区仙林大道 6 号				
经营范围	沪宁高速公路江苏段、312 国道沪宁段、南京至连云港一级公路南京段等				

主要财务指标：指标\报告期	2016.06.30	2015.12.31	2015.06.30	2014.12.31
基本每股收益(元)	0.3096	0.4976	0.3428	0.5111
基本每股收益(扣除后)(元)	0.3076	0.5346	0.2906	0.5112
稀释每股收益(元)	-	-	-	-
每股净资产(元)	3.9733	4.0645	3.9183	4.0392
每股经营现金净流量(元)	0.5787	0.8885	0.4114	0.6138
每股现金流量(元)	-0.0039	-0.0968	-0.0121	0.0340
每股资本公积金(元)	2.0737	2.0737	2.0737	2.2850
每股盈余公积金(元)	0.6035	0.6035	0.5810	0.5810
每股未分配利润(元)	0.2729	0.3633	0.2309	0.2682
净资产收益率(%)	7.7927	12.2417	8.7475	12.6534
加权净资产收益率(%)	7.3400	12.4500	7.9600	13.2100
净资产收益率(扣除)(%)	7.7410	13.1518	7.4154	12.6571
总资产(万元)	3621353.00	3647603.97	3765524.58	3748161.71
归属母公司股东权益(万元)	2001645.27	2047615.93	1973924.99	2101598.01
营业收入(万元)	406538.79	876132.12	431066.70	787907.63
营业支出(万元)	171790.36	441620.76	205450.75	402031.17
投资收益(万元)	20588.72	44406.82	27678.17	35228.73
净利润(万元)	160618.28	258990.99	177183.50	264728.91
营业利润(万元)	209683.65	351184.51	191057.30	346726.15
利润总额(万元)	209632.05	289505.49	190206.62	345502.00

四川天一科技股份有限公司

公司概况					
公司名称	四川天一科技股份有限公司			证券简称	天科股份
法人代表	陈虹	董秘	冯新华	证券代码	600378
公司网址	www.tianke.com			电子信箱	ctyc@tianke.com
电　　话	028-85963417 85963659			传　　真	028-85963417
办公地址	四川省成都市外南机场路常乐二段 12 号				
经营范围	碳一化学技术及催化剂、变压吸附气体分离技术及装置、合成芳樟醇、维生素 E 等				

主要财务指标：指标\报告期	2016.06.30	2015.12.31	2015.06.30	2014.12.31
基本每股收益(元)	0.0400	0.1500	0.0900	0.2600
基本每股收益(扣除后)(元)	0.0400	0.1400	0.0900	0.2600
稀释每股收益(元)	0.0400	0.1500	0.0900	0.2600
每股净资产(元)	2.4615	2.4692	2.4295	2.4125
每股经营现金净流量(元)	-0.1741	0.0105	-0.1610	0.3081
每股现金流量(元)	-0.2308	-0.0646	-0.2478	0.1454
每股资本公积金(元)	0.5151	0.5151	0.5151	0.5151
每股盈余公积金(元)	0.1915	0.1915	0.1764	0.1764
每股未分配利润(元)	0.7509	0.7605	0.7213	0.7102
净资产收益率(%)	1.6405	5.8887	3.7527	10.6839
加权净资产收益率(%)	1.6200	5.9600	3.7300	11.1100
净资产收益率(扣除)(%)	1.4999	5.4772	3.7274	10.7593
总资产(万元)	96651.49	99319.53	108300.82	112932.76
归属母公司股东权益(万元)	73154.86	73382.58	72202.99	71697.17
营业收入(万元)	18419.94	47360.96	28904.03	60768.58
营业支出(万元)	13913.20	34659.56	20734.92	40890.70
投资收益(万元)	-	53.21	-25.03	-24.70
净利润(万元)	1166.05	4322.08	2760.13	7759.76
营业利润(万元)	1178.23	3943.48	3203.43	9288.59
利润总额(万元)	1289.70	4245.61	3224.99	9199.69

陕西宝光真空电器股份有限公司

公司概况	公司名称	陕西宝光真空电器股份有限公司			证券简称	宝光股份
	法人代表	杨天夫	董秘	杨天夫(代)	证券代码	600379
	公司网址	www.baoguang.com.cn		电子信箱	office@baoguang.com.cn	
	电　话	0917-3561512		传　真	0917-3561512	
	办公地址	陕西省宝鸡市宝光路 53 号				
	经营范围	高、中、低压真空灭弧室、真空断路器、真空开关柜等产品的研制等				

	指标\报告期	2016.06.30	2015.12.31	2015.06.30	2014.12.31
主要财务指标	基本每股收益(元)	0.1023	0.1164	0.0593	0.0861
	基本每股收益(扣除后)(元)	0.0973	0.1077	0.0565	0.0727
	稀释每股收益(元)	0.1023	0.1164	0.0593	0.0861
	每股净资产(元)	1.9466	1.8431	1.7851	1.7260
	每股经营现金净流量(元)	0.1682	0.5634	0.5240	0.1360
	每股现金流量(元)	0.0364	0.5710	0.6342	-0.0687
	每股资本公积金(元)	0.0322	0.0322	0.0322	0.0321
	每股盈余公积金(元)	0.1190	0.1190	0.1062	0.1062
	每股未分配利润(元)	0.7931	0.6907	0.6451	0.5871
	净资产收益率(%)	5.2571	6.3162	3.3195	4.9871
	加权净资产收益率(%)	5.4007	6.5200	3.3750	5.0900
	净资产收益率(扣除)(%)	5.0009	5.8421	3.1635	4.2099
	总资产(万元)	87363.02	81936.70	80214.02	61970.96
	归属母公司股东权益(万元)	45912.27	43470.63	42102.28	40710.03
	营业收入(万元)	35381.20	60814.85	26730.60	59214.33
	营业支出(万元)	26441.29	45587.05	19735.94	43823.11
	投资收益(万元)	-	-	-	0.11
	净利润(万元)	2418.21	2718.84	1400.49	2041.15
	营业利润(万元)	2553.62	2972.55	1408.40	1960.35
	利润总额(万元)	2697.30	3203.75	1488.89	2333.42

健康元药业集团股份有限公司

公司概况	公司名称	健康元药业集团股份有限公司			证券简称	健康元
	法人代表	朱保国	董秘	赵凤光	证券代码	600380
	公司网址	www.joincare.com		电子信箱	zhaofengguang@joincare.com	
	电　话	0755-86252388		传　真	0755-86252165	
	办公地址	广东省深圳市南山区高新区北区郎山路 17 号健康元药业集团大厦				
	经营范围	中药、保健品及西药的研究、开发及生产经营				

	指标\报告期	2016.06.30	2015.12.31	2015.06.30	2014.12.31
主要财务指标	基本每股收益(元)	0.1638	0.2644	0.2128	0.2292
	基本每股收益(扣除后)(元)	0.1438	0.2293	0.1830	0.2080
	稀释每股收益(元)	0.1638	0.2631	0.2126	0.2292
	每股净资产(元)	3.0568	2.9644	2.9965	2.8160
	每股经营现金净流量(元)	0.3402	0.7968	0.2694	0.6336
	每股现金流量(元)	0.0085	0.4326	-0.2406	0.1962
	每股资本公积金(元)	0.4413	0.4040	0.3983	0.2819
	每股盈余公积金(元)	0.2137	0.2137	0.2002	0.2002
	每股未分配利润(元)	1.5473	1.4852	1.4923	1.3795
	净资产收益率(%)	5.3010	8.7673	7.0104	8.1377
	加权净资产收益率(%)	5.3250	9.2070	7.3190	8.3740
	净资产收益率(扣除)(%)	4.6637	7.6150	6.0413	7.3878
	总资产(万元)	1465797.90	1379558.16	1250318.02	1208431.44
	归属母公司股东权益(万元)	485539.60	470462.95	474605.01	435306.59
	营业收入(万元)	491104.63	864189.14	417972.53	741790.62
	营业支出(万元)	183939.30	342691.66	164312.37	303600.99
	投资收益(万元)	2444.32	4830.61	3568.94	3378.55
	净利润(万元)	52102.05	82179.32	54678.08	68380.33
	营业利润(万元)	56496.42	86697.92	56394.51	73372.26
	利润总额(万元)	62868.19	98134.02	63890.64	80051.18

青海春天药用资源科技股份有限公司

公司概况	公司名称	青海春天药用资源科技股份有限公司			证券简称	ST 春天
	法人代表	张雪峰	董秘	陈定	证券代码	600381
	公司网址	www.verygrass.com		电子信箱	investor@verygrass.com	
	电　话	0971-8816171		传　真	0971-8816171	
	办公地址	青海省西宁市经济技术开发区东新路 1 号				
	经营范围	矿产资源,天然气,水泥,水电,火电资源的投资开发				

	指标\报告期	2016.06.30	2015.12.31	2015.06.30	2014.12.31
主要财务指标	基本每股收益(元)	0.0788	0.5600	0.1022	0.3989
	基本每股收益(扣除后)(元)	0.0781	0.5000	0.0997	-0.5887
	稀释每股收益(元)	0.0788	0.5600	0.1022	0.3989
	每股净资产(元)	2.6282	2.5494	2.1173	1.2204
	每股经营现金净流量(元)	-0.1114	1.2090	0.2024	-0.1832
	每股现金流量(元)	0.8725	-0.1831	-0.1686	-0.2360
	每股资本公积金(元)	0.1935	0.1935	0.1935	0.8275
	每股盈余公积金(元)	0.1548	0.1548	0.1450	0.1985
	每股未分配利润(元)	1.2799	1.2011	0.7788	0.9779
	净资产收益率(%)	2.9997	20.3773	4.1293	32.6876
	加权净资产收益率(%)	3.0500	22.4300	4.1100	77.4800
	净资产收益率(扣除)(%)	2.9713	18.3643	4.0297	-48.2351
	总资产(万元)	205835.69	211298.48	184176.53	191606.89
	归属母公司股东权益(万元)	180904.01	175477.45	145737.88	147005.66
	营业收入(万元)	25607.02	140168.93	54236.84	2990.25
	营业支出(万元)	12174.97	72447.39	27019.64	2762.31
	投资收益(万元)	1142.51	1775.85	244.72	-643.87
	净利润(万元)	5438.95	35828.95	6030.17	6075.43
	营业利润(万元)	6614.98	39400.27	7393.63	-13541.49
	利润总额(万元)	6675.62	42266.95	7391.11	6097.53

广东明珠集团股份有限公司

公司概况	公司名称	广东明珠集团股份有限公司			证券简称	广东明珠
	法人代表	张文东	董秘	李杏	证券代码	600382
	公司网址	www.gdmzh.com		电子信箱	gdmzh@gdmzh.com	
	电　话	0753-3327282		传　真	0753-3338549	
	办公地址	广东省兴宁市官汕路 99 号				
	经营范围	以实业投资发展、贸易、建筑安装、房地产开发以及生产等				

	指标\报告期	2016.06.30	2015.12.31	2015.06.30	2014.12.31
主要财务指标	基本每股收益(元)	0.3600	0.4600	0.3500	2.4700
	基本每股收益(扣除后)(元)	0.3100	0.3200	0.2300	0.2300
	稀释每股收益(元)	0.3600	0.4600	0.3500	2.4700
	每股净资产(元)	8.0386	7.7315	7.6261	7.3016
	每股经营现金净流量(元)	-0.6299	-3.5506	-2.4581	-1.1568
	每股现金流量(元)	0.1186	-0.7599	-0.8137	0.8345
	每股资本公积金(元)	0.2726	0.2726	0.2726	0.2726
	每股盈余公积金(元)	0.5313	0.5313	0.5313	0.5313
	每股未分配利润(元)	6.2346	5.9275	5.8222	5.4976
	净资产收益率(%)	4.4422	5.9485	4.6490	33.8203
	加权净资产收益率(%)	4.5300	6.1200	4.7500	40.6500
	净资产收益率(扣除)(%)	3.8734	4.2034	3.0365	3.0876
	总资产(万元)	337194.30	321987.02	292639.42	270494.96
	归属母公司股东权益(万元)	274716.42	264221.77	260620.67	249529.75
	营业收入(万元)	11466.06	21769.95	3964.76	13525.68
	营业支出(万元)	4611.22	8778.22	450.39	5289.91
	投资收益(万元)	8324.90	8295.64	8295.64	8672.62
	净利润(万元)	12165.28	15826.36	12142.93	92534.98
	营业利润(万元)	13610.60	18397.62	11167.02	14680.62
	利润总额(万元)	13537.60	18363.04	13359.01	120506.12

金地(集团)股份有限公司

公司概况					
公司名称	金地(集团)股份有限公司			证券简称	金地集团
法人代表	凌克	董秘	徐家俊	证券代码	600383
公司网址	www.gemdale.com		电子信箱	ir@gemdale.com	
电　话	0755-82039509		传　真	0755-82039900	
办公地址	广东省深圳市福田区福强路金地商业大楼				
经营范围	主要从事房地产开发经营、自有物业管理、兴办各类实体、经营进出口业务				

主要财务指标 指标\报告期	2016.06.30	2015.12.31	2015.06.30	2014.12.31
基本每股收益(元)	0.1700	0.7100	0.1200	0.8900
基本每股收益(扣除后)(元)	0.1600	0.3700	0.0900	0.7800
稀释每股收益(元)	0.1700	0.7100	0.1200	0.8900
每股净资产(元)	7.0201	7.4670	7.0115	7.0098
每股经营现金净流量(元)	1.5684	1.8656	-0.5686	-0.2118
每股现金流量(元)	1.2229	-0.4144	0.2150	-0.1094
每股资本公积金(元)	0.7324	0.9543	1.0597	1.0467
每股盈余公积金(元)	0.3751	0.3752	0.3312	0.3312
每股未分配利润(元)	4.7883	5.0368	4.4941	4.5081
净资产收益率(%)	2.4622	9.5252	1.6537	12.6966
加权净资产收益率(%)	2.3400	9.8600	1.6400	13.2300
净资产收益率(扣除)(%)	2.2514	4.9669	1.3129	11.0511
总资产(万元)	14554137.46	13934614.61	13264421.05	12466740.61
归属母公司股东权益(万元)	3159658.29	3359872.57	3149178.85	3148430.79
营业收入(万元)	1400208.83	3273326.72	808751.91	4563637.80
营业支出(万元)	1058418.71	2337526.47	581048.46	3243505.24
投资收益(万元)	19134.58	140763.79	37278.91	8136.27
净利润(万元)	128996.77	484331.69	63667.52	496398.93
营业利润(万元)	169356.68	619988.55	77062.27	714435.54
利润总额(万元)	174773.17	627966.40	84982.82	711253.84

山东金泰集团股份有限公司

公司概况					
公司名称	山东金泰集团股份有限公司			证券简称	山东金泰
法人代表	林云	董秘	杨继座	证券代码	600385
公司网址	www.sdjintai.com.cn		电子信箱	jtjt-jn@263.net	
电　话	0531-88902341		传　真	0531-88902341	
办公地址	山东省济南市洪楼西路29号				
经营范围	化学原料药、化学药品制剂、中药制剂、生物药品的研制、生产等				

主要财务指标 指标\报告期	2016.06.30	2015.12.31	2015.06.30	2014.12.31
基本每股收益(元)	0.0200	0.0400	-0.0101	0.2500
基本每股收益(扣除后)(元)	0.0300	0.0600	0.0021	0.2300
稀释每股收益(元)	0.0200	0.0400	-0.0101	0.2500
每股净资产(元)	0.4958	0.4557	0.3502	0.3607
每股经营现金净流量(元)	-0.2139	1.0093	0.6275	-0.0992
每股现金流量(元)	-0.1926	0.9925	0.6181	-0.0957
每股资本公积金(元)	2.0191	2.0191	2.0191	2.0191
每股盈余公积金(元)	0.1106	0.1106	0.1106	0.1106
每股未分配利润(元)	-2.7087	-2.7305	-2.7788	-2.7687
净资产收益率(%)	4.3799	8.3891	-2.8799	67.9237
加权净资产收益率(%)	4.5600	9.3700	-2.8400	102.9700
净资产收益率(扣除)(%)	6.9628	13.9967	0.6035	64.2498
总资产(万元)	17226.16	22668.36	16540.93	23086.55
归属母公司股东权益(万元)	7342.97	6749.28	5186.97	5342.69
营业收入(万元)	28449.90	63875.72	17003.34	202859.81
营业支出(万元)	27496.46	61617.14	16366.62	196494.16
投资收益(万元)	-	-1.63	7.04	709.30
净利润(万元)	321.62	459.23	-149.38	4023.65
营业利润(万元)	629.60	1121.74	100.21	5411.47
利润总额(万元)	439.94	744.49	-80.47	4994.51

北京巴士传媒股份有限公司

公司概况					
公司名称	北京巴士传媒股份有限公司			证券简称	北巴传媒
法人代表	王春杰	董秘	王婕	证券代码	600386
公司网址	www.bbcm.com.cn		电子信箱	bbcm@bbcm.com.cn	
电　话	010-68477383		传　真	010-68731430	
办公地址	北京市海淀区紫竹院路32号				
经营范围	设计、制作、代理、发布国内及外商来华广告等				

主要财务指标 指标\报告期	2016.06.30	2015.12.31	2015.06.30	2014.12.31
基本每股收益(元)	0.1300	0.3600	0.2200	0.4700
基本每股收益(扣除后)(元)	0.1100	0.3400	0.2200	0.4600
稀释每股收益(元)	0.1300	0.3600	0.2200	0.4700
每股净资产(元)	4.2839	4.3648	4.2693	4.1946
每股经营现金净流量(元)	0.2542	0.6813	0.4501	0.9163
每股现金流量(元)	0.3625	0.2970	0.1318	-0.1551
每股资本公积金(元)	1.6047	1.6047	1.6047	1.6047
每股盈余公积金(元)	0.3469	0.3469	0.3259	0.3259
每股未分配利润(元)	1.0739	1.1376	1.0206	1.0762
净资产收益率(%)	2.9469	8.3034	5.2544	11.1503
加权净资产收益率(%)	2.8800	8.4700	5.1900	11.4900
净资产收益率(扣除)(%)	2.6562	7.7332	5.1738	11.0632
总资产(万元)	353993.28	345658.65	264118.93	264697.95
归属母公司股东权益(万元)	172725.68	175987.64	172137.42	169125.69
营业收入(万元)	155581.35	301059.89	138492.22	300041.91
营业支出(万元)	121840.16	223558.30	100789.22	224896.90
投资收益(万元)	526.67	-2179.62	273.78	198.33
净利润(万元)	5376.53	16492.32	9740.60	19999.67
营业利润(万元)	7212.48	22830.43	12815.19	26951.01
利润总额(万元)	7388.49	23545.86	12996.74	27150.15

浙江海越股份有限公司

公司概况					
公司名称	浙江海越股份有限公司			证券简称	海越股份
法人代表	吕小奎	董秘	陈海平	证券代码	600387
公司网址	www.hy600387.com		电子信箱	haiyue600387@163.com	
电　话	0575-87016161		传　真	0575-87032163	
办公地址	浙江省诸暨市西施大街59号				
经营范围	交通、能源等基础设施的投资和经营				

主要财务指标 指标\报告期	2016.06.30	2015.12.31	2015.06.30	2014.12.31
基本每股收益(元)	-0.1600	0.0600	0.1100	0.2900
基本每股收益(扣除后)(元)	-0.1400	-0.5300	-0.0200	-0.0200
稀释每股收益(元)	-0.1600	0.0600	0.1100	0.2900
每股净资产(元)	2.9493	3.4943	3.6762	3.0804
每股经营现金净流量(元)	0.7092	0.6622	-0.0497	-0.3195
每股现金流量(元)	-0.8580	0.0162	-0.7674	0.7978
每股资本公积金(元)	0.4390	0.4390	0.4389	0.4389
每股盈余公积金(元)	0.3229	0.3229	0.3118	0.3118
每股未分配利润(元)	0.7188	0.8807	1.0384	0.9323
净资产收益率(%)	-5.4911	1.7046	2.8879	9.3525
加权净资产收益率(%)	-5.0300	1.8100	3.1400	9.6200
净资产收益率(扣除)(%)	-4.6506	-15.2086	-0.5269	-0.7222
总资产(万元)	820131.74	910586.73	939107.74	938526.18
归属母公司股东权益(万元)	113873.11	134915.70	141939.16	118932.97
营业收入(万元)	420275.31	628476.63	225759.42	304041.80
营业支出(万元)	403915.97	616108.81	217539.38	295734.59
投资收益(万元)	3184.49	32784.96	9491.61	21428.47
净利润(万元)	-15454.35	-19126.59	683.45	7641.28
营业利润(万元)	-14641.68	-14945.51	1097.33	10272.04
利润总额(万元)	-14302.53	-12577.63	2628.25	11181.39

福建龙净环保股份有限公司

公司概况	公司名称	福建龙净环保股份有限公司			证券简称	龙净环保
	法人代表	周苏华	董秘	罗继永	证券代码	600388
	公司网址	www.longking.com.cn		电子信箱	longkinghb@163.com	
	电　话	0597-2210288		传　真	0597-2290903	
	办公地址	福建省龙岩市新罗区陵园路 81 号				
	经营范围	环境污染防治设备、工业自动控制系统装置、环保专用仪器、仪表等				

	指标＼报告期	2016.06.30	2015.12.31	2015.06.30	2014.12.31
主要财务指标	基本每股收益(元)	0.1800	0.5200	0.1600	0.4300
	基本每股收益(扣除后)(元)	0.1600	0.4900	0.1500	0.3600
	稀释每股收益(元)	0.1800	0.5200	0.1600	0.4300
	每股净资产(元)	3.3625	3.3349	2.9712	7.3564
	每股经营现金净流量(元)	-0.2076	0.9492	0.1753	1.1583
	每股现金流量(元)	-0.2988	0.5254	-0.1623	1.5473
	每股资本公积金(元)	0.4887	0.4887	0.4887	2.2218
	每股盈余公积金(元)	0.2001	0.2001	0.1618	0.4044
	每股未分配利润(元)	1.6734	1.6492	1.3246	3.7389
	净资产收益率(%)	5.4769	15.7117	5.4209	14.7316
	加权净资产收益率(%)	5.4100	16.7500	5.3700	15.6700
	净资产收益率(扣除)(%)	4.8391	14.5563	5.0121	12.0698
	总资产(万元)	1386927.66	1351511.70	1243498.68	1144141.02
	归属母公司股东权益(万元)	359469.13	356515.98	317637.20	314572.63
	营业收入(万元)	292980.75	739096.05	246661.60	602666.36
	营业支出(万元)	224408.87	569742.58	183748.22	462138.83
	投资收益(万元)	383.08	1121.82	327.01	6061.76
	净利润(万元)	19685.21	56103.89	17046.97	46698.77
	营业利润(万元)	21844.28	62417.88	19089.41	50893.09
	利润总额(万元)	24149.26	66545.50	20435.08	54903.40

南通江山农药化工股份有限公司

公司概况	公司名称	南通江山农药化工股份有限公司			证券简称	江山股份
	法人代表	薛健	董秘	宋金华	证券代码	600389
	公司网址	www.jsac.com.cn		电子信箱	songjh@jsac.com.cn	
	电　话	0513-83558270 83530931		传　真	0513-83521807	
	办公地址	江苏省南通市经济技术开发区江山路 998 号				
	经营范围	化学农药、有机化学品、无机化学品、高分子聚合物等制造、加工、销售				

	指标＼报告期	2016.06.30	2015.12.31	2015.06.30	2014.12.31
主要财务指标	基本每股收益(元)	0.0141	0.0534	0.0553	1.0190
	基本每股收益(扣除后)(元)	-0.0042	-0.0040	0.0385	1.0108
	稀释每股收益(元)	0.0141	0.0534	0.0553	1.0190
	每股净资产(元)	4.3447	6.5254	6.5062	6.7334
	每股经营现金净流量(元)	0.7023	1.1436	0.0524	2.1078
	每股现金流量(元)	0.2070	0.0434	-0.2771	-0.0355
	每股资本公积金(元)	0.3891	1.0836	1.0836	1.0836
	每股盈余公积金(元)	0.4893	0.7340	0.7303	0.7303
	每股未分配利润(元)	2.2719	3.4166	3.4499	3.6770
	净资产收益率(%)	0.3250	0.8182	1.2741	15.1334
	加权净资产收益率(%)	0.3241	0.8100	1.3300	15.7700
	净资产收益率(扣除)(%)	-0.0965	-0.0614	0.8875	15.0116
	总资产(万元)	310429.85	312012.79	304420.52	328678.29
	归属母公司股东权益(万元)	129038.34	129202.87	128823.57	133320.51
	营业收入(万元)	322765.84	267720.82	156281.14	297591.67
	营业支出(万元)	310498.17	240554.28	142018.47	240994.40
	投资收益(万元)	620.85	201.97	313.85	1225.26
	净利润(万元)	419.38	1057.08	1641.32	20175.93
	营业利润(万元)	-253.08	-358.65	1522.04	25483.31
	利润总额(万元)	488.34	1145.96	2186.13	26090.01

五矿资本股份有限公司

公司概况	公司名称	五矿资本股份有限公司			证券简称	五矿资本
	法人代表	任珠峰	董秘	李淼	证券代码	600390
	公司网址	www.king-ray.com.cn		电子信箱	kingray@minmetals.com	
	电　话	0731-88657400 88657300		传　真	0731-88827884	
	办公地址	湖南省长沙市岳麓区麓山南路 966 号				
	经营范围	电子基础材料、金属材料、超硬材料及其制品、专用设备的技术开发等				

	指标＼报告期	2016.06.30	2015.12.31	2015.06.30	2014.12.31
主要财务指标	基本每股收益(元)	0.1658	-0.8910	-0.0527	-0.0720
	基本每股收益(扣除后)(元)	0.1470	-0.8320	-0.0821	-0.1080
	稀释每股收益(元)	0.1658	-0.8910	-0.0527	-0.0720
	每股净资产(元)	2.7613	2.5943	2.2218	2.2805
	每股经营现金净流量(元)	-0.1829	-0.4169	-0.3869	-0.4327
	每股现金流量(元)	0.0068	0.0583	0.0311	-0.0366
	每股资本公积金(元)	2.5939	2.5939	1.4821	1.4821
	每股盈余公积金(元)	0.0520	0.0520	0.0601	0.0601
	每股未分配利润(元)	-0.8889	-1.0547	-0.3229	-0.2702
	净资产收益率(%)	6.0037	-31.6377	-2.3707	-3.1475
	加权净资产收益率(%)	6.1900	-37.8400	-2.3400	-3.0700
	净资产收益率(扣除)(%)	5.3253	-29.5612	-3.6969	-4.7488
	总资产(万元)	315124.90	228260.81	234000.09	215865.75
	归属母公司股东权益(万元)	124604.49	117071.64	86797.91	89091.39
	营业收入(万元)	81493.03	136587.90	65467.12	130388.92
	营业支出(万元)	64771.18	131632.60	61864.25	117694.87
	投资收益(万元)	-	-	-	-
	净利润(万元)	7428.68	-37698.00	-2335.36	-2381.25
	营业利润(万元)	8380.78	-35279.30	-3429.36	-3274.73
	利润总额(万元)	9322.70	-37710.79	-2245.96	-1738.15

中国航发航空科技股份有限公司

公司概况	公司名称	中国航发航空科技股份有限公司			证券简称	航发科技
	法人代表	孙岩峰	董秘	熊奕	证券代码	600391
	公司网址	www.fast.avic.com		电子信箱	board-fast@avic.com	
	电　话	028-89358665 89358616		传　真	028-89358615	
	办公地址	四川省成都市新都区三河街成发工业园				
	经营范围	研究、制造、加工、维修销售航空发动机及零部件等				

	指标＼报告期	2016.06.30	2015.12.31	2015.06.30	2014.12.31
主要财务指标	基本每股收益(元)	0.1000	0.1000	0.0700	0.0900
	基本每股收益(扣除后)(元)	0.0900	0.0800	0.0600	0.0700
	稀释每股收益(元)	0.1000	0.1000	0.0700	0.0900
	每股净资产(元)	5.2118	5.1368	5.1024	5.0590
	每股经营现金净流量(元)	-0.1356	-0.0670	0.1627	0.0836
	每股现金流量(元)	-0.1769	0.0098	-0.2002	-0.3860
	每股资本公积金(元)	3.0641	3.0641	3.0641	3.0641
	每股盈余公积金(元)	0.2175	0.2175	0.2058	0.2058
	每股未分配利润(元)	0.8924	0.8273	0.8099	0.7732
	净资产收益率(%)	1.8241	1.8649	1.3077	1.7708
	加权净资产收益率(%)	1.8400	1.8800	1.3100	1.7800
	净资产收益率(扣除)(%)	1.7298	1.5840	1.2191	1.2885
	总资产(万元)	522575.84	501437.29	463380.66	444212.47
	归属母公司股东权益(万元)	172058.46	169581.56	168445.68	167012.89
	营业收入(万元)	99896.14	202796.63	90112.97	196305.77
	营业支出(万元)	77685.71	164978.90	70934.78	156019.10
	投资收益(万元)	-	-	-	-
	净利润(万元)	4302.86	4287.60	3291.91	3725.12
	营业利润(万元)	4702.85	4238.03	3773.99	3737.88
	利润总额(万元)	4906.35	4768.99	3935.92	4645.36

盛和资源控股股份有限公司

公司概况						
	公司名称	盛和资源控股股份有限公司			证券简称	盛和资源
	法人代表	胡泽松	董秘	黄厚兵	证券代码	600392
	公司网址	www.scshre.com		电子信箱	600392@scshre.com	
	电　　话	028-85425108		传　　真	028-85530349	
	办公地址	四川省成都市高新区盛和一路66号城南天府7楼				
	经营范围	研制、开发、生产、销售智能电子设备及其网络系统等				

主要财务指标	指标\报告期	2016.06.30	2015.12.31	2015.06.30	2014.12.31
	基本每股收益(元)	-0.0245	0.0205	0.0583	0.5100
	基本每股收益(扣除后)(元)	-0.0272	0.0173	0.0569	0.5100
	稀释每股收益(元)	-0.0245	0.0205	0.0583	0.5100
	每股净资产(元)	1.2591	1.2831	3.3930	3.3333
	每股经营现金净流量(元)	-0.1266	-0.2805	-0.0150	-0.2879
	每股现金流量(元)	-0.1198	0.0540	-0.3269	-0.0229
	每股资本公积金(元)	-0.5797	-0.5797	0.0276	0.0276
	每股盈余公积金(元)	0.0150	0.0150	0.0938	-
	每股未分配利润(元)	0.8184	0.8429	2.2579	2.2934
	净资产收益率(%)	-1.9491	1.6007	1.7183	15.3241
	加权净资产收益率(%)	-1.9300	1.5300	1.7300	16.6000
	净资产收益率(扣除)(%)	-2.1576	1.3520	1.6763	15.2694
	总资产(万元)	240358.25	229465.84	187658.49	184108.44
	归属母公司股东权益(万元)	118482.85	120748.39	127717.86	125469.46
	营业收入(万元)	40139.09	109815.43	54480.12	151450.07
	营业支出(万元)	36541.92	94074.39	45883.35	117408.11
	投资收益(万元)	-30.94	61.00	70.64	330.05
	净利润(万元)	-2072.34	1851.87	2176.01	19566.11
	营业利润(万元)	-2314.63	3505.53	2629.53	23187.96
	利润总额(万元)	-1957.61	3684.73	2653.20	23063.58

广州粤泰集团股份有限公司

公司概况						
	公司名称	广州粤泰集团股份有限公司			证券简称	粤泰股份
	法人代表	杨树坪	董秘	蔡锦鹭	证券代码	600393
	公司网址	www.gzdh.com.cn		电子信箱	caijinlu@tom.com	
	电　　话	020-87379702　87397172		传　　真	020-87386297	
	办公地址	广东省广州市寺右新马路170号四楼				
	经营范围	房地产开发、出售、出租房屋、房屋拆迁、土建工程电气配套承装、旅游等业务				

主要财务指标	指标\报告期	2016.06.30	2015.12.31	2015.06.30	2014.12.31
	基本每股收益(元)	0.0800	0.2200	0.1080	0.2100
	基本每股收益(扣除后)(元)	0.0710	0.1100	0.0080	0.0600
	稀释每股收益(元)	0.0800	0.2200	0.1080	0.2100
	每股净资产(元)	4.0514	3.4150	3.2679	3.3000
	每股经营现金净流量(元)	-0.4163	-3.8658	-0.5094	-0.0174
	每股现金流量(元)	0.0790	-0.4058	-0.5753	0.5109
	每股资本公积金(元)	2.6998	1.3839	0.7221	0.7221
	每股盈余公积金(元)	0.0775	0.3276	0.3276	0.3276
	每股未分配利润(元)	0.2741	1.3367	1.2182	1.2503
	净资产收益率(%)	1.4274	6.2966	2.0780	6.2166
	加权净资产收益率(%)	1.5400	6.3100	2.0600	6.3200
	净资产收益率(扣除)(%)	1.2532	3.2603	0.6924	1.7917
	总资产(万元)	1064187.36	753381.58	347533.34	340862.48
	归属母公司股东权益(万元)	513767.99	121446.80	98037.21	99000.01
	营业收入(万元)	46262.28	83105.38	29989.70	89130.41
	营业支出(万元)	25524.52	48490.07	16711.06	60161.29
	投资收益(万元)	1107.61	-	-	-
	净利润(万元)	7418.42	6034.57	1952.75	5765.43
	营业利润(万元)	6300.32	4713.03	821.61	2003.76
	利润总额(万元)	8017.83	7903.33	2654.09	6409.39

贵州盘江精煤股份有限公司

公司概况						
	公司名称	贵州盘江精煤股份有限公司			证券简称	盘江股份
	法人代表	张仕和	董秘	张仕和(代)	证券代码	600395
	公司网址	www.pjgf.cn		电子信箱	pjzfa@163.com	
	电　　话	0858-3703046　3703068		传　　真	0858-3703046	
	办公地址	贵州省六盘水市红果经济开发区干沟桥				
	经营范围	原煤开采、洗选加工及销售				

主要财务指标	指标\报告期	2016.06.30	2015.12.31	2015.06.30	2014.12.31
	基本每股收益(元)	-	0.0140	0.0130	0.1860
	基本每股收益(扣除后)(元)	-0.0180	0.0130	0.0120	0.1810
	稀释每股收益(元)	-	0.0140	0.0130	0.1860
	每股净资产(元)	3.4358	3.4200	3.5280	3.6554
	每股经营现金净流量(元)	-0.1263	0.3348	0.1956	0.4657
	每股现金流量(元)	-0.0819	0.0104	0.0658	-0.0168
	每股资本公积金(元)	1.4135	1.4135	1.4135	1.4135
	每股盈余公积金(元)	0.4076	0.4076	0.4043	0.4043
	每股未分配利润(元)	0.5623	0.5723	0.5512	0.6984
	净资产收益率(%)	0.0014	0.4100	0.3636	5.0780
	加权净资产收益率(%)	0.0010	0.3950	0.3500	4.9060
	净资产收益率(扣除)(%)	-0.5323	0.3935	0.3409	4.9582
	总资产(万元)	1037312.53	1036704.35	1063815.82	1093560.25
	归属母公司股东权益(万元)	568647.39	566034.12	583903.54	604987.16
	营业收入(万元)	154091.84	406902.33	198626.79	517483.76
	营业支出(万元)	125268.41	317537.92	143433.30	345237.25
	投资收益(万元)	404.03	-7404.47	-4062.92	-4182.43
	净利润(万元)	7.88	2320.05	2122.79	30721.40
	营业利润(万元)	-3306.12	1573.24	3380.72	34719.99
	利润总额(万元)	168.89	2572.49	3264.43	35913.89

沈阳金山能源股份有限公司

公司概况						
	公司名称	沈阳金山能源股份有限公司			证券简称	金山股份
	法人代表	彭兴宇	董秘	周可为	证券代码	600396
	公司网址	www.chd.com.cn		电子信箱	zqb600396@126.com	
	电　　话	024-83996005　83996041		传　　真	024-83996039	
	办公地址	辽宁省沈阳市和平区南五马路183号泰宸商务大厦B座22-26层				
	经营范围	火力发电、风力发电、供暖及供热				

主要财务指标	指标\报告期	2016.06.30	2015.12.31	2015.06.30	2014.12.31
	基本每股收益(元)	0.1202	0.2153	0.1653	0.3247
	基本每股收益(扣除后)(元)	0.1171	0.1333	0.1603	0.3282
	稀释每股收益(元)	0.1202	0.2153	0.1653	0.3247
	每股净资产(元)	2.6181	2.4790	2.6161	2.4248
	每股经营现金净流量(元)	0.4221	1.8823	0.8024	1.9112
	每股现金流量(元)	0.0975	0.0921	-0.0257	0.0149
	每股资本公积金(元)	0.9287	0.9099	0.5556	0.5296
	每股盈余公积金(元)	0.0879	0.0879	0.1228	0.1228
	每股未分配利润(元)	0.6031	0.4829	0.9377	0.7724
	净资产收益率(%)	4.5906	7.0838	6.3203	13.1490
	加权净资产收益率(%)	4.7200	8.9800	6.5600	14.2300
	净资产收益率(扣除)(%)	4.4739	3.3566	6.1293	13.2931
	总资产(万元)	2031114.32	2022975.46	1493421.96	1501080.88
	归属母公司股东权益(万元)	385565.47	365089.75	227251.13	210632.19
	营业收入(万元)	301140.55	715390.98	227581.40	461234.33
	营业支出(万元)	224384.16	540338.54	160980.18	324214.74
	投资收益(万元)	890.92	3763.07	1495.52	2641.23
	净利润(万元)	23210.76	49436.87	22724.64	45954.90
	营业利润(万元)	30606.08	65996.40	26950.98	49308.19
	利润总额(万元)	31357.86	68478.12	27711.37	48681.81

安源煤业集团股份有限公司

公司概况					
公司名称	安源煤业集团股份有限公司			证券简称	安源煤业
法人代表	林绍华	董秘	兰祖良	证券代码	600397
公司网址	www.anyuan2002.com		电子信箱	anyuan2002@126.com	
电　话	0791-87151886　87151860		传　真	0791-87151886	
办公地址	江西省南昌市西湖区丁公路117号				
经营范围	煤炭采掘销售、浮法玻璃生产、玻璃深加工及客车制造				

主要财务指标 指标\报告期	2016.06.30	2015.12.31	2015.06.30	2014.12.31
基本每股收益(元)	-0.2562	0.0281	-0.1128	0.0964
基本每股收益(扣除后)(元)	-0.2567	-0.1283	-0.1196	0.0547
稀释每股收益(元)	-0.2562	0.0281	-0.1128	0.0964
每股净资产(元)	3.3019	3.5588	3.4249	3.5329
每股经营现金净流量(元)	-0.4684	0.1184	0.0680	0.5344
每股现金流量(元)	-1.2873	1.4333	-0.0246	-0.0769
每股资本公积金(元)	1.8686	1.9215	1.8654	1.8654
每股盈余公积金(元)	0.2424	0.2424	0.2424	0.2424
每股未分配利润(元)	0.0861	0.3844	0.2014	0.3142
净资产收益率(%)	-7.7582	0.7910	-3.2922	2.7284
加权净资产收益率(%)	-7.4700	0.7900	-3.2400	2.5900
净资产收益率(扣除)(%)	-7.7739	-3.6061	-3.4920	1.5470
总资产(万元)	976967.81	1100940.89	950083.41	922149.04
归属母公司股东权益(万元)	326878.54	361710.89	339053.48	349743.17
营业收入(万元)	143919.81	511646.31	264997.26	1065164.40
营业支出(万元)	139540.45	462590.99	246837.47	984516.42
投资收益(万元)	-	-	-	-
净利润(万元)	-26520.37	188.79	-12898.04	7021.81
营业利润(万元)	-26757.45	-13768.09	-11380.99	8650.33
利润总额(万元)	-26642.18	4721.80	-10405.84	14022.88

海澜之家股份有限公司

公司概况					
公司名称	海澜之家股份有限公司			证券简称	海澜之家
法人代表	周建平	董秘	许庆华	证券代码	600398
公司网址	www.heilanhome.com		电子信箱	600398@heilanhome.com	
电　话	0510-86121071		传　真	0510-86126877	
办公地址	江苏省江阴市新桥镇				
经营范围	高档精纺呢绒、高档西服、衬衫、职业服的生产和销售、染整加工业务				

主要财务指标 指标\报告期	2016.06.30	2015.12.31	2015.06.30	2014.12.31
基本每股收益(元)	0.3900	0.6600	0.3700	0.5400
基本每股收益(扣除后)(元)	0.3800	0.6500	0.3600	0.5100
稀释每股收益(元)	-	-	-	-
每股净资产(元)	1.9098	1.8450	1.5579	1.5672
每股经营现金净流量(元)	0.1631	0.6204	1.1600	1.6466
每股现金流量(元)	-0.2298	0.1348	-0.4330	1.3556
每股资本公积金(元)	0.4490	0.4490	1.7271	1.7271
每股盈余公积金(元)	0.1746	0.1746	0.4851	0.4851
每股未分配利润(元)	1.0254	0.9608	2.7799	2.8153
净资产收益率(%)	20.6620	35.6264	23.7999	33.7285
加权净资产收益率(%)	19.8600	40.0200	22.8100	40.6300
净资产收益率(扣除)(%)	20.0762	35.0765	23.3141	31.8309
总资产(万元)	2198319.80	2344173.65	1876598.94	1853043.20
归属母公司股东权益(万元)	858020.17	828916.78	699947.10	704084.95
营业收入(万元)	876251.47	1583010.96	793290.58	1233844.11
营业支出(万元)	518564.54	945507.11	464673.28	741711.11
投资收益(万元)	4000.00	240.41	132.71	133.02
净利润(万元)	177305.81	295407.21	166625.89	237896.93
营业利润(万元)	236247.44	393651.94	214021.16	312643.36
利润总额(万元)	238898.57	399418.76	218383.64	322706.11

抚顺特殊钢股份有限公司

公司概况					
公司名称	抚顺特殊钢股份有限公司			证券简称	抚顺特钢
法人代表	董事	董秘	孔德生	证券代码	600399
公司网址	www.fs-ss.com		电子信箱	fstg@fs-ss.com	
电　话	024-56676495　56678441		传　真	024-56688966　56676495	
办公地址	辽宁省抚顺市望花区鞍山路东段8号				
经营范围	钢冶炼、压延钢加工及冶金技术服务、工业(含液体)制造、销售等				

主要财务指标 指标\报告期	2016.06.30	2015.12.31	2015.06.30	2014.12.31
基本每股收益(元)	0.0800	0.2328	0.1006	0.0556
基本每股收益(扣除后)(元)	0.0729	0.1110	0.0686	0.0366
稀释每股收益(元)	0.0800	0.2328	0.1006	0.0556
每股净资产(元)	1.5214	1.4764	1.4257	3.3626
每股经营现金净流量(元)	0.0101	0.0954	0.1678	1.5495
每股现金流量(元)	-0.0572	0.0243	-0.1393	-0.3358
每股资本公积金(元)	0.1251	0.1251	0.1251	1.4126
每股盈余公积金(元)	0.0766	0.0766	0.0608	0.1520
每股未分配利润(元)	0.3197	0.2747	0.2398	0.7980
净资产收益率(%)	5.2583	10.2503	7.0592	2.6857
加权净资产收益率(%)	5.3400	10.7300	7.2100	2.7100
净资产收益率(扣除)(%)	4.7927	4.8852	4.8084	1.7679
总资产(万元)	1234076.42	1299508.66	1305048.25	1165261.00
归属母公司股东权益(万元)	197778.45	191928.69	185338.90	174855.41
营业收入(万元)	239340.72	455769.32	258063.67	545258.89
营业支出(万元)	193984.28	353973.47	207531.59	448221.17
投资收益(万元)	-163.59	-375.10	-186.10	-198.44
净利润(万元)	10399.76	19673.28	13083.49	4696.02
营业利润(万元)	11197.76	9207.26	10125.10	5056.42
利润总额(万元)	12281.16	21330.16	15033.12	6960.38

江苏红豆实业股份有限公司

公司概况					
公司名称	江苏红豆实业股份有限公司			证券简称	红豆股份
法人代表	刘连红	董秘	孟晓平	证券代码	600400
公司网址	www.hongdou.com.cn		电子信箱	hongdou@hongdou.com	
电　话	0510-66868422　66868278		传　真	0510-88350139	
办公地址	江苏省无锡市锡山区港下镇				
经营范围	服装、针织品、服装面料的生产与销售、锦纶丝的生产与销售等				

主要财务指标 指标\报告期	2016.06.30	2015.12.31	2015.06.30	2014.12.31
基本每股收益(元)	0.0400	0.1400	0.0500	0.1200
基本每股收益(扣除后)(元)	0.0300	0.1400	0.0500	0.1100
稀释每股收益(元)	0.0400	0.1400	0.0500	0.1200
每股净资产(元)	1.5490	3.0737	2.5813	2.5794
每股经营现金净流量(元)	0.1414	1.1765	0.4793	1.2288
每股现金流量(元)	-0.0700	0.9009	0.9430	-0.6619
每股资本公积金(元)	0.0525	1.1050	0.4520	0.4520
每股盈余公积金(元)	0.0837	0.1675	0.1975	0.1975
每股未分配利润(元)	0.4174	0.8016	0.9318	0.9299
净资产收益率(%)	2.6831	3.9348	2.0106	4.5337
加权净资产收益率(%)	2.6800	4.8000	2.0000	4.6200
净资产收益率(扣除)(%)	2.1923	3.8828	1.9756	4.0912
总资产(万元)	633512.88	675511.56	649671.15	578876.59
归属母公司股东权益(万元)	220527.36	218804.42	144655.41	144548.91
营业收入(万元)	133675.28	265109.24	109056.91	284233.79
营业支出(万元)	105733.80	200521.55	80054.13	222906.10
投资收益(万元)	1800.26	2541.20	1180.08	2140.38
净利润(万元)	6521.66	8895.01	3221.10	7355.68
营业利润(万元)	5993.65	12161.62	4448.83	9359.48
利润总额(万元)	8241.67	12083.18	4446.52	9786.69

海润光伏科技股份有限公司

公司概况						
	公司名称	海润光伏科技股份有限公司			证券简称	海润光伏
	法人代表	孟广宝	董秘	问闻	证券代码	600401
	公司网址	www.hareonsolar.com		电子信箱	ir@hareon.net	
	电话	00510-86530938		传真	0510-86530766	
	办公地址	江苏省江阴市徐霞客镇璜塘工业园区环镇北路178号				
	经营范围	研究、开发、生产、加工单晶硅片、单晶硅棒、多晶硅锭、多晶硅片				

主要财务指标	指标\报告期	2016.06.30	2015.12.31	2015.06.30	2014.12.31
	基本每股收益(元)	0.0090	0.0203	0.0076	-0.2671
	基本每股收益(扣除后)(元)	0.0123	-0.0203	-0.0022	-0.8296
	稀释每股收益(元)	0.0090	0.0203	0.0076	-0.2671
	每股净资产(元)	1.0638	1.0454	1.0212	3.0749
	每股经营现金净流量(元)	-0.0038	0.2235	0.0333	-0.3318
	每股现金流量(元)	-0.0373	-0.0629	0.0189	0.1955
	每股资本公积金(元)	0.2655	0.2655	0.2658	2.7973
	每股盈余公积金(元)	0.0170	0.0170	0.0170	0.0511
	每股未分配利润(元)	-0.2069	-0.2159	-0.2286	-0.7086
	净资产收益率(%)	0.8448	1.9452	0.7413	-19.5665
	加权净资产收益率(%)	0.8522	1.9600	0.7400	-35.9800
	净资产收益率(扣除)(%)	1.1525	-1.9423	-0.2189	-20.2575
	总资产(万元)	1687063.91	1592696.81	1518271.68	1556632.41
	归属母公司股东权益(万元)	502628.38	493946.84	482527.97	484295.48
	营业收入(万元)	245099.68	608896.55	189697.40	495840.70
	营业支出(万元)	185462.40	494421.61	154053.59	435160.83
	投资收益(万元)	8397.41	26508.21	15285.04	724.97
	净利润(万元)	4161.89	9402.19	3505.80	-93281.21
	营业利润(万元)	4458.54	2373.03	-898.92	-100701.17
	利润总额(万元)	2553.74	7832.45	4273.55	-97771.26

河南大有能源股份有限公司

公司概况						
	公司名称	河南大有能源股份有限公司			证券简称	大有能源
	法人代表	贺治强	董秘	张建强	证券代码	600403
	公司网址	www.hndyny.com		电子信箱	dsh@hndyny.com	
	电话	0398-5886075 5888908		传真	0398-5897007	
	办公地址	河南省三门峡市义马市千秋路6号				
	经营范围	原煤开采、煤炭批发经营、对煤炭行业的投资、煤炭洗选加工				

主要财务指标	指标\报告期	2016.06.30	2015.12.31	2015.06.30	2014.12.31
	基本每股收益(元)	-0.4014	-0.5400	-0.0972	0.0500
	基本每股收益(扣除后)(元)	-0.3338	-0.4400	-0.0689	0.0800
	稀释每股收益(元)	-0.4014	-0.5400	-0.0972	0.0500
	每股净资产(元)	3.1848	3.5517	4.0017	4.1206
	每股经营现金净流量(元)	-0.0608	-0.0553	-0.1505	0.0409
	每股现金流量(元)	-0.2151	0.0061	0.0615	-0.1289
	每股资本公积金(元)	0.1374	0.1374	0.1374	0.1374
	每股盈余公积金(元)	0.2183	0.2183	0.2183	0.2183
	每股未分配利润(元)	1.7898	2.1911	2.6328	2.7450
	净资产收益率(%)	-12.6032	-15.1721	-2.4284	1.1223
	加权净资产收益率(%)	-11.9200	-14.0700	-2.3900	1.1100
	净资产收益率(扣除)(%)	-10.4809	-12.2819	-1.7211	1.9771
	总资产(万元)	1485609.08	1557404.01	1651796.36	1618327.56
	归属母公司股东权益(万元)	761432.66	849141.93	956723.52	985161.93
	营业收入(万元)	158861.06	462430.40	287340.25	748084.13
	营业支出(万元)	179227.40	448634.53	251513.93	560919.36
	投资收益(万元)	-2730.79	-6051.59	-3022.67	-2210.62
	净利润(万元)	-100182.22	-145092.45	-29181.16	9709.89
	营业利润(万元)	-80497.28	-123378.40	-22752.04	29220.98
	利润总额(万元)	-96652.69	-145511.79	-29519.75	15492.52

北京动力源科技股份有限公司

公司概况						
	公司名称	北京动力源科技股份有限公司			证券简称	动力源
	法人代表	何振亚	董秘	胡一元	证券代码	600405
	公司网址	www.dpc.com.cn		电子信箱	gyj@dpc.com.cn	
	电话	010-83681321		传真	010-63783054	
	办公地址	北京市丰台区科技园区星火路8号				
	经营范围	直流电源产品、交流电源产品及相关服务和集中监控系统产品及相关服务				

主要财务指标	指标\报告期	2016.06.30	2015.12.31	2015.06.30	2014.12.31
	基本每股收益(元)	-0.0520	0.1170	-0.0380	0.1080
	基本每股收益(扣除后)(元)	-0.0620	0.0970	-0.0520	0.0570
	稀释每股收益(元)	-0.0520	0.1170	-0.0380	0.1080
	每股净资产(元)	1.8031	1.8268	1.7212	1.7588
	每股经营现金净流量(元)	0.0145	0.0306	-0.0801	0.1010
	每股现金流量(元)	0.0356	0.0055	0.0361	-0.2340
	每股资本公积金(元)	0.4029	0.3750	0.2570	0.2570
	每股盈余公积金(元)	0.0785	0.0785	0.0731	0.0731
	每股未分配利润(元)	0.4694	0.5212	0.3910	0.4287
	净资产收益率(%)	-2.8732	6.2379	-2.1884	6.1280
	加权净资产收益率(%)	-2.8800	6.4700	-2.1600	6.2500
	净资产收益率(扣除)(%)	-3.4273	5.1424	-3.0209	3.2491
	总资产(万元)	263797.18	228102.54	202461.55	178284.67
	归属母公司股东权益(万元)	78965.41	80003.49	72958.83	74555.48
	营业收入(万元)	50232.34	111739.19	40924.09	93932.67
	营业支出(万元)	35173.73	75635.06	27924.66	62195.44
	投资收益(万元)	-32.78	2.00	2.10	-67.45
	净利润(万元)	-2264.35	5020.23	-1595.21	4600.19
	营业利润(万元)	-3290.40	3389.21	-2484.61	2378.24
	利润总额(万元)	-2057.93	4999.34	-1496.36	4576.94

国电南瑞科技股份有限公司

公司概况						
	公司名称	国电南瑞科技股份有限公司			证券简称	国电南瑞
	法人代表	奚国富	董秘	方飞龙	证券代码	600406
	公司网址	www.naritech.cn		电子信箱	stock@sgepri.sgcc.com.cn	
	电话	025-81087102		传真	025-83422355	
	办公地址	江苏省南京市江宁区诚信大道19号				
	经营范围	电网调度自动化、变电站自动化、农村电网自动化等				

主要财务指标	指标\报告期	2016.06.30	2015.12.31	2015.06.30	2014.12.31
	基本每股收益(元)	0.1200	0.5300	0.0100	0.5300
	基本每股收益(扣除后)(元)	0.1100	0.5200	0.0100	0.5200
	稀释每股收益(元)	0.1200	0.5300	0.0100	0.5300
	每股净资产(元)	3.1629	3.3200	2.7928	2.9400
	每股经营现金净流量(元)	-0.2228	0.4951	-0.2090	0.6972
	每股现金流量(元)	-0.5106	0.0604	-0.5540	0.4038
	每股资本公积金(元)	0.4728	0.4728	0.4728	0.4728
	每股盈余公积金(元)	0.2280	0.2280	0.2004	0.2004
	每股未分配利润(元)	1.4621	1.6166	1.1196	1.2693
	净资产收益率(%)	3.6513	16.1235	0.3674	17.9516
	加权净资产收益率(%)	3.4700	17.0900	0.3500	19.4000
	净资产收益率(扣除)(%)	3.5787	15.8167	0.3029	17.6549
	总资产(万元)	1529763.11	1629928.19	1308267.24	1479667.13
	归属母公司股东权益(万元)	768261.01	805790.86	678361.75	714732.46
	营业收入(万元)	377493.32	967801.35	279909.32	890700.19
	营业支出(万元)	301337.40	723990.81	234380.38	648437.15
	投资收益(万元)	-	-	-	-
	净利润(万元)	27835.75	132528.23	2570.12	130135.75
	营业利润(万元)	25890.90	127813.47	-1158.82	124822.18
	利润总额(万元)	33327.42	153248.49	4724.74	146122.02

山西安泰集团股份有限公司

公司概况					
公司名称	山西安泰集团股份有限公司			证券简称	安泰集团
法人代表	李猛	董秘	杨锦龙(代)	证券代码	600408
公司网址	www.antaigroup.com		电子信箱	securities_dpt@antaigroup.com	
电　话	0354-7531034		传　真	0354-7536786	
办公地址	山西省介休市义安镇				
经营范围	煤炭洗选、焦炭、生铁、水泥及其制品、电力的生产与销售				

主要财务指标

指标\报告期	2016.06.30	2015.12.31	2015.06.30	2014.12.31
基本每股收益(元)	-0.3500	0.0400	-0.2300	-0.6800
基本每股收益(扣除后)(元)	-0.3000	-0.4700	-0.2400	-0.7000
稀释每股收益(元)	-0.3500	0.0400	-0.2300	-0.6800
每股净资产(元)	1.1855	1.5359	1.2570	1.4907
每股经营现金净流量(元)	-0.0824	-0.3320	-0.2267	-0.7498
每股现金流量(元)	-0.1119	0.0285	-0.0015	-0.4337
每股资本公积金(元)	1.4532	1.4532	1.4433	1.4433
每股盈余公积金(元)	0.1316	0.1316	0.1316	0.1316
每股未分配利润(元)	-1.4014	-1.0493	-1.3215	-1.0870
净资产收益率(%)	-29.6997	2.4509	-18.6601	-45.3288
加权净资产收益率(%)	-25.8900	2.4900	-17.0800	-36.8200
净资产收益率(扣除)(%)	-25.7269	-30.9016	-19.4487	-46.8228
总资产(万元)	647566.13	661713.33	763558.84	776082.81
归属母公司股东权益(万元)	119357.47	154632.04	126552.36	150084.34
营业收入(万元)	94182.15	236953.93	113553.15	335724.93
营业支出(万元)	94043.51	229787.21	109383.11	324073.33
投资收益(万元)	-	6111.57	-0.02	-26.22
净利润(万元)	-36782.03	-8102.69	-29860.31	-85711.49
营业利润(万元)	-32162.24	-32588.89	-30823.62	-86395.43
利润总额(万元)	-36892.22	-7604.59	-29860.03	-85264.78

唐山三友化工股份有限公司

公司概况					
公司名称	唐山三友化工股份有限公司			证券简称	三友化工
法人代表	马连明	董秘	刘印江	证券代码	600409
公司网址	www.sanyou-chem.com.cn		电子信箱	zhengquanbu@sanyou-chem.com.cn	
电　话	0315-8519078		传　真	0315-8511006	
办公地址	河北省唐山市南堡开发区				
经营范围	生产和销售"三友"牌纯碱				

主要财务指标

指标\报告期	2016.06.30	2015.12.31	2015.06.30	2014.12.31
基本每股收益(元)	0.1588	0.2230	0.1024	0.2579
基本每股收益(扣除后)(元)	0.1641	0.2319	0.0920	0.2590
稀释每股收益(元)	0.1588	0.2230	0.1024	0.2579
每股净资产(元)	3.5055	3.4316	3.3927	3.2907
每股经营现金净流量(元)	0.2996	0.5311	0.2373	0.3835
每股现金流量(元)	-0.0934	0.0609	-0.0330	0.1274
每股资本公积金(元)	1.2783	1.2783	1.2783	1.2783
每股盈余公积金(元)	0.1375	0.1375	0.1264	0.1264
每股未分配利润(元)	1.0764	0.9976	0.9682	0.8657
净资产收益率(%)	4.5294	6.4980	3.0191	7.8363
加权净资产收益率(%)	4.6300	6.6200	3.0700	8.0900
净资产收益率(扣除)(%)	4.6805	6.7565	2.7111	7.8712
总资产(万元)	2027385.73	2034725.75	2030512.55	2002594.17
归属母公司股东权益(万元)	648648.80	634972.38	627781.84	608897.98
营业收入(万元)	734556.65	1369385.31	650727.55	1269535.07
营业支出(万元)	556758.24	1072071.50	520491.22	1013837.20
投资收益(万元)	6.57	118.26	114.58	198.50
净利润(万元)	30619.42	38411.71	17573.35	48504.87
营业利润(万元)	43586.05	53184.00	20534.88	63199.84
利润总额(万元)	42922.34	52808.95	23775.73	64242.51

北京华胜天成科技股份有限公司

公司概况					
公司名称	北京华胜天成科技股份有限公司			证券简称	华胜天成
法人代表	王维航	董秘	张月英	证券代码	600410
公司网址	www.teamsun.com.cn		电子信箱	securities@teamsun.com.cn	
电　话	010-80986666		传　真	010-80986020	
办公地址	北京市海淀区学东北旺西路软件园二期华胜天成科研大楼				
经营范围	电信、金融等行业用户提供系统集成及专业服务				

主要财务指标

指标\报告期	2016.06.30	2015.12.31	2015.06.30	2014.12.31
基本每股收益(元)	0.0366	0.0812	0.0613	0.1492
基本每股收益(扣除后)(元)	0.0324	0.0452	0.0539	0.0732
稀释每股收益(元)	0.0366	0.0811	0.0613	0.1492
每股净资产(元)	2.6400	3.6733	3.6380	3.6107
每股经营现金净流量(元)	-0.1743	0.5169	-0.2153	0.4311
每股现金流量(元)	-0.7372	-0.2317	-1.1842	0.5948
每股资本公积金(元)	0.4768	1.0644	1.0077	1.0033
每股盈余公积金(元)	0.2036	0.2851	0.2747	0.2747
每股未分配利润(元)	1.0509	1.4703	1.4793	1.4561
净资产收益率(%)	1.3793	2.1962	2.3428	4.1083
加权净资产收益率(%)	1.3800	2.2200	2.3400	4.1500
净资产收益率(扣除)(%)	1.2232	1.2229	2.0604	2.0161
总资产(万元)	642380.12	677763.37	653502.02	660811.86
归属母公司股东权益(万元)	237217.33	235724.86	233315.59	231561.56
营业收入(万元)	209195.78	479298.30	207673.64	427854.45
营业支出(万元)	170292.95	397744.24	168466.83	347578.67
投资收益(万元)	1200.65	5112.16	491.06	3985.59
净利润(万元)	3119.50	10631.16	4902.63	10546.83
营业利润(万元)	3260.91	7248.86	4821.22	9398.95
利润总额(万元)	3636.75	10528.50	5157.67	11612.68

浙江中国小商品城集团股份有限公司

公司概况					
公司名称	浙江中国小商品城集团股份有限公司			证券简称	小商品城
法人代表	朱旻	董秘	鲍江钱	证券代码	600415
公司网址	www.cccgroup.com.cn		电子信箱	600415@cccgroup.com.cn	
电　话	0579-85182700 85182812		传　真	0579-85197755	
办公地址	浙江省义乌市福田路 105 号海洋商务写字楼				
经营范围	市场网点经营、房地产开发销售、酒店服务、商品销售等				

主要财务指标

指标\报告期	2016.06.30	2015.12.31	2015.06.30	2014.12.31
基本每股收益(元)	0.1000	0.1300	0.0400	0.1500
基本每股收益(扣除后)(元)	0.1000	0.1200	0.0300	0.1200
稀释每股收益(元)	0.1000	0.1300	0.0400	0.1500
每股净资产(元)	1.7733	1.7404	1.6005	3.2399
每股经营现金净流量(元)	-0.1667	1.2541	0.1289	0.4160
每股现金流量(元)	-0.0475	-0.1467	-0.1072	0.2778
每股资本公积金(元)	0.2698	0.2698	0.2698	0.5396
每股盈余公积金(元)	0.1487	0.1487	0.1243	0.2485
每股未分配利润(元)	0.3234	0.2679	0.2065	1.4517
净资产收益率(%)	5.9507	7.2669	2.5358	4.6380
加权净资产收益率(%)	5.7400	7.5700	2.4700	4.6900
净资产收益率(扣除)(%)	5.9439	6.8930	2.0288	3.6489
总资产(万元)	2566228.59	2962784.72	2896380.12	2849840.53
归属母公司股东权益(万元)	965240.68	947313.43	871197.93	881762.68
营业收入(万元)	429605.08	569818.98	168554.84	384328.22
营业支出(万元)	254451.60	336232.47	83714.52	199256.32
投资收益(万元)	504.84	1956.99	1356.86	3190.95
净利润(万元)	55958.18	66275.32	21312.50	40646.35
营业利润(万元)	79531.00	96868.81	29772.09	54337.21
利润总额(万元)	76970.33	95046.39	29254.01	54398.71

湘潭电机股份有限公司

公司概况	公司名称	湘潭电机股份有限公司			证券简称	湘电股份
	法人代表	柳秀导	董秘	李怡文	证券代码	600416
	公司网址	www.xemc.com.cn			电子信箱	Lyw1119@.163.com
	电　话	0731-58595252			传　真	0731-58595252
	办公地址	湖南省湘潭市下摄司街 302 号				
	经营范围	大中型交直流电机(含特种电机)的开发、生产和销售业务等				

主要财务指标	指标\报告期	2016.06.30	2015.12.31	2015.06.30	2014.12.31
	基本每股收益(元)	0.1000	0.0900	-0.0900	0.0900
	基本每股收益(扣除后)(元)	-0.0100	0.0200	-0.1000	-0.0200
	稀释每股收益(元)	0.1000	0.0900	-0.0900	0.0900
	每股净资产(元)	5.2451	5.1690	5.0171	3.5036
	每股经营现金净流量(元)	-0.8265	0.4075	-0.9503	0.2277
	每股现金流量(元)	0.7367	0.2283	-0.3960	0.0463
	每股资本公积金(元)	3.4703	3.4703	3.4703	1.7062
	每股盈余公积金(元)	0.2604	0.2604	0.2544	0.3079
	每股未分配利润(元)	0.5577	0.4896	0.3518	0.5408
	净资产收益率(%)	1.8694	1.6520	-1.7638	2.5518
	加权净资产收益率(%)	1.8800	1.7900	-2.9700	2.5700
	净资产收益率(扣除)(%)	-0.1178	0.3080	-1.8523	-0.4625
	总资产(万元)	1951703.91	1849300.22	1849610.24	1668771.86
	归属母公司股东权益(万元)	389925.38	384267.11	372974.73	213185.76
	营业收入(万元)	504163.09	950041.24	436562.27	774943.62
	营业支出(万元)	441228.49	809629.20	383038.05	645175.28
	投资收益(万元)	986.47	3652.24	4.99	57.78
	净利润(万元)	6337.18	4653.74	-8431.44	5440.03
	营业利润(万元)	1069.92	3338.54	-9027.85	-2668.61
	利润总额(万元)	9045.94	6468.35	-8591.80	5620.60

安徽江淮汽车集团股份有限公司

公司概况	公司名称	安徽江淮汽车集团股份有限公司			证券简称	江淮汽车
	法人代表	安进	董秘	冯梁森	证券代码	600418
	公司网址	www.jac.com.cn			电子信箱	jqgf@jac.com.cn
	电　话	0551-62296835			传　真	0551-62296837
	办公地址	安徽省合肥市东流路 176 号				
	经营范围	汽车、汽车底盘及其汽车变速箱等零部件的开发、生产和销售				

主要财务指标	指标\报告期	2016.06.30	2015.12.31	2015.06.30	2014.12.31
	基本每股收益(元)	0.3900	0.5900	0.3700	0.3800
	基本每股收益(扣除后)(元)	0.3300	0.3800	0.3300	0.2400
	稀释每股收益(元)	0.3900	0.5900	0.3700	0.3800
	每股净资产(元)	5.9462	5.7513	5.5758	5.4479
	每股经营现金净流量(元)	0.9747	2.4215	0.9207	1.4743
	每股现金流量(元)	2.6819	0.9320	0.3374	-0.4834
	每股资本公积金(元)	0.8593	0.8869	0.9302	2.3521
	每股盈余公积金(元)	0.9755	0.9755	0.8599	0.9792
	每股未分配利润(元)	3.0526	2.8380	2.7369	2.8241
	净资产收益率(%)	6.6373	10.1905	6.5816	7.5528
	加权净资产收益率(%)	6.6800	10.5800	6.7000	7.6900
	净资产收益率(扣除)(%)	5.4734	6.2819	5.5518	4.3351
	总资产(万元)	4533150.59	3890380.02	3904069.79	3572455.21
	归属母公司股东权益(万元)	870062.40	841548.66	815865.58	777158.22
	营业收入(万元)	2639028.18	4638591.23	2350469.69	3891907.20
	营业支出(万元)	2385205.01	4121588.54	2035162.52	3351721.54
	投资收益(万元)	10063.97	11321.55	6397.78	12618.65
	净利润(万元)	59817.16	85546.65	55918.25	62624.84
	营业利润(万元)	-111435.42	-153375.00	-10990.43	-5149.95
	利润总额(万元)	67399.38	100679.14	65530.23	68332.61

新疆天润乳业股份有限公司

公司概况	公司名称	新疆天润乳业股份有限公司			证券简称	天润乳业
	法人代表	刘让	董秘	侯晓勤	证券代码	600419
	公司网址	www.xjth.cn			电子信箱	thwql@126.com
	电　话	0991-3960621			传　真	0991-3930026
	办公地址	新疆维吾尔自治区乌鲁木齐市经济技术开发区(头屯河区)乌昌公路 2702 号				
	经营范围	造纸、纸制品及纸料加工、销售、化工产品(有毒除外)、印刷物资的销售等				

主要财务指标	指标\报告期	2016.06.30	2015.12.31	2015.06.30	2014.12.31
	基本每股收益(元)	0.4900	0.5500	0.2300	0.1500
	基本每股收益(扣除后)(元)	0.4200	0.4900	0.2000	0.1100
	稀释每股收益(元)	0.4900	0.5500	0.2300	0.1500
	每股净资产(元)	6.8630	6.3700	3.3139	3.0844
	每股经营现金净流量(元)	0.6193	0.9720	0.5761	0.5700
	每股现金流量(元)	0.1542	0.7826	0.5683	0.1984
	每股资本公积金(元)	5.8619	5.8619	3.2628	3.2628
	每股盈余公积金(元)	0.1573	0.1573	0.1886	0.1886
	每股未分配利润(元)	-0.1562	-0.6492	-1.1374	-1.3670
	净资产收益率(%)	7.1835	7.7102	6.9260	4.7137
	加权净资产收益率(%)	7.4500	11.7000	7.1700	4.8300
	净资产收益率(扣除)(%)	6.0598	6.8943	5.9733	3.5043
	总资产(万元)	111255.26	107556.79	59035.47	49167.91
	归属母公司股东权益(万元)	71071.02	65965.67	28628.68	26645.85
	营业收入(万元)	43371.56	58856.81	25424.87	32651.49
	营业支出(万元)	29654.96	38981.68	17380.28	24720.91
	投资收益(万元)	-	-	-	-
	净利润(万元)	5495.24	5587.25	2375.69	1820.10
	营业利润(万元)	5653.15	5750.78	2527.50	1793.03
	利润总额(万元)	6323.65	6449.13	2839.46	2188.89

上海现代制药股份有限公司

公司概况	公司名称	上海现代制药股份有限公司			证券简称	现代制药
	法人代表	周斌	董秘	魏冬松	证券代码	600420
	公司网址	www.shyndec.com			电子信箱	xdzy_weidongsong@sinopharm.com
	电　话	021-52372865 52373839			传　真	021-62510787
	办公地址	上海市静安区北京西路 1320 号				
	经营范围	医药产品的开发、生产、经营、医药产品的代理销售				

主要财务指标	指标\报告期	2016.06.30	2015.12.31	2015.06.30	2014.12.31
	基本每股收益(元)	0.3085	0.7683	0.4267	0.6603
	基本每股收益(扣除后)(元)	0.2412	0.7263	0.3986	0.5359
	稀释每股收益(元)	0.3085	0.7683	0.4267	0.6603
	每股净资产(元)	4.8754	4.6168	4.2806	4.0562
	每股经营现金净流量(元)	0.4987	0.7877	-0.0463	0.8985
	每股现金流量(元)	-0.0821	0.0624	-0.1303	-0.0863
	每股资本公积金(元)	0.2503	0.2503	0.2551	0.2578
	每股盈余公积金(元)	0.3990	0.3990	0.3221	0.3221
	每股未分配利润(元)	3.2301	2.9716	2.7074	2.4802
	净资产收益率(%)	6.3284	16.6403	9.9674	16.2790
	加权净资产收益率(%)	6.4700	17.7200	9.9900	17.6900
	净资产收益率(扣除)(%)	4.9471	15.7308	9.3124	13.2121
	总资产(万元)	426494.79	413741.01	423141.51	380921.58
	归属母公司股东权益(万元)	140281.11	132842.17	123168.16	116709.60
	营业收入(万元)	136602.50	268224.47	144299.69	274883.57
	营业支出(万元)	67078.69	135834.86	74590.88	147379.58
	投资收益(万元)	-	396.65	-	-7.30
	净利润(万元)	13399.08	29155.49	16323.78	24753.50
	营业利润(万元)	14817.11	33769.00	19713.92	25296.83
	利润总额(万元)	18342.09	35262.70	20676.59	29713.98

湖北仰帆控股股份有限公司

公司概况	公司名称	湖北仰帆控股股份有限公司			证券简称	仰帆控股
	法人代表	周伟兴	董秘	闻彩兵	证券代码	600421
	公司网址			电子信箱		
	电　　话	027-87654767		传　　真	027-87654767	
	办公地址	湖北省武汉市武昌区武珞路 628 号亚洲贸易广场 B 座 22 层				
	经营范围	企业投资开发、房地产开发、经营				

主要财务指标

指标＼报告期	2016.06.30	2015.12.31	2015.06.30	2014.12.31
基本每股收益(元)	-0.0040	0.0010	0.0030	0.0100
基本每股收益(扣除后)(元)	-0.0047	0.0010	0.0015	0.0090
稀释每股收益(元)	-0.0040	0.0010	0.0030	0.0100
每股净资产(元)	0.0246	0.0289	0.0307	0.0279
每股经营现金净流量(元)	-0.0061	-0.0190	-0.0532	0.0101
每股现金流量(元)	-0.0067	-0.0527	-0.0565	-0.4766
每股资本公积金(元)	1.0013	1.0013	1.0013	1.0013
每股盈余公积金(元)	0.1433	0.1433	0.1433	0.1433
每股未分配利润(元)	-2.1200	-2.1157	-2.1139	-2.1167
净资产收益率(%)	-17.1986	3.3121	9.2302	39.7609
加权净资产收益率(%)	-17.2000	3.3700	9.2300	49.6300
净资产收益率(扣除)(%)	-19.2725	3.2164	4.9386	31.8910
总资产(万元)	7685.03	7913.46	8314.70	9254.66
归属母公司股东权益(万元)	481.55	564.37	601.17	545.68
营业收入(万元)	1346.87	2785.24	1793.86	4411.30
营业支出(万元)	1212.93	1820.68	1033.57	2939.45
投资收益(万元)	-	-	-	0.15
净利润(万元)	-85.61	107.52	103.75	367.62
营业利润(万元)	-89.64	197.42	146.27	472.38
利润总额(万元)	-79.65	225.85	172.07	516.26

昆药集团股份有限公司

公司概况	公司名称	昆药集团股份有限公司			证券简称	昆药集团
	法人代表	戴晓畅	董秘	徐朝能	证券代码	600422
	公司网址	www.kpc.com.cn		电子信箱	irm.kpc@holley.cn	
	电　　话	0871-8324311　68311968		传　　真	0871-8324267	
	办公地址	云南省昆明市国家高新技术开发区科医路 166 号				
	经营范围	天然植物药的生产经营和外购药品的批发零售				

主要财务指标

指标＼报告期	2016.06.30	2015.12.31	2015.06.30	2014.12.31
基本每股收益(元)	0.3149	1.0672	0.3243	0.7324
基本每股收益(扣除后)(元)	0.2854	1.0640	0.2895	0.7350
稀释每股收益(元)	0.3149	1.0672	0.3243	0.7324
每股净资产(元)	4.2867	8.3981	6.1024	5.6408
每股经营现金净流量(元)	0.1489	1.2086	0.6342	1.1834
每股现金流量(元)	-0.2221	0.1356	0.4129	0.6337
每股资本公积金(元)	1.7940	4.5880	2.4801	3.0780
每股盈余公积金(元)	0.1905	0.3811	0.3390	0.3422
每股未分配利润(元)	1.3223	2.4248	2.2744	1.8377
净资产收益率(%)	7.3462	12.7078	10.3642	15.1870
加权净资产收益率(%)	7.3500	18.3700	9.9300	14.1700
净资产收益率(扣除)(%)	6.6574	11.3877	9.4857	13.0291
总资产(万元)	498915.33	494827.10	330090.03	351762.28
归属母公司股东权益(万元)	338088.33	331176.06	208172.37	213712.78
营业收入(万元)	249998.75	491568.59	218853.00	431576.48
营业支出(万元)	154731.78	321982.99	139764.34	301099.16
投资收益(万元)	1486.55	1382.11	978.60	2255.51
净利润(万元)	24951.42	43131.52	22703.89	30803.90
营业利润(万元)	28651.09	46541.86	25360.32	33275.31
利润总额(万元)	29516.68	50591.49	26739.60	36957.83

柳州化工股份有限公司

公司概况	公司名称	柳州化工股份有限公司			证券简称	柳化股份
	法人代表	覃永强	董秘	龙立萍	证券代码	600423
	公司网址	www.lzhg.cn		电子信箱	lhgf@vip.163.com	
	电　　话	0772-2519434		传　　真	0772-2510401	
	办公地址	广西壮族自治区柳州市北雀路 67 号				
	经营范围	以煤为原料、以合成氨为中间产品的系列氨加工产品的生产和销售				

主要财务指标

指标＼报告期	2016.06.30	2015.12.31	2015.06.30	2014.12.31
基本每股收益(元)	-0.6000	-1.2200	-0.3300	0.0200
基本每股收益(扣除后)(元)	-0.5900	-1.2600	-0.3400	-0.0400
稀释每股收益(元)	-	-	-	-
每股净资产(元)	1.3759	1.9710	2.9726	3.2618
每股经营现金净流量(元)	0.4963	0.2018	0.2658	1.2205
每股现金流量(元)	0.3814	-0.8581	-0.4658	0.5617
每股资本公积金(元)	1.2753	1.2753	1.2975	1.2975
每股盈余公积金(元)	0.2232	0.2232	0.2232	0.2232
每股未分配利润(元)	-1.1310	-0.5314	0.4410	0.7344
净资产收益率(%)	-43.5777	-61.6888	-8.1884	0.6749
加权净资产收益率(%)	-35.8800	-46.2500	-10.7800	0.5600
净资产收益率(扣除)(%)	-43.0689	-64.0263	-8.4070	-1.2077
总资产(万元)	457402.48	478836.89	521621.08	533525.12
归属母公司股东权益(万元)	54945.15	78709.96	118711.21	130260.71
营业收入(万元)	112055.35	262936.62	135647.83	310013.32
营业支出(万元)	111671.38	254527.24	126009.03	259798.97
投资收益(万元)	-	-261.31	-	343.47
净利润(万元)	-23943.83	-48555.24	-13319.32	860.85
营业利润(万元)	-23399.13	-51081.47	-14336.35	1222.30
利润总额(万元)	-23713.54	-49417.44	-13671.15	1804.91

新疆青松建材化工(集团)股份有限公司

公司概况	公司名称	新疆青松建材化工(集团)股份有限公司			证券简称	青松建化
	法人代表	甘军	董秘	尹华军	证券代码	600425
	公司网址	www.xjqscc.com		电子信箱	yhj0186@sina.com	
	电　　话	0997-2813793　2811282		传　　真	0997-2811675	
	办公地址	新疆维吾尔自治区阿克苏市林园				
	经营范围	水泥及水泥制品的生产和销售				

主要财务指标

指标＼报告期	2016.06.30	2015.12.31	2015.06.30	2014.12.31
基本每股收益(元)	-0.1240	-0.4900	-0.1690	0.0040
基本每股收益(扣除后)(元)	-0.1290	-0.4800	-0.1690	-0.1400
稀释每股收益(元)	-0.1240	-0.4900	-0.1690	0.0040
每股净资产(元)	3.1927	3.3159	3.6410	3.8494
每股经营现金净流量(元)	0.0901	0.0486	-0.1350	0.3676
每股现金流量(元)	0.0272	-0.2310	0.0699	0.1460
每股资本公积金(元)	2.3221	2.3221	2.3221	2.3221
每股盈余公积金(元)	0.0951	0.0951	0.0951	0.0951
每股未分配利润(元)	-0.2267	-0.1025	0.2225	0.4313
净资产收益率(%)	-3.8895	-14.8907	-4.6345	0.1214
加权净资产收益率(%)	-3.8160	-13.7800	-4.4900	0.1200
净资产收益率(扣除)(%)	-4.0338	-14.4834	-4.6360	-3.6451
总资产(万元)	1108284.44	1119803.58	1232886.05	1227846.80
归属母公司股东权益(万元)	440213.19	457197.13	502012.47	530748.78
营业收入(万元)	72815.81	175477.29	82503.01	273137.70
营业支出(万元)	66327.95	189872.65	85052.68	261870.92
投资收益(万元)	-313.29	838.66	126.36	2748.68
净利润(万元)	-25248.45	-93136.05	-33650.59	-11840.19
营业利润(万元)	-27499.19	-97062.47	-34726.55	-47752.31
利润总额(万元)	-24579.84	-92180.52	-33256.42	-10035.58

山东华鲁恒升化工股份有限公司

公司概况	公司名称	山东华鲁恒升化工股份有限公司		证券简称	华鲁恒升
	法人代表	常怀春	董秘 高文军	证券代码	600426
	公司网址	www.hl-hengsheng.com		电子信箱	hlhs2465031@126.com
	电　话	0534-2465426		传　真	0534-2465017
	办公地址	山东省德州市德城区天衢西路 24 号			
	经营范围	尿素、DMF 和三甲胺的生产和销售			

主要财务指标	指标＼报告期	2016.06.30	2015.12.31	2015.06.30	2014.12.31
	基本每股收益(元)	0.3930	0.9490	0.4220	0.8440
	基本每股收益(扣除后)(元)	0.3950	0.9450	0.4190	0.8430
	稀释每股收益(元)	0.3930	0.9490	0.4220	0.8440
	每股净资产(元)	6.2358	7.6909	7.3375	6.9344
	每股经营现金净流量(元)	0.5846	2.5123	1.3521	1.6847
	每股现金流量(元)	0.2066	-0.5470	0.2058	0.2770
	每股资本公积金(元)	1.8960	2.4633	2.4413	2.4413
	每股盈余公积金(元)	0.4287	0.5573	0.4655	0.4655
	每股未分配利润(元)	2.9400	3.7110	3.4292	3.0276
	净资产收益率(%)	6.3038	12.2672	7.5182	12.1647
	加权净资产收益率(%)	6.4300	12.9800	7.6500	12.9200
	净资产收益率(扣除)(%)	6.3305	12.2202	7.4638	12.1598
	总资产(万元)	1209001.96	1160859.68	1282648.85	1304996.45
	归属母公司股东权益(万元)	777301.95	737452.82	699723.06	661279.69
	营业收入(万元)	388049.87	865129.61	467339.81	971012.19
	营业支出(万元)	306031.15	688554.84	370296.78	806805.07
	投资收益(万元)	-	-	-	-
	净利润(万元)	48999.46	90464.94	52606.36	80442.80
	营业利润(万元)	57996.78	106334.49	61620.18	95456.50
	利润总额(万元)	57752.66	106742.39	62067.72	95494.48

中远海运特种运输股份有限公司

公司概况	公司名称	中远海运特种运输股份有限公司		证券简称	中远海特
	法人代表	孙家康	董秘 李建雄	证券代码	600428
	公司网址	www.coscol.com.cn		电子信箱	lijianxiong@coscol.com.cn
	电　话	020-38161888		传　真	020-38162888
	办公地址	广东省广州市天河区珠江新城花城大道 20 号广州远洋大厦 15-26 楼			
	经营范围	远洋及沿海运输			

主要财务指标	指标＼报告期	2016.06.30	2015.12.31	2015.06.30	2014.12.31
	基本每股收益(元)	0.0020	0.0860	0.2320	0.1170
	基本每股收益(扣除后)(元)	-0.0080	-0.0520	0.0600	0.0220
	稀释每股收益(元)	0.0020	0.0860	0.2320	0.1170
	每股净资产(元)	4.2793	3.9435	4.0740	3.8620
	每股经营现金净流量(元)	0.1350	0.6088	0.3745	0.4613
	每股现金流量(元)	0.6761	-0.4108	-0.5303	0.0120
	每股资本公积金(元)	1.9945	1.3336	1.3336	1.3336
	每股盈余公积金(元)	0.3839	0.4874	0.4756	0.4756
	每股未分配利润(元)	1.0667	1.3646	1.5221	1.3104
	净资产收益率(%)	0.0480	2.1839	5.6892	3.0302
	加权净资产收益率(%)	0.0500	2.2100	5.8300	3.0400
	净资产收益率(扣除)(%)	-0.1910	-1.3170	1.4663	0.5739
	总资产(万元)	2088665.82	1794307.77	1732370.16	1789102.01
	归属母公司股东权益(万元)	918623.76	666619.25	688683.12	652847.85
	营业收入(万元)	283986.36	684050.25	363123.61	766332.26
	营业支出(万元)	246539.32	616375.43	319654.37	697545.26
	投资收益(万元)	1281.38	36349.18	38710.68	9256.75
	净利润(万元)	631.29	14570.29	38841.68	19646.73
	营业利润(万元)	1042.76	24151.85	44891.23	763.58
	利润总额(万元)	3673.36	27799.79	53880.34	21965.31

北京三元食品股份有限公司

公司概况	公司名称	北京三元食品股份有限公司		证券简称	三元股份
	法人代表	谷子	董秘 常毅	证券代码	600429
	公司网址	www.sanyuan.com.cn		电子信箱	zhengquanbu@sanyuan.com.cn
	电　话	010-56306020 56306096		传　真	010-56306655
	办公地址	北京市大兴区瀛海瀛昌街 8 号			
	经营范围	乳及乳制品的生产、销售业务			

主要财务指标	指标＼报告期	2016.06.30	2015.12.31	2015.06.30	2014.12.31
	基本每股收益(元)	0.1024	0.0564	0.0392	0.0619
	基本每股收益(扣除后)(元)	0.0235	-0.0041	0.0193	-0.2964
	稀释每股收益(元)	0.1024	0.0564	0.0392	0.0619
	每股净资产(元)	3.8453	3.7427	3.7300	1.7679
	每股经营现金净流量(元)	0.1053	0.2877	0.1459	0.0786
	每股现金流量(元)	-0.6814	2.3027	0.9840	0.1354
	每股资本公积金(元)	2.8457	2.8457	2.8509	1.0282
	每股盈余公积金(元)	0.0507	0.0507	0.0507	0.0858
	每股未分配利润(元)	-0.0523	-0.1547	-0.1726	-0.3482
	净资产收益率(%)	2.6626	1.4047	0.8876	3.4053
	加权净资产收益率(%)	2.7000	1.6000	1.1700	3.4500
	净资产收益率(扣除)(%)	0.6104	-0.1015	0.4278	-16.8509
	总资产(万元)	805502.08	758623.72	746929.10	417999.26
	归属母公司股东权益(万元)	575858.43	560497.63	558586.51	156463.00
	营业收入(万元)	229942.83	454986.53	222974.82	450247.71
	营业支出(万元)	156779.34	316177.94	155713.47	337776.57
	投资收益(万元)	4043.59	6667.49	2810.82	-3161.72
	净利润(万元)	13844.60	7618.73	4800.19	3850.67
	营业利润(万元)	3110.13	6678.09	3140.81	-29507.53
	利润总额(万元)	14233.10	8667.95	3598.85	2189.12

吉林吉恩镍业股份有限公司

公司概况	公司名称	吉林吉恩镍业股份有限公司		证券简称	*ST 吉恩
	法人代表	吴术	董秘 王行龙	证券代码	600432
	公司网址	www.jlnickel.com.cn		电子信箱	zhq@jlnickel.com.cn
	电　话	0432-65610887		传　真	0432-65614429
	办公地址	吉林省磐石市红旗岭镇红旗大街 54 号			
	经营范围	硫酸镍、高冰镍、电解镍、氢氧化镍、氯化镍、硫酸铜、铜精矿等			

主要财务指标	指标＼报告期	2016.06.30	2015.12.31	2015.06.30	2014.12.31
	基本每股收益(元)	-0.3200	-1.7900	-0.2200	-0.5300
	基本每股收益(扣除后)(元)	-0.3300	-1.8100	-0.2200	-0.5400
	稀释每股收益(元)	-0.3200	-1.7900	-0.2200	-0.5300
	每股净资产(元)	2.9471	3.2593	4.8824	5.1135
	每股经营现金净流量(元)	0.1614	0.4753	0.1146	-0.4370
	每股现金流量(元)	-0.5079	-0.1490	0.1191	0.4216
	每股资本公积金(元)	3.8985	3.8985	3.8984	3.8984
	每股盈余公积金(元)	0.1419	0.1419	0.1419	0.1419
	每股未分配利润(元)	-1.7983	-1.4743	0.0967	0.3149
	净资产收益率(%)	-10.9922	-54.8978	-4.4701	-6.5656
	加权净资产收益率(%)	-10.4500	-42.4200	-4.3600	-13.0200
	净资产收益率(扣除)(%)	-11.1489	-55.6441	-4.5551	-6.6178
	总资产(万元)	1595233.08	1793508.78	2604073.35	2645408.84
	归属母公司股东权益(万元)	472626.51	522702.32	783007.42	820067.86
	营业收入(万元)	122520.76	319559.67	225238.13	353727.68
	营业支出(万元)	115029.67	354101.46	203820.34	286633.43
	投资收益(万元)	-106.43	647.78	1126.77	-1154.17
	净利润(万元)	-52266.54	-299918.26	-38643.71	-60702.74
	营业利润(万元)	-62647.34	-339558.51	-44128.65	-78526.83
	利润总额(万元)	-61777.11	-336221.32	-43339.49	-78359.33

广东冠豪高新技术股份有限公司

公司概况						
	公司名称	广东冠豪高新技术股份有限公司			证券简称	冠豪高新
	法人代表	张强	董秘	杨映辉	证券代码	600433
	公司网址	www.guanhao.com		电子信箱	guanhao@guanhao.com	
	电　话	0759-2820938　3399898		传　真	0759-2820680	
	办公地址	广东省湛江市东海岛东海大道 313 号				
	经营范围	生产和销售热敏记录纸、无碳复写纸及其微胶囊				

主要财务指标	指标\报告期	2016.06.30	2015.12.31	2015.06.30	2014.12.31
	基本每股收益(元)	0.0300	0.0300	0.0100	0.1100
	基本每股收益(扣除后)(元)	0.0290	0.0200	0.0019	0.0500
	稀释每股收益(元)	0.0300	0.0300	0.0100	0.1100
	每股净资产(元)	1.9372	1.9147	1.8964	1.4726
	每股经营现金净流量(元)	0.0240	0.1506	0.0316	0.1137
	每股现金流量(元)	-0.0966	0.0810	0.0499	-0.1217
	每股资本公积金(元)	0.5474	0.5474	0.5474	0.0791
	每股盈余公积金(元)	0.0606	0.0606	0.0583	0.0622
	每股未分配利润(元)	0.3293	0.3067	0.2908	0.3312
	净资产收益率(%)	1.6799	1.5102	0.5638	7.1852
	加权净资产收益率(%)	1.6900	1.5900	0.6500	7.3200
	净资产收益率(扣除)(%)	1.4971	1.2168	0.1006	3.5741
	总资产(万元)	412134.31	399255.58	378774.52	352359.84
	归属母公司股东权益(万元)	246280.80	243414.81	241098.06	175276.95
	营业收入(万元)	84239.64	129522.33	50335.36	96263.23
	营业支出(万元)	67817.18	104371.18	40184.91	72167.69
	投资收益(万元)	74.95	462.92	202.46	673.48
	净利润(万元)	3931.90	3484.43	1228.59	13204.96
	营业利润(万元)	4479.21	1777.11	397.03	7134.57
	利润总额(万元)	5006.43	4265.56	1714.46	15517.85

北方导航控制技术股份有限公司

公司概况						
	公司名称	北方导航控制技术股份有限公司			证券简称	北方导航
	法人代表	苏立航	董秘	赵晗	证券代码	600435
	公司网址	www.bfdh.com.cn		电子信箱	600435@bfdh.com.cn	
	电　话	010-58089788		传　真	010-58089552	
	办公地址	北京市北京经济技术开发区科创十五街 2 号				
	经营范围	惯性导航制导类产品、精密光机电一体化产品、遥感信息系统技术产品等				

主要财务指标	指标\报告期	2016.06.30	2015.12.31	2015.06.30	2014.12.31
	基本每股收益(元)	0.0027	0.0500	0.0050	0.0400
	基本每股收益(扣除后)(元)	-0.0020	0.0400	0.0003	-0.0500
	稀释每股收益(元)	0.0027	0.0500	0.0050	0.0400
	每股净资产(元)	1.3614	2.7652	2.7172	2.7113
	每股经营现金净流量(元)	-0.3047	0.3540	-0.4549	0.3287
	每股现金流量(元)	-0.3175	0.1249	-0.7044	0.2193
	每股资本公积金(元)	0.0471	1.0943	1.0413	1.0413
	每股盈余公积金(元)	0.0562	0.1124	0.1124	0.1124
	每股未分配利润(元)	0.2558	0.5563	0.5594	0.5545
	净资产收益率(%)	0.1978	1.8737	0.1823	1.6101
	加权净资产收益率(%)	0.1950	1.9000	0.1830	1.4200
	净资产收益率(扣除)(%)	-0.1494	1.5747	0.0125	-1.7367
	总资产(万元)	431855.53	438281.53	385611.37	410249.94
	归属母公司股东权益(万元)	202758.65	205910.08	202338.46	201896.73
	营业收入(万元)	70715.87	184932.23	54190.71	160626.73
	营业支出(万元)	51253.10	138623.07	36766.74	116161.33
	投资收益(万元)	-	1.02	-	1277.87
	净利润(万元)	4163.39	10773.81	2873.39	11315.85
	营业利润(万元)	3545.88	11222.47	3052.61	6136.79
	利润总额(万元)	5351.66	12885.11	3523.45	13046.22

漳州片仔癀药业股份有限公司

公司概况						
	公司名称	漳州片仔癀药业股份有限公司			证券简称	片仔癀
	法人代表	刘建顺	董秘	陈金城	证券代码	600436
	公司网址	www.zzpzh.com		电子信箱	pzhych@zzpzh.com	
	电　话	0596-2305239　2301955		传　真	0596-2300313	
	办公地址	福建省漳州市芗城区上街 1 号				
	经营范围	片仔癀、茵胆平肝胶囊、清热止咳颗粒心舒宝片等中成药的生产经营				

主要财务指标	指标\报告期	2016.06.30	2015.12.31	2015.06.30	2014.12.31
	基本每股收益(元)	0.5100	1.1600	0.4200	1.0900
	基本每股收益(扣除后)(元)	0.5000	1.1400	0.4100	0.9500
	稀释每股收益(元)	0.5100	1.1600	0.4200	1.0900
	每股净资产(元)	5.3332	7.8451	7.4851	18.0778
	每股经营现金净流量(元)	0.3078	0.7596	0.2915	1.6440
	每股现金流量(元)	-0.1750	0.5518	-0.1622	0.4155
	每股资本公积金(元)	1.0063	2.0095	2.0090	6.3939
	每股盈余公积金(元)	0.5049	0.7573	0.6408	1.6020
	每股未分配利润(元)	2.6618	3.5804	3.1639	7.2321
	净资产收益率(%)	9.4927	14.7898	8.3796	15.0881
	加权净资产收益率(%)	9.3800	15.4300	8.3100	16.7900
	净资产收益率(扣除)(%)	9.4499	14.5591	8.3145	13.1185
	总资产(万元)	425322.57	405492.24	375803.34	364963.72
	归属母公司股东权益(万元)	321759.38	315538.55	301061.26	290843.93
	营业收入(万元)	96043.31	188567.47	81385.15	145386.98
	营业支出(万元)	39194.10	99930.63	38466.05	72815.83
	投资收益(万元)	683.43	1150.98	1474.84	6250.76
	净利润(万元)	30904.70	46334.06	25238.42	43789.07
	营业利润(万元)	36185.11	54159.43	29641.57	50815.08
	利润总额(万元)	36319.22	54970.22	29866.52	51760.13

通威股份有限公司

公司概况						
	公司名称	通威股份有限公司			证券简称	通威股份
	法人代表	刘汉元	董秘	严虎	证券代码	600438
	公司网址	www.tongwei.com.cn		电子信箱	yanhu@tongwei.com	
	电　话	028-86168571　86168552		传　真	028-85199999	
	办公地址	四川省成都市高新区天府大道中段 588 号通威国际中心				
	经营范围	生产、销售饲料及饲料添加剂				

主要财务指标	指标\报告期	2016.06.30	2015.12.31	2015.06.30	2014.12.31
	基本每股收益(元)	0.1122	0.4053	0.0457	0.4030
	基本每股收益(扣除后)(元)	0.1099	0.3811	0.0567	0.3787
	稀释每股收益(元)	0.1122	0.4053	0.0457	0.4030
	每股净资产(元)	2.6374	3.0596	2.7595	2.8507
	每股经营现金净流量(元)	0.5684	1.2455	0.9374	0.7094
	每股现金流量(元)	0.6086	-0.4420	0.2319	0.4720
	每股资本公积金(元)	1.3842	2.4601	0.5563	0.5568
	每股盈余公积金(元)	0.0909	0.2739	0.2360	0.2360
	每股未分配利润(元)	0.1763	1.9503	1.0285	1.1147
	净资产收益率(%)	3.5627	7.4993	4.1233	14.1368
	加权净资产收益率(%)	5.3700	13.8000	3.9600	14.2900
	净资产收益率(扣除)(%)	3.4405	12.4567	4.1104	13.2828
	总资产(万元)	1367906.67	1555437.20	682887.85	617929.07
	归属母公司股东权益(万元)	649100.64	460171.25	225481.40	232934.60
	营业收入(万元)	696109.04	1407924.65	639953.01	1540893.06
	营业支出(万元)	587712.42	1219567.57	566779.45	1366118.80
	投资收益(万元)	651.57	835.37	403.01	5777.25
	净利润(万元)	22763.51	34157.30	9650.97	33726.51
	营业利润(万元)	25179.01	38284.44	10795.37	37497.31
	利润总额(万元)	27481.20	42277.70	11312.47	42008.99

河南瑞贝卡发制品股份有限公司

公司概况	公司名称	河南瑞贝卡发制品股份有限公司			证券简称	瑞贝卡
	法人代表	郑有全	董秘	胡丽平	证券代码	600439
	公司网址	www.rebecca.com.cn		电子信箱	rbk600439@rebeccafashion.cn	
	电　话	0374-5136699		传　真	0374-5166016	
	办公地址	河南省许昌市瑞贝卡大道 666 号				
	经营范围	发制品的生产和销售				

	指标＼报告期	2016.06.30	2015.12.31	2015.06.30	2014.12.31
主要财务指标	基本每股收益(元)	0.0808	0.1499	0.0891	0.1657
	基本每股收益(扣除后)(元)	0.0800	0.1480	0.0884	0.1600
	稀释每股收益(元)	0.0808	0.1499	0.0891	0.1657
	每股净资产(元)	2.4132	2.4828	2.4278	2.3978
	每股经营现金净流量(元)	0.2823	0.0332	–0.0740	–0.0481
	每股现金流量(元)	–0.4372	0.4361	0.2826	–0.2723
	每股资本公积金(元)	0.4634	0.4634	0.4634	0.4634
	每股盈余公积金(元)	0.1844	0.1844	0.1743	0.1743
	每股未分配利润(元)	1.1138	1.0830	1.0323	0.9832
	净资产收益率(%)	3.3490	6.0369	3.6692	6.9113
	加权净资产收益率(%)	3.2700	6.1100	3.6600	6.8600
	净资产收益率(扣除)(%)	3.3155	5.9593	3.6396	6.7273
	总资产(万元)	421404.15	487892.90	466123.19	427773.31
	归属母公司股东权益(万元)	227637.84	234205.92	229022.40	226187.98
	营业收入(万元)	95638.25	194519.20	104266.50	193226.00
	营业支出(万元)	65890.30	136435.43	76454.77	143518.11
	投资收益(万元)	–	–	–	–
	净利润(万元)	7622.13	14131.26	8388.63	15574.56
	营业利润(万元)	8475.34	12168.71	6283.79	3711.10
	利润总额(万元)	9008.91	15939.12	9367.54	18007.82

国机通用机械科技股份有限公司

公司概况	公司名称	国机通用机械科技股份有限公司			证券简称	国机通用
	法人代表	陈学东	董秘	钱俊	证券代码	600444
	公司网址	www.guotone.com		电子信箱	gt600444@126.com	
	电　话	0551-63817860		传　真	0551-63817000	
	办公地址	安徽省合肥市经济技术开发区莲花路 593 号				
	经营范围	PVC 波纹管、PE 波纹管、燃气管、给水管的研发、生产、销售业务				

	指标＼报告期	2016.06.30	2015.12.31	2015.06.30	2014.12.31
主要财务指标	基本每股收益(元)	–0.0860	0.2100	–0.0980	0.1500
	基本每股收益(扣除后)(元)	–0.0950	0.1100	–0.0610	–0.1500
	稀释每股收益(元)	–0.0860	0.2100	–0.0980	0.1500
	每股净资产(元)	2.1492	2.2336	–0.2964	–0.2251
	每股经营现金净流量(元)	0.0286	0.6233	–0.1011	0.1146
	每股现金流量(元)	–0.1377	–0.6924	–0.0980	–0.1597
	每股资本公积金(元)	2.7470	2.7470	1.0516	2.7470
	每股盈余公积金(元)	0.1090	0.1090	0.1520	0.1090
	每股未分配利润(元)	–1.7120	–1.6261	–2.5013	–1.8323
	净资产收益率(%)	–3.9959	9.2333	0.2430	1.2089
	加权净资产收益率(%)	–3.9200	9.6800	–	–
	净资产收益率(扣除)(%)	–4.4187	4.7303	25.4676	124.1208
	总资产(万元)	83630.96	87386.73	44808.64	96246.02
	归属母公司股东权益(万元)	31469.50	32704.88	–3112.58	29669.19
	营业收入(万元)	22802.59	72667.73	15465.24	37742.09
	营业支出(万元)	19651.87	56962.30	13406.69	33385.49
	投资收益(万元)	–	–	–	–
	净利润(万元)	–1401.92	2616.84	–882.88	–3207.09
	营业利润(万元)	–1427.63	3038.89	–936.47	–3365.39
	利润总额(万元)	–1260.20	3426.58	–893.86	–3289.11

深圳市金证科技股份有限公司

公司概况	公司名称	深圳市金证科技股份有限公司			证券简称	金证股份
	法人代表	赵剑	董秘	王凯	证券代码	600446
	公司网址	www.szkingdom.com		电子信箱	wangkai@szkingdom.com	
	电　话	0755-86393989		传　真	0755-86393986	
	办公地址	广东省深圳市南山区高新南五道金证科技大楼 8-9 层				
	经营范围	金融证券软件、系统集成及服务				

	指标＼报告期	2016.06.30	2015.12.31	2015.06.30	2014.12.31
主要财务指标	基本每股收益(元)	0.0451	0.3100	0.0986	0.1900
	基本每股收益(扣除后)(元)	0.0385	0.2800	0.0839	0.1800
	稀释每股收益(元)	0.0451	0.3100	0.0986	0.1900
	每股净资产(元)	1.5240	1.5452	4.0890	3.1545
	每股经营现金净流量(元)	–0.3840	0.2160	–0.3859	0.3799
	每股现金流量(元)	0.1597	0.2996	1.2090	–0.2248
	每股资本公积金(元)	0.0121	0.0121	1.0198	0.1919
	每股盈余公积金(元)	0.1139	0.1145	0.2861	0.2698
	每股未分配利润(元)	0.3981	0.4122	1.7831	1.6928
	净资产收益率(%)	2.9595	19.8517	7.2710	18.3008
	加权净资产收益率(%)	2.9100	23.7800	9.4100	20.3400
	净资产收益率(扣除)(%)	2.5268	18.2743	6.1885	17.9175
	总资产(万元)	321470.75	305526.21	248803.49	191882.50
	归属母公司股东权益(万元)	127257.77	128326.05	113196.86	83795.70
	营业收入(万元)	148266.44	261487.99	104032.35	236804.28
	营业支出(万元)	114280.99	195590.41	77931.87	185570.19
	投资收益(万元)	–773.23	1063.49	772.78	–271.64
	净利润(万元)	4588.92	27868.85	9132.48	17707.78
	营业利润(万元)	3824.37	29296.61	9136.69	19271.82
	利润总额(万元)	4918.55	31213.15	9822.42	19857.77

华纺股份有限公司

公司概况	公司名称	华纺股份有限公司			证券简称	华纺股份
	法人代表	王力民	董秘	丁泽涛	证券代码	600448
	公司网址	www.hfgf.cn		电子信箱	hfzqb@hfgf.cn	
	电　话	0543-3288398		传　真	0543-3288555	
	办公地址	山东省滨州市黄河二路 819 号				
	经营范围	棉纺、毛纺、印染产品的生产、加工、销售和进出口贸易				

	指标＼报告期	2016.06.30	2015.12.31	2015.06.30	2014.12.31
主要财务指标	基本每股收益(元)	0.0100	0.0300	0.0200	0.0600
	基本每股收益(扣除后)(元)	0.0100	0.0200	0.0200	0.0400
	稀释每股收益(元)	0.0100	0.0300	0.0200	0.0600
	每股净资产(元)	1.9973	1.9837	1.9781	1.9600
	每股经营现金净流量(元)	0.0911	0.1476	0.1191	0.0896
	每股现金流量(元)	–0.0145	–0.0650	0.0665	–0.3037
	每股资本公积金(元)	1.5504	1.5504	1.5504	1.5504
	每股盈余公积金(元)	0.0188	0.0188	0.0188	0.0188
	每股未分配利润(元)	–0.5698	–0.5840	–0.5910	–0.6136
	净资产收益率(%)	0.7116	1.4956	1.1438	2.9440
	加权净资产收益率(%)	0.7100	1.5100	1.1500	3.3800
	净资产收益率(扣除)(%)	0.6959	1.1345	1.2094	1.9384
	总资产(万元)	266812.90	242946.04	236162.76	211871.91
	归属母公司股东权益(万元)	84357.76	83782.53	83548.77	82594.73
	营业收入(万元)	108089.46	227483.06	109173.42	225031.11
	营业支出(万元)	100003.90	211289.82	101374.71	206336.61
	投资收益(万元)	–	–	–	–
	净利润(万元)	600.26	1253.06	955.63	2279.53
	营业利润(万元)	608.82	1126.93	1010.48	1478.17
	利润总额(万元)	622.07	1434.77	955.63	2308.80

宁夏建材集团股份有限公司

公司概况	公司名称	宁夏建材集团股份有限公司		证券简称	宁夏建材
	法人代表	尹自波	董秘 武雄	证券代码	600449
	公司网址	www.saimasy.com		电子信箱	wuxiong@sinoma.cn
	电　话	0951-2085256 2052215		传　真	0951-2085256
	办公地址	宁夏回族自治区银川市金凤区人民广场东街 219 号建材大厦			
	经营范围	水泥及水泥熟料的生产与销售			

主要财务指标 指标 \ 报告期	2016.06.30	2015.12.31	2015.06.30	2014.12.31
基本每股收益(元)	-0.0900	0.0400	-0.0900	0.5700
基本每股收益(扣除后)(元)	-0.1017	0.0100	-0.1100	0.5400
稀释每股收益(元)	-0.0900	0.0400	-0.0900	0.5700
每股净资产(元)	8.6105	8.7111	8.5968	8.8588
每股经营现金净流量(元)	0.2918	0.6471	0.2383	1.0313
每股现金流量(元)	0.1685	0.0910	0.0403	0.3017
每股资本公积金(元)	4.2381	4.2381	4.2381	4.2367
每股盈余公积金(元)	0.3630	0.3630	0.3144	0.3144
每股未分配利润(元)	3.0043	3.1108	3.0294	3.2978
净资产收益率(%)	-1.0040	0.4776	-1.0274	6.4095
加权净资产收益率(%)	-1.0000	0.4700	-1.0100	6.5500
净资产收益率(扣除)(%)	-1.1810	0.1274	-1.3280	6.1263
总资产(万元)	784301.07	776639.65	808192.91	812991.42
归属母公司股东权益(万元)	411737.23	416546.86	411084.46	423611.12
营业收入(万元)	142505.61	318449.95	132486.28	389263.97
营业支出(万元)	108143.09	240722.33	105797.14	278412.04
投资收益(万元)	372.58	372.18	372.18	371.08
净利润(万元)	-2918.78	5490.83	-2967.63	32985.74
营业利润(万元)	-4500.29	-6932.57	-8426.46	22506.48
利润总额(万元)	-1906.37	7957.52	-2331.51	43704.04

重庆涪陵电力实业股份有限公司

公司概况	公司名称	重庆涪陵电力实业股份有限公司		证券简称	涪陵电力
	法人代表	张波	董秘 蔡彬	证券代码	600452
	公司网址	www.flepc.com		电子信箱	fldlcaibin@163.com
	电　话	023-72286777 72286349		传　真	023-72286777 72286349
	办公地址	重庆市涪陵区望州路 20 号			
	经营范围	电力供应、销售			

主要财务指标 指标 \ 报告期	2016.06.30	2015.12.31	2015.06.30	2014.12.31
基本每股收益(元)	0.4600	1.1600	0.8500	0.4500
基本每股收益(扣除后)(元)	0.3000	0.4800	0.2200	0.2600
稀释每股收益(元)	0.4600	1.1600	0.8500	0.4500
每股净资产(元)	4.4401	4.3393	3.9468	3.2844
每股经营现金净流量(元)	0.3342	1.0623	0.7684	0.9468
每股现金流量(元)	-1.1635	2.1797	1.4255	0.7224
每股资本公积金(元)	1.7468	1.7575	1.6805	1.6658
每股盈余公积金(元)	0.3705	0.3705	0.2542	0.2542
每股未分配利润(元)	1.3228	1.2113	1.0121	0.3645
净资产收益率(%)	10.3941	26.8049	21.4768	13.6937
加权净资产收益率(%)	10.4000	30.8500	22.7900	15.3800
净资产收益率(扣除)(%)	6.7214	11.1579	5.6086	8.0588
总资产(万元)	235657.46	123003.29	104134.70	83611.52
归属母公司股东权益(万元)	71041.53	69428.97	63148.48	52550.44
营业收入(万元)	66101.39	124996.39	60304.75	126862.92
营业支出(万元)	58501.88	111944.82	54878.37	111186.81
投资收益(万元)	644.31	12481.42	12181.21	1067.70
净利润(万元)	7384.10	18610.36	13562.27	7196.08
营业利润(万元)	8114.83	19405.82	15548.75	5529.47
利润总额(万元)	8130.05	19786.84	15563.54	8873.71

西安博通资讯股份有限公司

公司概况	公司名称	西安博通资讯股份有限公司		证券简称	博通股份
	法人代表	王萍	董秘 蔡启龙	证券代码	600455
	公司网址	www.butone.com		电子信箱	caiql@butone.com
	电　话	029-82693206		传　真	029-82693205
	办公地址	陕西省西安市高新技术开发区东区火炬路 3 号楼 10 层 C 座			
	经营范围	拥有自主知识产权应用软件产品、行业解决方案的研发销售等			

主要财务指标 指标 \ 报告期	2016.06.30	2015.12.31	2015.06.30	2014.12.31
基本每股收益(元)	-0.1000	0.0510	-0.0250	0.0960
基本每股收益(扣除后)(元)	-0.1060	-0.0950	-0.0370	-0.0440
稀释每股收益(元)	-0.1000	0.0510	-0.0250	0.0960
每股净资产(元)	2.0488	2.1491	2.0730	2.0982
每股经营现金净流量(元)	-0.8024	0.6574	-0.7685	0.6676
每股现金流量(元)	-0.6778	0.3035	-0.4448	-0.2932
每股资本公积金(元)	2.3322	2.3322	2.3322	2.3322
每股盈余公积金(元)	0.1176	0.1176	0.1176	0.1176
每股未分配利润(元)	-1.4010	-1.3007	-1.3768	-1.3516
净资产收益率(%)	-4.8972	2.3681	-1.2152	4.5793
加权净资产收益率(%)	-4.7800	2.3960	-1.2080	4.6870
净资产收益率(扣除)(%)	-5.1934	-4.4016	-1.8006	-2.1061
总资产(万元)	61973.52	67937.54	64189.61	71593.38
归属母公司股东权益(万元)	12796.17	13422.83	12947.62	13104.96
营业收入(万元)	7417.72	17219.64	8530.97	20777.15
营业支出(万元)	3539.88	7991.60	4105.39	10797.09
投资收益(万元)	0.01	-0.01	-	-0.15
净利润(万元)	-531.78	610.13	-85.26	1016.15
营业利润(万元)	-569.27	-296.87	-159.04	115.73
利润总额(万元)	-530.13	617.67	-81.45	1017.51

宝鸡钛业股份有限公司

公司概况	公司名称	宝鸡钛业股份有限公司		证券简称	宝钛股份
	法人代表	邹武装	董秘 郑海山	证券代码	600456
	公司网址	www.baoti.com		电子信箱	zhenghaishan@baoti.com
	电　话	0917-3382333 3382666		传　真	0917-3382132
	办公地址	陕西省宝鸡市钛城路 1 号			
	经营范围	钛及钛合金材料的生产、加工和销售等			

主要财务指标 指标 \ 报告期	2016.06.30	2015.12.31	2015.06.30	2014.12.31
基本每股收益(元)	-0.2102	-0.4341	-0.1162	0.0300
基本每股收益(扣除后)(元)	-0.2225	-0.4573	-0.1217	0.0017
稀释每股收益(元)	-0.2102	-0.4341	-0.1162	0.0300
每股净资产(元)	7.6658	7.9258	8.2425	8.4085
每股经营现金净流量(元)	-0.1569	0.0725	0.0723	0.6062
每股现金流量(元)	0.0612	0.0350	0.1568	0.8844
每股资本公积金(元)	5.5099	5.5099	5.5099	5.5099
每股盈余公积金(元)	0.4125	0.4125	0.4125	0.4125
每股未分配利润(元)	0.7418	1.0020	1.3199	1.4861
净资产收益率(%)	-2.7417	-5.4770	-1.4100	0.3297
加权净资产收益率(%)	-2.6902	-5.3210	-1.3946	0.3296
净资产收益率(扣除)(%)	-2.9031	-5.7702	-1.4765	0.0204
总资产(万元)	708630.54	697279.08	734063.53	693637.05
归属母公司股东权益(万元)	329832.04	341021.43	354644.40	361787.32
营业收入(万元)	90696.23	214211.16	101671.47	248122.76
营业支出(万元)	79660.26	175489.71	84882.27	202710.15
投资收益(万元)	-198.10	-629.46	-136.16	-126.39
净利润(万元)	-9330.65	-17983.51	-4833.86	1764.02
营业利润(万元)	-10053.58	-19288.09	-5373.89	506.75
利润总额(万元)	-9350.71	-17750.30	-5015.13	2004.32

株洲时代新材料科技股份有限公司

公司概况	公司名称	株洲时代新材料科技股份有限公司			证券简称	时代新材
	法人代表	李东林	董秘	季晓康	证券代码	600458
	公司网址	www.trp.com.cn		电子信箱	sh600458@163.com	
	电　话	0731-22837786		传　真	0731-22837888	
	办公地址	湖南省株洲市天元区海天路 18 号				
	经营范围	轨道交通装备零部件的开发、设计、制造、销售等				

	指标\报告期	2016.06.30	2015.12.31	2015.06.30	2014.12.31
主要财务指标	基本每股收益(元)	0.2300	0.3900	0.3100	0.1100
	基本每股收益(扣除后)(元)	0.1300	0.3400	0.2800	0.0700
	稀释每股收益(元)	–	–	–	–
	每股净资产(元)	6.0493	5.8156	4.4515	4.3681
	每股经营现金净流量(元)	0.2088	0.3373	–0.1719	0.4451
	每股现金流量(元)	–0.7272	2.2057	0.1585	0.1811
	每股资本公积金(元)	3.8474	3.8474	2.6269	2.6269
	每股盈余公积金(元)	0.1551	0.1551	0.1581	0.1581
	每股未分配利润(元)	1.2020	1.0252	1.1602	0.9081
	净资产收益率(%)	3.7496	5.4741	7.0075	1.5669
	加权净资产收益率(%)	3.8100	8.3300	7.0700	2.2800
	净资产收益率(扣除)(%)	2.2079	4.7945	6.2654	0.7319
	总资产(万元)	1321906.74	1308417.82	1086796.35	1044331.08
	归属母公司股东权益(万元)	485635.09	466876.08	294434.66	296403.79
	营业收入(万元)	592402.72	1082510.71	555792.22	600777.69
	营业支出(万元)	490417.21	898026.98	471283.25	495202.76
	投资收益(万元)	764.36	–96.02	–35.18	321.64
	净利润(万元)	18258.05	25732.30	20659.85	6865.11
	营业利润(万元)	12916.97	23159.59	22442.89	4475.82
	利润总额(万元)	21902.96	26857.20	25174.10	7125.65

贵研铂业股份有限公司

公司概况	公司名称	贵研铂业股份有限公司			证券简称	贵研铂业
	法人代表	汪云曙	董秘	刚剑	证券代码	600459
	公司网址	www.sino-platinum.com.cn		电子信箱	stock@ipm.com.cn	
	电　话	0871-8328190		传　真	0871-8326661	
	办公地址	云南省昆明市高新技术产业开发区科技路 988 号				
	经营范围	贵金属和相关产品的生产、综合回收利用和销售等				

	指标\报告期	2016.06.30	2015.12.31	2015.06.30	2014.12.31
主要财务指标	基本每股收益(元)	0.1600	0.2500	0.1500	0.3300
	基本每股收益(扣除后)(元)	0.0900	0.0500	0.1300	0.2200
	稀释每股收益(元)	0.1600	0.2500	0.1500	0.3300
	每股净资产(元)	6.9281	6.8394	6.7441	6.6904
	每股经营现金净流量(元)	0.4451	–0.8335	–1.2689	0.1333
	每股现金流量(元)	–0.1709	–0.4079	–1.0719	–0.0740
	每股资本公积金(元)	4.4733	4.4733	4.4733	4.4733
	每股盈余公积金(元)	0.2647	0.2647	0.2532	0.2532
	每股未分配利润(元)	1.1840	1.1010	1.0182	0.9675
	净资产收益率(%)	2.2652	3.5828	2.2342	4.8928
	加权净资产收益率(%)	2.2700	3.6200	2.2300	4.9800
	净资产收益率(扣除)(%)	1.2554	0.7389	1.8653	3.2984
	总资产(万元)	336042.41	329119.50	317399.21	287320.26
	归属母公司股东权益(万元)	180807.77	178493.06	176005.10	174604.82
	营业收入(万元)	459298.13	774271.81	285299.09	688070.53
	营业支出(万元)	446236.69	751767.40	274484.84	660810.49
	投资收益(万元)	588.33	985.43	846.36	954.81
	净利润(万元)	4373.58	6981.48	4235.39	9148.40
	营业利润(万元)	3034.15	–761.16	2432.32	6893.89
	利润总额(万元)	5360.81	8691.87	5223.17	10955.31

杭州士兰微电子股份有限公司

公司概况	公司名称	杭州士兰微电子股份有限公司			证券简称	士 兰 微
	法人代表	陈向东	董秘	陈越	证券代码	600460
	公司网址	www.silan.com.cn		电子信箱	600460@silan.com.cn	
	电　话	0571-88210880 88212980		传　真	0571-88210763	
	办公地址	浙江省杭州市黄姑山路 4 号				
	经营范围	电子元器件、电子零部件及其他电子产品设计、制造、销售，经营进出口业务				

	指标\报告期	2016.06.30	2015.12.31	2015.06.30	2014.12.31
主要财务指标	基本每股收益(元)	0.0200	0.0300	0.0500	0.1300
	基本每股收益(扣除后)(元)	–0.0020	–0.0200	0.0270	0.0800
	稀释每股收益(元)	0.0200	0.0300	0.0500	0.1300
	每股净资产(元)	1.9354	1.9257	1.9438	1.9233
	每股经营现金净流量(元)	0.0696	0.1616	0.0635	0.2142
	每股现金流量(元)	0.1974	–0.0070	0.1094	–0.1477
	每股资本公积金(元)	0.1379	0.1379	0.1370	0.1370
	每股盈余公积金(元)	0.1042	0.1042	0.0974	0.0974
	每股未分配利润(元)	0.6874	0.6777	0.7042	0.6775
	净资产收益率(%)	1.0174	1.6603	2.6573	6.8513
	加权净资产收益率(%)	1.0200	1.6700	2.6500	7.0600
	净资产收益率(扣除)(%)	–0.0965	–1.1475	1.4067	3.9272
	总资产(万元)	498221.96	434100.44	403633.32	401815.61
	归属母公司股东权益(万元)	241379.17	240173.34	242426.62	239872.44
	营业收入(万元)	105632.65	192641.48	94217.75	187002.93
	营业支出(万元)	80930.35	141258.93	68461.65	131919.26
	投资收益(万元)	491.99	2100.90	1993.45	5203.17
	净利润(万元)	2388.80	4157.04	6535.11	16706.59
	营业利润(万元)	–739.07	–4104.93	4363.99	11646.85
	利润总额(万元)	2069.02	2803.58	7045.45	18502.15

江西洪城水业股份有限公司

公司概况	公司名称	江西洪城水业股份有限公司			证券简称	洪城水业
	法人代表	李钢	董秘	蔡翘	证券代码	600461
	公司网址	www.jxhcsy.com		电子信箱	ytx1@sina.com	
	电　话	0791- 85238232 85235057		传　真	0791-85226672	
	办公地址	江西省南昌市灌婴路 99 号				
	经营范围	自来水、水表、给排水设备、节水设备、仪器仪表、环保设备的生产、销售等				

	指标\报告期	2016.06.30	2015.12.31	2015.06.30	2014.12.31
主要财务指标	基本每股收益(元)	0.3400	0.5700	0.3400	0.4500
	基本每股收益(扣除后)(元)	0.2700	0.5200	0.2800	0.4000
	稀释每股收益(元)	0.3400	0.5700	0.3400	0.4500
	每股净资产(元)	6.9486	6.1585	5.7889	5.6204
	每股经营现金净流量(元)	0.5453	1.5264	0.6058	1.6416
	每股现金流量(元)	1.2038	0.2011	0.0968	0.2517
	每股资本公积金(元)	3.8669	3.9709	3.5574	3.5574
	每股盈余公积金(元)	0.2200	0.2924	0.1876	0.1876
	每股未分配利润(元)	1.7929	1.9698	1.0331	0.8673
	净资产收益率(%)	4.4767	9.3265	5.4564	7.9971
	加权净资产收益率(%)	5.3100	9.7600	5.3100	8.2700
	净资产收益率(扣除)(%)	3.2911	8.4499	4.8182	7.0802
	总资产(万元)	752175.44	694714.94	518132.81	496860.82
	归属母公司股东权益(万元)	304808.89	242673.43	191032.98	185472.41
	营业收入(万元)	143883.34	161767.48	75773.98	144847.82
	营业支出(万元)	106266.29	111070.94	50251.73	96045.32
	投资收益(万元)	1164.54	3949.44	1782.64	1612.57
	净利润(万元)	17748.82	19314.05	10549.85	15190.04
	营业利润(万元)	17518.14	20838.37	12026.72	17794.01
	利润总额(万元)	23474.21	23597.68	12782.51	18579.11

深圳九有股份有限公司

公司概况					
公司名称	深圳九有股份有限公司			证券简称	九有股份
法人代表	朱胜英	董秘	崔文根	证券代码	600462
公司网址	www.jlshixian.com			电子信箱	cwg0048@vip.sina.com
电　　话	0755-26417750			传　　真	0755-86717392
办公地址	广东省深圳市南山区深南大道 9672 号大冲商务中心 3 号楼 C 座 2303 单元				
经营范围	新闻纸、胶版纸、商品木浆等产品的生产和销售				

主要财务指标

指标\报告期	2016.06.30	2015.12.31	2015.06.30	2014.12.31
基本每股收益(元)	0.0005	–0.0671	–0.0501	0.0041
基本每股收益(扣除后)(元)	0.0002	–0.0795	–0.0413	–0.0315
稀释每股收益(元)	0.0005	–0.0671	–0.0501	0.0041
每股净资产(元)	0.5338	0.5335	0.5503	0.6004
每股经营现金净流量(元)	–0.0868	–0.0185	–0.0097	–0.0453
每股现金流量(元)	–0.1230	0.4216	–0.0025	–0.0539
每股资本公积金(元)	1.2047	1.2048	1.2047	1.2047
每股盈余公积金(元)	0.0408	0.0408	0.0408	0.0408
每股未分配利润(元)	–1.7117	–1.7122	–1.6953	–1.6451
净资产收益率(%)	0.0843	–12.5716	–9.1132	0.6867
加权净资产收益率(%)	0.0820	–0.1183	–8.7200	0.6900
净资产收益率(扣除)(%)	0.0342	–14.9023	–7.5112	–5.2402
总资产(万元)	39251.81	40319.54	39887.38	42986.63
归属母公司股东权益(万元)	28493.81	28475.05	29372.75	32049.56
营业收入(万元)	8149.97	25060.73	13460.87	28932.69
营业支出(万元)	6993.39	22850.85	12678.37	25482.79
投资收益(万元)	16.73	1041.22	–	–
净利润(万元)	123.38	–3491.21	–2676.81	220.10
营业利润(万元)	166.17	–3031.22	–2332.21	–1607.57
利润总额(万元)	169.12	–3391.72	–2676.79	220.10

北京空港科技园区股份有限公司

公司概况					
公司名称	北京空港科技园区股份有限公司			证券简称	空港股份
法人代表	田建国	董秘	刘彦明	证券代码	600463
公司网址	www.600463.com.cn			电子信箱	yanm_liu@163.com
电　　话	010-80489305			传　　真	010-80491684
办公地址	北京市顺义区空港工业区 B 区裕民大街甲 6 号				
经营范围	高新技术的开发、转让和咨询，销售开发后的产品等				

主要财务指标

指标\报告期	2016.06.30	2015.12.31	2015.06.30	2014.12.31
基本每股收益(元)	0.0700	0.0900	0.0500	0.1700
基本每股收益(扣除后)(元)	0.0700	0.0500	0.0400	0.1600
稀释每股收益(元)	0.0700	0.0900	0.0500	0.1700
每股净资产(元)	4.6353	4.6135	3.1159	3.1698
每股经营现金净流量(元)	0.1359	–0.0918	–0.2547	–0.3608
每股现金流量(元)	–2.2775	2.4731	–0.5671	–0.1312
每股资本公积金(元)	2.1263	2.1263	0.3894	0.3894
每股盈余公积金(元)	0.2147	0.2147	0.2556	0.2556
每股未分配利润(元)	1.2944	1.2726	1.4709	1.5248
净资产收益率(%)	1.5481	1.6420	1.4800	5.3260
加权净资产收益率(%)	1.5400	2.8600	1.4600	5.4000
净资产收益率(扣除)(%)	1.5149	0.9343	1.3472	5.0001
总资产(万元)	298239.95	368733.79	267031.91	277149.08
归属母公司股东权益(万元)	139058.86	138406.12	78520.47	79878.34
营业收入(万元)	30979.32	63773.23	26297.00	75806.80
营业支出(万元)	23366.05	46421.75	17696.02	54485.18
投资收益(万元)	7.22	5.06	–15.12	11.43
净利润(万元)	2237.58	3025.87	1593.02	4569.55
营业利润(万元)	2935.53	3719.14	1987.48	5679.61
利润总额(万元)	2994.14	4058.70	2154.68	6198.21

四川蓝光发展股份有限公司

公司概况					
公司名称	四川蓝光发展股份有限公司			证券简称	蓝光发展
法人代表	张志成	董秘	罗庚	证券代码	600466
公司网址	www.brc.com.cn			电子信箱	luog@brc.com.cn
电　　话	028-87826466			传　　真	028-87829595
办公地址	四川省成都高新区(西区)西芯大道 9 号				
经营范围	投资及投资管理、企业策划、咨询服务、企业管理、房地产投资等				

主要财务指标

指标\报告期	2016.06.30	2015.12.31	2015.06.30	2014.12.31
基本每股收益(元)	0.0087	0.3952	–0.1745	0.0287
基本每股收益(扣除后)(元)	0.0150	0.4427	–0.1300	–0.0073
稀释每股收益(元)	0.0087	0.3952	–0.1745	0.0287
每股净资产(元)	3.9724	4.1621	3.6736	1.3625
每股经营现金净流量(元)	–1.6054	0.6757	–0.4643	0.0848
每股现金流量(元)	0.0274	0.2333	–0.5489	0.0297
每股资本公积金(元)	0.9495	0.9480	0.9492	0.3266
每股盈余公积金(元)	0.1315	0.1327	0.1062	0.0524
每股未分配利润(元)	1.8199	1.9477	1.4312	–0.0165
净资产收益率(%)	0.2432	9.0545	–4.4310	2.1033
加权净资产收益率(%)	0.2400	10.5100	–5.3400	2.1300
净资产收益率(扣除)(%)	0.4019	10.1428	–3.3109	–0.5385
总资产(万元)	6369217.64	5624392.99	5332338.40	74439.00
归属母公司股东权益(万元)	848548.35	889069.17	777708.10	59815.41
营业收入(万元)	487577.22	1759836.12	350966.10	39911.26
营业支出(万元)	357953.99	1238099.13	252133.30	15573.10
投资收益(万元)	–780.09	–857.96	–329.60	958.99
净利润(万元)	1688.42	95424.20	–36553.90	1256.30
营业利润(万元)	6427.04	151337.91	–38046.70	830.44
利润总额(万元)	6181.77	150056.33	–38342.50	1736.34

山东好当家海洋发展股份有限公司

公司概况					
公司名称	山东好当家海洋发展股份有限公司			证券简称	好当家
法人代表	唐传勤	董秘	李俊峰	证券代码	600467
公司网址	www.sdhaodangjia.com			电子信箱	king_zm@sina.com
电　　话	0631-7438073			传　　真	0631-7438073
办公地址	山东省威海市荣成市虎山镇沙咀子				
经营范围	海水养殖、许可范围内水产加工品、速冻食品、饮料的加工、销售等				

主要财务指标

指标\报告期	2016.06.30	2015.12.31	2015.06.30	2014.12.31
基本每股收益(元)	0.0260	0.0500	0.0470	0.0300
基本每股收益(扣除后)(元)	0.0210	0.0100	0.0390	0.0100
稀释每股收益(元)	0.0260	0.0500	0.0470	0.0300
每股净资产(元)	2.0235	4.0099	4.0086	3.9707
每股经营现金净流量(元)	0.0869	0.5230	0.0987	0.2929
每股现金流量(元)	–0.0941	0.3294	0.1778	0.0062
每股资本公积金(元)	0.2727	1.5455	1.5455	1.5455
每股盈余公积金(元)	0.1341	0.2681	0.2640	0.2640
每股未分配利润(元)	0.6167	1.1963	1.1991	1.1612
净资产收益率(%)	1.2847	1.2015	1.1696	0.7094
加权净资产收益率(%)	1.2900	1.2100	1.1700	0.7100
净资产收益率(扣除)(%)	1.0322	0.1280	0.9700	0.2237
总资产(万元)	514743.66	513510.43	492845.73	474024.43
归属母公司股东权益(万元)	295625.09	292922.87	292828.29	290060.93
营业收入(万元)	50311.88	98696.74	46150.77	88125.46
营业支出(万元)	41021.30	82230.82	37479.46	72948.66
投资收益(万元)	1876.27	1932.08	1860.12	956.65
净利润(万元)	3733.63	3060.42	3176.97	1407.59
营业利润(万元)	2805.14	31.65	2396.37	386.86
利润总额(万元)	3800.47	3576.75	3175.49	2023.20

天津百利特精电气股份有限公司

公司概况					
公司名称	天津百利特精电气股份有限公司			证券简称	百利电气
法人代表	左斌	董秘	刘敏	证券代码	600468
公司网址	www.benefo.tj.cn		电子信箱	benefo600468@126.com	
电　话	022-83963876　23979181		传　真	022-83963876	
办公地址	天津市西青经济开发区民和道12号				
经营范围	输配电设备制造与稀有金属加工等				

主要财务指标 指标\报告期	2016.06.30	2015.12.31	2015.06.30	2014.12.31
基本每股收益(元)	0.0509	0.0367	0.0569	0.1065
基本每股收益(扣除后)(元)	0.0424	0.0207	0.0523	0.0382
稀释每股收益(元)	0.0509	0.0367	0.0569	0.1065
每股净资产(元)	3.1906	1.3964	1.4308	1.3990
每股经营现金净流量(元)	-0.0128	0.1623	0.0517	0.6354
每股现金流量(元)	-0.0002	-0.1117	-0.1625	0.2869
每股资本公积金(元)	1.8875	0.1064	0.0778	0.0770
每股盈余公积金(元)	0.0538	0.0638	0.0607	0.0607
每股未分配利润(元)	0.2601	0.2626	0.2898	0.2612
净资产收益率(%)	1.5528	2.6279	4.2360	7.6130
加权净资产收益率(%)	1.7400	2.6400	4.2700	7.8400
净资产收益率(扣除)(%)	1.2938	1.4850	3.6563	2.7337
总资产(万元)	257059.54	150795.41	146361.28	152706.83
归属母公司股东权益(万元)	172527.93	64918.47	65272.96	63819.01
营业收入(万元)	46453.85	86873.34	44846.49	91052.94
营业支出(万元)	37017.69	68112.38	35418.98	73550.63
投资收益(万元)	2224.10	1533.87	2711.62	5395.35
净利润(万元)	3048.52	2493.05	3267.67	5582.47
营业利润(万元)	2740.06	2166.34	3159.30	5765.23
利润总额(万元)	3525.83	3354.06	3752.39	6452.21

风神轮胎股份有限公司

公司概况					
公司名称	风神轮胎股份有限公司			证券简称	风神股份
法人代表	白忻平	董秘	刘新军	证券代码	600469
公司网址	www.aeolustyre.com		电子信箱	company@aeolustyre.com	
电　话	0391-3999080　3999007		传　真	0391-3999080	
办公地址	河南省焦作市焦东南路48号				
经营范围	轮胎的研制、设计、开发、生产、经营及轮胎进出口等				

主要财务指标 指标\报告期	2016.06.30	2015.12.31	2015.06.30	2014.12.31
基本每股收益(元)	0.2560	0.6600	0.3900	0.8800
基本每股收益(扣除后)(元)	0.2590	0.5900	0.3800	0.8700
稀释每股收益(元)	0.2560	0.6600	0.3900	0.8800
每股净资产(元)	4.8599	7.9187	7.6865	7.4554
每股经营现金净流量(元)	0.5088	2.9116	1.4514	2.3160
每股现金流量(元)	-0.6617	1.1233	0.5544	0.8651
每股资本公积金(元)	1.4131	2.1197	2.1197	2.1197
每股盈余公积金(元)	0.4254	0.6381	0.5721	0.5721
每股未分配利润(元)	2.0035	4.1208	3.9186	3.6773
净资产收益率(%)	5.2731	8.3270	5.0907	11.8696
加权净资产收益率(%)	4.7400	8.5500	5.1700	12.6000
净资产收益率(扣除)(%)	5.3354	7.4018	4.9478	11.6441
总资产(万元)	644354.92	687007.16	723800.38	698955.89
归属母公司股东权益(万元)	273328.62	296907.23	288199.77	279536.18
营业收入(万元)	285374.67	635785.12	330447.93	816683.68
营业支出(万元)	225144.86	511979.48	264927.37	636403.27
投资收益(万元)	-	2002.84	2002.84	252.25
净利润(万元)	14412.86	24723.41	14671.25	33179.77
营业利润(万元)	17749.35	27762.30	18239.25	39834.99
利润总额(万元)	17548.90	29102.76	18723.68	40513.53

安徽六国化工股份有限公司

公司概况					
公司名称	安徽六国化工股份有限公司			证券简称	六国化工
法人代表	陈嘉生	董秘	邢金俄	证券代码	600470
公司网址	www.liuguo.com		电子信箱	tlxxe@163.com	
电　话	0562-3801021　3801675		传　真	0562-3802688	
办公地址	安徽省铜陵市铜港路				
经营范围	化学肥料(含复混肥料)、磷石膏生产、加工、销售等				

主要财务指标 指标\报告期	2016.06.30	2015.12.31	2015.06.30	2014.12.31
基本每股收益(元)	-0.0620	0.2900	0.1050	-0.4000
基本每股收益(扣除后)(元)	-0.0660	0.2100	0.0920	-0.4700
稀释每股收益(元)	-0.0620	0.2900	0.1050	-0.4000
每股净资产(元)	4.0157	4.1500	3.9624	3.8521
每股经营现金净流量(元)	-0.2431	0.3178	0.0296	1.1284
每股现金流量(元)	-0.1374	0.2328	-0.1563	-0.3194
每股资本公积金(元)	2.4208	2.4208	2.4208	2.4208
每股盈余公积金(元)	0.2372	0.2372	0.1948	0.1948
每股未分配利润(元)	0.3069	0.4489	0.3110	0.2060
净资产收益率(%)	-1.5427	6.8738	2.6482	-10.2735
加权净资产收益率(%)	-1.5000	6.9500	2.6900	-9.6600
净资产收益率(扣除)(%)	-1.6325	4.9989	2.3221	-12.0968
总资产(万元)	625925.12	618251.74	655100.46	643048.15
归属母公司股东权益(万元)	209458.18	216464.97	206679.50	200924.56
营业收入(万元)	204015.58	557699.82	275369.20	527174.80
营业支出(万元)	185139.19	492960.89	245368.23	500037.34
投资收益(万元)	-	3469.64	494.67	149.17
净利润(万元)	-5946.12	3887.99	2988.05	-33406.07
营业利润(万元)	-6164.51	5678.07	2224.41	-38454.00
利润总额(万元)	-5873.86	6669.22	3017.65	-34001.73

无锡华光锅炉股份有限公司

公司概况					
公司名称	无锡华光锅炉股份有限公司			证券简称	华光股份
法人代表	蒋志坚	董秘	周建伟	证券代码	600475
公司网址	www.wxboiler.com		电子信箱	600475@wxboiler.com	
电　话	0510-85215556		传　真	051-85215605	
办公地址	江苏省无锡市城南路3号				
经营范围	电站锅炉、工业锅炉、锅炉辅机、水处理设备、压力容器、烟气脱硫脱硝成套设备的制造、销售				

主要财务指标 指标\报告期	2016.06.30	2015.12.31	2015.06.30	2014.12.31
基本每股收益(元)	0.2016	0.4354	0.2101	0.3251
基本每股收益(扣除后)(元)	0.1956	0.3643	0.2051	0.2023
稀释每股收益(元)	0.2016	0.4354	0.2101	0.3251
每股净资产(元)	5.8757	5.6741	5.4489	5.3388
每股经营现金净流量(元)	-0.5301	2.3757	0.3427	0.3867
每股现金流量(元)	-0.7476	1.6228	-0.2234	-0.1721
每股资本公积金(元)	0.3498	0.3498	0.3498	0.3498
每股盈余公积金(元)	0.7125	0.7125	0.6923	0.6923
每股未分配利润(元)	3.8134	3.6118	3.4067	3.2966
净资产收益率(%)	3.4303	7.6729	3.8556	6.0895
加权净资产收益率(%)	3.4300	7.9100	3.8900	6.2200
净资产收益率(扣除)(%)	3.3289	6.4208	3.7645	3.7890
总资产(万元)	481133.05	506788.95	466102.49	450815.51
归属母公司股东权益(万元)	150417.85	145258.02	139490.66	136672.46
营业收入(万元)	165617.12	339871.02	163874.55	314434.48
营业支出(万元)	134405.33	275302.43	133151.32	252014.48
投资收益(万元)	541.54	1156.08	694.83	1158.43
净利润(万元)	7703.96	16568.67	8126.49	12189.75
营业利润(万元)	9411.67	18166.84	9870.64	11030.91
利润总额(万元)	9607.50	20120.83	9909.43	14681.20

湖南湘邮科技股份有限公司

公司概况						
	公司名称	湖南湘邮科技股份有限公司			证券简称	湘邮科技
	法人代表	韩广岳	董秘	汪志刚	证券代码	600476
	公司网址	www.copote.com		电子信箱	copote@copote.com	
	电　　话	0731-88998688 88998817		传　　真	0731-88998859	
	办公地址	湖南省长沙市高新技术产业开发区麓谷基地玉兰路2号				
	经营范围	研制、开发、生产、销售计算机软、硬件及邮电高科技电子产品等				

主要财务指标	指标\报告期	2016.06.30	2015.12.31	2015.06.30	2014.12.31
	基本每股收益(元)	-0.0262	-0.2450	-0.0334	0.0450
	基本每股收益(扣除后)(元)	-0.0320	-0.2660	-0.0449	-0.2820
	稀释每股收益(元)	-0.0262	-0.2450	-0.0334	0.0450
	每股净资产(元)	1.1611	1.1872	1.3992	1.4327
	每股经营现金净流量(元)	-0.2260	-0.1253	-0.1553	-0.0308
	每股现金流量(元)	-0.0501	-0.0931	-0.2990	0.1854
	每股资本公积金(元)	0.8158	0.8158	0.8158	0.8158
	每股盈余公积金(元)	0.0834	0.0834	0.0834	0.0834
	每股未分配利润(元)	-0.7382	-0.7120	-0.5000	-0.4666
	净资产收益率(%)	-2.2544	-20.6716	-2.3878	3.1272
	加权净资产收益率(%)	-2.2300	-18.7400	-2.3600	3.1800
	净资产收益率(扣除)(%)	-2.7535	-22.4051	-3.2088	-19.6682
	总资产(万元)	36778.58	33844.02	35225.59	37277.90
	归属母公司股东权益(万元)	18701.18	19122.78	22537.59	23075.75
	营业收入(万元)	12947.78	20304.04	9352.65	16138.65
	营业支出(万元)	11444.83	19044.40	8525.33	15279.18
	投资收益(万元)	98.51	158.86	140.72	4902.50
	净利润(万元)	-421.97	-3954.23	-538.21	721.20
	营业利润(万元)	-492.33	-4210.03	-723.24	270.75
	利润总额(万元)	-398.99	-3896.66	-538.21	765.06

杭萧钢构股份有限公司

公司概况						
	公司名称	杭萧钢构股份有限公司			证券简称	杭萧钢构
	法人代表	单银木	董秘	陈瑞	证券代码	600477
	公司网址	www.hxss.com.cn		电子信箱	chen.rui@hxss.com.cn	
	电　　话	0571-87246788		传　　真	0571-87247920	
	办公地址	浙江省杭州市中河中路258号瑞丰大厦3-7楼				
	经营范围	钢结构工程的设计、制作与安装				

主要财务指标	指标\报告期	2016.06.30	2015.12.31	2015.06.30	2014.12.31
	基本每股收益(元)	0.2740	0.1670	0.0300	0.0860
	基本每股收益(扣除后)(元)	0.2730	0.1550	0.0460	0.0620
	稀释每股收益(元)	0.2720	0.1660	0.0300	0.0850
	每股净资产(元)	1.7890	2.0473	1.6475	2.1199
	每股经营现金净流量(元)	0.2254	0.1166	0.1942	-0.4157
	每股现金流量(元)	-0.1162	0.2610	0.2271	0.0645
	每股资本公积金(元)	0.2383	0.5475	0.1986	0.5022
	每股盈余公积金(元)	0.0726	0.0944	0.1024	0.1332
	每股未分配利润(元)	0.4969	0.4324	0.3620	0.4795
	净资产收益率(%)	11.7580	7.2771	2.3228	5.0507
	加权净资产收益率(%)	12.6500	9.8500	2.3300	5.5700
	净资产收益率(扣除)(%)	11.6784	6.7549	3.5533	3.6206
	总资产(万元)	609047.81	642298.56	626203.78	653531.23
	归属母公司股东权益(万元)	188182.81	165601.85	121650.52	117326.16
	营业收入(万元)	169856.48	378643.47	149637.35	393290.85
	营业支出(万元)	112503.77	289628.30	114889.47	327710.63
	投资收益(万元)	-53.92	-34.21	-	-
	净利润(万元)	22222.26	14353.85	3240.37	7362.12
	营业利润(万元)	26742.86	16467.36	5761.09	6977.25
	利润总额(万元)	27008.17	18130.70	4103.79	9333.46

湖南科力远新能源股份有限公司

公司概况						
	公司名称	湖南科力远新能源股份有限公司			证券简称	科 力 远
	法人代表	钟发平	董秘	赵丽萍	证券代码	600478
	公司网址	www.corun.com		电子信箱	zcbinformation@corun.com	
	电　　话	0731-88983638 88983602		传　　真	0731-88983623	
	办公地址	湖南省长沙市岳麓区长沙国家高新技术产业开发区桐梓坡西路348号				
	经营范围	法律、法规、政策允许的新材料、新能源的研究、开发、生产、销售等				

主要财务指标	指标\报告期	2016.06.30	2015.12.31	2015.06.30	2014.12.31
	基本每股收益(元)	-0.0460	0.0100	-0.0420	-0.0500
	基本每股收益(扣除后)(元)	-0.0560	-0.1100	-0.0750	-0.1000
	稀释每股收益(元)	-0.0460	0.0100	-0.0420	-0.0500
	每股净资产(元)	1.0407	1.6079	1.5530	1.8583
	每股经营现金净流量(元)	-0.0206	0.1504	0.0152	0.1975
	每股现金流量(元)	0.3445	0.0949	0.0145	0.4322
	每股资本公积金(元)	0.0887	0.6331	0.6353	0.9375
	每股盈余公积金(元)	0.0216	0.0323	0.0323	0.0635
	每股未分配利润(元)	-0.0397	0.0100	-0.0365	0.0039
	净资产收益率(%)	-4.4541	0.5005	-2.4755	-5.2349
	加权净资产收益率(%)	-4.3800	0.6300	-4.1600	-4.9300
	净资产收益率(扣除)(%)	-5.3831	-6.5028	-4.4206	-10.2686
	总资产(万元)	457303.10	381688.15	277795.63	259089.98
	归属母公司股东权益(万元)	144771.22	149116.08	144023.03	87755.30
	营业收入(万元)	81469.23	112478.95	36246.88	85470.67
	营业支出(万元)	76624.28	99663.03	30825.82	71198.38
	投资收益(万元)	-931.52	-1227.61	-386.49	-1132.52
	净利润(万元)	-7420.00	5709.49	-3300.98	-4428.29
	营业利润(万元)	-9007.73	-11426.04	-6185.40	-8107.57
	利润总额(万元)	-7347.15	7667.33	-3091.99	-4267.71

株洲千金药业股份有限公司

公司概况						
	公司名称	株洲千金药业股份有限公司			证券简称	千金药业
	法人代表	江端预	董秘	谢爱维	证券代码	600479
	公司网址	www.cnqjyy.com		电子信箱	qianjin@cnqjyy.com	
	电　　话	0731-22496088 22492897		传　　真	0731-22496088	
	办公地址	湖南省株洲市天元区株洲大道801号				
	经营范围	中成药产品、中药保健品、化学药制品的开发、生产和销售				

主要财务指标	指标\报告期	2016.06.30	2015.12.31	2015.06.30	2014.12.31
	基本每股收益(元)	0.1073	0.2910	0.1185	0.3448
	基本每股收益(扣除后)(元)	0.0981	0.2405	0.0967	0.2917
	稀释每股收益(元)	0.1073	0.2910	0.1185	0.3448
	每股净资产(元)	4.6837	4.7220	3.6007	3.6791
	每股经营现金净流量(元)	0.2392	0.1935	0.4127	0.6015
	每股现金流量(元)	-0.1452	0.7666	0.1958	0.0616
	每股资本公积金(元)	1.8938	1.8894	0.6904	0.6873
	每股盈余公积金(元)	0.4522	0.4522	0.4957	0.4957
	每股未分配利润(元)	1.3377	1.3804	1.4147	1.4961
	净资产收益率(%)	2.2918	5.6448	3.2913	9.3711
	加权净资产收益率(%)	2.2500	7.2200	3.1700	9.6400
	净资产收益率(扣除)(%)	2.0947	4.6657	2.6868	7.9276
	总资产(万元)	288171.67	274322.74	218901.15	222892.91
	归属母公司股东权益(万元)	163347.08	164681.77	109756.85	112145.22
	营业收入(万元)	127827.15	244668.41	110760.22	219424.05
	营业支出(万元)	75606.44	131150.78	61991.96	114109.18
	投资收益(万元)	459.25	836.25	408.00	534.48
	净利润(万元)	3621.32	8833.82	2829.01	11769.59
	营业利润(万元)	4341.79	9475.55	3576.65	13041.48
	利润总额(万元)	4513.97	10960.03	3937.47	14041.71

凌云工业股份有限公司

公司概况						
	公司名称	凌云工业股份有限公司			证券简称	凌云股份
	法人代表	李喜增	董秘	张建华	证券代码	600480
	公司网址	www.lingyun.com.cn		电子信箱	zhangjianhua@lygf.com	
	电　话	0312-3951002		传　真	0312-3951234	
	办公地址	河北省涿州市松林店镇				
	经营范围	生产和销售塑料燃气管道系统、给水管道系统、供热管道系统等				

主要财务指标 指标＼报告期	2016.06.30	2015.12.31	2015.06.30	2014.12.31
基本每股收益(元)	0.3300	0.3700	0.2900	0.3800
基本每股收益(扣除后)(元)	0.3200	0.3500	0.2800	0.3400
稀释每股收益(元)	0.3300	0.3700	0.2900	0.3800
每股净资产(元)	7.6967	7.3408	5.7454	5.5762
每股经营现金净流量(元)	-0.9264	1.2329	-1.1708	2.0522
每股现金流量(元)	-1.4392	0.6729	-1.2227	1.2479
每股资本公积金(元)	3.8573	3.8573	1.7780	1.7780
每股盈余公积金(元)	0.1646	0.1646	0.1646	0.1646
每股未分配利润(元)	2.6210	2.2880	2.8027	2.6335
净资产收益率(%)	4.3271	4.1531	5.0333	6.7984
加权净资产收益率(%)	4.4400	6.3400	5.0500	6.9600
净资产收益率(扣除)(%)	4.1756	3.8940	4.8413	6.1471
总资产(万元)	943131.04	888517.31	830617.36	751788.53
归属母公司股东权益(万元)	347071.00	331019.83	207818.67	201699.06
营业收入(万元)	423968.95	724478.52	356397.74	655358.78
营业支出(万元)	335781.73	576801.72	281898.94	526307.92
投资收益(万元)	3351.31	4097.76	2122.45	2801.34
净利润(万元)	25347.59	30302.65	19830.90	27591.59
营业利润(万元)	30117.19	37502.87	24262.44	33911.56
利润总额(万元)	30845.00	38828.14	24804.16	35847.80

双良节能系统股份有限公司

公司概况						
	公司名称	双良节能系统股份有限公司			证券简称	双良节能
	法人代表	缪志强	董秘	王晓松	证券代码	600481
	公司网址	www.shuangliang.com		电子信箱	600481@shuangliang.com	
	电　话	0510-86632358		传　真	0510-86630191*481	
	办公地址	江苏省江阴市利港镇西利路 88 号				
	经营范围	研究、开发、生产空调、热泵、空气冷却设备、海水淡化节能设备等				

主要财务指标 指标＼报告期	2016.06.30	2015.12.31	2015.06.30	2014.12.31
基本每股收益(元)	0.0378	0.2151	0.1150	0.1968
基本每股收益(扣除后)(元)	0.0257	0.1100	0.1121	0.1794
稀释每股收益(元)	0.0378	0.2151	0.1150	0.1968
每股净资产(元)	1.2434	1.3070	2.4626	2.7594
每股经营现金净流量(元)	-0.0591	0.6780	0.1712	1.0660
每股现金流量(元)	-0.1435	0.1788	-0.3283	-0.1578
每股资本公积金(元)	0.0098	0.0113	0.8221	1.1367
每股盈余公积金(元)	0.1920	0.1920	0.3635	0.3408
每股未分配利润(元)	0.0413	0.1035	0.2773	0.4702
净资产收益率(%)	3.0379	16.4566	9.3376	13.0926
加权净资产收益率(%)	2.8500	15.2500	7.9600	13.0500
净资产收益率(扣除)(%)	2.0688	8.4166	9.1080	13.0064
总资产(万元)	450172.02	446566.05	593951.51	801236.69
归属母公司股东权益(万元)	201490.95	211796.56	199528.31	238656.52
营业收入(万元)	85700.16	311645.30	221555.60	680769.69
营业支出(万元)	53374.54	226733.12	170422.21	580926.98
投资收益(万元)	1497.96	15154.52	-344.18	-556.73
净利润(万元)	4885.58	33824.90	18186.02	31340.15
营业利润(万元)	6367.53	32794.90	16304.90	23101.55
利润总额(万元)	6546.10	39858.37	22643.15	38038.62

中国船舶重工集团动力股份有限公司

公司概况						
	公司名称	中国船舶重工集团动力股份有限公司			证券简称	中国动力
	法人代表	刘宝生	董秘	王彬	证券代码	600482
	公司网址	www.sail.com.cn		电子信箱	sh600482@126.com	
	电　话	0312-3208529　3208588		传　真	0312-3208529	
	办公地址	河北省保定市富昌路 8 号				
	经营范围	蓄电池开发、生产、销售等				

主要财务指标 指标＼报告期	2016.06.30	2015.12.31	2015.06.30	2014.12.31
基本每股收益(元)	0.3600	0.3300	0.1900	0.2700
基本每股收益(扣除后)(元)	0.4100	0.3100	0.1900	0.2400
稀释每股收益(元)	0.3600	0.3300	0.1900	0.2700
每股净资产(元)	14.2132	4.0916	3.9896	3.8849
每股经营现金净流量(元)	0.1689	1.4301	0.3230	0.6127
每股现金流量(元)	9.5330	0.1200	-0.4042	0.0842
每股资本公积金(元)	14.6927	12.8304	2.4209	2.4209
每股盈余公积金(元)	0.0948	0.2274	0.1855	0.1855
每股未分配利润(元)	3.0767	6.5193	0.3832	0.2785
净资产收益率(%)	1.8665	7.9758	4.6606	6.9258
加权净资产收益率(%)	4.0500	8.2400	4.6700	7.1900
净资产收益率(扣除)(%)	1.3131	7.5483	4.6531	6.2365
总资产(万元)	4129907.68	2878745.71	418339.12	434381.14
归属母公司股东权益(万元)	2471939.61	1102639.71	214044.72	208425.31
营业收入(万元)	944995.97	575064.53	304294.99	574802.26
营业支出(万元)	788484.92	498038.28	266938.26	497888.11
投资收益(万元)	373.23	423.63	191.49	381.14
净利润(万元)	49509.57	17008.21	9835.45	13883.99
营业利润(万元)	52972.87	20565.63	12427.07	16323.84
利润总额(万元)	57947.93	21377.18	12446.07	18047.17

福建福能股份有限公司

公司概况						
	公司名称	福建福能股份有限公司			证券简称	福能股份
	法人代表	林金本	董秘	汪元军	证券代码	600483
	公司网址	www.fjec.com.cn		电子信箱	wangyj1@fjec.com.cn	
	电　话	0591-8621128　86211273		传　真	0591-86211275	
	办公地址	福建省福州市五四路 109 号东煌大厦 13 楼				
	经营范围	纺织品、PU 革的制造、经营本公司自产产品及相关的出口业务				

主要财务指标 指标＼报告期	2016.06.30	2015.12.31	2015.06.30	2014.12.31
基本每股收益(元)	0.2800	0.8500	0.3000	0.7300
基本每股收益(扣除后)(元)	0.2800	0.8400	0.3000	0.7300
稀释每股收益(元)	0.2800	0.8500	0.3000	0.7300
每股净资产(元)	6.0456	5.2527	4.7235	4.6026
每股经营现金净流量(元)	0.5654	1.9879	0.2521	0.5598
每股现金流量(元)	0.7075	0.0393	-0.0854	0.0900
每股资本公积金(元)	2.0652	0.6493	0.2335	0.2335
每股盈余公积金(元)	0.1946	0.2400	0.0586	0.0586
每股未分配利润(元)	1.3311	1.5543	0.3891	0.3547
净资产收益率(%)	4.4780	16.0875	6.2593	13.7334
加权净资产收益率(%)	4.6900	17.1600	6.2200	17.4500
净资产收益率(扣除)(%)	4.4538	16.0030	6.2447	13.6902
总资产(万元)	1717537.43	1482168.44	1421972.39	1435418.82
归属母公司股东权益(万元)	938177.86	660970.76	594379.55	579172.88
营业收入(万元)	268025.31	715756.67	289464.94	580932.17
营业支出(万元)	194224.64	518912.85	216652.88	420634.78
投资收益(万元)	614.79	616.07	614.56	-
净利润(万元)	41723.06	112376.48	37486.51	79983.37
营业利润(万元)	51124.30	141119.34	46309.81	100229.18
利润总额(万元)	52172.11	143408.42	46995.95	101659.73

北京信威科技集团股份有限公司

公司概况	公司名称	北京信威科技集团股份有限公司		证券简称	信威集团
	法人代表	王靖	董秘 王铮	证券代码	600485
	公司网址	www.xinweigroup.com.cn		电子信箱	investor@xinwei.com.cn
	电　话	010-62802618		传　真	010-62802688
	办公地址	北京市海淀区东北旺西路 8 号中关村软件园 7 号楼一层			
	经营范围	通信网测试维护产品的研制开发、生产、销售和服务			

主要财务指标	指标\报告期	2016.06.30	2015.12.31	2015.06.30	2014.12.31
	基本每股收益(元)	0.4800	0.6500	0.1200	0.6700
	基本每股收益(扣除后)(元)	0.4800	0.6400	0.1000	0.6600
	稀释每股收益(元)	–	–	–	–
	每股净资产(元)	3.9983	4.1788	4.8832	3.5319
	每股经营现金净流量(元)	–0.4154	–0.6888	–0.2437	0.3009
	每股现金流量(元)	–0.3306	0.0872	–0.2807	0.2687
	每股资本公积金(元)	1.0716	1.7278	1.7278	1.7278
	每股盈余公积金(元)	0.0557	0.0557	0.0325	0.0325
	每股未分配利润(元)	2.1208	1.6458	1.1408	1.0248
	净资产收益率(%)	12.0637	15.5613	3.2104	17.5513
	加权净资产收益率(%)	10.9100	16.8600	3.2600	28.9300
	净资产收益率(扣除)(%)	12.0075	15.2939	2.8732	17.3816
	总资产(万元)	1895574.33	1753511.16	1308538.20	1421549.66
	归属母公司股东权益(万元)	1169009.31	1221783.32	1066493.97	1032623.70
	营业收入(万元)	242146.17	357421.65	47345.33	315680.79
	营业支出(万元)	30984.58	43004.09	9278.27	25713.77
	投资收益(万元)	3811.68	10876.19	5365.91	–4118.19
	净利润(万元)	144883.72	204474.19	36014.23	190991.32
	营业利润(万元)	157285.21	173072.19	6502.88	211211.46
	利润总额(万元)	169075.67	233305.47	41493.05	219576.65

江苏扬农化工股份有限公司

公司概况	公司名称	江苏扬农化工股份有限公司		证券简称	扬农化工
	法人代表	程晓曦	董秘 吴孝举	证券代码	600486
	公司网址	www.yngf.com		电子信箱	stockcom@yngf.com
	电　话	0514-85860486		传　真	0514-85889486
	办公地址	江苏省扬州市文峰路 39 号			
	经营范围	卫生用、农用拟除虫菊酯系列产品的生产和销售			

主要财务指标	指标\报告期	2016.06.30	2015.12.31	2015.06.30	2014.12.31
	基本每股收益(元)	0.6860	1.4680	0.8090	1.4670
	基本每股收益(扣除后)(元)	0.5720	1.3280	0.7410	1.3460
	稀释每股收益(元)	0.6860	1.4680	0.8090	1.4670
	每股净资产(元)	10.3851	10.1213	11.5206	10.5243
	每股经营现金净流量(元)	0.1438	0.7916	0.7104	2.1435
	每股现金流量(元)	–0.8592	–1.8697	0.5750	0.5792
	每股资本公积金(元)	2.6311	2.6311	3.1573	3.1573
	每股盈余公积金(元)	0.6765	0.6765	0.6363	0.6363
	每股未分配利润(元)	5.7560	5.5201	6.4080	5.4375
	净资产收益率(%)	6.6045	14.5089	8.4246	16.7293
	加权净资产收益率(%)	6.5500	15.5200	8.8100	18.2100
	净资产收益率(扣除)(%)	5.5105	13.1195	7.7174	15.3526
	总资产(万元)	472549.82	465735.62	467607.99	430776.54
	归属母公司股东权益(万元)	321833.60	313659.13	297519.44	271788.07
	营业收入(万元)	159524.48	311412.97	180225.42	282049.03
	营业支出(万元)	117702.32	228681.25	135365.52	207878.62
	投资收益(万元)	3907.37	4959.66	2418.81	3269.56
	净利润(万元)	21826.76	47040.45	25973.80	46897.49
	营业利润(万元)	26085.44	56995.94	31588.22	54491.41
	利润总额(万元)	26409.35	56931.13	31519.91	55287.50

江苏亨通光电股份有限公司

公司概况	公司名称	江苏亨通光电股份有限公司		证券简称	亨通光电
	法人代表	尹纪成	董秘 温小杰	证券代码	600487
	公司网址	www.htgd.com.cn		电子信箱	htgd@htgd.com.cn
	电　话	0512-63430985		传　真	0512-63092355
	办公地址	江苏省吴江市经济开发区亨通路 100 号			
	经营范围	光纤光缆的生产与销售			

主要财务指标	指标\报告期	2016.06.30	2015.12.31	2015.06.30	2014.12.31
	基本每股收益(元)	0.3080	0.4620	0.3400	0.2893
	基本每股收益(扣除后)(元)	0.2880	0.4240	0.2700	0.6730
	稀释每股收益(元)	0.3080	0.4620	0.3400	0.2893
	每股净资产(元)	3.9565	3.7191	10.0216	9.8951
	每股经营现金净流量(元)	0.0656	0.9320	0.0048	0.5500
	每股现金流量(元)	0.0150	0.4711	2.0155	–0.3116
	每股资本公积金(元)	0.6869	0.7549	4.2648	4.2648
	每股盈余公积金(元)	0.1729	0.1729	0.4540	0.4540
	每股未分配利润(元)	2.0913	1.8032	4.4249	4.1873
	净资产收益率(%)	7.7873	12.4084	3.3915	8.4060
	加权净资产收益率(%)	7.9500	13.1200	3.4000	9.1300
	净资产收益率(扣除)(%)	7.2710	11.4101	2.6984	6.5204
	总资产(万元)	1729653.28	1548218.11	1569152.29	1238838.50
	归属母公司股东权益(万元)	491104.51	461636.15	414648.84	409415.23
	营业收入(万元)	804828.81	1356327.27	541585.83	1041954.91
	营业支出(万元)	614702.54	1081890.06	435419.54	843644.05
	投资收益(万元)	6820.31	5624.31	74.34	985.79
	净利润(万元)	49798.06	69327.52	17720.60	38344.28
	营业利润(万元)	60194.23	74104.96	18218.50	36785.89
	利润总额(万元)	63511.51	81381.70	22381.84	45765.01

天津天药药业股份有限公司

公司概况	公司名称	天津天药药业股份有限公司		证券简称	天药股份
	法人代表	王福军	董秘 王春丽	证券代码	600488
	公司网址	www.kingyork.biz/tianyaoyaoye		电子信箱	tjpc600488@vip.sina.com
	电　话	022-65277565		传　真	022-65277561
	办公地址	天津市开发区西区新业九街 19 号(金耀生物园)			
	经营范围	皮质激素类原料药和制剂的生产和销售、出口			

主要财务指标	指标\报告期	2016.06.30	2015.12.31	2015.06.30	2014.12.31
	基本每股收益(元)	0.0410	0.0820	0.0490	0.0900
	基本每股收益(扣除后)(元)	0.0410	0.0790	0.0490	0.0670
	稀释每股收益(元)	0.0410	0.0820	0.0490	0.0900
	每股净资产(元)	2.5437	2.5269	2.4925	2.4715
	每股经营现金净流量(元)	0.0167	0.1348	0.0581	0.1860
	每股现金流量(元)	–0.0470	–0.0866	0.0305	–0.0307
	每股资本公积金(元)	0.6334	0.6334	0.6334	0.6334
	每股盈余公积金(元)	0.1606	0.1566	0.1534	0.1486
	每股未分配利润(元)	0.7519	0.7397	0.7100	0.6938
	净资产收益率(%)	1.6230	3.2424	1.9685	3.6460
	加权净资产收益率(%)	1.6200	3.2800	1.9700	3.7000
	净资产收益率(扣除)(%)	1.6209	3.1361	1.9673	2.6958
	总资产(万元)	298918.61	303317.90	299991.46	289679.94
	归属母公司股东权益(万元)	244416.26	242794.96	239495.96	237473.26
	营业收入(万元)	61877.04	140471.99	72813.52	138891.90
	营业支出(万元)	50530.75	117743.82	60925.41	117534.02
	投资收益(万元)	322.68	401.99	798.55	370.17
	净利润(万元)	3970.74	7880.76	4718.22	8672.39
	营业利润(万元)	4423.45	8387.80	5463.83	6984.34
	利润总额(万元)	4429.63	8698.22	5468.91	9948.89

中金黄金股份有限公司

公司概况	公司名称	中金黄金股份有限公司			证券简称	中金黄金
	法人代表	宋鑫	董秘	李跃清	证券代码	600489
	公司网址	www.zjgold.com		电子信箱	lyq@zjgold.com	
	电　话	010-56353909 56353910		传　真	010-56353910	
	办公地址	北京市东城区安外大街9号				
	经营范围	黄金等有色金属地质勘查、采选、冶炼等				

	指标\报告期	2016.06.30	2015.12.31	2015.06.30	2014.12.31
主要财务指标	基本每股收益(元)	0.0600	0.0300	0.0200	0.0300
	基本每股收益(扣除后)(元)	0.0600	0.0300	0.0200	0.0200
	稀释每股收益(元)	0.0600	0.0300	0.0200	0.0300
	每股净资产(元)	3.8166	3.3539	3.3887	3.3744
	每股经营现金净流量(元)	0.5937	-0.5125	-0.0695	0.2758
	每股现金流量(元)	0.4311	0.2441	0.3793	0.0541
	每股资本公积金(元)	1.2050	0.5378	0.5642	0.5642
	每股盈余公积金(元)	0.1837	0.2154	0.1959	0.1959
	每股未分配利润(元)	1.4142	1.5924	1.6152	1.6076
	净资产收益率(%)	1.4734	0.8751	0.5185	0.8492
	加权净资产收益率(%)	1.8500	0.8600	0.5200	0.8500
	净资产收益率(扣除)(%)	1.4715	0.9333	0.5530	0.5151
	总资产(万元)	3913863.45	3678969.65	3268001.24	2764050.52
	归属母公司股东权益(万元)	1317146.03	987116.64	997374.51	993149.87
	营业收入(万元)	1333733.96	3706353.85	1773684.56	3355115.64
	营业支出(万元)	1175575.36	3452212.62	1655771.70	3065005.76
	投资收益(万元)	1906.59	4311.33	-461.33	3.75
	净利润(万元)	26501.27	14688.87	10525.85	29175.82
	营业利润(万元)	35900.51	22689.57	17005.34	43498.81
	利润总额(万元)	36458.72	25660.75	16625.01	49083.11

鹏欣环球资源股份有限公司

公司概况	公司名称	鹏欣环球资源股份有限公司			证券简称	鹏欣资源
	法人代表	王冰	董秘	宋乐	证券代码	600490
	公司网址	www.pengxinzy.com.cn		电子信箱	600490@pengxinzy.com.cn	
	电　话	021-61677666*7397		传　真	021-62429110	
	办公地址	上海市长宁区虹桥路2188弄41号、47号楼				
	经营范围	医药中间体、农药中间体及有机新材料等精细化工品的生产和销售				

	指标\报告期	2016.06.30	2015.12.31	2015.06.30	2014.12.31
主要财务指标	基本每股收益(元)	0.0115	0.0100	0.0303	0.0400
	基本每股收益(扣除后)(元)	0.0015	0.0200	0.0292	0.0400
	稀释每股收益(元)	0.0115	0.0100	0.0303	0.0400
	每股净资产(元)	1.2227	1.1838	1.1401	1.1109
	每股经营现金净流量(元)	0.0792	0.2662	0.2644	0.3605
	每股现金流量(元)	-0.2250	0.1732	0.2118	0.0053
	每股资本公积金(元)	0.1130	0.1130	0.1130	0.1130
	每股盈余公积金(元)	0.0104	0.0104	0.0104	0.0104
	每股未分配利润(元)	0.0198	0.0070	0.0330	0.0027
	净资产收益率(%)	1.0458	1.1206	2.6556	4.5836
	加权净资产收益率(%)	0.9676	1.2000	2.6887	4.8500
	净资产收益率(扣除)(%)	0.1447	1.3594	2.5606	4.7214
	总资产(万元)	485130.67	451864.24	465039.05	412758.25
	归属母公司股东权益(万元)	180836.59	175080.95	168621.48	164306.25
	营业收入(万元)	134928.41	178806.10	84481.59	218436.73
	营业支出(万元)	120166.13	147883.97	65683.20	170321.34
	投资收益(万元)	1967.49	-859.60	-523.88	165.15
	净利润(万元)	3985.43	3989.46	10654.83	21497.87
	营业利润(万元)	4518.76	4667.40	10260.58	23798.24
	利润总额(万元)	4531.76	5009.23	10654.83	23072.51

龙元建设集团股份有限公司

公司概况	公司名称	龙元建设集团股份有限公司			证券简称	龙元建设
	法人代表	赖振元	董秘	张丽	证券代码	600491
	公司网址	www.lycg.com.cn		电子信箱	webmaster@lycg.com.cn	
	电　话	021-65615689		传　真	021-65615689	
	办公地址	上海市虹口区逸仙路768号				
	经营范围	民用、工业、市政及公共设施等各类工程的建筑施工、工程安装				

	指标\报告期	2016.06.30	2015.12.31	2015.06.30	2014.12.31
主要财务指标	基本每股收益(元)	0.1035	0.2200	0.0979	0.2600
	基本每股收益(扣除后)(元)	0.0802	0.1400	0.0637	0.1600
	稀释每股收益(元)	0.1035	0.2200	0.0979	0.2600
	每股净资产(元)	4.0068	3.7613	3.5925	3.4866
	每股经营现金净流量(元)	-0.5032	-0.5354	-0.7651	-0.2941
	每股现金流量(元)	0.3378	-0.1698	-0.7210	0.0779
	每股资本公积金(元)	1.1718	0.4555	0.4556	0.4556
	每股盈余公积金(元)	0.2878	0.3834	0.3519	0.3519
	每股未分配利润(元)	1.3924	1.7443	1.6574	1.5894
	净资产收益率(%)	2.5835	5.7518	2.7255	7.3186
	加权净资产收益率(%)	2.7600	5.9700	2.7700	7.5600
	净资产收益率(扣除)(%)	2.0028	3.7903	1.7719	4.5855
	总资产(万元)	2580989.42	2438282.04	2177845.23	2084340.94
	归属母公司股东权益(万元)	505697.35	356421.42	340428.78	330388.37
	营业收入(万元)	724720.44	1602876.81	780544.53	1623029.98
	营业支出(万元)	668188.37	1463657.87	712834.75	1486357.69
	投资收益(万元)	766.80	-95.80	-11.42	-7.31
	净利润(万元)	12950.48	19833.46	9366.33	24297.19
	营业利润(万元)	17036.40	31431.03	13509.42	37386.02
	利润总额(万元)	17280.71	32066.67	13648.34	39317.87

福建凤竹纺织科技股份有限公司

公司概况	公司名称	福建凤竹纺织科技股份有限公司			证券简称	凤竹纺织
	法人代表	陈澄清	董秘	陈美珍	证券代码	600493
	公司网址	www.fynex.com.cn		电子信箱	tzzq@fynex.com.cn	
	电　话	0595-85656506		传　真	0595-85656941	
	办公地址	福建省晋江市青阳凤竹工业区				
	经营范围	生产、加工针织、机织色布、漂染、染纱、服装,销售自产产品等				

	指标\报告期	2016.06.30	2015.12.31	2015.06.30	2014.12.31
主要财务指标	基本每股收益(元)	0.0186	0.0478	0.0103	0.0368
	基本每股收益(扣除后)(元)	0.0148	0.0271	0.0071	-0.0237
	稀释每股收益(元)	0.0186	0.0478	0.0103	0.0368
	每股净资产(元)	2.3512	2.3526	2.3150	2.3248
	每股经营现金净流量(元)	0.2998	0.3084	0.1023	0.6852
	每股现金流量(元)	0.0023	-0.0410	-0.0193	0.0712
	每股资本公积金(元)	0.7019	0.7019	0.7019	0.7019
	每股盈余公积金(元)	0.3026	0.3026	0.3005	0.3005
	每股未分配利润(元)	0.3466	0.3480	0.3126	0.3223
	净资产收益率(%)	0.7921	2.0313	0.4429	1.5839
	加权净资产收益率(%)	0.7925	2.0448	0.4407	1.5907
	净资产收益率(扣除)(%)	0.6275	1.1522	0.3081	-1.0188
	总资产(万元)	93937.09	99975.32	105584.41	108949.07
	归属母公司股东权益(万元)	63952.37	63989.77	62968.86	63233.97
	营业收入(万元)	32271.12	71994.03	34049.99	77683.32
	营业支出(万元)	28139.65	61185.69	29576.47	69307.12
	投资收益(万元)	-	-	-	228.81
	净利润(万元)	506.59	1299.80	278.89	1001.53
	营业利润(万元)	520.83	1243.09	406.50	-564.35
	利润总额(万元)	661.27	1911.31	520.65	1420.27

晋西车轴股份有限公司

公司概况	公司名称	晋西车轴股份有限公司		证券简称	晋西车轴
	法人代表	张朝宏	董秘 周海红	证券代码	600495
	公司网址	www.jinxiaxle.com.cn		电子信箱	zhh@jinxiaxle.com
	电　话	0351-6628286 6629027		传　真	0351-6628286
	办公地址	山西省太原市和平北路北巷5号			
	经营范围	铁路车辆配件、车轴、精密锻造产品生产销售及相关技术咨询服务			

主要财务指标	指标\报告期	2016.06.30	2015.12.31	2015.06.30	2014.12.31
	基本每股收益(元)	0.0100	0.0800	0.0200	0.2100
	基本每股收益(扣除后)(元)	0.0003	0.0500	0.0200	0.0300
	稀释每股收益(元)	0.0100	0.0800	0.0200	0.2100
	每股净资产(元)	2.5591	2.5723	4.5257	4.5444
	每股经营现金净流量(元)	-0.2040	0.0272	-0.3131	0.1457
	每股现金流量(元)	-0.3672	-0.3088	-0.4782	-0.0604
	每股资本公积金(元)	0.9602	0.9602	2.5292	2.5292
	每股盈余公积金(元)	0.1441	0.1392	0.2400	0.2142
	每股未分配利润(元)	0.4524	0.4722	0.7552	0.8011
	净资产收益率(%)	0.4353	3.2438	0.9929	4.6018
	加权净资产收益率(%)	0.4300	3.2800	0.9900	4.6800
	净资产收益率(扣除)(%)	0.0116	2.0619	0.6627	0.6190
	总资产(万元)	371369.28	387321.02	408035.30	426757.32
	归属母公司股东权益(万元)	309185.43	310777.66	303773.34	305030.85
	营业收入(万元)	46139.78	201025.56	96764.96	250259.01
	营业支出(万元)	40615.59	173061.65	86827.22	228697.37
	投资收益(万元)	2502.76	4273.80	2394.62	12265.30
	净利润(万元)	1345.94	10071.17	3006.40	14037.19
	营业利润(万元)	1552.28	10595.16	3482.25	13108.92
	利润总额(万元)	1544.19	11612.02	3652.39	16013.81

长江精工钢结构(集团)股份有限公司

公司概况	公司名称	长江精工钢结构(集团)股份有限公司		证券简称	精工钢构
	法人代表	方朝阳	董秘 沈月华	证券代码	600496
	公司网址	www.600496.com		电子信箱	600496@jgsteel.cn
	电　话	021-31215599-6858 0564-3631386		传　真	021-31215599-6870 0564-3630000
	办公地址	安徽省六安市经济技术开发区长江精工工业园			
	经营范围	轻型、高层用钢结构产品及新型墙体材料生产销售等			

主要财务指标	指标\报告期	2016.06.30	2015.12.31	2015.06.30	2014.12.31
	基本每股收益(元)	0.0627	0.1268	0.0850	0.1867
	基本每股收益(扣除后)(元)	0.0577	0.1095	0.0749	0.3600
	稀释每股收益(元)	0.0627	0.1268	0.0850	0.1867
	每股净资产(元)	2.3943	2.3385	2.2982	4.9098
	每股经营现金净流量(元)	0.1186	0.3076	0.0022	0.1702
	每股现金流量(元)	-0.0723	0.0455	-0.0562	0.3410
	每股资本公积金(元)	0.2228	0.2162	0.2162	1.6757
	每股盈余公积金(元)	0.0813	0.0813	0.0730	0.1606
	每股未分配利润(元)	1.0922	1.0496	1.0159	2.0881
	净资产收益率(%)	2.6180	5.4241	3.6967	7.9063
	加权净资产收益率(%)	2.6500	5.5500	3.7500	10.4500
	净资产收益率(扣除)(%)	2.4100	4.6827	3.2600	6.4180
	总资产(万元)	934759.82	1044376.76	1000269.87	978906.30
	归属母公司股东权益(万元)	361639.78	353221.78	347129.46	337087.13
	营业收入(万元)	260190.93	720533.74	327870.90	688577.99
	营业支出(万元)	216123.95	601145.06	273430.93	574380.67
	投资收益(万元)	-21.65	368.74	-444.01	-513.74
	净利润(万元)	9427.97	19159.60	12782.86	26494.34
	营业利润(万元)	10287.05	18491.91	13259.82	26649.51
	利润总额(万元)	10846.91	20593.54	14391.91	31489.03

云南驰宏锌锗股份有限公司

公司概况	公司名称	云南驰宏锌锗股份有限公司		证券简称	驰宏锌锗
	法人代表	孙勇	董秘 黎文刚	证券代码	600497
	公司网址	www.chxz.com		电子信箱	ynchxz@chxz.com
	电　话	0874-8966698		传　真	0874-8966699
	办公地址	云南省曲靖市经济技术开发区			
	经营范围	铅、锌、锗系列产品的生产与销售等			

主要财务指标	指标\报告期	2016.06.30	2015.12.31	2015.06.30	2014.12.31
	基本每股收益(元)	0.0090	0.0297	0.0391	0.0966
	基本每股收益(扣除后)(元)	-0.0133	0.0821	0.0392	0.0826
	稀释每股收益(元)	0.0090	0.0297	0.0391	0.0966
	每股净资产(元)	4.9698	4.1263	4.1729	4.3133
	每股经营现金净流量(元)	0.2766	1.1014	0.5299	0.5302
	每股现金流量(元)	0.1486	-0.0426	0.2043	-0.0837
	每股资本公积金(元)	3.3926	2.4218	2.4216	2.4213
	每股盈余公积金(元)	0.2597	0.3355	0.3110	0.3110
	每股未分配利润(元)	0.4240	0.5378	0.5717	0.6827
	净资产收益率(%)	0.1565	0.7198	0.9367	2.2407
	加权净资产收益率(%)	0.2000	0.7100	0.9100	1.8000
	净资产收益率(扣除)(%)	-0.2319	1.9904	0.9396	1.9152
	总资产(万元)	3428076.39	3349017.36	3324114.69	3283980.22
	归属母公司股东权益(万元)	1070958.25	688092.06	695864.45	719264.45
	营业收入(万元)	605581.43	1811357.10	1051780.16	1889758.70
	营业支出(万元)	519576.29	1592916.89	956105.94	1685439.21
	投资收益(万元)	2226.97	-9228.91	-445.79	2146.01
	净利润(万元)	765.46	6900.95	5374.34	13328.98
	营业利润(万元)	3501.61	9456.19	5931.14	20504.58
	利润总额(万元)	4739.61	11596.84	5591.60	22747.41

烽火通信科技股份有限公司

公司概况	公司名称	烽火通信科技股份有限公司		证券简称	烽火通信
	法人代表	童国华	董秘 符宇航	证券代码	600498
	公司网址	www.fiberhome.com.cn		电子信箱	info@fiberhome.com.cn
	电　话	027-87693885		传　真	027-87691704
	办公地址	湖北省武汉市洪山区光谷创业街42号			
	经营范围	光纤通信和相关通信技术、信息技术领域科技开发等			

主要财务指标	指标\报告期	2016.06.30	2015.12.31	2015.06.30	2014.12.31
	基本每股收益(元)	0.3700	0.6400	0.3300	0.5600
	基本每股收益(扣除后)(元)	0.3500	0.6000	0.3200	0.5300
	稀释每股收益(元)	0.3700	0.6400	0.3300	0.5600
	每股净资产(元)	6.5701	6.5511	6.2846	6.2299
	每股经营现金净流量(元)	-1.7138	0.7785	-0.5268	0.8251
	每股现金流量(元)	-1.5550	0.0081	-1.2026	0.2699
	每股资本公积金(元)	2.9053	2.9264	2.9720	2.8796
	每股盈余公积金(元)	0.3372	0.3372	0.2972	0.3127
	每股未分配利润(元)	2.3195	2.2889	2.0202	2.0399
	净资产收益率(%)	5.6327	9.5849	5.0732	8.7131
	加权净资产收益率(%)	5.5200	9.8300	5.2600	9.2700
	净资产收益率(扣除)(%)	5.2860	8.9640	4.8330	8.2201
	总资产(万元)	2155048.11	1907856.16	1714060.99	1543286.96
	归属母公司股东权益(万元)	687690.28	685850.63	657946.28	619953.81
	营业收入(万元)	771400.91	1348963.69	611916.24	1072125.45
	营业支出(万元)	585987.13	990905.27	457340.61	788247.76
	投资收益(万元)	3216.14	6118.49	3385.86	6010.42
	净利润(万元)	40170.66	70724.54	37415.98	63011.51
	营业利润(万元)	35651.05	53870.83	33311.46	47640.13
	利润总额(万元)	42255.41	76547.26	39599.92	66311.61

广东科达洁能股份有限公司

公司概况					
公司名称	广东科达洁能股份有限公司			证券简称	科达洁能
法人代表	吴木海	董秘	曾飞	证券代码	600499
公司网址	www.kedachina.com.cn		电子信箱	600499@kedachina.com.cn	
电话	0757-23833869		传真	0757-23833869	
办公地址	广东省佛山市顺德区陈村镇广隆工业园环镇西路1号				
经营范围	陶瓷、石材、墙体材料、节能环保等建材机械设备制造等				

主要财务指标 指标\报告期	2016.06.30	2015.12.31	2015.06.30	2014.12.31
基本每股收益(元)	0.3820	0.7710	0.3860	0.6470
基本每股收益(扣除后)(元)	0.3320	0.0060	0.3340	0.5870
稀释每股收益(元)	0.3820	0.7710	0.3830	0.6380
每股净资产(元)	5.8854	5.8213	5.4181	5.1852
每股经营现金净流量(元)	0.1346	0.8005	0.4284	-0.4077
每股现金流量(元)	-0.1107	0.4649	0.2823	-0.2402
每股资本公积金(元)	1.3955	1.7161	1.6911	1.6129
每股盈余公积金(元)	0.3620	0.3620	0.3267	0.3307
每股未分配利润(元)	3.1235	2.7418	2.3917	2.2345
净资产收益率(%)	6.4858	13.1763	7.0442	12.3394
加权净资产收益率(%)	6.4000	14.0400	7.2000	13.2800
净资产收益率(扣除)(%)	5.6361	0.0975	6.1034	11.1997
总资产(万元)	817633.97	842057.19	765233.98	757676.84
归属母公司股东权益(万元)	415352.48	410826.93	382375.43	361527.56
营业收入(万元)	220662.35	359368.43	211236.43	446587.59
营业支出(万元)	165726.46	277606.24	161292.77	340371.70
投资收益(万元)	-	70835.26	3336.88	6455.47
净利润(万元)	26186.07	53178.90	27023.01	42820.59
营业利润(万元)	25215.23	65446.74	26444.34	45914.13
利润总额(万元)	30163.51	65903.73	31192.15	51231.19

中化国际(控股)股份有限公司

公司概况					
公司名称	中化国际(控股)股份有限公司			证券简称	中化国际
法人代表	张增根	董秘	柯希霆	证券代码	600500
公司网址	www.sinochemintl.com		电子信箱	ir@sinochem.com	
电话	021-61048339 31768000		传真	021-50470206	
办公地址	上海市浦东新区长清北路233号中化国际广场12楼				
经营范围	化工原料、精细化工、农用化工、塑料、橡胶制品等的进出口、内销贸易等				

主要财务指标 指标\报告期	2016.06.30	2015.12.31	2015.06.30	2014.12.31
基本每股收益(元)	0.0800	0.2300	0.1700	0.4100
基本每股收益(扣除后)(元)	0.1100	0.0300	0.1100	0.0100
稀释每股收益(元)	0.0800	0.2300	0.1700	0.4100
每股净资产(元)	5.4241	5.4276	5.2417	5.2308
每股经营现金净流量(元)	0.3873	1.1289	0.1687	0.4591
每股现金流量(元)	1.1825	-0.2592	-0.2703	0.4526
每股资本公积金(元)	2.1323	2.1412	2.1388	2.1450
每股盈余公积金(元)	0.3211	0.3211	0.2974	0.2974
每股未分配利润(元)	2.1626	2.1927	2.0289	1.9781
净资产收益率(%)	1.4738	4.2501	3.4477	7.7671
加权净资产收益率(%)	1.4700	4.2500	3.4100	7.1500
净资产收益率(扣除)(%)	2.0378	0.6252	2.0931	0.1310
总资产(万元)	4489879.65	4033781.73	3302083.01	3020498.03
归属母公司股东权益(万元)	1129854.95	1130573.29	1091857.79	1090741.66
营业收入(万元)	1962440.57	4374569.19	1922066.61	3860519.67
营业支出(万元)	1738087.71	3920273.56	1759275.79	3591677.93
投资收益(万元)	-9810.10	70702.57	25171.97	107296.29
净利润(万元)	38469.61	103009.25	46311.67	88265.43
营业利润(万元)	39738.50	130187.64	53216.61	82115.01
利润总额(万元)	50495.95	138645.78	55828.03	121872.56

航天晨光股份有限公司

公司概况					
公司名称	航天晨光股份有限公司			证券简称	航天晨光
法人代表	吴启宏	董秘	黄国锴	证券代码	600501
公司网址	www.aerosun.cn		电子信箱	zt@aerosun.cn	
电话	025-52826008 52826031		传真	025-52826039	
办公地址	江苏省南京市江宁经济技术开发区天元中路188号				
经营范围	专用汽车类产品和波纹柔性管类产品				

主要财务指标 指标\报告期	2016.06.30	2015.12.31	2015.06.30	2014.12.31
基本每股收益(元)	-0.0100	0.0500	0.0700	0.2200
基本每股收益(扣除后)(元)	-0.0200	0.0300	0.0700	0.1900
稀释每股收益(元)	-0.0100	0.0500	0.0700	0.2200
每股净资产(元)	5.0781	5.0901	5.2093	3.2176
每股经营现金净流量(元)	-0.4738	0.5075	-0.4373	0.3049
每股现金流量(元)	-1.1050	1.7553	1.6985	-0.2447
每股资本公积金(元)	3.3465	3.3465	3.3465	1.2843
每股盈余公积金(元)	0.1886	0.1886	0.1983	0.2146
每股未分配利润(元)	0.5427	0.5548	0.6645	0.7187
净资产收益率(%)	-0.2380	0.8781	1.2494	6.8105
加权净资产收益率(%)	-0.2400	1.1200	2.1700	6.9800
净资产收益率(扣除)(%)	-0.3488	0.6041	1.1684	6.0268
总资产(万元)	451734.64	474349.80	507708.81	411080.35
归属母公司股东权益(万元)	213932.20	214437.91	219459.07	125255.25
营业收入(万元)	114061.66	318059.28	163522.99	362527.10
营业支出(万元)	87509.60	257340.99	133817.21	290753.93
投资收益(万元)	1332.30	3961.97	1558.49	2731.66
净利润(万元)	153.05	3612.10	3232.23	10088.47
营业利润(万元)	-346.39	3581.17	3131.84	9658.33
利润总额(万元)	89.03	4377.59	3516.28	11112.64

安徽水利开发股份有限公司

公司概况					
公司名称	安徽水利开发股份有限公司			证券简称	安徽水利
法人代表	张晓林	董秘	赵作平	证券代码	600502
公司网址	www.cahsl.com		电子信箱	ahslzqb@163.com	
电话	0552-3950553		传真	0552-3950276	
办公地址	安徽省蚌埠市东海大道张公山南侧				
经营范围	利水电工程及其他工程施工、小水电和城乡供水				

主要财务指标 指标\报告期	2016.06.30	2015.12.31	2015.06.30	2014.12.31
基本每股收益(元)	0.0900	0.5000	0.1300	0.4600
基本每股收益(扣除后)(元)	0.0800	0.4900	0.1300	0.4500
稀释每股收益(元)	0.0900	0.5000	0.1300	0.4600
每股净资产(元)	2.9428	4.9161	4.6002	3.5119
每股经营现金净流量(元)	-0.2637	1.1664	-0.5588	-1.8792
每股现金流量(元)	0.0075	0.3291	0.6820	0.1179
每股资本公积金(元)	0.3576	1.1079	1.1079	0.0544
每股盈余公积金(元)	0.2183	0.3712	0.3242	0.3436
每股未分配利润(元)	1.2323	2.2007	1.9824	1.9220
净资产收益率(%)	3.0844	9.7856	4.6927	13.0836
加权净资产收益率(%)	3.0800	11.6900	6.3000	13.9200
净资产收益率(扣除)(%)	2.5668	9.6980	4.6476	12.8068
总资产(万元)	1460743.07	1357403.80	1346008.56	1233986.74
归属母公司股东权益(万元)	266102.28	261490.97	244689.84	176271.57
营业收入(万元)	538807.56	915012.23	450425.39	840943.15
营业支出(万元)	489104.14	808814.09	397423.46	722115.94
投资收益(万元)	387.98	235.50	186.44	-11.23
净利润(万元)	8395.69	25856.15	11890.48	23270.43
营业利润(万元)	12700.85	34615.57	15443.87	37947.73
利润总额(万元)	14149.34	34518.18	15591.07	38268.10

华丽家族股份有限公司

公司概况						
	公司名称	华丽家族股份有限公司			证券简称	华丽家族
	法人代表	林立新	董秘	金泽清	证券代码	600503
	公司网址	www.deluxe-family.com		电子信箱	dmb@deluxe-family.com	
	电　话	021-62376199		传　真	021-62376089	
	办公地址	上海市长宁区红宝石路 500 号东银中心 B 栋 1502 室				
	经营范围	房地产开发经营				

主要财务指标	指标\报告期	2016.06.30	2015.12.31	2015.06.30	2014.12.31
	基本每股收益(元)	0.0541	0.0133	0.0074	0.0158
	基本每股收益(扣除后)(元)	0.0536	0.0076	0.0022	0.0076
	稀释每股收益(元)	0.0541	0.0133	0.0074	0.0158
	每股净资产(元)	2.3138	2.2638	2.2462	2.2428
	每股经营现金净流量(元)	0.6033	0.3975	0.0732	0.0357
	每股现金流量(元)	−0.0771	0.1502	−0.0100	0.3554
	每股资本公积金(元)	0.7483	0.7483	0.7366	0.7366
	每股盈余公积金(元)	0.1199	0.1199	0.1195	0.1195
	每股未分配利润(元)	0.4456	0.3956	0.3901	0.3866
	净资产收益率(%)	2.3371	0.5860	0.3315	0.5514
	加权净资产收益率(%)	2.3600	0.5900	0.3300	0.8300
	净资产收益率(扣除)(%)	2.3159	0.3169	0.0987	0.2660
	总资产(万元)	615214.48	541748.81	518235.54	439430.97
	归属母公司股东权益(万元)	370742.92	362719.19	359911.60	359359.48
	营业收入(万元)	43091.42	43022.92	5157.63	41196.28
	营业支出(万元)	26516.53	32972.30	3450.78	28740.45
	投资收益(万元)	3780.57	4891.72	2188.56	1065.21
	净利润(万元)	8330.89	1805.18	1133.85	1981.54
	营业利润(万元)	11053.01	3675.88	1162.39	3634.39
	利润总额(万元)	11210.12	4062.69	1345.31	3598.60

四川西昌电力股份有限公司

公司概况						
	公司名称	四川西昌电力股份有限公司			证券简称	西昌电力
	法人代表	卿松	董秘	邱永志	证券代码	600505
	公司网址	www.xcep.com.cn		电子信箱	xcdlgs@163.net	
	电　话	0834-3830167		传　真	0834-3830169	
	办公地址	四川省西昌市胜利路 66 号				
	经营范围	生产、开发电力产品及发、供、用电设备,发电、供电、电力、电子设计、安装、调试				

主要财务指标	指标\报告期	2016.06.30	2015.12.31	2015.06.30	2014.12.31
	基本每股收益(元)	0.0068	0.1789	0.0006	0.1695
	基本每股收益(扣除后)(元)	0.0143	0.1615	−0.0042	0.1590
	稀释每股收益(元)	0.0068	0.1789	0.0006	0.1695
	每股净资产(元)	2.6796	2.7022	2.5240	2.5533
	每股经营现金净流量(元)	0.1802	0.6102	0.1821	0.4629
	每股现金流量(元)	0.0688	−0.0464	−0.0487	−0.1492
	每股资本公积金(元)	0.2090	0.2090	0.2090	0.2090
	每股盈余公积金(元)	0.2979	0.2979	0.2742	0.2742
	每股未分配利润(元)	1.1722	1.1954	1.0407	1.0701
	净资产收益率(%)	0.2529	6.6199	0.0249	6.6394
	加权净资产收益率(%)	0.2500	6.8100	0.0200	6.8300
	净资产收益率(扣除)(%)	0.5342	5.9776	−0.1681	6.2266
	总资产(万元)	233062.42	227135.86	181168.71	181867.63
	归属母公司股东权益(万元)	97688.13	98514.40	92015.75	93086.55
	营业收入(万元)	39298.33	83697.81	36487.47	76313.49
	营业支出(万元)	32393.82	65363.70	31802.79	58344.56
	投资收益(万元)	−286.87	−1382.11	−464.62	−784.25
	净利润(万元)	4.03	6097.43	68.34	6011.10
	营业利润(万元)	85.15	5990.70	−249.04	6672.50
	利润总额(万元)	390.52	7552.69	−40.10	7506.76

新疆库尔勒香梨股份有限公司

公司概况						
	公司名称	新疆库尔勒香梨股份有限公司			证券简称	香梨股份
	法人代表	刘赟东	董秘	康莹	证券代码	600506
	公司网址	www.xjxlgf.com.cn		电子信箱	xlgf_dmb@163.com	
	电　话	0996-2115936		传　真	0996-2115935	
	办公地址	新疆维吾尔自治区库尔勒市圣果路圣果名苑				
	经营范围	农业、林业、果业的种植为主,农副产品的收购加工和销售				

主要财务指标	指标\报告期	2016.06.30	2015.12.31	2015.06.30	2014.12.31
	基本每股收益(元)	−0.0240	0.0160	−0.0120	−0.1020
	基本每股收益(扣除后)(元)	−0.0280	−0.0910	−0.0120	−0.1120
	稀释每股收益(元)	−0.0240	0.0160	−0.0120	−0.1020
	每股净资产(元)	1.8319	1.8600	1.8283	1.8400
	每股经营现金净流量(元)	0.0999	0.0964	0.2961	0.0196
	每股现金流量(元)	0.0339	0.0336	0.2964	−0.2765
	每股资本公积金(元)	1.5164	1.5164	1.5164	1.5164
	每股盈余公积金(元)	0.2315	0.2315	0.2315	0.2315
	每股未分配利润(元)	−0.9160	−0.8916	−0.9196	−0.9077
	净资产收益率(%)	−1.3301	0.8664	−0.6498	−5.5477
	加权净资产收益率(%)	−1.3200	0.8700	−0.6500	−5.4000
	净资产收益率(扣除)(%)	−1.5322	−4.8967	−0.6498	−6.0995
	总资产(万元)	28639.15	29628.47	28550.60	28778.85
	归属母公司股东权益(万元)	27058.70	27418.62	27005.56	27181.05
	营业收入(万元)	1985.14	5386.58	4311.53	11180.97
	营业支出(万元)	1879.65	5242.01	3828.66	10486.35
	投资收益(万元)	−6.37	−1089.38	−	15.15
	净利润(万元)	−359.91	237.57	−175.48	−1631.97
	营业利润(万元)	−284.34	−2392.78	−171.71	−1910.36
	利润总额(万元)	−285.78	274.11	−171.71	−1775.54

方大特钢科技股份有限公司

公司概况						
	公司名称	方大特钢科技股份有限公司			证券简称	方大特钢
	法人代表	钟崇武	董秘	田小龙	证券代码	600507
	公司网址	www.fangda-specialsteels.com		电子信箱	fdtg600507@163.com	
	电　话	0791-88396314　88394025		传　真	0791-88386926	
	办公地址	江西省南昌市青山湖区冶金大道 475 号				
	经营范围	汽车钢板弹簧、扭杆弹簧、圆簧、弹簧扁钢、减震器、弹簧专用设备等				

主要财务指标	指标\报告期	2016.06.30	2015.12.31	2015.06.30	2014.12.31
	基本每股收益(元)	0.2000	0.0800	0.1100	0.4300
	基本每股收益(扣除后)(元)	0.1900	0.0700	0.1100	0.4100
	稀释每股收益(元)	0.2000	0.0800	0.1100	0.4300
	每股净资产(元)	1.6915	1.5204	1.5592	2.2490
	每股经营现金净流量(元)	0.4883	0.5328	0.3347	0.6280
	每股现金流量(元)	−0.3897	0.0941	0.1160	0.0171
	每股资本公积金(元)	0.0349	0.0349	0.0435	0.0706
	每股盈余公积金(元)	0.2540	0.2540	0.2409	0.2414
	每股未分配利润(元)	0.3750	0.2038	0.2476	0.9225
	净资产收益率(%)	11.5402	5.2180	7.0936	19.0884
	加权净资产收益率(%)	12.2500	4.2000	5.8100	20.4500
	净资产收益率(扣除)(%)	11.3044	4.5346	6.7645	18.2796
	总资产(万元)	763468.42	930572.89	944511.47	937414.42
	归属母公司股东权益(万元)	224306.56	201615.61	206757.98	299986.86
	营业收入(万元)	379253.78	814829.07	426414.91	1150930.34
	营业支出(万元)	306325.49	719861.65	365112.02	970561.65
	投资收益(万元)	634.41	1297.38	696.60	719.72
	净利润(万元)	27107.43	11468.40	15163.86	59867.87
	营业利润(万元)	34867.29	12537.37	21459.95	78021.22
	利润总额(万元)	35577.34	13267.50	21483.03	80467.66

上海大屯能源股份有限公司

公司概况	公司名称	上海大屯能源股份有限公司			证券简称	上海能源
	法人代表	义宝厚	董秘	戚后勤	证券代码	600508
	公司网址	www.sdtny.com		电子信箱	shdtny@sh163.net	
	电　话	021-68864621		传　真	021-68865615	
	办公地址	上海市浦东新区浦东南路256号(华夏银行大厦12层)				
	经营范围	煤炭开采、洗选加工、煤炭销售、铁路运输、矿山采掘设备、洗选设备等				

主要财务指标	指标\报告期	2016.06.30	2015.12.31	2015.06.30	2014.12.31
	基本每股收益(元)	0.4000	0.0200	0.0200	0.0700
	基本每股收益(扣除后)(元)	-	0.0100	0.0200	0.0800
	稀释每股收益(元)	0.4000	0.0200	0.0200	0.0700
	每股净资产(元)	11.5239	11.0450	11.0243	11.0281
	每股经营现金净流量(元)	0.8563	0.8957	0.6906	1.0904
	每股现金流量(元)	0.7524	0.0052	0.0619	-0.2017
	每股资本公积金(元)	1.2606	1.2334	1.2334	1.2320
	每股盈余公积金(元)	0.5000	0.5000	0.5000	0.5000
	每股未分配利润(元)	8.4512	8.0539	8.0549	8.0381
	净资产收益率(%)	3.4481	0.1429	0.1521	0.6078
	加权净资产收益率(%)	3.5200	0.1400	0.1500	0.6100
	净资产收益率(扣除)(%)	0.0198	0.1343	0.1490	0.7581
	总资产(万元)	1432540.36	1367037.93	1403445.07	1403557.09
	归属母公司股东权益(万元)	832853.87	798242.53	796743.27	797019.42
	营业收入(万元)	236273.11	496039.29	251751.90	635164.67
	营业支出(万元)	197377.25	408927.76	206744.10	524827.91
	投资收益(万元)	28607.47	6953.14	8.00	8.00
	净利润(万元)	27594.59	-2973.87	163.50	1577.62
	营业利润(万元)	27628.73	5913.87	723.47	3927.34
	利润总额(万元)	27603.00	6144.24	752.11	2679.93

新疆天富能源股份有限公司

公司概况	公司名称	新疆天富能源股份有限公司			证券简称	天富能源
	法人代表	赵磊	董秘	陈志勇	证券代码	600509
	公司网址	www.tfny.com		电子信箱	tfrd.600509@163.com	
	电　话	0993-2901128 2902860		传　真	0993-2901728 2904371	
	办公地址	新疆维吾尔自治区石河子市北一路东-2号				
	经营范围	电、热的生产与供应				

主要财务指标	指标\报告期	2016.06.30	2015.12.31	2015.06.30	2014.12.31
	基本每股收益(元)	0.1400	0.3500	0.2240	0.3800
	基本每股收益(扣除后)(元)	0.1000	0.2500	0.2100	0.3100
	稀释每股收益(元)	0.1400	0.3500	0.2240	0.3800
	每股净资产(元)	5.2460	5.1023	5.0859	4.8616
	每股经营现金净流量(元)	-0.0310	0.7132	0.4256	0.7138
	每股现金流量(元)	0.2750	-0.1072	0.5188	0.0316
	每股资本公积金(元)	2.8314	2.8457	2.8340	2.8340
	每股盈余公积金(元)	0.2989	0.2989	0.2594	0.2594
	每股未分配利润(元)	1.1157	0.9578	0.9925	0.7683
	净资产收益率(%)	2.7385	6.7617	4.4098	7.8857
	加权净资产收益率(%)	2.7800	6.9500	4.5100	8.0100
	净资产收益率(扣除)(%)	1.9416	4.9812	4.1252	6.2738
	总资产(万元)	1837404.54	1730151.22	1538793.63	1429508.25
	归属母公司股东权益(万元)	475128.55	462117.22	460629.50	440316.53
	营业收入(万元)	171779.32	348396.91	170900.69	355895.54
	营业支出(万元)	117929.08	243674.91	117003.62	262899.30
	投资收益(万元)	2928.01	-2155.57	-242.00	-695.15
	净利润(万元)	13112.44	31305.27	20606.23	35905.88
	营业利润(万元)	14480.73	32728.33	23776.08	37705.08
	利润总额(万元)	16254.85	38056.65	25512.94	40729.05

黑牡丹(集团)股份有限公司

公司概况	公司名称	黑牡丹(集团)股份有限公司			证券简称	黑 牡 丹
	法人代表	戈亚芳	董秘	周明	证券代码	600510
	公司网址	www.blackpeony.com		电子信箱	600510@blackpeony.com	
	电　话	0519-68866958		传　真	0519-68866908	
	办公地址	江苏省常州市青洋北路47号				
	经营范围	牛仔布、服装的制造和加工				

主要财务指标	指标\报告期	2016.06.30	2015.12.31	2015.06.30	2014.12.31
	基本每股收益(元)	0.1700	0.3400	0.1700	0.3000
	基本每股收益(扣除后)(元)	0.1600	0.2200	0.1600	0.2300
	稀释每股收益(元)	0.1700	0.3400	0.1700	0.3000
	每股净资产(元)	6.3999	6.3253	6.1762	5.8458
	每股经营现金净流量(元)	-0.1001	0.1788	-0.4486	-1.2103
	每股现金流量(元)	-0.3583	1.0643	0.4993	-0.5571
	每股资本公积金(元)	2.8567	2.8567	2.1011	2.1011
	每股盈余公积金(元)	0.3509	0.3509	0.4362	0.4362
	每股未分配利润(元)	2.0021	1.9268	2.3864	2.3067
	净资产收益率(%)	2.6355	4.0902	2.6716	5.1750
	加权净资产收益率(%)	2.6300	5.7100	2.7900	5.2400
	净资产收益率(扣除)(%)	2.5647	2.6651	2.5169	3.9851
	总资产(万元)	1876363.25	1839209.33	1767546.93	1603443.66
	归属母公司股东权益(万元)	670134.68	662316.64	491329.15	465047.54
	营业收入(万元)	340500.65	432347.77	241040.12	527465.30
	营业支出(万元)	283853.93	355632.25	199473.77	439343.98
	投资收益(万元)	10.83	879.25	885.01	895.78
	净利润(万元)	21371.73	28167.35	14373.59	31907.59
	营业利润(万元)	28546.01	36840.88	19188.63	43151.74
	利润总额(万元)	29108.41	38816.16	20077.82	43376.07

国药集团药业股份有限公司

公司概况	公司名称	国药集团药业股份有限公司			证券简称	国药股份
	法人代表	刘勇	董秘	朱霖	证券代码	600511
	公司网址	www.cncm.com.cn		电子信箱	zhulin7@sinopharm.com	
	电　话	010-67271828		传　真	010-67271828	
	办公地址	北京市东城区永外三元西巷甲12号				
	经营范围	批发中成药、化学药制剂、化学原料药、抗生素、生化药品、生物制品等				

主要财务指标	指标\报告期	2016.06.30	2015.12.31	2015.06.30	2014.12.31
	基本每股收益(元)	0.6099	1.0711	0.5440	1.0080
	基本每股收益(扣除后)(元)	0.6019	1.0203	0.5329	0.9813
	稀释每股收益(元)	0.6099	1.0711	0.5440	1.0080
	每股净资产(元)	6.8055	6.3278	5.6812	5.1797
	每股经营现金净流量(元)	0.8737	0.9196	0.7992	0.4573
	每股现金流量(元)	0.0625	1.5509	0.5869	-0.2555
	每股资本公积金(元)	0.1867	0.1867	0.0567	0.0567
	每股盈余公积金(元)	0.6416	0.6416	0.5483	0.5483
	每股未分配利润(元)	4.8887	4.3788	3.9450	3.5009
	净资产收益率(%)	8.9620	16.9269	9.5763	19.4614
	加权净资产收益率(%)	9.2900	18.9100	10.0200	24.4400
	净资产收益率(扣除)(%)	8.8438	16.1239	9.3801	18.9460
	总资产(万元)	660384.37	655605.40	566207.63	553785.55
	归属母公司股东权益(万元)	325848.94	302976.41	272014.57	248005.31
	营业收入(万元)	652465.48	1207819.41	593972.56	1153834.25
	营业支出(万元)	603190.92	1111788.48	547712.08	1062588.25
	投资收益(万元)	6334.55	10449.71	6095.66	10046.01
	净利润(万元)	29572.13	53230.91	26817.56	49805.12
	营业利润(万元)	36204.17	63326.33	32285.21	58340.54
	利润总额(万元)	37060.18	66772.74	33510.69	62494.50

腾达建设集团股份有限公司

公司概况					
公司名称	腾达建设集团股份有限公司			证券简称	腾达建设
法人代表	杨九如	董秘	陈英	证券代码	600512
公司网址	www.tengdajs.com		电子信箱	zqb@tengdajs.com	
电　话	021-68406906		传　真	021-68406906	
办公地址	浙江省台州市路桥区路桥大道东 1 号				
经营范围	市政公用工程、房屋建筑工程、公路工程、桥梁工程、公路路面工程等				

主要财务指标 指标＼报告期	2016.06.30	2015.12.31	2015.06.30	2014.12.31
基本每股收益(元)	0.0400	–0.0300	0.0200	0.0300
基本每股收益(扣除后)(元)	0.0400	–0.0300	0.0100	0.0200
稀释每股收益(元)	0.0400	–0.0300	0.0200	0.0300
每股净资产(元)	2.0269	1.9817	2.0191	1.5885
每股经营现金净流量(元)	0.1215	–0.0857	–0.2924	0.0098
每股现金流量(元)	0.1076	–0.0180	–0.2775	0.0442
每股资本公积金(元)	0.6219	0.6219	0.6219	0.0340
每股盈余公积金(元)	0.1142	0.1142	0.1120	0.1547
每股未分配利润(元)	0.2551	0.2115	0.2544	0.3618
净资产收益率(%)	2.1501	–1.4224	0.6187	2.0520
加权净资产收益率(%)	2.1700	–1.5200	1.0800	2.0600
净资产收益率(扣除)(%)	2.1459	–1.3838	0.4933	1.3171
总资产(万元)	597035.23	544734.76	508796.94	566125.13
归属母公司股东权益(万元)	206350.25	201743.11	205553.13	117060.81
营业收入(万元)	153061.01	292106.49	123804.20	291353.08
营业支出(万元)	133305.03	261354.03	108562.93	260050.47
投资收益(万元)	–337.90	–120.54	18.00	22.86
净利润(万元)	4332.23	–6122.11	576.76	1149.70
营业利润(万元)	5855.24	–3147.77	1486.54	5220.82
利润总额(万元)	5867.56	–3707.24	1470.30	5352.98

江苏联环药业股份有限公司

公司概况					
公司名称	江苏联环药业股份有限公司			证券简称	联环药业
法人代表	姚兴田	董秘	潘和平	证券代码	600513
公司网址	www.lhpharma.com		电子信箱	php@lhpharma.com	
电　话	0514-87813082		传　真	0514-87815079	
办公地址	江苏省扬州市文峰路 21 号				
经营范围	制造和销售化学原料药、化学药制剂、有机中间体				

主要财务指标 指标＼报告期	2016.06.30	2015.12.31	2015.06.30	2014.12.31
基本每股收益(元)	0.1700	0.3000	0.1400	0.2800
基本每股收益(扣除后)(元)	0.1700	0.3000	0.1400	0.2800
稀释每股收益(元)	–	–	–	–
每股净资产(元)	4.6971	4.5832	4.4274	2.7691
每股经营现金净流量(元)	0.0586	0.3678	0.0872	0.4435
每股现金流量(元)	–0.0443	1.7839	1.6126	–0.0627
每股资本公积金(元)	2.2145	2.2145	2.2145	0.5286
每股盈余公积金(元)	0.1940	0.1940	0.1705	0.1838
每股未分配利润(元)	1.2886	1.1747	1.0425	1.0568
净资产收益率(%)	3.7023	6.4736	3.1826	10.1389
加权净资产收益率(%)	3.7300	7.6900	4.4100	10.5300
净资产收益率(扣除)(%)	3.6864	6.2909	3.2067	10.2465
总资产(万元)	102075.29	100053.66	95218.73	65895.89
归属母公司股东权益(万元)	79338.83	77414.93	74783.52	43392.48
营业收入(万元)	31082.85	64243.29	32832.11	66868.82
营业支出(万元)	14632.75	27658.05	15041.18	32081.43
投资收益(万元)	108.87	691.36	281.40	570.43
净利润(万元)	2937.87	5000.58	2379.26	4389.29
营业利润(万元)	3542.88	5893.34	2899.78	5371.33
利润总额(万元)	3560.26	6060.83	2877.59	5295.68

海南海航基础设施投资集团股份有限公司

公司概况					
公司名称	海南海航基础设施投资集团股份有限公司			证券简称	海航基础
法人代表	李同双	董秘	蹇军法	证券代码	600515
公司网址	www.hnainfrastructure.com		电子信箱	zxgf@zhuxin.biz	
电　话	0898-68876900		传　真	0898-66736573	
办公地址	海南省海口市国兴大道 7 号海口海航大厦				
经营范围	商品零售业、旅游宾馆业和房地产业				

主要财务指标 指标＼报告期	2016.06.30	2015.12.31	2015.06.30	2014.12.31
基本每股收益(元)	0.0210	0.1512	0.0420	0.0880
基本每股收益(扣除后)(元)	0.0210	0.1519	0.0450	0.0730
稀释每股收益(元)	0.0210	0.1512	0.0420	0.0880
每股净资产(元)	2.1036	2.0826	1.9733	1.9362
每股经营现金净流量(元)	0.2735	0.5086	0.2011	0.7399
每股现金流量(元)	–0.0022	–0.8571	–0.9216	1.4350
每股资本公积金(元)	1.3185	33.7319	1.3186	1.5255
每股盈余公积金(元)	0.1081	0.1081	0.1081	0.1081
每股未分配利润(元)	–0.4069	2.0731	–0.5372	–0.5794
净资产收益率(%)	0.9996	7.2619	2.1476	4.5649
加权净资产收益率(%)	1.0000	6.8300	1.9600	4.6000
净资产收益率(扣除)(%)	1.0001	7.2944	2.2995	3.7847
总资产(万元)	408590.58	8565114.10	345402.53	381419.98
归属母公司股东权益(万元)	88934.28	1683447.69	83427.67	90388.97
营业收入(万元)	78974.90	132100.81	64962.84	111562.23
营业支出(万元)	60353.05	84651.93	44036.23	75256.67
投资收益(万元)	–2.66	–14.11	–229.35	706.90
净利润(万元)	888.97	6393.77	1791.71	3736.74
营业利润(万元)	1301.84	10240.03	2856.26	5226.48
利润总额(万元)	1301.24	10199.41	2876.40	5246.69

方大炭素新材料科技股份有限公司

公司概况					
公司名称	方大炭素新材料科技股份有限公司			证券简称	方大炭素
法人代表	何忠华	董秘	宁庆才	证券代码	600516
公司网址	www.fdtsgs.com		电子信箱	mhd6239226@126.com	
电　话	0931-6239320 6239122		传　真	0931-6239221 6239320	
办公地址	甘肃省兰州市红古区海石湾镇炭素路 277 号				
经营范围	石墨电极、炭砖、炭糊、特种炭素新材料等石墨及炭素制品的生产销售				

主要财务指标 指标＼报告期	2016.06.30	2015.12.31	2015.06.30	2014.12.31
基本每股收益(元)	0.0087	0.0200	0.0173	0.1624
基本每股收益(扣除后)(元)	0.0031	–0.0400	0.0549	0.1331
稀释每股收益(元)	0.0087	0.0200	0.0173	0.1624
每股净资产(元)	3.3673	3.3573	3.3596	3.3418
每股经营现金净流量(元)	0.0754	0.2346	0.0940	0.2890
每股现金流量(元)	–0.0818	–0.0012	–0.7092	–0.0499
每股资本公积金(元)	0.9722	0.9722	0.9729	0.9729
每股盈余公积金(元)	0.1498	0.1498	0.1436	0.1436
每股未分配利润(元)	1.2350	1.2262	1.2317	1.2144
净资产收益率(%)	0.2589	0.5373	0.5160	4.8593
加权净资产收益率(%)	0.2600	0.5400	0.5200	4.9100
净资产收益率(扣除)(%)	0.0927	–1.3180	1.6330	3.9835
总资产(万元)	839485.37	901669.77	934064.21	958348.50
归属母公司股东权益(万元)	578890.96	577166.79	577564.52	574501.01
营业收入(万元)	107156.68	233040.63	119139.30	344900.89
营业支出(万元)	85309.26	177197.75	89483.20	243838.02
投资收益(万元)	3851.09	13888.00	3773.94	7563.66
净利润(万元)	285.41	1300.07	2448.70	26352.09
营业利润(万元)	151.05	2579.25	11999.52	31115.29
利润总额(万元)	1462.18	4548.45	4434.90	35092.12

上海置信电气股份有限公司

公司概况					
公司名称	上海置信电气股份有限公司			证券简称	置信电气
法人代表	张建伟	董秘	牛希红	证券代码	600517
公司网址	www.zhixindianqi.com.cn		电子信箱	600517@zhixindianqi.com.cn	
电　话	021-52311588　52311566		传　真	021-52311580	
办公地址	上海市长宁区天山西路588号				
经营范围	电气领域内的科技咨询、技术开发、转让、服务、生产销售自身开发的产品				

主要财务指标	2016.06.30	2015.12.31	2015.06.30	2014.12.31
指标\报告期	2016.06.30	2015.12.31	2015.06.30	2014.12.31
基本每股收益(元)	0.1500	0.3300	0.0300	0.2300
基本每股收益(扣除后)(元)	0.1300	0.1700	0.0200	0.2200
稀释每股收益(元)	0.1500	0.3300	0.0300	0.2300
每股净资产(元)	2.3955	2.3479	1.8735	1.8486
每股经营现金净流量(元)	-0.2742	0.1261	-0.3082	0.0333
每股现金流量(元)	-0.4135	-0.0629	-0.3100	0.2556
每股资本公积金(元)	0.2781	0.2781	0.2007	0.2007
每股盈余公积金(元)	0.1269	0.1269	0.1256	0.1256
每股未分配利润(元)	0.9904	0.9429	0.5471	0.5222
净资产收益率(%)	6.1592	13.9307	1.3324	12.4130
加权净资产收益率(%)	6.0900	14.5500	1.3400	12.9200
净资产收益率(扣除)(%)	5.2196	6.8325	1.0734	11.7335
总资产(万元)	930154.22	888812.21	511470.55	524480.34
归属母公司股东权益(万元)	324863.35	318416.10	233164.04	230057.27
营业收入(万元)	296860.31	637695.89	179192.51	420137.38
营业支出(万元)	246943.33	521640.35	154867.89	343105.94
投资收益(万元)	331.54	364.16	-1.90	-0.02
净利润(万元)	20784.67	45980.97	2988.18	30557.62
营业利润(万元)	25779.17	53878.17	4583.98	39122.55
利润总额(万元)	26741.96	58420.63	5105.05	40318.44

康美药业股份有限公司

公司概况					
公司名称	康美药业股份有限公司			证券简称	康美药业
法人代表	马兴田	董秘	邱锡伟	证券代码	600518
公司网址	www.kangmei.com.cn		电子信箱	kangmei@kangmei.com.cn	
电　话	0755-33187777*8009		传　真	0755-86275777	
办公地址	广东省深圳市福田区下梅林泰科路				
经营范围	中药饮片、化学药品等的生产与销售等				

主要财务指标	2016.06.30	2015.12.31	2015.06.30	2014.12.31
指标\报告期	2016.06.30	2015.12.31	2015.06.30	2014.12.31
基本每股收益(元)	0.4010	0.6230	0.3260	1.0400
基本每股收益(扣除后)(元)	0.3990	0.6190	0.3250	1.0290
稀释每股收益(元)	0.4010	0.6230	0.3260	1.0400
每股净资产(元)	5.5920	4.2673	3.9671	7.6026
每股经营现金净流量(元)	0.0209	0.1157	0.0543	0.5149
每股现金流量(元)	1.2563	1.3246	0.4331	0.6843
每股资本公积金(元)	2.2887	0.8317	0.8317	2.1634
每股盈余公积金(元)	0.2315	0.2604	0.1993	0.3986
每股未分配利润(元)	1.4728	1.4973	1.2574	2.6911
净资产收益率(%)	6.3837	14.6907	8.2138	13.6748
加权净资产收益率(%)	9.0600	18.5400	8.2200	17.7400
净资产收益率(扣除)(%)	6.3544	14.5914	8.1815	13.5399
总资产(万元)	4795528.15	3810522.93	3212027.46	2787931.70
归属母公司股东权益(万元)	2766478.43	1876512.69	1744500.19	1671596.52
营业收入(万元)	1120349.86	1806682.80	906513.70	1594918.88
营业支出(万元)	798801.23	1294727.38	650056.52	1176822.11
投资收益(万元)	3117.17	7215.48	3960.09	5304.41
净利润(万元)	176059.91	275645.63	143238.23	228589.22
营业利润(万元)	209594.46	321792.98	169958.71	266641.66
利润总额(万元)	210419.96	324264.11	170679.93	270722.25

贵州茅台酒股份有限公司

公司概况					
公司名称	贵州茅台酒股份有限公司			证券简称	贵州茅台
法人代表	袁仁国	董秘	樊宁屏	证券代码	600519
公司网址	www.moutaichina.com		电子信箱	fnp@moutaichina.com	
电　话	0852-2386002		传　真	0851-22386193	
办公地址	贵州省仁怀市茅台镇				
经营范围	贵州茅台酒系列产品的生产与销售				

主要财务指标	2016.06.30	2015.12.31	2015.06.30	2014.12.31
指标\报告期	2016.06.30	2015.12.31	2015.06.30	2014.12.31
基本每股收益(元)	7.0100	12.3400	6.2800	12.2200
基本每股收益(扣除后)(元)	7.0000	12.4300	6.2800	12.3600
稀释每股收益(元)	7.0100	12.3400	6.2800	12.2200
每股净资产(元)	51.7267	50.8885	53.6800	46.7868
每股经营现金净流量(元)	10.8295	13.8803	4.2922	11.0618
每股现金流量(元)	7.7738	7.7880	3.1171	2.6318
每股资本公积金(元)	1.0945	1.0945	1.2040	1.2040
每股盈余公积金(元)	5.6391	4.9439	4.5967	4.5967
每股未分配利润(元)	43.8277	43.6866	46.7764	39.9003
净资产收益率(%)	13.5469	24.2516	12.8673	28.7286
加权净资产收益率(%)	12.8800	26.2300	13.7500	31.9600
净资产收益率(扣除)(%)	13.5412	24.4296	12.8700	29.0487
总资产(万元)	9554649.92	8630146.34	7233774.42	6587316.52
归属母公司股东权益(万元)	6497891.12	6392597.84	6130434.56	5343040.24
营业收入(万元)	1817323.47	3265958.37	1577864.75	3157392.85
营业支出(万元)	147540.77	253833.74	116587.80	233855.05
投资收益(万元)	-	386.93	334.22	309.53
净利润(万元)	937720.30	1645499.66	836452.05	1626937.15
营业利润(万元)	1276012.35	2215899.20	1115161.39	2210297.33
利润总额(万元)	1276528.53	2200171.50	1114943.35	2188234.24

铜陵中发三佳科技股份有限公司

公司概况					
公司名称	铜陵中发三佳科技股份有限公司			证券简称	*ST中发
法人代表	黄言勇	董秘	夏军	证券代码	600520
公司网址	www.chinatrinity.com		电子信箱	office@chinatrinity.com	
电　话	0562-2627520　2627503		传　真	0562-2627555	
办公地址	安徽省铜陵市石城路电子工业区				
经营范围	半导体集成电路塑封模具与化学建材挤出模具等精密模具的生产等				

主要财务指标	2016.06.30	2015.12.31	2015.06.30	2014.12.31
指标\报告期	2016.06.30	2015.12.31	2015.06.30	2014.12.31
基本每股收益(元)	-0.0398	-0.3600	-0.0830	-0.4655
基本每股收益(扣除后)(元)	-0.0689	-0.4200	-0.0753	-0.4537
稀释每股收益(元)	-0.0398	-0.3600	-0.0830	-0.4655
每股净资产(元)	2.5915	2.6313	2.9052	2.9898
每股经营现金净流量(元)	-0.0021	-0.0331	0.7395	-0.5834
每股现金流量(元)	-0.1539	-0.6137	-0.5802	0.6225
每股资本公积金(元)	2.3954	2.3954	2.3954	2.3943
每股盈余公积金(元)	0.0767	0.0767	0.0767	0.0767
每股未分配利润(元)	-0.8807	-0.8409	-0.5669	-0.4812
净资产收益率(%)	-1.5358	-13.6694	-2.8561	-14.0842
加权净资产收益率(%)	-1.5200	-12.8000	-2.4780	-16.9300
净资产收益率(扣除)(%)	-2.6601	-15.8669	-2.5927	-13.7249
总资产(万元)	79190.57	78810.17	87260.41	79631.74
归属母公司股东权益(万元)	41056.70	41687.27	46027.75	47367.09
营业收入(万元)	10253.57	19163.69	10398.60	30120.03
营业支出(万元)	8553.90	16601.14	8264.69	25020.05
投资收益(万元)	440.77	-78.01	-39.44	-
净利润(万元)	-619.65	-5888.31	-1262.25	-7085.38
营业利润(万元)	-1125.80	-6549.84	-1099.01	-6526.88
利润总额(万元)	-590.35	-5854.94	-1262.25	-6975.32

浙江华海药业股份有限公司

公司概况					
公司名称	浙江华海药业股份有限公司			证券简称	华海药业
法人代表	童建新	董秘	祝永华	证券代码	600521
公司网址	www.huahaipharm.com		电子信箱	600521@huahaipharm.com	
电话	0576-85991096		传真	0576-85016010	
办公地址	浙江省临海市汛桥				
经营范围	片剂、硬胶囊剂、原料药、医药中间体的制造与销售				

主要财务指标

指标\报告期	2016.06.30	2015.12.31	2015.06.30	2014.12.31
基本每股收益(元)	0.2500	0.5600	0.2300	0.3400
基本每股收益(扣除后)(元)	0.2200	0.5300	0.2200	0.3200
稀释每股收益(元)	0.2500	0.5600	0.2300	0.3400
每股净资产(元)	3.7802	4.5277	4.2490	4.1001
每股经营现金净流量(元)	0.1351	0.2463	0.0143	0.4183
每股现金流量(元)	0.1032	0.0514	−0.0203	−0.0099
每股资本公积金(元)	0.9523	1.3002	1.1685	1.1682
每股盈余公积金(元)	0.2929	0.3852	0.3276	0.3277
每股未分配利润(元)	1.5735	1.9430	1.7583	1.6094
净资产收益率(%)	6.6417	12.3213	7.0465	8.2422
加权净资产收益率(%)	6.8200	13.0600	7.0800	8.5900
净资产收益率(扣除)(%)	5.8000	11.5078	6.6178	7.8124
总资产(万元)	612648.80	551549.57	499092.27	451001.62
归属母公司股东权益(万元)	389763.61	359110.68	333925.50	322124.13
营业收入(万元)	198301.48	350036.21	163569.80	258498.76
营业支出(万元)	107359.12	177748.99	90630.96	143007.36
投资收益(万元)	47.53	159.76	149.87	2833.16
净利润(万元)	24710.47	43672.09	23798.25	25673.05
营业利润(万元)	24716.39	49309.95	26769.37	30736.11
利润总额(万元)	28668.58	52378.96	28008.62	31294.70

江苏中天科技股份有限公司

公司概况					
公司名称	江苏中天科技股份有限公司			证券简称	中天科技
法人代表	薛济萍	董秘	杨栋云	证券代码	600522
公司网址	www.chinaztt.com		电子信箱	zqb@chinaztt.com	
电话	0513-83599505		传真	0513-83599504	
办公地址	江苏省南通市经济技术开发区中天路六号				
经营范围	光纤、光缆、电线、电缆、导线及相关材料和附件等				

主要财务指标

指标\报告期	2016.06.30	2015.12.31	2015.06.30	2014.12.31
基本每股收益(元)	0.2787	0.9880	0.1817	0.7930
基本每股收益(扣除后)(元)	0.2090	0.8910	0.1430	0.0.65006500
稀释每股收益(元)	0.2787	0.9880	0.1817	0.7930
每股净资产(元)	4.1455	9.8128	9.4970	9.1082
每股经营现金净流量(元)	0.0976	1.7083	0.1468	−0.2293
每股现金流量(元)	0.0592	1.0628	−0.3067	1.2006
每股资本公积金(元)	1.4447	4.8118	4.4861	4.4787
每股盈余公积金(元)	0.1214	0.3034	0.2966	0.2966
每股未分配利润(元)	1.3479	3.0729	3.2226	2.8888
净资产收益率(%)	6.7234	9.6386	4.6726	7.1966
加权净资产收益率(%)	6.8700	11.1300	4.7500	9.3500
净资产收益率(扣除)(%)	5.0359	7.7290	3.5754	6.1542
总资产(万元)	1844108.03	1570226.68	1254498.90	1179917.13
归属母公司股东权益(万元)	1082296.19	1024758.51	819370.81	785821.98
营业收入(万元)	920357.96	1652294.62	624001.66	864134.05
营业支出(万元)	752936.74	1373350.72	529372.24	700233.47
投资收益(万元)	18300.60	−1061.06	10799.31	9794.51
净利润(万元)	73494.78	101074.10	39352.90	59138.56
营业利润(万元)	87614.66	112208.10	45946.91	67111.55
利润总额(万元)	90448.34	120456.24	48160.85	71427.78

贵州贵航汽车零部件股份有限公司

公司概况					
公司名称	贵州贵航汽车零部件股份有限公司			证券简称	贵航股份
法人代表	张晓军	董秘	孙冬云	证券代码	600523
公司网址	www.gzghgf.com		电子信箱	ghgf700523@163.com	
电话	0851-3802670		传真	0851-3803931	
办公地址	贵州省贵阳市小河区珠江路 166 号				
经营范围	汽车、摩托车零部件的开发、制造、销售等				

主要财务指标

指标\报告期	2016.06.30	2015.12.31	2015.06.30	2014.12.31
基本每股收益(元)	0.2600	0.5700	0.2600	0.4600
基本每股收益(扣除后)(元)	0.2600	0.5400	0.2600	0.3900
稀释每股收益(元)	0.2600	0.5700	0.2600	0.4600
每股净资产(元)	6.9111	6.8193	6.5054	6.3974
每股经营现金净流量(元)	0.3129	0.6861	0.1456	0.3078
每股现金流量(元)	−0.1808	−0.2727	−0.7568	0.4015
每股资本公积金(元)	3.2249	3.2249	3.2059	3.2145
每股盈余公积金(元)	0.6303	0.5947	0.5591	0.5302
每股未分配利润(元)	2.0524	2.0018	1.7310	1.6451
净资产收益率(%)	3.7659	8.4070	4.0705	7.2071
加权净资产收益率(%)	3.7400	8.6700	4.0500	7.4400
净资产收益率(扣除)(%)	3.7137	7.9690	4.0455	6.1266
总资产(万元)	374871.37	376660.23	361503.19	375596.46
归属母公司股东权益(万元)	199588.40	196936.51	187870.73	184752.36
营业收入(万元)	157711.58	320075.49	153536.92	306752.66
营业支出(万元)	121922.39	251975.58	122637.10	247377.03
投资收益(万元)	1289.64	4766.86	2288.27	7452.68
净利润(万元)	8190.71	17652.13	8286.93	15141.55
营业利润(万元)	9070.25	18422.62	9106.10	15828.45
利润总额(万元)	9467.08	19400.85	9200.19	17536.88

长园集团股份有限公司

公司概况					
公司名称	长园集团股份有限公司			证券简称	长园集团
法人代表	许晓文	董秘	倪昭华	证券代码	600525
公司网址	www.cyg.com		电子信箱	zqb@cyg.com	
电话	0755-26719476		传真	0755-26739900	
办公地址	广东省深圳市南山区高新区科苑中路长园新材料港 6 栋 5 楼				
经营范围	高分子热缩材料、功能材料、辐射加工、机电产品、通信电缆附件等				

主要财务指标

指标\报告期	2016.06.30	2015.12.31	2015.06.30	2014.12.31
基本每股收益(元)	0.2478	0.5100	0.1422	0.4200
基本每股收益(扣除后)(元)	0.2217	0.4100	0.0869	0.3300
稀释每股收益(元)	0.2437	0.5000	0.1422	0.4200
每股净资产(元)	4.1665	4.8863	3.2005	3.2209
每股经营现金净流量(元)	−0.0805	0.4177	−0.0315	0.3260
每股现金流量(元)	0.0530	0.4708	0.1084	−0.0303
每股资本公积金(元)	1.5484	2.0205	0.1365	0.1266
每股盈余公积金(元)	0.0930	0.1122	0.1384	0.1419
每股未分配利润(元)	1.6245	1.8498	1.9062	1.9074
净资产收益率(%)	4.9170	9.0533	5.3113	13.1529
加权净资产收益率(%)	4.9100	13.1000	5.2600	13.8000
净资产收益率(扣除)(%)	4.4007	7.2887	3.2450	10.3065
总资产(万元)	1117207.25	934185.06	669389.71	627743.30
归属母公司股东权益(万元)	549146.98	533438.04	283227.64	278131.47
营业收入(万元)	242443.62	416185.31	157484.85	334864.03
营业支出(万元)	141444.67	233277.37	89403.88	189899.98
投资收益(万元)	1191.03	8105.85	5454.80	7014.72
净利润(万元)	28003.48	51263.76	16384.58	38698.20
营业利润(万元)	26456.85	49341.70	15162.15	34406.45
利润总额(万元)	34197.78	63607.41	19964.81	45377.95

浙江菲达环保科技股份有限公司

公司概况						
公司概况	公司名称	浙江菲达环保科技股份有限公司			证券简称	菲达环保
公司概况	法人代表	舒英钢	董秘	周明良	证券代码	600526
公司概况	公司网址	www.feida.biz		电子信箱	feida@ep.zjbnet.com	
公司概况	电　　话	0575-87211326		传　　真	0575-87214308	
公司概况	办公地址	浙江省诸暨市望云路 88 号				
公司概况	经营范围	除尘器、气力输送设备				

主要财务指标	指标＼报告期	2016.06.30	2015.12.31	2015.06.30	2014.12.31
主要财务指标	基本每股收益(元)	0.0400	0.1700	0.1000	0.1400
主要财务指标	基本每股收益(扣除后)(元)	0.0600	0.1400	0.0900	0.1000
主要财务指标	稀释每股收益(元)	0.0400	0.1700	0.1000	0.1400
主要财务指标	每股净资产(元)	4.6926	4.6487	4.6781	3.2798
主要财务指标	每股经营现金净流量(元)	-0.5750	0.0034	-0.3732	-1.0407
主要财务指标	每股现金流量(元)	-0.2029	0.2054	0.0975	-0.4844
主要财务指标	每股资本公积金(元)	3.1077	3.1077	3.1077	1.6239
主要财务指标	每股盈余公积金(元)	0.0599	0.0599	0.0532	0.0715
主要财务指标	每股未分配利润(元)	0.5264	0.4826	0.5185	0.5864
主要财务指标	净资产收益率(%)	0.9346	3.2995	1.7651	4.1796
主要财务指标	加权净资产收益率(%)	0.9400	3.9200	2.5800	4.2400
主要财务指标	净资产收益率(扣除)(%)	1.2312	2.8208	1.5681	3.0058
主要财务指标	总资产(万元)	748321.26	687830.15	635637.56	476125.53
主要财务指标	归属母公司股东权益(万元)	256872.86	254470.15	256079.23	133449.87
主要财务指标	营业收入(万元)	159336.38	338415.94	149823.36	278337.58
主要财务指标	营业支出(万元)	132454.37	281885.94	123552.32	235177.74
主要财务指标	投资收益(万元)	609.95	79.23	-85.10	27.12
主要财务指标	净利润(万元)	2635.81	8887.75	4785.52	5735.23
主要财务指标	营业利润(万元)	4942.89	10077.34	5700.19	6086.26
主要财务指标	利润总额(万元)	3922.29	11169.97	6144.81	7805.46

江苏江南高纤股份有限公司

公司概况						
公司概况	公司名称	江苏江南高纤股份有限公司			证券简称	江南高纤
公司概况	法人代表	陶冶	董秘	陆正中	证券代码	600527
公司概况	公司网址	www.jngx.cn		电子信箱	investor@jngx.cn	
公司概况	电　　话	0512-65712564		传　　真	0512-65712238	
公司概况	办公地址	江苏省苏州市相城区黄埭镇春秋路 8 号江南大厦 16-22 层				
公司概况	经营范围	生产、销售短纤维、涤纶毛条等				

主要财务指标	指标＼报告期	2016.06.30	2015.12.31	2015.06.30	2014.12.31
主要财务指标	基本每股收益(元)	0.0088	-0.0200	0.0100	0.0400
主要财务指标	基本每股收益(扣除后)(元)	0.0062	-0.0200	0.0100	0.0300
主要财务指标	稀释每股收益(元)	0.0088	-0.0200	0.0100	0.0400
主要财务指标	每股净资产(元)	2.0010	2.0825	2.1180	2.1944
主要财务指标	每股经营现金净流量(元)	0.0377	0.1979	-0.0503	0.1063
主要财务指标	每股现金流量(元)	-0.0768	0.1090	-0.1275	-0.0254
主要财务指标	每股资本公积金(元)	0.1601	0.1601	0.1601	0.1601
主要财务指标	每股盈余公积金(元)	0.1427	0.1427	0.1427	0.1427
主要财务指标	每股未分配利润(元)	0.6953	0.7764	0.8092	0.8899
主要财务指标	净资产收益率(%)	0.4411	-1.1194	0.4421	1.7140
主要财务指标	加权净资产收益率(%)	0.4200	-1.0900	0.4300	1.6900
主要财务指标	净资产收益率(扣除)(%)	0.3082	-1.1907	0.3997	1.5622
主要财务指标	总资产(万元)	165871.68	176997.39	182262.56	185241.94
主要财务指标	归属母公司股东权益(万元)	160499.93	167032.07	169885.38	176010.85
主要财务指标	营业收入(万元)	48664.01	149019.81	70112.33	164382.61
主要财务指标	营业支出(万元)	43702.95	134588.46	62785.29	144853.86
主要财务指标	投资收益(万元)	-800.87	-9226.20	-2226.24	-8555.43
主要财务指标	净利润(万元)	713.54	-1845.81	764.59	3092.51
主要财务指标	营业利润(万元)	758.00	-1651.29	1584.23	3312.09
主要财务指标	利润总额(万元)	1009.00	-1419.26	1760.76	4212.29

中铁高新工业股份有限公司

公司概况						
公司概况	公司名称	中铁高新工业股份有限公司			证券简称	中铁工业
公司概况	法人代表	易铁军	董秘	余赞	证券代码	600528
公司概况	公司网址	www.crec.com.cn		电子信箱	ztejdb@cregc.com.cn	
公司概况	电　　话	010-53025528		传　　真	010-52265800	
公司概况	办公地址	北京市丰台区南四环西路诺德中心 11 号楼				
公司概况	经营范围	各类工业、交通、民用等工程项目施工的承包、房地产、物资销售、机械租赁等				

主要财务指标	指标＼报告期	2016.06.30	2015.12.31	2015.06.30	2014.12.31
主要财务指标	基本每股收益(元)	0.0525	0.1151	0.0788	0.1938
主要财务指标	基本每股收益(扣除后)(元)	0.0460	0.1159	0.0672	0.1327
主要财务指标	稀释每股收益(元)	-	-	-	-
主要财务指标	每股净资产(元)	4.2157	4.2232	4.1870	4.1682
主要财务指标	每股经营现金净流量(元)	-0.7862	-3.4632	-3.5994	1.0277
主要财务指标	每股现金流量(元)	-1.3091	0.6424	-0.2056	0.7954
主要财务指标	每股资本公积金(元)	1.0950	1.0950	1.0950	1.0950
主要财务指标	每股盈余公积金(元)	0.3883	0.3883	0.3381	0.3238
主要财务指标	每股未分配利润(元)	1.7324	1.7399	1.7539	1.7493
主要财务指标	净资产收益率(%)	1.2448	2.7243	1.8823	4.6506
主要财务指标	加权净资产收益率(%)	1.2500	2.7400	1.8700	4.7000
主要财务指标	净资产收益率(扣除)(%)	1.0902	2.7434	1.6046	3.1848
主要财务指标	总资产(万元)	5410485.72	5644719.81	5922111.93	5898059.15
主要财务指标	归属母公司股东权益(万元)	615153.33	616251.30	610963.37	608218.25
主要财务指标	营业收入(万元)	2062046.02	5778744.17	2411346.35	7151263.90
主要财务指标	营业支出(万元)	1967151.01	5370429.83	2253504.71	6728861.69
主要财务指标	投资收益(万元)	1330.51	15637.37	600.22	17785.71
主要财务指标	净利润(万元)	-12347.14	-9713.13	2347.99	36903.00
主要财务指标	营业利润(万元)	-7624.36	9322.83	-568.64	41600.18
主要财务指标	利润总额(万元)	-6557.33	9071.98	1378.61	53717.11

山东省药用玻璃股份有限公司

公司概况						
公司概况	公司名称	山东省药用玻璃股份有限公司			证券简称	山东药玻
公司概况	法人代表	柴文	董秘	赵海宝	证券代码	600529
公司概况	公司网址	www.pharmglass.com		电子信箱	sdyb@pharmglass.com	
公司概况	电　　话	0533-3259016 3259028		传　　真	0533-3249700	
公司概况	办公地址	山东省淄博市沂源县药玻路				
公司概况	经营范围	各种药用玻璃包装产品的制造、销售				

主要财务指标	指标＼报告期	2016.06.30	2015.12.31	2015.06.30	2014.12.31
主要财务指标	基本每股收益(元)	0.3348	0.5600	0.2828	0.4800
主要财务指标	基本每股收益(扣除后)(元)	0.3707	0.5700	0.2812	0.4900
主要财务指标	稀释每股收益(元)	0.3348	0.5600	0.2828	0.4800
主要财务指标	每股净资产(元)	8.8318	8.6600	8.3551	8.2226
主要财务指标	每股经营现金净流量(元)	0.8999	1.5138	0.6806	1.0360
主要财务指标	每股现金流量(元)	0.2619	0.5408	0.1650	0.2663
主要财务指标	每股资本公积金(元)	2.2768	2.2794	2.2794	2.2794
主要财务指标	每股盈余公积金(元)	0.8018	0.8018	0.7468	0.7468
主要财务指标	每股未分配利润(元)	4.6116	4.4468	4.2197	4.0869
主要财务指标	净资产收益率(%)	3.7908	6.5237	3.3850	5.8924
主要财务指标	加权净资产收益率(%)	3.8200	6.7000	3.3800	6.0200
主要财务指标	净资产收益率(扣除)(%)	4.1979	6.6031	3.3659	5.9716
主要财务指标	总资产(万元)	318937.26	297307.09	290919.05	281818.01
主要财务指标	归属母公司股东权益(万元)	227312.00	222890.77	215044.22	211633.07
主要财务指标	营业收入(万元)	97103.33	172320.72	89296.51	169111.25
主要财务指标	营业支出(万元)	64925.86	118373.62	62452.05	124346.49
主要财务指标	投资收益(万元)	31.96	281.83	95.94	-33.06
主要财务指标	净利润(万元)	8561.17	14467.25	7260.06	12363.64
主要财务指标	营业利润(万元)	13151.13	19784.98	9631.58	17060.38
主要财务指标	利润总额(万元)	11928.66	19531.68	9686.50	16837.95

上海交大昂立股份有限公司

公司概况					
公司名称	上海交大昂立股份有限公司			证券简称	交大昂立
法人代表	杨国平	董秘	李红	证券代码	600530
公司网址	www.onlly.com.cn		电子信箱	stock@mail.onlly.com.cn	
电　话	021-54277900 54277820		传　真	021-54277827	
办公地址	上海市宜山路 700 号				
经营范围	生物制品、保健食品、参制品等保健食品的研制、生产和销售				

主要财务指标　指标\报告期	2016.06.30	2015.12.31	2015.06.30	2014.12.31
基本每股收益(元)	0.0730	0.3180	0.2180	0.2720
基本每股收益(扣除后)(元)	0.0260	−0.2000	−0.0720	0.0950
稀释每股收益(元)	0.0730	0.3180	0.2180	0.2720
每股净资产(元)	1.9800	5.8783	6.3498	6.6830
每股经营现金净流量(元)	−0.0867	0.0736	0.0368	−0.0919
每股现金流量(元)	−0.0722	0.5795	0.5869	0.1214
每股资本公积金(元)	0.0773	1.6932	1.6932	1.6932
每股盈余公积金(元)	0.1314	0.3285	0.2802	0.2802
每股未分配利润(元)	0.2073	0.4346	0.5329	0.3146
净资产收益率(%)	3.7102	5.4141	3.4372	4.0704
加权净资产收益率(%)	3.3600	5.0600	3.3500	4.9800
净资产收益率(扣除)(%)	1.3208	−3.4022	−1.1337	1.4208
总资产(万元)	277705.04	268803.71	270686.99	277002.70
归属母公司股东权益(万元)	154436.91	183403.15	198113.75	208510.22
营业收入(万元)	13827.59	25174.62	13675.36	33763.92
营业支出(万元)	5583.03	10420.57	5445.71	13357.76
投资收益(万元)	6817.22	25098.17	13509.81	9044.30
净利润(万元)	5775.51	9422.68	6876.40	9541.34
营业利润(万元)	6187.57	13811.28	9814.53	10959.18
利润总额(万元)	6318.49	13954.78	9825.86	11116.75

河南豫光金铅股份有限公司

公司概况					
公司名称	河南豫光金铅股份有限公司			证券简称	豫光金铅
法人代表	杨安国	董秘	苗红强	证券代码	600531
公司网址	www.yggf.com.cn		电子信箱	yuguang@yggf.com.cn	
电　话	0391-6665836		传　真	0391-6688986	
办公地址	河南省济源市荆梁南街 1 号				
经营范围	电解铅、白银、黄金、冰铜、硫酸、次氧化锌的生产和销售				

主要财务指标　指标\报告期	2016.06.30	2015.12.31	2015.06.30	2014.12.31
基本每股收益(元)	0.0405	0.0400	0.0239	0.0800
基本每股收益(扣除后)(元)	0.0426	−0.1700	−0.1015	−0.2400
稀释每股收益(元)	0.0405	0.0400	0.0239	0.0800
每股净资产(元)	1.5793	4.6275	4.5876	4.6018
每股经营现金净流量(元)	0.5265	4.4415	2.8722	0.2970
每股现金流量(元)	0.0358	−0.1255	0.5280	−0.4738
每股资本公积金(元)	0.1984	2.5969	2.5969	2.5969
每股盈余公积金(元)	0.1629	0.4887	0.4887	0.4887
每股未分配利润(元)	0.2222	0.5580	0.5396	0.5457
净资产收益率(%)	2.5653	0.9153	0.5209	1.7256
加权净资产收益率(%)	2.5900	0.9200	0.5200	1.7300
净资产收益率(扣除)(%)	2.6971	−3.6201	−2.2131	−5.1293
总资产(万元)	740411.91	743486.76	850547.89	877189.26
归属母公司股东权益(万元)	139883.50	136626.08	135449.23	135867.49
营业收入(万元)	602327.21	1097521.87	575916.56	887917.48
营业支出(万元)	570413.81	1076180.46	567097.44	850250.55
投资收益(万元)	2418.13	27742.65	11167.80	9446.66
净利润(万元)	3439.16	1267.05	687.33	2704.44
营业利润(万元)	−1646.77	−10855.27	−3918.04	−19433.48
利润总额(万元)	2371.17	3867.31	2789.03	1983.84

山东宏达矿业股份有限公司

公司概况					
公司名称	山东宏达矿业股份有限公司			证券简称	宏达矿业
法人代表	崔之火	董秘	郑金	证券代码	600532
公司网址	hd.hdky.net		电子信箱	sdhd@hdky.net	
电　话	021-68813390 0533-7608677		传　真	021-68813500 0533-7689877	
办公地址	上海市浦东新区银城中路 488 号太平金融大厦 2302 室				
经营范围	对采矿业的投资、开发、管理				

主要财务指标　指标\报告期	2016.06.30	2015.12.31	2015.06.30	2014.12.31
基本每股收益(元)	−0.1400	−0.8100	0.0100	0.4400
基本每股收益(扣除后)(元)	−0.1400	−0.8100	0.0100	0.3300
稀释每股收益(元)	−0.1400	−0.8100	0.0100	0.4400
每股净资产(元)	3.3381	3.4748	2.9497	3.0444
每股经营现金净流量(元)	0.1744	−0.1915	0.1859	0.5079
每股现金流量(元)	−1.1401	1.0089	−0.2075	0.3599
每股资本公积金(元)	2.0301	2.0301	0.4679	0.4679
每股盈余公积金(元)	0.0345	0.0345	0.0449	0.0449
每股未分配利润(元)	0.2640	0.4002	1.4249	1.5159
净资产收益率(%)	−4.0789	−19.7707	0.3040	14.5869
加权净资产收益率(%)	−4.0000	−26.5900	0.3000	15.5700
净资产收益率(扣除)(%)	−4.1019	−19.8042	0.3036	10.8055
总资产(万元)	237013.26	260718.14	205686.95	221417.29
归属母公司股东权益(万元)	172268.89	179322.38	116879.01	120631.12
营业收入(万元)	12512.05	47832.54	26803.04	69274.56
营业支出(万元)	10344.06	45028.62	24330.30	50697.05
投资收益(万元)	−1831.33	4093.43	1867.36	7139.41
净利润(万元)	−7026.66	−35453.24	355.32	17596.30
营业利润(万元)	−7054.22	−34187.30	−260.57	15251.13
利润总额(万元)	−7014.61	−34115.12	−259.88	20168.13

南京栖霞建设股份有限公司

公司概况					
公司名称	南京栖霞建设股份有限公司			证券简称	栖霞建设
法人代表	江劲松	董秘	王海刚	证券代码	600533
公司网址	www.chixia.com		电子信箱	invest@chixia.com	
电　话	025-85600533		传　真	025-85502482	
办公地址	江苏省南京市玄武区龙蟠路 9 号				
经营范围	住宅小区综合开发建设、商品房销售、租赁、售后服务等				

主要财务指标　指标\报告期	2016.06.30	2015.12.31	2015.06.30	2014.12.31
基本每股收益(元)	0.0226	0.1769	0.0730	0.0123
基本每股收益(扣除后)(元)	−0.0027	0.1449	0.0737	−0.0456
稀释每股收益(元)	0.0226	0.1769	0.0730	0.0123
每股净资产(元)	3.7987	3.7999	3.7270	3.4381
每股经营现金净流量(元)	−1.8722	1.4669	0.2797	0.9160
每股现金流量(元)	−0.9422	0.6350	−0.1420	0.1949
每股资本公积金(元)	0.9940	0.9940	0.9940	0.9940
每股盈余公积金(元)	0.2770	0.2770	0.2520	0.2520
每股未分配利润(元)	0.8052	0.8326	0.7536	0.7307
净资产收益率(%)	0.5944	4.6550	1.9575	0.3577
加权净资产收益率(%)	0.5900	4.9000	2.0300	0.3600
净资产收益率(扣除)(%)	−0.0719	3.8122	1.9770	−1.3257
总资产(万元)	1463672.44	1346662.72	1357223.52	1463752.92
归属母公司股东权益(万元)	398861.67	398986.31	391336.10	360998.08
营业收入(万元)	82051.09	573664.03	303389.48	284117.89
营业支出(万元)	63765.00	484054.99	264841.90	241296.52
投资收益(万元)	6759.48	5391.93	788.91	7179.46
净利润(万元)	1263.32	17647.06	7500.31	1239.79
营业利润(万元)	1320.96	26494.06	9881.03	7792.47
利润总额(万元)	1550.10	26394.33	9782.09	7676.42

天士力制药集团股份有限公司

公司概况					
公司名称	天士力制药集团股份有限公司			证券简称	天 士 力
法人代表	闫凯境	董秘	刘俊峰	证券代码	600535
公司网址	www.tasly.com		电子信箱	stock@tasly.com	
电　　话	022-26736999　26735302		传　　真	022-26736721	
办公地址	天津市北辰区普济河东道 2 号(天士力现代中药城)				
经营范围	滴丸剂、颗粒剂、硬胶囊剂、软胶囊剂、片剂、丸剂的生产等				

主要财务指标 指标\报告期	2016.06.30	2015.12.31	2015.06.30	2014.12.31
基本每股收益(元)	0.6300	1.3800	0.7900	1.3200
基本每股收益(扣除后)(元)	0.6200	1.3300	0.7700	1.3000
稀释每股收益(元)	0.6300	1.3800	0.7900	1.3200
每股净资产(元)	7.0958	6.9131	6.3154	4.6840
每股经营现金净流量(元)	0.6211	0.3147	0.1587	0.5972
每股现金流量(元)	0.1307	-0.2644	-0.0805	0.1174
每股资本公积金(元)	1.6085	1.6395	1.6418	0.2366
每股盈余公积金(元)	0.6783	0.6783	0.5890	0.6161
每股未分配利润(元)	3.8108	3.5970	3.0861	2.8328
净资产收益率(%)	8.9318	19.7945	12.1647	28.2824
加权净资产收益率(%)	8.8600	22.8200	15.7300	31.9400
净资产收益率(扣除)(%)	8.7521	18.9990	11.8999	27.8225
总资产(万元)	1571882.68	1541269.12	1443638.24	1292134.90
归属母公司股东权益(万元)	766679.17	746948.42	682368.70	483788.03
营业收入(万元)	639892.23	1322166.68	622999.80	1256690.19
营业支出(万元)	418810.29	810159.65	377846.27	785688.06
投资收益(万元)	-180.65	560.40	308.37	-80.43
净利润(万元)	70667.12	152366.99	86063.80	145037.65
营业利润(万元)	85157.69	174723.44	98306.80	170909.34
利润总额(万元)	86658.03	179542.39	100013.04	173307.05

中国软件与技术服务股份有限公司

公司概况					
公司名称	中国软件与技术服务股份有限公司			证券简称	中国软件
法人代表	杨军	董秘	陈复兴	证券代码	600536
公司网址	www.css.com.cn		电子信箱	cfx@css.com.cn	
电　　话	010-51508699		传　　真	010-51508661	
办公地址	北京市昌平区昌盛路 18 号				
经营范围	自主软件产品、行业解决方案与服务、软件外包服务				

主要财务指标 指标\报告期	2016.06.30	2015.12.31	2015.06.30	2014.12.31
基本每股收益(元)	-0.1100	0.1200	-0.1600	0.0700
基本每股收益(扣除后)(元)	-0.1500	-0.0600	-0.2500	-0.0040
稀释每股收益(元)	-0.1100	0.1200	-0.1600	0.0700
每股净资产(元)	3.8542	3.9974	3.6912	3.8673
每股经营现金净流量(元)	-1.5001	0.8535	-0.9153	0.4828
每股现金流量(元)	-2.0456	1.2950	-0.9570	-0.4040
每股资本公积金(元)	1.9720	1.9720	1.9521	1.9521
每股盈余公积金(元)	0.0982	0.0982	0.0982	0.0982
每股未分配利润(元)	0.8592	1.0046	0.7294	0.9061
净资产收益率(%)	-2.8382	2.9887	-4.2183	1.7537
加权净资产收益率(%)	-2.7800	3.0500	-4.1100	1.7600
净资产收益率(扣除)(%)	-3.9445	-1.6045	-6.8514	-0.1108
总资产(万元)	493445.75	552302.57	407152.54	442730.19
归属母公司股东权益(万元)	190615.33	197697.61	182554.29	191263.25
营业收入(万元)	159797.41	363039.21	122479.98	323250.17
营业支出(万元)	88879.59	229154.88	79089.78	203539.62
投资收益(万元)	-181.22	3379.49	2553.87	499.89
净利润(万元)	-8513.46	10268.70	-10766.10	4813.86
营业利润(万元)	-20313.75	-8029.93	-17780.32	-7892.62
利润总额(万元)	-9284.94	11013.64	-11113.78	5657.81

亿晶光电科技股份有限公司

公司概况					
公司名称	亿晶光电科技股份有限公司			证券简称	亿晶光电
法人代表	荀建华	董秘	刘党旗	证券代码	600537
公司网址	www.egingpv.com		电子信箱	eging-public@egingpv.com	
电　　话	0519-82585558		传　　真	0519-82585550	
办公地址	江苏省金坛市尧塘镇金武路 18 号				
经营范围	太阳能电池用单晶硅棒/棒片、多晶硅锭/片、太阳能电池片及组件的研发、生产和销售				

主要财务指标 指标\报告期	2016.06.30	2015.12.31	2015.06.30	2014.12.31
基本每股收益(元)	0.2400	0.4000	0.0600	0.2500
基本每股收益(扣除后)(元)	0.2300	0.3700	0.0300	0.2200
稀释每股收益(元)	0.2400	0.4000	0.0600	0.2500
每股净资产(元)	2.5094	4.6770	4.3343	2.7970
每股经营现金净流量(元)	0.4582	1.4632	0.0773	0.4160
每股现金流量(元)	-0.0904	1.0545	-0.1390	-0.5859
每股资本公积金(元)	0.4997	1.9308	1.9286	0.0304
每股盈余公积金(元)	0.0199	0.0399	0.0176	0.0213
每股未分配利润(元)	0.9899	1.7068	1.3887	1.7458
净资产收益率(%)	9.4264	8.4867	1.3049	8.8197
加权净资产收益率(%)	9.6100	9.1400	1.4000	9.2900
净资产收益率(扣除)(%)	9.2226	7.8678	0.5799	7.9087
总资产(万元)	667567.68	672541.00	686845.80	536594.11
归属母公司股东权益(万元)	295193.82	275091.18	254936.88	135896.28
营业收入(万元)	319260.94	491887.64	142016.07	324927.84
营业支出(万元)	252799.19	395568.57	117330.54	263613.14
投资收益(万元)	57.67	1261.38	1214.03	64.84
净利润(万元)	27826.01	23163.67	3306.17	11518.67
营业利润(万元)	31387.59	22302.04	2179.63	7177.28
利润总额(万元)	32023.69	23145.22	2814.12	8346.47

北海国发海洋生物产业股份有限公司

公司概况					
公司名称	北海国发海洋生物产业股份有限公司			证券简称	国发股份
法人代表	潘利斌	董秘	李勇	证券代码	600538
公司网址	www.gofar.com.cn		电子信箱	securities@gofar.com.cn	
电　　话	0779-3200619		传　　真	0779-3200618	
办公地址	广西壮族自治区北海市北京路 9 号				
经营范围	藻类、贝类、甲壳类等海洋生物系列产品的研究、开发、生产和销售等				

主要财务指标 指标\报告期	2016.06.30	2015.12.31	2015.06.30	2014.12.31
基本每股收益(元)	-0.0300	0.0100	0.0015	-0.1300
基本每股收益(扣除后)(元)	-0.0400	-0.0200	-0.0008	-0.1100
稀释每股收益(元)	-0.0300	0.0100	0.0015	-0.1300
每股净资产(元)	1.4425	1.4690	1.4620	1.4602
每股经营现金净流量(元)	-0.0381	-0.0141	-0.0573	-0.0884
每股现金流量(元)	-0.2015	-0.4309	-0.4780	0.6198
每股资本公积金(元)	1.2638	1.2638	1.2638	1.2638
每股盈余公积金(元)	0.0788	0.0788	0.0788	0.0788
每股未分配利润(元)	-0.9003	-0.8736	-0.8808	-0.8823
净资产收益率(%)	-1.8484	0.5941	0.1040	-7.2546
加权净资产收益率(%)	-1.8300	0.6000	0.1000	-11.7600
净资产收益率(扣除)(%)	-2.5609	-1.3381	-0.0559	-6.2344
总资产(万元)	98758.94	98401.91	96792.41	99115.83
归属母公司股东权益(万元)	66988.85	68218.68	67896.79	67813.37
营业收入(万元)	23194.49	50640.80	23933.09	41541.22
营业支出(万元)	20668.30	42220.79	20391.78	36988.25
投资收益(万元)	428.02	1137.77	512.39	261.94
净利润(万元)	-1802.51	824.97	319.41	-6479.35
营业利润(万元)	-1853.02	698.52	182.41	-5727.61
利润总额(万元)	-1775.97	961.26	390.18	-6458.76

太原狮头水泥股份有限公司

公司概况						
公司名称	太原狮头水泥股份有限公司				证券简称	ST 狮头
法人代表	崔照宏	董秘	郝瑛		证券代码	600539
公司网址	www.600539.com.cn		电子信箱		haoying@lionhead.com.cn	
电　话	0351-2857002 2857006		传　真		0351-2857006	
办公地址	山西省太原市万柏林区开城街 1 号					
经营范围	水泥、水泥熟料、商品混凝土、新型墙体材料的生产和销售等					

主要财务指标 指标\报告期	2016.06.30	2015.12.31	2015.06.30	2014.12.31
基本每股收益(元)	–0.1171	0.0600	0.0051	–0.1800
基本每股收益(扣除后)(元)	–0.1178	–0.1684	0.0050	–0.1800
稀释每股收益(元)	–0.1171	0.0600	0.0051	–0.1800
每股净资产(元)	1.9746	2.0917	2.0362	2.0311
每股经营现金净流量(元)	–0.0475	0.3297	–0.0627	–0.1408
每股现金流量(元)	–0.1669	0.1519	0.0140	–0.9056
每股资本公积金(元)	2.3755	2.3755	2.3755	2.3755
每股盈余公积金(元)	0.1626	0.1626	0.1626	0.1626
每股未分配利润(元)	–1.5635	–1.4464	–1.5019	–1.5070
净资产收益率(%)	–5.9295	2.8975	0.2527	–8.9122
加权净资产收益率(%)	–5.7590	2.9400	0.2530	–9.1900
净资产收益率(扣除)(%)	–5.9648	–8.0528	0.2460	–8.6674
总资产(万元)	91796.99	97850.22	99903.66	92159.72
归属母公司股东权益(万元)	45415.66	48108.57	46832.96	46714.62
营业收入(万元)	5443.68	9165.10	2383.86	2069.05
营业支出(万元)	5601.91	6925.20	1432.86	1276.93
投资收益(万元)	–	–	–	–
净利润(万元)	–4374.86	241.31	47.78	–4971.10
营业利润(万元)	–4401.56	–4918.40	44.65	–4723.69
利润总额(万元)	–4374.76	241.31	47.78	–4971.10

新疆赛里木现代农业股份有限公司

公司概况						
公司名称	新疆赛里木现代农业股份有限公司				证券简称	新赛股份
法人代表	马晓宏	董秘	陈建江		证券代码	600540
公司网址	www.xinsai.com.cn		电子信箱		gmgsgwq@sina.com	
电　话	0909-2269378 2268210		传　真		0909-2268162	
办公地址	新疆维吾尔自治区博乐市红星路 158 号					
经营范围	棉花种植、加工、销售及食用油的生产、销售等					

主要财务指标 指标\报告期	2016.06.30	2015.12.31	2015.06.30	2014.12.31
基本每股收益(元)	–0.0156	–0.2330	–0.0354	0.0474
基本每股收益(扣除后)(元)	–0.0444	–0.3356	–0.0636	–0.4644
稀释每股收益(元)	–0.0156	–0.2330	–0.0354	0.0474
每股净资产(元)	2.2944	2.3100	3.2706	3.3063
每股经营现金净流量(元)	0.1092	–0.0421	–0.0905	0.1510
每股现金流量(元)	–0.1789	–0.5412	–1.3770	1.3189
每股资本公积金(元)	1.7089	1.7089	2.5216	2.5216
每股盈余公积金(元)	0.0873	0.0873	0.1134	0.1134
每股未分配利润(元)	–0.5017	–0.4861	–0.3644	–0.3290
净资产收益率(%)	–0.6791	–10.0878	–1.0819	1.1985
加权净资产收益率(%)	–0.6800	–9.6031	–1.0800	2.0970
净资产收益率(扣除)(%)	–1.9346	–14.5297	–1.9459	–11.7370
总资产(万元)	279280.52	291794.72	274517.18	336095.35
归属母公司股东权益(万元)	108049.33	108783.09	118477.58	119759.96
营业收入(万元)	18039.51	119242.07	27764.97	110326.50
营业支出(万元)	16436.90	123554.07	26998.14	110364.15
投资收益(万元)	–429.82	104.18	263.27	6478.82
净利润(万元)	–1074.53	–15366.92	–1948.48	–1052.51
营业利润(万元)	–2689.73	–19700.38	–2650.41	–9300.84
利润总额(万元)	–1074.53	–15493.22	–1942.81	–834.96

甘肃莫高实业发展股份有限公司

公司概况						
公司名称	甘肃莫高实业发展股份有限公司				证券简称	莫高股份
法人代表	赵国柱	董秘	朱晓宇		证券代码	600543
公司网址	www.mogao.com		电子信箱		mgjiahw@126.com	
电　话	0931-8776219		传　真		0931-4890543	
办公地址	甘肃省兰州市城关区东岗西路 638 号兰州财富中心 23 层					
经营范围	农产品及加工品、药品的生产和销售等					

主要财务指标 指标\报告期	2016.06.30	2015.12.31	2015.06.30	2014.12.31
基本每股收益(元)	0.0400	0.0600	0.0500	0.0500
基本每股收益(扣除后)(元)	0.0400	0.0400	0.0500	0.0600
稀释每股收益(元)	0.0400	0.0600	0.0500	0.0500
每股净资产(元)	3.4024	3.3833	3.3752	3.3234
每股经营现金净流量(元)	0.0052	0.0838	0.0030	0.4044
每股现金流量(元)	–0.1025	0.1589	–0.0186	–0.5147
每股资本公积金(元)	1.4510	1.4510	1.4510	1.4510
每股盈余公积金(元)	0.3109	0.3109	0.3109	0.3109
每股未分配利润(元)	0.6405	0.6214	0.6133	0.5615
净资产收益率(%)	1.1495	1.7704	1.5348	1.6026
加权净资产收益率(%)	1.1500	1.7900	1.5500	1.6200
净资产收益率(扣除)(%)	1.0934	1.3154	1.5013	1.7568
总资产(万元)	125934.87	127602.97	126844.51	126370.95
归属母公司股东权益(万元)	109257.32	108643.60	108383.63	106720.15
营业收入(万元)	10688.62	24864.80	13378.18	32517.37
营业支出(万元)	4522.85	9958.88	5240.57	17051.25
投资收益(万元)	753.93	2068.09	684.10	1635.88
净利润(万元)	1236.55	1826.22	1656.03	1701.85
营业利润(万元)	1389.00	3711.62	2622.71	3020.17
利润总额(万元)	1461.20	4294.33	2667.26	2791.93

新疆城建(集团)股份有限公司

公司概况						
公司名称	新疆城建(集团)股份有限公司				证券简称	新疆城建
法人代表	刘军	董秘	李若帆		证券代码	600545
公司网址	www.xjcj.com		电子信箱		xjcj888@sina.com	
电　话	0991-4889803 4889812		传　真		0991-4889813	
办公地址	新疆维吾尔自治区乌鲁木齐市南湖南路 133 号城建大厦 22 层					
经营范围	城市基础设施建设与运营、城市源水供应、房地产开发与销售等					

主要财务指标 指标\报告期	2016.06.30	2015.12.31	2015.06.30	2014.12.31
基本每股收益(元)	–0.1247	0.0462	–0.0025	0.1430
基本每股收益(扣除后)(元)	–0.1360	0.0221	–0.0098	0.1177
稀释每股收益(元)	–0.1247	0.0462	–0.0025	0.1430
每股净资产(元)	2.9689	3.0936	3.0457	3.0912
每股经营现金净流量(元)	–0.2512	–0.0267	–0.4627	0.3563
每股现金流量(元)	–0.1616	1.1635	0.4268	–0.2632
每股资本公积金(元)	0.8312	0.8312	0.8312	0.8312
每股盈余公积金(元)	0.2330	0.2330	0.2258	0.2258
每股未分配利润(元)	0.9025	1.0271	0.9857	1.0312
净资产收益率(%)	–4.1994	1.4919	–0.0823	4.6246
加权净资产收益率(%)	–4.1130	1.4923	–0.0811	4.6469
净资产收益率(扣除)(%)	–4.5821	0.7149	–0.3232	3.8077
总资产(万元)	1005002.20	1044908.20	990528.68	958024.97
归属母公司股东权益(万元)	200636.37	209061.83	205823.97	208899.28
营业收入(万元)	106350.54	437972.60	110568.75	566500.15
营业支出(万元)	100978.39	387815.43	98833.20	497200.94
投资收益(万元)	–143.10	–393.66	51.63	1295.59
净利润(万元)	–7807.13	6011.67	–515.93	15313.83
营业利润(万元)	–8358.09	4007.14	–750.88	19736.07
利润总额(万元)	–7019.41	6004.56	–222.35	19891.09

山煤国际能源集团股份有限公司

公司概况	公司名称	山煤国际能源集团股份有限公司			证券简称	*ST 山煤
	法人代表	赵建泽	董秘	马凌云	证券代码	600546
	公司网址	www.smgjcoal.com		电子信箱	smzqb@shanxicoal.cn	
	电　话	0351-4645546		传　真	0351-4645846	
	办公地址	山西省太原市长风街 115 号				
	经营范围	煤炭生产和销售等				

	指标\报告期	2016.06.30	2015.12.31	2015.06.30	2014.12.31
主要财务指标	基本每股收益(元)	-0.2200	-1.2000	-	-0.8700
	基本每股收益(扣除后)(元)	-0.2200	-1.1800	0.0100	-0.8600
	稀释每股收益(元)	-0.2200	-1.2000	-	-0.8700
	每股净资产(元)	1.7036	1.8870	3.1691	3.1193
	每股经营现金净流量(元)	0.0829	0.2928	0.0752	0.5004
	每股现金流量(元)	-1.3691	0.7385	0.3954	-0.1362
	每股资本公积金(元)	1.1325	1.1325	1.1325	1.1325
	每股盈余公积金(元)	0.1041	0.1041	0.1041	0.1041
	每股未分配利润(元)	-0.6944	-0.4714	0.7338	0.7293
	净资产收益率(%)	-13.0953	-63.6264	0.1421	-27.8842
	加权净资产收益率(%)	-12.4300	-47.9600	0.1400	-27.8800
	净资产收益率(扣除)(%)	-13.1337	-62.3598	0.2023	-27.6468
	总资产(万元)	4818083.68	5048995.36	5120966.33	4779748.58
	归属母公司股东权益(万元)	337736.18	374092.08	628251.26	618393.15
	营业收入(万元)	2134904.81	3959489.43	2496800.48	6323767.06
	营业支出(万元)	2049959.70	3722955.85	2345122.42	6009321.05
	投资收益(万元)	33.34	-252.22	44.25	3.00
	净利润(万元)	-40199.98	-226407.52	6094.83	-159056.51
	营业利润(万元)	-35349.38	-200669.30	14607.43	-139622.17
	利润总额(万元)	-35037.08	-204398.54	13402.79	-142561.09

山东黄金矿业股份有限公司

公司概况	公司名称	山东黄金矿业股份有限公司			证券简称	山东黄金
	法人代表	王立君	董秘	邱子裕	证券代码	600547
	公司网址	www.sdhjgf.com		电子信箱	ir@sd-gold.com	
	电　话	0531-67710376		传　真	0531-67710380	
	办公地址	山东省济南市舜华路 2000 号舜泰广场 3 号楼				
	经营范围	黄金开采和选冶加工，同时伴有白银、硫精矿的生产				

	指标\报告期	2016.06.30	2015.12.31	2015.06.30	2014.12.31
主要财务指标	基本每股收益(元)	0.3900	0.4100	0.0300	0.5800
	基本每股收益(扣除后)(元)	0.3900	0.4000	0.0300	0.5700
	稀释每股收益(元)	0.3900	0.4100	0.0300	0.5800
	每股净资产(元)	7.0762	6.7847	6.4003	6.4706
	每股经营现金净流量(元)	0.5691	1.4629	0.5763	1.7449
	每股现金流量(元)	-0.0241	0.0231	0.1320	-0.3051
	每股资本公积金(元)	0.0245	0.0245	0.0216	0.0189
	每股盈余公积金(元)	0.3174	0.3174	0.2856	0.2856
	每股未分配利润(元)	5.7249	5.4355	5.0886	5.1546
	净资产收益率(%)	5.5010	6.0800	0.5281	9.0333
	加权净资产收益率(%)	5.5800	6.2300	0.5200	9.4100
	净资产收益率(扣除)(%)	5.5200	5.8885	0.5141	8.8330
	总资产(万元)	2347310.91	2267764.79	2322563.89	2259901.24
	归属母公司股东权益(万元)	1006997.77	965510.47	910811.90	920809.01
	营业收入(万元)	2482253.73	3857290.77	1968421.47	4579427.17
	营业支出(万元)	2285510.98	3559294.36	1858895.04	4249525.50
	投资收益(万元)	-6028.50	18487.94	13009.00	-5890.26
	净利润(万元)	56621.80	60141.15	4882.93	85302.65
	营业利润(万元)	76830.55	85634.45	8717.63	113785.42
	利润总额(万元)	76515.61	85007.98	8905.78	114818.26

深圳高速公路股份有限公司

公司概况	公司名称	深圳高速公路股份有限公司			证券简称	深 高 速
	法人代表	胡伟	董秘	罗琨	证券代码	600548
	公司网址	www.sz-expressway.com		电子信箱	secretary@sz-expressway.com	
	电　话	0755-82853338 82853331		传　真	0755-82853400	
	办公地址	广东省深圳市福田区益田路江苏大厦裙楼 2-4 层				
	经营范围	公路和道路的投资和建造、建设管理、经营管理等				

	指标\报告期	2016.06.30	2015.12.31	2015.06.30	2014.12.31
主要财务指标	基本每股收益(元)	0.2820	0.7120	0.2470	1.0030
	基本每股收益(扣除后)(元)	0.2380	0.2420	0.2220	0.4420
	稀释每股收益(元)	0.2820	0.7120	0.2470	1.0030
	每股净资产(元)	5.6139	5.6700	5.2070	5.4100
	每股经营现金净流量(元)	0.4146	0.8123	0.1831	0.8225
	每股现金流量(元)	-1.4015	2.2588	-0.1056	0.0759
	每股资本公积金(元)	1.0429	1.0429	1.0429	1.0429
	每股盈余公积金(元)	0.8785	0.8785	0.8642	0.8642
	每股未分配利润(元)	2.2826	2.3406	1.8901	2.0930
	净资产收益率(%)	5.0227	12.5529	4.7464	18.5367
	加权净资产收益率(%)	4.9000	12.9400	4.5300	20.1400
	净资产收益率(扣除)(%)	4.2358	4.2639	4.2664	8.1707
	总资产(万元)	3116272.41	3167065.51	2420572.98	2432932.42
	归属母公司股东权益(万元)	1224258.26	1236889.30	1135519.40	1179758.19
	营业收入(万元)	206312.81	342057.83	149961.80	362035.75
	营业支出(万元)	106703.86	167874.76	68286.64	170525.59
	投资收益(万元)	22735.52	115499.08	13662.00	18704.23
	净利润(万元)	69374.06	149515.00	56131.66	227146.95
	营业利润(万元)	86357.80	163536.66	70200.44	145857.05
	利润总额(万元)	86433.10	167232.69	70134.42	296691.80

厦门钨业股份有限公司

公司概况	公司名称	厦门钨业股份有限公司			证券简称	厦门钨业
	法人代表	黄长庚	董秘	许火耀	证券代码	600549
	公司网址	www.cxtc.com		电子信箱	xtc@public.xm.fj.cn	
	电　话	0592-5363856		传　真	0592-5363857	
	办公地址	福建省厦门市开元区湖滨南路 619 号 16 层				
	经营范围	钨及有色金属冶炼、加工、钨合金、钨深加工产品的生产和销售				

	指标\报告期	2016.06.30	2015.12.31	2015.06.30	2014.12.31
主要财务指标	基本每股收益(元)	0.0633	-0.6125	0.0315	0.6468
	基本每股收益(扣除后)(元)	0.0177	-0.6486	0.0144	0.4784
	稀释每股收益(元)	0.0633	-0.6125	0.0315	0.6468
	每股净资产(元)	6.0048	6.1351	6.7603	8.9383
	每股经营现金净流量(元)	0.3817	-1.1677	-1.0255	-0.0527
	每股现金流量(元)	0.4209	-0.5641	-0.5970	0.4117
	每股资本公积金(元)	3.1115	3.1115	3.0986	4.3281
	每股盈余公积金(元)	0.2930	0.2930	0.2930	0.3809
	每股未分配利润(元)	1.4965	1.6332	2.2772	3.1195
	净资产收益率(%)	1.0535	-9.9837	0.4654	5.9318
	加权净资产收益率(%)	1.0300	-9.4400	0.4600	10.2600
	净资产收益率(扣除)(%)	0.2942	-10.5714	0.2125	4.3869
	总资产(万元)	1566746.44	1598714.20	1637030.86	1731820.25
	归属母公司股东权益(万元)	649463.89	663561.80	731171.40	743651.45
	营业收入(万元)	349939.25	775484.06	441451.34	1014273.15
	营业支出(万元)	285487.00	645873.54	356202.74	692952.51
	投资收益(万元)	3160.54	3643.77	2118.68	5248.24
	净利润(万元)	14225.32	-57718.10	12786.54	93330.65
	营业利润(万元)	12505.62	-56286.55	16352.67	121147.46
	利润总额(万元)	15588.24	-53838.84	17289.20	133113.92

保定天威保变电气股份有限公司

公司概况	公司名称	保定天威保变电气股份有限公司		证券简称	保变电气
	法人代表	薛桓	董秘 何光盛	证券代码	600550
	公司网址	www.twbb.com		电子信箱	tzb@twbb.com
	电　话	0312-3252455		传　真	0312-3230382
	办公地址	河北省保定市天威西路 2222 号			
	经营范围	变压器、互感器、电抗器等输变电设备及辅助设备、零部件的制造与销售等			

主要财务指标	指标\报告期	2016.06.30	2015.12.31	2015.06.30	2014.12.31
	基本每股收益(元)	0.0400	0.0590	0.1500	0.0490
	基本每股收益(扣除后)(元)	0.0080	-0.4390	0.0010	-0.0730
	稀释每股收益(元)	0.0400	0.0590	0.1500	-
	每股净资产(元)	0.2400	0.1957	0.6232	0.5960
	每股经营现金净流量(元)	0.0920	0.0999	-0.3179	0.4096
	每股现金流量(元)	0.4876	-0.0404	0.1066	-0.2280
	每股资本公积金(元)	2.0553	2.0553	2.3905	2.5140
	每股盈余公积金(元)	0.2122	0.2122	0.2122	0.2122
	每股未分配利润(元)	-3.0374	-3.0789	-2.9887	-3.1380
	净资产收益率(%)	17.2910	30.1874	24.1387	7.4022
	加权净资产收益率(%)	19.1700	14.9200	26.4700	77.4400
	净资产收益率(扣除)(%)	3.4059	-224.2988	0.1110	-11.0081
	总资产(万元)	954115.18	804286.34	923217.20	856900.55
	归属母公司股东权益(万元)	36829.73	30029.51	95636.58	91470.08
	营业收入(万元)	187132.90	402743.30	186614.51	389504.27
	营业支出(万元)	149482.65	330014.49	147477.71	306017.83
	投资收益(万元)	391.55	74725.56	22278.49	10887.34
	净利润(万元)	5820.69	9235.89	23713.89	7619.63
	营业利润(万元)	1284.10	7348.75	23304.10	2230.97
	利润总额(万元)	6397.13	9568.05	24507.28	8530.04

时代出版传媒股份有限公司

公司概况	公司名称	时代出版传媒股份有限公司		证券简称	时代出版
	法人代表	王民	董秘 刘红	证券代码	600551
	公司网址	www.press-mart.com		电子信箱	luyl@press-mart.com
	电　话	0551-63533679　63533050		传　真	0551-63533185
	办公地址	安徽省合肥市蜀山区翡翠路 1118 号出版传媒广场			
	经营范围	出版传媒、印刷复制以及与其密切相关的高新科技研发与成果转化等			

主要财务指标	指标\报告期	2016.06.30	2015.12.31	2015.06.30	2014.12.31
	基本每股收益(元)	0.4641	0.7770	0.4580	0.7708
	基本每股收益(扣除后)(元)	0.4081	0.5563	0.4160	0.6382
	稀释每股收益(元)	0.4641	0.7770	0.4580	0.7708
	每股净资产(元)	8.3386	8.3239	7.7544	7.2467
	每股经营现金净流量(元)	-0.5905	0.8642	-0.2823	0.8086
	每股现金流量(元)	-0.4142	0.8066	-0.1770	-0.0813
	每股资本公积金(元)	2.6577	2.6588	2.6585	2.6585
	每股盈余公积金(元)	0.2763	0.2763	0.2477	0.2477
	每股未分配利润(元)	4.0654	3.8353	3.5450	3.3190
	净资产收益率(%)	5.5653	9.3344	5.9058	10.6369
	加权净资产收益率(%)	5.4700	10.3600	5.9800	11.1000
	净资产收益率(扣除)(%)	4.8943	6.6826	5.3645	8.8073
	总资产(万元)	654758.98	685051.72	632813.63	616564.22
	归属母公司股东权益(万元)	421788.82	421042.39	392237.52	366557.08
	营业收入(万元)	321960.72	602112.28	274003.93	536373.88
	营业支出(万元)	285898.06	535865.01	238376.00	465044.15
	投资收益(万元)	3069.99	7762.12	4048.05	6555.55
	净利润(万元)	23877.72	39624.19	23440.70	39250.34
	营业利润(万元)	19921.99	24559.43	19721.41	30352.46
	利润总额(万元)	24155.91	40615.33	23785.18	40212.72

凯盛科技股份有限公司

公司概况	公司名称	凯盛科技股份有限公司		证券简称	凯盛科技
	法人代表	茆令文	董秘 黄晓婷	证券代码	600552
	公司网址	www.fangxingkj.com		电子信箱	chch0254@sina.com
	电　话	0552-4077780		传　真	0552-4077780
	办公地址	安徽省蚌埠市黄山大道 8009 号			
	经营范围	浮法玻璃、在线镀膜玻璃、ITO 导电膜玻璃、玻璃深加工制品及新型材料的开发等			

主要财务指标	指标\报告期	2016.06.30	2015.12.31	2015.06.30	2014.12.31
	基本每股收益(元)	0.0725	0.2900	0.1208	0.3053
	基本每股收益(扣除后)(元)	0.0427	0.1535	0.1128	0.2904
	稀释每股收益(元)	0.0725	0.2900	0.1208	0.3053
	每股净资产(元)	5.9701	5.8977	4.8837	4.7629
	每股经营现金净流量(元)	0.0119	0.1329	0.1372	0.0625
	每股现金流量(元)	-1.0915	0.4442	0.0899	-0.9649
	每股资本公积金(元)	3.5391	3.5391	2.6214	2.6214
	每股盈余公积金(元)	0.0650	0.0650	0.0695	0.0695
	每股未分配利润(元)	1.3660	1.2935	1.1929	1.0720
	净资产收益率(%)	1.2144	4.9177	2.4743	6.4108
	加权净资产收益率(%)	1.2200	6.1700	2.5100	6.6000
	净资产收益率(扣除)(%)	0.7159	2.6025	2.3105	6.0975
	总资产(万元)	441351.07	460126.77	282546.77	243149.37
	归属母公司股东权益(万元)	228968.48	226189.80	175323.64	170985.65
	营业收入(万元)	103838.34	112965.27	45490.98	94219.84
	营业支出(万元)	86640.44	89330.38	34581.46	70996.16
	投资收益(万元)	9.01	25.97	21.79	6.24
	净利润(万元)	3523.97	12255.86	4354.07	11104.99
	营业利润(万元)	3389.36	7886.19	4839.32	12432.47
	利润总额(万元)	4714.42	15153.08	5214.42	13226.61

海航创新股份有限公司

公司概况	公司名称	海航创新股份有限公司		证券简称	海航创新
	法人代表	郭亚军	董秘 孙爱林	证券代码	600555
	公司网址	www.ninedragon.com.cn		电子信箱	chenhaiyan@ninedragon.com.cn
	电　话	0898-88338308		传　真	0898-88981305
	办公地址	海南省三亚市天涯区三亚湾路 228 号三亚湾皇冠假日度假酒店二层办公区			
	经营范围	房地产、商业房产综合开发			

主要财务指标	指标\报告期	2016.06.30	2015.12.31	2015.06.30	2014.12.31
	基本每股收益(元)	-0.0100	0.0200	-0.0200	0.0300
	基本每股收益(扣除后)(元)	-0.0700	-0.1200	-0.0200	-0.1200
	稀释每股收益(元)	-0.0100	0.0200	-0.0200	0.0300
	每股净资产(元)	1.3259	1.3485	1.2680	1.2912
	每股经营现金净流量(元)	-0.0591	-0.1698	-0.0761	-0.1975
	每股现金流量(元)	-0.2791	0.4077	-0.0173	0.0860
	每股资本公积金(元)	0.3098	0.3098	0.3098	0.3098
	每股盈余公积金(元)	0.1077	0.1077	0.1039	0.1039
	每股未分配利润(元)	-0.1228	-0.1087	-0.1495	-0.1263
	净资产收益率(%)	-1.0624	1.5925	-1.8259	2.6344
	加权净资产收益率(%)	-1.0500	1.6300	-1.8100	2.6700
	净资产收益率(扣除)(%)	-5.0839	-8.9721	-1.7671	-9.4452
	总资产(万元)	371274.13	376455.11	335392.88	334552.72
	归属母公司股东权益(万元)	172826.31	175773.65	165287.54	168308.00
	营业收入(万元)	1890.38	12960.45	9825.60	3089.91
	营业支出(万元)	1750.49	9879.90	7383.79	2805.59
	投资收益(万元)	204.84	8445.52	-75.94	15419.52
	净利润(万元)	-2644.89	2583.79	-2961.43	3969.10
	营业利润(万元)	-9595.14	-6768.42	-2940.18	-852.59
	利润总额(万元)	-2644.89	4233.57	-2961.43	5580.31

广西慧球科技股份有限公司

公司概况					
公司名称	广西慧球科技股份有限公司			证券简称	ST 慧球
法人代表	董文亮	董秘	陆俊安	证券代码	600556
公司网址	www.bsyy.com.cn		电子信箱	bsyy_bh@163.net	
电　话	0779-2228937		传　真	0779-2228936	
办公地址	广西壮族自治区北海市北海大道西 16 号海富大厦 17 层 D 座				
经营范围	化学药品、抗生素、中药材、中药饮片、中成药、生化药品、生物制品等				

主要财务指标：指标＼报告期	2016.06.30	2015.12.31	2015.06.30	2014.12.31
基本每股收益(元)	−0.0318	0.0130	0.0048	0.0020
基本每股收益(扣除后)(元)	−0.0403	0.0050	0.0048	0.0030
稀释每股收益(元)	−0.0318	0.0130	0.0048	0.0020
每股净资产(元)	0.0517	0.0835	0.0098	0.0050
每股经营现金净流量(元)	−0.0430	−0.2341	−0.1632	−0.0064
每股现金流量(元)	−0.0211	−0.0308	0.0139	−0.0057
每股资本公积金(元)	0.9829	0.9829	0.9174	0.9174
每股盈余公积金(元)	0.0975	0.0975	0.0975	0.0975
每股未分配利润(元)	−2.0286	−1.9969	−2.0051	−2.0099
净资产收益率(%)	−61.4776	15.5733	48.8755	30.6147
加权净资产收益率(%)	−47.0200	112.8400	64.6800	−
净资产收益率(扣除)(%)	−77.9047	6.0326	49.1704	61.4258
总资产(万元)	12542.79	12460.62	10677.90	5447.26
归属母公司股东权益(万元)	2040.73	3295.32	387.67	198.20
营业收入(万元)	2346.75	9290.94	3506.41	4736.88
营业支出(万元)	1989.19	6329.71	2440.52	3286.56
投资收益(万元)	−	1.45	1.45	49.56
净利润(万元)	−1257.88	512.65	189.48	60.68
营业利润(万元)	−1228.61	624.84	328.19	303.12
利润总额(万元)	−1243.38	628.42	327.04	242.05

江苏康缘药业股份有限公司

公司概况					
公司名称	江苏康缘药业股份有限公司			证券简称	康缘药业
法人代表	肖伟	董秘	肖伟(代)	证券代码	600557
公司网址	www.kanion.com		电子信箱	chf@kanion.com	
电　话	0518-85521990		传　真	0518-85521990	
办公地址	江苏省连云港市经济技术开发区江宁工业城				
经营范围	中成药制剂、保健品制造、销售等				

主要财务指标：指标＼报告期	2016.06.30	2015.12.31	2015.06.30	2014.12.31
基本每股收益(元)	0.3100	0.7100	0.3700	0.6400
基本每股收益(扣除后)(元)	0.3000	0.6700	0.3600	0.6300
稀释每股收益(元)	0.3100	0.7100	0.3700	0.6400
每股净资产(元)	4.8025	5.4713	5.1344	4.8647
每股经营现金净流量(元)	0.4375	1.0021	0.3822	0.6065
每股现金流量(元)	0.0318	−0.6459	−0.6174	0.5162
每股资本公积金(元)	0.8442	1.0131	1.0131	1.0131
每股盈余公积金(元)	0.3854	0.4624	0.3935	0.3935
每股未分配利润(元)	2.5733	2.9962	2.7295	2.4598
净资产收益率(%)	6.4505	12.8916	7.2004	12.7895
加权净资产收益率(%)	6.5700	13.6500	7.3200	15.8700
净资产收益率(扣除)(%)	6.2991	12.3129	7.0976	12.4901
总资产(万元)	451049.23	430450.30	419756.12	415497.17
归属母公司股东权益(万元)	296051.39	281063.62	263758.58	249904.13
营业收入(万元)	150258.70	282044.63	142733.72	256292.82
营业支出(万元)	37749.24	71382.16	37021.70	64543.47
投资收益(万元)	0.08	−68.38	0.24	−0.10
净利润(万元)	19301.26	36524.34	19170.23	32311.05
营业利润(万元)	22179.05	39871.77	22247.73	36166.63
利润总额(万元)	22730.81	41876.92	22581.24	37252.32

四川大西洋焊接材料股份有限公司

公司概况					
公司名称	四川大西洋焊接材料股份有限公司			证券简称	大 西 洋
法人代表	李欣雨	董秘	唐敏	证券代码	600558
公司网址	www.weldatlantic.com		电子信箱	dxy600558@vip.163.com	
电　话	0813-5101327		传　真	0813-5109042	
办公地址	四川省自贡市大安区马冲口街 2 号				
经营范围	开发、生产、销售电焊条、焊丝、焊剂三大类别、八大系列等				

主要财务指标：指标＼报告期	2016.06.30	2015.12.31	2015.06.30	2014.12.31
基本每股收益(元)	0.0320	0.1106	0.0780	0.1851
基本每股收益(扣除后)(元)	0.0270	0.0517	0.0180	0.1414
稀释每股收益(元)	0.0320	0.1106	0.0780	0.1851
每股净资产(元)	2.0442	3.0583	4.5488	4.4722
每股经营现金净流量(元)	0.0473	0.2400	0.1608	0.1786
每股现金流量(元)	0.2144	−0.1729	−0.2822	0.1403
每股资本公积金(元)	0.4991	1.2486	2.3737	2.3844
每股盈余公积金(元)	0.0967	0.1400	0.2016	0.1954
每股未分配利润(元)	0.4483	0.6696	0.9735	0.9028
净资产收益率(%)	1.5620	3.6151	1.7140	3.3235
加权净资产收益率(%)	1.5540	3.6400	1.7240	3.5900
净资产收益率(扣除)(%)	1.3264	1.6895	0.4053	2.5382
总资产(万元)	266631.72	264765.81	264058.75	268145.41
归属母公司股东权益(万元)	183489.10	183007.66	181469.54	178826.37
营业收入(万元)	80871.14	169197.68	87622.30	217848.39
营业支出(万元)	64135.85	138314.16	72665.99	184546.56
投资收益(万元)	269.11	1112.12	691.80	1326.96
净利润(万元)	3537.85	7498.20	3597.40	7118.03
营业利润(万元)	3825.08	6074.05	2432.36	8396.59
利润总额(万元)	4304.46	9106.60	4551.40	8850.22

河北衡水老白干酒业股份有限公司

公司概况					
公司名称	河北衡水老白干酒业股份有限公司			证券简称	老白干酒
法人代表	刘彦龙	董秘	刘勇	证券代码	600559
公司网址	www.hengshuilaobaigan.net		电子信箱	hslbg@hengshuilaobaigan.net	
电　话	0318-2122755		传　真	0318-2669976	
办公地址	河北省衡水市路北开发区振华新路酒都大厦				
经营范围	衡水老白干酒的生产与销售、商品猪及种猪的饲养与销售				

主要财务指标：指标＼报告期	2016.06.30	2015.12.31	2015.06.30	2014.12.31
基本每股收益(元)	0.0600	0.5400	0.1300	0.4200
基本每股收益(扣除后)(元)	0.0300	0.4300	0.1000	0.2900
稀释每股收益(元)	0.0600	0.5400	0.1300	0.4200
每股净资产(元)	3.4646	8.8048	4.7530	4.7672
每股经营现金净流量(元)	−0.3959	1.9161	0.9758	0.0637
每股现金流量(元)	−0.3796	2.4021	−0.0175	−0.0974
每股资本公积金(元)	1.5638	5.4096	1.1887	1.1887
每股盈余公积金(元)	0.1331	0.3327	0.4164	0.4164
每股未分配利润(元)	0.7175	1.9529	2.0339	2.0582
净资产收益率(%)	1.6264	4.8640	2.6446	8.8608
加权净资产收益率(%)	1.5900	10.8300	2.6200	9.1600
净资产收益率(扣除)(%)	0.8550	3.8982	2.1653	6.0749
总资产(万元)	244746.78	280250.23	235043.18	224351.29
归属母公司股东权益(万元)	151768.73	154280.42	66542.66	66740.63
营业收入(万元)	104292.84	233580.53	91469.38	210915.66
营业支出(万元)	47498.98	100568.80	33800.46	88228.57
投资收益(万元)	158.93	−50.41	−35.98	−17.58
净利润(万元)	2468.31	7504.19	1759.79	5913.76
营业利润(万元)	4075.93	17134.80	3040.33	12805.83
利润总额(万元)	5162.06	18643.49	3525.33	14999.63

北京金自天正智能控制股份有限公司

公司概况					
公司名称	北京金自天正智能控制股份有限公司			证券简称	金自天正
法人代表	孙彦广	董秘	胡邦周	证券代码	600560
公司网址	www.aritime.com		电子信箱	hubangzhou@163.com	
电　话	010-56982304		传　真	010-63713257	
办公地址	北京市丰台区科学城富丰路 6 号				
经营范围	自动化系统的技术开发、技术转让、技术咨询、技术培训、技术服务				

主要财务指标：指标\报告期	2016.06.30	2015.12.31	2015.06.30	2014.12.31
基本每股收益(元)	0.0700	0.0800	0.0600	0.0787
基本每股收益(扣除后)(元)	0.0600	0.0345	0.0424	0.0653
稀释每股收益(元)	0.0700	0.0800	0.0600	0.0787
每股净资产(元)	3.2365	3.1991	3.1766	3.1401
每股经营现金净流量(元)	-0.1760	0.0997	0.1358	-0.6300
每股现金流量(元)	-0.0107	0.1003	0.2361	-1.3675
每股资本公积金(元)	0.9243	0.9243	0.9243	0.9243
每股盈余公积金(元)	0.2431	0.2431	0.2366	0.2366
每股未分配利润(元)	1.0655	1.0251	1.0106	0.9752
净资产收益率(%)	2.0194	2.5432	1.8992	2.5049
加权净资产收益率(%)	2.0200	2.5700	1.9000	2.5100
净资产收益率(扣除)(%)	1.7001	1.0781	1.3362	2.0789
总资产(万元)	167958.59	175220.54	190765.39	192289.81
归属母公司股东权益(万元)	72383.00	71546.18	71043.97	70226.96
营业收入(万元)	29637.50	53623.23	27428.12	57196.69
营业支出(万元)	23374.37	40322.43	21340.13	43607.94
投资收益(万元)	238.11	629.62	317.47	762.47
净利润(万元)	1492.17	1968.51	1490.20	2049.88
营业利润(万元)	1490.81	1127.40	1546.52	1714.39
利润总额(万元)	1641.87	2355.22	1770.44	2391.18

江西长运股份有限公司

公司概况					
公司名称	江西长运股份有限公司			证券简称	江西长运
法人代表	葛黎明	董秘	吴隼	证券代码	600561
公司网址	www.jxcy.com.cn		电子信箱	dongsihui@jxcy.com.cn	
电　话	0791-6298107		传　真	0791-86217722	
办公地址	江西省南昌市广场南路 118 号				
经营范围	公路旅客运输、旅游服务、汽车租赁等				

主要财务指标：指标\报告期	2016.06.30	2015.12.31	2015.06.30	2014.12.31
基本每股收益(元)	0.0002	0.3300	0.1900	0.6300
基本每股收益(扣除后)(元)	-0.0090	0.1000	0.1200	0.5200
稀释每股收益(元)	0.0002	0.3300	0.1900	0.6300
每股净资产(元)	6.4088	6.3985	6.3255	6.3125
每股经营现金净流量(元)	0.7388	1.5886	0.9074	1.6517
每股现金流量(元)	0.0905	0.8897	0.2476	-0.3879
每股资本公积金(元)	2.0203	2.0203	2.0049	2.0114
每股盈余公积金(元)	0.5905	0.5913	0.5913	0.5913
每股未分配利润(元)	2.6931	2.6929	2.6326	2.6320
净资产收益率(%)	0.0031	5.0853	3.0133	9.9453
加权净资产收益率(%)	0.0030	5.1100	2.9900	10.3100
净资产收益率(扣除)(%)	-0.1385	1.6040	1.9202	8.3084
总资产(万元)	596255.41	582573.56	531382.92	433706.60
归属母公司股东权益(万元)	151929.56	151685.82	149955.35	149647.02
营业收入(万元)	129209.68	245634.73	137723.69	256849.83
营业支出(万元)	111020.77	209117.55	114596.49	218513.67
投资收益(万元)	-22.99	217.03	14.29	212.88
净利润(万元)	956.80	11714.82	5982.87	19167.32
营业利润(万元)	-4127.14	-1478.75	2310.99	7600.49
利润总额(万元)	2995.16	17823.17	8810.90	25622.06

国睿科技股份有限公司

公司概况					
公司名称	国睿科技股份有限公司			证券简称	国睿科技
法人代表	周万幸	董秘	王贵夫	证券代码	600562
公司网址	www.glaruntech.com		电子信箱	dmbgs@glarun.com	
电　话	025-57889698		传　真	025-52787018	
办公地址	江苏省南京市江宁经济开发区将军大道 39 号				
经营范围	通信传输设备,机电一体化设备,工业自动化设备,微波器件等				

主要财务指标：指标\报告期	2016.06.30	2015.12.31	2015.06.30	2014.12.31
基本每股收益(元)	0.1800	0.7300	0.2200	0.5700
基本每股收益(扣除后)(元)	0.1760	0.6900	0.2100	0.5300
稀释每股收益(元)	0.1800	0.7300	0.2200	0.5700
每股净资产(元)	3.2227	3.9898	3.4839	3.4342
每股经营现金净流量(元)	-0.1374	-0.0314	-0.2953	0.0956
每股现金流量(元)	0.7094	0.0956	-0.3525	-0.1466
每股资本公积金(元)	1.0345	0.0830	0.0830	0.0830
每股盈余公积金(元)	0.1642	0.3058	0.1968	0.1968
每股未分配利润(元)	1.0239	2.6010	2.2041	2.1544
净资产收益率(%)	5.3969	18.2119	6.3353	16.5241
加权净资产收益率(%)	8.0100	19.5000	6.4100	17.6600
净资产收益率(扣除)(%)	5.2712	17.2538	6.1188	15.3500
总资产(万元)	238686.01	180463.78	143003.08	137059.00
归属母公司股东权益(万元)	154280.14	102562.42	89557.58	88279.60
营业收入(万元)	44026.99	109187.97	33757.11	96196.91
营业支出(万元)	27023.26	70801.51	22138.42	66817.50
投资收益(万元)	-	-	-	-
净利润(万元)	8326.35	18678.57	5673.73	14587.44
营业利润(万元)	9777.42	20991.10	6650.73	16160.78
利润总额(万元)	10005.55	22105.99	6856.97	17380.92

厦门法拉电子股份有限公司

公司概况					
公司名称	厦门法拉电子股份有限公司			证券简称	法拉电子
法人代表	曾福生	董秘	许琼玖	证券代码	600563
公司网址	www.faratronic.com		电子信箱	xuqj@faratronic.com.cn	
电　话	0592-6208590　6208778		传　真	0592-6208555	
办公地址	福建省厦门市新园路 99 号				
经营范围	簿膜电容器、金属化膜及电子变压器的生产及销售				

主要财务指标：指标\报告期	2016.06.30	2015.12.31	2015.06.30	2014.12.31
基本每股收益(元)	0.7920	1.4600	0.6795	1.3600
基本每股收益(扣除后)(元)	0.7657	1.3800	0.6644	1.3200
稀释每股收益(元)	0.7920	1.4600	0.6795	1.3600
每股净资产(元)	8.3852	8.5934	7.8155	7.8355
每股经营现金净流量(元)	0.9525	1.4459	0.8363	1.3443
每股现金流量(元)	1.3145	0.0332	-0.0006	-1.5034
每股资本公积金(元)	1.1643	1.1643	1.1643	1.1643
每股盈余公积金(元)	0.6983	0.6983	0.6983	0.6983
每股未分配利润(元)	5.5218	5.7298	4.9517	4.9722
净资产收益率(%)	9.4455	16.9621	8.6941	17.3682
加权净资产收益率(%)	8.9800	17.8700	8.1900	18.2800
净资产收益率(扣除)(%)	9.1312	16.0436	8.5015	16.9056
总资产(万元)	218635.06	224082.35	198977.08	202285.87
归属母公司股东权益(万元)	188666.09	193352.17	175848.36	176298.89
营业收入(万元)	71802.69	139339.82	67615.93	141621.04
营业支出(万元)	42593.98	83279.93	40754.41	88086.04
投资收益(万元)	393.47	2209.23	1182.03	652.02
净利润(万元)	18308.33	34231.22	16026.19	32313.07
营业利润(万元)	21441.68	39748.45	18824.42	37076.47
利润总额(万元)	21539.68	40140.39	18851.52	37855.76

重庆市迪马实业股份有限公司

公司概况					
公司名称	重庆市迪马实业股份有限公司			证券简称	迪马股份
法人代表	向志鹏	董秘	张爱明	证券代码	600565
公司网址	www.dongyuan.dongyin.com		电子信箱	cqdimagf@163.com	
电　话	023-89021876　89021877		传　真	023-89021878	
办公地址	重庆市江北区大石坝东原中心 7 号楼 34 层				
经营范围	生产经营专用汽车、有线电视网络产品				

主要财务指标：指标\报告期	2016.06.30	2015.12.31	2015.06.30	2014.12.31
基本每股收益(元)	0.0500	0.2000	0.0700	0.2900
基本每股收益(扣除后)(元)	0.0500	0.2000	0.0700	0.3100
稀释每股收益(元)	0.0500	0.2000	0.0700	0.2900
每股净资产(元)	2.6144	2.6195	2.5264	2.5121
每股经营现金净流量(元)	–0.1769	0.0672	–0.5833	–0.2478
每股现金流量(元)	0.1689	–0.4146	–0.8969	0.5355
每股资本公积金(元)	0.9795	0.9783	1.0105	1.0266
每股盈余公积金(元)	0.0443	0.0443	0.0425	0.0425
每股未分配利润(元)	0.5907	0.5969	0.4734	0.4300
净资产收益率(%)	2.0582	7.6243	2.9077	10.4430
加权净资产收益率(%)	2.0300	7.9000	2.9200	13.1900
净资产收益率(扣除)(%)	2.0071	7.6202	2.8874	9.6607
总资产(万元)	3088705.31	2677150.52	2482034.63	2339887.43
归属母公司股东权益(万元)	613311.73	614490.32	592665.11	586231.03
营业收入(万元)	298405.73	773124.00	239739.95	735020.12
营业支出(万元)	235439.52	567186.55	171083.21	538503.14
投资收益(万元)	217.82	–1437.15	–915.55	3710.50
净利润(万元)	12597.78	46592.68	17169.99	61606.78
营业利润(万元)	15214.86	69075.04	24487.61	82639.09
利润总额(万元)	15269.05	68967.15	24594.71	82917.03

湖北济川药业股份有限公司

公司概况					
公司名称	湖北济川药业股份有限公司			证券简称	济川药业
法人代表	曹龙祥	董秘	吴宏亮	证券代码	600566
公司网址	www.jumpcan.com		电子信箱	jcyy@jumpcan.com	
电　话	0523-89719161		传　真	0523-89719009	
办公地址	江苏省泰兴市大庆西路宝塔湾				
经营范围	各类阀门、水工机械及环保设备的生产、销售等				

主要财务指标：指标\报告期	2016.06.30	2015.12.31	2015.06.30	2014.12.31
基本每股收益(元)	0.5600	0.8800	0.4240	0.6700
基本每股收益(扣除后)(元)	0.5330	0.8200	0.3890	0.6100
稀释每股收益(元)	0.5600	0.8800	0.4240	0.6700
每股净资产(元)	3.9073	3.4141	2.9594	2.9355
每股经营现金净流量(元)	0.5717	0.8260	0.8572	1.6053
每股现金流量(元)	0.2769	–0.4783	–1.1449	1.5091
每股资本公积金(元)	1.9466	1.2639	2.5734	2.5734
每股盈余公积金(元)	0.1999	0.2071	0.2375	0.2375
每股未分配利润(元)	1.2697	1.4520	2.2146	2.1661
净资产收益率(%)	13.9225	25.7337	14.3215	22.6414
加权净资产收益率(%)	15.6700	28.5700	14.3800	26.2000
净资产收益率(扣除)(%)	13.2455	24.0070	13.1472	20.8460
总资产(万元)	427389.76	358542.21	344274.39	335771.60
归属母公司股东权益(万元)	316345.44	266798.39	231261.30	229399.45
营业收入(万元)	235380.77	376783.64	187271.73	298641.22
营业支出(万元)	34705.36	59002.78	28909.01	46894.38
投资收益(万元)	330.46	1227.56	833.36	1031.61
净利润(万元)	44005.13	68311.92	32952.13	51939.26
营业利润(万元)	48996.17	75562.38	35828.02	56447.66
利润总额(万元)	51389.10	79956.88	38390.59	60464.58

安徽山鹰纸业股份有限公司

公司概况					
公司名称	安徽山鹰纸业股份有限公司			证券简称	山鹰纸业
法人代表	吴明武	董秘	杨昊悦	证券代码	600567
公司网址	www.shanyingpaper.com		电子信箱	stock@shanyingpaper.com	
电　话	021-62376587		传　真	021-62376799	
办公地址	上海市长宁区虹桥路 2272 号虹桥商务大厦 6 楼 F 座				
经营范围	纸、纸板、纸箱的制造				

主要财务指标：指标\报告期	2016.06.30	2015.12.31	2015.06.30	2014.12.31
基本每股收益(元)	0.0398	0.0600	0.0356	0.0300
基本每股收益(扣除后)(元)	0.0311	0.0400	0.0261	0.0100
稀释每股收益(元)	0.0398	0.0600	0.0356	0.0300
每股净资产(元)	1.6435	1.6245	1.6144	1.5796
每股经营现金净流量(元)	0.0684	0.3672	0.1213	0.5868
每股现金流量(元)	0.0802	–0.0238	0.0276	–0.1045
每股资本公积金(元)	0.8214	0.8223	1.2595	1.2595
每股盈余公积金(元)	0.0315	0.0315	0.0310	0.0310
每股未分配利润(元)	0.1333	0.1134	0.1760	0.1214
净资产收益率(%)	2.4223	3.4164	2.2033	1.8477
加权净资产收益率(%)	2.4200	3.4600	2.2300	1.8500
净资产收益率(扣除)(%)	1.8899	2.3266	1.6141	0.7060
总资产(万元)	1917859.00	1841346.15	1897626.18	1849975.44
归属母公司股东权益(万元)	619094.71	611944.90	608122.14	595040.60
营业收入(万元)	540281.23	978699.56	428197.29	773538.80
营业支出(万元)	449233.00	799079.39	345686.22	643835.08
投资收益(万元)	–1129.57	163.75	0.78	100.78
净利润(万元)	15207.69	20751.14	13352.17	11069.46
营业利润(万元)	4973.55	12385.12	13451.58	1718.09
利润总额(万元)	16271.07	29396.16	17568.36	11522.01

中珠医疗控股股份有限公司

公司概况					
公司名称	中珠医疗控股股份有限公司			证券简称	中珠医疗
法人代表	许德来	董秘	刘志坚	证券代码	600568
公司网址	www.zzkg600568.com		电子信箱	zzkg_stock@126.com	
电　话	0728-6402068		传　真	0728-6402099	
办公地址	广东省珠海市拱北迎宾南路 1081 号中珠大厦六楼				
经营范围	房地产开发、物业管理、实业投资、基础建设投资、投资管理				

主要财务指标：指标\报告期	2016.06.30	2015.12.31	2015.06.30	2014.12.31
基本每股收益(元)	0.2066	0.1449	0.1147	0.0885
基本每股收益(扣除后)(元)	0.2030	0.0314	0.0051	0.0726
稀释每股收益(元)	0.2066	0.1449	0.1147	0.0885
每股净资产(元)	6.9770	4.8115	4.7814	4.6867
每股经营现金净流量(元)	0.1097	0.3732	–0.0291	0.0283
每股现金流量(元)	–0.2256	–1.7485	–1.5162	2.4012
每股资本公积金(元)	4.8768	2.6442	2.6444	2.6444
每股盈余公积金(元)	0.1000	0.1259	0.1259	0.1259
每股未分配利润(元)	1.0002	1.0414	1.0112	0.9165
净资产收益率(%)	2.7590	3.0117	2.3998	1.3649
加权净资产收益率(%)	4.2500	3.0600	2.4200	3.0700
净资产收益率(扣除)(%)	2.7100	0.6525	0.1060	1.1202
总资产(万元)	649238.43	429198.55	485488.90	454039.64
归属母公司股东权益(万元)	444693.91	243751.63	242229.33	237429.51
营业收入(万元)	77794.63	92178.24	32547.47	106998.71
营业支出(万元)	53863.55	73128.44	26724.01	86967.16
投资收益(万元)	84.85	2588.37	2702.63	653.73
净利润(万元)	12017.74	7165.66	5742.83	3163.87
营业利润(万元)	14140.50	6510.72	3687.70	5949.45
利润总额(万元)	14555.93	9746.04	6549.38	5987.68

安阳钢铁股份有限公司

公司概况					
公司名称	安阳钢铁股份有限公司			证券简称	安阳钢铁
法人代表	李涛	董秘	杨平	证券代码	600569
公司网址	www.aysteel.com.cn		电子信箱	aygtdb312@126.com	
电话	0372-3120175		传真	0372-3120181	
办公地址	河南省安阳市殷都区梅元庄				
经营范围	钢铁及钢铁延伸产品的生产和销售				

主要财务指标：指标\报告期	2016.06.30	2015.12.31	2015.06.30	2014.12.31
基本每股收益(元)	0.0390	−1.0660	−0.1640	0.0120
基本每股收益(扣除后)(元)	0.0370	−1.0740	−0.1740	0.0020
稀释每股收益(元)	0.0390	−1.0660	−0.1640	0.0120
每股净资产(元)	2.0082	1.9656	2.8580	3.0168
每股经营现金净流量(元)	0.5567	0.6282	0.7167	2.0518
每股现金流量(元)	−0.1138	0.1894	0.2289	−0.0235
每股资本公积金(元)	1.4463	1.4463	1.4358	1.4358
每股盈余公积金(元)	0.7198	0.7198	0.7198	0.7198
每股未分配利润(元)	−1.1832	−1.2226	−0.3214	−0.1571
净资产收益率(%)	1.9640	−54.2118	−5.7493	0.3951
加权净资产收益率(%)	1.7300	−42.7500	−5.5900	0.4000
净资产收益率(扣除)(%)	1.8420	−54.6197	−6.0997	0.0753
总资产(万元)	3149680.56	3222658.85	3381164.80	3214656.70
归属母公司股东权益(万元)	480694.56	470492.34	684105.16	722136.30
营业收入(万元)	1148008.72	2036345.38	1117321.21	2685175.97
营业支出(万元)	1038105.88	2009863.82	1051330.21	2472339.54
投资收益(万元)	−86.50	−394.07	–	−22.62
净利润(万元)	9275.97	−254839.25	−38932.98	3342.26
营业利润(万元)	7361.06	−258251.70	−39183.74	2742.77
利润总额(万元)	9269.29	−255849.43	−38689.22	3951.96

恒生电子股份有限公司

公司概况					
公司名称	恒生电子股份有限公司			证券简称	恒生电子
法人代表	彭政纲	董秘	童晨晖	证券代码	600570
公司网址	www.hundsun.com		电子信箱	investor@hundsun.com	
电话	0571-28829702		传真	0571-28829703	
办公地址	浙江省杭州市滨江区江南大道 3588 号恒生大厦				
经营范围	计算机软件的技术开发、咨询、服务、成果转让、计算机系统集成等				

主要财务指标：指标\报告期	2016.06.30	2015.12.31	2015.06.30	2014.12.31
基本每股收益(元)	0.2700	0.7300	0.3400	0.5800
基本每股收益(扣除后)(元)	0.2000	0.7200	0.2600	0.4700
稀释每股收益(元)	0.2700	0.7300	0.3400	0.5800
每股净资产(元)	3.8986	3.9366	3.5140	3.1014
每股经营现金净流量(元)	−0.5680	1.6051	0.3211	0.9931
每股现金流量(元)	−0.1718	−0.3552	−0.5161	0.2901
每股资本公积金(元)	0.1792	0.1758	0.1804	0.0582
每股盈余公积金(元)	0.4297	0.4297	0.3485	0.3485
每股未分配利润(元)	2.1022	2.0967	1.7851	1.6235
净资产收益率(%)	6.8110	18.6563	9.7218	18.8159
加权净资产收益率(%)	6.6300	20.9800	10.3200	20.3200
净资产收益率(扣除)(%)	5.1988	18.4134	7.4983	15.0063
总资产(万元)	355027.65	397528.03	320250.59	303078.92
归属母公司股东权益(万元)	240860.44	243206.59	217096.88	191603.89
营业收入(万元)	82057.95	222553.24	90840.20	142183.91
营业支出(万元)	2786.89	16277.41	8845.25	8982.36
投资收益(万元)	3872.55	16400.79	6444.20	12256.37
净利润(万元)	14438.49	44879.19	23442.08	35502.09
营业利润(万元)	6480.35	42832.77	18429.62	29232.38
利润总额(万元)	15942.41	51518.03	25342.89	38612.39

信雅达系统工程股份有限公司

公司概况					
公司名称	信雅达系统工程股份有限公司			证券简称	信雅达
法人代表	郭华强	董秘	叶晖	证券代码	600571
公司网址	www.sunyard.com		电子信箱	mail@sunyard.com	
电话	0571-56686627		传真	0571-56686777	
办公地址	浙江省杭州市滨江区江南大道 3888 号				
经营范围	电子文档影像、电子商务和信息安全等软件产品的生产、销售、提供系统集成等				

主要财务指标：指标\报告期	2016.06.30	2015.12.31	2015.06.30	2014.12.31
基本每股收益(元)	0.2900	0.5900	0.2280	0.5500
基本每股收益(扣除后)(元)	0.2600	0.4300	0.1100	0.3700
稀释每股收益(元)	0.2900	0.5900	0.2280	0.5500
每股净资产(元)	4.9515	4.8270	3.4878	3.4299
每股经营现金净流量(元)	−0.9161	0.4018	−0.9473	1.2273
每股现金流量(元)	0.6972	−0.4550	−0.1137	0.4718
每股资本公积金(元)	1.7767	1.7696	0.6234	0.6234
每股盈余公积金(元)	0.2381	0.2381	0.2243	0.2243
每股未分配利润(元)	1.9367	1.8193	1.6402	1.5822
净资产收益率(%)	5.8034	11.4063	6.5354	15.9744
加权净资产收益率(%)	5.7800	15.2300	6.4300	16.9600
净资产收益率(扣除)(%)	5.2767	8.4079	3.1654	10.8213
总资产(万元)	171109.25	157943.46	113882.97	122588.98
归属母公司股东权益(万元)	108852.67	106115.58	70599.90	69427.06
营业收入(万元)	51559.33	107635.95	39242.57	110083.46
营业支出(万元)	20593.03	48178.02	17280.81	54424.45
投资收益(万元)	1315.10	3332.57	3037.37	1751.54
净利润(万元)	6502.65	13568.04	4396.06	12130.57
营业利润(万元)	4847.30	12121.79	3351.64	8065.02
利润总额(万元)	6577.38	14960.13	4565.49	12616.39

浙江康恩贝制药股份有限公司

公司概况					
公司名称	浙江康恩贝制药股份有限公司			证券简称	康恩贝
法人代表	胡季强	董秘	杨俊德	证券代码	600572
公司网址	www.conba.com.cn		电子信箱	yangjd@conbagroup.com	
电话	0571-87774710 87774828		传真	0571-87774709	
办公地址	浙江省杭州市高新技术开发区滨江科技经济园滨康路 568 号				
经营范围	化学原料药、化学药剂、中成药、非酒精饮料、营养食品、蜂产品、卫生材料及敷料的制造、销售等				

主要财务指标：指标\报告期	2016.06.30	2015.12.31	2015.06.30	2014.12.31
基本每股收益(元)	0.1220	0.2800	0.1990	0.4000
基本每股收益(扣除后)(元)	0.1170	0.3300	0.1400	0.2500
稀释每股收益(元)	0.1220	0.2800	0.1990	0.4000
每股净资产(元)	1.7042	2.4743	4.6548	3.4467
每股经营现金净流量(元)	0.1859	0.4966	0.2243	0.7626
每股现金流量(元)	−0.0434	0.2960	1.7398	−0.1232
每股资本公积金(元)	0.0577	0.5881	1.7790	0.7087
每股盈余公积金(元)	0.1028	0.1101	0.1564	0.1902
每股未分配利润(元)	0.5435	0.7760	1.7194	1.5478
净资产收益率(%)	7.1765	10.6332	9.5963	19.7944
加权净资产收益率(%)	7.1500	12.0200	12.6800	21.4200
净资产收益率(扣除)(%)	6.8539	12.4733	6.7680	12.5150
总资产(万元)	880854.80	956879.86	951877.28	629887.66
归属母公司股东权益(万元)	427872.57	414147.58	458307.10	279042.64
营业收入(万元)	304996.60	530197.01	221138.86	358161.55
营业支出(万元)	160688.50	248209.93	80118.64	110440.82
投资收益(万元)	−229.57	20257.01	16425.65	23025.48
净利润(万元)	29669.73	50371.00	49303.45	72775.40
营业利润(万元)	34105.15	56345.28	57144.84	80035.99
利润总额(万元)	36824.26	61050.05	58993.15	85148.65

福建省燕京惠泉啤酒股份有限公司

公司概况

公司名称	福建省燕京惠泉啤酒股份有限公司			证券简称	惠泉啤酒
法人代表	王启林	董秘	何泽平	证券代码	600573
公司网址	www.hqbeer.com		电子信箱	hqbeer@hqbeer.com	
电话	0595-87396105		传真	0595-87384369	
办公地址	福建省泉州市惠安县螺城镇建设大街 157 号				
经营范围	生产啤酒、对外贸易				

主要财务指标

指标\报告期	2016.06.30	2015.12.31	2015.06.30	2014.12.31
基本每股收益(元)	-0.0700	0.0900	0.0400	0.1300
基本每股收益(扣除后)(元)	-0.0800	0.0400	0.0200	0.0600
稀释每股收益(元)	-	-	-	-
每股净资产(元)	4.2981	4.3935	4.3439	4.3414
每股经营现金净流量(元)	0.2255	0.1927	0.3411	0.3331
每股现金流量(元)	-0.9661	0.1477	-0.9675	0.2404
每股资本公积金(元)	2.0243	2.0243	2.0243	2.0243
每股盈余公积金(元)	0.5284	0.5284	0.5116	0.5116
每股未分配利润(元)	0.7454	0.8409	0.8081	0.8056
净资产收益率(%)	-1.5221	2.0954	0.9780	2.9899
加权净资产收益率(%)	-1.5000	2.1100	0.9700	3.0300
净资产收益率(扣除)(%)	-1.9049	0.9910	0.4362	1.3808
总资产(万元)	120796.03	117959.42	122305.41	118124.57
归属母公司股东权益(万元)	107452.20	109837.75	108598.24	108536.20
营业收入(万元)	30861.78	75154.82	40535.10	82900.84
营业支出(万元)	21620.81	49186.60	26525.56	54678.01
投资收益(万元)	279.55	1084.60	402.09	630.53
净利润(万元)	-1616.85	2245.58	983.43	3115.91
营业利润(万元)	-1667.98	2164.75	798.47	2204.86
利润总额(万元)	-1535.32	2549.10	984.56	3284.26

安徽皖江物流(集团)股份有限公司

公司概况

公司名称	安徽皖江物流(集团)股份有限公司			证券简称	皖江物流
法人代表	张宝春	董秘	马进华	证券代码	600575
公司网址	www.wuhuport.com		电子信箱	whps@whpstc.com	
电话	0553-5840528 5840085		传真	0553-5840085 5840510	
办公地址	安徽省芜湖市长江中路港一路 16 号				
经营范围	煤炭、外贸集装箱、散货、件杂货等货类的装卸中转				

主要财务指标

指标\报告期	2016.06.30	2015.12.31	2015.06.30	2014.12.31
基本每股收益(元)	0.0600	0.0700	0.0400	-1.0400
基本每股收益(扣除后)(元)	0.0300	0.0400	0.0300	-0.9100
稀释每股收益(元)	0.0600	0.0700	0.0400	-1.0400
每股净资产(元)	1.9936	1.3327	1.2257	1.1845
每股经营现金净流量(元)	0.1402	0.0749	0.1050	-0.1887
每股现金流量(元)	0.0347	0.1280	0.0578	-1.5184
每股资本公积金(元)	1.2847	1.7650	0.8730	0.8730
每股盈余公积金(元)	0.0708	0.0960	0.0411	0.0411
每股未分配利润(元)	-0.3806	-0.5923	-0.6908	-0.7313
净资产收益率(%)	2.8354	5.1122	3.3101	-80.1657
加权净资产收益率(%)	3.3200	5.5300	3.3700	-0.6300
净资产收益率(扣除)(%)	1.7331	3.0519	2.1460	-69.9400
总资产(万元)	1717814.09	1673993.90	708214.06	732163.30
归属母公司股东权益(万元)	779128.55	654812.21	353495.47	341598.68
营业收入(万元)	273524.57	365893.53	217461.50	2154078.53
营业支出(万元)	219851.08	321612.11	195090.05	2063987.13
投资收益(万元)	1275.55	1533.78	1206.99	871226.32
净利润(万元)	20092.34	19257.44	11641.14	-274822.19
营业利润(万元)	20577.77	16945.80	10492.33	-229705.55
利润总额(万元)	23691.35	26446.99	15641.02	-262459.46

浙江万好万家文化股份有限公司

公司概况

公司名称	浙江万好万家文化股份有限公司			证券简称	万家文化
法人代表	孔德永	董秘	万彩芸	证券代码	600576
公司网址	www.cn-pg.cn		电子信箱	irm@cn-pg.cn	
电话	0571-85866518		传真	0571-85866566	
办公地址	浙江省杭州市密渡桥路 1 号白马大厦 12 楼				
经营范围	房地产投资、酒店投资管理				

主要财务指标

指标\报告期	2016.06.30	2015.12.31	2015.06.30	2014.12.31
基本每股收益(元)	0.0600	0.0500	-0.0660	-0.0600
基本每股收益(扣除后)(元)	0.0500	0.0400	-0.0670	-0.1000
稀释每股收益(元)	0.0600	0.0500	-0.0660	-0.0600
每股净资产(元)	2.7628	2.7052	2.1661	2.2319
每股经营现金净流量(元)	-0.0370	0.0528	-0.1051	-0.1835
每股现金流量(元)	-0.0014	0.1826	0.1066	-0.1943
每股资本公积金(元)	1.7229	1.7229	1.3991	1.3991
每股盈余公积金(元)	0.0723	0.0723	0.2105	0.2105
每股未分配利润(元)	-0.0324	-0.0900	-0.4543	-0.3886
净资产收益率(%)	2.0859	1.6074	-3.0337	-2.9106
加权净资产收益率(%)	2.1100	2.7500	-2.9900	-2.8700
净资产收益率(扣除)(%)	1.9341	1.2968	-3.0735	-4.4775
总资产(万元)	189544.97	192216.98	63971.88	64718.29
归属母公司股东权益(万元)	175428.34	171769.00	47242.01	48675.49
营业收入(万元)	27765.37	36164.73	276.47	1193.33
营业支出(万元)	16588.63	20377.29	377.42	957.52
投资收益(万元)	12.39	616.99	-83.44	-1174.12
净利润(万元)	3381.40	1990.96	-2004.07	-2255.07
营业利润(万元)	4024.85	3585.03	-2006.90	-2701.99
利润总额(万元)	4242.26	4178.65	-2001.34	-2132.15

铜陵精达特种电磁线股份有限公司

公司概况

公司名称	铜陵精达特种电磁线股份有限公司			证券简称	精达股份
法人代表	李晓	董秘	胡孔友	证券代码	600577
公司网址	www.jingda.cn		电子信箱	zqb@jingda.cn	
电话	0562-2809086		传真	0562-2809086	
办公地址	安徽省铜陵市经济技术开发区黄山大道北段 988 号				
经营范围	漆包电磁线制造和销售				

主要财务指标

指标\报告期	2016.06.30	2015.12.31	2015.06.30	2014.12.31
基本每股收益(元)	0.0580	0.0700	0.0440	0.1700
基本每股收益(扣除后)(元)	0.0390	0.0400	0.0340	0.1500
稀释每股收益(元)	0.0580	0.0700	0.0440	0.1700
每股净资产(元)	1.4166	1.4155	1.3927	2.7967
每股经营现金净流量(元)	0.1607	0.4285	0.2675	1.0051
每股现金流量(元)	0.0556	0.0289	0.0870	-0.0322
每股资本公积金(元)	0.0117	0.0117	0.0117	0.9234
每股盈余公积金(元)	0.0438	0.0438	0.0343	0.0686
每股未分配利润(元)	0.3558	0.3581	0.3465	0.8051
净资产收益率(%)	4.0771	4.6913	3.1561	4.9331
加权净资产收益率(%)	4.0300	4.6400	3.0900	6.6600
净资产收益率(扣除)(%)	2.7349	2.9568	2.4441	4.2461
总资产(万元)	477175.59	446287.79	507850.56	520150.73
归属母公司股东权益(万元)	276990.59	276784.90	272323.69	273426.11
营业收入(万元)	403290.12	774090.07	452256.53	926809.78
营业支出(万元)	359722.06	693433.58	406983.71	839223.05
投资收益(万元)	3031.40	3820.46	1225.97	1222.12
净利润(万元)	13651.08	14544.59	9704.87	16192.77
营业利润(万元)	17151.08	18299.56	12329.19	18777.66
利润总额(万元)	18177.05	19266.16	12032.22	20050.97

北京京能电力股份有限公司

公司概况	公司名称	北京京能电力股份有限公司		证券简称	京能电力
	法人代表	朱炎	董秘 樊俊杰	证券代码	600578
	公司网址	www.jingnengpower.com		电子信箱	jndl@powerbeijing.com
	电　话	010-65666995		传　真	010-85218610
	办公地址	北京市朝阳区永安东里 16 号 CBD 国际大厦 A 区 22 层			
	经营范围	电力、热力产品的生产、销售			

主要财务指标	指标 \ 报告期	2016.06.30	2015.12.31	2015.06.30	2014.12.31
	基本每股收益(元)	0.1500	0.5700	0.2800	0.5500
	基本每股收益(扣除后)(元)	0.1400	0.5600	0.2700	0.5100
	稀释每股收益(元)	0.1500	0.5700	0.2800	0.5500
	每股净资产(元)	3.6104	3.4634	3.1765	3.0966
	每股经营现金净流量(元)	0.2778	0.9261	0.5065	1.1102
	每股现金流量(元)	0.1362	-0.2094	0.0461	0.2501
	每股资本公积金(元)	0.7760	0.7760	0.7758	0.7756
	每股盈余公积金(元)	0.7386	0.7386	0.5157	0.5157
	每股未分配利润(元)	1.0958	0.9488	0.8850	0.8053
	净资产收益率(%)	4.0715	16.3522	8.8040	17.8408
	加权净资产收益率(%)	4.1600	17.2700	8.6400	17.8700
	净资产收益率(扣除)(%)	3.9443	16.0676	8.5803	16.3960
	总资产(万元)	4039233.83	3877681.24	3989573.77	4001431.04
	归属母公司股东权益(万元)	1667047.22	1599152.57	1466712.55	1429816.63
	营业收入(万元)	379114.24	1087321.77	516816.59	1296385.81
	营业支出(万元)	283765.40	719518.98	369659.37	901454.85
	投资收益(万元)	57694.82	146840.54	89517.36	159265.95
	净利润(万元)	83163.76	319074.88	156373.05	319468.34
	营业利润(万元)	88267.78	351687.17	158365.44	368922.64
	利润总额(万元)	91559.21	360950.18	164958.67	383366.72

青岛天华院化学工程股份有限公司

公司概况	公司名称	青岛天华院化学工程股份有限公司		证券简称	天华院
	法人代表	肖世猛	董秘 阎建亭	证券代码	600579
	公司网址	www.thy.chemchina.com		电子信箱	thy@sciences.chemchina.com
	电　话	0931-7313058		传　真	0931-7311554
	办公地址	甘肃省兰州市西固区合水北路 3 号			
	经营范围	全钢丝载重子午线轮胎的制造与销售			

主要财务指标	指标 \ 报告期	2016.06.30	2015.12.31	2015.06.30	2014.12.31
	基本每股收益(元)	0.0031	0.0900	0.0251	0.1600
	基本每股收益(扣除后)(元)	-0.0032	0.0800	-0.0218	0.1400
	稀释每股收益(元)	0.0031	0.0900	0.0251	0.1600
	每股净资产(元)	1.8349	1.8318	1.7643	1.7393
	每股经营现金净流量(元)	-0.1276	-0.0791	-0.1524	0.0140
	每股现金流量(元)	0.0151	-0.1373	-0.1133	-0.0366
	每股资本公积金(元)	2.8671	2.8671	2.8671	2.8671
	每股盈余公积金(元)	0.0739	0.0739	0.0739	0.0739
	每股未分配利润(元)	-2.1061	-2.1091	-2.1766	-2.2017
	净资产收益率(%)	0.1660	5.0519	1.4200	9.2419
	加权净资产收益率(%)	0.1700	5.1800	1.4300	9.6900
	净资产收益率(扣除)(%)	-0.1733	4.4783	-1.2360	8.2917
	总资产(万元)	146746.95	140099.36	143059.63	135991.92
	归属母公司股东权益(万元)	71939.80	71820.36	69174.35	68192.08
	营业收入(万元)	21304.00	69034.92	23378.35	82386.22
	营业支出(万元)	15181.75	50111.35	16900.89	61646.94
	投资收益(万元)	-	-	-	-
	净利润(万元)	119.44	3628.28	982.27	6302.26
	营业利润(万元)	-891.24	3023.94	-2101.48	6018.17
	利润总额(万元)	13.05	4504.54	1066.45	7657.36

卧龙电气集团股份有限公司

公司概况	公司名称	卧龙电气集团股份有限公司		证券简称	卧龙电气
	法人代表	王建乔	董秘 吴剑波	证券代码	600580
	公司网址	www.wolong.com.cn		电子信箱	wanghailong@wolong.com
	电　话	0575-82176628 82176629		传　真	0575-82176636
	办公地址	浙江省上虞市人民西路 1801 号			
	经营范围	设计、生产、销售各种微分电机及其电子控制装置和电动车等产品			

主要财务指标	指标 \ 报告期	2016.06.30	2015.12.31	2015.06.30	2014.12.31
	基本每股收益(元)	0.1137	0.3244	0.1780	0.4014
	基本每股收益(扣除后)(元)	0.1041	0.3032	0.1452	0.3010
	稀释每股收益(元)	0.1137	0.3244	0.1780	0.4014
	每股净资产(元)	3.9106	3.4823	3.4978	3.3963
	每股经营现金净流量(元)	-0.1020	0.7747	0.1554	0.5789
	每股现金流量(元)	0.3529	0.2379	0.2333	-0.2574
	每股资本公积金(元)	1.4642	0.8141	0.9238	0.9268
	每股盈余公积金(元)	0.1264	0.1467	0.1361	0.1361
	每股未分配利润(元)	1.5357	1.7347	1.5990	1.4809
	净资产收益率(%)	2.8405	9.3158	5.0897	11.8190
	加权净资产收益率(%)	2.8100	9.3100	5.1200	12.1200
	净资产收益率(扣除)(%)	2.6008	8.7059	4.1511	8.8613
	总资产(万元)	1544028.92	1406505.11	1361427.65	979362.71
	归属母公司股东权益(万元)	504031.75	386724.04	388439.95	377173.73
	营业收入(万元)	426512.72	947363.22	439113.38	689256.22
	营业支出(万元)	326976.56	744919.87	346709.87	546944.47
	投资收益(万元)	1182.84	1311.28	1070.89	3011.17
	净利润(万元)	16206.12	43462.17	23228.01	47596.97
	营业利润(万元)	19825.71	44404.44	20998.50	32130.28
	利润总额(万元)	21620.95	47490.40	25563.08	45701.08

新疆八一钢铁股份有限公司

公司概况	公司名称	新疆八一钢铁股份有限公司		证券简称	*ST 八钢
	法人代表	沈东新	董秘 董新风	证券代码	600581
	公司网址	www.bygt.com.cn		电子信箱	dongxf@bygt.com.cn
	电　话	0991-3890166 3881187		传　真	0991-3890266
	办公地址	新疆维吾尔自治区乌鲁木齐市头屯河区新钢路			
	经营范围	钢铁冶炼、轧制、加工及其延压产品的生产和销售			

主要财务指标	指标 \ 报告期	2016.06.30	2015.12.31	2015.06.30	2014.12.31
	基本每股收益(元)	-0.4100	-3.2700	-1.0600	-2.6500
	基本每股收益(扣除后)(元)	-0.4200	-3.3400	-1.1100	-2.6900
	稀释每股收益(元)	-0.4100	-3.2700	-1.0600	-2.6500
	每股净资产(元)	-1.5859	-1.1814	1.0388	2.0880
	每股经营现金净流量(元)	0.5627	5.7810	0.0940	-1.4459
	每股现金流量(元)	-0.2205	-0.1349	-0.2527	0.1323
	每股资本公积金(元)	1.3633	1.3633	1.3633	1.3633
	每股盈余公积金(元)	1.0428	1.0428	1.0428	1.0428
	每股未分配利润(元)	-5.0018	-4.5924	-2.3776	-1.3193
	净资产收益率(%)	-	-277.0581	-101.8715	-127.1401
	加权净资产收益率(%)	-	-722.0300	-67.8900	-77.6100
	净资产收益率(扣除)(%)	-	-282.9993	-107.2312	-128.8356
	总资产(万元)	1780363.67	1826858.48	2075753.51	2122825.54
	归属母公司股东权益(万元)	-121548.80	-90545.10	79620.21	160033.13
	营业收入(万元)	367261.33	1055544.99	605382.85	2063634.05
	营业支出(万元)	327729.03	1158650.26	621307.64	2032709.95
	投资收益(万元)	-	-	-	-
	净利润(万元)	-31379.91	-250862.50	-81110.30	-203466.27
	营业利润(万元)	-31892.98	-250906.90	-85377.69	-209790.28
	利润总额(万元)	-31379.90	-245527.37	-81110.27	-207076.97

天地科技股份有限公司

公司概况	公司名称	天地科技股份有限公司			证券简称	天地科技
	法人代表	王金华	董秘	范建	证券代码	600582
	公司网址	www.tdtec.com			电子信箱	fanjian@tdtec.com
	电　话	010-84262803 84262851			传　真	010-84262838
	办公地址	北京市朝阳区和平街青年沟路 5 号				
	经营范围	电子产品、环保设备、矿山机电产品的生产与销售等				

主要财务指标	指标\报告期	2016.06.30	2015.12.31	2015.06.30	2014.12.31
	基本每股收益(元)	0.0700	0.2980	0.1290	0.4090
	基本每股收益(扣除后)(元)	0.0650	0.2690	0.1220	0.5198
	稀释每股收益(元)	0.0700	0.2980	0.1290	0.4090
	每股净资产(元)	3.2519	3.2129	6.2754	5.6387
	每股经营现金净流量(元)	-0.1478	0.0578	0.1074	0.2144
	每股现金流量(元)	-0.1819	0.1666	0.2999	-0.1685
	每股资本公积金(元)	0.3058	0.3054	1.8415	1.0786
	每股盈余公积金(元)	0.0800	0.0800	0.1512	0.1650
	每股未分配利润(元)	1.8634	1.8235	3.2773	3.4057
	净资产收益率(%)	2.1480	9.2307	4.0913	14.9755
	加权净资产收益率(%)	2.1500	9.6900	4.2200	16.9700
	净资产收益率(扣除)(%)	1.9898	8.3541	3.8817	5.9016
	总资产(万元)	3253840.99	3322373.03	3003240.37	2815568.70
	归属母公司股东权益(万元)	1345819.81	1329679.17	1298568.80	1069115.09
	营业收入(万元)	458122.13	1434727.35	597019.31	1657863.24
	营业支出(万元)	288886.19	941632.25	387667.09	1145565.65
	投资收益(万元)	1816.50	4152.58	-4.04	769.48
	净利润(万元)	25765.32	138551.19	62158.15	186208.50
	营业利润(万元)	23233.20	152468.45	74762.35	198287.70
	利润总额(万元)	30896.64	173234.60	81059.53	224060.08

海洋石油工程股份有限公司

公司概况	公司名称	海洋石油工程股份有限公司			证券简称	海油工程
	法人代表	周学仲	董秘	刘连举	证券代码	600583
	公司网址	www.cnoocengineering.com			电子信箱	mingyf@mail.cooec.com.cn
	电　话	022-59898808			传　真	022-59898800
	办公地址	天津市港保税区海滨十五路 199 号				
	经营范围	海洋、陆地油气开发工程及配套工程的设计、建造、安装等				

主要财务指标	指标\报告期	2016.06.30	2015.12.31	2015.06.30	2014.12.31
	基本每股收益(元)	0.2000	0.7700	0.3500	0.9700
	基本每股收益(扣除后)(元)	0.0800	0.7000	0.3100	0.9000
	稀释每股收益(元)	0.2000	0.7700	0.3500	0.9700
	每股净资产(元)	5.1437	5.1967	4.7888	4.6495
	每股经营现金净流量(元)	0.3053	0.8200	0.3582	0.9841
	每股现金流量(元)	-0.0382	0.3455	0.1138	0.3398
	每股资本公积金(元)	0.9608	0.9608	0.9608	0.9608
	每股盈余公积金(元)	0.3086	0.3086	0.2429	0.2429
	每股未分配利润(元)	2.7088	2.7620	2.4083	2.2865
	净资产收益率(%)	3.8264	14.8410	7.3473	20.7560
	加权净资产收益率(%)	3.7500	15.9400	7.3400	22.8000
	净资产收益率(扣除)(%)	1.5098	13.5385	6.4378	19.2762
	总资产(万元)	2901024.65	3144283.19	2924918.31	3114777.11
	归属母公司股东权益(万元)	2274192.93	2297645.82	2117295.51	2055730.22
	营业收入(万元)	509564.10	1620150.67	693502.31	2203137.52
	营业支出(万元)	431511.62	1122043.27	488256.14	1496706.09
	投资收益(万元)	-72192.63	19282.79	15905.00	18204.87
	净利润(万元)	86663.99	341026.97	155437.85	427187.21
	营业利润(万元)	-27467.77	369924.34	173914.56	482391.03
	利润总额(万元)	110333.63	401242.97	182522.43	511253.52

江苏长电科技股份有限公司

公司概况	公司名称	江苏长电科技股份有限公司			证券简称	长电科技
	法人代表	王新潮	董秘	朱正义	证券代码	600584
	公司网址	www.cj-elec.com			电子信箱	cdkj@cj-elec.com
	电　话	0510-86856061			传　真	0510-86199179
	办公地址	江苏省江阴市滨江中路 275 号				
	经营范围	集成电路封装、测试和分立器件的生产、销售业务				

主要财务指标	指标\报告期	2016.06.30	2015.12.31	2015.06.30	2014.12.31
	基本每股收益(元)	0.0100	0.0500	0.1300	0.1800
	基本每股收益(扣除后)(元)	-0.1700	0.0100	0.1300	0.1400
	稀释每股收益(元)	0.0100	0.0500	0.1300	0.1800
	每股净资产(元)	4.2123	4.1589	3.8650	3.8228
	每股经营现金净流量(元)	0.7869	1.6854	0.5867	1.0650
	每股现金流量(元)	-0.2534	-0.2279	2.8874	2.1082
	每股资本公积金(元)	2.3242	2.3242	1.9694	2.0431
	每股盈余公积金(元)	0.0851	0.0851	0.0870	0.0870
	每股未分配利润(元)	0.7014	0.7011	0.8130	0.6974
	净资产收益率(%)	0.2455	1.2069	3.2493	4.1624
	加权净资产收益率(%)	0.2500	1.4100	3.2300	5.5900
	净资产收益率(扣除)(%)	-3.9821	0.1357	2.5806	3.2606
	总资产(万元)	2864284.21	2555855.01	1436263.39	1090230.47
	归属母公司股东权益(万元)	436356.12	430822.21	380532.12	376385.09
	营业收入(万元)	751145.86	1080702.38	341199.50	642827.33
	营业支出(万元)	665883.52	887961.60	264904.30	506967.03
	投资收益(万元)	1501.65	985.10	-434.26	154.89
	净利润(万元)	-29790.68	-15838.21	14095.70	20875.84
	营业利润(万元)	-38433.70	-17331.21	15037.41	21918.79
	利润总额(万元)	-25395.68	-12229.30	17524.43	25791.05

安徽海螺水泥股份有限公司

公司概况	公司名称	安徽海螺水泥股份有限公司			证券简称	海螺水泥
	法人代表	王建超	董秘	杨开发	证券代码	600585
	公司网址	www.conch.cn			电子信箱	dms@conch.cn
	电　话	0553-8398911 8398976			传　真	0553-8398931
	办公地址	安徽省芜湖市文化路 39 号				
	经营范围	生产和销售各种优质水泥以及生产各种高标号水泥所需的商品熟料等				

主要财务指标	指标\报告期	2016.06.30	2015.12.31	2015.06.30	2014.12.31
	基本每股收益(元)	0.6300	1.4200	0.8900	2.0700
	基本每股收益(扣除后)(元)	0.5600	1.0000	0.5300	1.9600
	稀释每股收益(元)	0.6300	1.4200	0.8900	2.0700
	每股净资产(元)	13.4953	13.3000	12.7906	12.5000
	每股经营现金净流量(元)	0.8807	1.8697	0.7900	3.3315
	每股现金流量(元)	0.7146	-1.5525	-1.3243	1.1309
	每股资本公积金(元)	2.0162	2.0162	2.0166	2.0166
	每股盈余公积金(元)	0.5000	0.5000	0.5000	0.5000
	每股未分配利润(元)	9.8522	9.6491	9.1187	8.8807
	净资产收益率(%)	4.6912	10.6600	6.9419	16.6000
	加权净资产收益率(%)	4.6700	11.0300	6.9000	18.4700
	净资产收益率(扣除)(%)	4.1845	7.5200	4.1532	15.6900
	总资产(万元)	10312300.08	10578139.16	10517972.42	10225309.73
	归属母公司股东权益(万元)	7151572.76	7049188.79	6778147.29	6621660.79
	营业收入(万元)	2397310.94	5097603.60	2422332.32	6075850.09
	营业支出(万元)	1669033.64	3688785.52	1739247.83	4026433.00
	投资收益(万元)	-6675.81	188090.21	188515.38	-2141.31
	净利润(万元)	346019.96	762795.17	474112.69	1158759.58
	营业利润(万元)	396775.86	866650.79	545730.97	1382347.86
	利润总额(万元)	450298.90	1003939.68	624195.44	1488281.00

山东金晶科技股份有限公司

公司概况					
公司名称	山东金晶科技股份有限公司			证券简称	金晶科技
法人代表	王刚	董秘	董保森	证券代码	600586
公司网址	www.cnggg.cn		电子信箱	dongbaosen@cnggg.cn	
电　话	0533-3586666		传　真	0533-3585586	
办公地址	山东省淄博市高新技术开发区宝石镇王庄				
经营范围	浮法玻璃、在线镀膜玻璃和超白玻璃的生产、销售				

主要财务指标　指标\报告期	2016.06.30	2015.12.31	2015.06.30	2014.12.31
基本每股收益(元)	0.0100	0.0200	-0.0500	-0.1400
基本每股收益(扣除后)(元)	0.0100	-0.0500	-0.0800	-0.1500
稀释每股收益(元)	0.0100	0.0200	-0.0500	-0.1400
每股净资产(元)	2.7276	2.7154	2.7100	2.7627
每股经营现金净流量(元)	0.1721	0.2653	0.2131	0.2242
每股现金流量(元)	0.0127	-0.0533	0.2953	0.1865
每股资本公积金(元)	1.3299	1.3299	1.3167	1.3167
每股盈余公积金(元)	0.0801	0.0801	0.0795	0.0795
每股未分配利润(元)	0.3862	0.3740	0.3138	0.3665
净资产收益率(%)	0.5190	0.7051	-1.9444	-5.0891
加权净资产收益率(%)	0.5200	0.7500	-1.9300	-4.9600
净资产收益率(扣除)(%)	0.4486	-1.7038	-2.7898	-5.3085
总资产(万元)	954093.39	978362.44	960650.64	895436.26
归属母公司股东权益(万元)	397929.25	396143.53	385551.64	393048.59
营业收入(万元)	161135.90	332468.88	160103.19	358105.17
营业支出(万元)	123941.93	276432.21	136830.57	309951.40
投资收益(万元)	-1374.18	1769.56	-1081.33	-7978.87
净利润(万元)	1038.87	3672.07	-7641.34	-19947.32
营业利润(万元)	4572.34	-8303.96	-7690.23	-22663.56
利润总额(万元)	4842.00	5483.43	-4256.39	-21772.27

山东新华医疗器械股份有限公司

公司概况					
公司名称	山东新华医疗器械股份有限公司			证券简称	新华医疗
法人代表	赵毅新	董秘	李财祥	证券代码	600587
公司网址	www.shinva.com		电子信箱	shinva@163.com	
电　话	0533-3587766		传　真	0533-3587768	
办公地址	山东省淄博市高新技术产业开发区新华医疗科技园				
经营范围	消毒灭菌设备、放射诊断治疗设备的生产与销售				

主要财务指标　指标\报告期	2016.06.30	2015.12.31	2015.06.30	2014.12.31
基本每股收益(元)	0.2300	0.6900	0.3400	0.8200
基本每股收益(扣除后)(元)	0.1600	0.5100	0.3100	0.7400
稀释每股收益(元)	0.2300	0.6900	0.3400	0.8200
每股净资产(元)	8.2032	7.9647	7.8249	7.2287
每股经营现金净流量(元)	-0.3051	0.2717	-0.6109	0.1291
每股现金流量(元)	-0.6723	0.3345	-0.6469	0.7454
每股资本公积金(元)	3.9317	3.9211	4.0534	3.7773
每股盈余公积金(元)	0.2621	0.2621	0.2253	0.2271
每股未分配利润(元)	3.0104	2.7787	2.5465	2.2236
净资产收益率(%)	2.8252	8.6755	4.3559	11.2019
加权净资产收益率(%)	2.8700	8.9700	4.5500	12.7200
净资产收益率(扣除)(%)	1.8954	6.4530	3.9168	9.9693
总资产(万元)	1047229.20	982307.31	875369.82	807050.95
归属母公司股东权益(万元)	333401.79	323709.10	318025.09	291417.21
营业收入(万元)	378147.68	755444.43	344121.85	628346.67
营业支出(万元)	300182.39	587216.89	268053.07	484415.51
投资收益(万元)	-295.58	196.46	-31.70	-185.00
净利润(万元)	13833.73	36237.98	17557.31	39128.67
营业利润(万元)	15184.14	38348.76	20544.66	45559.19
利润总额(万元)	19084.51	47777.30	22522.69	49736.90

用友网络科技股份有限公司

公司概况					
公司名称	用友网络科技股份有限公司			证券简称	用友网络
法人代表	王文京	董秘	欧阳青	证券代码	600588
公司网址	www.yonyou.com		电子信箱	ir@yonyou.com	
电　话	010-62436838 62436637		传　真	010-62436639	
办公地址	北京市海淀区北清路 68 号				
经营范围	电子计算机软件、硬件及外部设备的技术开发、技术服务等				

主要财务指标　指标\报告期	2016.06.30	2015.12.31	2015.06.30	2014.12.31
基本每股收益(元)	-0.1200	0.2300	-0.1200	0.4700
基本每股收益(扣除后)(元)	-0.1300	0.0700	-0.1430	0.4400
稀释每股收益(元)	-0.1200	0.2300	-0.1190	0.4700
每股净资产(元)	3.5600	3.7700	2.4873	3.4000
每股经营现金净流量(元)	-0.3209	0.3753	-0.3875	0.6866
每股现金流量(元)	0.1294	0.6190	-0.3009	0.7278
每股资本公积金(元)	1.5480	1.5378	0.3863	0.6360
每股盈余公积金(元)	0.4339	0.4338	0.4209	0.5051
每股未分配利润(元)	0.6889	0.9611	0.6822	1.2626
净资产收益率(%)	-3.4492	5.8661	-4.8242	13.8040
加权净资产收益率(%)	-3.3300	6.7600	-4.4400	15.7400
净资产收益率(扣除)(%)	-3.7722	1.9203	-5.7401	12.9973
总资产(万元)	1066303.47	1091858.53	876774.33	881063.49
归属母公司股东权益(万元)	521724.32	551889.13	349634.44	345095.91
营业收入(万元)	173976.85	445127.20	151494.32	437424.20
营业支出(万元)	58781.74	143094.93	57676.96	142069.25
投资收益(万元)	2023.39	18065.15	689.72	2543.52
净利润(万元)	-19456.28	34299.25	-14558.56	56955.54
营业利润(万元)	-32206.15	1270.61	-27196.18	29824.31
利润总额(万元)	-17388.22	36238.99	-10224.02	61182.31

广东榕泰实业股份有限公司

公司概况					
公司名称	广东榕泰实业股份有限公司			证券简称	广东榕泰
法人代表	杨宝生	董秘	徐罗旭	证券代码	600589
公司网址	www.gdrongtai.cn		电子信箱	600589@rongtai.com.cn	
电　话	0663-3568053 8675710		传　真	0663-3568052 8676899	
办公地址	广东省揭阳市榕城区新兴东二路 1 号				
经营范围	生产、销售氨基塑料及制品和氨基复合材料及制品、甲醛及其辅产品等				

主要财务指标　指标\报告期	2016.06.30	2015.12.31	2015.06.30	2014.12.31
基本每股收益(元)	0.0710	0.0350	0.0350	0.0500
基本每股收益(扣除后)(元)	0.0710	0.0340	0.0340	0.0500
稀释每股收益(元)	0.0710	0.0350	0.0350	0.0500
每股净资产(元)	4.1435	3.3882	3.3882	3.3692
每股经营现金净流量(元)	-0.5041	0.6609	0.0591	0.4025
每股现金流量(元)	-0.5794	0.8333	-0.4963	0.5903
每股资本公积金(元)	1.8428	0.9361	0.9361	0.9361
每股盈余公积金(元)	0.1996	0.2339	0.2304	0.2304
每股未分配利润(元)	1.1012	1.2182	1.2217	1.2027
净资产收益率(%)	1.7099	1.0192	1.0188	1.5261
加权净资产收益率(%)	2.0100	1.0200	1.0210	1.5300
净资产收益率(扣除)(%)	1.7099	1.0032	1.0136	1.5207
总资产(万元)	523755.39	408854.60	378141.78	372055.89
归属母公司股东权益(万元)	292242.72	203880.40	203879.49	202735.08
营业收入(万元)	60368.77	99393.91	51252.79	118979.54
营业支出(万元)	43935.67	80542.33	40331.05	100015.07
投资收益(万元)	-0.26	119.12	-13.72	41.38
净利润(万元)	4995.86	2071.08	2075.97	3083.18
营业利润(万元)	5790.48	2349.63	2340.71	3058.35
利润总额(万元)	5790.43	2388.05	2353.12	3076.06

泰豪科技股份有限公司

公司概况					
公司名称	泰豪科技股份有限公司			证券简称	泰豪科技
法人代表	杨剑	董秘	李结平	证券代码	600590
公司网址	www.tellhow.com		电子信箱	tsinghua@tellhow.com	
电 话	0791-88110590 68790276		传 真	0791-88106688	
办公地址	江西省南昌市高新开发区泰豪大厦				
经营范围	楼宇电气产品、发电机组产品、电力电气产品及光电信息产品等				

主要财务指标 指标\报告期	2016.06.30	2015.12.31	2015.06.30	2014.12.31
基本每股收益(元)	0.0500	0.1600	0.0300	0.1200
基本每股收益(扣除后)(元)	0.0200	0.1400	0.0200	0.0800
稀释每股收益(元)	0.0500	0.1600	0.0300	0.1200
每股净资产(元)	5.5647	5.0126	4.2852	4.3187
每股经营现金净流量(元)	-0.2781	0.4506	-0.7405	0.3617
每股现金流量(元)	-0.3950	0.1570	-1.0156	0.4162
每股资本公积金(元)	3.6927	3.0467	2.2514	2.2514
每股盈余公积金(元)	0.1374	0.1480	0.1407	0.1407
每股未分配利润(元)	0.7404	0.8242	0.9050	0.9385
净资产收益率(%)	0.9907	2.7706	0.6180	2.6797
加权净资产收益率(%)	1.0100	3.3300	0.6100	2.7100
净资产收益率(扣除)(%)	0.3068	2.4951	0.4544	1.7638
总资产(万元)	738755.76	715769.82	572007.23	582152.26
归属母公司股东权益(万元)	371140.32	310401.41	216970.97	218667.94
营业收入(万元)	120631.61	348809.64	100509.56	292070.96
营业支出(万元)	95132.03	294786.79	83154.11	242040.27
投资收益(万元)	1917.27	2882.76	-84.60	1989.86
净利润(万元)	4417.60	10085.70	1210.81	5817.89
营业利润(万元)	3739.39	9930.93	444.73	6240.60
利润总额(万元)	4709.22	12036.01	1674.54	9396.22

福建龙溪轴承(集团)股份有限公司

公司概况					
公司名称	福建龙溪轴承(集团)股份有限公司			证券简称	龙溪股份
法人代表	曾凡沛	董秘	黄继新	证券代码	600592
公司网址	www.ls.com.cn		电子信箱	huang@ls.com.cn	
电 话	0596-2072091		传 真	0596-2072136	
办公地址	福建省漳州市延安北路				
经营范围	生产、经营关节轴承、深沟球轴承及汽车配件等机械基础件、配套件产品				

主要财务指标 指标\报告期	2016.06.30	2015.12.31	2015.06.30	2014.12.31
基本每股收益(元)	0.0011	0.1310	0.0510	0.1200
基本每股收益(扣除后)(元)	-0.0323	-0.1700	-0.0217	-0.0500
稀释每股收益(元)	0.0011	0.1310	0.0510	0.1200
每股净资产(元)	4.7195	5.1756	5.5115	5.7347
每股经营现金净流量(元)	-0.0952	0.0989	0.0211	0.2555
每股现金流量(元)	-0.3586	0.3185	0.2388	-0.0337
每股资本公积金(元)	1.7590	1.7590	1.7590	1.7590
每股盈余公积金(元)	0.3918	0.3918	0.3627	0.3627
每股未分配利润(元)	0.9466	1.0455	0.9943	1.0436
净资产收益率(%)	0.0231	2.5318	0.9201	2.1194
加权净资产收益率(%)	0.0221	2.3800	0.8950	2.3900
净资产收益率(扣除)(%)	-0.6837	-3.2900	-0.3934	-0.9440
总资产(万元)	255262.71	280381.36	303411.95	309801.57
归属母公司股东权益(万元)	188568.07	206793.36	220212.53	229131.45
营业收入(万元)	29249.74	60016.09	33051.41	73045.62
营业支出(万元)	23088.50	42916.24	24792.71	52018.23
投资收益(万元)	1366.36	11136.90	2831.11	5424.74
净利润(万元)	-310.26	3355.74	1390.22	2830.40
营业利润(万元)	-1137.21	2816.97	851.45	1267.89
利润总额(万元)	-223.22	6092.49	1818.16	4110.42

大连圣亚旅游控股股份有限公司

公司概况					
公司名称	大连圣亚旅游控股股份有限公司			证券简称	大连圣亚
法人代表	张志新	董秘	丁霞	证券代码	600593
公司网址	www.sunasia.com		电子信箱	dingxia@sunasia.com	
电 话	0411-84685225		传 真	0411-84685217	
办公地址	辽宁省大连市沙河口区中山路 608-6-8 号				
经营范围	建设、经营水族馆、海洋探险人造景观、游乐园等				

主要财务指标 指标\报告期	2016.06.30	2015.12.31	2015.06.30	2014.12.31
基本每股收益(元)	0.0269	0.4673	0.0921	0.4186
基本每股收益(扣除后)(元)	0.0508	0.3817	0.0437	0.4371
稀释每股收益(元)	0.0269	0.4673	0.0921	0.4186
每股净资产(元)	4.0260	4.1991	3.8239	3.8819
每股经营现金净流量(元)	0.2153	1.2757	0.4516	1.1087
每股现金流量(元)	0.3976	0.0039	-0.1340	-0.6189
每股资本公积金(元)	2.1495	2.1495	2.1495	2.1495
每股盈余公积金(元)	0.2040	0.2040	0.1668	0.1668
每股未分配利润(元)	0.6724	0.8456	0.5077	0.5656
净资产收益率(%)	0.6677	11.1274	2.4078	10.7835
加权净资产收益率(%)	0.6500	11.7100	2.3900	11.4000
净资产收益率(扣除)(%)	1.2611	9.0892	1.1441	11.2590
总资产(万元)	69785.06	64238.26	65458.00	67592.41
归属母公司股东权益(万元)	37039.21	38631.92	35180.28	35713.19
营业收入(万元)	11538.71	30528.02	11705.84	29012.36
营业支出(万元)	6262.24	13806.31	6557.32	13276.39
投资收益(万元)	-	512.26	-	7.36
净利润(万元)	84.73	4646.82	1088.66	3898.34
营业利润(万元)	610.09	5870.22	1229.76	5366.88
利润总额(万元)	315.77	5888.13	1338.45	5140.03

贵州益佰制药股份有限公司

公司概况					
公司名称	贵州益佰制药股份有限公司			证券简称	益佰制药
法人代表	窦啟玲	董秘	李刚	证券代码	600594
公司网址	www.gzcci.com		电子信箱	600594@gz100.cn	
电 话	0851-4705177		传 真	0851-4719910	
办公地址	贵州省贵阳市白云大道 220-1 号				
经营范围	胶囊剂、小容量注射剂、洗剂、栓剂、合剂、片剂、颗粒剂、糖浆剂等				

主要财务指标 指标\报告期	2016.06.30	2015.12.31	2015.06.30	2014.12.31
基本每股收益(元)	0.2180	0.2391	0.0760	0.6041
基本每股收益(扣除后)(元)	0.2240	0.2163	0.0680	1.1440
稀释每股收益(元)	0.2180	0.2391	0.0760	0.6041
每股净资产(元)	4.7283	4.5107	8.8143	8.6630
每股经营现金净流量(元)	0.2021	0.7244	0.1326	1.3678
每股现金流量(元)	-0.3723	-0.0495	-1.3662	2.3783
每股资本公积金(元)	0.9703	0.9703	2.9406	2.9406
每股盈余公积金(元)	0.3050	0.3050	0.5885	0.5885
每股未分配利润(元)	2.4530	2.2353	4.2853	4.1340
净资产收益率(%)	4.6040	5.3017	1.7163	13.9476
加权净资产收益率(%)	4.7130	5.4460	1.7310	15.2260
净资产收益率(扣除)(%)	4.7287	4.7955	1.5382	13.1086
总资产(万元)	592267.88	558757.90	496268.77	549567.50
归属母公司股东权益(万元)	374450.96	357211.59	349015.30	343025.04
营业收入(万元)	172604.24	330251.92	158978.87	315707.51
营业支出(万元)	35082.71	63228.30	32086.74	57132.21
投资收益(万元)	180.14	-293.26	-68.20	2752.02
净利润(万元)	17467.64	19199.48	6113.59	48120.20
营业利润(万元)	22472.20	19453.82	6979.00	52413.10
利润总额(万元)	21766.91	22733.31	7709.22	55652.58

河南中孚实业股份有限公司

公司概况						
公司名称	河南中孚实业股份有限公司				证券简称	中孚实业
法人代表	崔红松	董秘	杨萍		证券代码	600595
公司网址	www.zfsy.com.cn				电子信箱	yangping@zfsy.com.cn
电　话	0371-64569088				传　真	0371-64569089
办公地址	河南省巩义市新华路 31 号					
经营范围	电解铝、铝材、炭素的生产、销售等					

主要财务指标 指标＼报告期	2016.06.30	2015.12.31	2015.06.30	2014.12.31
基本每股收益(元)	0.0800	-0.2500	-0.0400	0.0200
基本每股收益(扣除后)(元)	0.0500	-0.2600	-0.0400	-0.1400
稀释每股收益(元)	0.0800	-0.2500	-0.0400	0.0200
每股净资产(元)	2.8185	2.7349	3.1015	3.1450
每股经营现金净流量(元)	0.5698	0.4983	0.2077	0.8277
每股现金流量(元)	0.0704	0.1607	0.1715	-0.4223
每股资本公积金(元)	1.6157	1.6157	1.7750	1.7750
每股盈余公积金(元)	0.1456	0.1456	0.1456	0.1456
每股未分配利润(元)	0.0568	-0.0266	0.1803	0.2235
净资产收益率(%)	2.9592	-9.1471	-1.3951	0.7790
加权净资产收益率(%)	3.0000	-8.2800	-1.3900	0.7800
净资产收益率(扣除)(%)	1.7782	-9.6604	-1.4432	-4.5700
总资产(万元)	2528633.17	2502461.80	2576588.72	2516812.42
归属母公司股东权益(万元)	490848.72	476297.93	540133.80	547720.84
营业收入(万元)	713279.12	971159.92	442237.61	967284.99
营业支出(万元)	632309.64	924097.98	408522.72	884824.89
投资收益(万元)	-1003.90	835.86	230.91	3722.88
净利润(万元)	13125.49	-111919.10	-16744.13	-17897.59
营业利润(万元)	12486.40	-129300.30	-17577.51	-55822.97
利润总额(万元)	19617.10	-127627.71	-17310.79	-19609.07

浙江新安化工集团股份有限公司

公司概况						
公司名称	浙江新安化工集团股份有限公司				证券简称	新安股份
法人代表	季诚建	董秘	姜永平		证券代码	600596
公司网址	www.wynca.com				电子信箱	jiang_yp888@sohu.com
电　话	0571-64715693 64726275				传　真	0571-64715693 64726275
办公地址	浙江省建德市江滨中路新安大厦 1 号					
经营范围	农药、化工、新材料及化工机械的制造加工和销售					

主要财务指标 指标＼报告期	2016.06.30	2015.12.31	2015.06.30	2014.12.31
基本每股收益(元)	-0.0256	-0.3928	-0.0501	0.0732
基本每股收益(扣除后)(元)	-0.0548	-0.4852	-0.0587	0.0900
稀释每股收益(元)	-0.0256	-0.3928	-0.0501	0.0732
每股净资产(元)	5.7787	5.8400	6.1766	6.3308
每股经营现金净流量(元)	0.2706	0.2496	0.4142	0.5574
每股现金流量(元)	0.1300	-0.1929	-0.0965	0.0045
每股资本公积金(元)	1.1022	1.1022	1.0959	1.1019
每股盈余公积金(元)	0.6036	0.6036	0.5998	0.5998
每股未分配利润(元)	2.9831	3.0587	3.4053	3.5554
净资产收益率(%)	-0.4426	-6.7268	-0.8104	1.1562
加权净资产收益率(%)	-0.4000	-6.4600	-0.8000	1.1500
净资产收益率(扣除)(%)	-0.9482	-8.3088	-0.9500	1.4224
总资产(万元)	790390.63	783918.95	797105.17	797355.53
归属母公司股东权益(万元)	392483.52	396646.57	419507.55	429978.65
营业收入(万元)	348562.94	734691.52	400221.57	771583.17
营业支出(万元)	309955.79	664561.28	359720.82	669467.76
投资收益(万元)	1346.33	8325.44	2169.74	5603.75
净利润(万元)	-169.17	-25810.36	-3185.60	6141.13
营业利润(万元)	2780.28	-18751.72	-705.77	11558.51
利润总额(万元)	4120.03	-19794.71	-1710.26	7026.90

光明乳业股份有限公司

公司概况						
公司名称	光明乳业股份有限公司				证券简称	光明乳业
法人代表	张崇建	董秘	沈小燕		证券代码	600597
公司网址	www.brightdairy.com				电子信箱	600597@brightdairy.com
电　话	021-54584520*5506				传　真	021-64013337
办公地址	上海市吴中路 578 号					
经营范围	生产、开发与销售乳、乳制品和饲料以及便利店零售业务					

主要财务指标 指标＼报告期	2016.06.30	2015.12.31	2015.06.30	2014.12.31
基本每股收益(元)	0.1966	0.3400	0.1642	0.4600
基本每股收益(扣除后)(元)	0.1812	0.2800	0.1474	0.4700
稀释每股收益(元)	0.1964	0.3400	0.1640	0.4600
每股净资产(元)	3.8197	3.6880	3.2030	3.6661
每股经营现金净流量(元)	0.5608	1.5166	0.6708	0.2728
每股现金流量(元)	-0.8731	1.0422	1.8599	-0.4865
每股资本公积金(元)	1.4402	1.4375	1.1835	1.4393
每股盈余公积金(元)	0.3458	0.3458	0.3335	0.3335
每股未分配利润(元)	1.0994	1.0238	0.8561	0.9727
净资产收益率(%)	5.1210	9.2172	5.1013	12.5879
加权净资产收益率(%)	5.1700	9.3400	4.4400	13.0700
净资产收益率(扣除)(%)	4.7188	7.5951	4.5773	12.6793
总资产(万元)	1515822.69	1544681.24	1531533.20	1288314.51
归属母公司股东权益(万元)	470066.78	453856.72	394174.09	451164.60
营业收入(万元)	1026972.91	1937319.30	1006106.19	2038506.19
营业支出(万元)	601477.00	1237823.16	648502.82	1333077.41
投资收益(万元)	-81.60	-31.41	-141.91	-37.14
净利润(万元)	32147.59	49609.97	22673.19	58305.76
营业利润(万元)	46085.14	66870.59	23461.32	69792.49
利润总额(万元)	44507.06	70490.89	26312.76	71391.39

黑龙江北大荒农业股份有限公司

公司概况						
公司名称	黑龙江北大荒农业股份有限公司				证券简称	北大荒
法人代表	刘长友	董秘	刘长友(代)		证券代码	600598
公司网址	www.hacl.cn				电子信箱	600598@hacl.cn
电　话	0451-55195980				传　真	0451-55195986
办公地址	黑龙江省哈尔滨市南岗区汉水路 263 号					
经营范围	水稻、小麦、大豆、玉米等粮食作物的生产、精深加工、销售等					

主要财务指标 指标＼报告期	2016.06.30	2015.12.31	2015.06.30	2014.12.31
基本每股收益(元)	0.3330	0.3710	0.3420	0.4500
基本每股收益(扣除后)(元)	0.3340	0.3800	0.3440	0.1180
稀释每股收益(元)	0.3330	0.3710	0.3420	0.4500
每股净资产(元)	3.2062	3.1674	3.1453	3.1932
每股经营现金净流量(元)	1.1957	0.4364	0.9706	1.0745
每股现金流量(元)	0.7323	-0.6188	-0.3301	-0.0804
每股资本公积金(元)	1.3614	1.3614	1.3628	1.3628
每股盈余公积金(元)	0.6665	0.6665	0.6363	0.6363
每股未分配利润(元)	0.1771	0.1388	0.1401	0.1884
净资产收益率(%)	10.3951	11.6994	10.8658	14.0897
加权净资产收益率(%)	9.8500	11.7600	10.3600	15.1400
净资产收益率(扣除)(%)	10.4098	11.9929	10.9488	3.6868
总资产(万元)	855575.42	723473.46	880048.10	822902.53
归属母公司股东权益(万元)	569952.99	563057.08	559125.09	567654.51
营业收入(万元)	168117.24	365377.47	188796.19	510908.75
营业支出(万元)	48487.58	115516.48	68104.76	258374.39
投资收益(万元)	820.21	2297.58	323.92	68822.14
净利润(万元)	58235.91	62181.50	59626.97	72256.19
营业利润(万元)	58816.71	67270.56	60215.12	83810.79
利润总额(万元)	58276.08	63249.93	59773.67	73533.76

熊猫金控股份有限公司

公司概况	公司名称	熊猫金控股份有限公司		证券简称	熊猫金控
	法人代表	李民	董秘 黄叶璞	证券代码	600599
	公司网址	www.pandafireworks.com		电子信箱	600599@pandafireworks.com
	电　话	0731-83620963		传　真	0731-83620966
	办公地址	湖南省浏阳市浏阳大道 271 号			
	经营范围	花炮产品销售、花炮材料销售、纸品销售、印刷包装材料销售、租赁等			

主要财务指标	指标\报告期	2016.06.30	2015.12.31	2015.06.30	2014.12.31
	基本每股收益(元)	-0.0750	0.1200	0.0370	0.0800
	基本每股收益(扣除后)(元)	-0.0740	0.0500	-0.0370	-0.3600
	稀释每股收益(元)	-0.0750	0.1200	0.0370	0.0800
	每股净资产(元)	4.1081	4.2315	4.1475	4.1896
	每股经营现金净流量(元)	-0.4752	-0.7141	-0.1914	-0.3831
	每股现金流量(元)	0.4706	-1.8053	-2.5866	2.6146
	每股资本公积金(元)	3.0487	3.0487	3.0487	3.0487
	每股盈余公积金(元)	0.0609	0.0609	0.0480	0.0480
	每股未分配利润(元)	-0.0102	0.1144	0.0441	0.0874
	净资产收益率(%)	-1.8150	2.8364	0.8872	1.7985
	加权净资产收益率(%)	-1.7850	2.8500	0.8760	1.8500
	净资产收益率(扣除)(%)	-1.8018	1.0793	-0.8878	-8.5505
	总资产(万元)	109852.72	86387.24	88303.03	90257.78
	归属母公司股东权益(万元)	68193.89	70242.77	68848.71	69547.96
	营业收入(万元)	15758.84	29619.37	15488.85	18663.41
	营业支出(万元)	4873.21	9593.92	6707.67	12769.62
	投资收益(万元)	-289.34	1953.20	1278.92	10221.67
	净利润(万元)	-1234.66	2003.57	626.30	1329.88
	营业利润(万元)	-905.20	3271.39	674.60	2864.24
	利润总额(万元)	-950.76	2705.29	648.49	2655.78

青岛啤酒股份有限公司

公司概况	公司名称	青岛啤酒股份有限公司		证券简称	青岛啤酒
	法人代表	孙明波	董秘 张瑞祥	证券代码	600600
	公司网址	www.tsingtao.com.cn		电子信箱	secretary@tsingtao.com.cn
	电　话	0532-85713831		传　真	0532-85713240
	办公地址	山东省青岛市香港中路五四广场青啤大厦			
	经营范围	啤酒制造、技术研究、开发、转让、咨询服务、国内商业、自营进出口			

主要财务指标	指标\报告期	2016.06.30	2015.12.31	2015.06.30	2014.12.31
	基本每股收益(元)	0.7910	1.2680	0.8870	1.4730
	基本每股收益(扣除后)(元)	0.7230	0.7790	0.7700	1.2370
	稀释每股收益(元)	0.7910	1.2680	0.8870	1.4730
	每股净资产(元)	12.5810	12.1823	11.8229	11.3899
	每股经营现金净流量(元)	2.8012	1.9057	3.2725	1.2514
	每股现金流量(元)	1.2202	1.7091	2.4921	-1.5755
	每股资本公积金(元)	3.0164	3.0164	3.0154	3.0196
	每股盈余公积金(元)	1.0368	1.0368	0.9003	0.9003
	每股未分配利润(元)	7.4670	7.0657	6.8503	6.4130
	净资产收益率(%)	6.2896	10.4091	7.5049	12.9332
	加权净资产收益率(%)	6.2900	10.7600	7.5000	13.5300
	净资产收益率(扣除)(%)	5.7483	6.3963	6.5110	10.8621
	总资产(万元)	3079829.97	2850059.01	3055302.77	2700391.31
	归属母公司股东权益(万元)	1699672.42	1645806.20	1597258.79	1538756.22
	营业收入(万元)	1474611.68	2763468.60	1606659.41	2904932.12
	营业支出(万元)	872885.06	1719210.17	982240.49	1789929.13
	投资收益(万元)	2932.48	46241.28	2559.33	2395.95
	净利润(万元)	107452.04	161204.35	121954.45	201953.21
	营业利润(万元)	140271.55	185516.32	144523.57	228425.30
	利润总额(万元)	151746.50	227482.24	164783.34	268299.88

方正科技集团股份有限公司

公司概况	公司名称	方正科技集团股份有限公司		证券简称	方正科技
	法人代表	刘欲晓	董秘 侯郁波	证券代码	600601
	公司网址	www.foundertech.com		电子信箱	ir@founder.com
	电　话	021-58400030		传　真	021-58408970
	办公地址	上海市浦东南路 360 号新上海国际大厦 36 层			
	经营范围	电子计算机及配件、软件等			

主要财务指标	指标\报告期	2016.06.30	2015.12.31	2015.06.30	2014.12.31
	基本每股收益(元)	-0.0448	0.0501	0.0013	0.1192
	基本每股收益(扣除后)(元)	-0.0482	0.0321	-0.0125	0.0434
	稀释每股收益(元)	-0.0448	0.0501	0.0013	0.1192
	每股净资产(元)	1.6152	1.6635	1.6286	1.6088
	每股经营现金净流量(元)	-0.1193	0.2798	-0.1167	0.3763
	每股现金流量(元)	-0.2280	-0.1262	-0.2065	-0.0940
	每股资本公积金(元)	0.0660	0.0660	0.0660	0.0660
	每股盈余公积金(元)	-	-	-	-
	每股未分配利润(元)	0.5394	0.5842	0.5474	0.5461
	净资产收益率(%)	-2.7744	3.0125	0.0787	7.4113
	加权净资产收益率(%)	-2.7300	3.0500	0.0800	6.7500
	净资产收益率(扣除)(%)	-2.9813	1.9291	-0.7698	2.7004
	总资产(万元)	947215.51	946228.84	892092.67	917609.87
	归属母公司股东权益(万元)	354526.89	365111.28	357467.83	353111.05
	营业收入(万元)	269011.71	651566.92	277517.63	686248.67
	营业支出(万元)	232040.49	555581.49	239246.50	583938.23
	投资收益(万元)	-40.67	-26.43	37.47	108.37
	净利润(万元)	-9877.66	11106.79	277.19	31721.55
	营业利润(万元)	-11318.97	10518.50	166.17	30017.17
	利润总额(万元)	-10153.05	15897.94	1997.54	36274.63

云赛智联股份有限公司

公司概况	公司名称	云赛智联股份有限公司		证券简称	云赛智联
	法人代表	黄金刚	董秘 张杏兴	证券代码	600602
	公司网址	www.inesa-e.com		电子信箱	webmaster@inesa-e.com
	电　话	021-62980202 34695939		传　真	021-62982121
	办公地址	上海市徐汇区桂林路 406 号 2 号楼 9 楼			
	经营范围	电视机、平板显示器件、家庭视听设备、微波炉等小家电产品等			

主要财务指标	指标\报告期	2016.06.30	2015.12.31	2015.06.30	2014.12.31
	基本每股收益(元)	0.0533	0.1250	0.0307	0.0900
	基本每股收益(扣除后)(元)	0.0430	0.0050	-0.0043	-0.0200
	稀释每股收益(元)	0.0533	0.1250	0.0307	0.0900
	每股净资产(元)	2.5084	2.4817	2.2491	2.2330
	每股经营现金净流量(元)	-0.1429	-0.0223	-0.1600	-0.0578
	每股现金流量(元)	-0.8382	0.0816	-0.2230	0.5107
	每股资本公积金(元)	1.0761	1.0905	0.9227	0.9373
	每股盈余公积金(元)	0.2500	0.2500	0.2754	0.2754
	每股未分配利润(元)	0.1720	0.1545	0.0510	0.0202
	净资产收益率(%)	2.1254	4.9161	1.3662	4.1538
	加权净资产收益率(%)	2.1400	5.1680	1.3700	4.2500
	净资产收益率(扣除)(%)	1.7150	0.1689	-0.1929	-0.6898
	总资产(万元)	472709.33	461353.82	313454.45	322496.39
	归属母公司股东权益(万元)	332823.17	331053.28	263806.59	261916.07
	营业收入(万元)	157264.83	299738.60	49056.60	125631.52
	营业支出(万元)	128836.49	239816.35	41524.54	105139.23
	投资收益(万元)	4102.11	13942.64	5096.76	10072.85
	净利润(万元)	8755.72	22076.86	3692.72	13449.43
	营业利润(万元)	8064.34	20870.53	2136.95	5324.07
	利润总额(万元)	10461.01	25422.27	3992.89	14517.16

广汇物流股份有限公司

公司概况					
公司名称	广汇物流股份有限公司			证券简称	广汇物流
法人代表	蒙科良	董秘	王玉琴	证券代码	600603
公司网址	www.chinaghwl.com		电子信箱	ghwl@chinaghfz.com	
电　　话	0991-6602888		传　　真	0991-6603888	
办公地址	新疆维吾尔自治区乌鲁木齐市天山区新华北路 165 号				
经营范围	新能源产业、新材料产业、房地产综合开发经营等				

主要财务指标：指标＼报告期	2016.06.30	2015.12.31	2015.06.30	2014.12.31
基本每股收益(元)	-0.1107	-1.0000	-0.0511	-0.1210
基本每股收益(扣除后)(元)	-0.0997	-1.0100	-0.0511	-0.1040
稀释每股收益(元)	-0.1107	-1.0000	-0.0511	-0.1210
每股净资产(元)	-0.8908	-0.7801	0.1684	0.2195
每股经营现金净流量(元)	-0.1773	-0.0595	-0.0517	0.1931
每股现金流量(元)	-0.1231	0.0378	-0.0475	0.1046
每股资本公积金(元)	2.8050	2.8050	2.8050	2.8050
每股盈余公积金(元)	0.3418	0.3418	0.3418	0.3418
每股未分配利润(元)	-5.0619	-4.9512	-4.0019	-3.9508
净资产收益率(%)	-	-	-30.3186	-55.2439
加权净资产收益率(%)	-	-	-26.3300	-
净资产收益率(扣除)(%)	-	129.2129	-30.3186	-47.5203
总资产(万元)	24591.48	25837.43	39887.82	40079.12
归属母公司股东权益(万元)	-17338.38	-15183.36	3278.21	4272.11
营业收入(万元)	77.17	3767.91	1762.63	4880.46
营业支出(万元)	46.87	2914.97	1574.44	4018.02
投资收益(万元)	-8.90	-86.62	-59.74	-
净利润(万元)	-2293.98	-23244.29	-1090.31	-2485.33
营业利润(万元)	-2074.82	-23322.56	-1090.31	-1756.68
利润总额(万元)	-2293.98	-23199.47	-1090.31	-2444.55

上海市北高新股份有限公司

公司概况					
公司名称	上海市北高新股份有限公司			证券简称	市北高新
法人代表	周群	董秘	胡申	证券代码	600604
公司网址	www.shibeiht.com		电子信箱	zhengquan@shibei.com	
电　　话	021-66528130		传　　真	021-56770134	
办公地址	上海市江场三路 262 号 1 楼				
经营范围	生产销售纺纱机械、化纤机械等产品				

主要财务指标：指标＼报告期	2016.06.30	2015.12.31	2015.06.30	2014.12.31
基本每股收益(元)	0.1000	0.2000	-0.0324	0.0300
基本每股收益(扣除后)(元)	0.0900	0.1800	-0.0439	0.0200
稀释每股收益(元)	0.1000	0.2000	-0.0324	0.0300
每股净资产(元)	3.8732	3.7963	3.2000	2.2739
每股经营现金净流量(元)	-1.0380	-1.6694	-0.9111	-1.0292
每股现金流量(元)	-0.2357	1.3021	-0.2306	0.2067
每股资本公积金(元)	2.0287	2.0287	1.5787	2.2426
每股盈余公积金(元)	0.0331	0.0331	0.0353	0.0444
每股未分配利润(元)	0.8114	0.7345	0.5870	0.7750
净资产收益率(%)	2.5024	4.5616	-0.8402	1.1406
加权净资产收益率(%)	2.5200	5.2400	-0.8100	1.1400
净资产收益率(扣除)(%)	2.3989	4.2087	-1.1363	1.0502
总资产(万元)	1053604.62	880556.18	678427.84	527981.99
归属母公司股东权益(万元)	294477.58	288629.03	228005.38	230091.37
营业收入(万元)	56202.24	99119.60	8048.42	12324.21
营业支出(万元)	32481.68	59911.17	4722.09	5724.64
投资收益(万元)	-244.93	2433.53	-67.65	1501.63
净利润(万元)	6956.06	11772.01	-1992.25	1256.83
营业利润(万元)	10839.88	16865.53	-1641.16	1253.53
利润总额(万元)	10940.12	17108.06	-1561.08	1434.79

上海汇通能源股份有限公司

公司概况					
公司名称	上海汇通能源股份有限公司			证券简称	汇通能源
法人代表	郑树昌	董秘	邵宗超	证券代码	600605
公司网址	www.huitongenergy.com		电子信箱	shaozongchao@sohu.com	
电　　话	021-62560000*108 147		传　　真	021-62566022	
办公地址	上海市南京西路 1576 号轻工机械大厦 4 楼				
经营范围	轻工机械及成套设备的制造、销售				

主要财务指标：指标＼报告期	2016.06.30	2015.12.31	2015.06.30	2014.12.31
基本每股收益(元)	0.0970	0.0700	0.0510	0.0540
基本每股收益(扣除后)(元)	0.1000	0.0610	0.0440	0.0247
稀释每股收益(元)	0.0970	0.0700	0.0510	0.0540
每股净资产(元)	3.8456	3.7693	3.3276	3.2939
每股经营现金净流量(元)	-0.3518	0.1098	0.1232	0.9876
每股现金流量(元)	-0.9455	0.6392	0.9416	0.4420
每股资本公积金(元)	1.2142	1.2142	0.7915	0.7915
每股盈余公积金(元)	0.5428	0.5428	0.5411	0.5411
每股未分配利润(元)	1.0886	1.0123	0.9950	0.9613
净资产收益率(%)	2.5303	1.8501	1.5253	1.6397
加权净资产收益率(%)	2.5490	2.1003	1.5290	1.6489
净资产收益率(扣除)(%)	2.6064	1.6051	1.3109	0.7492
总资产(万元)	120244.11	126219.80	119663.38	92752.57
归属母公司股东权益(万元)	56663.49	55538.89	49030.88	48533.48
营业收入(万元)	91719.89	184224.56	68837.08	212305.38
营业支出(万元)	86724.55	177375.83	65195.15	205791.34
投资收益(万元)	-55.33	-93.03	-92.76	-70.76
净利润(万元)	1433.76	1027.51	747.85	795.82
营业利润(万元)	1697.89	1048.99	774.06	671.54
利润总额(万元)	1652.08	1230.75	914.18	1099.84

绿地控股集团股份有限公司

公司概况					
公司名称	绿地控股集团股份有限公司			证券简称	绿地控股
法人代表	张玉良	董秘	王晓东	证券代码	600606
公司网址	www.ldjt.com.cn		电子信箱	ir@ldjt.com.cn	
电　　话	021-63600606 23296400		传　　真	021-53188660*6400	
办公地址	上海市黄浦区打浦路 700 号				
经营范围	实业投资，房地产开发经营、租赁、置换等				

主要财务指标：指标＼报告期	2016.06.30	2015.12.31	2015.06.30	2014.12.31
基本每股收益(元)	0.3800	0.5800	0.3200	0.5000
基本每股收益(扣除后)(元)	0.4100	0.4700	0.3200	0.5000
稀释每股收益(元)	0.3800	0.5800	0.3200	0.5000
每股净资产(元)	4.4626	4.3619	3.9750	3.5983
每股经营现金净流量(元)	-0.9639	-1.9920	-2.2969	0.0025
每股现金流量(元)	-0.1618	0.7181	-0.3342	-0.0064
每股资本公积金(元)	0.7409	0.7428	0.7621	0.7166
每股盈余公积金(元)	0.2674	0.2674	0.1900	0.1900
每股未分配利润(元)	2.4173	2.2393	2.0475	1.9369
净资产收益率(%)	8.4688	12.9747	8.1345	-19.5487
加权净资产收益率(%)	8.3700	14.1200	8.3000	-17.9800
净资产收益率(扣除)(%)	9.1264	10.5990	8.0037	-23.5360
总资产(万元)	61713917.61	60043607.04	53676643.88	50895866.15
归属母公司股东权益(万元)	5430211.85	5307575.45	4836822.95	4648448.58
营业收入(万元)	10802103.60	20725659.48	8598655.54	11027.97
营业支出(万元)	9092993.56	17667305.60	7403301.28	-1701.98
投资收益(万元)	225385.36	447289.25	134857.06	14329.32
净利润(万元)	478311.48	738477.22	393528.68	-36820.14
营业利润(万元)	642364.28	1018471.18	525032.14	-39340.85
利润总额(万元)	634442.00	1057528.07	539071.64	-35521.58

上海宽频科技股份有限公司

公司概况					
公司名称	上海宽频科技股份有限公司			证券简称	上海科技
法人代表	雷升逵	董秘	刘文鑫	证券代码	600608
公司网址	www.600608.net		电子信箱	invest@600608.net	
电　话	021-62317066		传　真	021-62317066	
办公地址	上海市静安区江场西路299弄1号楼1601室				
经营范围	通信网络设备、计算机信息工程、集成电路设计与销售等				

主要财务指标	指标\报告期	2016.06.30	2015.12.31	2015.06.30	2014.12.31
	基本每股收益(元)	-0.0500	0.1100	-0.0400	-0.0400
	基本每股收益(扣除后)(元)	-0.0500	-0.0700	-0.0400	-0.0900
	稀释每股收益(元)	-0.0500	0.1100	-0.0400	-0.0400
	每股净资产(元)	-0.0145	0.0324	-0.1104	-0.0740
	每股经营现金净流量(元)	-0.0694	0.2955	-0.0141	-0.0238
	每股现金流量(元)	-0.0727	0.2755	-0.0336	-0.0051
	每股资本公积金(元)	1.3350	1.3350	1.3350	1.3350
	每股盈余公积金(元)	0.1423	0.1423	0.1423	0.1423
	每股未分配利润(元)	-2.4918	-2.4449	-2.5878	-2.5513
	净资产收益率(%)	-	328.6393	-	-
	加权净资产收益率(%)	-	-	-	-
	净资产收益率(扣除)(%)	-	-210.3803	33.1356	119.2404
	总资产(万元)	22407.90	26768.30	19189.34	19521.78
	归属母公司股东权益(万元)	-475.55	1064.74	-3632.15	-2434.42
	营业收入(万元)	3960.40	19017.16	8930.18	59700.40
	营业支出(万元)	4029.11	17573.62	8511.26	57862.01
	投资收益(万元)	-	-	-	1362.76
	净利润(万元)	-1705.17	3497.60	-1238.79	-1547.89
	营业利润(万元)	-1723.20	-2326.74	-1244.59	-1423.50
	利润总额(万元)	-1705.17	5228.67	-1238.79	-1383.23

金杯汽车股份有限公司

公司概况					
公司名称	金杯汽车股份有限公司			证券简称	金杯汽车
法人代表	祁玉民	董秘	赵晓军	证券代码	600609
公司网址	www.jinbei.com		电子信箱	stock@syjbauto.com.cn	
电　话	024-24803399 24815610		传　真	024-24163399	
办公地址	辽宁省沈阳市沈河区万柳塘路38号				
经营范围	汽车及配件制造				

主要财务指标	指标\报告期	2016.06.30	2015.12.31	2015.06.30	2014.12.31
	基本每股收益(元)	-0.0400	0.0330	0.0110	-0.1310
	基本每股收益(扣除后)(元)	-0.0590	-0.0600	-0.0800	-0.1400
	稀释每股收益(元)	-0.0400	0.0330	0.0110	-0.1310
	每股净资产(元)	0.2141	0.2406	0.2452	0.2270
	每股经营现金净流量(元)	-0.1428	-0.4507	-0.2232	0.4506
	每股现金流量(元)	-0.0676	-0.9866	-0.2614	0.9629
	每股资本公积金(元)	1.0069	1.0069	1.0069	1.0069
	每股盈余公积金(元)	0.3786	0.3786	0.3786	0.3786
	每股未分配利润(元)	-2.1689	-2.1289	-2.1508	-2.1616
	净资产收益率(%)	-18.6675	13.5952	4.4306	-57.6266
	加权净资产收益率(%)	-18.1200	13.9900	4.6700	-42.2100
	净资产收益率(扣除)(%)	-27.4531	-25.0445	-32.7010	-63.6533
	总资产(万元)	1029500.97	1004219.89	983476.76	929006.76
	归属母公司股东权益(万元)	23397.03	26293.68	26792.20	24815.86
	营业收入(万元)	234102.72	463812.43	226030.67	514654.72
	营业支出(万元)	197462.67	386055.84	184875.95	430595.62
	投资收益(万元)	-302.72	503.84	187.65	232.71
	净利润(万元)	4037.09	19725.54	9273.30	-1055.70
	营业利润(万元)	5207.59	11616.04	4358.99	1419.79
	利润总额(万元)	7263.16	25759.42	14307.36	3952.58

上海中毅达股份有限公司

公司概况					
公司名称	上海中毅达股份有限公司			证券简称	中毅达
法人代表	刘效军	董秘	李春蓉	证券代码	600610
公司网址	www.600610.com.cn		电子信箱	lichunrong@600610.com.cn	
电　话	021-33568806		传　真	021-33568802	
办公地址	上海市徐汇区淮海中路1010号嘉华中心3704室				
经营范围	纺织机械及有关器材的生产与销售等				

主要财务指标	指标\报告期	2016.06.30	2015.12.31	2015.06.30	2014.12.31
	基本每股收益(元)	-0.0130	-0.0100	0.0100	0.0900
	基本每股收益(扣除后)(元)	-0.0130	-0.0200	0.0100	-0.0400
	稀释每股收益(元)	-0.0130	-0.0100	0.0100	0.0900
	每股净资产(元)	1.0676	1.0818	0.9442	0.9400
	每股经营现金净流量(元)	-0.0121	-0.0938	0.0272	-0.0228
	每股现金流量(元)	-0.0329	-0.0292	-0.0600	0.0486
	每股资本公积金(元)	0.3572	0.3572	0.2078	0.2078
	每股盈余公积金(元)	-	-	-	-
	每股未分配利润(元)	-0.2895	-0.2753	-0.2636	-0.2692
	净资产收益率(%)	-1.3274	-0.5649	0.5962	9.9414
	加权净资产收益率(%)	-1.3000	-0.6100	0.0100	0.2100
	净资产收益率(扣除)(%)	-1.2477	-1.7740	0.5962	-3.9522
	总资产(万元)	120358.60	124190.98	122390.91	114247.55
	归属母公司股东权益(万元)	114374.43	115892.60	101145.65	100542.59
	营业收入(万元)	1829.08	6716.74	7164.26	6971.60
	营业支出(万元)	1566.46	5330.28	5535.63	6696.12
	投资收益(万元)	-44.60	160.41	223.18	5656.09
	净利润(万元)	-1518.17	-654.63	603.06	9973.29
	营业利润(万元)	-1669.01	-1736.17	902.59	1822.64
	利润总额(万元)	-1517.24	-564.52	914.49	10103.86

大众交通(集团)股份有限公司

公司概况					
公司名称	大众交通(集团)股份有限公司			证券简称	大众交通
法人代表	杨国平	董秘	赵思渊	证券代码	600611
公司网址	www.96822.com		电子信箱	dzjt@96822.com	
电　话	021-64285708 64289122		传　真	021-64285642	
办公地址	上海市徐汇区中山西路1515号大众大厦22楼				
经营范围	企业经营管理咨询、现代物流、交通运输等				

主要财务指标	指标\报告期	2016.06.30	2015.12.31	2015.06.30	2014.12.31
	基本每股收益(元)	0.1100	0.3200	0.1600	0.2700
	基本每股收益(扣除后)(元)	0.0700	0.1900	0.0900	0.1600
	稀释每股收益(元)	0.1100	0.3200	0.1600	0.2700
	每股净资产(元)	3.8411	5.4392	4.7058	4.0202
	每股经营现金净流量(元)	0.2768	0.7901	0.4266	0.4061
	每股现金流量(元)	-0.0418	0.8169	0.3239	0.0624
	每股资本公积金(元)	0.0682	0.4024	0.4027	0.4043
	每股盈余公积金(元)	0.3794	0.5691	0.5426	0.5426
	每股未分配利润(元)	1.0695	1.7395	1.5985	1.5311
	净资产收益率(%)	2.8601	5.9720	3.3456	6.6806
	加权净资产收益率(%)	2.9300	6.8800	3.5800	7.1500
	净资产收益率(扣除)(%)	1.8500	3.4923	1.8419	4.0666
	总资产(万元)	1585446.15	1470202.44	1291593.48	1124005.97
	归属母公司股东权益(万元)	908081.12	857266.55	741666.65	633620.00
	营业收入(万元)	110857.08	222027.72	109068.30	271903.05
	营业支出(万元)	78214.45	155161.71	76264.06	210804.32
	投资收益(万元)	22344.70	39731.43	17639.35	19942.10
	净利润(万元)	27662.16	56156.72	27507.53	49644.93
	营业利润(万元)	33870.94	65820.87	32596.08	49413.34
	利润总额(万元)	35760.48	69513.66	34238.63	61566.12

老凤祥股份有限公司

公司概况				
公司名称	老凤祥股份有限公司		证券简称	老 凤 祥
法人代表	石力华	董秘 周富良	证券代码	600612
公司网址	www.chinafirstpencil.com		电子信箱	cfp612@126.com
电　话	021-54480605 64833388*608		传　真	021-54481529
办公地址	上海市徐汇区漕溪路 270 号六楼			
经营范围	黄金首饰、铅笔制造、铅笔机械、化工原料、制笔零件等			

主要财务指标 指标＼报告期	2016.06.30	2015.12.31	2015.06.30	2014.12.31
基本每股收益(元)	0.9996	2.1359	1.0239	1.7967
基本每股收益(扣除后)(元)	0.9200	1.7717	0.9142	1.6251
稀释每股收益(元)	0.9996	2.1359	1.0239	1.7967
每股净资产(元)	9.6052	8.6833	8.5641	7.5433
每股经营现金净流量(元)	-1.6705	1.8289	1.4675	4.9306
每股现金流量(元)	-1.3702	0.1833	1.2006	3.5263
每股资本公积金(元)	0.9756	0.9756	0.9756	0.9846
每股盈余公积金(元)	0.6409	0.6409	0.5348	0.5348
每股未分配利润(元)	6.7222	5.7227	5.6167	4.5928
净资产收益率(%)	10.4066	24.5983	11.9562	23.8188
加权净资产收益率(%)	10.9300	26.0900	12.7100	25.5600
净资产收益率(扣除)(%)	9.5786	20.4031	10.6754	21.5434
总资产(万元)	1105951.75	1156011.80	1182371.18	1157177.60
归属母公司股东权益(万元)	502463.05	454240.04	448002.40	394604.40
营业收入(万元)	2022422.56	3571237.29	2099993.82	3283501.81
营业支出(万元)	1864987.39	3271753.76	1944529.74	2995465.82
投资收益(万元)	2663.57	3895.88	2208.36	793.09
净利润(万元)	67744.13	142163.86	69033.84	122830.04
营业利润(万元)	84602.74	166665.47	89233.87	151898.75
利润总额(万元)	91849.92	190118.67	92053.46	164134.39

上海神奇制药投资管理股份有限公司

公司概况				
公司名称	上海神奇制药投资管理股份有限公司		证券简称	神奇制药
法人代表	张涛涛	董秘 吴克兢	证券代码	600613
公司网址	www.gzsq.com		电子信箱	shanghaiys@126.com
电　话	021-53750009		传　真	021-53750010
办公地址	上海市威海路 128 号长发大厦 613 室			
经营范围	枇杷止咳颗粒、强力枇杷露、枇杷止咳胶囊、精乌胶囊、全天麻胶囊等			

主要财务指标 指标＼报告期	2016.06.30	2015.12.31	2015.06.30	2014.12.31
基本每股收益(元)	0.1300	0.4400	0.2100	0.4000
基本每股收益(扣除后)(元)	0.1300	0.4400	0.2100	0.4000
稀释每股收益(元)	0.1300	0.4400	0.2100	0.4000
每股净资产(元)	4.2400	4.1755	4.9610	4.4172
每股经营现金净流量(元)	0.1560	0.0564	0.1403	-0.0194
每股现金流量(元)	0.1054	-0.0620	0.1197	-0.0696
每股资本公积金(元)	1.8150	1.8150	2.3780	2.3780
每股盈余公积金(元)	0.0741	0.0741	0.0889	0.0889
每股未分配利润(元)	1.2530	1.1442	1.1384	0.9499
净资产收益率(%)	3.0554	9.7188	4.2695	9.1647
加权净资产收益率(%)	3.6100	10.4500	4.6800	9.6100
净资产收益率(扣除)(%)	3.0140	9.5533	4.1336	9.0622
总资产(万元)	276260.82	267081.70	264061.09	225356.96
归属母公司股东权益(万元)	226446.27	223001.32	220792.75	196591.54
营业收入(万元)	64582.31	159291.25	63431.58	129371.33
营业支出(万元)	22424.60	41361.67	14714.09	27561.09
投资收益(万元)	41.22	298.71	395.25	143.25
净利润(万元)	6922.01	21826.57	9500.22	18090.06
营业利润(万元)	8021.50	25446.76	10869.90	21176.37
利润总额(万元)	8122.53	25878.68	11231.46	21416.76

鹏起科技发展股份有限公司

公司概况				
公司名称	鹏起科技发展股份有限公司		证券简称	鹏起科技
法人代表	张朋起	董秘 张朋起	证券代码	600614
公司网址	www.600614.com		电子信箱	jiang_wx@600614.com
电　话	021-35071889*698		传　真	021-35080120
办公地址	上海市杨浦区国权路 39 号财富广场(金座)18 楼			
经营范围	房地产开发、销售、物业管理、建筑材料的销售			

主要财务指标 指标＼报告期	2016.06.30	2015.12.31	2015.06.30	2014.12.31
基本每股收益(元)	0.0700	0.0500	0.0900	0.1300
基本每股收益(扣除后)(元)	0.0700	0.0300	0.0500	0.0600
稀释每股收益(元)	0.0700	0.0500	0.0900	0.1300
每股净资产(元)	2.6496	2.5867	3.9787	3.4615
每股经营现金净流量(元)	-0.0301	-0.1637	-0.2212	-0.3397
每股现金流量(元)	-0.0183	0.1136	0.1097	0.0168
每股资本公积金(元)	1.4586	1.4586	2.6587	2.1828
每股盈余公积金(元)	0.0169	0.0169	0.0387	0.0413
每股未分配利润(元)	0.1667	0.1056	0.2709	0.2293
净资产收益率(%)	2.6828	1.0384	2.2811	3.0909
加权净资产收益率(%)	2.7100	1.8300	2.7600	6.4900
净资产收益率(扣除)(%)	2.6189	0.7198	1.1534	1.3534
总资产(万元)	841338.45	830494.91	656090.06	629146.49
归属母公司股东权益(万元)	464416.14	453398.34	304801.56	248742.47
营业收入(万元)	115428.10	171656.71	87548.46	127000.38
营业支出(万元)	80141.31	132142.06	67752.42	99884.89
投资收益(万元)	-634.89	4318.84	4513.31	486.23
净利润(万元)	11624.43	3100.35	6221.50	7576.38
营业利润(万元)	14334.22	1438.85	6668.51	3617.72
利润总额(万元)	14662.30	5073.68	7268.68	9613.79

上海丰华(集团)股份有限公司

公司概况				
公司名称	上海丰华(集团)股份有限公司		证券简称	丰华股份
法人代表	涂建敏	董秘 曹际东	证券代码	600615
公司网址	www.fenghwa.sh.cn		电子信箱	gfzhang615@163.com
电　话	021-58702762		传　真	021-58702762
办公地址	上海市浦东新区浦建路 76 号由由国际广场 901 室			
经营范围	房地产开发、房屋租赁、物业管理、酒店管理、对外投资等			

主要财务指标 指标＼报告期	2016.06.30	2015.12.31	2015.06.30	2014.12.31
基本每股收益(元)	0.0410	0.0190	0.0340	0.0700
基本每股收益(扣除后)(元)	0.0200	-0.0280	-0.0070	-0.0240
稀释每股收益(元)	0.0410	0.0190	0.0340	0.0700
每股净资产(元)	2.5723	2.5366	2.6513	2.6170
每股经营现金净流量(元)	-0.0509	-0.1017	-0.0469	-0.1246
每股现金流量(元)	1.6609	0.0556	1.9230	0.0081
每股资本公积金(元)	2.3189	2.3189	2.4467	2.4467
每股盈余公积金(元)	0.3140	0.3140	0.3140	0.3140
每股未分配利润(元)	-1.0839	-1.1248	-1.1095	-1.1438
净资产收益率(%)	1.5933	0.7471	1.2938	2.6738
加权净资产收益率(%)	1.6040	0.7200	1.3020	2.7100
净资产收益率(扣除)(%)	0.7827	-1.0928	-0.2726	-0.9001
总资产(万元)	63366.10	62899.22	63659.59	64142.10
归属母公司股东权益(万元)	48363.73	47692.91	49849.30	49204.34
营业收入(万元)	4987.90	8184.00	3569.85	7054.32
营业支出(万元)	3640.32	6334.74	2683.67	5812.97
投资收益(万元)	541.02	1255.89	1024.35	2316.35
净利润(万元)	804.96	763.97	824.54	1531.73
营业利润(万元)	910.23	919.16	954.17	1577.85
利润总额(万元)	889.96	842.18	962.38	1640.09

上海金枫酒业股份有限公司

公司概况					
公司名称	上海金枫酒业股份有限公司			证券简称	金枫酒业
法人代表	龚如杰	董秘	张黎云	证券代码	600616
公司网址	www.jinfengwine.com		电子信箱	lily@jinfengwine.com	
电　话	021-58352625　50812727*908		传　真	021-58352620	
办公地址	上海市普陀区宁夏路777号(海棠大厦内)				
经营范围	食品销售管理(非实物方式)、酒、仓储货运、租赁				

主要财务指标

指标\报告期	2016.06.30	2015.12.31	2015.06.30	2014.12.31
基本每股收益(元)	0.0700	0.1500	0.0700	0.1400
基本每股收益(扣除后)(元)	0.0600	0.1400	0.0700	0.1200
稀释每股收益(元)	0.0700	0.1500	0.0700	0.1400
每股净资产(元)	3.8213	3.8033	3.7248	3.7026
每股经营现金净流量(元)	-0.0950	0.3117	-0.0545	0.1641
每股现金流量(元)	-0.3003	-0.1736	-0.5317	0.2988
每股资本公积金(元)	1.0298	1.0298	1.0298	1.0298
每股盈余公积金(元)	0.1217	0.1217	0.1159	0.1159
每股未分配利润(元)	1.6698	1.6518	1.5792	1.5570
净资产收益率(%)	1.7778	3.9634	1.9394	3.7447
加权净资产收益率(%)	1.7700	4.0100	1.9300	4.0700
净资产收益率(扣除)(%)	1.6742	3.7497	1.9406	3.0785
总资产(万元)	221311.64	246546.41	234523.03	221132.17
归属母公司股东权益(万元)	196649.31	195726.41	191686.60	190542.09
营业收入(万元)	48002.66	106721.50	44153.73	94154.85
营业支出(万元)	25035.76	54963.83	22241.72	48778.18
投资收益(万元)	398.66	1416.92	727.04	1574.36
净利润(万元)	3222.58	7040.15	3304.01	6819.47
营业利润(万元)	4486.64	9671.01	4821.04	7757.99
利润总额(万元)	4759.41	10293.94	4817.24	9453.32

山西省国新能源股份有限公司

公司概况					
公司名称	山西省国新能源股份有限公司			证券简称	国新能源
法人代表	刘军	董秘	张帆	证券代码	600617
公司网址	www.600617.net		电子信箱	zhangfan600617@163.com	
电　话	0351—2981617		传　真	0351—2981616	
办公地址	山西省太原市高新技术产业开发区中心街6号				
经营范围	生产销售聚酯切片、合成纤维及深加工产品、投资兴办企业、销售自产产品				

主要财务指标

指标\报告期	2016.06.30	2015.12.31	2015.06.30	2014.12.31
基本每股收益(元)	0.2690	0.5344	0.2608	0.7367
基本每股收益(扣除后)(元)	0.2669	0.5307	0.2596	0.7083
稀释每股收益(元)	0.2690	0.5344	0.2608	0.7367
每股净资产(元)	3.3658	3.2446	2.3297	3.5171
每股经营现金净流量(元)	0.0221	0.8137	0.1590	0.0600
每股现金流量(元)	0.2238	0.7369	-0.1060	0.2717
每股资本公积金(元)	0.8829	0.8829	0.0466	0.7792
每股盈余公积金(元)	0.0916	0.0916	0.0434	0.0738
每股未分配利润(元)	1.3845	1.2654	1.2397	1.6641
净资产收益率(%)	7.9930	15.4058	11.1940	20.8588
加权净资产收益率(%)	7.9600	22.2800	11.8600	23.8400
净资产收益率(扣除)(%)	7.9303	15.2978	11.1416	20.0540
总资产(万元)	1899428.48	1733081.02	1556749.72	1422759.34
归属母公司股东权益(万元)	365074.37	351927.81	234867.90	208576.75
营业收入(万元)	330888.31	676441.16	334751.30	550286.08
营业支出(万元)	246147.48	513426.80	259153.93	432563.00
投资收益(万元)	437.49	39.34	157.32	2871.04
净利润(万元)	28051.22	53693.32	26710.62	44034.62
营业利润(万元)	38172.85	73783.14	36093.28	58074.41
利润总额(万元)	38609.12	74061.01	36196.27	58345.38

上海氯碱化工股份有限公司

公司概况					
公司名称	上海氯碱化工股份有限公司			证券简称	氯碱化工
法人代表	黄岱列	董秘	董燕	证券代码	600618
公司网址	www.scacc.com		电子信箱	dshmss@scacc.com	
电　话	021-23533113　64342640		传　真	021-64340817	
办公地址	上海市闵行区龙吴路4747号				
经营范围	聚氯乙烯、烧碱、氯系列等基本化工原料及加工产品				

主要财务指标

指标\报告期	2016.06.30	2015.12.31	2015.06.30	2014.12.31
基本每股收益(元)	0.0107	0.0827	-0.0421	-0.5124
基本每股收益(扣除后)(元)	0.0394	-0.0272	0.0396	-0.2267
稀释每股收益(元)	0.0107	0.0827	-0.0421	-0.5124
每股净资产(元)	1.9768	1.9557	1.8363	1.8719
每股经营现金净流量(元)	0.1757	0.2645	0.0531	-0.0251
每股现金流量(元)	0.1590	-0.1402	0.1005	-0.1477
每股资本公积金(元)	1.4478	1.4478	1.4557	1.4557
每股盈余公积金(元)	0.0098	0.0098	0.0098	0.0098
每股未分配利润(元)	-0.5019	-0.5126	-0.6373	-0.5953
净资产收益率(%)	0.5396	4.2279	-2.2905	-27.3717
加权净资产收益率(%)	0.5425	4.3130	-2.2680	-24.4467
净资产收益率(扣除)(%)	1.9940	-1.3892	2.1572	-12.1117
总资产(万元)	490123.83	484785.44	593831.53	575471.76
归属母公司股东权益(万元)	228593.76	226154.50	212349.19	216465.55
营业收入(万元)	311854.23	617087.42	317090.90	701540.93
营业支出(万元)	287718.13	555943.98	286446.12	637594.46
投资收益(万元)	4130.78	14712.52	4416.83	6263.28
净利润(万元)	1147.62	10488.95	-4553.26	-58759.07
营业利润(万元)	1050.91	-10971.46	-4424.84	-59638.48
利润总额(万元)	1205.06	10956.19	-4361.82	-58296.80

上海海立(集团)股份有限公司

公司概况					
公司名称	上海海立(集团)股份有限公司			证券简称	海立股份
法人代表	沈建芳	董秘	罗敏	证券代码	600619
公司网址	www.highly.cc		电子信箱	luomin@highly.cc	
电　话	021-58547777　58547618		传　真	021-50326960	
办公地址	上海市浦东新区金桥出口加工区宁桥路888号				
经营范围	生产销售空调压缩机、冰箱压缩机以及除湿机压缩机等				

主要财务指标

指标\报告期	2016.06.30	2015.12.31	2015.06.30	2014.12.31
基本每股收益(元)	0.0400	0.0900	0.0800	0.1400
基本每股收益(扣除后)(元)	0.0300	0.0300	0.0500	0.1000
稀释每股收益(元)	0.0400	0.0900	0.0800	0.1400
每股净资产(元)	4.4392	4.4936	3.5805	3.5889
每股经营现金净流量(元)	0.2412	0.5853	0.1510	0.6935
每股现金流量(元)	0.2253	0.1808	-0.3448	0.2794
每股资本公积金(元)	2.4296	2.4296	1.2343	1.2242
每股盈余公积金(元)	0.2756	0.2756	0.3437	0.3437
每股未分配利润(元)	0.7201	0.7631	0.9780	1.0047
净资产收益率(%)	0.9458	1.7582	2.1413	3.9023
加权净资产收益率(%)	0.9300	2.3900	2.1100	3.9200
净资产收益率(扣除)(%)	0.6544	0.5938	1.3750	2.8493
总资产(万元)	1117807.73	1058917.22	874400.44	865139.56
归属母公司股东权益(万元)	384573.42	389286.73	239084.36	239647.53
营业收入(万元)	376520.05	589625.58	331342.14	680844.72
营业支出(万元)	321944.67	498371.05	285743.16	595327.06
投资收益(万元)	355.89	1696.98	565.51	2232.06
净利润(万元)	5620.52	10220.42	8353.89	13740.10
营业利润(万元)	5641.97	8411.96	8581.57	12591.12
利润总额(万元)	7543.57	13361.43	10605.88	16565.89

上海市天宸股份有限公司

公司概况	公司名称	上海市天宸股份有限公司		证券简称	天宸股份
	法人代表	叶茂菁	董秘 许旭羽	证券代码	600620
	公司网址	www.shstc.com		电子信箱	xuxuyu@shstc.com
	电　话	021-62782233		传　真	021-62789070
	办公地址	上海市长宁区仙霞路 8 号 29 楼			
	经营范围	实业投资、信息网络安全产品开发、国内贸易、房地产开发经营			

主要财务指标 指标\报告期	2016.06.30	2015.12.31	2015.06.30	2014.12.31
基本每股收益(元)	0.0776	0.1100	0.1536	0.1800
基本每股收益(扣除后)(元)	0.0547	0.0700	0.1150	0.0400
稀释每股收益(元)	0.0776	0.1100	0.1536	0.1800
每股净资产(元)	4.5527	9.2584	12.9992	1.8208
每股经营现金净流量(元)	-0.0240	-0.0139	-0.0040	0.2201
每股现金流量(元)	0.0055	0.0738	0.1320	0.1626
每股资本公积金(元)	0.0119	0.0128	0.0125	0.0172
每股盈余公积金(元)	0.1649	0.2474	0.2312	0.2312
每股未分配利润(元)	0.1237	0.6091	0.6703	0.5867
净资产收益率(%)	1.7047	1.1724	1.1817	9.6202
加权净资产收益率(%)	1.4500	1.9600	2.0700	9.7800
净资产收益率(扣除)(%)	1.2007	0.7565	0.8844	2.0001
总资产(万元)	389940.89	539471.19	767882.03	86035.27
归属母公司股东权益(万元)	312626.46	423835.37	595084.28	83354.04
营业收入(万元)	2250.52	4463.73	2557.07	3681.40
营业支出(万元)	1725.53	3242.71	1601.79	3235.02
投资收益(万元)	6888.92	8010.23	8280.33	11765.87
净利润(万元)	5271.57	4911.92	7034.99	7773.23
营业利润(万元)	5221.50	5393.95	7642.70	7680.91
利润总额(万元)	5303.97	5516.32	7653.69	7854.99

上海华鑫股份有限公司

公司概况	公司名称	上海华鑫股份有限公司		证券简称	华鑫股份
	法人代表	毛辰	董秘 胡之奎	证券代码	600621
	公司网址	www.shchinafortune.com		电子信箱	shcf@shchinafortune.com
	电　话	021-34612017 34698813		传　真	021-34698990
	办公地址	上海市田林路 142 号 G 楼 6 楼			
	经营范围	表面贴装、印刷电路板、网络产品与工程、电子设备、物业经营等			

主要财务指标 指标\报告期	2016.06.30	2015.12.31	2015.06.30	2014.12.31
基本每股收益(元)	0.2700	0.2488	0.3000	0.2953
基本每股收益(扣除后)(元)	0.2700	0.2163	0.3000	0.2844
稀释每股收益(元)	0.2700	0.2488	0.3000	0.2953
每股净资产(元)	3.7290	3.5309	3.6840	3.3453
每股经营现金净流量(元)	-0.6561	-0.0313	-0.1185	-0.0325
每股现金流量(元)	-0.2906	-0.9651	-0.7723	-0.2697
每股资本公积金(元)	0.4151	0.4151	0.4151	0.4151
每股盈余公积金(元)	0.3743	0.3743	0.3510	0.3510
每股未分配利润(元)	1.8839	1.6875	1.8514	1.5520
净资产收益率(%)	7.2774	7.0461	8.1268	8.8263
加权净资产收益率(%)	7.4200	7.2200	8.5200	9.0300
净资产收益率(扣除)(%)	7.1941	6.1253	8.0719	8.5008
总资产(万元)	391864.34	359959.26	334935.92	365767.78
归属母公司股东权益(万元)	195431.02	185047.90	193073.50	175323.32
营业收入(万元)	40667.62	36533.80	29854.27	59738.70
营业支出(万元)	10670.50	20699.72	8396.10	30536.65
投资收益(万元)	2158.65	6714.99	3600.12	2455.22
净利润(万元)	13074.79	11280.16	14944.15	15220.92
营业利润(万元)	15891.59	11508.46	19192.57	18871.92
利润总额(万元)	16117.30	12383.16	19311.82	18277.72

上海嘉宝实业(集团)股份有限公司

公司概况	公司名称	上海嘉宝实业(集团)股份有限公司		证券简称	嘉宝集团
	法人代表	钱明	董秘 孙红良	证券代码	600622
	公司网址	www.jbjt.com		电子信箱	jbdm@jbjt.com
	电　话	021-59529711		传　真	021-59536931
	办公地址	上海市嘉定区清河路 55 号 6-7F			
	经营范围	实业投资、国内贸易(除专项规定)、劳务服务、进出口业务等			

主要财务指标 指标\报告期	2016.06.30	2015.12.31	2015.06.30	2014.12.31
基本每股收益(元)	0.2040	0.5340	0.3570	0.6970
基本每股收益(扣除后)(元)	0.1800	0.3240	0.1600	0.4610
稀释每股收益(元)	0.2040	0.5340	0.3570	0.6970
每股净资产(元)	7.1893	6.1239	5.9559	5.7629
每股经营现金净流量(元)	1.3998	1.5353	0.2915	-3.0890
每股现金流量(元)	2.5306	1.6256	0.9705	-0.7591
每股资本公积金(元)	3.2807	1.1885	1.1885	1.2615
每股盈余公积金(元)	0.3096	0.4109	0.3900	0.3900
每股未分配利润(元)	2.4398	3.2575	3.1019	2.9545
净资产收益率(%)	2.7185	8.7199	6.0018	12.1005
加权净资产收益率(%)	2.8390	8.9900	5.9930	12.7800
净资产收益率(扣除)(%)	2.3999	5.2834	2.6798	8.0075
总资产(万元)	1142321.37	927909.19	890846.29	892793.34
归属母公司股东权益(万元)	490742.54	314956.01	306314.10	296389.02
营业收入(万元)	117869.02	209554.24	103355.42	163737.15
营业支出(万元)	81938.22	154042.14	78355.50	98476.74
投资收益(万元)	685.00	2205.87	2831.28	7745.08
净利润(万元)	13099.89	29403.59	19136.27	39966.02
营业利润(万元)	17291.81	28400.35	14289.03	39205.45
利润总额(万元)	18012.47	39756.42	25455.04	51766.69

上海华谊集团股份有限公司

公司概况	公司名称	上海华谊集团股份有限公司		证券简称	华谊集团
	法人代表	刘训峰	董秘 顾春林	证券代码	600623
	公司网址	www.doublecoinholdings.com		电子信箱	company@doublecoinholdings.com
	电　话	021-23530152 23530180		传　真	021-64456042-880152
	办公地址	上海市静安区常德路 809 号华谊综合大厦			
	经营范围	轮胎、制皂、电池、油墨等业务			

主要财务指标 指标\报告期	2016.06.30	2015.12.31	2015.06.30	2014.12.31
基本每股收益(元)	0.1000	0.3800	0.1600	0.7000
基本每股收益(扣除后)(元)	0.0400	-0.4800	-0.0600	-0.1620
稀释每股收益(元)	0.1000	0.3800	0.1600	0.7000
每股净资产(元)	7.5366	7.5931	3.3525	3.3983
每股经营现金净流量(元)	0.1425	1.8478	0.8977	-0.0387
每股现金流量(元)	-0.5117	0.9692	-0.3720	0.4030
每股资本公积金(元)	4.2362	4.2362	0.6824	8.2551
每股盈余公积金(元)	0.1047	0.1047	0.2481	0.8331
每股未分配利润(元)	2.1223	2.1300	0.9930	2.9028
净资产收益率(%)	1.2903	4.3791	-3.0661	11.3249
加权净资产收益率(%)	1.2900	5.6800	-3.0940	11.9200
净资产收益率(扣除)(%)	0.5137	-3.6314	-3.6816	-4.7598
总资产(万元)	3333759.46	3278720.43	1344805.02	3208915.93
归属母公司股东权益(万元)	1595821.03	1607787.63	298196.30	1176581.37
营业收入(万元)	1986945.93	4061631.13	585668.65	1473056.49
营业支出(万元)	1859434.57	3825383.59	523114.63	1314123.19
投资收益(万元)	29719.87	63875.45	997.00	14826.84
净利润(万元)	21285.40	52899.28	-23683.09	44946.72
营业利润(万元)	21793.60	-13465.25	-23279.13	-17780.13
利润总额(万元)	27493.69	71779.76	-21851.34	60946.32

上海复旦复华科技股份有限公司

公司概况					
公司名称	上海复旦复华科技股份有限公司			证券简称	复旦复华
法人代表	张陆洋	董秘	任琳芳	证券代码	600624
公司网址	www.forwardgroup.com		电子信箱	shareholder@forwardgroup.com	
电　话	021-63872288		传　真	021-63869700	
办公地址	上海市杨浦区国权路525号				
经营范围	电脑系统、通讯设备、自动化仪表、生物技术、光源照明等				

主要财务指标 指标\报告期	2016.06.30	2015.12.31	2015.06.30	2014.12.31
基本每股收益(元)	0.0441	0.0990	0.0453	0.1090
基本每股收益(扣除后)(元)	0.0310	0.0680	0.0435	0.0810
稀释每股收益(元)	0.0441	0.0990	0.0453	0.1090
每股净资产(元)	2.0405	2.0203	2.5500	2.5316
每股经营现金净流量(元)	–0.0888	0.1323	0.1624	0.0883
每股现金流量(元)	0.0437	–0.0559	0.0427	–0.2618
每股资本公积金(元)	0.6276	0.6276	1.1159	1.1159
每股盈余公积金(元)	0.0355	0.0355	0.0412	0.0412
每股未分配利润(元)	0.4096	0.3955	0.4355	0.4212
净资产收益率(%)	2.1609	4.9101	1.7776	3.9506
加权净资产收益率(%)	2.1600	4.9950	1.7700	5.2520
净资产收益率(扣除)(%)	1.5183	3.3615	1.7083	2.9086
总资产(万元)	188898.98	183714.01	167202.38	165424.01
归属母公司股东权益(万元)	107474.18	106411.44	103155.35	102569.84
营业收入(万元)	31229.75	71765.28	35348.84	100789.78
营业支出(万元)	20237.51	50404.16	25246.66	79248.38
投资收益(万元)	207.49	169.39	–27.97	–42.26
净利润(万元)	2612.73	5842.01	2071.86	4603.72
营业利润(万元)	2539.50	5378.52	2400.76	4140.16
利润总额(万元)	3236.73	7535.48	2611.87	5375.84

上海申达股份有限公司

公司概况					
公司名称	上海申达股份有限公司			证券简称	申达股份
法人代表	安秀清	董秘	陆志军	证券代码	600626
公司网址	www.cnshenda.com.cn		电子信箱	600626@sh-shenda.com	
电　话	021-62328282		传　真	021-62317250	
办公地址	上海市江宁路1500号申达国际大厦(近澳门路)				
经营范围	纺纱织布、两纱两布、各类纺织品服装、复制品及技术出口等				

主要财务指标 指标\报告期	2016.06.30	2015.12.31	2015.06.30	2014.12.31
基本每股收益(元)	0.1129	0.2393	0.0740	0.2078
基本每股收益(扣除后)(元)	0.0678	0.1197	0.0582	0.1727
稀释每股收益(元)	0.1129	0.2393	0.0740	0.2078
每股净资产(元)	3.3023	3.3166	3.1785	3.1745
每股经营现金净流量(元)	–0.1797	0.2045	–0.1442	–0.0307
每股现金流量(元)	–0.6187	0.4962	–0.3325	–0.5096
每股资本公积金(元)	0.2001	0.2001	0.2001	0.2001
每股盈余公积金(元)	0.9528	0.9528	0.9382	0.9382
每股未分配利润(元)	1.1326	1.1197	0.9689	0.9949
净资产收益率(%)	3.4192	7.2149	2.3267	6.5475
加权净资产收益率(%)	3.3700	7.3400	2.2800	6.7400
净资产收益率(扣除)(%)	2.0521	3.6091	1.8295	5.4416
总资产(万元)	502877.74	481536.71	405125.88	396901.95
归属母公司股东权益(万元)	234544.69	235561.65	225751.31	225464.14
营业收入(万元)	409940.78	770624.94	335942.40	701807.11
营业支出(万元)	366164.96	707469.55	311073.79	644354.61
投资收益(万元)	7062.64	12221.26	1056.58	6220.34
净利润(万元)	8454.27	18848.87	5985.21	16906.08
营业利润(万元)	12189.78	23159.02	6997.02	19645.16
利润总额(万元)	12586.78	24852.87	7515.62	21010.29

上海新世界股份有限公司

公司概况					
公司名称	上海新世界股份有限公司			证券简称	新 世 界
法人代表	徐若海	董秘	王文华	证券代码	600628
公司网址	www.newworld-china.com		电子信箱	xsjhuyi@163.com	
电　话	021-63588888 3329		传　真	021-63583331	
办公地址	上海市黄浦区南京西路2-88号				
经营范围	日用百货零售与批发、兼营房地产、酒店、旅游、投资咨询、成衣加工等				

主要财务指标 指标\报告期	2016.06.30	2015.12.31	2015.06.30	2014.12.31
基本每股收益(元)	0.0600	0.1000	0.0700	0.4500
基本每股收益(扣除后)(元)	–0.0100	0.0100	0.0600	0.3600
稀释每股收益(元)	0.0600	0.1000	0.0700	0.4500
每股净资产(元)	4.6148	4.7696	4.8926	4.8223
每股经营现金净流量(元)	0.3162	0.9402	0.2081	0.8780
每股现金流量(元)	0.2523	0.1986	–0.0649	–0.1849
每股资本公积金(元)	0.7089	0.8716	0.8716	0.8716
每股盈余公积金(元)	0.5445	0.5447	0.5371	0.5374
每股未分配利润(元)	2.3464	2.3304	2.4562	2.3900
净资产收益率(%)	1.3206	2.0583	1.3533	9.3449
加权净资产收益率(%)	1.3000	2.0300	1.3600	9.5900
净资产收益率(扣除)(%)	–0.1495	0.2029	1.3149	7.4878
总资产(万元)	470338.11	478475.47	476347.83	521457.21
归属母公司股东权益(万元)	245412.86	253646.47	260187.13	256450.50
营业收入(万元)	146145.57	311415.00	151570.31	333262.83
营业支出(万元)	102264.80	221188.91	106363.47	243486.40
投资收益(万元)	–13006.05	–20227.65	–7561.14	–211.62
净利润(万元)	3269.41	6208.07	4042.32	24799.48
营业利润(万元)	3954.04	8272.60	7339.21	27066.40
利润总额(万元)	7571.15	14492.88	7406.25	33196.47

华东建筑集团股份有限公司

公司概况					
公司名称	华东建筑集团股份有限公司			证券简称	华建集团
法人代表	秦云	董秘	徐志浩	证券代码	600629
公司网址	www.arcplus.com.cn		电子信箱	chenyl@lengguang.sh.cn	
电　话	021-62464018 52524567		传　真	021-62464000	
办公地址	上海市静安区石门二路258号				
经营范围	实业投资、自有房屋出租、石英玻璃、电子仪表、半导体材料、机电设备等				

主要财务指标 指标\报告期	2016.06.30	2015.12.31	2015.06.30	2014.12.31
基本每股收益(元)	0.2628	0.4181	0.0040	0.0130
基本每股收益(扣除后)(元)	0.1619	0.4308	–0.0090	–0.0820
稀释每股收益(元)	0.2628	0.4181	0.0040	0.0130
每股净资产(元)	2.3406	2.0550	2.2467	2.2426
每股经营现金净流量(元)	–1.0658	0.5796	0.7280	0.4324
每股现金流量(元)	–1.3661	0.1473	–0.0076	–0.9466
每股资本公积金(元)	0.5258	0.5258	1.7279	3.2093
每股盈余公积金(元)	0.2464	0.2464	0.1697	1.5038
每股未分配利润(元)	1.3230	1.0602	–0.6509	3.9798
净资产收益率(%)	11.2285	19.8742	0.1826	0.5641
加权净资产收益率(%)	11.9600	22.4400	0.1830	0.5660
净资产收益率(扣除)(%)	6.9160	20.4789	–0.4035	–3.6525
总资产(万元)	395804.35	418838.11	154318.61	388390.86
归属母公司股东权益(万元)	84039.90	73785.61	78185.30	56931.45
营业收入(万元)	174840.41	426780.19	21023.59	48497.96
营业支出(万元)	126390.29	304137.52	15329.47	36860.73
投资收益(万元)	2.40	112.70	270.49	224.75
净利润(万元)	9914.52	16001.27	–85.09	718.01
营业利润(万元)	8369.62	19305.27	–229.93	–3145.76
利润总额(万元)	12674.02	20507.16	336.15	854.78

上海龙头(集团)股份有限公司

公司概况						
	公司名称	上海龙头(集团)股份有限公司			证券简称	龙头股份
	法人代表	朱勇	董秘	陈峰	证券代码	600630
	公司网址	www.shanghaidragon.com.cn		电子信箱	ltdsh@shanghaidragon.com.cn	
	电　　话	021-34061116 63159108		传　　真	021-54666630 63158280	
	办公地址	上海市黄浦区制造局路 584 号 A 座 4 楼				
	经营范围	纺织品制造业、针织、家用纺织品、服装服饰及纺织品印染等				

主要财务指标	指标\报告期	2016.06.30	2015.12.31	2015.06.30	2014.12.31
	基本每股收益(元)	0.1200	0.1900	0.0900	0.1500
	基本每股收益(扣除后)(元)	0.0700	0.1100	0.0800	0.1200
	稀释每股收益(元)	0.1200	0.1900	0.0900	0.1500
	每股净资产(元)	4.0491	3.9888	3.8890	3.8404
	每股经营现金净流量(元)	−0.0681	−0.1116	−0.0320	0.2216
	每股现金流量(元)	−0.0901	−0.0014	−0.1118	0.0355
	每股资本公积金(元)	2.1955	2.1955	2.1955	2.1955
	每股盈余公积金(元)	0.0362	0.0362	0.0291	0.0291
	每股未分配利润(元)	0.7950	0.7344	0.6429	0.5961
	净资产收益率(%)	2.9276	4.7750	2.3594	3.8895
	加权净资产收益率(%)	2.9300	4.8600	2.3600	3.9700
	净资产收益率(扣除)(%)	1.7470	2.7970	2.0170	3.0241
	总资产(万元)	247974.27	239878.52	241029.91	230728.20
	归属母公司股东权益(万元)	172032.58	169469.97	165227.46	163162.97
	营业收入(万元)	193428.31	426331.64	196593.09	412726.18
	营业支出(万元)	149700.02	338896.23	154819.86	331516.89
	投资收益(万元)	689.30	3192.59	605.31	1600.14
	净利润(万元)	5056.73	8093.38	3898.51	6375.23
	营业利润(万元)	3543.41	8331.06	4235.82	6216.97
	利润总额(万元)	5778.22	10079.14	4990.16	7858.52

浙报数字文化集团股份有限公司

公司概况						
	公司名称	浙报数字文化集团股份有限公司			证券简称	浙数文化
	法人代表	张雪南	董秘	梁楠	证券代码	600633
	公司网址	www.600633.cn		电子信箱	zdm@600633.cn	
	电　　话	0571-85310949 85310180		传　　真	0571-85058016	
	办公地址	浙江省杭州市体育场路 178 号 26-27 楼				
	经营范围	传播与文化产业的投资、开发、管理及咨询服务				

主要财务指标	指标\报告期	2016.06.30	2015.12.31	2015.06.30	2014.12.31
	基本每股收益(元)	0.2567	0.5136	0.2381	0.4400
	基本每股收益(扣除后)(元)	0.1743	0.3448	0.1928	0.3800
	稀释每股收益(元)	0.2567	0.5136	0.2381	0.4400
	每股净资产(元)	3.6524	3.5562	3.2272	3.2091
	每股经营现金净流量(元)	−0.0365	0.3765	0.0312	0.4954
	每股现金流量(元)	−0.2976	0.0955	−0.2565	0.0960
	每股资本公积金(元)	1.3168	1.3177	1.2460	1.2459
	每股盈余公积金(元)	0.0877	0.0877	0.0654	0.0654
	每股未分配利润(元)	1.2479	1.1508	0.9159	0.8978
	净资产收益率(%)	7.0274	14.4423	7.3788	13.5657
	加权净资产收益率(%)	6.9700	15.1600	7.2300	14.0800
	净资产收益率(扣除)(%)	4.7724	9.6971	5.9751	11.9016
	总资产(万元)	727857.86	802106.26	695446.57	708486.09
	归属母公司股东权益(万元)	434011.69	422621.63	383479.64	381330.67
	营业收入(万元)	148197.02	345754.98	150505.40	306594.73
	营业支出(万元)	88494.28	200677.17	81295.42	163274.12
	投资收益(万元)	1974.69	41874.31	12367.12	7547.24
	净利润(万元)	33099.85	88244.89	36575.91	61146.50
	营业利润(万元)	25072.88	90143.25	37701.40	61255.09
	利润总额(万元)	37290.49	95027.24	39580.73	67422.55

上海富控互动娱乐股份有限公司

公司概况						
	公司名称	上海富控互动娱乐股份有限公司			证券简称	富控互动
	法人代表	王晓强	董秘	苏行嘉	证券代码	600634
	公司网址	www.zpzchina.com		电子信箱	zpz@zpzchina.com	
	电　　话	021-63288082		传　　真	021-63288083	
	办公地址	上海市黄浦区中山东二路 88 号外滩 SOHO-C 座 22 层				
	经营范围	预应力离心混凝土空心方桩、预应力混凝土管桩、U 型板桩				

主要财务指标	指标\报告期	2016.06.30	2015.12.31	2015.06.30	2014.12.31
	基本每股收益(元)	0.0600	0.2100	0.0700	0.2300
	基本每股收益(扣除后)(元)	0.0100	0.1600	0.0500	0.2000
	稀释每股收益(元)	0.0600	0.2100	0.0700	0.2300
	每股净资产(元)	4.4687	4.3328	4.1870	4.1033
	每股经营现金净流量(元)	−1.5012	0.4267	−0.2054	0.6399
	每股现金流量(元)	−0.1498	1.3159	0.1880	−0.0688
	每股资本公积金(元)	2.0960	1.9500	1.9500	1.9333
	每股盈余公积金(元)	0.1354	0.1354	0.1192	0.1192
	每股未分配利润(元)	1.2374	1.2474	1.1178	1.0508
	净资产收益率(%)	1.2313	4.9103	1.5991	5.7060
	加权净资产收益率(%)	1.2600	5.0400	1.6200	5.8400
	净资产收益率(扣除)(%)	0.2722	3.7848	1.2534	4.8405
	总资产(万元)	721259.37	664306.58	693338.15	677366.57
	归属母公司股东权益(万元)	257279.36	249451.90	241058.02	236239.19
	营业收入(万元)	65181.59	184106.16	83100.99	282326.86
	营业支出(万元)	45003.92	131491.25	60987.15	222679.12
	投资收益(万元)	631.63	−317.89	−268.54	−52.06
	净利润(万元)	3472.62	13279.37	4166.01	14533.14
	营业利润(万元)	2982.19	15418.27	4335.10	16682.87
	利润总额(万元)	4959.13	17954.76	5422.66	19832.07

上海大众公用事业(集团)股份有限公司

公司概况						
	公司名称	上海大众公用事业(集团)股份有限公司			证券简称	大众公用
	法人代表	杨国平	董秘	赵飞	证券代码	600635
	公司网址	www.dzug.cn		电子信箱	master@dzug.cn	
	电　　话	021-64280679		传　　真	021-64288727	
	办公地址	上海市徐汇区中山西路 1515 号大众大厦 8 楼				
	经营范围	交通运输业和城市燃气业等				

主要财务指标	指标\报告期	2016.06.30	2015.12.31	2015.06.30	2014.12.31
	基本每股收益(元)	0.1300	0.1900	0.1500	0.2100
	基本每股收益(扣除后)(元)	0.1300	0.1100	0.0800	0.1000
	稀释每股收益(元)	0.1300	0.1900	0.1500	0.2100
	每股净资产(元)	2.3722	2.3403	2.2023	2.6800
	每股经营现金净流量(元)	0.1873	0.1245	0.1382	0.4153
	每股现金流量(元)	0.1609	0.0079	0.1201	0.3469
	每股资本公积金(元)	0.0688	0.0686	0.0846	0.1260
	每股盈余公积金(元)	0.1735	0.1735	0.1592	0.2388
	每股未分配利润(元)	0.4555	0.3887	0.3649	0.8591
	净资产收益率(%)	5.3431	7.9861	6.7538	7.7234
	加权净资产收益率(%)	5.3800	9.0300	7.4600	8.1300
	净资产收益率(扣除)(%)	5.6553	4.5623	3.4239	3.8488
	总资产(万元)	1587601.78	1449300.28	1411616.84	1230575.71
	归属母公司股东权益(万元)	585297.85	577422.85	543386.26	440830.61
	营业收入(万元)	248813.07	452083.55	256649.67	413104.26
	营业支出(万元)	214658.44	389028.71	225299.78	368601.77
	投资收益(万元)	37593.63	65676.60	46088.88	52885.24
	净利润(万元)	37434.04	53305.98	38961.74	37425.64
	营业利润(万元)	44192.67	63826.95	50306.83	39781.24
	利润总额(万元)	43814.82	57049.19	42609.43	41676.42

上海三爱富新材料股份有限公司

公司概况				
公司名称	上海三爱富新材料股份有限公司		证券简称	三 爱 富
法人代表	徐忠伟	董秘 李莉	证券代码	600636
公司网址	www.sh3f.com		电子信箱	bod@sh3f.com
电　　话	021-64823549 64823552		传　　真	021-64823550
办公地址	上海市徐汇区漕溪路250号银海大楼A805室			
经营范围	有机氟原料及其产品的生产和销售			

主要财务指标 指标\报告期	2016.06.30	2015.12.31	2015.06.30	2014.12.31
基本每股收益(元)	0.0982	-0.6960	-0.0913	0.0170
基本每股收益(扣除后)(元)	0.0907	-0.6930	-0.1800	-0.2140
稀释每股收益(元)	0.0982	-0.7500	-0.0913	0.0170
每股净资产(元)	6.3336	6.2354	4.1581	4.2594
每股经营现金净流量(元)	0.3000	-0.1663	0.1920	-0.0934
每股现金流量(元)	0.2121	0.3938	2.6594	-0.0331
每股资本公积金(元)	3.3542	3.3542	0.2265	0.2265
每股盈余公积金(元)	0.2038	0.2038	0.2385	0.2385
每股未分配利润(元)	1.7851	1.6869	2.6969	2.7982
净资产收益率(%)	1.5502	-11.1599	-2.1961	0.3975
加权净资产收益率(%)	1.5600	-14.0900	-1.6400	0.3900
净资产收益率(扣除)(%)	1.4314	-11.1156	-4.2472	-5.0289
总资产(万元)	474187.69	456997.28	520840.84	388130.26
归属母公司股东权益(万元)	283075.64	278687.44	158820.06	162689.73
营业收入(万元)	230734.27	357119.06	216526.95	393993.31
营业支出(万元)	202419.21	324784.87	196783.75	356322.17
投资收益(万元)	160.49	469.54	116.71	967.63
净利润(万元)	7581.75	-30751.20	-1429.39	4913.76
营业利润(万元)	9762.50	-29729.74	-4433.55	-1992.06
利润总额(万元)	10104.78	-28564.29	428.54	8833.22

上海东方明珠新媒体股份有限公司

公司概况				
公司名称	上海东方明珠新媒体股份有限公司		证券简称	东方明珠
法人代表	张炜	董秘 孙文秋	证券代码	600637
公司网址	www.oriental-pearl.cn		电子信箱	dongban@bestv.com.cn
电　　话	021-33396637		传　　真	021-33396636
办公地址	上海市徐汇区宜山路757号百视通大厦			
经营范围	电子、信息、网络产品的设计、研究、开发、委托加工、销售、维修等			

主要财务指标 指标\报告期	2016.06.30	2015.12.31	2015.06.30	2014.12.31
基本每股收益(元)	0.4868	1.5332	0.6174	2.0697
基本每股收益(扣除后)(元)	0.2902	0.4254	0.2730	0.6554
稀释每股收益(元)	0.4868	1.5332	0.6174	2.0697
每股净资产(元)	9.6154	9.5192	10.2125	4.0137
每股经营现金净流量(元)	0.0607	0.3785	0.1532	0.9886
每股现金流量(元)	1.7101	0.1840	1.2830	0.3583
每股资本公积金(元)	4.5636	4.5636	5.5345	5.4685
每股盈余公积金(元)	0.4044	0.4044	0.3740	0.8820
每股未分配利润(元)	3.3180	3.0612	2.5262	4.9142
净资产收益率(%)	5.0630	11.6257	5.4544	17.5714
加权净资产收益率(%)	5.0063	14.4917	8.3490	19.1816
净资产收益率(扣除)(%)	3.0178	3.2259	1.1858	16.3287
总资产(万元)	3559254.43	3527898.11	3860709.30	2795256.20
归属母公司股东权益(万元)	2525531.00	2500255.67	2682358.32	1528855.82
营业收入(万元)	951146.22	2112597.12	1100232.25	297781.57
营业支出(万元)	755955.75	1652239.53	805631.64	162390.49
投资收益(万元)	58093.92	160301.08	42972.12	4957.24
净利润(万元)	135702.71	309030.55	175583.76	71005.18
营业利润(万元)	154924.28	359545.49	209882.96	73778.61
利润总额(万元)	167635.05	389595.11	225011.35	80217.39

上海新黄浦置业股份有限公司

公司概况				
公司名称	上海新黄浦置业股份有限公司		证券简称	新 黄 浦
法人代表	程齐鸣	董秘 程齐鸣(代)	证券代码	600638
公司网址	www.600638.com		电子信箱	stock@600638.com
电　　话	021-63238888		传　　真	021-63237777
办公地址	上海市黄浦区北京东路668号西楼32层			
经营范围	房地产开发经营及危旧房改造,物业管理等			

主要财务指标 指标\报告期	2016.06.30	2015.12.31	2015.06.30	2014.12.31
基本每股收益(元)	0.1439	0.4040	0.1468	0.3020
基本每股收益(扣除后)(元)	0.0906	0.1340	0.0981	0.2470
稀释每股收益(元)	0.1439	0.4040	0.1468	0.3020
每股净资产(元)	6.4567	6.4466	6.3165	6.1798
每股经营现金净流量(元)	-0.2792	0.8794	0.8282	0.5625
每股现金流量(元)	1.2985	-0.0811	0.6906	-0.9689
每股资本公积金(元)	1.8312	1.8312	1.8312	1.8312
每股盈余公积金(元)	0.5504	0.5504	0.5504	0.5504
每股未分配利润(元)	2.9658	2.9523	2.7950	2.6482
净资产收益率(%)	2.2288	6.2683	2.3247	4.8937
加权净资产收益率(%)	2.2100	6.3700	2.3500	4.9900
净资产收益率(扣除)(%)	1.4038	2.0710	1.5530	4.0030
总资产(万元)	1017271.42	937881.20	1011089.16	1010618.98
归属母公司股东权益(万元)	362326.89	361761.10	354456.50	346788.56
营业收入(万元)	70571.44	119444.13	63161.46	101178.78
营业支出(万元)	61912.38	100287.50	51123.20	75654.22
投资收益(万元)	5792.07	28786.49	6268.79	12324.04
净利润(万元)	9504.82	23338.55	8695.36	16714.67
营业利润(万元)	5556.68	24030.29	7182.77	15901.81
利润总额(万元)	10797.30	27862.56	9744.52	19199.45

上海金桥出口加工区开发股份有限公司

公司概况				
公司名称	上海金桥出口加工区开发股份有限公司		证券简称	浦东金桥
法人代表	黄国平	董秘 严少云	证券代码	600639
公司网址	www.58991818.com		电子信箱	jqir@58991818.com
电　　话	021-50307702		传　　真	021-50301533
办公地址	上海市浦东新区新金桥路27号1号楼			
经营范围	房地产开发和销售业务、房地产租赁业务、酒店公寓业务等			

主要财务指标 指标\报告期	2016.06.30	2015.12.31	2015.06.30	2014.12.31
基本每股收益(元)	0.3096	0.4706	0.2510	0.4627
基本每股收益(扣除后)(元)	0.3002	0.4592	0.2476	0.4439
稀释每股收益(元)	0.3096	-	0.2510	0.4627
每股净资产(元)	7.5996	8.1061	8.8294	6.2565
每股经营现金净流量(元)	0.1377	-1.6719	-0.6268	0.3109
每股现金流量(元)	0.3166	0.4470	0.0111	0.0421
每股资本公积金(元)	1.5226	1.5226	0.8707	0.8707
每股盈余公积金(元)	0.5768	0.5768	0.6400	0.6400
每股未分配利润(元)	2.7168	2.5473	2.8785	2.7676
净资产收益率(%)	4.0734	5.1824	2.8423	7.3949
加权净资产收益率(%)	3.9100	6.3500	3.3000	8.2400
净资产收益率(扣除)(%)	3.9502	5.0572	2.8040	7.0947
总资产(万元)	1806775.19	1770166.08	1575785.99	1241576.97
归属母公司股东权益(万元)	852993.42	909842.76	820094.69	581117.98
营业收入(万元)	77359.08	149964.41	74782.31	191425.10
营业支出(万元)	25823.85	54752.75	26245.37	85724.80
投资收益(万元)	6282.88	5601.16	3368.67	3363.91
净利润(万元)	34752.77	47151.95	25429.95	51802.71
营业利润(万元)	43171.08	60550.96	32935.28	63470.25
利润总额(万元)	44571.53	62033.39	33354.26	66127.18

号百控股股份有限公司

公司概况	公司名称	号百控股股份有限公司		证券简称	号百控股
	法人代表	王玮	董秘 李培忠	证券代码	600640
	公司网址	www.besttoneh.com	电子信箱	02162762171@189.cn	
	电　话	021-62762171	传　真	021-62763321	
	办公地址	上海市静安区江宁路 1207 号			
	经营范围	无线通信、图像、数据及各类通信产品、通信系统的设计、开发、开通等			

主要财务指标	指标＼报告期	2016.06.30	2015.12.31	2015.06.30	2014.12.31
	基本每股收益(元)	0.0253	0.0864	0.0795	0.1638
	基本每股收益(扣除后)(元)	-0.0073	-0.0342	-0.0014	0.0320
	稀释每股收益(元)	0.0253	0.0864	0.0795	0.1638
	每股净资产(元)	4.7562	4.7569	4.7501	4.7205
	每股经营现金净流量(元)	-0.1742	0.2230	-0.5097	0.0953
	每股现金流量(元)	-2.4533	1.7182	1.3938	-1.8159
	每股资本公积金(元)	2.5359	2.5359	2.5359	2.5359
	每股盈余公积金(元)	0.4293	0.4293	0.4259	0.4259
	每股未分配利润(元)	0.7910	0.7917	0.7883	0.7587
	净资产收益率(%)	0.5315	1.8162	1.6744	3.4705
	加权净资产收益率(%)	0.5300	1.8216	1.6708	3.5201
	净资产收益率(扣除)(%)	-0.1534	-0.7185	-0.0294	0.6788
	总资产(万元)	360367.95	368861.16	368534.41	373287.77
	归属母公司股东权益(万元)	254630.53	254669.14	254301.83	252720.72
	营业收入(万元)	123981.43	338098.91	154562.58	238127.42
	营业支出(万元)	105920.85	301381.62	136816.35	198076.73
	投资收益(万元)	1551.86	5813.09	3306.24	6740.43
	净利润(万元)	1545.73	5448.03	4554.69	9479.32
	营业利润(万元)	1906.24	4560.36	3463.00	11051.21
	利润总额(万元)	2619.78	6926.00	5735.64	12236.38

上海万业企业股份有限公司

公司概况	公司名称	上海万业企业股份有限公司		证券简称	万业企业
	法人代表	朱旭东	董秘 吴云韶	证券代码	600641
	公司网址	www.600641.com.cn	电子信箱	wyqy@vip.sina.com	
	电　话	021-50367718	传　真	021-50366858	
	办公地址	上海市浦东新区浦东大道 720 号 9 楼			
	经营范围	实业投资、资产经营、房地产开发经营、钢材、木材、建筑材料等			

主要财务指标	指标＼报告期	2016.06.30	2015.12.31	2015.06.30	2014.12.31
	基本每股收益(元)	0.0775	0.2623	0.1863	0.4968
	基本每股收益(扣除后)(元)	0.0711	0.2281	0.1721	0.1826
	稀释每股收益(元)	0.0775	0.2623	0.1863	0.4968
	每股净资产(元)	4.5976	4.6015	4.5274	4.4847
	每股经营现金净流量(元)	1.4929	1.8650	0.1303	0.7935
	每股现金流量(元)	-0.5672	0.5904	-0.3123	-0.3367
	每股资本公积金(元)	0.2373	0.2373	0.2373	0.2373
	每股盈余公积金(元)	1.0488	1.0243	0.9997	0.9869
	每股未分配利润(元)	2.2685	2.2956	2.2440	2.2206
	净资产收益率(%)	1.6851	5.7008	4.1142	11.0774
	加权净资产收益率(%)	1.6700	5.7400	4.0400	12.1000
	净资产收益率(扣除)(%)	1.5458	4.9568	3.8004	4.0705
	总资产(万元)	716801.35	674937.05	670071.75	720074.84
	归属母公司股东权益(万元)	370640.09	370954.93	364978.66	361541.28
	营业收入(万元)	89316.52	243764.52	97949.32	182590.05
	营业支出(万元)	72090.39	177692.13	62178.55	122924.74
	投资收益(万元)	359.13	298.20	4.88	33143.41
	净利润(万元)	6657.94	26363.40	17530.36	48314.69
	营业利润(万元)	8324.40	32485.51	21912.60	59337.69
	利润总额(万元)	8713.62	35285.90	23457.55	61777.96

申能股份有限公司

公司概况	公司名称	申能股份有限公司		证券简称	申能股份
	法人代表	吴建雄	董秘 周燕飞	证券代码	600642
	公司网址	www.shenergy.net.cn	电子信箱	zhengquan@shenergy.com.cn	
	电　话	021-63900642 33570888	传　真	021-33588616	
	办公地址	上海市长宁区虹井路 159 号 5 楼			
	经营范围	电力、石油天然气的投资、建设和经营管理			

主要财务指标	指标＼报告期	2016.06.30	2015.12.31	2015.06.30	2014.12.31
	基本每股收益(元)	0.2540	0.4680	0.3410	0.4530
	基本每股收益(扣除后)(元)	0.2460	0.4150	0.2940	0.4110
	稀释每股收益(元)	0.2540	0.4680	0.3410	0.4530
	每股净资产(元)	5.2645	5.2452	5.2042	5.1001
	每股经营现金净流量(元)	0.4047	0.7963	0.4332	0.9593
	每股现金流量(元)	0.1988	0.0472	0.0775	-0.0026
	每股资本公积金(元)	0.7084	0.7082	0.7083	0.7087
	每股盈余公积金(元)	2.4296	2.4296	2.1742	2.1742
	每股未分配利润(元)	0.9100	0.8556	0.9835	0.8428
	净资产收益率(%)	4.8318	8.9272	6.5468	8.8790
	加权净资产收益率(%)	4.8000	9.1000	6.5100	9.5500
	净资产收益率(扣除)(%)	4.6777	7.9106	5.6422	8.0626
	总资产(万元)	5144308.95	5156262.82	4570751.48	4475649.22
	归属母公司股东权益(万元)	2396436.66	2387632.36	2368952.34	2318527.54
	营业收入(万元)	1367444.41	2864892.84	1545549.36	2540740.78
	营业支出(万元)	1231445.52	2592105.35	1397796.31	2263461.33
	投资收益(万元)	75802.58	175086.79	132411.45	143850.66
	净利润(万元)	147715.72	262401.38	185084.15	271709.40
	营业利润(万元)	165628.75	317177.39	216912.03	318551.03
	利润总额(万元)	170157.83	324515.80	217575.24	326761.87

上海爱建集团股份有限公司

公司概况	公司名称	上海爱建集团股份有限公司		证券简称	爱建集团
	法人代表	范永进	董秘 侯学东	证券代码	600643
	公司网址	www.aj.com.cn	电子信箱	dongmi@aj.com.cn	
	电　话	021-64396600	传　真	021-64392118	
	办公地址	上海市徐汇区肇嘉浜路 746 号爱建金融大厦			
	经营范围	实业投资、投资管理、房地产开发、经营及咨询、外经贸部批准的进出口业务			

主要财务指标	指标＼报告期	2016.06.30	2015.12.31	2015.06.30	2014.12.31
	基本每股收益(元)	0.2170	0.3860	0.2090	0.4640
	基本每股收益(扣除后)(元)	0.2090	0.3060	0.1740	0.3330
	稀释每股收益(元)	0.2170	0.3860	0.2090	0.4640
	每股净资产(元)	4.2077	3.9983	3.8348	4.6610
	每股经营现金净流量(元)	0.3628	0.4491	0.1625	-0.7477
	每股现金流量(元)	0.2729	0.2552	0.0771	0.0159
	每股资本公积金(元)	1.7773	1.7773	1.7773	2.6104
	每股盈余公积金(元)	-	-	-	-
	每股未分配利润(元)	1.2308	1.0135	0.8854	0.8788
	净资产收益率(%)	5.1636	9.6531	5.4608	9.9454
	加权净资产收益率(%)	5.3000	10.1800	5.6400	10.3800
	净资产收益率(扣除)(%)	4.9558	7.6536	4.5405	7.1463
	总资产(万元)	1095160.74	1072827.51	990007.13	815315.34
	归属母公司股东权益(万元)	604699.99	574614.04	551110.69	515270.64
	营业收入(万元)	20267.73	36024.22	16953.79	35191.41
	营业支出(万元)	9800.97	15089.93	7334.46	17183.52
	投资收益(万元)	9340.52	17746.40	11111.72	18352.93
	净利润(万元)	31193.98	55435.87	30123.35	51201.63
	营业利润(万元)	43132.35	76345.30	41149.22	68403.00
	利润总额(万元)	43430.42	77081.85	41299.85	69264.19

乐山电力股份有限公司

公司概况					
公司名称	乐山电力股份有限公司			证券简称	乐山电力
法人代表	廖政权	董秘	王迅	证券代码	600644
公司网址	www.lsep.com.cn	电子信箱	600644@vip.163.com		
电　　话	0833-2445800	传　　真	0833-2445800		
办公地址	四川省乐山市市中区嘉定北路46号				
经营范围	电力设施承装、承修、承试等				

主要财务指标

指标\报告期	2016.06.30	2015.12.31	2015.06.30	2014.12.31
基本每股收益(元)	0.3069	0.2146	0.0689	-3.0025
基本每股收益(扣除后)(元)	0.0833	0.0559	0.0678	-4.3801
稀释每股收益(元)	0.3069	0.2146	0.0689	-3.0025
每股净资产(元)	2.1831	1.8763	1.7306	1.6617
每股经营现金净流量(元)	0.1871	0.2769	0.0514	0.0816
每股现金流量(元)	0.1923	-1.3368	-1.1344	1.4020
每股资本公积金(元)	2.5508	2.5508	2.5508	2.5508
每股盈余公积金(元)	0.1890	0.1890	0.1890	0.1890
每股未分配利润(元)	-1.5567	-1.8635	-2.0092	-2.0781
净资产收益率(%)	14.0561	11.4353	3.9805	-127.3465
加权净资产收益率(%)	15.1200	12.1300	4.0600	-406.4500
净资产收益率(扣除)(%)	3.8175	2.9781	3.9197	-185.7761
总资产(万元)	260691.63	241916.70	259431.50	266171.01
归属母公司股东权益(万元)	117538.81	101017.44	93174.57	89465.77
营业收入(万元)	91751.41	165491.74	77243.51	153981.03
营业支出(万元)	66726.02	118477.12	56324.94	112097.47
投资收益(万元)	648.67	255.21	164.52	85756.85
净利润(万元)	17068.33	12664.90	4144.24	-183838.25
营业利润(万元)	15552.19	9360.43	4937.66	-164114.46
利润总额(万元)	19262.58	18340.06	5462.36	-191005.71

中源协和细胞基因工程股份有限公司

公司概况					
公司名称	中源协和细胞基因工程股份有限公司			证券简称	中源协和
法人代表	李德福	董秘	夏亮	证券代码	600645
公司网址	www.vcanbio.com	电子信箱	zhongyuanxiehe@sohu.com		
电　　话	022-58617160	传　　真	022-58617161		
办公地址	天津市南开区华苑产业园区梅苑路12号				
经营范围	生命科学开发、干细胞基因工程产业化、风险投资、投资理财、投资咨询等				

主要财务指标

指标\报告期	2016.06.30	2015.12.31	2015.06.30	2014.12.31
基本每股收益(元)	0.0400	0.5400	0.7500	0.1000
基本每股收益(扣除后)(元)	0.0800	0.1400	0.1100	0.1000
稀释每股收益(元)	0.0400	0.5400	0.7500	0.1000
每股净资产(元)	4.0266	4.0219	4.1317	2.7503
每股经营现金净流量(元)	0.1998	0.0212	0.1240	0.5899
每股现金流量(元)	-0.2468	0.5652	0.2941	-1.3231
每股资本公积金(元)	2.8021	2.7451	2.7361	2.1121
每股盈余公积金(元)	0.0600	0.0600	0.0600	0.0617
每股未分配利润(元)	0.1693	0.1278	0.3356	-0.4235
净资产收益率(%)	1.0289	13.4122	18.0846	3.4350
加权净资产收益率(%)	1.0200	14.8800	20.7400	7.2800
净资产收益率(扣除)(%)	1.8879	3.3848	2.5328	3.5572
总资产(万元)	295584.59	281614.72	294424.59	241688.41
归属母公司股东权益(万元)	155462.50	155346.28	159587.94	103246.11
营业收入(万元)	36244.02	70899.49	33172.44	47686.46
营业支出(万元)	12421.98	24534.72	9873.70	12613.81
投资收益(万元)	-1085.20	12468.31	30511.64	1739.40
净利润(万元)	2510.63	21703.88	29459.98	4687.43
营业利润(万元)	3895.01	25237.78	36036.17	5684.00
利润总额(万元)	4303.74	26225.81	36262.25	6312.87

上海同达创业投资股份有限公司

公司概况					
公司名称	上海同达创业投资股份有限公司			证券简称	同达创业
法人代表	周立武	董秘	薛玉宝	证券代码	600647
公司网址	www.shtdcy.com	电子信箱	xueyb@126.com		
电　　话	021-68871928 61638809	传　　真	021-58792032		
办公地址	上海市浦东新区商城路660号乐凯大厦21楼				
经营范围	主要经营中式快餐连锁业及产品贸易代理				

主要财务指标

指标\报告期	2016.06.30	2015.12.31	2015.06.30	2014.12.31
基本每股收益(元)	0.5417	0.4897	0.4744	-0.0242
基本每股收益(扣除后)(元)	-0.0653	-0.0843	-0.1151	-0.1147
稀释每股收益(元)	0.5417	0.4897	0.4744	-0.0242
每股净资产(元)	2.4931	1.9694	1.9474	1.7319
每股经营现金净流量(元)	-0.0283	0.0830	0.0733	-0.2523
每股现金流量(元)	0.1465	0.4056	1.2256	-0.1283
每股资本公积金(元)	0.0049	0.0049	0.0049	0.0049
每股盈余公积金(元)	0.1525	0.1525	0.0972	0.0972
每股未分配利润(元)	1.3472	0.8054	0.8454	0.3710
净资产收益率(%)	21.7291	24.8656	24.3579	-1.3963
加权净资产收益率(%)	24.4200	26.4100	23.9200	-1.5400
净资产收益率(扣除)(%)	-2.6205	-4.2810	-5.9088	-6.6250
总资产(万元)	60252.24	54455.14	56218.45	53166.10
归属母公司股东权益(万元)	34689.63	27402.34	27097.48	24097.82
营业收入(万元)	2933.39	9989.77	6499.14	12816.82
营业支出(万元)	2301.06	6881.63	4190.76	9948.45
投资收益(万元)	10410.81	11312.57	10437.68	2053.08
净利润(万元)	7486.28	6815.40	6659.81	-1622.47
营业利润(万元)	10174.59	9240.05	9083.11	-1177.78
利润总额(万元)	10177.45	9287.08	9097.91	-1096.37

上海外高桥集团股份有限公司

公司概况					
公司名称	上海外高桥集团股份有限公司			证券简称	外高桥
法人代表	舒榕斌	董秘	黄磷	证券代码	600648
公司网址	www.china-ftz.com	电子信箱	gudong@shwgq.com		
电　　话	021-51980848 58680088	传　　真	021-51980850		
办公地址	上海市浦东新区洲海路999号森兰国际大厦B座15-16楼				
经营范围	房地产开发与租赁、贸易及物流、酒店经营管理等				

主要财务指标

指标\报告期	2016.06.30	2015.12.31	2015.06.30	2014.12.31
基本每股收益(元)	0.3200	0.4800	0.2747	0.6400
基本每股收益(扣除后)(元)	0.2800	0.4300	0.2690	0.4600
稀释每股收益(元)	0.3200	0.4800	0.2747	0.6400
每股净资产(元)	7.9435	7.9417	7.8947	7.8290
每股经营现金净流量(元)	-0.3514	-0.3044	-0.6461	0.2164
每股现金流量(元)	-0.0667	-0.3793	0.0173	0.5634
每股资本公积金(元)	3.3120	3.5818	3.4372	3.4372
每股盈余公积金(元)	0.4971	0.4971	0.4176	0.4176
每股未分配利润(元)	2.7985	2.6253	2.4971	2.4124
净资产收益率(%)	4.0686	5.9825	3.4794	7.8525
加权净资产收益率(%)	3.9700	6.0252	3.4700	9.8400
净资产收益率(扣除)(%)	3.5052	5.4715	3.4071	5.6937
总资产(万元)	2849942.28	2926513.41	2787957.49	2615655.87
归属母公司股东权益(万元)	901863.29	918911.04	896325.08	888861.96
营业收入(万元)	396032.50	789484.60	352340.07	776113.42
营业支出(万元)	280166.54	596954.91	253149.39	586238.23
投资收益(万元)	1070.11	4546.29	3880.95	21311.27
净利润(万元)	38148.43	58309.20	33292.15	75063.17
营业利润(万元)	54590.73	79736.75	46140.11	97701.92
利润总额(万元)	55424.48	85411.30	46629.17	101471.40

上海城投控股股份有限公司

公司概况						
	公司名称	上海城投控股股份有限公司			证券简称	城投控股
	法人代表	陆建成	董秘	俞有勤	证券代码	600649
	公司网址	www.sh600649.com			电子信箱	ctkg@600649sh.com
	电　话	021-66981556 66981171			传　真	021-66986655
	办公地址	上海市虹口区吴淞路 130 号				
	经营范围	从事原水供应业务				

主要财务指标	指标\报告期	2016.06.30	2015.12.31	2015.06.30	2014.12.31
	基本每股收益(元)	0.5000	1.2100	0.9900	0.6600
	基本每股收益(扣除后)(元)	0.3600	0.4700	0.2800	0.4300
	稀释每股收益(元)	0.5000	1.2100	0.9900	0.6600
	每股净资产(元)	7.0647	6.7775	6.6424	5.5830
	每股经营现金净流量(元)	0.0445	1.0523	0.2497	0.3772
	每股现金流量(元)	-0.0317	0.4567	0.5967	-0.0404
	每股资本公积金(元)	1.3608	1.3762	1.3762	1.2029
	每股盈余公积金(元)	0.6181	0.6181	0.5110	0.5110
	每股未分配利润(元)	3.8442	3.3458	3.2331	2.4439
	净资产收益率(%)	7.0546	17.8385	14.8918	11.8016
	加权净资产收益率(%)	7.2000	19.5700	15.9200	12.7700
	净资产收益率(扣除)(%)	5.0508	6.9436	4.1444	7.6414
	总资产(万元)	4260300.62	4381941.20	4425932.71	4162056.96
	归属母公司股东权益(万元)	2110599.21	2024806.75	1984425.17	1667924.38
	营业收入(万元)	483205.36	797694.54	269012.91	493073.78
	营业支出(万元)	318001.26	597277.74	180578.69	309822.67
	投资收益(万元)	87595.45	369128.87	332838.80	149844.49
	净利润(万元)	150293.98	362480.77	296397.42	199130.21
	营业利润(万元)	182731.64	451422.81	370995.74	243772.11
	利润总额(万元)	189166.74	457916.55	373754.62	249802.47

上海锦江国际实业投资股份有限公司

公司概况						
	公司名称	上海锦江国际实业投资股份有限公司			证券简称	锦江投资
	法人代表	邵晓明	董秘	沈赟	证券代码	600650
	公司网址	www.jjtz.com			电子信箱	dshms@jjtz.com
	电　话	021-63218800			传　真	021-63213119
	办公地址	上海市黄浦区延安东路 100 号 28 楼				
	经营范围	宾馆、物业管理、俱乐部、商场、房地产开发经营、车辆服务、洗涤制衣等				

主要财务指标	指标\报告期	2016.06.30	2015.12.31	2015.06.30	2014.12.31
	基本每股收益(元)	0.2320	0.4020	0.2090	0.3880
	基本每股收益(扣除后)(元)	0.2320	0.3460	0.1830	0.3400
	稀释每股收益(元)	-	-	-	-
	每股净资产(元)	5.7237	6.2857	7.0005	4.2147
	每股经营现金净流量(元)	0.1743	0.5947	0.2105	0.6152
	每股现金流量(元)	-0.0094	-0.1589	0.0707	0.0255
	每股资本公积金(元)	0.7172	0.7172	0.7158	0.7158
	每股盈余公积金(元)	0.5194	0.5194	0.5194	0.5194
	每股未分配利润(元)	1.9776	1.9959	1.8026	1.8441
	净资产收益率(%)	4.0491	6.3913	2.9785	9.2139
	加权净资产收益率(%)	3.7800	7.6500	3.6400	9.4300
	净资产收益率(扣除)(%)	4.0533	5.5118	2.6121	8.0696
	总资产(万元)	466927.00	495472.24	564318.83	344765.47
	归属母公司股东权益(万元)	315727.73	346725.71	386153.50	232486.74
	营业收入(万元)	114480.37	219211.15	106393.75	218215.99
	营业支出(万元)	93380.97	177143.13	84415.73	173829.72
	投资收益(万元)	10517.84	17658.20	9249.94	19135.05
	净利润(万元)	15071.17	26775.46	13681.87	26758.92
	营业利润(万元)	16356.41	26940.67	15210.70	28384.48
	利润总额(万元)	16709.26	30694.70	15742.93	31928.17

上海飞乐音响股份有限公司

公司概况						
	公司名称	上海飞乐音响股份有限公司			证券简称	飞乐音响
	法人代表	蔡小庆	董秘	赵开兰	证券代码	600651
	公司网址	www.facs.com.cn			电子信箱	office@facs.com.cn
	电　话	021-59900651			传　真	021-33565001
	办公地址	上海市徐汇区桂林路 406 号 1 号楼 11-13 层				
	经营范围	IC 卡、绿色照明、其他电子产品的生产和销售等				

主要财务指标	指标\报告期	2016.06.30	2015.12.31	2015.06.30	2014.12.31
	基本每股收益(元)	0.0560	0.3820	0.0720	0.0870
	基本每股收益(扣除后)(元)	0.0370	0.3700	0.0700	0.0670
	稀释每股收益(元)	0.0560	0.3820	0.0720	0.0870
	每股净资产(元)	3.2036	3.3073	3.0474	2.9411
	每股经营现金净流量(元)	-1.2648	-0.5776	-0.4887	0.0100
	每股现金流量(元)	-0.0955	0.2988	0.0513	0.1788
	每股资本公积金(元)	1.4530	1.4553	1.4632	1.4632
	每股盈余公积金(元)	0.0536	0.0536	0.0490	0.0490
	每股未分配利润(元)	0.7327	0.7938	0.5085	0.4401
	净资产收益率(%)	1.7623	11.5434	2.3579	2.2303
	加权净资产收益率(%)	1.6940	12.1600	2.4150	5.3250
	净资产收益率(扣除)(%)	1.3071	11.1923	2.2950	1.7113
	总资产(万元)	1216316.44	837041.67	621143.97	554280.63
	归属母公司股东权益(万元)	315628.63	325846.43	300240.76	289766.73
	营业收入(万元)	302719.69	507181.12	147380.10	213414.69
	营业支出(万元)	215456.31	402654.43	112279.83	167017.53
	投资收益(万元)	2795.84	11921.12	6929.61	2916.73
	净利润(万元)	6384.54	38777.48	7552.00	7773.94
	营业利润(万元)	8511.79	44688.31	9297.40	7873.40
	利润总额(万元)	10544.75	48617.91	9560.07	9923.41

上海游久游戏股份有限公司

公司概况						
	公司名称	上海游久游戏股份有限公司			证券简称	游久游戏
	法人代表	肖勇	董秘	张亮	证券代码	600652
	公司网址	www.u9game.com.cn			电子信箱	zhangliang@u9game.com.cn
	电　话	021-64710022*8818			传　真	021-64711120
	办公地址	上海市徐汇区肇嘉浜路 666 号				
	经营范围	从事游戏制作、运营的技术开发、技术服务、技术咨询、技术转让等				

主要财务指标	指标\报告期	2016.06.30	2015.12.31	2015.06.30	2014.12.31
	基本每股收益(元)	0.0279	0.0900	0.0277	-0.2300
	基本每股收益(扣除后)(元)	0.0240	-0.0800	0.0200	-0.2600
	稀释每股收益(元)	0.0279	0.0900	0.0277	-0.2300
	每股净资产(元)	2.5156	2.4914	2.4614	2.3851
	每股经营现金净流量(元)	0.0238	0.4287	0.3392	0.1312
	每股现金流量(元)	-0.2468	0.2378	0.0042	0.0564
	每股资本公积金(元)	1.0696	1.0696	1.0696	1.0696
	每股盈余公积金(元)	0.0275	0.0275	0.0198	0.0198
	每股未分配利润(元)	0.4055	0.3776	0.3234	0.2957
	净资产收益率(%)	1.1091	3.5967	1.1266	-6.9126
	加权净资产收益率(%)	1.1100	3.6800	1.1400	-12.7900
	净资产收益率(扣除)(%)	0.9434	-3.1214	0.8067	-7.7736
	总资产(万元)	252087.25	244619.50	434022.45	447527.57
	归属母公司股东权益(万元)	209475.69	207456.00	204961.90	198607.44
	营业收入(万元)	15122.73	142047.70	92469.14	167523.82
	营业支出(万元)	3582.34	90620.97	56479.06	124441.48
	投资收益(万元)	-3029.72	13328.49	1900.73	1704.86
	净利润(万元)	2323.29	-2144.02	-1410.40	-21215.05
	营业利润(万元)	2385.98	-3872.65	-1877.55	-24332.17
	利润总额(万元)	2530.98	-2268.48	-1476.20	-22109.64

上海申华控股股份有限公司

公司概况					
公司名称	上海申华控股股份有限公司			证券简称	申华控股
法人代表	祁玉民	董秘	翟锋	证券代码	600653
公司网址	www.shkg.com.cn		电子信箱	stock@shkg.com.cn	
电　话	021-63372010　63372011		传　真	021-63372000	
办公地址	上海市黄浦区宁波路 1 号				
经营范围	实业投资、兴办各类经济实体、国内商业等				

主要财务指标 指标\报告期	2016.06.30	2015.12.31	2015.06.30	2014.12.31
基本每股收益(元)	–0.0441	0.0303	0.0314	–0.1139
基本每股收益(扣除后)(元)	–0.0815	–0.2010	–0.0992	–0.1365
稀释每股收益(元)	–0.0441	0.0303	0.0314	–0.1139
每股净资产(元)	1.1477	1.0370	1.0732	1.0731
每股经营现金净流量(元)	–0.0235	0.1698	0.0066	0.0294
每股现金流量(元)	–0.1016	–0.0204	–0.0508	0.0323
每股资本公积金(元)	0.1780	0.0227	0.0226	0.0226
每股盈余公积金(元)	–	–	–	–
每股未分配利润(元)	–0.0352	0.0074	0.0084	–0.0230
净资产收益率(%)	–3.6454	2.9256	2.9263	–10.6165
加权净资产收益率(%)	–4.0270	2.8760	2.9260	–10.1960
净资产收益率(扣除)(%)	–6.7376	–19.3839	–9.2466	–12.7232
总资产(万元)	907429.08	865457.10	767128.69	803564.88
归属母公司股东权益(万元)	223379.64	181107.97	187421.82	187396.39
营业收入(万元)	468553.69	715235.03	299012.15	629964.67
营业支出(万元)	463332.58	697722.21	292377.79	607027.32
投资收益(万元)	2831.70	20541.31	14723.51	1163.22
净利润(万元)	–7331.93	5525.52	5653.82	–18034.47
营业利润(万元)	–13389.29	–15032.52	–3066.27	–21021.29
利润总额(万元)	–6660.65	6625.04	6072.58	–17145.52

中安消股份有限公司

公司概况					
公司名称	中安消股份有限公司			证券简称	中安消
法人代表	涂国身	董秘	王蕾	证券代码	600654
公司网址	www.600654.com		电子信箱	zqtzb@zhonganxiao.com	
电　话	021-60730327　62512629		传　真	021-60730335　62517323	
办公地址	上海市普陀区丹巴路 28 弄旭辉世纪广场 9 号楼 4 层				
经营范围	计算机系统集成，计算机软件领域的技术开发、技术转让、技术咨询等				

主要财务指标 指标\报告期	2016.06.30	2015.12.31	2015.06.30	2014.12.31
基本每股收益(元)	0.1600	0.2200	0.0800	0.6500
基本每股收益(扣除后)(元)	0.0400	0.1800	0.0400	0.4700
稀释每股收益(元)	0.1600	0.2200	0.0800	0.6500
每股净资产(元)	2.2627	2.2657	2.2598	2.2851
每股经营现金净流量(元)	–0.1985	–0.8946	0.3774	–0.0680
每股现金流量(元)	–0.5281	0.4537	0.5430	0.2018
每股资本公积金(元)	0.7812	0.9037	0.8693	0.8786
每股盈余公积金(元)	0.0798	0.0798	0.0134	0.0134
每股未分配利润(元)	0.3526	0.3570	0.3790	0.4617
净资产收益率(%)	8.5786	9.6361	3.7658	7.2611
加权净资产收益率(%)	6.7200	8.3400	3.3500	44.1300
净资产收益率(扣除)(%)	1.5881	8.0668	1.9435	7.0064
总资产(万元)	752380.36	660014.80	478427.32	499757.47
归属母公司股东权益(万元)	290308.61	305761.52	289943.47	271636.54
营业收入(万元)	133337.84	197616.43	67613.03	115559.86
营业支出(万元)	97607.79	134722.58	44908.35	75096.54
投资收益(万元)	–43.63	200.26	9.61	–
净利润(万元)	24904.27	28011.58	10918.58	19098.33
营业利润(万元)	33741.19	31708.94	10685.82	21984.60
利润总额(万元)	33963.02	32661.46	13429.67	22353.95

上海豫园旅游商城股份有限公司

公司概况					
公司名称	上海豫园旅游商城股份有限公司			证券简称	豫园商城
法人代表	徐晓亮	董秘	蒋伟	证券代码	600655
公司网址	www.yuyuantm.com.cn		电子信箱	obd@yuyuantm.com.cn	
电　话	021-63559999		传　真	021-23028573	
办公地址	上海市黄浦区方浜中路 269 号				
经营范围	综合百货、黄金饰品、餐饮业、食品、烟酒饮料、进出口贸易等				

主要财务指标 指标\报告期	2016.06.30	2015.12.31	2015.06.30	2014.12.31
基本每股收益(元)	0.0990	0.5620	0.2850	0.6980
基本每股收益(扣除后)(元)	0.0790	0.4750	0.2170	0.5840
稀释每股收益(元)	0.0990	0.5620	0.2850	0.6980
每股净资产(元)	6.6331	5.5321	5.3730	5.2245
每股经营现金净流量(元)	0.3188	–0.2136	–0.4322	0.2460
每股现金流量(元)	–0.0197	0.1093	–0.1718	0.0692
每股资本公积金(元)	0.5791	0.5790	0.6070	0.6070
每股盈余公积金(元)	0.4622	0.4622	0.4103	0.4103
每股未分配利润(元)	3.9154	3.9860	3.2371	3.1618
净资产收益率(%)	1.4988	10.1518	5.3104	13.3563
加权净资产收益率(%)	1.6490	10.4840	5.3490	14.4200
净资产收益率(扣除)(%)	1.1922	8.5908	4.0351	11.1856
总资产(万元)	2065717.39	1817452.02	1467950.65	1383091.42
归属母公司股东权益(万元)	953393.63	870530.57	772270.82	750928.07
营业收入(万元)	878741.96	1755148.04	951154.29	1915289.35
营业支出(万元)	749111.13	1553854.46	846562.58	1717819.21
投资收益(万元)	–12829.51	50359.42	17916.84	62847.59
净利润(万元)	12239.33	81371.70	42233.76	102636.46
营业利润(万元)	14535.76	89857.88	46952.81	111543.66
利润总额(万元)	18600.40	96647.97	50220.19	116759.66

信达地产股份有限公司

公司概况					
公司名称	信达地产股份有限公司			证券简称	信达地产
法人代表	贾洪浩	董秘	陈戈	证券代码	600657
公司网址	www.cindare.com		电子信箱	dongban_dc@cinda.com.cn	
电　话	010-82190959		传　真	010-82190958	
办公地址	北京市海淀区中关村南大街甲 18 号北京国际大厦 A 座				
经营范围	房地产开发、经营、投资及物业管理				

主要财务指标 指标\报告期	2016.06.30	2015.12.31	2015.06.30	2014.12.31
基本每股收益(元)	0.0900	0.5600	0.1500	0.5000
基本每股收益(扣除后)(元)	–0.0500	0.5300	0.1500	0.3700
稀释每股收益(元)	0.0900	0.5600	0.1500	0.5000
每股净资产(元)	5.4262	5.5403	5.2632	5.1110
每股经营现金净流量(元)	–0.2237	–2.8509	–1.1167	–3.8262
每股现金流量(元)	2.0731	2.2424	1.5711	–0.3432
每股资本公积金(元)	1.0122	1.0121	1.0683	1.0683
每股盈余公积金(元)	–	–	–	–
每股未分配利润(元)	3.4140	3.4284	3.0187	2.9641
净资产收益率(%)	1.5765	10.1857	2.9368	9.8540
加权净资产收益率(%)	1.5400	10.6000	2.9500	10.3100
净资产收益率(扣除)(%)	–0.8489	9.4814	2.7817	7.3017
总资产(万元)	5963146.19	5218412.55	4252934.30	3771417.05
归属母公司股东权益(万元)	827091.58	844483.88	802242.32	779052.70
营业收入(万元)	306813.72	813559.29	216327.04	485049.38
营业支出(万元)	236528.33	577918.72	146683.29	311453.18
投资收益(万元)	25000.93	28603.27	10128.15	53254.71
净利润(万元)	11032.56	81273.16	23406.63	76108.99
营业利润(万元)	25246.31	103199.88	26055.46	93710.05
利润总额(万元)	27410.95	106218.71	26813.93	103148.86

北京电子城投资开发集团股份有限公司

公司概况					
公司名称	北京电子城投资开发集团股份有限公司			证券简称	电子城
法人代表	王岩	董秘	吕延强	证券代码	600658
公司网址	www.bez.com.cn		电子信箱	bez@bez.com.cn	
电话	010-58833515		传真	010-58833599	
办公地址	北京市朝阳区酒仙桥北路甲 10 号院 205 楼 6 层(电子城 IT 产业园 B5 楼 6 层)				
经营范围	移动通信、光通信、计算机硬件及网络开发等				

主要财务指标 指标\报告期	2016.06.30	2015.12.31	2015.06.30	2014.12.31
基本每股收益(元)	0.1700	0.9000	0.0700	0.8600
基本每股收益(扣除后)(元)	0.1700	0.8800	0.0600	0.8500
稀释每股收益(元)	0.1700	0.9000	0.0700	0.8600
每股净资产(元)	5.7529	5.8467	5.0437	5.2011
每股经营现金净流量(元)	-0.5093	1.0177	-0.1068	0.6826
每股现金流量(元)	0.0229	0.4605	-0.6308	0.4444
每股资本公积金(元)	1.1733	1.1725	1.1725	1.2081
每股盈余公积金(元)	0.2786	0.2786	0.2077	0.2077
每股未分配利润(元)	3.1897	3.2842	2.5255	2.7195
净资产收益率(%)	3.0327	15.3175	1.3078	16.4695
加权净资产收益率(%)	2.9600	16.2900	1.2500	17.5500
净资产收益率(扣除)(%)	2.9489	15.1124	1.1857	16.2995
总资产(万元)	542471.42	521737.77	430369.51	431300.22
归属母公司股东权益(万元)	333724.41	339164.38	292584.43	301716.56
营业收入(万元)	36850.81	174050.01	16522.88	138163.21
营业支出(万元)	12862.05	48681.40	8598.20	42869.24
投资收益(万元)	81.93	310.25	97.70	487.18
净利润(万元)	10083.04	51342.09	3333.99	48503.24
营业利润(万元)	13519.40	69135.71	4450.35	63606.15
利润总额(万元)	13559.65	69479.35	4711.88	64036.72

福耀玻璃工业集团股份有限公司

公司概况					
公司名称	福耀玻璃工业集团股份有限公司			证券简称	福耀玻璃
法人代表	曹德旺	董秘	李小溪	证券代码	600660
公司网址	www.fuyaogroup.com		电子信箱	600660@fuyaogroup.com	
电话	0591-85383777		传真	0591-85363983	
办公地址	福建省福清市福耀工业村 II 区				
经营范围	生产汽车玻璃、装饰玻璃和其他工业技术玻璃及玻璃安装、售后服务等				

主要财务指标 指标\报告期	2016.06.30	2015.12.31	2015.06.30	2014.12.31
基本每股收益(元)	0.5800	1.1000	0.5400	1.1100
基本每股收益(扣除后)(元)	0.5700	1.1000	0.5400	1.0900
稀释每股收益(元)	0.5800	1.1000	0.5400	1.1100
每股净资产(元)	6.4095	6.5409	5.9880	4.3926
每股经营现金净流量(元)	0.5920	1.2016	0.5212	1.5746
每股现金流量(元)	0.5915	2.1553	2.1201	0.0037
每股资本公积金(元)	2.4830	2.4830	2.4795	0.1048
每股盈余公积金(元)	0.5354	0.5354	0.4393	0.5502
每股未分配利润(元)	2.4614	2.6307	2.1727	2.8643
净资产收益率(%)	9.0604	15.8781	8.0917	25.2293
加权净资产收益率(%)	8.6600	18.8800	10.3300	27.0700
净资产收益率(扣除)(%)	8.9571	15.9098	8.1300	24.7222
总资产(万元)	2803957.64	2482697.14	2323286.76	1687559.40
归属母公司股东权益(万元)	1607887.77	1640862.74	1502170.80	879830.32
营业收入(万元)	758442.50	1357349.51	659132.55	1292818.17
营业支出(万元)	430652.97	781434.32	378227.59	745655.52
投资收益(万元)	206.59	2378.18	2110.60	3102.89
净利润(万元)	145751.13	260749.86	121813.01	221728.12
营业利润(万元)	176018.32	305123.99	133953.39	259160.07
利润总额(万元)	177925.01	304272.47	131805.37	263884.83

上海新南洋股份有限公司

公司概况					
公司名称	上海新南洋股份有限公司			证券简称	新南洋
法人代表	刘玉文	董秘	杨夏	证券代码	600661
公司网址	www.xin-ny.com		电子信箱	yangxia@xin-ny.com`	
电话	021-62826347 62818544		传真	021-62801900	
办公地址	上海市徐汇区番禺路 667 号六楼				
经营范围	高新技术产品的生产销售、教育产业投资、技工贸一体化服务等				

主要财务指标 指标\报告期	2016.06.30	2015.12.31	2015.06.30	2014.12.31
基本每股收益(元)	0.1481	0.2320	0.1190	0.2503
基本每股收益(扣除后)(元)	0.1213	0.1993	0.1140	0.1523
稀释每股收益(元)	0.1481	0.2320	0.1190	0.2503
每股净资产(元)	3.0798	3.2309	3.2081	3.2079
每股经营现金净流量(元)	0.6869	0.9677	0.2959	0.7609
每股现金流量(元)	0.3287	-0.2381	0.0345	0.3242
每股资本公积金(元)	0.9811	0.9811	0.9811	0.9811
每股盈余公积金(元)	0.1815	0.1719	0.1719	0.1719
每股未分配利润(元)	0.5739	0.5154	0.4021	0.2834
净资产收益率(%)	4.8079	7.1802	3.7004	7.5902
加权净资产收益率(%)	4.7080	7.3000	3.7010	12.0500
净资产收益率(扣除)(%)	3.9402	6.1689	3.5538	3.7871
总资产(万元)	198073.42	186085.12	169548.85	172297.91
归属母公司股东权益(万元)	79790.40	83704.15	83113.69	83108.71
营业收入(万元)	65369.09	116520.33	52338.07	116560.22
营业支出(万元)	37686.07	70247.56	32114.74	68454.32
投资收益(万元)	948.39	1305.67	1199.46	2812.13
净利润(万元)	4483.37	2072.63	635.34	5253.05
营业利润(万元)	5013.76	3226.09	1867.49	6835.71
利润总额(万元)	5898.06	4366.56	1980.91	7146.76

上海强生控股股份有限公司

公司概况					
公司名称	上海强生控股股份有限公司			证券简称	强生控股
法人代表	李仲秋	董秘	刘红威	证券代码	600662
公司网址	www.62580000.com.cn		电子信箱	liuhw@jiushi.com.cn	
电话	021-61353185 61353187		传真	021-61353135	
办公地址	上海市静安区南京西路 920 号 18 楼				
经营范围	汽车出租、公交汽车专线和汽车修理业务等				

主要财务指标 指标\报告期	2016.06.30	2015.12.31	2015.06.30	2014.12.31
基本每股收益(元)	0.0890	0.1710	0.0853	0.1776
基本每股收益(扣除后)(元)	0.0783	0.2027	0.0677	0.1604
稀释每股收益(元)	0.0890	0.1710	0.0853	0.1776
每股净资产(元)	3.1067	3.0175	3.0327	2.9474
每股经营现金净流量(元)	0.5885	0.8000	0.2572	0.6880
每股现金流量(元)	-0.0495	0.2423	-0.0563	0.0214
每股资本公积金(元)	0.7289	0.7285	0.7295	0.7295
每股盈余公积金(元)	0.4065	0.4065	0.3901	0.3901
每股未分配利润(元)	0.9714	0.8825	0.9131	0.8278
净资产收益率(%)	2.8637	5.6681	2.8139	6.0268
加权净资产收益率(%)	2.9100	5.7178	2.8500	6.1024
净资产收益率(扣除)(%)	2.5201	6.7191	2.2327	5.4413
总资产(万元)	681411.93	690563.71	641851.65	621672.64
归属母公司股东权益(万元)	327251.86	317846.99	319456.53	310467.37
营业收入(万元)	228901.38	472328.69	204166.99	455568.23
营业支出(万元)	189475.14	385138.80	170184.52	375110.59
投资收益(万元)	1176.53	2765.49	976.49	2697.05
净利润(万元)	10397.00	22498.43	10413.00	23054.11
营业利润(万元)	13728.32	32378.46	12176.72	27942.02
利润总额(万元)	14928.42	33123.67	14296.06	30426.02

上海陆家嘴金融贸易区开发股份有限公司

公司概况					
公司名称	上海陆家嘴金融贸易区开发股份有限公司			证券简称	陆家嘴
法人代表	徐而进	董秘	王辉	证券代码	600663
公司网址	www.ljz.com.cn		电子信箱	invest@ljz.com.cn	
电　话	021-33848801		传　真	021-33848818	
办公地址	上海市浦东新区杨高南路729号陆家嘴世纪金融广场1号楼27楼以及31楼				
经营范围	房地产开发、经营、销售、出租和中介等				

主要财务指标 指标\报告期	2016.06.30	2015.12.31	2015.06.30	2014.12.31
基本每股收益(元)	0.2622	1.0173	0.3608	0.8575
基本每股收益(扣除后)(元)	0.2563	0.9686	0.3537	0.7738
稀释每股收益(元)	0.2622	1.0173	0.3608	0.8575
每股净资产(元)	3.8137	6.9590	6.4419	6.1726
每股经营现金净流量(元)	0.2849	1.7687	0.1601	-0.5330
每股现金流量(元)	0.9984	-0.4498	0.5209	-0.1921
每股资本公积金(元)	0.0116	0.0208	0.0208	0.0208
每股盈余公积金(元)	0.8164	1.4696	1.3529	1.3529
每股未分配利润(元)	1.9047	4.2645	3.7247	3.7927
净资产收益率(%)	6.8759	14.6186	5.6008	13.8916
加权净资产收益率(%)	6.5900	15.6600	5.6500	14.6800
净资产收益率(扣除)(%)	6.7197	13.9192	5.4913	12.5366
总资产(万元)	5377393.74	5244890.28	4876080.14	4562074.66
归属母公司股东权益(万元)	1282092.57	1299726.24	1203134.80	1152852.84
营业收入(万元)	378847.62	563135.79	250534.32	511689.88
营业支出(万元)	157327.42	255832.42	107451.20	200791.95
投资收益(万元)	18188.13	109811.53	21371.11	47965.72
净利润(万元)	117167.32	212190.49	74787.36	174762.34
营业利润(万元)	151510.36	268107.99	95829.69	221635.32
利润总额(万元)	153527.53	277503.15	96653.00	224362.60

哈药集团股份有限公司

公司概况					
公司名称	哈药集团股份有限公司			证券简称	哈药股份
法人代表	张利君	董秘	孟晓东	证券代码	600664
公司网址	www.hayao.com		电子信箱	mengxd@hayao.com	
电　话	0451-51870077		传　真	0451-51870277	
办公地址	黑龙江省哈尔滨市道里区群力大道7号				
经营范围	医药原料药及制剂、中成药及中药粉针剂、滋补保健品制造、生物制药和医药商业等				

主要财务指标 指标\报告期	2016.06.30	2015.12.31	2015.06.30	2014.12.31
基本每股收益(元)	0.1500	0.3000	0.2000	0.1300
基本每股收益(扣除后)(元)	0.1400	0.2900	0.1900	0.1200
稀释每股收益(元)	0.1500	0.3000	0.2000	0.1300
每股净资产(元)	2.9813	3.6782	4.4920	4.2963
每股经营现金净流量(元)	0.7808	0.8657	0.0279	0.5925
每股现金流量(元)	0.7681	-0.2686	-0.0464	0.3118
每股资本公积金(元)	0.2148	0.5793	0.5160	0.5160
每股盈余公积金(元)	0.5156	0.6703	0.6703	0.6703
每股未分配利润(元)	1.2508	1.4286	2.3057	2.1101
净资产收益率(%)	5.0953	8.2255	4.3557	2.9995
加权净资产收益率(%)	5.2300	7.2100	4.4500	3.0000
净资产收益率(扣除)(%)	4.5550	7.7918	4.1356	2.7830
总资产(万元)	1428995.39	1376600.87	1571628.91	1624307.75
归属母公司股东权益(万元)	743152.63	705286.79	861333.22	823816.52
营业收入(万元)	711494.01	1585620.78	914117.87	1650891.25
营业支出(万元)	533493.85	1190351.41	686995.67	1196521.94
投资收益(万元)	1304.40	33.63	24.33	108.65
净利润(万元)	40970.71	61447.92	40131.35	19768.36
营业利润(万元)	46280.06	74130.56	48813.70	34010.10
利润总额(万元)	49583.82	78620.66	51210.98	36648.63

天地源股份有限公司

公司概况					
公司名称	天地源股份有限公司			证券简称	天地源
法人代表	俞向前	董秘	刘宇	证券代码	600665
公司网址	www.tande.cn		电子信箱	liuyu@tande.cn	
电　话	029-88326035		传　真	029-88325961	
办公地址	陕西省西安市高新技术开发区科技路33号高新国际商务中心27层				
经营范围	房地产开发和经营、自有房屋租赁、物业管理、实业投资、资产管理				

主要财务指标 指标\报告期	2016.06.30	2015.12.31	2015.06.30	2014.12.31
基本每股收益(元)	-0.0675	0.2395	-0.0159	0.3410
基本每股收益(扣除后)(元)	-0.0887	0.1796	-0.0151	0.3369
稀释每股收益(元)	-0.0675	0.2395	-0.0159	0.3410
每股净资产(元)	2.9763	3.1238	2.8685	2.9900
每股经营现金净流量(元)	1.4904	-1.6191	-0.8187	-0.6751
每股现金流量(元)	0.2347	0.8219	-0.8201	-0.5621
每股资本公积金(元)	0.2327	0.2327	0.2327	0.2327
每股盈余公积金(元)	0.3567	0.3567	0.3299	0.3299
每股未分配利润(元)	1.3869	1.5344	1.3059	1.4268
净资产收益率(%)	-2.2664	7.6654	-0.5547	11.4078
加权净资产收益率(%)	-2.1800	7.8800	-0.5300	11.8900
净资产收益率(扣除)(%)	-2.9798	5.7502	-0.5279	11.2716
总资产(万元)	1818819.51	1734498.72	1484074.33	1401834.02
归属母公司股东权益(万元)	257186.68	269936.76	247870.09	258317.84
营业收入(万元)	91306.76	297453.49	31611.04	321746.56
营业支出(万元)	86248.21	223238.72	25064.73	233238.42
投资收益(万元)	13.71	12.44	-	-0.73
净利润(万元)	-5994.12	20329.11	-1531.28	28937.35
营业利润(万元)	-11337.05	20506.92	-2161.28	37418.90
利润总额(万元)	-8885.55	27492.54	-2249.86	38008.79

奥瑞德光电股份有限公司

公司概况					
公司名称	奥瑞德光电股份有限公司			证券简称	奥瑞德
法人代表	左洪波	董秘	张世铭	证券代码	600666
公司网址	www.aurora-sapphire.cn		电子信箱	zhengquan@aurora-sapphire.cn	
电　话	0451-51775068		传　真	0451-51775068	
办公地址	黑龙江省哈尔滨市宾西经济技术开发区海滨路6号				
经营范围	生产、销售片剂、胶囊剂、颗粒剂、粉针剂、大容量注射剂等				

主要财务指标 指标\报告期	2016.06.30	2015.12.31	2015.06.30	2014.12.31
基本每股收益(元)	0.0900	0.5000	0.2500	0.1000
基本每股收益(扣除后)(元)	0.0600	0.4800	0.2400	0.0700
稀释每股收益(元)	0.0900	0.5000	0.2500	0.1000
每股净资产(元)	2.8436	2.7569	2.5082	1.3685
每股经营现金净流量(元)	-0.3805	0.3615	0.0742	0.8350
每股现金流量(元)	-0.7040	0.7425	1.4065	0.2073
每股资本公积金(元)	1.6307	1.6307	1.0169	1.5654
每股盈余公积金(元)	0.0822	0.0822	0.0401	0.1867
每股未分配利润(元)	0.7427	0.6560	0.4511	1.4232
净资产收益率(%)	3.0485	14.2147	5.7795	7.2687
加权净资产收益率(%)	3.1000	19.9700	11.9300	7.5200
净资产收益率(扣除)(%)	2.2444	13.6333	5.5310	5.4020
总资产(万元)	573570.01	582651.50	359497.07	193631.05
归属母公司股东权益(万元)	218129.18	211479.54	192395.47	68891.91
营业收入(万元)	31432.00	115083.69	56509.39	140172.06
营业支出(万元)	19150.53	65951.80	35401.76	87050.02
投资收益(万元)	217.85	332.34	10.87	-94.56
净利润(万元)	6635.66	29966.51	11021.26	3036.40
营业利润(万元)	5503.36	34195.26	13071.90	4025.34
利润总额(万元)	7935.15	35916.74	13580.83	4396.36

无锡市太极实业股份有限公司

公司概况					
公司名称	无锡市太极实业股份有限公司			证券简称	太极实业
法人代表	赵振元	董秘	丁奎	证券代码	600667
公司网址	www.wxtj.com		电子信箱	wxtj600667@wxtj.com	
电　话	0510-85419120		传　真	0510-85430760	
办公地址	江苏省无锡市下甸桥南堍				
经营范围	化学纤维及制品、化纤产品、化纤机械及配件、纺织机械及配件等				

主要财务指标：指标\报告期	2016.06.30	2015.12.31	2015.06.30	2014.12.31
基本每股收益(元)	0.0220	0.0200	-0.0070	0.0100
基本每股收益(扣除后)(元)	-0.0020	-0.0100	-0.0100	-0.0200
稀释每股收益(元)	0.0220	0.0200	-0.0070	0.0100
每股净资产(元)	1.3915	1.3645	1.3085	1.3151
每股经营现金净流量(元)	-0.2035	0.6713	-0.1045	0.7893
每股现金流量(元)	-0.4525	0.2614	-0.6548	0.0848
每股资本公积金(元)	0.2562	0.2562	0.2562	0.2562
每股盈余公积金(元)	0.0329	0.0329	0.0279	0.0279
每股未分配利润(元)	0.1081	0.0957	0.0837	0.0910
净资产收益率(%)	1.6062	1.4501	-0.5533	0.9060
加权净资产收益率(%)	1.6200	1.4800	-0.5500	0.9100
净资产收益率(扣除)(%)	-0.1597	-0.6143	-0.7287	-1.3935
总资产(万元)	518550.63	562625.86	493049.18	571655.17
归属母公司股东权益(万元)	165768.07	162553.83	155878.20	156662.79
营业收入(万元)	196983.34	439564.04	219974.92	420288.50
营业支出(万元)	172012.54	392543.54	196917.97	376875.34
投资收益(万元)	-	83.48	-	1168.73
净利润(万元)	6593.30	14036.57	4254.52	10753.20
营业利润(万元)	5763.17	14640.69	5626.59	10694.30
利润总额(万元)	8608.12	19289.65	5910.61	14857.24

浙江尖峰集团股份有限公司

公司概况					
公司名称	浙江尖峰集团股份有限公司			证券简称	尖峰集团
法人代表	蒋晓萌	董秘	朱坚卫	证券代码	600668
公司网址	www.jianfeng.com.cn		电子信箱	jf@jianfeng.com.cn	
电　话	0579-82320582 82324699		传　真	0579-82324611 82320582	
办公地址	浙江省金华市婺江东路 88 号				
经营范围	水泥及药品的生产和销售				

主要财务指标：指标\报告期	2016.06.30	2015.12.31	2015.06.30	2014.12.31
基本每股收益(元)	0.3012	0.5800	0.2668	0.8200
基本每股收益(扣除后)(元)	0.2731	0.5000	0.2659	0.8200
稀释每股收益(元)	0.3012	0.5800	0.2668	0.8200
每股净资产(元)	6.3963	6.2958	6.0011	5.9890
每股经营现金净流量(元)	0.3757	0.4751	-0.0792	0.9268
每股现金流量(元)	-0.1991	-0.6915	-0.8460	0.7523
每股资本公积金(元)	1.1604	1.1831	1.3045	1.5560
每股盈余公积金(元)	0.3913	0.3913	0.3503	0.3503
每股未分配利润(元)	3.2343	3.1132	3.0870	2.8202
净资产收益率(%)	4.7086	9.2739	4.4451	13.7342
加权净资产收益率(%)	4.6700	9.4700	4.4500	14.8600
净资产收益率(扣除)(%)	4.2699	7.8903	4.4317	13.6410
总资产(万元)	357786.57	363148.22	359547.22	376191.80
归属母公司股东权益(万元)	220086.75	216628.95	206489.73	206070.11
营业收入(万元)	110282.85	225853.45	105887.52	225699.98
营业支出(万元)	86225.05	178907.52	84993.44	173542.89
投资收益(万元)	2801.71	9664.47	5680.04	15857.25
净利润(万元)	11173.48	22308.54	10196.32	31957.23
营业利润(万元)	12853.79	22984.79	11604.57	36597.87
利润总额(万元)	13763.26	27398.75	12161.03	38158.44

杭州天目山药业股份有限公司

公司概况					
公司名称	杭州天目山药业股份有限公司			证券简称	天目药业
法人代表	祝政	董秘	吴建刚	证券代码	600671
公司网址	www.hztmyy.com		电子信箱	hztmyy@126.com	
电　话	0571-63722229		传　真	0571-63715400	
办公地址	浙江省临安市苕溪南路 78 号				
经营范围	生物制药、中成药、西药、电子产品、机制纸的制造和销售等				

主要财务指标：指标\报告期	2016.06.30	2015.12.31	2015.06.30	2014.12.31
基本每股收益(元)	-0.0678	-0.1800	-0.0458	0.0200
基本每股收益(扣除后)(元)	-0.0937	-0.1800	-0.0511	0.0200
稀释每股收益(元)	-0.0678	-0.1800	-0.0458	0.0200
每股净资产(元)	0.4019	0.4696	0.6007	0.6705
每股经营现金净流量(元)	-0.0351	-0.0120	-0.0152	0.0054
每股现金流量(元)	0.0477	-0.1826	-0.1122	-0.0204
每股资本公积金(元)	0.4183	0.4183	0.4183	0.4183
每股盈余公积金(元)	0.1986	0.1986	0.1986	0.1986
每股未分配利润(元)	-1.2150	-1.1472	-1.0161	-0.9703
净资产收益率(%)	-16.8619	-37.6683	-7.6291	3.3232
加权净资产收益率(%)	-15.5508	-31.7000	-7.3488	3.4000
净资产收益率(扣除)(%)	-23.3275	-37.7479	-8.5018	3.0919
总资产(万元)	28623.36	28038.22	26897.80	28564.35
归属母公司股东权益(万元)	4894.08	5719.31	7315.57	7873.68
营业收入(万元)	5120.85	9476.58	4353.13	14872.73
营业支出(万元)	3631.28	6499.23	3082.03	8893.87
投资收益(万元)	-1.07	-0.08	-	442.57
净利润(万元)	-828.47	-2249.19	-617.71	260.76
营业利润(万元)	-1104.96	-2126.50	-600.00	366.19
利润总额(万元)	-785.74	-2120.43	-521.62	391.57

广东东阳光科技控股股份有限公司

公司概况					
公司名称	广东东阳光科技控股股份有限公司			证券简称	东阳光科
法人代表	郭京平	董秘	陈铁生	证券代码	600673
公司网址	www.hec-al.com		电子信箱	cts@dyg-hec.com	
电　话	0769-85370225		传　真	0769-85370230	
办公地址	广东省东莞市长安镇上沙村第五工业区				
经营范围	亲水箔的产品和销售				

主要财务指标：指标\报告期	2016.06.30	2015.12.31	2015.06.30	2014.12.31
基本每股收益(元)	0.0140	0.0400	0.0200	0.0600
基本每股收益(扣除后)(元)	0.0080	0.0100	0.0200	0.0100
稀释每股收益(元)	0.0140	0.0400	0.0200	0.0600
每股净资产(元)	1.4439	1.4569	1.4400	3.7572
每股经营现金净流量(元)	0.0882	0.2427	0.0835	0.7580
每股现金流量(元)	-0.0547	-0.1163	-0.0557	0.2175
每股资本公积金(元)	0.0623	0.0597	0.0597	1.6553
每股盈余公积金(元)	0.0298	0.0298	0.0241	0.0626
每股未分配利润(元)	0.3571	0.3727	0.3582	1.0393
净资产收益率(%)	0.9996	2.7648	1.3866	4.3803
加权净资产收益率(%)	0.9900	2.7800	2.0000	4.8200
净资产收益率(扣除)(%)	0.5496	0.7212	0.6860	2.7566
总资产(万元)	1062116.13	1092865.25	1110952.93	1111055.76
归属母公司股东权益(万元)	356481.25	359695.75	356007.26	356768.32
营业收入(万元)	239888.09	468604.04	247094.64	511235.41
营业支出(万元)	200628.80	392249.26	209179.17	415414.61
投资收益(万元)	429.82	1206.85	151.78	1998.74
净利润(万元)	3154.98	8067.60	5015.46	18790.31
营业利润(万元)	4550.93	6441.11	4910.59	24568.70
利润总额(万元)	5726.63	12744.73	7403.66	30036.80

四川川投能源股份有限公司

公司概况						
公司名称	四川川投能源股份有限公司				证券简称	川投能源
法人代表	高淳	董秘	龚圆		证券代码	600674
公司网址	www.scte.com.cn			电子信箱	gongyuan@invest.com.cn	
电　话	028-86098649			传　真	028-86098648	
办公地址	四川省成都市小南街23号					
经营范围	电力开发、电力生产经营、电力行业技术服务和咨询等					

主要财务指标 指标\报告期	2016.06.30	2015.12.31	2015.06.30	2014.12.31
基本每股收益(元)	0.3173	0.8798	0.3492	1.6573
基本每股收益(扣除后)(元)	0.3148	0.8713	0.3486	1.6490
稀释每股收益(元)	0.3173	0.8798	0.3492	1.5973
每股净资产(元)	4.1824	4.1352	3.6052	7.0400
每股经营现金净流量(元)	0.0354	0.1359	0.0811	0.2447
每股现金流量(元)	–0.0394	–0.1075	–0.0968	0.1136
每股资本公积金(元)	0.9204	0.9204	0.9209	3.0670
每股盈余公积金(元)	0.6081	0.6081	0.3919	0.7838
每股未分配利润(元)	1.6476	1.6002	1.2860	2.1735
净资产收益率(%)	7.5877	21.2756	9.6863	23.1226
加权净资产收益率(%)	7.3900	22.6600	9.4645	27.6353
净资产收益率(扣除)(%)	7.5272	21.0704	9.6705	23.0060
总资产(万元)	2451788.71	2421462.78	2215845.03	2200048.73
归属母公司股东权益(万元)	1841135.55	1820353.36	1587051.00	1548853.69
营业收入(万元)	50678.03	111659.19	51124.19	110277.45
营业支出(万元)	30810.56	60675.23	26955.38	59786.74
投资收益(万元)	141990.60	387957.06	153728.93	351781.30
净利润(万元)	141590.01	391944.75	156159.60	352087.20
营业利润(万元)	142670.02	394877.50	157141.36	353981.57
利润总额(万元)	142773.98	395570.62	157915.59	355707.83

中华企业股份有限公司

公司概况						
公司名称	中华企业股份有限公司				证券简称	*ST中企
法人代表	姜维	董秘	印学青		证券代码	600675
公司网址	www.cecl.com.cn			电子信箱	zhqydm@cecl.com.cn	
电　话	021-20772222			传　真	021-20772766	
办公地址	上海市浦东新区雪野路928号6楼					
经营范围	商品房设计、建造、买卖、租赁及调剂业务等					

主要财务指标 指标\报告期	2016.06.30	2015.12.31	2015.06.30	2014.12.31
基本每股收益(元)	–0.0330	–1.3320	–0.3960	–0.2620
基本每股收益(扣除后)(元)	–0.0620	–1.6980	–0.4420	–0.4340
稀释每股收益(元)	–0.0330	–1.3320	–0.3960	–0.2620
每股净资产(元)	1.3834	1.4564	2.4471	2.7211
每股经营现金净流量(元)	1.6749	2.6394	0.5775	–0.0669
每股现金流量(元)	0.2372	–0.2597	0.0952	1.1285
每股资本公积金(元)	0.0212	0.0212	0.0212	0.0212
每股盈余公积金(元)	0.2634	0.2634	0.2634	0.2634
每股未分配利润(元)	0.0627	0.0957	1.0319	1.4277
净资产收益率(%)	–2.3837	–91.4660	–16.1750	–9.6164
加权净资产收益率(%)	–2.3200	–63.7700	–15.3200	–9.0600
净资产收益率(扣除)(%)	–4.4503	–116.5730	–18.0455	–15.9614
总资产(万元)	3243129.22	3661757.33	4185678.79	4081447.18
归属母公司股东权益(万元)	258284.55	271912.36	456878.88	508043.97
营业收入(万元)	733822.51	465446.89	127258.57	441523.16
营业支出(万元)	504339.83	365993.55	106699.82	343612.36
投资收益(万元)	1512.24	62514.19	5982.78	129241.20
净利润(万元)	11295.47	–280081.41	–90361.05	–44094.41
营业利润(万元)	66893.40	–255110.91	–95132.01	–15958.42
利润总额(万元)	70679.88	–250396.91	–88488.94	–10579.23

上海交运集团股份有限公司

公司概况						
公司名称	上海交运集团股份有限公司				证券简称	交运股份
法人代表	蒋曙杰	董秘	徐以刚		证券代码	600676
公司网址	www.cnsjy.com			电子信箱	jygf@sh163.net	
电　话	021-63172168　63178257			传　真	021-63173388	
办公地址	上海市恒丰路288号					
经营范围	运输业与物流服务、汽车零部件制造与汽车后服务等					

主要财务指标 指标\报告期	2016.06.30	2015.12.31	2015.06.30	2014.12.31
基本每股收益(元)	0.1751	0.4000	0.1974	0.3700
基本每股收益(扣除后)(元)	0.1511	0.3200	0.1789	0.2700
稀释每股收益(元)	0.1751	0.4000	0.1974	0.3700
每股净资产(元)	4.3584	4.3036	4.1047	4.0271
每股经营现金净流量(元)	0.2325	0.7969	0.3382	0.7582
每股现金流量(元)	–0.1802	0.0792	0.0582	0.2099
每股资本公积金(元)	1.3713	1.3713	1.3713	1.3713
每股盈余公积金(元)	0.3362	0.3362	0.2937	0.2937
每股未分配利润(元)	1.6492	1.5942	1.4380	1.3606
净资产收益率(%)	4.0165	9.2110	4.8089	9.2347
加权净资产收益率(%)	4.0000	9.5200	4.8100	9.6500
净资产收益率(扣除)(%)	3.4672	7.3761	4.3581	6.7239
总资产(万元)	730675.81	735552.95	720388.37	724690.06
归属母公司股东权益(万元)	375857.81	371133.35	353978.68	347284.57
营业收入(万元)	396887.91	821092.96	432013.92	893548.53
营业支出(万元)	349894.54	716208.92	379665.04	791350.12
投资收益(万元)	1510.08	3204.44	1732.96	3897.17
净利润(万元)	17595.96	39385.94	19458.32	35555.49
营业利润(万元)	18893.33	40713.28	21637.55	33806.40
利润总额(万元)	22166.34	49911.29	24323.11	45940.49

航天通信控股集团股份有限公司

公司概况						
公司名称	航天通信控股集团股份有限公司				证券简称	航天通信
法人代表	敖刚	董秘	陈加武		证券代码	600677
公司网址	www.aerocom.cn			电子信箱	stock@aerocom.cn	
电　话	0571-87034676　87079526			传　真	0571-87034676	
办公地址	浙江省杭州市解放路138号航天通信大厦一号楼					
经营范围	通信产业投资、通信工程、通信设备代维、轻纺产品及原辅材料、针纺织品的生产和销售等					

主要财务指标 指标\报告期	2016.06.30	2015.12.31	2015.06.30	2014.12.31
基本每股收益(元)	0.0288	0.0300	–0.0847	–0.5921
基本每股收益(扣除后)(元)	0.0028	–0.7400	–0.1102	–0.7258
稀释每股收益(元)	0.0288	0.0300	–0.0847	–0.5921
每股净资产(元)	5.9602	5.9514	3.6086	3.6933
每股经营现金净流量(元)	–2.0319	0.2357	–2.3698	–0.5532
每股现金流量(元)	–1.2557	–0.1923	–2.5965	–0.4698
每股资本公积金(元)	4.0703	4.0703	1.6153	1.6153
每股盈余公积金(元)	0.0177	0.0177	0.0132	0.0132
每股未分配利润(元)	0.8721	0.8634	0.9802	1.0648
净资产收益率(%)	0.4827	0.3485	–2.3469	–16.0327
加权净资产收益率(%)	0.4800	0.6500	–2.3200	–14.8400
净资产收益率(扣除)(%)	0.0463	–10.0861	–3.0536	–19.6492
总资产(万元)	1272134.55	846803.18	695384.90	785104.68
归属母公司股东权益(万元)	310999.96	310541.29	150274.12	153800.92
营业收入(万元)	462164.21	602538.94	260017.43	704859.81
营业支出(万元)	399362.22	523823.38	223454.93	621204.94
投资收益(万元)	–	28853.52	–	121.96
净利润(万元)	7372.92	8271.40	–2730.76	–27264.77
营业利润(万元)	7848.38	3561.24	–3624.22	–31557.70
利润总额(万元)	10424.25	11058.68	–1150.28	–24198.58

四川金顶（集团）股份有限公司

公司概况					
公司名称	四川金顶(集团)股份有限公司			证券简称	四川金顶
法人代表	杨学品	董秘	闫蜀	证券代码	600678
公司网址	www.scjd.cn		电子信箱	scjd600678@163.com	
电　话	0833-2218123 2218555		传　真	0833-2218118	
办公地址	四川省峨眉山市乐都镇				
经营范围	水泥制造、销售、房地产开发经营、汽车修理、客货运输等				

主要财务指标 指标\报告期	2016.06.30	2015.12.31	2015.06.30	2014.12.31
基本每股收益(元)	-0.0484	0.0120	0.0056	-0.1061
基本每股收益(扣除后)(元)	-0.0451	-0.1340	-0.0428	-0.0798
稀释每股收益(元)	-0.0484	0.0120	0.0056	-0.1061
每股净资产(元)	0.0318	0.0808	0.0725	0.0676
每股经营现金净流量(元)	-0.0187	-0.0733	-0.0426	0.0002
每股现金流量(元)	-0.0609	0.0169	-0.0403	-0.0494
每股资本公积金(元)	0.8750	0.8750	0.8750	0.8750
每股盈余公积金(元)	0.0795	0.0795	0.0795	0.0795
每股未分配利润(元)	-1.9313	-1.8828	-1.8892	-1.8948
净资产收益率(%)	-152.1915	14.8860	7.7778	-156.9889
加权净资产收益率(%)	-86.0371	16.2100	8.0503	-88.6400
净资产收益率(扣除)(%)	-141.6243	-165.8974	-59.0616	-118.0497
总资产(万元)	35342.05	37580.45	35448.22	36063.99
归属母公司股东权益(万元)	1110.64	2818.60	2529.15	2357.92
营业收入(万元)	3652.73	5272.42	2578.79	5424.48
营业支出(万元)	3428.39	5563.80	2617.34	4554.11
投资收益(万元)	-	1146.95	46.35	38.73
净利润(万元)	-1756.71	189.29	81.97	-3783.39
营业利润(万元)	-1639.34	-3805.67	-1608.50	-2865.23
利润总额(万元)	-1756.71	189.29	81.97	-3783.39

上海凤凰企业（集团）股份有限公司

公司概况					
公司名称	上海凤凰企业(集团)股份有限公司			证券简称	上海凤凰
法人代表	周卫中	董秘	刘峰	证券代码	600679
公司网址	www.jskfjs.com		电子信箱	lf@jskfjs.com	
电　话	021-32795555 32795679		传　真	021-32795557	
办公地址	上海市长宁区福泉北路 518 号 6 座 4 楼				
经营范围	生产销售自行车、助动车、两轮摩托车、童车、健身器材、自行车工业设备及模具				

主要财务指标 指标\报告期	2016.06.30	2015.12.31	2015.06.30	2014.12.31
基本每股收益(元)	0.0423	0.0103	-0.0147	0.1091
基本每股收益(扣除后)(元)	0.0325	-0.0665	-0.0143	-0.1770
稀释每股收益(元)	0.0423	0.0103	-0.0147	0.1091
每股净资产(元)	3.0290	3.0298	2.0072	1.8802
每股经营现金净流量(元)	-0.0170	0.0741	-0.0156	0.3053
每股现金流量(元)	0.0017	0.0301	-0.0233	-0.1137
每股资本公积金(元)	1.8959	1.8959	0.8320	0.8320
每股盈余公积金(元)	0.1435	0.1435	0.1632	0.1632
每股未分配利润(元)	-0.2263	-0.2686	-0.3305	-0.3158
净资产收益率(%)	1.3967	0.3000	-0.7311	5.8048
加权净资产收益率(%)	1.3867	0.5490	-0.7836	6.2810
净资产收益率(扣除)(%)	1.0722	-1.9309	-0.7120	-9.4167
总资产(万元)	171084.41	167865.01	119571.44	121227.37
归属母公司股东权益(万元)	121827.74	121859.10	70979.45	66486.22
营业收入(万元)	28509.56	46074.94	25294.77	60941.24
营业支出(万元)	21256.42	39670.73	22135.84	51957.60
投资收益(万元)	-175.72	-124.11	770.56	1507.67
净利润(万元)	1949.05	408.20	-715.99	3900.75
营业利润(万元)	1872.83	-2602.45	-739.72	-4389.27
利润总额(万元)	2403.35	1074.07	-788.43	6970.11

上海普天邮通科技股份有限公司

公司概况					
公司名称	上海普天邮通科技股份有限公司			证券简称	上海普天
法人代表	郑建华	董秘	陆贤薇	证券代码	600680
公司网址	www.shpte.com		电子信箱	zhengquanb@shpte.com	
电　话	021-64832699 64360900-2371		传　真	021-64832699	
办公地址	上海市徐汇区宜山路 700 号				
经营范围	设计、生产、销售各类通信设备、元器件、计算机网络及外围配套设备等				

主要财务指标 指标\报告期	2016.06.30	2015.12.31	2015.06.30	2014.12.31
基本每股收益(元)	0.0040	-0.2490	0.0060	0.0240
基本每股收益(扣除后)(元)	-	-0.3520	-0.0020	-0.0100
稀释每股收益(元)	0.0040	-0.2490	0.0060	0.0240
每股净资产(元)	3.3324	3.3282	3.6118	3.5900
每股经营现金净流量(元)	0.0001	-0.4532	-0.4061	-0.6990
每股现金流量(元)	0.1008	-0.1412	-0.1959	0.1701
每股资本公积金(元)	2.2718	2.2718	2.2994	2.2828
每股盈余公积金(元)	0.3105	0.3105	0.3105	0.3105
每股未分配利润(元)	-0.2499	-0.2541	0.0019	-0.0045
净资产收益率(%)	0.1265	-7.4779	0.1763	0.6651
加权净资产收益率(%)	0.1300	-7.1840	0.1800	0.6690
净资产收益率(扣除)(%)	0.0013	-10.5608	-0.0587	-0.2732
总资产(万元)	334277.45	317124.88	325644.61	318210.48
归属母公司股东权益(万元)	127374.10	127212.96	138051.29	137171.55
营业收入(万元)	39886.37	125546.30	77236.02	178692.08
营业支出(万元)	30716.67	108803.07	66929.45	152450.22
投资收益(万元)	91.79	5887.57	228.21	309.05
净利润(万元)	77.45	-9870.59	211.40	982.03
营业利润(万元)	-46.99	-12195.86	-74.41	-32.19
利润总额(万元)	122.25	-9817.84	253.79	1354.96

百川能源股份有限公司

公司概况					
公司名称	百川能源股份有限公司			证券简称	百川能源
法人代表	王东海	董秘	韩啸	证券代码	600681
公司网址	www.bestsungas.com		电子信箱	baichuandsh@163.com	
电　话	010-85670030		传　真	010-85670030	
办公地址	北京市朝阳区建国门外大街甲 6 号中环世贸中心 C 座 6 层 601				
经营范围	园林绿化、建筑装饰				

主要财务指标 指标\报告期	2016.06.30	2015.12.31	2015.06.30	2014.12.31
基本每股收益(元)	0.1700	-0.0200	0.1800	0.0100
基本每股收益(扣除后)(元)	0.1700	-0.0100	0.1700	0.0100
稀释每股收益(元)	0.1700	-0.0200	0.1800	0.0100
每股净资产(元)	2.7646	0.0945	0.0770	0.0816
每股经营现金净流量(元)	0.1806	-0.1108	-0.0056	-0.0134
每股现金流量(元)	0.7923	-0.0124	-0.0056	-0.0138
每股资本公积金(元)	0.4745	0.0574	1.7906	2.0762
每股盈余公积金(元)	0.0594	0.2279	0.1041	0.1041
每股未分配利润(元)	0.5633	1.6178	-3.1034	-3.1059
净资产收益率(%)	8.0299	-17.0072	-6.0221	10.2205
加权净资产收益率(%)	10.8600	-18.2600	-5.8500	10.7700
净资产收益率(扣除)(%)	7.9950	-13.9529	-2.2692	10.0692
总资产(万元)	268072.52	182198.16	20210.49	17455.53
归属母公司股东权益(万元)	169742.72	86037.57	1935.12	1871.16
营业收入(万元)	64350.74	1772.64	981.62	5987.92
营业支出(万元)	39809.82	1012.38	517.08	4385.20
投资收益(万元)	9.45	-	-	-
净利润(万元)	13711.95	-448.14	-113.31	312.23
营业利润(万元)	18401.97	-481.02	-127.47	464.10
利润总额(万元)	18477.39	-480.96	-127.42	465.23

南京新街口百货商店股份有限公司

公司概况					
公司名称	南京新街口百货商店股份有限公司			证券简称	南京新百
法人代表	杨怀珍	董秘	潘利建	证券代码	600682
公司网址	www.njxb.com		电子信箱	irm@njxb.com	
电　　话	025-84717494 84761696		传　　真	025-84717494 84761696	
办公地址	江苏省南京市白下区中山南路1号				
经营范围	预包装食品、散装食品(炒货、蜜饯、糕点、茶叶)、保健食品、冷热饮品销售等				

主要财务指标 指标\报告期	2016.06.30	2015.12.31	2015.06.30	2014.12.31
基本每股收益(元)	-0.3200	0.4500	0.1700	0.4900
基本每股收益(扣除后)(元)	-0.3100	0.1500	-0.2100	1.2500
稀释每股收益(元)	-0.3200	0.4500	0.1700	0.4900
每股净资产(元)	2.4483	2.8736	2.6338	4.9326
每股经营现金净流量(元)	0.7603	2.9479	-1.1879	3.7310
每股现金流量(元)	-0.3705	2.9308	-0.2908	2.6057
每股资本公积金(元)	0.2830	0.2830	0.0668	1.2920
每股盈余公积金(元)	0.3839	0.3839	0.3091	0.6181
每股未分配利润(元)	0.7602	1.0837	1.2089	1.8927
净资产收益率(%)	-13.1989	15.4033	7.3672	22.6532
加权净资产收益率(%)	-11.9200	19.0200	7.5700	25.2500
净资产收益率(扣除)(%)	-12.5504	4.7206	-9.2535	25.3422
总资产(万元)	1720537.24	1759455.59	1402761.95	1414311.58
归属母公司股东权益(万元)	202720.98	237939.08	188750.16	173837.48
营业收入(万元)	668750.61	1585294.52	691863.47	782522.81
营业支出(万元)	439044.67	1030408.64	457102.35	531841.76
投资收益(万元)	15.20	43654.42	43126.10	1133.71
净利润(万元)	-30474.31	35908.57	10946.69	43390.88
营业利润(万元)	-27479.15	56363.47	24068.85	52390.73
利润总额(万元)	-27673.93	50731.50	24231.65	52324.92

京投发展股份有限公司

公司概况					
公司名称	京投发展股份有限公司			证券简称	京投发展
法人代表	田振清	董秘	田锋	证券代码	600683
公司网址	www.600683.com		电子信箱	ir@600683.com	
电　　话	010-65636620 65636622		传　　真	010-85172628	
办公地址	北京市朝阳区建国门外大街2号银泰中心C座17层				
经营范围	百货零售、对外贸易和房地产开发与经营等业务				

主要财务指标 指标\报告期	2016.06.30	2015.12.31	2015.06.30	2014.12.31
基本每股收益(元)	0.0500	0.1600	-0.1600	0.0300
基本每股收益(扣除后)(元)	0.0030	0.0600	-0.2100	-0.4600
稀释每股收益(元)	0.0500	0.1600	-0.1600	0.0300
每股净资产(元)	2.6012	2.6778	2.3610	2.5220
每股经营现金净流量(元)	1.1401	4.7233	1.6661	0.2478
每股现金流量(元)	-1.1734	-0.1744	-1.1753	1.5352
每股资本公积金(元)	0.4425	0.4425	0.4425	0.4425
每股盈余公积金(元)	0.1464	0.1464	0.1430	0.1430
每股未分配利润(元)	1.0123	1.0889	0.7755	0.9365
净资产收益率(%)	2.0547	5.8170	-6.8203	1.3459
加权净资产收益率(%)	1.9900	5.9900	-6.6000	1.3500
净资产收益率(扣除)(%)	0.1122	2.2603	-9.0564	-18.3609
总资产(万元)	2739390.46	2757644.90	2969503.34	2966044.04
归属母公司股东权益(万元)	192692.03	198362.91	174895.80	186824.20
营业收入(万元)	136731.82	843607.63	62960.40	348617.34
营业支出(万元)	103073.28	625701.33	53174.55	259287.14
投资收益(万元)	1037.05	2283.36	602.42	13542.87
净利润(万元)	10108.69	61572.06	-10017.11	19298.01
营业利润(万元)	13776.76	97711.26	-9232.01	31550.64
利润总额(万元)	15071.00	97728.76	-9212.74	32297.55

广州珠江实业开发股份有限公司

公司概况					
公司名称	广州珠江实业开发股份有限公司			证券简称	珠江实业
法人代表	郑暑平	董秘	黄静	证券代码	600684
公司网址	www.gzzjsy.com		电子信箱	ir@gzzjsy.com	
电　　话	020-83752828 83752439		传　　真	020-83752663	
办公地址	广东省广州市越秀区环市东路362-366号好世界广场30楼				
经营范围	房地产开发、销售及物业出租				

主要财务指标 指标\报告期	2016.06.30	2015.12.31	2015.06.30	2014.12.31
基本每股收益(元)	0.2200	0.4000	0.1600	0.3800
基本每股收益(扣除后)(元)	0.2200	0.4000	0.1600	0.3800
稀释每股收益(元)	0.2200	0.4000	0.1600	0.3800
每股净资产(元)	3.3790	3.2361	2.9974	2.9129
每股经营现金净流量(元)	-0.0316	0.5360	0.5499	-1.5376
每股现金流量(元)	1.3942	0.8444	0.6100	-1.2948
每股资本公积金(元)	0.1208	0.1208	0.1208	0.1208
每股盈余公积金(元)	0.2527	0.2527	0.2420	0.2420
每股未分配利润(元)	2.0054	1.8626	1.6346	1.5501
净资产收益率(%)	6.5956	12.4607	5.4893	12.9948
加权净资产收益率(%)	6.7100	13.1400	5.5200	13.7800
净资产收益率(扣除)(%)	6.5317	12.4230	5.5047	13.1436
总资产(万元)	1171032.03	1034847.55	712840.12	677230.82
归属母公司股东权益(万元)	240317.31	230156.75	213179.73	207167.42
营业收入(万元)	201833.72	332913.14	100360.32	213035.03
营业支出(万元)	145756.65	222067.12	64535.20	122749.76
投资收益(万元)	208.95	128.47	70.85	26.46
净利润(万元)	16667.76	36492.13	11563.97	26709.70
营业利润(万元)	25482.63	48385.54	16218.65	38118.19
利润总额(万元)	25498.48	48369.28	16242.01	37891.99

中船海洋与防务装备股份有限公司

公司概况					
公司名称	中船海洋与防务装备股份有限公司			证券简称	中船防务
法人代表	韩广德	董秘	李志东	证券代码	600685
公司网址	comec.cssc.net.cn		电子信箱	shiwd@comec.cssc.net.cn	
电　　话	020-81636688		传　　真	020-81891575	
办公地址	广东省广州市荔湾区芳村大道南40号				
经营范围	造船、钢结构工程以及机电产品等				

主要财务指标 指标\报告期	2016.06.30	2015.12.31	2015.06.30	2014.12.31
基本每股收益(元)	0.0262	0.0709	-0.3866	0.1470
基本每股收益(扣除后)(元)	-0.0476	-1.2291	-0.4823	-0.6261
稀释每股收益(元)	0.0262	0.0709	-0.3866	0.1470
每股净资产(元)	7.2965	7.2996	6.8703	5.4625
每股经营现金净流量(元)	-2.6519	-0.7487	-2.4752	0.8299
每股现金流量(元)	-0.1342	0.6305	-1.2705	0.5016
每股资本公积金(元)	4.8585	4.8585	4.8585	5.2610
每股盈余公积金(元)	0.6677	0.6677	0.6677	0.9158
每股未分配利润(元)	0.8122	0.8160	0.3750	1.2714
净资产收益率(%)	0.3595	0.9529	-5.4060	2.6912
加权净资产收益率(%)	0.3600	0.9900	-5.7100	2.7500
净资产收益率(扣除)(%)	-0.6519	-15.6971	-6.0686	-10.7440
总资产(万元)	5076333.32	4899595.43	4512504.40	4374109.91
归属母公司股东权益(万元)	1031363.73	1031804.82	971124.55	866223.38
营业收入(万元)	1135994.83	2551923.98	1080971.92	953074.09
营业支出(万元)	1063567.03	2482115.84	1050567.71	963098.04
投资收益(万元)	-7479.09	203430.81	792.51	39536.38
净利润(万元)	4377.71	10389.76	-52359.28	15042.65
营业利润(万元)	655.18	18488.18	-59442.32	-75261.15
利润总额(万元)	6761.14	46971.18	-54331.68	5933.02

厦门金龙汽车集团股份有限公司

公司概况					
公司名称	厦门金龙汽车集团股份有限公司			证券简称	金龙汽车
法人代表	黄莼	董秘	乔红军	证券代码	600686
公司网址	www.xmklm.com.cn		电子信箱	kinglong@xmklm.com.cn	
电　话	0592-2969815		传　真	0592-2960686	
办公地址	福建省厦门市厦禾路 668 号 22-23 层				
经营范围	大、中、轻型客车的生产和销售等				

主要财务指标 指标\报告期	2016.06.30	2015.12.31	2015.06.30	2014.12.31
基本每股收益(元)	0.2700	0.9700	0.2400	0.5600
基本每股收益(扣除后)(元)	0.1500	0.7700	0.1900	0.3900
稀释每股收益(元)	–	0.9700	–	0.5600
每股净资产(元)	6.5078	6.3933	5.8151	5.5023
每股经营现金净流量(元)	–3.8131	1.4710	–2.2793	0.2574
每股现金流量(元)	–1.6091	2.9158	–1.0769	–0.6930
每股资本公积金(元)	1.8618	1.8618	1.8608	0.6983
每股盈余公积金(元)	0.4026	0.4026	0.4128	0.6610
每股未分配利润(元)	3.2261	3.1154	2.5334	3.1378
净资产收益率(%)	4.1596	13.7971	4.2053	10.2058
加权净资产收益率(%)	4.1600	16.2600	5.3500	10.5900
净资产收益率(扣除)(%)	2.3198	10.9057	3.2880	7.0399
总资产(万元)	2670326.17	2538151.85	2026849.40	1842953.74
归属母公司股东权益(万元)	394850.38	387908.65	352826.01	243530.84
营业收入(万元)	1107904.53	2683490.13	1028582.02	2143102.75
营业支出(万元)	944707.51	2223386.45	875924.55	1845054.00
投资收益(万元)	2366.50	8505.16	3871.49	5469.76
净利润(万元)	22983.70	94604.36	27126.83	48663.52
营业利润(万元)	19714.99	115814.92	30745.74	46305.22
利润总额(万元)	27281.03	110680.59	33159.41	58643.27

甘肃刚泰控股(集团)股份有限公司

公司概况					
公司名称	甘肃刚泰控股(集团)股份有限公司			证券简称	刚泰控股
法人代表	徐建刚	董秘	谢毅	证券代码	600687
公司网址	www.gangtaikonggu.com		电子信箱	gangtaikonggu@163.com	
电　话	021-68865161		传　真	021-68816081	
办公地址	上海浦东新区陆家嘴环路 958 号华能联合大厦 32 楼				
经营范围	实业投资、矿业投资、货运代理、设备、自有房屋租赁、装卸、仓储服务、物流信息咨询等				

主要财务指标 指标\报告期	2016.06.30	2015.12.31	2015.06.30	2014.12.31
基本每股收益(元)	0.1660	0.3220	0.2830	0.5120
基本每股收益(扣除后)(元)	0.2450	0.2920	0.2630	0.4320
稀释每股收益(元)	0.1660	0.3220	0.2830	0.5120
每股净资产(元)	3.6158	3.4803	3.5585	3.2778
每股经营现金净流量(元)	–1.0192	–0.4729	–1.4043	–2.9947
每股现金流量(元)	–0.9913	3.1622	0.4065	–0.3637
每股资本公积金(元)	1.9636	2.7103	1.3717	1.3717
每股盈余公积金(元)	0.0275	0.0380	0.0192	0.0192
每股未分配利润(元)	0.6160	0.6622	1.1555	0.8723
净资产收益率(%)	4.5982	6.7081	7.9576	15.6307
加权净资产收益率(%)	4.6700	19.6100	8.2800	16.8000
净资产收益率(扣除)(%)	6.7759	6.0713	7.4008	13.1860
总资产(万元)	1098022.88	929058.47	560282.25	363410.16
归属母公司股东权益(万元)	538295.38	518110.18	174451.90	160692.61
营业收入(万元)	507500.38	884520.89	477087.12	474179.74
营业支出(万元)	432043.09	815125.45	446741.63	433868.27
投资收益(万元)	–1239.25	2305.55	1886.70	1754.51
净利润(万元)	25094.21	34755.15	13882.10	25117.46
营业利润(万元)	32188.97	47949.24	20545.81	33135.37
利润总额(万元)	33927.22	48974.42	20271.10	34097.15

中国石化上海石油化工股份有限公司

公司概况					
公司名称	中国石化上海石油化工股份有限公司			证券简称	上海石化
法人代表	王治卿	董秘	张剑波	证券代码	600688
公司网址	www.spc.com.cn		电子信箱	spc@spc.com.cn	
电　话	021-57943143　57933728		传　真	021-57940050	
办公地址	上海市金山区金一路 48 号				
经营范围	原油加工、油品、化工产品、合成纤维及单体、塑料及制品、针纺织原料及制品等				

主要财务指标 指标\报告期	2016.06.30	2015.12.31	2015.06.30	2014.12.31
基本每股收益(元)	0.2870	0.3010	0.1600	–0.0660
基本每股收益(扣除后)(元)	0.2890	0.2900	0.1610	–0.0750
稀释每股收益(元)	0.2870	0.3000	0.1600	–0.0660
每股净资产(元)	2.0284	1.8370	1.6981	1.5340
每股经营现金净流量(元)	0.4301	0.4762	0.1782	0.3741
每股现金流量(元)	0.3124	0.0739	0.0020	0.0135
每股资本公积金(元)	0.0489	0.0478	0.0468	0.0457
每股盈余公积金(元)	0.4160	0.4160	0.3865	0.3865
每股未分配利润(元)	0.5597	0.3730	0.2623	0.1020
净资产收益率(%)	14.1360	16.3611	9.4398	–4.3235
加权净资产收益率(%)	14.4650	17.8310	9.9180	–4.1650
净资产收益率(扣除)(%)	14.2314	15.7788	9.4674	–4.8642
总资产(万元)	3192494.90	2802217.10	3034125.70	3114598.30
归属母公司股东权益(万元)	2190632.80	1983886.20	1833901.80	1657062.30
营业收入(万元)	3699319.10	8080342.20	4215245.00	10218286.10
营业支出(万元)	2517762.80	6008929.70	3123386.40	9004689.00
投资收益(万元)	37674.50	59918.90	33878.40	5414.50
净利润(万元)	310176.30	328195.20	174846.00	–69996.50
营业利润(万元)	407369.40	406828.60	224268.30	–103765.50
利润总额(万元)	405000.40	420872.90	224014.60	–91414.90

上海三毛企业(集团)股份有限公司

公司概况					
公司名称	上海三毛企业(集团)股份有限公司			证券简称	上海三毛
法人代表	邹宁	董秘	邹宁(代)	证券代码	600689
公司网址	www.600689.com		电子信箱	shenlei_sm@126.com	
电　话	021-63059496　63028180		传　真	021-63018850	
办公地址	上海市浦东新区航头镇下沙新街 200 弄 51 号				
经营范围	生产、销售毛条、毛纱、纺织品及服装、销售自产产品等				

主要财务指标 指标\报告期	2016.06.30	2015.12.31	2015.06.30	2014.12.31
基本每股收益(元)	–0.0860	–0.1900	–0.0550	0.3000
基本每股收益(扣除后)(元)	–0.0910	–0.1800	–0.0340	–0.1900
稀释每股收益(元)	–0.0860	–0.1900	–0.0550	0.3000
每股净资产(元)	1.5543	1.6400	1.7740	2.0203
每股经营现金净流量(元)	0.0876	0.0002	0.0455	–0.0297
每股现金流量(元)	0.1587	0.0248	0.4540	–0.0649
每股资本公积金(元)	1.0537	1.0537	1.0537	1.0537
每股盈余公积金(元)	0.1921	0.1921	0.1921	0.1921
每股未分配利润(元)	–0.7242	–0.6377	–0.5002	–0.4448
净资产收益率(%)	–5.5650	–11.7847	–3.1205	14.7776
加权净资产收益率(%)	–5.4200	–10.3700	–2.9200	16.4600
净资产收益率(扣除)(%)	–5.8491	–11.1331	–1.9099	–9.5039
总资产(万元)	73265.95	76400.70	76041.85	82622.30
归属母公司股东权益(万元)	31239.18	32897.52	35656.33	40606.99
营业收入(万元)	53774.38	112847.70	57008.13	128493.67
营业支出(万元)	49372.84	105075.55	53195.53	121051.63
投资收益(万元)	–218.22	5566.29	5769.75	12959.51
净利润(万元)	–1801.16	–3843.76	–1118.49	6033.58
营业利润(万元)	–1850.50	1119.28	3939.87	6923.64
利润总额(万元)	–1751.21	–4676.27	–2062.85	7040.78

青岛海尔股份有限公司

公司概况						
公司概况	公司名称	青岛海尔股份有限公司			证券简称	青岛海尔
公司概况	法人代表	梁海山	董秘	明国珍	证券代码	600690
公司概况	公司网址	www.haier.com		电子信箱	9999@haier.com	
公司概况	电　　话	0532-88931670		传　　真	0532-88931689	
公司概况	办公地址	山东省青岛市崂山区海尔信息产业园内				
公司概况	经营范围	空调器、电冰箱、电冰柜、洗碗机、燃气灶等家电产品的生产与销售				

主要财务指标	指标\报告期	2016.06.30	2015.12.31	2015.06.30	2014.12.31
主要财务指标	基本每股收益(元)	0.5430	0.7050	0.4490	0.9330
主要财务指标	基本每股收益(扣除后)(元)	0.4530	0.6030	0.4130	1.5080
主要财务指标	稀释每股收益(元)	0.5430	0.7050	0.4450	0.9320
主要财务指标	每股净资产(元)	4.1795	3.7063	4.0904	7.1702
主要财务指标	每股经营现金净流量(元)	0.7788	0.9112	0.5781	2.2224
主要财务指标	每股现金流量(元)	-0.4634	-1.0513	-0.9222	3.3310
主要财务指标	每股资本公积金(元)	0.0137	0.0136	1.2036	1.9629
主要财务指标	每股盈余公积金(元)	0.3291	0.3310	0.6645	0.6645
主要财务指标	每股未分配利润(元)	2.8013	2.2774	5.0833	4.2776
主要财务指标	净资产收益率(%)	12.9923	18.9511	10.5493	22.8551
主要财务指标	加权净资产收益率(%)	13.7800	16.2200	10.4900	27.5800
主要财务指标	净资产收益率(扣除)(%)	10.8378	16.1935	10.0711	19.7987
主要财务指标	总资产(万元)	12071524.50	7596071.83	7541719.13	8234871.96
主要财务指标	归属母公司股东权益(万元)	2551643.02	2273333.47	2491981.06	2460846.81
主要财务指标	营业收入(万元)	4878660.69	8974832.04	4731329.30	9692976.39
主要财务指标	营业支出(万元)	3467573.21	6465846.32	3445254.98	7017040.12
主要财务指标	投资收益(万元)	102919.38	132030.22	50257.27	119258.00
主要财务指标	净利润(万元)	397184.22	592208.95	341208.91	704890.13
主要财务指标	营业利润(万元)	422869.90	645231.78	388538.92	830032.67
主要财务指标	利润总额(万元)	463254.06	697485.89	402012.97	857638.81

阳煤化工股份有限公司

公司概况						
公司概况	公司名称	阳煤化工股份有限公司			证券简称	阳煤化工
公司概况	法人代表	闫文泉	董秘	杨印生	证券代码	600691
公司概况	公司网址	www.ymhg.com.cn		电子信箱	ymhg600691@163.com	
公司概况	电　　话	0351-7255821 7255820		传　　真	0351-7255820	
公司概况	办公地址	山西省太原市高新区科技街18号阳煤大厦				
公司概况	经营范围	制造、销售电碳炭素制品、机械密封、粉末冶金制品				

主要财务指标	指标\报告期	2016.06.30	2015.12.31	2015.06.30	2014.12.31
主要财务指标	基本每股收益(元)	-0.1941	0.0247	0.0226	-0.0207
主要财务指标	基本每股收益(扣除后)(元)	-0.2110	-0.0186	0.0086	-0.2459
主要财务指标	稀释每股收益(元)	-0.1941	0.0247	0.0226	-0.0207
主要财务指标	每股净资产(元)	2.4242	2.6153	3.1350	3.0988
主要财务指标	每股经营现金净流量(元)	0.3715	0.0977	0.2758	0.5556
主要财务指标	每股现金流量(元)	-0.0520	0.2356	1.2648	0.2474
主要财务指标	每股资本公积金(元)	1.6801	1.6801	2.2076	2.2076
主要财务指标	每股盈余公积金(元)	0.0225	0.0225	0.0270	0.0270
主要财务指标	每股未分配利润(元)	-0.2977	-0.1036	-0.1264	-0.1535
主要财务指标	净资产收益率(%)	-8.0089	0.9431	0.8641	-0.6675
主要财务指标	加权净资产收益率(%)	-7.7100	0.9500	0.8700	-0.5900
主要财务指标	净资产收益率(扣除)(%)	-8.7035	-0.7098	0.3274	-7.9367
主要财务指标	总资产(万元)	4118380.28	3899405.23	4047462.96	3470900.10
主要财务指标	归属母公司股东权益(万元)	425877.28	459445.24	460171.60	454859.91
主要财务指标	营业收入(万元)	947846.56	1775883.64	1005903.61	1992907.49
主要财务指标	营业支出(万元)	891410.74	1566282.09	913540.70	1825251.67
主要财务指标	投资收益(万元)	-242.11	-4657.42	-674.58	4240.38
主要财务指标	净利润(万元)	-43324.13	4438.91	5953.26	-1555.32
主要财务指标	营业利润(万元)	-43774.80	6730.65	8024.25	-10958.96
主要财务指标	利润总额(万元)	-40190.62	16917.15	11447.38	10253.29

上海亚通股份有限公司

公司概况						
公司概况	公司名称	上海亚通股份有限公司			证券简称	亚通股份
公司概况	法人代表	张忠	董秘	蔡福生	证券代码	600692
公司概况	公司网址	www.shanghiyateng.com		电子信箱	chinayatong@online.sh.cn	
公司概况	电　　话	021-69695918 39306212		传　　真	021-69691970	
公司概况	办公地址	上海市崇明区城桥镇寒山寺路297号				
公司概况	经营范围	内河旅客、客滚运输、沿海客滚、化工品运输、陆上出租汽车等				

主要财务指标	指标\报告期	2016.06.30	2015.12.31	2015.06.30	2014.12.31
主要财务指标	基本每股收益(元)	0.0310	0.1172	0.0191	0.1089
主要财务指标	基本每股收益(扣除后)(元)	0.0230	0.0555	0.0118	0.0587
主要财务指标	稀释每股收益(元)	0.0310	0.1172	0.0191	0.1089
主要财务指标	每股净资产(元)	1.6998	1.6685	1.5704	1.5513
主要财务指标	每股经营现金净流量(元)	0.3136	1.8158	0.3118	-1.5470
主要财务指标	每股现金流量(元)	-0.5773	1.3344	0.5657	0.0607
主要财务指标	每股资本公积金(元)	0.1741	0.1741	0.1741	0.1741
主要财务指标	每股盈余公积金(元)	0.1500	0.1500	0.1497	0.1497
主要财务指标	每股未分配利润(元)	0.3757	0.3444	0.2467	0.2275
主要财务指标	净资产收益率(%)	1.8249	7.0240	1.2194	7.0177
主要财务指标	加权净资产收益率(%)	1.8400	7.2800	1.2300	7.2700
主要财务指标	净资产收益率(扣除)(%)	1.3556	3.3279	0.7530	3.7864
主要财务指标	总资产(万元)	241392.40	251378.96	228511.03	198936.78
主要财务指标	归属母公司股东权益(万元)	59791.34	58690.87	55242.06	54568.45
主要财务指标	营业收入(万元)	33675.91	52285.95	17038.85	47298.51
主要财务指标	营业支出(万元)	28329.28	43716.73	14165.04	38105.88
主要财务指标	投资收益(万元)	468.36	280.82	413.02	2037.26
主要财务指标	净利润(万元)	1501.59	5971.88	727.24	4235.52
主要财务指标	营业利润(万元)	1982.68	5528.87	878.15	3637.26
主要财务指标	利润总额(万元)	2116.84	7398.99	888.62	4211.95

福建东百集团股份有限公司

公司概况						
公司概况	公司名称	福建东百集团股份有限公司			证券简称	东百集团
公司概况	法人代表	朱红志	董秘	刘夷	证券代码	600693
公司概况	公司网址	www.dongbai.com		电子信箱	db600693@126.com	
公司概况	电　　话	0591-87531724		传　　真	0591-87531804	
公司概况	办公地址	福建省福州市八一七北路84号东百大厦17层				
公司概况	经营范围	百货零售为主业、兼营商业物业管理、广告信息、酒店餐饮、房地产开发业务				

主要财务指标	指标\报告期	2016.06.30	2015.12.31	2015.06.30	2014.12.31
主要财务指标	基本每股收益(元)	0.0114	0.1168	0.1157	0.4261
主要财务指标	基本每股收益(扣除后)(元)	0.0125	0.0334	0.0608	0.0411
主要财务指标	稀释每股收益(元)	0.0114	0.1168	0.1157	0.4261
主要财务指标	每股净资产(元)	2.0293	4.0357	4.0278	3.5337
主要财务指标	每股经营现金净流量(元)	-0.0853	-0.1872	-0.4175	-1.1091
主要财务指标	每股现金流量(元)	-0.1387	0.1557	0.5569	1.4269
主要财务指标	每股资本公积金(元)	0.1419	1.2837	1.2837	0.1233
主要财务指标	每股盈余公积金(元)	0.1999	0.3999	0.3886	0.5085
主要财务指标	每股未分配利润(元)	0.6875	1.3521	1.3555	1.9019
主要财务指标	净资产收益率(%)	0.5623	2.7240	2.5329	12.0575
主要财务指标	加权净资产收益率(%)	0.5600	2.9600	3.0800	12.8300
主要财务指标	净资产收益率(扣除)(%)	0.6156	0.7786	1.3323	1.1638
主要财务指标	总资产(万元)	584209.61	528704.62	480899.89	411971.09
主要财务指标	归属母公司股东权益(万元)	182273.50	181248.51	180893.03	121284.30
主要财务指标	营业收入(万元)	79916.07	162619.68	83042.25	174633.55
主要财务指标	营业支出(万元)	63942.15	124553.17	63187.25	136147.06
主要财务指标	投资收益(万元)	418.66	3018.93	2320.74	19248.45
主要财务指标	净利润(万元)	585.61	4124.13	4313.65	13200.50
主要财务指标	营业利润(万元)	881.17	5591.31	5856.41	21205.69
主要财务指标	利润总额(万元)	996.29	6327.77	5876.36	18189.99

大商股份有限公司

公司概况					
公司名称	大商股份有限公司			证券简称	大商股份
法人代表	牛钢	董秘	牛钢(代)	证券代码	600694
公司网址	www.dashanggufen.com		电子信箱	dashanggufen@126.com	
电　话	0411-83643215		传　真	0411-83880798	
办公地址	辽宁省大连市中山区青三街1号				
经营范围	商品零售兼批发、加工服务、仓储、农副产品收购、电子计算机技术服务等				

主要财务指标 指标＼报告期	2016.06.30	2015.12.31	2015.06.30	2014.12.31
基本每股收益(元)	1.7400	2.2500	2.0900	4.1800
基本每股收益(扣除后)(元)	1.6600	2.1700	2.0600	4.1500
稀释每股收益(元)	1.7400	2.2500	2.0900	4.1800
每股净资产(元)	23.0392	21.7547	21.5919	20.7580
每股经营现金净流量(元)	4.0445	4.4251	1.5523	3.7477
每股现金流量(元)	2.3209	–1.9717	–1.5514	–0.8042
每股资本公积金(元)	4.8991	4.8991	4.8967	4.8967
每股盈余公积金(元)	1.9565	1.9565	1.6557	1.6557
每股未分配利润(元)	15.1836	13.8991	14.0395	13.2056
净资产收益率(%)	7.5719	10.3621	9.6975	20.1379
加权净资产收益率(%)	7.7600	10.6600	9.6000	21.6200
净资产收益率(扣除)(%)	7.2254	9.9891	9.5213	19.9722
总资产(万元)	1727117.49	1656785.91	1550720.53	1478532.53
归属母公司股东权益(万元)	676703.25	638975.16	634193.11	609701.09
营业收入(万元)	1509702.36	3083206.11	1653487.61	3220586.46
营业支出(万元)	1169489.31	2416211.18	1289982.59	2535412.79
投资收益(万元)	42.22	239.96	53.53	205.55
净利润(万元)	52536.40	61761.65	64815.54	132421.12
营业利润(万元)	71547.10	98162.91	87566.08	175250.14
利润总额(万元)	75035.70	101508.04	89138.74	176966.50

上海绿庭投资控股集团股份有限公司

公司概况					
公司名称	上海绿庭投资控股集团股份有限公司			证券简称	绿庭投资
法人代表	俞乃奋	董秘	李冬青	证券代码	600695
公司网址	www.greencourtinvestment.com		电子信箱	info@greencourtinvestment.com	
电　话	021-60200777-8030、8020		传　真	021-60200779	
办公地址	上海市浦东新区世纪大道88号2501室				
经营范围	实行饲料生产、良种繁育、畜禽饲养、屠宰加工、内外销售"一条龙"等				

主要财务指标 指标＼报告期	2016.06.30	2015.12.31	2015.06.30	2014.12.31
基本每股收益(元)	–0.0200	0.0677	0.0100	–0.0695
基本每股收益(扣除后)(元)	–0.0300	0.0182	–0.0300	–0.0700
稀释每股收益(元)	–0.0200	0.0677	0.0100	–0.0695
每股净资产(元)	0.9426	1.0897	1.3425	0.7122
每股经营现金净流量(元)	0.0545	–0.1592	0.0803	–0.1518
每股现金流量(元)	–0.1761	0.1873	0.2232	–0.0742
每股资本公积金(元)	0.5411	0.5481	0.5481	0.5481
每股盈余公积金(元)	0.1093	0.1090	0.1090	0.1090
每股未分配利润(元)	–1.1103	–1.0879	–1.1452	–1.1556
净资产收益率(%)	–2.0407	6.2098	0.7689	–9.7572
加权净资产收益率(%)	–1.7800	9.1000	1.4400	–12.9600
净资产收益率(扣除)(%)	–3.4401	1.6661	–2.0891	–10.0263
总资产(万元)	110949.61	128196.48	130781.32	64249.23
归属母公司股东权益(万元)	67030.26	77719.22	95745.83	50793.69
营业收入(万元)	3124.06	24216.92	12386.45	27055.60
营业支出(万元)	1508.04	21612.07	11568.55	24900.65
投资收益(万元)	988.32	9127.86	2573.82	537.10
净利润(万元)	–1565.71	4785.75	743.27	–4956.06
营业利润(万元)	–1654.81	4726.90	582.12	–5092.72
利润总额(万元)	–1565.71	4787.27	743.27	–4956.06

匹凸匹金融信息服务(上海)股份有限公司

公司概况					
公司名称	匹凸匹金融信息服务(上海)股份有限公司			证券简称	*ST匹凸
法人代表	张佟	董秘	胥驰骋	证券代码	600696
公司网址	www.SH600696.com		电子信箱	IRM600696@163.com	
电　话	021-80133216		传　真	021-80133766	
办公地址	上海市浦东新区松林路357号26层				
经营范围	互联网金融信息服务，金融软件研发和维护				

主要财务指标 指标＼报告期	2016.06.30	2015.12.31	2015.06.30	2014.12.31
基本每股收益(元)	–0.1100	–0.3000	–0.0690	0.2090
基本每股收益(扣除后)(元)	–0.0900	–0.2960	–0.0680	0.0600
稀释每股收益(元)	–0.1100	–0.3000	–0.0690	0.2090
每股净资产(元)	1.3667	1.4805	1.6801	1.7488
每股经营现金净流量(元)	–0.0302	–0.6415	–0.1337	–0.3850
每股现金流量(元)	–0.1088	0.3300	0.0917	–0.0095
每股资本公积金(元)	0.1202	0.1202	0.0878	0.0878
每股盈余公积金(元)	0.0942	0.0942	0.0942	0.0942
每股未分配利润(元)	0.1522	0.2660	0.4981	0.5668
净资产收益率(%)	–8.3283	–20.3138	–4.0898	11.9338
加权净资产收益率(%)	–8.0000	–18.8200	–4.0100	12.6900
净资产收益率(扣除)(%)	–6.8799	–20.0003	–4.0549	3.1605
总资产(万元)	131429.40	137120.96	135434.77	139720.00
归属母公司股东权益(万元)	46544.99	50421.37	57218.82	59558.93
营业收入(万元)	291.16	2104.58	–0.36	1004.83
营业支出(万元)	184.02	1258.02	–	581.71
投资收益(万元)	–	3853.57	171.63	10887.97
净利润(万元)	–4351.78	–16804.13	–2424.17	6969.72
营业利润(万元)	–3250.49	–7807.19	–2228.95	8252.83
利润总额(万元)	–4351.78	–16203.37	–2424.17	8117.91

长春欧亚集团股份有限公司

公司概况					
公司名称	长春欧亚集团股份有限公司			证券简称	欧亚集团
法人代表	曹和平	董秘	席汝珍	证券代码	600697
公司网址	www.cn-eurasiagroup.com		电子信箱	ccoyjt@sina.com	
电　话	0431-87666905		传　真	0431-87666813	
办公地址	吉林省长春市高新技术产业开发区飞跃路2686号				
经营范围	综合百货业务				

主要财务指标 指标＼报告期	2016.06.30	2015.12.31	2015.06.30	2014.12.31
基本每股收益(元)	0.8300	2.0400	0.8100	1.8800
基本每股收益(扣除后)(元)	0.8200	1.9400	0.7500	1.7700
稀释每股收益(元)	0.8300	2.0400	0.8100	1.8800
每股净资产(元)	12.5405	11.7464	10.8282	9.9957
每股经营现金净流量(元)	–0.0876	2.2900	–2.2846	0.5454
每股现金流量(元)	1.2101	0.6382	0.8371	1.1815
每股资本公积金(元)	1.8734	1.8734	1.8734	1.8734
每股盈余公积金(元)	0.5000	0.5000	0.5000	0.5000
每股未分配利润(元)	9.1070	8.2760	7.3809	6.5671
净资产收益率(%)	6.6270	17.3575	7.5157	18.7873
加权净资产收益率(%)	6.8400	18.7100	7.8200	20.3100
净资产收益率(扣除)(%)	6.5427	16.4966	6.8924	17.7272
总资产(万元)	1661855.69	1569768.38	1415366.17	1326222.53
归属母公司股东权益(万元)	199504.13	186871.86	172263.04	159019.43
营业收入(万元)	660810.87	1290499.01	637039.49	1154212.02
营业支出(万元)	533472.60	1033561.34	521981.57	932651.71
投资收益(万元)	–67.04	–112.63	–51.08	–217.90
净利润(万元)	22861.61	54380.90	22477.10	44559.58
营业利润(万元)	30602.82	69312.81	27629.05	56353.57
利润总额(万元)	30881.84	72575.16	30131.63	59815.73

湖南天雁机械股份有限公司

公司概况	公司名称	湖南天雁机械股份有限公司			证券简称	湖南天雁
	法人代表	连刚	董秘	钟桥前	证券代码	600698
	公司网址	www.tyen.com.cn		电子信箱	tyen5617@163.com	
	电　话	0734-8532012		传　真	0734-8532003	
	办公地址	湖南省衡阳市石鼓区合江套路195号				
	经营范围	增压器，活塞环，冷却风扇，节温器，气门及其他发动机零部件的设计等				

主要财务指标	指标\报告期	2016.06.30	2015.12.31	2015.06.30	2014.12.31
	基本每股收益(元)	0.0075	-0.0483	0.0051	0.0148
	基本每股收益(扣除后)(元)	0.0061	-0.0561	0.0021	0.0023
	稀释每股收益(元)	0.0075	-0.0483	0.0051	0.0148
	每股净资产(元)	0.6777	0.6702	0.7235	0.7185
	每股经营现金净流量(元)	-0.0173	-0.0032	-0.0065	0.0671
	每股现金流量(元)	0.0890	0.0188	0.0623	0.0460
	每股资本公积金(元)	0.3850	0.3850	0.3850	0.3850
	每股盈余公积金(元)	0.0864	0.0864	0.0864	0.0864
	每股未分配利润(元)	-0.7938	-0.8013	-0.7479	-0.7530
	净资产收益率(%)	1.1060	-7.2030	0.6993	2.0570
	加权净资产收益率(%)	1.1100	-6.9500	0.7000	2.0800
	净资产收益率(扣除)(%)	0.9068	-8.3650	0.2867	0.3171
	总资产(万元)	130126.59	112891.52	120416.75	110955.09
	归属母公司股东权益(万元)	65860.81	65132.35	70315.52	69823.82
	营业收入(万元)	27527.03	44487.50	26289.56	57795.05
	营业支出(万元)	21106.69	37385.29	20212.42	44267.43
	投资收益(万元)	-	-	-	-
	净利润(万元)	728.45	-4691.47	491.69	1436.28
	营业利润(万元)	625.11	-5457.71	224.51	592.45
	利润总额(万元)	756.35	-4697.84	514.64	2021.57

宁波均胜电子股份有限公司

公司概况	公司名称	宁波均胜电子股份有限公司			证券简称	均胜电子
	法人代表	王剑峰	董秘	叶树平	证券代码	600699
	公司网址	www.joyson.cn		电子信箱	600699@joyson.cn	
	电　话	0574-87907001　89078965		传　真	0574-87402859	
	办公地址	浙江省宁波市高新区聚贤路1266号				
	经营范围	电子产品、电子元件、汽车电子装置(车身电子控制系统)、光电机一体化产品等				

主要财务指标	指标\报告期	2016.06.30	2015.12.31	2015.06.30	2014.12.31
	基本每股收益(元)	0.3600	0.6100	0.3000	0.5500
	基本每股收益(扣除后)(元)	0.3300	0.5000	0.2700	0.5000
	稀释每股收益(元)	0.3600	0.6100	0.3000	0.5500
	每股净资产(元)	5.8139	5.5039	3.8471	3.8047
	每股经营现金净流量(元)	-0.0213	0.8488	0.3075	1.1594
	每股现金流量(元)	-2.5257	4.1630	0.0001	0.2626
	每股资本公积金(元)	3.1018	3.2687	1.8648	1.8648
	每股盈余公积金(元)	0.0797	0.0797	0.0810	0.0810
	每股未分配利润(元)	2.2437	1.8884	1.7193	1.5331
	净资产收益率(%)	6.1119	10.5386	7.6996	14.3320
	加权净资产收益率(%)	6.5000	13.5100	7.6300	14.7400
	净资产收益率(扣除)(%)	5.6051	8.5411	7.0707	13.2208
	总资产(万元)	2672668.80	1140939.11	767327.63	625920.43
	归属母公司股东权益(万元)	400789.78	379423.01	244732.72	242033.59
	营业收入(万元)	595070.75	808253.42	389793.53	707709.11
	营业支出(万元)	473451.86	633288.04	305177.37	569234.66
	投资收益(万元)	2884.00	7324.70	466.74	55.82
	净利润(万元)	27349.39	41717.71	19956.99	34960.07
	营业利润(万元)	33777.35	51572.13	24952.09	42427.18
	利润总额(万元)	36488.04	55894.53	27010.29	45870.63

哈尔滨工大高新技术产业开发股份有限公司

公司概况	公司名称	哈尔滨工大高新技术产业开发股份有限公司			证券简称	*ST工新
	法人代表	张大成	董秘	吕莹	证券代码	600701
	公司网址	hit-hi-tech.cn		电子信箱	lvying-hit@vip.sina.com	
	电　话	0451-86269034		传　真	0451-86269032	
	办公地址	黑龙江省哈尔滨市南岗区西大直街118号				
	经营范围	高新技术及产品的开发、生产、销售和技术服务、技术咨询、技术培训、技术转让等				

主要财务指标	指标\报告期	2016.06.30	2015.12.31	2015.06.30	2014.12.31
	基本每股收益(元)	0.0520	-0.0368	-0.0580	-0.0294
	基本每股收益(扣除后)(元)	-0.1170	-0.0613	-0.0700	-0.0326
	稀释每股收益(元)	0.0520	-0.0368	-0.0580	-0.0294
	每股净资产(元)	1.8287	1.7791	1.7584	1.8200
	每股经营现金净流量(元)	0.0445	0.7628	0.3934	0.4832
	每股现金流量(元)	-0.0382	-0.1821	-0.0892	-0.0956
	每股资本公积金(元)	0.2124	0.2144	0.2144	0.2144
	每股盈余公积金(元)	0.1811	0.1811	0.1799	0.1799
	每股未分配利润(元)	0.4352	0.3835	0.3640	0.4215
	净资产收益率(%)	2.8250	-2.0694	-3.2708	-1.6205
	加权净资产收益率(%)	2.8600	-2.0482	-3.2200	-1.6031
	净资产收益率(扣除)(%)	-6.3841	-3.4435	-3.9573	-1.7967
	总资产(万元)	304894.12	309518.15	295079.40	299994.58
	归属母公司股东权益(万元)	91212.60	88735.83	87703.51	90572.11
	营业收入(万元)	45822.56	83979.39	33899.45	79776.00
	营业支出(万元)	30868.23	59430.97	21762.50	51026.60
	投资收益(万元)	5920.16	-18.06	-10.38	-14.62
	净利润(万元)	369.54	-2542.08	-2964.11	-1668.07
	营业利润(万元)	-1918.88	-3268.38	-3528.94	-589.54
	利润总额(万元)	1321.23	-1817.04	-2926.82	-426.10

四川沱牌舍得酒业股份有限公司

公司概况	公司名称	四川沱牌舍得酒业股份有限公司			证券简称	沱牌舍得
	法人代表	周政	董秘	马力军	证券代码	600702
	公司网址	www.tuopaishede.cn		电子信箱	tuopai@tuopaishede.cn	
	电　话	0825-6618268　6618269		传　真	0825-6618269	
	办公地址	四川省遂宁市射洪县沱牌镇沱牌大道999号				
	经营范围	粮食收购、酒类及纯净水生产、销售、普通货运、危险货物运输等				

主要财务指标	指标\报告期	2016.06.30	2015.12.31	2015.06.30	2014.12.31
	基本每股收益(元)	0.0687	0.0211	0.0200	0.0397
	基本每股收益(扣除后)(元)	0.0710	0.0071	0.0162	0.0329
	稀释每股收益(元)	0.0687	0.0211	0.0200	0.0397
	每股净资产(元)	6.7349	6.6583	6.6771	6.6571
	每股经营现金净流量(元)	0.0287	0.3582	0.0138	-0.4387
	每股现金流量(元)	0.0579	0.0658	0.1643	0.4172
	每股资本公积金(元)	2.3776	2.3697	2.3697	2.3697
	每股盈余公积金(元)	0.7283	0.7283	0.7283	0.7283
	每股未分配利润(元)	2.6289	2.5602	2.5791	2.5591
	净资产收益率(%)	1.0201	0.3174	0.2995	0.5963
	加权净资产收益率(%)	1.0300	0.3200	0.3000	0.6000
	净资产收益率(扣除)(%)	1.0541	0.1072	0.2429	0.4949
	总资产(万元)	374208.61	376132.05	379101.36	367883.59
	归属母公司股东权益(万元)	227166.96	224583.28	225219.65	224545.07
	营业收入(万元)	77986.80	115613.51	62719.61	144498.33
	营业支出(万元)	39072.18	57301.59	30324.74	71297.45
	投资收益(万元)	-625.64	1492.87	848.81	1918.48
	净利润(万元)	2317.38	712.81	674.58	1338.94
	营业利润(万元)	6312.03	2716.23	1812.72	3217.93
	利润总额(万元)	6320.11	3275.29	1967.43	3504.50

三安光电股份有限公司

公司概况	公司名称	三安光电股份有限公司		证券简称	三安光电
	法人代表	林秀成	董秘 李雪炭	证券代码	600703
	公司网址	www.sanan-e.com		电子信箱	600703@sanan.cn
	电　话	0592-5937117		传　真	0592-5937117
	办公地址	福建省厦门市思明区吕岭路 1721-1725 号			
	经营范围	电子工业技术研究、咨询服务、电子产品生产、销售等			

主要财务指标 指标\报告期	2016.06.30	2015.12.31	2015.06.30	2014.12.31
基本每股收益(元)	0.3800	0.7100	0.3800	0.6100
基本每股收益(扣除后)(元)	0.2500	0.5900	0.3000	0.4700
稀释每股收益(元)	0.3800	0.7100	0.3800	0.6100
每股净资产(元)	6.6123	6.2450	4.8520	4.7301
每股经营现金净流量(元)	0.3171	0.9379	0.4086	0.2780
每股现金流量(元)	0.5186	0.6780	-0.7009	1.1201
每股资本公积金(元)	3.3764	3.3852	2.2618	2.2618
每股盈余公积金(元)	0.1127	0.1127	0.0920	0.0920
每股未分配利润(元)	2.1224	1.7433	1.5546	1.3768
净资产收益率(%)	5.7332	10.6451	7.7856	12.9187
加权净资产收益率(%)	5.8900	14.2100	7.6800	13.8800
净资产收益率(扣除)(%)	3.8093	8.9195	6.1090	9.9320
总资产(万元)	2313485.32	2077956.34	1688361.63	1701663.17
归属母公司股东权益(万元)	1685474.29	1591858.91	1161129.66	1131948.63
营业收入(万元)	277836.57	485825.38	229140.02	457966.51
营业支出(万元)	173233.45	261655.04	118765.66	251673.99
投资收益(万元)	-155.77	335.90	-179.53	-5071.99
净利润(万元)	96635.14	174750.47	94366.38	151046.18
营业利润(万元)	80090.39	150528.17	85438.47	133285.65
利润总额(万元)	116234.99	210049.68	114970.04	182857.18

物产中大集团股份有限公司

公司概况	公司名称	物产中大集团股份有限公司		证券简称	物产中大
	法人代表	王挺革	董秘 陈继达	证券代码	600704
	公司网址	www.wuchanzhongda.cn		电子信箱	stock@zhongda.com
	电　话	0571-85777029		传　真	0571-85778008
	办公地址	浙江省杭州市环城西路 56 号			
	经营范围	主要从事各类服装、纺织品、食品、茶叶等进出口贸易等			

主要财务指标 指标\报告期	2016.06.30	2015.12.31	2015.06.30	2014.12.31
基本每股收益(元)	0.2126	0.6000	0.3510	0.4103
基本每股收益(扣除后)(元)	0.1998	0.3500	0.3190	0.0461
稀释每股收益(元)	0.2126	0.6000	0.3510	0.4103
每股净资产(元)	6.5738	8.5100	6.2374	5.8278
每股经营现金净流量(元)	-0.2448	1.7020	0.6006	-1.2802
每股现金流量(元)	-0.4777	2.1346	3.6146	-0.2704
每股资本公积金(元)	1.9063	2.7904	2.2480	2.8485
每股盈余公积金(元)	0.1266	0.1646	0.2596	0.3150
每股未分配利润(元)	1.8833	2.3676	2.4659	3.8548
净资产收益率(%)	3.8702	7.3666	5.6277	6.1932
加权净资产收益率(%)	4.0400	9.5400	5.7500	7.4400
净资产收益率(扣除)(%)	3.6745	2.6755	5.1149	0.6952
总资产(万元)	7972790.85	7296928.47	3658965.22	6138924.71
归属母公司股东权益(万元)	1887411.05	1879479.32	621238.53	1269586.31
营业收入(万元)	8598418.76	18236007.67	1844645.20	3792672.06
营业支出(万元)	8270422.24	17661045.14	1715380.89	3527078.07
投资收益(万元)	8925.43	104438.57	34245.12	33745.75
净利润(万元)	104088.01	184475.11	45608.07	45857.47
营业利润(万元)	125818.71	196503.53	60083.97	51103.91
利润总额(万元)	132280.51	221316.43	61302.07	69288.15

中航资本控股股份有限公司

公司概况	公司名称	中航资本控股股份有限公司		证券简称	中航资本
	法人代表	孟祥泰	董秘 王晓峰	证券代码	600705
	公司网址	www.aviccapital.com		电子信箱	dongmi@aviccapital.com
	电　话	010-65675115　84878692		传　真	010-65675911　0451-84878701
	办公地址	北京市朝阳区东三环中路乙 10 号艾维克大厦 20 层			
	经营范围	实业投资、股权投资、投资咨询			

主要财务指标 指标\报告期	2016.06.30	2015.12.31	2015.06.30	2014.12.31
基本每股收益(元)	0.1300	0.6100	0.1900	0.5000
基本每股收益(扣除后)(元)	0.1100	0.5800	0.1900	0.4700
稀释每股收益(元)	0.1300	0.6100	0.1900	0.5000
每股净资产(元)	2.2925	4.6600	4.9982	3.6039
每股经营现金净流量(元)	-3.7885	4.3125	-0.0219	0.7813
每股现金流量(元)	-3.3871	5.9748	0.5845	1.3332
每股资本公积金(元)	0.4537	1.9073	1.1932	1.1932
每股盈余公积金(元)	0.0233	0.0466	0.0213	0.0213
每股未分配利润(元)	0.4514	0.8162	1.0719	0.6855
净资产收益率(%)	5.4877	11.0557	7.7315	13.4576
加权净资产收益率(%)	5.3500	15.2000	8.9800	16.9400
净资产收益率(扣除)(%)	4.9781	10.4779	7.5588	12.7488
总资产(万元)	12802585.65	15238890.48	12366349.02	10843318.57
归属母公司股东权益(万元)	2057827.65	2091479.21	1865690.93	1345228.30
营业收入(万元)	183601.05	327780.22	149345.50	283187.77
营业支出(万元)	89003.40	144187.79	66871.25	122429.27
投资收益(万元)	41790.19	118512.19	77340.87	127168.49
净利润(万元)	147716.57	353666.54	215138.19	278379.35
营业利润(万元)	190157.31	461629.42	283163.04	361336.54
利润总额(万元)	192485.98	466348.75	282574.32	368880.16

西安曲江文化旅游股份有限公司

公司概况	公司名称	西安曲江文化旅游股份有限公司		证券简称	曲江文旅
	法人代表	贾涛	董秘 高艳	证券代码	600706
	公司网址	www.qjtourism.com		电子信箱	cadsh@pub.xaonline.com
	电　话	029-89129355		传　真	029-89129350
	办公地址	陕西省西安市雁塔南路 292 号曲江文化大厦 7-8 层			
	经营范围	景区运营管理业务、酒店餐饮管理业务、旅行社业务、演出演艺业务等			

主要财务指标 指标\报告期	2016.06.30	2015.12.31	2015.06.30	2014.12.31
基本每股收益(元)	0.2400	0.2700	0.1500	0.1600
基本每股收益(扣除后)(元)	0.2300	0.2000	0.1400	0.1200
稀释每股收益(元)	0.2400	0.2700	0.1500	0.1600
每股净资产(元)	4.8756	4.6386	4.5231	4.3716
每股经营现金净流量(元)	0.2224	0.7009	0.2093	-0.0806
每股现金流量(元)	-0.1971	0.2356	0.2369	-1.3294
每股资本公积金(元)	2.4984	2.4984	2.4984	2.4984
每股盈余公积金(元)	-	-	-	-
每股未分配利润(元)	1.3772	1.1402	1.0247	0.8732
净资产收益率(%)	4.8612	5.7552	3.3482	3.7054
加权净资产收益率(%)	4.9800	5.9300	3.4100	3.7800
净资产收益率(扣除)(%)	4.6212	4.2916	3.1530	2.8269
总资产(万元)	173605.43	173255.49	179515.15	174214.35
归属母公司股东权益(万元)	87521.54	83266.97	81193.36	78474.80
营业收入(万元)	47624.32	98936.55	48470.92	108222.76
营业支出(万元)	30782.64	64905.86	31220.73	73106.27
投资收益(万元)	-	12.00	-	6.18
净利润(万元)	4246.83	4699.03	2672.69	2675.19
营业利润(万元)	5038.20	4657.26	2951.75	1551.42
利润总额(万元)	5282.36	6159.70	3126.30	2947.79

彩虹显示器件股份有限公司

公司概况	公司名称	彩虹显示器件股份有限公司			证券简称	彩虹股份
	法人代表	郭盟权	董秘	龙涛	证券代码	600707
	公司网址	www.chgf.com.cn		电子信箱	gfoffice@ch.com.cn	
	电　　话	029-33332866　33333109		传　　真	029-33332028	
	办公地址	陕西省咸阳市彩虹路一号				
	经营范围	显示器件的生产、开发与经营				

主要财务指标	指标\报告期	2016.06.30	2015.12.31	2015.06.30	2014.12.31
	基本每股收益(元)	-0.1470	0.0700	-0.2130	-1.3900
	基本每股收益(扣除后)(元)	-0.1520	-0.4400	-0.2160	-1.2740
	稀释每股收益(元)	-0.1470	0.0700	-0.2130	-1.3900
	每股净资产(元)	1.9739	2.1211	1.7022	1.9154
	每股经营现金净流量(元)	-0.0608	-0.1881	-0.0668	-0.1981
	每股现金流量(元)	0.5719	0.3069	0.1164	-0.8032
	每股资本公积金(元)	5.8945	5.8945	5.7569	5.7569
	每股盈余公积金(元)	0.3124	0.3124	0.3124	0.3124
	每股未分配利润(元)	-5.2329	-5.0857	-5.3670	-5.1539
	净资产收益率(%)	-7.4573	3.2133	-12.5239	-72.5863
	加权净资产收益率(%)	-7.1900	3.5000	-11.7900	-66.8500
	净资产收益率(扣除)(%)	-7.7248	-20.7981	-12.6824	-66.5144
	总资产(万元)	662350.49	615171.20	603690.80	576302.35
	归属母公司股东权益(万元)	145430.74	156275.97	125412.80	141119.39
	营业收入(万元)	15431.82	23489.95	17244.30	15955.76
	营业支出(万元)	16224.53	29293.72	19265.62	23211.58
	投资收益(万元)	-	-	-	1388.28
	净利润(万元)	-12489.37	4255.63	-17505.35	-114422.46
	营业利润(万元)	-12927.72	-38159.60	-17726.79	-110917.21
	利润总额(万元)	-12489.37	4255.63	-17505.35	-114422.46

光明房地产集团股份有限公司

公司概况	公司名称	光明房地产集团股份有限公司			证券简称	光明地产
	法人代表	张智刚	董秘		证券代码	600708
	公司网址	www.hb600708.com		电子信箱	xiongbo-sh@sohu.com	
	电　　话	021-32211128		传　　真	021-32211128	
	办公地址	上海市静安区西藏北路199号				
	经营范围	工业品加工、批发、零售,有色金属加工、经销,农副产品加工、批发、零售等				

主要财务指标	指标\报告期	2016.06.30	2015.12.31	2015.06.30	2014.12.31
	基本每股收益(元)	0.1079	0.4637	0.1157	0.3222
	基本每股收益(扣除后)(元)	0.1031	0.9594	0.0921	0.2248
	稀释每股收益(元)	0.1079	0.4637	0.1157	0.3222
	每股净资产(元)	6.1310	6.0231	3.1365	3.1242
	每股经营现金净流量(元)	0.7105	0.6960	0.1146	0.4998
	每股现金流量(元)	1.3759	1.2428	-0.1902	0.1117
	每股资本公积金(元)	1.8544	1.8544	0.1403	4.2322
	每股盈余公积金(元)	0.2535	0.2535	0.1700	0.6469
	每股未分配利润(元)	3.0231	2.9152	1.8217	6.6993
	净资产收益率(%)	1.7602	6.4244	3.6875	10.3118
	加权净资产收益率(%)	1.7800	8.8000	3.6900	10.7600
	净资产收益率(扣除)(%)	1.6808	8.7008	2.9352	7.1950
	总资产(万元)	5419521.58	4992481.81	639010.18	4432699.77
	归属母公司股东权益(万元)	808506.26	794275.31	160079.86	642158.96
	营业收入(万元)	478084.93	1238728.51	222080.91	452639.68
	营业支出(万元)	376932.33	935688.68	184869.43	384414.70
	投资收益(万元)	356.77	159.58	251.73	2939.96
	净利润(万元)	16979.67	50281.19	7096.61	21006.03
	营业利润(万元)	26796.90	83060.05	8516.31	18858.86
	利润总额(万元)	27818.81	84782.28	10224.52	28292.54

盛屯矿业集团股份有限公司

公司概况	公司名称	盛屯矿业集团股份有限公司			证券简称	盛屯矿业
	法人代表	陈东	董秘	邹亚鹏	证券代码	600711
	公司网址	www.600711.com		电子信箱	zouyp@600711.com	
	电　　话	0592-5891697　5891693		传　　真	0592-5366287	
	办公地址	福建省厦门市思明区金桥路101号办公楼第四层东侧A区				
	经营范围	有色金属采选业务、综合贸易业务等				

主要财务指标	指标\报告期	2016.06.30	2015.12.31	2015.06.30	2014.12.31
	基本每股收益(元)	0.0360	0.0920	0.0240	0.1140
	基本每股收益(扣除后)(元)	0.0320	0.0780	0.0220	0.0990
	稀释每股收益(元)	0.0360	0.0920	0.0240	0.1140
	每股净资产(元)	2.5856	2.5675	2.4345	2.4091
	每股经营现金净流量(元)	-0.0107	-0.5630	-0.3171	-0.3116
	每股现金流量(元)	-0.0348	-0.0970	-0.2221	0.2304
	每股资本公积金(元)	1.3263	1.3251	1.2677	1.2677
	每股盈余公积金(元)	0.0027	0.0027	-	-
	每股未分配利润(元)	0.2474	0.2312	0.1655	0.1414
	净资产收益率(%)	1.3981	3.6022	0.9884	4.1644
	加权净资产收益率(%)	1.3980	3.7670	0.9940	4.9770
	净资产收益率(扣除)(%)	1.2566	3.0361	0.9070	3.6184
	总资产(万元)	859266.25	820749.99	653898.19	594356.83
	归属母公司股东权益(万元)	387082.40	384365.16	364463.32	360660.67
	营业收入(万元)	465330.95	666199.77	241401.68	334795.78
	营业支出(万元)	439253.77	613636.19	223333.94	296892.40
	投资收益(万元)	-58.00	1494.97	167.15	1218.30
	净利润(万元)	5866.48	15469.94	4117.04	15027.34
	营业利润(万元)	7542.14	19224.51	4312.75	15582.76
	利润总额(万元)	7622.24	19619.76	4605.68	15974.53

南宁百货大楼股份有限公司

公司概况	公司名称	南宁百货大楼股份有限公司			证券简称	南宁百货
	法人代表	黄永干	董秘	周宁星	证券代码	600712
	公司网址	www.nnbh.com.cn		电子信箱	dshoffice@nnbh.cn	
	电　　话	0771-2610906　2098826		传　　真	0771-2610906	
	办公地址	广西壮族自治区南宁市朝阳路39号				
	经营范围	商品零售、批发、进出口贸易、广告、物业管理等				

主要财务指标	指标\报告期	2016.06.30	2015.12.31	2015.06.30	2014.12.31
	基本每股收益(元)	-0.0095	0.0500	0.0025	0.0300
	基本每股收益(扣除后)(元)	-0.0108	-0.0700	0.0017	0.0262
	稀释每股收益(元)	-0.0095	0.0500	0.0025	0.0300
	每股净资产(元)	2.0191	2.0285	1.9802	1.9867
	每股经营现金净流量(元)	-0.2367	0.1671	-0.0335	-0.3757
	每股现金流量(元)	-0.0595	0.0344	-0.0746	-0.4168
	每股资本公积金(元)	0.6791	0.6791	0.6791	0.6791
	每股盈余公积金(元)	0.0911	0.0911	0.0787	0.0787
	每股未分配利润(元)	0.2489	0.2583	0.2224	0.2289
	净资产收益率(%)	-0.4686	2.5052	0.1253	1.5025
	加权净资产收益率(%)	-0.4700	2.5300	0.1300	1.5100
	净资产收益率(扣除)(%)	-0.5352	-3.4915	0.0844	1.3203
	总资产(万元)	209333.43	221664.91	197032.67	207928.46
	归属母公司股东权益(万元)	109969.05	110484.31	107851.63	108206.65
	营业收入(万元)	110583.75	236655.56	121116.82	249748.09
	营业支出(万元)	93413.69	203286.14	103636.40	211010.88
	投资收益(万元)	69.21	6558.54	31.57	83.29
	净利润(万元)	-515.26	2767.85	135.17	1625.82
	营业利润(万元)	-290.86	2754.74	465.93	2372.81
	利润总额(万元)	-203.45	2965.99	522.37	2602.05

南京医药股份有限公司

公司概况	公司名称	南京医药股份有限公司			证券简称	南京医药
	法人代表	陶昀	董秘	李文骏	证券代码	600713
	公司网址	www.njyy.com		电子信箱	600713@njyy.com	
	电　话	025-84555540　84552680		传　真	025-84552601	
	办公地址	江苏省南京市雨花台区小行尤家凹 1 号(南京国际健康产业园)8 号楼				
	经营范围	经营药品、医疗器械、化学试剂、玻璃仪器四类商品研制、开发、生产、销售				

	指标＼报告期	2016.06.30	2015.12.31	2015.06.30	2014.12.31
主要财务指标	基本每股收益(元)	0.0910	0.1750	0.0900	0.1410
	基本每股收益(扣除后)(元)	0.0910	0.1620	0.0870	0.0620
	稀释每股收益(元)	0.0910	0.1750	0.0900	0.1410
	每股净资产(元)	2.6314	2.5642	2.4788	2.3860
	每股经营现金净流量(元)	-0.1936	-0.3411	-0.1151	-0.3800
	每股现金流量(元)	0.1063	-0.3640	0.2795	0.1506
	每股资本公积金(元)	1.2064	1.2094	1.2078	1.2078
	每股盈余公积金(元)	0.0658	0.0658	0.0614	0.0614
	每股未分配利润(元)	0.3571	0.2864	0.2059	0.1161
	净资产收益率(%)	3.4471	6.8107	3.6203	6.0190
	加权净资产收益率(%)	3.4830	7.0590	3.6900	11.0230
	净资产收益率(扣除)(%)	3.4411	6.3136	3.5121	2.6668
	总资产(万元)	1346222.86	1259478.80	1251441.97	1136229.24
	归属母公司股东权益(万元)	236148.15	230116.49	222453.32	214122.08
	营业收入(万元)	1296047.06	2481308.73	1198768.61	2207578.08
	营业支出(万元)	1220061.10	2334412.07	1127420.13	2073803.53
	投资收益(万元)	237.74	1389.92	1186.15	6768.22
	净利润(万元)	11052.52	19268.68	10168.89	15241.43
	营业利润(万元)	15850.91	25899.46	14598.37	18048.56
	利润总额(万元)	15803.57	27110.27	14127.62	20402.49

青海金瑞矿业发展股份有限公司

公司概况	公司名称	青海金瑞矿业发展股份有限公司			证券简称	金瑞矿业
	法人代表	程国勋	董秘	李军颜	证券代码	600714
	公司网址			电子信箱	ljyjrky@163.com	
	电　话	0971-6321867　6321653		传　真	0971-6330915	
	办公地址	青海省西宁市新宁路 36 号				
	经营范围	锶系列产品的研究、生产、开发、加工和销售等				

	指标＼报告期	2016.06.30	2015.12.31	2015.06.30	2014.12.31
主要财务指标	基本每股收益(元)	-0.1605	-0.1300	-0.0583	0.0330
	基本每股收益(扣除后)(元)	-0.1800	-0.1500	-0.0586	0.0010
	稀释每股收益(元)	-0.1605	-0.1300	-0.0583	0.0330
	每股净资产(元)	1.6381	1.8417	1.9931	1.7119
	每股经营现金净流量(元)	-0.0206	0.7437	0.7171	-0.3889
	每股现金流量(元)	-0.2305	0.2732	0.3728	-0.4485
	每股资本公积金(元)	0.7465	0.7465	0.7465	0.3612
	每股盈余公积金(元)	0.1083	0.1083	0.1083	0.1141
	每股未分配利润(元)	-0.2346	-0.0741	0.0551	0.1175
	净资产收益率(%)	-9.7974	-6.8318	-2.8270	1.9264
	加权净资产收益率(%)	-9.2200	-6.9700	-3.2200	1.9800
	净资产收益率(扣除)(%)	-10.9884	-7.8692	-2.8384	0.0334
	总资产(万元)	114879.51	120995.37	127514.65	129124.73
	归属母公司股东权益(万元)	47207.50	53072.23	57435.40	46803.60
	营业收入(万元)	8072.12	32782.15	18668.56	42701.43
	营业支出(万元)	8516.89	24509.09	13809.24	30530.85
	投资收益(万元)	-	-	-	-
	净利润(万元)	-4625.09	-3625.81	-1623.72	901.62
	营业利润(万元)	-5115.72	-3260.69	-1582.58	646.59
	利润总额(万元)	-4549.07	-2692.51	-1573.89	1872.56

文投控股股份有限公司

公司概况	公司名称	文投控股股份有限公司			证券简称	文投控股
	法人代表	赵磊	董秘	高海涛	证券代码	600715
	公司网址			电子信箱	slqccom@163.com	
	电　话	010-57042636　57042692		传　真	010-57042691	
	办公地址	辽宁省沈阳市苏家屯白松路 22 号				
	经营范围	汽车车身配套及汽车零部件制造与销售等				

	指标＼报告期	2016.06.30	2015.12.31	2015.06.30	2014.12.31
主要财务指标	基本每股收益(元)	0.1500	0.3200	-0.0500	-0.2100
	基本每股收益(扣除后)(元)	0.1500	0.2900	-0.0400	-0.2200
	稀释每股收益(元)	0.1500	0.3200	-0.0500	-0.2100
	每股净资产(元)	2.5478	4.7871	-0.2200	-0.1694
	每股经营现金净流量(元)	-0.1307	0.3560	0.5112	0.0656
	每股现金流量(元)	-0.3247	1.3444	0.5036	0.0265
	每股资本公积金(元)	1.7478	4.4798	1.9921	1.9921
	每股盈余公积金(元)	0.0057	0.0113	0.0416	0.0416
	每股未分配利润(元)	-0.2056	-0.7040	-3.2537	-3.2031
	净资产收益率(%)	5.7451	3.4914	-	125.8511
	加权净资产收益率(%)	5.9300	10.4900	-	-89.7400
	净资产收益率(扣除)(%)	5.7309	3.0662	17.0108	131.1651
	总资产(万元)	578170.10	572143.05	26207.53	16798.06
	归属母公司股东权益(万元)	420168.46	394730.01	-4933.47	-3798.56
	营业收入(万元)	85321.51	76685.43	82.52	1061.62
	营业支出(万元)	40433.53	43664.88	26.76	883.66
	投资收益(万元)	-	-	-	-
	净利润(万元)	24195.29	13781.61	-1134.92	-4778.27
	营业利润(万元)	30145.17	17178.62	-839.22	-4634.98
	利润总额(万元)	30449.76	19824.89	-1134.92	-4433.22

江苏凤凰置业投资股份有限公司

公司概况	公司名称	江苏凤凰置业投资股份有限公司			证券简称	凤凰股份
	法人代表	周斌	董秘	毕胜	证券代码	600716
	公司网址	www.fhzy.cn		电子信箱	zhangls@ppm.com	
	电　话	025-83566283　83566267		传　真	025-83566299	
	办公地址	江苏省南京市中央路 389 号凤凰国际大厦六楼				
	经营范围	房地产投资及其他投资、房屋租赁、物业管理				

	指标＼报告期	2016.06.30	2015.12.31	2015.06.30	2014.12.31
主要财务指标	基本每股收益(元)	0.0066	-0.1010	-0.1201	0.2044
	基本每股收益(扣除后)(元)	0.0070	-0.1006	-0.1203	0.1921
	稀释每股收益(元)	0.0066	-0.1010	-0.1201	0.2044
	每股净资产(元)	3.6969	2.6663	2.7471	2.8607
	每股经营现金净流量(元)	-0.5636	0.5555	-0.3472	0.4401
	每股现金流量(元)	2.3384	-0.9791	-0.8693	0.1253
	每股资本公积金(元)	1.5807	0.2634	0.2634	0.2568
	每股盈余公积金(元)	0.1482	0.1873	0.1797	0.1797
	每股未分配利润(元)	0.9680	1.2155	1.3040	1.4242
	净资产收益率(%)	0.1710	-3.7872	-4.3728	7.1440
	加权净资产收益率(%)	0.1800	-3.6500	-4.2900	7.2600
	净资产收益率(扣除)(%)	0.1825	-3.7729	-4.3799	6.7144
	总资产(万元)	1006749.85	773153.90	803437.53	844337.70
	归属母公司股东权益(万元)	346055.35	197464.09	203451.77	211862.53
	营业收入(万元)	80172.38	106447.62	15798.59	182938.01
	营业支出(万元)	61839.32	62395.01	8989.71	106457.02
	投资收益(万元)	-	3003.11	-	1001.04
	净利润(万元)	640.97	-7788.42	-8881.67	14765.64
	营业利润(万元)	824.60	-4161.37	-10925.93	21872.85
	利润总额(万元)	772.03	-4250.80	-10905.86	22646.04

天津港股份有限公司

公司概况					
公司名称	天津港股份有限公司			证券简称	天 津 港
法人代表	卢伟	董秘	孙埠	证券代码	600717
公司网址	www.tianjin-port.com		电子信箱	tianjinport@tianjin-port.com	
电　话	022-25706615 25702708		传　真	022-25706615	
办公地址	天津市塘沽区津港路99号				
经营范围	商品储存、中转联运、汽车运输、装卸搬运、集装箱储运、拆装箱及相关业务				

主要财务指标：指标\报告期	2016.06.30	2015.12.31	2015.06.30	2014.12.31
基本每股收益(元)	0.3900	0.7300	0.4000	0.6900
基本每股收益(扣除后)(元)	0.3900	0.7100	0.3900	0.6900
稀释每股收益(元)	0.3900	0.7300	0.4000	0.6900
每股净资产(元)	8.7955	8.6397	8.3235	8.1152
每股经营现金净流量(元)	0.9030	1.3478	0.5324	1.1069
每股现金流量(元)	0.3631	0.9771	0.8053	0.3972
每股资本公积金(元)	2.0795	2.0783	2.0784	2.0784
每股盈余公积金(元)	0.8269	0.8269	0.7393	0.7393
每股未分配利润(元)	4.7814	4.6163	4.3697	4.1825
净资产收益率(%)	4.4090	8.4688	4.7749	8.4755
加权净资产收益率(%)	4.3900	8.7300	4.8300	8.7700
净资产收益率(扣除)(%)	4.3815	8.2456	4.7094	8.4516
总资产(万元)	3302622.66	3359351.46	3301109.07	3365582.36
归属母公司股东权益(万元)	1473047.15	1446951.23	1393986.82	1359114.17
营业收入(万元)	595383.03	1540241.68	856667.70	2552829.88
营业支出(万元)	419587.03	1192434.91	682774.28	2215221.94
投资收益(万元)	15760.61	39104.46	21898.69	32772.39
净利润(万元)	90277.77	168673.42	92718.99	164784.83
营业利润(万元)	111789.44	207853.14	115728.15	199264.98
利润总额(万元)	111201.72	211601.76	115503.49	206053.59

东软集团股份有限公司

公司概况					
公司名称	东软集团股份有限公司			证券简称	东软集团
法人代表	刘积仁	董秘	王楠	证券代码	600718
公司网址	www.neusoft.com		电子信箱	investor@neusoft.com	
电　话	024-83662115		传　真	024-23783375	
办公地址	辽宁省沈阳市浑南新区新秀街2号东软软件园				
经营范围	软件开发和软件服务、系统集成及提供全面解决方案、医疗系统产品生产和销售等				

主要财务指标：指标\报告期	2016.06.30	2015.12.31	2015.06.30	2014.12.31
基本每股收益(元)	0.0800	0.3100	0.0700	0.2100
基本每股收益(扣除后)(元)	0.0500	0.1800	0.0300	0.1000
稀释每股收益(元)	0.0800	0.3100	0.0700	0.2100
每股净资产(元)	5.4170	4.8899	4.4811	4.4109
每股经营现金净流量(元)	-1.0702	0.2313	-0.7738	0.1762
每股现金流量(元)	-0.6107	0.6257	-0.5988	-0.2573
每股资本公积金(元)	0.9799	0.6640	0.2801	0.2804
每股盈余公积金(元)	0.7515	0.7515	0.7158	0.7158
每股未分配利润(元)	2.6461	2.6657	2.5648	2.4914
净资产收益率(%)	1.3888	6.3587	1.6383	4.7221
加权净资产收益率(%)	1.4000	6.9300	1.6500	4.7700
净资产收益率(扣除)(%)	1.0168	3.6404	0.6953	2.1807
总资产(万元)	1321943.12	1211272.05	964989.74	962213.95
归属母公司股东权益(万元)	673101.62	607604.24	550096.81	541482.03
营业收入(万元)	338228.88	775169.17	316149.68	779633.13
营业支出(万元)	222554.79	531968.45	209019.79	556270.51
投资收益(万元)	-444.20	3305.44	1942.36	4040.16
净利润(万元)	189.75	30644.77	5409.66	24433.01
营业利润(万元)	-4632.85	13711.63	2542.08	9759.89
利润总额(万元)	6123.08	39473.69	10966.09	32746.26

大连热电股份有限公司

公司概况					
公司名称	大连热电股份有限公司			证券简称	大连热电
法人代表	赵文旗	董秘	沈军	证券代码	600719
公司网址	www.dlrd.com		电子信箱	shenjun_dl@163.com	
电　话	0411-82298181 82298188		传　真	0411-82298177	
办公地址	辽宁省大连市中山区昆明街32号				
经营范围	发电、供热、热电联产				

主要财务指标：指标\报告期	2016.06.30	2015.12.31	2015.06.30	2014.12.31
基本每股收益(元)	0.0670	0.0263	0.0720	0.0239
基本每股收益(扣除后)(元)	0.0680	0.0457	0.0780	0.0180
稀释每股收益(元)	0.0670	0.0263	0.0720	0.0239
每股净资产(元)	1.8323	1.7756	3.6998	3.5888
每股经营现金净流量(元)	-0.1652	0.2756	-0.0734	1.8597
每股现金流量(元)	-0.2316	0.1124	-0.2200	-0.0797
每股资本公积金(元)	0.2525	0.2525	1.5051	1.5051
每股盈余公积金(元)	0.4020	0.4020	0.7946	0.7946
每股未分配利润(元)	0.1777	0.1210	0.4001	0.2319
净资产收益率(%)	3.6384	1.4813	3.8923	1.3328
加权净资产收益率(%)	3.6850	1.4900	3.9960	1.3600
净资产收益率(扣除)(%)	3.6990	2.5718	4.1978	1.0010
总资产(万元)	125301.97	146637.37	112623.30	129251.59
归属母公司股东权益(万元)	74132.95	71840.29	74846.72	71443.74
营业收入(万元)	39399.48	68437.40	43721.61	69442.52
营业支出(万元)	28591.30	54204.89	31977.83	54909.03
投资收益(万元)	-	-	-	-
净利润(万元)	2697.26	1064.14	2913.28	967.60
营业利润(万元)	3557.90	2370.68	4189.22	547.71
利润总额(万元)	3498.03	1606.23	3884.38	893.40

甘肃祁连山水泥集团股份有限公司

公司概况					
公司名称	甘肃祁连山水泥集团股份有限公司			证券简称	祁 连 山
法人代表	脱利成	董秘	罗鸿基	证券代码	600720
公司网址	www.qlssn.com		电子信箱	qlssn@163.com	
电　话	0931-4900698 4900608		传　真	0931-4900697	
办公地址	甘肃省兰州市城关区酒泉路力行新村3号祁连山大厦				
经营范围	水泥研究开发制造、批发零售、水泥装备的研制、安装、修理等				

主要财务指标：指标\报告期	2016.06.30	2015.12.31	2015.06.30	2014.12.31
基本每股收益(元)	-0.0240	0.2309	-0.0452	0.7200
基本每股收益(扣除后)(元)	-0.0283	0.0776	-0.0511	0.7200
稀释每股收益(元)	-0.0240	0.2309	-0.0452	0.7200
每股净资产(元)	6.0807	6.2000	6.2811	6.1700
每股经营现金净流量(元)	0.6284	0.8270	0.2751	1.1995
每股现金流量(元)	-0.2036	0.2667	-0.0397	-0.0914
每股资本公积金(元)	1.7265	1.7265	1.7147	1.7147
每股盈余公积金(元)	0.4283	0.4283	0.3627	0.3627
每股未分配利润(元)	2.5898	2.6138	2.6234	2.6686
净资产收益率(%)	-0.3948	3.7265	-0.7193	11.7290
加权净资产收益率(%)	-0.3900	3.7200	-0.7300	12.8100
净资产收益率(扣除)(%)	-0.4646	1.2528	-0.8149	11.7407
总资产(万元)	1078315.52	1084027.72	1104874.65	1083747.42
归属母公司股东权益(万元)	472035.25	480938.52	487592.71	479072.55
营业收入(万元)	205094.42	484254.16	205401.56	614697.44
营业支出(万元)	160796.21	377833.02	167317.44	433221.20
投资收益(万元)	278.16	17471.00	1030.45	6056.90
净利润(万元)	-4353.15	13498.15	-6465.62	55577.61
营业利润(万元)	-4441.45	5382.08	-10547.04	52449.21
利润总额(万元)	-3048.68	16070.00	-5988.46	69030.89

新疆百花村股份有限公司

公司概况	公司名称	新疆百花村股份有限公司		证券简称	*ST 百花
	法人代表	侯铁军	董秘 吕政田	证券代码	600721
	公司网址	www.xjbhc.net		电子信箱	xjbhc@hotmail.com
	电　话	0991-2356619　2356604		传　真	0991-2356610
	办公地址	新疆维吾尔自治区乌鲁木齐市中山路 141 号			
	经营范围	电子计算机软硬件的开发销售及培训、电子元器件、五金交电租赁等			

主要财务指标	指标\报告期	2016.06.30	2015.12.31	2015.06.30	2014.12.31
	基本每股收益(元)	-0.5842	-1.6225	-0.4774	-0.8690
	基本每股收益(扣除后)(元)	-0.5977	-1.7867	-0.4910	-0.9330
	稀释每股收益(元)	-0.5842	-1.6225	-0.4774	-0.8690
	每股净资产(元)	0.7584	1.3414	2.5044	2.7492
	每股经营现金净流量(元)	-0.5684	1.7044	0.2734	0.7519
	每股现金流量(元)	-0.5941	0.3885	-0.3294	0.0445
	每股资本公积金(元)	2.5805	2.5805	2.5799	2.3092
	每股盈余公积金(元)	0.1004	0.1004	0.1004	0.0928
	每股未分配利润(元)	-2.9246	-2.3405	-1.1843	-0.6534
	净资产收益率(%)	-77.0245	-121.7846	-19.0645	-31.6080
	加权净资产收益率(%)	-55.6700	-78.4305	-17.4500	-26.9100
	净资产收益率(扣除)(%)	-78.8060	-134.1098	-19.6040	-33.9374
	总资产(万元)	380252.30	406298.63	397634.83	416574.70
	归属母公司股东权益(万元)	18848.25	33336.12	62239.88	73913.39
	营业收入(万元)	28742.37	80880.52	34843.59	110887.01
	营业支出(万元)	35001.84	87247.59	35366.03	106041.44
	投资收益(万元)	1.64	983.18	8.69	11.62
	净利润(万元)	-21714.44	-54374.35	-18370.31	-35345.70
	营业利润(万元)	-21942.61	-61436.33	-18864.60	-36867.79
	利润总额(万元)	-21446.24	-57603.29	-18342.29	-34462.31

河北金牛化工股份有限公司

公司概况	公司名称	河北金牛化工股份有限公司		证券简称	金牛化工
	法人代表	教光印	董秘 洪波	证券代码	600722
	公司网址	www.hbjnhg.com		电子信箱	600722@hbjnhg.com
	电　话	0317-5299303		传　真	0317-5299303
	办公地址	河北省沧州市运河区金鼎大厦 B 座 6-8 层			
	经营范围	聚氯乙烯树脂、烧碱和水泥的生产、销售等			

主要财务指标	指标\报告期	2016.06.30	2015.12.31	2015.06.30	2014.12.31
	基本每股收益(元)	0.0085	0.3593	-0.1980	-0.4586
	基本每股收益(扣除后)(元)	0.0076	-0.1650	-0.1209	-0.3917
	稀释每股收益(元)	0.0085	0.3593	-0.1980	-0.4586
	每股净资产(元)	1.2663	1.2572	0.7002	0.8978
	每股经营现金净流量(元)	-0.1024	-0.0570	-0.0764	0.1847
	每股现金流量(元)	-0.2494	0.0646	-0.6568	0.0540
	每股资本公积金(元)	2.4184	2.4184	2.4184	2.4184
	每股盈余公积金(元)	0.1308	0.1308	0.1308	0.1308
	每股未分配利润(元)	-2.2889	-2.2973	-2.8546	-2.6566
	净资产收益率(%)	0.6683	28.5799	-28.2688	-51.0772
	加权净资产收益率(%)	0.6707	33.3500	-24.7700	-40.6600
	净资产收益率(扣除)(%)	0.5975	-13.1239	-17.2593	-43.6265
	总资产(万元)	124488.36	128498.90	300559.47	333099.68
	归属母公司股东权益(万元)	86151.43	85531.86	47639.24	61077.83
	营业收入(万元)	33405.06	60002.61	28943.91	140782.54
	营业支出(万元)	31509.01	54822.17	25962.73	144047.54
	投资收益(万元)	36.30	42212.42	-253.40	589.71
	净利润(万元)	996.28	25349.42	-13063.22	-30058.63
	营业利润(万元)	875.23	31893.56	-7819.09	-25688.94
	利润总额(万元)	996.75	25184.61	-13042.30	-29986.67

北京首商集团股份有限公司

公司概况	公司名称	北京首商集团股份有限公司		证券简称	首商股份
	法人代表	傅跃红	董秘 王健	证券代码	600723
	公司网址	www.xdsc.com.cn		电子信箱	ssgf600723@126.com
	电　话	010-82270256		传　真	010-82270251
	办公地址	北京市西城区北三环中路 23 号燕莎盛世大厦二层			
	经营范围	购销针纺织品、百货、五金交电化工、机械电器设备、电动自行车、土产品等			

主要财务指标	指标\报告期	2016.06.30	2015.12.31	2015.06.30	2014.12.31
	基本每股收益(元)	0.2264	0.5230	0.2557	0.5080
	基本每股收益(扣除后)(元)	0.2219	0.5410	0.2535	0.4320
	稀释每股收益(元)	-	-	-	-
	每股净资产(元)	5.0634	4.9971	4.7298	4.6341
	每股经营现金净流量(元)	0.2030	0.5171	0.0306	0.8780
	每股现金流量(元)	-0.8012	0.0133	-0.0177	0.2269
	每股资本公积金(元)	1.2531	1.2531	1.2531	1.2531
	每股盈余公积金(元)	0.4476	0.4476	0.3953	0.3953
	每股未分配利润(元)	2.3627	2.2964	2.0814	1.9857
	净资产收益率(%)	4.4705	10.4649	5.4056	10.9716
	加权净资产收益率(%)	4.4300	10.8300	5.3700	11.3700
	净资产收益率(扣除)(%)	4.3817	10.8182	5.3596	9.3230
	总资产(万元)	630740.09	623986.85	626439.21	639488.57
	归属母公司股东权益(万元)	333380.43	329011.04	311414.03	305114.77
	营业收入(万元)	516685.14	1093586.42	576388.74	1181466.59
	营业支出(万元)	397054.19	844683.66	449864.00	926569.16
	投资收益(万元)	1.71	-	-	-797.15
	净利润(万元)	21526.46	50045.07	25950.39	50341.19
	营业利润(万元)	30056.43	69127.54	36836.04	63588.16
	利润总额(万元)	30397.51	68414.41	37004.96	70138.39

宁波富达股份有限公司

公司概况	公司名称	宁波富达股份有限公司		证券简称	宁波富达
	法人代表	庄立峰	董秘 赵立明	证券代码	600724
	公司网址	www.fuda.com		电子信箱	syq@fuda.com
	电　话	0574-87647859		传　真	0574-87647853
	办公地址	浙江省宁波市海曙区解放南路 208 号建设大厦 18 楼			
	经营范围	水泥的生产和销售,商品房的建造和销售,商业广场的建设开发和经营			

主要财务指标	指标\报告期	2016.06.30	2015.12.31	2015.06.30	2014.12.31
	基本每股收益(元)	0.2582	-0.8015	0.0315	0.0774
	基本每股收益(扣除后)(元)	0.2334	-0.8308	0.0240	0.0665
	稀释每股收益(元)	0.2582	-0.8015	0.0315	0.0774
	每股净资产(元)	1.9594	1.7012	2.5343	2.6027
	每股经营现金净流量(元)	0.4224	0.4643	0.0259	-0.3468
	每股现金流量(元)	0.2967	-0.1528	-0.1162	-0.1963
	每股资本公积金(元)	0.1800	0.1800	0.1800	0.1800
	每股盈余公积金(元)	0.1464	0.1464	0.1464	0.1464
	每股未分配利润(元)	0.6330	0.3748	1.2079	1.2763
	净资产收益率(%)	13.1775	-47.1166	1.2436	2.9734
	加权净资产收益率(%)	14.1069	-37.5378	1.2113	2.9719
	净资产收益率(扣除)(%)	11.9125	-48.8361	0.9488	2.5560
	总资产(万元)	1664687.43	1775551.65	1896301.17	1870963.88
	归属母公司股东权益(万元)	283180.52	245864.47	366262.22	376159.90
	营业收入(万元)	294500.57	274649.34	111164.88	528691.91
	营业支出(万元)	178025.02	178290.83	78438.11	312473.93
	投资收益(万元)	22.14	4713.90	65.01	123.01
	净利润(万元)	47721.47	-111643.51	4601.43	27104.72
	营业利润(万元)	62391.30	-102641.66	6317.88	59812.43
	利润总额(万元)	67791.08	-96836.32	9290.76	66981.47

云南云维股份有限公司

公司概况					
公司名称	云南云维股份有限公司			证券简称	*ST 云维
法人代表	凡剑	董秘	李斌	证券代码	600725
公司网址	www.ywgf.cn		电子信箱	libin@ywgf.cn	
电　话	0874-3068588 3064195		传　真	0874-3068590 3064195	
办公地址	云南省曲靖市沾益县盘江镇花山工业区				
经营范围	化工及化纤材料、水泥、纯碱、氯化铵、氧气产品生产和销售等				

主要财务指标

指标\报告期	2016.06.30	2015.12.31	2015.06.30	2014.12.31
基本每股收益(元)	-0.4600	-4.2200	-0.6600	-1.7000
基本每股收益(扣除后)(元)	-0.4300	-4.2400	-0.7700	-1.7200
稀释每股收益(元)	-0.4600	-4.2200	-0.6600	-1.7000
每股净资产(元)	-3.4832	-3.0302	0.3019	0.5191
每股经营现金净流量(元)	0.0210	-0.1653	0.1889	0.1248
每股现金流量(元)	-0.0639	-0.0223	0.4161	-2.9765
每股资本公积金(元)	2.9394	2.9394	1.9112	2.3184
每股盈余公积金(元)	0.2016	0.2016	0.2016	0.2016
每股未分配利润(元)	-7.6552	-7.1969	-2.7423	-2.9772
净资产收益率(%)	-	-	-220.2404	-327.5751
加权净资产收益率(%)	-	-	-356.2300	-123.1300
净资产收益率(扣除)(%)	-	139.8395	-255.3934	-331.8608
总资产(万元)	672874.00	790342.78	1220567.71	1263487.22
归属母公司股东权益(万元)	-214646.38	-186732.96	18603.19	31987.33
营业收入(万元)	82835.78	279090.81	154823.70	662346.36
营业支出(万元)	90718.79	313113.87	165145.52	638265.07
投资收益(万元)	-14.93	-12.27	5647.79	771.84
净利润(万元)	-51575.79	-371242.40	-61017.88	-129305.76
营业利润(万元)	-49239.81	-367023.80	-60949.27	-135364.47
利润总额(万元)	-51550.11	-367401.23	-60503.38	-134462.51

华电能源股份有限公司

公司概况					
公司名称	华电能源股份有限公司			证券简称	华电能源
法人代表	霍利	董秘	梅君超	证券代码	600726
公司网址	www.hdenergy.com		电子信箱	hdenergy@hdenergy.com	
电　话	0451-82525998 82525778		传　真	0451-82525878	
办公地址	黑龙江省哈尔滨市南岗区大成街 209 号				
经营范围	建设、经营、维修电厂,生产销售电力、电力行业的技术服务、技术咨询等				

主要财务指标

指标\报告期	2016.06.30	2015.12.31	2015.06.30	2014.12.31
基本每股收益(元)	0.1700	0.0100	0.1200	0.0700
基本每股收益(扣除后)(元)	0.1600	-0.0400	0.1100	0.0600
稀释每股收益(元)	0.1700	0.0100	0.1200	0.0700
每股净资产(元)	1.7948	1.6249	1.7486	1.5921
每股经营现金净流量(元)	0.4823	1.3871	0.5128	1.2970
每股现金流量(元)	-0.2604	0.2662	0.0779	-0.7401
每股资本公积金(元)	0.7632	0.7632	0.7631	0.7631
每股盈余公积金(元)	0.1419	0.1419	0.1419	0.1419
每股未分配利润(元)	-0.1345	-0.3015	-0.1696	-0.2920
净资产收益率(%)	9.3030	0.7321	7.0046	4.6980
加权净资产收益率(%)	9.7700	0.7400	7.2800	4.8200
净资产收益率(扣除)(%)	8.8995	-2.7586	6.3141	3.5167
总资产(万元)	2384722.27	2453276.04	2349263.68	2381568.91
归属母公司股东权益(万元)	352986.79	319556.26	343893.11	318978.26
营业收入(万元)	420316.87	920072.97	434542.78	982938.35
营业支出(万元)	341135.52	815423.67	351517.98	852491.44
投资收益(万元)	4180.04	3580.76	484.41	4637.86
净利润(万元)	38432.52	2763.35	28308.45	15808.18
营业利润(万元)	40340.27	399.05	27831.17	14391.00
利润总额(万元)	41995.84	10041.35	30755.17	21133.35

山东鲁北化工股份有限公司

公司概况					
公司名称	山东鲁北化工股份有限公司			证券简称	鲁北化工
法人代表	陈树常	董秘	张金增	证券代码	600727
公司网址	www.lubeichem.com		电子信箱	lubeichem@lubei.com.cn	
电　话	0543-6451265		传　真	0543-6451265	
办公地址	山东省滨州市无棣县埕口镇				
经营范围	磷复肥、硫酸、水泥、烧碱、溴素、电等产品的生产和销售				

主要财务指标

指标\报告期	2016.06.30	2015.12.31	2015.06.30	2014.12.31
基本每股收益(元)	0.0400	0.0800	0.0600	0.0200
基本每股收益(扣除后)(元)	0.0300	0.0500	0.0400	0.0020
稀释每股收益(元)	0.0400	0.0800	0.0600	0.0200
每股净资产(元)	3.0440	3.0085	2.9883	2.9346
每股经营现金净流量(元)	0.1376	0.0515	0.0103	0.4443
每股现金流量(元)	-0.0228	-0.1075	-0.0704	0.2746
每股资本公积金(元)	2.4906	2.4906	2.4906	2.4906
每股盈余公积金(元)	0.5002	0.5002	0.5002	0.5002
每股未分配利润(元)	-0.9584	-0.9950	-1.0183	-1.0740
净资产收益率(%)	1.2040	2.6250	1.8654	0.7332
加权净资产收益率(%)	1.2100	2.6600	1.8800	0.7400
净资产收益率(扣除)(%)	0.9226	1.5135	1.3410	0.0539
总资产(万元)	137160.51	135483.39	134267.38	136123.42
归属母公司股东权益(万元)	106841.98	105595.15	104885.30	103001.31
营业收入(万元)	25072.05	57070.13	30752.27	52914.76
营业支出(万元)	19254.18	45429.32	24659.37	43808.46
投资收益(万元)	-	666.60	666.60	-39.13
净利润(万元)	1286.39	2771.85	1956.54	755.23
营业利润(万元)	1291.50	3314.22	2198.28	852.61
利润总额(万元)	1286.39	2771.85	1956.54	755.23

佳都新太科技股份有限公司

公司概况					
公司名称	佳都新太科技股份有限公司			证券简称	佳都新太
法人代表	刘伟	董秘	刘佳	证券代码	600728
公司网址	www.pci-suntektech.com		电子信箱	info@pci-suntektech.com	
电　话	020-85550260		传　真	020-85577907	
办公地址	广东省广州市天河软件园建工路 4 号				
经营范围	计算机新产品生产、研制及其工程承接、计算机软、硬件的技术引进等				

主要财务指标

指标\报告期	2016.06.30	2015.12.31	2015.06.30	2014.12.31
基本每股收益(元)	0.0005	0.3408	0.0293	0.2298
基本每股收益(扣除后)(元)	-0.0101	0.2590	0.0128	0.1822
稀释每股收益(元)	0.0005	0.3408	0.0293	0.2298
每股净资产(元)	1.6615	2.8027	2.4311	2.4001
每股经营现金净流量(元)	-0.3906	0.3975	-0.2409	-0.0580
每股现金流量(元)	-0.2595	0.3293	-0.3516	-0.3306
每股资本公积金(元)	0.7280	2.0076	1.9476	1.9476
每股盈余公积金(元)	0.0468	0.1432	0.1432	0.1432
每股未分配利润(元)	-0.1133	-0.3482	-0.6597	-0.6891
净资产收益率(%)	0.0293	12.1616	1.2072	9.5724
加权净资产收益率(%)	0.0300	13.1000	1.2100	10.0500
净资产收益率(扣除)(%)	-0.6145	9.2429	0.5282	7.5896
总资产(万元)	387745.78	352881.01	256062.29	264746.78
归属母公司股东权益(万元)	254133.75	140067.67	121500.53	119950.87
营业收入(万元)	97449.55	266716.64	93297.99	226480.44
营业支出(万元)	82989.78	216469.84	78337.43	184997.98
投资收益(万元)	867.85	250.24	-24.53	255.01
净利润(万元)	112.65	17599.50	674.70	12206.52
营业利润(万元)	-359.41	13073.41	-748.59	10576.08
利润总额(万元)	680.27	18875.61	732.30	13274.69

重庆百货大楼股份有限公司

公司概况						
	公司名称	重庆百货大楼股份有限公司			证券简称	重庆百货
	法人代表	何谦	董秘	尹向东	证券代码	600729
	公司网址	www.e-cbest.com		电子信箱	zy8788@sina.com	
	电　话	023-63845365		传　真	023-63845365	
	办公地址	重庆市渝中区民权路 28 号(英利国际金融中心)第 30 层,31 层,32 层				
	经营范围	批发、零售预包装食品、散装食品、粮油制品、副食品、其他食品、乳制品等				

主要财务指标	指标 \ 报告期	2016.06.30	2015.12.31	2015.06.30	2014.12.31
	基本每股收益(元)	0.9400	0.9000	1.0300	1.2100
	基本每股收益(扣除后)(元)	0.8500	0.7800	0.9900	1.2200
	稀释每股收益(元)	0.9400	0.9000	1.0300	1.2100
	每股净资产(元)	11.3509	11.7636	11.8862	11.2198
	每股经营现金净流量(元)	0.1415	1.0390	0.3853	-0.2871
	每股现金流量(元)	-3.2894	0.7462	0.4436	-1.2631
	每股资本公积金(元)	1.0178	2.7482	2.2768	2.2768
	每股盈余公积金(元)	0.8200	0.8200	0.6831	0.6831
	每股未分配利润(元)	8.5080	7.8478	7.9263	7.2599
	净资产收益率(%)	8.2844	7.6818	8.6767	10.7793
	加权净资产收益率(%)	7.8500	7.8800	8.8300	11.1300
	净资产收益率(扣除)(%)	7.5097	6.5973	8.3243	10.8292
	总资产(万元)	1226383.24	1445026.63	1130397.03	1172773.44
	归属母公司股东权益(万元)	461447.07	504955.77	483207.02	456118.78
	营业收入(万元)	1813325.07	3007937.71	1610502.02	3014005.98
	营业支出(万元)	1525851.79	2446091.53	1346634.44	2505553.52
	投资收益(万元)	346.13	2633.14	573.08	669.31
	净利润(万元)	39355.66	36453.60	41895.06	49284.65
	营业利润(万元)	45768.97	40768.84	49182.22	58392.20
	利润总额(万元)	46515.09	43787.44	49333.56	59035.99

中国高科集团股份有限公司

公司概况						
	公司名称	中国高科集团股份有限公司			证券简称	中国高科
	法人代表	韦俊民	董秘	韦俊民(代)	证券代码	600730
	公司网址	www.chinahitech.com.cn		电子信箱	liuwei@china-hi-tech.com	
	电　话	010-82529555　82524758		传　真	010-82524580	
	办公地址	北京市海淀区成府路 298 号中关村方正大厦 8 层				
	经营范围	实业投资、创业投资、技术及商品展示、投资及经济技术咨询服务等				

主要财务指标	指标 \ 报告期	2016.06.30	2015.12.31	2015.06.30	2014.12.31
	基本每股收益(元)	-0.0370	0.2200	0.1890	0.5300
	基本每股收益(扣除后)(元)	-0.0600	0.0700	0.1810	0.5300
	稀释每股收益(元)	-0.0370	0.2200	0.1890	0.5300
	每股净资产(元)	2.3463	2.3957	4.8973	4.5768
	每股经营现金净流量(元)	0.0940	-0.5652	-0.4072	-0.5241
	每股现金流量(元)	2.5707	-0.5200	0.1344	-3.2148
	每股资本公积金(元)	0.0862	0.0862	0.1724	0.1724
	每股盈余公积金(元)	0.1389	0.1389	0.1559	0.1559
	每股未分配利润(元)	0.5303	0.5675	2.3207	2.1317
	净资产收益率(%)	-1.5813	4.9518	3.8601	11.6070
	加权净资产收益率(%)	-1.5600	5.0400	3.9900	12.1800
	净资产收益率(扣除)(%)	-2.5582	1.6277	3.6964	11.4709
	总资产(万元)	426237.47	280564.34	262262.38	271804.98
	归属母公司股东权益(万元)	137645.08	140547.62	143651.90	134250.32
	营业收入(万元)	79683.69	131210.26	40367.04	110803.35
	营业支出(万元)	76796.91	107759.29	31108.19	65284.95
	投资收益(万元)	1039.77	3582.76	3328.96	-649.92
	净利润(万元)	-2358.01	7584.22	5931.28	17575.51
	营业利润(万元)	-2545.05	9986.83	7239.02	26373.74
	利润总额(万元)	-2158.98	10866.18	7373.90	26436.90

湖南海利化工股份有限公司

公司概况						
	公司名称	湖南海利化工股份有限公司			证券简称	湖南海利
	法人代表	黄明智	董秘	刘洪波	证券代码	600731
	公司网址	www.hnhlc.com		电子信箱	hbliu0731@sina.com	
	电　话	0731-85357830　85357829		传　真	0731-85540475	
	办公地址	湖南省长沙市芙蓉中路二段 251 号				
	经营范围	化肥、化工产品,农药开发、生产及自产产品销售等				

主要财务指标	指标 \ 报告期	2016.06.30	2015.12.31	2015.06.30	2014.12.31
	基本每股收益(元)	0.0368	0.0420	0.0342	0.0340
	基本每股收益(扣除后)(元)	0.0350	0.0360	0.0288	0.0090
	稀释每股收益(元)	0.0368	0.0420	0.0342	0.0340
	每股净资产(元)	2.3408	2.2942	2.2918	2.2516
	每股经营现金净流量(元)	0.3165	0.3195	0.3895	0.2287
	每股现金流量(元)	-0.0190	0.1519	0.0894	-0.6125
	每股资本公积金(元)	1.4781	1.4781	1.4778	1.4778
	每股盈余公积金(元)	0.1075	0.1075	0.1075	0.1075
	每股未分配利润(元)	-0.2618	-0.2986	-0.3065	-0.3406
	净资产收益率(%)	1.5706	1.8326	1.4917	1.5155
	加权净资产收益率(%)	1.5900	1.8500	1.5100	1.2800
	净资产收益率(扣除)(%)	1.4952	1.5818	1.2587	0.3972
	总资产(万元)	184478.48	185503.28	167266.10	167526.49
	归属母公司股东权益(万元)	76618.75	75093.73	75013.09	73697.05
	营业收入(万元)	54872.56	105715.87	59090.49	113639.76
	营业支出(万元)	41259.33	80308.06	45507.14	91594.70
	投资收益(万元)	6.64	36.22	9.49	28.42
	净利润(万元)	1913.81	2180.30	1446.01	1897.45
	营业利润(万元)	2736.71	2813.27	1853.63	1730.10
	利润总额(万元)	2800.06	3036.32	2069.96	2716.08

成都前锋电子股份有限公司

公司概况						
	公司名称	成都前锋电子股份有限公司			证券简称	S 前 锋
	法人代表	杨维彬	董秘		证券代码	600733
	公司网址			电子信箱	denghongguang@sina.com	
	电　话	028-69765222*8883		传　真	028-69765191	
	办公地址	四川省成都市高新区吉庆三路 333 号蜀都中心 2 期 1 栋 3 单元 16 层 1601 号-1606 号				
	经营范围	电子、通信、计算机、光机电一体化技术的开发、研制、技术服务及咨询等				

主要财务指标	指标 \ 报告期	2016.06.30	2015.12.31	2015.06.30	2014.12.31
	基本每股收益(元)	-0.0210	-0.1530	-0.0340	0.0660
	基本每股收益(扣除后)(元)	-0.0220	-0.0500	-0.0330	0.0060
	稀释每股收益(元)	-0.0210	-0.1530	-0.0340	0.0660
	每股净资产(元)	1.0838	1.1046	1.5280	1.5615
	每股经营现金净流量(元)	-0.1880	-0.1082	-0.3387	-0.3884
	每股现金流量(元)	-0.1842	-0.7909	-0.5438	-0.3788
	每股资本公积金(元)	0.3706	0.3706	0.3706	0.3706
	每股盈余公积金(元)	0.0176	0.0176	0.0176	0.0176
	每股未分配利润(元)	-0.3044	-0.2837	0.1398	0.1733
	净资产收益率(%)	-1.9152	-13.8790	-2.1941	4.2206
	加权净资产收益率(%)	-1.8970	-12.9780	-2.1690	4.3180
	净资产收益率(扣除)(%)	-2.0384	-4.5162	-2.1825	0.3793
	总资产(万元)	42726.88	46328.56	47128.16	48699.43
	归属母公司股东权益(万元)	21414.36	21824.48	30191.05	30853.49
	营业收入(万元)	482.28	1064.97	746.74	2981.35
	营业支出(万元)	263.86	772.56	517.34	1215.64
	投资收益(万元)	26.84	42.64	-31.46	110.96
	净利润(万元)	-537.29	-3776.68	-721.94	1202.22
	营业利润(万元)	-480.60	-1212.70	-679.70	368.18
	利润总额(万元)	-516.77	-3303.43	-685.27	1425.49

福建实达集团股份有限公司

公司概况						
公司名称	福建实达集团股份有限公司			证券简称	实达集团	
法人代表	景百孚	董秘	吴波	证券代码	600734	
公司网址	www.start.com.cn			电子信箱	start@start.com.cn	
电　话	0591-83725878 83709680			传　真	0591-83708128	
办公地址	福建省福州市鼓楼区洪山园路67号实达大厦12、13楼					
经营范围	电子计算机及其外部设备、仪器仪表及电传、办公设备等					

主要财务指标：指标\报告期	2016.06.30	2015.12.31	2015.06.30	2014.12.31
基本每股收益(元)	0.2204	0.4404	-0.0614	-0.1126
基本每股收益(扣除后)(元)	0.0281	-0.1019	-0.0582	-0.1353
稀释每股收益(元)	0.2204	0.4404	-0.0614	-0.1126
每股净资产(元)	3.7601	0.7736	0.2718	0.3332
每股经营现金净流量(元)	-0.0130	0.2968	-0.0758	-0.8049
每股现金流量(元)	0.9024	0.4107	-0.0417	0.0087
每股资本公积金(元)	2.9685	0.3502	0.5345	0.5345
每股盈余公积金(元)	0.0323	0.0542	0.0788	0.0788
每股未分配利润(元)	-0.2408	-0.6496	-1.3603	-1.2989
净资产收益率(%)	3.8863	56.9267	-22.5895	-33.7804
加权净资产收益率(%)	13.7698	79.5800	-20.2970	-28.8993
净资产收益率(扣除)(%)	0.4954	-13.1687	-21.4070	-40.6148
总资产(万元)	527364.81	36735.98	159237.90	157569.15
归属母公司股东权益(万元)	221935.28	27196.24	9555.74	11714.33
营业收入(万元)	71219.66	31033.80	5491.57	19503.47
营业支出(万元)	66157.68	23464.00	3564.20	12160.41
投资收益(万元)	7488.45	19279.90	-	-
净利润(万元)	8624.06	13990.15	-3416.73	-7129.11
营业利润(万元)	9140.90	14859.53	-3195.53	-7400.48
利润总额(万元)	9177.84	14429.23	-3423.90	-7003.35

山东新华锦国际股份有限公司

公司概况						
公司名称	山东新华锦国际股份有限公司			证券简称	新华锦	
法人代表	张建华	董秘	闫其锋	证券代码	600735	
公司网址	www.hikinginternational.com			电子信箱	600735@hiking.cn	
电　话	0532-85967156 85967622			传　真	0532-85877680	
办公地址	山东省青岛市崂山区松岭路127号11号楼					
经营范围	备案范围内的进出口业务、纺织品、针织品、工艺美术品的加工、销售					

主要财务指标：指标\报告期	2016.06.30	2015.12.31	2015.06.30	2014.12.31
基本每股收益(元)	0.0672	0.1041	0.0593	0.2302
基本每股收益(扣除后)(元)	0.0666	0.1039	0.0595	0.2052
稀释每股收益(元)	0.0672	0.1041	0.0593	0.2302
每股净资产(元)	1.9239	1.8477	1.7681	2.5688
每股经营现金净流量(元)	0.1140	0.3313	0.1348	0.3401
每股现金流量(元)	0.1099	0.1133	0.0150	0.1199
每股资本公积金(元)	0.3789	0.3922	0.3922	1.0880
每股盈余公积金(元)	0.0670	0.0670	0.0670	0.1004
每股未分配利润(元)	0.4700	0.4029	0.3581	0.4480
净资产收益率(%)	3.4906	5.6356	3.3561	8.9613
加权净资产收益率(%)	3.5700	5.8500	3.4100	9.3700
净资产收益率(扣除)(%)	3.4626	5.6217	3.3667	7.9871
总资产(万元)	99118.24	91051.51	91422.24	91054.64
归属母公司股东权益(万元)	72337.67	69473.65	66479.96	64400.02
营业收入(万元)	64611.66	131186.26	64598.20	134238.39
营业支出(万元)	50478.16	101946.87	50311.94	104174.82
投资收益(万元)	26.10	109.67	-18.97	674.34
净利润(万元)	3715.37	5860.21	3276.28	7619.18
营业利润(万元)	5355.72	9143.69	4730.46	11162.84
利润总额(万元)	5387.94	9135.89	4721.56	11141.80

苏州新区高新技术产业股份有限公司

公司概况						
公司名称	苏州新区高新技术产业股份有限公司			证券简称	苏州高新	
法人代表	孔丽	董秘	宋才俊	证券代码	600736	
公司网址	www.sndht.com			电子信箱	song.cj@sndnt.com	
电　话	0512-67379025 67379010			传　真	0512-60379060	
办公地址	江苏省苏州市高新区科发路101号致远国际商务大厦18楼					
经营范围	房地产开发、基础设施的开发与经营等					

主要财务指标：指标\报告期	2016.06.30	2015.12.31	2015.06.30	2014.12.31
基本每股收益(元)	0.2209	0.1700	0.0336	0.1600
基本每股收益(扣除后)(元)	0.1319	-0.4900	-0.1033	-0.0400
稀释每股收益(元)	0.2209	0.1700	0.0336	0.1600
每股净资产(元)	4.2980	4.1269	3.9971	3.3141
每股经营现金净流量(元)	2.6715	0.0009	-0.6911	0.2673
每股现金流量(元)	0.4027	0.1863	-0.0957	-0.1383
每股资本公积金(元)	1.4804	1.4802	1.4803	0.5870
每股盈余公积金(元)	0.2422	0.2422	0.2422	0.2734
每股未分配利润(元)	1.5752	1.4043	1.2744	1.4534
净资产收益率(%)	5.1401	3.8837	0.7605	4.8473
加权净资产收益率(%)	5.2200	4.4300	0.8700	4.9200
净资产收益率(扣除)(%)	3.0678	-11.3152	-2.3374	-1.1703
总资产(万元)	2087378.22	2024259.25	2359881.24	2125485.87
归属母公司股东权益(万元)	513311.49	492869.49	477374.03	350594.03
营业收入(万元)	372876.75	325072.00	125311.40	357458.56
营业支出(万元)	297272.61	276801.59	99916.91	265615.21
投资收益(万元)	4422.08	36944.65	1770.50	3629.52
净利润(万元)	34113.55	23446.75	2195.30	22026.76
营业利润(万元)	22224.65	-30388.43	-16086.32	2018.86
利润总额(万元)	41153.91	42712.46	10238.02	35231.16

中粮屯河糖业股份有限公司

公司概况						
公司名称	中粮屯河糖业股份有限公司			证券简称	中粮糖业	
法人代表	夏令和	董秘	蒋学工	证券代码	600737	
公司网址	www.cofcotunhe.com			电子信箱	jiangxg@cofco.com	
电　话	0991-6173332			传　真	0991-5571600	
办公地址	新疆维吾尔自治区乌鲁木齐市黄河路2号招商银行大厦20楼					
经营范围	番茄、糖、林果三大产业等					

主要财务指标：指标\报告期	2016.06.30	2015.12.31	2015.06.30	2014.12.31
基本每股收益(元)	0.0461	0.0371	-0.0116	0.0158
基本每股收益(扣除后)(元)	0.0002	0.0151	0.0361	-0.0719
稀释每股收益(元)	0.0461	0.0371	-0.0116	0.0158
每股净资产(元)	2.8905	2.8919	2.7228	2.8923
每股经营现金净流量(元)	0.4583	0.3483	0.2292	-1.0699
每股现金流量(元)	-0.0955	0.3537	0.3149	0.2333
每股资本公积金(元)	2.0127	2.0127	2.0106	2.0074
每股盈余公积金(元)	0.0920	0.0920	0.0814	0.0814
每股未分配利润(元)	-0.1090	-0.1201	-0.1582	-0.1166
净资产收益率(%)	1.5949	1.2822	-0.4259	0.5455
加权净资产收益率(%)	1.5300	1.3100	-0.4000	0.5400
净资产收益率(扣除)(%)	0.0074	0.5222	1.3271	-2.4849
总资产(万元)	1586742.94	1469656.62	1463053.31	1438946.82
归属母公司股东权益(万元)	593098.69	593389.46	558684.36	593456.98
营业收入(万元)	440457.29	1166755.21	568704.92	893938.58
营业支出(万元)	390992.15	1031803.93	498407.11	798175.03
投资收益(万元)	12336.40	-14940.22	-18222.53	7623.03
净利润(万元)	8980.29	6845.75	-2545.70	2646.39
营业利润(万元)	10529.79	12338.75	-2105.97	2231.00
利润总额(万元)	11084.50	17003.17	-216.80	8360.55

兰州民百(集团)股份有限公司

公司概况	公司名称	兰州民百(集团)股份有限公司		证券简称	兰州民百
	法人代表	张宏	董秘 成志坚	证券代码	600738
	公司网址	www.lzminbai.com		电子信箱	lzminbaiczj@126.com
	电话	0931-8473891		传真	0931-8473866
	办公地址	甘肃省兰州市城关区中山路120号			
	经营范围	日用百货、五金交电、化工产品(不含危险品)、黄金饰品、预包装食品等			

主要财务指标	指标\报告期	2016.06.30	2015.12.31	2015.06.30	2014.12.31
	基本每股收益(元)	0.1090	0.2290	0.1490	0.2820
	基本每股收益(扣除后)(元)	0.1070	0.2320	0.1470	0.2840
	稀释每股收益(元)	0.1090	0.2290	0.1490	0.2820
	每股净资产(元)	3.3103	3.2017	3.1215	2.9700
	每股经营现金净流量(元)	-0.4127	-0.3561	-0.2951	-0.3277
	每股现金流量(元)	-0.3819	-0.1632	0.1928	0.0265
	每股资本公积金(元)	1.0841	1.0841	1.0841	1.0841
	每股盈余公积金(元)	0.1406	0.1406	0.1290	0.1290
	每股未分配利润(元)	1.0856	0.9770	0.9084	0.7596
	净资产收益率(%)	3.2796	7.1536	4.7673	9.4768
	加权净资产收益率(%)	3.3300	7.4200	4.8800	9.7800
	净资产收益率(扣除)(%)	3.2259	7.2330	4.7192	9.5487
	总资产(万元)	203489.06	202457.27	202431.89	188287.09
	归属母公司股东权益(万元)	122106.57	118102.01	115142.71	109653.51
	营业收入(万元)	52588.22	112066.52	59326.88	121485.26
	营业支出(万元)	39436.32	84416.78	43823.48	92933.62
	投资收益(万元)	-	95.58	-	482.92
	净利润(万元)	4004.57	8448.49	5489.20	10391.68
	营业利润(万元)	5357.08	11426.96	7290.62	13979.04
	利润总额(万元)	5422.64	11303.55	7346.01	13876.44

辽宁成大股份有限公司

公司概况	公司名称	辽宁成大股份有限公司		证券简称	辽宁成大
	法人代表	尚书志	董秘 于占洋	证券代码	600739
	公司网址	www.chengda.com.cn		电子信箱	lncd@chengda.com.cn
	电话	0411-82512731 82512618		传真	0411-82691187
	办公地址	辽宁省大连市中山区人民路71号			
	经营范围	针、棉、毛织品、服装进出口业务及国家统一经营外的商品进出口业务等			

主要财务指标	指标\报告期	2016.06.30	2015.12.31	2015.06.30	2014.12.31
	基本每股收益(元)	0.4732	0.3419	0.8330	0.5841
	基本每股收益(扣除后)(元)	0.4933	0.9913	0.8000	0.5603
	稀释每股收益(元)	0.4732	0.3419	0.8330	0.5841
	每股净资产(元)	11.7781	11.3961	11.8553	9.4129
	每股经营现金净流量(元)	0.1191	0.1640	-0.4364	0.2981
	每股现金流量(元)	0.6238	1.1788	0.4375	0.1544
	每股资本公积金(元)	4.0905	4.0160	4.0007	1.8396
	每股盈余公积金(元)	0.5389	0.5389	0.5389	0.5766
	每股未分配利润(元)	6.0551	5.5819	6.0513	5.8264
	净资产收益率(%)	4.0177	2.9513	6.7968	6.0409
	加权净资产收益率(%)	4.0900	3.1900	8.3000	6.5300
	净资产收益率(扣除)(%)	4.1882	8.5564	6.5275	5.7949
	总资产(万元)	3380671.58	2661252.29	2541900.27	2028137.21
	归属母公司股东权益(万元)	1801702.91	1743275.39	1813520.59	1345765.48
	营业收入(万元)	380432.37	913999.75	402654.16	923855.78
	营业支出(万元)	296751.49	742519.63	321155.98	766448.46
	投资收益(万元)	99546.08	208834.84	137185.09	104841.05
	净利润(万元)	73441.13	47425.03	124810.61	96501.49
	营业利润(万元)	82784.77	157434.47	125543.48	101987.18
	利润总额(万元)	79158.83	59294.26	130046.50	105343.01

山西焦化股份有限公司

公司概况	公司名称	山西焦化股份有限公司		证券简称	山西焦化
	法人代表	郭文仓	董秘 李峰	证券代码	600740
	公司网址	www.sxjh.com.cn		电子信箱	sjgf@public.lf.sx.cn
	电话	0357-6626012 6625471		传真	0357-6625045
	办公地址	山西省临汾市洪洞县广胜寺镇			
	经营范围	焦炭及其相关化工产品的生产、销售等			

主要财务指标	指标\报告期	2016.06.30	2015.12.31	2015.06.30	2014.12.31
	基本每股收益(元)	-0.1128	-1.0842	-0.3105	0.0258
	基本每股收益(扣除后)(元)	-0.1150	-1.0436	-0.3010	0.0412
	稀释每股收益(元)	-	-1.0842	-	-
	每股净资产(元)	2.4938	2.6072	3.3822	3.6912
	每股经营现金净流量(元)	0.1014	-0.9392	-0.5386	0.4178
	每股现金流量(元)	0.3780	-0.0977	-0.6102	0.8580
	每股资本公积金(元)	2.9465	2.9465	2.9465	2.9465
	每股盈余公积金(元)	0.2935	0.2935	0.2935	0.2935
	每股未分配利润(元)	-1.7467	-1.6339	-0.8601	-0.5496
	净资产收益率(%)	-4.5235	-41.5859	-9.1796	0.6994
	加权净资产收益率(%)	-4.5200	-34.4300	-9.1800	0.7000
	净资产收益率(扣除)(%)	-4.5928	-40.0268	-8.9001	1.1175
	总资产(万元)	1093678.08	1060133.66	990530.81	1072414.75
	归属母公司股东权益(万元)	190947.32	199636.82	258971.87	282637.89
	营业收入(万元)	143395.32	336584.10	172779.70	496515.12
	营业支出(万元)	134875.64	364161.39	175521.98	444468.65
	投资收益(万元)	80.66	176.69	86.56	171.79
	净利润(万元)	-8567.39	-83062.99	-23712.02	2143.96
	营业利润(万元)	-8660.25	-77301.09	-22949.44	3371.97
	利润总额(万元)	-8527.85	-80414.40	-23673.31	2200.05

华域汽车系统股份有限公司

公司概况	公司名称	华域汽车系统股份有限公司		证券简称	华域汽车
	法人代表	陈虹	董秘 茅其炜	证券代码	600741
	公司网址	www.huayu-auto.com		电子信箱	huayuqiche@huayu-auto.com
	电话	021-22011701		传真	021-22011790
	办公地址	上海市静安区威海路489号			
	经营范围	汽车、摩托车、拖拉机等交通运输车辆和工程机械的零部件及其总成的设计、研发和销售等			

主要财务指标	指标\报告期	2016.06.30	2015.12.31	2015.06.30	2014.12.31
	基本每股收益(元)	0.9720	1.8520	1.0000	1.7250
	基本每股收益(扣除后)(元)	0.8910	1.6740	0.9230	1.5720
	稀释每股收益(元)	-	-	-	-
	每股净资产(元)	11.0627	10.5557	9.3220	9.1432
	每股经营现金净流量(元)	2.0098	2.2685	1.7797	2.3591
	每股现金流量(元)	1.5355	0.0041	0.9746	0.8590
	每股资本公积金(元)	3.9690	3.4585	1.8889	2.0533
	每股盈余公积金(元)	0.4628	0.5648	0.4281	0.4281
	每股未分配利润(元)	4.9922	5.9039	4.9855	4.5224
	净资产收益率(%)	8.7840	17.5425	10.7277	18.8652
	加权净资产收益率(%)	9.1100	18.8900	10.6300	20.7600
	净资产收益率(扣除)(%)	8.0538	15.8620	9.9060	17.1956
	总资产(万元)	9855286.59	9015588.26	6711998.21	6324157.35
	归属母公司股东权益(万元)	3487775.49	3065605.93	2408053.82	2361871.35
	营业收入(万元)	6133979.13	9112020.45	4003265.79	7397259.23
	营业支出(万元)	5282262.99	7808091.00	3406797.32	6255698.95
	投资收益(万元)	172071.70	295613.13	167313.57	275987.90
	净利润(万元)	433889.95	692865.23	363113.13	619551.42
	营业利润(万元)	468674.12	736293.59	411665.11	678237.78
	利润总额(万元)	508108.10	772675.27	415819.48	698194.14

长春一汽富维汽车零部件股份有限公司

公司概况						
	公司名称	长春一汽富维汽车零部件股份有限公司			证券简称	一汽富维
	法人代表	金毅	董秘	李文东	证券代码	600742
	公司网址	www.fawfw.com.cn		电子信箱	fw_fw@faw.com.cn	
	电话	0431-85765685 85765755		传真	0431-85765338	
	办公地址	吉林省长春市汽车产业开发区东风南街1399号				
	经营范围	汽车零部件系列产品的研制、生产和销售等				

主要财务指标	指标\报告期	2016.06.30	2015.12.31	2015.06.30	2014.12.31
	基本每股收益(元)	0.4100	2.0100	0.4600	2.6100
	基本每股收益(扣除后)(元)	0.4100	1.9400	0.4600	2.6100
	稀释每股收益(元)	0.4100	2.0100	0.4600	2.6100
	每股净资产(元)	9.5407	18.7362	17.6500	17.1806
	每股经营现金净流量(元)	0.5947	1.9358	1.0815	1.4307
	每股现金流量(元)	0.1316	1.8329	−0.6937	0.9627
	每股资本公积金(元)	1.0494	2.5987	2.5987	2.5987
	每股盈余公积金(元)	1.3537	2.7075	2.4804	2.4804
	每股未分配利润(元)	6.0889	12.3486	11.4854	11.0461
	净资产收益率(%)	4.3456	10.7259	5.2084	15.2099
	加权净资产收益率(%)	4.3300	11.1900	5.2100	16.3000
	净资产收益率(扣除)(%)	4.3148	10.3419	5.1905	15.1789
	总资产(万元)	756415.81	712626.20	658406.14	650276.79
	归属母公司股东权益(万元)	403617.58	396313.62	373339.18	363409.08
	营业收入(万元)	567169.34	986362.16	510945.81	1127337.59
	营业支出(万元)	533116.05	927999.52	481160.11	1062297.05
	投资收益(万元)	14704.39	39927.89	17267.00	49532.96
	净利润(万元)	20190.65	45639.22	21047.10	60620.08
	营业利润(万元)	22158.22	48398.31	22157.95	63853.26
	利润总额(万元)	22402.54	48403.38	22272.47	63445.95

华远地产股份有限公司

公司概况						
	公司名称	华远地产股份有限公司			证券简称	华远地产
	法人代表	孙秋艳	董秘	张全亮	证券代码	600743
	公司网址	www.hy-online.com		电子信箱	douzk@hy-online.com	
	电话	010-68036688*526		传真	010-68012167	
	办公地址	北京市西城区北展北街11号华远企业中心11号楼				
	经营范围	房地产开发销售等				

主要财务指标	指标\报告期	2016.06.30	2015.12.31	2015.06.30	2014.12.31
	基本每股收益(元)	0.1340	0.4000	0.0700	0.3600
	基本每股收益(扣除后)(元)	0.1330	0.4000	0.0800	0.3600
	稀释每股收益(元)	0.1340	0.4000	0.0700	0.3600
	每股净资产(元)	2.4626	2.4082	2.0792	2.1263
	每股经营现金净流量(元)	−0.9754	−0.1216	0.2143	−0.8269
	每股现金流量(元)	0.4483	−0.5019	−0.0278	−0.0580
	每股资本公积金(元)	0.0220	0.0220	0.0220	0.0220
	每股盈余公积金(元)	0.1465	0.1465	0.1297	0.1297
	每股未分配利润(元)	1.2940	1.2397	0.9275	0.9746
	净资产收益率(%)	5.4561	16.6884	3.5065	17.1188
	加权净资产收益率(%)	5.4300	17.7300	3.3700	18.2500
	净资产收益率(扣除)(%)	5.3968	16.5140	3.7107	17.0300
	总资产(万元)	2388938.63	2155258.13	2074400.31	2045234.20
	归属母公司股东权益(万元)	447608.22	437727.49	377929.74	386489.71
	营业收入(万元)	396059.34	744900.24	218872.08	675983.64
	营业支出(万元)	326887.20	571030.53	167970.42	513325.73
	投资收益(万元)	−291.58	13200.43	−305.98	1440.63
	净利润(万元)	26035.38	81785.06	12207.55	67390.30
	营业利润(万元)	35749.01	110722.77	19635.85	92853.28
	利润总额(万元)	36063.08	111059.01	18806.90	93321.93

大唐华银电力股份有限公司

公司概况						
	公司名称	大唐华银电力股份有限公司			证券简称	华银电力
	法人代表	邹嘉华	董秘	周浩	证券代码	600744
	公司网址	www.hypower.com.cn		电子信箱	hy600744@188.com	
	电话	0731-85388088 85388028		传真	0731-85510188	
	办公地址	湖南省长沙市芙蓉中路3段255号				
	经营范围	电力生产和销售、电力规划、勘测设计、科研、电力工程施工、设备安装等				

主要财务指标	指标\报告期	2016.06.30	2015.12.31	2015.06.30	2014.12.31
	基本每股收益(元)	−0.1400	0.2300	0.1200	0.0500
	基本每股收益(扣除后)(元)	−0.1700	−0.0900	0.1000	−0.1300
	稀释每股收益(元)	−0.1400	0.2300	0.1200	0.0500
	每股净资产(元)	2.0768	2.2203	1.8268	1.7937
	每股经营现金净流量(元)	0.6372	1.9732	1.8250	2.0620
	每股现金流量(元)	−0.1435	0.0103	−0.0849	−0.0084
	每股资本公积金(元)	2.7444	2.7444	2.4726	6.4858
	每股盈余公积金(元)	0.0776	0.0776	0.1942	0.1942
	每股未分配利润(元)	−1.7452	−1.6017	−1.8404	−4.4041
	净资产收益率(%)	−6.9093	9.6371	1.7860	−13.6844
	加权净资产收益率(%)	−6.6800	13.5000	1.8000	−12.8100
	净资产收益率(扣除)(%)	−8.2488	−3.7601	0.9283	−22.7156
	总资产(万元)	1850503.95	1982028.46	1486045.67	2206825.96
	归属母公司股东权益(万元)	369903.93	395461.58	130002.97	233124.60
	营业收入(万元)	214218.15	740635.35	301760.56	621042.52
	营业支出(万元)	207731.35	589180.14	261626.17	540721.51
	投资收益(万元)	–	2030.09	–	2077.71
	净利润(万元)	−26119.00	38180.15	3052.76	−21273.51
	营业利润(万元)	−29777.93	30253.39	2788.16	−21518.89
	利润总额(万元)	−24563.55	45082.09	3943.02	−19046.07

中茵股份有限公司

公司概况						
	公司名称	中茵股份有限公司			证券简称	中茵股份
	法人代表	高建荣	董秘	吴年有	证券代码	600745
	公司网址	www.joinin-holding.com		电子信箱	nianyouwu@163.com	
	电话	0714-6350569		传真	0714-6353158	
	办公地址	湖北省黄石市广会路18路(黄石兰博基尼酒店B1层)				
	经营范围	房地产开发、经营以及物业管理等				

主要财务指标	指标\报告期	2016.06.30	2015.12.31	2015.06.30	2014.12.31
	基本每股收益(元)	0.0300	−0.3000	0.0100	0.0500
	基本每股收益(扣除后)(元)	0.0100	−0.3200	0.0200	0.0100
	稀释每股收益(元)	0.0300	−0.3000	0.0100	0.0500
	每股净资产(元)	6.7382	6.7118	5.4121	5.3800
	每股经营现金净流量(元)	0.1592	−0.5229	−0.5155	−1.9205
	每股现金流量(元)	0.0567	−0.7947	−1.3212	1.2015
	每股资本公积金(元)	5.4805	5.4806	3.7919	3.7795
	每股盈余公积金(元)	0.0677	0.0677	0.0892	0.0892
	每股未分配利润(元)	0.1894	0.1630	0.5306	0.5180
	净资产收益率(%)	0.3919	−3.4242	0.2344	0.6488
	加权净资产收益率(%)	0.3900	−5.7800	0.2400	1.3000
	净资产收益率(扣除)(%)	0.1789	−3.6054	0.2787	0.1128
	总资产(万元)	1170579.27	1118326.54	675518.80	717525.13
	归属母公司股东权益(万元)	429405.63	427721.23	261579.97	260367.67
	营业收入(万元)	475837.60	71601.04	37618.04	162305.05
	营业支出(万元)	431194.25	59338.32	21975.67	120348.45
	投资收益(万元)	301.06	68.82	−0.02	−3.25
	净利润(万元)	7481.46	−14384.66	1976.81	5064.62
	营业利润(万元)	8308.97	−14082.93	3474.66	11582.61
	利润总额(万元)	10034.43	−14136.88	3339.78	10463.53

江苏索普化工股份有限公司

公司概况					
公司名称	江苏索普化工股份有限公司			证券简称	江苏索普
法人代表	吴青龙	董秘	范立明	证券代码	600746
公司网址	www.sopo.com.cn		电子信箱	0511-88995648	
电　话	0511-88995020　88995001		传　真	0511-83362036	
办公地址	江苏省镇江市谏壁镇越河街 50 号				
经营范围	化工原料及产品的制造销售、电力、蒸汽生产等				

主要财务指标 指标\报告期	2016.06.30	2015.12.31	2015.06.30	2014.12.31
基本每股收益(元)	0.0444	-0.0663	-0.0381	0.0342
基本每股收益(扣除后)(元)	0.0445	-0.0691	-0.0374	0.0331
稀释每股收益(元)	-	-	-0.0381	0.0342
每股净资产(元)	1.4098	1.3616	1.3900	1.4276
每股经营现金净流量(元)	0.1827	0.0583	0.0606	0.1293
每股现金流量(元)	0.1829	0.0634	0.0605	-0.1025
每股资本公积金(元)	0.2026	0.2026	0.2026	0.2026
每股盈余公积金(元)	0.1184	0.1184	0.1184	0.1184
每股未分配利润(元)	0.0839	0.0395	0.0677	0.1057
净资产收益率(%)	3.1493	-4.8667	-2.7385	2.3926
加权净资产收益率(%)	3.2085	-4.7500	-2.7019	1.6700
净资产收益率(扣除)(%)	3.1547	-5.0736	-2.6888	2.3210
总资产(万元)	60342.00	51572.94	55027.83	55909.77
归属母公司股东权益(万元)	43198.67	41722.32	42592.17	43745.21
营业收入(万元)	30437.62	57940.95	28220.88	65608.96
营业支出(万元)	26835.06	58221.52	28534.23	59746.47
投资收益(万元)	2.80	344.66	-	2.66
净利润(万元)	1360.46	-2030.51	-1166.37	1046.66
营业利润(万元)	1823.72	-2930.72	-1338.97	1276.39
利润总额(万元)	1820.64	-2819.17	-1367.20	1305.28

大连大福控股股份有限公司

公司概况					
公司名称	大连大福控股股份有限公司			证券简称	大连控股
法人代表	华韡	董秘	华韡(代)	证券代码	600747
公司网址	www.dl-hold.com		电子信箱	dxdl@mail.dlptt.ln.cn	
电　话	0411-88853117-7714		传　真	0411-88853122	
办公地址	辽宁省大连市甘井子区革镇堡				
经营范围	多种金属矿业投资、开发及技术咨询、房屋租赁、仓储等				

主要财务指标 指标\报告期	2016.06.30	2015.12.31	2015.06.30	2014.12.31
基本每股收益(元)	-0.0260	-0.0600	-0.0250	0.0100
基本每股收益(扣除后)(元)	-0.0250	-0.0600	-0.0290	-0.0700
稀释每股收益(元)	-0.0260	-0.0600	-0.0250	0.0100
每股净资产(元)	1.3702	1.3963	1.4278	1.4524
每股经营现金净流量(元)	-0.2950	-0.2320	-0.0029	-0.5440
每股现金流量(元)	-0.0715	-0.1380	-0.3114	0.2480
每股资本公积金(元)	0.6803	0.6803	0.6803	0.6803
每股盈余公积金(元)	0.0789	0.0789	0.0789	0.0789
每股未分配利润(元)	-0.3890	-0.3629	-0.3314	-0.3068
净资产收益率(%)	-1.9075	-4.0137	-1.7209	0.6469
加权净资产收益率(%)	-1.8150	-3.9300	-1.7100	1.1100
净资产收益率(扣除)(%)	-1.8631	-3.9945	-2.0388	-3.9710
总资产(万元)	254438.13	256500.82	254803.71	259755.57
归属母公司股东权益(万元)	200639.49	204466.65	209075.31	212673.38
营业收入(万元)	145967.33	190240.00	42724.51	46030.00
营业支出(万元)	144988.50	189961.56	42864.72	45785.88
投资收益(万元)	108.21	710.24	553.83	10335.41
净利润(万元)	-3687.02	-8314.38	-3672.50	1358.65
营业利润(万元)	-3598.05	-7582.24	-3645.92	1370.13
利润总额(万元)	-3687.02	-8313.81	-3672.50	1359.27

上海实业发展股份有限公司

公司概况					
公司名称	上海实业发展股份有限公司			证券简称	上实发展
法人代表	陆申	董秘	胡文魄	证券代码	600748
公司网址	www.sidlgroup.com		电子信箱	sid748@sidlgroup.com	
电　话	021-53858859　53858686		传　真	021-53858879	
办公地址	上海市黄浦区淮海中路 98 号金钟广场 20 层				
经营范围	房地产开发和经营、实业投资、资产经营、国内贸易、信息服务等				

主要财务指标 指标\报告期	2016.06.30	2015.12.31	2015.06.30	2014.12.31
基本每股收益(元)	0.1500	0.4800	0.1500	0.8200
基本每股收益(扣除后)(元)	0.1400	0.2200	0.1100	0.2400
稀释每股收益(元)	0.1500	0.4800	0.1500	0.8200
每股净资产(元)	6.1623	4.4040	4.5495	4.4146
每股经营现金净流量(元)	0.9100	-1.2462	-0.5297	-1.7724
每股现金流量(元)	0.7134	-0.1789	0.9194	-2.6844
每股资本公积金(元)	2.5099	0.0311	0.0210	0.0372
每股盈余公积金(元)	0.2552	0.3343	0.3173	0.3173
每股未分配利润(元)	2.1979	2.7776	2.9502	2.7991
净资产收益率(%)	2.3587	10.8916	3.3207	18.5111
加权净资产收益率(%)	2.3700	11.5900	3.3600	16.0700
净资产收益率(扣除)(%)	2.2242	4.9783	2.4570	5.4538
总资产(万元)	2950654.10	2727518.41	2077687.88	1874771.65
归属母公司股东权益(万元)	874365.78	477117.13	492877.10	478263.14
营业收入(万元)	222563.92	661917.51	77096.79	380310.21
营业支出(万元)	141336.28	431128.45	48998.93	254873.91
投资收益(万元)	-1007.23	16306.59	22754.07	68500.61
净利润(万元)	21717.82	60457.27	15920.81	91865.09
营业利润(万元)	31349.56	97260.37	16500.22	119557.49
利润总额(万元)	32440.63	97923.43	14464.86	123007.47

西藏旅游股份有限公司

公司概况					
公司名称	西藏旅游股份有限公司			证券简称	西藏旅游
法人代表	欧阳旭	董秘	汝易	证券代码	600749
公司网址	www.600749.com		电子信箱	ouyangxu@sohu.com	
电　话	0891-6339150		传　真	0891-6339041	
办公地址	西藏自治区拉萨市林廓东路 6 号				
经营范围	旅游、酒店和有线电视网络等				

主要财务指标 指标\报告期	2016.06.30	2015.12.31	2015.06.30	2014.12.31
基本每股收益(元)	-0.2078	0.0283	-0.2181	-0.1769
基本每股收益(扣除后)(元)	-0.2267	-0.3305	-0.2444	-0.1491
稀释每股收益(元)	-0.2078	0.0283	-0.2181	-0.1769
每股净资产(元)	3.1482	3.3560	3.1096	3.3277
每股经营现金净流量(元)	-0.1445	0.1996	0.0730	-0.0728
每股现金流量(元)	-1.5413	2.7758	-0.0143	0.0283
每股资本公积金(元)	2.3257	2.3257	2.3257	2.3257
每股盈余公积金(元)	0.0299	0.0299	0.0071	0.0071
每股未分配利润(元)	-0.2074	0.0004	-0.2232	-0.0051
净资产收益率(%)	-6.5998	0.8437	-7.0121	-5.3157
加权净资产收益率(%)	-6.3890	0.8473	-6.7746	-5.2100
净资产收益率(扣除)(%)	-7.2024	-9.8491	-7.8584	-4.4797
总资产(万元)	156202.11	185330.69	130244.32	133651.46
归属母公司股东权益(万元)	59544.46	63474.27	58814.58	62938.74
营业收入(万元)	4910.37	15204.85	4418.51	16001.76
营业支出(万元)	3414.89	10349.03	4026.05	9013.45
投资收益(万元)	-	2051.82	-	-
净利润(万元)	-4031.57	324.10	-4149.53	-3457.89
营业利润(万元)	-4345.26	-4299.76	-4148.40	-2890.23
利润总额(万元)	-3981.58	661.20	-4150.03	-3467.45

江中药业股份有限公司

公司概况	公司名称	江中药业股份有限公司		证券简称	江中药业
	法人代表	钟虹光	董秘 田永静	证券代码	600750
	公司网址	www.jzjt.com		电子信箱	jzyy@jzjt.com
	电　话	0791-88169323		传　真	0791-88162532
	办公地址	江西省南昌市高新区火炬大道 788 号			
	经营范围	中成药片剂、冲剂、胶囊剂、保健食品生产经营等			

主要财务指标	指标＼报告期	2016.06.30	2015.12.31	2015.06.30	2014.12.31
	基本每股收益(元)	0.6600	1.2200	0.4600	0.8700
	基本每股收益(扣除后)(元)	0.6500	1.1400	0.4300	0.8500
	稀释每股收益(元)	0.6600	1.2200	0.4600	0.8700
	每股净资产(元)	8.1030	7.8477	7.0885	6.9244
	每股经营现金净流量(元)	1.2779	1.7026	0.9164	1.1893
	每股现金流量(元)	1.1863	−1.1839	0.0523	−0.3522
	每股资本公积金(元)	1.8306	1.8306	1.8306	1.8306
	每股盈余公积金(元)	0.5655	0.5655	0.5655	0.5655
	每股未分配利润(元)	4.7069	4.4516	3.6924	3.5283
	净资产收益率(%)	8.0863	15.5889	6.5481	12.7496
	加权净资产收益率(%)	8.0100	16.5600	6.4900	12.9700
	净资产收益率(扣除)(%)	7.9833	14.5046	6.1232	12.4256
	总资产(万元)	285445.78	267829.76	320690.48	332701.00
	归属母公司股东权益(万元)	243088.88	235431.99	212655.62	207730.77
	营业收入(万元)	87064.21	259735.14	131822.94	283412.43
	营业支出(万元)	23320.50	128606.41	66026.80	133768.91
	投资收益(万元)	824.76	2098.32	−25.19	−169.02
	净利润(万元)	19658.81	36802.01	14113.41	26677.26
	营业利润(万元)	23109.72	43063.13	16562.31	32992.77
	利润总额(万元)	23033.87	44014.03	16793.87	33444.35

天津天海投资发展股份有限公司

公司概况	公司名称	天津天海投资发展股份有限公司		证券简称	天海投资
	法人代表	刘小勇	董秘 武强	证券代码	600751
	公司网址	www.tjtmsc.com		电子信箱	tmsc600751@126.com
	电　话	022-58679088		传　真	022-58087380
	办公地址	天津市和平区南京路 219 号天津中心写字楼 2801 室			
	经营范围	国际船舶集装箱运输、仓储服务、陆海联运、集装箱租赁买卖等			

主要财务指标	指标＼报告期	2016.06.30	2015.12.31	2015.06.30	2014.12.31
	基本每股收益(元)	0.0312	0.0851	0.0329	0.0843
	基本每股收益(扣除后)(元)	0.0084	0.0176	−0.0001	−0.0509
	稀释每股收益(元)	0.0312	0.0851	0.0329	0.0843
	每股净资产(元)	4.2174	4.1860	4.1350	4.1027
	每股经营现金净流量(元)	−0.2337	−0.0138	−0.0007	0.0444
	每股现金流量(元)	−0.0084	−1.3081	−2.9283	4.2078
	每股资本公积金(元)	3.4934	3.4934	3.4949	3.4949
	每股盈余公积金(元)	0.0384	0.0384	0.0384	0.0384
	每股未分配利润(元)	−0.3153	−0.3465	−0.3988	−0.4316
	净资产收益率(%)	0.7407	2.0328	0.7950	0.6636
	加权净资产收益率(%)	0.7400	2.0500	0.7900	23.2500
	净资产收益率(扣除)(%)	0.1982	0.4214	−0.0030	−0.4005
	总资产(万元)	1425438.25	1278297.71	1240393.44	1257219.40
	归属母公司股东权益(万元)	1222762.83	1213648.64	1198887.85	1189520.55
	营业收入(万元)	137658.67	72018.77	17610.16	42362.30
	营业支出(万元)	128990.08	65575.65	17949.79	39278.04
	投资收益(万元)	7797.67	23180.17	9531.57	162.73
	净利润(万元)	9670.34	24773.42	9530.78	7892.68
	营业利润(万元)	11753.94	29279.40	9495.94	8633.21
	利润总额(万元)	12509.14	29446.06	9530.78	7953.75

河南东方银星投资股份有限公司

公司概况	公司名称	河南东方银星投资股份有限公司		证券简称	东方银星
	法人代表	梁衍锋	董秘 蒋华明	证券代码	600753
	公司网址	www.yinxingdf.com		电子信箱	jhmdfyx2015@163.com
	电　话	0755-86382001		传　真	0755-86382002
	办公地址	上海市闵行区闵虹路 166 号城开中心 1 号楼 32 层			
	经营范围	房地产项目投资、实业投资、化工产品等			

主要财务指标	指标＼报告期	2016.06.30	2015.12.31	2015.06.30	2014.12.31
	基本每股收益(元)	−0.0280	0.3020	−0.0100	0.0030
	基本每股收益(扣除后)(元)	−0.0320	−0.0360	−0.0100	−0.0100
	稀释每股收益(元)	−0.0280	0.3020	−0.0100	0.0030
	每股净资产(元)	1.0656	1.0934	0.7819	0.7918
	每股经营现金净流量(元)	−0.1124	1.5778	0.0027	−0.0037
	每股现金流量(元)	−0.1126	1.6844	−0.0003	−0.0037
	每股资本公积金(元)	1.1050	1.1050	1.1050	1.1050
	每股盈余公积金(元)	–	–	–	–
	每股未分配利润(元)	−1.0394	−1.0116	−1.3231	−1.3133
	净资产收益率(%)	−2.6079	27.5894	−1.2557	0.3523
	加权净资产收益率(%)	−2.6000	32.0000	−1.2600	0.3500
	净资产收益率(扣除)(%)	−3.0318	−3.2583	−1.2555	−1.2768
	总资产(万元)	21297.65	23055.54	22937.08	22965.20
	归属母公司股东权益(万元)	13640.04	13995.76	10008.73	10134.42
	营业收入(万元)	1608.62	1312.85	40.00	1212.41
	营业支出(万元)	1604.25	1188.02	31.49	1021.61
	投资收益(万元)	–	630.03	–	–
	净利润(万元)	−355.72	3886.74	−132.05	85.40
	营业利润(万元)	−384.64	−97.00	−132.02	152.22
	利润总额(万元)	−326.75	5011.05	−132.05	167.49

上海锦江国际酒店发展股份有限公司

公司概况	公司名称	上海锦江国际酒店发展股份有限公司		证券简称	锦江股份
	法人代表	俞敏亮	董秘 胡暋	证券代码	600754
	公司网址	www.jinjianghotels.sh.cn		电子信箱	jjir@jinjianghotels.com
	电　话	021-63217132		传　真	021-63217720
	办公地址	上海市黄浦区延安东路 100 号 25 楼			
	经营范围	宾馆、餐饮、食品生产线及连锁经营、旅游等			

主要财务指标	指标＼报告期	2016.06.30	2015.12.31	2015.06.30	2014.12.31
	基本每股收益(元)	0.3718	0.7925	0.3623	0.7857
	基本每股收益(扣除后)(元)	0.1264	0.3750	0.1898	0.2285
	稀释每股收益(元)	–	–	–	–
	每股净资产(元)	9.8838	10.2966	10.3223	10.8124
	每股经营现金净流量(元)	0.9478	1.3974	0.4625	0.6951
	每股现金流量(元)	2.7909	0.3052	−0.1024	3.5708
	每股资本公积金(元)	5.5712	5.5712	5.5712	5.5712
	每股盈余公积金(元)	0.7200	0.7200	0.6578	0.6578
	每股未分配利润(元)	1.7681	1.8762	1.5082	1.5459
	净资产收益率(%)	3.7622	7.6971	3.5103	5.6004
	加权净资产收益率(%)	3.7200	7.5500	3.3500	10.4100
	净资产收益率(扣除)(%)	1.2788	3.6415	1.8391	1.6288
	总资产(万元)	4290230.80	2702637.85	2674966.27	1136250.71
	归属母公司股东权益(万元)	795166.96	828379.90	830449.50	869879.83
	营业收入(万元)	436818.11	556270.31	248932.90	291310.48
	营业支出(万元)	43409.63	49483.95	22500.48	30841.07
	投资收益(万元)	33300.43	51897.39	22995.50	46232.13
	净利润(万元)	30339.21	64148.56	29507.00	49017.65
	营业利润(万元)	36019.33	85624.81	38645.99	63409.72
	利润总额(万元)	42023.72	88012.33	41109.00	66559.80

厦门国贸集团股份有限公司

公司概况					
公司名称	厦门国贸集团股份有限公司			证券简称	厦门国贸
法人代表	何福龙	董秘	陈晓华	证券代码	600755
公司网址	www.itg.com.cn		电子信箱	itgchina@itg.com.cn	
电话	0592-5161888		传真	0592-5160280	
办公地址	福建省厦门市思明区湖滨南路国贸大厦18层				
经营范围	从事进出口贸易、房地产开发与经营、投资以及其他服务贸易等				

主要财务指标 指标\报告期	2016.06.30	2015.12.31	2015.06.30	2014.12.31
基本每股收益(元)	0.3700	0.3900	0.2400	0.5700
基本每股收益(扣除后)(元)	0.3200	0.0800	0.0600	0.4300
稀释每股收益(元)	0.3300	–	–	–
每股净资产(元)	5.1527	4.7715	4.6334	4.4531
每股经营现金净流量(元)	–3.5355	1.8994	–1.5724	–2.2384
每股现金流量(元)	–0.1971	0.4251	0.3678	0.2072
每股资本公积金(元)	1.0753	1.2836	1.2097	1.2095
每股盈余公积金(元)	0.1707	0.1707	0.1622	0.1622
每股未分配利润(元)	2.6287	2.3613	2.2304	2.0891
净资产收益率(%)	7.1303	8.1906	5.2079	11.4546
加权净资产收益率(%)	7.1600	8.4900	5.2500	13.3100
净资产收益率(扣除)(%)	6.1783	1.7196	1.2330	8.6975
总资产(万元)	5169145.38	4006523.08	4245693.14	3444201.44
归属母公司股东权益(万元)	857647.40	805130.02	771220.48	741213.04
营业收入(万元)	4074822.50	6421988.05	2672192.15	5528789.49
营业支出(万元)	3811957.08	6048622.54	2546646.13	5202245.95
投资收益(万元)	7817.56	92748.85	27535.56	35065.87
净利润(万元)	89247.00	96089.10	39471.36	86870.56
营业利润(万元)	112558.19	131196.18	50140.82	111494.18
利润总额(万元)	114112.02	133738.60	52388.86	112091.65

浪潮软件股份有限公司

公司概况					
公司名称	浪潮软件股份有限公司			证券简称	浪潮软件
法人代表	王柏华	董秘	申宝伟	证券代码	600756
公司网址	www.inspur.com		电子信箱	600756@inspur.com	
电话	0531-85105606		传真	0531-85105600	
办公地址	山东省济南市高新区浪潮路1036号				
经营范围	通信及计算机软硬件技术开发、生产、销售等				

主要财务指标 指标\报告期	2016.06.30	2015.12.31	2015.06.30	2014.12.31
基本每股收益(元)	0.0710	0.3900	0.0740	0.2810
基本每股收益(扣除后)(元)	0.0690	0.3700	0.0640	0.2430
稀释每股收益(元)	0.0710	0.3900	0.0740	0.2810
每股净资产(元)	6.0156	3.4524	3.1053	3.0314
每股经营现金净流量(元)	–0.7060	0.4392	–0.7144	0.0937
每股现金流量(元)	0.0345	–0.2309	–0.5355	–0.1098
每股资本公积金(元)	3.1688	0.3140	0.2797	0.2797
每股盈余公积金(元)	0.2510	0.2918	0.2881	0.2881
每股未分配利润(元)	1.5959	1.8466	1.5375	1.4635
净资产收益率(%)	1.1255	11.2034	2.3828	9.2636
加权净资产收益率(%)	1.3500	11.9300	2.4100	9.6100
净资产收益率(扣除)(%)	1.0947	10.7049	2.0509	8.0225
总资产(万元)	262574.98	181338.81	183211.32	201421.27
归属母公司股东权益(万元)	194966.37	96234.54	86560.73	84498.16
营业收入(万元)	36077.40	122992.66	41591.37	108542.34
营业支出(万元)	17158.18	80179.60	26047.67	78238.75
投资收益(万元)	4430.62	9439.31	4088.06	10300.32
净利润(万元)	2082.87	10558.06	1891.42	7739.36
营业利润(万元)	2645.02	9708.01	1206.21	5908.29
利润总额(万元)	2972.66	10704.37	1832.06	7445.11

长江出版传媒股份有限公司

公司概况					
公司名称	长江出版传媒股份有限公司			证券简称	长江传媒
法人代表	潘启胜	董秘	万智	证券代码	600757
公司网址	www.cjcb.com.cn		电子信箱	cjcbcm@163.com	
电话	027-87673688		传真	027-87673688	
办公地址	湖北省武汉市武昌区雄楚大街268号B座11-12楼				
经营范围	公开发行的国内版图书、报刊、电子出版物等				

主要财务指标 指标\报告期	2016.06.30	2015.12.31	2015.06.30	2014.12.31
基本每股收益(元)	0.2500	0.2700	0.2100	0.1700
基本每股收益(扣除后)(元)	0.2500	0.1900	0.1400	0.0800
稀释每股收益(元)	0.2500	0.2700	0.2100	0.1700
每股净资产(元)	4.3418	4.1355	4.0870	3.9106
每股经营现金净流量(元)	–0.2475	0.5952	0.0560	0.5632
每股现金流量(元)	0.4122	–0.1870	–0.1207	–0.2568
每股资本公积金(元)	1.4872	1.4890	1.4712	1.4712
每股盈余公积金(元)	0.0295	0.0295	0.0185	0.0185
每股未分配利润(元)	1.7595	1.5430	1.4981	1.3104
净资产收益率(%)	5.7123	6.4662	5.0813	4.4464
加权净资产收益率(%)	5.8300	6.6400	5.1800	4.5900
净资产收益率(扣除)(%)	5.6716	4.6572	3.3467	1.9885
总资产(万元)	1040597.28	942800.12	764181.43	717448.27
归属母公司股东权益(万元)	526940.08	502133.29	496014.35	474608.83
营业收入(万元)	725201.36	1188776.88	268002.85	468682.06
营业支出(万元)	648840.29	1043295.74	200675.83	336433.53
投资收益(万元)	4481.10	13234.91	7455.60	5990.60
净利润(万元)	29778.01	33019.79	25075.22	20407.66
营业利润(万元)	26124.26	22529.44	18945.47	10443.36
利润总额(万元)	30753.90	34515.62	25361.85	21046.46

辽宁红阳能源投资股份有限公司

公司概况					
公司名称	辽宁红阳能源投资股份有限公司			证券简称	红阳能源
法人代表	林守信	董秘	李飚	证券代码	600758
公司网址			电子信箱	hongyang600758@126.com	
电话	024-86131586		传真	024-86801050	
办公地址	辽宁省沈阳市皇姑区黄河南大街96-6号启运商务大厦4楼				
经营范围	能源投资开发、电力、热力生产、销售、城市集中供热、供汽、供热等				

主要财务指标 指标\报告期	2016.06.30	2015.12.31	2015.06.30	2014.12.31
基本每股收益(元)	–0.1674	–0.4300	–0.0718	0.0600
基本每股收益(扣除后)(元)	–0.1821	–0.2400	–0.0025	0.0600
稀释每股收益(元)	–0.1674	–0.4300	–0.0718	0.0600
每股净资产(元)	3.5630	3.7048	1.6649	1.6399
每股经营现金净流量(元)	0.0643	1.3902	–0.0933	0.2882
每股现金流量(元)	–1.1599	1.4995	–0.1240	0.0613
每股资本公积金(元)	2.5355	2.5355	0.0480	0.0480
每股盈余公积金(元)	0.0800	0.0800	0.0495	0.0495
每股未分配利润(元)	–0.1322	0.0352	0.5674	0.5423
净资产收益率(%)	–4.6990	–9.3678	2.7038	3.7927
加权净资产收益率(%)	–4.6000	–10.2400	2.7200	3.8300
净资产收益率(扣除)(%)	–5.1120	–5.3232	2.5520	3.6885
总资产(万元)	1664965.43	1792128.27	70751.44	80238.47
归属母公司股东权益(万元)	477756.35	496772.70	34577.68	34058.13
营业收入(万元)	273949.75	592199.47	13028.43	26083.81
营业支出(万元)	239560.35	480606.67	11076.23	21787.26
投资收益(万元)	877.76	1502.79	–	–
净利润(万元)	–22449.85	–46536.67	934.91	1291.73
营业利润(万元)	–17940.61	–47658.94	962.77	1569.81
利润总额(万元)	–17158.86	–44127.62	1318.09	1909.33

洲际油气股份有限公司

公司概况	公司名称	洲际油气股份有限公司			证券简称	洲际油气
	法人代表	姜亮	董秘	樊辉	证券代码	600759
	公司网址	www.geojade.com		电子信箱	zhgf@600759.com	
	电　话	0898-66590595 66787367		传　真	0898-66757661	
	办公地址	海南省海口市国贸大道2号海南时代广场17层				
	经营范围	高新技术项目及产品的投资、开发、生产与经营等				

	指标＼报告期	2016.06.30	2015.12.31	2015.06.30	2014.12.31
主要财务指标	基本每股收益(元)	0.0074	0.0286	0.0081	0.0696
	基本每股收益(扣除后)(元)	-0.0101	-0.0686	-0.0051	-0.0220
	稀释每股收益(元)	0.0074	0.0286	0.0081	0.0696
	每股净资产(元)	2.2767	2.3154	3.1162	3.0855
	每股经营现金净流量(元)	0.0935	0.0393	0.0589	0.0639
	每股现金流量(元)	0.0284	-0.5942	-0.1977	0.5805
	每股资本公积金(元)	1.0806	1.0759	1.6986	1.6986
	每股盈余公积金(元)	0.0219	0.0219	0.0284	0.0284
	每股未分配利润(元)	0.2933	0.3019	0.3633	0.3552
	净资产收益率(%)	0.3246	1.2365	0.2587	1.5802
	加权净资产收益率(%)	0.3200	1.2200	0.2599	3.7000
	净资产收益率(扣除)(%)	-0.4435	-2.9613	-0.1649	-0.5004
	总资产(万元)	1470833.28	1419520.96	1263401.78	1180588.21
	归属母公司股东权益(万元)	515338.40	524102.76	542583.95	537234.49
	营业收入(万元)	55962.85	126065.52	65335.76	138724.59
	营业支出(万元)	28076.84	59854.93	28385.60	69289.45
	投资收益(万元)	1579.96	315.18	314.88	13185.03
	净利润(万元)	1646.31	6444.25	1644.26	9342.53
	营业利润(万元)	-821.68	10516.21	-1347.69	11754.87
	利润总额(万元)	1353.56	13909.00	464.95	13391.34

中航黑豹股份有限公司

公司概况	公司名称	中航黑豹股份有限公司			证券简称	*ST黑豹
	法人代表	李晓义	董秘	严楠	证券代码	600760
	公司网址	www.heibao.com.cn		电子信箱	yannan2323@163.com	
	电　话	0631-8087751		传　真	0631-8352228	
	办公地址	山东省文登市龙山路107号				
	经营范围	微型汽、柴油载重汽车及其配件制造、厢式柴油专用汽车制造等				

	指标＼报告期	2016.06.30	2015.12.31	2015.06.30	2014.12.31
主要财务指标	基本每股收益(元)	-0.1200	-0.6400	-0.2200	-0.4100
	基本每股收益(扣除后)(元)	-0.1400	-0.7100	-0.2300	-0.4300
	稀释每股收益(元)	-0.1200	-0.6400	-0.2200	-0.4100
	每股净资产(元)	1.0205	1.1407	1.5442	1.7606
	每股经营现金净流量(元)	0.1727	0.2921	0.1930	0.1924
	每股现金流量(元)	0.0662	-0.1172	0.1297	0.0484
	每股资本公积金(元)	1.6189	1.6189	1.6019	1.6019
	每股盈余公积金(元)	0.0410	0.0410	0.0410	0.0410
	每股未分配利润(元)	-1.6394	-1.5192	-1.0987	-0.8823
	净资产收益率(%)	-11.7796	-56.1139	-14.0136	-23.3432
	加权净资产收益率(%)	-11.1200	-43.3900	-13.1000	-20.9000
	净资产收益率(扣除)(%)	-13.8425	-62.4053	-15.1481	-24.3812
	总资产(万元)	198098.46	255000.46	311513.25	309271.06
	归属母公司股东权益(万元)	35201.22	39347.78	53265.03	60729.38
	营业收入(万元)	52156.96	169674.81	92687.35	252329.03
	营业支出(万元)	49606.86	162150.76	87158.67	235920.72
	投资收益(万元)	-1584.12	570.13	-	-
	净利润(万元)	-6744.51	-33925.95	-10396.78	-17279.84
	营业利润(万元)	-7675.46	-37071.39	-11316.12	-17268.62
	利润总额(万元)	-6744.32	-33611.53	-10483.24	-16860.15

安徽合力股份有限公司

公司概况	公司名称	安徽合力股份有限公司			证券简称	安徽合力
	法人代表	张德进	董秘	张孟青	证券代码	600761
	公司网址	www.helichina.com		电子信箱	zmq@helichina.com	
	电　话	0551-63689611 63689002		传　真	0551-63689787	
	办公地址	安徽省合肥市经济技术开发区方兴大道668号				
	经营范围	叉车、装载机、工程机械、矿山起重运输机械及配件、铸锻件、热处理件制造及销售				

	指标＼报告期	2016.06.30	2015.12.31	2015.06.30	2014.12.31
主要财务指标	基本每股收益(元)	0.3100	0.6400	0.3600	0.9200
	基本每股收益(扣除后)(元)	0.2800	0.5000	0.3300	0.7000
	稀释每股收益(元)	0.3100	0.6400	0.3600	0.9200
	每股净资产(元)	6.6658	6.5508	6.2716	6.2067
	每股经营现金净流量(元)	0.5139	0.8936	0.2922	1.0726
	每股现金流量(元)	-0.4856	0.5840	-0.1224	0.1775
	每股资本公积金(元)	0.9029	0.9029	0.9042	0.9029
	每股盈余公积金(元)	0.7980	0.7980	0.7310	0.7310
	每股未分配利润(元)	3.9652	3.8503	3.6370	3.5729
	净资产收益率(%)	4.7232	9.8367	5.8055	14.8632
	加权净资产收益率(%)	4.8400	10.1800	5.7000	15.7200
	净资产收益率(扣除)(%)	4.1919	7.6425	5.2522	11.3113
	总资产(万元)	613611.16	573204.07	556818.08	549627.89
	归属母公司股东权益(万元)	411160.41	404065.77	386842.76	382838.16
	营业收入(万元)	296897.29	568568.17	303752.74	670095.04
	营业支出(万元)	231853.81	442677.98	237358.37	530351.67
	投资收益(万元)	2116.15	3538.59	1851.73	2888.25
	净利润(万元)	21504.36	42835.24	23917.00	60687.63
	营业利润(万元)	24142.33	43547.29	26966.75	58974.63
	利润总额(万元)	24805.38	50599.00	27673.96	72171.89

通策医疗投资股份有限公司

公司概况	公司名称	通策医疗投资股份有限公司			证券简称	通策医疗
	法人代表	赵玲玲	董秘	黄浴华	证券代码	600763
	公司网址	www.tcmedical.com.cn		电子信箱	huangyuhua@eetop.com	
	电　话	0571-88868808 88970616		传　真	0571-87283502	
	办公地址	浙江省杭州市灵溪北路21号合生国贸中心5号楼				
	经营范围	投资管理、医疗器材的经营、进出口业务技术开发、技术咨询、技术培训和技术服务等				

	指标＼报告期	2016.06.30	2015.12.31	2015.06.30	2014.12.31
主要财务指标	基本每股收益(元)	0.2300	0.6000	0.2100	0.3400
	基本每股收益(扣除后)(元)	0.2200	0.3900	0.2000	0.3100
	稀释每股收益(元)	0.2300	0.6000	0.2100	0.3400
	每股净资产(元)	2.7896	2.5639	4.3507	3.9272
	每股经营现金净流量(元)	0.0209	0.5739	0.3526	0.8033
	每股现金流量(元)	-0.1449	0.1400	0.1937	0.2850
	每股资本公积金(元)	0.1184	0.1184	1.2369	1.2369
	每股盈余公积金(元)	0.0315	0.0315	0.0115	0.0115
	每股未分配利润(元)	1.6397	1.4140	2.1023	1.6788
	净资产收益率(%)	8.0913	23.4139	9.7341	17.4908
	加权净资产收益率(%)	8.4300	26.5200	10.2300	19.1700
	净资产收益率(扣除)(%)	7.8917	15.2953	9.2135	15.6455
	总资产(万元)	133581.36	132997.05	85641.64	79314.94
	归属母公司股东权益(万元)	89445.84	82208.47	69749.83	62960.29
	营业收入(万元)	37932.40	76235.57	34282.41	58379.03
	营业支出(万元)	22701.13	45893.99	20401.39	35431.21
	投资收益(万元)	81.90	5641.39	94.95	332.00
	净利润(万元)	7393.10	19364.14	6986.12	11383.40
	营业利润(万元)	8641.64	23515.23	8868.37	14567.66
	利润总额(万元)	8852.25	23969.91	8848.07	14787.69

中电广通股份有限公司

公司概况	公司名称	中电广通股份有限公司		证券简称	中电广通
	法人代表	李建军	董秘 杨琼	证券代码	600764
	公司网址	www.cecgt.com		电子信箱	qyang@cecgt.com
	电　话	010-88578860		传　真	010-88578825
	办公地址	北京市海淀区中关村南大街17号3号楼(韦伯时代中心C座)21层			
	经营范围	智能光网络平台业务、计算机系统集成与分销业务等			

主要财务指标	指标\报告期	2016.06.30	2015.12.31	2015.06.30	2014.12.31
	基本每股收益(元)	0.0370	-0.3790	0.0030	0.0160
	基本每股收益(扣除后)(元)	0.0440	-0.3880	0.0020	0.0090
	稀释每股收益(元)	0.0370	-0.3790	0.0030	0.0160
	每股净资产(元)	1.5014	1.4623	1.8331	1.8440
	每股经营现金净流量(元)	0.0067	0.2694	0.0759	-0.0898
	每股现金流量(元)	0.0770	0.0556	-0.0777	-0.4113
	每股资本公积金(元)	0.1109	0.1192	0.1271	0.1271
	每股盈余公积金(元)	0.1918	0.1918	0.1918	0.1918
	每股未分配利润(元)	0.1573	0.1803	0.5622	0.5694
	净资产收益率(%)	2.4931	-25.9240	0.1494	0.8584
	加权净资产收益率(%)	2.5300	-22.8800	0.1500	0.8600
	净资产收益率(扣除)(%)	2.9106	-26.5142	0.1331	0.4909
	总资产(万元)	89063.96	122404.28	145209.92	144462.89
	归属母公司股东权益(万元)	49505.69	48215.28	60441.84	60803.23
	营业收入(万元)	14802.26	40916.34	36938.90	71895.04
	营业支出(万元)	11167.29	32726.85	32401.00	60594.75
	投资收益(万元)	13098.48	4654.34	2682.61	3079.96
	净利润(万元)	1832.16	-12146.26	665.90	1818.79
	营业利润(万元)	13874.28	-12409.17	869.51	1367.75
	利润总额(万元)	2168.66	-11863.69	896.83	2232.30

中航重机股份有限公司

公司概况	公司名称	中航重机股份有限公司		证券简称	中航重机
	法人代表	黎学勤	董秘 孙继兵	证券代码	600765
	公司网址	www.hm.avic.com		电子信箱	invest@avic.com
	电　话	010-57827109　57827163		传　真	010-57827101
	办公地址	北京市朝阳区安定门外小关东里14号A座			
	经营范围	股权投资及经营管理、军民共用液压件、液压系统、锻件、换热器等			

主要财务指标	指标\报告期	2016.06.30	2015.12.31	2015.06.30	2014.12.31
	基本每股收益(元)	0.0900	-0.3900	0.0200	0.2000
	基本每股收益(扣除后)(元)	0.1300	-0.3500	0.0100	0.1800
	稀释每股收益(元)	0.0900	-0.3900	0.0200	0.2000
	每股净资产(元)	4.2471	4.1737	4.5365	4.5349
	每股经营现金净流量(元)	-0.1218	0.8225	-0.1393	0.1855
	每股现金流量(元)	-0.7564	0.5314	-0.1391	-0.1470
	每股资本公积金(元)	1.7410	1.7294	1.6893	1.6696
	每股盈余公积金(元)	0.1365	0.1365	0.1281	0.1281
	每股未分配利润(元)	1.3414	1.2870	1.6997	1.7215
	净资产收益率(%)	2.2221	-9.2415	0.4013	4.4351
	加权净资产收益率(%)	2.2500	-8.8800	0.4000	4.5600
	净资产收益率(扣除)(%)	3.1159	-8.2959	0.3230	3.9663
	总资产(万元)	1365884.69	1318493.67	1354812.05	1324219.40
	归属母公司股东权益(万元)	330428.08	324713.22	352943.51	352814.25
	营业收入(万元)	266635.20	587730.42	300651.05	582255.35
	营业支出(万元)	195129.72	455381.43	238499.01	452954.66
	投资收益(万元)	-266.86	8205.13	-1287.78	-3551.28
	净利润(万元)	4736.99	-53942.36	-3803.88	12822.66
	营业利润(万元)	13169.78	-31170.26	-3071.44	15196.11
	利润总额(万元)	8223.58	-45666.76	-2516.49	17818.61

烟台园城黄金股份有限公司

公司概况	公司名称	烟台园城黄金股份有限公司		证券简称	园城黄金
	法人代表	徐成义	董秘 刘昌喜	证券代码	600766
	公司网址	www.ytycgf.com		电子信箱	yuanyuan82827@126.com
	电　话	0535-6636299		传　真	0535-6636299
	办公地址	山东省烟台市芝罘区南大街261号			
	经营范围	药品的生产和销售、商品零售及批发、房地产、印刷、旅游等			

主要财务指标	指标\报告期	2016.06.30	2015.12.31	2015.06.30	2014.12.31
	基本每股收益(元)	0.0100	0.0700	0.0100	0.0600
	基本每股收益(扣除后)(元)	0.0100	0.0200	0.0100	0.0600
	稀释每股收益(元)	0.0100	0.0700	0.0100	0.0600
	每股净资产(元)	0.2294	0.2114	0.1545	0.1555
	每股经营现金净流量(元)	-0.0029	0.0818	0.0082	0.1294
	每股现金流量(元)	-0.0074	0.0114	0.0020	-0.0296
	每股资本公积金(元)	1.0574	1.0574	1.0574	1.0574
	每股盈余公积金(元)	-	-	-	-
	每股未分配利润(元)	-1.7927	-1.8042	-1.8615	-1.8699
	净资产收益率(%)	5.0520	31.0400	5.4170	39.9613
	加权净资产收益率(%)	5.3400	34.8500	5.2400	43.1500
	净资产收益率(扣除)(%)	5.0520	8.9486	5.4170	38.4040
	总资产(万元)	16451.91	16542.33	21676.13	22637.73
	归属母公司股东权益(万元)	5142.73	4740.04	3465.30	3486.53
	营业收入(万元)	555.30	1689.80	598.93	4698.07
	营业支出(万元)	25.15	593.45	-	2162.89
	投资收益(万元)	-3.47	-50.16	-4.73	52.86
	净利润(万元)	259.81	1471.31	187.71	1393.26
	营业利润(万元)	254.92	235.71	185.63	1291.41
	利润总额(万元)	254.92	1631.90	185.63	1287.70

运盛(上海)医疗科技股份有限公司

公司概况	公司名称	运盛(上海)医疗科技股份有限公司		证券简称	运盛医疗
	法人代表	钱仁高	董秘 姜慧芳	证券代码	600767
	公司网址	www.winsan.cn		电子信箱	600767@winsan.cn
	电　话	021-50720222		传　真	021-50720222
	办公地址	上海市浦东新区仁庆路509号12号楼			
	经营范围	城市基础设施开发及其配套服务、城市供水、能源、交通、工业等			

主要财务指标	指标\报告期	2016.06.30	2015.12.31	2015.06.30	2014.12.31
	基本每股收益(元)	-0.0870	-0.2060	-0.0480	0.0760
	基本每股收益(扣除后)(元)	-0.0920	-0.2250	-0.0580	0.0760
	稀释每股收益(元)	-0.0870	-0.2060	-0.0480	0.0760
	每股净资产(元)	0.7348	0.8686	1.0268	1.0743
	每股经营现金净流量(元)	-0.0531	-0.0479	0.0327	0.2991
	每股现金流量(元)	0.0713	0.0030	-0.0266	0.0224
	每股资本公积金(元)	0.1090	0.1561	0.1561	0.1561
	每股盈余公积金(元)	0.0181	0.0181	0.0181	0.0181
	每股未分配利润(元)	-0.3902	-0.3035	-0.1450	-0.0975
	净资产收益率(%)	-11.8093	-23.7158	-4.6310	7.0925
	加权净资产收益率(%)	-10.6160	-21.2000	-4.5260	7.3530
	净资产收益率(扣除)(%)	-12.4544	-25.8691	-5.6077	7.0523
	总资产(万元)	59242.24	58330.96	59891.76	61512.38
	归属母公司股东权益(万元)	25055.74	29619.02	35013.98	36635.51
	营业收入(万元)	2386.80	5033.80	1084.94	18336.48
	营业支出(万元)	803.21	1906.95	426.04	7293.64
	投资收益(万元)	78.84	80.62	35.71	317.85
	净利润(万元)	-3420.94	-7096.42	-1886.44	2893.42
	营业利润(万元)	-3484.40	-7187.42	-2057.19	3066.97
	利润总额(万元)	-3547.48	-6977.04	-1959.69	3086.82

宁波富邦精业集团股份有限公司

公司概况					
公司名称	宁波富邦精业集团股份有限公司			证券简称	宁波富邦
法人代表	郑锦浩	董秘	魏会兵	证券代码	600768
公司网址	www.600768.com.cn		电子信箱	fbjy@600768.com.cn	
电　话	0574-87410501 87410500		传　真	0574-87410501	
办公地址	浙江省宁波市鄞州区天童北路 702 号工业城办公大楼三楼				
经营范围	有色金属复合材料、新型合金材料、铝及铝合金板、带、箔及制品等				

主要财务指标：指标＼报告期	2016.06.30	2015.12.31	2015.06.30	2014.12.31
基本每股收益(元)	-0.0900	-0.3950	-0.1380	0.0190
基本每股收益(扣除后)(元)	-0.1040	-0.3830	-0.1380	-0.3810
稀释每股收益(元)	-0.0900	-0.3950	-0.1380	0.0190
每股净资产(元)	0.2540	0.3445	0.6015	0.7390
每股经营现金净流量(元)	0.1290	-0.4795	-0.3712	-0.1502
每股现金流量(元)	0.2681	-0.8033	-0.5012	0.5953
每股资本公积金(元)	0.0302	0.0302	0.0302	0.0302
每股盈余公积金(元)	0.1018	0.1018	0.1018	0.1018
每股未分配利润(元)	-0.8780	-0.7876	-0.5306	-0.3930
净资产收益率(%)	-35.6002	-114.5335	-22.8631	2.6311
加权净资产收益率(%)	-30.2200	-72.8300	-20.5200	2.5700
净资产收益率(扣除)(%)	-41.0585	-111.1864	-22.8933	-51.5438
总资产(万元)	63949.04	60820.37	70311.04	71626.91
归属母公司股东权益(万元)	3397.72	4607.32	8044.92	9884.24
营业收入(万元)	33752.35	81466.11	42191.75	84253.16
营业支出(万元)	32959.27	80327.25	41465.83	83325.71
投资收益(万元)	67.56	78.98	-	1084.39
净利润(万元)	-1209.60	-5276.92	-1839.32	260.06
营业利润(万元)	-1272.13	-4966.06	-1763.52	-3940.41
利润总额(万元)	-1184.41	-5252.14	-1804.89	317.11

武汉祥龙电业股份有限公司

公司概况					
公司名称	武汉祥龙电业股份有限公司			证券简称	祥龙电业
法人代表	杨雄	董秘	曹文明	证券代码	600769
公司网址	www.whghjt.com		电子信箱	pxldy@public.wh.hb.cn	
电　话	027-87602482		传　真	027-87600367	
办公地址	湖北省武汉市洪山区葛化街化工路 31 号				
经营范围	发电、供电、供热及基本化工原料产品的生产和销售等				

主要财务指标：指标＼报告期	2016.06.30	2015.12.31	2015.06.30	2014.12.31
基本每股收益(元)	0.0072	0.0200	0.0172	0.0030
基本每股收益(扣除后)(元)	-0.0030	-0.0100	-0.0047	-0.0100
稀释每股收益(元)	0.0072	0.0200	0.0172	0.0030
每股净资产(元)	0.1206	0.1134	0.1137	0.0966
每股经营现金净流量(元)	-0.0065	-0.0309	-0.0171	-0.0065
每股现金流量(元)	0.0114	0.0551	0.0621	-0.2136
每股资本公积金(元)	0.9791	0.9791	0.9791	0.9791
每股盈余公积金(元)	0.1154	0.1154	0.1154	0.1154
每股未分配利润(元)	-1.9739	-1.9811	-1.9807	-1.9979
净资产收益率(%)	5.9446	14.8449	15.1078	3.5983
加权净资产收益率(%)	6.1300	16.0400	16.3400	3.6600
净资产收益率(扣除)(%)	-2.4643	-10.3924	-4.1458	-9.7224
总资产(万元)	9557.16	9507.18	10735.48	10554.65
归属母公司股东权益(万元)	4520.76	4252.02	4265.19	3620.81
营业收入(万元)	1216.34	2076.89	1157.08	1976.27
营业支出(万元)	1151.61	1917.65	1075.93	1626.41
投资收益(万元)	216.40	795.27	984.47	327.26
净利润(万元)	268.80	634.19	648.06	131.88
营业利润(万元)	167.29	414.49	646.37	118.75
利润总额(万元)	268.80	648.79	648.06	140.34

江苏综艺股份有限公司

公司概况					
公司名称	江苏综艺股份有限公司			证券简称	综艺股份
法人代表	陈义	董秘	顾政巍	证券代码	600770
公司网址	www.600770.com		电子信箱	zygf@zy600770.com	
电　话	0513-86639999 86639987		传　真	0513-86563501 86639987	
办公地址	江苏省南通市通州区兴东镇综艺数码城				
经营范围	新能源、太阳能电池、组件及应用产品的开发、销售、服务等				

主要财务指标：指标＼报告期	2016.06.30	2015.12.31	2015.06.30	2014.12.31
基本每股收益(元)	0.0300	-0.1895	0.0200	0.0340
基本每股收益(扣除后)(元)	-0.0100	-0.1820	0.0200	0.0180
稀释每股收益(元)	0.0300	-0.1895	0.0200	0.0340
每股净资产(元)	2.6343	2.5535	2.6047	2.6353
每股经营现金净流量(元)	-0.0093	0.1263	-0.0807	0.3177
每股现金流量(元)	0.0340	-0.1601	-0.3619	0.3756
每股资本公积金(元)	1.7082	1.6956	1.6415	1.6387
每股盈余公积金(元)	0.0506	0.0506	0.0506	0.0506
每股未分配利润(元)	-0.1096	-0.1344	0.0731	0.0551
净资产收益率(%)	0.9423	-7.4200	0.6911	1.2123
加权净资产收益率(%)	0.9600	-7.3000	0.3400	1.0600
净资产收益率(扣除)(%)	-0.2172	-7.1264	0.7661	0.6309
总资产(万元)	657321.14	668769.67	638052.30	656881.34
归属母公司股东权益(万元)	342454.88	331959.42	338606.60	342583.95
营业收入(万元)	50901.92	56423.70	28075.84	71458.32
营业支出(万元)	40009.32	35459.36	18292.32	42773.79
投资收益(万元)	6344.00	25352.52	19095.54	20861.13
净利润(万元)	4215.67	-17935.70	9366.37	14107.84
营业利润(万元)	920.84	-13727.95	13973.45	18423.49
利润总额(万元)	6275.27	-12295.39	14332.18	20499.83

广誉远中药股份有限公司

公司概况					
公司名称	广誉远中药股份有限公司			证券简称	广誉远
法人代表	张斌	董秘	郑延莉	证券代码	600771
公司网址	www.guangyuyuan.com		电子信箱	yanli.zheng@guangyuyuan.com	
电　话	029-88332288		传　真	029-88330835	
办公地址	陕西省西安市高新区高新六路 52 号立人科技园 A 座六层				
经营范围	中药原料药、西药原料药、片剂、硬胶囊剂、软胶囊剂、颗粒剂等				

主要财务指标：指标＼报告期	2016.06.30	2015.12.31	2015.06.30	2014.12.31
基本每股收益(元)	0.0800	0.0100	0.0030	0.1500
基本每股收益(扣除后)(元)	0.0800	-0.0200	-0.0300	-0.1000
稀释每股收益(元)	0.0800	0.0100	0.0030	0.1500
每股净资产(元)	2.6514	2.5739	0.3481	0.3450
每股经营现金净流量(元)	-0.4534	-0.2160	-0.0206	-0.1850
每股现金流量(元)	-1.5603	1.6880	-0.0221	-0.0093
每股资本公积金(元)	3.6843	3.6843	1.7890	1.7890
每股盈余公积金(元)	0.1066	0.1066	0.1215	0.1215
每股未分配利润(元)	-2.1396	-2.2171	-2.5623	-2.5655
净资产收益率(%)	2.9225	0.2839	0.9092	43.5700
加权净资产收益率(%)	2.9700	0.5900	0.9000	55.7100
净资产收益率(扣除)(%)	2.9928	-0.7335	-9.4475	-28.8787
总资产(万元)	110023.26	106643.64	51515.36	46221.08
归属母公司股东权益(万元)	73657.12	71504.47	8488.09	8410.91
营业收入(万元)	39680.55	42843.61	20331.92	35415.45
营业支出(万元)	9208.64	11665.14	5878.89	8731.76
投资收益(万元)	141.48	1266.25	728.17	2136.84
净利润(万元)	4337.23	932.70	519.86	2531.03
营业利润(万元)	6311.51	1561.17	687.85	-541.56
利润总额(万元)	6196.68	2149.75	809.41	3548.72

西藏城市发展投资股份有限公司

公司概况

公司名称	西藏城市发展投资股份有限公司			证券简称	西藏城投
法人代表	朱贤麟	董秘	符蓉	证券代码	600773
公司网址	www.600773sh.com		电子信箱	xzct600773@163.com	
电　话	021-63536929		传　真	021-63535429	
办公地址	西藏自治区拉萨市金珠西路 75 号 2 楼				
经营范围	对房地产投资、开发销售、咨询服务、矿业投资、金融投资等				

主要财务指标

指标\报告期	2016.06.30	2015.12.31	2015.06.30	2014.12.31
基本每股收益(元)	0.0500	0.0900	0.0450	0.1300
基本每股收益(扣除后)(元)	0.0400	0.0500	0.0080	0.0800
稀释每股收益(元)	0.0500	0.0900	0.0450	0.1300
每股净资产(元)	3.4520	3.4119	3.3704	3.3363
每股经营现金净流量(元)	-0.4374	1.6422	0.5241	2.9785
每股现金流量(元)	-0.6640	-0.1507	-0.7073	2.7892
每股资本公积金(元)	1.5787	1.5787	1.5787	1.5787
每股盈余公积金(元)	-	-	-	-
每股未分配利润(元)	0.8732	0.8331	0.7917	0.7575
净资产收益率(%)	1.4362	2.5092	1.3315	3.1632
加权净资产收益率(%)	1.4400	2.5400	1.3400	5.9600
净资产收益率(扣除)(%)	1.1615	1.3486	0.2489	1.8475
总资产(万元)	1003678.76	1106477.66	1013442.78	1084506.07
归属母公司股东权益(万元)	251721.81	248797.85	245775.77	243284.22
营业收入(万元)	138782.99	76152.46	18223.32	104919.02
营业支出(万元)	119637.22	57714.20	10812.68	77491.81
投资收益(万元)	694.77	2620.69	3050.92	1278.20
净利润(万元)	3083.84	5728.63	3050.48	4969.15
营业利润(万元)	4419.75	7157.03	4722.27	6241.76
利润总额(万元)	4420.06	9780.16	5345.85	9018.94

武汉市汉商集团股份有限公司

公司概况

公司名称	武汉市汉商集团股份有限公司			证券简称	汉商集团
法人代表	张宪华	董秘	冯振宇	证券代码	600774
公司网址	www.whhsg.com		电子信箱	hsjt@public.wh.hb.cn	
电　话	027-84843197 68849119		传　真	027-84842384	
办公地址	湖北省武汉市汉阳大道 134 号				
经营范围	商贸业、会议展览、旅游服务等				

主要财务指标

指标\报告期	2016.06.30	2015.12.31	2015.06.30	2014.12.31
基本每股收益(元)	0.0310	0.0600	0.0460	0.1100
基本每股收益(扣除后)(元)	0.0310	0.0600	0.0500	-0.0400
稀释每股收益(元)	0.0310	0.0600	0.0460	0.1100
每股净资产(元)	3.2534	3.2628	3.2501	3.2044
每股经营现金净流量(元)	0.1396	0.4244	0.0733	0.4607
每股现金流量(元)	0.0793	-0.0617	-0.1326	-0.0234
每股资本公积金(元)	0.7386	0.7386	0.7386	0.7386
每股盈余公积金(元)	0.4160	0.4160	0.4082	0.4082
每股未分配利润(元)	1.0744	1.0838	1.0789	1.0333
净资产收益率(%)	0.9423	1.7881	1.4043	3.4978
加权净资产收益率(%)	0.9400	1.8000	1.4100	3.5600
净资产收益率(扣除)(%)	0.9386	1.7895	1.5451	-1.3737
总资产(万元)	165247.65	165794.78	162010.21	164702.20
归属母公司股东权益(万元)	56796.51	56959.60	56737.88	55941.08
营业收入(万元)	47704.91	98407.26	49882.03	94132.90
营业支出(万元)	33086.04	69637.34	35718.43	67740.35
投资收益(万元)	221.29	590.94	232.70	-194.75
净利润(万元)	355.43	653.05	624.02	2417.77
营业利润(万元)	555.79	1103.69	1094.51	-1361.67
利润总额(万元)	558.78	1103.96	946.58	3007.93

南京熊猫电子股份有限公司

公司概况

公司名称	南京熊猫电子股份有限公司			证券简称	南京熊猫
法人代表	夏德传	董秘	沈见龙	证券代码	600775
公司网址	www.panda.cn		电子信箱	dms@panda.cn	
电　话	025-84801144		传　真	025-84820729	
办公地址	江苏省南京市天路 7 号				
经营范围	无线电通信设备、广播电视设备、五金交电、电子元器件等				

主要财务指标

指标\报告期	2016.06.30	2015.12.31	2015.06.30	2014.12.31
基本每股收益(元)	0.0598	0.1574	0.0959	0.1677
基本每股收益(扣除后)(元)	0.0111	0.1194	0.0844	0.1086
稀释每股收益(元)	0.0598	0.1574	0.0959	0.1677
每股净资产(元)	3.5628	3.5710	3.5096	3.4787
每股经营现金净流量(元)	0.0897	0.1193	-0.0359	0.0482
每股现金流量(元)	0.0933	0.1548	0.0196	-0.8566
每股资本公积金(元)	1.6023	1.6023	1.6024	1.6014
每股盈余公积金(元)	0.2690	0.2690	0.2569	0.2569
每股未分配利润(元)	0.6915	0.6996	0.6502	0.6203
净资产收益率(%)	1.6787	4.4077	2.7322	4.8201
加权净资产收益率(%)	1.6700	4.4649	2.7200	4.8200
净资产收益率(扣除)(%)	0.3123	3.3440	2.4061	3.1231
总资产(万元)	513676.93	489179.94	510014.46	462412.47
归属母公司股东权益(万元)	325579.26	326327.94	320716.52	317895.30
营业收入(万元)	151919.61	361348.29	164773.48	348764.11
营业支出(万元)	130590.59	308070.13	140804.76	296180.94
投资收益(万元)	7120.34	20695.67	10878.31	16131.85
净利润(万元)	7700.05	18911.92	10959.19	19642.60
营业利润(万元)	4862.12	21064.34	12289.24	17543.50
利润总额(万元)	9276.26	22274.70	12498.26	22081.07

东方通信股份有限公司

公司概况

公司名称	东方通信股份有限公司			证券简称	东方通信
法人代表	郭端端	董秘	蔡祝平	证券代码	600776
公司网址	www.eastcom.com		电子信箱	inquiry@eastcom.com	
电　话	0571-86676198		传　真	0571-86676197	
办公地址	浙江省杭州市滨江高新技术开发区东信大道 66 号				
经营范围	移动通信、IC 卡、传输设备、ATM 系列等				

主要财务指标

指标\报告期	2016.06.30	2015.12.31	2015.06.30	2014.12.31
基本每股收益(元)	0.0398	0.1352	0.0609	0.1429
基本每股收益(扣除后)(元)	0.0199	0.0909	0.0452	0.0702
稀释每股收益(元)	0.0398	0.1352	0.0609	0.1429
每股净资产(元)	2.3350	2.3552	2.2821	2.2812
每股经营现金净流量(元)	-0.3007	-0.0086	-0.3395	0.0592
每股现金流量(元)	-0.2416	-0.3988	-0.4838	0.0663
每股资本公积金(元)	0.7106	0.7106	0.7118	0.7118
每股盈余公积金(元)	0.0771	0.0771	0.0690	0.0690
每股未分配利润(元)	0.5473	0.5675	0.5013	0.5004
净资产收益率(%)	1.7050	5.7400	2.6691	6.2630
加权净资产收益率(%)	1.6800	5.8300	2.6300	6.4320
净资产收益率(扣除)(%)	0.8507	3.8604	1.9827	3.0786
总资产(万元)	357341.58	371730.70	360959.36	362882.11
归属母公司股东权益(万元)	293281.70	295817.34	286632.93	286518.48
营业收入(万元)	124278.66	356592.55	191946.36	371160.51
营业支出(万元)	106540.74	307770.55	171176.77	321884.11
投资收益(万元)	3545.37	4608.92	2115.30	4993.62
净利润(万元)	4926.74	16933.63	7539.73	17725.38
营业利润(万元)	5129.46	13838.17	6408.13	12392.35
利润总额(万元)	6319.85	19180.91	8854.93	20297.46

山东新潮能源股份有限公司

公司概况					
公司名称	山东新潮能源股份有限公司			证券简称	新潮能源
法人代表	黄万珍	董秘	何再权	证券代码	600777
公司网址	www.xinchaoshiye.com		电子信箱	hezaiquan@126.com	
电　话	0535-2109779		传　真	0535-2103111	
办公地址	山东省烟台市莱山区港城东大街301号南山世纪大厦B座14楼				
经营范围	毛、棉麻产品生产、同轴及数据电缆、宽带网络产品的生产、销售等				

主要财务指标				
指标\报告期	2016.06.30	2015.12.31	2015.06.30	2014.12.31
基本每股收益(元)	-0.0381	0.0500	-0.0600	-0.0600
基本每股收益(扣除后)(元)	-0.0456	-0.1700	-0.0600	-0.0300
稀释每股收益(元)	-0.0381	0.0500	-0.0600	-0.0600
每股净资产(元)	5.1556	4.0100	1.8199	1.8800
每股经营现金净流量(元)	-0.0629	0.2595	0.0952	0.0676
每股现金流量(元)	0.4898	-0.0546	0.0566	-0.0818
每股资本公积金(元)	4.0197	2.8510	0.7689	0.7689
每股盈余公积金(元)	0.0872	0.1080	0.1486	0.1486
每股未分配利润(元)	-0.0260	0.0105	-0.0976	-0.0341
净资产收益率(%)	-0.6439	0.8821	-3.4863	-3.2752
加权净资产收益率(%)	-0.8500	2.2100	-3.4300	-3.2200
净资产收益率(扣除)(%)	-0.7698	-3.2419	-3.5535	-1.6885
总资产(万元)	698583.84	518063.38	432840.55	427562.11
归属母公司股东权益(万元)	549782.52	344701.05	113819.09	117787.14
营业收入(万元)	10829.80	43024.13	18087.12	93612.70
营业支出(万元)	9956.60	33551.40	13756.54	66079.17
投资收益(万元)	575.07	9159.48	-	-1684.62
净利润(万元)	-3786.53	3420.45	-3532.87	1866.06
营业利润(万元)	-5201.40	-4098.34	-4631.95	3725.24
利润总额(万元)	-5533.18	1158.18	-4548.70	4316.64

新疆友好(集团)股份有限公司

公司概况					
公司名称	新疆友好(集团)股份有限公司			证券简称	友好集团
法人代表	聂如旋	董秘	吕亮	证券代码	600778
公司网址	www.xjyh.com.cn		电子信箱	yhjt600778@163.com	
电　话	0991-4553700　4552701		传　真	0991-4815090	
办公地址	新疆维吾尔自治区乌鲁木齐市友好南路668号				
经营范围	食盐、保健食品和其他预包装食品、乳制品等				

主要财务指标				
指标\报告期	2016.06.30	2015.12.31	2015.06.30	2014.12.31
基本每股收益(元)	-0.3011	0.0491	0.2813	0.2950
基本每股收益(扣除后)(元)	-0.3159	-0.9167	-0.2900	0.1334
稀释每股收益(元)	-0.3011	0.0491	0.2813	0.2950
每股净资产(元)	4.8302	5.1313	5.3635	5.5148
每股经营现金净流量(元)	-0.4679	1.4604	-0.5027	3.1357
每股现金流量(元)	-1.2646	0.4387	-0.8785	-1.7014
每股资本公积金(元)	1.2957	1.2957	1.2957	1.2957
每股盈余公积金(元)	0.3424	0.3424	0.3346	0.3346
每股未分配利润(元)	2.1921	2.4932	2.7331	2.5419
净资产收益率(%)	-6.2333	0.9571	5.2441	5.3491
加权净资产收益率(%)	-6.0400	0.9000	5.1700	5.5200
净资产收益率(扣除)(%)	-6.5396	-17.8652	-5.4069	2.4191
总资产(万元)	655155.75	723039.20	707211.24	784512.63
归属母公司股东权益(万元)	150457.38	159835.84	167067.22	171782.34
营业收入(万元)	294886.15	653869.91	313370.94	827654.06
营业支出(万元)	229153.65	503970.82	243430.59	616915.18
投资收益(万元)	1183.22	22855.15	21177.00	6766.20
净利润(万元)	-9501.62	11826.91	9176.22	26457.70
营业利润(万元)	-9846.65	-1049.31	9093.82	36904.98
利润总额(万元)	-9365.56	18818.42	9545.57	38711.43

四川水井坊股份有限公司

公司概况					
公司名称	四川水井坊股份有限公司			证券简称	水井坊
法人代表	范祥福	董秘	田冀东	证券代码	600779
公司网址	www.swellfun.com		电子信箱	dongshiban@swellfun.com	
电　话	028-86252847		传　真	028-86695460	
办公地址	四川省成都市金牛区全兴路9号				
经营范围	生产销售酒、生物材料及其制品等				

主要财务指标				
指标\报告期	2016.06.30	2015.12.31	2015.06.30	2014.12.31
基本每股收益(元)	0.1865	0.1801	0.1027	-0.8566
基本每股收益(扣除后)(元)	0.1761	0.1837	0.1029	-0.8798
稀释每股收益(元)	0.1865	0.1801	0.1027	-0.8566
每股净资产(元)	2.7343	2.6228	2.5711	2.4684
每股经营现金净流量(元)	0.1799	0.4790	0.0728	-0.2167
每股现金流量(元)	0.1659	0.5417	0.0629	-0.2876
每股资本公积金(元)	0.8177	0.8177	0.8177	0.8177
每股盈余公积金(元)	0.7273	0.7273	0.7259	0.7259
每股未分配利润(元)	0.1892	0.0777	0.0275	-0.0752
净资产收益率(%)	6.8209	6.8656	3.9955	-34.7012
加权净资产收益率(%)	6.8200	7.1100	4.0769	-29.5700
净资产收益率(扣除)(%)	6.4389	7.0025	4.0014	-35.6422
总资产(万元)	184797.11	179475.02	159314.74	162215.31
归属母公司股东权益(万元)	133584.97	128137.32	125612.15	120593.37
营业收入(万元)	49260.32	85486.72	38884.36	36486.85
营业支出(万元)	12657.17	21114.73	10015.22	11643.92
投资收益(万元)	-	-	-	-
净利润(万元)	9111.74	8797.36	5018.79	-41849.67
营业利润(万元)	11812.65	10822.72	7662.18	-30744.79
利润总额(万元)	12275.79	10587.09	7652.26	-29633.06

山西通宝能源股份有限公司

公司概况					
公司名称	山西通宝能源股份有限公司			证券简称	通宝能源
法人代表	王启瑞	董秘	王启瑞(代)	证券代码	600780
公司网址	www.600780.net		电子信箱	tecllx@vip.163.com	
电　话	0351-7021857　7031995		传　真	0351-7031995	
办公地址	山西省太原市长治路272号				
经营范围	火力发电、配电业务等				

主要财务指标				
指标\报告期	2016.06.30	2015.12.31	2015.06.30	2014.12.31
基本每股收益(元)	0.0733	0.3226	0.1839	0.4926
基本每股收益(扣除后)(元)	0.0785	0.3334	0.1888	0.4990
稀释每股收益(元)	0.0733	0.3226	0.1839	0.4926
每股净资产(元)	4.0709	3.9945	3.8240	3.7868
每股经营现金净流量(元)	0.6260	0.9768	0.4175	1.2684
每股现金流量(元)	0.0735	0.3562	0.3792	0.0846
每股资本公积金(元)	0.9710	1.1424	0.9352	0.9331
每股盈余公积金(元)	0.2494	0.2494	0.2494	0.2494
每股未分配利润(元)	1.8474	1.7740	1.6353	1.6014
净资产收益率(%)	1.8014	8.0770	4.8084	13.0089
加权净资产收益率(%)	1.7800	8.2800	4.8300	13.8000
净资产收益率(扣除)(%)	1.9284	8.3456	4.9364	13.1764
总资产(万元)	947634.55	936527.32	883265.03	834209.12
归属母公司股东权益(万元)	466730.98	477974.15	438422.74	434152.70
营业收入(万元)	235591.76	567283.45	282803.34	640288.42
营业支出(万元)	195032.68	447680.71	225522.18	496042.20
投资收益(万元)	-426.48	-1363.82	-1495.94	-874.02
净利润(万元)	7270.96	35912.63	20523.57	57209.96
营业利润(万元)	11191.07	52219.04	27943.36	75915.20
利润总额(万元)	9935.53	49658.36	27003.19	75011.69

辅仁药业集团实业股份有限公司

公司概况	公司名称	辅仁药业集团实业股份有限公司		证券简称	辅仁药业
	法人代表	朱文臣	董秘 张海杰	证券代码	600781
	公司网址	www.shfuren.cn		电子信箱	zhanghj@shfuren.cn
	电　话	0371-60107778		传　真	0371-60107755
	办公地址	河南省郑州市花园路25号辅仁大厦9楼			
	经营范围	服装、服饰、鞋帽、家用纺织装饰品及床上用品的生产、加工及销售等			

主要财务指标	指标\报告期	2016.06.30	2015.12.31	2015.06.30	2014.12.31
	基本每股收益(元)	0.0801	0.1600	0.0769	0.0700
	基本每股收益(扣除后)(元)	0.0668	0.1200	0.0773	0.0400
	稀释每股收益(元)	0.0801	0.1600	0.0769	0.0700
	每股净资产(元)	2.0592	1.9947	1.9874	1.7736
	每股经营现金净流量(元)	0.2719	0.5242	0.1158	0.6233
	每股现金流量(元)	0.1876	-0.1073	-0.2012	0.0866
	每股资本公积金(元)	0.7284	0.7284	0.7284	0.7284
	每股盈余公积金(元)	0.0615	0.0615	0.0615	0.0615
	每股未分配利润(元)	0.2202	0.1400	0.0606	-0.0163
	净资产收益率(%)	3.8919	7.8404	3.8701	3.8491
	加权净资产收益率(%)	3.9500	8.3000	4.0900	4.2700
	净资产收益率(扣除)(%)	3.2440	5.9748	3.8916	2.2968
	总资产(万元)	121772.47	117944.64	113718.46	106580.07
	归属母公司股东权益(万元)	36569.07	35425.20	35294.12	31497.84
	营业收入(万元)	22036.03	46205.98	19641.93	43479.72
	营业支出(万元)	14053.61	23629.23	11077.43	24716.13
	投资收益(万元)	-	894.97	-	2.30
	净利润(万元)	1670.50	3291.43	1604.13	1593.28
	营业利润(万元)	1444.45	3368.24	1921.90	1379.81
	利润总额(万元)	1828.69	4172.80	1911.58	2131.06

新余钢铁股份有限公司

公司概况	公司名称	新余钢铁股份有限公司		证券简称	新钢股份
	法人代表	夏文勇	董秘 林榕	证券代码	600782
	公司网址	www.xinsteel.com.cn		电子信箱	ir_600782@163.com
	电　话	0790-6290782 6292577		传　真	0790-6294999
	办公地址	江西省新余市冶金路1号			
	经营范围	生产销售钢丝、钢绞线、铝包钢线三大系列产品			

主要财务指标	指标\报告期	2016.06.30	2015.12.31	2015.06.30	2014.12.31
	基本每股收益(元)	0.0800	0.0435	-0.1000	0.2900
	基本每股收益(扣除后)(元)	0.0400	-0.2544	-0.1200	0.2600
	稀释每股收益(元)	0.0800	0.0435	-0.1000	0.2900
	每股净资产(元)	5.8664	5.8154	5.6701	5.7700
	每股经营现金净流量(元)	0.4466	1.4698	-0.0601	2.2248
	每股现金流量(元)	-1.0721	-1.0247	-1.1736	1.2442
	每股资本公积金(元)	4.0760	4.0760	4.0763	4.0763
	每股盈余公积金(元)	0.1822	0.1822	0.1775	0.1775
	每股未分配利润(元)	0.6037	0.5541	0.4169	0.5155
	净资产收益率(%)	1.3556	0.7473	-1.7385	5.0560
	加权净资产收益率(%)	1.3600	0.7503	-1.7200	5.1900
	净资产收益率(扣除)(%)	0.6891	-4.3742	-2.1337	4.4218
	总资产(万元)	2642517.47	2822623.73	3027745.10	3049536.94
	归属母公司股东权益(万元)	817448.07	810350.38	790097.48	803854.01
	营业收入(万元)	1231103.11	2537101.36	1228493.18	3237029.40
	营业支出(万元)	1150529.72	2450344.30	1172766.85	3003032.62
	投资收益(万元)	1489.80	44415.81	-876.55	-294.92
	净利润(万元)	10580.32	5444.59	-13378.62	42813.62
	营业利润(万元)	8514.05	-6804.25	-22729.49	38587.62
	利润总额(万元)	14257.17	3082.34	-18279.08	46564.53

鲁信创业投资集团股份有限公司

公司概况	公司名称	鲁信创业投资集团股份有限公司		证券简称	鲁信创投
	法人代表	崔剑波	董秘 苗西红	证券代码	600783
	公司网址	www.600783.cn		电子信箱	lxct600783@126.com
	电　话	0531-86566770		传　真	0531-86969598
	办公地址	山东省济南市经十路9999号黄金时代广场C座4层			
	经营范围	磨具、磨料、硅碳棒、金属镁、耐火材料及制品的生产、销售等			

主要财务指标	指标\报告期	2016.06.30	2015.12.31	2015.06.30	2014.12.31
	基本每股收益(元)	0.4100	0.3000	0.3000	0.4100
	基本每股收益(扣除后)(元)	0.4100	0.4300	0.3000	0.4000
	稀释每股收益(元)	0.4100	0.3000	0.3000	0.4100
	每股净资产(元)	5.0144	4.6033	4.7137	4.4036
	每股经营现金净流量(元)	-0.0328	-0.1724	-0.0874	-0.2002
	每股现金流量(元)	0.0008	-0.1273	-0.0712	0.1313
	每股资本公积金(元)	1.5715	1.4642	1.4702	1.5377
	每股盈余公积金(元)	0.1616	0.1616	0.1521	0.1521
	每股未分配利润(元)	2.2535	1.8398	1.9991	1.6982
	净资产收益率(%)	8.2512	6.5396	6.3822	9.2021
	加权净资产收益率(%)	8.6000	6.6700	6.6000	9.5100
	净资产收益率(扣除)(%)	8.2479	9.4259	6.3929	9.1968
	总资产(万元)	558355.94	531859.09	530810.05	505827.90
	归属母公司股东权益(万元)	373250.09	342651.00	350866.37	327786.50
	营业收入(万元)	8825.29	19069.90	9514.03	23483.47
	营业支出(万元)	6411.33	14089.75	7096.41	15317.95
	投资收益(万元)	44834.52	59560.52	37394.45	47830.00
	净利润(万元)	31142.98	22517.63	22662.56	31120.41
	营业利润(万元)	39116.36	41195.97	29514.74	39023.62
	利润总额(万元)	39128.51	33664.68	29477.21	39042.42

鲁银投资集团股份有限公司

公司概况	公司名称	鲁银投资集团股份有限公司		证券简称	鲁银投资
	法人代表	刘卫国	董秘 刘方	证券代码	600784
	公司网址	www.luyin.cn		电子信箱	luyin784@163.com
	电　话	0531-82024156		传　真	0531-82024179
	办公地址	山东省济南市经十路10777号			
	经营范围	股权投资、经营与管理、投资高新材料、生物医药、网络技术等高科技产业			

主要财务指标	指标\报告期	2016.06.30	2015.12.31	2015.06.30	2014.12.31
	基本每股收益(元)	0.1170	-0.1140	0.0010	0.0650
	基本每股收益(扣除后)(元)	0.1250	-0.1150	0.0030	0.0610
	稀释每股收益(元)	0.1170	-0.1140	0.0010	0.0650
	每股净资产(元)	2.6177	2.5364	2.6508	2.4720
	每股经营现金净流量(元)	0.5504	0.1731	0.1349	-0.1717
	每股现金流量(元)	0.1235	0.1498	-0.0387	-0.6262
	每股资本公积金(元)	0.7910	0.8245	0.8239	0.6317
	每股盈余公积金(元)	0.1410	0.1410	0.1410	0.1410
	每股未分配利润(元)	0.6730	0.5555	0.6711	0.6897
	净资产收益率(%)	4.4886	-4.5000	0.0534	2.5652
	加权净资产收益率(%)	4.5300	-4.4800	0.0600	3.6200
	净资产收益率(扣除)(%)	4.7562	-4.5537	0.0983	2.4345
	总资产(万元)	497699.76	535601.48	574395.32	536251.47
	归属母公司股东权益(万元)	148731.57	144110.12	150610.66	140455.99
	营业收入(万元)	153402.97	234232.42	117603.16	343699.49
	营业支出(万元)	143687.26	208938.68	103912.82	302121.98
	投资收益(万元)	30958.18	5266.95	1221.50	2435.21
	净利润(万元)	2623.81	-8146.60	290.16	4153.95
	营业利润(万元)	3409.42	-7233.11	1519.40	7159.70
	利润总额(万元)	2907.64	-7131.40	1447.53	7381.04

银川新华百货商业集团股份有限公司

公司概况					
公司名称	银川新华百货商业集团股份有限公司			证券简称	新华百货
法人代表	曲奎	董秘	李宝生	证券代码	600785
公司网址	www.xhds.com.cn		电子信箱	xhds600785@163.com	
电　话	0951-6071161		传　真	0951-6071161	
办公地址	宁夏回族自治区银川市兴庆区解放西街2号				
经营范围	商业零售业务、乳制品生产销售业务等				

主要财务指标：指标\报告期	2016.06.30	2015.12.31	2015.06.30	2014.12.31
基本每股收益(元)	0.1683	0.6100	0.5475	0.8700
基本每股收益(扣除后)(元)	0.2744	0.6100	0.5419	0.6400
稀释每股收益(元)	0.1683	0.6100	0.5475	0.8700
每股净资产(元)	8.3926	8.2243	8.1658	7.6183
每股经营现金净流量(元)	-0.1541	0.6785	-0.1860	0.5831
每股现金流量(元)	-0.4330	-0.4681	-1.1994	-0.3725
每股资本公积金(元)	1.3955	1.3710	1.3710	1.3710
每股盈余公积金(元)	0.8467	0.8467	0.7938	0.7938
每股未分配利润(元)	5.1504	5.0066	5.0010	4.4535
净资产收益率(%)	2.0056	7.3682	6.7051	11.2815
加权净资产收益率(%)	2.0300	7.6500	6.9400	11.4500
净资产收益率(扣除)(%)	3.2695	7.3570	6.6360	8.2565
总资产(万元)	405863.16	435309.46	394299.03	395835.36
归属母公司股东权益(万元)	189363.73	185565.82	184246.93	171893.03
营业收入(万元)	374939.64	740399.68	377674.11	681754.46
营业支出(万元)	301398.63	591577.94	299950.60	544022.99
投资收益(万元)	28.44	357.55	149.20	12567.99
净利润(万元)	2370.80	10804.76	10974.84	15850.67
营业利润(万元)	7523.01	17075.58	15818.53	28604.51
利润总额(万元)	5017.31	17394.91	15963.94	27119.74

中储发展股份有限公司

公司概况					
公司名称	中储发展股份有限公司			证券简称	中储股份
法人代表	韩铁林	董秘	薛斌	证券代码	600787
公司网址	www.cmstd.com.cn		电子信箱	zhengquanbu@cmstd.com.cn	
电　话	010-83673502		传　真	010-83673332	
办公地址	北京市丰台区南四环西路188号6区18号楼				
经营范围	商品储存、加工、维修、包装、代展、检验、库场设备租赁等				

主要财务指标：指标\报告期	2016.06.30	2015.12.31	2015.06.30	2014.12.31
基本每股收益(元)	0.1863	0.3582	0.2071	0.2938
基本每股收益(扣除后)(元)	0.0234	-0.0459	0.0109	0.0754
稀释每股收益(元)	0.1863	0.3582	0.2071	0.2938
每股净资产(元)	4.0900	3.9370	3.4492	3.2730
每股经营现金净流量(元)	-1.3363	-0.0320	0.4147	0.7311
每股现金流量(元)	-0.9867	0.7132	0.0816	0.4918
每股资本公积金(元)	1.6221	1.6604	1.0413	1.0494
每股盈余公积金(元)	0.4556	0.4556	0.4103	0.4103
每股未分配利润(元)	1.0108	0.8565	0.9940	0.8168
净资产收益率(%)	4.5554	7.6929	6.0055	8.9759
加权净资产收益率(%)	4.5797	10.3378	6.1630	9.3174
净资产收益率(扣除)(%)	0.5729	-0.9853	0.3171	2.3030
总资产(万元)	1679636.56	1525957.62	1274474.94	1275415.91
归属母公司股东权益(万元)	899718.55	874461.64	641494.94	610204.53
营业收入(万元)	641278.94	1773676.54	843830.28	2145482.71
营业支出(万元)	603012.90	1711333.81	810193.21	2062910.76
投资收益(万元)	1261.96	834.81	833.61	40811.28
净利润(万元)	41134.56	66078.51	38639.45	55774.46
营业利润(万元)	7241.02	-7092.80	4601.08	59597.90
利润总额(万元)	54959.95	91023.59	51972.99	73703.11

山东鲁抗医药股份有限公司

公司概况					
公司名称	山东鲁抗医药股份有限公司			证券简称	鲁抗医药
法人代表	彭欣	董秘	田立新	证券代码	600789
公司网址	www.lkpc.com		电子信箱	tlx600789@163.com	
电　话	0537-2983174 2983060		传　真	0537-2983097	
办公地址	山东省济宁市太白楼西路152号				
经营范围	化学原料药及制剂、医药生产用化工原料、辅料及中间体、兽用药等				

主要财务指标：指标\报告期	2016.06.30	2015.12.31	2015.06.30	2014.12.31
基本每股收益(元)	0.0200	0.0100	0.0010	-0.2200
基本每股收益(扣除后)(元)	0.0100	-0.0400	-0.0200	-0.2300
稀释每股收益(元)	0.0200	0.0100	0.0010	-0.2200
每股净资产(元)	3.1622	3.1126	3.1217	2.4224
每股经营现金净流量(元)	0.1122	0.1348	0.0005	0.1867
每股现金流量(元)	-0.1078	0.0841	-0.1424	-0.1380
每股资本公积金(元)	1.8843	1.8568	1.8568	1.1637
每股盈余公积金(元)	0.2590	0.2590	0.2590	0.2590
每股未分配利润(元)	0.0189	-0.0032	-0.0158	-0.0168
净资产收益率(%)	0.6989	0.4363	0.0314	-8.8880
加权净资产收益率(%)	0.7000	0.4900	0.0400	-8.5300
净资产收益率(扣除)(%)	0.4715	-1.3028	-0.5202	-9.4661
总资产(万元)	403430.66	401827.18	399202.72	408492.27
归属母公司股东权益(万元)	183905.19	181019.84	181549.12	140881.14
营业收入(万元)	123897.77	241028.77	114915.25	231210.31
营业支出(万元)	97164.95	193561.42	92850.26	189896.11
投资收益(万元)	127.62	1995.70	309.39	1335.03
净利润(万元)	1420.80	756.95	139.53	-13669.03
营业利润(万元)	1015.53	745.96	108.22	-13404.49
利润总额(万元)	1603.16	1702.17	591.55	-13209.35

浙江中国轻纺城集团股份有限公司

公司概况					
公司名称	浙江中国轻纺城集团股份有限公司			证券简称	轻纺城
法人代表	翁桂珍	董秘	张伟夫	证券代码	600790
公司网址	www.qfcgroup.com		电子信箱	zwf@qfcgroup.com	
电　话	0575-84116158 84135815		传　真	0575-84116045	
办公地址	浙江省绍兴市绍兴县柯桥镇鉴湖路1号中轻大厦				
经营范围	市场开发建设、市场租赁、市场物业管理、仓储运输服务、劳动服务等				

主要财务指标：指标\报告期	2016.06.30	2015.12.31	2015.06.30	2014.12.31
基本每股收益(元)	0.2000	0.2800	0.1600	0.4100
基本每股收益(扣除后)(元)	0.1800	0.2500	0.1400	0.3200
稀释每股收益(元)	0.2000	0.2800	0.1600	0.4100
每股净资产(元)	4.1238	3.5393	3.4159	4.2227
每股经营现金净流量(元)	0.3426	-0.0722	-0.0928	-0.2056
每股现金流量(元)	0.1189	-0.0543	-0.0068	-0.3521
每股资本公积金(元)	1.4081	1.4081	1.4096	2.1325
每股盈余公积金(元)	0.2072	0.2072	0.1794	0.2333
每股未分配利润(元)	0.9460	0.8448	0.7535	0.7675
净资产收益率(%)	4.8786	7.9743	4.7743	9.7016
加权净资产收益率(%)	5.2300	8.3100	4.8900	9.9800
净资产收益率(扣除)(%)	4.4663	6.9382	3.9554	7.6815
总资产(万元)	793383.02	703329.86	728207.44	718886.28
归属母公司股东权益(万元)	431760.68	370561.80	357639.41	340083.97
营业收入(万元)	40087.37	79071.40	40155.42	80976.02
营业支出(万元)	14087.59	30254.24	15012.36	30905.46
投资收益(万元)	9274.31	7352.32	5069.04	11300.85
净利润(万元)	21149.24	29705.65	17204.41	33068.56
营业利润(万元)	25073.94	37346.11	21263.44	42462.19
利润总额(万元)	25940.50	39170.89	22002.61	43817.65

京能置业股份有限公司

公司概况

公司名称	京能置业股份有限公司			证券简称	京能置业
法人代表	朱炎	董秘	朱兆梅	证券代码	600791
公司网址	www.beih-zy.com			电子信箱	jnzy@beih-zy.com
电　话	010-62698709 62698639			传　真	010-62698709
办公地址	北京市海淀区彩和坊路 8 号天创科技大厦 12 层西侧				
经营范围	房地产开发、房地产代理销售、租赁、室内装饰等				

主要财务指标

指标＼报告期	2016.06.30	2015.12.31	2015.06.30	2014.12.31
基本每股收益(元)	0.0800	0.1700	0.0600	0.1800
基本每股收益(扣除后)(元)	0.0800	0.1300	0.0100	0.1600
稀释每股收益(元)	0.0800	0.1700	0.0600	0.1800
每股净资产(元)	3.3739	3.3161	3.2152	3.1659
每股经营现金净流量(元)	-0.4024	-0.4969	-1.8287	1.0898
每股现金流量(元)	-0.2238	-1.2561	-2.1969	-0.6651
每股资本公积金(元)	0.2918	0.2918	0.2918	0.2918
每股盈余公积金(元)	0.1322	0.1322	0.1040	0.1040
每股未分配利润(元)	1.9058	1.8480	1.7719	1.7227
净资产收益率(%)	2.3067	5.2307	1.7123	5.5554
加权净资产收益率(%)	2.3200	5.3500	1.7300	5.6900
净资产收益率(扣除)(%)	2.3225	3.9710	0.2660	5.1529
总资产(万元)	524045.87	530421.59	504460.07	597238.61
归属母公司股东权益(万元)	152796.77	150177.91	145608.01	143376.50
营业收入(万元)	40294.46	82972.09	27127.03	189232.83
营业支出(万元)	18421.38	40228.81	14706.69	91334.46
投资收益(万元)	-	1782.02	2259.99	-2012.97
净利润(万元)	6201.33	13738.26	4240.93	21759.10
营业利润(万元)	8281.08	18105.30	6112.44	33625.42
利润总额(万元)	8235.01	17585.82	5901.25	34309.06

云南煤业能源股份有限公司

公司概况

公司名称	云南煤业能源股份有限公司			证券简称	云煤能源
法人代表	张鸿鸣	董秘	张小可	证券代码	600792
公司网址	www.ymnygf.com			电子信箱	ymny600792@163.com
电　话	0871-68758679			传　真	0871-68757603
办公地址	云南省昆明市西山区环城南路 777 号昆钢科技大厦 7 楼				
经营范围	焦炭、焦炉煤气、煤焦油深加工和苯加氢深加工等产品				

主要财务指标

指标＼报告期	2016.06.30	2015.12.31	2015.06.30	2014.12.31
基本每股收益(元)	-0.0400	-0.7000	-0.1900	0.0400
基本每股收益(扣除后)(元)	-0.0800	-0.7400	-0.1930	0.0300
稀释每股收益(元)	-0.0400	-0.7000	-0.1900	0.0400
每股净资产(元)	2.7504	2.7824	3.2716	3.4560
每股经营现金净流量(元)	-0.1282	0.6221	-0.1854	0.2916
每股现金流量(元)	0.0047	0.1229	-0.0470	-0.2624
每股资本公积金(元)	1.8557	1.8557	1.8557	1.8557
每股盈余公积金(元)	0.1201	0.1201	0.1201	0.1201
每股未分配利润(元)	-0.2621	-0.2274	0.2869	0.4765
净资产收益率(%)	-1.2603	-25.2994	-5.7943	1.1076
加权净资产收益率(%)	-0.0300	-22.5700	-5.6400	1.1300
净资产收益率(扣除)(%)	-2.9047	-26.5429	-5.9000	0.7299
总资产(万元)	580708.07	591891.78	603791.99	652578.49
归属母公司股东权益(万元)	272267.19	275440.66	323860.82	342121.47
营业收入(万元)	130023.14	345381.43	185667.32	488610.25
营业支出(万元)	124214.90	358718.46	185937.47	446597.00
投资收益(万元)	6268.81	4323.48	1905.74	4683.75
净利润(万元)	-3431.44	-69684.77	-18765.43	3789.30
营业利润(万元)	-8741.35	-66918.21	-19689.89	2672.90
利润总额(万元)	-3474.17	-66862.06	-19309.11	3198.41

宜宾纸业股份有限公司

公司概况

公司名称	宜宾纸业股份有限公司			证券简称	宜宾纸业
法人代表	易从	董秘	王强	证券代码	600793
公司网址	www.yb-zy.com			电子信箱	ybzydsh@163.com
电　话	0831-3309399 3309377			传　真	0831-3309600
办公地址	四川省宜宾市南溪区裴石轻工业园区				
经营范围	生产经营纸及纸制品等				

主要财务指标

指标＼报告期	2016.06.30	2015.12.31	2015.06.30	2014.12.31
基本每股收益(元)	-0.2084	0.0843	-0.1065	0.0793
基本每股收益(扣除后)(元)	-0.2141	-0.2164	-0.1122	-0.1226
稀释每股收益(元)	-0.2084	0.0843	-0.1065	0.0793
每股净资产(元)	0.2670	0.4754	0.2846	0.3911
每股经营现金净流量(元)	-0.0314	0.2400	-0.0115	0.2330
每股现金流量(元)	-0.0988	0.1684	1.6148	-0.0375
每股资本公积金(元)	1.0007	1.0007	1.0007	1.0007
每股盈余公积金(元)	0.0348	0.0348	0.0348	0.0348
每股未分配利润(元)	-1.7685	-1.5601	-1.7509	-1.6444
净资产收益率(%)	-78.0584	17.7316	-37.4265	20.2715
加权净资产收益率(%)	-56.1500	19.4600	-31.5300	22.5600
净资产收益率(扣除)(%)	-80.1770	-45.5214	-39.4343	-31.3352
总资产(万元)	357535.81	319888.48	359590.74	305503.14
归属母公司股东权益(万元)	2811.49	5006.08	2996.82	4118.42
营业收入(万元)	12036.88	1368.77	3.14	1062.58
营业支出(万元)	12008.42	1395.67	4.96	1032.04
投资收益(万元)	-	132.54	-	82.61
净利润(万元)	-2194.60	887.66	-1121.61	834.87
营业利润(万元)	-2253.74	-2087.32	-1181.78	-1239.39
利润总额(万元)	-2194.18	1079.18	-1121.61	886.00

张家港保税科技股份有限公司

公司概况

公司名称	张家港保税科技股份有限公司			证券简称	保税科技
法人代表	唐勇	董秘	邓永清	证券代码	600794
公司网址	www.zftc.net			电子信箱	dengyq@zftc.net
电　话	0512-58320358 58320165			传　真	0512-58320652 58320655
办公地址	江苏省张家港市保税区金港路 8 号江苏化工品交易中心大厦 27-28 楼				
经营范围	生物高新技术应用、开发、高新技术及电子商务、网络应用开发等				

主要财务指标

指标＼报告期	2016.06.30	2015.12.31	2015.06.30	2014.12.31
基本每股收益(元)	0.0230	0.0200	0.0620	0.2400
基本每股收益(扣除后)(元)	0.0030	-0.0300	0.0120	0.2700
稀释每股收益(元)	0.0230	0.0200	0.0620	0.2400
每股净资产(元)	1.5786	1.5820	1.5280	3.2902
每股经营现金净流量(元)	0.0957	0.2971	0.3930	-0.0581
每股现金流量(元)	-0.1303	-0.3398	-0.0866	0.5673
每股资本公积金(元)	0.1312	0.1312	0.0325	1.2716
每股盈余公积金(元)	0.0659	0.0659	0.0462	0.1017
每股未分配利润(元)	0.3849	0.3722	0.4330	0.9170
净资产收益率(%)	1.4340	1.3029	4.0341	6.7341
加权净资产收益率(%)	1.4300	1.3800	4.1000	10.0000
净资产收益率(扣除)(%)	0.1633	-1.6508	0.7659	7.5147
总资产(万元)	298099.19	322026.75	275942.41	311454.56
归属母公司股东权益(万元)	188105.06	188508.71	182068.93	178205.09
营业收入(万元)	22961.36	63875.38	46142.56	75828.41
营业支出(万元)	12434.31	47863.19	36779.13	43110.47
投资收益(万元)	-336.58	4430.85	2685.05	-978.26
净利润(万元)	3552.52	2908.06	7620.03	12168.12
营业利润(万元)	5486.09	5299.30	6227.66	18540.51
利润总额(万元)	5780.97	4022.89	7327.04	18172.14

国电电力发展股份有限公司

公司概况	公司名称	国电电力发展股份有限公司		证券简称	国电电力
	法人代表	陈飞虎	董秘 李忠军	证券代码	600795
	公司网址	www.600795.com.cn		电子信箱	lizhongjun@600795.com.cn
	电　话	010-58682100		传　真	010-64829902
	办公地址	北京市朝阳区安慧北里安园 19 号楼			
	经营范围	电力、热力生产、销售、电网经营、新能源项目、高新技术、环保产业的开发与应用等			

主要财务指标	指标＼报告期	2016.06.30	2015.12.31	2015.06.30	2014.12.31
	基本每股收益(元)	0.1820	0.2150	0.1720	0.3480
	基本每股收益(扣除后)(元)	0.1780	0.1920	0.1640	0.3180
	稀释每股收益(元)	0.1820	0.2150	0.1720	0.3390
	每股净资产(元)	2.7419	2.5640	2.6823	2.5051
	每股经营现金净流量(元)	0.5857	1.2363	0.6555	1.2067
	每股现金流量(元)	0.1581	0.0556	0.1668	-0.0161
	每股资本公积金(元)	0.3260	0.3260	0.3260	0.2875
	每股盈余公积金(元)	0.1879	0.1879	0.1639	0.1711
	每股未分配利润(元)	1.0468	0.8607	0.9952	0.8568
	净资产收益率(%)	6.7853	8.6606	6.5033	12.8827
	加权净资产收益率(%)	7.2380	8.9450	7.0220	15.3800
	净资产收益率(扣除)(%)	6.4836	7.4269	6.0340	11.6388
	总资产(万元)	25587864.73	25018481.09	25125795.82	24635900.18
	归属母公司股东权益(万元)	5112581.85	5038371.40	5270846.70	4715377.21
	营业收入(万元)	2730908.38	5458255.88	2650919.98	6147484.91
	营业支出(万元)	1839940.35	3765413.01	1804317.83	4409073.17
	投资收益(万元)	79454.35	17161.08	92618.79	236483.15
	净利润(万元)	523328.71	714724.38	481079.40	911132.94
	营业利润(万元)	621565.65	928238.26	586923.47	1112867.04
	利润总额(万元)	636304.88	975766.60	612010.60	1166174.19

浙江钱江生物化学股份有限公司

公司概况	公司名称	浙江钱江生物化学股份有限公司		证券简称	钱江生化
	法人代表	高云跃	董秘 宋将林	证券代码	600796
	公司网址	www.600796.com		电子信箱	qjbioch@600796.com
	电　话	0573-87038237 87088718		传　真	0573-87035640
	办公地址	浙江省海宁市海洲街道钱江西路 178 号钱江大厦			
	经营范围	生物农药,生物兽药的制造、销售、出口和技术服务			

主要财务指标	指标＼报告期	2016.06.30	2015.12.31	2015.06.30	2014.12.31
	基本每股收益(元)	0.0800	0.0900	0.0400	0.0700
	基本每股收益(扣除后)(元)	0.0600	0.0600	0.0300	-0.0200
	稀释每股收益(元)	0.0800	0.0900	0.0400	0.0700
	每股净资产(元)	1.9794	1.8996	1.8511	1.8119
	每股经营现金净流量(元)	0.0590	0.1624	0.1158	0.2060
	每股现金流量(元)	-0.0640	0.0054	0.0534	-0.0740
	每股资本公积金(元)	0.1247	0.1247	0.1247	0.1247
	每股盈余公积金(元)	0.2572	0.2572	0.2500	0.2500
	每股未分配利润(元)	0.5992	0.5199	0.4786	0.4391
	净资产收益率(%)	4.0045	4.6362	2.1344	4.1000
	加权净资产收益率(%)	4.0900	4.7500	2.1600	4.1500
	净资产收益率(扣除)(%)	3.0636	2.9763	1.3624	-0.9959
	总资产(万元)	103980.61	107319.11	111668.86	110510.40
	归属母公司股东权益(万元)	59658.36	57253.45	55793.70	54609.76
	营业收入(万元)	22449.35	47402.01	20830.27	39808.65
	营业支出(万元)	16036.94	35690.32	15486.15	31921.94
	投资收益(万元)	328.87	-713.54	-918.05	1234.27
	净利润(万元)	2712.29	3214.12	1473.52	2571.56
	营业利润(万元)	2587.30	3108.38	1298.47	1237.38
	利润总额(万元)	3141.33	3955.64	1670.26	3088.07

浙大网新科技股份有限公司

公司概况	公司名称	浙大网新科技股份有限公司		证券简称	浙大网新
	法人代表	史烈	董秘 许克菲	证券代码	600797
	公司网址	www.insigma.com.cn		电子信箱	xukefei@insigma.com.cn
	电　话	0571-87950500		传　真	0571-87988110
	办公地址	浙江省杭州市西湖区西园一路 18 号浙大网新软件园 A 楼 15 层			
	经营范围	计算机及网络系统、电子商务、计算机系统集成、电子工程的研究开发等			

主要财务指标	指标＼报告期	2016.06.30	2015.12.31	2015.06.30	2014.12.31
	基本每股收益(元)	0.0400	0.2500	0.0700	-0.1600
	基本每股收益(扣除后)(元)	0.0300	-0.2600	-0.0900	-0.4000
	稀释每股收益(元)	0.0400	0.2500	0.0700	-0.1600
	每股净资产(元)	2.2581	2.2461	1.9784	1.8797
	每股经营现金净流量(元)	-0.3666	0.0364	-0.3226	0.0968
	每股现金流量(元)	-0.3889	0.0158	-0.3237	-0.0823
	每股资本公积金(元)	0.4507	0.5831	0.3071	0.2649
	每股盈余公积金(元)	0.1480	0.1480	0.1127	0.1127
	每股未分配利润(元)	0.6808	0.6725	0.5903	0.5331
	净资产收益率(%)	1.6934	10.3711	2.8910	-10.1653
	加权净资产收益率(%)	1.6900	12.0600	2.9600	-9.2100
	净资产收益率(扣除)(%)	1.1698	-11.0242	-4.8026	-22.4265
	总资产(万元)	414312.29	427838.91	472881.63	462810.65
	归属母公司股东权益(万元)	206403.49	205303.48	162563.71	154459.64
	营业收入(万元)	155741.22	526921.08	215072.51	470447.13
	营业支出(万元)	119806.01	450481.51	179566.94	400715.00
	投资收益(万元)	501.41	48348.62	10910.81	6418.35
	净利润(万元)	4234.69	23189.02	5126.08	-14966.58
	营业利润(万元)	3664.61	24970.45	4572.50	-22856.98
	利润总额(万元)	5193.54	27004.72	5589.83	-12823.01

宁波海运股份有限公司

公司概况	公司名称	宁波海运股份有限公司		证券简称	宁波海运
	法人代表	陈明东	董秘 黄敏辉	证券代码	600798
	公司网址	www.nbmc.com.cn		电子信箱	hminhui@nbmc.com.cn
	电　话	0574-87659140		传　真	0574-87355051
	办公地址	浙江省宁波市北岸财富中心 1 幢			
	经营范围	沿海、内河（长江)货物运输、国际远洋运输和交通基础设施等			

主要财务指标	指标＼报告期	2016.06.30	2015.12.31	2015.06.30	2014.12.31
	基本每股收益(元)	0.0062	0.0165	0.0048	0.0085
	基本每股收益(扣除后)(元)	0.0059	0.0116	0.0045	-0.0256
	稀释每股收益(元)	0.0062	0.0165	0.0048	0.0085
	每股净资产(元)	2.5534	2.5560	2.5438	2.2156
	每股经营现金净流量(元)	0.2083	0.4584	0.2131	0.5644
	每股现金流量(元)	0.0159	-0.0536	-0.0716	0.0623
	每股资本公积金(元)	1.1333	1.1333	1.1333	0.5680
	每股盈余公积金(元)	0.2184	0.2184	0.2156	0.2548
	每股未分配利润(元)	0.2058	0.2096	0.2011	0.2444
	净资产收益率(%)	0.2422	0.6090	0.1677	0.3831
	加权净资产收益率(%)	0.2400	0.6700	0.2100	0.3800
	净资产收益率(扣除)(%)	0.2300	0.4302	0.1580	-1.1552
	总资产(万元)	621308.19	626536.62	627312.34	639839.71
	归属母公司股东权益(万元)	263213.82	263484.22	262223.26	193301.12
	营业收入(万元)	49304.59	104694.93	53421.25	108958.39
	营业支出(万元)	37267.08	77972.11	39328.71	82664.13
	投资收益(万元)	-502.65	269.07	60.01	207.77
	净利润(万元)	1320.03	2252.44	56.57	-1286.20
	营业利润(万元)	1451.74	2589.25	882.17	-3940.41
	利润总额(万元)	1494.24	3072.03	917.18	-96.83

天津环球磁卡股份有限公司

公司概况						
	公司名称	天津环球磁卡股份有限公司			证券简称	天津磁卡
	法人代表	郭锴	董秘	李金宏	证券代码	600800
	公司网址	www.gmcc.com.cn		电子信箱	jrzqb@gmcc.com.cn	
	电　　话	022-58585662 58585858*2191		传　　真	022-58585633	
	办公地址	天津市河西区解放南路 325 号				
	经营范围	软件系统设计、网络集成技术及高科技产品的开发等				

主要财务指标	指标\报告期	2016.06.30	2015.12.31	2015.06.30	2014.12.31
	基本每股收益(元)	-0.0593	-0.0400	-0.0021	0.0400
	基本每股收益(扣除后)(元)	-0.0627	-0.0800	-0.0528	-0.0700
	稀释每股收益(元)	-0.0593	-0.0400	-0.0021	0.0400
	每股净资产(元)	0.0860	0.1456	0.1793	0.1807
	每股经营现金净流量(元)	-0.0880	-0.0962	-0.2152	-0.0575
	每股现金流量(元)	-0.0398	0.0565	-0.0127	-0.0306
	每股资本公积金(元)	0.2210	0.2210	0.2210	0.2210
	每股盈余公积金(元)	0.0736	0.0736	0.0736	0.0736
	每股未分配利润(元)	-1.2094	-1.1501	-1.1164	-1.1143
	净资产收益率(%)	-68.9187	-24.5470	-1.1722	20.0668
	加权净资产收益率(%)	-51.2100	-21.9000	-1.1600	22.3100
	净资产收益率(扣除)(%)	-72.9731	-52.3436	-29.4990	-41.4180
	总资产(万元)	62093.26	64406.43	64866.59	76679.02
	归属母公司股东权益(万元)	5259.66	8897.38	10959.58	11045.81
	营业收入(万元)	6052.45	13228.88	5308.65	15309.18
	营业支出(万元)	4811.86	10518.32	4654.90	12057.74
	投资收益(万元)	-72.45	430.15	129.96	432.70
	净利润(万元)	-3724.30	-2446.23	-228.81	1873.03
	营业利润(万元)	-3937.55	-5020.21	-3333.30	-5268.81
	利润总额(万元)	-3724.30	-1743.80	-228.81	2731.56

华新水泥股份有限公司

公司概况						
	公司名称	华新水泥股份有限公司			证券简称	华新水泥
	法人代表	李叶青	董秘	王锡明	证券代码	600801
	公司网址	www.huaxincem.com		电子信箱	investor@huaxincem.com	
	电　　话	027-87773896 87773898		传　　真	027-87773992	
	办公地址	湖北省武汉市洪山区光谷大道 1 号国际企业中心 5 号楼				
	经营范围	水泥、商品混凝土及其他建材制品、包装制品制造、销售等				

主要财务指标	指标\报告期	2016.06.30	2015.12.31	2015.06.30	2014.12.31
	基本每股收益(元)	0.0100	0.0700	0.0600	0.8200
	基本每股收益(扣除后)(元)	-0.0200	0.0400	0.0400	0.7500
	稀释每股收益(元)	0.0100	0.0700	0.0600	0.8200
	每股净资产(元)	6.3645	6.4142	6.4136	6.5357
	每股经营现金净流量(元)	0.5402	1.8385	0.5562	2.5659
	每股现金流量(元)	-0.1252	-0.4900	-0.2991	0.2907
	每股资本公积金(元)	1.6754	1.6754	1.6813	1.6801
	每股盈余公积金(元)	0.3705	0.3705	0.3255	0.3255
	每股未分配利润(元)	3.3297	3.3743	3.4131	3.5237
	净资产收益率(%)	0.0844	1.0697	0.9255	12.4897
	加权净资产收益率(%)	0.0800	1.0600	0.9000	13.1900
	净资产收益率(扣除)(%)	-0.2983	0.6251	0.6665	11.4706
	总资产(万元)	2495927.90	2548667.18	2641297.95	2605670.64
	归属母公司股东权益(万元)	953125.94	960566.93	959779.76	978049.53
	营业收入(万元)	573801.61	1327131.92	645040.69	1599614.92
	营业支出(万元)	443695.79	1013195.57	495926.88	1127850.13
	投资收益(万元)	2278.22	3756.11	1780.68	956.85
	净利润(万元)	5916.88	22559.26	14621.04	149376.94
	营业利润(万元)	-2323.26	18966.49	9846.91	168938.65
	利润总额(万元)	4851.27	33702.05	18855.29	199334.31

福建水泥股份有限公司

公司概况						
	公司名称	福建水泥股份有限公司			证券简称	福建水泥
	法人代表	林德金	董秘	蔡宣能	证券代码	600802
	公司网址	www.fjcement.com		电子信箱	caixuanneng@sina.com	
	电　　话	0591-87617751		传　　真	0591-88561717	
	办公地址	福建省福州市鼓楼区琴亭路 29 号福能方圆大厦				
	经营范围	建筑材料制造及技术服务、工业生产(不含汽车)、大型货车维修等				

主要财务指标	指标\报告期	2016.06.30	2015.12.31	2015.06.30	2014.12.31
	基本每股收益(元)	-0.2870	-1.0220	-0.3260	0.1300
	基本每股收益(扣除后)(元)	-0.2970	-1.0590	-0.3480	-0.0220
	稀释每股收益(元)	-0.2870	-1.0220	-0.3260	0.1300
	每股净资产(元)	2.0212	2.5100	3.2848	3.5500
	每股经营现金净流量(元)	-0.2080	0.2839	-0.2955	0.7731
	每股现金流量(元)	-0.3487	-0.5573	-0.4664	-0.3155
	每股资本公积金(元)	0.5601	0.5601	0.5697	0.5697
	每股盈余公积金(元)	0.1174	0.1174	0.1174	0.1174
	每股未分配利润(元)	-0.9546	-0.6680	0.0668	0.3934
	净资产收益率(%)	-14.1803	-40.7675	-9.9426	3.6601
	加权净资产收益率(%)	-13.1200	-34.5200	-9.5100	4.5700
	净资产收益率(扣除)(%)	-14.6881	-42.2431	-10.6215	-0.6151
	总资产(万元)	474572.41	504652.50	529982.37	540273.65
	归属母公司股东权益(万元)	77183.77	95769.12	125436.91	135454.17
	营业收入(万元)	50614.12	152446.63	148850.96	206183.62
	营业支出(万元)	50242.27	149192.29	148773.49	171985.23
	投资收益(万元)	3113.48	3251.62	2887.83	7642.30
	净利润(万元)	-15572.97	-53546.79	-15953.79	7304.65
	营业利润(万元)	-15810.16	-55034.33	-17047.58	7047.83
	利润总额(万元)	-15325.39	-54299.50	-16111.56	9574.55

新奥生态控股股份有限公司

公司概况						
	公司名称	新奥生态控股股份有限公司			证券简称	新奥股份
	法人代表	王玉锁	董秘	王东英	证券代码	600803
	公司网址	www.enn-ec.com.cn		电子信箱	veyong@veyong.com	
	电　　话	0311-85915898		传　　真	0311-85915998	
	办公地址	河北省石家庄市和平东路 383 号;河北省廊坊市开发区华祥路 118 号 B 座				
	经营范围	生物化工产品、精细化工产品的制造、销售等				

主要财务指标	指标\报告期	2016.06.30	2015.12.31	2015.06.30	2014.12.31
	基本每股收益(元)	0.1700	0.8200	0.2700	0.8200
	基本每股收益(扣除后)(元)	-0.6300	0.7500	0.2000	0.7700
	稀释每股收益(元)	0.1700	0.8200	0.2700	0.8200
	每股净资产(元)	4.1867	4.3192	3.9266	4.5627
	每股经营现金净流量(元)	0.2643	1.1064	0.5741	1.0308
	每股现金流量(元)	-0.0421	0.1463	0.0044	-0.0398
	每股资本公积金(元)	-	-	-	0.8252
	每股盈余公积金(元)	0.0082	0.0082	-	0.2087
	每股未分配利润(元)	3.0659	3.2100	2.8311	3.3094
	净资产收益率(%)	-1.0539	18.9219	6.8796	17.9960
	加权净资产收益率(%)	3.9900	17.8200	8.1100	18.9800
	净资产收益率(扣除)(%)	-2.5296	17.2228	5.1398	16.8170
	总资产(万元)	1687195.57	1137540.97	1077252.44	1199660.45
	归属母公司股东权益(万元)	434089.97	425776.11	387079.75	534326.26
	营业收入(万元)	261108.36	565916.55	266570.27	486870.55
	营业支出(万元)	191566.94	387691.04	196878.71	321720.19
	投资收益(万元)	-25760.48	7519.45	4133.62	4020.42
	净利润(万元)	-1099.09	88450.44	29872.71	92068.20
	营业利润(万元)	-2913.97	104228.78	35650.98	105884.58
	利润总额(万元)	4636.76	105784.30	36707.39	109436.97

鹏博士电信传媒集团股份有限公司

公司概况	公司名称	鹏博士电信传媒集团股份有限公司			证券简称	鹏 博 士
	法人代表	杨学平	董秘	任春晓	证券代码	600804
	公司网址	www.drpeng.com.cn		电子信箱	chunxiaoren@126.com	
	电　话	028-86755190　86742976		传　真	028-86622006	
	办公地址	四川省成都市顺城大街 229 号顺城大厦 5 楼				
	经营范围	计算机软件、通信产品的开发、生产和销售等				

	指标＼报告期	2016.06.30	2015.12.31	2015.06.30	2014.12.31
主要财务指标	基本每股收益(元)	0.3000	0.5300	0.3000	0.3900
	基本每股收益(扣除后)(元)	0.2900	0.4900	0.2900	0.3700
	稀释每股收益(元)	0.2900	0.5100	0.2900	0.3800
	每股净资产(元)	4.3054	3.9249	3.7556	3.5262
	每股经营现金净流量(元)	1.3033	3.3261	1.4935	2.7535
	每股现金流量(元)	0.1641	0.3618	0.1625	0.3171
	每股资本公积金(元)	1.4893	1.4213	1.3618	1.3116
	每股盈余公积金(元)	0.1497	0.1511	0.1190	0.1191
	每股未分配利润(元)	1.7199	1.4478	1.2751	1.0955
	净资产收益率(%)	6.6390	13.0367	7.9963	10.8901
	加权净资产收益率(%)	7.0700	14.0400	8.1300	11.6300
	净资产收益率(扣除)(%)	6.5557	12.1315	7.6617	10.5744
	总资产(万元)	1970745.49	1858971.80	1641145.94	1534719.48
	归属母公司股东权益(万元)	608725.79	549658.16	522826.83	490545.81
	营业收入(万元)	438463.52	792594.13	372722.86	696271.48
	营业支出(万元)	182449.55	323642.01	146618.20	283066.42
	投资收益(万元)	-1603.29	6426.21	6859.66	714.10
	净利润(万元)	40194.84	71772.42	41883.70	53378.51
	营业利润(万元)	45654.45	75113.44	47217.72	65680.78
	利润总额(万元)	46993.78	79916.20	47874.02	67129.49

江苏悦达投资股份有限公司

公司概况	公司名称	江苏悦达投资股份有限公司			证券简称	悦达投资
	法人代表	王连春	董秘	葛俊兰	证券代码	600805
	公司网址	www.yueda.com		电子信箱	yd600805@126.com	
	电　话	0515-80983060　88202867		传　真	0515-88334601	
	办公地址	江苏省盐城市世纪大道东路 2 号				
	经营范围	实业投资、资产管理、财务顾问、社会经济咨询服务、机械设备等				

	指标＼报告期	2016.06.30	2015.12.31	2015.06.30	2014.12.31
主要财务指标	基本每股收益(元)	0.0950	0.1500	0.3260	1.2500
	基本每股收益(扣除后)(元)	0.0870	0.1100	0.2800	1.1900
	稀释每股收益(元)	0.0950	0.1500	0.3260	1.2500
	每股净资产(元)	7.4220	7.4272	7.5841	7.4077
	每股经营现金净流量(元)	0.3171	0.1615	0.3398	0.0395
	每股现金流量(元)	0.1694	-0.0340	0.7335	-0.0539
	每股资本公积金(元)	0.4491	0.4491	0.4842	0.4842
	每股盈余公积金(元)	0.7574	0.7574	0.7574	0.7574
	每股未分配利润(元)	5.2155	5.2204	5.3411	5.1611
	净资产收益率(%)	1.2807	2.0542	4.3512	16.9044
	加权净资产收益率(%)	1.2700	2.0600	4.3600	18.7200
	净资产收益率(扣除)(%)	1.1708	1.4463	3.6781	16.0648
	总资产(万元)	1001501.67	1021163.45	1096387.03	1063706.25
	归属母公司股东权益(万元)	631530.62	631973.98	645330.90	630320.25
	营业收入(万元)	76488.77	176416.65	90621.54	228275.67
	营业支出(万元)	65309.88	152863.27	78585.08	202674.03
	投资收益(万元)	21423.55	47866.12	41751.27	133379.82
	净利润(万元)	7972.38	12529.57	27548.79	108356.43
	营业利润(万元)	8100.65	11380.76	24290.25	101586.32
	利润总额(万元)	8794.93	15522.15	28634.19	112578.47

沈机集团昆明机床股份有限公司

公司概况	公司名称	沈机集团昆明机床股份有限公司			证券简称	昆明机床
	法人代表	王兴	董秘	王兴(代)	证券代码	600806
	公司网址	www.kmtcl.com.cn		电子信箱	jinxiaofeng@kmtcl.com.cn	
	电　话	0871-6166612　6166623		传　真	0871-6166288	
	办公地址	云南省昆明市茨坝路 23 号				
	经营范围	设计、开发、生产及销售机床系列产品及配件、光电一体化产品等				

	指标＼报告期	2016.06.30	2015.12.31	2015.06.30	2014.12.31
主要财务指标	基本每股收益(元)	-0.2051	-0.3700	-0.0365	-0.3843
	基本每股收益(扣除后)(元)	-0.2341	-0.4100	-0.0649	-0.4221
	稀释每股收益(元)	-0.2051	-0.3700	-0.0365	-0.3843
	每股净资产(元)	1.4692	1.6743	2.0076	2.0441
	每股经营现金净流量(元)	0.1442	-0.3080	-0.1916	-0.2490
	每股现金流量(元)	-0.0302	-0.0996	-0.0838	-0.0286
	每股资本公积金(元)	0.0372	0.0372	0.0372	0.0372
	每股盈余公积金(元)	0.2205	0.2205	0.2205	0.2205
	每股未分配利润(元)	0.2115	0.4166	0.7499	0.7864
	净资产收益率(%)	-13.9600	-22.0863	-1.8178	-18.8006
	加权净资产收益率(%)	-13.0500	-19.8900	-1.8000	-17.0800
	净资产收益率(扣除)(%)	-15.9343	-24.5827	-3.2320	-20.6498
	总资产(万元)	269607.61	279614.41	291612.38	281512.15
	归属母公司股东权益(万元)	78024.98	88917.24	106617.70	108555.76
	营业收入(万元)	25317.41	77659.48	48144.84	86788.93
	营业支出(万元)	19692.55	65988.15	37671.46	70286.30
	投资收益(万元)	-72.33	-61.30	-88.76	946.52
	净利润(万元)	-11345.26	-21965.32	-2311.65	-20946.33
	营业利润(万元)	-12915.49	-24665.08	-4426.24	-18774.30
	利润总额(万元)	-11331.46	-21937.03	-2652.80	-17249.24

山东天业恒基股份有限公司

公司概况	公司名称	山东天业恒基股份有限公司			证券简称	天业股份
	法人代表	曾昭秦	董秘	蒋涛	证券代码	600807
	公司网址	www.tyanhome.com.cn		电子信箱	600807@vip.163.com	
	电　话	0531-86171188		传　真	0531-86171188	
	办公地址	山东省济南市历下区龙奥北路 1577 号天业中心主办公楼				
	经营范围	商业零售兼批发				

	指标＼报告期	2016.06.30	2015.12.31	2015.06.30	2014.12.31
主要财务指标	基本每股收益(元)	0.0800	0.1500	0.1100	0.1400
	基本每股收益(扣除后)(元)	0.0700	0.1600	0.1100	0.1200
	稀释每股收益(元)	0.0800	0.1500	0.1100	0.1400
	每股净资产(元)	2.1906	1.9111	0.7612	1.0844
	每股经营现金净流量(元)	-0.7238	-0.1647	0.1902	-0.0121
	每股现金流量(元)	-0.2979	0.6868	0.0701	-0.5417
	每股资本公积金(元)	1.2505	1.0900	0.0647	0.5451
	每股盈余公积金(元)	-	-	-	-
	每股未分配利润(元)	0.0216	-0.0577	-0.1425	-0.3022
	净资产收益率(%)	3.5348	6.8498	11.8176	12.1669
	加权净资产收益率(%)	3.7800	13.7600	10.2300	18.5200
	净资产收益率(扣除)(%)	3.2843	7.2716	11.8646	8.7050
	总资产(万元)	715100.21	539570.07	384065.22	363960.99
	归属母公司股东权益(万元)	193791.88	163927.34	53641.34	58783.37
	营业收入(万元)	87387.70	121314.42	38867.60	84643.16
	营业支出(万元)	63147.03	79617.01	22542.76	56799.17
	投资收益(万元)	-1.82	-0.84	-	-
	净利润(万元)	6963.13	11456.01	6347.32	8179.60
	营业利润(万元)	9271.38	14378.13	6476.52	9117.09
	利润总额(万元)	9600.28	13689.01	6451.29	9391.18

马鞍山钢铁股份有限公司

公司概况					
公司名称	马鞍山钢铁股份有限公司			证券简称	马钢股份
法人代表	丁毅	董秘	胡顺良	证券代码	600808
公司网址	www.magang.com.cn		电子信箱	mggfdms@magang.com.cn	
电　话	0555-2888158 2875251		传　真	0555-2887284	
办公地址	安徽省马鞍山市九华西路 8 号				
经营范围	钢铁产品的生产和销售等				

主要财务指标：指标\报告期	2016.06.30	2015.12.31	2015.06.30	2014.12.31
基本每股收益(元)	0.0590	-0.6240	-0.1610	0.0286
基本每股收益(扣除后)(元)	0.0610	-0.6660	-0.1750	-0.0200
稀释每股收益(元)	0.0590	-0.6240	-0.1610	0.0286
每股净资产(元)	2.4615	2.3967	2.8585	3.0251
每股经营现金净流量(元)	0.0685	0.7617	0.6010	0.3783
每股现金流量(元)	-0.0970	0.1086	0.4620	0.1163
每股资本公积金(元)	1.0816	1.0816	1.0816	1.0816
每股盈余公积金(元)	0.4991	0.4991	0.4975	0.4975
每股未分配利润(元)	-0.1189	-0.1777	0.2876	0.4482
净资产收益率(%)	2.3885	-26.0313	-5.6176	0.9470
加权净资产收益率(%)	2.4200	-23.0100	-5.4600	0.9500
净资产收益率(扣除)(%)	2.4784	-27.7934	-6.1135	-0.6652
总资产(万元)	5956504.83	6245446.60	6831939.06	6851117.48
归属母公司股东权益(万元)	1895553.39	1845583.80	2201263.19	2329556.60
营业收入(万元)	2100116.26	4510892.67	2344752.07	5982093.83
营业支出(万元)	1817730.75	4548844.06	2262429.10	5584022.26
投资收益(万元)	7869.76	9372.52	4410.45	14959.90
净利润(万元)	43091.83	-510448.44	-136030.35	26404.75
营业利润(万元)	35443.24	-509309.35	-131471.86	5808.15
利润总额(万元)	49307.56	-472657.20	-115723.50	51211.64

山西杏花村汾酒厂股份有限公司

公司概况					
公司名称	山西杏花村汾酒厂股份有限公司			证券简称	山西汾酒
法人代表	谭忠豹	董秘	王涛	证券代码	600809
公司网址	www.fenjiu.com.cn		电子信箱	sxfj@fenjiu.com.cn	
电　话	0358-7329321 7220006		传　真	0358-7220394	
办公地址	山西省汾阳市杏花村				
经营范围	生产及销售汾酒、竹叶青酒及其系列酒并提供广告服务等				

主要财务指标：指标\报告期	2016.06.30	2015.12.31	2015.06.30	2014.12.31
基本每股收益(元)	0.4145	0.6013	0.3227	0.4109
基本每股收益(扣除后)(元)	0.4123	0.5995	0.3211	0.4214
稀释每股收益(元)	0.4145	0.6013	0.3227	0.4109
每股净资产(元)	5.2089	5.1103	4.8334	4.4949
每股经营现金净流量(元)	0.1338	0.4941	0.3260	0.4808
每股现金流量(元)	-0.0741	0.2917	0.1935	-0.2229
每股资本公积金(元)	0.2781	0.2781	0.2781	0.2781
每股盈余公积金(元)	0.5449	0.5449	0.5449	0.5449
每股未分配利润(元)	3.3367	3.2421	2.9636	2.6409
净资产收益率(%)	7.9584	11.7658	6.6767	9.1411
加权净资产收益率(%)	8.2000	12.5200	6.9200	9.2800
净资产收益率(扣除)(%)	7.9149	11.7311	6.6426	9.3754
总资产(万元)	707547.70	670662.67	613094.90	578610.18
归属母公司股东权益(万元)	451008.33	442473.03	418502.71	389186.10
营业收入(万元)	242318.91	412855.85	224579.04	391606.74
营业支出(万元)	76120.58	134720.91	73547.38	127522.25
投资收益(万元)	-81.14	37.53	36.10	1.15
净利润(万元)	37602.32	54180.78	29156.21	35787.46
营业利润(万元)	54868.11	77207.65	41572.95	50883.64
利润总额(万元)	54443.51	75985.12	40825.39	47736.88

神马实业股份有限公司

公司概况					
公司名称	神马实业股份有限公司			证券简称	神马股份
法人代表	王良	董秘	刘臻	证券代码	600810
公司网址	www.shenma.com		电子信箱	liuzhen600810@126.com	
电　话	0375-3921231		传　真	0375-3921500	
办公地址	河南省平顶山市建设路 63 号				
经营范围	帘子布、工业用布、化学纤维及制品的制造、加工、销售等				

主要财务指标：指标\报告期	2016.06.30	2015.12.31	2015.06.30	2014.12.31
基本每股收益(元)	0.0900	0.1400	0.0100	0.1400
基本每股收益(扣除后)(元)	0.1000	0.1300	0.0100	0.0900
稀释每股收益(元)	0.0900	0.1400	0.0100	0.1400
每股净资产(元)	5.4809	5.3929	5.2630	5.2502
每股经营现金净流量(元)	0.7543	-0.3945	1.2724	3.0732
每股现金流量(元)	1.2115	0.5277	0.9038	-0.2004
每股资本公积金(元)	4.0617	4.0617	4.0617	4.0617
每股盈余公积金(元)	0.5386	0.5386	0.5386	0.5386
每股未分配利润(元)	-0.1194	-0.2074	-0.3373	-0.3502
净资产收益率(%)	1.6051	2.6467	0.2436	2.6068
加权净资产收益率(%)	1.6100	2.6800	0.2400	2.5100
净资产收益率(扣除)(%)	1.8734	2.3570	0.1861	1.6974
总资产(万元)	909462.90	819866.70	849107.46	791503.27
归属母公司股东权益(万元)	242409.26	238518.38	232772.56	232205.42
营业收入(万元)	456331.92	808898.71	680172.87	1488614.35
营业支出(万元)	418307.35	752433.93	656742.21	1420249.01
投资收益(万元)	2093.30	9273.98	4101.78	9102.46
净利润(万元)	4722.14	6810.11	-397.99	8609.57
营业利润(万元)	6005.94	6349.46	-398.73	9052.00
利润总额(万元)	5163.51	7112.75	-264.52	9264.29

东方集团股份有限公司

公司概况					
公司名称	东方集团股份有限公司			证券简称	东方集团
法人代表	张宏伟	董秘	王华清	证券代码	600811
公司网址	www.china-orient.com		电子信箱	dfjt@orientgroup.com.cn	
电　话	0451-53666028		传　真	0451-53666028	
办公地址	黑龙江省哈尔滨市南岗区花园街 235 号				
经营范围	商业银行、人寿保险业务、建材连锁超市、港口交通、加工制造业和房地产开发等				

主要财务指标：指标\报告期	2016.06.30	2015.12.31	2015.06.30	2014.12.31
基本每股收益(元)	0.2394	0.3854	0.2550	0.6252
基本每股收益(扣除后)(元)	0.2188	0.3894	0.2620	0.4137
稀释每股收益(元)	0.2394	0.3854	0.2550	0.6252
每股净资产(元)	6.7561	6.2303	6.2372	6.0881
每股经营现金净流量(元)	-0.7402	-0.0578	0.2989	0.2111
每股现金流量(元)	3.4394	-0.3365	0.4600	0.2572
每股资本公积金(元)	3.3715	1.3344	1.3266	1.3079
每股盈余公积金(元)	0.7091	1.2156	1.0919	1.0919
每股未分配利润(元)	1.6550	2.5692	2.5625	2.3375
净资产收益率(%)	2.3130	6.1861	4.0876	10.2696
加权净资产收益率(%)	3.7300	6.2600	4.1400	11.2100
净资产收益率(扣除)(%)	2.1145	6.2499	4.2004	6.7960
总资产(万元)	4027608.74	2124073.31	2210653.88	1986650.77
归属母公司股东权益(万元)	1930462.01	1038470.80	1039620.43	1014759.94
营业收入(万元)	258251.57	621436.93	282529.15	575556.81
营业支出(万元)	256080.38	613714.28	277412.86	556801.06
投资收益(万元)	78581.84	159257.70	80363.31	172323.23
净利润(万元)	43073.36	48993.35	40236.61	100431.89
营业利润(万元)	43294.25	89676.52	44019.03	100671.55
利润总额(万元)	43595.54	50000.81	40981.36	102243.58

华北制药股份有限公司

公司概况						
公司名称	华北制药股份有限公司				证券简称	华北制药
法人代表	杨海静	董秘	常志山		证券代码	600812
公司网址	www.ncpc.com		电子信箱		xujianwen@ncpc.com	
电话	0311-86691718 86696493		传真		0311-86060942	
办公地址	河北省石家庄市和平东路 388 号					
经营范围	医药化工产品的生产及销售等					

主要财务指标 指标\报告期	2016.06.30	2015.12.31	2015.06.30	2014.12.31
基本每股收益(元)	0.0180	0.0390	0.0210	0.0270
基本每股收益(扣除后)(元)	0.0130	0.0010	0.0180	-0.0200
稀释每股收益(元)	0.0180	0.0390	0.0210	0.0270
每股净资产(元)	3.2421	3.2428	3.2090	3.1909
每股经营现金净流量(元)	-0.1900	0.0751	0.0825	0.0555
每股现金流量(元)	0.0553	-0.0210	-0.0920	0.0979
每股资本公积金(元)	2.1280	2.1280	2.1124	2.1190
每股盈余公积金(元)	0.1184	0.1184	0.1131	0.1131
每股未分配利润(元)	-0.0092	-0.0077	-0.0198	-0.0409
净资产收益率(%)	0.5697	1.1884	0.6586	0.7998
加权净资产收益率(%)	0.5700	1.1900	0.6600	0.8700
净资产收益率(扣除)(%)	0.4090	0.0453	0.5589	-0.5869
总资产(万元)	1632580.17	1599723.01	1584281.60	1558995.10
归属母公司股东权益(万元)	528722.05	528841.20	523317.35	520936.78
营业收入(万元)	395906.19	790250.23	449875.71	940097.27
营业支出(万元)	321624.80	646485.72	376860.43	787691.19
投资收益(万元)	1541.16	4138.17	1466.85	2978.24
净利润(万元)	2877.41	5085.07	2312.41	3179.18
营业利润(万元)	2654.08	1009.02	2759.20	-2288.39
利润总额(万元)	3517.38	7321.15	3282.00	5522.11

杭州解百集团股份有限公司

公司概况						
公司名称	杭州解百集团股份有限公司				证券简称	杭州解百
法人代表	童民强	董秘	毕铃		证券代码	600814
公司网址	www.jiebai.cn		电子信箱		bil@jiebai.com	
电话	0571-87085159		传真		0571-87080657	
办公地址	杭州市下城区环城北路 208 号坤和中心 1705 室					
经营范围	百货零售、批发以及酒店、进出口业务等					

主要财务指标 指标\报告期	2016.06.30	2015.12.31	2015.06.30	2014.12.31
基本每股收益(元)	0.1500	0.3200	0.1900	0.3400
基本每股收益(扣除后)(元)	0.1500	0.2900	0.1800	0.1300
稀释每股收益(元)	0.1500	0.3200	0.1900	0.3400
每股净资产(元)	2.8596	2.8055	2.6830	2.5941
每股经营现金净流量(元)	0.1072	0.2269	-0.2083	0.1836
每股现金流量(元)	-0.0405	-0.3665	0.8418	0.0453
每股资本公积金(元)	0.0200	0.0200	0.0200	0.0200
每股盈余公积金(元)	0.1634	0.1634	0.1490	0.1490
每股未分配利润(元)	1.6762	1.6221	1.5140	1.4252
净资产收益率(%)	5.3881	11.2765	7.2253	12.9646
加权净资产收益率(%)	5.3800	11.6800	7.2500	13.7400
净资产收益率(扣除)(%)	5.1294	10.2976	6.5891	3.1876
总资产(万元)	446766.46	455746.43	435427.50	454009.57
归属母公司股东权益(万元)	204467.16	200600.49	191840.72	185487.51
营业收入(万元)	251497.70	536610.77	275673.44	605467.94
营业支出(万元)	194200.19	420557.07	214946.85	481835.86
投资收益(万元)	257.37	3794.05	1996.56	5012.85
净利润(万元)	17622.15	35798.44	21014.33	38201.59
营业利润(万元)	23620.91	47699.49	28615.47	50715.46
利润总额(万元)	23620.77	47590.84	28283.84	51131.62

厦门厦工机械股份有限公司

公司概况						
公司名称	厦门厦工机械股份有限公司				证券简称	厦工股份
法人代表	许振明	董秘	刘焕寿		证券代码	600815
公司网址	www.xiagong.com		电子信箱		stock@xiagong.com	
电话	0592-6389300		传真		0592-6389301	
办公地址	福建省厦门市灌口南路 668 号之八					
经营范围	装载、挖掘机等工程机械产品及其配件制造、加工和销售等					

主要财务指标 指标\报告期	2016.06.30	2015.12.31	2015.06.30	2014.12.31
基本每股收益(元)	-0.2500	-1.0400	-0.1900	0.0100
基本每股收益(扣除后)(元)	-0.2600	-1.0700	-0.2000	-0.4500
稀释每股收益(元)	-0.2500	-1.0400	-0.1900	0.0100
每股净资产(元)	2.9618	3.2074	4.0581	4.2471
每股经营现金净流量(元)	-0.2389	0.2204	-0.0055	-0.3090
每股现金流量(元)	0.1883	-0.2267	-0.3328	-0.2414
每股资本公积金(元)	2.1080	2.1079	2.1041	2.1040
每股盈余公积金(元)	0.2860	0.2860	0.2860	0.2860
每股未分配利润(元)	-0.4292	-0.1839	0.6694	0.8587
净资产收益率(%)	-8.2847	-32.5045	-4.6656	0.2529
加权净资产收益率(%)	-7.9500	-27.9700	-4.5600	0.2500
净资产收益率(扣除)(%)	-8.7387	-33.4551	-5.0337	-10.6602
总资产(万元)	1006893.16	951785.71	1073074.06	1103927.87
归属母公司股东权益(万元)	284027.64	307582.46	389160.75	407286.57
营业收入(万元)	194429.74	306793.99	155705.70	455952.04
营业支出(万元)	177987.51	283801.44	143287.21	410261.34
投资收益(万元)	135.39	551.90	241.46	981.96
净利润(万元)	-22659.23	-97983.38	-17995.61	1727.74
营业利润(万元)	-27604.82	-118747.75	-22551.02	-50804.85
利润总额(万元)	-26456.93	-115447.46	-21144.47	2241.63

安信信托股份有限公司

公司概况						
公司名称	安信信托股份有限公司				证券简称	安信信托
法人代表	王少钦	董秘	武国建		证券代码	600816
公司网址	www.anxintrust.com		电子信箱		600816@anxintrust.com	
电话	021-63410710		传真		021-63410712	
办公地址	上海市黄浦区广东路 689 号 29 楼					
经营范围	主要从事信托、证券、实业等业务					

主要财务指标 指标\报告期	2016.06.30	2015.12.31	2015.06.30	2014.12.31
基本每股收益(元)	0.7870	1.0482	1.8313	2.2539
基本每股收益(扣除后)(元)	0.7319	0.9933	1.7397	2.2647
稀释每股收益(元)	0.7870	1.0482	1.8313	2.2539
每股净资产(元)	4.0039	3.5646	7.7860	3.9740
每股经营现金净流量(元)	1.0839	1.0207	0.0789	0.0735
每股现金流量(元)	-	-	4.2042	0.0469
每股资本公积金(元)	-	-	4.0808	0.0850
每股盈余公积金(元)	-	-	0.2012	0.3137
每股未分配利润(元)	-	-	2.2005	2.2993
净资产收益率(%)	19.6556	27.2970	15.0868	56.7165
加权净资产收益率(%)	20.8000	42.7300	37.5900	76.8900
净资产收益率(扣除)(%)	18.2799	25.8681	14.3321	56.9866
总资产(万元)	1041979.98	915895.12	632913.51	295394.41
归属母公司股东权益(万元)	708648.91	630891.93	551214.01	180463.73
营业收入(万元)	205536.39	295476.73	134241.63	180937.98
营业支出(万元)	34384.40	-	28381.25	42976.12
投资收益(万元)	-	-	396.52	1511.14
净利润(万元)	139289.04	172214.85	83160.51	102352.79
营业利润(万元)	171152.00	230563.50	105860.37	137961.86
利润总额(万元)	184150.30	236143.57	111407.32	137721.97

西安宏盛科技发展股份有限公司

公司概况

公司名称	西安宏盛科技发展股份有限公司			证券简称	ST 宏 盛
法人代表	马婷婷	董秘	谢斌	证券代码	600817
公司网址				电子信箱	hs600817@163.com
电　　话	029-88661759			传　　真	029-88661759
办公地址	陕西省西安市曲江新区雁南五路商通大道曲江综合服务中心				
经营范围	主要从事信托、证券、实业等业务				

主要财务指标

指标\报告期	2016.06.30	2015.12.31	2015.06.30	2014.12.31
基本每股收益(元)	-0.0027	-0.0800	0.0006	-0.1000
基本每股收益(扣除后)(元)	-0.0053	-0.0900	0.0006	-0.1000
稀释每股收益(元)	-0.0027	-0.0800	0.0006	-0.1000
每股净资产(元)	0.5863	0.5890	0.6730	0.6724
每股经营现金净流量(元)	-0.4056	-0.1191	-0.2127	0.0907
每股现金流量(元)	-0.5174	-0.0439	-0.2854	0.3832
每股资本公积金(元)	1.3193	1.3193	1.3193	1.3193
每股盈余公积金(元)	0.0512	0.0512	0.0512	0.0512
每股未分配利润(元)	-1.7841	-1.7814	-1.6974	-1.6980
净资产收益率(%)	-0.4604	-14.1569	0.0871	-15.1316
加权净资产收益率(%)	-0.2024	-13.2200	0.0870	-14.3400
净资产收益率(扣除)(%)	-0.9076	-14.5733	0.0854	-15.2818
总资产(万元)	34566.13	35572.77	49891.59	49406.90
归属母公司股东权益(万元)	9434.61	9478.05	10829.28	10819.85
营业收入(万元)	331.25	1204.24	1048.03	3102.09
营业支出(万元)	145.70	459.29	205.78	1452.90
投资收益(万元)	-	-	-	-
净利润(万元)	-69.78	-2659.73	87.96	-2714.61
营业利润(万元)	-102.43	-2593.46	135.02	-2484.44
利润总额(万元)	22.58	-2476.53	135.56	-2436.30

中路股份有限公司

公司概况

公司名称	中路股份有限公司			证券简称	中路股份
法人代表	陈闪	董秘	袁志坚	证券代码	600818
公司网址	www.600818.cn			电子信箱	600818@zhonglu.com.cn
电　　话	021-50596906			传　　真	021-68458517
办公地址	上海市浦东新区南六公路 818 号				
经营范围	自行车及零部件、助力车、特种车辆和与自行车相关的配套产品等				

主要财务指标

指标\报告期	2016.06.30	2015.12.31	2015.06.30	2014.12.31
基本每股收益(元)	0.0400	0.1600	0.1200	0.0400
基本每股收益(扣除后)(元)	-0.0300	-0.1000	-0.1000	-0.0800
稀释每股收益(元)	0.0400	0.1600	0.1200	0.0400
每股净资产(元)	1.5086	1.5201	1.2825	1.1819
每股经营现金净流量(元)	0.1219	0.3301	-0.0897	0.0015
每股现金流量(元)	-0.3174	0.1490	-0.0599	0.0243
每股资本公积金(元)	0.0453	0.0453	0.0134	0.1411
每股盈余公积金(元)	0.0363	0.0363	0.0237	0.0413
每股未分配利润(元)	0.2096	0.1979	0.2454	0.1226
净资产收益率(%)	2.7653	10.6268	9.5787	3.7310
加权净资产收益率(%)	2.7300	11.6000	8.9900	3.7400
净资产收益率(扣除)(%)	-2.0642	-6.4578	-8.1828	-6.5274
总资产(万元)	88758.21	94487.48	78784.81	83000.30
归属母公司股东权益(万元)	48493.20	48864.11	41226.76	41949.81
营业收入(万元)	29822.52	65636.62	28936.91	66271.22
营业支出(万元)	25983.26	54314.30	24941.95	58041.20
投资收益(万元)	-169.50	6701.82	7990.77	4218.15
净利润(万元)	855.24	4320.07	3581.39	1423.86
营业利润(万元)	-15548.10	4387.71	5515.34	1391.65
利润总额(万元)	1490.40	6300.28	5656.99	1678.43

上海耀皮玻璃集团股份有限公司

公司概况

公司名称	上海耀皮玻璃集团股份有限公司			证券简称	耀皮玻璃
法人代表	赵健	董秘	金闽丽	证券代码	600819
公司网址	www.sypglass.com			电子信箱	stock@sypglass.com
电　　话	021-61633599　61633522			传　　真	021-58801554
办公地址	上海市浦东新区张东路 1388 号 4-5 幢				
经营范围	生产和销售透明浮法玻璃、本体着色浮法玻璃及其深加工系列产品等				

主要财务指标

指标\报告期	2016.06.30	2015.12.31	2015.06.30	2014.12.31
基本每股收益(元)	0.0100	-0.3900	-0.0900	0.0600
基本每股收益(扣除后)(元)	-0.0700	-0.5300	-0.1200	-0.0300
稀释每股收益(元)	0.0100	-0.3900	-0.0900	0.0600
每股净资产(元)	3.0259	3.0766	3.2947	3.3998
每股经营现金净流量(元)	0.2338	0.5679	0.1951	0.2443
每股现金流量(元)	-0.0384	0.1609	0.1053	-1.3453
每股资本公积金(元)	1.2012	1.2012	1.2012	1.2012
每股盈余公积金(元)	0.5265	0.5265	0.5221	0.5221
每股未分配利润(元)	0.2864	0.2760	0.5849	0.6900
净资产收益率(%)	0.3433	-12.6640	-2.5822	1.6786
加权净资产收益率(%)	0.3400	-12.1900	-2.5300	1.6300
净资产收益率(扣除)(%)	-2.3884	-17.1340	-3.5966	-0.9991
总资产(万元)	792863.35	820265.22	857230.75	795931.49
归属母公司股东权益(万元)	282897.06	287638.95	308027.86	317851.51
营业收入(万元)	139408.61	274774.33	124522.07	286491.30
营业支出(万元)	110634.15	226732.83	102791.22	226469.66
投资收益(万元)	5298.56	9404.08	2453.01	5091.89
净利润(万元)	836.59	-48890.83	-9291.18	1309.38
营业利润(万元)	-508.53	-50152.04	-10226.83	-3693.76
利润总额(万元)	2041.67	-46561.69	-8792.07	4297.62

上海隧道工程股份有限公司

公司概况

公司名称	上海隧道工程股份有限公司			证券简称	隧道股份
法人代表	张焰	董秘	田军	证券代码	600820
公司网址	www.stec.net			电子信箱	stecodd@stec.net
电　　话	021-58301000			传　　真	021-65419227
办公地址	上海市徐汇区宛平南路 1099 号				
经营范围	建筑业、土木工程建设项目总承包、隧道、市政、建筑、公路及桥梁、交通等				

主要财务指标

指标\报告期	2016.06.30	2015.12.31	2015.06.30	2014.12.31
基本每股收益(元)	0.2200	0.4700	0.2000	0.5100
基本每股收益(扣除后)(元)	0.2100	0.4200	0.1800	0.4000
稀释每股收益(元)	0.2200	0.4700	0.2000	0.5100
每股净资产(元)	5.3664	5.2955	5.1740	4.9741
每股经营现金净流量(元)	0.0900	0.4732	0.2393	1.1473
每股现金流量(元)	-0.7145	1.1822	0.1878	0.5391
每股资本公积金(元)	2.1719	2.1719	2.1719	2.1719
每股盈余公积金(元)	0.2290	0.2290	0.1964	0.1964
每股未分配利润(元)	1.8160	1.7425	1.6576	1.4542
净资产收益率(%)	4.1636	8.8930	3.9301	8.9114
加权净资产收益率(%)	4.2500	9.1500	4.0100	10.8000
净资产收益率(扣除)(%)	3.8521	7.9185	3.4875	7.0670
总资产(万元)	6230659.12	6288691.81	6017221.77	5881443.95
归属母公司股东权益(万元)	1687240.49	1664947.19	1626748.89	1563918.83
营业收入(万元)	1136452.99	2680317.46	1028250.89	2542181.14
营业支出(万元)	993168.91	2336759.67	892952.74	2222747.85
投资收益(万元)	66279.85	204525.31	57356.72	170911.72
净利润(万元)	71112.21	150430.49	64873.50	141522.76
营业利润(万元)	89809.02	182268.46	76115.26	161106.30
利润总额(万元)	96706.88	195152.50	83500.88	185651.50

天津劝业场(集团)股份有限公司

公司概况						
公司名称	天津劝业场(集团)股份有限公司			证券简称	津劝业
法人代表	刘明	董秘	赵虹	证券代码	600821
公司网址	www.qyc.com.cn			电子信箱	tjqy600821@163.com
电　话	022-27304989			传　真	022-27304989
办公地址	天津市和平区和平路290号				
经营范围	商业、各类物资的批发及零售、洗染、摄影、其他居民服务、日用品修理等				

主要财务指标				
指标\报告期	2016.06.30	2015.12.31	2015.06.30	2014.12.31
基本每股收益(元)	0.0050	0.0100	0.0090	0.0300
基本每股收益(扣除后)(元)	0.0040	-	0.0060	0.0100
稀释每股收益(元)	0.0050	0.0100	0.0090	0.0300
每股净资产(元)	1.4552	1.4502	1.4466	1.4380
每股经营现金净流量(元)	-0.2054	-0.1394	-0.0244	0.3352
每股现金流量(元)	0.3964	-0.2165	0.0254	0.0254
每股资本公积金(元)	0.4292	0.4292	0.4292	0.4292
每股盈余公积金(元)	0.2336	0.2336	0.2301	0.2301
每股未分配利润(元)	-0.2075	-0.2125	-0.2128	-0.2213
净资产收益率(%)	0.3437	0.8440	0.5919	1.7662
加权净资产收益率(%)	0.3400	0.8500	0.5900	1.7800
净资产收益率(扣除)(%)	0.2819	-0.0053	0.4124	0.3524
总资产(万元)	197725.39	180221.41	191746.41	191997.13
归属母公司股东权益(万元)	60577.00	60368.81	60215.73	59859.31
营业收入(万元)	15635.03	55015.20	30913.97	61177.53
营业支出(万元)	11806.42	42659.50	26082.41	50452.61
投资收益(万元)	3049.55	5099.16	2844.72	12341.59
净利润(万元)	208.19	509.50	356.42	1057.22
营业利润(万元)	202.46	83.72	324.65	950.60
利润总额(万元)	208.19	509.50	356.42	1057.22

上海物资贸易股份有限公司

公司概况					
公司名称	上海物资贸易股份有限公司			证券简称	上海物贸
法人代表	秦青林	董秘	许伟	证券代码	600822
公司网址	www.sh600822.com			电子信箱	600822@shwuzi.com
电　话	021-63231818			传　真	021-63292367
办公地址	上海市黄浦区南苏州路325号7楼				
经营范围	燃料油、金属材料、化工原料、建材、汽车等机电产品的经营及进出口贸易等				

主要财务指标				
指标\报告期	2016.06.30	2015.12.31	2015.06.30	2014.12.31
基本每股收益(元)	0.0039	-3.1900	-0.2333	0.0300
基本每股收益(扣除后)(元)	-0.0196	-3.3200	-0.2309	-0.3400
稀释每股收益(元)	0.0039	-3.1900	-0.2333	0.0300
每股净资产(元)	1.0354	0.5591	1.7663	1.9619
每股经营现金净流量(元)	-0.6959	0.5449	0.1625	0.9675
每股现金流量(元)	-0.0248	-0.5822	-0.4242	-0.8502
每股资本公积金(元)	3.3877	2.9097	1.0940	1.0940
每股盈余公积金(元)	0.1072	0.1072	0.1072	0.1072
每股未分配利润(元)	-3.6954	-3.6993	-0.7381	-0.5048
净资产收益率(%)	0.3758	-571.3948	-13.2063	1.4737
加权净资产收益率(%)	0.4881	-890.0500	-9.9300	1.4700
净资产收益率(扣除)(%)	-1.8905	-593.8193	-13.0726	-17.1441
总资产(万元)	309674.10	538702.09	878998.57	864244.75
归属母公司股东权益(万元)	51351.08	27728.72	87605.48	97305.27
营业收入(万元)	1348271.56	5702594.60	3133650.69	6962603.30
营业支出(万元)	1329570.48	5652412.63	3096997.94	6879347.10
投资收益(万元)	1409.79	2296.64	1280.97	19676.78
净利润(万元)	742.88	-168476.34	-10524.65	4545.58
营业利润(万元)	397.10	-174132.58	-9243.49	5736.17
利润总额(万元)	1786.18	-167351.55	-9387.49	8041.82

上海世茂股份有限公司

公司概况					
公司名称	上海世茂股份有限公司			证券简称	世茂股份
法人代表	刘赛飞	董秘	俞峰	证券代码	600823
公司网址	www.shimaoco.com			电子信箱	600823@shimao.com.cn
电　话	021-20203388			传　真	021-20203399
办公地址	上海市浦东新区银城中路68号时代金融中心43楼				
经营范围	实业投资、房地产综合开发、本公司商标特许经营、针纺织品等				

主要财务指标				
指标\报告期	2016.06.30	2015.12.31	2015.06.30	2014.12.31
基本每股收益(元)	0.5200	1.1600	0.3800	1.0700
基本每股收益(扣除后)(元)	0.4600	0.5200	0.3100	0.8100
稀释每股收益(元)	0.5200	1.1600	0.3800	1.0700
每股净资产(元)	7.4329	10.1688	9.5687	13.7135
每股经营现金净流量(元)	0.6115	0.2326	0.5074	0.0650
每股现金流量(元)	0.0372	0.7573	0.5675	-0.2480
每股资本公积金(元)	1.1182	1.9652	1.3719	2.5523
每股盈余公积金(元)	0.1402	0.1963	0.1692	0.2540
每股未分配利润(元)	3.8573	4.7834	4.6117	6.3001
净资产收益率(%)	6.9852	10.5111	5.5182	11.7686
加权净资产收益率(%)	6.9000	11.9500	5.6000	12.4300
净资产收益率(扣除)(%)	6.2485	4.7411	4.4868	8.8026
总资产(万元)	6403933.14	6534777.67	6263683.07	5890051.44
归属母公司股东权益(万元)	1991566.03	1946163.69	1684032.04	1607793.52
营业收入(万元)	636725.43	1503280.48	852604.42	1270095.43
营业支出(万元)	434397.69	957331.49	540306.12	744273.16
投资收益(万元)	103174.33	92353.87	-3333.04	44574.38
净利润(万元)	164851.09	291910.15	140820.17	260785.60
营业利润(万元)	230275.02	400603.87	191756.74	344787.69
利润总额(万元)	226468.13	398863.82	192712.60	348805.12

上海益民商业集团股份有限公司

公司概况					
公司名称	上海益民商业集团股份有限公司			证券简称	益民集团
法人代表	杨传华	董秘	钱国富	证券代码	600824
公司网址	www.yimingroup.com			电子信箱	yimin@yimingroup.com
电　话	021-64339888			传　真	021-64721377
办公地址	上海市黄浦区淮海中路809号甲				
经营范围	百货零售业等				

主要财务指标				
指标\报告期	2016.06.30	2015.12.31	2015.06.30	2014.12.31
基本每股收益(元)	0.0890	0.1830	0.1160	0.1720
基本每股收益(扣除后)(元)	0.0910	0.1430	0.0900	0.1720
稀释每股收益(元)	0.0890	0.1830	0.1160	0.1720
每股净资产(元)	1.8885	1.8546	1.7673	2.0439
每股经营现金净流量(元)	0.1177	0.2636	0.2166	0.3108
每股现金流量(元)	-0.0452	0.1005	0.0420	0.0961
每股资本公积金(元)	0.1484	0.1484	0.1277	0.1532
每股盈余公积金(元)	0.1767	0.1767	0.1676	0.2011
每股未分配利润(元)	0.5629	0.5286	0.4710	0.6886
净资产收益率(%)	4.7240	9.8742	6.5839	10.1179
加权净资产收益率(%)	4.7000	10.2700	6.6100	10.5200
净资产收益率(扣除)(%)	4.7977	7.7229	5.0922	8.4984
总资产(万元)	286934.33	276498.22	283127.70	269753.79
归属母公司股东权益(万元)	199053.09	195478.73	186273.20	179531.29
营业收入(万元)	148259.59	311194.18	192992.19	308417.60
营业支出(万元)	111391.51	240836.01	155415.37	236036.06
投资收益(万元)	41.97	2247.34	2083.05	2773.36
净利润(万元)	9609.45	19873.22	12653.98	19527.79
营业利润(万元)	12292.98	23448.73	15652.54	24844.41
利润总额(万元)	12415.21	27133.74	17575.31	25829.87

上海新华传媒股份有限公司

公司概况						
公司名称	上海新华传媒股份有限公司			证券简称	新华传媒	
法人代表	裘新	董秘	陈榕	证券代码	600825	
公司网址	www.xhmedia.com		电子信箱	xhcm600825@gmail.com		
电　话	021-60376284		传　真	021-60376284		
办公地址	上海市徐汇区漕溪北路 331 号中金国际广场 A 楼 7-8 层					
经营范围	图书报刊、电子出版物零售(连锁经营)、图书报刊、电子出版物批发等					

主要财务指标：指标\报告期	2016.06.30	2015.12.31	2015.06.30	2014.12.31
基本每股收益(元)	0.0250	0.0600	0.0310	0.0500
基本每股收益(扣除后)(元)	−0.0070	−0.0900	−0.0080	0.0020
稀释每股收益(元)	0.0250	0.0600	0.0310	0.0500
每股净资产(元)	2.4741	2.4494	2.4423	2.4109
每股经营现金净流量(元)	0.0560	0.2377	−0.0150	−0.0265
每股现金流量(元)	−0.0468	−0.2716	−0.1743	−0.2643
每股资本公积金(元)	0.5314	0.5314	0.5333	0.5333
每股盈余公积金(元)	0.1639	0.1639	0.1445	0.1445
每股未分配利润(元)	0.7788	0.7541	0.7645	0.7331
净资产收益率(%)	1.0003	2.2582	1.2858	2.0015
加权净资产收益率(%)	1.0100	2.2700	1.2900	2.0100
净资产收益率(扣除)(%)	−0.2788	−3.8596	−0.3260	0.0887
总资产(万元)	387626.28	432294.33	478363.01	583195.49
归属母公司股东权益(万元)	258518.32	255932.44	255194.65	251913.41
营业收入(万元)	71976.10	157270.68	79893.43	178901.39
营业支出(万元)	47581.90	107975.94	54267.49	123268.55
投资收益(万元)	1152.30	8098.19	4887.96	16449.92
净利润(万元)	1998.64	5012.01	3056.63	5047.36
营业利润(万元)	2674.13	6557.79	3859.21	4556.67
利润总额(万元)	2852.47	7612.75	4104.93	6634.73

上海兰生股份有限公司

公司概况						
公司名称	上海兰生股份有限公司			证券简称	兰生股份	
法人代表	王强	董秘	杨敏	证券代码	600826	
公司网址	www.lansheng.com		电子信箱	yangmin@lansheng.com		
电　话	021-51991608 51991611		传　真	021-33772705*608 611		
办公地址	上海市虹口区中山北二路 1800 号					
经营范围	主营自营和代理各类商品及技术的进出口业务、国内贸易等					

主要财务指标：指标\报告期	2016.06.30	2015.12.31	2015.06.30	2014.12.31
基本每股收益(元)	1.6800	1.2150	1.0100	1.2550
基本每股收益(扣除后)(元)	0.0780	0.1910	0.0770	0.1050
稀释每股收益(元)	1.6800	1.2150	1.0100	1.2550
每股净资产(元)	8.8665	7.6664	9.2085	9.5713
每股经营现金净流量(元)	−0.8579	−0.1816	−0.3969	−0.0409
每股现金流量(元)	1.3960	1.5641	2.8433	−0.1981
每股资本公积金(元)	0.3279	0.3279	0.3279	0.3279
每股盈余公积金(元)	0.5000	0.5000	0.5000	0.5000
每股未分配利润(元)	3.6021	2.3033	2.4835	1.4687
净资产收益率(%)	18.9342	15.8437	11.0206	13.1132
加权净资产收益率(%)	20.3100	12.1200	10.8100	20.5400
净资产收益率(扣除)(%)	0.8809	2.4849	0.8309	1.0959
总资产(万元)	479485.91	452720.08	515103.68	536945.22
归属母公司股东权益(万元)	372964.23	322479.79	387347.33	402609.00
营业收入(万元)	113480.82	239348.02	100725.98	138675.18
营业支出(万元)	106346.38	227508.83	95820.55	131382.33
投资收益(万元)	91509.79	62496.31	54749.98	69278.22
净利润(万元)	71120.97	51793.54	42937.38	52178.99
营业利润(万元)	94003.77	65350.62	56077.09	66632.64
利润总额(万元)	94011.43	66862.86	56219.50	66879.37

上海百联集团股份有限公司

公司概况						
公司名称	上海百联集团股份有限公司			证券简称	百联股份	
法人代表	叶永明	董秘	叶永明	证券代码	600827	
公司网址	www.bailian.sh.cn		电子信箱	blgf600827@163.com		
电　话	021-63223344 63229537		传　真	021-63517447		
办公地址	上海市黄浦区六合路 58 号新一百大厦 13 楼					
经营范围	综合百货、医疗器械、装潢装饰材料、服装针纺织品、五金交电等					

主要财务指标：指标\报告期	2016.06.30	2015.12.31	2015.06.30	2014.12.31
基本每股收益(元)	0.4000	0.7400	0.6400	0.6100
基本每股收益(扣除后)(元)	0.3800	0.4500	0.4200	0.5000
稀释每股收益(元)	0.4000	0.7400	0.6400	0.6100
每股净资产(元)	9.1213	8.7889	9.5265	9.2724
每股经营现金净流量(元)	0.0008	0.9287	0.0857	1.1777
每股现金流量(元)	−1.3509	−0.5482	−0.6423	0.4085
每股资本公积金(元)	1.6366	1.4405	1.7300	1.7300
每股盈余公积金(元)	0.6387	0.6616	0.5942	0.5942
每股未分配利润(元)	3.9686	3.7091	3.6582	3.2680
净资产收益率(%)	4.2507	8.4250	6.7208	6.5515
加权净资产收益率(%)	4.4300	8.0800	6.7200	7.2400
净资产收益率(扣除)(%)	4.0805	5.1385	4.4231	5.4280
总资产(万元)	4211038.43	4339064.25	4134583.18	4403680.85
归属母公司股东权益(万元)	1627400.22	1525849.54	1640934.16	1597167.43
营业收入(万元)	2513475.76	4921816.23	2539204.47	5116420.00
营业支出(万元)	1951150.53	3825269.98	1972796.10	4010744.08
投资收益(万元)	18584.96	55604.65	55142.37	27700.92
净利润(万元)	85580.45	118544.93	124648.50	123317.95
营业利润(万元)	112910.83	172112.31	156510.39	153424.62
利润总额(万元)	119892.68	192638.66	162732.52	180141.20

茂业商业股份有限公司

公司概况						
公司名称	茂业商业股份有限公司			证券简称	茂业商业	
法人代表	高宏彪	董秘	郑怡	证券代码	600828	
公司网址	www.cpds.cn		电子信箱	cpds_600828@cpds.cn		
电　话	028-86665088		传　真	028-86652529		
办公地址	四川省成都市东御街 19 号					
经营范围	商品与批发					

主要财务指标：指标\报告期	2016.06.30	2015.12.31	2015.06.30	2014.12.31
基本每股收益(元)	0.1944	0.1349	0.2381	0.3404
基本每股收益(扣除后)(元)	0.1257	0.1295	0.0338	0.2029
稀释每股收益(元)	0.1944	0.1349	0.2381	0.3404
每股净资产(元)	2.1304	2.2807	2.2583	2.1909
每股经营现金净流量(元)	−0.1336	0.1188	0.0689	0.3441
每股现金流量(元)	−0.1155	−0.1099	−0.0829	0.0229
每股资本公积金(元)	0.1918	1.0077	0.0526	0.0526
每股盈余公积金(元)	0.0940	0.2860	0.2642	0.2642
每股未分配利润(元)	0.3334	2.3351	0.9324	0.8736
净资产收益率(%)	9.1262	5.9157	4.8198	15.5358
加权净资产收益率(%)	7.8900	6.0800	4.9000	16.6500
净资产收益率(扣除)(%)	5.8996	5.6791	4.5902	9.2603
总资产(万元)	1564786.12	644388.83	234407.77	230950.99
归属母公司股东权益(万元)	368988.60	351922.45	128819.98	124977.05
营业收入(万元)	373355.68	190924.03	101580.40	206671.79
营业支出(万元)	274322.88	148180.02	79076.23	162469.71
投资收益(万元)	1038.87	833.93	827.14	11773.26
净利润(万元)	33761.35	7644.66	6184.24	19349.90
营业利润(万元)	44561.18	10274.25	7689.39	26249.47
利润总额(万元)	44828.34	10677.95	8087.16	25541.21

哈药集团人民同泰医药股份有限公司

公司概况				
公司名称	哈药集团人民同泰医药股份有限公司		证券简称	人民同泰
法人代表	张利君	董秘	程轶颖	证券代码	600829
公司网址	www.hyrmtt.com.cn	电子信箱	chengyy@hyrmtt.com.cn	
电　话	0451-84600888	传　真	0451-84600888	
办公地址	黑龙江省哈尔滨市道里区哈药路418号			
经营范围	医药制造、医药经销和投资管理等			

主要财务指标 指标\报告期	2016.06.30	2015.12.31	2015.06.30	2014.12.31
基本每股收益(元)	0.2165	0.2396	0.1802	0.0687
基本每股收益(扣除后)(元)	0.2138	0.2276	0.1747	0.0810
稀释每股收益(元)	0.2165	0.2396	0.1802	0.0687
每股净资产(元)	2.6709	2.4544	2.3950	3.6090
每股经营现金净流量(元)	-0.0433	0.5760	-0.0259	0.6770
每股现金流量(元)	-0.0587	-0.1825	-0.7316	0.4591
每股资本公积金(元)	-	-	-	0.6145
每股盈余公积金(元)	0.0020	0.0020	-	0.6248
每股未分配利润(元)	1.6689	1.4524	1.3950	2.8075
净资产收益率(%)	8.1063	9.7604	7.5221	1.9042
加权净资产收益率(%)	8.4500	7.8700	3.5000	1.8900
净资产收益率(扣除)(%)	8.0046	9.2716	7.2957	2.2449
总资产(万元)	427603.63	423251.01	377551.07	685990.12
归属母公司股东权益(万元)	154881.78	142326.66	138881.93	292656.95
营业收入(万元)	451649.58	890931.53	481934.22	173879.47
营业支出(万元)	408048.14	792141.81	419359.81	84210.87
投资收益(万元)	-	-	-	77.37
净利润(万元)	12555.12	13254.28	9809.55	2622.83
营业利润(万元)	16437.09	22009.54	13959.56	5764.06
利润总额(万元)	16647.11	22938.10	14378.96	5194.55

香溢融通控股集团股份有限公司

公司概况				
公司名称	香溢融通控股集团股份有限公司		证券简称	香溢融通
法人代表	潘昵琥	董秘	林蔚晴	证券代码	600830
公司网址	www.sunnyloantop.cn	电子信箱	slt@sunnyloantop.cn	
电　话	0574-87315310	传　真	0574-87294676	
办公地址	浙江省宁波市西河街158号			
经营范围	商业、广告、进出口、餐饮服务、娱乐及旅游等			

主要财务指标 指标\报告期	2016.06.30	2015.12.31	2015.06.30	2014.12.31
基本每股收益(元)	0.1190	0.3120	0.0920	0.2200
基本每股收益(扣除后)(元)	0.0470	0.0710	0.0470	0.0670
稀释每股收益(元)	0.1190	0.3120	0.0920	0.2200
每股净资产(元)	4.3177	4.4401	4.4043	4.1186
每股经营现金净流量(元)	-0.4413	0.3049	0.0740	-0.1226
每股现金流量(元)	-0.4255	0.6643	-0.1437	-0.2524
每股资本公积金(元)	1.1545	1.1545	1.1545	1.1545
每股盈余公积金(元)	0.2404	0.2302	0.2245	0.2196
每股未分配利润(元)	1.9228	1.9140	1.6996	1.6927
净资产收益率(%)	2.7562	7.0249	2.0850	5.3401
加权净资产收益率(%)	2.6970	7.3120	2.1350	5.4850
净资产收益率(扣除)(%)	1.0908	1.5962	1.0617	1.6288
总资产(万元)	349387.07	359129.07	369363.34	307677.33
归属母公司股东权益(万元)	196163.24	201722.64	200096.90	187115.60
营业收入(万元)	71625.78	170093.65	75296.33	109132.42
营业支出(万元)	63530.86	148744.05	65281.02	86759.61
投资收益(万元)	4830.69	10724.48	238.61	318.48
净利润(万元)	5678.84	15529.74	4666.11	10808.40
营业利润(万元)	6390.72	20107.35	6487.30	14418.50
利润总额(万元)	7269.91	21124.21	6623.72	15108.51

陕西广电网络传媒(集团)股份有限公司

公司概况				
公司名称	陕西广电网络传媒(集团)股份有限公司		证券简称	广电网络
法人代表	晏兆祥	董秘	杨莎	证券代码	600831
公司网址	www.600831.com	电子信箱	600831@china.com	
电　话	029-87991255 87991258	传　真	029-87991266	
办公地址	陕西省西安市曲江新区行政商务区曲江·首座大厦			
经营范围	有线电视网络运营、广告代理、影视制作等			

主要财务指标 指标\报告期	2016.06.30	2015.12.31	2015.06.30	2014.12.31
基本每股收益(元)	0.1980	0.2365	0.1600	0.2075
基本每股收益(扣除后)(元)	0.1940	0.2191	0.1540	0.2017
稀释每股收益(元)	-	-	-	-
每股净资产(元)	3.5826	3.3842	3.3076	3.1778
每股经营现金净流量(元)	0.4711	1.2587	0.4361	1.4190
每股现金流量(元)	0.0252	-0.0304	-0.0706	0.1695
每股资本公积金(元)	0.7682	0.7682	0.7682	0.7682
每股盈余公积金(元)	0.1631	0.1631	0.1432	0.1432
每股未分配利润(元)	1.6512	1.4528	1.3962	1.2663
净资产收益率(%)	5.5386	6.9870	4.8329	6.5292
加权净资产收益率(%)	5.7000	7.2100	4.9100	6.7400
净资产收益率(扣除)(%)	5.4067	6.4755	4.6614	6.3487
总资产(万元)	570519.77	541061.08	526757.16	511835.36
归属母公司股东权益(万元)	201860.02	190679.72	186363.74	179047.20
营业收入(万元)	128702.86	238686.02	123200.45	229813.27
营业支出(万元)	80938.11	156027.05	79125.23	149456.34
投资收益(万元)	59.78	494.99	194.46	797.92
净利润(万元)	11313.73	13239.17	9080.78	13082.14
营业利润(万元)	10992.93	12157.51	8798.04	13121.86
利润总额(万元)	11342.74	13232.90	9123.93	13444.90

上海第一医药股份有限公司

公司概况				
公司名称	上海第一医药股份有限公司		证券简称	第一医药
法人代表	陆琨	董秘	孙炳	证券代码	600833
公司网址	www.dyyy.com.cn	电子信箱	shcred@online.sh.cn	
电　话	021-64337282	传　真	021-64337191	
办公地址	上海市徐汇区小木桥路681号20楼			
经营范围	经销化学原料药、化学药制剂、生物制品、中西药、百货等			

主要财务指标 指标\报告期	2016.06.30	2015.12.31	2015.06.30	2014.12.31
基本每股收益(元)	0.1081	0.1800	0.1040	0.1700
基本每股收益(扣除后)(元)	0.1071	0.1700	0.1033	0.1500
稀释每股收益(元)	0.1081	0.1800	0.1040	0.1700
每股净资产(元)	3.3190	3.4788	3.5754	2.8866
每股经营现金净流量(元)	0.2149	0.2188	0.2399	0.0861
每股现金流量(元)	0.2104	0.1638	0.2523	0.0340
每股资本公积金(元)	0.2922	0.2922	0.2922	0.2922
每股盈余公积金(元)	0.1598	0.1598	0.1442	0.1442
每股未分配利润(元)	0.6654	0.5573	0.5424	0.4385
净资产收益率(%)	3.2566	5.3046	2.9078	5.7495
加权净资产收益率(%)	3.1800	5.8000	3.2200	6.3100
净资产收益率(扣除)(%)	3.2269	4.8560	2.8897	5.2241
总资产(万元)	115906.77	123013.47	124837.28	108097.99
归属母公司股东权益(万元)	74042.47	77608.36	79762.72	64396.34
营业收入(万元)	80289.04	149095.98	78348.96	141474.54
营业支出(万元)	67988.70	126208.29	67009.14	119006.58
投资收益(万元)	20.52	391.69	381.02	332.11
净利润(万元)	2411.26	4116.85	2319.36	3702.48
营业利润(万元)	2994.17	4989.27	2760.11	4571.12
利润总额(万元)	3023.85	5455.12	2779.37	4979.86

上海申通地铁股份有限公司

公司概况					
公司名称	上海申通地铁股份有限公司			证券简称	申通地铁
法人代表	俞光耀	董秘	孙斯惠	证券代码	600834
公司网址	www.shtmetro.com		电子信箱	600834@shtmetro.com	
电　话	021-54259985 54259971		传　真	021-54257330	
办公地址	上海市徐汇区桂林路 909 号 3 号楼 2 楼				
经营范围	地铁经营及相关综合开发、轨道交通投资、附设分支机构等				

主要财务指标　指标\报告期	2016.06.30	2015.12.31	2015.06.30	2014.12.31
基本每股收益(元)	0.0700	0.1445	0.0653	0.2203
基本每股收益(扣除后)(元)	0.0700	0.1296	0.0653	0.1955
稀释每股收益(元)	0.0700	0.1445	0.0653	0.2203
每股净资产(元)	3.0126	2.9460	2.9261	2.8591
每股经营现金净流量(元)	0.2066	0.0295	0.0585	-0.6146
每股现金流量(元)	0.0410	-0.0103	0.0851	-0.5209
每股资本公积金(元)	0.1670	0.1670	0.1670	0.1670
每股盈余公积金(元)	0.4152	0.4152	0.3937	0.3937
每股未分配利润(元)	1.4203	1.3467	1.3591	1.2938
净资产收益率(%)	2.4436	4.9037	2.2315	7.7059
加权净资产收益率(%)	2.4700	4.9800	2.2600	7.9000
净资产收益率(扣除)(%)	2.4177	4.3981	2.2324	6.8375
总资产(万元)	247878.78	248296.15	285779.63	205720.50
归属母公司股东权益(万元)	143817.71	140637.76	139685.81	136486.07
营业收入(万元)	36887.10	77404.93	37044.88	74457.97
营业支出(万元)	33169.80	69880.46	32928.77	63508.15
投资收益(万元)	1387.75	1668.26	-	7.51
净利润(万元)	3514.39	6896.52	3117.11	10517.47
营业利润(万元)	2312.48	3345.88	1655.15	7277.05
利润总额(万元)	4919.98	9202.95	4166.78	14032.75

上海机电股份有限公司

公司概况					
公司名称	上海机电股份有限公司			证券简称	上海机电
法人代表	陈嘉明	董秘	司文培	证券代码	600835
公司网址	www.chinasec.cn		电子信箱	shjddm@chinasec.cn	
电　话	021-68547168		传　真	021-68547170 68547550	
办公地址	上海市浦东新区民生路 1286 号汇商大厦 9 楼				
经营范围	机电一体化产品、设备的设计、生产、销售自产产品等				

主要财务指标　指标\报告期	2016.06.30	2015.12.31	2015.06.30	2014.12.31
基本每股收益(元)	0.7300	1.7900	0.5400	0.8400
基本每股收益(扣除后)(元)	0.5500	0.7300	0.4600	0.8700
稀释每股收益(元)	0.7300	1.7900	0.5400	0.8400
每股净资产(元)	8.3738	7.9386	6.7374	6.1214
每股经营现金净流量(元)	1.2871	1.3090	0.5512	1.9672
每股现金流量(元)	1.0423	0.4550	0.4949	0.9119
每股资本公积金(元)	1.9950	1.9989	1.9989	1.6035
每股盈余公积金(元)	1.2913	1.2913	1.2913	1.2913
每股未分配利润(元)	3.9907	3.5258	2.3946	2.1957
净资产收益率(%)	8.6669	22.5957	8.0059	13.7028
加权净资产收益率(%)	8.8700	22.7600	8.2400	14.3400
净资产收益率(扣除)(%)	6.5758	9.2168	6.7942	14.2425
总资产(万元)	3094786.65	2985273.41	3029065.39	2976909.47
归属母公司股东权益(万元)	856424.61	811911.14	689058.29	626061.54
营业收入(万元)	927131.52	1929553.47	982949.78	2077893.32
营业支出(万元)	729136.20	1511787.84	780195.97	1624212.80
投资收益(万元)	32623.77	115120.61	24011.58	31631.17
净利润(万元)	116493.97	280037.59	97319.61	179979.20
营业利润(万元)	129637.86	269756.26	95847.41	194180.95
利润总额(万元)	129646.07	319485.78	111669.16	212670.91

上海界龙实业集团股份有限公司

公司概况					
公司名称	上海界龙实业集团股份有限公司			证券简称	界龙实业
法人代表	费屹立	董秘	楼福良	证券代码	600836
公司网址	www.jielong-printing.com		电子信箱	loufl@jielongcorp.com	
电　话	021-58600836		传　真	021-58926698	
办公地址	上海市浦东新区杨高中路 2112 号(界龙总部园 5 楼)				
经营范围	包装印刷业务				

主要财务指标　指标\报告期	2016.06.30	2015.12.31	2015.06.30	2014.12.31
基本每股收益(元)	0.0050	0.0570	0.0110	0.0470
基本每股收益(扣除后)(元)	-0.0060	0.0420	0.0030	-0.0120
稀释每股收益(元)	0.0050	0.0570	0.0110	0.0470
每股净资产(元)	1.3191	2.6485	2.6010	1.3275
每股经营现金净流量(元)	-0.0960	-1.5240	-1.2859	0.8520
每股现金流量(元)	-0.1689	-0.1406	0.7232	0.2193
每股资本公积金(元)	0.1512	1.3025	1.2994	-
每股盈余公积金(元)	0.0042	0.0084	0.0084	0.0088
每股未分配利润(元)	0.1637	0.3377	0.2932	0.3187
净资产收益率(%)	0.3688	2.0798	0.4060	3.5335
加权净资产收益率(%)	0.3700	2.8300	0.8400	3.4600
净资产收益率(扣除)(%)	-0.4666	1.5544	0.1058	-0.9330
总资产(万元)	334056.38	369646.27	391035.55	312975.33
归属母公司股东权益(万元)	87423.55	87765.69	86190.18	41625.89
营业收入(万元)	84749.83	154292.06	60702.76	198474.13
营业支出(万元)	72174.44	121220.35	47164.64	165383.57
投资收益(万元)	119.03	91.72	91.72	223.89
净利润(万元)	461.93	2693.44	1070.35	3012.04
营业利润(万元)	106.28	4205.22	1484.97	3580.89
利润总额(万元)	1128.20	5212.57	1923.94	6028.53

海通证券股份有限公司

公司概况					
公司名称	海通证券股份有限公司			证券简称	海通证券
法人代表	周杰	董秘	黄正红	证券代码	600837
公司网址	www.htsec.com		电子信箱	haitong@htsec.com	
电　话	021-23219000		传　真	021-63410707	
办公地址	上海市黄浦区广东路 689 号海通证券大厦				
经营范围	证券经纪、证券自营、证券承销与保荐、证券投资咨询等				

主要财务指标　指标\报告期	2016.06.30	2015.12.31	2015.06.30	2014.12.31
基本每股收益(元)	0.3700	1.4800	1.0300	0.8000
基本每股收益(扣除后)(元)	0.3500	1.4700	1.0100	0.7900
稀释每股收益(元)	0.3700	1.4800	1.0200	0.8000
每股净资产(元)	9.1366	9.3634	8.9150	7.1326
每股经营现金净流量(元)	-3.2497	1.3548	1.1962	1.0661
每股现金流量(元)	-2.3778	6.7428	14.0005	4.3957
每股资本公积金(元)	4.8995	4.9015	4.8986	3.3787
每股盈余公积金(元)	0.3923	0.3923	0.2748	0.3298
每股未分配利润(元)	2.1216	2.2014	2.0719	1.7275
净资产收益率(%)	4.0579	14.7072	9.9034	11.2787
加权净资产收益率(%)	3.9100	17.5600	12.9700	11.8800
净资产收益率(扣除)(%)	3.8044	14.6135	9.7615	11.0204
总资产(万元)	54233192.88	57644889.23	62974940.72	35262214.87
归属母公司股东权益(万元)	10508684.70	10769454.47	10253793.89	6836443.11
营业收入(万元)	1207951.68	3808626.77	2204932.48	1797847.44
营业支出(万元)	694924.79	-	829098.65	776068.12
投资收益(万元)	256057.80	1346210.20	487168.72	273696.95
净利润(万元)	466570.92	1684131.57	1092865.49	811902.31
营业利润(万元)	513026.89	2095247.74	1375833.83	1021779.33
利润总额(万元)	549481.58	2111886.85	1395286.08	1042039.43

上海九百股份有限公司

公司概况					
公司名称	上海九百股份有限公司			证券简称	上海九百
法人代表	许骍	董秘	张敏	证券代码	600838
公司网址	www.shjb600838.com		电子信箱	shjb838@sina.com	
电　话	021-62569866		传　真	021-62569821	
办公地址	上海市静安区常德路940号				
经营范围	日用百货、家用电器、针纺织品、文教用品等的零售与批发等				

主要财务指标 指标\报告期	2016.06.30	2015.12.31	2015.06.30	2014.12.31
基本每股收益(元)	0.3550	0.2303	0.1150	0.1097
基本每股收益(扣除后)(元)	0.1144	0.1950	0.0921	0.0689
稀释每股收益(元)	0.3550	0.2303	0.1150	0.1097
每股净资产(元)	3.1302	2.8723	2.4718	1.8815
每股经营现金净流量(元)	-0.0080	-0.0168	-0.0241	-0.0075
每股现金流量(元)	0.1560	0.0741	-0.0444	-0.0900
每股资本公积金(元)	0.4582	0.4582	0.4582	0.4582
每股盈余公积金(元)	0.1320	0.1320	0.1053	0.1053
每股未分配利润(元)	0.8244	0.4694	0.4138	0.2989
净资产收益率(%)	11.3423	8.0162	4.6514	5.8303
加权净资产收益率(%)	11.5100	10.3500	5.9300	5.9500
净资产收益率(扣除)(%)	3.6550	6.7889	3.7277	3.6623
总资产(万元)	148326.72	144807.79	120006.30	99800.62
归属母公司股东权益(万元)	125483.26	115146.52	99088.05	75427.51
营业收入(万元)	3913.00	9064.26	5015.84	10977.95
营业支出(万元)	1770.24	4501.63	2362.56	6257.20
投资收益(万元)	15159.12	11680.34	5924.93	7142.43
净利润(万元)	14232.69	9230.39	4609.00	4397.63
营业利润(万元)	14399.01	8607.47	4481.02	2762.35
利润总额(万元)	14398.02	9230.39	4609.00	4397.63

四川长虹电器股份有限公司

公司概况					
公司名称	四川长虹电器股份有限公司			证券简称	四川长虹
法人代表	赵勇	董秘	薛向岭	证券代码	600839
公司网址	www.changhong.com		电子信箱	600839@changhong.com	
电　话	0816-2418436　2417979		传　真	0816-2418518	
办公地址	四川省绵阳市高新区绵兴东路35号				
经营范围	家用电器、电子产品及零配件、通信设备、计算机及其他电子设备等				

主要财务指标 指标\报告期	2016.06.30	2015.12.31	2015.06.30	2014.12.31
基本每股收益(元)	0.1001	-0.4280	-0.0414	0.0128
基本每股收益(扣除后)(元)	0.0358	-0.3637	-0.0722	-0.1039
稀释每股收益(元)	0.1001	-0.4280	-0.0414	0.0128
每股净资产(元)	2.7200	2.6227	3.0094	3.0441
每股经营现金净流量(元)	0.3890	0.7011	0.1822	0.4161
每股现金流量(元)	0.3226	-0.5330	0.0994	0.4938
每股资本公积金(元)	0.8468	0.8465	0.8432	0.8384
每股盈余公积金(元)	0.4733	0.4733	0.4733	0.7485
每股未分配利润(元)	0.3984	0.2984	0.6850	0.4509
净资产收益率(%)	3.6788	-16.3203	-1.3741	0.4189
加权净资产收益率(%)	3.7478	-15.1008	-1.3647	0.4185
净资产收益率(扣除)(%)	1.3167	-13.8669	-2.4004	-3.4122
总资产(万元)	5612546.52	5561534.14	6303692.48	6022460.69
归属母公司股东权益(万元)	1255606.33	1210682.65	1389216.51	1405211.52
营业收入(万元)	3277483.61	6484781.31	2985389.79	5950390.06
营业支出(万元)	2788317.28	5625335.69	2570711.13	5092511.80
投资收益(万元)	26748.51	13586.03	6599.23	30385.90
净利润(万元)	76505.11	-172453.11	9619.26	26750.22
营业利润(万元)	77295.81	-118855.08	5151.87	1102.09
利润总额(万元)	91068.50	-144045.50	21753.99	53352.76

上海柴油机股份有限公司

公司概况					
公司名称	上海柴油机股份有限公司			证券简称	上柴股份
法人代表	蓝青松	董秘	汪宏彬	证券代码	600841
公司网址	www.sdec.com.cn		电子信箱	sdecdsh@sdec.com.cn	
电　话	021-60652207　60652288		传　真	021-65749845	
办公地址	上海市杨浦区军工路2636号				
经营范围	柴油机、工程机械、油泵及配件、柴油电站、船用成套机组等				

主要财务指标 指标\报告期	2016.06.30	2015.12.31	2015.06.30	2014.12.31
基本每股收益(元)	0.0600	0.1100	0.0700	0.1700
基本每股收益(扣除后)(元)	0.0500	0.0800	0.0500	0.1500
稀释每股收益(元)	-	-	-	-
每股净资产(元)	4.0239	4.0062	3.9912	3.9534
每股经营现金净流量(元)	0.0176	0.4583	0.3346	0.3096
每股现金流量(元)	0.1362	0.4813	0.3877	0.0245
每股资本公积金(元)	1.2972	1.2972	1.2974	1.2974
每股盈余公积金(元)	0.5843	0.5843	0.5712	0.5712
每股未分配利润(元)	1.1297	1.1031	1.0792	1.0611
净资产收益率(%)	1.5306	2.6765	1.7570	4.3827
加权净资产收益率(%)	1.5300	2.6900	1.7600	4.4600
净资产收益率(扣除)(%)	1.3488	2.0265	1.3373	3.7737
总资产(万元)	554234.45	531943.06	539873.89	536995.62
归属母公司股东权益(万元)	348743.34	347217.36	345914.71	342641.32
营业收入(万元)	131030.75	216318.46	115910.14	277688.80
营业支出(万元)	111631.22	177378.91	95015.27	222651.76
投资收益(万元)	6659.80	12307.64	6697.27	8416.40
净利润(万元)	5255.75	9128.49	6001.88	14804.97
营业利润(万元)	4320.08	7377.01	5873.53	14003.78
利润总额(万元)	5066.17	8233.98	5884.44	15529.21

上工申贝(集团)股份有限公司

公司概况					
公司名称	上工申贝(集团)股份有限公司			证券简称	上工申贝
法人代表	张敏	董秘	张建国	证券代码	600843
公司网址	www.sgsbgroup.com		电子信箱	sgsb@sgsbgroup.com	
电　话	021-68407515　68407700　1223		传　真	021-63302939	
办公地址	上海市浦东新区新金桥路1566号3楼				
经营范围	研发、生产、维修缝制设备及零部件、缝纫机专用设备、制衣、塑料制品等				

主要财务指标 指标\报告期	2016.06.30	2015.12.31	2015.06.30	2014.12.31
基本每股收益(元)	0.1844	0.2869	0.1829	0.3774
基本每股收益(扣除后)(元)	0.1749	0.2440	0.1653	0.1415
稀释每股收益(元)	0.1844	0.2869	0.1829	0.3774
每股净资产(元)	3.3982	3.2350	3.1599	2.9094
每股经营现金净流量(元)	-0.0837	0.0928	-0.0153	0.1852
每股现金流量(元)	-0.2747	0.2969	0.0355	0.2475
每股资本公积金(元)	1.7648	1.7432	1.7456	1.7305
每股盈余公积金(元)	0.0083	0.0083	0.0083	0.0083
每股未分配利润(元)	0.8234	0.6390	0.5349	0.3520
净资产收益率(%)	5.4267	8.8702	5.7883	12.3813
加权净资产收益率(%)	5.5425	9.3992	6.0951	14.3895
净资产收益率(扣除)(%)	5.1457	7.5414	5.2320	4.6423
总资产(万元)	340953.47	314670.17	302977.76	273257.45
归属母公司股东权益(万元)	186420.97	177467.41	173351.01	159608.52
营业收入(万元)	135934.25	231403.96	103906.21	197124.48
营业支出(万元)	95450.03	161475.02	70166.22	136815.09
投资收益(万元)	1816.58	4240.94	2038.64	5637.96
净利润(万元)	11415.78	17625.69	10981.21	23675.18
营业利润(万元)	15518.05	20971.87	13812.50	19496.63
利润总额(万元)	15953.92	22953.98	14564.89	29150.97

丹化化工科技股份有限公司

公司概况					
公司名称	丹化化工科技股份有限公司			证券简称	丹化科技
法人代表	花峻	董秘	于建平	证券代码	600844
公司网址	www.600844.com		电子信箱	s600844@126.com	
电　　话	021-64015596 64016400		传　　真	021-64016411	
办公地址	上海市长宁区虹桥路 2297 弄 6 号				
经营范围	单一的醋酐产品				

主要财务指标

指标＼报告期	2016.06.30	2015.12.31	2015.06.30	2014.12.31
基本每股收益(元)	−0.0896	−0.0394	0.0153	0.0224
基本每股收益(扣除后)(元)	−0.0912	−0.0685	−0.0039	−0.0199
稀释每股收益(元)	−0.0896	−0.0394	0.0153	0.0224
每股净资产(元)	0.9719	1.0516	1.1063	1.0770
每股经营现金净流量(元)	0.0504	0.2923	0.3390	0.4244
每股现金流量(元)	0.0699	0.0928	−0.0132	−0.0668
每股资本公积金(元)	1.0349	1.0250	1.0250	1.0250
每股盈余公积金(元)	0.0721	0.0721	0.0721	0.0721
每股未分配利润(元)	−1.1351	−1.0455	−0.9908	−1.0062
净资产收益率(%)	−9.2191	−3.7455	1.3869	2.0520
加权净资产收益率(%)	−8.8997	−3.6800	1.3965	2.0700
净资产收益率(扣除)(%)	−9.3786	−6.5144	−0.3489	−1.8236
总资产(万元)	311730.00	306542.41	325530.11	326731.25
归属母公司股东权益(万元)	75674.00	81878.40	86139.82	84945.18
营业收入(万元)	33964.05	104521.85	54793.35	102700.23
营业支出(万元)	30965.98	80151.29	39372.97	74538.89
投资收益(万元)	–	20.31	128.55	56.07
净利润(万元)	−12576.61	−4925.17	2889.85	4535.25
营业利润(万元)	−12862.46	−10237.88	−366.76	−831.99
利润总额(万元)	−12599.57	−5580.77	2730.68	6231.40

上海宝信软件股份有限公司

公司概况					
公司名称	上海宝信软件股份有限公司			证券简称	宝信软件
法人代表	王力	董秘	吕子男	证券代码	600845
公司网址	www.baosight.com		电子信箱	investor@baosight.com	
电　　话	021-20378893		传　　真	021-20378895	
办公地址	中国(上海)自由贸易试验区郭守敬路 515 号				
经营范围	计算机、自动化、网络通讯系统及软硬件产品的研究、设计、开发、制造等				

主要财务指标

指标＼报告期	2016.06.30	2015.12.31	2015.06.30	2014.12.31
基本每股收益(元)	0.2460	0.8470	0.2120	0.8980
基本每股收益(扣除后)(元)	0.1930	0.6440	0.1590	0.7930
稀释每股收益(元)	0.2460	0.8470	0.2120	0.8980
每股净资产(元)	5.1203	9.9958	7.1570	7.0032
每股经营现金净流量(元)	0.7499	0.6993	0.3949	0.6349
每股现金流量(元)	0.2653	2.9315	0.3784	0.0034
每股资本公积金(元)	1.7437	4.4874	1.7433	1.7422
每股盈余公积金(元)	0.2516	0.5033	0.5000	0.5000
每股未分配利润(元)	2.1259	4.0089	3.9187	3.7650
净资产收益率(%)	4.8120	7.9799	5.9194	12.6154
加权净资产收益率(%)	4.7900	10.9900	5.9100	14.2300
净资产收益率(扣除)(%)	3.7676	6.0616	4.4485	11.1386
总资产(万元)	646181.75	637702.12	529349.11	517166.21
归属母公司股东权益(万元)	401044.69	391461.25	260610.56	255007.37
营业收入(万元)	171697.55	393768.48	161592.09	407189.82
营业支出(万元)	120338.53	286416.69	116823.36	293178.74
投资收益(万元)	−620.55	3668.46	1935.84	1353.85
净利润(万元)	19557.85	33144.25	15769.04	32507.43
营业利润(万元)	18374.88	30060.67	14390.51	31076.23
利润总额(万元)	22100.58	38215.57	17752.59	36254.72

上海同济科技实业股份有限公司

公司概况					
公司名称	上海同济科技实业股份有限公司			证券简称	同济科技
法人代表	丁洁民	董秘	骆君君	证券代码	600846
公司网址	www.tjkjsy.com.cn		电子信箱	tjkjsy@tjkjsy.com.cn	
电　　话	021-65985860		传　　真	021-33626510	
办公地址	上海市杨浦区四平路 1398 号同济联合广场 B 座 20 层				
经营范围	实业投资、教育产业投资及人才培训、房地产投资与开发经营及咨询服务等				

主要财务指标

指标＼报告期	2016.06.30	2015.12.31	2015.06.30	2014.12.31
基本每股收益(元)	0.0700	0.2600	0.0700	0.2900
基本每股收益(扣除后)(元)	0.0600	0.2200	0.0600	0.2700
稀释每股收益(元)	0.0700	0.2600	0.0700	0.2900
每股净资产(元)	2.8275	2.8604	2.6985	2.7055
每股经营现金净流量(元)	−0.1538	−2.6903	0.1128	−0.1748
每股现金流量(元)	−0.3065	−0.0106	0.3853	−0.1152
每股资本公积金(元)	0.3512	0.3512	0.3513	0.3513
每股盈余公积金(元)	0.1902	0.1902	0.1732	0.1732
每股未分配利润(元)	1.2681	1.2960	1.1249	1.1566
净资产收益率(%)	2.5488	8.9674	2.5327	10.7723
加权净资产收益率(%)	2.5000	9.2100	2.4900	11.4100
净资产收益率(扣除)(%)	2.2189	7.7027	2.3904	9.8978
总资产(万元)	904130.92	848372.04	695374.74	668132.62
归属母公司股东权益(万元)	176653.92	178706.11	168591.48	169030.91
营业收入(万元)	157468.25	326729.31	152137.91	412285.63
营业支出(万元)	131779.94	269232.37	130237.75	344316.33
投资收益(万元)	1932.22	7717.69	2156.15	8205.23
净利润(万元)	8391.49	23040.21	6180.92	26883.23
营业利润(万元)	11306.16	26544.02	7654.34	30841.76
利润总额(万元)	12726.17	29832.46	8336.22	34222.19

重庆万里新能源股份有限公司

公司概况					
公司名称	重庆万里新能源股份有限公司			证券简称	万里股份
法人代表	刘悉承	董秘	张晶	证券代码	600847
公司网址	www.cqwanli.net.cn		电子信箱	cqwanli2010@126.com	
电　　话	023-85532408		传　　真	023-85532408	
办公地址	重庆市江津区双福街道创业大道 2 号				
经营范围	生产和销售各类铅酸蓄电池等				

主要财务指标

指标＼报告期	2016.06.30	2015.12.31	2015.06.30	2014.12.31
基本每股收益(元)	−0.0437	−0.1300	0.0163	0.0100
基本每股收益(扣除后)(元)	−0.0521	−0.1500	−0.0240	0.0400
稀释每股收益(元)	−0.0437	−0.1300	0.0163	0.0100
每股净资产(元)	4.5135	4.4895	4.5492	4.5211
每股经营现金净流量(元)	−0.1589	−0.1682	−0.2157	−0.2793
每股现金流量(元)	0.3215	−0.4825	−0.4143	0.3843
每股资本公积金(元)	4.2862	4.3441	4.2850	4.2731
每股盈余公积金(元)	–	–	–	–
每股未分配利润(元)	−0.6333	−0.5801	−0.4400	−0.4563
净资产收益率(%)	−0.9831	−2.7925	0.3591	0.3109
加权净资产收益率(%)	−0.9800	−2.7900	0.3600	0.3100
净资产收益率(扣除)(%)	−1.1711	−3.1971	−0.5278	0.8866
总资产(万元)	76293.81	89257.59	86562.04	89336.33
归属母公司股东权益(万元)	70257.85	70948.55	71643.03	71199.34
营业收入(万元)	9361.92	24887.65	9511.18	23601.28
营业支出(万元)	8527.85	23026.05	8174.77	20175.01
投资收益(万元)	108.46	−108.63	−28.16	−416.45
净利润(万元)	−680.65	−1983.81	269.63	224.79
营业利润(万元)	−704.29	−1916.86	−446.17	245.68
利润总额(万元)	−680.65	−1985.62	273.04	274.95

上海临港控股股份有限公司

公司概况					
公司名称	上海临港控股股份有限公司			证券简称	上海临港
法人代表	袁国华	董秘	陆雯	证券代码	600848
公司网址	www.linganginvestment.com		电子信箱	ir@shlingang.com	
电　话	021-64855827		传　真	021-64852187	
办公地址	上海市徐汇区桂平路 391 号 B 座 37 楼				
经营范围	制造工业用控制系统和仪表、汽车电子装置、分析仪器、办公楼控制系统及家用电器				

主要财务指标				
指标\报告期	2016.06.30	2015.12.31	2015.06.30	2014.12.31
基本每股收益(元)	0.0715	0.4700	0.1238	0.3100
基本每股收益(扣除后)(元)	0.0681	0.4600	0.1232	-0.2364
稀释每股收益(元)	0.0715	0.4700	0.1238	0.3100
每股净资产(元)	3.5585	3.4784	0.3458	0.3376
每股经营现金净流量(元)	-0.0860	-0.5142	-1.3740	-0.8502
每股现金流量(元)	0.5017	-0.1177	-0.8535	1.1614
每股资本公积金(元)	2.2196	2.2110	0.5625	3.9569
每股盈余公积金(元)	0.0106	0.0106	0.0570	0.0570
每股未分配利润(元)	0.3283	0.2568	-1.2762	-1.2839
净资产收益率(%)	2.0099	7.6870	2.2122	-44.4243
加权净资产收益率(%)	2.0300	10.3800	2.3500	10.1700
净资产收益率(扣除)(%)	1.9129	7.5385	-15.2878	-70.0276
总资产(万元)	722479.12	698003.95	180271.58	534555.52
归属母公司股东权益(万元)	318545.46	311377.53	13809.05	195638.91
营业收入(万元)	29248.06	90107.83	32771.65	83912.79
营业支出(万元)	7868.11	36088.55	15635.48	39812.02
投资收益(万元)	197.52	2752.86	2034.11	-4894.53
净利润(万元)	5243.71	24239.93	4490.95	11636.47
营业利润(万元)	6856.71	31407.34	5792.77	14695.31
利润总额(万元)	7312.70	32152.47	6287.90	17721.88

上海华东电脑股份有限公司

公司概况					
公司名称	上海华东电脑股份有限公司			证券简称	华东电脑
法人代表	游小明	董秘	侯志平	证券代码	600850
公司网址	www.shecc.com		电子信箱	dm@shecc.com	
电　话	021-33390000　33390288		传　真	021-33390011	
办公地址	上海市徐汇区桂平路 391 号新漕河泾国际商务中心 B 幢 27 楼				
经营范围	计算机、电子及通信设备、系统集成、软件开发及软件工程和电子工程设计与施工等				

主要财务指标				
指标\报告期	2016.06.30	2015.12.31	2015.06.30	2014.12.31
基本每股收益(元)	0.3114	0.9517	0.3275	0.7760
基本每股收益(扣除后)(元)	0.2937	0.9106	0.3440	0.7191
稀释每股收益(元)	0.3075	0.9390	0.3275	0.7760
每股净资产(元)	4.0109	5.1565	4.4821	4.3717
每股经营现金净流量(元)	-1.0485	1.5803	-0.4922	0.8648
每股现金流量(元)	-1.2254	0.9506	-1.0223	0.2289
每股资本公积金(元)	-0.1716	0.0769	0.0331	-
每股盈余公积金(元)	0.0842	0.1094	0.0300	0.0300
每股未分配利润(元)	3.0950	3.9686	3.4238	3.3463
净资产收益率(%)	7.7645	18.4561	7.3067	17.7506
加权净资产收益率(%)	7.7200	22.3900	7.3600	18.6900
净资产收益率(扣除)(%)	7.3215	17.6595	7.6745	16.4479
总资产(万元)	484550.09	477232.69	392367.94	385584.12
归属母公司股东权益(万元)	167764.36	165909.27	144210.68	140657.01
营业收入(万元)	263330.46	606137.89	238928.77	575045.55
营业支出(万元)	216420.92	503788.22	193789.40	478693.10
投资收益(万元)	-173.19	207.81	-46.22	-20.14
净利润(万元)	13326.54	32975.01	10506.46	27845.75
营业利润(万元)	14259.28	35804.81	12850.66	31424.19
利润总额(万元)	15293.60	38854.21	13327.62	33899.56

上海海欣集团股份有限公司

公司概况					
公司名称	上海海欣集团股份有限公司			证券简称	海欣股份
法人代表	俞锋	董秘	何莉莉	证券代码	600851
公司网址	www.haixin.com.cn		电子信箱	hxsecretary@haixin.com	
电　话	021-63917000		传　真	021-63917678	
办公地址	上海市黄浦区福州路 666 号金陵海欣大厦 18 楼				
经营范围	研究开发、生产涤纶、腈纶等化纤类及动植物混纺纱及其面料、毛毯、玩具等				

主要财务指标				
指标\报告期	2016.06.30	2015.12.31	2015.06.30	2014.12.31
基本每股收益(元)	0.0997	0.1304	0.0812	0.2410
基本每股收益(扣除后)(元)	0.0988	0.0884	0.0550	-0.0234
稀释每股收益(元)	0.0997	0.1304	0.0812	0.2410
每股净资产(元)	3.6864	3.7897	3.9719	4.4135
每股经营现金净流量(元)	-0.0395	-0.0977	-0.1573	0.0260
每股现金流量(元)	0.0645	-0.1123	-0.0622	0.2279
每股资本公积金(元)	0.3606	0.3606	0.3617	0.3617
每股盈余公积金(元)	0.3646	0.3646	0.3515	0.3515
每股未分配利润(元)	0.2461	0.2164	0.1804	0.1991
净资产收益率(%)	2.7044	3.4416	2.0452	5.4611
加权净资产收益率(%)	2.6670	3.1700	1.9375	6.9900
净资产收益率(扣除)(%)	2.6795	2.3335	1.3840	-0.5309
总资产(万元)	597437.19	604434.25	651005.49	726571.15
归属母公司股东权益(万元)	444964.22	457439.37	479432.21	532738.02
营业收入(万元)	44494.23	105182.02	43895.62	111019.37
营业支出(万元)	33788.24	79975.19	33671.84	88056.32
投资收益(万元)	14804.47	16067.43	10553.40	56134.25
净利润(万元)	11566.79	17357.35	10999.22	28019.55
营业利润(万元)	11584.90	11262.56	7419.87	41034.33
利润总额(万元)	11728.55	18408.29	11782.40	37836.23

龙建路桥股份有限公司

公司概况					
公司名称	龙建路桥股份有限公司			证券简称	龙建股份
法人代表	尚云龙	董秘	王征宇	证券代码	600853
公司网址	www.longjianlq.com		电子信箱	zhengyu-wang@sohu.com	
电　话	0451-82281860　82281430		传　真	0451-82281253	
办公地址	黑龙江省哈尔滨市南岗区嵩山路 109 号				
经营范围	路工程施工总承包(特级)、公路路面工程专业承包等				

主要财务指标				
指标\报告期	2016.06.30	2015.12.31	2015.06.30	2014.12.31
基本每股收益(元)	0.0106	0.0371	0.0020	0.0336
基本每股收益(扣除后)(元)	0.0005	0.0366	0.0052	0.0298
稀释每股收益(元)	0.0106	0.0371	0.0020	0.0336
每股净资产(元)	1.4818	1.4957	1.4687	1.4719
每股经营现金净流量(元)	-1.3256	1.0650	-0.2323	-0.7552
每股现金流量(元)	-0.7585	0.6879	-0.3551	-0.1239
每股资本公积金(元)	0.1870	0.2804	0.1870	0.1870
每股盈余公积金(元)	0.0096	0.0098	0.0096	0.0096
每股未分配利润(元)	0.2941	0.3366	0.2775	0.2796
净资产收益率(%)	0.7151	2.4803	0.5346	2.2799
加权净资产收益率(%)	0.6522	2.5003	0.5320	2.2871
净资产收益率(扣除)(%)	0.0360	2.4463	0.3532	2.0262
总资产(万元)	872210.39	785765.12	704113.18	684246.80
归属母公司股东权益(万元)	79543.26	86922.19	78838.70	79010.49
营业收入(万元)	224878.58	671634.47	211146.93	556958.37
营业支出(万元)	205040.65	619691.68	189897.08	512418.85
投资收益(万元)	-	-	-	0.13
净利润(万元)	435.49	2003.90	426.50	1882.72
营业利润(万元)	972.36	1479.43	1193.18	489.63
利润总额(万元)	1051.14	3521.43	1383.81	2751.87

江苏春兰制冷设备股份有限公司

公司概况					
公司名称	江苏春兰制冷设备股份有限公司			证券简称	春兰股份
法人代表	沈华平	董秘	徐来林	证券代码	600854
公司网址	www.chunlan.com		电子信箱	clgfzqb@chunlan.com	
电　话	0523-86663663 86217958		传　真	0523-86663839 82129858	
办公地址	江苏省泰州市春兰工业园区春兰路1号				
经营范围	生产、销售空调器及洗涤械和贸易等				

主要财务指标 指标\报告期	2016.06.30	2015.12.31	2015.06.30	2014.12.31
基本每股收益(元)	0.1029	0.0215	0.0390	0.0213
基本每股收益(扣除后)(元)	0.0973	–0.0676	0.0355	0.0070
稀释每股收益(元)	0.1029	0.0215	0.0390	0.0213
每股净资产(元)	3.8029	3.7000	3.7174	3.6784
每股经营现金净流量(元)	–0.0311	–0.2598	–0.1378	0.0798
每股现金流量(元)	0.0739	–0.0054	–0.0416	0.0008
每股资本公积金(元)	2.9522	2.9522	2.9522	2.9522
每股盈余公积金(元)	1.0025	1.0025	1.0025	1.0025
每股未分配利润(元)	–1.1518	–1.2547	–1.2373	–1.2763
净资产收益率(%)	2.7059	0.5823	1.0490	0.5800
加权净资产收益率(%)	2.7430	0.5840	1.0546	0.5805
净资产收益率(扣除)(%)	2.5597	–1.8276	0.9539	0.1912
总资产(万元)	245874.59	245007.00	251569.08	257453.92
归属母公司股东权益(万元)	197542.52	192197.31	193103.88	191078.18
营业收入(万元)	10724.52	25877.13	12438.25	47457.07
营业支出(万元)	9007.60	19883.70	10014.59	32459.65
投资收益(万元)	8952.43	6721.30	6068.49	5895.75
净利润(万元)	4439.77	611.29	1113.11	–796.46
营业利润(万元)	4503.43	–5337.51	1111.55	–1624.02
利润总额(万元)	4870.37	1049.40	1219.79	–355.71

北京航天长峰股份有限公司

公司概况					
公司名称	北京航天长峰股份有限公司			证券简称	航天长峰
法人代表	全春来	董秘	娄岩峰	证券代码	600855
公司网址	www.ascf.com.cn		电子信箱	db@china-ccf.cn	
电　话	010-68386000 88525789		传　真	010-88219811	
办公地址	北京市海淀区永定路51号航天数控大楼				
经营范围	电子信息产品、数控机床、医疗器械及制药机械、环保产业等				

主要财务指标 指标\报告期	2016.06.30	2015.12.31	2015.06.30	2014.12.31
基本每股收益(元)	0.0325	0.0883	0.0332	0.0696
基本每股收益(扣除后)(元)	0.0196	0.0186	–0.0233	0.0270
稀释每股收益(元)	0.0325	0.0883	0.0332	0.0696
每股净资产(元)	2.5683	2.5746	2.5458	2.5126
每股经营现金净流量(元)	–0.5612	0.2727	–0.1576	0.3094
每股现金流量(元)	–0.6080	0.2894	–0.1568	0.1521
每股资本公积金(元)	0.7864	0.7864	0.7864	0.7864
每股盈余公积金(元)	0.0648	0.0648	0.0585	0.0585
每股未分配利润(元)	0.6683	0.6627	0.6139	0.6017
净资产收益率(%)	1.2663	3.4281	1.3048	2.7697
加权净资产收益率(%)	1.2650	3.4700	1.3130	2.8200
净资产收益率(扣除)(%)	0.7629	0.7206	–0.9148	1.0737
总资产(万元)	167284.27	167456.26	161173.24	162743.23
归属母公司股东权益(万元)	85169.36	85378.19	84424.63	83322.72
营业收入(万元)	44590.29	87893.47	29338.92	68846.10
营业支出(万元)	34364.44	68415.59	22048.42	49731.37
投资收益(万元)	–	1466.37	1466.37	248.01
净利润(万元)	1913.93	3623.39	1308.75	3651.30
营业利润(万元)	1773.95	3183.53	504.20	2598.32
利润总额(万元)	2369.98	4640.61	1524.78	4596.65

长春中天能源股份有限公司

公司概况					
公司名称	长春中天能源股份有限公司			证券简称	中天能源
法人代表	邓天洲	董秘	陈正刚	证券代码	600856
公司网址	www.snencn.cn		电子信箱	sun.yc@snencn.cn	
电　话	0431-88965414		传　真	010-84928665	
办公地址	北京市朝阳区望京soho塔2-B座29层				
经营范围	零售百货、针纺织品、五金、交电、食品、副食品、通讯器材、工艺美术品等				

主要财务指标 指标\报告期	2016.06.30	2015.12.31	2015.06.30	2014.12.31
基本每股收益(元)	0.3991	0.5700	0.1726	0.0010
基本每股收益(扣除后)(元)	0.1992	0.4300	0.1729	0.0030
稀释每股收益(元)	0.3991	0.5700	0.1726	0.0010
每股净资产(元)	3.5611	3.2926	2.8824	0.5575
每股经营现金净流量(元)	0.5677	0.1267	–0.0599	0.0806
每股现金流量(元)	1.1181	0.1398	0.8465	–0.0131
每股资本公积金(元)	1.2255	1.2255	1.2308	0.8890
每股盈余公积金(元)	0.0299	0.0299	0.0041	0.0077
每股未分配利润(元)	1.4015	0.9880	0.6456	0.9671
净资产收益率(%)	11.2079	15.2157	4.6067	0.2195
加权净资产收益率(%)	11.8455	15.2200	6.0300	0.2200
净资产收益率(扣除)(%)	5.5932	11.3745	4.6138	0.4241
总资产(万元)	1236790.95	469951.57	263246.32	180920.71
归属母公司股东权益(万元)	209275.93	186746.73	163477.75	86202.42
营业收入(万元)	100959.81	197895.36	66465.37	36852.82
营业支出(万元)	75984.94	155873.89	50917.97	27791.58
投资收益(万元)	–112.82	2955.77	56.28	710.72
净利润(万元)	24476.25	29111.65	7757.25	28.54
营业利润(万元)	16231.38	32825.25	10366.72	95.97
利润总额(万元)	28050.57	37413.38	10355.11	28.54

宁波中百股份有限公司

公司概况					
公司名称	宁波中百股份有限公司			证券简称	宁波中百
法人代表	徐峻	董秘	严鹏	证券代码	600857
公司网址	www.600857.com.cn		电子信箱	yanpeng@600857.com.cn	
电　话	0574-87367060 87367521		传　真	0574-87367996	
办公地址	浙江省宁波市海曙区和义路77号汇金大厦21层				
经营范围	商业和旅游饮食服务、计算机软、硬件开发和销售及系统集成等				

主要财务指标 指标\报告期	2016.06.30	2015.12.31	2015.06.30	2014.12.31
基本每股收益(元)	0.1170	0.1920	0.1430	0.1840
基本每股收益(扣除后)(元)	0.1040	0.1760	0.1420	0.1710
稀释每股收益(元)	0.1170	0.1920	0.1430	0.1840
每股净资产(元)	2.7720	2.7158	2.6684	2.5821
每股经营现金净流量(元)	–0.0189	0.1259	–0.0348	0.1137
每股现金流量(元)	–0.1222	–0.6100	–0.4316	0.2134
每股资本公积金(元)	0.2901	0.2901	0.2901	0.2901
每股盈余公积金(元)	0.2696	0.2696	0.2507	0.2507
每股未分配利润(元)	1.2035	1.1467	1.1170	1.0335
净资产收益率(%)	4.2119	7.0737	5.3759	7.1439
加权净资产收益率(%)	4.2200	7.2700	5.4300	7.3400
净资产收益率(扣除)(%)	3.7406	6.4846	5.3303	6.6146
总资产(万元)	77663.95	77777.44	75432.07	75824.85
归属母公司股东权益(万元)	62182.59	60919.79	59858.45	57922.36
营业收入(万元)	45527.91	107820.95	57204.60	118030.88
营业支出(万元)	39493.46	95110.04	50334.32	104868.97
投资收益(万元)	1247.13	2106.83	1664.87	1623.45
净利润(万元)	2619.08	4309.26	3217.91	4137.93
营业利润(万元)	3099.45	5104.61	3722.03	4950.78
利润总额(万元)	3194.24	5147.02	3758.43	5018.75

银座集团股份有限公司

公司概况	公司名称	银座集团股份有限公司			证券简称	银座股份
	法人代表	张文生	董秘	张美清	证券代码	600858
	公司网址	www.yinzuostock.com		电子信箱	600858@sina.com	
	电　话	0531-83175518 86988888		传　真	0531-86966666	
	办公地址	山东省济南市泺源大街22号中银大厦20层				
	经营范围	商品零售与批发业务等				

主要财务指标	指标\报告期	2016.06.30	2015.12.31	2015.06.30	2014.12.31
	基本每股收益(元)	0.1061	0.1994	0.1852	0.3474
	基本每股收益(扣除后)(元)	0.0835	0.2098	0.1980	0.3516
	稀释每股收益(元)	0.1061	0.1994	0.1852	0.3474
	每股净资产(元)	5.7911	5.7450	5.7308	5.6556
	每股经营现金净流量(元)	0.0388	0.3988	−0.1003	2.8904
	每股现金流量(元)	0.3791	−1.4180	−0.4370	0.0235
	每股资本公积金(元)	1.8565	1.8565	1.8565	1.8565
	每股盈余公积金(元)	0.1732	0.1732	0.1512	0.1512
	每股未分配利润(元)	2.7614	2.7153	2.7231	2.6479
	净资产收益率(%)	1.8321	3.4714	3.2321	6.1432
	加权净资产收益率(%)	1.8299	3.4987	3.2223	6.3000
	净资产收益率(扣除)(%)	1.4421	3.6514	3.4556	6.2177
	总资产(万元)	1174750.35	1154729.18	1214280.36	1303178.79
	归属母公司股东权益(万元)	301176.11	298778.66	298039.76	294127.49
	营业收入(万元)	671672.77	1459137.28	796696.99	1381803.38
	营业支出(万元)	545974.81	1185985.40	654039.81	1116808.00
	投资收益(万元)	−318.20	−482.89	−87.38	−127.41
	净利润(万元)	3495.28	9842.33	9089.37	17082.50
	营业利润(万元)	9391.83	27150.27	20826.54	34746.77
	利润总额(万元)	9719.51	25159.18	19306.09	32894.86

王府井集团股份有限公司

公司概况	公司名称	王府井集团股份有限公司			证券简称	王府井
	法人代表	刘毅	董秘	岳继鹏	证券代码	600859
	公司网址	www.wfj.com.cn		电子信箱	wfjdshh@126.com	
	电　话	010-65125960		传　真	010-65133133	
	办公地址	北京市东城区王府井大街253号				
	经营范围	综合百货业的经营和管理等				

主要财务指标	指标\报告期	2016.06.30	2015.12.31	2015.06.30	2014.12.31
	基本每股收益(元)	0.5650	1.4290	1.0020	1.3750
	基本每股收益(扣除后)(元)	0.4440	1.2250	0.8470	1.0560
	稀释每股收益(元)	0.5650	1.4290	1.0020	1.3750
	每股净资产(元)	11.9880	15.9517	16.4200	14.8757
	每股经营现金净流量(元)	−0.2245	1.4055	−0.3782	0.3744
	每股现金流量(元)	−1.2198	−0.2680	−0.8296	0.2227
	每股资本公积金(元)	5.0967	6.9257	6.9257	6.9257
	每股盈余公积金(元)	2.0892	2.7160	2.5567	2.0848
	每股未分配利润(元)	3.5099	4.7089	4.8613	4.3312
	净资产收益率(%)	4.7100	8.9576	6.1022	9.2399
	加权净资产收益率(%)	4.5290	9.2490	6.4030	9.6480
	净资产收益率(扣除)(%)	3.7021	7.6817	5.1564	7.0956
	总资产(万元)	1345125.14	1395358.85	1371213.36	1374937.34
	归属母公司股东权益(万元)	721194.68	738193.37	759863.66	688400.92
	营业收入(万元)	868785.82	1732763.13	905642.92	1827710.49
	营业支出(万元)	679219.11	1361455.64	712860.27	1448486.93
	投资收益(万元)	4144.32	18269.89	5606.22	16819.61
	净利润(万元)	33700.23	66135.42	46293.72	63616.50
	营业利润(万元)	48449.06	105954.53	61257.17	95620.35
	利润总额(万元)	48613.68	93573.48	61841.41	92895.69

北京京城机电股份有限公司

公司概况	公司名称	北京京城机电股份有限公司			证券简称	京城股份
	法人代表	王军	董秘	栾杰	证券代码	600860
	公司网址	www.jingchenggf.com.cn		电子信箱	jcgf@btic.com.cn	
	电　话	010-67365383		传　真	010-87392058	
	办公地址	北京市通州区漷县镇漷县南三街2号				
	经营范围	开发、设计、销售、修理、安装印刷机械、锻压设备、包装机械等				

主要财务指标	指标\报告期	2016.06.30	2015.12.31	2015.06.30	2014.12.31
	基本每股收益(元)	−0.1500	−0.4900	−0.1100	0.0500
	基本每股收益(扣除后)(元)	−0.1700	−0.5100	−0.1500	−0.3700
	稀释每股收益(元)	−0.1500	−0.4900	−0.1100	0.0500
	每股净资产(元)	1.5448	1.6888	2.0656	2.1790
	每股经营现金净流量(元)	−0.0045	0.3452	−0.0011	−0.2557
	每股现金流量(元)	−0.1783	0.1192	−0.0238	−0.4276
	每股资本公积金(元)	1.6204	1.6204	1.6204	1.6204
	每股盈余公积金(元)	0.1082	0.1082	0.1082	0.1082
	每股未分配利润(元)	−1.1897	−1.0424	−0.6632	−0.5499
	净资产收益率(%)	−9.5359	−29.1607	−5.4864	2.3290
	加权净资产收益率(%)	−9.1100	−25.4600	−5.3400	2.3300
	净资产收益率(扣除)(%)	−10.7857	−30.3415	−7.4993	−17.0541
	总资产(万元)	195645.49	207749.21	242358.86	250788.33
	归属母公司股东权益(万元)	65189.92	71266.31	87169.22	91953.06
	营业收入(万元)	48507.48	107659.63	59818.41	180633.31
	营业支出(万元)	45896.26	101533.93	56322.24	162148.23
	投资收益(万元)	241.44	156.36	−462.95	10069.64
	净利润(万元)	−8127.74	−29671.92	−6677.49	1301.20
	营业利润(万元)	−8985.63	−29815.78	−8229.31	−6391.31
	利润总额(万元)	−7993.52	−29088.61	−6486.30	1804.62

北京城乡商业(集团)股份有限公司

公司概况	公司名称	北京城乡商业(集团)股份有限公司			证券简称	北京城乡
	法人代表	王禄征	董秘	陈红	证券代码	600861
	公司网址	www.bjcx.com.cn		电子信箱	bg8225@sina.com	
	电　话	010-68296595		传　真	010-68216933	
	办公地址	北京市海淀区复兴路甲23号				
	经营范围	商品零售及批发、公共饮食业、物资供销业、仓储业、日用品修理等				

主要财务指标	指标\报告期	2016.06.30	2015.12.31	2015.06.30	2014.12.31
	基本每股收益(元)	0.1279	0.3411	0.1227	0.3226
	基本每股收益(扣除后)(元)	0.1323	0.3261	0.1209	0.2966
	稀释每股收益(元)	0.1279	0.3411	0.1227	0.3226
	每股净资产(元)	7.2748	7.3041	7.1024	7.1283
	每股经营现金净流量(元)	0.1166	−0.5604	−0.5775	−0.6417
	每股现金流量(元)	−0.0536	−0.9496	−1.1008	0.8123
	每股资本公积金(元)	2.7043	2.7043	2.7189	2.7189
	每股盈余公积金(元)	1.9398	1.9398	1.9224	1.9224
	每股未分配利润(元)	1.6114	1.6335	1.4324	1.4597
	净资产收益率(%)	1.7586	4.6705	1.7271	4.5258
	加权净资产收益率(%)	1.7400	4.7300	1.7100	4.5900
	净资产收益率(扣除)(%)	1.8192	4.4644	1.7018	4.1604
	总资产(万元)	435602.61	456428.70	428193.21	447654.33
	归属母公司股东权益(万元)	230468.25	231398.97	225008.72	225826.62
	营业收入(万元)	125229.93	271425.17	101784.19	221917.10
	营业支出(万元)	89460.17	200642.35	80691.74	175300.73
	投资收益(万元)	37.54	1099.13	222.43	−108.20
	净利润(万元)	4245.91	11127.91	4265.71	10876.85
	营业利润(万元)	6669.85	17024.30	6185.30	13261.63
	利润总额(万元)	6485.64	16705.19	6264.85	13966.03

中航航空高科技股份有限公司

公司概况					
公司名称	中航航空高科技股份有限公司			证券简称	中航高科
法人代表	王建华	董秘	张敬峰	证券代码	600862
公司网址	www.tonmac.com.cn		电子信箱	webmaster@tonmac.com.cn	
电　话	0513-81110507 83580382		传　真	0513-85512271	
办公地址	江苏省南通市港闸区永和路1号				
经营范围	信息电子、数控机床、草地机械等产品以及软件和网络技术的开发、生产、销售、服务及贸易				

主要财务指标：指标\报告期	2016.06.30	2015.12.31	2015.06.30	2014.12.31
基本每股收益(元)	0.0100	0.2300	0.0600	0.2000
基本每股收益(扣除后)(元)	0.0100	0.2100	0.0500	0.1700
稀释每股收益(元)	0.0100	0.2300	0.0600	0.2000
每股净资产(元)	2.4027	2.4009	1.6047	1.6752
每股经营现金净流量(元)	0.0029	0.3558	0.2897	0.0236
每股现金流量(元)	-0.4379	0.8000	-0.0187	0.1051
每股资本公积金(元)	1.0371	1.0371	0.3936	0.3936
每股盈余公积金(元)	0.0137	0.0137	0.0597	0.0597
每股未分配利润(元)	0.1577	0.1429	0.1405	0.2110
净资产收益率(%)	0.6158	4.3236	-4.3963	-19.0394
加权净资产收益率(%)	0.4900	9.4300	-4.4000	-17.0000
净资产收益率(扣除)(%)	0.3710	4.0765	-4.3963	-20.7233
总资产(万元)	825830.92	969677.38	602539.53	680658.12
归属母公司股东权益(万元)	334713.73	334459.17	102366.96	106867.27
营业收入(万元)	107900.71	198790.55	93982.86	152604.63
营业支出(万元)	85767.36	150915.91	74540.79	131530.50
投资收益(万元)	99.49	-128.26	101.57	851.61
净利润(万元)	1672.53	14286.11	-4681.89	-21095.59
营业利润(万元)	2755.88	17100.66	-2227.58	-18422.29
利润总额(万元)	3711.48	18178.55	-1798.31	-16947.01

内蒙古蒙电华能热电股份有限公司

公司概况					
公司名称	内蒙古蒙电华能热电股份有限公司			证券简称	内蒙华电
法人代表	吴景龙	董秘	王晓戎	证券代码	600863
公司网址	www.nmhdwz.com		电子信箱	nmhd@nmhdwz.com	
电　话	0471-6222388		传　真	0471-6228410	
办公地址	内蒙古自治区呼和浩特市锡林南路工艺厂巷电力科技楼				
经营范围	火力发电、供应、蒸汽、热水的生产、供应、销售、维护和管理等				

主要财务指标：指标\报告期	2016.06.30	2015.12.31	2015.06.30	2014.12.31
基本每股收益(元)	0.0600	0.1200	0.0800	0.2300
基本每股收益(扣除后)(元)	0.0600	0.1200	0.0800	0.2100
稀释每股收益(元)	0.0600	0.1200	0.0800	0.2300
每股净资产(元)	1.7783	1.7690	1.7387	1.8317
每股经营现金净流量(元)	0.1975	0.5161	0.2455	0.7479
每股现金流量(元)	0.0133	-0.0112	0.0121	-0.0095
每股资本公积金(元)	0.1428	0.1429	0.1428	0.1428
每股盈余公积金(元)	0.2299	0.2299	0.2095	0.2095
每股未分配利润(元)	0.3995	0.3953	0.3767	0.4752
净资产收益率(%)	3.6113	6.8052	4.6838	12.8080
加权净资产收益率(%)	3.5600	6.6800	4.3400	11.7600
净资产收益率(扣除)(%)	3.5824	6.8567	4.7192	11.1958
总资产(万元)	3908337.04	3821459.24	3909920.96	3877320.39
归属母公司股东权益(万元)	1032767.70	1027373.52	1009786.56	1063787.35
营业收入(万元)	426637.11	1082935.30	548166.32	1363393.21
营业支出(万元)	356917.76	874187.39	441105.56	1050577.35
投资收益(万元)	45213.88	73374.48	47281.41	74880.30
净利润(万元)	58489.82	121940.90	77940.35	206903.03
营业利润(万元)	70206.25	155508.00	98013.84	255807.43
利润总额(万元)	70649.93	154633.89	97416.63	255282.28

哈尔滨哈投投资股份有限公司

公司概况					
公司名称	哈尔滨哈投投资股份有限公司			证券简称	哈投股份
法人代表	智大勇	董秘	徐建伟	证券代码	600864
公司网址			电子信箱	sbrd27@sohu.com	
电　话	0451-51939831		传　真	0451-51939831	
办公地址	黑龙江省哈尔滨市松北区创新二路277号哈尔滨经济创新研发中心大厦29层				
经营范围	实业投资、股权投资和投资咨询,电力、热力生产和供应等				

主要财务指标：指标\报告期	2016.06.30	2015.12.31	2015.06.30	2014.12.31
基本每股收益(元)	0.1600	0.2000	0.1740	0.5300
基本每股收益(扣除后)(元)	0.1600	0.1300	0.1620	0.0500
稀释每股收益(元)	0.1600	0.2000	0.1740	0.5300
每股净资产(元)	6.6114	7.0772	7.9689	8.5275
每股经营现金净流量(元)	-0.4698	0.2754	-0.7569	0.4169
每股现金流量(元)	-0.4556	-0.3980	-0.7620	0.4001
每股资本公积金(元)	0.0518	8.3745	0.0518	0.0518
每股盈余公积金(元)	0.5477	0.5329	0.5203	0.5203
每股未分配利润(元)	2.4981	3.2262	2.5927	2.4185
净资产收益率(%)	2.4027	2.7999	2.1857	6.2548
加权净资产收益率(%)	2.3200	2.5300	2.1120	7.5600
净资产收益率(扣除)(%)	2.3619	1.8430	2.0367	0.5428
总资产(万元)	542210.17	2542207.25	645003.36	752268.23
归属母公司股东权益(万元)	361234.00	889061.86	435405.50	465923.07
营业收入(万元)	61526.84	116650.51	65833.49	119134.52
营业支出(万元)	42817.32	86459.42	45171.06	91133.73
投资收益(万元)	2672.28	2799.33	1659.61	34259.55
净利润(万元)	9342.03	12406.51	10424.67	30791.21
营业利润(万元)	11493.44	12042.46	13389.75	38138.45
利润总额(万元)	11519.72	12370.58	13526.93	40800.66

百大集团股份有限公司

公司概况					
公司名称	百大集团股份有限公司			证券简称	百大集团
法人代表	陈夏鑫	董秘	陈琳玲	证券代码	600865
公司网址	www.baidagroup.com		电子信箱	invest@baidagroup.com	
电　话	0571-85823016		传　真	0571-85174900	
办公地址	浙江省杭州市庆春东路1-1号西子联合大厦18楼				
经营范围	批发、零售、百货、五金、交电、针、纺织品、化工产品等				

主要财务指标：指标\报告期	2016.06.30	2015.12.31	2015.06.30	2014.12.31
基本每股收益(元)	0.1590	0.3700	0.1757	0.4100
基本每股收益(扣除后)(元)	0.0990	0.2400	0.1160	0.1600
稀释每股收益(元)	0.1590	0.3700	0.1757	0.4100
每股净资产(元)	3.9692	3.9303	3.7322	3.5570
每股经营现金净流量(元)	0.0073	0.2193	-0.0016	0.3394
每股现金流量(元)	0.0627	-0.0451	-0.1805	-0.0848
每股资本公积金(元)	0.6205	0.6205	0.6205	0.6205
每股盈余公积金(元)	0.4564	0.4564	0.4221	0.4221
每股未分配利润(元)	1.8923	1.8534	1.6896	1.5139
净资产收益率(%)	4.0037	9.5102	4.7076	11.6281
加权净资产收益率(%)	3.9800	9.9900	4.8200	12.1900
净资产收益率(扣除)(%)	2.4880	6.1467	3.0971	4.4970
总资产(万元)	172720.38	178481.25	185980.72	186042.25
归属母公司股东权益(万元)	149337.94	147873.72	140421.08	133810.59
营业收入(万元)	49340.00	110281.44	52993.48	105179.92
营业支出(万元)	36403.95	79587.31	38149.82	76597.40
投资收益(万元)	1622.50	3487.68	2370.47	4514.91
净利润(万元)	5979.10	14063.14	6610.50	15559.65
营业利润(万元)	6908.46	15098.90	8237.45	19182.41
利润总额(万元)	7966.51	18250.42	8509.23	19472.03

广东肇庆星湖生物科技股份有限公司

公司概况	公司名称	广东肇庆星湖生物科技股份有限公司		证券简称	*ST 星湖
	法人代表	莫仕文	董秘 钟济祥	证券代码	600866
	公司网址	www.starlake.com.cn		电子信箱	sl@starlake.com.cn
	电　话	0758-2291130		传　真	0758-2239449
	办公地址	广东省肇庆市工农北路 67 号			
	经营范围	化学药品原药制造业(包括肌苷、利巴韦林、脯氨酸等)			

	指标＼报告期	2016.06.30	2015.12.31	2015.06.30	2014.12.31
主要财务指标	基本每股收益(元)	−0.0282	−0.6544	−0.1673	−0.6494
	基本每股收益(扣除后)(元)	−0.0512	−0.6764	−0.1947	−0.6671
	稀释每股收益(元)	−0.0282	−0.6544	−0.1673	−0.6494
	每股净资产(元)	1.5958	1.6240	2.1112	2.2862
	每股经营现金净流量(元)	0.0562	0.0043	0.0568	−0.0313
	每股现金流量(元)	0.2718	−0.3159	−0.0751	0.2820
	每股资本公积金(元)	1.1793	1.1793	1.1794	1.1794
	每股盈余公积金(元)	0.2678	0.2678	0.2678	0.2678
	每股未分配利润(元)	−0.8514	−0.8232	−0.3360	−0.1688
	净资产收益率(%)	−1.7661	−40.2970	−7.9240	−24.4528
	加权净资产收益率(%)	−1.7500	−33.5300	−7.6200	−27.8600
	净资产收益率(扣除)(%)	−3.2086	−41.6493	−9.2219	−25.1188
	总资产(万元)	186283.89	184398.41	219276.62	225552.79
	归属母公司股东权益(万元)	102991.41	104810.36	136255.66	147549.94
	营业收入(万元)	32446.03	72976.15	43280.90	87149.17
	营业支出(万元)	28992.92	69052.52	42023.72	80991.52
	投资收益(万元)	435.79	−6278.56	−1988.67	−5683.38
	净利润(万元)	−1818.94	−42236.44	−10797.53	−36081.86
	营业利润(万元)	−2812.83	−43202.65	−11153.63	−35863.06
	利润总额(万元)	−1529.85	−42638.66	−10926.34	−35441.13

通化东宝药业股份有限公司

公司概况	公司名称	通化东宝药业股份有限公司		证券简称	通化东宝
	法人代表	李一奎	董秘 王君业	证券代码	600867
	公司网址	www.thdb.com		电子信箱	thdbwjy@qq.com
	电　话	0435-5088025 5088126		传　真	0435- 5088002
	办公地址	吉林省通化市通化县东宝新村			
	经营范围	以生产、销售中西成药、生物制品、非 PVC 软袋大输液产品及建材			

	指标＼报告期	2016.06.30	2015.12.31	2015.06.30	2014.12.31
主要财务指标	基本每股收益(元)	0.2300	0.4300	0.2300	0.2700
	基本每股收益(扣除后)(元)	0.2300	0.4100	0.2000	0.2800
	稀释每股收益(元)	0.2300	0.4300	0.2300	0.2700
	每股净资产(元)	1.8630	2.1652	1.9198	2.0753
	每股经营现金净流量(元)	0.2704	0.2594	0.0757	0.1999
	每股现金流量(元)	−0.0681	0.0091	−0.0319	−0.0138
	每股资本公积金(元)	0.1469	0.1833	0.1390	0.1529
	每股盈余公积金(元)	0.2379	0.2855	0.2418	0.2659
	每股未分配利润(元)	0.4994	0.7218	0.5646	0.6662
	净资产收益率(%)	12.4119	20.0445	12.0670	13.0876
	加权净资产收益率(%)	12.0400	21.8100	11.7800	13.9100
	净资产收益率(扣除)(%)	12.2918	18.7754	10.5844	13.2601
	总资产(万元)	394886.71	378812.98	312088.66	295621.94
	归属母公司股东权益(万元)	253928.33	245931.69	217538.58	213774.78
	营业收入(万元)	89045.97	166931.24	78030.61	145134.01
	营业支出(万元)	20326.09	41292.25	20743.37	45204.73
	投资收益(万元)	197.64	2022.09	4080.28	606.34
	净利润(万元)	31428.92	49006.43	26144.93	27653.92
	营业利润(万元)	36910.19	56921.16	30490.06	32743.02
	利润总额(万元)	37269.24	57051.86	30624.45	32381.83

广东梅雁吉祥水电股份有限公司

公司概况	公司名称	广东梅雁吉祥水电股份有限公司		证券简称	梅雁吉祥
	法人代表	温增勇	董秘 胡苏平	证券代码	600868
	公司网址	www.chinameiyan.com		电子信箱	mysd@chinameiyan.com
	电　话	0753-2218286		传　真	0753-2218286
	办公地址	广东省梅州市梅县新县城沿江南路 1 号			
	经营范围	电力生产业、房产开发与经营、养殖业、电子计算机生产销售等			

	指标＼报告期	2016.06.30	2015.12.31	2015.06.30	2014.12.31
主要财务指标	基本每股收益(元)	0.0207	0.0104	−0.0063	−0.0287
	基本每股收益(扣除后)(元)	0.0360	−0.0276	−0.0200	−0.0345
	稀释每股收益(元)	0.0207	0.0104	−0.0063	−0.0287
	每股净资产(元)	1.1567	1.1327	1.1153	1.1216
	每股经营现金净流量(元)	0.0474	0.0433	0.0104	0.0698
	每股现金流量(元)	−0.0033	0.0083	0.0069	−0.0206
	每股资本公积金(元)	0.2207	0.2174	0.2168	0.2168
	每股盈余公积金(元)	0.0226	0.0226	0.0226	0.0226
	每股未分配利润(元)	−0.0866	−0.1073	−0.1240	−0.1177
	净资产收益率(%)	1.7918	0.9195	−0.5654	−2.5612
	加权净资产收益率(%)	1.7800	0.9200	−0.5600	−2.5600
	净资产收益率(扣除)(%)	3.1088	−2.4403	−1.8253	−3.0798
	总资产(万元)	255735.62	260483.70	272392.14	272040.10
	归属母公司股东权益(万元)	219566.17	214997.12	211700.38	212897.24
	营业收入(万元)	18124.80	24849.97	12744.86	40019.61
	营业支出(万元)	6605.82	17647.36	10148.76	30248.33
	投资收益(万元)	−111.44	4488.79	178.70	824.49
	净利润(万元)	3721.94	1284.59	−1632.77	−5978.76
	营业利润(万元)	6229.60	−2132.23	−4203.26	−6822.17
	利润总额(万元)	3642.57	1302.84	−1631.78	−5893.29

远东智慧能源股份有限公司

公司概况	公司名称	远东智慧能源股份有限公司		证券简称	智慧能源
	法人代表	蒋锡培	董秘 蒋承志(代)	证券代码	600869
	公司网址	www.600869.com		电子信箱	87249788@600869.com
	电　话	0510-87249788		传　真	0510-87249922
	办公地址	江苏省宜兴市高塍远东大道 6 号			
	经营范围	电线电缆,电缆材料,电缆附件,电力金具的设计、制造等			

	指标＼报告期	2016.06.30	2015.12.31	2015.06.30	2014.12.31
主要财务指标	基本每股收益(元)	0.0996	0.2123	0.1639	0.1846
	基本每股收益(扣除后)(元)	0.0951	0.1350	0.1201	0.1315
	稀释每股收益(元)	0.0996	0.2123	0.1639	0.1846
	每股净资产(元)	2.4997	1.9964	3.2083	3.1454
	每股经营现金净流量(元)	0.0090	0.6632	0.0163	0.6783
	每股现金流量(元)	0.4015	−0.0741	−0.4322	0.0187
	每股资本公积金(元)	0.9380	0.4976	1.4213	1.5224
	每股盈余公积金(元)	0.0768	0.0818	0.1679	0.1679
	每股未分配利润(元)	0.4848	0.4170	0.6190	0.4551
	净资产收益率(%)	3.7392	10.1545	5.1100	5.8673
	加权净资产收益率(%)	4.8700	12.8000	5.0800	5.9500
	净资产收益率(扣除)(%)	3.5722	6.4553	3.7430	4.1792
	总资产(万元)	1479839.67	1316242.34	1175138.74	1224306.88
	归属母公司股东权益(万元)	554770.41	415850.73	317635.01	311413.06
	营业收入(万元)	564909.50	1171099.77	519640.19	1135176.40
	营业支出(万元)	463366.83	944764.96	423573.20	947775.25
	投资收益(万元)	131.79	13533.10	4962.56	1072.75
	净利润(万元)	21198.93	45129.06	16270.25	19934.31
	营业利润(万元)	22405.23	44367.86	17678.19	14917.35
	利润总额(万元)	26463.62	54874.86	20514.20	23919.72

厦门华侨电子股份有限公司

公司概况				
公司名称	厦门华侨电子股份有限公司		证券简称	*ST 工新
法人代表	王玲玲	董秘 林琼	证券代码	600870
公司网址	www.iprima.com.cn		电子信箱	SH600870@126.com
电　话	0592-5510275		传　真	0592-5510262
办公地址	福建省厦门市思明区环岛南路 3088 号三楼 302 室			
经营范围	主营彩色电视机、彩色监视器等产品			

主要财务指标 指标\报告期	2016.06.30	2015.12.31	2015.06.30	2014.12.31
基本每股收益(元)	0.0023	0.0267	0.0027	-0.4409
基本每股收益(扣除后)(元)	-0.0006	0.0063	-0.0039	-0.4031
稀释每股收益(元)	0.0023	0.0267	0.0027	-0.4409
每股净资产(元)	0.0398	0.0372	0.0122	0.0095
每股经营现金净流量(元)	-0.0049	0.0767	0.0534	-0.2154
每股现金流量(元)	-0.0049	0.0420	0.0095	-0.1097
每股资本公积金(元)	4.3658	4.3658	4.3657	4.3657
每股盈余公积金(元)	0.1051	0.1051	0.1051	0.1051
每股未分配利润(元)	-5.4650	-5.4673	-5.4914	-5.4940
净资产收益率(%)	5.8443	71.8283	21.8518	-4619.4189
加权净资产收益率(%)	6.0600	114.3400	24.5400	-213.5800
净资产收益率(扣除)(%)	-1.5537	16.9304	-31.6142	-4222.9547
总资产(万元)	3323.39	3561.11	3384.38	5815.70
归属母公司股东权益(万元)	2082.82	1947.74	639.18	499.40
营业收入(万元)	20665.66	21677.28	-	22415.73
营业支出(万元)	20062.85	20360.82	-	19815.17
投资收益(万元)	-	-	-	13038.43
净利润(万元)	121.73	1399.03	139.67	-23230.28
营业利润(万元)	103.57	939.11	-202.07	-8042.15
利润总额(万元)	129.85	1399.03	139.67	-23210.35

中石化石油工程技术服务股份有限公司

公司概况				
公司名称	中石化石油工程技术服务股份有限公司		证券简称	石化油服
法人代表	焦方正	董秘 李洪海	证券代码	600871
公司网址	ssc.sinopec.com		电子信箱	ir.ssc@sinopec.com
电　话	010-59965998		传　真	010-59965997
办公地址	北京市朝阳区吉市口路 9 号			
经营范围	化纤及化工产品的生产及销售等			

主要财务指标 指标\报告期	2016.06.30	2015.12.31	2015.06.30	2014.12.31
基本每股收益(元)	-0.3190	0.0020	-0.1010	0.0800
基本每股收益(扣除后)(元)	-0.3220	-0.0040	-0.1020	-0.3900
稀释每股收益(元)	-0.3190	0.0020	-0.1010	0.0800
每股净资产(元)	1.4300	1.7421	1.6500	1.4600
每股经营现金净流量(元)	-0.2199	0.1821	-0.0970	0.5267
每股现金流量(元)	0.0291	0.0560	0.1264	-0.0384
每股资本公积金(元)	0.6289	0.6289	0.6289	0.3337
每股盈余公积金(元)	0.0142	0.0142	0.0142	0.0156
每股未分配利润(元)	-0.2382	0.0807	-0.0186	0.0872
净资产收益率(%)	-22.3239	0.0994	-5.8985	6.5772
加权净资产收益率(%)	-20.1500	0.1000	-6.5600	4.9800
净资产收益率(扣除)(%)	-22.5735	-0.2375	-5.9886	-12.4245
总资产(万元)	7747726.00	8530777.70	7381278.60	8129570.80
归属母公司股东权益(万元)	2019995.10	2463809.40	2340186.20	1869712.00
营业收入(万元)	1868986.30	6034933.40	2312128.50	9448104.10
营业支出(万元)	2106936.30	5456896.00	2230594.00	8526110.10
投资收益(万元)	667.90	-891.00	-469.00	-165.90
净利润(万元)	-450950.40	2431.90	-138042.50	123196.70
营业利润(万元)	-443942.20	12544.50	-134988.10	61538.70
利润总额(万元)	-439629.40	50574.00	-119731.00	220668.00

中炬高新技术实业(集团)股份有限公司

公司概况				
公司名称	中炬高新技术实业(集团)股份有限公司		证券简称	中炬高新
法人代表	熊炜	董秘 彭海泓	证券代码	600872
公司网址	www.jonjee.com		电子信箱	penghaihong@jonjee.com
电　话	0760-85596818 2033		传　真	0760-85596877
办公地址	广东省中山市中山火炬高技术产业开发区火炬大厦			
经营范围	城市基础设施的投资、房地产经营、物业管理等			

主要财务指标 指标\报告期	2016.06.30	2015.12.31	2015.06.30	2014.12.31
基本每股收益(元)	0.1792	0.3104	0.1293	0.3600
基本每股收益(扣除后)(元)	0.1707	0.2616	0.1214	0.3291
稀释每股收益(元)	0.1792	0.3104	0.1293	0.3600
每股净资产(元)	3.2349	3.1557	2.9751	2.9557
每股经营现金净流量(元)	0.3320	0.4945	0.1758	0.4205
每股现金流量(元)	-0.1080	0.1058	0.0935	-0.1066
每股资本公积金(元)	0.3504	0.3504	0.3504	0.3504
每股盈余公积金(元)	0.2189	0.2189	0.2189	0.2189
每股未分配利润(元)	1.6451	1.5659	1.3851	1.3658
净资产收益率(%)	5.5398	9.8358	4.3475	12.1796
加权净资产收益率(%)	5.5200	10.1600	4.3600	12.7800
净资产收益率(扣除)(%)	5.2779	8.2889	4.0795	11.1327
总资产(万元)	467972.39	452311.52	436290.15	405896.96
归属母公司股东权益(万元)	257706.15	251397.98	237005.18	235464.15
营业收入(万元)	149026.95	275858.53	132050.82	264189.69
营业支出(万元)	94112.64	179123.59	85524.85	173109.57
投资收益(万元)	2322.85	2908.72	1827.01	1030.67
净利润(万元)	15993.46	27406.27	11455.12	29262.97
营业利润(万元)	19847.35	30080.90	14066.03	32278.77
利润总额(万元)	19931.80	33911.93	14391.01	34402.43

梅花生物科技集团股份有限公司

公司概况				
公司名称	梅花生物科技集团股份有限公司		证券简称	梅花生物
法人代表	孟庆山	董秘 杨慧兴	证券代码	600873
公司网址	www.meihuagrp.com		电子信箱	yanghuixing@meihuagrp.com
电　话	0316-2359652		传　真	0316-2359670
办公地址	河北省廊坊市经济技术开发区华祥路 66 号			
经营范围	味精、氨基酸、有机肥等生物发酵领域等			

主要财务指标 指标\报告期	2016.06.30	2015.12.31	2015.06.30	2014.12.31
基本每股收益(元)	0.1300	0.1400	0.1100	0.1600
基本每股收益(扣除后)(元)	0.1200	0.0800	0.0900	0.1300
稀释每股收益(元)	0.1300	0.1400	0.1100	0.1600
每股净资产(元)	2.7110	2.6810	2.6508	2.6435
每股经营现金净流量(元)	0.4354	1.1080	0.5104	0.1308
每股现金流量(元)	0.2630	-0.1010	-0.0989	0.0008
每股资本公积金(元)	0.7215	0.7215	0.7208	0.7208
每股盈余公积金(元)	0.0811	0.0811	0.0721	0.0721
每股未分配利润(元)	0.9085	0.8785	0.8579	0.8506
净资产收益率(%)	4.7956	5.1056	4.1026	6.0885
加权净资产收益率(%)	4.7600	5.1700	4.0800	6.2000
净资产收益率(扣除)(%)	4.2725	3.1151	3.2749	4.8718
总资产(万元)	1732605.15	1816949.67	1931751.40	2060167.32
归属母公司股东权益(万元)	842642.50	833315.18	823939.60	821655.21
营业收入(万元)	542093.63	1185317.43	615942.37	986496.74
营业支出(万元)	414359.36	944376.82	486975.84	779006.64
投资收益(万元)	1042.00	3573.52	2437.78	500.96
净利润(万元)	41420.51	44554.74	34930.84	50634.24
营业利润(万元)	43688.12	42497.26	38664.00	43459.15
利润总额(万元)	47144.72	57026.64	43233.70	54249.20

天津创业环保集团股份有限公司

公司概况					
公司名称	天津创业环保集团股份有限公司			证券简称	创业环保
法人代表	刘玉军	董秘	牛波	证券代码	600874
公司网址	www.tjcep.com		电子信箱	tjcep@tjcep.com	
电　话	022-23930128		传　真	022-23930126	
办公地址	天津市南开区卫津南路76号创业环保大厦				
经营范围	污水与自来水以及其他水处理设施的投资、建设、设计、管理、经营等				

主要财务指标 指标\报告期	2016.06.30	2015.12.31	2015.06.30	2014.12.31
基本每股收益(元)	0.1700	0.2300	0.1300	0.2200
基本每股收益(扣除后)(元)	0.1600	0.2100	0.1300	0.2000
稀释每股收益(元)	0.1700	0.2300	0.1300	0.2200
每股净资产(元)	3.1795	3.0837	2.9792	2.9221
每股经营现金净流量(元)	0.1721	1.6190	1.3682	0.4270
每股现金流量(元)	-0.0207	0.3599	0.8100	-0.1262
每股资本公积金(元)	0.2679	0.2679	0.2679	0.2679
每股盈余公积金(元)	0.2903	0.2903	0.2768	0.2768
每股未分配利润(元)	1.6213	1.5255	1.4345	1.3774
净资产收益率(%)	5.2157	7.5103	4.2670	7.3893
加权净资产收益率(%)	5.3000	7.7300	4.3100	7.5700
净资产收益率(扣除)(%)	5.0460	6.7537	4.2325	6.9844
总资产(万元)	1031425.40	1004930.20	1046973.20	1085948.20
归属母公司股东权益(万元)	453789.20	440111.50	425201.30	417048.40
营业收入(万元)	92756.10	193420.60	95797.90	182807.90
营业支出(万元)	55721.60	120194.40	53684.30	108477.50
投资收益(万元)	-212.60	-534.90	-298.70	-127.40
净利润(万元)	23887.20	34447.90	18656.20	31771.20
营业利润(万元)	23233.10	37064.80	25572.70	41086.00
利润总额(万元)	31287.00	49018.20	25774.90	43326.40

东方电气股份有限公司

公司概况					
公司名称	东方电气股份有限公司			证券简称	东方电气
法人代表	斯泽夫	董秘	龚丹	证券代码	600875
公司网址	www.dec-ltd.cn		电子信箱	dsb@dongfang.com	
电　话	028-87583666		传　真	028-87583551	
办公地址	四川省成都市金牛区蜀汉路333号				
经营范围	水力发电设备、汽轮发电机、交直流电机、控制设备制造销售等				

主要财务指标 指标\报告期	2016.06.30	2015.12.31	2015.06.30	2014.12.31
基本每股收益(元)	-0.1500	0.1900	0.0800	0.6400
基本每股收益(扣除后)(元)	-0.1400	0.1400	0.0700	0.5800
稀释每股收益(元)	-0.1500	0.1900	0.0800	0.5900
每股净资产(元)	9.6634	9.8642	9.7487	9.7532
每股经营现金净流量(元)	1.3463	1.7784	-0.4264	1.4136
每股现金流量(元)	0.8659	1.3968	-0.6488	2.8416
每股资本公积金(元)	3.7779	3.7779	3.7779	2.9421
每股盈余公积金(元)	0.3127	0.3127	0.2885	0.3364
每股未分配利润(元)	4.5678	4.7740	4.6824	5.4815
净资产收益率(%)	-1.5129	1.9047	0.7390	6.5404
加权净资产收益率(%)	-1.4900	1.9400	0.8300	6.9200
净资产收益率(扣除)(%)	-1.4345	1.3722	0.6891	5.9480
总资产(万元)	8566273.42	8613442.33	8287382.47	8523016.95
归属母公司股东权益(万元)	2258248.10	2305158.91	2278170.81	1954409.25
营业收入(万元)	1821961.43	3601794.37	1820494.23	3903616.48
营业支出(万元)	1620903.50	2995976.14	1603535.22	3249580.57
投资收益(万元)	13865.28	19183.65	5375.29	21202.60
净利润(万元)	-33720.97	45949.76	18753.71	132061.67
营业利润(万元)	-34313.59	38398.23	26181.76	132559.94
利润总额(万元)	-34366.86	53289.94	26137.86	150234.23

洛阳玻璃股份有限公司

公司概况					
公司名称	洛阳玻璃股份有限公司			证券简称	洛阳玻璃
法人代表	张冲	董秘	吴知新	证券代码	600876
公司网址	www.zhglb.com		电子信箱	gfbgs@clfg.com	
电　话	0379-63908833		传　真	0379-63251984	
办公地址	河南省洛阳市西工区唐宫中路9号				
经营范围	生产玻璃、深加工制品、机械成套设备、电器与配件、销售自产产品等				

主要财务指标 指标\报告期	2016.06.30	2015.12.31	2015.06.30	2014.12.31
基本每股收益(元)	-0.0491	0.2800	-0.2282	0.0320
基本每股收益(扣除后)(元)	-0.0554	-0.4300	-0.2254	-0.3057
稀释每股收益(元)	-0.0491	0.2800	-0.2282	0.0320
每股净资产(元)	0.8775	0.5405	-0.1293	0.0988
每股经营现金净流量(元)	-0.1440	-0.2544	-0.1285	-0.0817
每股现金流量(元)	-0.0113	0.0089	-0.0403	-0.0098
每股资本公积金(元)	2.7514	2.4299	1.7148	1.7148
每股盈余公积金(元)	0.0975	0.0997	0.1027	0.1027
每股未分配利润(元)	-2.9714	-2.9892	-2.9478	-2.7197
净资产收益率(%)	-5.5699	51.9079	-	32.3988
加权净资产收益率(%)	-5.8500	18.3000	-	38.7400
净资产收益率(扣除)(%)	-6.2884	-77.5485	174.3173	-309.4655
总资产(万元)	127586.95	131403.51	119025.78	105706.77
归属母公司股东权益(万元)	46222.44	27834.50	-6465.66	4939.90
营业收入(万元)	13723.97	66215.66	30731.12	61254.12
营业支出(万元)	12848.75	63365.36	33240.34	57625.24
投资收益(万元)	-	60345.79	-	9884.25
净利润(万元)	-2574.56	13441.10	-11893.34	34.28
营业利润(万元)	-2677.12	14484.40	-11536.49	-6325.66
利润总额(万元)	-2258.29	14430.70	-11678.06	846.83

中国嘉陵工业股份有限公司(集团)

公司概况					
公司名称	中国嘉陵工业股份有限公司(集团)			证券简称	中国嘉陵
法人代表	李华光	董秘	周鸿彦	证券代码	600877
公司网址	www.jialing.com.cn		电子信箱	zqc@jialing.com.cn	
电　话	023-61954095		传　真	023-61951111	
办公地址	重庆市璧山县永嘉大道111号				
经营范围	摩托车及其发动机、零部件的制造和销售等				

主要财务指标 指标\报告期	2016.06.30	2015.12.31	2015.06.30	2014.12.31
基本每股收益(元)	-0.1194	-0.2326	-0.1193	0.0167
基本每股收益(扣除后)(元)	-0.1206	-0.2962	-0.0952	-0.2513
稀释每股收益(元)	-0.1194	-0.2326	-0.1193	0.0167
每股净资产(元)	-0.1798	0.0116	0.1596	0.2791
每股经营现金净流量(元)	-0.2185	-0.2467	-0.1568	-0.1137
每股现金流量(元)	-0.0726	-0.2285	-0.1814	-0.1489
每股资本公积金(元)	0.1420	0.1420	0.1619	0.1619
每股盈余公积金(元)	0.8521	0.8521	0.8521	0.8521
每股未分配利润(元)	-2.1499	-1.9744	-1.8611	-1.7418
净资产收益率(%)	-	-2011.9189	-74.7204	5.9957
加权净资产收益率(%)	-	-142.9300	-13.5900	6.1300
净资产收益率(扣除)(%)	-	-2561.8895	-59.6323	-90.0602
总资产(万元)	194281.18	200948.16	211408.79	233679.93
归属母公司股东权益(万元)	-8504.68	794.70	10970.39	19180.93
营业收入(万元)	34068.98	106269.19	64778.19	135959.97
营业支出(万元)	31977.68	94147.38	57061.99	119708.19
投资收益(万元)	1638.34	4987.54	2067.96	6244.92
净利润(万元)	-8487.11	-16197.41	-8226.37	1150.53
营业利润(万元)	-8321.66	-19406.50	-6403.14	-12264.99
利润总额(万元)	-8482.03	-16189.89	-8226.37	1165.80

航天时代电子技术股份有限公司

公司概况	公司名称	航天时代电子技术股份有限公司		证券简称	航天电子
	法人代表	刘眉玄	董秘 吕凡	证券代码	600879
	公司网址	www.catec-ltd.cn		电子信箱	lufan@catec-ltd.cn
	电　话	027-84792199 010-88106362		传　真	027-84792102
	办公地址	湖北省武汉市经济技术开发区高科技园			
	经营范围	民用航天与运载火箭及配套装备、计算机技术及软硬件、电子测量与自动控制等			

主要财务指标	指标\报告期	2016.06.30	2015.12.31	2015.06.30	2014.12.31
	基本每股收益(元)	0.0970	0.2550	0.0790	0.2370
	基本每股收益(扣除后)(元)	0.0810	0.2300	0.0670	0.2090
	稀释每股收益(元)	0.0970	0.2550	0.0790	0.2370
	每股净资产(元)	5.2980	5.2881	5.1074	5.0180
	每股经营现金净流量(元)	−0.5591	0.0672	−0.6369	0.1182
	每股现金流量(元)	0.1305	0.2190	0.2958	0.0481
	每股资本公积金(元)	1.8315	3.7077	1.8315	1.8315
	每股盈余公积金(元)	0.1047	0.1047	0.1045	0.1045
	每股未分配利润(元)	2.3176	2.8846	2.1444	2.0651
	净资产收益率(%)	1.8381	4.8274	1.5521	4.7242
	加权净资产收益率(%)	1.8210	4.9610	1.5670	4.8530
	净资产收益率(扣除)(%)	1.5316	4.3465	1.3139	4.1680
	总资产(万元)	1197552.22	1652871.91	1104207.53	982061.05
	归属母公司股东权益(万元)	550749.70	805547.96	530929.52	521637.52
	营业收入(万元)	223153.83	560932.96	178370.42	490179.83
	营业支出(万元)	177533.09	445163.24	133863.23	384851.01
	投资收益(万元)	−36.70	−250.41	−168.76	−198.18
	净利润(万元)	10773.22	28604.57	8837.44	25812.51
	营业利润(万元)	10746.71	32794.26	9803.70	26418.39
	利润总额(万元)	12737.67	35739.05	11110.64	30033.32

成都博瑞传播股份有限公司

公司概况	公司名称	成都博瑞传播股份有限公司		证券简称	博瑞传播
	法人代表	曹建春	董秘 苟军	证券代码	600880
	公司网址	www.b-raymedia.com		电子信箱	b-raymedia@b-ray.com.cn
	电　话	028-87651183 62560962		传　真	028-62560793
	办公地址	四川省成都市锦江区三色路38号“博瑞·创意成都”大厦A座23楼			
	经营范围	信息传播服务(不含国家限制项目)、报刊投递服务、高科技产品开发等			

主要财务指标	指标\报告期	2016.06.30	2015.12.31	2015.06.30	2014.12.31
	基本每股收益(元)	0.0054	0.0700	0.0657	0.2600
	基本每股收益(扣除后)(元)	−0.0029	0.0300	0.0500	0.2600
	稀释每股收益(元)	0.0054	0.0700	0.0657	0.2600
	每股净资产(元)	3.2588	3.2834	3.2808	3.3151
	每股经营现金净流量(元)	−0.0689	0.2960	0.0796	0.4859
	每股现金流量(元)	−0.1294	−0.0340	−0.0050	0.1520
	每股资本公积金(元)	0.7367	0.7367	0.7367	0.7367
	每股盈余公积金(元)	0.2680	0.2680	0.2598	0.2598
	每股未分配利润(元)	1.2461	1.2706	1.2764	1.3107
	净资产收益率(%)	0.1667	2.0798	2.0032	7.7513
	加权净资产收益率(%)	0.1700	2.0800	1.9700	7.9900
	净资产收益率(扣除)(%)	−0.0883	0.7803	1.5533	7.8482
	总资产(万元)	446300.64	450269.42	482309.31	484317.25
	归属母公司股东权益(万元)	356295.27	358983.05	358702.80	362448.80
	营业收入(万元)	46535.70	119719.55	64014.63	162406.83
	营业支出(万元)	29947.69	71851.42	36110.03	83421.30
	投资收益(万元)	−521.86	767.25	−373.45	291.30
	净利润(万元)	362.90	6386.55	8611.75	33631.72
	营业利润(万元)	290.52	4790.96	8755.62	39380.76
	利润总额(万元)	1538.68	9543.20	10364.09	41676.89

吉林亚泰(集团)股份有限公司

公司概况	公司名称	吉林亚泰(集团)股份有限公司		证券简称	亚泰集团
	法人代表	宋尚龙	董秘 秦音	证券代码	600881
	公司网址	www.yatai.com		电子信箱	qinyin@yatai.com
	电　话	0431-84956688		传　真	0431-84951400
	办公地址	吉林省长春市吉林大路1801号			
	经营范围	房地产、水泥、证券、制药等			

主要财务指标	指标\报告期	2016.06.30	2015.12.31	2015.06.30	2014.12.31
	基本每股收益(元)	0.0200	−0.0800	0.0300	0.1000
	基本每股收益(扣除后)(元)	0.0200	−0.2000	0.0300	0.0020
	稀释每股收益(元)	0.0200	−0.0800	0.0300	0.1000
	每股净资产(元)	4.4061	4.4238	4.5314	4.3046
	每股经营现金净流量(元)	0.3713	0.9911	0.0696	−3.1563
	每股现金流量(元)	−0.4714	0.7220	0.3250	−0.9749
	每股资本公积金(元)	2.3625	2.3617	2.4037	1.8036
	每股盈余公积金(元)	0.1639	0.1639	0.1467	0.2012
	每股未分配利润(元)	0.8302	0.8108	0.9246	1.2363
	净资产收益率(%)	0.4409	−1.6484	0.5225	2.2510
	加权净资产收益率(%)	0.4400	−1.9000	0.6700	2.2900
	净资产收益率(扣除)(%)	0.3646	−4.1285	0.4745	0.0433
	总资产(万元)	5337559.79	5379010.66	5495108.21	5341205.49
	归属母公司股东权益(万元)	1145553.80	1150156.72	1178139.13	815612.10
	营业收入(万元)	501534.86	1101166.90	526275.95	1445536.10
	营业支出(万元)	383213.15	875731.18	408767.88	1108428.10
	投资收益(万元)	35536.03	125490.02	72704.79	62301.42
	净利润(万元)	1792.57	−52098.43	−10143.07	16565.51
	营业利润(万元)	3340.92	−71498.16	−9146.22	1565.17
	利润总额(万元)	4810.46	−52729.28	−7538.53	36598.58

上海广泽食品科技股份有限公司

公司概况	公司名称	上海广泽食品科技股份有限公司		证券简称	广泽股份
	法人代表	柴琇	董秘 白丽君	证券代码	600882
	公司网址	www.groundmilk.com		电子信箱	ir@milkland.com.cn
	电　话	021-50188700		传　真	021-50188918
	办公地址	上海市浦东新区金桥路1398号金台大厦			
	经营范围	对矿山、资源类企业进行投资			

主要财务指标	指标\报告期	2016.06.30	2015.12.31	2015.06.30	2014.12.31
	基本每股收益(元)	−0.0900	−0.6900	−0.0400	0.2900
	基本每股收益(扣除后)(元)	−0.1000	−0.7000	−0.0500	0.3000
	稀释每股收益(元)	−0.0900	−0.6900	−0.0400	0.2900
	每股净资产(元)	2.5982	2.6930	3.3581	3.4063
	每股经营现金净流量(元)	−0.0728	0.4773	0.3398	0.8925
	每股现金流量(元)	−0.1875	0.7085	0.2372	−0.0305
	每股资本公积金(元)	–	–	–	–
	每股盈余公积金(元)	0.3232	0.3232	0.3232	0.3232
	每股未分配利润(元)	1.1592	1.2508	1.9098	1.9541
	净资产收益率(%)	−3.5261	−25.5696	−1.3188	8.3714
	加权净资产收益率(%)	−3.4600	−22.6300	−1.3100	7.8300
	净资产收益率(扣除)(%)	−3.6986	−26.1008	−1.4603	8.9529
	总资产(万元)	167554.79	162945.49	163159.29	166184.22
	归属母公司股东权益(万元)	103730.82	107514.55	134066.82	135993.18
	营业收入(万元)	16413.51	36086.09	21304.83	81126.11
	营业支出(万元)	14672.96	35953.54	19867.43	52597.41
	投资收益(万元)	398.14	247.47	244.73	129.19
	净利润(万元)	−3721.70	−27699.93	−1736.18	11465.44
	营业利润(万元)	−4229.81	−33128.42	−2276.93	16990.49
	利润总额(万元)	−4066.36	−32629.56	−2102.54	15997.46

云南博闻科技实业股份有限公司

公司概况	公司名称	云南博闻科技实业股份有限公司		证券简称	博闻科技
	法人代表	刘志波	董秘 杨庆宏	证券代码	600883
	公司网址	www.ynbowin.com		电子信箱	yn600883@163.com
	电　话	0871-7197370		传　真	0871-7197694
	办公地址	云南省昆明市官渡区春城路219号东航投资大厦806室			
	经营范围	计算机硬件生产、软件开发和网络开发、信息服务等			

	指标\报告期	2016.06.30	2015.12.31	2015.06.30	2014.12.31
主要财务指标	基本每股收益(元)	-0.0142	0.3124	0.5066	-0.2025
	基本每股收益(扣除后)(元)	-0.0197	-0.0507	0.1379	-0.3562
	稀释每股收益(元)	-0.0142	0.3124	0.5066	-0.2025
	每股净资产(元)	2.7080	2.8236	3.0147	2.6205
	每股经营现金净流量(元)	-0.1644	-0.1025	-0.0853	-0.0064
	每股现金流量(元)	-0.3576	0.6741	0.7631	0.1716
	每股资本公积金(元)	0.0298	0.0311	0.0279	0.0305
	每股盈余公积金(元)	0.2600	0.2600	0.2279	0.2279
	每股未分配利润(元)	1.0078	1.1220	1.3483	0.8616
	净资产收益率(%)	-0.5252	11.0640	16.8045	-7.7272
	加权净资产收益率(%)	-0.5252	11.2500	16.8045	-7.2300
	净资产收益率(扣除)(%)	-0.7290	-1.7959	4.5747	-13.5944
	总资产(万元)	69678.15	75011.58	75778.23	68563.54
	归属母公司股东权益(万元)	63932.57	66660.78	71173.47	61867.87
	营业收入(万元)	840.14	1254.46	704.84	1484.43
	营业支出(万元)	960.59	1510.47	850.53	1666.66
	投资收益(万元)	384.10	11985.63	11918.93	-2192.59
	净利润(万元)	-398.03	7286.79	11960.38	-4780.67
	营业利润(万元)	-402.96	10518.36	11420.35	-3547.26
	利润总额(万元)	-398.03	10242.17	11425.90	-3472.03

宁波杉杉股份有限公司

公司概况	公司名称	宁波杉杉股份有限公司		证券简称	杉杉股份
	法人代表	庄巍	董秘 钱程	证券代码	600884
	公司网址	www.ssgf.net		电子信箱	ssgf@shanshan.com
	电　话	0574-88208337		传　真	0574-88208375
	办公地址	浙江省宁波市望春工业园区云林中路218号			
	经营范围	服装、针织品、皮革制品的制造、加工、批发、零售等			

	指标\报告期	2016.06.30	2015.12.31	2015.06.30	2014.12.31
主要财务指标	基本每股收益(元)	0.2010	1.6180	1.4880	0.8480
	基本每股收益(扣除后)(元)	0.1930	0.5100	0.2070	0.3140
	稀释每股收益(元)	0.2010	1.6180	1.4880	0.8480
	每股净资产(元)	7.3526	11.6800	12.1234	10.3276
	每股经营现金净流量(元)	-0.4662	-0.6279	-0.2347	-0.9815
	每股现金流量(元)	1.6381	-0.6983	-0.5234	0.3169
	每股资本公积金(元)	2.9679	1.2266	1.1894	1.1894
	每股盈余公积金(元)	0.1218	0.6062	0.4718	0.4718
	每股未分配利润(元)	1.8268	4.7214	4.7252	3.3177
	净资产收益率(%)	2.5375	13.8537	12.2699	8.2113
	加权净资产收益率(%)	2.8390	14.7100	13.2510	9.3400
	净资产收益率(扣除)(%)	2.4435	4.3690	1.7077	3.0357
	总资产(万元)	1334205.91	1019798.45	962232.07	916571.84
	归属母公司股东权益(万元)	825528.17	479883.06	498100.86	424318.68
	营业收入(万元)	215411.83	430229.94	187056.66	365899.06
	营业支出(万元)	153346.06	337058.36	146952.03	278574.08
	投资收益(万元)	14010.40	75728.92	73303.32	41354.19
	净利润(万元)	23073.73	67746.73	61562.51	32853.35
	营业利润(万元)	26531.59	78335.08	71529.95	36923.00
	利润总额(万元)	27207.18	80038.53	71741.50	36749.30

宏发科技股份有限公司

公司概况	公司名称	宏发科技股份有限公司		证券简称	宏发股份
	法人代表	郭满金	董秘 林旦旦	证券代码	600885
	公司网址	www.hongfa.com		电子信箱	zqb@hongfa.com
	电　话	0592-6106688 6196768		传　真	0592-6106678
	办公地址	福建省厦门市集美北部工业区东林路564号			
	经营范围	研制、生产和销售继电器、低压电器、接触器、自动化设备等			

	指标\报告期	2016.06.30	2015.12.31	2015.06.30	2014.12.31
主要财务指标	基本每股收益(元)	0.6100	0.8900	0.5100	0.8100
	基本每股收益(扣除后)(元)	0.6000	0.8400	0.4800	0.7500
	稀释每股收益(元)	0.6100	0.8900	0.5100	0.8100
	每股净资产(元)	5.8963	5.4836	5.0912	4.8907
	每股经营现金净流量(元)	0.3257	1.4252	0.8558	0.6611
	每股现金流量(元)	-0.2572	-0.2774	-0.0365	-0.8562
	每股资本公积金(元)	1.2470	1.2470	1.2590	1.2590
	每股盈余公积金(元)	0.5758	0.4259	0.4259	0.2697
	每股未分配利润(元)	3.0592	2.7952	2.4209	2.3636
	净资产收益率(%)	10.4105	16.1907	10.0868	16.5224
	加权净资产收益率(%)	8.0200	16.6400	9.9800	18.0200
	净资产收益率(扣除)(%)	10.1451	15.3266	9.4877	15.3521
	总资产(万元)	610136.84	539561.94	514895.68	474260.89
	归属母公司股东权益(万元)	313665.21	291713.03	270838.13	260174.03
	营业收入(万元)	246489.68	424783.78	213839.82	406283.01
	营业支出(万元)	141792.80	260409.91	129963.95	259257.99
	投资收益(万元)	-523.33	1746.98	1085.84	93.17
	净利润(万元)	45358.79	66020.68	37412.88	59158.07
	营业利润(万元)	54740.24	76089.59	40841.60	65556.59
	利润总额(万元)	56071.10	80052.30	43332.97	70125.27

国投电力控股股份有限公司

公司概况	公司名称	国投电力控股股份有限公司		证券简称	国投电力
	法人代表	胡刚	董秘 杨林	证券代码	600886
	公司网址	www.sdicpower.com		电子信箱	gtdl@sdicpower.com
	电　话	010-88006378		传　真	010-88006368
	办公地址	北京市西城区西直门南小街147号国投5号楼			
	经营范围	投资建设、经营管理以电力生产为主的能源项目等			

	指标\报告期	2016.06.30	2015.12.31	2015.06.30	2014.12.31
主要财务指标	基本每股收益(元)	0.2190	0.7998	0.3610	0.8247
	基本每股收益(扣除后)(元)	0.2991	0.8258	0.3577	0.8000
	稀释每股收益(元)	0.2190	0.7998	0.3610	0.8247
	每股净资产(元)	3.8521	3.9166	3.4762	3.4071
	每股经营现金净流量(元)	1.1386	3.3741	1.4308	3.1563
	每股现金流量(元)	-0.2013	-0.1847	-0.1013	0.5015
	每股资本公积金(元)	0.9533	0.9533	0.9520	0.9520
	每股盈余公积金(元)	0.1197	0.1197	0.0762	0.0762
	每股未分配利润(元)	1.7827	1.8436	1.4480	1.3789
	净资产收益率(%)	5.6859	20.4207	10.3862	24.2062
	加权净资产收益率(%)	5.4400	21.8400	10.0700	26.9100
	净资产收益率(扣除)(%)	7.7642	21.0838	10.2888	23.4789
	总资产(万元)	19281662.51	18354478.12	17498403.67	17261731.60
	归属母公司股东权益(万元)	2614076.57	2657847.45	2358953.03	2312065.57
	营业收入(万元)	1313856.43	3127969.98	1492617.37	3295716.92
	营业支出(万元)	648513.88	1494995.88	724114.93	1624028.49
	投资收益(万元)	36720.16	57933.95	32965.31	66438.09
	净利润(万元)	323238.95	1010258.28	455336.95	1016122.15
	营业利润(万元)	384045.71	956440.09	435865.49	992849.62
	利润总额(万元)	377089.53	1098063.75	507608.07	1094431.00

内蒙古伊利实业集团股份有限公司

公司概况					
公司名称	内蒙古伊利实业集团股份有限公司			证券简称	伊利股份
法人代表	潘刚	董秘	胡利平	证券代码	600887
公司网址	www.yili.com		电子信箱	huliping@yili.com	
电　话	0471-3350092		传　真	0471-3601621	
办公地址	内蒙古自治区呼和浩特市金山开发区金山大道 8 号				
经营范围	乳制品制造、食品、饮料加工、农畜产品及饲料加工等				

主要财务指标

指标＼报告期	2016.06.30	2015.12.31	2015.06.30	2014.12.31
基本每股收益(元)	0.5300	0.7600	0.4300	1.3500
基本每股收益(扣除后)(元)	0.4200	0.6600	0.4200	1.2300
稀释每股收益(元)	0.5300	0.7600	0.4300	1.3500
每股净资产(元)	3.3642	3.2951	3.0680	6.0808
每股经营现金净流量(元)	1.2370	1.5724	0.9947	0.7951
每股现金流量(元)	–0.3211	–0.0402	0.0458	1.4098
每股资本公积金(元)	0.4092	0.4084	0.5580	2.1150
每股盈余公积金(元)	0.2399	0.2399	0.1865	0.3731
每股未分配利润(元)	1.6939	1.6144	1.3270	2.5853
净资产收益率(%)	15.7403	23.1770	14.1582	22.2405
加权净资产收益率(%)	15.1500	23.8700	13.6300	23.6600
净资产收益率(扣除)(%)	12.4966	20.1075	13.7104	20.2193
总资产(万元)	3465379.18	3963096.82	3921732.83	3949429.88
归属母公司股东权益(万元)	2040303.12	1998439.74	1880305.71	1863392.48
营业收入(万元)	2992553.10	5986348.57	2985562.17	5395929.87
营业支出(万元)	1826768.14	3837557.81	1947319.22	3639999.11
投资收益(万元)	31790.39	18634.75	13053.60	10773.98
净利润(万元)	322210.32	465442.51	267427.67	416653.81
营业利润(万元)	326567.27	489432.20	307650.02	438968.67
利润总额(万元)	380706.09	552353.35	318811.65	478588.55

新疆众和股份有限公司

公司概况					
公司名称	新疆众和股份有限公司			证券简称	新疆众和
法人代表	孙健	董秘	刘建昊	证券代码	600888
公司网址	www.joinworld.com		电子信箱	xjjw600888@126.com	
电　话	0991-6689800		传　真	0991-6689882	
办公地址	新疆维吾尔自治区乌鲁木齐市喀什东路 18 号				
经营范围	高纯铝、电子铝箔、腐蚀箔、化成箔等电子元器件原料的生产、销售等				

主要财务指标

指标＼报告期	2016.06.30	2015.12.31	2015.06.30	2014.12.31
基本每股收益(元)	0.0317	0.0385	0.0431	–0.8279
基本每股收益(扣除后)(元)	–0.0234	–0.1138	–0.0448	–0.8802
稀释每股收益(元)	0.0317	0.0385	0.0431	–0.8279
每股净资产(元)	5.0388	5.0316	5.0259	4.9792
每股经营现金净流量(元)	–0.3020	0.6613	0.6800	0.6021
每股现金流量(元)	0.1913	–0.1918	0.5461	1.4622
每股资本公积金(元)	3.0822	3.0864	3.0754	3.0723
每股盈余公积金(元)	0.2860	0.2860	0.2860	0.2860
每股未分配利润(元)	0.6691	0.6574	0.6619	0.6189
净资产收益率(%)	0.6296	0.7646	0.8568	–16.6265
加权净资产收益率(%)	0.6310	0.7697	0.8611	–15.4398
净资产收益率(扣除)(%)	–0.4642	–2.2618	–0.8919	–17.6779
总资产(万元)	949008.53	895638.13	925669.22	880390.26
归属母公司股东权益(万元)	323103.11	322640.33	322271.69	319280.02
营业收入(万元)	346994.94	762743.91	390904.94	532875.03
营业支出(万元)	326734.47	717781.84	367627.96	499241.78
投资收益(万元)	1823.21	2601.09	816.00	2400.70
净利润(万元)	1986.07	2500.02	2791.06	–52918.68
营业利润(万元)	–808.26	–5421.20	–1832.86	–55656.25
利润总额(万元)	2727.71	4356.01	3810.31	–52214.03

南京化纤股份有限公司

公司概况					
公司名称	南京化纤股份有限公司			证券简称	南京化纤
法人代表	丁明国	董秘	陈波	证券代码	600889
公司网址	www.ncfc.cn		电子信箱	cb_008@126.com	
电　话	025-84208005		传　真	025-84208919	
办公地址	江苏省南京市六合红山精细化工园内				
经营范围	化学纤维生产、主要产品为粘胶长、短丝等				

主要财务指标

指标＼报告期	2016.06.30	2015.12.31	2015.06.30	2014.12.31
基本每股收益(元)	0.0530	1.4900	0.0040	0.0200
基本每股收益(扣除后)(元)	0.0470	0.0600	0.0050	–0.0100
稀释每股收益(元)	0.0530	1.4900	0.0040	0.0200
每股净资产(元)	4.5667	4.5488	3.0479	3.0442
每股经营现金净流量(元)	0.4593	0.2191	–1.0109	0.5172
每股现金流量(元)	0.4281	0.0059	0.0018	–0.7345
每股资本公积金(元)	0.7406	0.7406	0.7022	0.7022
每股盈余公积金(元)	0.6496	0.6496	0.5447	0.5447
每股未分配利润(元)	2.1703	2.1524	0.8010	0.7973
净资产收益率(%)	1.1586	32.7542	0.1193	0.5846
加权净资产收益率(%)	1.1600	39.4500	0.1200	0.5800
净资产收益率(扣除)(%)	1.0291	1.2479	0.1569	–0.2482
总资产(万元)	206746.69	217104.02	294014.74	292616.38
归属母公司股东权益(万元)	140228.44	139678.51	93590.59	93478.94
营业收入(万元)	70505.31	151847.34	67417.16	177178.05
营业支出(万元)	61462.30	131277.07	58355.35	144037.98
投资收益(万元)	–438.70	50081.05	–149.97	–3472.20
净利润(万元)	1650.00	45792.09	164.66	3728.23
营业利润(万元)	1730.05	52562.98	400.16	6339.23
利润总额(万元)	1752.44	51750.13	364.74	6980.47

中房置业股份有限公司

公司概况					
公司名称	中房置业股份有限公司			证券简称	中房股份
法人代表	刘波	董秘	吴小辉	证券代码	600890
公司网址	www.credholding.com		电子信箱	guihongzhi@credholding.com	
电　话	010-82608847		传　真	010-82611808	
办公地址	北京市海淀区苏州街 18 号院长远天地大厦 C 座二层				
经营范围	房地产开发、物业管理、制造销售动力机械、激光打印机、数字照相机等				

主要财务指标

指标＼报告期	2016.06.30	2015.12.31	2015.06.30	2014.12.31
基本每股收益(元)	–0.0300	0.0200	–0.0200	–0.0200
基本每股收益(扣除后)(元)	–0.0300	–0.0300	–0.0200	–0.0500
稀释每股收益(元)	–0.0300	0.0200	–0.0200	–0.0200
每股净资产(元)	0.5370	0.5661	0.5238	0.5452
每股经营现金净流量(元)	–0.0414	–0.0329	–0.0155	–0.0455
每股现金流量(元)	–0.1412	0.1271	–0.0155	–0.1404
每股资本公积金(元)	0.0351	0.0351	0.0351	0.0351
每股盈余公积金(元)	0.1466	0.1466	0.1466	0.1466
每股未分配利润(元)	–0.6447	–0.6156	–0.6579	–0.6366
净资产收益率(%)	–5.4111	3.7005	–4.0717	–4.2519
加权净资产收益率(%)	–5.2700	3.7700	–3.9900	–4.1600
净资产收益率(扣除)(%)	–5.5335	–5.3390	–4.0717	–9.0088
总资产(万元)	34512.18	36514.29	39074.12	40356.60
归属母公司股东权益(万元)	31105.49	32788.64	30339.94	31575.29
营业收入(万元)	184.87	1591.93	186.40	1535.79
营业支出(万元)	352.33	1170.51	383.91	1089.13
投资收益(万元)	–	2655.40	–11.48	–50.43
净利润(万元)	–1683.24	1213.29	–1235.37	–1342.60
营业利润(万元)	–1721.31	943.06	–1235.37	–2408.24
利润总额(万元)	–1683.24	1293.89	–1235.37	–1305.31

哈尔滨秋林集团股份有限公司

公司概况					
公司名称	哈尔滨秋林集团股份有限公司			证券简称	秋林集团
法人代表	李亚	董秘	朱宁	证券代码	600891
公司网址	www.qlgroup.com.cn		电子信箱	zqb@qlgroup.com.cn	
电　话	0451-53644632		传　真	0451-53649282	
办公地址	黑龙江省哈尔滨市南岗区东大直街 319 号				
经营范围	零售兼批发百货、食品、副食品、纺织品、节目录像带等业务				

主要财务指标				
指标\报告期	2016.06.30	2015.12.31	2015.06.30	2014.12.31
基本每股收益(元)	0.2300	0.4200	0.2900	0.2600
基本每股收益(扣除后)(元)	0.2300	0.2300	0.2900	0.1400
稀释每股收益(元)	0.2300	0.4200	0.2900	0.2600
每股净资产(元)	4.6785	4.4476	2.6655	2.5998
每股经营现金净流量(元)	-1.2031	0.0486	-0.3150	-0.4233
每股现金流量(元)	-0.8705	0.6282	-0.3882	-0.4815
每股资本公积金(元)	2.4289	2.4289	1.0566	1.0566
每股盈余公积金(元)	0.1388	0.1388	0.1209	0.1209
每股未分配利润(元)	1.1104	0.8794	0.4873	0.4216
净资产收益率(%)	4.9367	8.5024	3.4618	5.3397
加权净资产收益率(%)	5.0600	10.5000	3.4900	5.4400
净资产收益率(扣除)(%)	4.9320	3.1423	3.4339	5.2983
总资产(万元)	401134.26	361535.23	120408.36	120429.01
归属母公司股东权益(万元)	288939.80	274675.81	86768.49	84630.42
营业收入(万元)	261865.07	515602.49	21695.41	37915.85
营业支出(万元)	231180.72	478775.22	14563.74	24960.60
投资收益(万元)	1586.79	2121.02	40.00	59.70
净利润(万元)	14307.90	23395.16	3030.04	4534.91
营业利润(万元)	19138.83	21006.27	3770.14	6140.49
利润总额(万元)	19147.93	32394.04	3773.19	6151.05

大晟时代文化投资股份有限公司

公司概况					
公司名称	大晟时代文化投资股份有限公司			证券简称	宝诚股份
法人代表	周镇科	董秘	陈井阳	证券代码	600892
公司网址	www.baochengshare.com		电子信箱	bcinvst@163.com	
电　话	0755-82359089		传　真	0755-82610489	
办公地址	广东省深圳市罗湖区笋岗东路 3012 号中民时代广场 B 座 2103 室				
经营范围	投资与资产管理、销售金属矿石、金属材料、建筑材料、五金交电、机械设备等				

主要财务指标				
指标\报告期	2016.06.30	2015.12.31	2015.06.30	2014.12.31
基本每股收益(元)	0.2500	-0.0200	-0.0400	0.0200
基本每股收益(扣除后)(元)	0.2400	-0.0500	-0.0400	0.0100
稀释每股收益(元)	0.2500	-0.0200	-0.0400	0.0200
每股净资产(元)	11.0994	10.8464	0.0730	0.1179
每股经营现金净流量(元)	0.4000	-0.1429	-0.0752	1.7156
每股现金流量(元)	-3.2125	13.7949	-0.5050	0.1673
每股资本公积金(元)	11.2666	24.9635	2.2492	2.2492
每股盈余公积金(元)	0.0614	0.1361	0.1361	0.1361
每股未分配利润(元)	-1.2286	-3.2829	-3.3123	-3.2673
净资产收益率(%)	2.2793	-0.0646	-61.6164	16.5215
加权净资产收益率(%)	2.3100	-14.1000	-47.1000	18.0100
净资产收益率(扣除)(%)	2.2046	-0.1897	-61.6164	6.6039
总资产(万元)	235636.62	271740.24	12537.70	15839.16
归属母公司股东权益(万元)	155242.81	151704.41	460.54	744.31
营业收入(万元)	9961.13	1943.36	370.22	7399.87
营业支出(万元)	2656.43	455.53	196.18	6473.35
投资收益(万元)	137.60	19.25	-	-
净利润(万元)	3529.75	-111.59	-301.20	151.41
营业利润(万元)	3850.31	-259.88	-364.31	107.37
利润总额(万元)	3999.75	-260.28	-364.31	205.79

中国航发动力股份有限公司

公司概况					
公司名称	中国航发动力股份有限公司			证券简称	航发动力
法人代表	张民生	董秘	赵岳	证券代码	600893
公司网址	www.xaec.com		电子信箱	hkdl2008@xaec.com	
电　话	029-86152008 86150271		传　真	029-86629636	
办公地址	陕西省西安市未央区徐家湾				
经营范围	航空发动机、燃气轮机、烟气透平动力装置、航天发动机及其零部件等				

主要财务指标				
指标\报告期	2016.06.30	2015.12.31	2015.06.30	2014.12.31
基本每股收益(元)	0.0400	0.5300	0.1900	0.5000
基本每股收益(扣除后)(元)	-0.0100	0.3200	0.0600	0.3900
稀释每股收益(元)	0.0400	0.5300	0.1900	0.5000
每股净资产(元)	7.6034	7.7285	7.3261	7.3128
每股经营现金净流量(元)	-2.5872	1.5085	-1.9865	0.0845
每股现金流量(元)	-1.7268	1.3262	-0.3600	0.2612
每股资本公积金(元)	5.0534	5.0532	4.9776	4.9773
每股盈余公积金(元)	0.1529	0.1529	0.1261	0.1261
每股未分配利润(元)	1.4322	1.5481	1.2375	1.1896
净资产收益率(%)	0.5800	6.8612	2.6328	6.5716
加权净资产收益率(%)	0.5700	7.0800	2.6400	7.6900
净资产收益率(扣除)(%)	-0.0933	4.0904	0.8330	4.2014
总资产(万元)	4924972.01	4761754.12	4726081.07	4397599.02
归属母公司股东权益(万元)	1481694.64	1506058.99	1427655.09	1425049.93
营业收入(万元)	753424.85	2348002.30	930384.82	2676440.17
营业支出(万元)	606384.63	1928407.77	769641.30	2272303.94
投资收益(万元)	3760.98	30095.05	20832.86	36195.57
净利润(万元)	11379.58	107586.94	37961.40	100152.40
营业利润(万元)	9171.21	106048.46	39909.90	96112.05
利润总额(万元)	19173.84	131401.53	50066.87	117954.86

广州广日股份有限公司

公司概况					
公司名称	广州广日股份有限公司			证券简称	广日股份
法人代表	吴文斌	董秘	杜景来	证券代码	600894
公司网址	www.guangrigf.com		电子信箱	grgf@guangrigf.com	
电　话	020-38371213		传　真	020-38373152	
办公地址	广东省广州市天河区珠江新城华利路 59 号保利大厦东塔 13 楼				
经营范围	生产、加工、销售冶金产品、焦碳化工产品、各种气体、炉料和有关原材料等				

主要财务指标				
指标\报告期	2016.06.30	2015.12.31	2015.06.30	2014.12.31
基本每股收益(元)	0.3846	2.4940	0.4094	0.8127
基本每股收益(扣除后)(元)	0.3796	0.7989	0.4077	0.8007
稀释每股收益(元)	0.3846	2.4940	0.4094	0.8127
每股净资产(元)	7.1208	7.4704	5.3716	5.0591
每股经营现金净流量(元)	-0.2523	2.4300	0.0146	0.3270
每股现金流量(元)	-1.3878	1.6215	-0.2658	0.7273
每股资本公积金(元)	2.8347	2.8347	2.8292	2.8292
每股盈余公积金(元)	0.4539	0.4539	0.2670	0.2670
每股未分配利润(元)	2.7850	3.1504	1.2528	0.9434
净资产收益率(%)	5.4014	33.3852	7.6213	15.5080
加权净资产收益率(%)	5.0100	39.8600	7.8200	18.0900
净资产收益率(扣除)(%)	5.3308	10.6940	7.5908	15.2792
总资产(万元)	858691.94	927369.49	741574.98	707983.03
归属母公司股东权益(万元)	612353.36	642417.31	461929.47	435054.13
营业收入(万元)	203221.44	482595.14	222400.49	454166.45
营业支出(万元)	155958.87	376060.56	174333.20	352370.57
投资收益(万元)	18127.91	39906.67	20243.46	40148.53
净利润(万元)	33985.19	215763.95	35857.77	69141.39
营业利润(万元)	36137.24	77587.85	38506.24	74919.98
利润总额(万元)	36656.11	248691.27	38762.56	75564.83

平安银行股份有限公司

公司概况					
公司名称	平安银行股份有限公司			证券简称	平安银行
法人代表	孙建一	董秘	周强	证券代码	000001
公司网址	www.bank.pingan.com		电子信箱	pabdsh@pingan.com.cn	
电　话	0755-82210610		传　真	0755-82080386	
办公地址	广东省深圳市罗湖区深南东路 5047 号				
经营范围	办理人民币存、贷、结算、汇兑业务、人民币票据承兑和贴现等				

主要财务指标

指标\报告期	2016.06.30	2015.12.31	2015.06.30	2014.12.31
基本每股收益(元)	0.7200	1.5600	0.8400	1.7300
基本每股收益(扣除后)(元)	0.7200	1.5600	0.8400	1.7400
稀释每股收益(元)	0.7200	1.5600	0.8400	1.7300
每股净资产(元)	10.0000	9.4100	10.5400	11.4600
每股经营现金净流量(元)	-1.9334	-0.1276	0.0009	0.0035
每股现金流量(元)	-2.8069	5.4432	14.2658	0.2059
每股资本公积金(元)	3.2885	4.1462	4.1461	4.5751
每股盈余公积金(元)	0.4963	0.5955	0.4427	0.5544
每股未分配利润(元)	3.6712	3.6994	3.7216	3.8211
净资产收益率(%)	6.4100	13.5387	7.6800	15.1200
加权净资产收益率(%)	7.3500	14.9400	8.4100	16.3500
净资产收益率(扣除)(%)	6.4100	13.5616	7.6800	15.1500
总资产(万元)	280098300.00	250714900.00	257050800.00	218645900.00
归属母公司股东权益(万元)	19170000.00	16150000.00	15088000.00	13094900.00
营业收入(万元)	5476900.00	9616300.00	4657500.00	7340700.00
营业支出(万元)	3861300.00	-	3130800.00	4716100.00
投资收益(万元)	160800.00	392400.00	210400.00	316800.00
净利润(万元)	1229200.00	2186500.00	1158500.00	1980200.00
营业利润(万元)	1615600.00	2889500.00	1526700.00	2624600.00
利润总额(万元)	1615400.00	2884600.00	1525900.00	2619400.00

万科企业股份有限公司

公司概况					
公司名称	万科企业股份有限公司			证券简称	万科 A
法人代表	王石	董秘	谭华杰	证券代码	000002
公司网址	www.vanke.com		电子信箱	ir@vanke.com	
电　话	0755-25606666		传　真	0755-25531696	
办公地址	广东省深圳市盐田区大梅沙环梅路 33 号万科中心				
经营范围	公司为专业化房地产公司、主要产品为商品住宅				

主要财务指标

指标\报告期	2016.06.30	2015.12.31	2015.06.30	2014.12.31
基本每股收益(元)	0.4800	1.6400	0.4400	1.4300
基本每股收益(扣除后)(元)	0.4832	1.6000	0.4360	1.4100
稀释每股收益(元)	0.4800	1.6400	0.4400	1.4300
每股净资产(元)	8.8300	9.0800	7.9000	7.9900
每股经营现金净流量(元)	2.3369	1.4519	-0.6162	3.7803
每股现金流量(元)	1.7356	-0.8963	-1.6186	1.6896
每股资本公积金(元)	0.7318	0.7397	0.7539	0.7695
每股盈余公积金(元)	2.5427	2.5398	2.3605	2.3627
每股未分配利润(元)	4.5294	4.7593	3.7399	3.8046
净资产收益率(%)	5.4900	18.0900	5.5500	17.8600
加权净资产收益率(%)	5.2000	19.1400	5.4100	19.1700
净资产收益率(扣除)(%)	5.4749	17.5837	5.5163	17.6676
总资产(万元)	71230669.12	61129556.77	53693764.25	50840875.54
归属母公司股东权益(万元)	9746072.73	10018351.78	8727269.46	8816456.99
营业收入(万元)	7479529.43	19554913.00	5026679.80	14638800.45
营业支出(万元)	5511748.79	13815062.87	3496081.48	10255706.37
投资收益(万元)	134240.21	356190.81	91569.05	415926.20
净利润(万元)	709463.06	2594943.80	678948.19	1928752.40
营业利润(万元)	990460.52	3312277.73	871893.44	2497935.89
利润总额(万元)	998034.28	3380261.76	877700.77	2525236.32

深圳中国农大科技股份有限公司

公司概况					
公司名称	深圳中国农大科技股份有限公司			证券简称	国农科技
法人代表	李林琳	董秘	徐文苏	证券代码	000004
公司网址	www.sz000004.cn		电子信箱	gnkjsz@163.com	
电　话	0755-83521596		传　真	0755-83521727	
办公地址	广东省深圳市南山区中心路 3333 号中铁南方总部大厦 503 室				
经营范围	房地产开发和销售、生物制药的研发与销售				

主要财务指标

指标\报告期	2016.06.30	2015.12.31	2015.06.30	2014.12.31
基本每股收益(元)	0.0356	0.0149	0.0144	0.0500
基本每股收益(扣除后)(元)	0.0357	0.0103	0.0158	-0.0196
稀释每股收益(元)	0.0356	0.0149	0.0144	0.0500
每股净资产(元)	1.0063	0.9708	0.9704	0.9559
每股经营现金净流量(元)	1.2510	0.1103	-0.0775	-0.0659
每股现金流量(元)	1.1977	0.1378	-0.1684	-0.1968
每股资本公积金(元)	0.0079	0.0079	0.0079	0.0079
每股盈余公积金(元)	0.1318	0.1318	0.1318	0.1318
每股未分配利润(元)	-0.1334	-0.1689	-0.1693	-0.1838
净资产收益率(%)	3.5330	1.5298	1.4876	4.7354
加权净资产收益率(%)	3.6000	1.5400	1.5000	4.8500
净资产收益率(扣除)(%)	3.5472	1.0614	1.6252	-2.0540
总资产(万元)	46383.19	39867.35	34866.03	33828.26
归属母公司股东权益(万元)	8450.89	8152.32	8148.80	8027.58
营业收入(万元)	10215.05	12045.44	5954.58	9770.28
营业支出(万元)	7372.23	7795.71	3813.69	4936.90
投资收益(万元)	-12.79	81.89	-12.79	-25.57
净利润(万元)	299.24	685.72	441.07	1562.48
营业利润(万元)	417.41	1013.70	653.60	380.53
利润总额(万元)	439.69	1080.86	656.52	2066.58

深圳世纪星源股份有限公司

公司概况					
公司名称	深圳世纪星源股份有限公司			证券简称	世纪星源
法人代表	丁芃	董秘	罗晓春	证券代码	000005
公司网址	www.fountain.com.cn		电子信箱	fountain@sfc.com.cn	
电　话	0755-82208888		传　真	0755-82207055	
办公地址	广东省深圳市人民南路发展中心大厦 13 楼				
经营范围	房地产、酒店、物业管理、商务咨询、顾问、计算机软件开发、投资及其他第三产业				

主要财务指标

指标\报告期	2016.06.30	2015.12.31	2015.06.30	2014.12.31
基本每股收益(元)	0.1200	-0.0596	-0.0250	0.0472
基本每股收益(扣除后)(元)	-0.0110	-0.0640	-0.0260	-0.0641
稀释每股收益(元)	0.1200	-0.0596	-0.0250	0.0472
每股净资产(元)	1.2051	1.0852	0.7071	0.7325
每股经营现金净流量(元)	-0.0318	0.0149	0.0379	-0.0100
每股现金流量(元)	-0.0248	0.1058	-0.0002	0.0051
每股资本公积金(元)	0.6028	0.6028	0.2950	0.2950
每股盈余公积金(元)	0.1413	0.1413	0.1635	0.1635
每股未分配利润(元)	-0.4183	-0.5383	-0.5881	-0.5627
净资产收益率(%)	9.9537	-4.8088	-3.5866	6.4451
加权净资产收益率(%)	10.4800	-8.0700	-3.5200	6.6800
净资产收益率(扣除)(%)	-0.9299	-5.1586	-3.6237	-8.7463
总资产(万元)	233789.85	219400.88	134159.74	136666.38
归属母公司股东权益(万元)	127568.93	114871.13	64652.65	66971.50
营业收入(万元)	18995.26	8412.60	3628.53	5277.70
营业支出(万元)	13068.19	5760.82	2542.67	3892.72
投资收益(万元)	13779.95	7.89	-	10370.87
净利润(万元)	13136.35	-5403.17	-2318.85	4316.39
营业利润(万元)	13530.49	-5937.74	-2342.80	5351.56
利润总额(万元)	13634.64	-5317.78	-2318.85	5437.30

深圳市振业(集团)股份有限公司

公司概况					
公司名称	深圳市振业(集团)股份有限公司			证券简称	深振业 A
法人代表	李永明	董秘	彭庆伟	证券代码	000006
公司网址	www.zhenye.com			电子信箱	szzygp@126.com
电　话	0755-25863061 25863893			传　真	0755-25863012
办公地址	广东省深圳市罗湖区宝安南路 2014 号振业大厦 B 座 11-17 层				
经营范围	房地产开发、销售及租赁				

主要财务指标：指标\报告期	2016.06.30	2015.12.31	2015.06.30	2014.12.31
基本每股收益(元)	0.0756	0.3087	0.1912	0.3763
基本每股收益(扣除后)(元)	0.0747	0.3100	0.1926	0.2000
稀释每股收益(元)	0.0756	0.3087	0.1912	0.3763
每股净资产(元)	3.2088	3.2541	3.1366	3.0626
每股经营现金净流量(元)	0.8122	-0.2249	-0.4671	-0.8133
每股现金流量(元)	0.1215	0.3530	-0.1662	-0.5558
每股资本公积金(元)	0.3588	0.3588	0.3588	0.3588
每股盈余公积金(元)	0.8181	0.8181	0.7716	0.7716
每股未分配利润(元)	1.0295	1.0739	1.0029	0.9297
净资产收益率(%)	2.3566	9.4866	6.0950	12.2877
加权净资产收益率(%)	2.3000	9.7700	6.0500	12.1700
净资产收益率(扣除)(%)	2.3264	9.5073	6.1404	6.3967
总资产(万元)	1312300.50	1270350.42	1177059.86	1175321.75
归属母公司股东权益(万元)	433186.42	439308.02	423437.13	413445.40
营业收入(万元)	86868.92	365430.95	202261.44	232872.96
营业支出(万元)	49881.83	238834.29	134026.15	147745.74
投资收益(万元)	-985.14	-341.40	-17.10	31593.84
净利润(万元)	10602.97	43878.59	26838.02	51245.36
营业利润(万元)	14094.82	59210.28	36261.77	67127.98
利润总额(万元)	14272.47	59311.91	36046.10	68515.46

深圳市全新好股份有限公司

公司概况					
公司名称	深圳市全新好股份有限公司			证券简称	全新好
法人代表	智德宇	董秘	陈伟彬	证券代码	000007
公司网址	www.sz000007.com			电子信箱	stock0007@126.com
电　话	0755-83280053			传　真	0755-83281722
办公地址	广东省深圳市福田区华强北路现代之窗大厦 A 座 26 楼				
经营范围	投资兴办实业、房地产开发与销售等				

主要财务指标：指标\报告期	2016.06.30	2015.12.31	2015.06.30	2014.12.31
基本每股收益(元)	-0.1200	0.0600	-0.0322	-0.1307
基本每股收益(扣除后)(元)	-0.0512	0.0501	-0.0464	-0.0685
稀释每股收益(元)	-0.1200	0.0600	-0.0322	-0.1307
每股净资产(元)	1.4762	1.5985	1.5069	1.5366
每股经营现金净流量(元)	-0.0356	1.0277	0.2750	0.0545
每股现金流量(元)	-0.7675	0.6242	-0.3134	-0.2305
每股资本公积金(元)	1.8325	1.8325	1.8325	1.8325
每股盈余公积金(元)	0.0390	0.0390	0.0390	0.0390
每股未分配利润(元)	-1.3933	-1.2779	-1.3707	-1.3385
净资产收益率(%)	-7.8210	3.7909	-2.1382	-8.5077
加权净资产收益率(%)	-7.4900	3.8700	-2.1200	-8.6100
净资产收益率(扣除)(%)	-3.4713	3.1323	-3.0792	-7.5967
总资产(万元)	53814.86	48036.45	52609.07	68092.52
归属母公司股东权益(万元)	34094.02	36920.79	34805.06	35489.98
营业收入(万元)	1716.39	9896.15	5841.55	19809.79
营业支出(万元)	518.49	2163.86	1096.30	9517.90
投资收益(万元)	566.09	2006.13	409.83	-
净利润(万元)	-2025.47	1323.89	-971.75	-3338.26
营业利润(万元)	-747.02	1261.67	-774.71	-2874.45
利润总额(万元)	-1047.68	1524.91	-857.02	-3162.29

神州高铁技术股份有限公司

公司概况					
公司名称	神州高铁技术股份有限公司			证券简称	神州高铁
法人代表	王志全	董秘	耿协送	证券代码	000008
公司网址	www.shenzhou-gaotie.com			电子信箱	liangyanhui@vip.163.com
电　话	010-56500561			传　真	010-56500561
办公地址	北京市海淀区高梁桥斜街 59 号院 1 号楼中坤大厦 16 层				
经营范围	电子科技、网络工程、房屋租赁等业务				

主要财务指标：指标\报告期	2016.06.30	2015.12.31	2015.06.30	2014.12.31
基本每股收益(元)	0.0100	0.0780	0.0900	0.0300
基本每股收益(扣除后)(元)	0.0100	0.0720	0.0900	0.0200
稀释每股收益(元)	0.0100	0.0780	0.0900	0.0300
每股净资产(元)	2.0415	1.2069	3.4738	1.8819
每股经营现金净流量(元)	-0.0189	-0.0301	-0.1244	0.2263
每股现金流量(元)	0.2033	0.0963	0.0596	0.1195
每股资本公积金(元)	0.9546	0.1323	2.3968	0.9521
每股盈余公积金(元)	0.0016	0.0019	0.0056	0.0148
每股未分配利润(元)	0.0739	0.0664	0.0550	-0.0849
净资产收益率(%)	0.7450	6.3847	2.5079	1.3595
加权净资产收益率(%)	1.2500	7.0200	2.9300	1.3700
净资产收益率(扣除)(%)	0.6965	5.7249	2.3494	1.0336
总资产(万元)	689923.69	358935.47	327846.84	67402.80
归属母公司股东权益(万元)	562976.16	290806.20	278995.58	57135.21
营业收入(万元)	61580.86	129507.61	49859.96	30718.13
营业支出(万元)	31520.56	68013.77	27972.41	16975.14
投资收益(万元)	-6.92	1581.52	1252.72	85.37
净利润(万元)	4196.21	18990.92	7709.86	776.64
营业利润(万元)	3246.64	19574.00	8084.75	1829.07
利润总额(万元)	5616.50	23332.95	9645.74	1887.60

中国宝安集团股份有限公司

公司概况					
公司名称	中国宝安集团股份有限公司			证券简称	中国宝安
法人代表	陈政立	董秘	郭山清	证券代码	000009
公司网址	www.chinabaoan.com			电子信箱	zgbajt@163.net
电　话	0755-25170336 25170382			传　真	0755-25170300 25170367
办公地址	广东省深圳市笋岗东路 1002 号宝安广场 A 座 28-29 层				
经营范围	高新技术产业、生物医药业和房地产业				

主要财务指标：指标\报告期	2016.06.30	2015.12.31	2015.06.30	2014.12.31
基本每股收益(元)	0.0460	0.5000	0.0740	0.2000
基本每股收益(扣除后)(元)	0.0250	0.0010	-0.0200	-0.0700
稀释每股收益(元)	0.0460	0.5000	0.0740	0.2000
每股净资产(元)	2.8535	2.8090	2.3400	2.1774
每股经营现金净流量(元)	0.0132	0.0079	-0.0504	0.3153
每股现金流量(元)	-0.5376	1.0782	-0.3254	0.2925
每股资本公积金(元)	0.3973	0.3005	0.3242	0.1456
每股盈余公积金(元)	0.1632	0.1632	0.1064	0.1125
每股未分配利润(元)	1.2502	1.2747	0.9103	0.9053
净资产收益率(%)	1.5962	17.6427	3.1701	9.2547
加权净资产收益率(%)	1.6100	19.7000	3.3800	9.1900
净资产收益率(扣除)(%)	0.8812	0.0316	-0.8805	-3.0642
总资产(万元)	1871045.30	1811489.61	1534307.48	1472549.56
归属母公司股东权益(万元)	454313.02	447215.59	373612.33	327753.38
营业收入(万元)	279444.51	486535.14	199482.18	431147.69
营业支出(万元)	186211.14	323802.72	128855.32	292718.64
投资收益(万元)	6080.17	104612.30	22453.46	48163.30
净利润(万元)	20119.08	96589.84	22884.33	47254.86
营业利润(万元)	19741.04	114974.18	22138.16	54688.30
利润总额(万元)	23854.89	123634.46	26335.61	58848.28

深圳美丽生态股份有限公司

公司概况	公司名称	深圳美丽生态股份有限公司		证券简称	美丽生态
	法人代表	贾明辉	董秘 单军	证券代码	000010
	公司网址			电子信箱	shenhuaxin000010@163.com
	电话	86-755-33228575		传真	86-755-33375373
	办公地址	广东省深圳市福田区中心四路1-1号嘉里建设广场第三座3201室			
	经营范围	园林绿化工程施工、园林景观设计、园林养护及绿化苗木种植等			

指标\报告期	2016.06.30	2015.12.31	2015.06.30	2014.12.31
基本每股收益(元)	0.0321	0.0542	0.0028	-0.1268
基本每股收益(扣除后)(元)	0.0328	-0.0020	0.0043	-0.0959
稀释每股收益(元)	0.0321	0.0542	0.0028	-0.1268
每股净资产(元)	2.6856	2.6533	0.9321	0.9289
每股经营现金净流量(元)	-0.2205	-0.4733	-0.3736	-0.2052
每股现金流量(元)	-0.9309	0.8778	-0.1096	-0.1155
每股资本公积金(元)	1.8239	1.8239	0.2200	0.2245
每股盈余公积金(元)	0.0105	0.0105	0.0146	0.0146
每股未分配利润(元)	-0.1526	-0.1847	-0.3071	-0.3144
净资产收益率(%)	1.1955	1.5374	0.2966	-13.6476
加权净资产收益率(%)	1.2000	4.0500	0.2900	-13.5200
净资产收益率(扣除)(%)	1.2231	-0.0565	0.4631	-10.3276
总资产(万元)	475558.40	517465.59	188770.96	80421.84
归属母公司股东权益(万元)	220181.51	217529.60	54813.02	54627.42
营业收入(万元)	56087.83	95737.93	40606.73	23029.97
营业支出(万元)	40417.85	75715.79	34733.41	18931.91
投资收益(万元)	1726.99	769.96	-	-244.22
净利润(万元)	2578.22	3244.71	94.39	-7531.83
营业利润(万元)	4242.30	2566.50	1089.89	-5150.75
利润总额(万元)	4154.42	5849.73	998.78	-7551.07

深圳市物业发展(集团)股份有限公司

公司概况	公司名称	深圳市物业发展(集团)股份有限公司		证券简称	深物业 A
	法人代表	陈玉刚	董秘 范维平	证券代码	000011
	公司网址	www.szwuye.com.cn		电子信箱	000011touzizhe@163.com
	电话	0755-82211020		传真	0755-82210610 82212043
	办公地址	广东省深圳市人民南路国贸大厦39、42层			
	经营范围	房地产开发及商品房销售、商品楼宇的建筑、管理、房屋租赁等			

指标\报告期	2016.06.30	2015.12.31	2015.06.30	2014.12.31
基本每股收益(元)	-0.0088	0.2631	0.0523	0.7005
基本每股收益(扣除后)(元)	-0.0098	0.0310	0.0452	0.4258
稀释每股收益(元)	-0.0088	0.2631	0.0523	0.7005
每股净资产(元)	3.4363	3.5235	3.3077	3.4804
每股经营现金净流量(元)	2.5324	0.5198	-0.3723	-0.0245
每股现金流量(元)	1.9845	0.2087	-0.5469	-0.2822
每股资本公积金(元)	0.2013	0.2013	0.2013	0.2013
每股盈余公积金(元)	0.2595	0.2595	0.2292	0.2292
每股未分配利润(元)	1.9807	2.0695	1.8889	2.0567
净资产收益率(%)	-0.2563	7.4679	1.5808	20.1278
加权净资产收益率(%)	-0.2500	7.5900	1.5200	21.8200
净资产收益率(扣除)(%)	-0.2864	0.8801	1.3669	12.2348
总资产(万元)	591028.53	437976.35	375656.87	388328.81
归属母公司股东权益(万元)	204798.06	209990.68	197133.92	207424.27
营业收入(万元)	37205.75	107741.85	33876.13	126845.15
营业支出(万元)	29500.78	64857.29	19905.42	52048.51
投资收益(万元)	115.86	773.84	676.75	21462.49
净利润(万元)	-524.87	15682.00	3116.28	41749.87
营业利润(万元)	-342.11	4764.93	4306.17	57474.75
利润总额(万元)	-263.67	21639.17	4252.49	55376.50

中国南玻集团股份有限公司

公司概况	公司名称	中国南玻集团股份有限公司		证券简称	南玻 A
	法人代表	曾南	董秘	证券代码	000012
	公司网址	www.csgholding.com		电子信箱	securities@csgholding.com
	电话	0755-26860666		传真	0755-26692755
	办公地址	广东省深圳市蛇口工业区工业六路一号南玻大厦			
	经营范围	高级浮法玻璃原片、工程玻璃、精细玻璃、汽车玻璃、新型电子元器件等			

指标\报告期	2016.06.30	2015.12.31	2015.06.30	2014.12.31
基本每股收益(元)	0.2200	0.3000	0.1000	0.4200
基本每股收益(扣除后)(元)	0.2000	0.1400	0.0300	0.2100
稀释每股收益(元)	0.2200	0.3000	0.1000	0.4200
每股净资产(元)	3.7182	3.7942	3.6225	4.0228
每股经营现金净流量(元)	0.5044	0.5266	0.1699	0.6776
每股现金流量(元)	-0.0819	0.2014	0.0129	-0.0576
每股资本公积金(元)	0.6074	0.6078	0.6076	0.6457
每股盈余公积金(元)	0.4250	0.4250	0.4003	0.4003
每股未分配利润(元)	1.6776	1.7526	1.5754	1.9762
净资产收益率(%)	6.0504	7.9341	2.7370	10.4647
加权净资产收益率(%)	5.9900	7.7000	2.4700	10.6100
净资产收益率(扣除)(%)	5.4885	3.8058	0.8549	5.2571
总资产(万元)	1697522.14	1548960.02	1532177.53	1511680.83
归属母公司股东权益(万元)	771652.05	787431.10	751798.80	834856.18
营业收入(万元)	422816.56	743088.91	332303.95	704450.26
营业支出(万元)	307681.85	582479.26	264602.07	532321.94
投资收益(万元)	-1426.44	28804.48	4245.45	32843.96
净利润(万元)	46530.13	63983.27	22059.64	93976.47
营业利润(万元)	49376.78	61693.04	15099.26	89626.46
利润总额(万元)	54314.45	73365.33	22712.31	98358.25

沙河实业股份有限公司

公司概况	公司名称	沙河实业股份有限公司		证券简称	沙河股份
	法人代表	陈勇	董秘 王凡	证券代码	000014
	公司网址	www.shahe.cn		电子信箱	wf000014@163.com
	电话	0755-86091298		传真	0755-86090688
	办公地址	广东省深圳市南山区白石路2222号沙河世纪楼			
	经营范围	房地产开发与销售			

指标\报告期	2016.06.30	2015.12.31	2015.06.30	2014.12.31
基本每股收益(元)	-0.0518	0.2626	0.0724	0.3013
基本每股收益(扣除后)(元)	-0.0871	0.1857	0.0200	0.2855
稀释每股收益(元)	-0.0518	0.2626	0.0724	0.3013
每股净资产(元)	3.4563	3.5451	3.3549	3.3016
每股经营现金净流量(元)	0.4905	0.1978	-0.1296	-1.5961
每股现金流量(元)	0.1737	-0.5964	-0.5688	0.0287
每股资本公积金(元)	0.0494	0.0494	0.0494	0.0494
每股盈余公积金(元)	1.0838	1.0054	0.9923	0.9041
每股未分配利润(元)	1.3231	1.4903	1.3132	1.3480
净资产收益率(%)	-1.4988	7.4067	2.1570	9.1275
加权净资产收益率(%)	-1.4800	7.6800	2.1800	9.5500
净资产收益率(扣除)(%)	-2.8466	5.2370	0.5973	8.6468
总资产(万元)	214358.66	217051.50	212902.91	223673.43
归属母公司股东权益(万元)	69716.17	71507.37	67670.54	66594.14
营业收入(万元)	12251.74	41321.37	18403.54	51181.53
营业支出(万元)	9818.44	23718.80	12838.84	24084.49
投资收益(万元)	-	145.98	-	-
净利润(万元)	-1036.17	5341.08	1547.84	6278.33
营业利润(万元)	-2307.10	5188.94	-522.27	8457.60
利润总额(万元)	-1356.68	7199.20	800.17	8450.40

康佳集团股份有限公司

公司概况					
公司名称	康佳集团股份有限公司			证券简称	深康佳 A
法人代表	刘凤喜	董秘	吴勇军	证券代码	000016
公司网址	www.konka.com		电子信箱	szkonka@konka.com	
电 话	0755-26608866		传 真	0755-26601139	
办公地址	广东省深圳市南山区科技南十二路 28 号康佳研发大厦 23-24 层				
经营范围	研究开发、生产经营电视机、冰箱、洗衣机、日用小家电等家用电器产品等				

主要财务指标 指标＼报告期	2016.06.30	2015.12.31	2015.06.30	2014.12.31
基本每股收益(元)	0.0053	−0.5200	−0.2500	0.0437
基本每股收益(扣除后)(元)	−0.0119	−0.4693	−0.2774	−0.3949
稀释每股收益(元)	0.0053	−0.5200	−0.2500	0.0437
每股净资产(元)	1.1689	1.1688	3.1543	3.4083
每股经营现金净流量(元)	−0.0521	0.5356	0.0582	−0.5319
每股现金流量(元)	0.4077	−0.0632	0.3291	−0.1090
每股资本公积金(元)	0.0336	0.0325	1.0730	1.0710
每股盈余公积金(元)	0.3521	0.3521	0.7043	0.7043
每股未分配利润(元)	−0.2118	−0.2171	0.3630	0.6196
净资产收益率(%)	0.4560	−44.6570	−7.8192	1.2824
加权净资产收益率(%)	0.4600	−36.3000	−7.5200	1.2800
净资产收益率(扣除)(%)	−1.0209	−40.1509	−8.7931	−11.5873
总资产(万元)	1488178.85	1425036.75	1613279.91	1677935.93
归属母公司股东权益(万元)	281474.85	281438.29	379772.44	410347.90
营业收入(万元)	860908.08	1839517.70	894455.89	1942348.90
营业支出(万元)	717772.51	1605549.72	779121.58	1673374.66
投资收益(万元)	1058.64	1357.47	718.55	59687.36
净利润(万元)	990.70	−127584.48	−30461.82	6052.47
营业利润(万元)	−14004.37	−156922.51	−42192.07	−14961.28
利润总额(万元)	1061.29	−154546.77	−35571.98	9237.97

深圳中华自行车(集团)股份有限公司

公司概况					
公司名称	深圳中华自行车(集团)股份有限公司			证券简称	深中华 A
法人代表	李海	董秘	孙龙龙	证券代码	000017
公司网址	www.cbc.com.cn		电子信箱	dmc@szcbc.com	
电 话	0755-28181666		传 真	0755-28181009	
办公地址	深圳市笋岗东路 3002 号万通大厦 1201 室				
经营范围	生产装配各种类型的自行车及自行车零件、部件、配件、机械产品、运动机械等				

主要财务指标 指标＼报告期	2016.06.30	2015.12.31	2015.06.30	2014.12.31
基本每股收益(元)	0.0008	−0.0003	0.0008	0.0089
基本每股收益(扣除后)(元)	0.0004	−0.0008	0.0007	−0.0110
稀释每股收益(元)	0.0008	−0.0003	0.0008	0.0089
每股净资产(元)	0.0222	0.0213	0.0223	0.0216
每股经营现金净流量(元)	−0.0086	−0.0055	−0.0102	0.0071
每股现金流量(元)	−0.0140	−0.0062	−0.0106	0.0060
每股资本公积金(元)	1.1387	1.1387	1.1387	1.1387
每股盈余公积金(元)	0.0593	0.0593	0.0593	0.0593
每股未分配利润(元)	−2.1758	−2.1766	−2.1756	−2.1764
净资产收益率(%)	3.6710	−1.1760	3.3782	41.0446
加权净资产收益率(%)	3.7400	−1.1700	3.4400	51.7200
净资产收益率(扣除)(%)	1.5878	−3.5381	3.1101	−51.0230
总资产(万元)	5847.85	4586.91	5630.59	5148.96
归属母公司股东权益(万元)	1221.34	1176.50	1231.95	1190.33
营业收入(万元)	6577.40	17099.00	7653.68	21207.06
营业支出(万元)	6032.12	15939.93	6999.25	19896.47
投资收益(万元)	−	−	−	−
净利润(万元)	51.89	−10.59	59.26	578.30
营业利润(万元)	37.42	−38.05	78.84	−672.75
利润总额(万元)	71.48	−1.13	83.25	792.89

神州长城股份有限公司

公司概况					
公司名称	神州长城股份有限公司			证券简称	神州长城
法人代表	陈略	董秘	杨春玲	证券代码	000018
公司网址	www.sgwde.com		电子信箱	000018sz@sina.com	
电 话	86-10-89045855		传 真	86-10-89045856	
办公地址	北京市经济技术开发区锦绣街 3 号神州长城大厦				
经营范围	生产经营纺织工业品及所需的原材料、辅料、各种面料服装、机械设备等				

主要财务指标 指标＼报告期	2016.06.30	2015.12.31	2015.06.30	2014.12.31
基本每股收益(元)	0.1200	1.5000	−0.0040	0.0254
基本每股收益(扣除后)(元)	0.1000	1.5000	−0.0040	0.0178
稀释每股收益(元)	0.1200	1.5000	−0.0040	0.0254
每股净资产(元)	0.8918	2.8692	0.7727	0.7761
每股经营现金净流量(元)	−0.7399	−0.6535	0.0054	0.0197
每股现金流量(元)	0.0167	0.7585	0.0040	−0.0697
每股资本公积金(元)	−0.7665	−0.1127	0.2329	2.5161
每股盈余公积金(元)	0.0497	0.1888	0.1579	0.7036
每股未分配利润(元)	0.5648	1.6901	−0.6171	6.3264
净资产收益率(%)	13.3573	27.0343	−0.4656	3.2688
加权净资产收益率(%)	14.4700	34.5200	−0.4600	3.3500
净资产收益率(扣除)(%)	11.6167	27.0770	−0.4656	2.2732
总资产(万元)	578174.21	401746.28	17323.36	239012.19
归属母公司股东权益(万元)	151452.52	128225.67	13069.39	76147.12
营业收入(万元)	195357.48	401035.90	556.97	1101.54
营业支出(万元)	146072.71	316502.72	192.27	376.08
投资收益(万元)	4.69	−	−5.02	879.97
净利润(万元)	20157.76	34610.31	−60.86	428.72
营业利润(万元)	21306.31	43143.67	−60.86	343.40
利润总额(万元)	23944.04	43079.20	−60.86	474.09

深圳市深宝实业股份有限公司

公司概况					
公司名称	深圳市深宝实业股份有限公司			证券简称	深深宝 A
法人代表	郑煜曦	董秘	李亦研	证券代码	000019
公司网址	www.sbsy.com.cn		电子信箱	shenbao@sbsy.com.cn	
电 话	0755-82027522		传 真	0755-82027522	
办公地址	广东省深圳市南山区学府路科技园南区软件产业基地 4 栋 B 座 8 层				
经营范围	生产食品罐头、饮料、土产品等				

主要财务指标 指标＼报告期	2016.06.30	2015.12.31	2015.06.30	2014.12.31
基本每股收益(元)	−0.0334	−0.1171	0.0177	0.0443
基本每股收益(扣除后)(元)	−0.0450	−0.1487	−0.0083	0.0145
稀释每股收益(元)	−0.0334	−0.1171	0.0177	0.0443
每股净资产(元)	2.0383	3.1076	3.2423	3.2247
每股经营现金净流量(元)	0.0700	−0.1527	0.0728	0.0845
每股现金流量(元)	−0.0058	−0.3964	−0.2869	0.0777
每股资本公积金(元)	0.8141	1.7211	1.7211	1.7211
每股盈余公积金(元)	0.1100	0.1650	0.1644	0.1644
每股未分配利润(元)	0.1142	0.2215	0.3569	0.3392
净资产收益率(%)	−1.6403	−3.7682	0.5447	1.3723
加权净资产收益率(%)	−1.6300	−3.7000	0.5500	1.3800
净资产收益率(扣除)(%)	−2.2089	−4.7867	−0.2566	0.4500
总资产(万元)	104731.23	106045.88	110760.47	115461.23
归属母公司股东权益(万元)	92052.32	93562.23	97619.58	97087.82
营业收入(万元)	14915.55	33822.45	16335.61	36812.14
营业支出(万元)	11689.32	24744.37	10557.78	22905.93
投资收益(万元)	−89.87	53.55	63.05	287.57
净利润(万元)	−1946.03	−4296.06	252.48	1412.62
营业利润(万元)	−2580.94	−4823.44	133.62	1141.82
利润总额(万元)	−1996.20	−4042.50	721.01	1805.41

深圳中恒华发股份有限公司

公司概况

公司名称	深圳中恒华发股份有限公司			证券简称	深华发 A
法人代表	李中秋	董秘	杨斌	证券代码	000020
公司网址	www.hwafa.com		电子信箱	hwafainvestor@126.com	
电话	0755-83352206 61389198		传真	0755-61389001	
办公地址	广东省深圳市福田区华发北路 411 栋华发大厦东座六层				
经营范围	生产经营各种彩色电视机、液晶显示器、液晶显示屏、收录机、音响设备、电子表等				

主要财务指标

指标\报告期	2016.06.30	2015.12.31	2015.06.30	2014.12.31
基本每股收益(元)	0.0257	-0.0238	0.0501	0.0271
基本每股收益(扣除后)(元)	0.0218	-0.0532	-0.0291	0.0082
稀释每股收益(元)	0.0257	-0.0238	0.0501	0.0271
每股净资产(元)	1.1254	1.0998	1.0437	0.9936
每股经营现金净流量(元)	-0.0898	0.6127	0.0601	0.4220
每股现金流量(元)	-2.0253	2.1559	-0.0048	-0.1000
每股资本公积金(元)	0.5166	0.5166	0.3867	0.3867
每股盈余公积金(元)	0.2733	0.2733	0.2733	0.2733
每股未分配利润(元)	-0.6645	-0.6902	-0.6163	-0.6664
净资产收益率(%)	2.2822	-2.1378	4.7973	2.7324
加权净资产收益率(%)	2.3100	-2.2700	4.9200	2.7700
净资产收益率(扣除)(%)	1.9400	-10.1930	-2.7885	0.8253
总资产(万元)	61974.84	115508.92	117277.88	116274.10
归属母公司股东权益(万元)	31867.95	31140.66	29552.86	28135.13
营业收入(万元)	30953.85	49945.58	24873.46	69483.98
营业支出(万元)	26428.84	41800.11	20746.35	59399.88
投资收益(万元)	-	2524.72	2950.06	98.36
净利润(万元)	727.30	-673.15	1417.73	768.76
营业利润(万元)	820.18	-630.04	1297.46	474.65
利润总额(万元)	965.72	-346.94	1346.84	1064.37

深圳长城开发科技股份有限公司

公司概况

公司名称	深圳长城开发科技股份有限公司			证券简称	深科技
法人代表	谭文鋕	董秘	葛伟强	证券代码	000021
公司网址	www.kaifa.cn		电子信箱	stock@kaifa.cn	
电话	0755-83200095 83205285		传真	0755-83275075	
办公地址	广东省深圳市福田区彩田路 7006 号				
经营范围	开发、生产、经营计算机软、硬件系统及其外部设备、通讯设备、电子仪器仪表及其零部件等				

主要财务指标

指标\报告期	2016.06.30	2015.12.31	2015.06.30	2014.12.31
基本每股收益(元)	0.1479	0.1228	0.0942	0.1332
基本每股收益(扣除后)(元)	0.0623	0.1210	0.0581	0.1279
稀释每股收益(元)	0.1479	0.1228	0.0942	0.1332
每股净资产(元)	3.5988	3.5370	3.5565	3.3687
每股经营现金净流量(元)	-0.0328	0.3334	0.1176	-0.0674
每股现金流量(元)	-0.4370	0.2355	-0.4095	-0.2163
每股资本公积金(元)	0.4610	0.4610	0.4735	0.4956
每股盈余公积金(元)	0.7293	0.7293	0.7003	0.7003
每股未分配利润(元)	1.2297	1.1318	1.1299	1.0857
净资产收益率(%)	4.1085	3.4716	2.6491	3.5446
加权净资产收益率(%)	4.0700	3.5700	2.7600	3.5600
净资产收益率(扣除)(%)	1.7302	3.4211	1.6333	3.4055
总资产(万元)	1047263.67	1433751.53	1431806.79	1445042.08
归属母公司股东权益(万元)	529474.59	520389.35	523259.37	496586.43
营业收入(万元)	686876.34	1536181.48	719910.76	1644416.50
营业支出(万元)	651251.02	1469672.08	692232.85	1591990.78
投资收益(万元)	2050.31	586.68	870.53	9002.64
净利润(万元)	21753.83	18066.03	13861.42	16055.62
营业利润(万元)	29883.64	19769.12	16246.42	25974.66
利润总额(万元)	30653.36	27744.93	16821.61	27158.00

深圳赤湾港航股份有限公司

公司概况

公司名称	深圳赤湾港航股份有限公司			证券简称	深赤湾 A
法人代表	郑少平	董秘	王永立	证券代码	000022
公司网址	www.szcwh.com		电子信箱	cwh@cndi.com	
电话	0755-26694222		传真	0755-26684117	
办公地址	广东省深圳市赤湾石油大厦 8 楼				
经营范围	港口装卸、堆存、运输、代理及其他业务				

主要财务指标

指标\报告期	2016.06.30	2015.12.31	2015.06.30	2014.12.31
基本每股收益(元)	0.4130	0.8190	0.3750	0.6480
基本每股收益(扣除后)(元)	0.4110	0.8190	0.3780	0.6470
稀释每股收益(元)	0.4130	0.8190	0.3750	0.6480
每股净资产(元)	6.8943	6.8856	6.4387	6.3826
每股经营现金净流量(元)	0.5718	1.5166	0.5669	1.2692
每股现金流量(元)	-0.4300	0.3327	-0.2489	-0.3829
每股资本公积金(元)	0.2598	0.2568	0.2523	0.2523
每股盈余公积金(元)	0.8066	0.8066	0.8066	0.8066
每股未分配利润(元)	4.8321	4.8287	4.3855	4.3342
净资产收益率(%)	5.9960	11.8874	5.8288	10.1474
加权净资产收益率(%)	5.8800	12.3400	5.7570	10.3580
净资产收益率(扣除)(%)	5.9551	11.8939	5.8718	10.1482
总资产(万元)	662676.13	691377.29	671161.03	693582.42
归属母公司股东权益(万元)	444520.35	443960.05	415142.80	411529.88
营业收入(万元)	90480.97	187260.86	88078.80	180476.62
营业支出(万元)	49215.85	100271.59	46342.75	98388.66
投资收益(万元)	6930.03	10081.77	4883.50	9244.85
净利润(万元)	33477.07	65271.77	31021.06	52979.05
营业利润(万元)	38229.39	72810.16	34375.20	67186.91
利润总额(万元)	38443.17	72802.73	34466.91	67253.77

深圳市天地(集团)股份有限公司

公司概况

公司名称	深圳市天地(集团)股份有限公司			证券简称	深天地 A
法人代表	杨国富	董秘	侯剑	证券代码	000023
公司网址	www.sztiansi.com		电子信箱	std000023@vip.163.com	
电话	0755-86154212		传真	0755-86154040	
办公地址	广东省深圳市南山区高新技术产业园(北区)朗山路东物商业大楼 10 楼				
经营范围	商品混凝土及其原材料的生产、销售				

主要财务指标

指标\报告期	2016.06.30	2015.12.31	2015.06.30	2014.12.31
基本每股收益(元)	0.0559	0.1926	0.0778	0.1243
基本每股收益(扣除后)(元)	0.0553	0.2356	0.0727	0.1185
稀释每股收益(元)	0.0559	0.1926	0.0778	0.1243
每股净资产(元)	2.7752	2.7681	2.6490	2.6097
每股经营现金净流量(元)	0.0695	0.2124	-0.2641	-0.1802
每股现金流量(元)	-0.0635	0.0513	-0.1206	-0.2103
每股资本公积金(元)	0.7389	0.7389	0.7389	0.7374
每股盈余公积金(元)	0.3462	0.3462	0.3265	0.3265
每股未分配利润(元)	0.6848	0.6789	0.5837	0.5459
净资产收益率(%)	2.0151	6.9596	2.9351	4.7627
加权净资产收益率(%)	2.0200	7.1700	2.9300	4.8400
净资产收益率(扣除)(%)	1.9913	8.5109	2.7528	4.5405
总资产(万元)	150067.17	156586.56	145998.92	147400.20
归属母公司股东权益(万元)	38507.45	38408.67	36757.00	36211.88
营业收入(万元)	45029.45	103780.41	41941.61	109235.51
营业支出(万元)	38387.59	85084.23	35167.30	95545.69
投资收益(万元)	-	-	-	17.61
净利润(万元)	962.49	2663.39	1079.19	1506.64
营业利润(万元)	1476.65	5289.73	1601.56	2285.65
利润总额(万元)	1526.64	4293.72	1693.46	2392.34

深圳市特力(集团)股份有限公司

公司概况					
公司名称	深圳市特力(集团)股份有限公司			证券简称	特力A
法人代表	吕航	董秘	祁鹏	证券代码	000025
公司网址	www.tellus.cn		电子信箱	ir@tellus.cn	
电　话	0755-83989398　83989339		传　真	0755-83989386	
办公地址	广东省深圳市福田区深南中路中核大厦十五楼				
经营范围	汽车销售、汽车检测维修及配件销售、物业租赁及服务等				

主要财务指标				
指标\报告期	2016.06.30	2015.12.31	2015.06.30	2014.12.31
基本每股收益(元)	0.0597	0.1538	0.0296	0.0470
基本每股收益(扣除后)(元)	0.0520	0.1298	0.0290	0.0398
稀释每股收益(元)	0.0597	0.1538	0.0296	0.0470
每股净资产(元)	2.9801	2.9204	2.8022	0.8711
每股经营现金净流量(元)	0.0806	0.2714	0.1139	0.0282
每股现金流量(元)	0.1070	0.0644	0.1723	0.0766
每股资本公积金(元)	1.8978	1.8978	1.8978	0.0348
每股盈余公积金(元)	0.0099	0.0099	0.0099	0.0134
每股未分配利润(元)	0.0723	0.0126	-0.1055	-0.1772
净资产收益率(%)	2.0033	4.9263	0.9184	5.3915
加权净资产收益率(%)	2.0200	6.2100	1.4900	5.5300
净资产收益率(扣除)(%)	1.7439	3.2930	0.9023	4.5732
总资产(万元)	116732.95	116866.79	114397.48	80632.48
归属母公司股东权益(万元)	88591.70	86816.91	83305.06	19188.03
营业收入(万元)	15714.72	30372.68	15849.18	46498.75
营业支出(万元)	11282.24	21799.22	11693.95	38942.36
投资收益(万元)	510.06	2099.23	62.44	2600.18
净利润(万元)	1796.95	4273.80	730.87	856.62
营业利润(万元)	1852.78	4689.89	849.80	918.99
利润总额(万元)	1856.74	4729.31	850.94	1002.54

飞亚达(集团)股份有限公司

公司概况					
公司名称	飞亚达(集团)股份有限公司			证券简称	飞亚达A
法人代表	徐东升	董秘	陆万军	证券代码	000026
公司网址	www.fiytagroup.com		电子信箱	investor@fiyta.com.cn	
电　话	0755-86013669　86013198		传　真	0755-83348369	
办公地址	广东省深圳市南山区高新南一道飞亚达科技大厦20楼				
经营范围	钟表及其零配件的设计、开发、制造、销售和维修等				

主要财务指标				
指标\报告期	2016.06.30	2015.12.31	2015.06.30	2014.12.31
基本每股收益(元)	0.1379	0.3099	0.1860	0.3710
基本每股收益(扣除后)(元)	0.1359	0.2890	0.1830	0.3480
稀释每股收益(元)	0.1379	0.3099	0.1860	0.3710
每股净资产(元)	5.3002	5.2404	4.2631	4.1587
每股经营现金净流量(元)	0.4960	1.0088	0.4386	0.7363
每股现金流量(元)	-0.3198	1.3303	0.1120	0.0184
每股资本公积金(元)	2.4216	2.7050	1.3380	1.3380
每股盈余公积金(元)	0.4097	0.4576	0.4224	0.4224
每股未分配利润(元)	1.4862	1.6178	1.5293	1.4431
净资产收益率(%)	2.6022	5.2932	4.3663	8.9134
加权净资产收益率(%)	2.5900	7.2400	4.3600	8.6200
净资产收益率(扣除)(%)	2.5712	4.9339	4.2976	8.3751
总资产(万元)	401280.32	424667.00	382085.01	365778.16
归属母公司股东权益(万元)	232543.21	229921.57	167439.77	163340.19
营业收入(万元)	147952.78	316219.62	168379.32	327814.28
营业支出(万元)	88166.33	192951.37	103798.17	205471.50
投资收益(万元)	0.02	83.18	25.00	-84.82
净利润(万元)	6036.32	12204.37	7328.06	14610.32
营业利润(万元)	7526.96	12462.40	9403.78	15894.50
利润总额(万元)	7614.30	13553.02	9554.22	17039.46

深圳能源集团股份有限公司

公司概况					
公司名称	深圳能源集团股份有限公司			证券简称	深圳能源
法人代表	高自民	董秘	邵崇	证券代码	000027
公司网址	www.sec.com.cn		电子信箱	ir@sec.com.cn	
电　话	0755-83684138		传　真	0755-83684128	
办公地址	广东省深圳市福田区深南中路2068号华能大厦5、33、35-36、38-41层				
经营范围	各种常规能源和新能源的开发、生产、购销等				

主要财务指标				
指标\报告期	2016.06.30	2015.12.31	2015.06.30	2014.12.31
基本每股收益(元)	0.2150	0.4500	0.2589	0.7696
基本每股收益(扣除后)(元)	0.2127	0.4400	0.2500	0.7400
稀释每股收益(元)	0.2150	0.4500	0.2589	-
每股净资产(元)	5.2806	5.4765	5.5779	6.7012
每股经营现金净流量(元)	0.2633	0.9674	0.4570	1.2070
每股现金流量(元)	-0.6247	0.9527	0.6123	0.6864
每股资本公积金(元)	1.0897	1.0897	1.0883	1.6323
每股盈余公积金(元)	0.7110	0.7110	0.6804	1.0206
每股未分配利润(元)	1.9517	1.9505	1.7884	3.0138
净资产收益率(%)	4.0706	8.2463	4.6410	11.4846
加权净资产收益率(%)	3.8500	9.1900	5.6400	11.9100
净资产收益率(扣除)(%)	4.0274	7.9652	4.5470	11.0305
总资产(万元)	5804956.50	5806742.74	4877652.25	3844138.77
归属母公司股东权益(万元)	2093501.62	2171135.52	2211363.58	1771121.53
营业收入(万元)	502987.34	1112998.30	548868.18	1250604.23
营业支出(万元)	340095.95	779676.30	383711.35	925615.29
投资收益(万元)	23400.84	53926.17	27951.00	36422.63
净利润(万元)	91931.72	205769.27	120469.87	233610.25
营业利润(万元)	107935.58	227572.95	127010.85	225209.97
利润总额(万元)	116012.47	261339.00	148326.63	291736.64

国药集团一致药业股份有限公司

公司概况					
公司名称	国药集团一致药业股份有限公司			证券简称	国药一致
法人代表	林兆雄	董秘	陈常兵	证券代码	000028
公司网址	www.szaccord.com.cn		电子信箱	investor@szaccord.com.cn	
电　话	0755-25875195		传　真	0755-25875147	
办公地址	广东省深圳市福田区八卦四路15号一致药业大厦				
经营范围	中成药、化学原料药、化学药制剂、抗生素原料药、抗生素制剂等				

主要财务指标				
指标\报告期	2016.06.30	2015.12.31	2015.06.30	2014.12.31
基本每股收益(元)	1.4950	2.1000	1.0680	1.9000
基本每股收益(扣除后)(元)	1.1150	1.9700	1.0300	1.7800
稀释每股收益(元)	1.4950	2.1000	1.0680	1.9000
每股净资产(元)	16.2333	15.0384	14.0070	13.1390
每股经营现金净流量(元)	1.3585	2.8899	1.2361	-2.1970
每股现金流量(元)	1.2733	1.9717	0.8365	-0.6721
每股资本公积金(元)	5.1399	5.1399	5.1399	5.1399
每股盈余公积金(元)	0.5000	0.5000	0.5000	0.5000
每股未分配利润(元)	9.5934	8.3985	7.3671	6.4991
净资产收益率(%)	9.2092	13.9603	7.6253	13.6947
加权净资产收益率(%)	9.5300	14.9400	7.8500	16.4100
净资产收益率(扣除)(%)	6.8716	13.1150	7.3564	12.8289
总资产(万元)	1448558.66	1321834.97	1381265.65	1282894.15
归属母公司股东权益(万元)	588672.62	545339.37	507940.07	476460.78
营业收入(万元)	1408905.29	2599313.93	1281380.32	2395433.10
营业支出(万元)	1304049.38	2397204.26	1180166.10	2200262.88
投资收益(万元)	14954.53	5741.39	2827.41	5041.58
净利润(万元)	55437.20	78734.79	39964.23	66984.12
营业利润(万元)	65348.17	90659.32	48244.95	78148.72
利润总额(万元)	66482.89	96130.79	49499.11	82928.34

深圳经济特区房地产(集团)股份有限公司

公司概况	公司名称	深圳经济特区房地产(集团)股份有限公司		证券简称	深深房 A
	法人代表	周建国	董秘 陈继	证券代码	000029
	公司网址	www.sfjt.com.cn		电子信箱	spg@163.net
	电　话	0755-82293000*4718		传　真	0755-82294024
	办公地址	广东省深圳市罗湖区人民南路深房广场 47 楼			
	经营范围	房地产开发及商品房销售、物业租赁及管理、建筑装饰安装、商品零售及贸易等			

主要财务指标	指标\报告期	2016.06.30	2015.12.31	2015.06.30	2014.12.31
	基本每股收益(元)	0.1332	0.2977	0.1843	0.2946
	基本每股收益(扣除后)(元)	0.1259	0.2975	0.1840	0.2937
	稀释每股收益(元)	0.1332	0.2977	0.1843	0.2946
	每股净资产(元)	2.4365	2.3048	2.3210	2.1366
	每股经营现金净流量(元)	0.4213	1.0845	0.4506	0.3184
	每股现金流量(元)	0.3232	0.4939	0.2931	0.1491
	每股资本公积金(元)	0.9670	0.9670	0.9670	0.9670
	每股盈余公积金(元)	0.0404	0.0404	0.0417	0.0049
	每股未分配利润(元)	0.4208	0.2876	0.3028	0.1553
	净资产收益率(%)	5.4672	12.9146	7.9388	13.7880
	加权净资产收益率(%)	5.6200	13.2100	8.2700	14.8100
	净资产收益率(扣除)(%)	5.1654	12.9074	7.9269	13.7479
	总资产(万元)	447697.17	417993.71	446255.60	437509.83
	归属母公司股东权益(万元)	246489.59	233170.41	234804.60	216153.74
	营业收入(万元)	109788.70	216336.56	114755.28	213231.12
	营业支出(万元)	81602.72	138962.73	69764.59	140966.49
	投资收益(万元)	62.52	38.87	22.03	-0.63
	净利润(万元)	13472.80	30106.91	18640.40	29805.81
	营业利润(万元)	17589.98	40968.32	24944.74	39947.48
	利润总额(万元)	18101.27	40990.49	24983.03	40066.09

富奥汽车零部件股份有限公司

公司概况	公司名称	富奥汽车零部件股份有限公司		证券简称	富奥股份
	法人代表	金毅	董秘 王晓平	证券代码	000030
	公司网址	www.fawer.com.cn		电子信箱	000030@fawer.com.cn
	电　话	0431-85122797		传　真	0431-85122756
	办公地址	吉林省长春汽车经济技术开发区东风南街 777 号			
	经营范围	汽车零部件及相关产品的研究、设计、制造，国内销售及售后服务			

主要财务指标	指标\报告期	2016.06.30	2015.12.31	2015.06.30	2014.12.31
	基本每股收益(元)	0.2900	0.3900	0.2200	0.4800
	基本每股收益(扣除后)(元)	0.2700	0.3800	0.2200	0.4600
	稀释每股收益(元)	0.2900	0.3900	0.2200	0.4800
	每股净资产(元)	3.7617	3.6222	3.4428	3.3143
	每股经营现金净流量(元)	0.1225	0.2580	0.1655	0.2771
	每股现金流量(元)	0.0379	0.2776	0.2332	0.1962
	每股资本公积金(元)	0.4083	0.4049	0.4017	0.3982
	每股盈余公积金(元)	0.2752	0.2752	0.2370	0.2370
	每股未分配利润(元)	2.0694	1.9347	1.7983	1.6756
	净资产收益率(%)	7.5887	10.7424	6.4563	14.5524
	加权净资产收益率(%)	7.5800	11.1900	6.4800	15.5500
	净资产收益率(扣除)(%)	7.2677	10.4657	6.3375	13.7325
	总资产(万元)	846842.14	808537.69	733050.05	727111.44
	归属母公司股东权益(万元)	486481.96	468442.89	447114.04	430426.10
	营业收入(万元)	276516.31	433151.35	229811.68	501001.23
	营业支出(万元)	227949.65	353451.60	187988.91	407619.17
	投资收益(万元)	26831.35	43578.64	22155.57	47142.36
	净利润(万元)	37567.55	52494.57	30669.11	67241.42
	营业利润(万元)	37319.34	52277.45	32077.57	65923.21
	利润总额(万元)	39451.97	53615.49	32706.32	70250.99

中粮地产(集团)股份有限公司

公司概况	公司名称	中粮地产(集团)股份有限公司		证券简称	中粮地产
	法人代表	周政	董秘 崔捷	证券代码	000031
	公司网址	www.cofco-property.cn		电子信箱	cofco-property@cofco.com
	电　话	0755-23999291 23999288		传　真	0755-23999299
	办公地址	广东省深圳市福田区福华一路 1 号大中华国际交易广场 35 层			
	经营范围	商品房开发与销售、物业租赁、来料加工等			

主要财务指标	指标\报告期	2016.06.30	2015.12.31	2015.06.30	2014.12.31
	基本每股收益(元)	0.0900	0.4000	0.1100	0.3300
	基本每股收益(扣除后)(元)	0.0900	0.0600	-0.1400	0.0500
	稀释每股收益(元)	0.0900	0.4000	0.1100	0.3300
	每股净资产(元)	3.0803	3.2963	3.1533	3.2997
	每股经营现金净流量(元)	0.8512	-1.0014	0.7592	-1.1368
	每股现金流量(元)	1.5159	1.1150	1.0446	0.7599
	每股资本公积金(元)	0.1542	0.1542	0.1543	0.1436
	每股盈余公积金(元)	0.5334	0.5334	0.4347	0.4266
	每股未分配利润(元)	1.3791	1.5585	1.4755	1.4102
	净资产收益率(%)	2.8807	12.0733	3.4361	10.0007
	加权净资产收益率(%)	2.7200	12.0000	3.2500	10.6800
	净资产收益率(扣除)(%)	2.9683	1.7598	-4.4424	1.5449
	总资产(万元)	5947418.51	5556969.27	4955405.81	4631147.33
	归属母公司股东权益(万元)	558680.05	591691.35	571915.51	598482.33
	营业收入(万元)	619813.38	1349954.27	278614.61	904083.32
	营业支出(万元)	418042.83	992930.26	224423.10	563380.92
	投资收益(万元)	1302.95	88263.33	63151.46	58915.73
	净利润(万元)	52353.26	100122.23	17545.92	90280.82
	营业利润(万元)	74267.95	138620.27	34266.86	139713.75
	利润总额(万元)	74693.49	140053.03	34404.07	140622.84

深圳市桑达实业股份有限公司

公司概况	公司名称	深圳市桑达实业股份有限公司		证券简称	深桑达 A
	法人代表	周剑	董秘 钟彦	证券代码	000032
	公司网址	www.sedind.com		电子信箱	sed@sedind.com
	电　话	0755-86316073		传　真	0755-86316006
	办公地址	广东省深圳市南山区科技园科技路 1 号桑达科技大厦 15-17 层			
	经营范围	电子设备、电子器件、电子消费通信产品及房地产开发等			

主要财务指标	指标\报告期	2016.06.30	2015.12.31	2015.06.30	2014.12.31
	基本每股收益(元)	0.0910	0.1600	-0.0200	0.0900
	基本每股收益(扣除后)(元)	0.0840	-0.1600	-0.0300	-0.0600
	稀释每股收益(元)	0.0910	0.1600	-0.0200	0.0900
	每股净资产(元)	3.3412	3.9211	3.7634	3.8286
	每股经营现金净流量(元)	-0.1142	0.9516	-0.0778	0.2695
	每股现金流量(元)	-0.4248	0.4495	-0.1462	-0.0322
	每股资本公积金(元)	0.6174	0.9409	0.8899	0.8899
	每股盈余公积金(元)	0.5925	0.7110	0.9308	0.9308
	每股未分配利润(元)	1.1259	1.2621	0.9293	0.9944
	净资产收益率(%)	2.7168	3.9566	-0.4026	2.4498
	加权净资产收益率(%)	2.7400	3.9800	-0.4000	2.4700
	净资产收益率(扣除)(%)	2.5083	-2.7487	-0.8408	-1.5161
	总资产(万元)	196200.35	212573.72	129097.51	142427.21
	归属母公司股东权益(万元)	141082.87	137975.47	87636.75	89153.58
	营业收入(万元)	97835.43	197005.75	50110.66	144090.92
	营业支出(万元)	85286.11	168607.19	43395.25	125672.57
	投资收益(万元)	-	840.48	500.16	521.76
	净利润(万元)	3524.59	4946.14	-736.89	1791.81
	营业利润(万元)	3786.84	3099.24	-508.82	269.27
	利润总额(万元)	4474.45	8279.48	-489.69	3062.06

神州数码集团股份有限公司

公司概况					
公司名称	神州数码集团股份有限公司			证券简称	神州数码
法人代表	郭为	董秘	王继业	证券代码	000034
公司网址	www.digitalchina.com		电子信箱	dcg-ir@digitalchina.com	
电　话	010-82705411		传　真	010-82705651	
办公地址	北京市海淀区上地九街九号数码科技广场神州数码集团股份有限公司证券部				
经营范围	购销饲料、农副产品、浓缩饲料添加剂等				

主要财务指标 指标\报告期	2016.06.30	2015.12.31	2015.06.30	2014.12.31
基本每股收益(元)	0.4535	0.0600	0.0640	0.1700
基本每股收益(扣除后)(元)	0.0991	-0.0400	-0.0400	-0.0090
稀释每股收益(元)	0.4535	0.0600	0.0640	0.1700
每股净资产(元)	3.8003	0.5224	0.5263	0.4627
每股经营现金净流量(元)	0.2801	-0.0377	-0.0708	-0.0786
每股现金流量(元)	2.4463	0.2378	0.0374	-0.0823
每股资本公积金(元)	3.6397	1.7899	1.7899	1.7899
每股盈余公积金(元)	0.1005	0.1836	0.1836	0.1836
每股未分配利润(元)	-0.9565	-2.4511	-2.4472	-2.5108
净资产收益率(%)	10.1316	11.4242	12.0868	37.1121
加权净资产收益率(%)	14.6100	12.1200	11.4000	44.9300
净资产收益率(扣除)(%)	2.2147	-7.2252	-8.4078	-1.9291
总资产(万元)	1629152.34	44800.83	44637.66	46166.80
归属母公司股东权益(万元)	248564.99	18699.99	18840.92	16563.66
营业收入(万元)	1171025.35	45806.34	20967.13	50905.57
营业支出(万元)	1105354.39	40906.29	18866.66	44550.22
投资收益(万元)	20461.60	1500.10	702.58	6484.18
净利润(万元)	25183.67	2136.32	2277.26	6147.12
营业利润(万元)	26074.02	-706.91	-824.85	6196.20
利润总额(万元)	26663.18	2454.53	2333.74	6311.29

中国天楹股份有限公司

公司概况					
公司名称	中国天楹股份有限公司			证券简称	中国天楹
法人代表	严圣军	董秘	高清	证券代码	000035
公司网址	www.ctyi.com.cn		电子信箱	gq@ctyi.com.cn	
电　话	0513-80688810		传　真	0513-80688820	
办公地址	江苏省海安县城黄海大道(西)268号				
经营范围	开发、生产、销售数字移动电话机				

主要财务指标 指标\报告期	2016.06.30	2015.12.31	2015.06.30	2014.12.31
基本每股收益(元)	0.0581	0.3700	0.1100	0.3500
基本每股收益(扣除后)(元)	0.1000	0.3500	0.1100	0.3500
稀释每股收益(元)	0.0581	0.3700	0.1100	0.3500
每股净资产(元)	1.5521	2.9880	4.7416	2.6195
每股经营现金净流量(元)	0.0331	0.2546	0.2419	0.2062
每股现金流量(元)	-0.0344	-0.1560	-0.2625	0.1313
每股资本公积金(元)	0.7621	1.5241	2.6499	2.6499
每股盈余公积金(元)	0.0322	0.0643	0.0469	0.0469
每股未分配利润(元)	0.4703	0.8243	1.0448	0.8576
净资产收益率(%)	3.7441	12.3324	3.9484	10.7889
加权净资产收益率(%)	3.8200	13.1400	4.0300	15.6600
净资产收益率(扣除)(%)	3.6354	11.6432	3.8293	10.7601
总资产(万元)	456372.19	439902.44	397917.28	327228.62
归属母公司股东权益(万元)	192235.29	185037.74	168886.54	162218.22
营业收入(万元)	35247.11	82539.91	27110.77	55090.04
营业支出(万元)	16744.43	41701.52	11568.39	26569.65
投资收益(万元)	0.08	0.02	-	-
净利润(万元)	7197.55	22819.52	6668.32	17501.59
营业利润(万元)	6616.43	24139.59	7258.43	18661.02
利润总额(万元)	8766.33	27020.20	7765.59	19364.81

华联控股股份有限公司

公司概况					
公司名称	华联控股股份有限公司			证券简称	华联控股
法人代表	董炳根	董秘	孔庆富	证券代码	000036
公司网址	www.udcgroup.com		电子信箱	hlkg000036@udcgroup.com	
电　话	0755-83667450　83667257		传　真	0755-83667583	
办公地址	广东省深圳市福田区深南中路2008号华联大厦11层				
经营范围	房地产开发及自有物业租赁管理业务等				

主要财务指标 指标\报告期	2016.06.30	2015.12.31	2015.06.30	2014.12.31
基本每股收益(元)	0.3845	0.0617	-0.0140	0.0306
基本每股收益(扣除后)(元)	-0.0161	0.0612	-0.0140	-0.0110
稀释每股收益(元)	0.3790	0.0612	-0.0140	0.0306
每股净资产(元)	2.1588	1.7900	1.6708	1.6698
每股经营现金净流量(元)	1.4334	0.0955	-0.2889	-1.5965
每股现金流量(元)	1.3482	0.8491	0.5576	-0.9059
每股资本公积金(元)	0.2073	0.2200	0.1363	0.1135
每股盈余公积金(元)	0.0844	0.0844	0.0844	0.0857
每股未分配利润(元)	0.9035	0.5246	0.4502	0.4707
净资产收益率(%)	17.5632	3.3949	-0.8202	1.8317
加权净资产收益率(%)	19.1400	3.4800	-0.8400	1.8200
净资产收益率(扣除)(%)	-0.7355	3.3695	-0.8020	-0.6829
总资产(万元)	875239.85	646374.08	543445.70	456892.63
归属母公司股东权益(万元)	246036.50	204147.82	190557.77	187671.04
营业收入(万元)	9922.85	40902.79	9591.55	20526.92
营业支出(万元)	5087.84	14810.52	5071.96	9550.68
投资收益(万元)	60523.54	1425.28	289.49	8126.49
净利润(万元)	43257.64	9469.54	-1687.55	3013.52
营业利润(万元)	57852.33	12066.45	-1481.73	5654.53
利润总额(万元)	57867.54	12147.56	-1550.85	5641.98

深圳南山热电股份有限公司

公司概况					
公司名称	深圳南山热电股份有限公司			证券简称	*ST南电A
法人代表	杨海贤	董秘	张杰	证券代码	000037
公司网址	www.nsrd.com.cn		电子信箱	public@nspower.com.cn	
电　话	0755-26948888		传　真	0755-26003684	
办公地址	广东省深圳市南山区华侨城汉唐大厦16、17楼				
经营范围	供电、供热、提供相关技术咨询和技术服务等				

主要财务指标 指标\报告期	2016.06.30	2015.12.31	2015.06.30	2014.12.31
基本每股收益(元)	-0.0900	-1.0500	-0.1700	-0.5500
基本每股收益(扣除后)(元)	-0.1100	-1.2200	-0.2200	-0.5500
稀释每股收益(元)	-0.0900	-1.0500	-	-0.5500
每股净资产(元)	0.9615	1.0552	1.9379	2.1079
每股经营现金净流量(元)	0.3047	0.6411	0.5290	0.9477
每股现金流量(元)	0.1311	0.7430	0.4836	0.0505
每股资本公积金(元)	0.6018	0.6018	0.6018	0.6017
每股盈余公积金(元)	0.5523	0.5523	0.5523	0.5523
每股未分配利润(元)	-1.1926	-1.0990	-0.2162	-0.0461
净资产收益率(%)	-9.7409	-99.7825	-8.7791	-26.0136
加权净资产收益率(%)	-10.9600	-77.3800	-8.4100	-23.0200
净资产收益率(扣除)(%)	-11.3997	-115.9760	-11.5652	-25.9502
总资产(万元)	459781.12	457985.37	514827.49	505641.58
归属母公司股东权益(万元)	57956.43	63600.67	116807.66	127054.23
营业收入(万元)	69768.83	134501.82	65055.72	123410.15
营业支出(万元)	63991.98	149281.48	74690.78	174090.53
投资收益(万元)	-108.29	-207.71	-88.33	-173.03
净利润(万元)	-7948.08	-82932.45	-12880.95	-42163.24
营业利润(万元)	-8999.39	-122956.40	-26198.13	-92906.62
利润总额(万元)	-7839.58	-82814.65	-12832.08	-41828.98

深圳大通实业股份有限公司

公司概况					
公司名称	深圳大通实业股份有限公司			证券简称	深 大 通
法人代表	许亚楠	董秘	郝亮	证券代码	000038
公司网址	www.chinadatong.com		电子信箱	datongstock@163.com	
电　话	0755-26921699		传　真	0755-26910599	
办公地址	广东省深圳市福田区深南大道 6023 号耀华创建大厦 904-905				
经营范围	房地产开发和经营				

主要财务指标 指标 \ 报告期	2016.06.30	2015.12.31	2015.06.30	2014.12.31
基本每股收益(元)	0.5006	0.0620	-0.0090	-0.5100
基本每股收益(扣除后)(元)	0.4067	0.0790	0.0010	-0.4660
稀释每股收益(元)	0.5006	0.0620	-0.0090	-0.5100
每股净资产(元)	14.9592	1.2030	1.1321	1.1414
每股经营现金净流量(元)	0.6901	0.7286	0.0144	0.1699
每股现金流量(元)	8.7662	0.7287	0.0144	0.1698
每股资本公积金(元)	13.6980	0.2322	0.2322	0.2322
每股盈余公积金(元)	0.0180	0.0612	0.0612	0.0612
每股未分配利润(元)	0.2432	-0.0904	-0.1614	-0.1521
净资产收益率(%)	1.8035	5.1258	-0.8223	-44.9200
加权净资产收益率(%)	4.0100	6.7200	-0.0100	-36.8100
净资产收益率(扣除)(%)	1.4653	6.5623	0.0622	-40.6694
总资产(万元)	653405.28	74477.75	63186.74	68329.26
归属母公司股东权益(万元)	488771.01	11576.55	10893.58	10983.16
营业收入(万元)	38437.95	30543.09	9725.74	21319.33
营业支出(万元)	22291.62	23198.23	7860.29	20357.09
投资收益(万元)	17.70	-	-	-
净利润(万元)	9619.32	806.24	-82.52	-5495.96
营业利润(万元)	9123.45	1988.66	361.42	-5080.97
利润总额(万元)	12615.05	1742.49	218.66	-5772.59

中国国际海运集装箱(集团)股份有限公司

公司概况					
公司名称	中国国际海运集装箱(集团)股份有限公司			证券简称	中集集团
法人代表	王宏	董秘	于玉群	证券代码	000039
公司网址	www.cimc.com		电子信箱	shareholder@cimc.com	
电　话	0755-26691130 26802706		传　真	0755-26826579 26813950	
办公地址	广东省深圳市南山区蛇口港湾大道 2 号中集研发中心 8 楼				
经营范围	现代化交通运输装备、能源、食品、化工等装备的制造及服务业务				

主要财务指标 指标 \ 报告期	2016.06.30	2015.12.31	2015.06.30	2014.12.31
基本每股收益(元)	-0.1444	0.7200	0.5681	0.9300
基本每股收益(扣除后)(元)	-0.1861	0.6200	0.4245	0.8000
稀释每股收益(元)	-0.1444	0.7100	0.5627	0.9200
每股净资产(元)	8.6100	8.9000	9.3400	8.3400
每股经营现金净流量(元)	0.3135	-1.2124	-0.2328	2.4075
每股现金流量(元)	-	0.1088	0.2314	-0.4663
每股资本公积金(元)	1.0500	1.0685	0.3214	0.2569
每股盈余公积金(元)	1.0756	1.0758	1.1635	1.1698
每股未分配利润(元)	5.5663	5.9316	6.4520	6.2306
净资产收益率(%)	-1.3684	6.9163	6.0494	11.1160
加权净资产收益率(%)	-1.6400	8.0000	6.5900	11.6300
净资产收益率(扣除)(%)	-1.8179	6.0306	4.5205	9.6126
总资产(万元)	11479991.70	10676317.10	9559349.10	8777618.10
归属母公司股东权益(万元)	2762549.30	2854131.90	2509667.20	2229031.40
营业收入(万元)	2354284.30	5868580.40	3263728.90	7007085.50
营业支出(万元)	1912649.60	4808124.30	2751928.00	5876902.30
投资收益(万元)	-8732.80	77610.60	74498.30	43590.10
净利润(万元)	-54116.00	227196.10	165241.00	303392.80
营业利润(万元)	-31898.80	294373.60	202674.40	329787.40
利润总额(万元)	-16584.40	320635.20	207747.80	357041.60

东旭蓝天新能源股份有限公司

公司概况					
公司名称	东旭蓝天新能源股份有限公司			证券简称	东旭蓝天
法人代表	郑小将	董秘	柏志伟	证券代码	000040
公司网址	www.bahjdc.com.cn		电子信箱	sz000040@bahjdc.com	
电　话	0755-82367726		传　真	0755-82367753	
办公地址	广东省深圳市罗湖区东门中路 1011 号鸿基大厦 25-27 楼				
经营范围	房地产开发及物业管理				

主要财务指标 指标 \ 报告期	2016.06.30	2015.12.31	2015.06.30	2014.12.31
基本每股收益(元)	0.1700	0.1300	0.0400	0.1100
基本每股收益(扣除后)(元)	0.1700	0.1400	0.0400	0.0200
稀释每股收益(元)	0.1700	0.1300	0.0400	0.1100
每股净资产(元)	8.1260	2.8233	2.7419	2.7019
每股经营现金净流量(元)	-0.0632	0.4068	0.0558	-0.1451
每股现金流量(元)	23.6212	4.5114	-0.4467	0.3041
每股资本公积金(元)	18.8964	0.5840	0.5830	0.5830
每股盈余公积金(元)	0.4014	0.4014	0.3658	0.3658
每股未分配利润(元)	0.9782	0.8168	0.7641	0.7402
净资产收益率(%)	0.7408	4.6802	1.6004	4.1906
加权净资产收益率(%)	5.8600	4.7900	1.6100	4.1200
净资产收益率(扣除)(%)	0.7394	4.9827	1.6156	0.8799
总资产(万元)	1903343.15	676890.93	421361.73	426981.31
归属母公司股东权益(万元)	1086580.68	132579.86	128756.29	126877.10
营业收入(万元)	129127.12	166572.92	48903.25	103653.42
营业支出(万元)	97729.26	111331.22	29313.19	69265.35
投资收益(万元)	-334.11	-906.70	-325.63	958.50
净利润(万元)	8047.40	6204.46	2058.60	5317.37
营业利润(万元)	11342.36	10752.78	3602.63	8766.69
利润总额(万元)	11378.40	10188.66	3573.08	9418.53

深圳市中洲投资控股股份有限公司

公司概况					
公司名称	深圳市中洲投资控股股份有限公司			证券简称	中洲控股
法人代表	姚日波	董秘	尹善峰	证券代码	000042
公司网址	www.zztzkg.com		电子信箱	dongshihui@zztzkg.com	
电　话	0755-88393698 88393605		传　真	0755-88393600	
办公地址	广东省深圳市南山区海德一道 88 号中洲控股金融中心 A 座 39 层				
经营范围	房地产开发及商品房销售、管理、承接建筑安装工程、自有物业租赁				

主要财务指标 指标 \ 报告期	2016.06.30	2015.12.31	2015.06.30	2014.12.31
基本每股收益(元)	0.0403	0.8377	0.8744	0.6381
基本每股收益(扣除后)(元)	0.0574	0.8554	0.8866	0.6236
稀释每股收益(元)	0.0403	0.8377	0.8744	0.6381
每股净资产(元)	8.3108	8.4429	7.6143	6.8406
每股经营现金净流量(元)	-0.9534	-1.2733	-1.0479	-3.3933
每股现金流量(元)	1.1734	1.6831	-0.3087	-0.4984
每股资本公积金(元)	3.7531	3.7306	1.2212	1.2202
每股盈余公积金(元)	0.7461	0.7458	0.8866	0.8866
每股未分配利润(元)	2.9539	3.1130	4.5064	3.7904
净资产收益率(%)	0.4789	7.1446	11.4839	9.2619
加权净资产收益率(%)	0.4700	11.6100	12.0200	9.6300
净资产收益率(扣除)(%)	0.6807	7.2961	11.6437	9.0512
总资产(万元)	2928900.70	2462139.35	2052834.48	1621524.39
归属母公司股东权益(万元)	552524.83	561510.93	364666.90	330324.82
营业收入(万元)	332150.44	504782.40	232675.86	303280.27
营业支出(万元)	249013.11	303508.13	111420.43	173753.09
投资收益(万元)	1100.91	3883.24	545.32	1943.41
净利润(万元)	2032.46	39985.16	41878.13	30561.87
营业利润(万元)	15116.25	63015.98	59065.51	49187.35
利润总额(万元)	13614.11	61707.24	58308.33	49149.01

中航地产股份有限公司

公司概况					
公司名称	中航地产股份有限公司			证券简称	中航地产
法人代表	肖临骏	董秘	杨祥	证券代码	000043
公司网址	www.carec.com.cn		电子信箱	sng@carec.com.cn	
电　话	0755-83244582 83244503		传　真	0755-83688903	
办公地址	广东省深圳市福田区振华路 163 号飞亚达大厦六楼				
经营范围	工业实业、旅游服务业、房地产等				

主要财务指标 指标＼报告期	2016.06.30	2015.12.31	2015.06.30	2014.12.31
基本每股收益(元)	0.0050	0.6016	-0.1671	0.7384
基本每股收益(扣除后)(元)	-0.1647	0.1410	-0.1683	0.1567
稀释每股收益(元)	0.0050	0.6016	-0.1671	0.7384
每股净资产(元)	5.8847	5.9339	4.9882	5.2587
每股经营现金净流量(元)	1.3325	0.8082	-1.1190	-4.0111
每股现金流量(元)	-0.2760	0.9374	0.4839	-0.7576
每股资本公积金(元)	0.8272	0.8448	0.6697	0.6731
每股盈余公积金(元)	0.4195	0.4195	0.3111	0.3111
每股未分配利润(元)	3.6324	3.6774	3.0171	3.2842
净资产收益率(%)	0.0857	10.1377	-3.3495	14.0420
加权净资产收益率(%)	0.0900	10.9000	-3.2600	14.5600
净资产收益率(扣除)(%)	-2.7992	2.3674	-3.3736	2.9794
总资产(万元)	2349618.26	2288101.86	2230940.00	2006838.18
归属母公司股东权益(万元)	392488.94	395769.37	332692.41	350732.77
营业收入(万元)	271543.57	551875.90	161340.75	622624.18
营业支出(万元)	213799.15	418385.35	116889.53	452796.39
投资收益(万元)	10929.69	20147.41	53.77	19586.84
净利润(万元)	-538.63	37071.09	-13651.02	47964.90
营业利润(万元)	2626.64	56605.95	-11654.94	66401.57
利润总额(万元)	2841.28	60565.59	-11773.64	68338.38

深圳市纺织(集团)股份有限公司

公司概况					
公司名称	深圳市纺织(集团)股份有限公司			证券简称	深纺织 A
法人代表	朱军	董秘	姜澎	证券代码	000045
公司网址	www.chinasthc.com		电子信箱	jiangp@chinasthc.com	
电　话	0755-83776043		传　真	0755-83776139	
办公地址	广东省深圳市福田区华强北路 3 号深纺大厦 6 楼				
经营范围	生产、加工纺织品、针织品、服装、装饰布、带、商标带、工艺品等				

主要财务指标 指标＼报告期	2016.06.30	2015.12.31	2015.06.30	2014.12.31
基本每股收益(元)	-0.0600	0.0200	0.0150	-0.2200
基本每股收益(扣除后)(元)	-0.0639	-0.1800	-0.0660	-0.2900
稀释每股收益(元)	-0.0600	0.0200	0.0150	-0.2200
每股净资产(元)	4.2298	4.2931	4.2931	4.3359
每股经营现金净流量(元)	-0.0776	0.0781	0.0085	-0.0961
每股现金流量(元)	-0.1646	-0.6901	-0.9081	0.3047
每股资本公积金(元)	3.1294	3.1294	3.1294	3.1294
每股盈余公积金(元)	0.1393	0.1393	0.1271	0.1271
每股未分配利润(元)	-0.0413	0.0181	0.0286	0.0134
净资产收益率(%)	-1.4048	0.3908	0.3526	-5.1721
加权净资产收益率(%)	-1.4000	0.3900	0.3500	-5.0600
净资产收益率(扣除)(%)	-1.5113	-4.2427	-1.5352	-6.7777
总资产(万元)	286043.98	296939.50	281181.54	282278.35
归属母公司股东权益(万元)	214246.23	217456.95	217454.88	219624.92
营业收入(万元)	55215.76	122674.68	62099.33	121095.25
营业支出(万元)	51124.97	114251.10	58813.80	115474.35
投资收益(万元)	226.72	9481.26	4759.19	2329.46
净利润(万元)	-3009.79	849.72	766.80	-11359.13
营业利润(万元)	-2813.80	1929.01	1737.20	-8313.52
利润总额(万元)	-2586.07	4315.17	2517.60	-6205.89

泛海控股股份有限公司

公司概况					
公司名称	泛海控股股份有限公司			证券简称	泛海控股
法人代表	卢志强	董秘	陈怀东	证券代码	000046
公司网址	www.fhkg.com		电子信箱	dsh@fhkg.com	
电　话	010-85259683 85259601		传　真	010-85259797	
办公地址	北京市东城区建国门内大街 28 号民生金融中心 C 座 22 层				
经营范围	房地产开发经营、国内外项目投资等				

主要财务指标 指标＼报告期	2016.06.30	2015.12.31	2015.06.30	2014.12.31
基本每股收益(元)	0.1789	0.4433	0.1450	0.3420
基本每股收益(扣除后)(元)	0.1448	0.3903	0.1448	0.2331
稀释每股收益(元)	0.1789	0.4433	0.1450	0.3420
每股净资产(元)	3.0284	2.2576	2.1829	2.0350
每股经营现金净流量(元)	-1.0927	-0.0392	1.2224	0.1597
每股现金流量(元)	0.0729	3.9378	3.9451	1.2121
每股资本公积金(元)	1.0976	0.6920	0.4497	0.3586
每股盈余公积金(元)	0.1144	0.1304	0.1171	0.1171
每股未分配利润(元)	0.7496	0.8259	0.5050	0.5099
净资产收益率(%)	5.7863	19.6355	6.6445	16.8071
加权净资产收益率(%)	5.5300	20.9700	6.5600	14.4400
净资产收益率(扣除)(%)	4.6832	17.2907	6.6317	11.4559
总资产(万元)	13898273.55	12237009.08	10111916.83	7088910.86
归属母公司股东权益(万元)	1573609.37	1263454.45	994812.57	927397.65
营业收入(万元)	933562.15	944049.35	214950.93	606246.93
营业支出(万元)	511948.13	489380.47	90314.22	263548.68
投资收益(万元)	1626.48	33638.85	12839.88	943.10
净利润(万元)	91154.74	236645.59	88809.30	166426.89
营业利润(万元)	148257.29	316808.06	119213.49	228086.44
利润总额(万元)	149029.80	319412.62	119689.19	229886.12

深圳市康达尔(集团)股份有限公司

公司概况					
公司名称	深圳市康达尔(集团)股份有限公司			证券简称	康达尔
法人代表	罗爱华	董秘	胡琴	证券代码	000048
公司网址	www.kondarl.com		电子信箱	a000048@126.com	
电　话	0755-25425020*359		传　真	0755-25420155	
办公地址	广东省深圳市福田区深南大道和泰然大道交汇处绿景纪元大厦 24 楼				
经营范围	养殖肉鸡、鸡苗、禽蛋、生产制造肉制品、饮料、鸡场设备、自酿鲜啤等				

主要财务指标 指标＼报告期	2016.06.30	2015.12.31	2015.06.30	2014.12.31
基本每股收益(元)	0.0375	0.5200	0.3691	0.2900
基本每股收益(扣除后)(元)	0.0344	0.4900	0.3516	0.2500
稀释每股收益(元)	0.0375	0.5200	0.3691	0.2900
每股净资产(元)	1.8945	1.8349	1.6944	1.3239
每股经营现金净流量(元)	-1.3480	0.7934	0.7139	1.3008
每股现金流量(元)	-1.4802	0.4549	0.5161	1.2811
每股资本公积金(元)	0.1128	0.1128	0.1093	0.1093
每股盈余公积金(元)	0.0367	0.0367	0.0024	0.0024
每股未分配利润(元)	0.7163	0.6788	0.5505	0.1815
净资产收益率(%)	1.9784	28.4488	21.7829	21.9977
加权净资产收益率(%)	2.0100	33.0500	24.4600	24.7400
净资产收益率(扣除)(%)	1.8142	26.8060	20.7522	18.5128
总资产(万元)	193947.35	194080.13	208751.04	198293.87
归属母公司股东权益(万元)	74031.72	71702.39	66212.20	51732.58
营业收入(万元)	74267.40	230201.76	123202.65	214441.26
营业支出(万元)	58773.22	157868.94	77001.12	161157.96
投资收益(万元)	31.57	126.13	366.00	534.79
净利润(万元)	1767.07	20977.64	14813.44	12016.88
营业利润(万元)	2638.11	24616.94	19828.14	15318.60
利润总额(万元)	2834.50	25917.00	20059.96	16521.98

深圳市德赛电池科技股份有限公司

公司概况	公司名称	深圳市德赛电池科技股份有限公司		证券简称	德赛电池
	法人代表	刘其	董秘 王锋	证券代码	000049
	公司网址	www.desaybattery.com		电子信箱	ir@desaybattery.com
	电　话	0755-86299888		传　真	0755-86299889
	办公地址	广东省深圳市南山区高新科技园南区高新南一道德赛科技大厦 26 楼			
	经营范围	无汞碱锰电池、一次锂电池、锌空气电池、镍氢电池、锂聚合物电池等			

指标\报告期	2016.06.30	2015.12.31	2015.06.30	2014.12.31
基本每股收益(元)	0.3536	1.1217	0.5603	1.1428
基本每股收益(扣除后)(元)	0.3248	1.0304	0.5072	1.0633
稀释每股收益(元)	0.3536	1.1217	0.5603	1.1428
每股净资产(元)	4.7445	4.5355	3.9770	3.6141
每股经营现金净流量(元)	-0.0473	3.1175	0.5790	0.7250
每股现金流量(元)	-0.6705	0.8010	-0.2193	0.1402
每股资本公积金(元)	0.0398	0.0398	0.0398	0.0398
每股盈余公积金(元)	0.2209	0.2209	0.2098	0.2098
每股未分配利润(元)	3.4795	3.2759	2.7255	2.3653
净资产收益率(%)	7.4532	24.7317	14.0872	31.6195
加权净资产收益率(%)	7.5800	27.7500	14.6400	37.0500
净资产收益率(扣除)(%)	6.8456	22.7183	12.7533	29.4223
总资产(万元)	287284.13	340257.45	326852.77	467560.34
归属母公司股东权益(万元)	97378.81	93088.21	81626.15	74176.63
营业收入(万元)	300343.76	843418.52	379877.93	638959.80
营业支出(万元)	271487.38	768193.90	342024.35	570627.65
投资收益(万元)	382.46	5082.54	1219.91	1057.59
净利润(万元)	9159.80	30809.47	15722.18	31288.12
营业利润(万元)	12204.07	38784.11	19694.25	39680.56
利润总额(万元)	12396.35	39126.88	19771.77	39905.35

天马微电子股份有限公司

公司概况	公司名称	天马微电子股份有限公司		证券简称	深天马 A
	法人代表	由镭	董秘 刘长清	证券代码	000050
	公司网址	www.tianma.cn		电子信箱	sztmzq@tianma.cn
	电　话	0755-86225886 26094882		传　真	0755-86225772
	办公地址	广东省深圳市南山区马家龙工业城 64 栋 7 层			
	经营范围	制造销售各类液晶显示器及与之相关的材料、设备和产品等			

指标\报告期	2016.06.30	2015.12.31	2015.06.30	2014.12.31
基本每股收益(元)	0.1889	0.4901	0.2273	0.7116
基本每股收益(扣除后)(元)	0.0312	0.0255	0.0272	0.0276
稀释每股收益(元)	0.1889	0.4901	0.2273	0.7116
每股净资产(元)	9.6351	9.4557	7.3180	7.1989
每股经营现金净流量(元)	-1.1271	3.9400	0.7394	1.2244
每股现金流量(元)	-1.9006	5.7644	2.0772	-0.3699
每股资本公积金(元)	8.0920	10.0179	6.1565	6.1565
每股盈余公积金(元)	0.1011	0.1252	0.1068	0.1068
每股未分配利润(元)	0.4652	0.4163	0.1720	0.0446
净资产收益率(%)	1.9608	4.1868	3.1064	7.5198
加权净资产收益率(%)	1.9800	6.6100	3.1300	14.0900
净资产收益率(扣除)(%)	0.3241	0.2175	0.3712	0.2921
总资产(万元)	1969220.82	2162869.22	1788466.96	1569249.86
归属母公司股东权益(万元)	1349973.89	1324833.42	828210.91	814727.03
营业收入(万元)	497045.32	1053000.27	513780.53	932236.33
营业支出(万元)	398175.84	880972.35	429019.18	758346.95
投资收益(万元)	376.25	-323.94	-200.57	-3902.02
净利润(万元)	26469.69	55557.32	25785.96	68693.06
营业利润(万元)	6057.30	1899.21	2343.63	15606.10
利润总额(万元)	30365.15	60794.84	27571.78	77485.76

方大集团股份有限公司

公司概况	公司名称	方大集团股份有限公司		证券简称	方大集团
	法人代表	熊建明	董秘 周志刚	证券代码	000055
	公司网址	www.fangda.com		电子信箱	zqb@fangda.com
	电　话	0755-26788571 6622		传　真	0755-26788353
	办公地址	广东省深圳市南山区高新区科技南十二路方大大厦二十楼			
	经营范围	建筑幕墙系统及材料、轨道交通设备等			

指标\报告期	2016.06.30	2015.12.31	2015.06.30	2014.12.31
基本每股收益(元)	0.0700	0.1400	0.0700	0.1300
基本每股收益(扣除后)(元)	0.0600	0.0400	0.0500	0.0900
稀释每股收益(元)	0.0700	0.1400	0.0700	0.1300
每股净资产(元)	1.7149	1.7433	1.6677	1.6315
每股经营现金净流量(元)	0.3943	-0.4758	-0.3629	-0.7371
每股现金流量(元)	0.1583	0.1917	0.1450	-0.2412
每股资本公积金(元)	0.1045	0.1045	0.1045	0.1045
每股盈余公积金(元)	0.0675	0.0675	0.0645	0.0645
每股未分配利润(元)	0.5413	0.5711	0.5002	0.4624
净资产收益率(%)	4.0952	8.1298	4.0654	7.8546
加权净资产收益率(%)	3.9900	8.4200	4.0700	8.1400
净资产收益率(扣除)(%)	3.4102	2.2031	2.8113	5.5929
总资产(万元)	519776.22	446414.78	404475.84	366271.99
归属母公司股东权益(万元)	129800.77	131949.63	126231.22	123493.09
营业收入(万元)	100945.60	255046.75	115011.55	193832.44
营业支出(万元)	83130.76	217152.42	94048.73	159083.68
投资收益(万元)	-28.99	28.09	154.80	172.07
净利润(万元)	4862.83	6821.54	4416.11	9268.93
营业利润(万元)	5451.08	9199.09	7254.65	10452.53
利润总额(万元)	5753.00	10342.52	6032.93	11018.31

深圳市皇庭国际企业股份有限公司

公司概况	公司名称	深圳市皇庭国际企业股份有限公司		证券简称	皇庭国际
	法人代表	郑康豪	董秘 曹剑	证券代码	000056
	公司网址	www.china-ia.com		电子信箱	cj000056@21cn.com
	电　话	0755-82281888 82285565		传　真	0755-82285573
	办公地址	广东省深圳市福田区金田路 2028 号皇岗商务中心 58 楼			
	经营范围	商业、房地产开发、物业管理和林业种植等			

指标\报告期	2016.06.30	2015.12.31	2015.06.30	2014.12.31
基本每股收益(元)	0.0900	0.0900	0.0298	-1.2600
基本每股收益(扣除后)(元)	0.0900	-0.1300	-0.0100	-1.2100
稀释每股收益(元)	0.0900	0.0900	0.0298	-1.2600
每股净资产(元)	8.8004	8.7119	7.2041	7.1742
每股经营现金净流量(元)	0.0717	0.2578	0.0599	-1.4221
每股现金流量(元)	0.1513	0.1608	0.0070	0.0306
每股资本公积金(元)	4.0931	4.0931	0.0917	0.1144
每股盈余公积金(元)	0.2194	0.2194	0.4751	0.5416
每股未分配利润(元)	3.4878	3.3994	5.6373	9.3803
净资产收益率(%)	1.0051	0.7669	0.4143	-17.6186
加权净资产收益率(%)	1.0100	1.0500	0.4200	-16.1900
净资产收益率(扣除)(%)	0.9873	-1.1027	-0.1815	-16.9240
总资产(万元)	975198.81	799571.43	789204.54	787195.95
归属母公司股东权益(万元)	505047.23	499970.85	190966.08	292551.10
营业收入(万元)	14168.71	26828.80	17042.34	9893.87
营业支出(万元)	4060.81	7383.09	4047.28	6246.00
投资收益(万元)	4158.00	8154.44	-	-
净利润(万元)	5076.38	3834.50	867.84	-54279.89
营业利润(万元)	5015.44	2278.32	-1029.53	-50838.57
利润总额(万元)	5105.69	5234.89	867.84	-52647.79

深圳赛格股份有限公司

公司概况

公司名称	深圳赛格股份有限公司			证券简称	深赛格
法人代表	王立	董秘	郑丹	证券代码	000058
公司网址	www.segcl.com.cn		电子信箱	segcl@segcl.com.cn	
电　　话	0755-83747939		传　　真	0755-83975237	
办公地址	广东省深圳市福田区华强北路群星广场A座31层				
经营范围	投资电子电器产品、电子化工、计算机、兴办实业、电子信息系统等				

主要财务指标

指标\报告期	2016.06.30	2015.12.31	2015.06.30	2014.12.31
基本每股收益(元)	0.0342	0.0946	0.0445	0.0616
基本每股收益(扣除后)(元)	0.0366	0.1082	0.0442	0.0585
稀释每股收益(元)	0.0342	0.0946	0.0445	0.0616
每股净资产(元)	1.8836	1.8796	1.8296	1.6552
每股经营现金净流量(元)	-0.1265	-0.0159	-0.1256	-0.5453
每股现金流量(元)	-0.1685	-0.1357	-0.2890	0.0592
每股资本公积金(元)	0.6455	0.6454	0.6454	0.5157
每股盈余公积金(元)	0.1401	0.1401	0.1311	0.1311
每股未分配利润(元)	0.0978	0.0937	0.0525	0.0080
净资产收益率(%)	1.8168	5.0329	2.4310	3.7245
加权净资产收益率(%)	1.8200	5.1900	2.5500	3.8000
净资产收益率(扣除)(%)	1.9413	5.7576	2.4165	3.5351
总资产(万元)	247969.61	261466.05	249594.63	265971.77
归属母公司股东权益(万元)	147824.31	147512.62	143590.40	129897.07
营业收入(万元)	36267.32	74153.37	37455.51	68134.39
营业支出(万元)	32099.69	61806.27	31730.39	56094.45
投资收益(万元)	126.65	1764.75	545.20	720.49
净利润(万元)	4421.82	10796.87	5206.58	7867.42
营业利润(万元)	6859.74	15538.88	7195.70	10970.21
利润总额(万元)	6625.69	14306.86	7218.72	11176.16

北方华锦化学工业股份有限公司

公司概况

公司名称	北方华锦化学工业股份有限公司			证券简称	华锦股份
法人代表	李春建	董秘	王维良	证券代码	000059
公司网址	www.huajinchem.com		电子信箱	xlj2000127@163.com	
电　　话	0427-5855742		传　　真	0427-5855742	
办公地址	辽宁省盘锦市双台子区红旗大街				
经营范围	无机化工产品、石油及石油化工产品生产与销售等				

主要财务指标

指标\报告期	2016.06.30	2015.12.31	2015.06.30	2014.12.31
基本每股收益(元)	0.5659	0.2100	0.1485	-1.3216
基本每股收益(扣除后)(元)	0.5660	0.1600	0.0937	-1.3300
稀释每股收益(元)	0.5659	0.2100	0.1485	-1.3216
每股净资产(元)	6.1203	5.5312	5.4957	5.3600
每股经营现金净流量(元)	1.3348	2.9241	3.2109	-0.2279
每股现金流量(元)	-0.0686	-1.1101	-0.4629	1.0981
每股资本公积金(元)	3.8779	3.8779	3.9719	4.2323
每股盈余公积金(元)	0.1419	0.1419	0.1419	0.1419
每股未分配利润(元)	1.0332	0.4672	0.3490	0.2005
净资产收益率(%)	9.2470	3.7153	2.7018	-18.5199
加权净资产收益率(%)	9.7300	3.4900	2.6200	-24.9000
净资产收益率(扣除)(%)	9.2480	2.9667	1.7042	-18.5773
总资产(万元)	3075091.01	2992028.54	3039676.02	3458219.93
归属母公司股东权益(万元)	978904.94	884689.66	879008.33	895727.42
营业收入(万元)	1308075.79	3090931.99	1702948.03	3608203.56
营业支出(万元)	910940.99	2599902.49	1449070.90	3349237.03
投资收益(万元)	1740.08	31300.48	575.34	-
净利润(万元)	92588.83	36253.06	27666.04	-158288.49
营业利润(万元)	105003.38	30722.04	24760.93	-166145.06
利润总额(万元)	104999.43	34348.35	36481.32	-165480.52

深圳市中金岭南有色金属股份有限公司

公司概况

公司名称	深圳市中金岭南有色金属股份有限公司			证券简称	中金岭南
法人代表	朱伟	董秘	黄建民	证券代码	000060
公司网址	www.nonfemet.com		电子信箱	dsh@nonfemet.com.cn	
电　　话	0755-82839363		传　　真	0755-83474889	
办公地址	广东省深圳市福田区深南大道6013号中国有色大厦24-26楼				
经营范围	采选、冶炼、制造、加工有色金属矿产品、冶炼产品、深加工产品及综合利用产品等				

主要财务指标

指标\报告期	2016.06.30	2015.12.31	2015.06.30	2014.12.31
基本每股收益(元)	0.0200	0.0900	0.0700	0.2300
基本每股收益(扣除后)(元)	0.0120	-0.0800	0.0700	0.1300
稀释每股收益(元)	0.0200	0.0900	0.0700	0.2300
每股净资产(元)	3.3652	3.3194	3.3299	2.9233
每股经营现金净流量(元)	0.1627	0.1514	0.1676	0.4166
每股现金流量(元)	0.0179	0.1582	0.1179	-0.1772
每股资本公积金(元)	0.6659	0.6659	0.6665	0.1849
每股盈余公积金(元)	0.3319	0.3319	0.3210	0.3443
每股未分配利润(元)	1.4772	1.4675	1.4598	1.5204
净资产收益率(%)	0.5849	2.7360	2.1720	7.7957
加权净资产收益率(%)	0.5900	2.8200	2.3100	7.9000
净资产收益率(扣除)(%)	0.3575	-2.3429	2.0634	4.3015
总资产(万元)	1615995.76	1588283.56	1546197.95	1421578.54
归属母公司股东权益(万元)	744590.34	734464.25	736788.32	603069.20
营业收入(万元)	588309.90	1693792.37	671465.71	2457411.71
营业支出(万元)	532764.08	1592061.34	602232.13	2307778.39
投资收益(万元)	860.56	22544.02	3442.62	5129.84
净利润(万元)	4881.30	26072.05	16670.46	55073.00
营业利润(万元)	3713.80	9504.64	20981.52	27726.04
利润总额(万元)	4708.92	32938.68	21296.19	61260.80

深圳市农产品股份有限公司

公司概况

公司名称	深圳市农产品股份有限公司			证券简称	农产品
法人代表	陈少群	董秘	刘雄佳	证券代码	000061
公司网址	www.szap.com		电子信箱	ir@szap.com	
电　　话	0755-82589021		传　　真	0755-82589021	
办公地址	广东省深圳市福田区深南大道7028号时代科技大厦13楼				
经营范围	开发、建设、经营、管理农产品批发市场等				

主要财务指标

指标\报告期	2016.06.30	2015.12.31	2015.06.30	2014.12.31
基本每股收益(元)	0.0191	0.0121	0.0261	0.0497
基本每股收益(扣除后)(元)	0.0102	-0.0400	0.0020	-0.0030
稀释每股收益(元)	0.0191	0.0121	0.0261	0.0497
每股净资产(元)	2.8215	2.8352	2.8575	2.8814
每股经营现金净流量(元)	0.2312	0.6851	0.2891	0.4257
每股现金流量(元)	0.0695	0.0790	-0.0977	-0.2526
每股资本公积金(元)	1.5471	1.5298	1.5378	1.5378
每股盈余公积金(元)	0.1141	0.1141	0.1087	0.1087
每股未分配利润(元)	0.1605	0.1915	0.2112	0.2351
净资产收益率(%)	0.6778	0.4272	0.9145	1.7257
加权净资产收益率(%)	0.6800	0.4200	0.9100	1.7200
净资产收益率(扣除)(%)	0.3599	-1.4150	0.0713	-0.1180
总资产(万元)	1681369.89	1613148.03	1469859.11	1380515.82
归属母公司股东权益(万元)	478796.32	481118.66	484906.85	488957.39
营业收入(万元)	97686.57	173665.07	86697.99	164824.66
营业支出(万元)	57226.70	89340.89	42124.40	88919.63
投资收益(万元)	6355.77	7904.60	2216.04	8403.42
净利润(万元)	5505.41	4426.68	7944.53	13540.07
营业利润(万元)	8593.90	485.54	7460.75	8582.16
利润总额(万元)	10519.08	13425.19	12934.53	23131.42

深圳华强实业股份有限公司

公司概况					
公司名称	深圳华强实业股份有限公司			证券简称	深圳华强
法人代表	胡新安	董秘	王瑛	证券代码	000062
公司网址	www.szhq0062.com		电子信箱	wying@szhq.com	
电　话	0755-83216296 83030136		传　真	0755-83217376	
办公地址	广东省深圳市福田区华强北路华强广场 A 座 5 楼				
经营范围	投资兴办各类实业(具体项目需另行申报)、经营国内商业等				

主要财务指标　指标 \ 报告期	2016.06.30	2015.12.31	2015.06.30	2014.12.31
基本每股收益(元)	0.1790	0.5556	0.2497	0.7200
基本每股收益(扣除后)(元)	0.1760	0.3173	0.1503	0.6560
稀释每股收益(元)	0.1790	0.5556	0.2497	0.7200
每股净资产(元)	5.0774	4.9963	3.8094	3.4701
每股经营现金净流量(元)	-0.2368	0.2241	-0.0441	0.3720
每股现金流量(元)	-0.7380	0.8461	0.1349	0.1594
每股资本公积金(元)	1.3417	1.3379	0.0010	-
每股盈余公积金(元)	0.3454	0.3454	0.3329	0.3329
每股未分配利润(元)	2.3684	2.2893	2.2033	2.0035
净资产收益率(%)	3.5262	10.4215	6.5560	20.6342
加权净资产收益率(%)	3.5300	14.3400	6.8100	22.5600
净资产收益率(扣除)(%)	3.4605	5.9515	3.9457	18.8983
总资产(万元)	597309.16	618236.03	413841.19	404614.00
归属母公司股东权益(万元)	366242.86	360389.45	254065.71	231438.43
营业收入(万元)	225516.83	203365.07	58910.26	266829.23
营业支出(万元)	180364.69	134467.28	30729.38	151906.73
投资收益(万元)	-830.72	23773.57	10033.98	8440.33
净利润(万元)	13140.16	37371.04	16414.26	47145.34
营业利润(万元)	19208.74	47974.65	20673.94	63044.40
利润总额(万元)	19482.76	48999.83	21269.57	63358.44

中兴通讯股份有限公司

公司概况					
公司名称	中兴通讯股份有限公司			证券简称	中兴通讯
法人代表	赵先明	董秘	曹巍	证券代码	000063
公司网址	www.zte.com.cn		电子信箱	IR@zte.com.cn	
电　话	0755-26770282		传　真	0755-26770286	
办公地址	广东省深圳市南山区高新技术产业园科技南路中兴通讯大厦				
经营范围	集团致力於设计、开发、生产、分销及安装各种先进的电信系统和设备等				

主要财务指标　指标 \ 报告期	2016.06.30	2015.12.31	2015.06.30	2014.12.31
基本每股收益(元)	0.4300	0.7800	0.3900	0.6400
基本每股收益(扣除后)(元)	0.4000	0.6200	0.2300	0.6000
稀释每股收益(元)	0.4200	0.7700	0.3900	0.6400
每股净资产(元)	7.4600	7.1500	7.7800	6.0300
每股经营现金净流量(元)	0.5669	1.7839	0.4387	0.7309
每股现金流量(元)	0.3164	2.2615	0.0254	-0.8402
每股资本公积金(元)	2.5428	2.5281	2.5635	2.5381
每股盈余公积金(元)	0.4869	0.4873	0.5146	0.5146
每股未分配利润(元)	3.7178	3.2953	3.5897	3.3197
净资产收益率(%)	5.7033	8.2293	6.0443	10.5857
加权净资产收益率(%)	5.8300	12.2800	6.2600	11.1000
净资产收益率(扣除)(%)	5.4025	8.6915	3.5093	8.3285
总资产(万元)	12991628.30	12089389.70	11314358.80	10621419.60
归属母公司股东权益(万元)	3097145.90	2966009.40	2672922.00	2487857.40
营业收入(万元)	4775730.20	10018638.90	4589878.80	8147127.50
营业支出(万元)	3182438.70	6910044.70	3042674.80	5576010.40
投资收益(万元)	35796.50	69561.90	36226.80	13447.40
净利润(万元)	218835.40	374027.00	183218.60	272773.00
营业利润(万元)	49541.60	32047.10	7634.30	6032.80
利润总额(万元)	270778.10	430353.20	214238.80	353822.20

北方国际合作股份有限公司

公司概况					
公司名称	北方国际合作股份有限公司			证券简称	北方国际
法人代表	王粤涛	董秘	杜晓东	证券代码	000065
公司网址	www.norinco-intl.com		电子信箱	bfgj@norinco-intl.com	
电　话	010-83916913 68137579		传　真	010-83528922	
办公地址	北京市石景山区政达路 6 号院北方国际大厦 19-22 层				
经营范围	各类型工业、能源、交通、民用工程建设项目的施工总承包等				

主要财务指标　指标 \ 报告期	2016.06.30	2015.12.31	2015.06.30	2014.12.31
基本每股收益(元)	0.4000	0.8200	0.2300	0.7300
基本每股收益(扣除后)(元)	0.3900	0.8200	0.2300	0.7300
稀释每股收益(元)	0.4000	0.8200	0.2300	0.7300
每股净资产(元)	7.4110	7.0858	6.5261	3.7900
每股经营现金净流量(元)	0.3716	1.3823	-1.8234	0.6707
每股现金流量(元)	0.8094	2.7454	0.5212	0.5624
每股资本公积金(元)	3.3327	3.3327	3.3327	0.5686
每股盈余公积金(元)	0.3006	0.3006	0.2368	0.2564
每股未分配利润(元)	2.7705	2.4490	1.9567	1.9628
净资产收益率(%)	5.4169	11.2570	3.3366	19.2316
加权净资产收益率(%)	5.5100	14.4100	5.3400	20.8900
净资产收益率(扣除)(%)	5.2823	11.2237	3.3132	19.2306
总资产(万元)	833490.80	661755.08	605140.70	491798.38
归属母公司股东权益(万元)	203337.15	194413.68	179057.45	95984.78
营业收入(万元)	221748.68	428557.40	130843.55	302410.08
营业支出(万元)	200432.14	395401.04	116912.37	267962.48
投资收益(万元)	48.08	180.59	69.13	317.10
净利润(万元)	10950.60	23044.96	6108.55	22432.27
营业利润(万元)	13093.78	27211.66	7024.94	26109.80
利润总额(万元)	13348.26	27286.87	7073.83	26104.91

中国长城科技集团股份有限公司

公司概况					
公司名称	中国长城科技集团股份有限公司			证券简称	中国长城
法人代表	靳宏荣	董秘	郭镇	证券代码	000066
公司网址	www.greatwall.cn		电子信箱	stock@greatwall.com.cn	
电　话	0755-26634759		传　真	0755-26631106	
办公地址	深圳市南山区科技园长城计算机大厦				
经营范围	电子计算机硬件、软件系统及网络系统、电子产品、液晶电视等				

主要财务指标　指标 \ 报告期	2016.06.30	2015.12.31	2015.06.30	2014.12.31
基本每股收益(元)	-0.0050	-0.0270	-0.0790	0.0440
基本每股收益(扣除后)(元)	0.0960	-0.2830	-0.1760	-0.1280
稀释每股收益(元)	-0.0050	-0.0270	-0.0790	0.0440
每股净资产(元)	1.9812	1.9571	1.8737	1.9264
每股经营现金净流量(元)	0.3549	1.2749	-0.4511	1.9671
每股现金流量(元)	-0.0985	0.0357	-0.0852	0.3623
每股资本公积金(元)	0.5246	0.5246	0.4699	0.5593
每股盈余公积金(元)	0.2621	0.2621	0.2616	0.2616
每股未分配利润(元)	0.4344	0.4398	0.4448	0.4627
净资产收益率(%)	-0.2773	-1.3769	-4.2332	2.2639
加权净资产收益率(%)	-0.2800	-1.3900	-4.1900	2.1830
净资产收益率(扣除)(%)	4.8396	-14.4613	-9.4041	-6.6303
总资产(万元)	3716996.87	3945606.72	3815046.13	4058655.15
归属母公司股东权益(万元)	262235.24	259035.68	248005.91	260218.93
营业收入(万元)	3158254.09	7293585.17	3267680.22	7580174.49
营业支出(万元)	2808413.32	6626579.31	2994376.90	6854757.12
投资收益(万元)	25912.14	90105.99	50744.08	25883.54
净利润(万元)	1677.74	-19480.97	-40418.05	-4868.73
营业利润(万元)	-678.90	-17544.57	-42949.75	-42305.67
利润总额(万元)	15302.03	9492.97	-29241.40	18589.20

深圳华控赛格股份有限公司

公司概况					
公司名称	深圳华控赛格股份有限公司			证券简称	华控赛格
法人代表	黄俞	董秘	丁勤	证券代码	000068
公司网址	www.huakongseg.com.cn		电子信箱	sz_hksg@163.com	
电　　话	0755-28339059　28339057		传　　真	0755-89938787	
办公地址	广东省深圳市大工业区兰竹东路 23 号				
经营范围	生产经营彩管玻壳及其材料、玻璃器材、平面显示器件玻璃及其材料等				

主要财务指标：指标\报告期	2016.06.30	2015.12.31	2015.06.30	2014.12.31
基本每股收益(元)	-0.0234	0.0070	-0.0220	-0.1208
基本每股收益(扣除后)(元)	-0.0251	-0.0090	-0.0220	-0.1210
稀释每股收益(元)	-0.0234	0.0070	-0.0220	-0.1208
每股净资产(元)	0.5868	0.6102	0.5817	0.0975
每股经营现金净流量(元)	-0.0555	0.0282	-0.0289	0.1234
每股现金流量(元)	-0.0363	0.1665	0.1756	0.0442
每股资本公积金(元)	1.1864	1.1864	1.1864	0.8749
每股盈余公积金(元)	0.1567	0.1567	0.1567	0.1759
每股未分配利润(元)	-1.7563	-1.7328	-1.7614	-1.9532
净资产收益率(%)	-3.9913	1.1405	-3.7085	-123.8952
加权净资产收益率(%)	-3.9100	1.2300	-4.2500	-76.5000
净资产收益率(扣除)(%)	-4.2829	-1.4641	-3.7133	-124.0299
总资产(万元)	73572.49	75787.79	63707.64	42073.48
归属母公司股东权益(万元)	59067.84	61425.38	58553.36	8745.41
营业收入(万元)	4271.98	17061.89	1699.42	6719.46
营业支出(万元)	2963.51	10596.42	1372.68	4158.99
投资收益(万元)	-302.81	15.78	-235.99	5.22
净利润(万元)	-2686.10	813.38	-2858.83	-10538.72
营业利润(万元)	-2797.16	-59.99	-2877.13	-10618.03
利润总额(万元)	-2722.86	953.25	-2858.83	-10607.89

深圳华侨城股份有限公司

公司概况					
公司名称	深圳华侨城股份有限公司			证券简称	华侨城 A
法人代表	段先念	董秘	曾辉	证券代码	000069
公司网址	www.octholding.com		电子信箱	000069IR@chinaoct.com	
电　　话	0755-26909069		传　　真	0755-26600936	
办公地址	广东省深圳市南山区华侨城集团办公大楼				
经营范围	旅游综合、房地产和纸包装业务				

主要财务指标：指标\报告期	2016.06.30	2015.12.31	2015.06.30	2014.12.31
基本每股收益(元)	0.1925	0.6370	0.1945	0.6566
基本每股收益(扣除后)(元)	0.1920	0.5879	0.1936	0.5862
稀释每股收益(元)	0.1925	0.6370	0.1945	0.6566
每股净资产(元)	4.6876	4.6414	3.9809	3.8670
每股经营现金净流量(元)	-0.0963	-0.2546	0.0210	-0.3560
每股现金流量(元)	-0.0333	0.1339	-0.1860	0.6437
每股资本公积金(元)	0.6959	0.7919	0.0850	0.0962
每股盈余公积金(元)	0.3100	0.3459	0.2983	0.2983
每股未分配利润(元)	2.7775	2.9623	2.6046	2.4790
净资产收益率(%)	4.1070	12.1848	4.8864	16.9797
加权净资产收益率(%)	4.1000	15.3500	4.9100	18.4000
净资产收益率(扣除)(%)	4.0956	11.2448	4.8900	15.1585
总资产(万元)	12180267.43	11526617.44	9666570.72	9487536.79
归属母公司股东权益(万元)	3846487.59	3808583.85	2894626.87	2811863.60
营业收入(万元)	1146022.95	3223632.95	1016133.33	3071819.93
营业支出(万元)	620042.32	1509020.93	489090.15	1321958.68
投资收益(万元)	34922.37	35957.38	21932.38	43010.84
净利润(万元)	171022.20	524332.69	160018.56	559083.67
营业利润(万元)	230067.89	688832.14	217501.34	735019.63
利润总额(万元)	230908.48	733151.61	218851.74	780691.02

深圳市特发信息股份有限公司

公司概况					
公司名称	深圳市特发信息股份有限公司			证券简称	特发信息
法人代表	王宝	董秘	张大军	证券代码	000070
公司网址	www.sdgi.com.cn		电子信箱	zhangdj@sdgi.com.cn	
电　　话	0755-26506648　26506649		传　　真	0755-26506800	
办公地址	广东省深圳市南山区高新区中区科丰路 2 号特发信息港大厦 B 栋 18 楼				
经营范围	光纤、光缆、铝电解电容器的研发、生产、销售以及通信系统集成及技术服务等				

主要财务指标：指标\报告期	2016.06.30	2015.12.31	2015.06.30	2014.12.31
基本每股收益(元)	0.2503	0.3349	0.1404	0.2051
基本每股收益(扣除后)(元)	0.2468	0.3107	0.1314	0.1786
稀释每股收益(元)	0.2503	0.3349	0.1404	0.2051
每股净资产(元)	5.1744	4.9541	4.0580	3.9435
每股经营现金净流量(元)	-0.6162	0.5706	-0.1190	0.5280
每股现金流量(元)	-0.1343	0.4428	-0.4296	0.2537
每股资本公积金(元)	3.0568	3.0568	2.2188	2.2188
每股盈余公积金(元)	0.1253	0.1253	0.1289	0.1289
每股未分配利润(元)	0.9923	0.7720	0.7103	0.5959
净资产收益率(%)	4.8373	5.9199	3.4607	5.2015
加权净资产收益率(%)	4.9300	8.0300	3.5000	5.3200
净资产收益率(扣除)(%)	4.7700	5.4919	3.2381	4.5300
总资产(万元)	484037.84	404445.13	275058.93	260813.71
归属母公司股东权益(万元)	162215.78	155309.39	109971.00	106869.80
营业收入(万元)	214124.62	244979.74	114166.59	191325.49
营业支出(万元)	180387.46	200273.38	95185.98	155448.06
投资收益(万元)	-14.90	47.77	55.42	326.94
净利润(万元)	8908.46	11361.99	4684.33	7081.09
营业利润(万元)	10471.62	11915.20	5276.63	8177.61
利润总额(万元)	10608.42	12727.60	5535.79	8584.64

深圳市海王生物工程股份有限公司

公司概况					
公司名称	深圳市海王生物工程股份有限公司			证券简称	海王生物
法人代表	张思民	董秘	沈大凯	证券代码	000078
公司网址	www.neptunus.com		电子信箱	sz000078@vip.sina.com	
电　　话	0755-26980336		传　　真	0755-26968995	
办公地址	广东省深圳市南山区科技园科技中三路 1 号海王银河科技大厦 24 楼				
经营范围	生产经营生物化学原料、制品、试剂及其他相关制品等				

主要财务指标：指标\报告期	2016.06.30	2015.12.31	2015.06.30	2014.12.31
基本每股收益(元)	0.0979	0.6488	0.0750	0.0325
基本每股收益(扣除后)(元)	0.1008	0.1855	0.0697	0.0244
稀释每股收益(元)	0.0976	0.6467	0.0750	0.0325
每股净资产(元)	1.8600	2.3978	2.2236	1.9652
每股经营现金净流量(元)	-0.1612	0.1203	-0.5668	-0.1606
每股现金流量(元)	0.3267	0.9184	0.1401	-0.3112
每股资本公积金(元)	0.9788	1.9589	2.1179	1.9620
每股盈余公积金(元)	0.0086	0.0304	0.0304	0.0313
每股未分配利润(元)	-0.0668	-0.3679	-0.9255	-1.0271
净资产收益率(%)	2.0374	26.3099	3.2950	1.6545
加权净资产收益率(%)	4.5700	28.1600	3.6800	1.5500
净资产收益率(扣除)(%)	2.0987	7.5225	3.0631	1.2404
总资产(万元)	1482661.23	1276225.92	1141511.57	963170.65
归属母公司股东权益(万元)	491489.15	180438.29	167332.45	143794.74
营业收入(万元)	635973.18	1111773.50	539596.74	980235.08
营业支出(万元)	554516.93	948949.20	466288.58	837173.09
投资收益(万元)	-157.34	38338.68	35.27	609.33
净利润(万元)	12396.60	51848.80	8605.67	8362.79
营业利润(万元)	16570.05	62274.42	8212.02	15352.52
利润总额(万元)	16409.44	62923.36	8879.29	15671.39

深圳市盐田港股份有限公司

公司概况					
公司名称	深圳市盐田港股份有限公司			证券简称	盐 田 港
法人代表	童亚明	董秘	冯强	证券代码	000088
公司网址	www.yantian-port.com		电子信箱	ytg000088@sina.cn	
电　话	0755-25290180		传　真	0755-25290932	
办公地址	广东省深圳市盐田区盐田港海港大厦十八层-十九层				
经营范围	码头的开发与经营、货物装卸与运输、港口配套交通设施建设与经营等				

主要财务指标 指标\报告期	2016.06.30	2015.12.31	2015.06.30	2014.12.31
基本每股收益(元)	0.0815	0.2200	0.0803	0.2265
基本每股收益(扣除后)(元)	0.0804	0.1716	0.0801	0.2066
稀释每股收益(元)	0.0815	0.2200	0.0803	0.2265
每股净资产(元)	2.9179	2.8364	2.6682	2.6398
每股经营现金净流量(元)	0.0059	0.0082	0.0129	0.0607
每股现金流量(元)	-0.1167	0.0722	-0.2057	0.1988
每股资本公积金(元)	0.3660	0.3660	0.3660	0.3660
每股盈余公积金(元)	0.4616	0.4616	0.4394	0.4394
每股未分配利润(元)	1.1647	1.0832	0.9615	0.9331
净资产收益率(%)	2.7931	7.9071	3.0108	8.5817
加权净资产收益率(%)	2.8400	8.2000	3.0100	8.9200
净资产收益率(扣除)(%)	2.7540	6.0504	3.0029	7.8250
总资产(万元)	798735.36	787882.82	732046.09	682595.41
归属母公司股东权益(万元)	566711.54	550882.79	518210.85	512707.75
营业收入(万元)	12458.90	24891.24	12082.18	30085.08
营业支出(万元)	5486.29	12446.83	5802.95	13291.89
投资收益(万元)	14575.37	32409.09	15445.37	34610.26
净利润(万元)	17572.43	52266.55	16712.15	47345.93
营业利润(万元)	18869.52	37966.66	17845.02	46364.39
利润总额(万元)	19164.58	61079.44	17940.53	52987.91

深圳市机场股份有限公司

公司概况					
公司名称	深圳市机场股份有限公司			证券简称	深圳机场
法人代表	汪洋	董秘	孙郑岭	证券代码	000089
公司网址	www.szairport.com		电子信箱	szjc@szairport.cn	
电　话	0755-23456331		传　真	0755-23456327	
办公地址	深圳市宝安国际机场 T3 商务办公楼 A 座				
经营范围	向航空公司提供航空地面保障及航空地面代理服务业务等				

主要财务指标 指标\报告期	2016.06.30	2015.12.31	2015.06.30	2014.12.31
基本每股收益(元)	0.1289	0.2739	0.1230	0.1584
基本每股收益(扣除后)(元)	0.1207	0.2212	0.1187	0.1416
稀释每股收益(元)	0.1289	0.2661	0.1173	0.1584
每股净资产(元)	5.0637	4.9858	4.8378	4.6718
每股经营现金净流量(元)	0.2519	0.5768	0.2890	0.5337
每股现金流量(元)	-0.0539	-0.0180	0.0121	-0.0095
每股资本公积金(元)	1.3657	1.3657	1.3667	0.5334
每股盈余公积金(元)	0.3562	0.3562	0.3415	0.4140
每股未分配利润(元)	2.3420	2.2640	2.1297	2.4835
净资产收益率(%)	2.5451	5.1032	2.1817	3.3908
加权净资产收益率(%)	2.5500	5.6500	2.5900	3.4400
净资产收益率(扣除)(%)	2.3839	4.1210	2.1050	3.0318
总资产(万元)	1224413.23	1195501.97	1257051.32	1269755.50
归属母公司股东权益(万元)	1038451.72	1022463.13	992124.99	790363.57
营业收入(万元)	145397.69	295255.10	147671.46	297330.42
营业支出(万元)	105234.53	205907.13	106623.46	235427.96
投资收益(万元)	1707.85	542.80	-19.41	570.61
净利润(万元)	26870.33	53293.83	22135.75	27619.89
营业利润(万元)	35364.19	75001.15	29514.06	34493.00
利润总额(万元)	35280.59	73951.52	29570.30	35217.32

深圳市天健(集团)股份有限公司

公司概况					
公司名称	深圳市天健(集团)股份有限公司			证券简称	天健集团
法人代表	辛杰	董秘	高建柏	证券代码	000090
公司网址	www.tagen.cn		电子信箱	luweihong@tagen.cn	
电　话	0755-82990659　82992565		传　真	0755-83990006	
办公地址	广东省深圳市福田区滨河大道 5020 号证券大厦 20、21、23、24 层				
经营范围	提供商品住宅的开发及销售、工程施工劳务、物业租赁服务				

主要财务指标 指标\报告期	2016.06.30	2015.12.31	2015.06.30	2014.12.31
基本每股收益(元)	0.1481	0.7108	0.3995	0.7628
基本每股收益(扣除后)(元)	0.0645	0.6843	0.3860	0.5625
稀释每股收益(元)	0.1481	0.7108	0.3995	0.7628
每股净资产(元)	4.9974	7.2015	7.2041	6.6724
每股经营现金净流量(元)	0.1341	-2.5634	-0.6556	0.6357
每股现金流量(元)	-0.3289	2.4352	-0.4777	0.5282
每股资本公积金(元)	1.9042	3.0659	1.3595	1.3595
每股盈余公积金(元)	0.4026	0.5636	0.8616	0.8616
每股未分配利润(元)	1.2588	1.7550	2.4172	2.2477
净资产收益率(%)	2.9645	6.3742	5.5460	11.4324
加权净资产收益率(%)	2.9200	9.9200	5.7500	11.8700
净资产收益率(扣除)(%)	1.2907	6.1362	5.3525	8.4308
总资产(万元)	1628496.89	1655382.41	1093174.77	1102729.46
归属母公司股东权益(万元)	598584.04	616132.96	398048.54	368668.22
营业收入(万元)	241916.12	631777.71	273820.24	529872.34
营业支出(万元)	193482.05	498250.05	215220.35	423257.89
投资收益(万元)	12097.09	98.69	141.93	15162.39
净利润(万元)	17701.41	39238.32	22076.65	42150.29
营业利润(万元)	25821.13	50325.51	27553.99	56135.26
利润总额(万元)	26180.17	52112.73	28551.07	56402.89

深圳市广聚能源股份有限公司

公司概况					
公司名称	深圳市广聚能源股份有限公司			证券简称	广聚能源
法人代表	张桂泉	董秘	嵇元弘	证券代码	000096
公司网址	www.gj000096.com		电子信箱	gjnygf@126.com	
电　话	0755-86000096		传　真	0755-86331111	
办公地址	广东省深圳市南山区海德三道天利中央商务广场 22 楼				
经营范围	油品、液化石油气销售及电力投资等				

主要财务指标 指标\报告期	2016.06.30	2015.12.31	2015.06.30	2014.12.31
基本每股收益(元)	0.1550	0.2800	0.3500	0.0800
基本每股收益(扣除后)(元)	0.1500	0.0400	0.1200	0.0300
稀释每股收益(元)	0.1550	0.2800	0.3500	0.0800
每股净资产(元)	3.9209	3.7850	3.8591	3.5410
每股经营现金净流量(元)	-0.1103	0.1091	0.1576	0.0431
每股现金流量(元)	-0.1369	0.4425	0.4945	0.2123
每股资本公积金(元)	0.6650	0.6650	0.6650	0.6821
每股盈余公积金(元)	0.6578	0.6578	0.6389	0.6389
每股未分配利润(元)	1.6066	1.4716	1.5663	1.2315
净资产收益率(%)	3.9534	7.3683	9.1950	2.2469
加权净资产收益率(%)	4.0400	7.6300	9.5800	2.2700
净资产收益率(扣除)(%)	3.8255	0.9306	3.1648	0.9270
总资产(万元)	224298.89	221705.22	234573.16	203306.06
归属母公司股东权益(万元)	207022.92	199847.34	203758.38	186965.51
营业收入(万元)	42534.73	99783.74	53228.19	100788.20
营业支出(万元)	34594.68	85937.99	46395.70	90206.88
投资收益(万元)	5197.40	15510.35	20955.09	2110.92
净利润(万元)	8368.70	14936.35	18821.17	4360.41
营业利润(万元)	9587.86	21387.57	24357.70	5531.27
利润总额(万元)	9593.24	21379.73	24352.65	5525.17

中信海洋直升机股份有限公司

公司概况					
公司名称	中信海洋直升机股份有限公司			证券简称	中信海直
法人代表	毕为	董秘	徐树田	证券代码	000099
公司网址	www.cohc.citic		电子信箱	xushutian@cohc.citic	
电　　话	0755-26723146　26971630		传　　真	0755-26723146	
办公地址	广东省深圳市南山区南海大道21号深圳直升机场				
经营范围	陆上石油服务、海上石油服务、人工降水、医疗救护、航空探矿等				

主要财务指标 指标\报告期	2016.06.30	2015.12.31	2015.06.30	2014.12.31
基本每股收益(元)	0.0688	0.2795	0.1365	0.3495
基本每股收益(扣除后)(元)	0.0688	0.2774	0.1360	0.3451
稀释每股收益(元)	0.0688	0.2795	0.1365	0.3495
每股净资产(元)	4.5840	4.5902	4.5059	4.4444
每股经营现金净流量(元)	-0.0730	0.5414	-0.1933	0.4388
每股现金流量(元)	-0.4464	0.0660	-0.3988	0.1807
每股资本公积金(元)	1.7049	1.7049	1.7049	1.7049
每股盈余公积金(元)	0.3544	0.3544	0.3284	0.3284
每股未分配利润(元)	1.5906	1.5968	1.4811	1.4196
净资产收益率(%)	1.5011	6.0896	3.0287	7.5112
加权净资产收益率(%)	1.4900	6.1600	3.0300	8.1500
净资产收益率(扣除)(%)	1.5010	6.0427	3.0179	7.4173
总资产(万元)	474752.54	496175.97	452754.34	445443.76
归属母公司股东权益(万元)	277823.03	278198.03	273086.38	269360.84
营业收入(万元)	52510.76	128940.06	56423.14	133910.75
营业支出(万元)	39899.76	85952.88	38727.26	94907.02
投资收益(万元)	225.62	217.40	-	323.15
净利润(万元)	4411.91	17347.27	8431.15	20574.41
营业利润(万元)	5664.50	18874.58	10662.32	23787.68
利润总额(万元)	5800.97	23243.34	11231.52	27707.81

TCL集团股份有限公司

公司概况					
公司名称	TCL集团股份有限公司			证券简称	TCL集团
法人代表	李东生	董秘	廖骞	证券代码	000100
公司网址	www.tcl.com		电子信箱	ir@tcl.com	
电　　话	0755-33968898　33313811		传　　真	0755-33313819	
办公地址	广东省惠州市仲恺高新区惠风三路17号TCL科技大厦				
经营范围	研究、开发、生产、销售电子产品及通讯设备、新型光电、液晶显示器件等				

主要财务指标 指标\报告期	2016.06.30	2015.12.31	2015.06.30	2014.12.31
基本每股收益(元)	0.0496	0.2141	0.1436	0.3480
基本每股收益(扣除后)(元)	0.0073	0.1401	0.1069	0.1993
稀释每股收益(元)	0.0496	0.2141	0.1436	0.3475
每股净资产(元)	1.9710	1.9798	2.0035	1.9248
每股经营现金净流量(元)	0.1557	0.6047	0.3812	0.5726
每股现金流量(元)	0.1597	0.1815	0.3158	0.1212
每股资本公积金(元)	0.4520	0.4151	0.4317	0.2700
每股盈余公积金(元)	0.0791	0.0790	0.0723	0.0935
每股未分配利润(元)	0.5258	0.5556	0.4851	0.5591
净资产收益率(%)	2.5162	10.6030	6.6202	17.4956
加权净资产收益率(%)	2.4300	10.4000	6.7000	18.2100
净资产收益率(扣除)(%)	0.3679	6.9395	4.9300	10.0212
总资产(万元)	12900080.09	11175482.04	11230919.90	9287688.64
归属母公司股东权益(万元)	2407265.11	2421010.63	2449162.80	1819434.87
营业收入(万元)	4834246.42	10457948.20	4668383.40	10102867.50
营业支出(万元)	4103941.90	8728283.90	3830756.30	8328109.80
投资收益(万元)	69138.20	170988.20	62482.20	77349.50
净利润(万元)	78800.10	323000.90	208895.30	423272.70
营业利润(万元)	-32350.90	134070.00	134387.20	211324.90
利润总额(万元)	94165.60	386870.40	237313.50	505902.10

宜华健康医疗股份有限公司

公司概况					
公司名称	宜华健康医疗股份有限公司			证券简称	宜华健康
法人代表	陈奕民	董秘	邱海涛	证券代码	000150
公司网址	www.yihuarealestate.com		电子信箱	securities.yre@yihua.com	
电　　话	0754-85899788		传　　真	0754-85890788	
办公地址	广东省汕头市澄海区文冠路口右侧宜都花园				
经营范围	房地产开发与销售等				

主要财务指标 指标\报告期	2016.06.30	2015.12.31	2015.06.30	2014.12.31
基本每股收益(元)	2.0849	0.1200	0.0025	0.0900
基本每股收益(扣除后)(元)	2.0990	0.1275	0.0015	0.0800
稀释每股收益(元)	2.0849	0.1200	0.0025	0.0900
每股净资产(元)	5.7859	3.7417	3.6575	2.5505
每股经营现金净流量(元)	-1.6206	0.8415	0.5286	-0.3818
每股现金流量(元)	0.6077	0.6981	-0.0417	-0.3097
每股资本公积金(元)	2.1394	2.1801	2.2087	0.9337
每股盈余公积金(元)	0.0392	0.0392	0.0392	0.0541
每股未分配利润(元)	2.6073	0.5223	0.4096	0.5626
净资产收益率(%)	36.0348	3.0804	0.0691	3.6089
加权净资产收益率(%)	36.0300	3.3300	0.0700	3.6800
净资产收益率(扣除)(%)	36.2786	3.2839	0.0404	3.2553
总资产(万元)	558787.54	454964.10	387027.30	252772.29
归属母公司股东权益(万元)	259093.64	167554.39	163784.29	82635.14
营业收入(万元)	52811.76	103122.63	42164.10	15767.29
营业支出(万元)	32705.53	78682.36	31393.07	12023.10
投资收益(万元)	105235.33	7902.62	-	6492.48
净利润(万元)	93343.21	5506.09	211.61	2982.26
营业利润(万元)	109966.72	6586.73	422.43	2794.25
利润总额(万元)	109345.85	6772.04	485.01	3158.60

中成进出口股份有限公司

公司概况					
公司名称	中成进出口股份有限公司			证券简称	中成股份
法人代表	刘学义	董秘	张朋	证券代码	000151
公司网址	www.complant-ltd.com.cn		电子信箱	complant@complant-ltd.com	
电　　话	010-84759518		传　　真	010-64218032	
办公地址	北京市东城区安定门西滨河路9号				
经营范围	成套设备及技术进出口业务和境外投资经营业务				

主要财务指标 指标\报告期	2016.06.30	2015.12.31	2015.06.30	2014.12.31
基本每股收益(元)	0.1839	0.4547	0.2382	0.3831
基本每股收益(扣除后)(元)	0.1756	0.4423	0.2382	0.3761
稀释每股收益(元)	0.1839	0.4547	0.2382	0.3831
每股净资产(元)	3.1883	3.4079	3.1894	3.3642
每股经营现金净流量(元)	-1.6980	-1.5233	-0.8030	2.5960
每股现金流量(元)	-1.8852	-1.8025	-1.2023	2.2851
每股资本公积金(元)	1.4934	1.4934	1.4934	1.4934
每股盈余公积金(元)	0.4421	0.4421	0.3902	0.3902
每股未分配利润(元)	0.2606	0.4807	0.3161	0.4851
净资产收益率(%)	5.7692	13.3431	7.4684	11.3861
加权净资产收益率(%)	5.5800	13.4300	7.2000	11.5300
净资产收益率(扣除)(%)	5.1837	12.9778	7.4684	11.1786
总资产(万元)	183691.47	241567.02	277933.50	291963.84
归属母公司股东权益(万元)	94366.83	100865.77	94400.62	99574.33
营业收入(万元)	69152.98	121243.48	52292.56	253795.93
营业支出(万元)	57717.33	97634.93	40183.44	222489.12
投资收益(万元)	85.09	24.29	-	314.18
净利润(万元)	5444.29	13431.95	7040.91	11269.37
营业利润(万元)	7995.64	16683.63	9082.69	17323.79
利润总额(万元)	8065.28	16741.45	9082.69	17599.40

安徽丰原药业股份有限公司

公司概况	公司名称	安徽丰原药业股份有限公司		证券简称	丰原药业
	法人代表	徐桦木	董秘	张军	证券代码	000153
	公司网址	www.bbcayy.com		电子信箱	xlyyzj@163.com
	电　话	0551-4846153 4846018		传　真	0551-4846000
	办公地址	安徽省合肥市包河工业区纬四路 16 号			
	经营范围	生物药、中药、化学合成药及其制剂等方面的研究、开发、生产和销售			

主要财务指标	指标\报告期	0.0843	2015.12.31	2015.06.30	2014.12.31
	基本每股收益(元)	0.0646	0.1038	0.0597	0.1313
	基本每股收益(扣除后)(元)	0.0843	0.0685	0.0436	0.1043
	稀释每股收益(元)	3.5942	0.1038	0.0597	0.1313
	每股净资产(元)	0.0491	3.6864	3.6661	3.5639
	每股经营现金净流量(元)	-0.1546	0.1458	0.0633	0.0337
	每股现金流量(元)	1.5311	-0.0234	-0.1128	-0.4518
	每股资本公积金(元)	0.0866	1.6782	1.5731	1.5731
	每股盈余公积金(元)	0.7456	0.0866	0.0866	0.0866
	每股未分配利润(元)	2.3446	0.7613	0.7568	0.6971
	净资产收益率(%)	2.3100	2.8148	1.6294	3.6800
	加权净资产收益率(%)	1.7976	2.8600	1.2100	3.7500
	净资产收益率(扣除)(%)	244654.01	1.8574	1.1896	2.9300
	总资产(万元)	112189.77	233961.83	222951.40	223753.28
	归属母公司股东权益(万元)	89140.73	117112.55	114434.32	111244.21
	营业收入(万元)	64842.74	155429.45	77932.07	169894.54
	营业支出(万元)	77.16	113669.39	57271.55	124872.00
	投资收益(万元)	2618.16	693.43	109.94	1096.71
	净利润(万元)	3245.92	3146.78	1855.76	4111.67
	营业利润(万元)	3605.05	3022.93	1886.78	4591.10
	利润总额(万元)	0.0843	4207.00	2502.38	5639.35

华数传媒控股股份有限公司

公司概况	公司名称	华数传媒控股股份有限公司		证券简称	华数传媒
	法人代表	王健儿	董秘	王颖轶	证券代码	000156
	公司网址	www.wasu.com		电子信箱	000156@wasu.com
	电　话	0571-28327789		传　真	0571-28327791
	办公地址	浙江省杭州市西湖区莲花街莲花商务中心 A 座 8 楼			
	经营范围	杭州地区有线电视网络及全国范围内新媒体业务			

主要财务指标	指标\报告期	2016.06.30	2015.12.31	2015.06.30	2014.12.31
	基本每股收益(元)	0.2061	0.4000	0.2020	0.3300
	基本每股收益(扣除后)(元)	0.2004	0.4000	0.1990	0.3300
	稀释每股收益(元)	0.2061	0.4000	0.2020	0.3300
	每股净资产(元)	6.6240	6.4529	6.2474	1.9163
	每股经营现金净流量(元)	0.1882	0.8419	0.1707	2.4829
	每股现金流量(元)	-0.3736	1.1477	3.9182	0.1055
	每股资本公积金(元)	4.3354	4.3354	4.0225	1.2839
	每股盈余公积金(元)	0.0944	0.0944	0.0347	0.0986
	每股未分配利润(元)	1.1184	0.9473	0.7503	1.6721
	净资产收益率(%)	3.1111	5.7686	2.8006	17.4651
	加权净资产收益率(%)	3.1400	7.8400	5.5800	19.1400
	净资产收益率(扣除)(%)	3.0258	5.7471	2.7600	17.2702
	总资产(万元)	1301653.31	1267499.79	1213175.19	555817.73
	归属母公司股东权益(万元)	949451.76	924930.32	895473.34	219735.06
	营业收入(万元)	139998.60	285857.21	127224.89	241161.61
	营业支出(万元)	76685.37	159375.71	69206.95	139536.45
	投资收益(万元)	-278.21	-323.84	-0.95	384.35
	净利润(万元)	29427.45	53257.51	24979.77	38386.82
	营业利润(万元)	28573.07	50905.66	23156.13	33721.00
	利润总额(万元)	29921.78	54684.58	25642.12	38688.36

中联重科股份有限公司

公司概况	公司名称	中联重科股份有限公司		证券简称	中联重科
	法人代表	詹纯新	董秘	申柯	证券代码	000157
	公司网址	www.zoomlion.com		电子信箱	157@zoomlion.com
	电　话	0731-85650157		传　真	0731-85651157
	办公地址	湖南省长沙市银盆南路 361 号			
	经营范围	开发、生产、销售工程机械、环卫机械、汽车起重机及其专用底盘等			

主要财务指标	指标\报告期	2016.06.30	2015.12.31	2015.06.30	2014.12.31
	基本每股收益(元)	-0.1100	0.0100	-0.0400	0.0800
	基本每股收益(扣除后)(元)	-0.1100	-0.0600	-0.0500	0.0400
	稀释每股收益(元)	-0.1100	0.0100	-0.0400	0.0800
	每股净资产(元)	4.8739	5.2108	5.2081	5.2986
	每股经营现金净流量(元)	-0.0394	-0.4351	-0.5425	-0.9979
	每股现金流量(元)	-0.3304	-0.3910	-0.0534	-0.2821
	每股资本公积金(元)	1.6476	1.7048	1.7068	1.7067
	每股盈余公积金(元)	0.3806	0.3806	0.3771	0.3771
	每股未分配利润(元)	1.9679	2.2270	2.1653	2.2555
	净资产收益率(%)	-2.2394	0.2090	-0.7720	1.4550
	加权净资产收益率(%)	-2.1300	0.2100	-0.7800	1.4300
	净资产收益率(扣除)(%)	-2.2884	-1.1243	-0.9941	0.7795
	总资产(万元)	9363665.38	9372302.00	10078848.87	9375795.58
	归属母公司股东权益(万元)	3735393.05	3993660.04	4013324.18	4083079.33
	营业收入(万元)	900379.31	2075334.66	1057135.00	2585119.51
	营业支出(万元)	678037.04	1514595.59	804226.22	1864159.55
	投资收益(万元)	-3750.35	8337.71	4951.25	1084.03
	净利润(万元)	-83215.91	9115.74	-33487.67	62787.48
	营业利润(万元)	-99832.82	-60513.65	-41001.72	66292.18
	利润总额(万元)	-97602.56	3328.63	-31499.61	86313.89

石家庄常山纺织股份有限公司

公司概况	公司名称	石家庄常山纺织股份有限公司		证券简称	常山股份
	法人代表	汤彰明	董秘	池俊平	证券代码	000158
	公司网址	www.changshantex.com		电子信箱	chijunp52@sohu.com
	电　话	0311-86673856		传　真	0311-86673929
	办公地址	河北省石家庄市和平东路 183 号			
	经营范围	天然纤维和人造纤维的纺织产品、针织品、服装加工等			

主要财务指标	指标\报告期	2016.06.30	2015.12.31	2015.06.30	2014.12.31
	基本每股收益(元)	-0.0145	0.2400	-0.0387	0.0338
	基本每股收益(扣除后)(元)	-0.0119	0.0400	-0.0327	-0.3500
	稀释每股收益(元)	-0.0145	0.2400	-0.0387	0.0338
	每股净资产(元)	4.2240	4.2701	3.9773	3.4407
	每股经营现金净流量(元)	-0.8655	-0.3847	0.0848	0.1661
	每股现金流量(元)	-0.1950	0.6020	0.1182	-0.1851
	每股资本公积金(元)	2.5786	2.5687	2.4485	1.5457
	每股盈余公积金(元)	0.1658	0.1658	0.1625	0.2623
	每股未分配利润(元)	0.4720	0.5265	0.3525	0.6154
	净资产收益率(%)	-0.3433	4.5932	-0.7265	0.9819
	加权净资产收益率(%)	-0.3400	5.8400	-1.0500	0.9900
	净资产收益率(扣除)(%)	-0.2823	0.7508	-0.6141	-10.1212
	总资产(万元)	1157535.02	1094186.31	875708.13	555316.34
	归属母公司股东权益(万元)	537057.44	542920.99	461329.02	247335.26
	营业收入(万元)	503833.68	890193.60	456354.49	656851.94
	营业支出(万元)	469906.16	829294.20	440757.29	649000.70
	投资收益(万元)	358.91	30.15	175.67	224.00
	净利润(万元)	-1921.19	24872.15	-3360.64	2426.38
	营业利润(万元)	-1851.23	1293.69	-3798.71	-32472.63
	利润总额(万元)	-1382.08	28643.04	-2346.51	2202.01

新疆国际实业股份有限公司

公司概况	公司名称	新疆国际实业股份有限公司		证券简称	国际实业
	法人代表	丁治平	董秘	李润起	证券代码	000159
	公司网址	www.xjgjsy.com		电子信箱	zqb@xjgjsy.com
	电　话	0991-5854232		传　真	0991-2861579
	办公地址	新疆维吾尔自治区乌鲁木齐市北京南路 358 号大成国际大厦 9 楼			
	经营范围	焦炭、煤炭及深加工产品的生产与销售等			
主要财务指标	指标＼报告期	2016.06.30	2015.12.31	2015.06.30	2014.12.31
	基本每股收益(元)	-0.0322	0.1164	0.1046	0.2682
	基本每股收益(扣除后)(元)	-0.0195	-0.0937	-0.0951	-0.1282
	稀释每股收益(元)	-0.0322	0.1164	0.1046	0.2682
	每股净资产(元)	4.4670	4.4977	4.5131	4.5005
	每股经营现金净流量(元)	-0.1748	-0.3440	-0.2091	0.3141
	每股现金流量(元)	-0.0680	-0.1345	0.1778	-0.4352
	每股资本公积金(元)	0.7779	0.7779	0.7779	0.8105
	每股盈余公积金(元)	0.2692	0.2692	0.2692	0.2692
	每股未分配利润(元)	2.4601	2.5223	2.5404	2.4658
	净资产收益率(%)	-0.7207	2.5888	2.3178	5.9587
	加权净资产收益率(%)	-0.7200	2.5900	2.3200	6.0800
	净资产收益率(扣除)(%)	-0.4375	-2.0836	-2.1062	-2.8476
	总资产(万元)	301361.07	294899.55	307059.04	296825.85
	归属母公司股东权益(万元)	214925.23	216400.34	217141.99	216535.79
	营业收入(万元)	22306.44	67973.83	30738.25	117660.28
	营业支出(万元)	18577.73	52903.51	26667.60	104818.49
	投资收益(万元)	766.05	8959.66	6941.13	5805.63
	净利润(万元)	-1569.10	6007.41	5443.84	13257.88
	营业利润(万元)	-1630.18	7695.35	8566.04	19428.17
	利润总额(万元)	-1761.92	9220.49	8081.53	19746.22

申万宏源集团股份有限公司

公司概况	公司名称	申万宏源集团股份有限公司		证券简称	申万宏源
	法人代表	陈亮	董秘	阳昌云	证券代码	000166
	公司网址	www.sywg.com		电子信箱	swhy@swhygh.com
	电　话	0991-2301870		传　真	0991-2301779
	办公地址	新疆维吾尔自治区乌鲁木齐市文艺路 233 号宏源大厦			
	经营范围	投资管理，实业投资，股权投资，投资咨询			
主要财务指标	指标＼报告期	2016.06.30	2015.12.31	2015.06.30	2014.12.31
	基本每股收益(元)	0.1400	0.8200	0.5000	0.5100
	基本每股收益(扣除后)(元)	0.1400	0.8200	0.5000	0.4900
	稀释每股收益(元)	0.1400	0.8200	0.5000	0.5100
	每股净资产(元)	3.2787	3.3812	3.1091	2.7300
	每股经营现金净流量(元)	-0.9781	3.3967	0.6788	0.6492
	每股现金流量(元)	-2.0538	3.9399	9.5969	5.1715
	每股资本公积金(元)	0.2992	0.2992	0.2998	0.8930
	每股盈余公积金(元)	0.1710	0.1710	0.1710	0.3782
	每股未分配利润(元)	1.3534	1.3626	1.2098	1.5848
	净资产收益率(%)	4.3196	24.1950	15.9255	15.9237
	加权净资产收益率(%)	4.1900	27.4100	17.3800	17.2000
	净资产收益率(扣除)(%)	4.2285	24.1070	15.9113	15.4005
	总资产(万元)	27569083.26	33356946.95	43512768.00	20231155.78
	归属母公司股东权益(万元)	4871071.94	5023429.13	4619045.42	3168907.23
	营业收入(万元)	609026.07	3046260.31	1705345.40	865679.69
	营业支出(万元)	-	-	696885.83	429714.42
	投资收益(万元)	122540.15	713373.80	350081.93	109338.75
	净利润(万元)	216957.15	1242843.57	751547.36	350443.42
	营业利润(万元)	250536.86	1749640.33	1008459.57	435965.26
	利润总额(万元)	255989.29	1754673.10	1008943.98	439990.63

江苏吴江中国东方丝绸市场股份有限公司

公司概况	公司名称	江苏吴江中国东方丝绸市场股份有限公司		证券简称	东方市场
	法人代表	计高雄	董秘	汪钟颖	证券代码	000301
	公司网址	www.cesm.com.cn		电子信箱	wangzy.2006@yahoo.com.cn
	电　话	0512-63573480 63527635		传　真	0512-63552272
	办公地址	江苏省吴江市盛泽镇市场路丝绸股份大厦			
	经营范围	房地产开发、营业房出租、热电、石油、天然气等			
主要财务指标	指标＼报告期	2016.06.30	2015.12.31	2015.06.30	2014.12.31
	基本每股收益(元)	0.0736	0.1371	0.0738	0.1800
	基本每股收益(扣除后)(元)	0.0734	0.1365	0.0741	0.1500
	稀释每股收益(元)	0.0736	0.1371	0.0738	0.1800
	每股净资产(元)	2.7252	2.6516	2.6382	2.5644
	每股经营现金净流量(元)	-0.0124	0.1821	0.0287	-0.1026
	每股现金流量(元)	0.1104	-0.0537	-0.0074	-0.0848
	每股资本公积金(元)	0.5225	0.5225	0.5225	0.5225
	每股盈余公积金(元)	0.2024	0.2024	0.1861	0.1861
	每股未分配利润(元)	1.0002	0.9266	0.9295	0.8557
	净资产收益率(%)	2.7020	5.1723	2.7969	7.2072
	加权净资产收益率(%)	2.7400	5.0000	2.8400	7.0000
	净资产收益率(扣除)(%)	2.6944	5.1479	2.8078	5.8145
	总资产(万元)	476976.49	439733.05	411941.54	398689.76
	归属母公司股东权益(万元)	331993.74	323023.21	321395.67	312406.55
	营业收入(万元)	34743.65	69406.59	32515.71	78548.06
	营业支出(万元)	17733.88	35216.54	17918.66	41651.67
	投资收益(万元)	387.83	737.32	559.43	1825.72
	净利润(万元)	8977.18	16713.10	9004.70	22474.15
	营业利润(万元)	12316.32	25646.55	12869.09	30034.95
	利润总额(万元)	12122.21	25251.55	12449.77	31042.84

美的集团股份有限公司

公司概况	公司名称	美的集团股份有限公司		证券简称	美的集团
	法人代表	方洪波	董秘	江鹏	证券代码	000333
	公司网址	www.midea.com.cn		电子信箱	IR@midea.com
	电　话	0757-26605456 26334559		传　真	0757-26651991
	办公地址	广东省佛山市顺德区北滘镇美的大道 6 号美的总部大楼 B 区 26-28 楼			
	经营范围	生产经营家用电器,电机及零部件等			
主要财务指标	指标＼报告期	2016.06.30	2015.12.31	2015.06.30	2014.12.31
	基本每股收益(元)	1.4800	2.9900	1.9700	2.4900
	基本每股收益(扣除后)(元)	1.4200	2.5700	1.7600	2.2500
	稀释每股收益(元)	1.4800	2.9900	1.9600	2.4900
	每股净资产(元)	8.6100	11.5312	10.7600	9.3625
	每股经营现金净流量(元)	1.2653	6.2726	2.0549	5.8799
	每股现金流量(元)	0.7953	-0.0199	0.0548	-2.7258
	每股资本公积金(元)	1.9972	3.4009	3.5691	3.0895
	每股盈余公积金(元)	0.2874	0.4328	0.2773	0.2822
	每股未分配利润(元)	5.2772	6.9208	6.0330	5.1744
	净资产收益率(%)	17.1624	25.8257	18.0352	26.6078
	加权净资产收益率(%)	17.6400	29.0600	19.6200	29.4900
	净资产收益率(扣除)(%)	16.4463	22.1767	16.1046	24.0100
	总资产(万元)	16750274.70	12884193.50	14178268.71	12029208.82
	归属母公司股东权益(万元)	5533309.80	4920185.20	4615474.15	3947049.98
	营业收入(万元)	7752228.70	13844122.60	8250914.38	14166817.52
	营业支出(万元)	5486616.00	10266281.80	5987890.57	10566968.65
	投资收益(万元)	71408.20	201126.90	118120.49	151112.22
	净利润(万元)	1023089.80	1362465.50	894856.76	1164632.87
	营业利润(万元)	1137809.60	1491687.30	1020639.89	1345050.37
	利润总额(万元)	1217756.90	1605135.40	1075657.39	1399068.46

潍柴动力股份有限公司

公司概况					
公司名称	潍柴动力股份有限公司			证券简称	潍柴动力
法人代表	谭旭光	董秘	戴立新	证券代码	000338
公司网址	www.weichaipower.com		电子信箱	weichai@weichai.com	
电　　话	0536-2297068 8197069		传　　真	0536-8197073	
办公地址	山东省潍坊市高新技术产业开发区福寿东街 197 号甲				
经营范围	柴油机及配套产品的设计、开发、生产、销售、维修、进出口等				

主要财务指标 指标\报告期	2016.06.30	2015.12.31	2015.06.30	2014.12.31
基本每股收益(元)	0.2600	0.3500	0.2400	2.5100
基本每股收益(扣除后)(元)	0.2300	0.2700	0.2200	1.6900
稀释每股收益(元)	0.2600	0.3500	0.2400	2.5100
每股净资产(元)	7.9915	7.9351	15.9766	16.2395
每股经营现金净流量(元)	0.5061	1.6941	0.7641	5.5878
每股现金流量(元)	0.2768	0.1300	-0.3694	1.9495
每股资本公积金(元)	0.0116	0.0070	0.1050	0.6443
每股盈余公积金(元)	0.3021	0.3021	1.5264	1.5264
每股未分配利润(元)	6.8950	6.7320	13.5381	13.2033
净资产收益率(%)	3.2906	4.3826	3.0341	15.4754
加权净资产收益率(%)	3.2800	4.3300	3.0000	16.6800
净资产收益率(扣除)(%)	2.8459	3.4260	2.7644	10.3937
总资产(万元)	12532883.16	11487338.78	11517082.15	12225557.52
归属母公司股东权益(万元)	3195502.25	3172945.57	3194221.76	3239937.80
营业收入(万元)	4228651.12	7371991.58	3645525.99	7963716.15
营业支出(万元)	3262510.19	5676011.61	2802894.48	6254777.55
投资收益(万元)	8297.71	11495.46	10074.45	171484.06
净利润(万元)	160151.42	216267.41	130613.63	578449.57
营业利润(万元)	186051.52	257812.10	161964.70	659004.74
利润总额(万元)	207863.08	308341.99	174231.77	696569.56

许继电气股份有限公司

公司概况					
公司名称	许继电气股份有限公司			证券简称	许继电气
法人代表	冷俊	董秘	李维扬	证券代码	000400
公司网址	www.xjec.com		电子信箱	gszl@xjgc.com	
电　　话	0374-3212348 3212022		传　　真	0374-3363549	
办公地址	河南省许昌市许继大道 1298 号				
经营范围	生产经营电网自动化、继电保护及控制装置等				

主要财务指标 指标\报告期	2016.06.30	2015.12.31	2015.06.30	2014.12.31
基本每股收益(元)	0.1087	0.7147	0.0747	1.0573
基本每股收益(扣除后)(元)	0.1087	0.6881	0.0673	1.0769
稀释每股收益(元)	0.1087	0.7147	0.0747	1.0573
每股净资产(元)	6.2469	6.2383	5.6983	5.6227
每股经营现金净流量(元)	-0.0653	0.4992	-0.1024	-0.2066
每股现金流量(元)	-0.2743	0.0777	-0.1958	-0.5748
每股资本公积金(元)	0.8229	0.8229	0.8229	0.8220
每股盈余公积金(元)	0.4121	0.4121	0.3687	0.3687
每股未分配利润(元)	4.0120	4.0033	3.5067	3.4319
净资产收益率(%)	1.7395	11.4565	1.3111	18.7367
加权净资产收益率(%)	1.7300	11.9500	1.3200	22.7900
净资产收益率(扣除)(%)	1.7333	11.0307	1.1805	18.8673
总资产(万元)	1293443.98	1248733.68	1055210.84	1079219.58
归属母公司股东权益(万元)	629894.54	629020.44	574573.03	566948.98
营业收入(万元)	289838.74	734630.04	218013.49	835919.36
营业支出(万元)	235791.59	529212.75	167373.46	548549.36
投资收益(万元)	-	-284.70	-	-63.57
净利润(万元)	11129.11	80586.11	9421.48	128926.67
营业利润(万元)	12100.33	78550.91	8062.07	132122.27
利润总额(万元)	14369.34	92981.65	10844.07	139547.06

唐山冀东水泥股份有限公司

公司概况					
公司名称	唐山冀东水泥股份有限公司			证券简称	冀东水泥
法人代表	张增光	董秘	韩保平	证券代码	000401
公司网址	www.jdsn.com.cn		电子信箱	zqb@jdsn.com.cn	
电　　话	0315-3244005		传　　真	0315-3244005	
办公地址	河北省唐山市丰润区林荫路				
经营范围	生产和销售水泥、熟料以及石灰石开采和销售				

主要财务指标 指标\报告期	2016.06.30	2015.12.31	2015.06.30	2014.12.31
基本每股收益(元)	-0.6880	-1.2730	0.1470	0.0260
基本每股收益(扣除后)(元)	-0.6020	-2.0440	-0.8270	-0.1190
稀释每股收益(元)	-0.6880	-1.2730	0.1470	0.0260
每股净资产(元)	6.6421	7.4660	9.2084	8.7520
每股经营现金净流量(元)	1.0876	0.6807	0.0242	1.6723
每股现金流量(元)	0.3263	-0.7354	0.1625	0.1752
每股资本公积金(元)	3.6575	3.6523	3.6451	3.8022
每股盈余公积金(元)	0.7530	0.7530	0.7032	0.7032
每股未分配利润(元)	1.1807	1.8744	3.3436	3.2469
净资产收益率(%)	-10.3649	-17.0489	1.5922	0.2943
加权净资产收益率(%)	-9.6700	-15.6800	1.6600	0.2900
净资产收益率(扣除)(%)	-9.0620	-27.3778	-8.9820	-1.3554
总资产(万元)	4040428.26	4128123.38	4582175.16	4405427.34
归属母公司股东权益(万元)	895034.43	1006061.08	1240854.32	1179355.35
营业收入(万元)	525949.17	1110824.78	511223.09	1566473.54
营业支出(万元)	453375.46	940603.16	454083.14	1238111.90
投资收益(万元)	-6987.44	95113.60	128858.04	1590.78
净利润(万元)	-102793.90	-215034.41	-5138.59	-27748.06
营业利润(万元)	-123504.45	-198799.03	2422.69	-83870.38
利润总额(万元)	-114820.92	-173565.57	8126.46	-17915.58

金融街控股股份有限公司

公司概况					
公司名称	金融街控股股份有限公司			证券简称	金 融 街
法人代表	刘世春	董秘	张晓鹏	证券代码	000402
公司网址	www.jrjkg.com		电子信箱	investors@jrjkg.com	
电　　话	010-66573088 66573955		传　　真	010-66573956	
办公地址	北京市西城区金融大街丙 17 号北京银行大厦 11-12 层				
经营范围	房地产开发、销售商品房、物业管理、新技术及产品项目投资等				

主要财务指标 指标\报告期	2016.06.30	2015.12.31	2015.06.30	2014.12.31
基本每股收益(元)	0.2500	0.7500	0.2900	0.9700
基本每股收益(扣除后)(元)	0.2400	0.2000	-0.0200	0.6800
稀释每股收益(元)	0.2500	0.7500	0.2900	0.9700
每股净资产(元)	8.5537	8.5272	8.1351	8.1023
每股经营现金净流量(元)	1.2140	-4.2964	-0.2407	-0.1075
每股现金流量(元)	2.4160	-0.3342	-0.0414	-0.5728
每股资本公积金(元)	2.3035	2.3033	2.3766	2.3766
每股盈余公积金(元)	0.3673	0.3673	0.3660	0.3660
每股未分配利润(元)	4.6963	4.8420	4.3768	4.3394
净资产收益率(%)	2.9673	8.8404	3.5319	12.0884
加权净资产收益率(%)	2.9600	9.0300	3.5200	12.6100
净资产收益率(扣除)(%)	2.7516	2.3572	-0.2849	8.5380
总资产(万元)	11496966.64	10567867.59	9168217.79	8758743.96
归属母公司股东权益(万元)	2556636.75	2548727.07	2431523.09	2421709.67
营业收入(万元)	616703.59	1556475.00	491904.47	2203588.57
营业支出(万元)	366949.58	1088681.71	356393.61	1528742.54
投资收益(万元)	963.55	7462.68	3280.05	2335.58
净利润(万元)	75406.66	226505.54	88865.75	311253.78
营业利润(万元)	104547.13	318897.19	120452.14	411624.31
利润总额(万元)	106148.30	320784.94	124149.51	421912.74

振兴生化股份有限公司

公司概况					
公司名称	振兴生化股份有限公司			证券简称	ST 生化
法人代表	史曜瑜	董秘	闫治仲	证券代码	000403
公司网址			电子信箱	zxzqb000403@163.com	
电　话	0351-7038633 7038636		传　真	0351-7038776	
办公地址	山西省太原市长治路 227 号高新国际大厦 16 层				
经营范围	生物医药和工程机械产品的研究、开发、生产和销售				

主要财务指标 指标\报告期	2016.06.30	2015.12.31	2015.06.30	2014.12.31
基本每股收益(元)	0.1600	0.2800	0.2000	0.4500
基本每股收益(扣除后)(元)	0.1600	0.2200	0.2000	0.2200
稀释每股收益(元)	0.1600	0.2800	0.2000	0.4500
每股净资产(元)	1.9912	1.8360	1.7477	1.5515
每股经营现金净流量(元)	0.1760	0.2579	0.2494	0.2826
每股现金流量(元)	-0.0657	0.0291	0.0759	0.1014
每股资本公积金(元)	0.4180	0.4180	0.4180	0.4180
每股盈余公积金(元)	0.2228	0.2228	0.2228	0.2228
每股未分配利润(元)	0.3504	0.1953	0.1069	-0.0893
净资产收益率(%)	7.7919	15.4985	11.2273	28.9710
加权净资产收益率(%)	9.6100	16.8000	11.0200	33.8800
净资产收益率(扣除)(%)	7.8542	11.8024	11.2342	14.4143
总资产(万元)	126847.15	126530.92	123484.19	119380.59
归属母公司股东权益(万元)	54274.69	50045.65	47637.78	42289.35
营业收入(万元)	28245.17	50026.93	25527.24	48949.57
营业支出(万元)	13308.66	23543.39	11032.59	21004.51
投资收益(万元)	-	-	-	3087.42
净利润(万元)	3777.43	6684.00	4954.29	10693.21
营业利润(万元)	5286.94	6831.80	6312.97	10025.12
利润总额(万元)	5253.33	9225.91	6309.27	14784.12

华意压缩机股份有限公司

公司概况					
公司名称	华意压缩机股份有限公司			证券简称	华意压缩
法人代表	刘体斌	董秘	刘体斌(代)	证券代码	000404
公司网址	www.hua-yi.cn		电子信箱	hyzq@hua-yi.cn	
电　话	0798-8470237 8470228		传　真	0798-8470221	
办公地址	江西省景德镇市高新区长虹大道 1 号				
经营范围	无氟压缩机、电冰箱及其配件的生产和销售等				

主要财务指标 指标\报告期	2016.06.30	2015.12.31	2015.06.30	2014.12.31
基本每股收益(元)	0.2257	0.3894	0.2183	0.3345
基本每股收益(扣除后)(元)	0.1941	0.3305	0.2020	0.3051
稀释每股收益(元)	0.2257	0.3894	0.2183	0.3345
每股净资产(元)	4.1477	4.0007	3.8300	3.6756
每股经营现金净流量(元)	-0.5651	1.2965	0.6828	1.4484
每股现金流量(元)	1.7400	-0.4502	0.0139	0.1457
每股资本公积金(元)	1.9718	1.9718	1.9718	1.9718
每股盈余公积金(元)	0.0424	0.0424	0.0213	0.0213
每股未分配利润(元)	1.1399	0.9942	0.8443	0.6859
净资产收益率(%)	5.4423	9.7324	5.7006	9.1001
加权净资产收益率(%)	5.5100	10.1600	5.7800	10.8900
净资产收益率(扣除)(%)	4.6789	8.2617	5.2748	8.3016
总资产(万元)	808165.14	697050.26	719475.94	660453.66
归属母公司股东权益(万元)	232113.81	223886.48	214337.40	205694.50
营业收入(万元)	351182.85	685615.68	373763.44	700290.52
营业支出(万元)	300402.92	581269.50	314887.13	583875.29
投资收益(万元)	2653.76	4966.49	1612.57	1902.37
净利润(万元)	19662.04	33161.57	18936.53	28956.82
营业利润(万元)	22490.58	37208.11	21294.85	32315.93
利润总额(万元)	22808.65	38928.67	21999.68	32635.66

山东胜利股份有限公司

公司概况					
公司名称	山东胜利股份有限公司			证券简称	胜利股份
法人代表	王鹏	董秘	杜以宏	证券代码	000407
公司网址	www.vicome.com		电子信箱	sd000407@sina.com	
电　话	0531-86920495 88725687		传　真	0531-86018518	
办公地址	山东省济南市高新区港兴三路北段济南药谷 1 号楼 B 座 27-33F				
经营范围	生物产业、塑胶产业、农化产业和贸易产业				

主要财务指标 指标\报告期	2016.06.30	2015.12.31	2015.06.30	2014.12.31
基本每股收益(元)	0.0230	0.0400	0.0220	0.0500
基本每股收益(扣除后)(元)	-0.0500	0.0300	0.0221	-
稀释每股收益(元)	0.0230	0.0400	0.0220	0.0500
每股净资产(元)	2.7817	2.3210	2.3028	2.2794
每股经营现金净流量(元)	-0.0629	0.0846	-0.1012	0.0759
每股现金流量(元)	-0.3311	0.0743	0.0781	0.1408
每股资本公积金(元)	1.1570	0.6386	0.6379	0.6405
每股盈余公积金(元)	0.1347	0.1532	0.1515	0.1515
每股未分配利润(元)	0.4737	0.5147	0.5015	0.4793
净资产收益率(%)	0.7544	1.5997	0.9618	2.0802
加权净资产收益率(%)	0.9200	1.6100	0.9700	2.9900
净资产收益率(扣除)(%)	-1.5719	1.4607	0.9590	-0.0130
总资产(万元)	393942.66	415164.69	451492.68	410280.37
归属母公司股东权益(万元)	244816.50	179653.94	178244.26	176434.70
营业收入(万元)	119088.76	250939.67	149081.10	287231.02
营业支出(万元)	103331.76	226059.75	132721.07	263322.19
投资收益(万元)	6499.55	13484.33	785.87	19195.72
净利润(万元)	58.20	4146.66	1334.33	5298.90
营业利润(万元)	-463.43	2807.47	1066.14	5865.47
利润总额(万元)	233.82	2692.24	1074.28	4296.53

金谷源控股股份有限公司

公司概况					
公司名称	金谷源控股股份有限公司			证券简称	金谷源
法人代表	肖永明	董秘	李双	证券代码	000408
公司网址			电子信箱	zgjf000408@163.com	
电　话	010-62021686		传　真	010-62016515	
办公地址	青海省格尔木市昆仑南路 15-02 号				
经营范围	矿业投资及管理、投资与投资管理、资产管理、矿业技术开发等				

主要财务指标 指标\报告期	2016.06.30	2015.12.31	2015.06.30	2014.12.31
基本每股收益(元)	0.2848	-0.2359	-0.0166	-0.2190
基本每股收益(扣除后)(元)	0.2848	-0.2284	-0.0105	-0.1919
稀释每股收益(元)	0.2848	-0.2359	-0.0166	-0.2190
每股净资产(元)	0.5865	0.3017	0.5210	0.5376
每股经营现金净流量(元)	0.1585	0.0502	0.0012	0.0025
每股现金流量(元)	0.6134	0.0034	0.0008	-0.0090
每股资本公积金(元)	0.5695	0.5695	0.5695	0.5695
每股盈余公积金(元)	0.0775	0.0775	0.0775	0.0775
每股未分配利润(元)	-1.0605	-1.3453	-1.1260	-1.1094
净资产收益率(%)	48.5623	-78.2045	-3.1870	-40.7324
加权净资产收益率(%)	64.1400	-56.2200	-3.1400	-33.8400
净资产收益率(扣除)(%)	9.9185	-80.6921	-2.0060	-35.7057
总资产(万元)	15583.07	46390.28	52219.67	45645.26
归属母公司股东权益(万元)	14796.86	7611.17	13144.53	13563.36
营业收入(万元)	1.00	11990.39	10676.28	5664.56
营业支出(万元)	-	11758.34	10476.28	5715.89
投资收益(万元)	5685.66	-343.07	-222.69	-517.08
净利润(万元)	7068.67	-6058.32	-283.12	-5542.27
营业利润(万元)	7036.26	-5868.99	-127.87	-5507.62
利润总额(万元)	7068.67	-6058.32	-283.12	-5539.02

山东地矿股份有限公司

公司概况					
公司名称	山东地矿股份有限公司			证券简称	山东地矿
法人代表	张虹	董秘	李永刚	证券代码	000409
公司网址				电子信箱	stock000409@163.com
电　话	0531-88550409 88195618			传　真	0531-88195618
办公地址	山东省济南市历下区经十路11890号				
经营范围	矿石的开采、加工及矿产品销售				

主要财务指标　指标\报告期	2016.06.30	2015.12.31	2015.06.30	2014.12.31
基本每股收益(元)	0.0100	0.2060	-0.1000	-0.0662
基本每股收益(扣除后)(元)	-0.0300	0.2000	-0.1000	-0.0720
稀释每股收益(元)	0.0100	0.2060	-0.1000	-0.0662
每股净资产(元)	2.3964	2.3902	2.0835	2.1837
每股经营现金净流量(元)	-0.0536	-0.5418	-0.1886	-0.1746
每股现金流量(元)	-0.2186	0.2328	0.5038	-0.0553
每股资本公积金(元)	0.9808	0.9808	0.9808	0.9808
每股盈余公积金(元)	-	-	-	-
每股未分配利润(元)	0.4144	0.4080	0.1020	0.2020
净资产收益率(%)	0.2684	8.6175	-4.8009	-3.0297
加权净资产收益率(%)	0.2700	9.0100	-4.6900	-2.9800
净资产收益率(扣除)(%)	-1.1216	8.3781	-4.8079	-3.2979
总资产(万元)	577163.15	567648.37	362142.22	331194.46
归属母公司股东权益(万元)	113281.21	112987.08	98488.01	103226.62
营业收入(万元)	136620.44	221958.77	14487.87	31764.56
营业支出(万元)	115877.79	171813.73	11454.93	20936.63
投资收益(万元)	-	486.76	486.51	149.83
净利润(万元)	2851.27	12336.43	-4427.51	-2948.40
营业利润(万元)	2425.77	20504.48	-4222.16	-2466.27
利润总额(万元)	4492.06	20884.14	-4211.25	-2295.27

沈阳机床股份有限公司

公司概况					
公司名称	沈阳机床股份有限公司			证券简称	沈阳机床
法人代表	关锡友	董秘	张广宁	证券代码	000410
公司网址	www.smtcl.com			电子信箱	smtcl@smtcl.com
电　话	024-25190865			传　真	024-25190877
办公地址	辽宁省沈阳市经济技术开发区开发大路17甲1号				
经营范围	机械设备制造、机床制造、机械加工、进出口贸易等				

主要财务指标　指标\报告期	2016.06.30	2015.12.31	2015.06.30	2014.12.31
基本每股收益(元)	-0.5800	-0.8300	-0.3500	0.0330
基本每股收益(扣除后)(元)	-0.6000	-0.8876	-0.3620	-0.0842
稀释每股收益(元)	-0.5800	-0.8300	-0.3500	0.0330
每股净资产(元)	2.1070	2.6907	3.1711	3.5342
每股经营现金净流量(元)	-1.6892	-3.7377	-1.5665	-2.1465
每股现金流量(元)	0.7139	-0.1139	0.5742	-0.6792
每股资本公积金(元)	1.6281	1.6281	1.6281	1.6281
每股盈余公积金(元)	0.1480	0.1480	0.1480	0.1480
每股未分配利润(元)	-0.6950	-0.1153	0.3701	0.7382
净资产收益率(%)	-27.5120	-30.9781	-10.9757	0.9455
加权净资产收益率(%)	-24.1400	-26.7400	-10.3600	0.9502
净资产收益率(扣除)(%)	-28.2592	-32.9896	-11.4155	-2.3835
总资产(万元)	2542807.73	2228963.72	2123544.26	2014608.75
归属母公司股东权益(万元)	161284.54	205963.07	242735.62	270529.88
营业收入(万元)	314569.20	638390.08	311287.11	781494.40
营业支出(万元)	242170.45	468984.83	241352.59	572404.58
投资收益(万元)	-35.73	-216.74	-132.37	-138.29
净利润(万元)	-45647.95	-63987.40	-26623.83	2208.36
营业利润(万元)	-51564.83	-80204.94	-29061.63	-5063.84
利润总额(万元)	-50121.51	-75253.03	-27808.42	6390.51

浙江英特集团股份有限公司

公司概况					
公司名称	浙江英特集团股份有限公司			证券简称	英特集团
法人代表	冯志斌	董秘	包志虎	证券代码	000411
公司网址	www.intmedic.com			电子信箱	bao_zhihu@sina.com
电　话	0571-85068752 85067873			传　真	0571-85068752
办公地址	浙江省杭州市滨江区江南大道96号·中化大厦				
经营范围	实业投资、投资管理、市场营销策划、医药信息咨询等				

主要财务指标　指标\报告期	2016.06.30	2015.12.31	2015.06.30	2014.12.31
基本每股收益(元)	0.1900	0.3300	0.1700	0.3200
基本每股收益(扣除后)(元)	0.1900	0.3200	0.1600	0.2900
稀释每股收益(元)	0.1900	0.3300	0.1700	0.3200
每股净资产(元)	3.4285	3.2488	3.1057	2.9329
每股经营现金净流量(元)	-1.3398	0.4547	-1.2233	0.4244
每股现金流量(元)	-0.5314	0.5565	1.2555	-0.6151
每股资本公积金(元)	0.1667	0.1667	0.1751	0.1788
每股盈余公积金(元)	0.0707	0.0707	0.0707	0.0707
每股未分配利润(元)	2.1461	1.9524	1.7901	1.6210
净资产收益率(%)	5.6505	10.2022	5.4469	10.7568
加权净资产收益率(%)	5.8000	10.7200	5.6000	11.3800
净资产收益率(扣除)(%)	5.5553	9.7837	5.2970	9.7994
总资产(万元)	660061.03	612497.38	618828.48	521112.07
归属母公司股东权益(万元)	71124.30	67395.74	64428.47	60842.71
营业收入(万元)	835097.65	1546643.69	759385.64	1407381.11
营业支出(万元)	789309.93	1460614.41	720289.27	1325892.85
投资收益(万元)	15.27	26.41	22.63	127.80
净利润(万元)	8667.86	15390.24	7723.51	12835.75
营业利润(万元)	12660.98	21008.77	11091.05	17853.22
利润总额(万元)	12099.69	21480.26	10620.60	18962.23

东旭光电科技股份有限公司

公司概况					
公司名称	东旭光电科技股份有限公司			证券简称	东旭光电
法人代表	李兆廷	董秘	龚昕	证券代码	000413
公司网址	www.dongxuguangdian.com.cn			电子信箱	bs@bseg.cn
电　话	0311-86917775 68297016			传　真	0311-86917775
办公地址	北京市海淀区复兴路甲23号临5院				
经营范围	电真空玻璃器件及配套的电子元器件等				

主要财务指标　指标\报告期	2016.06.30	2015.12.31	2015.06.30	2014.12.31
基本每股收益(元)	0.1400	0.4800	0.1600	0.3300
基本每股收益(扣除后)(元)	0.1200	0.3000	0.1000	0.1900
稀释每股收益(元)	0.1400	0.4800	0.1600	0.3300
每股净资产(元)	3.7988	3.7339	2.4820	2.3800
每股经营现金净流量(元)	0.3341	0.4642	0.0282	-0.0165
每股现金流量(元)	0.9843	2.2463	0.5530	0.2033
每股资本公积金(元)	2.4495	2.4488	1.0982	1.0969
每股盈余公积金(元)	0.0346	0.0346	0.0249	0.0249
每股未分配利润(元)	0.3171	0.2528	0.3589	0.2962
净资产收益率(%)	3.7475	9.2617	6.5562	13.6812
加权净资产收益率(%)	3.7900	14.9900	6.6400	14.1300
净资产收益率(扣除)(%)	3.1568	5.7453	3.8698	7.8165
总资产(万元)	3348303.19	2879862.33	1583377.40	1246816.33
归属母公司股东权益(万元)	1456855.04	1431948.19	660716.68	643673.25
营业收入(万元)	288205.92	465020.84	144660.03	214339.80
营业支出(万元)	193830.96	280035.35	80597.02	117950.18
投资收益(万元)	8.18	414.72	-2.81	-
净利润(万元)	57032.44	139252.37	45386.62	90916.72
营业利润(万元)	55711.12	107320.89	33276.11	64405.77
利润总额(万元)	66060.80	163030.67	54056.85	108519.95

渤海金控投资股份有限公司

公司概况					
公司名称	渤海金控投资股份有限公司			证券简称	渤海金控
法人代表	汤亮	董秘	马伟华	证券代码	000415
公司网址	www.bohaileasing.com		电子信箱	000415@bohaileasing.com	
电　话	0991-2327723 2327727		传　真	0991-2327709	
办公地址	新疆维吾尔自治区乌鲁木齐市新华北路165号广汇中天广场41楼				
经营范围	市政基础设施租赁、电力设施和设备租赁、交通运输基础设施和设备租赁以及新能源等				

主要财务指标：指标＼报告期	2016.06.30	2015.12.31	2015.06.30	2014.12.31
基本每股收益(元)	0.1186	0.3700	0.1776	0.5500
基本每股收益(扣除后)(元)	0.1159	0.3200	0.1605	0.4900
稀释每股收益(元)	0.1186	0.3700	0.1776	0.5500
每股净资产(元)	4.5856	4.4128	2.9000	5.5168
每股经营现金净流量(元)	1.6413	1.9766	0.9490	2.6685
每股现金流量(元)	−2.2471	6.4524	0.0122	0.1409
每股资本公积金(元)	2.7859	4.8252	1.1045	3.1779
每股盈余公积金(元)	0.0206	0.0360	0.0283	0.0566
每股未分配利润(元)	0.6830	0.9837	0.8222	1.3892
净资产收益率(%)	2.5854	4.7798	6.1264	9.3293
加权净资产收益率(%)	2.6400	12.2800	6.2400	10.6500
净资产收益率(扣除)(%)	2.5282	4.1574	5.5353	8.2793
总资产(万元)	18325925.10	13190089.60	9073621.90	6772068.40
归属母公司股东权益(万元)	2835988.30	2729109.80	1028853.50	978851.30
营业收入(万元)	1183830.60	965902.30	446990.20	685195.50
营业支出(万元)	774198.20	483744.70	227529.30	367075.10
投资收益(万元)	−9241.40	3596.10	44.40	2171.40
净利润(万元)	107455.80	178823.60	82286.70	117864.40
营业利润(万元)	120795.30	184191.80	88886.50	123447.80
利润总额(万元)	128142.00	209596.50	95942.50	140039.10

民生控股股份有限公司

公司概况					
公司名称	民生控股股份有限公司			证券简称	民生控股
法人代表	王宏	董秘	张颖	证券代码	000416
公司网址	mskg.com.cn		电子信箱	sz000416@163.com	
电　话	010-85259007 85259036		传　真	010-85259595	
办公地址	北京市东城区建国门内大街28号民生金融中心A座15层				
经营范围	股权投资、资产管理、资本经营及相关咨询与服务				

主要财务指标：指标＼报告期	2016.06.30	2015.12.31	2015.06.30	2014.12.31
基本每股收益(元)	−0.0064	0.0401	0.0484	0.1653
基本每股收益(扣除后)(元)	−0.0900	−0.0246	−0.0039	0.0051
稀释每股收益(元)	−0.0064	0.0401	0.0484	0.1653
每股净资产(元)	1.5813	1.6366	1.6412	1.6438
每股经营现金净流量(元)	−0.3847	0.1172	−0.0826	−0.2587
每股现金流量(元)	−0.0455	−0.5796	−0.7367	−0.1943
每股资本公积金(元)	0.0250	0.0250	0.0250	0.2145
每股盈余公积金(元)	0.0776	0.0776	0.0742	0.0742
每股未分配利润(元)	0.4741	0.5305	0.5422	0.5438
净资产收益率(%)	−0.4066	2.4513	2.9496	10.0572
加权净资产收益率(%)	−0.4000	2.3500	2.6900	10.0800
净资产收益率(扣除)(%)	−5.6889	−1.5040	−0.2355	0.3128
总资产(万元)	141645.61	142096.57	102137.47	103704.70
归属母公司股东权益(万元)	84105.90	87043.79	87292.98	97458.23
营业收入(万元)	12335.78	18547.11	3793.64	43004.25
营业支出(万元)	9.27	33.46	19.93	35468.58
投资收益(万元)	3528.92	3088.72	3289.87	13624.19
净利润(万元)	−256.54	2318.20	2664.35	9972.86
营业利润(万元)	−901.88	3131.02	3024.22	13009.95
利润总额(万元)	−579.74	3645.61	3535.83	13010.66

合肥百货大楼集团股份有限公司

公司概况					
公司名称	合肥百货大楼集团股份有限公司			证券简称	合肥百货
法人代表	郑晓燕	董秘	戴登安	证券代码	000417
公司网址	www.hfbh.com.cn		电子信箱	daidengan@163.com	
电　话	0551-65771035		传　真	0551-65771005	
办公地址	安徽省合肥市长江西路689号				
经营范围	综合百货、进出口等				

主要财务指标：指标＼报告期	2016.06.30	2015.12.31	2015.06.30	2014.12.31
基本每股收益(元)	0.2363	0.3364	0.2251	0.4693
基本每股收益(扣除后)(元)	0.2248	0.3007	0.2137	0.4360
稀释每股收益(元)	0.2363	0.3364	0.2251	0.4693
每股净资产(元)	4.4504	4.3306	4.2191	4.1722
每股经营现金净流量(元)	0.1450	0.3749	−0.0870	0.5773
每股现金流量(元)	−0.3283	−0.8100	−0.4369	−0.4225
每股资本公积金(元)	0.3960	0.3960	0.3960	0.3960
每股盈余公积金(元)	0.8131	0.8131	0.7205	0.7205
每股未分配利润(元)	2.2264	2.1101	2.0914	2.0463
净资产收益率(%)	5.3100	7.7678	5.3351	11.2488
加权净资产收益率(%)	5.3100	7.9100	5.2500	11.6500
净资产收益率(扣除)(%)	5.0508	6.9447	5.0662	10.4502
总资产(万元)	840575.72	829492.54	764885.19	794971.98
归属母公司股东权益(万元)	347079.76	337734.18	329037.60	325383.98
营业收入(万元)	517831.62	976477.20	521152.26	997217.45
营业支出(万元)	413578.39	782471.95	425032.18	793557.48
投资收益(万元)	1055.43	1046.15	406.74	1059.50
净利润(万元)	23315.51	33252.55	20207.58	44614.49
营业利润(万元)	31157.32	44942.50	26829.00	58948.86
利润总额(万元)	31969.82	48424.29	28014.07	62659.80

无锡小天鹅股份有限公司

公司概况					
公司名称	无锡小天鹅股份有限公司			证券简称	小天鹅A
法人代表	方洪波	董秘	周斯秀	证券代码	000418
公司网址	www.littleswan.com		电子信箱	IR_littleswan@littleswan.com.cn	
电　话	0510-81082320 81082377		传　真	0510-83720879	
办公地址	江苏省无锡市国家高新技术开发区长江南路18号				
经营范围	家用电器及零配件等的生产、销售和技术服务等				

主要财务指标：指标＼报告期	2016.06.30	2015.12.31	2015.06.30	2014.12.31
基本每股收益(元)	0.9200	1.4500	0.6800	1.1000
基本每股收益(扣除后)(元)	0.9000	1.4300	0.5800	0.8700
稀释每股收益(元)	0.9200	1.4500	0.6800	1.1000
每股净资产(元)	8.4946	8.1027	7.2426	7.0009
每股经营现金净流量(元)	2.5409	5.6897	2.1586	2.6200
每股现金流量(元)	−1.3808	2.0173	−0.6519	−0.0656
每股资本公积金(元)	1.8619	1.8404	1.8132	1.8023
每股盈余公积金(元)	0.5259	0.5259	0.5259	0.5259
每股未分配利润(元)	4.9998	4.6814	3.9091	3.6782
净资产收益率(%)	10.8106	17.9357	9.4020	15.7678
加权净资产收益率(%)	10.8200	19.3200	9.2800	16.7300
净资产收益率(扣除)(%)	10.5615	17.6276	8.0577	12.4151
总资产(万元)	1548278.16	1432765.54	1123015.81	1137679.39
归属母公司股东权益(万元)	537273.95	512486.62	458088.14	442798.21
营业收入(万元)	798478.72	1313162.69	610190.39	1080421.73
营业支出(万元)	581259.18	964639.08	445754.15	800749.22
投资收益(万元)	6731.55	20174.96	7182.05	17796.51
净利润(万元)	66492.33	105312.48	49850.90	79082.61
营业利润(万元)	77297.46	121030.40	56781.76	90840.88
利润总额(万元)	79222.57	122542.16	57742.54	93400.27

长沙通程控股股份有限公司

公司概况	公司名称	长沙通程控股股份有限公司			证券简称	通程控股
	法人代表	周兆达	董秘	杨格艺	证券代码	000419
	公司网址	www.e-tongcheng.com		电子信箱	wqm0708@263.net	
	电　话	0731-85534994		传　真	0731-85535588	
	办公地址	湖南省长沙市劳动西路 589 号				
	经营范围	综合零售、食品、饮料及烟草制品专门零售、文化、体育用品及器材专门零售等				

	指标\报告期	2016.06.30	2015.12.31	2015.06.30	2014.12.31
主要财务指标	基本每股收益(元)	0.1376	0.1884	0.1525	0.2634
	基本每股收益(扣除后)(元)	0.1175	0.1455	0.1271	0.2144
	稀释每股收益(元)	0.1376	0.1884	0.1525	0.2634
	每股净资产(元)	3.5298	3.3922	3.4563	3.4257
	每股经营现金净流量(元)	-0.1299	0.2800	-0.0512	0.3281
	每股现金流量(元)	-0.2649	0.0507	-0.0837	0.0062
	每股资本公积金(元)	0.7679	0.7679	0.7679	0.8898
	每股盈余公积金(元)	0.2359	0.2359	0.2130	0.2130
	每股未分配利润(元)	1.5260	1.3884	1.4754	1.3229
	净资产收益率(%)	3.8993	5.5539	4.4113	7.6875
	加权净资产收益率(%)	3.9800	5.5700	4.3500	7.8600
	净资产收益率(扣除)(%)	3.3293	4.2894	3.6777	6.2593
	总资产(万元)	367771.12	384299.23	364130.19	377962.28
	归属母公司股东权益(万元)	191875.38	184393.55	187876.04	186215.34
	营业收入(万元)	188496.32	416470.62	217762.31	429532.28
	营业支出(万元)	150526.69	337724.74	176311.45	346477.73
	投资收益(万元)	2543.04	2862.65	2302.48	3574.65
	净利润(万元)	8318.62	11077.85	8682.93	13786.11
	营业利润(万元)	11031.26	14251.82	10780.73	18344.22
	利润总额(万元)	11234.49	15982.79	11735.70	19649.91

吉林化纤股份有限公司

公司概况	公司名称	吉林化纤股份有限公司			证券简称	吉林化纤
	法人代表	宋德武	董秘	徐建国	证券代码	000420
	公司网址	www.jlhxjt.com		电子信箱	xjg6806@163.com	
	电　话	0432-63502452 63502331		传　真	0432-63502329	
	办公地址	吉林省吉林市昌邑区九站街 516-1 号				
	经营范围	生产和销售粘胶长丝和粘胶短纤维等				

	指标\报告期	2016.06.30	2015.12.31	2015.06.30	2014.12.31
主要财务指标	基本每股收益(元)	0.0094	0.0201	0.0077	0.0501
	基本每股收益(扣除后)(元)	0.0088	-0.0359	-0.0460	-0.4523
	稀释每股收益(元)	0.0094	0.0201	0.0077	0.0501
	每股净资产(元)	2.7161	1.3565	1.3861	1.3784
	每股经营现金净流量(元)	-0.1188	-0.2296	-0.0374	-0.0852
	每股现金流量(元)	0.7478	-0.4983	-0.2745	-0.0422
	每股资本公积金(元)	2.4102	1.3215	1.3569	1.3569
	每股盈余公积金(元)	0.1933	0.2658	0.2658	0.2658
	每股未分配利润(元)	-0.8875	-1.2309	-1.2366	-1.2443
	净资产收益率(%)	0.2830	1.4795	0.5557	2.0630
	加权净资产收益率(%)	0.4900	1.4000	0.5600	11.6400
	净资产收益率(扣除)(%)	0.2661	-2.6219	-3.3169	-18.3923
	总资产(万元)	453561.05	265013.42	240198.48	330859.45
	归属母公司股东权益(万元)	267631.35	97208.77	99330.01	98778.05
	营业收入(万元)	58084.75	103622.97	47502.11	103701.11
	营业支出(万元)	49922.36	88544.63	40251.46	97440.98
	投资收益(万元)	-	431.59	431.59	16034.80
	净利润(万元)	313.54	250.44	-639.58	-175.63
	营业利润(万元)	347.11	-4708.60	-5135.55	-6930.28
	利润总额(万元)	370.03	-28.27	-606.48	-62.61

南京公用发展股份有限公司

公司概况	公司名称	南京公用发展股份有限公司			证券简称	南京中北
	法人代表	潘明	董秘	孙彬	证券代码	000421
	公司网址	www.zhong-bei.com		电子信箱	securities@zhong-bei.com	
	电　话	025-86383611		传　真	025-86383600	
	办公地址	江苏省南京市建邺区应天大街 927 号				
	经营范围	汽车出租、跨省市公路客运、客车租赁、汽车维修、汽车票代办等				

	指标\报告期	2016.06.30	2015.12.31	2015.06.30	2014.12.31
主要财务指标	基本每股收益(元)	0.2069	0.3984	0.1712	0.4673
	基本每股收益(扣除后)(元)	0.1854	0.3984	0.1996	0.2202
	稀释每股收益(元)	0.2069	0.3984	0.1712	0.4673
	每股净资产(元)	4.0933	3.9975	3.7900	3.2303
	每股经营现金净流量(元)	-0.8746	-0.1800	0.6663	0.8304
	每股现金流量(元)	-0.0653	0.3941	0.3882	0.1340
	每股资本公积金(元)	0.7071	0.7072	0.7073	1.0683
	每股盈余公积金(元)	0.1527	0.1527	0.1377	0.2243
	每股未分配利润(元)	2.0858	1.9789	1.7667	2.9699
	净资产收益率(%)	5.0534	9.9671	4.5122	14.4654
	加权净资产收益率(%)	5.0500	10.2500	4.5700	15.7100
	净资产收益率(扣除)(%)	4.5305	9.9751	5.2612	6.8176
	总资产(万元)	713407.64	668276.47	568842.58	565804.78
	归属母公司股东权益(万元)	234402.03	228915.80	217280.93	191267.37
	营业收入(万元)	193735.42	398406.20	186879.34	157158.21
	营业支出(万元)	169066.83	334291.06	162982.26	156645.68
	投资收益(万元)	3618.14	6415.28	5206.14	13707.90
	净利润(万元)	15394.31	36046.68	11731.91	16803.37
	营业利润(万元)	-1804.65	8987.74	1087.63	-15267.46
	利润总额(万元)	19586.50	45232.06	16322.22	23615.30

湖北宜化化工股份有限公司

公司概况	公司名称	湖北宜化化工股份有限公司			证券简称	湖北宜化
	法人代表	虞云峰	董秘	强炜	证券代码	000422
	公司网址	www.hbyh.cn		电子信箱	qw5649@vip.sina.com	
	电　话	010-63704082		传　真	010-63704177	
	办公地址	北京市丰台区南四环西四路 188 号总部基地 15 区 3 号楼				
	经营范围	化肥、化工产品的生产与销售等				

	指标\报告期	2016.06.30	2015.12.31	2015.06.30	2014.12.31
主要财务指标	基本每股收益(元)	0.0180	0.0390	0.0280	0.0350
	基本每股收益(扣除后)(元)	-0.0170	-0.0390	-0.0140	-0.0500
	稀释每股收益(元)	0.0180	0.0390	0.0280	0.0350
	每股净资产(元)	7.8915	7.4673	7.5039	6.8236
	每股经营现金净流量(元)	2.0674	5.3869	3.0318	4.0740
	每股现金流量(元)	0.6396	0.3444	1.3028	0.2367
	每股资本公积金(元)	1.9655	1.9655	1.9989	1.9989
	每股盈余公积金(元)	0.4323	0.4323	0.4267	0.4267
	每股未分配利润(元)	3.3238	3.3456	3.3398	3.3218
	净资产收益率(%)	0.2270	0.5279	0.3731	0.5064
	加权净资产收益率(%)	0.2300	0.5800	0.4100	0.5100
	净资产收益率(扣除)(%)	-0.2166	-0.5178	-0.1805	-0.7334
	总资产(万元)	4162469.20	3997931.45	3854489.60	3737461.83
	归属母公司股东权益(万元)	708548.60	670465.97	673748.13	612669.13
	营业收入(万元)	825101.67	1833736.03	865136.37	1818191.31
	营业支出(万元)	705853.75	1552438.93	712341.69	1497324.75
	投资收益(万元)	2066.16	2008.59	1161.44	2613.55
	净利润(万元)	-4650.60	5430.83	3657.04	7899.60
	营业利润(万元)	-3136.55	342.93	614.46	2380.89
	利润总额(万元)	913.63	9307.73	5568.41	10805.74

东阿阿胶股份有限公司

公司概况					
公司名称	东阿阿胶股份有限公司			证券简称	东阿阿胶
法人代表	秦玉峰	董秘	吴怀锋	证券代码	000423
公司网址	www.dongeejiao.com		电子信箱	wuhf@dongeejiao.com	
电　话	0635-3264069		传　真	0635-3260786	
办公地址	山东省聊城市东阿县阿胶街78号				
经营范围	中成药、生物制药、保健食品、药用辅料、医疗器械、包装印刷等生产经营				

主要财务指标 指标＼报告期	2016.06.30	2015.12.31	2015.06.30	2014.12.31
基本每股收益(元)	1.2675	2.4847	1.1806	2.0879
基本每股收益(扣除后)(元)	1.2150	2.2890	1.1062	1.9333
稀释每股收益(元)	1.2675	2.4847	1.1806	2.0879
每股净资产(元)	11.1920	10.7242	10.2385	9.0554
每股经营现金净流量(元)	-1.3903	1.4948	-0.0989	1.0047
每股现金流量(元)	-0.2616	-1.3627	-1.8154	0.9724
每股资本公积金(元)	1.0668	1.0665	1.0919	1.0915
每股盈余公积金(元)	0.7128	0.7128	0.7128	0.7128
每股未分配利润(元)	8.4071	7.9397	7.4356	6.2550
净资产收益率(%)	11.3249	23.1689	11.5315	23.0572
加权净资产收益率(%)	11.1600	24.7800	12.2400	24.8100
净资产收益率(扣除)(%)	10.8556	21.3445	10.8042	21.3499
总资产(万元)	894670.83	860901.64	798109.49	745992.51
归属母公司股东权益(万元)	731981.21	701382.71	669616.75	592244.58
营业收入(万元)	267435.03	544966.32	254725.79	400901.05
营业支出(万元)	82916.12	192874.99	88666.98	138137.38
投资收益(万元)	3769.98	15187.92	5356.81	10170.63
净利润(万元)	83344.77	163781.36	77429.98	137227.70
营业利润(万元)	98592.85	192027.30	91645.75	159215.20
利润总额(万元)	99173.34	192718.56	92521.92	161333.46

徐工集团工程机械股份有限公司

公司概况					
公司名称	徐工集团工程机械股份有限公司			证券简称	徐工机械
法人代表	王民	董秘	费广胜	证券代码	000425
公司网址	www.xcmg.com		电子信箱	fgs@xcmg.com	
电　话	0516-87565621		传　真	0516-87565610	
办公地址	江苏省徐州经济技术开发区驮蓝山路26号				
经营范围	从事工程机械及成套设备、专用汽车、建筑工程机械、矿山机械、环卫机械等				

主要财务指标 指标＼报告期	2016.06.30	2015.12.31	2015.06.30	2014.12.31
基本每股收益(元)	0.0180	0.0070	0.0030	0.2000
基本每股收益(扣除后)(元)	0.0030	-0.1200	-0.1100	0.1000
稀释每股收益(元)	0.0180	0.0070	0.0030	0.2000
每股净资产(元)	2.9000	2.9066	8.9879	9.1000
每股经营现金净流量(元)	0.0766	0.0152	0.0951	0.3337
每股现金流量(元)	-0.0090	-0.0033	-0.3275	-0.9095
每股资本公积金(元)	0.4715	0.4931	3.7711	3.6085
每股盈余公积金(元)	0.1153	0.1141	0.3085	0.3295
每股未分配利润(元)	1.3186	1.2873	3.8751	4.1994
净资产收益率(%)	0.6243	0.2457	0.0380	2.0543
加权净资产收益率(%)	0.6200	0.2400	0.0400	2.1000
净资产收益率(扣除)(%)	0.0976	-4.1334	-1.2145	0.9871
总资产(万元)	4375050.50	4276039.83	4844572.78	4885053.77
归属母公司股东权益(万元)	2034438.00	2060409.45	2122433.58	2011893.54
营业收入(万元)	813847.55	1665782.93	949095.12	2330628.08
营业支出(万元)	651229.37	1324287.68	759576.82	1803347.88
投资收益(万元)	7202.33	86223.38	26428.28	3692.50
净利润(万元)	13149.31	-6268.15	-2575.82	40692.18
营业利润(万元)	9992.76	-14225.22	42.00	45126.57
利润总额(万元)	17901.25	4625.07	2290.54	54327.44

内蒙古兴业矿业股份有限公司

公司概况					
公司名称	内蒙古兴业矿业股份有限公司			证券简称	兴业矿业
法人代表	吉兴业	董秘	孙凯	证券代码	000426
公司网址	www.nmxyky.com		电子信箱	nmxyky@vip.sina.com	
电　话	0476-8833387		传　真	0476-8833383	
办公地址	内蒙古自治区赤峰市新城区玉龙大街76号兴业大厦				
经营范围	有色金属采选、冶炼、加工、销售等				

主要财务指标 指标＼报告期	2016.06.30	2015.12.31	2015.06.30	2014.12.31
基本每股收益(元)	0.0196	-0.0208	0.0339	0.2711
基本每股收益(扣除后)(元)	0.0190	-0.0206	0.0314	0.0518
稀释每股收益(元)	0.0196	-0.0208	0.0339	0.2711
每股净资产(元)	2.2832	2.2598	4.6125	4.6115
每股经营现金净流量(元)	0.0099	-0.0393	-0.0170	-0.3259
每股现金流量(元)	0.1621	0.0332	-0.0729	-1.2738
每股资本公积金(元)	0.7062	0.7062	2.4060	2.4060
每股盈余公积金(元)	0.1128	0.1128	0.2108	0.2108
每股未分配利润(元)	0.4602	0.4406	0.9855	0.9716
净资产收益率(%)	0.8589	-0.9209	0.7344	5.8778
加权净资产收益率(%)	0.8600	-0.9000	0.7300	5.8100
净资产收益率(扣除)(%)	0.8319	-0.9125	0.6810	1.1225
总资产(万元)	446873.05	407424.71	383186.45	393294.21
归属母公司股东权益(万元)	272585.05	269794.98	275341.05	275283.66
营业收入(万元)	23850.91	82971.34	49995.74	115938.73
营业支出(万元)	11968.36	56599.98	36698.52	89951.04
投资收益(万元)	40.08	805.23	805.23	14010.21
净利润(万元)	2341.15	-2484.95	2021.79	15868.83
营业利润(万元)	3564.09	-2558.27	2610.42	16391.93
利润总额(万元)	3565.17	-2606.19	2612.74	16508.84

华天酒店集团股份有限公司

公司概况					
公司名称	华天酒店集团股份有限公司			证券简称	华天酒店
法人代表	陈纪明	董秘	易欣	证券代码	000428
公司网址	www.huatian-hotel.com		电子信箱	huatianzqb@163.com	
电　话	0731-84442888 80928		传　真	0731-84449370 84442270	
办公地址	湖南省长沙市芙蓉区解放东路300号华天大酒店贵宾楼五楼				
经营范围	提供住宿、餐饮、洗衣、物业清洗服务、房地产开发、销售等				

主要财务指标 指标＼报告期	2016.06.30	2015.12.31	2015.06.30	2014.12.31
基本每股收益(元)	-0.0900	0.0200	0.0600	-0.1400
基本每股收益(扣除后)(元)	-0.0900	-0.2700	-0.1900	-0.1700
稀释每股收益(元)	-0.0900	0.0200	0.0600	-0.1400
每股净资产(元)	3.0448	3.1305	2.2060	2.1400
每股经营现金净流量(元)	0.0107	0.1799	0.1386	0.1609
每股现金流量(元)	-0.2849	0.4193	-0.2451	0.0965
每股资本公积金(元)	1.4261	1.4261	0.1624	0.1624
每股盈余公积金(元)	0.0632	0.0632	0.0778	0.0778
每股未分配利润(元)	0.5555	0.6413	0.9658	0.9028
净资产收益率(%)	-2.8159	0.4021	2.8567	-6.4157
加权净资产收益率(%)	-2.7800	0.7600	2.9000	-6.2000
净资产收益率(扣除)(%)	-2.9038	-6.3633	-8.4683	-7.8562
总资产(万元)	929234.18	952343.16	911479.85	923077.20
归属母公司股东权益(万元)	310243.67	318979.87	158592.92	154062.37
营业收入(万元)	50114.68	119459.47	51998.80	151437.45
营业支出(万元)	22660.09	54641.72	23475.40	73957.55
投资收益(万元)	-23.67	24012.79	23296.54	-4.28
净利润(万元)	-13397.66	-3499.23	2527.12	-9596.58
营业利润(万元)	-13612.74	1475.15	6437.84	-11440.90
利润总额(万元)	-13033.81	614.86	6441.43	-9063.56

广东省高速公路发展股份有限公司

公司概况					
公司名称	广东省高速公路发展股份有限公司			证券简称	粤高速 A
法人代表	朱战良	董秘	刘晓梅	证券代码	000429
公司网址	www.gpedcl.com		电子信箱	fengxw2007@163.com	
电　话	020-29004523　29004522		传　真	020-38787002	
办公地址	广东省广州市天河区珠江新城珠江东路 32 号利通广场 45,46 层				
经营范围	主营高速公路、等级公路、桥梁的建设施工，公路、桥梁的收费和养护管理等				

主要财务指标：指标\报告期	2016.06.30	2015.12.31	2015.06.30	2014.12.31
基本每股收益(元)	0.2900	0.3700	0.1800	0.2500
基本每股收益(扣除后)(元)	0.2700	0.3500	0.1800	0.2400
稀释每股收益(元)	0.2900	0.3700	0.1800	0.2500
每股净资产(元)	3.7107	4.1438	4.1645	3.9902
每股经营现金净流量(元)	0.7421	0.7931	0.4121	0.7694
每股现金流量(元)	0.3802	0.3380	0.0144	-0.3299
每股资本公积金(元)	1.9954	1.3073	1.2209	1.2209
每股盈余公积金(元)	0.2352	0.2352	0.2013	0.2013
每股未分配利润(元)	1.9859	1.7335	1.1510	1.0665
净资产收益率(%)	6.5206	9.0106	4.4287	6.3545
加权净资产收益率(%)	8.3900	9.2200	4.4900	6.9000
净资产收益率(扣除)(%)	4.5999	8.4880	4.3557	6.1269
总资产(万元)	1517558.82	1512691.25	1240020.34	1251350.59
归属母公司股东权益(万元)	775842.53	585540.43	523524.24	501617.65
营业收入(万元)	133349.22	154549.86	72439.29	145505.50
营业支出(万元)	55894.75	86798.60	36069.89	84854.72
投资收益(万元)	22743.07	50539.21	23167.17	41996.37
净利润(万元)	60414.16	53943.00	26729.84	35884.95
营业利润(万元)	69867.16	62009.46	31621.44	41252.95
利润总额(万元)	76147.45	64241.59	32130.31	41198.98

张家界旅游集团股份有限公司

公司概况					
公司名称	张家界旅游集团股份有限公司			证券简称	张家界
法人代表	袁祖荣	董秘	金鑫	证券代码	000430
公司网址	www.zjjgf.com.cn		电子信箱	zjj000430@sina.com	
电　话	0744-8288630		传　真	0744-8353597	
办公地址	湖南省张家界市三角坪 145 号张家界国际大酒店三楼				
经营范围	旅游资源开发、旅游基础设施建设、旅游配套服务、与旅游有关的高科技开发等				

主要财务指标：指标\报告期	2016.06.30	2015.12.31	2015.06.30	2014.12.31
基本每股收益(元)	0.1092	0.3600	0.1500	0.1900
基本每股收益(扣除后)(元)	0.1097	0.3500	0.1500	0.1900
稀释每股收益(元)	0.1092	0.3600	0.1500	0.1900
每股净资产(元)	2.0052	1.8910	1.6850	1.5381
每股经营现金净流量(元)	0.0755	0.6516	0.1986	0.3408
每股现金流量(元)	-0.1114	0.1752	0.0614	-0.0321
每股资本公积金(元)	0.3028	0.3028	0.2951	0.3028
每股盈余公积金(元)	0.0780	0.0780	0.0780	0.0780
每股未分配利润(元)	0.6158	0.5065	0.3097	0.1573
净资产收益率(%)	5.4480	18.8552	9.0441	12.2617
加权净资产收益率(%)	5.6100	20.8600	9.4300	13.0500
净资产收益率(扣除)(%)	5.4688	18.5628	9.0083	12.6635
总资产(万元)	125477.29	87279.91	76117.37	68474.48
归属母公司股东权益(万元)	64333.32	60670.88	54061.47	49348.40
营业收入(万元)	24243.91	67488.00	24271.35	48400.94
营业支出(万元)	14660.32	38301.68	13334.99	30056.32
投资收益(万元)	-7.16	157.96	-	-
净利润(万元)	3518.96	11433.71	4845.50	6004.23
营业利润(万元)	4882.43	15803.50	6242.12	8653.97
利润总额(万元)	5042.38	15838.17	6209.42	8433.87

山东晨鸣纸业集团股份有限公司

公司概况					
公司名称	山东晨鸣纸业集团股份有限公司			证券简称	晨鸣纸业
法人代表	陈洪国	董秘		证券代码	000488
公司网址	www.chenmingpaper.com		电子信箱	chenmmingpaper@163.com	
电　话	0536-2158008		传　真	0536-2158977	
办公地址	山东省寿光市农圣东街 2199 号				
经营范围	机制纸及板纸和造纸原料、造纸机械、电力、热力的生产与销售等				

主要财务指标：指标\报告期	2016.06.30	2015.12.31	2015.06.30	2014.12.31
基本每股收益(元)	0.4500	0.5000	0.1400	0.2600
基本每股收益(扣除后)(元)	0.3400	0.3400	0.0900	0.0700
稀释每股收益(元)	0.4500	0.5000	0.1400	0.2600
每股净资产(元)	9.9742	8.7128	7.1982	7.1872
每股经营现金净流量(元)	-1.3931	-5.0203	-1.1479	0.5089
每股现金流量(元)	0.8672	0.4710	-0.1296	0.1289
每股资本公积金(元)	3.1755	3.1755	3.1755	3.1755
每股盈余公积金(元)	0.5846	0.5846	0.5846	0.5846
每股未分配利润(元)	2.9820	2.7970	2.4123	2.4096
净资产收益率(%)	4.8626	6.0530	1.9829	3.6300
加权净资产收益率(%)	5.8900	6.7300	1.9700	3.6200
净资产收益率(扣除)(%)	3.8408	4.2669	1.2516	0.9373
总资产(万元)	8662849.42	7796169.95	6374980.92	5682202.65
归属母公司股东权益(万元)	1931418.24	1687149.46	1393865.33	1391734.33
营业收入(万元)	1060635.87	2024190.61	971869.77	1910167.71
营业支出(万元)	726396.73	1476466.34	737038.47	1532310.28
投资收益(万元)	3700.84	8871.55	4663.27	6903.56
净利润(万元)	92605.44	97793.16	25371.33	45330.89
营业利润(万元)	101018.04	110785.03	35536.56	16603.87
利润总额(万元)	123308.58	141016.90	42712.46	56100.83

山东高速路桥集团股份有限公司

公司概况					
公司名称	山东高速路桥集团股份有限公司			证券简称	山东路桥
法人代表	江成	董秘	管士广	证券代码	000498
公司网址	www.sdluqiao.com		电子信箱	sdlq000498@163.com	
电　话	0531-87069908		传　真	0531-87069902	
办公地址	山东省济南市经五路 330 号				
经营范围	公路,桥梁工程,隧道工程,市政工程,建筑工程,交通工程,港口与航道工程等				

主要财务指标：指标\报告期	2016.06.30	2015.12.31	2015.06.30	2014.12.31
基本每股收益(元)	0.1184	0.3370	0.1064	0.2784
基本每股收益(扣除后)(元)	0.1159	0.3320	0.1058	0.2661
稀释每股收益(元)	0.1184	0.3370	0.1064	0.2784
每股净资产(元)	2.8203	2.7110	2.4741	2.3682
每股经营现金净流量(元)	-0.0803	0.7433	-0.2727	0.1840
每股现金流量(元)	-0.1589	-0.0669	-0.2516	0.0712
每股资本公积金(元)	-0.4969	-0.4969	-0.3252	-0.3242
每股盈余公积金(元)	0.1416	0.1416	0.0728	0.0728
每股未分配利润(元)	1.5551	1.4367	0.8094	0.7398
净资产收益率(%)	4.1976	12.4152	4.3000	11.7332
加权净资产收益率(%)	4.2700	13.2700	4.3900	12.6600
净资产收益率(扣除)(%)	4.1094	12.2478	4.2767	11.2351
总资产(万元)	1109049.76	1041588.22	971190.83	1002606.81
归属母公司股东权益(万元)	315908.53	303664.35	277136.21	265271.61
营业收入(万元)	197391.01	741869.01	236229.98	684224.55
营业支出(万元)	168474.62	621632.74	198408.14	576995.67
投资收益(万元)	-	-	-	-
净利润(万元)	13302.49	37769.61	11892.08	31188.62
营业利润(万元)	18757.07	52867.68	16293.41	42903.02
利润总额(万元)	19135.25	53258.97	16379.74	44514.57

武汉武商集团股份有限公司

公司概况						
	公司名称	武汉武商集团股份有限公司			证券简称	鄂武商A
	法人代表	刘江超	董秘	李轩	证券代码	000501
	公司网址	www.wushang.com.cn		电子信箱	xuanl528@163.com	
	电话	027-85714295		传真	027-85714011	
	办公地址	湖北省武汉市江汉区解放大道690号				
	经营范围	百货、五金、交电、家具、其他食品、针纺织品、日用杂品、酒等				

主要财务指标	指标\报告期	2016.06.30	2015.12.31	2015.06.30	2014.12.31
	基本每股收益(元)	0.9600	1.5800	0.8600	1.3000
	基本每股收益(扣除后)(元)	0.9300	1.5300	0.8300	1.3000
	稀释每股收益(元)	0.9500	1.5700	0.8600	1.3000
	每股净资产(元)	9.3227	7.8059	7.2008	7.0102
	每股经营现金净流量(元)	0.6168	1.6132	0.4328	2.0407
	每股现金流量(元)	0.0316	−0.4404	−1.4394	0.3059
	每股资本公积金(元)	2.4322	1.1901	1.2692	1.0524
	每股盈余公积金(元)	1.0198	1.1408	0.9177	0.9571
	每股未分配利润(元)	5.1060	4.7382	4.2743	3.9985
	净资产收益率(%)	9.3394	19.3560	11.4423	18.5519
	加权净资产收益率(%)	10.6200	20.7300	11.7400	20.4500
	净资产收益率(扣除)(%)	9.0713	18.8421	11.0426	18.5081
	总资产(万元)	1743995.23	1775330.73	1614823.06	1565084.60
	归属母公司股东权益(万元)	551747.26	412949.87	380943.08	355593.24
	营业收入(万元)	858809.98	1752365.78	898892.59	1716084.22
	营业支出(万元)	663884.26	1371023.45	709047.77	1358723.35
	投资收益(万元)	93.09	2112.00	1324.23	1444.61
	净利润(万元)	51529.66	80076.98	43712.38	64124.67
	营业利润(万元)	67125.02	106872.34	58682.55	90589.10
	利润总额(万元)	69037.32	107303.46	59094.83	88660.11

绿景控股股份有限公司

公司概况						
	公司名称	绿景控股股份有限公司			证券简称	绿景控股
	法人代表	余斌	董秘	王斌	证券代码	000502
	公司网址	www.000502.cn		电子信箱	ljkgdmb@163.com	
	电话	020-22082999 22082969		传真	020-22082922	
	办公地址	广东省广州市天河区林和中路8号海航大厦35楼				
	经营范围	房地产开发经营、室内外装饰装修工程、花木园林工程设计等				

主要财务指标	指标\报告期	2016.06.30	2015.12.31	2015.06.30	2014.12.31
	基本每股收益(元)	−0.1300	−0.1300	−0.0291	0.0200
	基本每股收益(扣除后)(元)	−0.1800	−0.1500	−0.0305	0.0100
	稀释每股收益(元)	−0.1300	−0.1300	−0.0291	0.0200
	每股净资产(元)	0.8494	0.9749	1.0739	1.1029
	每股经营现金净流量(元)	−0.2133	−0.1347	0.1379	0.0832
	每股现金流量(元)	0.4367	0.3619	0.2137	0.1454
	每股资本公积金(元)	0.1235	0.1235	0.1235	0.1233
	每股盈余公积金(元)	0.0373	0.0373	0.0373	0.0373
	每股未分配利润(元)	−0.3113	−0.1858	−0.0869	−0.0577
	净资产收益率(%)	−14.7677	−13.1415	−2.7127	1.6008
	加权净资产收益率(%)	−13.7500	−12.3300	−2.6800	1.6100
	净资产收益率(扣除)(%)	−21.2285	−15.8227	−2.8363	1.1223
	总资产(万元)	48978.16	40469.95	29617.62	27070.82
	归属母公司股东权益(万元)	15699.28	18017.69	19847.09	20383.01
	营业收入(万元)	803.44	1976.45	1248.05	6116.23
	营业支出(万元)	561.73	1249.13	728.99	2525.61
	投资收益(万元)	554.22	505.62	23.72	170.75
	净利润(万元)	−2291.12	−2420.37	−515.48	376.27
	营业利润(万元)	−2059.34	−2398.64	−494.71	409.10
	利润总额(万元)	−2012.11	−2403.90	−481.98	406.95

海虹企业(控股)股份有限公司

公司概况						
	公司名称	海虹企业(控股)股份有限公司			证券简称	海虹控股
	法人代表	康健	董秘	肖琴	证券代码	000503
	公司网址	www.searainbow.com		电子信箱	ir@searainbow.com	
	电话	010-64424355		传真	0898-68510496	
	办公地址	海南省海口市文华路18号文华大酒店七层				
	经营范围	主要集中在医药、以联众游戏为代表的数字娱乐、高科技化纤等业务				

主要财务指标	指标\报告期	2016.06.30	2015.12.31	2015.06.30	2014.12.31
	基本每股收益(元)	−0.0619	0.0257	−0.0491	0.0278
	基本每股收益(扣除后)(元)	−0.0614	−0.0655	−0.0589	−0.0665
	稀释每股收益(元)	−0.0619	0.0257	−0.0491	0.0278
	每股净资产(元)	1.4768	1.5314	1.4332	1.4578
	每股经营现金净流量(元)	−0.3333	0.0149	−0.0876	−0.0276
	每股现金流量(元)	−0.3745	0.1100	−0.1426	0.1982
	每股资本公积金(元)	0.0258	0.0258	0.0258	0.0258
	每股盈余公积金(元)	0.0038	0.0038	0.0038	0.0038
	每股未分配利润(元)	0.5725	0.6345	0.5597	0.6088
	净资产收益率(%)	−4.1946	1.6756	−3.4275	1.9063
	加权净资产收益率(%)	−4.1300	1.7400	−3.4300	1.9700
	净资产收益率(扣除)(%)	−4.1546	−4.2798	−4.1104	−4.5606
	总资产(万元)	138640.74	148181.58	136027.41	143493.56
	归属母公司股东权益(万元)	132739.04	137644.66	128816.50	131027.19
	营业收入(万元)	9937.55	19382.73	8592.95	19507.14
	营业支出(万元)	5312.91	11009.12	3945.16	10101.98
	投资收益(万元)	143.66	14485.41	94.37	1703.89
	净利润(万元)	−7100.75	964.39	−5277.64	1933.75
	营业利润(万元)	−7043.22	3886.18	−5231.22	−4658.01
	利润总额(万元)	−7035.59	4020.48	−5231.79	3350.86

南华生物医药股份有限公司

公司概况						
	公司名称	南华生物医药股份有限公司			证券简称	南华生物
	法人代表	石磊	董秘	陈勇	证券代码	000504
	公司网址	www.nhbiogroup.com		电子信箱	nhsw@nhbiogroup.com	
	电话	0731-85196775		传真	0731-85196775	
	办公地址	湖南省长沙市天心区城南西路3号财信大厦13楼				
	经营范围	生物资源、干细胞和免疫细胞储存等				

主要财务指标	指标\报告期	2016.06.30	2015.12.31	2015.06.30	2014.12.31
	基本每股收益(元)	−0.0403	−0.0700	−0.0200	−0.0800
	基本每股收益(扣除后)(元)	−0.0402	−0.0800	−0.0200	−0.0800
	稀释每股收益(元)	−0.0403	−0.0700	−0.0200	−0.0800
	每股净资产(元)	−0.0933	−0.0530	−0.0085	0.0151
	每股经营现金净流量(元)	−0.0458	−0.0551	−0.0345	−0.1046
	每股现金流量(元)	−0.0527	0.0644	−0.0369	−0.0039
	每股资本公积金(元)	0.2732	0.2732	0.2732	0.2732
	每股盈余公积金(元)	0.1109	0.1109	0.1109	0.1109
	每股未分配利润(元)	−1.4774	−1.4371	−1.3926	−1.3690
	净资产收益率(%)	−	−	278.0780	−555.2957
	加权净资产收益率(%)	−	−	−712.3100	−493.6600
	净资产收益率(扣除)(%)	−	143.2466	276.3765	−546.9317
	总资产(万元)	10600.53	12275.74	9250.75	10663.23
	归属母公司股东权益(万元)	−2907.91	−1650.85	−264.46	470.94
	营业收入(万元)	532.34	1337.42	596.22	1837.28
	营业支出(万元)	490.51	1193.11	542.13	1344.77
	投资收益(万元)	−	−	−	32.89
	净利润(万元)	−1266.36	−2153.23	−743.45	−2656.12
	营业利润(万元)	−1263.21	−2396.24	−738.95	−2555.10
	利润总额(万元)	−1266.36	−2153.23	−743.45	−2602.15

海南珠江控股股份有限公司

公司概况

公司名称	海南珠江控股股份有限公司			证券简称	*ST 珠江
法人代表	郑清	董秘	俞翠红	证券代码	000505
公司网址				电子信箱	hnpearlriver@21cn.net
电　话	0898-68581888 68581199			传　真	0898-68581026
办公地址	海南省海口市滨海大道珠江广场帝豪大厦 29 楼				
经营范围	工业投资、热带种植业、海产养殖、房地产开发经营、酒店投资与管理等				

主要财务指标

指标＼报告期	2016.06.30	2015.12.31	2015.06.30	2014.12.31
基本每股收益(元)	-0.1100	-0.2500	0.0500	-0.4100
基本每股收益(扣除后)(元)	-0.2000	-0.5600	-0.2400	-0.4200
稀释每股收益(元)	-0.1100	-0.2500	0.0500	-0.4100
每股净资产(元)	-0.6198	-0.5088	-0.2064	0.0365
每股经营现金净流量(元)	0.3781	0.6083	-0.2225	-0.5710
每股现金流量(元)	-0.1468	0.3008	0.0905	0.0352
每股资本公积金(元)	0.7843	0.7843	0.7843	0.7843
每股盈余公积金(元)	0.2566	0.2566	0.2566	0.2566
每股未分配利润(元)	-2.6607	-2.5497	-2.2472	-2.2976
净资产收益率(%)	-	-	-	-1114.2231
加权净资产收益率(%)	-	-	-	-262.2100
净资产收益率(扣除)(%)	-	109.5869	117.8559	-1152.5097
总资产(万元)	179019.52	171444.40	158808.43	164543.66
归属母公司股东权益(万元)	-26450.75	-21713.69	-8807.05	1556.45
营业收入(万元)	14903.25	26706.88	13611.78	23890.42
营业支出(万元)	12202.99	20847.52	10073.73	18686.32
投资收益(万元)	3792.89	12609.51	12413.74	456.66
净利润(万元)	-5116.92	-12712.14	1864.13	-18075.54
营业利润(万元)	-5035.87	-11252.87	3418.17	-19487.59
利润总额(万元)	-5098.55	-11041.71	3449.54	-19541.78

中润资源投资股份有限公司

公司概况

公司名称	中润资源投资股份有限公司			证券简称	中润资源
法人代表	李明吉	董秘	贺明	证券代码	000506
公司网址	www.sdzr.com			电子信箱	zhongruntouzi@126.com
电　话	0531-81665777			传　真	0531-81665888
办公地址	山东省济南市经十路 13777 号中润世纪广场 17 栋				
经营范围	矿产资源勘探与开发投资、矿产品加工与销售、公司股权投资				

主要财务指标

指标＼报告期	2016.06.30	2015.12.31	2015.06.30	2014.12.31
基本每股收益(元)	0.0043	0.0234	0.0055	-0.2331
基本每股收益(扣除后)(元)	0.0042	0.0200	0.0052	-0.2315
稀释每股收益(元)	0.0043	0.0234	0.0055	-0.2331
每股净资产(元)	1.6286	1.5449	1.5126	1.5196
每股经营现金净流量(元)	-0.1523	-0.1091	-0.0625	-0.1928
每股现金流量(元)	-0.0095	0.0566	0.1527	-0.1116
每股资本公积金(元)	0.0554	0.0335	0.0335	0.0335
每股盈余公积金(元)	0.0839	0.0839	0.0839	0.0839
每股未分配利润(元)	0.4535	0.4492	0.4313	0.4258
净资产收益率(%)	0.2639	1.5143	0.3653	-15.3404
加权净资产收益率(%)	0.2800	1.4100	0.3600	-14.0500
净资产收益率(扣除)(%)	0.2600	1.5223	0.3461	-15.2327
总资产(万元)	337456.46	324034.64	386504.97	316948.90
归属母公司股东权益(万元)	151299.19	143524.15	140526.62	141174.11
营业收入(万元)	37903.21	138782.85	29281.71	35715.53
营业支出(万元)	22150.11	103899.94	19067.09	37782.58
投资收益(万元)	-	-	-	-
净利润(万元)	662.17	580.79	-1158.01	-28006.52
营业利润(万元)	1896.25	4355.62	-1883.92	-28115.53
利润总额(万元)	1904.47	4335.33	-1851.29	-28276.41

珠海港股份有限公司

公司概况

公司名称	珠海港股份有限公司			证券简称	珠 海 港
法人代表	欧辉生	董秘	薛楠	证券代码	000507
公司网址	www.0507.com.cn			电子信箱	zph916@163.com
电　话	0756-3292216 3292215			传　真	0756-3321889
办公地址	广东省珠海市情侣南路 278 号				
经营范围	港口及其配套设施的项目投资、电力项目投资等				

主要财务指标

指标＼报告期	2016.06.30	2015.12.31	2015.06.30	2014.12.31
基本每股收益(元)	0.0924	0.0996	0.0631	0.0217
基本每股收益(扣除后)(元)	0.0679	0.0857	0.0532	-0.0263
稀释每股收益(元)	0.0924	0.0996	0.0631	0.0217
每股净资产(元)	3.2936	3.2006	3.1483	3.1014
每股经营现金净流量(元)	0.1485	0.2616	0.1605	0.2592
每股现金流量(元)	0.3129	0.0384	0.0299	-0.0516
每股资本公积金(元)	0.9990	0.9990	0.9677	0.9679
每股盈余公积金(元)	0.1771	0.1771	0.1754	0.1754
每股未分配利润(元)	1.1169	1.0245	1.0050	0.9578
净资产收益率(%)	2.8044	3.1114	2.0031	0.7001
加权净资产收益率(%)	2.8400	3.1600	2.0200	0.7000
净资产收益率(扣除)(%)	2.0616	2.6787	1.6890	-0.8486
总资产(万元)	571521.62	547445.24	553998.82	536025.65
归属母公司股东权益(万元)	260046.75	252698.89	248569.34	244865.25
营业收入(万元)	87926.83	202266.04	99366.74	213903.80
营业支出(万元)	69087.83	163298.66	79788.22	182028.03
投资收益(万元)	6536.73	9342.33	3578.31	815.42
净利润(万元)	7678.67	8055.09	5319.60	1692.75
营业利润(万元)	8538.15	8439.06	5507.79	3162.96
利润总额(万元)	9031.65	9937.42	6388.19	3734.03

华塑控股股份有限公司

公司概况

公司名称	华塑控股股份有限公司			证券简称	华塑控股
法人代表	郭宏杰	董秘	李笛鸣	证券代码	000509
公司网址				电子信箱	DB000509@163.com
电　话	028-85365657			传　真	028-85365657
办公地址	四川省成都市武侯区火车南站西路 15 号麦田中心 15F				
经营范围	计算机软件开发、生产、开发、生产、销售电子产品及元器件等				

主要财务指标

指标＼报告期	2016.06.30	2015.12.31	2015.06.30	2014.12.31
基本每股收益(元)	-0.0298	0.0198	-0.0263	-0.0617
基本每股收益(扣除后)(元)	-0.0198	-0.1941	-0.0271	-0.1065
稀释每股收益(元)	-0.0298	0.0198	-0.0263	-0.0617
每股净资产(元)	0.0419	0.0719	0.0265	0.0515
每股经营现金净流量(元)	-0.0713	-0.0112	-0.0379	-0.0693
每股现金流量(元)	-0.1162	-0.0054	-0.0808	-0.1289
每股资本公积金(元)	0.1982	0.1982	0.1982	0.1982
每股盈余公积金(元)	0.0350	0.0350	0.0350	0.0350
每股未分配利润(元)	-1.1926	-1.1628	-1.2089	-1.1826
净资产收益率(%)	-71.0322	27.4982	-99.4095	-119.8305
加权净资产收益率(%)	-52.3300	32.0400	-67.5700	-73.7600
净资产收益率(扣除)(%)	-47.3226	-269.7269	-105.2231	-206.8734
总资产(万元)	53266.18	56782.71	55616.73	62658.00
归属母公司股东权益(万元)	3459.21	5932.09	2187.49	4248.99
营业收入(万元)	4362.94	17683.67	7723.19	22657.59
营业支出(万元)	3996.67	14585.51	6718.40	20203.80
投资收益(万元)	-	13886.41	-	8732.75
净利润(万元)	-2514.95	1984.86	-2266.67	-5495.51
营业利润(万元)	-1694.62	-1798.78	-2390.68	-832.73
利润总额(万元)	-2514.78	1962.79	-2263.51	-5412.03

四川金路集团股份有限公司

公司概况					
公司名称	四川金路集团股份有限公司			证券简称	金路集团
法人代表	刘江东	董秘	成景豪	证券代码	000510
公司网址	www.jinlugroup.cn			电子信箱	lbh808@163.com
电　话	0838-2207936　2301092			传　真	0838-2207936
办公地址	四川省德阳市岷江西路二段57号金路大厦				
经营范围	生产销售PVC树脂、烧碱系列化工原料及其加工产品等				

主要财务指标：指标\报告期	2016.06.30	2015.12.31	2015.06.30	2014.12.31
基本每股收益(元)	0.0136	0.0231	-0.1188	-0.2418
基本每股收益(扣除后)(元)	0.0067	-0.2391	-0.1515	-0.3014
稀释每股收益(元)	0.0136	0.0231	-0.1188	-0.2418
每股净资产(元)	1.2387	1.2264	1.0900	1.2058
每股经营现金净流量(元)	0.0112	0.0731	-0.1637	0.2065
每股现金流量(元)	-0.2288	0.0371	-0.2591	0.1115
每股资本公积金(元)	0.0737	0.0737	0.0742	0.0742
每股盈余公积金(元)	0.1834	0.1834	0.1717	0.1717
每股未分配利润(元)	-0.0217	-0.0353	-0.1655	-0.0467
净资产收益率(%)	1.0950	1.8816	-10.9016	-20.0498
加权净资产收益率(%)	1.1000	1.9000	-10.3700	-18.2200
净资产收益率(扣除)(%)	0.5399	-19.4933	-13.8979	-24.9966
总资产(万元)	139989.47	154252.73	156533.99	180377.44
归属母公司股东权益(万元)	75459.10	74713.16	66399.15	73454.26
营业收入(万元)	65128.07	162008.92	79886.71	205218.65
营业支出(万元)	56677.85	153048.69	78178.91	197928.29
投资收益(万元)	-37.69	8763.32	-45.65	20.80
净利润(万元)	549.27	653.73	-7451.08	-14625.91
营业利润(万元)	-54.77	-6549.93	-9439.69	-18378.46
利润总额(万元)	561.07	2070.84	-7451.08	-14623.84

银基烯碳新材料股份有限公司

公司概况					
公司名称	银基烯碳新材料股份有限公司			证券简称	*ST烯碳
法人代表	王大明	董秘	孙家庆	证券代码	000511
公司网址	www.enecarbon-materials.com			电子信箱	xtxc@ene-carbon.com
电　话	024-22903598			传　真	024-22921377
办公地址	辽宁省沈阳市沈河区青年大街109号				
经营范围	土地整理、房地产开发、物业管理、酒店投资经营等				

主要财务指标：指标\报告期	2016.06.30	2015.12.31	2015.06.30	2014.12.31
基本每股收益(元)	-0.0500	0.0020	0.0100	-0.2300
基本每股收益(扣除后)(元)	-0.0500	-0.0810	-0.0300	-0.1000
稀释每股收益(元)	-0.0500	0.0020	0.0100	-0.2300
每股净资产(元)	1.2322	1.2427	1.2449	1.2106
每股经营现金净流量(元)	-0.5116	-0.3932	-0.1584	0.0594
每股现金流量(元)	-0.0560	-0.0515	-0.1130	0.0631
每股资本公积金(元)	0.0551	0.0551	0.0737	0.0493
每股盈余公积金(元)	0.1006	0.1006	0.1006	0.1006
每股未分配利润(元)	0.0155	0.0627	0.0706	0.0607
净资产收益率(%)	-3.8288	0.1580	0.7943	-19.4095
加权净资产收益率(%)	-3.8100	0.1600	0.8100	-17.5900
净资产收益率(扣除)(%)	-3.8135	-6.5149	-2.2049	-18.9714
总资产(万元)	371039.58	382520.33	356115.56	362753.91
归属母公司股东权益(万元)	142303.35	143511.82	143761.70	139807.07
营业收入(万元)	24050.61	112071.27	59143.10	165027.18
营业支出(万元)	23964.09	109902.39	58628.38	162406.23
投资收益(万元)	1428.64	13236.22	7687.07	1839.71
净利润(万元)	-5448.47	226.75	1141.83	-27135.79
营业利润(万元)	-5543.96	0.33	1538.65	-27413.35
利润总额(万元)	-5565.73	57.84	1607.85	-27688.53

丽珠医药集团股份有限公司

公司概况					
公司名称	丽珠医药集团股份有限公司			证券简称	丽珠集团
法人代表	朱保国	董秘	杨亮	证券代码	000513
公司网址	www.livzon.com.cn			电子信箱	yangliang2014@livzon.com.cn
电　话	0756-8135888			传　真	0756-8886002
办公地址	广东省珠海市拱北桂花北路132号丽珠大厦				
经营范围	医药产品的研发、生产及销售				

主要财务指标：指标\报告期	2016.06.30	2015.12.31	2015.06.30	2014.12.31
基本每股收益(元)	1.0400	1.6200	1.1400	1.7400
基本每股收益(扣除后)(元)	0.9300	1.4000	0.9600	1.5700
稀释每股收益(元)	1.0400	1.6000	1.1400	1.7400
每股净资产(元)	11.7633	10.9508	13.9239	12.5000
每股经营现金净流量(元)	0.7758	2.3376	0.7683	2.4259
每股现金流量(元)	0.3488	0.1461	0.3466	-0.1414
每股资本公积金(元)	1.0472	0.9970	1.4259	0.7192
每股盈余公积金(元)	1.3772	1.3772	1.6869	1.7363
每股未分配利润(元)	8.7622	8.2316	9.9163	9.1571
净资产收益率(%)	8.7617	14.3259	8.0422	13.9585
加权净资产收益率(%)	8.9500	15.5100	8.5600	14.6600
净资产收益率(扣除)(%)	7.7931	12.3869	6.7848	12.5262
总资产(万元)	863249.61	807753.78	793924.45	730260.51
归属母公司股东权益(万元)	466874.19	434625.53	423820.28	369651.66
营业收入(万元)	378429.97	662051.65	311540.37	554423.38
营业支出(万元)	135531.55	257533.05	120960.47	214291.10
投资收益(万元)	168.42	677.64	347.19	822.38
净利润(万元)	42746.67	65956.34	37250.31	55362.22
营业利润(万元)	46319.94	69279.91	37736.95	58450.85
利润总额(万元)	52042.18	80792.13	44956.91	65202.50

重庆渝开发股份有限公司

公司概况					
公司名称	重庆渝开发股份有限公司			证券简称	渝开发
法人代表	徐平	董秘	谢勇彬	证券代码	000514
公司网址	www.cqukf.com			电子信箱	hzqhua06@sina.com
电　话	023-63855506　63856995			传　真	023-63826995
办公地址	重庆市南岸区铜元局刘家花园96号				
经营范围	房地产开发(壹级)、房屋销售及租赁、房地产信息咨询、城市基础设施等				

主要财务指标：指标\报告期	2016.06.30	2015.12.31	2015.06.30	2014.12.31
基本每股收益(元)	0.0063	0.0087	-0.0677	0.1450
基本每股收益(扣除后)(元)	0.0046	0.0097	-0.0678	0.1439
稀释每股收益(元)	0.0063	0.0087	-0.0677	0.1450
每股净资产(元)	3.3111	3.3203	3.2697	3.3284
每股经营现金净流量(元)	0.0490	0.0553	-0.1773	-0.2418
每股现金流量(元)	-0.1609	-0.3414	-0.2257	0.1461
每股资本公积金(元)	1.4058	1.4058	1.4058	1.4058
每股盈余公积金(元)	0.1249	0.1249	0.1211	0.1211
每股未分配利润(元)	0.7338	0.7275	0.6549	0.7426
净资产收益率(%)	0.1889	0.2631	-2.0694	4.3579
加权净资产收益率(%)	0.1900	0.2600	-2.0500	4.4600
净资产收益率(扣除)(%)	0.1393	0.2922	-2.0751	4.3226
总资产(万元)	713522.92	735816.42	772408.05	778899.74
归属母公司股东权益(万元)	279383.83	280158.53	275890.31	280841.36
营业收入(万元)	32584.36	115504.00	31926.08	194700.89
营业支出(万元)	23738.58	88699.74	29579.39	146866.34
投资收益(万元)	502.13	374.39	-106.83	357.83
净利润(万元)	-2278.72	-10065.26	-9615.67	10778.30
营业利润(万元)	-2536.20	-6861.10	-9880.93	13657.71
利润总额(万元)	-2351.39	-7003.45	-9908.51	13633.84

西安国际医学投资股份有限公司

公司概况

公司名称	西安国际医学投资股份有限公司			证券简称	国际医学
法人代表	史今	董秘	管港	证券代码	000516
公司网址	www.000516.cn		电子信箱	IMIC@000516.cn	
电　话	029-87217854		传　真	029-87217705	
办公地址	陕西省西安市解放市场 6 号				
经营范围	百货零售业与医疗服务等				

主要财务指标

指标\报告期	2016.06.30	2015.12.31	2015.06.30	2014.12.31
基本每股收益(元)	0.0670	0.3200	0.2130	0.4900
基本每股收益(扣除后)(元)	0.0710	0.2900	0.1830	0.3500
稀释每股收益(元)	0.0670	0.3200	0.2130	0.4900
每股净资产(元)	1.7326	4.2131	4.0898	2.2344
每股经营现金净流量(元)	0.0687	0.3478	0.0758	0.4287
每股现金流量(元)	0.0214	1.6370	1.4000	-0.2482
每股资本公积金(元)	0.1421	1.8553	1.8374	0.0734
每股盈余公积金(元)	0.0730	0.1825	0.1590	0.1758
每股未分配利润(元)	0.5170	1.1738	1.0910	0.9853
净资产收益率(%)	3.8948	7.2560	4.8762	21.9739
加权净资产收益率(%)	3.9300	8.9400	7.2700	24.3800
净资产收益率(扣除)(%)	4.1191	6.6433	4.1903	15.5370
总资产(万元)	534739.79	531335.59	498930.57	351325.11
归属母公司股东权益(万元)	341501.88	332171.03	322446.40	159408.46
营业收入(万元)	199956.81	390036.95	203407.07	388334.71
营业支出(万元)	159556.87	311130.30	163021.36	308127.81
投资收益(万元)	860.11	2866.33	3799.44	12943.79
净利润(万元)	13299.99	24099.48	15721.20	35026.09
营业利润(万元)	16974.37	31362.36	20232.87	43547.56
利润总额(万元)	17235.90	31613.89	20379.98	43784.87

荣安地产股份有限公司

公司概况

公司名称	荣安地产股份有限公司			证券简称	荣安地产
法人代表	王久芳	董秘	胡约翰	证券代码	000517
公司网址	www.rongan.com.cn		电子信箱	stock@000517.com	
电　话	0574-87312566		传　真	0574-87310668	
办公地址	浙江省宁波市海曙区灵桥路 513 号天封大厦 11 楼、15 楼、16 楼				
经营范围	房地产开发和经营等				

主要财务指标

指标\报告期	2016.06.30	2015.12.31	2015.06.30	2014.12.31
基本每股收益(元)	0.0056	0.0324	0.0206	0.2828
基本每股收益(扣除后)(元)	-0.0025	0.0283	0.0192	0.1767
稀释每股收益(元)	0.0056	0.0324	0.0206	0.2828
每股净资产(元)	1.1136	1.1380	3.3786	3.4580
每股经营现金净流量(元)	0.1509	0.2074	0.0061	-0.6029
每股现金流量(元)	0.1530	-0.0148	0.0732	-0.0341
每股资本公积金(元)	-0.5312	-0.5312	0.2063	0.2063
每股盈余公积金(元)	0.0261	0.0261	0.0652	0.0652
每股未分配利润(元)	0.6187	0.6431	2.1071	2.1865
净资产收益率(%)	0.5073	2.8501	0.6087	8.1778
加权净资产收益率(%)	0.5000	2.8200	0.6000	8.7800
净资产收益率(扣除)(%)	-0.2264	2.4879	0.5679	5.1105
总资产(万元)	846408.80	793461.62	655976.23	601725.50
归属母公司股东权益(万元)	354569.49	362322.43	358572.40	367002.91
营业收入(万元)	55725.03	112446.10	28465.57	343373.17
营业支出(万元)	43228.26	79806.99	17755.67	277491.77
投资收益(万元)	4768.62	5240.08	-161.52	13280.97
净利润(万元)	1798.74	10326.52	2182.57	30012.84
营业利润(万元)	2785.76	11657.73	2942.37	36070.39
利润总额(万元)	2785.96	11819.96	2975.48	35494.61

江苏四环生物股份有限公司

公司概况

公司名称	江苏四环生物股份有限公司			证券简称	四环生物
法人代表	孙国建	董秘	周扬	证券代码	000518
公司网址	www.shsw000518.com		电子信箱	0518shsw@163.com	
电　话	0510-86408558		传　真	0510-86408558	
办公地址	江苏省无锡市江阴市滨江开发区定山路 10 号				
经营范围	原料药、片剂、酒剂、注射剂及生物制品的制造、销售等				

主要财务指标

指标\报告期	2016.06.30	2015.12.31	2015.06.30	2014.12.31
基本每股收益(元)	-0.0048	-0.0723	0.0040	0.0058
基本每股收益(扣除后)(元)	-0.0041	-0.0860	0.0026	0.0003
稀释每股收益(元)	-0.0048	-0.0723	0.0040	0.0058
每股净资产(元)	0.5844	0.5892	0.6655	0.6615
每股经营现金净流量(元)	0.0298	-0.1322	-0.1626	0.0195
每股现金流量(元)	-0.0012	-0.0077	-0.0161	-0.1087
每股资本公积金(元)	0.0246	0.0246	0.0246	0.0254
每股盈余公积金(元)	0.0368	0.0368	0.0368	0.0368
每股未分配利润(元)	-0.4778	-0.4730	-0.3967	-0.4007
净资产收益率(%)	-0.8167	-12.2721	0.5979	0.8746
加权净资产收益率(%)	-0.8100	-11.5600	0.8000	0.8800
净资产收益率(扣除)(%)	-0.7145	-14.6026	0.1611	0.0391
总资产(万元)	107753.26	83452.77	84789.25	81808.25
归属母公司股东权益(万元)	60170.79	60662.21	68516.45	68106.76
营业收入(万元)	13201.90	23784.38	10869.90	24123.07
营业支出(万元)	4961.43	9001.41	4009.40	9821.38
投资收益(万元)	-	269.50	248.11	736.09
净利润(万元)	-527.86	-11290.34	224.61	-918.62
营业利润(万元)	-257.40	-10865.34	437.05	133.11
利润总额(万元)	-323.83	-9530.26	540.15	43.70

中兵红箭股份有限公司

公司概况

公司名称	中兵红箭股份有限公司			证券简称	中兵红箭
法人代表	隋建辉	董秘	温振祥	证券代码	000519
公司网址	www.diamond-zn.com		电子信箱	zqswb@zhongnan.net	
电　话	0377-83880269　83880277		传　真	0377-83882888	
办公地址	河南省南阳市仲景北路 1669 号中南钻石有限公司院内				
经营范围	各型内燃机的关键基础件——气缸套、铝活塞的生产、销售等				

主要财务指标

指标\报告期	2016.06.30	2015.12.31	2015.06.30	2014.12.31
基本每股收益(元)	0.0288	0.2406	0.1950	0.5400
基本每股收益(扣除后)(元)	0.0276	0.2072	0.1865	0.5300
稀释每股收益(元)	0.0288	0.2406	0.1950	0.5400
每股净资产(元)	4.0826	4.0506	5.5308	5.3960
每股经营现金净流量(元)	-0.0435	-0.1368	-0.1379	-0.2692
每股现金流量(元)	-0.1277	-0.1736	-0.2758	-1.0926
每股资本公积金(元)	0.9909	0.9876	1.7839	1.7839
每股盈余公积金(元)	0.0539	0.0539	0.0755	0.0755
每股未分配利润(元)	2.0351	2.0064	2.6671	2.5321
净资产收益率(%)	0.7052	5.9388	3.5251	9.9615
加权净资产收益率(%)	0.7100	6.0500	3.5500	10.4700
净资产收益率(扣除)(%)	0.6757	5.1141	3.3724	9.7457
总资产(万元)	510062.11	517375.85	494319.07	490908.52
归属母公司股东权益(万元)	421827.15	418520.61	408183.23	398231.27
营业收入(万元)	70176.52	154816.47	79534.74	203573.32
营业支出(万元)	55329.79	98242.93	50236.67	129795.60
投资收益(万元)	-	1338.78	424.01	904.55
净利润(万元)	2968.52	24897.46	14339.79	39654.38
营业利润(万元)	3624.10	29014.12	17322.95	46672.00
利润总额(万元)	3853.28	30504.20	17869.68	47734.46

长航凤凰股份有限公司

公司概况					
公司名称	长航凤凰股份有限公司			证券简称	长航凤凰
法人代表	王涛	董秘	肖湘	证券代码	000520
公司网址	www.csc-hy.com.cn		电子信箱	tagirl@sohu.com	
电　话	022-66312981		传　真	022-66312981	
办公地址	湖北省武汉市汉口民权路 39 号汇江大厦 10 楼				
经营范围	长江干线和干支直达、江海直达、沿海、近洋、远洋货物的干散货、石油、液化气、集装箱运输				

主要财务指标：指标\报告期	2016.06.30	2015.12.31	2015.06.30	2014.12.31
基本每股收益(元)	-0.0156	0.1211	0.1073	4.2559
基本每股收益(扣除后)(元)	-0.0109	0.0146	0.0055	0.0192
稀释每股收益(元)	-0.0156	0.1211	0.1073	4.2559
每股净资产(元)	0.2371	0.2531	0.2400	0.1226
每股经营现金净流量(元)	-0.0251	0.0212	0.0047	-0.2130
每股现金流量(元)	-0.0077	0.0366	0.0139	-0.0058
每股资本公积金(元)	1.9355	1.9355	1.9355	1.9239
每股盈余公积金(元)	0.2891	0.2891	0.2891	0.2891
每股未分配利润(元)	-2.9467	-2.9311	-2.9449	-3.0522
净资产收益率(%)	-6.5916	47.8601	44.6924	3471.6095
加权净资产收益率(%)	-6.3700	66.1300	60.8700	-
净资产收益率(扣除)(%)	-4.6153	5.7780	2.2848	15.6888
总资产(万元)	50222.95	51333.32	59625.96	51402.14
归属母公司股东权益(万元)	23997.46	25615.24	24294.25	12407.32
营业收入(万元)	30878.71	76998.97	39624.64	98187.50
营业支出(万元)	26667.90	66215.42	34404.18	85842.49
投资收益(万元)	-256.02	-347.74	-73.14	20209.99
净利润(万元)	-1581.82	12310.73	10908.93	433905.59
营业利润(万元)	-1013.82	1533.09	775.55	22424.82
利润总额(万元)	-1434.60	12622.79	11108.31	434280.35

合肥美菱股份有限公司

公司概况					
公司名称	合肥美菱股份有限公司			证券简称	美菱电器
法人代表	刘体斌	董秘	李霞	证券代码	000521
公司网址	www.meiling.com		电子信箱	info@meiling.com	
电　话	0551-2219021		传　真	0551-2219021	
办公地址	安徽省合肥市经济技术开发区莲花路 2163 号				
经营范围	制冷电器、空调器、洗衣机、电脑数控注塑机、电脑热水器、塑料制品等				

主要财务指标：指标\报告期	2016.06.30	2015.12.31	2015.06.30	2014.12.31
基本每股收益(元)	0.1440	0.0347	0.2074	0.3856
基本每股收益(扣除后)(元)	0.1189	0.1230	0.1945	0.3218
稀释每股收益(元)	0.1440	0.0347	0.2074	0.3856
每股净资产(元)	4.5060	4.5505	4.6180	4.4816
每股经营现金净流量(元)	1.1413	0.2769	0.4496	0.2166
每股现金流量(元)	2.5424	-0.7759	0.1617	0.5329
每股资本公积金(元)	1.8714	2.0022	1.9103	1.9208
每股盈余公积金(元)	0.4806	0.4806	0.4712	0.4712
每股未分配利润(元)	1.1546	1.0706	1.2413	1.0939
净资产收益率(%)	3.1962	0.7829	4.4903	8.6044
加权净资产收益率(%)	3.1200	0.7800	4.5200	8.8800
净资产收益率(扣除)(%)	2.6385	2.7759	4.2124	7.1802
总资产(万元)	1175597.54	923728.84	1046729.25	900901.42
归属母公司股东权益(万元)	344140.18	347537.76	352695.32	342274.67
营业收入(万元)	686663.13	1041582.92	642691.73	1076480.83
营业支出(万元)	543246.17	831939.39	508424.51	823420.04
投资收益(万元)	415.31	-1204.36	-548.44	-170.39
净利润(万元)	10992.36	2122.02	15904.29	28040.69
营业利润(万元)	10908.70	10356.55	16801.45	29517.95
利润总额(万元)	12873.98	3244.72	17355.50	34740.50

广州市浪奇实业股份有限公司

公司概况					
公司名称	广州市浪奇实业股份有限公司			证券简称	广州浪奇
法人代表	傅勇国	董秘	王志刚	证券代码	000523
公司网址	www.lonkey.com.cn		电子信箱	dm@lonkey.com.cn	
电　话	020-82162933 82161128		传　真	020-82162986	
办公地址	广东省广州市天河区黄埔大道东 128 号				
经营范围	"浪奇"、"高富力"和"维可倚"等品牌的洗涤用品和磺酸、精甘油、AES 等化工原料的开发、生产和销售				

主要财务指标：指标\报告期	2016.06.30	2015.12.31	2015.06.30	2014.12.31
基本每股收益(元)	0.0200	0.0700	0.0300	0.0990
基本每股收益(扣除后)(元)	0.0100	0.0600	0.0290	0.0930
稀释每股收益(元)	0.0200	0.0700	0.0300	0.0990
每股净资产(元)	3.3100	2.4517	2.4054	2.3942
每股经营现金净流量(元)	0.0329	-0.0921	-0.0237	-0.1024
每股现金流量(元)	0.1488	-0.0026	0.3315	-0.2418
每股资本公积金(元)	1.9252	1.0030	0.9978	0.9971
每股盈余公积金(元)	0.1017	0.1193	0.1099	0.1099
每股未分配利润(元)	0.2837	0.3286	0.2977	0.2872
净资产收益率(%)	0.7097	2.9123	1.2662	4.1212
加权净资产收益率(%)	0.5300	2.9600	1.2200	4.1300
净资产收益率(扣除)(%)	0.4298	2.4765	1.2607	3.8807
总资产(万元)	344154.73	352994.41	324205.25	301142.71
归属母公司股东权益(万元)	173161.21	109332.19	107077.78	106582.64
营业收入(万元)	445402.14	757042.41	308635.04	540882.62
营业支出(万元)	434168.95	728847.03	296271.65	512247.76
投资收益(万元)	-105.03	-263.74	-454.50	-116.33
净利润(万元)	1175.02	2967.02	1015.21	3996.58
营业利润(万元)	1073.51	2961.13	1368.91	4503.33
利润总额(万元)	1659.97	3557.42	1379.27	4807.52

广州岭南集团控股股份有限公司

公司概况					
公司名称	广州岭南集团控股股份有限公司			证券简称	岭南控股
法人代表	张竹筠	董秘	郑定全	证券代码	000524
公司网址	www.gzdongfanghotel.com		电子信箱	gzlnholdings@126.com	
电　话	020-86662791		传　真	020-86662791	
办公地址	广东省广州市流花路 120 号				
经营范围	旅馆业、餐饮业、旅游业和场地出租等				

主要财务指标：指标\报告期	2016.06.30	2015.12.31	2015.06.30	2014.12.31
基本每股收益(元)	0.0790	0.1500	0.0870	0.1300
基本每股收益(扣除后)(元)	0.0720	0.1200	0.0750	0.1000
稀释每股收益(元)	0.0790	0.1500	0.0870	0.1300
每股净资产(元)	2.2348	2.2846	2.2795	2.0530
每股经营现金净流量(元)	0.0232	0.2026	0.0616	0.1837
每股现金流量(元)	-0.6400	0.5432	-0.0677	-0.1808
每股资本公积金(元)	0.7478	0.7478	0.7478	0.7478
每股盈余公积金(元)	0.1277	0.1277	0.1222	0.1222
每股未分配利润(元)	0.0988	0.0569	0.0042	-0.0831
净资产收益率(%)	3.5283	6.3678	3.8306	6.5689
加权净资产收益率(%)	3.5200	6.7100	4.0300	6.3100
净资产收益率(扣除)(%)	2.7933	5.3687	3.3020	4.7871
总资产(万元)	80595.03	84343.32	84377.36	78102.32
归属母公司股东权益(万元)	60267.92	61609.92	61472.53	55362.86
营业收入(万元)	13758.69	30581.96	14597.44	30180.54
营业支出(万元)	5662.51	13168.93	5792.88	13091.70
投资收益(万元)	587.19	1042.76	651.36	842.42
净利润(万元)	2126.45	3923.17	2354.75	3636.73
营业利润(万元)	2344.61	4701.00	2814.85	4773.43
利润总额(万元)	2607.41	4729.13	2832.46	4808.42

南京红太阳股份有限公司

公司概况					
公司名称	南京红太阳股份有限公司			证券简称	红 太 阳
法人代表	杨寿海	董秘	唐志军	证券代码	000525
公司网址	www.chinaredsun.com			电子信箱	redsunir@163.com
电　话	025-87132156 87132155			传　真	025-87132166
办公地址	江苏省南京市江宁区竹山南路 589 号				
经营范围	农药、三药中间体及精细化工产品的生产、销售、技术咨询和服务等				

主要财务指标：指标＼报告期	2016.06.30	2015.12.31	2015.06.30	2014.12.31
基本每股收益(元)	0.0986	0.3590	0.3460	0.8420
基本每股收益(扣除后)(元)	0.0485	0.1780	0.2530	0.8220
稀释每股收益(元)	0.0986	0.3590	0.3460	0.8420
每股净资产(元)	8.1013	7.6900	7.6880	7.4814
每股经营现金净流量(元)	0.6173	0.4845	1.1054	1.5375
每股现金流量(元)	0.7469	-0.4734	-0.2307	-0.2081
每股资本公积金(元)	5.0614	3.9018	3.9018	3.9018
每股盈余公积金(元)	0.2247	0.2573	0.2245	0.2245
每股未分配利润(元)	1.7318	2.4424	2.4626	2.2665
净资产收益率(%)	1.2170	4.6613	4.5027	11.2541
加权净资产收益率(%)	1.4600	4.6800	4.5600	11.8700
净资产收益率(扣除)(%)	0.5988	2.3084	3.2957	10.9825
总资产(万元)	1001575.94	822617.95	824670.87	1069432.39
归属母公司股东权益(万元)	470500.52	390333.13	389970.71	379490.95
营业收入(万元)	217397.00	455656.80	331235.53	681249.95
营业支出(万元)	186460.68	397065.52	288578.83	565948.54
投资收益(万元)	60.56	6746.84	5286.39	475.08
净利润(万元)	5692.69	13212.43	17714.74	40542.46
营业利润(万元)	2869.39	13392.02	17673.20	43550.03
利润总额(万元)	6381.95	19221.83	20665.79	49593.52

厦门紫光学大股份有限公司

公司概况					
公司名称	厦门紫光学大股份有限公司			证券简称	紫光学大
法人代表	林进挺	董秘	王寅	证券代码	000526
公司网址				电子信箱	wangy@insightsh.com
电　话	021-54222877			传　真	021-64019890
办公地址	北京市海淀区中关村东路 1 号院清华科技园科技大厦 D 座 5 层				
经营范围	电子产品及通讯设备、仪器仪表、文化办公用机械及器材制造等				

主要财务指标：指标＼报告期	2016.06.30	2015.12.31	2015.06.30	2014.12.31
基本每股收益(元)	-0.1196	-0.1410	0.0225	0.0204
基本每股收益(扣除后)(元)	-0.1146	-0.1378	0.0225	0.0202
稀释每股收益(元)	-0.1196	-0.1410	0.0225	0.0204
每股净资产(元)	1.3686	1.4850	1.6484	1.6260
每股经营现金净流量(元)	-1.1823	0.0322	0.0307	0.1313
每股现金流量(元)	12.4453	0.2116	0.0007	-0.4464
每股资本公积金(元)	0.6038	0.6038	0.6038	0.6038
每股盈余公积金(元)	0.0477	0.0477	0.0477	0.0477
每股未分配利润(元)	-0.2862	-0.1665	-0.0031	-0.0256
净资产收益率(%)	-8.7402	-9.4944	1.3619	1.2573
加权净资产收益率(%)	-8.3900	-9.0600	1.3900	1.2900
净资产收益率(扣除)(%)	-8.3749	-9.2813	1.3661	1.2402
总资产(万元)	380613.94	33535.90	20077.42	20079.82
归属母公司股东权益(万元)	13164.79	14284.81	15857.11	15641.15
营业收入(万元)	21995.42	2506.54	1253.27	1880.56
营业支出(万元)	15052.68	898.73	451.94	572.26
投资收益(万元)	44.48	-	-	-
净利润(万元)	-1172.35	-1347.61	220.29	202.71
营业利润(万元)	-383.04	-1012.44	365.66	368.80
利润总额(万元)	-447.14	-1043.18	364.76	372.40

广西柳工机械股份有限公司

公司概况					
公司名称	广西柳工机械股份有限公司			证券简称	柳　工
法人代表	曾光安	董秘	黄华琳	证券代码	000528
公司网址	www.liugong.com			电子信箱	stock@liugong.com
电　话	0772-3886510 3887266			传　真	0772-3691147 3887266
办公地址	广西壮族自治区柳州市柳太路 1 号				
经营范围	装载机、挖掘机、压路机、叉车、起重机、摊铺机、平地机、滑移装载机等				

主要财务指标：指标＼报告期	2016.06.30	2015.12.31	2015.06.30	2014.12.31
基本每股收益(元)	0.0142	0.0189	0.0771	0.1764
基本每股收益(扣除后)(元)	-0.0313	-0.1019	0.0269	0.0703
稀释每股收益(元)	0.0142	0.0189	0.0771	0.1764
每股净资产(元)	7.8585	7.9128	7.9753	8.0844
每股经营现金净流量(元)	0.5864	0.1292	-0.6542	0.4927
每股现金流量(元)	0.6590	0.3089	-0.6235	-0.2335
每股资本公积金(元)	3.1289	3.1288	3.1288	3.1288
每股盈余公积金(元)	0.6275	0.6275	0.6275	0.6275
每股未分配利润(元)	3.1882	3.2687	3.3268	3.3933
净资产收益率(%)	0.1808	0.2394	0.9661	2.1823
加权净资产收益率(%)	0.1800	0.2400	0.9500	2.1600
净资产收益率(扣除)(%)	-0.3985	-1.2883	0.3378	0.8697
总资产(万元)	2138174.34	2038440.68	1965533.86	2080190.16
归属母公司股东权益(万元)	884272.17	890377.98	897417.51	909685.87
营业收入(万元)	362806.20	665581.56	368997.99	1029340.61
营业支出(万元)	273067.57	495677.82	276659.31	803548.72
投资收益(万元)	-2679.16	-1919.38	-1687.05	-901.62
净利润(万元)	1552.16	2076.52	8660.55	19315.88
营业利润(万元)	-1782.65	-11420.41	8787.02	15263.76
利润总额(万元)	4563.83	5130.72	15457.04	29677.42

广东广弘控股股份有限公司

公司概况					
公司名称	广东广弘控股股份有限公司			证券简称	广弘控股
法人代表	蔡飚	董秘	苏东明	证券代码	000529
公司网址	www.ghkg000529.com			电子信箱	ghkg@ghkg000529.com
电　话	020-83603985 83603995			传　真	020-83603989
办公地址	广东省广州市东风中路 437 号越秀城市广场南塔 19 楼				
经营范围	食品冷藏设备的经营与管理、实业投资、资本运营管理、货物进出口等				

主要财务指标：指标＼报告期	2016.06.30	2015.12.31	2015.06.30	2014.12.31
基本每股收益(元)	0.0800	0.1300	0.0700	0.2600
基本每股收益(扣除后)(元)	0.0800	0.1200	0.0700	0.1400
稀释每股收益(元)	0.0800	0.1300	0.0700	0.2600
每股净资产(元)	2.0218	1.9495	1.8945	1.8211
每股经营现金净流量(元)	0.3960	0.0914	0.2110	0.2539
每股现金流量(元)	-0.3319	-0.0356	0.1380	0.4720
每股资本公积金(元)	0.9780	0.9999	0.9845	0.9845
每股盈余公积金(元)	0.0648	0.0648	0.0648	0.0648
每股未分配利润(元)	-0.0211	-0.0999	-0.1548	-0.2283
净资产收益率(%)	3.8981	6.5848	3.8766	14.4050
加权净资产收益率(%)	3.9500	6.8100	3.8000	15.5200
净资产收益率(扣除)(%)	3.7809	6.3372	3.7251	7.6390
总资产(万元)	164628.88	146350.35	162672.13	147294.52
归属母公司股东权益(万元)	118030.22	114708.36	110601.03	106313.46
营业收入(万元)	104025.89	192715.86	104945.32	187617.61
营业支出(万元)	88659.41	169445.05	92541.31	166359.60
投资收益(万元)	-892.24	1033.37	524.20	9837.66
净利润(万元)	4664.90	7439.80	4250.78	15349.30
营业利润(万元)	5819.09	8595.79	5212.35	17148.21
利润总额(万元)	6642.93	10632.28	6256.80	20034.05

大连冷冻机股份有限公司

公司概况						
公司概况	公司名称	大连冷冻机股份有限公司			证券简称	大冷股份
公司概况	法人代表	纪志坚	董秘	宋文宝	证券代码	000530
公司概况	公司网址	www.daleng.cn			电子信箱	000530@bingshan.com
公司概况	电　话	0411-86538130			传　真	0411-86654530
公司概况	办公地址	辽宁省大连市沙河口区西南路 888 号				
公司概况	经营范围	制冷设备及配套辅机、阀门、配件以及制冷工程所需配套产品的加工、制造				

主要财务指标	指标＼报告期	2016.06.30	2015.12.31	2015.06.30	2014.12.31
	基本每股收益(元)	0.1200	0.3600	0.1800	0.3300
	基本每股收益(扣除后)(元)	0.1100	0.3500	0.1800	0.3000
	稀释每股收益(元)	0.1200	0.3600	0.1800	0.3300
	每股净资产(元)	5.1518	7.3511	8.0290	5.6198
	每股经营现金净流量(元)	–0.0722	–0.1404	–0.3626	0.0814
	每股现金流量(元)	1.1473	–0.7048	–0.4039	–0.0765
	每股资本公积金(元)	1.5932	1.7499	1.7588	1.6636
	每股盈余公积金(元)	1.0118	1.6125	1.5775	1.5593
	每股未分配利润(元)	0.8886	1.4602	1.3167	1.3890
	净资产收益率(%)	2.1873	4.9081	2.2643	5.8687
	加权净资产收益率(%)	2.5200	6.3800	3.2600	5.9800
	净资产收益率(扣除)(%)	2.0066	4.7636	2.2090	5.3601
	总资产(万元)	481833.27	408249.99	412211.41	305393.02
	归属母公司股东权益(万元)	308536.25	264760.91	289176.33	196702.73
	营业收入(万元)	77991.99	160751.84	71174.03	142571.56
	营业支出(万元)	63319.66	130984.38	56234.74	108655.07
	投资收益(万元)	7694.23	12890.81	4839.31	10394.08
	净利润(万元)	6791.77	13121.50	6468.32	11451.93
	营业利润(万元)	6463.19	12959.42	6761.08	10938.32
	利润总额(万元)	7207.61	13594.77	7037.48	12398.81

广州恒运企业集团股份有限公司

公司概况						
公司概况	公司名称	广州恒运企业集团股份有限公司			证券简称	穗恒运 A
公司概况	法人代表	郭晓光	董秘	张晖	证券代码	000531
公司概况	公司网址	www.hengyun.com.cn			电子信箱	hengyun@hengyun.com.cn
公司概况	电　话	020-82068252			传　真	020-82068252
公司概况	办公地址	广东省广州市开发区开发大道 235 号恒运大厦 6~6M 层				
公司概况	经营范围	电力、热力的生产和销售				

主要财务指标	指标＼报告期	2016.06.30	2015.12.31	2015.06.30	2014.12.31
	基本每股收益(元)	0.3413	0.6570	0.4041	0.9421
	基本每股收益(扣除后)(元)	0.3424	0.6520	0.4040	1.0044
	稀释每股收益(元)	0.3413	0.6570	0.4041	0.9421
	每股净资产(元)	5.3006	5.2432	4.8830	4.5794
	每股经营现金净流量(元)	0.6214	0.3780	0.1230	0.7230
	每股现金流量(元)	0.5040	–0.5379	–0.4227	0.0045
	每股资本公积金(元)	1.3131	1.3131	1.3130	1.3130
	每股盈余公积金(元)	0.4309	0.4309	0.3839	0.3839
	每股未分配利润(元)	2.4408	2.2495	2.0436	1.8595
	净资产收益率(%)	6.4387	12.5299	8.2752	20.5734
	加权净资产收益率(%)	6.3600	13.5500	8.4900	22.6300
	净资产收益率(扣除)(%)	6.4588	12.4351	8.2728	21.9331
	总资产(万元)	896061.42	837237.78	764432.04	749316.81
	归属母公司股东权益(万元)	363132.43	359200.97	334524.83	313729.44
	营业收入(万元)	103510.12	222594.44	116383.75	439447.08
	营业支出(万元)	69546.37	151596.15	77291.67	296139.63
	投资收益(万元)	12338.00	23527.11	14777.11	11466.45
	净利润(万元)	23601.74	49033.39	30664.87	79305.62
	营业利润(万元)	27699.89	58255.57	36109.02	95757.54
	利润总额(万元)	27652.57	58669.03	36151.56	90077.29

珠海华金资本股份有限公司

公司概况						
公司概况	公司名称	珠海华金资本股份有限公司			证券简称	华金资本
公司概况	法人代表	谢伟	董秘	高小军	证券代码	000532
公司概况	公司网址	www.chinalihe.com			电子信箱	gaoxiaojun@chinalihe.com
公司概况	电　话	0756-3612810			传　真	0756-3612812
公司概况	办公地址	广东省珠海市香洲区唐家湾镇唐家大学路 101 号清华科技园创业大楼第六层东楼				
公司概况	经营范围	微电子、电力电子、环境保护产品的开发、生产及销售等				

主要财务指标	指标＼报告期	2016.06.30	2015.12.31	2015.06.30	2014.12.31
	基本每股收益(元)	0.0662	0.1097	0.0486	0.0916
	基本每股收益(扣除后)(元)	0.0587	0.1027	0.0094	0.0033
	稀释每股收益(元)	0.0662	0.1097	0.0486	0.0916
	每股净资产(元)	2.0125	1.9872	2.0085	1.9735
	每股经营现金净流量(元)	0.1702	0.0536	0.0167	0.0822
	每股现金流量(元)	0.9083	–0.2552	0.1540	0.2930
	每股资本公积金(元)	0.0736	0.0736	0.0788	0.0788
	每股盈余公积金(元)	0.1214	0.1214	0.1178	0.1175
	每股未分配利润(元)	0.7938	0.7575	0.7004	0.6817
	净资产收益率(%)	3.2915	5.5186	2.4219	4.6404
	加权净资产收益率(%)	3.2800	5.4500	2.4300	4.6000
	净资产收益率(扣除)(%)	2.9186	5.1673	0.4697	0.1655
	总资产(万元)	170449.77	122373.56	117317.27	110304.87
	归属母公司股东权益(万元)	69373.16	68500.31	69236.14	68027.37
	营业收入(万元)	11984.85	21226.78	7832.39	17272.04
	营业支出(万元)	6520.31	12683.54	4457.72	10602.95
	投资收益(万元)	1728.84	6589.14	3554.93	7179.60
	净利润(万元)	2878.47	5440.30	2823.96	4599.49
	营业利润(万元)	2574.81	6642.62	4062.50	6892.81
	利润总额(万元)	3324.08	7287.94	4136.96	7048.84

广东万家乐股份有限公司

公司概况						
公司概况	公司名称	广东万家乐股份有限公司			证券简称	万家乐
公司概况	法人代表	杨印宝	董秘	黄志雄	证券代码	000533
公司概况	公司网址	www.chinamacro.cn			电子信箱	macro@macro.com.cn
公司概况	电　话	0757-22321229　22321229			传　真	0757-22321237
公司概况	办公地址	广东省佛山市顺德区大良街道顺峰山工业区				
公司概况	经营范围	燃气用具、家用电器、机电产品、塑料机械设备、纸类包装印刷品等				

主要财务指标	指标＼报告期	2016.06.30	2015.12.31	2015.06.30	2014.12.31
	基本每股收益(元)	0.0660	0.1800	0.1270	0.1800
	基本每股收益(扣除后)(元)	0.0640	0.1300	0.0700	0.1500
	稀释每股收益(元)	0.0660	0.1800	0.1270	0.1800
	每股净资产(元)	2.0525	1.9863	1.9452	1.8685
	每股经营现金净流量(元)	0.0205	0.7279	0.4206	–0.0266
	每股现金流量(元)	0.2876	–0.1348	–0.0626	–0.0685
	每股资本公积金(元)	0.0844	0.0844	0.0844	0.0844
	每股盈余公积金(元)	0.1145	0.1145	0.1145	0.1145
	每股未分配利润(元)	0.8536	0.7875	0.7463	0.6696
	净资产收益率(%)	3.2219	9.0217	6.5141	9.8510
	加权净资产收益率(%)	3.2700	9.2500	6.5900	10.0300
	净资产收益率(扣除)(%)	3.1193	6.6787	3.6595	8.0786
	总资产(万元)	430346.77	416528.89	385147.62	390641.08
	归属母公司股东权益(万元)	141787.97	137219.77	134375.31	129076.01
	营业收入(万元)	197836.87	413036.42	182257.34	389645.86
	营业支出(万元)	132972.06	281868.04	122940.22	262337.28
	投资收益(万元)	498.85	4415.92	3967.39	2195.11
	净利润(万元)	6478.89	17191.88	10509.04	16016.28
	营业利润(万元)	9399.25	23371.14	13271.14	22666.01
	利润总额(万元)	9611.54	23939.84	13811.84	23819.15

万泽实业股份有限公司

公司概况

公司名称	万泽实业股份有限公司			证券简称	万泽股份
法人代表	林伟光	董秘	蔡勇峰	证券代码	000534
公司网址	www.wedgeind.com		电子信箱	wzgf0534@163.com	
电　话	0754-88857382		传　真	0754-88857179	
办公地址	广东省汕头市珠池路23号光明大厦B幢8楼				
经营范围	电力供应、蒸汽热供应、投资建设电厂、电站等、机械部件零售等				

主要财务指标

指标＼报告期	2016.06.30	2015.12.31	2015.06.30	2014.12.31
基本每股收益(元)	0.1827	0.0900	0.0811	0.1000
基本每股收益(扣除后)(元)	−0.1240	−0.0200	0.0799	0.0600
稀释每股收益(元)	0.1827	0.0900	0.0811	0.1000
每股净资产(元)	2.8004	2.6677	2.5953	2.5619
每股经营现金净流量(元)	−0.4378	−0.0167	0.0148	0.6786
每股现金流量(元)	1.0882	0.0173	−0.0812	−0.4702
每股资本公积金(元)	0.7535	0.7535	0.6956	0.7017
每股盈余公积金(元)	0.2534	0.2534	0.2384	0.2365
每股未分配利润(元)	0.7935	0.6609	0.6612	0.6251
净资产收益率(%)	6.5223	3.5389	3.1362	4.0332
加权净资产收益率(%)	4.4200	3.5400	3.1400	3.7900
净资产收益率(扣除)(%)	−4.4267	−0.6376	3.0914	2.4929
总资产(万元)	252381.10	328942.06	374486.36	348934.69
归属母公司股东权益(万元)	137718.86	131194.72	127630.59	127031.09
营业收入(万元)	2583.64	49181.08	27128.53	52664.03
营业支出(万元)	2018.62	23915.19	10974.71	25059.99
投资收益(万元)	18385.02	5236.48	46.14	−1406.09
净利润(万元)	8604.92	3780.00	3604.90	4128.33
营业利润(万元)	10020.97	7037.51	6018.19	8771.65
利润总额(万元)	10522.36	7410.36	6031.78	7826.29

华映科技(集团)股份有限公司

公司概况

公司名称	华映科技(集团)股份有限公司			证券简称	华映科技
法人代表	刘治军	董秘	陈伟	证券代码	000536
公司网址	www.cpttg.com		电子信箱	gw@cptf.com.cn	
电　话	0591-88022590		传　真	0591-88022061	
办公地址	福建省福州市马尾区儒江西路6号1#楼三、四层				
经营范围	电机制造、机电产品的贸易、金属材料的经营等				

主要财务指标

指标＼报告期	2016.06.30	2015.12.31	2015.06.30	2014.12.31
基本每股收益(元)	0.5104	0.1950	0.0449	0.3205
基本每股收益(扣除后)(元)	−0.0765	0.1492	0.0271	0.0882
稀释每股收益(元)	0.5104	0.1950	0.0449	0.3205
每股净资产(元)	3.9351	3.7359	3.6050	3.5954
每股经营现金净流量(元)	0.2092	2.5521	1.9960	1.8702
每股现金流量(元)	0.6520	−0.4546	−0.0545	1.2946
每股资本公积金(元)	0.8852	0.8958	1.0437	1.0804
每股盈余公积金(元)	0.2963	0.6521	0.6476	0.6476
每股未分配利润(元)	1.7548	0.8885	0.7429	0.6980
净资产收益率(%)	12.9710	5.2209	1.2466	8.9150
加权净资产收益率(%)	13.3100	5.3900	1.2400	9.4400
净资产收益率(扣除)(%)	−1.9429	3.9950	0.7507	2.4523
总资产(万元)	932220.42	897266.61	1015181.89	1043648.40
归属母公司股东权益(万元)	306584.69	291065.32	280862.89	280116.64
营业收入(万元)	194340.05	543356.67	279505.77	701818.66
营业支出(万元)	169524.87	469293.32	249463.19	621067.15
投资收益(万元)	59417.74	19.13	6.94	179.48
净利润(万元)	38934.15	20059.99	7391.87	37406.54
营业利润(万元)	54022.72	24480.50	9400.01	40724.70
利润总额(万元)	55579.63	29507.48	11579.64	50451.56

天津广宇发展股份有限公司

公司概况

公司名称	天津广宇发展股份有限公司			证券简称	广宇发展
法人代表	钟安刚	董秘	韩玉卫	证券代码	000537
公司网址	www.tjgy.sdln.sgcc.com.cn		电子信箱	tjgyfz@163.com	
电　话	022-58921183　58921176		传　真	022-58921188	
办公地址	北京市朝阳区朝外大街5号10层				
经营范围	房地产开发及商品房销售、对住宿酒店及餐饮酒店投资等				

主要财务指标

指标＼报告期	2016.06.30	2015.12.31	2015.06.30	2014.12.31
基本每股收益(元)	0.1800	0.2800	0.1700	0.5500
基本每股收益(扣除后)(元)	0.0400	0.2500	0.1400	0.4400
稀释每股收益(元)	0.1800	0.2800	0.1700	0.5500
每股净资产(元)	3.9849	3.8077	3.7031	3.5301
每股经营现金净流量(元)	−2.1785	−5.0997	−1.3143	−0.9145
每股现金流量(元)	1.9813	0.5336	0.2204	−2.3052
每股资本公积金(元)	0.1691	0.1690	0.1690	0.1690
每股盈余公积金(元)	0.1316	0.1316	0.1316	0.1316
每股未分配利润(元)	2.6842	2.5071	2.4024	2.2294
净资产收益率(%)	4.4445	7.2922	4.6712	15.5057
加权净资产收益率(%)	4.5500	7.5700	4.7800	16.8100
净资产收益率(扣除)(%)	1.0013	6.5413	3.7131	12.3508
总资产(万元)	1165512.95	799459.23	508788.93	481428.37
归属母公司股东权益(万元)	204311.13	195229.89	189862.14	180993.30
营业收入(万元)	72063.61	144364.36	67310.06	128318.65
营业支出(万元)	35441.29	69280.65	29768.56	65350.35
投资收益(万元)	−6406.03	1465.39	1272.63	8692.23
净利润(万元)	14112.05	24300.86	15528.39	43200.76
营业利润(万元)	7602.03	31003.50	19208.53	44398.28
利润总额(万元)	7636.98	31057.15	19221.75	44450.21

云南白药集团股份有限公司

公司概况

公司名称	云南白药集团股份有限公司			证券简称	云南白药
法人代表	王明辉	董秘	吴伟	证券代码	000538
公司网址	www.yunnanbaiyao.com.cn		电子信箱	wuwei@yunnanbaiyao.com.cn	
电　话	0871-6324159　6226106		传　真	0871-6324159	
办公地址	云南省昆明市呈贡区云南白药街3686号				
经营范围	化学原料药、化学药制剂、中成药、中药材、生物制品、保健食品等				

主要财务指标

指标＼报告期	2016.06.30	2015.12.31	2015.06.30	2014.12.31
基本每股收益(元)	1.3300	2.6600	1.2100	2.4100
基本每股收益(扣除后)(元)	1.2700	2.5100	1.1600	2.1800
稀释每股收益(元)	1.3300	2.6600	1.2100	2.4100
每股净资产(元)	13.6319	12.8990	11.9412	10.7404
每股经营现金净流量(元)	2.0083	2.0929	1.8646	1.5238
每股现金流量(元)	−0.0985	0.5941	1.1309	−0.0566
每股资本公积金(元)	1.2002	1.2002	1.1976	1.1971
每股盈余公积金(元)	0.7398	0.7398	0.6442	0.6494
每股未分配利润(元)	10.6919	9.9590	9.0993	7.8939
净资产收益率(%)	9.7779	20.6271	10.0945	22.4056
加权净资产收益率(%)	9.8300	22.4300	10.5300	24.8600
净资产收益率(扣除)(%)	9.2984	19.4688	9.7080	20.2672
总资产(万元)	2147430.55	1929094.04	1768386.45	1634134.02
归属母公司股东权益(万元)	1419626.25	1343301.01	1243553.57	1118506.57
营业收入(万元)	1045241.45	2073812.62	954257.47	1881436.64
营业支出(万元)	730561.35	1440590.48	662219.91	1313919.77
投资收益(万元)	9654.70	17499.35	7323.12	10553.54
净利润(万元)	138519.95	275558.11	125190.63	249732.67
营业利润(万元)	157454.63	316824.13	143861.21	282982.55
利润总额(万元)	162009.45	321533.52	146567.79	291014.51

广东电力发展股份有限公司

公司概况					
公司名称	广东电力发展股份有限公司			证券简称	粤电力 A
法人代表	李灼贤	董秘	刘维	证券代码	000539
公司网址	www.ged.com.cn		电子信箱	ged@ged.com.cn	
电　话	020-87570276 87570251		传　真	020-85138084	
办公地址	广东省广州市天河东路 2 号粤电广场南塔 23-26 楼				
经营范围	电力项目的投资、建设和经营管理、电力的生产和销售、电力行业技术咨询和服务				

主要财务指标：指标\报告期	2016.06.30	2015.12.31	2015.06.30	2014.12.31
基本每股收益(元)	0.1400	0.6200	0.3300	0.6900
基本每股收益(扣除后)(元)	0.1400	0.5600	0.2900	0.7100
稀释每股收益(元)	0.1400	0.6200	0.3300	0.6900
每股净资产(元)	4.4146	4.5244	4.2570	4.8706
每股经营现金净流量(元)	0.8945	1.9889	1.0861	1.9182
每股现金流量(元)	0.1678	0.1332	0.3776	0.0345
每股资本公积金(元)	0.9538	0.9537	0.9520	1.1424
每股盈余公积金(元)	1.3037	1.1070	1.1070	1.0996
每股未分配利润(元)	1.1309	1.4169	1.1281	1.5892
净资产收益率(%)	3.1857	13.6299	7.7001	14.0965
加权净资产收益率(%)	3.0900	14.4200	7.7300	14.9400
净资产收益率(扣除)(%)	3.2078	12.4354	6.7846	14.6113
总资产(万元)	7204134.44	7191993.41	7251976.14	6908482.59
归属母公司股东权益(万元)	2317812.77	2375459.70	2235025.64	2131005.46
营业收入(万元)	1023498.96	2572381.08	1291155.32	2904656.87
营业支出(万元)	776791.02	1805375.48	918172.20	2094010.02
投资收益(万元)	12872.15	80139.81	51997.07	61210.91
净利润(万元)	104921.34	463014.34	239813.62	432875.00
营业利润(万元)	146825.35	571330.46	295638.95	564133.70
利润总额(万元)	146469.54	579312.77	297652.49	557420.56

中天金融集团股份有限公司

公司概况					
公司名称	中天金融集团股份有限公司			证券简称	中天金融
法人代表	罗玉平	董秘	谭忠游	证券代码	000540
公司网址	www.ztcn.cn		电子信箱	ztct@ztcn.cn	
电　话	0851-86988177		传　真	0851-86988377	
办公地址	贵州省贵阳市观山湖区中天路 3 号 201 中心				
经营范围	一级房地产开发、城市基础设施及配套项目开发、拆迁安置及服务等				

主要财务指标：指标\报告期	2016.06.30	2015.12.31	2015.06.30	2014.12.31
基本每股收益(元)	0.3615	0.6073	0.3321	1.2215
基本每股收益(扣除后)(元)	0.3615	0.5262	0.2926	0.9355
稀释每股收益(元)	0.3646	0.6064	0.3321	1.2197
每股净资产(元)	2.8621	2.6939	1.9574	4.2512
每股经营现金净流量(元)	-0.1489	-0.0225	-0.8145	0.9311
每股现金流量(元)	-0.8802	0.8577	-0.1481	0.4608
每股资本公积金(元)	0.7844	0.8425	0.1589	1.3793
每股盈余公积金(元)	0.1139	0.1237	0.0827	0.2074
每股未分配利润(元)	1.0294	0.9452	0.7158	1.6645
净资产收益率(%)	12.5340	20.6631	16.9555	21.9659
加权净资产收益率(%)	13.0900	32.1800	18.1800	38.7900
净资产收益率(扣除)(%)	12.4097	17.9042	14.9373	16.8229
总资产(万元)	5086870.94	5540014.59	4324834.30	4339495.91
归属母公司股东权益(万元)	1342187.02	1261563.46	842788.58	730032.73
营业收入(万元)	1042883.69	1538609.47	804400.78	1139090.84
营业支出(万元)	689217.12	993345.53	531831.15	782656.88
投资收益(万元)	2047.24	4543.78	16.55	849.88
净利润(万元)	167493.40	261433.73	142647.00	160230.78
营业利润(万元)	194016.22	268729.61	158461.18	166486.05
利润总额(万元)	195878.61	292052.96	158780.42	213081.98

佛山电器照明股份有限公司

公司概况					
公司名称	佛山电器照明股份有限公司			证券简称	佛山照明
法人代表	何勇	董秘	林奕辉	证券代码	000541
公司网址	www.chinafsl.com		电子信箱	gzfsligh@pub.foshan.gd.cn	
电　话	0757-82966028 82966062		传　真	0757-82816276	
办公地址	广东省佛山市禅城区汾江北路 64 号				
经营范围	研究、开发、生产电光源产品、电光源设备、电光源配套器件等				

主要财务指标：指标\报告期	2016.06.30	2015.12.31	2015.06.30	2014.12.31
基本每股收益(元)	0.1627	0.0420	0.0788	0.2700
基本每股收益(扣除后)(元)	0.1624	0.1200	0.0722	0.3100
稀释每股收益(元)	0.1627	0.0420	0.0788	0.2700
每股净资产(元)	4.2094	3.9489	3.4000	3.1113
每股经营现金净流量(元)	0.2292	0.1480	0.0780	0.3123
每股现金流量(元)	-0.1202	-0.0441	-0.0908	0.0940
每股资本公积金(元)	0.2329	0.2329	0.2329	0.6028
每股盈余公积金(元)	0.4940	0.4940	0.4922	0.6399
每股未分配利润(元)	0.6325	0.4824	0.5210	0.7948
净资产收益率(%)	3.8642	1.0631	2.3179	8.7409
加权净资产收益率(%)	3.9400	1.2700	3.4800	9.0800
净资产收益率(扣除)(%)	3.8588	2.9878	2.1226	10.0608
总资产(万元)	650258.37	604829.64	531442.74	373670.43
归属母公司股东权益(万元)	535489.44	502354.69	432539.70	304458.57
营业收入(万元)	175567.09	287665.91	152436.28	306864.12
营业支出(万元)	132298.26	218555.86	116604.34	224705.47
投资收益(万元)	1372.07	1952.38	2070.92	1921.46
净利润(万元)	20661.23	3768.47	9651.56	26666.60
营业利润(万元)	24938.03	17967.89	13644.08	37018.78
利润总额(万元)	24603.82	4599.30	12444.94	31912.84

安徽省皖能股份有限公司

公司概况					
公司名称	安徽省皖能股份有限公司			证券简称	皖能电力
法人代表	张飞飞	董秘	周庆霞	证券代码	000543
公司网址	www.wenergy.cn		电子信箱	wn000543@wenergy.cn	
电　话	0551-2225811		传　真	0551-2225800	
办公地址	安徽省合肥市马鞍山路 76 号能源大厦 5、8-10 层				
经营范围	公司主营电力、节能及相关项目投资、经营				

主要财务指标：指标\报告期	2016.06.30	2015.12.31	2015.06.30	2014.12.31
基本每股收益(元)	0.2897	0.6500	0.6776	0.8800
基本每股收益(扣除后)(元)	0.2856	0.6000	0.6052	0.8800
稀释每股收益(元)	0.2897	0.6500	0.6776	0.8800
每股净资产(元)	4.8410	5.0873	9.3044	8.3885
每股经营现金净流量(元)	0.6395	1.7791	1.6361	3.3570
每股现金流量(元)	0.3523	0.0858	0.6042	-0.4714
每股资本公积金(元)	1.1204	1.1204	2.4045	2.4045
每股盈余公积金(元)	0.5228	0.5228	0.8090	0.8090
每股未分配利润(元)	1.5854	1.5958	2.5966	2.0991
净资产收益率(%)	5.9838	12.6788	7.2823	10.5033
加权净资产收益率(%)	5.8400	12.8900	7.6100	11.9600
净资产收益率(扣除)(%)	5.8988	11.8071	6.5044	10.4960
总资产(万元)	2292647.33	2277914.87	2364895.62	2298162.97
归属母公司股东权益(万元)	866727.64	910826.29	979916.37	883459.58
营业收入(万元)	423414.11	1129772.70	585399.52	1286626.63
营业支出(万元)	349403.09	870444.23	434807.13	1035449.94
投资收益(万元)	31283.94	34394.47	23098.13	21997.83
净利润(万元)	72943.52	198098.84	121588.75	163233.75
营业利润(万元)	85407.92	243718.24	146524.14	209305.08
利润总额(万元)	87317.12	248984.25	150275.73	210041.69

中原环保股份有限公司

公司概况

公司名称	中原环保股份有限公司			证券简称	中原环保
法人代表	李建平	董秘	郑玉民	证券代码	000544
公司网址	www.cpepgc.com		电子信箱	zyhb@cpepgc.com	
电　话	0371-65376969　65376616		传　真	0371-65629981	
办公地址	河南省郑州市郑东新区才高街 6 号东方鼎盛中心 A 座 10 层				
经营范围	污水、污泥处理、养殖、种植.中水利用、供热及管网维修等				

主要财务指标

指标\报告期	2016.06.30	2015.12.31	2015.06.30	2014.12.31
基本每股收益(元)	0.2200	0.3800	0.1400	0.2500
基本每股收益(扣除后)(元)	0.1700	0.2400	0.1000	0.1500
稀释每股收益(元)	0.2200	0.3800	0.1400	0.2500
每股净资产(元)	7.1985	3.6379	3.3955	3.2936
每股经营现金净流量(元)	0.0194	1.6290	-0.1810	0.6206
每股现金流量(元)	-0.0190	0.6615	0.0288	0.0709
每股资本公积金(元)	5.5781	12.6664	1.7525	1.7525
每股盈余公积金(元)	0.0620	0.1315	0.1039	0.1039
每股未分配利润(元)	0.5584	0.7539	0.5391	0.4372
净资产收益率(%)	3.0819	10.4325	4.0387	7.4558
加权净资产收益率(%)	3.1600	10.9500	4.1000	7.7200
净资产收益率(扣除)(%)	1.5103	6.5997	2.8740	4.6999
总资产(万元)	557182.31	536113.21	233505.84	229587.61
归属母公司股东权益(万元)	411384.57	392111.81	91495.45	88749.45
营业收入(万元)	44366.19	51827.69	31790.39	57827.78
营业支出(万元)	26182.32	37061.65	21414.67	39451.31
投资收益(万元)	-	900.00	900.00	750.00
净利润(万元)	12747.56	10349.62	3812.57	6795.98
营业利润(万元)	9573.66	7376.95	4357.52	5674.12
利润总额(万元)	14048.47	12471.34	4658.36	7915.54

金浦钛业股份有限公司

公司概况

公司名称	金浦钛业股份有限公司			证券简称	金浦钛业
法人代表	郭金东	董秘	赉银良	证券代码	000545
公司网址	www.nthcl.com		电子信箱	nj000545@sina.cn	
电　话	025-83799778		传　真	025-58366500	
办公地址	江苏省南京市六合区南京化工园大玮东路 229 号				
经营范围	钛矿资源技术开发				

主要财务指标

指标\报告期	2016.06.30	2015.12.31	2015.06.30	2014.12.31
基本每股收益(元)	0.0300	0.1300	0.1500	0.1300
基本每股收益(扣除后)(元)	0.0100	0.0060	0.0300	0.0400
稀释每股收益(元)	0.0300	0.1300	0.1500	0.1300
每股净资产(元)	1.7977	1.7888	3.4200	4.2800
每股经营现金净流量(元)	-0.1282	0.0683	0.0275	0.2085
每股现金流量(元)	-0.0956	0.0884	-0.1413	-0.2547
每股资本公积金(元)	-0.0650	-0.0799	0.8403	1.3924
每股盈余公积金(元)	0.0628	0.0628	0.1255	0.1632
每股未分配利润(元)	0.7998	0.7957	1.4574	1.7231
净资产收益率(%)	1.9004	7.4315	3.8540	2.5677
加权净资产收益率(%)	1.9100	7.7400	3.9300	4.4700
净资产收益率(扣除)(%)	0.8041	0.4270	0.8725	0.8545
总资产(万元)	244311.78	252483.19	239650.95	211450.02
归属母公司股东权益(万元)	177406.39	176522.31	168904.98	162395.34
营业收入(万元)	33742.21	70987.23	40084.65	73494.38
营业支出(万元)	27359.19	60019.76	33601.72	63466.60
投资收益(万元)	1665.70	10290.84	4930.67	538.17
净利润(万元)	3371.36	13118.22	6509.64	4169.75
营业利润(万元)	3138.50	10971.61	6921.50	1895.71
利润总额(万元)	3936.22	15339.36	7693.93	4502.43

金圆水泥股份有限公司

公司概况

公司名称	金圆水泥股份有限公司			证券简称	金圆股份
法人代表	赵辉	董秘	王函颖	证券代码	000546
公司网址	www.jysn.com		电子信箱	jygf@jysn.com	
电　话	0571-86602265		传　真	0571-85286821	
办公地址	浙江省杭州市滨江区江虹路 1750 号润和信雅达创意中心 1 号楼 22 楼				
经营范围	房地产开发和销售				

主要财务指标

指标\报告期	2016.06.30	2015.12.31	2015.06.30	2014.12.31
基本每股收益(元)	0.1331	0.4418	0.0191	0.3012
基本每股收益(扣除后)(元)	0.1300	0.3200	-0.0433	-0.1231
稀释每股收益(元)	0.1331	0.4415	0.0191	0.3012
每股净资产(元)	3.2434	3.1051	2.7392	2.7306
每股经营现金净流量(元)	-0.1216	0.4668	0.0568	0.2765
每股现金流量(元)	-0.1142	0.0989	-0.0625	-0.1105
每股资本公积金(元)	1.0297	1.0260	1.0320	1.0320
每股盈余公积金(元)	0.0691	0.0691	0.0691	0.0691
每股未分配利润(元)	1.1544	1.0214	0.5987	0.5796
净资产收益率(%)	4.1036	14.2277	0.6985	7.9349
加权净资产收益率(%)	4.2000	15.0600	0.7000	13.0800
净资产收益率(扣除)(%)	4.0080	10.3354	-1.5825	-1.5460
总资产(万元)	445436.81	438279.14	407613.50	408962.13
归属母公司股东权益(万元)	194095.77	185824.41	163923.61	163407.07
营业收入(万元)	84832.37	186523.65	53002.62	137346.98
营业支出(万元)	52800.03	124313.92	46559.85	97851.64
投资收益(万元)	-864.31	5480.82	2932.97	-642.04
净利润(万元)	8783.22	29025.04	1098.95	24498.45
营业利润(万元)	11363.04	31286.32	-102.66	19965.04
利润总额(万元)	11752.17	35234.48	272.65	28510.52

航天工业发展股份有限公司

公司概况

公司名称	航天工业发展股份有限公司			证券简称	航天发展
法人代表	刘著平	董秘	吴小兰	证券代码	000547
公司网址	www.szxrjt.com		电子信箱	fufa@szxrjt.com	
电　话	0591-83283128		传　真	0591-83296358	
办公地址	福建省福州市台江区五一南路 17 号工行五一支行 13 层				
经营范围	电子、电子计算机、通讯、网络信息、环境保护等				

主要财务指标

指标\报告期	2016.06.30	2015.12.31	2015.06.30	2014.12.31
基本每股收益(元)	0.0600	0.2300	0.1600	0.2300
基本每股收益(扣除后)(元)	0.0600	0.2200	-0.0300	0.0300
稀释每股收益(元)	0.0600	0.2300	0.1600	0.2300
每股净资产(元)	3.7263	3.7185	2.5079	2.4017
每股经营现金净流量(元)	-0.1990	0.1199	0.0982	2.6496
每股现金流量(元)	-0.1994	1.5404	1.1389	2.4659
每股资本公积金(元)	3.1999	3.1999	0.5304	0.7735
每股盈余公积金(元)	0.0296	0.0296	0.0777	0.8457
每股未分配利润(元)	0.3847	0.3660	0.7645	6.3156
净资产收益率(%)	1.7102	3.9030	6.5205	9.0808
加权净资产收益率(%)	1.7100	7.2900	6.6600	10.4000
净资产收益率(扣除)(%)	1.7079	3.8192	-1.1675	1.2665
总资产(万元)	679254.93	678504.36	419927.71	57071.42
归属母公司股东权益(万元)	532729.00	531604.88	237895.63	44674.11
营业收入(万元)	71758.14	112272.55	31230.78	85598.13
营业支出(万元)	40074.57	58918.35	19772.06	54946.16
投资收益(万元)	17.00	270.60	25831.85	15977.62
净利润(万元)	11575.32	21616.46	16570.32	22920.73
营业利润(万元)	13582.19	24324.69	20980.83	26038.43
利润总额(万元)	13584.32	24671.82	21712.53	26180.80

湖南投资集团股份有限公司

公司概况					
公司名称	湖南投资集团股份有限公司			证券简称	湖南投资
法人代表	刘林平	董秘	马宁	证券代码	000548
公司网址	www.hntz.com.cn		电子信箱	hntz0548@126.com	
电　　话	0731-82327666		传　　真	0731-82327566	
办公地址	湖南省长沙市芙蓉中路508号之三君逸康年大酒店十二楼				
经营范围	投资建设并收费经营公路、桥梁及各类城市基础设施等				

主要财务指标	2016.06.30	2015.12.31	2015.06.30	2014.12.31
指标\报告期	2016.06.30	2015.12.31	2015.06.30	2014.12.31
基本每股收益(元)	0.0940	0.0400	0.0090	0.0400
基本每股收益(扣除后)(元)	0.0020	0.0300	0.0060	0.0300
稀释每股收益(元)	0.0940	0.0400	0.0090	0.0400
每股净资产(元)	3.0632	2.9692	2.9402	2.9814
每股经营现金净流量(元)	0.9657	0.1575	0.2089	0.4935
每股现金流量(元)	0.7169	0.0464	0.1195	0.0901
每股资本公积金(元)	0.9580	0.9580	0.9580	0.9580
每股盈余公积金(元)	0.2082	0.2082	0.2020	0.2020
每股未分配利润(元)	0.8969	0.8029	0.7801	0.8213
净资产收益率(%)	3.0675	1.2732	0.2976	1.2005
加权净资产收益率(%)	3.1100	1.2700	0.2900	1.2100
净资产收益率(扣除)(%)	0.0755	1.0105	0.1921	1.0724
总资产(万元)	231007.43	205839.19	201881.57	194236.45
归属母公司股东权益(万元)	152918.76	148227.99	146777.59	148836.87
营业收入(万元)	8848.47	18288.00	8438.25	20568.35
营业支出(万元)	3946.20	7188.49	3463.51	7276.32
投资收益(万元)	-281.59	43.09	-48.15	435.75
净利润(万元)	4185.71	746.20	-76.60	1939.99
营业利润(万元)	5700.78	1826.23	234.13	3024.79
利润总额(万元)	5853.56	1887.82	298.79	2636.81

江铃汽车股份有限公司

公司概况					
公司名称	江铃汽车股份有限公司			证券简称	江铃汽车
法人代表	王锡高	董秘	宛虹	证券代码	000550
公司网址	www.jmc.com.cn		电子信箱	relations@jmc.com.cn	
电　　话	0791-85266000 85235675		传　　真	0791-85232839	
办公地址	江西省南昌市迎宾北大道509号				
经营范围	生产和销售轻型汽车以及相关的零部件				

主要财务指标	2016.06.30	2015.12.31	2015.06.30	2014.12.31
指标\报告期	2016.06.30	2015.12.31	2015.06.30	2014.12.31
基本每股收益(元)	0.8200	2.5700	1.2500	2.4400
基本每股收益(扣除后)(元)	0.5700	1.8400	1.0400	1.8000
稀释每股收益(元)	0.8200	2.5700	1.2500	2.4400
每股净资产(元)	13.6658	13.8797	12.5608	12.2779
每股经营现金净流量(元)	1.1444	2.2305	0.2672	4.8540
每股现金流量(元)	0.7204	-0.1337	-0.2951	2.8770
每股资本公积金(元)	0.9725	0.9725	0.9725	0.9725
每股盈余公积金(元)	0.5000	0.5000	0.5000	0.5000
每股未分配利润(元)	11.1988	11.4127	10.0914	9.8085
净资产收益率(%)	5.9722	18.5463	9.9748	19.8883
加权净资产收益率(%)	5.7100	19.5600	9.7100	21.2000
净资产收益率(扣除)(%)	4.1609	13.2553	8.2512	14.6850
总资产(万元)	2130788.61	2105072.57	1955978.62	1949652.77
归属母公司股东权益(万元)	1179654.83	1198114.21	1084264.35	1059842.88
营业收入(万元)	1081073.56	2452789.28	1198932.74	2553728.96
营业支出(万元)	835608.32	1813113.50	900981.64	1909871.53
投资收益(万元)	530.22	872.35	194.23	1685.93
净利润(万元)	70451.67	222206.11	108153.23	210785.21
营业利润(万元)	54009.81	180190.80	106428.67	185197.68
利润总额(万元)	77061.95	250960.37	126745.62	242929.52

创元科技股份有限公司

公司概况					
公司名称	创元科技股份有限公司			证券简称	创元科技
法人代表	刘春奇	董秘	周成明	证券代码	000551
公司网址	www.000551.cn		电子信箱	dmc@000551.cn	
电　　话	0512-68241551		传　　真	0512-68245551	
办公地址	江苏省苏州市苏州工业园区苏桐路37号				
经营范围	空气净化设备、洁净产品、停车设备、仪器仪表、磨具磨料、高压绝缘子等				

主要财务指标	2016.06.30	2015.12.31	2015.06.30	2014.12.31
指标\报告期	2016.06.30	2015.12.31	2015.06.30	2014.12.31
基本每股收益(元)	0.1000	0.0600	0.0500	0.0800
基本每股收益(扣除后)(元)	0.0700	0.0200	0.0400	0.0200
稀释每股收益(元)	0.1000	0.0600	0.0500	0.0800
每股净资产(元)	3.4147	3.2890	3.2676	3.3083
每股经营现金净流量(元)	0.0890	0.3711	-0.0038	0.2256
每股现金流量(元)	-0.0538	0.0379	-0.1981	-0.2047
每股资本公积金(元)	0.8177	0.7896	0.7710	0.7654
每股盈余公积金(元)	0.3652	0.3652	0.3608	0.3608
每股未分配利润(元)	1.2316	1.1339	1.1354	1.1817
净资产收益率(%)	2.8598	1.8324	1.6435	2.3460
加权净资产收益率(%)	2.9100	1.8300	1.6100	2.3800
净资产收益率(扣除)(%)	1.9551	0.5125	1.1295	0.7427
总资产(万元)	339488.96	331819.09	323626.99	328200.96
归属母公司股东权益(万元)	136617.13	131585.31	130729.75	132357.03
营业收入(万元)	111930.69	215012.23	111217.65	227329.15
营业支出(万元)	81915.48	161007.72	84229.27	169425.05
投资收益(万元)	240.73	1007.99	423.63	1037.65
净利润(万元)	6728.59	6214.86	4119.69	7855.86
营业利润(万元)	6123.81	4257.51	3931.38	6776.13
利润总额(万元)	7847.65	7527.46	5067.49	9787.31

甘肃靖远煤电股份有限公司

公司概况					
公司名称	甘肃靖远煤电股份有限公司			证券简称	靖远煤电
法人代表	梁习明	董秘	滕万军	证券代码	000552
公司网址			电子信箱	jingymd@163.com	
电　　话	0931-8508220 0943-6658330		传　　真	0931-8508220 0943-6658330	
办公地址	甘肃省白银市平川区大桥路1号				
经营范围	煤炭开采、洗选、销售、洁净能源的再加工利用、燃煤和瓦斯发电等				

主要财务指标	2016.06.30	2015.12.31	2015.06.30	2014.12.31
指标\报告期	2016.06.30	2015.12.31	2015.06.30	2014.12.31
基本每股收益(元)	0.0335	0.1623	0.1091	0.4618
基本每股收益(扣除后)(元)	0.0333	0.1404	0.1077	0.4468
稀释每股收益(元)	0.0335	0.1623	0.1091	0.4618
每股净资产(元)	2.6938	5.3539	5.3746	3.7675
每股经营现金净流量(元)	-0.0025	-0.0190	-0.1824	0.0301
每股现金流量(元)	-0.3060	1.0918	0.9671	-0.1996
每股资本公积金(元)	0.8044	2.5084	2.5097	-0.1019
每股盈余公积金(元)	0.0911	0.1821	0.1634	0.2599
每股未分配利润(元)	0.6722	1.4178	1.3883	2.0826
净资产收益率(%)	1.2369	2.9373	2.0293	12.2575
加权净资产收益率(%)	1.2400	5.7600	2.4900	12.7700
净资产收益率(扣除)(%)	1.2348	2.5414	2.0046	11.8598
总资产(万元)	936871.73	925757.39	860987.42	630190.80
归属母公司股东权益(万元)	616071.43	612213.21	614578.01	270844.56
营业收入(万元)	143451.99	264687.67	115565.83	330348.60
营业支出(万元)	115006.84	206999.68	84345.29	243024.91
投资收益(万元)	-	1183.15	-	236.64
净利润(万元)	7659.69	18020.96	12475.89	33200.58
营业利润(万元)	8993.85	18658.99	13988.17	36421.50
利润总额(万元)	8846.58	19680.76	13991.49	36592.20

湖北沙隆达股份有限公司

公司概况

公司名称	湖北沙隆达股份有限公司			证券简称	沙隆达 A
法人代表	安礼如	董秘	李忠禧	证券代码	000553
公司网址	www.sanonda.cn		电子信箱	sld@agr.chemchina.com	
电　话	0716-8208632		传　真	0716-8321099	
办公地址	湖北省荆州市北京东路 93 号				
经营范围	农药与化工产品的生产和销售等				

主要财务指标

指标\报告期	2016.06.30	2015.12.31	2015.06.30	2014.12.31
基本每股收益(元)	0.0283	0.2388	0.1981	0.8280
基本每股收益(扣除后)(元)	0.0108	0.2388	0.1944	0.8254
稀释每股收益(元)	0.0283	0.2388	0.1981	0.8280
每股净资产(元)	3.5402	3.5314	3.4872	3.3803
每股经营现金净流量(元)	0.0787	0.4649	-0.0325	1.1772
每股现金流量(元)	0.0538	-0.0215	0.0152	0.0148
每股资本公积金(元)	0.4429	0.4429	0.4431	0.4431
每股盈余公积金(元)	0.3211	0.3211	0.2998	0.2998
每股未分配利润(元)	1.7322	1.7289	1.7095	1.6114
净资产收益率(%)	0.7994	6.7627	5.6819	24.4951
加权净资产收益率(%)	0.8000	6.9000	5.7400	27.6800
净资产收益率(扣除)(%)	0.3043	6.5476	5.5763	24.4188
总资产(万元)	304379.40	297726.82	323290.21	293429.97
归属母公司股东权益(万元)	210258.86	209738.25	207111.57	200763.12
营业收入(万元)	100569.72	216993.66	123525.17	313118.63
营业支出(万元)	85918.81	172941.68	94176.76	219227.41
投资收益(万元)	7.55	166.72	-	171.65
净利润(万元)	1680.76	14195.56	11764.43	49128.39
营业利润(万元)	922.71	18332.25	15762.11	66691.87
利润总额(万元)	2310.65	18902.54	16054.37	66866.60

中国石化山东泰山石油股份有限公司

公司概况

公司名称	中国石化山东泰山石油股份有限公司			证券简称	泰山石油
法人代表	任君	董秘	李支清	证券代码	000554
公司网址			电子信箱	tssyfgm@163.com	
电　话	0538-6269630		传　真	0538-8265450	
办公地址	山东省泰安市东岳大街 104 号				
经营范围	汽油、柴油、煤油的批发和零售，许可证范围内的天然气经营等				

主要财务指标

指标\报告期	2016.06.30	2015.12.31	2015.06.30	2014.12.31
基本每股收益(元)	0.0025	0.0078	0.0040	0.0141
基本每股收益(扣除后)(元)	0.0080	0.0202	0.0087	0.0255
稀释每股收益(元)	0.0025	0.0078	0.0040	0.0141
每股净资产(元)	1.8968	1.8942	1.9058	1.9018
每股经营现金净流量(元)	0.0971	0.0933	-0.0392	-0.0300
每股现金流量(元)	0.0119	-0.0638	-0.0827	-0.0842
每股资本公积金(元)	0.3894	0.3894	0.3947	0.3947
每股盈余公积金(元)	0.2299	0.2299	0.2277	0.2277
每股未分配利润(元)	0.2775	0.2750	0.2834	0.2794
净资产收益率(%)	0.1338	0.4106	0.2106	0.7425
加权净资产收益率(%)	0.1300	0.4100	0.2100	0.7500
净资产收益率(扣除)(%)	0.4213	1.0657	0.6384	1.3413
总资产(万元)	107819.48	106256.40	104312.89	109464.05
归属母公司股东权益(万元)	91196.72	91074.11	91629.60	91436.62
营业收入(万元)	135927.83	294008.83	152830.46	391181.03
营业支出(万元)	124397.82	270893.48	142491.95	367195.55
投资收益(万元)	-32.62	-34.13	-10.71	4.19
净利润(万元)	141.18	380.72	371.25	641.88
营业利润(万元)	480.61	1421.60	883.11	1707.50
利润总额(万元)	219.14	823.43	496.69	1124.74

神州数码信息服务股份有限公司

公司概况

公司名称	神州数码信息服务股份有限公司			证券简称	神州信息
法人代表	郭为	董秘	王燕	证券代码	000555
公司网址	www.dcits.com		电子信箱	dcits-ir@dcits.com	
电　话	010-61853676		传　真	010-62694810	
办公地址	北京市海淀区苏州街 16 号神州数码大厦五层资本证券部				
经营范围	经销电器，以及提供 TEC5200 综合业务接入网，VE-NET100 等产品				

主要财务指标

指标\报告期	2016.06.30	2015.12.31	2015.06.30	2014.12.31
基本每股收益(元)	0.0865	0.3820	0.2429	0.6482
基本每股收益(扣除后)(元)	0.0839	0.3557	0.2313	0.6143
稀释每股收益(元)	0.0865	0.3820	0.2429	0.6482
每股净资产(元)	3.5870	3.5403	6.5697	6.3845
每股经营现金净流量(元)	-0.1427	0.0854	-1.1636	1.0964
每股现金流量(元)	-1.1244	0.1952	-0.4529	0.3669
每股资本公积金(元)	1.2176	1.2174	3.4350	3.4350
每股盈余公积金(元)	0.0222	0.0222	0.0219	0.0219
每股未分配利润(元)	1.2749	1.2284	1.9582	1.7753
净资产收益率(%)	2.4124	10.7906	3.6978	9.5407
加权净资产收益率(%)	2.4200	11.3400	3.7300	13.6900
净资产收益率(扣除)(%)	2.3385	10.0465	3.5208	9.0407
总资产(万元)	776123.42	737166.09	697557.10	640336.34
归属母公司股东权益(万元)	329215.47	324931.90	301487.15	292988.20
营业收入(万元)	355806.13	671285.58	287034.32	655900.79
营业支出(万元)	296610.92	532616.33	230085.43	535740.95
投资收益(万元)	1016.06	2574.05	1400.36	3576.10
净利润(万元)	8097.39	37198.73	9536.98	28712.46
营业利润(万元)	6513.22	42158.21	9410.86	30789.27
利润总额(万元)	7589.82	45805.62	10570.28	33095.05

宁夏西部创业实业股份有限公司

公司概况

公司名称	宁夏西部创业实业股份有限公司			证券简称	西部创业
法人代表	王天林	董秘	刘登昭	证券代码	000557
公司网址	www.guangxia.com.cn		电子信箱	guangxiayinchuan@sina.com	
电　话	0951-3975696		传　真	0951-3975696	
办公地址	宁夏回族自治区银川市北京中路 168 号 C 座一楼				
经营范围	生态农业产业化、天然物产的种植、加工和销售等				

主要财务指标

指标\报告期	2016.06.30	2015.12.31	2015.06.30	2014.12.31
基本每股收益(元)	-0.0443	-0.0254	0.0010	0.0017
基本每股收益(扣除后)(元)	-0.0436	0.0011	0.0010	-0.0003
稀释每股收益(元)	-0.0436	-0.0254	0.0010	0.0017
每股净资产(元)	2.6525	0.1795	0.2050	0.2049
每股经营现金净流量(元)	0.0582	-0.0132	-0.0077	-0.0042
每股现金流量(元)	-0.0119	-0.1741	-0.1824	-0.0136
每股资本公积金(元)	1.3543	6.2520	1.4828	1.4827
每股盈余公积金(元)	0.0915	0.1971	0.0025	0.0025
每股未分配利润(元)	0.2013	-1.6119	-2.2803	-2.2804
净资产收益率(%)	-	-14.1590	0.0426	0.8344
加权净资产收益率(%)	-	-0.6800	0.1000	0.2100
净资产收益率(扣除)(%)	-	-0.6345	0.1023	-0.1371
总资产(万元)	513166.49	547126.72	27413.40	27595.44
归属母公司股东权益(万元)	386840.51	401311.51	14065.98	14056.38
营业收入(万元)	14746.54	1828.09	491.05	838.60
营业支出(万元)	14616.06	1037.86	236.24	321.44
投资收益(万元)	177.97	509.93	182.65	-
净利润(万元)	-5899.01	-1710.70	5.90	105.86
营业利润(万元)	-5782.71	-1671.42	26.52	40.17
利润总额(万元)	-5883.39	-1680.47	18.13	176.57

HKEX
香港交易所

主席周松岗

香港交易所迈向全资产类别交易所

2016 年，香港交易所各项业务蓬勃发展，为迈向一家充满活力的全资产类别交易所打下了坚实基础：深港通顺利推出，互联互通进入 2.0 时代；IPO 全球继续称冠，衍生产品市场创多项新纪录；以杠杆及反向产品和人民币货币指数为代表的创新产品面世；收市竞价交易时段和市场波动调节机制顺利推出平稳运行。

香港交易所统计数据显示，证券市场方面，年内香港共有 126 家新上市公司，首次公开招股集资总额达 251 亿美元，连续两年位居全球集资中心之首。其中，2016 年 9 月 28 日上市的中国邮政储蓄银行股份有限公司集资 566.27 亿港元，成为 2016 年全球集资额最大的首次公开招股。

截至 2016 年 12 月 30 日，香港共有 1,973 家上市公司（主板：1,713 家，创业板：260 家），总市值达 247,613 亿港元。香港交易所旗下证券化衍生产品（衍生权证及牛熊证）的成交金额连续 10 年全球夺冠，2016 年，香港衍生权证成交额高达 27,270 亿港元，牛熊证成交额高达 13,716 亿港元。

2016 年 12 月 5 日，深港通顺利开通，沪港通继续平稳畅顺运作。截至 2016 年 12 月 30 日，南向港股通成交总额为 8,362 亿港元，北向沪股通及深股通成交总额为人民币 7,710 亿元。

除了证券产品外，香港交易所还提供品种丰富的衍生产品，帮助投资者管理市场风险。2016 年香港全年期货总成交量达 84,100,129 张合约，较 2015 年全年所创纪录的 73,462,212 张合约增长 14%。年内多种期权合约的成交张数、各类产品未平仓合约张数以及收市后期货交易的成交量均创新高。

2016年香港证券市场（主板及创业板）市场表现

项目	数值	项目	数值
市值（亿港元）	247,613	股份集资总额（百万港元）	486,708.2
上市公司数目	1,973	－首次公开招股集资额	194,796.7
新上市公司数目	126	－上市后集资额	291,911.5
		平均每日成交金额（百万港元）	66,924

www.hkex.com.hk
地址：香港中环港景街 1 号国际金融中心一期 12 楼
电话：+852 2522 1122　传真：+852 2295 3106
电邮：info@hkex.com.hk

2016 年，恒生指数期货成交量达 32,313,994 张合约，较之前纪录（2011 年）增加 40%。H 股指数期权成交量达 19,475,726 张合约，较之前纪录（2015 年）增加 27%。收市后期货（即期货夜市）交易时段的成交量为 9,212,328 张合约，较之前纪录（2015 年）增加 75%。

香港交易所旗下的美元兑人民币（香港）期货是全球交易所最活跃的人民币期货品种，2016 年，美元兑人民币（香港）期货成交量达 538,594 张合约，较 2015 年成交量超出一倍多。2016 年 12 月 30 日，美元兑人民币（香港）期货未平仓合约达 45,635 张合约，刷新历史最高纪录。

2016 年 12 月 28 日，H 股指数期权未平仓合约达 3,276,956 张合约，之前最高纪录为 2015 年 9 月 25 日的 2,618,350 张合约。

集团行政总裁李小加

2016 猴年首个交易日，香港交易所主席周松岗（右）与集团行政总裁李小加在香港交易所开市仪式上派利是。

2016 年 12 月 5 日，众嘉宾举杯庆祝深港通启动。

2016 年 9 月 28 日，中国邮政储蓄银行股份有限公司在香港上市，成为当年最大的首次公开招股。

2016年香港衍生产品市场创新纪录（合约张数）

产品	合约张数	产品	合约张数
所有期货	84,100,129	H 股指数期权	19,475,726
恒生指数期货	32,313,994	收市后期货交易时段	9,212,328
小型恒生指数期货	12,477,552	恒生国企股息点指数期货	184,626
恒生国企股息点指数期货	589,188	人民币货币期货 – 美元兑人民币（香港）期货	45,635
人民币货币期货 – 美元兑人民币（香港）期货	538,594	H 股指数期权	3,276,956
小型恒生指数期权	1,424,379		

中国建设银行

China Construction Bank

中国建设银行将恪尽职守，勤勉尽责，牢固树立“以客户为中心”的经营理念，不断加强风险管理和内部控制，严格履行托管人的各项职责，切实维护资产持有人的合法权益，为资产委托人提供高质量的托管服务。

地址：北京金融大街25号　　邮编：100032
电话：010－67595037　　传真：010－66275830

网址：www.ccb.com
客户服务热线：95533

善建者行

善建者不拔，善抱者不脱。——《道德经》

招商银行十万亿托管规模
承载着您的信任与重托

6S

大行德广

中国

AGRICULTU

2016中国证券业年度人物

（排名不分先后）

张有喜	李和忠	陈震山	时景丽	马晓立
秦斯朝	李　玮	赵　涛	李国华	刘爱森
金　煜	金生光	黄高慧	陈正涛	陈　重
于　进	赵立渭	林　科	邓维加	伏运景
王　军	郭现生	郑安国	任开宇	王自忠
翟建强	姜　然	张立新	季　颖	李建湘
许金超	邵兴祥	张利国	徐建军	蔡　咏
包文东	刘建武	王仁宗	方同华	周红卫

张有喜 先生

大同煤业股份有限公司 董事长

张有喜先生，1958 年 12 月出生，党员，研究生学历，成绩优异的高级工程师。曾任挖金湾矿采煤三队团支部书记，采煤四区技术员、副区长兼技术主管，普采区副区长、技术主管，采煤一区代区长兼技术主管，矿副总工程师、副矿长；雁崖矿党委书记；四老沟矿矿长；大同煤业股份公司副董事长、总经理；集团公司董事、副总经理，轩岗煤电公司副董事长、总经理、董事长；集团公司常务副总经理、副董事长、总经理，现任大同煤矿集团公司董事长、党委书记。

李和忠 先生

营口港务股份有限公司 董事长

李和忠先生，47 岁，中共党员，硕士研究生。历任：共青团辽宁省委青工部、宣传部、统战部部长；共青团辽宁省委副书记、党组成员；中共营口市委常委、组织部长，营口高新区党工委书记（兼）；中国营口市委常委、市委副书记，市委党校校长；现任营口港务集团有限公司党委书记兼董事长，营口港务股份有限公司董事长。

陈震山 先生

杭州银行股份有限公司 董事长、党委书记

陈震山先生，1970 年生，浙江杭州人，现任杭州银行股份有限公司董事长、党委书记。曾任杭州市江干区委常委、组织部长，杭州市江干区常务副区长兼杭州市钱江新城建设指挥部（管委会）党委委员、副总指挥、副主任，建德市委副书记，建德市人民政府党组书记、市长。

时景丽 女士

中车财务有限公司 董事长、党委书记

时景丽女士，1965 年 3 月出生，中共党员，北京交通大学工商管理硕士，现任中车财务有限公司董事长、党委书记。历任：济南机车车辆厂财务处副处长；济南机车车辆厂财务部部长兼党支部书记；济南机车车辆厂总会计师、济南轨道交通装备有限责任公司董事、总会计师；中国北车股份有限公司董事会办公室常务副主任兼证券事务代表、期间兼任资本运营部部长；中国北车集团财务有限公司总经理、董事长；中车财务有限公司董事长兼党委副书记、董事长兼党委书记。

马晓立 先生

财通证券资产管理有限公司 董事长、总经理

马晓立先生，浙江大学经济学硕士。曾任联合证券研究所行业部经理，中信证券研究部执行总经理，中信证券交易与衍生产品部副总经理。2005-2010 连续 6 年蝉联“新财富最佳分析师”第一名（航空机场行业 / 交通运输行业）。马晓立先生拥有 17 年证券投资研究实战经历和丰富管理经验，对中国资本市场和互联网金融领域有着深入独到的理解。

在马晓立先生的领导下，财通证券资产管理有限公司蝉联 2015、2016 年证券时报“中国最佳资产管理券商”称号、荣获中国证券报 · 金牛理财网“2015 年度金牛券商集合资产管理人”等业内权威大奖。马晓立先生荣膺证券时报“2016 中国最佳资产管理领军人物”称号。

截至 2016 年 12 月 31 日，财通证券资产管理有限公司资产管理总规模近 1400 亿元，其中主动管理规模达 976 亿元。

秦斯朝 先生

鹏元资信评估有限公司 副总裁兼评级总监

秦斯朝先生，中国科学技术大学经济学硕士，具备中国证监会认可的证券评级业务高级管理人员资质，具备证券执业资格，具备香港证券及期货从业员资格。曾在蚌埠市第二中学、晨星信息（深圳）有限公司任职。现任公司副总裁兼评级总监，具有十年评级行业从业经验。

推进自主创新 服务中国经济
Enhancing Independent Innovation. Serving the Chinese Economy

支持中小企业 创造无限机会
Supporting SMEs. Creating Infinite Opportunities

投资者服务热线：400-808-9999
技术咨询服务热线：0755-82083500
地 址：深圳市福田区深南大道 2012 号
邮政编码：518038
电话：0755-88668888 邮件：cis@szse.cn

深圳证券交易所 SHENZHEN STOCK EXCHANGE

深圳证券交易所（以下简称“深交所”）成立于 1990 年 12 月 1 日，主要职能包括：提供证券交易的场所和设施；制定本所业务规则；接受上市申请、安排证券上市；组织、监督证券交易；对会员和上市公司进行监管；管理和公布市场信息；中国证监会许可的其他职能。

深交所根植于中国改革开放的前沿，坚持党的领导，服务中国经济发展战略，致力于建设全球最具活力的资本市场平台。从主板、中小企业板到创业板，从股本证券、基金、固定收益到各类衍生品，深市多层次市场体系、多样化产品体系初具规模，成为金融服务改革开放全局、推进经济转型升级的重要平台。

2016 年深圳证券交易所多层次资本市场服务实体经济发展的功能作用持续发挥。截至 12 月 30 日，深圳证券交易所上市公司达到 1870 家，市值 22.31 万亿元，股票筹资额 10618.33 亿元。上市基金 511 只，挂牌债券 2744 只，资产证券化产品 125 只。年内推出首单创新创业公司债券，推出沪港深基金、定增基金，推出标普 500、标普生物科技等跟踪美国市场主流指数的 LOF 产品。

近年来，深交所在中国证监会领导下，以服务全面建成小康社会、全面深化改革为宗旨，推进自主创新，服务中国经济，支持中小企业，创造无限机会。以加快建设中国多层次资本市场体系为使命，融合资源，激发活力，释放成长新动力。

生态建设工程

坚持开展国情教育和生态建设活动。2003 年开始，深交所连续 9 年开展阿拉善生态和国情教育基地建设活动。截至目前，全所共有 12 批次近 500 名员工参加了该项活动。我所历年累计为阿拉善生态基地建设捐助 1,836,850 元，我所员工累计捐助 2,669,900 元；2011 年 2 月，我所出资 500 万元，发起设立了阿拉善生态基金会。

教育公益事业

回馈社会，支持教育、救灾公益事业。1993 年以来，我所先后援建 9 所希望小学；2008 年，在甘肃省康县、文县、舟曲县和武都区捐建 4 所灾后重建学校。截至 2011 年 6 月，经履行相关批准程序，我所历年累计为 2008 年雪灾灾区、2008 年汶川地震灾区、2010 年青海玉树地震灾区、2010 年甘肃舟曲泥石流灾区、2011 年为云南盈江地震灾区等捐款 45,762,971 元，员工累计捐助 6,158,863 元。

包头东宝生物技术股份有限公司
BAOTOU DONGBAO BIO-TECH CO.,LTD.

专注骨胶原
持续创新20年

包头东宝生物技术股份有限公司成立于 1997 年，是一家专业的生物制品国家级高新技术企业，其前身始建于 1960 年，更早源于北京朝阳化工厂的一个制胶车间，而这个车间的缘起则可溯源至明清时代。

2011 年 7 月 6 日，公司在深圳证券交易所成功上市，股票简称“东宝生物”，股票代码“300239”，是内蒙古自治区第一家在创业板上市的民营企业，也是包头市第一家登陆国内 A 股的民营企业。

公司注册资本约 4.6 亿元，拥有总资产超 8 亿元。2016 年，公司荣获内蒙古自治区主席质量奖、包头市第一批“百年老店”等荣誉称号。公司主营“金鹿”牌明胶、“圆素”牌胶原蛋白及“白云”牌磷酸氢钙产品，为内蒙古名牌产品。2016 年度，公司实现营业收入 31659 万元，较上年同期增长 8.45%；实现营业利润 1798 万元，较上年同期增长 380.92%；实现利润总额 2279 万元，较上年同期增长 208.63%。实现归属于上市公司股东的净利润 1923 万元，较上年同期增长 226.46%。

公司现拥有年产 6500 吨明胶、1000 吨胶原蛋白生产能力，目前公司募投项目 3500 吨新工艺明胶以及研发中心项目顺利建成，全部运营投产后，公司年明胶生产能力将达到 1 万吨。项目的实施，不但巩固了行业领先地位，而且为胶原蛋白系列后续产品提供原料保证，同时提升自主研发实力，实现以技术创新提升产品品质，提升公司竞争力，对公司的长远效益具有重要意义。

公司高度重视技术研发，2013 年获自治区科技发展先进企业，2016 年，公司与中科院理化所等单位“联合实验室”被认定为首批中国轻工业重点实验室。研发方式上，采取自主研发和横向合作相结合的方式，多年来与中科院理化所紧密合作，形成了稳定的合作关系。公司拥有自治区级企业技术中心、自治区级企业研究开发中心、行业内首家产学研合作研发机构——“中科院理化所—东宝生物胶原蛋白与明胶生物工程应用研发中心”，有稳定、高素质的技术团队，不断推进技术进步。近年来，获得 6 项授权中国发明专利，3 项受理中国发明专利申请，1 项“中国好技术”、1 项内蒙古自治区科技成果、1 项内蒙古自治区乌兰夫基金企业技术创新奖以及 1 项包头市科技进步一等奖。产品技术含量不断提高，在行业内技术水平居领先地位。

百年老店授牌仪式

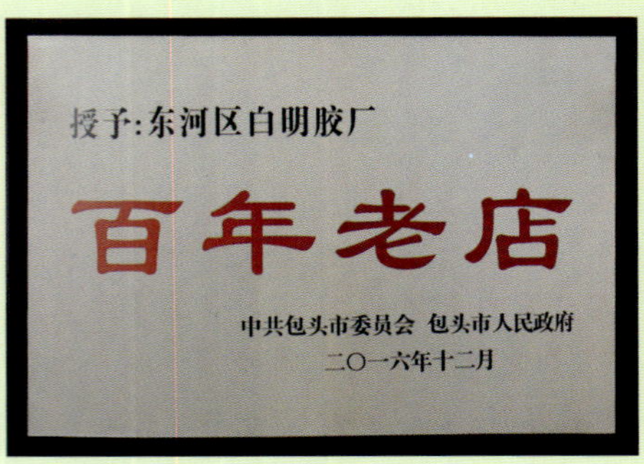

百年老店

中国轻工业明胶重点实验室

证券简称：东宝生物　证券代码：300239
www.dongbaoshengwu.com

使命：专注胶原 持续创新 追求健康
愿景：世界级现代胶原生物技术企业
经营理念：员工为本、客户至尊

地址：内蒙古包头市稀土高新技术产业开发区黄河大街46号 邮编：014030
明胶销售电话：0472-6208697　　传真：0472-6208696
胶原蛋白销售热线：4006636699
胶原蛋白销售电话：0472-6208688 传真：0472-6208636
圆素天猫旗舰店网址：www.yuansu.tmall.com

东宝生物于2015年10月12日启动关爱关节慈善爱心基金，是包头市第一家成立关爱关节专项爱心基金的公司。东宝生物为该基金持续捐赠爱心款，为更多的受益者带来健康。东宝生物公司荣获“2015年度内蒙古最具社会责任感企业”称号。

立足于现代胶原生物制品专业化生产的东宝生物，将借助技术创新和资本市场的强劲动力，打造稳健发展、持续增长的一流生物制品企业，为我国生物产业做出新的努力，为人类对健康和美的追求作出最大的贡献。

公司荣誉

- 2016年12月，公司被包头市委、市政府授予包头市第一批"百年老店"称号
- 2016年12月，"包头东宝胶原蛋白与明胶企业研究开发中心"被自治区科技厅认定为2016年度自治区级企业研究开发中心
- 2016年12月，公司获自治区人民政府再次认定为自治区农牧业产业化重点龙头企业
- 2016年11月，公司获包头市人民政府认定为"专精特新"中小企业
- 2016年7月，公司与中科院理化所等单位共同申报的"中国轻工业明胶重点实验室"获中国轻工业联合会认定为首批中国轻工业重点实验室
- 2016年6月，公司获自治区人民政府授予内蒙古自治区主席质量奖
- 2016年5月，"可溶性胶原蛋白"技术被认定为2014年度"中国好技术"
- 2016年3月，公司获包头市人民政府授予"推进资本市场发展贡献奖"荣誉
- 2016年1月，"金鹿"牌明胶、"白云"牌骨源磷酸氢钙、"圆素"牌胶原蛋白获内蒙古名牌产品

最具社会责任感企业

内蒙主席质量奖

东宝生物生态科技园（滨河新区）

胶原生物技术研发

全市质量诚信座谈会

北京嘉林药业股份有限公司（简称"嘉林药业"）为德展健康的全资子公司，是在首都经济快速发展背景下成长起来的北京市高新技术企业，是国家科技部命名的火炬计划重点高新技术企业，北京市纳税信用 A 级企业。

嘉林药业自 1998 年注册成立以来，已经发展成为集研发、生产、营销于一体的医药企业，拥有一系列具有自主知识产权的以心脑血管领域为核心的药物品种和一支专业化学术推广队伍，营销网络遍布全国。公司主营产品阿乐 ® 阿托伐他汀钙属国家二类新药，上市 17 年来，品质和疗效受到广大医生和患者的一致认可，是中国抗动脉粥样硬化药物的领导品牌，2000 年阿乐 ® 的质量标准被国家食品药品监督管理局采纳为阿托伐他汀的国家质量标准。2009 年嘉林药业率先在业内将这一质量标准再次提高。

阿乐 ® 凭借在分子结构、药代动力学、药效和安全性以及药物经济学方面的卓越表现，已经成为国产调脂药的第一品牌。阿乐 ® 作为处方药，尤其是科技含量高、机理复杂的处方药，必不可少的就是学术推广。阿乐 ® 自上市以来，通过与进口产品的生物等效性研究不断验证自己的品质，并与中华医学会心血管病学分会、神经病学分会、中国卒中学会、中国药学会、中国医师协会等机构长期合作，并邀请国内知名心脑血管病专家在全国范围内开展公益项目和继教巡讲。

回顾以往，展望未来，嘉林药业将一如既往勤于创新，勇于探索，立志成为中国最受尊敬的制药企业之一。

上市敲钟仪式 -2016 年 6 月 26 日康弘药业在深交所上市

董事长柯尊洪荣获 2015 年度 “创新药物“突出成就奖

康弘药业公益基金患者援助项目

Focus Media 分众传媒

分众传媒信息技术股份有限公司

股票简称：分众传媒
证券代码：002027

分众传媒集团（Focus Media），成立于2003年，2005年7月在美国纳斯达克上市，2015年12月分众传媒回归A股，成为中国A股市值最大的文化传媒股，其媒体业务包括分众电梯电视，分众电梯海报，分众晶视影院，分众终视卖场。目前公司市值近1500亿元，为中国文化传媒第一股。公司创始人江南春曾荣获《财富》中国最具影响力的25位商界领袖、安永企业家奖——中国大陆地区大奖等重要荣誉。

公司围绕电梯媒体的定位，继续夯实各业务板块在媒体行业的领先地位，实现了稳定发展的目标，并为公司成为最具品牌引爆力媒体平台打开了良好的开局，中国以消费、服务和高科技驱动的新经济正在高速成长。公司牢牢地与中国新经济的高速发展紧密结合在一起，已经成为新经济品牌的首选媒体之一，从而在传统行业增速放缓和传统媒体广告花费下滑的今天，依然取得收入的大幅增长。

当前中国一二线城市正在进行着深刻的消费升级，功能型经济正在向体验经济转变，消费者开始对体验以及品牌更加青睐，而这类能够为体验经济买单的人群必然属于白领群体，分众的受众群体是主流城市中 20－45 岁月收入至少三五千元以上的群体，他们恰好是互联网新经济品牌消费的核心群体。从 CTR 监测中，阿里，腾讯，京东，滴滴等超过 5000 多个品牌都选择分众。而在 WPP 集团 2015 年中国品牌 TOP100 榜单中，有 81 个品牌选择了分众传媒进行广告投放。分众电梯媒体不断优化媒体广告效果，从而提升媒体价值，带动广告客户投放金额的上升。电梯媒体受众集中于代表中国主流消费能力的都市上班族，电梯媒体充分渗透了此类受众的碎片化时间，以高频次的生动影音刺激受众的认知，使受众被动地加强了对广告的记忆，这种特性提升了广告投放到购买决策转化率。

在回归 A 股之后，分众传媒开展了一系列的投资。在联合方源资本设立体育基金 3000 万美元领投体育社交平台和硬件公司咕咚运动之后，分众传媒又以 3 亿元领投拿下英雄互娱旗下天津英雄体育管理有限公司 8.242% 股权，进军电竞产业。在此期间分众方源体育基金还对美国娱乐体育竞技公司和独立体育节目制作公司“WME-IMG”进行了 6750 万美元战略投资。

电话：021-22165288
网址：http://www.focusmedia.cn
电邮：FM002027@focusmedia.cn

深圳信隆健康产业发展股份有限公司
HL CORP (SHEN ZHEN)

股票简称：信隆健康
股票代码：002105

深圳信隆健康产业发展股份有限公司

公司概况 Company introduction

深圳信隆健康产业发展股份有限公司(原深圳信隆实业股份有限公司，以下简称：公司）是 2003 年 12 月 15 日经中华人民共和国商务部批准的外商投资股份有限公司。公司专业从事运动健身器材、康复器材、自行车车把、立管、座垫管、避震前叉等自行车零配件的研发、生产及销售。

公司自成立以来，以“诚信、创新、品质、务实、执行、双赢”的经营理念与企业文化，坚持“以高效益、创新、优质的产品，及时满足顾客需求”，通过产品创新和规模化生产，主营业务保持稳定增长，而且因品质优良、交货及时、价格公道、信誉卓越在业界有着良好的口碑。并荣获国家高新技术企业证书，2008 ~ 2016 年深圳知名品牌，2010 ~ 2015 年历年全国优秀外商投资企业，2010 ~ 2014 年历年深圳百强企业等奖项。

2006 年 12 月 19 日，公司获得中国证券监督管理委员会证监发行字 [2006]160 号文核准首次公开发行 6800 万股，2007 年 1 月 12 日在深圳证券交易所深圳 A 股正式挂牌上市，股票简称：信隆健康，股票代码：002105。公司是中国大陆第四家深圳第二家 A 股上市的台商，也是我国首家上市的自行车零配件生产企业。

公司地址：深圳市宝安区松岗街道办碧头第三工业区信隆公司
公司网址：www.hlcorp.com
公司电话：0755-27749423-8105
公司传真：0755-27746236

云南临沧鑫圆锗业股份有限公司

Yunnan Lincang Xinyuan Germanium Industrial Co.,Ltd.

证券简称：云南锗业
证券代码：002428

心系云锗 共赢未来

云南锗业（股票代码：002428）是国内第一、亚洲最大的锗系列产品生产商和供应商，是全国唯一拥有锗矿开采、火法富集、湿法提纯、区熔精炼、精深加工及研究开发一体化产业链的锗业企业。公司位于云南省临沧市，旗下拥有10家子公司。目前主要产品有：二氧化锗、区熔锗锭、锗单晶、锗光学元件、红外光学锗镜头、光伏级太阳能锗单晶片、光纤级四氯化锗、砷化镓单晶片等。主要销往国内及欧洲、日本、美国等国家和地区。

公司是亚洲最大的锗产品生产企业，是目前国内锗产业链最为完整、锗金属保有储量最大的公司，连续多年锗金属产销量居全国第一。公司拥有丰富的资源优势，公司大寨锗矿、梅子箐煤矿两个矿山，保有锗资源储量689.55吨（截至2009年12月31日），相当于全世界上表储量的8.02%，全国上表储量的19.70%。2010年上市后至今，公司通过收购采矿权和股权的方式陆续整合五个含锗矿山，锗金属保有储量增加250余吨，资源优势进一步提升。

云南国家锗材料基地规划图

公司率先在国内成立了第一家锗业研究所，拥有一批锗行业优秀人才。创建了以中国科学院士洗鼎昌、中国工程院院士叶铭汉、中国科学院高能物理研究所原所长郑志鹏、“中国锗业第一人”吴绪礼研究员及惠峰研究员等为核心的科研团队。截至目前，公司承担了省级新产品重点开发计划1项、国家级科研项目3项。拥有专利技术26项（其中发明专利12项），获得2项省科技进步奖，主持和参与起草制定17项锗行业的国家标准和行业标准，公司“临鑫圆”商标被国家工商行政管理总局认定为中国驰名商标。

深加工生产线

深加工生产线

结合公司实际情况和当前行业发展趋势，公司制定了符合自身发展需求的发展战略：以丰富的资源储备和雄厚的研发实力为依托，以市场为导向，不断优化产品结构，开发高端产品，加强“科技、环保”内涵，提升企业核心竞争力，扩大行业领先优势，成为全球领先的锗系列产品生产商和供应商。

地址：云南省昆明市人民中路都市名园A座6层
电话：0871-63627276　传真：0871-68213308
邮编：650031　邮箱：diractorate@sino-ge.com

www.sino-ge.com

Forbon® 富邦股份

Hubei Forbon Technology Co.,Ltd.

股票简称：富邦股份

股票代码：300387

为客户创造价值　让员工成就未来

湖北富邦科技股份有限公司（股票代码：300387）是一家利用新材料、新工艺、新技术服务现代农业的国家火炬计划重点高新技术企业，公司以化肥生产链条为价值导向，为化肥生产企业提供包括高品质的助剂产品、优良的全程技术服务及精确的助剂自动控制系统的整体解决方案。经过多年的发展，公司产品已广泛应用于化肥生产各环节，销售遍布全国各地及欧洲、东南亚、中东、非洲等国家，在业内积累了大量经验。

公司一直致力于全球化肥助剂资源的整合，截止 2016 年 5 月公司以自筹资金收购了荷兰诺唯凯 70% 股权，加快进军欧洲市场的步伐，实现国际化经营布局。

公司不断致力于新技术的应用和新产品的研发，加强生物、可降解、环境友好的新型材料的研究和应用，不断推出符合下游化肥行业节能降耗、环境友好、功能性和专用性发展要求的助剂，提升核心竞争力；同时，公司积极探索包括农业互联网、大数据在内的新的业务领域，密切关注战略新兴产业发展机遇，在植物营养助剂、圆颗粒钾肥、含磷废水等新产品、新行业进行研究和开发，寻求新的利润增长点。

公司地址：应城市经济技术开发区

邮政编码：432400

电　　话：0712-3257290

传　　真：0712-3257290

网　　址：www.forbon.com

电子信箱：hbforbon@forbon.com

联 系 人：万刚

联系电话：0712-3257290

亿纬锂能 | 证券简称：亿纬锂能
证券代码：300014.SZ

亿纬锂能股份有限公司

生产、销售：锂一次电池、锂二次电池、锂聚合物电池、锂离子电池、镍氢电池、镍镉电池、碱性电池、锌锰电池，纳米新材料、水表、气表、电表的半成品及其配件制造，动力电池系统和电池管理系统的研发、生产，技术研发、开发及转让，货物进出口，房屋租赁。

公司简介

惠州亿纬锂能股份有限公司（亿纬 EVE）于 2009 年 10 月年在深圳创业板上市，是首批 28 家创业板企业之一（股票代码：300014.SZ）。自 2001 年成立以来，EVE 围绕着"追求卓越、质量优先、创造价值、言而有信、团队合作"的企业核心价值观，经历十多年的快速稳固发展，已形成锂原电池、锂离子电池、电源系统、电子烟等核心业务，产品覆盖智能电网、智能交通、智能安防，储能，新能源汽车，特种行业等市场，现已成为中国锂电池行业的领先企业，并在国际市场上享有声誉。目前，公司总占地面积约 50 万平方米，在广东惠州、湖北荆门设有 4 大生产基地，在香港、台湾、美国、欧洲等国内外多地设分公司及办事处。

2016 年经营业绩

截至 2016 年 9 月 30 日，公司本年累计实现营业收入 14.48 亿元，比上年同期增长 49.22%；本年累计实现归属于上市公司股东的净利润 15,877 万元，比上年同期增长69.50%。其中，7–9 月，公司实现营业收入 6.27 亿元，比上年同期增长 86%，实现归属于上市公司股东的净利润 6,980 万元，比上年同期增长 118%。

2016 年第三季度，公司进入"符合《汽车动力蓄电池行业规范条件》企业目录（第四批）"，极大促进了动力电池的销售工作，公司产品成功进入了多家整车厂的公告，产品生产逐渐稳定，产品质量不断提升；公司的动力电池业务实现规模销售，成为增长最快的业务板块；今年八月份，美国食品和药物管理局（FDA）确定的烟草制品管控法案正式生效，虽然该法案对电子烟的管理规定更为严格，但由于子公司深圳麦克韦尔股份有限公司的主要客户为大型烟草公司，其需求稳定增长，因此，公司电子烟业务仍然实现了快速增长；随着智能家居、智能交通、智能安防、汽车电子等大物联网市场的发展，锂原电池业务继续保持稳定增长。公司通过优化产品结构，提高了产品毛利水平，实现了净利润比营业收入更高比例的增长。公司军工产品业务进展顺利。

公司地址：
广东省惠州市仲恺高新区惠风七路 36 号

林格贝尔 P.E.

Blue.LingoBerry

大兴安岭林格贝寒带生物科技股份有限公司

证券简称：林格贝　证券代码：831979

地址：大兴安岭地区松岭区小扬气镇永兴街

电话：0457-2161887

传真：0457-2161887

网址：www.lingebei.com

大兴安岭林格贝寒带生物科技股份有限公司（以下简称“林格贝公司”）是一家集科研、生产、销售于一体的国家级高新技术企业，主要从事野生植物有效成分提取、保健品、功能食品以及医药产品、生物制药产品开发、生产及销售，现注册资金12,141万元。

林格贝公司成立于2002年4月，前身为大兴安岭林格贝有机食品有限责任公司，2014年10月进行股改，并更名为现用名。2015年2月挂牌新三板，成为中国最北的新三板挂牌企业。2016年6月在9000多家挂牌企业中脱颖而出，成为创新层的一员。

林格贝公司占地面积10万平方米，总资产达4.13亿元，现有员工215人，其中研究生9人，本科学历21人，大中专学历38人。公司经过10余年的创新、研发，申请发明专利已达92项，已取得专利60项。

林格贝公司成立以来先后获得多项荣誉：

2004年被黑龙江省科技厅确定为“黑龙江省蓝莓花青素高新技术产业化实施基地”；2005年被国家林业局授予“国家蓝莓花青素实施标准化示范区”；2011年被黑龙江省林业厅授予“黑龙江省林业龙头企业”；2012年被黑龙江省农业厅授予“黑龙江省农业龙头企业”；被黑龙江省知识产权局授予“黑龙江省专利优势培育企业。

公司的研发中心2012年被省工信委评定为省级技术研发中心；2014年被省科技厅评定为省级工程技术中心；2016年，荣获中国证券报“2015年度中国新三板金牛奖”中“最具创新能力百强奖”。

嘉林
阿托伐他汀钙片
Atorvastatin Calcium Tablets
阿乐
20mg×7片

嘉林药业

2016

中國證券業年鑒

CHINA SECURITIES YEAR BOOK

招商银行
CHINA MERCHANTS BANK
因 您 而 变

信 我 信 未 来
杭州银行
hzbank
BANK OF HANGZHOU

协办单位

中

总第二十四期

图书在版编目(CIP)数据

中国证券业年鉴. 2016/ 中国证券业年鉴编辑委员会 编.
上海:复旦大学出版社, 2017.6
ISBN 978-7-309-13034-8

Ⅰ. 中… Ⅱ. 中… Ⅲ. 证券业—中国—2016—年鉴 Ⅳ. F832.91-54

中国版本图书馆 CIP 数据核字(2017)第 148036 号

中国证券业年鉴(2016·总第二十四期)
中国证券业年鉴编辑委员会 编

责任编辑　岑品杰　方毅超　谢同君　姜作达　王雅楠　戚雅斯
排版设计　上海众证文化传播有限公司
出版发行　复旦大学出版社有限公司出版发行
　　　　　上海市国权路 579 号　　邮编 200433
经　　销　新华书店
印　　刷　上海望新印刷有限公司
开　　本　850mm×1168mm　1/16
印　　张　176
插　　页　230
字　　数　5180 千字
版　　次　2017 年 6 月第 1 版　2017 年 6 月第 1 次印刷

定　　价　人民币 1980 元　港币 2280 元　美元 400 元

编 辑 说 明

《中国证券业年鉴》秉承客观、公正、全面的原则，忠实记录我国证券市场的发展轨迹，向海内外各界人士宣传、展现我国证券市场的发展成就，并给后人查阅、研究我国证券市场历史年度的动态，提供权威资料。做好中国证券业历史的编辑整理工作，保证中国证券业历史记录的有序延续，是我们的历史使命。自1993年创刊以来，《中国证券业年鉴》已经逐渐成长为一个展示公司业绩、总结市场成就、记录中国证券业历史、向海内外各界人士展现和推介中国证券市场形象的权威窗口。《中国证券业年鉴》每年出版一次，分上、中、下三册向国内外公开发行。

《中国证券业年鉴》（2016 · 总第二十四期）主要反映本年度中国金融、证券、基金、期货市场及企业制度建设和发展方面的情况和最新动态，供海内外有关机关、社团、学校、研究部门、企事业单位及社会各界人士做进一步研究参考使用，为推动中国证券业的规范化和国际化、建设中国特色社会主义市场经济服务。

《中国证券业年鉴（2016）》内容设置专论、中国金融市场、中国证券市场、中国基金市场、中国期货市场、香港地区证券市场、新三板市场、中国证券业人物纪实与访谈、中国证券业年度人物、优秀企业选介等部分，另有彩色图片1200幅。

《中国证券业年鉴（2016）》的资料直接来源于公司的公告和报告，国务院有关部委及各省、自治区、直辖市相关单位提供的材料，保证了年鉴的权威性和准确性。《中国证券业年鉴（2016）》基本保持上一期的内容和体例，同时新增了香港证券市场的详细资料，记录了香港证券市场年度发展动态与市场成就，进一步展示了部分市场参与主体的良好形象。但由于中国证券业仍处于快速发展阶段，加上各地区的发展不平衡以及我们的水平有限，难免出现一些疏漏，敬请读者谅解和指正。

《中国证券业年鉴》由上海证券交易所、深圳证券交易所、香港交易所协助中国证券业年鉴编辑委员会共同编辑出版，在编辑过程中得到了国务院有关部门，中国证券监督管理委员会及各省、自治区、直辖市证监局，上海证券交易所，深圳证券交易所，香港交易所，全国中小企业股份转让系统及证券界有关领导、专家的指导和支持，在此我们表示最诚挚的感谢。

中国证券业年鉴编辑部

中国证券业年鉴理事会

（以下排名不分先后）

姓名	单位	职务
许义明	景顺长城基金管理有限公司	总经理
于　进	农银汇理基金管理有限公司	董事长
刘纯亮	国投瑞银基金管理有限公司	总经理
杨光裕	长城基金管理有限公司	董事长
朱治理	万和证券有限责任公司	董事长
范　力	东吴基金管理有限公司	董事长
余　政	民生证券股份有限公司	董事长
陈　重	新华基金管理股份有限公司	董事长
吴　坚	西南证券股份有限公司	总裁
秦斯朝	鹏元资信评估有限公司	副总裁
王文京	用友网络科技股份有限公司	董事长、总裁
杨　超	证通股份有限公司综合管理部	总经理
任开宇	金元顺安基金管理有限公司	董事长
徐建军	北京德恒律师事务所	副主任
张近东	苏宁云商集团股份有限公司	董事长
袁　泽	新疆新鑫矿业股份有限公司	董事局主席
陈　平	马应龙药业集团股份有限公司	董事长
李春宏	江苏连云港港口股份有限公司	董事长
徐　进	安徽口子酒业股份有限公司	董事长、总裁
方同华	黑龙江珍宝岛药业股份有限公司	董事长
倪永培	安徽迎驾贡酒股份有限公司	董事长
高　庆	南方产权联合交易中心有限责任公司	董事长
刘世春	金融街控股股份有限公司	董事长
于九洲	唐山冀东水泥股份有限公司	副董事长、总经理
宁中伟	安徽金种子酒业股份有限公司	董事长
谢长军	龙源电力股份有限公司	总经理
张永年	四川成渝高速公路股份有限公司	董事会秘书
刘　建	泰达宏利基金管理有限公司	总经理
吴晓东	华泰联合证券有限责任公司	董事长

中国证券业年鉴编辑委员会

地 址： 上海市浦东新区桃林路 18 号环球广场 B 座 2809 室
邮 编： 200135
电 话： 021 －61990079
传 真： 021 －68781179
邮 箱： csybook@ vip. 163. com
网 址： www. csybook. com

目　录

第一编　专　论

第二编　中国金融市场

第三编　中国证券市场

第四编　中国基金市场

第五编　中国期货市场

第六编　香港地区证券市场

第七编　中国新三板市场

第八编　中国证券业人物纪实与访谈

插页目录

上 册

中 册

下 册

2016 中国证券业年度人物

莱茵达体育发展股份有限公司

公司概况	公司名称	莱茵达体育发展股份有限公司		证券简称	莱茵体育
	法人代表	高继胜	董秘	徐超	证券代码	000558
	公司网址	www.lander.com.cn		电子信箱	lyzy000558@126.com
	电　话	0571-87851738		传　真	0571-87851739
	办公地址	浙江省杭州市文三路535号莱茵达大厦			
	经营范围	实业投资、体育活动的组织、策划等			

主要财务指标	指标\报告期	2016.06.30	2015.12.31	2015.06.30	2014.12.31
	基本每股收益(元)	0.0269	-0.4200	-0.0302	0.0600
	基本每股收益(扣除后)(元)	0.0227	-0.4200	-0.0299	0.0200
	稀释每股收益(元)	0.0269	-0.4200	-0.0302	0.0600
	每股净资产(元)	1.5161	1.4892	1.8634	1.9152
	每股经营现金净流量(元)	0.1887	-0.0564	-0.0596	-0.1395
	每股现金流量(元)	-0.1750	0.0442	-0.0986	-0.2482
	每股资本公积金(元)	0.5935	0.5935	0.5815	0.5815
	每股盈余公积金(元)	0.0732	0.0732	0.0732	0.0732
	每股未分配利润(元)	-0.1506	-0.1775	0.2093	0.2605
	净资产收益率(%)	1.7714	-27.9992	-1.6189	2.6123
	加权净资产收益率(%)	1.7900	-24.4300	-1.5900	3.7100
	净资产收益率(扣除)(%)	1.4967	-28.0359	-1.6038	0.9536
	总资产(万元)	228745.30	283074.01	433728.88	467803.03
	归属母公司股东权益(万元)	130306.60	127998.40	160152.38	164609.96
	营业收入(万元)	129927.25	252813.99	118073.86	371736.10
	营业支出(万元)	111228.77	223942.62	102530.22	312458.42
	投资收益(万元)	380.15	-2311.68	-131.48	3642.51
	净利润(万元)	4701.22	-35216.00	-1119.72	12750.11
	营业利润(万元)	9016.74	-33213.20	286.64	19358.13
	利润总额(万元)	9062.72	-33516.31	243.42	21049.43

万向钱潮股份有限公司

公司概况	公司名称	万向钱潮股份有限公司			证券简称	万向钱潮
	法人代表	鲁冠球	董秘	邓文	证券代码	000559
	公司网址	www.wxqc.com.cn		电子信箱	wxqc@wanxiang.com.cn	
	电　话	0571-82832999		传　真	0571-82602132	
	办公地址	浙江省杭州市萧山区万向路				
	经营范围	汽车零部件及相关机电产品的开发、制造和销售等				

主要财务指标	指标\报告期	2016.06.30	2015.12.31	2015.06.30	2014.12.31
	基本每股收益(元)	0.2110	0.3400	0.1960	0.3700
	基本每股收益(扣除后)(元)	0.2000	0.3200	0.1900	0.3400
	稀释每股收益(元)	0.2110	0.3400	0.1960	0.3700
	每股净资产(元)	1.7859	1.8246	1.6803	2.0817
	每股经营现金净流量(元)	0.2650	0.5306	0.2596	0.7104
	每股现金流量(元)	-0.1167	0.2113	-0.7199	1.0041
	每股资本公积金(元)	0.1312	0.1311	0.1311	0.3573
	每股盈余公积金(元)	0.1250	0.1250	0.0991	0.1190
	每股未分配利润(元)	0.5297	0.5685	0.4501	0.6054
	净资产收益率(%)	11.8281	18.6226	11.6378	17.7586
	加权净资产收益率(%)	11.1800	19.5500	11.1800	19.1400
	净资产收益率(扣除)(%)	11.1998	17.4433	11.2806	16.0687
	总资产(万元)	1245105.01	1274682.88	1037404.45	1190316.00
	归属母公司股东权益(万元)	409730.25	418607.11	385517.17	398009.00
	营业收入(万元)	532303.24	1024143.41	529850.32	982887.57
	营业支出(万元)	412261.68	806503.10	418381.82	764646.34
	投资收益(万元)	10541.35	17446.23	9989.71	18136.71
	净利润(万元)	51676.26	83853.09	49011.25	78225.49
	营业利润(万元)	56315.79	87035.96	51653.35	81215.44
	利润总额(万元)	57572.98	92463.82	53008.97	88792.29

昆明百货大楼(集团)股份有限公司

公司概况	公司名称	昆明百货大楼(集团)股份有限公司			证券简称	昆百大A
	法人代表	谢勇	董秘	文彬	证券代码	000560
	公司网址	000560.kunbuy.com		电子信箱	wenbin@kunbuy.com	
	电　话	0871-65626688		传　真	0871-65626688	
	办公地址	云南省昆明市东风西路1号昆百大C座12楼董事会办公室				
	经营范围	商业、房地产业和旅游服务等				

主要财务指标	指标\报告期	2016.06.30	2015.12.31	2015.06.30	2014.12.31
	基本每股收益(元)	0.0311	0.0333	0.0159	0.4151
	基本每股收益(扣除后)(元)	0.0168	0.0148	0.0113	0.2761
	稀释每股收益(元)	0.0311	0.0333	0.0159	0.4151
	每股净资产(元)	3.1806	3.2002	7.5610	7.2328
	每股经营现金净流量(元)	0.0380	-0.0217	-0.0386	-0.1750
	每股现金流量(元)	-0.5392	0.5411	1.6363	-0.3277
	每股资本公积金(元)	1.3150	1.3150	4.8090	1.3291
	每股盈余公积金(元)	0.0720	0.0720	0.1667	0.4610
	每股未分配利润(元)	0.5988	0.6183	1.4945	4.1915
	净资产收益率(%)	0.9776	0.8232	0.1210	5.7838
	加权净资产收益率(%)	0.9800	1.0900	0.2100	6.1000
	净资产收益率(扣除)(%)	0.5295	0.3658	0.0862	3.8471
	总资产(万元)	613096.48	609635.37	589363.79	448256.14
	归属母公司股东权益(万元)	372209.07	374501.96	355272.30	122865.21
	营业收入(万元)	107087.80	133848.42	74931.81	164019.62
	营业支出(万元)	81391.37	94303.92	51789.06	103255.84
	投资收益(万元)	1816.44	2019.70	345.61	4878.98
	净利润(万元)	4048.24	2022.32	366.76	8944.24
	营业利润(万元)	5100.74	1449.71	536.07	10095.07
	利润总额(万元)	5488.62	1864.54	742.68	10371.81

陕西烽火电子股份有限公司

公司概况	公司名称	陕西烽火电子股份有限公司			证券简称	烽火电子
	法人代表	唐大楷	董秘	吴亚兵	证券代码	000561
	公司网址	www.fenghuo.cn		电子信箱	sxfh769@163.com	
	电　话	0917-3626561		传　真	0917-3625666	
	办公地址	陕西省宝鸡市清姜路72号				
	经营范围	军民用通信装备及电声器材科研生产等				

主要财务指标	指标\报告期	2016.06.30	2015.12.31	2015.06.30	2014.12.31
	基本每股收益(元)	0.0600	0.1300	0.0100	0.0600
	基本每股收益(扣除后)(元)	0.0500	0.1200	0.0100	0.0600
	稀释每股收益(元)	0.0600	0.1300	0.0100	0.0600
	每股净资产(元)	1.7780	1.7163	1.5917	1.5809
	每股经营现金净流量(元)	-0.0651	0.2475	-0.2531	0.0682
	每股现金流量(元)	-0.1470	0.2322	-0.3061	0.0176
	每股资本公积金(元)	0.0872	0.0872	0.0817	0.0817
	每股盈余公积金(元)	-	-	-	-
	每股未分配利润(元)	0.6837	0.6232	0.5049	0.4949
	净资产收益率(%)	3.4003	7.4771	0.6275	3.9830
	加权净资产收益率(%)	3.4600	7.8000	0.6300	4.0400
	净资产收益率(扣除)(%)	2.8968	7.0994	0.1167	3.6591
	总资产(万元)	221491.46	226640.46	186613.07	190592.47
	归属母公司股东权益(万元)	105943.91	102262.14	94843.08	94194.31
	营业收入(万元)	39736.42	107706.96	33573.14	92601.43
	营业支出(万元)	22901.40	63435.10	19707.33	55497.18
	投资收益(万元)	0.35	59.58	56.81	56.40
	净利润(万元)	4234.08	9335.92	852.62	4294.58
	营业利润(万元)	3632.40	9479.40	994.79	4618.74
	利润总额(万元)	4417.29	10020.35	1305.39	5016.40

陕西省国际信托股份有限公司

公司概况						
	公司名称	陕西省国际信托股份有限公司			证券简称	陕国投 A
	法人代表	薛季民	董秘	李玲	证券代码	000563
	公司网址	www.siti.com.cn			电子信箱	sgtdm@siti.com.cn
	电　话	029-81870262 81870266			传　真	029-88851989
	办公地址	陕西省西安市高新区科技路 50 号金桥国际广场 C 座				
	经营范围	受托经营资金信托业务、受托经营动产、不动产及其他财产的信托业务等				

主要财务指标	指标＼报告期	2016.06.30	2015.12.31	2015.06.30	2014.12.31
	基本每股收益(元)	0.0916	0.3654	0.2379	0.2887
	基本每股收益(扣除后)(元)	0.0610	0.0931	0.0119	0.2476
	稀释每股收益(元)	0.0916	0.3654	0.2379	0.2887
	每股净资产(元)	2.4644	4.9533	3.5958	3.1399
	每股经营现金净流量(元)	−0.1643	0.2306	0.3175	0.3847
	每股现金流量(元)	−0.3554	1.1107	0.4011	−0.3998
	每股资本公积金(元)	0.8879	2.7759	1.1964	1.1964
	每股盈余公积金(元)	0.0636	0.1272	0.1244	0.1244
	每股未分配利润(元)	0.4433	0.7335	0.8892	0.6814
	净资产收益率(%)	3.7155	5.9308	6.6147	9.1936
	加权净资产收益率(%)	3.7000	10.3500	7.0300	9.5200
	净资产收益率(扣除)(%)	2.4754	1.5113	0.3303	7.8850
	总资产(万元)	806411.01	874385.80	577893.26	425724.50
	归属母公司股东权益(万元)	761620.65	765414.12	436770.15	381387.39
	营业收入(万元)	56099.94	115097.24	71933.71	83547.90
	营业支出(万元)	18563.55	–	33365.99	36824.79
	投资收益(万元)	19212.81	52500.22	40160.05	11216.76
	净利润(万元)	28297.68	45395.12	28891.06	35063.18
	营业利润(万元)	37536.40	60770.44	38567.73	46723.11
	利润总额(万元)	37634.14	60816.96	38568.91	46758.36

供销大集集团股份有限公司

公司概况						
	公司名称	供销大集集团股份有限公司			证券简称	供销大集
	法人代表	姜杰	董秘	李仲煦	证券代码	000564
	公司网址	www.cnminsheng.com			电子信箱	000564@minsheng.cn
	电　话	029-87481871			传　真	029-87481871
	办公地址	陕西省西安市解放路 103 号				
	经营范围	国内商业、物资供销业、仓储服务、计算机软件开发、销售等				

主要财务指标	指标＼报告期	2016.06.30	2015.12.31	2015.06.30	2014.12.31
	基本每股收益(元)	0.0444	0.0750	0.0775	0.1277
	基本每股收益(扣除后)(元)	0.0369	0.0397	0.0555	–
	稀释每股收益(元)	0.0444	0.0750	0.0775	0.1277
	每股净资产(元)	3.1364	3.0849	3.6743	3.6162
	每股经营现金净流量(元)	0.0585	0.4477	0.1872	1.0357
	每股现金流量(元)	0.0404	−0.0599	0.2528	0.3983
	每股资本公积金(元)	1.4174	1.4103	1.6920	2.0995
	每股盈余公积金(元)	0.1407	0.1407	0.2064	0.2059
	每股未分配利润(元)	0.5784	0.5340	0.7760	0.7243
	净资产收益率(%)	1.4156	1.8280	2.1089	3.5326
	加权净资产收益率(%)	1.4300	2.0800	2.1200	3.5800
	净资产收益率(扣除)(%)	1.1770	0.9671	1.5117	2.7628
	总资产(万元)	900366.26	914236.01	764131.84	895250.49
	归属母公司股东权益(万元)	236147.44	232273.24	173909.54	190728.68
	营业收入(万元)	289291.13	584758.00	210327.40	400654.94
	营业支出(万元)	226536.04	446789.33	158502.18	297417.80
	投资收益(万元)	–	3.41	631.75	1315.90
	净利润(万元)	3584.83	4463.24	3791.66	6094.36
	营业利润(万元)	4482.89	6387.87	3859.42	6730.67
	利润总额(万元)	4902.81	6331.74	4283.15	6684.22

重庆三峡油漆股份有限公司

公司概况						
	公司名称	重庆三峡油漆股份有限公司			证券简称	渝三峡 A
	法人代表	苏中俊	董秘	楼晓波	证券代码	000565
	公司网址	www.sanxia.com			电子信箱	sxyq000565@163.com
	电　话	023-61525006			传　真	023-61525007
	办公地址	重庆市江津区德感工业园区				
	经营范围	各类涂料、合成树脂及印铁包装桶的生产、开发、销售等				

主要财务指标	指标＼报告期	2016.06.30	2015.12.31	2015.06.30	2014.12.31
	基本每股收益(元)	0.0800	0.3300	0.8700	0.2600
	基本每股收益(扣除后)(元)	0.0800	0.0500	0.1700	0.1800
	稀释每股收益(元)	0.0800	0.3300	0.8700	0.2600
	每股净资产(元)	1.8597	1.7934	4.4834	3.6647
	每股经营现金净流量(元)	−0.6391	0.0367	−0.0422	0.1735
	每股现金流量(元)	−0.1191	0.0724	0.3808	−0.0645
	每股资本公积金(元)	0.1665	0.1665	1.0706	1.0811
	每股盈余公积金(元)	0.2150	0.2150	0.5447	0.4571
	每股未分配利润(元)	0.4676	0.3995	1.8451	1.1088
	净资产收益率(%)	4.1999	18.5920	19.4928	7.0150
	加权净资产收益率(%)	4.2600	20.8000	21.3400	7.2400
	净资产收益率(扣除)(%)	4.2002	2.7520	3.6918	5.0275
	总资产(万元)	132949.66	106081.77	107021.21	95322.18
	归属母公司股东权益(万元)	80634.35	77761.16	77759.36	63559.52
	营业收入(万元)	109904.16	64834.18	23794.88	55282.54
	营业支出(万元)	102086.98	50128.76	16875.63	42699.52
	投资收益(万元)	953.32	13726.74	13709.71	2993.41
	净利润(万元)	3386.55	14457.37	15157.49	4458.68
	营业利润(万元)	3625.52	14495.84	15324.13	4435.91
	利润总额(万元)	3625.26	14619.20	15353.53	5024.84

海南海药股份有限公司

公司概况						
	公司名称	海南海药股份有限公司			证券简称	海南海药
	法人代表	刘悉承	董秘	张晖	证券代码	000566
	公司网址	www.haiyao.com.cn			电子信箱	hnhy000566@21cn.com
	电　话	0898-68653568			传　真	0898-68656780
	办公地址	海南省海口市秀英区南海大道 192 号				
	经营范围	精细化工产品、化学原料药、中药材、土特产品、中药成药、西药成药等				

主要财务指标	指标＼报告期	2016.06.30	2015.12.31	2015.06.30	2014.12.31
	基本每股收益(元)	0.1100	0.3600	0.2200	0.3300
	基本每股收益(扣除后)(元)	0.0800	0.2700	0.1800	0.2400
	稀释每股收益(元)	0.1100	0.3600	0.2200	0.3300
	每股净资产(元)	2.2100	4.2067	4.0319	3.2835
	每股经营现金净流量(元)	−0.0212	0.2597	−0.0087	0.0303
	每股现金流量(元)	−0.5826	0.6328	−0.8253	0.4658
	每股资本公积金(元)	0.5467	2.0924	2.0675	1.4191
	每股盈余公积金(元)	0.0241	0.0482	0.0482	0.0531
	每股未分配利润(元)	0.6373	1.0644	0.9155	0.8109
	净资产收益率(%)	4.7559	8.5121	5.1893	10.0115
	加权净资产收益率(%)	4.8700	9.2500	5.7100	10.4900
	净资产收益率(扣除)(%)	3.5003	6.3401	4.3342	7.1744
	总资产(万元)	494611.36	488219.92	448102.98	367337.29
	归属母公司股东权益(万元)	240964.60	229405.66	219873.23	162597.20
	营业收入(万元)	76153.82	164382.26	81186.66	134321.61
	营业支出(万元)	45808.42	94675.20	48560.55	79198.61
	投资收益(万元)	923.36	2371.17	1108.69	644.70
	净利润(万元)	11893.98	19769.25	11627.15	17061.26
	营业利润(万元)	11205.27	22184.32	13379.91	17787.62
	利润总额(万元)	13866.23	23753.12	13816.81	20623.49

海南海德实业股份有限公司

公司概况						
公司名称	海南海德实业股份有限公司			证券简称	海德股份	
法人代表	郭怀保	董秘	朱新民	证券代码	000567	
公司网址	www.000567.com		电子信箱	haide@hainan.net		
电　话	0898-66978322　60318885		传　真	0898-66978319		
办公地址	海南省海口市龙昆南路72号耀江商厦三层					
经营范围	信息产业、高新技术产业、房地产开发经营、房地产销售代理服务等					

主要财务指标 指标\报告期	2016.06.30	2015.12.31	2015.06.30	2014.12.31
基本每股收益(元)	0.0076	0.1537	0.0944	0.0410
基本每股收益(扣除后)(元)	-0.0125	-0.1031	-0.0287	0.0420
稀释每股收益(元)	0.0076	0.1537	0.0944	0.0410
每股净资产(元)	1.4519	1.4443	1.3850	1.2906
每股经营现金净流量(元)	0.7415	0.0387	0.0163	-0.2299
每股现金流量(元)	1.0476	0.8901	0.0698	-0.2292
每股资本公积金(元)	0.7720	0.7720	0.7720	0.7720
每股盈余公积金(元)	0.0040	0.0040	0.0040	0.0040
每股未分配利润(元)	-0.3241	-0.3317	-0.3910	-0.4854
净资产收益率(%)	0.5225	10.6434	6.8158	3.1733
加权净资产收益率(%)	0.5200	11.2400	7.0600	3.2200
净资产收益率(扣除)(%)	-0.8614	-7.1383	-2.0715	3.2405
总资产(万元)	32664.76	22899.30	21852.39	31563.20
归属母公司股东权益(万元)	21952.66	21837.96	20940.96	19513.66
营业收入(万元)	69.55	1559.42	937.36	1472.49
营业支出(万元)	27.19	1499.44	901.16	1344.19
投资收益(万元)	-	2954.34	1171.25	2008.90
净利润(万元)	114.70	2322.86	1425.86	495.64
营业利润(万元)	-62.81	2436.03	1379.53	495.84
利润总额(万元)	46.69	2436.61	1380.16	482.66

泸州老窖股份有限公司

公司概况						
公司名称	泸州老窖股份有限公司			证券简称	泸州老窖	
法人代表	刘淼	董秘	王洪波	证券代码	000568	
公司网址	www.lzlj.com.cn		电子信箱	lzlj@lzlj.com.cn		
电　话	0830-2398826		传　真	0830-2398864		
办公地址	四川省泸州市南光路泸州老窖营销网络指挥中心					
经营范围	泸州老窖系列酒的生产、销售等					

主要财务指标 指标\报告期	2016.06.30	2015.12.31	2015.06.30	2014.12.31
基本每股收益(元)	0.7933	1.0500	0.7280	0.6300
基本每股收益(扣除后)(元)	0.7899	1.0327	0.7270	0.6142
稀释每股收益(元)	0.7933	1.0500	0.7280	0.6300
每股净资产(元)	7.2803	7.3283	7.0764	6.9268
每股经营现金净流量(元)	1.1138	0.1090	-0.8801	0.9322
每股现金流量(元)	1.1011	-0.8190	-0.9064	-0.4719
每股资本公积金(元)	0.4645	0.4636	0.4650	0.4650
每股盈余公积金(元)	1.0000	1.0000	1.0000	1.0000
每股未分配利润(元)	4.6943	4.7010	4.3801	4.4516
净资产收益率(%)	10.8966	14.3339	10.2942	9.0578
加权净资产收益率(%)	10.3000	14.7400	11.2200	7.9900
净资产收益率(扣除)(%)	10.8303	14.0913	10.2778	8.8674
总资产(万元)	1332316.03	1320439.74	1359022.11	1317081.90
归属母公司股东权益(万元)	1020881.00	1027268.89	992285.72	971310.39
营业收入(万元)	426951.88	690015.69	369612.52	535344.22
营业支出(万元)	174045.99	349174.64	174929.75	280447.34
投资收益(万元)	7203.84	29824.89	23252.06	14540.98
净利润(万元)	115226.85	155072.35	106021.36	97606.60
营业利润(万元)	151799.98	193361.05	134435.98	119235.06
利润总额(万元)	152740.32	196706.76	134726.79	121752.33

常柴股份有限公司

公司概况						
公司名称	常柴股份有限公司			证券简称	苏常柴A	
法人代表	薛国俊	董秘	石建春	证券代码	000570	
公司网址	www.changchai.com.cn		电子信箱	ccsjc@changchai.com		
电　话	0519-68683155　86610041		传　真	0519-86630954		
办公地址	江苏省常州市怀德中路123号					
经营范围	农用柴油机、农用运输车、联合收割机等产品的制造与销售等					

主要财务指标 指标\报告期	2016.06.30	2015.12.31	2015.06.30	2014.12.31
基本每股收益(元)	0.0600	0.1300	0.0700	0.1100
基本每股收益(扣除后)(元)	0.0500	0.1100	0.0600	0.1000
稀释每股收益(元)	0.0600	0.1300	0.0700	0.1100
每股净资产(元)	3.5186	3.5679	3.7786	3.4503
每股经营现金净流量(元)	0.2103	0.2279	0.0832	-0.0918
每股现金流量(元)	0.1215	0.1104	-0.0635	-0.2603
每股资本公积金(元)	0.2927	0.2927	0.2927	0.2927
每股盈余公积金(元)	0.5447	0.5447	0.5311	0.5311
每股未分配利润(元)	1.1222	1.0828	1.0366	0.9897
净资产收益率(%)	1.7728	3.5500	1.7709	3.3146
加权净资产收益率(%)	1.7600	3.5300	1.8500	3.2800
净资产收益率(扣除)(%)	1.4434	3.0749	1.6835	3.0298
总资产(万元)	320441.68	323240.61	339372.59	316678.38
归属母公司股东权益(万元)	197525.53	200291.03	212120.40	193693.68
营业收入(万元)	116366.07	251979.95	135989.59	248979.21
营业支出(万元)	98459.43	211021.61	117907.31	215706.22
投资收益(万元)	190.11	912.01	490.06	1201.43
净利润(万元)	3540.36	7248.43	3821.74	6566.96
营业利润(万元)	3549.70	8363.14	4488.94	8329.22
利润总额(万元)	4198.53	8916.88	4572.09	8525.72

新大洲控股股份有限公司

公司概况						
公司名称	新大洲控股股份有限公司			证券简称	新大洲A	
法人代表	陈阳友	董秘	任春雨	证券代码	000571	
公司网址	www.sundiro.com		电子信箱	sundiro@sundiro.com		
电　话	0898-68590005　021-61050111		传　真	0898-68590005　021-61050136		
办公地址	海南省海口市桂林洋开发区灵桂大道351号					
经营范围	摩托车及发动机配件的生产经营;高科技开发,物业管理;进出口业务等					

主要财务指标 指标\报告期	2016.06.30	2015.12.31	2015.06.30	2014.12.31
基本每股收益(元)	0.0448	0.0698	0.0617	0.0976
基本每股收益(扣除后)(元)	0.0241	0.0709	0.0575	0.0898
稀释每股收益(元)	0.0448	0.0698	0.0617	0.0976
每股净资产(元)	2.7241	2.7087	2.7309	2.6837
每股经营现金净流量(元)	0.1021	-0.1696	-0.1815	-0.4670
每股现金流量(元)	-0.0349	-0.0764	0.1425	0.1586
每股资本公积金(元)	0.7949	0.7949	0.7927	0.7927
每股盈余公积金(元)	0.0793	0.0793	0.0720	0.0720
每股未分配利润(元)	0.8405	0.8253	0.8622	0.8050
净资产收益率(%)	1.6449	2.5757	2.2580	3.4922
加权净资产收益率(%)	1.6400	2.6100	2.2700	3.7500
净资产收益率(扣除)(%)	0.8840	2.6171	2.1066	3.2111
总资产(万元)	510437.82	488295.11	488855.55	446638.80
归属母公司股东权益(万元)	221760.59	220507.38	222310.32	218466.77
营业收入(万元)	38308.59	91697.29	40751.40	95195.48
营业支出(万元)	26909.05	62507.58	26693.82	62554.45
投资收益(万元)	3704.05	9639.20	5848.11	6908.26
净利润(万元)	4762.82	3512.82	5216.75	9644.67
营业利润(万元)	2699.06	6537.16	6806.14	12122.17
利润总额(万元)	5702.71	6170.77	6767.78	12561.82

海马汽车集团股份有限公司

公司概况	公司名称	海马汽车集团股份有限公司			证券简称	海马汽车
	法人代表	秦全权	董秘	肖丹	证券代码	000572
	公司网址	www.haima.com		电子信箱	000572@haima.com	
	电　话	0898-66822672		传　真	0898-66820329	
	办公地址	海南省海口市金盘工业区金牛路2号				
	经营范围	汽车产业投资、实业投资、房地产投资、汽车租赁、仓储运输等				

主要财务指标	指标＼报告期	2016.06.30	2015.12.31	2015.06.30	2014.12.31
	基本每股收益(元)	0.1061	0.0988	0.1177	0.1296
	基本每股收益(扣除后)(元)	0.0872	0.0653	0.1137	0.1108
	稀释每股收益(元)	0.1061	0.0988	0.1177	0.1296
	每股净资产(元)	4.5284	4.4745	4.5028	4.3833
	每股经营现金净流量(元)	0.4451	0.4300	0.3804	0.4095
	每股现金流量(元)	0.0427	0.0457	-0.1967	0.0692
	每股资本公积金(元)	2.2895	2.2895	2.3032	2.3011
	每股盈余公积金(元)	0.0526	0.0526	0.0501	0.0501
	每股未分配利润(元)	1.1764	1.1203	1.1417	1.0240
	净资产收益率(%)	2.3439	2.2077	2.6133	2.9567
	加权净资产收益率(%)	2.3600	2.2300	2.6500	3.0000
	净资产收益率(扣除)(%)	1.9259	1.4596	2.5246	2.5283
	总资产(万元)	1658824.02	1739694.30	1513222.71	1610909.72
	归属母公司股东权益(万元)	744750.51	735886.87	740549.33	720888.53
	营业收入(万元)	672777.05	1218095.75	600483.61	1235198.19
	营业支出(万元)	570987.05	1028991.42	495854.46	1042427.93
	投资收益(万元)	-1913.12	-960.10	-637.41	3836.77
	净利润(万元)	11256.19	10200.49	21536.82	26868.09
	营业利润(万元)	10438.50	5869.79	24758.51	28048.07
	利润总额(万元)	14672.01	12579.78	25894.42	32678.33

东莞宏远工业区股份有限公司

公司概况	公司名称	东莞宏远工业区股份有限公司			证券简称	粤宏远A
	法人代表	周明轩	董秘	鄢国根	证券代码	000573
	公司网址	www.winnerway.com.cn		电子信箱	0573@21cn.com	
	电　话	0769-22412655		传　真	0769-22412655	
	办公地址	广东省东莞市宏远工业区宏远大厦16楼				
	经营范围	开发经营工业区、房地产开发等				

主要财务指标	指标＼报告期	2016.06.30	2015.12.31	2015.06.30	2014.12.31
	基本每股收益(元)	0.0287	-0.1478	-0.0399	0.0225
	基本每股收益(扣除后)(元)	0.0281	-0.1508	-0.0385	0.0218
	稀释每股收益(元)	0.0287	-0.1478	-0.0399	0.0225
	每股净资产(元)	2.4430	2.4151	2.5236	2.5611
	每股经营现金净流量(元)	0.4160	0.2073	0.0772	0.0544
	每股现金流量(元)	0.5470	-0.1161	-0.1521	0.1963
	每股资本公积金(元)	0.8908	0.8908	0.8910	0.8888
	每股盈余公积金(元)	0.3417	0.3417	0.3417	0.3417
	每股未分配利润(元)	0.2081	0.1793	0.2873	0.3272
	净资产收益率(%)	1.1766	-6.1212	-1.5816	0.8787
	加权净资产收益率(%)	1.1800	-5.9400	-1.5700	0.8800
	净资产收益率(扣除)(%)	1.1490	-6.2422	-1.5265	0.8524
	总资产(万元)	323009.54	318672.85	321473.72	332208.77
	归属母公司股东权益(万元)	152141.59	150398.84	157156.92	159495.04
	营业收入(万元)	43447.59	30956.74	20059.96	87034.79
	营业支出(万元)	32874.66	22296.21	14085.42	60728.55
	投资收益(万元)	3724.33	-2271.07	489.59	146.14
	净利润(万元)	1519.99	-9884.48	-2831.30	600.09
	营业利润(万元)	1607.48	-11364.58	-2621.12	2238.34
	利润总额(万元)	1663.44	-11428.87	-2719.35	2294.30

江门甘蔗化工厂(集团)股份有限公司

公司概况	公司名称	江门甘蔗化工厂(集团)股份有限公司			证券简称	广东甘化
	法人代表	施永晨	董秘	沙伟	证券代码	000576
	公司网址	www.gdganhua.com		电子信箱	gdgh@gdganhua.com	
	电　话	0750-3277650 3277651		传　真	0750-3277666	
	办公地址	广东省江门市甘化路62号				
	经营范围	经营本企业和本企业成员企业自产产品及相关技术的出口业务等				

主要财务指标	指标＼报告期	2016.06.30	2015.12.31	2015.06.30	2014.12.31
	基本每股收益(元)	-0.0781	0.4000	-0.0552	0.0200
	基本每股收益(扣除后)(元)	-0.1102	-0.1800	-0.0617	-0.0600
	稀释每股收益(元)	-0.0781	0.4000	-0.0552	0.0200
	每股净资产(元)	2.6263	2.7044	2.2487	2.3040
	每股经营现金净流量(元)	-0.0472	-0.1552	-0.1344	-0.0817
	每股现金流量(元)	-1.0883	1.1596	-0.0363	-0.3088
	每股资本公积金(元)	1.9005	1.9005	1.9005	1.9005
	每股盈余公积金(元)	0.0499	0.0499	0.0435	0.0435
	每股未分配利润(元)	-0.3425	-0.2644	-0.7136	-0.6584
	净资产收益率(%)	-2.9737	14.8057	-2.4551	1.0055
	加权净资产收益率(%)	-2.9300	15.8800	-2.4300	1.0000
	净资产收益率(扣除)(%)	-4.1951	-6.6278	-2.7446	-2.5131
	总资产(万元)	141224.65	195810.96	155411.28	145624.22
	归属母公司股东权益(万元)	116306.83	119765.41	99588.33	102033.34
	营业收入(万元)	16364.20	39814.23	19371.65	47610.58
	营业支出(万元)	16651.34	38222.69	17913.27	44297.22
	投资收益(万元)	-	-5.25	-	1657.23
	净利润(万元)	-3459.36	17730.64	-2445.62	1000.56
	营业利润(万元)	-4879.29	-10089.32	-2733.74	-1272.68
	利润总额(万元)	-3458.73	23901.70	-2445.49	641.78

无锡威孚高科技集团股份有限公司

公司概况	公司名称	无锡威孚高科技集团股份有限公司			证券简称	威孚高科
	法人代表	陈学军	董秘	周卫星	证券代码	000581
	公司网址	www.weifu.com.cn		电子信箱	wfjt@public1.wx.js.cn	
	电　话	00510-80505999		传　真	00510-80505199	
	办公地址	江苏省无锡市新区华山路5号				
	经营范围	柴油燃油喷射系统产品和汽车后处理系统产品的生产和销售等				

主要财务指标	指标＼报告期	2016.06.30	2015.12.31	2015.06.30	2014.12.31
	基本每股收益(元)	0.9400	1.4900	1.0300	1.5100
	基本每股收益(扣除后)(元)	0.8200	1.2100	0.8700	1.3800
	稀释每股收益(元)	0.9400	1.4900	1.0300	1.5100
	每股净资产(元)	12.0586	11.6787	11.3905	10.6440
	每股经营现金净流量(元)	0.1918	0.5372	0.4296	0.8723
	每股现金流量(元)	-1.9692	1.0031	-0.6139	-0.2554
	每股资本公积金(元)	3.3668	3.3668	3.5637	3.5637
	每股盈余公积金(元)	0.5056	0.5056	0.5000	0.5000
	每股未分配利润(元)	7.0538	6.6187	6.0856	5.4603
	净资产收益率(%)	7.7554	12.8606	9.0012	14.1766
	加权净资产收益率(%)	7.7200	13.3200	9.1400	15.0500
	净资产收益率(扣除)(%)	6.8190	10.4587	7.6072	12.9374
	总资产(万元)	1669662.03	1570409.31	1545258.25	1448858.92
	归属母公司股东权益(万元)	1216656.38	1178322.83	1162056.94	1085903.47
	营业收入(万元)	336647.65	574164.37	339043.79	635448.00
	营业支出(万元)	263328.20	439523.73	264363.90	474020.17
	投资收益(万元)	71195.26	133307.08	78233.85	104244.62
	净利润(万元)	97474.90	155276.42	107008.95	158907.73
	营业利润(万元)	102665.18	160281.43	113800.10	171750.19
	利润总额(万元)	104306.34	166351.68	115827.47	171252.10

北部湾港股份有限公司

公司概况						
公司名称	北部湾港股份有限公司			证券简称	北部湾港	
法人代表	周小溪	董秘	何典治	证券代码	000582	
公司网址	www.bhport.cn		电子信箱	000582abc@163.com		
电　话	0771-2519601　2519801		传　真	0771-2519608		
办公地址	广西壮族自治区南宁市青秀区金浦路33号港务大厦9层					
经营范围	投资兴建港口、码头、装卸管理及服务、交通运输等					

主要财务指标：指标\报告期	2016.06.30	2015.12.31	2015.06.30	2014.12.31
基本每股收益(元)	0.2770	0.4420	0.2890	0.7170
基本每股收益(扣除后)(元)	0.2750	0.4200	0.2850	0.7060
稀释每股收益(元)	0.2770	0.4420	0.2890	0.7170
每股净资产(元)	6.4321	6.2473	5.9775	4.1441
每股经营现金净流量(元)	0.6324	0.4960	0.3266	1.4332
每股现金流量(元)	-0.2132	0.9909	1.3128	-0.1152
每股资本公积金(元)	2.8783	2.9075	2.8089	1.8416
每股盈余公积金(元)	0.3111	0.3038	0.2992	0.3430
每股未分配利润(元)	2.2181	2.0102	1.8557	1.9040
净资产收益率(%)	4.3098	6.6158	4.3137	17.3001
加权净资产收益率(%)	4.3600	7.2800	5.6400	17.4100
净资产收益率(扣除)(%)	4.2819	6.3324	4.2676	17.0372
总资产(万元)	1224695.84	1235529.85	1203193.60	1046746.79
归属母公司股东权益(万元)	613655.17	596020.11	570276.09	424679.87
营业收入(万元)	137127.93	305473.00	153481.65	423772.77
营业支出(万元)	83738.18	210410.31	98484.88	309571.44
投资收益(万元)	-12.46	57.25	3.79	60.47
净利润(万元)	27557.32	40812.83	25051.62	60827.74
营业利润(万元)	31125.86	45426.17	29395.09	70077.38
利润总额(万元)	31401.45	47622.26	29354.39	70795.45

江苏友利投资控股股份有限公司

公司概况						
公司名称	江苏友利投资控股股份有限公司			证券简称	友利控股	
法人代表	马培林	董秘	潘素明	证券代码	000584	
公司网址	www.uoli.com.cn		电子信箱	ymcui4521@163.com		
电　话	028-86757539　86518664		传　真	028-86741677		
办公地址	四川省成都市高新区吉庆三路333号1栋1单元18楼					
经营范围	销售新型纺织及包装材料、自有房屋租赁、物业管理等					

主要财务指标：指标\报告期	2016.06.30	2015.12.31	2015.06.30	2014.12.31
基本每股收益(元)	-0.0545	0.0428	0.0694	0.2662
基本每股收益(扣除后)(元)	-0.0569	0.0032	0.0694	0.2619
稀释每股收益(元)	-0.0545	0.0428	0.0694	0.2662
每股净资产(元)	3.0824	3.1421	3.1798	3.0989
每股经营现金净流量(元)	-0.1292	0.3279	0.1319	0.3071
每股现金流量(元)	-0.4286	0.2780	0.0299	0.0604
每股资本公积金(元)	1.1009	1.1009	1.1009	1.1009
每股盈余公积金(元)	0.1296	0.1296	0.1296	0.1296
每股未分配利润(元)	0.8319	0.8864	0.9130	0.8436
净资产收益率(%)	-1.7676	1.3624	2.1818	8.5909
加权净资产收益率(%)	-1.7500	1.3700	2.2100	8.4900
净资产收益率(扣除)(%)	-1.8465	0.1019	2.0355	8.4527
总资产(万元)	266643.57	295452.41	318831.98	349083.94
归属母公司股东权益(万元)	189051.58	192713.67	195027.58	190060.15
营业收入(万元)	38810.83	107516.77	66771.59	201379.19
营业支出(万元)	33842.40	86166.59	48398.85	142932.01
投资收益(万元)	-	808.99	-162.36	12.82
净利润(万元)	-5222.92	1357.07	3923.93	16342.73
营业利润(万元)	-4601.67	1686.77	6011.85	24025.64
利润总额(万元)	-4499.62	3157.54	6135.73	24184.02

东北电气发展股份有限公司

公司概况						
公司名称	东北电气发展股份有限公司			证券简称	东北电气	
法人代表	苏江华	董秘	苏伟国	证券代码	000585	
公司网址	www.nee.com.cn		电子信箱	nee@nee.com.cn		
电　话	0417-6897567　6897566		传　真	0417-6897565		
办公地址	辽宁省营口市鲅鱼圈区新泰路1号					
经营范围	生产制造输变电设备及附件、销售自产产品并提供相关售后服务等					

主要财务指标：指标\报告期	2016.06.30	2015.12.31	2015.06.30	2014.12.31
基本每股收益(元)	-0.0151	0.0100	-0.0018	0.0100
基本每股收益(扣除后)(元)	-0.0151	-0.0010	-0.0018	0.0050
稀释每股收益(元)	-0.0151	0.0100	-0.0018	0.0100
每股净资产(元)	0.3273	0.3400	0.3259	0.3277
每股经营现金净流量(元)	-0.0363	-0.0209	-0.0332	0.0307
每股现金流量(元)	-0.0455	-0.0238	-0.0645	0.0225
每股资本公积金(元)	1.0115	1.0115	1.0115	1.0115
每股盈余公积金(元)	0.1243	0.1243	0.1243	0.1243
每股未分配利润(元)	-1.7756	-1.7605	-1.7680	-1.7662
净资产收益率(%)	-4.6039	1.6611	-0.5486	2.1556
加权净资产收益率(%)	-4.6000	1.6800	-0.5500	2.1790
净资产收益率(扣除)(%)	-4.6760	-0.2613	-0.5647	1.5341
总资产(万元)	45472.85	48344.57	49261.79	48259.58
归属母公司股东权益(万元)	28584.54	29698.71	28458.96	28618.83
营业收入(万元)	3450.20	15163.96	6544.78	19751.35
营业支出(万元)	2780.08	11122.76	4753.51	14916.84
投资收益(万元)	32.90	85.91	56.19	56.68
净利润(万元)	-1316.93	485.75	-156.38	605.81
营业利润(万元)	-1304.66	751.90	-130.23	926.14
利润总额(万元)	-1316.93	766.30	-125.64	929.44

四川汇源光通信股份有限公司

公司概况						
公司名称	四川汇源光通信股份有限公司			证券简称	汇源通信	
法人代表	罗劲	董秘	翁家林	证券代码	000586	
公司网址	www.schy.com.cn		电子信箱	sz000586@126.com		
电　话	028-85516608		传　真	028-85516606		
办公地址	四川省成都市成都天府大道东方希望天祥广场项目1座(5号楼)7层702号					
经营范围	制造电线、电缆、光缆、电工器材、通信设备、信息传输等					

主要财务指标：指标\报告期	2016.06.30	2015.12.31	2015.06.30	2014.12.31
基本每股收益(元)	0.0030	0.0900	0.0050	0.0400
基本每股收益(扣除后)(元)	-0.0050	-0.0400	-0.0080	0.0100
稀释每股收益(元)	0.0030	0.0900	0.0050	0.0400
每股净资产(元)	1.1999	1.1964	1.1006	1.0957
每股经营现金净流量(元)	-0.0530	-0.1285	-0.2399	0.1208
每股现金流量(元)	-0.1108	-0.1709	-0.3186	0.0707
每股资本公积金(元)	0.3301	0.3301	0.3135	0.3135
每股盈余公积金(元)	0.0922	0.0922	0.0922	0.0922
每股未分配利润(元)	-0.2071	-0.2106	-0.2935	-0.2984
净资产收益率(%)	0.2872	7.3386	0.4468	3.2389
加权净资产收益率(%)	0.2900	7.6500	0.4500	3.2900
净资产收益率(扣除)(%)	-0.4092	-3.2924	-0.6955	0.6799
总资产(万元)	50884.08	53045.67	46485.89	53757.43
归属母公司股东权益(万元)	23210.15	23143.48	21289.49	21194.37
营业收入(万元)	20508.17	43495.38	16891.47	47488.84
营业支出(万元)	16436.62	36225.23	14129.23	38714.74
投资收益(万元)	8.82	4.47	7.15	102.51
净利润(万元)	6.36	1775.88	-65.30	892.34
营业利润(万元)	-118.91	889.05	-430.51	546.35
利润总额(万元)	67.03	1944.85	-86.57	1061.22

金洲慈航集团股份有限公司

公司概况	公司名称	金洲慈航集团股份有限公司			证券简称	金洲慈航
	法人代表	朱要文	董秘	赵国文	证券代码	000587
	公司网址	www.goldzb.com.cn		电子信箱	jinye000587@163.com	
	电　话	010-64100338		传　真	010-64106991	
	办公地址	北京市朝阳区东三环北路 2 号南银大厦 19 层				
	经营范围	加工、销售贵金属首饰、珠宝玉器、工艺美术品、金银回收等				

主要财务指标	指标＼报告期	2016.06.30	2015.12.31	2015.06.30	2014.12.31
	基本每股收益(元)	0.4600	0.4600	0.1300	0.2600
	基本每股收益(扣除后)(元)	0.4500	0.4600	0.1200	0.2300
	稀释每股收益(元)	0.4600	0.4600	0.1300	0.2600
	每股净资产(元)	7.5840	7.1282	2.4717	2.3429
	每股经营现金净流量(元)	0.0490	0.0882	0.0532	–0.2535
	每股现金流量(元)	0.2975	0.8606	–0.0213	0.0811
	每股资本公积金(元)	5.5125	5.5175	0.7132	0.7132
	每股盈余公积金(元)	0.0208	0.0208	0.0396	0.0396
	每股未分配利润(元)	1.0507	0.5899	0.7189	0.5901
	净资产收益率(%)	6.0762	3.9321	5.2111	10.9113
	加权净资产收益率(%)	6.2600	12.1600	5.3500	11.4200
	净资产收益率(扣除)(%)	5.9322	3.9200	4.9931	10.0150
	总资产(万元)	2782737.13	1910072.91	334599.79	285969.71
	归属母公司股东权益(万元)	805324.51	756921.52	137704.25	130528.41
	营业收入(万元)	543560.47	992315.63	475112.91	1033252.77
	营业支出(万元)	445803.73	914553.70	450571.08	983133.64
	投资收益(万元)	565.66	980.62	–	–
	净利润(万元)	53304.98	30695.42	7028.82	14497.00
	营业利润(万元)	68774.90	39718.70	8541.10	16484.68
	利润总额(万元)	70435.24	39938.68	8892.55	17875.49

贵州轮胎股份有限公司

公司概况	公司名称	贵州轮胎股份有限公司			证券简称	黔轮胎 A
	法人代表	马世春	董秘	李尚武	证券代码	000589
	公司网址	www.gztyre.com		电子信箱	dmc@gztire.com	
	电　话	0851-4763651　4767251		传　真	0851-4767826	
	办公地址	贵州省贵阳市百花大道 41 号				
	经营范围	轮胎生产与销售等				

主要财务指标	指标＼报告期	2016.06.30	2015.12.31	2015.06.30	2014.12.31
	基本每股收益(元)	–0.0650	–0.3300	0.0800	0.2400
	基本每股收益(扣除后)(元)	–0.0710	–0.3600	0.0800	0.1800
	稀释每股收益(元)	–0.0650	–0.3300	0.0800	0.2400
	每股净资产(元)	4.4383	4.4956	4.9501	4.8700
	每股经营现金净流量(元)	0.6324	0.7468	0.7897	1.2527
	每股现金流量(元)	–0.5269	1.7802	0.8909	1.1111
	每股资本公积金(元)	2.3669	2.3669	2.3669	2.3669
	每股盈余公积金(元)	0.2108	0.2108	0.2108	0.2108
	每股未分配利润(元)	0.8502	0.9154	1.3739	1.2894
	净资产收益率(%)	–1.4707	–7.4289	1.7068	4.4032
	加权净资产收益率(%)	–1.4600	–7.1400	1.7200	4.9000
	净资产收益率(扣除)(%)	–1.6003	–7.9043	1.6997	3.3414
	总资产(万元)	1083771.59	1117573.39	1128800.29	973039.24
	归属母公司股东权益(万元)	344177.47	348614.62	383858.92	377312.33
	营业收入(万元)	261698.77	473346.75	214202.69	556348.20
	营业支出(万元)	223565.98	417366.65	154401.74	444297.39
	投资收益(万元)	1158.80	2866.20	1367.25	1439.93
	净利润(万元)	–5046.27	–25850.30	6584.99	16698.19
	营业利润(万元)	–7266.98	–32379.30	8054.09	15253.80
	利润总额(万元)	–6703.73	–30351.01	8095.21	19573.94

启迪古汉集团股份有限公司

公司概况	公司名称	启迪古汉集团股份有限公司			证券简称	启迪古汉
	法人代表	王书贵	董秘	曹定兴	证券代码	000590
	公司网址	www.guhan.com		电子信箱	stocks@guhan.com	
	电　话	0734-8239335		传　真	0734-8239335	
	办公地址	湖南省衡阳市蒸湘区蔡伦路 33 号				
	经营范围	研制、开发、生产口服液、大输液、片剂、原料药、丸剂、冲剂、酒剂等				

主要财务指标	指标＼报告期	2016.06.30	2015.12.31	2015.06.30	2014.12.31
	基本每股收益(元)	0.0535	0.1002	0.0506	–0.3841
	基本每股收益(扣除后)(元)	0.0518	0.0812	0.0468	–0.4106
	稀释每股收益(元)	0.0535	0.1002	0.0506	–0.3841
	每股净资产(元)	0.9750	0.9215	0.8799	0.8244
	每股经营现金净流量(元)	–0.0166	–0.2712	–0.0104	–0.2279
	每股现金流量(元)	0.0948	0.0359	0.0156	–0.0673
	每股资本公积金(元)	0.6826	0.6826	0.6826	0.6826
	每股盈余公积金(元)	0.2055	0.2055	0.2055	0.2055
	每股未分配利润(元)	–0.9132	–0.9667	–1.0162	–1.0668
	净资产收益率(%)	5.4873	10.8712	5.7517	–46.5875
	加权净资产收益率(%)	5.6400	11.4800	5.9400	–37.8200
	净资产收益率(扣除)(%)	5.3099	8.8090	5.3234	–49.8026
	总资产(万元)	61147.28	58743.46	57575.32	58682.07
	归属母公司股东权益(万元)	21774.27	20579.41	19651.03	18410.64
	营业收入(万元)	16386.16	29471.96	16024.67	20312.20
	营业支出(万元)	7796.48	13195.90	7102.48	9822.91
	投资收益(万元)	2.04	276.75	43.01	547.89
	净利润(万元)	1137.35	2237.23	1130.26	–8577.05
	营业利润(万元)	1551.14	2914.19	1373.84	–6981.61
	利润总额(万元)	1592.27	3087.06	1464.69	–8776.69

中节能太阳能股份有限公司

公司概况	公司名称	中节能太阳能股份有限公司			证券简称	太阳能
	法人代表	曹华斌	董秘	张蓉蓉	证券代码	000591
	公司网址	www.tongjunge.cn		电子信箱	tjg000591@163.com	
	电　话	023-89885208		传　真	023-89885208	
	办公地址	重庆市渝中区解放西路 1 号				
	经营范围	中西成药生产及销售等				

主要财务指标	指标＼报告期	2016.06.30	2015.12.31	2015.06.30	2014.12.31
	基本每股收益(元)	0.1963	0.6500	0.0692	0.0141
	基本每股收益(扣除后)(元)	0.1884	0.5900	0.0675	0.0099
	稀释每股收益(元)	0.1963	0.6500	0.0692	0.0141
	每股净资产(元)	7.9587	6.0156	1.5148	1.4496
	每股经营现金净流量(元)	0.3867	0.7563	0.1204	0.0445
	每股现金流量(元)	0.4240	0.2294	0.1565	–0.1347
	每股资本公积金(元)	5.8954	3.7448	0.1254	0.1254
	每股盈余公积金(元)	–	–	0.2282	0.2282
	每股未分配利润(元)	1.0949	1.2749	0.1440	0.0824
	净资产收益率(%)	2.0259	7.8509	4.5684	0.9748
	加权净资产收益率(%)	2.8700	8.1800	4.6800	1.0000
	净资产收益率(扣除)(%)	1.9445	7.1764	4.4576	0.6820
	总资产(万元)	2916285.52	2273721.37	328309.73	332435.95
	归属母公司股东权益(万元)	1087842.35	602168.73	41600.86	39810.18
	营业收入(万元)	213237.91	363028.06	253906.99	474877.83
	营业支出(万元)	151268.50	237972.91	212955.41	402202.76
	投资收益(万元)	82.59	1762.70	22.17	20.08
	净利润(万元)	23469.87	49317.27	854.27	–425.72
	营业利润(万元)	22992.29	48384.90	1219.02	438.55
	利润总额(万元)	25219.97	52679.81	1282.13	611.10

中福海峡(平潭)发展股份有限公司

公司概况					
公司名称	中福海峡(平潭)发展股份有限公司			证券简称	平潭发展
法人代表	刘平山	董秘	杨佳熠	证券代码	000592
公司网址	www.000592.com			电子信箱	zhongfu@000592.com
电　话	0591-87871990-102			传　真	0591-87383288
办公地址	福建省福州市鼓楼区五四路159号世界金龙大厦23层				
经营范围	造林、营林、林产品加工与销售等				

主要财务指标　指标＼报告期	2016.06.30	2015.12.31	2015.06.30	2014.12.31
基本每股收益(元)	0.0103	0.0440	0.0365	0.0831
基本每股收益(扣除后)(元)	0.0063	0.0284	0.0318	0.0633
稀释每股收益(元)	0.0103	0.0440	0.0365	0.0831
每股净资产(元)	1.6354	3.2502	1.3796	1.3419
每股经营现金净流量(元)	0.0069	-0.2231	-0.0199	-0.0105
每股现金流量(元)	-0.5214	1.2507	0.0760	0.0205
每股资本公积金(元)	0.7380	2.4759	0.6450	0.6437
每股盈余公积金(元)	0.0171	0.0342	0.0390	0.0390
每股未分配利润(元)	-0.1197	-0.2600	-0.3043	-0.3408
净资产收益率(%)	0.6305	1.2013	2.6434	6.1921
加权净资产收益率(%)	0.6300	2.8600	2.6800	6.3900
净资产收益率(扣除)(%)	0.3865	0.7764	2.3033	4.7203
总资产(万元)	376829.07	379789.56	239807.12	214535.58
归属母公司股东权益(万元)	315924.71	313932.72	116911.11	113712.36
营业收入(万元)	39673.72	96318.17	50459.60	86475.41
营业支出(万元)	34369.93	79324.05	41476.63	69932.10
投资收益(万元)	359.26	758.32	198.91	329.80
净利润(万元)	1629.23	4179.06	3479.34	7680.47
营业利润(万元)	328.84	2339.43	2258.70	2974.27
利润总额(万元)	1738.95	4745.78	3777.04	8403.96

四川大通燃气开发股份有限公司

公司概况					
公司名称	四川大通燃气开发股份有限公司			证券简称	大通燃气
法人代表	李占通	董秘	郑蜀闽	证券代码	000593
公司网址	www.dtrq.com			电子信箱	sz000593@163.com
电　话	028-68539558			传　真	028-68539800
办公地址	四川省成都市建设路55号				
经营范围	城市管道燃气、零售商业等				

主要财务指标　指标＼报告期	2016.06.30	2015.12.31	2015.06.30	2014.12.31
基本每股收益(元)	0.0220	0.0500	0.0250	0.0610
基本每股收益(扣除后)(元)	0.0270	0.0430	0.0240	0.0530
稀释每股收益(元)	0.0220	0.0500	0.0250	0.0610
每股净资产(元)	3.1900	2.3213	2.3580	2.3751
每股经营现金净流量(元)	0.1105	0.1947	0.0519	0.0824
每股现金流量(元)	0.2766	-0.3154	-0.4852	-0.5314
每股资本公积金(元)	1.9056	0.9649	0.9649	0.9649
每股盈余公积金(元)	0.0348	0.0446	0.0166	0.0166
每股未分配利润(元)	0.3274	0.3960	0.3983	0.3936
净资产收益率(%)	0.5741	2.1690	1.0454	2.5822
加权净资产收益率(%)	0.8800	2.1400	1.2400	2.5400
净资产收益率(扣除)(%)	0.6889	1.8586	1.0325	2.2223
总资产(万元)	157038.15	79022.73	74654.68	76867.43
归属母公司股东权益(万元)	114402.16	64982.26	66008.81	66489.58
营业收入(万元)	23268.75	42136.94	20484.09	44289.02
营业支出(万元)	16753.94	29014.36	14555.99	31194.66
投资收益(万元)	-62.76	-21.61	13.76	-120.64
净利润(万元)	716.79	1409.46	690.04	1716.92
营业利润(万元)	1110.13	1729.65	995.39	2022.38
利润总额(万元)	935.10	1998.56	1006.77	2341.42

宝塔实业股份有限公司

公司概况					
公司名称	宝塔实业股份有限公司			证券简称	宝塔实业
法人代表	赵立宝	董秘	项新周	证券代码	000595
公司网址	www.nxz.com.cn			电子信箱	nxz@nxz.com.cn
电　话	0951-5610007			传　真	0951-5610017
办公地址	宁夏回族自治区银川市金凤区宁安大街88号宝塔石化大厦13层				
经营范围	各类滚动轴承的生产和销售				

主要财务指标　指标＼报告期	2016.06.30	2015.12.31	2015.06.30	2014.12.31
基本每股收益(元)	-0.0750	-0.3900	-0.1340	0.0800
基本每股收益(扣除后)(元)	-0.0600	-0.3600	-0.1370	-0.6724
稀释每股收益(元)	-0.0750	-0.3900	-0.1340	0.0800
每股净资产(元)	1.9292	2.0039	2.2503	1.1807
每股经营现金净流量(元)	-0.0566	-0.1668	-0.1007	-0.1645
每股现金流量(元)	-0.1762	0.1649	0.3614	-0.2930
每股资本公积金(元)	2.1732	2.1732	2.1716	1.3866
每股盈余公积金(元)	0.0252	0.0252	0.0252	0.0379
每股未分配利润(元)	-1.2722	-1.1975	-0.9483	-1.2465
净资产收益率(%)	-3.8711	-18.3889	-5.3015	7.0391
加权净资产收益率(%)	-3.0200	-19.1700	-7.8600	7.3100
净资产收益率(扣除)(%)	-3.6852	-16.8979	-5.4031	-56.9504
总资产(万元)	124357.78	120914.28	131186.40	104603.06
归属母公司股东权益(万元)	72280.12	74631.83	83809.32	29245.76
营业收入(万元)	9417.07	26157.18	13225.26	44499.58
营业支出(万元)	8898.60	26408.69	13002.86	43643.92
投资收益(万元)	-	-	-	-
净利润(万元)	-2781.39	-13723.98	-4443.16	2058.65
营业利润(万元)	-2647.26	-12609.86	-4527.67	-16648.38
利润总额(万元)	-2780.85	-13722.62	-4442.56	2136.92

安徽古井贡酒股份有限公司

公司概况					
公司名称	安徽古井贡酒股份有限公司			证券简称	古井贡酒
法人代表	梁金辉	董秘	叶长青	证券代码	000596
公司网址	www.gujing.com			电子信箱	ycq@gujing.com.cn
电　话	0558-5712231　5710057			传　真	0558-5317706
办公地址	安徽省亳州市古井镇				
经营范围	古井、古井贡、老八大和野太阳品牌及其系列酒的生产和销售				

主要财务指标　指标＼报告期	2016.06.30	2015.12.31	2015.06.30	2014.12.31
基本每股收益(元)	0.8600	1.4200	0.7600	1.1900
基本每股收益(扣除后)(元)	0.8400	1.3600	0.7300	1.1300
稀释每股收益(元)	0.8600	1.4200	0.7600	1.1900
每股净资产(元)	10.3183	9.5983	8.9679	8.3023
每股经营现金净流量(元)	0.6476	1.5689	0.6676	0.7694
每股现金流量(元)	0.1003	0.7109	0.4404	-1.2402
每股资本公积金(元)	2.5714	2.5714	2.5714	2.5714
每股盈余公积金(元)	0.5101	0.5101	0.5101	0.5101
每股未分配利润(元)	6.1646	5.4087	4.7433	4.1877
净资产收益率(%)	8.2954	14.8039	8.4252	14.2797
加权净资产收益率(%)	8.5400	15.9100	8.7500	15.0500
净资产收益率(扣除)(%)	8.1450	14.1250	8.1541	13.5936
总资产(万元)	876256.93	718314.76	703417.35	641351.82
归属母公司股东权益(万元)	519629.72	483372.16	451625.76	418105.10
营业收入(万元)	304503.47	525341.15	271304.28	465085.59
营业支出(万元)	78039.44	150953.61	82757.85	145907.29
投资收益(万元)	4432.49	6925.60	3829.82	10514.26
净利润(万元)	43670.32	71557.84	38050.48	59704.19
营业利润(万元)	57863.39	93035.51	50434.96	77556.37
利润总额(万元)	58168.50	96626.94	51305.50	79620.45

东北制药集团股份有限公司

公司概况					
公司名称	东北制药集团股份有限公司			证券简称	东北制药
法人代表	魏海军	董秘	张利东	证券代码	000597
公司网址	www.negpf.com.cn		电子信箱	dystock@negpf.com.cn	
电　话	024-25806963		传　真	024-25806100	
办公地址	辽宁省沈阳市经济技术开发区昆明湖街 8 号				
经营范围	生产和销售化学原料药品及制剂药品、经营医药产品批发及零售等				

主要财务指标 指标\报告期	2016.06.30	2015.12.31	2015.06.30	2014.12.31
基本每股收益(元)	0.0100	−0.8100	−0.1800	0.2200
基本每股收益(扣除后)(元)	−0.0100	−0.7900	−0.1800	−0.0200
稀释每股收益(元)	0.0100	−0.8100	−0.1800	0.2200
每股净资产(元)	4.8304	4.8229	5.4325	5.6131
每股经营现金净流量(元)	0.1643	0.2100	−0.2588	0.0990
每股现金流量(元)	0.2662	−0.2366	−0.5951	0.4863
每股资本公积金(元)	3.7450	3.7450	3.7289	3.7280
每股盈余公积金(元)	0.2107	0.2107	0.2107	0.2107
每股未分配利润(元)	−0.1260	−0.1326	0.4957	0.6772
净资产收益率(%)	0.1372	−16.7901	−3.3401	3.2682
加权净资产收益率(%)	0.1400	−15.5300	−3.2900	4.3700
净资产收益率(扣除)(%)	−0.2142	−16.4718	−3.4966	−0.3289
总资产(万元)	970373.26	869263.43	873393.99	857286.86
归属母公司股东权益(万元)	229277.25	228919.39	257855.92	266430.75
营业收入(万元)	240437.70	383443.20	211676.99	433332.16
营业支出(万元)	164391.33	281713.67	150781.55	296705.77
投资收益(万元)	8.90	239.63	239.63	130.52
净利润(万元)	701.93	−39215.01	−8442.56	8382.06
营业利润(万元)	391.76	−40316.61	−8197.35	714.91
利润总额(万元)	1244.44	−40689.25	−7698.61	10574.75

成都市兴蓉环境股份有限公司

公司概况					
公司名称	成都市兴蓉环境股份有限公司			证券简称	兴蓉环境
法人代表	李本文	董秘	沈青峰	证券代码	000598
公司网址	www.cdxrec.com		电子信箱	xrtz000598@xrtz.cn	
电　话	028-85913967		传　真	028-85007805	
办公地址	成都市武侯区锦城大道 1000 号 4-5 楼				
经营范围	自来水供应、污水处理及垃圾渗滤液处理等				

主要财务指标 指标\报告期	2016.06.30	2015.12.31	2015.06.30	2014.12.31
基本每股收益(元)	0.1600	0.2800	0.1500	0.2500
基本每股收益(扣除后)(元)	0.1400	0.2200	0.1100	0.2200
稀释每股收益(元)	0.1600	0.2800	0.1500	0.2500
每股净资产(元)	2.8646	2.7482	2.6172	2.5100
每股经营现金净流量(元)	0.2028	0.4468	0.1988	0.3929
每股现金流量(元)	−0.3033	0.1154	−0.1767	0.2204
每股资本公积金(元)	0.5961	0.5961	0.5958	0.6009
每股盈余公积金(元)	0.0575	0.0575	0.0444	0.0444
每股未分配利润(元)	1.2079	1.0919	0.9748	0.8538
净资产收益率(%)	5.4971	10.0495	5.5775	10.0896
加权净资产收益率(%)	5.5900	10.5400	5.6800	10.5900
净资产收益率(扣除)(%)	5.0093	8.1346	4.3275	8.9477
总资产(万元)	1469663.51	1420213.90	1270079.62	1215594.67
归属母公司股东权益(万元)	855432.46	820668.16	781554.20	746763.64
营业收入(万元)	144348.40	306248.71	149394.09	272425.64
营业支出(万元)	79387.97	176652.11	83698.23	152146.52
投资收益(万元)	-	7681.70	7681.70	101.05
净利润(万元)	46652.54	85240.32	43996.06	76145.30
营业利润(万元)	46965.51	86042.96	48398.86	80954.23
利润总额(万元)	56142.52	98904.85	54746.78	91626.45

青岛双星股份有限公司

公司概况					
公司名称	青岛双星股份有限公司			证券简称	青岛双星
法人代表	柴永森	董秘	刘兵	证券代码	000599
公司网址	www.doublestar.com.cn		电子信箱	gqb@doublestar.com.cn	
电　话	0532-67710729		传　真	0532-67710729	
办公地址	山东省青岛市黄岛区月亮湾路 1 号				
经营范围	橡胶轮胎、机械、绣品的制造、销售、国内外贸易等				

主要财务指标 指标\报告期	2016.06.30	2015.12.31	2015.06.30	2014.12.31
基本每股收益(元)	0.0800	0.0900	0.0400	0.1100
基本每股收益(扣除后)(元)	0.0800	0.0700	0.0300	0.0600
稀释每股收益(元)	0.0800	0.0900	0.0400	0.1100
每股净资产(元)	3.8538	3.7825	3.7285	3.6977
每股经营现金净流量(元)	0.1407	0.1841	0.0016	0.8223
每股现金流量(元)	0.0638	0.2749	0.0043	0.2212
每股资本公积金(元)	1.7722	1.7722	1.7722	1.7722
每股盈余公积金(元)	0.0637	0.0637	0.0610	0.0610
每股未分配利润(元)	1.0040	0.9339	0.8846	0.8557
净资产收益率(%)	2.0778	2.4010	1.0434	2.3322
加权净资产收益率(%)	2.1400	2.4300	1.0500	3.5100
净资产收益率(扣除)(%)	1.9697	1.9336	0.7329	1.3532
总资产(万元)	682240.03	590470.68	555444.17	505144.63
归属母公司股东权益(万元)	259967.97	255161.44	251517.36	249441.71
营业收入(万元)	245694.71	299370.53	151878.04	397799.07
营业支出(万元)	210185.64	241019.65	128630.41	340227.26
投资收益(万元)	423.78	1436.26	1123.76	42.74
净利润(万元)	5660.39	5919.93	2671.03	5816.99
营业利润(万元)	6421.91	5597.99	2469.73	5136.83
利润总额(万元)	6764.37	7053.77	3416.35	7889.63

河北建投能源投资股份有限公司

公司概况					
公司名称	河北建投能源投资股份有限公司			证券简称	建投能源
法人代表	米大斌	董秘	谢少鹏	证券代码	000600
公司网址	www.jei.com.cn		电子信箱	jei@jei.com.cn	
电　话	0311-85518633		传　真	0311-85518601	
办公地址	河北省石家庄市裕华西路 9 号裕园广场 A 座 17 层				
经营范围	投资建设、经营管理以电力生产为主的能源项目				

主要财务指标 指标\报告期	2016.06.30	2015.12.31	2015.06.30	2014.12.31
基本每股收益(元)	0.6440	1.1410	0.6110	1.3210
基本每股收益(扣除后)(元)	0.6380	1.1550	0.6020	1.2440
稀释每股收益(元)	0.6440	1.1410	0.6110	1.3210
每股净资产(元)	6.1015	5.9073	5.3780	5.0163
每股经营现金净流量(元)	0.9615	1.9469	0.9429	2.6006
每股现金流量(元)	−0.1370	−0.7208	−0.4919	0.6625
每股资本公积金(元)	2.4586	2.4586	2.4590	2.4586
每股盈余公积金(元)	0.2394	0.2394	0.1272	0.1272
每股未分配利润(元)	2.4013	2.2068	1.7887	1.4279
净资产收益率(%)	10.5624	19.3167	11.3584	22.7341
加权净资产收益率(%)	10.6000	20.8900	11.4780	29.0990
净资产收益率(扣除)(%)	10.4619	19.5464	11.1856	20.9411
总资产(万元)	2623788.63	2584523.70	2466041.05	2526631.72
归属母公司股东权益(万元)	1093163.84	1058366.35	963535.93	898734.70
营业收入(万元)	454146.83	962590.70	482160.77	1089113.55
营业支出(万元)	252085.59	567816.69	277597.03	682596.71
投资收益(万元)	38956.68	82269.87	40363.15	71180.58
净利润(万元)	153232.33	262426.14	146639.31	266011.95
营业利润(万元)	194012.54	326546.95	180262.95	315829.57
利润总额(万元)	195560.65	328132.00	181185.29	313790.88

广东韶能集团股份有限公司

	公司名称	广东韶能集团股份有限公司		证券简称	韶能股份
公司概况	法人代表	陈来泉	董秘	胡启金	证券代码	000601
	公司网址	www.shaoneng.com.cn		电子信箱	shaonenggf@163.com
	电　话	0751-8153162		传　真	0751-8535226
	办公地址	广东省韶关市武江区沿江路16号			
	经营范围	公司主营业务范围包括电力、水泥、机械加工等			

主要财务指标	指标\报告期	2016.06.30	2015.12.31	2015.06.30	2014.12.31
	基本每股收益(元)	0.3460	0.2600	0.1293	0.2400
	基本每股收益(扣除后)(元)	0.3403	0.2500	0.1269	0.2200
	稀释每股收益(元)	0.3460	0.2600	0.1293	0.2400
	每股净资产(元)	3.8504	3.6544	3.5233	3.4940
	每股经营现金净流量(元)	0.5618	0.7719	0.3191	0.7031
	每股现金流量(元)	0.1750	–0.0102	0.0192	–0.0122
	每股资本公积金(元)	1.4671	1.4671	1.4671	1.4671
	每股盈余公积金(元)	0.4717	0.4581	0.4445	0.4187
	每股未分配利润(元)	0.9114	0.7290	0.6118	0.6082
	净资产收益率(%)	8.9860	7.1206	3.6707	6.9326
	加权净资产收益率(%)	9.0400	7.2500	3.6300	7.0800
	净资产收益率(扣除)(%)	8.8378	6.8728	3.6011	6.4365
	总资产(万元)	887200.28	850765.48	854991.72	861180.04
	归属母公司股东权益(万元)	416058.22	394875.43	380716.13	377546.76
	营业收入(万元)	169506.73	300722.18	147818.69	300952.08
	营业支出(万元)	95911.92	207847.79	103139.66	218066.07
	投资收益(万元)	36.69	105.15	–	366.96
	净利润(万元)	39380.08	30154.33	15046.63	27092.74
	营业利润(万元)	51119.05	40429.66	20251.01	31092.46
	利润总额(万元)	52047.44	42012.68	20734.98	33569.43

盛达矿业股份有限公司

	公司名称	盛达矿业股份有限公司		证券简称	盛达矿业
公司概况	法人代表	朱胜利	董秘	代继陈	证券代码	000603
	公司网址	www.sdjt.com		电子信箱	sdky603@163.com
	电　话	010-56933771		传　真	010-56933779
	办公地址	北京市丰台区南方庄158号盛达大厦2层			
	经营范围	对有色金属矿采选业进行投资、矿山工程技术咨询服务、销售矿产品等			

主要财务指标	指标\报告期	2016.06.30	2015.12.31	2015.06.30	2014.12.31
	基本每股收益(元)	0.1500	0.5100	0.2700	0.4700
	基本每股收益(扣除后)(元)	0.1400	0.5100	0.2700	0.4700
	稀释每股收益(元)	0.1500	0.5100	0.2700	0.4700
	每股净资产(元)	2.3551	1.8971	1.6510	1.3859
	每股经营现金净流量(元)	0.3786	0.5167	1.8434	5.0591
	每股现金流量(元)	0.2629	–0.9826	1.3501	3.9721
	每股资本公积金(元)	0.3497	0.3960	–	–
	每股盈余公积金(元)	–	–	–	–
	每股未分配利润(元)	1.7726	1.6224	7.8524	6.4197
	净资产收益率(%)	6.3782	27.0626	16.1827	33.7555
	加权净资产收益率(%)	6.5900	30.8300	17.5800	40.6900
	净资产收益率(扣除)(%)	5.7993	26.6595	16.1904	33.7190
	总资产(万元)	182785.24	164836.90	139277.20	112501.58
	归属母公司股东权益(万元)	118930.57	111344.96	83374.62	69985.21
	营业收入(万元)	24442.06	82433.95	41971.48	74121.62
	营业支出(万元)	5965.68	17117.97	8113.54	14563.20
	投资收益(万元)	932.58	144.74	19.74	200.00
	净利润(万元)	12063.68	41747.31	21564.08	37821.46
	营业利润(万元)	15350.80	55931.99	28838.43	50795.79
	利润总额(万元)	16037.26	56218.55	28828.25	50757.84

渤海水业股份有限公司

	公司名称	渤海水业股份有限公司		证券简称	渤海股份
公司概况	法人代表	刘逸荣	董秘	江波	证券代码	000605
	公司网址	www.bohai-water.com		电子信箱	dongmi@binhaiwater.com
	电　话	022-23916822		传　真	022-23916515
	办公地址	天津市河西区环岛西路梅江中心大厦22层			
	经营范围	生物医药、中西药的研究开发等			

主要财务指标	指标\报告期	2016.06.30	2015.12.31	2015.06.30	2014.12.31
	基本每股收益(元)	0.0700	0.2300	0.0600	0.2400
	基本每股收益(扣除后)(元)	0.0600	0.2300	0.0600	0.2400
	稀释每股收益(元)	0.0700	0.2300	0.0600	0.2400
	每股净资产(元)	5.2145	5.1484	4.9723	4.9157
	每股经营现金净流量(元)	0.5016	0.3353	0.3527	0.3785
	每股现金流量(元)	0.2104	0.1545	–0.2524	0.2638
	每股资本公积金(元)	2.5194	2.5194	2.5194	2.5193
	每股盈余公积金(元)	0.1965	0.1965	0.1677	0.1677
	每股未分配利润(元)	1.4987	1.4325	1.2853	1.2287
	净资产收益率(%)	1.2687	4.5180	1.1375	4.3978
	加权净资产收益率(%)	1.2800	4.6200	1.1500	4.7500
	净资产收益率(扣除)(%)	1.1171	4.4952	1.1425	4.3515
	总资产(万元)	250191.90	244243.02	234640.66	238135.92
	归属母公司股东权益(万元)	101678.44	100388.40	96955.67	95852.68
	营业收入(万元)	37138.63	76124.07	33110.20	72824.93
	营业支出(万元)	28570.56	57677.48	25709.48	56308.78
	投资收益(万元)	–219.65	–1588.11	–787.59	–1661.54
	净利润(万元)	1103.89	4687.36	1005.40	3909.86
	营业利润(万元)	1894.03	7250.23	1894.75	6116.23
	利润总额(万元)	2111.67	7314.59	1938.00	6249.29

神州易桥信息服务股份有限公司

	公司名称	神州易桥信息服务股份有限公司		证券简称	*ST易桥
公司概况	法人代表	连良桂	董秘	华彧民	证券代码	000606
	公司网址	www.my0606.com.cn		电子信箱	zongcb@my0606.com.cn
	电　话	0971-8013495		传　真	0971-5226338
	办公地址	青海省西宁市城北区纬一路18号			
	经营范围	明胶系列产品、硬胶囊系列产品生产与销售等			

主要财务指标	指标\报告期	2016.06.30	2015.12.31	2015.06.30	2014.12.31
	基本每股收益(元)	0.0218	–0.3370	–0.0901	–0.2448
	基本每股收益(扣除后)(元)	0.0119	–0.3671	–0.0877	–0.2269
	稀释每股收益(元)	0.0218	–0.3370	–0.0901	–0.2448
	每股净资产(元)	2.6543	1.3533	1.6579	1.6997
	每股经营现金净流量(元)	–0.0771	0.0436	0.0137	0.0026
	每股现金流量(元)	0.0526	–0.1863	–0.1786	–0.0760
	每股资本公积金(元)	2.0019	0.8177	0.8177	0.8177
	每股盈余公积金(元)	0.0453	0.0593	0.0593	0.0593
	每股未分配利润(元)	–0.3928	–0.5402	–0.2918	–0.2017
	净资产收益率(%)	0.7249	–24.9050	–5.4324	–14.4045
	加权净资产收益率(%)	1.0400	–22.0100	–5.4400	–13.4689
	净资产收益率(扣除)(%)	0.3961	–27.1278	–5.2928	–13.3503
	总资产(万元)	198777.86	101341.21	127766.44	132575.54
	归属母公司股东权益(万元)	164289.50	63889.15	78270.39	80245.36
	营业收入(万元)	15670.99	26890.28	14986.79	35877.13
	营业支出(万元)	10660.75	30673.61	15390.63	36420.37
	投资收益(万元)	1020.51	8739.94	–12.17	90.67
	净利润(万元)	1122.44	–14879.60	–4771.48	–12681.71
	营业利润(万元)	1885.42	–12323.66	–4622.21	–11881.71
	利润总额(万元)	1945.39	–14345.54	–4706.14	–12980.58

浙江华媒控股股份有限公司

公司概况	公司名称	浙江华媒控股股份有限公司			证券简称	华媒控股
	法人代表	赵晴	董秘	高坚强	证券代码	000607
	公司网址	www.000607.cn			电子信箱	ir000607@000607.cn
	电　话	0571-85098807			传　真	0571-85155005-8807
	办公地址	浙江省杭州市下城区体育场路 218 号				
	经营范围	设计、制作、代理、发布国内各类广告等				

	指标\报告期	2016.06.30	2015.12.31	2015.06.30	2014.12.31
主要财务指标	基本每股收益(元)	0.0500	0.2800	0.0700	0.3600
	基本每股收益(扣除后)(元)	0.0500	0.2000	0.0500	0.3400
	稀释每股收益(元)	0.0500	0.2800	0.0700	0.3600
	每股净资产(元)	1.5643	1.5129	1.3099	1.2398
	每股经营现金净流量(元)	-0.0695	0.0904	-0.1937	0.0626
	每股现金流量(元)	-0.3056	0.4464	0.1034	0.2394
	每股资本公积金(元)	-0.2307	-0.2307	-0.2307	-0.2307
	每股盈余公积金(元)	0.0440	0.0440	0.0495	0.0495
	每股未分配利润(元)	0.7509	0.6995	0.4910	0.4210
	净资产收益率(%)	3.2862	18.4136	5.3489	14.9525
	加权净资产收益率(%)	3.3400	20.2000	5.5000	22.3800
	净资产收益率(扣除)(%)	3.3808	12.9796	3.7808	14.1671
	总资产(万元)	268489.35	239480.01	210893.00	195295.27
	归属母公司股东权益(万元)	159198.96	153967.33	133306.77	126176.33
	营业收入(万元)	68894.46	155403.07	65611.83	148524.02
	营业支出(万元)	49016.39	112249.65	47168.88	107749.59
	投资收益(万元)	1243.39	11204.84	2561.09	3268.18
	净利润(万元)	6838.18	31530.08	8746.28	20329.25
	营业利润(万元)	7036.89	31171.98	8773.92	19962.88
	利润总额(万元)	7044.34	31912.17	8942.24	20335.16

阳光新业地产股份有限公司

公司概况	公司名称	阳光新业地产股份有限公司			证券简称	阳光股份
	法人代表	唐军	董秘	赵博	证券代码	000608
	公司网址	www.yangguangxinye.com			电子信箱	yangguangxinye@yangguangxinye.com
	电　话	010-68366107			传　真	010-88365280
	办公地址	北京市西城区西直门外大街 112 号阳光大厦 11 层				
	经营范围	房地产开发经营、装饰装修工程、自有商品房的租赁等				

	指标\报告期	2016.06.30	2015.12.31	2015.06.30	2014.12.31
主要财务指标	基本每股收益(元)	-0.1800	0.0300	-0.0200	-0.7800
	基本每股收益(扣除后)(元)	-0.1800	-0.1700	-0.0200	-0.8300
	稀释每股收益(元)	-0.1800	0.0300	-0.0200	-0.7800
	每股净资产(元)	4.2390	4.4200	4.3707	4.3927
	每股经营现金净流量(元)	0.1660	-0.0208	-0.0625	-0.2194
	每股现金流量(元)	-0.4343	0.0358	-0.0994	-0.5310
	每股资本公积金(元)	0.6816	0.6816	0.6816	0.6816
	每股盈余公积金(元)	0.1319	0.1319	0.1276	0.1275
	每股未分配利润(元)	2.1782	2.3592	2.3146	2.3367
	净资产收益率(%)	-4.2697	0.6088	-0.5075	-17.7638
	加权净资产收益率(%)	-4.1800	0.6100	-0.5100	-16.2700
	净资产收益率(扣除)(%)	-4.2852	-3.7581	-0.4590	-18.8199
	总资产(万元)	993973.90	1025232.40	1047800.20	1123852.80
	归属母公司股东权益(万元)	317889.70	331463.10	327765.40	329417.90
	营业收入(万元)	23419.70	64760.00	34324.20	135859.80
	营业支出(万元)	9897.20	24433.60	11425.20	73431.60
	投资收益(万元)	-1081.30	39011.10	4012.80	638.60
	净利润(万元)	-11301.10	6833.10	239.60	-52205.50
	营业利润(万元)	-7668.20	21406.70	2274.60	-47971.50
	利润总额(万元)	-7621.90	21771.80	2048.10	-45080.70

北京绵石投资集团股份有限公司

公司概况	公司名称	北京绵石投资集团股份有限公司			证券简称	绵石投资
	法人代表	郑宽	董秘	祖国	证券代码	000609
	公司网址	www.mainstreets.cn			电子信箱	lgc@mainstreets.cn
	电　话	010-65275609			传　真	010-65279466
	办公地址	北京市东城区建国门内大街 19 号中纺大厦 3 层				
	经营范围	资产经营、投资开发经营房地产业及物业管理等				

	指标\报告期	2016.06.30	2015.12.31	2015.06.30	2014.12.31
主要财务指标	基本每股收益(元)	0.4680	0.0765	-0.0132	0.4039
	基本每股收益(扣除后)(元)	0.4707	0.0507	-0.0488	0.3662
	稀释每股收益(元)	0.4677	0.0765	-0.0132	0.4039
	每股净资产(元)	4.6708	4.3648	4.2838	4.2970
	每股经营现金净流量(元)	-0.1353	0.1076	0.0350	0.0839
	每股现金流量(元)	-1.0059	0.9907	0.2207	-1.2895
	每股资本公积金(元)	0.1737	0.0405	0.0405	0.0405
	每股盈余公积金(元)	0.3577	0.3577	0.3577	0.3577
	每股未分配利润(元)	3.4322	2.9666	2.8857	2.8989
	净资产收益率(%)	9.9683	1.7525	-0.3079	9.4006
	加权净资产收益率(%)	10.1200	1.7600	-0.3100	9.8600
	净资产收益率(扣除)(%)	10.0268	1.1613	-1.1393	8.5219
	总资产(万元)	205190.95	198236.02	195881.88	187563.57
	归属母公司股东权益(万元)	139234.48	130111.97	127699.21	128092.34
	营业收入(万元)	403.16	45467.61	2778.03	61867.43
	营业支出(万元)	275.19	27123.01	2131.40	36218.65
	投资收益(万元)	22552.63	5833.37	2362.11	5187.26
	净利润(万元)	13868.60	1815.16	-613.48	11580.15
	营业利润(万元)	12637.80	4184.33	-301.56	15919.15
	利润总额(万元)	12579.71	4018.74	-414.48	15945.21

西安旅游股份有限公司

公司概况	公司名称	西安旅游股份有限公司			证券简称	西安旅游
	法人代表	谢平伟	董秘	梦蕾	证券代码	000610
	公司网址	www.xatourism.com			电子信箱	xatour@000610.com
	电　话	029-82065529			传　真	029-82065500
	办公地址	陕西省西安市碑林区南二环西段 27 号旅游大厦 7 层				
	经营范围	旅游饭店、餐饮、服务经营和石油开发、开采及旅游景区、景点的开发经营等				

	指标\报告期	2016.06.30	2015.12.31	2015.06.30	2014.12.31
主要财务指标	基本每股收益(元)	0.0156	0.0470	-0.0388	-0.1060
	基本每股收益(扣除后)(元)	-0.0502	-0.1256	-0.0483	-0.1408
	稀释每股收益(元)	0.0156	0.0470	-0.0388	-0.1060
	每股净资产(元)	3.3385	3.3229	3.2406	2.2132
	每股经营现金净流量(元)	-0.2511	-0.4666	-0.0626	-0.0037
	每股现金流量(元)	-0.1384	0.1469	-0.0428	-0.4394
	每股资本公积金(元)	1.6672	1.6672	1.6672	0.4793
	每股盈余公积金(元)	0.1537	0.1537	0.1501	0.1807
	每股未分配利润(元)	0.5176	0.5020	0.4232	0.5533
	净资产收益率(%)	0.4683	1.3760	-1.1292	-4.7909
	加权净资产收益率(%)	0.4700	1.4900	-1.3200	-4.6600
	净资产收益率(扣除)(%)	-1.5027	-3.6746	-1.4076	-6.3639
	总资产(万元)	129702.31	115698.97	103979.62	57661.52
	归属母公司股东权益(万元)	79038.53	78668.32	76719.49	43544.82
	营业收入(万元)	36110.96	76040.27	30746.02	69886.01
	营业支出(万元)	33884.97	71199.97	28679.82	64620.41
	投资收益(万元)	2021.62	765.35	213.75	322.18
	净利润(万元)	295.96	860.47	-900.12	-2081.26
	营业利润(万元)	503.79	-3405.19	-966.20	-2177.79
	利润总额(万元)	565.28	1069.82	-898.59	-1962.05

内蒙古天首科技发展股份有限公司

公司概况	公司名称	内蒙古天首科技发展股份有限公司			证券简称	*ST天首
	法人代表	邱士杰	董秘	姜琴	证券代码	000611
	公司网址	www.timegroup.com.cn		电子信箱	sd000611@163.com	
	电　话	010-87923689		传　真	010-87923689	
	办公地址	北京市朝阳区朝外大街16号中国人寿大厦11层				
	经营范围	金属材料、有色金属、冶金炉料、矿产品、木材、沥青、建筑材料、机电产品的销售等				

主要财务指标	指标\报告期	2016.06.30	2015.12.31	2015.06.30	2014.12.31
	基本每股收益(元)	-0.0548	-1.1064	-0.0675	-0.1623
	基本每股收益(扣除后)(元)	-0.0547	-1.0879	-0.0672	-0.1589
	稀释每股收益(元)	-0.0548	-1.1064	-0.0675	-0.1623
	每股净资产(元)	0.5335	0.5882	1.6209	1.6884
	每股经营现金净流量(元)	-0.0009	0.0070	0.0651	0.3996
	每股现金流量(元)	-0.0009	0.0060	0.0754	-0.0603
	每股资本公积金(元)	0.4305	0.4305	0.4305	0.4305
	每股盈余公积金(元)	--	--	-	-
	每股未分配利润(元)	-0.8971	-0.8423	0.1904	0.2579
	净资产收益率(%)	-10.2699	-188.0820	-4.1655	-9.6137
	加权净资产收益率(%)	-9.7700	-96.9300	-4.0800	-9.1700
	净资产收益率(扣除)(%)	-10.2475	-184.9443	-4.1468	-9.4110
	总资产(万元)	38535.13	40226.44	69138.15	70779.91
	归属母公司股东权益(万元)	17168.02	18931.16	52164.35	54337.28
	营业收入(万元)	1410.98	3391.42	1537.63	6717.71
	营业支出(万元)	1383.16	3310.85	1602.15	7395.53
	投资收益(万元)	-1358.29	-2183.27	-690.88	-929.01
	净利润(万元)	-1763.14	-35606.12	-2172.93	-5223.85
	营业利润(万元)	-1759.29	-35012.10	-2163.13	-4917.31
	利润总额(万元)	-1763.14	-35606.12	-2172.93	-5027.39

焦作万方铝业股份有限公司

公司概况	公司名称	焦作万方铝业股份有限公司			证券简称	焦作万方
	法人代表	周传良	董秘	杨民平	证券代码	000612
	公司网址	www.jzwfly.cn		电子信箱	longer_lzymp@yeah.net	
	电　话	0391-2535596		传　真	0391-2535597	
	办公地址	河南省焦作市马村区待王镇焦新路南侧				
	经营范围	铝冶炼及加工、铝制品、金属材料销售、普通货物运输等				

主要财务指标	指标\报告期	2016.06.30	2015.12.31	2015.06.30	2014.12.31
	基本每股收益(元)	0.0780	-0.0530	0.0410	0.3050
	基本每股收益(扣除后)(元)	0.0670	-0.0900	0.0497	0.2690
	稀释每股收益(元)	0.0770	-0.0520	0.0410	0.3050
	每股净资产(元)	4.0497	3.9606	4.0533	3.9306
	每股经营现金净流量(元)	0.2379	-0.0361	-0.0342	1.3666
	每股现金流量(元)	1.2980	0.1858	0.1269	-0.1817
	每股资本公积金(元)	1.3436	1.3438	1.3327	1.3327
	每股盈余公积金(元)	0.2559	0.2559	0.2559	0.2559
	每股未分配利润(元)	1.3563	1.2802	1.3723	1.3322
	净资产收益率(%)	1.8804	-1.3124	0.9900	7.5394
	加权净资产收益率(%)	1.9100	-1.3200	1.0200	7.9000
	净资产收益率(扣除)(%)	1.6103	-2.2185	1.1911	6.6510
	总资产(万元)	826265.88	862833.21	912948.14	914689.35
	归属母公司股东权益(万元)	487044.52	476402.08	487546.36	472785.02
	营业收入(万元)	216115.74	465834.27	243175.62	524964.86
	营业支出(万元)	187140.34	446312.32	225883.53	478066.87
	投资收益(万元)	-6364.17	3890.20	3729.50	20044.31
	净利润(万元)	9158.41	-6252.30	4826.94	35645.00
	营业利润(万元)	8452.33	-20220.56	2897.40	39676.84
	利润总额(万元)	14135.12	-9133.16	5117.33	40715.35

海南大东海旅游中心股份有限公司

公司概况	公司名称	海南大东海旅游中心股份有限公司			证券简称	大东海A
	法人代表	黎愿斌	董秘	汪宏娟	证券代码	000613
	公司网址	www.16506167.1024sj.com		电子信箱	hnddh@21cn.com	
	电　话	0898-88219921		传　真	0898-88214998	
	办公地址	海南省三亚市大东海				
	经营范围	房地产开发经营、住宿及饮食业、旅游服务业等				

主要财务指标	指标\报告期	2016.06.30	2015.12.31	2015.06.30	2014.12.31
	基本每股收益(元)	0.0005	-0.0205	-0.0093	0.0069
	基本每股收益(扣除后)(元)	0.0003	-0.0260	-0.0131	-0.0074
	稀释每股收益(元)	0.0005	-0.0205	-0.0093	0.0069
	每股净资产(元)	0.2118	0.2113	0.2225	0.2318
	每股经营现金净流量(元)	0.0040	-0.0048	0.0023	0.0067
	每股现金流量(元)	-0.0219	-0.0076	0.0022	0.0432
	每股资本公积金(元)	0.1487	0.1487	0.1487	0.1487
	每股盈余公积金(元)	-	-	-	-
	每股未分配利润(元)	-0.9369	-0.9374	-0.9262	-0.9169
	净资产收益率(%)	0.2232	-9.7194	-4.1864	2.9657
	加权净资产收益率(%)	0.2200	-9.2700	-4.1000	3.0100
	净资产收益率(扣除)(%)	0.1228	-12.3139	-5.9207	-3.2103
	总资产(万元)	10386.73	10488.76	10992.03	11408.10
	归属母公司股东权益(万元)	7710.96	7693.75	8102.34	8441.53
	营业收入(万元)	1206.28	1588.59	842.13	2020.21
	营业支出(万元)	55.47	62.67	27.13	33.78
	投资收益(万元)	-	42.20	-	402.00
	净利润(万元)	17.21	-747.79	-339.20	250.35
	营业利润(万元)	15.21	-905.20	-463.09	-71.00
	利润总额(万元)	22.95	-747.79	-339.20	250.35

京汉实业投资股份有限公司

公司概况	公司名称	京汉实业投资股份有限公司			证券简称	京汉股份
	法人代表	田汉	董秘	李红	证券代码	000615
	公司网址	www.000615.com.cn		电子信箱	lihong8878@sohu.com	
	电　话	0710-2105321 2108234		传　真	0710-2108233 2105321	
	办公地址	湖北省襄阳市樊城区陈家湖				
	经营范围	粘胶纤维、玻璃纸(含食品包装用)制造、销售等				

主要财务指标	指标\报告期	2016.06.30	2015.12.31	2015.06.30	2014.12.31
	基本每股收益(元)	-0.1000	0.6100	0.5000	0.0700
	基本每股收益(扣除后)(元)	-0.1000	0.1100	0.0200	-0.0800
	稀释每股收益(元)	-0.1000	0.6100	0.5000	0.0700
	每股净资产(元)	3.9256	4.2386	3.5573	3.6905
	每股经营现金净流量(元)	0.0046	4.6472	-0.3074	0.6599
	每股现金流量(元)	-0.3880	1.2514	-0.1101	0.0452
	每股资本公积金(元)	0.6101	0.6101	0.4189	2.0723
	每股盈余公积金(元)	0.3535	0.3535	0.6007	0.6784
	每股未分配利润(元)	1.7807	2.0792	1.1752	3.0601
	净资产收益率(%)	-5.0230	14.3738	13.9769	2.0160
	加权净资产收益率(%)	-4.2700	14.3500	12.6200	2.5600
	净资产收益率(扣除)(%)	-5.1399	1.6518	0.4896	-2.0605
	总资产(万元)	789365.08	734294.06	123467.80	667544.06
	归属母公司股东权益(万元)	153147.72	165359.62	75300.20	165189.98
	营业收入(万元)	65840.52	241328.13	33649.52	69488.58
	营业支出(万元)	53502.20	178801.86	28597.19	61183.22
	投资收益(万元)	641.75	14870.27	13507.64	1897.93
	净利润(万元)	-7702.89	26348.86	10524.65	1574.91
	营业利润(万元)	-9017.48	35477.85	14002.97	1480.78
	利润总额(万元)	-9017.91	35775.75	14102.00	2030.19

海航投资集团股份有限公司

公司概况	公司名称	海航投资集团股份有限公司			证券简称	海航投资
	法人代表	赵权	董秘	杜璟	证券代码	000616
	公司网址	www.yeland.com.cn		电子信箱	ir@yeland.com.cn	
	电　话	010-50960309		传　真	010-50960300	
	办公地址	北京市朝阳区建国路 108 号海航实业大厦 16 层				
	经营范围	房地产项目开发、销售商品房、自有房屋物业管理、智能教育开发、基础教育等				

主要财务指标	指标\报告期	2016.06.30	2015.12.31	2015.06.30	2014.12.31
	基本每股收益(元)	0.0035	0.1600	0.0600	0.1300
	基本每股收益(扣除后)(元)	0.0037	–0.1200	0.0400	–0.1400
	稀释每股收益(元)	0.0035	0.1600	0.0600	0.1300
	每股净资产(元)	3.0674	3.0839	3.0089	2.9488
	每股经营现金净流量(元)	0.0168	0.1927	0.0237	–0.0155
	每股现金流量(元)	–0.2336	0.7421	–0.2026	–0.0196
	每股资本公积金(元)	0.1409	0.1409	0.1409	0.1409
	每股盈余公积金(元)	0.2153	0.2153	0.1548	0.1548
	每股未分配利润(元)	1.7112	1.7277	1.7132	1.6530
	净资产收益率(%)	0.1147	5.0304	2.0000	4.5461
	加权净资产收益率(%)	0.1100	5.1400	2.0200	4.5400
	净资产收益率(扣除)(%)	0.1191	–3.9148	1.4545	–4.7897
	总资产(万元)	886458.24	876374.33	844183.08	861389.78
	归属母公司股东权益(万元)	438707.50	441063.78	430343.64	421742.55
	营业收入(万元)	21538.58	123134.63	29949.02	200063.38
	营业支出(万元)	12241.28	96431.96	23098.30	156124.83
	投资收益(万元)	1387.66	44052.82	2459.43	50809.00
	净利润(万元)	466.47	22109.22	8609.22	20436.12
	营业利润(万元)	838.13	35914.57	16195.97	41798.20
	利润总额(万元)	810.52	34717.50	15056.52	41515.31

济南柴油机股份有限公司

公司概况	公司名称	济南柴油机股份有限公司			证券简称	*ST 济柴
	法人代表	吴根柱	董秘	刘明怀	证券代码	000617
	公司网址	www.jichai.com		电子信箱	liuminghuai@cnpc.com.cn	
	电　话	0531-87422326 87423353		传　真	0531-87423177	
	办公地址	山东省济南市经十西路 11966 号				
	经营范围	柴油机、气体发动机、柴油及气体发电机组的制造、销售、租赁、修理等				

主要财务指标	指标\报告期	2016.06.30	2015.12.31	2015.06.30	2014.12.31
	基本每股收益(元)	–0.5400	–0.2600	0.0200	–0.4000
	基本每股收益(扣除后)(元)	–0.5800	–0.3400	–0.0100	–0.4900
	稀释每股收益(元)	–0.5400	–0.2600	0.0200	–0.4000
	每股净资产(元)	1.2881	1.8331	2.1068	2.0832
	每股经营现金净流量(元)	–0.1452	–0.0868	–0.3008	0.0619
	每股现金流量(元)	–0.2121	–0.0643	–0.3801	0.0735
	每股资本公积金(元)	0.1474	0.1474	0.1326	0.1326
	每股盈余公积金(元)	0.3034	0.3034	0.3034	0.3034
	每股未分配利润(元)	–0.1627	0.3823	0.6682	0.6472
	净资产收益率(%)	–42.3077	–14.4535	0.9960	–19.2290
	加权净资产收益率(%)	–34.9200	–13.5300	1.0000	–17.6000
	净资产收益率(扣除)(%)	–44.8010	–18.7293	–0.3903	–23.3983
	总资产(万元)	197647.42	221506.40	224531.01	220483.45
	归属母公司股东权益(万元)	37039.14	52707.85	60579.08	59899.55
	营业收入(万元)	22367.31	90178.78	60982.21	92951.87
	营业支出(万元)	24879.80	78691.36	51593.45	82444.00
	投资收益(万元)	–	–	–	–
	净利润(万元)	–15670.41	–7618.11	603.38	–11518.06
	营业利润(万元)	–14589.68	–9552.89	–159.35	–13064.86
	利润总额(万元)	–13888.58	–7820.76	574.06	–11689.51

芜湖海螺型材科技股份有限公司

公司概况	公司名称	芜湖海螺型材科技股份有限公司			证券简称	海螺型材
	法人代表	齐生立	董秘	周小川	证券代码	000619
	公司网址	profile.conch.cn		电子信箱	hlxc@conch.cn	
	电　话	0553-8396868 8396856		传　真	0553-8396808	
	办公地址	安徽省芜湖市镜湖区文化路 39 号芜湖海螺国际大酒店 17-19 层				
	经营范围	塑料型材、板材、门窗、五金制品、钢龙骨制造、销售、安装等				

主要财务指标	指标\报告期	2016.06.30	2015.12.31	2015.06.30	2014.12.31
	基本每股收益(元)	0.1573	0.2626	0.1222	0.3016
	基本每股收益(扣除后)(元)	0.0988	0.1615	0.0826	0.2374
	稀释每股收益(元)	0.1573	0.2626	0.1222	0.3016
	每股净资产(元)	6.8041	6.7468	6.5953	6.5731
	每股经营现金净流量(元)	0.3670	1.1621	0.6550	1.7064
	每股现金流量(元)	–0.5285	–0.0841	0.5246	–0.0743
	每股资本公积金(元)	1.2249	1.2249	1.2139	1.2139
	每股盈余公积金(元)	0.7061	0.7061	0.6894	0.6894
	每股未分配利润(元)	3.8731	3.8158	3.6920	3.6698
	净资产收益率(%)	2.3120	3.8929	1.8530	4.5888
	加权净资产收益率(%)	2.3200	3.9500	1.8600	4.6600
	净资产收益率(扣除)(%)	1.4520	2.3937	1.2523	3.6121
	总资产(万元)	399474.11	390929.72	421056.71	406006.72
	归属母公司股东权益(万元)	244947.74	242884.58	237430.88	236631.32
	营业收入(万元)	146441.27	342909.64	162902.20	390396.51
	营业支出(万元)	120742.55	288989.80	138507.19	335011.30
	投资收益(万元)	720.41	1285.50	423.59	259.57
	净利润(万元)	6255.52	11780.78	4964.43	12205.31
	营业利润(万元)	6474.04	12392.44	5777.73	14452.18
	利润总额(万元)	8559.27	16375.08	7151.20	17066.66

新华联文化旅游发展股份有限公司

公司概况	公司名称	新华联文化旅游发展股份有限公司			证券简称	新华联
	法人代表	丁伟	董秘	杭冠宇	证券代码	000620
	公司网址	www.xhlbdc.com		电子信箱	xin000620@126.com	
	电　话	010-80559199		传　真	010-80559190	
	办公地址	北京市通州区台湖镇政府大街新华联集团总部大厦				
	经营范围	房地产开发、销售自行开发后的商品房等				

主要财务指标	指标\报告期	2016.06.30	2015.12.31	2015.06.30	2014.12.31
	基本每股收益(元)	0.0600	0.1700	0.0400	0.2600
	基本每股收益(扣除后)(元)	0.0500	0.0900	0.0200	0.0900
	稀释每股收益(元)	0.0600	0.1700	0.0400	0.2600
	每股净资产(元)	3.0750	3.1204	2.9655	2.1985
	每股经营现金净流量(元)	–0.8612	–1.5291	–2.2201	–4.4577
	每股现金流量(元)	–0.3600	0.7687	–0.4221	0.6459
	每股资本公积金(元)	1.1203	1.1095	3.8277	0.2158
	每股盈余公积金(元)	0.1301	0.1301	0.4604	0.5464
	每股未分配利润(元)	1.5469	1.5912	5.1965	6.0049
	净资产收益率(%)	1.8131	5.1829	1.3090	11.9967
	加权净资产收益率(%)	1.7800	5.8900	1.6100	12.4900
	净资产收益率(扣除)(%)	1.6545	2.6593	0.5223	4.2324
	总资产(万元)	3968885.37	3399415.30	2886589.05	2469570.26
	归属母公司股东权益(万元)	583230.06	591843.01	562470.60	351310.44
	营业收入(万元)	163616.86	464668.35	92381.50	350102.42
	营业支出(万元)	124129.11	341431.21	64617.51	261028.60
	投资收益(万元)	16293.00	18239.18	8551.70	10763.66
	净利润(万元)	8147.76	28792.28	7140.44	40329.74
	营业利润(万元)	8775.78	25083.92	5990.76	43600.48
	利润总额(万元)	10070.69	39151.55	10726.91	56635.85

恒立实业发展集团股份有限公司

公司概况	公司名称	恒立实业发展集团股份有限公司			证券简称	*ST 恒立
	法人代表	刘炬	董秘	李滔	证券代码	000622
	公司网址	www.yyhengli.com		电子信箱	yueyuan421@.163.com	
	电　话	0730-8245282		传　真	0730-8245129	
	办公地址	湖南省岳阳市金鹗中路 228 号景源商务中心				
	经营范围	从事汽车空调设备的制造、销售、安装、维修、加工、销售机械设备等				

主要财务指标	指标\报告期	2016.06.30	2015.12.31	2015.06.30	2014.12.31
	基本每股收益(元)	-0.0255	-0.1100	-0.0360	-0.0900
	基本每股收益(扣除后)(元)	-0.0268	-0.1200	-0.0370	-0.0900
	稀释每股收益(元)	-0.0255	-0.1100	-0.0360	-0.0900
	每股净资产(元)	0.3356	0.3612	0.4354	0.4713
	每股经营现金净流量(元)	0.0106	-0.0667	-0.0287	-0.0059
	每股现金流量(元)	0.1214	-0.2118	-0.1851	-0.0847
	每股资本公积金(元)	0.4302	0.4302	0.4302	0.4302
	每股盈余公积金(元)	0.0030	0.0030	0.0030	0.0030
	每股未分配利润(元)	-1.0975	-1.0720	-0.9978	-0.9619
	净资产收益率(%)	-7.6124	-30.4845	-8.2442	-18.2411
	加权净资产收益率(%)	-7.3300	-26.4500	-7.9200	-16.7200
	净资产收益率(扣除)(%)	-7.9888	-32.3435	-8.4052	-18.4920
	总资产(万元)	28753.51	30617.70	34476.62	37392.47
	归属母公司股东权益(万元)	14270.84	15357.20	18512.56	20038.78
	营业收入(万元)	1828.86	4704.20	2699.42	5473.17
	营业支出(万元)	1686.00	4405.07	2528.46	4840.96
	投资收益(万元)	22.35	124.61	-	16.70
	净利润(万元)	-1221.91	-5236.68	-1679.65	-4005.21
	营业利润(万元)	-1280.66	-5662.86	-1766.91	-4105.06
	利润总额(万元)	-1221.91	-5113.73	-1679.65	-4024.03

吉林敖东药业集团股份有限公司

公司概况	公司名称	吉林敖东药业集团股份有限公司			证券简称	吉林敖东
	法人代表	李秀林	董秘	陈永丰	证券代码	000623
	公司网址	www.jlaod.com		电子信箱	000623@jlaod.com	
	电　话	0433-6238973		传　真	0433-6238973	
	办公地址	吉林省敦化市敖东大街 2158 号				
	经营范围	种植养殖、商业(国家专项控制、专营除外)、机械修理、仓储等				

主要财务指标	指标\报告期	2016.06.30	2015.12.31	2015.06.30	2014.12.31
	基本每股收益(元)	0.9400	2.9000	1.8600	1.5800
	基本每股收益(扣除后)(元)	0.9300	2.7700	1.8100	1.4900
	稀释每股收益(元)	0.9400	2.9000	1.8600	1.5800
	每股净资产(元)	19.1215	19.4298	19.2088	14.0661
	每股经营现金净流量(元)	0.1411	0.4338	0.1097	0.3229
	每股现金流量(元)	-1.3525	0.1368	-0.3342	0.4695
	每股资本公积金(元)	4.5451	4.5454	4.5112	2.1772
	每股盈余公积金(元)	1.4191	1.4191	1.0235	1.0235
	每股未分配利润(元)	12.3943	11.7504	11.1022	9.4463
	净资产收益率(%)	4.9013	14.9239	9.6615	11.2127
	加权净资产收益率(%)	4.8000	17.3300	11.1100	11.9600
	净资产收益率(扣除)(%)	4.8458	14.2755	9.4242	10.5865
	总资产(万元)	1961690.11	1983401.63	1902124.96	1376952.47
	归属母公司股东权益(万元)	1710296.18	1737877.16	1718108.65	1258124.25
	营业收入(万元)	121693.06	233476.08	113864.50	224009.93
	营业支出(万元)	35847.37	72484.64	40998.85	69377.68
	投资收益(万元)	65209.75	224037.86	147622.38	107225.63
	净利润(万元)	84009.68	260182.94	166333.47	141779.22
	营业利润(万元)	85494.29	255451.42	166561.52	142063.59
	利润总额(万元)	87410.91	267031.13	169328.58	148526.91

重庆长安汽车股份有限公司

公司概况	公司名称	重庆长安汽车股份有限公司			证券简称	长安汽车
	法人代表	徐留平	董秘	黎军	证券代码	000625
	公司网址	www.changan.com.cn		电子信箱	cazqc@changan.com.cn	
	电　话	023-67594008		传　真	023-67866055	
	办公地址	重庆市江北区建新东路 260 号				
	经营范围	乘用车和商用车的开发、制造和销售等				

主要财务指标	指标\报告期	2016.06.30	2015.12.31	2015.06.30	2014.12.31
	基本每股收益(元)	1.1800	2.1300	1.0900	1.6200
	基本每股收益(扣除后)(元)	1.0800	2.0460	1.0500	1.5600
	稀释每股收益(元)	1.1800	-	1.0900	-
	每股净资产(元)	7.8916	7.3742	6.3275	5.4982
	每股经营现金净流量(元)	0.9910	1.1613	1.3803	0.8106
	每股现金流量(元)	0.7215	1.7935	0.8540	1.1624
	每股资本公积金(元)	0.6922	0.6922	0.6922	0.6922
	每股盈余公积金(元)	0.5000	0.5000	0.5000	0.5000
	每股未分配利润(元)	5.6622	5.1254	4.0815	3.2417
	净资产收益率(%)	14.9222	28.9448	17.2355	29.4925
	加权净资产收益率(%)	15.4300	33.1400	18.4400	34.2000
	净资产收益率(扣除)(%)	13.7273	27.8027	16.5734	28.3923
	总资产(万元)	9547868.42	8941398.87	7989884.11	6968735.29
	归属母公司股东权益(万元)	3679744.36	3438518.91	2950455.47	2563729.85
	营业收入(万元)	3580176.29	6677158.05	3305295.52	5291333.21
	营业支出(万元)	2986733.82	5340671.07	2724993.42	4326582.59
	投资收益(万元)	520899.13	949740.91	496294.98	810211.70
	净利润(万元)	547675.16	992255.35	505773.62	751797.89
	营业利润(万元)	520162.75	958745.62	499289.65	717651.59
	利润总额(万元)	570629.81	1001188.50	522920.13	753882.96

远大产业控股股份有限公司

公司概况	公司名称	远大产业控股股份有限公司			证券简称	远大控股
	法人代表	金波	董秘	张勉	证券代码	000626
	公司网址	www.grand-holding.cn		电子信箱	ydkg@grand-holding.cn	
	电　话	0518-85153595		传　真	0518-85150105	
	办公地址	江苏省连云港经济技术开发区高新八路 4 号				
	经营范围	进出口贸易业务				

主要财务指标	指标\报告期	2016.06.30	2015.12.31	2015.06.30	2014.12.31
	基本每股收益(元)	1.4378	1.5400	1.0123	1.1486
	基本每股收益(扣除后)(元)	-1.0165	-1.7800	-1.1361	-1.5400
	稀释每股收益(元)	1.4378	1.5400	1.0123	1.1486
	每股净资产(元)	9.6068	4.7485	4.1900	3.2032
	每股经营现金净流量(元)	-4.4421	-3.4409	-3.7479	-0.8957
	每股现金流量(元)	2.9272	4.3656	5.1394	2.0520
	每股资本公积金(元)	5.1293	0.1626	0.1613	0.1613
	每股盈余公积金(元)	0.0149	0.0221	-	-
	每股未分配利润(元)	3.4540	3.5530	3.0428	2.0537
	净资产收益率(%)	10.9326	32.0391	24.1599	35.8583
	加权净资产收益率(%)	22.6900	38.2700	27.3800	43.1400
	净资产收益率(扣除)(%)	-7.7288	-37.4380	-27.1133	-48.0970
	总资产(万元)	1294027.86	861779.95	1318329.98	802103.17
	归属母公司股东权益(万元)	287546.83	96157.95	84847.88	64864.44
	营业收入(万元)	3070652.41	5536623.80	2529645.45	4563853.18
	营业支出(万元)	3018161.44	5488352.83	2491028.73	4542757.56
	投资收益(万元)	55207.31	187774.65	86324.35	181818.26
	净利润(万元)	50151.91	62782.79	48590.78	57682.62
	营业利润(万元)	63473.45	72126.21	61710.29	71064.66
	利润总额(万元)	78540.49	83806.69	65693.15	76913.30

天茂实业集团股份有限公司

公司概况	公司名称	天茂实业集团股份有限公司			证券简称	天茂集团
	法人代表	刘益谦	董秘	龙飞	证券代码	000627
	公司网址	www.biocause.com		电子信箱	tmjt@biocause.net	
	电　话	0724-2223218		传　真	0724-2217652	
	办公地址	湖北省荆门市杨湾路 132 号				
	经营范围	化工产品(不含危险化学品、需经审批的项目持有效许可证经营)的生产、销售等				

主要财务指标 指标＼报告期	2016.06.30	2015.12.31	2015.06.30	2014.12.31
基本每股收益(元)	0.2200	0.1800	-0.0280	0.0620
基本每股收益(扣除后)(元)	0.0900	-0.1100	-0.0350	-0.1220
稀释每股收益(元)	0.1900	0.1800	-0.0280	0.0620
每股净资产(元)	2.9995	1.2852	1.0427	1.0705
每股经营现金净流量(元)	-0.9909	-0.0345	-0.0066	-0.0896
每股现金流量(元)	3.7074	0.0120	0.0408	-0.0390
每股资本公积金(元)	1.5515	0.0221	0.0223	0.0223
每股盈余公积金(元)	0.0256	0.0807	0.0617	0.0617
每股未分配利润(元)	0.2287	0.1364	-0.0554	-0.0273
净资产收益率(%)	6.4988	14.2134	-2.6906	5.7848
加权净资产收益率(%)	8.0500	15.7300	-2.6600	5.9100
净资产收益率(扣除)(%)	2.7081	-8.7790	-3.3337	-11.3516
总资产(万元)	10992007.18	240921.35	213387.34	210849.78
归属母公司股东权益(万元)	1277540.33	173966.70	141138.23	144901.71
营业收入(万元)	24765.76	54110.71	29486.06	80644.27
营业支出(万元)	21860.25	51797.18	28511.14	82979.30
投资收益(万元)	-	54351.10	1082.43	31251.36
净利润(万元)	120045.40	25053.85	-3686.95	8411.64
营业利润(万元)	114103.20	33219.28	-3649.34	10106.57
利润总额(万元)	114212.46	33443.35	-3510.26	10895.08

成都高新发展股份有限公司

公司概况	公司名称	成都高新发展股份有限公司			证券简称	高新发展
	法人代表	陈明乾	董秘	杨砚琪	证券代码	000628
	公司网址	www.cdgxfz.com		电子信箱	cdgxfz000628@163.com	
	电　话	028-85137070 85130316		传　真	028-85184099	
	办公地址	四川省成都市高新技术产业开发区九兴大道 8 号				
	经营范围	高新技术产品的开发、生产、经营、高新技术的交流转让等				

主要财务指标 指标＼报告期	2016.06.30	2015.12.31	2015.06.30	2014.12.31
基本每股收益(元)	0.0167	0.1660	-0.0570	-0.1910
基本每股收益(扣除后)(元)	0.0125	-0.2370	-0.0610	-0.1970
稀释每股收益(元)	0.0167	0.1660	-0.0570	-0.1910
每股净资产(元)	2.2655	2.2477	2.0600	0.7450
每股经营现金净流量(元)	-0.0325	-0.3227	0.5743	0.6865
每股现金流量(元)	-0.4669	0.3872	0.7994	1.6482
每股资本公积金(元)	2.3386	2.3386	2.3492	1.5057
每股盈余公积金(元)	0.0312	0.0312	0.0312	0.0443
每股未分配利润(元)	-1.1054	-1.1221	-1.3179	-1.8050
净资产收益率(%)	0.7369	6.6660	-2.2322	-25.5695
加权净资产收益率(%)	0.7400	9.0700	-4.4600	-22.5100
净资产收益率(扣除)(%)	0.5507	-9.5191	-2.3911	-26.4436
总资产(万元)	411752.65	397106.49	406092.69	368173.07
归属母公司股东权益(万元)	70564.77	70010.34	64154.00	16350.23
营业收入(万元)	80626.81	177075.83	66384.21	195280.76
营业支出(万元)	72912.32	160760.35	56743.95	173436.15
投资收益(万元)	315.18	13801.20	83.18	392.81
净利润(万元)	618.93	4919.34	-1219.65	-3982.33
营业利润(万元)	836.18	7992.28	-1051.05	-3108.71
利润总额(万元)	939.60	6330.64	-938.71	-2985.64

攀钢集团钒钛资源股份有限公司

公司概况	公司名称	攀钢集团钒钛资源股份有限公司			证券简称	*ST 钒钛
	法人代表	邵安林	董秘	罗玉惠	证券代码	000629
	公司网址	www.pzhsteel.com.cn		电子信箱	psv@pzhsteel.com.cn	
	电　话	0812-3385366		传　真	0812-3385285	
	办公地址	四川省攀枝花市东区大渡口街 87 号				
	经营范围	钢铁(包括型材、热轧板材、冷轧板材等)及钒产品的制造、销售业务等				

主要财务指标 指标＼报告期	2016.06.30	2015.12.31	2015.06.30	2014.12.31
基本每股收益(元)	-0.0974	-0.2570	-0.0617	-0.4395
基本每股收益(扣除后)(元)	-0.1146	-0.2421	-0.0662	-0.3608
稀释每股收益(元)	-0.0974	-0.2570	-0.0617	-0.4395
每股净资产(元)	0.8973	0.9805	1.1664	1.2344
每股经营现金净流量(元)	0.0810	0.0034	-0.0325	0.1946
每股现金流量(元)	0.0491	-0.0780	0.1546	0.0410
每股资本公积金(元)	0.6550	0.6532	0.6487	0.6486
每股盈余公积金(元)	0.1678	0.1678	0.1678	0.1678
每股未分配利润(元)	-0.8128	-0.7154	-0.5202	-0.4584
净资产收益率(%)	-10.8496	-26.2098	-5.2935	-35.6071
加权净资产收益率(%)	-10.3700	-23.0000	-5.1400	-29.5600
净资产收益率(扣除)(%)	-12.7739	-24.6881	-5.6750	-29.2294
总资产(万元)	5594941.98	5601215.06	5608930.52	5234557.40
归属母公司股东权益(万元)	770796.25	842188.13	1001907.61	1060301.72
营业收入(万元)	587500.89	1141744.72	616180.66	1677930.80
营业支出(万元)	506970.32	994653.72	500236.32	1272186.46
投资收益(万元)	-16603.64	-6426.66	-710.55	-140004.73
净利润(万元)	-134072.65	-242245.82	-58893.32	-597169.09
营业利润(万元)	-146564.70	-221751.15	-56631.59	-576570.30
利润总额(万元)	-131437.83	-234348.55	-54044.51	-572687.57

铜陵有色金属集团股份有限公司

公司概况	公司名称	铜陵有色金属集团股份有限公司			证券简称	铜陵有色
	法人代表	杨军	董秘	吴和平	证券代码	000630
	公司网址	www.tlys.cn		电子信箱	tlys@126.com	
	电　话	0562-2825029 5860159		传　真	0562-2825082	
	办公地址	安徽省铜陵市长江西路有色大院西楼				
	经营范围	铜、金、银、稀有金属及相关产品、硫酸、铝型材生产、加工等				

主要财务指标 指标＼报告期	2016.06.30	2015.12.31	2015.06.30	2014.12.31
基本每股收益(元)	0.0050	-0.0700	0.0700	0.1900
基本每股收益(扣除后)(元)	0.0010	-0.0900	0.0700	0.0800
稀释每股收益(元)	0.0050	-0.0700	0.0700	0.1900
每股净资产(元)	1.4479	1.4519	3.9204	7.7548
每股经营现金净流量(元)	0.1613	0.5098	1.0790	1.1986
每股现金流量(元)	-0.1227	0.0892	0.6247	0.5319
每股资本公积金(元)	0.0758	0.0758	1.1894	3.3788
每股盈余公积金(元)	0.0990	0.0990	0.2558	0.4941
每股未分配利润(元)	0.2729	0.2680	1.4649	2.8593
净资产收益率(%)	0.3339	-4.8009	1.7601	2.0276
加权净资产收益率(%)	0.3300	-4.6300	1.7700	2.2200
净资产收益率(扣除)(%)	0.0920	-5.8669	1.8131	0.8097
总资产(万元)	4143302.11	4416748.98	5133583.29	4692718.70
归属母公司股东权益(万元)	1384312.05	1388130.96	1499280.36	1482814.09
营业收入(万元)	4181515.05	8689660.41	4611032.81	8881848.58
营业支出(万元)	4043952.25	8463820.69	4453295.63	8614919.92
投资收益(万元)	1673.44	6901.81	-5479.96	5516.31
净利润(万元)	10425.01	-72981.72	31087.37	33732.39
营业利润(万元)	14957.83	-88122.89	36437.89	26285.61
利润总额(万元)	19865.69	-75926.26	39891.59	44428.12

顺发恒业股份公司

公司概况					
公司名称	顺发恒业股份公司			证券简称	顺发恒业
法人代表	管大源	董秘	程捷	证券代码	000631
公司网址	www.sfhy.cn		电子信箱	chengjie@sfhy.cn	
电　　话	0431-85180631		传　　真	0431-81150631	
办公地址	吉林省长春市朝阳区延安大路1号盛世国际写字间3026室				
经营范围	房地产经营开发、物业管理、装修装饰、房屋和土木工程建设业等				

主要财务指标

指标\报告期	2016.06.30	2015.12.31	2015.06.30	2014.12.31
基本每股收益(元)	0.1100	0.2200	0.1500	0.5600
基本每股收益(扣除后)(元)	0.1100	0.2300	0.1500	0.5600
稀释每股收益(元)	0.1100	0.2200	0.1500	0.5600
每股净资产(元)	2.2375	2.5707	2.4863	3.3752
每股经营现金净流量(元)	0.7171	2.1714	0.5036	-0.3596
每股现金流量(元)	1.5714	0.4200	-0.0052	-0.3399
每股资本公积金(元)	0.5716	0.1477	0.1477	0.2068
每股盈余公积金(元)	0.1085	0.1802	0.1795	0.2512
每股未分配利润(元)	0.5509	1.2348	1.1592	1.9172
净资产收益率(%)	4.3232	8.6875	5.9098	16.5637
加权净资产收益率(%)	5.7400	9.0200	5.9700	17.9400
净资产收益率(扣除)(%)	4.4180	8.9327	5.8370	16.4647
总资产(万元)	1485969.19	1189184.03	1218720.73	1195544.09
归属母公司股东权益(万元)	544279.80	376270.27	363920.88	352884.24
营业收入(万元)	214526.40	347411.52	199402.67	490687.28
营业支出(万元)	156731.13	258278.97	145896.46	326945.38
投资收益(万元)	-552.58	-1234.94	-16.02	189.48
净利润(万元)	23493.82	32688.44	21507.11	58450.85
营业利润(万元)	32456.07	46018.20	29126.26	79359.84
利润总额(万元)	31819.68	44392.88	29261.07	78441.94

福建三木集团股份有限公司

公司概况					
公司名称	福建三木集团股份有限公司			证券简称	三木集团
法人代表	卢少辉	董秘	陈昕	证券代码	000632
公司网址	www.san-mu.com		电子信箱	sanmugroup@126.com	
电　　话	0591-83355146		传　　真	0591-83341504	
办公地址	福建省福州市群众东路93号三木大厦				
经营范围	房地产综合开发(一级资质)及国际贸易等				

主要财务指标

指标\报告期	2016.06.30	2015.12.31	2015.06.30	2014.12.31
基本每股收益(元)	0.0075	0.0261	0.0060	0.0260
基本每股收益(扣除后)(元)	-0.0098	-0.0919	-0.1163	-0.4747
稀释每股收益(元)	0.0075	0.0261	0.0060	0.0260
每股净资产(元)	2.6490	2.6415	2.7094	2.7034
每股经营现金净流量(元)	-1.5706	0.9203	-0.0662	-0.4714
每股现金流量(元)	-0.2848	0.1166	-0.0163	-1.2287
每股资本公积金(元)	-	-	0.0059	0.0059
每股盈余公积金(元)	-	-	0.0164	0.0164
每股未分配利润(元)	0.2643	0.2568	0.3025	0.2965
净资产收益率(%)	0.2824	0.9890	0.2216	0.9600
加权净资产收益率(%)	0.2800	0.9900	0.2200	0.9646
净资产收益率(扣除)(%)	-0.3682	-3.4793	-4.2924	-17.5611
总资产(万元)	716425.71	715301.32	807356.16	592692.46
归属母公司股东权益(万元)	123313.95	122967.64	126127.44	125846.97
营业收入(万元)	222187.01	462308.63	169836.85	435865.97
营业支出(万元)	203007.47	417829.86	155994.38	411695.11
投资收益(万元)	575.21	-2156.86	-372.91	17886.44
净利润(万元)	2076.10	3586.57	493.97	299.75
营业利润(万元)	3951.16	9279.43	3809.58	2679.88
利润总额(万元)	4148.31	9011.16	3465.83	3228.07

沈阳合金投资股份有限公司

公司概况					
公司名称	沈阳合金投资股份有限公司			证券简称	合金投资
法人代表	赵景云	董秘	夏琼琼	证券代码	000633
公司网址	www.hjinv.com		电子信箱	hjtz@hjinv.com	
电　　话	024-89350633		传　　真	024-23769620	
办公地址	辽宁省沈阳市浑南新区天赐街7-1号曙光大厦A座7层				
经营范围	投资入股、国内贸易等				

主要财务指标

指标\报告期	2016.06.30	2015.12.31	2015.06.30	2014.12.31
基本每股收益(元)	-0.0710	-0.1096	-0.0358	-0.0750
基本每股收益(扣除后)(元)	-0.0695	-0.1075	-0.0358	-0.0761
稀释每股收益(元)	-0.0710	-0.1096	-0.0358	-0.0750
每股净资产(元)	0.3333	0.4043	0.4781	0.5140
每股经营现金净流量(元)	-0.0476	0.1023	0.1047	-0.1036
每股现金流量(元)	-0.0653	0.0421	0.0392	-0.1742
每股资本公积金(元)	0.1243	0.1243	0.1243	0.1243
每股盈余公积金(元)	0.1690	0.1690	0.1690	0.1690
每股未分配利润(元)	-0.9600	-0.8890	-0.8152	-0.7793
净资产收益率(%)	-21.2953	-27.1176	-7.4934	-14.6012
加权净资产收益率(%)	-19.2500	-23.8800	-7.2200	-13.6100
净资产收益率(扣除)(%)	-21.4207	-26.5798	-7.6370	-14.7539
总资产(万元)	19620.05	21978.16	23916.66	25783.27
归属母公司股东权益(万元)	12837.01	15570.68	18413.30	19793.08
营业收入(万元)	2039.74	4481.62	2852.04	8749.69
营业支出(万元)	1926.36	5099.48	2964.25	8606.44
投资收益(万元)	-	-24.93	-24.17	-10.24
净利润(万元)	-2767.31	-4222.48	-1379.78	-2890.03
营业利润(万元)	-2788.77	-4121.52	-1415.03	-2930.33
利润总额(万元)	-2767.30	-4233.16	-1379.78	-2890.03

宁夏英力特化工股份有限公司

公司概况					
公司名称	宁夏英力特化工股份有限公司			证券简称	英力特
法人代表	宗维海	董秘	李学军	证券代码	000635
公司网址	www.yinglitechem.com		电子信箱	ylt_zqb@yinglitechem.com	
电　　话	0952-3689323		传　　真	0952-3689589	
办公地址	宁夏回族自治区石嘴山市惠农区钢电路				
经营范围	电石及其系列延伸产品的生产和销售等				

主要财务指标

指标\报告期	2016.06.30	2015.12.31	2015.06.30	2014.12.31
基本每股收益(元)	0.1090	0.0980	0.0900	0.1730
基本每股收益(扣除后)(元)	0.1010	0.0700	0.0700	0.1480
稀释每股收益(元)	0.1090	0.0980	0.0900	0.1730
每股净资产(元)	9.3007	9.2159	9.2108	9.1326
每股经营现金净流量(元)	0.0747	0.3878	-0.1426	1.6002
每股现金流量(元)	0.0231	0.3542	-0.1667	0.1778
每股资本公积金(元)	6.1981	6.1981	6.1981	6.1981
每股盈余公积金(元)	0.2805	0.2805	0.2702	0.2702
每股未分配利润(元)	1.7980	1.7192	1.7235	1.6515
净资产收益率(%)	1.1697	1.0636	0.9992	1.8893
加权净资产收益率(%)	1.1700	1.0700	1.0000	1.9000
净资产收益率(扣除)(%)	1.0900	0.7356	0.7736	1.6171
总资产(万元)	313935.45	314381.53	318194.72	309714.24
归属母公司股东权益(万元)	281892.20	279323.69	279168.32	276796.69
营业收入(万元)	76362.51	169581.67	81874.62	193264.54
营业支出(万元)	63994.44	145422.42	70225.57	160583.86
投资收益(万元)	-0.37	-	-	34.06
净利润(万元)	3297.28	2970.92	2789.43	5229.45
营业利润(万元)	4132.68	2837.06	2951.34	6550.69
利润总额(万元)	4468.42	4042.43	3774.42	7496.70

广东风华高新科技股份有限公司

公司概况						
公司名称	广东风华高新科技股份有限公司			证券简称	风华高科	
法人代表	李泽中	董秘	陈绪运	证券代码	000636	
公司网址	www.fenghua-advanced.com		电子信箱	000636@china-fenghua.com		
电　　话	0758-2844724		传　　真	0758-2865223		
办公地址	广东省肇庆市风华路 18 号风华电子工业城					
经营范围	研究、开发、生产、销售各类型高科技新型电子元器件等					

主要财务指标 指标\报告期	2016.06.30	2015.12.31	2015.06.30	2014.12.31
基本每股收益(元)	0.0900	0.0800	0.0500	0.1400
基本每股收益(扣除后)(元)	−0.0022	−0.0100	0.0040	0.0500
稀释每股收益(元)	0.0900	0.0800	0.0500	0.1400
每股净资产(元)	5.1228	5.2835	4.9549	4.6025
每股经营现金净流量(元)	0.1380	0.0185	−0.1250	0.1005
每股现金流量(元)	−0.5196	0.0025	−0.1479	1.4664
每股资本公积金(元)	2.6902	2.7015	2.1987	2.1987
每股盈余公积金(元)	0.3222	0.3222	0.3426	0.3426
每股未分配利润(元)	0.6047	0.5446	0.6140	0.5621
净资产收益率(%)	1.7601	1.3051	1.0484	2.5337
加权净资产收益率(%)	1.6900	1.6300	1.1200	4.0700
净资产收益率(扣除)(%)	−0.0424	−0.2385	0.0714	0.9528
总资产(万元)	665092.84	658818.62	544469.95	508313.95
归属母公司股东权益(万元)	458606.77	472992.48	400027.86	371576.00
营业收入(万元)	122257.85	193957.25	87721.93	224791.95
营业支出(万元)	99177.88	157761.07	71873.90	186885.76
投资收益(万元)	9753.69	4842.18	3577.23	6645.71
净利润(万元)	8492.82	6478.05	4201.11	9511.14
营业利润(万元)	8972.43	3700.71	4237.04	9523.29
利润总额(万元)	10283.61	8830.92	5214.17	11555.60

茂名石化实华股份有限公司

公司概况						
公司名称	茂名石化实华股份有限公司			证券简称	茂化实华	
法人代表	刘华	董秘	梁杰	证券代码	000637	
公司网址	www.mhsh0637.com.cn		电子信箱	mhsh000637@163.net		
电　　话	0668-2276176 2231342		传　　真	0668-2281965		
办公地址	广东省茂名市官渡路 162 号					
经营范围	生产销售聚丙烯及其制品、石油化工产品、水泥、电器机械制造等					

主要财务指标 指标\报告期	2016.06.30	2015.12.31	2015.06.30	2014.12.31
基本每股收益(元)	0.0090	0.1700	0.0930	0.1400
基本每股收益(扣除后)(元)	0.0250	0.1600	0.0920	0.1400
稀释每股收益(元)	0.0090	0.1700	0.0930	0.1400
每股净资产(元)	1.5321	1.6519	1.5732	1.5669
每股经营现金净流量(元)	0.3419	0.3451	0.2445	0.4415
每股现金流量(元)	−0.0578	0.0348	0.0466	0.1480
每股资本公积金(元)	0.0134	0.0134	0.0134	0.0134
每股盈余公积金(元)	0.3613	0.3613	0.3471	0.3471
每股未分配利润(元)	0.1536	0.2742	0.2097	0.2064
净资产收益率(%)	0.6131	10.4114	5.9333	8.8864
加权净资产收益率(%)	0.5700	10.6900	5.7800	9.0900
净资产收益率(扣除)(%)	1.6549	9.8449	5.8538	8.7239
总资产(万元)	108972.87	127179.76	134280.54	121234.37
归属母公司股东权益(万元)	79651.49	85876.82	81785.02	81458.32
营业收入(万元)	123364.12	306697.39	154542.99	401469.24
营业支出(万元)	113076.80	271610.30	135320.34	368914.37
投资收益(万元)	−272.87	274.33	698.01	572.76
净利润(万元)	765.64	13526.50	7448.90	11245.71
营业利润(万元)	1411.22	16772.61	9862.72	14645.25
利润总额(万元)	1252.54	16831.37	9885.50	14602.60

万方城镇投资发展股份有限公司

公司概况						
公司名称	万方城镇投资发展股份有限公司			证券简称	万方发展	
法人代表	张晖	董秘	刘戈林	证券代码	000638	
公司网址	www.vanfund.cn		电子信箱	vanfund@vanfund.cn		
电　　话	010-64656161		传　　真	010-64656767		
办公地址	北京市朝阳区曙光西里甲一号第三置业大厦 A 座 30 层					
经营范围	房地产开发及开发的商品房销售等					

主要财务指标 指标\报告期	2016.06.30	2015.12.31	2015.06.30	2014.12.31
基本每股收益(元)	0.0116	−0.1144	−0.0230	0.0098
基本每股收益(扣除后)(元)	−0.0380	−0.1330	−0.0250	−
稀释每股收益(元)	0.0116	−0.1144	−0.0230	0.0098
每股净资产(元)	0.6922	0.6674	0.7291	0.7521
每股经营现金净流量(元)	−2.3655	−2.3258	−1.8106	−0.8724
每股现金流量(元)	−2.7638	−2.9648	−1.4469	3.5199
每股资本公积金(元)	0.3037	0.2904	0.2607	0.2607
每股盈余公积金(元)	0.0157	0.0157	0.0157	0.0157
每股未分配利润(元)	−0.6271	−0.6387	−0.5473	−0.5243
净资产收益率(%)	1.6687	−17.1401	−3.1599	1.3001
加权净资产收益率(%)	1.7000	−16.1200	−0.0200	1.3900
净资产收益率(扣除)(%)	−5.4712	−19.9331	−3.5084	−1.3858
总资产(万元)	208367.68	253777.81	271364.65	250489.43
归属母公司股东权益(万元)	21418.08	20649.67	22557.20	23269.99
营业收入(万元)	9046.37	23948.42	6591.99	19315.04
营业支出(万元)	8741.52	24719.84	6224.96	18506.95
投资收益(万元)	2102.90	−	−	2118.09
净利润(万元)	248.93	−3823.66	−827.05	354.39
营业利润(万元)	351.45	−4155.89	−739.61	−68.08
利润总额(万元)	312.92	−3515.09	−654.81	719.49

西王食品股份有限公司

公司概况						
公司名称	西王食品股份有限公司			证券简称	西王食品	
法人代表	王棣	董秘	马立东	证券代码	000639	
公司网址	www.xwsp.cc		电子信箱	wangjianxiang@xiwang.com.cn		
电　　话	0543-4868888		传　　真	0543-4868888		
办公地址	山东省滨州市邹平县西王工业园					
经营范围	预包装食品的批发兼零售等					

主要财务指标 指标\报告期	2016.06.30	2015.12.31	2015.06.30	2014.12.31
基本每股收益(元)	0.2100	0.3900	0.1900	0.6200
基本每股收益(扣除后)(元)	0.2100	0.3800	0.1900	0.6800
稀释每股收益(元)	0.2100	0.3900	0.1900	0.6200
每股净资产(元)	4.1503	3.6105	3.4141	6.4743
每股经营现金净流量(元)	−0.3384	0.3621	−0.1645	0.1107
每股现金流量(元)	0.3428	−0.6332	−0.3515	0.4923
每股资本公积金(元)	1.4207	0.6418	0.6418	2.2836
每股盈余公积金(元)	0.1892	0.2283	0.1916	0.3832
每股未分配利润(元)	1.5404	1.7404	1.5807	2.8075
净资产收益率(%)	5.0168	10.7567	5.6219	9.6365
加权净资产收益率(%)	6.8100	11.3600	5.7700	9.9200
净资产收益率(扣除)(%)	4.3108	10.5882	5.5783	10.5761
总资产(万元)	221771.87	174247.86	172707.76	185960.50
归属母公司股东权益(万元)	188642.41	135989.29	128590.50	121926.28
营业收入(万元)	117272.69	224378.10	102069.64	135855.11
营业支出(万元)	84467.92	161538.77	74632.46	96963.87
投资收益(万元)	−37.88		−	−
净利润(万元)	9463.89	14627.98	7229.19	9308.96
营业利润(万元)	9443.22	16359.35	8310.57	10516.27
利润总额(万元)	10791.44	16627.92	8376.52	10767.82

仁和药业股份有限公司

公司概况						
公司名称	仁和药业股份有限公司			证券简称	仁和药业
法人代表	梅强	董秘	姜锋	证券代码	000650
公司网址	www.renheyaoye.com			电子信箱	rh000650@126.com
电　话	0791-83896755			传　真	0791-83896755
办公地址	江西省南昌市红谷滩新区红谷中大道998号绿地中央广场B区元创国际18层				
经营范围	中药材种植、药材种苗培植、纸箱生产、销售、计算机软件开发、设计等				

主要财务指标				
指标\报告期	2016.06.30	2015.12.31	2015.06.30	2014.12.31
基本每股收益(元)	0.1432	0.3200	0.1336	0.3000
基本每股收益(扣除后)(元)	0.1404	0.2900	0.1287	0.2800
稀释每股收益(元)	0.1432	0.3200	0.1336	0.3000
每股净资产(元)	2.0724	1.9292	1.7513	2.0521
每股经营现金净流量(元)	0.1226	0.3511	0.2390	0.3687
每股现金流量(元)	-0.1340	0.1403	0.2106	0.0957
每股资本公积金(元)	0.2455	0.2455	0.2499	0.3124
每股盈余公积金(元)	0.1303	0.1303	0.1147	0.1433
每股未分配利润(元)	0.6966	0.5534	0.3867	0.5963
净资产收益率(%)	6.9117	16.3793	7.6292	14.8016
加权净资产收益率(%)	7.1600	17.7000	7.8200	15.2200
净资产收益率(扣除)(%)	6.7734	15.2024	7.3483	13.7548
总资产(万元)	371029.62	315627.07	280962.09	259710.43
归属母公司股东权益(万元)	256639.54	238901.45	216867.58	203294.39
营业收入(万元)	174408.81	252384.27	116940.29	225321.24
营业支出(万元)	111511.14	139921.08	66105.70	122274.59
投资收益(万元)	551.82	2255.34	1050.35	1351.03
净利润(万元)	20821.46	43558.87	18571.26	32385.36
营业利润(万元)	27262.89	56020.89	23994.61	41533.68
利润总额(万元)	27812.60	57223.98	24658.56	42233.81

珠海格力电器股份有限公司

公司概况					
公司名称	珠海格力电器股份有限公司			证券简称	格力电器
法人代表	董明珠	董秘	望靖东	证券代码	000651
公司网址	www.gree.com.cn			电子信箱	gree0651@gree.com.cn
电　话	0756-8669232			传　真	0756-8622581
办公地址	广东省珠海市前山金鸡西路				
经营范围	生产销售空调器、自营空调器出口业务及其相关零配件的进出口业务等				

主要财务指标				
指标\报告期	2016.06.30	2015.12.31	2015.06.30	2014.12.31
基本每股收益(元)	1.0600	2.0800	1.9000	4.7100
基本每股收益(扣除后)(元)	1.1700	2.0500	1.7300	4.7000
稀释每股收益(元)	1.0600	2.0800	1.9000	4.7100
每股净资产(元)	7.4658	7.8995	13.6691	14.6791
每股经营现金净流量(元)	1.9042	7.3771	9.8928	6.2965
每股现金流量(元)	2.0139	5.6283	11.1625	4.7367
每股资本公积金(元)	0.0309	0.0309	1.0610	1.0610
每股盈余公积金(元)	0.5818	0.5818	0.9835	0.9835
每股未分配利润(元)	5.8374	6.2731	10.4853	11.5834
净资产收益率(%)	14.2554	26.3722	13.9141	32.0596
加权净资产收益率(%)	12.6200	27.3100	12.1000	35.2300
净资产收益率(扣除)(%)	15.7067	25.9117	12.6797	32.0365
总资产(万元)	17209081.28	16169801.63	16397518.33	15623094.85
归属母公司股东权益(万元)	4491253.86	4752137.61	4111482.52	4415265.48
营业收入(万元)	4918282.01	9774513.72	5011118.24	13775035.84
营业支出(万元)	3162758.52	6601735.37	3603541.93	8802212.77
投资收益(万元)	-96554.08	9665.49	8873.78	72436.44
净利润(万元)	644661.26	1262373.26	576792.86	1425295.48
营业利润(万元)	726846.44	1351617.70	658934.75	1608922.73
利润总额(万元)	774723.27	1490941.95	682329.78	1675243.07

天津泰达股份有限公司

公司概况					
公司名称	天津泰达股份有限公司			证券简称	泰达股份
法人代表	胡军	董秘	谢剑琳	证券代码	000652
公司网址	www.tedastock.com			电子信箱	dm@tedastock.com
电　话	022-65175652			传　真	022-65175653
办公地址	天津市滨海新区第二大街62号MSD-B1座16层1601				
经营范围	交通、能源、高科技工业投资、空气液体净化过滤材料、化纤等				

主要财务指标				
指标\报告期	2016.06.30	2015.12.31	2015.06.30	2014.12.31
基本每股收益(元)	0.0218	0.1726	0.0124	0.1680
基本每股收益(扣除后)(元)	0.0207	0.1693	0.0087	0.0833
稀释每股收益(元)	0.0218	0.1726	0.0124	0.1680
每股净资产(元)	2.1110	2.1241	1.6244	1.6011
每股经营现金净流量(元)	-0.0809	-0.3700	-0.5271	-0.6558
每股现金流量(元)	-0.0775	0.2634	0.4730	-0.6712
每股资本公积金(元)	0.3386	0.3385	0.0489	0.0489
每股盈余公积金(元)	0.2291	0.2291	0.2027	0.2027
每股未分配利润(元)	0.4890	0.4772	0.3434	0.3410
净资产收益率(%)	1.0305	8.1276	0.7628	10.4955
加权净资产收益率(%)	1.0200	10.2300	0.7700	11.0800
净资产收益率(扣除)(%)	0.9791	7.8388	0.5346	5.2057
总资产(万元)	3003693.55	2857162.15	2594615.98	2347866.43
归属母公司股东权益(万元)	311488.76	313433.38	239685.87	236256.36
营业收入(万元)	607666.48	965556.47	216991.69	644371.03
营业支出(万元)	581232.53	886740.49	198127.37	523166.82
投资收益(万元)	9803.57	33225.94	15089.77	21819.42
净利润(万元)	6712.25	31733.91	1155.45	60309.29
营业利润(万元)	7733.24	34858.83	574.10	67226.59
利润总额(万元)	9894.21	38028.30	1241.63	84925.31

山东金岭矿业股份有限公司

公司概况					
公司名称	山东金岭矿业股份有限公司			证券简称	金岭矿业
法人代表	刘远清	董秘	王新	证券代码	000655
公司网址	www.sdjlky.com			电子信箱	sz000655@163.com
电　话	0533-3088888			传　真	0533-3089666
办公地址	山东省淄博市张店区中埠镇				
经营范围	铁矿开采、铁精粉、铜精粉、钴精粉的生产、销售等				

主要财务指标				
指标\报告期	2016.06.30	2015.12.31	2015.06.30	2014.12.31
基本每股收益(元)	-0.2000	0.0175	-0.0700	0.3500
基本每股收益(扣除后)(元)	-0.2000	-0.1430	-0.0750	0.1900
稀释每股收益(元)	-0.2000	0.0175	-0.0700	0.3500
每股净资产(元)	5.1281	5.3275	5.2444	5.3151
每股经营现金净流量(元)	-0.1383	0.0595	-0.0206	0.4115
每股现金流量(元)	0.0636	-0.0513	0.0682	-0.2757
每股资本公积金(元)	0.8197	0.8197	0.8197	0.8197
每股盈余公积金(元)	0.4994	0.4994	0.4919	0.4919
每股未分配利润(元)	2.7965	2.9962	2.9172	2.9862
净资产收益率(%)	-3.8941	0.3294	-1.3150	6.6096
加权净资产收益率(%)	-3.8200	0.3300	-1.4200	6.7800
净资产收益率(扣除)(%)	-3.9108	-2.6763	-1.4252	3.6378
总资产(万元)	345061.42	343006.56	357803.44	366721.26
归属母公司股东权益(万元)	305294.68	317165.84	312222.77	316428.62
营业收入(万元)	29781.65	78641.69	43876.04	153979.26
营业支出(万元)	32050.36	70214.25	39242.78	103304.46
投资收益(万元)	-971.48	3080.93	162.68	6027.43
净利润(万元)	-12303.25	524.77	-4369.59	21505.21
营业利润(万元)	-12725.34	-9186.92	-4767.22	17425.40
利润总额(万元)	-12630.44	577.74	-4186.32	26967.02

金科地产集团股份有限公司

公司概况

公司名称	金科地产集团股份有限公司			证券简称	金科股份
法人代表	蒋思海	董秘	刘忠海	证券代码	000656
公司网址	www.jinke.com			电子信箱	ir@jinke.com
电　话	023-63023656			传　真	023-63023656
办公地址	重庆市北部新区春兰三路 1 号地矿大厦 7 楼				
经营范围	房地产开发、物业管理;制造、加工、销售钢材、锰铁、机械加工等				

主要财务指标

指标\报告期	2016.06.30	2015.12.31	2015.06.30	2014.12.31
基本每股收益(元)	0.1400	0.2700	0.1000	0.7800
基本每股收益(扣除后)(元)	0.1300	0.2500	–	0.6000
稀释每股收益(元)	0.1300	0.2700	–	0.7800
每股净资产(元)	3.0673	2.9706	2.5900	7.6385
每股经营现金净流量(元)	–0.2080	0.0953	–0.0445	–6.0823
每股现金流量(元)	0.3460	0.4997	0.2980	0.7925
每股资本公积金(元)	0.1430	0.1341	0.0417	1.5250
每股盈余公积金(元)	0.0716	0.0716	0.0391	0.1173
每股未分配利润(元)	1.5257	1.4407	1.3711	4.5648
净资产收益率(%)	5.0236	9.8565	–	8.6219
加权净资产收益率(%)	4.9800	10.2600	3.8100	11.3100
净资产收益率(扣除)(%)	4.1999	7.9191	–	6.5993
总资产(万元)	9903365.45	9555279.67	9467168.74	8206580.67
归属母公司股东权益(万元)	1186972.29	1145400.20	1073000.71	1052994.63
营业收入(万元)	1313908.84	1939857.33	656074.30	1732350.73
营业支出(万元)	1009559.41	1388700.37	–	1333665.85
投资收益(万元)	–5766.85	3683.84	4394.46	4474.80
净利润(万元)	89928.26	123364.61	–	86303.91
营业利润(万元)	105395.38	174344.01	59830.27	55550.15
利润总额(万元)	107487.59	178468.01	62361.27	75343.38

中钨高新材料股份有限公司

公司概况

公司名称	中钨高新材料股份有限公司			证券简称	中钨高新
法人代表	李福利	董秘	李俊利	证券代码	000657
公司网址				电子信箱	zwgx000657@126.com
电　话	0731-22165522 22165587			传　真	0731-22165500
办公地址	湖南省长沙市劳动西路 290 号五矿有色大厦 12 楼				
经营范围	硬质合金和钨、钼、钽、铌等有色金属及其深加工产品和装备的研制、开发、生产、销售等				

主要财务指标

指标\报告期	2016.06.30	2015.12.31	2015.06.30	2014.12.31
基本每股收益(元)	0.0080	–0.8207	–0.2100	0.0350
基本每股收益(扣除后)(元)	–0.0296	–0.8756	–0.2300	–0.2298
稀释每股收益(元)	0.0080	–0.8207	–0.2100	0.0350
每股净资产(元)	4.7098	4.7019	5.3010	5.5382
每股经营现金净流量(元)	0.0658	0.9133	0.4164	1.7768
每股现金流量(元)	0.1489	0.3140	0.6418	–1.5712
每股资本公积金(元)	4.3604	4.3604	4.3481	4.3458
每股盈余公积金(元)	0.0763	0.0763	0.0763	0.0763
每股未分配利润(元)	–0.5996	–0.6075	0.0001	0.2131
净资产收益率(%)	0.1690	–17.4536	–4.0183	0.6322
加权净资产收益率(%)	0.1700	–16.0300	–3.9200	0.6300
净资产收益率(扣除)(%)	–0.6275	–18.6222	–4.4300	–4.1499
总资产(万元)	697627.11	683001.54	776551.72	781816.81
归属母公司股东权益(万元)	296085.66	295587.55	333249.99	348164.21
营业收入(万元)	263157.59	585739.65	295522.32	837978.87
营业支出(万元)	213452.16	521244.97	261847.97	745446.05
投资收益(万元)	–	21.00	21.00	7460.48
净利润(万元)	1885.41	–52812.53	–13272.22	4674.17
营业利润(万元)	2098.12	–57126.15	–13735.59	–2658.11
利润总额(万元)	4655.08	–53013.12	–12050.25	10440.55

珠海中富实业股份有限公司

公司概况

公司名称	珠海中富实业股份有限公司			证券简称	珠海中富
法人代表	宋建明	董秘	韩惠明	证券代码	000659
公司网址	www.zhongfu.com.cn			电子信箱	zfzjb@zhongfu.com.cn
电　话	0756-8931119 8931176			传　真	0756-8812870
办公地址	广东省珠海市保税区联锋路				
经营范围	生产和销售自产的饮料容器、瓶胚、PET 高级饮料瓶、纸杯、防冒瓶盖等				

主要财务指标

指标\报告期	2016.06.30	2015.12.31	2015.06.30	2014.12.31
基本每股收益(元)	–0.0435	–0.0500	0.0030	0.0300
基本每股收益(扣除后)(元)	–0.0411	–0.0700	0.0030	–0.0400
稀释每股收益(元)	–0.0435	–0.0500	0.0030	0.0300
每股净资产(元)	0.7754	0.8154	0.8718	0.8712
每股经营现金净流量(元)	0.0430	0.2739	0.1462	0.4631
每股现金流量(元)	–0.0385	–0.1929	–0.1686	–0.2305
每股资本公积金(元)	0.2063	0.2063	0.2063	0.2063
每股盈余公积金(元)	0.2845	0.2845	0.2845	0.2845
每股未分配利润(元)	–0.7135	–0.6700	–0.6154	–0.6184
净资产收益率(%)	–5.6135	–6.3298	0.3484	3.7338
加权净资产收益率(%)	–5.4800	–6.1100	0.3500	3.8200
净资产收益率(扣除)(%)	–5.3000	–8.9683	0.3528	–5.0200
总资产(万元)	319026.73	317524.96	345091.88	372036.50
归属母公司股东权益(万元)	99693.79	104840.15	112093.57	112008.37
营业收入(万元)	84525.55	187498.14	103332.87	237080.89
营业支出(万元)	68659.12	152387.86	82404.16	193425.48
投资收益(万元)	1.40	7.78	3.79	5044.34
净利润(万元)	–5612.13	–7166.49	428.31	3752.04
营业利润(万元)	–4197.40	–5107.10	1866.28	–379.46
利润总额(万元)	–4460.06	–4691.90	1871.92	5877.95

长春高新技术产业(集团)股份有限公司

公司概况

公司名称	长春高新技术产业(集团)股份有限公司			证券简称	长春高新
法人代表	杨占民	董秘	张德申	证券代码	000661
公司网址	www.cchn.com.cn			电子信箱	cchn@public.cc.jl.cn
电　话	0431-85666367			传　真	0431-85675390
办公地址	吉林省长春市同志街 2400 号火炬大厦 5 层				
经营范围	高新技术产品的开发、生产、销售及服务、基础设施的开发建设、物业管理等				

主要财务指标

指标\报告期	2016.06.30	2015.12.31	2015.06.30	2014.12.31
基本每股收益(元)	1.4900	2.9300	1.3400	2.4200
基本每股收益(扣除后)(元)	1.4900	2.8700	1.3300	2.4700
稀释每股收益(元)	1.4900	2.9300	1.3400	2.4200
每股净资产(元)	21.3377	13.5383	12.0673	11.1189
每股经营现金净流量(元)	–0.6901	5.8678	2.4846	2.1302
每股现金流量(元)	7.5402	2.5767	0.5658	0.3949
每股资本公积金(元)	11.5630	2.0074	2.0146	2.0157
每股盈余公积金(元)	1.0971	1.4211	0.8221	0.8221
每股未分配利润(元)	7.6777	9.1098	8.2307	7.2811
净资产收益率(%)	5.9170	21.6251	11.0935	21.7894
加权净资产收益率(%)	8.9000	23.9000	11.4800	23.5500
净资产收益率(扣除)(%)	5.9052	21.1799	11.0116	22.1851
总资产(万元)	570832.94	381550.19	329253.90	314842.32
归属母公司股东权益(万元)	362981.00	177793.24	158476.04	146021.20
营业收入(万元)	127555.84	240208.96	107423.56	226230.44
营业支出(万元)	24689.78	52074.43	22795.91	53078.75
投资收益(万元)	–64.95	–112.77	45.61	67.29
净利润(万元)	30423.59	53849.75	24999.19	44421.40
营业利润(万元)	36629.45	62443.53	30048.63	53675.96
利润总额(万元)	36759.89	65259.99	30476.16	52632.47

天夏智慧城市科技股份有限公司

公司概况						
	公司名称	天夏智慧城市科技股份有限公司			证券简称	天夏智慧
	法人代表	梁国坚	董秘	贾国华	证券代码	000662
	公司网址	www.txgis.com		电子信箱	txzhcs@163.com	
	电　话	0571-87753750		传　真	0571-81951215	
	办公地址	浙江省杭州市滨江区六和路 368 号 1 幢北四楼 A4068 室				
	经营范围	精细化工产业、化妆品制造业、化学药品原药制药业、化学药品制造业等				

主要财务指标	指标\报告期	2016.06.30	2015.12.31	2015.06.30	2014.12.31
	基本每股收益(元)	0.0771	−0.0088	−0.0005	0.0334
	基本每股收益(扣除后)(元)	0.0644	−0.0218	−0.0159	−0.1850
	稀释每股收益(元)	0.0771	−0.0088	−0.0005	0.0334
	每股净资产(元)	5.6393	1.9801	1.9883	1.9889
	每股经营现金净流量(元)	0.4412	−0.0875	0.1013	0.0281
	每股现金流量(元)	0.4835	−0.6274	−0.3325	0.1162
	每股资本公积金(元)	4.5795	0.9301	0.9301	0.9301
	每股盈余公积金(元)	0.0712	0.2080	0.2080	0.2080
	每股未分配利润(元)	−0.0114	−0.1567	−0.1485	−0.1479
	净资产收益率(%)	0.9179	−0.4453	−0.0273	1.6793
	加权净资产收益率(%)	4.3600	−0.4400	−0.0300	1.6900
	净资产收益率(扣除)(%)	0.7668	−1.1022	−0.8018	−9.3005
	总资产(万元)	518479.00	67994.03	74128.73	82993.21
	归属母公司股东权益(万元)	474179.42	57023.89	57261.63	57276.96
	营业收入(万元)	34729.86	44599.03	22412.43	49943.20
	营业支出(万元)	26584.88	39845.05	19774.03	42766.22
	投资收益(万元)	137.99	549.73	518.76	5692.53
	净利润(万元)	4311.71	−292.76	−9.46	624.54
	营业利润(万元)	4388.36	−366.39	−317.69	833.15
	利润总额(万元)	5251.51	−433.02	−280.24	872.55

福建省永安林业(集团)股份有限公司

公司概况						
	公司名称	福建省永安林业(集团)股份有限公司			证券简称	永安林业
	法人代表	吴景贤	董秘	谢红	证券代码	000663
	公司网址	www.yonglin.com		电子信箱	info@yonglin.com	
	电　话	0598-3614875 3600083		传　真	0598-3633415	
	办公地址	福建省永安市燕江东路 819 号				
	经营范围	(竹)材采运、加工、林化产品制造等				

主要财务指标	指标\报告期	2016.06.30	2015.12.31	2015.06.30	2014.12.31
	基本每股收益(元)	0.0200	0.2000	0.0130	−0.1000
	基本每股收益(扣除后)(元)	0.0100	0.1500	−0.0410	−0.2200
	稀释每股收益(元)	0.0200	0.2000	0.0130	−0.1000
	每股净资产(元)	5.9080	5.9030	1.5801	1.5943
	每股经营现金净流量(元)	0.0084	0.1548	−0.0066	0.3078
	每股现金流量(元)	0.1034	0.3685	0.0686	0.0493
	每股资本公积金(元)	4.7195	4.7195	0.4537	0.4537
	每股盈余公积金(元)	0.0498	0.0498	0.0838	0.0838
	每股未分配利润(元)	0.0491	0.0292	−0.1595	−0.1723
	净资产收益率(%)	0.3377	2.2298	0.8105	−6.3928
	加权净资产收益率(%)	0.3400	6.8800	0.8100	−6.3000
	净资产收益率(扣除)(%)	0.1092	1.7121	−2.6106	−13.6233
	总资产(万元)	400276.50	398367.14	134942.76	137084.76
	归属母公司股东权益(万元)	201473.94	201302.95	32038.89	32326.88
	营业收入(万元)	63899.94	89166.13	19166.84	46000.62
	营业支出(万元)	47935.75	67831.09	15493.78	38627.45
	投资收益(万元)	54.96	1457.31	1325.79	1853.61
	净利润(万元)	1026.87	4749.52	533.06	−1803.36
	营业利润(万元)	1651.25	4480.13	−55.10	−3820.57
	利润总额(万元)	2111.77	6506.61	535.06	−1794.61

湖北省广播电视信息网络股份有限公司

公司概况						
	公司名称	湖北省广播电视信息网络股份有限公司			证券简称	湖北广电
	法人代表	王祺扬	董秘	王祺扬(代)	证券代码	000665
	公司网址	www.hrtn.net		电子信箱	hbsgdwl@163.com	
	电　话	027-86653990		传　真	027-86653873	
	办公地址	湖北省武汉市武昌区中北路 101 号楚商大厦				
	经营范围	有线电视网络运营				

主要财务指标	指标\报告期	2016.06.30	2015.12.31	2015.06.30	2014.12.31
	基本每股收益(元)	0.3000	0.5800	0.3340	0.5100
	基本每股收益(扣除后)(元)	0.3000	0.5800	0.3290	0.4600
	稀释每股收益(元)	0.3000	0.5800	0.3340	0.5100
	每股净资产(元)	8.6995	8.4086	8.1580	7.8951
	每股经营现金净流量(元)	0.6997	1.8210	0.6680	1.2161
	每股现金流量(元)	−0.2437	−0.8502	−0.7701	1.1720
	每股资本公积金(元)	5.4501	5.4501	5.4501	5.4415
	每股盈余公积金(元)	0.1145	0.1145	0.0852	0.0852
	每股未分配利润(元)	2.0462	1.8441	1.6227	1.3684
	净资产收益率(%)	3.4731	6.9567	4.0983	4.8783
	加权净资产收益率(%)	3.5400	7.1800	4.1500	7.8400
	净资产收益率(扣除)(%)	3.4481	6.8716	4.0339	4.4215
	总资产(万元)	765612.47	760523.68	735114.21	751529.54
	归属母公司股东权益(万元)	553476.55	534970.53	519025.16	502301.36
	营业收入(万元)	111987.36	240814.86	115660.12	178143.19
	营业支出(万元)	59687.19	125131.31	62821.74	95262.50
	投资收益(万元)	409.57	1051.32	574.40	225.30
	净利润(万元)	19137.16	37025.01	21201.06	24489.28
	营业利润(万元)	18922.72	36637.10	20832.94	23688.55
	利润总额(万元)	19061.01	37092.39	21166.81	24556.27

经纬纺织机械股份有限公司

公司概况						
	公司名称	经纬纺织机械股份有限公司			证券简称	经纬纺机
	法人代表	叶茂新	董秘	叶雪华	证券代码	000666
	公司网址	www.jwgf.com		电子信箱	jwgf@jwgf.com	
	电　话	010-84534078-8188 8501		传　真	010-84534135	
	办公地址	北京市朝阳区亮马桥路 39 号第一上海中心七层				
	经营范围	开发、生产、销售纺织机械及其配套件等				

主要财务指标	指标\报告期	2016.06.30	2015.12.31	2015.06.30	2014.12.31
	基本每股收益(元)	0.3800	0.6500	0.4400	0.7700
	基本每股收益(扣除后)(元)	0.3200	0.3400	0.2500	0.7000
	稀释每股收益(元)	0.3800	0.6500	0.4400	0.7700
	每股净资产(元)	8.9642	8.6114	8.3769	7.9402
	每股经营现金净流量(元)	−0.4412	3.4111	0.8221	3.5179
	每股现金流量(元)	4.3258	4.8092	3.9179	−6.1356
	每股资本公积金(元)	2.7111	2.7111	2.7302	2.7302
	每股盈余公积金(元)	1.4449	1.4449	1.2963	1.2963
	每股未分配利润(元)	3.3938	3.0633	3.0796	2.6864
	净资产收益率(%)	4.2171	7.5526	5.2777	9.6914
	加权净资产收益率(%)	4.2800	7.8600	5.4000	10.1200
	净资产收益率(扣除)(%)	3.5891	3.9931	3.0368	8.7834
	总资产(万元)	3152633.18	2806583.78	2556283.59	2131461.82
	归属母公司股东权益(万元)	631193.50	606353.72	589845.68	559091.94
	营业收入(万元)	272683.69	565367.45	241392.25	511765.30
	营业支出(万元)	157197.35	347002.87	154930.60	421103.39
	投资收益(万元)	14373.59	20671.64	6161.62	27686.05
	净利润(万元)	91610.38	198584.06	103939.61	200251.18
	营业利润(万元)	113507.64	241240.29	123477.83	273311.06
	利润总额(万元)	123200.76	275591.04	139083.39	279010.01

美好置业集团股份有限公司

公司概况						
	公司名称	美好置业集团股份有限公司			证券简称	美好集团
	法人代表	刘道明	董秘	冯娴	证券代码	000667
	公司网址	www.000667.com		电子信箱	ir@000667.com	
	电　话	027-87838669		传　真	027-87836606	
	办公地址	湖北省武汉市武昌区东湖路 10 号水果湖广场 5 楼				
	经营范围	房地产开发销售及投资等				

主要财务指标	指标\报告期	2016.06.30	2015.12.31	2015.06.30	2014.12.31
	基本每股收益(元)	0.1067	0.1673	0.0143	0.0294
	基本每股收益(扣除后)(元)	0.1056	0.1686	0.0140	0.0194
	稀释每股收益(元)	0.1067	0.1673	0.0143	0.0294
	每股净资产(元)	2.3790	2.2968	2.1437	2.1295
	每股经营现金净流量(元)	0.1459	0.1870	–0.1187	0.3410
	每股现金流量(元)	0.3100	–0.1798	–0.1798	–0.0250
	每股资本公积金(元)	0.6046	0.6046	0.6046	0.6046
	每股盈余公积金(元)	0.0978	0.0978	0.0978	0.0978
	每股未分配利润(元)	0.6767	0.5944	0.4414	0.4271
	净资产收益率(%)	4.4870	7.2835	0.6651	1.3818
	加权净资产收益率(%)	4.5400	7.5600	0.6700	1.3900
	净资产收益率(扣除)(%)	4.4385	7.3416	0.6549	0.9126
	总资产(万元)	1692362.94	1745465.75	1763386.07	1591779.56
	归属母公司股东权益(万元)	608939.74	587880.78	548712.08	545062.67
	营业收入(万元)	211720.51	467880.59	104928.47	210536.39
	营业支出(万元)	136650.62	333156.40	78497.94	146205.43
	投资收益(万元)	21.30	–	–	5729.86
	净利润(万元)	27007.91	42480.67	3338.09	7483.70
	营业利润(万元)	42912.34	58822.83	5779.30	14604.63
	利润总额(万元)	43204.61	58389.39	5857.22	14558.19

荣丰控股集团股份有限公司

公司概况						
	公司名称	荣丰控股集团股份有限公司			证券简称	荣丰控股
	法人代表	王征	董秘	谢高	证券代码	000668
	公司网址	www.rongfengholding.com		电子信箱	ir@rongfengholding.com	
	电　话	010-51757691		传　真	010-51757611	
	办公地址	上海市浦东新区世纪大道 1200 号 1908 室				
	经营范围	房地产开发经营、商品房销售、租赁、物业管理、建筑装修、园林绿化等				

主要财务指标	指标\报告期	2016.06.30	2015.12.31	2015.06.30	2014.12.31
	基本每股收益(元)	–0.1500	0.1700	–0.0200	–0.3100
	基本每股收益(扣除后)(元)	–0.1400	0.0027	–0.1800	–0.3400
	稀释每股收益(元)	–0.1500	0.1700	–0.0200	–0.3100
	每股净资产(元)	4.2686	4.4139	4.2193	4.2403
	每股经营现金净流量(元)	–0.5807	–1.0819	–0.8492	1.0960
	每股现金流量(元)	0.3887	–1.8655	–0.3117	0.7690
	每股资本公积金(元)	0.5480	0.5480	0.5480	0.5480
	每股盈余公积金(元)	0.7597	0.7597	0.7597	0.7597
	每股未分配利润(元)	1.9609	2.1062	1.9116	1.9326
	净资产收益率(%)	–3.4028	3.9331	–0.4983	–7.4014
	加权净资产收益率(%)	–3.3500	4.0100	–0.5000	–7.1300
	净资产收益率(扣除)(%)	–3.2029	0.0609	–4.1759	–
	总资产(万元)	196561.66	144122.89	157013.86	168721.91
	归属母公司股东权益(万元)	62681.65	64814.61	61956.67	62265.41
	营业收入(万元)	278.34	10662.07	445.91	1082.33
	营业支出(万元)	99.94	2852.20	199.62	441.13
	投资收益(万元)	498.25	1137.74	413.65	1099.71
	净利润(万元)	–2180.99	2913.28	–343.61	–4679.39
	营业利润(万元)	–2221.04	1495.00	–2478.90	–5050.41
	利润总额(万元)	–2353.65	3883.47	–455.19	–5020.82

中油金鸿能源投资股份有限公司

公司概况						
	公司名称	中油金鸿能源投资股份有限公司			证券简称	金鸿能源
	法人代表	陈义和	董秘	焦玉文	证券代码	000669
	公司网址	www.spjhe.com		电子信箱	jyw000669@163.com	
	电　话	010-82809145-188		传　真	010-82809491	
	办公地址	北京市东城区鼓楼外大街 26 号荣宝大厦 11 层				
	经营范围	能源开发利用；资产经营管理、投资咨询、技术开发与咨询服务、国内批发与零售贸易等				

主要财务指标	指标\报告期	2016.06.30	2015.12.31	2015.06.30	2014.12.31
	基本每股收益(元)	0.2714	0.5091	0.2938	0.7821
	基本每股收益(扣除后)(元)	0.2706	0.4955	0.2928	0.7723
	稀释每股收益(元)	0.2714	0.5091	0.2938	0.7821
	每股净资产(元)	7.9615	7.8401	8.3699	8.2761
	每股经营现金净流量(元)	0.2322	0.8993	0.2143	1.5175
	每股现金流量(元)	1.0969	–3.2694	–2.0355	3.5327
	每股资本公积金(元)	3.6830	3.6830	4.4282	4.4282
	每股盈余公积金(元)	0.1414	0.1414	0.1414	0.1414
	每股未分配利润(元)	3.1370	3.0156	2.8002	2.7065
	净资产收益率(%)	3.4087	6.4941	3.5098	7.8470
	加权净资产收益率(%)	3.4000	6.1800	3.4700	14.4300
	净资产收益率(扣除)(%)	3.3994	6.3202	3.4984	7.7487
	总资产(万元)	1039701.44	919634.36	905698.23	959612.75
	归属母公司股东权益(万元)	386931.49	381031.80	406781.04	402223.94
	营业收入(万元)	111195.83	257303.19	115327.38	271096.86
	营业支出(万元)	70380.12	175261.86	78432.38	188852.83
	投资收益(万元)	524.41	466.00	511.14	501.07
	净利润(万元)	14143.36	28681.94	15533.32	36479.91
	营业利润(万元)	20216.10	39751.24	21089.03	47546.10
	利润总额(万元)	20557.38	41300.96	21587.68	49510.31

盈方微电子股份有限公司

公司概况						
	公司名称	盈方微电子股份有限公司			证券简称	*ST 盈方
	法人代表	陈志成	董秘	王芳	证券代码	000670
	公司网址	www.infotmic.com.cn		电子信箱	infotmic@infotmic.com.cn	
	电　话	021-58853066		传　真	021-58853100	
	办公地址	上海市浦东新区祖冲之路 2290 弄展想广场 1 号 16 层				
	经营范围	集成电路芯片、电子产品及计算机软硬件的研发、设计和销售				

主要财务指标	指标\报告期	2016.06.30	2015.12.31	2015.06.30	2014.12.31
	基本每股收益(元)	0.0283	0.0257	–0.0353	0.0105
	基本每股收益(扣除后)(元)	0.0250	0.0274	–0.0310	–0.0014
	稀释每股收益(元)	0.0283	0.0257	–0.0353	0.0105
	每股净资产(元)	0.8457	0.7009	0.6320	1.7070
	每股经营现金净流量(元)	–0.0702	0.0251	–0.1280	0.0164
	每股现金流量(元)	–0.0646	–0.1514	–0.3458	0.6709
	每股资本公积金(元)	0.3492	0.2236	0.6293	0.4547
	每股盈余公积金(元)	0.0091	0.0091	0.0118	0.0118
	每股未分配利润(元)	0.1252	0.0969	0.1481	0.2475
	净资产收益率(%)	3.3445	3.6705	–5.5842	1.0476
	加权净资产收益率(%)	3.6900	4.1300	–6.0000	4.5100
	净资产收益率(扣除)(%)	2.9577	3.9068	–4.9002	–0.1352
	总资产(万元)	79379.14	71358.87	67781.90	76111.12
	归属母公司股东权益(万元)	69063.89	56247.57	51613.17	49517.58
	营业收入(万元)	30511.78	37572.10	12436.12	17491.57
	营业支出(万元)	21966.87	24578.03	9060.43	10732.65
	投资收益(万元)	–	–657.74	–657.74	0.30
	净利润(万元)	2274.89	1914.36	–3058.90	488.49
	营业利润(万元)	1948.46	1645.24	–3217.37	34.45
	利润总额(万元)	2263.27	2256.83	–2891.28	709.11

阳光城集团股份有限公司

公司概况					
公司名称	阳光城集团股份有限公司			证券简称	阳光城
法人代表	林腾蛟	董秘	廖剑锋	证券代码	000671
公司网址	www.yango.com.cn		电子信箱	000671@yango.com.cn	
电　话	0591-83353145 88089227		传　真	0591-88089227	
办公地址	上海市浦东新区洲海路999森兰国际大厦A栋15层				
经营范围	房地产业务为主、贸易业务为补充等				

主要财务指标　指标\报告期	2016.06.30	2015.12.31	2015.06.30	2014.12.31
基本每股收益(元)	0.0400	0.4400	0.2500	1.2200
基本每股收益(扣除后)(元)	0.0400	0.4300	0.2400	1.2100
稀释每股收益(元)	0.0400	0.4300	0.2400	1.1900
每股净资产(元)	2.9718	2.9926	5.0882	5.0012
每股经营现金净流量(元)	-0.3075	-0.9661	1.9141	-4.3924
每股现金流量(元)	-0.5446	2.5459	0.3958	0.6596
每股资本公积金(元)	0.8957	0.8966	1.8758	1.8597
每股盈余公积金(元)	0.0212	0.0214	0.0465	0.0468
每股未分配利润(元)	0.9466	0.9653	2.1658	2.0947
净资产收益率(%)	1.4220	11.8041	4.8438	20.6100
加权净资产收益率(%)	1.4100	20.4200	4.8200	32.3700
净资产收益率(扣除)(%)	1.2890	11.7044	4.7782	20.4985
总资产(万元)	8350414.21	7017329.66	5163894.98	4622943.66
归属母公司股东权益(万元)	1203056.76	1201447.94	658239.37	642268.16
营业收入(万元)	409224.22	2237996.92	448814.21	1389412.57
营业支出(万元)	277261.75	1665963.05	308971.37	984527.03
投资收益(万元)	-863.90	956.28	-564.67	3071.74
净利润(万元)	31664.95	173271.79	30696.35	128179.03
营业利润(万元)	47338.85	234896.34	50291.12	187656.74
利润总额(万元)	49088.63	236041.23	50677.08	183885.41

甘肃上峰水泥股份有限公司

公司概况					
公司名称	甘肃上峰水泥股份有限公司			证券简称	上峰水泥
法人代表	俞锋	董秘	瞿辉	证券代码	000672
公司网址	www.sfsn.cn		电子信箱	sfsn123@sina.com	
电　话	0571-56030516		传　真	0571-56075060	
办公地址	浙江省杭州市西湖区文二西路712号西溪乐谷创意产业园1幢E单元				
经营范围	水泥及水泥制品的生产和销售				

主要财务指标　指标\报告期	2016.06.30	2015.12.31	2015.06.30	2014.12.31
基本每股收益(元)	0.0200	0.0800	0.0700	0.4600
基本每股收益(扣除后)(元)	0.0200	0.0400	0.0300	0.4300
稀释每股收益(元)	0.0200	0.0800	0.0700	0.4600
每股净资产(元)	2.1298	2.1364	2.2009	2.1349
每股经营现金净流量(元)	0.0702	0.2234	0.1280	0.9832
每股现金流量(元)	0.0724	-0.2101	0.0267	0.1137
每股资本公积金(元)	-0.5922	-0.5922	-0.5922	-0.5922
每股盈余公积金(元)	0.2024	0.2024	0.1680	0.1680
每股未分配利润(元)	1.4324	1.4441	1.5191	1.4528
净资产收益率(%)	0.8628	3.5197	3.0145	21.3297
加权净资产收益率(%)	0.8600	3.5200	3.0600	22.8200
净资产收益率(扣除)(%)	0.7574	1.8069	1.5726	20.2798
总资产(万元)	459968.98	467806.40	408560.29	385036.62
归属母公司股东权益(万元)	173286.80	173824.90	179071.45	173702.19
营业收入(万元)	98004.15	202554.47	98154.33	273664.12
营业支出(万元)	79256.36	168701.29	80843.02	193865.02
投资收益(万元)	24.67	-348.93	36.51	-266.08
净利润(万元)	1331.98	6007.37	5310.91	36943.80
营业利润(万元)	1659.35	1510.22	2895.58	46073.98
利润总额(万元)	2077.85	8541.37	6733.11	49847.73

当代东方投资股份有限公司

公司概况					
公司名称	当代东方投资股份有限公司			证券简称	当代东方
法人代表	王春芳	董秘	陈雁峰	证券代码	000673
公司网址	www.sz000673.com		电子信箱	cyf2600@126.com	
电　话	010-59407655		传　真	010-59407600	
办公地址	北京市朝阳区光华东路5号世纪财富中心1号楼701室				
经营范围	文化艺术活动策划展览;房地产业的投资经营与开发;物流业投资、矿业投资				

主要财务指标　指标\报告期	2016.06.30	2015.12.31	2015.06.30	2014.12.31
基本每股收益(元)	0.0397	0.3684	0.1100	-0.0027
基本每股收益(扣除后)(元)	0.0370	0.3039	0.0810	-0.0009
稀释每股收益(元)	0.0397	0.3684	0.1100	-0.0027
每股净资产(元)	2.7274	5.3093	5.0933	0.0516
每股经营现金净流量(元)	-0.2677	-1.2462	-0.0873	-0.0464
每股现金流量(元)	-0.3138	0.8243	2.2450	-0.0037
每股资本公积金(元)	1.8389	4.6141	4.6141	0.1598
每股盈余公积金(元)	0.0311	0.0628	0.0628	0.1187
每股未分配利润(元)	-0.1428	-0.3677	-0.5836	-1.2269
净资产收益率(%)	1.4436	5.3067	1.2923	-5.1805
加权净资产收益率(%)	1.4800	10.5600	6.9500	-5.0500
净资产收益率(扣除)(%)	1.3469	4.3764	1.2213	-1.8342
总资产(万元)	271243.36	256566.70	259580.77	12093.84
归属母公司股东权益(万元)	216372.90	208697.63	200207.03	1073.57
营业收入(万元)	24137.80	49298.45	11178.63	2240.09
营业支出(万元)	17050.82	28863.32	6404.40	569.44
投资收益(万元)	-	1.55	-	-
净利润(万元)	3092.56	11578.48	2587.25	-57.22
营业利润(万元)	4330.52	13415.33	3333.61	-19.95
利润总额(万元)	4609.54	16003.82	3523.01	-55.87

智度科技股份有限公司

公司概况					
公司名称	智度科技股份有限公司			证券简称	智度股份
法人代表	赵立仁	董秘	王科芳	证券代码	000676
公司网址	www.hnstar.com		电子信箱	xjx9656@163.com	
电　话	0371-55139520		传　真	0371-55139521	
办公地址	河南省郑州市郑东新区CBD商务外环27号景峰国际23层				
经营范围	仪器、仪表、工业自动化设备、电子计算机软硬件及网络设备的开发等				

主要财务指标　指标\报告期	2016.06.30	2015.12.31	2015.06.30	2014.12.31
基本每股收益(元)	0.2048	0.0111	-0.0668	-0.2180
基本每股收益(扣除后)(元)	0.0876	-0.1264	-0.0665	-0.2337
稀释每股收益(元)	0.2048	0.0111	-0.0668	-0.2180
每股净资产(元)	4.4983	0.4597	0.3846	0.4513
每股经营现金净流量(元)	0.1017	0.0996	0.1169	0.2219
每股现金流量(元)	2.1586	0.0917	-0.0880	-0.2746
每股资本公积金(元)	3.6285	0.2099	0.2127	0.2127
每股盈余公积金(元)	0.0329	0.1010	0.1010	0.1010
每股未分配利润(元)	-0.1876	-0.8512	-0.9291	-0.8624
净资产收益率(%)	1.9946	2.4227	-17.3569	-48.3091
加权净资产收益率(%)	9.9400	2.4400	-15.9700	-38.9100
净资产收益率(扣除)(%)	0.8534	-27.4884	-17.2798	-51.7908
总资产(万元)	585834.19	31256.65	52066.79	62892.72
归属母公司股东权益(万元)	434405.36	14461.35	12098.24	14198.11
营业收入(万元)	65331.78	31758.32	16570.52	37307.56
营业支出(万元)	51856.31	20785.50	11314.92	24801.78
投资收益(万元)	4354.23	3319.97	1.15	22.75
净利润(万元)	8635.31	-422.05	-2549.89	-8215.93
营业利润(万元)	9248.94	-1441.28	-2504.64	-8318.57
利润总额(万元)	9998.94	-218.57	-2537.03	-7660.56

恒天海龙股份有限公司

公司概况					
公司名称	恒天海龙股份有限公司			证券简称	恒天海龙
法人代表	申孝忠	董秘	姜大广	证券代码	000677
公司网址	www.helon.cn		电子信箱	helonnews@163.com	
电　话	0536-2275007		传　真	0536-7530677	
办公地址	山东省潍坊市寒亭区海龙路 555 号				
经营范围	粘胶纤维、棉浆粕、帘帆布的生产与销售等				

主要财务指标

指标\报告期	2016.06.30	2015.12.31	2015.06.30	2014.12.31
基本每股收益(元)	0.0010	0.0634	-0.2071	-0.4973
基本每股收益(扣除后)(元)	0.0013	-0.3785	-0.2242	-0.5007
稀释每股收益(元)	0.0010	0.0634	-0.2071	-0.4973
每股净资产(元)	0.3089	0.3079	0.0401	0.2445
每股经营现金净流量(元)	-0.0070	0.0832	0.0661	0.0503
每股现金流量(元)	-0.0088	-0.1276	-0.0570	-0.1220
每股资本公积金(元)	0.8075	0.8075	0.8102	0.8075
每股盈余公积金(元)	0.2461	0.2461	0.2461	0.2461
每股未分配利润(元)	-1.7447	-1.7457	-2.0162	-1.8091
净资产收益率(%)	0.3243	20.5875	-516.7004	-203.3704
加权净资产收益率(%)	0.3200	22.9500	-146.9200	-140.0200
净资产收益率(扣除)(%)	0.4182	-122.8238	-559.3264	-204.8010
总资产(万元)	83041.92	82755.91	287594.97	301283.83
归属母公司股东权益(万元)	26687.74	26601.18	3462.79	21124.67
营业收入(万元)	23881.71	207052.76	100467.12	180342.86
营业支出(万元)	20477.68	203068.37	101681.46	183113.33
投资收益(万元)	-	60.38	50.76	6.68
净利润(万元)	452.48	5880.25	-17484.38	-42961.36
营业利润(万元)	477.43	-31686.05	-18931.86	-42754.29
利润总额(万元)	434.92	6371.19	-17443.33	-42767.53

襄阳汽车轴承股份有限公司

公司概况					
公司名称	襄阳汽车轴承股份有限公司			证券简称	襄阳轴承
法人代表	高少兵	董秘	廖永高	证券代码	000678
公司网址	www.zxy.com.cn		电子信箱	xf_lyg@163.com	
电　话	0710-3577209 3577678		传　真	0710-3564019	
办公地址	湖北省襄阳市襄城区轴承路一号				
经营范围	轴承及其零部件的生产、科研、销售及相关业务等				

主要财务指标

指标\报告期	2016.06.30	2015.12.31	2015.06.30	2014.12.31
基本每股收益(元)	-0.0060	-0.1800	-0.0280	0.0100
基本每股收益(扣除后)(元)	-0.0330	-0.2300	-0.0560	-0.0300
稀释每股收益(元)	-0.0060	-0.1800	-0.0280	0.0100
每股净资产(元)	2.2749	2.2910	2.4641	2.4747
每股经营现金净流量(元)	-0.0472	-0.2825	-0.2843	0.0374
每股现金流量(元)	-0.0602	-	0.0487	-0.2939
每股资本公积金(元)	1.3178	1.3178	1.3379	1.3178
每股盈余公积金(元)	0.1713	0.1713	0.1713	0.1713
每股未分配利润(元)	-0.1951	-0.1896	-0.0334	-0.0058
净资产收益率(%)	-0.2394	-8.0248	-1.1205	0.5956
加权净资产收益率(%)	-0.2400	-7.7200	-1.1200	0.5800
净资产收益率(扣除)(%)	-1.4601	-10.0324	-2.2682	-1.2712
总资产(万元)	243734.24	235017.94	241867.12	224202.48
归属母公司股东权益(万元)	97612.14	98300.60	105730.85	106182.41
营业收入(万元)	67360.55	125252.34	65297.53	126674.91
营业支出(万元)	60701.35	114672.36	59163.12	109997.01
投资收益(万元)	-	7.27	6.88	6.88
净利润(万元)	-37.76	-7407.61	-985.75	769.84
营业利润(万元)	-1168.93	-9008.56	-2301.00	-1301.77
利润总额(万元)	232.86	-7034.11	-873.36	616.30

大连友谊(集团)股份有限公司

公司概况					
公司名称	大连友谊(集团)股份有限公司			证券简称	大连友谊
法人代表	田益群	董秘	孙锡娟	证券代码	000679
公司网址	www.dlyy.com.cn		电子信箱	sunxj@dlyy.com.cn	
电　话	0411-82802712 82691470		传　真	0411-82650892	
办公地址	辽宁省大连市中山区七一街 1 号				
经营范围	商品零售、酒店、对船供应、旅游、进出口贸易、仓储、免税商品等				

主要财务指标

指标\报告期	2016.06.30	2015.12.31	2015.06.30	2014.12.31
基本每股收益(元)	0.0290	-0.5200	0.3500	0.1600
基本每股收益(扣除后)(元)	-0.1370	-0.8710	0.0050	0.1600
稀释每股收益(元)	0.0290	-0.5200	0.3500	0.1600
每股净资产(元)	3.6178	3.5417	4.4871	4.1208
每股经营现金净流量(元)	0.9449	0.1841	-0.7416	1.0544
每股现金流量(元)	1.4937	-3.1329	-3.1292	2.2812
每股资本公积金(元)	0.1989	0.1989	0.1989	0.1989
每股盈余公积金(元)	0.4329	0.4329	0.4303	0.4303
每股未分配利润(元)	1.9385	1.8534	2.7813	2.4311
净资产收益率(%)	0.7952	-14.8186	7.8064	3.8442
加权净资产收益率(%)	0.8100	-13.6800	8.1400	3.8000
净资产收益率(扣除)(%)	-3.7883	-24.5937	0.1204	3.8433
总资产(万元)	817554.38	842798.97	805693.91	890189.04
归属母公司股东权益(万元)	128938.97	126225.98	159918.88	146863.91
营业收入(万元)	101152.92	279384.12	140299.94	359696.18
营业支出(万元)	77518.54	215229.32	107838.62	247880.37
投资收益(万元)	10634.98	345.91	98.07	40.74
净利润(万元)	2382.86	-22372.74	14495.90	11082.88
营业利润(万元)	4676.99	-34649.41	1393.42	20372.32
利润总额(万元)	4689.61	-16394.19	19616.31	20361.12

山推工程机械股份有限公司

公司概况					
公司名称	山推工程机械股份有限公司			证券简称	山推股份
法人代表	张秀文	董秘	袁青	证券代码	000680
公司网址	www.shantui.com		电子信箱	shantui@shantui.com	
电　话	0537-2909532 2907336		传　真	0537-2315986 2340411	
办公地址	山东省济宁市高新区 327 国道 58 号				
经营范围	建筑工程机械、矿山机械、农田基本建设机械、收获机械及配件的研究、开发等				

主要财务指标

指标\报告期	2016.06.30	2015.12.31	2015.06.30	2014.12.31
基本每股收益(元)	0.0111	-0.7056	-0.2459	0.0374
基本每股收益(扣除后)(元)	-0.0261	-0.7126	-0.2527	-0.0064
稀释每股收益(元)	0.0111	-0.7056	-0.2459	0.0374
每股净资产(元)	2.5756	2.5628	3.0336	3.2832
每股经营现金净流量(元)	0.0527	0.2013	0.1363	0.4659
每股现金流量(元)	-0.1988	-0.2580	-0.1141	-0.2884
每股资本公积金(元)	0.9591	0.9591	0.9600	0.9600
每股盈余公积金(元)	0.3204	0.3204	0.3204	0.3204
每股未分配利润(元)	0.3231	0.3120	0.7716	1.0176
净资产收益率(%)	0.4313	-27.5334	-8.1071	1.1398
加权净资产收益率(%)	0.4300	-24.0800	-7.7900	1.1500
净资产收益率(扣除)(%)	-1.0137	-27.8057	-8.3302	-0.1943
总资产(万元)	937446.33	939884.53	1065062.24	1121076.91
归属母公司股东权益(万元)	319581.29	317984.92	376408.91	407375.57
营业收入(万元)	238233.52	377074.05	228813.51	726945.35
营业支出(万元)	201227.09	358815.36	214640.80	619391.34
投资收益(万元)	3802.56	4318.25	1880.43	8408.27
净利润(万元)	470.92	-96814.48	-33449.47	-2788.74
营业利润(万元)	-4463.69	-96209.24	-38585.12	-5523.20
利润总额(万元)	308.37	-94797.02	-37487.74	1311.16

视觉(中国)文化发展股份有限公司

公司概况	公司名称	视觉(中国)文化发展股份有限公司		证券简称	视觉中国
	法人代表	廖杰	董秘 柴继军	证券代码	000681
	公司网址	www.000681.com		电子信箱	ss000681@163.com
	电　话	010-57950209		传　真	010-57950213
	办公地址	北京市朝阳区酒仙桥北路7号电通时代广场2号楼A区			
	经营范围	开发,生产,销售计算机软硬件和网络安全产品以及自营出品服装等			

主要财务指标	指标\报告期	2016.06.30	2015.12.31	2015.06.30	2014.12.31
	基本每股收益(元)	0.0999	0.2299	0.0714	0.2348
	基本每股收益(扣除后)(元)	0.0985	0.2282	0.0688	0.1614
	稀释每股收益(元)	0.0999	0.2299	0.0714	0.2348
	每股净资产(元)	3.0680	2.9696	2.0974	2.0280
	每股经营现金净流量(元)	0.0290	0.1714	1.2601	1.5482
	每股现金流量(元)	-0.5153	0.5280	-1.1598	3.2150
	每股资本公积金(元)	2.2843	2.2843	24.6322	24.6637
	每股盈余公积金(元)	0.0007	0.0007	0.0115	0.0115
	每股未分配利润(元)	0.6772	0.5774	6.8075	5.7024
	净资产收益率(%)	3.2547	7.5733	3.4053	10.4339
	加权净资产收益率(%)	3.3100	19.2600	3.4600	14.9200
	净资产收益率(扣除)(%)	3.2094	7.5180	3.2809	7.1704
	总资产(万元)	283384.00	277012.48	157195.13	152370.47
	归属母公司股东权益(万元)	214934.01	208043.77	140521.18	135872.31
	营业收入(万元)	28048.76	54290.25	20206.09	39109.20
	营业支出(万元)	9646.41	22939.01	8921.37	17448.44
	投资收益(万元)	1227.99	2941.43	-	26.63
	净利润(万元)	6862.31	17104.94	4712.42	14302.00
	营业利润(万元)	8812.21	21139.95	5897.39	12099.39
	利润总额(万元)	8997.95	21203.63	6123.53	16138.09

东方电子股份有限公司

公司概况	公司名称	东方电子股份有限公司		证券简称	东方电子
	法人代表	丁振华	董秘 王清刚	证券代码	000682
	公司网址	www.dongfangelec.com		电子信箱	zhengquan@dongfang-china.com
	电　话	0535-5520066		传　真	0535-5520069
	办公地址	山东省烟台市芝罘区机场路2号			
	经营范围	电力自动化及工业自动化控制系统、电子产品及通信设备、电气机械及器材等			

主要财务指标	指标\报告期	2016.06.30	2015.12.31	2015.06.30	2014.12.31
	基本每股收益(元)	0.0231	0.0513	0.0201	0.0452
	基本每股收益(扣除后)(元)	0.0130	0.0369	0.0115	0.0313
	稀释每股收益(元)	0.0231	0.0513	0.0201	0.0452
	每股净资产(元)	1.5680	1.5465	1.5155	1.4954
	每股经营现金净流量(元)	-0.1471	0.1700	-0.1770	0.1199
	每股现金流量(元)	-0.1066	0.1041	-0.0883	-0.0354
	每股资本公积金(元)	0.3531	0.3547	0.3550	0.3550
	每股盈余公积金(元)	0.0127	0.0127	0.0101	0.0101
	每股未分配利润(元)	0.2027	0.1796	0.1510	0.1309
	净资产收益率(%)	1.4761	3.3192	1.3280	3.0193
	加权净资产收益率(%)	1.4900	3.3700	1.3400	3.0500
	净资产收益率(扣除)(%)	0.8294	2.3846	0.7578	2.0932
	总资产(万元)	329765.54	326842.53	303567.15	310594.11
	归属母公司股东权益(万元)	153379.41	151269.26	148244.99	146275.75
	营业收入(万元)	99383.00	208325.76	88016.88	184059.52
	营业支出(万元)	68980.46	142218.61	58273.81	118324.05
	投资收益(万元)	759.14	963.26	748.29	980.73
	净利润(万元)	5830.31	11340.39	4850.58	10886.36
	营业利润(万元)	3968.60	7994.94	3411.89	7639.93
	利润总额(万元)	6554.41	13094.14	5309.02	12716.58

内蒙古远兴能源股份有限公司

公司概况	公司名称	内蒙古远兴能源股份有限公司		证券简称	远兴能源
	法人代表	贺占海	董秘 纪玉虎	证券代码	000683
	公司网址	www.yuanxing.com		电子信箱	yxny@berun.cc
	电　话	0477-8139874 8139873		传　真	0477-8139833
	办公地址	内蒙古自治区鄂尔多斯市东胜区鄂托克西街博源大厦十二层			
	经营范围	化工产品及其原材料的生产、销售等			

主要财务指标	指标\报告期	2016.06.30	2015.12.31	2015.06.30	2014.12.31
	基本每股收益(元)	0.0100	0.0400	0.0500	0.1500
	基本每股收益(扣除后)(元)	0.0100	0.0300	0.0400	-0.0500
	稀释每股收益(元)	0.0100	0.0400	0.0500	0.1500
	每股净资产(元)	2.0920	3.7431	3.7593	3.7354
	每股经营现金净流量(元)	0.1264	0.3988	0.3554	0.4718
	每股现金流量(元)	0.2027	-0.4572	-0.6122	0.7609
	每股资本公积金(元)	0.0429	0.8772	0.8772	0.8774
	每股盈余公积金(元)	0.0790	0.1423	0.1423	0.1423
	每股未分配利润(元)	0.9627	1.7086	1.7231	1.6966
	净资产收益率(%)	0.6612	0.9374	1.2369	3.4406
	加权净资产收益率(%)	0.6600	0.9400	1.2400	4.2200
	净资产收益率(扣除)(%)	0.6197	0.7036	1.0747	-1.2462
	总资产(万元)	2082426.34	1938173.50	1894682.98	1953003.12
	归属母公司股东权益(万元)	609610.58	605973.99	608584.24	604718.18
	营业收入(万元)	345663.52	731809.13	348486.84	719972.55
	营业支出(万元)	257026.88	515668.14	229908.82	502781.77
	投资收益(万元)	221.43	1240.78	-826.31	111.38
	净利润(万元)	5465.97	10472.60	10902.57	27670.01
	营业利润(万元)	13793.72	27599.31	19703.26	47656.24
	利润总额(万元)	14175.79	29669.94	21118.85	48560.76

中山公用事业集团股份有限公司

公司概况	公司名称	中山公用事业集团股份有限公司		证券简称	中山公用
	法人代表	陈爱学	董秘 曹晖	证券代码	000685
	公司网址	www.zpug.net		电子信箱	zpug@zpug.net
	电　话	0760-88380018 89886813		传　真	0760-88380022
	办公地址	广东省中山市兴中道18号财兴大厦北座			
	经营范围	公用事业的投资及管理、市场的经营及管理、投资及投资策划、咨询和管理等业务			

主要财务指标	指标\报告期	2016.06.30	2015.12.31	2015.06.30	2014.12.31
	基本每股收益(元)	0.3200	1.0500	0.6700	0.9600
	基本每股收益(扣除后)(元)	0.3100	1.0100	0.6500	0.9300
	稀释每股收益(元)	0.3200	1.0500	0.6700	0.9600
	每股净资产(元)	7.2432	7.3683	12.1239	9.5986
	每股经营现金净流量(元)	0.1292	0.2181	0.2048	0.4880
	每股现金流量(元)	-0.6991	0.6123	0.1171	0.2202
	每股资本公积金(元)	1.4009	1.4532	1.0130	1.0130
	每股盈余公积金(元)	0.3856	0.3856	0.5543	0.5543
	每股未分配利润(元)	3.9521	3.9347	6.9585	6.0523
	净资产收益率(%)	4.3828	13.6574	9.9493	10.0074
	加权净资产收益率(%)	4.3100	17.3500	11.0600	10.4100
	净资产收益率(扣除)(%)	4.2621	13.1034	9.6242	9.7118
	总资产(万元)	1471271.11	1408204.00	1214988.58	995540.54
	归属母公司股东权益(万元)	1068451.92	1089258.94	944066.59	747430.75
	营业收入(万元)	66478.78	123027.23	57091.41	115487.49
	营业支出(万元)	43659.07	73776.66	34866.93	71799.00
	投资收益(万元)	45608.82	141270.50	90540.30	68554.76
	净利润(万元)	48292.79	152005.64	95307.03	77624.25
	营业利润(万元)	49574.62	156230.99	97821.24	81842.13
	利润总额(万元)	50886.30	158715.05	98485.74	81697.68

东北证券股份有限公司

公司概况					
公司名称	东北证券股份有限公司			证券简称	东北证券
法人代表	李福春	董秘	徐冰	证券代码	000686
公司网址	www.nesc.cn		电子信箱	xub@nesc.cn	
电　话	0431-85096806		传　真	0431-85096816	
办公地址	吉林省长春市生态大街6666号				
经营范围	证券经纪业务、投资银行业务、证券投资业务等				

主要财务指标 指标\报告期	2016.06.30	2015.12.31	2015.06.30	2014.12.31
基本每股收益(元)	0.2700	1.3400	0.9300	0.5400
基本每股收益(扣除后)(元)	0.2700	1.3400	0.9300	0.5400
稀释每股收益(元)	0.2700	1.3400	0.9300	0.5400
每股净资产(元)	6.2884	5.8202	5.3371	4.4300
每股经营现金净流量(元)	-1.6320	-1.9974	1.2105	0.7060
每股现金流量(元)	-0.9582	4.7435	10.7170	2.7931
每股资本公积金(元)	2.4493	1.3876	1.3876	1.3876
每股盈余公积金(元)	0.2998	0.3585	0.2323	0.2323
每股未分配利润(元)	1.8643	2.1681	2.1376	1.2629
净资产收益率(%)	3.9959	23.0887	17.5135	12.2161
加权净资产收益率(%)	4.6200	26.2100	19.0200	13.1800
净资产收益率(扣除)(%)	3.8409	22.9754	17.4512	12.1464
总资产(万元)	7913411.65	7400595.02	8119409.13	3465589.92
归属母公司股东权益(万元)	1471781.11	1139110.14	1044554.84	867727.63
营业收入(万元)	175177.80	674576.02	402155.77	309098.43
营业支出(万元)	101090.45	-	165248.51	170926.60
投资收益(万元)	81903.35	267867.61	176843.48	88730.95
净利润(万元)	59960.67	269214.44	185277.71	107464.61
营业利润(万元)	74087.35	339746.34	236907.25	138171.82
利润总额(万元)	77022.59	341444.74	237772.27	139090.73

华讯方舟股份有限公司

公司概况					
公司名称	华讯方舟股份有限公司			证券简称	华讯方舟
法人代表	吴光胜	董秘	王巍	证券代码	000687
公司网址	www.huaxunchina.com.cn		电子信箱	hxfz@huaxunchina.com.cn	
电　话	0755-23101922		传　真	0755-29663108	
办公地址	广东省深圳市宝安区西乡宝田一路臣田工业区37栋				
经营范围	电气设备、光电机械设备、气象专用仪器、电子产品的研发、生产、销售				

主要财务指标 指标\报告期	2016.06.30	2015.12.31	2015.06.30	2014.12.31
基本每股收益(元)	0.1545	-0.3607	0.0050	0.0190
基本每股收益(扣除后)(元)	0.1526	-0.5352	-0.1586	-0.1743
稀释每股收益(元)	0.1545	-0.3607	0.0050	0.0190
每股净资产(元)	1.7239	1.4682	1.8449	1.8291
每股经营现金净流量(元)	0.1451	-0.4468	-0.1489	0.1084
每股现金流量(元)	0.1995	-0.2153	0.0828	0.1210
每股资本公积金(元)	1.1007	0.9994	1.0104	0.9994
每股盈余公积金(元)	0.0237	0.0237	0.0237	0.0237
每股未分配利润(元)	-0.4004	-0.5549	-0.1892	-0.1942
净资产收益率(%)	8.9603	-24.5672	0.2714	1.0389
加权净资产收益率(%)	10.0000	-21.8800	0.2700	1.0000
净资产收益率(扣除)(%)	8.8507	-36.4554	-8.5973	-9.5294
总资产(万元)	285979.84	262748.29	248308.71	254434.71
归属母公司股东权益(万元)	130565.97	111195.52	139724.70	138529.10
营业收入(万元)	97219.10	87786.77	31700.62	72256.67
营业支出(万元)	75929.14	79744.94	29940.13	68157.40
投资收益(万元)	9.67	12895.72	12174.67	9715.97
净利润(万元)	11564.51	-27294.13	553.77	1448.26
营业利润(万元)	12436.04	-27176.41	468.39	-4445.92
利润总额(万元)	14083.96	-26242.91	920.69	1148.19

建新矿业股份有限责任公司

公司概况					
公司名称	建新矿业股份有限责任公司			证券简称	建新矿业
法人代表	夏勇	董秘	熊为民	证券代码	000688
公司网址	www.jianxin0688.com		电子信箱	944198308@qq.com	
电　话	023-63067268		传　真	023-63067269	
办公地址	重庆市北部新区新南路164号水晶国际808室				
经营范围	电子计算机及网络服务器,微晶玻璃板材,节能灯及电子镇流器的制造等				

主要财务指标 指标\报告期	2016.06.30	2015.12.31	2015.06.30	2014.12.31
基本每股收益(元)	0.0539	0.2536	0.0836	0.2837
基本每股收益(扣除后)(元)	0.0538	0.2498	0.0841	0.2830
稀释每股收益(元)	0.0539	0.2536	0.0836	0.2837
每股净资产(元)	1.3727	1.3099	1.1491	1.0605
每股经营现金净流量(元)	0.1708	0.1698	0.1429	0.2637
每股现金流量(元)	0.0577	-0.0048	-0.0222	-0.1293
每股资本公积金(元)	0.1660	0.1660	0.1660	0.1660
每股盈余公积金(元)	0.1355	0.1355	0.1355	0.1355
每股未分配利润(元)	0.0554	0.0015	-0.1685	-0.2521
净资产收益率(%)	3.9271	19.3583	7.2715	26.7477
加权净资产收益率(%)	4.0300	21.4000	7.5800	27.8600
净资产收益率(扣除)(%)	3.9209	19.0683	7.3184	26.6870
总资产(万元)	184087.92	192187.84	162399.46	164263.30
归属母公司股东权益(万元)	156113.54	148975.88	130689.02	120610.87
营业收入(万元)	48791.91	109065.21	40187.37	98692.19
营业支出(万元)	34327.55	58909.40	23093.24	50428.83
投资收益(万元)	-	-	-	-
净利润(万元)	6053.75	28795.82	9503.07	32260.59
营业利润(万元)	7696.61	35027.92	11761.07	38597.57
利润总额(万元)	7708.94	34952.91	11689.28	38707.74

广东宝丽华新能源股份有限公司

公司概况					
公司名称	广东宝丽华新能源股份有限公司			证券简称	宝新能源
法人代表	宁远喜	董秘	刘沣	证券代码	000690
公司网址	www.baolihua.com.cn		电子信箱	bxnygd@sina.com	
电　话	0753-2511298 020-38773338		传　真	0753-2511398 020-38770958	
办公地址	广东省梅县华侨城香港大道宝丽华综合大楼 广州市天河北路中信广场61楼01-03号				
经营范围	电力、房地产、建筑施工、投资等				

主要财务指标 指标\报告期	2016.06.30	2015.12.31	2015.06.30	2014.12.31
基本每股收益(元)	0.2100	0.3700	0.2200	0.5900
基本每股收益(扣除后)(元)	0.1900	0.3400	0.1900	0.4900
稀释每股收益(元)	0.2100	0.3700	0.2200	0.5900
每股净资产(元)	3.6710	2.9296	2.8459	2.9039
每股经营现金净流量(元)	0.3201	0.6634	0.3785	0.9409
每股现金流量(元)	0.4145	-0.4833	-0.1843	0.0041
每股资本公积金(元)	1.3534	0.1906	0.1906	0.1906
每股盈余公积金(元)	0.3304	0.4164	0.3770	0.3770
每股未分配利润(元)	1.0634	1.3641	1.2461	1.3304
净资产收益率(%)	4.9295	12.7380	7.5790	20.3730
加权净资产收益率(%)	6.3200	12.9100	7.4100	21.7000
净资产收益率(扣除)(%)	4.4885	11.5436	6.5966	16.8361
总资产(万元)	1283074.25	970152.82	1038093.97	955557.70
归属母公司股东权益(万元)	798768.25	505823.16	491369.16	501385.65
营业收入(万元)	162157.45	357411.44	199322.14	469710.67
营业支出(万元)	95054.99	231477.91	127220.22	309105.83
投资收益(万元)	9201.68	18613.69	10016.17	20451.37
净利润(万元)	39374.15	64431.54	37240.84	102147.42
营业利润(万元)	51049.11	85972.51	50269.50	135020.77
利润总额(万元)	51598.31	85212.24	49879.11	134410.42

海南亚太实业发展股份有限公司

公司概况					
公司名称	海南亚太实业发展股份有限公司			证券简称	亚太实业
法人代表	安双荣	董秘	王瑞华	证券代码	000691
公司网址	www.lzytgroup.com		电子信箱	msh000691@163.com	
电　话	0931-8439763		传　真	0931-8427597	
办公地址	甘肃省兰州市城关区张掖路 87 号中广商务大厦 24 楼				
经营范围	旅游业开发、高科技开发、商业贸易、建材、旅游工艺品、普通机械的批发、零售等				

主要财务指标

指标＼报告期	2016.06.30	2015.12.31	2015.06.30	2014.12.31
基本每股收益(元)	-0.0052	0.0359	-0.0085	-0.0648
基本每股收益(扣除后)(元)	-0.0052	0.0069	-0.0085	-0.0615
稀释每股收益(元)	-0.0052	0.0359	-0.0085	-0.0648
每股净资产(元)	0.2465	0.2517	0.3885	0.3970
每股经营现金净流量(元)	-0.0114	-0.1080	-0.0065	-0.0209
每股现金流量(元)	-0.0114	0.0247	-0.0038	0.0126
每股资本公积金(元)	0.4574	0.4721	0.3698	0.3698
每股盈余公积金(元)	0.0471	0.0471	0.0471	0.0471
每股未分配利润(元)	-1.2580	-1.2675	-1.0283	-1.0199
净资产收益率(%)	-2.1064	14.2509	-2.1809	-16.3222
加权净资产收益率(%)	-1.8000	16.2600	-1.3900	-13.5300
净资产收益率(扣除)(%)	-2.1064	2.7392	-2.1836	-15.4873
总资产(万元)	28988.95	28690.42	30227.31	30378.84
归属母公司股东权益(万元)	7967.87	8135.49	12558.59	12832.48
营业收入(万元)	1020.24	10471.61	3342.96	3432.50
营业支出(万元)	759.54	8216.13	2379.05	3676.50
投资收益(万元)	-	926.99	-	-147.02
净利润(万元)	-164.61	1420.94	-199.03	-2211.24
营业利润(万元)	-104.61	1411.40	-42.00	-2209.48
利润总额(万元)	-164.61	1420.94	-41.54	-2212.59

沈阳惠天热电股份有限公司

公司概况					
公司名称	沈阳惠天热电股份有限公司			证券简称	惠天热电
法人代表	李久旭	董秘	马晓荣	证券代码	000692
公司网址	www.htrd.cn		电子信箱	htrd2012@126.com	
电　话	024-22905836 22928062		传　真	024-22939480	
办公地址	辽宁省沈阳市沈河区热闹路 47 号				
经营范围	供暖、设备安装、工业管道、土建工程施工、非标准结构件制造、安装等				

主要财务指标

指标＼报告期	2016.06.30	2015.12.31	2015.06.30	2014.12.31
基本每股收益(元)	0.0752	0.1399	0.0992	0.0985
基本每股收益(扣除后)(元)	0.0198	0.0795	0.0896	-0.0215
稀释每股收益(元)	0.0752	0.1399	0.0992	0.0985
每股净资产(元)	2.6264	2.5831	2.5140	2.4104
每股经营现金净流量(元)	-1.3602	0.3304	-1.0714	0.2791
每股现金流量(元)	-0.1458	0.0557	0.2396	0.1104
每股资本公积金(元)	0.7147	0.7147	0.7147	0.7147
每股盈余公积金(元)	0.2286	0.2286	0.2210	0.2210
每股未分配利润(元)	0.6347	0.5594	0.5263	0.4271
净资产收益率(%)	2.8645	5.4177	3.9461	3.2357
加权净资产收益率(%)	2.8700	5.6400	4.0400	3.2700
净资产收益率(扣除)(%)	0.7546	3.0556	3.5623	-0.7045
总资产(万元)	424872.85	427877.77	397840.12	379331.35
归属母公司股东权益(万元)	139941.21	137633.69	133956.57	128435.17
营业收入(万元)	86582.14	156899.22	85506.45	157320.17
营业支出(万元)	74219.10	131474.51	69920.53	135011.71
投资收益(万元)	1703.85	2317.21	-	-54.76
净利润(万元)	4215.17	7975.75	5227.54	4711.61
营业利润(万元)	4101.75	7155.36	6574.08	1238.25
利润总额(万元)	5834.70	11452.35	7265.72	7979.24

成都华泽钴镍材料股份有限公司

公司概况					
公司名称	成都华泽钴镍材料股份有限公司			证券简称	ST 华泽
法人代表	王涛	董秘	黎永亮	证券代码	000693
公司网址	www.hzmetal.com		电子信箱	hz000693@163.com	
电　话	029-88310063-8051		传　真	029-88310063-8049	
办公地址	四川省成都市温江区凤溪大道北段 666 号双子国际写字楼西楼 1512 室				
经营范围	有色金属,矿产品的生产和销售等				

主要财务指标

指标＼报告期	2016.06.30	2015.12.31	2015.06.30	2014.12.31
基本每股收益(元)	-0.0980	-0.2860	0.1669	0.3905
基本每股收益(扣除后)(元)	-0.0961	-0.2224	0.1666	0.3841
稀释每股收益(元)	-0.0980	-0.2860	0.1669	0.3905
每股净资产(元)	2.2196	2.3126	2.7390	2.5722
每股经营现金净流量(元)	-1.5073	0.0127	0.8240	0.7879
每股现金流量(元)	-0.7920	-0.3405	0.0908	0.0869
每股资本公积金(元)	-0.0562	-0.0562	-0.0562	-0.0562
每股盈余公积金(元)	0.1504	0.1504	0.1477	0.1477
每股未分配利润(元)	0.9985	1.0915	1.5198	1.3529
净资产收益率(%)	-4.4172	-12.3654	6.0946	15.1829
加权净资产收益率(%)	-4.3300	-11.6400	6.2900	16.5100
净资产收益率(扣除)(%)	-4.3283	-9.6175	6.0813	15.1514
总资产(万元)	435534.91	543236.06	632831.59	420268.01
归属母公司股东权益(万元)	120635.65	125686.81	148864.08	139798.29
营业收入(万元)	113498.23	850813.71	556294.55	804916.95
营业支出(万元)	113624.87	843815.97	540524.21	765867.59
投资收益(万元)	-	-	-	-
净利润(万元)	-5328.78	-15541.64	9072.73	21225.44
营业利润(万元)	-5221.53	-11145.98	10792.05	25275.33
利润总额(万元)	-5328.78	-15209.19	10811.85	25327.99

天津滨海能源发展股份有限公司

公司概况					
公司名称	天津滨海能源发展股份有限公司			证券简称	滨海能源
法人代表	肖占鹏	董秘	郭锐	证券代码	000695
公司网址	www.binhaienergy.com		电子信箱	bhe_ir@126.com	
电　话	022-66202230		传　真	022-66202232	
办公地址	天津市开发区第十一大街 27 号				
经营范围	生产、销售热力、电力、发电、燃汽、自来水及上述系统设备及零配件等				

主要财务指标

指标＼报告期	2016.06.30	2015.12.31	2015.06.30	2014.12.31
基本每股收益(元)	-0.0167	0.0154	-0.0154	0.0152
基本每股收益(扣除后)(元)	-0.0194	0.0100	-0.0156	0.0147
稀释每股收益(元)	-0.0167	0.0154	-0.0154	0.0152
每股净资产(元)	1.4422	1.4578	1.4248	1.4386
每股经营现金净流量(元)	0.4531	0.3300	0.1667	0.3934
每股现金流量(元)	-0.0779	0.0764	-0.0166	0.0140
每股资本公积金(元)	0.3427	0.3427	0.3427	0.3427
每股盈余公积金(元)	0.0554	0.0554	0.0549	0.0549
每股未分配利润(元)	0.0042	0.0209	-0.0094	0.0060
净资产收益率(%)	-1.1557	1.0583	-1.0779	1.0534
加权净资产收益率(%)	-1.1500	1.0700	-1.0700	1.0600
净资产收益率(扣除)(%)	-1.3420	0.9979	-1.0876	0.9067
总资产(万元)	101261.36	111641.67	104300.67	111333.58
归属母公司股东权益(万元)	32037.92	32383.71	31652.69	31959.18
营业收入(万元)	30429.46	60739.34	33842.23	65762.98
营业支出(万元)	28282.16	58175.10	31413.30	62810.27
投资收益(万元)	-1.41	-10.68	-4.47	-13.01
净利润(万元)	-370.26	342.71	-341.17	336.67
营业利润(万元)	-239.44	-2761.56	-109.75	-2610.55
利润总额(万元)	-159.87	520.19	-103.17	658.32

陕西炼石有色资源股份有限公司

公司概况	公司名称	陕西炼石有色资源股份有限公司			证券简称	炼石有色
	法人代表	张政	董秘	赵卫军	证券代码	000697
	公司网址	www.lsmin.com		电子信箱	bzhao0697@sohu.com	
	电　话	029-33675902		传　真	029-33675902	
	办公地址	陕西省咸阳市西咸新区世纪大道55号启迪科技会展中心1602室				
	经营范围	钼、铼及其他有色金属矿产的开发、贸易、新材料、冶炼新技术的研发、投资等				

主要财务指标	指标\报告期	2016.06.30	2015.12.31	2015.06.30	2014.12.31
	基本每股收益(元)	-0.0185	0.1068	0.0428	0.1527
	基本每股收益(扣除后)(元)	-0.0252	0.0498	0.0034	0.1383
	稀释每股收益(元)	-0.0185	0.1068	0.0428	0.1527
	每股净资产(元)	2.5946	2.6280	2.5640	2.5412
	每股经营现金净流量(元)	-0.0806	0.1023	-0.0140	0.3945
	每股现金流量(元)	-0.4681	0.2606	0.2505	0.3296
	每股资本公积金(元)	1.0128	1.0128	1.0128	1.0128
	每股盈余公积金(元)	0.0665	0.0665	0.0562	0.0562
	每股未分配利润(元)	0.5152	0.5487	0.4950	0.4722
	净资产收益率(%)	-0.7124	4.0643	1.6696	5.7977
	加权净资产收益率(%)	-0.7100	4.1400	1.6700	6.9500
	净资产收益率(扣除)(%)	-0.9711	1.8953	0.1344	5.2509
	总资产(万元)	157097.76	168744.56	158382.81	157309.04
	归属母公司股东权益(万元)	145212.27	147086.30	143504.21	142227.58
	营业收入(万元)	85.47	15495.96	3177.41	24374.02
	营业支出(万元)	-	6870.85	1373.82	11291.61
	投资收益(万元)	303.37	3035.71	2202.23	899.71
	净利润(万元)	-1194.99	6058.62	2422.95	8311.45
	营业利润(万元)	-1244.33	6789.38	2634.68	9807.57
	利润总额(万元)	-1198.46	6970.88	2635.25	9917.41

沈阳化工股份有限公司

公司概况	公司名称	沈阳化工股份有限公司			证券简称	沈阳化工
	法人代表	王大壮	董秘	杨志国	证券代码	000698
	公司网址	www.sychem.com		电子信箱	000698@126.com	
	电　话	024-25553506		传　真	024-25553060	
	办公地址	辽宁省沈阳市经济技术开发区沈大路888号				
	经营范围	化工产品、化工设备、压力容器、防腐设备等				

主要财务指标	指标\报告期	2016.06.30	2015.12.31	2015.06.30	2014.12.31
	基本每股收益(元)	0.1680	0.2300	-0.0680	0.0290
	基本每股收益(扣除后)(元)	0.0570	-0.2500	-0.1040	-0.3500
	稀释每股收益(元)	0.1680	0.2300	-0.0680	0.0290
	每股净资产(元)	4.9110	4.7392	4.6586	4.7157
	每股经营现金净流量(元)	0.5541	0.6845	0.1417	0.0945
	每股现金流量(元)	0.0930	0.7212	0.4056	-0.3306
	每股资本公积金(元)	1.6306	1.6306	2.0460	1.6383
	每股盈余公积金(元)	0.3470	0.3470	0.4126	0.3327
	每股未分配利润(元)	1.9299	1.7616	1.1892	1.5466
	净资产收益率(%)	3.4273	4.8369	-1.4580	0.6026
	加权净资产收益率(%)	3.4900	4.9500	-1.4500	0.6000
	净资产收益率(扣除)(%)	1.1646	-5.2239	-2.2273	-7.5124
	总资产(万元)	966657.97	963062.46	831734.84	856204.85
	归属母公司股东权益(万元)	402466.63	388384.84	307902.71	370231.82
	营业收入(万元)	365452.40	966390.05	351168.11	1053439.34
	营业支出(万元)	323472.38	902909.53	332786.27	1013986.82
	投资收益(万元)	-	-	-	-
	净利润(万元)	13797.52	18603.40	-4489.21	1648.68
	营业利润(万元)	5358.55	-16462.10	-6857.95	-23435.15
	利润总额(万元)	15684.03	19397.32	-4489.21	3691.15

江南模塑科技股份有限公司

公司概况	公司名称	江南模塑科技股份有限公司			证券简称	模塑科技
	法人代表	曹克波	董秘	单陈燕	证券代码	000700
	公司网址	www.000700.com		电子信箱	scy@000700.com	
	电　话	0510-86242802		传　真	0510-86242818	
	办公地址	江苏省江阴市周庄镇长青路8号				
	经营范围	汽车零部件、塑料制品、模具、塑钢门窗、模塑高科技产品的开发、研制等				

主要财务指标	指标\报告期	2016.06.30	2015.12.31	2015.06.30	2014.12.31
	基本每股收益(元)	0.1585	0.8360	0.6232	0.7960
	基本每股收益(扣除后)(元)	0.1610	0.6550	0.4570	0.7180
	稀释每股收益(元)	0.1585	0.8360	0.6232	0.7960
	每股净资产(元)	3.3693	6.7271	6.4100	4.4989
	每股经营现金净流量(元)	0.2866	0.7268	0.1001	1.2456
	每股现金流量(元)	0.1391	0.0054	0.1152	0.1123
	每股资本公积金(元)	0.2675	1.5350	1.5350	-
	每股盈余公积金(元)	0.0510	0.1020	0.0640	0.0743
	每股未分配利润(元)	1.6250	3.0329	2.8388	2.7550
	净资产收益率(%)	4.7058	12.2870	9.2747	17.6870
	加权净资产收益率(%)	4.7600	13.7500	10.8300	17.7500
	净资产收益率(扣除)(%)	4.7888	9.6314	6.8021	15.9523
	总资产(万元)	454496.91	455773.40	436527.59	392856.21
	归属母公司股东权益(万元)	241646.46	241236.75	229872.17	139035.66
	营业收入(万元)	143920.15	313635.41	156770.82	339539.97
	营业支出(万元)	110379.78	239930.51	117632.99	260102.42
	投资收益(万元)	5775.57	14417.98	11297.86	5443.95
	净利润(万元)	11371.28	29640.82	21319.93	24883.76
	营业利润(万元)	14922.05	33392.55	25263.25	28654.46
	利润总额(万元)	13814.99	34372.27	25546.18	29307.97

厦门信达股份有限公司

公司概况	公司名称	厦门信达股份有限公司			证券简称	厦门信达
	法人代表	杜少华	董秘	范丹	证券代码	000701
	公司网址	www.xindeco.com		电子信箱	board@xindeco.com.cn	
	电　话	0592-5608098		传　真	0592-6021391	
	办公地址	福建省厦门市湖里区泗水道669号国贸商务中心第十一层				
	经营范围	网络信息服务及信息产品的开发与生产、商业批发零售、贸易和房地产开发等				

主要财务指标	指标\报告期	2016.06.30	2015.12.31	2015.06.30	2014.12.31
	基本每股收益(元)	0.1117	0.3100	0.2186	0.5500
	基本每股收益(扣除后)(元)	0.0880	-0.5200	0.0487	-0.3700
	稀释每股收益(元)	0.1117	0.3100	0.2186	0.5500
	每股净资产(元)	7.8700	11.8887	5.9470	5.8300
	每股经营现金净流量(元)	-14.2261	0.8694	-8.5391	1.5471
	每股现金流量(元)	-1.0464	1.4652	-2.3940	2.6092
	每股资本公积金(元)	4.8954	2.5690	2.5689	2.5689
	每股盈余公积金(元)	0.2702	0.3535	0.3298	0.3298
	每股未分配利润(元)	1.6800	2.1685	2.0594	1.9408
	净资产收益率(%)	1.9004	2.9558	3.6766	8.9007
	加权净资产收益率(%)	1.4700	5.2600	3.6800	10.1600
	净资产收益率(扣除)(%)	1.7154	-4.0597	0.8197	-5.9124
	总资产(万元)	1967205.06	1420106.97	1271150.80	1053497.50
	归属母公司股东权益(万元)	499771.76	369600.39	184883.89	181144.16
	营业收入(万元)	1882456.23	2930508.19	1183370.95	2635855.26
	营业支出(万元)	1813983.97	2827433.40	1136526.39	2546081.54
	投资收益(万元)	1255.62	25615.56	1188.72	29311.17
	净利润(万元)	11092.66	12205.06	7808.66	20213.51
	营业利润(万元)	11376.19	4535.45	4493.70	17382.66
	利润总额(万元)	14767.39	17026.94	10866.69	27145.95

湖南正虹科技发展股份有限公司

公司概况						
公司名称	湖南正虹科技发展股份有限公司			证券简称	正虹科技
法人代表	夏壮华	董秘	刘浩	证券代码	000702
公司网址	www.chinazhjt.com.cn		电子信箱	dms@chinazhjt.com.cn	
电　话	0730-5715016		传　真	0730-5715017	
办公地址	湖南省岳阳市屈原管理区营田镇				
经营范围	各类饲料的研制、生产、销售、饲料原料销售等				

主要财务指标：指标\报告期	2016.06.30	2015.12.31	2015.06.30	2014.12.31
基本每股收益(元)	-0.0165	0.0183	0.0143	0.0976
基本每股收益(扣除后)(元)	-0.0281	-0.0512	-0.0540	-0.0180
稀释每股收益(元)	-0.0165	0.0183	0.0143	0.0976
每股净资产(元)	1.6715	1.7149	1.7587	1.8295
每股经营现金净流量(元)	0.3835	0.0275	0.1496	0.0212
每股现金流量(元)	0.2567	0.0138	0.1620	-0.0131
每股资本公积金(元)	0.6848	0.6847	0.6847	0.6847
每股盈余公积金(元)	0.0970	0.0970	0.0970	0.0970
每股未分配利润(元)	-0.2115	-0.1950	-0.1990	-0.2133
净资产收益率(%)	-0.9868	1.0680	0.8146	5.3356
加权净资产收益率(%)	-0.9700	1.0300	0.8000	5.6300
净资产收益率(扣除)(%)	-1.6818	-2.9840	-3.0730	-0.9849
总资产(万元)	69961.38	62847.12	70507.16	71124.15
归属母公司股东权益(万元)	44567.62	45725.12	46893.09	48779.51
营业收入(万元)	56994.82	131688.01	66823.90	180131.70
营业支出(万元)	51241.21	119102.19	61872.58	165721.02
投资收益(万元)	126.31	1083.72	1424.79	2433.18
净利润(万元)	-489.46	455.32	353.23	2657.25
营业利润(万元)	-609.80	258.68	187.04	2278.55
利润总额(万元)	-288.69	698.76	407.70	3580.83

恒逸石化股份有限公司

公司概况						
公司名称	恒逸石化股份有限公司			证券简称	恒逸石化
法人代表	方贤水	董秘	郭丹	证券代码	000703
公司网址	www.hengyishihua.com		电子信箱	hysh@hengyi.com	
电　话	0571-83871991		传　真	0571-83871992	
办公地址	浙江省杭州市萧山区市心北路260号恒逸·南岸明珠3栋				
经营范围	生产和销售精对苯二甲酸(PTA)和聚酯纤维(涤纶)等相关产品				

主要财务指标：指标\报告期	2016.06.30	2015.12.31	2015.06.30	2014.12.31
基本每股收益(元)	0.2700	0.1600	0.1000	-0.3100
基本每股收益(扣除后)(元)	0.2100	-0.3700	0.0900	-0.2300
稀释每股收益(元)	0.2700	0.1600	0.1000	-0.3100
每股净资产(元)	4.9770	4.7869	4.4541	4.3593
每股经营现金净流量(元)	1.3923	0.3140	1.2223	1.6304
每股现金流量(元)	-0.1663	-0.4386	-0.7453	0.5692
每股资本公积金(元)	0.6425	0.7250	0.0353	0.0353
每股盈余公积金(元)	0.2296	0.2296	0.2600	0.2600
每股未分配利润(元)	3.0809	2.8115	3.1199	3.0242
净资产收益率(%)	5.4148	2.9526	2.1475	-7.0132
加权净资产收益率(%)	5.4800	3.5500	2.1700	-6.7400
净资产收益率(扣除)(%)	4.1346	-6.8490	2.0788	-5.3803
总资产(万元)	2431208.56	2520875.49	2660972.81	2673250.07
归属母公司股东权益(万元)	650067.49	625236.75	513821.39	502882.49
营业收入(万元)	1369362.11	3031770.67	1476667.35	2806254.29
营业支出(万元)	1317157.59	2899578.36	1399366.10	2690473.77
投资收益(万元)	23713.45	50260.59	808.89	-37922.20
净利润(万元)	39917.04	16213.88	15499.37	-39645.95
营业利润(万元)	40442.49	16691.85	16677.81	-45391.02
利润总额(万元)	44539.24	21442.33	19219.05	-41799.78

浙江震元股份有限公司

公司概况						
公司名称	浙江震元股份有限公司			证券简称	浙江震元
法人代表	宋逸婷	董秘	周黔莉	证券代码	000705
公司网址	www.zjzy.com		电子信箱	000705@zjzy.com	
电　话	0575-85144161		传　真	0575-85148805	
办公地址	浙江省绍兴市解放北路289号				
经营范围	从事药品、中药饮片的生产经营和销售等				

主要财务指标：指标\报告期	2016.06.30	2015.12.31	2015.06.30	2014.12.31
基本每股收益(元)	0.0782	0.1100	0.0200	0.1200
基本每股收益(扣除后)(元)	0.0700	0.0800	0.0200	0.1100
稀释每股收益(元)	0.0782	0.1100	0.0200	0.1200
每股净资产(元)	3.8142	3.7871	3.6819	3.6262
每股经营现金净流量(元)	-0.1556	0.1698	-0.0276	0.2436
每股现金流量(元)	-0.1750	-0.4727	-0.3726	-0.1332
每股资本公积金(元)	1.6077	1.6077	1.6077	1.6077
每股盈余公积金(元)	0.1182	0.1182	0.1110	0.1110
每股未分配利润(元)	0.9669	0.9137	0.8345	0.8125
净资产收益率(%)	2.0491	2.8629	0.5976	3.2254
加权净资产收益率(%)	2.0500	2.9300	0.6000	3.2800
净资产收益率(扣除)(%)	1.8142	2.0489	0.5862	3.1224
总资产(万元)	201814.27	183768.47	183768.47	180255.99
归属母公司股东权益(万元)	127441.91	123021.91	123021.91	121160.25
营业收入(万元)	118042.32	216350.55	104160.19	208123.31
营业支出(万元)	101706.94	183679.51	89343.42	175950.81
投资收益(万元)	379.94	383.10	132.48	221.05
净利润(万元)	2674.56	3706.73	667.18	4081.09
营业利润(万元)	3340.38	3401.85	1278.80	5005.88
利润总额(万元)	3341.41	4290.50	1173.66	4827.42

湖北双环科技股份有限公司

公司概况						
公司名称	湖北双环科技股份有限公司			证券简称	双环科技
法人代表	李元海	董秘	张拥军	证券代码	000707
公司网址	www.hbshkj.cn		电子信箱	sh0707@163.com	
电　话	0712-3591099		传　真	0712-3591099	
办公地址	湖北省应城市东马坊团结大道26号				
经营范围	生产销售纯碱、氯化铵和氯化聚乙烯				

主要财务指标：指标\报告期	2016.06.30	2015.12.31	2015.06.30	2014.12.31
基本每股收益(元)	0.0227	0.0255	0.0207	0.0166
基本每股收益(扣除后)(元)	-0.0125	-0.0819	0.0047	-0.1200
稀释每股收益(元)	0.0227	0.0255	0.0207	0.0166
每股净资产(元)	3.1149	3.0934	3.0899	3.0780
每股经营现金净流量(元)	0.7256	1.4287	0.5768	1.0797
每股现金流量(元)	0.1826	0.3786	0.2917	-0.1762
每股资本公积金(元)	1.5806	1.5806	1.5806	1.5806
每股盈余公积金(元)	0.4526	0.4526	0.4526	0.4526
每股未分配利润(元)	0.0757	0.0530	0.0483	0.0376
净资产收益率(%)	0.7291	0.8231	0.6709	0.5380
加权净资产收益率(%)	0.7300	0.8200	0.6700	0.3700
净资产收益率(扣除)(%)	-0.4020	-2.6463	0.1511	-3.9114
总资产(万元)	1077634.00	1108258.94	1052757.18	1004587.84
归属母公司股东权益(万元)	144577.77	143580.11	143414.51	142862.67
营业收入(万元)	249236.80	388278.60	187070.21	400061.04
营业支出(万元)	203871.63	324135.31	154283.44	335306.87
投资收益(万元)	-631.79	3003.85	-126.35	408.50
净利润(万元)	2469.67	1536.73	789.35	334.96
营业利润(万元)	2281.85	-5006.22	-97.32	-6535.71
利润总额(万元)	4238.24	966.84	870.32	1479.36

大冶特殊钢股份有限公司

公司概况						
公司概况	公司名称	大冶特殊钢股份有限公司			证券简称	大冶特钢
	法人代表	俞亚鹏	董秘	周开明	证券代码	000708
	公司网址	www.dayesteel.com.cn			电子信箱	dytg0708@163.com
	电　　话	0714-6297373			传　　真	0714-6297280
	办公地址	湖北省黄石市黄石大道 316 号				
	经营范围	钢铁冶炼、钢材轧制、金属改制、压延加工、钢铁材料检测				

主要财务指标	指标\报告期	2016.06.30	2015.12.31	2015.06.30	2014.12.31
	基本每股收益(元)	0.3240	0.6020	0.3090	0.5960
	基本每股收益(扣除后)(元)	0.3080	0.5120	0.2970	0.5900
	稀释每股收益(元)	0.3240	0.6020	0.3090	0.5960
	每股净资产(元)	7.9577	7.7836	7.4907	7.3819
	每股经营现金净流量(元)	-0.0204	0.2166	0.2366	0.9797
	每股现金流量(元)	-0.2441	-0.0173	0.1203	0.9207
	每股资本公积金(元)	1.0807	1.0807	1.0807	1.0807
	每股盈余公积金(元)	0.5031	0.5031	0.5031	0.5031
	每股未分配利润(元)	5.3739	5.1998	4.9069	4.7981
	净资产收益率(%)	4.0724	7.7299	4.1223	8.0801
	加权净资产收益率(%)	4.1000	7.9700	4.1300	8.3420
	净资产收益率(扣除)(%)	3.8709	6.5784	3.9697	7.9945
	总资产(万元)	539356.95	513755.82	504280.01	502750.23
	归属母公司股东权益(万元)	357623.89	349801.30	336639.30	331750.18
	营业收入(万元)	328716.71	619718.21	304484.56	735254.36
	营业支出(万元)	289989.10	550197.34	263937.75	657903.01
	投资收益(万元)	-	-	-	-
	净利润(万元)	14563.72	27039.29	13877.29	26805.70
	营业利润(万元)	16439.52	27547.97	15830.42	29341.70
	利润总额(万元)	16991.99	31826.76	16434.78	29675.71

河钢股份有限公司

公司概况						
公司概况	公司名称	河钢股份有限公司			证券简称	河钢股份
	法人代表	于勇	董秘	李卜海	证券代码	000709
	公司网址	www.hebgtgf.com			电子信箱	hbgtgf@hebgtjt.com
	电　　话	0311-66770709			传　　真	0311-66778711
	办公地址	河北省石家庄市体育南大街 385 号				
	经营范围	钢铁冶炼、钢材轧制及销售等				

主要财务指标	指标\报告期	2016.06.30	2015.12.31	2015.06.30	2014.12.31
	基本每股收益(元)	0.0390	0.0500	0.0340	0.0660
	基本每股收益(扣除后)(元)	0.0400	0.0500	0.0290	0.0600
	稀释每股收益(元)	0.0390	0.0500	0.0340	0.0660
	每股净资产(元)	4.1194	4.1073	4.0880	4.0530
	每股经营现金净流量(元)	0.7894	1.3529	0.7638	1.3593
	每股现金流量(元)	-0.0384	0.0324	0.1062	0.0249
	每股资本公积金(元)	2.1854	2.1854	2.1854	2.1854
	每股盈余公积金(元)	0.1872	0.1872	0.1800	0.1800
	每股未分配利润(元)	0.7355	0.7270	0.7139	0.6802
	净资产收益率(%)	0.9350	1.3148	0.8224	1.6199
	加权净资产收益率(%)	0.9300	1.3200	0.8300	1.6300
	净资产收益率(扣除)(%)	0.9086	1.1329	0.7190	1.3649
	总资产(万元)	17614949.53	17881154.90	17164013.83	17036820.53
	归属母公司股东权益(万元)	4374269.58	4361359.31	4340863.73	4303675.88
	营业收入(万元)	3791115.81	7310343.44	4243142.73	9825744.71
	营业支出(万元)	3327603.79	6336598.81	3786851.63	8754561.87
	投资收益(万元)	1451.91	9119.72	8503.90	29509.51
	净利润(万元)	37123.33	40175.18	30146.45	71729.10
	营业利润(万元)	43204.60	53932.69	37636.86	89885.89
	利润总额(万元)	45171.40	56012.04	38695.97	93742.70

成都天兴仪表股份有限公司

公司概况						
公司概况	公司名称	成都天兴仪表股份有限公司			证券简称	*ST 天仪
	法人代表	文武	董秘	顾中国	证券代码	000710
	公司网址	www.txyb.com.cn			电子信箱	china0710@163.com
	电　　话	028-84613721			传　　真	028-84600581
	办公地址	四川省成都市汽车城大道 333 号				
	经营范围	摩托车与汽车部品的设计、生产、加工和销售				

主要财务指标	指标\报告期	2016.06.30	2015.12.31	2015.06.30	2014.12.31
	基本每股收益(元)	-0.0109	-0.0860	-0.0320	0.0455
	基本每股收益(扣除后)(元)	-0.0093	-0.0860	-0.0294	-0.1307
	稀释每股收益(元)	-0.0109	-0.0860	-0.0320	0.0455
	每股净资产(元)	0.7694	0.7784	0.8280	0.8600
	每股经营现金净流量(元)	-0.0649	-0.4683	-0.2709	0.1251
	每股现金流量(元)	-0.0734	-0.1856	-0.1508	0.1859
	每股资本公积金(元)	0.3063	0.3063	0.3063	0.3063
	每股盈余公积金(元)	0.0729	0.0729	0.0729	0.0729
	每股未分配利润(元)	-0.6283	-0.6174	-0.5634	-0.5314
	净资产收益率(%)	-1.4120	-11.0535	-3.8616	5.2900
	加权净资产收益率(%)	-1.4100	-10.5300	-3.7900	5.7860
	净资产收益率(扣除)(%)	-1.2032	-11.0540	-3.5537	-15.1940
	总资产(万元)	50102.26	49888.25	47220.56	44585.38
	归属母公司股东权益(万元)	11633.91	11768.85	12519.39	13002.85
	营业收入(万元)	12137.83	23005.68	11013.10	27364.33
	营业支出(万元)	11421.16	22169.01	10364.52	25537.05
	投资收益(万元)	1243.47	2790.71	1025.66	4178.31
	净利润(万元)	-164.27	-1300.87	-483.45	679.12
	营业利润(万元)	-139.99	-1300.92	-525.09	638.98
	利润总额(万元)	-164.27	-1300.87	-483.45	679.12

京蓝科技股份有限公司

公司概况						
公司概况	公司名称	京蓝科技股份有限公司			证券简称	京蓝科技
	法人代表	肖志辉	董秘	刘欣	证券代码	000711
	公司网址	www.kingland-tech.com.cn			电子信箱	securities@ikingland.cn
	电　　话	010-63300361 020-38303219			传　　真	020-38303000
	办公地址	北京市丰台区广安路 9 号国投财富广场 3 号楼 5 层				
	经营范围	物业租赁、房地产咨询业务				

主要财务指标	指标\报告期	2016.06.30	2015.12.31	2015.06.30	2014.12.31
	基本每股收益(元)	-0.0900	0.2300	-3.3000	-0.4500
	基本每股收益(扣除后)(元)	-0.1100	-3.6500	-3.1600	-0.4500
	稀释每股收益(元)	-0.0900	0.2300	-3.3000	-0.4500
	每股净资产(元)	1.7148	1.8076	-1.7186	1.5779
	每股经营现金净流量(元)	-0.3381	-0.3096	-0.0849	-0.0596
	每股现金流量(元)	0.8140	0.3328	-0.1811	0.1261
	每股资本公积金(元)	0.0937	0.0937	0.0937	0.0937
	每股盈余公积金(元)	0.1886	0.1886	0.1886	0.1886
	每股未分配利润(元)	0.4324	0.5252	-3.0050	0.2914
	净资产收益率(%)	-5.4133	12.9372	1.9182	-28.3725
	加权净资产收益率(%)	-5.2700	13.8000	-	-24.8500
	净资产收益率(扣除)(%)	-6.5745	-201.6639	184.1421	-28.3223
	总资产(万元)	36826.26	29762.26	71444.11	122959.81
	归属母公司股东权益(万元)	27590.07	29083.62	-27651.13	25387.67
	营业收入(万元)	2935.39	7208.83	4423.86	6874.93
	营业支出(万元)	2153.40	3087.80	2150.32	2712.32
	投资收益(万元)	-	64542.82	-	-
	净利润(万元)	-1298.00	-1000.59	-57557.35	-7462.88
	营业利润(万元)	-1275.51	1544.35	-55201.17	-7026.66
	利润总额(万元)	-1270.80	-585.11	-57321.93	-7039.55

广东锦龙发展股份有限公司

公司概况					
公司名称	广东锦龙发展股份有限公司			证券简称	锦龙股份
法人代表	蓝永强	董秘	张丹丹	证券代码	000712
公司网址	www.jlgf.com		电子信箱	jlgf000712@163.com	
电　　话	0763-3369393		传　　真	0763-3362693	
办公地址	广东省清远市新城八号区方正二街1号锦龙大厦				
经营范围	自来水的生产和供应业				

主要财务指标 指标\报告期	2016.06.30	2015.12.31	2015.06.30	2014.12.31
基本每股收益(元)	0.1800	1.0200	0.6500	0.4300
基本每股收益(扣除后)(元)	0.1800	1.0200	0.6500	0.1979
稀释每股收益(元)	0.1800	1.0200	0.6500	0.4300
每股净资产(元)	3.8480	3.7739	3.4416	2.8557
每股经营现金净流量(元)	-1.7439	1.2646	5.8566	1.7204
每股现金流量(元)	-1.8222	3.0223	7.4107	2.1128
每股资本公积金(元)	0.7968	0.7968	0.7968	0.7968
每股盈余公积金(元)	0.1839	0.1403	0.1403	0.1049
每股未分配利润(元)	1.8170	1.7770	1.4108	0.8932
净资产收益率(%)	4.7719	27.0068	18.9722	15.1154
加权净资产收益率(%)	4.7500	30.7400	20.4100	16.4900
净资产收益率(扣除)(%)	4.7558	26.9996	18.9632	6.9309
总资产(万元)	1989230.96	1986512.55	2225238.23	1519908.83
归属母公司股东权益(万元)	344783.29	338144.70	308369.80	255868.72
营业收入(万元)	1398.69	2601.85	1206.89	4019.51
营业支出(万元)	383.64	516.65	35.88	1797.82
投资收益(万元)	26770.16	124079.68	79138.69	69528.27
净利润(万元)	22349.40	127031.82	85205.02	46888.37
营业利润(万元)	28489.77	155547.48	101373.15	52566.95
利润总额(万元)	28449.72	155561.20	101426.75	53826.40

合肥丰乐种业股份有限公司

公司概况					
公司名称	合肥丰乐种业股份有限公司			证券简称	丰乐种业
法人代表	杨林	董秘	顾晓新	证券代码	000713
公司网址	www.fengle.com.cn		电子信箱	gxx@fengle.com.cn	
电　　话	0551-2239888 62239956		传　　真	0551-2239957	
办公地址	安徽省合肥市长江西路501号丰乐大厦				
经营范围	农作物种子、农药、专用肥、植物生长素、农化产品、薄荷油及其衍生产品等				

主要财务指标 指标\报告期	2016.06.30	2015.12.31	2015.06.30	2014.12.31
基本每股收益(元)	-0.0142	0.1018	0.0272	0.2040
基本每股收益(扣除后)(元)	-0.0323	0.0460	0.0037	0.0169
稀释每股收益(元)	-0.0142	0.1018	0.0272	0.2040
每股净资产(元)	4.5462	4.5573	4.5285	4.4995
每股经营现金净流量(元)	-0.2590	0.3771	-0.0074	0.8311
每股现金流量(元)	-0.3282	-0.2724	-0.4316	-0.1223
每股资本公积金(元)	1.6894	1.6894	1.6894	1.6894
每股盈余公积金(元)	0.2770	0.2770	0.2711	0.2711
每股未分配利润(元)	1.3541	1.3681	1.3266	1.3295
净资产收益率(%)	-0.3131	2.2344	0.6001	4.5336
加权净资产收益率(%)	-0.3100	2.2600	0.6000	4.6300
净资产收益率(扣除)(%)	-0.7097	1.0085	0.0806	0.3757
总资产(万元)	187890.44	186286.71	176889.74	188897.15
归属母公司股东权益(万元)	135874.69	136206.87	135344.85	134480.34
营业收入(万元)	52466.96	111265.56	42529.98	137880.00
营业支出(万元)	44141.22	85828.56	33227.40	110504.81
投资收益(万元)	523.71	404.14	-	4785.49
净利润(万元)	-402.55	3043.44	812.27	6101.51
营业利润(万元)	-757.39	1675.06	386.56	5550.78
利润总额(万元)	-400.70	3130.97	1089.68	6412.65

中兴-沈阳商业大厦(集团)股份有限公司

公司概况					
公司名称	中兴-沈阳商业大厦(集团)股份有限公司			证券简称	中兴商业
法人代表	刘芝旭	董秘	姜莉	证券代码	000715
公司网址	www.zxbusiness.com		电子信箱	zxstock@vip.sina.com	
电　　话	024-23838888-3715 3703		传　　真	024-23408889	
办公地址	辽宁省沈阳市和平区太原北街86号				
经营范围	国内一般商业贸易、汽车修理、汽车配件、仓储搬运等				

主要财务指标 指标\报告期	2016.06.30	2015.12.31	2015.06.30	2014.12.31
基本每股收益(元)	0.0880	0.2500	0.0910	0.3000
基本每股收益(扣除后)(元)	0.1370	0.3600	0.1700	0.3900
稀释每股收益(元)	0.0880	0.2500	0.0910	0.3000
每股净资产(元)	4.1957	4.1076	4.0271	3.9362
每股经营现金净流量(元)	0.0378	0.2627	0.0102	0.1030
每股现金流量(元)	0.7752	-0.0430	-0.4326	-0.9133
每股资本公积金(元)	1.1352	1.1352	1.1352	1.1352
每股盈余公积金(元)	0.4290	0.4290	0.4085	0.4085
每股未分配利润(元)	1.6141	1.5261	1.4570	1.3661
净资产收益率(%)	2.0980	6.0965	2.2573	7.6206
加权净资产收益率(%)	2.1200	6.1400	2.2800	7.8400
净资产收益率(扣除)(%)	3.2579	8.8357	4.2116	9.9879
总资产(万元)	214419.40	216735.33	220808.65	223176.19
归属母公司股东权益(万元)	117061.33	114605.34	112357.91	109821.62
营业收入(万元)	127519.56	276964.07	159690.54	313435.23
营业支出(万元)	101652.36	223536.43	130267.97	255368.86
投资收益(万元)	426.08	1447.79	155.71	844.07
净利润(万元)	2455.99	6986.90	2536.28	8369.06
营业利润(万元)	2980.70	9964.19	3058.31	9761.35
利润总额(万元)	3228.69	10538.65	3385.37	11821.41

南方黑芝麻集团股份有限公司

公司概况					
公司名称	南方黑芝麻集团股份有限公司			证券简称	黑芝麻
法人代表	韦清文	董秘	龙耐坚	证券代码	000716
公司网址	www.nanfangfood.com		电子信箱	nfkg008@sina.com	
电　　话	0771-5308096 5308080		传　　真	0771-5308639	
办公地址	广西壮族自治区南宁市双拥路36号				
经营范围	对食品、管道燃气、物流、房地产、物业管理、航空服务项目的投资等				

主要财务指标 指标\报告期	2016.06.30	2015.12.31	2015.06.30	2014.12.31
基本每股收益(元)	0.0330	0.4770	0.1280	0.2420
基本每股收益(扣除后)(元)	0.0220	0.4960	0.1030	0.2180
稀释每股收益(元)	0.0330	0.4730	0.1280	0.2420
每股净资产(元)	2.7303	5.4500	5.3200	7.0400
每股经营现金净流量(元)	-0.0750	0.5061	-0.1750	-0.1085
每股现金流量(元)	-0.2716	-0.7797	-0.8952	1.9879
每股资本公积金(元)	1.3994	3.7809	3.7497	4.5421
每股盈余公积金(元)	0.0467	0.0935	0.0878	0.0896
每股未分配利润(元)	0.3513	0.7375	0.4015	0.3421
净资产收益率(%)	1.2230	8.5906	2.4122	3.4410
加权净资产收益率(%)	1.2200	7.7100	2.1200	6.1400
净资产收益率(扣除)(%)	0.8018	8.9117	1.9266	3.1037
总资产(万元)	304000.82	282475.00	260172.67	278721.87
归属母公司股东权益(万元)	174352.68	173605.36	166880.81	186366.11
营业收入(万元)	73171.24	188760.59	71195.79	149752.80
营业支出(万元)	51055.57	127249.54	50732.69	102522.85
投资收益(万元)	36.13	3.51	40.93	287.03
净利润(万元)	2392.23	14909.19	4021.30	6180.02
营业利润(万元)	1333.57	14783.94	2546.90	4815.29
利润总额(万元)	2170.89	15259.46	3934.77	6288.90

广东韶钢松山股份有限公司

公司概况					
公司名称	广东韶钢松山股份有限公司			证券简称	*ST 韶钢
法人代表	傅建国	董秘	刘二	证券代码	000717
公司网址	www.sgss.com.cn			电子信箱	sgss@sgis.com.cn
电　话	0751-8787265			传　真	0751-8787676
办公地址	广东省韶关市曲江区韶钢办公楼				
经营范围	制造、加工、销售钢铁冶金产品、金属制品、焦炭、煤化工产品等				

主要财务指标：指标\报告期	2016.06.30	2015.12.31	2015.06.30	2014.12.31
基本每股收益(元)	-0.0946	-1.0700	-0.3637	-0.5700
基本每股收益(扣除后)(元)	-0.1056	-1.1000	-0.3644	-0.5900
稀释每股收益(元)	-0.0946	-1.0700	-0.3637	-0.5700
每股净资产(元)	0.0521	0.1467	0.8501	1.2138
每股经营现金净流量(元)	-0.0640	0.2049	-0.1287	0.8461
每股现金流量(元)	-0.0346	0.0539	-0.0497	0.0749
每股资本公积金(元)	1.3338	1.3338	1.3338	1.3338
每股盈余公积金(元)	0.2642	0.2642	0.2642	0.2642
每股未分配利润(元)	-2.5466	-2.4520	-1.7430	-1.3793
净资产收益率(%)	-181.4977	-731.3355	-42.7852	-47.2702
加权净资产收益率(%)	-95.1500	-158.3500	-35.2500	-38.0100
净资产收益率(扣除)(%)	-202.5967	-748.7862	-42.8599	-48.2652
总资产(万元)	1553751.54	1656030.78	1818590.10	1857037.77
归属母公司股东权益(万元)	12607.52	35489.87	205685.57	293688.64
营业收入(万元)	578339.60	1114458.75	552956.10	1949661.68
营业支出(万元)	563230.40	1252497.13	591445.38	1973447.50
投资收益(万元)	778.98	320.77	-108.52	4146.87
净利润(万元)	-22882.36	-259550.05	-88002.91	-138827.18
营业利润(万元)	-25542.42	-255967.13	-90443.32	-137215.53
利润总额(万元)	-22882.36	-250757.26	-87952.53	-138470.31

苏宁环球股份有限公司

公司概况					
公司名称	苏宁环球股份有限公司			证券简称	苏宁环球
法人代表	张桂平	董秘	刘登华	证券代码	000718
公司网址	www.suning-universal.com			电子信箱	suning@suning.com.cn
电　话	025-83247946			传　真	025-83247136
办公地址	江苏省南京市鼓楼区广州路 188 号 17 楼				
经营范围	房地产开发经营与混凝土生产销售等				

主要财务指标：指标\报告期	2016.06.30	2015.12.31	2015.06.30	2014.12.31
基本每股收益(元)	0.0570	0.3390	0.1210	0.2870
基本每股收益(扣除后)(元)	0.0580	0.3410	0.1570	0.3770
稀释每股收益(元)	0.0570	0.3390	0.1210	0.2870
每股净资产(元)	2.9595	3.0010	2.3424	2.3858
每股经营现金净流量(元)	0.6678	1.0386	0.2695	0.3928
每股现金流量(元)	-0.7720	1.2909	0.0013	-0.1570
每股资本公积金(元)	1.1063	1.1063	-	-
每股盈余公积金(元)	-	-	-	-
每股未分配利润(元)	0.8502	0.8930	1.3425	1.3858
净资产收益率(%)	1.9323	9.8844	6.6912	15.6426
加权净资产收益率(%)	3.8000	16.9100	6.3600	16.2300
净资产收益率(扣除)(%)	1.9631	9.9318	6.7220	15.8122
总资产(万元)	2486181.57	2478372.21	2000837.19	2137616.78
归属母公司股东权益(万元)	898113.84	910687.04	478604.30	487456.88
营业收入(万元)	185339.57	737518.38	376389.05	545660.18
营业支出(万元)	134098.82	487095.70	275314.17	339244.45
投资收益(万元)	217.64	-1743.07	-993.73	-1505.45
净利润(万元)	17212.75	88235.50	32007.22	76259.77
营业利润(万元)	20053.34	135027.53	50103.91	121049.49
利润总额(万元)	19766.25	134076.31	49907.83	120066.50

中原大地传媒股份有限公司

公司概况					
公司名称	中原大地传媒股份有限公司			证券简称	大地传媒
法人代表	王爱	董秘	毋晓冬	证券代码	000719
公司网址	www.zyddcm.com			电子信箱	ddcm000719@126.com
电　话	0371-87528527			传　真	0371-87528528
办公地址	河南省郑州市金水东路 39 号中国(河南)出版产业园 A 座				
经营范围	对新闻、出版、教育、文化、广播、电影、电视节目等进行互联网信息服务等				

主要财务指标：指标\报告期	2016.06.30	2015.12.31	2015.06.30	2014.12.31
基本每股收益(元)	0.3100	0.8900	0.4300	0.8700
基本每股收益(扣除后)(元)	0.2900	0.8500	0.4200	0.6300
稀释每股收益(元)	0.3100	0.8900	0.4300	0.8700
每股净资产(元)	6.1339	7.7516	7.3507	7.0750
每股经营现金净流量(元)	0.2290	1.1507	0.1404	1.5064
每股现金流量(元)	-0.0311	0.1255	-0.6822	1.7006
每股资本公积金(元)	2.6883	3.7947	3.7942	3.7942
每股盈余公积金(元)	0.1516	0.1971	0.1721	0.1721
每股未分配利润(元)	2.3293	2.8057	2.3630	2.0872
净资产收益率(%)	5.0471	11.5253	5.7924	11.5240
加权净资产收益率(%)	5.1200	12.0500	5.9000	13.3200
净资产收益率(扣除)(%)	4.6628	10.9179	5.6796	8.4138
总资产(万元)	966761.36	929865.57	874524.07	857573.33
归属母公司股东权益(万元)	627619.06	610110.21	578562.18	556855.72
营业收入(万元)	334898.67	713861.06	325282.55	710254.75
营业支出(万元)	234903.81	503255.72	229081.56	503424.77
投资收益(万元)	387.62	1650.85	316.82	-129.14
净利润(万元)	31715.62	69781.31	32799.60	63805.90
营业利润(万元)	29410.15	60763.23	30635.90	58384.67
利润总额(万元)	32597.53	71415.94	32934.89	65172.80

山东新能泰山发电股份有限公司

公司概况					
公司名称	山东新能泰山发电股份有限公司			证券简称	新能泰山
法人代表	吴永钢	董秘	刘昭营	证券代码	000720
公司网址	www.sz000720.com			电子信箱	zqb@sz000720.com
电　话	0538-8232022			传　真	0538-8232000
办公地址	山东省泰安市普照寺路 5 号				
经营范围	电力生产、销售、电线电缆、电子产品、电器机械及器材、输变电设备等				

主要财务指标：指标\报告期	2016.06.30	2015.12.31	2015.06.30	2014.12.31
基本每股收益(元)	-0.0208	0.0935	0.0725	0.0920
基本每股收益(扣除后)(元)	-0.0243	0.0930	0.0716	0.0900
稀释每股收益(元)	-0.0208	0.0935	0.0725	0.0920
每股净资产(元)	1.0723	1.0916	1.0697	0.9969
每股经营现金净流量(元)	0.3779	0.8638	0.4528	0.5734
每股现金流量(元)	0.0931	0.0359	0.0094	0.0300
每股资本公积金(元)	0.3428	0.3428	0.3428	0.3428
每股盈余公积金(元)	0.1655	0.1655	0.1655	0.1655
每股未分配利润(元)	-0.4403	-0.4195	-0.4405	-0.5130
净资产收益率(%)	-1.9359	8.5645	6.7787	9.2288
加权净资产收益率(%)	-1.9200	8.9500	7.0200	9.6800
净资产收益率(扣除)(%)	-2.2650	7.9440	6.6888	9.0319
总资产(万元)	529114.38	538255.92	536855.49	548470.76
归属母公司股东权益(万元)	92584.79	94254.53	92364.85	86074.93
营业收入(万元)	114376.69	329316.90	148984.24	314564.53
营业支出(万元)	98442.70	275063.98	119092.41	262897.02
投资收益(万元)	-118.84	-385.82	-137.79	28.68
净利润(万元)	-499.45	13570.88	9369.59	12891.36
营业利润(万元)	1550.27	17064.61	11034.66	12947.89
利润总额(万元)	2291.05	18358.43	11151.84	13186.04

西安饮食股份有限公司

公司概况					
公司名称	西安饮食股份有限公司			证券简称	西安饮食
法人代表	胡昌民	董秘	郭养团	证券代码	000721
公司网址	www.xcsg.com		电子信箱	xcsg@xcsg.com	
电　话	029-82065865		传　真	029-82065899	
办公地址	陕西省西安市碑林区南二环西段27号西安旅游大厦6层				
经营范围	国内商业、物资供销业、物业管理、投资项目信息咨询及中介服务等				

主要财务指标 指标\报告期	2016.06.30	2015.12.31	2015.06.30	2014.12.31
基本每股收益(元)	0.0418	-0.0634	-0.0073	0.0222
基本每股收益(扣除后)(元)	-0.0230	-0.0800	-0.0204	-0.0544
稀释每股收益(元)	0.0418	-0.0634	-0.0073	0.0222
每股净资产(元)	1.3662	1.3243	1.3801	1.3873
每股经营现金净流量(元)	0.0121	0.0051	-0.0115	0.0442
每股现金流量(元)	0.0523	-0.0465	-0.0370	0.4683
每股资本公积金(元)	0.1112	0.1112	0.1108	0.1108
每股盈余公积金(元)	0.0968	0.0968	0.0968	0.0968
每股未分配利润(元)	0.1581	0.1163	0.1724	0.1797
净资产收益率(%)	3.0622	-4.7884	-0.5256	1.5975
加权净资产收益率(%)	3.1100	-5.0000	-0.5200	1.6000
净资产收益率(扣除)(%)	-1.6538	-5.9325	-1.4747	-3.9182
总资产(万元)	112669.90	108700.12	109664.16	106434.07
归属母公司股东权益(万元)	68180.06	66092.25	68873.15	69235.15
营业收入(万元)	25080.17	49900.16	23870.04	54577.61
营业支出(万元)	15577.84	30962.20	14602.89	33913.42
投资收益(万元)	-	-286.62	-	882.90
净利润(万元)	2080.10	-3310.90	-407.91	1211.90
营业利润(万元)	-1175.63	-4580.92	-1004.44	-1788.49
利润总额(万元)	3111.58	-3560.64	-209.15	2610.09

湖南发展集团股份有限公司

公司概况					
公司名称	湖南发展集团股份有限公司			证券简称	湖南发展
法人代表	杨国平	董秘	苏千里	证券代码	000722
公司网址	www.hnfzgf.com		电子信箱	hnfz@hnfzgf.com	
电　话	0731-88789296		传　真	0731-88789290	
办公地址	湖南省长沙市天心区芙蓉中路三段142号B座光大发展大厦第27楼				
经营范围	水力发电项目综合经营、房地产项目投资、土地资源、矿产资源的储备及综合经营等				

主要财务指标 指标\报告期	2016.06.30	2015.12.31	2015.06.30	2014.12.31
基本每股收益(元)	0.2100	0.2800	0.1400	0.4200
基本每股收益(扣除后)(元)	0.2100	0.2800	0.1400	0.4200
稀释每股收益(元)	0.2100	0.2800	0.1400	0.4200
每股净资产(元)	5.7620	5.5537	5.4206	5.2766
每股经营现金净流量(元)	0.2093	0.2692	0.1245	0.3790
每股现金流量(元)	0.0924	-0.0586	-0.0398	0.1222
每股资本公积金(元)	4.6056	4.6056	4.6056	4.6056
每股盈余公积金(元)	0.0205	0.0205	0.0205	0.0205
每股未分配利润(元)	0.1359	-0.0725	-0.2055	-0.3496
净资产收益率(%)	3.6153	4.9904	2.6579	7.9158
加权净资产收益率(%)	3.6800	5.1200	2.6900	8.2400
净资产收益率(扣除)(%)	3.6117	4.9899	2.6571	7.9075
总资产(万元)	300229.47	289919.02	297112.82	305156.99
归属母公司股东权益(万元)	267449.40	257780.31	251603.45	244916.02
营业收入(万元)	16471.12	27609.59	13558.55	27123.11
营业支出(万元)	6016.09	11623.71	5396.03	10811.03
投资收益(万元)	4234.58	5796.12	3203.30	10130.83
净利润(万元)	9606.07	12722.91	6695.75	19277.53
营业利润(万元)	12314.70	16464.46	8654.62	19258.39
利润总额(万元)	12327.49	16464.72	8657.48	19278.04

山西美锦能源股份有限公司

公司概况					
公司名称	山西美锦能源股份有限公司			证券简称	美锦能源
法人代表	姚锦龙	董秘	朱庆华	证券代码	000723
公司网址	www.mjenergy.com		电子信箱	meijinenergy@126.com	
电　话	0351-4236095		传　真	0351-4236092	
办公地址	山西省太原市迎泽区劲松北路31号哈伯中心12层				
经营范围	焦化厂、煤矿、煤层气的开发、投资、批发零售焦炭、金属材料、建材等				

主要财务指标 指标\报告期	2016.06.30	2015.12.31	2015.06.30	2014.12.31
基本每股收益(元)	0.0430	-0.1900	-0.0907	0.0300
基本每股收益(扣除后)(元)	0.0413	-0.1000	-0.0907	0.0300
稀释每股收益(元)	0.0430	-0.1900	-0.0907	0.0300
每股净资产(元)	2.7802	3.1917	1.5574	1.6494
每股经营现金净流量(元)	-0.1086	0.5045	-0.0868	-0.0950
每股现金流量(元)	-0.5370	0.6237	-0.0918	-0.1194
每股资本公积金(元)	1.5737	1.8325	0.1625	0.1625
每股盈余公积金(元)	0.0177	0.0207	0.0774	0.0774
每股未分配利润(元)	0.1499	0.1245	0.2767	0.3724
净资产收益率(%)	1.5458	-5.8255	-5.8225	2.0598
加权净资产收益率(%)	1.5600	-10.4600	-5.6500	2.0800
净资产收益率(扣除)(%)	1.4868	-3.2287	-5.8225	1.9670
总资产(万元)	1350388.47	1486074.79	86214.08	83679.40
归属母公司股东权益(万元)	634172.87	625312.20	43483.05	46051.96
营业收入(万元)	235427.11	570168.18	44457.29	99810.70
营业支出(万元)	165340.52	504195.90	37959.14	82468.39
投资收益(万元)	-10.87	-1.36	-	-
净利润(万元)	9102.61	-40794.88	-2796.54	999.47
营业利润(万元)	11904.64	-58339.20	-3570.41	1538.21
利润总额(万元)	12473.19	-53861.79	-3570.41	1601.51

京东方科技集团股份有限公司

公司概况					
公司名称	京东方科技集团股份有限公司			证券简称	京东方A
法人代表	王东升	董秘	刘洪峰	证券代码	000725
公司网址	www.boe.com.cn		电子信箱	web.master@boe.com.cn	
电　话	010-64318888		传　真	010-64366264	
办公地址	北京市北京经济技术开发区西环中路12号				
经营范围	电子产品、通信设备、电子计算机软硬件的制造及购销等				

主要财务指标 指标\报告期	2016.06.30	2015.12.31	2015.06.30	2014.12.31
基本每股收益(元)	-0.0150	0.0460	0.0550	0.0870
基本每股收益(扣除后)(元)	-0.0660	0.0170	0.0450	0.0620
稀释每股收益(元)	-0.0150	0.0460	0.0550	0.0870
每股净资产(元)	2.1791	2.2042	2.2130	2.1580
每股经营现金净流量(元)	0.0778	0.2985	0.1545	0.2294
每股现金流量(元)	0.1096	-0.0092	-0.1274	0.5676
每股资本公积金(元)	1.1103	1.1100	1.1075	1.1075
每股盈余公积金(元)	0.0168	0.0168	0.0156	0.0143
每股未分配利润(元)	0.0501	0.0748	0.0946	0.0407
净资产收益率(%)	-0.6742	2.1117	2.4984	3.3644
加权净资产收益率(%)	-0.6700	2.1300	2.5300	4.2900
净资产收益率(扣除)(%)	-3.0152	0.7922	2.0185	2.4002
总资产(万元)	17027578.50	15259289.44	14085598.94	13624028.35
归属母公司股东权益(万元)	7660114.08	7748527.56	7809691.31	7615507.16
营业收入(万元)	2644831.07	4862373.23	2297084.81	3681631.67
营业支出(万元)	2398709.12	3875509.07	1750961.04	2850488.07
投资收益(万元)	6499.43	18719.17	6465.92	1344.74
净利润(万元)	-58750.36	163810.99	195315.38	271591.40
营业利润(万元)	-231910.12	95370.47	195279.04	230762.57
利润总额(万元)	-53124.53	201324.31	236421.44	317590.72

鲁泰纺织股份有限公司

公司概况

公司名称	鲁泰纺织股份有限公司			证券简称	鲁 泰 A
法人代表	刘子斌	董秘	秦桂玲	证券代码	000726
公司网址	www.lttc.com.cn		电子信箱	qinguiling@lttc.com.cn	
电　　话	0533-5285166		传　　真	0533-5418805	
办公地址	山东省淄博市淄川区松龄东路 81 号				
经营范围	生产销售棉纱、色织布、衬衣、服装饰品、保健内衣等纺织品及配套系列产品等				

主要财务指标

指标\报告期	2016.06.30	2015.12.31	2015.06.30	2014.12.31
基本每股收益(元)	0.3700	0.7500	0.3600	1.0000
基本每股收益(扣除后)(元)	0.3500	0.7500	0.3200	0.9200
稀释每股收益(元)	0.3700	0.7500	0.3600	1.0000
每股净资产(元)	6.8093	7.1536	6.7549	6.8938
每股经营现金净流量(元)	0.5895	1.0752	0.3791	1.1636
每股现金流量(元)	-0.1962	0.1217	-0.1266	-0.2307
每股资本公积金(元)	1.0538	1.0538	1.0537	1.0537
每股盈余公积金(元)	0.8534	0.8534	0.7767	0.7767
每股未分配利润(元)	4.1142	4.2407	3.9327	4.0722
净资产收益率(%)	5.2956	10.4166	5.3364	14.5509
加权净资产收益率(%)	5.1000	10.6600	5.1000	15.3900
净资产收益率(扣除)(%)	5.1203	10.5054	4.7801	13.2968
总资产(万元)	902123.54	909117.05	858563.31	862767.14
归属母公司股东权益(万元)	650809.07	683711.31	645603.05	658877.22
营业收入(万元)	283132.68	617332.28	294183.59	616968.88
营业支出(万元)	193739.96	434103.49	213302.22	423458.44
投资收益(万元)	-3364.12	3154.00	2886.06	2805.59
净利润(万元)	34265.71	73554.30	34541.02	97937.72
营业利润(万元)	41870.08	84141.59	40700.44	103999.09
利润总额(万元)	43217.56	88344.90	41287.98	115697.50

南京华东电子信息科技股份有限公司

公司概况

公司名称	南京华东电子信息科技股份有限公司			证券简称	华东科技
法人代表	徐国飞	董秘	胡进文	证券代码	000727
公司网址	www.huadongtech.com		电子信箱	hjw@huadongtech.com	
电　　话	025-6606-7777-5028		传　　真	025-66852680	
办公地址	江苏省南京市栖霞区天佑路 7 号				
经营范围	电子产品、平板显示器件及模块、石英晶体产品、电子线路产品等				

主要财务指标

指标\报告期	2016.06.30	2015.12.31	2015.06.30	2014.12.31
基本每股收益(元)	-0.0060	0.0050	-0.0029	0.0290
基本每股收益(扣除后)(元)	-0.0197	-0.0664	-0.0080	-0.0687
稀释每股收益(元)	-0.0060	0.0050	-0.0029	0.0290
每股净资产(元)	2.3673	4.7465	4.7392	1.0012
每股经营现金净流量(元)	-0.0173	-0.0133	0.3977	0.1463
每股现金流量(元)	0.0875	-0.7651	2.6289	0.3066
每股资本公积金(元)	1.4512	3.9025	3.9029	1.0099
每股盈余公积金(元)	0.0219	0.0438	0.0438	0.2760
每股未分配利润(元)	-0.1058	-0.1998	-0.2075	-1.2902
净资产收益率(%)	-0.2522	0.0980	-0.0610	2.8946
加权净资产收益率(%)	-0.2500	0.1000	-0.1200	2.9372
净资产收益率(扣除)(%)	-0.8314	-1.3013	-0.1698	-6.7745
总资产(万元)	3123581.81	3194457.99	2936172.26	3020855.53
归属母公司股东权益(万元)	1072279.99	1074983.71	1073318.70	35760.86
营业收入(万元)	42185.69	115633.36	39129.10	98854.54
营业支出(万元)	40962.24	108960.28	35729.53	86683.55
投资收益(万元)	8877.45	10356.15	20.58	10.35
净利润(万元)	-3224.99	1735.77	-984.40	1488.55
营业利润(万元)	-4474.56	-2946.28	-2623.58	-3329.78
利润总额(万元)	-3122.16	2689.63	-964.00	1837.89

国元证券股份有限公司

公司概况

公司名称	国元证券股份有限公司			证券简称	国元证券
法人代表	蔡咏	董秘	陈新	证券代码	000728
公司网址	www.gyzq.com.cn		电子信箱	dshbgs@gyzq.com.cn	
电　　话	0551-62207323　62207968		传　　真	0551-62207322	
办公地址	安徽省合肥市梅山路 18 号安徽国际金融中心 A 座国元证券				
经营范围	证券经纪、证券投资咨询、与证券交易、证券投资活动有关的财务顾问等				

主要财务指标

指标\报告期	2016.06.30	2015.12.31	2015.06.30	2014.12.31
基本每股收益(元)	0.2600	1.4100	0.9600	0.7000
基本每股收益(扣除后)(元)	0.2600	1.4100	0.9600	0.7000
稀释每股收益(元)	0.2600	1.4100	0.9600	0.7000
每股净资产(元)	9.9767	10.1490	9.7250	8.8895
每股经营现金净流量(元)	-0.7518	0.5481	1.2470	0.9139
每股现金流量(元)	-2.7243	5.5013	11.0432	4.4450
每股资本公积金(元)	5.0280	5.0280	5.0280	5.0280
每股盈余公积金(元)	0.5360	0.5360	0.4033	0.4033
每股未分配利润(元)	2.2815	2.2678	2.2349	1.3741
净资产收益率(%)	2.6055	10.1490	9.8798	7.8566
加权净资产收益率(%)	2.5700	14.9000	10.3000	8.3100
净资产收益率(扣除)(%)	2.5710	13.9258	9.8749	7.8650
总资产(万元)	6724338.76	7255064.30	9240115.33	5314332.02
归属母公司股东权益(万元)	1959518.70	1993365.42	1910090.33	1745978.25
营业收入(万元)	140282.72	577338.21	361923.51	348603.61
营业支出(万元)	80099.72	-	117003.27	169098.78
投资收益(万元)	56795.75	188398.30	134561.24	153589.45
净利润(万元)	51374.61	278441.45	188712.32	137174.47
营业利润(万元)	60183.01	365351.61	244920.24	179504.84
利润总额(万元)	61220.90	366475.13	245050.07	179330.23

北京燕京啤酒股份有限公司

公司概况

公司名称	北京燕京啤酒股份有限公司			证券简称	燕京啤酒
法人代表	李福成	董秘	刘翔宇	证券代码	000729
公司网址	www.yanjing.com.cn		电子信箱	yanjing@public.bta.net.cn	
电　　话	010-89490729		传　　真	010-89495569	
办公地址	北京市顺义区双河路 9 号				
经营范围	啤酒、矿泉水、啤酒原料、饲料、酵母、塑料箱的制造和销售等				

主要财务指标

指标\报告期	2016.06.30	2015.12.31	2015.06.30	2014.12.31
基本每股收益(元)	0.1600	0.2090	0.2120	0.2590
基本每股收益(扣除后)(元)	0.1470	0.1340	0.1910	0.2210
稀释每股收益(元)	0.1600	0.2090	0.2120	0.2590
每股净资产(元)	4.6580	4.4977	4.5172	4.3605
每股经营现金净流量(元)	0.4035	0.5758	0.6683	0.4281
每股现金流量(元)	0.1779	0.0035	0.2721	0.0452
每股资本公积金(元)	1.6309	1.6309	1.6464	1.6148
每股盈余公积金(元)	0.5941	0.5941	0.5355	0.5371
每股未分配利润(元)	1.4330	1.2727	1.3352	1.2066
净资产收益率(%)	3.4422	4.6358	4.6960	5.9269
加权净资产收益率(%)	3.5000	4.7100	4.7800	6.0700
净资产收益率(扣除)(%)	3.1472	2.9669	4.2161	5.0719
总资产(万元)	1916551.91	1824277.74	2004124.97	1893065.09
归属母公司股东权益(万元)	1312884.49	1267692.37	1273178.64	1225158.58
营业收入(万元)	629367.98	1253826.70	703780.73	1350375.41
营业支出(万元)	359244.77	753216.18	398408.38	801294.00
投资收益(万元)	279.55	3471.76	2067.76	1196.60
净利润(万元)	48394.26	62744.07	66466.86	79163.42
营业利润(万元)	60380.41	59128.06	76403.89	90908.37
利润总额(万元)	64699.77	84023.52	82944.34	104882.65

四川美丰化工股份有限公司

公司概况

公司名称	四川美丰化工股份有限公司			证券简称	四川美丰
法人代表	张晓彬	董秘	王东	证券代码	000731
公司网址	www.scmeif.com		电子信箱	mfzqb@163.com	
电　话	0838-2304235		传　真	0838-2304228	
办公地址	四川省德阳市蓥华南路一段10号				
经营范围	公司属化肥生产行业、主要经营化学肥料、尿素、碳酸氢胺、合成氨等				

主要财务指标

指标\报告期	2016.06.30	2015.12.31	2015.06.30	2014.12.31
基本每股收益(元)	-0.0761	0.0937	0.0772	-0.4134
基本每股收益(扣除后)(元)	-0.0814	0.0721	0.0748	-0.4150
稀释每股收益(元)	-0.0761	0.0937	0.0772	-0.4134
每股净资产(元)	4.5143	4.5908	4.5818	4.5011
每股经营现金净流量(元)	0.0473	0.5288	0.0379	-0.0489
每股现金流量(元)	-0.1786	0.2900	0.0737	-0.8061
每股资本公积金(元)	1.0835	1.0835	1.0835	1.0835
每股盈余公积金(元)	0.6985	0.6985	0.6985	0.6985
每股未分配利润(元)	1.7301	1.8062	1.7898	1.7125
净资产收益率(%)	-1.6860	2.0418	1.6858	-9.1837
加权净资产收益率(%)	-1.6700	2.0600	1.7000	-8.7300
净资产收益率(扣除)(%)	-1.8026	1.5701	1.6332	-9.2206
总资产(万元)	469451.48	508253.42	466300.78	452513.30
归属母公司股东权益(万元)	267014.16	271535.75	271008.99	266232.63
营业收入(万元)	141154.38	392827.42	189143.52	476901.06
营业支出(万元)	124764.70	348598.12	163143.83	454755.28
投资收益(万元)	-546.78	-460.01	-149.30	-130.62
净利润(万元)	-5282.14	5693.24	4613.75	-24538.10
营业利润(万元)	-4993.62	5653.59	5162.46	-23136.46
利润总额(万元)	-4616.77	6711.72	5338.06	-23735.55

泰禾集团股份有限公司

公司概况

公司名称	泰禾集团股份有限公司			证券简称	泰禾集团
法人代表	黄其森	董秘	洪再春	证券代码	000732
公司网址	www.thaihot.com.cn		电子信箱	dongmi@thaihot.com.cn	
电　话	0591-87731557		传　真	0591-87731800	
办公地址	福建省福州市湖东路43号奥林匹克大厦6楼				
经营范围	房地产、农药双主业经营				

主要财务指标

指标\报告期	2016.06.30	2015.12.31	2015.06.30	2014.12.31
基本每股收益(元)	0.6226	1.2339	0.5565	0.7705
基本每股收益(扣除后)(元)	0.4809	1.2771	0.5713	0.7747
稀释每股收益(元)	0.6226	1.2339	0.5565	0.7705
每股净资产(元)	10.9355	10.8044	5.6320	3.7478
每股经营现金净流量(元)	-9.3870	-1.8890	0.6747	-16.3449
每股现金流量(元)	0.8287	2.0129	2.2755	-3.9748
每股资本公积金(元)	3.7775	3.7728	0.5491	0.5767
每股盈余公积金(元)	0.1043	0.1043	0.0939	0.0947
每股未分配利润(元)	3.1007	2.5781	2.6337	2.0842
净资产收益率(%)	5.6934	9.8557	9.8817	20.5594
加权净资产收益率(%)	5.7000	20.6300	13.8300	22.5600
净资产收益率(扣除)(%)	4.3980	10.2010	10.1445	20.6701
总资产(万元)	10399466.16	8478162.79	7148030.87	6240608.92
归属母公司股东权益(万元)	1360868.75	1344554.93	572879.24	382016.10
营业收入(万元)	661793.92	1481325.84	416556.64	837232.58
营业支出(万元)	484681.27	1038383.14	272115.81	571439.34
投资收益(万元)	25484.75	1206.70	1181.78	32.42
净利润(万元)	77678.45	126452.24	54463.77	71231.11
营业利润(万元)	104686.70	174068.49	74449.58	95338.06
利润总额(万元)	104163.26	167789.00	72556.84	94692.44

中国振华(集团)科技股份有限公司

公司概况

公司名称	中国振华(集团)科技股份有限公司			证券简称	振华科技
法人代表	靳宏荣	董秘	齐靖	证券代码	000733
公司网址	www.czst.com.cn		电子信箱	qijing@czelec.com.cn	
电　话	0851-6301078 6301022		传　真	0851-6302674	
办公地址	贵州省贵阳市乌当区新添大道北段268号				
经营范围	自产自销电子产品、机械产品、贸易、建筑、经济信息咨询、技术咨询、开发等				

主要财务指标

指标\报告期	2016.06.30	2015.12.31	2015.06.30	2014.12.31
基本每股收益(元)	0.2489	0.3800	0.1700	0.2800
基本每股收益(扣除后)(元)	0.1794	0.3100	0.1500	0.1300
稀释每股收益(元)	0.2489	0.3800	0.1700	0.2800
每股净资产(元)	7.7109	7.4972	7.2826	7.1100
每股经营现金净流量(元)	0.2460	0.7547	-0.0023	0.1673
每股现金流量(元)	0.0461	0.3859	-0.2204	0.9179
每股资本公积金(元)	4.8922	4.8922	4.8817	4.8534
每股盈余公积金(元)	0.2989	0.2989	0.2576	0.2576
每股未分配利润(元)	1.5262	1.3073	1.1424	1.0025
净资产收益率(%)	3.2277	5.0163	2.3332	3.8633
加权净资产收益率(%)	3.2700	5.1700	2.3700	4.1300
净资产收益率(扣除)(%)	2.3270	4.1992	2.0930	1.7480
总资产(万元)	742007.37	665605.04	603240.03	527011.42
归属母公司股东权益(万元)	361903.23	351875.38	341803.17	333657.72
营业收入(万元)	282955.03	506357.17	214504.41	417001.52
营业支出(万元)	227032.67	404687.87	162748.35	331129.01
投资收益(万元)	1208.60	1917.25	833.41	5359.71
净利润(万元)	12182.55	18623.82	8259.88	13359.21
营业利润(万元)	11259.20	19849.85	9769.23	13516.60
利润总额(万元)	13998.19	22431.69	10241.66	17434.20

罗牛山股份有限公司

公司概况

公司名称	罗牛山股份有限公司			证券简称	罗牛山
法人代表	徐自力	董秘	张慧	证券代码	000735
公司网址	www.luoniushan.com		电子信箱	lns@luoniushan.com	
电　话	0898-68581213 68585243		传　真	0898-68585243	
办公地址	海南省海口市美兰区国兴大道5号海南大厦农信楼10楼				
经营范围	种养植业、兴办工业、房地产开发经营、建筑装潢工程、农副畜水产品及饲料销售等				

主要财务指标

指标\报告期	2016.06.30	2015.12.31	2015.06.30	2014.12.31
基本每股收益(元)	0.0200	0.0690	0.0030	0.0580
基本每股收益(扣除后)(元)	-0.0190	-0.1770	-0.0607	-0.1190
稀释每股收益(元)	0.0200	0.0690	0.0030	0.0580
每股净资产(元)	2.9286	1.9563	1.8902	1.9391
每股经营现金净流量(元)	0.0630	0.0288	-0.2250	-0.0248
每股现金流量(元)	0.7702	-0.2353	-0.3397	-0.2048
每股资本公积金(元)	1.3539	0.2270	0.2270	0.2270
每股盈余公积金(元)	0.1178	0.1542	0.1439	0.1439
每股未分配利润(元)	0.4572	0.5751	0.5193	0.5362
净资产收益率(%)	0.6016	3.5330	0.1598	2.9876
加权净资产收益率(%)	0.8000	3.5700	0.1600	3.0100
净资产收益率(扣除)(%)	-0.5714	-9.0631	-3.2124	-6.1424
总资产(万元)	567809.19	450260.16	416426.13	425000.71
归属母公司股东权益(万元)	337232.25	172177.90	166360.82	170663.00
营业收入(万元)	34353.01	72999.89	36476.94	100581.72
营业支出(万元)	24345.09	60018.58	30380.78	85723.60
投资收益(万元)	206.20	4841.05	3842.16	13055.07
净利润(万元)	2786.24	6453.98	685.38	5462.21
营业利润(万元)	-1188.48	-12512.44	-1441.90	30.15
利润总额(万元)	3140.97	7712.33	740.09	8901.69

中房地产股份有限公司

公司概况	公司名称	中房地产股份有限公司			证券简称	中房地产
	法人代表	吴文德	董秘	田玉利	证券代码	000736
	公司网址	www.china-propertyholding.com		电子信箱	zfdc000736@163.com	
	电　话	023-67530016		传　真	023-67530016	
	办公地址	重庆市渝北区洪湖东路 9 号财富大厦 B 座 9 楼				
	经营范围	房地产开发、住宅建设及产业化、土地开发与土地整理等				

主要财务指标	指标\报告期	2016.06.30	2015.12.31	2015.06.30	2014.12.31
	基本每股收益(元)	0.0015	0.1000	0.0800	0.2500
	基本每股收益(扣除后)(元)	0.0015	0.1000	0.0800	0.0800
	稀释每股收益(元)	0.0015	0.1000	0.0800	0.2500
	每股净资产(元)	5.7320	5.7505	5.7309	5.6749
	每股经营现金净流量(元)	−3.2014	−1.9573	−0.4779	−4.6488
	每股现金流量(元)	0.4291	0.4276	1.3043	−0.6192
	每股资本公积金(元)	1.7126	1.7126	1.7126	1.7126
	每股盈余公积金(元)	0.1462	0.1462	0.1582	0.1582
	每股未分配利润(元)	2.8732	2.8917	2.8601	2.8041
	净资产收益率(%)	0.0254	1.6632	1.3260	4.4857
	加权净资产收益率(%)	0.0100	1.6800	1.3300	4.5900
	净资产收益率(扣除)(%)	0.0255	1.6524	1.3247	1.4260
	总资产(万元)	1037445.45	812693.80	691516.10	608811.87
	归属母公司股东权益(万元)	170350.92	170902.03	170318.13	168654.01
	营业收入(万元)	37413.84	111226.92	30778.89	70845.82
	营业支出(万元)	26929.55	84041.15	19268.77	47994.37
	投资收益(万元)	−95.06	−17.80	−28.76	6782.40
	净利润(万元)	−485.53	2778.43	2125.53	6726.92
	营业利润(万元)	−466.76	4549.30	3791.48	12386.67
	利润总额(万元)	−475.56	4575.86	3788.75	12377.47

南风化工集团股份有限公司

公司概况	公司名称	南风化工集团股份有限公司			证券简称	南风化工
	法人代表	李堂锁	董秘	高翔林	证券代码	000737
	公司网址	www.nafine.com		电子信箱	nafine@nafine.com	
	电　话	0359-8967017		传　真	0359-8967035	
	办公地址	山西省运城市红旗东街 376 号				
	经营范围	主要生产销售无机盐系列产品、日用化工及其他精细化工产品、化学肥料系列产品等				

主要财务指标	指标\报告期	2016.06.30	2015.12.31	2015.06.30	2014.12.31
	基本每股收益(元)	−0.1419	−0.3853	−0.1836	0.0587
	基本每股收益(扣除后)(元)	−0.1459	−0.4075	−0.1909	−0.4585
	稀释每股收益(元)	−0.1419	−0.3853	−0.1836	0.0587
	每股净资产(元)	0.1445	0.2864	0.4882	0.6717
	每股经营现金净流量(元)	0.1286	0.5239	0.1207	0.2150
	每股现金流量(元)	0.0269	−0.0016	0.0060	−0.0326
	每股资本公积金(元)	1.1388	1.1388	1.1388	1.1388
	每股盈余公积金(元)	0.1620	0.1620	0.1620	0.1620
	每股未分配利润(元)	−2.1563	−2.0144	−1.8127	−1.6291
	净资产收益率(%)	−98.1747	−134.5324	−37.6010	8.7336
	加权净资产收益率(%)	−65.8500	−80.4300	−31.6500	9.0800
	净资产收益率(扣除)(%)	−100.9460	−142.2723	−39.0994	−68.2572
	总资产(万元)	300469.16	304320.11	307102.88	305540.66
	归属母公司股东权益(万元)	7930.74	15716.72	26788.19	36860.81
	营业收入(万元)	109042.96	214516.77	115192.32	251891.48
	营业支出(万元)	84031.12	170297.45	91076.17	199723.72
	投资收益(万元)	26.53	357.83	−404.69	23490.00
	净利润(万元)	−7930.47	−21402.58	−10168.33	4985.11
	营业利润(万元)	−7874.59	−22527.82	−10549.43	−288.84
	利润总额(万元)	−7636.74	−21142.67	−10024.22	5610.43

中航动力控制股份有限公司

公司概况	公司名称	中航动力控制股份有限公司			证券简称	中航动控
	法人代表	张登馨	董秘	樊文辉	证券代码	000738
	公司网址	www.aaec.com.cn		电子信箱	zhdk@aaec.com.cn	
	电　话	0510-85700611 85700738		传　真	0510-85500738	
	办公地址	江苏省无锡市梁溪路 792 号				
	经营范围	航空、航天发动机控制系统产品的研制、生产、销售、修理等				

主要财务指标	指标\报告期	2016.06.30	2015.12.31	2015.06.30	2014.12.31
	基本每股收益(元)	0.0986	0.1713	0.0841	0.1615
	基本每股收益(扣除后)(元)	0.0919	0.1427	0.0805	0.1500
	稀释每股收益(元)	0.0986	0.1713	0.0841	0.1615
	每股净资产(元)	4.2234	4.1417	4.0571	3.9855
	每股经营现金净流量(元)	−0.1120	0.5539	−0.0021	0.1206
	每股现金流量(元)	−0.1847	0.3356	0.1055	−0.5425
	每股资本公积金(元)	2.3281	2.3281	2.3281	2.3281
	每股盈余公积金(元)	0.0435	0.0435	0.0362	0.0362
	每股未分配利润(元)	0.8428	0.7642	0.6842	0.6171
	净资产收益率(%)	2.3352	4.1359	2.0719	4.0512
	加权净资产收益率(%)	2.3500	4.2200	2.0900	4.1300
	净资产收益率(扣除)(%)	2.1770	3.4459	1.9846	3.7993
	总资产(万元)	689959.25	694847.17	687806.80	651408.34
	归属母公司股东权益(万元)	483848.20	474488.29	464797.79	456592.53
	营业收入(万元)	121562.10	259843.30	119505.09	257588.23
	营业支出(万元)	87115.96	199801.15	91002.80	202146.59
	投资收益(万元)	149.31	583.92	240.14	1996.61
	净利润(万元)	11382.72	19937.50	9715.04	18917.41
	营业利润(万元)	12422.00	19186.90	10769.34	20447.51
	利润总额(万元)	13372.64	23173.89	11297.10	21968.74

普洛药业股份有限公司

公司概况	公司名称	普洛药业股份有限公司			证券简称	普洛药业
	法人代表	徐文财	董秘	葛向全	证券代码	000739
	公司网址	www.apeloa.com		电子信箱	000739@apeloa.com	
	电　话	0579-86557527 86559672		传　真	0532-83890739 86558122	
	办公地址	浙江省东阳市横店江南路 333 号				
	经营范围	医药化工产品的研制、生产和销售等				

主要财务指标	指标\报告期	2016.06.30	2015.12.31	2015.06.30	2014.12.31
	基本每股收益(元)	0.0996	0.1800	0.1158	0.3000
	基本每股收益(扣除后)(元)	0.0758	0.1600	0.0984	0.1900
	稀释每股收益(元)	0.0996	0.1800	0.1158	0.3000
	每股净资产(元)	2.1518	2.1072	2.1265	2.0106
	每股经营现金净流量(元)	−0.0036	0.3847	0.1161	0.6859
	每股现金流量(元)	−0.1014	0.0461	−0.0202	−0.0084
	每股资本公积金(元)	0.1824	0.1824	0.1824	0.1824
	每股盈余公积金(元)	0.0688	0.0688	0.0638	0.0638
	每股未分配利润(元)	0.9006	0.8560	0.8803	0.7645
	净资产收益率(%)	4.6279	8.6163	5.4473	13.9710
	加权净资产收益率(%)	4.6400	8.7900	5.6000	15.7100
	净资产收益率(扣除)(%)	3.6599	7.5183	4.6266	9.0613
	总资产(万元)	545309.74	539493.87	533207.33	506181.18
	归属母公司股东权益(万元)	246782.23	241669.10	243879.39	230594.46
	营业收入(万元)	220058.92	433794.12	218929.96	423276.01
	营业支出(万元)	161825.74	314973.48	163205.03	313135.46
	投资收益(万元)	1214.49	−1589.47	−110.16	9120.17
	净利润(万元)	11420.91	20823.03	13284.93	32671.71
	营业利润(万元)	12533.17	20234.23	15709.15	34306.54
	利润总额(万元)	13715.25	24700.59	17012.73	37720.74

长城信息产业股份有限公司

公司概况	公司名称	长城信息产业股份有限公司			证券简称	长城信息
	法人代表	何明	董秘	王习发	证券代码	000748
	公司网址	www.gwi.com.cn		电子信箱	gwizqb@gwi.com.cn	
	电　话	0731-84932861		传　真	0731-84932862	
	办公地址	湖南省长沙市经济技术开发区东三路5号				
	经营范围	计算机终端及外部设备、金融机具、税控机具及商用电子设备、计量仪表等				

主要财务指标	指标\报告期	2016.06.30	2015.12.31	2015.06.30	2014.12.31
	基本每股收益(元)	0.0730	0.1643	0.0492	0.2413
	基本每股收益(扣除后)(元)	0.0564	0.1207	0.0331	0.1063
	稀释每股收益(元)	0.0730	0.1643	0.0492	0.2413
	每股净资产(元)	5.2534	5.4804	3.9832	5.7300
	每股经营现金净流量(元)	-0.6318	0.2361	-0.4038	0.4574
	每股现金流量(元)	-1.1640	0.0559	-0.6789	2.3564
	每股资本公积金(元)	1.1909	1.1909	1.1888	3.3777
	每股盈余公积金(元)	0.1316	0.1316	0.1251	0.2501
	每股未分配利润(元)	0.6986	0.6756	0.5670	1.1056
	净资产收益率(%)	1.3903	2.9982	1.2354	3.8883
	加权净资产收益率(%)	1.3500	4.3800	1.5100	6.8200
	净资产收益率(扣除)(%)	1.0742	2.2027	0.8311	1.7128
	总资产(万元)	600515.85	645492.85	490262.60	402936.72
	归属母公司股东权益(万元)	428054.90	446556.54	324561.35	233583.33
	营业收入(万元)	81681.54	212393.18	90749.26	170982.58
	营业支出(万元)	63372.04	164397.58	72955.93	133162.07
	投资收益(万元)	6020.16	3839.56	2169.70	2764.16
	净利润(万元)	5528.86	14304.26	5018.91	9809.48
	营业利润(万元)	5503.97	8368.31	3423.35	3427.45
	利润总额(万元)	6465.68	15896.72	5550.82	11543.04

国海证券股份有限公司

公司概况	公司名称	国海证券股份有限公司			证券简称	国海证券
	法人代表	何春梅	董秘	刘峻	证券代码	000750
	公司网址	www.ghzq.com.cn		电子信箱	dshbgs@ghzq.com.cn	
	电　话	0771-5539038　5532512		传　真	0771-5530903	
	办公地址	广西壮族自治区南宁市滨湖路46号国海大厦				
	经营范围	证券经纪、证券投资咨询、与证券交易、证券投资活动有关的财务顾问等				

主要财务指标	指标\报告期	2016.06.30	2015.12.31	2015.06.30	2014.12.31
	基本每股收益(元)	0.1300	0.7100	0.2600	0.3000
	基本每股收益(扣除后)(元)	0.1300	0.7100	0.4800	0.2900
	稀释每股收益(元)	0.1300	0.7100	0.2600	0.3000
	每股净资产(元)	3.1627	4.7175	3.2638	2.9230
	每股经营现金净流量(元)	-1.2570	-2.1367	3.8497	2.3729
	每股现金流量(元)	-1.4389	3.2714	8.1642	1.8982
	每股资本公积金(元)	1.4888	2.5332	1.1886	1.1886
	每股盈余公积金(元)	0.1148	0.1722	0.1336	0.1336
	每股未分配利润(元)	0.3273	0.5976	0.6553	0.3285
	净资产收益率(%)	4.0753	13.5235	14.6078	10.2179
	加权净资产收益率(%)	4.0800	18.8900	15.2700	10.6600
	净资产收益率(扣除)(%)	4.0679	13.4794	14.6144	9.9632
	总资产(万元)	5014280.88	5252009.23	6112906.65	2642006.90
	归属母公司股东权益(万元)	1333267.84	1325784.11	754053.95	675320.38
	营业收入(万元)	169374.67	495915.72	251977.74	254498.19
	营业支出(万元)	94122.36	-	-	161294.10
	投资收益(万元)	36518.34	56288.00	24689.91	47886.49
	净利润(万元)	57453.68	184097.27	112913.03	71530.92
	营业利润(万元)	75252.31	243675.05	150747.29	93204.10
	利润总额(万元)	75397.42	244840.15	150683.30	96374.24

葫芦岛锌业股份有限公司

公司概况	公司名称	葫芦岛锌业股份有限公司			证券简称	锌业股份
	法人代表	王明辉	董秘	刘建平	证券代码	000751
	公司网址	www.hldxygf.com		电子信箱	hld_xygf@163.com	
	电　话	0429-2024121		传　真	0429-2101801	
	办公地址	辽宁省葫芦岛市龙港区锌厂路24号				
	经营范围	锌、铜冶炼及深加工产品，硫酸、硫酸铜、镉、铟综合利用产品加工，重有色金属及制品加工				

主要财务指标	指标\报告期	2016.06.30	2015.12.31	2015.06.30	2014.12.31
	基本每股收益(元)	0.0401	0.0600	0.0300	0.0600
	基本每股收益(扣除后)(元)	0.0393	0.0600	0.0300	0.0300
	稀释每股收益(元)	0.0401	0.0600	0.0300	0.0600
	每股净资产(元)	1.4766	1.4364	1.4058	1.3720
	每股经营现金净流量(元)	0.1212	0.0065	-0.0346	-0.1162
	每股现金流量(元)	-0.0529	0.1532	-0.0361	-0.1436
	每股资本公积金(元)	0.9333	0.9333	0.9333	0.9333
	每股盈余公积金(元)	0.2637	0.2637	0.2637	0.2637
	每股未分配利润(元)	-0.7204	-0.7606	-0.7912	-0.8249
	净资产收益率(%)	2.7177	4.4818	2.3982	4.5537
	加权净资产收益率(%)	2.7600	4.5600	2.4300	4.6500
	净资产收益率(扣除)(%)	2.6589	4.2163	2.3183	2.2981
	总资产(万元)	376355.84	364289.77	324096.58	332869.53
	归属母公司股东权益(万元)	208174.64	202517.12	198193.75	193440.71
	营业收入(万元)	196685.91	412708.35	208874.40	435889.23
	营业支出(万元)	169789.83	354048.45	180973.29	390060.99
	投资收益(万元)	-	-	-	648.20
	净利润(万元)	5657.52	9076.69	4753.10	8887.49
	营业利润(万元)	5535.25	8539.03	4594.71	4524.27
	利润总额(万元)	5657.52	9076.69	4753.10	8887.49

西藏银河科技发展股份有限公司

公司概况	公司名称	西藏银河科技发展股份有限公司			证券简称	西藏发展
	法人代表	闫清江	董秘	杨岚岚	证券代码	000752
	公司网址	irm.p5w.net		电子信箱	xzfz752@163.com	
	电　话	028-65317117　65317138		传　真	028-65317117	
	办公地址	西藏自治区拉萨市色拉路36号				
	经营范围	生产、销售啤酒、饮料、饲料，养殖业、藏红花系列产品的开发等				

主要财务指标	指标\报告期	2016.06.30	2015.12.31	2015.06.30	2014.12.31
	基本每股收益(元)	0.0101	0.0624	0.0439	0.0975
	基本每股收益(扣除后)(元)	0.0101	0.0698	0.0438	0.0567
	稀释每股收益(元)	0.0101	0.0624	0.0439	0.0975
	每股净资产(元)	3.0041	2.9940	2.9855	2.9416
	每股经营现金净流量(元)	0.1176	0.4343	0.1996	0.2583
	每股现金流量(元)	0.1151	0.3348	0.1547	0.2315
	每股资本公积金(元)	0.0912	0.0912	0.0912	0.0912
	每股盈余公积金(元)	0.1935	0.1935	0.1935	0.1935
	每股未分配利润(元)	1.7194	1.7093	1.7008	1.6569
	净资产收益率(%)	0.3376	2.0838	1.4689	3.3137
	加权净资产收益率(%)	0.3400	2.1000	1.4800	3.3100
	净资产收益率(扣除)(%)	0.3353	2.3318	1.4660	1.9260
	总资产(万元)	142801.19	142383.59	139560.69	137807.76
	归属母公司股东权益(万元)	79236.98	78969.32	78744.21	77587.52
	营业收入(万元)	16807.16	39082.70	19701.84	39897.71
	营业支出(万元)	13015.12	28261.42	14238.44	28346.32
	投资收益(万元)	-580.63	-1497.06	-599.88	-1278.71
	净利润(万元)	1498.71	5674.85	3274.04	7088.89
	营业利润(万元)	1744.53	6679.32	3699.97	7235.21
	利润总额(万元)	1748.66	6488.48	3704.95	8714.48

福建漳州发展股份有限公司

公司概况					
公司名称	福建漳州发展股份有限公司			证券简称	漳州发展
法人代表	庄文海	董秘	韩金鹏	证券代码	000753
公司网址	www.zzdc.com.cn		电子信箱	zzdc753@sina.cn	
电　话	0596-2671753		传　真	0596-2671876	
办公地址	福建省漳州市胜利东路漳州发展广场 21 楼				
经营范围	城市基础设施开发与建设、市政工程的投资与管理等				

主要财务指标				
指标\报告期	2016.06.30	2015.12.31	2015.06.30	2014.12.31
基本每股收益(元)	0.0050	-0.0950	-0.0550	0.1600
基本每股收益(扣除后)(元)	-0.0010	-0.1110	-0.0670	0.0290
稀释每股收益(元)	0.0050	-0.0950	-0.0550	0.1600
每股净资产(元)	1.4929	1.4878	1.6177	2.8114
每股经营现金净流量(元)	-0.0563	0.0245	-0.0537	-0.8850
每股现金流量(元)	0.0952	-0.5610	-0.4445	0.7251
每股资本公积金(元)	0.1997	0.1997	0.2709	1.1605
每股盈余公积金(元)	0.0407	0.0407	0.0376	0.0639
每股未分配利润(元)	0.2523	0.2472	0.3092	0.5869
净资产收益率(%)	0.3441	-6.3856	-2.2263	4.8184
加权净资产收益率(%)	0.3400	-5.9800	-2.2000	8.3100
净资产收益率(扣除)(%)	-0.0822	-7.4285	-2.7005	0.8675
总资产(万元)	436820.00	382215.24	381075.94	401588.26
归属母公司股东权益(万元)	131994.10	131540.21	143032.52	146216.85
营业收入(万元)	143653.86	312257.40	153281.58	338836.87
营业支出(万元)	127299.38	282651.38	138941.79	295715.37
投资收益(万元)	-12.63	-13.26	-18.93	6289.82
净利润(万元)	287.35	-9098.21	-3452.08	6350.08
营业利润(万元)	862.83	-8803.06	-3100.23	10513.14
利润总额(万元)	1427.77	-7566.78	-2546.61	11590.71

山西三维集团股份有限公司

公司概况					
公司名称	山西三维集团股份有限公司			证券简称	山西三维
法人代表	王玉柱	董秘	梁国胜	证券代码	000755
公司网址	www.sxsanwei.com		电子信箱	sxsw000755@126.com	
电　话	0357-6663423　6663175		传　真	0357-6663566	
办公地址	山西省临汾市洪洞县赵城镇				
经营范围	化工产品、化纤产品及焦炭的生产、销售及出口贸易等				

主要财务指标				
指标\报告期	2016.06.30	2015.12.31	2015.06.30	2014.12.31
基本每股收益(元)	-0.6100	-1.0766	-0.5100	0.1249
基本每股收益(扣除后)(元)	-0.6179	-1.0833	-0.5100	0.0478
稀释每股收益(元)	-0.6100	-1.0766	-0.5100	0.1249
每股净资产(元)	1.9768	2.5872	3.1646	3.6653
每股经营现金净流量(元)	0.2033	0.0298	-0.0354	0.7600
每股现金流量(元)	0.1228	-0.3550	-0.2879	0.2529
每股资本公积金(元)	2.4067	2.4067	2.4067	2.4067
每股盈余公积金(元)	0.2811	0.2811	0.2811	0.2811
每股未分配利润(元)	-1.7153	-1.1017	-0.5316	-0.0251
净资产收益率(%)	-31.0385	-41.6144	-16.0069	3.4066
加权净资产收益率(%)	-26.1500	-33.8700	-14.8300	3.4400
净资产收益率(扣除)(%)	-31.2556	-41.8732	-16.0747	1.3029
总资产(万元)	531792.93	577651.56	586591.56	590473.49
归属母公司股东权益(万元)	92763.17	121405.97	148505.23	171997.36
营业收入(万元)	197949.09	757738.80	270032.15	592656.63
营业支出(万元)	205650.12	757378.05	270366.20	538498.33
投资收益(万元)	-	-	-	3222.50
净利润(万元)	-29479.60	-52527.29	-24496.39	4768.33
营业利润(万元)	-29737.80	-52474.08	-24572.35	4296.46
利润总额(万元)	-29476.73	-52082.25	-24471.65	4903.42

山东新华制药股份有限公司

公司概况					
公司名称	山东新华制药股份有限公司			证券简称	新华制药
法人代表	张代铭	董秘	曹长求	证券代码	000756
公司网址	www.xhzy.com		电子信箱	xhzy@xhzy.com	
电　话	0533-2196024		传　真	0533-2287508	
办公地址	山东省淄博市高新区鲁泰大道 1 号				
经营范围	开发、制造及销售化学原料药、制剂、化工及其他产品				

主要财务指标				
指标\报告期	2016.06.30	2015.12.31	2015.06.30	2014.12.31
基本每股收益(元)	0.1000	0.1800	0.0600	0.1100
基本每股收益(扣除后)(元)	0.1000	0.0900	0.0300	0.0200
稀释每股收益(元)	0.1000	0.1800	0.0600	0.1100
每股净资产(元)	4.1716	4.1203	4.0206	3.9813
每股经营现金净流量(元)	0.1833	0.7624	0.1602	0.7573
每股现金流量(元)	-0.1538	0.1863	0.4287	-0.0647
每股资本公积金(元)	1.1220	1.1220	1.1220	1.1091
每股盈余公积金(元)	0.4668	0.4668	0.4577	0.4577
每股未分配利润(元)	1.2874	1.2071	1.0788	1.0545
净资产收益率(%)	2.4043	4.4082	1.4064	2.7860
加权净资产收益率(%)	2.4000	4.4400	1.4100	2.8100
净资产收益率(扣除)(%)	2.3437	2.1730	0.8404	0.4821
总资产(万元)	438704.64	449212.24	448916.57	424514.97
归属母公司股东权益(万元)	190771.36	188425.66	183866.97	182069.02
营业收入(万元)	199850.04	359703.32	194840.81	358974.98
营业支出(万元)	154070.04	276038.60	152986.53	285492.82
投资收益(万元)	1.30	529.71	270.63	791.72
净利润(万元)	5258.77	9400.88	3109.61	6833.47
营业利润(万元)	6864.95	9206.78	4025.64	5455.93
利润总额(万元)	6788.63	11772.96	4447.91	9148.52

四川浩物机电股份有限公司

公司概况					
公司名称	四川浩物机电股份有限公司			证券简称	浩物股份
法人代表	颜广彤	董秘	赵吉杰	证券代码	000757
公司网址	hwgf757.com		电子信箱	hwgf757@hwgf757.com	
电　话	028-67691576　67691568		传　真	028-67691570	
办公地址	四川省成都市高新区天晖中街 56 号曙光国际大厦 1 栋 20 层 2028 号				
经营范围	机械制造业和电子产品制造业				

主要财务指标				
指标\报告期	2016.06.30	2015.12.31	2015.06.30	2014.12.31
基本每股收益(元)	0.0400	0.0300	0.0400	0.0400
基本每股收益(扣除后)(元)	0.0400	0.0400	0.0500	0.0400
稀释每股收益(元)	0.0400	0.0300	0.0400	0.0400
每股净资产(元)	1.2470	1.2102	1.2146	1.1710
每股经营现金净流量(元)	0.0911	0.1024	-0.0095	0.0444
每股现金流量(元)	-0.1653	-0.2724	-0.3086	0.4709
每股资本公积金(元)	1.8483	1.8483	1.8459	1.8424
每股盈余公积金(元)	0.1505	0.1505	0.1505	0.1505
每股未分配利润(元)	-1.7518	-1.7886	-1.7818	-1.8219
净资产收益率(%)	2.9528	2.7506	3.3040	3.4374
加权净资产收益率(%)	3.0000	2.8000	3.3700	5.6100
净资产收益率(扣除)(%)	2.9155	3.4831	3.7711	2.7988
总资产(万元)	86941.83	89266.75	85367.84	91923.00
归属母公司股东权益(万元)	56317.85	54654.89	54853.92	52884.06
营业收入(万元)	27476.41	47270.89	24446.58	40528.74
营业支出(万元)	20180.25	34527.64	17829.04	30149.66
投资收益(万元)	8.01	89.09	119.19	-55.66
净利润(万元)	1662.96	1503.35	1812.35	1817.84
营业利润(万元)	1975.16	2926.38	2469.71	2334.52
利润总额(万元)	1998.76	2455.28	2168.23	2714.11

中国有色金属建设股份有限公司

公司概况						
公司名称	中国有色金属建设股份有限公司			证券简称	中色股份
法人代表	张克利	董秘	刘依斌	证券代码	000758
公司网址	www.nfc.com.cn			电子信箱	investor@nfc-china.com
电　话	010-84427227			传　真	010-84427222
办公地址	北京市朝阳区安定路10号中国有色大厦				
经营范围	从事国际工程承包、开发国内外有色金属资源、装备制造、国际技术承包等				

主要财务指标：指标\报告期	2016.06.30	2015.12.31	2015.06.30	2014.12.31
基本每股收益(元)	0.0629	0.3810	0.1980	0.2700
基本每股收益(扣除后)(元)	0.0544	0.3250	0.1490	0.2060
稀释每股收益(元)	0.0629	0.3810	0.1980	0.2700
每股净资产(元)	2.4398	4.7814	4.7765	4.6303
每股经营现金净流量(元)	-0.6623	1.4519	-0.1543	0.5745
每股现金流量(元)	-0.5802	1.5060	-0.1599	0.4681
每股资本公积金(元)	0.4683	1.9365	1.9204	1.9204
每股盈余公积金(元)	0.1464	0.2928	0.2627	0.2627
每股未分配利润(元)	0.9060	1.7363	1.5832	1.4355
净资产收益率(%)	2.5770	7.9679	4.1396	5.8259
加权净资产收益率(%)	3.7500	8.0900	4.1800	6.0100
净资产收益率(扣除)(%)	2.2288	6.8026	3.1164	4.4574
总资产(万元)	2191368.77	2280849.84	2064573.97	1928425.02
归属母公司股东权益(万元)	480481.40	470819.47	470341.15	455936.89
营业收入(万元)	791586.41	1960688.01	861416.59	1822380.05
营业支出(万元)	708592.32	1792291.76	777780.31	1657936.23
投资收益(万元)	2215.95	9890.28	6780.17	9366.41
净利润(万元)	11529.66	30706.84	22207.19	32000.61
营业利润(万元)	18698.66	44681.48	28422.14	37555.33
利润总额(万元)	21393.88	50567.52	30981.76	44934.56

中百控股集团股份有限公司

公司概况					
公司名称	中百控股集团股份有限公司			证券简称	中百集团
法人代表	张锦松	董秘	杨晓红	证券代码	000759
公司网址	www.whzb.com			电子信箱	whzbyxh@sina.com
电　话	027-83823077 82832006			传　真	027-82832006
办公地址	湖北省武汉市硚口区古田二路南泥湾大道65-71号汇丰企业总部8号楼B座				
经营范围	商业零售及商品的网上销售、农产品加工等				

主要财务指标：指标\报告期	2016.06.30	2015.12.31	2015.06.30	2014.12.31
基本每股收益(元)	-0.0900	0.0100	0.0300	0.2700
基本每股收益(扣除后)(元)	-0.1200	-0.0600	0.0100	0.1100
稀释每股收益(元)	-0.0900	0.0100	0.0300	0.2700
每股净资产(元)	4.2679	4.3596	4.3911	4.4392
每股经营现金净流量(元)	0.5139	0.1633	0.3249	0.5097
每股现金流量(元)	0.1655	-0.3406	-0.1982	-0.4191
每股资本公积金(元)	1.5726	1.5726	1.5805	1.5805
每股盈余公积金(元)	0.4514	0.4514	0.4334	0.4334
每股未分配利润(元)	1.2439	1.3356	1.3772	1.4253
净资产收益率(%)	-2.1488	0.1890	0.7266	6.1606
加权净资产收益率(%)	-2.1300	0.1900	0.7200	6.2700
净资产收益率(扣除)(%)	-2.8076	-1.2678	0.1585	2.4054
总资产(万元)	801207.92	861638.04	883615.15	885534.17
归属母公司股东权益(万元)	290651.15	296896.71	299043.24	302318.51
营业收入(万元)	802327.55	1640138.48	860584.38	1690901.66
营业支出(万元)	639850.18	1298593.26	694633.37	1337941.71
投资收益(万元)	83.43	7114.73	313.94	14679.09
净利润(万元)	-6339.08	334.95	2070.35	18384.01
营业利润(万元)	-7784.04	6324.86	3517.70	28852.16
利润总额(万元)	-5431.27	5319.86	5332.70	25861.06

斯太尔动力股份有限公司

公司概况					
公司名称	斯太尔动力股份有限公司			证券简称	斯太尔
法人代表	刘晓疆	董秘	孙琛	证券代码	000760
公司网址	www.steyr-motors.cn			电子信箱	000760@sterdl.com
电　话	0519-81595631 81595760			传　真	0519-81595779
办公地址	江苏省常州市武进国家高新区武宜南路377号创新产业园2号楼				
经营范围	汽车配件制造及销售等				

主要财务指标：指标\报告期	2016.06.30	2015.12.31	2015.06.30	2014.12.31
基本每股收益(元)	-0.1000	-0.2500	-0.0604	0.0200
基本每股收益(扣除后)(元)	-0.1000	-0.2700	-0.0819	0.0100
稀释每股收益(元)	-0.1000	-0.2500	-0.0604	0.0200
每股净资产(元)	2.0816	1.9252	1.9794	2.8934
每股经营现金净流量(元)	-0.0892	-0.2042	-0.0667	-0.1399
每股现金流量(元)	-0.0143	-0.1838	-0.2171	-0.9038
每股资本公积金(元)	1.6941	1.4823	1.1617	2.0264
每股盈余公积金(元)	0.0236	0.0241	0.0237	0.0332
每股未分配利润(元)	-0.4141	-0.3224	-0.1322	-0.1006
净资产收益率(%)	-4.7340	-12.7369	-3.0514	0.6173
加权净资产收益率(%)	-5.1800	-12.5200	-2.9700	0.6100
净资产收益率(扣除)(%)	-4.9848	-13.9183	-4.1392	0.4173
总资产(万元)	214522.30	194877.40	173682.42	242952.92
归属母公司股东权益(万元)	164160.69	151827.10	152781.66	159516.43
营业收入(万元)	8112.06	34657.52	24442.96	74073.20
营业支出(万元)	7350.28	33642.90	22282.89	52948.67
投资收益(万元)	-	1376.63	1376.63	156.27
净利润(万元)	-8245.40	-19493.88	-4762.48	984.69
营业利润(万元)	-8523.18	-21078.53	-5486.16	1980.86
利润总额(万元)	-8111.48	-20490.32	-5188.04	2249.98

本钢板材股份有限公司

公司概况					
公司名称	本钢板材股份有限公司			证券简称	本钢板材
法人代表	赵忠民	董秘	孙延斌	证券代码	000761
公司网址				电子信箱	bgbc761@126.com
电　话	024-47828360 47827003			传　真	024-47827004
办公地址	辽宁省本溪市平山区人民路16号				
经营范围	钢铁冶炼及压延加工等				

主要财务指标：指标\报告期	2016.06.30	2015.12.31	2015.06.30	2014.12.31
基本每股收益(元)	0.0600	-1.0500	0.0500	0.0740
基本每股收益(扣除后)(元)	0.0500	-1.0500	0.0300	0.0740
稀释每股收益(元)	0.0600	-1.0500	0.0500	0.0740
每股净资产(元)	3.8656	3.8055	4.9001	4.9058
每股经营现金净流量(元)	0.7624	-0.7350	-0.5989	0.9146
每股现金流量(元)	0.8819	-1.5033	-1.8517	1.5544
每股资本公积金(元)	2.9065	2.9065	2.9065	2.9065
每股盈余公积金(元)	0.3065	0.3065	0.3065	0.3065
每股未分配利润(元)	-0.3494	-0.4076	0.6835	0.6927
净资产收益率(%)	1.5058	-27.5984	0.8330	1.5132
加权净资产收益率(%)	1.5200	-24.1100	0.8300	1.5200
净资产收益率(扣除)(%)	1.3571	-28.9266	0.6851	1.2163
总资产(万元)	4818907.67	4446164.33	4552169.81	4917060.30
归属母公司股东权益(万元)	1212249.21	1193410.04	1536660.75	1538456.23
营业收入(万元)	1262958.46	2925363.86	1634491.52	4142208.80
营业支出(万元)	1091418.23	2981189.50	1490154.94	3848911.90
投资收益(万元)	-	722.66	658.43	2084.55
净利润(万元)	20629.57	-324092.84	14498.47	31487.32
营业利润(万元)	32226.68	-383323.71	12100.38	32699.86
利润总额(万元)	34635.80	-368131.86	14256.55	35381.64

西藏矿业发展股份有限公司

公司概况

公司名称	西藏矿业发展股份有限公司			证券简称	西藏矿业
法人代表	戴扬	董秘	王迎春	证券代码	000762
公司网址			电子信箱	xzkydsh@sina.com	
电　话	0891-6872095 028-85355661		传　真	0891-6872095 028-85351955	
办公地址	西藏自治区拉萨市中和国际城金珠二路 8 号				
经营范围	铬铁矿开采和销售、铬铁合金加工与销售、铜、锂、硼等矿的开采等				

主要财务指标

指标\报告期	2016.06.30	2015.12.31	2015.06.30	2014.12.31
基本每股收益(元)	0.0212	0.0652	0.0237	-0.1856
基本每股收益(扣除后)(元)	0.0207	0.0651	0.0198	-0.1880
稀释每股收益(元)	0.0212	0.0652	0.0237	-0.1856
每股净资产(元)	4.0550	3.4658	3.4259	3.4031
每股经营现金净流量(元)	0.2223	0.6448	0.0828	-0.2206
每股现金流量(元)	0.7552	0.1070	0.1388	-0.1910
每股资本公积金(元)	3.0389	2.4695	2.4695	2.4695
每股盈余公积金(元)	0.1007	0.1102	0.1102	0.1102
每股未分配利润(元)	-0.0891	-0.1197	-0.1611	-0.1848
净资产收益率(%)	0.5001	1.8803	0.6925	-5.4534
加权净资产收益率(%)	0.5600	1.9000	0.6900	-5.2900
净资产收益率(扣除)(%)	0.4880	1.8770	0.5783	-5.5256
总资产(万元)	295489.74	240254.12	259686.30	266353.50
归属母公司股东权益(万元)	211190.38	164963.38	163063.96	161980.18
营业收入(万元)	27525.00	91089.27	41879.51	51468.38
营业支出(万元)	16828.63	74937.45	35188.40	47001.21
投资收益(万元)	-148.38	-281.00	-195.51	525.21
净利润(万元)	4013.23	3569.50	1115.82	-9885.98
营业利润(万元)	4775.03	4061.89	1494.06	-9933.15
利润总额(万元)	4794.46	4209.29	1763.86	-10186.82

通化金马药业集团股份有限公司

公司概况

公司名称	通化金马药业集团股份有限公司			证券简称	通化金马
法人代表	姬彦锋	董秘	贾伟林	证券代码	000766
公司网址	www.thjm.cn		电子信箱	thjmjt@163.com	
电　话	0435-3910232 3907298		传　真	0435-3907298 3910232	
办公地址	吉林省通化市二道江区金马路 999 号				
经营范围	生产中西成药、生化制剂、营养及保健制品等				

主要财务指标

指标\报告期	2016.06.30	2015.12.31	2015.06.30	2014.12.31
基本每股收益(元)	0.1036	0.0100	0.0147	0.0100
基本每股收益(扣除后)(元)	0.1036	0.0100	0.0110	0.0300
稀释每股收益(元)	0.1036	0.0100	0.0147	0.0100
每股净资产(元)	4.1413	3.0955	2.1760	1.4688
每股经营现金净流量(元)	-0.2168	-0.2807	-0.1655	0.0764
每股现金流量(元)	0.5250	0.0436	0.0185	0.0858
每股资本公积金(元)	3.7687	3.8692	2.3909	2.0391
每股盈余公积金(元)	0.1124	0.1895	0.1895	0.2420
每股未分配利润(元)	-0.7398	-1.4070	-1.4043	-1.8123
净资产收益率(%)	2.2954	0.3055	0.6742	0.7833
加权净资产收益率(%)	2.7000	0.6300	0.8800	0.8200
净资产收益率(扣除)(%)	2.1876	0.2858	0.5234	1.9056
总资产(万元)	466062.24	415568.71	175123.66	128558.53
归属母公司股东权益(万元)	400255.56	224637.47	124792.52	65949.61
营业收入(万元)	32037.36	19755.87	9130.01	20841.47
营业支出(万元)	10422.89	9644.75	4373.87	7937.61
投资收益(万元)	2923.86	2582.13	2477.55	2294.41
净利润(万元)	9142.14	686.31	841.36	516.56
营业利润(万元)	9905.26	480.80	600.96	1601.90
利润总额(万元)	10454.60	573.26	789.15	872.45

山西漳泽电力股份有限公司

公司概况

公司名称	山西漳泽电力股份有限公司			证券简称	漳泽电力
法人代表	文生元	董秘	王一峰	证券代码	000767
公司网址	www.zhangzepower.com		电子信箱	info@zhangzepower.com	
电　话	0351-7785891 7785895		传　真	0351-7785894	
办公地址	山西省太原市晋阳街南一条 10 号				
经营范围	电力商品生产和销售、热力商品生产与销售、燃料、材料、电力高新技术等				

主要财务指标

指标\报告期	2016.06.30	2015.12.31	2015.06.30	2014.12.31
基本每股收益(元)	-0.0518	0.1828	0.1900	0.2443
基本每股收益(扣除后)(元)	-0.0629	0.1572	0.1400	0.2100
稀释每股收益(元)	-0.0518	0.1828	0.1900	0.2443
每股净资产(元)	2.5145	2.5664	2.5705	2.3014
每股经营现金净流量(元)	0.2849	1.2323	0.5151	1.2499
每股现金流量(元)	0.3790	-0.3789	-0.7380	0.4091
每股资本公积金(元)	1.0126	1.0126	1.0044	0.9205
每股盈余公积金(元)	0.0780	0.0780	0.0588	0.0588
每股未分配利润(元)	0.4239	0.4758	0.5073	0.3221
净资产收益率(%)	-2.0616	7.1212	7.2049	10.6146
加权净资产收益率(%)	-2.0400	7.5300	7.4800	11.1900
净资产收益率(扣除)(%)	-2.5013	6.1266	5.5618	9.1036
总资产(万元)	3670256.88	3319595.32	3145360.97	3096028.60
归属母公司股东权益(万元)	566695.14	578390.67	579328.68	518669.98
营业收入(万元)	344428.88	909749.49	455208.76	1092283.74
营业支出(万元)	303631.85	703765.11	344543.77	890347.93
投资收益(万元)	9153.04	-2181.46	4355.56	-2806.89
净利润(万元)	-12455.87	60000.53	50074.11	67663.15
营业利润(万元)	-10559.59	82220.60	51722.69	76619.26
利润总额(万元)	-7030.69	89458.76	60011.16	86624.94

中航飞机股份有限公司

公司概况

公司名称	中航飞机股份有限公司			证券简称	中航飞机
法人代表	刘选民	董秘	雷阎正	证券代码	000768
公司网址	www.aircraft_co.avic.com		电子信箱	zhfj000768@avic.com	
电　话	029-86833097 86833107		传　真	029-81668080	
办公地址	陕西省西安市阎良区西飞大道一号				
经营范围	飞机、飞行器零部件的设计、试验、生产、维修、改装、销售、服务及相关业务等				

主要财务指标

指标\报告期	2016.06.30	2015.12.31	2015.06.30	2014.12.31
基本每股收益(元)	0.0290	0.1481	-0.0400	0.1326
基本每股收益(扣除后)(元)	0.0146	0.0951	-0.0612	0.0974
稀释每股收益(元)	0.0290	0.1481	-0.0400	0.1326
每股净资产(元)	5.4262	5.5096	4.4650	4.4919
每股经营现金净流量(元)	-0.0965	0.4776	-1.0328	-0.4268
每股现金流量(元)	-0.3416	1.2280	-0.1743	-0.9954
每股资本公积金(元)	3.6536	3.6536	2.7313	2.7303
每股盈余公积金(元)	0.3343	0.3343	0.3376	0.3376
每股未分配利润(元)	0.3585	0.4295	0.2685	0.4085
净资产收益率(%)	0.5347	2.6226	-0.8964	2.9522
加权净资产收益率(%)	0.5300	3.0100	-0.8900	3.0000
净资产收益率(扣除)(%)	0.2698	1.6846	-1.3707	2.1680
总资产(万元)	3779989.34	3746405.54	3661292.21	3404691.90
归属母公司股东权益(万元)	1502324.23	1525411.07	1184942.53	1192079.24
营业收入(万元)	943042.18	2411576.62	824775.94	2119808.45
营业支出(万元)	871935.92	2224305.23	768157.80	1913990.97
投资收益(万元)	827.26	3341.99	387.05	3414.40
净利润(万元)	7886.78	46068.31	-11647.37	37564.34
营业利润(万元)	3922.00	31524.88	-18530.98	35349.34
利润总额(万元)	8809.90	51444.99	-11478.66	48060.49

广发证券股份有限公司

公司概况						
	公司名称	广发证券股份有限公司			证券简称	广发证券
	法人代表	孙树明	董秘	罗斌华	证券代码	000776
	公司网址	www.gf.com.cn		电子信箱	lbh@gf.com.cn	
	电　话	020-87550265 87550565		传　真	020-87553600 87554163	
	办公地址	广东省广州市天河区天河北路183-187号大都会广场5楼、18楼、19楼、36楼、38楼、39楼、41-44楼				
	经营范围	证券代理买卖、自营买卖、证券承销和上市推荐等业务				

主要财务指标	指标\报告期	2016.06.30	2015.12.31	2015.06.30	2014.12.31
	基本每股收益(元)	0.5300	1.8700	1.3000	0.8500
	基本每股收益(扣除后)(元)	0.5300	1.8700	1.2900	0.8400
	稀释每股收益(元)	0.5300	1.8700	1.3000	0.8500
	每股净资产(元)	9.6573	10.1717	9.5244	6.6900
	每股经营现金净流量(元)	–0.3299	5.0056	1.4751	1.1071
	每股现金流量(元)	–3.6600	6.2522	18.6435	8.9189
	每股资本公积金(元)	4.1810	4.1810	4.1568	1.6651
	每股盈余公积金(元)	0.5427	0.5427	0.3950	0.4357
	每股未分配利润(元)	2.6406	2.9173	2.7844	2.2489
	净资产收益率(%)	5.4763	17.0293	11.5806	12.6798
	加权净资产收益率(%)	5.1300	21.1400	16.1800	13.5600
	净资产收益率(扣除)(%)	5.4521	16.9819	11.5134	12.4952
	总资产(万元)	35760905.64	41909701.47	51712618.78	15801323.74
	归属母公司股东权益(万元)	7359905.20	7751927.36	7258656.95	3696135.46
	营业收入(万元)	1013005.91	3344663.99	1971188.74	1339497.29
	营业支出(万元)	–	–	846991.88	684174.37
	投资收益(万元)	347207.25	1031496.09	610333.47	356014.35
	净利润(万元)	420283.24	1361235.34	863774.80	514551.30
	营业利润(万元)	528582.09	1767919.38	1124196.86	655322.92
	利润总额(万元)	530496.91	1780571.23	1133879.10	664859.54

中核苏阀科技实业股份有限公司

公司概况						
	公司名称	中核苏阀科技实业股份有限公司			证券简称	中核科技
	法人代表	彭新英	董秘	陆振学	证券代码	000777
	公司网址	www.chinasufa.com		电子信箱	dongm@chinasufa.com	
	电　话	0512-66672245		传　真	0512-67526983	
	办公地址	江苏省苏州市国家高新技术产业开发区珠江路501号				
	经营范围	各类工业用阀门的设计、制造和销售等				

主要财务指标	指标\报告期	2016.06.30	2015.12.31	2015.06.30	2014.12.31
	基本每股收益(元)	0.0788	0.2260	0.0912	0.1876
	基本每股收益(扣除后)(元)	0.0610	0.1796	0.0708	0.1320
	稀释每股收益(元)	0.0788	0.2260	0.0912	0.1876
	每股净资产(元)	2.9973	2.9745	2.8394	2.7983
	每股经营现金净流量(元)	–0.1699	0.2020	–0.1431	–0.0071
	每股现金流量(元)	–0.2327	0.1936	–0.2636	–0.3351
	每股资本公积金(元)	0.6507	0.6507	0.6507	0.6507
	每股盈余公积金(元)	0.2771	0.2771	0.2522	0.2522
	每股未分配利润(元)	1.0653	1.0465	0.9365	0.8953
	净资产收益率(%)	2.6301	7.5974	3.2109	6.7049
	加权净资产收益率(%)	2.6200	7.8300	3.2100	6.8000
	净资产收益率(扣除)(%)	2.0365	6.0381	2.4950	4.7161
	总资产(万元)	182023.54	190142.91	181575.44	182207.11
	归属母公司股东权益(万元)	114922.63	114048.95	108868.87	107290.27
	营业收入(万元)	44447.15	103490.03	52145.24	104066.64
	营业支出(万元)	34622.68	78567.68	39750.41	79076.73
	投资收益(万元)	1696.65	4878.40	1458.41	3745.48
	净利润(万元)	2818.69	8365.67	3280.73	7109.92
	营业利润(万元)	2198.62	6420.88	2637.38	4820.47
	利润总额(万元)	3151.09	8846.89	3710.41	7797.88

新兴铸管股份有限公司

公司概况						
	公司名称	新兴铸管股份有限公司			证券简称	新兴铸管
	法人代表	李成章	董秘	曾耀赣	证券代码	000778
	公司网址	www.xinxing-pipes.com		电子信箱	xxzg0778@163.com	
	电　话	0310-5792011		传　真	0310-5796999	
	办公地址	河北省武安市上洛阳村北(2672厂区)				
	经营范围	离心球墨铸铁管及配套管件、钢铁冶炼及压延加工、铸造制品等				

主要财务指标	指标\报告期	2016.06.30	2015.12.31	2015.06.30	2014.12.31
	基本每股收益(元)	0.0518	0.1646	0.0958	0.2292
	基本每股收益(扣除后)(元)	0.0397	–0.0852	–0.0115	–0.0800
	稀释每股收益(元)	0.0518	0.1646	0.0958	0.2292
	每股净资产(元)	4.7147	4.6612	4.6398	4.5600
	每股经营现金净流量(元)	–0.1349	0.5745	0.0382	0.5503
	每股现金流量(元)	–0.2726	0.0058	–0.1649	–0.5364
	每股资本公积金(元)	1.9950	1.9950	1.9949	1.9950
	每股盈余公积金(元)	0.2886	0.2793	0.2707	0.2509
	每股未分配利润(元)	1.4118	1.3693	1.3491	1.2732
	净资产收益率(%)	1.0981	3.5309	2.0643	5.0275
	加权净资产收益率(%)	1.1000	3.5700	2.0800	5.1500
	净资产收益率(扣除)(%)	0.8419	–1.8280	–0.2473	–1.7284
	总资产(万元)	5109896.69	5087128.62	5144694.21	5327544.56
	归属母公司股东权益(万元)	1717710.61	1698226.42	1690421.54	1661272.55
	营业收入(万元)	2693070.94	5003063.98	2683275.72	6079327.34
	营业支出(万元)	2547528.58	4773556.58	2590422.14	5816643.99
	投资收益(万元)	704.06	82325.67	68765.96	6090.40
	净利润(万元)	19836.74	46703.56	27242.61	55671.98
	营业利润(万元)	20665.08	8032.67	23186.95	–43898.62
	利润总额(万元)	24886.69	80210.49	30116.65	101060.45

兰州三毛实业股份有限公司

公司概况						
	公司名称	兰州三毛实业股份有限公司			证券简称	三毛派神
	法人代表	阮英	董秘	单小东	证券代码	000779
	公司网址	www.chinapaishen.com		电子信箱	sxd@chinapaishen.com	
	电　话	0931-4592238		传　真	0931-4592238 4592289	
	办公地址	甘肃省兰州市兰州新区嘉陵江街568号				
	经营范围	毛精纺呢绒的生产与销售等				

主要财务指标	指标\报告期	2016.06.30	2015.12.31	2015.06.30	2014.12.31
	基本每股收益(元)	–0.1800	–0.4200	–0.0900	0.0500
	基本每股收益(扣除后)(元)	–0.1800	–0.4400	–0.0900	–0.1900
	稀释每股收益(元)	–0.1800	–0.4200	–0.0900	0.0500
	每股净资产(元)	0.9240	1.1033	1.4346	1.5273
	每股经营现金净流量(元)	1.1165	0.0791	–0.0265	–0.2775
	每股现金流量(元)	–0.2684	–0.0287	–0.3303	0.0151
	每股资本公积金(元)	1.7261	1.7261	1.7261	1.7261
	每股盈余公积金(元)	0.1869	0.1869	0.1869	0.1869
	每股未分配利润(元)	–1.9890	–1.8097	–1.4784	–1.3856
	净资产收益率(%)	–19.4044	–38.4374	–6.4626	3.5297
	加权净资产收益率(%)	–17.6900	–32.2400	–6.2600	4.0000
	净资产收益率(扣除)(%)	–21.1501	–40.0073	–6.5211	–12.4253
	总资产(万元)	91195.07	72575.22	68501.35	70640.27
	归属母公司股东权益(万元)	17226.55	20569.25	26746.98	28475.52
	营业收入(万元)	10747.49	20692.27	9404.15	27636.23
	营业支出(万元)	9889.77	19083.70	8617.81	22204.95
	投资收益(万元)	80.92	50.40	–	315.00
	净利润(万元)	–3342.71	–7906.28	–1728.54	1005.09
	营业利润(万元)	–3643.44	–8229.19	–1744.19	–871.57
	利润总额(万元)	–3342.71	–7906.28	–1728.54	1005.09

内蒙古平庄能源股份有限公司

公司概况					
公司名称	内蒙古平庄能源股份有限公司			证券简称	*ST 平能
法人代表	徐晓惠	董秘	张建忠	证券代码	000780
公司网址	www.nmgpzny.com		电子信箱	pznyzjz@163.com	
电　话	0476-3324281　3328400		传　真	0476-3328220	
办公地址	内蒙古自治区赤峰市元宝山区平庄镇哈河街平庄能源公司				
经营范围	煤炭生产、洗选加工、销售(仅限分公司经营)				

主要财务指标 指标\报告期	2016.06.30	2015.12.31	2015.06.30	2014.12.31
基本每股收益(元)	-0.2200	-0.3900	-0.0500	0.0300
基本每股收益(扣除后)(元)	-0.2200	-0.3800	-0.0500	0.0300
稀释每股收益(元)	-0.2200	-0.3900	-0.0500	0.0300
每股净资产(元)	4.0845	4.2522	4.6157	4.6059
每股经营现金净流量(元)	-0.1068	0.6369	-0.0010	0.4963
每股现金流量(元)	-0.1071	0.3026	-0.0137	0.1556
每股资本公积金(元)	1.4291	1.4291	1.4291	1.4291
每股盈余公积金(元)	0.2429	0.2429	0.2430	0.2430
每股未分配利润(元)	0.9610	1.1831	1.5187	1.5780
净资产收益率(%)	-5.4366	-9.0566	-1.0690	0.5861
加权净资产收益率(%)	-5.3300	-8.7000	-1.0700	0.5900
净资产收益率(扣除)(%)	-5.4303	-9.0026	-1.0570	0.6353
总资产(万元)	536399.64	568288.52	610157.33	563133.74
归属母公司股东权益(万元)	414298.44	431300.08	468176.66	467177.62
营业收入(万元)	85210.69	204387.82	94100.91	255449.24
营业支出(万元)	82074.52	175028.30	69289.44	187908.15
投资收益(万元)	-	-	-	-
净利润(万元)	-22523.93	-39061.11	-5004.92	2738.25
营业利润(万元)	-22381.96	-39426.95	-5803.08	6978.89
利润总额(万元)	-22394.73	-39875.43	-5859.35	6730.83

广东新会美达锦纶股份有限公司

公司概况					
公司名称	广东新会美达锦纶股份有限公司			证券简称	美达股份
法人代表	梁柏松	董秘	朱明辉	证券代码	000782
公司网址	www.meidanylon.com		电子信箱	meida@meidanylon.com	
电　话	0750-6107981　6109778		传　真	0750-6103091	
办公地址	广东省江门市新会区江会路上浅口				
经营范围	锦纶 6 切片、纺丝、印染的生产与销售等				

主要财务指标 指标\报告期	2016.06.30	2015.12.31	2015.06.30	2014.12.31
基本每股收益(元)	-0.0400	0.0900	0.1800	-0.5200
基本每股收益(扣除后)(元)	-0.0600	0.0500	0.1400	-0.5200
稀释每股收益(元)	-0.0400	0.0900	0.1800	-0.5200
每股净资产(元)	2.3315	2.3924	2.4808	2.3461
每股经营现金净流量(元)	0.1217	0.0040	-0.0954	0.4861
每股现金流量(元)	0.1111	-0.3550	0.0881	0.0755
每股资本公积金(元)	1.2085	1.2085	1.2085	1.2085
每股盈余公积金(元)	0.1224	0.1224	0.1089	0.1089
每股未分配利润(元)	0.0117	0.0732	0.1763	0.0143
净资产收益率(%)	-1.7766	3.8628	7.3374	-18.4236
加权净资产收益率(%)	-1.7500	3.9000	7.5400	-22.2100
净资产收益率(扣除)(%)	-2.4615	2.0948	5.4820	-18.3224
总资产(万元)	216531.70	229741.60	251157.89	254337.24
归属母公司股东权益(万元)	123134.18	126352.85	131023.11	123906.10
营业收入(万元)	112054.96	284710.31	145243.79	336360.99
营业支出(万元)	102320.14	261530.20	130925.00	320750.19
投资收益(万元)	537.39	8618.92	8618.92	723.92
净利润(万元)	-2152.06	4709.76	9572.40	-23737.48
营业利润(万元)	-2999.31	4817.95	9156.91	-23508.09
利润总额(万元)	-2152.06	5035.13	9572.51	-23612.54

长江证券股份有限公司

公司概况					
公司名称	长江证券股份有限公司			证券简称	长江证券
法人代表	尤习贵	董秘	李佳	证券代码	000783
公司网址	www.cjsc.com		电子信箱	inf@cjsc.com	
电　话	027-65799866		传　真	027-85481726	
办公地址	湖北省武汉市江汉区新华路特 8 号				
经营范围	证券代理买卖、代理证券的还本付息、分红派息等				

主要财务指标 指标\报告期	2016.06.30	2015.12.31	2015.06.30	2014.12.31
基本每股收益(元)	0.2400	0.7400	0.5200	0.3600
基本每股收益(扣除后)(元)	0.2300	0.7300	0.5200	0.3600
稀释每股收益(元)	0.2400	0.7400	0.5200	0.3600
每股净资产(元)	3.3800	3.5500	3.3500	2.9400
每股经营现金净流量(元)	0.4845	0.2756	0.6628	0.4604
每股现金流量(元)	-0.2389	2.8222	7.6202	2.8784
每股资本公积金(元)	0.6258	0.6258	0.6226	0.6226
每股盈余公积金(元)	0.2755	0.2755	0.2069	0.2069
每股未分配利润(元)	0.9171	1.0320	1.0262	0.6599
净资产收益率(%)	6.9556	20.7728	15.4135	12.2338
加权净资产收益率(%)	6.7100	23.0000	16.2900	12.8900
净资产收益率(扣除)(%)	6.8956	20.6427	15.3941	12.1277
总资产(万元)	9135182.65	9962502.22	13343258.12	6792283.09
归属母公司股东权益(万元)	1602868.53	1681703.31	1588549.16	1394036.90
营业收入(万元)	257572.04	849964.38	485837.94	454820.87
营业支出(万元)	125833.48	-	171517.69	236463.31
投资收益(万元)	58876.90	160408.48	25526.12	99192.23
净利润(万元)	111747.52	349594.88	244901.06	170581.23
营业利润(万元)	131738.56	439773.99	314320.25	218357.55
利润总额(万元)	133008.33	440442.39	314731.08	219425.12

武汉中商集团股份有限公司

公司概况					
公司名称	武汉中商集团股份有限公司			证券简称	武汉中商
法人代表	郝健	董秘	易国华	证券代码	000785
公司网址	www.zhongshang.com.cn		电子信箱	zncgzsjt@163.com	
电　话	027-87362507		传　真	027-87307723	
办公地址	湖北省武汉市武昌区中南路 9 号				
经营范围	百货、日用杂品销售、超级市场零售、物流配送、仓储服务等				

主要财务指标 指标\报告期	2016.06.30	2015.12.31	2015.06.30	2014.12.31
基本每股收益(元)	0.1300	-0.1900	0.0900	0.1000
基本每股收益(扣除后)(元)	0.1300	-0.1800	0.0700	0.0700
稀释每股收益(元)	0.1300	-0.1900	0.0900	0.1000
每股净资产(元)	3.2112	3.0765	3.3614	3.3675
每股经营现金净流量(元)	-0.0069	0.6186	0.0615	0.8088
每股现金流量(元)	-0.1070	-0.3690	-0.3093	-0.4772
每股资本公积金(元)	0.2930	0.2930	0.2930	0.2930
每股盈余公积金(元)	0.8474	0.8474	0.8473	0.8473
每股未分配利润(元)	1.0707	0.9360	1.2212	1.2272
净资产收益率(%)	4.1951	-6.2087	2.7958	3.0858
加权净资产收益率(%)	4.2800	-5.9300	2.8400	3.1300
净资产收益率(扣除)(%)	4.0367	-5.9301	2.1685	2.1212
总资产(万元)	255328.73	263744.07	276156.92	288426.92
归属母公司股东权益(万元)	80671.53	77287.28	84446.74	84598.03
营业收入(万元)	206188.41	440758.55	225299.01	445583.02
营业支出(万元)	161549.96	354338.49	180905.10	355406.81
投资收益(万元)	7.18	801.07	406.17	-176.90
净利润(万元)	5066.44	-1579.41	4012.79	5552.41
营业利润(万元)	6432.70	1534.76	4845.45	7691.46
利润总额(万元)	6506.27	1154.79	5422.30	8226.24

北新集团建材股份有限公司

公司概况					
公司名称	北新集团建材股份有限公司			证券简称	北新建材
法人代表	王兵	董秘	史可平	证券代码	000786
公司网址	www.bnbm.com.cn		电子信箱	skp@bnbm.com.cn	
电　　话	010-68138786		传　　真	010-68138822	
办公地址	北京市海淀区复兴路17号国海广场2号楼15层				
经营范围	新型建材材料、新型墙体材料、化工产品、装饰材料、能源技术及产品等				

主要财务指标　指标\报告期	2016.06.30	2015.12.31	2015.06.30	2014.12.31
基本每股收益(元)	0.3250	0.6340	0.2710	1.8180
基本每股收益(扣除后)(元)	0.3290	0.6040	0.2500	1.5950
稀释每股收益(元)	0.3250	0.6340	0.2710	1.8180
每股净资产(元)	5.6670	5.5171	5.1559	11.8540
每股经营现金净流量(元)	0.2857	1.3502	0.3641	2.2189
每股现金流量(元)	0.3107	–0.5238	–0.1463	0.5694
每股资本公积金(元)	1.2488	1.2488	1.2513	3.5026
每股盈余公积金(元)	0.3593	0.3593	0.3082	0.6163
每股未分配利润(元)	3.0576	2.9077	2.5952	5.0741
净资产收益率(%)	5.7338	11.4969	5.2486	15.3359
加权净资产收益率(%)	5.7500	11.9500	5.1700	21.2400
净资产收益率(扣除)(%)	5.8061	10.9551	4.8516	13.4554
总资产(万元)	1362870.27	1360436.83	1411336.01	1337256.31
归属母公司股东权益(万元)	801305.36	780104.98	729040.98	720823.86
营业收入(万元)	361970.83	755117.88	363685.26	829503.22
营业支出(万元)	237372.73	519097.14	256671.75	581488.17
投资收益(万元)	2466.58	9321.51	2368.40	811.90
净利润(万元)	61030.82	121578.10	52847.09	146912.66
营业利润(万元)	73342.57	144392.09	60652.23	148854.17
利润总额(万元)	70714.33	140727.67	61383.52	166266.72

北大医药股份有限公司

公司概况					
公司名称	北大医药股份有限公司			证券简称	北大医药
法人代表	赵永凯	董秘	任秀文	证券代码	000788
公司网址	www.pku-hc.com		电子信箱	zqb@pku-hc.com	
电　　话	023-67525366		传　　真	023-67525300	
办公地址	重庆市渝北区金开大道56号两江天地1单元9楼、10楼				
经营范围	研制开发、生产销售医药原料药及制剂产品等				

主要财务指标　指标\报告期	2016.06.30	2015.12.31	2015.06.30	2014.12.31
基本每股收益(元)	0.0200	0.0400	–0.2000	–0.0500
基本每股收益(扣除后)(元)	0.0200	–0.4200	–0.2100	–0.0700
稀释每股收益(元)	0.0200	0.0400	–0.2000	–0.0500
每股净资产(元)	1.9211	1.9009	1.6581	1.8626
每股经营现金净流量(元)	–0.2731	0.6857	0.1909	0.2785
每股现金流量(元)	0.0095	1.3221	–0.2690	–0.4605
每股资本公积金(元)	0.3342	0.3342	0.3342	0.3342
每股盈余公积金(元)	0.0741	0.0741	0.0714	0.0714
每股未分配利润(元)	0.5163	0.4966	0.2527	0.4574
净资产收益率(%)	1.0217	2.2092	–12.3437	–2.4416
加权净资产收益率(%)	1.0300	2.2300	–11.6300	–2.4100
净资产收益率(扣除)(%)	0.8919	–22.2350	–12.5255	–3.5813
总资产(万元)	237120.27	312386.26	430845.22	461208.15
归属母公司股东权益(万元)	114494.35	113293.69	98818.61	111009.38
营业收入(万元)	87669.15	201072.64	93135.87	226581.75
营业支出(万元)	70908.33	176020.45	83180.63	183956.68
投资收益(万元)	–426.00	22685.61	–231.31	251.92
净利润(万元)	1168.39	1172.31	–13102.42	–3796.36
营业利润(万元)	1732.12	–4468.44	–13420.09	–3248.86
利润总额(万元)	1902.95	3381.89	–13009.44	–2133.08

江西万年青水泥股份有限公司

公司概况					
公司名称	江西万年青水泥股份有限公司			证券简称	万年青
法人代表	江尚文	董秘	方真	证券代码	000789
公司网址	www.wnq.com.cn		电子信箱	wnqzqb@126.com	
电　　话	0791-88120789		传　　真	0791-88160230	
办公地址	江西省南昌市高新技术开发区京东大道399号万年青科技园				
经营范围	硅酸盐水泥熟料及硅酸盐水泥的生产和销售				

主要财务指标　指标\报告期	2016.06.30	2015.12.31	2015.06.30	2014.12.31
基本每股收益(元)	0.1096	0.4053	0.1595	1.3449
基本每股收益(扣除后)(元)	0.1086	0.3858	0.1521	1.3300
稀释每股收益(元)	0.1096	0.4053	0.2208	1.3449
每股净资产(元)	4.3075	4.2980	4.0521	6.1390
每股经营现金净流量(元)	0.2749	1.2966	0.2302	2.4397
每股现金流量(元)	–0.3087	0.3812	0.0843	0.1649
每股资本公积金(元)	0.4531	0.4531	0.4531	1.1796
每股盈余公积金(元)	0.2477	0.2477	0.1717	0.2576
每股未分配利润(元)	2.6067	2.5971	2.4273	3.7017
净资产收益率(%)	2.5437	9.4305	3.9355	21.9072
加权净资产收益率(%)	2.5200	9.7200	3.8200	23.9450
净资产收益率(扣除)(%)	2.5202	8.9763	3.7524	21.6655
总资产(万元)	872605.06	900807.51	885319.17	883661.37
归属母公司股东权益(万元)	264208.48	263621.45	248541.98	251027.93
营业收入(万元)	228369.90	558302.81	254051.19	668275.87
营业支出(万元)	186734.73	440732.60	208276.69	486242.74
投资收益(万元)	346.70	1098.15	1032.81	1322.57
净利润(万元)	10296.79	34291.68	12068.25	87601.34
营业利润(万元)	11864.86	39888.72	12758.67	99060.74
利润总额(万元)	14157.57	46743.87	17024.45	109106.28

成都华神集团股份有限公司

公司概况					
公司名称	成都华神集团股份有限公司			证券简称	华神集团
法人代表	王仁果	董秘	叶静	证券代码	000790
公司网址	www.huasungrp.com		电子信箱	hsjt@huasungrp.com	
电　　话	028-66616656　66616680		传　　真	028-66616656	
办公地址	四川省成都市高新区蜀新大道1168号				
经营范围	高新技术产品开发生产、经营、中西制剂、原料药的生产等				

主要财务指标　指标\报告期	2016.06.30	2015.12.31	2015.06.30	2014.12.31
基本每股收益(元)	0.0389	–0.0868	0.0099	0.1717
基本每股收益(扣除后)(元)	0.0384	–0.1126	0.0076	0.0264
稀释每股收益(元)	0.0389	–0.0868	0.0099	0.1717
每股净资产(元)	1.3923	1.3534	1.4501	1.6430
每股经营现金净流量(元)	0.0580	–0.1404	–0.1282	–0.0478
每股现金流量(元)	–0.2355	0.0165	0.0960	–0.0327
每股资本公积金(元)	0.0887	0.0887	0.0887	0.0993
每股盈余公积金(元)	0.1826	0.1798	0.1784	0.1959
每股未分配利润(元)	0.1210	0.0849	0.1830	0.3478
净资产收益率(%)	2.7937	–6.4126	0.6814	10.4527
加权净资产收益率(%)	2.8300	–6.1600	0.6800	10.8600
净资产收益率(扣除)(%)	2.7643	–8.3205	0.5261	1.6066
总资产(万元)	82678.82	92584.70	102485.46	106254.42
归属母公司股东权益(万元)	60011.59	58335.01	62501.69	63230.33
营业收入(万元)	24103.52	46331.19	24525.95	52821.65
营业支出(万元)	9798.83	21473.78	12255.58	29821.51
投资收益(万元)	–157.64	–46.25	–0.08	226.81
净利润(万元)	1676.57	–3740.80	425.88	6609.31
营业利润(万元)	2072.74	–4241.47	588.12	1328.55
利润总额(万元)	2093.59	–2938.47	702.28	8771.06

甘肃电投能源发展股份有限公司

公司概况	公司名称	甘肃电投能源发展股份有限公司		证券简称	甘肃电投
	法人代表	李宁平	董秘 寇世民	证券代码	000791
	公司网址	www.gepiced.com		电子信箱	nyfzksm@163.com
	电　话	9031-8378559		传　真	0931-8378560
	办公地址	甘肃省兰州市城关区北滨河东路 69 号甘肃投资集团大厦 24 楼			
	经营范围	以水力发电为主的可再生能源、新能源的投资开发,高科技研发,生产经营及相关信息咨询服务			

主要财务指标	2016.06.30	2015.12.31	2015.06.30	2014.12.31
基本每股收益(元)	–0.1829	0.0449	–0.0942	0.2746
基本每股收益(扣除后)(元)	–0.1453	0.0455	–0.0945	0.2746
稀释每股收益(元)	–0.1829	0.0449	–0.0942	0.2746
每股净资产(元)	5.0887	4.5234	4.9049	5.0541
每股经营现金净流量(元)	0.3336	1.2157	0.5093	1.2705
每股现金流量(元)	–0.2878	0.1592	–0.1749	0.1384
每股资本公积金(元)	3.5038	3.4268	2.8660	2.8660
每股盈余公积金(元)	0.0773	0.1039	0.0765	0.0765
每股未分配利润(元)	0.5076	0.9343	0.9624	1.1116
净资产收益率(%)	–3.2866	0.9932	–1.9212	5.4333
加权净资产收益率(%)	–4.0200	0.8900	–0.0200	5.5300
净资产收益率(扣除)(%)	–2.6117	0.9019	–1.9268	5.4331
总资产(万元)	1929565.26	1958056.84	1336245.83	1362146.03
归属母公司股东权益(万元)	494174.25	394662.50	354207.63	364984.37
营业收入(万元)	64893.67	132562.46	55666.39	146738.16
营业支出(万元)	51624.03	81000.87	38109.51	79316.80
投资收益(万元)	2620.61	6567.19	2885.68	7223.82
净利润(万元)	–16897.68	3066.53	–7104.75	20590.20
营业利润(万元)	–17555.09	6126.62	–6487.48	22838.44
利润总额(万元)	–17582.32	6053.56	–6464.23	22813.54

青海盐湖工业股份有限公司

公司概况	公司名称	青海盐湖工业股份有限公司		证券简称	盐湖股份
	法人代表	王兴富	董秘 李勇	证券代码	000792
	公司网址	www.qhyhgf.com		电子信箱	yhjf0792@sina.com
	电　话	0979-8448123		传　真	0979-8434445
	办公地址	青海省格尔木市黄河路 28 号			
	经营范围	氯化钾产品的开发、生产、销售			

主要财务指标	2016.06.30	2015.12.31	2015.06.30	2014.12.31
基本每股收益(元)	0.1773	0.3514	0.2270	0.8188
基本每股收益(扣除后)(元)	0.1056	0.0923	0.2144	0.8201
稀释每股收益(元)	0.1773	0.3514	0.2270	0.8188
每股净资产(元)	13.2317	12.3350	11.2324	11.1193
每股经营现金净流量(元)	0.2963	0.4054	–0.4542	0.8523
每股现金流量(元)	–1.5208	3.0860	0.8828	0.3868
每股资本公积金(元)	5.6030	5.6465	3.7190	3.7190
每股盈余公积金(元)	0.9204	0.9204	0.9995	0.9995
每股未分配利润(元)	4.7706	4.6243	5.3520	5.2102
净资产收益率(%)	1.3401	2.4397	2.0206	7.3635
加权净资产收益率(%)	1.4300	3.1300	2.0200	7.5900
净资产收益率(扣除)(%)	0.5422	0.6411	1.9090	7.3759
总资产(万元)	8077521.19	8071320.75	7364068.71	6789930.62
归属母公司股东权益(万元)	2457644.56	2291090.48	1786527.02	1768541.50
营业收入(万元)	527322.81	1088222.25	431691.04	1047436.32
营业支出(万元)	259363.15	519211.90	222526.18	507719.40
投资收益(万元)	25120.48	2151.88	2051.36	1261.54
净利润(万元)	36351.23	54423.51	34092.66	133138.21
营业利润(万元)	42793.35	22361.15	8213.27	113600.95
利润总额(万元)	44158.14	76237.74	44664.21	172016.19

华闻传媒投资集团股份有限公司

公司概况	公司名称	华闻传媒投资集团股份有限公司		证券简称	华闻传媒
	法人代表	汪方怀	董秘 金日	证券代码	000793
	公司网址	www.000793.com		电子信箱	hwm@000793.com
	电　话	0898-66254650 66196060		传　真	0898-66254650 66255636
	办公地址	海南省海口市海甸四东路民生大厦			
	经营范围	传播与文化产业的投资、开发、管理及咨询服务、信息集成等			

主要财务指标	2016.06.30	2015.12.31	2015.06.30	2014.12.31
基本每股收益(元)	0.1574	0.4122	0.2009	0.5300
基本每股收益(扣除后)(元)	0.0851	0.3791	0.1788	0.3545
稀释每股收益(元)	0.1574	0.4122	0.2009	0.5300
每股净资产(元)	4.4725	4.3104	3.9979	3.4972
每股经营现金净流量(元)	–0.0615	0.4010	0.1109	0.4043
每股现金流量(元)	–0.5980	0.6641	0.2764	0.1576
每股资本公积金(元)	1.7536	1.7082	1.6823	1.3218
每股盈余公积金(元)	0.1721	0.1695	0.1432	0.1486
每股未分配利润(元)	1.4554	1.3191	1.1346	1.0242
净资产收益率(%)	3.5746	9.4762	4.9452	14.2290
加权净资产收益率(%)	3.6000	10.3400	5.2900	19.9300
净资产收益率(扣除)(%)	1.9336	8.7183	4.4017	9.5174
总资产(万元)	1293753.92	1281825.71	1174516.96	1083693.14
归属母公司股东权益(万元)	902270.58	884166.85	820063.30	691224.36
营业收入(万元)	174327.12	433554.85	207649.94	395285.15
营业支出(万元)	104558.17	243154.05	119206.47	216404.07
投资收益(万元)	22810.63	14860.95	3931.60	39755.49
净利润(万元)	34097.98	89679.71	42984.38	104987.87
营业利润(万元)	41209.14	87625.10	42477.06	124048.92
利润总额(万元)	41901.89	92039.62	44682.24	126315.24

英洛华科技股份有限公司

公司概况	公司名称	英洛华科技股份有限公司		证券简称	英洛华
	法人代表	许晓华	董秘 周玉旺	证券代码	000795
	公司网址	www.twin-tower.com		电子信箱	tygydmc@twin-tower.com
	电　话	0351-6080338		传　真	0351-6080065
	办公地址	山西省太原市万柏林区新晋祠路 147 号尚德峰国际 14 层			
	经营范围	稀土永磁材料与制品、棕刚玉系列产品、物流设备与控制和信息系统等			

主要财务指标	2016.06.30	2015.12.31	2015.06.30	2014.12.31
基本每股收益(元)	0.0200	–0.1400	–0.1330	0.0400
基本每股收益(扣除后)(元)	–0.0100	–0.2300	–0.1200	–0.4800
稀释每股收益(元)	0.0200	–0.1400	–0.1330	0.0400
每股净资产(元)	1.7269	2.6581	2.1230	2.2564
每股经营现金净流量(元)	–0.0119	–0.4397	–0.5962	0.0349
每股现金流量(元)	0.5247	–0.9284	–1.6343	1.2037
每股资本公积金(元)	0.9441	2.6203	2.5718	3.3201
每股盈余公积金(元)	0.0419	0.1068	0.0900	0.0900
每股未分配利润(元)	–0.2591	–0.7113	–1.5388	–1.4053
净资产收益率(%)	1.1484	–4.9051	–6.2876	1.5820
加权净资产收益率(%)	1.6600	–5.2000	–6.1000	3.0400
净资产收益率(扣除)(%)	–0.4319	–8.3058	–5.8876	–18.4002
总资产(万元)	282144.35	222968.47	130321.91	229340.54
归属母公司股东权益(万元)	195778.23	134048.76	72801.51	103041.65
营业收入(万元)	77221.69	112680.54	30267.19	77941.54
营业支出(万元)	63379.45	94833.73	27491.93	72157.89
投资收益(万元)	6.34	–2000.14	–	20.89
净利润(万元)	2161.06	–5933.47	–4601.44	1077.89
营业利润(万元)	1211.42	–7960.68	–4208.15	–14449.67
利润总额(万元)	3215.17	–4767.07	–4596.42	1206.53

海航凯撒旅游集团股份有限公司

公司概况	公司名称	海航凯撒旅游集团股份有限公司			证券简称	凯撒旅游
	法人代表	刘江涛	董秘	张延波	证券代码	000796
	公司网址	www.hnacaissa.com		电子信箱	hhks@hnair.com	
	电　话	010-50955100		传　真	010-50955101	
	办公地址	北京市朝阳区霄云路甲26号海航大厦17层				
	经营范围	百货、纺织品、摩托车、普通机械、电器设备、塑料制品、化工产品及原料等				

主要财务指标	指标\报告期	2016.06.30	2015.12.31	2015.06.30	2014.12.31
	基本每股收益(元)	0.0709	0.2941	0.0588	0.1450
	基本每股收益(扣除后)(元)	0.0760	0.1029	0.0585	0.1451
	稀释每股收益(元)	0.0709	0.2941	0.0588	0.1450
	每股净资产(元)	2.1435	2.0495	2.2606	2.2004
	每股经营现金净流量(元)	-0.1891	0.3586	0.0764	0.6554
	每股现金流量(元)	-1.1898	1.3939	0.3416	0.2007
	每股资本公积金(元)	0.7825	0.7753	1.3570	1.3893
	每股盈余公积金(元)	0.0663	0.0663	0.2064	0.2160
	每股未分配利润(元)	0.2920	0.2084	-0.3028	-0.1944
	净资产收益率(%)	3.3080	12.5045	2.5991	6.5916
	加权净资产收益率(%)	3.4000	28.5000	2.1600	6.7800
	净资产收益率(扣除)(%)	3.5451	4.3733	2.5897	3.1253
	总资产(万元)	412052.44	353651.46	134925.01	210498.92
	归属母公司股东权益(万元)	172119.35	164577.87	55733.26	59431.73
	营业收入(万元)	260212.70	493450.17	30449.27	59392.14
	营业支出(万元)	210252.57	397932.89	15947.91	32011.54
	投资收益(万元)	373.42	291.28	367.76	573.87
	净利润(万元)	7137.86	22873.33	2697.09	5796.76
	营业利润(万元)	9690.10	29363.53	3921.08	5835.70
	利润总额(万元)	9728.82	29518.86	3936.45	6386.09

中国武夷实业股份有限公司

公司概况	公司名称	中国武夷实业股份有限公司			证券简称	中国武夷
	法人代表	丘亮新	董秘	林金铸	证券代码	000797
	公司网址	www.chinawuyi.com.cn		电子信箱	gzb@chinawuyi.com.cn	
	电　话	0591-83170122 83170123		传　真	0591-83170222	
	办公地址	福建省福州市五四路89号置地广场4层				
	经营范围	投资开发、国际工程承包及外经外贸等				

主要财务指标	指标\报告期	2016.06.30	2015.12.31	2015.06.30	2014.12.31
	基本每股收益(元)	0.0900	0.3300	0.1800	0.2900
	基本每股收益(扣除后)(元)	0.0700	0.1700	0.0700	0.2600
	稀释每股收益(元)	0.0900	0.3300	0.1800	0.2900
	每股净资产(元)	4.1329	3.1562	2.8935	3.7392
	每股经营现金净流量(元)	1.3769	-1.3521	-0.5334	-0.2089
	每股现金流量(元)	0.4593	2.0133	1.7324	0.6280
	每股资本公积金(元)	1.6661	0.2222	0.1877	1.2452
	每股盈余公积金(元)	0.0406	0.0521	0.0521	0.0521
	每股未分配利润(元)	1.2892	1.5517	1.4077	1.2739
	净资产收益率(%)	1.9375	10.3836	6.3500	7.7978
	加权净资产收益率(%)	2.2400	10.8900	6.1500	8.1000
	净资产收益率(扣除)(%)	1.6235	5.4840	2.4916	7.0656
	总资产(万元)	1097386.68	1000183.61	878797.87	795795.23
	归属母公司股东权益(万元)	206560.78	121995.46	112690.01	145623.95
	营业收入(万元)	84409.48	240900.03	100185.40	212368.56
	营业支出(万元)	66544.25	165091.30	65538.85	159279.15
	投资收益(万元)	2610.97	5578.91	5159.11	1184.35
	净利润(万元)	3809.93	12913.81	4179.49	9872.14
	营业利润(万元)	4573.89	14424.81	7279.65	14950.70
	利润总额(万元)	4419.81	15070.49	7277.52	15113.94

中水集团远洋股份有限公司

公司概况	公司名称	中水集团远洋股份有限公司			证券简称	中水渔业
	法人代表	宗文峰	董秘	陈明	证券代码	000798
	公司网址	www.cofc.com.cn		电子信箱	chenming@cofc.com.cn	
	电　话	010-88067461		传　真	010-88067463	
	办公地址	北京市西城区西单民丰胡同31号中水大厦613室				
	经营范围	远洋水产品的捕捞、储运、加工、销售和进出口等				

主要财务指标	指标\报告期	2016.06.30	2015.12.31	2015.06.30	2014.12.31
	基本每股收益(元)	-0.0764	-0.7540	0.0617	0.0659
	基本每股收益(扣除后)(元)	-0.0807	-0.7630	0.0609	0.0509
	稀释每股收益(元)	-0.0764	-0.7540	0.0617	0.0659
	每股净资产(元)	1.6727	1.8295	2.6526	2.6365
	每股经营现金净流量(元)	-0.1759	0.2012	-0.2442	-0.0490
	每股现金流量(元)	-0.2832	-0.4323	-0.7236	0.1412
	每股资本公积金(元)	1.0347	1.0347	1.0400	1.0400
	每股盈余公积金(元)	0.2051	0.2051	0.2051	0.2051
	每股未分配利润(元)	-0.4637	-0.3873	0.5095	0.4878
	净资产收益率(%)	-4.5654	-41.2128	2.3272	2.4991
	加权净资产收益率(%)	-4.4600	-34.0700	2.3300	2.5100
	净资产收益率(扣除)(%)	-4.8262	-41.6954	2.2945	1.9292
	总资产(万元)	80218.94	82560.59	122572.24	92903.61
	归属母公司股东权益(万元)	53435.79	55855.52	84739.65	84223.34
	营业收入(万元)	20841.47	52152.33	24732.81	37875.64
	营业支出(万元)	20202.81	47273.84	22272.00	37966.08
	投资收益(万元)	86.94	609.92	1965.10	1267.95
	净利润(万元)	-2639.49	-35772.12	2086.65	1949.43
	营业利润(万元)	-2743.83	-38539.56	558.83	-5862.10
	利润总额(万元)	-2639.49	-35733.31	2203.94	2009.49

酒鬼酒股份有限公司

公司概况	公司名称	酒鬼酒股份有限公司			证券简称	酒鬼酒
	法人代表	江国金	董秘	张儒平	证券代码	000799
	公司网址	www.china000799.com		电子信箱	jgj000799@126.com	
	电　话	0731-88186030		传　真	0731-88186005	
	办公地址	湖南省吉首市振武营酒鬼工业园				
	经营范围	生产、销售酒鬼酒系列白酒和湘泉系列白酒等				

主要财务指标	指标\报告期	2016.06.30	2015.12.31	2015.06.30	2014.12.31
	基本每股收益(元)	0.1192	0.2726	0.1215	-0.3000
	基本每股收益(扣除后)(元)	0.1117	0.2463	0.1086	-0.3512
	稀释每股收益(元)	0.1192	0.2726	0.1215	-0.3000
	每股净资产(元)	5.5257	5.4065	5.2554	5.1339
	每股经营现金净流量(元)	0.1508	0.7099	0.3381	-0.2021
	每股现金流量(元)	-0.3382	0.3965	-0.0028	-0.5619
	每股资本公积金(元)	3.5739	3.5739	3.5739	3.5739
	每股盈余公积金(元)	0.6096	0.6096	0.6019	0.6019
	每股未分配利润(元)	0.3422	0.2230	0.0796	-0.0419
	净资产收益率(%)	2.1581	5.0417	2.3127	-5.8433
	加权净资产收益率(%)	2.1800	5.1700	2.3400	-5.6800
	净资产收益率(扣除)(%)	2.0209	4.5561	2.0658	-6.8403
	总资产(万元)	228284.62	228097.34	212467.12	210691.50
	归属母公司股东权益(万元)	179547.19	175672.42	170764.76	166815.46
	营业收入(万元)	29106.11	60122.45	30657.85	38848.24
	营业支出(万元)	8078.87	17752.66	10049.67	15590.51
	投资收益(万元)	517.31	1139.34	183.20	6.44
	净利润(万元)	3392.76	7422.67	3409.10	-10366.20
	营业利润(万元)	3969.07	9644.45	4438.79	-14800.56
	利润总额(万元)	4002.73	9988.17	4722.04	-12874.61

一汽轿车股份有限公司

公司概况

公司名称	一汽轿车股份有限公司			证券简称	一汽轿车
法人代表	许宪平	董秘	陈清华	证券代码	000800
公司网址	www.fawcar.com.cn			电子信箱	fawcar0800@faw.com.cn
电　话	0431-85781108 85781107			传　真	0431-85781100
办公地址	吉林省长春市高新技术产业开发区蔚山路 4888 号				
经营范围	轿车整车及配件的生产与销售等				

主要财务指标

指标＼报告期	2016.06.30	2015.12.31	2015.06.30	2014.12.31
基本每股收益(元)	-0.5076	0.0325	0.1009	0.0991
基本每股收益(扣除后)(元)	-0.5217	0.0225	0.0927	0.0926
稀释每股收益(元)	-0.5076	0.0325	0.1009	0.0991
每股净资产(元)	4.8012	5.3530	5.4677	5.3733
每股经营现金净流量(元)	-0.1136	0.5159	0.0605	0.1788
每股现金流量(元)	-0.2669	-0.0688	-0.2899	-0.3322
每股资本公积金(元)	1.5293	1.5293	1.5293	1.5293
每股盈余公积金(元)	0.6127	0.6127	0.6127	0.6127
每股未分配利润(元)	1.6554	2.2060	2.3212	2.2303
净资产收益率(%)	-10.5716	0.6078	1.8452	1.8440
加权净资产收益率(%)	-10.0000	0.6100	1.8600	1.8600
净资产收益率(扣除)(%)	-10.8662	0.4203	1.6955	1.7230
总资产(万元)	1689108.32	1803845.82	1925667.25	2093559.76
归属母公司股东权益(万元)	781398.00	871195.77	889861.32	874511.80
营业收入(万元)	849050.46	2666384.15	1376396.83	3385724.16
营业支出(万元)	723882.12	2117275.65	1081719.13	2660491.62
投资收益(万元)	14699.44	21271.69	9086.99	21523.34
净利润(万元)	-87614.67	6057.16	19340.18	13705.27
营业利润(万元)	-98368.08	7573.26	22983.96	6955.47
利润总额(万元)	-96053.11	8568.99	24316.29	7905.75

四川九洲电器股份有限公司

公司概况

公司名称	四川九洲电器股份有限公司			证券简称	四川九洲
法人代表	霞晖	董秘	程晓伟	证券代码	000801
公司网址	www.jiuzhoutech.com			电子信箱	dsb@jiuzhoutech.com
电　话	0816-2336252			传　真	0816-2336335
办公地址	四川省绵阳市科创园区九洲大道 259 号				
经营范围	电子音响设备、卫星电视接收系统、整机装饰件的制造、加工销售和安装等				

主要财务指标

指标＼报告期	2016.06.30	2015.12.31	2015.06.30	2014.12.31
基本每股收益(元)	0.0592	0.4259	0.1348	0.1873
基本每股收益(扣除后)(元)	0.0460	0.3110	0.0709	0.1114
稀释每股收益(元)	0.0592	0.4259	0.1348	0.1873
每股净资产(元)	2.1818	4.3442	4.0257	3.2823
每股经营现金净流量(元)	-0.0691	0.3214	-0.2087	0.1850
每股现金流量(元)	-0.0698	0.4343	0.0125	-0.6383
每股资本公积金(元)	0.2892	1.5785	1.5544	1.2093
每股盈余公积金(元)	0.0476	0.0952	0.0815	0.0906
每股未分配利润(元)	0.8399	1.6616	1.3842	1.4577
净资产收益率(%)	2.7116	9.7496	3.3112	5.7074
加权净资产收益率(%)	2.6900	10.6400	3.5800	5.8900
净资产收益率(扣除)(%)	2.1097	7.1196	1.6736	-
总资产(万元)	474355.05	475775.11	422980.29	397756.74
归属母公司股东权益(万元)	223153.92	222164.81	205875.75	173053.34
营业收入(万元)	170711.49	333503.69	125708.51	223864.56
营业支出(万元)	131600.56	248303.45	91852.02	177998.50
投资收益(万元)	13.41	-246.12	-	2416.37
净利润(万元)	6540.30	23343.07	7255.80	7816.99
营业利润(万元)	5842.62	22023.53	6866.68	4267.42
利润总额(万元)	7309.65	26207.42	8528.21	7922.47

北京京西文化旅游股份有限公司

公司概况

公司名称	北京京西文化旅游股份有限公司			证券简称	北京文化
法人代表	宋歌	董秘	陈晨	证券代码	000802
公司网址	www.bjwhmedia.com			电子信箱	000802@ibjtour.com
电　话	010-57807786 57807780			传　真	010-57807778
办公地址	北京市朝阳区将台西路 9-5 号				
经营范围	旅游项目投资及管理、旅游开发服务、生产销售旅游产品、酒店客房等				

主要财务指标

指标＼报告期	2016.06.30	2015.12.31	2015.06.30	2014.12.31
基本每股收益(元)	0.0186	0.0546	0.0087	0.2129
基本每股收益(扣除后)(元)	-0.0305	-0.0805	0.0012	0.1114
稀释每股收益(元)	0.0186	0.0546	0.0087	0.2129
每股净资产(元)	5.5023	2.6013	2.3688	2.3801
每股经营现金净流量(元)	-0.2485	0.1321	0.2189	-0.4274
每股现金流量(元)	0.8349	-0.3510	-0.1668	0.2663
每股资本公积金(元)	4.3133	1.4409	1.4111	1.4111
每股盈余公积金(元)	0.0193	0.0351	0.0351	0.0351
每股未分配利润(元)	0.1697	0.2819	0.2359	0.2472
净资产收益率(%)	0.2622	2.0997	0.3652	8.6326
加权净资产收益率(%)	0.4200	2.2700	0.3600	8.9700
净资产收益率(扣除)(%)	-0.4307	-3.4543	0.0501	4.5146
总资产(万元)	442033.08	142274.57	145674.46	150667.21
归属母公司股东权益(万元)	388599.73	101085.65	92049.83	92490.87
营业收入(万元)	15610.24	34935.26	8655.66	42069.48
营业支出(万元)	7426.75	18004.89	3096.18	21555.76
投资收益(万元)	857.48	4529.54	423.55	222.92
净利润(万元)	682.57	2057.63	92.43	7737.48
营业利润(万元)	-1835.66	504.64	410.76	9569.12
利润总额(万元)	869.13	3220.57	502.92	10676.55

四川金宇汽车城(集团)股份有限公司

公司概况

公司名称	四川金宇汽车城(集团)股份有限公司			证券简称	*ST 金宇
法人代表	刘波	董秘	吴小辉	证券代码	000803
公司网址	www.000803.cn			电子信箱	scjymy@vip.sina.com
电　话	0817-6170888 8128111			传　真	0817-6170777
办公地址	四川省南充市嘉陵区嘉南路三段 1 号盛世天城				
经营范围	汽车贸易、二手车交易、摩托车交易、汽车(摩托车)配件研发制造、维修等				

主要财务指标

指标＼报告期	2016.06.30	2015.12.31	2015.06.30	2014.12.31
基本每股收益(元)	-0.1800	-0.2600	-0.0600	0.0300
基本每股收益(扣除后)(元)	-0.1700	-0.2100	-0.0600	-
稀释每股收益(元)	-0.1800	-0.2600	-0.0600	0.0300
每股净资产(元)	0.7462	0.9220	1.1268	1.1825
每股经营现金净流量(元)	-0.1808	-0.2412	-0.1009	-0.3455
每股现金流量(元)	0.0296	-0.0328	0.0429	-0.2202
每股资本公积金(元)	0.1574	0.1574	0.1574	0.1574
每股盈余公积金(元)	0.1887	0.1887	0.1887	0.1887
每股未分配利润(元)	-0.5998	-0.4241	-0.2192	-0.1635
净资产收益率(%)	-23.5525	-28.2583	-4.9413	2.4889
加权净资产收益率(%)	-21.0700	-24.7600	-4.8200	2.5200
净资产收益率(扣除)(%)	-23.1857	-23.0721	-4.9357	-0.2112
总资产(万元)	48964.25	47369.01	45659.71	45734.84
归属母公司股东权益(万元)	9531.43	11776.32	14392.91	15104.11
营业收入(万元)	4578.25	10229.13	4550.64	16299.16
营业支出(万元)	4762.08	8717.96	3735.40	11910.32
投资收益(万元)	0.04	0.04	0.04	0.04
净利润(万元)	-2244.88	-3331.81	-711.30	372.56
营业利润(万元)	-2209.92	-2477.47	-579.10	474.38
利润总额(万元)	-2244.88	-3077.91	-579.91	851.88

北海银河生物产业投资股份有限公司

公司概况					
公司名称	北海银河生物产业投资股份有限公司			证券简称	银河生物
法人代表	唐新林	董秘	卢安军	证券代码	000806
公司网址	www.g-biomed.com		电子信箱	yhtech@g-biomed.com	
电　话	0779-3202636		传　真	0779-3926916	
办公地址	广西壮族自治区北海市银河软件科技园综合办公楼				
经营范围	输配电、控制设备制造及电子信息业等				

主要财务指标 指标\报告期	2016.06.30	2015.12.31	2015.06.30	2014.12.31
基本每股收益(元)	0.0059	0.1025	0.1054	0.0373
基本每股收益(扣除后)(元)	0.0025	-0.0186	-0.0155	-0.0932
稀释每股收益(元)	0.0059	0.1025	0.1054	0.0373
每股净资产(元)	1.8385	1.8300	1.8400	1.1714
每股经营现金净流量(元)	-0.0109	-0.0888	-0.0728	0.0707
每股现金流量(元)	-0.1137	0.3217	0.3315	0.1608
每股资本公积金(元)	0.9607	0.9497	0.9498	0.4438
每股盈余公积金(元)	0.0845	0.0845	0.0845	0.1329
每股未分配利润(元)	-0.1988	-0.2047	-0.2067	-0.4686
净资产收益率(%)	0.3199	5.0931	4.9646	3.1850
加权净资产收益率(%)	0.3200	6.0300	7.1500	3.1500
净资产收益率(扣除)(%)	0.1350	-0.9215	-0.7291	-7.9592
总资产(万元)	272976.13	269983.42	255768.75	220478.32
归属母公司股东权益(万元)	202213.77	201280.76	202088.95	81903.17
营业收入(万元)	53011.15	83235.60	36338.29	80192.37
营业支出(万元)	38525.64	61068.15	27100.91	58708.78
投资收益(万元)	352.95	11259.49	10315.57	11477.69
净利润(万元)	1165.96	10258.50	9917.05	2299.82
营业利润(万元)	1244.44	9727.69	8497.20	3579.56
利润总额(万元)	1762.95	13811.20	11750.15	3323.38

云南铝业股份有限公司

公司概况					
公司名称	云南铝业股份有限公司			证券简称	云铝股份
法人代表	田永	董秘	饶罡	证券代码	000807
公司网址	www.ylgf.com		电子信箱	stock@ylgf.com	
电　话	0871-67455268		传　真	0871-67455605	
办公地址	云南省昆明市呈贡县七甸乡				
经营范围	铝冶炼和铝加工产品的生产和销售等				

主要财务指标 指标\报告期	2016.06.30	2015.12.31	2015.06.30	2014.12.31
基本每股收益(元)	0.0270	0.0200	-0.0450	-0.3030
基本每股收益(扣除后)(元)	0.0090	-0.2100	-0.0480	-0.3300
稀释每股收益(元)	0.0270	0.0200	-0.0450	-0.3030
每股净资产(元)	2.9932	2.9585	2.9744	2.2276
每股经营现金净流量(元)	0.3155	1.6202	0.1668	0.1918
每股现金流量(元)	-0.3927	0.4887	0.5047	0.0691
每股资本公积金(元)	1.9226	1.9226	1.9803	1.8533
每股盈余公积金(元)	0.1767	0.1767	0.1705	0.2103
每股未分配利润(元)	-0.1045	-0.1313	-0.1817	-0.1734
净资产收益率(%)	0.8973	0.5233	-1.3325	-13.6218
加权净资产收益率(%)	0.9000	0.5700	-1.7900	-12.7500
净资产收益率(扣除)(%)	0.3069	-6.6044	-1.3664	-
总资产(万元)	2878989.67	2928150.78	2862427.13	2739458.73
归属母公司股东权益(万元)	568298.03	561700.15	564724.38	443591.76
营业收入(万元)	710156.70	1585231.09	749064.70	1909280.05
营业支出(万元)	622613.29	1473509.51	673238.12	1828035.75
投资收益(万元)	212.03	-268.50	3034.77	6952.04
净利润(万元)	10035.22	-43853.56	-15143.43	-72144.87
营业利润(万元)	8312.78	-91850.41	-18289.05	-96596.10
利润总额(万元)	12703.33	-36165.19	-17974.53	-90544.92

铁岭新城投资控股股份有限公司

公司概况					
公司名称	铁岭新城投资控股股份有限公司			证券简称	*ST 新城
法人代表	隋景宝	董秘	迟峰	证券代码	000809
公司网址	www.tielingnewcity.com.cn		电子信箱	cf0140@sina.com	
电　话	024-74997822		传　真	024-74997827	
办公地址	铁岭市新城区金沙江路 11 号				
经营范围	区域土地征用、市政基础设施建设、土地开发、项目开发、投资、管理咨询				

主要财务指标 指标\报告期	2016.06.30	2015.12.31	2015.06.30	2014.12.31
基本每股收益(元)	-0.0900	-0.2200	-0.0800	0.0500
基本每股收益(扣除后)(元)	-0.0900	-0.2300	-0.0900	0.0400
稀释每股收益(元)	-0.0900	-0.2200	-0.0800	0.0500
每股净资产(元)	3.8456	3.9335	6.2457	6.3264
每股经营现金净流量(元)	-0.2378	0.1269	-0.1307	-1.4342
每股现金流量(元)	-0.0240	0.1847	-0.2470	-0.2985
每股资本公积金(元)	0.0388	0.0388	0.0582	0.0582
每股盈余公积金(元)	0.2386	0.2386	0.3579	0.3579
每股未分配利润(元)	2.5682	2.6561	4.8296	4.9103
净资产收益率(%)	-2.2858	-5.5278	-1.2919	0.8271
加权净资产收益率(%)	-2.2600	-5.3100	-1.2800	0.8300
净资产收益率(扣除)(%)	-2.3109	-5.8890	-1.4698	0.6282
总资产(万元)	651897.26	630231.54	619869.51	620828.62
归属母公司股东权益(万元)	317180.67	324430.80	343426.51	347863.38
营业收入(万元)	913.62	3438.10	1250.86	26307.74
营业支出(万元)	1341.28	3312.59	1296.15	7541.82
投资收益(万元)	-	0.88	0.88	-
净利润(万元)	-7250.13	-17933.97	-4436.87	2877.18
营业利润(万元)	-8142.16	-23166.11	-5145.96	4676.79
利润总额(万元)	-8062.50	-23002.43	-5047.17	4849.75

创维数字股份有限公司

公司概况					
公司名称	创维数字股份有限公司			证券简称	创维数字
法人代表	杨东文	董秘	张知	证券代码	000810
公司网址	www.skyworthdigital.com		电子信箱	skydigital@skyworth.com	
电　话	0755-26010018		传　真	0755-26010028	
办公地址	广东省深圳市南山区科技园高新南一道创维大厦 A 座 16 楼				
经营范围	数字电视机顶盒及前端系统的研发、生产和销售				

主要财务指标 指标\报告期	2016.06.30	2015.12.31	2015.06.30	2014.12.31
基本每股收益(元)	0.2699	0.4161	0.1505	0.8571
基本每股收益(扣除后)(元)	0.2490	0.4000	0.1452	0.8254
稀释每股收益(元)	0.2699	0.4161	0.1505	0.8571
每股净资产(元)	2.2252	2.3052	2.0421	3.9829
每股经营现金净流量(元)	0.2266	0.4437	-0.2337	0.4286
每股现金流量(元)	-0.0588	-0.4107	-0.6722	0.8545
每股资本公积金(元)	0.0295	0.0424	0.0002	0.0604
每股盈余公积金(元)	-	0.0062	-	-
每股未分配利润(元)	1.2105	1.4859	1.0420	2.9237
净资产收益率(%)	12.1272	18.0513	7.3716	19.4554
加权净资产收益率(%)	12.2600	19.5200	7.4000	21.4200
净资产收益率(扣除)(%)	11.1894	17.1720	7.1101	18.7356
总资产(万元)	638904.65	610382.67	386136.70	392957.06
归属母公司股东权益(万元)	222189.89	252813.83	203902.25	198878.19
营业收入(万元)	307396.04	410782.99	157056.87	350163.47
营业支出(万元)	239877.67	319043.37	121848.19	272271.36
投资收益(万元)	205.34	82.85	282.67	545.21
净利润(万元)	29124.25	41259.12	14733.85	38501.11
营业利润(万元)	29500.98	38652.95	13794.29	36187.16
利润总额(万元)	34063.96	47306.33	16568.57	43267.20

烟台冰轮股份有限公司

公司概况					
公司名称	烟台冰轮股份有限公司			证券简称	烟台冰轮
法人代表	李增群	董秘	孙秀欣	证券代码	000811
公司网址	www.yantaimoon.cn		电子信箱	zqb@yantaimoon.cn	
电　话	0535-6697075 6243558		传　真	0535-6243558	
办公地址	山东省烟台市芝罘区冰轮路 1 号				
经营范围	制冷空调设备、机械设备零配件、塑料制品(不含农膜)、装饰材料等				

主要财务指标 指标＼报告期	2016.06.30	2015.12.31	2015.06.30	2014.12.31
基本每股收益(元)	0.3900	0.7200	0.4800	0.5300
基本每股收益(扣除后)(元)	0.2000	0.2200	0.0200	0.2900
稀释每股收益(元)	0.3900	0.7200	0.4800	0.5300
每股净资产(元)	4.9580	4.5488	4.1361	4.0861
每股经营现金净流量(元)	0.1301	0.6651	-0.0907	0.4012
每股现金流量(元)	-0.0751	0.1529	-0.3513	0.3245
每股资本公积金(元)	0.6155	0.6163	0.1452	0.3092
每股盈余公积金(元)	0.4759	0.4759	0.4730	0.4362
每股未分配利润(元)	2.7783	2.3849	2.0700	1.8620
净资产收益率(%)	7.9343	15.5302	11.6944	12.8920
加权净资产收益率(%)	8.2900	14.8600	11.1800	13.3400
净资产收益率(扣除)(%)	3.9589	4.4856	0.5815	7.0782
总资产(万元)	464740.84	441660.51	282546.83	473826.40
归属母公司股东权益(万元)	215856.47	198042.87	163208.55	182835.47
营业收入(万元)	132996.38	286902.67	82830.32	169068.84
营业支出(万元)	94254.21	204924.70	63076.69	122717.20
投资收益(万元)	4195.19	27716.23	23307.88	16535.02
净利润(万元)	17941.05	32780.73	20194.26	22765.48
营业利润(万元)	10893.01	37351.24	23352.24	25042.47
利润总额(万元)	21018.79	38732.14	23988.61	25847.06

陕西金叶科教集团股份有限公司

公司概况					
公司名称	陕西金叶科教集团股份有限公司			证券简称	陕西金叶
法人代表	袁汉源	董秘	闫凯	证券代码	000812
公司网址	www.jinyegroup.cn		电子信箱	jinye000812@163.com	
电　话	029-81778561		传　真	029-81778533	
办公地址	陕西省西安市高新区锦业路 1 号都市之门 B 座 19 层				
经营范围	烟标及卷烟过滤材料生产销售、教育产业等				

主要财务指标 指标＼报告期	2016.06.30	2015.12.31	2015.06.30	2014.12.31
基本每股收益(元)	0.0301	0.0440	0.0485	0.1600
基本每股收益(扣除后)(元)	0.0277	0.0320	0.0422	0.0838
稀释每股收益(元)	0.0301	0.0440	0.0485	0.1600
每股净资产(元)	1.9490	1.9540	1.9547	1.9262
每股经营现金净流量(元)	-0.0124	0.3453	0.0167	0.2319
每股现金流量(元)	0.0041	-0.1275	-0.1155	0.3877
每股资本公积金(元)	0.0377	0.0377	0.0342	0.0342
每股盈余公积金(元)	0.2445	0.2445	0.2121	0.2121
每股未分配利润(元)	0.6668	0.6718	0.7084	0.6799
净资产收益率(%)	1.5421	2.2650	2.4805	8.3077
加权净资产收益率(%)	1.5300	2.2700	2.4900	8.4000
净资产收益率(扣除)(%)	1.4232	1.6128	2.1564	4.3485
总资产(万元)	207902.17	195692.54	181237.33	176346.03
归属母公司股东权益(万元)	87195.65	87416.42	87448.79	86174.35
营业收入(万元)	28153.66	52827.35	26022.62	58939.84
营业支出(万元)	20145.43	36585.01	17622.82	39267.29
投资收益(万元)	-	-	-	6068.15
净利润(万元)	2673.83	4742.87	3708.93	9991.68
营业利润(万元)	2786.57	4407.92	3579.05	12405.88
利润总额(万元)	2911.68	5029.30	3912.65	11257.81

德展大健康股份有限公司

公司概况					
公司名称	德展大健康股份有限公司			证券简称	德展健康
法人代表	张湧	董秘	杜业松	证券代码	000813
公司网址	www.chinatianshan.com		电子信箱	dzjkzqb@163.com	
电　话	010-65852237		传　真	010-65850951	
办公地址	北京市朝阳区工体东路乙 2 号美林大厦 10 层				
经营范围	矿业和毛纺织				

主要财务指标 指标＼报告期	2016.06.30	2015.12.31	2015.06.30	2014.12.31
基本每股收益(元)	-0.0474	0.0100	0.0120	0.0500
基本每股收益(扣除后)(元)	-0.0539	-0.0110	0.0073	0.0039
稀释每股收益(元)	-0.0474	0.0100	0.0120	0.0500
每股净资产(元)	2.2318	2.2758	2.2732	2.2609
每股经营现金净流量(元)	0.0915	0.2672	0.0399	0.2919
每股现金流量(元)	-0.0009	-0.0035	-0.1211	0.2077
每股资本公积金(元)	2.3015	2.3015	2.3015	2.3015
每股盈余公积金(元)	0.0991	0.0991	0.0991	0.0991
每股未分配利润(元)	-1.1696	-1.1222	-1.1235	-1.1354
净资产收益率(%)	-2.1219	0.5790	0.5257	2.0345
加权净资产收益率(%)	-2.1000	0.5800	0.5300	2.0557
净资产收益率(扣除)(%)	-2.4156	-0.5024	0.3193	0.1720
总资产(万元)	199027.21	197226.65	196855.97	203172.40
归属母公司股东权益(万元)	104333.34	106392.15	106273.13	105695.11
营业收入(万元)	19066.27	51077.27	24065.99	55937.18
营业支出(万元)	14174.42	33369.16	15227.74	34260.71
投资收益(万元)	154.14	-	-	0.97
净利润(万元)	-1701.67	3008.24	1650.27	5131.14
营业利润(万元)	-850.73	5888.31	3588.83	7543.12
利润总额(万元)	-697.56	6986.45	3808.45	9578.08

中冶美利云产业投资股份有限公司

公司概况					
公司名称	中冶美利云产业投资股份有限公司			证券简称	美利云
法人代表	许仕清	董秘	丁国强	证券代码	000815
公司网址	www.china-meili.com		电子信箱	dgq@chinapaper.com.cn	
电　话	0955-7679339 7679334		传　真	0955-7679216	
办公地址	宁夏回族自治区中卫市沙坡头区柔远镇				
经营范围	机制纸、板纸、加工纸等中、高档文化用纸及生活用纸的生产、经营等				

主要财务指标 指标＼报告期	2016.06.30	2015.12.31	2015.06.30	2014.12.31
基本每股收益(元)	-0.1100	0.4700	-0.4700	-2.0500
基本每股收益(扣除后)(元)	-0.1100	-0.4300	-0.2600	-1.2900
稀释每股收益(元)	-0.1100	0.4700	-0.4700	-2.0500
每股净资产(元)	2.7530	0.1100	-1.0046	-0.5339
每股经营现金净流量(元)	-0.0468	-0.0163	0.0092	-0.1933
每股现金流量(元)	1.4826	-0.0340	-0.0139	0.0469
每股资本公积金(元)	2.8188	1.2975	1.1210	1.1210
每股盈余公积金(元)	0.0993	0.2179	0.2179	0.2179
每股未分配利润(元)	-1.1651	-2.4054	-3.3435	-2.8728
净资产收益率(%)	-2.5075	424.7616	-46.8535	383.7461
加权净资产收益率(%)	-7.5500	-	-61.1900	-473.6900
净资产收益率(扣除)(%)	-2.6436	-395.0832	25.9150	242.2812
总资产(万元)	268219.91	140694.18	146490.87	150592.81
归属母公司股东权益(万元)	191408.14	3486.17	-31826.64	-16914.76
营业收入(万元)	26709.87	55671.14	29546.72	62201.34
营业支出(万元)	25012.10	52651.29	28064.26	64054.02
投资收益(万元)	-	-	-	187.00
净利润(万元)	-4799.57	14807.93	-14911.89	-64909.73
营业利润(万元)	-4765.75	-13173.17	-7947.85	-40061.80
利润总额(万元)	-4799.53	14808.05	-14911.86	-64908.04

江苏农华智慧农业科技股份有限公司

公司概况	公司名称	江苏农华智慧农业科技股份有限公司		证券简称	智慧农业
	法人代表	胡尔广	董秘 王乃强	证券代码	000816
	公司网址	www.jd.dongyin.com		电子信箱	jhdl@dongyin.com
	电　话	0515-88881908		传　真	0515-88881816
	办公地址	江苏省盐城市经济技术开发区希望大道南路58号			
	经营范围	单多缸柴油机、汽油机及终端产品、拖拉机等产品的制造与销售等			

主要财务指标	指标\报告期	2016.06.30	2015.12.31	2015.06.30	2014.12.31
	基本每股收益(元)	0.0109	0.0200	0.0201	0.0400
	基本每股收益(扣除后)(元)	0.0084	-0.1400	-0.0500	-0.0100
	稀释每股收益(元)	0.0109	0.0200	0.0201	0.0400
	每股净资产(元)	2.4565	2.3786	2.3878	2.3324
	每股经营现金净流量(元)	0.0231	0.1099	-0.0518	-0.0214
	每股现金流量(元)	0.0713	-0.1176	-0.1007	0.8292
	每股资本公积金(元)	0.9969	0.9112	0.9191	0.8726
	每股盈余公积金(元)	0.0739	0.0739	0.0723	0.0723
	每股未分配利润(元)	0.4054	0.4045	0.4068	0.3967
	净资产收益率(%)	0.4457	0.8123	0.8421	1.7027
	加权净资产收益率(%)	0.4500	0.8200	0.8500	2.0400
	净资产收益率(扣除)(%)	0.3430	-5.7322	-1.9469	-0.5028
	总资产(万元)	675537.36	662641.09	700178.07	713334.17
	归属母公司股东权益(万元)	348527.33	337474.48	338781.82	330926.33
	营业收入(万元)	95761.80	187719.32	98577.49	233417.24
	营业支出(万元)	79023.43	168220.55	86737.60	196043.34
	投资收益(万元)	108.00	13878.25	1008.01	-802.19
	净利润(万元)	570.76	414.00	1235.67	4282.04
	营业利润(万元)	213.87	-11004.82	-8588.08	-5676.41
	利润总额(万元)	666.59	-1163.76	1622.07	3663.95

方大锦化化工科技股份有限公司

公司概况	公司名称	方大锦化化工科技股份有限公司		证券简称	方大化工
	法人代表	闫奎兴	董秘 宋立志	证券代码	000818
	公司网址			电子信箱	fdhgzqb@126.com
	电　话	0429-2709027　2709065		传　真	0429-2709818
	办公地址	辽宁省葫芦岛市连山区化工街1号			
	经营范围	烧碱、氯、氯化苯、盐酸、环氧丙烷、聚醚、丙二醇、聚氯乙烯等化工产品的生产与销售等			

主要财务指标	指标\报告期	2016.06.30	2015.12.31	2015.06.30	2014.12.31
	基本每股收益(元)	0.0154	0.1787	0.0592	0.1251
	基本每股收益(扣除后)(元)	0.0061	0.1854	0.0665	0.1348
	稀释每股收益(元)	0.0153	0.1787	0.0592	0.1251
	每股净资产(元)	3.1109	3.0967	2.9729	2.9137
	每股经营现金净流量(元)	-0.0571	0.2667	0.1854	0.5447
	每股现金流量(元)	-0.0748	-0.0499	-0.1077	0.1378
	每股资本公积金(元)	1.8355	1.8366	1.8322	1.8322
	每股盈余公积金(元)	0.0702	0.0702	0.0544	0.0544
	每股未分配利润(元)	0.2052	0.1898	0.0863	0.0271
	净资产收益率(%)	0.4952	5.7693	1.9921	4.2921
	加权净资产收益率(%)	0.5000	5.9500	2.0100	4.3900
	净资产收益率(扣除)(%)	0.1964	5.9861	2.2355	4.6257
	总资产(万元)	252015.91	257633.97	254045.60	266879.48
	归属母公司股东权益(万元)	211543.63	210573.64	202156.55	198132.29
	营业收入(万元)	110271.66	258237.13	125916.86	295596.07
	营业支出(万元)	97555.93	215024.03	106430.50	259186.94
	投资收益(万元)	-	336.61	308.28	210.00
	净利润(万元)	893.71	12117.22	4081.79	8823.81
	营业利润(万元)	139.35	13559.12	5002.95	10640.79
	利润总额(万元)	983.66	12906.59	4040.43	9656.62

岳阳兴长石化股份有限公司

公司概况	公司名称	岳阳兴长石化股份有限公司		证券简称	岳阳兴长
	法人代表	李华	董秘 谭人杰	证券代码	000819
	公司网址	www.yyxc0819.com		电子信箱	yyxczqbu@163.com
	电　话	0730-8829916　8452599		传　真	0730-8829752
	办公地址	湖南省岳阳市岳阳大道岳阳兴长大厦九楼			
	经营范围	开发、生产、销售石油化工产品(不含成品油)、塑料及其制品等			

主要财务指标	指标\报告期	2016.06.30	2015.12.31	2015.06.30	2014.12.31
	基本每股收益(元)	0.0630	0.1970	0.1060	0.1730
	基本每股收益(扣除后)(元)	0.0630	0.1970	0.1100	0.1640
	稀释每股收益(元)	0.0630	0.1970	0.1060	0.1730
	每股净资产(元)	2.6527	2.7569	2.6525	2.7238
	每股经营现金净流量(元)	0.1399	0.2706	0.0934	0.2526
	每股现金流量(元)	-0.0540	-0.0573	1.2788	-1.2234
	每股资本公积金(元)	0.2724	0.3361	0.3361	0.3529
	每股盈余公积金(元)	0.5114	0.5369	0.5369	0.5638
	每股未分配利润(元)	0.8445	0.8709	0.7795	0.8071
	净资产收益率(%)	2.3615	7.1634	3.9987	6.3551
	加权净资产收益率(%)	2.3600	7.4700	4.0100	6.6210
	净资产收益率(扣除)(%)	2.3655	7.1291	4.1410	6.0135
	总资产(万元)	81768.63	81880.15	80147.63	77604.93
	归属母公司股东权益(万元)	68549.77	67850.47	65281.13	63842.71
	营业收入(万元)	64748.64	148231.57	81091.33	146086.83
	营业支出(万元)	57760.38	132304.61	73180.64	134097.41
	投资收益(万元)	-340.34	-265.26	-126.46	-140.88
	净利润(万元)	1213.22	4714.83	2973.94	3648.60
	营业利润(万元)	2044.22	6664.40	3925.93	4855.16
	利润总额(万元)	2040.54	6690.01	3802.10	5146.07

神雾节能股份有限公司

公司概况	公司名称	神雾节能股份有限公司		证券简称	神雾节能
	法人代表	宋彬	董秘 沈龙强	证券代码	000820
	公司网址	www.jinchengpaper.com		电子信箱	stocks@shenwu.com.cn
	电　话	025-83223688-8608		传　真	025-83681099
	办公地址	江苏省南京市建邺区创智路1号北纬国际中心B座22楼			
	经营范围	机制纸浆、机制纸及纸板、粘合剂生产、销售			

主要财务指标	指标\报告期	2016.06.30	2015.12.31	2015.06.30	2014.12.31
	基本每股收益(元)	-0.1500	0.0400	-0.0100	0.0100
	基本每股收益(扣除后)(元)	-0.1300	-0.1006	-0.0026	-0.0400
	稀释每股收益(元)	-0.1500	0.0400	-0.0100	0.0100
	每股净资产(元)	0.8126	0.9145	0.8621	0.7972
	每股经营现金净流量(元)	0.0155	-0.0010	0.0287	-0.1176
	每股现金流量(元)	0.0131	-0.0198	-0.0136	-0.0712
	每股资本公积金(元)	1.7013	1.6498	1.6498	1.5723
	每股盈余公积金(元)	0.3122	0.3122	0.3122	0.3122
	每股未分配利润(元)	-2.2009	-2.0475	-2.0999	-2.0873
	净资产收益率(%)	-18.8785	4.3518	-1.4662	0.9745
	加权净资产收益率(%)	-11.0700	4.8700	-1.5200	1.0100
	净资产收益率(扣除)(%)	-16.6350	-10.9978	-0.5906	-4.8682
	总资产(万元)	65203.17	69677.50	70336.65	68846.55
	归属母公司股东权益(万元)	23389.24	26322.81	24813.49	22945.25
	营业收入(万元)	1899.07	24315.18	14947.02	30504.53
	营业支出(万元)	2213.38	20006.16	12303.82	26044.30
	投资收益(万元)	-	-	-	-
	净利润(万元)	-4415.54	1145.52	-363.80	223.61
	营业利润(万元)	-3890.81	-80.84	63.58	-1025.31
	利润总额(万元)	-4415.54	955.61	-224.35	-116.05

湖北京山轻工机械股份有限公司

公司概况	公司名称	湖北京山轻工机械股份有限公司		证券简称	京山轻机
	法人代表	李健	董秘 谢杏平	证券代码	000821
	公司网址	www.jspackmach.com		电子信箱	jsqj000821@jspackmach.com
	电　话	0724-7210972		传　真	0724-7210972
	办公地址	湖北省荆门市京山县经济技术开发区轻机工业园			
	经营范围	纸制品包装机械、印刷机械的生产、销售			

主要财务指标	指标\报告期	2016.06.30	2015.12.31	2015.06.30	2014.12.31
	基本每股收益(元)	0.0600	0.1200	0.0800	0.0300
	基本每股收益(扣除后)(元)	0.0900	0.0100	-0.0200	-0.1500
	稀释每股收益(元)	0.0600	0.1200	0.0800	0.0300
	每股净资产(元)	3.5167	3.4682	3.4221	3.1277
	每股经营现金净流量(元)	0.0571	0.3236	0.0250	0.0628
	每股现金流量(元)	-0.0349	0.3739	-0.0108	-0.4816
	每股资本公积金(元)	1.8062	1.8062	1.8053	1.3571
	每股盈余公积金(元)	0.3262	0.3262	0.3262	0.4514
	每股未分配利润(元)	0.3925	0.3442	0.2978	0.3298
	净资产收益率(%)	1.6568	3.0533	1.7379	0.9806
	加权净资产收益率(%)	1.6700	3.4700	2.6000	0.9800
	净资产收益率(扣除)(%)	2.4655	0.3304	-0.4818	-4.7397
	总资产(万元)	288374.01	277838.58	261087.59	193932.30
	归属母公司股东权益(万元)	168003.23	165685.28	163486.69	107979.66
	营业收入(万元)	56727.55	102712.58	44764.66	92308.13
	营业支出(万元)	39398.33	76619.66	33379.59	73784.65
	投资收益(万元)	89.33	7498.10	4079.48	3834.02
	净利润(万元)	3349.45	6563.85	3628.14	2195.72
	营业利润(万元)	3616.49	6926.33	3879.02	2741.29
	利润总额(万元)	3833.87	7137.08	4092.72	2763.01

山东海化股份有限公司

公司概况	公司名称	山东海化股份有限公司		证券简称	山东海化
	法人代表	汤全荣	董秘 吴炳顺	证券代码	000822
	公司网址	www.chinahaihua.com		电子信箱	hhgf@wfhaihua.sina.net
	电　话	0536-5329931 5329379		传　真	0536-5329879
	办公地址	山东省潍坊市滨海经济开发区			
	经营范围	纯碱、工业溴及溴素、醋酸乙酯、苯胺、二氯甲烷、三氯甲烷、盐酸等			

主要财务指标	指标\报告期	2016.06.30	2015.12.31	2015.06.30	2014.12.31
	基本每股收益(元)	0.0300	0.1400	0.1000	0.1800
	基本每股收益(扣除后)(元)	0.0600	0.1200	0.0900	0.0700
	稀释每股收益(元)	0.0300	0.1400	0.1000	0.1800
	每股净资产(元)	2.5630	2.5337	2.4933	2.3968
	每股经营现金净流量(元)	0.0813	0.3013	0.1463	1.0757
	每股现金流量(元)	-0.1124	-0.0067	-0.2199	-0.0543
	每股资本公积金(元)	1.6813	1.6812	1.6812	1.6812
	每股盈余公积金(元)	0.3722	0.3722	0.3722	0.3722
	每股未分配利润(元)	-0.4919	-0.5215	-0.5623	-0.6585
	净资产收益率(%)	1.1539	5.4079	3.8582	7.7035
	加权净资产收益率(%)	1.1600	5.5700	3.9300	8.0300
	净资产收益率(扣除)(%)	2.1747	4.6497	3.7253	2.7160
	总资产(万元)	348484.23	371410.91	355073.53	385928.29
	归属母公司股东权益(万元)	229416.12	226791.73	223169.51	214531.62
	营业收入(万元)	133507.61	352289.86	173708.53	485637.39
	营业支出(万元)	111191.20	299705.15	143575.66	423319.55
	投资收益(万元)	204.96	2499.65	-15.28	4583.67
	净利润(万元)	2627.31	12216.72	8584.97	14653.12
	营业利润(万元)	6868.86	19056.16	11169.19	12225.94
	利润总额(万元)	2565.21	19205.43	11567.17	18915.56

广东汕头超声电子股份有限公司

公司概况	公司名称	广东汕头超声电子股份有限公司		证券简称	超声电子
	法人代表	许统广	董秘 陈东屏	证券代码	000823
	公司网址	www.gd-goworld.com		电子信箱	csdz@gd-goworld.com
	电　话	0754-88192281*3012 3033		传　真	0754-83931233
	办公地址	广东省汕头市龙湖区龙江路12号			
	经营范围	制造、加工、销售超声电子仪器、仪器仪表、电子元器件、电子材料等			

主要财务指标	指标\报告期	2016.06.30	2015.12.31	2015.06.30	2014.12.31
	基本每股收益(元)	0.1049	0.1702	0.1057	0.3119
	基本每股收益(扣除后)(元)	0.1036	0.1671	0.1019	0.3072
	稀释每股收益(元)	0.1049	0.1702	0.1057	0.3119
	每股净资产(元)	5.4013	5.3009	5.3094	5.2672
	每股经营现金净流量(元)	0.4858	0.6530	0.2702	0.3632
	每股现金流量(元)	0.2067	0.1489	-0.0462	0.5043
	每股资本公积金(元)	2.6531	2.6531	2.6531	2.6531
	每股盈余公积金(元)	0.2826	0.2826	0.2609	0.2609
	每股未分配利润(元)	1.3360	1.2510	1.2362	1.2305
	净资产收益率(%)	1.9424	3.2108	1.9904	5.6561
	加权净资产收益率(%)	1.9600	3.2000	1.9900	6.2400
	净资产收益率(扣除)(%)	1.9186	3.1530	1.9198	5.5704
	总资产(万元)	447428.20	461451.37	475823.29	476600.27
	归属母公司股东权益(万元)	290029.15	284639.87	285095.86	282832.28
	营业收入(万元)	164153.63	363889.44	181407.32	398123.87
	营业支出(万元)	132297.71	299038.45	148883.89	320172.65
	投资收益(万元)	-16.15	412.50	-	387.83
	净利润(万元)	7888.50	12213.19	7127.08	19672.47
	营业利润(万元)	8940.73	14055.26	8208.19	23735.59
	利润总额(万元)	9042.68	14304.35	8448.75	24118.90

山西太钢不锈钢股份有限公司

公司概况	公司名称	山西太钢不锈钢股份有限公司		证券简称	太钢不锈
	法人代表	高祥明	董秘 高祥明(代)	证券代码	000825
	公司网址	www.tisco.com.cn		电子信箱	tgbx@tisco.com.cn
	电　话	0351-3017728 3017729		传　真	0351-3017729
	办公地址	山西省太原市尖草坪街2号			
	经营范围	不锈钢及其他黑色钢材、钢坯、钢锭、金属制品的生产、销售等			

主要财务指标	指标\报告期	2016.06.30	2015.12.31	2015.06.30	2014.12.31
	基本每股收益(元)	0.0530	-0.6520	0.0110	0.0780
	基本每股收益(扣除后)(元)	0.0480	-0.6700	-0.0020	0.0660
	稀释每股收益(元)	0.0530	-0.6520	0.0110	0.0780
	每股净资产(元)	3.7900	3.7362	4.3980	4.3853
	每股经营现金净流量(元)	0.6358	0.4790	0.0265	0.9517
	每股现金流量(元)	0.1347	0.0461	-0.0517	0.0178
	每股资本公积金(元)	1.1943	1.1943	1.1940	1.1940
	每股盈余公积金(元)	0.3443	0.3443	0.3443	0.3443
	每股未分配利润(元)	1.2494	1.1965	1.8592	1.8480
	净资产收益率(%)	1.3968	-17.4389	0.2552	1.7693
	加权净资产收益率(%)	1.4100	-16.0500	0.2600	1.7800
	净资产收益率(扣除)(%)	1.2833	-17.9225	-0.0472	1.4953
	总资产(万元)	7135714.21	7244781.97	7622207.25	7630584.71
	归属母公司股东权益(万元)	2158861.63	2128228.03	2505231.97	2497972.81
	营业收入(万元)	2511887.01	6791271.26	3544127.00	8676644.15
	营业支出(万元)	2138141.21	6469318.29	3230649.48	8000855.57
	投资收益(万元)	3465.42	648.32	2098.07	2922.67
	净利润(万元)	24213.71	-382631.87	2605.18	27761.94
	营业利润(万元)	21843.77	-380576.82	-5313.18	23446.36
	利润总额(万元)	24707.67	-370723.63	3400.29	30623.80

启迪桑德环境资源股份有限公司

公司概况

公司名称	启迪桑德环境资源股份有限公司			证券简称	启迪桑德
法人代表	文一波	董秘	马勒思	证券代码	000826
公司网址	www.soundenvironmental.cn		电子信箱	ss000826@126.com	
电　话	0717-6442936		传　真	0717-6442830	
办公地址	湖北省宜昌市西陵区绿萝路 77 号				
经营范围	固体废弃物处置系统工程设计、承建及固体废弃物处置设备系统集成业务等				

主要财务指标

指标\报告期	2016.06.30	2015.12.31	2015.06.30	2014.12.31
基本每股收益(元)	0.5150	1.1010	0.4490	0.9550
基本每股收益(扣除后)(元)	0.5070	1.0850	0.4410	0.9470
稀释每股收益(元)	0.5150	1.0940	0.4450	0.9500
每股净资产(元)	8.3438	7.2403	6.5485	6.1437
每股经营现金净流量(元)	-0.4301	0.2115	-0.2575	0.0347
每股现金流量(元)	-0.6542	1.5549	0.5190	-0.8431
每股资本公积金(元)	2.6299	2.4393	2.3958	2.3325
每股盈余公积金(元)	0.3999	0.4036	0.3083	0.3093
每股未分配利润(元)	3.7304	3.3974	2.8444	2.5019
净资产收益率(%)	6.1586	15.1853	6.8469	15.5116
加权净资产收益率(%)	6.7800	16.5300	7.0400	16.8200
净资产收益率(扣除)(%)	6.0553	14.9691	6.7311	15.3835
总资产(万元)	1802424.19	1584869.72	1235858.26	954893.35
归属母公司股东权益(万元)	712804.77	612920.31	554161.45	518292.35
营业收入(万元)	341262.15	634058.72	244858.02	437429.68
营业支出(万元)	239139.96	440420.98	156610.18	286540.57
投资收益(万元)	-57.98	865.86	-447.01	-619.11
净利润(万元)	43927.79	93476.08	37709.54	79533.34
营业利润(万元)	50864.77	104923.37	43721.72	92563.97
利润总额(万元)	53156.43	110949.38	44798.06	94291.73

东莞发展控股股份有限公司

公司概况

公司名称	东莞发展控股股份有限公司			证券简称	东莞控股
法人代表	尹锦容	董秘	李雪军	证券代码	000828
公司网址	www.dgholdings.cn		电子信箱	dgkg@dgholdings.cn	
电　话	0769-22083320 22083321		传　真	0769-22083320	
办公地址	广东省东莞市东城区莞樟大道 55 号				
经营范围	东莞高速公路的投资、建设、经营				

主要财务指标

指标\报告期	2016.06.30	2015.12.31	2015.06.30	2014.12.31
基本每股收益(元)	0.3888	0.7855	0.3984	0.5679
基本每股收益(扣除后)(元)	0.3556	0.7339	0.3727	0.5221
稀释每股收益(元)	0.3888	0.7855	0.3984	0.5679
每股净资产(元)	4.4953	4.4090	4.0234	3.8681
每股经营现金净流量(元)	0.5149	-1.1499	-0.8141	0.2590
每股现金流量(元)	0.3173	0.3522	-0.3158	0.2290
每股资本公积金(元)	1.0967	1.0967	1.0960	1.1004
每股盈余公积金(元)	0.5193	0.5193	0.4464	0.4464
每股未分配利润(元)	1.8704	1.7816	1.4675	1.3191
净资产收益率(%)	8.6485	17.8151	9.9031	14.6813
加权净资产收益率(%)	8.4500	18.9900	9.8000	15.4700
净资产收益率(扣除)(%)	7.9098	16.6459	9.2622	13.4962
总资产(万元)	850596.67	832232.67	682137.58	588957.58
归属母公司股东权益(万元)	467296.80	458326.71	418234.11	402099.14
营业收入(万元)	58070.14	109687.48	49867.55	93585.02
营业支出(万元)	17077.35	39372.23	18464.11	30058.92
投资收益(万元)	14104.49	42517.65	24785.31	24558.28
净利润(万元)	40414.38	81727.14	41418.33	59947.79
营业利润(万元)	49143.06	96984.04	48620.31	72932.59
利润总额(万元)	50507.99	97369.20	48814.35	73618.14

天音通信控股股份有限公司

公司概况

公司名称	天音通信控股股份有限公司			证券简称	天音控股
法人代表	黄绍文	董秘	孙海龙	证券代码	000829
公司网址	www.chinatelling.com		电子信箱	dongmi@chinatelling.com	
电　话	010-58300807		传　真	010-58300805	
办公地址	北京市西城区德外大街 117 号德胜尚城 D 座				
经营范围	移动电话销售及白酒、水果的生产与销售等				

主要财务指标

指标\报告期	2016.06.30	2015.12.31	2015.06.30	2014.12.31
基本每股收益(元)	-0.0320	-0.2400	-0.0860	0.0200
基本每股收益(扣除后)(元)	-0.0310	-0.2500	-0.0930	-0.7200
稀释每股收益(元)	-0.0320	-0.2400	-0.0860	0.0200
每股净资产(元)	2.0964	2.0867	2.2405	2.3270
每股经营现金净流量(元)	-1.3714	1.4144	0.5766	-0.8264
每股现金流量(元)	-1.1206	-0.1998	-1.2699	0.8313
每股资本公积金(元)	0.3054	0.2531	0.2531	0.2531
每股盈余公积金(元)	0.1063	0.1077	0.1057	0.1057
每股未分配利润(元)	0.6847	0.7260	0.8818	0.9682
净资产收益率(%)	-1.5416	-11.5133	-3.8583	0.8318
加权净资产收益率(%)	-1.4700	-10.8900	-3.7900	0.8400
净资产收益率(扣除)(%)	-1.4620	-12.1205	-4.1495	-31.1176
总资产(万元)	1032997.31	1119014.76	1011578.61	1094182.24
归属母公司股东权益(万元)	201003.69	197592.70	212156.50	220342.06
营业收入(万元)	1700001.52	4303013.90	2111629.97	3459685.69
营业支出(万元)	1633511.42	4176418.33	2034725.95	3355504.20
投资收益(万元)	4784.89	461.80	-669.32	93266.98
净利润(万元)	-6690.60	-37404.43	-13702.35	-36180.00
营业利润(万元)	-5651.29	-37251.06	-14390.26	-7150.26
利润总额(万元)	-6014.91	-36127.92	-13264.58	-6882.37

鲁西化工集团股份有限公司

公司概况

公司名称	鲁西化工集团股份有限公司			证券简称	鲁西化工
法人代表	张金成	董秘	蔡英强	证券代码	000830
公司网址	www.luxichemical.com		电子信箱	000830@lxhg.com	
电　话	0635-3481198		传　真	0635-3481044	
办公地址	山东省聊城市高新技术产业开发区化工新材料产业园				
经营范围	化学肥料及安全生产许可证范围内化工原料的生产销售				

主要财务指标

指标\报告期	2016.06.30	2015.12.31	2015.06.30	2014.12.31
基本每股收益(元)	0.0500	0.1800	0.1900	0.2500
基本每股收益(扣除后)(元)	0.0300	0.1400	0.1700	0.2200
稀释每股收益(元)	0.0500	0.1800	0.1900	0.2500
每股净资产(元)	5.4391	5.3335	4.2689	4.0791
每股经营现金净流量(元)	0.3996	1.1901	0.5897	0.9012
每股现金流量(元)	0.2997	0.1355	0.4402	-0.0395
每股资本公积金(元)	1.5088	1.4909	1.4909	1.4909
每股盈余公积金(元)	0.2361	0.2361	0.1792	0.1792
每股未分配利润(元)	1.3296	1.2422	1.5915	1.4017
净资产收益率(%)	1.6074	3.7030	4.4460	6.0426
加权净资产收益率(%)	0.9300	3.9100	4.4400	6.2300
净资产收益率(扣除)(%)	1.2998	2.8900	4.0247	5.4359
总资产(万元)	2313063.44	2236681.32	2077734.98	1986187.87
归属母公司股东权益(万元)	796754.11	781287.96	625329.26	597531.45
营业收入(万元)	511394.18	1287089.68	690313.84	1302937.70
营业支出(万元)	445078.71	1096554.78	578447.95	1108289.80
投资收益(万元)	570.27	707.92	504.87	1251.70
净利润(万元)	12807.21	28931.38	27802.42	36106.66
营业利润(万元)	13141.94	31440.67	33205.48	44586.13
利润总额(万元)	16362.95	39406.88	36718.93	49287.68

五矿稀土股份有限公司

公司概况					
公司名称	五矿稀土股份有限公司			证券简称	五矿稀土
法人代表	赵勇	董秘	王宏源	证券代码	000831
公司网址	www.cmreltd.com		电子信箱	cmre@cmreltd.com	
电　　话	0797-8398390		传　　真	0797-8398385	
办公地址	江西省赣州市章江南大道 18 号豪德银座 A 栋 14、15 层				
经营范围	稀土冶炼分离及稀土技术研发及服务				

主要财务指标：指标\报告期	2016.06.30	2015.12.31	2015.06.30	2014.12.31
基本每股收益(元)	-0.0370	-0.4060	0.0010	-0.0570
基本每股收益(扣除后)(元)	-0.0380	-0.4260	-0.0010	-0.0660
稀释每股收益(元)	-0.0370	-0.4060	0.0010	-0.0570
每股净资产(元)	2.0985	2.1337	2.5383	2.5343
每股经营现金净流量(元)	0.1459	0.0871	-0.1941	0.4119
每股现金流量(元)	0.1328	0.0841	-0.1960	-0.0016
每股资本公积金(元)	0.7701	0.7701	0.7701	0.7701
每股盈余公积金(元)	0.1624	0.1624	0.1624	0.1624
每股未分配利润(元)	0.1275	0.1643	0.5713	0.5698
净资产收益率(%)	-1.7526	-19.0080	0.0585	-2.2447
加权净资产收益率(%)	-1.7400	-17.3800	0.0600	-2.0600
净资产收益率(扣除)(%)	-1.8192	-19.9488	-0.0313	-2.6154
总资产(万元)	219997.40	223681.48	258916.08	261482.47
归属母公司股东权益(万元)	205840.05	209291.26	248983.36	248582.18
营业收入(万元)	8320.83	45916.17	32812.57	70190.16
营业支出(万元)	6042.29	36956.62	27507.91	61380.95
投资收益(万元)	121.83	-21.82	-6.96	-167.82
净利润(万元)	-3633.38	-41156.61	99.53	-6302.45
营业利润(万元)	-4049.37	-47788.60	916.83	-9623.67
利润总额(万元)	-3861.09	-45134.23	1234.26	-7953.34

广西贵糖(集团)股份有限公司

公司概况					
公司名称	广西贵糖(集团)股份有限公司			证券简称	贵糖股份
法人代表	但昭学	董秘	杨正	证券代码	000833
公司网址	www.guitang.com		电子信箱	gtgfgs@ppp.nn.gx.cn	
电　　话	0775-4201833 4201380		传　　真	0775-4260833	
办公地址	广西壮族自治区贵港市广西贵糖(集团)股份有限公司办公大楼				
经营范围	食糖、纸、酒精及轻质碳酸钙的制造、销售等				

主要财务指标：指标\报告期	2016.06.30	2015.12.31	2015.06.30	2014.12.31
基本每股收益(元)	-0.0057	0.2200	0.0100	0.1000
基本每股收益(扣除后)(元)	-0.0076	-0.0116	-0.0200	-0.1100
稀释每股收益(元)	-0.0057	0.2200	0.0100	0.1000
每股净资产(元)	3.8878	3.9456	2.8784	2.8666
每股经营现金净流量(元)	-0.0628	0.0713	-0.4400	0.1301
每股现金流量(元)	0.0092	0.5579	-0.4666	0.3059
每股资本公积金(元)	2.0085	2.0085	0.7548	1.4480
每股盈余公积金(元)	0.1318	0.1318	0.2913	0.2277
每股未分配利润(元)	0.7299	0.7856	0.8323	0.5671
净资产收益率(%)	-0.1453	5.1004	0.4089	3.3163
加权净资产收益率(%)	-0.1400	6.2700	0.4100	3.3700
净资产收益率(扣除)(%)	-0.1949	-0.1926	-0.7950	-3.9765
总资产(万元)	346608.29	340560.19	114580.45	306045.92
归属母公司股东权益(万元)	259861.61	263723.42	85220.17	191612.32
营业收入(万元)	85483.73	173540.47	56852.81	105472.06
营业支出(万元)	73359.01	134549.00	50051.71	93817.82
投资收益(万元)	3.65	-101.92	-203.75	8.14
净利润(万元)	-377.68	13450.92	348.50	2814.59
营业利润(万元)	-475.71	7966.00	-1289.54	-5636.62
利润总额(万元)	-256.67	16920.96	162.28	-208.80

长城国际动漫游戏股份有限公司

公司概况					
公司名称	长城国际动漫游戏股份有限公司			证券简称	长城动漫
法人代表	马利清	董秘	赵璐	证券代码	000835
公司网址	www.000835.com		电子信箱	zhaol@sdsycorp.com	
电　　话	028-85322086		传　　真	028-85322166	
办公地址	四川省成都市高新区天府大道北段 1700 号新世纪环球中心 E2,2-1-1302、1304、1306				
经营范围	炼焦、合成材料制造、矿产品、建材及化工产品批发等				

主要财务指标：指标\报告期	2016.06.30	2015.12.31	2015.06.30	2014.12.31
基本每股收益(元)	-0.2968	0.0600	0.0087	0.0195
基本每股收益(扣除后)(元)	0.0104	-0.0600	0.0155	-0.1124
稀释每股收益(元)	-0.2968	0.0600	0.0087	0.0195
每股净资产(元)	1.1132	1.1300	1.0419	1.3517
每股经营现金净流量(元)	0.0166	0.2918	0.0827	0.1697
每股现金流量(元)	-0.0787	0.0351	0.0215	-0.0111
每股资本公积金(元)	0.3171	0.0376	0.0376	0.8194
每股盈余公积金(元)	-	-	-	0.1384
每股未分配利润(元)	-0.2483	0.0443	-0.0432	0.1282
净资产收益率(%)	-26.0199	5.3314	0.8378	1.4390
加权净资产收益率(%)	-31.8100	2.7800	0.8400	1.4000
净资产收益率(扣除)(%)	0.9135	-5.2356	1.4918	-8.3172
总资产(万元)	151207.30	147517.40	149839.87	75356.16
归属母公司股东权益(万元)	36375.22	34487.01	31815.04	65148.35
营业收入(万元)	17673.57	35740.77	17400.55	44886.36
营业支出(万元)	10663.52	23859.75	12305.46	39577.28
投资收益(万元)	-	-	-	4293.55
净利润(万元)	-9503.76	1807.74	233.96	597.10
营业利润(万元)	-340.85	-1218.77	623.58	814.76
利润总额(万元)	-9020.80	3492.31	839.00	757.49

天津鑫茂科技股份有限公司

公司概况					
公司名称	天津鑫茂科技股份有限公司			证券简称	鑫茂科技
法人代表	徐洪	董秘	韩伟	证券代码	000836
公司网址	www.xinmaokeji.com.cn		电子信箱	hanwei@xinmaokeji.com.cn	
电　　话	022-83710888 23080182		传　　真	022-83710199	
办公地址	天津市新产业园区华苑产业区榕苑路 1 号天财酒店 8 层				
经营范围	计算机软件、硬件、信息系统集成、信息处理与服务、光机电一体化等				

主要财务指标：指标\报告期	2016.06.30	2015.12.31	2015.06.30	2014.12.31
基本每股收益(元)	0.0188	0.3585	-0.1603	-0.4910
基本每股收益(扣除后)(元)	0.0032	-0.1975	-0.1883	-0.4863
稀释每股收益(元)	0.0188	0.3585	-0.1603	-0.4910
每股净资产(元)	1.3699	4.0532	3.5626	2.1043
每股经营现金净流量(元)	0.0160	0.8105	0.1627	0.3714
每股现金流量(元)	-0.1195	2.8756	1.3568	-0.1173
每股资本公积金(元)	0.1663	2.4990	2.4889	0.8122
每股盈余公积金(元)	0.0452	0.1357	0.1124	0.1548
每股未分配利润(元)	0.1584	0.4186	-0.0386	0.1375
净资产收益率(%)	1.3756	8.4410	-3.8844	-23.3344
加权净资产收益率(%)	1.3800	9.7500	-5.4400	-20.9000
净资产收益率(扣除)(%)	0.2330	-4.6497	-4.5625	-23.1590
总资产(万元)	268405.69	334913.65	315033.53	228319.15
归属母公司股东权益(万元)	165542.88	163271.22	143509.98	61550.32
营业收入(万元)	84819.14	160797.32	71943.01	100674.62
营业支出(万元)	77456.99	149994.10	67516.96	97637.78
投资收益(万元)	1629.18	923.71	-	-
净利润(万元)	3669.89	13324.19	-6114.73	-18658.92
营业利润(万元)	3641.80	-10814.27	-6646.23	-18651.97
利润总额(万元)	3969.57	16814.48	-6159.34	-18542.30

秦川机床工具集团股份公司

公司概况					
公司名称	秦川机床工具集团股份公司			证券简称	秦川机床
法人代表	龙兴元	董秘	付林兴	证券代码	000837
公司网址	www.qinchuan.com		电子信箱	fulx@qinchuan.com	
电　话	0917-3670654 3670788		传　真	0917-3390957	
办公地址	陕西省宝鸡市姜谭路22号				
经营范围	金属切削机床、塑料加工机械、液压系统、液压件、汽车零部件、功能部件等				

主要财务指标：指标\报告期	2016.06.30	2015.12.31	2015.06.30	2014.12.31
基本每股收益(元)	-0.0796	-0.3407	-0.0853	0.0301
基本每股收益(扣除后)(元)	-0.1028	-0.4135	-0.1172	-0.0909
稀释每股收益(元)	-0.0796	-0.3407	-0.0853	0.0301
每股净资产(元)	3.9487	4.0276	4.2808	4.3340
每股经营现金净流量(元)	-0.1821	-0.2839	-0.2475	-0.1479
每股现金流量(元)	-0.0976	0.1808	0.0728	0.3008
每股资本公积金(元)	2.0929	2.0883	2.0806	2.0663
每股盈余公积金(元)	0.1349	0.1349	0.1349	0.1349
每股未分配利润(元)	0.7149	0.7944	1.0498	1.1351
净资产收益率(%)	-2.0153	-8.4595	-1.9927	0.6413
加权净资产收益率(%)	-2.0000	-8.1500	-1.9900	0.7500
净资产收益率(扣除)(%)	-2.6046	-10.2663	-2.7370	-1.4538
总资产(万元)	707454.87	673347.27	674021.75	640787.97
归属母公司股东权益(万元)	273793.43	279262.69	296816.44	300505.03
营业收入(万元)	136858.63	254825.80	130950.68	350102.66
营业支出(万元)	119547.92	227815.30	113650.47	299555.69
投资收益(万元)	-95.59	816.44	1039.45	848.41
净利润(万元)	-5764.56	-24813.79	-5698.66	3811.93
营业利润(万元)	-8247.32	-28896.19	-7238.35	-5449.06
利润总额(万元)	-5157.57	-22920.34	-5039.04	4370.69

财信国兴地产发展股份有限公司

公司概况					
公司名称	财信国兴地产发展股份有限公司			证券简称	财信发展
法人代表	唐昌明	董秘	刘晓林	证券代码	000838
公司网址	www.casindev.com		电子信箱	casin@casindev.com	
电　话	010-58321838		传　真	010-58321839	
办公地址	北京市朝阳区建国路91号院8号楼28层2808单元				
经营范围	房地产开发、销售自行开发的商品房				

主要财务指标：指标\报告期	2016.06.30	2015.12.31	2015.06.30	2014.12.31
基本每股收益(元)	0.0902	0.3913	0.3768	0.4119
基本每股收益(扣除后)(元)	0.0903	0.1668	0.3765	0.4117
稀释每股收益(元)	0.0902	0.3913	0.3768	0.4119
每股净资产(元)	1.4714	4.8882	2.6560	2.4293
每股经营现金净流量(元)	-0.1287	-0.1701	0.3662	-0.5070
每股现金流量(元)	-0.2176	2.4828	0.1695	-0.2781
每股资本公积金(元)	0.2198	3.2692	0.6674	0.6674
每股盈余公积金(元)	0.0088	0.0309	0.0466	0.0466
每股未分配利润(元)	0.2428	0.5881	0.9421	0.7154
净资产收益率(%)	6.1295	5.4574	14.1852	16.9550
加权净资产收益率(%)	6.2900	11.6300	14.9600	18.3200
净资产收益率(扣除)(%)	6.1345	2.3267	14.1769	16.9466
总资产(万元)	474773.75	522010.82	312148.97	269228.07
归属母公司股东权益(万元)	161920.52	153693.46	48074.14	43969.72
营业收入(万元)	97168.71	66787.71	50216.12	59576.35
营业支出(万元)	73887.04	43526.40	29859.01	34098.60
投资收益(万元)	61.22	25.81	13.79	-
净利润(万元)	9713.31	7751.52	6670.74	7329.51
营业利润(万元)	13294.33	4448.88	9222.37	10144.91
利润总额(万元)	13308.68	6115.73	9227.67	10149.83

中信国安信息产业股份有限公司

公司概况					
公司名称	中信国安信息产业股份有限公司			证券简称	中信国安
法人代表	罗宁	董秘	张荣亮	证券代码	000839
公司网址	www.citicguoaninfo.com		电子信箱	guoan@citicguoaninfo.com	
电　话	010-65068509 65008037		传　真	010-65061482	
办公地址	北京市朝阳区朝阳北路225号京龙大厦				
经营范围	信息产业、广告行业项目的投资、卫星通讯工程、计算机信息传输网络工程等				

主要财务指标：指标\报告期	2016.06.30	2015.12.31	2015.06.30	2014.12.31
基本每股收益(元)	0.1099	0.2242	0.1147	0.1207
基本每股收益(扣除后)(元)	0.1077	0.0371	0.0371	-0.0678
稀释每股收益(元)	-	-	-	0.1207
每股净资产(元)	4.2363	4.2598	4.4921	4.1179
每股经营现金净流量(元)	-0.2443	0.0183	-0.0489	0.8233
每股现金流量(元)	0.1916	0.1268	-0.1311	0.0237
每股资本公积金(元)	1.6037	1.5965	1.6425	1.5544
每股盈余公积金(元)	0.2826	0.2826	0.2608	0.2608
每股未分配利润(元)	1.2213	1.1114	1.1352	1.2205
净资产收益率(%)	2.5943	5.2622	2.5530	2.9306
加权净资产收益率(%)	2.5900	5.2600	2.6100	3.2300
净资产收益率(扣除)(%)	2.5417	0.8721	0.8248	-1.6468
总资产(万元)	1242290.70	1100179.22	1167333.18	1145051.35
归属母公司股东权益(万元)	664228.87	667913.93	704324.91	645663.56
营业收入(万元)	167373.82	280942.97	100230.75	244358.70
营业支出(万元)	133158.28	237607.48	90745.51	205021.09
投资收益(万元)	15088.57	53644.30	31816.18	61099.10
净利润(万元)	17852.94	35205.47	17739.11	19500.33
营业利润(万元)	20326.99	38331.00	18101.92	16295.84
利润总额(万元)	20245.35	39124.70	18170.08	24783.36

河北承德露露股份有限公司

公司概况					
公司名称	河北承德露露股份有限公司			证券简称	承德露露
法人代表	管大源	董秘	王新国	证券代码	000848
公司网址	www.lolo.com.cn		电子信箱	lolo000848@163.com	
电　话	0314-2059888 2128181		传　真	0314-2059100	
办公地址	河北省承德市高新技术产业开发区(西区8号)				
经营范围	饮料、罐头食品的开发、生产与销售、马口铁包装罐的生产和销售等				

主要财务指标：指标\报告期	2016.06.30	2015.12.31	2015.06.30	2014.12.31
基本每股收益(元)	0.2800	0.6200	0.3417	0.8800
基本每股收益(扣除后)(元)	0.2800	0.6058	0.3401	0.8600
稀释每股收益(元)	0.2800	0.6200	0.3417	0.8800
每股净资产(元)	1.8382	2.2270	1.9533	2.6174
每股经营现金净流量(元)	-0.0455	1.0570	0.2230	0.6572
每股现金流量(元)	-0.2115	0.8453	0.0528	0.3003
每股资本公积金(元)	0.0177	0.0230	0.0230	0.0345
每股盈余公积金(元)	0.2665	0.3465	0.2876	0.4314
每股未分配利润(元)	0.5540	0.8576	0.6427	1.1515
净资产收益率(%)	15.1746	27.6331	17.4915	33.7410
加权净资产收益率(%)	15.3800	31.1600	18.5900	38.1300
净资产收益率(扣除)(%)	15.1676	27.2031	17.4099	32.9880
总资产(万元)	215760.00	249142.69	177320.25	185078.60
归属母公司股东权益(万元)	179878.56	167637.52	147032.13	131350.59
营业收入(万元)	146230.47	270623.81	157324.23	270279.16
营业支出(万元)	79095.04	152926.66	89242.12	158011.39
投资收益(万元)	-72.00	-150.69	-41.02	-99.10
净利润(万元)	27708.35	46858.23	26192.25	45009.79
营业利润(万元)	37444.06	61335.06	35214.51	58505.31
利润总额(万元)	37460.76	62295.89	35374.44	59823.68

安徽华茂纺织股份有限公司

公司概况						
	公司名称	安徽华茂纺织股份有限公司			证券简称	华茂股份
	法人代表	倪俊龙	董秘	罗朝晖	证券代码	000850
	公司网址	www.chinahuamao.net		电子信箱	aqfz@mail.hf.ah.cn	
	电　话	0556-5919818　5919978		传　真	0556-5919819　5919978	
	办公地址	安徽省安庆市纺织南路 80 号				
	经营范围	棉、毛、麻、丝和人造纤维的纯、混纺纱线及其织物、针织品、服装、印染加工等				

主要财务指标	指标\报告期	2016.06.30	2015.12.31	2015.06.30	2014.12.31
	基本每股收益(元)	0.0820	0.0900	0.1420	0.4000
	基本每股收益(扣除后)(元)	-0.0970	-0.1600	-0.0430	-0.2100
	稀释每股收益(元)	0.0820	0.0900	0.1420	0.4000
	每股净资产(元)	4.8325	5.5783	6.2740	3.9684
	每股经营现金净流量(元)	0.1275	0.1773	0.3822	-0.0104
	每股现金流量(元)	0.0537	0.0375	0.0848	-0.0490
	每股资本公积金(元)	0.0648	0.0641	0.0666	0.0567
	每股盈余公积金(元)	0.3247	0.3247	0.3076	0.3076
	每股未分配利润(元)	1.5274	1.5457	1.6191	1.5269
	净资产收益率(%)	1.6903	1.5385	2.2666	10.0925
	加权净资产收益率(%)	1.6800	1.8400	3.6500	12.5200
	净资产收益率(扣除)(%)	-2.0156	-2.8159	-0.6919	-5.3904
	总资产(万元)	772401.37	857172.57	989042.35	667770.72
	归属母公司股东权益(万元)	456024.17	526406.32	592054.51	374485.27
	营业收入(万元)	80142.73	193049.13	90245.79	198186.17
	营业支出(万元)	75168.71	178586.56	86554.09	188212.92
	投资收益(万元)	16878.75	27538.57	24066.26	63599.30
	净利润(万元)	6530.01	4485.22	12400.33	35696.30
	营业利润(万元)	5886.81	3563.29	14784.60	38852.91
	利润总额(万元)	7289.03	7148.69	15712.04	44017.08

中石化石油机械股份有限公司

公司概况						
	公司名称	中石化石油机械股份有限公司			证券简称	石化机械
	法人代表	耿宪良	董秘	赵进斌	证券代码	000852
	公司网址	sofe.sinopec.com		电子信箱	info@kingdream.com	
	电　话	027-52306809		传　真	027-52306868	
	办公地址	湖北省武汉市东湖新技术开发区光谷大道 77 号光谷金融港 A2 座 12 层				
	经营范围	制造、销售石油钻采设备等				

主要财务指标	指标\报告期	2016.06.30	2015.12.31	2015.06.30	2014.12.31
	基本每股收益(元)	-0.3800	0.0100	0.0100	0.1800
	基本每股收益(扣除后)(元)	-0.3900	-0.1700	-0.0400	0.1000
	稀释每股收益(元)	-0.3800	0.0100	0.0100	0.1800
	每股净资产(元)	5.1487	5.5237	5.5339	2.9657
	每股经营现金净流量(元)	-0.2571	0.2832	-0.1764	0.3363
	每股现金流量(元)	0.1100	0.0309	3.7668	-0.0522
	每股资本公积金(元)	2.3585	2.3585	2.3585	2.4145
	每股盈余公积金(元)	0.4075	0.4075	0.4075	0.4683
	每股未分配利润(元)	1.3751	1.7576	1.7661	2.0221
	净资产收益率(%)	-7.4294	0.2297	0.1162	6.0513
	加权净资产收益率(%)	-7.1700	0.2400	0.1200	6.1700
	净资产收益率(扣除)(%)	-7.5290	-2.9610	-0.6983	3.5018
	总资产(万元)	696244.62	737834.50	906423.19	752493.63
	归属母公司股东权益(万元)	236900.67	254157.02	254624.39	236431.71
	营业收入(万元)	147200.37	509552.67	240676.34	165774.64
	营业支出(万元)	131870.31	411927.76	201349.49	128705.24
	投资收益(万元)	237.23	279.93	127.28	2739.28
	净利润(万元)	-17024.65	4257.20	2155.03	6211.78
	营业利润(万元)	-20045.79	-2741.47	-272.31	6523.25
	利润总额(万元)	-19768.31	4059.72	2181.16	7057.06

大唐高鸿数据网络技术股份有限公司

公司概况						
	公司名称	大唐高鸿数据网络技术股份有限公司			证券简称	高鸿股份
	法人代表	付景林	董秘	王芊	证券代码	000851
	公司网址	www.gohigh.com.cn		电子信箱	wangqian@gohigh.com.cn	
	电　话	010-62301907		传　真	010-62301900	
	办公地址	北京市海淀区学院路 40 号大唐电信集团主楼 11 层				
	经营范围	多业务宽带电信网络产品、通信器材、通信终端设备、仪器仪表等				

主要财务指标	指标\报告期	2016.06.30	2015.12.31	2015.06.30	2014.12.31
	基本每股收益(元)	0.0457	0.1444	0.0432	0.1045
	基本每股收益(扣除后)(元)	0.0250	0.1103	0.0230	0.0717
	稀释每股收益(元)	0.0457	0.1444	0.0432	0.1045
	每股净资产(元)	4.5002	4.4277	4.3803	4.3186
	每股经营现金净流量(元)	-0.6911	1.0706	-0.0615	-0.5991
	每股现金流量(元)	-0.4886	0.5872	0.0002	-0.8659
	每股资本公积金(元)	3.0661	3.0258	3.0150	2.9966
	每股盈余公积金(元)	0.0360	0.0360	0.0342	0.0342
	每股未分配利润(元)	0.4562	0.4305	0.3311	0.2879
	净资产收益率(%)	1.0159	3.2611	0.9868	2.2086
	加权净资产收益率(%)	1.0000	3.2800	0.9900	2.4600
	净资产收益率(扣除)(%)	0.5552	2.4920	0.5255	1.5158
	总资产(万元)	750013.10	648779.61	656418.37	617683.20
	归属母公司股东权益(万元)	266127.80	261837.15	259034.73	255388.92
	营业收入(万元)	346457.50	742491.23	297832.12	708062.99
	营业支出(万元)	320935.45	685803.95	272534.44	657947.70
	投资收益(万元)	588.05	843.70	203.46	878.71
	净利润(万元)	3936.98	11705.70	3755.27	10073.95
	营业利润(万元)	4155.45	12829.36	3748.23	11103.84
	利润总额(万元)	5417.17	16150.53	5444.06	13151.59

唐山冀东装备工程股份有限公司

公司概况						
	公司名称	唐山冀东装备工程股份有限公司			证券简称	*ST 冀装
	法人代表	张增光	董秘	韩晓风	证券代码	000856
	公司网址	www.jdzbgc.com		电子信箱	tsjdzbgc@126.com	
	电　话	0315-8216998		传　真	0315-3338198	
	办公地址	河北省唐山市路北区大庆道 1 号				
	经营范围	资本运营、运营管理、水泥机械设备及配件、普通机械设备及配件制造等				

主要财务指标	指标\报告期	2016.06.30	2015.12.31	2015.06.30	2014.12.31
	基本每股收益(元)	0.2400	-0.8900	-0.3200	-0.3800
	基本每股收益(扣除后)(元)	-0.1900	-0.9000	-0.3200	-0.3900
	稀释每股收益(元)	0.2400	-0.8900	-0.3200	-0.3800
	每股净资产(元)	1.4245	1.0521	1.6030	1.9206
	每股经营现金净流量(元)	0.1029	-0.1791	-0.0008	0.0966
	每股现金流量(元)	0.9166	-0.0683	-0.1985	0.0074
	每股资本公积金(元)	1.7097	1.5777	1.5535	1.5535
	每股盈余公积金(元)	0.1583	0.1583	0.1583	0.1583
	每股未分配利润(元)	-1.4434	-1.6867	-1.1099	-0.7919
	净资产收益率(%)	16.8765	-85.0438	-19.8366	-19.8348
	加权净资产收益率(%)	19.4100	-60.2000	-18.0500	-18.6300
	净资产收益率(扣除)(%)	-13.6116	-85.4384	-19.8688	-20.1979
	总资产(万元)	185343.63	223808.74	245373.20	244351.93
	归属母公司股东权益(万元)	32336.42	23882.97	36388.29	43597.23
	营业收入(万元)	50701.31	141579.38	85771.73	155920.36
	营业支出(万元)	46976.82	136420.62	81042.43	140353.95
	投资收益(万元)	8865.25	-44.25	-28.94	-29.74
	净利润(万元)	5556.88	-20056.94	-7015.87	-8178.83
	营业利润(万元)	4534.68	-20386.04	-6921.71	-6954.90
	利润总额(万元)	5531.50	-20266.75	-6884.03	-6742.36

宜宾五粮液股份有限公司

公司概况	公司名称	宜宾五粮液股份有限公司			证券简称	五 粮 液
	法人代表	刘中国	董秘	彭智辅	证券代码	000858
	公司网址	www.wuliangye.com.cn		电子信箱	000858-wly@sohu.com	
	电　话	0831-3566838　3567000		传　真	0831-3555958	
	办公地址	四川省宜宾市翠屏区岷江西路150号				
	经营范围	酒类产品及相关辅助产品(瓶盖、商标、标识及包装制品)的生产经营				

主要财务指标	指标\报告期	2016.06.30	2015.12.31	2015.06.30	2014.12.31
	基本每股收益(元)	1.0240	1.6270	0.8690	1.5370
	基本每股收益(扣除后)(元)	1.0230	1.6240	0.8670	1.5440
	稀释每股收益(元)	1.0240	1.6270	0.8690	1.5370
	每股净资产(元)	11.6384	11.4145	10.6561	10.3874
	每股经营现金净流量(元)	1.1357	1.7627	0.8210	0.2093
	每股现金流量(元)	1.1194	1.0385	0.1239	-0.8908
	每股资本公积金(元)	0.2511	0.2511	0.2511	0.2511
	每股盈余公积金(元)	2.1529	2.1529	1.8625	1.8625
	每股未分配利润(元)	8.2344	8.0104	7.5425	7.2738
	净资产收益率(%)	8.7979	14.2540	8.1520	14.7980
	加权净资产收益率(%)	8.5900	14.9300	8.0300	15.4200
	净资产收益率(扣除)(%)	8.7899	14.2261	8.1320	14.8636
	总资产(万元)	5996292.53	5254663.49	4739034.23	4640887.07
	归属母公司股东权益(万元)	4417900.96	4332891.76	4045032.62	3943037.83
	营业收入(万元)	1325563.86	2165928.74	1121541.40	2101149.15
	营业支出(万元)	397615.33	667196.33	337631.28	577202.94
	投资收益(万元)	1014.75	3414.46	1194.44	1448.75
	净利润(万元)	402662.46	641048.43	342120.37	605821.50
	营业利润(万元)	529243.65	824623.74	446434.24	803240.14
	利润总额(万元)	532297.44	828749.40	448586.61	801591.61

安徽国风塑业股份有限公司

公司概况	公司名称	安徽国风塑业股份有限公司			证券简称	国风塑业
	法人代表	黄琼宜	董秘	胡静	证券代码	000859
	公司网址	www.guofeng.com		电子信箱	ir@guofeng.com	
	电　话	0551-2753527		传　真	0551-2753500	
	办公地址	安徽省合肥市高新技术产业开发区天智路36号				
	经营范围	塑胶建材及附件、塑料薄膜、其他塑料制品、非金属新型材料及金属制品的制造等				

主要财务指标	指标\报告期	2016.06.30	2015.12.31	2015.06.30	2014.12.31
	基本每股收益(元)	-0.0112	0.0100	-0.0156	0.0100
	基本每股收益(扣除后)(元)	-0.0260	-0.0900	-0.0500	-0.0829
	稀释每股收益(元)	-0.0112	0.0100	-0.0156	0.0100
	每股净资产(元)	1.8802	1.8914	1.8660	2.4421
	每股经营现金净流量(元)	0.0146	0.0673	-0.0039	0.0081
	每股现金流量(元)	-0.1633	-0.1447	-0.1704	0.3623
	每股资本公积金(元)	0.7974	0.7974	0.7974	1.3367
	每股盈余公积金(元)	0.0779	0.0779	0.0779	0.1012
	每股未分配利润(元)	0.0049	0.0162	-0.0093	0.0042
	净资产收益率(%)	-0.5971	0.6815	-0.6756	0.4496
	加权净资产收益率(%)	-0.6000	0.6800	-0.6700	0.5100
	净资产收益率(扣除)(%)	-1.3814	-4.8492	-2.1646	-3.1011
	总资产(万元)	186088.10	193807.53	203055.07	191663.46
	归属母公司股东权益(万元)	139032.69	139862.92	137977.67	138909.81
	营业收入(万元)	49526.21	109027.93	54800.32	131177.25
	营业支出(万元)	44484.17	99416.40	50003.17	119519.69
	投资收益(万元)	459.65	3661.30	573.17	827.95
	净利润(万元)	-1151.53	418.05	-884.07	624.54
	营业利润(万元)	-1903.42	-3785.09	-2147.07	-2862.83
	利润总额(万元)	-1160.76	425.52	-880.29	632.31

北京顺鑫农业股份有限公司

公司概况	公司名称	北京顺鑫农业股份有限公司			证券简称	顺鑫农业
	法人代表	王泽	董秘	安元芝	证券代码	000860
	公司网址	www.000860.com		电子信箱	ayz001@sina.com	
	电　话	010-69420860		传　真	010-69443137	
	办公地址	北京市顺义区站前街1号院1号楼顺鑫国际商务中心12层				
	经营范围	从事白酒生产与销售、肉食品加工与销售、良种繁育、农业科技服务等				

主要财务指标	指标\报告期	2016.06.30	2015.12.31	2015.06.30	2014.12.31
	基本每股收益(元)	0.4042	0.6594	0.4336	0.7124
	基本每股收益(扣除后)(元)	0.4086	0.6545	0.4390	0.7128
	稀释每股收益(元)	0.4042	0.6594	0.4336	0.7124
	每股净资产(元)	9.7654	9.4612	9.2353	8.9017
	每股经营现金净流量(元)	1.0789	0.6140	0.7504	0.5151
	每股现金流量(元)	1.1102	-0.1921	1.5572	1.3150
	每股资本公积金(元)	4.9046	4.9046	4.9046	4.9046
	每股盈余公积金(元)	0.6286	0.6286	0.5511	0.5511
	每股未分配利润(元)	3.2323	2.9281	2.7797	2.4461
	净资产收益率(%)	4.1396	6.9700	4.6947	7.0765
	加权净资产收益率(%)	4.1900	7.2000	4.7700	8.8500
	净资产收益率(扣除)(%)	4.1846	6.9173	4.7534	7.0810
	总资产(万元)	1644737.61	1589734.34	1635055.77	1554309.66
	归属母公司股东权益(万元)	557205.93	539845.82	526957.94	507924.62
	营业收入(万元)	626769.19	963742.34	574452.95	948066.41
	营业支出(万元)	388607.69	604426.86	358747.46	628807.78
	投资收益(万元)	-	429.38	174.48	288.19
	净利润(万元)	23883.20	38328.03	24918.18	36475.26
	营业利润(万元)	33989.34	55740.44	37032.99	53806.04
	利润总额(万元)	33654.09	56008.95	36679.88	53522.12

广东海印集团股份有限公司

公司概况	公司名称	广东海印集团股份有限公司			证券简称	海印股份
	法人代表	邵建明	董秘	潘尉	证券代码	000861
	公司网址	www.000861.com		电子信箱	ir000861@163.com	
	电　话	020-28828222		传　真	020-28828899*8222	
	办公地址	广东省广州市越秀区东华南路98号海印中心				
	经营范围	销售日用百货、市场商品信息咨询服务、出租柜台、物业管理等				

主要财务指标	指标\报告期	2016.06.30	2015.12.31	2015.06.30	2014.12.31
	基本每股收益(元)	0.0400	0.0900	0.0800	0.2600
	基本每股收益(扣除后)(元)	0.0400	0.0600	0.0600	0.1000
	稀释每股收益(元)	0.0400	0.0900	0.0800	0.2600
	每股净资产(元)	1.3826	1.2427	2.5228	2.4742
	每股经营现金净流量(元)	0.1574	0.1615	0.1493	0.3084
	每股现金流量(元)	0.4229	-0.2524	-0.5934	0.8233
	每股资本公积金(元)	-	-	0.1043	0.1043
	每股盈余公积金(元)	0.0507	0.0507	0.0855	0.0855
	每股未分配利润(元)	0.2313	0.1885	1.3261	1.2845
	净资产收益率(%)	3.0942	7.0073	3.0393	9.6343
	加权净资产收益率(%)	3.3900	6.6900	3.0500	14.2600
	净资产收益率(扣除)(%)	2.8399	5.0395	2.5197	3.6392
	总资产(万元)	896774.06	773241.67	652685.52	680620.82
	归属母公司股东权益(万元)	311057.12	279600.76	298732.08	292983.62
	营业收入(万元)	99351.74	165238.72	84236.26	191866.56
	营业支出(万元)	58960.69	100024.53	50287.70	115531.42
	投资收益(万元)	3191.07	5681.98	1967.83	19580.19
	净利润(万元)	11354.43	20673.88	9260.36	28475.31
	营业利润(万元)	15930.50	25722.31	12547.95	39081.24
	利润总额(万元)	16873.33	30335.76	14383.54	43272.15

宁夏银星能源股份有限公司

公司概况					
公司名称	宁夏银星能源股份有限公司			证券简称	银星能源
法人代表	许峰	董秘	许峰(代)	证券代码	000862
公司网址	www.nxyxny.com.cn		电子信箱	wylws0862@sina.com	
电　话	0951-2051879		传　真	0951-2051906 2051900	
办公地址	宁夏回族自治区银川市西夏区六盘山西路 166 号				
经营范围	风力发电、风电设备制造、太阳能发电设备等				

主要财务指标	2016.06.30	2015.12.31	2015.06.30	2014.12.31
指标\报告期	2016.06.30	2015.12.31	2015.06.30	2014.12.31
基本每股收益(元)	-0.1335	-0.2160	0.0176	0.0400
基本每股收益(扣除后)(元)	-0.1307	-0.2380	0.0193	-0.0290
稀释每股收益(元)	-0.1335	-0.2160	0.0176	0.0400
每股净资产(元)	2.8202	2.9039	3.1375	3.1200
每股经营现金净流量(元)	0.4587	1.3123	0.7619	1.2839
每股现金流量(元)	-0.2224	-0.3830	-0.2345	0.4739
每股资本公积金(元)	3.1491	3.0993	3.0993	3.0993
每股盈余公积金(元)	0.0452	0.0452	0.0452	0.0452
每股未分配利润(元)	-1.3741	-1.2406	-1.0070	-1.0246
净资产收益率(%)	-4.7330	-7.4407	0.5598	1.1457
加权净资产收益率(%)	-4.6800	-7.1700	0.5600	1.5200
净资产收益率(扣除)(%)	-4.6403	-8.1953	0.6147	-0.8379
总资产(万元)	923292.16	936188.35	939147.53	952816.07
归属母公司股东权益(万元)	152750.03	157285.31	169939.73	168988.47
营业收入(万元)	63844.18	120517.64	62302.38	143847.13
营业支出(万元)	50064.24	82770.00	36262.94	88579.91
投资收益(万元)	-131.54	210.20	20.35	-101.84
净利润(万元)	-7669.56	-12304.76	1926.09	2858.33
营业利润(万元)	-8132.47	-16022.70	986.50	-1885.59
利润总额(万元)	-7657.27	-12574.20	2103.27	3670.66

三湘印象股份有限公司

公司概况					
公司名称	三湘印象股份有限公司			证券简称	三湘印象
法人代表	黄辉	董秘	徐玉	证券代码	000863
公司网址	www.sxgf.com		电子信箱	sxgf000863@sxgf.com	
电　话	021-65364018		传　真	021-65363840	
办公地址	上海市杨浦区逸仙路 333 号 501 室				
经营范围	投资兴办实业(具体项目另行申报)、国内贸易等				

主要财务指标	2016.06.30	2015.12.31	2015.06.30	2014.12.31
指标\报告期	2016.06.30	2015.12.31	2015.06.30	2014.12.31
基本每股收益(元)	0.4800	0.1100	0.1000	0.1900
基本每股收益(扣除后)(元)	0.4700	-0.2600	-0.1000	0.0500
稀释每股收益(元)	0.4700	0.1100	0.1000	0.1900
每股净资产(元)	4.5000	3.1092	3.2216	3.2147
每股经营现金净流量(元)	-0.2776	-0.8039	-4.6009	-3.3500
每股现金流量(元)	0.6942	-1.6972	-3.6154	3.5697
每股资本公积金(元)	2.3493	0.9227	1.9465	1.9028
每股盈余公积金(元)	0.0886	0.1287	0.2412	0.2571
每股未分配利润(元)	1.5115	1.7129	3.6068	3.8547
净资产收益率(%)	7.3769	3.5185	2.8671	4.8965
加权净资产收益率(%)	13.7000	3.5100	2.9200	7.3200
净资产收益率(扣除)(%)	7.2372	-8.3494	-3.0025	1.3193
总资产(万元)	1554736.93	1347658.05	1274592.77	1151822.18
归属母公司股东权益(万元)	624584.37	297387.75	308140.99	298483.02
营业收入(万元)	399582.23	51950.29	21756.72	127081.02
营业支出(万元)	292838.43	31395.42	11665.87	81274.03
投资收益(万元)	30.60	42327.55	23647.00	13853.03
净利润(万元)	44833.20	7958.78	7549.82	11879.38
营业利润(万元)	62757.01	9031.74	7618.02	15389.63
利润总额(万元)	63859.50	10299.88	8032.35	18091.12

安徽安凯汽车股份有限公司

公司概况					
公司名称	安徽安凯汽车股份有限公司			证券简称	安凯客车
法人代表	戴茂方	董秘	李永祥	证券代码	000868
公司网址	www.ankai.com		电子信箱	zqb@ankai.com	
电　话	0551-62297712 63732002		传　真	0551-62297710	
办公地址	安徽省合肥市包河区葛淝路 1 号				
经营范围	大中型客车，底盘生产销售，汽车配件销售，汽车设计、维修、咨询、实验等				

主要财务指标	2016.06.30	2015.12.31	2015.06.30	2014.12.31
指标\报告期	2016.06.30	2015.12.31	2015.06.30	2014.12.31
基本每股收益(元)	0.0300	0.0600	0.0400	0.0300
基本每股收益(扣除后)(元)	0.0100	0.0100	0.0300	-0.0400
稀释每股收益(元)	0.0300	0.0600	0.0400	0.0300
每股净资产(元)	1.8512	1.8396	1.8248	1.7779
每股经营现金净流量(元)	-1.6980	-0.4159	-1.0237	0.1823
每股现金流量(元)	-0.6113	-0.4571	-0.6278	0.1931
每股资本公积金(元)	0.5536	0.5536	0.5536	0.5536
每股盈余公积金(元)	0.0635	0.0635	0.0547	0.0547
每股未分配利润(元)	0.2262	0.2186	0.2131	0.1696
净资产收益率(%)	1.4914	3.1446	2.3864	1.9034
加权净资产收益率(%)	1.5000	3.2000	2.4200	1.9200
净资产收益率(扣除)(%)	0.6919	0.5067	1.5053	-2.2023
总资产(万元)	727276.36	617558.48	542523.87	495491.20
归属母公司股东权益(万元)	128762.45	127955.84	126923.39	123663.44
营业收入(万元)	177932.99	402211.25	172220.10	483529.46
营业支出(万元)	223281.39	456318.76	186126.05	443505.94
投资收益(万元)	-46.78	159.40	-50.50	-2.97
净利润(万元)	1864.83	1093.78	1105.56	4698.54
营业利润(万元)	-81962.77	-132528.53	-43139.14	-23585.54
利润总额(万元)	2480.48	186.22	2269.62	6618.01

烟台张裕葡萄酿酒股份有限公司

公司概况					
公司名称	烟台张裕葡萄酿酒股份有限公司			证券简称	张 裕 A
法人代表	孙利强	董秘	曲为民	证券代码	000869
公司网址	www.changyu.com.cn		电子信箱	webmaster@changyu.com.cn	
电　话	0535-6633656		传　真	0535-6633639	
办公地址	山东省烟台市大马路 56 号				
经营范围	葡萄酒、白兰地、香槟酒和保健酒的酿制、生产与销售等				

主要财务指标	2016.06.30	2015.12.31	2015.06.30	2014.12.31
指标\报告期	2016.06.30	2015.12.31	2015.06.30	2014.12.31
基本每股收益(元)	1.0100	1.5000	1.0900	1.4300
基本每股收益(扣除后)(元)	0.9900	1.4500	1.0800	1.3900
稀释每股收益(元)	1.0100	1.5000	1.0900	1.4300
每股净资产(元)	12.0581	11.0350	11.0617	9.9793
每股经营现金净流量(元)	0.9960	1.6676	1.3526	1.5611
每股现金流量(元)	0.8048	0.1922	0.6865	0.0057
每股资本公积金(元)	0.8257	0.8257	0.8215	0.8215
每股盈余公积金(元)	0.5000	0.5000	0.5000	0.5000
每股未分配利润(元)	9.7385	8.7246	8.7502	7.6618
净资产收益率(%)	8.4088	13.6179	9.8394	14.2930
加权净资产收益率(%)	8.7800	14.4000	10.3400	15.1100
净资产收益率(扣除)(%)	8.2087	13.1314	9.7520	13.8908
总资产(万元)	1128432.50	1034421.15	937991.08	891223.26
归属母公司股东权益(万元)	826537.08	756409.90	758236.74	684045.21
营业收入(万元)	275303.28	464972.24	282579.33	415672.75
营业支出(万元)	90273.41	151250.30	93252.27	137244.46
投资收益(万元)	-	-	-	-
净利润(万元)	69566.99	103027.56	74606.02	97770.77
营业利润(万元)	91279.56	133999.94	98334.45	126710.76
利润总额(万元)	93438.53	138815.99	99178.73	130273.38

吉林电力股份有限公司

公司概况					
公司名称	吉林电力股份有限公司			证券简称	吉电股份
法人代表	靳东来	董秘	赵民	证券代码	000875
公司网址	www.cpijl.com			电子信箱	jdgf875@cpijl.com
电　话	0431-81150933　81150998			传　真	0431-81150997
办公地址	吉林省长春市人民大街9699号				
经营范围	火电、水电、供热、工业供气、新能源的开发、投资、建设、生产与销售等				

主要财务指标 指标\报告期	2016.06.30	2015.12.31	2015.06.30	2014.12.31
基本每股收益(元)	0.0600	0.0806	0.0500	0.0512
基本每股收益(扣除后)(元)	0.0200	0.0045	0.0300	0.0159
稀释每股收益(元)	0.0600	0.0806	0.0500	0.0512
每股净资产(元)	2.7028	2.6390	2.6105	2.5569
每股经营现金净流量(元)	0.5809	1.0828	0.4073	1.1115
每股现金流量(元)	0.1993	0.0860	0.0163	-0.7748
每股资本公积金(元)	1.7922	1.7922	1.7907	1.7907
每股盈余公积金(元)	0.0674	0.0674	0.0674	0.0674
每股未分配利润(元)	-0.1568	-0.2206	-0.2476	-0.3012
净资产收益率(%)	2.3612	3.0550	2.0527	2.0011
加权净资产收益率(%)	2.3900	3.1000	2.0700	1.9200
净资产收益率(扣除)(%)	1.6236	0.1699	1.2898	0.6217
总资产(万元)	2728927.18	2287249.69	2083256.23	2031765.37
归属母公司股东权益(万元)	394772.94	385451.65	381287.27	373460.57
营业收入(万元)	206970.28	430202.19	210065.85	475294.84
营业支出(万元)	155849.58	340200.48	162888.77	370553.92
投资收益(万元)	834.87	49.88	919.97	1188.15
净利润(万元)	8780.28	14646.32	9259.93	6078.73
营业利润(万元)	10521.51	2254.93	6882.71	3623.97
利润总额(万元)	11462.46	16403.05	10180.46	7983.52

新希望六和股份有限公司

公司概况					
公司名称	新希望六和股份有限公司			证券简称	新希望
法人代表	刘畅	董秘	向川	证券代码	000876
公司网址	www.newhopeagri.com			电子信箱	000876@newhope.cn
电　话	028-82000876　85953835			传　真	028-85950022
办公地址	四川省成都市锦江工业园区金石路376号				
经营范围	配合饲料、浓缩饲料、精料补充料的生产、加工、销售等				

主要财务指标 指标\报告期	2016.06.30	2015.12.31	2015.06.30	2014.12.31
基本每股收益(元)	0.3400	1.0600	0.5600	1.0900
基本每股收益(扣除后)(元)	0.3300	0.9500	0.5600	1.0100
稀释每股收益(元)	0.3400	1.0600	0.5600	1.0900
每股净资产(元)	4.6887	9.2445	8.9928	8.4400
每股经营现金净流量(元)	0.3346	1.5296	0.7522	0.6449
每股现金流量(元)	-0.1754	0.2157	0.1585	0.0662
每股资本公积金(元)	0.5184	2.0372	2.0826	2.0862
每股盈余公积金(元)	0.3047	0.6040	0.4852	0.4852
每股未分配利润(元)	2.8821	5.6330	5.4966	4.9409
净资产收益率(%)	7.3207	11.4761	6.1794	11.4774
加权净资产收益率(%)	7.3700	11.9800	6.3700	13.6800
净资产收益率(扣除)(%)	7.0033	10.3272	6.1853	10.6061
总资产(万元)	3667146.75	3521707.65	3409289.93	3340118.56
归属母公司股东权益(万元)	1954343.95	1926661.66	1874206.30	1759776.83
营业收入(万元)	2778906.67	6151964.98	2949813.95	7001223.33
营业支出(万元)	2543402.64	5724253.31	2741091.16	6586001.28
投资收益(万元)	120550.60	243271.50	127946.07	228123.04
净利润(万元)	183216.57	295966.31	158225.28	261341.29
营业利润(万元)	190118.77	314225.35	168472.33	289084.48
利润总额(万元)	192260.03	318038.97	169664.61	290811.18

新疆天山水泥股份有限公司

公司概况					
公司名称	新疆天山水泥股份有限公司			证券简称	天山股份
法人代表	张丽荣	董秘	刘洪涛	证券代码	000877
公司网址	www.sinoma-tianshan.cn			电子信箱	liuhongtao@sinoma-tianshan.cn
电　话	0991-6686798			传　真	0991-6686782
办公地址	新疆维吾尔自治区乌鲁木齐市河北东路1256号天合大厦				
经营范围	水泥及其相关产品的生产、经营及销售等				

主要财务指标 指标\报告期	2016.06.30	2015.12.31	2015.06.30	2014.12.31
基本每股收益(元)	-0.1180	-0.5966	-0.2881	0.2900
基本每股收益(扣除后)(元)	-0.1184	-0.7243	-0.3000	0.0300
稀释每股收益(元)	-0.1180	-0.5966	-0.2881	0.2900
每股净资产(元)	7.1475	7.3134	7.6975	7.7701
每股经营现金净流量(元)	0.3395	0.2690	0.1525	0.4851
每股现金流量(元)	-0.3764	0.3734	0.1776	0.2589
每股资本公积金(元)	4.1123	4.1123	4.1123	3.8851
每股盈余公积金(元)	0.2469	0.2469	0.2251	0.2251
每股未分配利润(元)	1.5617	1.6797	2.0101	2.3851
净资产收益率(%)	-1.6514	-8.1573	-3.7421	3.6921
加权净资产收益率(%)	-1.6400	-7.8000	-3.6500	3.7600
净资产收益率(扣除)(%)	-1.6568	-9.9034	-3.9049	0.3441
总资产(万元)	1987380.17	2053036.64	2197983.40	2162763.13
归属母公司股东权益(万元)	629049.57	643655.84	677461.30	683845.27
营业收入(万元)	199308.50	504665.04	210858.37	654357.26
营业支出(万元)	159631.14	438343.55	181043.95	519771.03
投资收益(万元)	148.13	4960.68	1641.19	265.53
净利润(万元)	-13948.23	-66974.27	-32325.54	25479.56
营业利润(万元)	-16406.41	-85519.08	-39818.11	-18801.69
利润总额(万元)	-14508.65	-66713.70	-33826.45	31496.37

云南铜业股份有限公司

公司概况					
公司名称	云南铜业股份有限公司			证券简称	云南铜业
法人代表	武建强	董秘	彭捍东	证券代码	000878
公司网址	www.yunnan-copper.com			电子信箱	ytdm@yunnancopper.com
电　话	0871-3106732　3106792			传　真	0871-3106735
办公地址	云南省昆明市人民东路111号615室				
经营范围	生产和销售电解铜、异型铜线杆为主、工业硫酸、黄金、白银等附加产品为辅				

主要财务指标 指标\报告期	2016.06.30	2015.12.31	2015.06.30	2014.12.31
基本每股收益(元)	0.0080	0.0180	0.0110	0.0500
基本每股收益(扣除后)(元)	-0.0130	-0.2480	-0.0100	0.0210
稀释每股收益(元)	0.0080	0.0180	0.0110	0.0500
每股净资产(元)	3.9350	3.7010	3.8142	3.8942
每股经营现金净流量(元)	-0.5989	0.7859	0.0449	3.1496
每股现金流量(元)	-0.0495	-0.0280	-0.1725	-0.5895
每股资本公积金(元)	3.1053	3.1053	3.1061	3.1061
每股盈余公积金(元)	0.3141	0.3141	0.3141	0.3141
每股未分配利润(元)	-0.5485	-0.5561	-0.5627	-0.5737
净资产收益率(%)	0.1924	0.4951	0.2888	1.3283
加权净资产收益率(%)	0.2000	0.4800	0.2900	1.3400
净资产收益率(扣除)(%)	-0.3318	-6.7084	-0.2502	0.5393
总资产(万元)	2405380.77	2330900.76	2478464.93	2487079.90
归属母公司股东权益(万元)	557346.14	524204.07	540248.53	551569.46
营业收入(万元)	1653703.64	5665555.03	2870840.77	6240446.09
营业支出(万元)	1575519.87	5500915.74	2793173.87	6012963.30
投资收益(万元)	10371.03	20737.68	2201.70	5158.44
净利润(万元)	63.72	6425.61	3261.59	12920.62
营业利润(万元)	123.78	-11383.21	1722.74	12459.75
利润总额(万元)	1862.28	17713.64	6122.31	21299.17

潍柴重机股份有限公司

公司概况					
公司名称	潍柴重机股份有限公司			证券简称	潍柴重机
法人代表	徐宏	董秘	韩彬	证券代码	000880
公司网址	www.weichaihm.com		电子信箱	webmaster@weichaihm.com	
电　话	0536-2098008		传　真	0536-2098020	
办公地址	山东省潍坊市滨海经济技术开发区富海大街17号				
经营范围	内燃机及配件生产、销售、发电机及发电机组的生产、销售等				

主要财务指标 指标\报告期	2016.06.30	2015.12.31	2015.06.30	2014.12.31
基本每股收益(元)	0.0562	0.1100	0.0800	0.1700
基本每股收益(扣除后)(元)	0.0316	0.0800	0.0800	0.1500
稀释每股收益(元)	0.0562	0.1100	0.0800	0.1700
每股净资产(元)	4.7100	4.6488	4.6223	4.5378
每股经营现金净流量(元)	0.2874	0.4326	0.2432	1.3267
每股现金流量(元)	0.1914	0.1006	-0.2679	0.3850
每股资本公积金(元)	2.1337	2.1337	2.1337	2.1337
每股盈余公积金(元)	0.2581	0.2581	0.2446	0.2446
每股未分配利润(元)	1.2967	1.2405	1.2255	1.1455
净资产收益率(%)	1.1934	2.3316	1.7309	3.6968
加权净资产收益率(%)	1.2000	2.3600	1.7400	3.7700
净资产收益率(扣除)(%)	0.6712	1.6526	1.5550	3.3200
总资产(万元)	340796.15	344761.39	338879.31	353316.97
归属母公司股东权益(万元)	130042.36	128354.83	127622.36	125288.47
营业收入(万元)	87850.98	243521.05	121518.21	307647.13
营业支出(万元)	74607.07	212866.70	107942.50	271487.54
投资收益(万元)	1891.69	3074.69	1538.56	3082.74
净利润(万元)	1596.98	3092.37	2227.75	4663.67
营业利润(万元)	855.86	2205.93	2025.86	4665.99
利润总额(万元)	1654.14	3228.45	2288.64	5220.24

中广核核技术发展股份有限公司

公司概况					
公司名称	中广核核技术发展股份有限公司			证券简称	中广核技
法人代表	张剑锋	董秘	杨彬	证券代码	000881
公司网址	www.cdigstock.com		电子信箱	hanxiuji@china-cdig.com	
电　话	0755-88619316		传　真	0755-82781956	
办公地址	广东省深圳市深南大道2002号中广核大厦北楼16层				
经营范围	远洋运输、国际工程承包、房地产、国际劳务合作、进出口贸易、远洋渔业等				

主要财务指标 指标\报告期	2016.06.30	2015.12.31	2015.06.30	2014.12.31
基本每股收益(元)	0.0010	-2.6500	-2.6500	0.2400
基本每股收益(扣除后)(元)	0.0140	-2.6600	-2.6700	0.1100
稀释每股收益(元)	0.0010	-2.6500	-2.6500	0.2400
每股净资产(元)	2.6867	2.6760	2.6546	5.3051
每股经营现金净流量(元)	0.3678	1.1010	0.2174	-1.5444
每股现金流量(元)	0.4240	-0.7425	-0.5986	-2.0481
每股资本公积金(元)	0.8213	0.8213	0.8214	0.8214
每股盈余公积金(元)	0.5074	0.5074	0.5074	0.5074
每股未分配利润(元)	0.5686	0.5672	0.5661	3.2171
净资产收益率(%)	0.0498	-99.0246	-99.8633	4.5777
加权净资产收益率(%)	0.0500	-66.4000	-66.6100	4.6500
净资产收益率(扣除)(%)	0.5031	-99.4862	-100.6207	2.0704
总资产(万元)	488565.04	492511.56	509601.70	603674.57
归属母公司股东权益(万元)	82996.96	82665.43	82005.05	163885.66
营业收入(万元)	93385.81	210010.73	99582.19	202965.04
营业支出(万元)	81564.41	185673.92	92964.61	162502.54
投资收益(万元)	4.84	73.37	73.37	464.93
净利润(万元)	-1203.85	-128095.11	-128986.06	10306.30
营业利润(万元)	190.48	-137739.40	-134373.02	5465.07
利润总额(万元)	-226.92	-129964.91	-131065.72	12017.94

北京华联商厦股份有限公司

公司概况					
公司名称	北京华联商厦股份有限公司			证券简称	华联股份
法人代表	牛晓华	董秘	周剑军	证券代码	000882
公司网址	www.bhgmall.com.cn		电子信箱	hlgf000882@sina.com	
电　话	010-68364987		传　真	010-68364987	
办公地址	北京市西城区阜成门外大街1号四川大厦5层				
经营范围	销售百货和商业地产开发与购物中心运营管理				

主要财务指标 指标\报告期	2016.06.30	2015.12.31	2015.06.30	2014.12.31
基本每股收益(元)	0.0207	0.0992	0.0160	0.0334
基本每股收益(扣除后)(元)	-0.0530	-0.1777	-0.0489	0.0267
稀释每股收益(元)	0.0207	0.0992	0.0160	0.0334
每股净资产(元)	2.8137	2.7475	2.6667	2.6736
每股经营现金净流量(元)	0.0721	0.0496	0.0215	0.2521
每股现金流量(元)	-0.1733	0.8417	0.1791	-0.6527
每股资本公积金(元)	1.5557	1.5557	1.5557	1.5570
每股盈余公积金(元)	0.0566	0.0566	0.0395	0.0395
每股未分配利润(元)	0.0828	0.1263	0.0602	0.0722
净资产收益率(%)	0.7349	3.6116	0.6013	1.2487
加权净资产收益率(%)	0.6800	3.6600	0.6000	1.2800
净资产收益率(扣除)(%)	-1.8825	-6.4677	-1.8323	0.9997
总资产(万元)	1148469.69	1360658.34	1396863.50	1326927.94
归属母公司股东权益(万元)	626347.30	611618.80	593636.51	595474.18
营业收入(万元)	52546.20	119174.84	63684.05	149973.35
营业支出(万元)	36440.10	81848.94	39090.23	70606.11
投资收益(万元)	29304.74	107581.48	20276.79	7021.35
净利润(万元)	3525.57	19444.00	2582.16	6534.43
营业利润(万元)	5785.90	54294.51	3723.93	8693.51
利润总额(万元)	3549.41	21313.06	3677.18	8917.63

湖北能源集团股份有限公司

公司概况					
公司名称	湖北能源集团股份有限公司			证券简称	湖北能源
法人代表	肖宏江	董秘	周江	证券代码	000883
公司网址	www.hbny.com.cn		电子信箱	zq@hbny.com.cn	
电　话	027-86621100		传　真	027-86621109	
办公地址	湖北省武汉市洪山区徐东大街137号能源大厦				
经营范围	发电、天然气、房地产、煤炭销售、专用汽车、汽车零配件等				

主要财务指标 指标\报告期	2016.06.30	2015.12.31	2015.06.30	2014.12.31
基本每股收益(元)	0.2000	0.2900	0.2590	0.2100
基本每股收益(扣除后)(元)	0.2000	0.2814	0.2420	0.1900
稀释每股收益(元)	0.2000	0.2900	0.2590	0.2100
每股净资产(元)	3.4469	3.3400	2.9283	2.7113
每股经营现金净流量(元)	0.2365	0.5318	0.3889	0.4740
每股现金流量(元)	-0.8384	0.9410	0.1314	-0.0878
每股资本公积金(元)	1.5574	1.5567	0.9490	0.9384
每股盈余公积金(元)	0.0807	0.0807	0.0978	0.0763
每股未分配利润(元)	0.7985	0.6910	0.8303	0.6469
净资产收益率(%)	5.7591	7.2594	8.8410	7.8852
加权净资产收益率(%)	5.9300	10.4500	9.0900	8.2100
净资产收益率(扣除)(%)	5.7433	6.9250	8.2623	7.0743
总资产(万元)	4075049.07	4298780.77	3651869.92	3367381.74
归属母公司股东权益(万元)	2243063.56	2173471.74	1566297.52	1450192.84
营业收入(万元)	443138.66	708511.97	393240.98	727014.68
营业支出(万元)	252217.50	441018.54	219520.84	497821.16
投资收益(万元)	24919.19	73322.27	50824.55	57658.71
净利润(万元)	140028.47	161803.48	146433.45	129104.51
营业利润(万元)	169157.61	187505.75	166894.77	145024.23
利润总额(万元)	175502.84	202596.68	177785.77	170652.54

河南同力水泥股份有限公司

公司概况	公司名称	河南同力水泥股份有限公司			证券简称	同力水泥
	法人代表	张伟	董秘	侯绍民	证券代码	000885
	公司网址	www.tlcement.com		电子信箱	tlsn000885@163.com	
	电 话	0371-69158113 69158315		传 真	0371-69158112	
	办公地址	河南省郑州市农业路41号投资大厦A座8、9层				
	经营范围	水泥制造业				

	指标\报告期	2016.06.30	2015.12.31	2015.06.30	2014.12.31
主要财务指标	基本每股收益(元)	0.0023	0.0760	0.1331	0.3732
	基本每股收益(扣除后)(元)	-0.0037	0.0004	0.1089	0.3080
	稀释每股收益(元)	0.0023	0.0760	0.1331	0.3732
	每股净资产(元)	4.6018	4.6115	4.6621	4.5694
	每股经营现金净流量(元)	0.4423	1.3212	0.3189	1.8335
	每股现金流量(元)	-0.7959	1.2751	0.0569	-0.2091
	每股资本公积金(元)	2.5069	2.5069	2.5242	2.5242
	每股盈余公积金(元)	0.1770	0.1770	0.1410	0.1410
	每股未分配利润(元)	0.8585	0.8662	0.9355	0.8424
	净资产收益率(%)	0.0502	1.6483	2.8558	7.7550
	加权净资产收益率(%)	0.0500	1.6100	2.8800	8.6400
	净资产收益率(扣除)(%)	-0.0770	0.0085	2.3365	6.4006
	总资产(万元)	584950.46	593497.31	474023.68	482254.92
	归属母公司股东权益(万元)	218493.58	218954.13	221356.06	216956.36
	营业收入(万元)	147344.57	323177.78	158816.78	393786.90
	营业支出(万元)	116942.42	255420.87	125706.24	304733.53
	投资收益(万元)	26.91	138.97	63.92	137.74
	净利润(万元)	1577.09	8369.37	9453.77	24361.06
	营业利润(万元)	1203.44	-4100.63	3087.02	8079.82
	利润总额(万元)	4158.28	16463.52	13355.95	33631.10

海南高速公路股份有限公司

公司概况	公司名称	海南高速公路股份有限公司			证券简称	海南高速
	法人代表	曾国华	董秘	陈求仲	证券代码	000886
	公司网址	www.hi-expressway.com		电子信箱	ss000886@163.com	
	电 话	0898-66768394		传 真	0898-66790647	
	办公地址	海南省海口市蓝天路16号高速公路大楼				
	经营范围	高等级公路勘测、设计、养护、管理服务、房地产开发经营等				

	指标\报告期	2016.06.30	2015.12.31	2015.06.30	2014.12.31
主要财务指标	基本每股收益(元)	0.0330	-0.2290	0.0460	0.0510
	基本每股收益(扣除后)(元)	0.0330	-0.1630	0.0460	0.0460
	稀释每股收益(元)	0.0330	-0.2290	0.0460	0.0510
	每股净资产(元)	2.5739	2.5427	2.8167	2.7708
	每股经营现金净流量(元)	-0.0211	-0.0388	-0.0661	-0.0997
	每股现金流量(元)	-0.2228	0.0622	0.1893	-0.2557
	每股资本公积金(元)	0.9546	0.9546	0.9546	0.9546
	每股盈余公积金(元)	0.3527	0.3527	0.3527	0.3527
	每股未分配利润(元)	0.2552	0.2225	0.4983	0.4518
	净资产收益率(%)	1.2714	-9.0198	1.6482	1.8410
	加权净资产收益率(%)	1.2800	-8.6300	1.6600	1.8400
	净资产收益率(扣除)(%)	1.2933	-6.4224	1.6322	-
	总资产(万元)	311560.64	312464.57	324565.92	326578.37
	归属母公司股东权益(万元)	254519.02	251428.44	278525.90	273982.68
	营业收入(万元)	9897.75	21223.99	9908.82	29965.27
	营业支出(万元)	3212.16	11043.75	3377.02	17847.74
	投资收益(万元)	1873.12	5095.57	3208.33	5526.59
	净利润(万元)	3237.07	-22681.62	4590.31	5044.97
	营业利润(万元)	4254.21	-13435.98	5352.09	5520.48
	利润总额(万元)	4184.28	-19992.10	5381.75	6253.66

安徽中鼎密封件股份有限公司

公司概况	公司名称	安徽中鼎密封件股份有限公司			证券简称	中鼎股份
	法人代表	夏鼎湖	董秘	蒋孝安	证券代码	000887
	公司网址	www.zhongdinggroup.com		电子信箱	rjm@zhongdinggroup.com	
	电 话	0563-4181887		传 真	0563-4181880*6071	
	办公地址	安徽省宁国市经济技术开发区				
	经营范围	液压气动密封件、汽车非轮胎橡胶制品(制动、减震除外)生产和销售等				

	指标\报告期	2016.06.30	2015.12.31	2015.06.30	2014.12.31
主要财务指标	基本每股收益(元)	0.4100	0.6400	0.3500	0.5200
	基本每股收益(扣除后)(元)	0.3800	0.6100	0.3400	0.4900
	稀释每股收益(元)	-	-	-	-
	每股净资产(元)	4.9046	3.2846	2.9109	2.6276
	每股经营现金净流量(元)	0.2685	0.9777	0.2871	0.4907
	每股现金流量(元)	0.5142	0.7925	0.1634	-0.0088
	每股资本公积金(元)	1.7958	0.3261	0.3244	0.3257
	每股盈余公积金(元)	0.2196	0.2392	0.1999	0.1999
	每股未分配利润(元)	1.8876	1.7186	1.4646	1.1580
	净资产收益率(%)	7.9398	19.4791	11.9084	19.3305
	加权净资产收益率(%)	10.4200	21.6900	12.4300	22.0000
	净资产收益率(扣除)(%)	7.5033	18.6647	11.6627	17.8916
	总资产(万元)	1022017.16	747111.35	667390.39	542624.66
	归属母公司股东权益(万元)	595762.37	366395.12	324712.80	293106.11
	营业收入(万元)	363755.75	654308.02	318228.31	504019.09
	营业支出(万元)	248016.30	453070.78	219396.91	354475.72
	投资收益(万元)	164.44	-86.97	-	3180.40
	净利润(万元)	48806.54	74993.04	40672.33	58766.28
	营业利润(万元)	57043.85	87601.92	47300.36	68180.81
	利润总额(万元)	60067.80	91105.39	48474.64	69910.42

峨眉山旅游股份有限公司

公司概况	公司名称	峨眉山旅游股份有限公司			证券简称	峨眉山A
	法人代表	马元祝	董秘	张华仙	证券代码	000888
	公司网址	www.ems517.com		电子信箱	000888@ems517.com	
	电 话	0833-5544568 5528075		传 真	0833-5526666	
	办公地址	四川省峨眉山市名山南路41号				
	经营范围	提供旅游、索道运输、旅店、中餐、西餐、酒水、茶座、游艺室、音乐厅等				

	指标\报告期	2016.06.30	2015.12.31	2015.06.30	2014.12.31
主要财务指标	基本每股收益(元)	0.1127	0.3724	0.1041	0.7193
	基本每股收益(扣除后)(元)	0.1110	0.2673	0.1045	0.7223
	稀释每股收益(元)	0.1127	0.3724	0.1041	0.7193
	每股净资产(元)	3.6422	3.6295	3.3611	6.6940
	每股经营现金净流量(元)	0.0999	0.5110	0.2035	1.1989
	每股现金流量(元)	-0.0160	0.0509	-0.1810	-0.4578
	每股资本公积金(元)	0.8107	0.8107	0.8107	2.6213
	每股盈余公积金(元)	0.2881	0.2881	0.2479	0.4958
	每股未分配利润(元)	1.5434	1.5307	1.3025	2.5768
	净资产收益率(%)	3.0945	10.2619	3.0972	10.7454
	加权净资产收益率(%)	3.0900	10.7000	3.0800	11.2800
	净资产收益率(扣除)(%)	3.0490	7.3643	3.1080	10.7903
	总资产(万元)	253335.57	246850.63	214282.23	220511.58
	归属母公司股东权益(万元)	191910.11	191240.51	177100.77	176357.91
	营业收入(万元)	48239.89	106550.03	46817.16	99366.35
	营业支出(万元)	28930.60	63211.63	28350.70	54387.10
	投资收益(万元)	-422.71	-915.62	-26.71	-34.79
	净利润(万元)	5715.24	19093.88	5342.88	18801.84
	营业利润(万元)	6850.02	16582.46	6415.84	22426.66
	利润总额(万元)	6950.77	22987.41	6389.11	22274.19

茂业通信网络股份有限公司

公司概况						
	公司名称	茂业通信网络股份有限公司			证券简称	茂业通信
	法人代表	刘宏	董秘	焦海青	证券代码	000889
	公司网址	www.hlsc.com.cn			电子信箱	haiyingduo@163.com
	电　话	0335-3733868 3280602			传　真	0335-3023349
	办公地址	河北省秦皇岛市海港区河北大街146号金原国际商务大厦				
	经营范围	通信工程、计算机网络工程的设计等				

主要财务指标	指标\报告期	2016.06.30	2015.12.31	2015.06.30	2014.12.31
	基本每股收益(元)	0.2056	0.2470	0.1468	0.2146
	基本每股收益(扣除后)(元)	0.2022	0.2499	0.1459	0.2144
	稀释每股收益(元)	0.2056	0.2470	0.1468	0.2146
	每股净资产(元)	3.8247	3.6191	3.5370	3.3880
	每股经营现金净流量(元)	-0.1173	0.2262	0.2710	0.3142
	每股现金流量(元)	-0.0618	-0.0932	-0.0598	0.1492
	每股资本公积金(元)	1.7764	1.7764	1.7786	1.7764
	每股盈余公积金(元)	0.1376	0.1376	0.0778	0.0778
	每股未分配利润(元)	0.9107	0.7051	0.6806	0.5339
	净资产收益率(%)	5.3766	6.8255	4.1497	4.6875
	加权净资产收益率(%)	5.5300	7.0500	4.2400	7.7500
	净资产收益率(扣除)(%)	5.2877	6.9054	4.1243	4.6396
	总资产(万元)	295316.96	339316.07	298043.37	281073.27
	归属母公司股东权益(万元)	237829.57	225042.46	219937.27	210677.07
	营业收入(万元)	89019.17	221586.74	116019.83	192000.48
	营业支出(万元)	68602.29	172116.00	89469.15	150649.50
	投资收益(万元)	-	18457.52	24.01	76.47
	净利润(万元)	12787.11	15360.32	9126.84	9867.85
	营业利润(万元)	14928.47	31621.27	11998.99	14787.51
	利润总额(万元)	15165.72	31019.93	12068.62	14860.10

江苏法尔胜股份有限公司

公司概况						
	公司名称	江苏法尔胜股份有限公司			证券简称	法尔胜
	法人代表	张越	董秘	张文栋	证券代码	000890
	公司网址	www.fasten.com.cn			电子信箱	info@chinafasten.com
	电　话	0510-86119890			传　真	0510-86102007
	办公地址	江苏省江阴市澄江中路165号				
	经营范围	钢丝、钢丝绳、缆索、光缆等产品的生产及销售、钢材的销售等				

主要财务指标	指标\报告期	2016.06.30	2015.12.31	2015.06.30	2014.12.31
	基本每股收益(元)	0.1038	0.0146	0.0078	0.0137
	基本每股收益(扣除后)(元)	-0.0347	-0.0675	0.0060	-0.0380
	稀释每股收益(元)	0.1038	0.0146	0.0078	0.0137
	每股净资产(元)	1.8205	2.7576	2.7508	2.7431
	每股经营现金净流量(元)	-1.3080	0.2469	0.1376	0.7714
	每股现金流量(元)	0.5103	-0.2218	0.1113	-0.0401
	每股资本公积金(元)	0.0363	2.8262	1.2457	1.2457
	每股盈余公积金(元)	-	0.1914	0.1914	0.1914
	每股未分配利润(元)	0.7570	0.6939	0.3137	0.3059
	净资产收益率(%)	5.6999	0.5281	0.2823	0.5006
	加权净资产收益率(%)	3.1800	-2.4500	0.2800	0.5000
	净资产收益率(扣除)(%)	-1.9072	-2.4462	0.2192	-1.3847
	总资产(万元)	730188.42	619459.90	310644.57	311054.01
	归属母公司股东权益(万元)	69115.49	178865.62	104432.74	104137.88
	营业收入(万元)	94434.78	142654.21	72870.07	155209.47
	营业支出(万元)	78225.87	123426.95	63043.78	133671.84
	投资收益(万元)	833.40	3297.52	849.22	2671.16
	净利润(万元)	4997.02	1255.19	667.00	1139.15
	营业利润(万元)	4882.99	888.17	799.77	1801.86
	利润总额(万元)	5032.27	1545.08	842.35	1969.58

欢瑞世纪联合股份有限公司

公司概况						
	公司名称	欢瑞世纪联合股份有限公司			证券简称	欢瑞世纪
	法人代表	钟君艳	董秘	徐虹	证券代码	000892
	公司网址				电子信箱	stellarmegaunion@aliyun.cn
	电　话	023-88639066 88639062			传　真	023-88639061
	办公地址	重庆市江北区北城天街15号富力海洋广场6幢2201室				
	经营范围	通信产业投资、通信设备制造、通信工程及技术咨询等				

主要财务指标	指标\报告期	2016.06.30	2015.12.31	2015.06.30	2014.12.31
	基本每股收益(元)	-0.0004	0.0031	-0.0041	-0.0058
	基本每股收益(扣除后)(元)	-0.0004	0.0031	-0.0041	-0.0058
	稀释每股收益(元)	-0.0004	0.0031	-0.0041	-0.0058
	每股净资产(元)	0.0100	0.0103	0.0031	0.0072
	每股经营现金净流量(元)	0.0072	-0.0022	-0.0041	-0.0066
	每股现金流量(元)	0.0048	-0.0025	-0.0041	-0.0066
	每股资本公积金(元)	0.2144	0.2144	0.2144	0.2144
	每股盈余公积金(元)	-	-	-	-
	每股未分配利润(元)	-1.2045	-1.2041	-1.2113	-1.2072
	净资产收益率(%)	-3.8064	30.4115	-130.2674	-80.3864
	加权净资产收益率(%)	-3.7400	35.8700	-78.9200	-57.3400
	净资产收益率(扣除)(%)	-3.8064	30.3090	-130.2674	-80.3864
	总资产(万元)	819.88	870.29	134.60	308.37
	归属母公司股东权益(万元)	411.88	427.56	129.21	297.44
	营业收入(万元)	619.41	1343.58	-	-
	营业支出(万元)	333.78	661.98	-	-
	投资收益(万元)	-	-	-	-
	净利润(万元)	-15.68	130.03	-168.32	-239.10
	营业利润(万元)	43.38	281.04	-168.32	-240.40
	利润总额(万元)	43.38	281.48	-168.32	-240.40

广州东凌国际投资股份有限公司

公司概况						
	公司名称	广州东凌国际投资股份有限公司			证券简称	东凌国际
	法人代表	赖宁昌	董秘	程晓娜	证券代码	000893
	公司网址	www.dongling.cn			电子信箱	stock@dongling.cn
	电　话	020-85506292			传　真	020-85506216
	办公地址	广州市越秀区沿江中路298号江湾商业中心1601、1611、1612室				
	经营范围	植物油加工业等				

主要财务指标	指标\报告期	2016.06.30	2015.12.31	2015.06.30	2014.12.31
	基本每股收益(元)	0.0175	0.0900	-0.0800	-1.1600
	基本每股收益(扣除后)(元)	0.0067	-0.7200	-0.0500	-1.1900
	稀释每股收益(元)	0.0175	0.0900	-0.0800	-1.1600
	每股净资产(元)	5.6248	5.6544	1.2287	1.2422
	每股经营现金净流量(元)	-0.2434	-0.4793	-1.0270	0.5640
	每股现金流量(元)	-0.5676	-0.2331	-0.6401	0.4397
	每股资本公积金(元)	4.9336	4.9818	1.1660	1.1342
	每股盈余公积金(元)	0.0417	0.0417	0.0771	0.0774
	每股未分配利润(元)	-0.3545	-0.3720	-0.8734	-0.7953
	净资产收益率(%)	0.3106	0.9967	-6.6406	-93.0911
	加权净资产收益率(%)	0.3100	2.6800	-6.7500	-59.6700
	净资产收益率(扣除)(%)	0.1186	-8.3319	-4.1619	-96.0483
	总资产(万元)	535063.24	635122.19	754535.73	805729.04
	归属母公司股东权益(万元)	425741.24	427983.40	50310.04	50639.51
	营业收入(万元)	116491.12	1115405.51	558723.16	1280396.71
	营业支出(万元)	108272.36	1111470.67	551095.66	1299173.58
	投资收益(万元)	-2795.45	48631.70	4861.67	-2355.27
	净利润(万元)	1868.84	4335.46	-2712.68	-46571.24
	营业利润(万元)	1998.63	3382.46	-3061.15	-46826.68
	利润总额(万元)	2038.58	4778.01	-2620.07	-46172.43

河南双汇投资发展股份有限公司

公司概况	公司名称	河南双汇投资发展股份有限公司			证券简称	双汇发展
	法人代表	万隆	董秘	张立文	证券代码	000895
	公司网址	www.shuanghui.net		电子信箱	0895@shuanghui.net	
	电　话	0395-2676158 2676530		传　真	0395-2693259	
	办公地址	河南省漯河市双汇路 1 号双汇大厦				
	经营范围	畜禽屠宰、加工销售肉类食品、肉类罐头、速冻肉制品等				

主要财务指标	指标\报告期	2016.06.30	2015.12.31	2015.06.30	2014.12.31
	基本每股收益(元)	0.6518	1.2892	0.6007	1.8358
	基本每股收益(扣除后)(元)	0.6518	1.1896	0.5592	1.7010
	稀释每股收益(元)	0.6518	1.2892	0.6007	1.8358
	每股净资产(元)	4.5078	5.0872	4.3799	7.0450
	每股经营现金净流量(元)	0.8606	1.7469	0.6988	2.1413
	每股现金流量(元)	−0.3012	−0.1463	−0.2929	−0.4155
	每股资本公积金(元)	0.5424	0.5242	0.5053	1.2143
	每股盈余公积金(元)	0.5550	0.5550	0.4272	0.6408
	每股未分配利润(元)	2.4104	3.0081	2.4474	4.1900
	净资产收益率(%)	14.4592	25.3422	13.7147	26.0583
	加权净资产收益率(%)	12.5200	27.2400	12.4100	28.6000
	净资产收益率(扣除)(%)	13.6292	23.3845	12.7674	24.1453
	总资产(万元)	2047862.42	2288446.72	2120029.48	2198243.42
	归属母公司股东权益(万元)	1487950.81	1679233.87	1445736.90	1550314.62
	营业收入(万元)	2552722.78	4469666.76	2035434.84	4569572.87
	营业支出(万元)	2093273.48	3541334.85	1597769.52	3658874.41
	投资收益(万元)	7015.80	15602.72	9393.78	14996.06
	净利润(万元)	222815.95	441646.34	205472.07	421545.78
	营业利润(万元)	278817.26	540999.41	254544.25	510851.65
	利润总额(万元)	288761.09	567515.32	263749.85	537271.13

天津津滨发展股份有限公司

公司概况	公司名称	天津津滨发展股份有限公司			证券简称	津滨发展
	法人代表	华志忠	董秘	于志丹	证券代码	000897
	公司网址	www.jbdc.com.cn		电子信箱	ZM@TEDA.TJ.CN	
	电　话	022-66223226		传　真	022-66223273	
	办公地址	天津市河西区体院北道 36 号 D 座				
	经营范围	基础设施开发、建设、经营、各类物资、商品的批发、零售等				

主要财务指标	指标\报告期	2016.06.30	2015.12.31	2015.06.30	2014.12.31
	基本每股收益(元)	0.0152	−0.1157	−0.0462	0.0063
	基本每股收益(扣除后)(元)	0.0144	−0.0893	−0.0470	−0.0391
	稀释每股收益(元)	0.0152	−0.1157	−0.0462	0.0063
	每股净资产(元)	0.7893	0.7741	0.8385	0.8848
	每股经营现金净流量(元)	0.2304	0.2065	0.0116	0.6516
	每股现金流量(元)	0.1277	−0.2263	−0.2891	−0.0329
	每股资本公积金(元)	0.1915	0.1915	0.1868	0.1868
	每股盈余公积金(元)	0.0402	0.0402	0.0402	0.0402
	每股未分配利润(元)	−0.4423	−0.4575	−0.3884	−0.3422
	净资产收益率(%)	1.9262	−14.9437	−5.5129	0.7118
	加权净资产收益率(%)	1.9500	−13.9900	−5.3700	0.7800
	净资产收益率(扣除)(%)	1.8253	−11.5370	−5.6034	−4.4175
	总资产(万元)	646612.24	629093.66	649956.37	690130.69
	归属母公司股东权益(万元)	127649.56	125189.31	135613.49	143089.72
	营业收入(万元)	40898.01	74047.12	43802.12	181946.51
	营业支出(万元)	25101.62	47612.80	39011.17	134180.82
	投资收益(万元)	−204.24	958.57	110.62	25038.66
	净利润(万元)	2055.65	−18662.83	−7070.68	19685.55
	营业利润(万元)	4231.01	−8904.37	−5711.74	27131.34
	利润总额(万元)	4174.65	−15010.33	−5695.43	27400.48

鞍钢股份有限公司

公司概况	公司名称	鞍钢股份有限公司			证券简称	鞍钢股份
	法人代表	姚林	董秘	郭兆文	证券代码	000898
	公司网址	www.ansteel.com.cn		电子信箱	ansteel@ansteel.com.cn	
	电　话	0412-6734878 8416578		传　真	0412-6722093 6727772	
	办公地址	辽宁省鞍山市铁西区鞍钢厂区				
	经营范围	黑色金属冶炼及钢压延加工等				

主要财务指标	指标\报告期	2016.06.30	2015.12.31	2015.06.30	2014.12.31
	基本每股收益(元)	0.0410	−0.6350	0.0210	0.1280
	基本每股收益(扣除后)(元)	0.0380	−0.6460	0.0130	0.1270
	稀释每股收益(元)	0.0410	−0.6350	0.0210	0.1280
	每股净资产(元)	6.0235	5.9800	6.6376	6.6100
	每股经营现金净流量(元)	0.1989	0.7100	0.2337	0.2954
	每股现金流量(元)	−0.1650	0.2611	0.0661	0.0810
	每股资本公积金(元)	4.3566	4.3566	4.3565	4.3060
	每股盈余公积金(元)	0.4948	0.4948	0.4948	0.4948
	每股未分配利润(元)	0.1614	0.1200	0.7762	0.7999
	净资产收益率(%)	0.6884	−10.6138	0.3228	1.9417
	加权净资产收益率(%)	0.6900	−10.0600	0.3200	1.9600
	净资产收益率(扣除)(%)	0.6310	−10.8033	0.1978	1.9187
	总资产(万元)	8720800.00	8859600.00	9099800.00	9129100.00
	归属母公司股东权益(万元)	4358000.00	4327400.00	4802300.00	4779300.00
	营业收入(万元)	2543000.00	5275900.00	2899200.00	7404600.00
	营业支出(万元)	2221700.00	4946900.00	2540200.00	6549000.00
	投资收益(万元)	22400.00	39100.00	22700.00	67300.00
	净利润(万元)	29700.00	−460000.00	15100.00	92400.00
	营业利润(万元)	27500.00	−387300.00	8500.00	156500.00
	利润总额(万元)	30800.00	−376300.00	16500.00	157900.00

江西赣能股份有限公司

公司概况	公司名称	江西赣能股份有限公司			证券简称	赣能股份
	法人代表	姚迪明	董秘	曹宇	证券代码	000899
	公司网址	www.000899.com		电子信箱	caoyu@000899.com	
	电　话	0791-88109899 88106200		传　真	0791-88106119	
	办公地址	江西省南昌市高新技术开发区火炬大街 199 号				
	经营范围	火力、水力发电,节能项目开发等				

主要财务指标	指标\报告期	2016.06.30	2015.12.31	2015.06.30	2014.12.31
	基本每股收益(元)	0.2623	0.8900	0.4130	0.6000
	基本每股收益(扣除后)(元)	0.2665	0.8400	0.3525	0.5900
	稀释每股收益(元)	0.2623	0.8900	0.4130	0.6000
	每股净资产(元)	4.7504	4.0571	3.5876	3.2544
	每股经营现金净流量(元)	0.3643	1.4803	0.8031	1.2097
	每股现金流量(元)	1.5067	0.0255	−0.0218	−0.1449
	每股资本公积金(元)	2.4944	0.9468	0.9468	0.9516
	每股盈余公积金(元)	0.2871	0.4332	0.3444	0.3444
	每股未分配利润(元)	0.9564	1.6507	1.2641	0.9511
	净资产收益率(%)	5.5223	21.8994	11.5126	18.4277
	加权净资产收益率(%)	5.6400	24.3000	11.8900	20.0500
	净资产收益率(扣除)(%)	5.6101	20.8140	9.8245	18.0346
	总资产(万元)	747781.38	597408.09	576176.52	595091.54
	归属母公司股东权益(万元)	463484.58	262363.23	231999.04	210454.70
	营业收入(万元)	94147.72	255263.29	116937.15	266904.19
	营业支出(万元)	55153.18	161345.68	76509.68	190371.45
	投资收益(万元)	3038.74	8814.00	6397.38	5766.84
	净利润(万元)	25595.08	57455.90	26709.21	38781.88
	营业利润(万元)	33663.97	75117.42	33420.39	49933.83
	利润总额(万元)	33257.16	75029.67	33462.55	50434.44

现代投资股份有限公司

公司概况					
公司名称	现代投资股份有限公司			证券简称	现代投资
法人代表	宋伟杰	董秘	马玉国	证券代码	000900
公司网址	www.xdtz.net		电子信箱	dongban@xdtz.net	
电话	0731-88749800 88749898		传真	0731-88749811	
办公地址	湖南省长沙市天心区芙蓉南路二段 128 号现代广场写字楼 7、8、9 楼				
经营范围	投资经营公路、桥梁、隧道和渡口、投资高新技术产业、广告业等				

主要财务指标

指标\报告期	2016.06.30	2015.12.31	2015.06.30	2014.12.31
基本每股收益(元)	0.3384	0.5600	0.2400	0.4100
基本每股收益(扣除后)(元)	0.3002	0.4400	0.1800	0.3600
稀释每股收益(元)	0.3384	0.5600	0.2400	0.4100
每股净资产(元)	7.1646	6.8840	6.6311	6.4171
每股经营现金净流量(元)	0.4682	1.4177	0.5624	1.1817
每股现金流量(元)	0.2740	0.8262	0.4028	-0.2527
每股资本公积金(元)	0.9613	0.9599	0.9599	0.9599
每股盈余公积金(元)	0.7518	0.7518	0.7043	0.7043
每股未分配利润(元)	4.3620	4.0658	3.8420	3.6087
净资产收益率(%)	4.7228	8.1377	3.5612	6.3128
加权净资产收益率(%)	4.8100	8.4300	3.6500	6.5600
净资产收益率(扣除)(%)	4.1900	6.4430	2.7392	5.6387
总资产(万元)	2064860.31	1869701.54	1835269.62	1732096.49
归属母公司股东权益(万元)	724974.74	696579.79	670988.54	649339.39
营业收入(万元)	390044.20	651614.08	277918.75	433141.65
营业支出(万元)	312925.90	515723.68	210171.96	301530.08
投资收益(万元)	6726.67	14454.62	9255.30	5073.85
净利润(万元)	34839.49	57963.52	24173.02	42055.76
营业利润(万元)	41013.04	64522.06	31757.91	55208.51
利润总额(万元)	45660.89	76811.78	31727.01	56257.62

航天科技控股集团股份有限公司

公司概况					
公司名称	航天科技控股集团股份有限公司			证券简称	航天科技
法人代表	李立新	董秘	王玉伟	证券代码	000901
公司网址	www.as-hitecn.com		电子信箱	wudan@as-hitech.com	
电话	010-83636110		传真	010-83636060	
办公地址	北京市丰台区科学城海鹰路 1 号海鹰科技大厦 15,16 层				
经营范围	汽车电子、环保监测、航天产品的研发、生产和销售的高新技术企业等				

主要财务指标

指标\报告期	2016.06.30	2015.12.31	2015.06.30	2014.12.31
基本每股收益(元)	0.0255	0.1600	0.0483	0.1200
基本每股收益(扣除后)(元)	0.0231	0.1100	0.0460	0.0800
稀释每股收益(元)	0.0255	0.1600	0.0483	0.1200
每股净资产(元)	4.3015	4.2745	4.1629	4.1313
每股经营现金净流量(元)	-0.2186	-0.0895	-0.3039	-0.0008
每股现金流量(元)	-0.1973	-0.8452	-0.7466	1.1195
每股资本公积金(元)	1.9853	1.9842	1.9828	1.9806
每股盈余公积金(元)	0.1615	0.1615	0.1606	0.1606
每股未分配利润(元)	1.1491	1.1236	1.0158	0.9875
净资产收益率(%)	0.5929	3.6730	1.1609	2.3596
加权净资产收益率(%)	0.5900	3.7400	1.1600	3.4000
净资产收益率(扣除)(%)	0.5375	2.5452	1.1055	1.5853
总资产(万元)	213906.77	212962.53	211605.75	212741.77
归属母公司股东权益(万元)	139208.51	138332.34	134720.30	133699.59
营业收入(万元)	80450.66	181003.29	81424.83	151668.18
营业支出(万元)	63020.22	143843.67	67118.07	122215.56
投资收益(万元)	1298.46	960.62	1133.10	831.60
净利润(万元)	1104.75	6699.34	1478.46	3841.90
营业利润(万元)	1465.10	4990.25	1320.00	2839.80
利润总额(万元)	1699.97	8047.70	1858.54	4890.84

湖北新洋丰肥业股份有限公司

公司概况					
公司名称	湖北新洋丰肥业股份有限公司			证券简称	新洋丰
法人代表	杨才学	董秘	宋帆	证券代码	000902
公司网址	www.xinyf.com		电子信箱	zjswb@hbyf.com.cn	
电话	0724-8706677		传真	0724-8706679	
办公地址	湖北省荆门市掇刀区月亮湖北路附 7 号				
经营范围	新型复混肥料、磷铵、化工原料及化肥系列产品等				

主要财务指标

指标\报告期	2016.06.30	2015.12.31	2015.06.30	2014.12.31
基本每股收益(元)	0.3500	1.1800	0.3200	1.0900
基本每股收益(扣除后)(元)	0.3500	1.1600	0.6400	1.0000
稀释每股收益(元)	0.3500	1.1800	0.3200	1.0900
每股净资产(元)	3.6850	7.1102	6.3504	4.5419
每股经营现金净流量(元)	0.2393	0.9770	0.4067	1.0827
每股现金流量(元)	-0.2253	1.2864	1.0118	-0.4293
每股资本公积金(元)	0.4707	1.9414	1.7532	0.0303
每股盈余公积金(元)	0.1445	0.2890	0.2216	0.2395
每股未分配利润(元)	2.2156	4.0222	3.6132	3.2407
净资产收益率(%)	9.4172	15.9504	9.2818	20.8939
加权净资产收益率(%)	9.5600	19.6500	11.3600	23.4300
净资产收益率(扣除)(%)	9.3582	15.7302	9.2018	19.1703
总资产(万元)	693359.93	697048.96	614162.90	518612.01
归属母公司股东权益(万元)	496308.56	468722.14	431098.31	273328.96
营业收入(万元)	506111.78	961908.44	544395.19	835222.51
营业支出(万元)	417807.04	781328.27	442405.04	680098.87
投资收益(万元)	354.49	394.11	-	-
净利润(万元)	48723.85	77785.54	41995.60	58856.91
营业利润(万元)	59541.39	95486.90	52202.44	69105.80
利润总额(万元)	59960.32	96707.04	52644.54	70945.99

昆明云内动力股份有限公司

公司概况					
公司名称	昆明云内动力股份有限公司			证券简称	云内动力
法人代表	杨波	董秘	翟建峰	证券代码	000903
公司网址	www.yunneidongli.com		电子信箱	assets@yunneidongli.com	
电话	0871-5625802		传真	0871-5633176	
办公地址	云南省昆明经济技术开发区经景路 66 号				
经营范围	多缸小缸径多缸柴油机及轻型载货车的开发、生产和销售等				

主要财务指标

指标\报告期	2016.06.30	2015.12.31	2015.06.30	2014.12.31
基本每股收益(元)	0.1370	0.2200	0.1210	0.2340
基本每股收益(扣除后)(元)	0.0950	0.0470	0.0950	0.1000
稀释每股收益(元)	0.1370	0.2200	0.1210	0.2340
每股净资产(元)	4.6506	4.5812	4.5438	4.4180
每股经营现金净流量(元)	0.2585	0.5319	0.2181	-0.1260
每股现金流量(元)	0.0948	0.7481	0.1519	0.1577
每股资本公积金(元)	2.3045	2.3045	2.3045	2.3045
每股盈余公积金(元)	0.3246	0.3246	0.3006	0.3006
每股未分配利润(元)	1.0130	0.9459	0.9308	0.8103
净资产收益率(%)	2.9486	4.7949	2.6537	4.5692
加权净资产收益率(%)	2.9500	4.8800	2.6900	5.6900
净资产收益率(扣除)(%)	2.0378	1.0161	2.0809	1.9721
总资产(万元)	790152.26	711245.18	678843.82	642922.28
归属母公司股东权益(万元)	371587.63	366046.64	363057.44	353007.72
营业收入(万元)	180499.08	283179.28	145120.50	242100.47
营业支出(万元)	148145.68	235881.69	115625.88	195222.43
投资收益(万元)	1.07	8102.99	250.00	250.00
净利润(万元)	10736.14	17120.31	9498.97	15493.31
营业利润(万元)	8899.28	14335.68	10521.57	12845.30
利润总额(万元)	13085.60	20182.93	11246.98	18171.65

厦门港务发展股份有限公司

公司概况	公司名称	厦门港务发展股份有限公司			证券简称	厦门港务
	法人代表	柯东	董秘	刘翔	证券代码	000905
	公司网址	www.xmgw.com.cn		电子信箱	liux@xmgw.com.cn	
	电　话	0592-5826220		传　真	0592-5826223	
	办公地址	福建省厦门市湖里区东港北路31号港务大厦20楼,21楼				
	经营范围	码头及港口设施、货物装卸、仓储、综合物流、转运、多式联运等				

主要财务指标	指标\报告期	2016.06.30	2015.12.31	2015.06.30	2014.12.31
	基本每股收益(元)	0.1600	0.4900	0.1700	0.5400
	基本每股收益(扣除后)(元)	0.0900	0.1800	0.1100	0.1800
	稀释每股收益(元)	0.1600	0.4900	0.1700	0.5400
	每股净资产(元)	5.3419	5.2254	4.9073	4.7844
	每股经营现金净流量(元)	-0.0181	1.0575	0.4053	0.3166
	每股现金流量(元)	0.6236	0.2857	0.3061	-0.1916
	每股资本公积金(元)	0.4914	0.4914	0.4913	0.4913
	每股盈余公积金(元)	0.4859	0.4859	0.4410	0.4410
	每股未分配利润(元)	3.3423	3.2270	2.9574	2.8358
	净资产收益率(%)	2.9268	9.3016	3.4963	11.2835
	加权净资产收益率(%)	2.9500	9.7300	3.5200	11.9000
	净资产收益率(扣除)(%)	1.6714	3.5257	2.1980	3.7182
	总资产(万元)	584143.23	516933.50	527955.21	509318.75
	归属母公司股东权益(万元)	283654.20	277468.12	260578.08	254049.89
	营业收入(万元)	381121.04	726115.03	341601.63	750233.03
	营业支出(万元)	363182.42	688333.03	322461.23	712479.74
	投资收益(万元)	-17.37	425.69	-33.31	336.39
	净利润(万元)	9689.08	28784.28	10622.85	32228.63
	营业利润(万元)	9352.19	17104.05	10030.56	18244.16
	利润总额(万元)	13773.86	38496.03	14617.39	43217.34

浙商中拓集团股份有限公司

公司概况	公司名称	浙商中拓集团股份有限公司			证券简称	浙商中拓
	法人代表	袁仁军	董秘	潘洁	证券代码	000906
	公司网址	www.zmd.com.cn		电子信箱	zmd000906@zmd.com.cn	
	电　话	0571-86850618　86850678		传　真	0571-86850639	
	办公地址	浙江省杭州市下城区文晖路303号浙江省交通集团大厦8-10楼				
	经营范围	金属材料、钢铁炉料、铁合金、焦炭、矿产品经营等				

主要财务指标	指标\报告期	2016.06.30	2015.12.31	2015.06.30	2014.12.31
	基本每股收益(元)	0.1800	0.2500	0.1700	0.2200
	基本每股收益(扣除后)(元)	0.2000	-0.0900	0.0800	0.1400
	稀释每股收益(元)	0.1800	0.2500	0.1700	0.2200
	每股净资产(元)	4.1726	4.0532	3.4050	3.3166
	每股经营现金净流量(元)	-1.7343	-0.2272	-0.2407	-1.2627
	每股现金流量(元)	0.0307	0.4261	0.2951	0.0305
	每股资本公积金(元)	2.1872	2.1872	1.4613	1.4613
	每股盈余公积金(元)	0.1217	0.1217	0.1125	0.1125
	每股未分配利润(元)	0.8657	0.7470	0.8311	0.7394
	净资产收益率(%)	4.2806	5.4092	5.0439	6.7396
	加权净资产收益率(%)	4.3400	6.7800	5.0700	6.9200
	净资产收益率(扣除)(%)	4.8133	-1.9344	2.2321	4.1763
	总资产(万元)	729003.84	601446.81	623669.92	546424.98
	归属母公司股东权益(万元)	163956.53	159264.58	112570.16	109649.64
	营业收入(万元)	1364794.42	2102357.86	949846.51	2209146.14
	营业支出(万元)	1324807.23	2040796.29	922571.22	2150266.50
	投资收益(万元)	-179.99	5437.27	2395.67	1661.12
	净利润(万元)	7583.09	7669.95	5947.12	7786.08
	营业利润(万元)	8501.66	713.15	7644.83	10966.79
	利润总额(万元)	9051.88	10358.91	8096.76	11242.51

湖南景峰医药股份有限公司

公司概况	公司名称	湖南景峰医药股份有限公司			证券简称	景峰医药
	法人代表	叶湘武	董秘	欧阳艳丽	证券代码	000908
	公司网址	www.jfzhiyao.com		电子信箱	ir@jfzhiyao.com	
	电　话	0731-88913276		传　真	0731-88913276	
	办公地址	上海市浦东新区张杨路500号华润时代广场30楼				
	经营范围	稠油泵、油气混输泵、工业潜污泵、系列潜水电泵等				

主要财务指标	指标\报告期	2016.06.30	2015.12.31	2015.06.30	2014.12.31
	基本每股收益(元)	0.1350	0.4100	0.1400	0.5500
	基本每股收益(扣除后)(元)	0.1190	0.3900	0.1300	0.5300
	稀释每股收益(元)	0.1350	0.4100	0.1400	0.5500
	每股净资产(元)	2.4769	2.7178	2.4485	1.3286
	每股经营现金净流量(元)	-0.0289	0.1155	0.2055	0.7477
	每股现金流量(元)	0.0207	0.3816	1.3059	0.2497
	每股资本公积金(元)	1.0358	1.2810	3.0424	0.7895
	每股盈余公积金(元)	0.0833	0.0916	0.0642	0.0785
	每股未分配利润(元)	0.8841	0.9240	1.7089	1.6940
	净资产收益率(%)	5.4489	14.9104	5.5587	25.5842
	加权净资产收益率(%)	5.3700	17.3600	6.7400	27.8600
	净资产收益率(扣除)(%)	4.8105	14.2393	5.2868	24.5694
	总资产(万元)	391290.21	344264.75	304894.14	191379.85
	归属母公司股东权益(万元)	217910.77	217365.96	195828.41	98118.84
	营业收入(万元)	98341.60	245903.87	96410.15	195743.00
	营业支出(万元)	22892.24	46351.78	18683.72	28908.78
	投资收益(万元)	-36.80	282.90	132.46	103.83
	净利润(万元)	13410.97	37019.35	12499.97	25741.72
	营业利润(万元)	14111.72	41575.36	13457.98	29359.12
	利润总额(万元)	15718.50	43370.03	14097.24	30609.27

数源科技股份有限公司

公司概况	公司名称	数源科技股份有限公司			证券简称	数源科技
	法人代表	章国经	董秘	陈欣	证券代码	000909
	公司网址	www.soyea.com.cn		电子信箱	stock@soyea.com.cn	
	电　话	0571-88271018		传　真	0571-88271038	
	办公地址	浙江省杭州市西湖区教工路1号				
	经营范围	数字(模拟)彩色电视机、数字视音频产品、数字电子计算机及外部设备等				

主要财务指标	指标\报告期	2016.06.30	2015.12.31	2015.06.30	2014.12.31
	基本每股收益(元)	0.0600	0.1000	0.0700	0.1200
	基本每股收益(扣除后)(元)	0.0300	0.0500	0.0600	0.0700
	稀释每股收益(元)	0.0600	0.1000	0.0700	0.1200
	每股净资产(元)	2.5280	2.4695	2.6066	2.4361
	每股经营现金净流量(元)	0.5230	-1.2648	-0.7878	0.0369
	每股现金流量(元)	-0.0466	-0.0838	0.5362	-2.5079
	每股资本公积金(元)	0.7586	0.7586	0.7586	0.7586
	每股盈余公积金(元)	0.0492	0.0492	0.0435	0.0435
	每股未分配利润(元)	0.6615	0.6061	0.5834	0.6160
	净资产收益率(%)	2.1898	3.8814	2.5887	4.9036
	加权净资产收益率(%)	2.2200	3.9200	2.6600	4.9900
	净资产收益率(扣除)(%)	1.0828	2.0352	2.1652	2.9520
	总资产(万元)	446178.40	439522.25	511079.70	511324.15
	归属母公司股东权益(万元)	74323.26	72603.58	76634.70	71620.33
	营业收入(万元)	60842.20	234568.14	61693.89	156414.17
	营业支出(万元)	54038.93	242399.28	60341.69	145507.74
	投资收益(万元)	545.33	469.22	687.95	1796.46
	净利润(万元)	1365.46	2332.93	1847.43	4231.90
	营业利润(万元)	927.66	-28112.31	-3393.96	-5436.93
	利润总额(万元)	1417.76	3196.65	2573.49	5954.65

大亚圣象家居股份有限公司

公司概况

公司名称	大亚圣象家居股份有限公司			证券简称	大亚圣象
法人代表	陈晓龙	董秘	吴谷华	证券代码	000910
公司网址	www.daretechnology.com		电子信箱	daretech@cndare.com	
电　　话	0511-86981046		传　　真	0511-86885000	
办公地址	江苏省丹阳市经济开发区齐梁路 99 号大亚工业园				
经营范围	涉及森工业、包装业及汽配业等				

主要财务指标

指标\报告期	2016.06.30	2015.12.31	2015.06.30	2014.12.31
基本每股收益(元)	0.2000	0.6000	0.1300	0.3100
基本每股收益(扣除后)(元)	0.1900	0.4900	0.1200	0.3060
稀释每股收益(元)	0.2000	0.6000	0.1300	0.3100
每股净资产(元)	4.4992	4.3513	5.0873	4.9510
每股经营现金净流量(元)	0.7851	2.8200	0.7882	2.0170
每股现金流量(元)	-0.5180	0.4278	0.5241	-0.7643
每股资本公积金(元)	-	-	0.6061	0.6084
每股盈余公积金(元)	0.4518	0.4518	0.4518	0.4518
每股未分配利润(元)	3.0472	2.9016	3.0296	2.8948
净资产收益率(%)	4.3632	13.8499	2.6486	6.2625
加权净资产收益率(%)	4.4200	11.5000	2.6900	6.3500
净资产收益率(扣除)(%)	4.3004	11.2283	2.3225	6.1728
总资产(万元)	597519.38	647541.27	863748.69	818892.01
归属母公司股东权益(万元)	237332.80	229530.51	268355.40	261164.41
营业收入(万元)	272282.63	767670.19	362907.57	843967.78
营业支出(万元)	180111.53	545184.11	261708.26	622380.50
投资收益(万元)	288.93	3241.74	1145.65	-3511.14
净利润(万元)	11357.46	39051.78	12141.20	27396.35
营业利润(万元)	13441.04	31715.20	9576.56	20320.18
利润总额(万元)	15692.90	48584.24	15445.27	34063.06

南宁糖业股份有限公司

公司概况

公司名称	南宁糖业股份有限公司			证券简称	南宁糖业
法人代表	肖凌	董秘	王国庆	证券代码	000911
公司网址	www.nnsugar.com		电子信箱	nnty@nnsugar.com	
电　　话	0771-4914317		传　　真	0771-4910755	
办公地址	广西壮族自治区南宁市青秀区古城路 10 号				
经营范围	机制糖、机制纸、蔗渣浆、酒精的生产、加工、销售和提供售后服务等				

主要财务指标

指标\报告期	2016.06.30	2015.12.31	2015.06.30	2014.12.31
基本每股收益(元)	-0.6200	0.1900	0.0800	-1.0000
基本每股收益(扣除后)(元)	-0.6600	-0.2300	-0.0700	-1.1100
稀释每股收益(元)	-0.6200	0.1900	0.0800	-1.0000
每股净资产(元)	4.2956	4.9146	4.8728	3.7214
每股经营现金净流量(元)	-3.9426	0.5290	-2.5265	-3.2123
每股现金流量(元)	-1.4771	-0.0293	-0.5052	-0.7670
每股资本公积金(元)	4.4944	4.4944	4.4942	3.5857
每股盈余公积金(元)	0.4661	0.4661	0.4661	0.5270
每股未分配利润(元)	-1.6649	-1.0459	-1.0875	-1.3913
净资产收益率(%)	-14.4096	3.7579	1.5080	-26.8745
加权净资产收益率(%)	-15.5300	4.4100	1.5000	-23.8300
净资产收益率(扣除)(%)	-15.2592	-4.5221	-1.2095	-29.8532
总资产(万元)	608666.72	566973.89	482170.39	450706.48
归属母公司股东权益(万元)	139212.63	159272.60	157918.44	106668.84
营业收入(万元)	92028.60	313842.34	141898.95	269288.54
营业支出(万元)	84540.67	267532.91	118637.31	246286.53
投资收益(万元)	145.00	5425.55	-0.95	-
净利润(万元)	-20179.47	5294.58	2602.81	-27437.46
营业利润(万元)	-21312.76	-4662.71	-1576.82	-33957.69
利润总额(万元)	-19915.01	4792.85	2741.99	-30680.92

四川泸天化股份有限公司

公司概况

公司名称	四川泸天化股份有限公司			证券简称	泸天化
法人代表	宁忠培	董秘	王斌	证券代码	000912
公司网址	www.sclth.com		电子信箱	lth@lthcn.com	
电　　话	0830-4125103		传　　真	0830-4122156	
办公地址	四川省泸州市纳溪区				
经营范围	化肥、化工原材料的生产与销售等				

主要财务指标

指标\报告期	2016.06.30	2015.12.31	2015.06.30	2014.12.31
基本每股收益(元)	-0.3121	0.0312	-0.0300	-1.9501
基本每股收益(扣除后)(元)	-0.3145	-0.4800	-0.3148	-1.6776
稀释每股收益(元)	-0.3121	0.0312	-0.0300	-1.9501
每股净资产(元)	0.9696	1.2730	1.2090	1.2918
每股经营现金净流量(元)	0.6518	0.2289	0.2105	0.1544
每股现金流量(元)	-0.0827	-0.3885	-0.0676	-0.8130
每股资本公积金(元)	1.6741	1.6741	1.6638	1.7137
每股盈余公积金(元)	0.7861	0.7861	0.7861	0.7861
每股未分配利润(元)	-2.5239	-2.2118	-2.2732	-2.2430
净资产收益率(%)	-32.1863	2.4536	-2.4966	-150.9554
加权净资产收益率(%)	-27.9400	2.3600	-2.3600	-83.1000
净资产收益率(扣除)(%)	-32.4319	-37.8144	-26.0389	-129.8599
总资产(万元)	815139.03	828647.79	850513.88	1264340.96
归属母公司股东权益(万元)	56723.05	74468.21	70725.55	75572.55
营业收入(万元)	146673.65	302780.53	261936.55	400354.32
营业支出(万元)	134657.61	274266.29	252017.78	390842.26
投资收益(万元)	253.66	16460.35	16660.86	-4353.09
净利润(万元)	-18302.43	-2961.64	-6514.65	-134855.98
营业利润(万元)	-18727.86	-6552.22	-8498.93	-140383.54
利润总额(万元)	-18574.73	-1252.73	-8260.06	-139957.73

浙江钱江摩托股份有限公司

公司概况

公司名称	浙江钱江摩托股份有限公司			证券简称	*ST 钱江
法人代表	林华中	董秘	王海斌	证券代码	000913
公司网址	www.qjmotor.com		电子信箱	office@qjmotor.com	
电　　话	0576-86192111		传　　真	0576-86139081	
办公地址	浙江省温岭市经济开发区				
经营范围	生产、研究、设计和开发摩托车及配件、销售自产产品并提供产品售后服务				

主要财务指标

指标\报告期	2016.06.30	2015.12.31	2015.06.30	2014.12.31
基本每股收益(元)	0.1100	-0.2900	0.0100	-0.4300
基本每股收益(扣除后)(元)	-0.0300	-0.3400	-0.0400	-0.5600
稀释每股收益(元)	0.1100	-0.2900	0.0100	-0.4300
每股净资产(元)	4.7187	4.4105	4.6883	4.5724
每股经营现金净流量(元)	0.0030	0.3638	-0.1159	-0.0712
每股现金流量(元)	0.0386	-0.1554	-0.2391	0.0123
每股资本公积金(元)	2.9482	2.9482	2.9482	2.9482
每股盈余公积金(元)	0.2670	0.2670	0.2670	0.2670
每股未分配利润(元)	0.1143	0.0031	0.3052	0.2902
净资产收益率(%)	2.3568	-6.5112	0.3180	-9.4348
加权净资产收益率(%)	2.4500	-6.3900	0.3300	-9.1300
净资产收益率(扣除)(%)	-0.6597	-7.6693	-0.7679	-12.3007
总资产(万元)	357137.92	342827.04	359272.38	363425.99
归属母公司股东权益(万元)	214009.61	200033.78	212631.57	207372.98
营业收入(万元)	108150.13	213931.51	118309.88	240371.02
营业支出(万元)	87674.51	173352.78	94702.33	199289.74
投资收益(万元)	7913.45	-25.13	261.95	6474.79
净利润(万元)	4146.33	-15469.67	-62.72	-22111.67
营业利润(万元)	6165.08	-15650.37	368.70	-20451.95
利润总额(万元)	6445.44	-13040.60	2150.37	-18552.80

山东山大华特科技股份有限公司

公司概况	公司名称	山东山大华特科技股份有限公司		证券简称	山大华特
	法人代表	张兆亮	董秘 范智胜	证券代码	000915
	公司网址	www.sd-wit.com		电子信箱	wit@sd-wit.com
	电　　话	0531-85198601　85198606		传　　真	0531-85198080
	办公地址	山东省济南市经十路17703号华特广场			
	经营范围	环保、医药和电子信息产品的生产销售等			

主要财务指标	指标\报告期	2016.06.30	2015.12.31	2015.06.30	2014.12.31
	基本每股收益(元)	0.5900	0.8500	0.3500	1.2100
	基本每股收益(扣除后)(元)	0.5700	0.7900	0.3500	1.0700
	稀释每股收益(元)	0.5900	0.8500	0.3500	1.2100
	每股净资产(元)	6.7012	6.1138	5.6217	5.3680
	每股经营现金净流量(元)	0.9442	1.6101	0.6395	1.5113
	每股现金流量(元)	-0.1829	0.0185	-0.1824	0.8360
	每股资本公积金(元)	0.1919	0.1919	0.1919	0.1919
	每股盈余公积金(元)	0.2653	0.2653	0.2237	0.2237
	每股未分配利润(元)	5.2441	4.6566	4.2062	3.9525
	净资产收益率(%)	8.7659	13.8339	6.2913	22.4654
	加权净资产收益率(%)	9.1700	14.7500	6.4000	25.0500
	净资产收益率(扣除)(%)	8.5640	12.8758	6.1978	19.9397
	总资产(万元)	227349.83	208090.94	194039.64	195466.56
	归属母公司股东权益(万元)	120793.26	110204.63	101334.24	96761.57
	营业收入(万元)	71564.36	123296.63	53337.88	137395.69
	营业支出(万元)	26614.58	46487.02	18574.22	52123.00
	投资收益(万元)	64.24	294.52	91.62	185.58
	净利润(万元)	18817.63	26147.29	10622.99	38628.36
	营业利润(万元)	21478.46	29099.21	12270.31	39111.00
	利润总额(万元)	22054.03	30399.60	12524.01	44903.73

华北高速公路股份有限公司

公司概况	公司名称	华北高速公路股份有限公司		证券简称	华北高速
	法人代表	姜岩飞	董秘 郝继业	证券代码	000916
	公司网址	www.hbgsgl.com.cn		电子信箱	hbgs000916@sina.com
	电　　话	010-58021999　58021227		传　　真	010-58021229
	办公地址	北京市经济技术开发区东环北路9号			
	经营范围	投资开发,建设和经营收费公路;车辆及机械设备租赁,咨询服务等			

主要财务指标	指标\报告期	2016.06.30	2015.12.31	2015.06.30	2014.12.31
	基本每股收益(元)	0.1568	0.1246	0.1379	0.2087
	基本每股收益(扣除后)(元)	0.1555	0.1033	0.1273	0.2021
	稀释每股收益(元)	0.1568	0.1246	0.1379	0.2087
	每股净资产(元)	4.0881	4.0951	4.2010	3.9786
	每股经营现金净流量(元)	0.1894	0.2902	0.1014	0.3824
	每股现金流量(元)	-0.0649	0.0561	0.1118	-0.7209
	每股资本公积金(元)	1.2302	1.2302	1.2278	1.2278
	每股盈余公积金(元)	0.4997	0.4997	0.4870	0.4870
	每股未分配利润(元)	1.1654	1.0885	1.1146	1.0567
	净资产收益率(%)	3.8363	3.0424	3.2829	5.2466
	加权净资产收益率(%)	3.8000	3.0900	3.3700	5.4000
	净资产收益率(扣除)(%)	3.8030	2.5235	3.0299	5.0786
	总资产(万元)	597540.43	622753.24	658838.44	626205.70
	归属母公司股东权益(万元)	445602.49	446360.97	457910.62	433663.40
	营业收入(万元)	50239.34	93266.54	46748.15	70922.62
	营业支出(万元)	21850.21	52872.70	23965.93	36478.03
	投资收益(万元)	222.29	654.73	748.33	2766.26
	净利润(万元)	17754.24	15234.71	16197.07	24631.63
	营业利润(万元)	21725.07	16325.17	17912.49	30842.09
	利润总额(万元)	21916.48	21318.53	19364.90	31305.13

湖南电广传媒股份有限公司

公司概况	公司名称	湖南电广传媒股份有限公司		证券简称	电广传媒
	法人代表	龙秋云	董秘 汤振羽	证券代码	000917
	公司网址	www.tik.com.cn		电子信箱	dgcm@tik.com.cn
	电　　话	0731-84252080　84252333		传　　真	0731-84252096
	办公地址	湖南省长沙市浏阳河大桥东湖南金鹰影视文化城			
	经营范围	影视节目的制作、发行和销售、有线电视网络及信息传播服务等			

主要财务指标	指标\报告期	2016.06.30	2015.12.31	2015.06.30	2014.12.31
	基本每股收益(元)	0.1000	0.2700	0.1000	0.2300
	基本每股收益(扣除后)(元)	0.0700	0.2600	0.1000	0.2200
	稀释每股收益(元)	0.1000	0.2700	0.1000	0.2300
	每股净资产(元)	7.6206	7.5639	7.0994	6.8848
	每股经营现金净流量(元)	-0.3818	0.4109	-0.1345	0.1079
	每股现金流量(元)	-0.1887	0.2292	-0.1088	-1.8999
	每股资本公积金(元)	4.3247	4.3132	4.3081	4.3081
	每股盈余公积金(元)	0.1467	0.1467	0.1467	0.1467
	每股未分配利润(元)	1.7025	1.6072	1.5023	1.3982
	净资产收益率(%)	1.2504	3.5567	1.4668	3.4073
	加权净资产收益率(%)	1.2500	3.7300	1.4900	3.4500
	净资产收益率(扣除)(%)	0.8991	3.4004	1.4042	3.1297
	总资产(万元)	2120781.91	2015257.24	1671107.70	1577354.82
	归属母公司股东权益(万元)	1080256.90	1072221.55	1006376.39	975953.50
	营业收入(万元)	349498.73	598534.86	255013.81	547387.63
	营业支出(万元)	252197.12	411803.26	172035.83	370651.41
	投资收益(万元)	25150.59	66021.43	14167.05	22460.11
	净利润(万元)	16982.64	47342.47	17179.31	38717.58
	营业利润(万元)	18300.72	59068.54	18066.66	44285.39
	利润总额(万元)	20592.94	61070.13	19073.42	45341.11

嘉凯城集团股份有限公司

公司概况	公司名称	嘉凯城集团股份有限公司		证券简称	嘉凯城
	法人代表	任潮龙	董秘 李怀彬	证券代码	000918
	公司网址	www.calxon.com		电子信箱	calxon@calxon.com
	电　　话	0571-87376666		传　　真	0571-87922209
	办公地址	浙江省杭州市教工路18号欧美中心AB座19楼			
	经营范围	房地产开发和经营等			

主要财务指标	指标\报告期	2016.06.30	2015.12.31	2015.06.30	2014.12.31
	基本每股收益(元)	-0.5300	-1.3000	-0.1200	0.0200
	基本每股收益(扣除后)(元)	-0.5300	-1.4300	-0.2300	-0.0400
	稀释每股收益(元)	-0.5300	-1.3000	-0.1200	0.0200
	每股净资产(元)	0.5530	1.1069	2.2720	2.3987
	每股经营现金净流量(元)	-0.2086	-0.3986	-0.6156	-1.7315
	每股现金流量(元)	0.1121	-0.1277	0.7577	-0.8153
	每股资本公积金(元)	-0.4992	-0.4992	-0.5097	-0.5097
	每股盈余公积金(元)	0.1029	0.1029	0.1029	0.1029
	每股未分配利润(元)	-0.0507	0.4772	1.6527	1.7795
	净资产收益率(%)	-95.4680	-117.3397	-5.4291	0.8801
	加权净资产收益率(%)	-63.6100	-74.3800	-5.2800	0.8800
	净资产收益率(扣除)(%)	-96.0831	-129.6038	-10.1076	-1.4450
	总资产(万元)	3415743.58	3468431.00	3684431.82	3672308.96
	归属母公司股东权益(万元)	99766.90	199714.33	409916.15	432778.49
	营业收入(万元)	214180.62	405565.49	211209.98	844883.87
	营业支出(万元)	203864.39	407380.11	185199.05	657675.80
	投资收益(万元)	416.40	30191.98	24633.27	12565.36
	净利润(万元)	-106741.43	-268358.41	-29749.91	-7425.46
	营业利润(万元)	-105201.92	-265845.22	-20259.91	35379.97
	利润总额(万元)	-104955.67	-266394.34	-20762.42	33843.84

金陵药业股份有限公司

公司概况					
公司名称	金陵药业股份有限公司			证券简称	金陵药业
法人代表	沈志龙	董秘	徐俊扬	证券代码	000919
公司网址	www.jlyy000919.com		电子信箱	jlyy@jlpharm.com	
电　话	025-83118511		传　真	025-83112486	
办公地址	江苏省南京市中央路 238 号金陵药业大厦				
经营范围	中西药原料和制剂、生化制品、医药包装制品、医疗器械、保健食品等				

主要财务指标 指标\报告期	2016.06.30	2015.12.31	2015.06.30	2014.12.31
基本每股收益(元)	0.2178	0.4129	0.2300	0.3912
基本每股收益(扣除后)(元)	0.2084	0.3449	0.1979	0.3391
稀释每股收益(元)	0.2178	0.4129	0.2300	0.3912
每股净资产(元)	4.8967	4.8494	4.6700	4.6045
每股经营现金净流量(元)	–0.1192	0.4215	0.1670	0.5950
每股现金流量(元)	–0.0075	–0.0769	–0.1726	–0.4627
每股资本公积金(元)	0.9251	0.9251	0.9251	0.9251
每股盈余公积金(元)	0.6301	0.6301	0.6060	0.6060
每股未分配利润(元)	2.3249	2.2771	2.1183	2.0583
净资产收益率(%)	4.4473	8.5147	4.9249	8.4970
加权净资产收益率(%)	4.3900	8.7400	4.8700	8.7200
净资产收益率(扣除)(%)	4.2566	7.1121	4.2383	7.3650
总资产(万元)	404171.55	385025.76	363729.17	362221.71
归属母公司股东权益(万元)	246792.17	244412.15	235368.38	232064.30
营业收入(万元)	180845.21	322137.54	156787.19	277194.23
营业支出(万元)	141455.55	251378.28	118216.70	210037.76
投资收益(万元)	1255.12	7902.45	4201.60	5134.52
净利润(万元)	12767.51	26200.43	14159.81	24516.27
营业利润(万元)	16513.05	32201.42	18509.47	30516.43
利润总额(万元)	16569.83	32917.30	18348.75	30501.75

南方汇通股份有限公司

公司概况					
公司名称	南方汇通股份有限公司			证券简称	南方汇通
法人代表	黄纪湘	董秘	简勇	证券代码	000920
公司网址	www.csrgc.com.cn/ht		电子信箱	dshbgs@nfht.com.cn	
电　话	0851-84470866		传　真	0851-4470866	
办公地址	贵州省贵阳市都拉营				
经营范围	铁路运输设备开发、制造、销售、修理、弹簧及锻铸件制品的生产、销售等				

主要财务指标 指标\报告期	2016.06.30	2015.12.31	2015.06.30	2014.12.31
基本每股收益(元)	0.1210	0.2000	0.1020	0.4300
基本每股收益(扣除后)(元)	0.1100	0.1800	0.0900	–0.0100
稀释每股收益(元)	0.1210	0.2000	0.1020	0.4300
每股净资产(元)	2.2300	2.1514	2.2626	2.2423
每股经营现金净流量(元)	0.2267	0.5222	0.2768	0.1432
每股现金流量(元)	0.1327	–0.1585	–0.0061	–0.4797
每股资本公积金(元)	0.0471	0.0471	0.0471	0.0471
每股盈余公积金(元)	0.1439	0.1439	0.1391	0.1391
每股未分配利润(元)	0.6268	0.5354	0.4428	0.3409
净资产收益率(%)	5.4429	9.2640	4.5032	19.2811
加权净资产收益率(%)	5.5000	9.0700	4.4400	17.2600
净资产收益率(扣除)(%)	4.9363	8.1961	3.9734	–0.2814
总资产(万元)	173798.02	167315.41	158053.28	157210.39
归属母公司股东权益(万元)	94107.66	90787.72	95481.50	94625.11
营业收入(万元)	50242.66	90459.36	43017.80	206211.89
营业支出(万元)	28273.85	50614.69	24331.22	160027.47
投资收益(万元)	291.74	406.37	444.78	3011.81
净利润(万元)	6957.27	12123.63	6029.40	24146.91
营业利润(万元)	7822.33	12955.68	7100.97	8785.09
利润总额(万元)	8381.24	14205.28	7175.63	26836.56

海信科龙电器股份有限公司

公司概况					
公司名称	海信科龙电器股份有限公司			证券简称	海信科龙
法人代表	汤业国	董秘	夏峰	证券代码	000921
公司网址	www.kelon.com		电子信箱	kelonsec@hisense.com	
电　话	0757-28362570		传　真	0757-28361055	
办公地址	广东省佛山市顺德区容桂街道容港路 8 号				
经营范围	开发、制造电冰箱等家用电器、产品内、外销售和提供售后服务、运输自营产品等				

主要财务指标 指标\报告期	2016.06.30	2015.12.31	2015.06.30	2014.12.31
基本每股收益(元)	0.4100	0.4300	0.3700	0.5000
基本每股收益(扣除后)(元)	0.2100	0.1700	0.2100	0.4300
稀释每股收益(元)	0.4100	0.4300	0.3700	0.5000
每股净资产(元)	3.2287	2.9676	2.9103	2.5457
每股经营现金净流量(元)	0.7828	0.3554	–0.1462	0.7111
每股现金流量(元)	0.7859	0.1043	0.0060	0.2923
每股资本公积金(元)	1.5818	1.5818	1.5805	1.5649
每股盈余公积金(元)	0.1766	0.1766	0.1065	0.1069
每股未分配利润(元)	0.4612	0.2008	0.2161	–0.1555
净资产收益率(%)	12.7113	14.3505	12.7516	19.4450
加权净资产收益率(%)	13.0400	15.4900	13.6600	21.6500
净资产收益率(扣除)(%)	11.7995	5.7483	7.2500	16.8557
总资产(万元)	1759685.33	1429281.70	1617860.20	1326679.40
归属母公司股东权益(万元)	439985.04	404401.77	396591.52	345836.30
营业收入(万元)	1312295.15	2347160.29	1361114.86	2653442.09
营业支出(万元)	1004425.82	1844073.90	1080065.09	2078471.30
投资收益(万元)	19051.91	53017.17	29051.29	37550.12
净利润(万元)	59062.78	54427.64	51406.95	71151.05
营业利润(万元)	64127.93	31399.11	48610.50	65226.47
利润总额(万元)	69656.01	62365.42	57844.98	77123.56

哈尔滨电气集团佳木斯电机股份有限公司

公司概况					
公司名称	哈尔滨电气集团佳木斯电机股份有限公司			证券简称	*ST 佳电
法人代表	刘清勇	董秘	王红霞	证券代码	000922
公司网址	www.jemlc.com		电子信箱	hdjtjdgf000922@163.com	
电　话	0454-8848800		传　真	0454-8467700	
办公地址	黑龙江省佳木斯市长安东路 247 号				
经营范围	开发、制造、销售继电器及继电保护装置和系统、自动化成套设备及系统等				

主要财务指标 指标\报告期	2016.06.30	2015.12.31	2015.06.30	2014.12.31
基本每股收益(元)	–0.4300	–0.7800	–0.0800	0.0100
基本每股收益(扣除后)(元)	–0.4400	–0.8600	–0.1000	–0.0100
稀释每股收益(元)	–0.4300	–0.7800	–0.0800	0.0100
每股净资产(元)	3.0150	3.4401	3.8045	3.8888
每股经营现金净流量(元)	0.0700	–0.0652	–0.0552	–0.0990
每股现金流量(元)	0.0351	–0.5020	–0.4424	0.5517
每股资本公积金(元)	2.1006	2.1006	1.8290	1.8290
每股盈余公积金(元)	0.2216	0.2216	0.2022	0.2022
每股未分配利润(元)	–0.3072	0.1178	0.7733	0.8576
净资产收益率(%)	–14.0965	–23.8990	–2.2150	0.2439
加权净资产收益率(%)	–10.4900	–21.3500	–2.1900	0.3700
净资产收益率(扣除)(%)	–14.4865	–26.0587	–2.7255	–0.3131
总资产(万元)	301979.95	324759.63	372580.82	395367.83
归属母公司股东权益(万元)	163917.99	187024.62	226700.18	231721.62
营业收入(万元)	55664.43	150502.63	75467.22	205209.13
营业支出(万元)	50556.50	146926.70	66673.08	165609.91
投资收益(万元)	230.23	1132.72	520.56	–3.81
净利润(万元)	–23106.62	–44697.00	–5021.44	565.07
营业利润(万元)	–23745.94	–48988.65	–6173.90	–1958.02
利润总额(万元)	–23106.62	–46082.20	–5015.57	895.27

河北宣化工程机械股份有限公司

公司概况					
公司名称	河北宣化工程机械股份有限公司			证券简称	河北宣工
法人代表	常战芳	董秘	辛丽建	证券代码	000923
公司网址	www.hbxg.com		电子信箱	webmaster@hbxg.com	
电　话	0313–3186222		传　真	0313–3186026	
办公地址	河北省张家口市宣化区东升路 21 号				
经营范围	推土机、装载机、挖掘机及其配件的生产和销售等				

主要财务指标	2016.06.30	2015.12.31	2015.06.30	2014.12.31
指标\报告期	2016.06.30	2015.12.31	2015.06.30	2014.12.31
基本每股收益(元)	–0.0460	0.0040	–0.1480	–0.3640
基本每股收益(扣除后)(元)	–0.0603	–0.1442	–0.2077	–0.5403
稀释每股收益(元)	–0.0460	0.0040	–0.1480	–0.3640
每股净资产(元)	2.0690	2.1273	2.0779	2.2698
每股经营现金净流量(元)	0.7140	–0.4251	–0.0593	–0.1309
每股现金流量(元)	–0.0156	–0.0644	0.0081	–0.3969
每股资本公积金(元)	0.8260	0.8260	0.8260	0.8260
每股盈余公积金(元)	0.0857	0.0857	0.0857	0.0857
每股未分配利润(元)	–0.0061	0.0400	–0.1115	0.0365
净资产收益率(%)	–2.2312	0.1656	–7.1230	–16.0347
加权净资产收益率(%)	–1.4700	0.1600	–6.6200	–14.8900
净资产收益率(扣除)(%)	–2.9154	–6.7778	–9.9944	–23.8038
总资产(万元)	137658.19	146080.35	149360.64	146519.64
归属母公司股东权益(万元)	40965.48	42121.20	41142.68	44942.58
营业收入(万元)	13303.76	25485.12	8386.13	24360.13
营业支出(万元)	10353.31	19932.27	8654.22	24306.25
投资收益(万元)	69.48	3970.95	1640.74	4767.34
净利润(万元)	–914.01	69.76	–2930.59	–7206.39
营业利润(万元)	–1274.29	–18.05	–2960.02	–9726.05
利润总额(万元)	–914.01	68.09	–2930.59	–9648.05

浙江众合科技股份有限公司

公司概况					
公司名称	浙江众合科技股份有限公司			证券简称	众合科技
法人代表	潘丽春	董秘	李军	证券代码	000925
公司网址	www.unitedmne.com		电子信箱	unitedmne@unitedmne.net	
电　话	0571–87959003　87959026		传　真	0571–87959022	
办公地址	浙江省杭州市滨江区江汉路 1785 号双城国际 4 号楼 17 层				
经营范围	单晶硅及其制品、半导体元器件和新型节能材料的开发、制造等				

主要财务指标	2016.06.30	2015.12.31	2015.06.30	2014.12.31
指标\报告期	2016.06.30	2015.12.31	2015.06.30	2014.12.31
基本每股收益(元)	–0.0349	0.1100	0.0360	0.0400
基本每股收益(扣除后)(元)	–0.0349	0.0900	0.0330	–0.0200
稀释每股收益(元)	–0.0349	0.1100	0.0360	0.0400
每股净资产(元)	3.7744	3.7588	3.6994	3.0150
每股经营现金净流量(元)	–1.0868	–0.4317	–1.0060	0.8627
每股现金流量(元)	–0.9568	0.1787	–0.7177	0.3421
每股资本公积金(元)	2.9892	2.9911	3.0137	2.4157
每股盈余公积金(元)	0.0496	0.0490	0.0490	0.0516
每股未分配利润(元)	–0.2037	–0.1668	–0.2375	–0.2866
净资产收益率(%)	–0.9249	2.8044	0.9391	1.3076
加权净资产收益率(%)	–0.9200	3.0000	1.0600	1.3100
净资产收益率(扣除)(%)	–0.9257	2.3293	0.8663	–0.6724
总资产(万元)	381885.05	430860.85	381041.78	355498.41
归属母公司股东权益(万元)	120903.72	121818.21	119890.12	92837.45
营业收入(万元)	50726.12	183530.10	77542.29	176775.56
营业支出(万元)	37510.96	145252.70	60164.07	143637.83
投资收益(万元)	–111.92	342.22	207.60	542.68
净利润(万元)	–2474.71	1724.40	636.26	1259.51
营业利润(万元)	–3504.16	1686.92	869.38	–601.26
利润总额(万元)	–3075.93	2624.96	853.25	905.28

湖北福星科技股份有限公司

公司概况					
公司名称	湖北福星科技股份有限公司			证券简称	福星股份
法人代表	谭少群	董秘	汤文华	证券代码	000926
公司网址	www.chinafxkj.com		电子信箱	fxkj0926@chinafxkj.com	
电　话	0712–8740018　8741411		传　真	0712–8740018	
办公地址	湖北省汉川市沉湖镇福星街 1 号				
经营范围	金属丝、绳及其制品的制造、销售、出口业务、商品房销售等				

主要财务指标	2016.06.30	2015.12.31	2015.06.30	2014.12.31
指标\报告期	2016.06.30	2015.12.31	2015.06.30	2014.12.31
基本每股收益(元)	0.3600	0.6600	0.3500	0.9900
基本每股收益(扣除后)(元)	0.3600	0.2900	0.2500	–0.1800
稀释每股收益(元)	0.3600	0.6600	0.3500	0.9900
每股净资产(元)	9.9779	12.6552	8.4649	9.7313
每股经营现金净流量(元)	0.6133	0.0611	0.3439	–2.1347
每股现金流量(元)	0.9729	5.9654	0.2896	–1.6520
每股资本公积金(元)	3.1505	4.0512	-	1.4605
每股盈余公积金(元)	0.4700	0.6264	0.5477	0.6078
每股未分配利润(元)	4.5034	5.8571	5.5820	5.3319
净资产收益率(%)	3.5913	5.2010	4.1352	10.1682
加权净资产收益率(%)	3.6100	7.0800	3.8600	10.1600
净资产收益率(扣除)(%)	3.5628	2.3225	2.8978	–1.8897
总资产(万元)	3997336.11	3939520.31	3340346.51	3330550.50
归属母公司股东权益(万元)	947224.72	901497.59	603002.59	707960.30
营业收入(万元)	580320.10	802886.97	374675.09	668644.45
营业支出(万元)	448757.31	603232.76	273135.60	543978.44
投资收益(万元)	–1019.14	4599.60	3338.25	6454.32
净利润(万元)	38913.44	61161.73	31572.67	71423.99
营业利润(万元)	60103.03	90359.08	48256.72	108883.80
利润总额(万元)	60624.33	89135.52	48184.34	108271.25

天津一汽夏利汽车股份有限公司

公司概况					
公司名称	天津一汽夏利汽车股份有限公司			证券简称	一汽夏利
法人代表	许宪平	董秘	孟君奎	证券代码	000927
公司网址	www.tjfaw.com.cn		电子信箱	xiali@mail.zlnet.com.cn	
电　话	022–87915007		传　真	022–87915111	
办公地址	天津市西青区京福公路 578 号				
经营范围	轿车、汽车发动机、汽车零部件、内燃机配件的制造及其售后服务等				

主要财务指标	2016.06.30	2015.12.31	2015.06.30	2014.12.31
指标\报告期	2016.06.30	2015.12.31	2015.06.30	2014.12.31
基本每股收益(元)	–0.3252	0.0113	–0.3369	–1.0401
基本每股收益(扣除后)(元)	–0.3300	–0.7400	–0.3589	–1.0891
稀释每股收益(元)	–0.3252	0.0113	–0.3369	–1.0401
每股净资产(元)	0.6376	0.9627	0.6145	0.9513
每股经营现金净流量(元)	–0.6224	–1.1303	–0.4537	–0.9301
每股现金流量(元)	–0.2183	0.6672	0.0633	–0.0466
每股资本公积金(元)	0.8399	0.8399	0.8399	0.8399
每股盈余公积金(元)	0.3046	0.3046	0.3030	0.3030
每股未分配利润(元)	–1.5081	–1.1829	–1.5295	–1.1926
净资产收益率(%)	–51.0086	1.1755	–54.8251	–109.3395
加权净资产收益率(%)	–40.6600	1.1800	–43.0400	–70.7100
净资产收益率(扣除)(%)	–52.4456	–76.9588	–58.4050	–114.4893
总资产(万元)	552863.62	590392.04	663395.88	680368.36
归属母公司股东权益(万元)	101702.46	153566.57	98018.41	151741.18
营业收入(万元)	100295.05	340426.89	204401.04	323164.32
营业支出(万元)	128803.06	385037.85	209729.94	368512.38
投资收益(万元)	24356.28	48714.24	17559.20	42938.88
净利润(万元)	–51871.17	1898.97	–53662.84	–165788.04
营业利润(万元)	–53754.43	–154624.89	–57278.92	–172845.34
利润总额(万元)	–51803.77	3093.84	–53553.01	–165026.99

中钢国际工程技术股份有限公司

公司概况	公司名称	中钢国际工程技术股份有限公司			证券简称	中钢国际
	法人代表	陆鹏程	董秘	刘质岩	证券代码	000928
	公司网址	mecc.sinosteel.com		电子信箱	entec@mecc.sinosteel.com	
	电　话	010-62688196　62686202		传　真	010-62686203	
	办公地址	北京市海淀区海淀大街 8 号中钢国际广场 26 层				
	经营范围	工程技术服务和设备集成及备品备件供应业务				

主要财务指标	指标\报告期	2016.06.30	2015.12.31	2015.06.30	2014.12.31
	基本每股收益(元)	0.3612	0.7317	0.3859	0.3400
	基本每股收益(扣除后)(元)	0.3591	0.8322	0.4236	-0.1780
	稀释每股收益(元)	0.3612	0.7317	0.3859	0.3400
	每股净资产(元)	4.7635	4.4080	4.0619	3.6843
	每股经营现金净流量(元)	-1.6274	0.7537	0.4491	0.8384
	每股现金流量(元)	-1.2368	0.6069	0.4398	-0.1045
	每股资本公积金(元)	2.7939	2.7054	2.7064	2.7066
	每股盈余公积金(元)	0.1458	0.1458	0.1458	0.1458
	每股未分配利润(元)	0.9154	0.5542	0.2084	-0.1775
	净资产收益率(%)	7.5833	16.6000	9.5017	7.7078
	加权净资产收益率(%)	7.7500	18.0900	9.9600	8.9380
	净资产收益率(扣除)(%)	7.5393	18.8799	10.4276	-3.0048
	总资产(万元)	1290268.62	1344501.41	1241131.27	1070884.29
	归属母公司股东权益(万元)	306085.03	283243.60	261000.97	236741.81
	营业收入(万元)	397127.22	975128.20	513800.36	1106133.40
	营业支出(万元)	338663.83	837836.26	453528.83	976381.54
	投资收益(万元)	1690.03	5714.53	2331.87	3251.25
	净利润(万元)	23466.09	47457.23	24990.23	18628.84
	营业利润(万元)	30478.07	62487.99	32996.61	32603.02
	利润总额(万元)	30650.46	63895.13	33121.09	33694.37

兰州黄河企业股份有限公司

公司概况	公司名称	兰州黄河企业股份有限公司			证券简称	兰州黄河
	法人代表	杨世江	董秘	魏福新	证券代码	000929
	公司网址	www.yellowriver.net.cn		电子信箱	yellowriver@yellowriver.net.cn	
	电　话	0931-8449039		传　真	0931-8449005	
	办公地址	甘肃省兰州市城关区庆阳路 219 号金运大厦 22 层				
	经营范围	啤酒、麦芽、饲料的生产、批发零售,建筑材料普通机械、农业技术开发及推广等				

主要财务指标	指标\报告期	2016.06.30	2015.12.31	2015.06.30	2014.12.31
	基本每股收益(元)	-0.1721	0.3705	0.9009	0.4194
	基本每股收益(扣除后)(元)	0.0298	0.1007	0.0728	0.1118
	稀释每股收益(元)	-0.1721	0.3705	0.9009	0.4194
	每股净资产(元)	3.8883	4.0605	4.5909	3.6900
	每股经营现金净流量(元)	0.3956	0.2136	0.3073	0.6644
	每股现金流量(元)	-0.1198	0.4393	-0.2199	0.4667
	每股资本公积金(元)	1.0371	1.0371	1.0371	1.0371
	每股盈余公积金(元)	0.1299	0.1299	0.1296	0.1296
	每股未分配利润(元)	1.7213	1.8935	2.4242	1.5233
	净资产收益率(%)	-4.4267	9.1240	19.6245	11.3648
	加权净资产收益率(%)	-4.3300	9.5600	21.7600	11.9500
	净资产收益率(扣除)(%)	0.7654	2.4795	1.5848	3.0310
	总资产(万元)	161851.39	159323.29	171657.60	152766.51
	归属母公司股东权益(万元)	72231.89	75429.40	85283.78	68547.24
	营业收入(万元)	35531.41	70187.20	39841.95	79571.43
	营业支出(万元)	23909.23	45783.30	24086.15	48012.91
	投资收益(万元)	486.48	9910.23	19781.23	4691.64
	净利润(万元)	-2307.58	7811.58	17972.87	10625.89
	营业利润(万元)	-2810.57	8913.50	17271.09	13810.93
	利润总额(万元)	-2814.43	9687.51	17248.98	14627.20

中粮生物化学(安徽)股份有限公司

公司概况	公司名称	中粮生物化学(安徽)股份有限公司			证券简称	中粮生化
	法人代表	岳国君	董秘	王海	证券代码	000930
	公司网址	www.zlahsh.com		电子信箱	zlahshstock@163.com	
	电　话	0552-4926909		传　真	0552-4926758	
	办公地址	安徽省蚌埠市中粮大道 1 号				
	经营范围	生物工程的科研开发、有机酸及其饲料级赖氨酸盐酸盐等产品的生产、销售、储存等				

主要财务指标	指标\报告期	2016.06.30	2015.12.31	2015.06.30	2014.12.31
	基本每股收益(元)	0.0130	-1.4700	-0.3350	0.0370
	基本每股收益(扣除后)(元)	-0.0380	-0.8890	-0.3470	0.0080
	稀释每股收益(元)	0.0130	-1.4700	-0.3350	0.0370
	每股净资产(元)	1.4962	1.4886	2.6202	2.9955
	每股经营现金净流量(元)	0.0283	-0.1184	-0.6427	0.2144
	每股现金流量(元)	0.2561	0.2329	0.5186	0.0303
	每股资本公积金(元)	0.9363	0.9363	0.9363	0.9571
	每股盈余公积金(元)	0.1821	0.1821	0.1821	0.1821
	每股未分配利润(元)	-0.6381	-0.6506	0.4844	0.8397
	净资产收益率(%)	0.8372	-98.7775	-12.7986	1.2196
	加权净资产收益率(%)	0.8400	-65.7300	-11.8600	1.2200
	净资产收益率(扣除)(%)	-2.5254	-59.7295	-13.2369	0.2739
	总资产(万元)	633297.26	564820.96	790412.75	686419.79
	归属母公司股东权益(万元)	144291.65	143558.74	252697.13	288889.66
	营业收入(万元)	262887.36	645728.34	349342.71	715319.67
	营业支出(万元)	229437.37	648224.74	351245.40	646309.95
	投资收益(万元)	-	582.66	-	571.66
	净利润(万元)	735.22	-149495.23	-35426.16	3159.10
	营业利润(万元)	-11289.72	-154764.92	-38934.04	-5709.63
	利润总额(万元)	954.34	-147405.86	-36108.43	5972.63

北京中关村科技发展(控股)股份有限公司

公司概况	公司名称	北京中关村科技发展(控股)股份有限公司			证券简称	中关村
	法人代表	侯占军	董秘	黄志宇	证券代码	000931
	公司网址	www.centek.com.cn		电子信箱	investor@centek.com.cn	
	电　话	010-57768018		传　真	010-57768100	
	办公地址	北京市海淀区中关村南大街 31 号神舟大厦 8 层				
	经营范围	高新技术和产品的开发、销售、科技项目、建设项目投资				

主要财务指标	指标\报告期	2016.06.30	2015.12.31	2015.06.30	2014.12.31
	基本每股收益(元)	-0.0206	0.2239	0.2218	0.0204
	基本每股收益(扣除后)(元)	-0.0479	-0.0794	-0.0620	-0.0741
	稀释每股收益(元)	-0.0206	0.2239	0.2218	0.0204
	每股净资产(元)	1.2536	1.1922	1.1531	0.9309
	每股经营现金净流量(元)	-0.1659	-0.0162	-0.0565	-0.5799
	每股现金流量(元)	-0.1005	0.1375	-0.0283	-0.6229
	每股资本公积金(元)	1.4928	1.4102	1.4102	1.4102
	每股盈余公积金(元)	0.1230	0.1230	0.1230	0.1230
	每股未分配利润(元)	-1.3778	-1.3572	-1.3962	-1.6180
	净资产收益率(%)	-1.6439	18.7787	19.2330	2.1889
	加权净资产收益率(%)	-1.6900	21.0900	21.2800	2.3100
	净资产收益率(扣除)(%)	-3.8224	-6.6579	-5.3797	-7.9588
	总资产(万元)	311008.73	277070.01	243851.30	251462.78
	归属母公司股东权益(万元)	84598.96	80457.42	77813.56	62821.23
	营业收入(万元)	66876.73	107802.63	39896.65	303419.69
	营业支出(万元)	39064.91	61940.79	22206.87	252496.37
	投资收益(万元)	-372.54	21799.99	20650.91	6937.60
	净利润(万元)	-742.15	15318.08	14904.84	1369.70
	营业利润(万元)	-2030.28	18095.70	17178.55	4035.34
	利润总额(万元)	73.39	16786.33	15672.23	3930.29

湖南华菱钢铁股份有限公司

公司概况	公司名称	湖南华菱钢铁股份有限公司		证券简称	*ST 华菱
	法人代表	曹慧泉	董秘　罗桂情	证券代码	000932
	公司网址	www.valin.cn		电子信箱	valinsteel@163.com
	电　话	0731-89952719　89952811		传　真	0731-89952704
	办公地址	湖南省长沙市天心区湘府西路 222 号华菱园主楼			
	经营范围	主要从事钢坯、无缝钢管、线材、螺纹钢、热轧超薄带钢卷、冷轧板卷、镀锌板等			

主要财务指标	指标\报告期	2016.06.30	2015.12.31	2015.06.30	2014.12.31
	基本每股收益(元)	−0.3136	−0.9812	−0.0512	0.0247
	基本每股收益(扣除后)(元)	−0.3028	−0.9880	−0.0578	0.0134
	稀释每股收益(元)	−0.3136	−0.9812	−0.0512	0.0247
	每股净资产(元)	2.1005	2.4127	3.3399	3.3898
	每股经营现金净流量(元)	0.4191	1.3965	0.4937	2.4100
	每股现金流量(元)	−0.9482	0.2913	−0.3567	0.9998
	每股资本公积金(元)	2.3302	2.3304	2.3304	2.3304
	每股盈余公积金(元)	0.2780	0.2780	0.2780	0.2780
	每股未分配利润(元)	−1.5129	−1.1994	−0.2693	−0.2182
	净资产收益率(%)	−14.9287	−40.6685	−1.5319	0.7301
	加权净资产收益率(%)	−13.9000	−33.8400	−1.5200	0.7334
	净资产收益率(扣除)(%)	−14.4160	−40.9638	−1.7320	0.3952
	总资产(万元)	7171757.62	7649889.00	7521579.39	7309099.06
	归属母公司股东权益(万元)	633424.00	727578.32	1007197.74	1022231.70
	营业收入(万元)	2193251.39	4140552.78	2147007.68	5559973.68
	营业支出(万元)	2049266.82	4024112.01	1950498.98	5124949.79
	投资收益(万元)	−175.07	6044.60	2848.68	1220.75
	净利润(万元)	−137625.35	−401911.71	−22008.70	14655.52
	营业利润(万元)	−139507.65	−432659.34	−27984.39	−276.36
	利润总额(万元)	−137493.74	−417871.60	−21331.20	17431.57

河南神火煤电股份有限公司

公司概况	公司名称	河南神火煤电股份有限公司		证券简称	神火股份
	法人代表	崔建友	董秘　李宏伟	证券代码	000933
	公司网址	www.shenhuo.com		电子信箱	shenhuogufen@163.com
	电　话	0370-5982722　5982466		传　真	0370-5180086 5125596
	办公地址	河南省永城市东城区光明路 17 号			
	经营范围	煤炭、发电(自发自用)、氧化铝、铝产品的生产、销售			

主要财务指标	指标\报告期	2016.06.30	2015.12.31	2015.06.30	2014.12.31
	基本每股收益(元)	0.3400	−0.8801	−0.1520	−0.1929
	基本每股收益(扣除后)(元)	−0.0290	−0.9163	−0.1870	−0.2135
	稀释每股收益(元)	0.3400	−0.8801	−0.1520	−0.1929
	每股净资产(元)	3.1402	2.7697	3.4940	3.6121
	每股经营现金净流量(元)	0.3267	−0.3873	0.0401	0.3961
	每股现金流量(元)	−0.5093	0.2735	0.0416	−0.2751
	每股资本公积金(元)	1.0280	1.0280	1.0210	1.0206
	每股盈余公积金(元)	0.3685	0.3685	0.3685	0.3685
	每股未分配利润(元)	0.6368	0.2969	1.0251	1.1769
	净资产收益率(%)	10.8243	−31.7770	−4.3426	−5.3393
	加权净资产收益率(%)	7.2000	−27.7500	−4.3400	−4.9592
	净资产收益率(扣除)(%)	−0.9581	−33.0829	−4.5761	−5.9115
	总资产(万元)	5094916.95	5045242.93	5030780.27	5113554.85
	归属母公司股东权益(万元)	596791.00	526924.86	664036.22	686473.34
	营业收入(万元)	779605.13	1755822.19	985527.71	2396711.56
	营业支出(万元)	647714.81	1633446.18	866812.96	2113863.88
	投资收益(万元)	391.15	−3172.28	−648.24	5690.48
	净利润(万元)	60053.78	−183951.89	−29884.20	−41243.35
	营业利润(万元)	−8265.91	−185088.75	−28948.51	−28608.81
	利润总额(万元)	61998.44	−175812.58	−26458.63	−23463.76

四川双马水泥股份有限公司

公司概况	公司名称	四川双马水泥股份有限公司		证券简称	四川双马
	法人代表	黄灿文	董秘　胡军	证券代码	000935
	公司网址	www.cement.com.cn		电子信箱	public.sm@cn.lafarge.com
	电　话	028-65195245 65195289		传　真	028-65195291
	办公地址	四川省成都市高新区天府二街萃华路 89 号成都国际科技节能大厦 A 座 5 楼			
	经营范围	水泥的生产和销售			

主要财务指标	指标\报告期	2016.06.30	2015.12.31	2015.06.30	2014.12.31
	基本每股收益(元)	0.0200	−0.1600	−0.0800	0.0500
	基本每股收益(扣除后)(元)	−0.0100	−0.1600	−0.0700	0.0400
	稀释每股收益(元)	0.0200	−0.1600	−0.0800	0.0500
	每股净资产(元)	3.4681	3.4473	3.5200	3.3200
	每股经营现金净流量(元)	0.2285	0.4087	−0.0425	0.9111
	每股现金流量(元)	0.0424	−0.4781	−0.3911	0.0622
	每股资本公积金(元)	1.2997	1.2997	1.2997	1.4871
	每股盈余公积金(元)	0.0655	0.0655	0.0578	0.0716
	每股未分配利润(元)	1.1020	1.0812	1.1572	1.5964
	净资产收益率(%)	0.6005	−4.3211	−2.2958	1.6112
	加权净资产收益率(%)	0.6000	−4.2100	−2.3100	1.6200
	净资产收益率(扣除)(%)	−0.2161	−4.3011	−1.8765	1.2425
	总资产(万元)	544152.43	545148.51	565137.44	600211.87
	归属母公司股东权益(万元)	264772.25	263182.35	268395.58	255964.47
	营业收入(万元)	100076.78	197456.63	96073.94	199645.04
	营业支出(万元)	86051.54	176645.36	85987.96	159720.29
	投资收益(万元)	69.90	−0.50	−8.89	7.85
	净利润(万元)	2695.40	−10565.48	−5757.20	16582.61
	营业利润(万元)	946.37	−11357.69	−5098.30	19455.68
	利润总额(万元)	3548.72	−10759.88	−6031.89	20559.91

江苏华西村股份有限公司

公司概况	公司名称	江苏华西村股份有限公司		证券简称	华西股份
	法人代表	汤维清	董秘　王宏宇	证券代码	000936
	公司网址	www.jshuaxicun.com		电子信箱	chinahuaxi@263.net
	电　话	0510-86217188　86217149		传　真	0510-86217177
	办公地址	江苏省江阴市华西村南苑宾馆 9 号楼			
	经营范围	化工原料、化学纤维品的制造、危险化学品的销售			

主要财务指标	指标\报告期	2016.06.30	2015.12.31	2015.06.30	2014.12.31
	基本每股收益(元)	0.0700	0.1100	0.0880	0.0800
	基本每股收益(扣除后)(元)	0.0700	0.1000	0.0850	0.0700
	稀释每股收益(元)	0.0700	0.1100	0.0880	0.0800
	每股净资产(元)	3.1287	3.1116	2.9754	2.9479
	每股经营现金净流量(元)	0.0779	0.1118	−0.1425	−0.2449
	每股现金流量(元)	0.5110	0.0364	−0.1819	−0.1467
	每股资本公积金(元)	0.5669	0.5662	0.0653	0.0653
	每股盈余公积金(元)	0.1378	0.1378	0.1553	0.1553
	每股未分配利润(元)	0.9511	0.9139	1.0640	0.9958
	净资产收益率(%)	2.1480	3.1123	2.9642	2.5536
	加权净资产收益率(%)	2.1500	3.5300	2.9500	3.0700
	净资产收益率(扣除)(%)	2.1243	3.0604	2.8547	2.4666
	总资产(万元)	523589.75	389815.43	344429.96	347817.28
	归属母公司股东权益(万元)	277211.19	275689.89	222562.11	220507.42
	营业收入(万元)	92739.22	201295.41	111320.64	206622.30
	营业支出(万元)	81800.48	183747.55	101856.79	193432.40
	投资收益(万元)	5137.12	4971.07	4669.74	2907.57
	净利润(万元)	6351.19	9531.84	7056.14	6651.61
	营业利润(万元)	7479.01	11137.68	7835.25	7334.94
	利润总额(万元)	7560.26	11328.99	7948.38	7450.71

冀中能源股份有限公司

公司概况					
公司名称	冀中能源股份有限公司			证券简称	冀中能源
法人代表	张成文	董秘	郑温雅	证券代码	000937
公司网址	www.jznygf.com		电子信箱	000937@vip.163.com	
电　　话	0319-2098828　2068312		传　　真	0319-2068666	
办公地址	河北省邢台市中兴西大街 191 号				
经营范围	煤炭、建材和电力				

主要财务指标：指标＼报告期	2016.06.30	2015.12.31	2015.06.30	2014.12.31
基本每股收益(元)	0.0026	0.0996	0.0018	0.0098
基本每股收益(扣除后)(元)	0.0118	−0.4242	−0.0167	0.0007
稀释每股收益(元)	0.0026	0.0996	0.0018	0.0098
每股净资产(元)	5.2003	5.1952	5.1433	6.7578
每股经营现金净流量(元)	−0.0187	0.2974	−0.0939	0.7182
每股现金流量(元)	−0.2770	0.2647	−0.1479	−0.0220
每股资本公积金(元)	1.1760	1.1760	1.2055	1.8626
每股盈余公积金(元)	0.4652	0.4652	0.4652	0.6047
每股未分配利润(元)	2.5282	2.5306	2.4411	3.2603
净资产收益率(%)	0.0498	1.9165	0.0351	0.1327
加权净资产收益率(%)	0.0500	1.9200	0.0300	0.1500
净资产收益率(扣除)(%)	0.1884	−8.1648	−0.3250	0.0090
总资产(万元)	3988763.36	4070810.02	4206584.96	4172354.09
归属母公司股东权益(万元)	1837554.46	1835731.17	1817396.51	1836856.88
营业收入(万元)	561862.66	1253701.02	712568.75	1825684.67
营业支出(万元)	439260.51	1101771.62	573347.39	1453918.84
投资收益(万元)	872.96	199745.26	17487.97	20920.06
净利润(万元)	−6525.87	30341.37	−12133.53	−16365.08
营业利润(万元)	3443.13	1801.27	−6666.48	−11363.19
利润总额(万元)	1111.22	15564.19	465.14	−7223.60

紫光股份有限公司

公司概况					
公司名称	紫光股份有限公司			证券简称	紫光股份
法人代表	赵伟国	董秘	张蔚	证券代码	000938
公司网址	www.thunis.com		电子信箱	thunis@thunis.com	
电　　话	010-62770008		传　　真	010-62770880	
办公地址	北京市海淀区清华大学紫光大楼				
经营范围	技术开发、技术推广、技术转让、技术咨询、技术服务等				

主要财务指标：指标＼报告期	2016.06.30	2015.12.31	2015.06.30	2014.12.31
基本每股收益(元)	0.5470	0.7380	0.4590	0.6110
基本每股收益(扣除后)(元)	0.3900	0.4700	0.1670	0.4000
稀释每股收益(元)	0.5470	0.7380	0.4590	0.6110
每股净资产(元)	22.6048	11.5708	10.9749	8.6346
每股经营现金净流量(元)	0.1736	0.4521	−1.8910	0.5863
每股现金流量(元)	4.6065	0.4038	−0.2123	0.8882
每股资本公积金(元)	20.2112	2.2358	2.2404	2.2404
每股盈余公积金(元)	0.0890	0.4500	0.3862	0.3862
每股未分配利润(元)	0.6763	2.2342	2.0187	1.6596
净资产收益率(%)	1.1260	6.3810	4.1833	7.0709
加权净资产收益率(%)	2.8600	6.9200	4.1300	9.1100
净资产收益率(扣除)(%)	0.8023	4.0986	1.5216	4.6532
总资产(万元)	3790830.83	628351.94	570554.37	466992.19
归属母公司股东权益(万元)	2356107.42	238451.50	226171.31	177941.25
营业收入(万元)	926779.46	1334990.48	569497.71	1114491.38
营业支出(万元)	805264.66	1274557.81	542535.85	1063497.69
投资收益(万元)	11831.15	7845.93	7396.20	5804.71
净利润(万元)	37607.71	20254.78	11488.21	17222.70
营业利润(万元)	19694.12	25519.29	13618.66	20389.55
利润总额(万元)	27126.58	26716.91	14284.64	22257.87

凯迪生态环境科技股份有限公司

公司概况					
公司名称	凯迪生态环境科技股份有限公司			证券简称	凯迪生态
法人代表	李林芝	董秘	张鸿健	证券代码	000939
公司网址	www.china-kaidi.com		电子信箱	Kaidi@public.wh.hb.cn	
电　　话	027-67869270		传　　真	027-67869018	
办公地址	湖北省武汉市东湖新技术开发区江夏大道特 1 号				
经营范围	电力、新能源、化工、环保、水处理、仪器仪表、热工、机电一体化、计算机的开发等				

主要财务指标：指标＼报告期	2016.06.30	2015.12.31	2015.06.30	2014.12.31
基本每股收益(元)	0.0700	0.2800	0.1300	0.2200
基本每股收益(扣除后)(元)	0.0800	0.1900	0.1100	0.2200
稀释每股收益(元)	0.0700	0.2800	0.1300	0.2200
每股净资产(元)	4.9732	4.8944	4.2753	2.9406
每股经营现金净流量(元)	0.2325	0.3594	0.7575	0.1421
每股现金流量(元)	0.5630	0.1612	0.6814	−0.2123
每股资本公积金(元)	2.6527	2.6424	2.0506	4.5002
每股盈余公积金(元)	0.1574	0.1574	0.1782	0.2584
每股未分配利润(元)	1.1542	1.0850	1.0381	1.4818
净资产收益率(%)	1.3905	5.2673	2.7896	7.4008
加权净资产收益率(%)	1.4000	5.6400	2.2100	7.8700
净资产收益率(扣除)(%)	1.6514	3.0327	2.5198	7.4190
总资产(万元)	3503391.22	3290487.48	3088293.20	2565223.20
归属母公司股东权益(万元)	749600.65	737430.32	584556.80	684130.23
营业收入(万元)	198157.43	349567.63	134241.68	284872.51
营业支出(万元)	135935.37	245913.24	93754.99	216197.29
投资收益(万元)	76.14	749.55	92.67	−1032.12
净利润(万元)	9142.08	34077.68	18558.41	20010.54
营业利润(万元)	2031.20	10551.13	6041.69	15021.44
利润总额(万元)	11338.61	40529.69	21820.94	22769.24

云南南天电子信息产业股份有限公司

公司概况					
公司名称	云南南天电子信息产业股份有限公司			证券简称	南天信息
法人代表	雷坚	董秘	赵起高	证券代码	000948
公司网址	www.nantian.com.cn		电子信箱	000948@nantian.com.cn	
电　　话	0871-3366327　68279182		传　　真	0871-63317397	
办公地址	云南省昆明市环城东路 455 号				
经营范围	软件开发、系统集成、金融专用设备以及医药产品的研究开发及生产经营				

主要财务指标：指标＼报告期	2016.06.30	2015.12.31	2015.06.30	2014.12.31
基本每股收益(元)	−0.1917	0.0800	−0.1956	0.0500
基本每股收益(扣除后)(元)	−0.2153	−0.1500	−0.2043	−0.0672
稀释每股收益(元)	−0.1917	0.0800	−0.1956	0.0500
每股净资产(元)	5.5592	5.7908	5.5299	5.7455
每股经营现金净流量(元)	−2.1136	0.2965	−1.7217	−0.1145
每股现金流量(元)	−2.6115	0.2623	−2.1438	0.1797
每股资本公积金(元)	3.2488	3.2488	3.2368	3.2368
每股盈余公积金(元)	0.2923	0.2923	0.2824	0.2824
每股未分配利润(元)	1.0162	1.2479	1.0013	1.2169
净资产收益率(%)	−3.4475	1.2998	−3.5376	0.8360
加权净资产收益率(%)	−3.3700	1.3000	−3.4700	0.8400
净资产收益率(扣除)(%)	−3.8724	−2.6488	−3.6952	−1.1705
总资产(万元)	222410.82	260762.40	233947.28	260624.47
归属母公司股东权益(万元)	137092.82	142805.52	136370.52	141687.94
营业收入(万元)	72914.35	213801.44	77980.39	182872.64
营业支出(万元)	55205.33	161726.46	61107.25	140427.46
投资收益(万元)	−1069.30	1481.99	−201.97	2164.39
净利润(万元)	−5020.29	1942.14	−4688.71	969.04
营业利润(万元)	−5502.26	781.26	−4847.00	−1951.85
利润总额(万元)	−4917.39	1794.66	−4691.35	1546.89

新乡化纤股份有限公司

公司概况	公司名称	新乡化纤股份有限公司			证券简称	新乡化纤
	法人代表	邵长金	董秘	王文新	证券代码	000949
	公司网址	www.bailu.com		电子信箱	Bailu@public.xxptt.ha.cn	
	电　话	0373-3978861 3978813		传　真	0373-3911359	
	办公地址	河南省新乡市凤泉区锦园路				
	经营范围	粘胶长丝、粘胶短纤维和氨纶纤维的生产与销售				

主要财务指标	指标\报告期	2016.06.30	2015.12.31	2015.06.30	2014.12.31
	基本每股收益(元)	0.0329	0.1346	0.0576	0.1012
	基本每股收益(扣除后)(元)	0.0277	0.1175	0.0560	0.0953
	稀释每股收益(元)	0.0329	0.1346	0.0576	0.1012
	每股净资产(元)	2.4470	2.4441	2.3671	2.3395
	每股经营现金净流量(元)	0.1613	0.3268	0.0920	0.5441
	每股现金流量(元)	-0.0360	0.1512	0.2565	0.1265
	每股资本公积金(元)	0.9249	0.9249	0.9249	0.9249
	每股盈余公积金(元)	0.1839	0.1839	0.1733	0.1733
	每股未分配利润(元)	0.3381	0.3353	0.2689	0.2412
	净资产收益率(%)	1.3443	5.5088	2.4344	3.7685
	加权净资产收益率(%)	1.3400	5.6400	2.4300	4.5900
	净资产收益率(扣除)(%)	1.1328	4.8072	2.3648	3.5486
	总资产(万元)	529419.95	497812.35	504858.89	446852.94
	归属母公司股东权益(万元)	251366.44	251069.16	243157.86	240320.04
	营业收入(万元)	167436.12	306625.76	133876.73	284080.40
	营业支出(万元)	145331.43	257388.79	111757.21	238005.57
	投资收益(万元)	-172.64	-163.34	-80.89	-140.05
	净利润(万元)	3378.38	13820.34	5914.41	9055.82
	营业利润(万元)	3202.02	14110.23	6620.04	8793.84
	利润总额(万元)	3861.51	16221.42	6822.20	9433.24

重庆建峰化工股份有限公司

公司概况	公司名称	重庆建峰化工股份有限公司			证券简称	*ST 建峰
	法人代表	何平	董秘	田军	证券代码	000950
	公司网址	www.jfhggf.com		电子信箱	taoraner319@163.com	
	电　话	023-72596038 72597882		传　真	023-72591275	
	办公地址	重庆市涪陵区白涛街道				
	经营范围	化肥及相关产品的生产、销售				

主要财务指标	指标\报告期	2016.06.30	2015.12.31	2015.06.30	2014.12.31
	基本每股收益(元)	-0.5200	-0.6100	-0.3213	-0.6000
	基本每股收益(扣除后)(元)	-0.5287	-0.8000	-0.3237	-0.6200
	稀释每股收益(元)	-0.5200	-0.6100	-0.3213	-0.6000
	每股净资产(元)	2.3252	2.8486	3.1431	3.4529
	每股经营现金净流量(元)	0.1053	0.3175	0.1021	0.0096
	每股现金流量(元)	-0.1282	-0.2219	0.1446	0.0928
	每股资本公积金(元)	1.7871	1.7871	1.7871	1.7871
	每股盈余公积金(元)	0.1846	0.1846	0.1846	0.1846
	每股未分配利润(元)	-0.6548	-0.1334	0.1585	0.4798
	净资产收益率(%)	-22.4211	-21.5287	-10.2236	-17.4828
	加权净资产收益率(%)	-20.1400	-19.4800	-9.7200	-16.0800
	净资产收益率(扣除)(%)	-22.7950	-27.9181	-10.2980	-17.9983
	总资产(万元)	580766.87	608682.78	688226.37	683093.17
	归属母公司股东权益(万元)	139230.73	170574.25	188207.04	206759.84
	营业收入(万元)	130989.57	332646.97	169350.04	296871.33
	营业支出(万元)	136518.22	308904.30	159831.02	290371.16
	投资收益(万元)	-13.19	8138.32	33.80	265.81
	净利润(万元)	-31266.74	-36694.47	-19232.03	-36062.68
	营业利润(万元)	-31784.38	-37412.91	-19337.38	-36259.16
	利润总额(万元)	-31263.90	-36671.44	-19232.03	-36055.10

中国重汽集团济南卡车股份有限公司

公司概况	公司名称	中国重汽集团济南卡车股份有限公司			证券简称	中国重汽
	法人代表	于有德	董秘	张峰	证券代码	000951
	公司网址	www.jntruck.com		电子信箱	cnhtc000951@163.com	
	电　话	0531-85587586 85587588		传　真	0531-85587003	
	办公地址	山东省济南市市中区党家庄镇南首				
	经营范围	载重汽车、专用汽车、重型专用车底盘、客车底盘、汽车配件制造等				

主要财务指标	指标\报告期	2016.06.30	2015.12.31	2015.06.30	2014.12.31
	基本每股收益(元)	0.2400	0.6600	0.4200	1.0300
	基本每股收益(扣除后)(元)	0.2400	0.6300	0.4100	0.9600
	稀释每股收益(元)	0.2400	0.6600	0.4200	1.0300
	每股净资产(元)	6.9055	10.8663	10.6201	10.5030
	每股经营现金净流量(元)	0.7464	0.5723	1.8938	0.1129
	每股现金流量(元)	0.2905	1.2836	1.5326	-0.6505
	每股资本公积金(元)	0.6444	1.6310	1.6310	1.6310
	每股盈余公积金(元)	0.6975	1.1161	1.1161	1.1161
	每股未分配利润(元)	4.5640	7.1200	6.8803	6.7559
	净资产收益率(%)	3.4609	6.1111	3.9958	9.7907
	加权净资产收益率(%)	3.4900	6.2100	4.0700	10.1600
	净资产收益率(扣除)(%)	3.4173	5.7732	3.8431	9.1770
	总资产(万元)	1809383.11	1696234.09	1850973.38	1669561.98
	归属母公司股东权益(万元)	463411.53	455761.64	445433.39	440523.41
	营业收入(万元)	955277.70	1936365.76	1033908.21	2386595.65
	营业支出(万元)	856854.89	1737942.22	929031.33	2151652.36
	投资收益(万元)	-	-	-	-
	净利润(万元)	20488.74	34783.69	22389.60	57416.75
	营业利润(万元)	27032.21	40969.20	28103.12	72484.49
	利润总额(万元)	27349.76	43868.88	29613.36	78985.83

湖北广济药业股份有限公司

公司概况	公司名称	湖北广济药业股份有限公司			证券简称	广济药业
	法人代表	龚道夷	董秘	安江波	证券代码	000952
	公司网址	www.guangjipharm.com		电子信箱	stock@guangjipharm.com	
	电　话	0713-6219522 87836508		传　真	0713-6212953	
	办公地址	湖北省武穴市江堤路 1 号				
	经营范围	生产经营医药原料药、医药制剂、食品添加剂、饲料添加剂等				

主要财务指标	指标\报告期	2016.06.30	2015.12.31	2015.06.30	2014.12.31
	基本每股收益(元)	0.2260	0.0830	-0.0880	-0.8690
	基本每股收益(扣除后)(元)	0.2270	0.0910	-0.0930	-0.8850
	稀释每股收益(元)	0.2260	0.0820	-0.0880	-0.8690
	每股净资产(元)	2.2609	2.0349	1.8914	1.9792
	每股经营现金净流量(元)	0.3455	-0.1325	-0.1852	-0.2968
	每股现金流量(元)	0.0016	-0.1500	0.1036	0.3478
	每股资本公积金(元)	0.2415	0.2415	0.2689	0.2689
	每股盈余公积金(元)	0.3012	0.3012	0.3012	0.3012
	每股未分配利润(元)	0.7181	0.4921	0.3213	0.4090
	净资产收益率(%)	9.9957	4.0847	-4.6393	-43.9072
	加权净资产收益率(%)	10.5200	4.1100	-4.5300	-36.0000
	净资产收益率(扣除)(%)	10.0553	4.4951	-4.5636	-44.7095
	总资产(万元)	165994.90	162072.09	170919.83	158246.95
	归属母公司股东权益(万元)	56906.84	51218.59	47607.95	49816.60
	营业收入(万元)	31691.13	56035.55	18500.40	48585.80
	营业支出(万元)	16766.21	37930.03	13891.99	44052.76
	投资收益(万元)	2.78	-11.72	-10.43	36.53
	净利润(万元)	5930.75	1841.57	-2466.99	-22959.29
	营业利润(万元)	5970.82	2192.02	-3013.83	-22645.37
	利润总额(万元)	5930.75	1841.59	-2466.99	-22305.34

广西河池化工股份有限公司

公司概况	公司名称	广西河池化工股份有限公司			证券简称	*ST 河化
	法人代表	施伟光	董秘	覃丽芳	证券代码	000953
	公司网址	www.hechihuagong.com.cn			电子信箱	hchg000953@126.com
	电　话	0778-2266832　2266867			传　真	0778-2266867
	办公地址	广西壮族自治区河池市				
	经营范围	从事化肥等产品的生产与销售等				

主要财务指标	指标\报告期	2016.06.30	2015.12.31	2015.06.30	2014.12.31
	基本每股收益(元)	-0.1449	-0.3639	-0.0993	0.0606
	基本每股收益(扣除后)(元)	-0.3245	-0.3790	-0.1028	-1.1946
	稀释每股收益(元)	-0.1449	-0.3639	-0.0993	0.0606
	每股净资产(元)	0.0303	0.3681	0.7041	0.8149
	每股经营现金净流量(元)	-0.3321	-0.2401	-0.1690	-0.7333
	每股现金流量(元)	-0.0147	-0.3022	-0.1620	-0.1961
	每股资本公积金(元)	0.1516	0.1516	0.1516	0.1516
	每股盈余公积金(元)	0.1193	0.1193	0.1193	0.1193
	每股未分配利润(元)	-1.2427	-1.0978	-0.8331	-0.7339
	净资产收益率(%)	-478.4600	-98.8750	-14.0969	7.4426
	加权净资产收益率(%)	-49.0300	-57.5000	-12.9700	3.2400
	净资产收益率(扣除)(%)	-1071.3084	-102.9069	-14.6036	-146.5967
	总资产(万元)	114774.89	140969.20	153791.80	159360.13
	归属母公司股东权益(万元)	890.71	10823.10	20705.16	23962.56
	营业收入(万元)	28333.37	62289.82	31168.84	55528.84
	营业支出(万元)	33263.65	62611.66	30887.88	75572.31
	投资收益(万元)	5190.23	124.79	124.79	37579.48
	净利润(万元)	-4261.67	-10701.35	-2918.79	1783.43
	营业利润(万元)	-4351.98	-11107.10	-3003.09	2161.71
	利润总额(万元)	-4261.67	-10701.35	-2918.79	1783.43

欣龙控股(集团)股份有限公司

公司概况	公司名称	欣龙控股(集团)股份有限公司			证券简称	欣龙控股
	法人代表	郭开铸	董秘	潘英	证券代码	000955
	公司网址	www.xinlong-holding.com			电子信箱	xlkg@xinlong-holding.com
	电　话	0898-68585274			传　真	0898-68582799
	办公地址	海南省海口市龙昆北路 2 号珠江广场帝豪大厦 17 层				
	经营范围	水刺、热轧、浆点等无纺布卷材、深加工产品的生产和销售等				

主要财务指标	指标\报告期	2016.06.30	2015.12.31	2015.06.30	2014.12.31
	基本每股收益(元)	-0.0219	-0.1500	-0.0353	0.0100
	基本每股收益(扣除后)(元)	-0.0228	-0.1700	-0.0362	-0.1000
	稀释每股收益(元)	-0.0219	-0.1500	-0.0353	0.0100
	每股净资产(元)	1.1299	1.1517	1.2231	1.2584
	每股经营现金净流量(元)	-0.0645	-0.0155	-0.0010	0.0020
	每股现金流量(元)	-0.2103	0.1203	-0.1759	-0.0596
	每股资本公积金(元)	0.8717	0.8717	0.8356	0.8356
	每股盈余公积金(元)	-	-	-	-
	每股未分配利润(元)	-0.7418	-0.7200	-0.6125	-0.5772
	净资产收益率(%)	-1.9340	-12.3948	-2.8872	0.7193
	加权净资产收益率(%)	-1.9200	-0.2400	-2.8500	0.7200
	净资产收益率(扣除)(%)	-2.0173	-14.4431	-2.9583	-7.9149
	总资产(万元)	110493.04	109172.84	93590.41	100061.08
	归属母公司股东权益(万元)	60831.84	62008.35	65851.50	67752.76
	营业收入(万元)	21741.34	30323.52	13226.47	25990.36
	营业支出(万元)	19219.60	27024.16	11561.06	23186.01
	投资收益(万元)	-401.82	1047.55	27.14	110.81
	净利润(万元)	-1344.44	-7824.21	-1945.70	475.34
	营业利润(万元)	-1843.56	-8280.96	-2033.22	-5270.33
	利润总额(万元)	-1350.75	-7781.39	-1945.77	538.95

中通客车控股股份有限公司

公司概况	公司名称	中通客车控股股份有限公司			证券简称	中通客车
	法人代表	李树朋	董秘	王兴富	证券代码	000957
	公司网址	www.zhongtong.com			电子信箱	lckwxf@sohu.com
	电　话	0635-8322765　8325577			传　真	0635-8328905
	办公地址	山东省聊城市经济开发区黄河路 261 号				
	经营范围	客车、挂车、汽车底盘及专用配件的开发、制造、销售等				

主要财务指标	指标\报告期	2016.06.30	2015.12.31	2015.06.30	2014.12.31
	基本每股收益(元)	0.9800	1.5800	0.2000	1.1700
	基本每股收益(扣除后)(元)	0.9700	1.5600	0.1600	0.3200
	稀释每股收益(元)	0.9800	1.5800	0.2000	1.1700
	每股净资产(元)	7.7114	7.2078	4.5671	4.4594
	每股经营现金净流量(元)	-3.4096	-2.0408	-2.5385	0.9892
	每股现金流量(元)	-0.8520	-0.5859	-0.6823	0.8357
	每股资本公积金(元)	2.6088	2.6088	0.5785	0.5785
	每股盈余公积金(元)	0.4123	0.4123	0.3483	0.3483
	每股未分配利润(元)	3.5910	3.1066	2.5538	2.4614
	净资产收益率(%)	12.7656	18.6856	4.4303	26.2882
	加权净资产收益率(%)	12.7800	28.0500	4.4400	29.8300
	净资产收益率(扣除)(%)	12.5198	18.4574	3.5736	7.1161
	总资产(万元)	991085.43	705886.92	506288.28	422696.33
	归属母公司股东权益(万元)	228607.33	213677.64	108928.50	106359.06
	营业收入(万元)	395779.86	711397.59	202723.01	361197.85
	营业支出(万元)	311476.93	570568.81	170052.71	306472.67
	投资收益(万元)	-421.02	754.75	543.51	22376.24
	净利润(万元)	29119.37	39711.79	4772.81	28856.90
	营业利润(万元)	33970.85	48231.66	5500.94	31670.02
	利润总额(万元)	34752.05	48638.55	5933.96	34461.45

国家电投集团石家庄东方能源股份有限公司

公司概况	公司名称	国家电投集团石家庄东方能源股份有限公司			证券简称	东方能源
	法人代表	李固旺	董秘	王浩	证券代码	000958
	公司网址	www.zdthebei.com			电子信箱	xuhuiqiao@sohu.com
	电　话	0311-85053913			传　真	0311-85053924
	办公地址	河北省石家庄市建华南大街 161 号				
	经营范围	热力、电力的生产与销售等				

主要财务指标	指标\报告期	2016.06.30	2015.12.31	2015.06.30	2014.12.31
	基本每股收益(元)	0.4400	0.8100	0.5700	0.7900
	基本每股收益(扣除后)(元)	0.4400	0.3400	0.3600	0.2900
	稀释每股收益(元)	0.4400	0.8100	0.5700	0.7900
	每股净资产(元)	4.6598	4.2190	2.1241	1.7630
	每股经营现金净流量(元)	0.3049	1.4924	0.6228	2.6621
	每股现金流量(元)	-0.3954	0.0744	-0.5371	-1.2280
	每股资本公积金(元)	3.2910	3.7523	2.3269	3.1973
	每股盈余公积金(元)	0.1374	0.1567	0.1567	0.1567
	每股未分配利润(元)	0.2313	-0.2388	-1.3595	-1.1601
	净资产收益率(%)	9.4602	19.1527	16.9986	22.7808
	加权净资产收益率(%)	9.9600	25.2100	19.0200	28.4100
	净资产收益率(扣除)(%)	9.4026	8.2145	17.0708	16.7308
	总资产(万元)	516351.75	530136.81	224198.82	534710.16
	归属母公司股东权益(万元)	256818.81	232523.18	102676.37	154386.51
	营业收入(万元)	121729.11	256040.93	143409.97	267305.65
	营业支出(万元)	83367.47	175224.62	92487.49	197735.71
	投资收益(万元)	-	-	12643.24	15167.90
	净利润(万元)	24382.61	44703.42	31350.60	38930.22
	营业利润(万元)	31292.28	58802.14	40233.80	47160.35
	利润总额(万元)	31461.83	60024.94	40209.75	50432.93

北京首钢股份有限公司

公司概况				
公司名称	北京首钢股份有限公司		证券简称	首钢股份
法人代表	靳伟	董秘　陈益	证券代码	000959
公司网址	www.sggf.com.cn		电子信箱	office@sggf.com.cn
电　话	010-88293727		传　真	010-68873028
办公地址	北京市石景山区石景山路99号			
经营范围	钢铁冶炼、钢压延加工、冶金技术开发、咨询、转让、服务等			

主要财务指标

指标＼报告期	2016.06.30	2015.12.31	2015.06.30	2014.12.31
基本每股收益(元)	0.0031	-0.2149	-0.0421	0.0118
基本每股收益(扣除后)(元)	0.0013	-0.2189	-0.0430	-0.0280
稀释每股收益(元)	0.0031	-0.2149	-0.0421	0.0118
每股净资产(元)	4.1136	4.4063	4.5265	4.4521
每股经营现金净流量(元)	0.2141	0.1421	-0.1226	0.5872
每股现金流量(元)	-0.0915	-0.0175	0.0129	-0.0059
每股资本公积金(元)	3.7984	3.9017	2.4635	2.4633
每股盈余公积金(元)	0.2583	0.2583	0.2583	0.2583
每股未分配利润(元)	-1.5008	-1.5039	0.1037	0.1458
净资产收益率(%)	0.0756	-4.8769	-0.9309	0.2660
加权净资产收益率(%)	0.0700	-4.8400	-0.9500	0.2800
净资产收益率(扣除)(%)	0.0306	-4.9675	-0.9509	-0.6283
总资产(万元)	12302169.10	12280055.12	6259761.63	6154632.52
归属母公司股东权益(万元)	2175854.92	2330639.65	2394230.83	2354899.29
营业收入(万元)	1830245.38	1784323.28	992204.73	2398525.07
营业支出(万元)	1606505.80	1760717.82	955994.29	2225415.98
投资收益(万元)	18072.30	22369.64	26470.20	10006.33
净利润(万元)	3293.17	-147623.20	-36309.53	-2856.15
营业利润(万元)	3730.53	-162277.09	-39905.74	-11033.77
利润总额(万元)	8057.06	-160886.20	-39245.94	-9617.49

云南锡业股份有限公司

公司概况				
公司名称	云南锡业股份有限公司		证券简称	锡业股份
法人代表	高文翔	董秘　潘文皓	证券代码	000960
公司网址	www.ytl.com.cn		电子信箱	xygf000960@ytc.cn
电　话	0873-3118606		传　真	0873-3118622
办公地址	云南省个旧市金湖东路121号			
经营范围	有色金属锡及其深加工产品的生产和销售业务			

主要财务指标

指标＼报告期	2016.06.30	2015.12.31	2015.06.30	2014.12.31
基本每股收益(元)	0.0042	-1.3373	-0.4883	0.0300
基本每股收益(扣除后)(元)	0.0028	-1.8344	-0.4964	-0.0710
稀释每股收益(元)	0.0042	-1.3373	-0.4883	0.0300
每股净资产(元)	5.2511	5.2422	5.7259	6.1426
每股经营现金净流量(元)	0.6537	1.3795	0.1605	1.5034
每股现金流量(元)	-0.3517	0.9670	0.2060	-0.9390
每股资本公积金(元)	4.5323	4.5323	4.5475	4.7683
每股盈余公积金(元)	0.2999	0.2999	0.3835	0.3835
每股未分配利润(元)	-0.5278	-0.5320	-0.2036	0.2847
净资产收益率(%)	0.0803	-25.5109	-8.5281	0.4876
加权净资产收益率(%)	0.0800	-22.6200	-8.0800	0.4900
净资产收益率(扣除)(%)	0.0536	-29.2728	-8.6697	-1.1487
总资产(万元)	2712867.40	2759787.16	2203537.62	2282340.59
归属母公司股东权益(万元)	772988.93	771680.29	659173.45	732533.25
营业收入(万元)	1646802.62	3107919.83	1252871.57	2613364.99
营业支出(万元)	1547535.51	3001696.09	1228079.49	2453564.39
投资收益(万元)	537.13	3997.57	382.14	5870.07
净利润(万元)	4684.42	-177307.72	-56240.10	3736.19
营业利润(万元)	5880.65	-147039.69	-66505.64	-8174.73
利润总额(万元)	5348.80	-147526.16	-65355.81	5041.41

江苏中南建设集团股份有限公司

公司概况				
公司名称	江苏中南建设集团股份有限公司		证券简称	中南建设
法人代表	陈锦石	董秘　智刚	证券代码	000961
公司网址	www.zhongnanconstruction.cn		电子信箱	zhongnan@zhongnangroup.cn
电　话	0513-68702888		传　真	0513-68702889
办公地址	江苏省海门市上海路899号中南大厦			
经营范围	土木工程建筑和房地产开发			

主要财务指标

指标＼报告期	2016.06.30	2015.12.31	2015.06.30	2014.12.31
基本每股收益(元)	0.1017	0.3000	0.3800	0.8200
基本每股收益(扣除后)(元)	0.0977	0.1400	0.3700	0.7700
稀释每股收益(元)	0.1017	0.3000	0.3800	0.8200
每股净资产(元)	3.7910	7.7397	7.9278	7.5492
每股经营现金净流量(元)	-0.8799	0.8163	-0.2675	-5.0243
每股现金流量(元)	0.8183	-0.5974	-0.5323	-0.1151
每股资本公积金(元)	0.8773	0.8962	0.9102	0.9102
每股盈余公积金(元)	0.0694	0.2213	0.2213	0.2213
每股未分配利润(元)	1.8422	5.6227	5.8029	5.4219
净资产收益率(%)	2.3958	3.8871	4.8057	10.8798
加权净资产收益率(%)	2.9100	3.9300	4.9000	11.7600
净资产收益率(扣除)(%)	2.3017	1.7641	4.6996	10.2185
总资产(万元)	10367598.02	9622620.07	8919708.48	8428030.00
归属母公司股东权益(万元)	1406382.83	903870.80	925834.54	881623.58
营业收入(万元)	1331803.64	2044965.52	882100.46	2179209.42
营业支出(万元)	1096416.04	1603579.13	663645.36	1641997.73
投资收益(万元)	2677.03	2868.17	-71.64	561.66
净利润(万元)	30553.40	44147.81	40789.03	93633.85
营业利润(万元)	44770.97	55410.86	59244.26	142235.94
利润总额(万元)	45580.64	62843.32	60305.03	147246.75

宁夏东方钽业股份有限公司

公司概况				
公司名称	宁夏东方钽业股份有限公司		证券简称	东方钽业
法人代表	李春光	董秘　叶照贯	证券代码	000962
公司网址	www.otic.com.cn		电子信箱	zhqb@otic.public.yc.nx.cn
电　话	0952-2098563　2098507		传　真	0952-2098562
办公地址	宁夏回族自治区石嘴山市大武口区冶金路			
经营范围	钽、铌、铍、钛、镁等有色金属材料的生产、加工、开发、科研与销售等			

主要财务指标

指标＼报告期	2016.06.30	2015.12.31	2015.06.30	2014.12.31
基本每股收益(元)	-0.3128	-1.4453	-0.3542	-0.7637
基本每股收益(扣除后)(元)	-0.3293	-1.5111	-0.3809	-0.7994
稀释每股收益(元)	-0.3128	-1.4453	-0.3542	-0.7637
每股净资产(元)	2.9853	3.2931	4.3750	4.7288
每股经营现金净流量(元)	0.2834	0.5963	0.3778	0.3909
每股现金流量(元)	0.2085	-0.1845	0.2282	-0.3199
每股资本公积金(元)	2.7168	2.7168	2.7150	2.7150
每股盈余公积金(元)	0.5407	0.5407	0.5407	0.5407
每股未分配利润(元)	-1.2945	-0.9817	0.1094	0.4636
净资产收益率(%)	-10.4777	-43.8888	-8.0960	-16.1503
加权净资产收益率(%)	-9.9700	-36.0400	-7.7800	-14.9000
净资产收益率(扣除)(%)	-11.0313	-45.8868	-8.7061	-16.9045
总资产(万元)	300522.46	316838.40	391214.91	411126.09
归属母公司股东权益(万元)	131602.43	145170.06	192865.87	208459.46
营业收入(万元)	38333.52	108101.15	60344.35	245259.59
营业支出(万元)	42870.82	120989.93	64403.67	241732.69
投资收益(万元)	-83.21	-33.72	263.83	-135.83
净利润(万元)	-13788.82	-63624.32	-15606.04	-33671.35
营业利润(万元)	-13654.49	-71297.10	-16760.22	-36550.28
利润总额(万元)	-12925.87	-68615.53	-15809.85	-35119.61

华东医药股份有限公司

公司概况	公司名称	华东医药股份有限公司		证券简称	华东医药
	法人代表	李邦良	董秘 陈波	证券代码	000963
	公司网址	www.eastchinapharm.com		电子信箱	hz000963@126.com
	电　话	0571-89903300		传　真	0571-89903300
	办公地址	浙江省杭州市莫干山路 866 号			
	经营范围	医药原料药、制剂生产、医药产品经营			

主要财务指标	指标\报告期	2016.06.30	2015.12.31	2015.06.30	2014.12.31
	基本每股收益(元)	1.7241	2.5300	1.5357	1.7400
	基本每股收益(扣除后)(元)	1.7036	2.4500	1.5134	1.7000
	稀释每股收益(元)	1.7241	2.5300	1.5357	1.7400
	每股净资产(元)	13.6918	6.8448	5.8524	5.2228
	每股经营现金净流量(元)	2.0800	1.5172	2.0125	1.7068
	每股现金流量(元)	1.1351	1.0775	1.0576	0.3094
	每股资本公积金(元)	7.0696	0.0456	0.0438	0.0299
	每股盈余公积金(元)	0.5035	0.5638	0.4608	0.4608
	每股未分配利润(元)	5.1187	5.2354	4.3478	3.7320
	净资产收益率(%)	12.3679	36.9199	26.2407	33.3773
	加权净资产收益率(%)	13.1200	42.9800	27.0200	30.3400
	净资产收益率(扣除)(%)	12.2206	35.8472	25.8598	32.5702
	总资产(万元)	1306889.76	1141717.78	1053033.78	900719.76
	归属母公司股东权益(万元)	665502.09	297105.70	254030.67	226701.50
	营业收入(万元)	1224362.48	2172738.35	1038350.13	1894737.91
	营业支出(万元)	900950.98	1651778.27	776882.15	1478266.46
	投资收益(万元)	1483.10	844.80	138.00	709.66
	净利润(万元)	86168.08	115216.65	69041.09	94275.65
	营业利润(万元)	105531.77	138251.10	84503.76	115693.10
	利润总额(万元)	105425.61	141995.20	83878.89	117286.94

天津天保基建股份有限公司

公司概况	公司名称	天津天保基建股份有限公司		证券简称	天保基建
	法人代表	孙亚宁	董秘 秦峰	证券代码	000965
	公司网址	www.tbjijian.com		电子信箱	dongmi@tbjijian.com
	电　话	022-84866617		传　真	022-84866667
	办公地址	天津市天津空港经济区西五道 35 号汇津广场 1 号楼			
	经营范围	水泥产品的制造、销售及房地产开发等			

主要财务指标	指标\报告期	2016.06.30	2015.12.31	2015.06.30	2014.12.31
	基本每股收益(元)	0.1100	0.1900	0.0700	0.3000
	基本每股收益(扣除后)(元)	0.1100	0.1800	0.0700	0.2900
	稀释每股收益(元)	0.1100	0.1900	0.0700	0.3000
	每股净资产(元)	4.4653	4.3687	4.2536	4.2145
	每股经营现金净流量(元)	0.2403	0.6083	0.1450	0.3452
	每股现金流量(元)	0.1065	0.8708	0.1135	0.5244
	每股资本公积金(元)	1.8772	1.8772	1.8772	1.8772
	每股盈余公积金(元)	0.1142	0.1142	0.1044	0.1044
	每股未分配利润(元)	1.4738	1.3772	1.2720	1.2328
	净资产收益率(%)	2.4766	4.2397	1.6497	6.2360
	加权净资产收益率(%)	2.5000	4.3200	1.6500	7.4900
	净资产收益率(扣除)(%)	2.4640	4.2252	1.6442	6.0666
	总资产(万元)	654187.41	661576.21	535944.26	513294.76
	归属母公司股东权益(万元)	450517.80	440772.53	429164.73	425212.59
	营业收入(万元)	69189.33	130630.74	35902.59	157959.75
	营业支出(万元)	49155.09	89448.18	21606.48	99965.35
	投资收益(万元)	815.05	33.45	–	758.15
	净利润(万元)	11157.31	18687.64	7079.85	26516.21
	营业利润(万元)	13974.12	24385.64	9588.33	34701.20
	利润总额(万元)	14976.32	24472.24	9619.85	35633.61

国电长源电力股份有限公司

公司概况	公司名称	国电长源电力股份有限公司		证券简称	长源电力
	法人代表	张玉新	董秘 胡谦	证券代码	000966
	公司网址	www.cydl.com.cn		电子信箱	cy@cgdc.com.cn
	电　话	027-88717131　88717139		传　真	027-88717130
	办公地址	湖北省武汉市洪山区徐东大街 113 号国电大厦 24-29 楼			
	经营范围	电力、热力生产、煤炭的生产和销售等			

主要财务指标	指标\报告期	2016.06.30	2015.12.31	2015.06.30	2014.12.31
	基本每股收益(元)	0.2758	1.7184	0.5971	1.2456
	基本每股收益(扣除后)(元)	0.2677	1.4337	0.5753	1.2448
	稀释每股收益(元)	0.2758	1.7184	0.5971	1.2456
	每股净资产(元)	3.0492	5.8068	4.7130	4.1161
	每股经营现金净流量(元)	0.5800	4.9870	1.8608	3.7629
	每股现金流量(元)	0.0229	0.0698	0.0101	–0.0394
	每股资本公积金(元)	0.8641	2.7282	2.7662	2.7662
	每股盈余公积金(元)	0.0781	0.1562	0.0781	0.0781
	每股未分配利润(元)	1.1012	1.9109	0.8677	0.2706
	净资产收益率(%)	9.0445	29.5930	12.6690	30.2619
	加权净资产收益率(%)	9.0700	34.5400	13.5300	34.3040
	净资产收益率(扣除)(%)	8.7798	24.6894	12.2062	30.2407
	总资产(万元)	886906.99	958202.39	981017.32	1039257.95
	归属母公司股东权益(万元)	337935.18	321778.32	261169.25	228093.10
	营业收入(万元)	226586.59	612126.67	255185.87	659582.22
	营业支出(万元)	162429.79	415105.83	180531.43	501917.01
	投资收益(万元)	–513.29	4986.09	2061.57	5589.57
	净利润(万元)	32221.92	95252.26	33986.75	78921.79
	营业利润(万元)	45321.21	114763.96	49499.28	97010.59
	利润总额(万元)	45789.14	130723.44	50040.18	95537.73

盈峰环境科技集团股份有限公司

公司概况	公司名称	盈峰环境科技集团股份有限公司		证券简称	盈峰环境
	法人代表	马刚	董秘 刘开明	证券代码	000967
	公司网址	www.inforeenviro.com		电子信箱	wangyf@infore.com
	电　话	0757-29892102　26335291		传　真	0757-26330783
	办公地址	广东省佛山市顺德区北滘新城区怡欣路 7-8 号盈峰中心 23 层			
	经营范围	风机及配件、漆包线等			

主要财务指标	指标\报告期	2016.06.30	2015.12.31	2015.06.30	2014.12.31
	基本每股收益(元)	0.2435	0.3200	0.1200	0.2200
	基本每股收益(扣除后)(元)	0.2398	0.0600	0.0700	0.1100
	稀释每股收益(元)	0.2435	0.3200	0.1200	0.2200
	每股净资产(元)	6.8676	6.9336	5.0295	4.5294
	每股经营现金净流量(元)	–0.2006	0.4272	0.1185	0.2920
	每股现金流量(元)	–0.3287	0.7019	0.0588	–0.0904
	每股资本公积金(元)	4.2466	4.2343	1.5804	1.5804
	每股盈余公积金(元)	0.1018	0.1018	0.1610	0.1610
	每股未分配利润(元)	0.7738	0.5303	0.5892	0.5330
	净资产收益率(%)	3.5454	3.3341	2.3101	4.3569
	加权净资产收益率(%)	3.5300	5.7900	2.4200	5.4400
	净资产收益率(扣除)(%)	3.4918	0.6068	1.4663	2.2313
	总资产(万元)	546058.97	545758.63	266270.37	253831.63
	归属母公司股东权益(万元)	333026.54	336226.90	154238.22	138900.46
	营业收入(万元)	181884.34	304260.27	139392.27	301907.06
	营业支出(万元)	147283.16	256207.10	123774.78	268254.42
	投资收益(万元)	1145.68	3589.76	2738.48	6631.55
	净利润(万元)	11573.92	10748.18	3542.63	6867.53
	营业利润(万元)	11752.98	5386.30	4311.01	7459.26
	利润总额(万元)	13104.40	12475.41	4523.70	8230.80

山西蓝焰控股股份有限公司

公司概况						
公司名称	山西蓝焰控股股份有限公司			证券简称	蓝焰控股	
法人代表	王保玉	董秘	杨军	证券代码	000968	
公司网址	www.tymqh.com			电子信箱	mqh000968@126.com	
电　话	0351-6019034　6019778			传　真	0351-6019034	
办公地址	山西省太原市小店区晋阳街东沺三巷3号					
经营范围	生产和销售煤炭、精中煤、焦炭、煤气、煤化工等产品					

主要财务指标：指标\报告期	2016.06.30	2015.12.31	2015.06.30	2014.12.31
基本每股收益(元)	-1.0837	-3.0482	-1.3300	-1.9366
基本每股收益(扣除后)(元)	-1.0831	-2.9356	-1.2500	-1.9237
稀释每股收益(元)	-1.0837	-3.0482	-1.3300	-1.9366
每股净资产(元)	-0.6311	0.4202	2.3434	3.5665
每股经营现金净流量(元)	3.9653	-0.1345	-1.0261	-3.0504
每股现金流量(元)	-0.0710	-3.8630	-3.0672	3.5276
每股资本公积金(元)	1.1366	1.1366	1.1366	1.1366
每股盈余公积金(元)	0.5058	0.5058	0.5058	0.5058
每股未分配利润(元)	-3.6627	-2.5790	-0.8605	0.4692
净资产收益率(%)	-	-725.3963	-56.7442	-54.3003
加权净资产收益率(%)	-	-152.9200	-23.4700	-43.3100
净资产收益率(扣除)(%)	-	-698.6102	-53.3273	-53.9393
总资产(万元)	1211072.85	1250442.01	1418019.09	1543115.67
归属母公司股东权益(万元)	-32424.47	21588.08	120389.21	183226.31
营业收入(万元)	35683.93	165483.71	92439.25	172357.95
营业支出(万元)	53801.72	233175.28	112768.61	186402.75
投资收益(万元)	-	52.55	52.55	-
净利润(万元)	-75302.30	-205339.79	-88188.29	-112544.04
营业利润(万元)	-73966.58	-197900.44	-84004.38	-113721.98
利润总额(万元)	-73853.02	-203798.08	-88129.14	-115355.62

安泰科技股份有限公司

公司概况						
公司名称	安泰科技股份有限公司			证券简称	安泰科技	
法人代表	才让	董秘	张晋华	证券代码	000969	
公司网址	www.atmcn.com			电子信箱	zhangjinhua@atmcn.com	
电　话	010-62188403			传　真	010-62182695	
办公地址	北京市海淀区学院南路76号					
经营范围	先进金属材料及制品的研发和生产销售					

主要财务指标：指标\报告期	2016.06.30	2015.12.31	2015.06.30	2014.12.31
基本每股收益(元)	0.0134	0.1015	0.0164	-0.2201
基本每股收益(扣除后)(元)	0.0039	0.0099	0.0090	-0.2411
稀释每股收益(元)	0.0134	0.1015	0.0164	-0.2201
每股净资产(元)	4.4183	3.7393	3.6546	3.5594
每股经营现金净流量(元)	0.0417	0.4404	-0.0102	0.1496
每股现金流量(元)	-0.0030	0.1384	-0.2429	-0.1221
每股资本公积金(元)	2.6213	1.7741	1.7740	1.7740
每股盈余公积金(元)	0.3494	0.4155	0.4155	0.4155
每股未分配利润(元)	0.4068	0.4687	0.3836	0.3672
净资产收益率(%)	0.2862	2.7149	0.4496	-6.1833
加权净资产收益率(%)	0.3200	2.7800	0.4600	-5.9700
净资产收益率(扣除)(%)	0.0826	0.2651	0.2473	-6.7729
总资产(万元)	968256.53	832721.11	809837.68	773308.55
归属母公司股东权益(万元)	453317.22	322621.95	315314.49	307107.80
营业收入(万元)	192300.80	375866.35	196788.50	415569.84
营业支出(万元)	156868.93	321041.02	168863.07	368217.44
投资收益(万元)	878.45	7940.01	1132.83	883.46
净利润(万元)	4203.37	10893.27	2608.86	-18602.80
营业利润(万元)	5311.22	10081.17	2558.97	-18874.27
利润总额(万元)	5876.67	11625.71	3242.75	-18335.92

北京中科三环高技术股份有限公司

公司概况						
公司名称	北京中科三环高技术股份有限公司			证券简称	中科三环	
法人代表	王震西	董秘	赵寅鹏	证券代码	000970	
公司网址	www.san-huan.com.cn			电子信箱	security@san-huan.com.cn	
电　话	010-62656017			传　真	010-62670793	
办公地址	北京市海淀区中关村东路66号甲1号楼27层					
经营范围	稀土永磁和新型磁性材料及其应用产品的研究开发、生产和销售					

主要财务指标：指标\报告期	2016.06.30	2015.12.31	2015.06.30	2014.12.31
基本每股收益(元)	0.1400	0.2600	0.1240	0.2800
基本每股收益(扣除后)(元)	0.1370	0.2400	0.1128	0.2500
稀释每股收益(元)	0.1400	0.2600	0.1240	0.2800
每股净资产(元)	3.7149	3.6566	3.5225	3.4837
每股经营现金净流量(元)	0.2235	0.4070	0.1471	0.2240
每股现金流量(元)	-0.0568	0.0804	-0.0719	-0.4635
每股资本公积金(元)	0.4012	0.4012	0.4012	0.4012
每股盈余公积金(元)	0.1983	0.1983	0.1868	0.1868
每股未分配利润(元)	2.1154	2.0571	1.9345	1.8956
净资产收益率(%)	3.8574	7.0543	3.5158	7.9786
加权净资产收益率(%)	3.8600	7.2300	3.5200	8.1900
净资产收益率(扣除)(%)	3.6947	6.5605	3.2019	7.1187
总资产(万元)	542760.82	532105.01	516787.04	538639.13
归属母公司股东权益(万元)	395710.56	389500.67	375216.16	371078.52
营业收入(万元)	167027.56	350234.58	173259.20	388511.56
营业支出(万元)	124388.25	268222.52	134878.79	296879.77
投资收益(万元)	230.82	-677.86	-122.79	-316.87
净利润(万元)	18021.86	33088.45	15576.68	34524.89
营业利润(万元)	22464.78	41212.61	18650.51	41137.53
利润总额(万元)	23664.09	44025.42	20975.04	42770.35

高升控股股份有限公司

公司概况						
公司名称	高升控股股份有限公司			证券简称	高升控股	
法人代表	韦振宇	董秘	张继红	证券代码	000971	
公司网址	www.gosun.com			电子信箱	investors@gosun.com	
电　话	0728-3275828			传　真	0728-3275829	
办公地址	北京市海淀区西三环北路87号国际财经中心B座9层					
经营范围	互联网和相关服务等					

主要财务指标：指标\报告期	2016.06.30	2015.12.31	2015.06.30	2014.12.31
基本每股收益(元)	0.1100	0.0100	-0.0700	0.0200
基本每股收益(扣除后)(元)	0.1100	0.0100	-0.0700	-0.1000
稀释每股收益(元)	0.1100	0.0100	-0.0700	0.0200
每股净资产(元)	3.9007	3.8114	0.0965	0.0982
每股经营现金净流量(元)	0.0191	-0.0067	-0.0473	-0.1130
每股现金流量(元)	-0.1348	0.5433	0.0009	0.0258
每股资本公积金(元)	3.7786	3.7201	0.7757	0.7070
每股盈余公积金(元)	0.1109	0.1118	0.1966	0.1966
每股未分配利润(元)	-0.9023	-1.0206	-1.8758	-1.8055
净资产收益率(%)	2.8235	0.1597	-72.9268	17.1894
加权净资产收益率(%)	2.8200	0.8600	-58.5300	16.1800
净资产收益率(扣除)(%)	2.7822	0.1669	-72.6618	-103.6161
总资产(万元)	180110.29	178042.66	11557.84	12888.31
归属母公司股东权益(万元)	168097.84	162941.29	2345.59	2386.11
营业收入(万元)	28209.72	15740.60	1786.71	5252.17
营业支出(万元)	18818.25	10356.02	2008.44	5097.90
投资收益(万元)	30.49	-	-	1503.53
净利润(万元)	4746.32	260.19	-1710.57	410.16
营业利润(万元)	5846.15	969.66	-1704.35	-996.36
利润总额(万元)	5928.19	957.82	-1710.57	410.16

中基健康产业股份有限公司

公司概况	公司名称	中基健康产业股份有限公司			证券简称	*ST 中基
	法人代表	李豫	董秘	李豫(代)	证券代码	000972
	公司网址	www.chalkistomato.com			电子信箱	guyongxin@chalkistomato.com
	电　话	0991-8852972 8852110			传　真	0991-8816688
	办公地址	新疆维吾尔自治区乌鲁木齐市青年路北一巷 8 号				
	经营范围	大包装浓缩番茄酱、去皮番茄和番茄丁、小罐番茄制品等				

主要财务指标	指标＼报告期	2016.06.30	2015.12.31	2015.06.30	2014.12.31
	基本每股收益(元)	-0.0709	-0.0626	-0.0329	0.0146
	基本每股收益(扣除后)(元)	-0.0699	-0.2127	-0.0617	-
	稀释每股收益(元)	-0.0709	-0.0626	-0.0329	0.0146
	每股净资产(元)	1.3376	1.4099	1.4585	1.0721
	每股经营现金净流量(元)	-0.2115	-0.0498	0.0149	-0.2023
	每股现金流量(元)	-0.2922	0.2705	0.1744	-0.2354
	每股资本公积金(元)	1.3913	1.3913	1.3913	0.9729
	每股盈余公积金(元)	0.1134	0.1134	0.1134	0.1134
	每股未分配利润(元)	-1.1700	-1.0991	-1.0515	-1.0186
	净资产收益率(%)	-5.3039	-4.4424	-2.2547	1.3629
	加权净资产收益率(%)	-5.1600	-4.5700	-3.1100	-131.8700
	净资产收益率(扣除)(%)	-5.2248	-15.0890	-4.2305	-26.3832
	总资产(万元)	229892.13	262983.46	239236.17	197101.95
	归属母公司股东权益(万元)	103168.59	108744.04	112489.37	82690.23
	营业收入(万元)	17323.97	68289.67	24995.25	41677.23
	营业支出(万元)	16119.59	61976.77	23037.34	36516.02
	投资收益(万元)	-	-	-	-65.00
	净利润(万元)	-5825.12	-5916.01	-3088.71	10816.51
	营业利润(万元)	-5739.15	-17622.16	-5309.70	-23656.75
	利润总额(万元)	-5820.80	-5909.97	-3087.05	10880.30

佛山佛塑科技集团股份有限公司

公司概况	公司名称	佛山佛塑科技集团股份有限公司			证券简称	佛塑科技
	法人代表	黄丙娣	董秘	何水秀	证券代码	000973
	公司网址	www.fspg.com.cn			电子信箱	dmb@fspg.com.cn
	电　话	0757-83988189			传　真	0757-83988186
	办公地址	广东省佛山市禅城区汾江中路 85 号				
	经营范围	各类塑料制品、粘胶制品、各类包装及印刷复合制品和塑料加工设备等				

主要财务指标	指标＼报告期	2016.06.30	2015.12.31	2015.06.30	2014.12.31
	基本每股收益(元)	0.0340	0.0900	0.0300	0.0800
	基本每股收益(扣除后)(元)	0.0300	0.0010	0.0200	0.0100
	稀释每股收益(元)	0.0340	0.0900	0.0300	0.0800
	每股净资产(元)	2.1223	2.1226	2.0795	2.0456
	每股经营现金净流量(元)	0.0949	0.5141	0.2831	0.1679
	每股现金流量(元)	-0.0731	0.0957	0.0578	-0.0378
	每股资本公积金(元)	0.3252	0.3252	0.3248	0.3248
	每股盈余公积金(元)	0.1944	0.1944	0.1835	0.1835
	每股未分配利润(元)	0.6118	0.6273	0.5800	0.5528
	净资产收益率(%)	1.6220	4.0275	1.3090	4.0500
	加权净资产收益率(%)	1.6100	4.1000	1.3200	4.0900
	净资产收益率(扣除)(%)	1.4106	0.0793	0.8805	0.7300
	总资产(万元)	485681.01	487967.92	543531.51	521423.77
	归属母公司股东权益(万元)	205313.29	205341.89	201179.01	197896.69
	营业收入(万元)	122450.76	288692.25	138274.18	273148.32
	营业支出(万元)	94878.98	235780.36	114036.12	229001.84
	投资收益(万元)	2530.77	11715.76	2375.95	14169.72
	净利润(万元)	5156.94	12551.35	4789.44	11161.66
	营业利润(万元)	6346.98	14884.21	5712.99	12688.11
	利润总额(万元)	6597.66	15616.37	6123.00	13329.62

银泰资源股份有限公司

公司概况	公司名称	银泰资源股份有限公司			证券简称	银泰资源
	法人代表	杨海飞	董秘	刘黎明	证券代码	000975
	公司网址	www.ytr000975.com			电子信箱	975@ytr.net.cn
	电　话	010-85171856			传　真	010-65668256
	办公地址	北京市朝阳区建国门外大街 2 号银泰中心 C 座 6 层 01 单元				
	经营范围	高新技术产业项目、城市基础设施建设项目、环保建设等				

主要财务指标	指标＼报告期	2016.06.30	2015.12.31	2015.06.30	2014.12.31
	基本每股收益(元)	0.0819	0.2286	0.0744	0.2492
	基本每股收益(扣除后)(元)	0.0744	0.2038	0.0562	0.2148
	稀释每股收益(元)	0.0819	0.2286	0.0744	0.2492
	每股净资产(元)	3.3716	3.4837	3.3527	3.4833
	每股经营现金净流量(元)	0.3013	0.2040	0.1964	0.1714
	每股现金流量(元)	-0.0311	-0.0049	0.1336	-0.4440
	每股资本公积金(元)	1.8961	1.8961	1.9277	1.9277
	每股盈余公积金(元)	0.1406	0.1406	0.1191	0.1191
	每股未分配利润(元)	0.2927	0.4108	0.2763	0.4120
	净资产收益率(%)	2.4284	6.5793	2.2178	7.1536
	加权净资产收益率(%)	2.4100	6.6254	2.1600	7.3313
	净资产收益率(扣除)(%)	2.2063	5.8654	1.6770	6.1662
	总资产(万元)	479279.34	490751.34	464006.11	494357.21
	归属母公司股东权益(万元)	364677.82	376805.86	363960.06	378131.83
	营业收入(万元)	32522.10	73088.03	26188.14	72612.17
	营业支出(万元)	8441.43	16079.34	6802.33	12808.75
	投资收益(万元)	1118.49	3789.03	2138.27	5160.41
	净利润(万元)	12023.49	32469.66	10622.65	35280.06
	营业利润(万元)	14564.12	40298.44	13291.01	43348.86
	利润总额(万元)	14531.24	40012.58	13201.93	43131.27

广东开平春晖股份有限公司

公司概况	公司名称	广东开平春晖股份有限公司			证券简称	春晖股份
	法人代表	余炎祯	董秘	关卓文	证券代码	000976
	公司网址	www.my0976.com			电子信箱	my0976@my0976.com
	电　话	0750-2276949			传　真	0750-2276959
	办公地址	广东省开平市三埠区港口路 10 号 19 幢				
	经营范围	涤纶长丝、锦纶长丝、高粘切片、瓶级切片及化纤产品的生产和销售等				

主要财务指标	指标＼报告期	2016.06.30	2015.12.31	2015.06.30	2014.12.31
	基本每股收益(元)	0.0498	0.0300	-0.0392	-0.3600
	基本每股收益(扣除后)(元)	0.0449	-0.0300	-0.0393	-0.3600
	稀释每股收益(元)	0.0498	0.0300	-0.0392	-0.3600
	每股净资产(元)	2.2653	0.4063	0.3406	0.3798
	每股经营现金净流量(元)	-0.0541	0.1244	-0.1128	0.2119
	每股现金流量(元)	-0.2113	0.2395	0.0541	-0.0217
	每股资本公积金(元)	1.6638	0.6114	0.6114	0.6114
	每股盈余公积金(元)	0.0495	0.1347	0.1347	0.1347
	每股未分配利润(元)	-0.4481	-1.3398	-1.4055	-1.3663
	净资产收益率(%)	1.9654	6.5170	-11.5103	-94.9906
	加权净资产收益率(%)	2.3500	6.7400	-10.8800	-64.4000
	净资产收益率(扣除)(%)	1.7718	-7.6156	-11.5334	-95.6509
	总资产(万元)	446617.52	73035.37	59890.82	68876.75
	归属母公司股东权益(万元)	361467.91	23835.74	19982.34	22282.37
	营业收入(万元)	74650.36	66271.42	34787.60	104638.43
	营业支出(万元)	55787.58	61802.16	33951.51	105584.23
	投资收益(万元)	-76.42	-	-	-
	净利润(万元)	6984.43	1536.32	-2337.46	-21218.94
	营业利润(万元)	9737.09	-1831.16	-2341.26	-21366.08
	利润总额(万元)	10472.33	1537.43	-2336.64	-21218.94

浪潮电子信息产业股份有限公司

公司概况					
公司名称	浪潮电子信息产业股份有限公司			证券简称	浪潮信息
法人代表	张磊	董秘	李丰	证券代码	000977
公司网址	www.inspur.com			电子信箱	lclifeng@inspur.com
电　话	0531-85106229			传　真	0531-85106222
办公地址	山东省济南市浪潮路 1036 号				
经营范围	计算机及软件、电子产品及其他通讯设备、商业机具、电子工业用控制设备等				

主要财务指标 指标\报告期	2016.06.30	2015.12.31	2015.06.30	2014.12.31
基本每股收益(元)	0.2618	0.4681	0.2500	0.7153
基本每股收益(扣除后)(元)	0.0625	0.2255	0.0491	0.2611
稀释每股收益(元)	0.2616	0.4672	0.2498	0.7153
每股净资产(元)	4.0561	2.9508	2.6422	4.8668
每股经营现金净流量(元)	-0.4856	-0.1497	-1.2027	-0.9209
每股现金流量(元)	-0.4952	0.1052	-0.2812	1.1991
每股资本公积金(元)	1.6507	0.6966	0.6539	1.9889
每股盈余公积金(元)	0.1327	0.1382	0.1009	0.2018
每股未分配利润(元)	1.2029	1.0337	0.8529	1.5858
净资产收益率(%)	6.4125	15.8616	9.4606	14.5071
加权净资产收益率(%)	6.8700	17.4300	9.8300	17.4200
净资产收益率(扣除)(%)	1.5306	7.6428	1.8567	5.2954
总资产(万元)	848657.32	781935.46	630006.38	594855.20
归属母公司股东权益(万元)	405322.44	283200.46	253579.86	233540.13
营业收入(万元)	584354.76	1012300.04	416481.24	730663.63
营业支出(万元)	503138.84	855593.30	353556.22	627004.79
投资收益(万元)	22450.54	23669.26	22359.44	27661.84
净利润(万元)	25747.64	44703.44	23990.12	33879.81
营业利润(万元)	27086.69	46570.42	27075.84	39404.38
利润总额(万元)	30148.12	54932.14	29377.75	42137.15

桂林旅游股份有限公司

公司概况					
公司名称	桂林旅游股份有限公司			证券简称	桂林旅游
法人代表	刘涛	董秘	黄锡军	证券代码	000978
公司网址	www.guilintravel.com			电子信箱	gtcl000978@163.com
电　话	0773-3558976 3558955			传　真	0773-3558955
办公地址	广西壮族自治区桂林市翠竹路 27-2 号				
经营范围	公路旅行客运、游船客运、旅游工艺品制造、销售等				

主要财务指标 指标\报告期	2016.06.30	2015.12.31	2015.06.30	2014.12.31
基本每股收益(元)	0.0130	0.0830	-0.0100	0.1140
基本每股收益(扣除后)(元)	-0.0160	0.0740	-0.0110	0.1460
稀释每股收益(元)	0.0130	0.0830	-0.0100	0.1140
每股净资产(元)	4.0699	4.1070	4.0143	4.0690
每股经营现金净流量(元)	0.2154	0.7175	0.0089	0.3308
每股现金流量(元)	-0.1152	-0.2091	-0.4548	0.0617
每股资本公积金(元)	2.6964	2.6964	2.6964	2.6964
每股盈余公积金(元)	0.2008	0.1915	0.1912	0.1865
每股未分配利润(元)	0.1726	0.2191	0.1267	0.1861
净资产收益率(%)	0.3156	2.0209	-0.2412	2.8126
加权净资产收益率(%)	0.3100	2.0300	-0.2400	2.8500
净资产收益率(扣除)(%)	-0.4050	1.7985	-0.2856	3.5827
总资产(万元)	279575.07	285723.09	288271.63	306693.08
归属母公司股东权益(万元)	146556.06	147894.07	144556.17	146525.34
营业收入(万元)	20360.55	49999.62	21889.89	99137.57
营业支出(万元)	11787.50	27707.67	12140.15	65950.96
投资收益(万元)	1303.88	2992.55	1154.40	1875.56
净利润(万元)	-298.63	1593.05	-989.12	2897.64
营业利润(万元)	-965.13	2215.95	-518.38	4403.47
利润总额(万元)	157.05	2242.50	-428.41	3894.00

中弘控股股份有限公司

公司概况					
公司名称	中弘控股股份有限公司			证券简称	中弘股份
法人代表	王永红	董秘	吴学军	证券代码	000979
公司网址	www.zhonghongholdings.com			电子信箱	magang@vip.163.com
电　话	010-59279999 9979			传　真	010-59279979
办公地址	北京市朝阳区朝阳北路五里桥一街非中心 1 号院 32 号楼				
经营范围	房地产开发、实业投资、管理、经营及咨询、基础建设投资、商品房销售等				

主要财务指标 指标\报告期	2016.06.30	2015.12.31	2015.06.30	2014.12.31
基本每股收益(元)	0.0040	0.0600	0.1600	0.1500
基本每股收益(扣除后)(元)	0.0042	-0.0700	0.1200	0.1400
稀释每股收益(元)	0.0040	0.0600	0.1600	0.1500
每股净资产(元)	1.6287	1.2688	1.3700	1.9486
每股经营现金净流量(元)	-0.2632	-0.0935	-0.1463	-1.3284
每股现金流量(元)	0.3127	-0.0847	-0.1903	0.2144
每股资本公积金(元)	0.4641	0.0560	0.0558	0.6944
每股盈余公积金(元)	0.0151	0.0197	0.0197	0.0315
每股未分配利润(元)	0.1532	0.1946	0.2915	0.2227
净资产收益率(%)	0.2149	4.9063	11.6472	5.1897
加权净资产收益率(%)	0.2700	5.0100	12.2800	11.5100
净资产收益率(扣除)(%)	0.2295	-5.8954	8.9718	4.7800
总资产(万元)	2752670.41	2005458.81	1718775.04	1781989.54
归属母公司股东权益(万元)	976122.93	584937.34	629674.79	561471.39
营业收入(万元)	89658.63	129012.18	67883.84	248497.69
营业支出(万元)	44681.70	79749.23	17243.18	134517.78
投资收益(万元)	-7.48	46740.32	46595.73	5294.74
净利润(万元)	3445.11	29250.00	74005.67	29437.31
营业利润(万元)	6212.62	26261.11	70853.50	43240.43
利润总额(万元)	5943.29	48244.96	93329.94	46218.72

安徽众泰汽车股份有限公司

公司概况					
公司名称	安徽众泰汽车股份有限公司			证券简称	众泰汽车
法人代表	燕根水	董秘	杨海峰	证券代码	000980
公司网址	www.hsjinma.com			电子信箱	jinma@hsjinma.com
电　话	0559-6537831			传　真	0559-6537888
办公地址	安徽省黄山市歙县经济技术开发区				
经营范围	车用仪表及车用零部件、防盗门的生产和销售等				

主要财务指标 指标\报告期	2016.06.30	2015.12.31	2015.06.30	2014.12.31
基本每股收益(元)	0.0700	0.1100	0.0500	0.0800
基本每股收益(扣除后)(元)	0.0700	0.1000	0.0500	0.0600
稀释每股收益(元)	0.0700	0.1100	0.0500	0.0800
每股净资产(元)	3.9861	3.9354	3.8706	3.8222
每股经营现金净流量(元)	0.1511	0.2744	0.1765	-0.6377
每股现金流量(元)	-0.1008	0.3821	-0.5295	-0.5684
每股资本公积金(元)	2.3990	2.3990	2.3990	2.3990
每股盈余公积金(元)	0.0410	0.0410	0.0381	0.0381
每股未分配利润(元)	0.5461	0.4954	0.4335	0.3841
净资产收益率(%)	1.7741	2.9026	1.2783	2.0791
加权净资产收益率(%)	1.7800	2.9400	1.2900	2.1000
净资产收益率(扣除)(%)	1.7104	2.6636	1.2684	1.4559
总资产(万元)	356202.88	340872.69	305735.31	290900.17
归属母公司股东权益(万元)	210521.89	207843.37	204423.54	201863.15
营业收入(万元)	79655.40	162586.62	66306.75	111138.08
营业支出(万元)	61390.63	129719.48	52972.37	90831.89
投资收益(万元)	-	632.41	253.36	162.48
净利润(万元)	3695.04	6055.11	2613.84	4206.89
营业利润(万元)	3783.96	7392.80	3233.24	3285.69
利润总额(万元)	3957.81	7422.39	3123.26	4975.42

银亿房地产股份有限公司

公司概况	公司名称	银亿房地产股份有限公司			证券简称	银亿股份
	法人代表	熊续强	董秘	罗瑞华	证券代码	000981
	公司网址	www.chinayinyi.cn		电子信箱	000981@chinayinyi.cn	
	电　话	0574-87037581 87653687		传　真	0574-87653689	
	办公地址	浙江省宁波市江北区人民路 132 号银亿外滩大厦 6 楼				
	经营范围	房地产开发、经营、商品房销售、物业管理、装饰装修、房屋租赁等				

	指标 \ 报告期	2016.06.30	2015.12.31	2015.06.30	2014.12.31
主要财务指标	基本每股收益(元)	0.1000	0.2000	0.3200	0.7100
	基本每股收益(扣除后)(元)	0.0700	0.0800	0.2700	0.6300
	稀释每股收益(元)	0.1000	0.2000	0.3200	0.7100
	每股净资产(元)	2.1037	2.0021	10.3412	5.5147
	每股经营现金净流量(元)	0.4363	1.0206	0.3558	-1.1380
	每股现金流量(元)	0.4281	0.0627	-1.5721	-2.1770
	每股资本公积金(元)	0.2279	0.2279	1.2387	1.2387
	每股盈余公积金(元)	0.0673	0.0673	0.3659	0.3659
	每股未分配利润(元)	1.6244	1.5229	7.7366	7.3850
	净资产收益率(%)	4.8286	10.2164	5.5350	12.9139
	加权净资产收益率(%)	4.9900	10.6300	5.5700	13.5500
	净资产收益率(扣除)(%)	3.1314	3.9889	4.6424	11.4875
	总资产(万元)	2483790.34	2471598.00	2638328.70	2650231.52
	归属母公司股东权益(万元)	542120.71	515952.05	490388.55	473716.92
	营业收入(万元)	351152.45	845946.04	212136.52	631364.01
	营业支出(万元)	240224.52	659302.52	169737.46	423544.59
	投资收益(万元)	5528.59	28188.61	26957.63	3858.88
	净利润(万元)	24185.27	43516.35	24110.99	60247.30
	营业利润(万元)	43994.22	64087.83	25364.26	84481.83
	利润总额(万元)	45976.16	66070.52	25411.13	90527.48

宁夏中银绒业股份有限公司

公司概况	公司名称	宁夏中银绒业股份有限公司			证券简称	*ST 中绒
	法人代表	李卫东	董秘	陈晓非	证券代码	000982
	公司网址	www.zhongyincashmere.com		电子信箱	chenxiaofei@zhongyincashmere.com	
	电　话	0951-4038950 8934 8935		传　真	0951-4519290	
	办公地址	宁夏回族自治区灵武市羊绒工业园区中银大道南侧				
	经营范围	无毛绒、绒条、羊绒纱、羊绒衫等的内销与出口等				

	指标 \ 报告期	2016.06.30	2015.12.31	2015.06.30	2014.12.31
主要财务指标	基本每股收益(元)	-0.1600	-0.4800	0.0100	0.0500
	基本每股收益(扣除后)(元)	-0.1700	-0.4900	0.0110	0.0300
	稀释每股收益(元)	-0.1600	-0.4800	0.0100	0.0500
	每股净资产(元)	1.7005	1.8648	2.3464	2.3400
	每股经营现金净流量(元)	-0.2479	-0.1087	-0.0634	0.2716
	每股现金流量(元)	-0.2410	0.2459	0.1278	0.0257
	每股资本公积金(元)	1.1239	1.1239	1.1239	1.1239
	每股盈余公积金(元)	0.0314	0.0314	0.0314	0.0314
	每股未分配利润(元)	-0.4464	-0.2841	0.2078	0.2003
	净资产收益率(%)	-9.5409	-25.9765	0.3219	2.0629
	加权净资产收益率(%)	-9.1000	-23.0900	0.3100	2.3700
	净资产收益率(扣除)(%)	-10.0739	-26.4298	0.4701	1.0580
	总资产(万元)	1305880.22	1356317.28	1462179.46	1270918.64
	归属母公司股东权益(万元)	306955.52	336595.78	423536.25	422378.36
	营业收入(万元)	94491.00	317711.69	132353.88	310353.36
	营业支出(万元)	84944.53	279264.80	108226.30	257715.49
	投资收益(万元)	-425.93	-87.40	-104.64	140.23
	净利润(万元)	-29288.94	-87645.90	1354.78	8948.38
	营业利润(万元)	-36326.04	-100140.99	-1350.87	600.99
	利润总额(万元)	-31536.46	-89095.27	2551.23	10745.22

山西西山煤电股份有限公司

公司概况	公司名称	山西西山煤电股份有限公司			证券简称	西山煤电
	法人代表	王玉宝	董秘	支亚毅	证券代码	000983
	公司网址	www.xsmd.com.cn		电子信箱	zqb000983@163.com	
	电　话	0351-6217295 6137052		传　真	0351-6127434	
	办公地址	山西省太原市西矿街 318 号				
	经营范围	煤炭生产、洗选加工、电力生产及销售、矿山开发及设计施工、矿用电力器材生产、经营等				

	指标 \ 报告期	2016.06.30	2015.12.31	2015.06.30	2014.12.31
主要财务指标	基本每股收益(元)	0.0347	0.0448	0.0643	0.0867
	基本每股收益(扣除后)(元)	0.0355	0.0393	0.0644	0.0811
	稀释每股收益(元)	0.0347	0.0448	0.0643	0.0867
	每股净资产(元)	5.2162	5.0937	5.1891	5.0298
	每股经营现金净流量(元)	0.1649	0.2997	-0.1788	0.2965
	每股现金流量(元)	0.4157	0.2425	0.1589	0.0640
	每股资本公积金(元)	0.2958	0.2958	0.2958	0.2958
	每股盈余公积金(元)	0.5450	0.5450	0.5434	0.5434
	每股未分配利润(元)	3.0262	2.9915	3.0157	2.9514
	净资产收益率(%)	0.6649	0.8787	1.2395	1.7237
	加权净资产收益率(%)	0.6700	0.8800	0.4100	1.7100
	净资产收益率(扣除)(%)	0.6814	0.7714	1.2409	1.6120
	总资产(万元)	5468371.52	5223104.90	5037001.96	4819695.23
	归属母公司股东权益(万元)	1643722.63	1605129.55	1635191.88	1585001.03
	营业收入(万元)	858358.39	1865826.84	928043.39	2439091.95
	营业支出(万元)	618488.21	1262102.97	649402.12	1778787.14
	投资收益(万元)	3603.68	2182.80	2549.13	7772.75
	净利润(万元)	14334.19	21062.33	25460.19	34999.55
	营业利润(万元)	20158.93	28606.54	34125.24	44236.47
	利润总额(万元)	19837.03	31102.34	34071.44	46658.82

大庆华科股份有限公司

公司概况	公司名称	大庆华科股份有限公司			证券简称	大庆华科
	法人代表	徐永宁	董秘	孟凡礼	证券代码	000985
	公司网址	www.huake.com		电子信箱	huake@huake.com	
	电　话	0459-6280287		传　真	0459-6280287	
	办公地址	黑龙江省大庆市高新技术产业开发区建设路 239 号				
	经营范围	生产销售石油化工产品、生产销售药品、保健食品等、进出口业务等				

	指标 \ 报告期	2016.06.30	2015.12.31	2015.06.30	2014.12.31
主要财务指标	基本每股收益(元)	0.0750	-0.1300	-0.0550	0.1100
	基本每股收益(扣除后)(元)	0.0680	-0.1400	-0.0580	0.1090
	稀释每股收益(元)	0.0750	-0.1300	-0.0550	0.1100
	每股净资产(元)	3.8076	3.7189	3.7759	3.8717
	每股经营现金净流量(元)	0.1489	0.0833	-0.1083	0.8366
	每股现金流量(元)	0.0162	-0.1231	-0.2923	0.5708
	每股资本公积金(元)	1.9974	1.9974	1.9974	1.9974
	每股盈余公积金(元)	0.3313	0.3313	0.3313	0.3313
	每股未分配利润(元)	0.3535	0.2788	0.3518	0.4671
	净资产收益率(%)	1.9611	-3.4496	-1.4631	2.7728
	加权净资产收益率(%)	1.9800	-3.4100	-1.4600	2.7900
	净资产收益率(扣除)(%)	1.7901	-3.7495	-1.5288	2.8082
	总资产(万元)	62401.36	60747.64	57838.64	63507.64
	归属母公司股东权益(万元)	49361.26	48211.33	48950.69	50192.66
	营业收入(万元)	42252.91	78958.27	40579.47	142284.34
	营业支出(万元)	35991.27	70305.04	35942.34	128973.22
	投资收益(万元)	10.63	10.63	10.63	10.63
	净利润(万元)	968.04	-1663.09	-716.18	1391.76
	营业利润(万元)	868.69	-2093.13	-753.65	1623.52
	利润总额(万元)	968.04	-1967.41	-715.78	1602.66

广州越秀金融控股集团股份有限公司

公司概况	公司名称	广州越秀金融控股集团股份有限公司		证券简称	越秀金控
	法人代表	王恕慧	董秘	证券代码	000987
	公司网址	www.cgzfs.com	电子信箱	gzfs@cgzfs.com	
	电　话	020-83483236 83483211	传　真	020-83572228	
	办公地址	广州市天河区珠江西路5号6301房自编B单元			
	经营范围	百货零售等			

主要财务指标	指标\报告期	2016.06.30	2015.12.31	2015.06.30	2014.12.31
	基本每股收益(元)	0.1340	0.6400	0.3100	0.7300
	基本每股收益(扣除后)(元)	0.1210	0.5500	0.3200	0.6300
	稀释每股收益(元)	0.1340	0.6400	0.3100	0.7300
	每股净资产(元)	5.4514	6.1938	5.8644	6.0557
	每股经营现金净流量(元)	-2.3454	0.2955	-0.3903	0.1583
	每股现金流量(元)	5.7585	-0.6792	0.2160	-3.0880
	每股资本公积金(元)	3.9974	0.1676	0.1676	0.1676
	每股盈余公积金(元)	0.1981	1.2270	1.1730	1.1730
	每股未分配利润(元)	0.2466	3.7992	3.5238	3.7151
	净资产收益率(%)	1.8341	10.3028	5.2649	12.0846
	加权净资产收益率(%)	3.0800	10.5600	5.1100	12.3200
	净资产收益率(扣除)(%)	1.6568	8.8462	5.5039	10.3899
	总资产(万元)	6487265.61	331845.22	311281.20	344506.44
	归属母公司股东权益(万元)	1212290.56	222332.17	210508.70	217373.59
	营业收入(万元)	129995.42	280429.06	140191.75	336262.09
	营业支出(万元)	94061.73	210095.82	104421.60	255793.87
	投资收益(万元)	9836.43	8861.13	2519.27	6609.67
	净利润(万元)	28308.54	22905.54	11083.02	26272.49
	营业利润(万元)	38526.08	33003.89	17630.82	35330.81
	利润总额(万元)	39953.15	31349.44	15065.57	35455.61

华工科技产业股份有限公司

公司概况	公司名称	华工科技产业股份有限公司			证券简称	华工科技
	法人代表	马新强	董秘	刘含树	证券代码	000988
	公司网址	www.hgtech.com.cn		电子信箱	bds@hgtech.com.cn	
	电　话	027-87180126		传　真	027-87180167	
	办公地址	湖北省武汉市东湖高新技术开发区华中科技大学科技园6路1号				
	经营范围	激光器、激光加工设备及成套设备、激光全息综合防伪标识等				

主要财务指标	指标\报告期	2016.06.30	2015.12.31	2015.06.30	2014.12.31
	基本每股收益(元)	0.1300	0.1700	0.1000	0.1900
	基本每股收益(扣除后)(元)	0.1000	0.0900	0.0800	0.1300
	稀释每股收益(元)	0.1300	0.1700	0.1000	0.1900
	每股净资产(元)	3.4165	3.3081	3.2451	3.1653
	每股经营现金净流量(元)	0.0500	0.2282	-0.0788	0.2013
	每股现金流量(元)	-0.0089	-0.0596	-0.1492	0.2499
	每股资本公积金(元)	1.0467	1.0343	1.0336	1.0342
	每股盈余公积金(元)	0.0885	0.0885	0.0849	0.0849
	每股未分配利润(元)	1.2613	1.1647	1.0988	1.0240
	净资产收益率(%)	3.8522	5.1165	3.0756	5.9686
	加权净资产收益率(%)	3.8900	5.2300	3.1100	6.0100
	净资产收益率(扣除)(%)	3.0468	2.8232	2.5479	3.9640
	总资产(万元)	545930.27	500526.42	484207.05	469094.24
	归属母公司股东权益(万元)	304453.82	294793.17	289175.53	282063.57
	营业收入(万元)	164374.06	261955.31	126025.58	235332.76
	营业支出(万元)	124220.95	196166.66	95653.46	175024.21
	投资收益(万元)	70.86	3212.20	2673.24	4239.13
	净利润(万元)	12626.13	15096.87	8626.88	16882.71
	营业利润(万元)	11424.02	10240.57	8583.21	15136.98
	利润总额(万元)	14884.76	18909.15	10412.00	20469.37

九芝堂股份有限公司

公司概况	公司名称	九芝堂股份有限公司			证券简称	九 芝 堂
	法人代表	李振国	董秘	杨承	证券代码	000989
	公司网址	www.hnjzt.com		电子信箱	hnjzt@hnjzt.com	
	电　话	0731-84499762		传　真	0731-84499759	
	办公地址	湖南省长沙市岳麓区桐梓坡西路339号				
	经营范围	生产、销售(限自产)片剂、颗粒剂、茶剂、丸剂等				

主要财务指标	指标\报告期	2016.06.30	2015.12.31	2015.06.30	2014.12.31
	基本每股收益(元)	0.3493	1.0300	0.2700	0.8300
	基本每股收益(扣除后)(元)	0.3192	1.0100	0.2500	0.5200
	稀释每股收益(元)	0.3493	1.0300	0.2700	0.8300
	每股净资产(元)	4.3576	5.0096	5.6714	5.4038
	每股经营现金净流量(元)	0.3006	0.4485	0.3514	0.3985
	每股现金流量(元)	-0.2019	0.9328	-0.9333	-0.1099
	每股资本公积金(元)	2.0282	2.4824	1.9747	1.9747
	每股盈余公积金(元)	0.2150	0.2472	0.5697	0.5697
	每股未分配利润(元)	1.1145	1.2800	2.1271	1.8595
	净资产收益率(%)	8.0148	12.4379	4.7183	15.2804
	加权净资产收益率(%)	7.8100	30.1000	4.8300	15.7600
	净资产收益率(扣除)(%)	7.3256	12.2162	4.3225	9.6427
	总资产(万元)	446107.35	447083.53	221287.72	214933.72
	归属母公司股东权益(万元)	378832.42	378708.08	168785.10	160821.29
	营业收入(万元)	126112.36	87151.27	74244.98	140535.04
	营业支出(万元)	51139.22	18157.20	34020.20	63676.61
	投资收益(万元)	503.25	95.06	419.34	1655.10
	净利润(万元)	30371.41	47103.15	7975.04	24594.45
	营业利润(万元)	33003.66	54363.92	8902.23	20420.10
	利润总额(万元)	35710.17	55351.29	9271.68	29424.22

诚志股份有限公司

公司概况	公司名称	诚志股份有限公司			证券简称	诚志股份
	法人代表	龙大伟	董秘	邹勇华	证券代码	000990
	公司网址	www.chengzhi.com.cn		电子信箱	chengzhi@chengzhi.com.cn	
	电　话	0791-83826898		传　真	0791-83826899	
	办公地址	江西省南昌市经济技术开发区玉屏东大街299号清华科技园(江西)华江大厦				
	经营范围	液晶材料、医药中间体、中西药、生命科学及生物工程、精细及日用化工产品等				

主要财务指标	指标\报告期	2016.06.30	2015.12.31	2015.06.30	2014.12.31
	基本每股收益(元)	-0.0673	0.3120	0.0280	0.2290
	基本每股收益(扣除后)(元)	-0.0720	-0.0150	0.0080	-0.0350
	稀释每股收益(元)	-0.0673	0.3120	0.0280	0.2290
	每股净资产(元)	6.1825	6.2757	5.9775	5.9801
	每股经营现金净流量(元)	-0.1710	-0.3772	-0.6281	-0.3669
	每股现金流量(元)	-0.0607	0.2925	-0.5971	0.1889
	每股资本公积金(元)	3.8041	3.8041	3.8037	3.8037
	每股盈余公积金(元)	0.1451	0.1451	0.1289	0.1289
	每股未分配利润(元)	1.2243	1.3216	1.0530	1.0555
	净资产收益率(%)	-1.0878	4.9765	0.4606	3.1584
	加权净资产收益率(%)	-1.1000	5.1000	0.5000	4.0000
	净资产收益率(扣除)(%)	-1.1683	-0.2401	0.1408	-0.4876
	总资产(万元)	500750.19	492835.56	473791.63	392086.41
	归属母公司股东权益(万元)	239685.28	243300.13	231736.78	231840.14
	营业收入(万元)	131184.38	404245.37	160642.94	401085.80
	营业支出(万元)	111305.78	361591.47	142349.25	366501.37
	投资收益(万元)	194.98	6107.10	-74.84	555.04
	净利润(万元)	-1533.49	14772.23	1814.03	7682.19
	营业利润(万元)	-1061.18	7321.29	1209.47	-130.00
	利润总额(万元)	-701.75	18343.38	2149.75	8521.45

福建闽东电力股份有限公司

公司概况					
公司名称	福建闽东电力股份有限公司			证券简称	闽东电力
法人代表	张斌	董秘	陈凌旭	证券代码	000993
公司网址	www.mdep.com.cn		电子信箱	mdep@mdep.com.cn	
电　　话	0593-2768888 2768811		传　　真	0593-2098993	
办公地址	福建省宁德市蕉城区环城路 143 号华隆大厦 8-10 楼				
经营范围	电力生产和电力开发等				

主要财务指标　指标\报告期	2016.06.30	2015.12.31	2015.06.30	2014.12.31
基本每股收益(元)	0.2154	0.0600	0.0800	0.0700
基本每股收益(扣除后)(元)	0.2161	0.0500	0.0800	0.0300
稀释每股收益(元)	0.2154	0.0600	0.0800	0.0700
每股净资产(元)	4.2420	4.0266	4.0404	3.9653
每股经营现金净流量(元)	0.3086	0.1309	-0.3088	0.4750
每股现金流量(元)	0.0382	-0.2530	-0.3966	-0.1484
每股资本公积金(元)	2.7900	2.7900	2.7900	2.7900
每股盈余公积金(元)	0.0590	0.0590	0.0590	0.0590
每股未分配利润(元)	0.3929	0.1775	0.1913	0.1161
净资产收益率(%)	5.0779	1.5251	1.8600	1.7581
加权净资产收益率(%)	5.2100	1.5400	1.8800	1.7400
净资产收益率(扣除)(%)	5.0945	1.2862	1.9995	0.7444
总资产(万元)	383668.72	342056.92	343581.42	385698.92
归属母公司股东权益(万元)	158226.30	150191.69	150707.28	147904.10
营业收入(万元)	32501.21	91013.47	57314.51	115945.40
营业支出(万元)	11986.71	49109.95	36251.36	61934.88
投资收益(万元)	1493.04	-800.63	210.69	-1036.97
净利润(万元)	7977.51	1483.07	2582.59	2026.39
营业利润(万元)	9916.26	5806.31	4384.40	11101.23
利润总额(万元)	9926.92	6430.31	4218.55	11151.28

甘肃皇台酒业股份有限公司

公司概况					
公司名称	甘肃皇台酒业股份有限公司			证券简称	皇台酒业
法人代表	胡振平	董秘	谢维宏	证券代码	000995
公司网址	www.huangtaijiuye.com		电子信箱	htjy000995@126.com	
电　　话	0935-6139865		传　　真	0935-6139888	
办公地址	甘肃省武威市凉州区西关街新建路 55 号				
经营范围	白酒、葡萄酒生产、批发零售、自产副产品的批发零售等				

主要财务指标　指标\报告期	2016.06.30	2015.12.31	2015.06.30	2014.12.31
基本每股收益(元)	-0.1100	0.0400	-0.0500	-0.2200
基本每股收益(扣除后)(元)	-0.1100	-0.0100	-0.0500	-0.1800
稀释每股收益(元)	-0.1100	0.0400	-0.0500	-0.2200
每股净资产(元)	0.6183	0.7242	0.6105	0.6629
每股经营现金净流量(元)	-0.2461	-0.5558	0.0232	-0.2773
每股现金流量(元)	-0.0044	-0.0025	-0.0293	-0.1738
每股资本公积金(元)	1.4539	1.4539	1.4284	1.4284
每股盈余公积金(元)	0.0330	0.0330	0.0330	0.0330
每股未分配利润(元)	-1.8686	-1.7628	-1.8510	-1.7986
净资产收益率(%)	-17.1140	4.9382	-8.5870	-33.4060
加权净资产收益率(%)	-15.7700	5.2500	-8.2300	-28.6200
净资产收益率(扣除)(%)	-17.2578	-1.2636	-8.6410	-28.2195
总资产(万元)	53115.89	54129.50	49826.92	49578.93
归属母公司股东权益(万元)	10969.74	12847.11	10830.87	11760.93
营业收入(万元)	6310.86	10451.99	2794.86	5726.82
营业支出(万元)	4903.67	4294.09	1096.51	2272.66
投资收益(万元)	-	415.64	-	-2.41
净利润(万元)	-1877.37	634.41	-930.05	-3928.85
营业利润(万元)	-1892.08	170.61	-935.89	-3315.95
利润总额(万元)	-1876.31	967.36	-930.05	-3925.92

中国中期投资股份有限公司

公司概况					
公司名称	中国中期投资股份有限公司			证券简称	中国中期
法人代表	姜新	董秘	姜新(代)	证券代码	000996
公司网址	www.cifco996.com		电子信箱	000996@cifco.net.cn	
电　　话	010-59539802		传　　真	010-59539886	
办公地址	北京市朝阳区麦子店西路 3 号新恒基国际大厦 15 层				
经营范围	期货经纪业、汽车服务业、物流服务业等				

主要财务指标　指标\报告期	2016.06.30	2015.12.31	2015.06.30	2014.12.31
基本每股收益(元)	0.0459	0.0428	0.0469	0.0413
基本每股收益(扣除后)(元)	0.0460	0.0534	0.0471	0.0433
稀释每股收益(元)	0.0459	0.0428	0.0469	0.0413
每股净资产(元)	2.6003	2.5544	2.5585	2.5116
每股经营现金净流量(元)	-0.0126	-0.0515	-0.0179	-0.0243
每股现金流量(元)	-0.0565	-0.0140	-0.0186	0.0029
每股资本公积金(元)	1.1172	1.1172	1.1172	1.1172
每股盈余公积金(元)	0.1573	0.1573	0.1479	0.1479
每股未分配利润(元)	0.3257	0.2798	0.2934	0.2465
净资产收益率(%)	1.7660	1.6764	1.8340	1.6453
加权净资产收益率(%)	1.7800	2.0500	1.8500	1.6700
净资产收益率(扣除)(%)	1.7703	2.0906	1.8401	1.7230
总资产(万元)	67272.73	67768.84	64997.61	65450.47
归属母公司股东权益(万元)	59807.49	58751.27	58845.56	57766.35
营业收入(万元)	3815.34	8463.20	3619.72	8299.87
营业支出(万元)	3508.80	8009.52	3392.40	7792.43
投资收益(万元)	1488.71	2710.47	1569.71	2625.44
净利润(万元)	1055.15	960.69	1078.10	931.82
营业利润(万元)	1057.98	1206.08	1083.29	741.56
利润总额(万元)	1055.15	962.12	1079.47	755.50

福建新大陆电脑股份有限公司

公司概况					
公司名称	福建新大陆电脑股份有限公司			证券简称	新 大 陆
法人代表	胡钢	董秘	王栋	证券代码	000997
公司网址	www.newlandcomputer.com		电子信箱	newlandzq@newlandcomputer.com	
电　　话	0591-83979997		传　　真	0591-83979997	
办公地址	福建省福州市马尾区儒江西路 1 号新大陆科技园				
经营范围	电子计算机及其外部设备、税控收款机的制造、销售、租赁等				

主要财务指标　指标\报告期	2016.06.30	2015.12.31	2015.06.30	2014.12.31
基本每股收益(元)	0.2500	0.3700	0.2000	0.5400
基本每股收益(扣除后)(元)	0.2300	0.3200	0.1900	0.5000
稀释每股收益(元)	0.2500	0.3600	0.2000	0.5400
每股净资产(元)	2.5070	2.3269	2.2009	3.5846
每股经营现金净流量(元)	0.1272	0.8526	0.1010	0.6081
每股现金流量(元)	0.0417	0.1606	-0.0460	-0.2546
每股资本公积金(元)	0.1088	0.1504	0.0608	0.8929
每股盈余公积金(元)	0.1383	0.1383	0.1270	0.2286
每股未分配利润(元)	1.3261	1.1550	1.0114	1.4604
净资产收益率(%)	10.0137	15.3804	9.0877	14.7845
加权净资产收益率(%)	10.0800	17.1100	9.5600	15.6900
净资产收益率(扣除)(%)	9.0560	13.6777	8.5769	13.7190
总资产(万元)	460077.41	485645.26	379449.47	371178.15
归属母公司股东权益(万元)	235316.44	222029.01	206141.53	186521.78
营业收入(万元)	158295.46	304527.54	135417.80	223545.62
营业支出(万元)	95325.14	189921.01	78892.69	133489.03
投资收益(万元)	3194.12	2764.30	2024.76	901.43
净利润(万元)	25481.10	36896.58	20563.52	30309.70
营业利润(万元)	28901.12	41803.38	24936.15	34103.95
利润总额(万元)	31733.02	45684.99	25744.84	36808.43

袁隆平农业高科技股份有限公司

公司概况	公司名称	袁隆平农业高科技股份有限公司			证券简称	隆平高科
	法人代表	廖翠猛	董秘	刘俊	证券代码	000998
	公司网址	www.lpht.com.cn		电子信箱	lpht@lpht.com.cn	
	电　话	0731-82183881　82183880		传　真	0731-82183881　82183880	
	办公地址	湖南省长沙市车站北路459号证券大厦9楼				
	经营范围	以杂交水稻、蔬菜为主的高科技农作物种子、种苗的培育、繁殖、推广和销售等				

	指标\报告期	2016.06.30	2015.12.31	2015.06.30	2014.12.31
主要财务指标	基本每股收益(元)	0.1279	0.4900	0.1835	0.3634
	基本每股收益(扣除后)(元)	0.1231	0.3600	0.1358	0.2600
	稀释每股收益(元)	0.1279	0.4900	0.1835	0.3634
	每股净资产(元)	4.2257	2.3636	2.0548	1.9214
	每股经营现金净流量(元)	0.0187	0.3515	0.0867	0.2772
	每股现金流量(元)	0.5114	0.0563	−0.1104	0.0129
	每股资本公积金(元)	2.2510	0.0383	0.0388	0.0388
	每股盈余公积金(元)	0.0797	0.1005	0.0851	0.0851
	每股未分配利润(元)	0.8977	1.2286	0.9354	0.8019
	净资产收益率(%)	2.9220	20.8574	8.9315	18.9158
	加权净资产收益率(%)	3.1200	23.0100	9.1200	20.7600
	净资产收益率(扣除)(%)	2.8118	15.3395	6.6106	13.5592
	总资产(万元)	737980.65	502376.05	404136.26	410522.38
	归属母公司股东权益(万元)	530824.18	235440.49	204676.85	191385.80
	营业收入(万元)	85474.58	202582.47	80315.43	181542.49
	营业支出(万元)	52747.08	122629.14	51638.80	115388.47
	投资收益(万元)	−1.55	9891.04	3261.12	3533.32
	净利润(万元)	14042.94	46742.13	16839.95	32583.54
	营业利润(万元)	13651.99	43085.80	15350.77	23615.20
	利润总额(万元)	14094.55	47340.82	16841.18	32587.57

华润三九医药股份有限公司

公司概况	公司名称	华润三九医药股份有限公司			证券简称	华润三九
	法人代表	王春城	董秘	周辉	证券代码	000999
	公司网址	www.999.com.cn		电子信箱	000999@999.com.cn	
	电　话	0755-83360999-393692		传　真	0755-83360999*396006	
	办公地址	广东省深圳市龙华新区观澜高新园区观清路1号				
	经营范围	药品的开发、生产、销售，相关技术开发、转让、服务等				

	指标\报告期	2016.06.30	2015.12.31	2015.06.30	2014.12.31
主要财务指标	基本每股收益(元)	0.6500	1.2800	0.6400	1.0600
	基本每股收益(扣除后)(元)	0.6200	1.0800	0.6300	1.0200
	稀释每股收益(元)	0.6500	1.2800	0.6400	1.0600
	每股净资产(元)	8.2384	7.7349	7.5462	6.9057
	每股经营现金净流量(元)	0.7264	1.2870	0.6651	1.2100
	每股现金流量(元)	0.2606	−0.1748	0.5253	−0.0504
	每股资本公积金(元)	1.1323	1.1323	1.1714	1.1714
	每股盈余公积金(元)	0.5475	0.5475	0.4783	0.4783
	每股未分配利润(元)	5.5651	5.0652	4.9068	4.2662
	净资产收益率(%)	7.8880	16.4987	8.4891	15.3239
	加权净资产收益率(%)	8.0900	17.3300	8.8700	15.9300
	净资产收益率(扣除)(%)	7.5254	13.9143	8.3938	14.8099
	总资产(万元)	1237218.30	1201925.87	1108509.34	1066724.24
	归属母公司股东权益(万元)	806461.70	757168.05	738700.25	675994.53
	营业收入(万元)	428072.33	790018.96	369569.70	727658.56
	营业支出(万元)	159809.33	306702.97	142059.97	281218.08
	投资收益(万元)	1496.25	19447.50	2181.88	4743.62
	净利润(万元)	64335.63	127469.87	64555.92	107214.24
	营业利润(万元)	75442.43	144256.60	75799.05	122803.07
	利润总额(万元)	79478.16	152900.28	76663.90	125960.50

重庆宗申动力机械股份有限公司

公司概况	公司名称	重庆宗申动力机械股份有限公司			证券简称	宗申动力
	法人代表	左宗申	董秘	李建平	证券代码	001696
	公司网址	www.zsengine.com		电子信箱	zsdl001696@zsengine.com	
	电　话	023-66372632		传　真	023-66372648	
	办公地址	重庆市巴南区宗申工业园				
	经营范围	开发、生产和销售各类摩托车发动机、通用动力机械及零配件等				

	指标\报告期	2016.06.30	2015.12.31	2015.06.30	2014.12.31
主要财务指标	基本每股收益(元)	0.1504	0.3329	0.1719	0.3300
	基本每股收益(扣除后)(元)	0.1474	0.3200	0.1640	0.3200
	稀释每股收益(元)	0.1504	0.3329	0.1719	0.3300
	每股净资产(元)	2.9739	3.1847	3.0201	2.8784
	每股经营现金净流量(元)	0.0835	0.7158	0.1520	0.2396
	每股现金流量(元)	−0.1150	0.3433	0.5241	−0.3337
	每股资本公积金(元)	0.4778	0.4764	0.4764	0.4764
	每股盈余公积金(元)	0.2613	0.2613	0.1747	0.1747
	每股未分配利润(元)	1.2417	1.4513	1.3774	1.2355
	净资产收益率(%)	5.0569	10.4544	5.6919	11.3848
	加权净资产收益率(%)	4.6100	11.0000	5.8100	12.0000
	净资产收益率(扣除)(%)	4.9563	10.0468	5.4309	11.2835
	总资产(万元)	621313.77	649460.80	653401.58	579182.38
	归属母公司股东权益(万元)	340514.48	364657.94	345807.25	329589.67
	营业收入(万元)	225939.15	452480.11	231914.72	443778.92
	营业支出(万元)	181494.85	369623.63	187600.79	360617.87
	投资收益(万元)	4325.50	5865.03	3610.55	3969.26
	净利润(万元)	20210.09	44312.83	22367.71	42498.80
	营业利润(万元)	22930.90	48724.44	25361.88	48016.99
	利润总额(万元)	24021.55	51774.98	25946.92	49729.24

河南豫能控股股份有限公司

公司概况	公司名称	河南豫能控股股份有限公司			证券简称	豫能控股
	法人代表	郑晓彬	董秘	王璞	证券代码	001896
	公司网址	www.yuneng.com.cn		电子信箱	yunengwp@126.com	
	电　话	0371-69515111		传　真	0371-69515114	
	办公地址	河南省郑州市农业路东41号投资大厦B座8-12层				
	经营范围	电力开发、生产和销售(国家专项规定的除外)、高新技术开发、推广及服务等				

	指标\报告期	2016.06.30	2015.12.31	2015.06.30	2014.12.31
主要财务指标	基本每股收益(元)	0.3764	0.6547	0.2294	0.4330
	基本每股收益(扣除后)(元)	0.3648	0.6076	0.2178	0.5684
	稀释每股收益(元)	0.3764	0.6547	0.2294	0.4330
	每股净资产(元)	4.9392	4.5395	4.1147	3.8853
	每股经营现金净流量(元)	0.6623	1.4986	0.7299	1.3171
	每股现金流量(元)	0.0511	−2.1816	−1.7990	2.3544
	每股资本公积金(元)	3.6189	3.5955	3.5960	3.5960
	每股盈余公积金(元)	0.1672	0.1672	0.1672	0.1672
	每股未分配利润(元)	0.1532	−0.2232	−0.6485	−0.8779
	净资产收益率(%)	7.6207	14.4214	5.5744	11.1454
	加权净资产收益率(%)	7.9400	15.5400	5.7300	26.6700
	净资产收益率(扣除)(%)	7.3865	13.3859	5.2930	10.6617
	总资产(万元)	1331418.49	1313528.18	1187548.65	1214142.44
	归属母公司股东权益(万元)	422441.61	388248.42	351917.26	332299.88
	营业收入(万元)	252712.74	365552.42	157681.01	335595.03
	营业支出(万元)	183683.95	231429.99	105767.55	245394.94
	投资收益(万元)	−6.26	–	–	–
	净利润(万元)	34579.58	62466.99	23400.40	47113.24
	营业利润(万元)	45825.81	81330.74	31191.70	58137.92
	利润总额(万元)	45904.85	84160.46	31232.87	59339.02

招商局蛇口工业区控股股份有限公司

公司概况	公司名称	招商局蛇口工业区控股股份有限公司			证券简称	招商蛇口
	法人代表	孙承铭	董秘	刘宁	证券代码	001979
	公司网址	www.cmsk1979.com			电子信箱	cmsk@mail.shekou.com
	电　话	0755-26818928 26819600			传　真	0755-26691325
	办公地址	广东省深圳市南山区蛇口兴华路 6 号南海意库 3 号楼				
	经营范围	园区开发与运营、社区开发与运营、邮轮产业建设与运营				

	指标\报告期	2016.06.30	2015.12.31	2015.06.30	2014.12.31
主要财务指标	基本每股收益(元)	0.4800	0.8800	0.3300	0.5800
	基本每股收益(扣除后)(元)	0.4500	0.7991	0.2600	–
	稀释每股收益(元)	0.4800	0.8800	0.3300	0.5800
	每股净资产(元)	6.1318	5.8993	–	–
	每股经营现金净流量(元)	–0.7914	0.2816	–	–
	每股现金流量(元)	–0.7835	1.9609	–	–
	每股资本公积金(元)	2.2355	2.3874	–	–
	每股盈余公积金(元)	0.2144	0.2290	–	–
	每股未分配利润(元)	2.5745	2.5095	–	–
	净资产收益率(%)	7.9019	10.4021	11.5668	–
	加权净资产收益率(%)	7.9400	27.9600	10.7900	20.7300
	净资产收益率(扣除)(%)	7.3749	9.4262	9.2990	–
	总资产(万元)	22418795.30	21089922.64	–	16826365.48
	归属母公司股东权益(万元)	4846632.10	4662832.64	–	1681210.44
	营业收入(万元)	2124818.28	4922241.50	1909969.32	4548594.74
	营业支出(万元)	1405535.99	3067691.03	1233556.97	2749181.37
	投资收益(万元)	170858.81	58509.16	46333.55	83368.76
	净利润(万元)	440905.84	804657.36	310735.20	658577.28
	营业利润(万元)	574727.15	1002726.51	392624.80	965001.68
	利润总额(万元)	575831.75	1041033.90	425593.63	969537.80

浙江新和成股份有限公司

公司概况	公司名称	浙江新和成股份有限公司			证券简称	新 和 成
	法人代表	胡柏藩	董秘	石观群	证券代码	002001
	公司网址	www.cnhu.com			电子信箱	002001@cnhu.com
	电　话	0575-86017157			传　真	0575-86125377
	办公地址	浙江省绍兴市新昌县七星街道大道西路 418 号				
	经营范围	有机化工产品及饲料添加剂的生产、销售等				

	指标\报告期	2016.06.30	2015.12.31	2015.06.30	2014.12.31
主要财务指标	基本每股收益(元)	0.4700	0.3700	0.1700	0.7400
	基本每股收益(扣除后)(元)	0.4600	0.3300	0.1400	0.7200
	稀释每股收益(元)	0.4700	0.3700	0.1700	0.7400
	每股净资产(元)	6.7516	6.4728	6.2630	6.4423
	每股经营现金净流量(元)	0.4023	0.8926	0.2940	0.9916
	每股现金流量(元)	–0.1432	–0.4115	–0.2966	–0.0299
	每股资本公积金(元)	0.6594	0.6594	0.6594	0.6594
	每股盈余公积金(元)	0.4173	0.4173	0.3915	0.3915
	每股未分配利润(元)	4.6628	4.3892	4.2162	4.3958
	净资产收益率(%)	7.0144	5.7044	2.7217	11.5185
	加权净资产收益率(%)	7.0500	5.7400	2.6100	11.9500
	净资产收益率(扣除)(%)	6.8556	5.0298	2.2243	11.1556
	总资产(万元)	1046405.07	972426.15	893741.68	912376.41
	归属母公司股东权益(万元)	735189.27	704839.41	681990.33	701516.65
	营业收入(万元)	230266.63	382254.30	193135.81	416420.92
	营业支出(万元)	133039.63	278209.16	141337.99	249955.39
	投资收益(万元)	3035.38	5549.99	3359.15	–49.07
	净利润(万元)	53545.85	38983.59	18553.79	80804.04
	营业利润(万元)	65661.74	46937.84	23082.38	100562.12
	利润总额(万元)	66545.91	48117.91	24262.80	101649.40

鸿达兴业股份有限公司

公司概况	公司名称	鸿达兴业股份有限公司			证券简称	鸿达兴业
	法人代表	周奕丰	董秘	林少韩	证券代码	002002
	公司网址	www.002002.cn			电子信箱	hdxygf@hdxy.cn
	电　话	0514-87270833 020-81802222			传　真	0514-87270939 020-81652222
	办公地址	广州市荔湾区东沙荷景路 33 号鸿达大厦				
	经营范围	PVC 片材、板材、PE 薄膜、复合包装材料及其他新型包装材料、塑料等				

	指标\报告期	2016.06.30	2015.12.31	2015.06.30	2014.12.31
主要财务指标	基本每股收益(元)	0.1136	0.5728	0.2360	0.4069
	基本每股收益(扣除后)(元)	0.1104	0.5586	0.2184	0.3900
	稀释每股收益(元)	0.1130	0.5653	0.2350	0.4065
	每股净资产(元)	3.5888	4.2737	3.3267	3.2823
	每股经营现金净流量(元)	–0.0445	0.3412	0.3112	–0.1146
	每股现金流量(元)	–0.4132	0.0896	0.5142	0.4729
	每股资本公积金(元)	0.9542	2.2150	1.3709	1.3625
	每股盈余公积金(元)	0.1541	0.1541	0.0858	0.0858
	每股未分配利润(元)	1.4773	1.1934	0.8844	0.8484
	净资产收益率(%)	8.0217	12.4955	7.0933	12.2623
	加权净资产收益率(%)	7.8700	15.2800	7.0000	13.0800
	净资产收益率(扣除)(%)	7.7925	12.1849	6.5658	11.7527
	总资产(万元)	1218259.33	1215013.57	1107129.77	974901.98
	归属母公司股东权益(万元)	344111.75	440381.64	286851.04	283024.44
	营业收入(万元)	223678.61	380998.26	165329.89	332001.01
	营业支出(万元)	159027.18	264295.45	116387.82	252836.70
	投资收益(万元)	–470.24	1757.10	–57.75	67.57
	净利润(万元)	28067.29	53980.07	20585.41	34693.82
	营业利润(万元)	33525.13	65265.97	23289.62	41202.29
	利润总额(万元)	34443.91	66524.58	24833.47	42893.70

浙江伟星实业发展股份有限公司

公司概况	公司名称	浙江伟星实业发展股份有限公司			证券简称	伟星股份
	法人代表	章卡鹏	董秘	谢瑾琨	证券代码	002003
	公司网址	www.weixing.cn			电子信箱	002003@weixing.cn
	电　话	0576-85125002			传　真	0576-85126598
	办公地址	浙江省临海市前江南路 8 号伟星股份大洋工业园区				
	经营范围	钮扣、拉链、人造水晶钻及其他服饰辅料等				

	指标\报告期	2016.06.30	2015.12.31	2015.06.30	2014.12.31
主要财务指标	基本每股收益(元)	0.3200	0.6100	0.2800	0.7000
	基本每股收益(扣除后)(元)	0.3200	0.5900	0.2800	0.6900
	稀释每股收益(元)	0.3200	0.6000	0.2700	0.6900
	每股净资产(元)	4.6665	4.5229	4.1900	5.2591
	每股经营现金净流量(元)	0.1775	0.8312	–0.0239	0.9764
	每股现金流量(元)	0.0128	–0.3063	–0.6271	0.0842
	每股资本公积金(元)	2.0188	1.6069	1.6011	2.0887
	每股盈余公积金(元)	0.4429	0.4677	0.4144	0.4973
	每股未分配利润(元)	1.2048	1.4482	1.1729	1.6732
	净资产收益率(%)	6.6702	13.4244	6.6512	13.2062
	加权净资产收益率(%)	6.9600	13.7600	6.2600	13.5900
	净资产收益率(扣除)(%)	6.6246	13.0217	6.5993	13.0731
	总资产(万元)	253807.59	215311.33	217925.51	213109.39
	归属母公司股东权益(万元)	200957.61	184426.18	170786.30	178706.97
	营业收入(万元)	97431.65	187371.90	91987.21	184862.89
	营业支出(万元)	56420.03	111496.01	55480.92	111538.25
	投资收益(万元)	93.97	167.64	82.47	94.82
	净利润(万元)	13674.70	24844.35	11428.43	23437.99
	营业利润(万元)	18126.41	31704.50	15082.34	30621.44
	利润总额(万元)	17944.57	31725.66	14931.77	30738.67

华邦生命健康股份有限公司

公司概况					
公司名称	华邦生命健康股份有限公司			证券简称	华邦健康
法人代表	张松山	董秘	彭云辉	证券代码	002004
公司网址	www.huapont.cn		电子信箱	huapont@163.com	
电　　话	023-67886900 67886985		传　　真	023-67886986	
办公地址	重庆市渝北区人和星光大道69号				
经营范围	药品研究、生物化学、试剂产品、精细化工产品开发及自销等				

主要财务指标

指标\报告期	2016.06.30	2015.12.31	2015.06.30	2014.12.31
基本每股收益(元)	0.2000	0.3400	0.2100	0.6700
基本每股收益(扣除后)(元)	0.2000	0.3400	0.2100	0.6500
稀释每股收益(元)	0.2000	0.3400	0.2100	0.6700
每股净资产(元)	4.6640	4.6800	3.8611	8.2522
每股经营现金净流量(元)	0.0338	0.1683	−0.2118	0.6748
每股现金流量(元)	−0.4540	1.3976	0.3377	0.1165
每股资本公积金(元)	2.6943	2.7260	1.9152	4.8828
每股盈余公积金(元)	0.0773	0.0773	0.0697	0.1942
每股未分配利润(元)	0.9092	0.9050	0.8650	2.1562
净资产收益率(%)	4.3790	6.6850	5.4766	7.6974
加权净资产收益率(%)	4.2500	9.0100	5.7400	8.6400
净资产收益率(扣除)(%)	4.2195	6.6977	5.3221	7.4733
总资产(万元)	2199195.24	1971039.73	1650489.86	1356814.80
归属母公司股东权益(万元)	949068.77	952314.45	727235.80	557569.95
营业收入(万元)	333554.23	617430.57	332325.01	486668.88
营业支出(万元)	221824.26	404040.42	228143.21	338345.09
投资收益(万元)	12483.47	12328.65	9141.99	20416.30
净利润(万元)	45829.25	65682.32	42139.90	44599.92
营业利润(万元)	51234.29	75276.17	47758.03	48141.74
利润总额(万元)	53017.99	75731.26	48442.99	49702.03

广东德豪润达电气股份有限公司

公司概况					
公司名称	广东德豪润达电气股份有限公司			证券简称	德豪润达
法人代表	王冬雷	董秘	邓飞	证券代码	002005
公司网址	www.electech.com.cn		电子信箱	002005dongmi@electech.com.cn	
电　　话	0756-3390188		传　　真	0756-3390238	
办公地址	广东省珠海市香洲区唐家湾镇金凤路1号				
经营范围	开发、生产家用电器、电机、电子、轻工产品、电动器具、自动按摩设备等				

主要财务指标

指标\报告期	2016.06.30	2015.12.31	2015.06.30	2014.12.31
基本每股收益(元)	0.0100	0.0142	0.0100	0.0109
基本每股收益(扣除后)(元)	−0.0700	−0.4057	−0.0700	−0.2028
稀释每股收益(元)	0.0100	0.0142	0.0100	0.0109
每股净资产(元)	3.9521	3.9561	3.9890	3.9779
每股经营现金净流量(元)	0.1732	0.3386	0.0268	0.2394
每股现金流量(元)	−0.0381	0.1928	0.0904	−0.1150
每股资本公积金(元)	2.4409	2.4409	2.4409	2.4409
每股盈余公积金(元)	0.0621	0.0621	0.0569	0.0569
每股未分配利润(元)	0.4598	0.4484	0.4799	0.4693
净资产收益率(%)	0.2906	0.3595	0.2673	0.2512
加权净资产收益率(%)	0.2900	0.3600	0.2700	0.2900
净资产收益率(扣除)(%)	−1.7828	−10.2558	−1.8066	−4.6790
总资产(万元)	1319187.23	1343144.00	1314838.72	1293599.97
归属母公司股东权益(万元)	551866.17	552427.82	557022.99	555475.81
营业收入(万元)	170703.51	450635.69	205385.53	415473.36
营业支出(万元)	137278.06	374384.56	168456.96	326706.12
投资收益(万元)	1270.71	1528.41	264.68	−11277.44
净利润(万元)	2770.61	1413.13	567.57	1335.87
营业利润(万元)	−10878.72	−66874.94	−12219.80	−26793.86
利润总额(万元)	6318.11	3021.77	2138.38	5587.33

浙江精功科技股份有限公司

公司概况					
公司名称	浙江精功科技股份有限公司			证券简称	精功科技
法人代表	金越顺	董秘	黄伟明	证券代码	002006
公司网址	www.jgtec.com.cn		电子信箱	zjjgkj@jgtec.com.cn	
电　　话	0575-84138692		传　　真	0575-84886600	
办公地址	浙江省绍兴市柯桥区鉴湖路1809号				
经营范围	机电一体化的建筑、建材专用设备及轻纺专用设备等				

主要财务指标

指标\报告期	2016.06.30	2015.12.31	2015.06.30	2014.12.31
基本每股收益(元)	0.0700	0.0300	0.0100	0.0300
基本每股收益(扣除后)(元)	0.0600	0.0100	-	−0.2000
稀释每股收益(元)	0.0700	0.0300	0.0100	0.0300
每股净资产(元)	1.9705	1.9034	1.8764	1.8650
每股经营现金净流量(元)	0.0688	0.3805	0.0061	0.1238
每股现金流量(元)	−0.1571	0.0136	−0.0668	0.0839
每股资本公积金(元)	0.5922	0.5922	0.5921	0.5921
每股盈余公积金(元)	0.1645	0.1645	0.1584	0.1584
每股未分配利润(元)	0.1999	0.1347	0.1164	0.1060
净资产收益率(%)	3.3124	1.8311	0.5557	1.4837
加权净资产收益率(%)	3.3700	1.8500	0.5600	1.5000
净资产收益率(扣除)(%)	3.2811	0.7868	0.0377	−10.6508
总资产(万元)	147824.31	156167.71	158074.94	166628.00
归属母公司股东权益(万元)	89688.32	86633.76	85407.43	84885.44
营业收入(万元)	39697.95	65133.42	21456.63	90186.77
营业支出(万元)	30104.17	48271.76	17044.01	75026.39
投资收益(万元)	170.56	231.51	−99.82	9198.45
净利润(万元)	2851.37	1401.05	423.40	961.21
营业利润(万元)	2818.51	772.44	−85.38	5069.79
利润总额(万元)	2851.37	1401.05	423.40	5711.03

华兰生物工程股份有限公司

公司概况					
公司名称	华兰生物工程股份有限公司			证券简称	华兰生物
法人代表	安康	董秘	谢军民	证券代码	002007
公司网址	www.hualanbio.com		电子信箱	hualan@hualanbio.com	
电　　话	0373-3559989		传　　真	0373-3559991	
办公地址	河南省新乡市华兰大道甲1号				
经营范围	生产、销售自产的生物制品、血液制品				

主要财务指标

指标\报告期	2016.06.30	2015.12.31	2015.06.30	2014.12.31
基本每股收益(元)	0.4412	1.0134	0.5331	0.9266
基本每股收益(扣除后)(元)	0.3645	0.8719	0.4382	0.7698
稀释每股收益(元)	0.4412	1.0134	0.5331	0.9266
每股净资产(元)	4.1328	6.2927	5.7862	5.8530
每股经营现金净流量(元)	0.1925	0.9438	0.2462	0.8552
每股现金流量(元)	0.0640	−0.5415	0.2784	−0.6121
每股资本公积金(元)	0.4198	0.6577	0.6315	0.6315
每股盈余公积金(元)	0.3566	0.5706	0.4963	0.4963
每股未分配利润(元)	2.3564	4.0643	3.6583	3.7252
净资产收益率(%)	10.6746	16.1052	9.2141	15.8247
加权净资产收益率(%)	10.6200	16.7200	8.7100	16.6600
净资产收益率(扣除)(%)	8.8204	13.8553	7.5730	13.1470
总资产(万元)	428985.32	402149.35	382052.74	376963.72
归属母公司股东权益(万元)	384386.63	365794.84	336351.69	340238.26
营业收入(万元)	85655.56	147176.33	65710.22	124348.80
营业支出(万元)	31085.98	61894.03	24887.66	47435.12
投资收益(万元)	2038.61	4627.14	4053.32	5535.48
净利润(万元)	40796.97	58199.86	30774.36	53861.97
营业利润(万元)	43231.92	66836.17	34950.98	58364.74
利润总额(万元)	48314.64	69252.76	36754.50	62782.63

大族激光科技产业集团股份有限公司

公司概况

公司名称	大族激光科技产业集团股份有限公司		证券简称	大族激光
法人代表	高云峰	董秘 杜永刚	证券代码	002008
公司网址	www.hanslaser.com		电子信箱	bsd@hanslaser.com
电　话	0755-86161340		传　真	0755-86161327
办公地址	广东省深圳市南山区深南大道 9988 号			
经营范围	激光加工、PCB、光伏、LED 封装等专用设备的研发、生产及销售等			

主要财务指标

指标 \ 报告期	2016.06.30	2015.12.31	2015.06.30	2014.12.31
基本每股收益(元)	0.3800	0.7100	0.3000	0.6700
基本每股收益(扣除后)(元)	0.3700	0.6300	0.2700	0.6100
稀释每股收益(元)	0.3800	0.7100	0.3000	0.6700
每股净资产(元)	4.6121	4.4574	4.0185	3.9060
每股经营现金净流量(元)	–0.0664	0.5067	–0.0620	0.9075
每股现金流量(元)	0.0662	–0.1849	–0.4520	0.1009
每股资本公积金(元)	0.7380	0.7291	0.6724	0.6708
每股盈余公积金(元)	0.3643	0.3653	0.2820	0.2820
每股未分配利润(元)	2.4668	2.2983	1.9929	1.8931
净资产收益率(%)	8.1252	15.7581	7.4604	17.1538
加权净资产收益率(%)	8.1300	16.9900	7.4400	18.4700
净资产收益率(扣除)(%)	7.9228	14.1458	6.6918	15.5461
总资产(万元)	936803.33	758241.86	731879.32	719613.73
归属母公司股东权益(万元)	491814.50	474010.66	424348.80	412463.84
营业收入(万元)	312231.11	558734.47	254484.07	556559.35
营业支出(万元)	185162.75	347239.36	157808.86	336133.85
投资收益(万元)	1303.00	3923.23	1854.54	4481.43
净利润(万元)	40111.60	74637.06	31492.80	71669.38
营业利润(万元)	41289.68	61442.31	28160.99	66389.94
利润总额(万元)	47804.44	84378.63	36826.16	83475.25

天奇自动化工程股份有限公司

公司概况

公司名称	天奇自动化工程股份有限公司		证券简称	天奇股份
法人代表	白开军	董秘 费新毅	证券代码	002009
公司网址	www.chinaconveyor.com		电子信箱	fxy1973@vip.163.com
电　话	0510-82720289		传　真	0510-82720289
办公地址	江苏省无锡市惠山区洛社镇洛藕路 288 号			
经营范围	物流机械设备、风电产业及房地产业等			

主要财务指标

指标 \ 报告期	2016.06.30	2015.12.31	2015.06.30	2014.12.31
基本每股收益(元)	0.1300	0.2700	0.1500	0.3600
基本每股收益(扣除后)(元)	0.0700	0.1400	0.0900	0.0700
稀释每股收益(元)	0.1300	0.2700	0.1500	0.3600
每股净资产(元)	4.8806	4.7852	4.5235	5.0500
每股经营现金净流量(元)	–0.3354	1.9545	0.1932	0.5134
每股现金流量(元)	–0.2125	0.8373	0.4384	–0.2721
每股资本公积金(元)	2.3072	2.3058	1.9617	2.5696
每股盈余公积金(元)	0.1505	0.1505	0.1710	0.1710
每股未分配利润(元)	1.4130	1.3189	1.3699	1.2934
净资产收益率(%)	2.7317	5.6507	2.7979	6.7103
加权净资产收益率(%)	2.7500	5.9200	3.1900	7.7400
净资产收益率(扣除)(%)	1.4466	2.5586	2.0960	2.9589
总资产(万元)	428832.37	459180.35	392893.90	423111.59
归属母公司股东权益(万元)	178056.61	174574.93	145207.68	162262.03
营业收入(万元)	92126.02	217479.16	88501.77	193468.32
营业支出(万元)	70518.29	168768.70	66694.22	148192.01
投资收益(万元)	213.84	1223.15	202.02	986.40
净利润(万元)	5472.66	12039.12	6200.22	13291.41
营业利润(万元)	3146.77	9505.47	5126.48	8298.57
利润总额(万元)	6173.54	12985.36	6712.06	14521.68

传化智联股份有限公司

公司概况

公司名称	传化智联股份有限公司		证券简称	传化智联
法人代表	徐冠巨	董秘 朱江英	证券代码	002010
公司网址	www.transfarchem.com		电子信箱	zqb@etransfar.com
电　话	0571-82872991		传　真	0571-82871858 83782070
办公地址	浙江省杭州市萧山经济技术开发区			
经营范围	有机硅及有机氟精细化学品(不含危险品)、表面活性剂等			

主要财务指标

指标 \ 报告期	2016.06.30	2015.12.31	2015.06.30	2014.12.31
基本每股收益(元)	0.1400	0.2000	0.0400	0.0900
基本每股收益(扣除后)(元)	0.0200	0.2800	0.2100	0.4000
稀释每股收益(元)	0.1400	0.2000	0.0400	0.0900
每股净资产(元)	3.3729	3.3375	3.9909	5.0600
每股经营现金净流量(元)	0.0508	0.1271	0.6038	0.9019
每股现金流量(元)	0.1204	1.7917	0.8667	0.4413
每股资本公积金(元)	1.8224	1.8224	0.3658	1.5931
每股盈余公积金(元)	0.0549	0.0549	0.2597	0.2780
每股未分配利润(元)	0.4967	0.4610	2.3670	2.1877
净资产收益率(%)	4.0220	5.0642	5.3839	11.5197
加权净资产收益率(%)	3.9800	18.2800	4.8000	10.0900
净资产收益率(扣除)(%)	0.4780	1.7683	5.1506	10.6379
总资产(万元)	1505434.79	1448232.84	455396.32	599166.37
归属母公司股东权益(万元)	1098833.81	1087298.86	194749.26	246846.18
营业收入(万元)	238115.24	534034.04	281777.07	596172.00
营业支出(万元)	181254.45	403886.74	216332.44	466550.73
投资收益(万元)	3970.71	28692.54	3969.59	479.20
净利润(万元)	49277.88	61841.14	15754.66	32772.83
营业利润(万元)	156.19	42397.07	14986.69	34637.37
利润总额(万元)	60970.55	81123.59	22605.22	41701.39

浙江盾安人工环境股份有限公司

公司概况

公司名称	浙江盾安人工环境股份有限公司		证券简称	盾安环境
法人代表	葛亚飞	董秘 何晓梅	证券代码	002011
公司网址	www.dunan.net		电子信箱	dazq@dunan.net
电　话	0571-87113798 87113776		传　真	0571-87113775
办公地址	浙江省杭州市滨江区滨安路 1190 号智汇领地科技园 B 座			
经营范围	制冷通用设备、家用电力器具部件、金属材料的制造、销售和服务等			

主要财务指标

指标 \ 报告期	2016.06.30	2015.12.31	2015.06.30	2014.12.31
基本每股收益(元)	0.0700	0.1000	0.0900	0.1500
基本每股收益(扣除后)(元)	0.0200	0.0100	0.0400	0.0900
稀释每股收益(元)	0.0700	0.1000	0.0900	0.1500
每股净资产(元)	4.9082	4.3915	4.3485	4.1430
每股经营现金净流量(元)	0.0050	0.3195	0.1091	0.1681
每股现金流量(元)	0.6828	0.2995	0.2731	–0.6619
每股资本公积金(元)	2.3151	1.6253	1.6254	1.6253
每股盈余公积金(元)	0.1349	0.1467	0.1376	0.1376
每股未分配利润(元)	1.2864	1.3287	1.3255	1.2405
净资产收益率(%)	1.3148	2.2174	1.9551	3.6122
加权净资产收益率(%)	1.4400	2.2800	2.0000	3.6700
净资产收益率(扣除)(%)	0.3778	0.1899	0.8806	2.1454
总资产(万元)	1138168.09	1035268.44	1125260.68	1039755.67
归属母公司股东权益(万元)	450181.88	370387.58	366765.21	349432.55
营业收入(万元)	259170.01	585886.08	294472.24	660145.12
营业支出(万元)	203807.08	477311.84	239959.55	547483.11
投资收益(万元)	90.89	1501.37	1123.39	1911.55
净利润(万元)	5363.73	6778.18	6059.91	10531.23
营业利润(万元)	1254.49	–752.03	3247.27	10653.55
利润总额(万元)	6289.60	8258.05	7166.24	15719.02

浙江凯恩特种材料股份有限公司

公司概况

公司名称	浙江凯恩特种材料股份有限公司			证券简称	凯恩股份
法人代表	计皓	董秘	周茜莉	证券代码	002012
公司网址	www.zjkan.com		电子信箱	kanygh@vip.qq.com	
电　话	0578-8128682		传　真	0578-8123717	
办公地址	浙江省丽水市遂昌县妙高镇凯恩路1008号				
经营范围	电子材料、纸及纸制品的制造、加工、销售、造纸原料、化工产品等				

主要财务指标

指标\报告期	2016.06.30	2015.12.31	2015.06.30	2014.12.31
基本每股收益(元)	-0.0100	0.0400	0.0400	0.0900
基本每股收益(扣除后)(元)	-0.0100	0.0300	0.0300	0.0700
稀释每股收益(元)	-0.0100	0.0400	0.0400	0.0900
每股净资产(元)	2.5172	2.5235	2.5207	2.4826
每股经营现金净流量(元)	0.0331	0.1154	0.0313	0.3176
每股现金流量(元)	0.0683	0.0462	-0.0276	-0.1261
每股资本公积金(元)	0.5818	0.5818	0.5821	0.5821
每股盈余公积金(元)	0.1483	0.1483	0.1388	0.1388
每股未分配利润(元)	0.7872	0.7934	0.7998	0.7616
净资产收益率(%)	-0.2490	1.6355	1.5123	3.4977
加权净资产收益率(%)	-0.2500	1.6500	1.5200	3.5600
净资产收益率(扣除)(%)	-0.3941	1.0127	1.3700	2.8067
总资产(万元)	169045.47	162386.19	157107.61	158580.76
归属母公司股东权益(万元)	117711.95	118005.02	117874.18	116091.57
营业收入(万元)	41812.93	89250.06	43445.30	93275.66
营业支出(万元)	31160.62	64863.99	31488.13	67171.90
投资收益(万元)	202.76	543.20	215.39	369.87
净利润(万元)	-75.91	2757.94	2093.49	4994.02
营业利润(万元)	0.33	2153.10	2313.80	5331.31
利润总额(万元)	19.89	2769.81	2340.20	6000.45

中航工业机电系统股份有限公司

公司概况

公司名称	中航工业机电系统股份有限公司			证券简称	中航机电
法人代表	王坚	董秘	李兵	证券代码	002013
公司网址	www.avicem.com		电子信箱	avicem@avicem.com	
电　话	010-58354876		传　真	010-58354848	
办公地址	北京市朝阳区三元桥曙光西里甲5号院20号楼				
经营范围	汽车座椅调角器及各类精冲制品、精冲模具的研究、设计、开发、制造和销售等				

主要财务指标

指标\报告期	2016.06.30	2015.12.31	2015.06.30	2014.12.31
基本每股收益(元)	0.0885	0.5300	0.0200	0.5300
基本每股收益(扣除后)(元)	0.0400	0.2800	-0.0100	0.4300
稀释每股收益(元)	0.0885	0.5300	0.0200	0.5300
每股净资产(元)	4.4143	5.5658	4.9696	6.5149
每股经营现金净流量(元)	-0.3788	0.5093	-0.8792	0.2765
每股现金流量(元)	0.7498	0.0992	-0.6328	0.0593
每股资本公积金(元)	1.8792	1.8527	1.8527	2.7085
每股盈余公积金(元)	0.3100	0.5340	0.5128	0.6667
每股未分配利润(元)	1.2392	2.0459	1.5631	2.0642
净资产收益率(%)	1.9185	9.4392	0.4298	8.1841
加权净资产收益率(%)	2.0900	9.9300	0.4300	8.4800
净资产收益率(扣除)(%)	0.8802	5.1131	-0.2290	6.5447
总资产(万元)	2008034.20	1789242.64	1737942.33	1673727.17
归属母公司股东权益(万元)	707981.46	518271.59	462759.65	466652.93
营业收入(万元)	341311.01	732815.07	308392.22	756219.33
营业支出(万元)	267239.31	555535.17	250777.11	577900.72
投资收益(万元)	-186.04	13420.77	3986.12	168.55
净利润(万元)	12909.48	47753.62	642.69	38181.54
营业利润(万元)	6863.11	48455.20	-1024.81	38232.93
利润总额(万元)	15508.53	57290.37	2305.72	46368.88

黄山永新股份有限公司

公司概况

公司名称	黄山永新股份有限公司			证券简称	永新股份
法人代表	江继忠	董秘	方洲	证券代码	002014
公司网址	www.novel.com.cn		电子信箱	novel@novel.com.cn	
电　话	0559-3517878 3514242		传　真	0559-3516357	
办公地址	安徽省黄山市徽州区徽州东路188号				
经营范围	生产经营真空镀膜、塑胶彩印复合软包装材料、生产和销售等				

主要财务指标

指标\报告期	2016.06.30	2015.12.31	2015.06.30	2014.12.31
基本每股收益(元)	0.2600	0.5500	0.2600	0.4700
基本每股收益(扣除后)(元)	0.2500	0.5100	0.2300	0.4300
稀释每股收益(元)	0.2600	0.5500	0.2400	0.4700
每股净资产(元)	4.7983	4.9312	4.6731	4.7215
每股经营现金净流量(元)	0.2863	0.7604	0.0447	0.5766
每股现金流量(元)	-0.3436	0.3267	-0.4311	-0.3204
每股资本公积金(元)	1.7683	1.8531	1.8353	1.8258
每股盈余公积金(元)	0.4450	0.4586	0.3902	0.3902
每股未分配利润(元)	1.5727	1.7540	1.4475	1.5055
净资产收益率(%)	5.3977	11.1145	5.1787	10.0446
加权净资产收益率(%)	5.2600	11.5400	5.2100	10.4500
净资产收益率(扣除)(%)	5.1785	10.3304	4.8823	9.1841
总资产(万元)	201745.06	214848.01	189386.86	196605.12
归属母公司股东权益(万元)	161099.67	165434.34	152228.94	153805.66
营业收入(万元)	84258.76	178386.78	83620.70	166845.23
营业支出(万元)	65256.13	140501.59	66598.86	135418.72
投资收益(万元)	-	368.53	132.39	202.99
净利润(万元)	8913.01	18227.97	7982.10	15348.35
营业利润(万元)	10068.31	20092.97	8920.78	16522.55
利润总额(万元)	10493.12	21278.02	9336.70	17911.20

江苏霞客环保色纺股份有限公司

公司概况

公司名称	江苏霞客环保色纺股份有限公司			证券简称	霞客环保
法人代表	汪瑞敏	董秘	汪瑞敏(代)	证券代码	002015
公司网址	www.seeker-cn.com		电子信箱	chenyf1203@126.com	
电　话	0510-86520126 86525555		传　真	0510-86520112	
办公地址	江苏省江阴市徐霞客镇马镇东街7号				
经营范围	废弃聚酯的综合处理、有色聚酯纤维及色纺纱线的生产和销售等				

主要财务指标

指标\报告期	2016.06.30	2015.12.31	2015.06.30	2014.12.31
基本每股收益(元)	-0.0400	0.2700	0.3300	-4.3200
基本每股收益(扣除后)(元)	-0.0400	-0.0020	-0.0200	-4.6000
稀释每股收益(元)	-0.0400	0.2700	0.3300	-4.3200
每股净资产(元)	0.7845	0.8221	0.8751	-2.7383
每股经营现金净流量(元)	-0.1900	-0.1861	-0.0760	-1.4963
每股现金流量(元)	-0.1957	0.2446	0.7061	-0.1392
每股资本公积金(元)	2.5152	2.5119	2.5119	1.2074
每股盈余公积金(元)	0.0448	0.0448	0.0448	0.0748
每股未分配利润(元)	-2.7755	-2.7346	-2.6816	-5.0205
净资产收益率(%)	-5.2199	33.0510	37.1020	-157.8061
加权净资产收益率(%)	-	-	-	-
净资产收益率(扣除)(%)	-5.0246	-0.2030	-2.3165	-
总资产(万元)	32567.77	35717.15	70717.25	47133.09
归属母公司股东权益(万元)	31436.42	32943.62	35065.36	-65703.62
营业收入(万元)	25769.38	39318.16	12891.64	115556.70
营业支出(万元)	25437.71	36147.03	12263.91	151045.39
投资收益(万元)	-	353.13	-	41304.36
净利润(万元)	-1640.95	10874.22	13009.94	-120427.98
营业利润(万元)	-1579.54	359.91	-813.94	-84522.74
利润总额(万元)	-1640.95	10874.22	13009.94	-119614.74

广东世荣兆业股份有限公司

公司概况					
公司名称	广东世荣兆业股份有限公司			证券简称	世荣兆业
法人代表	梁家荣	董秘	詹华平	证券代码	002016
公司网址	www.gdsrzy.com	电子信箱	shirongzhaoye@sohu.com		
电　话	0756-5888899	传　真	0756-5888882		
办公地址	广东省珠海市斗门区珠峰大道 288 号 1 区 17 号楼				
经营范围	房地产开发经营、房产租赁、建筑材料销售、日用品、电器、机械产品等				

主要财务指标 指标\报告期	2016.06.30	2015.12.31	2015.06.30	2014.12.31
基本每股收益(元)	0.1652	0.0817	0.0449	0.0228
基本每股收益(扣除后)(元)	0.1763	0.0791	0.0394	0.0149
稀释每股收益(元)	0.1652	0.0817	0.0449	0.0228
每股净资产(元)	2.2616	2.0964	2.0549	2.4148
每股经营现金净流量(元)	1.2788	0.0375	0.0657	-1.2912
每股现金流量(元)	1.3661	-0.2426	0.0148	-0.7539
每股资本公积金(元)	0.0637	0.0637	0.0592	0.0952
每股盈余公积金(元)	0.1360	0.1360	0.1360	0.1704
每股未分配利润(元)	1.0619	0.8967	0.8596	1.1492
净资产收益率(%)	7.3046	3.7660	2.0381	0.9422
加权净资产收益率(%)	7.5800	3.8200	2.0200	0.9300
净资产收益率(扣除)(%)	7.7954	3.6464	1.7866	0.6175
总资产(万元)	655978.29	504075.77	499305.81	452765.34
归属母公司股东权益(万元)	182989.02	169622.37	166259.26	156017.19
营业收入(万元)	103679.65	134901.80	61765.24	42105.31
营业支出(万元)	66649.51	93851.17	43118.59	28415.46
投资收益(万元)	-1641.40	-5397.18	-1793.29	901.37
净利润(万元)	13325.00	6194.53	3194.39	695.88
营业利润(万元)	19914.89	10662.94	5836.33	669.81
利润总额(万元)	19013.22	11004.22	6402.20	715.72

东信和平科技股份有限公司

公司概况					
公司名称	东信和平科技股份有限公司			证券简称	东信和平
法人代表	张晓川	董秘	陈宗潮	证券代码	002017
公司网址	www.eastcompeace.com	电子信箱	webmaster@eastcompeace.com		
电　话	0756-8682893	传　真	0756-8682166		
办公地址	广东省珠海市南屏科技工业园屏工中路 8 号				
经营范围	生产和销售移动通信用智能卡、非接触式智能卡及配套应用系统等				

主要财务指标 指标\报告期	2016.06.30	2015.12.31	2015.06.30	2014.12.31
基本每股收益(元)	0.0786	0.1855	0.0775	0.1998
基本每股收益(扣除后)(元)	0.0717	0.1633	0.0682	0.1616
稀释每股收益(元)	0.0786	0.1855	0.0775	0.1998
每股净资产(元)	2.4305	2.3723	2.2364	2.6291
每股经营现金净流量(元)	-0.4432	0.5150	-0.5345	0.5954
每股现金流量(元)	-0.6522	0.1756	-0.5985	0.5243
每股资本公积金(元)	0.6248	0.6205	0.5219	0.8164
每股盈余公积金(元)	0.2033	0.2033	0.1880	0.2256
每股未分配利润(元)	0.6873	0.6387	0.5455	0.6115
净资产收益率(%)	3.2319	7.8236	3.4676	7.5762
加权净资产收益率(%)	3.2600	8.1700	3.4800	7.8300
净资产收益率(扣除)(%)	2.9479	6.8942	3.0492	6.1304
总资产(万元)	147055.79	154637.88	157431.42	157609.91
归属母公司股东权益(万元)	84230.02	82210.28	77555.76	75979.31
营业收入(万元)	61095.31	143934.80	60401.80	128702.06
营业支出(万元)	44659.49	107696.20	44761.12	97591.30
投资收益(万元)	-138.92	-164.82	-198.50	-378.13
净利润(万元)	3145.58	7016.99	2958.64	5868.74
营业利润(万元)	2919.88	5708.01	2631.72	2427.76
利润总额(万元)	3585.02	8014.91	3398.99	6557.54

安徽华信国际控股股份有限公司

公司概况					
公司名称	安徽华信国际控股股份有限公司			证券简称	华信国际
法人代表	李勇	董秘	赵克斌	证券代码	002018
公司网址	www.cefcih.com	电子信箱	zhaokebin@cefcih.com		
电　话	021-23571817	传　真	021-23571817		
办公地址	上海市徐汇区天钥桥路 327 号嘉汇广场 C 座 3 楼				
经营范围	农药(凭许可证经营)、化工产品(不含危险品)生产、销售等				

主要财务指标 指标\报告期	2016.06.30	2015.12.31	2015.06.30	2014.12.31
基本每股收益(元)	0.0467	0.1300	0.0300	0.0900
基本每股收益(扣除后)(元)	0.0445	-0.0200	0.0300	0.0900
稀释每股收益(元)	0.0467	0.1300	0.0300	0.0900
每股净资产(元)	1.2887	2.4174	2.2732	2.2511
每股经营现金净流量(元)	-0.4249	0.0267	0.7086	-0.6117
每股现金流量(元)	0.0629	0.0440	0.0491	-0.8027
每股资本公积金(元)	0.0415	0.9788	0.9798	1.0735
每股盈余公积金(元)	0.0374	0.0711	0.0535	0.0496
每股未分配利润(元)	0.1823	0.2876	0.2053	0.1706
净资产收益率(%)	3.6223	5.4564	1.4330	3.9531
加权净资产收益率(%)	3.6200	5.3000	1.3300	4.0300
净资产收益率(扣除)(%)	3.4570	-1.0302	1.3271	3.8619
总资产(万元)	674414.57	539305.83	437074.01	372975.04
归属母公司股东权益(万元)	293535.53	289809.83	272529.09	302128.07
营业收入(万元)	526554.69	798333.46	224822.43	541759.95
营业支出(万元)	494575.37	761678.00	212842.15	519236.93
投资收益(万元)	-6964.42	16003.34	325.96	1222.57
净利润(万元)	13789.03	19423.27	3874.82	10557.05
营业利润(万元)	18912.98	29908.49	4478.61	12428.37
利润总额(万元)	19560.07	32198.52	4830.63	12670.18

亿帆医药股份有限公司

公司概况					
公司名称	亿帆医药股份有限公司			证券简称	亿帆医药
法人代表	程先锋	董秘	冯德崎	证券代码	002019
公司网址	www.xinfupharm.com	电子信箱	xz@yifanyy.com		
电　话	0571-63807806 63759205	传　真	0571-63759225		
办公地址	浙江省杭州市临安市锦城街道琴山 50 号				
经营范围	食品添加剂、饲料添加剂的开发、生产、销售、药品生产等				

主要财务指标 指标\报告期	2016.06.30	2015.12.31	2015.06.30	2014.12.31
基本每股收益(元)	0.3300	0.8200	0.1600	0.8700
基本每股收益(扣除后)(元)	0.3300	0.6800	0.3900	0.8600
稀释每股收益(元)	0.3300	0.8200	0.1600	0.8700
每股净资产(元)	2.8876	6.4909	6.1684	9.3200
每股经营现金净流量(元)	0.1352	0.9129	0.1880	0.3173
每股现金流量(元)	0.1115	-0.0392	0.3779	0.2475
每股资本公积金(元)	1.0562	4.1406	4.1489	4.1489
每股盈余公积金(元)	0.0487	0.1218	0.0682	0.0682
每股未分配利润(元)	0.9387	1.6194	1.3422	0.9541
净资产收益率(%)	11.4595	12.6159	6.2920	9.3512
加权净资产收益率(%)	12.0100	13.2900	6.5000	34.3500
净资产收益率(扣除)(%)	11.4633	10.4065	6.3399	9.2495
总资产(万元)	657394.32	454673.66	375269.70	333468.94
归属母公司股东权益(万元)	317871.72	285808.44	271608.07	254416.29
营业收入(万元)	173167.48	243492.98	121810.72	168498.44
营业支出(万元)	89644.27	145142.47	73465.12	101245.03
投资收益(万元)	24.66	1606.22	31.41	133.59
净利润(万元)	36467.75	36196.15	17091.36	23793.81
营业利润(万元)	46907.71	37719.93	21289.86	29929.21
利润总额(万元)	46831.23	44433.41	21150.20	30141.37

浙江京新药业股份有限公司

公司概况	公司名称	浙江京新药业股份有限公司			证券简称	京新药业
	法人代表	吕钢	董秘	徐小明	证券代码	002020
	公司网址	www.jingxinpharm.com		电子信箱	jingxin@mail.sxptt.zj.cn	
	电　话	0575-86176531		传　真	0575-86096898	
	办公地址	浙江省绍兴市新昌县羽林街道新昌大道东路800号				
	经营范围	片剂(含头孢菌素类)、硬胶囊剂(含头孢菌素类)、颗粒剂等				

主要财务指标	指标\报告期	2016.06.30	2015.12.31	2015.06.30	2014.12.31
	基本每股收益(元)	0.2164	0.5800	0.3318	0.3970
	基本每股收益(扣除后)(元)	0.1990	0.4990	0.3140	0.3930
	稀释每股收益(元)	0.2164	0.5800	0.3318	0.3970
	每股净资产(元)	3.6060	6.9367	5.2141	4.8820
	每股经营现金净流量(元)	0.1251	0.4527	0.1966	0.7348
	每股现金流量(元)	0.0475	0.1882	0.2529	0.3123
	每股资本公积金(元)	1.8906	4.7812	3.0228	3.0228
	每股盈余公积金(元)	0.0538	0.1077	0.0982	0.0982
	每股未分配利润(元)	0.6615	1.0478	1.0931	0.7613
	净资产收益率(%)	6.0009	7.4900	6.3635	7.6566
	加权净资产收益率(%)	6.0700	11.3400	6.5700	9.6800
	净资产收益率(扣除)(%)	5.5318	6.4485	6.0155	7.5651
	总资产(万元)	309302.58	293989.21	205240.36	206465.94
	归属母公司股东权益(万元)	230485.60	221688.20	149358.26	139853.84
	营业收入(万元)	89206.00	141569.64	69438.09	123549.61
	营业支出(万元)	42348.90	69874.48	33921.40	65977.23
	投资收益(万元)	565.65	1823.42	750.78	516.68
	净利润(万元)	13990.24	16661.72	9504.42	10708.04
	营业利润(万元)	15211.20	18609.05	10467.53	12439.64
	利润总额(万元)	16188.50	19670.14	11098.22	12691.53

中捷资源投资股份有限公司

公司概况	公司名称	中捷资源投资股份有限公司			证券简称	中捷资源
	法人代表	马建成	董秘	王端	证券代码	002021
	公司网址	www.zoje.com		电子信箱	zhxg@zoje.com	
	电　话	0576-87338207 87378885		传　真	0576-87335536	
	办公地址	浙江省玉环县大麦屿街道兴港东路198号				
	经营范围	工业缝纫机及其配件、铸件的生产、销售等				

主要财务指标	指标\报告期	2016.06.30	2015.12.31	2015.06.30	2014.12.31
	基本每股收益(元)	-0.0700	-0.6200	-0.0700	0.0050
	基本每股收益(扣除后)(元)	-0.0700	-0.4500	-0.0700	0.0300
	稀释每股收益(元)	-0.0700	-0.6200	-0.0700	0.0050
	每股净资产(元)	1.4098	1.4795	1.9966	2.0790
	每股经营现金净流量(元)	0.0146	-0.1284	-0.1489	0.4895
	每股现金流量(元)	-0.0191	-1.1843	-0.4918	0.8198
	每股资本公积金(元)	0.7275	0.7275	0.7275	0.7275
	每股盈余公积金(元)	0.0623	0.0623	0.0623	0.0623
	每股未分配利润(元)	-0.3784	-0.3082	0.2428	0.3024
	净资产收益率(%)	-4.9807	-42.0605	-3.5692	0.2109
	加权净资产收益率(%)	-4.8600	-35.2000	-3.6300	0.3100
	净资产收益率(扣除)(%)	-4.9079	-31.9802	-3.6607	1.4749
	总资产(万元)	155957.87	164606.67	174106.11	408177.63
	归属母公司股东权益(万元)	96965.01	101764.96	137330.28	142997.55
	营业收入(万元)	33934.21	72706.22	46141.56	112336.04
	营业支出(万元)	29635.74	64195.10	40668.88	92868.53
	投资收益(万元)	19.90	-1677.64	533.61	955.58
	净利润(万元)	-4927.23	-44865.35	-4954.39	990.25
	营业利润(万元)	-4897.35	-47563.87	-5727.81	-2262.03
	利润总额(万元)	-4769.22	-47475.33	-5349.48	1577.11

上海科华生物工程股份有限公司

公司概况	公司名称	上海科华生物工程股份有限公司			证券简称	科华生物
	法人代表	唐伟国	董秘	王锡林	证券代码	002022
	公司网址	www.skhb.com		电子信箱	kehua@skhb.com	
	电　话	021-64850088		传　真	021-64851044	
	办公地址	上海市徐汇区钦州北路1189号				
	经营范围	生化试剂、临床诊断试剂、医疗器械、兽用针剂、生化试剂检验用具等				

主要财务指标	指标\报告期	2016.06.30	2015.12.31	2015.06.30	2014.12.31
	基本每股收益(元)	0.2694	0.4164	0.2505	0.5931
	基本每股收益(扣除后)(元)	0.2484	0.3600	0.2013	0.5606
	稀释每股收益(元)	0.2694	0.4164	0.2505	0.5931
	每股净资产(元)	3.4290	3.2660	2.6600	2.5529
	每股经营现金净流量(元)	0.0943	0.4376	0.2035	0.5071
	每股现金流量(元)	-0.0954	0.5197	0.7528	-0.1894
	每股资本公积金(元)	0.5689	0.5689	0.5689	0.0066
	每股盈余公积金(元)	0.3188	0.3188	0.2916	0.3036
	每股未分配利润(元)	1.5266	1.3772	1.2374	1.2427
	净资产收益率(%)	7.8560	12.5818	7.8727	23.2326
	加权净资产收益率(%)	7.9200	13.8900	8.7900	24.7400
	净资产收益率(扣除)(%)	7.2434	10.9519	6.3276	21.9600
	总资产(万元)	214649.25	207159.14	182573.86	142906.04
	归属母公司股东权益(万元)	175758.63	167404.95	158784.53	125674.13
	营业收入(万元)	69012.92	115578.33	57965.85	121788.57
	营业支出(万元)	40203.61	66859.05	34184.15	66270.39
	投资收益(万元)	230.29	2158.58	2153.00	309.09
	净利润(万元)	13728.98	20985.74	12424.05	30012.51
	营业利润(万元)	14663.18	23767.62	13716.59	33369.29
	利润总额(万元)	15641.71	24823.48	14170.46	35306.37

四川海特高新技术股份有限公司

公司概况	公司名称	四川海特高新技术股份有限公司			证券简称	海特高新
	法人代表	李飚	董秘	居平	证券代码	002023
	公司网址	www.schtgx.com		电子信箱	board@haitegroup.com	
	电　话	028-85921029		传　真	028-85921038	
	办公地址	四川省成都市高新区科园南路1号				
	经营范围	航空小型发动机维修、飞机机载无线电、仪表、电气设备的研制和维修等				

主要财务指标	指标\报告期	2016.06.30	2015.12.31	2015.06.30	2014.12.31
	基本每股收益(元)	0.0700	0.0600	0.0700	0.4700
	基本每股收益(扣除后)(元)	0.0600	0.0400	0.0600	0.4500
	稀释每股收益(元)	0.0700	0.0600	0.0600	0.4700
	每股净资产(元)	4.3649	4.3400	2.4882	4.9419
	每股经营现金净流量(元)	-0.0979	-0.0426	-0.1440	0.2864
	每股现金流量(元)	0.3118	0.4648	-0.0897	0.0688
	每股资本公积金(元)	2.4959	2.5443	0.5821	2.1642
	每股盈余公积金(元)	0.1216	0.1216	0.1307	0.2614
	每股未分配利润(元)	0.7501	0.6838	0.7836	1.5297
	净资产收益率(%)	1.5198	1.2061	2.7626	9.4855
	加权净资产收益率(%)	1.5200	1.9200	2.7500	9.8500
	净资产收益率(扣除)(%)	1.3800	0.7510	2.3516	9.0651
	总资产(万元)	527023.19	454080.64	384148.47	295201.36
	归属母公司股东权益(万元)	330335.11	328777.21	167696.60	166534.68
	营业收入(万元)	23906.68	42852.68	21497.75	50180.15
	营业支出(万元)	11135.02	18567.64	7897.80	17748.75
	投资收益(万元)	328.93	1648.09	1173.93	1422.60
	净利润(万元)	4627.19	2497.00	4042.91	14869.18
	营业利润(万元)	4055.30	1603.64	4197.26	15884.63
	利润总额(万元)	5908.64	3315.57	5162.34	17686.18

苏宁云商集团股份有限公司

公司概况					
公司名称	苏宁云商集团股份有限公司			证券简称	苏宁云商
法人代表	张近东	董秘	任峻	证券代码	002024
公司网址	www.suning.cn		电子信箱	stock@cnsuning.com	
电　话	025-84418888*888122		传　真	025-84418888*2*888480	
办公地址	江苏省南京市玄武区苏宁大道 1 号				
经营范围	家用电器及消费类电子产品的销售和服务等				

主要财务指标：指标\报告期	2016.06.30	2015.12.31	2015.06.30	2014.12.31
基本每股收益(元)	-0.0200	0.1200	0.0500	0.1200
基本每股收益(扣除后)(元)	-0.0900	-0.2000	-0.1000	-0.1700
稀释每股收益(元)	-0.0200	0.1200	0.0500	0.1200
每股净资产(元)	6.3600	4.1287	4.0454	3.9661
每股经营现金净流量(元)	-0.1783	0.2348	0.3584	-0.1871
每股现金流量(元)	0.6934	0.6123	0.6667	-0.3820
每股资本公积金(元)	3.4805	0.7094	0.7098	0.6338
每股盈余公积金(元)	0.1247	0.1572	0.1572	0.1572
每股未分配利润(元)	1.7213	2.2499	2.1802	1.9260
净资产收益率(%)	-0.2047	2.8623	1.1662	2.9606
加权净资产收益率(%)	-0.3500	2.8700	1.1800	3.0100
净资产收益率(扣除)(%)	-1.1661	-4.8056	-2.5078	-4.2764
总资产(万元)	12561654.50	8807567.20	8739560.80	8642004.80
归属母公司股东权益(万元)	5919183.00	3048255.60	2986751.10	2733392.50
营业收入(万元)	6871475.90	13554763.30	6303741.30	10892529.60
营业支出(万元)	5875531.90	11598118.20	5339818.90	9228457.20
投资收益(万元)	-2458.10	165476.40	19721.20	-2984.70
净利润(万元)	-18656.70	75773.20	32080.10	82403.80
营业利润(万元)	-91319.70	-61002.10	-89242.90	-145893.30
利润总额(万元)	-21587.40	88895.70	47195.10	97261.30

贵州航天电器股份有限公司

公司概况					
公司名称	贵州航天电器股份有限公司			证券简称	航天电器
法人代表	张兆勇	董秘	张旺	证券代码	002025
公司网址	www.gzhtdq.com.cn		电子信箱	zw@gzhtdq.com.cn	
电　话	0851-8697168 8697026		传　真	0851-8697000	
办公地址	贵州省贵阳市小河区红河路 7 号				
经营范围	电器、电机、电源、仪器仪表、遥测遥控设备、伺服控制系统等的研制、生产和销售等				

主要财务指标：指标\报告期	2016.06.30	2015.12.31	2015.06.30	2014.12.31
基本每股收益(元)	0.2900	0.5400	0.2600	0.6200
基本每股收益(扣除后)(元)	0.2900	0.5300	0.2500	0.5900
稀释每股收益(元)	0.2900	0.5400	0.2500	0.6200
每股净资产(元)	4.7011	4.5744	4.2746	5.4065
每股经营现金净流量(元)	0.1199	0.9600	0.1892	0.4100
每股现金流量(元)	-0.2712	0.6993	-0.0485	0.1697
每股资本公积金(元)	0.9842	0.9842	0.9842	1.2794
每股盈余公积金(元)	0.6737	0.6737	0.5985	0.7781
每股未分配利润(元)	1.9722	1.8584	1.6517	2.3066
净资产收益率(%)	6.2511	11.8890	6.1308	11.4010
加权净资产收益率(%)	6.2200	12.4900	6.1100	11.9200
净资产收益率(扣除)(%)	6.0957	11.5214	5.8997	10.9627
总资产(万元)	356921.77	323259.61	308820.77	283236.93
归属母公司股东权益(万元)	201677.10	196242.25	183380.78	178413.59
营业收入(万元)	109926.58	187343.41	90067.71	160433.92
营业支出(万元)	68773.33	119519.50	52982.35	99067.81
投资收益(万元)	-	285.17	17.50	-
净利润(万元)	14420.94	25750.03	12444.68	21170.66
营业利润(万元)	16488.97	28461.39	14083.61	23251.98
利润总额(万元)	17142.85	29607.97	14704.21	24539.54

山东威达机械股份有限公司

公司概况					
公司名称	山东威达机械股份有限公司			证券简称	山东威达
法人代表	杨明燕	董秘	宋战友	证券代码	002026
公司网址	www.weidapeacock.com		电子信箱	weida@weidapeacock.com	
电　话	0631-8549156 8548288		传　真	0631-8545388 8545018	
办公地址	山东省威海市临港经济技术开发区苘山镇中韩路 2 号				
经营范围	钻夹头及配件的生产与销售等				

主要财务指标：指标\报告期	2016.06.30	2015.12.31	2015.06.30	2014.12.31
基本每股收益(元)	0.1200	0.2300	0.1100	0.3400
基本每股收益(扣除后)(元)	0.1100	0.1500	0.0700	0.1900
稀释每股收益(元)	0.1200	0.2300	0.1100	0.3400
每股净资产(元)	5.1994	4.6149	4.4933	4.4376
每股经营现金净流量(元)	-0.0141	0.3060	0.0399	-0.0103
每股现金流量(元)	0.2099	1.1349	0.6971	0.3914
每股资本公积金(元)	2.9519	2.2843	2.2571	2.2571
每股盈余公积金(元)	0.1755	0.2082	0.1713	0.1713
每股未分配利润(元)	1.0667	1.1937	1.0623	1.0068
净资产收益率(%)	2.0261	4.8970	2.3467	6.3002
加权净资产收益率(%)	2.4700	4.9700	2.3500	8.6500
净资产收益率(扣除)(%)	1.7923	3.2187	1.4949	3.5732
总资产(万元)	267134.06	206128.10	194216.69	198481.18
归属母公司股东权益(万元)	218428.03	166178.02	159124.03	157150.64
营业收入(万元)	49181.30	82827.83	39927.32	80629.79
营业支出(万元)	36616.50	63744.96	31082.26	62471.31
投资收益(万元)	957.76	2978.77	1821.94	1381.35
净利润(万元)	4430.71	8003.18	3734.21	9900.76
营业利润(万元)	4960.60	7974.38	4173.32	6489.40
利润总额(万元)	5205.74	9117.84	4436.20	11427.75

分众传媒信息技术股份有限公司

公司概况					
公司名称	分众传媒信息技术股份有限公司			证券简称	分众传媒
法人代表	刘杰良	董秘	沈杰	证券代码	002027
公司网址	www.focusmedia.cn		电子信箱	FM002027@focusmedia.cn	
电　话	021-22165288		传　真	021-22165288	
办公地址	上海市长宁区江苏路 369 号兆丰大厦 28 层				
经营范围	软件和信息技术服务业等				

主要财务指标：指标\报告期	2016.06.30	2015.12.31	2015.06.30	2014.12.31
基本每股收益(元)	0.4500	7.5500	0.0008	0.0200
基本每股收益(扣除后)(元)	0.3800	6.8400	-0.0170	-0.0040
稀释每股收益(元)	0.4500	7.5500	0.0008	0.0200
每股净资产(元)	0.6200	1.1173	1.6394	1.6386
每股经营现金净流量(元)	0.1910	0.6391	0.1157	0.0192
每股现金流量(元)	0.0642	0.3781	0.0417	-0.3301
每股资本公积金(元)	0.0197	0.0491	0.2186	0.2186
每股盈余公积金(元)	0.0087	0.0185	0.1606	0.1606
每股未分配利润(元)	0.5511	0.9733	0.2602	0.2594
净资产收益率(%)	35.1053	73.6973	0.0510	1.3305
加权净资产收益率(%)	34.2800	73.2000	0.0500	1.3400
净资产收益率(扣除)(%)	29.4854	66.7430	-0.1675	-0.2150
总资产(万元)	878240.03	1250166.80	59967.66	59077.25
归属母公司股东权益(万元)	541563.20	459873.11	49565.64	49540.34
营业收入(万元)	492694.24	862741.16	19839.70	39664.84
营业支出(万元)	150216.19	253976.32	17919.78	35606.76
投资收益(万元)	7.40	-65.74	-11.70	291.50
净利润(万元)	189280.99	338577.28	25.30	659.13
营业利润(万元)	188237.98	349760.21	36.20	404.88
利润总额(万元)	227420.43	396795.57	48.32	662.86

思源电气股份有限公司

公司概况					
公司名称	思源电气股份有限公司			证券简称	思源电气
法人代表	董增平	董秘	林凌	证券代码	002028
公司网址	www.sieyuan.com		电子信箱	ir@sieyuan.com	
电话	021-61610958		传真	021-61610959	
办公地址	上海市闵行区华宁路 3399 号				
经营范围	电力自动化保护设备、高压开关、高压互感器、电力电容器及电抗器等				

主要财务指标 指标\报告期	2016.06.30	2015.12.31	2015.06.30	2014.12.31
基本每股收益(元)	0.1900	0.6100	0.1900	0.7400
基本每股收益(扣除后)(元)	0.1500	0.4400	0.1700	0.4800
稀释每股收益(元)	0.1900	0.6000	0.1800	0.7200
每股净资产(元)	5.2443	6.2626	5.8473	5.7433
每股经营现金净流量(元)	–0.4720	0.8540	–0.2051	–0.0260
每股现金流量(元)	–0.5725	0.7529	–0.3801	–0.5888
每股资本公积金(元)	0.0772	0.2677	0.2278	0.2209
每股盈余公积金(元)	0.3551	0.4282	0.3844	0.3869
每股未分配利润(元)	3.8113	4.5663	4.2355	4.1359
净资产收益率(%)	3.6468	9.7409	3.8575	12.7939
加权净资产收益率(%)	3.6600	10.2000	3.9000	13.1500
净资产收益率(扣除)(%)	2.8724	7.0144	2.9600	8.3331
总资产(万元)	599646.06	619271.14	537459.14	543455.55
归属母公司股东权益(万元)	396200.02	392281.35	365443.50	356645.56
营业收入(万元)	169412.14	399742.07	151456.28	367130.48
营业支出(万元)	112544.02	265142.08	100520.64	230356.59
投资收益(万元)	1889.65	9402.66	3951.28	16000.00
净利润(万元)	15914.42	42857.53	15613.55	50389.41
营业利润(万元)	15826.86	43186.50	16472.23	51315.49
利润总额(万元)	18393.69	48487.03	17903.24	56240.27

福建七匹狼实业股份有限公司

公司概况					
公司名称	福建七匹狼实业股份有限公司			证券简称	七 匹 狼
法人代表	周少明	董秘	陈平	证券代码	002029
公司网址	www.septwolves.com		电子信箱	zqb@septwolves.com	
电话	0595-85337739		传真	0595-85337766	
办公地址	福建省晋江市金井镇南工业区				
经营范围	服装、服饰产品的设计、制造及销售等				

主要财务指标 指标\报告期	2016.06.30	2015.12.31	2015.06.30	2014.12.31
基本每股收益(元)	0.1400	0.3600	0.1500	0.3800
基本每股收益(扣除后)(元)	0.0750	0.2000	0.0800	0.2300
稀释每股收益(元)	0.1400	0.3600	0.1500	0.3800
每股净资产(元)	6.6860	6.6448	6.4311	6.3715
每股经营现金净流量(元)	0.1137	0.8482	0.1826	1.0148
每股现金流量(元)	–0.5255	0.2089	0.0550	–0.5259
每股资本公积金(元)	2.4876	2.4876	2.4876	2.4876
每股盈余公积金(元)	0.7220	0.7220	0.6198	0.6198
每股未分配利润(元)	2.4362	2.3970	2.2854	2.2378
净资产收益率(%)	2.0827	5.4374	2.2944	5.9963
加权净资产收益率(%)	2.0800	5.5700	2.3000	6.1700
净资产收益率(扣除)(%)	1.1200	3.0199	1.2311	3.6533
总资产(万元)	659365.17	739780.80	706042.95	691597.31
归属母公司股东权益(万元)	505243.24	502130.93	485978.83	481475.15
营业收入(万元)	114407.57	248646.91	113003.07	239103.48
营业支出(万元)	69622.60	142109.17	67744.94	132126.97
投资收益(万元)	4863.13	9716.03	3755.31	6931.69
净利润(万元)	10577.80	28008.38	11303.67	29439.16
营业利润(万元)	12319.29	21337.16	12985.98	28362.40
利润总额(万元)	13880.39	25779.29	15097.18	34881.22

中山大学达安基因股份有限公司

公司概况					
公司名称	中山大学达安基因股份有限公司			证券简称	达安基因
法人代表	何蕴韶	董秘	张斌	证券代码	002030
公司网址	www.daangene.com		电子信箱	web@daangene.com	
电话	020-32290420		传真	020-32290231	
办公地址	广东省广州市高新技术开发区科学城香山路 19 号				
经营范围	研究体外诊断试剂及生物制品、食品药品、医疗设备研究、开发、生产等				

主要财务指标 指标\报告期	2016.06.30	2015.12.31	2015.06.30	2014.12.31
基本每股收益(元)	0.0900	0.1500	0.0800	0.2300
基本每股收益(扣除后)(元)	0.0600	0.1000	0.0700	0.1200
稀释每股收益(元)	0.0900	0.1500	0.0800	0.2300
每股净资产(元)	1.9123	2.0137	1.3604	1.5500
每股经营现金净流量(元)	–0.2444	–0.0088	–0.0575	0.0735
每股现金流量(元)	0.2026	1.4978	0.6569	0.0818
每股资本公积金(元)	0.6028	0.6426	0.0581	0.0396
每股盈余公积金(元)	0.1194	0.1313	0.1194	0.1433
每股未分配利润(元)	0.1904	0.2401	0.1832	0.3681
净资产收益率(%)	4.6362	7.6285	6.7224	17.9728
加权净资产收益率(%)	4.7300	10.0900	6.8400	19.6800
净资产收益率(扣除)(%)	3.3851	4.8875	5.4334	7.4211
总资产(万元)	349425.19	304173.62	222506.23	159019.41
归属母公司股东权益(万元)	138628.87	132708.65	89654.06	85159.47
营业收入(万元)	78934.97	147433.91	62743.05	108615.34
营业支出(万元)	45452.62	91951.17	35521.48	63127.37
投资收益(万元)	96.68	575.50	–98.16	8451.69
净利润(万元)	7277.29	11775.26	6611.50	15862.04
营业利润(万元)	5851.16	8703.46	5661.00	17291.04
利润总额(万元)	8317.07	13662.43	7231.96	19591.46

巨轮智能装备股份有限公司

公司概况					
公司名称	巨轮智能装备股份有限公司			证券简称	巨轮智能
法人代表	吴潮忠	董秘	吴豪	证券代码	002031
公司网址	www.greatoo.com		电子信箱	greatoo@greatoo.com	
电话	0663-3271838		传真	0663-3269266	
办公地址	广东省揭阳市揭东经济开发区 5 号路中段				
经营范围	汽车子午线轮胎模具、汽车子午线轮胎设备的制造等				

主要财务指标 指标\报告期	2016.06.30	2015.12.31	2015.06.30	2014.12.31
基本每股收益(元)	0.0090	0.1764	0.0320	0.2478
基本每股收益(扣除后)(元)	0.0015	0.1550	0.0855	0.3022
稀释每股收益(元)	0.0090	0.1764	0.0320	0.2478
每股净资产(元)	1.3331	4.0703	3.9865	5.1096
每股经营现金净流量(元)	0.0533	–0.0162	–0.1349	0.2811
每股现金流量(元)	–0.3138	0.1386	–0.0234	0.9556
每股资本公积金(元)	0.0181	1.6543	1.6543	2.4506
每股盈余公积金(元)	0.0658	0.1975	0.1788	0.2324
每股未分配利润(元)	0.2559	1.2405	1.1787	1.4577
净资产收益率(%)	0.6774	4.3342	2.4046	5.3608
加权净资产收益率(%)	0.6600	4.4100	2.4100	8.0600
净资产收益率(扣除)(%)	0.1096	3.8071	2.1451	5.0289
总资产(万元)	471509.03	436915.05	414494.33	398325.88
归属母公司股东权益(万元)	293209.61	298409.07	292264.03	288154.91
营业收入(万元)	37519.15	98758.39	47584.69	106714.88
营业支出(万元)	27183.10	70094.31	33261.16	69400.45
投资收益(万元)	857.33	2012.73	697.30	457.38
净利润(万元)	2267.79	13017.08	6963.67	15352.36
营业利润(万元)	1490.19	15036.31	7705.32	16950.82
利润总额(万元)	2675.16	15337.79	8027.71	17892.89

浙江苏泊尔股份有限公司

公司概况						
公司名称	浙江苏泊尔股份有限公司				证券简称	苏泊尔
法人代表	Frédéric VERWAERDE	董秘	叶继德		证券代码	002032
公司网址	www.supor.com.cn		电子信箱		002032@supor.com	
电　话	0571-86858778		传　真		0571-86858678	
办公地址	浙江省杭州市高新技术产业区江晖路1772号苏泊尔大厦19层					
经营范围	厨房炊具和厨卫小家电、大家电、健康家电的研发、制造和销售等					

主要财务指标：指标\报告期	2016.06.30	2015.12.31	2015.06.30	2014.12.31
基本每股收益(元)	0.7480	1.4160	0.6230	1.0880
基本每股收益(扣除后)(元)	0.6680	1.3220	0.5720	1.0450
稀释每股收益(元)	0.7440	1.4040	0.6230	1.0880
每股净资产(元)	6.2148	6.9857	6.1834	5.9763
每股经营现金净流量(元)	0.3271	1.7904	0.1768	1.3145
每股现金流量(元)	-0.4680	0.7441	-0.1362	0.0420
每股资本公积金(元)	0.0574	0.8810	0.8715	0.8587
每股盈余公积金(元)	0.2990	0.3119	0.2449	0.2445
每股未分配利润(元)	4.8972	4.8248	4.1114	3.9111
净资产收益率(%)	11.9842	20.1082	10.0958	18.2122
加权净资产收益率(%)	10.3700	21.9000	10.0300	19.6300
净资产收益率(扣除)(%)	10.6999	18.7803	9.2656	17.4908
总资产(万元)	683076.14	739610.54	652453.39	663364.50
归属母公司股东权益(万元)	392630.15	442110.33	391332.23	378806.81
营业收入(万元)	575192.08	1090968.66	537957.49	953464.39
营业支出(万元)	401279.98	774920.60	382662.10	676678.38
投资收益(万元)	5339.87	3851.32	2735.88	2627.80
净利润(万元)	52601.84	98650.61	44086.67	76494.29
营业利润(万元)	65702.34	114447.06	53109.33	90530.98
利润总额(万元)	67041.83	117368.24	54576.10	90807.47

丽江玉龙旅游股份有限公司

公司概况						
公司名称	丽江玉龙旅游股份有限公司				证券简称	丽江旅游
法人代表	和献中	董秘	杨宁		证券代码	002033
公司网址	www.ltg.cn		电子信箱		ljyn@vip.sina.com	
电　话	0888-5105981 5306320		传　真		0888-5306333	
办公地址	云南省丽江市古城区香格里大道760号丽江玉龙旅游大楼					
经营范围	旅游索道及其他相关配套设施、对旅游、房地产等行业投资、建设等					

主要财务指标：指标\报告期	2016.06.30	2015.12.31	2015.06.30	2014.12.31
基本每股收益(元)	0.2746	0.4670	0.2600	0.6560
基本每股收益(扣除后)(元)	0.2736	0.4710	0.2500	0.6470
稀释每股收益(元)	0.2746	0.4670	0.2600	0.6560
每股净资产(元)	5.0346	4.8600	4.6743	6.7451
每股经营现金净流量(元)	0.3335	0.9589	0.3093	1.0784
每股现金流量(元)	0.0559	0.2822	0.0082	2.6641
每股资本公积金(元)	1.7938	1.7938	1.8171	3.2257
每股盈余公积金(元)	0.2957	0.2957	0.2356	0.3535
每股未分配利润(元)	1.9452	1.7706	1.6216	2.1659
净资产收益率(%)	5.4545	9.6020	5.5120	9.5263
加权净资产收益率(%)	5.5100	9.9600	5.5900	10.3000
净资产收益率(扣除)(%)	5.4583	9.6961	5.4402	9.3988
总资产(万元)	272788.47	273969.84	260985.94	261313.31
归属母公司股东权益(万元)	212806.40	205426.90	197576.61	190070.24
营业收入(万元)	35974.06	78601.22	35037.31	74275.42
营业支出(万元)	8114.78	19389.91	8174.11	18464.62
投资收益(万元)	378.83	437.69	348.91	586.50
净利润(万元)	13778.65	24858.29	13930.10	24033.81
营业利润(万元)	16620.07	30385.55	15946.65	28135.16
利润总额(万元)	16616.59	30132.23	16121.29	28260.66

浙江美欣达印染集团股份有限公司

公司概况						
公司名称	浙江美欣达印染集团股份有限公司				证券简称	美欣达
法人代表	芮勇	董秘	刘昭和		证券代码	002034
公司网址	www.mizuda.com		电子信箱		mxd@mizuda.net	
电　话	0572-2619935 2619936		传　真		0572-2619937	
办公地址	浙江省湖州市美欣达路588号					
经营范围	全棉灯芯绒、纱卡的印染及后整理等					

主要财务指标：指标\报告期	2016.06.30	2015.12.31	2015.06.30	2014.12.31
基本每股收益(元)	0.0800	0.4700	0.0800	-0.2000
基本每股收益(扣除后)(元)	0.0600	0.4500	0.0600	-0.2900
稀释每股收益(元)	0.0800	0.4700	0.0800	-0.2000
每股净资产(元)	8.1194	5.6944	5.2178	5.1380
每股经营现金净流量(元)	-0.2080	0.6132	0.0382	1.8173
每股现金流量(元)	1.4123	-0.3554	-0.2565	0.1529
每股资本公积金(元)	5.5840	2.8594	2.8625	2.8590
每股盈余公积金(元)	0.4122	0.5133	0.4508	0.4508
每股未分配利润(元)	1.1232	1.3838	1.0349	0.9586
净资产收益率(%)	0.7610	8.2104	1.4610	-3.7722
加权净资产收益率(%)	1.2200	8.5800	1.4700	-3.5800
净资产收益率(扣除)(%)	0.6420	7.8452	1.2015	-5.4120
总资产(万元)	113395.01	79699.77	78285.36	126433.90
归属母公司股东权益(万元)	87721.78	47787.59	44413.86	43734.50
营业收入(万元)	43252.53	89861.57	35962.28	108661.84
营业支出(万元)	36058.74	74151.87	30513.64	97180.67
投资收益(万元)	-20.46	-153.82	232.65	111.13
净利润(万元)	797.32	4136.40	748.00	-4547.88
营业利润(万元)	631.33	4827.75	984.45	-4397.34
利润总额(万元)	709.35	5033.74	1024.52	-3623.39

华帝股份有限公司

公司概况						
公司名称	华帝股份有限公司				证券简称	华帝股份
法人代表	潘叶江	董秘	吴刚		证券代码	002035
公司网址	www.vatti.com.cn		电子信箱		002035ir@vatti.com.cn	
电　话	0760-22839177 22839622		传　真		0760-22839256	
办公地址	广东省中山市小榄镇工业大道南华园路1号					
经营范围	生产销售燃气具系列产品、太阳能及类似能源器具、家庭厨房用品等					

主要财务指标：指标\报告期	2016.06.30	2015.12.31	2015.06.30	2014.12.31
基本每股收益(元)	0.4300	0.5800	0.3100	0.7830
基本每股收益(扣除后)(元)	0.4100	0.4900	0.2600	0.6800
稀释每股收益(元)	0.4300	0.5800	0.3100	0.7830
每股净资产(元)	4.2850	4.2537	3.9847	4.0751
每股经营现金净流量(元)	0.7717	0.7532	0.1108	0.8515
每股现金流量(元)	0.3147	-0.1616	-0.5511	0.0524
每股资本公积金(元)	1.0333	1.0324	1.0324	1.0327
每股盈余公积金(元)	0.4377	0.4377	0.3782	0.3782
每股未分配利润(元)	1.8141	1.7835	1.5741	1.6642
净资产收益率(%)	10.0469	13.6081	7.7775	19.2213
加权净资产收益率(%)	9.7800	13.9000	7.3300	20.9500
净资产收益率(扣除)(%)	9.5673	11.6231	6.5196	16.6118
总资产(万元)	292663.59	277589.10	255434.23	263821.28
归属母公司股东权益(万元)	153772.08	152647.73	142996.48	146238.74
营业收入(万元)	207702.77	371978.23	176545.00	422978.36
营业支出(万元)	121098.83	228526.08	110120.16	269209.26
投资收益(万元)	111.01	204.93	92.85	341.30
净利润(万元)	16018.23	21745.12	11590.02	29018.24
营业利润(万元)	18782.09	22166.87	11492.25	30085.80
利润总额(万元)	19649.60	25753.72	13604.49	34575.20

联创电子科技股份有限公司

公司概况					
公司名称	联创电子科技股份有限公司			证券简称	联创电子
法人代表	韩盛龙	董秘	黄倬桢	证券代码	002036
公司网址	www.lcetron.com		电子信箱	hzz@lcetron.com	
电　话	0791-88161608		传　真	0791-88161608	
办公地址	浙江省宁波市鄞州区鄞州大道西段 888 号				
经营范围	从事光电子元器件、半导体器件、光学元件、摄像头模组、触摸屏等				

主要财务指标	2016.06.30	2015.12.31	2015.06.30	2014.12.31
指标＼报告期	2016.06.30	2015.12.31	2015.06.30	2014.12.31
基本每股收益(元)	0.1163	0.4500	0.2097	0.4500
基本每股收益(扣除后)(元)	0.0942	0.4000	0.0010	0.0300
稀释每股收益(元)	0.1163	0.4500	0.2097	0.4500
每股净资产(元)	2.5518	2.3784	2.7532	2.3451
每股经营现金净流量(元)	−0.3179	0.0095	−0.1462	0.0265
每股现金流量(元)	−0.5301	0.6155	−0.2707	0.5586
每股资本公积金(元)	0.7775	0.7378	0.8964	0.8304
每股盈余公积金(元)	0.0995	0.0973	0.1174	0.1662
每股未分配利润(元)	0.6752	0.5438	0.7395	0.6768
净资产收益率(%)	4.6614	11.4322	15.3835	2.1051
加权净资产收益率(%)	4.7700	17.4400	8.1000	20.0300
净资产收益率(扣除)(%)	3.7779	10.1164	0.0277	0.9826
总资产(万元)	301802.66	286608.41	115493.54	200307.28
归属母公司股东权益(万元)	148544.09	141616.26	71798.63	76626.72
营业收入(万元)	75022.82	142332.67	63944.19	145707.66
营业支出(万元)	59737.28	107188.90	50081.63	113422.82
投资收益(万元)	474.83	882.15	349.43	712.21
净利润(万元)	7476.89	16963.28	6737.42	14030.12
营业利润(万元)	6130.96	15810.71	6568.61	15401.97
利润总额(万元)	8411.48	19165.33	7950.46	15874.11

贵州久联民爆器材发展股份有限公司

公司概况					
公司名称	贵州久联民爆器材发展股份有限公司			证券简称	久联发展
法人代表	罗德丕	董秘	王丽春	证券代码	002037
公司网址	www.gzjulian.com		电子信箱	jiulianfz@163.com	
电　话	0851-6790686　6748121		传　真	0851-6748121　6790686	
办公地址	贵州省贵阳市宝山北路 213 号				
经营范围	民用爆破器材的研发、生产、销售、爆破工程施工及技术服务等				

主要财务指标	2016.06.30	2015.12.31	2015.06.30	2014.12.31
指标＼报告期	2016.06.30	2015.12.31	2015.06.30	2014.12.31
基本每股收益(元)	0.0100	0.2500	0.2800	0.6700
基本每股收益(扣除后)(元)	0.0100	0.1900	0.2700	0.6500
稀释每股收益(元)	0.0100	0.2500	0.2800	0.6700
每股净资产(元)	6.0017	6.0241	6.0975	5.9243
每股经营现金净流量(元)	1.1361	0.6108	−0.3595	−1.8200
每股现金流量(元)	−0.5950	0.8390	−0.4469	0.0604
每股资本公积金(元)	1.8940	1.8940	1.8827	1.8827
每股盈余公积金(元)	0.4965	0.4965	0.4306	0.4306
每股未分配利润(元)	2.4674	2.5040	2.6016	2.4718
净资产收益率(%)	0.2236	4.1176	4.5895	11.3399
加权净资产收益率(%)	0.2200	4.1500	4.6100	11.8800
净资产收益率(扣除)(%)	0.1869	3.2178	4.5090	10.9026
总资产(万元)	748746.87	831322.00	830977.48	777806.70
归属母公司股东权益(万元)	196477.40	197210.41	199611.15	193943.31
营业收入(万元)	126864.56	316453.51	186795.21	390692.61
营业支出(万元)	94057.35	226021.78	139506.58	278895.62
投资收益(万元)	11.83	26.29	189.07	608.89
净利润(万元)	418.36	8954.76	9488.24	26742.31
营业利润(万元)	1397.58	10976.79	12071.90	33382.66
利润总额(万元)	1538.18	13653.07	12387.70	34648.11

北京双鹭药业股份有限公司

公司概况					
公司名称	北京双鹭药业股份有限公司			证券简称	双鹭药业
法人代表	徐明波	董秘	梁淑洁	证券代码	002038
公司网址	www.slpharm.com.cn		电子信箱	slpharm@slpharm.com.cn	
电　话	010-88627635		传　真	010-88795883	
办公地址	北京市海淀区阜石路 69 号碧桐园 1 号楼				
经营范围	生产片剂、硬胶囊剂、颗粒剂、软胶囊剂、滴丸剂、冻干粉针剂等				

主要财务指标	2016.06.30	2015.12.31	2015.06.30	2014.12.31
指标＼报告期	2016.06.30	2015.12.31	2015.06.30	2014.12.31
基本每股收益(元)	0.3702	0.8396	0.4802	1.0149
基本每股收益(扣除后)(元)	0.3515	0.7679	0.4310	1.4000
稀释每股收益(元)	0.3702	0.8396	0.4802	1.0149
每股净资产(元)	5.5842	5.2239	7.6558	6.8907
每股经营现金净流量(元)	0.2577	0.7371	0.5495	1.0179
每股现金流量(元)	−0.5887	0.9116	1.5650	0.1800
每股资本公积金(元)	0.0108	0.0108	0.0162	0.0162
每股盈余公积金(元)	0.5240	0.5240	0.6854	0.6854
每股未分配利润(元)	4.0478	3.6776	6.0045	5.1747
净资产收益率(%)	6.6295	16.0725	10.8393	22.0805
加权净资产收益率(%)	6.8500	17.0400	9.9100	24.3800
净资产收益率(扣除)(%)	6.2939	14.7001	8.4392	20.2589
总资产(万元)	399522.79	376161.93	366013.95	331906.88
归属母公司股东权益(万元)	382459.40	357784.77	349747.36	314794.37
营业收入(万元)	47235.85	115654.82	53875.00	124295.15
营业支出(万元)	12718.04	39358.86	14702.28	37242.66
投资收益(万元)	1668.91	6898.43	4739.36	4380.03
净利润(万元)	25055.78	57721.71	32999.29	70104.69
营业利润(万元)	28441.83	65681.61	38015.50	78047.70
利润总额(万元)	29076.34	66874.52	38770.42	81241.53

贵州黔源电力股份有限公司

公司概况					
公司名称	贵州黔源电力股份有限公司			证券简称	黔源电力
法人代表	刘靖	董秘	刘明达	证券代码	002039
公司网址	www.gzqydl.cn		电子信箱	shihh@gzqydl.cn	
电　话	0851-5218803　5218942		传　真	0851-5218925	
办公地址	贵阳市都司高架桥路 46 号				
经营范围	开发、经营水、火电站及其他电力工程等				

主要财务指标	2016.06.30	2015.12.31	2015.06.30	2014.12.31
指标＼报告期	2016.06.30	2015.12.31	2015.06.30	2014.12.31
基本每股收益(元)	0.3356	1.1771	0.3026	0.9634
基本每股收益(扣除后)(元)	0.3209	1.0774	0.2597	0.8640
稀释每股收益(元)	0.3356	1.1771	0.3026	0.9634
每股净资产(元)	6.8737	7.0381	6.1716	6.2578
每股经营现金净流量(元)	3.7879	7.1512	3.3636	4.1172
每股现金流量(元)	−0.3047	−0.8843	−1.0990	0.8526
每股资本公积金(元)	3.7412	3.7412	3.7492	3.7492
每股盈余公积金(元)	0.3553	0.3553	0.2817	0.2817
每股未分配利润(元)	1.7772	1.9416	1.1407	1.2270
净资产收益率(%)	4.8824	16.7242	4.9029	15.3953
加权净资产收益率(%)	4.7700	17.8700	4.8200	16.6800
净资产收益率(扣除)(%)	4.6679	15.3076	4.2076	13.8062
总资产(万元)	1763555.94	1822995.77	1809197.07	1860913.93
归属母公司股东权益(万元)	209922.24	214943.04	188479.11	191113.83
营业收入(万元)	106509.02	269994.05	106859.54	214711.94
营业支出(万元)	47795.59	117075.32	45688.54	96647.11
投资收益(万元)	−	222.00	111.00	86.33
净利润(万元)	18825.32	63347.86	16379.05	51109.83
营业利润(万元)	20283.60	65755.48	15995.90	46553.10
利润总额(万元)	21319.26	72795.35	19008.48	53681.95

南京港股份有限公司

公司概况	公司名称	南京港股份有限公司			证券简称	南京港
	法人代表	熊俊	董秘	杨灯富	证券代码	002040
	公司网址	www.nj-port.com		电子信箱	gfgs@nj-port.com	
	电　话	025-58815738		传　真	025-58812758	
	办公地址	江苏省南京市建邺区江东中路 108 号万达广场 C 座 22 层				
	经营范围	原油、成品油、液体化工产品的装卸、仓储服务、场地租赁、货物装卸等				

	指标\报告期	2016.06.30	2015.12.31	2015.06.30	2014.12.31
主要财务指标	基本每股收益(元)	0.0600	0.0882	0.0435	0.0832
	基本每股收益(扣除后)(元)	0.0533	0.0732	0.0350	0.0593
	稀释每股收益(元)	0.0600	0.0882	0.0435	0.0832
	每股净资产(元)	2.7726	2.7126	2.6269	2.5834
	每股经营现金净流量(元)	0.0494	0.1751	0.0652	0.0778
	每股现金流量(元)	-0.1300	0.1130	0.0312	-0.0319
	每股资本公积金(元)	0.8489	0.8489	0.7879	0.7879
	每股盈余公积金(元)	0.2207	0.2207	0.2147	0.2105
	每股未分配利润(元)	0.7030	0.6430	0.6243	0.5850
	净资产收益率(%)	2.1625	3.2517	1.6550	3.2196
	加权净资产收益率(%)	2.1900	3.3300	1.6700	3.2616
	净资产收益率(扣除)(%)	1.9236	2.6986	1.3326	2.2570
	总资产(万元)	105712.20	109041.75	106959.35	105503.72
	归属母公司股东权益(万元)	68169.96	66695.81	64588.30	63519.38
	营业收入(万元)	9252.61	15815.80	7641.39	15026.57
	营业支出(万元)	4885.45	9942.56	4794.31	9773.08
	投资收益(万元)	418.84	1693.34	960.50	1748.95
	净利润(万元)	1605.81	2330.94	1138.70	2307.12
	营业利润(万元)	1724.14	1820.16	940.55	1588.26
	利润总额(万元)	1941.27	2312.02	1218.16	2413.74

山东登海种业股份有限公司

公司概况	公司名称	山东登海种业股份有限公司			证券简称	登海种业
	法人代表	毛丽华	董秘	原绍刚	证券代码	002041
	公司网址	www.sddhzy.com		电子信箱	denghai@sddhzy.com	
	电　话	0535-2788889 2788926		传　真	0535-2788875	
	办公地址	山东省莱州市城山路农科院南邻				
	经营范围	农作物新品种的选育、生产、分装、销售等				

	指标\报告期	2016.06.30	2015.12.31	2015.06.30	2014.12.31
主要财务指标	基本每股收益(元)	0.2623	0.4186	0.2040	1.0806
	基本每股收益(扣除后)(元)	0.2590	0.4372	0.2008	1.0700
	稀释每股收益(元)	0.2623	0.4186	0.2040	1.0806
	每股净资产(元)	2.8143	2.5520	2.3374	5.6834
	每股经营现金净流量(元)	-0.0787	0.6407	-0.0742	2.0925
	每股现金流量(元)	-0.1935	-0.1330	-0.2241	-2.7512
	每股资本公积金(元)	0.0333	0.0333	0.0333	0.1833
	每股盈余公积金(元)	0.1863	0.1863	0.1481	0.3702
	每股未分配利润(元)	1.5947	1.3323	1.1560	4.1299
	净资产收益率(%)	9.3209	17.2217	8.7283	19.0133
	加权净资产收益率(%)	9.7800	17.3500	9.0300	20.8400
	净资产收益率(扣除)(%)	9.2017	16.9654	8.5923	18.7638
	总资产(万元)	414838.74	429757.74	370265.69	394933.47
	归属母公司股东权益(万元)	247657.71	224573.82	205688.13	200055.08
	营业收入(万元)	73069.13	153077.33	60288.45	148008.15
	营业支出(万元)	35128.41	71806.31	28278.65	62231.90
	投资收益(万元)	4374.18	8914.73	4686.88	6288.48
	净利润(万元)	25946.16	53495.99	21453.16	53550.04
	营业利润(万元)	27805.28	54867.13	22057.25	54756.52
	利润总额(万元)	28121.85	55288.60	22348.78	55000.16

华孚色纺股份有限公司

公司概况	公司名称	华孚色纺股份有限公司			证券简称	华孚色纺
	法人代表	孙伟挺	董秘	程桂松	证券代码	002042
	公司网址	www.e-huafu.com		电子信箱	dongban@e-huafu.com	
	电　话	0755-83735645		传　真	0755-83735585	
	办公地址	广东省深圳市福田区滨河大道 5022 号联合广场 B 座 14 楼				
	经营范围	纤维、纱线、面料等纺织品、印染品的制造、进出口贸易等				

	指标\报告期	2016.06.30	2015.12.31	2015.06.30	2014.12.31
主要财务指标	基本每股收益(元)	0.3600	0.4000	0.2700	0.2000
	基本每股收益(扣除后)(元)	0.2400	0.2400	0.2000	0.0300
	稀释每股收益(元)	0.3600	0.4000	0.2700	0.2000
	每股净资产(元)	4.6391	4.3904	4.3334	4.0738
	每股经营现金净流量(元)	0.2848	0.1135	-0.0986	0.1406
	每股现金流量(元)	0.1688	-0.1527	-0.0245	0.1076
	每股资本公积金(元)	1.2038	1.2038	1.2037	1.2037
	每股盈余公积金(元)	0.1188	0.1188	0.1121	0.1121
	每股未分配利润(元)	2.3099	2.0489	1.9229	1.6733
	净资产收益率(%)	7.7831	9.1855	6.2705	4.9645
	加权净资产收益率(%)	7.9000	9.4600	6.4700	5.0900
	净资产收益率(扣除)(%)	5.1218	5.4987	4.6041	0.8439
	总资产(万元)	925209.45	939768.98	902385.30	886095.67
	归属母公司股东权益(万元)	386435.21	365719.18	360966.66	339346.89
	营业收入(万元)	425769.85	680365.79	383022.65	613274.75
	营业支出(万元)	369130.90	587141.85	333452.58	531326.86
	投资收益(万元)	643.29	1068.15	1896.13	3751.28
	净利润(万元)	31041.53	33937.55	22570.69	16712.12
	营业利润(万元)	16335.66	7518.88	10942.04	-1688.45
	利润总额(万元)	34572.77	37478.83	25016.69	21379.75

德华兔宝宝装饰新材股份有限公司

公司概况	公司名称	德华兔宝宝装饰新材股份有限公司			证券简称	兔宝宝
	法人代表	丁鸿敏	董秘	徐俊	证券代码	002043
	公司网址	www.dhwooden.com		电子信箱	dehua_ss@dhwooden.com	
	电　话	0572-8405322 8405635		传　真	0572-8405322 8822225	
	办公地址	浙江省湖州市德清县武康镇临溪街 588 号				
	经营范围	人造板、装饰贴面板、木质地板、其他木制品及化工产品等				

	指标\报告期	2016.06.30	2015.12.31	2015.06.30	2014.12.31
主要财务指标	基本每股收益(元)	0.1200	0.2000	0.0400	0.0900
	基本每股收益(扣除后)(元)	0.1100	0.1500	0.0400	0.0800
	稀释每股收益(元)	0.1200	0.2000	0.0500	0.0900
	每股净资产(元)	1.7123	1.8426	1.6918	1.6492
	每股经营现金净流量(元)	0.2000	0.3826	0.1422	0.2090
	每股现金流量(元)	0.0442	0.0021	-0.0640	0.0188
	每股资本公积金(元)	0.5198	0.1980	0.1965	0.1950
	每股盈余公积金(元)	0.0629	0.1075	0.0814	0.0814
	每股未分配利润(元)	0.1429	0.5776	0.4563	0.4324
	净资产收益率(%)	6.9142	10.9262	3.1842	5.3580
	加权净资产收益率(%)	7.3800	11.5200	3.2100	5.3400
	净资产收益率(扣除)(%)	6.1854	8.0355	2.4848	4.5239
	总资产(万元)	176321.70	116564.96	106111.28	108740.24
	归属母公司股东权益(万元)	141782.38	89226.46	81923.84	79864.46
	营业收入(万元)	106089.19	164680.70	68370.78	141200.28
	营业支出(万元)	84827.50	135955.99	56776.72	118306.19
	投资收益(万元)	929.95	858.85	320.10	151.19
	净利润(万元)	9759.99	9715.39	2570.87	4346.16
	营业利润(万元)	11570.93	9533.03	2923.20	4112.89
	利润总额(万元)	11943.57	11614.20	3073.19	5210.39

美年大健康产业控股股份有限公司

公司概况	项目	内容			项目	内容
	公司名称	美年大健康产业控股股份有限公司			证券简称	美年健康
	法人代表	俞熔	董秘	陈毅龙	证券代码	002044
	公司网址	www.health-100.cn			电子信箱	jssy@sanyougroup.com
	电　话	021-64031199 8058		传　真	021-34693731	
	办公地址	上海市徐汇区小木桥路 251 号天亿大厦 1002 室				
	经营范围	设计、生产、销售各式服装、服饰及原辅材料、纺织服装类产品的科技开发等				

	指标\报告期	2016.06.30	2015.12.31	2015.06.30	2014.12.31
主要财务指标	基本每股收益(元)	-0.0100	0.2500	0.0300	0.2200
	基本每股收益(扣除后)(元)	-0.0100	0.2100	0.0300	0.2200
	稀释每股收益(元)	-0.0100	0.2500	0.0300	0.2200
	每股净资产(元)	1.2500	2.5244	1.3615	1.7271
	每股经营现金净流量(元)	-0.0076	0.2724	-0.3228	0.0407
	每股现金流量(元)	-0.2529	0.4361	-0.4304	-0.1701
	每股资本公积金(元)	0.0385	1.0862	0.0028	0.5719
	每股盈余公积金(元)	0.0002	0.0003	0.2830	0.1074
	每股未分配利润(元)	0.2097	0.4379	0.0681	0.3689
	净资产收益率(%)	-0.7428	8.5157	2.4388	12.7842
	加权净资产收益率(%)	-0.7400	10.3200	2.3600	13.4200
	净资产收益率(扣除)(%)	-0.9979	7.0602	2.0324	13.0260
	总资产(万元)	468381.58	448094.65	66361.74	212895.30
	归属母公司股东权益(万元)	302275.97	305639.18	37859.62	142211.27
	营业收入(万元)	104253.33	210148.21	23440.21	69600.85
	营业支出(万元)	64599.61	109380.33	20323.98	55637.58
	投资收益(万元)	479.35	5357.08	51.08	163.08
	净利润(万元)	-2186.04	28616.02	1013.07	4509.35
	营业利润(万元)	-2337.58	35766.45	1303.98	6822.56
	利润总额(万元)	-2144.07	35889.25	1492.34	6772.30

国光电器股份有限公司

公司概况	项目	内容			项目	内容
	公司名称	国光电器股份有限公司			证券简称	国光电器
	法人代表	郝旭明	董秘	郑崖民	证券代码	002045
	公司网址	www.ggec.com.cn			电子信箱	guoguang@ggec.com.cn
	电　话	020-28609688		传　真	020-28609396	
	办公地址	广东省广州市花都区新华街镜湖大道 8 号				
	经营范围	研发、生产、销售电子元件、电声器件和音响设备、音箱、电脑配件等				

	指标\报告期	2016.06.30	2015.12.31	2015.06.30	2014.12.31
主要财务指标	基本每股收益(元)	0.0100	0.1200	0.0100	0.2200
	基本每股收益(扣除后)(元)	-0.0100	0.0900	-	0.2000
	稀释每股收益(元)	0.0100	0.1200	0.0100	0.2200
	每股净资产(元)	3.0775	3.1467	3.0346	3.1100
	每股经营现金净流量(元)	0.4552	0.4180	0.0535	0.3348
	每股现金流量(元)	-0.4271	0.0048	-0.3692	-0.1826
	每股资本公积金(元)	0.9866	0.9866	0.9866	0.9866
	每股盈余公积金(元)	0.2779	0.2722	0.2613	0.2613
	每股未分配利润(元)	0.8011	0.8775	0.7857	0.8534
	净资产收益率(%)	0.3032	3.6562	0.4054	7.1504
	加权净资产收益率(%)	0.3000	3.7000	0.4000	7.3300
	净资产收益率(扣除)(%)	-0.1790	2.9669	0.0917	6.3112
	总资产(万元)	231588.14	287749.80	232610.98	256908.93
	归属母公司股东权益(万元)	128302.90	131186.43	126512.36	129452.41
	营业收入(万元)	88724.48	223140.06	88267.69	201562.00
	营业支出(万元)	70430.43	178690.42	71761.86	157632.30
	投资收益(万元)	-427.27	-538.05	-235.36	-380.77
	净利润(万元)	188.15	4387.71	329.52	9077.89
	营业利润(万元)	-260.54	5082.92	438.32	9542.11
	利润总额(万元)	259.96	5866.25	695.74	10702.56

洛阳轴研科技股份有限公司

公司概况	项目	内容			项目	内容
	公司名称	洛阳轴研科技股份有限公司			证券简称	轴研科技
	法人代表	梁波	董秘	赵祥功	证券代码	002046
	公司网址	www.zys.com.cn			电子信箱	stock@zys.com.cn
	电　话	0379-64881139		传　真	0379-64881518	
	办公地址	河南省洛阳市吉林路 1 号				
	经营范围	研制、生产和销售轴承与轴承单元、光机电一体化产品、机械装备等				

	指标\报告期	2016.06.30	2015.12.31	2015.06.30	2014.12.31
主要财务指标	基本每股收益(元)	-0.1010	-0.5200	-0.0730	0.0600
	基本每股收益(扣除后)(元)	-0.1130	-0.5600	-0.0870	0.0100
	稀释每股收益(元)	-0.1010	-0.5200	-0.0730	0.0600
	每股净资产(元)	3.7245	3.5709	3.9491	4.0218
	每股经营现金净流量(元)	-0.0937	0.2495	-0.0643	-0.0758
	每股现金流量(元)	-0.0299	0.0510	-0.2514	0.0086
	每股资本公积金(元)	2.3208	2.0479	1.9657	1.9657
	每股盈余公积金(元)	0.1381	0.1434	0.1434	0.1434
	每股未分配利润(元)	0.2630	0.3770	0.8377	0.9106
	净资产收益率(%)	-2.6870	-14.6638	-1.8460	1.2830
	加权净资产收益率(%)	-2.8000	-13.8100	-1.8300	1.5000
	净资产收益率(扣除)(%)	-3.0059	-15.6374	-2.2042	0.1370
	总资产(万元)	227176.65	224269.43	228568.76	229020.44
	归属母公司股东权益(万元)	131702.90	121611.79	134493.97	136967.64
	营业收入(万元)	20684.54	42439.60	18898.79	51262.59
	营业支出(万元)	17686.46	36314.29	15877.56	37748.95
	投资收益(万元)	-111.94	59.52	-114.62	86.27
	净利润(万元)	-3614.22	-18396.68	-2514.54	1535.41
	营业利润(万元)	-3624.18	-21205.01	-3104.70	591.70
	利润总额(万元)	-3124.55	-20020.56	-2524.47	2224.60

深圳市宝鹰建设控股集团股份有限公司

公司概况	项目	内容			项目	内容
	公司名称	深圳市宝鹰建设控股集团股份有限公司			证券简称	宝鹰股份
	法人代表	古少明	董秘	钟志刚	证券代码	002047
	公司网址	www.szby.cn			电子信箱	zq@szby.cn
	电　话	00755-82924810		传　真	00755-88374949	
	办公地址	深圳市福田区车公庙泰然四路 303 栋 4 楼				
	经营范围	生产经营水龙头、卫浴洁具、厨柜及其配件及生产经营精冲模等				

	指标\报告期	2016.06.30	2015.12.31	2015.06.30	2014.12.31
主要财务指标	基本每股收益(元)	0.1400	0.2700	0.1200	0.2200
	基本每股收益(扣除后)(元)	0.1400	0.2600	0.1200	0.2200
	稀释每股收益(元)	0.1400	0.2700	0.1200	0.2200
	每股净资产(元)	2.0100	1.9242	1.7772	7.0691
	每股经营现金净流量(元)	-0.4640	0.2726	-1.0332	-2.5199
	每股现金流量(元)	-0.0086	0.2187	-0.5006	0.0491
	每股资本公积金(元)	0.8345	0.8345	3.5974	3.5974
	每股盈余公积金(元)	0.0796	0.0796	0.2447	0.2447
	每股未分配利润(元)	0.8189	0.7456	2.7057	2.1671
	净资产收益率(%)	7.1302	13.8008	7.0326	12.9717
	加权净资产收益率(%)	7.1600	14.9000	7.3100	15.3700
	净资产收益率(扣除)(%)	7.1122	13.7000	6.9960	12.9048
	总资产(万元)	791886.86	689563.66	569769.66	491785.64
	归属母公司股东权益(万元)	253883.06	243040.29	224482.81	207212.31
	营业收入(万元)	310025.31	685366.13	309764.12	538246.48
	营业支出(万元)	258419.84	566172.92	262227.05	453183.95
	投资收益(万元)	-416.20	306.05	-105.80	336.25
	净利润(万元)	19282.30	37680.86	17362.87	27295.50
	营业利润(万元)	25585.29	48727.59	22385.40	36655.85
	利润总额(万元)	25646.27	49235.25	22494.88	36851.33

宁波华翔电子股份有限公司

公司概况	公司名称	宁波华翔电子股份有限公司			证券简称	宁波华翔
	法人代表	周晓峰	董秘	韩铭扬	证券代码	002048
	公司网址	www.nbhx.com.cn		电子信箱	stock-dp@nbhx.com.cn	
	电　　话	021-68948127 68949998		传　　真	021-68942260 68942221	
	办公地址	上海市浦东新区花木白杨路 1160 号				
	经营范围	汽车和摩托车零配件、电子产品、模具、仪表仪器的制造、加工等				

	指标\报告期	2016.06.30	2015.12.31	2015.06.30	2014.12.31
主要财务指标	基本每股收益(元)	0.5900	0.3000	0.3300	0.9900
	基本每股收益(扣除后)(元)	0.5100	0.2200	0.2700	0.9200
	稀释每股收益(元)	0.5900	0.3000	0.3300	0.9900
	每股净资产(元)	8.4530	8.7586	9.1597	8.1030
	每股经营现金净流量(元)	1.2535	1.1324	0.3174	0.8778
	每股现金流量(元)	-0.2503	0.6163	0.6279	-0.1968
	每股资本公积金(元)	1.2411	1.2411	1.2501	1.2501
	每股盈余公积金(元)	0.3748	0.3748	0.3427	0.3427
	每股未分配利润(元)	4.6049	4.1183	4.1734	3.9476
	净资产收益率(%)	6.9405	3.4571	3.5570	12.2043
	加权净资产收益率(%)	7.0800	3.8000	3.5800	13.6200
	净资产收益率(扣除)(%)	6.0883	2.4652	2.9433	11.2937
	总资产(万元)	1029937.21	1052862.45	1027906.06	859351.27
	归属母公司股东权益(万元)	448046.46	464244.66	485505.60	429495.56
	营业收入(万元)	564431.55	980992.94	470006.11	871281.30
	营业支出(万元)	452243.60	804093.65	376639.50	692271.49
	投资收益(万元)	10377.70	15954.66	9925.41	17669.96
	净利润(万元)	49408.25	41646.64	28931.60	72192.20
	营业利润(万元)	53679.50	58905.99	38424.37	83541.56
	利润总额(万元)	60765.00	63317.06	39935.29	85988.27

紫光国芯股份有限公司

公司概况	公司名称	紫光国芯股份有限公司			证券简称	同方国芯
	法人代表	赵伟国	董秘	杜林虎	证券代码	002049
	公司网址	www.gosinoic.com		电子信箱	zhengquan@gosinoic.com	
	电　　话	0315-6198161 6198181		传　　真	0315-6198179	
	办公地址	河北省唐山市玉田县无终西街 3129 号				
	经营范围	压电石英晶体元器件的开发、生产和销售等				

	指标\报告期	2016.06.30	2015.12.31	2015.06.30	2014.12.31
主要财务指标	基本每股收益(元)	0.2477	0.5529	0.2197	0.5016
	基本每股收益(扣除后)(元)	0.2253	0.4278	0.1801	0.4090
	稀释每股收益(元)	0.2477	0.5529	0.2197	0.5016
	每股净资产(元)	4.9278	4.7381	4.4322	4.3117
	每股经营现金净流量(元)	-0.0740	0.6642	0.1694	0.4174
	每股现金流量(元)	-0.2129	-0.0588	-0.1774	-0.2299
	每股资本公积金(元)	1.0307	1.0307	1.0273	1.0273
	每股盈余公积金(元)	0.1386	0.1386	0.1081	0.1081
	每股未分配利润(元)	2.8059	2.6141	2.3115	2.1918
	净资产收益率(%)	5.0271	11.6683	4.9566	11.6327
	加权净资产收益率(%)	5.1100	12.2400	4.9900	12.2500
	净资产收益率(扣除)(%)	4.5725	9.0285	4.0632	9.4860
	总资产(万元)	418645.76	412944.56	370302.19	348998.66
	归属母公司股东权益(万元)	299026.61	287514.51	268951.09	261639.66
	营业收入(万元)	64556.09	124979.50	55767.26	108656.19
	营业支出(万元)	37910.95	73468.93	31316.56	65907.95
	投资收益(万元)	234.46	-	-	-7.66
	净利润(万元)	14820.23	33235.68	13259.87	30375.41
	营业利润(万元)	12239.27	29335.61	13057.35	27372.89
	利润总额(万元)	14402.15	39363.47	15874.56	33583.63

浙江三花股份有限公司

公司概况	公司名称	浙江三花股份有限公司			证券简称	三花股份
	法人代表	张亚波	董秘	胡凯程	证券代码	002050
	公司网址	www.zjshc.com		电子信箱	shc@zjshc.com	
	电　　话	0571-28020008 0575-86255360		传　　真	0571-28876605	
	办公地址	浙江省绍兴市新昌县梅渚镇沃西大道 219 号三花工业园区办公大楼				
	经营范围	截止阀、电子膨胀阀、排水泵、电磁阀、单向阀、压缩机、压力管道元件等				

	指标\报告期	2016.06.30	2015.12.31	2015.06.30	2014.12.31
主要财务指标	基本每股收益(元)	0.2200	0.3400	0.1800	0.6300
	基本每股收益(扣除后)(元)	0.2100	0.3400	0.1800	0.6100
	稀释每股收益(元)	0.2200	0.3400	0.1800	0.6300
	每股净资产(元)	2.7227	2.5823	2.4148	4.5690
	每股经营现金净流量(元)	0.3825	0.4547	0.1227	0.7469
	每股现金流量(元)	-0.0158	0.3248	0.1409	-0.2361
	每股资本公积金(元)	0.2557	0.2557	0.1220	1.4121
	每股盈余公积金(元)	0.1124	0.1124	0.1127	0.2376
	每股未分配利润(元)	1.3465	1.2248	1.1975	2.2017
	净资产收益率(%)	8.1431	13.0139	7.3104	13.8066
	加权净资产收益率(%)	8.2500	15.2000	7.4900	14.6400
	净资产收益率(扣除)(%)	7.8534	11.7646	7.4239	13.3542
	总资产(万元)	809843.96	803948.33	723476.40	765469.60
	归属母公司股东权益(万元)	490482.02	465198.65	373402.64	371692.70
	营业收入(万元)	341809.13	616081.77	289868.93	582390.77
	营业支出(万元)	244984.19	440447.77	210854.77	420810.43
	投资收益(万元)	-92.83	-757.81	-114.09	1488.19
	净利润(万元)	40340.43	60835.24	27560.95	48878.42
	营业利润(万元)	47115.58	68795.43	31217.53	58551.00
	利润总额(万元)	48528.27	72837.41	31983.38	61075.00

中工国际工程股份有限公司

公司概况	公司名称	中工国际工程股份有限公司			证券简称	中工国际
	法人代表	罗艳	董秘	张春燕	证券代码	002051
	公司网址	www.camce.com.cn		电子信箱	002051@camce.cn	
	电　　话	010-82688606 82688653		传　　真	010-82688582	
	办公地址	北京市海淀区丹棱街 3 号				
	经营范围	国际工程承包、核心内容为成套设备及技术出口等				

	指标\报告期	2016.06.30	2015.12.31	2015.06.30	2014.12.31
主要财务指标	基本每股收益(元)	0.4500	1.3600	0.3600	1.1300
	基本每股收益(扣除后)(元)	0.4400	1.3600	0.4300	1.1100
	稀释每股收益(元)	0.4500	1.3600	0.4300	1.1300
	每股净资产(元)	6.6537	7.6961	6.9682	6.8550
	每股经营现金净流量(元)	-0.7839	1.7648	0.5175	0.5285
	每股现金流量(元)	-3.7090	-0.0143	-2.2821	1.1617
	每股资本公积金(元)	1.9600	2.3419	2.3301	2.3253
	每股盈余公积金(元)	0.7077	0.8489	0.7153	0.7150
	每股未分配利润(元)	3.3656	4.0024	3.2119	3.0761
	净资产收益率(%)	6.6990	17.6549	6.2388	16.3419
	加权净资产收益率(%)	6.8500	18.8700	6.1600	17.3900
	净资产收益率(扣除)(%)	6.6701	17.6970	6.2091	16.1702
	总资产(万元)	1945827.80	1984041.53	1777208.36	1790002.49
	归属母公司股东权益(万元)	617305.84	595229.29	538935.41	530399.26
	营业收入(万元)	271181.68	811994.05	273772.94	953287.75
	营业支出(万元)	218241.88	641607.03	210566.64	787064.89
	投资收益(万元)	1111.97	149.42	329.19	-5407.75
	净利润(万元)	37827.28	98632.08	31417.62	77312.65
	营业利润(万元)	45843.32	109055.09	27656.26	95664.09
	利润总额(万元)	46261.20	109037.62	27740.26	96815.35

深圳市同洲电子股份有限公司

公司概况	公司名称	深圳市同洲电子股份有限公司			证券简称	同洲电子
	法人代表	袁明	董秘	贺磊	证券代码	002052
	公司网址	www.coship.com		电子信箱	coship@coship.com	
	电　话	0755-26990000*8880		传　真	0755-26722666	
	办公地址	广东省深圳市南山区高新区北区第五工业区彩虹科技大楼 A6 楼				
	经营范围	电子产品、计算机软、硬件及其应用网络产品、自动化控制设备等				

主要财务指标	指标\报告期	2016.06.30	2015.12.31	2015.06.30	2014.12.31
	基本每股收益(元)	-0.0910	0.1000	0.0200	-0.6100
	基本每股收益(扣除后)(元)	-0.1151	-0.0800	-0.0100	-0.6200
	稀释每股收益(元)	-0.0910	0.1000	0.0200	-0.6100
	每股净资产(元)	1.9720	2.0633	1.2578	1.2357
	每股经营现金净流量(元)	0.1240	0.2654	-0.1940	0.4483
	每股现金流量(元)	-0.2490	0.6943	-0.1832	-0.2453
	每股资本公积金(元)	1.1759	1.1753	0.4827	0.4801
	每股盈余公积金(元)	0.1066	0.1066	0.1165	0.1165
	每股未分配利润(元)	-0.3353	-0.2443	-0.3483	-0.3651
	净资产收益率(%)	-4.6143	4.3620	1.3361	-49.3811
	加权净资产收益率(%)	-4.5100	7.7500	1.3900	-39.5100
	净资产收益率(扣除)(%)	-5.8342	-3.6980	-1.1770	-50.2310
	总资产(万元)	256755.66	306752.90	270158.72	298596.74
	归属母公司股东权益(万元)	147105.73	153913.71	85901.85	84396.26
	营业收入(万元)	30199.82	102806.77	56014.51	160183.59
	营业支出(万元)	23288.71	73752.64	38282.78	134292.48
	投资收益(万元)	-303.87	8036.05	-253.58	-309.20
	净利润(万元)	-6787.83	6713.67	1147.72	-41675.76
	营业利润(万元)	-8429.17	3477.84	-1352.89	-41360.41
	利润总额(万元)	-6634.64	7508.76	1222.04	-40103.87

云南能源投资股份有限公司

公司概况	公司名称	云南能源投资股份有限公司			证券简称	云南能投
	法人代表	杨万华	董秘	李政良	证券代码	002053
	公司网址	www.ynyh.com		电子信箱	ynyh@email.ynyh.com	
	电　话	0871-3127429　3126346		传　真	0871-3126346	
	办公地址	云南省昆明市官渡区春城路 276 号				
	经营范围	盐及其系列产品的开发、加工和销售、氯碱化工及其系列产品等				

主要财务指标	指标\报告期	2016.06.30	2015.12.31	2015.06.30	2014.12.31
	基本每股收益(元)	0.3311	0.4901	0.1190	0.2993
	基本每股收益(扣除后)(元)	0.3143	0.4667	0.1060	0.2892
	稀释每股收益(元)	0.3311	0.4901	0.1190	0.2993
	每股净资产(元)	7.4399	6.7876	4.9162	4.8958
	每股经营现金净流量(元)	0.5573	1.1779	0.4445	1.3689
	每股现金流量(元)	1.6744	0.3086	-0.4137	0.1118
	每股资本公积金(元)	5.2489	4.8182	2.8889	2.8889
	每股盈余公积金(元)	0.2781	0.2781	0.4177	0.4177
	每股未分配利润(元)	0.9120	0.6818	0.5915	0.5724
	净资产收益率(%)	4.4509	5.4109	2.4238	6.1143
	加权净资产收益率(%)	4.7100	8.7100	2.4000	6.3100
	净资产收益率(扣除)(%)	4.2251	5.1515	2.1537	5.9080
	总资产(万元)	309425.91	404387.31	381434.49	383738.65
	归属母公司股东权益(万元)	207695.36	189486.46	91368.77	90988.07
	营业收入(万元)	67334.34	166553.42	72480.16	187745.12
	营业支出(万元)	29102.29	93825.41	45822.13	123127.66
	投资收益(万元)	37.21	-85.25	-36.59	-38.51
	净利润(万元)	8215.96	11319.34	480.46	3378.34
	营业利润(万元)	10581.78	10333.01	1059.30	4857.56
	利润总额(万元)	11001.94	10633.94	1195.27	5003.09

广东德美精细化工集团股份有限公司

公司概况	公司名称	广东德美精细化工集团股份有限公司			证券简称	德美化工
	法人代表	黄冠雄	董秘	朱闽翀	证券代码	002054
	公司网址	www.dymatic.com		电子信箱	zhumc@dymatic.com	
	电　话	0757-28399088　28397912		传　真	0757-28803001	
	办公地址	广东省佛山市顺德区容桂街道广珠路海尾路段 44 号				
	经营范围	开发、生产、销售:纺织、印染、造纸助剂、印刷助剂、涂料等				

主要财务指标	指标\报告期	2016.06.30	2015.12.31	2015.06.30	2014.12.31
	基本每股收益(元)	0.2372	0.6800	0.6000	0.3000
	基本每股收益(扣除后)(元)	0.0728	0.0800	0.0810	0.2400
	稀释每股收益(元)	0.2372	0.6800	0.6000	0.3000
	每股净资产(元)	4.2010	4.2278	4.1809	4.9174
	每股经营现金净流量(元)	0.1785	0.3131	0.2829	0.5635
	每股现金流量(元)	0.1162	0.0586	0.4333	-0.1215
	每股资本公积金(元)	0.3535	0.7062	0.4661	1.0478
	每股盈余公积金(元)	0.3154	0.3227	0.2493	0.3241
	每股未分配利润(元)	2.5242	2.4721	2.4661	2.5465
	净资产收益率(%)	5.6514	16.0615	14.3405	6.0308
	加权净资产收益率(%)	5.1400	16.6700	14.6900	6.1200
	净资产收益率(扣除)(%)	1.7344	1.9172	1.9309	4.8831
	总资产(万元)	294691.62	297945.92	263252.34	259618.58
	归属母公司股东权益(万元)	176117.32	188558.97	175518.02	158796.69
	营业收入(万元)	102829.11	209210.93	96745.00	122850.45
	营业支出(万元)	76925.19	161622.05	73666.29	79057.47
	投资收益(万元)	8717.37	26221.54	27836.88	3755.95
	净利润(万元)	10710.01	30710.48	26231.25	11402.43
	营业利润(万元)	12676.08	34704.27	32715.88	13334.51
	利润总额(万元)	13661.39	39376.23	32823.03	13985.76

深圳市得润电子股份有限公司

公司概况	公司名称	深圳市得润电子股份有限公司			证券简称	得润电子
	法人代表	邱建民	董秘	王少华	证券代码	002055
	公司网址	www.deren.com.cn		电子信箱	002055@deren.com.cn	
	电　话	0755-89492166		传　真	0755-89492167	
	办公地址	广东省深圳市光明新区光明街道三十三路 9 号得润电子工业园				
	经营范围	生产经营电子连接器、光连接器、汽车连接器及线束、电子元器件等				

主要财务指标	指标\报告期	2016.06.30	2015.12.31	2015.06.30	2014.12.31
	基本每股收益(元)	0.1183	0.1943	0.1238	0.2379
	基本每股收益(扣除后)(元)	0.0782	0.1805	0.1181	0.2305
	稀释每股收益(元)	0.1183	0.1943	0.1238	0.2379
	每股净资产(元)	3.8566	3.7737	3.7209	3.3024
	每股经营现金净流量(元)	-0.2450	-0.1873	-0.5867	0.2160
	每股现金流量(元)	-0.0639	0.2355	0.0416	0.0767
	每股资本公积金(元)	1.4062	1.4062	1.4349	0.9809
	每股盈余公积金(元)	0.0868	0.0868	0.0825	0.0896
	每股未分配利润(元)	1.3895	1.2712	1.2037	1.2352
	净资产收益率(%)	3.0670	5.0105	3.1507	7.2039
	加权净资产收益率(%)	3.1000	5.3300	3.5700	7.4300
	净资产收益率(扣除)(%)	2.0277	4.6556	3.0061	6.9811
	总资产(万元)	587198.90	541586.74	414189.28	338157.16
	归属母公司股东权益(万元)	173744.03	170009.07	167631.61	136889.51
	营业收入(万元)	198929.43	303778.68	165164.91	263486.76
	营业支出(万元)	163575.59	249120.03	139908.21	213489.33
	投资收益(万元)	1.49	-471.19	109.09	-325.61
	净利润(万元)	3963.40	6080.40	5372.14	8779.65
	营业利润(万元)	1652.92	5832.14	5700.55	9261.83
	利润总额(万元)	3504.79	6559.88	5944.13	9336.81

横店集团东磁股份有限公司

公司概况					
公司名称	横店集团东磁股份有限公司			证券简称	横店东磁
法人代表	何时金	董秘	吴雪萍	证券代码	002056
公司网址	www.chinadmegc.com		电子信箱	gfgs@dmegc.com.cn	
电话	0579-86551999		传真	0579-86555328	
办公地址	浙江省东阳市横店工业区				
经营范围	磁性器材、电池、电子产品的生产、销售等				

主要财务指标 指标\报告期	2016.06.30	2015.12.31	2015.06.30	2014.12.31
基本每股收益(元)	0.2500	0.7900	0.1800	0.9300
基本每股收益(扣除后)(元)	0.2200	0.5500	0.3100	0.7500
稀释每股收益(元)	0.2500	0.7900	0.1800	0.9300
每股净资产(元)	4.5000	8.6090	8.1032	8.0169
每股经营现金净流量(元)	0.4697	1.9592	0.6773	1.6854
每股现金流量(元)	0.0702	-1.0611	-0.6585	1.1174
每股资本公积金(元)	1.2762	3.4702	3.3879	3.3879
每股盈余公积金(元)	0.3364	0.6729	0.5888	0.5888
每股未分配利润(元)	1.8845	3.4657	3.1239	3.0433
净资产收益率(%)	5.5956	9.1358	4.4501	11.5746
加权净资产收益率(%)	5.7000	9.6100	4.4800	12.2400
净资产收益率(扣除)(%)	4.8237	6.3808	3.8559	9.4057
总资产(万元)	535497.24	513954.59	482064.28	478285.19
归属母公司股东权益(万元)	369629.45	353743.26	332961.21	329414.09
营业收入(万元)	235508.45	395828.82	180048.22	366880.01
营业支出(万元)	176752.67	301755.40	137253.09	275761.49
投资收益(万元)	1999.08	3987.58	543.08	4132.62
净利润(万元)	20678.53	32307.20	14829.67	38143.08
营业利润(万元)	23214.28	33826.79	16387.53	41487.54
利润总额(万元)	24389.75	37567.63	17614.09	43499.79

中钢集团安徽天源科技股份有限公司

公司概况					
公司名称	中钢集团安徽天源科技股份有限公司			证券简称	中钢天源
法人代表	洪石笙	董秘	章超	证券代码	002057
公司网址	www.ty-magnet.com		电子信箱	zhangchao214@126.com	
电话	0555-5200209		传真	0555-5200222	
办公地址	安徽省马鞍山市雨山区霍里山大道南段9号				
经营范围	磁性材料、磁器件、磁分离设备、过滤脱水设备、环保设备等				

主要财务指标 指标\报告期	2016.06.30	2015.12.31	2015.06.30	2014.12.31
基本每股收益(元)	0.0208	0.0823	0.0201	0.0978
基本每股收益(扣除后)(元)	0.0192	-0.0142	0.0096	0.0350
稀释每股收益(元)	0.0208	0.0823	0.0201	0.0978
每股净资产(元)	2.5767	2.5655	2.5110	2.4912
每股经营现金净流量(元)	0.0198	0.1176	0.0054	-0.0646
每股现金流量(元)	0.0949	-0.1241	-0.0764	-0.1823
每股资本公积金(元)	1.1261	1.1261	1.1261	1.1261
每股盈余公积金(元)	0.0834	0.0834	0.0784	0.0784
每股未分配利润(元)	0.3625	0.3517	0.3045	0.2844
净资产收益率(%)	0.8057	3.2078	0.8009	3.9277
加权净资产收益率(%)	0.8100	3.2500	0.8000	4.0000
净资产收益率(扣除)(%)	0.7434	-0.5530	0.3842	1.4068
总资产(万元)	63626.55	60266.57	60283.29	60838.85
归属母公司股东权益(万元)	51375.33	51150.85	50064.19	49670.75
营业收入(万元)	15765.20	30725.36	14985.11	35024.52
营业支出(万元)	12329.33	25064.73	12368.15	28716.41
投资收益(万元)	130.09	29.86	-3.48	-6.07
净利润(万元)	413.61	1628.53	399.43	1943.27
营业利润(万元)	432.26	-344.64	256.45	637.05
利润总额(万元)	468.60	1919.03	472.95	2114.40

上海威尔泰工业自动化股份有限公司

公司概况					
公司名称	上海威尔泰工业自动化股份有限公司			证券简称	威尔泰
法人代表	李彧	董秘	殷骏	证券代码	002058
公司网址	www.welltech.com.cn		电子信箱	dm@welltech.com.cn	
电话	021-64656465		传真	021-64659671	
办公地址	上海市闵行区虹中路263号1幢				
经营范围	仪表仪器、传感器的制造、自动化控制系统集成、设备成套、电气成套等				

主要财务指标 指标\报告期	2016.06.30	2015.12.31	2015.06.30	2014.12.31
基本每股收益(元)	-0.0150	-0.0800	-0.0450	0.0400
基本每股收益(扣除后)(元)	-0.0190	-0.0900	-0.0480	0.0300
稀释每股收益(元)	-0.0150	-0.0800	-0.0450	0.0400
每股净资产(元)	1.2566	1.2715	1.3040	1.3691
每股经营现金净流量(元)	-0.0413	0.0084	-0.0858	0.0605
每股现金流量(元)	0.0349	-0.0034	-0.1082	0.0217
每股资本公积金(元)	0.0026	0.0026	0.0026	0.0026
每股盈余公积金(元)	0.1176	0.1176	0.1176	0.1176
每股未分配利润(元)	0.1364	0.1512	0.1837	0.2489
净资产收益率(%)	-1.1829	-6.1040	-3.4607	2.9745
加权净资产收益率(%)	-1.1800	-5.8800	-3.3500	3.0000
净资产收益率(扣除)(%)	-4.3817	-7.1580	-3.7145	2.2192
总资产(万元)	20727.01	22477.51	22523.18	23799.41
归属母公司股东权益(万元)	18025.85	18239.08	18705.08	19639.30
营业收入(万元)	3717.63	9796.45	4008.85	12337.45
营业支出(万元)	2458.26	6328.31	2475.97	7353.37
投资收益(万元)	527.94	33.69	25.74	40.68
净利润(万元)	-282.89	-1191.05	-698.97	526.17
营业利润(万元)	-400.57	-1447.21	-743.58	229.18
利润总额(万元)	-228.01	-1072.78	-638.17	706.18

云南旅游股份有限公司

公司概况					
公司名称	云南旅游股份有限公司			证券简称	云南旅游
法人代表	王冲	董秘	毛新礼	证券代码	002059
公司网址	www.expo99km.com		电子信箱	mxl.expo99@163.com	
电话	0871-5012059 65012255		传真	0871-65012141	
办公地址	云南省昆明市世博路10号云南旅游股份有限公司办公楼				
经营范围	景点投资、经营及管理、园林园艺产品展示、旅游房地产投资等				

主要财务指标 指标\报告期	2016.06.30	2015.12.31	2015.06.30	2014.12.31
基本每股收益(元)	0.0427	0.1142	0.0152	0.1027
基本每股收益(扣除后)(元)	0.0424	0.1079	0.0152	0.1613
稀释每股收益(元)	0.0427	0.1142	0.0152	0.2055
每股净资产(元)	2.3354	2.2928	2.1928	4.3531
每股经营现金净流量(元)	-0.1157	0.1227	-0.1286	-0.1855
每股现金流量(元)	-0.2657	-0.0603	-0.0532	0.2620
每股资本公积金(元)	0.7794	0.7794	0.7810	2.5589
每股盈余公积金(元)	0.1047	0.1047	0.1047	0.2094
每股未分配利润(元)	0.4436	0.4009	0.3018	0.5734
净资产收益率(%)	1.8292	4.9807	0.6910	4.0878
加权净资产收益率(%)	1.8500	5.1100	0.6900	5.7100
净资产收益率(扣除)(%)	1.8138	4.7065	0.6913	3.2085
总资产(万元)	384677.77	404053.27	396116.06	387487.42
归属母公司股东权益(万元)	170667.76	167557.87	160246.62	159060.67
营业收入(万元)	62754.84	142649.75	51974.80	94147.64
营业支出(万元)	45125.53	95684.73	37789.73	62384.98
投资收益(万元)	-68.73	277.97	218.65	196.31
净利润(万元)	3941.21	10805.13	368.20	7680.03
营业利润(万元)	5639.81	13350.04	1110.08	8380.81
利润总额(万元)	5743.37	13551.50	1167.02	10070.85

广东水电二局股份有限公司

公司概况	公司名称	广东水电二局股份有限公司		证券简称	粤水电
	法人代表	朱丹	董秘 林广喜	证券代码	002060
	公司网址	www.gdsdej.com		电子信箱	lgxi-0731@163.com
	电　　话	020-61776998		传　　真	020-82607092
	办公地址	广东省广州市增城区新塘镇广深大道西1号1幢水电广场A-1商务中心			
	经营范围	水利水电工程、公路工程、市政工程、房屋建筑工程、机电安装工程等			

主要财务指标	指标\报告期	2016.06.30	2015.12.31	2015.06.30	2014.12.31
	基本每股收益(元)	0.0854	0.1804	0.0846	0.1634
	基本每股收益(扣除后)(元)	0.0489	0.1811	0.0851	0.1630
	稀释每股收益(元)	0.0854	0.1804	0.0846	0.1634
	每股净资产(元)	4.7028	4.3327	4.2154	4.1519
	每股经营现金净流量(元)	–0.5937	2.5996	0.1733	0.9660
	每股现金流量(元)	–0.8762	1.3921	0.1680	0.4755
	每股资本公积金(元)	2.3487	1.9994	1.9994	1.9994
	每股盈余公积金(元)	0.1689	0.1689	0.1457	0.1457
	每股未分配利润(元)	1.1444	1.1091	1.0365	0.9919
	净资产收益率(%)	1.8154	4.1628	2.0071	3.9356
	加权净资产收益率(%)	1.9300	4.2300	2.0200	3.9100
	净资产收益率(扣除)(%)	1.0393	4.1787	2.0195	3.9267
	总资产(万元)	1488551.45	1459444.35	1294293.17	1260760.83
	归属母公司股东权益(万元)	282700.71	260453.40	253400.25	249583.49
	营业收入(万元)	269034.37	668578.20	265093.86	600245.15
	营业支出(万元)	241058.82	584970.78	228761.78	532715.76
	投资收益(万元)	384.46	501.90	195.24	7069.35
	净利润(万元)	5081.22	10931.42	5076.93	9908.08
	营业利润(万元)	5721.99	14927.73	6205.32	11853.51
	利润总额(万元)	7984.29	15508.05	6461.85	12368.53

浙江江山化工股份有限公司

公司概况	公司名称	浙江江山化工股份有限公司		证券简称	*ST江化
	法人代表	董星明	董秘	证券代码	002061
	公司网址	www.jiangshanchem.com		电子信箱	zjjshgstock@sina.com
	电　　话	0570-4057919		传　　真	0570-4057346
	办公地址	浙江省衢州市江山市景星东路38号			
	经营范围	从事化工的开发、生产和销售等			

主要财务指标	指标\报告期	2016.06.30	2015.12.31	2015.06.30	2014.12.31
	基本每股收益(元)	0.0300	–0.4000	–0.1200	–0.3500
	基本每股收益(扣除后)(元)	–0.0030	–0.3800	–0.1490	–0.3600
	稀释每股收益(元)	0.0300	–0.4000	–0.1440	–0.3500
	每股净资产(元)	2.8061	1.9427	2.2033	2.3500
	每股经营现金净流量(元)	0.6609	0.4283	0.1114	0.3604
	每股现金流量(元)	0.9512	–0.0317	0.0465	–0.1216
	每股资本公积金(元)	2.6510	2.6510	1.2111	1.2111
	每股盈余公积金(元)	0.3237	0.3237	0.2947	0.2947
	每股未分配利润(元)	–0.7611	–0.7963	–0.3026	–0.1586
	净资产收益率(%)	1.0237	–20.8217	–6.5332	–14.8823
	加权净资产收益率(%)	1.0300	–18.8600	–6.3300	–13.7900
	净资产收益率(扣除)(%)	–0.1158	–19.7883	–6.7768	–15.2540
	总资产(万元)	536424.71	500986.99	276086.96	277629.16
	归属母公司股东权益(万元)	155883.86	154288.08	99864.58	106388.94
	营业收入(万元)	165259.81	247996.45	114429.41	237853.88
	营业支出(万元)	141845.77	227441.38	105007.02	223689.90
	投资收益(万元)	–	–	–	–
	净利润(万元)	1595.78	–18334.43	–6524.35	–15833.14
	营业利润(万元)	2496.17	–16691.74	–5935.74	–15593.33
	利润总额(万元)	2753.02	–17458.46	–5783.52	–15416.54

宏润建设集团股份有限公司

公司概况	公司名称	宏润建设集团股份有限公司		证券简称	宏润建设
	法人代表	郑宏舫	董秘 赵余夫	证券代码	002062
	公司网址	www.chinahongrun.com		电子信箱	hrir@chinahongrun.com
	电　　话	021-54976007		传　　真	021-54976008
	办公地址	上海市徐汇区龙漕路200弄28号宏润大厦			
	经营范围	市政公用工程、房屋建筑工程、城市轨道交通工程施工和房地产开发等			

主要财务指标	指标\报告期	2016.06.30	2015.12.31	2015.06.30	2014.12.31
	基本每股收益(元)	0.1100	0.2681	0.1100	0.2597
	基本每股收益(扣除后)(元)	0.1000	0.2700	0.1200	0.2500
	稀释每股收益(元)	0.1100	0.2681	0.1200	0.2600
	每股净资产(元)	2.1790	3.0315	2.8873	2.8537
	每股经营现金净流量(元)	0.6696	1.8760	0.8648	–0.3716
	每股现金流量(元)	–0.0842	0.8137	–0.2278	–0.7153
	每股资本公积金(元)	0.0363	0.0508	0.0500	0.0500
	每股盈余公积金(元)	0.2593	0.3630	0.3418	0.3418
	每股未分配利润(元)	0.8403	1.5489	1.4229	1.4021
	净资产收益率(%)	4.1775	8.8436	4.1865	9.1007
	加权净资产收益率(%)	4.0800	9.1100	4.2400	9.5100
	净资产收益率(扣除)(%)	3.6227	8.9010	4.2486	8.9116
	总资产(万元)	1443391.60	1489723.53	1409480.01	1390781.27
	归属母公司股东权益(万元)	240235.68	238730.32	227374.47	224728.68
	营业收入(万元)	357692.85	850798.43	354125.50	797361.72
	营业支出(万元)	312081.33	746723.67	314722.73	700857.97
	投资收益(万元)	1692.46	–923.26	–814.66	3951.67
	净利润(万元)	10125.02	21283.96	9130.50	19892.17
	营业利润(万元)	12718.88	26658.70	11400.01	24418.17
	利润总额(万元)	12562.87	26520.71	11268.47	24537.87

远光软件股份有限公司

公司概况	公司名称	远光软件股份有限公司		证券简称	远光软件
	法人代表	陈利浩	董秘 戴文斌	证券代码	002063
	公司网址	www.ygsoft.com		电子信箱	ygstock@ygsoft.com
	电　　话	0756-3399888　6298628		传　　真	0756-6298628
	办公地址	广东省珠海市港湾大道科技一路3号			
	经营范围	计算机软件的开发和销售、计算机软硬件系统集成、计算机技术咨询服务			

主要财务指标	指标\报告期	2016.06.30	2015.12.31	2015.06.30	2014.12.31
	基本每股收益(元)	0.1222	0.2027	0.2054	0.3168
	基本每股收益(扣除后)(元)	0.1087	0.1572	0.2649	0.3726
	稀释每股收益(元)	0.1222	0.2027	0.2675	0.4126
	每股净资产(元)	2.9246	2.8236	3.7031	3.4596
	每股经营现金净流量(元)	–0.5710	0.0535	–0.5989	0.2855
	每股现金流量(元)	–1.0009	–0.2237	–0.9132	0.1425
	每股资本公积金(元)	0.2335	0.3031	0.4152	0.4485
	每股盈余公积金(元)	0.3070	0.3040	0.3670	0.3641
	每股未分配利润(元)	1.4593	1.3725	2.1235	1.9142
	净资产收益率(%)	4.2000	7.1970	7.2733	11.9289
	加权净资产收益率(%)	4.2200	7.3900	7.4300	11.0300
	净资产收益率(扣除)(%)	3.7372	5.5827	7.2033	10.7721
	总资产(万元)	204156.67	203590.73	199766.53	191590.41
	归属母公司股东权益(万元)	172778.69	168442.35	169618.24	159755.39
	营业收入(万元)	54678.04	91478.69	52251.10	81694.55
	营业支出(万元)	21787.76	34280.41	14004.94	21795.78
	投资收益(万元)	151.63	–12.69	–196.48	2599.84
	净利润(万元)	6392.34	11001.15	11758.32	17783.10
	营业利润(万元)	4809.77	7839.31	12417.97	17267.91
	利润总额(万元)	6166.06	12306.49	13173.31	19358.21

浙江华峰氨纶股份有限公司

公司概况	公司名称	浙江华峰氨纶股份有限公司		证券简称	华峰氨纶
	法人代表	杨从登	董秘 陈章良	证券代码	002064
	公司网址	www.spandex.com.cn		电子信箱	chen.zhangliang@huafeng.com
	电　话	0577-65178053		传　真	0577-65537858
	办公地址	浙江省瑞安市瑞安经济开发区开发区大道 1788 号			
	经营范围	氨纶纤维的加工制造、销售及技术研发			

	指标\报告期	2016.06.30	2015.12.31	2015.06.30	2014.12.31
主要财务指标	基本每股收益(元)	-0.2500	0.1500	0.1100	0.2400
	基本每股收益(扣除后)(元)	-0.2500	0.1500	0.2200	0.5200
	稀释每股收益(元)	-0.2500	0.1500	0.2200	0.5300
	每股净资产(元)	1.7540	2.0003	1.9604	3.7476
	每股经营现金净流量(元)	0.1162	0.1445	-0.0539	0.8503
	每股现金流量(元)	-0.0181	-0.2098	-0.2372	0.5200
	每股资本公积金(元)	0.0117	0.0117	0.0117	0.9735
	每股盈余公积金(元)	0.1619	0.1619	0.1467	0.2935
	每股未分配利润(元)	0.5803	0.8267	0.8019	1.4807
	净资产收益率(%)	-14.0496	7.5768	5.6902	13.0702
	加权净资产收益率(%)	-13.1300	7.8200	5.7800	17.4800
	净资产收益率(扣除)(%)	-14.0720	7.2698	5.6334	12.7117
	总资产(万元)	503888.87	538501.69	469355.32	443268.42
	归属母公司股东权益(万元)	294104.88	335402.64	328714.94	314202.34
	营业收入(万元)	122448.60	254736.19	121927.33	236153.75
	营业支出(万元)	102047.64	187477.82	84708.19	161423.57
	投资收益(万元)	371.56	352.30	60.42	94.69
	净利润(万元)	-41320.53	25412.65	18704.59	41067.02
	营业利润(万元)	-40451.80	30762.88	21943.85	46497.84
	利润总额(万元)	-40444.32	31626.79	21913.04	47441.18

东华软件股份公司

公司概况	公司名称	东华软件股份公司		证券简称	东华软件
	法人代表	薛向东	董秘 杨健	证券代码	002065
	公司网址	www.dhcc.com.cn		电子信箱	strongyang@dhcc.com.cn
	电　话	010-62662188		传　真	010-62662299
	办公地址	北京市海淀区紫金数码园 3 号楼 16 层			
	经营范围	技术研发、技术咨询、技术服务、技术推广、技术转让等			

	指标\报告期	2016.06.30	2015.12.31	2015.06.30	2014.12.31
主要财务指标	基本每股收益(元)	0.2085	0.7416	0.2690	0.7013
	基本每股收益(扣除后)(元)	0.1612	0.6083	0.1452	0.6868
	稀释每股收益(元)	0.2080	0.7397	0.2682	0.6981
	每股净资产(元)	5.4224	5.4352	4.4105	4.1510
	每股经营现金净流量(元)	-0.6306	-0.0221	-0.3440	-0.0100
	每股现金流量(元)	-0.3258	0.0082	-0.3695	-0.1329
	每股资本公积金(元)	1.4741	1.4741	1.0393	0.9813
	每股盈余公积金(元)	0.2474	0.2474	0.1924	0.1940
	每股未分配利润(元)	2.4473	2.2388	1.8745	1.7713
	净资产收益率(%)	3.8453	13.4279	6.0739	16.5183
	加权净资产收益率(%)	3.8400	15.2800	6.2400	20.7400
	净资产收益率(扣除)(%)	2.9735	11.0137	3.2780	16.1761
	总资产(万元)	1175875.81	1115671.37	870504.87	792396.18
	归属母公司股东权益(万元)	848365.98	850377.25	673684.19	628789.58
	营业收入(万元)	216757.86	562941.66	168018.48	517104.87
	营业支出(万元)	142292.70	374372.58	108372.28	334633.36
	投资收益(万元)	7195.34	20340.98	20347.04	1128.24
	净利润(万元)	32340.42	113894.29	40913.79	103861.95
	营业利润(万元)	32160.49	114941.13	41282.37	108132.80
	利润总额(万元)	35605.32	123936.30	45388.09	112483.84

瑞泰科技股份有限公司

公司概况	公司名称	瑞泰科技股份有限公司		证券简称	瑞泰科技
	法人代表	曾大凡	董秘 朱爱华	证券代码	002066
	公司网址	www.bjruitai.com		电子信箱	zhah@bjruitai.com
	电　话	010-57987992　57987959		传　真	010-57987805
	办公地址	北京市朝阳区五里桥一街一号院 27 号楼			
	经营范围	制造、销售耐火材料、无机非金属材料的研发、销售以及技术咨询等			

	指标\报告期	2016.06.30	2015.12.31	2015.06.30	2014.12.31
主要财务指标	基本每股收益(元)	0.0221	-0.3461	0.0169	0.0290
	基本每股收益(扣除后)(元)	-0.0238	-0.4071	-0.0091	-0.0381
	稀释每股收益(元)	0.0221	-0.3461	0.0169	0.0290
	每股净资产(元)	1.6228	1.6007	1.9638	1.9469
	每股经营现金净流量(元)	-0.0716	0.0767	0.1804	0.5637
	每股现金流量(元)	-0.3008	0.2673	0.0070	-0.1493
	每股资本公积金(元)	0.7122	0.7122	0.7122	0.7122
	每股盈余公积金(元)	0.0966	0.0966	0.0966	0.0966
	每股未分配利润(元)	-0.1860	-0.2081	0.1550	0.1380
	净资产收益率(%)	1.3639	-21.6246	0.8618	1.4884
	加权净资产收益率(%)	1.3700	-19.5100	0.8700	1.5000
	净资产收益率(扣除)(%)	-1.4637	-25.4315	-0.4628	-1.9595
	总资产(万元)	353140.72	351065.09	348808.75	325782.71
	归属母公司股东权益(万元)	37487.72	36976.42	45363.34	44972.40
	营业收入(万元)	89551.11	184546.69	99221.65	208951.11
	营业支出(万元)	68203.24	140892.50	75341.71	158551.61
	投资收益(万元)	-	-	-	-
	净利润(万元)	1023.55	-5583.42	2268.46	4805.30
	营业利润(万元)	233.14	-7070.64	1886.80	3919.90
	利润总额(万元)	1722.35	-4599.58	2841.39	6592.11

浙江景兴纸业股份有限公司

公司概况	公司名称	浙江景兴纸业股份有限公司		证券简称	景兴纸业
	法人代表	朱在龙	董秘 姚洁青	证券代码	002067
	公司网址	www.jxpaper.com.cn		电子信箱	yaojq0518@126.com
	电　话	0573-85969328		传　真	0573-85963320
	办公地址	浙江省平湖市曹桥镇			
	经营范围	绿色环保再生纸、特种纸及其他纸品及纸制品、造纸原料的制造和销售等			

	指标\报告期	2016.06.30	2015.12.31	2015.06.30	2014.12.31
主要财务指标	基本每股收益(元)	0.1600	0.0100	0.0100	0.0100
	基本每股收益(扣除后)(元)	0.0600	0.0100	0.0100	0.0100
	稀释每股收益(元)	0.1600	0.0100	0.0100	0.0100
	每股净资产(元)	2.8377	2.6804	2.6772	2.6697
	每股经营现金净流量(元)	0.1364	0.1990	0.0028	0.4214
	每股现金流量(元)	-0.0128	-0.2715	-0.2069	0.0581
	每股资本公积金(元)	1.4184	1.4233	1.4252	1.4233
	每股盈余公积金(元)	0.0523	0.0523	0.0502	0.0502
	每股未分配利润(元)	0.3668	0.2048	0.2021	0.1963
	净资产收益率(%)	5.7060	0.3969	0.2146	0.3903
	加权净资产收益率(%)	5.8700	0.4000	0.2100	0.3900
	净资产收益率(扣除)(%)	2.1637	0.3017	0.2269	0.3224
	总资产(万元)	575991.88	571828.51	589472.91	581023.16
	归属母公司股东权益(万元)	310425.23	293222.60	292875.96	292051.23
	营业收入(万元)	168360.12	295410.56	133191.96	288821.44
	营业支出(万元)	147721.42	256953.94	113912.30	252808.66
	投资收益(万元)	17550.60	3633.95	1515.21	2334.21
	净利润(万元)	17543.84	208.04	213.03	317.96
	营业利润(万元)	13350.94	-3152.60	135.42	-73.22
	利润总额(万元)	17978.75	194.91	213.03	485.24

江西黑猫炭黑股份有限公司

公司概况	公司名称	江西黑猫炭黑股份有限公司			证券简称	黑猫股份
	法人代表	蔡景章	董秘	李毅	证券代码	002068
	公司网址	www.jx-blackcat.com		电子信箱	heimaoth@126.com	
	电　话	0798-8399126		传　真	0798-8399126	
	办公地址	江西省景德镇市历尧				
	经营范围	炭黑及其尾气的生产与销售等				

主要财务指标	指标＼报告期	2016.06.30	2015.12.31	2015.06.30	2014.12.31
	基本每股收益(元)	−0.0900	0.0300	0.0700	0.2000
	基本每股收益(扣除后)(元)	−0.1000	0.0100	0.0700	0.1800
	稀释每股收益(元)	−0.0900	0.0300	0.0700	0.2000
	每股净资产(元)	3.1066	3.2186	3.2596	2.8813
	每股经营现金净流量(元)	0.3365	−0.5069	−0.4997	3.1061
	每股现金流量(元)	0.2485	−0.3242	0.0460	0.3198
	每股资本公积金(元)	1.3914	1.4186	1.3997	0.8560
	每股盈余公积金(元)	0.0996	0.0996	0.0825	0.1044
	每股未分配利润(元)	0.6145	0.7186	0.7776	0.9211
	净资产收益率(%)	−3.0283	0.8668	2.1396	6.9916
	加权净资产收益率(%)	−2.9500	0.8900	2.2600	7.2500
	净资产收益率(扣除)(%)	−3.3144	0.3447	2.0094	6.2908
	总资产(万元)	631414.32	635354.68	690569.47	678632.14
	归属母公司股东权益(万元)	188590.98	196538.21	197880.41	138216.06
	营业收入(万元)	195017.81	477469.42	249261.25	616790.77
	营业支出(万元)	167142.51	402282.92	211469.62	522174.34
	投资收益(万元)	−14.02	−510.75	−355.17	−551.63
	净利润(万元)	−5942.11	2014.36	4442.70	10198.14
	营业利润(万元)	−6622.08	1900.59	5463.77	10456.16
	利润总额(万元)	−5376.86	4809.03	6033.26	12743.48

獐子岛集团股份有限公司

公司概况	公司名称	獐子岛集团股份有限公司			证券简称	獐子岛
	法人代表	吴厚刚	董秘	孙福君	证券代码	002069
	公司网址	www.zhangzidao.com		电子信箱	yanzhongji@zhangzidao.com	
	电　话	0411-39016969 39016968		传　真	0411-39989999	
	办公地址	辽宁省大连市中山区港兴路6号大连万达中心写字楼27层				
	经营范围	水产品养殖、捕捞、加工、销售、进出口业务、承办中外合资经营等				

主要财务指标	指标＼报告期	2016.06.30	2015.12.31	2015.06.30	2014.12.31
	基本每股收益(元)	0.0100	−0.3400	0.0030	−1.6700
	基本每股收益(扣除后)(元)	−0.0300	−0.6904	−0.1000	−1.3600
	稀释每股收益(元)	0.0100	−0.3400	–	−1.6700
	每股净资产(元)	1.2634	1.2454	1.5917	1.5922
	每股经营现金净流量(元)	0.0053	0.4468	0.1090	0.0678
	每股现金流量(元)	−0.1196	0.1868	0.0003	−0.0434
	每股资本公积金(元)	1.2341	1.2317	1.2302	1.2302
	每股盈余公积金(元)	0.3448	0.3448	0.3448	0.3448
	每股未分配利润(元)	−1.2979	−1.3073	−0.9628	−0.9656
	净资产收益率(%)	0.7444	−27.4314	0.1794	−105.0443
	加权净资产收益率(%)	0.7500	−24.0400	0.1800	−67.6900
	净资产收益率(扣除)(%)	−2.7465	−55.4326	−5.9893	−18.4771
	总资产(万元)	441837.32	448538.71	471481.68	487824.32
	归属母公司股东权益(万元)	89844.72	88561.49	113188.51	113221.56
	营业收入(万元)	133690.08	272678.02	130104.63	266221.15
	营业支出(万元)	112681.69	240608.16	108631.98	229221.86
	投资收益(万元)	454.75	252.00	34.92	114.18
	净利润(万元)	627.78	−24543.90	314.19	−119521.72
	营业利润(万元)	−2401.74	−30796.07	−7909.78	−62069.52
	利润总额(万元)	682.83	−6067.15	205.56	−131915.15

福建众和股份有限公司

公司概况	公司名称	福建众和股份有限公司			证券简称	众和股份
	法人代表	许建成	董秘	詹金明	证券代码	002070
	公司网址	www.zhonghe.com		电子信箱	security@zhonghe.com	
	电　话	0592-5054995		传　真	0592-5321932	
	办公地址	福建省莆田市秀屿区西许工业区5-8号				
	经营范围	面料、服装及其他纺织品的开发、生产、销售等				

主要财务指标	指标＼报告期	2016.06.30	2015.12.31	2015.06.30	2014.12.31
	基本每股收益(元)	0.0491	−0.2311	−0.0705	0.0210
	基本每股收益(扣除后)(元)	0.0415	−0.2443	−0.0771	0.0027
	稀释每股收益(元)	0.0491	−0.2311	−0.0705	0.0210
	每股净资产(元)	1.1557	1.1060	1.2648	1.3351
	每股经营现金净流量(元)	0.1035	0.0131	−0.0503	0.1792
	每股现金流量(元)	−0.0029	−0.0360	0.0046	−0.1253
	每股资本公积金(元)	–	–	–	–
	每股盈余公积金(元)	0.0295	0.0295	0.0295	0.0295
	每股未分配利润(元)	0.1114	0.0625	0.2231	0.2936
	净资产收益率(%)	4.2513	−20.8975	−5.5750	1.5733
	加权净资产收益率(%)	4.3600	−18.9500	−5.4200	1.0900
	净资产收益率(扣除)(%)	3.5940	−22.0897	−6.0960	−0.2012
	总资产(万元)	266319.88	270642.70	285694.00	293657.65
	归属母公司股东权益(万元)	73418.96	70257.81	80345.42	84815.61
	营业收入(万元)	46607.30	68901.59	35617.27	126018.31
	营业支出(万元)	31969.07	59986.72	31268.25	103049.10
	投资收益(万元)	91.16	182.99	91.46	342.63
	净利润(万元)	3337.96	−15142.91	−4688.32	763.03
	营业利润(万元)	3459.00	−19790.68	−6609.93	−1537.74
	利润总额(万元)	4565.03	−17854.23	−5765.95	1267.91

长城影视股份有限公司

公司概况	公司名称	长城影视股份有限公司			证券简称	长城影视
	法人代表	赵锐勇	董秘	陆晓红	证券代码	002071
	公司网址	www.chinaccys.com		电子信箱	chinaccys@126.com	
	电　话	0571-85026150		传　真	0571-85021376	
	办公地址	浙江省杭州市文二西路683号西溪湿地创意产业园西区				
	经营范围	电视剧的投资、制作与发行及其衍生业务等				

主要财务指标	指标＼报告期	2016.06.30	2015.12.31	2015.06.30	2014.12.31
	基本每股收益(元)	0.1222	0.4400	0.0876	0.4200
	基本每股收益(扣除后)(元)	0.1002	0.3900	0.0699	0.3900
	稀释每股收益(元)	0.1222	0.4400	0.0951	0.4300
	每股净资产(元)	1.2221	1.8346	1.7149	1.6199
	每股经营现金净流量(元)	0.2638	0.2866	−0.0311	−0.0855
	每股现金流量(元)	−0.0624	0.1114	−0.0228	0.0912
	每股资本公积金(元)	−1.0491	−0.8849	−0.5411	−0.5411
	每股盈余公积金(元)	–	0.0882	0.0882	0.0882
	每股未分配利润(元)	1.2712	1.6314	1.1679	1.0728
	净资产收益率(%)	10.0005	24.0601	5.5440	23.5586
	加权净资产收益率(%)	7.4000	22.2800	5.7000	26.7000
	净资产收益率(扣除)(%)	8.3819	21.0771	4.0786	21.0028
	总资产(万元)	289776.07	291712.27	195249.28	137921.08
	归属母公司股东权益(万元)	64210.71	96397.48	90108.50	85112.85
	营业收入(万元)	59724.92	99344.34	20386.80	50776.41
	营业支出(万元)	40371.41	51465.70	11853.81	18713.35
	投资收益(万元)	–	–	–	−19.72
	净利润(万元)	9535.87	29049.12	5410.81	20660.22
	营业利润(万元)	9839.78	33836.32	6009.31	25464.03
	利润总额(万元)	11196.78	38392.07	7781.35	28006.86

凯瑞德控股股份有限公司

公司概况						
	公司名称	凯瑞德控股股份有限公司			证券简称	凯 瑞 德
	法人代表	吴联模	董秘	张彬	证券代码	002072
	公司网址	www.kruide.com			电子信箱	dmzhangbin@163.com
	电　话	0534-2436506			传　真	0534-2436506
	办公地址	山东省德州市德城区顺河西路 18 号				
	经营范围	从事长丝布、色织布和本色坯布等中高档服装面料和装饰面料的生产经营等				

主要财务指标	指标\报告期	2016.06.30	2015.12.31	2015.06.30	2014.12.31
	基本每股收益(元)	0.2110	-0.6020	-0.3150	0.0260
	基本每股收益(扣除后)(元)	-0.1790	-0.6600	-0.3150	-0.4010
	稀释每股收益(元)	0.2110	-0.6020	-0.3150	0.0260
	每股净资产(元)	0.6738	0.4631	0.7494	1.0648
	每股经营现金净流量(元)	-0.0337	-0.1168	-0.0426	-0.2016
	每股现金流量(元)	0.0028	-0.0182	0.0236	-0.0080
	每股资本公积金(元)	1.0891	1.0891	1.0891	1.0891
	每股盈余公积金(元)	0.2174	0.2174	0.2174	0.2174
	每股未分配利润(元)	-1.6327	-1.8434	-1.5571	-1.2417
	净资产收益率(%)	31.2726	-129.9282	-42.0918	2.4505
	加权净资产收益率(%)	37.0700	-78.7600	-34.7700	2.4800
	净资产收益率(扣除)(%)	-26.5445	-144.0146	-42.0918	-37.6243
	总资产(万元)	66602.10	71723.70	103849.49	111628.98
	归属母公司股东权益(万元)	11858.91	8150.32	13188.57	18739.89
	营业收入(万元)	532.85	6035.04	5364.26	70967.04
	营业支出(万元)	549.66	8450.75	7167.60	70039.11
	投资收益(万元)	-1.20	-602.66	-321.29	730.62
	净利润(万元)	3708.59	-10589.57	-5551.31	459.22
	营业利润(万元)	-3147.70	-11376.29	-5550.80	-4389.65
	利润总额(万元)	3708.77	-10540.09	-5550.80	910.12

软控股份有限公司

公司概况						
	公司名称	软控股份有限公司			证券简称	软控股份
	法人代表	袁仲雪	董秘	鲁丽娜	证券代码	002073
	公司网址	www.mesnac.com			电子信箱	info@mesnac.com
	电　话	0532-84012387			传　真	0532-84011517
	办公地址	山东省青岛市郑州路 43 号				
	经营范围	机械设备、模具、计算机软硬件、大规模集成电路、自动化系统等				

主要财务指标	指标\报告期	2016.06.30	2015.12.31	2015.06.30	2014.12.31
	基本每股收益(元)	0.0200	0.2700	0.1600	0.2600
	基本每股收益(扣除后)(元)	-0.1600	0.0800	0.0700	0.1800
	稀释每股收益(元)	0.0200	0.2700	0.1500	0.2600
	每股净资产(元)	5.0831	5.2146	5.1581	4.6931
	每股经营现金净流量(元)	-0.3237	0.0268	-0.2243	-0.3904
	每股现金流量(元)	-0.1675	0.2071	0.4711	-0.2547
	每股资本公积金(元)	1.1611	1.1571	1.0916	0.4484
	每股盈余公积金(元)	0.3709	0.3695	0.3589	0.3958
	每股未分配利润(元)	2.4904	2.4587	2.3609	2.4714
	净资产收益率(%)	0.4391	4.9101	2.8639	5.5153
	加权净资产收益率(%)	0.4300	5.4700	3.4200	5.6700
	净资产收益率(扣除)(%)	-3.2096	1.4069	1.1963	3.7375
	总资产(万元)	820620.45	806070.19	826619.04	788912.03
	归属母公司股东权益(万元)	414512.40	426858.25	422234.61	348397.45
	营业收入(万元)	91890.65	251632.97	142619.24	294960.83
	营业支出(万元)	72879.48	172369.30	98137.64	206195.58
	投资收益(万元)	12029.57	11209.00	7187.56	4410.70
	净利润(万元)	1024.75	19699.07	11690.84	19010.94
	营业利润(万元)	-6349.37	15411.82	12202.03	10859.21
	利润总额(万元)	274.86	24616.35	14929.85	21388.23

国轩高科股份有限公司

公司概况						
	公司名称	国轩高科股份有限公司			证券简称	国轩高科
	法人代表	李缜	董秘	王勇	证券代码	002074
	公司网址	www.hfgxgk.com			电子信箱	gxgk@hfgxgk.com
	电　话	0551-62100213			传　真	0551-62100213
	办公地址	安徽省合肥市新站区岱河路 599 号				
	经营范围	高、低压开关及成套设备、电器自动化、配网自动化设备及元器件的制造和销售等				

主要财务指标	指标\报告期	2016.06.30	2015.12.31	2015.06.30	2014.12.31
	基本每股收益(元)	0.6100	0.8000	0.3700	0.1500
	基本每股收益(扣除后)(元)	0.5900	0.7500	0.3600	0.1000
	稀释每股收益(元)	0.6100	0.8000	0.3700	0.1500
	每股净资产(元)	3.9119	3.4416	3.1277	1.9538
	每股经营现金净流量(元)	0.1393	0.5938	-0.0349	0.2828
	每股现金流量(元)	-0.6585	1.2913	0.4194	-0.1968
	每股资本公积金(元)	1.4567	1.4465	1.2275	1.6972
	每股盈余公积金(元)	0.1308	0.1308	0.0657	0.2818
	每股未分配利润(元)	1.6329	1.1740	0.8344	2.4818
	净资产收益率(%)	15.5641	19.3833	8.1979	7.6039
	加权净资产收益率(%)	16.4500	27.0000	14.2300	7.7900
	净资产收益率(扣除)(%)	15.0310	18.1651	8.0018	4.9848
	总资产(万元)	846558.34	671327.25	505539.76	263469.50
	归属母公司股东权益(万元)	342823.43	301605.66	269707.76	110417.36
	营业收入(万元)	239938.30	274549.62	89160.17	88550.62
	营业支出(万元)	125528.49	149938.58	47204.04	64634.22
	投资收益(万元)	-13.49	210.44	787.15	1.66
	净利润(万元)	53405.62	58730.62	22149.45	4746.12
	营业利润(万元)	62467.87	63847.15	26471.35	3932.82
	利润总额(万元)	64635.77	68022.38	27093.67	5845.36

江苏沙钢股份有限公司

公司概况						
	公司名称	江苏沙钢股份有限公司			证券简称	沙钢股份
	法人代表	何春生	董秘	杨华	证券代码	002075
	公司网址	www.shaganggf.com			电子信箱	sggf@shasteel.cn
	电　话	0512-58987088			传　真	0512-58682018
	办公地址	江苏省张家港市锦丰镇沙钢大厦				
	经营范围	优特钢、中厚板钢铁产品及铜制品的生产与销售等				

主要财务指标	指标\报告期	2016.06.30	2015.12.31	2015.06.30	2014.12.31
	基本每股收益(元)	0.0298	-0.0370	-0.0285	0.0160
	基本每股收益(扣除后)(元)	0.0283	-0.0310	0.0004	0.0153
	稀释每股收益(元)	0.0298	-0.0370	-0.0399	0.0223
	每股净资产(元)	1.0753	1.0453	1.4750	1.5153
	每股经营现金净流量(元)	0.1418	0.2765	0.1819	0.9612
	每股现金流量(元)	-0.1617	0.1477	-0.0248	-0.0835
	每股资本公积金(元)	-0.2758	-0.2758	0.0139	0.0139
	每股盈余公积金(元)	0.0180	0.0180	0.0252	0.0252
	每股未分配利润(元)	0.3278	0.2980	0.4284	0.4683
	净资产收益率(%)	2.7701	-3.4952	-2.7061	1.4744
	加权净资产收益率(%)	2.8100	-3.4300	-2.6700	1.4900
	净资产收益率(扣除)(%)	2.6341	-2.9296	0.0255	1.0078
	总资产(万元)	671353.92	655005.69	706232.18	713741.27
	归属母公司股东权益(万元)	237298.43	230667.19	232502.86	238856.35
	营业收入(万元)	333010.43	735734.42	406265.15	1030806.69
	营业支出(万元)	299134.34	703609.83	372343.98	965722.21
	投资收益(万元)	469.71	-7369.57	-9359.50	-6331.80
	净利润(万元)	12628.51	-12943.48	-5165.98	6948.32
	营业利润(万元)	15703.82	-11978.55	4544.57	13306.53
	利润总额(万元)	16350.00	-18797.02	-2607.02	13361.22

广东雪莱特光电科技股份有限公司

公司概况

公司名称	广东雪莱特光电科技股份有限公司			证券简称	雪莱特
法人代表	柴国生	董秘	冼树忠	证券代码	002076
公司网址	www.cnlight.com			电子信箱	info@cnlight.com
电话	0757-86695590			传真	0757-86695225
办公地址	广东省佛山市南海区桂城街道桂澜北路2号亿能国际广场2座19楼				
经营范围	设计、加工、制造:照明电器、电真空器件、科教器材、电光源器材及配件等				

主要财务指标

指标\报告期	2016.06.30	2015.12.31	2015.06.30	2014.12.31
基本每股收益(元)	0.0510	0.1613	0.0803	0.0937
基本每股收益(扣除后)(元)	0.0450	0.1401	0.0721	0.0499
稀释每股收益(元)	0.0510	0.1613	0.0803	0.0937
每股净资产(元)	2.6710	2.6853	2.5831	2.2360
每股经营现金净流量(元)	-0.0609	0.5365	0.0927	0.0224
每股现金流量(元)	0.2244	0.6383	0.0728	-0.1067
每股资本公积金(元)	1.3970	1.3923	1.3030	0.3011
每股盈余公积金(元)	0.0731	0.0731	0.0739	0.1447
每股未分配利润(元)	0.2828	0.3018	0.2061	0.7902
净资产收益率(%)	1.9088	5.7607	2.1632	4.1888
加权净资产收益率(%)	1.8200	6.2300	2.3500	4.1900
净资产收益率(扣除)(%)	1.6831	5.0041	1.9438	2.2312
总资产(万元)	148002.03	143216.63	124238.29	61154.77
归属母公司股东权益(万元)	98069.33	98593.57	93190.54	41203.41
营业收入(万元)	36932.36	80161.50	33391.55	44185.41
营业支出(万元)	26881.80	58956.07	24588.01	33204.75
投资收益(万元)	46.22	10.85	36.23	27.21
净利润(万元)	1291.75	5197.33	1901.82	1673.67
营业利润(万元)	1238.34	5315.46	1995.80	1070.64
利润总额(万元)	1522.90	6181.87	2236.78	2018.26

江苏大港股份有限公司

公司概况

公司名称	江苏大港股份有限公司			证券简称	大港股份
法人代表	林子文	董秘	吴晓坚	证券代码	002077
公司网址	www.dggf.cn			电子信箱	dggfwu@hotmail.com
电话	0511-88901009			传真	0511-88901188
办公地址	江苏省镇江市镇江新区通港路1号				
经营范围	工业园区开发、基础设施建设、工业厂房建设与经营、房地产开发等				

主要财务指标

指标\报告期	2016.06.30	2015.12.31	2015.06.30	2014.12.31
基本每股收益(元)	0.0300	-0.0500	-0.1000	0.1500
基本每股收益(扣除后)(元)	-	-0.2500	-0.2100	-0.3000
稀释每股收益(元)	0.0300	-0.0500	-0.1000	0.1500
每股净资产(元)	6.5459	4.2299	4.0100	3.7610
每股经营现金净流量(元)	-0.2465	0.7780	-0.8776	0.2632
每股现金流量(元)	0.6540	0.6218	-0.2368	0.1891
每股资本公积金(元)	4.8567	2.2803	2.3749	1.0606
每股盈余公积金(元)	0.1885	0.2668	0.2668	0.4341
每股未分配利润(元)	0.5003	0.6821	0.7056	1.2642
净资产收益率(%)	0.2809	-1.0625	-1.6435	4.0650
加权净资产收益率(%)	0.5600	-1.2300	-2.4000	4.1200
净资产收益率(扣除)(%)	0.0226	-5.1587	-3.6481	-7.9240
总资产(万元)	726006.18	526619.57	598373.14	548597.17
归属母公司股东权益(万元)	379891.69	173425.51	178289.49	94776.44
营业收入(万元)	64253.54	107770.79	67824.31	153769.28
营业支出(万元)	53654.44	86254.09	48845.47	113074.29
投资收益(万元)	-638.68	502.36	19.92	1582.55
净利润(万元)	629.59	-4253.47	-4590.44	2318.53
营业利润(万元)	387.60	-5173.28	-2621.72	4169.16
利润总额(万元)	888.51	-3968.30	-2571.33	5267.64

山东太阳纸业股份有限公司

公司概况

公司名称	山东太阳纸业股份有限公司			证券简称	太阳纸业
法人代表	李洪信	董秘	庞福成	证券代码	002078
公司网址	www.sunpapergroup.com			电子信箱	pangfucheng@sunpaper.cn
电话	0537-7928715 7928762			传真	0537-7928762
办公地址	山东省兖州市友谊路1号				
经营范围	机制纸、纸板制造、纸制品制造、加工、造纸用农产品的收购等				

主要财务指标

指标\报告期	2016.06.30	2015.12.31	2015.06.30	2014.12.31
基本每股收益(元)	0.1400	0.2700	0.1000	0.2000
基本每股收益(扣除后)(元)	0.1400	0.3000	0.1000	0.2000
稀释每股收益(元)	0.1400	0.2700	0.1000	0.2000
每股净资产(元)	2.8993	2.7540	2.6229	2.3586
每股经营现金净流量(元)	0.6075	0.2702	0.4638	1.1347
每股现金流量(元)	0.0195	0.2156	0.3743	-0.2389
每股资本公积金(元)	0.4754	0.4744	0.4715	0.1973
每股盈余公积金(元)	0.2002	0.2002	0.1861	0.2054
每股未分配利润(元)	1.2179	1.0790	0.9795	0.9714
净资产收益率(%)	4.7939	9.5428	3.7841	8.6476
加权净资产收益率(%)	4.9200	10.3400	4.4400	8.9400
净资产收益率(扣除)(%)	4.7210	10.6321	3.5199	8.4279
总资产(万元)	2032778.03	1971785.35	1886457.46	1629325.52
归属母公司股东权益(万元)	735441.44	698596.10	665326.69	542129.88
营业收入(万元)	655958.40	1082512.39	519374.49	1045788.20
营业支出(万元)	526042.04	829275.00	404008.25	836089.33
投资收益(万元)	970.53	-13616.75	-3724.41	-5632.91
净利润(万元)	37900.76	75510.19	28562.89	54694.93
营业利润(万元)	49340.99	88634.42	35653.15	66754.13
利润总额(万元)	50100.78	104047.35	37646.71	68334.37

苏州固锝电子股份有限公司

公司概况

公司名称	苏州固锝电子股份有限公司			证券简称	苏州固锝
法人代表	吴念博	董秘	滕有西	证券代码	002079
公司网址	www.goodark.com			电子信箱	sha.li@goodark.com
电话	0512-68188888*2079			传真	0512-68189999
办公地址	江苏省苏州市高新区通安镇华金路200号				
经营范围	设计、制造和销售各类半导体芯片、各类集成电路、二极管、三极管等				

主要财务指标

指标\报告期	2016.06.30	2015.12.31	2015.06.30	2014.12.31
基本每股收益(元)	0.0710	0.0310	0.0100	0.0580
基本每股收益(扣除后)(元)	0.0660	0.0190	0.0080	0.0480
稀释每股收益(元)	0.0710	0.0310	0.0100	0.0580
每股净资产(元)	1.9483	1.7576	1.7368	1.7469
每股经营现金净流量(元)	0.1303	0.1120	0.0483	0.4181
每股现金流量(元)	-0.0590	-0.2819	-0.0007	0.2551
每股资本公积金(元)	0.4555	0.3156	0.3156	0.3156
每股盈余公积金(元)	0.0984	0.0984	0.0924	0.0924
每股未分配利润(元)	0.3970	0.3430	0.3274	0.3376
净资产收益率(%)	3.6400	1.7846	0.5627	3.3431
加权净资产收益率(%)	3.8300	1.7900	0.5600	3.3800
净资产收益率(扣除)(%)	3.3988	1.0659	0.4838	2.7687
总资产(万元)	167595.76	148961.53	148427.00	148332.08
归属母公司股东权益(万元)	141828.51	127948.76	126430.90	127171.81
营业收入(万元)	53300.27	81194.59	38474.66	92211.32
营业支出(万元)	43293.93	69560.44	32974.78	77409.90
投资收益(万元)	1983.13	340.06	-205.24	-131.09
净利润(万元)	5789.47	1871.21	458.22	3619.80
营业利润(万元)	6673.00	1946.81	414.27	4139.37
利润总额(万元)	6817.29	2366.16	517.44	4921.39

中材科技股份有限公司

公司概况					
公司名称	中材科技股份有限公司			证券简称	中材科技
法人代表	薛忠民	董秘	陈志斌	证券代码	002080
公司网址	www.sinomatech.com		电子信箱	sinoma@sinomatech.com	
电　话	010-88437909		传　真	010-88437712	
办公地址	北京市海淀区板井路 69 号商务中心写字楼 12Fa				
经营范围	特种纤维复合材料及其制品的制造与销售等				

主要财务指标　指标\报告期	2016.06.30	2015.12.31	2015.06.30	2014.12.31
基本每股收益(元)	0.3813	0.7508	0.5004	0.3805
基本每股收益(扣除后)(元)	0.4417	0.6590	0.4202	0.3465
稀释每股收益(元)	0.3813	0.7508	0.4603	0.3805
每股净资产(元)	9.8770	7.0721	6.6655	6.3135
每股经营现金净流量(元)	0.3490	2.0574	1.2960	0.9541
每股现金流量(元)	0.9182	0.2601	-0.2592	0.4864
每股资本公积金(元)	6.8418	9.9637	3.4953	3.4867
每股盈余公积金(元)	0.2004	0.4042	0.1715	0.1715
每股未分配利润(元)	1.8320	3.0138	1.9956	1.6553
净资产收益率(%)	3.4203	10.6158	6.9056	6.0266
加权净资产收益率(%)	4.1700	11.3400	7.0200	6.2200
净资产收益率(扣除)(%)	2.9686	9.3181	6.3048	5.4889
总资产(万元)	2048394.09	1870044.72	822092.21	805525.98
归属母公司股东权益(万元)	796866.63	575612.50	266621.96	252540.35
营业收入(万元)	379266.80	582758.62	252340.54	442445.24
营业支出(万元)	280924.22	456782.24	198567.49	348986.22
投资收益(万元)	79.34	159.77	22.95	123.15
净利润(万元)	28046.89	33681.67	20549.43	17275.68
营业利润(万元)	22342.02	27390.72	18058.87	12752.46
利润总额(万元)	34443.52	43270.13	25253.65	22804.59

苏州金螳螂建筑装饰股份有限公司

公司概况					
公司名称	苏州金螳螂建筑装饰股份有限公司			证券简称	金螳螂
法人代表	倪林	董秘	潘洁	证券代码	002081
公司网址	www.goldmantis.com		电子信箱	tzglb@goldmantis.com	
电　话	0512-68660622		传　真	0512-68660622	
办公地址	江苏省苏州市西环路 888 号				
经营范围	承接各类建筑室内、室外装修装饰工程的设计及施工等				

主要财务指标　指标\报告期	2016.06.30	2015.12.31	2015.06.30	2014.12.31
基本每股收益(元)	0.3360	0.9100	0.3230	1.0700
基本每股收益(扣除后)(元)	0.3371	0.8800	0.4750	1.0200
稀释每股收益(元)	0.3360	0.9100	0.4844	1.0700
每股净资产(元)	3.4684	4.8899	4.4583	4.0728
每股经营现金净流量(元)	-0.2022	0.0465	-0.5197	-0.1963
每股现金流量(元)	0.0652	-0.3009	-0.4838	-0.9217
每股资本公积金(元)	0.0601	0.0901	0.0901	0.0901
每股盈余公积金(元)	0.2577	0.3866	0.3128	0.3128
每股未分配利润(元)	2.1477	3.4150	3.0639	2.6795
净资产收益率(%)	9.6873	18.5951	10.8661	26.1565
加权净资产收益率(%)	9.8600	20.2900	11.2700	29.5200
净资产收益率(扣除)(%)	9.7205	17.9289	10.6540	25.0919
总资产(万元)	2473467.88	2480488.58	2214277.44	2170779.51
归属母公司股东权益(万元)	916797.67	861697.60	785644.98	717703.68
营业收入(万元)	910159.95	1865409.26	885944.23	2068859.59
营业支出(万元)	765796.86	1533226.56	727643.73	1687533.43
投资收益(万元)	9192.87	14590.24	4755.93	7576.69
净利润(万元)	89021.51	160568.23	85122.63	189824.71
营业利润(万元)	105919.57	188673.76	101953.77	223446.33
利润总额(万元)	106278.35	189550.77	102329.68	224960.28

浙江栋梁新材股份有限公司

公司概况					
公司名称	浙江栋梁新材股份有限公司			证券简称	栋梁新材
法人代表	陆勋伟	董秘	袁嘉懿	证券代码	002082
公司网址	www.dongliang.com.cn		电子信箱	info@dongliang.com.cn	
电　话	0572-3158810 2699791		传　真	0572-2699791	
办公地址	浙江省湖州市织里镇栋梁路				
经营范围	铝合金型材、铝棒、五金制品及模具、镁合金制品的制造加工、销售等				

主要财务指标　指标\报告期	2016.06.30	2015.12.31	2015.06.30	2014.12.31
基本每股收益(元)	0.1600	0.2600	0.2000	0.4500
基本每股收益(扣除后)(元)	0.1500	0.2500	0.2000	0.4300
稀释每股收益(元)	0.1600	0.2600	0.2000	0.4500
每股净资产(元)	5.6781	5.6171	5.5544	5.4023
每股经营现金净流量(元)	0.3367	0.0704	0.1057	0.5895
每股现金流量(元)	-0.2427	0.0556	-0.0563	-0.1099
每股资本公积金(元)	1.0160	1.0160	1.0160	1.0160
每股盈余公积金(元)	0.3879	0.3879	0.3544	0.3544
每股未分配利润(元)	3.2741	3.2131	3.1840	3.0318
净资产收益率(%)	2.8352	4.7144	3.6394	8.3633
加权净资产收益率(%)	2.8600	4.8100	3.6800	8.7300
净资产收益率(扣除)(%)	2.5946	4.3649	3.5826	8.0050
总资产(万元)	160747.86	161727.08	157907.07	155102.70
归属母公司股东权益(万元)	135137.87	133686.42	132195.12	128573.96
营业收入(万元)	369211.17	1157219.78	477974.48	1145169.41
营业支出(万元)	359753.64	1138932.44	467355.86	1117992.60
投资收益(万元)	121.07	154.20	61.39	-
净利润(万元)	4035.34	6843.34	5079.00	11334.95
营业利润(万元)	4363.03	8082.95	5702.85	13240.03
利润总额(万元)	4560.42	8295.49	5701.83	13557.83

孚日集团股份有限公司

公司概况					
公司名称	孚日集团股份有限公司			证券简称	孚日股份
法人代表	孙日贵	董秘	张萌	证券代码	002083
公司网址	www.sunvim.com		电子信箱	furigufen@126.com	
电　话	0536-2308043		传　真	0536-5828777	
办公地址	山东省潍坊市高密市孚日街 1 号				
经营范围	生产和销售巾被系列产品和装饰布系列产品				

主要财务指标　指标\报告期	2016.06.30	2015.12.31	2015.06.30	2014.12.31
基本每股收益(元)	0.1900	0.3400	0.1700	0.0800
基本每股收益(扣除后)(元)	0.1700	0.3300	0.1600	0.2500
稀释每股收益(元)	0.1900	0.3400	0.1700	0.0800
每股净资产(元)	3.2848	3.2915	3.1230	3.0488
每股经营现金净流量(元)	0.6357	0.9785	0.5088	0.1570
每股现金流量(元)	0.1414	-0.0331	-0.0357	0.0952
每股资本公积金(元)	1.3890	1.3890	1.3890	1.3890
每股盈余公积金(元)	0.1695	0.1695	0.1448	0.1448
每股未分配利润(元)	0.7265	0.7335	0.5898	0.5158
净资产收益率(%)	5.8762	10.3992	5.5716	2.6414
加权净资产收益率(%)	5.8600	10.7700	5.6300	2.6300
净资产收益率(扣除)(%)	5.2385	9.9664	5.2398	-
总资产(万元)	743084.90	766240.59	685253.28	777183.21
归属母公司股东权益(万元)	298261.69	298864.58	283564.87	276827.95
营业收入(万元)	221179.11	418377.88	217884.20	452339.67
营业支出(万元)	170065.73	325162.35	170687.79	361630.87
投资收益(万元)	2016.67	3109.98	2097.21	3192.39
净利润(万元)	17673.91	31260.26	15887.80	7513.48
营业利润(万元)	24462.05	41536.78	22182.81	26322.75
利润总额(万元)	24662.89	41890.07	21342.16	3297.51

广州海鸥卫浴用品股份有限公司

公司概况	项目					
	公司名称	广州海鸥卫浴用品股份有限公司			证券简称	海鸥卫浴
	法人代表	唐台英	董秘	陈巍	证券代码	002084
	公司网址	www.seagullgroup.cn		电子信箱	seagull@seagullgroup.cn	
	电　话	020-34808178　34807004		传　真	020-34808171	
	办公地址	广东省广州市番禺区沙头街禺山西路 363 号联邦工业城内				
	经营范围	水龙头零组件等卫浴五金产品的设计、开发、制造和销售				

主要财务指标	指标\报告期	2016.06.30	2015.12.31	2015.06.30	2014.12.31
	基本每股收益(元)	0.0498	0.1102	0.0395	0.1000
	基本每股收益(扣除后)(元)	0.0351	0.1122	0.0300	0.1200
	稀释每股收益(元)	0.0498	0.1102	0.0400	0.1000
	每股净资产(元)	2.4497	2.4433	1.9729	1.9639
	每股经营现金净流量(元)	0.2407	0.4034	0.3445	0.3796
	每股现金流量(元)	0.1973	0.2918	0.2643	0.1749
	每股资本公积金(元)	0.5762	0.5671	0.0669	0.0670
	每股盈余公积金(元)	0.1433	0.1433	0.1611	0.1611
	每股未分配利润(元)	0.7264	0.7266	0.7425	0.7330
	净资产收益率(%)	2.0317	4.1381	2.0034	5.1598
	加权净资产收益率(%)	2.0700	5.2200	2.0000	5.2000
	净资产收益率(扣除)(%)	1.4349	5.2973	1.3457	6.1741
	总资产(万元)	191038.17	183981.39	168615.36	168563.23
	归属母公司股东权益(万元)	111782.08	111491.72	80112.54	79744.37
	营业收入(万元)	81485.59	171490.94	82794.90	164997.25
	营业支出(万元)	65598.71	135800.00	65281.30	123085.12
	投资收益(万元)	–957.01	–1720.06	–655.08	–387.22
	净利润(万元)	2460.28	4665.80	1531.18	4409.76
	营业利润(万元)	2967.56	3277.40	1971.75	4402.17
	利润总额(万元)	3191.27	5504.30	2018.95	4687.43

浙江万丰奥威汽轮股份有限公司

公司概况	项目					
	公司名称	浙江万丰奥威汽轮股份有限公司			证券简称	万丰奥威
	法人代表	陈爱莲	董秘	俞国燕	证券代码	002085
	公司网址	www.wfaw.com.cn		电子信箱	wfirm@wfjt.com	
	电　话	0575-86298339		传　真	0575-86298339	
	办公地址	浙江省绍兴市新昌县工业区				
	经营范围	汽车、摩托车铝合金车轮的生产与销售				

主要财务指标	指标\报告期	2016.06.30	2015.12.31	2015.06.30	2014.12.31
	基本每股收益(元)	0.2633	0.9300	0.6736	1.1200
	基本每股收益(扣除后)(元)	0.2600	0.6400	0.6200	1.1300
	稀释每股收益(元)	0.2633	0.9300	0.6736	1.1200
	每股净资产(元)	2.5404	4.5006	5.6891	5.0175
	每股经营现金净流量(元)	0.3872	1.3391	1.0912	2.1597
	每股现金流量(元)	0.1220	0.1153	–0.3176	0.4090
	每股资本公积金(元)	0.0399	0.8797	1.2146	1.2146
	每股盈余公积金(元)	0.1113	0.2225	0.4301	0.4301
	每股未分配利润(元)	1.3899	2.5031	3.0504	2.3768
	净资产收益率(%)	10.3646	19.4484	11.8395	22.2321
	加权净资产收益率(%)	11.0700	23.9900	12.5800	23.7100
	净资产收益率(扣除)(%)	10.1251	13.4411	10.9264	22.5936
	总资产(万元)	896290.68	884620.12	545153.14	506213.67
	归属母公司股东权益(万元)	462971.34	410097.97	221930.03	195732.65
	营业收入(万元)	455878.52	848109.95	275304.42	553512.81
	营业支出(万元)	340619.73	644562.27	206731.33	426079.73
	投资收益(万元)	–2103.90	3551.65	1148.91	872.37
	净利润(万元)	54614.79	91234.15	30788.64	52952.49
	营业利润(万元)	67189.27	107065.68	37574.05	57510.20
	利润总额(万元)	68574.11	113462.87	37060.01	61358.19

山东东方海洋科技股份有限公司

公司概况	项目					
	公司名称	山东东方海洋科技股份有限公司			证券简称	东方海洋
	法人代表	车轼	董秘	于德海	证券代码	002086
	公司网址	www.dfhy.cc		电子信箱	mpydh@126.com	
	电　话	0535-6729111　6929011		传　真	0535-6729055*9055	
	办公地址	山东省烟台市莱山区澳柯玛大街 18 号				
	经营范围	水产品加工出口和海水养殖				

主要财务指标	指标\报告期	2016.06.30	2015.12.31	2015.06.30	2014.12.31
	基本每股收益(元)	0.1522	0.1981	0.1641	0.1706
	基本每股收益(扣除后)(元)	0.1406	0.1530	0.1543	0.0872
	稀释每股收益(元)	0.1522	0.1981	0.1641	0.1706
	每股净资产(元)	4.1214	8.1442	5.9219	5.7578
	每股经营现金净流量(元)	0.0235	0.2316	0.3626	–0.1786
	每股现金流量(元)	–0.9600	3.1064	1.4959	–0.3023
	每股资本公积金(元)	2.3058	5.6115	2.8023	2.8023
	每股盈余公积金(元)	0.0981	0.1962	0.2520	0.2520
	每股未分配利润(元)	0.7159	1.3357	1.8673	1.7032
	净资产收益率(%)	1.8461	1.7841	2.7707	2.9628
	加权净资产收益率(%)	1.8500	3.2400	2.8200	3.0073
	净资产收益率(扣除)(%)	1.7053	1.3779	2.5941	1.5153
	总资产(万元)	377587.09	376774.48	301622.69	264633.56
	归属母公司股东权益(万元)	283429.46	280036.81	144405.25	140404.26
	营业收入(万元)	36506.27	67460.64	33928.93	60450.48
	营业支出(万元)	26061.18	50660.50	24281.78	46056.94
	投资收益(万元)	–	–	–	–
	净利润(万元)	5248.90	5032.16	4018.08	4358.66
	营业利润(万元)	4850.60	3988.75	3721.86	2349.38
	利润总额(万元)	5253.28	5142.04	4018.87	4387.57

河南新野纺织股份有限公司

公司概况	项目					
	公司名称	河南新野纺织股份有限公司			证券简称	新野纺织
	法人代表	魏学柱	董秘	许勤芝	证券代码	002087
	公司网址	www.xinye-tex.com		电子信箱	002087xyfz@sina.cn	
	电　话	0377-66215788　66221824		传　真	0377-66265092	
	办公地址	河南省南阳市新野县城关镇书院路 15 号				
	经营范围	中高档棉纺织品的加工与销售等				

主要财务指标	指标\报告期	2016.06.30	2015.12.31	2015.06.30	2014.12.31
	基本每股收益(元)	0.1306	0.2255	0.0815	0.1625
	基本每股收益(扣除后)(元)	0.1187	0.1365	0.0612	0.1240
	稀释每股收益(元)	0.1306	0.2255	0.0815	0.1625
	每股净资产(元)	4.4773	3.8938	3.7539	3.6963
	每股经营现金净流量(元)	–0.5079	0.3011	–0.1067	0.4496
	每股现金流量(元)	1.7499	–0.0140	0.0546	0.0103
	每股资本公积金(元)	1.9579	1.1556	1.1556	1.1556
	每股盈余公积金(元)	0.1865	0.2254	0.2131	0.2131
	每股未分配利润(元)	1.3301	1.5073	1.3756	1.3241
	净资产收益率(%)	2.4133	5.7922	2.1717	4.3950
	加权净资产收益率(%)	3.4500	5.9600	2.1800	4.4100
	净资产收益率(扣除)(%)	2.1938	3.5053	1.6290	3.3547
	总资产(万元)	814821.52	621699.65	597767.63	558865.95
	归属母公司股东权益(万元)	281313.12	202384.29	195114.14	192117.15
	营业收入(万元)	182356.72	304670.90	143880.88	339946.09
	营业支出(万元)	146796.41	255686.87	122097.02	295464.35
	投资收益(万元)	10.18	–13.48	–18.15	–11.15
	净利润(万元)	6788.92	11722.47	4237.22	8278.98
	营业利润(万元)	7115.96	2180.69	3972.43	3783.63
	利润总额(万元)	8468.18	13112.23	5247.97	10043.31

山东鲁阳节能材料股份有限公司

公司概况					
公司名称	山东鲁阳节能材料股份有限公司			证券简称	鲁阳节能
法人代表	鹿成滨	董秘	张振明	证券代码	002088
公司网址	www.luyang.com		电子信箱	luyang@luyang.com	
电话	0533-3289991 3283708		传真	0533-3282059	
办公地址	山东省淄博市沂源县沂河路 11 号				
经营范围	硅酸铝耐火纤维材料、珍珠岩保温材料、玻璃钢产品、高温粘结剂等				

主要财务指标 指标＼报告期	2016.06.30	2015.12.31	2015.06.30	2014.12.31
基本每股收益(元)	0.1100	0.2500	0.0600	0.3400
基本每股收益(扣除后)(元)	0.0800	0.2700	0.0300	0.3200
稀释每股收益(元)	0.1100	0.2500	0.0600	0.3400
每股净资产(元)	6.8591	6.8492	6.6599	6.7032
每股经营现金净流量(元)	0.6536	0.6879	0.3073	0.2982
每股现金流量(元)	0.4181	-0.0812	-0.1859	0.1839
每股资本公积金(元)	2.2992	2.2992	2.2992	2.2992
每股盈余公积金(元)	0.5594	0.5594	0.5272	0.5272
每股未分配利润(元)	3.0006	2.9906	2.8335	2.8768
净资产收益率(%)	1.6034	3.5909	0.8516	5.0041
加权净资产收益率(%)	1.5900	3.6300	0.8400	5.1100
净资产收益率(扣除)(%)	1.2172	3.8833	0.5156	4.7362
总资产(万元)	210043.57	210145.70	201687.81	197310.41
归属母公司股东权益(万元)	160489.28	160255.83	155828.34	156841.06
营业收入(万元)	51058.62	113274.65	49887.52	117772.39
营业支出(万元)	35944.55	79954.80	34709.43	83162.14
投资收益(万元)	-	5.76	5.76	2.21
净利润(万元)	2573.23	5754.57	1327.07	7848.54
营业利润(万元)	1875.73	6079.16	802.42	8273.68
利润总额(万元)	2951.25	6905.38	1491.13	8796.89

苏州新海宜通信科技股份有限公司

公司概况					
公司名称	苏州新海宜通信科技股份有限公司			证券简称	新 海 宜
法人代表	张亦斌	董秘	徐磊	证券代码	002089
公司网址	www.nsu.com.cn		电子信箱	nsu@nsu.com.cn	
电话	0512-67606666*8638		传真	0512-67260021	
办公地址	江苏省苏州市工业园区泾茂路 168 号新海宜科技园				
经营范围	通信网络设备及配套软件、相关电子产品、安装线缆、电器机械及器材等				

主要财务指标 指标＼报告期	2016.06.30	2015.12.31	2015.06.30	2014.12.31
基本每股收益(元)	0.0571	0.2000	0.1244	0.2200
基本每股收益(扣除后)(元)	0.0558	0.1600	0.0972	0.1500
稀释每股收益(元)	0.0571	0.2000	0.1244	0.2200
每股净资产(元)	2.8019	2.7448	2.6685	3.0829
每股经营现金净流量(元)	-0.2286	0.6642	0.1247	-0.0669
每股现金流量(元)	-0.7113	0.5015	0.0670	0.3090
每股资本公积金(元)	0.5332	0.5332	0.5330	0.8396
每股盈余公积金(元)	0.1210	0.1210	0.1125	0.1350
每股未分配利润(元)	1.1477	1.0906	1.0229	1.1082
净资产收益率(%)	2.0389	7.3065	4.6608	7.5967
加权净资产收益率(%)	2.0600	7.5500	4.7200	9.0700
净资产收益率(扣除)(%)	1.9917	5.9288	3.6409	4.3365
总资产(万元)	397436.67	487999.26	430896.07	353954.31
归属母公司股东权益(万元)	192584.64	188658.03	183413.74	176583.60
营业收入(万元)	131194.72	174198.12	77105.59	114227.49
营业支出(万元)	109185.60	129382.57	57679.37	79400.03
投资收益(万元)	1306.49	2159.44	2041.12	2011.92
净利润(万元)	7675.77	15811.35	7350.81	14697.87
营业利润(万元)	9481.02	15391.55	5620.40	9113.62
利润总额(万元)	9588.27	18625.30	8103.39	16372.38

江苏金智科技股份有限公司

公司概况					
公司名称	江苏金智科技股份有限公司			证券简称	金智科技
法人代表	徐兵	董秘	李剑	证券代码	002090
公司网址	www.wiscom.com.cn		电子信箱	tzb@wiscom.com.cn	
电话	025-52762230 52762205		传真	025-52762929	
办公地址	江苏省南京市江宁开发区将军大道 100 号				
经营范围	电力自动化业务、IT 服务及建筑智能化业务和新能源业务等				

主要财务指标 指标＼报告期	2016.06.30	2015.12.31	2015.06.30	2014.12.31
基本每股收益(元)	0.2086	0.5982	0.3881	0.5234
基本每股收益(扣除后)(元)	0.1873	0.3616	0.1878	0.2894
稀释每股收益(元)	0.2045	0.5845	0.3723	0.5094
每股净资产(元)	4.7162	4.6402	4.3438	3.4694
每股经营现金净流量(元)	-0.5458	0.0601	-0.2149	0.0945
每股现金流量(元)	0.2964	0.5740	0.3501	-0.0439
每股资本公积金(元)	1.5785	1.5684	1.4455	0.6239
每股盈余公积金(元)	0.2834	0.2835	0.2489	0.2710
每股未分配利润(元)	1.8845	1.8266	1.6914	1.6034
净资产收益率(%)	4.4228	12.1226	8.2068	14.8993
加权净资产收益率(%)	4.4100	16.8100	10.7400	16.4500
净资产收益率(扣除)(%)	3.9715	7.3293	3.9713	8.2387
总资产(万元)	329271.37	264244.01	204056.53	164940.19
归属母公司股东权益(万元)	109282.41	107481.85	98307.17	72120.90
营业收入(万元)	70919.68	124138.84	56597.52	117908.13
营业支出(万元)	46871.06	84871.89	38650.41	81662.25
投资收益(万元)	23.20	5010.20	4924.00	4647.80
净利润(万元)	6465.07	13901.45	8071.36	11552.23
营业利润(万元)	5476.61	9530.87	7730.62	8824.18
利润总额(万元)	7232.67	14689.66	9397.19	12630.58

江苏国泰国际集团国贸股份有限公司

公司概况					
公司名称	江苏国泰国际集团国贸股份有限公司			证券简称	江苏国泰
法人代表	谭秋斌	董秘	郭盛虎	证券代码	002091
公司网址	www.gtiggm.com		电子信箱	info@gtiggm.com	
电话	0512-58696087 58988273		传真	0512-58673937	
办公地址	江苏省张家港市国泰时代广场 11-24 楼				
经营范围	纺织品、轻工品、机电和化工产品的进出口业务和外派劳务业务等				

主要财务指标 指标＼报告期	2016.06.30	2015.12.31	2015.06.30	2014.12.31
基本每股收益(元)	0.2900	0.6700	0.2200	0.5700
基本每股收益(扣除后)(元)	0.2900	0.6350	0.3300	0.5400
稀释每股收益(元)	0.2900	0.6600	0.3300	0.5600
每股净资产(元)	3.1892	4.8236	4.4841	4.2441
每股经营现金净流量(元)	0.0033	-0.4371	-0.5542	0.1745
每股现金流量(元)	0.2619	-0.1322	-0.0474	0.0422
每股资本公积金(元)	0.1312	0.1521	0.1288	0.0671
每股盈余公积金(元)	0.3315	0.5029	0.4570	0.4600
每股未分配利润(元)	1.7209	3.1724	2.9022	2.7172
净资产收益率(%)	9.2450	13.8224	7.4700	13.3794
加权净资产收益率(%)	8.6100	14.7300	7.6500	14.2100
净资产收益率(扣除)(%)	8.9458	13.1621	7.3343	12.8187
总资产(万元)	395668.75	374463.86	306906.70	287297.57
归属母公司股东权益(万元)	173519.21	173648.35	161426.22	152788.69
营业收入(万元)	347932.00	729299.68	291110.71	606134.05
营业支出(万元)	294414.08	631447.84	247547.27	524708.66
投资收益(万元)	429.16	1320.61	477.44	547.11
净利润(万元)	17087.25	25292.70	12693.44	21943.21
营业利润(万元)	21440.19	32089.43	16541.55	27355.47
利润总额(万元)	22096.99	32867.65	16672.61	28011.61

新疆中泰化学股份有限公司

公司概况

公司名称	新疆中泰化学股份有限公司			证券简称	中泰化学
法人代表	王洪欣	董秘	潘玉英	证券代码	002092
公司网址	www.zthx.com		电子信箱	panyuying1111@163.com	
电　话	0991-8751690		传　真	0991-8751690	
办公地址	新疆维吾尔自治区乌鲁木齐市经济技术开发区阳澄湖路 39 号				
经营范围	聚氯乙烯树脂、离子膜烧碱的生产和销售等				

主要财务指标

指标\报告期	2016.06.30	2015.12.31	2015.06.30	2014.12.31
基本每股收益(元)	0.1756	0.0055	0.0158	0.2520
基本每股收益(扣除后)(元)	0.0948	-0.1030	-0.0600	0.2310
稀释每股收益(元)	0.1756	0.0055	0.0100	0.2520
每股净资产(元)	6.8676	7.3192	6.2523	6.2663
每股经营现金净流量(元)	0.2513	0.4960	-0.0247	1.8500
每股现金流量(元)	0.3394	-0.3739	-0.1630	0.8199
每股资本公积金(元)	3.9589	4.1061	4.0939	4.0939
每股盈余公积金(元)	0.1536	0.1954	0.1785	0.1785
每股未分配利润(元)	0.9049	0.9759	0.9758	0.9914
净资产收益率(%)	2.2404	0.0754	0.1661	4.0219
加权净资产收益率(%)	2.8080	0.0900	0.1660	3.8600
净资产收益率(扣除)(%)	1.2093	-1.4070	-0.9603	-
总资产(万元)	4056921.55	3757243.44	3400492.39	3171405.50
归属母公司股东权益(万元)	1215154.95	1022300.12	869215.86	870819.75
营业收入(万元)	963877.62	1526319.94	694672.45	1117695.30
营业支出(万元)	733149.41	1174293.63	537835.51	812549.79
投资收益(万元)	-6660.91	-8112.98	-44.63	4432.82
净利润(万元)	35403.47	18748.58	3515.74	35531.31
营业利润(万元)	28921.04	-5370.69	-9241.27	38071.57
利润总额(万元)	42001.12	24743.04	7604.72	41921.69

国脉科技股份有限公司

公司概况

公司名称	国脉科技股份有限公司			证券简称	国脉科技
法人代表	隋榕华	董秘	冯静	证券代码	002093
公司网址	www.guomaitech.com		电子信箱	zq@guomaitech.com	
电　话	0591-87307399		传　真	0591-87307308	
办公地址	福建省福州市马尾区江滨东大道 116 号				
经营范围	电信外包服务、其中主要服务内容是电信网络技术服务和电信网络集成				

主要财务指标

指标\报告期	2016.06.30	2015.12.31	2015.06.30	2014.12.31
基本每股收益(元)	0.0470	0.0485	0.0224	0.0631
基本每股收益(扣除后)(元)	0.0435	0.0361	0.0199	0.0335
稀释每股收益(元)	0.0470	0.0485	0.0224	0.0631
每股净资产(元)	1.5958	1.5488	1.5293	1.5055
每股经营现金净流量(元)	-0.0855	-0.2504	-0.1550	-0.0992
每股现金流量(元)	-0.0592	-0.1058	-0.1877	0.0771
每股资本公积金(元)	0.0140	0.0140	0.0141	0.0141
每股盈余公积金(元)	0.0580	0.0580	0.0444	0.0444
每股未分配利润(元)	0.5079	0.4609	0.4584	0.4360
净资产收益率(%)	2.9425	3.1346	1.4643	4.1941
加权净资产收益率(%)	2.9900	3.1800	1.4800	4.2600
净资产收益率(扣除)(%)	2.7290	2.3287	1.3032	2.2276
总资产(万元)	290823.57	284745.60	246718.43	241083.04
归属母公司股东权益(万元)	138037.23	133970.12	132283.50	130223.95
营业收入(万元)	54516.34	49750.11	20978.61	46028.19
营业支出(万元)	37589.86	21090.25	7062.72	16777.01
投资收益(万元)	1079.40	1136.66	-585.48	1737.36
净利润(万元)	4119.15	3914.90	1800.87	4569.46
营业利润(万元)	3910.26	2605.35	1551.23	4205.09
利润总额(万元)	4315.77	3530.16	1816.99	4891.96

青岛金王应用化学股份有限公司

公司概况

公司名称	青岛金王应用化学股份有限公司			证券简称	青岛金王
法人代表	陈索斌	董秘	杜心强	证券代码	002094
公司网址	www.chinakingking.com		电子信箱	stock@chinakingking.com	
电　话	0532-85779728		传　真	0532-85718686	
办公地址	山东省青岛市香港中路 18 号福泰广场 B 座 24 楼-25 楼				
经营范围	新型聚合物基质复合体烛光材料及其制品的开发、生产、销售等				

主要财务指标

指标\报告期	2016.06.30	2015.12.31	2015.06.30	2014.12.31
基本每股收益(元)	0.1586	0.2800	0.1120	0.1500
基本每股收益(扣除后)(元)	0.1487	0.2800	0.1500	0.1500
稀释每股收益(元)	0.1586	0.2800	0.1120	0.1500
每股净资产(元)	4.2629	2.3667	2.0667	1.9587
每股经营现金净流量(元)	-0.2532	0.5915	0.0216	0.1759
每股现金流量(元)	0.2795	0.8306	0.1483	-0.4328
每股资本公积金(元)	1.9940	0.0492	0.0492	0.0492
每股盈余公积金(元)	0.1533	0.1795	0.1589	0.1589
每股未分配利润(元)	1.0957	1.1231	0.9739	0.8623
净资产收益率(%)	3.2206	11.8879	5.3962	7.7799
加权净资产收益率(%)	6.5700	13.3400	5.5400	7.9600
净资产收益率(扣除)(%)	3.0200	11.7312	5.3478	7.6463
总资产(万元)	278109.00	191798.33	149418.62	122753.67
归属母公司股东权益(万元)	160816.74	76189.49	66531.12	63052.21
营业收入(万元)	106394.13	147688.84	48891.95	122351.00
营业支出(万元)	90092.97	115910.39	35474.96	104204.11
投资收益(万元)	1484.14	2431.06	1176.64	1779.59
净利润(万元)	5947.05	11310.62	4892.36	4919.06
营业利润(万元)	6735.37	13381.08	5918.54	6010.81
利润总额(万元)	7145.26	13611.56	5989.18	5925.24

浙江网盛生意宝股份有限公司

公司概况

公司名称	浙江网盛生意宝股份有限公司			证券简称	生 意 宝
法人代表	孙德良	董秘	范悦龙	证券代码	002095
公司网址	corp.netsun.com		电子信箱	zqb@netsun.com	
电　话	0571-88228198 88228222		传　真	0571-88228198	
办公地址	浙江省杭州市莫干山路 187 号易盛大厦 12F				
经营范围	计算机软件、网络技术开发、技术服务、成果转让、计算机网络工程的设计等				

主要财务指标

指标\报告期	2016.06.30	2015.12.31	2015.06.30	2014.12.31
基本每股收益(元)	0.0500	0.0700	0.0700	0.1600
基本每股收益(扣除后)(元)	0.0500	0.0700	0.0700	0.1600
稀释每股收益(元)	0.0500	0.0700	0.0700	0.1600
每股净资产(元)	2.0068	1.9560	1.9503	2.3110
每股经营现金净流量(元)	0.0162	-0.1401	0.0628	0.1355
每股现金流量(元)	0.0066	-0.4246	0.0175	-0.0394
每股资本公积金(元)	0.0479	0.0479	0.0465	0.1558
每股盈余公积金(元)	0.1506	0.1506	0.1449	0.1739
每股未分配利润(元)	0.8174	0.7672	0.7693	0.9914
净资产收益率(%)	2.5029	3.6618	3.4931	6.8566
加权净资产收益率(%)	2.4700	3.6500	3.4800	6.9700
净资产收益率(扣除)(%)	2.3772	3.5714	3.4170	6.8056
总资产(万元)	62816.62	59184.56	59222.90	58926.06
归属母公司股东权益(万元)	50715.92	49431.78	49288.69	48668.92
营业收入(万元)	12674.17	17613.59	7290.30	15968.89
营业支出(万元)	7098.05	6270.91	960.65	3071.03
投资收益(万元)	0.12	44.45	-138.78	66.31
净利润(万元)	1247.78	1792.11	1737.51	3384.69
营业利润(万元)	1494.86	2110.37	2185.00	3985.93
利润总额(万元)	1570.65	2130.80	2185.27	3997.04

湖南南岭民用爆破器材股份有限公司

公司概况					
公司名称	湖南南岭民用爆破器材股份有限公司			证券简称	南岭民爆
法人代表	李建华	董秘	孟建新	证券代码	002096
公司网址	www.hnnlmb.com			电子信箱	mjx9232@163.com
电　话	0731-88936007 88936156			传　真	0731-88936158
办公地址	湖南省长沙市岳麓区金星中路 319 号新天地大厦				
经营范围	工业炸药、工业导火索的生产和销售等				

主要财务指标 指标 \ 报告期	2016.06.30	2015.12.31	2015.06.30	2014.12.31
基本每股收益(元)	0.0400	0.2900	0.1500	0.5000
基本每股收益(扣除后)(元)	0.0100	0.2100	0.1100	0.4300
稀释每股收益(元)	0.0400	0.2900	0.1500	0.5300
每股净资产(元)	5.8103	6.1713	5.8096	5.4018
每股经营现金净流量(元)	-1.1275	0.3746	-0.2023	0.5970
每股现金流量(元)	-0.2285	0.0011	-0.4015	0.4007
每股资本公积金(元)	1.7457	1.7457	1.7457	1.7457
每股盈余公积金(元)	0.2539	0.2539	0.2539	0.2539
每股未分配利润(元)	2.4578	2.4556	2.3146	2.2878
净资产收益率(%)	0.7261	4.7763	2.5271	9.8677
加权净资产收益率(%)	0.6800	5.3800	2.6300	10.3000
净资产收益率(扣除)(%)	0.2303	3.3731	1.8705	8.0352
总资产(万元)	391584.17	369767.40	323356.13	309478.21
归属母公司股东权益(万元)	215728.27	229132.51	215701.62	200560.08
营业收入(万元)	113821.94	219855.12	79162.45	179116.85
营业支出(万元)	85537.93	148474.60	47353.37	104439.01
投资收益(万元)	-666.68	-3315.20	39.80	1665.06
净利润(万元)	1821.56	12576.40	6214.54	21938.76
营业利润(万元)	2297.02	14881.11	7629.21	25064.51
利润总额(万元)	2809.78	16230.34	7948.61	26584.84

山河智能装备股份有限公司

公司概况					
公司名称	山河智能装备股份有限公司			证券简称	山河智能
法人代表	何清华	董秘	王剑	证券代码	002097
公司网址	www.sunward.com.cn			电子信箱	db@sunward.com.cn
电　话	0731-83572669			传　真	0731-83572606
办公地址	湖南省长沙市经济技术开发区漓湘中路 16 号				
经营范围	研究、设计、生产销售建设机械、工程机械、农业机械、林业机械等				

主要财务指标 指标 \ 报告期	2016.06.30	2015.12.31	2015.06.30	2014.12.31
基本每股收益(元)	0.0234	-0.0387	0.0040	0.0087
基本每股收益(扣除后)(元)	0.0005	-0.2099	-0.0867	-0.1366
稀释每股收益(元)	0.0234	-0.0387	0.0061	0.0143
每股净资产(元)	3.1750	3.1506	4.8077	4.7995
每股经营现金净流量(元)	-0.2569	0.2016	-0.4442	0.3593
每股现金流量(元)	0.1130	-0.2020	-0.2842	0.7152
每股资本公积金(元)	1.2815	1.2815	2.4222	2.4222
每股盈余公积金(元)	0.1499	0.1499	0.2207	0.2207
每股未分配利润(元)	0.7214	0.6981	1.1454	1.1394
净资产收益率(%)	0.7356	-1.2287	0.1261	0.2704
加权净资产收益率(%)	0.7400	-1.2200	0.1300	0.3200
净资产收益率(扣除)(%)	0.0148	-6.6611	-1.8028	-2.5862
总资产(万元)	702889.86	631916.31	763749.77	642980.62
归属母公司股东权益(万元)	239816.52	237976.21	242089.29	241678.37
营业收入(万元)	84316.82	145619.73	75465.63	183957.15
营业支出(万元)	56955.98	104484.87	53856.42	137104.50
投资收益(万元)	-57.61	388.36	-123.32	328.10
净利润(万元)	1510.38	-3525.80	162.22	399.35
营业利润(万元)	566.42	-18148.43	-4871.73	-8303.15
利润总额(万元)	2573.98	-2376.29	643.31	-333.42

福建浔兴拉链科技股份有限公司

公司概况					
公司名称	福建浔兴拉链科技股份有限公司			证券简称	浔兴股份
法人代表	施能坑	董秘	谢静波	证券代码	002098
公司网址	www.sbszipper.com.cn			电子信箱	stock@sbszipper.com
电　话	0595-88290099			传　真	0595-88282502
办公地址	福建省晋江市深沪乌漏沟东工业区				
经营范围	生产拉链、模具、金属及塑料冲压铸件、拉链配件等				

主要财务指标 指标 \ 报告期	2016.06.30	2015.12.31	2015.06.30	2014.12.31
基本每股收益(元)	0.1760	0.2300	0.1460	0.5000
基本每股收益(扣除后)(元)	0.1780	0.1958	0.1360	0.4291
稀释每股收益(元)	0.1760	0.2300	0.1460	0.5000
每股净资产(元)	3.0050	2.9092	2.3070	4.4323
每股经营现金净流量(元)	0.1365	0.4900	0.1771	0.9933
每股现金流量(元)	-0.2395	0.1801	-0.0602	0.0004
每股资本公积金(元)	0.8646	0.8646	0.1831	1.3661
每股盈余公积金(元)	0.1584	0.1584	0.1689	0.3377
每股未分配利润(元)	0.9813	0.8855	0.9547	1.7272
净资产收益率(%)	5.8486	6.9100	6.3314	11.3830
加权净资产收益率(%)	5.8600	10.1000	6.3800	11.8200
净资产收益率(扣除)(%)	5.9217	5.8270	5.9037	9.6805
总资产(万元)	148779.49	147691.04	145772.08	137728.28
归属母公司股东权益(万元)	107579.76	104150.72	71524.60	68701.06
营业收入(万元)	55404.68	104145.69	54065.31	104951.19
营业支出(万元)	35909.32	72243.80	36874.32	73477.66
投资收益(万元)	32.73	73.05	73.05	86.96
净利润(万元)	6291.93	7196.83	4528.53	7820.25
营业利润(万元)	7844.73	7575.79	5266.98	8177.45
利润总额(万元)	7757.50	8748.29	5626.88	9546.90

浙江海翔药业股份有限公司

公司概况					
公司名称	浙江海翔药业股份有限公司			证券简称	海翔药业
法人代表	杨思卫	董秘	许华青	证券代码	002099
公司网址	www.hisoar.com			电子信箱	stock@hisoar.com
电　话	0576-88828065			传　真	0576-88820221
办公地址	浙江省台州市椒江区外沙支路 100 号				
经营范围	原料药及医药中间体的制造与销售等				

主要财务指标 指标 \ 报告期	2016.06.30	2015.12.31	2015.06.30	2014.12.31
基本每股收益(元)	0.2100	0.7100	0.2200	0.1400
基本每股收益(扣除后)(元)	0.2000	0.7000	0.4400	0.1300
稀释每股收益(元)	0.2000	0.7100	0.4500	0.1400
每股净资产(元)	2.4948	4.7193	4.4590	4.4041
每股经营现金净流量(元)	0.2128	0.6083	0.2127	0.2649
每股现金流量(元)	0.4646	0.5382	-0.2063	0.2472
每股资本公积金(元)	1.0851	3.1260	3.0853	3.0455
每股盈余公积金(元)	0.0403	0.0808	0.0633	0.0663
每股未分配利润(元)	0.4694	0.7406	0.5166	0.2920
净资产收益率(%)	8.0006	14.4075	9.8230	1.6807
加权净资产收益率(%)	8.2300	14.5200	9.9600	5.1900
净资产收益率(扣除)(%)	7.9143	14.1117	9.5611	1.5371
总资产(万元)	573084.74	483076.34	415519.72	416744.32
归属母公司股东权益(万元)	379922.83	358554.55	337882.86	318435.67
营业收入(万元)	128625.21	246449.55	127612.96	131913.57
营业支出(万元)	71367.69	132517.36	64127.27	90831.56
投资收益(万元)	1982.26	-254.43	-111.11	-438.49
净利润(万元)	29783.25	50949.67	32867.68	4465.76
营业利润(万元)	34865.22	61316.61	38601.45	6134.27
利润总额(万元)	35261.54	62424.14	39470.20	6526.60

天康生物股份有限公司

公司概况						
公司名称	天康生物股份有限公司			证券简称	天康生物	
法人代表	杨焰	董秘	郭运江	证券代码	002100	
公司网址	www.tcsw.com.cn		电子信箱	xj_gyj@163.com		
电　话	0991-6626101		传　真	0991-6679242		
办公地址	新疆维吾尔自治区乌鲁木齐市高新区长春南路 528 号天康企业大厦					
经营范围	饲料业务和生猪养殖、食品加工业务等					

主要财务指标	2016.06.30	2015.12.31	2015.06.30	2014.12.31
指标＼报告期	2016.06.30	2015.12.31	2015.06.30	2014.12.31
基本每股收益(元)	0.2000	0.2700	0.1500	0.2700
基本每股收益(扣除后)(元)	0.2000	0.1800	0.1400	0.4500
稀释每股收益(元)	0.2000	0.2700	0.1500	0.2700
每股净资产(元)	2.5208	2.4413	2.3314	4.2615
每股经营现金净流量(元)	0.1933	0.5317	0.0747	1.1162
每股现金流量(元)	-0.2974	0.0830	-0.0314	0.3130
每股资本公积金(元)	0.5867	0.5865	0.5858	2.5189
每股盈余公积金(元)	0.1306	0.1306	0.1140	0.2530
每股未分配利润(元)	0.8034	0.7242	0.6316	1.1777
净资产收益率(%)	7.9039	10.4506	6.2574	11.2223
加权净资产收益率(%)	7.9000	10.9000	6.3700	11.7400
净资产收益率(扣除)(%)	7.7856	7.1352	5.7904	10.5148
总资产(万元)	368724.72	380526.18	386142.98	381134.86
归属母公司股东权益(万元)	242849.51	235194.93	224608.04	214895.01
营业收入(万元)	216377.34	416728.94	207068.75	401462.71
营业支出(万元)	166942.03	325780.20	163883.42	322530.66
投资收益(万元)	115.92	4105.80	3099.33	-1158.26
净利润(万元)	19164.45	24481.36	13945.08	20163.83
营业利润(万元)	20460.42	24041.05	14476.04	21605.62
利润总额(万元)	20773.53	26995.14	15628.62	22966.10

广东鸿图科技股份有限公司

公司概况						
公司名称	广东鸿图科技股份有限公司			证券简称	广东鸿图	
法人代表	黎柏其	董秘	莫劲刚	证券代码	002101	
公司网址	www.ght-china.com		电子信箱	mjg@ght-china.com		
电　话	0758-8512880 8512658		传　真	0758-8512658 8512996		
办公地址	广东省肇庆市高要市金渡世纪大道 168 号					
经营范围	开发、设计、制造、加工、销售汽车、摩托车、家用电器、电子仪表、通讯、机械等					

主要财务指标	2016.06.30	2015.12.31	2015.06.30	2014.12.31
指标＼报告期	2016.06.30	2015.12.31	2015.06.30	2014.12.31
基本每股收益(元)	0.2790	0.6700	0.2730	0.6200
基本每股收益(扣除后)(元)	0.2665	0.6700	0.2686	0.6000
稀释每股收益(元)	0.2790	0.6700	0.2730	0.6200
每股净资产(元)	8.2304	7.5976	7.2292	7.0391
每股经营现金净流量(元)	0.2545	0.8514	-0.0273	0.8812
每股现金流量(元)	0.8409	-0.1107	-0.3719	-0.4922
每股资本公积金(元)	4.6941	3.6393	3.6393	3.6393
每股盈余公积金(元)	0.3849	0.4980	0.4357	0.4357
每股未分配利润(元)	2.1539	2.4804	2.1445	1.9714
净资产收益率(%)	2.8769	8.8355	3.7769	8.7408
加权净资产收益率(%)	3.5400	9.1500	3.8100	9.0100
净资产收益率(扣除)(%)	2.7475	8.7747	3.7153	8.4739
总资产(万元)	315149.67	276157.66	258220.76	255256.05
归属母公司股东权益(万元)	204133.02	145645.90	138582.88	134938.91
营业收入(万元)	117432.34	225868.86	105559.52	221486.13
营业支出(万元)	90189.89	176112.45	82173.99	171160.98
投资收益(万元)	-	-	-	-
净利润(万元)	5872.78	12868.50	5234.17	11794.69
营业利润(万元)	6602.88	14460.13	6074.15	13346.77
利润总额(万元)	6913.70	14564.22	6174.66	13770.34

冠福控股股份有限公司

公司概况						
公司名称	冠福控股股份有限公司			证券简称	冠福股份	
法人代表	林文智	董秘	黄华伦	证券代码	002102	
公司网址	www.guanfu.com		电子信箱	guanfu@guanfu.com		
电　话	0595-23551999 23550777		传　真	0595-27251999		
办公地址	福建省泉州市德化县浔中镇土坂村					
经营范围	日用陶瓷的开发、生产、销售及家用品的销售等					

主要财务指标	2016.06.30	2015.12.31	2015.06.30	2014.12.31
指标＼报告期	2016.06.30	2015.12.31	2015.06.30	2014.12.31
基本每股收益(元)	0.1112	0.2700	0.0400	0.0100
基本每股收益(扣除后)(元)	0.0652	-0.0500	0.0100	-0.1900
稀释每股收益(元)	0.1112	0.2700	0.0400	0.0100
每股净资产(元)	4.0440	3.9328	3.6300	3.2307
每股经营现金净流量(元)	0.0386	0.0933	0.1820	-0.2663
每股现金流量(元)	0.5207	0.0785	0.0550	-0.0465
每股资本公积金(元)	2.3076	2.3076	2.3025	1.8937
每股盈余公积金(元)	0.0207	0.0207	0.0207	0.0240
每股未分配利润(元)	0.5615	0.4503	0.2250	0.2145
净资产收益率(%)	2.7496	6.7443	1.0988	0.2801
加权净资产收益率(%)	2.7900	7.5300	1.2400	0.8500
净资产收益率(扣除)(%)	1.6133	-1.1167	0.2156	-3.8561
总资产(万元)	478420.93	487170.92	468730.51	446243.22
归属母公司股东权益(万元)	294700.23	286597.18	264772.58	203179.76
营业收入(万元)	52484.80	131623.34	86994.90	187393.45
营业支出(万元)	35962.93	99280.96	68146.27	165195.34
投资收益(万元)	1467.52	13405.56	-63.16	-230.31
净利润(万元)	8006.33	19130.19	2846.28	319.76
营业利润(万元)	8082.91	15104.26	1202.62	571.39
利润总额(万元)	9867.02	22591.71	4297.87	3160.18

广博集团股份有限公司

公司概况						
公司名称	广博集团股份有限公司			证券简称	广博股份	
法人代表	王利平	董秘	江淑莹	证券代码	002103	
公司网址	www.guangbo.net		电子信箱	stock@guangbo.net		
电　话	0574-28827003		传　真	0574-28827006		
办公地址						
经营范围	出版物、包装装潢、其他印刷品印刷等					

主要财务指标	2016.06.30	2015.12.31	2015.06.30	2014.12.31
指标＼报告期	2016.06.30	2015.12.31	2015.06.30	2014.12.31
基本每股收益(元)	0.0800	0.3100	0.0700	0.0400
基本每股收益(扣除后)(元)	0.0700	0.2600	0.0600	-0.0400
稀释每股收益(元)	0.0800	0.3100	0.0700	0.0400
每股净资产(元)	3.5257	5.3109	7.1500	3.3858
每股经营现金净流量(元)	0.2382	-0.0554	-0.1312	0.0038
每股现金流量(元)	-0.0065	0.1853	-0.1127	-0.6220
每股资本公积金(元)	1.7648	3.1472	3.1436	1.0370
每股盈余公积金(元)	0.1151	0.1727	0.1639	0.2289
每股未分配利润(元)	0.6496	0.9982	0.8184	1.1295
净资产收益率(%)	2.3850	5.0833	1.5889	1.2559
加权净资产收益率(%)	2.3600	6.6000	2.7900	1.2500
净资产收益率(扣除)(%)	1.8997	4.3615	0.8928	-1.0715
总资产(万元)	210318.78	214924.10	207554.11	117010.99
归属母公司股东权益(万元)	161364.41	162045.67	156190.18	73956.84
营业收入(万元)	69195.34	145713.01	55611.54	90743.02
营业支出(万元)	54490.70	115936.39	44195.62	73125.50
投资收益(万元)	16.36	670.08	604.36	668.15
净利润(万元)	3900.22	8303.02	2492.04	966.14
营业利润(万元)	3565.93	9268.51	2885.03	-494.00
利润总额(万元)	4344.63	10029.66	3154.35	1552.44

恒宝股份有限公司

	公司名称	恒宝股份有限公司			证券简称	恒宝股份
公司概况	法人代表	钱云宝	董秘	钱京	证券代码	002104
	公司网址	www.hengbao.com		电子信箱	hengbao@hengbao.com	
	电　话	0511-86644324　86649331		传　真	0511-86644324	
	办公地址	江苏省丹阳市横塘工业区				
	经营范围	磁卡、IC卡、电子标签、票证、票据、电脑票据、磁卡存折等				

	指标\报告期	2016.06.30	2015.12.31	2015.06.30	2014.12.31
主要财务指标	基本每股收益(元)	0.1200	0.5300	0.1700	0.4100
	基本每股收益(扣除后)(元)	0.1200	0.4900	0.1500	0.3900
	稀释每股收益(元)	0.1200	0.5200	0.1700	0.4100
	每股净资产(元)	2.1998	2.1821	1.8433	1.7544
	每股经营现金净流量(元)	-0.1394	0.2722	-0.1553	0.5878
	每股现金流量(元)	0.0050	-0.0904	-0.2739	0.4410
	每股资本公积金(元)	0.1270	0.1328	0.1126	0.0970
	每股盈余公积金(元)	0.2230	0.2230	0.1707	0.1707
	每股未分配利润(元)	0.8772	0.8546	0.5606	0.4874
	净资产收益率(%)	5.5722	23.8232	9.3989	23.3522
	加权净资产收益率(%)	5.4800	26.8200	9.4300	26.3200
	净资产收益率(扣除)(%)	5.2972	22.1993	8.3924	21.8949
	总资产(万元)	191626.54	192072.27	172492.43	158342.50
	归属母公司股东权益(万元)	156953.17	155702.90	131460.81	125123.38
	营业收入(万元)	61549.11	182066.18	76469.28	155076.71
	营业支出(万元)	40137.94	116469.13	49912.53	103476.54
	投资收益(万元)	652.14	3273.75	1377.73	2246.23
	净利润(万元)	9081.48	37417.12	12355.84	29219.08
	营业利润(万元)	6778.51	35436.55	11927.02	26863.51
	利润总额(万元)	8149.17	41296.13	13493.89	31105.07

深圳信隆健康产业发展股份有限公司

	公司名称	深圳信隆健康产业发展股份有限公司			证券简称	信隆健康
公司概况	法人代表	廖学金	董秘	陈丽秋	证券代码	002105
	公司网址	www.hlcorp.com		电子信箱	cmo@hlcorp.com	
	电　话	0755-27749423　8105		传　真	0755-27746236	
	办公地址	深圳市宝安区松岗街道办碧头第三工业区				
	经营范围	生产经营运动器材、康复辅助器材、计算机配件、铝挤型锻造成型等				

	指标\报告期	2016.06.30	2015.12.31	2015.06.30	2014.12.31
主要财务指标	基本每股收益(元)	0.0500	-0.1490	0.0020	0.0150
	基本每股收益(扣除后)(元)	0.0210	-0.0200	-0.0010	0.0120
	稀释每股收益(元)	0.0500	-0.1490	0.0020	0.0150
	每股净资产(元)	1.2810	1.2305	1.3791	1.5645
	每股经营现金净流量(元)	0.1770	0.2517	0.1848	0.2617
	每股现金流量(元)	0.1433	-0.0132	0.1443	-0.1331
	每股资本公积金(元)	0.1653	0.1653	0.1653	0.2819
	每股盈余公积金(元)	0.1371	0.1371	0.1371	0.1508
	每股未分配利润(元)	-0.0185	-0.0680	0.0831	0.1388
	净资产收益率(%)	3.8649	-12.0919	0.1689	0.9906
	加权净资产收益率(%)	3.9400	-11.2200	0.1600	0.9900
	净资产收益率(扣除)(%)	1.6330	-1.6352	-0.0456	0.7489
	总资产(万元)	132766.68	131328.58	139619.16	147390.32
	归属母公司股东权益(万元)	47204.75	45345.69	50820.36	52410.68
	营业收入(万元)	63604.08	135890.11	66415.60	159684.84
	营业支出(万元)	53808.97	116403.10	57380.74	136899.66
	投资收益(万元)	-44.84	39.24	70.86	69.54
	净利润(万元)	1409.68	-6942.29	-473.97	-391.29
	营业利润(万元)	372.90	-6702.51	-129.45	637.55
	利润总额(万元)	1600.73	-6826.27	25.72	678.96

深圳莱宝高科技股份有限公司

	公司名称	深圳莱宝高科技股份有限公司			证券简称	莱宝高科
公司概况	法人代表	臧卫东	董秘	王行村	证券代码	002106
	公司网址	www.laibao.com.cn		电子信箱	lbgk@laibao.com.cn	
	电　话	0755-29891909		传　真	0755-29891997	
	办公地址	深圳市光明新区五号路9号深圳莱宝高科技股份有限公司光明工厂				
	经营范围	ITO导电玻璃和彩色滤光片(CF)的生产和销售等				

	指标\报告期	2016.06.30	2015.12.31	2015.06.30	2014.12.31
主要财务指标	基本每股收益(元)	0.0954	-0.8500	-0.1318	0.0200
	基本每股收益(扣除后)(元)	0.0887	-0.3100	-0.1330	-0.0050
	稀释每股收益(元)	0.0954	-0.8500	-0.1318	0.0200
	每股净资产(元)	4.9766	4.8806	5.5942	5.7461
	每股经营现金净流量(元)	0.2892	0.1450	-0.0145	-0.1860
	每股现金流量(元)	0.3508	-0.0304	-0.2014	-0.5330
	每股资本公积金(元)	2.9439	2.9439	2.9439	2.9439
	每股盈余公积金(元)	0.4156	0.4156	0.4156	0.4156
	每股未分配利润(元)	0.6170	0.5216	1.2363	1.3882
	净资产收益率(%)	1.9177	-17.3456	-2.3568	0.3367
	加权净资产收益率(%)	1.9400	-15.9300	-2.3200	0.3300
	净资产收益率(扣除)(%)	1.7830	-6.4259	-2.3767	-0.0854
	总资产(万元)	433421.81	428134.16	473004.32	516065.22
	归属母公司股东权益(万元)	351255.27	344480.98	394850.76	405572.03
	营业收入(万元)	128461.67	242379.94	121696.53	234327.14
	营业支出(万元)	109296.91	233919.21	118713.02	209565.96
	投资收益(万元)	59.22	468.89	262.99	583.41
	净利润(万元)	7217.17	-60879.98	-9243.74	1713.32
	营业利润(万元)	8320.59	-65549.47	-12089.34	-569.70
	利润总额(万元)	9195.60	-63737.85	-11509.93	987.23

山东沃华医药科技股份有限公司

	公司名称	山东沃华医药科技股份有限公司			证券简称	沃华医药
公司概况	法人代表	赵丙贤	董秘	张博	证券代码	002107
	公司网址	www.wohua.cn		电子信箱	panny105@163.com	
	电　话	0536-8553373		传　真	0536-8553373	
	办公地址	山东省潍坊市高新技术产业开发区梨园街3517号				
	经营范围	心脑血管中成药的研发、生产和销售等				

	指标\报告期	2016.06.30	2015.12.31	2015.06.30	2014.12.31
主要财务指标	基本每股收益(元)	0.0700	0.2000	0.1100	0.1200
	基本每股收益(扣除后)(元)	0.0700	0.1700	0.0900	0.1700
	稀释每股收益(元)	0.0700	0.2000	0.1100	0.1200
	每股净资产(元)	1.2911	1.3202	1.6049	3.8526
	每股经营现金净流量(元)	0.1062	0.3682	0.2585	0.1621
	每股现金流量(元)	-0.0445	-0.4485	-0.0614	0.1318
	每股资本公积金(元)	-	-	0.1734	2.5140
	每股盈余公积金(元)	0.0133	0.0133	0.0782	0.1773
	每股未分配利润(元)	0.2778	0.3070	0.3533	0.7682
	净资产收益率(%)	5.4867	14.9839	6.6123	5.7852
	加权净资产收益率(%)	5.2900	11.0600	5.3600	5.8900
	净资产收益率(扣除)(%)	5.1329	12.7904	5.4149	4.5343
	总资产(万元)	66424.19	66822.80	70618.34	85897.59
	归属母公司股东权益(万元)	46576.17	47628.22	57898.69	73127.73
	营业收入(万元)	27576.06	46892.37	18755.24	31530.80
	营业支出(万元)	6950.31	12963.20	4418.88	8395.12
	投资收益(万元)	-	-	-	-
	净利润(万元)	2912.31	8192.84	4011.22	3654.80
	营业利润(万元)	3060.05	7821.52	3483.77	2864.61
	利润总额(万元)	3262.76	8548.79	4070.33	3654.92

沧州明珠塑料股份有限公司

公司概况					
公司名称	沧州明珠塑料股份有限公司			证券简称	沧州明珠
法人代表	于新立	董秘	于增胜	证券代码	002108
公司网址	www.cz-mz.com			电子信箱	cz-mz@cz-mz.com
电　话	0317-2075318 2075245			传　真	0317-2075246
办公地址	河北省沧州市吉林大道与永济西路交叉口处明珠大厦				
经营范围	燃气、给水、排水、通信用聚乙烯管材管件和 BOPA 薄膜制品等				

主要财务指标　指标＼报告期	2016.06.30	2015.12.31	2015.06.30	2014.12.31
基本每股收益(元)	0.4200	0.3500	0.1500	0.2900
基本每股收益(扣除后)(元)	0.4100	0.3400	0.1500	0.4700
稀释每股收益(元)	0.4200	0.3500	0.1500	0.2900
每股净资产(元)	3.1524	2.8973	2.6970	4.3876
每股经营现金净流量(元)	0.1976	0.2136	0.1176	0.6095
每股现金流量(元)	0.1567	-0.4542	-0.1378	0.5485
每股资本公积金(元)	0.7272	0.7272	0.7285	1.7384
每股盈余公积金(元)	0.1720	0.1720	0.1489	0.2531
每股未分配利润(元)	1.2533	0.9981	0.8196	1.3961
净资产收益率(%)	13.1696	11.9783	5.3937	10.4688
加权净资产收益率(%)	13.4900	12.6800	5.4900	13.4500
净资产收益率(扣除)(%)	12.9152	11.8319	5.4467	10.1049
总资产(万元)	299670.08	243548.66	262345.01	251911.34
归属母公司股东权益(万元)	194965.23	179184.33	166796.97	159619.49
营业收入(万元)	121594.89	217525.82	97278.10	208995.87
营业支出(万元)	78624.42	165439.43	75078.55	166890.06
投资收益(万元)	452.36	441.20	432.64	461.49
净利润(万元)	25676.23	21539.63	9065.07	16928.79
营业利润(万元)	31135.31	26740.81	11954.11	21867.50
利润总额(万元)	31789.32	27100.14	11833.42	22647.50

陕西兴化化学股份有限公司

公司概况					
公司名称	陕西兴化化学股份有限公司			证券简称	*ST 兴化
法人代表	王颖	董秘	席永生	证券代码	002109
公司网址	www.snxhchem.com			电子信箱	snxhchem@snxhchem.com
电　话	029-38838007 38839912			传　真	029-38822614
办公地址	陕西省咸阳市兴平市东城区迎宾大道				
经营范围	合成氨、硝酸、硝酸铵、多孔硝铵、特种气体、羰基铁粉的生产、加工、批发与零售				

主要财务指标　指标＼报告期	2016.06.30	2015.12.31	2015.06.30	2014.12.31
基本每股收益(元)	-0.1302	-0.3757	-0.1600	-0.4200
基本每股收益(扣除后)(元)	-0.1191	-0.3619	-0.1500	-0.4100
稀释每股收益(元)	-0.1302	-0.3757	-0.1600	-0.4200
每股净资产(元)	2.7257	2.8575	3.0773	3.2377
每股经营现金净流量(元)	-0.0063	0.0226	-0.0190	-0.2358
每股现金流量(元)	0.0482	-0.1757	0.0150	-0.1014
每股资本公积金(元)	0.5492	0.5492	0.5492	0.5492
每股盈余公积金(元)	0.3492	0.3492	0.3492	0.3492
每股未分配利润(元)	0.7700	0.9002	1.1162	1.2759
净资产收益率(%)	-4.7772	-13.1478	-5.1901	-13.0198
加权净资产收益率(%)	-4.6600	-12.3300	-5.0600	-12.2200
净资产收益率(扣除)(%)	-4.3699	-12.6661	-4.8851	-12.8033
总资产(万元)	178052.42	177314.10	192349.76	193960.74
归属母公司股东权益(万元)	97688.67	102412.73	110288.99	116038.39
营业收入(万元)	41380.44	85673.15	41498.56	94827.19
营业支出(万元)	37896.34	80070.17	38214.59	89832.13
投资收益(万元)	80.00	40.00	40.00	-
净利润(万元)	-4738.38	-13465.56	-5715.40	-15062.52
营业利润(万元)	-4324.28	-12953.83	-5361.92	-14921.10
利润总额(万元)	-4771.68	-13584.64	-5685.43	-15178.56

福建三钢闽光股份有限公司

公司概况					
公司名称	福建三钢闽光股份有限公司			证券简称	三钢闽光
法人代表	黎立璋	董秘	徐燕洪	证券代码	002110
公司网址	www.sgmg.com.cn			电子信箱	sgmg@fjsg.com.cn
电　话	0598-8205070 8205188			传　真	0598-8205013
办公地址	福建省三明市梅列区工业中路群工三路				
经营范围	钢铁冶炼、轧制、加工及其延压产品的生产和销售等				

主要财务指标　指标＼报告期	2016.06.30	2015.12.31	2015.06.30	2014.12.31
基本每股收益(元)	0.5440	-1.7400	-0.5030	0.0600
基本每股收益(扣除后)(元)	0.5430	-1.7300	-0.5130	0.0600
稀释每股收益(元)	0.5440	-1.7400	-0.5030	0.0600
每股净资产(元)	4.1200	3.0840	4.3352	4.8497
每股经营现金净流量(元)	1.0593	0.7745	1.0160	2.5567
每股现金流量(元)	0.5526	-0.5226	0.1543	0.9382
每股资本公积金(元)	2.2574	1.3207	1.3207	1.3207
每股盈余公积金(元)	0.3596	0.6172	0.6172	0.6172
每股未分配利润(元)	0.5219	0.2217	1.4551	1.9685
净资产收益率(%)	9.5238	-56.3144	-11.6108	1.2322
加权净资产收益率(%)	14.8800	-43.6800	-10.9500	1.2300
净资产收益率(扣除)(%)	9.5009	-56.0254	-11.8407	1.2881
总资产(万元)	1040353.33	712411.97	800179.30	803685.95
归属母公司股东权益(万元)	378350.40	164902.19	231804.79	259315.21
营业收入(万元)	614052.21	1254194.55	657049.04	1802231.86
营业支出(万元)	541971.21	1310429.26	660259.07	1745520.76
投资收益(万元)	1008.38	-314.52	475.80	941.22
净利润(万元)	36033.51	-92863.64	-26914.48	3195.27
营业利润(万元)	49965.65	-126951.08	-31868.50	3783.42
利润总额(万元)	50081.66	-127465.43	-31241.60	3435.48

威海广泰空港设备股份有限公司

公司概况					
公司名称	威海广泰空港设备股份有限公司			证券简称	威海广泰
法人代表	李光太	董秘	任伟	证券代码	002111
公司网址	www.guangtai.com.cn			电子信箱	gtrenwei@guangtai.com.cn
电　话	0631-3953335			传　真	0631-3953451*3335
办公地址	山东省威海市环翠区黄河街 16 号				
经营范围	生产许可证有效期内的各类航空地面设备及配套产品的生产等				

主要财务指标　指标＼报告期	2016.06.30	2015.12.31	2015.06.30	2014.12.31
基本每股收益(元)	0.2500	0.5000	0.1900	0.3600
基本每股收益(扣除后)(元)	0.2400	0.4600	0.1800	0.3400
稀释每股收益(元)	0.2500	0.5000	0.1900	0.3600
每股净资产(元)	5.6607	5.5265	5.2246	4.0814
每股经营现金净流量(元)	-0.3998	0.3426	-0.1995	0.1577
每股现金流量(元)	-0.7619	0.4508	0.0612	0.0654
每股资本公积金(元)	2.6694	2.6694	2.6694	1.3619
每股盈余公积金(元)	0.2317	0.2317	0.1980	0.2327
每股未分配利润(元)	1.7597	1.6254	1.3572	1.4868
净资产收益率(%)	4.4918	8.3591	3.0638	8.8603
加权净资产收益率(%)	4.5100	10.2700	4.5200	9.1800
净资产收益率(扣除)(%)	4.2438	7.6935	2.8885	8.3141
总资产(万元)	341593.76	333884.37	302814.67	250577.21
归属母公司股东权益(万元)	204403.71	199555.45	188654.31	125409.87
营业收入(万元)	68979.25	132309.46	53956.86	101510.75
营业支出(万元)	44575.90	84638.70	35893.83	66261.85
投资收益(万元)	584.55	743.42	534.04	423.47
净利润(万元)	9939.34	17811.35	5779.99	11111.73
营业利润(万元)	11077.99	18450.59	6262.57	11768.77
利润总额(万元)	11704.23	20107.99	6651.32	12571.89

三变科技股份有限公司

公司概况	公司名称	三变科技股份有限公司			证券简称	三变科技
	法人代表	卢旭日	董秘	羊静	证券代码	002112
	公司网址	www.sanbian.cn		电子信箱	master@sanbian.cn	
	电　话	0576-83381688		传　真	0576-83381921	
	办公地址	浙江省台州市三门县西区大道 369 号				
	经营范围	电力变压器产品的研制、生产和销售等				
主要财务指标	指标\报告期	2016.06.30	2015.12.31	2015.06.30	2014.12.31	
	基本每股收益(元)	0.2000	0.0500	0.0300	0.0800	
	基本每股收益(扣除后)(元)	-0.0330	0.0300	0.0300	0.0600	
	稀释每股收益(元)	0.2000	0.0500	0.0300	0.0800	
	每股净资产(元)	2.6856	2.4028	2.3834	2.3649	
	每股经营现金净流量(元)	0.2893	-0.0761	0.1018	0.4706	
	每股现金流量(元)	0.1459	0.0055	-0.1730	0.0822	
	每股资本公积金(元)	0.4313	0.3430	0.3430	0.3430	
	每股盈余公积金(元)	0.1735	0.1735	0.1691	0.1691	
	每股未分配利润(元)	1.0809	0.8863	0.8714	0.8528	
	净资产收益率(%)	7.6177	1.9946	1.1970	3.5048	
	加权净资产收益率(%)	8.1700	2.0100	1.2000	3.5600	
	净资产收益率(扣除)(%)	-1.2460	1.1725	1.1962	2.7209	
	总资产(万元)	141450.94	143378.32	135559.36	130088.19	
	归属母公司股东权益(万元)	54142.49	48440.66	48049.60	47676.07	
	营业收入(万元)	29568.04	92848.27	38023.30	92382.51	
	营业支出(万元)	23775.38	72643.98	28814.10	70498.16	
	投资收益(万元)	226.88	364.42	229.85	520.86	
	净利润(万元)	4124.40	977.83	586.77	1603.75	
	营业利润(万元)	-1953.01	614.88	586.38	1386.44	
	利润总额(万元)	3667.99	979.50	586.77	1627.13	

湖南天润数字娱乐文化传媒股份有限公司

公司概况	公司名称	湖南天润数字娱乐文化传媒股份有限公司			证券简称	天润数娱
	法人代表	麦少军	董秘	江峰	证券代码	002113
	公司网址	www.trfz.com		电子信箱	trkg002113@163.com	
	电　话	0730-8961178　8961179		传　真	0730-8961178	
	办公地址	湖南省岳阳市岳阳大道兴长石化大厦 6 楼				
	经营范围	生产、销售尿素、液氨、甲醇、农用碳酸氢铵及复合肥等				
主要财务指标	指标\报告期	2016.06.30	2015.12.31	2015.06.30	2014.12.31	
	基本每股收益(元)	0.0970	-0.0371	-0.0190	0.0050	
	基本每股收益(扣除后)(元)	0.0922	-0.0385	-0.0190	0.0045	
	稀释每股收益(元)	0.0970	-0.0371	-0.0190	0.0050	
	每股净资产(元)	4.8179	0.7663	0.7823	0.7991	
	每股经营现金净流量(元)	0.1246	-0.0037	-0.0376	0.0498	
	每股现金流量(元)	1.0709	-0.0037	-0.0376	0.0448	
	每股资本公积金(元)	4.6205	1.1610	1.1593	1.1568	
	每股盈余公积金(元)	0.2923	0.4656	0.4656	0.4656	
	每股未分配利润(元)	-1.0949	-1.8604	-1.8426	-1.8233	
	净资产收益率(%)	1.5137	-4.8368	-2.4657	0.6778	
	加权净资产收益率(%)	3.7600	-4.7300	-2.0000	0.6800	
	净资产收益率(扣除)(%)	1.4394	-5.0287	-2.4657	0.5673	
	总资产(万元)	108734.77	11087.95	11232.03	11877.50	
	归属母公司股东权益(万元)	90875.64	9072.52	9262.85	9461.11	
	营业收入(万元)	3599.11	1651.02	802.08	1678.95	
	营业支出(万元)	382.12	665.30	328.57	660.99	
	投资收益(万元)	15.12	-	-	-	
	净利润(万元)	1375.62	-438.82	-228.40	64.13	
	营业利润(万元)	1501.82	-410.25	-182.42	53.68	
	利润总额(万元)	1575.11	-392.85	-182.42	64.13	

云南罗平锌电股份有限公司

公司概况	公司名称	云南罗平锌电股份有限公司			证券简称	罗平锌电
	法人代表	杨建兴	董秘	喻永贤	证券代码	002114
	公司网址	www.lpxdgf.cn		电子信箱	lpxdgf@china.com	
	电　话	0874-8256825		传　真	0874-8256039	
	办公地址	云南省曲靖市罗平县罗雄镇长家湾				
	经营范围	水力发电、铅锌等有色金属的开采、锌冶炼及其延伸产品的生产与销售等				
主要财务指标	指标\报告期	2016.06.30	2015.12.31	2015.06.30	2014.12.31	
	基本每股收益(元)	-0.0900	0.0700	-0.1400	0.1000	
	基本每股收益(扣除后)(元)	-0.1400	0.0490	-0.1300	0.0900	
	稀释每股收益(元)	-0.0900	0.0700	-0.1400	0.1000	
	每股净资产(元)	2.9236	3.0064	2.7977	2.9294	
	每股经营现金净流量(元)	-0.0748	-0.0501	-0.0340	0.2193	
	每股现金流量(元)	0.2448	0.1184	0.1523	-0.3406	
	每股资本公积金(元)	2.5800	2.5800	2.5800	2.5800	
	每股盈余公积金(元)	0.1262	0.1262	0.1262	0.1262	
	每股未分配利润(元)	-0.8265	-0.7396	-0.9439	-0.8048	
	净资产收益率(%)	-2.9728	2.1693	-4.9717	3.3087	
	加权净资产收益率(%)	-2.9300	2.2000	-4.7900	3.3800	
	净资产收益率(扣除)(%)	-4.7745	1.6204	-4.4731	3.1030	
	总资产(万元)	195528.62	178902.27	169208.97	156125.00	
	归属母公司股东权益(万元)	79474.65	81726.25	76051.55	79631.85	
	营业收入(万元)	24853.18	93909.01	30633.66	66470.84	
	营业支出(万元)	22310.34	75138.13	24409.30	48256.79	
	投资收益(万元)	-629.95	787.53	-728.93	161.84	
	净利润(万元)	-2436.77	1717.22	-3804.03	2332.54	
	营业利润(万元)	-1966.30	925.22	-2660.60	4204.43	
	利润总额(万元)	-1965.35	2051.72	-2722.93	4618.02	

三维通信股份有限公司

公司概况	公司名称	三维通信股份有限公司			证券简称	三维通信
	法人代表	李越伦	董秘	王萍	证券代码	002115
	公司网址	www.sunwave.com.cn		电子信箱	zqb@sunwave.com.cn	
	电　话	0571-88923377		传　真	0571-88923377	
	办公地址	浙江省杭州市滨江火炬大道 581 号				
	经营范围	通信设备、无线电发射与接收设备、仪器仪表的开发制造、咨询和维修等				
主要财务指标	指标\报告期	2016.06.30	2015.12.31	2015.06.30	2014.12.31	
	基本每股收益(元)	-0.0585	0.0462	0.0168	0.0339	
	基本每股收益(扣除后)(元)	-0.0756	-0.0136	0.0004	-0.0010	
	稀释每股收益(元)	-0.0585	0.0462	0.0168	0.0339	
	每股净资产(元)	2.1193	2.2763	2.2409	2.2247	
	每股经营现金净流量(元)	-0.0342	0.5919	0.1027	0.2133	
	每股现金流量(元)	-0.5721	0.1196	-0.1275	-0.0539	
	每股资本公积金(元)	0.6017	0.6017	0.6013	0.6013	
	每股盈余公积金(元)	0.1355	0.1355	0.1255	0.1255	
	每股未分配利润(元)	0.3759	0.5344	0.5150	0.4982	
	净资产收益率(%)	-2.7615	2.0309	0.7504	1.5251	
	加权净资产收益率(%)	-2.6200	2.0500	0.7500	1.5400	
	净资产收益率(扣除)(%)	-3.5667	-0.5976	0.0198	-0.0536	
	总资产(万元)	201730.25	206779.07	204039.79	203464.85	
	归属母公司股东权益(万元)	87035.94	93484.52	92030.61	91365.08	
	营业收入(万元)	37757.09	86502.01	39575.98	90459.49	
	营业支出(万元)	29209.26	59899.81	26600.50	64213.63	
	投资收益(万元)	322.83	1768.51	259.37	556.07	
	净利润(万元)	-2470.76	1918.03	633.11	1478.07	
	营业利润(万元)	-3063.64	724.58	225.92	119.00	
	利润总额(万元)		1897.50	628.27	1186.22	

中国海诚工程科技股份有限公司

公司概况					
公司名称	中国海诚工程科技股份有限公司			证券简称	中国海诚
法人代表	严晓俭	董秘	胡小平	证券代码	002116
公司网址	www.haisum.com		电子信箱	haisum@haisum.com	
电　话	021-64314018		传　真	021-64334045	
办公地址	上海市徐汇区宝庆路 21 号				
经营范围	为国内外工程建设提供设计、咨询、监理和总承包服务等				

主要财务指标　指标\报告期	2016.06.30	2015.12.31	2015.06.30	2014.12.31
基本每股收益(元)	0.2300	0.5600	0.2700	0.4950
基本每股收益(扣除后)(元)	0.2100	0.5500	0.2600	0.6100
稀释每股收益(元)	0.2200	0.5400	0.2600	0.4900
每股净资产(元)	2.9605	2.6990	2.3873	2.8536
每股经营现金净流量(元)	–0.1180	1.2357	0.5147	0.4155
每股现金流量(元)	–0.0698	1.0380	0.2718	0.0813
每股资本公积金(元)	0.2130	0.1361	0.0883	0.0966
每股盈余公积金(元)	0.2028	0.2059	0.1694	0.2204
每股未分配利润(元)	1.5009	1.2952	1.0557	1.5183
净资产收益率(%)	7.5973	20.7065	11.4424	22.4916
加权净资产收益率(%)	8.1000	23.1300	11.6600	25.1200
净资产收益率(扣除)(%)	7.1283	20.1013	10.8908	21.3948
总资产(万元)	356770.73	352511.55	332418.65	323958.48
归属母公司股东权益(万元)	122583.01	110110.43	96381.45	88559.44
营业收入(万元)	233703.56	469302.08	217093.37	547018.82
营业支出(万元)	211325.17	419950.78	194242.71	493916.74
投资收益(万元)	11.66	904.05	20.10	579.11
净利润(万元)	9312.94	22800.03	11028.39	19918.45
营业利润(万元)	9891.91	25611.77	12588.51	23058.06
利润总额(万元)	10574.38	26410.61	13219.99	23727.40

东港股份有限公司

公司概况					
公司名称	东港股份有限公司			证券简称	东港股份
法人代表	王爱先	董秘	齐利国	证券代码	002117
公司网址	www.tungkong.com.cn		电子信箱	dggf@tungkong.com.cn	
电　话	0531-88904590		传　真	0531-82672218	
办公地址	山东省济南市山大北路 23 号				
经营范围	出版物、包装装潢印刷品及其他印刷品印刷、办公用纸、纸制品的生产等				

主要财务指标　指标\报告期	2016.06.30	2015.12.31	2015.06.30	2014.12.31
基本每股收益(元)	0.2674	0.5900	0.2500	0.4600
基本每股收益(扣除后)(元)	0.2607	0.5700	0.2400	0.4500
稀释每股收益(元)	0.2674	0.5900	0.2500	0.4600
每股净资产(元)	3.8521	3.8847	3.5394	3.5801
每股经营现金净流量(元)	–0.2067	0.8161	–0.1592	0.8456
每股现金流量(元)	–0.7447	0.2833	–0.3665	–0.6168
每股资本公积金(元)	1.0423	1.0423	1.0384	1.0322
每股盈余公积金(元)	0.4792	0.4246	0.3812	0.3473
每股未分配利润(元)	1.3305	1.4178	1.1198	1.2006
净资产收益率(%)	6.9418	15.3006	7.1525	12.9622
加权净资产收益率(%)	6.8200	16.1900	7.0200	13.6500
净资产收益率(扣除)(%)	6.7690	14.6709	6.8006	12.4306
总资产(万元)	192268.79	202881.99	170203.77	182389.69
归属母公司股东权益(万元)	140130.67	141316.38	128765.54	130244.76
营业收入(万元)	69615.58	125624.81	62845.95	111087.88
营业支出(万元)	43068.27	75473.22	38448.66	65879.46
投资收益(万元)	160.90	2525.93	306.05	974.43
净利润(万元)	10252.66	23221.02	10219.38	18594.65
营业利润(万元)	11787.39	25950.80	11340.33	20871.08
利润总额(万元)	12139.98	27197.40	12050.24	21801.14

吉林紫鑫药业股份有限公司

公司概况					
公司名称	吉林紫鑫药业股份有限公司			证券简称	紫鑫药业
法人代表	郭春林	董秘	张万恒	证券代码	002118
公司网址	www.jilinzixin.com.cn		电子信箱	zixin@zxpc.cc	
电　话	0431-81916633		传　真	0431-88698366	
办公地址	吉林省长春市南关区东头道街 137 号				
经营范围	从事中成药的研发、生产、销售和中药材种植业务等				

主要财务指标　指标\报告期	2016.06.30	2015.12.31	2015.06.30	2014.12.31
基本每股收益(元)	0.0300	0.0800	0.0100	0.0900
基本每股收益(扣除后)(元)	0.0300	0.0200	–0.0200	0.0400
稀释每股收益(元)	0.0300	0.0800	0.0100	0.0900
每股净资产(元)	5.6231	3.9246	3.8531	3.8854
每股经营现金净流量(元)	–0.3574	0.4236	0.1374	0.0090
每股现金流量(元)	0.0029	1.1163	–0.1796	0.0438
每股资本公积金(元)	3.3717	1.4025	1.4025	1.4025
每股盈余公积金(元)	0.1155	0.1442	0.1372	0.1372
每股未分配利润(元)	1.1288	1.3691	1.3047	1.3369
净资产收益率(%)	0.5703	1.9665	0.1485	2.3677
加权净资产收益率(%)	0.8100	1.9800	0.1500	2.4000
净资产收益率(扣除)(%)	0.4907	0.4806	–0.4543	1.1222
总资产(万元)	602918.34	499810.70	399884.23	405241.75
归属母公司股东权益(万元)	360094.23	201330.63	197661.55	199317.48
营业收入(万元)	34757.00	63326.00	22570.90	77571.46
营业支出(万元)	11336.93	21018.43	6350.17	34791.11
投资收益(万元)	980.00	980.00	980.00	920.00
净利润(万元)	2032.93	3923.21	271.05	4694.84
营业利润(万元)	2242.62	860.70	–1076.07	1628.02
利润总额(万元)	2573.49	4401.28	363.14	4607.83

宁波康强电子股份有限公司

公司概况					
公司名称	宁波康强电子股份有限公司			证券简称	康强电子
法人代表	郑康定	董秘	赵勤攻	证券代码	002119
公司网址	www.kangqiang.com		电子信箱	board@kangqiang.com	
电　话	0574-56807119		传　真	0574-56807088	
办公地址	浙江省宁波市鄞州投资创业中心金源路 988 号				
经营范围	制造和销售各种引线框架及半导体元器件等				

主要财务指标　指标\报告期	2016.06.30	2015.12.31	2015.06.30	2014.12.31
基本每股收益(元)	0.0900	–0.2800	–0.2100	0.0100
基本每股收益(扣除后)(元)	0.1000	–0.1900	–0.2100	–0.0300
稀释每股收益(元)	0.0900	–0.2800	–0.2100	0.0100
每股净资产(元)	3.2508	3.1656	3.2353	3.4434
每股经营现金净流量(元)	0.2894	0.7384	0.3573	1.1973
每股现金流量(元)	0.0376	–0.1373	–0.0099	–0.0925
每股资本公积金(元)	1.1855	1.1855	1.1855	1.1855
每股盈余公积金(元)	0.2028	0.2028	0.2028	0.2028
每股未分配利润(元)	0.8625	0.7773	0.8470	1.0550
净资产收益率(%)	2.6225	–8.7752	–6.4303	0.3261
加权净资产收益率(%)	2.6600	–8.4100	–6.2300	0.3300
净资产收益率(扣除)(%)	3.0406	–6.0909	–6.6359	–0.8529
总资产(万元)	146110.65	142924.15	148376.50	156838.58
归属母公司股东权益(万元)	67032.05	65274.13	66712.30	71002.09
营业收入(万元)	56322.39	102103.40	51282.78	132868.04
营业支出(万元)	45901.71	86702.19	44199.19	116137.99
投资收益(万元)	0.58	–255.70	81.56	85.26
净利润(万元)	2162.92	–5398.71	–4241.94	761.69
营业利润(万元)	3177.80	–5194.71	–5206.72	613.77
利润总额(万元)	2620.13	–6029.95	–4980.23	1218.42

韵达控股股份有限公司

公司概况						
公司名称	韵达控股股份有限公司				证券简称	韵达股份
法人代表	聂腾云		董秘	符勤	证券代码	002120
公司网址	www.yundaex.com			电子信箱	ir@yundaex.com	
电　话	021-39296789			传　真	021-39296863	
办公地址	上海市青浦区盈港东路 6679 号					
经营范围	打火机、点火枪、模具、电器配件、电子元件、塑料制品、文具的制造等					

主要财务指标

指标\报告期	2016.06.30	2015.12.31	2015.06.30	2014.12.31
基本每股收益(元)	0.2700	0.3300	0.1500	0.5600
基本每股收益(扣除后)(元)	0.2600	0.3300	0.1300	0.2200
稀释每股收益(元)	0.2700	0.3300	0.1500	0.5600
每股净资产(元)	2.8850	3.7651	3.6792	3.6235
每股经营现金净流量(元)	0.2038	0.9671	0.3787	0.7719
每股现金流量(元)	–0.5652	0.5238	–0.0171	–0.0799
每股资本公积金(元)	–	0.2154	0.3054	0.3054
每股盈余公积金(元)	–	0.2030	0.1835	0.1835
每股未分配利润(元)	1.8989	2.3585	2.2004	2.1465
净资产收益率(%)	9.1947	8.8045	4.1834	15.5322
加权净资产收益率(%)	7.9500	8.9400	4.1800	16.3700
净资产收益率(扣除)(%)	8.9621	8.8320	3.5600	5.9450
总资产(万元)	94067.72	92005.55	83433.65	81236.18
归属母公司股东权益(万元)	43355.93	56582.33	55290.52	54453.72
营业收入(万元)	51247.66	97951.98	44744.93	93117.73
营业支出(万元)	36941.78	73389.91	33564.12	73458.71
投资收益(万元)	–243.19	–1684.76	–331.83	4712.67
净利润(万元)	4594.80	7690.57	3606.45	10258.67
营业利润(万元)	5566.77	9918.41	4366.68	11898.98
利润总额(万元)	5538.58	9869.59	4726.69	12302.85

深圳市科陆电子科技股份有限公司

公司概况						
公司名称	深圳市科陆电子科技股份有限公司				证券简称	科陆电子
法人代表	饶陆华		董秘	黄幼平	证券代码	002121
公司网址	www.szclou.com			电子信箱	sz-clou@szclou.com	
电　话	0755-26719528			传　真	0755-26719679	
办公地址	广东省深圳市南山区高新技术产业园北区宝深路科陆大厦					
经营范围	电力测量仪器仪表及检定装置、电子式电能表、用电管理系统及设备等					

主要财务指标

指标\报告期	2016.06.30	2015.12.31	2015.06.30	2014.12.31
基本每股收益(元)	0.0618	0.4383	0.1618	0.3169
基本每股收益(扣除后)(元)	0.0437	0.2816	0.1387	0.2372
稀释每股收益(元)	0.0617	0.4354	0.1617	0.3167
每股净资产(元)	2.0000	4.8789	4.6052	3.6273
每股经营现金净流量(元)	–0.2635	–0.6260	–0.6581	0.4556
每股现金流量(元)	–0.0381	0.3471	0.2249	–0.0495
每股资本公积金(元)	0.2540	2.1269	2.1017	0.9707
每股盈余公积金(元)	0.0764	0.1913	0.1333	0.1588
每股未分配利润(元)	0.6757	1.5872	1.3765	1.5050
净资产收益率(%)	3.0847	8.4465	3.1156	8.6727
加权净资产收益率(%)	3.1200	9.8200	3.9900	9.0500
净资产收益率(扣除)(%)	2.1812	5.4272	2.6697	6.4928
总资产(万元)	1114661.00	1031297.72	636511.39	467483.63
归属母公司股东权益(万元)	238378.07	232280.14	219250.73	144930.82
营业收入(万元)	131452.12	226142.34	92981.64	195460.89
营业支出(万元)	87404.93	153132.14	62710.15	134884.51
投资收益(万元)	2988.62	1774.41	31.12	–
净利润(万元)	7555.77	20203.23	6921.53	12898.95
营业利润(万元)	4246.52	8818.28	5411.71	9824.93
利润总额(万元)	8207.31	17705.33	7185.87	14644.43

天马轴承集团股份有限公司

公司概况						
公司名称	天马轴承集团股份有限公司				证券简称	天马股份
法人代表	马兴法		董秘	马兴法(代)	证券代码	002122
公司网址	www.tmb.net.cn			电子信箱	tmzc@tmb.net.cn	
电　话	0571-88027658			传　真	0571-88029872	
办公地址	浙江省杭州市石祥路 202 号					
经营范围	轴承及机床的研发、制造和销售等					

主要财务指标

指标\报告期	2016.06.30	2015.12.31	2015.06.30	2014.12.31
基本每股收益(元)	0.0200	0.0400	0.0300	0.0300
基本每股收益(扣除后)(元)	–0.0200	–0.2200	–0.0110	–0.1900
稀释每股收益(元)	0.0200	0.0400	0.0300	0.0300
每股净资产(元)	3.9839	3.9990	3.9877	3.9835
每股经营现金净流量(元)	0.2452	0.1783	0.0817	0.1127
每股现金流量(元)	0.0343	–0.0031	0.0116	0.0799
每股资本公积金(元)	0.8657	0.8657	0.8657	0.8657
每股盈余公积金(元)	0.2509	0.2509	0.2332	0.2332
每股未分配利润(元)	1.8627	1.8921	1.8974	1.8900
净资产收益率(%)	0.5155	0.9938	0.6868	0.7141
加权净资产收益率(%)	0.5100	1.0000	0.6900	0.7200
净资产收益率(扣除)(%)	–0.3886	–5.4053	–0.2879	–4.8785
总资产(万元)	735535.65	755512.09	750554.09	749546.63
归属母公司股东权益(万元)	473289.88	475075.33	473733.78	473244.62
营业收入(万元)	110937.55	209870.49	108764.61	217580.32
营业支出(万元)	85138.68	171796.75	87563.96	184322.05
投资收益(万元)	162.98	92.44	252.00	2148.87
净利润(万元)	3150.89	5342.95	3558.60	3532.28
营业利润(万元)	836.26	–23826.57	1459.11	–19688.51
利润总额(万元)	5467.72	8325.90	5658.47	7184.04

梦网荣信科技集团股份有限公司

公司概况						
公司名称	梦网荣信科技集团股份有限公司				证券简称	梦网荣信
法人代表	左强		董秘	李局春	证券代码	002123
公司网址	www.rxpe.com			电子信箱	lijuchun@montnets.com	
电　话	0755-86017997			传　真	0755-86019903	
办公地址	辽宁省鞍山市高新区科技路 108 号					
经营范围	从事节能大功率电力电子设备的设计和制造业务					

主要财务指标

指标\报告期	2016.06.30	2015.12.31	2015.06.30	2014.12.31
基本每股收益(元)	0.1700	0.1600	0.0500	–0.5100
基本每股收益(扣除后)(元)	0.1100	0.0300	0.0300	–0.5400
稀释每股收益(元)	0.1700	0.1600	0.0500	–0.5100
每股净资产(元)	5.9777	5.5970	3.6331	3.5490
每股经营现金净流量(元)	–0.0388	0.0569	–0.1108	–0.2232
每股现金流量(元)	–0.6473	0.7264	–0.0338	–0.4965
每股资本公积金(元)	3.4315	3.4267	0.8214	0.7901
每股盈余公积金(元)	0.1543	0.1543	0.2639	0.2639
每股未分配利润(元)	1.1598	0.9889	1.5478	1.4950
净资产收益率(%)	2.8587	2.0438	1.4537	–14.4063
加权净资产收益率(%)	2.9800	3.4800	1.4800	–13.4100
净资产收益率(扣除)(%)	1.8767	0.3983	0.8306	–15.2101
总资产(万元)	718235.02	734007.94	368364.83	351567.88
归属母公司股东权益(万元)	515035.88	482233.94	183106.12	178869.04
营业收入(万元)	122998.98	180446.16	75731.39	92779.98
营业支出(万元)	82409.50	113302.73	48460.51	56491.20
投资收益(万元)	6302.21	–3551.96	–627.37	–628.09
净利润(万元)	14619.23	10640.25	2943.21	–27286.16
营业利润(万元)	15590.50	280.45	–1439.33	–31582.33
利润总额(万元)	17680.63	11989.51	2998.95	–26647.33

天邦食品股份有限公司

公司概况	公司名称	天邦食品股份有限公司		证券简称	天邦股份	
	法人代表	张邦辉	董秘	张宇	证券代码	002124
	公司网址	www.tianbang.com		电子信箱	techbank@tianbang.com	
	电　话	021-54484578		传　真	021-54484520	
	办公地址	上海市徐汇区桂箐路65号新研大厦11层				
	经营范围	许可经营项目包括配合饲料的制造				

主要财务指标	指标\报告期	2016.06.30	2015.12.31	2015.06.30	2014.12.31
	基本每股收益(元)	0.3193	0.5100	-0.1017	0.1600
	基本每股收益(扣除后)(元)	0.2706	0.2100	-0.1468	0.0100
	稀释每股收益(元)	0.3193	0.5100	-0.1017	0.1600
	每股净资产(元)	1.9429	3.7642	2.5788	2.6615
	每股经营现金净流量(元)	0.1802	0.7621	0.3623	0.4091
	每股现金流量(元)	-0.2067	0.3669	-0.1011	-0.0879
	每股资本公积金(元)	0.0712	1.3560	0.1577	0.1345
	每股盈余公积金(元)	0.0773	0.1700	0.2112	0.2115
	每股未分配利润(元)	0.8082	1.2757	1.2639	1.3675
	净资产收益率(%)	16.4347	10.1219	-3.9409	5.8559
	加权净资产收益率(%)	17.1900	17.1900	-3.8900	6.1400
	净资产收益率(扣除)(%)	13.9290	4.1612	-5.6865	0.2644
	总资产(万元)	207046.08	196730.23	185375.55	188456.48
	归属母公司股东权益(万元)	123701.70	108936.52	53795.62	55442.58
	营业收入(万元)	107983.86	214129.37	101996.45	260334.97
	营业支出(万元)	71380.84	171102.26	86930.25	227239.40
	投资收益(万元)	1576.30	5182.82	1353.38	-55.51
	净利润(万元)	20270.17	10760.30	-2400.27	2718.45
	营业利润(万元)	20278.48	10820.28	-2065.82	-5417.25
	利润总额(万元)	20662.24	12578.92	-1924.76	4326.09

湘潭电化科技股份有限公司

公司概况	公司名称	湘潭电化科技股份有限公司		证券简称	湘潭电化	
	法人代表	谭新乔	董秘	汪咏梅	证券代码	002125
	公司网址	www.chinaemd.com		电子信箱	zqb@chinaemd.com	
	电　话	0731-55544048　55544161		传　真	0731-55544101	
	办公地址	湘潭市雨湖区九华步步高大道5号五矿尊城				
	经营范围	研究、开发、生产、销售二氧化锰、电解金属锰、电池材料及其他能源新材料等				

主要财务指标	指标\报告期	2016.06.30	2015.12.31	2015.06.30	2014.12.31
	基本每股收益(元)	0.0300	0.0700	0.0100	-0.1000
	基本每股收益(扣除后)(元)	0.0100	0.0500	0.0005	-0.5300
	稀释每股收益(元)	0.0300	0.0700	0.0100	-0.1000
	每股净资产(元)	4.8001	4.7747	2.5636	3.0500
	每股经营现金净流量(元)	-0.0644	0.6005	0.1485	1.2006
	每股现金流量(元)	-2.9160	3.8222	0.0443	0.0173
	每股资本公积金(元)	3.7946	5.0643	1.6522	2.1645
	每股盈余公积金(元)	0.0759	0.1013	0.1013	0.1178
	每股未分配利润(元)	-0.0704	-0.1281	-0.1899	-0.2312
	净资产收益率(%)	0.5319	1.1088	0.3436	-23.0185
	加权净资产收益率(%)	0.5300	2.7100	0.3400	-3.3000
	净资产收益率(扣除)(%)	0.2913	0.7541	0.0178	-27.9138
	总资产(万元)	203698.62	263199.35	193675.65	182975.99
	归属母公司股东权益(万元)	103682.56	103132.69	41490.91	42483.41
	营业收入(万元)	26141.29	62554.02	31727.06	73368.80
	营业支出(万元)	19161.88	47906.95	25251.79	64384.35
	投资收益(万元)	-	21.70	21.70	-
	净利润(万元)	665.55	1227.43	151.99	-1402.73
	营业利润(万元)	630.87	1171.15	175.70	-4614.81
	利润总额(万元)	1104.90	1722.35	324.47	-281.26

浙江银轮机械股份有限公司

公司概况	公司名称	浙江银轮机械股份有限公司		证券简称	银轮股份	
	法人代表	徐小敏	董秘	陶岳铮	证券代码	002126
	公司网址	www.yinlun.com		电子信箱	002126@yinlun.cn	
	电　话	0576-83938250		传　真	0576-83938806	
	办公地址	浙江省台州市天台县福溪街道交通运输机械工业园区				
	经营范围	实业投资、汽车零部件、船用配件、机械配件、摩托车配件、电子产品等				

主要财务指标	指标\报告期	2016.06.30	2015.12.31	2015.06.30	2014.12.31
	基本每股收益(元)	0.1600	0.5700	0.3000	0.4600
	基本每股收益(扣除后)(元)	0.1500	0.5300	0.2800	0.4200
	稀释每股收益(元)	0.1600	0.5700	0.3000	0.4600
	每股净资产(元)	2.9652	5.6567	5.3002	4.5551
	每股经营现金净流量(元)	0.1884	0.6245	0.0958	0.5534
	每股现金流量(元)	-0.0899	-0.1202	-0.0104	-0.5610
	每股资本公积金(元)	0.6274	2.2505	2.2013	1.5086
	每股盈余公积金(元)	0.1436	0.2871	0.2453	0.2700
	每股未分配利润(元)	1.1919	2.1167	1.8947	1.8218
	净资产收益率(%)	5.5189	9.8260	5.4662	10.1848
	加权净资产收益率(%)	5.6300	11.0300	5.9500	10.7000
	净资产收益率(扣除)(%)	5.2146	9.1346	5.0504	9.2992
	总资产(万元)	454839.98	392467.10	380975.74	351477.48
	归属母公司股东权益(万元)	213812.71	203944.99	191091.83	149196.84
	营业收入(万元)	144191.74	272196.49	142119.22	241452.73
	营业支出(万元)	105140.47	199384.74	105967.44	176204.67
	投资收益(万元)	581.22	424.63	253.60	237.11
	净利润(万元)	12132.18	21274.98	11091.76	16318.14
	营业利润(万元)	14333.62	24644.52	12930.60	18938.26
	利润总额(万元)	14999.42	25957.50	13724.48	20006.95

南极电商股份有限公司

公司概况	公司名称	南极电商股份有限公司		证券简称	南极电商	
	法人代表	张玉祥	董秘	刘楠楠	证券代码	002127
	公司网址	www.nanjids.com		电子信箱	liunannan@nanjids.com	
	电　话	021-63461118　0512-63574760		传　真	0512-63551976	
	办公地址	江苏省苏州市吴江区盛泽镇立新路738号				
	经营范围	丝绸及其原料业务，包括化纤纺丝、各类丝绸织品的织造和印染等				

主要财务指标	指标\报告期	2016.06.30	2015.12.31	2015.06.30	2014.12.31
	基本每股收益(元)	0.0600	0.5900	0.2100	0.2300
	基本每股收益(扣除后)(元)	0.0513	0.5700	-	-0.5300
	稀释每股收益(元)	0.0500	0.5900	0.2100	0.2300
	每股净资产(元)	0.8569	2.7623	1.0060	0.9922
	每股经营现金净流量(元)	0.0388	0.0831	0.0339	0.0933
	每股现金流量(元)	0.0392	1.1887	-0.0327	0.0947
	每股资本公积金(元)	0.3435	1.1834	0.6788	0.0715
	每股盈余公积金(元)	0.0186	0.0642	0.0965	0.0251
	每股未分配利润(元)	0.2235	0.5800	-0.7693	0.2342
	净资产收益率(%)	6.4543	13.9324	1.3698	2.3517
	加权净资产收益率(%)	6.0500	43.8800	10.3100	24.4100
	净资产收益率(扣除)(%)	5.9843	13.4353	0.3081	-52.9487
	总资产(万元)	145015.34	137278.99	54786.86	40083.06
	归属母公司股东权益(万元)	131817.04	123323.76	44912.01	30566.31
	营业收入(万元)	15901.92	38922.91	11406.16	27352.09
	营业支出(万元)	2667.20	10718.92	4299.08	11362.78
	投资收益(万元)	77.92	110.22	85.13	230.32
	净利润(万元)	8533.00	17226.61	3279.19	6648.56
	营业利润(万元)	9418.69	19794.67	4318.99	8369.40
	利润总额(万元)	10071.23	20520.11	4385.51	8784.12

内蒙古霍林河露天煤业股份有限公司

公司概况						
公司名称	内蒙古霍林河露天煤业股份有限公司			证券简称	露天煤业
法人代表	刘明胜	董秘	温泉	证券代码	002128
公司网址	www.nmghlhltmy.com		电子信箱	ltmy@vip.163.com	
电　话	0475-2350921		传　真	0475-2350579	
办公地址	内蒙古自治区霍林郭勒市哲里木大街(霍矿珠斯花区)				
经营范围	煤炭系列产品的研制、生产和销售等				

主要财务指标：指标\报告期	2016.06.30	2015.12.31	2015.06.30	2014.12.31
基本每股收益(元)	0.2100	0.3300	0.2400	0.3700
基本每股收益(扣除后)(元)	0.2100	0.3300	0.2400	0.3100
稀释每股收益(元)	0.2100	0.3300	0.2400	0.3700
每股净资产(元)	5.5666	5.4017	5.3284	5.1280
每股经营现金净流量(元)	-0.0191	1.2014	0.2604	0.8596
每股现金流量(元)	-0.1690	0.2390	-0.1052	0.0723
每股资本公积金(元)	0.7681	0.7681	0.7490	0.7490
每股盈余公积金(元)	0.4543	0.4543	0.4297	0.4297
每股未分配利润(元)	3.2789	3.1659	3.0700	2.9286
净资产收益率(%)	3.8256	6.0469	4.5308	7.4610
加权净资产收益率(%)	3.8500	6.1900	4.5700	7.5200
净资产收益率(扣除)(%)	3.8618	6.1901	4.5396	4.9568
总资产(万元)	1421322.48	1407999.00	1387401.61	1393577.11
归属母公司股东权益(万元)	909791.65	882838.90	870869.70	838114.85
营业收入(万元)	240854.33	558665.07	262149.66	625388.41
营业支出(万元)	155629.72	396111.32	169645.03	463143.83
投资收益(万元)	1397.30	8209.76	4957.72	10994.90
净利润(万元)	34983.08	53267.38	39580.72	62216.33
营业利润(万元)	40212.94	65153.26	45337.47	77830.87
利润总额(万元)	39646.81	63788.87	45152.14	74972.88

天津中环半导体股份有限公司

公司概况					
公司名称	天津中环半导体股份有限公司			证券简称	中环股份
法人代表	沈浩平	董秘	安艳清	证券代码	002129
公司网址	www.tjsemi.com		电子信箱	sunjuanhong@tjsemi.com	
电　话	022-23789787		传　真	022-23789786	
办公地址	天津市新技术产业园区华苑产业区(环外)海泰东路12号				
经营范围	半导体材料、半导体器件、电子元件制造、加工、批发、零售等				

主要财务指标：指标\报告期	2016.06.30	2015.12.31	2015.06.30	2014.12.31
基本每股收益(元)	0.0949	0.0869	0.0407	0.1436
基本每股收益(扣除后)(元)	0.0749	0.0387	0.0200	0.0761
稀释每股收益(元)	0.0949	0.0869	0.0407	0.1436
每股净资产(元)	3.9522	3.8562	2.8873	6.2727
每股经营现金净流量(元)	0.1217	0.3008	0.0516	0.2293
每股现金流量(元)	-1.0935	1.3159	0.2477	0.2442
每股资本公积金(元)	2.6033	2.6033	1.6435	4.8157
每股盈余公积金(元)	0.0168	0.0168	0.0162	0.0356
每股未分配利润(元)	0.3309	0.2360	0.2276	0.4213
净资产收益率(%)	2.4002	1.9818	1.4081	2.0178
加权净资产收益率(%)	2.2500	2.9200	1.4200	3.0800
净资产收益率(扣除)(%)	1.8959	0.8831	0.6155	1.0688
总资产(万元)	1806240.63	2108308.65	1620132.59	1416273.54
归属母公司股东权益(万元)	1045047.41	1019657.51	663002.40	654711.33
营业收入(万元)	363466.51	503763.27	252279.18	476784.27
营业支出(万元)	316885.85	428599.30	223847.29	404150.82
投资收益(万元)	3245.19	531.39	678.69	81.35
净利润(万元)	24977.60	21249.36	10108.41	13151.94
营业利润(万元)	22330.83	20634.73	7037.38	14328.48
利润总额(万元)	28394.49	29663.04	13338.97	19008.08

深圳市沃尔核材股份有限公司

公司概况					
公司名称	深圳市沃尔核材股份有限公司			证券简称	沃尔核材
法人代表	周和平	董秘	王占君	证券代码	002130
公司网址	www.woer.com		电子信箱	fz@woer.com	
电　话	0755-28299020		传　真	0755-28299020	
办公地址	广东省深圳市坪山新区兰景北路沃尔工业园				
经营范围	热缩材料、冷缩材料、阻燃材料、绝缘材料、耐高温耐腐蚀新型材料等				

主要财务指标：指标\报告期	2016.06.30	2015.12.31	2015.06.30	2014.12.31
基本每股收益(元)	0.1000	1.0000	0.6400	0.2400
基本每股收益(扣除后)(元)	0.0600	0.1500	0.0600	0.2300
稀释每股收益(元)	0.1000	1.0000	0.6400	0.2400
每股净资产(元)	2.9388	2.9714	3.0397	2.0751
每股经营现金净流量(元)	0.0512	0.0891	-0.0079	0.0463
每股现金流量(元)	0.1688	0.1552	0.2033	-0.0817
每股资本公积金(元)	0.0496	0.0496	0.0456	0.0456
每股盈余公积金(元)	0.1715	0.1715	0.1072	0.1072
每股未分配利润(元)	1.7497	1.7612	1.4623	0.8746
净资产收益率(%)	3.3530	33.6825	20.9811	11.5658
加权净资产收益率(%)	3.3000	34.6900	24.8600	12.3100
净资产收益率(扣除)(%)	2.1463	5.1991	1.8468	10.9565
总资产(万元)	424192.25	367287.89	342281.79	265858.58
归属母公司股东权益(万元)	167331.49	169189.64	173089.41	118163.71
营业收入(万元)	79397.95	162142.21	71064.52	162918.71
营业支出(万元)	54708.95	112564.36	50257.76	115665.06
投资收益(万元)	2497.01	56302.72	33696.31	187.87
净利润(万元)	5592.03	56700.79	36255.90	13613.31
营业利润(万元)	4817.72	64399.37	37168.36	15018.60
利润总额(万元)	6214.47	66919.02	37838.01	16372.55

利欧集团股份有限公司

公司概况					
公司名称	利欧集团股份有限公司			证券简称	利欧股份
法人代表	王相荣	董秘	张旭波	证券代码	002131
公司网址	www.leogroup.cn		电子信箱	sec@leogroup.cn	
电　话	0576-89986666		传　真	0576-89989898	
办公地址	浙江省温岭市工业城中心大道				
经营范围	泵、园林机械、清洁设备、电机、汽油机、阀门、模具、五金工具、动力柜等				

主要财务指标：指标\报告期	2016.06.30	2015.12.31	2015.06.30	2014.12.31
基本每股收益(元)	0.1800	0.1900	0.1300	0.1600
基本每股收益(扣除后)(元)	0.1700	0.1700	0.3100	0.2500
稀释每股收益(元)	0.1800	0.1900	0.1300	0.1600
每股净资产(元)	3.9433	3.7920	5.4678	5.1191
每股经营现金净流量(元)	0.0389	0.2183	0.4643	-0.2810
每股现金流量(元)	-0.1630	0.3884	-0.0808	-0.8004
每股资本公积金(元)	2.1894	2.1894	2.3250	2.3250
每股盈余公积金(元)	0.0733	0.0733	0.2455	0.2455
每股未分配利润(元)	0.6795	0.5287	1.8964	1.5501
净资产收益率(%)	4.5848	3.9381	7.2471	8.9790
加权净资产收益率(%)	4.6700	10.7200	7.4900	11.3400
净资产收益率(扣除)(%)	4.2695	3.5690	5.6150	4.6829
总资产(万元)	901363.91	840002.76	440331.28	420140.80
归属母公司股东权益(万元)	595215.67	572378.43	214021.56	200373.58
营业收入(万元)	306474.37	439222.77	195898.51	287426.96
营业支出(万元)	234768.87	338380.52	148474.40	221167.54
投资收益(万元)	1868.11	323.12	265.23	10947.77
净利润(万元)	28448.86	23997.48	16568.91	21312.59
营业利润(万元)	35176.91	25510.15	16349.20	19005.25
利润总额(万元)	35828.40	28717.85	18936.31	25230.17

河南恒星科技股份有限公司

公司概况	公司名称	河南恒星科技股份有限公司			证券简称	恒星科技
	法人代表	谢保军	董秘	李明	证券代码	002132
	公司网址	www.hengxingchinese.com			电子信箱	wentian01@163.com
	电　　话	0371-69588999			传　　真	0371-69588000
	办公地址	河南省巩义市康店镇恒星工业园				
	经营范围	生产、经营钢帘线、胶管钢丝;镀锌钢丝、镀锌钢绞线				

主要财务指标	指标\报告期	2016.06.30	2015.12.31	2015.06.30	2014.12.31
	基本每股收益(元)	0.0500	0.0600	0.0400	0.0800
	基本每股收益(扣除后)(元)	0.0500	0.0600	0.0400	0.0690
	稀释每股收益(元)	0.0500	0.0600	0.0400	0.0800
	每股净资产(元)	1.6943	2.5251	2.5619	2.2042
	每股经营现金净流量(元)	0.1498	0.1663	0.1213	0.5948
	每股现金流量(元)	-0.0970	-0.2892	0.1830	0.3011
	每股资本公积金(元)	0.2588	0.8691	0.8402	0.3080
	每股盈余公积金(元)	0.0701	0.1053	0.1092	0.1068
	每股未分配利润(元)	0.3772	0.5856	0.6126	0.7894
	净资产收益率(%)	3.1831	2.2141	1.4341	3.8222
	加权净资产收益率(%)	3.1600	2.4600	1.8600	3.9000
	净资产收益率(扣除)(%)	3.1548	2.0482	1.4341	3.1180
	总资产(万元)	328521.90	281383.59	329801.19	341855.41
	归属母公司股东权益(万元)	179780.86	178362.18	180963.93	119000.13
	营业收入(万元)	89213.77	173579.89	82760.11	187657.48
	营业支出(万元)	67781.32	139043.28	67656.18	155283.84
	投资收益(万元)	226.84	413.33	35.88	897.38
	净利润(万元)	5984.24	4111.64	2674.94	4699.96
	营业利润(万元)	6178.92	2659.14	2089.53	1985.93
	利润总额(万元)	7167.15	4557.49	2910.62	5221.72

广宇集团股份有限公司

公司概况	公司名称	广宇集团股份有限公司			证券简称	广宇集团
	法人代表	王轶磊	董秘	华欣	证券代码	002133
	公司网址	www.cosmosgroup.com.cn			电子信箱	gyjtdb@163.com
	电　　话	0571-87925786			传　　真	0571-87925813
	办公地址	浙江省杭州市平海路8号				
	经营范围	房地产投资、房地产开发经营、商品房销售及出租、实业投资、室内外装饰等				

主要财务指标	指标\报告期	2016.06.30	2015.12.31	2015.06.30	2014.12.31
	基本每股收益(元)	0.2000	-0.0800	-	0.2100
	基本每股收益(扣除后)(元)	0.1900	-0.1000	-0.0100	0.1900
	稀释每股收益(元)	0.2000	-0.0800	-	0.2100
	每股净资产(元)	3.6392	3.5209	3.6005	3.6839
	每股经营现金净流量(元)	0.8201	1.9595	0.7243	0.5460
	每股现金流量(元)	0.3534	-0.1608	0.2270	0.2256
	每股资本公积金(元)	1.0708	1.0708	1.0706	1.0706
	每股盈余公积金(元)	0.2040	0.2040	0.1877	0.1877
	每股未分配利润(元)	1.3643	1.2461	1.3422	1.4256
	净资产收益率(%)	5.4480	-2.3628	-0.0939	4.6039
	加权净资产收益率(%)	5.5000	-2.3000	-0.0900	6.1100
	净资产收益率(扣除)(%)	5.2239	-2.9704	-0.3153	407.6899
	总资产(万元)	788570.30	873502.05	872271.03	856166.89
	归属母公司股东权益(万元)	281725.24	272569.99	278730.70	285185.55
	营业收入(万元)	297564.19	171953.72	58463.25	168349.08
	营业支出(万元)	211271.64	152715.97	50235.53	121399.63
	投资收益(万元)	-3057.56	-1270.84	241.73	-1488.11
	净利润(万元)	36848.27	-5802.20	-28.02	15009.95
	营业利润(万元)	51186.65	-4769.19	-306.99	19266.63
	利润总额(万元)	51420.66	-3963.53	-307.94	20742.24

天津普林电路股份有限公司

公司概况	公司名称	天津普林电路股份有限公司			证券简称	天津普林
	法人代表	曲德福	董秘	林晓华	证券代码	002134
	公司网址	www.toppcb.com			电子信箱	ir@tianjin-pcb.com
	电　　话	022-24893466			传　　真	022-24890198
	办公地址	天津市空港物流加工区航海路53号				
	经营范围	生产、销售双面和多层印刷电路板				

主要财务指标	指标\报告期	2016.06.30	2015.12.31	2015.06.30	2014.12.31
	基本每股收益(元)	-0.1200	-0.2000	-0.0800	0.0400
	基本每股收益(扣除后)(元)	-0.1200	-0.2000	-0.0800	-0.0900
	稀释每股收益(元)	-0.1200	-0.2000	-0.0800	0.0400
	每股净资产(元)	2.0090	2.1249	2.2433	2.3212
	每股经营现金净流量(元)	0.0439	0.1933	0.0232	0.0090
	每股现金流量(元)	-0.0596	0.0999	0.0244	-0.0268
	每股资本公积金(元)	1.2295	1.2295	1.2295	1.2295
	每股盈余公积金(元)	0.0849	0.0849	0.0849	0.0849
	每股未分配利润(元)	-0.3053	-0.1895	-0.0711	0.0068
	净资产收益率(%)	-5.7685	-9.2376	-3.4734	1.7082
	加权净资产收益率(%)	-5.6100	-8.8400	-3.4100	1.7200
	净资产收益率(扣除)(%)	-5.9428	-9.5945	-3.6487	-3.9713
	总资产(万元)	67338.25	71813.06	76506.08	81582.69
	归属母公司股东权益(万元)	49391.35	52240.50	55150.65	57066.28
	营业收入(万元)	17789.63	38371.03	20182.92	52030.00
	营业支出(万元)	19006.28	39151.14	20144.67	49417.76
	投资收益(万元)	3.99	59.06	1.23	-12.82
	净利润(万元)	-2849.16	-4830.00	-1916.18	962.62
	营业利润(万元)	-2935.37	-5046.37	-2023.24	-2257.69
	利润总额(万元)	-2849.29	-4859.93	-1926.56	984.98

浙江东南网架股份有限公司

公司概况	公司名称	浙江东南网架股份有限公司			证券简称	东南网架
	法人代表	徐春祥	董秘	蒋建华	证券代码	002135
	公司网址	www.dongnanwangjia.com			电子信箱	stock@dongnanwangjia.com
	电　　话	0571-82783358			传　　真	0571-82783358
	办公地址	浙江省杭州市萧山区衙前镇衙前路593号				
	经营范围	大跨度空间钢结构、高层重钢结构及轻钢结构设计、制造、安装				

主要财务指标	指标\报告期	2016.06.30	2015.12.31	2015.06.30	2014.12.31
	基本每股收益(元)	0.0400	0.0500	0.0500	0.0900
	基本每股收益(扣除后)(元)	0.0400	0.0200	0.0500	0.0700
	稀释每股收益(元)	0.0400	0.0500	0.0500	0.0900
	每股净资产(元)	2.8244	2.7881	2.5321	2.4894
	每股经营现金净流量(元)	-0.1495	-0.1378	-0.1058	0.3488
	每股现金流量(元)	-0.1679	0.0117	0.2189	0.0070
	每股资本公积金(元)	1.0713	1.2229	0.7073	0.7073
	每股盈余公积金(元)	0.0972	0.1109	0.0955	0.0955
	每股未分配利润(元)	0.6559	0.7074	0.7293	0.6866
	净资产收益率(%)	1.4954	1.4515	2.0816	3.4621
	加权净资产收益率(%)	1.5000	1.8400	2.1000	3.5200
	净资产收益率(扣除)(%)	1.3345	0.6591	1.9371	2.9039
	总资产(万元)	846143.34	902378.27	894808.23	758152.51
	归属母公司股东权益(万元)	241352.06	238255.60	189554.15	186356.94
	营业收入(万元)	269362.79	519604.31	214467.24	422686.85
	营业支出(万元)	240568.95	459872.11	188265.12	368565.65
	投资收益(万元)	-	-	-	-
	净利润(万元)	3877.13	3749.19	3989.66	6672.36
	营业利润(万元)	4820.18	5002.70	5199.44	6899.56
	利润总额(万元)	5079.15	6594.18	5363.89	7763.25

安徽安纳达钛业股份有限公司

公司概况	公司名称	安徽安纳达钛业股份有限公司			证券简称	安 纳 达
	法人代表	袁菊兴	董秘	王先龙	证券代码	002136
	公司网址	www.andty.com		电子信箱	th_wxl@sina.com	
	电　话	0562-3862867 3867899		传　真	0562-3861769	
	办公地址	安徽省铜陵市铜官大道南段 1288 号				
	经营范围	生产和销售系列钛白粉及相关化工产品(不含危险品)等				

	指标\报告期	2016.06.30	2015.12.31	2015.06.30	2014.12.31
主要财务指标	基本每股收益(元)	0.0189	−0.6213	−0.0991	0.0151
	基本每股收益(扣除后)(元)	0.0159	−0.6326	−0.1025	−0.0286
	稀释每股收益(元)	0.0189	−0.6213	−0.0991	0.0151
	每股净资产(元)	2.1647	2.1440	2.6664	2.7653
	每股经营现金净流量(元)	0.0866	0.0183	0.0211	0.3122
	每股现金流量(元)	0.0641	−0.1089	0.0196	−0.0202
	每股资本公积金(元)	1.6290	1.6290	1.6290	1.6290
	每股盈余公积金(元)	0.0656	0.0656	0.0656	0.0656
	每股未分配利润(元)	−0.5317	−0.5506	−0.0284	0.0707
	净资产收益率(%)	0.8742	−28.9808	−3.7171	0.5469
	加权净资产收益率(%)	0.8800	−25.3100	−3.6500	0.5500
	净资产收益率(扣除)(%)	0.7361	−29.5074	−3.8438	−1.0356
	总资产(万元)	94226.62	95087.38	107127.68	104571.62
	归属母公司股东权益(万元)	46545.28	46099.87	57332.09	59460.00
	营业收入(万元)	38328.59	60648.68	32689.85	76497.48
	营业支出(万元)	33559.79	59287.62	31582.81	70588.13
	投资收益(万元)	-	-	-	-
	净利润(万元)	536.98	−13330.27	−2134.55	319.12
	营业利润(万元)	514.56	−13516.69	−2584.69	−728.08
	利润总额(万元)	591.86	−13229.40	−2499.22	378.95

深圳市麦达数字股份有限公司

公司概况	公司名称	深圳市麦达数字股份有限公司			证券简称	麦达数字
	法人代表	陈亚妹	董秘	朱蕾	证券代码	002137
	公司网址	www.mindatagroup.com		电子信箱	dmb@sz-seastar.com	
	电　话	0755-29672878		传　真	0755-29672878	
	办公地址	广东省深圳市福田区彩田路新浩 e 都 A 座 2801				
	经营范围	兴办实业(具体项目另行申报)、电子产品的技术开发、生产、销售等				

	指标\报告期	2016.06.30	2015.12.31	2015.06.30	2014.12.31
主要财务指标	基本每股收益(元)	0.2307	0.0392	0.0038	0.0311
	基本每股收益(扣除后)(元)	0.0321	0.0242	0.0018	0.0145
	稀释每股收益(元)	0.2304	0.0391	0.0038	0.0310
	每股净资产(元)	2.7594	1.7589	1.0924	1.0852
	每股经营现金净流量(元)	−0.0096	0.1057	0.1668	0.0093
	每股现金流量(元)	0.0087	−0.2281	0.0763	−0.0055
	每股资本公积金(元)	1.6286	0.8700	0.2374	0.2342
	每股盈余公积金(元)	0.0263	0.0297	0.0329	0.0330
	每股未分配利润(元)	0.1172	−0.1229	−0.1717	−0.1756
	净资产收益率(%)	8.1975	2.0235	0.3491	2.8543
	加权净资产收益率(%)	9.1200	3.3700	0.3500	2.9100
	净资产收益率(扣除)(%)	1.1409	1.2485	0.1629	1.3307
	总资产(万元)	192242.44	133303.25	64152.80	66391.46
	归属母公司股东权益(万元)	159044.39	89809.20	50393.66	50017.25
	营业收入(万元)	36703.86	41813.61	19303.95	54651.77
	营业支出(万元)	27888.91	34233.85	16582.85	47067.72
	投资收益(万元)	10797.62	157.94	4.28	115.35
	净利润(万元)	13171.19	1915.34	180.78	1275.51
	营业利润(万元)	14643.28	2015.82	96.93	641.00
	利润总额(万元)	15152.27	2304.33	181.64	1283.94

深圳顺络电子股份有限公司

公司概况	公司名称	深圳顺络电子股份有限公司			证券简称	顺络电子
	法人代表	袁金钰	董秘	徐祖华	证券代码	002138
	公司网址	www.sunlordinc.com		电子信箱	info@sunlordinc.com	
	电　话	0755-29832586		传　真	0755-29832339	
	办公地址	广东省深圳市宝安区观澜街道大富工业区顺络观澜工业园				
	经营范围	研发、设计、生产、销售新型电子元器件等				

	指标\报告期	2016.06.30	2015.12.31	2015.06.30	2014.12.31
主要财务指标	基本每股收益(元)	0.2400	0.3600	0.1600	0.3000
	基本每股收益(扣除后)(元)	0.2300	0.3300	0.1500	0.5600
	稀释每股收益(元)	0.2400	0.3600	0.1600	0.3000
	每股净资产(元)	3.3373	3.2515	3.0529	5.7074
	每股经营现金净流量(元)	0.2396	0.4789	0.2089	0.6324
	每股现金流量(元)	0.0834	0.0730	0.3473	−0.0756
	每股资本公积金(元)	1.1863	1.1862	1.1346	3.1907
	每股盈余公积金(元)	0.1557	0.1557	0.1240	0.2480
	每股未分配利润(元)	0.9950	0.9585	0.7946	1.2695
	净资产收益率(%)	7.0862	10.9323	5.2378	10.0648
	加权净资产收益率(%)	7.1600	11.6400	5.4500	11.8500
	净资产收益率(扣除)(%)	6.9576	10.1685	5.0111	9.2754
	总资产(万元)	358644.50	323962.39	312949.91	274961.20
	归属母公司股东权益(万元)	247276.71	240916.25	226203.74	211442.89
	营业收入(万元)	74999.85	131927.60	57888.74	116252.86
	营业支出(万元)	46374.46	83774.47	36732.67	73932.28
	投资收益(万元)	284.29	−90.58	−22.18	358.43
	净利润(万元)	17443.46	26153.57	11757.63	21089.72
	营业利润(万元)	17193.45	26777.91	11660.73	21847.11
	利润总额(万元)	17567.62	28956.53	12199.34	23816.84

深圳拓邦股份有限公司

公司概况	公司名称	深圳拓邦股份有限公司			证券简称	拓邦股份
	法人代表	武永强	董秘	文朝晖	证券代码	002139
	公司网址	www.topband-e.com		电子信箱	wenzh@topband.com.cn	
	电　话	0755-26957035		传　真	0755-26957440	
	办公地址	广东省深圳市宝安区石岩镇塘头大道拓邦工业园				
	经营范围	各类电子智能控制器、电磁炉智能控制器、电力自动化系统设备等				

	指标\报告期	2016.06.30	2015.12.31	2015.06.30	2014.12.31
主要财务指标	基本每股收益(元)	0.1200	0.3400	0.1600	0.3000
	基本每股收益(扣除后)(元)	0.1200	0.3200	0.1500	0.2900
	稀释每股收益(元)	0.1200	0.3300	0.1600	0.2900
	每股净资产(元)	3.5300	3.6900	3.6600	2.5367
	每股经营现金净流量(元)	0.1079	0.5486	0.0442	0.5077
	每股现金流量(元)	−0.0002	1.0600	0.3369	0.0057
	每股资本公积金(元)	2.1001	1.9636	1.4856	0.2880
	每股盈余公积金(元)	0.1162	0.2001	0.1835	0.2053
	每股未分配利润(元)	0.6214	1.0531	0.9867	1.0435
	净资产收益率(%)	3.1078	8.3211	4.1760	11.7481
	加权净资产收益率(%)	3.8300	9.5200	4.7800	12.2800
	净资产收益率(扣除)(%)	2.9299	7.8978	3.9296	11.6099
	总资产(万元)	244786.33	162871.11	138584.83	98358.61
	归属母公司股东权益(万元)	159826.60	96897.13	89296.07	55402.03
	营业收入(万元)	73749.54	144595.41	62391.48	111544.47
	营业支出(万元)	57781.62	117654.87	51039.11	88207.07
	投资收益(万元)	43.81	246.83	66.97	−109.41
	净利润(万元)	5230.91	7929.88	3695.61	6341.75
	营业利润(万元)	5747.69	8758.09	3780.05	7108.10
	利润总额(万元)	6165.03	9142.19	3974.16	7496.31

东华工程科技股份有限公司

公司概况					
公司名称	东华工程科技股份有限公司			证券简称	东华科技
法人代表	吴光美	董秘	罗守生	证券代码	002140
公司网址	www.chinaecec.com		电子信箱	luoshousheng@chinaecec.com	
电　话	0551-3626000 3626768		传　真	0551-63626768	
办公地址	安徽省合肥市望江东路70号				
经营范围	化工工程、石油化工工程、建筑工程、市政工程设计、工程总承包等				

主要财务指标 指标\报告期	2016.06.30	2015.12.31	2015.06.30	2014.12.31
基本每股收益(元)	0.1318	0.4000	0.1818	0.5900
基本每股收益(扣除后)(元)	0.1306	0.3900	0.1814	0.5900
稀释每股收益(元)	0.1318	0.4000	0.1818	0.5900
每股净资产(元)	4.5182	4.4355	4.2158	4.1240
每股经营现金净流量(元)	0.4327	-0.2492	-0.3674	0.8737
每股现金流量(元)	0.3665	-0.3671	-0.4709	0.7909
每股资本公积金(元)	0.2032	0.2032	0.2032	0.2032
每股盈余公积金(元)	0.4459	0.4459	0.4082	0.4082
每股未分配利润(元)	2.8682	2.7864	2.6045	2.5127
净资产收益率(%)	2.9164	9.0515	4.3121	14.3067
加权净资产收益率(%)	2.9300	9.3800	4.3100	15.3300
净资产收益率(扣除)(%)	2.8895	8.7709	4.3022	14.4124
总资产(万元)	569068.53	574336.13	686563.57	717312.63
归属母公司股东权益(万元)	201528.08	197839.08	188040.30	183946.06
营业收入(万元)	74404.28	363296.77	100020.67	338034.34
营业支出(万元)	58684.93	316779.48	81470.28	282855.71
投资收益(万元)	520.47	822.14	285.90	835.64
净利润(万元)	5882.99	18053.87	8122.32	26414.91
营业利润(万元)	6857.05	19886.12	9547.07	30554.78
利润总额(万元)	6921.50	20545.24	9570.68	30402.43

贤丰控股股份有限公司

公司概况					
公司名称	贤丰控股股份有限公司			证券简称	贤丰控股
法人代表	卢敏	董秘	张志刚	证券代码	002141
公司网址	www.ronsen.com.cn		电子信箱	stock@ronsen.com.cn	
电　话	0756-7512070		传　真	0756-7517098	
办公地址	广东省珠海市金湾区三灶镇三灶科技工业园				
经营范围	生产和销售自产的各种漆包线、电工电器产品、附件、技术咨询等				

主要财务指标 指标\报告期	2016.06.30	2015.12.31	2015.06.30	2014.12.31
基本每股收益(元)	0.0193	0.0379	-0.0100	0.0123
基本每股收益(扣除后)(元)	-0.0223	-0.0432	-0.0198	0.0049
稀释每股收益(元)	0.0193	0.0379	-0.0100	0.0123
每股净资产(元)	4.0020	1.6940	1.6458	1.6559
每股经营现金净流量(元)	0.0111	0.4120	0.1274	0.5163
每股现金流量(元)	0.1273	-0.0107	-0.1053	0.0126
每股资本公积金(元)	2.7880	0.3369	0.3369	0.3369
每股盈余公积金(元)	0.0555	0.0989	0.0945	0.0945
每股未分配利润(元)	0.1584	0.2579	0.2143	0.2244
净资产收益率(%)	0.3412	2.2345	-0.6101	0.7451
加权净资产收益率(%)	0.6900	2.2600	-0.6100	0.7300
净资产收益率(扣除)(%)	-0.3947	-2.5531	-1.2057	0.2813
总资产(万元)	142862.40	56578.62	57559.75	61100.12
归属母公司股东权益(万元)	129738.64	30811.05	29935.38	30118.06
营业收入(万元)	37055.73	81881.36	42077.10	98953.74
营业支出(万元)	33150.22	73703.77	37838.16	89264.23
投资收益(万元)	144.43	-12.05	-4.54	4.14
净利润(万元)	355.83	656.79	-128.13	351.97
营业利润(万元)	-462.08	-1114.50	-366.92	202.01
利润总额(万元)	426.16	633.13	-148.57	373.00

宁波银行股份有限公司

公司概况					
公司名称	宁波银行股份有限公司			证券简称	宁波银行
法人代表	陆华裕	董秘	杨晨	证券代码	002142
公司网址	www.nbcb.com.cn		电子信箱	dsh@nbcb.com.cn	
电　话	0574-87050028		传　真	0574-87050027	
办公地址	浙江省宁波市鄞州区宁南南路700号				
经营范围	吸收公众存款、发放短期、中期和长期贷款、办理国内结算等				

主要财务指标 指标\报告期	2016.06.30	2015.12.31	2015.06.30	2014.12.31
基本每股收益(元)	1.0600	1.6800	0.9100	1.8900
基本每股收益(扣除后)(元)	1.0600	1.6700	0.9100	1.9000
稀释每股收益(元)	1.0600	1.6800	0.9100	1.8900
每股净资产(元)	11.3400	10.3000	9.7500	10.4900
每股经营现金净流量(元)	23.7402	5.0158	0.0027	0.0062
每股现金流量(元)	-	-4.8045	-4.0971	-2.0128
每股资本公积金(元)	2.5510	2.5510	3.2612	3.2612
每股盈余公积金(元)	0.8157	0.8157	0.7791	0.7791
每股未分配利润(元)	4.9731	4.3025	4.8926	4.1071
净资产收益率(%)	9.3600	16.2900	9.3400	16.5100
加权净资产收益率(%)	9.8100	17.6800	9.8500	19.4500
净资产收益率(扣除)(%)	9.3500	19.0859	9.3400	22.1324
总资产(万元)	83369297.60	71646465.30	65731258.50	55411261.80
归属母公司股东权益(万元)	4906000.80	4500144.80	3801534.60	3409109.70
营业收入(万元)	1204604.80	1951622.40	900746.10	1535675.00
营业支出(万元)	710171.50	1149819.40	456992.50	833017.30
投资收益(万元)	64955.60	39844.70	-7032.90	16494.10
净利润(万元)	414578.60	656699.10	356745.00	563413.00
营业利润(万元)	494433.30	801803.00	443753.60	702657.70
利润总额(万元)	494967.10	801492.80	443690.30	700689.20

印纪娱乐传媒股份有限公司

公司概况					
公司名称	印纪娱乐传媒股份有限公司			证券简称	印纪传媒
法人代表	吴冰	董秘	李荣强	证券代码	002143
公司网址	www.d-m-g.com		电子信箱	zhengquanbu@dmgmedia.com	
电　话	010-85653696		传　真	010-85653202	
办公地址	北京市朝阳区朝外大街26号A座25层				
经营范围	设计、制作、代理、发布户内外各类广告等				

主要财务指标 指标\报告期	2016.06.30	2015.12.31	2015.06.30	2014.12.31
基本每股收益(元)	0.2400	0.5200	0.1900	0.4800
基本每股收益(扣除后)(元)	0.1900	0.4600	0.1500	0.4300
稀释每股收益(元)	0.2400	0.5200	0.1900	0.4800
每股净资产(元)	1.6150	1.4428	1.1030	0.9585
每股经营现金净流量(元)	0.1550	0.1668	1.8396	-2.8672
每股现金流量(元)	0.3202	0.0042	2.6004	-0.5273
每股资本公积金(元)	-0.0150	-0.0150	-0.2932	-0.2957
每股盈余公积金(元)	0.0924	0.0924	1.2695	1.2695
每股未分配利润(元)	1.4519	1.2867	14.4987	12.3409
净资产收益率(%)	14.5598	35.9873	17.6117	41.1378
加权净资产收益率(%)	15.1500	43.2500	18.5500	51.3700
净资产收益率(扣除)(%)	11.9822	31.6312	13.5909	37.2883
总资产(万元)	324486.72	263063.95	238407.10	199883.67
归属母公司股东权益(万元)	178642.25	159594.47	122009.32	106020.03
营业收入(万元)	97081.03	188152.42	82924.12	246059.45
营业支出(万元)	58109.39	99269.74	49287.11	166045.48
投资收益(万元)	-225.58	-104.22	-	-
净利润(万元)	25789.32	57728.26	22005.11	47580.30
营业利润(万元)	26845.87	63961.77	22400.98	57136.99
利润总额(万元)	33018.64	72908.43	28773.03	62233.69

宏达高科控股股份有限公司

公司概况					
公司名称	宏达高科控股股份有限公司			证券简称	宏达高科
法人代表	沈国甫	董秘	朱海东	证券代码	002144
公司网址	www.zjhongda.com.cn		电子信箱	hdzhd2008@163.com	
电　话	0573-87550882		传　真	0573-87552681	
办公地址	浙江省海宁市许村镇建设路 118 号				
经营范围	针织及纺织面料、服装、合成革的制造、加工、销售、印染等				

主要财务指标 指标＼报告期	2016.06.30	2015.12.31	2015.06.30	2014.12.31
基本每股收益(元)	0.3100	0.7100	0.6700	0.6600
基本每股收益(扣除后)(元)	0.2800	0.1000	0.1100	0.3800
稀释每股收益(元)	0.3100	0.7100	0.6700	0.6600
每股净资产(元)	9.0453	9.6471	10.2370	9.7257
每股经营现金净流量(元)	0.2140	0.2285	−0.0743	0.6729
每股现金流量(元)	0.1982	−0.2118	−0.1295	−0.2386
每股资本公积金(元)	3.8868	3.8868	3.8869	3.8878
每股盈余公积金(元)	0.4046	0.4046	0.3098	0.3098
每股未分配利润(元)	2.4848	2.2721	2.3317	1.8609
净资产收益率(%)	3.4573	7.3183	6.5526	6.8361
加权净资产收益率(%)	3.3300	7.3000	6.6500	6.5800
净资产收益率(扣除)(%)	3.0612	1.0025	1.0979	3.9190
总资产(万元)	202795.62	207125.25	213727.23	219133.72
归属母公司股东权益(万元)	159886.90	170523.85	180951.76	171913.30
营业收入(万元)	26833.18	52664.90	25657.90	54511.53
营业支出(万元)	18511.16	38664.34	19106.07	38979.19
投资收益(万元)	2860.99	14388.97	12877.45	6998.43
净利润(万元)	5463.68	12476.12	11855.39	11742.49
营业利润(万元)	5829.39	14251.91	13637.49	13174.12
利润总额(万元)	6314.55	14838.41	13712.94	13655.19

中核华原钛白股份有限公司

公司概况					
公司名称	中核华原钛白股份有限公司			证券简称	中核钛白
法人代表	李建锋	董秘	夏云春	证券代码	002145
公司网址	www.sinotio2.com		电子信箱	sz002145@sinotio2.com	
电　话	0510-85016667-8009		传　真	0510-83798559	
办公地址	江苏省无锡市锡山区锡北镇张泾工业园区幸福路 8 号				
经营范围	钛白粉、硫酸亚铁的生产和销售等				

主要财务指标 指标＼报告期	2016.06.30	2015.12.31	2015.06.30	2014.12.31
基本每股收益(元)	0.0066	−0.2700	0.0456	0.0700
基本每股收益(扣除后)(元)	0.0030	−0.2900	0.0424	0.0700
稀释每股收益(元)	0.0066	−0.2700	0.0456	0.0700
每股净资产(元)	1.5651	4.4012	3.8733	3.5178
每股经营现金净流量(元)	0.0291	−1.0413	−0.3174	−0.2448
每股现金流量(元)	0.0143	0.2476	0.0300	0.3601
每股资本公积金(元)	0.5340	3.4122	2.3827	2.0579
每股盈余公积金(元)	0.0270	0.0805	0.0714	0.0730
每股未分配利润(元)	0.0298	0.0689	0.4181	0.3854
净资产收益率(%)	0.4241	−5.3602	1.1523	1.9310
加权净资产收益率(%)	0.4300	−6.8600	1.2600	2.4700
净资产收益率(扣除)(%)	0.1935	−5.7199	1.0708	1.7878
总资产(万元)	497262.24	479082.61	427315.94	388509.29
归属母公司股东权益(万元)	249414.33	235747.53	178287.37	158363.60
营业收入(万元)	93341.91	162940.38	92539.19	173441.51
营业支出(万元)	75771.79	128870.66	69635.01	130136.87
投资收益(万元)	–	591.32	346.50	599.28
净利润(万元)	1057.78	−12636.65	2054.37	3455.41
营业利润(万元)	650.44	−12370.60	3312.12	5890.75
利润总额(万元)	1314.83	−11514.88	3468.71	6155.97

荣盛房地产发展股份有限公司

公司概况					
公司名称	荣盛房地产发展股份有限公司			证券简称	荣盛发展
法人代表	耿建明	董秘	陈金海	证券代码	002146
公司网址	www.risesun.cn		电子信箱	dongmichu@risesun.cn	
电　话	0316-5909688		传　真	0316-5908567	
办公地址	河北省廊坊市经济技术开发区祥云道 81 号				
经营范围	房地产开发与经营(一级资质)				

主要财务指标 指标＼报告期	2016.06.30	2015.12.31	2015.06.30	2014.12.31
基本每股收益(元)	0.3000	0.6400	0.2700	1.7100
基本每股收益(扣除后)(元)	0.2900	0.6200	0.2700	1.7000
稀释每股收益(元)	0.3000	0.6400	0.2700	1.7000
每股净资产(元)	4.7888	4.7459	3.7601	7.2890
每股经营现金净流量(元)	−1.1996	−0.5689	−0.4098	−0.8717
每股现金流量(元)	0.7019	1.6567	0.0798	−0.1567
每股资本公积金(元)	1.0661	1.0829	0.0779	0.8122
每股盈余公积金(元)	0.7141	0.4541	0.4187	0.8384
每股未分配利润(元)	2.0086	2.2190	2.2636	4.6385
净资产收益率(%)	6.2570	11.7671	7.2354	23.2722
加权净资产收益率(%)	6.1200	16.4900	7.2800	26.0800
净资产收益率(扣除)(%)	5.9938	11.4062	7.1815	23.2259
总资产(万元)	12071932.64	10384023.55	8391087.07	7579217.30
归属母公司股东权益(万元)	2082260.29	2067988.51	1434595.02	1388770.39
营业收入(万元)	1138830.01	2343194.59	915221.62	2311896.56
营业支出(万元)	781402.54	1675003.82	640132.47	1542003.61
投资收益(万元)	6038.79	1103.64	1301.65	1619.02
净利润(万元)	134156.48	257216.55	106728.94	345548.11
营业利润(万元)	180761.98	320737.81	133798.77	449059.05
利润总额(万元)	182424.75	327602.00	134823.23	450533.62

新光圆成股份有限公司

公司概况					
公司名称	新光圆成股份有限公司			证券简称	新光圆成
法人代表	周晓光	董秘	杨畅生	证券代码	002147
公司网址	www.masfy.com		电子信箱	dsh@masfy.com	
电　话	0555-3506900　3506107		传　真	0555-3506930	
办公地址	安徽省马鞍山市经济技术开发区超山西路				
经营范围	生产、销售回转支承、机械设备、锻压设备、销售金属制品、建材等				

主要财务指标 指标＼报告期	2016.06.30	2015.12.31	2015.06.30	2014.12.31
基本每股收益(元)	−0.0300	0.0130	−0.0690	0.0080
基本每股收益(扣除后)(元)	−0.0300	−0.2670	−0.0740	−0.0320
稀释每股收益(元)	−0.0300	0.0130	−0.0690	0.0080
每股净资产(元)	4.8907	3.2121	3.1302	3.1990
每股经营现金净流量(元)	−0.4808	−0.0157	−0.0644	0.1638
每股现金流量(元)	2.2098	−0.0049	−0.0156	−0.1010
每股资本公积金(元)	2.5361	1.5528	1.5528	1.5528
每股盈余公积金(元)	0.0487	0.2509	0.1487	0.1487
每股未分配利润(元)	1.1907	5.8185	0.4287	0.4974
净资产收益率(%)	−0.6218	0.4094	−2.1957	0.2516
加权净资产收益率(%)	−1.3100	0.4100	−2.1700	0.2500
净资产收益率(扣除)(%)	−0.6263	−8.3032	−2.3747	−1.0006
总资产(万元)	1371681.86	953660.86	135688.67	136858.83
归属母公司股东权益(万元)	582769.71	236907.87	80923.17	82699.98
营业收入(万元)	35772.97	21687.85	11369.47	35828.68
营业支出(万元)	21497.24	19464.44	9506.66	26621.05
投资收益(万元)	−33.29	6050.79	692.94	689.31
净利润(万元)	−3879.12	−320.99	−1957.03	168.05
营业利润(万元)	−5899.44	−1905.13	−2126.23	−1326.95
利润总额(万元)	−5864.20	−135.20	−1957.69	−326.22

北京北纬通信科技股份有限公司

公司概况	公司名称	北京北纬通信科技股份有限公司			证券简称	北纬通信
	法人代表	傅乐民	董秘	黄潇	证券代码	002148
	公司网址	www.bisp.com		电子信箱	hx@bw30.com	
	电　话	010-88356661		传　真	010-88356273	
	办公地址	北京市海淀区首体南路22号国兴大厦5层、26层				
	经营范围	从事移动数据增值服务业务等				

主要财务指标	指标\报告期	2016.06.30	2015.12.31	2015.06.30	2014.12.31
	基本每股收益(元)	0.0900	-0.0700	-0.0200	0.0600
	基本每股收益(扣除后)(元)	0.0900	-0.1500	-0.0600	0.0500
	稀释每股收益(元)	0.0900	-0.0700	-0.0200	0.0600
	每股净资产(元)	4.0386	3.9490	3.9928	4.0140
	每股经营现金净流量(元)	0.0592	0.0164	-0.0578	-0.0778
	每股现金流量(元)	0.1995	-0.4078	-0.3566	0.4297
	每股资本公积金(元)	2.0149	2.0135	1.9939	1.9939
	每股盈余公积金(元)	0.1377	0.1377	0.1377	0.1377
	每股未分配利润(元)	0.8860	0.7977	0.8612	0.8824
	净资产收益率(%)	2.1864	-1.8903	-0.2784	1.4861
	加权净资产收益率(%)	2.2000	-0.9300	-0.2800	1.5600
	净资产收益率(扣除)(%)	1.9379	-3.8244	-1.7390	1.1685
	总资产(万元)	110910.12	111116.97	110251.52	114951.71
	归属母公司股东权益(万元)	103328.75	101035.06	102158.12	102698.35
	营业收入(万元)	13960.59	19360.52	9543.43	22762.62
	营业支出(万元)	6663.08	11216.16	5874.87	12864.24
	投资收益(万元)	713.51	2436.00	1523.72	1090.02
	净利润(万元)	2187.58	-2252.04	-439.74	1356.47
	营业利润(万元)	2387.38	-2816.46	-997.32	1386.79
	利润总额(万元)	2391.53	-2276.71	-494.00	1487.56

西部金属材料股份有限公司

公司概况	公司名称	西部金属材料股份有限公司			证券简称	西部材料
	法人代表	巨建辉	董秘	顾亮	证券代码	002149
	公司网址	www.c-wmm.com		电子信箱	002149@c-wmm.com	
	电　话	029-86968418 86968603		传　真	029-86968416	
	办公地址	陕西省西安市西安经济技术开发区泾渭工业园西金路西段15号				
	经营范围	稀有金属材料的板、带、箔、丝、棒、管及其深加工产品等				

主要财务指标	指标\报告期	2016.06.30	2015.12.31	2015.06.30	2014.12.31
	基本每股收益(元)	0.0287	-0.7600	-0.3038	0.0300
	基本每股收益(扣除后)(元)	-0.0130	-0.8777	-0.3421	-0.1300
	稀释每股收益(元)	0.0287	-0.7600	-0.3038	0.0300
	每股净资产(元)	4.4074	4.3735	4.7434	5.0370
	每股经营现金净流量(元)	-0.4205	-0.1476	0.3189	0.4142
	每股现金流量(元)	-0.4429	0.3311	0.0275	0.1048
	每股资本公积金(元)	3.3059	3.3059	3.2035	3.2035
	每股盈余公积金(元)	0.1932	0.1932	0.1932	0.1932
	每股未分配利润(元)	-0.1417	-0.1704	0.2835	0.5873
	净资产收益率(%)	0.6514	-17.3239	-6.4048	0.6223
	加权净资产收益率(%)	0.6500	-16.1500	-6.2200	0.6400
	净资产收益率(扣除)(%)	-0.2949	-20.0674	-7.2125	-2.2903
	总资产(万元)	303913.15	286669.36	292226.90	289686.92
	归属母公司股东权益(万元)	76966.01	76374.93	82834.57	87961.83
	营业收入(万元)	59549.43	98305.78	55823.54	122466.81
	营业支出(万元)	47885.45	92520.08	50561.82	99248.22
	投资收益(万元)	-	-	-	100.00
	净利润(万元)	1661.25	-17509.32	-4733.59	3911.96
	营业利润(万元)	692.06	-23979.04	-5652.16	144.13
	利润总额(万元)	2176.58	-20135.46	-4639.21	4078.19

江苏通润装备科技股份有限公司

公司概况	公司名称	江苏通润装备科技股份有限公司			证券简称	通润装备
	法人代表	柳振江	董秘	蔡岚	证券代码	002150
	公司网址	www.tongrunindustries.com		电子信箱	jstr@tongrunindustries.com	
	电　话	0512-52343523		传　真	0512-52346558	
	办公地址	江苏省常熟市海虞镇周行通港工业开发区				
	经营范围	金属工具箱柜产品及精密钣金制品的生产、研发及销售等				

主要财务指标	指标\报告期	2016.06.30	2015.12.31	2015.06.30	2014.12.31
	基本每股收益(元)	0.1500	0.2700	0.1200	0.2300
	基本每股收益(扣除后)(元)	0.1500	0.2600	0.1200	0.2300
	稀释每股收益(元)	0.1500	0.2700	0.1200	0.2300
	每股净资产(元)	2.4826	2.4805	2.3373	2.3155
	每股经营现金净流量(元)	0.1817	0.5137	0.0823	0.3601
	每股现金流量(元)	-0.0637	0.3221	0.0102	0.1252
	每股资本公积金(元)	0.1812	0.1812	0.1812	0.1812
	每股盈余公积金(元)	0.2136	0.2136	0.1873	0.1873
	每股未分配利润(元)	1.0878	1.0857	0.9688	0.9469
	净资产收益率(%)	6.1244	10.6860	5.2134	10.0841
	加权净资产收益率(%)	5.9500	10.8300	5.1300	10.2000
	净资产收益率(扣除)(%)	6.0721	10.4780	5.0894	9.8553
	总资产(万元)	89154.28	90423.27	92814.04	89353.30
	归属母公司股东权益(万元)	62114.19	62063.06	58479.80	57933.01
	营业收入(万元)	43659.94	93765.91	46105.21	99078.82
	营业支出(万元)	31732.15	71549.93	35643.81	77276.60
	投资收益(万元)	-	-	-	-
	净利润(万元)	4034.83	7042.87	3248.71	6074.15
	营业利润(万元)	5332.56	9580.75	4204.47	8100.65
	利润总额(万元)	5371.10	9726.44	4289.15	8218.46

北京北斗星通导航技术股份有限公司

公司概况	公司名称	北京北斗星通导航技术股份有限公司			证券简称	北斗星通
	法人代表	周儒欣	董秘	段昭宇	证券代码	002151
	公司网址	www.navchina.com		电子信箱	zyduan@navchina.com	
	电　话	010-62969966		传　真	010-69939100	
	办公地址	北京市海淀区丰贤东路7号北斗星通大厦南二层				
	经营范围	开发导航定位应用系统及软硬件产品、基于位置的信息系统等				

主要财务指标	指标\报告期	2016.06.30	2015.12.31	2015.06.30	2014.12.31
	基本每股收益(元)	0.0300	0.1900	-0.0700	0.1300
	基本每股收益(扣除后)(元)	0.0148	-	-0.1400	0.0600
	稀释每股收益(元)	0.0300	0.1900	-0.0700	0.1300
	每股净资产(元)	8.4165	9.0017	4.8248	5.0118
	每股经营现金净流量(元)	-0.2755	0.3405	-0.5380	0.1256
	每股现金流量(元)	2.2077	0.8636	-0.4220	-0.1237
	每股资本公积金(元)	6.9945	7.1714	3.0272	3.0963
	每股盈余公积金(元)	0.0550	0.0949	0.1187	0.1187
	每股未分配利润(元)	0.3678	0.7397	0.6922	0.8100
	净资产收益率(%)	0.3057	1.9174	-2.4416	2.6142
	加权净资产收益率(%)	0.4900	2.6500	-2.4100	2.7100
	净资产收益率(扣除)(%)	0.1533	0.0294	-2.9785	1.1954
	总资产(万元)	529802.75	379180.32	181670.04	189314.87
	归属母公司股东权益(万元)	426184.32	264389.09	113194.32	117581.15
	营业收入(万元)	68202.16	110785.36	31721.63	95405.35
	营业支出(万元)	47222.89	75368.21	22561.33	66534.43
	投资收益(万元)	64.70	2139.54	-36.66	614.35
	净利润(万元)	1405.96	4741.75	-2607.45	5091.20
	营业利润(万元)	938.70	1447.57	-3678.72	3116.18
	利润总额(万元)	1953.34	5759.29	-2430.05	6066.41

广州广电运通金融电子股份有限公司

公司概况					
公司名称	广州广电运通金融电子股份有限公司			证券简称	广电运通
法人代表	叶子瑜	董秘	任斌	证券代码	002152
公司网址	www.grgbanking.com		电子信箱	securities@grgbanking.com	
电　话	020-82188517 82188900		传　真	020-82188517	
办公地址	广州市高新技术产业开发区科学城科林路 9、11 号				
经营范围	研制、生产、销售:电子计算机设备、货币类自助设备、税务应用设备等				

主要财务指标

指标\报告期	2016.06.30	2015.12.31	2015.06.30	2014.12.31
基本每股收益(元)	0.2400	1.0000	0.2600	0.9000
基本每股收益(扣除后)(元)	0.2200	0.9200	0.3400	0.8100
稀释每股收益(元)	0.2400	1.0000	0.2600	0.9000
每股净资产(元)	4.8004	5.0296	4.4110	4.6251
每股经营现金净流量(元)	-0.2553	0.9564	-0.7870	1.2364
每股现金流量(元)	0.0808	-0.0011	-1.1392	0.9444
每股资本公积金(元)	1.9226	0.2018	0.2018	0.2019
每股盈余公积金(元)	0.2902	0.5241	0.4464	0.4464
每股未分配利润(元)	1.5820	3.3020	2.7627	2.9778
净资产收益率(%)	4.5856	19.9218	8.7260	19.4693
加权净资产收益率(%)	5.7400	20.9800	8.1600	21.2400
净资产收益率(扣除)(%)	4.1088	18.2769	7.8120	17.4325
总资产(万元)	1030846.07	770017.81	610327.82	664431.30
归属母公司股东权益(万元)	777315.53	450995.36	395527.03	414728.35
营业收入(万元)	167278.98	397294.13	135570.62	315191.01
营业支出(万元)	88761.18	189936.21	64722.41	142426.03
投资收益(万元)	2419.01	4839.23	3437.13	5421.98
净利润(万元)	37569.00	91757.86	35190.13	81742.15
营业利润(万元)	36627.88	82420.56	30309.95	70804.19
利润总额(万元)	44740.43	105349.96	39669.63	91687.17

北京中长石基信息技术股份有限公司

公司概况					
公司名称	北京中长石基信息技术股份有限公司			证券简称	石基信息
法人代表	李仲初	董秘	罗芳	证券代码	002153
公司网址	www.shijinet.com.cn		电子信箱	luofang@shijinet.com.cn	
电　话	010-68249356 68183778-670		传　真	010-68183776	
办公地址	北京市海淀区复兴路 65 号乙悦宏国际酒店大堂东侧三层				
经营范围	酒店管理系统集成、软件开发、技术支持与服务				

主要财务指标

指标\报告期	2016.06.30	2015.12.31	2015.06.30	2014.12.31
基本每股收益(元)	0.1600	1.1700	0.1600	1.2400
基本每股收益(扣除后)(元)	0.1600	1.1200	0.5300	1.1700
稀释每股收益(元)	0.1600	1.1700	0.1600	1.2400
每股净资产(元)	4.4449	13.0118	6.5456	6.0956
每股经营现金净流量(元)	0.0280	0.9514	0.1279	1.5672
每股现金流量(元)	0.1365	3.5858	-1.5089	0.9446
每股资本公积金(元)	1.5134	6.5403	-	-
每股盈余公积金(元)	0.0093	0.0280	0.0155	0.0155
每股未分配利润(元)	1.8967	5.3162	5.5253	5.0843
净资产收益率(%)	3.7051	7.8020	8.5699	20.2755
加权净资产收益率(%)	3.7400	17.4700	8.8500	21.8800
净资产收益率(扣除)(%)	3.5213	7.4565	8.1557	19.2042
总资产(万元)	564640.50	527680.29	256706.83	247369.70
归属母公司股东权益(万元)	474177.41	462695.26	202339.02	188428.44
营业收入(万元)	104880.12	198666.36	90593.02	218607.21
营业支出(万元)	57559.79	118604.50	52632.41	138792.38
投资收益(万元)	-904.18	1974.03	1275.95	1998.90
净利润(万元)	18016.70	37286.02	17937.50	39515.20
营业利润(万元)	16102.29	34938.83	15906.88	38595.16
利润总额(万元)	19259.64	40480.23	18963.71	44431.16

报喜鸟控股股份有限公司

公司概况					
公司名称	报喜鸟控股股份有限公司			证券简称	报 喜 鸟
法人代表	吴志泽	董秘	谢海静	证券代码	002154
公司网址	www.bxn.com		电子信箱	stock@baoxiniao.com.cn	
电　话	0577-67379161		传　真	0577-67315986 8899	
办公地址	浙江省温州市永嘉县瓯北镇报喜鸟工业区				
经营范围	服装、皮鞋、皮革制品的生产、销售				

主要财务指标

指标\报告期	2016.06.30	2015.12.31	2015.06.30	2014.12.31
基本每股收益(元)	-0.0800	0.0900	0.0600	0.1100
基本每股收益(扣除后)(元)	-0.1200	0.0200	0.0900	0.0400
稀释每股收益(元)	-0.0800	0.0900	0.0600	0.1100
每股净资产(元)	2.2936	2.3867	2.3655	4.6527
每股经营现金净流量(元)	-0.0367	0.2624	0.0031	0.6529
每股现金流量(元)	-0.1480	0.0170	-0.0766	-0.2989
每股资本公积金(元)	0.0460	0.0460	0.0460	1.0920
每股盈余公积金(元)	0.1564	0.1564	0.1524	0.3048
每股未分配利润(元)	1.0912	1.1843	1.1671	2.2559
净资产收益率(%)	-3.6248	3.5755	2.7124	4.9168
加权净资产收益率(%)	-3.5500	3.6300	2.7300	5.0200
净资产收益率(扣除)(%)	-5.1358	0.7675	1.8698	0.7773
总资产(万元)	415912.14	453369.19	444721.83	434900.10
归属母公司股东权益(万元)	268813.54	279727.43	277245.94	272655.28
营业收入(万元)	92515.40	224151.09	100449.74	227455.48
营业支出(万元)	42890.15	94218.86	41394.35	95850.69
投资收益(万元)	0.78	1863.95	-9.83	0.79
净利润(万元)	-9744.07	10001.71	7519.93	13416.95
营业利润(万元)	-9784.20	16622.91	8844.99	16181.31
利润总额(万元)	-8903.65	17620.86	9384.50	20531.19

湖南黄金股份有限公司

公司概况					
公司名称	湖南黄金股份有限公司			证券简称	湖南黄金
法人代表	黄启富	董秘	王文松	证券代码	002155
公司网址	www.hngoldcorp.com		电子信箱	hngold_security@126.com	
电　话	0731-82290893		传　真	0731-82290893	
办公地址	湖南省长沙市雨花区芙蓉中路二段金源大酒店 16 楼				
经营范围	黄金、钨、锑等有色金属矿的地质勘探、开采、选冶、金锭、锑锭等				

主要财务指标

指标\报告期	2016.06.30	2015.12.31	2015.06.30	2014.12.31
基本每股收益(元)	0.0425	0.0300	0.0145	0.1300
基本每股收益(扣除后)(元)	0.0775	0.0100	0.0097	0.1300
稀释每股收益(元)	0.0425	0.0300	0.0145	0.1300
每股净资产(元)	3.0371	2.9940	2.9885	3.1824
每股经营现金净流量(元)	0.1859	0.5329	0.1970	0.5377
每股现金流量(元)	-0.0460	-0.0348	-0.0376	0.0449
每股资本公积金(元)	0.5020	0.5020	0.5020	0.7064
每股盈余公积金(元)	0.2322	0.2322	0.2251	0.2557
每股未分配利润(元)	1.2884	1.2459	1.2453	1.3983
净资产收益率(%)	1.4003	0.8454	0.4853	4.1565
加权净资产收益率(%)	1.4100	0.8500	0.4900	4.2200
净资产收益率(扣除)(%)	2.5509	0.3618	0.3253	3.9471
总资产(万元)	589766.96	574955.91	561216.91	580209.98
归属母公司股东权益(万元)	343756.71	338878.36	338259.94	336364.01
营业收入(万元)	310981.67	579242.34	292678.64	568062.29
营业支出(万元)	267625.63	501789.73	256365.55	481558.07
投资收益(万元)	-2767.83	-299.97	-218.32	-390.78
净利润(万元)	4510.57	1865.22	1034.30	12008.95
营业利润(万元)	3460.93	324.48	-203.83	13283.68
利润总额(万元)	3654.11	2023.45	188.75	14260.00

通富微电子股份有限公司

公司概况					
公司名称	通富微电子股份有限公司			证券简称	通富微电
法人代表	石明达	董秘	蒋澍	证券代码	002156
公司网址	www.fujitsu-nt.com			电子信箱	nfme_stock@fujitsu-nt.com
电话	0513-85058919			传真	0513-85058929
办公地址	江苏省南通市崇川开发区崇川路 288 号				
经营范围	研究开发、生产制造集成电路等半导体及其相关产品等				

主要财务指标 指标\报告期	2016.06.30	2015.12.31	2015.06.30	2014.12.31
基本每股收益(元)	0.0900	0.2100	0.1200	0.1900
基本每股收益(扣除后)(元)	0.0400	0.0260	0.0500	0.0700
稀释每股收益(元)	0.0900	0.2100	0.1200	0.1900
每股净资产(元)	3.8920	4.9993	4.9400	3.6384
每股经营现金净流量(元)	0.6914	0.3093	0.1300	0.6387
每股现金流量(元)	0.8148	1.0499	0.3847	–0.2905
每股资本公积金(元)	2.0832	3.0082	3.0082	1.6901
每股盈余公积金(元)	0.0999	0.1299	0.1102	0.1268
每股未分配利润(元)	0.7264	0.8604	0.8256	0.8210
净资产收益率(%)	2.2499	3.9388	2.2741	5.1100
加权净资产收益率(%)	2.2600	4.5000	2.9800	5.2300
净资产收益率(扣除)(%)	0.9107	0.4973	0.9864	2.0000
总资产(万元)	1044372.72	651194.29	551668.05	395505.30
归属母公司股东权益(万元)	379970.32	374038.87	369920.44	236448.95
营业收入(万元)	174244.33	232190.31	111015.51	209068.58
营业支出(万元)	142273.74	181565.99	85945.42	169185.22
投资收益(万元)	5.98	1402.72	–20.52	–336.03
净利润(万元)	11065.28	14732.54	8412.52	12082.44
营业利润(万元)	4724.30	2683.79	3943.98	4959.01
利润总额(万元)	11826.39	16182.07	9333.64	13421.76

江西正邦科技股份有限公司

公司概况					
公司名称	江西正邦科技股份有限公司			证券简称	正邦科技
法人代表	程凡贵	董秘	王飞	证券代码	002157
公司网址	www.zhengbang.com			电子信箱	zqb@zhengbang.com
电话	0791-86397153			传真	0791-88338132
办公地址	江西省南昌市高新技术开发区艾溪湖一路 569 号				
经营范围	畜禽饲料、预混料的生产和销售、饲料添加剂的研发、生产和销售等				

主要财务指标 指标\报告期	2016.06.30	2015.12.31	2015.06.30	2014.12.31
基本每股收益(元)	0.9100	0.5200	0.0100	0.0800
基本每股收益(扣除后)(元)	0.8400	0.3200	–0.0400	–0.2400
稀释每股收益(元)	0.9100	0.5200	0.0100	0.0800
每股净资产(元)	5.5807	4.6592	3.3814	3.3707
每股经营现金净流量(元)	0.9477	1.2149	0.4446	0.9960
每股现金流量(元)	–0.7311	1.7065	0.6701	–0.0838
每股资本公积金(元)	2.6016	2.8824	1.7401	2.0858
每股盈余公积金(元)	0.1132	0.1257	0.0544	0.0876
每股未分配利润(元)	1.9610	1.1688	0.5869	0.7691
净资产收益率(%)	16.2699	9.9460	0.3174	2.0452
加权净资产收益率(%)	17.7000	13.7000	0.3200	2.8800
净资产收益率(扣除)(%)	15.0867	5.9703	–1.2379	–6.0798
总资产(万元)	995144.25	976351.60	798788.39	820823.35
归属母公司股东权益(万元)	374737.96	313124.45	201649.12	235107.87
营业收入(万元)	869427.25	1641626.72	833208.81	1648354.78
营业支出(万元)	728263.52	1489281.84	781837.48	1552906.10
投资收益(万元)	2745.98	4742.04	23.67	11450.44
净利润(万元)	59846.03	33589.66	–897.90	4016.63
营业利润(万元)	55762.40	28118.78	–3635.49	2389.49
利润总额(万元)	60475.15	36806.31	–293.01	6666.09

上海汉钟精机股份有限公司

公司概况					
公司名称	上海汉钟精机股份有限公司			证券简称	汉钟精机
法人代表	余昱暄	董秘	邱玉英	证券代码	002158
公司网址	www.hanbell.com.cn			电子信箱	IR@hanbell.cn
电话	021-57350280*1005			传真	021-57351127
办公地址	上海市金山区枫泾工业开发区亭枫公路 8289 号				
经营范围	压缩机应用技术的研制开发、生产销售及售后服务等				

主要财务指标 指标\报告期	2016.06.30	2015.12.31	2015.06.30	2014.12.31
基本每股收益(元)	0.1524	0.5561	0.1532	0.6948
基本每股收益(扣除后)(元)	0.1371	0.4886	0.2575	0.6425
稀释每股收益(元)	0.1524	0.5561	0.1532	0.6948
每股净资产(元)	3.5113	6.2448	5.9719	3.6600
每股经营现金净流量(元)	0.1281	0.6654	0.2405	0.7993
每股现金流量(元)	–0.1132	2.8009	2.9572	–0.1374
每股资本公积金(元)	1.3799	3.2838	3.2833	0.6713
每股盈余公积金(元)	0.2181	0.3926	0.3426	0.3826
每股未分配利润(元)	0.9126	1.5683	1.3488	1.6132
净资产收益率(%)	4.3397	8.5167	4.3929	18.9608
加权净资产收益率(%)	4.3400	10.7800	6.9800	20.2900
净资产收益率(扣除)(%)	3.9040	7.4831	3.9362	17.5327
总资产(万元)	231381.80	227901.59	216307.20	126403.41
归属母公司股东权益(万元)	186233.80	184005.60	175964.68	96698.31
营业收入(万元)	43635.50	88907.56	41911.14	98973.82
营业支出(万元)	27769.78	57494.78	27467.57	64353.40
投资收益(万元)	649.38	1623.53	746.72	1195.34
净利润(万元)	8060.36	15671.29	7729.97	18334.76
营业利润(万元)	8948.61	17554.05	8500.23	20875.78
利润总额(万元)	9139.15	18047.50	8720.97	21148.32

武汉三特索道集团股份有限公司

公司概况					
公司名称	武汉三特索道集团股份有限公司			证券简称	三特索道
法人代表	刘丹军	董秘	王栎栎	证券代码	002159
公司网址	www.sante.com.cn			电子信箱	sante002159@126.com
电话	027-87341809 87341812			传真	027-87341811
办公地址	湖北省武汉市东湖开发区关山一路特 1 号光谷软件园 D1 栋				
经营范围	机电一体化客运索道及配套设备的开发、研制、设计、投资建设、经营等				

主要财务指标 指标\报告期	2016.06.30	2015.12.31	2015.06.30	2014.12.31
基本每股收益(元)	–0.2000	0.3100	–0.2100	–0.3000
基本每股收益(扣除后)(元)	–0.2100	–0.1800	–0.2200	–0.3500
稀释每股收益(元)	–0.2000	0.3100	–0.2100	–0.3000
每股净资产(元)	6.1209	6.9077	6.3861	6.5975
每股经营现金净流量(元)	0.0516	0.2163	–0.0674	0.6857
每股现金流量(元)	–0.1767	–1.4038	–0.6237	1.7038
每股资本公积金(元)	3.3263	3.9098	3.9098	3.9098
每股盈余公积金(元)	0.4545	0.4545	0.4291	0.4291
每股未分配利润(元)	1.3401	1.5434	1.0473	1.2587
净资产收益率(%)	–3.3216	4.4899	–3.3103	–4.0733
加权净资产收益率(%)	–3.0300	4.5900	–3.2600	–6.2000
净资产收益率(扣除)(%)	–3.3942	–2.6971	–3.4744	–4.7623
总资产(万元)	230039.00	223829.55	216280.44	209068.63
归属母公司股东权益(万元)	84876.64	95786.71	88554.54	91486.00
营业收入(万元)	20153.62	42864.07	17183.57	38629.94
营业支出(万元)	10003.12	20596.00	9500.71	19368.40
投资收益(万元)	–325.91	5803.01	–517.18	–202.08
净利润(万元)	–2101.22	6254.36	–2735.12	–2593.74
营业利润(万元)	–443.50	9393.98	–1673.12	252.57
利润总额(万元)	–384.24	9569.23	–1534.77	411.88

江苏常铝铝业股份有限公司

公司概况

公司名称	江苏常铝铝业股份有限公司			证券简称	常铝股份
法人代表	张平	董秘	孙连键	证券代码	002160
公司网址	www.alcha.com		电子信箱	sunlianjian@alcha.com	
电　　话	0512-52359011		传　　真	0512-52892675	
办公地址	江苏省常熟市白茆镇西				
经营范围	铝箔、空调器用涂层铝箔、铝材、铝板、铝带制造等				

主要财务指标

指标\报告期	2016.06.30	2015.12.31	2015.06.30	2014.12.31
基本每股收益(元)	0.0570	0.2000	0.0870	0.0600
基本每股收益(扣除后)(元)	0.0350	0.1880	0.0820	0.0490
稀释每股收益(元)	0.0570	0.2000	0.0870	0.0600
每股净资产(元)	4.2141	3.6972	3.5866	2.1830
每股经营现金净流量(元)	-0.1336	0.3270	0.3115	0.2951
每股现金流量(元)	0.1332	0.0986	0.1830	0.0629
每股资本公积金(元)	3.0025	2.4977	2.4923	1.1539
每股盈余公积金(元)	0.0453	0.0514	0.0428	0.0659
每股未分配利润(元)	0.1686	0.1542	0.0525	-0.0350
净资产收益率(%)	1.2535	5.0197	2.0977	2.3727
加权净资产收益率(%)	1.4700	6.2900	3.3448	3.4100
净资产收益率(扣除)(%)	0.7745	4.7351	1.9825	1.9691
总资产(万元)	540102.80	471170.41	464796.76	285197.98
归属母公司股东权益(万元)	305261.40	235909.35	228193.84	90183.09
营业收入(万元)	130521.94	253775.72	125750.91	216388.71
营业支出(万元)	106677.74	200459.92	101035.07	186089.17
投资收益(万元)	98.21	51.20	16.21	77.70
净利润(万元)	3813.49	11841.88	4786.86	2139.73
营业利润(万元)	2259.47	12517.61	4931.76	2072.42
利润总额(万元)	3943.35	13117.12	5262.27	2542.23

深圳市远望谷信息技术股份有限公司

公司概况

公司名称	深圳市远望谷信息技术股份有限公司			证券简称	远望谷
法人代表	陈光珠	董秘	马琳	证券代码	002161
公司网址	www.invengo.cn		电子信箱	lvh@invengo.cn	
电　　话	0755-26711633		传　　真	0755-26711693	
办公地址	广东省深圳市南山区高新技术产业园区南区 T2 栋 B 座 3 层				
经营范围	电子通讯设备、自动识别产品、射频识别系统及产品、计算机软件等				

主要财务指标

指标\报告期	2016.06.30	2015.12.31	2015.06.30	2014.12.31
基本每股收益(元)	-0.0057	0.0200	0.0056	0.0600
基本每股收益(扣除后)(元)	-0.0109	0.0100	0.0030	0.0410
稀释每股收益(元)	-0.0057	0.0200	0.0056	0.0600
每股净资产(元)	2.1583	2.1664	1.9667	1.9618
每股经营现金净流量(元)	-0.0764	0.0568	-0.0229	0.0373
每股现金流量(元)	-0.1899	0.0511	0.0106	0.0154
每股资本公积金(元)	0.6235	0.6235	0.4336	0.4336
每股盈余公积金(元)	0.0915	0.0915	0.0810	0.0810
每股未分配利润(元)	0.4459	0.4586	0.4584	0.4528
净资产收益率(%)	-0.2633	1.0770	0.2843	3.1831
加权净资产收益率(%)	-0.2600	1.1800	0.2800	3.2200
净资产收益率(扣除)(%)	-0.5066	0.5810	0.1702	2.1136
总资产(万元)	187239.49	189002.04	167982.66	173545.08
归属母公司股东权益(万元)	159659.29	160259.61	145490.70	145126.22
营业收入(万元)	19848.50	50728.31	19583.17	64208.60
营业支出(万元)	10490.38	31113.16	13335.75	44093.84
投资收益(万元)	1092.40	6803.63	3420.29	4479.29
净利润(万元)	-542.26	1082.16	170.45	5488.54
营业利润(万元)	-966.36	89.05	-110.04	4279.13
利润总额(万元)	-436.22	1123.84	116.71	6197.93

上海悦心健康集团股份有限公司

公司概况

公司名称	上海悦心健康集团股份有限公司			证券简称	悦心健康
法人代表	李慈雄	董秘	程梅	证券代码	002162
公司网址	www.cimic.com		电子信箱	zqb@cimic.com	
电　　话	021-54333699		传　　真	021-54331229	
办公地址	上海市闵行区浦江镇恒南路 1288 号				
经营范围	生产精密陶瓷、建筑陶瓷、卫生陶瓷、配套件、高性能功能陶瓷产品等				

主要财务指标

指标\报告期	2016.06.30	2015.12.31	2015.06.30	2014.12.31
基本每股收益(元)	-0.0044	0.0220	-0.0136	0.0219
基本每股收益(扣除后)(元)	-0.0137	-0.0635	-0.0324	-0.0403
稀释每股收益(元)	-0.0044	0.0220	-0.0136	0.0219
每股净资产(元)	0.9585	1.2461	1.2102	1.8418
每股经营现金净流量(元)	0.0356	0.0374	0.0088	0.0807
每股现金流量(元)	0.0038	0.0201	0.0361	0.0008
每股资本公积金(元)	0.0684	0.3889	0.3889	1.0834
每股盈余公积金(元)	0.0625	0.0812	0.0812	0.1218
每股未分配利润(元)	-0.2724	-0.3484	-0.3881	-0.5556
净资产收益率(%)	-0.4539	1.7670	-1.4569	1.7846
加权净资产收益率(%)	-0.4500	1.7800	-1.4500	1.8800
净资产收益率(扣除)(%)	-1.4323	-5.0967	-2.6789	-2.2709
总资产(万元)	213336.08	214363.17	219339.12	222483.02
归属母公司股东权益(万元)	81681.97	81685.05	79326.60	80486.21
营业收入(万元)	32352.35	68420.22	29193.50	84539.38
营业支出(万元)	20726.73	46075.07	19272.94	58480.94
投资收益(万元)	-	3695.78	-	446.61
净利润(万元)	-387.63	1429.60	-1158.71	1421.85
营业利润(万元)	76.04	1779.80	-730.80	1563.24
利润总额(万元)	164.49	2078.50	-613.40	2690.14

中航三鑫股份有限公司

公司概况

公司名称	中航三鑫股份有限公司			证券简称	中航三鑫
法人代表	朱强华	董秘	姚婧	证券代码	002163
公司网址	www.sanxinglass.com		电子信箱	sgt@sanxinglass.com	
电　　话	0755-26067916		传　　真	0755-26063692	
办公地址	广东省深圳市南山区南海大道 2061 号新保辉大厦 17 层				
经营范围	建筑幕墙工程设计、施工和生产、销售幕墙玻璃制品、家电玻璃等				

主要财务指标

指标\报告期	2016.06.30	2015.12.31	2015.06.30	2014.12.31
基本每股收益(元)	-0.0100	-0.2900	-0.0900	0.0200
基本每股收益(扣除后)(元)	-0.0100	-0.3000	-0.0900	-0.1800
稀释每股收益(元)	-0.0100	-0.2900	-0.0900	0.0200
每股净资产(元)	0.8981	0.9044	1.1089	1.1954
每股经营现金净流量(元)	0.0150	0.1931	-0.2626	0.2797
每股现金流量(元)	-0.3183	0.0906	-0.2417	-0.2323
每股资本公积金(元)	0.7291	0.7291	0.7338	0.7338
每股盈余公积金(元)	0.0692	0.0692	0.0652	0.0652
每股未分配利润(元)	-0.9001	-0.8938	-0.6900	-0.6036
净资产收益率(%)	-0.7015	-31.6510	-7.7968	1.9857
加权净资产收益率(%)	-0.7000	-27.2000	-7.5000	2.0000
净资产收益率(扣除)(%)	-1.1969	-32.7286	-8.1366	-14.6641
总资产(万元)	655386.61	702048.61	714069.03	729192.70
归属母公司股东权益(万元)	72168.21	72674.49	89109.39	96057.11
营业收入(万元)	198319.71	453912.77	208543.84	461656.66
营业支出(万元)	170757.03	423733.29	189784.11	419909.61
投资收益(万元)	-145.78	290.58	-83.14	11348.37
净利润(万元)	-4016.51	-55643.32	-18397.46	-13153.78
营业利润(万元)	-3386.74	-58001.37	-18743.71	-25212.56
利润总额(万元)	-2703.37	-56202.86	-18021.12	-12689.42

宁波东力股份有限公司

公司概况						
公司名称	宁波东力股份有限公司			证券简称	宁波东力	
法人代表	宋济隆	董秘	陈晓忠	证券代码	002164	
公司网址	www.donly.com.cn			电子信箱	dm@donly.com.cn	
电　话	0574-87587000 88398877			传　真	0574-87586999	
办公地址	浙江省宁波市江北工业区苏湖路1号					
经营范围	减速电机、齿轮箱等传动设备的设计、制造与销售等					

主要财务指标：指标\报告期	2016.06.30	2015.12.31	2015.06.30	2014.12.31
基本每股收益(元)	0.0100	0.0300	-0.0100	0.0500
基本每股收益(扣除后)(元)	0.0010	-0.0004	-0.0300	-0.0500
稀释每股收益(元)	0.0100	0.0300	-0.0100	0.0500
每股净资产(元)	2.4290	2.4218	2.3861	2.4968
每股经营现金净流量(元)	0.0668	0.1418	-0.0189	0.0845
每股现金流量(元)	-0.0094	0.0647	-0.0258	0.0077
每股资本公积金(元)	0.9837	0.9837	0.9837	0.9837
每股盈余公积金(元)	0.0933	0.0933	0.0933	0.0933
每股未分配利润(元)	0.3519	0.3448	0.3091	0.4198
净资产收益率(%)	0.2940	1.0334	-0.4474	2.1435
加权净资产收益率(%)	0.2900	1.0200	-0.4400	2.1700
净资产收益率(扣除)(%)	0.0357	-0.0183	-1.1487	-2.1273
总资产(万元)	182403.66	182554.96	169953.32	183367.65
归属母公司股东权益(万元)	108240.10	107921.90	106330.91	111262.89
营业收入(万元)	23904.19	50115.16	21597.95	50795.16
营业支出(万元)	18247.89	39091.76	17628.17	42380.19
投资收益(万元)	216.17	381.17	326.81	3346.33
净利润(万元)	288.78	1116.87	-474.22	2383.99
营业利润(万元)	46.53	-19.52	-1415.32	-563.49
利润总额(万元)	347.54	1256.34	-535.48	2285.01

红宝丽集团股份有限公司

公司概况						
公司名称	红宝丽集团股份有限公司			证券简称	红 宝 丽	
法人代表	芮敬功	董秘	王玉生	证券代码	002165	
公司网址	www.hongbaoli.com			电子信箱	wangys@hongbaoli.com	
电　话	025-57350997			传　真	025-57350178	
办公地址	江苏省南京市高淳经济开发区双高路29号					
经营范围	硬泡组合聚醚、异丙醇胺的生产与销售等					

主要财务指标：指标\报告期	2016.06.30	2015.12.31	2015.06.30	2014.12.31
基本每股收益(元)	0.1200	0.1900	0.1100	0.1700
基本每股收益(扣除后)(元)	0.1100	0.1817	0.1100	0.1700
稀释每股收益(元)	0.1200	0.1900	0.1100	0.1700
每股净资产(元)	2.4756	1.9789	1.9108	1.8672
每股经营现金净流量(元)	0.2228	0.3585	0.0840	0.4347
每股现金流量(元)	0.6758	-0.0120	0.0401	-0.0485
每股资本公积金(元)	0.5796	0.0914	0.0997	0.1049
每股盈余公积金(元)	0.1076	0.1206	0.1070	0.1066
每股未分配利润(元)	0.8017	0.7818	0.7195	0.6819
净资产收益率(%)	4.2267	9.6143	6.0291	9.2540
加权净资产收益率(%)	5.7600	9.9100	6.0000	9.5700
净资产收益率(扣除)(%)	3.8656	9.1927	5.9392	8.8783
总资产(万元)	221064.30	179248.06	178419.67	178516.03
归属母公司股东权益(万元)	149739.10	106717.67	103044.66	101095.02
营业收入(万元)	86063.37	182747.68	97841.16	213039.95
营业支出(万元)	66613.53	145650.41	78113.26	175757.15
投资收益(万元)	-4.28	-178.44	-70.38	-96.04
净利润(万元)	6831.42	10875.28	6535.65	10005.14
营业利润(万元)	8141.84	14292.50	8183.39	12533.03
利润总额(万元)	8786.66	14739.16	8263.85	13017.87

桂林莱茵生物科技股份有限公司

公司概况						
公司名称	桂林莱茵生物科技股份有限公司			证券简称	莱茵生物	
法人代表	秦本军	董秘	罗华阳	证券代码	002166	
公司网址	www.layn.com.cn			电子信箱	002166@layn.com.cn	
电　话	0773-3568817			传　真	0773-3568872	
办公地址	广西壮族自治区桂林市临桂县西城南路秧塘工业园					
经营范围	植物制品、农副土特产品生产销售、自营进出口等					

主要财务指标：指标\报告期	2016.06.30	2015.12.31	2015.06.30	2014.12.31
基本每股收益(元)	0.0600	0.1700	0.0200	0.1000
基本每股收益(扣除后)(元)	0.0600	0.1500	0.0600	0.2400
稀释每股收益(元)	0.0600	0.1700	0.0200	0.1000
每股净资产(元)	1.8323	1.8202	5.0539	1.8447
每股经营现金净流量(元)	0.2124	0.0358	0.7516	0.7025
每股现金流量(元)	-0.0802	0.2871	1.9633	0.2437
每股资本公积金(元)	0.5984	0.5984	3.7952	0.6424
每股盈余公积金(元)	0.0279	0.0279	0.0606	0.0682
每股未分配利润(元)	0.2006	0.1888	0.1961	0.1382
净资产收益率(%)	3.3727	9.4604	1.4498	17.4142
加权净资产收益率(%)	3.3700	12.5600	2.6300	19.0800
净资产收益率(扣除)(%)	3.1203	8.1477	1.1345	13.1631
总资产(万元)	204148.68	202992.74	185212.76	150050.21
归属母公司股东权益(万元)	80125.00	79593.82	73665.18	23894.71
营业收入(万元)	20373.15	51447.12	20351.53	66040.43
营业支出(万元)	15125.55	35583.17	16808.98	52651.01
投资收益(万元)	37.47	357.59	357.59	806.63
净利润(万元)	2702.41	7529.03	1067.07	4158.76
营业利润(万元)	2692.79	7701.99	1071.18	3993.93
利润总额(万元)	2862.44	8547.43	1109.24	4318.09

广东东方锆业科技股份有限公司

公司概况						
公司名称	广东东方锆业科技股份有限公司			证券简称	东方锆业	
法人代表	李季科	董秘	陈恩敏	证券代码	002167	
公司网址	www.orientzr.com			电子信箱	orientzr@orientzr.com	
电　话	0754-85510311			传　真	0754-85500848	
办公地址	广东省汕头市澄海区莱美路宇田科技园					
经营范围	生产及销售锆系列制品及结构陶瓷制品等					

主要财务指标：指标\报告期	2016.06.30	2015.12.31	2015.06.30	2014.12.31
基本每股收益(元)	-0.0200	-0.4500	-0.0700	0.0100
基本每股收益(扣除后)(元)	-0.0200	-0.4300	-0.0700	-0.1100
稀释每股收益(元)	-0.0200	-0.4500	-0.0700	0.0100
每股净资产(元)	1.6659	1.6817	2.0433	3.2074
每股经营现金净流量(元)	-0.1298	0.0441	-0.2703	0.0475
每股现金流量(元)	0.0916	-0.0866	-0.0960	-0.4884
每股资本公积金(元)	0.9633	0.9633	0.9633	1.9450
每股盈余公积金(元)	0.0583	0.0583	0.0583	0.0874
每股未分配利润(元)	-0.2257	-0.2049	0.1716	0.1751
净资产收益率(%)	-1.2464	-26.4940	-3.3798	0.2740
加权净资产收益率(%)	-1.2400	-23.2600	-3.3000	0.2700
净资产收益率(扣除)(%)	-1.1653	-24.3017	-3.4439	-3.5781
总资产(万元)	276978.50	270982.35	285742.45	295652.27
归属母公司股东权益(万元)	103442.22	104425.16	126878.70	132776.02
营业收入(万元)	27896.83	56482.78	17390.14	84449.53
营业支出(万元)	21775.00	46776.12	14405.03	65310.74
投资收益(万元)	67.50	-	-	-
净利润(万元)	-1120.73	-35850.69	-4600.86	592.26
营业利润(万元)	-1036.82	-34587.94	-4521.18	-5299.70
利润总额(万元)	-1120.73	-36059.93	-4358.51	705.34

深圳市惠程电气股份有限公司

公司概况

公司名称	深圳市惠程电气股份有限公司			证券简称	深圳惠程
法人代表	徐海啸	董秘	方莉	证券代码	002168
公司网址	www.hifuture.com		电子信箱	wenqiuping@hifuture.com	
电　话	0755-82763639　82767767		传　真	0755-82767036	
办公地址	广东省深圳市龙岗区大工业区兰景路以东、锦绣路以南惠程科技工业厂区				
经营范围	电缆分支箱、环网柜、电力电缆附件等高分子绝缘制品及相关材料等				

主要财务指标

指标\报告期	2016.06.30	2015.12.31	2015.06.30	2014.12.31
基本每股收益(元)	-0.0300	0.1700	0.1400	-0.1200
基本每股收益(扣除后)(元)	-0.0300	0.0400	-0.0500	-0.1200
稀释每股收益(元)	-0.0300	0.1700	0.1400	-0.1200
每股净资产(元)	1.4786	1.5018	1.5149	1.3784
每股经营现金净流量(元)	0.0075	0.0037	0.0114	0.0764
每股现金流量(元)	0.5563	0.0084	-0.1709	0.0230
每股资本公积金(元)	0.1756	0.0897	0.0116	0.0191
每股盈余公积金(元)	0.0907	0.0916	0.0935	0.0935
每股未分配利润(元)	0.3950	0.4264	0.4098	0.2657
净资产收益率(%)	-1.8204	11.0572	9.5108	-8.5142
加权净资产收益率(%)	-1.8200	11.6300	9.9500	-8.2100
净资产收益率(扣除)(%)	-2.2626	2.3012	-3.5245	-8.7525
总资产(万元)	139258.44	138755.43	122292.82	158836.57
归属母公司股东权益(万元)	115477.81	116061.77	114692.90	104357.43
营业收入(万元)	10733.35	20937.03	7848.05	31320.10
营业支出(万元)	6591.61	13787.52	5466.66	22253.18
投资收益(万元)	2007.57	20143.36	15551.97	621.41
净利润(万元)	-2102.16	12322.45	10397.53	-11938.55
营业利润(万元)	-1582.59	12879.40	10927.43	-11791.19
利润总额(万元)	-1424.91	13529.76	11185.72	-11993.13

广州智光电气股份有限公司

公司概况

公司名称	广州智光电气股份有限公司			证券简称	智光电气
法人代表	芮冬阳	董秘	曹承锋	证券代码	002169
公司网址	www.gzzg.com.cn		电子信箱	sec@gzzg.com.cn	
电　话	020-32113288　32113300		传　真	020-32113456*3300	
办公地址	广东省广州市黄埔区云埔工业区埔南路 51 号				
经营范围	电气控制与自动化领域的技术研发、产品设计、设备制造、产品销售等				

主要财务指标

指标\报告期	2016.06.30	2015.12.31	2015.06.30	2014.12.31
基本每股收益(元)	0.2063	0.3534	0.1179	0.1654
基本每股收益(扣除后)(元)	0.1702	0.2256	0.0791	0.1290
稀释每股收益(元)	0.2063	0.3534	0.1179	0.1654
每股净资产(元)	3.7420	3.6357	2.2855	2.2373
每股经营现金净流量(元)	-0.2510	0.5051	0.0516	0.3230
每股现金流量(元)	-0.4951	0.5652	0.0147	-0.1348
每股资本公积金(元)	1.6505	1.6505	0.6026	0.6026
每股盈余公积金(元)	0.0741	0.0741	0.0814	0.0814
每股未分配利润(元)	1.0175	0.9111	0.6016	0.5533
净资产收益率(%)	5.5140	9.3986	3.8614	7.0026
加权净资产收益率(%)	5.5700	12.3700	3.8800	7.2200
净资产收益率(扣除)(%)	4.5484	5.3943	3.4604	5.7653
总资产(万元)	303863.93	306101.57	169493.32	159005.81
归属母公司股东权益(万元)	118290.18	114928.76	60902.69	59616.89
营业收入(万元)	59257.60	130693.30	33316.06	60741.04
营业支出(万元)	42575.08	97495.25	23056.42	40276.15
投资收益(万元)	11.38	74.92	-167.53	92.41
净利润(万元)	7606.84	13887.61	2787.55	4996.30
营业利润(万元)	5972.02	10804.86	2177.47	2680.84
利润总额(万元)	8316.54	15463.33	3096.08	5177.82

深圳市芭田生态工程股份有限公司

公司概况

公司名称	深圳市芭田生态工程股份有限公司			证券简称	芭田股份
法人代表	黄培钊	董秘	赵青	证券代码	002170
公司网址	www.batian.com.cn		电子信箱	zqb26584355@163.com	
电　话	0755-26951598　26951598		传　真	0755-26584355	
办公地址	广东省深圳市南山区高新技术园粤兴二道 10 号 7-8 楼				
经营范围	复合肥产品的研发、生产和销售，主要包括无机复合肥、有机复合肥、控释肥等				

主要财务指标

指标\报告期	2016.06.30	2015.12.31	2015.06.30	2014.12.31
基本每股收益(元)	0.0731	0.1838	0.0710	0.2186
基本每股收益(扣除后)(元)	0.0660	0.1745	0.0667	0.2141
稀释每股收益(元)	0.0731	0.1838	0.0710	0.2186
每股净资产(元)	2.1399	2.1768	2.0666	1.8489
每股经营现金净流量(元)	-0.0370	0.3302	0.0231	0.3100
每股现金流量(元)	-0.1707	-0.0197	-0.0508	-0.5647
每股资本公积金(元)	0.3987	0.3987	0.3987	0.2343
每股盈余公积金(元)	0.1034	0.1034	0.0885	0.0911
每股未分配利润(元)	0.6377	0.6746	0.5794	0.5235
净资产收益率(%)	3.4175	8.3210	3.4336	11.8222
加权净资产收益率(%)	3.3900	9.1200	3.8800	11.8800
净资产收益率(扣除)(%)	3.0820	7.8994	3.1073	11.5781
总资产(万元)	394562.75	392013.26	344691.95	313339.03
归属母公司股东权益(万元)	187623.94	190856.50	181197.04	157443.57
营业收入(万元)	91529.23	217030.55	109073.19	236120.93
营业支出(万元)	70540.07	170529.74	88042.72	186389.06
投资收益(万元)	267.69	280.84	133.57	-433.40
净利润(万元)	6252.41	15950.03	6225.78	18740.88
营业利润(万元)	5741.00	16197.87	6225.39	20461.57
利润总额(万元)	6529.04	17148.58	6924.68	20904.94

安徽楚江科技新材料股份有限公司

公司概况

公司名称	安徽楚江科技新材料股份有限公司			证券简称	楚江新材
法人代表	姜纯	董秘	姜纯(代)	证券代码	002171
公司网址	www.jcty.cn		电子信箱	truchum@sina.com	
电　话	0553-5315978		传　真	0553-5315978	
办公地址	安徽省芜湖市九华北路 8 号				
经营范围	有色金属(不含贵金属)材料研发、加工、销售等				

主要财务指标

指标\报告期	2016.06.30	2015.12.31	2015.06.30	2014.12.31
基本每股收益(元)	0.1800	0.1800	0.0930	0.1300
基本每股收益(扣除后)(元)	0.1600	0.1100	0.0680	0.0900
稀释每股收益(元)	0.1800	0.1800	0.0930	0.1300
每股净资产(元)	3.9025	3.7383	2.7965	2.7539
每股经营现金净流量(元)	-0.1225	0.8347	0.0535	0.4822
每股现金流量(元)	-0.4593	0.3152	0.0784	-0.0972
每股资本公积金(元)	1.9835	1.9769	1.0305	1.0305
每股盈余公积金(元)	0.0853	0.0853	0.0952	0.0952
每股未分配利润(元)	0.8337	0.6761	0.6709	0.6282
净资产收益率(%)	4.5509	4.2376	3.3132	4.7782
加权净资产收益率(%)	4.6400	6.0700	3.3100	5.1600
净资产收益率(扣除)(%)	4.1261	2.5696	2.4342	3.2483
总资产(万元)	266510.56	283705.07	241625.91	210927.43
归属母公司股东权益(万元)	173551.32	166249.65	111359.00	109660.42
营业收入(万元)	364121.70	801122.30	400742.96	822264.30
营业支出(万元)	339532.36	767949.97	382532.01	785649.46
投资收益(万元)	301.78	-148.84	104.71	-1298.96
净利润(万元)	8190.79	7587.97	3992.60	5594.59
营业利润(万元)	9282.09	5511.51	3539.99	6458.17
利润总额(万元)	10054.85	9405.37	4965.55	8317.04

江苏澳洋科技股份有限公司

公司概况	公司名称	江苏澳洋科技股份有限公司			证券简称	澳洋科技
	法人代表	沈学如	董秘	马科文	证券代码	002172
	公司网址	www.aykj.cn		电子信箱	aykj@aoyang.com	
	电　话	0512-58598699		传　真	0512-58598552	
	办公地址	江苏省张家港市杨舍镇塘市澳洋国际大厦11楼				
	经营范围	粘胶纤维及粘胶纤维品、可降解纤维、功能性纤维制造、销售等				

主要财务指标	指标\报告期	2016.06.30	2015.12.31	2015.06.30	2014.12.31
	基本每股收益(元)	0.1400	0.1955	0.0600	-0.1100
	基本每股收益(扣除后)(元)	0.1200	0.1300	0.0100	-0.2000
	稀释每股收益(元)	0.1400	0.1955	0.0600	-0.1100
	每股净资产(元)	1.4654	1.4664	1.2987	0.9253
	每股经营现金净流量(元)	0.1425	0.4816	0.1332	0.8848
	每股现金流量(元)	-0.0292	0.1806	0.4160	-0.0205
	每股资本公积金(元)	1.0032	1.1399	1.1414	1.3143
	每股盈余公积金(元)	0.0534	0.0534	0.0646	0.0664
	每股未分配利润(元)	-0.5912	-0.7269	-0.8931	-1.1722
	净资产收益率(%)	9.2608	13.3331	3.2059	-20.1454
	加权净资产收益率(%)	9.6900	14.7200	4.5200	-18.2500
	净资产收益率(扣除)(%)	8.1297	9.5597	1.0705	-21.0431
	总资产(万元)	383462.08	367575.96	267868.94	361584.11
	归属母公司股东权益(万元)	101826.40	101898.66	74640.87	66781.54
	营业收入(万元)	220634.03	380877.86	114493.42	293116.44
	营业支出(万元)	192459.80	328415.33	102106.86	271706.01
	投资收益(万元)	-	-	-	-
	净利润(万元)	9330.14	10675.34	1549.90	-13169.25
	营业利润(万元)	8830.21	7006.81	-1479.77	-13929.40
	利润总额(万元)	10537.83	11643.34	1549.90	-13169.25

创新医疗管理股份有限公司

公司概况	公司名称	创新医疗管理股份有限公司			证券简称	*ST创疗
	法人代表	陈海军	董秘	傅震刚	证券代码	002173
	公司网址	www.shanxiahu.com		电子信箱	qzzz002173@163.com	
	电　话	0575-87160891		传　真	0575-87160891	
	办公地址	浙江省诸暨市山下湖镇珍珠工业园				
	经营范围	淡水珍珠的养殖与加工、主要产品为珍珠等				

主要财务指标	指标\报告期	2016.06.30	2015.12.31	2015.06.30	2014.12.31
	基本每股收益(元)	0.1400	-0.3200	-0.0800	-0.0500
	基本每股收益(扣除后)(元)	0.1200	-0.1500	-0.0800	-0.1100
	稀释每股收益(元)	0.1400	-0.3200	-0.0800	-0.0500
	每股净资产(元)	7.5722	2.0444	2.2518	2.3347
	每股经营现金净流量(元)	0.1671	0.1657	0.0785	0.0519
	每股现金流量(元)	3.0672	0.3722	0.0170	-0.0816
	每股资本公积金(元)	6.0711	0.1935	0.1909	0.1909
	每股盈余公积金(元)	0.0639	0.1444	0.1424	0.1424
	每股未分配利润(元)	0.4371	0.7065	0.9330	1.0155
	净资产收益率(%)	1.6434	-15.8060	-3.6635	-2.2652
	加权净资产收益率(%)	1.9400	-14.6500	-3.6000	-2.2200
	净资产收益率(扣除)(%)	1.4740	-7.7551	-3.6968	-4.5891
	总资产(万元)	470355.32	107308.08	101304.38	104081.71
	归属母公司股东权益(万元)	345950.16	41337.22	46162.67	47862.17
	营业收入(万元)	37287.46	13704.18	7653.34	18331.06
	营业支出(万元)	22089.92	9101.56	5043.09	11230.34
	投资收益(万元)	66.45	73.80	73.80	951.71
	净利润(万元)	5688.79	-6533.77	-1691.16	-1084.16
	营业利润(万元)	8075.61	-6394.36	-1670.74	-1146.37
	利润总额(万元)	8139.64	-6423.53	-1664.94	-926.43

游族网络股份有限公司

公司概况	公司名称	游族网络股份有限公司			证券简称	游族网络
	法人代表	林奇	董秘	刘楠	证券代码	002174
	公司网址	www.youzu.com		电子信箱	ir@youzu.com	
	电　话	021-33671551		传　真	021-33676520	
	办公地址	上海市徐汇区宜山路711号华鑫商务中心2号楼				
	经营范围	计算机技术领域内的技术开发、技术转让、技术服务、技术咨询等				

主要财务指标	指标\报告期	2016.06.30	2015.12.31	2015.06.30	2014.12.31
	基本每股收益(元)	0.2700	1.8600	0.7900	1.6700
	基本每股收益(扣除后)(元)	0.2700	1.7500	0.7900	1.6000
	稀释每股收益(元)	0.2700	1.8600	0.7900	1.6700
	每股净资产(元)	2.7431	7.6216	4.0589	3.2805
	每股经营现金净流量(元)	0.3196	1.1441	0.4835	0.8844
	每股现金流量(元)	0.0790	0.1568	0.5754	-0.3071
	每股资本公积金(元)	0.2189	2.6566	-0.0395	-0.0294
	每股盈余公积金(元)	0.0377	0.1130	0.1105	0.1105
	每股未分配利润(元)	1.4650	3.7583	2.9872	2.1980
	净资产收益率(%)	9.9238	23.5611	19.4455	45.8384
	加权净资产收益率(%)	10.3000	42.1900	21.4800	67.0700
	净资产收益率(扣除)(%)	9.8649	22.1161	19.5758	43.9150
	总资产(万元)	418890.41	292468.38	181799.73	137549.17
	归属母公司股东权益(万元)	236264.73	218821.12	111907.29	90446.72
	营业收入(万元)	101592.52	153468.75	65136.09	84353.57
	营业支出(万元)	49699.27	64431.34	24497.12	25620.72
	投资收益(万元)	-305.60	984.66	-207.59	-268.76
	净利润(万元)	23398.83	50512.94	21226.41	40770.27
	营业利润(万元)	22953.74	43026.93	20562.12	34094.63
	利润总额(万元)	23345.69	49427.93	22236.38	39863.59

东方时代网络传媒股份有限公司

公司概况	公司名称	东方时代网络传媒股份有限公司			证券简称	东方网络
	法人代表	彭朋	董秘	祝丽玮	证券代码	002175
	公司网址	www.guanglu.com.cn		电子信箱	gldmb@guanglu.com.cn	
	电　话	0773-5820465		传　真	0773-5834866	
	办公地址	广西壮族自治区桂林市国家高新区5号区				
	经营范围	开发、设计专用集成电路(IC)、生产销售电子数字智能化测控设备等				

主要财务指标	指标\报告期	2016.06.30	2015.12.31	2015.06.30	2014.12.31
	基本每股收益(元)	0.0848	0.2315	0.0660	0.0990
	基本每股收益(扣除后)(元)	0.0729	0.2000	0.0600	0.1459
	稀释每股收益(元)	0.0848	0.2315	0.0660	0.0990
	每股净资产(元)	4.8494	3.7132	3.5478	5.5709
	每股经营现金净流量(元)	0.0388	-0.0448	-0.1446	0.2019
	每股现金流量(元)	1.0464	-0.0476	0.3481	0.6025
	每股资本公积金(元)	3.4149	2.0657	2.0657	3.9052
	每股盈余公积金(元)	0.0748	0.0941	0.0941	0.1505
	每股未分配利润(元)	0.3597	0.5534	0.3880	0.5152
	净资产收益率(%)	1.5703	6.2331	1.8607	2.7079
	加权净资产收益率(%)	1.9100	6.4300	1.8800	3.1700
	净资产收益率(扣除)(%)	1.3494	5.2685	1.6824	2.4194
	总资产(万元)	286498.81	199490.68	133179.14	111901.87
	归属母公司股东权益(万元)	140591.04	85614.74	81800.34	80278.25
	营业收入(万元)	24995.73	40431.14	14511.00	24283.87
	营业支出(万元)	14198.21	22542.95	9014.59	16727.31
	投资收益(万元)	-407.82	579.77	334.53	1253.02
	净利润(万元)	2550.81	6660.81	1500.30	2174.51
	营业利润(万元)	2690.23	6253.24	1674.39	2375.92
	利润总额(万元)	3193.40	7277.50	1749.38	2480.19

江西特种电机股份有限公司

公司概况					
公司名称	江西特种电机股份有限公司			证券简称	江特电机
法人代表	朱军	董秘	翟忠南	证券代码	002176
公司网址	www.jiangte.com.cn		电子信箱	zhaizn681122@163.com	
电　话	0795-3266280		传　真	0795-3274523	
办公地址	江西省宜春市环城南路 581 号				
经营范围	电动机、发电机及发电机组、通用设备、水轮机及辅机、液压和气压等				

指标\报告期	2016.06.30	2015.12.31	2015.06.30	2014.12.31
基本每股收益(元)	0.0800	0.0300	0.0300	0.0400
基本每股收益(扣除后)(元)	0.0700	0.0200	0.0400	0.0600
稀释每股收益(元)	0.0800	0.0300	0.0300	0.0400
每股净资产(元)	3.1530	1.9758	3.7151	3.6579
每股经营现金净流量(元)	-0.2393	0.0165	-0.0322	-0.0270
每股现金流量(元)	0.0375	-0.3473	-0.6283	0.7371
每股资本公积金(元)	1.8505	0.7031	2.0701	2.0691
每股盈余公积金(元)	0.0315	0.0374	0.0784	0.0784
每股未分配利润(元)	0.2702	0.2344	0.5652	0.5090
净资产收益率(%)	2.3094	1.6120	1.7817	2.0244
加权净资产收益率(%)	3.3500	1.9200	1.7900	2.9200
净资产收益率(扣除)(%)	2.1037	1.1221	1.2087	1.4210
总资产(万元)	873000.87	678412.75	242158.01	229229.59
归属母公司股东权益(万元)	463231.08	244339.09	194359.41	191365.65
营业收入(万元)	132183.19	89284.70	40364.75	79329.91
营业支出(万元)	94369.32	66681.19	29601.45	59554.53
投资收益(万元)	55.02	7750.80	441.90	595.04
净利润(万元)	11047.55	3420.77	3557.37	4376.68
营业利润(万元)	12113.46	1519.79	3506.25	4563.58
利润总额(万元)	13274.52	2677.93	4326.97	5321.81

广州御银科技股份有限公司

公司概况					
公司名称	广州御银科技股份有限公司			证券简称	御银股份
法人代表	杨文江	董秘	谭骅	证券代码	002177
公司网址	www.kingteller.com.cn		电子信箱	zqb@kingteller.com.cn	
电　话	0020-29087848		传　真	0020-29087850	
办公地址	广东省广州市萝岗区瑞发路 12 号				
经营范围	电子产品、通讯产品、电脑软件、金融机具设备及网络等				

指标\报告期	2016.06.30	2015.12.31	2015.06.30	2014.12.31
基本每股收益(元)	0.0743	0.0900	0.0724	0.1700
基本每股收益(扣除后)(元)	0.0670	0.0989	0.0752	0.1492
稀释每股收益(元)	0.0743	0.0900	0.0724	0.1700
每股净资产(元)	2.2466	2.1723	2.1864	2.1140
每股经营现金净流量(元)	-0.1933	0.3947	-0.2110	0.2318
每股现金流量(元)	-0.4993	0.2027	-0.1896	0.1496
每股资本公积金(元)	0.0390	0.0390	0.0390	0.0390
每股盈余公积金(元)	0.0634	0.0634	0.0552	0.0552
每股未分配利润(元)	1.1441	1.0698	1.0922	1.0199
净资产收益率(%)	3.3054	4.1999	3.3106	8.2036
加权净资产收益率(%)	3.3600	4.2500	3.3700	8.5300
净资产收益率(扣除)(%)	2.9810	4.5515	3.4400	7.0558
总资产(万元)	215077.22	231282.65	221999.96	185277.71
归属母公司股东权益(万元)	171007.00	165352.44	166424.58	160914.95
营业收入(万元)	53088.08	109700.35	51779.97	97171.15
营业支出(万元)	34260.28	69344.21	33023.37	58109.04
投资收益(万元)	402.83	-130.91	226.04	3018.94
净利润(万元)	5652.51	6944.68	5509.65	13200.78
营业利润(万元)	4633.85	5962.40	5726.89	14442.93
利润总额(万元)	6048.55	7136.76	5808.54	14895.10

上海延华智能科技(集团)股份有限公司

公司概况					
公司名称	上海延华智能科技(集团)股份有限公司			证券简称	延华智能
法人代表	胡黎明	董秘	伍朝晖	证券代码	002178
公司网址	www.chinaforwards.com		电子信箱	yanhua_sh@126.com	
电　话	021-61818686*309		传　真	021-61818696	
办公地址	上海市静安区西康路 1255 号普陀科技大厦 6、7、11 楼				
经营范围	楼宇智能化工程、公共安全防范工程设计、施工、维修、计算机网络系统集成等				

指标\报告期	2016.06.30	2015.12.31	2015.06.30	2014.12.31
基本每股收益(元)	0.0500	0.1500	0.0500	0.0900
基本每股收益(扣除后)(元)	0.0400	0.1300	0.0400	0.1500
稀释每股收益(元)	0.0500	0.1500	0.0500	0.0900
每股净资产(元)	1.5800	1.5799	1.1883	2.0370
每股经营现金净流量(元)	-0.2146	0.1096	-0.1854	0.2142
每股现金流量(元)	-0.2564	-0.0567	-0.3385	0.5445
每股资本公积金(元)	0.4462	0.4628	0.0800	0.6747
每股盈余公积金(元)	0.0382	0.0381	0.0297	0.0536
每股未分配利润(元)	0.1475	0.1541	0.0786	0.3087
净资产收益率(%)	3.3584	8.8622	4.3384	7.6394
加权净资产收益率(%)	3.3100	11.1500	4.4900	7.9000
净资产收益率(扣除)(%)	2.5728	7.9116	3.2088	7.0415
总资产(万元)	201012.43	211579.34	136162.63	135811.79
归属母公司股东权益(万元)	114958.06	115347.96	79725.96	75803.18
营业收入(万元)	50936.24	111659.35	40303.29	82420.73
营业支出(万元)	40593.99	86140.90	31507.94	63641.46
投资收益(万元)	43.31	485.78	61.38	290.52
净利润(万元)	3703.81	11465.72	3318.17	6183.15
营业利润(万元)	2980.63	10034.48	2554.62	6690.07
利润总额(万元)	4349.70	13248.79	4026.65	7012.86

中航光电科技股份有限公司

公司概况					
公司名称	中航光电科技股份有限公司			证券简称	中航光电
法人代表	郭泽义	董秘	刘阳	证券代码	002179
公司网址	www.jonhon.cn		电子信箱	zhengquan@jonhon.cn	
电　话	0379-64326068		传　真	0379-64326068	
办公地址	河南省洛阳市高新技术开发区周山路 10 号				
经营范围	光电元器件及电子信息产品的生产、销售等				

指标\报告期	2016.06.30	2015.12.31	2015.06.30	2014.12.31
基本每股收益(元)	0.6582	0.9400	0.4243	0.5600
基本每股收益(扣除后)(元)	0.6360	0.9200	0.4164	0.7200
稀释每股收益(元)	0.6582	0.9400	0.4243	0.5600
每股净资产(元)	6.2442	5.6388	5.1029	6.1700
每股经营现金净流量(元)	0.0719	1.0351	-0.0594	0.3312
每股现金流量(元)	-0.2573	0.3902	-0.3534	-0.6590
每股资本公积金(元)	1.6174	1.5753	1.5609	2.3256
每股盈余公积金(元)	0.9634	0.8514	0.7598	0.8896
每股未分配利润(元)	2.6420	2.1958	1.7683	1.9454
净资产收益率(%)	10.5410	16.7289	8.3151	11.8702
加权净资产收益率(%)	11.0400	18.2100	8.5900	12.5400
净资产收益率(扣除)(%)	10.1851	16.3531	8.1599	11.5901
总资产(万元)	806639.96	746374.25	663445.13	624013.58
归属母公司股东权益(万元)	376223.21	339746.60	307457.87	286092.76
营业收入(万元)	300303.72	472519.66	220716.11	349124.57
营业支出(万元)	198545.47	313285.43	147443.44	234564.60
投资收益(万元)	1325.21	2105.83	1094.93	1603.00
净利润(万元)	42510.37	60332.32	27060.71	37442.83
营业利润(万元)	47481.40	67631.82	30631.94	42514.44
利润总额(万元)	49202.20	69460.65	31251.53	43762.13

纳思达股份有限公司

公司概况					
公司名称	纳思达股份有限公司			证券简称	纳思达
法人代表	汪东颖	董秘	张剑洲	证券代码	002180
公司网址	www.apexmic.cn		电子信箱	sec@apexmic.cn	
电　话	0756-3265238		传　真	0756-3265238	
办公地址	珠海市香洲区珠海大道 3883 号 01 栋 7 楼 B 区				
经营范围	研制、生产、销售:继电保护装置、自动装置、变电站综合自动化系统等				

主要财务指标				
指标＼报告期	2016.06.30	2015.12.31	2015.06.30	2014.12.31
基本每股收益(元)	0.2300	0.5200	0.2400	0.7600
基本每股收益(扣除后)(元)	0.2200	0.3300	0.2800	0.5700
稀释每股收益(元)	0.2300	0.5200	0.2400	0.7600
每股净资产(元)	2.0462	3.3318	1.5231	1.3330
每股经营现金净流量(元)	0.1984	0.3735	0.1998	0.4861
每股现金流量(元)	-0.3808	1.1468	0.0989	1.1250
每股资本公积金(元)	-	0.7602	-0.8060	-0.3418
每股盈余公积金(元)	0.0510	0.0863	0.1162	0.1162
每股未分配利润(元)	0.9573	1.4172	1.2154	1.3487
净资产收益率(%)	11.4119	14.8320	19.3618	35.8962
加权净资产收益率(%)	11.9200	23.7500	19.9200	38.5500
净资产收益率(扣除)(%)	10.5355	9.4623	18.4090	34.3683
总资产(万元)	492035.31	311925.47	71813.29	141102.43
归属母公司股东权益(万元)	203808.22	189630.98	64386.21	89526.04
营业收入(万元)	142951.13	204902.01	22896.77	47952.72
营业支出(万元)	82301.51	122308.93	7260.23	18657.95
投资收益(万元)	-283.78	1260.65	25.40	673.78
净利润(万元)	23351.78	29508.19	12889.31	20948.02
营业利润(万元)	25841.13	31473.43	12892.31	22020.72
利润总额(万元)	27474.48	33761.40	14686.76	24603.22

广东广州日报传媒股份有限公司

公司概况					
公司名称	广东广州日报传媒股份有限公司			证券简称	粤传媒
法人代表	顾涧清	董秘	钟华强(代)	证券代码	002181
公司网址	www.gdgzrb.com		电子信箱	ycm2181@gdgzrb.com	
电　话	020-83569319　83569336		传　真	020-83569332	
办公地址	广东省广州市白云区增槎路 1113 号				
经营范围	设计、制作、代理国内各类广告、出版物印刷、包装装潢印刷品等				

主要财务指标				
指标＼报告期	2016.06.30	2015.12.31	2015.06.30	2014.12.31
基本每股收益(元)	-0.0717	-0.3836	0.0298	0.2033
基本每股收益(扣除后)(元)	-0.0585	-0.3741	0.0351	0.3083
稀释每股收益(元)	-0.0717	-0.3836	0.0298	0.2033
每股净资产(元)	3.2707	3.3423	3.7545	5.9895
每股经营现金净流量(元)	-0.1808	0.0682	-0.0715	0.2711
每股现金流量(元)	-0.1374	-0.6272	-0.4204	-0.8374
每股资本公积金(元)	1.1006	1.1008	1.0998	2.3598
每股盈余公积金(元)	0.1770	0.1770	0.1681	0.2690
每股未分配利润(元)	0.9925	1.0643	1.4865	2.3607
净资产收益率(%)	-2.1934	-11.4782	0.7934	5.2836
加权净资产收益率(%)	-2.1700	-10.8300	0.7900	5.6200
净资产收益率(扣除)(%)	-1.7884	-11.1920	0.9340	5.0086
总资产(万元)	456240.44	452608.56	497943.07	506181.86
归属母公司股东权益(万元)	379744.83	388057.80	435914.86	434633.71
营业收入(万元)	50179.44	129225.03	66978.87	161792.36
营业支出(万元)	39031.68	91141.23	42730.67	93934.00
投资收益(万元)	1782.90	6877.53	3174.84	5160.92
净利润(万元)	-8434.51	-44557.00	3441.12	23038.74
营业利润(万元)	-6848.54	-43571.03	4423.37	25325.09
利润总额(万元)	-8493.77	-44679.40	3811.56	24982.84

南京云海特种金属股份有限公司

公司概况					
公司名称	南京云海特种金属股份有限公司			证券简称	云海金属
法人代表	梅小明	董秘	吴剑飞	证券代码	002182
公司网址	www.rsm.com.cn		电子信箱	fly@rsm.com.cn	
电　话	025-57234888		传　真	025-57234168	
办公地址	江苏省南京市溧水经济开发区秀山东路 9 号				
经营范围	金属镁及镁合金产品、金属锶和其他碱土金属及合金的生产和销售等				

主要财务指标				
指标＼报告期	2016.06.30	2015.12.31	2015.06.30	2014.12.31
基本每股收益(元)	0.2164	0.1046	0.0524	0.0960
基本每股收益(扣除后)(元)	0.2109	0.0823	0.0373	0.0894
稀释每股收益(元)	0.2164	0.1046	0.0524	0.0960
每股净资产(元)	4.0858	3.1775	3.1244	3.1698
每股经营现金净流量(元)	0.2641	0.8418	0.2791	1.1681
每股现金流量(元)	0.3808	-0.1159	-0.0112	0.1258
每股资本公积金(元)	2.4205	1.5610	1.5610	1.5610
每股盈余公积金(元)	0.0838	0.0800	0.0801	0.0730
每股未分配利润(元)	0.5753	0.5290	0.4767	0.5315
净资产收益率(%)	5.2955	3.2932	1.6785	3.0274
加权净资产收益率(%)	5.6200	3.3100	1.6900	3.0200
净资产收益率(扣除)(%)	4.9422	2.5899	1.1937	2.8196
总资产(万元)	321046.59	292863.09	289298.64	271940.36
归属母公司股东权益(万元)	132056.06	91511.19	89983.60	91291.52
营业收入(万元)	176894.96	311266.65	148777.22	321568.33
营业支出(万元)	151301.20	277605.17	133105.59	289500.15
投资收益(万元)	-11.10	-8.76	-4.54	-69.26
净利润(万元)	6944.85	2326.18	1034.69	1817.24
营业利润(万元)	7739.11	1860.39	475.74	964.15
利润总额(万元)	8470.56	3064.98	1216.16	1520.71

深圳市怡亚通供应链股份有限公司

公司概况					
公司名称	深圳市怡亚通供应链股份有限公司			证券简称	怡亚通
法人代表	周国辉	董秘	梁欣	证券代码	002183
公司网址	www.eascs.com		电子信箱	002183@eascs.com	
电　话	0755-88393198　88393181		传　真	0755-83290734　3172	
办公地址	广东省深圳市龙岗区南湾街道李朗路 3 号怡亚通供应链整合物流中心 1 号楼				
经营范围	国内商业(不含限制项目)、预包装食品(不含复热预包装食品)、乳制品等				

主要财务指标				
指标＼报告期	2016.06.30	2015.12.31	2015.06.30	2014.12.31
基本每股收益(元)	0.1500	0.4800	0.1200	0.3200
基本每股收益(扣除后)(元)	0.1400	0.3800	0.2200	0.2700
稀释每股收益(元)	0.1500	0.4800	0.1200	0.3200
每股净资产(元)	2.4520	4.8207	4.4755	3.1750
每股经营现金净流量(元)	-1.1228	-1.7254	-0.9359	-3.2877
每股现金流量(元)	0.0001	1.9934	1.4895	0.4183
每股资本公积金(元)	0.5667	2.1129	1.9868	0.8639
每股盈余公积金(元)	0.0641	0.1285	0.1128	0.1173
每股未分配利润(元)	0.6096	1.1776	0.9530	0.7589
净资产收益率(%)	6.0199	9.7621	4.9881	9.8572
加权净资产收益率(%)	5.9900	11.4400	6.2500	10.8000
净资产收益率(扣除)(%)	5.7680	7.6397	4.9113	8.2852
总资产(万元)	3716663.91	3281347.08	2664247.80	2185265.16
归属母公司股东权益(万元)	514775.94	504434.63	464374.50	316797.88
营业收入(万元)	2635221.64	3964107.23	1491124.92	2194985.88
营业支出(万元)	2459202.13	3705981.89	1384325.83	2033941.16
投资收益(万元)	5696.02	7946.22	3203.50	6155.38
净利润(万元)	32772.76	46892.05	23033.85	32389.53
营业利润(万元)	38192.68	55024.60	25746.94	39208.82
利润总额(万元)	39750.09	55446.49	26078.29	41934.24

上海海得控制系统股份有限公司

公司概况	公司名称	上海海得控制系统股份有限公司			证券简称	海得控制
	法人代表	许泓	董秘	吴秋农	证券代码	002184
	公司网址	www.hite.com.cn		电子信箱	linn@hite.com.cn	
	电　话	021-60572990		传　真	021-60572990	
	办公地址	上海市闵行区新骏环路 777 号				
	经营范围	主营工业自动化、电子电气及信息领域的系统集成和相关产品的研发、制造、销售等				

主要财务指标	指标\报告期	2016.06.30	2015.12.31	2015.06.30	2014.12.31
	基本每股收益(元)	0.0454	0.3539	0.1331	0.2520
	基本每股收益(扣除后)(元)	0.0313	0.3232	0.1228	0.1863
	稀释每股收益(元)	0.0454	0.3539	0.1331	0.2520
	每股净资产(元)	4.6196	3.6961	3.4753	3.4922
	每股经营现金净流量(元)	-0.1053	0.0594	-0.1820	0.1048
	每股现金流量(元)	-0.3566	0.2694	0.2476	0.2000
	每股资本公积金(元)	2.3120	1.1694	1.1694	1.1694
	每股盈余公积金(元)	0.2121	0.2308	0.2241	0.2241
	每股未分配利润(元)	1.0955	1.2959	1.0818	1.0987
	净资产收益率(%)	0.9170	9.5752	3.8298	7.2158
	加权净资产收益率(%)	1.2500	9.8500	3.7400	7.3730
	净资产收益率(扣除)(%)	0.6320	8.7455	3.5335	5.3353
	总资产(万元)	192564.88	193916.87	174689.65	154835.58
	归属母公司股东权益(万元)	110589.09	81314.33	76456.39	76828.29
	营业收入(万元)	76837.75	174198.39	74134.65	154409.21
	营业支出(万元)	60324.82	132823.78	56417.27	122499.34
	投资收益(万元)	-85.85	430.92	106.37	409.30
	净利润(万元)	1385.89	8914.76	3485.87	6546.74
	营业利润(万元)	382.86	7110.09	2511.09	5186.17
	利润总额(万元)	1697.15	10070.99	3623.95	7643.00

天水华天科技股份有限公司

公司概况	公司名称	天水华天科技股份有限公司			证券简称	华天科技
	法人代表	肖胜利	董秘	常文瑛	证券代码	002185
	公司网址	www.tshtkj.com		电子信箱	htcwy2000@163.com	
	电　话	0938-8631816 8631990		传　真	0938-8630216 8632260	
	办公地址	甘肃省天水市秦州区双桥路 14 号				
	经营范围	半导体集成电路研发、生产、封装、测试、销售等				

主要财务指标	指标\报告期	2016.06.30	2015.12.31	2015.06.30	2014.12.31
	基本每股收益(元)	0.2196	0.4504	0.2452	0.4483
	基本每股收益(扣除后)(元)	0.1956	0.2986	0.1699	0.3741
	稀释每股收益(元)	0.2196	0.4504	0.2452	0.4483
	每股净资产(元)	4.4650	5.6716	3.6380	3.4536
	每股经营现金净流量(元)	0.2766	0.8339	0.3896	0.7936
	每股现金流量(元)	-0.9104	1.8368	-0.2107	0.1861
	每股资本公积金(元)	2.1188	3.0829	0.9887	0.9887
	每股盈余公积金(元)	0.1195	0.1553	0.1483	0.1483
	每股未分配利润(元)	1.2212	1.4280	1.5017	1.3165
	净资产收益率(%)	3.7832	6.8516	6.7396	12.3869
	加权净资产收益率(%)	3.8000	11.7600	6.8800	14.7200
	净资产收益率(扣除)(%)	3.3703	4.5435	4.6704	10.3371
	总资产(万元)	725140.12	706871.35	470660.61	415805.18
	归属母公司股东权益(万元)	475776.04	464876.35	253580.74	240725.41
	营业收入(万元)	247788.66	387401.71	172222.01	330548.17
	营业支出(万元)	207152.08	307896.23	133504.44	258194.70
	投资收益(万元)	858.40	385.61	378.35	-154.05
	净利润(万元)	19215.82	32833.27	17210.28	30577.75
	营业利润(万元)	19862.82	24952.06	14739.16	28217.86
	利润总额(万元)	22512.25	37716.38	21128.57	34824.66

中国全聚德(集团)股份有限公司

公司概况	公司名称	中国全聚德(集团)股份有限公司			证券简称	全 聚 德
	法人代表	邢颖	董秘	唐颖	证券代码	002186
	公司网址	www.quanjude.com.cn		电子信箱	quanjude@quanjude.com.cn	
	电　话	010-83156608		传　真	010-83156818	
	办公地址	北京市宣武区前门西河沿 217 号				
	经营范围	餐饮服务及食品加工销售等				

主要财务指标	指标\报告期	2016.06.30	2015.12.31	2015.06.30	2014.12.31
	基本每股收益(元)	0.2291	0.4251	0.2220	0.4243
	基本每股收益(扣除后)(元)	0.2245	0.3861	0.2194	0.3969
	稀释每股收益(元)	-	-	-	-
	每股净资产(元)	4.4704	4.4613	4.2582	4.2382
	每股经营现金净流量(元)	0.2413	0.7826	0.3732	0.5832
	每股现金流量(元)	-1.1327	0.4563	-0.8304	1.2044
	每股资本公积金(元)	1.7499	1.7499	1.7499	1.7499
	每股盈余公积金(元)	0.3664	0.3664	0.3196	0.3196
	每股未分配利润(元)	1.3542	1.3451	1.1887	1.1687
	净资产收益率(%)	5.1246	9.5293	5.2131	9.6006
	加权净资产收益率(%)	5.0500	9.8500	5.1400	11.3800
	净资产收益率(扣除)(%)	5.0224	8.6543	5.1518	8.9812
	总资产(万元)	182527.01	186020.75	173637.46	172435.91
	归属母公司股东权益(万元)	137896.76	137616.28	131349.77	130733.40
	营业收入(万元)	87352.93	185320.57	89222.36	184602.39
	营业支出(万元)	35247.05	77404.80	38177.78	79683.93
	投资收益(万元)	1032.10	3367.58	917.08	2904.17
	净利润(万元)	7432.63	14278.01	7282.49	13842.41
	营业利润(万元)	9677.62	18865.84	9220.43	17426.02
	利润总额(万元)	9807.02	18987.68	9301.75	17804.84

广州市广百股份有限公司

公司概况	公司名称	广州市广百股份有限公司			证券简称	广百股份
	法人代表	王华俊	董秘	邓华东	证券代码	002187
	公司网址	www.grandbuy.com.cn		电子信箱	grandbuyoffice@163.com	
	电　话	020-83322348		传　真	020-83331334	
	办公地址	广东省广州市越秀区西湖路 12 号 10-12 楼				
	经营范围	百货零售、电器批发代理及购物中心业务				

主要财务指标	指标\报告期	2016.06.30	2015.12.31	2015.06.30	2014.12.31
	基本每股收益(元)	0.2600	0.7300	0.3600	0.7000
	基本每股收益(扣除后)(元)	0.2500	0.5600	0.3100	0.5300
	稀释每股收益(元)	0.2600	0.7300	0.3600	0.7000
	每股净资产(元)	7.3624	7.4012	7.0330	6.9692
	每股经营现金净流量(元)	-0.1884	0.2707	-0.2083	0.1992
	每股现金流量(元)	-3.4278	-0.0443	-3.2497	-0.0440
	每股资本公积金(元)	2.7102	2.7102	2.7102	2.7102
	每股盈余公积金(元)	0.6572	0.6131	0.5822	0.5332
	每股未分配利润(元)	2.9950	3.0779	2.7406	2.7258
	净资产收益率(%)	3.5476	9.8897	5.1722	9.9830
	加权净资产收益率(%)	3.5100	10.2600	5.1600	10.3500
	净资产收益率(扣除)(%)	3.4579	7.6087	4.3523	7.6026
	总资产(万元)	422077.49	461218.00	420816.28	451192.26
	归属母公司股东权益(万元)	252104.27	253433.39	240825.59	238642.33
	营业收入(万元)	352196.71	732937.79	377541.39	764555.97
	营业支出(万元)	288670.71	591485.25	306198.99	624864.63
	投资收益(万元)	644.51	6537.46	4114.95	4284.98
	净利润(万元)	8570.06	24496.46	12181.07	23288.20
	营业利润(万元)	10718.73	30872.54	16136.26	29896.67
	利润总额(万元)	11322.29	33710.05	16143.72	31021.05

巴士在线股份有限公司

公司概况					
公司名称	巴士在线股份有限公司			证券简称	巴士在线
法人代表	王献蜀	董秘	蒋中瀚	证券代码	002188
公司网址	www.busonline.com		电子信箱	stock@busonline.com	
电　　话	0573-84252627		传　　真	0573-84252318	
办公地址	浙江省嘉兴市嘉善县东升路36号				
经营范围	微型受话器、扬声器的销售和生产				

主要财务指标　指标\报告期	2016.06.30	2015.12.31	2015.06.30	2014.12.31
基本每股收益(元)	0.0400	0.0600	-0.0600	-0.1300
基本每股收益(扣除后)(元)	0.0200	-0.0100	-0.1000	-0.2100
稀释每股收益(元)	0.0400	0.0600	-0.0600	-0.1300
每股净资产(元)	6.7074	6.6668	1.8700	1.9304
每股经营现金净流量(元)	-0.0291	-0.0940	-0.1024	-0.1164
每股现金流量(元)	-0.1151	0.5005	-0.1594	-0.1653
每股资本公积金(元)	5.5207	5.5207	0.7191	0.7191
每股盈余公积金(元)	0.0259	0.0259	0.0497	0.0497
每股未分配利润(元)	0.1618	0.1212	0.1030	0.1631
净资产收益率(%)	0.6050	0.5441	-3.2132	-6.6147
加权净资产收益率(%)	0.6100	2.4300	-3.1600	-6.4000
净资产收益率(扣除)(%)	0.2463	-0.1148	-5.4735	-10.9322
总资产(万元)	220191.36	223212.44	32040.35	33512.72
归属母公司股东权益(万元)	200944.20	199727.32	29171.94	30114.91
营业收入(万元)	22671.56	18260.46	5029.44	11578.64
营业支出(万元)	12525.14	10903.36	4388.84	10035.57
投资收益(万元)	22.62	1168.67	629.96	1516.35
净利润(万元)	1213.71	1061.10	-961.17	-2019.93
营业利润(万元)	1678.59	1768.86	-954.44	-1832.41
利润总额(万元)	1686.98	1715.57	-957.70	-1856.04

利达光电股份有限公司

公司概况					
公司名称	利达光电股份有限公司			证券简称	利达光电
法人代表	李智超	董秘	张子民	证券代码	002189
公司网址	www.lida-oe.com		电子信箱	zzm@lida-oe.com.cn	
电　　话	0377-63865031		传　　真	0377-63167800	
办公地址	河南省南阳市工业南路508号				
经营范围	光学元件、光学辅材、光敏电阻等光电产品的研发、生产和销售				

主要财务指标　指标\报告期	2016.06.30	2015.12.31	2015.06.30	2014.12.31
基本每股收益(元)	0.0300	0.0800	0.0300	0.0700
基本每股收益(扣除后)(元)	0.0200	0.0700	0.0300	0.0600
稀释每股收益(元)	0.0300	0.0800	0.0300	0.0700
每股净资产(元)	2.6336	2.6250	2.5724	2.5627
每股经营现金净流量(元)	0.1590	0.2492	0.2124	0.2779
每股现金流量(元)	-0.2940	0.0672	0.2408	0.1184
每股资本公积金(元)	0.9293	0.9293	0.9293	0.9293
每股盈余公积金(元)	0.0996	0.0996	0.0834	0.0834
每股未分配利润(元)	0.6047	0.5961	0.5597	0.5501
净资产收益率(%)	1.0111	3.0181	1.0350	2.6938
加权净资产收益率(%)	1.0100	3.0500	1.0300	2.7200
净资产收益率(扣除)(%)	0.7957	2.6835	1.0293	2.1846
总资产(万元)	84359.89	85091.34	85476.33	76278.35
归属母公司股东权益(万元)	52471.64	52299.71	51251.72	51059.96
营业收入(万元)	39844.75	80049.78	39750.89	70772.73
营业支出(万元)	35461.74	68071.17	33914.54	58401.63
投资收益(万元)	-	-	-	-
净利润(万元)	403.38	1504.30	528.87	1314.39
营业利润(万元)	272.75	1295.79	511.54	1011.31
利润总额(万元)	405.75	1501.69	514.48	1307.69

四川成飞集成科技股份有限公司

公司概况					
公司名称	四川成飞集成科技股份有限公司			证券简称	成飞集成
法人代表	李宗顺	董秘	程雁	证券代码	002190
公司网址	www.cac-citc.com.cn		电子信箱	stock@cac-citc.cn	
电　　话	028-87455103　87455377		传　　真	028-87455111	
办公地址	四川省成都市青羊区日月大道二段666号附1号				
经营范围	工模具的设计、研制和制造、计算机集成技术开发与应用等				

主要财务指标　指标\报告期	2016.06.30	2015.12.31	2015.06.30	2014.12.31
基本每股收益(元)	0.1488	0.2600	0.0742	0.1200
基本每股收益(扣除后)(元)	0.1165	0.2000	0.0540	0.0200
稀释每股收益(元)	0.1488	0.2600	0.0742	0.1200
每股净资产(元)	4.9699	4.9148	4.7245	4.7178
每股经营现金净流量(元)	-0.0646	0.5365	-0.1548	-0.1139
每股现金流量(元)	2.9541	1.7172	-0.4800	-1.1969
每股资本公积金(元)	2.8270	2.8270	2.8229	2.8229
每股盈余公积金(元)	0.2608	0.2608	0.2453	0.2453
每股未分配利润(元)	0.8561	0.8073	0.6417	0.6375
净资产收益率(%)	2.9947	5.1936	1.5709	2.5303
加权净资产收益率(%)	2.9800	5.2900	1.5600	2.5500
净资产收益率(扣除)(%)	2.3451	4.0511	1.1477	0.4073
总资产(万元)	697087.87	464321.67	354719.26	335244.48
归属母公司股东权益(万元)	171556.59	169652.24	163082.83	162852.30
营业收入(万元)	80857.33	162340.36	63452.03	91866.56
营业支出(万元)	59364.53	122391.29	48996.71	73196.73
投资收益(万元)	20.28	322.61	249.13	420.08
净利润(万元)	8359.68	11461.57	3595.02	2995.51
营业利润(万元)	7890.57	9779.04	2955.96	-1711.64
利润总额(万元)	10034.35	13091.67	4047.04	3495.93

深圳劲嘉集团股份有限公司

公司概况					
公司名称	深圳劲嘉集团股份有限公司			证券简称	劲嘉股份
法人代表	乔鲁予	董秘	李晓华	证券代码	002191
公司网址	www.jinjia.com		电子信箱	jjcp@jinjia.com	
电　　话	0755-26609999-1078		传　　真	0755-26498899	
办公地址	深圳市南山区高新技术产业园区科技中二路劲嘉科技大厦18-19层				
经营范围	包装材料及印刷材料技术的设计、研发等				

主要财务指标　指标\报告期	2016.06.30	2015.12.31	2015.06.30	2014.12.31
基本每股收益(元)	0.2700	0.5600	0.3000	0.4500
基本每股收益(扣除后)(元)	0.1900	0.5300	0.2800	0.8739
稀释每股收益(元)	0.2700	0.5500	0.3000	0.4500
每股净资产(元)	3.2138	3.1527	2.8673	5.2812
每股经营现金净流量(元)	0.2330	0.6078	0.2601	1.0925
每股现金流量(元)	0.0723	-0.0533	-0.0966	0.1601
每股资本公积金(元)	0.1870	0.2480	0.1400	0.8697
每股盈余公积金(元)	0.2684	0.2684	0.2369	0.4746
每股未分配利润(元)	1.8372	1.7196	1.4997	2.9556
净资产收益率(%)	8.3275	17.3782	10.4235	16.6759
加权净资产收益率(%)	8.2300	19.0200	10.7700	18.1500
净资产收益率(扣除)(%)	5.7939	16.4799	9.6270	16.3017
总资产(万元)	636392.90	536531.66	498220.32	473848.53
归属母公司股东权益(万元)	422779.96	414730.92	377195.31	346787.66
营业收入(万元)	130125.01	272004.97	134535.07	232323.95
营业支出(万元)	74633.69	147132.49	74662.86	135979.64
投资收益(万元)	11256.75	10020.70	7758.43	14720.31
净利润(万元)	38135.23	78926.80	42011.26	60510.70
营业利润(万元)	43528.64	86138.82	46133.01	66952.27
利润总额(万元)	45651.03	90618.59	50110.24	68557.52

融捷股份有限公司

公司概况					
公司名称	融捷股份有限公司			证券简称	*ST 融捷
法人代表	吕向阳	董秘	陈新华	证券代码	002192
公司网址	www.luxiang.cn		电子信箱	lxgf@luxiang.cn	
电　话	020-38289069		传　真	020-38289867	
办公地址	广东省广州市天河区珠江西路 5 号广州国际金融中心 45 层 04-05 室				
经营范围	专业沥青产品的开发、生产与销售等				

主要财务指标	指标\报告期	2016.06.30	2015.12.31	2015.06.30	2014.12.31
	基本每股收益(元)	0.0040	0.0600	-0.0800	-0.5800
	基本每股收益(扣除后)(元)	-0.0010	0.0400	-0.1400	-0.6500
	稀释每股收益(元)	0.0040	0.0600	-0.0800	-0.5800
	每股净资产(元)	2.8227	4.2282	4.0617	1.9815
	每股经营现金净流量(元)	-0.0034	0.1990	-0.2642	0.0426
	每股现金流量(元)	-0.0418	0.2116	-0.2652	-0.0439
	每股资本公积金(元)	1.9712	3.4568	3.4496	1.3211
	每股盈余公积金(元)	0.0541	0.0811	0.0811	0.0988
	每股未分配利润(元)	-0.2061	-0.3157	-0.4757	-0.4472
	净资产收益率(%)	0.1529	1.2165	-2.6728	-29.2849
	加权净资产收益率(%)	0.1000	1.6400	-5.4400	-25.5300
	净资产收益率(扣除)(%)	-0.0414	0.9104	-2.9781	-32.6651
	总资产(万元)	95425.82	92974.33	83461.27	89978.17
	归属母公司股东权益(万元)	73293.67	73192.26	70309.02	28158.44
	营业收入(万元)	8721.88	23245.12	4617.88	47566.89
	营业支出(万元)	5206.38	15165.65	2646.80	45129.51
	投资收益(万元)	95.77	-	-	543.27
	净利润(万元)	731.18	1594.01	-1493.52	-7778.35
	营业利润(万元)	318.22	1159.53	-2690.75	-10207.42
	利润总额(万元)	697.35	1940.24	-2007.35	-10337.71

山东济宁如意毛纺织股份有限公司

公司概况					
公司名称	山东济宁如意毛纺织股份有限公司			证券简称	山东如意
法人代表	邱亚夫	董秘	徐长瑞	证券代码	002193
公司网址	www.shandongruyi.com		电子信箱	sry@shandongruyi.com	
电　话	0537-2933069		传　真	0537-2935395	
办公地址	山东省济宁市高新区如意工业园				
经营范围	纺织品、服装、纺织机械及配件、纺织原料及辅料等相关产品的生产、销售等				

主要财务指标	指标\报告期	2016.06.30	2015.12.31	2015.06.30	2014.12.31
	基本每股收益(元)	0.0800	0.1100	0.0700	-0.0100
	基本每股收益(扣除后)(元)	0.0400	0.0500	0.0500	-0.0300
	稀释每股收益(元)	0.0800	0.1100	0.0700	-0.0100
	每股净资产(元)	4.3523	4.2854	4.2562	4.1912
	每股经营现金净流量(元)	-0.5350	2.2612	1.0471	0.4315
	每股现金流量(元)	-0.8774	0.5115	0.4925	0.1314
	每股资本公积金(元)	1.3922	1.3922	1.3922	1.3922
	每股盈余公积金(元)	0.3703	0.3625	0.3518	0.3518
	每股未分配利润(元)	1.5810	1.5201	1.4977	1.4358
	净资产收益率(%)	1.9216	2.4966	1.7360	-0.2676
	加权净资产收益率(%)	1.9400	2.5200	1.7400	-0.2700
	净资产收益率(扣除)(%)	1.0188	1.0523	1.2013	-
	总资产(万元)	192007.22	191644.96	191511.75	186641.99
	归属母公司股东权益(万元)	69636.49	68566.21	68098.51	67058.76
	营业收入(万元)	26159.37	59235.69	28327.22	57804.88
	营业支出(万元)	20331.81	49763.09	23269.54	45269.23
	投资收益(万元)	-	486.00	328.86	24.88
	净利润(万元)	1338.15	1711.84	1182.20	-179.42
	营业利润(万元)	846.49	1599.13	1025.36	-438.15
	利润总额(万元)	1586.07	2498.11	1491.24	-180.77

武汉凡谷电子技术股份有限公司

公司概况					
公司名称	武汉凡谷电子技术股份有限公司			证券简称	武汉凡谷
法人代表	孟凡博	董秘	张伟	证券代码	002194
公司网址	www.fingu.com		电子信箱	fingu@fingu.com	
电　话	027-81388855		传　真	027-81383847	
办公地址	湖北省武汉市江夏区藏龙岛科技园九凤街 5 号				
经营范围	通讯、电子、计算机软件开发、研制、技术服务等				

主要财务指标	指标\报告期	2016.06.30	2015.12.31	2015.06.30	2014.12.31
	基本每股收益(元)	0.0369	0.1300	0.0696	0.2500
	基本每股收益(扣除后)(元)	0.0349	0.1300	0.0700	0.2400
	稀释每股收益(元)	0.0369	0.1300	0.0696	0.2500
	每股净资产(元)	3.7012	3.6743	3.6089	3.6393
	每股经营现金净流量(元)	-0.3078	-0.0094	-0.3763	-0.3152
	每股现金流量(元)	-0.2510	-0.1964	-0.4726	-0.3372
	每股资本公积金(元)	1.2740	1.2740	1.2740	1.2740
	每股盈余公积金(元)	0.3507	0.3507	0.3488	0.3442
	每股未分配利润(元)	1.0765	1.0496	0.9861	1.0212
	净资产收益率(%)	0.9971	3.6737	1.9285	6.7539
	加权净资产收益率(%)	1.0000	3.7000	1.9000	6.9200
	净资产收益率(扣除)(%)	0.9441	3.4513	1.8487	6.6723
	总资产(万元)	262018.06	249633.93	238847.50	255153.40
	归属母公司股东权益(万元)	205744.29	204248.63	200614.11	202304.02
	营业收入(万元)	91140.91	177118.34	81057.18	177235.99
	营业支出(万元)	76126.00	145598.71	66603.51	142129.53
	投资收益(万元)	-	-	-	-
	净利润(万元)	2051.54	7503.41	3868.88	13663.48
	营业利润(万元)	3047.69	8621.73	4603.42	16171.76
	利润总额(万元)	3157.27	9150.55	4791.32	16364.87

上海二三四五网络控股集团股份有限公司

公司概况					
公司名称	上海二三四五网络控股集团股份有限公司			证券简称	二三四五
法人代表	包叔平	董秘	李静	证券代码	002195
公司网址	www.2345hyron.com		电子信箱	stock@2345.com	
电　话	021-64822345		传　真	021-64822236	
办公地址	上海市浦东新区博霞路 11 号 3 楼				
经营范围	计算机软、硬件系统及相关系统的集成、开发、咨询、销售及服务等				

主要财务指标	指标\报告期	2016.06.30	2015.12.31	2015.06.30	2014.12.31
	基本每股收益(元)	0.1200	0.4800	0.1000	0.2700
	基本每股收益(扣除后)(元)	0.1300	0.4400	0.2607	0.6600
	稀释每股收益(元)	0.1200	0.4800	0.1000	0.2700
	每股净资产(元)	3.2575	5.0968	4.8265	11.6458
	每股经营现金净流量(元)	-0.0511	0.5549	0.1599	0.3367
	每股现金流量(元)	0.6967	0.8072	0.2439	0.2290
	每股资本公积金(元)	1.7931	3.2375	3.2364	9.5950
	每股盈余公积金(元)	0.0234	0.0513	0.0410	0.1025
	每股未分配利润(元)	0.4412	0.8103	0.5519	0.9549
	净资产收益率(%)	3.7294	9.3895	4.3494	2.9154
	加权净资产收益率(%)	3.9200	9.8300	4.4300	8.5900
	净资产收益率(扣除)(%)	3.8951	8.6398	4.2912	2.7825
	总资产(万元)	655605.14	482151.30	449512.07	428913.54
	归属母公司股东权益(万元)	622340.49	444306.28	420742.85	406081.47
	营业收入(万元)	79646.74	146991.48	67709.63	65408.43
	营业支出(万元)	26303.68	45357.66	23787.13	31820.79
	投资收益(万元)	1971.38	6398.50	3115.54	255.18
	净利润(万元)	23205.20	41767.41	18297.27	11354.93
	营业利润(万元)	23523.28	43076.35	19457.02	10897.35
	利润总额(万元)	23924.09	46610.17	19735.65	11679.77

浙江方正电机股份有限公司

公司概况	公司名称	浙江方正电机股份有限公司			证券简称	方正电机
	法人代表	张敏	董秘	牟健	证券代码	002196
	公司网址	www.fdm.com.cn		电子信箱	lsfdm@mail.lsptt.zj.cn	
	电话	0578-2171041 2021217		传真	0578-2276502	
	办公地址	浙江省丽水市莲都区水阁工业区石牛路73号				
	经营范围	电机、缝纫机的制造、销售,五金工具的销售等				

主要财务指标	指标\报告期	2016.06.30	2015.12.31	2015.06.30	2014.12.31
	基本每股收益(元)	0.1900	0.3300	0.0519	0.0700
	基本每股收益(扣除后)(元)	0.1700	0.2600	0.0238	0.0100
	稀释每股收益(元)	0.1800	0.3200	0.0519	0.0700
	每股净资产(元)	8.4879	8.3398	4.9471	4.7207
	每股经营现金净流量(元)	-0.0925	0.1378	-0.0569	0.4094
	每股现金流量(元)	-0.4623	0.0725	-0.6359	-0.1026
	每股资本公积金(元)	7.1053	7.0800	3.3894	3.1923
	每股盈余公积金(元)	0.0887	0.0887	0.1260	0.1315
	每股未分配利润(元)	0.4974	0.4123	0.4399	0.4055
	净资产收益率(%)	2.1790	2.6683	1.0415	1.2635
	加权净资产收益率(%)	2.2100	6.2300	1.0600	1.5500
	净资产收益率(扣除)(%)	1.9433	2.1340	0.4778	0.1157
	总资产(万元)	277300.26	276085.21	127276.31	127156.55
	归属母公司股东权益(万元)	225127.97	221250.74	88222.16	80625.93
	营业收入(万元)	46967.64	79441.71	36931.80	62247.71
	营业支出(万元)	35703.62	64962.42	31690.85	52240.68
	投资收益(万元)	240.41	669.29	343.96	557.53
	净利润(万元)	4754.77	5725.20	913.01	1018.68
	营业利润(万元)	4852.29	6047.69	873.83	462.66
	利润总额(万元)	5463.03	6733.56	1100.91	1237.15

深圳市证通电子股份有限公司

公司概况	公司名称	深圳市证通电子股份有限公司			证券简称	证通电子
	法人代表	曾胜强	董秘	许忠慈	证券代码	002197
	公司网址	www.szzt.com.cn		电子信箱	zcxu@szzt.com.cn	
	电话	0755-26490118		传真	0755-26490099	
	办公地址	广东省深圳市光明新区同观路3号证通电子产业园9楼				
	经营范围	开发、生产、销售计算机软件、硬件、外围设备,银行、证券、通讯、商业等				

主要财务指标	指标\报告期	2016.06.30	2015.12.31	2015.06.30	2014.12.31
	基本每股收益(元)	0.0200	0.1900	0.0200	0.2400
	基本每股收益(扣除后)(元)	0.0200	0.1900	0.0200	0.2100
	稀释每股收益(元)	0.0200	0.1900	0.0200	0.2400
	每股净资产(元)	2.8044	2.8279	2.6306	4.2133
	每股经营现金净流量(元)	-0.5656	-0.1142	-0.5494	0.3287
	每股现金流量(元)	-0.1516	0.2376	-0.1924	0.2857
	每股资本公积金(元)	0.9990	0.9864	0.9819	2.1527
	每股盈余公积金(元)	0.0606	0.0606	0.0470	0.0751
	每股未分配利润(元)	0.8420	0.8780	0.7184	1.1723
	净资产收益率(%)	0.8542	6.7725	0.8837	5.5517
	加权净资产收益率(%)	0.8400	7.0200	0.8800	5.6700
	净资产收益率(扣除)(%)	0.7175	6.5124	0.6690	4.9378
	总资产(万元)	358774.10	294229.67	242493.36	193686.75
	归属母公司股东权益(万元)	119477.78	120477.72	112777.25	112895.69
	营业收入(万元)	59551.60	112744.14	32000.64	96642.12
	营业支出(万元)	42394.33	77548.68	20831.38	68539.04
	投资收益(万元)	-24.90	-101.04	-44.98	553.58
	净利润(万元)	1039.92	8165.10	923.42	6263.35
	营业利润(万元)	1425.77	8533.55	530.08	6769.59
	利润总额(万元)	1765.28	9358.50	1102.81	7499.56

广东嘉应制药股份有限公司

公司概况	公司名称	广东嘉应制药股份有限公司			证券简称	嘉应制药
	法人代表	陈泳洪	董秘	黄康民	证券代码	002198
	公司网址	www.gdjyzy.com.cn		电子信箱	gdjyzy@163.com	
	电话	0753-2321916		传真	0753-2321586 2321916	
	办公地址	广东省梅州市东升工业园B区				
	经营范围	中成药制剂、散剂、片剂、胶囊剂、颗粒剂的生产销售				

主要财务指标	指标\报告期	2016.06.30	2015.12.31	2015.06.30	2014.12.31
	基本每股收益(元)	0.0314	0.1307	0.0628	0.1451
	基本每股收益(扣除后)(元)	0.0312	0.1256	0.0579	0.1269
	稀释每股收益(元)	0.0314	0.1307	0.0628	0.1451
	每股净资产(元)	1.8633	1.8319	1.7639	1.7011
	每股经营现金净流量(元)	-0.0104	0.0834	-0.0123	0.2037
	每股现金流量(元)	-0.0382	0.0422	0.0096	-0.0599
	每股资本公积金(元)	0.2432	0.2432	0.2432	0.2432
	每股盈余公积金(元)	0.0438	0.0438	0.0410	0.0410
	每股未分配利润(元)	0.5763	0.5449	0.4797	0.4170
	净资产收益率(%)	1.6859	7.1372	3.5581	8.5312
	加权净资产收益率(%)	1.7000	7.4000	3.6200	8.8400
	净资产收益率(扣除)(%)	1.6723	6.8559	3.2850	7.4626
	总资产(万元)	103654.05	104799.74	100923.90	103528.37
	归属母公司股东权益(万元)	94564.29	92970.05	89519.80	86334.55
	营业收入(万元)	16611.09	47580.50	22043.05	56582.02
	营业支出(万元)	4534.79	12670.83	7030.38	22125.23
	投资收益(万元)	230.69	206.97	221.02	30.96
	净利润(万元)	1594.25	6635.49	3185.25	7365.39
	营业利润(万元)	1904.73	7444.78	3551.58	7618.07
	利润总额(万元)	1919.90	7823.26	3874.58	8730.72

浙江东晶电子股份有限公司

公司概况	公司名称	浙江东晶电子股份有限公司			证券简称	*ST东晶
	法人代表	李庆跃	董秘	陈冬尔	证券代码	002199
	公司网址	www.ecec.com.cn		电子信箱	cde@ecec.com.cn	
	电话	0579-89186668		传真	0579-89186677	
	办公地址	浙江省金华市宾虹西路555号				
	经营范围	电子元件、计算机及网络产品、通信产品的研发、设计、生产与销售				

主要财务指标	指标\报告期	2016.06.30	2015.12.31	2015.06.30	2014.12.31
	基本每股收益(元)	-0.2586	-1.1300	-0.2319	-0.7400
	基本每股收益(扣除后)(元)	-0.2801	-1.2200	-0.2441	-0.7800
	稀释每股收益(元)	-0.2586	-1.1300	-0.2319	-0.7400
	每股净资产(元)	1.5599	1.8185	2.7149	2.9468
	每股经营现金净流量(元)	-0.0275	-0.1567	-0.1162	-0.3645
	每股现金流量(元)	-0.0693	-0.1489	-0.0639	0.0393
	每股资本公积金(元)	2.1178	2.1178	2.1178	2.1178
	每股盈余公积金(元)	0.0773	0.0773	0.0773	0.0773
	每股未分配利润(元)	-1.6352	-1.3766	-0.4802	-0.2483
	净资产收益率(%)	-16.5769	-62.0486	-8.5408	-21.2802
	加权净资产收益率(%)	-15.3100	-47.3600	-8.1900	-25.4700
	净资产收益率(扣除)(%)	-17.9686	-66.9385	-8.9921	-22.6001
	总资产(万元)	136817.94	138405.85	176606.03	171534.72
	归属母公司股东权益(万元)	37974.47	44269.46	66093.14	71738.04
	营业收入(万元)	12424.21	33779.41	17953.47	30947.43
	营业支出(万元)	11561.89	33540.79	16410.24	30919.98
	投资收益(万元)	4.92	1495.27	56.66	430.44
	净利润(万元)	-6729.37	-30016.98	-6280.95	-16206.91
	营业利润(万元)	-7250.94	-31565.00	-6631.42	-16987.06
	利润总额(万元)	-6729.98	-30804.46	-6345.15	-15834.19

云南云投生态环境科技股份有限公司

公司概况	公司名称	云南云投生态环境科技股份有限公司			证券简称	云投生态
	法人代表	杨槐璋	董秘	谭仁力	证券代码	002200
	公司网址	www.yt-eco.com		电子信箱	yt-eco@vip.163.com	
	电　话	0871-67279185 67355849		传　真	0871-67279185 67355849	
	办公地址	云南省昆明市国家经济技术开发区经浦路6号				
	经营范围	植物种苗工厂化生产、观赏植物盆景、植物科研、培训、示范推广等				

	指标\报告期	2016.06.30	2015.12.31	2015.06.30	2014.12.31
主要财务指标	基本每股收益(元)	0.1370	0.0600	0.0160	0.0300
	基本每股收益(扣除后)(元)	0.1220	0.1000	0.0220	0.0300
	稀释每股收益(元)	0.1370	0.0600	0.0160	0.0300
	每股净资产(元)	4.5710	4.4345	4.3937	4.3779
	每股经营现金净流量(元)	-2.1226	-0.4697	-0.4584	-1.1564
	每股现金流量(元)	-0.8753	1.0194	-0.1621	-0.1640
	每股资本公积金(元)	4.1955	4.1955	4.1945	4.1945
	每股盈余公积金(元)	0.2250	0.2250	0.2250	0.2250
	每股未分配利润(元)	-0.8494	-0.9859	-1.0258	-1.0416
	净资产收益率(%)	2.9864	1.2551	0.3602	0.5713
	加权净资产收益率(%)	3.0300	1.2600	0.3600	0.7500
	净资产收益率(扣除)(%)	2.6688	2.1867	0.4966	0.6483
	总资产(万元)	313868.20	288463.23	253249.98	241572.78
	归属母公司股东权益(万元)	84167.67	81654.07	80902.59	80611.18
	营业收入(万元)	46753.13	84326.74	34061.28	73086.39
	营业支出(万元)	32022.96	59267.47	25132.56	51956.37
	投资收益(万元)	-	-	-	40.91
	净利润(万元)	3367.00	3703.76	736.07	2261.98
	营业利润(万元)	4884.08	5405.12	1196.39	2572.31
	利润总额(万元)	5087.70	4394.19	1088.65	2523.01

江苏九鼎新材料股份有限公司

公司概况	公司名称	江苏九鼎新材料股份有限公司			证券简称	九鼎新材
	法人代表	顾清波	董秘	任正勇	证券代码	002201
	公司网址	www.cjdg.com		电子信箱	jdxc@jiudinggroup.com	
	电　话	0513-87530125		传　真	0513-80695809	
	办公地址	江苏省如皋市中山东路1号				
	经营范围	玻璃纤维及其深加工制品的研发、生产与销售等				

	指标\报告期	2016.06.30	2015.12.31	2015.06.30	2014.12.31
主要财务指标	基本每股收益(元)	0.0230	0.0700	0.0400	0.0500
	基本每股收益(扣除后)(元)	0.0060	0.0300	0.0300	0.0200
	稀释每股收益(元)	0.0230	0.0700	0.0400	0.0500
	每股净资产(元)	3.4538	3.4428	1.9106	1.8735
	每股经营现金净流量(元)	0.1050	0.2858	0.1128	0.0843
	每股现金流量(元)	-0.0040	-0.4160	-0.3220	0.1066
	每股资本公积金(元)	1.7382	1.7382	0.1490	0.1490
	每股盈余公积金(元)	0.1056	0.1056	0.1121	0.1058
	每股未分配利润(元)	0.6093	0.5984	0.6489	0.6182
	净资产收益率(%)	0.6632	1.8194	2.2539	2.4656
	加权净资产收益率(%)	0.6600	2.5900	2.2700	2.4800
	净资产收益率(扣除)(%)	0.1669	0.7255	1.4802	1.1337
	总资产(万元)	236760.35	213756.17	170204.03	164473.24
	归属母公司股东权益(万元)	88327.79	88048.88	43654.92	42808.07
	营业收入(万元)	36403.46	68796.52	35122.66	74381.60
	营业支出(万元)	27353.42	51046.06	26605.49	58967.27
	投资收益(万元)	192.65	529.23	226.86	609.95
	净利润(万元)	551.50	1537.66	977.67	1073.50
	营业利润(万元)	308.01	811.99	702.80	485.23
	利润总额(万元)	773.82	1848.58	1133.45	1131.12

新疆金风科技股份有限公司

公司概况	公司名称	新疆金风科技股份有限公司			证券简称	金风科技
	法人代表	武钢	董秘	马金儒	证券代码	002202
	公司网址	www.goldwind.com.cn		电子信箱	goldwind@goldwind.com.cn	
	电　话	010-67511996		传　真	010-67511985	
	办公地址	北京北京经济技术开发区博兴1路8号				
	经营范围	风力发电机组及零部件的生产及销售				

	指标\报告期	2016.06.30	2015.12.31	2015.06.30	2014.12.31
主要财务指标	基本每股收益(元)	0.5301	1.0522	0.4622	0.6790
	基本每股收益(扣除后)(元)	0.5227	0.9959	0.4007	0.6433
	稀释每股收益(元)	0.5301	1.0522	0.4622	0.6790
	每股净资产(元)	6.5764	6.1273	5.5016	5.4805
	每股经营现金净流量(元)	-0.7681	1.7460	0.0774	1.0500
	每股现金流量(元)	-0.2505	-1.2365	-1.6993	1.9474
	每股资本公积金(元)	2.9952	2.9957	2.9474	2.9474
	每股盈余公积金(元)	0.2984	0.2984	0.2421	0.2421
	每股未分配利润(元)	1.9573	1.9072	1.4017	1.3395
	净资产收益率(%)	8.0606	17.0003	8.4014	12.3897
	加权净资产收益率(%)	8.2900	18.1300	8.1100	13.0000
	净资产收益率(扣除)(%)	7.9477	16.0919	7.2832	11.7387
	总资产(万元)	5945397.82	5257240.08	4846142.94	4577732.57
	归属母公司股东权益(万元)	1799007.32	1676144.61	1482447.78	1476778.92
	营业收入(万元)	1092065.71	3006209.96	942912.36	1770421.80
	营业支出(万元)	753241.24	2209301.32	666976.96	1291845.85
	投资收益(万元)	28272.79	36232.75	14571.71	55979.79
	净利润(万元)	150652.70	287539.12	126415.88	185351.32
	营业利润(万元)	166240.68	305088.32	134312.02	205231.86
	利润总额(万元)	170591.42	324682.97	142052.91	210898.65

浙江海亮股份有限公司

公司概况	公司名称	浙江海亮股份有限公司			证券简称	海亮股份
	法人代表	曹建国	董秘	钱自强	证券代码	002203
	公司网址	www.hailiang.com		电子信箱	gfoffice@hailiang.com	
	电　话	0575-87669333 87069033		传　真	0575-87069031	
	办公地址	浙江省诸暨市店口镇工业区				
	经营范围	制造、加工铜管、铜板带、铜箔及相关铜制品				

	指标\报告期	2016.06.30	2015.12.31	2015.06.30	2014.12.31
主要财务指标	基本每股收益(元)	0.1766	0.2732	0.1602	0.2962
	基本每股收益(扣除后)(元)	0.1408	0.1859	0.1602	0.2812
	稀释每股收益(元)	0.1766	0.2732	0.1602	0.2962
	每股净资产(元)	2.3995	2.2799	2.1520	2.0945
	每股经营现金净流量(元)	0.1558	0.0004	0.0442	0.8608
	每股现金流量(元)	0.0515	-0.6123	0.0423	1.1429
	每股资本公积金(元)	0.0934	0.0934	0.0994	0.1870
	每股盈余公积金(元)	0.1039	0.1039	0.0988	0.1067
	每股未分配利润(元)	1.2637	1.1471	1.0391	1.0289
	净资产收益率(%)	7.3619	11.9847	7.4424	13.9363
	加权净资产收益率(%)	7.4900	12.5200	7.4900	14.7800
	净资产收益率(扣除)(%)	5.8684	7.9538	7.0761	13.4238
	总资产(万元)	1133537.79	921972.73	977630.92	854949.75
	归属母公司股东权益(万元)	401047.72	381062.47	359681.79	347037.73
	营业收入(万元)	738562.59	1359099.30	637462.05	1206144.77
	营业支出(万元)	676044.04	1279226.56	591806.48	1125391.94
	投资收益(万元)	6080.60	26541.70	9249.45	20939.62
	净利润(万元)	30231.78	47864.41	26768.96	45189.69
	营业利润(万元)	34060.39	45708.23	28520.18	48438.13
	利润总额(万元)	35252.07	50455.83	29798.79	48791.10

大连华锐重工集团股份有限公司

公司概况					
公司名称	大连华锐重工集团股份有限公司			证券简称	大连重工
法人代表	丛红	董秘	卫旭峰	证券代码	002204
公司网址	www.dhidcw.com		电子信箱	dlzg002204@dhidcw.com	
电　话	0411-86852187 86852802		传　真	0411-86852222	
办公地址	辽宁省大连市西岗区八一路 169 号				
经营范围	机械设备设计制造、安装调试、备、配件供应、金属制品、金属结构制造等				

主要财务指标	2016.06.30	2015.12.31	2015.06.30	2014.12.31
基本每股收益(元)	0.0200	0.0200	0.0100	0.0200
基本每股收益(扣除后)(元)	–0.0048	–0.1500	–0.0200	–0.0400
稀释每股收益(元)	0.0200	0.0200	0.0100	0.0200
每股净资产(元)	3.3988	6.7698	6.7342	6.7354
每股经营现金净流量(元)	–0.0013	0.0396	–0.1282	–0.3448
每股现金流量(元)	–0.0134	0.1530	–0.2012	–0.2498
每股资本公积金(元)	1.2353	3.4705	3.4516	3.4516
每股盈余公积金(元)	0.1092	0.2184	0.1743	0.1743
每股未分配利润(元)	1.0482	2.0688	2.1114	2.1112
净资产收益率(%)	0.6258	0.3347	0.3144	0.3379
加权净资产收益率(%)	0.6300	0.3400	0.3100	0.3400
净资产收益率(扣除)(%)	–0.1400	–2.1447	–0.2768	–0.5525
总资产(万元)	1680854.93	1712758.64	1755332.39	1867316.42
归属母公司股东权益(万元)	656428.88	653749.88	650309.28	650431.22
营业收入(万元)	311720.13	714704.57	348713.63	823882.79
营业支出(万元)	266820.71	591107.52	290022.67	675950.86
投资收益(万元)	–134.17	3170.08	–161.97	251.57
净利润(万元)	3127.26	599.22	1061.87	595.99
营业利润(万元)	143.50	–10960.64	75.54	4134.20
利润总额(万元)	4219.59	1695.85	3670.39	6652.70

新疆国统管道股份有限公司

公司概况					
公司名称	新疆国统管道股份有限公司			证券简称	国统股份
法人代表	徐永平	董秘	栾秀英	证券代码	002205
公司网址	www.xjgt.com		电子信箱	gtgf521@xjgt.com	
电　话	0991-3325685		传　真	0991-3325685	
办公地址	新疆维吾尔自治区乌鲁木齐市林泉西路 765 号				
经营范围	预应力钢筒砼管(简称 PCCP)、各种输水管道及其异型管件和配件等				

主要财务指标	2016.06.30	2015.12.31	2015.06.30	2014.12.31
基本每股收益(元)	–0.1292	–0.4556	0.0348	0.5791
基本每股收益(扣除后)(元)	–0.1242	–0.4826	0.0300	0.5700
稀释每股收益(元)	–0.1292	–0.4556	0.0348	0.5791
每股净资产(元)	7.6397	7.7690	8.2594	8.4046
每股经营现金净流量(元)	0.1702	–0.5352	–1.2536	–1.1271
每股现金流量(元)	–1.1912	0.6135	–0.7295	–1.4993
每股资本公积金(元)	4.4973	4.4973	4.4973	4.4973
每股盈余公积金(元)	0.2840	0.2840	0.2840	0.2840
每股未分配利润(元)	1.8584	1.9876	2.4781	2.6233
净资产收益率(%)	–1.6915	–5.8649	0.4218	6.8904
加权净资产收益率(%)	–1.6800	–5.6300	0.4200	7.0500
净资产收益率(扣除)(%)	–1.6260	–6.2124	0.3627	6.7866
总资产(万元)	160832.34	167743.14	173183.61	175968.39
归属母公司股东权益(万元)	88737.00	90238.03	95935.05	97621.17
营业收入(万元)	12343.47	39298.48	20597.02	80344.76
营业支出(万元)	8438.51	32367.50	14948.28	60631.85
投资收益(万元)	–	–	–	–
净利润(万元)	–2149.18	–6086.89	93.06	6015.90
营业利润(万元)	–2146.98	–6383.59	431.71	7741.84
利润总额(万元)	–2273.75	–6029.07	498.29	7860.98

浙江海利得新材料股份有限公司

公司概况					
公司名称	浙江海利得新材料股份有限公司			证券简称	海 利 得
法人代表	高利民	董秘	吕佩芬	证券代码	002206
公司网址	www.halead.com		电子信箱	002206@halead.com	
电　话	0573-87989886 87989889		传　真	0573-87123648	
办公地址	浙江省海宁市马桥镇经编产业园区新民路 18 号				
经营范围	电脑喷绘胶片布、土工格栅材料、PVC 涂层材料、篷盖材料等				

主要财务指标	2016.06.30	2015.12.31	2015.06.30	2014.12.31
基本每股收益(元)	0.3300	0.4400	0.2600	0.3200
基本每股收益(扣除后)(元)	0.3100	0.3900	0.2400	0.2800
稀释每股收益(元)	0.3200	0.4300	0.2600	0.3200
每股净资产(元)	5.4795	4.7030	4.5190	4.5519
每股经营现金净流量(元)	0.3886	0.7988	0.3348	0.7761
每股现金流量(元)	1.8658	–0.6937	0.5618	0.4545
每股资本公积金(元)	3.5489	2.3199	2.3135	2.2993
每股盈余公积金(元)	0.3184	0.3198	0.2771	0.2784
每股未分配利润(元)	0.9641	1.0628	0.9281	0.9742
净资产收益率(%)	5.4841	9.2407	5.6897	7.0492
加权净资产收益率(%)	6.7900	9.5200	5.6500	7.1800
净资产收益率(扣除)(%)	5.2203	8.2486	5.2090	6.1824
总资产(万元)	453763.07	363794.99	384351.59	333776.00
归属母公司股东权益(万元)	266978.01	211528.82	203249.11	203735.96
营业收入(万元)	120718.51	212094.14	103432.09	228608.66
营业支出(万元)	91503.43	165220.06	80794.08	183204.53
投资收益(万元)	1.25	202.10	390.05	1281.71
净利润(万元)	14756.61	19793.24	11636.83	14477.40
营业利润(万元)	16210.96	21437.97	12670.40	16956.77
利润总额(万元)	16828.99	23105.09	13182.82	17815.30

新疆准东石油技术股份有限公司

公司概况					
公司名称	新疆准东石油技术股份有限公司			证券简称	准油股份
法人代表	张光华	董秘	吕占民	证券代码	002207
公司网址	www.zygf.com.cn		电子信箱	zygf@zygf.cn	
电　话	0994-3830619 3830616		传　真	0994-3830616	
办公地址	新疆维吾尔自治区阜康市准东石油基地				
经营范围	石油技术业务、油田管理业务、建筑安装业务、运输服务业务和化工产品销售				

主要财务指标	2016.06.30	2015.12.31	2015.06.30	2014.12.31
基本每股收益(元)	–0.1900	–0.7700	–0.0500	0.0400
基本每股收益(扣除后)(元)	–0.2000	–0.8100	–0.0500	0.0300
稀释每股收益(元)	–0.1900	–0.7700	–0.0500	0.0400
每股净资产(元)	1.6290	1.8224	2.4064	2.4600
每股经营现金净流量(元)	–0.2029	0.6790	0.2099	–0.4303
每股现金流量(元)	–0.3758	–0.7224	–0.8661	–0.3061
每股资本公积金(元)	0.9223	0.9223	0.9223	0.9223
每股盈余公积金(元)	0.0948	0.0948	0.0948	0.0948
每股未分配利润(元)	–0.5210	–0.3276	0.3894	0.4517
净资产收益率(%)	–11.8752	–42.2335	–2.1885	1.6813
加权净资产收益率(%)	–10.7900	–36.0100	–2.1700	1.6800
净资产收益率(扣除)(%)	–12.0112	–44.6033	–2.2095	1.0892
总资产(万元)	89807.70	98854.20	99308.83	102363.42
归属母公司股东权益(万元)	38962.51	43587.28	57554.48	58870.07
营业收入(万元)	9962.45	28065.32	13288.30	41083.06
营业支出(万元)	10045.55	30643.06	11125.79	35211.19
投资收益(万元)	294.17	–419.67	–95.65	–
净利润(万元)	–4626.87	–18408.42	–1259.58	989.80
营业利润(万元)	–4638.21	–19026.30	–1135.27	1197.10
利润总额(万元)	–4575.84	–17992.08	–1121.11	1207.20

合肥城建发展股份有限公司

公司概况				
公司名称	合肥城建发展股份有限公司		证券简称	合肥城建
法人代表	王晓毅	董秘 田峰	证券代码	002208
公司网址	www.hucd.cn		电子信箱	hucdtf@sina.com
电　话	0551-2661906		传　真	0551-2661906
办公地址	安徽省合肥市蜀山区潜山路 100 号琥珀五环国际 A 座 10-14 层			
经营范围	普通商品住宅及其配套商业地产、综合商务楼的开发、销售、服务			

主要财务指标				
指标\报告期	2016.06.30	2015.12.31	2015.06.30	2014.12.31
基本每股收益(元)	0.2190	0.2900	-0.0595	0.5400
基本每股收益(扣除后)(元)	0.2047	0.2900	-0.0595	0.5300
稀释每股收益(元)	0.2190	0.2900	-0.0595	0.5400
每股净资产(元)	5.0103	4.8413	4.4959	4.6554
每股经营现金净流量(元)	-1.3282	1.5124	-1.0408	-1.4911
每股现金流量(元)	0.3117	0.9302	0.3916	-0.0531
每股资本公积金(元)	0.9060	0.9060	0.9060	0.9060
每股盈余公积金(元)	0.8297	0.8297	0.7763	0.7763
每股未分配利润(元)	2.2746	2.1056	1.8136	1.9731
净资产收益率(%)	4.3711	5.9056	-1.3243	11.5843
加权净资产收益率(%)	4.4200	6.0200	-1.3000	12.2000
净资产收益率(扣除)(%)	4.0862	5.9220	-1.3280	11.4666
总资产(万元)	781276.15	669736.19	686157.48	579272.92
归属母公司股东权益(万元)	160380.86	154970.99	143913.17	149020.03
营业收入(万元)	116390.84	188112.35	25260.07	176034.39
营业支出(万元)	94076.56	140023.81	17255.18	125714.65
投资收益(万元)	-	-73.69	-84.85	-143.76
净利润(万元)	6732.90	8782.42	-2108.34	17215.94
营业利润(万元)	8846.46	12137.12	-2352.55	22969.19
利润总额(万元)	9456.32	12140.38	-2345.42	23203.07

广州达意隆包装机械股份有限公司

公司概况				
公司名称	广州达意隆包装机械股份有限公司		证券简称	达 意 隆
法人代表	杜力	董秘 李春燕	证券代码	002209
公司网址	www.tech-long.com		电子信箱	lichunyan@tech-long.com
电　话	020-62956877 62956848		传　真	020-82266911
办公地址	广东省广州市萝岗区云埔一路 23 号			
经营范围	从事液体包装机械的研发、生产和销售			

主要财务指标				
指标\报告期	2016.06.30	2015.12.31	2015.06.30	2014.12.31
基本每股收益(元)	-0.0737	0.0656	0.0329	0.0678
基本每股收益(扣除后)(元)	-0.1180	-0.1497	0.0213	0.0300
稀释每股收益(元)	-0.0737	0.0656	0.0329	0.0678
每股净资产(元)	3.3125	3.3879	3.3568	3.3338
每股经营现金净流量(元)	-0.4726	0.8904	0.2244	0.1251
每股现金流量(元)	0.0329	0.6117	0.3026	-0.3102
每股资本公积金(元)	1.1531	1.1434	1.1434	1.1434
每股盈余公积金(元)	0.1659	0.1659	0.1563	0.1563
每股未分配利润(元)	0.9952	1.0789	1.0558	1.0329
净资产收益率(%)	-2.2241	1.9357	0.9806	2.0334
加权净资产收益率(%)	-2.2000	1.9500	0.9800	2.0500
净资产收益率(扣除)(%)	-3.5625	-4.4189	0.6350	0.9975
总资产(万元)	157465.32	160938.69	153897.44	151234.32
归属母公司股东权益(万元)	64674.53	66146.54	65539.27	65091.37
营业收入(万元)	40650.60	80541.73	39782.69	95465.59
营业支出(万元)	31240.81	60776.99	28965.65	69598.53
投资收益(万元)	-300.80	3502.72	-349.10	-1350.97
净利润(万元)	-1438.40	1280.42	642.68	1323.57
营业利润(万元)	-2431.16	42.99	400.23	1022.58
利润总额(万元)	-1408.86	1256.99	666.07	1795.05

深圳市飞马国际供应链股份有限公司

公司概况				
公司名称	深圳市飞马国际供应链股份有限公司		证券简称	飞马国际
法人代表	黄壮勉	董秘 费益昭	证券代码	002210
公司网址	www.fmscm.com		电子信箱	chris.fei@fmscm.com
电　话	0755-33356333-8899		传　真	0755-33356399
办公地址	广东省深圳市福田区深南大道 7008 号阳光高尔夫大厦 26 楼 2601 室			
经营范围	承办海运、陆运、空运进出口货物的国际运输代理业务			

主要财务指标				
指标\报告期	2016.06.30	2015.12.31	2015.06.30	2014.12.31
基本每股收益(元)	0.1100	0.2600	0.1000	0.2500
基本每股收益(扣除后)(元)	0.1600	0.3600	0.1600	0.3500
稀释每股收益(元)	0.1100	0.2600	0.1000	0.2500
每股净资产(元)	2.5354	3.2066	1.4325	2.0226
每股经营现金净流量(元)	0.2736	-1.2720	6.9847	0.7862
每股现金流量(元)	-0.4277	0.9830	-0.3237	-1.9202
每股资本公积金(元)	1.1536	1.7996	0.0183	0.1274
每股盈余公积金(元)	0.0662	0.0860	0.0853	0.1279
每股未分配利润(元)	0.3254	0.3354	0.3184	0.7453
净资产收益率(%)	4.4808	7.2840	11.7421	18.3688
加权净资产收益率(%)	4.5000	11.8900	11.9300	19.7800
净资产收益率(扣除)(%)	6.2840	9.8688	11.3408	17.5216
总资产(万元)	1954018.27	2057490.93	1617855.96	1705673.96
归属母公司股东权益(万元)	246510.95	239822.56	85477.38	80457.36
营业收入(万元)	1917514.38	4763722.49	1731424.42	3211905.60
营业支出(万元)	1903361.41	4739707.57	1719950.64	3195483.75
投资收益(万元)	-1929.95	-5091.10	-1924.77	-1093.40
净利润(万元)	11232.49	17512.75	10122.06	14791.20
营业利润(万元)	12786.56	21104.55	11177.79	16640.00
利润总额(万元)	12848.52	21590.64	11279.92	16964.70

江苏宏达新材料股份有限公司

公司概况				
公司名称	江苏宏达新材料股份有限公司		证券简称	宏达新材
法人代表	何百祥	董秘 郭北琼	证券代码	002211
公司网址	www.hongda-chemical.com		电子信箱	zhengquanbu@hongda-chemical.com
电　话	0511-88226078		传　真	0511-83365478
办公地址	江苏省扬中市明珠广场			
经营范围	从事高温硅橡胶系列产品的生产和销售			

主要财务指标				
指标\报告期	2016.06.30	2015.12.31	2015.06.30	2014.12.31
基本每股收益(元)	-0.0136	-0.1400	-0.0590	0.0300
基本每股收益(扣除后)(元)	-0.0016	-0.1500	-0.0650	-0.0700
稀释每股收益(元)	-0.0136	-0.1400	-0.0590	0.0300
每股净资产(元)	1.7536	1.7673	1.8492	1.9082
每股经营现金净流量(元)	0.2979	0.0545	0.1001	0.1926
每股现金流量(元)	0.0959	-0.0278	0.0717	-0.4054
每股资本公积金(元)	2.3999	2.3999	2.3999	2.3999
每股盈余公积金(元)	0.0668	0.0668	0.0668	0.0668
每股未分配利润(元)	-1.7130	-1.6994	-1.6175	-1.5585
净资产收益率(%)	-0.7770	-7.9357	-3.1906	1.5075
加权净资产收益率(%)	-0.7700	-7.6300	-3.1400	1.5200
净资产收益率(扣除)(%)	-0.0931	-8.6978	-3.5151	-3.6670
总资产(万元)	98256.98	103389.43	119466.85	126489.91
归属母公司股东权益(万元)	75840.96	76430.21	79972.26	82523.85
营业收入(万元)	28512.32	67124.20	33793.24	77378.60
营业支出(万元)	24877.48	59039.44	29983.97	67732.87
投资收益(万元)	1708.11	-153.60	-36.44	-75.15
净利润(万元)	-505.09	-6004.04	-2540.10	1404.51
营业利润(万元)	27.63	-6517.96	-2898.45	-2843.70
利润总额(万元)	-560.81	-5954.70	-2600.66	1518.31

广东南洋电缆集团股份有限公司

公司概况	公司名称	广东南洋电缆集团股份有限公司			证券简称	南洋股份
	法人代表	郑汉武	董秘	曾理	证券代码	002212
	公司网址	www.nanyangcable.com		电子信箱	zl1949@21cn.com	
	电　话	0754-86332188		传　真	0754-86332188	
	办公地址	广东省汕头市珠津工业区珠津二街1号				
	经营范围	主要从事电力电缆、电气装备用电线电缆的研发、生产和销售				

主要财务指标	指标\报告期	2016.06.30	2015.12.31	2015.06.30	2014.12.31
	基本每股收益(元)	0.0900	0.1100	0.0600	0.1000
	基本每股收益(扣除后)(元)	0.0800	0.0600	0.0500	0.0800
	稀释每股收益(元)	0.0900	0.1100	0.0600	0.1000
	每股净资产(元)	3.5933	3.5242	3.4711	3.4305
	每股经营现金净流量(元)	-0.2603	0.3692	-0.1381	-0.0556
	每股现金流量(元)	-0.0923	0.2461	-0.1314	-0.1945
	每股资本公积金(元)	1.0689	1.0689	1.0689	1.0689
	每股盈余公积金(元)	0.1622	0.1622	0.1520	0.1520
	每股未分配利润(元)	1.3635	1.2948	1.2500	1.2106
	净资产收益率(%)	2.4131	3.1353	1.5973	2.9587
	加权净资产收益率(%)	2.4300	3.1800	1.6000	3.0000
	净资产收益率(扣除)(%)	2.2663	1.5833	1.3220	2.2151
	总资产(万元)	313086.86	315561.66	307416.66	300896.92
	归属母公司股东权益(万元)	183350.24	179825.20	177116.61	175045.27
	营业收入(万元)	119837.35	228149.05	92569.30	225889.33
	营业支出(万元)	103680.33	194039.34	79900.42	198115.39
	投资收益(万元)	2802.38	5525.68	2423.38	5800.77
	净利润(万元)	4424.35	5638.05	2829.13	5179.05
	营业利润(万元)	5971.15	6646.24	3615.95	6108.56
	利润总额(万元)	6210.73	7366.08	3812.00	6566.18

深圳市特尔佳科技股份有限公司

公司概况	公司名称	深圳市特尔佳科技股份有限公司			证券简称	特尔佳
	法人代表	许锦光	董秘	张昱波	证券代码	002213
	公司网址	www.terca.cn		电子信箱	stock@terca.cn	
	电　话	0755-26513588		传　真	0755-26519166	
	办公地址	广东省深圳市龙华新区观澜高新技术产业园特尔佳观澜厂区				
	经营范围	汽车缓速器的研发、制造和销售，主要产品为电涡流缓速器				

主要财务指标	指标\报告期	2016.06.30	2015.12.31	2015.06.30	2014.12.31
	基本每股收益(元)	0.0400	0.0500	0.0300	0.0700
	基本每股收益(扣除后)(元)	0.0300	0.0400	0.0400	0.0700
	稀释每股收益(元)	0.0400	0.0500	0.0300	0.0700
	每股净资产(元)	1.7368	1.6988	1.6932	1.6607
	每股经营现金净流量(元)	0.0705	0.2340	-0.0082	0.0701
	每股现金流量(元)	0.0733	0.2669	0.0196	0.1141
	每股资本公积金(元)	0.0037	0.0037	0.0037	0.0037
	每股盈余公积金(元)	0.1197	0.1197	0.1112	0.1112
	每股未分配利润(元)	0.6133	0.5753	0.5782	0.5457
	净资产收益率(%)	2.1884	3.1212	1.9174	4.1536
	加权净资产收益率(%)	2.2100	3.1500	1.9400	4.1900
	净资产收益率(扣除)(%)	1.8688	2.1992	2.3798	3.9388
	总资产(万元)	43103.30	44031.57	43806.03	46585.10
	归属母公司股东权益(万元)	35777.37	34994.44	34879.96	34211.18
	营业收入(万元)	6867.01	18802.02	9050.81	26133.45
	营业支出(万元)	4037.58	11560.64	5457.24	16616.33
	投资收益(万元)	-	548.01	-	7.65
	净利润(万元)	782.94	1092.25	668.77	1419.95
	营业利润(万元)	782.69	1243.38	964.97	1403.26
	利润总额(万元)	960.01	1235.64	856.49	1705.67

浙江大立科技股份有限公司

公司概况	公司名称	浙江大立科技股份有限公司			证券简称	大立科技
	法人代表	庞惠民	董秘	刘晓松	证券代码	002214
	公司网址	www.dali-tech.com		电子信箱	liuxiaosong@dali-tech.com	
	电　话	0571-86695670 86695649		传　真	0571-86695649	
	办公地址	浙江省杭州市滨江区滨康路639号				
	经营范围	红外热像仪系列产品和数字硬盘录像机系列产品的生产和销售				

主要财务指标	指标\报告期	2016.06.30	2015.12.31	2015.06.30	2014.12.31
	基本每股收益(元)	0.0400	0.0700	0.0400	0.1100
	基本每股收益(扣除后)(元)	0.0200	0.0300	0.0200	0.1500
	稀释每股收益(元)	0.0400	0.0700	0.0400	0.1100
	每股净资产(元)	2.0944	2.0823	2.0525	4.0730
	每股经营现金净流量(元)	-0.0070	-0.1053	-0.0689	-0.3992
	每股现金流量(元)	-0.0863	-0.0328	-0.1213	0.2375
	每股资本公积金(元)	0.4320	0.4320	0.4320	1.8641
	每股盈余公积金(元)	0.0898	0.0898	0.0826	0.1652
	每股未分配利润(元)	0.5725	0.5604	0.5379	1.0437
	净资产收益率(%)	1.7716	3.3977	1.9980	5.4372
	加权净资产收益率(%)	1.7700	3.4400	2.0000	6.2700
	净资产收益率(扣除)(%)	0.8543	1.5211	1.0766	3.4925
	总资产(万元)	139708.47	141870.55	128901.19	127323.09
	归属母公司股东权益(万元)	96061.32	95506.13	94142.03	93407.77
	营业收入(万元)	19163.59	32307.08	15056.96	36222.76
	营业支出(万元)	10780.37	15818.18	7953.24	19465.87
	投资收益(万元)	170.69	902.58	468.23	563.68
	净利润(万元)	1695.53	3220.61	1871.78	5076.73
	营业利润(万元)	319.59	285.14	570.25	3077.68
	利润总额(万元)	1801.28	3564.23	2070.98	5756.70

深圳诺普信农化股份有限公司

公司概况	公司名称	深圳诺普信农化股份有限公司			证券简称	诺普信
	法人代表	卢柏强	董秘	王时豪	证券代码	002215
	公司网址	www.noposion.com		电子信箱	szwsh@126.com	
	电　话	0755-29977586		传　真	0755-27697715	
	办公地址	广东省深圳市宝安区西乡水库路113号				
	经营范围	杀虫剂、杀菌剂、除草剂等三大系列产品的研发、生产和销售				

主要财务指标	指标\报告期	2016.06.30	2015.12.31	2015.06.30	2014.12.31
	基本每股收益(元)	0.0200	0.2500	0.2500	0.2200
	基本每股收益(扣除后)(元)	-0.0600	0.2500	0.2400	0.2500
	稀释每股收益(元)	0.0200	0.2500	0.2500	0.2200
	每股净资产(元)	2.0637	1.9061	1.8990	2.1940
	每股经营现金净流量(元)	-0.3226	0.9331	-0.0723	0.4350
	每股现金流量(元)	-0.3960	-0.0101	-0.2929	0.1824
	每股资本公积金(元)	0.3999	0.0639	0.0628	0.3327
	每股盈余公积金(元)	0.1057	0.1069	0.1030	0.0948
	每股未分配利润(元)	0.6539	0.7408	0.7386	0.7785
	净资产收益率(%)	1.0209	13.2457	12.9900	12.5940
	加权净资产收益率(%)	1.1200	14.2600	13.7200	12.8800
	净资产收益率(扣除)(%)	-2.9565	13.1301	12.8852	11.3689
	总资产(万元)	333295.67	307704.87	273388.46	252623.46
	归属母公司股东权益(万元)	190777.14	174292.09	173754.91	154422.87
	营业收入(万元)	150923.37	220974.49	144889.96	220272.44
	营业支出(万元)	96724.61	122627.75	86667.41	134569.59
	投资收益(万元)	10057.06	4668.81	1319.52	-3778.27
	净利润(万元)	2554.36	23322.35	22961.74	19396.63
	营业利润(万元)	0.05	25221.64	25478.29	21707.48
	利润总额(万元)	413.46	25875.09	25696.94	23861.65

三全食品股份有限公司

公司概况	公司名称	三全食品股份有限公司		证券简称	三全食品
	法人代表	陈南	董秘 陈希	证券代码	002216
	公司网址	www.sanquan.com		电子信箱	sanquan@sanquan.com
	电　话	0371-63987832		传　真	0371-63988183
	办公地址	河南省郑州市综合投资区长兴路中段			
	经营范围	速冻食品、方便快餐食品、常温食品、速冻调制食品的生产和销售			

主要财务指标	指标\报告期	2016.06.30	2015.12.31	2015.06.30	2014.12.31
	基本每股收益(元)	0.0800	0.0400	0.0800	0.1000
	基本每股收益(扣除后)(元)	0.0500	-0.0200	0.0700	0.1700
	稀释每股收益(元)	0.0800	0.0400	0.0800	0.1000
	每股净资产(元)	2.4031	2.3375	2.3706	4.6155
	每股经营现金净流量(元)	0.0220	0.0647	-0.3146	0.3555
	每股现金流量(元)	-0.2590	0.2735	-0.3245	-0.7511
	每股资本公积金(元)	0.3066	0.3057	0.3056	1.6086
	每股盈余公积金(元)	0.0605	0.0605	0.0590	0.1180
	每股未分配利润(元)	1.0359	0.9713	1.0060	1.8889
	净资产收益率(%)	3.2305	1.8567	3.2300	4.3566
	加权净资产收益率(%)	3.2700	1.8700	3.2700	4.4400
	净资产收益率(扣除)(%)	2.1386	-0.8527	2.7929	3.5920
	总资产(万元)	330881.61	384137.17	306739.61	353778.04
	归属母公司股东权益(万元)	193261.78	187986.40	190645.49	185594.56
	营业收入(万元)	252970.58	423739.90	229753.86	409437.06
	营业支出(万元)	164092.41	284196.09	150008.21	267851.87
	投资收益(万元)	330.28	4047.85	435.20	378.22
	净利润(万元)	6243.65	3490.27	6158.23	8085.43
	营业利润(万元)	5267.02	-5463.75	6018.48	-979.22
	利润总额(万元)	8193.94	30.58	6911.69	3421.20

合力泰科技股份有限公司

公司概况	公司名称	合力泰科技股份有限公司		证券简称	合力泰
	法人代表	文开福	董秘 金波	证券代码	002217
	公司网址	www.lianhechem.com.cn		电子信箱	jinbo@holitech.net
	电　话	0796-8979766　0533-2343868		传　真	0796-7088855　0533-2343856
	办公地址	山东省淄博市沂源县城南外环 89 号			
	经营范围	液氨、硝酸、硝酸铵、硝酸钠、亚硝酸钠、硝基复合肥、甲醇等			

主要财务指标	指标\报告期	2016.06.30	2015.12.31	2015.06.30	2014.12.31
	基本每股收益(元)	0.2189	0.1900	0.0913	0.1500
	基本每股收益(扣除后)(元)	0.2189	0.1000	0.0700	0.1200
	稀释每股收益(元)	0.2189	0.1900	0.0913	0.1500
	每股净资产(元)	4.0896	3.8880	1.7643	1.6879
	每股经营现金净流量(元)	0.0773	0.1412	0.0983	-0.1584
	每股现金流量(元)	-0.0818	0.4378	0.0311	0.0500
	每股资本公积金(元)	2.5146	2.5146	0.3814	0.3814
	每股盈余公积金(元)	0.0501	0.0501	0.0367	0.0367
	每股未分配利润(元)	0.5262	0.3233	0.3451	0.2676
	净资产收益率(%)	5.3521	3.9436	5.1882	8.0882
	加权净资产收益率(%)	5.4900	8.7000	5.2600	10.7500
	净资产收益率(扣除)(%)	4.9505	2.0561	3.8410	6.2921
	总资产(万元)	1031442.45	915465.35	390574.15	321028.70
	归属母公司股东权益(万元)	581732.45	553064.96	190266.55	182023.25
	营业收入(万元)	491558.59	495317.35	176275.71	305343.79
	营业支出(万元)	416547.39	406647.99	147131.28	257552.94
	投资收益(万元)	-	4928.40	-	75.83
	净利润(万元)	31111.03	21718.02	9837.17	14722.41
	营业利润(万元)	32847.94	22358.29	9195.39	14900.19
	利润总额(万元)	35594.29	28818.01	12304.63	18847.31

深圳市拓日新能源科技股份有限公司

公司概况	公司名称	深圳市拓日新能源科技股份有限公司		证券简称	拓日新能
	法人代表	陈五奎	董秘 杨国强	证券代码	002218
	公司网址	www.topraysolar.cn		电子信箱	yangguoqiang@topraysolar.com
	电　话	0755-86612300　29680031		传　真	0755-86612620
	办公地址	广东省深圳市南山区侨香路 6060 号香年广场 A 栋 802-804			
	经营范围	研发、生产及销售太阳电池芯片等			

主要财务指标	指标\报告期	2016.06.30	2015.12.31	2015.06.30	2014.12.31
	基本每股收益(元)	0.0940	0.0500	0.0170	-0.0100
	基本每股收益(扣除后)(元)	0.0810	0.0200	0.0100	-0.0700
	稀释每股收益(元)	0.0940	0.0500	0.0170	-0.0100
	每股净资产(元)	4.3135	4.2179	4.1644	2.8654
	每股经营现金净流量(元)	0.0105	0.0616	0.0125	0.2913
	每股现金流量(元)	0.3094	-0.1893	0.5753	0.2400
	每股资本公积金(元)	3.1285	3.1285	3.1120	1.7515
	每股盈余公积金(元)	0.0453	0.0453	0.0449	0.0567
	每股未分配利润(元)	0.1585	0.0644	0.0341	0.0804
	净资产收益率(%)	2.1828	1.1913	0.4699	-0.3832
	加权净资产收益率(%)	2.2100	1.3500	0.6100	-0.3800
	净资产收益率(扣除)(%)	1.8759	0.5240	0.2202	-2.3082
	总资产(万元)	487977.69	424847.16	398371.50	319546.55
	归属母公司股东权益(万元)	266649.87	260741.43	257430.39	140332.48
	营业收入(万元)	64067.75	72799.04	22994.17	54579.28
	营业支出(万元)	47710.08	52508.66	15359.79	38912.58
	投资收益(万元)	-4.47	-	-	-
	净利润(万元)	5820.32	3106.17	1209.58	-494.02
	营业利润(万元)	5219.29	1543.41	654.39	-2870.11
	利润总额(万元)	6072.88	3405.24	1297.15	-338.54

恒康医疗集团股份有限公司

公司概况	公司名称	恒康医疗集团股份有限公司		证券简称	恒康医疗
	法人代表	周先敏	董秘 曹维	证券代码	002219
	公司网址	www.hkmg.com		电子信箱	hkmgdsh@hkmg.com
	电　话	028-85950888*8955		传　真	028-85950552
	办公地址	四川省成都市锦江工业开发区金石路 456 号			
	经营范围	片剂、糖浆剂、散剂、酒剂、硬胶囊剂、软胶囊剂、口服液、合剂等			

主要财务指标	指标\报告期	2016.06.30	2015.12.31	2015.06.30	2014.12.31
	基本每股收益(元)	0.0761	0.1854	0.0506	0.1670
	基本每股收益(扣除后)(元)	0.0552	0.1482	0.1243	0.4064
	稀释每股收益(元)	0.0761	0.1854	0.0506	0.1670
	每股净资产(元)	2.0467	1.9706	4.9174	1.6569
	每股经营现金净流量(元)	0.0133	0.1158	0.0644	0.3137
	每股现金流量(元)	0.0245	0.4328	3.5200	0.1314
	每股资本公积金(元)	0.6348	0.6348	3.3986	0.1516
	每股盈余公积金(元)	0.0334	0.0334	0.0787	0.0966
	每股未分配利润(元)	0.3784	0.3023	0.4400	0.4087
	净资产收益率(%)	3.7160	8.6833	2.1777	25.1997
	加权净资产收益率(%)	3.7900	11.9400	5.4100	28.7800
	净资产收益率(扣除)(%)	2.6971	6.9412	2.1387	24.5338
	总资产(万元)	499674.99	478034.66	590270.60	189138.29
	归属母公司股东权益(万元)	387082.21	372698.12	372000.47	102117.25
	营业收入(万元)	77395.25	118172.82	42374.89	68565.77
	营业支出(万元)	51459.82	62827.12	21585.63	27427.58
	投资收益(万元)	-	579.29	581.10	-
	净利润(万元)	14222.13	32211.05	8004.10	25714.95
	营业利润(万元)	13891.83	32806.09	10305.77	28212.34
	利润总额(万元)	18532.00	40054.02	10534.85	29033.73

大连天宝绿色食品股份有限公司

公司概况	公司名称	大连天宝绿色食品股份有限公司		证券简称	天宝股份
	法人代表	黄作庆	董秘 孙立涛	证券代码	002220
	公司网址	www.cn-tianbao.com		电子信箱	zqhwang@cn-tianbao.com
	电　话	0411-39330110		传　真	0411-39330296
	办公地址	辽宁省大连市金州区拥政街道三里村 624 号			
	经营范围	以水产品加工出口为主的农副产品加工和销售			

主要财务指标	指标\报告期	2016.06.30	2015.12.31	2015.06.30	2014.12.31
	基本每股收益(元)	0.1600	0.3300	0.1700	0.2900
	基本每股收益(扣除后)(元)	0.1600	0.3400	0.1700	0.2900
	稀释每股收益(元)	0.1600	0.3300	0.1700	0.2900
	每股净资产(元)	4.6900	4.1009	3.9220	3.7972
	每股经营现金净流量(元)	0.1309	0.3170	0.5007	-0.0933
	每股现金流量(元)	0.2989	0.3282	0.4374	-0.3855
	每股资本公积金(元)	1.8411	1.0842	1.0847	1.0847
	每股盈余公积金(元)	0.1997	0.2353	0.2009	0.2009
	每股未分配利润(元)	1.6472	1.8156	1.6817	1.5553
	净资产收益率(%)	3.3309	8.1618	4.2422	7.6455
	加权净资产收益率(%)	3.4900	8.5000	4.3100	7.9400
	净资产收益率(扣除)(%)	3.3424	8.1824	4.2263	7.6262
	总资产(万元)	471613.74	456976.89	436118.04	419274.19
	归属母公司股东权益(万元)	256525.09	190581.49	182264.60	176466.94
	营业收入(万元)	64276.82	153691.12	65976.74	160737.88
	营业支出(万元)	51109.42	120961.70	52060.52	130939.69
	投资收益(万元)	79.18	44.23	57.91	-
	净利润(万元)	8550.97	15550.07	7732.01	13491.73
	营业利润(万元)	8524.91	15840.96	7741.55	13703.02
	利润总额(万元)	8485.51	15793.96	7780.21	13743.30

东华能源股份有限公司

公司概况	公司名称	东华能源股份有限公司		证券简称	东华能源
	法人代表	周一峰	董秘 陈圆圆	证券代码	002221
	公司网址	www.chinadhe.com		电子信箱	tzz@chinadhe.com
	电　话	0512-58322508 025-86771100		传　真	0512-58728098
	办公地址	江苏省南京市仙林大道徐庄软件园紫气路 1 号			
	经营范围	再生资源、钢材销售与配送			

主要财务指标	指标\报告期	2016.06.30	2015.12.31	2015.06.30	2014.12.31
	基本每股收益(元)	0.1200	0.5900	0.1200	0.2200
	基本每股收益(扣除后)(元)	0.1136	0.5800	0.1100	0.1900
	稀释每股收益(元)	0.1200	0.5900	0.1200	0.2200
	每股净资产(元)	2.4517	4.6646	4.1586	4.1610
	每股经营现金净流量(元)	-0.2819	0.6778	-0.6601	-0.5194
	每股现金流量(元)	-0.0938	0.3780	-0.3159	0.3019
	每股资本公积金(元)	0.8003	2.5689	2.5530	2.6392
	每股盈余公积金(元)	0.0222	0.0446	0.0371	0.0371
	每股未分配利润(元)	0.5583	0.9328	0.4614	0.3765
	净资产收益率(%)	4.8769	12.7306	2.7680	4.7718
	加权净资产收益率(%)	5.0100	13.4400	2.7600	6.2200
	净资产收益率(扣除)(%)	4.6161	12.4399	2.7203	4.2530
	总资产(万元)	1821285.00	1489705.77	1387594.64	1129914.29
	归属母公司股东权益(万元)	341187.57	322953.79	287918.75	288086.52
	营业收入(万元)	903454.42	1719598.16	739958.39	1331425.57
	营业支出(万元)	849219.34	1620260.00	719003.62	1269981.95
	投资收益(万元)	209.60	284.29	58.85	1872.99
	净利润(万元)	16691.05	40555.98	8006.04	13773.77
	营业利润(万元)	22079.07	49187.08	15555.01	18225.92
	利润总额(万元)	23265.64	50438.66	15738.17	18218.65

福建福晶科技股份有限公司

公司概况	公司名称	福建福晶科技股份有限公司		证券简称	福晶科技
	法人代表	陈辉	董秘 蔡德全	证券代码	002222
	公司网址	www.castech.com		电子信箱	securities@castech.com
	电　话	0591-83770347 83719323		传　真	0591-83719323
	办公地址	福建省福州市鼓楼区软件大道 89 号福州软件园 F 区 9 号楼			
	经营范围	光学晶体、晶体材料、激光器件的制造及其技术咨询、技术服务等			

主要财务指标	指标\报告期	2016.06.30	2015.12.31	2015.06.30	2014.12.31
	基本每股收益(元)	0.0800	0.1248	0.0700	-0.0539
	基本每股收益(扣除后)(元)	0.0800	0.1336	0.1000	-0.0641
	稀释每股收益(元)	0.0800	0.1248	0.0700	-0.0539
	每股净资产(元)	1.4960	2.1775	2.1629	2.0520
	每股经营现金净流量(元)	0.0871	0.2236	0.0966	0.2355
	每股现金流量(元)	0.0581	0.0886	-0.0079	-0.0056
	每股资本公积金(元)	0.1566	0.7349	0.7369	0.7343
	每股盈余公积金(元)	0.1035	0.1552	0.1455	0.1455
	每股未分配利润(元)	0.2360	0.2874	0.2805	0.1723
	净资产收益率(%)	5.1957	5.7321	5.0038	-2.6255
	加权净资产收益率(%)	5.2300	5.9000	5.1400	-2.5400
	净资产收益率(扣除)(%)	5.1009	6.1377	4.7842	-3.1217
	总资产(万元)	72106.62	69415.62	68038.94	65857.32
	归属母公司股东权益(万元)	63955.31	62057.36	61642.23	58483.23
	营业收入(万元)	14361.79	21056.08	10742.49	20200.78
	营业支出(万元)	6908.24	10183.59	4721.16	9547.32
	投资收益(万元)	94.26	-302.25	6.48	74.67
	净利润(万元)	3408.86	3605.04	3084.96	-1420.76
	营业利润(万元)	3963.09	3834.13	3407.81	-1042.37
	利润总额(万元)	4015.14	4128.91	3567.03	-699.37

江苏鱼跃医疗设备股份有限公司

公司概况	公司名称	江苏鱼跃医疗设备股份有限公司		证券简称	鱼跃医疗
	法人代表	吴光明	董秘 陈坚	证券代码	002223
	公司网址	www.yuyue.com.cn		电子信箱	dongmi@yuyue.com.cn
	电　话	0511-86900802 86900876		传　真	0511-86900876
	办公地址	江苏省丹阳市云阳工业园(振新路南)			
	经营范围	医疗器械和保健用品的生产和销售			

主要财务指标	指标\报告期	2016.06.30	2015.12.31	2015.06.30	2014.12.31
	基本每股收益(元)	0.5700	0.6200	0.4300	0.5100
	基本每股收益(扣除后)(元)	0.5300	0.6000	0.3900	0.5000
	稀释每股收益(元)	0.5700	0.6200	0.4300	0.5100
	每股净资产(元)	7.0933	3.6183	3.4239	3.2924
	每股经营现金净流量(元)	0.4258	0.9290	0.3345	0.3871
	每股现金流量(元)	3.6282	0.1673	0.8700	0.0770
	每股资本公积金(元)	3.6802	0.0275	0.0275	0.1303
	每股盈余公积金(元)	0.2299	0.2628	0.2070	0.2277
	每股未分配利润(元)	2.1810	2.3258	2.1894	1.9344
	净资产收益率(%)	6.9909	17.2195	12.5825	16.9694
	加权净资产收益率(%)	14.5300	18.8500	13.4300	18.2400
	净资产收益率(扣除)(%)	6.4931	16.5778	11.3298	15.2561
	总资产(万元)	568712.18	292587.43	300766.56	213830.42
	归属母公司股东权益(万元)	474059.78	211587.23	200216.37	175024.08
	营业收入(万元)	142846.82	210373.73	109173.88	168180.23
	营业支出(万元)	84509.09	126601.71	64016.75	100941.08
	投资收益(万元)	891.08	229.16	-59.83	48.50
	净利润(万元)	33270.66	36668.11	25249.90	29789.00
	营业利润(万元)	35554.91	37540.62	25847.76	28486.50
	利润总额(万元)	39300.46	40780.05	29335.09	33369.33

三力士股份有限公司

公司概况	公司名称	三力士股份有限公司			证券简称	三力士
	法人代表	吴培生	董秘	许唯放	证券代码	002224
	公司网址	www.v-belt.com		电子信箱	sanlux@sanlux.org	
	电话	00575-85670540 84313688		传真	0575-84318666	
	办公地址	浙江省绍兴市柯桥区柯岩街道余渚工业园区				
	经营范围	三角橡胶带和胶管的生产与销售				

	指标\报告期	2016.06.30	2015.12.31	2015.06.30	2014.12.31
主要财务指标	基本每股收益(元)	0.1500	0.3800	0.1500	0.3000
	基本每股收益(扣除后)(元)	0.1500	0.3700	0.1500	0.3000
	稀释每股收益(元)	0.1500	0.3700	0.1500	0.3000
	每股净资产(元)	2.2395	2.1750	1.9379	1.8718
	每股经营现金净流量(元)	0.0850	0.5972	0.2133	0.4701
	每股现金流量(元)	-0.3629	0.3526	0.0507	0.2346
	每股资本公积金(元)	0.1870	0.1715	0.1598	0.1438
	每股盈余公积金(元)	0.1405	0.1405	0.1012	0.1012
	每股未分配利润(元)	0.9120	0.8620	0.6769	0.6268
	净资产收益率(%)	6.7095	17.3107	7.7453	16.1127
	加权净资产收益率(%)	6.7500	18.7900	7.7800	17.3900
	净资产收益率(扣除)(%)	6.6367	17.1663	7.6833	15.9923
	总资产(万元)	162067.91	158039.35	143551.36	139561.26
	归属母公司股东权益(万元)	147039.10	142645.79	126867.06	122540.73
	营业收入(万元)	39524.07	93111.07	43780.77	96965.12
	营业支出(万元)	22247.78	53373.99	26693.68	61252.66
	投资收益(万元)	130.76	-136.48	125.50	-251.50
	净利润(万元)	9737.03	24422.27	9794.35	19824.88
	营业利润(万元)	11288.59	28302.36	11315.10	22795.24
	利润总额(万元)	11341.48	28585.02	11314.89	23026.83

濮阳濮耐高温材料(集团)股份有限公司

公司概况	公司名称	濮阳濮耐高温材料(集团)股份有限公司			证券简称	濮耐股份
	法人代表	刘百宽	董秘	彭艳鸣	证券代码	002225
	公司网址	www.punai.com.cn		电子信箱	pengyanming@punai.com	
	电话	0393-3214228		传真	0393-3214218	
	办公地址	河南省濮阳市西环路中段				
	经营范围	耐火材料原料和制品、功能陶瓷材料、高温结构材料				

	指标\报告期	2016.06.30	2015.12.31	2015.06.30	2014.12.31
主要财务指标	基本每股收益(元)	0.0600	0.1000	0.1100	0.2100
	基本每股收益(扣除后)(元)	0.0500	0.0800	0.1000	0.2000
	稀释每股收益(元)	0.0600	0.1000	0.1100	0.2000
	每股净资产(元)	2.9392	2.8851	2.9053	2.7594
	每股经营现金净流量(元)	0.0440	-0.0984	0.0454	0.1697
	每股现金流量(元)	-0.0190	0.0323	0.0332	0.0186
	每股资本公积金(元)	1.1028	1.0881	1.0875	0.9795
	每股盈余公积金(元)	0.0917	0.0907	0.0815	0.0840
	每股未分配利润(元)	0.7524	0.7179	0.7419	0.7030
	净资产收益率(%)	1.9378	3.2960	3.7809	6.8050
	加权净资产收益率(%)	1.9400	3.3800	3.9200	8.4600
	净资产收益率(扣除)(%)	1.7561	2.6385	3.4812	6.6189
	总资产(万元)	501374.34	515485.50	508046.98	489946.15
	归属母公司股东权益(万元)	258907.09	256788.29	258589.22	238239.32
	营业收入(万元)	115191.07	279373.50	147943.19	261100.91
	营业支出(万元)	80445.26	196053.58	103315.42	181154.21
	投资收益(万元)	34.16	211.38	219.14	-6.04
	净利润(万元)	5402.00	8880.40	10022.86	16513.48
	营业利润(万元)	5978.12	9297.16	11107.30	18946.49
	利润总额(万元)	6649.41	11215.37	12038.43	19419.43

安徽江南化工股份有限公司

公司概况	公司名称	安徽江南化工股份有限公司			证券简称	江南化工
	法人代表	冯忠波	董秘	赵磊	证券代码	002226
	公司网址	www.ahjnhg.com		电子信箱	ahjnhg@ahjnhg.com	
	电话	0551-65862589		传真	0551-5862577	
	办公地址	安徽省合肥市政务文化新区怀宁路 1639 号平安大厦 17 层				
	经营范围	工业炸药的生产、销售、主要产品为胶状乳化炸药、粉状乳化炸药				

	指标\报告期	2016.06.30	2015.12.31	2015.06.30	2014.12.31
主要财务指标	基本每股收益(元)	0.0531	0.0450	0.0635	0.2030
	基本每股收益(扣除后)(元)	0.0483	0.0365	0.0592	0.3920
	稀释每股收益(元)	0.0531	0.0450	0.0635	0.2030
	每股净资产(元)	3.5244	3.9707	3.6047	6.3861
	每股经营现金净流量(元)	0.0258	0.2950	0.1374	0.9412
	每股现金流量(元)	-0.0160	-0.3320	-0.2656	-0.2045
	每股资本公积金(元)	1.4084	1.4076	1.4053	3.7982
	每股盈余公积金(元)	0.1082	0.1082	0.0972	0.1945
	每股未分配利润(元)	0.4922	0.4392	0.4652	1.2534
	净资产收益率(%)	1.5053	1.1368	1.7622	6.3663
	加权净资产收益率(%)	1.4200	1.2700	1.9600	6.4300
	净资产收益率(扣除)(%)	1.3713	0.9225	1.6436	6.1518
	总资产(万元)	441450.93	463533.05	435857.90	402521.89
	归属母公司股东权益(万元)	278882.11	314194.41	287140.01	254347.50
	营业收入(万元)	61710.70	135808.65	63361.87	179255.09
	营业支出(万元)	32489.98	70926.70	32509.48	91959.24
	投资收益(万元)	910.00	1903.76	1705.84	1494.17
	净利润(万元)	5294.38	7043.45	7296.65	23319.79
	营业利润(万元)	6324.80	10249.69	8558.35	29069.29
	利润总额(万元)	6809.19	10770.36	9028.87	29890.33

深圳奥特迅电力设备股份有限公司

公司概况	公司名称	深圳奥特迅电力设备股份有限公司			证券简称	奥特迅
	法人代表	廖晓霞	董秘	廖晓东	证券代码	002227
	公司网址	www.atc-a.com		电子信箱	atczq@vip.163.com	
	电话	0755-26520515		传真	0755-26520515	
	办公地址	广东省深圳市南山区高新技术产业园北区松坪山路 3 号奥特迅电力大厦				
	经营范围	生产经营高频开关电源、电力电源设备、无功补偿装置、绝缘监测装置				

	指标\报告期	2016.06.30	2015.12.31	2015.06.30	2014.12.31
主要财务指标	基本每股收益(元)	-0.0387	0.0438	-0.0408	0.3734
	基本每股收益(扣除后)(元)	-0.0372	0.0289	-0.0408	0.3636
	稀释每股收益(元)	-0.0387	0.0436	-0.0404	0.3708
	每股净资产(元)	3.5224	3.5193	3.3885	3.4746
	每股经营现金净流量(元)	-0.5661	0.1275	-0.1072	-0.0539
	每股现金流量(元)	-0.4098	-0.0568	-0.1130	0.0966
	每股资本公积金(元)	1.4024	1.3928	1.3139	1.2776
	每股盈余公积金(元)	0.2662	0.2559	0.2584	0.2371
	每股未分配利润(元)	0.8532	0.9020	0.8214	0.9650
	净资产收益率(%)	-1.0984	1.2313	-1.2045	10.7133
	加权净资产收益率(%)	-1.1000	1.2600	-1.1800	11.6000
	净资产收益率(扣除)(%)	-1.0586	0.8127	-1.2040	10.4317
	总资产(万元)	95967.65	100947.65	96812.57	96884.32
	归属母公司股东权益(万元)	77668.31	77657.89	74364.81	76248.95
	营业收入(万元)	14583.76	34376.27	14032.73	45795.63
	营业支出(万元)	9871.23	22814.94	8942.05	26842.13
	投资收益(万元)	-	-	-	74.65
	净利润(万元)	-883.71	877.97	-950.88	8117.15
	营业利润(万元)	-1185.73	359.83	-1184.56	8239.67
	利润总额(万元)	-1035.64	1284.33	-826.21	9160.37

厦门合兴包装印刷股份有限公司

公司概况						
公司名称	厦门合兴包装印刷股份有限公司			证券简称	合兴包装
法人代表	许晓光	董秘	康春华	证券代码	002228
公司网址	www.hxpp.com.cn		电子信箱	zqb@hxpp.com.cn	
电　话	0592-7896162		传　真	0592-7896162	
办公地址	福建省厦门市同安工业集中区梧侣路19号				
经营范围	生产中高档瓦楞纸箱及纸、塑等各种包装印刷制品、研究和开发新型彩色印刷产品				

主要财务指标：指标\报告期	2016.06.30	2015.12.31	2015.06.30	2014.12.31
基本每股收益(元)	0.0500	0.3200	0.0700	0.3600
基本每股收益(扣除后)(元)	0.0400	0.3000	0.1800	0.3500
稀释每股收益(元)	0.0500	0.3200	0.0700	0.3600
每股净资产(元)	1.5167	4.2099	4.0793	3.0512
每股经营现金净流量(元)	0.0919	0.4304	0.1603	0.9205
每股现金流量(元)	-0.0388	0.3494	0.4487	0.1084
每股资本公积金(元)	0.0124	1.8346	1.8346	0.8001
每股盈余公积金(元)	0.0309	0.0829	0.0651	0.0690
每股未分配利润(元)	0.4734	1.2923	1.1796	1.1821
净资产收益率(%)	3.2205	7.3169	4.3512	11.8417
加权净资产收益率(%)	3.2000	8.2800	5.3500	12.3900
净资产收益率(扣除)(%)	2.7073	7.0109	4.1537	11.3660
总资产(万元)	322679.94	298319.26	286413.63	244885.76
归属母公司股东权益(万元)	158182.48	156813.04	151950.80	106031.08
营业收入(万元)	161055.65	285247.40	138754.02	271647.44
营业支出(万元)	132790.86	228991.35	109929.20	215537.13
投资收益(万元)	98.16	213.61	19.38	-137.12
净利润(万元)	5911.02	12314.91	7060.93	13188.75
营业利润(万元)	6177.90	15357.10	8618.06	16243.99
利润总额(万元)	7727.02	15988.87	9017.08	16915.00

鸿博股份有限公司

公司概况					
公司名称	鸿博股份有限公司			证券简称	鸿博股份
法人代表	尤友岳	董秘	陈显章	证券代码	002229
公司网址	www.hb-print.com.cn		电子信箱	hongbo_printing@hb-group.com.cn	
电　话	0591-88070028		传　真	0591-83840666	
办公地址	福建省福州市金山开发区金达路136号				
经营范围	出版物、包装装潢印刷品、其他印刷品印刷、磁卡、智能卡的研制与加工等				

主要财务指标：指标\报告期	2016.06.30	2015.12.31	2015.06.30	2014.12.31
基本每股收益(元)	-0.0636	0.0308	-0.0228	0.0928
基本每股收益(扣除后)(元)	-0.0640	-0.0969	-0.0297	0.0785
稀释每股收益(元)	-0.0636	0.0308	-0.0228	0.0928
每股净资产(元)	2.8654	2.9212	2.8677	2.8904
每股经营现金净流量(元)	-0.4468	0.3375	-0.2012	0.0699
每股现金流量(元)	-0.8857	0.9868	-0.0633	0.0509
每股资本公积金(元)	1.1212	1.1212	1.1212	1.1212
每股盈余公积金(元)	0.1319	0.1319	0.1192	0.1192
每股未分配利润(元)	0.6123	0.6680	0.6272	0.6499
净资产收益率(%)	-2.2196	1.0531	-0.7935	3.2108
加权净资产收益率(%)	-2.2000	1.0600	-0.7900	3.2500
净资产收益率(扣除)(%)	-2.2329	-3.3174	-1.0354	2.7159
总资产(万元)	180810.57	204580.87	138028.41	136575.51
归属母公司股东权益(万元)	85442.81	87105.69	85509.85	86188.34
营业收入(万元)	38963.41	66071.61	31733.17	86351.30
营业支出(万元)	27330.86	50152.82	24272.40	65851.63
投资收益(万元)	210.00	4552.03	450.00	-
净利润(万元)	-502.28	1696.09	-353.73	3644.31
营业利润(万元)	-608.09	892.15	-714.50	2267.95
利润总额(万元)	-564.51	1822.25	-311.20	3392.22

科大讯飞股份有限公司

公司概况					
公司名称	科大讯飞股份有限公司			证券简称	科大讯飞
法人代表	刘庆峰	董秘	江涛	证券代码	002230
公司网址	www.iflytek.com		电子信箱	xunfei@iflytek.com	
电　话	0551-5331880		传　真	0551-5331802	
办公地址	安徽省合肥市高新开发区望江西路666号				
经营范围	语音核心技术及其相关产品研发、生产与销售				

主要财务指标：指标\报告期	2016.06.30	2015.12.31	2015.06.30	2014.12.31
基本每股收益(元)	0.1200	0.3400	0.1200	0.3200
基本每股收益(扣除后)(元)	0.0700	0.2600	0.0700	0.3600
稀释每股收益(元)	0.1200	0.3400	0.1200	0.3200
每股净资产(元)	4.8723	4.8714	3.1764	4.6160
每股经营现金净流量(元)	-0.3530	0.4007	-0.0777	0.5231
每股现金流量(元)	-0.2369	1.2263	-0.2717	-0.8564
每股资本公积金(元)	2.8717	2.8846	1.3638	2.4136
每股盈余公积金(元)	0.0764	0.0768	0.0667	0.1016
每股未分配利润(元)	0.9241	0.9100	0.7459	1.1009
净资产收益率(%)	2.4425	6.7855	3.7070	10.2365
加权净资产收益率(%)	2.4100	9.1700	3.8500	10.7900
净资产收益率(扣除)(%)	1.4044	5.0457	2.1176	7.7912
总资产(万元)	917364.96	839034.14	550485.79	516989.59
归属母公司股东权益(万元)	630358.87	626773.45	386000.76	370662.76
营业收入(万元)	146211.03	250079.91	103915.20	177521.06
营业支出(万元)	76349.31	127803.06	52615.14	78758.37
投资收益(万元)	2190.10	3911.29	1200.54	1271.92
净利润(万元)	14606.56	43658.43	14115.71	38848.66
营业利润(万元)	10447.54	29774.83	7468.73	28806.39
利润总额(万元)	18286.59	46454.17	16346.65	43374.92

奥维通信股份有限公司

公司概况					
公司名称	奥维通信股份有限公司			证券简称	奥维通信
法人代表	杜方	董秘	吕琦	证券代码	002231
公司网址	www.syallwin.com		电子信箱	pub@syallwin.com	
电　话	024-83782200		传　真	024-83782200	
办公地址	辽宁省沈阳市浑南新区高歌路6号				
经营范围	通信产品、视频监控设备、广播电视发射设备、无线电发射与接收设备等				

主要财务指标：指标\报告期	2016.06.30	2015.12.31	2015.06.30	2014.12.31
基本每股收益(元)	-0.0545	0.0248	-0.0252	0.0219
基本每股收益(扣除后)(元)	-0.0624	0.0124	-0.0318	-0.0110
稀释每股收益(元)	-0.0545	0.0248	-0.0252	0.0219
每股净资产(元)	1.7870	1.8412	1.7912	1.8263
每股经营现金净流量(元)	-0.0963	0.1690	-0.0300	-0.0106
每股现金流量(元)	-0.1149	0.0619	-0.0314	-0.0342
每股资本公积金(元)	0.4265	0.4265	0.4265	0.4265
每股盈余公积金(元)	0.0799	0.0799	0.0765	0.0765
每股未分配利润(元)	0.2806	0.3348	0.2882	0.3234
净资产收益率(%)	-3.0482	1.3494	-1.4055	1.1998
加权净资产收益率(%)	-3.0000	1.3500	-1.3900	1.2100
净资产收益率(扣除)(%)	-3.4910	0.6759	-1.7747	-0.6004
总资产(万元)	81192.29	84945.84	89775.71	85681.02
归属母公司股东权益(万元)	63760.84	65693.38	63908.68	65163.73
营业收入(万元)	13934.51	38980.12	9698.65	43849.52
营业支出(万元)	11474.35	29163.74	7675.95	30129.65
投资收益(万元)	-	-	-	-0.79
净利润(万元)	-2235.90	472.88	-1107.14	460.70
营业利润(万元)	-2289.39	133.35	-1331.41	-1262.56
利润总额(万元)	-1978.32	821.03	-925.78	314.89

启明信息技术股份有限公司

公司概况	公司名称	启明信息技术股份有限公司			证券简称	启明信息
	法人代表	许宪平	董秘	吴铁山	证券代码	002232
	公司网址	www.qm.cn		电子信箱	qm@qm.cn	
	电　话	0431-89603547		传　真	0431-89603547	
	办公地址	吉林省长春市净月高新技术产业开发区百合街 1009 号				
	经营范围	软件开发、汽车电子、技术服务、系统集成、硬件销售五大类				

	指标\报告期	2016.06.30	2015.12.31	2015.06.30	2014.12.31
主要财务指标	基本每股收益(元)	0.0030	0.0077	0.0042	0.0188
	基本每股收益(扣除后)(元)	-0.0077	0.0355	-0.0004	-0.0174
	稀释每股收益(元)	0.0030	0.0077	0.0042	0.0188
	每股净资产(元)	2.4640	2.4621	2.4585	2.4563
	每股经营现金净流量(元)	-0.2988	0.5776	-0.1281	0.2809
	每股现金流量(元)	-0.2999	0.5460	-0.1585	0.0347
	每股资本公积金(元)	0.6410	0.6410	0.6410	0.6410
	每股盈余公积金(元)	0.1316	0.1316	0.1303	0.1259
	每股未分配利润(元)	0.6915	0.6895	0.6872	0.6894
	净资产收益率(%)	0.1203	0.3112	0.1705	0.7661
	加权净资产收益率(%)	0.1200	0.3100	0.1700	0.7700
	净资产收益率(扣除)(%)	-0.3112	1.4419	-0.0164	-0.7067
	总资产(万元)	161447.53	168094.73	157303.82	165220.43
	归属母公司股东权益(万元)	100667.65	100587.38	100442.75	100351.52
	营业收入(万元)	37235.18	138899.21	48623.85	138763.66
	营业支出(万元)	29747.67	109470.82	39680.75	116269.47
	投资收益(万元)	-	-	-	-
	净利润(万元)	269.88	460.73	233.65	776.74
	营业利润(万元)	-123.93	2435.13	347.07	-1438.59
	利润总额(万元)	395.25	1097.27	597.94	346.23

广东塔牌集团股份有限公司

公司概况	公司名称	广东塔牌集团股份有限公司			证券简称	塔牌集团
	法人代表	何坤皇	董秘	曾皓平	证券代码	002233
	公司网址	www.tapai.com		电子信箱	gdtpzhp@126.com	
	电　话	0753-7887036		传　真	0753-7887233	
	办公地址	广东省梅州市蕉岭县蕉城镇(塔牌大厦)				
	经营范围	制造水泥、水泥熟料、制造、加工、销售建筑材料、水泥机械及零部件等				

	指标\报告期	2016.06.30	2015.12.31	2015.06.30	2014.12.31
主要财务指标	基本每股收益(元)	0.1231	0.4258	0.2077	0.6798
	基本每股收益(扣除后)(元)	0.1153	0.3787	0.1782	0.6637
	稀释每股收益(元)	0.1231	0.4258	0.2077	0.6798
	每股净资产(元)	4.8330	4.8900	4.6618	4.7316
	每股经营现金净流量(元)	0.1455	1.1721	0.4468	1.2879
	每股现金流量(元)	0.1706	-0.2274	0.0267	0.0428
	每股资本公积金(元)	1.2010	1.2010	1.1996	1.1996
	每股盈余公积金(元)	0.2566	0.2566	0.1902	0.1902
	每股未分配利润(元)	2.3138	2.3707	2.2188	2.2912
	净资产收益率(%)	2.5467	8.7142	4.4551	14.3682
	加权净资产收益率(%)	2.5200	8.9000	4.3400	15.2400
	净资产收益率(扣除)(%)	2.3849	7.7485	3.8224	14.0260
	总资产(万元)	583504.50	603495.14	538981.23	540811.10
	归属母公司股东权益(万元)	432387.07	437204.44	417072.86	423314.35
	营业收入(万元)	152878.26	383374.68	184114.30	445668.80
	营业支出(万元)	120797.45	293977.81	141334.38	314158.60
	投资收益(万元)	2303.63	3919.11	2242.92	1597.04
	净利润(万元)	11027.61	38046.57	18539.64	60758.04
	营业利润(万元)	14668.20	50336.74	24680.80	83015.52
	利润总额(万元)	14851.01	51300.16	25673.92	82891.24

山东民和牧业股份有限公司

公司概况	公司名称	山东民和牧业股份有限公司			证券简称	民和股份
	法人代表	孙希民	董秘	张东明	证券代码	002234
	公司网址	www.minhe.cn		电子信箱	minhe7525@126.com	
	电　话	0535-5637723		传　真	0535-5855999	
	办公地址	山东省烟台蓬莱市南关路 2-3 号				
	经营范围	羊、牛的饲养;种鸡饲养、种蛋、鸡苗销售				

	指标\报告期	2016.06.30	2015.12.31	2015.06.30	2014.12.31
主要财务指标	基本每股收益(元)	0.5100	-1.0400	-0.4500	0.2100
	基本每股收益(扣除后)(元)	0.4900	-1.0800	-0.4500	0.0700
	稀释每股收益(元)	0.5100	-1.0400	-0.4500	0.2100
	每股净资产(元)	3.4140	2.9024	3.5012	3.9470
	每股经营现金净流量(元)	0.4487	0.5905	0.4860	-0.5738
	每股现金流量(元)	0.6124	-0.3799	-0.3790	-0.7871
	每股资本公积金(元)	2.8535	2.8535	2.8535	2.8535
	每股盈余公积金(元)	0.3922	0.3922	0.3922	0.3922
	每股未分配利润(元)	-0.8316	-1.3432	-0.7445	-0.2986
	净资产收益率(%)	14.9860	-35.9918	-12.7353	5.2582
	加权净资产收益率(%)	16.2000	-30.5000	-11.9700	5.4000
	净资产收益率(扣除)(%)	14.3097	-37.2408	-12.8720	1.8174
	总资产(万元)	217119.42	180905.69	199579.91	218977.28
	归属母公司股东权益(万元)	103119.84	87666.35	105751.30	119219.08
	营业收入(万元)	64666.93	90079.97	44732.55	118641.74
	营业支出(万元)	41630.92	96423.43	49129.63	102609.74
	投资收益(万元)	-678.21	-2623.69	-724.29	-489.14
	净利润(万元)	15453.49	-31552.73	-13467.78	6268.81
	营业利润(万元)	14793.12	-32561.58	-13598.91	2235.33
	利润总额(万元)	15490.45	-31466.66	-13454.37	6337.41

厦门安妮股份有限公司

公司概况	公司名称	厦门安妮股份有限公司			证券简称	安妮股份
	法人代表	张杰	董秘	叶泉青	证券代码	002235
	公司网址	www.anne.com.cn		电子信箱	securities@anne.com.cn	
	电　话	0592-3152372		传　真	0592-3152406	
	办公地址	福建省厦门市集美区杏林锦园南路 99 号				
	经营范围	从事商务信息用纸的研发、生产、销售及综合应用服务				

	指标\报告期	2016.06.30	2015.12.31	2015.06.30	2014.12.31
主要财务指标	基本每股收益(元)	0.0200	0.0558	0.0200	-0.4720
	基本每股收益(扣除后)(元)	0.0100	0.0356	0.0300	-0.4334
	稀释每股收益(元)	0.0200	0.0558	0.0200	-0.4720
	每股净资产(元)	1.2638	1.8662	1.8407	1.8104
	每股经营现金净流量(元)	-0.0852	0.5912	-0.0294	0.2369
	每股现金流量(元)	-0.0964	0.1861	0.0048	-0.1314
	每股资本公积金(元)	0.2476	0.8713	0.8713	0.8713
	每股盈余公积金(元)	0.0670	0.1005	0.0972	0.0972
	每股未分配利润(元)	-0.0507	-0.1057	-0.1278	-0.1581
	净资产收益率(%)	1.5590	2.9903	1.6477	-26.0731
	加权净资产收益率(%)	1.5700	3.0400	1.6600	-23.0700
	净资产收益率(扣除)(%)	0.6380	1.9082	1.5599	-23.9374
	总资产(万元)	63469.44	64746.61	69576.48	61598.16
	归属母公司股东权益(万元)	36967.38	36391.07	35894.31	35302.88
	营业收入(万元)	15555.56	43568.31	21324.02	44962.45
	营业支出(万元)	11393.53	32244.61	15862.28	40173.42
	投资收益(万元)	153.76	-67.64	3.12	293.19
	净利润(万元)	867.92	2198.38	924.00	-9741.76
	营业利润(万元)	884.23	2586.12	971.79	-9369.65
	利润总额(万元)	1074.64	2747.54	1008.64	-9662.17

浙江大华技术股份有限公司

公司概况					
公司名称	浙江大华技术股份有限公司			证券简称	大华股份
法人代表	傅利泉	董秘	吴坚	证券代码	002236
公司网址	www.dahuatech.com		电子信箱	zqsw@dahuatech.com	
电　话	0571-28939522		传　真	0571-28051737	
办公地址	浙江省杭州市滨江区滨安路 1199 号				
经营范围	计算机软件的开发、服务、销售，电子产品及通讯产品的设计、开发、生产、安装及销售等				

主要财务指标 指标＼报告期	2016.06.30	2015.12.31	2015.06.30	2014.12.31
基本每股收益(元)	0.2500	1.2000	0.1600	1.0100
基本每股收益(扣除后)(元)	0.2400	1.1800	0.3900	0.9700
稀释每股收益(元)	0.2500	1.1800	0.1600	1.0100
每股净资产(元)	2.4530	5.5975	4.7979	4.4457
每股经营现金净流量(元)	–0.2296	0.1731	–0.4807	–0.0146
每股现金流量(元)	–0.1824	0.3783	–0.3196	–0.4319
每股资本公积金(元)	0.2009	1.2057	1.1952	1.3403
每股盈余公积金(元)	0.1822	0.4554	0.3156	0.3128
每股未分配利润(元)	1.1156	3.1771	2.5331	2.2138
净资产收益率(%)	9.9792	21.1368	8.3328	21.9633
加权净资产收益率(%)	10.4300	23.5900	8.5600	24.4400
净资产收益率(扣除)(%)	9.7615	20.7993	8.1507	21.2362
总资产(万元)	1188399.11	1150347.08	841097.13	798996.62
归属母公司股东权益(万元)	711219.01	649248.36	556605.54	520266.09
营业收入(万元)	494974.69	1007783.34	346888.72	733188.14
营业支出(万元)	304678.51	632672.98	214525.16	453543.49
投资收益(万元)	1278.21	1401.35	961.75	755.74
净利润(万元)	71037.09	138112.35	46331.69	114426.45
营业利润(万元)	57480.70	120181.65	37861.71	92756.52
利润总额(万元)	81676.49	157824.71	53580.59	125284.39

山东恒邦冶炼股份有限公司

公司概况					
公司名称	山东恒邦冶炼股份有限公司			证券简称	恒邦股份
法人代表	曲胜利	董秘	张俊峰	证券代码	002237
公司网址	www.hbyl.cn		电子信箱	zjf498496@126.com	
电　话	0535-4631769		传　真	0535-4631176	
办公地址	山东省烟台市牟平区水道镇金政街 11 号				
经营范围	黄金的采选、冶炼及化工生产				

主要财务指标 指标＼报告期	2016.06.30	2015.12.31	2015.06.30	2014.12.31
基本每股收益(元)	0.1200	0.2000	0.1300	0.2800
基本每股收益(扣除后)(元)	0.1150	0.1200	0.0700	0.2600
稀释每股收益(元)	0.1200	0.2000	0.1300	0.2800
每股净资产(元)	4.0078	4.0194	3.9671	7.8141
每股经营现金净流量(元)	0.8371	0.9637	0.4381	3.4566
每股现金流量(元)	0.3484	–0.2204	–0.0023	0.3660
每股资本公积金(元)	1.0789	1.0789	1.0789	3.1579
每股盈余公积金(元)	0.2480	0.2480	0.2218	0.4435
每股未分配利润(元)	1.7857	1.6636	1.6195	3.1827
净资产收益率(%)	3.0472	4.9388	3.2292	7.0397
加权净资产收益率(%)	2.9900	3.4300	3.2300	7.2100
净资产收益率(扣除)(%)	2.8757	2.9279	1.6650	3.3500
总资产(万元)	1130499.82	1178844.39	1157494.93	1051508.70
归属母公司股东权益(万元)	364873.85	365922.19	361169.01	355699.85
营业收入(万元)	752813.42	1414400.60	667340.97	1538493.30
营业支出(万元)	709613.25	1327330.96	628331.92	1444317.47
投资收益(万元)	–2441.45	9178.64	–1502.65	7546.34
净利润(万元)	11087.35	16297.42	11213.04	23807.90
营业利润(万元)	13168.10	20073.65	13261.99	28568.85
利润总额(万元)	14016.11	19849.32	13621.20	31125.78

深圳市天威视讯股份有限公司

公司概况					
公司名称	深圳市天威视讯股份有限公司			证券简称	天威视讯
法人代表	郑鼎文	董秘	钟林	证券代码	002238
公司网址	www.topway.com.cn		电子信箱	do@topway.cn	
电　话	0755-83069184 83067777		传　真	0755-83069184 83067777	
办公地址	广东省深圳市福田区彩田路 6001 号				
经营范围	有线广播电视网络及其他通讯网络规划建设及技术服务等				

主要财务指标 指标＼报告期	2016.06.30	2015.12.31	2015.06.30	2014.12.31
基本每股收益(元)	0.2555	0.5292	0.2316	0.4300
基本每股收益(扣除后)(元)	0.2508	0.5100	0.2700	0.4600
稀释每股收益(元)	0.2555	0.5292	0.2316	0.4300
每股净资产(元)	4.1247	4.8439	4.7209	5.9842
每股经营现金净流量(元)	0.3993	1.3916	0.6241	1.6930
每股现金流量(元)	–0.1141	0.3969	0.2405	0.7330
每股资本公积金(元)	0.3956	0.6756	0.8030	1.3439
每股盈余公积金(元)	0.3435	0.4122	0.3851	0.5007
每股未分配利润(元)	2.3856	2.7560	2.5328	3.1396
净资产收益率(%)	6.1955	10.9243	5.7522	9.0735
加权净资产收益率(%)	6.1400	11.3600	5.7300	9.4500
净资产收益率(扣除)(%)	6.0815	10.4404	5.6781	6.5178
总资产(万元)	366440.16	358033.91	313811.93	303777.88
归属母公司股东权益(万元)	254642.30	249197.33	242873.84	236818.04
营业收入(万元)	82173.76	178876.84	67963.77	131568.51
营业支出(万元)	52144.71	118214.70	43642.50	83073.10
投资收益(万元)	576.37	–	–	–
净利润(万元)	15553.76	28072.66	13231.23	21797.67
营业利润(万元)	15393.52	27963.05	13198.06	21887.85
利润总额(万元)	15737.15	28656.90	13410.86	22260.62

奥特佳新能源科技股份有限公司

公司概况					
公司名称	奥特佳新能源科技股份有限公司			证券简称	奥特佳
法人代表	王进飞	董秘	郑维龙	证券代码	002239
公司网址	www.aotecar002239.com		电子信箱	kingfield@kfield.com.cn	
电　话	0513-80169096 80167888		传　真	0513-80167999	
办公地址	江苏省南通高新技术产业开发区文昌路 666 号				
经营范围	生产服装及服装辅料、梭织面料、针织面料、销售自产产品				

主要财务指标 指标＼报告期	2016.06.30	2015.12.31	2015.06.30	2014.12.31
基本每股收益(元)	0.1700	0.2800	0.1300	0.0300
基本每股收益(扣除后)(元)	0.1600	0.2400	0.1000	0.0300
稀释每股收益(元)	0.1700	0.2800	0.1300	0.0300
每股净资产(元)	3.7343	3.5659	3.4323	1.4934
每股经营现金净流量(元)	0.1056	0.1362	0.0641	0.1241
每股现金流量(元)	–0.0688	0.1594	0.3646	0.5251
每股资本公积金(元)	2.1930	2.1938	2.1870	0.0710
每股盈余公积金(元)	0.0132	0.0132	0.0116	0.0295
每股未分配利润(元)	0.5192	0.3531	0.2357	0.3982
净资产收益率(%)	4.4459	5.8357	2.3040	1.8183
加权净资产收益率(%)	4.5500	9.0000	5.1100	1.8200
净资产收益率(扣除)(%)	4.1951	5.1022	1.8129	–
总资产(万元)	708626.26	669504.57	538759.39	71702.28
归属母公司股东权益(万元)	400679.69	382615.84	368272.88	63036.56
营业收入(万元)	245536.67	248356.00	69566.58	45000.20
营业支出(万元)	188849.60	185535.82	52646.48	37868.90
投资收益(万元)	1930.19	729.83	–1.98	906.06
净利润(万元)	17876.72	22321.62	8495.42	580.21
营业利润(万元)	20108.66	22032.68	7578.77	1724.54
利润总额(万元)	21496.04	25586.79	9989.73	1627.37

广东威华股份有限公司

公司概况					
公司名称	广东威华股份有限公司			证券简称	威华股份
法人代表	王天广	董秘	凌友娣	证券代码	002240
公司网址	www.weihuaonline.com		电子信箱	002240@gdweihua.cn	
电　话	0755-82557707		传　真	0755-82725977	
办公地址	广东省深圳市福田区华富路 1018 号中航中心 31 楼 3101-3102				
经营范围	人造板、家私、木材、木制品加工和销售以及造林工程设计、林木种植等业务				

主要财务指标 指标\报告期	2016.06.30	2015.12.31	2015.06.30	2014.12.31
基本每股收益(元)	-0.1300	-0.3970	-0.0130	0.0200
基本每股收益(扣除后)(元)	-0.1222	-0.3970	-0.0200	0.0100
稀释每股收益(元)	-0.1300	-0.3970	-0.0130	0.0200
每股净资产(元)	2.6938	2.8236	3.2079	3.2207
每股经营现金净流量(元)	-0.0480	0.2037	0.0122	0.4942
每股现金流量(元)	0.1226	-0.0121	0.0236	0.0385
每股资本公积金(元)	1.9422	1.9422	1.9422	1.9422
每股盈余公积金(元)	0.1668	0.1668	0.1668	0.1668
每股未分配利润(元)	-0.4152	-0.2853	0.0989	0.1117
净资产收益率(%)	-4.8215	-14.0612	-0.3984	0.7220
加权净资产收益率(%)	-4.7100	-13.1400	-0.4000	0.7200
净资产收益率(扣除)(%)	-4.5370	-14.1959	-0.6913	0.4339
总资产(万元)	239430.63	240202.82	268654.54	268137.73
归属母公司股东权益(万元)	132184.18	138557.43	157413.20	158040.28
营业收入(万元)	57837.21	143984.60	67039.66	171545.25
营业支出(万元)	53906.15	135592.85	58964.85	152244.90
投资收益(万元)	18662.27	-	-	-
净利润(万元)	-6439.19	-19888.00	-680.53	1027.76
营业利润(万元)	-6692.98	-24617.64	-3714.77	-7134.38
利润总额(万元)	-6263.95	-19690.19	-482.72	1244.57

歌尔股份有限公司

公司概况					
公司名称	歌尔股份有限公司			证券简称	歌尔股份
法人代表	姜滨	董秘	贾军安	证券代码	002241
公司网址	www.goertek.com		电子信箱	ir@goertek.com	
电　话	0536-8525688		传　真	0536-8525669	
办公地址	山东省潍坊市高新技术产业开发区东方路 268 号				
经营范围	微型电声元器件和消费类电声产品的研发、制造和销售				

主要财务指标 指标\报告期	2016.06.30	2015.12.31	2015.06.30	2014.12.31
基本每股收益(元)	0.3100	0.8200	0.3400	1.0900
基本每股收益(扣除后)(元)	0.2800	0.7900	0.3400	1.0400
稀释每股收益(元)	0.3100	0.8200	0.3400	1.0900
每股净资产(元)	6.3728	6.1614	5.7169	5.4578
每股经营现金净流量(元)	0.2898	1.5782	0.5645	0.7631
每股现金流量(元)	-1.2486	-0.1221	-0.8823	1.4741
每股资本公积金(元)	1.3363	1.3356	1.3653	1.3429
每股盈余公积金(元)	0.4059	0.4060	0.2983	0.2983
每股未分配利润(元)	3.3768	3.1665	2.7942	2.5546
净资产收益率(%)	4.8748	13.3028	5.9402	19.8944
加权净资产收益率(%)	4.9200	14.0800	6.0300	23.2900
净资产收益率(扣除)(%)	4.4021	12.8858	5.9233	19.0830
总资产(万元)	2029018.82	1924794.60	1689809.30	1775773.68
归属母公司股东权益(万元)	972879.62	940512.14	872644.58	833093.77
营业收入(万元)	654509.90	1365602.58	541637.05	1269898.60
营业支出(万元)	504632.97	1025614.50	400901.49	921553.81
投资收益(万元)	-281.21	23.64	20.17	213.21
净利润(万元)	46278.29	124040.54	51534.32	168431.16
营业利润(万元)	49990.46	144273.56	60860.74	192411.42
利润总额(万元)	55620.56	149058.06	61081.53	200580.05

九阳股份有限公司

公司概况					
公司名称	九阳股份有限公司			证券简称	九阳股份
法人代表	王旭宁	董秘	韩润	证券代码	002242
公司网址	www.joyoung.com		电子信箱	shaojisheng@joyoung.com	
电　话	0571-81639093 81639178		传　真	0571-81639096	
办公地址	山东省济南市槐荫区经十路 28038 号				
经营范围	豆浆机和厨房小家电产品的研发、生产和销售				

主要财务指标 指标\报告期	2016.06.30	2015.12.31	2015.06.30	2014.12.31
基本每股收益(元)	0.4700	0.8100	0.4200	0.7000
基本每股收益(扣除后)(元)	0.4000	0.7100	0.3900	0.6200
稀释每股收益(元)	0.4700	0.8100	0.4200	0.7000
每股净资产(元)	4.0376	4.2664	3.8542	4.0337
每股经营现金净流量(元)	-0.0899	1.1218	0.7925	0.7754
每股现金流量(元)	-0.3116	-0.2899	-0.6778	0.2236
每股资本公积金(元)	1.2165	1.2172	1.2144	1.2107
每股盈余公积金(元)	0.5183	0.5182	0.5182	0.5181
每股未分配利润(元)	1.3269	1.5527	1.1608	1.3448
净资产收益率(%)	11.7369	18.9303	10.7871	17.1647
加权净资产收益率(%)	10.5200	19.7200	9.7900	17.7900
净资产收益率(扣除)(%)	10.0228	16.6139	10.1351	15.1798
总资产(万元)	462684.64	589059.70	466140.90	496575.54
归属母公司股东权益(万元)	309915.84	327538.14	295905.49	309737.99
营业收入(万元)	331000.44	706008.91	316662.55	594351.33
营业支出(万元)	222836.82	480884.57	215410.37	400314.54
投资收益(万元)	319.62	3926.92	2275.47	3081.90
净利润(万元)	37898.18	67092.45	33530.51	61542.99
营业利润(万元)	40915.42	74567.62	40398.12	71235.14
利润总额(万元)	45710.51	79056.71	40161.18	75644.69

深圳市通产丽星股份有限公司

公司概况					
公司名称	深圳市通产丽星股份有限公司			证券简称	通产丽星
法人代表	曹海成	董秘	彭晓华	证券代码	002243
公司网址	www.beautystar.cn		电子信箱	bs@beautystar.cn	
电　话	0755-28483234		传　真	0755-28483900*8102	
办公地址	广东省深圳市龙岗区龙岗大道(坪地段)1001 号通产丽星科技产业园				
经营范围	化妆品塑料包装的生产和销售				

主要财务指标 指标\报告期	2016.06.30	2015.12.31	2015.06.30	2014.12.31
基本每股收益(元)	0.0273	0.0209	-0.0345	-0.0996
基本每股收益(扣除后)(元)	0.0173	-0.0163	-0.0461	-0.0776
稀释每股收益(元)	0.0273	0.0209	-0.0345	-0.0996
每股净资产(元)	3.9899	3.9627	3.9073	3.9417
每股经营现金净流量(元)	0.1282	0.3769	0.2077	0.2803
每股现金流量(元)	0.0595	-0.2714	-0.0277	-0.3395
每股资本公积金(元)	2.0818	2.0818	2.0818	2.0818
每股盈余公积金(元)	0.0903	0.0903	0.0871	0.0871
每股未分配利润(元)	0.8179	0.7906	0.7385	0.7729
净资产收益率(%)	0.6838	0.5280	-0.8818	-2.5276
加权净资产收益率(%)	0.6900	0.5300	-0.8800	-2.4900
净资产收益率(扣除)(%)	0.4344	-0.3443	-1.1791	-1.9680
总资产(万元)	174343.62	175662.94	184108.12	195128.26
归属母公司股东权益(万元)	145612.49	144616.85	142595.92	143853.31
营业收入(万元)	50689.25	102097.20	47701.35	106278.70
营业支出(万元)	40610.94	84742.90	40481.54	92357.51
投资收益(万元)	1.44	109.15	71.71	383.00
净利润(万元)	1198.02	1311.14	-1043.94	-3589.41
营业利润(万元)	1275.93	407.79	-1115.55	-4564.48
利润总额(万元)	1680.72	1584.67	-752.78	-4130.46

杭州滨江房产集团股份有限公司

公司概况					
公司名称	杭州滨江房产集团股份有限公司			证券简称	滨江集团
法人代表	戚金兴	董秘	李渊	证券代码	002244
公司网址	www.binjiang.com.cn			电子信箱	office@binjiang.com.cn
电　话	0571-86987771			传　真	0571-86987779
办公地址	浙江省杭州市庆春东路 38 号				
经营范围	房地产开发、房屋建筑、商品房销售、水电安装、室内外装潢				

主要财务指标　指标\报告期	2016.06.30	2015.12.31	2015.06.30	2014.12.31
基本每股收益(元)	0.2300	0.3700	0.3800	0.3100
基本每股收益(扣除后)(元)	0.2300	0.3700	0.1900	0.6100
稀释每股收益(元)	0.2300	0.3700	0.3800	0.3100
每股净资产(元)	3.8784	3.2414	6.1215	5.8881
每股经营现金净流量(元)	2.1645	2.9766	1.6350	-0.9741
每股现金流量(元)	1.0169	0.6280	0.8769	-0.1188
每股资本公积金(元)	0.7514	0.0089	0.4178	0.4178
每股盈余公积金(元)	0.2241	0.2579	0.5000	0.5000
每股未分配利润(元)	1.8985	1.9732	4.2037	3.9704
净资产收益率(%)	5.5872	11.4419	6.2625	10.4141
加权净资产收益率(%)	6.4500	12.0200	6.3300	10.9100
净资产收益率(扣除)(%)	5.5877	11.3197	6.2742	10.2919
总资产(万元)	4820310.31	4223021.76	3955714.19	3824577.28
归属母公司股东权益(万元)	1206728.63	876479.08	827625.96	796075.88
营业收入(万元)	842151.64	1261755.52	594516.25	1175856.96
营业支出(万元)	591374.19	854566.77	433380.99	911341.45
投资收益(万元)	1.96	87.41	12.45	78.41
净利润(万元)	86177.61	150385.65	65696.98	80600.75
营业利润(万元)	128863.12	206642.78	91998.49	116205.66
利润总额(万元)	127956.96	207164.48	91658.10	116127.90

江苏澳洋顺昌股份有限公司

公司概况					
公司名称	江苏澳洋顺昌股份有限公司			证券简称	澳洋顺昌
法人代表	沈学如	董秘	林文华	证券代码	002245
公司网址	www.aucksun.com			电子信箱	secretary@aucksun.com
电　话	0512-58161276			传　真	0512-58161233
办公地址	江苏省张家港市杨舍镇新泾中路 10 号				
经营范围	从事冷轧钢板的涂层生产及涂层板、镀锌板、铝合金板等金属材料的加工等				

主要财务指标　指标\报告期	2016.06.30	2015.12.31	2015.06.30	2014.12.31
基本每股收益(元)	0.0917	0.2493	0.1377	0.1856
基本每股收益(扣除后)(元)	0.0759	0.1771	0.0982	0.3572
稀释每股收益(元)	0.0912	0.2476	0.1357	0.1856
每股净资产(元)	1.8008	1.6733	1.5492	3.1790
每股经营现金净流量(元)	0.1034	0.3691	0.1639	0.4111
每股现金流量(元)	-0.0322	0.0545	0.0510	0.0696
每股资本公积金(元)	0.0778	0.0619	0.0598	1.0184
每股盈余公积金(元)	0.0653	0.0654	0.0537	0.1184
每股未分配利润(元)	0.6105	0.5500	0.4498	1.0732
净资产收益率(%)	5.0680	14.8200	8.7583	12.1596
加权净资产收益率(%)	5.3000	15.9300	9.0700	14.2500
净资产收益率(扣除)(%)	4.1943	10.5288	6.2435	10.6379
总资产(万元)	388447.55	248779.53	250387.27	250264.42
归属母公司股东权益(万元)	175614.59	162912.22	150855.33	140421.67
营业收入(万元)	69897.12	158438.16	74907.70	151739.99
营业支出(万元)	54382.06	125688.56	58231.68	121729.49
投资收益(万元)	6.71	78.25	104.62	34.05
净利润(万元)	11038.80	27913.18	15224.21	20585.83
营业利润(万元)	12061.72	25693.91	13732.72	22331.59
利润总额(万元)	13883.32	34754.08	18654.07	24886.96

四川北方硝化棉股份有限公司

公司概况					
公司名称	四川北方硝化棉股份有限公司			证券简称	北化股份
法人代表	黄万福	董秘	黄卫平	证券代码	002246
公司网址	www.sn-nc.com			电子信箱	cngchwp@126.com
电　话	0830-2796927			传　真	0830-2796924
办公地址	四川省成都市锦江工业园三色路 209 号火炬动力港南区 8 栋 9 楼				
经营范围	硝化棉产品的研发、生产与销售				

主要财务指标　指标\报告期	2016.06.30	2015.12.31	2015.06.30	2014.12.31
基本每股收益(元)	0.0900	0.1300	0.0500	0.1800
基本每股收益(扣除后)(元)	0.0800	0.1000	0.0400	0.1000
稀释每股收益(元)	0.0900	0.1300	0.0500	0.1800
每股净资产(元)	2.8575	2.7831	2.7061	2.6824
每股经营现金净流量(元)	0.2325	0.2049	0.0544	0.3797
每股现金流量(元)	0.1811	0.0161	-0.0132	-0.0275
每股资本公积金(元)	0.7350	0.7350	0.7350	0.7350
每股盈余公积金(元)	0.0888	0.0888	0.0830	0.0830
每股未分配利润(元)	1.0271	0.9535	0.8801	0.8567
净资产收益率(%)	3.2732	4.7653	1.9742	6.5686
加权净资产收益率(%)	3.3100	4.8500	1.9700	6.8000
净资产收益率(扣除)(%)	2.8902	3.4646	1.4938	3.6353
总资产(万元)	165157.30	159117.18	168255.44	165374.65
归属母公司股东权益(万元)	118212.41	115134.40	111946.64	110966.79
营业收入(万元)	60726.84	150486.96	85104.59	203603.28
营业支出(万元)	45200.86	123113.74	73375.72	173986.57
投资收益(万元)	-	14.71	-	-60.79
净利润(万元)	4023.94	5978.60	2444.12	8053.13
营业利润(万元)	4237.38	4876.25	2103.24	5090.22
利润总额(万元)	4804.92	6733.62	2774.99	9019.52

浙江帝龙文化发展股份有限公司

公司概况					
公司名称	浙江帝龙文化发展股份有限公司			证券简称	帝龙文化
法人代表	姜飞雄	董秘	王晓红	证券代码	002247
公司网址	www.dilong.cc			电子信箱	dsh@dilong.cc
电　话	0571-63818733			传　真	0571-63818603
办公地址	浙江省临安市玲珑街道玲珑工业区环南路 1958 号				
经营范围	新型建筑装饰材料的研发、生产和销售				

主要财务指标　指标\报告期	2016.06.30	2015.12.31	2015.06.30	2014.12.31
基本每股收益(元)	0.1900	0.3300	0.0800	0.3800
基本每股收益(扣除后)(元)	0.1900	0.3200	0.1500	0.3600
稀释每股收益(元)	0.1900	0.3200	0.0800	0.3800
每股净资产(元)	5.0475	4.0087	3.8412	3.7339
每股经营现金净流量(元)	0.0109	0.5077	-0.0118	0.2922
每股现金流量(元)	0.6213	0.1199	0.3039	-0.3611
每股资本公积金(元)	3.6902	1.6390	1.6405	1.5872
每股盈余公积金(元)	0.0538	0.1662	0.1432	0.1433
每股未分配利润(元)	0.4898	1.3022	1.1578	1.1010
净资产收益率(%)	2.5201	8.0923	4.1034	10.0326
加权净资产收益率(%)	6.8600	8.4000	4.1300	10.5400
净资产收益率(扣除)(%)	2.4612	7.7745	3.8857	9.3540
总资产(万元)	530444.91	133379.90	127463.94	122997.07
归属母公司股东权益(万元)	429947.43	106024.94	101639.93	98726.85
营业收入(万元)	60365.55	89518.08	40839.87	86704.56
营业支出(万元)	42514.01	68104.00	31242.53	66254.20
投资收益(万元)	770.07	1789.47	993.42	1489.19
净利润(万元)	10882.85	8641.12	4172.32	9943.42
营业利润(万元)	10367.56	8678.38	3962.21	9723.02
利润总额(万元)	11134.47	9871.62	4642.19	11280.57

威海华东数控股份有限公司

公司概况	公司名称	威海华东数控股份有限公司		证券简称	华东数控
	法人代表	刘永强	董秘 孙吉庆	证券代码	002248
	公司网址	www.huadongcnc.com		电子信箱	hdsjq@126.com
	电　话	0631-5902248 5912929		传　真	0631-5967988
	办公地址	山东省威海市经济技术开发区环山路 698 号			
	经营范围	数控系统、数控机床、切削工具、手工具、金属切削机床、机床附件等			

主要财务指标	指标\报告期	2016.06.30	2015.12.31	2015.06.30	2014.12.31
	基本每股收益(元)	-0.1800	-0.6886	-0.1600	0.0100
	基本每股收益(扣除后)(元)	-0.1900	-0.6926	-0.1600	-0.4200
	稀释每股收益(元)	-0.1800	-0.6886	-0.1600	0.0100
	每股净资产(元)	2.6665	2.8397	3.3630	3.5193
	每股经营现金净流量(元)	-0.0515	-0.1292	-0.0404	-0.2278
	每股现金流量(元)	0.0142	-0.0011	0.0749	-0.1410
	每股资本公积金(元)	2.3885	2.3882	2.3882	2.3882
	每股盈余公积金(元)	0.1841	0.1841	0.1841	0.1841
	每股未分配利润(元)	-0.9463	-0.7695	-0.2410	-0.0808
	净资产收益率(%)	-6.6329	-24.2503	-4.7626	0.3595
	加权净资产收益率(%)	-6.4300	-21.6900	-4.6600	0.3900
	净资产收益率(扣除)(%)	-7.0545	-24.3912	-4.8197	-11.6133
	总资产(万元)	211967.67	216039.03	238397.41	236240.48
	归属母公司股东权益(万元)	81994.86	87319.78	103409.80	108216.96
	营业收入(万元)	7964.64	23042.87	9013.36	34549.97
	营业支出(万元)	8660.81	23131.84	8643.54	31303.68
	投资收益(万元)	-	29.95	29.95	8123.47
	净利润(万元)	-6869.18	-24846.08	-6215.52	-2610.59
	营业利润(万元)	-7215.67	-24890.55	-6326.55	-10626.33
	利润总额(万元)	-6868.78	-24769.52	-6282.15	-3174.52

中山大洋电机股份有限公司

公司概况	公司名称	中山大洋电机股份有限公司		证券简称	大洋电机
	法人代表	鲁楚平	董秘 熊杰明	证券代码	002249
	公司网址	www.broad-ocean.com.cn		电子信箱	bom@broad-ocean.com
	电　话	0760-88555306		传　真	0760-88559031
	办公地址	广东省中山市西区沙朗第三工业区			
	经营范围	微特电机的生产与销售			

主要财务指标	指标\报告期	2016.06.30	2015.12.31	2015.06.30	2014.12.31
	基本每股收益(元)	0.0900	0.2000	0.0900	0.2000
	基本每股收益(扣除后)(元)	0.0800	0.1700	0.0600	0.3600
	稀释每股收益(元)	0.0900	0.2000	0.0900	0.2000
	每股净资产(元)	3.4760	2.0791	2.0358	4.2053
	每股经营现金净流量(元)	0.0528	0.1534	-0.0420	0.6351
	每股现金流量(元)	0.1592	0.3531	0.0033	-1.1183
	每股资本公积金(元)	2.1969	0.6563	0.6432	2.2177
	每股盈余公积金(元)	0.0870	0.1097	0.0900	0.1719
	每股未分配利润(元)	0.2231	0.3312	0.3547	0.8309
	净资产收益率(%)	2.4156	9.5248	4.2156	8.2947
	加权净资产收益率(%)	2.6300	9.5600	4.1300	9.7900
	净资产收益率(扣除)(%)	2.2697	8.2519	3.1760	7.6441
	总资产(万元)	1300752.60	760595.53	674871.86	629514.41
	归属母公司股东权益(万元)	822164.18	358196.36	350739.14	357910.07
	营业收入(万元)	299691.57	491222.99	237522.89	444331.35
	营业支出(万元)	229652.50	383963.92	191703.26	346144.06
	投资收益(万元)	102.51	262.22	-705.00	-464.33
	净利润(万元)	21326.78	37210.96	16169.67	33820.06
	营业利润(万元)	24253.00	37226.26	14219.29	36545.08
	利润总额(万元)	25926.65	43442.62	18945.17	40383.41

联化科技股份有限公司

公司概况	公司名称	联化科技股份有限公司		证券简称	联化科技
	法人代表	牟金香	董秘 陈飞彪	证券代码	002250
	公司网址	www.lianhetech.com		电子信箱	ltss@lianhetech.com
	电　话	0576-84275238		传　真	0576-84275238
	办公地址	浙江省台州市黄岩区劳动北路总商会大厦 17 楼			
	经营范围	精细化学高级中间体的研发、生产和销售			

主要财务指标	指标\报告期	2016.06.30	2015.12.31	2015.06.30	2014.12.31
	基本每股收益(元)	0.3000	0.7700	0.3600	0.6900
	基本每股收益(扣除后)(元)	0.2300	0.7700	0.3600	0.6900
	稀释每股收益(元)	0.2900	0.7700	0.3600	0.6800
	每股净资产(元)	5.1442	4.9572	4.7453	4.2206
	每股经营现金净流量(元)	0.4998	0.7721	0.4672	0.7751
	每股现金流量(元)	-0.2363	0.1617	-0.0108	0.1954
	每股资本公积金(元)	1.1143	1.1020	1.0777	0.8656
	每股盈余公积金(元)	0.2413	0.2413	0.1871	0.1911
	每股未分配利润(元)	2.8840	2.7093	2.4805	2.1639
	净资产收益率(%)	5.7295	15.4175	7.6268	15.9683
	加权净资产收益率(%)	5.7700	16.6100	8.0200	17.9800
	净资产收益率(扣除)(%)	4.4257	15.4239	7.6575	16.1370
	总资产(万元)	593450.66	634516.39	600222.50	579711.54
	归属母公司股东权益(万元)	429477.46	413862.61	396285.58	345091.11
	营业收入(万元)	177223.58	400778.69	192232.34	399026.61
	营业支出(万元)	118755.28	251515.76	119725.22	264813.68
	投资收益(万元)	325.72	542.84	405.95	312.25
	净利润(万元)	24979.35	64457.63	30655.80	55880.51
	营业利润(万元)	22853.12	73612.09	35891.21	66341.82
	利润总额(万元)	29439.18	73610.31	35771.97	65647.10

步步高商业连锁股份有限公司

公司概况	公司名称	步步高商业连锁股份有限公司		证券简称	步步高
	法人代表	王填	董秘 师茜	证券代码	002251
	公司网址	www.bbg.com.cn		电子信箱	bbgshiqian@163.com
	电　话	0731-52322517		传　真	0731-52339867
	办公地址	湖南省湘潭市韶山西路 309 号步步高大厦			
	经营范围	投资商业、普通货物运输、物业管理、仓储保管、商品配送、农副产品加工等			

主要财务指标	指标\报告期	2016.06.30	2015.12.31	2015.06.30	2014.12.31
	基本每股收益(元)	0.2210	0.2781	0.3183	0.5257
	基本每股收益(扣除后)(元)	0.1758	0.2047	0.2749	0.5259
	稀释每股收益(元)	0.2210	0.2781	0.3183	0.5257
	每股净资产(元)	6.3879	6.3162	6.3511	5.6607
	每股经营现金净流量(元)	0.6283	0.7293	0.6528	1.0867
	每股现金流量(元)	0.7946	0.6872	0.7155	-0.1312
	每股资本公积金(元)	3.8335	3.8335	3.8332	2.7291
	每股盈余公积金(元)	0.2686	0.2686	0.2502	0.3264
	每股未分配利润(元)	1.2848	1.2138	1.2677	1.6052
	净资产收益率(%)	3.4596	4.3458	4.8806	10.2155
	加权净资产收益率(%)	3.4500	4.5000	5.1400	10.4400
	净资产收益率(扣除)(%)	2.7528	3.1986	4.2159	9.2972
	总资产(万元)	1288807.08	1227937.62	1158105.12	879735.87
	归属母公司股东权益(万元)	497608.02	492020.44	494740.32	338010.09
	营业收入(万元)	791531.02	1545160.90	806086.84	1229678.83
	营业支出(万元)	619824.37	1206398.33	627531.34	953371.74
	投资收益(万元)	7.01	6.14	-50.05	120.96
	净利润(万元)	17434.48	21451.14	24061.99	34491.57
	营业利润(万元)	19051.76	20200.01	26417.16	42992.82
	利润总额(万元)	22476.74	26435.75	30739.50	45849.42

上海莱士血液制品股份有限公司

公司概况						
	公司名称	上海莱士血液制品股份有限公司			证券简称	上海莱士
	法人代表	陈杰	董秘	刘峥	证券代码	002252
	公司网址	www.raas-corp.com		电子信箱	raas@raas-corp.com	
	电 话	021-22130888 217		传 真	021-37515869	
	办公地址	上海市奉贤区望园路 2009 号				
	经营范围	生产和销售血液制品、疫苗、诊断试剂及检测技术器具和检测技术并提供检测服务				

主要财务指标	指标\报告期	2016.06.30	2015.12.31	2015.06.30	2014.12.31
	基本每股收益(元)	0.2350	0.5200	0.3030	0.2200
	基本每股收益(扣除后)(元)	0.1540	0.2500	0.2000	0.4200
	稀释每股收益(元)	0.2350	0.5200	0.3030	0.2200
	每股净资产(元)	4.0525	3.8635	7.2320	6.3064
	每股经营现金净流量(元)	0.1115	0.2766	0.2051	0.3413
	每股现金流量(元)	–0.0360	0.1699	0.0650	0.8210
	每股资本公积金(元)	2.0518	2.0498	5.0200	4.5920
	每股盈余公积金(元)	0.0893	0.0893	0.1077	0.1087
	每股未分配利润(元)	0.9239	0.7394	1.1066	0.6080
	净资产收益率(%)	5.8011	13.5330	8.3432	5.9335
	加权净资产收益率(%)	5.9100	14.8800	8.9900	15.7600
	净资产收益率(扣除)(%)	3.8014	6.4017	2.7336	5.5964
	总资产(万元)	1239242.89	1155601.17	1078709.40	937945.90
	归属母公司股东权益(万元)	1117976.39	1065847.24	996661.93	860971.34
	营业收入(万元)	103862.25	201332.16	81659.06	131973.52
	营业支出(万元)	36026.13	77750.82	31440.47	49415.77
	投资收益(万元)	428.05	970.52	–20.59	3146.37
	净利润(万元)	67029.52	148042.82	84905.47	51051.48
	营业利润(万元)	78796.52	172932.33	99576.76	59941.04
	利润总额(万元)	79486.11	174919.18	100084.00	60198.17

四川川大智胜软件股份有限公司

公司概况						
	公司名称	四川川大智胜软件股份有限公司			证券简称	川大智胜
	法人代表	游志胜	董秘	宋万忠	证券代码	002253
	公司网址	www.wisesoft.com.cn		电子信箱	wisesoft@wisesoft.com.cn	
	电 话	028-68727816		传 真	028-68727815	
	办公地址	四川省成都市武科东一路七号				
	经营范围	软件、硬件及配套系统开发、系统集成和图象图形工程				

主要财务指标	指标\报告期	2016.06.30	2015.12.31	2015.06.30	2014.12.31
	基本每股收益(元)	0.0600	0.2400	0.0629	0.0800
	基本每股收益(扣除后)(元)	0.0513	0.2100	0.0863	0.0300
	稀释每股收益(元)	0.0600	0.2400	0.0629	0.0800
	每股净资产(元)	5.5800	8.4815	5.8967	5.8024
	每股经营现金净流量(元)	–0.1998	0.8158	0.0320	0.5434
	每股现金流量(元)	–0.6583	–	–0.2528	–0.7929
	每股资本公积金(元)	3.5064	5.7596	3.1823	3.1823
	每股盈余公积金(元)	0.2190	0.3220	0.3256	0.3256
	每股未分配利润(元)	0.8553	1.3998	1.3888	1.2944
	净资产收益率(%)	1.0751	2.6190	1.5997	1.3585
	加权净资产收益率(%)	1.0600	3.7200	1.6100	1.3500
	净资产收益率(扣除)(%)	0.9184	2.3044	1.4633	0.5677
	总资产(万元)	145135.95	160707.37	106034.73	102284.29
	归属母公司股东权益(万元)	125915.90	127576.41	82108.70	80795.22
	营业收入(万元)	14246.72	26123.98	8257.20	22095.97
	营业支出(万元)	10422.13	17024.44	4711.48	16250.01
	投资收益(万元)	122.93	–0.09	–	–17.77
	净利润(万元)	1651.99	3703.75	1429.02	1481.18
	营业利润(万元)	1482.51	3544.93	1501.80	727.63
	利润总额(万元)	1885.67	4120.93	1643.88	1760.32

烟台泰和新材料股份有限公司

公司概况						
	公司名称	烟台泰和新材料股份有限公司			证券简称	泰和新材
	法人代表	孙茂健	董秘	迟海平	证券代码	002254
	公司网址	www.tayho.com.cn		电子信箱	securities@tayho.com.cn	
	电 话	0535-6394123		传 真	0535-6371234 6394123	
	办公地址	山东省烟台市经济技术开发区黑龙江路 10 号				
	经营范围	氨纶纤维、芳纶纤维系列产品的开发、制造和销售				

主要财务指标	指标\报告期	2016.06.30	2015.12.31	2015.06.30	2014.12.31
	基本每股收益(元)	0.0600	0.1600	0.0900	0.2500
	基本每股收益(扣除后)(元)	0.0500	0.1300	0.0800	0.2800
	稀释每股收益(元)	0.0600	0.1600	0.0900	0.2500
	每股净资产(元)	3.2258	3.1703	3.7869	3.6775
	每股经营现金净流量(元)	0.3145	0.1612	0.0029	0.6246
	每股现金流量(元)	0.4013	–0.0902	0.1597	0.0825
	每股资本公积金(元)	0.3791	0.3788	0.6545	0.6545
	每股盈余公积金(元)	0.4897	0.4897	0.5702	0.5702
	每股未分配利润(元)	1.3567	1.3017	1.5619	1.4525
	净资产收益率(%)	1.7063	4.9153	2.8899	8.0780
	加权净资产收益率(%)	1.7200	4.9900	2.9300	8.4200
	净资产收益率(扣除)(%)	1.5020	4.1357	2.5940	7.6192
	总资产(万元)	249521.07	255772.05	253640.57	259702.12
	归属母公司股东权益(万元)	197040.18	193651.62	192764.01	187197.53
	营业收入(万元)	73949.10	159848.13	77724.65	177604.50
	营业支出(万元)	62272.41	129268.39	62161.01	139803.56
	投资收益(万元)	370.06	942.17	584.16	743.23
	净利润(万元)	3400.27	10911.46	6637.82	16781.00
	营业利润(万元)	3914.45	12091.67	7843.06	19515.50
	利润总额(万元)	4197.88	13343.33	8119.07	20078.27

苏州海陆重工股份有限公司

公司概况						
	公司名称	苏州海陆重工股份有限公司			证券简称	海陆重工
	法人代表	徐元生	董秘	张郭一	证券代码	002255
	公司网址	www.hailu-boiler.cn		电子信箱	stock@hailu-boiler.cn	
	电 话	0512-58913056		传 真	0512-58683105	
	办公地址	江苏省张家港市东南大道 1 号(张家港经济技术开发区)				
	经营范围	锅炉(特种锅炉、工业锅炉)、核承压设备、锅炉辅机、压力容器				

主要财务指标	指标\报告期	2016.06.30	2015.12.31	2015.06.30	2014.12.31
	基本每股收益(元)	0.0461	0.1590	0.1010	0.1230
	基本每股收益(扣除后)(元)	0.0397	0.1230	0.0980	0.2160
	稀释每股收益(元)	0.0461	0.1590	0.1010	0.1230
	每股净资产(元)	3.6496	3.6325	3.0773	5.9967
	每股经营现金净流量(元)	–0.0689	0.1583	0.0692	–0.0194
	每股现金流量(元)	–0.1016	0.2546	0.0301	–0.5377
	每股资本公积金(元)	1.4078	1.4078	0.6681	2.3320
	每股盈余公积金(元)	0.1378	0.1378	0.1392	0.2784
	每股未分配利润(元)	1.1039	1.0878	1.2703	2.3891
	净资产收益率(%)	1.2642	3.7616	3.2745	4.1014
	加权净资产收益率(%)	1.2600	5.0200	3.3100	4.2800
	净资产收益率(扣除)(%)	1.0865	2.9018	3.1693	3.6057
	总资产(万元)	360085.52	366239.67	304078.03	323530.50
	归属母公司股东权益(万元)	226506.63	225446.59	158909.24	154833.66
	营业收入(万元)	43417.20	149881.38	66005.11	140415.32
	营业支出(万元)	30605.61	121079.36	51874.83	112663.16
	投资收益(万元)	238.21	433.64	25.89	170.29
	净利润(万元)	3715.52	10458.54	5654.22	6565.21
	营业利润(万元)	3830.18	9801.23	6238.69	7232.27
	利润总额(万元)	4644.90	12043.44	6488.74	8032.52

深圳市兆新能源股份有限公司

公司概况					
公司名称	深圳市兆新能源股份有限公司			证券简称	兆新股份
法人代表	陈永弟	董秘	金红英	证券代码	002256
公司网址	www.7cf.com		电子信箱	dongsh@rainbowvc.com	
电　话	0755-86922889 86922886		传　真	0755-86922800	
办公地址	广东省深圳市南山区高新技术产业园二期科技中二路深圳软件园 11 栋 6 楼				
经营范围	气雾剂系列产品的技术开发、生产与销售				

主要财务指标

指标\报告期	2016.06.30	2015.12.31	2015.06.30	2014.12.31
基本每股收益(元)	0.2000	0.1600	0.1100	0.1300
基本每股收益(扣除后)(元)	0.0900	0.1500	0.1000	0.1300
稀释每股收益(元)	0.2000	0.1600	0.1100	0.1300
每股净资产(元)	4.6170	1.8553	1.8105	1.7416
每股经营现金净流量(元)	0.0741	0.2183	0.1042	-0.0749
每股现金流量(元)	2.8982	0.1618	0.0822	-0.3822
每股资本公积金(元)	3.0696	0.2622	0.2609	0.2366
每股盈余公积金(元)	0.0802	0.1066	0.0923	0.0925
每股未分配利润(元)	0.4723	0.5000	0.4574	0.4124
净资产收益率(%)	3.1767	8.7587	5.8353	7.7013
加权净资产收益率(%)	7.9000	9.1400	5.9700	8.0700
净资产收益率(扣除)(%)	1.4070	7.8826	5.5393	7.6889
总资产(万元)	383956.64	186249.03	134005.69	122606.88
归属母公司股东权益(万元)	217535.01	58488.63	57076.39	54789.48
营业收入(万元)	35640.26	50625.53	26682.78	52802.87
营业支出(万元)	24020.19	32191.29	16773.34	36383.70
投资收益(万元)	3123.58	598.27	219.97	528.97
净利润(万元)	7058.10	5191.51	3456.96	4563.52
营业利润(万元)	6490.39	5044.65	3738.76	5356.70
利润总额(万元)	7846.59	5597.18	3935.98	5366.31

利尔化学股份有限公司

公司概况					
公司名称	利尔化学股份有限公司			证券简称	利尔化学
法人代表	尹英遂	董秘	刘军	证券代码	002258
公司网址	www.lierchem.com		电子信箱	tzfzb@lierchem.com	
电　话	0816-2841069		传　真	0816-2845140	
办公地址	四川省绵阳市经济技术开发区绵州大道南段 327 号				
经营范围	农药原药、制剂、化工材料及化工产品的研发、生产、销售				

主要财务指标

指标\报告期	2016.06.30	2015.12.31	2015.06.30	2014.12.31
基本每股收益(元)	0.1900	0.6800	0.1800	0.4600
基本每股收益(扣除后)(元)	0.1900	0.6300	0.4234	0.4600
稀释每股收益(元)	0.1900	0.6800	0.1800	0.4600
每股净资产(元)	3.6685	6.4174	6.1701	5.7253
每股经营现金净流量(元)	0.0162	0.7745	0.4546	0.6932
每股现金流量(元)	0.1990	0.3307	-0.1137	0.0172
每股资本公积金(元)	1.5450	2.1012	2.1012	2.1012
每股盈余公积金(元)	0.1740	0.4507	0.3877	0.3877
每股未分配利润(元)	0.9254	2.8196	2.6361	2.1987
净资产收益率(%)	5.0931	10.6571	7.0893	7.9730
加权净资产收益率(%)	5.4000	11.2700	7.3500	8.2600
净资产收益率(扣除)(%)	5.0902	9.7538	6.8628	8.0608
总资产(万元)	290333.26	255667.63	222975.25	204213.10
归属母公司股东权益(万元)	192368.30	129916.62	124909.30	115905.62
营业收入(万元)	91819.21	148907.15	80868.82	131738.96
营业支出(万元)	68136.69	112981.11	61144.93	102751.44
投资收益(万元)	13.41	-231.17	-222.99	-213.63
净利润(万元)	10322.20	14475.28	8922.38	9519.38
营业利润(万元)	12181.27	15523.20	10138.43	11004.90
利润总额(万元)	12317.60	16820.08	10540.99	11358.05

四川升达林业产业股份有限公司

公司概况					
公司名称	四川升达林业产业股份有限公司			证券简称	升达林业
法人代表	江昌政	董秘	方峻	证券代码	002259
公司网址	www.shengdawood.com		电子信箱	mail@shengdawood.com	
电　话	028-86783590		传　真	028-86755286	
办公地址	四川省成都市锦江区东华正街 42 号				
经营范围	林木种植、中纤板的生产与销售、木地板的生产与销售				

主要财务指标

指标\报告期	2016.06.30	2015.12.31	2015.06.30	2014.12.31
基本每股收益(元)	0.0118	0.0210	0.0115	0.0240
基本每股收益(扣除后)(元)	0.0107	-0.0060	-0.0045	-0.1500
稀释每股收益(元)	0.0118	0.0210	0.0115	0.0240
每股净资产(元)	2.1356	1.3262	1.3162	1.3074
每股经营现金净流量(元)	0.0082	0.2940	0.0141	0.0682
每股现金流量(元)	0.9871	0.3445	-0.0062	0.1778
每股资本公积金(元)	0.9617	0.1355	0.1369	0.1397
每股盈余公积金(元)	0.0277	0.0324	0.0286	0.0286
每股未分配利润(元)	0.1443	0.1566	0.1506	0.1391
净资产收益率(%)	0.4848	1.6059	0.8747	1.8270
加权净资产收益率(%)	0.7900	1.6100	0.8800	1.8500
净资产收益率(扣除)(%)	0.4390	-0.4682	-0.3382	-11.4415
总资产(万元)	401384.57	318076.52	191569.90	199116.22
归属母公司股东权益(万元)	160663.80	85314.07	84673.04	84110.42
营业收入(万元)	65652.69	65688.53	22550.13	74781.33
营业支出(万元)	54786.92	49651.21	17155.64	62073.58
投资收益(万元)	183.28	-3.42	-	8692.86
净利润(万元)	1960.89	1881.20	580.28	1151.72
营业利润(万元)	2016.21	1453.40	-44.03	-297.16
利润总额(万元)	2111.12	2489.04	491.26	1054.63

德奥通用航空股份有限公司

公司概况					
公司名称	德奥通用航空股份有限公司			证券简称	德奥通航
法人代表	朱家钢	董秘	陈国辉	证券代码	002260
公司网址	www.elecpro.com		电子信箱	elecpro@elecpro.cn	
电　话	0757-88374384		传　真	0757-88374990	
办公地址	广东省佛山市南海区松岗松夏工业园工业大道西				
经营范围	电饭煲、电烤炉、电奶锅、铁板烧、电压力锅等家用小电器				

主要财务指标

指标\报告期	2016.06.30	2015.12.31	2015.06.30	2014.12.31
基本每股收益(元)	-0.0400	-0.0800	-0.0700	0.1200
基本每股收益(扣除后)(元)	-0.0500	-0.0900	-0.0748	0.0500
稀释每股收益(元)	-0.0400	-0.0800	-0.0700	0.1200
每股净资产(元)	1.2233	1.2352	1.2493	2.2519
每股经营现金净流量(元)	-0.0211	-0.0404	-0.0242	0.1656
每股现金流量(元)	-0.1597	0.2358	-0.1272	-0.1180
每股资本公积金(元)	0.0485	0.0485	0.0371	0.8049
每股盈余公积金(元)	0.0610	0.0610	0.0368	0.0626
每股未分配利润(元)	0.1045	0.1431	0.1837	0.4432
净资产收益率(%)	-3.1489	-6.6107	-5.8268	9.4302
加权净资产收益率(%)	-3.1300	-6.4000	-5.6600	9.7700
净资产收益率(扣除)(%)	-4.3790	-7.0300	-5.9866	2.3102
总资产(万元)	93362.37	86146.85	71028.55	69266.11
归属母公司股东权益(万元)	32443.19	32756.58	33130.21	35353.09
营业收入(万元)	27276.13	65442.58	26888.01	69104.48
营业支出(万元)	20851.98	53099.55	22856.63	54977.32
投资收益(万元)	-	-9.35	-14.42	-122.00
净利润(万元)	-1023.48	-2153.60	-1931.54	3473.81
营业利润(万元)	-1714.64	-2771.20	-2241.00	957.35
利润总额(万元)	-1185.20	-2675.52	-2244.21	4450.43

拓维信息系统股份有限公司

公司概况	公司名称	拓维信息系统股份有限公司			证券简称	拓维信息
	法人代表	张忠革	董秘	龙麒	证券代码	002261
	公司网址	www.talkweb.com.cn		电子信箱	longqi@talkweb.com.cn	
	电　话	0731-88668270 89852892		传　真	0731-88668270	
	办公地址	湖南省长沙市岳麓区桐梓坡西路 298 号				
	经营范围	从事电信行业软件开发及无线增值业务				

主要财务指标	指标＼报告期	2016.06.30	2015.12.31	2015.06.30	2014.12.31
	基本每股收益(元)	0.1200	0.4800	0.1400	0.1400
	基本每股收益(扣除后)(元)	0.0900	0.2400	0.0800	0.0900
	稀释每股收益(元)	0.1200	0.4800	0.1400	0.1400
	每股净资产(元)	3.2901	6.3838	3.7746	2.6000
	每股经营现金净流量(元)	-0.0448	0.1536	-0.0978	0.2602
	每股现金流量(元)	-0.1931	0.0182	-0.7761	0.9941
	每股资本公积金(元)	1.7101	4.4160	1.7404	0.7306
	每股盈余公积金(元)	0.0461	0.0923	0.0947	0.1003
	每股未分配利润(元)	0.5825	0.9731	1.0761	0.9129
	净资产收益率(%)	3.5241	5.8877	7.3521	5.1815
	加权净资产收益率(%)	3.5800	12.9000	7.9100	6.6200
	净资产收益率(扣除)(%)	2.6439	2.9382	2.0589	3.4282
	总资产(万元)	415876.65	432337.75	209601.12	136949.12
	归属母公司股东权益(万元)	366701.18	355756.66	167106.35	108659.54
	营业收入(万元)	49037.33	76867.22	28950.10	65785.25
	营业支出(万元)	17087.14	32343.13	12514.17	38392.53
	投资收益(万元)	-137.91	7662.66	7924.49	147.38
	净利润(万元)	12813.54	21419.41	12678.54	7652.00
	营业利润(万元)	11976.23	21226.54	13166.08	6798.32
	利润总额(万元)	14802.74	23318.36	13779.99	8758.53

江苏恩华药业股份有限公司

公司概况	公司名称	江苏恩华药业股份有限公司			证券简称	恩华药业
	法人代表	孙彭生	董秘	段保州	证券代码	002262
	公司网址	www.nhwa-group.com		电子信箱	dbz1966@126.com	
	电　话	0516-87661189 87661012		传　真	0516-87767118	
	办公地址	江苏省徐州市民主南路 69 号恩华大厦				
	经营范围	冻干粉针剂、小容量注射剂、片剂、硬胶囊剂等				

主要财务指标	指标＼报告期	2016.06.30	2015.12.31	2015.06.30	2014.12.31
	基本每股收益(元)	0.2726	0.5400	0.2320	0.4733
	基本每股收益(扣除后)(元)	0.2720	0.5281	0.3010	0.5649
	稀释每股收益(元)	0.2726	0.5400	0.2320	0.4733
	每股净资产(元)	3.1040	3.7402	3.5100	2.6539
	每股经营现金净流量(元)	0.1122	0.4210	0.0930	0.4076
	每股现金流量(元)	-0.0187	0.7210	0.9939	-0.0802
	每股资本公积金(元)	0.6171	1.1022	1.1022	0.0294
	每股盈余公积金(元)	0.1785	0.2320	0.1769	0.2184
	每股未分配利润(元)	1.3085	1.4060	1.2303	1.4060
	净资产收益率(%)	8.7823	14.2369	8.5956	21.4007
	加权净资产收益率(%)	9.0700	18.1300	13.2500	23.7700
	净资产收益率(扣除)(%)	8.7614	13.9254	8.5774	21.2850
	总资产(万元)	275347.62	255092.24	266181.50	192265.63
	归属母公司股东权益(万元)	195773.44	181462.78	170263.20	104328.72
	营业收入(万元)	151469.71	276656.76	134431.63	250135.87
	营业支出(万元)	86549.02	160782.41	78441.14	150766.42
	投资收益(万元)	-	-	-	-
	净利润(万元)	16920.13	25528.14	14499.22	22125.41
	营业利润(万元)	20052.91	29389.21	17165.33	25947.40
	利润总额(万元)	20096.38	30097.26	17213.12	26091.11

浙江大东南股份有限公司

公司概况	公司名称	浙江大东南股份有限公司			证券简称	大东南
	法人代表	黄飞刚	董秘	王陈	证券代码	002263
	公司网址	www.chinaddn.com		电子信箱	ddn@chinaddn.com	
	电　话	0575-87380698 87380005		传　真	0575-87380005	
	办公地址	浙江省诸暨市陶朱街道千禧路 5 号				
	经营范围	塑料薄膜、塑料包装制品的生产、销售、服装、纺织品的生产				

主要财务指标	指标＼报告期	2016.06.30	2015.12.31	2015.06.30	2014.12.31
	基本每股收益(元)	-0.0100	0.0200	0.0100	0.0100
	基本每股收益(扣除后)(元)	-0.0100	-0.1300	0.0050	-0.1400
	稀释每股收益(元)	-0.0100	0.0200	0.0100	0.0100
	每股净资产(元)	1.5461	3.1422	3.2308	3.2733
	每股经营现金净流量(元)	-0.0050	0.2590	0.1844	0.0607
	每股现金流量(元)	-0.0340	0.3439	0.3213	-0.1658
	每股资本公积金(元)	0.4470	1.8940	1.9940	1.9899
	每股盈余公积金(元)	0.0180	0.0360	0.0360	0.0441
	每股未分配利润(元)	0.0811	0.2121	0.2008	0.2393
	净资产收益率(%)	-0.6453	0.5185	0.1556	0.4602
	加权净资产收益率(%)	-0.6400	0.5400	0.1800	0.4600
	净资产收益率(扣除)(%)	-0.7215	-4.1072	0.1396	-4.1530
	总资产(万元)	413542.00	421439.97	433518.38	349466.86
	归属母公司股东权益(万元)	290414.91	295106.35	303434.02	251557.93
	营业收入(万元)	40147.27	89814.70	44349.05	91786.74
	营业支出(万元)	35612.08	85621.54	38319.68	92290.15
	投资收益(万元)	74.97	-74.97	0.49	959.98
	净利润(万元)	-2050.64	-347.21	240.52	-857.84
	营业利润(万元)	-2091.78	-14089.71	202.69	-12945.47
	利润总额(万元)	-1829.17	-343.28	258.02	624.51

新华都购物广场股份有限公司

公司概况	公司名称	新华都购物广场股份有限公司			证券简称	新华都
	法人代表	上官常川	董秘	郭建生	证券代码	002264
	公司网址	www.nhd-mart.com		电子信箱	info@nhd.com.cn	
	电　话	0591-87987972		传　真	0591-87987982	
	办公地址	福建省福州市五四路 162 号华城国际北楼 7 层				
	经营范围	批发零售百货、纺织品、仪器仪表、通讯设备、五金交电化工				

主要财务指标	指标＼报告期	2016.06.30	2015.12.31	2015.06.30	2014.12.31
	基本每股收益(元)	0.0737	-0.6900	-0.0400	0.0600
	基本每股收益(扣除后)(元)	0.0340	-0.6700	-0.1100	-0.0200
	稀释每股收益(元)	0.0737	-0.6900	-0.0400	0.0600
	每股净资产(元)	2.5243	1.2560	1.9393	1.9833
	每股经营现金净流量(元)	-0.2892	-0.1631	-0.2636	-0.3986
	每股现金流量(元)	-0.2059	-0.1846	-0.2466	-0.5043
	每股资本公积金(元)	1.7219	0.5959	0.5959	0.5959
	每股盈余公积金(元)	0.1130	0.1429	0.1430	0.1430
	每股未分配利润(元)	-0.3107	-0.4827	0.2004	0.2444
	净资产收益率(%)	2.8194	-54.9781	-2.2672	3.4167
	加权净资产收益率(%)	3.1700	-43.1200	-2.2400	3.4800
	净资产收益率(扣除)(%)	1.2989	-53.6403	-5.6978	-1.1856
	总资产(万元)	393040.96	351655.21	350782.23	368591.08
	归属母公司股东权益(万元)	172803.87	68015.29	105013.34	107394.17
	营业收入(万元)	339491.15	648816.67	333482.40	701848.11
	营业支出(万元)	264513.64	515998.96	263552.72	552989.47
	投资收益(万元)	-	1950.00	1950.00	423.91
	净利润(万元)	4985.77	-39445.20	-3053.67	2479.80
	营业利润(万元)	5572.79	-25199.36	-2734.39	3995.24
	利润总额(万元)	7891.36	-31253.79	-3149.51	5808.86

云南西仪工业股份有限公司

公司概况	公司名称	云南西仪工业股份有限公司			证券简称	西仪股份
	法人代表	高辛平	董秘	高辛平(代)	证券代码	002265
	公司网址	www.ynxygf.com		电子信箱	xygf002265@163.com	
	电 话	0871-68598506 68580658		传 真	0871-68598357	
	办公地址	云南省昆明市西山区海口镇山冲				
	经营范围	汽车发动机连杆、其他工业产品、机床零部件及其他机械产品的研发等				

主要财务指标	指标\报告期	2016.06.30	2015.12.31	2015.06.30	2014.12.31
	基本每股收益(元)	0.0110	-0.1100	-0.0360	0.0300
	基本每股收益(扣除后)(元)	-0.0050	-0.1300	-0.0480	0.0100
	稀释每股收益(元)	0.0110	-0.1100	-0.0360	0.0300
	每股净资产(元)	1.6658	1.6546	1.7256	1.7717
	每股经营现金净流量(元)	0.1000	0.0623	0.0170	0.0243
	每股现金流量(元)	0.0714	-0.0374	0.0020	-0.0213
	每股资本公积金(元)	0.4908	0.4908	0.4908	0.4908
	每股盈余公积金(元)	0.0856	0.0856	0.0856	0.0856
	每股未分配利润(元)	0.0894	0.0781	0.1492	0.1953
	净资产收益率(%)	0.6756	-6.4763	-2.0942	1.6042
	加权净资产收益率(%)	0.6800	-6.2400	-2.0700	1.6200
	净资产收益率(扣除)(%)	-0.2741	-7.6432	-2.7695	0.3342
	总资产(万元)	77539.86	77049.61	79396.14	77921.65
	归属母公司股东权益(万元)	48479.47	48151.93	50218.74	51561.44
	营业收入(万元)	26444.90	45978.28	25687.98	46784.40
	营业支出(万元)	23666.10	42927.35	23958.35	39726.38
	投资收益(万元)	-	-69.44	3.77	-805.40
	净利润(万元)	326.58	-3284.60	-1090.93	825.47
	营业利润(万元)	-216.88	-4147.02	-1490.04	225.55
	利润总额(万元)	326.58	-3413.00	-1090.93	844.72

浙富控股集团股份有限公司

公司概况	公司名称	浙富控股集团股份有限公司			证券简称	浙富控股
	法人代表	孙毅	董秘	房振武	证券代码	002266
	公司网址	www.zhefu.cn		电子信箱	stock-dept@zhefu.cn	
	电 话	0571-89939661		传 真	0571-89939660	
	办公地址	浙江省杭州市西湖区古墩路 702 号赞宇大厦 11 楼				
	经营范围	成套水轮发电机组的研制、生产及销售				

主要财务指标	指标\报告期	2016.06.30	2015.12.31	2015.06.30	2014.12.31
	基本每股收益(元)	0.0180	0.0400	0.0140	0.0500
	基本每股收益(扣除后)(元)	0.0170	0.0100	0.0130	-0.0100
	稀释每股收益(元)	0.0180	0.0400	0.0140	0.0500
	每股净资产(元)	1.4759	1.4672	1.4457	1.8789
	每股经营现金净流量(元)	0.0427	0.0610	0.0283	-0.0537
	每股现金流量(元)	0.0220	-0.0038	-0.0195	-0.2699
	每股资本公积金(元)	0.0655	0.0682	0.0669	0.3870
	每股盈余公积金(元)	0.0576	0.0576	0.0514	0.0668
	每股未分配利润(元)	0.3575	0.3493	0.3342	0.4307
	净资产收益率(%)	1.2311	2.4439	1.0023	3.5389
	加权净资产收益率(%)	1.2300	2.4600	1.0000	4.1100
	净资产收益率(扣除)(%)	1.1667	0.4207	0.9177	-0.5240
	总资产(万元)	561009.87	521229.49	536285.65	504950.12
	归属母公司股东权益(万元)	292040.64	290310.72	286064.51	285989.67
	营业收入(万元)	53530.27	70746.80	29386.30	68601.52
	营业支出(万元)	39360.69	55038.17	23553.47	62153.63
	投资收益(万元)	3769.36	19708.29	9187.17	31989.30
	净利润(万元)	5788.46	10053.62	3050.52	10484.49
	营业利润(万元)	5968.18	8919.78	1515.19	11731.04
	利润总额(万元)	6111.20	9953.48	1717.79	12362.09

陕西省天然气股份有限公司

公司概况	公司名称	陕西省天然气股份有限公司			证券简称	陕天然气
	法人代表	郝晓晨	董秘	梁倩	证券代码	002267
	公司网址	www.shaanxigas.com		电子信箱	public@shaanxigas.com	
	电 话	029-86156196 86156198		传 真	029-86156196	
	办公地址	陕西省西安市经济技术开发区 A1 区开元路 2 号				
	经营范围	天然气输送、天然气相关产品开发、天然气综合利用、天然气发电				

主要财务指标	指标\报告期	2016.06.30	2015.12.31	2015.06.30	2014.12.31
	基本每股收益(元)	0.3456	0.5272	0.3296	0.4923
	基本每股收益(扣除后)(元)	0.3416	0.5178	0.3271	0.4904
	稀释每股收益(元)	0.3456	0.5272	0.3296	0.4923
	每股净资产(元)	4.6449	4.4629	4.2523	4.0522
	每股经营现金净流量(元)	0.3699	1.2189	0.6600	1.0121
	每股现金流量(元)	-0.0356	-0.2077	-0.4619	0.3355
	每股资本公积金(元)	1.1599	1.1599	1.1599	1.1599
	每股盈余公积金(元)	0.3346	0.3346	0.2835	0.2835
	每股未分配利润(元)	2.0207	1.8751	1.7286	1.5490
	净资产收益率(%)	7.4403	11.8126	7.7514	11.3690
	加权净资产收益率(%)	7.5100	12.4300	7.8600	14.4100
	净资产收益率(扣除)(%)	7.3546	11.6019	7.6919	-
	总资产(万元)	1026921.49	1010033.09	936656.10	975030.25
	归属母公司股东权益(万元)	516548.57	496308.39	472891.08	450638.40
	营业收入(万元)	383628.88	679033.24	330978.56	532245.89
	营业支出(万元)	323505.88	575509.58	270527.38	435537.62
	投资收益(万元)	349.95	2896.76	1341.81	2117.70
	净利润(万元)	38656.72	59125.96	37042.06	51570.50
	营业利润(万元)	45020.71	69241.74	43607.97	60656.38
	利润总额(万元)	45509.86	70449.07	43928.10	60873.18

成都卫士通信息产业股份有限公司

公司概况	公司名称	成都卫士通信息产业股份有限公司			证券简称	卫 士 通
	法人代表	李成刚	董秘	胡凯春	证券代码	002268
	公司网址	www.westone.com.cn		电子信箱	westone_dm@163.com	
	电 话	028-62386166		传 真	028-62386030	
	办公地址	四川省成都市高新技术产业开发区云华路 333 号				
	经营范围	通信保密与信息安全、信息网络与多媒体终端及系统产品的开发、生产、销售等				

主要财务指标	指标\报告期	2016.06.30	2015.12.31	2015.06.30	2014.12.31
	基本每股收益(元)	-0.0880	0.3440	-0.0154	0.2761
	基本每股收益(扣除后)(元)	-0.1340	0.2863	-0.0376	0.4411
	稀释每股收益(元)	-0.0880	0.3440	-0.0154	0.2761
	每股净资产(元)	2.9797	3.1678	2.8133	5.6973
	每股经营现金净流量(元)	-0.9297	0.4637	-0.6136	0.1934
	每股现金流量(元)	-0.6776	-0.4298	-0.7275	0.6547
	每股资本公积金(元)	0.6794	0.6794	0.6843	2.3785
	每股盈余公积金(元)	0.1024	0.1024	0.0949	0.1899
	每股未分配利润(元)	1.1979	1.3860	1.0341	2.1289
	净资产收益率(%)	-2.9546	10.8584	-0.5457	9.6936
	加权净资产收益率(%)	-2.8500	11.4300	-0.5400	13.2300
	净资产收益率(扣除)(%)	-4.4977	9.0385	-1.3356	7.7431
	总资产(万元)	314581.08	262370.11	178388.19	192989.94
	归属母公司股东权益(万元)	128880.35	137013.42	121681.37	123210.47
	营业收入(万元)	47704.61	160312.38	39145.42	123649.75
	营业支出(万元)	31545.79	103890.93	23588.23	76708.47
	投资收益(万元)	730.31	385.67	88.91	0.23
	净利润(万元)	-3617.60	16255.91	-367.91	12507.86
	营业利润(万元)	-7127.06	13183.13	-2159.26	9551.58
	利润总额(万元)	-4019.31	18235.50	-263.23	14247.63

上海美特斯邦威服饰股份有限公司

公司概况					
公司名称	上海美特斯邦威服饰股份有限公司			证券简称	美邦服饰
法人代表	周成建	董秘	涂珂	证券代码	002269
公司网址	www.metersbonwe.com		电子信箱	corporate@metersbonwe.com	
电话	021-38119999		传真	021-38119997	
办公地址	上海市浦东新区康桥东路800号				
经营范围	服装制造加工、服装、鞋、针纺织品、皮革制品、羽绒制品、箱包、玩具等				

主要财务指标 指标\报告期	2016.06.30	2015.12.31	2015.06.30	2014.12.31
基本每股收益(元)	-0.0200	-0.1700	-0.0400	0.0600
基本每股收益(扣除后)(元)	-0.0300	-0.1800	-0.0400	0.0900
稀释每股收益(元)	-0.0200	-0.1700	-0.0400	0.0600
每股净资产(元)	1.2051	1.2289	1.3622	3.5970
每股经营现金净流量(元)	0.0445	-0.0732	0.1136	1.3078
每股现金流量(元)	-0.1585	-0.0979	-0.1185	0.3228
每股资本公积金(元)	0.0828	0.0828	0.0826	1.1116
每股盈余公积金(元)	0.2073	0.2073	0.2061	0.6150
每股未分配利润(元)	-0.0601	-0.0363	0.0983	0.9393
净资产收益率(%)	-1.9774	-13.9141	-2.7539	4.0049
加权净资产收益率(%)	-1.9600	-13.0000	-2.6500	4.0000
净资产收益率(扣除)(%)	-2.2765	-14.3397	-3.0093	2.5859
总资产(万元)	635584.28	695496.92	628350.93	698674.27
归属母公司股东权益(万元)	304400.35	310419.43	344089.96	363653.18
营业收入(万元)	307447.32	629478.38	277728.80	662076.75
营业支出(万元)	170039.69	352412.61	150794.46	362985.95
投资收益(万元)	953.78	-64.03	-190.81	2396.49
净利润(万元)	-6019.08	-43192.15	-9476.02	14564.05
营业利润(万元)	-5919.52	-15057.79	-9315.81	17825.02
利润总额(万元)	-4701.98	-13239.66	-8138.59	24627.77

华明电力装备股份有限公司

公司概况					
公司名称	华明电力装备股份有限公司			证券简称	华明装备
法人代表	肖毅	董秘	李胜刚	证券代码	002270
公司网址	www.fincm.com		电子信箱	dshm@fincm.com	
电话	021-52708966-8362		传真	021-52708966-8362	
办公地址	上海市普陀区同普路977号				
经营范围	钢结构数控成套加工设备的研发、制造、销售				

主要财务指标 指标\报告期	2016.06.30	2015.12.31	2015.06.30	2014.12.31
基本每股收益(元)	0.1800	0.7200	0.3000	0.5800
基本每股收益(扣除后)(元)	0.1600	0.7200	-0.0040	0.0400
稀释每股收益(元)	0.1800	0.7200	0.3000	0.5800
每股净资产(元)	3.4151	3.3109	3.0868	3.1227
每股经营现金净流量(元)	0.0963	0.2074	0.0582	0.0767
每股现金流量(元)	-0.0665	0.8888	0.0021	-0.1803
每股资本公积金(元)	1.8871	1.8871	1.1508	1.1508
每股盈余公积金(元)	0.0308	0.0308	0.1418	0.1418
每股未分配利润(元)	1.3160	1.2123	0.7922	0.8301
净资产收益率(%)	5.3797	12.1313	0.3930	3.1109
加权净资产收益率(%)	5.4000	32.9400	0.3900	3.1400
净资产收益率(扣除)(%)	4.7837	12.0338	-0.1368	1.3366
总资产(万元)	202678.13	203251.88	72879.68	76750.94
归属母公司股东权益(万元)	172858.80	167585.71	58385.91	59065.82
营业收入(万元)	46873.01	60291.98	9944.67	30061.69
营业支出(万元)	26235.73	21409.74	6902.51	20553.62
投资收益(万元)	229.15	-	129.36	124.91
净利润(万元)	9138.80	20314.58	229.46	1837.50
营业利润(万元)	9842.70	23262.95	-35.45	832.51
利润总额(万元)	10872.97	23938.80	270.63	2162.05

北京东方雨虹防水技术股份有限公司

公司概况					
公司名称	北京东方雨虹防水技术股份有限公司			证券简称	东方雨虹
法人代表	李卫国	董秘	张蓓	证券代码	002271
公司网址	www.yuhong.com.cn		电子信箱	stocks@yuhong.com.cn	
电话	010-85762629		传真	010-85762629	
办公地址	北京市朝阳区高碑店北路康家园小区4号楼				
经营范围	新型建筑防水材料的研发、生产、销售和防水工程施工业务				

主要财务指标 指标\报告期	2016.06.30	2015.12.31	2015.06.30	2014.12.31
基本每股收益(元)	0.4400	0.8900	0.3500	0.7500
基本每股收益(扣除后)(元)	0.4300	0.7600	0.2800	1.5200
稀释每股收益(元)	0.4400	0.8900	0.3400	0.7500
每股净资产(元)	5.0733	4.8952	4.3812	8.2543
每股经营现金净流量(元)	-0.1343	0.5072	0.0614	0.8432
每股现金流量(元)	0.4286	-0.3702	-0.4988	1.2561
每股资本公积金(元)	1.6456	1.6430	1.6885	4.3511
每股盈余公积金(元)	0.1037	0.1037	0.0958	0.1915
每股未分配利润(元)	2.5527	2.2128	1.6799	2.8775
净资产收益率(%)	8.6465	17.9449	7.7864	16.7772
加权净资产收益率(%)	8.7200	19.6100	7.9300	25.3200
净资产收益率(扣除)(%)	8.4461	15.4228	6.1199	-
总资产(万元)	785418.90	608405.97	540336.51	514121.89
归属母公司股东权益(万元)	421433.79	406641.06	364804.97	343650.56
营业收入(万元)	292108.88	530399.04	219603.97	500592.37
营业支出(万元)	166586.44	314197.07	130163.76	322192.34
投资收益(万元)	-194.43	63.65	89.91	394.79
净利润(万元)	36260.59	72881.46	28758.28	58257.29
营业利润(万元)	40499.13	72807.39	25914.34	62385.40
利润总额(万元)	41889.63	83723.48	32344.88	65146.56

四川川润股份有限公司

公司概况					
公司名称	四川川润股份有限公司			证券简称	川润股份
法人代表	罗永忠	董秘	谢光勇	证券代码	002272
公司网址	www.chuanrun.com		电子信箱	chuanrun@chuanrun.com	
电话	028-61777787		传真	028-61777787	
办公地址	四川省成都市郫县现代工业港港北六路85号				
经营范围	稀油、干油集中润滑系统及设备的设计、制造、销售等				

主要财务指标 指标\报告期	2016.06.30	2015.12.31	2015.06.30	2014.12.31
基本每股收益(元)	0.0086	-0.1617	0.0113	0.0253
基本每股收益(扣除后)(元)	-0.0061	-0.1760	0.0045	-0.0357
稀释每股收益(元)	0.0086	-0.1617	0.0113	0.0253
每股净资产(元)	2.7560	2.7474	2.9204	2.9091
每股经营现金净流量(元)	-0.0596	-0.0136	-0.0642	-0.1061
每股现金流量(元)	-0.0153	-0.2399	-0.2701	-0.3303
每股资本公积金(元)	1.5194	1.5194	1.5194	1.5194
每股盈余公积金(元)	0.0554	0.0554	0.0535	0.0535
每股未分配利润(元)	0.1811	0.1725	0.3475	0.3362
净资产收益率(%)	0.3123	-5.8856	0.3882	0.8688
加权净资产收益率(%)	0.3100	-5.7200	0.3900	0.8700
净资产收益率(扣除)(%)	-0.2208	-6.4049	0.1545	-1.2269
总资产(万元)	164208.72	173813.96	183481.81	188641.11
归属母公司股东权益(万元)	115669.68	115308.45	122570.98	122095.11
营业收入(万元)	25924.73	78929.39	37614.08	84488.00
营业支出(万元)	20754.26	66923.96	30486.22	69201.23
投资收益(万元)	-	7.33	-	152.21
净利润(万元)	361.29	-6786.59	475.88	1060.73
营业利润(万元)	-247.21	-8401.50	133.68	-694.64
利润总额(万元)	355.08	-8184.77	472.13	1067.39

浙江水晶光电科技股份有限公司

公司概况						
公司名称	浙江水晶光电科技股份有限公司			证券简称	水晶光电	
法人代表	林敏	董秘	孔文君	证券代码	002273	
公司网址	www.crystal-optech.com		电子信箱	sjzqb@crystal-optech.com		
电 话	0576-88038738 88038286		传 真	0576-88038266		
办公地址	浙江省台州市椒江区星星电子产业区 A5 号					
经营范围	光学元器件制造、加工、光电子元器件制造、加工					

主要财务指标				
指标\报告期	2016.06.30	2015.12.31	2015.06.30	2014.12.31
基本每股收益(元)	0.1600	0.3700	0.1400	0.4000
基本每股收益(扣除后)(元)	0.1500	0.3400	0.2100	0.3800
稀释每股收益(元)	0.1600	0.3700	0.1400	0.4000
每股净资产(元)	4.1900	6.1482	3.7263	3.6506
每股经营现金净流量(元)	0.1418	0.4864	0.1925	0.3901
每股现金流量(元)	-0.1395	0.6970	0.0560	-0.4960
每股资本公积金(元)	2.0874	3.6311	1.1624	1.1990
每股盈余公积金(元)	0.1267	0.1901	0.1924	0.1912
每股未分配利润(元)	0.9756	1.3270	1.3715	1.2963
净资产收益率(%)	3.7617	5.5570	5.8524	10.9239
加权净资产收益率(%)	3.7800	7.7200	5.8300	11.9000
净资产收益率(扣除)(%)	3.5460	5.1908	5.6558	10.4227
总资产(万元)	304755.77	308591.69	197072.59	179813.17
归属母公司股东权益(万元)	274433.21	268437.43	142099.50	140075.74
营业收入(万元)	65788.47	118155.78	53784.29	97722.18
营业支出(万元)	45699.46	83952.98	36527.60	65464.60
投资收益(万元)	931.60	1849.09	945.01	-20.98
净利润(万元)	10615.26	15236.31	8442.27	15644.20
营业利润(万元)	11783.09	16818.50	9374.30	17465.64
利润总额(万元)	12491.90	17548.18	9699.91	18288.52

江苏华昌化工股份有限公司

公司概况						
公司名称	江苏华昌化工股份有限公司			证券简称	华昌化工	
法人代表	朱郁健	董秘	卢龙	证券代码	002274	
公司网址	www.huachangchem.cn		电子信箱	huachang@huachangchem.cn		
电 话	0512-58727158		传 真	0512-58727155		
办公地址	江苏省张家港市金港镇保税区扬子江国际化学工业园南海路 1 号					
经营范围	从事基础化工业务，为农业生产、玻璃行业、精细化工行业提供产品					

主要财务指标				
指标\报告期	2016.06.30	2015.12.31	2015.06.30	2014.12.31
基本每股收益(元)	0.0200	0.0539	0.0073	-0.2478
基本每股收益(扣除后)(元)	-0.0093	-0.3129	-0.0442	-0.3035
稀释每股收益(元)	0.0200	0.0539	0.0073	-0.2478
每股净资产(元)	4.5229	4.3637	4.3515	3.7413
每股经营现金净流量(元)	0.1596	0.2686	0.3779	0.4469
每股现金流量(元)	-0.3190	0.5716	0.1358	-0.0341
每股资本公积金(元)	2.4405	2.4405	1.5763	1.5763
每股盈余公积金(元)	0.1215	0.1215	0.1543	0.1543
每股未分配利润(元)	0.3526	0.4326	0.4980	0.4907
净资产收益率(%)	0.4413	1.0607	0.1687	-6.6227
加权净资产收益率(%)	0.4500	1.3500	0.1800	-6.6200
净资产收益率(扣除)(%)	-0.2062	-6.1546	-1.0147	-8.1109
总资产(万元)	645387.30	625460.76	704259.21	629247.14
归属母公司股东权益(万元)	287160.69	277054.64	217536.07	187033.57
营业收入(万元)	197092.28	403530.20	213505.34	423958.12
营业支出(万元)	176406.52	362792.72	190452.82	399788.18
投资收益(万元)	2438.50	28753.70	3069.82	156.24
净利润(万元)	1261.22	2954.38	392.96	-12373.47
营业利润(万元)	1377.83	2699.03	330.94	-19710.91
利润总额(万元)	1636.38	3781.73	556.65	-16149.90

桂林三金药业股份有限公司

公司概况						
公司名称	桂林三金药业股份有限公司			证券简称	桂林三金	
法人代表	邹节明	董秘	邹洵	证券代码	002275	
公司网址	www.sanjin.com.cn		电子信箱	dsh@sanjin.com.cn		
电 话	0773-5829106 5829109		传 真	0773-5838652		
办公地址	广西壮族自治区桂林市金星路 1 号					
经营范围	片剂、硬胶囊剂、散剂、颗粒剂、酊剂等					

主要财务指标				
指标\报告期	2016.06.30	2015.12.31	2015.06.30	2014.12.31
基本每股收益(元)	0.3839	0.6382	0.3695	0.7538
基本每股收益(扣除后)(元)	0.3730	0.6000	0.3600	0.7200
稀释每股收益(元)	0.3839	0.6382	0.3695	0.7538
每股净资产(元)	3.8539	3.9700	3.7014	3.9318
每股经营现金净流量(元)	0.4904	0.6752	0.3536	0.6719
每股现金流量(元)	-0.2911	0.1365	-0.1230	-0.1151
每股资本公积金(元)	1.1501	1.1501	1.1501	1.1501
每股盈余公积金(元)	0.5486	0.5486	0.4874	0.4874
每股未分配利润(元)	1.1551	1.2713	1.0638	1.2943
净资产收益率(%)	9.9605	16.0757	9.9840	19.1706
加权净资产收益率(%)	9.4100	16.3600	9.4400	20.0900
净资产收益率(扣除)(%)	9.6884	15.0912	9.7242	-
总资产(万元)	261247.16	275971.32	253585.76	278363.88
归属母公司股东权益(万元)	227458.21	234312.31	218455.61	232057.03
营业收入(万元)	66441.67	137182.12	60725.54	146635.18
营业支出(万元)	18844.12	37690.66	15859.52	41512.00
投资收益(万元)	173.18	1036.08	547.21	1673.11
净利润(万元)	22655.89	37667.28	21810.58	44486.64
营业利润(万元)	26022.61	42300.68	25461.84	52343.48
利润总额(万元)	26577.49	44030.31	25585.08	53119.85

浙江万马股份有限公司

公司概况						
公司名称	浙江万马股份有限公司			证券简称	万马股份	
法人代表	何若虚	董秘	屠国良	证券代码	002276	
公司网址	www.wanma-cable.cn		电子信箱	investor@zjwanma.com		
电 话	0571-61097518 63755256		传 真	0571-63755256		
办公地址	浙江省临安市经济开发区南环路 88 号					
经营范围	电力电缆的研发、生产和销售					

主要财务指标				
指标\报告期	2016.06.30	2015.12.31	2015.06.30	2014.12.31
基本每股收益(元)	0.1100	0.2900	0.1151	0.2500
基本每股收益(扣除后)(元)	0.1102	0.2800	0.1132	0.2400
稀释每股收益(元)	0.1100	0.2900	0.1151	0.2500
每股净资产(元)	3.1464	3.1356	2.9594	2.8921
每股经营现金净流量(元)	-0.3166	0.2858	-0.1669	0.2639
每股现金流量(元)	-0.1791	-0.0116	-0.3967	0.0679
每股资本公积金(元)	0.8418	0.8410	0.8391	0.8373
每股盈余公积金(元)	0.1683	0.1683	0.1418	0.1418
每股未分配利润(元)	1.1364	1.1263	0.9784	0.9130
净资产收益率(%)	3.4960	9.2313	3.8909	8.6625
加权净资产收益率(%)	3.4500	9.6300	3.9000	9.0300
净资产收益率(扣除)(%)	3.5036	8.8689	3.8238	8.3384
总资产(万元)	500886.92	504390.32	449688.55	467796.94
归属母公司股东权益(万元)	295535.69	294532.25	277982.13	271754.02
营业收入(万元)	273418.23	684714.76	244843.98	584695.02
营业支出(万元)	221478.62	582951.41	202382.67	498865.38
投资收益(万元)	175.62	304.77	15.47	86.81
净利润(万元)	10208.89	27619.05	10742.50	23677.23
营业利润(万元)	9753.03	27488.87	10530.53	22361.65
利润总额(万元)	11560.86	31516.32	12145.72	26205.03

湖南友谊阿波罗商业股份有限公司

公司概况				
公司名称	湖南友谊阿波罗商业股份有限公司		证券简称	友阿股份
法人代表	胡子敬	董秘 陈学文	证券代码	002277
公司网址	www.your-mart.cn		电子信箱	cxw5448@126.com
电　话	0731-82293541 82295528		传　真	0731-82243046 82294448
办公地址	湖南省长沙市芙蓉区八一路1号			
经营范围	商品零售业及相关配套服务、酒店业、餐饮业、休闲娱乐业的投资等			

主要财务指标 指标\报告期	2016.06.30	2015.12.31	2015.06.30	2014.12.31
基本每股收益(元)	0.3686	0.5481	0.4421	0.6265
基本每股收益(扣除后)(元)	0.3664	0.5361	0.4328	0.6199
稀释每股收益(元)	0.3686	0.5481	0.4421	0.6265
每股净资产(元)	6.8378	5.7107	5.5977	5.2444
每股经营现金净流量(元)	-0.1508	-1.6037	-1.2016	-0.3988
每股现金流量(元)	1.0673	-0.1507	-0.1781	-1.4560
每股资本公积金(元)	2.7973	1.1777	1.1777	1.1645
每股盈余公积金(元)	0.3686	0.4612	0.3968	0.3973
每股未分配利润(元)	2.6598	3.0592	3.0174	2.6785
净资产收益率(%)	4.3089	9.5944	7.8929	11.8820
加权净资产收益率(%)	6.2700	10.0100	8.0800	12.4700
净资产收益率(扣除)(%)	4.2828	9.3840	7.7265	11.7561
总资产(万元)	1204839.32	1052666.21	900041.04	790858.17
归属母公司股东权益(万元)	484325.09	323294.66	316899.06	296576.18
营业收入(万元)	317025.93	617961.86	320585.02	595160.90
营业支出(万元)	256112.51	508749.04	264497.74	495536.80
投资收益(万元)	2618.46	4866.29	4278.85	4411.11
净利润(万元)	17909.84	30077.06	24239.64	33508.75
营业利润(万元)	26299.36	42977.59	34243.49	48211.05
利润总额(万元)	26180.73	41835.79	33328.98	47170.42

上海神开石油化工装备股份有限公司

公司概况				
公司名称	上海神开石油化工装备股份有限公司		证券简称	神开股份
法人代表	孙晔	董秘 李芳英(代)	证券代码	002278
公司网址	www.shenkai.com		电子信箱	shenkai@shenkai.com
电　话	021-64293895		传　真	021-54336696
办公地址	上海市闵行区浦星公路1769号			
经营范围	研发、制造、销售石油勘探设备、钻井井控设备、采油和井口设备等			

主要财务指标 指标\报告期	2016.06.30	2015.12.31	2015.06.30	2014.12.31
基本每股收益(元)	-0.0800	0.0300	0.1000	0.1700
基本每股收益(扣除后)(元)	-0.0800	-0.2500	0.0900	0.1300
稀释每股收益(元)	-0.0800	0.0300	0.1000	0.1700
每股净资产(元)	3.1520	3.2241	3.2847	3.7626
每股经营现金净流量(元)	-0.1102	-0.1051	-0.1189	0.0793
每股现金流量(元)	0.1303	-0.1560	-0.1407	-0.5595
每股资本公积金(元)	1.3191	1.3191	1.3191	1.6669
每股盈余公积金(元)	0.1788	0.1788	0.1622	0.1865
每股未分配利润(元)	0.6444	0.7205	0.8066	0.9126
净资产收益率(%)	-2.4147	0.9477	3.0449	5.1099
加权净资产收益率(%)	-2.3900	0.9400	3.0200	5.1700
净资产收益率(扣除)(%)	-2.9687	-7.7615	2.7367	3.5447
总资产(万元)	167973.43	174730.18	180341.00	189650.56
归属母公司股东权益(万元)	114702.57	117328.99	119534.31	119064.59
营业收入(万元)	21032.40	61384.36	34496.89	67138.68
营业支出(万元)	15043.90	40362.90	21135.06	44442.03
投资收益(万元)	164.53	372.68	284.27	1026.28
净利润(万元)	-2832.41	1622.50	3790.20	5747.10
营业利润(万元)	-3322.98	417.32	3879.01	5675.79
利润总额(万元)	-2841.23	1658.24	4327.53	6587.22

北京久其软件股份有限公司

公司概况				
公司名称	北京久其软件股份有限公司		证券简称	久其软件
法人代表	赵福君	董秘 王海霞	证券代码	002279
公司网址	www.jiuqi.com.cn		电子信箱	002279@jiuqi.com.cn
电　话	010-88551199 58022988		传　真	010-58022897
办公地址	北京市经济技术开发区西环中路6号			
经营范围	从事报表管理软件、电子政务软件、集团管控软件、商业智能软件等			

主要财务指标 指标\报告期	2016.06.30	2015.12.31	2015.06.30	2014.12.31
基本每股收益(元)	0.0292	0.6827	0.0152	0.4134
基本每股收益(扣除后)(元)	0.0239	0.6184	-0.0092	0.2850
稀释每股收益(元)	0.0292	0.6827	0.0152	0.4134
每股净资产(元)	3.6200	9.0749	6.3090	4.2651
每股经营现金净流量(元)	-0.2793	0.8011	-0.3011	0.4741
每股现金流量(元)	-0.3753	2.5760	-0.1798	0.2964
每股资本公积金(元)	1.8667	6.1668	3.8656	1.5695
每股盈余公积金(元)	0.0952	0.2381	0.2273	0.2558
每股未分配利润(元)	0.6571	1.6698	1.2161	1.4398
净资产收益率(%)	0.8059	6.8671	0.5822	9.6933
加权净资产收益率(%)	0.8000	10.1900	0.6500	10.0400
净资产收益率(扣除)(%)	0.6610	6.2200	-0.1419	6.6822
总资产(万元)	237910.08	249728.57	130174.85	82465.44
归属母公司股东权益(万元)	196019.71	196559.67	124799.44	74978.63
营业收入(万元)	43381.09	71667.93	15860.48	32667.85
营业支出(万元)	19872.22	24431.79	3646.04	1637.95
投资收益(万元)	20.99	1382.45	763.28	1880.38
净利润(万元)	965.70	12978.30	465.11	7164.67
营业利润(万元)	991.72	13705.16	590.02	6554.80
利润总额(万元)	2010.97	15130.72	1022.31	7581.79

杭州联络互动信息科技股份有限公司

公司概况				
公司名称	杭州联络互动信息科技股份有限公司		证券简称	联络互动
法人代表	何志涛	董秘 俞竣华	证券代码	002280
公司网址	www.lianluo.com		电子信箱	ir@haolianluo.com
电　话	0571-28280882		传　真	0571-28280883
办公地址	浙江省杭州市滨江区物联网街451号芯图大厦18层			
经营范围	应用软件开发与销售、系统集成及技术支持与服务			

主要财务指标 指标\报告期	2016.06.30	2015.12.31	2015.06.30	2014.12.31
基本每股收益(元)	0.0900	0.4500	0.0800	0.4900
基本每股收益(扣除后)(元)	0.0800	0.4400	0.2000	1.2200
稀释每股收益(元)	0.0900	0.4500	0.0800	0.4900
每股净资产(元)	2.7377	1.6084	1.3199	3.0030
每股经营现金净流量(元)	-0.0811	0.0197	0.0006	0.3521
每股现金流量(元)	-0.0188	-0.0692	-0.4274	2.0216
每股资本公积金(元)	1.4401	-0.1953	-0.1953	1.0118
每股盈余公积金(元)	0.0099	0.0307	0.0106	0.0264
每股未分配利润(元)	0.2674	0.7387	0.5084	0.9726
净资产收益率(%)	3.2527	27.9637	15.1037	19.5981
加权净资产收益率(%)	3.7300	32.4800	15.8100	55.2600
净资产收益率(扣除)(%)	2.9122	27.6584	14.7764	19.5925
总资产(万元)	630941.35	185762.62	115167.51	96121.74
归属母公司股东权益(万元)	596037.21	112991.13	92719.29	84384.85
营业收入(万元)	59008.95	67635.53	27354.54	32249.93
营业支出(万元)	25456.98	19272.52	7645.44	6397.31
投资收益(万元)	1110.64	-903.82	220.37	-
净利润(万元)	20182.23	32110.40	14189.10	16537.86
营业利润(万元)	23140.74	37693.56	16745.74	19365.11
利润总额(万元)	23345.78	37903.39	16755.74	19369.92

武汉光迅科技股份有限公司

公司概况	公司名称	武汉光迅科技股份有限公司			证券简称	光迅科技
	法人代表	鲁国庆	董秘	毛浩	证券代码	002281
	公司网址	www.accelink.com		电子信箱	investor@accelink.com	
	电　话	027-87694060		传　真	027-87694060	
	办公地址	湖北省武汉市江夏区藏龙岛开发区谭湖路1号				
	经营范围	信息技术领域光、电器件技术及产品的研制、生产、销售和相关技术服务				

	指标\报告期	2016.06.30	2015.12.31	2015.06.30	2014.12.31
主要财务指标	基本每股收益(元)	0.7300	1.1600	0.5500	0.7600
	基本每股收益(扣除后)(元)	0.6100	0.9300	0.5200	0.6700
	稀释每股收益(元)	0.7300	1.1600	0.5500	0.7600
	每股净资产(元)	12.9107	12.6449	11.9908	11.6793
	每股经营现金净流量(元)	-0.0245	0.6688	0.1612	0.6172
	每股现金流量(元)	0.3793	-1.5300	-2.0735	0.9829
	每股资本公积金(元)	7.1145	7.0983	7.0494	6.6496
	每股盈余公积金(元)	0.3741	0.3738	0.3577	0.3689
	每股未分配利润(元)	4.4391	4.2065	3.6100	3.6764
	净资产收益率(%)	5.6523	9.1658	4.5495	6.0642
	加权净资产收益率(%)	5.6800	9.5700	4.5700	7.7400
	净资产收益率(扣除)(%)	4.7166	7.3132	4.2842	5.3736
	总资产(万元)	488142.61	421137.64	391361.48	358576.80
	归属母公司股东权益(万元)	270773.62	265607.15	251674.75	237672.16
	营业收入(万元)	198336.51	313997.87	146231.60	243305.26
	营业支出(万元)	155101.02	233345.70	108937.92	188339.38
	投资收益(万元)	-	4.85	-	-2.13
	净利润(万元)	14444.68	24326.16	11449.84	14412.85
	营业利润(万元)	15010.18	25955.45	12022.09	13160.93
	利润总额(万元)	17583.30	28806.01	12998.03	15188.71

博深工具股份有限公司

公司概况	公司名称	博深工具股份有限公司			证券简称	博深工具
	法人代表	陈怀荣	董秘	井成铭	证券代码	002282
	公司网址	www.bosuntools.com		电子信箱	bod@bosuntools.com	
	电　话	0311-85962650		传　真	0311-85965550	
	办公地址	河北省石家庄市高新区长江大道289号				
	经营范围	生产销售人造金刚石及制品、粉末冶金制品、电动工具及配件以及相关技术服务				

	指标\报告期	2016.06.30	2015.12.31	2015.06.30	2014.12.31
主要财务指标	基本每股收益(元)	0.0400	0.0200	0.0500	0.0900
	基本每股收益(扣除后)(元)	0.0300	0.0100	0.0300	0.1200
	稀释每股收益(元)	0.0400	0.0200	0.0500	0.0900
	每股净资产(元)	2.3511	2.3122	2.3355	3.5401
	每股经营现金净流量(元)	0.0751	0.2807	0.1039	0.5203
	每股现金流量(元)	0.1292	0.1639	0.0572	-0.0782
	每股资本公积金(元)	0.9132	0.9132	0.9132	1.8698
	每股盈余公积金(元)	0.0865	0.0865	0.0865	0.1298
	每股未分配利润(元)	0.3797	0.3718	0.3989	0.6284
	净资产收益率(%)	1.6107	0.8437	1.9973	3.8339
	加权净资产收益率(%)	1.6300	0.8400	1.9800	3.8700
	净资产收益率(扣除)(%)	1.3459	0.5084	1.2948	3.3483
	总资产(万元)	106476.70	103592.83	103368.55	101363.07
	归属母公司股东权益(万元)	79499.16	78182.60	78969.96	79799.91
	营业收入(万元)	22887.66	43438.44	24439.64	54845.81
	营业支出(万元)	15359.19	28305.13	16684.17	38322.96
	投资收益(万元)	-185.82	-68.95	-111.93	-242.87
	净利润(万元)	1280.51	659.67	1577.27	3059.44
	营业利润(万元)	1289.12	431.39	1524.78	2807.09
	利润总额(万元)	1487.62	711.23	1936.43	3212.33

天润曲轴股份有限公司

公司概况	公司名称	天润曲轴股份有限公司			证券简称	天润曲轴
	法人代表	邢运波	董秘	刘立	证券代码	002283
	公司网址	www.tianrun.com		电子信箱	liuli@tianrun.com	
	电　话	0631-8982313 8982177		传　真	0631-8982333	
	办公地址	山东省文登市天润路2-13号				
	经营范围	曲轴、机床、机械配件的生产、销售				

	指标\报告期	2016.06.30	2015.12.31	2015.06.30	2014.12.31
主要财务指标	基本每股收益(元)	0.1400	0.2700	0.1500	0.2400
	基本每股收益(扣除后)(元)	0.1300	0.2400	0.1300	0.2000
	稀释每股收益(元)	0.1400	0.2700	0.1500	0.2400
	每股净资产(元)	6.1200	6.0022	5.8311	5.7018
	每股经营现金净流量(元)	0.5059	0.8695	0.5628	0.7327
	每股现金流量(元)	-0.0190	0.0222	-0.0170	0.1341
	每股资本公积金(元)	3.3324	3.3153	3.2665	3.2595
	每股盈余公积金(元)	0.1665	0.1666	0.1410	0.1410
	每股未分配利润(元)	1.6228	1.5203	1.4236	1.3013
	净资产收益率(%)	2.3522	4.4751	2.5097	4.1796
	加权净资产收益率(%)	2.3700	4.5900	2.5300	4.2600
	净资产收益率(扣除)(%)	2.0543	3.9693	2.2140	3.4854
	总资产(万元)	497067.40	478607.76	490540.69	492877.95
	归属母公司股东权益(万元)	342792.99	335772.75	326201.00	318965.34
	营业收入(万元)	81568.62	168983.50	85789.82	161950.51
	营业支出(万元)	58220.02	125656.43	65897.38	124844.16
	投资收益(万元)	-	-	-	-
	净利润(万元)	8271.24	15321.14	8268.23	13834.59
	营业利润(万元)	8236.56	15724.36	8511.40	13473.97
	利润总额(万元)	9432.69	17620.78	9646.16	15970.78

浙江亚太机电股份有限公司

公司概况	公司名称	浙江亚太机电股份有限公司			证券简称	亚太股份
	法人代表	黄伟中	董秘	邱蓉	证券代码	002284
	公司网址	www.apg.cn		电子信箱	qr@apg.cn;yqy@apg.cn	
	电　话	0571-82765229 82761316		传　真	0571-82761666	
	办公地址	浙江省杭州市萧山区蜀山街道亚太路1399号				
	经营范围	开发、生产、销售汽车制动系统				

	指标\报告期	2016.06.30	2015.12.31	2015.06.30	2014.12.31
主要财务指标	基本每股收益(元)	0.1300	0.1900	0.1400	0.3000
	基本每股收益(扣除后)(元)	0.1200	0.1300	0.1300	0.5300
	稀释每股收益(元)	0.1300	0.1900	0.1400	0.3000
	每股净资产(元)	3.5375	3.5029	3.4518	6.7228
	每股经营现金净流量(元)	0.0109	0.3587	0.1398	0.6238
	每股现金流量(元)	0.0571	0.3133	0.1367	0.0250
	每股资本公积金(元)	1.5416	1.5416	1.5416	3.5833
	每股盈余公积金(元)	0.1670	0.1670	0.1506	0.3011
	每股未分配利润(元)	0.8231	0.7884	0.7538	1.8268
	净资产收益率(%)	3.8071	5.4927	4.0666	7.0815
	加权净资产收益率(%)	3.8100	5.6200	4.1100	12.8000
	净资产收益率(扣除)(%)	3.3689	3.7813	3.3227	6.3308
	总资产(万元)	454003.74	425212.31	419629.58	419754.99
	归属母公司股东权益(万元)	260912.89	258355.22	254588.63	247923.27
	营业收入(万元)	168766.00	305947.85	172560.60	327887.82
	营业支出(万元)	138593.91	255131.60	143395.28	273135.99
	投资收益(万元)	437.69	2671.11	1282.78	-523.50
	净利润(万元)	10279.71	14868.82	10790.17	18114.21
	营业利润(万元)	11111.94	15748.39	11982.61	18693.32
	利润总额(万元)	11942.56	17007.73	12420.75	21000.36

深圳世联行地产顾问股份有限公司

公司概况	公司名称	深圳世联行地产顾问股份有限公司		证券简称	世联行
	法人代表	陈劲松	董秘 袁鸿昌	证券代码	002285
	公司网址	www.worldunion.com.cn		电子信箱	info@worldunion.com.cn
	电　话	0755-22162144 22162708		传　真	0755-22162231
	办公地址	广东省深圳市罗湖区深南东路 2028 号罗湖商务中心 12 楼			
	经营范围	房地产咨询、房地产代理、房地产经纪、物业管理			

主要财务指标	指标\报告期	2016.06.30	2015.12.31	2015.06.30	2014.12.31
	基本每股收益(元)	0.1000	0.3800	0.0900	0.3200
	基本每股收益(扣除后)(元)	0.1000	0.3700	0.1300	0.5100
	稀释每股收益(元)	0.1000	0.3800	0.0900	0.3200
	每股净资产(元)	1.7783	2.4555	2.2559	2.6528
	每股经营现金净流量(元)	0.4196	0.3117	0.0391	-1.2070
	每股现金流量(元)	0.0544	1.4401	1.1910	-0.2218
	每股资本公积金(元)	0.2797	0.6332	0.6732	0.4633
	每股盈余公积金(元)	0.1482	0.2096	0.1737	0.3288
	每股未分配利润(元)	0.3908	0.6127	0.4089	0.8607
	净资产收益率(%)	5.5750	14.3495	4.9965	19.4628
	加权净资产收益率(%)	5.6400	17.6700	7.1500	21.1300
	净资产收益率(扣除)(%)	5.4495	14.1567	4.9871	19.2446
	总资产(万元)	692928.12	739802.33	603237.20	411595.27
	归属母公司股东权益(万元)	363657.73	354986.91	326130.36	202614.54
	营业收入(万元)	269526.46	471055.32	191552.23	330817.06
	营业支出(万元)	206222.86	317782.76	138678.00	218931.62
	投资收益(万元)	476.78	514.46	475.72	205.77
	净利润(万元)	21138.05	54400.79	17011.54	41897.01
	营业利润(万元)	31445.55	74755.21	23176.86	55910.91
	利润总额(万元)	31915.03	75454.68	23102.36	56299.79

保龄宝生物股份有限公司

公司概况	公司名称	保龄宝生物股份有限公司		证券简称	保龄宝
	法人代表	刘宗利	董秘 李霞	证券代码	002286
	公司网址	www.blb-cn.com		电子信箱	tzzgx@blb-cn.com
	电　话	0534-8918658		传　真	0534-2126058
	办公地址	山东省德州市禹城高新开发区东外环路 1 号			
	经营范围	以农副产品为原料经生物工程深加工生产、销售低聚糖、果葡糖浆、糖醇等产品			

主要财务指标	指标\报告期	2016.06.30	2015.12.31	2015.06.30	2014.12.31
	基本每股收益(元)	0.0800	0.1100	0.0800	0.0600
	基本每股收益(扣除后)(元)	0.0700	0.0800	0.0700	0.0300
	稀释每股收益(元)	0.0800	0.1100	0.0800	0.0600
	每股净资产(元)	4.0268	4.0030	3.9720	3.9252
	每股经营现金净流量(元)	-0.0563	0.2098	-0.2426	0.2756
	每股现金流量(元)	-0.1013	0.3599	0.3857	-0.6772
	每股资本公积金(元)	2.1660	2.1653	2.1655	2.1653
	每股盈余公积金(元)	0.0981	0.0981	0.0884	0.0883
	每股未分配利润(元)	0.7621	0.7396	0.7181	0.6684
	净资产收益率(%)	2.0500	2.7701	1.9808	1.6505
	加权净资产收益率(%)	2.0500	2.8000	1.9900	1.6600
	净资产收益率(扣除)(%)	1.6773	1.9991	1.8270	0.8682
	总资产(万元)	191244.71	191355.04	193425.55	176495.22
	归属母公司股东权益(万元)	148690.23	147811.49	146670.04	144825.87
	营业收入(万元)	62095.07	119628.17	61769.06	91071.03
	营业支出(万元)	51940.01	103202.41	52501.00	80187.48
	投资收益(万元)	1109.71	1796.16	754.45	1663.07
	净利润(万元)	3048.20	4094.60	2905.29	2392.24
	营业利润(万元)	3144.13	3675.38	3129.91	1393.92
	利润总额(万元)	3561.32	4780.85	3398.60	2735.38

西藏奇正藏药股份有限公司

公司概况	公司名称	西藏奇正藏药股份有限公司		证券简称	奇正藏药
	法人代表	雷菊芳	董秘 冯平	证券代码	002287
	公司网址	www.cheezheng.com.cn		电子信箱	qzzy@qzh.cn
	电　话	010-64972881		传　真	010-64987324
	办公地址	西藏自治区林芝市巴宜区德吉路 2 号			
	经营范围	藏药的研发、生产和销售、包括外用止痛药物、口服药等			

主要财务指标	指标\报告期	2016.06.30	2015.12.31	2015.06.30	2014.12.31
	基本每股收益(元)	0.4000	0.6500	0.3800	0.5900
	基本每股收益(扣除后)(元)	0.3800	0.5600	0.3500	0.4700
	稀释每股收益(元)	0.4000	0.6500	0.3800	0.5900
	每股净资产(元)	3.9554	3.9682	3.6909	3.7049
	每股经营现金净流量(元)	0.3377	0.6350	0.6064	0.7659
	每股现金流量(元)	0.5402	0.0435	0.2036	-0.5939
	每股资本公积金(元)	1.0122	1.0122	1.0124	1.0124
	每股盈余公积金(元)	0.3669	0.3669	0.2934	0.2934
	每股未分配利润(元)	1.5763	1.5891	1.3851	1.3991
	净资产收益率(%)	10.0417	16.4431	10.1608	15.7916
	加权净资产收益率(%)	9.6900	17.0100	9.6300	16.3100
	净资产收益率(扣除)(%)	9.6098	14.0392	9.3987	12.7616
	总资产(万元)	219776.22	207013.24	177110.64	179188.71
	归属母公司股东权益(万元)	160587.27	161107.65	149850.70	150418.01
	营业收入(万元)	43987.00	99472.78	45073.15	95010.56
	营业支出(万元)	6309.41	20104.74	9501.76	25005.18
	投资收益(万元)	345.50	2392.06	1093.87	209.97
	净利润(万元)	16005.88	26135.74	15162.47	23546.95
	营业利润(万元)	17210.70	27308.58	16588.10	23291.16
	利润总额(万元)	17636.14	29137.11	16802.64	28606.43

广东超华科技股份有限公司

公司概况	公司名称	广东超华科技股份有限公司		证券简称	超华科技
	法人代表	梁健锋	董秘 范卓	证券代码	002288
	公司网址	www.chaohuatech.com		电子信箱	002288@chaohuatech.com
	电　话	0755-83432838 8586687		传　真	0755-83432658
	办公地址	广东省梅州市梅县雁洋镇超华工业园			
	经营范围	覆铜箔板、印制电路板及其上游相关产品电解铜箔、专用木浆纸的研发、生产和销售			

主要财务指标	指标\报告期	2016.06.30	2015.12.31	2015.06.30	2014.12.31
	基本每股收益(元)	0.0033	0.0294	0.0272	0.0094
	基本每股收益(扣除后)(元)	-0.0040	0.0099	0.0250	-0.0085
	稀释每股收益(元)	0.0033	0.0294	0.0272	0.0094
	每股净资产(元)	1.8695	1.8675	1.8910	2.9333
	每股经营现金净流量(元)	0.0227	0.0230	0.0339	0.0128
	每股现金流量(元)	-0.0483	-0.0553	-0.0051	-0.0074
	每股资本公积金(元)	0.5891	0.5891	0.6073	1.3135
	每股盈余公积金(元)	0.0197	0.0197	0.0197	0.0464
	每股未分配利润(元)	0.2587	0.2584	0.2639	0.5544
	净资产收益率(%)	0.1765	1.4934	1.2748	0.5857
	加权净资产收益率(%)	0.1800	1.6800	1.6400	0.5600
	净资产收益率(扣除)(%)	-0.2005	0.5014	1.1760	-0.2901
	总资产(万元)	256085.58	260404.18	234158.55	236332.76
	归属母公司股东权益(万元)	174169.17	173987.99	176177.49	115243.07
	营业收入(万元)	42200.56	104776.72	44995.68	120168.28
	营业支出(万元)	38514.16	90093.55	37367.91	102590.58
	投资收益(万元)	425.75	910.36	-	-
	净利润(万元)	307.48	2782.81	2489.02	1100.97
	营业利润(万元)	-567.38	1310.36	2564.69	-150.65
	利润总额(万元)	89.36	3043.49	2769.83	989.25

深圳市宇顺电子股份有限公司

公司概况					
公司名称	深圳市宇顺电子股份有限公司			证券简称	宇顺电子
法人代表	张旸	董秘	胡九成	证券代码	002289
公司网址	www.szsuccess.com.cn		电子信箱	ysdz@szsuccess.com.cn	
电　　话	0755-86028112		传　　真	0755-86028498	
办公地址	广东省深圳市南山区深圳市软件产业基地 1 栋 A 座 13 层				
经营范围	黑白显示模组、触控显示一体化模组、盖板玻璃等产品的研发、设计、生产与销售				

主要财务指标 指标＼报告期	2016.06.30	2015.12.31	2015.06.30	2014.12.31
基本每股收益(元)	-0.8465	-5.8772	-0.1394	-1.9735
基本每股收益(扣除后)(元)	-0.9135	-5.8512	-0.1528	-2.0476
稀释每股收益(元)	-0.8465	-5.8772	-0.1394	-1.9735
每股净资产(元)	2.2074	3.0515	8.7812	8.9210
每股经营现金净流量(元)	0.5467	0.1368	-0.8297	-0.4745
每股现金流量(元)	-0.5534	-0.3145	-0.9825	-0.1353
每股资本公积金(元)	9.6271	9.6271	9.6271	9.6271
每股盈余公积金(元)	0.0852	0.0852	0.0852	0.0852
每股未分配利润(元)	-8.5152	-7.6687	-1.9309	-1.7915
净资产收益率(%)	-38.3477	-192.6002	-1.5869	-19.6229
加权净资产收益率(%)	-32.1700	-98.1800	-1.5700	-22.6700
净资产收益率(扣除)(%)	-41.4187	-191.7487	-1.7401	-
总资产(万元)	214148.09	321023.51	418713.70	393743.26
归属母公司股东权益(万元)	41241.31	57012.93	164064.71	166675.34
营业收入(万元)	68353.42	338031.63	148656.21	275003.27
营业支出(万元)	63816.22	306189.25	134590.03	242506.50
投资收益(万元)	-	69.30	42.06	276.94
净利润(万元)	-15841.09	-110287.95	-2604.23	-32371.35
营业利润(万元)	-17885.49	-109077.89	-2866.48	-31776.90
利润总额(万元)	-16600.97	-109517.25	-2652.27	-30797.73

苏州中科创新型材料股份有限公司

公司概况					
公司名称	苏州中科创新型材料股份有限公司			证券简称	中科新材
法人代表	范鸣春	董秘	王文其	证券代码	002290
公司网址	www.szhssm.com.cn		电子信箱	hesheng@szhssm.com	
电　　话	0512-65073528 65073880		传　　真	0512-65073400	
办公地址	江苏省苏州市工业园区后戴街 108 号				
经营范围	家电用外观部件复合材料的研发、生产和销售				

主要财务指标 指标＼报告期	2016.06.30	2015.12.31	2015.06.30	2014.12.31
基本每股收益(元)	0.0900	0.1300	0.1100	-0.5800
基本每股收益(扣除后)(元)	0.0800	0.1100	0.1000	-0.5800
稀释每股收益(元)	0.0900	0.1300	0.1100	-0.5800
每股净资产(元)	3.9636	3.9696	3.9412	3.9854
每股经营现金净流量(元)	-0.1714	-0.2443	0.1143	0.5125
每股现金流量(元)	0.1784	-0.3034	-0.3245	-0.4641
每股资本公积金(元)	2.1128	2.1128	2.1128	2.1128
每股盈余公积金(元)	0.2038	0.2038	0.1990	0.1990
每股未分配利润(元)	0.6470	0.6530	0.6294	0.6736
净资产收益率(%)	2.3709	3.3802	2.6830	-14.5571
加权净资产收益率(%)	2.3500	3.3800	2.6300	-13.5200
净资产收益率(扣除)(%)	2.0979	2.7727	2.5016	-14.4539
总资产(万元)	148143.32	133536.35	134511.53	142687.58
归属母公司股东权益(万元)	83501.13	83628.12	83029.02	83961.40
营业收入(万元)	46508.07	108233.99	57322.27	118485.81
营业支出(万元)	39032.84	92992.93	50296.19	103004.65
投资收益(万元)	-	-62.28	-2.88	-66.00
净利润(万元)	1979.72	2826.81	2227.70	-12222.31
营业利润(万元)	2047.54	2868.73	2349.22	-12111.73
利润总额(万元)	2320.88	3478.29	2523.25	-12102.77

星期六股份有限公司

公司概况					
公司名称	星期六股份有限公司			证券简称	星 期 六
法人代表	张泽民	董秘	何建锋	证券代码	002291
公司网址	www.st-sat.com		电子信箱	zhengquan@st-sat.com	
电　　话	0757-86256351		传　　真	0757-86252172	
办公地址	广东省佛山市南海区桂城街道庆安路 2 号				
经营范围	生产经营皮鞋、皮革制品、服装、服饰等				

主要财务指标 指标＼报告期	2016.06.30	2015.12.31	2015.06.30	2014.12.31
基本每股收益(元)	0.0505	0.0600	0.0732	0.1000
基本每股收益(扣除后)(元)	0.0472	0.0500	0.0629	0.0900
稀释每股收益(元)	0.0505	0.0600	0.0732	0.1000
每股净资产(元)	4.5976	4.5473	4.6509	4.5535
每股经营现金净流量(元)	0.0738	0.0847	0.0166	0.1482
每股现金流量(元)	-0.1164	0.1860	1.0232	-0.6258
每股资本公积金(元)	2.3719	2.3719	2.4642	2.2250
每股盈余公积金(元)	0.1707	0.1707	0.1707	0.1874
每股未分配利润(元)	1.0552	1.0047	1.0160	1.1411
净资产收益率(%)	1.0990	1.2423	1.4565	2.1729
加权净资产收益率(%)	1.2100	1.3000	1.5900	2.2000
净资产收益率(扣除)(%)	1.0265	0.9977	1.2510	1.9344
总资产(万元)	304030.72	302758.47	329521.76	282347.13
归属母公司股东权益(万元)	183409.02	181399.78	185536.00	165452.53
营业收入(万元)	70864.35	164212.51	84454.29	175815.05
营业支出(万元)	32058.51	76531.18	43498.01	85377.64
投资收益(万元)	3.42	-31.52	-24.15	-
净利润(万元)	2063.36	2390.67	2799.88	3862.76
营业利润(万元)	2662.32	2731.28	3260.38	4803.46
利润总额(万元)	2839.71	3322.08	3768.95	5330.93

奥飞娱乐股份有限公司

公司概况					
公司名称	奥飞娱乐股份有限公司			证券简称	奥飞娱乐
法人代表	蔡东青	董秘	王晶	证券代码	002292
公司网址	www.gdalpha.com		电子信箱	invest@gdalpha.com	
电　　话	020-38983278-3886		传　　真	020-38336260	
办公地址	广东省广州市珠江新城临江大道 5 号保利国际中心 10 楼				
经营范围	制作、复制、发行:电视剧、综艺、专题、动画故事片等				

主要财务指标 指标＼报告期	2016.06.30	2015.12.31	2015.06.30	2014.12.31
基本每股收益(元)	0.2300	0.3900	0.2000	0.3400
基本每股收益(扣除后)(元)	0.1400	0.2800	0.1300	0.6500
稀释每股收益(元)	0.2300	0.3900	0.2000	0.3400
每股净资产(元)	3.4756	2.3957	2.1780	4.0174
每股经营现金净流量(元)	0.2208	-0.0764	-0.0316	0.8273
每股现金流量(元)	0.5468	-0.3856	-0.2107	0.1978
每股资本公积金(元)	1.1195	0.1924	0.1874	1.3573
每股盈余公积金(元)	0.0936	0.0969	0.0758	0.1516
每股未分配利润(元)	1.2405	1.0942	0.9309	1.5380
净资产收益率(%)	6.4293	16.1426	9.2705	16.8590
加权净资产收益率(%)	7.7700	17.4600	9.5500	20.4100
净资产收益率(扣除)(%)	3.8942	11.6912	6.0596	16.1487
总资产(万元)	790159.49	480928.69	438532.83	411006.62
归属母公司股东权益(万元)	454929.28	302950.73	275269.21	253877.58
营业收入(万元)	151760.08	258917.08	125882.67	242967.32
营业支出(万元)	75406.41	120710.40	59256.23	121886.89
投资收益(万元)	11869.96	10361.31	7915.81	-1091.33
净利润(万元)	28188.93	48070.46	24967.61	41256.68
营业利润(万元)	31857.66	50802.94	27546.63	42286.47
利润总额(万元)	33384.33	54952.73	29351.24	44220.87

罗莱生活科技股份有限公司

公司概况				
公司名称	罗莱生活科技股份有限公司		证券简称	罗莱生活
法人代表	薛伟成	董秘　田霖	证券代码	002293
公司网址	www.luolai.com.cn		电子信箱	ir@luolai.com.cn
电　话	021-23137924　85928751		传　真	021-23138776*340
办公地址	江苏省南通市经济技术开发区源兴路 555 号			
经营范围	家用纺织品的生产与销售			

主要财务指标	2016.06.30	2015.12.31	2015.06.30	2014.12.31
基本每股收益(元)	0.2149	0.5800	0.2600	0.5700
基本每股收益(扣除后)(元)	0.1832	0.4600	0.2200	1.3600
稀释每股收益(元)	0.2149	0.5800	0.2600	0.5700
每股净资产(元)	3.6628	3.6426	3.3176	8.6395
每股经营现金净流量(元)	0.0745	0.4838	0.1006	1.8097
每股现金流量(元)	-0.0336	-0.0821	-0.0388	-1.0155
每股资本公积金(元)	0.4962	0.4924	0.4924	2.7310
每股盈余公积金(元)	0.3677	0.3677	0.3055	0.7637
每股未分配利润(元)	1.7974	1.7824	1.5222	4.1508
净资产收益率(%)	5.8678	16.0414	7.8927	16.4139
加权净资产收益率(%)	5.7800	16.6300	7.4400	17.5600
净资产收益率(扣除)(%)	5.0024	12.6900	6.6151	15.2321
总资产(万元)	356005.75	348484.93	298615.68	311485.56
归属母公司股东权益(万元)	257058.21	255643.55	232834.97	242532.57
营业收入(万元)	134308.33	291563.39	124997.61	276140.06
营业支出(万元)	67689.09	148807.79	64604.47	152259.03
投资收益(万元)	1483.77	5480.21	1845.81	1715.49
净利润(万元)	15862.86	42308.91	18722.57	39817.37
营业利润(万元)	19436.39	48181.95	20569.40	43209.97
利润总额(万元)	20270.85	51170.10	21728.73	45180.58

深圳信立泰药业股份有限公司

公司概况				
公司名称	深圳信立泰药业股份有限公司		证券简称	信立泰
法人代表	叶澄海	董秘　杨健锋	证券代码	002294
公司网址	www.salubris.cn		电子信箱	investor@salubris.cn
电　话	0755-83867888		传　真	0755-83867338
办公地址	广东省深圳市福田区深南大道 6009 号车公庙绿景广场主楼 37 层			
经营范围	心血管类、头孢类抗生素、骨吸收抑制剂类等药物的研发、生产和销售			

主要财务指标	2016.06.30	2015.12.31	2015.06.30	2014.12.31
基本每股收益(元)	0.6600	1.2100	0.5900	1.0000
基本每股收益(扣除后)(元)	0.6600	1.1900	0.5900	1.5800
稀释每股收益(元)	0.6600	1.2100	0.5900	1.0000
每股净资产(元)	4.4513	4.3876	3.7683	5.7812
每股经营现金净流量(元)	0.6455	1.0096	0.3741	1.5025
每股现金流量(元)	0.3534	0.1476	-0.3076	0.2404
每股资本公积金(元)	0.1739	0.1739	0.1739	0.8783
每股盈余公积金(元)	0.3968	0.3968	0.3125	0.5000
每股未分配利润(元)	2.8788	2.8150	2.2810	3.4027
净资产收益率(%)	14.9126	27.5829	15.7060	27.5774
加权净资产收益率(%)	14.6900	30.8200	15.7300	30.7500
净资产收益率(扣除)(%)	14.7291	27.1697	15.6147	27.3360
总资产(万元)	579089.45	538688.27	454212.42	461604.20
归属母公司股东权益(万元)	465609.29	458951.46	394167.61	377953.63
营业收入(万元)	189177.52	347769.29	165798.41	288264.46
营业支出(万元)	48236.24	91228.84	42599.10	76485.39
投资收益(万元)	-8.93	1318.26	471.00	1993.48
净利润(万元)	69251.58	126967.37	62041.32	104338.42
营业利润(万元)	81075.41	147847.78	72706.55	120718.57
利润总额(万元)	82038.58	149148.81	73117.53	121736.30

广东精艺金属股份有限公司

公司概况				
公司名称	广东精艺金属股份有限公司		证券简称	精艺股份
法人代表	张军	董秘　张舟	证券代码	002295
公司网址	www.jingyimetal.com		电子信箱	jy@jingyimetal.com
电　话	0757-26336931		传　真	0757-22397895
办公地址	广东省佛山市顺德区北滘镇西海工业区			
经营范围	金属加工设备、精密铜管和铜管深加工产品的生产和销售			

主要财务指标	2016.06.30	2015.12.31	2015.06.30	2014.12.31
基本每股收益(元)	0.0177	0.0269	0.0115	-0.2644
基本每股收益(扣除后)(元)	0.0073	0.0162	0.0089	-0.2750
稀释每股收益(元)	0.0177	0.0269	0.0115	-0.2644
每股净资产(元)	4.1939	4.1900	4.2234	3.7082
每股经营现金净流量(元)	-0.5373	0.7188	0.2768	0.2918
每股现金流量(元)	-0.2427	0.3555	0.1231	-0.0016
每股资本公积金(元)	2.4395	2.4205	2.3739	1.7250
每股盈余公积金(元)	0.1192	0.1192	0.1207	0.1416
每股未分配利润(元)	0.7115	0.7338	0.7285	0.8416
净资产收益率(%)	0.4219	0.6039	0.2719	-7.1305
加权净资产收益率(%)	0.4200	0.6600	0.3100	-6.8900
净资产收益率(扣除)(%)	0.1737	0.3626	0.2114	-7.4156
总资产(万元)	139891.54	125544.98	128343.05	130338.53
归属母公司股东权益(万元)	105517.54	105420.05	104992.68	78539.93
营业收入(万元)	169846.19	307901.88	147628.38	235964.49
营业支出(万元)	164713.51	297007.03	142057.06	228636.52
投资收益(万元)	116.99	386.11	-28.61	-152.09
净利润(万元)	445.21	636.61	285.46	-5600.31
营业利润(万元)	862.96	778.32	479.14	-7491.64
利润总额(万元)	981.15	1004.85	560.00	-7434.54

河南辉煌科技股份有限公司

公司概况				
公司名称	河南辉煌科技股份有限公司		证券简称	辉煌科技
法人代表	李海鹰	董秘　韩瑞	证券代码	002296
公司网址	www.hhkj.cn		电子信箱	zqb@hhkj.cn
电　话	0371-67371035		传　真	0371-67388201
办公地址	河南省郑州市高新技术产业开发区科学大道 74 号			
经营范围	铁路信号通信领域产品的研制开发、生产及销售			

主要财务指标	2016.06.30	2015.12.31	2015.06.30	2014.12.31
基本每股收益(元)	0.1031	0.1989	0.0824	0.2629
基本每股收益(扣除后)(元)	0.0978	0.1920	0.0786	0.2445
稀释每股收益(元)	0.1031	0.1989	0.0824	0.2629
每股净资产(元)	3.9268	3.8537	3.7372	3.6848
每股经营现金净流量(元)	0.1103	0.2515	0.0276	0.1193
每股现金流量(元)	-0.1255	-0.0549	0.1732	-0.0941
每股资本公积金(元)	1.6873	1.6873	1.6873	1.6873
每股盈余公积金(元)	0.1430	0.1430	0.1321	0.1321
每股未分配利润(元)	1.0964	1.0234	0.9177	0.8654
净资产收益率(%)	2.6246	5.1617	2.2037	7.1336
加权净资产收益率(%)	2.6500	5.2800	2.2100	6.8300
净资产收益率(扣除)(%)	2.4897	4.9827	2.1037	6.6356
总资产(万元)	218548.75	214298.21	201402.61	192765.94
归属母公司股东权益(万元)	147904.47	145152.62	140762.26	138790.20
营业收入(万元)	20586.44	56602.69	18424.36	52562.38
营业支出(万元)	11218.60	29320.33	9705.18	28167.47
投资收益(万元)	-661.47	-200.01	-53.34	-
净利润(万元)	3881.83	7492.38	3102.03	10031.71
营业利润(万元)	2879.56	7927.88	3197.23	9103.46
利润总额(万元)	4717.81	8808.54	3664.19	11549.97

湖南博云新材料股份有限公司

公司概况					
公司名称	湖南博云新材料股份有限公司			证券简称	博云新材
法人代表	刘文胜	董秘	易剑鸣	证券代码	002297
公司网址	www.hnboyun.com.cn		电子信箱	hnboyun@hnboyun.com.cn	
电　话	0731-85302297		传　真	0731-88122777	
办公地址	湖南省长沙市岳麓区雷锋大道 346 号				
经营范围	研究、生产、销售粉末冶金摩擦材料、炭/炭复合材料、纳米材料及其制品				

主要财务指标 指标＼报告期	2016.06.30	2015.12.31	2015.06.30	2014.12.31
基本每股收益(元)	-0.0533	-0.3400	-0.0729	0.0100
基本每股收益(扣除后)(元)	-0.0658	-0.3600	-0.0810	-0.0600
稀释每股收益(元)	-0.0533	-0.3400	-0.0729	0.0100
每股净资产(元)	3.3134	2.5034	2.7719	2.8448
每股经营现金净流量(元)	0.0078	0.0432	-0.0329	0.0336
每股现金流量(元)	0.8686	-0.0802	-0.0562	-0.7484
每股资本公积金(元)	2.4591	1.6190	1.6190	1.6190
每股盈余公积金(元)	0.0423	0.0500	0.0500	0.0500
每股未分配利润(元)	-0.1880	-0.1657	0.1028	0.1757
净资产收益率(%)	-1.4441	-13.6367	-2.6303	0.4595
加权净资产收益率(%)	-1.9100	-12.7700	-2.6000	0.4600
净资产收益率(扣除)(%)	-1.7833	-14.2754	-2.9205	-2.0491
总资产(万元)	238728.72	175001.11	175498.56	173698.20
归属母公司股东权益(万元)	156165.47	99840.23	110547.40	113455.11
营业收入(万元)	21484.57	31942.93	15766.41	38024.78
营业支出(万元)	16438.30	27346.74	12451.15	29539.23
投资收益(万元)	-2372.45	-4727.02	-2345.29	-1439.98
净利润(万元)	-2081.65	-13961.56	-2804.12	834.59
营业利润(万元)	-2435.19	-16183.03	-3136.92	-2134.62
利润总额(万元)	-1886.11	-15372.85	-2790.03	893.33

安徽中电兴发与鑫龙科技股份有限公司

公司概况					
公司名称	安徽中电兴发与鑫龙科技股份有限公司			证券简称	中电鑫龙
法人代表	束龙胜	董秘	汪宇	证券代码	002298
公司网址	www.ah-xinlong.com		电子信箱	xinlongdsb@126.com	
电　话	0553-5772627		传　真	0553-5312688	
办公地址	安徽省芜湖市经济技术开发区电器部件园(九华北路 118)				
经营范围	高低压成套开关设备、元器件和自动化产品的生产和销售				

主要财务指标 指标＼报告期	2016.06.30	2015.12.31	2015.06.30	2014.12.31
基本每股收益(元)	0.1152	0.1358	0.0219	0.0362
基本每股收益(扣除后)(元)	0.0916	0.1085	0.0021	0.0135
稀释每股收益(元)	0.1152	0.1358	0.0219	0.0362
每股净资产(元)	4.8091	4.7260	3.1983	3.0942
每股经营现金净流量(元)	0.0476	0.3865	0.1444	0.0535
每股现金流量(元)	-0.1459	0.2249	-0.0598	-0.3473
每股资本公积金(元)	3.0688	3.0688	1.3466	1.2494
每股盈余公积金(元)	0.0688	0.0688	0.1034	0.1053
每股未分配利润(元)	0.6715	0.5884	0.7483	0.7395
净资产收益率(%)	2.3946	2.2182	0.6745	1.1713
加权净资产收益率(%)	2.4100	3.5300	0.7000	1.1700
净资产收益率(扣除)(%)	1.9049	1.7736	0.0652	0.4360
总资产(万元)	498786.63	509548.81	226010.99	227079.95
归属母公司股东权益(万元)	304379.42	299116.11	134768.43	128051.63
营业收入(万元)	67462.26	87270.59	25878.67	80940.89
营业支出(万元)	41531.73	51769.02	15607.71	48981.98
投资收益(万元)	-125.92	-348.57	-250.99	-677.63
净利润(万元)	7968.83	7777.56	963.54	1665.45
营业利润(万元)	8225.86	7484.27	285.78	918.07
利润总额(万元)	9996.88	8993.70	1258.84	2035.11

福建圣农发展股份有限公司

公司概况					
公司名称	福建圣农发展股份有限公司			证券简称	圣农发展
法人代表	傅光明	董秘	陈剑华	证券代码	002299
公司网址	www.sunnercn.com		电子信箱	sn023@sunnercn.com	
电　话	0599-7951250 7951242		传　真	0599-7951242 7921003	
办公地址	福建省南平市光泽县十里铺圣农总部办公大楼				
经营范围	畜、牧、禽、鱼、鳖养殖、茶果种植、混配合饲料生产				

主要财务指标 指标＼报告期	2016.06.30	2015.12.31	2015.06.30	2014.12.31
基本每股收益(元)	0.2212	-0.3714	-0.3612	0.0836
基本每股收益(扣除后)(元)	0.1678	-0.5353	-0.3603	0.0429
稀释每股收益(元)	0.2212	-0.3714	-0.3612	0.0836
每股净资产(元)	4.9284	4.7072	4.7384	3.4910
每股经营现金净流量(元)	0.3135	0.3897	-0.0902	1.0109
每股现金流量(元)	0.3422	0.0093	0.4135	-0.2217
每股资本公积金(元)	3.5608	3.5608	3.5608	1.8868
每股盈余公积金(元)	0.1354	0.1354	0.1354	0.1651
每股未分配利润(元)	0.2322	0.0109	0.0422	0.4391
净资产收益率(%)	4.4889	-7.4158	-6.7074	2.3956
加权净资产收益率(%)	4.5900	-8.4100	-9.2500	2.4200
净资产收益率(扣除)(%)	3.4051	-10.6892	-6.6912	1.2297
总资产(万元)	1129295.63	1096083.91	1094533.04	1003855.78
归属母公司股东权益(万元)	547496.41	522919.79	526391.72	317998.67
营业收入(万元)	392448.90	693982.53	318874.79	643605.99
营业支出(万元)	350184.56	694530.36	324735.70	591115.63
投资收益(万元)	20.04	-226.77	-230.32	-982.38
净利润(万元)	24262.95	-49903.72	-40895.85	3797.70
营业利润(万元)	18722.28	-68800.48	-41488.44	-1113.11
利润总额(万元)	24215.85	-49947.95	-40953.77	3778.18

福建南平太阳电缆股份有限公司

公司概况					
公司名称	福建南平太阳电缆股份有限公司			证券简称	太阳电缆
法人代表	李云孝	董秘	江永涛	证券代码	002300
公司网址	www.npcable.com		电子信箱	sunbss@163.com	
电　话	0599-8736341		传　真	0599-8736321	
办公地址	福建省南平市工业路 102 号				
经营范围	主要从事电线电缆的生产和销售				

主要财务指标 指标＼报告期	2016.06.30	2015.12.31	2015.06.30	2014.12.31
基本每股收益(元)	0.1600	0.4000	0.2000	0.3700
基本每股收益(扣除后)(元)	0.1400	0.2800	0.1100	0.2200
稀释每股收益(元)	0.1600	0.4000	0.2000	0.3700
每股净资产(元)	2.9700	2.8217	2.9034	2.7001
每股经营现金净流量(元)	0.1816	0.4669	-0.1023	1.0339
每股现金流量(元)	-0.0774	0.1414	0.2181	-0.0306
每股资本公积金(元)	0.7692	0.7692	0.7695	0.7695
每股盈余公积金(元)	0.3015	0.3015	0.2638	0.2638
每股未分配利润(元)	0.8191	0.6589	0.7759	0.5761
净资产收益率(%)	5.3927	14.1916	6.8793	13.6338
加权净资产收益率(%)	5.5200	14.5700	7.1300	14.0600
净资产收益率(扣除)(%)	4.8344	10.0534	3.9183	8.1617
总资产(万元)	331713.33	304839.93	329876.51	277792.40
归属母公司股东权益(万元)	134316.96	127610.76	131305.48	122111.01
营业收入(万元)	160138.78	360337.38	169251.81	335354.25
营业支出(万元)	137857.60	313179.71	147290.43	293682.65
投资收益(万元)	174.60	557.47	285.78	148.35
净利润(万元)	7629.21	18948.23	9357.58	17505.28
营业利润(万元)	9350.53	14795.35	7372.08	14462.34
利润总额(万元)	10443.35	25203.50	12495.49	23705.19

深圳齐心集团股份有限公司

公司概况	公司名称	深圳齐心集团股份有限公司		证券简称	齐心集团
	法人代表	陈钦鹏	董秘	沈蜀江	证券代码	002301
	公司网址	www.comix.com.cn		电子信箱	stock@comix.com.cn
	电　话	0755-83002400		传　真	0755-83002300
	办公地址	广东省深圳市坪山新区坑梓锦绣中路 18 号齐心科技园行政楼			
	经营范围	文件管理用品、办公设备、桌面文具等综合办公用品的研发、生产、销售			

主要财务指标	指标\报告期	2016.06.30	2015.12.31	2015.06.30	2014.12.31
	基本每股收益(元)	0.1200	0.0500	-0.0500	0.0800
	基本每股收益(扣除后)(元)	0.1100	-0.0800	-0.0800	0.0700
	稀释每股收益(元)	0.1200	0.0500	-0.0500	0.0800
	每股净资产(元)	3.1390	3.0226	2.9505	3.0036
	每股经营现金净流量(元)	0.5398	-0.1079	-0.1722	0.2041
	每股现金流量(元)	1.0206	-0.0224	-0.0351	-0.1347
	每股资本公积金(元)	0.9962	0.9962	1.0103	1.0103
	每股盈余公积金(元)	0.1104	0.1104	0.1097	0.1097
	每股未分配利润(元)	1.0489	0.9240	0.8306	0.8836
	净资产收益率(%)	3.9787	1.7453	-1.7983	2.5734
	加权净资产收益率(%)	4.0500	1.7300	-1.7800	2.5500
	净资产收益率(扣除)(%)	3.4673	-2.6137	-2.5432	2.2496
	总资产(万元)	324063.79	244358.34	217345.93	192288.93
	归属母公司股东权益(万元)	117274.33	112923.65	110982.03	112977.80
	营业收入(万元)	102686.68	158189.66	63843.55	163275.34
	营业支出(万元)	83301.93	131234.74	51492.89	133668.52
	投资收益(万元)	95.01	5889.09	61.13	91.35
	净利润(万元)	4685.65	1980.98	-1967.96	2910.70
	营业利润(万元)	4380.19	-496.69	-2447.81	2719.41
	利润总额(万元)	5040.70	411.36	-1680.98	3094.08

中建西部建设股份有限公司

公司概况	公司名称	中建西部建设股份有限公司			证券简称	西部建设
	法人代表	吴文贵	董秘	林彬	证券代码	002302
	公司网址	www.cwcg.cscec.com		电子信箱	linb@cscec.com	
	电　话	028-83335732　83332715		传　真	028-83332761	
	办公地址	四川省成都市高新区交子大道 177 号中海国际中心 B 座 22 楼				
	经营范围	预拌混凝土的生产和销售				

主要财务指标	指标\报告期	2016.06.30	2015.12.31	2015.06.30	2014.12.31
	基本每股收益(元)	0.0700	0.6700	0.0500	0.6400
	基本每股收益(扣除后)(元)	0.0600	0.6500	0.0900	0.6300
	稀释每股收益(元)	0.0700	0.6700	0.0500	0.6400
	每股净资产(元)	3.9198	7.7748	7.2011	7.2000
	每股经营现金净流量(元)	-0.7526	1.5233	-1.4657	0.0373
	每股现金流量(元)	-0.8996	1.1274	-1.6673	0.1291
	每股资本公积金(元)	1.0198	3.0395	3.0395	3.0395
	每股盈余公积金(元)	0.0926	0.1852	0.1790	0.1790
	每股未分配利润(元)	1.7998	3.5501	2.9826	2.9844
	净资产收益率(%)	1.9066	8.6423	1.3637	8.9500
	加权净资产收益率(%)	1.9100	8.9800	1.3600	9.3100
	净资产收益率(扣除)(%)	1.5574	8.4021	1.3143	8.7834
	总资产(万元)	1303688.83	1255622.08	1129048.12	1087289.34
	归属母公司股东权益(万元)	404614.53	401271.38	371660.82	371753.46
	营业收入(万元)	497061.34	1029492.92	439151.78	1021104.05
	营业支出(万元)	439116.67	896905.02	390455.02	898453.46
	投资收益(万元)	-98.15	-199.44	-	-
	净利润(万元)	7426.91	36668.05	5452.82	36552.86
	营业利润(万元)	9555.48	45381.20	8519.07	46748.47
	利润总额(万元)	11225.84	46566.46	8802.62	47451.58

美盈森集团股份有限公司

公司概况	公司名称	美盈森集团股份有限公司			证券简称	美 盈 森
	法人代表	张珍义	董秘	黄琳	证券代码	002303
	公司网址	www.szmys.com		电子信箱	mys.stock@szmys.com	
	电　话	0755-29751666		传　真	0755-28234302	
	办公地址	广东省深圳市宝安区光明新陂头村美盈森厂区 A 栋				
	经营范围	纸箱、木箱的生产及销售，轻型环保包装制品、重型环保包装制品				

主要财务指标	指标\报告期	2016.06.30	2015.12.31	2015.06.30	2014.12.31
	基本每股收益(元)	0.0784	0.1541	0.1014	0.1838
	基本每股收益(扣除后)(元)	0.0758	0.1098	0.1989	0.3490
	稀释每股收益(元)	0.0784	0.1541	0.1014	0.1838
	每股净资产(元)	1.7407	1.6614	3.2736	3.0715
	每股经营现金净流量(元)	-0.0063	0.1460	0.1680	0.4091
	每股现金流量(元)	-0.0932	-0.0908	-0.1964	0.3125
	每股资本公积金(元)	0.0113	0.0113	0.7226	0.7226
	每股盈余公积金(元)	0.0709	0.0709	0.1144	0.1144
	每股未分配利润(元)	0.6551	0.5766	1.4399	1.2373
	净资产收益率(%)	4.5048	9.2775	6.1888	11.9060
	加权净资产收益率(%)	4.5900	9.5000	6.3600	12.5500
	净资产收益率(扣除)(%)	4.3564	6.6083	6.0759	11.3619
	总资产(万元)	313600.75	322650.14	317343.44	292562.17
	归属母公司股东权益(万元)	248995.55	237653.70	234129.94	219670.62
	营业收入(万元)	107143.72	201642.29	89248.00	156322.23
	营业支出(万元)	78753.16	148095.97	59544.58	101780.62
	投资收益(万元)	-101.93	150.43	44.54	87.54
	净利润(万元)	11266.21	21608.00	14833.01	26756.97
	营业利润(万元)	13191.26	15818.74	17041.97	29601.85
	利润总额(万元)	13660.61	25117.89	17510.29	31324.31

江苏洋河酒厂股份有限公司

公司概况	公司名称	江苏洋河酒厂股份有限公司			证券简称	洋河股份
	法人代表	王耀	董秘	丛学年	证券代码	002304
	公司网址	www.chinayanghe.com		电子信箱	yanghe002304@vip.163.com	
	电　话	025-52489218		传　真	025-52489218	
	办公地址	江苏省宿迁市洋河中大街 118 号				
	经营范围	洋河蓝色经典、洋河大曲、敦煌古酿等系列品牌浓香型白酒的生产、加工和销售				

主要财务指标	指标\报告期	2016.06.30	2015.12.31	2015.06.30	2014.12.31
	基本每股收益(元)	2.2700	3.5600	2.1100	2.9900
	基本每股收益(扣除后)(元)	2.2100	3.2600	2.0700	4.1500
	稀释每股收益(元)	2.2700	3.5600	2.1100	2.9900
	每股净资产(元)	15.6924	15.2205	13.7737	18.3244
	每股经营现金净流量(元)	1.8872	3.8729	1.9265	2.5193
	每股现金流量(元)	-1.8327	0.2394	0.7570	-3.2589
	每股资本公积金(元)	0.4922	0.4922	0.4922	1.0891
	每股盈余公积金(元)	0.5000	0.5000	0.3583	0.5017
	每股未分配利润(元)	13.7002	13.2283	11.9231	15.7336
	净资产收益率(%)	14.4780	23.3909	15.3437	22.8520
	加权净资产收益率(%)	14.1500	25.3700	15.2000	24.5300
	净资产收益率(扣除)(%)	14.0610	21.4322	15.0226	-
	总资产(万元)	3241450.10	3386032.10	3046269.71	2875772.32
	归属母公司股东权益(万元)	2364833.29	2293709.64	2075675.64	1972473.41
	营业收入(万元)	1019359.93	1605244.41	957145.12	1467221.47
	营业支出(万元)	400958.22	611506.91	376235.63	577741.29
	投资收益(万元)	15048.11	57793.86	8750.89	5302.44
	净利润(万元)	341944.67	536519.93	318474.42	450804.42
	营业利润(万元)	454850.20	714008.67	424381.83	600951.15
	利润总额(万元)	455530.96	716531.90	424795.04	603070.93

南国置业股份有限公司

公司概况					
公司名称	南国置业股份有限公司			证券简称	南国置业
法人代表	夏进	董秘	谭永忠	证券代码	002305
公司网址	www.langold.com.cn		电子信箱	ir@langold.com.cn	
电　　话	027-83988055		传　　真	027-83988055	
办公地址	武汉市武昌区民主路 789 号				
经营范围	房地产综合开发、商品房销售、租赁、物业管理				

主要财务指标				
指标＼报告期	2016.06.30	2015.12.31	2015.06.30	2014.12.31
基本每股收益(元)	0.0033	0.0211	−0.0829	0.3378
基本每股收益(扣除后)(元)	0.0030	0.0213	−0.0822	0.5100
稀释每股收益(元)	0.0033	0.0211	−0.0829	0.3378
每股净资产(元)	2.5821	2.0106	1.9121	3.0884
每股经营现金净流量(元)	−0.1456	−3.3756	−2.0215	−0.5958
每股现金流量(元)	0.0618	0.5972	0.2277	0.1835
每股资本公积金(元)	0.8761	0.0117	0.0118	0.1381
每股盈余公积金(元)	0.0949	0.0951	0.0923	0.1386
每股未分配利润(元)	0.9055	0.9038	0.8080	1.8338
净资产收益率(%)	0.1068	1.0462	−4.2926	16.4030
加权净资产收益率(%)	0.1600	1.0300	−4.1100	17.5000
净资产收益率(扣除)(%)	0.0972	1.0556	−4.2933	16.3996
总资产(万元)	1978048.23	1908666.03	1346532.40	1261516.40
归属母公司股东权益(万元)	447574.20	293307.96	278221.12	301413.43
营业收入(万元)	137183.06	305088.19	60476.53	264723.35
营业支出(万元)	112940.66	207793.52	33234.13	149318.09
投资收益(万元)	159.26	9678.30	296.30	4093.54
净利润(万元)	2409.56	8376.38	−12458.64	48647.27
营业利润(万元)	3275.98	19274.95	−9564.10	69449.34
利润总额(万元)	3358.53	19363.78	−9557.97	69493.17

中科云网科技集团股份有限公司

公司概况					
公司名称	中科云网科技集团股份有限公司			证券简称	中科云网
法人代表	王禹皓	董秘	荣春献	证券代码	002306
公司网址	www.cltg.com.cn		电子信箱	zkywbgs@sina.com	
电　　话	010-88137599		传　　真	010-88137599	
办公地址	北京市朝阳区鼓楼外大街 23 号龙德行大厦 6 层				
经营范围	设计、开发、销售计算机软件				

主要财务指标				
指标＼报告期	2016.06.30	2015.12.31	2015.06.30	2014.12.31
基本每股收益(元)	−0.0200	0.0800	−0.1300	−0.8500
基本每股收益(扣除后)(元)	−0.0145	−0.2700	–	−0.9000
稀释每股收益(元)	−0.0200	0.0800	−0.1300	−0.8500
每股净资产(元)	0.0062	0.0242	−0.2428	−0.1080
每股经营现金净流量(元)	−0.0134	−0.0495	−0.0296	−0.0932
每股现金流量(元)	0.0076	−0.0973	−0.0838	0.0194
每股资本公积金(元)	0.3204	0.3204	0.2749	0.2749
每股盈余公积金(元)	0.0433	0.0433	0.0433	0.0433
每股未分配利润(元)	−1.3575	−1.3395	−1.5519	−1.4215
净资产收益率(%)	−292.4920	338.6537	–	791.2042
加权净资产收益率(%)	−118.7800	−122.2700	–	−292.0200
净资产收益率(扣除)(%)	−241.4815	−1126.0134	49.4775	831.4775
总资产(万元)	13487.06	17955.21	88608.51	105448.83
归属母公司股东权益(万元)	493.34	1936.32	−19426.56	−8641.77
营业收入(万元)	5140.31	37663.59	19418.57	62120.58
营业支出(万元)	2869.65	16400.31	8037.34	27186.97
投资收益(万元)	–	20432.84	0.60	6265.02
净利润(万元)	−1442.67	5024.71	−11001.76	−71424.83
营业利润(万元)	−1158.81	−1969.15	−9998.64	−68025.05
利润总额(万元)	−1440.46	5155.89	−10914.19	−71159.21

新疆北新路桥集团股份有限公司

公司概况					
公司名称	新疆北新路桥集团股份有限公司			证券简称	北新路桥
法人代表	张杰	董秘	朱胜军	证券代码	002307
公司网址	www.bxlq.com		电子信箱	zsj@xjbxlq.com	
电　　话	0991-3631208 3631209		传　　真	0991-3631269	
办公地址	新疆维吾尔自治区乌鲁木齐市高新区高新街 217 号盈科广场 A 座 16-17 层				
经营范围	公路工程施工总承包一级、公路路面工程专业承包一级				

主要财务指标				
指标＼报告期	2016.06.30	2015.12.31	2015.06.30	2014.12.31
基本每股收益(元)	0.0250	0.0600	0.0270	0.0500
基本每股收益(扣除后)(元)	0.0180	−0.0040	0.0154	0.0040
稀释每股收益(元)	0.0250	0.0600	0.0270	0.0500
每股净资产(元)	2.6845	2.6618	2.3127	2.3005
每股经营现金净流量(元)	−0.5822	−0.0862	−0.3648	0.5761
每股现金流量(元)	−0.6574	2.2889	0.4888	0.4371
每股资本公积金(元)	0.8981	0.8981	0.6001	0.6001
每股盈余公积金(元)	0.0625	0.0625	0.0625	0.0625
每股未分配利润(元)	0.6559	0.6309	0.5976	0.5706
净资产收益率(%)	0.9296	2.2681	1.1674	2.3451
加权净资产收益率(%)	0.9300	2.4300	1.0900	2.3200
净资产收益率(扣除)(%)	0.6703	−0.1336	0.6674	0.1525
总资产(万元)	1314440.69	1270805.29	1088289.71	1003839.52
归属母公司股东权益(万元)	149614.66	148350.60	128895.82	128212.48
营业收入(万元)	163399.95	511471.09	152537.01	580779.56
营业支出(万元)	143273.83	455041.83	123915.87	516438.06
投资收益(万元)	915.57	3266.22	480.80	219.11
净利润(万元)	357.53	907.38	584.06	1081.97
营业利润(万元)	138.18	−90.10	−219.33	−895.13
利润总额(万元)	598.82	2091.33	561.19	2755.71

威创集团股份有限公司

公司概况					
公司名称	威创集团股份有限公司			证券简称	威创股份
法人代表	何正宇	董秘	李亦争	证券代码	002308
公司网址	www.vtron.com		电子信箱	irm@vtron.com	
电　　话	020-22213431		传　　真	020-83903598	
办公地址	广东省广州高新技术产业开发区科珠路 233 号				
经营范围	超高分辨率数字拼接墙系统、交互数字平台及相关软件的研发、生产、销售和服务				

主要财务指标				
指标＼报告期	2016.06.30	2015.12.31	2015.06.30	2014.12.31
基本每股收益(元)	0.0900	0.1400	0.0200	0.1300
基本每股收益(扣除后)(元)	0.0800	0.1300	0.0200	0.1000
稀释每股收益(元)	0.0900	0.1400	0.0200	0.1300
每股净资产(元)	2.6643	2.5940	2.4727	2.4863
每股经营现金净流量(元)	0.0899	0.3601	0.1041	0.1014
每股现金流量(元)	−0.1778	−0.9533	−0.5512	−0.1686
每股资本公积金(元)	0.6926	0.6926	0.6926	0.6926
每股盈余公积金(元)	0.1906	0.1906	0.1828	0.1828
每股未分配利润(元)	0.7818	0.7114	0.5977	0.6112
净资产收益率(%)	3.2045	5.5118	0.8695	5.0633
加权净资产收益率(%)	3.2400	5.6300	0.8600	5.0200
净资产收益率(扣除)(%)	2.9362	5.1115	0.7603	3.9922
总资产(万元)	275083.56	288171.98	237833.30	230833.51
归属母公司股东权益(万元)	222628.20	216754.10	206620.54	207751.70
营业收入(万元)	45284.97	93714.68	34355.33	80297.09
营业支出(万元)	19287.97	46083.85	18026.10	38455.41
投资收益(万元)	90.44	194.94	36.36	–
净利润(万元)	7055.52	11913.25	1784.72	10519.01
营业利润(万元)	5748.23	9036.39	359.65	4026.69
利润总额(万元)	7997.00	14026.49	2484.31	11288.77

江苏中利集团股份有限公司

公司概况					
公司名称	江苏中利集团股份有限公司			证券简称	中利集团
法人代表	王柏兴	董秘	程娴	证券代码	002309
公司网址	www.zhongli.com		电子信箱	zhonglidm@zhongli.com	
电　话	0512-52571118		传　真	0512-52572288	
办公地址	江苏省常熟市东南经济开发区常昆路 8 号				
经营范围	电线、电缆、光缆、PVC 电力电缆料、电源插头、电子接插件、电工机械设备等				

主要财务指标

指标\报告期	2016.06.30	2015.12.31	2015.06.30	2014.12.31
基本每股收益(元)	−0.0900	0.7300	−0.3600	0.5200
基本每股收益(扣除后)(元)	−0.1300	0.6600	−0.3800	0.3200
稀释每股收益(元)	−0.0900	0.7300	−0.3600	0.5200
每股净资产(元)	7.7559	7.9565	6.9828	7.3857
每股经营现金净流量(元)	0.0869	−1.1300	0.0845	−2.1901
每股现金流量(元)	−0.4442	−0.1397	−1.4909	1.0954
每股资本公积金(元)	4.1284	4.1220	4.0443	4.0443
每股盈余公积金(元)	0.1879	0.1879	0.1703	0.1703
每股未分配利润(元)	2.5992	2.7872	1.7326	2.1948
净资产收益率(%)	−1.1434	9.1206	−5.1876	6.8040
加权净资产收益率(%)	−1.1200	9.4700	−5.0100	7.5800
净资产收益率(扣除)(%)	−1.6837	8.3124	−5.3835	4.2183
总资产(万元)	2255386.52	2134767.83	1647132.48	1711489.54
归属母公司股东权益(万元)	443814.83	455294.61	396824.85	419725.82
营业收入(万元)	484376.61	1213997.66	331562.39	924607.16
营业支出(万元)	392627.83	937840.10	272115.47	712406.14
投资收益(万元)	1028.15	5296.26	1231.28	3137.06
净利润(万元)	−6787.57	52625.12	−27858.82	24969.71
营业利润(万元)	−10103.79	62636.11	−26867.66	28900.71
利润总额(万元)	−7150.15	65283.85	−26056.56	36461.64

北京东方园林生态股份有限公司

公司概况					
公司名称	北京东方园林生态股份有限公司			证券简称	东方园林
法人代表	何巧女	董秘	张强	证券代码	002310
公司网址	www.orientscape.com		电子信箱	orientlandscape@163.com	
电　话	010-59388886		传　真	010-59388885	
办公地址	北京市朝阳区酒仙桥北路甲 10 号院 104 号楼				
经营范围	主要从事园林环境景观设计和园林绿化工程施工				

主要财务指标

指标\报告期	2016.06.30	2015.12.31	2015.06.30	2014.12.31
基本每股收益(元)	0.2900	0.6000	0.1600	0.6400
基本每股收益(扣除后)(元)	0.2500	0.5900	0.1500	0.5600
稀释每股收益(元)	0.2900	0.6000	0.1600	0.6400
每股净资产(元)	6.4312	6.1965	5.7419	5.6510
每股经营现金净流量(元)	0.5458	0.3646	−0.3722	−0.3009
每股现金流量(元)	−0.4310	−0.5573	−0.7506	−0.1845
每股资本公积金(元)	1.7114	1.7114	1.6976	1.6976
每股盈余公积金(元)	0.3514	0.3514	0.2927	0.2927
每股未分配利润(元)	3.3684	3.1337	2.7515	2.6606
净资产收益率(%)	4.5822	9.6307	2.7154	11.3641
加权净资产收益率(%)	4.6500	10.1000	2.7200	11.9600
净资产收益率(扣除)(%)	3.9399	9.5325	2.6773	9.8454
总资产(万元)	1832668.77	1769563.56	1352129.41	1306595.22
归属母公司股东权益(万元)	648720.49	625047.36	579194.08	570023.01
营业收入(万元)	291833.74	538067.78	223357.15	467958.87
营业支出(万元)	206848.96	363942.22	147877.13	305958.25
投资收益(万元)	2854.64	−37.14	−86.67	10294.42
净利润(万元)	33602.99	60007.94	15449.08	64310.23
营业利润(万元)	37489.53	69409.45	17654.24	72543.86
利润总额(万元)	41450.84	71077.40	17902.96	72525.26

广东海大集团股份有限公司

公司概况					
公司名称	广东海大集团股份有限公司			证券简称	海大集团
法人代表	薛华	董秘	黄志健	证券代码	002311
公司网址	www.haid.com.cn		电子信箱	zqbgs@haid.com.cn	
电　话	020-39388960		传　真	020-39388958	
办公地址	广东省广州市番禺区番禺大道北 555 号番禺节能科技园内天安科技创新大厦 213 房				
经营范围	饲料、添加剂的生产和技术开发、技术服务、畜牧、水产品的养殖等				

主要财务指标

指标\报告期	2016.06.30	2015.12.31	2015.06.30	2014.12.31
基本每股收益(元)	0.2500	0.5100	0.1900	0.5000
基本每股收益(扣除后)(元)	0.2400	0.4800	0.1900	0.4800
稀释每股收益(元)	0.2500	0.5100	0.1900	0.5000
每股净资产(元)	3.3048	3.2527	3.0029	4.0487
每股经营现金净流量(元)	0.2856	0.9198	0.7533	1.0013
每股现金流量(元)	−0.1692	0.1759	0.4152	−0.3114
每股资本公积金(元)	0.9320	0.9067	0.9198	1.5299
每股盈余公积金(元)	0.1244	0.1247	0.1195	0.1716
每股未分配利润(元)	1.2702	1.2740	1.0242	1.3564
净资产收益率(%)	7.5484	15.5977	6.2376	12.4295
加权净资产收益率(%)	7.5100	16.7200	6.4700	12.8900
净资产收益率(扣除)(%)	7.0989	14.5883	6.0383	11.8948
总资产(万元)	1015311.78	818466.76	896704.31	766578.03
归属母公司股东权益(万元)	509430.61	500060.86	461660.12	433212.25
营业收入(万元)	1162037.82	2556740.25	965044.28	2109041.13
营业支出(万元)	1032655.81	2315944.61	861360.87	1901883.35
投资收益(万元)	−2962.88	449.78	3303.80	5231.25
净利润(万元)	40229.53	79189.21	29803.77	55058.07
营业利润(万元)	46578.53	92476.10	35464.95	70139.58
利润总额(万元)	49374.63	98892.54	36659.11	70862.77

成都三泰控股集团股份有限公司

公司概况					
公司名称	成都三泰控股集团股份有限公司			证券简称	三泰控股
法人代表	补建	董秘	宋华梅	证券代码	002312
公司网址	www.isantai.com		电子信箱	songxx@isantai.com	
电　话	028-62825254　62825222		传　真	028-62825188	
办公地址	四川省成都市金牛区高科技产业园区蜀西路 42 号				
经营范围	生产、销售商用密码产品、安全技术防范等				

主要财务指标

指标\报告期	2016.06.30	2015.12.31	2015.06.30	2014.12.31
基本每股收益(元)	−0.1300	−0.0400	−0.1200	0.1700
基本每股收益(扣除后)(元)	−0.1400	−0.0800	−0.1200	0.1900
稀释每股收益(元)	−0.1300	−0.0400	−0.1200	0.1700
每股净资产(元)	4.6976	4.8279	1.9563	3.6700
每股经营现金净流量(元)	−0.3023	−0.1477	−0.1862	−0.2691
每股现金流量(元)	−1.3324	1.6329	−0.4931	0.4488
每股资本公积金(元)	3.4898	3.4898	0.6245	1.8385
每股盈余公积金(元)	0.0680	0.0680	0.0719	0.1258
每股未分配利润(元)	0.1399	0.2701	0.2599	0.7584
净资产收益率(%)	−2.7725	−0.8551	−6.0843	5.7121
加权净资产收益率(%)	−2.7300	−2.0600	−5.7800	9.3300
净资产收益率(扣除)(%)	−2.9083	−1.4732	−6.2708	4.3792
总资产(万元)	627547.85	687508.21	287877.64	285892.65
归属母公司股东权益(万元)	431584.50	443550.34	151231.16	164653.10
营业收入(万元)	52064.00	142629.14	41959.05	125636.92
营业支出(万元)	36756.62	92654.34	30934.34	90129.15
投资收益(万元)	2511.49	76.90	−101.54	1328.03
净利润(万元)	−11965.84	−3792.79	−9201.30	9505.69
营业利润(万元)	−14172.62	−8127.06	−12510.10	5050.58
利润总额(万元)	−11886.91	−2325.52	−10552.52	9528.70

深圳日海通讯技术股份有限公司

公司概况	公司名称	深圳日海通讯技术股份有限公司		证券简称	日海通讯
	法人代表	王文生	董秘 刘平(代)	证券代码	002313
	公司网址	www.sunseagroup.com		电子信箱	fanglingling@sunseagroup.com
	电　话	0755-27521988　86185752		传　真	0755-26030222-3218
	办公地址	广东省深圳市龙华新区观澜观盛四路日海工业园研发楼			
	经营范围	从事通讯产品的研发、生产经营通讯用配线设备、户外设施及相关集成			

主要财务指标	指标\报告期	2016.06.30	2015.12.31	2015.06.30	2014.12.31
	基本每股收益(元)	-0.1000	-0.0900	-0.1000	0.0400
	基本每股收益(扣除后)(元)	-0.1200	-0.1300	-0.1000	-0.0003
	稀释每股收益(元)	-0.1000	-0.0900	-0.1000	0.0400
	每股净资产(元)	6.0704	6.1488	6.0851	6.1824
	每股经营现金净流量(元)	-0.5795	1.1879	-0.3652	0.8045
	每股现金流量(元)	-0.6072	0.5051	-0.3214	0.2883
	每股资本公积金(元)	3.7655	3.7393	3.6798	3.6801
	每股盈余公积金(元)	0.1794	0.1794	0.1794	0.1794
	每股未分配利润(元)	1.1254	1.2301	1.2259	1.3229
	净资产收益率(%)	-1.7237	-1.5089	-1.5937	0.6277
	加权净资产收益率(%)	-1.7200	-1.5100	-1.5800	0.6300
	净资产收益率(扣除)(%)	-1.9824	-2.0550	-1.7108	-0.0048
	总资产(万元)	399535.75	440245.59	448117.07	446085.88
	归属母公司股东权益(万元)	189397.22	191842.82	189856.23	192889.74
	营业收入(万元)	107226.60	286924.68	123195.42	242873.59
	营业支出(万元)	83408.34	221273.81	93317.65	178791.65
	投资收益(万元)	-396.85	-388.44	-95.72	102.24
	净利润(万元)	-3100.11	-4936.35	-2819.24	4689.12
	营业利润(万元)	-3914.39	-2585.51	-1804.79	4251.36
	利润总额(万元)	-2782.66	-2239.05	-1364.35	5823.99

深圳市新南山控股(集团)股份有限公司

公司概况	公司名称	深圳市新南山控股(集团)股份有限公司		证券简称	南山控股
	法人代表	田俊彦	董秘 沈启盟	证券代码	002314
	公司网址	www.xnskg.cn		电子信箱	yazhizqb@163.com
	电　话	0755-33372314		传　真	0755-33202314
	办公地址	广东省深圳市南山区海德三道卓越后海中心 1801 号			
	经营范围	集成房屋的生产、租赁和销售业务			

主要财务指标	指标\报告期	2016.06.30	2015.12.31	2015.06.30	2014.12.31
	基本每股收益(元)	0.2200	0.1200	-0.0700	-0.0500
	基本每股收益(扣除后)(元)	0.2300	0.1300	-0.0600	-0.8800
	稀释每股收益(元)	0.2200	0.1200	-0.0700	-0.0500
	每股净资产(元)	2.9412	3.0992	2.4055	2.2563
	每股经营现金净流量(元)	-0.0802	1.0982	0.1348	-0.0022
	每股现金流量(元)	0.0935	0.7275	0.0653	-0.1102
	每股资本公积金(元)	1.4944	1.7508	1.1524	1.1524
	每股盈余公积金(元)	0.1247	0.1247	0.1149	0.1149
	每股未分配利润(元)	0.3218	0.2900	0.1382	0.2068
	净资产收益率(%)	7.4718	3.8140	-2.8493	-38.6481
	加权净资产收益率(%)	6.5700	4.5000	-2.8100	-32.0400
	净资产收益率(扣除)(%)	7.6250	3.9461	-2.6242	-39.0123
	总资产(万元)	1213622.57	1180788.24	1081543.59	1052683.94
	归属母公司股东权益(万元)	552226.39	594402.65	413686.90	425473.91
	营业收入(万元)	342487.97	488310.24	119056.47	173284.06
	营业支出(万元)	213796.39	368153.23	97904.57	167344.11
	投资收益(万元)	1060.17	22032.09	624.04	1194.98
	净利润(万元)	46831.32	22572.65	-12467.80	-53886.68
	营业利润(万元)	64107.97	40937.01	-11300.60	-53453.46
	利润总额(万元)	64231.16	40849.37	-10636.45	-52941.11

焦点科技股份有限公司

公司概况	公司名称	焦点科技股份有限公司		证券简称	焦点科技
	法人代表	沈锦华	董秘 顾军	证券代码	002315
	公司网址	www.focuschina.com		电子信箱	zqb@made-in-china.com
	电　话	025-86991866		传　真	025-58694317
	办公地址	江苏省南京市高新开发区星火路软件大厦 A 座 12F			
	经营范围	综合型第三方 BZB 电子商务平台、专注服务于全球贸易领域			

主要财务指标	指标\报告期	2016.06.30	2015.12.31	2015.06.30	2014.12.31
	基本每股收益(元)	0.1626	1.3379	0.9296	1.0200
	基本每股收益(扣除后)(元)	-0.0909	0.0045	-0.0600	0.2300
	稀释每股收益(元)	0.1626	1.3379	0.9296	1.0200
	每股净资产(元)	16.2087	17.1417	16.7259	15.4757
	每股经营现金净流量(元)	0.0065	0.5829	-0.1606	0.8502
	每股现金流量(元)	3.1278	0.7916	0.6959	-3.8761
	每股资本公积金(元)	10.2723	9.8327	9.8338	9.8338
	每股盈余公积金(元)	0.5000	0.5000	0.5000	0.5000
	每股未分配利润(元)	2.8281	3.6655	3.2571	3.1276
	净资产收益率(%)	1.0032	7.8051	5.5578	6.5626
	加权净资产收益率(%)	1.0000	8.1000	5.5400	6.5600
	净资产收益率(扣除)(%)	-0.5608	0.0261	-0.3688	1.5117
	总资产(万元)	239389.67	245422.11	233064.13	214075.62
	归属母公司股东权益(万元)	190452.70	201414.70	196529.75	181839.45
	营业收入(万元)	28938.04	49451.52	23073.06	50989.01
	营业支出(万元)	10760.31	19958.71	8607.18	19020.54
	投资收益(万元)	2912.19	15525.91	12205.05	6669.77
	净利润(万元)	1736.41	15539.63	10879.31	11921.46
	营业利润(万元)	2394.18	17219.26	12505.50	9985.85
	利润总额(万元)	2683.63	18725.85	13146.60	13123.58

深圳键桥通讯技术股份有限公司

公司概况	公司名称	深圳键桥通讯技术股份有限公司		证券简称	键桥通讯
	法人代表	王永彬	董秘 丛丰森	证券代码	002316
	公司网址	www.keybridge.com.cn		电子信箱	keybridge@keybridge.com.cn
	电　话	0755-26551650		传　真	0755-26635033
	办公地址	广东省深圳市南山区高新科技园后海大道 2388 号怡化金融科技大厦 24 层			
	经营范围	专网通讯技术解决方案业务的服务商			

主要财务指标	指标\报告期	2016.06.30	2015.12.31	2015.06.30	2014.12.31
	基本每股收益(元)	-0.0100	0.0589	0.0400	0.0500
	基本每股收益(扣除后)(元)	-0.0300	0.0700	0.0100	-0.0030
	稀释每股收益(元)	-0.0100	0.0589	0.0400	0.0500
	每股净资产(元)	2.1576	2.1814	2.1545	2.1115
	每股经营现金净流量(元)	-0.3240	0.9323	0.2974	0.7461
	每股现金流量(元)	-0.1589	0.1205	-0.1741	0.1046
	每股资本公积金(元)	0.6296	0.6296	0.6115	0.6115
	每股盈余公积金(元)	0.0810	0.0810	0.0699	0.0699
	每股未分配利润(元)	0.4459	0.4706	0.4760	0.4328
	净资产收益率(%)	-0.6778	2.6983	2.0059	2.2907
	加权净资产收益率(%)	-0.6700	2.7000	2.0100	2.2900
	净资产收益率(扣除)(%)	-1.2391	2.1984	0.2480	-0.1573
	总资产(万元)	185271.06	196043.22	204329.72	191380.39
	归属母公司股东权益(万元)	84819.28	85756.05	84698.77	83007.75
	营业收入(万元)	29534.80	84849.80	27571.65	51756.15
	营业支出(万元)	24267.15	68279.67	20841.91	39689.95
	投资收益(万元)	677.41	844.75	-	1642.21
	净利润(万元)	-760.42	1663.25	1135.95	1331.62
	营业利润(万元)	-1041.54	1640.91	-290.12	121.76
	利润总额(万元)	-683.97	1799.10	1657.50	1453.75

广东众生药业股份有限公司

公司概况					
公司名称	广东众生药业股份有限公司			证券简称	众生药业
法人代表	张绍日	董秘	周雪莉	证券代码	002317
公司网址	www.zspcl.com	电子信箱	zqb@zspcl.com		
电　话	0769-86188130	传　真	0769-86188082		
办公地址	广东省东莞市石龙镇西湖工业区信息产业园				
经营范围	主要从事药品的研发、生产与销售				

主要财务指标

指标\报告期	2016.06.30	2015.12.31	2015.06.30	2014.12.31
基本每股收益(元)	0.3100	0.4100	0.2100	0.3100
基本每股收益(扣除后)(元)	0.3000	0.4000	0.4100	0.6100
稀释每股收益(元)	0.3000	0.4000	0.2100	0.3100
每股净资产(元)	3.0089	2.7911	5.2976	5.0035
每股经营现金净流量(元)	0.3881	0.2603	0.3454	0.2722
每股现金流量(元)	0.0196	−0.1336	−0.1366	−0.2451
每股资本公积金(元)	0.7005	0.6942	2.2344	2.1011
每股盈余公积金(元)	0.1712	0.1711	0.3123	0.2773
每股未分配利润(元)	1.1881	1.0204	1.7697	1.6508
净资产收益率(%)	10.0411	14.3957	7.6130	12.1465
加权净资产收益率(%)	10.3100	15.1300	7.8200	12.8100
净资产收益率(扣除)(%)	9.8917	14.0197	7.5241	11.8340
总资产(万元)	312756.85	333402.72	322728.36	230637.11
归属母公司股东权益(万元)	222055.50	206112.83	195698.29	184878.06
营业收入(万元)	81574.99	157773.66	75301.73	130851.65
营业支出(万元)	25690.64	57314.42	28408.08	51741.28
投资收益(万元)	2782.63	1847.78	953.53	2811.37
净利润(万元)	22346.00	29563.28	14590.21	21598.07
营业利润(万元)	25387.33	33271.92	16797.75	24080.46
利润总额(万元)	25830.98	34190.31	17003.25	24826.48

浙江久立特材科技股份有限公司

公司概况					
公司名称	浙江久立特材科技股份有限公司			证券简称	久立特材
法人代表	周志江	董秘	郑杰英	证券代码	002318
公司网址	www.jiuli.com	电子信箱	jlgf@jiuli.com		
电　话	0572-7362041　7362125	传　真	0572-3620799		
办公地址	浙江省湖州市中兴大道1899号				
经营范围	工业用不锈钢无缝管、不锈钢焊接管的生产、销售				

主要财务指标

指标\报告期	2016.06.30	2015.12.31	2015.06.30	2014.12.31
基本每股收益(元)	0.0700	0.1500	0.0900	0.2400
基本每股收益(扣除后)(元)	0.0600	0.1300	0.1900	0.5800
稀释每股收益(元)	0.0700	0.1500	0.0900	0.2400
每股净资产(元)	2.9828	2.9247	7.1653	7.1441
每股经营现金净流量(元)	−0.0025	0.4088	0.1543	0.7482
每股现金流量(元)	−0.1613	0.1026	−0.1205	−0.2687
每股资本公积金(元)	0.8003	0.7967	3.4918	3.4895
每股盈余公积金(元)	0.1315	0.1315	0.2708	0.2708
每股未分配利润(元)	1.0511	0.9967	2.4038	2.3849
净资产收益率(%)	2.4949	4.9894	3.0556	7.8988
加权净资产收益率(%)	2.5100	5.0700	3.0500	9.7100
净资产收益率(扣除)(%)	2.0890	4.3429	2.7161	7.5210
总资产(万元)	378617.90	364602.46	379064.49	352091.79
归属母公司股东权益(万元)	251004.28	246117.71	241186.30	240472.53
营业收入(万元)	131601.35	272132.48	130107.79	290182.29
营业支出(万元)	102337.20	218315.63	103969.34	229826.43
投资收益(万元)	40.67	−95.40	−20.02	204.87
净利润(万元)	6099.28	11287.41	7104.60	18721.90
营业利润(万元)	6394.25	11972.12	7979.07	20677.37
利润总额(万元)	7493.20	13633.69	8504.83	22423.85

珠海市乐通化工股份有限公司

公司概况					
公司名称	珠海市乐通化工股份有限公司			证券简称	乐通股份
法人代表	刘明	董秘	张勇	证券代码	002319
公司网址	www.letongink.com	电子信箱	lt@letongink.com		
电　话	0756-3383338　6886888	传　真	0756-3383339		
办公地址	广东省珠海市金鼎官塘乐通工业园				
经营范围	生产和销售自产的各类油墨、涂料及相关配套产品				

主要财务指标

指标\报告期	2016.06.30	2015.12.31	2015.06.30	2014.12.31
基本每股收益(元)	0.0280	0.0100	0.0110	0.0300
基本每股收益(扣除后)(元)	–	0.0040	0.0160	0.0300
稀释每股收益(元)	0.0280	0.0100	0.0110	0.0300
每股净资产(元)	2.8228	2.7860	2.7957	2.7864
每股经营现金净流量(元)	0.2552	0.5221	0.1908	0.1452
每股现金流量(元)	0.0366	0.2017	0.1280	−0.3909
每股资本公积金(元)	0.9303	0.9303	0.9555	0.9555
每股盈余公积金(元)	0.1017	0.1017	0.0922	0.0922
每股未分配利润(元)	0.6602	0.6373	0.6450	0.6438
净资产收益率(%)	0.9901	0.4640	0.3981	0.9806
加权净资产收益率(%)	1.0000	0.4300	0.4000	0.9900
净资产收益率(扣除)(%)	2.0890	0.1368	0.3283	0.9172
总资产(万元)	115613.31	119718.13	108091.90	95458.98
归属母公司股东权益(万元)	56456.32	55720.23	55913.18	55728.34
营业收入(万元)	26818.40	44174.10	22922.82	59757.99
营业支出(万元)	18583.46	31242.39	16502.12	46749.44
投资收益(万元)	–	–	–	–
净利润(万元)	1232.57	472.79	408.57	890.93
营业利润(万元)	1917.43	375.08	411.90	989.99
利润总额(万元)	1194.74	598.61	458.55	1051.37

海南海峡航运股份有限公司

公司概况					
公司名称	海南海峡航运股份有限公司			证券简称	海峡股份
法人代表	林毅	董秘	叶伟	证券代码	002320
公司网址	www.hnss.net.cn	电子信箱	yewei@hngh.com		
电　话	0898-68612566　68615335	传　真	0898-68615225		
办公地址	海南省海口市滨海大道157号港航大厦14楼				
经营范围	国内沿海及近洋汽车、旅客运输、物流、旅游投资、房地产投资				

主要财务指标

指标\报告期	2016.06.30	2015.12.31	2015.06.30	2014.12.31
基本每股收益(元)	0.2700	0.2800	0.2400	0.2000
基本每股收益(扣除后)(元)	0.2700	0.2200	0.2300	0.1500
稀释每股收益(元)	0.2700	0.2800	0.2400	0.2000
每股净资产(元)	5.1054	4.8555	4.8207	4.5996
每股经营现金净流量(元)	0.4240	0.5680	0.3825	0.4783
每股现金流量(元)	0.2642	0.1711	0.0366	−0.3745
每股资本公积金(元)	2.3853	2.3853	2.3853	2.3853
每股盈余公积金(元)	0.3225	0.3225	0.2968	0.2968
每股未分配利润(元)	1.3947	1.1475	1.1348	0.9158
净资产收益率(%)	5.3510	5.6715	4.9160	4.2768
加权净资产收益率(%)	5.4900	5.8200	5.0300	4.3500
净资产收益率(扣除)(%)	5.3025	4.6298	4.7006	3.3094
总资产(万元)	236364.69	227118.59	229532.99	220008.74
归属母公司股东权益(万元)	217429.24	206786.05	205302.51	195889.73
营业收入(万元)	41774.55	68261.65	40670.66	59541.75
营业支出(万元)	21982.82	46086.30	24005.28	43734.47
投资收益(万元)	–	–	–	–
净利润(万元)	11713.93	11645.98	10178.83	8344.05
营业利润(万元)	15344.12	12662.16	12773.74	8732.02
利润总额(万元)	15554.72	15674.67	13501.48	11462.51

河南华英农业发展股份有限公司

公司概况	公司名称	河南华英农业发展股份有限公司			证券简称	华英农业
	法人代表	曹家富	董秘	李远平	证券代码	002321
	公司网址	www.hua-ying.com			电子信箱	huaying@hua-ying.com
	电　话	0371-55697518 55697517			传　真	0371-55697519
	办公地址	河南省信阳市潢川县产业集聚区工业大道 1 号				
	经营范围	种禽养殖孵化、禽苗销售、商品禽养殖、屠宰加工及其制品的生产与销售、饲料加工				

	指标\报告期	2016.06.30	2015.12.31	2015.06.30	2014.12.31
主要财务指标	基本每股收益(元)	0.1274	0.0410	0.0490	0.0300
	基本每股收益(扣除后)(元)	0.0512	-0.0543	0.0330	-0.0758
	稀释每股收益(元)	0.1274	0.0410	0.0490	0.0300
	每股净资产(元)	4.4656	3.2810	3.4836	3.4343
	每股经营现金净流量(元)	0.2184	1.4532	0.3406	1.6714
	每股现金流量(元)	1.1945	1.6675	-0.3919	-0.0551
	每股资本公积金(元)	3.0221	2.0787	2.0787	2.0787
	每股盈余公积金(元)	0.0749	0.0940	0.0940	0.0940
	每股未分配利润(元)	0.3686	0.3027	0.3110	0.2617
	净资产收益率(%)	2.8522	1.1814	1.4173	0.8602
	加权净资产收益率(%)	3.5200	1.1900	1.4300	0.8600
	净资产收益率(扣除)(%)	1.1471	-1.5612	0.9367	-2.2063
	总资产(万元)	557601.95	496352.19	454008.28	427609.23
	归属母公司股东权益(万元)	238592.85	147979.16	148333.23	146230.89
	营业收入(万元)	105409.86	185749.95	92804.36	184310.28
	营业支出(万元)	94957.91	164082.22	79533.98	167967.77
	投资收益(万元)	8.87	20.89	19.33	171.64
	净利润(万元)	6900.67	1732.52	2235.04	1386.36
	营业利润(万元)	2857.53	-2357.37	1532.33	-3158.78
	利润总额(万元)	6950.09	1782.74	2347.69	1551.28

江苏雅百特科技股份有限公司

公司概况	公司名称	江苏雅百特科技股份有限公司			证券简称	雅百特
	法人代表	陆永	董秘	张明	证券代码	002323
	公司网址	www.yabaite.com			电子信箱	jszldq@163.com
	电　话	021-32579919			传　真	021-32579996
	办公地址	上海市长宁区天山西路 789 号				
	经营范围	矿用隔爆型移动变电站、干式变压器的开发、生产、销售等				

	指标\报告期	2016.06.30	2015.12.31	2015.06.30	2014.12.31
主要财务指标	基本每股收益(元)	0.0993	1.3970	0.0482	0.1167
	基本每股收益(扣除后)(元)	0.0993	1.3327	0.0057	0.0672
	稀释每股收益(元)	0.0993	1.3970	0.0482	0.1167
	每股净资产(元)	0.8807	2.4540	7.9757	7.9275
	每股经营现金净流量(元)	-0.1551	0.1210	0.0268	-0.0428
	每股现金流量(元)	-0.0518	0.1942	0.3623	-0.9357
	每股资本公积金(元)	0.1215	0.3645	5.2011	1.4208
	每股盈余公积金(元)	0.0490	0.1471	0.3323	0.1848
	每股未分配利润(元)	0.5379	1.4237	1.4423	1.6384
	净资产收益率(%)	11.2762	43.6372	0.6043	1.4717
	加权净资产收益率(%)	11.6900	60.2500	0.6100	1.4500
	净资产收益率(扣除)(%)	11.2785	41.6303	0.0712	0.8482
	总资产(万元)	141783.67	94148.01	96808.06	47404.83
	归属母公司股东权益(万元)	65679.05	61000.83	85808.65	29730.07
	营业收入(万元)	46533.72	92563.55	14627.65	39126.53
	营业支出(万元)	32646.02	52535.56	12405.23	32040.50
	投资收益(万元)	-	-	84.18	144.41
	净利润(万元)	7412.51	26619.05	518.56	1255.20
	营业利润(万元)	9449.23	30560.93	73.84	864.41
	利润总额(万元)	9448.47	31783.59	612.03	1501.40

宁波理工环境能源科技股份有限公司

公司概况	公司名称	宁波理工环境能源科技股份有限公司			证券简称	理工环科
	法人代表	周方洁	董秘	李雪会	证券代码	002322
	公司网址	www.lgom.com.cn			电子信箱	ir@lgom.com.cn
	电　话	0574-86821166			传　真	0574-86995616
	办公地址	浙江省宁波市北仑保税南区曹娥江路 22 号				
	经营范围	电力高压设备在线监测产品的开发、生产和销售				

	指标\报告期	2016.06.30	2015.12.31	2015.06.30	2014.12.31
主要财务指标	基本每股收益(元)	0.0600	0.3500	0.0100	0.2300
	基本每股收益(扣除后)(元)	0.0600	0.3300	0.0100	0.1900
	稀释每股收益(元)	0.0600	0.3500	0.0100	0.2300
	每股净资产(元)	7.0651	7.0398	4.2509	4.3687
	每股经营现金净流量(元)	-0.4930	0.3826	0.0040	0.5841
	每股现金流量(元)	-0.2269	0.3140	-0.1499	-0.1918
	每股资本公积金(元)	4.7088	4.6983	1.6724	1.6965
	每股盈余公积金(元)	0.1599	0.1586	0.2173	0.2138
	每股未分配利润(元)	1.1964	1.2203	1.4159	1.5836
	净资产收益率(%)	0.9257	3.7707	0.2357	4.9879
	加权净资产收益率(%)	0.9200	6.1800	0.2300	5.1100
	净资产收益率(扣除)(%)	0.8670	3.6556	0.1723	4.2392
	总资产(万元)	306601.02	326232.72	123759.38	132022.50
	归属母公司股东权益(万元)	284722.49	286080.54	118191.36	123424.26
	营业收入(万元)	19540.75	44880.25	6708.74	19538.04
	营业支出(万元)	7811.53	21552.36	2732.80	7362.71
	投资收益(万元)	90.00	-402.50	60.00	-
	净利润(万元)	2562.78	10618.75	211.70	6040.92
	营业利润(万元)	1910.73	8918.20	-18.88	4334.83
	利润总额(万元)	3076.29	12492.07	345.43	6512.89

上海普利特复合材料股份有限公司

公司概况	公司名称	上海普利特复合材料股份有限公司			证券简称	普利特
	法人代表	周文	董秘	储民宏	证券代码	002324
	公司网址	www.pret.com.cn			电子信箱	dsh@pret.com.cn
	电　话	021-69210096			传　真	021-51685255
	办公地址	上海市青浦区工业园区新业路 558 号				
	经营范围	汽车用改性塑料产品的生产、研发、销售和服务				

	指标\报告期	2016.06.30	2015.12.31	2015.06.30	2014.12.31
主要财务指标	基本每股收益(元)	0.6100	0.9600	0.5800	0.7300
	基本每股收益(扣除后)(元)	0.5600	0.8600	0.5700	0.6600
	稀释每股收益(元)	0.6100	0.9600	0.5800	0.7300
	每股净资产(元)	7.3649	6.8133	6.4283	5.8601
	每股经营现金净流量(元)	0.0075	0.9061	-0.1494	0.8083
	每股现金流量(元)	0.0308	-0.5727	-0.6379	0.2284
	每股资本公积金(元)	2.1433	2.1433	2.1396	2.1396
	每股盈余公积金(元)	0.4386	0.4386	0.3345	0.3345
	每股未分配利润(元)	3.6612	3.1463	2.9695	2.3860
	净资产收益率(%)	8.3490	14.1551	9.0774	12.3904
	加权净资产收益率(%)	8.6600	15.3100	9.5600	12.9700
	净资产收益率(扣除)(%)	7.6693	12.5601	8.8276	11.2211
	总资产(万元)	300814.25	291817.01	291001.16	224688.04
	归属母公司股东权益(万元)	198851.73	183957.97	173564.36	158222.80
	营业收入(万元)	143408.31	278742.42	133945.23	202576.68
	营业支出(万元)	105351.26	212663.34	101927.54	160255.12
	投资收益(万元)	-	10.45	10.45	47.01
	净利润(万元)	16602.09	26039.43	15755.07	19604.50
	营业利润(万元)	17811.48	28047.08	17689.60	21128.56
	利润总额(万元)	19408.47	31466.43	18236.55	23213.80

深圳市洪涛装饰股份有限公司

公司概况					
公司名称	深圳市洪涛装饰股份有限公司			证券简称	洪涛股份
法人代表	刘年新	董秘	钟臻卓	证券代码	002325
公司网址	www.szhongtao.cn			电子信箱	hongtao@szhongtao.cn
电　话	0755-29999999*986			传　真	0755-25893839
办公地址	广东省深圳市罗湖区泥岗西洪涛路17号				
经营范围	承接酒店、剧院会场、写字楼、图书馆、医院、体育场馆等公共装饰工程的设计及施工				

主要财务指标 指标\报告期	2016.06.30	2015.12.31	2015.06.30	2014.12.31
基本每股收益(元)	0.1000	0.3600	0.1200	0.3200
基本每股收益(扣除后)(元)	0.1000	0.3300	0.1900	0.4000
稀释每股收益(元)	0.1000	0.3600	0.1200	0.3200
每股净资产(元)	2.7851	3.2506	3.7759	3.6293
每股经营现金净流量(元)	-0.4247	-0.2027	-0.4082	0.2785
每股现金流量(元)	0.0765	0.1762	0.4209	-0.1937
每股资本公积金(元)	0.6236	0.9457	1.4256	1.4211
每股盈余公积金(元)	0.1222	0.1467	0.1428	0.1428
每股未分配利润(元)	1.0658	1.1919	1.2744	1.1342
净资产收益率(%)	3.7397	10.9810	5.0363	10.1600
加权净资产收益率(%)	3.7700	11.7500	5.1100	13.4500
净资产收益率(扣除)(%)	3.6858	10.1801	4.9084	10.1298
总资产(万元)	765977.47	673628.59	631329.52	541282.10
归属母公司股东权益(万元)	334726.86	325565.38	302535.38	290790.09
营业收入(万元)	169122.97	300634.03	158852.29	339264.09
营业支出(万元)	128623.82	221530.32	125357.80	271297.36
投资收益(万元)	137.80	2621.18	-	-
净利润(万元)	11688.41	34260.40	14586.77	29409.61
营业利润(万元)	14121.74	40689.53	17125.35	35001.87
利润总额(万元)	14333.42	41227.22	17585.11	35090.62

浙江永太科技股份有限公司

公司概况					
公司名称	浙江永太科技股份有限公司			证券简称	永太科技
法人代表	王莺妹	董秘	戴涛	证券代码	002326
公司网址	www.yongtaitech.com			电子信箱	guanhui@yongtaitech.com
电　话	0576-85588006 85588960			传　真	0576-85588006
办公地址	浙江省临海市化学原料药基地临海园区东海第五大道一号				
经营范围	主要从事氟精细化学品的研发、生产和销售				

主要财务指标 指标\报告期	2016.06.30	2015.12.31	2015.06.30	2014.12.31
基本每股收益(元)	0.1390	0.1800	0.1390	0.1200
基本每股收益(扣除后)(元)	0.1300	0.1800	0.1230	0.2900
稀释每股收益(元)	0.1390	0.1800	0.1390	0.1200
每股净资产(元)	2.4354	2.3440	2.2418	5.9257
每股经营现金净流量(元)	0.0479	0.0830	0.0138	0.5846
每股现金流量(元)	-0.0621	0.0977	0.5857	0.7010
每股资本公积金(元)	0.7712	0.7707	0.7137	3.7573
每股盈余公积金(元)	0.0768	0.0768	0.0595	0.1667
每股未分配利润(元)	0.5967	0.5178	0.4931	1.0934
净资产收益率(%)	5.7011	7.7059	6.1803	4.9341
加权净资产收益率(%)	5.7600	8.2200	6.3600	7.2500
净资产收益率(扣除)(%)	5.3336	7.5628	5.4798	4.3188
总资产(万元)	386678.87	343706.42	357945.79	251818.58
归属母公司股东权益(万元)	194490.23	187212.52	179055.65	168911.41
营业收入(万元)	93122.05	154201.26	72355.25	106144.93
营业支出(万元)	68974.90	117449.12	51819.86	79679.23
投资收益(万元)	1281.78	2378.43	1271.54	2480.29
净利润(万元)	11030.68	14333.71	11020.38	8300.05
营业利润(万元)	12106.13	16827.20	12770.47	8482.45
利润总额(万元)	13196.98	17902.95	13250.60	9131.51

深圳市富安娜家居用品股份有限公司

公司概况					
公司名称	深圳市富安娜家居用品股份有限公司			证券简称	富安娜
法人代表	林国芳	董秘	黎峻江	证券代码	002327
公司网址	www.fuanna.com.cn			电子信箱	huzhenchao@fuanna.com.cn
电　话	0755-26055091			传　真	0755-26055076
办公地址	广东省深圳市南山区南光路富安娜工业大厦				
经营范围	套件、被芯、枕芯等床上用品及其他家纺产品的研发、设计、生产和销售				

主要财务指标 指标\报告期	2016.06.30	2015.12.31	2015.06.30	2014.12.31
基本每股收益(元)	0.2040	0.4700	0.2130	0.4500
基本每股收益(扣除后)(元)	0.1880	0.4500	0.1980	0.8600
稀释每股收益(元)	0.2010	0.4700	0.2130	0.4500
每股净资产(元)	2.7864	2.6594	2.6889	5.0575
每股经营现金净流量(元)	0.0912	0.3378	-0.0537	1.0181
每股现金流量(元)	-0.3572	-0.2495	-0.4593	0.5832
每股资本公积金(元)	0.0933	0.1643	0.1170	1.2123
每股盈余公积金(元)	-	0.1535	0.1293	0.2594
每股未分配利润(元)	1.8404	1.7345	1.5108	2.7029
净资产收益率(%)	7.1407	17.5347	7.9250	17.3956
加权净资产收益率(%)	7.4000	16.3300	8.1200	19.0600
净资产收益率(扣除)(%)	6.5740	16.5909	7.3477	16.6240
总资产(万元)	299775.49	292782.53	282189.87	278955.67
归属母公司股东权益(万元)	237178.66	228818.14	230806.16	216464.85
营业收入(万元)	88114.93	209260.83	86261.99	196976.69
营业支出(万元)	42989.70	102430.95	41371.64	95886.12
投资收益(万元)	1258.21	1830.97	1457.89	1686.27
净利润(万元)	16936.11	40122.54	18291.38	37655.25
营业利润(万元)	20992.70	48088.08	23071.60	48522.34
利润总额(万元)	21526.39	49127.90	23390.16	49057.14

上海新朋实业股份有限公司

公司概况					
公司名称	上海新朋实业股份有限公司			证券简称	新光圆成
法人代表	宋琳	董秘	汪培毅	证券代码	002328
公司网址	www.xinpeng.com			电子信箱	peiyi.wang@xinpeng.com
电　话	021-31166512			传　真	021-31166513
办公地址	上海市青浦区华新镇华隆路1698号				
经营范围	各类金属冲压钣金件和微型电机的生产				

主要财务指标 指标\报告期	2016.06.30	2015.12.31	2015.06.30	2014.12.31
基本每股收益(元)	0.1200	0.2000	0.1200	0.1900
基本每股收益(扣除后)(元)	0.0700	0.1700	0.1100	0.1800
稀释每股收益(元)	0.1200	0.2000	0.1200	0.1900
每股净资产(元)	5.0986	5.0047	4.9528	4.8938
每股经营现金净流量(元)	0.6260	0.1926	0.0346	1.1053
每股现金流量(元)	0.2731	-0.5624	-0.2756	0.2180
每股资本公积金(元)	2.6865	2.7061	2.7061	2.7061
每股盈余公积金(元)	0.1354	0.1348	0.1258	0.1258
每股未分配利润(元)	1.2823	1.2039	1.1315	1.0711
净资产收益率(%)	2.3196	4.0325	2.4310	3.8973
加权净资产收益率(%)	2.3300	4.0700	2.4300	3.9600
净资产收益率(扣除)(%)	1.4611	3.4373	2.2568	3.6481
总资产(万元)	382035.27	388827.69	393249.07	387382.72
归属母公司股东权益(万元)	228467.63	225211.06	222875.16	220222.57
营业收入(万元)	202441.86	395602.13	210301.67	366156.12
营业支出(万元)	179688.76	352089.74	186442.52	321836.88
投资收益(万元)	1507.78	1018.68	1744.98	5067.10
净利润(万元)	9083.61	15176.54	9280.86	15665.72
营业利润(万元)	10102.16	17158.04	11319.97	17367.71
利润总额(万元)	11282.85	18210.52	11990.39	18794.40

皇氏集团股份有限公司

公司概况	公司名称	皇氏集团股份有限公司			证券简称	皇氏集团
	法人代表	黄嘉棣	董秘	何海晏	证券代码	002329
	公司网址	www.gxhsry.com			电子信箱	hsryhhy@126.com
	电　话	0771-3211086			传　真	0771-3221828
	办公地址	广西壮族自治区南宁市科园大道 66 号				
	经营范围	液态乳和液态乳制品的生产、加工、销售以及与此产业关联的奶牛养殖和牧草种植业务				

主要财务指标	指标\报告期	2016.06.30	2015.12.31	2015.06.30	2014.12.31
	基本每股收益(元)	0.1205	0.2300	0.0759	0.1234
	基本每股收益(扣除后)(元)	0.1169	0.2179	0.2160	0.2994
	稀释每股收益(元)	0.1205	0.2300	0.0759	0.1234
	每股净资产(元)	3.2105	3.0900	5.9935	5.8310
	每股经营现金净流量(元)	0.0389	0.5152	0.0514	0.4526
	每股现金流量(元)	-0.2007	0.1946	-0.2927	0.2819
	每股资本公积金(元)	1.5625	1.5625	3.8156	3.8156
	每股盈余公积金(元)	0.0514	0.0514	0.1452	0.1452
	每股未分配利润(元)	0.5966	0.4761	1.0327	0.8702
	净资产收益率(%)	3.7536	7.1327	3.5454	4.8578
	加权净资产收益率(%)	3.8300	9.7700	3.5900	8.5200
	净资产收益率(扣除)(%)	3.6425	6.7586	3.6047	4.2083
	总资产(万元)	483710.62	445353.45	235660.06	227838.28
	归属母公司股东权益(万元)	268926.30	258831.95	159685.71	155356.40
	营业收入(万元)	110031.51	168513.77	67005.06	113030.43
	营业支出(万元)	76544.24	110248.23	44735.79	78196.06
	投资收益(万元)	99.85	139.62	84.38	165.15
	净利润(万元)	12171.06	21531.26	7272.16	8987.19
	营业利润(万元)	12085.75	20277.84	7999.82	9372.34
	利润总额(万元)	12550.59	21974.50	8173.55	10879.57

山东得利斯食品股份有限公司

公司概况	公司名称	山东得利斯食品股份有限公司			证券简称	得利斯
	法人代表	郑思敏	董秘	王松	证券代码	002330
	公司网址	www.delisi.com.cn			电子信箱	wssc007@126.com
	电　话	0536-6339032 6339137			传　真	0536-6339137
	办公地址	山东省潍坊市诸城市昌城镇驻地				
	经营范围	低温肉制品、酱卤肉制品及其他肉制品、蛋制品、速冻面米食品等				

主要财务指标	指标\报告期	2016.06.30	2015.12.31	2015.06.30	2014.12.31
	基本每股收益(元)	0.0320	0.0450	0.0490	0.0700
	基本每股收益(扣除后)(元)	0.0260	0.0330	0.0490	0.0570
	稀释每股收益(元)	0.0320	0.0450	0.0490	0.0700
	每股净资产(元)	2.6324	2.6006	2.6076	2.5887
	每股经营现金净流量(元)	0.0681	0.2827	0.1168	0.0881
	每股现金流量(元)	0.0009	-0.0682	0.0144	-0.0633
	每股资本公积金(元)	0.9595	0.9595	0.9627	0.9627
	每股盈余公积金(元)	0.0403	0.0403	0.0403	0.0403
	每股未分配利润(元)	0.6326	0.6007	0.6046	0.5857
	净资产收益率(%)	1.2089	1.7318	1.8767	2.7083
	加权净资产收益率(%)	1.1800	1.7300	1.8700	2.6200
	净资产收益率(扣除)(%)	1.0187	1.2525	1.8716	2.2007
	总资产(万元)	170656.92	172841.58	160944.78	163284.87
	归属母公司股东权益(万元)	132145.33	130547.84	130903.14	129952.53
	营业收入(万元)	82804.89	155099.25	78333.07	162238.48
	营业支出(万元)	71210.42	132475.55	64530.35	138492.34
	投资收益(万元)	-	270.20	-	110.87
	净利润(万元)	1568.92	2223.56	2451.14	3596.37
	营业利润(万元)	1638.30	2841.85	2892.83	3677.15
	利润总额(万元)	1906.94	3288.41	2875.12	4403.31

安徽皖通科技股份有限公司

公司概况	公司名称	安徽皖通科技股份有限公司			证券简称	皖通科技
	法人代表	王中胜	董秘	陈新	证券代码	002331
	公司网址	www.wantong-tech.net			电子信箱	wtkjfz@mail.hf.ah.cn
	电　话	0551-62969206			传　真	0551-62969207
	办公地址	安徽省合肥市高新区皖水路 589 号				
	经营范围	计算机软件、硬件的开发、生产与销售、信息系统集成等				

主要财务指标	指标\报告期	2016.06.30	2015.12.31	2015.06.30	2014.12.31
	基本每股收益(元)	0.0825	0.2380	0.0668	0.2149
	基本每股收益(扣除后)(元)	0.0743	0.1716	0.0555	0.2039
	稀释每股收益(元)	0.0825	0.2380	0.0668	0.2149
	每股净资产(元)	3.5509	4.2121	4.0542	4.8189
	每股经营现金净流量(元)	0.0016	0.4245	-0.1086	-0.0374
	每股现金流量(元)	-0.2024	0.6621	-0.4190	0.8235
	每股资本公积金(元)	1.5522	2.0626	2.0626	2.6751
	每股盈余公积金(元)	0.0962	0.1154	0.0992	0.1190
	每股未分配利润(元)	0.9026	1.0341	0.8924	1.0247
	净资产收益率(%)	2.3242	5.6514	1.9771	4.8734
	加权净资产收益率(%)	2.3200	5.8000	1.9900	6.5400
	净资产收益率(扣除)(%)	2.0912	4.0738	1.3690	3.8528
	总资产(万元)	177441.93	178763.67	162628.67	156837.27
	归属母公司股东权益(万元)	124399.11	122967.51	118358.17	117234.49
	营业收入(万元)	48701.16	88203.70	28895.01	78130.09
	营业支出(万元)	39434.31	69906.11	22186.25	61754.12
	投资收益(万元)	35.94	1109.20	681.94	346.99
	净利润(万元)	3206.71	7485.47	2577.37	6070.25
	营业利润(万元)	3286.21	7300.96	2841.78	5760.43
	利润总额(万元)	3845.30	8791.22	3144.87	7244.66

浙江仙琚制药股份有限公司

公司概况	公司名称	浙江仙琚制药股份有限公司			证券简称	仙琚制药
	法人代表	金敬德	董秘	张南	证券代码	002332
	公司网址	www.xjpharma.com			电子信箱	dmb@xjpharma.com
	电　话	0576-87731138			传　真	0576-87774487
	办公地址	浙江省台州市仙居县仙药路 1 号				
	经营范围	甾体原料药和制剂的研制、生产与销售				

主要财务指标	指标\报告期	2016.06.30	2015.12.31	2015.06.30	2014.12.31
	基本每股收益(元)	0.1000	0.2000	0.0800	0.1100
	基本每股收益(扣除后)(元)	0.1000	0.1800	0.0800	0.1000
	稀释每股收益(元)	0.1000	0.2000	0.0800	0.1100
	每股净资产(元)	3.5004	3.5039	2.3527	2.3700
	每股经营现金净流量(元)	0.1521	0.3268	0.0976	0.2766
	每股现金流量(元)	-0.1382	0.3420	-0.1648	0.0499
	每股资本公积金(元)	1.9384	1.9384	0.8037	0.8037
	每股盈余公积金(元)	0.1820	0.1820	0.1987	0.1987
	每股未分配利润(元)	0.3798	0.3834	0.3503	0.3675
	净资产收益率(%)	2.7553	4.9785	3.5187	4.6714
	加权净资产收益率(%)	2.7400	7.7000	3.4800	4.7800
	净资产收益率(扣除)(%)	2.7388	4.3607	3.3814	4.1640
	总资产(万元)	350282.13	343894.32	282367.37	280255.71
	归属母公司股东权益(万元)	213807.62	214020.73	120481.81	121367.61
	营业收入(万元)	120531.03	248024.62	118130.11	247053.30
	营业支出(万元)	60351.81	139578.94	66211.60	151527.09
	投资收益(万元)	6.49	1061.25	725.91	996.82
	净利润(万元)	5775.84	10460.19	4375.45	4881.80
	营业利润(万元)	7006.43	11624.32	4793.37	6910.78
	利润总额(万元)	6901.62	12790.13	4824.88	7317.66

苏州罗普斯金铝业股份有限公司

公司概况					
公司名称	苏州罗普斯金铝业股份有限公司			证券简称	罗普斯金
法人代表	吴明福	董秘	施健	证券代码	002333
公司网址	www.lpsk.com.cn			电子信箱	di02@lpsk.com.cn
电　话	0512-65768211			传　真	0512-65498037
办公地址	江苏省苏州市相城区黄埭镇潘阳工业园太东路 2777 号				
经营范围	铝挤压材产品的研发、生产和销售				

主要财务指标：指标\报告期	2016.06.30	2015.12.31	2015.06.30	2014.12.31
基本每股收益(元)	0.2900	0.8200	0.1900	0.2100
基本每股收益(扣除后)(元)	-0.0200	-0.1200	-0.0800	0.2200
稀释每股收益(元)	0.2900	0.8200	0.1900	0.2100
每股净资产(元)	3.1137	5.8490	5.4177	5.3287
每股经营现金净流量(元)	-0.0447	-0.0969	0.0237	0.2520
每股现金流量(元)	0.0498	-0.6106	-0.5932	0.1238
每股资本公积金(元)	0.9041	2.8081	2.8081	2.8081
每股盈余公积金(元)	0.1607	0.3214	0.2294	0.2294
每股未分配利润(元)	1.0489	1.7194	1.3802	1.2912
净资产收益率(%)	9.2879	14.0237	7.1800	4.0105
加权净资产收益率(%)	9.4700	14.7400	7.2700	4.0300
净资产收益率(扣除)(%)	-0.5150	-2.1082	-1.5165	4.0445
总资产(万元)	184571.36	162570.77	163181.07	181056.43
归属母公司股东权益(万元)	156494.17	146985.25	136148.00	133911.59
营业收入(万元)	48438.94	108016.74	51072.27	108031.96
营业支出(万元)	42557.73	97866.43	46913.02	90001.61
投资收益(万元)	-183.31	-256.42	-77.77	-17.22
净利润(万元)	14534.95	20612.72	9775.47	5370.58
营业利润(万元)	-613.01	-3875.07	-2199.64	6493.12
利润总额(万元)	19834.81	24159.31	11806.19	6505.41

深圳市英威腾电气股份有限公司

公司概况					
公司名称	深圳市英威腾电气股份有限公司			证券简称	英威腾
法人代表	黄申力	董秘	鄢光敏	证券代码	002334
公司网址	www.invt.com.cn			电子信箱	sec@invt.com.cn
电　话	0755-86312861 86312975			传　真	0755-86312975
办公地址	广东省深圳市南山区龙井高发科技工业园 4 号厂房				
经营范围	高、中、低压变频器及伺服驱动器研发、制造和销售的高新技术企业				

主要财务指标：指标\报告期	2016.06.30	2015.12.31	2015.06.30	2014.12.31
基本每股收益(元)	0.0373	0.2081	0.0833	0.2263
基本每股收益(扣除后)(元)	0.0303	0.1847	0.0799	0.3957
稀释每股收益(元)	0.0373	0.2079	0.0833	0.2263
每股净资产(元)	2.2741	2.1895	2.0511	4.0674
每股经营现金净流量(元)	-0.1111	0.0125	-0.0768	0.2586
每股现金流量(元)	-0.0570	-0.0039	-0.1317	0.0551
每股资本公积金(元)	0.4035	0.2679	0.2476	1.4824
每股盈余公积金(元)	0.0976	0.1018	0.0886	0.1774
每股未分配利润(元)	0.7733	0.8200	0.7156	1.4091
净资产收益率(%)	1.6283	9.4696	4.2227	11.1395
加权净资产收益率(%)	1.7200	9.9200	4.1700	11.8300
净资产收益率(扣除)(%)	1.3220	8.4037	3.8949	9.6941
总资产(万元)	222828.37	203535.25	183223.48	182273.68
归属母公司股东权益(万元)	170330.86	157219.48	146717.54	145351.88
营业收入(万元)	56536.10	108336.26	47888.60	105788.43
营业支出(万元)	33917.36	62089.32	27404.46	60733.81
投资收益(万元)	1213.34	2439.58	1256.60	2782.95
净利润(万元)	2996.18	15053.20	6574.82	15999.77
营业利润(万元)	1433.92	11283.09	5114.83	13088.59
利润总额(万元)	3456.73	16488.74	7228.67	17982.21

厦门科华恒盛股份有限公司

公司概况					
公司名称	厦门科华恒盛股份有限公司			证券简称	科华恒盛
法人代表	陈成辉	董秘	汤珊	证券代码	002335
公司网址	www.kehua.com.cn			电子信箱	xmkehua@kehua.com
电　话	0592-5160516			传　真	0592-5162166
办公地址	福建省厦门市火炬高新区火炬园马垄路 457 号				
经营范围	信息设备用不间断电源产品和工业动力用不间断电源产品的研发、生产、销售和服务				

主要财务指标：指标\报告期	2016.06.30	2015.12.31	2015.06.30	2014.12.31
基本每股收益(元)	0.1700	0.6600	0.0700	0.5800
基本每股收益(扣除后)(元)	0.1500	0.6000	0.0300	0.5100
稀释每股收益(元)	0.1700	0.6600	0.0700	0.5800
每股净资产(元)	10.9576	5.7268	5.0597	5.0445
每股经营现金净流量(元)	-0.6675	0.8884	-0.6222	0.2348
每股现金流量(元)	2.5855	0.0235	-0.0655	0.2519
每股资本公积金(元)	7.4879	1.9313	1.8846	1.8408
每股盈余公积金(元)	0.3470	0.3731	0.3136	0.3139
每股未分配利润(元)	2.1820	2.4944	1.9795	2.0079
净资产收益率(%)	1.3743	11.3511	1.4495	11.2260
加权净资产收益率(%)	2.2000	12.1600	1.4400	11.8200
净资产收益率(扣除)(%)	1.2234	10.2351	0.6502	9.9854
总资产(万元)	500955.01	318645.59	226298.94	211429.72
归属母公司股东权益(万元)	296642.86	128560.44	113536.54	113094.87
营业收入(万元)	69149.51	166972.81	51490.25	148566.47
营业支出(万元)	43492.33	109241.58	33045.08	100734.63
投资收益(万元)	12.12	-380.24	77.23	166.62
净利润(万元)	4158.58	15763.70	1883.72	13726.59
营业利润(万元)	4505.87	15941.55	1591.73	13388.22
利润总额(万元)	5213.84	18073.84	2718.22	15496.54

人人乐连锁商业集团股份有限公司

公司概况					
公司名称	人人乐连锁商业集团股份有限公司			证券简称	*ST 人乐
法人代表	何金明	董秘	蔡慧明	证券代码	002336
公司网址	www.renrenle.cn			电子信箱	caihuiming@renrenle.cn
电　话	0755-86058141			传　真	0755-26093560
办公地址	广东省深圳市南山区前海路心语家园裙楼二楼				
经营范围	从事大卖场、综合超市及百货的连锁经营业务				

主要财务指标：指标\报告期	2016.06.30	2015.12.31	2015.06.30	2014.12.31
基本每股收益(元)	0.0408	-1.1868	0.1131	-1.1513
基本每股收益(扣除后)(元)	-0.0133	-1.0424	0.0907	-0.9400
稀释每股收益(元)	0.0408	-1.1868	0.1131	-1.1513
每股净资产(元)	5.6566	5.6158	6.9157	6.8026
每股经营现金净流量(元)	-0.0154	-0.3903	-0.2691	0.0724
每股现金流量(元)	0.1813	-0.3180	0.1168	-1.4656
每股资本公积金(元)	6.1897	6.1897	6.1897	6.1897
每股盈余公积金(元)	0.2482	0.2482	0.2482	0.2482
每股未分配利润(元)	-1.7814	-1.8222	-0.5222	-0.6353
净资产收益率(%)	0.7216	-21.1337	1.6357	-16.9244
加权净资产收益率(%)	0.7200	-19.1100	1.6500	-15.6000
净资产收益率(扣除)(%)	-0.2353	-18.5628	1.3120	-13.7790
总资产(万元)	568711.78	620098.56	647853.18	690873.92
归属母公司股东权益(万元)	226264.71	224632.00	276629.66	272104.95
营业收入(万元)	533291.97	1121804.97	590737.28	1211738.40
营业支出(万元)	411374.88	870214.73	449724.36	950659.50
投资收益(万元)	779.70	1658.79	757.28	3104.62
净利润(万元)	1632.71	-47472.96	4524.71	-46052.03
营业利润(万元)	2292.79	-34983.14	7131.58	-24716.11
利润总额(万元)	3790.74	-44341.96	7462.30	-36814.87

天津赛象科技股份有限公司

公司概况						
	公司名称	天津赛象科技股份有限公司			证券简称	赛象科技
	法人代表	史航	董秘	焦君涵	证券代码	002337
	公司网址	www.chinarpm.com		电子信箱	tstzqb@sina.com	
	电　话	022-23788169　23788188*8308		传　真	022-23788199	
	办公地址	天津市华苑新技术产业园区(环外)海泰发展四道 9 号				
	经营范围	子午线轮胎生产成套装备和检测设备的研发、生产和销售				

主要财务指标	指标\报告期	2016.06.30	2015.12.31	2015.06.30	2014.12.31
	基本每股收益(元)	-0.0400	-0.1700	-0.0400	0.0900
	基本每股收益(扣除后)(元)	-0.0400	-0.1800	-0.0500	0.1900
	稀释每股收益(元)	-0.0400	-0.1700	-0.0400	0.0900
	每股净资产(元)	1.9889	2.0291	2.1448	6.4883
	每股经营现金净流量(元)	0.0700	-0.3635	-0.3293	-0.2812
	每股现金流量(元)	-0.0640	-0.3480	-0.4107	0.3772
	每股资本公积金(元)	0.7464	0.7464	0.7357	4.1423
	每股盈余公积金(元)	0.1065	0.1065	0.1065	0.3195
	每股未分配利润(元)	0.1456	0.1858	0.3121	1.0557
	净资产收益率(%)	-2.0213	-8.1962	-1.8629	3.9389
	加权净资产收益率(%)	-2.0000	-7.9300	-1.8600	3.9800
	净资产收益率(扣除)(%)	-2.0536	-8.8443	-2.2996	2.9234
	总资产(万元)	164175.40	168967.02	171840.20	176233.49
	归属母公司股东权益(万元)	118199.67	120588.81	127464.63	128597.58
	营业收入(万元)	12552.06	35421.97	18458.20	72132.63
	营业支出(万元)	8345.51	26152.54	13281.96	56872.30
	投资收益(万元)	-315.25	664.90	312.07	1413.52
	净利润(万元)	-2158.77	-9647.45	-2115.67	5428.45
	营业利润(万元)	-2616.66	-10543.62	-2579.82	4686.10
	利润总额(万元)	-1993.95	-9432.96	-1957.06	6308.84

长春奥普光电技术股份有限公司

公司概况						
	公司名称	长春奥普光电技术股份有限公司			证券简称	奥普光电
	法人代表	贾平	董秘	王小东	证券代码	002338
	公司网址	www.up-china.com		电子信箱	up@up-china.com	
	电　话	0431-86176789　86176633		传　真	0431-86176788	
	办公地址	吉林省长春市经济技术开发区营口路 588 号				
	经营范围	光电测控仪器设备及光学材料的研发、生产与销售				

主要财务指标	指标\报告期	2016.06.30	2015.12.31	2015.06.30	2014.12.31
	基本每股收益(元)	0.2200	0.3600	0.2600	0.4900
	基本每股收益(扣除后)(元)	0.1900	0.2700	0.1200	0.3800
	稀释每股收益(元)	0.2200	0.3600	0.2600	0.4900
	每股净资产(元)	6.1077	6.0403	6.1894	5.9261
	每股经营现金净流量(元)	-0.0488	0.5982	-0.2901	0.0650
	每股现金流量(元)	-0.0947	0.0735	-0.3989	-0.3686
	每股资本公积金(元)	3.0466	3.0466	3.0466	3.0466
	每股盈余公积金(元)	0.3832	0.3832	0.3480	0.3480
	每股未分配利润(元)	1.6779	1.6105	1.7948	1.5315
	净资产收益率(%)	3.5596	6.0292	4.2538	8.2601
	加权净资产收益率(%)	3.5500	6.1100	4.3500	8.4600
	净资产收益率(扣除)(%)	3.0619	4.5336	1.8727	6.3363
	总资产(万元)	100722.08	98757.53	96651.40	96404.64
	归属母公司股东权益(万元)	73292.28	72483.34	74272.59	71113.20
	营业收入(万元)	15485.75	34472.60	15264.12	38870.12
	营业支出(万元)	7915.45	20601.58	7948.83	21920.97
	投资收益(万元)	145.62	179.98	-	-49.48
	净利润(万元)	2916.49	4994.35	3440.44	6846.50
	营业利润(万元)	2772.17	2138.52	1776.78	6065.29
	利润总额(万元)	3309.33	5491.74	4028.49	8015.15

积成电子股份有限公司

公司概况						
	公司名称	积成电子股份有限公司			证券简称	积成电子
	法人代表	杨志强	董秘	姚斌	证券代码	002339
	公司网址	www.ieslab.com.cn		电子信箱	yaobin@ieslab.com.cn	
	电　话	0531-88061716		传　真	0531-88061716	
	办公地址	山东省济南市花园路东段 188 号				
	经营范围	发电、输电、变电、配电、用电、调度控制系统和设备				

主要财务指标	指标\报告期	2016.06.30	2015.12.31	2015.06.30	2014.12.31
	基本每股收益(元)	0.0500	0.3800	0.0500	0.3400
	基本每股收益(扣除后)(元)	0.0500	0.3600	0.0500	0.3200
	稀释每股收益(元)	0.0500	0.3800	0.0500	0.3400
	每股净资产(元)	3.8822	3.8893	3.5605	3.5690
	每股经营现金净流量(元)	-0.6400	-0.1536	-0.6043	0.1010
	每股现金流量(元)	-0.5693	0.0666	-0.4804	0.1649
	每股资本公积金(元)	1.2115	1.2115	1.2115	1.2115
	每股盈余公积金(元)	0.1752	0.1752	0.1461	0.1461
	每股未分配利润(元)	1.4955	1.5025	1.2029	1.2114
	净资产收益率(%)	1.3642	9.7789	1.4476	9.5906
	加权净资产收益率(%)	1.3600	10.2300	1.4500	10.0100
	净资产收益率(扣除)(%)	1.3100	9.1942	1.3815	8.9443
	总资产(万元)	264993.52	234416.37	199468.49	199276.04
	归属母公司股东权益(万元)	147096.61	147363.36	134905.75	135226.17
	营业收入(万元)	52170.10	128578.55	40659.57	110875.17
	营业支出(万元)	29709.87	80199.90	24360.24	72207.82
	投资收益(万元)	87.15	-45.34	-2.39	20.32
	净利润(万元)	2305.86	16298.50	1904.58	14112.33
	营业利润(万元)	1496.51	15175.56	2344.99	11622.62
	利润总额(万元)	2630.46	18890.40	2962.73	15577.59

格林美股份有限公司

公司概况						
	公司名称	格林美股份有限公司			证券简称	格 林 美
	法人代表	许开华	董秘	欧阳铭志	证券代码	002340
	公司网址	www.gemchina.com		电子信箱	info@gemchina.com	
	电　话	0755-33668121　33668038		传　真	0755-33895777	
	办公地址	广东省深圳市宝安区宝安中心区兴华路南侧荣超滨海大厦 A 栋 20 层				
	经营范围	废弃钴镍资源与电子废弃物的循环利用以及钴镍粉体材料、铜与塑木型材的生产、销售				

主要财务指标	指标\报告期	2016.06.30	2015.12.31	2015.06.30	2014.12.31
	基本每股收益(元)	0.0600	0.1300	0.0500	0.1900
	基本每股收益(扣除后)(元)	0.0500	0.0600	0.0700	0.1400
	稀释每股收益(元)	0.0600	0.1300	0.0500	0.1900
	每股净资产(元)	2.3001	4.5084	3.6331	4.6427
	每股经营现金净流量(元)	-0.2004	-0.2053	-0.4638	0.0245
	每股现金流量(元)	0.1064	0.1662	-0.2782	0.3945
	每股资本公积金(元)	0.9686	2.9624	1.9887	2.8854
	每股盈余公积金(元)	0.0101	0.0202	0.0245	0.0318
	每股未分配利润(元)	0.3121	0.5261	0.6191	0.7270
	净资产收益率(%)	2.5674	2.3502	3.0253	4.9205
	加权净资产收益率(%)	2.5900	3.4200	3.0700	6.1000
	净资产收益率(扣除)(%)	2.1991	1.1127	2.0443	2.7471
	总资产(万元)	1800772.42	1593932.29	1270827.62	1158681.60
	归属母公司股东权益(万元)	669535.07	656170.11	436337.48	428913.59
	营业收入(万元)	328575.63	511716.65	225446.94	390885.63
	营业支出(万元)	277620.91	424088.38	184073.77	318082.61
	投资收益(万元)	1432.28	-48.83	87.04	735.77
	净利润(万元)	18334.51	21864.02	16323.71	25887.61
	营业利润(万元)	17258.38	14679.14	12687.81	16236.01
	利润总额(万元)	20538.64	24874.38	18071.66	28713.30

深圳市新纶科技股份有限公司

公司概况					
公司名称	深圳市新纶科技股份有限公司			证券简称	新纶科技
法人代表	侯毅	董秘	高翔	证券代码	002341
公司网址	www.szselen.com		电子信箱	gaoxiang@szselen.com	
电　话	0755-26993098		传　真	0755-26993313	
办公地址	广东省深圳市南山区南海大道 3025 号创意大厦 13-14 楼				
经营范围	防静电/洁净室耗品的研发、生产、销售				

主要财务指标 指标\报告期	2016.06.30	2015.12.31	2015.06.30	2014.12.31
基本每股收益(元)	0.1120	-0.2855	0.0615	0.2332
基本每股收益(扣除后)(元)	0.1055	-0.2540	0.0733	0.2208
稀释每股收益(元)	0.1120	-0.2855	0.0615	0.2332
每股净资产(元)	3.9686	3.8568	4.2047	4.1535
每股经营现金净流量(元)	-0.0574	0.3474	0.1789	0.4366
每股现金流量(元)	-0.1868	-0.3240	-0.4075	-0.5047
每股资本公积金(元)	2.1003	2.1003	2.1003	2.1003
每股盈余公积金(元)	0.1026	0.1026	0.1026	0.1026
每股未分配利润(元)	0.7660	0.6540	1.0017	0.9515
净资产收益率(%)	2.8219	-7.4023	1.4621	5.6145
加权净资产收益率(%)	2.8600	-7.1300	1.4700	5.7400
净资产收益率(扣除)(%)	2.6753	-6.5846	1.7433	5.3162
总资产(万元)	394638.29	363539.00	359205.12	337579.28
归属母公司股东权益(万元)	148203.83	144028.88	157020.77	155107.14
营业收入(万元)	57393.77	102409.86	55720.04	134897.27
营业支出(万元)	38899.29	75839.18	38488.88	90954.30
投资收益(万元)	-96.65	-207.39	-34.62	-51.09
净利润(万元)	3621.98	-12030.03	1954.23	9035.51
营业利润(万元)	3789.51	-11226.69	2873.80	10453.19
利润总额(万元)	4030.61	-12729.41	2273.44	10398.17

巨力索具股份有限公司

公司概况					
公司名称	巨力索具股份有限公司			证券简称	巨力索具
法人代表	杨建忠	董秘	杨建忠(代)	证券代码	002342
公司网址	www.julisling.com		电子信箱	fuqiang@julisling.com	
电　话	0312-8608520		传　真	0312-8608086	
办公地址	河北省保定市徐水县巨力路				
经营范围	索具及相关产品的研发、设计、生产和销售				

主要财务指标 指标\报告期	2016.06.30	2015.12.31	2015.06.30	2014.12.31
基本每股收益(元)	0.0190	0.0300	0.0310	0.0300
基本每股收益(扣除后)(元)	0.0110	0.0220	0.0270	0.0330
稀释每股收益(元)	0.0190	0.0300	0.0310	0.0300
每股净资产(元)	2.5227	2.5084	2.5067	2.4811
每股经营现金净流量(元)	0.0028	0.1298	0.0683	0.3094
每股现金流量(元)	0.2346	-0.1786	-0.0402	0.0479
每股资本公积金(元)	0.7059	0.7059	0.7014	0.7014
每股盈余公积金(元)	0.1236	0.1236	0.1209	0.1209
每股未分配利润(元)	0.6942	0.6798	0.6856	0.6602
净资产收益率(%)	0.7684	1.1266	1.2535	1.3537
加权净资产收益率(%)	0.7700	1.1300	1.2600	1.3600
净资产收益率(扣除)(%)	0.4396	0.8761	1.0667	1.3211
总资产(万元)	419277.98	387882.16	402197.00	404124.06
归属母公司股东权益(万元)	242182.99	240803.41	240638.61	238185.72
营业收入(万元)	72396.70	133448.90	72034.73	155365.68
营业支出(万元)	56504.57	100182.90	55042.25	120038.83
投资收益(万元)	6.46	158.03	133.15	72.93
净利润(万元)	1860.88	2712.86	3016.51	3224.33
营业利润(万元)	1025.09	2154.50	2784.62	3328.39
利润总额(万元)	2057.19	3056.96	3409.63	3593.48

慈文传媒股份有限公司

公司概况					
公司名称	慈文传媒股份有限公司			证券简称	禾欣股份
法人代表	马中骏	董秘	陈明友	证券代码	002343
公司网址	www.ciwen.com.cn		电子信箱	lsm_9981@163.com	
电　话	010-84409922 021-33623250		传　真	010-84409992	
办公地址	北京市朝阳区京顺路 5 号曙光大厦 B 座 1-3 层				
经营范围	PU 合成革产品的研制开发、生产、销售与服务				

主要财务指标 指标\报告期	2016.06.30	2015.12.31	2015.06.30	2014.12.31
基本每股收益(元)	0.2938	0.7600	-0.2557	0.5400
基本每股收益(扣除后)(元)	0.2868	0.7100	0.2459	0.2604
稀释每股收益(元)	0.2938	0.7600	-0.2557	0.5400
每股净资产(元)	3.6343	3.3766	6.3059	3.4500
每股经营现金净流量(元)	0.3788	-0.3076	0.1352	0.9157
每股现金流量(元)	0.9642	0.5412	0.3257	-0.4545
每股资本公积金(元)	0.3200	0.3555	3.2251	1.2874
每股盈余公积金(元)	0.0416	0.0416	0.3868	0.0603
每股未分配利润(元)	1.8720	1.5782	1.5500	1.8399
净资产收益率(%)	8.0834	18.7587	3.9521	4.5410
加权净资产收益率(%)	8.5300	21.5500	4.0500	4.5700
净资产收益率(扣除)(%)	7.8914	17.4982	3.8995	4.3168
总资产(万元)	344497.77	289472.39	183747.85	110445.69
归属母公司股东权益(万元)	114301.47	106197.61	124933.35	68382.86
营业收入(万元)	42897.37	85599.90	84822.81	161320.77
营业支出(万元)	26659.73	43325.14	65206.19	130382.51
投资收益(万元)	3.79	-38.29	1272.46	1762.76
净利润(万元)	9213.82	20224.07	6348.64	6878.70
营业利润(万元)	11795.00	25171.86	7100.57	8069.05
利润总额(万元)	12097.57	26951.55	7192.13	8269.04

海宁中国皮革城股份有限公司

公司概况					
公司名称	海宁中国皮革城股份有限公司			证券简称	海宁皮城
法人代表	任有法	董秘	孙宇民	证券代码	002344
公司网址	www.zgpgc.com		电子信箱	pgc@chinaleather.com	
电　话	0573-87217777		传　真	0573-87217999	
办公地址	浙江省海宁市海州西路 201 号				
经营范围	皮革专业市场的开发、租赁和服务				

主要财务指标 指标\报告期	2016.06.30	2015.12.31	2015.06.30	2014.12.31
基本每股收益(元)	0.3400	0.4900	0.4600	0.8400
基本每股收益(扣除后)(元)	0.3100	0.4200	0.4200	0.7700
稀释每股收益(元)	0.3400	0.4900	0.4600	0.8400
每股净资产(元)	4.6824	4.3393	4.4249	4.0864
每股经营现金净流量(元)	0.5093	0.1407	0.0657	0.6122
每股现金流量(元)	0.5250	-0.2104	0.5637	-0.4162
每股资本公积金(元)	0.2765	0.2765	0.3937	0.3937
每股盈余公积金(元)	0.2677	0.2677	0.2428	0.2428
每股未分配利润(元)	3.1382	2.7950	2.7884	2.4500
净资产收益率(%)	7.3283	11.2922	10.3607	20.4593
加权净资产收益率(%)	7.6100	11.5800	10.6200	22.3300
净资产收益率(扣除)(%)	6.7261	9.6669	9.5689	18.7485
总资产(万元)	1156497.43	1028191.00	948212.53	868154.99
归属母公司股东权益(万元)	524433.04	486001.12	495584.16	457678.30
营业收入(万元)	105580.64	183666.67	121343.43	242728.54
营业支出(万元)	34446.90	66608.73	31659.65	75000.49
投资收益(万元)	2203.36	2527.67	1521.65	2247.51
净利润(万元)	38675.58	55891.07	52913.18	95918.11
营业利润(万元)	49312.82	68303.45	67015.62	120530.07
利润总额(万元)	52425.64	76029.34	70631.79	128397.06

广东潮宏基实业股份有限公司

公司概况	公司名称	广东潮宏基实业股份有限公司		证券简称	潮宏基
	法人代表	廖木枝	董秘 徐俊雄	证券代码	002345
	公司网址	www.chjchina.com	电子信箱	stock@chjchina.com	
	电　话	0754-88781767	传　真	0754-88781755	
	办公地址	广东省汕头市龙湖区龙新工业区龙新五街四号 1-4 楼			
	经营范围	从事高档时尚珠宝首饰产品的设计、研发、生产及销售			

指标\报告期	2016.06.30	2015.12.31	2015.06.30	2014.12.31
基本每股收益(元)	0.1700	0.3000	0.1700	0.2600
基本每股收益(扣除后)(元)	0.1500	0.2300	0.1400	0.2300
稀释每股收益(元)	0.1700	0.3000	0.1700	0.2600
每股净资产(元)	3.0710	3.0091	2.9113	2.8499
每股经营现金净流量(元)	0.2945	0.3817	0.2217	0.3104
每股现金流量(元)	0.0623	0.2142	0.0965	-0.0952
每股资本公积金(元)	1.0706	1.0706	1.0706	1.0706
每股盈余公积金(元)	0.1295	0.1295	0.1043	0.1043
每股未分配利润(元)	0.8997	0.8324	0.7222	0.6554
净资产收益率(%)	5.4478	10.0402	5.7302	9.1640
加权净资产收益率(%)	5.4400	10.2700	5.7200	9.5700
净资产收益率(扣除)(%)	4.9916	7.5517	4.8678	8.2287
总资产(万元)	410502.33	437607.38	437118.56	436590.85
归属母公司股东权益(万元)	259529.93	254305.70	246033.73	240845.80
营业收入(万元)	138228.47	269071.47	139459.24	247038.15
营业支出(万元)	83645.12	169745.98	88791.77	163927.53
投资收益(万元)	699.62	1229.10	750.76	3468.70
净利润(万元)	14224.10	25569.46	14151.24	22473.81
营业利润(万元)	16743.05	24971.95	15735.92	27159.16
利润总额(万元)	17648.46	31136.66	17485.39	27495.38

上海柘中集团股份有限公司

公司概况	公司名称	上海柘中集团股份有限公司		证券简称	柘中股份
	法人代表	陆仁军	董秘 郭加广	证券代码	002346
	公司网址	www.ch-zzcc.com	电子信箱	guojg@ch-zzcc.com	
	电　话	021-57403737	传　真	021-57401222	
	办公地址	上海市化工区奉贤分区苍工路 368 号			
	经营范围	预应力高强度混凝土管桩(PHC 管桩)的生产与销售			

指标\报告期	2016.06.30	2015.12.31	2015.06.30	2014.12.31
基本每股收益(元)	0.1800	0.2600	0.2200	0.1900
基本每股收益(扣除后)(元)	0.1100	0.0200	0.0600	-0.0800
稀释每股收益(元)	0.1800	0.2600	0.2200	0.1900
每股净资产(元)	3.6747	3.3716	3.4653	3.2460
每股经营现金净流量(元)	0.1516	0.0357	0.1416	0.3928
每股现金流量(元)	-0.0796	0.1740	0.1406	-0.2756
每股资本公积金(元)	0.9983	0.9983	0.9983	0.9983
每股盈余公积金(元)	0.1449	0.1449	0.1347	0.1347
每股未分配利润(元)	1.4287	1.3576	1.3324	1.1131
净资产收益率(%)	4.9105	7.7795	6.3276	5.8893
加权净资产收益率(%)	5.1200	7.9300	6.5300	6.0600
净资产收益率(扣除)(%)	2.9424	0.5333	1.7967	-1.6912
总资产(万元)	206601.67	200098.96	200740.93	189136.62
归属母公司股东权益(万元)	151016.26	148880.79	153019.70	143337.23
营业收入(万元)	16769.42	43757.26	20550.03	46331.08
营业支出(万元)	11637.58	33317.14	14353.57	35192.08
投资收益(万元)	8242.89	12470.22	3275.28	8832.83
净利润(万元)	7968.02	11582.23	9682.47	8441.51
营业利润(万元)	9514.56	10553.08	12008.64	9668.09
利润总额(万元)	9589.15	13372.82	12077.88	9595.54

泰尔重工股份有限公司

公司概况	公司名称	泰尔重工股份有限公司		证券简称	泰尔重工
	法人代表	邰正彪	董秘 王春琦	证券代码	002347
	公司网址	www.taiergroup.com	电子信箱	dongwuxia@taiergroup.com	
	电　话	0555-2202118	传　真	0555-2202118	
	办公地址	安徽省马鞍山市经济技术开发区超山路 669 号			
	经营范围	万向轴、鼓形联轴器、安全联轴器生产、剪刃、轧辊、模具、减速机、液压件、电器元件生产与销售			

指标\报告期	2016.06.30	2015.12.31	2015.06.30	2014.12.31
基本每股收益(元)	0.0459	0.0500	0.0359	0.0400
基本每股收益(扣除后)(元)	0.0320	-0.0100	0.0209	0.0100
稀释每股收益(元)	0.0459	0.0500	0.0359	0.0400
每股净资产(元)	5.4343	5.3881	5.3743	5.3670
每股经营现金净流量(元)	-0.5475	0.0196	-0.3112	0.2600
每股现金流量(元)	-0.3292	-0.2459	-0.2957	0.0152
每股资本公积金(元)	3.3170	3.3170	3.3171	3.3171
每股盈余公积金(元)	0.1573	0.1573	0.1460	0.1460
每股未分配利润(元)	0.9555	0.9096	0.9051	0.8992
净资产收益率(%)	0.8446	0.9587	0.6681	0.6980
加权净资产收益率(%)	0.8500	0.9600	0.6700	0.7900
净资产收益率(扣除)(%)	0.5880	-0.2069	0.3892	0.1722
总资产(万元)	175686.32	173079.20	173772.92	170581.47
归属母公司股东权益(万元)	122095.58	121057.24	120746.90	120582.86
营业收入(万元)	17741.51	37584.01	18326.78	37304.25
营业支出(万元)	11590.20	24060.06	11900.89	25036.78
投资收益(万元)	332.16	-132.31	365.44	709.66
净利润(万元)	1028.87	1161.81	804.61	842.41
营业利润(万元)	803.59	-122.02	471.50	75.53
利润总额(万元)	1175.21	1547.54	868.00	885.11

广东高乐玩具股份有限公司

公司概况	公司名称	广东高乐玩具股份有限公司		证券简称	高乐股份
	法人代表	杨旭恩	董秘 杨广城	证券代码	002348
	公司网址	www.goldlok.com	电子信箱	gary@goldlok.com	
	电　话	0663-2348056	传　真	0663-2348055	
	办公地址	广东省普宁市占陇加工区振如大厦			
	经营范围	开发、设计、生产经营各式玩具、儿童用品等			

指标\报告期	2016.06.30	2015.12.31	2015.06.30	2014.12.31
基本每股收益(元)	0.0241	0.1179	0.0316	0.0967
基本每股收益(扣除后)(元)	0.0243	0.1170	0.0602	0.0911
稀释每股收益(元)	0.0241	0.1179	0.0316	0.0967
每股净资产(元)	1.2855	2.5704	2.5093	2.4958
每股经营现金净流量(元)	0.0466	0.1113	0.0339	0.1475
每股现金流量(元)	-0.0426	0.0918	-0.0185	-0.4631
每股资本公积金(元)	0.0105	0.9209	0.9209	0.9209
每股盈余公积金(元)	0.0604	0.1208	0.1090	0.1090
每股未分配利润(元)	0.2140	0.5298	0.4873	0.4737
净资产收益率(%)	1.8767	4.5883	2.5355	3.8746
加权净资产收益率(%)	1.8700	4.6600	2.5800	3.9181
净资产收益率(扣除)(%)	1.8897	4.5520	2.3981	3.6509
总资产(万元)	125262.45	124181.03	121658.83	119280.39
归属母公司股东权益(万元)	121764.55	121736.28	118842.70	118199.38
营业收入(万元)	20405.87	41443.30	22904.25	41703.71
营业支出(万元)	14086.40	28982.73	15962.50	29707.30
投资收益(万元)	-	71.61	71.61	467.92
净利润(万元)	2282.12	5585.58	3013.29	4579.75
营业利润(万元)	2720.86	6593.63	3564.81	5501.26
利润总额(万元)	2694.28	6573.92	3549.18	5388.44

精华制药集团股份有限公司

公司概况	公司名称	精华制药集团股份有限公司			证券简称	精华制药
	法人代表	朱春林	董秘	杨小军	证券代码	002349
	公司网址	www.ntjhzy.com		电子信箱	yxj@jhoa.net	
	电　话	0513-85609109　85609123		传　真	0513-85609115	
	办公地址	江苏省南通市港闸经济开发区兴泰路9号				
	经营范围	中成药、原料药及医药中间体和西药制剂的研发、生产和销售				

	指标＼报告期	2016.06.30	2015.12.31	2015.06.30	2014.12.31
主要财务指标	基本每股收益(元)	0.1923	0.2984	0.0805	0.1973
	基本每股收益(扣除后)(元)	0.1880	0.2901	0.1200	0.1293
	稀释每股收益(元)	0.1923	0.2984	0.0805	0.1973
	每股净资产(元)	4.9685	7.2667	5.3400	5.3204
	每股经营现金净流量(元)	0.4547	–0.2713	0.0557	0.1758
	每股现金流量(元)	–0.0311	–1.3999	–0.7356	2.8059
	每股资本公积金(元)	3.1848	5.2777	3.4511	3.4517
	每股盈余公积金(元)	0.0744	0.1117	0.1036	0.1036
	每股未分配利润(元)	0.7011	0.8631	0.7673	0.7466
	净资产收益率(%)	3.8707	3.8348	2.2600	2.8532
	加权净资产收益率(%)	3.9200	5.5600	2.2600	5.7600
	净资产收益率(扣除)(%)	3.7841	3.7287	2.2230	1.8698
	总资产(万元)	247521.99	250608.54	178454.28	188655.74
	归属母公司股东权益(万元)	208825.48	203609.95	138856.80	138329.20
	营业收入(万元)	42773.79	78033.40	29272.96	57775.36
	营业支出(万元)	21275.60	47969.81	16248.74	35448.25
	投资收益(万元)	164.12	557.50	92.01	697.51
	净利润(万元)	8417.77	8184.20	3291.35	4062.73
	营业利润(万元)	9804.77	9298.93	4042.07	3984.23
	利润总额(万元)	10170.99	9672.40	4225.27	5109.03

北京科锐配电自动化股份有限公司

公司概况	公司名称	北京科锐配电自动化股份有限公司			证券简称	北京科锐
	法人代表	张新育	董秘	郭文亮	证券代码	002350
	公司网址	www.creat-da.com.cn		电子信箱	ir@creat-da.com.cn	
	电　话	010-62981321		传　真	010-82701909	
	办公地址	北京市海淀区上地创业路8号3号楼4层				
	经营范围	12kV配电、控制设备及35kV永磁开关设备的研发、生产和销售				

	指标＼报告期	2016.06.30	2015.12.31	2015.06.30	2014.12.31
主要财务指标	基本每股收益(元)	0.0827	0.2000	0.0567	0.3400
	基本每股收益(扣除后)(元)	0.0767	0.1600	0.0400	0.3300
	稀释每股收益(元)	–	–	–	–
	每股净资产(元)	5.0229	4.9902	4.8508	4.9441
	每股经营现金净流量(元)	–0.2373	0.1609	–0.6753	0.0319
	每股现金流量(元)	–0.2046	–0.4316	–0.7428	–0.9001
	每股资本公积金(元)	2.2557	2.2557	2.2557	2.2557
	每股盈余公积金(元)	0.3132	0.3132	0.2916	0.2916
	每股未分配利润(元)	1.4539	1.4213	1.3035	1.3968
	净资产收益率(%)	1.6459	3.9297	1.1686	6.8226
	加权净资产收益率(%)	1.6500	3.9600	1.1500	7.0300
	净资产收益率(扣除)(%)	1.5275	3.2738	0.8124	6.6151
	总资产(万元)	204434.65	193225.62	166935.27	171265.59
	归属母公司股东权益(万元)	109639.05	108925.90	105882.79	107919.66
	营业收入(万元)	72935.86	146222.01	52441.84	134777.45
	营业支出(万元)	54850.31	111410.08	40370.36	97482.03
	投资收益(万元)	97.62	–1.28	103.02	–
	净利润(万元)	1814.83	4268.03	1159.18	7697.90
	营业利润(万元)	2017.02	3308.67	387.11	8430.21
	利润总额(万元)	2610.58	5414.54	1518.95	9102.95

深圳市漫步者科技股份有限公司

公司概况	公司名称	深圳市漫步者科技股份有限公司			证券简称	漫步者
	法人代表	张文东	董秘	李晓东	证券代码	002351
	公司网址	www.edifier.com		电子信箱	main@edifier.com	
	电　话	0755-86029885		传　真	0755-26970904	
	办公地址	广东省深圳市南山区科技园科发路8号金融基地2栋7C				
	经营范围	生产销售音响设备及配件、耳机、汽车音响、模具				

	指标＼报告期	2016.06.30	2015.12.31	2015.06.30	2014.12.31
主要财务指标	基本每股收益(元)	0.0802	0.3400	0.0911	0.3100
	基本每股收益(扣除后)(元)	0.0506	0.1900	0.1000	0.1600
	稀释每股收益(元)	0.0802	0.3400	0.0911	0.3100
	每股净资产(元)	2.8962	5.8246	5.6597	5.6760
	每股经营现金净流量(元)	–0.0396	0.1433	0.0809	0.2025
	每股现金流量(元)	0.0995	0.2358	0.0946	–0.3173
	每股资本公积金(元)	1.2209	3.4417	3.4417	3.4417
	每股盈余公积金(元)	0.0852	0.1704	0.1479	0.1479
	每股未分配利润(元)	0.5873	1.2143	1.0762	1.0941
	净资产收益率(%)	2.7687	5.8843	3.2183	5.5429
	加权净资产收益率(%)	2.7200	5.9800	3.1800	5.6200
	净资产收益率(扣除)(%)	1.7459	3.2912	1.7949	2.7972
	总资产(万元)	183603.78	189064.54	177785.54	179846.37
	归属母公司股东权益(万元)	170294.87	171243.24	166395.25	166873.91
	营业收入(万元)	31491.40	66147.13	31115.85	68141.81
	营业支出(万元)	21214.36	45271.22	21450.46	48376.41
	投资收益(万元)	2227.38	5829.63	3058.92	5811.39
	净利润(万元)	4554.66	9735.46	5220.39	9114.74
	营业利润(万元)	5590.50	12453.53	6589.85	11414.94
	利润总额(万元)	5624.59	12390.59	6605.23	11578.98

顺丰控股股份有限公司

公司概况	公司名称	顺丰控股股份有限公司			证券简称	顺丰控股
	法人代表	王卫	董秘	甘玲	证券代码	002352
	公司网址	www.sf-express.com		电子信箱	sfir@sf-express.com	
	电　话	0755-36395338		传　真	0755-36646400	
	办公地址	广东省深圳市福田区新洲十一街万基商务大厦				
	经营范围	国际快递业务、国内快递业务、保价、代收货款、其他增值服务等				

	指标＼报告期	2016.06.30	2015.12.31	2015.06.30	2014.12.31
主要财务指标	基本每股收益(元)	0.0500	0.2200	0.0600	0.2100
	基本每股收益(扣除后)(元)	0.0500	0.2000	0.1700	0.3000
	稀释每股收益(元)	0.0500	0.2200	0.0600	0.2100
	每股净资产(元)	3.0093	6.0645	9.4019	9.2238
	每股经营现金净流量(元)	0.0043	0.9071	0.5064	1.9086
	每股现金流量(元)	0.0310	–0.1079	–0.4114	–0.9170
	每股资本公积金(元)	1.8173	4.6347	7.4520	7.4520
	每股盈余公积金(元)	0.1265	0.2531	0.3609	0.3467
	每股未分配利润(元)	0.0654	0.1767	0.5890	0.4251
	净资产收益率(%)	1.5636	3.5495	1.8944	3.3604
	加权净资产收益率(%)	1.5500	3.4800	1.9100	3.3100
	净资产收益率(扣除)(%)	1.5963	3.3753	1.7854	3.2651
	总资产(万元)	86415.62	88541.15	90076.39	96392.35
	归属母公司股东权益(万元)	70264.40	70800.22	73175.80	71789.54
	营业收入(万元)	31663.75	66846.55	35728.91	81264.59
	营业支出(万元)	26439.61	57253.21	30946.03	70578.51
	投资收益(万元)	26.90	22.20	0.85	–227.88
	净利润(万元)	1098.63	2513.06	1386.26	2412.44
	营业利润(万元)	1323.19	2773.70	1534.74	2710.81
	利润总额(万元)	1291.14	2927.67	1592.52	2791.49

烟台杰瑞石油服务集团股份有限公司

公司概况						
公司名称	烟台杰瑞石油服务集团股份有限公司			证券简称	杰瑞股份	
法人代表	孙伟杰	董秘	程永峰	证券代码	002353	
公司网址	www.jereh.com		电子信箱	zqb@jereh.com		
电　话	0535-6723532		传　真	0535-6723172		
办公地址	山东省烟台市莱山区杰瑞路 5 号					
经营范围	油田专用设备制造与油田工程技术服务为公司战略发展业务					

主要财务指标	2016.06.30	2015.12.31	2015.06.30	2014.12.31
指标＼报告期	2016.06.30	2015.12.31	2015.06.30	2014.12.31
基本每股收益(元)	0.1100	0.1500	0.1100	1.2600
基本每股收益(扣除后)(元)	0.1100	0.1200	0.0900	1.2300
稀释每股收益(元)	0.1100	0.1500	0.1100	1.2600
每股净资产(元)	8.1813	8.1359	8.1022	8.2178
每股经营现金净流量(元)	0.1840	0.0720	0.0746	0.4769
每股现金流量(元)	-0.3172	-0.6458	0.1373	1.4307
每股资本公积金(元)	3.8607	3.8607	3.9248	3.9228
每股盈余公积金(元)	0.2877	0.2877	0.2599	0.2599
每股未分配利润(元)	3.1733	3.0914	3.0667	3.1608
净资产收益率(%)	1.3682	1.8578	1.3018	15.2159
加权净资产收益率(%)	1.3700	1.8500	1.2800	16.7000
净资产收益率(扣除)(%)	1.2846	1.4843	1.1554	14.8878
总资产(万元)	1012934.77	1039285.63	1155527.37	1118181.89
归属母公司股东权益(万元)	783650.91	779296.69	777717.66	788814.04
营业收入(万元)	133608.44	282657.20	122599.20	446060.21
营业支出(万元)	93997.37	191957.46	83784.69	243433.03
投资收益(万元)	1925.84	5929.44	2716.47	6289.43
净利润(万元)	9721.97	14461.74	10253.42	121878.08
营业利润(万元)	11967.10	14385.45	11443.64	139359.53
利润总额(万元)	13338.59	18893.54	13050.74	144745.22

大连天神娱乐股份有限公司

公司概况						
公司名称	大连天神娱乐股份有限公司			证券简称	天神娱乐	
法人代表	朱晔	董秘	张执交	证券代码	002354	
公司网址	www.tianshenhudong.com		电子信箱	kemian@kemianwood.com		
电　话	010-87926860		传　真	010-87926860		
办公地址	北京市东城区白桥大街 15 号嘉禾国信大厦 6F					
经营范围	中高档实木复合地板的研发、设计、生产和销售					

主要财务指标	2016.06.30	2015.12.31	2015.06.30	2014.12.31
指标＼报告期	2016.06.30	2015.12.31	2015.06.30	2014.12.31
基本每股收益(元)	0.6900	1.5900	0.6400	1.5200
基本每股收益(扣除后)(元)	0.7000	1.6000	0.6300	1.2500
稀释每股收益(元)	0.6900	1.5900	0.6400	1.5200
每股净资产(元)	16.7680	17.0276	3.5026	2.9700
每股经营现金净流量(元)	0.8777	1.0949	0.6709	0.5843
每股现金流量(元)	-0.6642	1.6953	-0.0004	0.3825
每股资本公积金(元)	12.5512	12.4346	-0.9598	-0.9598
每股盈余公积金(元)	0.0562	0.0562	0.0736	0.0736
每股未分配利润(元)	3.2438	2.8003	2.6850	2.1487
净资产收益率(%)	4.1238	7.2806	18.2791	35.0008
加权净资产收益率(%)	4.0100	32.1300	19.7800	56.9900
净资产收益率(扣除)(%)	4.1580	7.3278	17.9569	28.8488
总资产(万元)	582508.33	730584.49	136116.55	74416.17
归属母公司股东权益(万元)	489769.63	497354.57	78084.11	66210.65
营业收入(万元)	85882.61	94084.76	31928.14	47554.12
营业支出(万元)	39966.93	29453.46	8282.12	8407.53
投资收益(万元)	-219.73	4228.39	188.79	4497.44
净利润(万元)	20066.79	35642.30	13990.92	23404.49
营业利润(万元)	21242.65	36692.87	14386.50	25552.89
利润总额(万元)	21443.92	36093.56	14386.27	25553.07

兴民智通(集团)股份有限公司

公司概况						
公司名称	兴民智通(集团)股份有限公司			证券简称	兴民钢圈	
法人代表	高赫男	董秘	崔积和	证券代码	002355	
公司网址	www.xingmin.com		电子信箱	cjh@xingmin.com		
电　话	0535-8882355 8881578		传　真	0535-8886708		
办公地址	山东省龙口市龙口经济开发区					
经营范围	加工制造车轮、钢管、橡塑制品、钢化玻璃、五金配件等					

主要财务指标	2016.06.30	2015.12.31	2015.06.30	2014.12.31
指标＼报告期	2016.06.30	2015.12.31	2015.06.30	2014.12.31
基本每股收益(元)	0.0500	0.0500	0.0300	0.1000
基本每股收益(扣除后)(元)	0.0500	0.0400	0.0200	0.0800
稀释每股收益(元)	0.0500	0.0500	0.0300	0.1000
每股净资产(元)	3.9028	3.8482	3.8237	3.8034
每股经营现金净流量(元)	0.0938	0.2174	0.0783	0.1465
每股现金流量(元)	-0.1740	-0.1633	-0.0676	0.2731
每股资本公积金(元)	1.9150	1.9150	1.9150	1.9150
每股盈余公积金(元)	0.1112	0.1112	0.1066	0.1066
每股未分配利润(元)	0.8751	0.8205	0.8022	0.7819
净资产收益率(%)	1.3980	1.3814	0.7609	2.5560
加权净资产收益率(%)	1.4100	1.3900	0.7600	2.5800
净资产收益率(扣除)(%)	1.1921	0.9242	0.5913	2.0358
总资产(万元)	330395.18	324228.51	302930.38	294492.00
归属母公司股东权益(万元)	200487.11	197683.37	196421.53	195381.64
营业收入(万元)	60150.22	110605.58	59050.38	132538.87
营业支出(万元)	46920.21	92795.29	51173.92	114014.43
投资收益(万元)	186.25	315.73	64.38	372.36
净利润(万元)	4277.57	3266.23	1497.60	5001.80
营业利润(万元)	4547.36	3527.04	1795.18	5697.34
利润总额(万元)	5148.40	4198.59	2174.96	6709.91

深圳赫美集团股份有限公司

公司概况						
公司名称	深圳赫美集团股份有限公司			证券简称	赫美集团	
法人代表	王磊	董秘	李丽	证券代码	002356	
公司网址	www.szhnd.com		电子信箱	hnd@vip.163.com		
电　话	0755-26755598		传　真	0755-26755598		
办公地址	广东省深圳市南山区侨香路东方科技园华科大厦六楼					
经营范围	研发生产经营电工仪器仪表、微电子及元器件、水电气热计量自动化管理终端及系统等					

主要财务指标	2016.06.30	2015.12.31	2015.06.30	2014.12.31
指标＼报告期	2016.06.30	2015.12.31	2015.06.30	2014.12.31
基本每股收益(元)	0.3000	0.3400	0.1900	0.1700
基本每股收益(扣除后)(元)	0.3000	0.2000	0.1500	0.0800
稀释每股收益(元)	0.3000	0.3400	0.1900	0.1700
每股净资产(元)	5.2312	4.9998	4.8444	14.1142
每股经营现金净流量(元)	-1.2348	-0.6360	-0.8915	-0.9219
每股现金流量(元)	-0.3425	-0.1306	0.0800	-0.3446
每股资本公积金(元)	3.1739	3.1739	3.1730	11.5068
每股盈余公积金(元)	0.0739	0.0739	0.0739	0.2218
每股未分配利润(元)	0.9834	0.7520	0.5975	1.3856
净资产收益率(%)	5.7621	6.8022	3.8312	2.9826
加权净资产收益率(%)	5.8800	7.0200	5.9700	3.9100
净资产收益率(扣除)(%)	5.7128	4.0214	3.1615	0.4627
总资产(万元)	422725.76	260822.41	254673.52	235770.91
归属母公司股东权益(万元)	162416.24	155230.91	150405.19	146069.71
营业收入(万元)	99602.53	126202.05	51789.00	77412.06
营业支出(万元)	56496.44	82186.88	33503.48	57125.91
投资收益(万元)	195.38	2865.57	2882.40	3954.23
净利润(万元)	11681.47	10429.02	5528.62	4013.52
营业利润(万元)	14904.88	13118.57	5493.19	4442.60
利润总额(万元)	15203.12	14404.20	7135.26	4976.38

四川富临运业集团股份有限公司

公司概况						
公司概况	公司名称	四川富临运业集团股份有限公司			证券简称	富临运业
	法人代表	李亿中	董秘	曹洪	证券代码	002357
	公司网址	www.scflyy.cn		电子信箱	zhengquan@scflyy.cn	
	电　话	028-83262759　83290679		传　真	028-83251560	
	办公地址	四川省成都市青羊区广富路 239 号 N 区 29 栋				
	经营范围	汽车客、货运输、客运站经营、石油制品销售、汽车租赁服务等				

主要财务指标	指标＼报告期	2016.06.30	2015.12.31	2015.06.30	2014.12.31
主要财务指标	基本每股收益(元)	0.1988	0.5732	0.3246	0.5717
	基本每股收益(扣除后)(元)	0.1651	0.3141	0.3615	0.5491
	稀释每股收益(元)	0.1988	0.5732	0.3246	0.5717
	每股净资产(元)	3.1271	3.0985	4.1132	3.8862
	每股经营现金净流量(元)	0.3549	0.9466	0.5605	0.9794
	每股现金流量(元)	-0.2645	-0.5034	1.3405	-0.1431
	每股资本公积金(元)	0.5750	0.5504	0.8788	0.9026
	每股盈余公积金(元)	0.1864	0.1864	0.1929	0.1929
	每股未分配利润(元)	1.3041	1.2953	2.0158	1.7668
	净资产收益率(%)	6.3579	18.4989	8.9721	15.4647
	加权净资产收益率(%)	6.2600	9.7700	9.2400	16.6500
	净资产收益率(扣除)(%)	5.2817	10.1366	8.7884	14.1302
	总资产(万元)	299773.63	285361.30	139551.42	121506.35
	归属母公司股东权益(万元)	98029.83	97136.01	80589.60	76142.39
	营业收入(万元)	60258.34	129142.68	30798.44	39128.76
	营业支出(万元)	41636.87	86690.24	19326.03	18279.11
	投资收益(万元)	2304.38	2992.11	1161.45	1234.73
	净利润(万元)	6651.67	19073.98	7408.01	12055.52
	营业利润(万元)	7106.83	21571.12	8436.25	12872.08
	利润总额(万元)	8494.23	23427.93	8757.88	14425.02

河南森源电气股份有限公司

公司概况						
公司概况	公司名称	河南森源电气股份有限公司			证券简称	森源电气
	法人代表	杨合岭	董秘	崔付军	证券代码	002358
	公司网址	www.hnsyec.com		电子信箱	hnsyzqb@163.com	
	电　话	0374-6108288		传　真	0374-6108288	
	办公地址	河南省长葛市魏武大道南段西侧				
	经营范围	高低压配电成套装置、高压电器元器件系列产品开发、生产和销售等				

主要财务指标	指标＼报告期	2016.06.30	2015.12.31	2015.06.30	2014.12.31
主要财务指标	基本每股收益(元)	0.1700	0.2300	0.1200	0.3300
	基本每股收益(扣除后)(元)	0.1400	0.2200	0.1100	0.6200
	稀释每股收益(元)	0.1700	0.2300	0.1200	0.3300
	每股净资产(元)	2.8936	2.7281	2.6216	5.2371
	每股经营现金净流量(元)	0.5556	0.0213	0.2090	-0.1380
	每股现金流量(元)	0.7119	-0.0304	0.4091	-0.4257
	每股资本公积金(元)	0.5332	0.5332	0.5332	2.0665
	每股盈余公积金(元)	0.1530	0.1530	0.1314	0.2617
	每股未分配利润(元)	1.2074	1.0419	0.9570	1.8990
	净资产收益率(%)	5.7180	8.4133	4.5018	12.6285
	加权净资产收益率(%)	5.8900	8.5900	4.4400	15.7200
	净资产收益率(扣除)(%)	4.9565	8.1507	4.3807	6.5492
	总资产(万元)	560886.85	462516.58	420578.45	386843.98
	归属母公司股东权益(万元)	230212.60	217049.09	208570.95	207937.48
	营业收入(万元)	147350.38	168992.21	69491.67	114574.06
	营业支出(万元)	113472.45	111987.68	45996.21	69055.67
	投资收益(万元)	-	199.45	199.38	13237.74
	净利润(万元)	12355.61	17206.69	9499.99	27117.81
	营业利润(万元)	12839.36	20638.92	10729.44	30283.06
	利润总额(万元)	14914.73	21353.68	11056.44	32356.02

山东齐星铁塔科技股份有限公司

公司概况						
公司概况	公司名称	山东齐星铁塔科技股份有限公司			证券简称	齐星铁塔
	法人代表	李韶军	董秘	李伟	证券代码	002359
	公司网址	www.qxtt.cn		电子信箱	qxttzqb@126.com	
	电　话	0543-4305986		传　真	0543-4305298	
	办公地址	山东省滨州市邹平县开发区会仙二路				
	经营范围	输电塔、通讯塔和立体停车设备等相关产品的研发、生产和销售				

主要财务指标	指标＼报告期	2016.06.30	2015.12.31	2015.06.30	2014.12.31
主要财务指标	基本每股收益(元)	0.0547	0.0273	0.0023	-0.1973
	基本每股收益(扣除后)(元)	0.0531	0.0252	0.0010	-0.2203
	稀释每股收益(元)	0.0547	0.0273	0.0023	-0.1973
	每股净资产(元)	2.3129	2.2581	2.2326	2.2297
	每股经营现金净流量(元)	0.0187	-0.0361	-0.1122	0.1066
	每股现金流量(元)	-0.0175	-0.0341	-0.1448	-0.3446
	每股资本公积金(元)	1.0935	1.0935	1.0935	1.0935
	每股盈余公积金(元)	0.0542	0.0542	0.0542	0.0542
	每股未分配利润(元)	0.1635	0.1088	0.0837	0.0814
	净资产收益率(%)	2.3650	1.2111	0.1014	-8.8502
	加权净资产收益率(%)	2.3900	1.2200	0.1000	-8.4800
	净资产收益率(扣除)(%)	2.2942	1.1139	0.0428	-9.8820
	总资产(万元)	145709.45	139860.18	138568.98	151094.57
	归属母公司股东权益(万元)	96402.49	94117.70	93055.73	92932.99
	营业收入(万元)	38254.81	66156.43	34987.88	59040.44
	营业支出(万元)	28234.61	50538.86	27998.76	50811.59
	投资收益(万元)	-	5.61	5.61	57.03
	净利润(万元)	2276.66	1128.99	89.43	-8241.41
	营业利润(万元)	2260.24	1012.92	18.61	-8511.91
	利润总额(万元)	2329.94	1116.46	91.36	-8281.95

山西同德化工股份有限公司

公司概况						
公司概况	公司名称	山西同德化工股份有限公司			证券简称	同德化工
	法人代表	张云升	董秘	邬庆文	证券代码	002360
	公司网址	www.tondchem.com		电子信箱	tdl@tondchem.com	
	电　话	0350-7264191		传　真	0350-7264191	
	办公地址	山西省忻州市河曲县文笔镇焦尾城大茂口				
	经营范围	工业炸药、白炭黑产品的生产与销售				

主要财务指标	指标＼报告期	2016.06.30	2015.12.31	2015.06.30	2014.12.31
主要财务指标	基本每股收益(元)	0.0800	0.2100	0.1100	0.3200
	基本每股收益(扣除后)(元)	0.0735	0.1933	0.1100	0.3090
	稀释每股收益(元)	0.0800	0.2100	0.1100	0.3200
	每股净资产(元)	2.4617	2.4878	2.3993	2.3725
	每股经营现金净流量(元)	0.0032	0.2751	0.1331	0.6266
	每股现金流量(元)	0.1340	-0.4267	-0.0369	0.3955
	每股资本公积金(元)	0.1614	0.1614	0.1614	0.1614
	每股盈余公积金(元)	0.1515	0.1515	0.1222	0.1222
	每股未分配利润(元)	1.0902	1.1117	1.0482	1.0340
	净资产收益率(%)	3.1886	8.3203	4.7608	13.3394
	加权净资产收益率(%)	3.3500	8.5800	5.0200	14.2800
	净资产收益率(扣除)(%)	2.9876	7.7678	4.5328	12.9813
	总资产(万元)	135729.68	130231.55	133811.95	136613.65
	归属母公司股东权益(万元)	96377.44	97402.32	93935.74	92886.42
	营业收入(万元)	22702.54	67455.23	30266.23	89679.96
	营业支出(万元)	12597.97	35758.74	16370.22	50476.10
	投资收益(万元)	413.50	24.69	-99.99	129.10
	净利润(万元)	3467.65	8621.75	5108.76	13751.94
	营业利润(万元)	4556.51	12126.04	6501.21	18592.14
	利润总额(万元)	4784.07	12717.15	6765.13	18991.84

安徽神剑新材料股份有限公司

公司概况	公司名称	安徽神剑新材料股份有限公司			证券简称	神剑股份
	法人代表	刘志坚	董秘	李保才	证券代码	002361
	公司网址	www.shen-jian.com		电子信箱	wang@shen-jian.com	
	电　话	0553-5316355 5316333		传　真	0553-5316577	
	办公地址	安徽省芜湖市芜湖经济技术开发区保顺路 8 号				
	经营范围	聚酯树脂系列产品的生产销售				

	指标＼报告期	2016.06.30	2015.12.31	2015.06.30	2014.12.31
主要财务指标	基本每股收益(元)	0.0900	0.3000	0.0700	0.2700
	基本每股收益(扣除后)(元)	0.0800	0.2800	0.1262	0.2500
	稀释每股收益(元)	0.0900	0.3000	0.0700	0.2700
	每股净资产(元)	2.0367	3.9956	3.2279	3.0919
	每股经营现金净流量(元)	0.1606	0.4920	0.1495	0.2735
	每股现金流量(元)	0.0914	-0.1261	0.0640	1.2399
	每股资本公积金(元)	0.5619	2.1238	1.4135	1.4135
	每股盈余公积金(元)	0.0579	0.1157	0.0980	0.0980
	每股未分配利润(元)	0.4169	0.7561	0.7164	0.5804
	净资产收益率(%)	4.3645	6.7796	4.2118	7.3345
	加权净资产收益率(%)	4.3700	9.1600	4.3000	12.6500
	净资产收益率(扣除)(%)	4.1504	6.2520	3.9099	6.9329
	总资产(万元)	242615.73	234793.49	189284.85	182661.29
	归属母公司股东权益(万元)	175684.75	172330.00	123321.70	118127.64
	营业收入(万元)	61703.13	117868.84	55896.98	124958.47
	营业支出(万元)	45111.63	90648.62	44018.42	104528.59
	投资收益(万元)	-69.68	-343.28	-73.01	-89.44
	净利润(万元)	7669.23	11689.17	5202.30	8664.06
	营业利润(万元)	8581.51	13149.06	5509.18	9493.46
	利润总额(万元)	9024.13	14193.95	5969.94	10067.39

汉王科技股份有限公司

公司概况	公司名称	汉王科技股份有限公司			证券简称	汉王科技
	法人代表	刘迎建	董秘	朱德永	证券代码	002362
	公司网址	www.hanwang.com.cn		电子信箱	zhudy@hanwang.com.cn	
	电　话	010-82786816		传　真	010-82786786	
	办公地址	北京市海淀区东北旺西路 8 号 5 号楼三层				
	经营范围	技术开发、技术转让、技术咨询、技术服务、技术培训等				

	指标＼报告期	2016.06.30	2015.12.31	2015.06.30	2014.12.31
主要财务指标	基本每股收益(元)	0.0400	0.0200	0.0024	0.0500
	基本每股收益(扣除后)(元)	0.0300	-0.0032	-0.0082	-0.0100
	稀释每股收益(元)	0.0400	0.0200	0.0024	0.0500
	每股净资产(元)	3.5025	3.4647	3.4340	3.4188
	每股经营现金净流量(元)	0.0212	0.1686	-0.0122	0.2705
	每股现金流量(元)	-0.2251	-0.4328	-0.6422	0.4899
	每股资本公积金(元)	4.5730	4.5730	4.5625	4.5497
	每股盈余公积金(元)	0.1109	0.1109	0.1109	0.1109
	每股未分配利润(元)	-2.1814	-2.2193	-2.2394	-2.2418
	净资产收益率(%)	1.0805	0.6501	0.0695	1.4554
	加权净资产收益率(%)	1.0900	0.6600	0.0700	1.4700
	净资产收益率(扣除)(%)	0.9765	-0.0931	-0.2394	-0.3616
	总资产(万元)	86661.06	85067.75	86399.34	85427.71
	归属母公司股东权益(万元)	74989.82	74179.59	73523.20	73197.36
	营业收入(万元)	18418.42	36415.89	18206.91	35428.55
	营业支出(万元)	9390.93	18709.45	9044.36	17994.87
	投资收益(万元)	248.89	1263.92	611.48	745.75
	净利润(万元)	871.36	499.08	99.93	1041.16
	营业利润(万元)	322.14	-701.52	-644.87	-619.61
	利润总额(万元)	960.38	1187.08	127.43	1048.20

山东隆基机械股份有限公司

公司概况	公司名称	山东隆基机械股份有限公司			证券简称	隆基机械
	法人代表	张海燕	董秘	刘建	证券代码	002363
	公司网址	www.sdljjx.com.cn		电子信箱	liujian@longjigroup.cn	
	电　话	0535-8881898 8842175		传　真	0535-8881899	
	办公地址	山东省龙口市外向型经济开发区				
	经营范围	生产、销售盘式制动器总成,制动毂、制动盘、轮毂、刹车片、刹车等				

	指标＼报告期	2016.06.30	2015.12.31	2015.06.30	2014.12.31
主要财务指标	基本每股收益(元)	0.1100	0.1900	0.1200	0.1500
	基本每股收益(扣除后)(元)	0.1100	0.1500	0.1000	0.1300
	稀释每股收益(元)	0.1100	0.1900	0.1200	0.1500
	每股净资产(元)	4.7544	4.5124	4.4513	4.3766
	每股经营现金净流量(元)	0.4208	0.9837	0.4621	0.5740
	每股现金流量(元)	0.2056	0.0497	0.1716	-0.1181
	每股资本公积金(元)	2.7989	2.3821	2.3821	2.3821
	每股盈余公积金(元)	0.0946	0.1222	0.1024	0.1024
	每股未分配利润(元)	0.8609	1.0082	0.9668	0.8921
	净资产收益率(%)	2.1079	4.1184	2.8014	3.4713
	加权净资产收益率(%)	2.3200	4.1800	2.8100	3.5100
	净资产收益率(扣除)(%)	2.1449	3.3855	2.1657	2.9781
	总资产(万元)	253460.48	218673.89	240134.44	230829.82
	归属母公司股东权益(万元)	183460.22	134831.83	133004.95	130772.98
	营业收入(万元)	76374.20	138649.91	71547.48	123803.36
	营业支出(万元)	62591.58	115702.00	58975.60	101612.74
	投资收益(万元)	-75.45	-12.85	-19.03	289.51
	净利润(万元)	3825.07	5302.26	3603.30	4445.72
	营业利润(万元)	4615.60	4972.87	3255.52	4617.21
	利润总额(万元)	4537.03	6304.03	4396.07	5392.21

杭州中恒电气股份有限公司

公司概况	公司名称	杭州中恒电气股份有限公司			证券简称	中恒电气
	法人代表	朱国锭	董秘	陈志云	证券代码	002364
	公司网址	www.hzzh.com		电子信箱	zhengquan@hzzh.com	
	电　话	0571-86699838		传　真	0571-86699755	
	办公地址	浙江省杭州市高新区之江科技工业园东信大道 69 号				
	经营范围	高频开关电源设备、不间断电源设备、逆变器、光纤通信设备、电力自动化设备等				

	指标＼报告期	2016.06.30	2015.12.31	2015.06.30	2014.12.31
主要财务指标	基本每股收益(元)	0.1900	0.2700	0.1200	0.4900
	基本每股收益(扣除后)(元)	0.1900	0.2700	0.1100	0.4800
	稀释每股收益(元)	0.1900	0.2700	0.1200	0.4900
	每股净资产(元)	2.4223	2.2615	2.0100	3.6800
	每股经营现金净流量(元)	-0.0952	0.0338	-0.0859	-0.0207
	每股现金流量(元)	-0.0386	-0.0676	-0.2114	-0.2054
	每股资本公积金(元)	0.2244	0.2244	0.0500	0.7763
	每股盈余公积金(元)	0.0981	0.0981	0.0847	0.1698
	每股未分配利润(元)	1.1700	1.0124	0.8753	1.7363
	净资产收益率(%)	7.7476	12.1251	6.1586	13.0738
	加权净资产收益率(%)	8.0000	13.5400	6.5100	14.0500
	净资产收益率(扣除)(%)	7.6411	11.7309	5.6406	12.8139
	总资产(万元)	173689.71	163643.54	128829.31	120631.64
	归属母公司股东权益(万元)	126745.23	118332.04	105172.66	96153.79
	营业收入(万元)	38641.90	84182.97	32032.77	60090.65
	营业支出(万元)	18259.31	48964.18	18616.74	32444.03
	投资收益(万元)	-215.06	-611.47	-202.88	-342.12
	净利润(万元)	9565.06	14677.57	6413.86	12570.93
	营业利润(万元)	10913.34	11601.99	6768.31	13230.92
	利润总额(万元)	11288.82	13193.46	7528.97	14331.64

潜江永安药业股份有限公司

公司概况					
公司名称	潜江永安药业股份有限公司			证券简称	永安药业
法人代表	陈勇	董秘	吴晓波	证券代码	002365
公司网址	www.chinataurine.com		电子信箱	tzz@chinataurine.com	
电　话	0728-6204039		传　真	0728-6202797	
办公地址	湖北省潜江市泽口经济开发区广泽大道2号				
经营范围	主要从事牛磺酸产品的研发、生产和销售				

主要财务指标 指标\报告期	2016.06.30	2015.12.31	2015.06.30	2014.12.31
基本每股收益(元)	0.1846	0.0942	0.0700	0.1700
基本每股收益(扣除后)(元)	0.1200	-0.0016	0.0200	0.1000
稀释每股收益(元)	–	–	0.0700	0.1700
每股净资产(元)	6.1520	5.9648	5.9315	5.9245
每股经营现金净流量(元)	0.3215	0.3776	0.1220	0.1030
每股现金流量(元)	0.1236	0.1539	0.1390	-0.5000
每股资本公积金(元)	3.2330	3.2330	3.2330	3.2330
每股盈余公积金(元)	0.3106	0.3106	0.2944	0.2944
每股未分配利润(元)	1.5895	1.4049	1.3927	1.3869
净资产收益率(%)	3.0007	1.5790	1.1090	2.8633
加权净资产收益率(%)	3.0500	1.5800	1.1000	2.9000
净资产收益率(扣除)(%)	1.9862	-0.0260	0.3663	1.6151
总资产(万元)	122385.09	120298.85	119690.85	118702.93
归属母公司股东权益(万元)	115042.68	111542.24	110918.25	110788.67
营业收入(万元)	29190.81	55589.37	30107.57	65841.71
营业支出(万元)	21780.70	45731.46	24909.00	55678.55
投资收益(万元)	691.41	1338.98	720.04	1197.66
净利润(万元)	3433.99	1718.26	1205.79	3172.23
营业利润(万元)	3501.29	1339.62	1256.57	3273.36
利润总额(万元)	4112.04	2086.18	1533.02	3718.70

台海玛努尔核电设备股份有限公司

公司概况					
公司名称	台海玛努尔核电设备股份有限公司			证券简称	台海核电
法人代表	王雪欣	董秘	姜明杰	证券代码	002366
公司网址	www.scdanfu.cn		电子信箱	zq@ytthm.com	
电　话	0535-3725577		传　真	0535-3725577	
办公地址	四川省眉山市青神县黑龙镇丹甫工业园				
经营范围	制冷压缩机、冷冻冷藏设备、冷气工程、环试设备的生产、销售				

主要财务指标 指标\报告期	2016.06.30	2015.12.31	2015.06.30	2014.12.31
基本每股收益(元)	0.6500	0.0500	0.0800	0.6876
基本每股收益(扣除后)(元)	0.6500	0.0300	0.0800	0.2182
稀释每股收益(元)	0.6500	0.0500	0.0800	0.6900
每股净资产(元)	3.8529	3.2498	5.5778	5.4919
每股经营现金净流量(元)	0.2147	0.5583	0.3137	0.1320
每股现金流量(元)	-0.5512	1.1758	0.3082	0.1090
每股资本公积金(元)	1.7080	1.7080	3.5423	1.3055
每股盈余公积金(元)	0.0875	0.0875	0.2674	0.2512
每股未分配利润(元)	1.4725	0.8694	0.7680	2.3971
净资产收益率(%)	16.9505	1.2481	1.5410	4.8079
加权净资产收益率(%)	18.2600	1.7000	1.5500	4.8500
净资产收益率(扣除)(%)	16.8792	0.7805	1.4133	3.9730
总资产(万元)	422889.99	430492.56	93029.71	327564.55
归属母公司股东权益(万元)	167032.27	140887.13	74463.74	74308.36
营业收入(万元)	56524.62	39355.52	26944.67	57346.62
营业支出(万元)	14930.00	19902.54	22815.72	47433.20
投资收益(万元)	–	–	–	440.70
净利润(万元)	28555.55	2710.50	1147.52	3524.94
营业利润(万元)	33173.63	1982.13	1124.82	3603.52
利润总额(万元)	33313.64	2641.77	1236.71	3882.95

康力电梯股份有限公司

公司概况					
公司名称	康力电梯股份有限公司			证券简称	康力电梯
法人代表	王友林	董秘	王友林(代)	证券代码	002367
公司网址	www.canny-elevator.com		电子信箱	dongmiban@canny-elevator.com	
电　话	0512-63293967		传　真	0512-63299905	
办公地址	江苏省苏州市汾湖高新技术产业开发区康力大道888号				
经营范围	制造加工销售电梯、自动扶梯、自动人行道、停车设备、电控设备等				

主要财务指标 指标\报告期	2016.06.30	2015.12.31	2015.06.30	2014.12.31
基本每股收益(元)	0.3302	0.6617	0.2711	0.5444
基本每股收益(扣除后)(元)	0.3045	0.5994	0.2418	0.5002
稀释每股收益(元)	0.3302	0.6617	0.2711	0.5444
每股净资产(元)	3.5019	3.1682	2.7734	2.7447
每股经营现金净流量(元)	0.2554	0.2537	0.0416	0.7617
每股现金流量(元)	0.1471	-0.3100	-0.0153	-0.4574
每股资本公积金(元)	0.4736	0.4736	0.4717	0.4678
每股盈余公积金(元)	0.1809	0.1809	0.1337	0.1337
每股未分配利润(元)	1.8305	1.5002	1.1569	1.1357
净资产收益率(%)	9.4295	20.8864	9.7766	19.8502
加权净资产收益率(%)	9.9000	22.7000	9.6800	21.7600
净资产收益率(扣除)(%)	8.6968	18.9189	8.7186	18.2358
总资产(万元)	431111.39	404897.43	368181.11	377824.50
归属母公司股东权益(万元)	258647.44	234006.40	204841.18	202722.80
营业收入(万元)	163289.34	327031.25	146957.36	282128.20
营业支出(万元)	100962.85	208176.52	95460.78	184610.29
投资收益(万元)	1999.84	4624.67	2564.79	2368.96
净利润(万元)	24569.77	49028.23	20067.19	40462.22
营业利润(万元)	29974.35	58405.94	24383.00	44511.77
利润总额(万元)	29963.45	58754.33	24135.89	46070.02

太极计算机股份有限公司

公司概况					
公司名称	太极计算机股份有限公司			证券简称	太极股份
法人代表	李建明	董秘	柴永茂	证券代码	002368
公司网址	www.taiji.com.cn		电子信箱	dongsh@mail.taiji.com.cn	
电　话	010-51616309		传　真	010-51616309	
办公地址	北京市海淀区北四环中路211号				
经营范围	行业解决方案与服务、IT咨询及IT产品增值服务				

主要财务指标 指标\报告期	2016.06.30	2015.12.31	2015.06.30	2014.12.31
基本每股收益(元)	0.0400	0.4895	0.0600	0.4755
基本每股收益(扣除后)(元)	0.0200	0.3971	0.0600	0.6300
稀释每股收益(元)	0.0400	0.4856	0.0600	0.4755
每股净资产(元)	5.0669	5.1736	4.8060	7.2806
每股经营现金净流量(元)	-1.9528	0.5963	-1.3148	-0.0616
每股现金流量(元)	-1.6384	0.3827	-1.1250	-0.7414
每股资本公积金(元)	2.3147	2.3147	2.2865	3.8169
每股盈余公积金(元)	0.2034	0.2034	0.1672	0.2532
每股未分配利润(元)	1.6548	1.7615	1.3524	2.2105
净资产收益率(%)	0.8539	9.3715	0.8210	9.7961
加权净资产收益率(%)	0.8300	9.5700	0.8100	10.1500
净资产收益率(扣除)(%)	0.4475	7.6024	0.7716	8.6893
总资产(万元)	482323.80	580650.52	422310.87	415892.17
归属母公司股东权益(万元)	210578.24	215014.02	199737.48	199788.90
营业收入(万元)	220199.33	482948.72	164015.28	425562.21
营业支出(万元)	184859.20	401468.97	136421.90	355233.60
投资收益(万元)	-665.26	147.87	-281.57	209.68
净利润(万元)	1198.17	20117.75	1369.96	19819.05
营业利润(万元)	-1797.88	18219.67	75.78	18049.65
利润总额(万元)	119.62	23876.78	1854.57	21833.80

深圳市卓翼科技股份有限公司

公司概况	公司名称	深圳市卓翼科技股份有限公司			证券简称	卓翼科技
	法人代表	夏传武	董秘	魏代英	证券代码	002369
	公司网址	www.zowee.com.cn		电子信箱	message@zowee.com.cn	
	电　话	0755-26997888		传　真	0755-26986712	
	办公地址	广东省深圳市南山区西丽平山民企科技工业园5栋				
	经营范围	计算机周边板卡、消费数码产品、通讯网络产品、音响产品、广播电影电视器材等				

	指标\报告期	2016.06.30	2015.12.31	2015.06.30	2014.12.31
主要财务指标	基本每股收益(元)	0.0200	-0.1100	-0.0500	0.0900
	基本每股收益(扣除后)(元)	0.0030	-0.1500	-0.0700	0.0800
	稀释每股收益(元)	0.0200	-0.1100	-0.0500	0.0900
	每股净资产(元)	2.7944	2.7431	2.8023	2.8367
	每股经营现金净流量(元)	0.8938	0.6824	0.5358	0.0094
	每股现金流量(元)	0.2501	-0.0883	0.1225	0.1465
	每股资本公积金(元)	1.3606	1.3672	1.3139	1.3089
	每股盈余公积金(元)	0.1311	0.1298	0.1247	0.1239
	每股未分配利润(元)	0.3378	0.3152	0.3821	0.4283
	净资产收益率(%)	0.7002	-4.0458	-1.7433	3.1759
	加权净资产收益率(%)	0.7000	-3.9600	-1.7300	3.2300
	净资产收益率(扣除)(%)	0.1245	-5.2369	-2.2980	2.8977
	总资产(万元)	275845.10	320856.69	288069.01	326273.84
	归属母公司股东权益(万元)	135250.15	134040.09	137020.17	139560.66
	营业收入(万元)	137669.54	377946.51	178945.76	358687.75
	营业支出(万元)	124373.38	357037.22	170350.83	331074.69
	投资收益(万元)	233.48	919.28	-	144.40
	净利润(万元)	829.22	-5496.52	-2455.24	4432.33
	营业利润(万元)	867.47	-7031.18	-2637.45	5526.54
	利润总额(万元)	1783.49	-6083.93	-1743.27	5906.48

浙江亚太药业股份有限公司

公司概况	公司名称	浙江亚太药业股份有限公司			证券简称	亚太药业
	法人代表	陈尧根	董秘	孙黎明	证券代码	002370
	公司网址	www.ytyaoye.com		电子信箱	ytdsh@ytyaoye.com	
	电　话	0575-84810101		传　真	0575-84810101	
	办公地址	浙江省绍兴市绍兴县云集路1152号				
	经营范围	化学制剂药的开发、生产与销售				

	指标\报告期	2016.06.30	2015.12.31	2015.06.30	2014.12.31
主要财务指标	基本每股收益(元)	0.3100	0.2700	0.1500	0.2000
	基本每股收益(扣除后)(元)	0.3000	0.2600	0.1500	0.1900
	稀释每股收益(元)	0.3100	0.2700	0.1500	0.2000
	每股净资产(元)	4.0565	3.8518	3.7304	3.6633
	每股经营现金净流量(元)	-0.3155	0.4948	0.1327	0.3594
	每股现金流量(元)	-0.7890	1.1581	-0.0582	-0.2222
	每股资本公积金(元)	1.6780	1.6780	1.6780	1.6780
	每股盈余公积金(元)	0.2035	0.2035	0.1795	0.1795
	每股未分配利润(元)	1.1531	0.9395	0.8461	0.7913
	净资产收益率(%)	7.7322	7.0631	4.1479	5.4285
	加权净资产收益率(%)	7.9000	7.2700	4.1700	5.5700
	净资产收益率(扣除)(%)	7.3817	6.6564	4.1410	5.0707
	总资产(万元)	193380.11	206094.91	89789.34	84852.75
	归属母公司股东权益(万元)	82753.50	78576.74	76099.64	74731.47
	营业收入(万元)	42714.53	46314.55	19960.24	37560.18
	营业支出(万元)	26222.51	27279.20	10808.03	23161.76
	投资收益(万元)	32.34	35.94	35.94	27.23
	净利润(万元)	6493.66	5648.90	3156.56	4056.80
	营业利润(万元)	7149.31	6296.92	3688.22	4561.76
	利润总额(万元)	7439.63	6598.59	3674.13	4838.81

北方华创科技集团股份有限公司

公司概况	公司名称	北方华创科技集团股份有限公司			证券简称	北方华创
	法人代表	张劲松	董秘	徐加力	证券代码	002371
	公司网址	www.sevenstar.com.cn		电子信箱	zbzq@sevenstar.com.cn	
	电　话	010-64369908		传　真	010-64369908	
	办公地址	北京市朝阳区酒仙桥东路1号				
	经营范围	从事基础电子产品的研发、生产、销售和技术服务业务				

	指标\报告期	2016.06.30	2015.12.31	2015.06.30	2014.12.31
主要财务指标	基本每股收益(元)	0.0600	0.1100	0.0600	0.1200
	基本每股收益(扣除后)(元)	-0.0900	-0.0100	-	0.0100
	稀释每股收益(元)	0.0600	0.1100	0.0600	0.1200
	每股净资产(元)	5.3366	5.3079	5.2553	5.1984
	每股经营现金净流量(元)	-0.1967	-0.1237	-0.2343	0.2636
	每股现金流量(元)	-0.0508	0.0415	-0.2174	-0.1428
	每股资本公积金(元)	2.3759	2.3759	2.3759	2.3759
	每股盈余公积金(元)	0.1679	0.1679	0.1637	0.1637
	每股未分配利润(元)	1.7945	1.7656	1.7169	1.6601
	净资产收益率(%)	1.1025	2.0673	1.0821	2.2870
	加权净资产收益率(%)	1.1100	2.0900	1.0900	2.2900
	净资产收益率(扣除)(%)	-1.6389	-0.2651	0.0874	0.1183
	总资产(万元)	435223.87	417983.92	409170.45	388615.96
	归属母公司股东权益(万元)	187954.19	186945.04	185091.11	183087.22
	营业收入(万元)	49713.21	85445.87	31838.68	96173.41
	营业支出(万元)	29977.68	50740.90	17037.60	62878.44
	投资收益(万元)	-	-	-	0.95
	净利润(万元)	3393.93	7510.40	3199.90	7352.45
	营业利润(万元)	-707.59	4516.31	1705.77	5650.82
	利润总额(万元)	4892.17	9588.72	3911.58	10022.70

浙江伟星新型建材股份有限公司

公司概况	公司名称	浙江伟星新型建材股份有限公司			证券简称	伟星新材
	法人代表	金红阳	董秘	谭梅	证券代码	002372
	公司网址	www.china-pipes.com		电子信箱	wxxc@china-pipes.com	
	电　话	0576-85225086		传　真	0576-85305080	
	办公地址	浙江省临海市经济开发区				
	经营范围	塑料管道制造、加工、塑料管道、新型建筑材料及原辅辅料、卫生洁具等				

	指标\报告期	2016.06.30	2015.12.31	2015.06.30	2014.12.31
主要财务指标	基本每股收益(元)	0.3100	0.8400	0.2500	0.6800
	基本每股收益(扣除后)(元)	0.3000	0.8100	0.3100	0.8600
	稀释每股收益(元)	0.3100	0.8400	0.2500	0.6800
	每股净资产(元)	2.9600	4.1400	3.6300	4.8300
	每股经营现金净流量(元)	0.4316	0.8597	0.1971	1.1708
	每股现金流量(元)	0.0695	0.2808	-0.3064	-0.2415
	每股资本公积金(元)	1.1016	1.5797	1.5797	2.2708
	每股盈余公积金(元)	0.2251	0.3017	0.2306	0.3043
	每股未分配利润(元)	0.7920	1.2543	0.8174	1.2539
	净资产收益率(%)	10.7192	20.2402	9.0711	18.3163
	加权净资产收益率(%)	9.7800	21.4600	8.5900	19.1200
	净资产收益率(扣除)(%)	10.4114	19.5497	8.5252	17.7326
	总资产(万元)	301073.26	290094.88	259640.58	255933.96
	归属母公司股东权益(万元)	229980.92	239330.87	209933.11	211697.14
	营业收入(万元)	132294.12	274650.15	111614.60	235367.76
	营业支出(万元)	71862.73	154291.79	63970.70	138729.73
	投资收益(万元)	307.82	1202.61	690.95	242.00
	净利润(万元)	24652.07	48441.00	19043.25	38775.16
	营业利润(万元)	28813.84	56881.16	21678.66	44004.14
	利润总额(万元)	29412.38	57815.13	22422.44	45502.37

北京千方科技股份有限公司

公司概况					
公司名称	北京千方科技股份有限公司			证券简称	千方科技
法人代表	夏曙东	董秘	周洲	证券代码	002373
公司网址	www.ctfo.com		电子信箱	securities@ctfo.com	
电　话	010-61959518		传　真	010-61959666	
办公地址	中国北京市海淀区学院路 39 号唯实大厦 9 层				
经营范围	行业应用软件开发、计算机信息系统集成和专业技术服务				

主要财务指标

指标\报告期	2016.06.30	2015.12.31	2015.06.30	2014.12.31
基本每股收益(元)	0.1200	0.5800	0.2200	0.5400
基本每股收益(扣除后)(元)	0.1100	0.4800	0.2100	0.4700
稀释每股收益(元)	0.1200	0.5800	0.2200	0.5400
每股净资产(元)	2.7577	5.3835	2.0085	1.8917
每股经营现金净流量(元)	–0.2315	0.2893	–0.3881	0.3224
每股现金流量(元)	0.2586	1.1540	–0.4493	0.2396
每股资本公积金(元)	0.9376	2.8794	–0.2717	–0.2717
每股盈余公积金(元)	0.0266	0.0531	0.0498	0.0498
每股未分配利润(元)	0.7936	1.4509	1.2304	1.1136
净资产收益率(%)	4.2831	9.8546	10.7899	26.0627
加权净资产收益率(%)	4.3100	23.9900	10.7500	32.6800
净资产收益率(扣除)(%)	4.0379	8.2886	10.4008	22.5393
总资产(万元)	545187.96	434204.08	231060.43	219745.48
归属母公司股东权益(万元)	304552.00	297268.57	101529.15	95629.35
营业收入(万元)	93802.34	154235.86	72297.41	136071.83
营业支出(万元)	65554.51	104338.94	51815.87	96835.09
投资收益(万元)	–217.09	2243.67	1007.97	2865.19
净利润(万元)	16442.08	31760.98	11813.37	26819.43
营业利润(万元)	16979.61	29188.83	11897.32	25449.66
利润总额(万元)	18282.91	34612.25	12857.19	29113.71

山东丽鹏股份有限公司

公司概况					
公司名称	山东丽鹏股份有限公司			证券简称	丽鹏股份
法人代表	孙鲲鹏	董秘	李海霞	证券代码	002374
公司网址	www.lp.com.cn		电子信箱	haixia5229@sina.com	
电　话	0535-4660587		传　真	0535-4660587	
办公地址	山东省烟台市牟平区姜格庄街道办事处丽鹏路 1 号				
经营范围	专业从事铝板复合型防伪印刷、防伪瓶盖的生产、销售及相关业务等				

主要财务指标

指标\报告期	2016.06.30	2015.12.31	2015.06.30	2014.12.31
基本每股收益(元)	0.0700	0.3700	0.0700	0.1600
基本每股收益(扣除后)(元)	0.0700	0.3400	0.1500	0.1300
稀释每股收益(元)	0.0700	0.3700	0.0700	0.1600
每股净资产(元)	2.9158	6.0306	5.8163	5.6626
每股经营现金净流量(元)	–0.2897	–0.8641	–0.1998	0.2973
每股现金流量(元)	0.1986	–0.0230	–0.0903	–0.0756
每股资本公积金(元)	1.4790	4.1234	4.1234	4.1234
每股盈余公积金(元)	0.0197	0.0462	0.0445	0.0445
每股未分配利润(元)	0.4171	0.8610	0.6485	0.4947
净资产收益率(%)	2.5021	6.1019	2.6432	1.6795
加权净资产收益率(%)	2.5600	6.2900	2.6800	3.8300
净资产收益率(扣除)(%)	2.5203	5.6247	2.5318	1.3249
总资产(万元)	427667.62	379728.78	313690.07	289128.06
归属母公司股东权益(万元)	225556.46	198799.56	191737.06	186669.09
营业收入(万元)	75595.25	135749.07	61919.97	70192.31
营业支出(万元)	59160.48	106583.31	48411.66	55673.88
投资收益(万元)	–	676.47	439.98	12.71
净利润(万元)	5700.08	12341.25	5190.28	3508.21
营业利润(万元)	6612.97	13676.20	5797.01	3949.47
利润总额(万元)	6586.59	14138.30	6042.62	4751.38

浙江亚厦装饰股份有限公司

公司概况					
公司名称	浙江亚厦装饰股份有限公司			证券简称	亚厦股份
法人代表	丁海富	董秘	戴轶钧	证券代码	002375
公司网址	www.chinayasha.com		电子信箱	002375@yashazs.com	
电　话	0571-89880808　89880086		传　真	0571-89880809	
办公地址	浙江省杭州市望江东路 299 号冠盛大厦				
经营范围	建筑装饰装修工程、建筑幕墙工程、钢结构工程、消防工程、水电工程等				

主要财务指标

指标\报告期	2016.06.30	2015.12.31	2015.06.30	2014.12.31
基本每股收益(元)	0.1200	0.4300	0.3600	0.7900
基本每股收益(扣除后)(元)	0.1100	0.4200	0.3600	1.1600
稀释每股收益(元)	0.1200	0.4300	0.3600	0.7800
每股净资产(元)	5.2400	5.1854	5.1125	7.2432
每股经营现金净流量(元)	–0.5917	0.0246	–0.6694	0.1659
每股现金流量(元)	–0.6494	–0.1841	–1.0172	0.9392
每股资本公积金(元)	1.3711	1.3767	1.3600	2.5447
每股盈余公积金(元)	0.2098	0.2099	0.1859	0.2790
每股未分配利润(元)	2.6563	2.5988	2.5666	3.4195
净资产收益率(%)	2.2690	8.2395	7.0662	15.9881
加权净资产收益率(%)	2.2700	8.5500	7.2100	18.5000
净资产收益率(扣除)(%)	2.1236	8.0821	6.9758	15.7419
总资产(万元)	1715101.18	1841625.83	1861761.46	1774001.08
归属母公司股东权益(万元)	701791.32	694494.98	684128.01	645869.01
营业收入(万元)	403955.53	896852.37	533137.32	1291711.23
营业支出(万元)	337692.39	747243.75	436177.46	1047584.86
投资收益(万元)	752.34	1149.27	498.01	1668.64
净利润(万元)	16276.04	58969.76	50084.49	106900.39
营业利润(万元)	18007.49	68277.26	59244.94	124532.27
利润总额(万元)	18495.99	69028.20	59549.40	124728.92

山东新北洋信息技术股份有限公司

公司概况					
公司名称	山东新北洋信息技术股份有限公司			证券简称	新 北 洋
法人代表	丛强滋	董秘	荣波	证券代码	002376
公司网址	www.newbeiyang.com.cn		电子信箱	snbc@newbeiyang.com	
电　话	0631-5675777　5675888		传　真	0631-5680499	
办公地址	山东省威海市环翠区昆仑路 126 号				
经营范围	专业从事专用打印机及相关产品的研发、生产、销售和服务				

主要财务指标

指标\报告期	2016.06.30	2015.12.31	2015.06.30	2014.12.31
基本每股收益(元)	0.1400	0.2500	0.1000	0.5100
基本每股收益(扣除后)(元)	0.1200	0.2300	0.0900	0.2000
稀释每股收益(元)	0.1400	0.2500	0.1000	0.5100
每股净资产(元)	3.5795	3.1831	3.0389	3.0377
每股经营现金净流量(元)	0.0975	0.4794	0.1633	0.2958
每股现金流量(元)	0.0317	0.3631	0.2874	0.1655
每股资本公积金(元)	1.0170	0.5287	0.5287	0.5281
每股盈余公积金(元)	0.2873	0.3024	0.2676	0.2676
每股未分配利润(元)	1.2768	1.3544	1.2455	1.2437
净资产收益率(%)	3.7026	7.7114	3.3486	16.8130
加权净资产收益率(%)	4.2600	7.9100	3.3000	18.0800
净资产收益率(扣除)(%)	3.0872	7.1550	3.0745	6.5972
总资产(万元)	366832.16	308655.60	288611.78	274404.60
归属母公司股东权益(万元)	226038.73	190986.26	182335.13	182260.93
营业收入(万元)	67633.26	121087.65	46752.87	99243.85
营业支出(万元)	39770.22	63694.43	25120.68	54235.29
投资收益(万元)	282.89	1065.88	355.50	21832.13
净利润(万元)	11105.15	20141.97	7619.78	33437.47
营业利润(万元)	9807.78	18571.66	7104.66	31122.03
利润总额(万元)	12958.00	22722.76	8994.18	35111.26

湖北国创高新材料股份有限公司

公司概况	公司名称	湖北国创高新材料股份有限公司			证券简称	国创高新
	法人代表	高庆寿	董秘	彭雅超	证券代码	002377
	公司网址	www.guochuang.com.cn		电子信箱	p20732@sina.com	
	电　话	027-87617347		传　真	027-87617400	
	办公地址	湖北省武汉东湖开发区武大科技园武大园三路八号国创高科实业集团办公大楼				
	经营范围	研制、生产、销售成品改性沥青、沥青改性设备等				

	指标\报告期	2016.06.30	2015.12.31	2015.06.30	2014.12.31
主要财务指标	基本每股收益(元)	-0.0127	0.0700	0.0104	0.1100
	基本每股收益(扣除后)(元)	-0.0135	0.0700	0.0085	0.1400
	稀释每股收益(元)	-0.0126	0.0700	0.0103	0.1100
	每股净资产(元)	1.7525	1.7501	1.7235	1.7178
	每股经营现金净流量(元)	-0.4921	0.4064	-0.1803	-0.0193
	每股现金流量(元)	-0.1670	-0.1863	-0.2463	0.1990
	每股资本公积金(元)	0.4010	0.3986	0.4068	0.4010
	每股盈余公积金(元)	0.0446	0.0446	0.0387	0.0387
	每股未分配利润(元)	0.3415	0.3540	0.2990	0.2888
	净资产收益率(%)	-0.7125	4.0621	0.5897	5.9387
	加权净资产收益率(%)	-0.7200	4.1500	0.6100	5.8900
	净资产收益率(扣除)(%)	-0.7592	3.9806	0.4935	5.7799
	总资产(万元)	173281.31	182431.55	205519.41	231763.50
	归属母公司股东权益(万元)	76783.47	76677.34	75513.59	75261.89
	营业收入(万元)	20696.49	142499.36	46322.32	193421.26
	营业支出(万元)	18509.05	124972.22	40778.04	170347.43
	投资收益(万元)	-4.78	154.78	138.04	-17.80
	净利润(万元)	-574.98	3978.30	808.10	4640.12
	营业利润(万元)	-672.87	5131.37	1243.31	5502.25
	利润总额(万元)	-637.81	5201.24	1336.01	5614.25

崇义章源钨业股份有限公司

公司概况	公司名称	崇义章源钨业股份有限公司			证券简称	章源钨业
	法人代表	黄泽兰	董秘	刘佶	证券代码	002378
	公司网址	www.zy-tungsten.com		电子信箱	info@zy-tungsten.com	
	电　话	0797-3813839		传　真	0797-3813839	
	办公地址	江西省赣州市崇义县城塔下				
	经营范围	钨及其他金属矿产品采掘、钨制品的冶炼和深加工、钨制品销售				

	指标\报告期	2016.06.30	2015.12.31	2015.06.30	2014.12.31
主要财务指标	基本每股收益(元)	-0.0200	-0.1700	-0.0300	0.0800
	基本每股收益(扣除后)(元)	-0.0600	-0.2100	-0.0500	0.1300
	稀释每股收益(元)	-0.0200	-0.1700	-0.0300	0.0800
	每股净资产(元)	2.0398	2.0621	2.2042	4.4724
	每股经营现金净流量(元)	0.0326	0.1956	0.1377	0.1993
	每股现金流量(元)	-0.0714	0.1022	0.0926	0.0738
	每股资本公积金(元)	0.6233	0.6231	0.6223	2.2447
	每股盈余公积金(元)	0.1569	0.1569	0.1569	0.3138
	每股未分配利润(元)	0.2433	0.2666	0.4090	0.8792
	净资产收益率(%)	-1.1433	-8.3868	-1.3893	3.1509
	加权净资产收益率(%)	-1.1400	-8.0500	-1.3300	4.2200
	净资产收益率(扣除)(%)	-2.7787	-10.0067	-2.2628	2.7974
	总资产(万元)	326923.39	312547.38	318931.33	316512.31
	归属母公司股东权益(万元)	188510.54	190568.79	203705.52	206660.83
	营业收入(万元)	53426.18	134383.74	72778.99	203882.95
	营业支出(万元)	50938.79	124089.52	65529.78	165339.07
	投资收益(万元)	380.38	1023.97	406.89	1111.22
	净利润(万元)	-2155.27	-15982.66	-2830.17	6511.67
	营业利润(万元)	-5360.52	-18357.56	-4412.45	8860.65
	利润总额(万元)	-1781.88	-15270.58	-2342.58	9647.42

山东宏创铝业控股股份有限公司

公司概况	公司名称	山东宏创铝业控股股份有限公司			证券简称	宏创控股
	法人代表	赵前方	董秘	肖萧	证券代码	002379
	公司网址	www.loften.com.cn		电子信箱	stock@loften.cn	
	电　话	0543-2161727		传　真	0543-2161727	
	办公地址	山东省滨州市博兴县滨博大街 1568 号				
	经营范围	板带箔生产、加工、销售等				

	指标\报告期	2016.06.30	2015.12.31	2015.06.30	2014.12.31
主要财务指标	基本每股收益(元)	0.0100	-0.1278	-0.0700	-0.3733
	基本每股收益(扣除后)(元)	0.0100	-0.2852	-0.0700	-0.4433
	稀释每股收益(元)	0.0100	-0.1278	-0.0700	-0.3733
	每股净资产(元)	1.2962	1.2884	1.3449	1.4144
	每股经营现金净流量(元)	-0.0940	-0.2663	-0.1264	-0.4660
	每股现金流量(元)	0.0077	-0.4542	-0.2622	-0.2670
	每股资本公积金(元)	0.6136	0.6136	0.6120	0.6120
	每股盈余公积金(元)	0.0125	0.0125	0.0125	0.0125
	每股未分配利润(元)	-0.3300	-0.3378	-0.2799	-0.2100
	净资产收益率(%)	0.6045	-9.9189	-5.1969	-26.3902
	加权净资产收益率(%)	0.6100	-9.4600	-5.0700	-23.2800
	净资产收益率(扣除)(%)	0.6144	-22.1395	-5.1951	-31.3412
	总资产(万元)	217199.02	215473.55	428536.12	505140.94
	归属母公司股东权益(万元)	120079.50	119353.65	124593.58	131034.13
	营业收入(万元)	42160.76	152824.56	89219.66	203906.22
	营业支出(万元)	41654.04	152444.79	86225.56	207047.98
	投资收益(万元)	-	5526.65	-	5711.91
	净利润(万元)	725.86	-11838.55	-6475.05	-34661.83
	营业利润(万元)	737.76	-12592.96	-7939.85	-40583.81
	利润总额(万元)	725.86	-9914.52	-7943.08	-40534.12

南京科远自动化集团股份有限公司

公司概况	公司名称	南京科远自动化集团股份有限公司			证券简称	科远股份
	法人代表	刘国耀	董秘	赵文庆	证券代码	002380
	公司网址	www.sciyon.com		电子信箱	sciyon@sciyon.com	
	电　话	025-69836008		传　真	025-69836118	
	办公地址	江苏省南京市江宁区秣陵街道清水亭东路 1266 号				
	经营范围	热工自动化和电厂信息化产品研发、生产、销售和服务				

	指标\报告期	2016.06.30	2015.12.31	2015.06.30	2014.12.31
主要财务指标	基本每股收益(元)	0.1700	0.3000	0.1200	0.2100
	基本每股收益(扣除后)(元)	0.1400	0.2700	0.2000	0.3700
	稀释每股收益(元)	0.1700	0.3000	0.1200	0.2100
	每股净资产(元)	8.0162	4.8042	9.3543	9.2512
	每股经营现金净流量(元)	-0.1177	0.0987	-0.1230	0.2152
	每股现金流量(元)	2.8127	-0.3475	-0.5221	-0.3485
	每股资本公积金(元)	5.8002	2.5232	6.0499	6.0499
	每股盈余公积金(元)	0.1644	0.1934	0.3154	0.3154
	每股未分配利润(元)	1.0515	1.0876	1.9890	1.8859
	净资产收益率(%)	1.9593	6.2520	2.5991	4.5070
	加权净资产收益率(%)	2.5900	6.3800	2.6100	4.5900
	净资产收益率(扣除)(%)	1.6160	5.5375	2.1563	4.0334
	总资产(万元)	215878.60	125564.78	115820.98	112164.04
	归属母公司股东权益(万元)	192381.57	98006.24	95413.88	94361.96
	营业收入(万元)	19255.91	42259.17	16704.93	31430.33
	营业支出(万元)	10858.63	23689.64	9040.01	17509.92
	投资收益(万元)	-	-	-	-
	净利润(万元)	3846.85	6113.15	2475.70	4355.05
	营业利润(万元)	2555.59	4825.60	1637.08	3075.40
	利润总额(万元)	4072.93	7271.72	2667.54	4903.34

浙江双箭橡胶股份有限公司

公司概况	公司名称	浙江双箭橡胶股份有限公司		证券简称	双箭股份
	法人代表	沈耿亮	董秘 张梁铨	证券代码	002381
	公司网址	www.doublearrow.net		电子信箱	shenhui0316@163.com
	电　话	0573-88533979		传　真	0573-88531023
	办公地址	浙江省桐乡市洲泉镇晚村			
	经营范围	橡胶制品、帆布的生产、销售			

主要财务指标	指标\报告期	2016.06.30	2015.12.31	2015.06.30	2014.12.31
	基本每股收益(元)	0.1100	0.3000	0.1300	0.3800
	基本每股收益(扣除后)(元)	0.1100	0.2900	0.1500	0.5400
	稀释每股收益(元)	0.1100	0.3000	0.1300	0.3800
	每股净资产(元)	3.7598	3.4088	3.2544	4.9579
	每股经营现金净流量(元)	0.0501	0.4366	0.2908	0.6772
	每股现金流量(元)	0.2835	-0.1055	-0.1764	-0.0154
	每股资本公积金(元)	1.5472	0.8100	0.8100	1.7151
	每股盈余公积金(元)	0.1804	0.2202	0.1872	0.2807
	每股未分配利润(元)	1.0322	1.3786	1.2572	1.9621
	净资产收益率(%)	2.7381	8.9271	4.5829	11.5000
	加权净资产收益率(%)	2.7800	9.1100	4.4600	12.0200
	净资产收益率(扣除)(%)	2.7812	8.3724	4.5185	10.9211
	总资产(万元)	250093.21	152475.21	151730.06	151072.38
	归属母公司股东权益(万元)	161106.65	119649.62	114230.44	116015.40
	营业收入(万元)	51554.27	95430.58	46113.66	110209.68
	营业支出(万元)	36660.70	68446.95	33076.24	78928.65
	投资收益(万元)	479.60	5.87	5.87	7.33
	净利润(万元)	4103.82	10642.54	5132.45	13396.83
	营业利润(万元)	4614.57	11815.38	5885.85	14697.01
	利润总额(万元)	4819.52	13035.46	6178.40	16276.88

蓝帆医疗股份有限公司

公司概况	公司名称	蓝帆医疗股份有限公司		证券简称	蓝帆医疗
	法人代表	刘文静	董秘 韩邦友	证券代码	002382
	公司网址	www.bluesail.cn		电子信箱	stock@bluesail.cn
	电　话	0533-7871008		传　真	0533-7871018
	办公地址	山东省淄博市临淄区稷下街道一诺路48号			
	经营范围	生产加工PVC手套及其他塑料制品、粒料等			

主要财务指标	指标\报告期	2016.06.30	2015.12.31	2015.06.30	2014.12.31
	基本每股收益(元)	0.2000	0.7000	0.1700	0.2600
	基本每股收益(扣除后)(元)	0.1700	0.6900	0.3300	0.2300
	稀释每股收益(元)	0.2000	0.7000	0.1700	0.2600
	每股净资产(元)	2.4477	4.7842	4.3812	4.3442
	每股经营现金净流量(元)	0.2993	1.0570	0.6141	0.6290
	每股现金流量(元)	-0.1090	0.0364	-0.0491	0.0773
	每股资本公积金(元)	0.7076	2.3998	2.0538	2.0831
	每股盈余公积金(元)	0.0696	0.1391	0.1154	0.1188
	每股未分配利润(元)	0.7882	1.5761	1.2434	1.1446
	净资产收益率(%)	8.1772	14.3923	7.5808	5.9180
	加权净资产收益率(%)	7.9000	15.2400	7.5500	6.1100
	净资产收益率(扣除)(%)	6.9068	14.0758	7.4717	5.3783
	总资产(万元)	154799.33	149726.99	145876.74	160307.75
	归属母公司股东权益(万元)	121003.98	118265.50	108304.27	104261.22
	营业收入(万元)	63631.88	150898.47	75553.54	153508.74
	营业支出(万元)	44718.62	111751.68	56986.18	129528.85
	投资收益(万元)	1542.90	539.36	260.22	-158.23
	净利润(万元)	9826.09	16816.35	8089.33	6167.36
	营业利润(万元)	12140.37	22398.35	10713.45	6517.21
	利润总额(万元)	12287.11	22453.44	10842.10	7292.26

北京合众思壮科技股份有限公司

公司概况	公司名称	北京合众思壮科技股份有限公司		证券简称	合众思壮
	法人代表	郭信平	董秘 左玉立	证券代码	002383
	公司网址	www.unistrong.com		电子信箱	dongmi@unistrong.com
	电　话	010-58275500		传　真	010-58275259
	办公地址	北京市朝阳区酒仙桥路10号恒通商业园1幢B10楼三层			
	经营范围	技术开发、技术推广、技术转让、技术咨询、技术服务、技术培训等			

主要财务指标	指标\报告期	2016.06.30	2015.12.31	2015.06.30	2014.12.31
	基本每股收益(元)	0.0174	0.3137	0.0197	0.2140
	基本每股收益(扣除后)(元)	-0.0027	0.1564	-0.0163	-0.4788
	稀释每股收益(元)	0.0174	0.3137	0.0197	0.2140
	每股净资产(元)	9.2451	9.0748	8.7640	7.6018
	每股经营现金净流量(元)	-0.4871	-0.3757	-0.2940	-0.3561
	每股现金流量(元)	-0.1807	-0.0981	-0.5853	-0.2567
	每股资本公积金(元)	6.5415	6.5415	6.5415	5.3820
	每股盈余公积金(元)	0.2524	0.2524	0.2515	0.2651
	每股未分配利润(元)	1.3035	1.2861	0.9990	1.0332
	净资产收益率(%)	0.1881	3.3828	0.2152	2.8149
	加权净资产收益率(%)	0.1900	3.7100	0.2600	2.8200
	净资产收益率(扣除)(%)	-0.0293	1.6866	-0.1775	-6.2988
	总资产(万元)	273909.75	248992.86	227805.36	186714.89
	归属母公司股东权益(万元)	182432.38	179072.26	172938.23	142305.05
	营业收入(万元)	33333.98	75706.92	30183.88	48987.42
	营业支出(万元)	16774.12	41948.09	16630.84	29941.92
	投资收益(万元)	-246.09	975.66	-435.10	11963.91
	净利润(万元)	183.90	6335.95	334.74	3699.29
	营业利润(万元)	-775.08	3879.23	-945.10	1999.94
	利润总额(万元)	184.15	6937.77	474.15	5189.12

苏州东山精密制造股份有限公司

公司概况	公司名称	苏州东山精密制造股份有限公司		证券简称	东山精密
	法人代表	袁永刚	董秘 冒小燕	证券代码	002384
	公司网址	www.sz-dsbj.com		电子信箱	maoxy@sz-dsbj.com
	电　话	0512-66306201		传　真	0512-66307172
	办公地址	江苏省苏州市吴中区东山工业园石鹤山路8号			
	经营范围	精密钣金件和精密铸件的制造与服务			

主要财务指标	指标\报告期	2016.06.30	2015.12.31	2015.06.30	2014.12.31
	基本每股收益(元)	0.1800	0.0400	0.0600	0.0600
	基本每股收益(扣除后)(元)	0.1100	0.0100	0.0600	0.0400
	稀释每股收益(元)	0.1800	0.0400	0.0600	0.0600
	每股净资产(元)	3.3429	3.1700	3.1900	1.9522
	每股经营现金净流量(元)	0.0110	-0.1681	-0.2178	-0.1846
	每股现金流量(元)	-0.0251	0.5216	0.4856	-0.1564
	每股资本公积金(元)	1.9419	1.9419	1.9406	0.7423
	每股盈余公积金(元)	0.0390	0.0390	0.0372	0.0410
	每股未分配利润(元)	0.3666	0.1982	0.2257	0.1793
	净资产收益率(%)	5.3387	1.1806	1.9767	2.9102
	加权净资产收益率(%)	5.4700	1.3900	2.8100	3.1500
	净资产收益率(扣除)(%)	3.3393	0.2993	1.8180	2.1475
	总资产(万元)	793915.83	691243.41	620525.50	511407.68
	归属母公司股东权益(万元)	283270.77	268618.82	270740.93	149930.37
	营业收入(万元)	242659.85	399287.40	183238.71	352373.94
	营业支出(万元)	202190.13	339623.68	153497.10	296817.78
	投资收益(万元)	6721.12	956.59	84.43	592.42
	净利润(万元)	15158.20	3943.30	5455.37	4443.69
	营业利润(万元)	16962.07	2237.63	4972.57	3448.58
	利润总额(万元)	17642.23	3842.41	5511.66	4654.53

北京大北农科技集团股份有限公司

公司概况	公司名称	北京大北农科技集团股份有限公司			证券简称	大北农
	法人代表	邵根伙	董秘	陈忠恒	证券代码	002385
	公司网址	www.dbn.com.cn		电子信箱	cwbgs@dbn.com.cn	
	电　话	010-82856450		传　真	010-82856430	
	办公地址	北京市海淀区中关村大街27号中关村大厦14层				
	经营范围	饲料、种子产品的研发、生产、销售				

主要财务指标	指标\报告期	2016.06.30	2015.12.31	2015.06.30	2014.12.31
	基本每股收益(元)	0.0897	0.2800	0.0550	0.3200
	基本每股收益(扣除后)(元)	0.0853	0.2200	0.0700	0.4600
	稀释每股收益(元)	0.0897	0.2800	0.0550	0.3200
	每股净资产(元)	2.1432	3.1528	2.3726	3.5349
	每股经营现金净流量(元)	-0.0515	0.4753	-0.1368	0.5090
	每股现金流量(元)	-0.2220	-0.2178	-0.5916	0.6328
	每股资本公积金(元)	0.2738	0.9044	0.2059	0.8090
	每股盈余公积金(元)	0.0661	0.0991	0.0910	0.1366
	每股未分配利润(元)	0.8025	1.1491	1.0754	1.5892
	净资产收益率(%)	4.1876	8.1859	3.4800	13.5194
	加权净资产收益率(%)	4.2000	10.8400	3.4400	14.8700
	净资产收益率(扣除)(%)	3.9786	6.3547	2.8736	12.8329
	总资产(万元)	1431999.18	1384930.53	1048476.07	1055059.25
	归属母公司股东权益(万元)	878847.42	861900.55	592562.67	588548.15
	营业收入(万元)	738675.16	1609808.52	734170.46	1844491.60
	营业支出(万元)	541242.36	1218798.98	565030.34	1439132.32
	投资收益(万元)	5706.95	12533.28	1273.35	1412.71
	净利润(万元)	37609.33	70822.67	19670.77	81115.27
	营业利润(万元)	45008.78	77478.64	20165.04	91211.84
	利润总额(万元)	47335.25	86491.64	24308.76	97163.17

宜宾天原集团股份有限公司

公司概况	公司名称	宜宾天原集团股份有限公司			证券简称	天原集团
	法人代表	罗云	董秘	何波	证券代码	002386
	公司网址	www.ybty.com		电子信箱	zcbmsk@ybty.com	
	电　话	0831-3607079 3608918		传　真	0831-3607026	
	办公地址	四川省宜宾市翠屏区下江北中元路1号				
	经营范围	基本化学原料、有机合成化学原料、化工产品制造、销售等				

主要财务指标	指标\报告期	2016.06.30	2015.12.31	2015.06.30	2014.12.31
	基本每股收益(元)	-0.1000	0.0244	-0.1300	0.1263
	基本每股收益(扣除后)(元)	-0.1000	-0.0655	-0.1155	-0.4740
	稀释每股收益(元)	-0.1000	0.0244	-0.1300	0.1263
	每股净资产(元)	5.8753	5.9721	5.8225	8.3268
	每股经营现金净流量(元)	0.0599	0.0931	0.0486	0.1880
	每股现金流量(元)	-0.0284	-2.0420	-0.9944	1.4800
	每股资本公积金(元)	2.7597	2.7597	2.7597	4.2636
	每股盈余公积金(元)	0.3725	0.3725	0.3623	0.5072
	每股未分配利润(元)	1.7396	1.8362	1.6962	2.5510
	净资产收益率(%)	-1.6441	0.4079	-2.1630	1.5172
	加权净资产收益率(%)	-1.6300	0.4100	-2.1400	1.5200
	净资产收益率(扣除)(%)	-1.6598	-4.4024	-1.9840	-5.6926
	总资产(万元)	1319377.21	1346987.72	1435272.39	1509729.17
	归属母公司股东权益(万元)	394630.69	401132.26	391085.57	399496.10
	营业收入(万元)	576537.10	1070382.76	272217.59	918398.46
	营业支出(万元)	544881.80	1010559.88	246128.56	859429.56
	投资收益(万元)	-146.93	16772.50	-409.68	-499.54
	净利润(万元)	-7906.71	-915.52	-9882.94	3890.77
	营业利润(万元)	-6181.81	-2808.22	-7910.32	-25446.00
	利润总额(万元)	-5997.83	5758.17	-8518.01	14221.05

黑牛食品股份有限公司

公司概况	公司名称	黑牛食品股份有限公司			证券简称	黑牛食品
	法人代表	金亮	董秘	朱少芬	证券代码	002387
	公司网址	www.blackcow.cn		电子信箱	zqb@blackcow.cn	
	电　话	0754-88108997		传　真	0754-88107793	
	办公地址	广东省汕头市金平区岐山北工业片区02-02号				
	经营范围	大豆等植物蛋白类营养饮品的研发、生产和销售				

主要财务指标	指标\报告期	2016.06.30	2015.12.31	2015.06.30	2014.12.31
	基本每股收益(元)	-0.0803	-1.3666	-0.1597	0.0262
	基本每股收益(扣除后)(元)	-0.0773	-0.5386	-0.1646	-0.0200
	稀释每股收益(元)	-0.0803	-1.3666	-0.1597	0.0262
	每股净资产(元)	1.4688	1.5491	2.7560	4.3837
	每股经营现金净流量(元)	-0.1923	0.1367	-0.0388	-0.0075
	每股现金流量(元)	-0.4940	0.3903	-0.1838	-0.8302
	每股资本公积金(元)	1.1606	1.1606	1.1606	2.2408
	每股盈余公积金(元)	0.0363	0.0363	0.0363	0.0544
	每股未分配利润(元)	-0.7281	-0.6477	0.5592	1.0884
	净资产收益率(%)	-5.4695	-88.2191	-5.7958	0.8957
	加权净资产收益率(%)	-5.3200	-61.1400	-5.6200	0.9000
	净资产收益率(扣除)(%)	-5.2653	-34.7755	-5.9732	-0.4224
	总资产(万元)	96129.95	122689.05	201361.11	217574.38
	归属母公司股东权益(万元)	68954.27	72725.71	129384.79	137196.64
	营业收入(万元)	11261.27	43050.78	25060.30	58334.41
	营业支出(万元)	8585.74	38871.07	18644.02	35558.53
	投资收益(万元)	-	-28752.24	-	-
	净利润(万元)	-3771.43	-64157.96	-7498.89	1228.87
	营业利润(万元)	-3629.23	-53157.67	-7468.07	-803.79
	利润总额(万元)	-3812.95	-63257.08	-7163.62	1477.92

深圳市新亚电子制程股份有限公司

公司概况	公司名称	深圳市新亚电子制程股份有限公司			证券简称	新亚制程
	法人代表	许雷宇	董秘	彭敏	证券代码	002388
	公司网址	www.sunyes.cn		电子信箱	info@sunyes.cn	
	电　话	0755-23818518 23818513		传　真	0755-23818685	
	办公地址	广东省深圳市福田区中康路卓越梅林中心广场(北区)1栋306A				
	经营范围	电子工具、仪器仪表设备、电子元器件、化工产品的销售及售后服务				

主要财务指标	指标\报告期	2016.06.30	2015.12.31	2015.06.30	2014.12.31
	基本每股收益(元)	0.0050	0.0100	0.0040	0.0300
	基本每股收益(扣除后)(元)	0.0030	0.0100	-	0.0300
	稀释每股收益(元)	0.0050	0.0100	0.0040	0.0300
	每股净资产(元)	1.4246	1.4195	2.8242	2.8271
	每股经营现金净流量(元)	-0.1250	0.0382	0.1510	-0.0289
	每股现金流量(元)	0.0082	-0.0535	0.0810	-0.5528
	每股资本公积金(元)	0.1997	0.1997	1.4007	1.4007
	每股盈余公积金(元)	0.0323	0.0323	0.0646	0.0646
	每股未分配利润(元)	0.1926	0.1875	0.3589	0.3619
	净资产收益率(%)	0.3576	0.8130	0.2499	2.0055
	加权净资产收益率(%)	0.3600	0.8000	0.2500	1.9700
	净资产收益率(扣除)(%)	0.2252	0.4928	0.1193	0.9345
	总资产(万元)	94306.70	86534.80	81037.62	82495.86
	归属母公司股东权益(万元)	56926.40	56722.83	56427.40	56486.16
	营业收入(万元)	35354.27	56944.44	24733.67	51720.52
	营业支出(万元)	29525.38	46438.53	20260.04	41439.18
	投资收益(万元)	-5.01	8.14	8.73	619.35
	净利润(万元)	155.73	495.31	166.84	1350.15
	营业利润(万元)	273.19	810.44	204.88	1714.45
	利润总额(万元)	409.37	1141.87	332.89	1856.23

浙江南洋科技股份有限公司

公司概况	公司名称	浙江南洋科技股份有限公司			证券简称	南洋科技
	法人代表	邵奕兴	董秘	杜志喜	证券代码	002389
	公司网址	www.nykj.cc		电子信箱	nykj@nykj.cc	
	电　话	0576-88169898 88170181		传　真	0576-88169922	
	办公地址	浙江省台州市开发区开发大道 388 号				
	经营范围	电容器专用电子薄膜的制造和销售				

主要财务指标	指标\报告期	2016.06.30	2015.12.31	2015.06.30	2014.12.31
	基本每股收益(元)	0.0900	0.1600	0.0800	0.0900
	基本每股收益(扣除后)(元)	0.0900	0.1600	0.0700	0.0800
	稀释每股收益(元)	0.0900	0.1600	0.0800	0.0900
	每股净资产(元)	4.7722	4.6958	3.7103	3.6491
	每股经营现金净流量(元)	-0.0429	0.1348	0.0896	0.2531
	每股现金流量(元)	-0.0289	0.0050	0.0047	0.0051
	每股资本公积金(元)	3.1103	3.1084	2.0934	2.0882
	每股盈余公积金(元)	0.0580	0.0580	0.0650	0.0650
	每股未分配利润(元)	0.6147	0.5402	0.5694	0.5134
	净资产收益率(%)	1.9739	3.0020	2.0497	2.2931
	加权净资产收益率(%)	1.9900	4.0900	2.0700	2.8000
	净资产收益率(扣除)(%)	1.9405	2.8646	1.9599	2.0557
	总资产(万元)	378439.94	369120.46	300753.88	283888.76
	归属母公司股东权益(万元)	338786.21	333367.37	215699.11	212141.07
	营业收入(万元)	55686.43	92336.62	41047.11	69962.26
	营业支出(万元)	38760.39	62484.31	27607.59	53346.74
	投资收益(万元)	596.90	-66.46	-13.31	252.02
	净利润(万元)	7529.03	11475.96	5058.73	5464.48
	营业利润(万元)	8611.13	12901.84	5713.00	6506.83
	利润总额(万元)	8758.92	13518.41	5993.94	7055.94

贵州信邦制药股份有限公司

公司概况	公司名称	贵州信邦制药股份有限公司			证券简称	信邦制药
	法人代表	安怀略	董秘	陈船	证券代码	002390
	公司网址	www.xinbang.com		电子信箱	lhlin410@126.com	
	电　话	0851-8660261		传　真	0851-8660280	
	办公地址	贵州省贵阳市乌当区新添大道与航天大道交汇处科开 1 号苑 6 楼				
	经营范围	中成药的开发、生产和销售				

主要财务指标	指标\报告期	2016.06.30	2015.12.31	2015.06.30	2014.12.31
	基本每股收益(元)	0.0800	0.1400	0.0700	0.1300
	基本每股收益(扣除后)(元)	0.0700	0.1300	0.0600	0.2900
	稀释每股收益(元)	0.0800	0.1400	0.0700	0.1300
	每股净资产(元)	3.6515	2.0316	1.9573	4.7895
	每股经营现金净流量(元)	-0.0800	0.1738	-0.0457	-0.3968
	每股现金流量(元)	0.5330	-0.0502	-0.0348	0.7101
	每股资本公积金(元)	2.2794	0.5867	0.5867	2.9668
	每股盈余公积金(元)	0.0294	0.0400	0.0360	0.0900
	每股未分配利润(元)	0.3429	0.4049	0.3346	0.7327
	净资产收益率(%)	2.0878	6.8603	3.3246	6.0399
	加权净资产收益率(%)	2.4400	7.0700	3.3500	7.6300
	净资产收益率(扣除)(%)	1.8590	6.2036	3.2790	5.3612
	总资产(万元)	1054373.31	650489.36	604962.21	522330.08
	归属母公司股东权益(万元)	622548.80	254186.64	244890.29	239691.83
	营业收入(万元)	246930.37	417975.61	178467.61	247618.31
	营业支出(万元)	197078.08	331862.15	141123.00	183785.02
	投资收益(万元)	20.47	278.64	66.81	551.82
	净利润(万元)	12021.84	16840.91	8425.94	15385.71
	营业利润(万元)	13676.12	18441.22	10027.45	17505.09
	利润总额(万元)	15448.75	22819.95	10918.35	19903.58

江苏长青农化股份有限公司

公司概况	公司名称	江苏长青农化股份有限公司			证券简称	长青股份
	法人代表	于国权	董秘	闵丹	证券代码	002391
	公司网址	www.jscq.com		电子信箱	irm@jscq.com	
	电　话	0514-86424918		传　真	0514-86421039	
	办公地址	江苏省扬州市江都区文昌东路 1006 号				
	经营范围	化学农药的生产、销售				

主要财务指标	指标\报告期	2016.06.30	2015.12.31	2015.06.30	2014.12.31
	基本每股收益(元)	0.2990	0.6900	0.3970	0.7600
	基本每股收益(扣除后)(元)	0.3110	0.7100	0.3970	0.7400
	稀释每股收益(元)	0.2990	0.6900	0.3970	0.7400
	每股净资产(元)	7.9954	7.9343	7.7283	7.1541
	每股经营现金净流量(元)	0.3750	0.5042	0.4510	0.7150
	每股现金流量(元)	0.1621	-0.0439	0.1499	-0.3987
	每股资本公积金(元)	4.5338	4.5403	4.5796	3.3678
	每股盈余公积金(元)	0.3427	0.3402	0.2944	0.3381
	每股未分配利润(元)	2.1131	2.1008	1.8537	2.0566
	净资产收益率(%)	3.7398	8.2678	4.6987	10.3809
	加权净资产收益率(%)	3.6700	9.0900	5.2000	11.2200
	净资产收益率(扣除)(%)	3.8879	8.5378	4.7647	10.3980
	总资产(万元)	384967.35	355172.81	323478.35	310979.64
	归属母公司股东权益(万元)	287423.60	287331.84	279870.15	225573.81
	营业收入(万元)	95449.13	182080.93	94607.98	180898.08
	营业支出(万元)	69890.12	133337.94	67489.00	130223.15
	投资收益(万元)	123.97	536.85	333.40	52.11
	净利润(万元)	10708.14	23562.19	13060.07	23219.65
	营业利润(万元)	12966.46	27336.88	15779.35	27282.42
	利润总额(万元)	12476.72	26492.67	15558.40	27230.22

北京利尔高温材料股份有限公司

公司概况	公司名称	北京利尔高温材料股份有限公司			证券简称	北京利尔
	法人代表	赵继增	董秘	张建超	证券代码	002392
	公司网址	www.bjlirr.com		电子信箱	ir@bjlirr.com	
	电　话	010-61712828		传　真	010-61712828	
	办公地址	北京市昌平区小汤山工业园				
	经营范围	钢铁、有色、石化、建材等工业用耐火材料的生产和销售等				

主要财务指标	指标\报告期	2016.06.30	2015.12.31	2015.06.30	2014.12.31
	基本每股收益(元)	0.0690	-0.0387	0.0810	0.1700
	基本每股收益(扣除后)(元)	0.0640	-0.1600	0.0680	0.2700
	稀释每股收益(元)	0.0690	-0.0387	0.0810	0.1700
	每股净资产(元)	2.4514	2.3825	2.5020	4.8919
	每股经营现金净流量(元)	-0.0270	-0.1119	-0.0454	-0.0251
	每股现金流量(元)	-0.1598	0.1590	-0.0185	0.0204
	每股资本公积金(元)	0.8286	0.8286	0.8286	2.6571
	每股盈余公积金(元)	0.0526	0.0526	0.0483	0.0966
	每股未分配利润(元)	0.5679	0.4990	0.6229	1.1339
	净资产收益率(%)	2.8100	-1.6227	3.2348	6.9202
	加权净资产收益率(%)	2.8500	-1.5900	3.2600	7.1300
	净资产收益率(扣除)(%)	2.3311	-3.4152	2.7303	5.4828
	总资产(万元)	477056.09	470992.03	429939.25	403940.90
	归属母公司股东权益(万元)	293809.61	285553.71	299884.45	293161.47
	营业收入(万元)	93585.50	176518.20	93121.95	188198.18
	营业支出(万元)	59749.29	114404.82	61807.96	119354.25
	投资收益(万元)	159.12	6874.64	1161.16	3428.14
	净利润(万元)	8273.93	-4589.28	9723.99	20339.29
	营业利润(万元)	8996.04	-2727.72	10051.78	22669.42
	利润总额(万元)	9403.71	-3065.67	10898.84	24617.54

天津力生制药股份有限公司

公司概况						
公司名称	天津力生制药股份有限公司			证券简称	力生制药	
法人代表	郑洁	董秘	马霏霏	证券代码	002393	
公司网址	www.lishengpharma.com			电子信箱	lisheng@lishengpharma.com	
电　话	022-27641760			传　真	022-27364239	
办公地址	天津市西青经济技术开发区赛达北一道 16 号					
经营范围	片剂、硬胶囊剂、颗粒剂、滴丸剂、原料药及塑料瓶、化工原料					

主要财务指标：指标＼报告期	2016.06.30	2015.12.31	2015.06.30	2014.12.31
基本每股收益(元)	0.3800	0.6300	0.5800	0.5100
基本每股收益(扣除后)(元)	0.3700	0.6200	0.5800	0.4900
稀释每股收益(元)	0.3800	0.6300	0.5800	0.5100
每股净资产(元)	16.2649	16.2777	16.2219	15.9484
每股经营现金净流量(元)	0.1697	1.0859	0.4913	0.3959
每股现金流量(元)	−1.2120	−0.2376	−0.3399	−1.8649
每股资本公积金(元)	9.2711	9.2711	9.2760	9.2711
每股盈余公积金(元)	1.8652	1.8652	1.8078	1.8078
每股未分配利润(元)	4.0656	4.0859	4.0961	3.8274
净资产收益率(%)	2.3346	3.8457	3.5974	3.1920
加权净资产收益率(%)	2.3200	3.8900	3.6000	3.1900
净资产收益率(扣除)(%)	2.2799	3.7955	3.5678	3.0684
总资产(万元)	340400.01	340944.71	332632.13	324780.65
归属母公司股东权益(万元)	296760.59	296994.51	295977.11	290986.32
营业收入(万元)	45752.90	77478.22	46363.64	77372.57
营业支出(万元)	20059.99	34650.50	18880.51	34712.31
投资收益(万元)	−37.32	922.06	1155.92	774.19
净利润(万元)	6928.16	11421.65	10647.63	9288.65
营业利润(万元)	7870.31	13362.39	12092.95	10778.11
利润总额(万元)	8061.13	13538.38	12195.94	11207.31

江苏联发纺织股份有限公司

公司概况						
公司名称	江苏联发纺织股份有限公司			证券简称	联发股份	
法人代表	薛庆龙	董秘	潘志刚	证券代码	002394	
公司网址	www.lianfa.cn			电子信箱	panzg@gl.lianfa.cn	
电　话	0513-88869069			传　真	0513-88869069	
办公地址	江苏省南通市海安县城东镇恒联路 88 号					
经营范围	生产销售色织布、服装、纺织品					

主要财务指标：指标＼报告期	2016.06.30	2015.12.31	2015.06.30	2014.12.31
基本每股收益(元)	0.4600	0.9100	0.3600	0.9400
基本每股收益(扣除后)(元)	0.3800	0.6900	0.2700	0.7000
稀释每股收益(元)	0.4600	0.9100	0.3600	0.9400
每股净资产(元)	8.3547	8.1967	8.2716	8.0622
每股经营现金净流量(元)	0.6870	1.5304	0.4608	1.9223
每股现金流量(元)	0.0258	−0.4172	−0.1738	−2.3347
每股资本公积金(元)	2.9767	2.9844	3.3272	3.3304
每股盈余公积金(元)	0.5258	0.5258	0.4135	0.4135
每股未分配利润(元)	3.8379	3.6827	3.5472	3.3853
净资产收益率(%)	5.4478	11.0991	4.3756	11.6418
加权净资产收益率(%)	5.4400	11.0000	4.3900	11.9700
净资产收益率(扣除)(%)	4.0526	8.3638	3.2936	8.6013
总资产(万元)	446192.53	447201.87	442740.71	429045.50
归属母公司股东权益(万元)	270441.12	265326.22	267750.21	260974.07
营业收入(万元)	186690.72	347697.08	171049.55	339158.31
营业支出(万元)	149173.21	276011.41	137288.36	269283.97
投资收益(万元)	4846.60	6866.23	3512.32	7108.39
净利润(万元)	14237.01	29395.33	11919.27	31508.90
营业利润(万元)	19349.01	38724.15	16747.69	40476.40
利润总额(万元)	19574.60	41269.26	17116.13	43645.79

无锡双象超纤材料股份有限公司

公司概况						
公司名称	无锡双象超纤材料股份有限公司			证券简称	双象股份	
法人代表	唐炳泉	董秘	沈铭	证券代码	002395	
公司网址	www.sxcxgf.com			电子信箱	sx@sxcxgf.com	
电　话	0510-88993888 8701 8702			传　真	0510-88997333	
办公地址	江苏省无锡市新区鸿山街道后宅中路 188 号					
经营范围	人造革合成革产品的研发、生产和销售					

主要财务指标：指标＼报告期	2016.06.30	2015.12.31	2015.06.30	2014.12.31
基本每股收益(元)	0.1125	0.1295	0.0350	0.0446
基本每股收益(扣除后)(元)	0.1069	0.1115	0.0297	0.0375
稀释每股收益(元)	0.1125	0.1295	0.0350	0.0446
每股净资产(元)	4.5657	4.5032	4.4087	4.4237
每股经营现金净流量(元)	0.1894	0.9584	0.4544	−0.3038
每股现金流量(元)	−0.0221	0.5395	0.3253	−0.1956
每股资本公积金(元)	2.3619	2.3619	2.3619	2.3619
每股盈余公积金(元)	0.1667	0.1667	0.1599	0.1599
每股未分配利润(元)	1.0372	0.9747	0.8870	0.9020
净资产收益率(%)	2.4643	2.8755	0.7939	1.0085
加权净资产收益率(%)	2.4700	2.9000	0.7900	1.0100
净资产收益率(扣除)(%)	2.3455	2.4755	0.6737	0.8470
总资产(万元)	119440.47	116852.76	119357.82	114351.04
归属母公司股东权益(万元)	81638.35	80520.59	78831.09	79099.27
营业收入(万元)	49743.88	99048.68	46571.23	80327.31
营业支出(万元)	42591.15	87938.13	42513.27	74261.10
投资收益(万元)	–	–	–	–
净利润(万元)	2787.46	3069.00	563.40	178.32
营业利润(万元)	3460.46	3013.41	605.44	324.40
利润总额(万元)	3579.42	3393.08	716.20	474.83

福建星网锐捷通讯股份有限公司

公司概况						
公司名称	福建星网锐捷通讯股份有限公司			证券简称	星网锐捷	
法人代表	黄奕豪	董秘	刘万里	证券代码	002396	
公司网址	www.star-net.cn			电子信箱	zqsw@star-net.cn	
电　话	0591-83057977 83057009			传　真	0591-83057818	
办公地址	福建省福州市仓山区金山大道 618 号桔园洲星网锐捷科技园 19-22 栋					
经营范围	研发、生产和销售企业级网络通讯系统设备及终端设备					

主要财务指标：指标＼报告期	2016.06.30	2015.12.31	2015.06.30	2014.12.31
基本每股收益(元)	0.0715	0.4943	0.0411	0.4591
基本每股收益(扣除后)(元)	0.0510	0.4358	0.0243	0.5308
稀释每股收益(元)	0.0715	0.4943	0.0411	0.4591
每股净资产(元)	4.8235	4.8508	4.0488	6.1117
每股经营现金净流量(元)	−0.9796	1.7134	−0.5654	0.5656
每股现金流量(元)	−2.0321	0.8964	−1.5385	0.1073
每股资本公积金(元)	1.5700	1.5700	1.1725	2.2588
每股盈余公积金(元)	0.2136	0.2136	0.1804	0.2706
每股未分配利润(元)	2.0374	2.0660	1.6962	2.5828
净资产收益率(%)	1.4817	10.0318	1.0143	11.2675
加权净资产收益率(%)	1.4600	11.2600	1.0100	11.6400
净资产收益率(扣除)(%)	1.0576	8.8455	0.6002	8.6851
总资产(万元)	448639.04	534388.18	346131.46	391414.11
归属母公司股东权益(万元)	260041.94	261510.00	213208.21	214556.90
营业收入(万元)	187552.53	451650.51	133383.12	364168.67
营业支出(万元)	111330.71	245311.15	77479.22	200343.08
投资收益(万元)	551.34	684.75	260.56	2676.21
净利润(万元)	6838.81	48293.10	3956.40	37171.72
营业利润(万元)	−513.44	31462.70	−5678.58	19821.34
利润总额(万元)	8558.60	52838.04	3314.07	40589.99

湖南梦洁家纺股份有限公司

公司概况					
公司名称	湖南梦洁家纺股份有限公司			证券简称	梦洁家纺
法人代表	姜天武	董秘	李军	证券代码	002397
公司网址	www.mendale.com		电子信箱	zqb@mendale.com	
电　话	0731-82848012		传　真	0731-82848945	
办公地址	湖南省长沙市高新技术产业开发区麓谷产业基地谷苑路 168 号				
经营范围	以床上用品为主的家用纺织品的研发、设计、生产和销售				

主要财务指标	2016.06.30	2015.12.31	2015.06.30	2014.12.31
指标\报告期	2016.06.30	2015.12.31	2015.06.30	2014.12.31
基本每股收益(元)	0.0800	0.2300	0.0800	0.2200
基本每股收益(扣除后)(元)	0.0800	0.2300	0.0802	0.4500
稀释每股收益(元)	0.0800	0.2300	0.0800	0.2200
每股净资产(元)	2.0513	2.0640	1.9154	4.1898
每股经营现金净流量(元)	-0.1650	0.0989	-0.1519	0.7389
每股现金流量(元)	-0.1894	-0.1760	-0.2966	0.1520
每股资本公积金(元)	0.3597	0.3514	0.3465	1.9218
每股盈余公积金(元)	0.1240	0.1246	0.1059	0.2341
每股未分配利润(元)	0.5705	0.5912	0.4637	1.0401
净资产收益率(%)	4.0174	11.1539	4.3751	11.6315
加权净资产收益率(%)	3.9200	11.6500	4.2900	12.1700
净资产收益率(扣除)(%)	3.8559	11.0059	4.1823	10.7550
总资产(万元)	205559.84	197703.82	177228.69	187630.61
归属母公司股东权益(万元)	139125.49	139263.93	128792.77	127495.24
营业收入(万元)	54827.18	151744.81	60016.96	156605.39
营业支出(万元)	26146.95	79220.79	31708.55	85150.27
投资收益(万元)	-	-	-	-
净利润(万元)	5590.83	15633.61	5635.55	14870.43
营业利润(万元)	6298.31	18580.12	6479.02	18181.33
利润总额(万元)	6568.91	18821.40	6782.01	18472.82

厦门市建筑科学研究院集团股份有限公司

公司概况					
公司名称	厦门市建筑科学研究院集团股份有限公司			证券简称	建研集团
法人代表	蔡永太	董秘	叶斌	证券代码	002398
公司网址	www.xmabr.com		电子信箱	xmabr@winmail.cn	
电　话	0592-2273752		传　真	0592-2273752	
办公地址	福建省厦门市思明区湖滨南路 62 号				
经营范围	建设综合技术服务和混凝土外加剂、商品混凝土等新型建筑材料的研发、生产和销售				

主要财务指标	2016.06.30	2015.12.31	2015.06.30	2014.12.31
指标\报告期	2016.06.30	2015.12.31	2015.06.30	2014.12.31
基本每股收益(元)	0.2500	0.5900	0.3200	0.6500
基本每股收益(扣除后)(元)	0.2200	0.5600	0.3000	0.8000
稀释每股收益(元)	0.2500	0.5900	0.3200	0.6500
每股净资产(元)	5.9806	5.8300	5.5570	6.9100
每股经营现金净流量(元)	0.3190	0.6027	0.2743	0.3261
每股现金流量(元)	-0.0740	-0.2988	-0.3143	-0.2954
每股资本公积金(元)	1.6847	1.6847	1.6847	2.4900
每股盈余公积金(元)	0.1144	0.1144	0.0743	0.0966
每股未分配利润(元)	3.1815	3.0284	2.7980	3.3226
净资产收益率(%)	4.2321	10.1168	5.7426	12.1819
加权净资产收益率(%)	4.2600	10.5900	5.8400	12.9100
净资产收益率(扣除)(%)	3.6399	9.5853	5.4312	11.5400
总资产(万元)	246303.91	247760.35	247659.41	243279.17
归属母公司股东权益(万元)	204973.11	199725.83	190457.23	182156.36
营业收入(万元)	56074.71	134532.07	64915.72	178920.27
营业支出(万元)	35640.37	81489.84	39757.82	120342.01
投资收益(万元)	882.29	801.83	351.26	713.29
净利润(万元)	8786.82	20469.70	11087.14	22895.99
营业利润(万元)	9450.77	24243.60	13058.43	27144.24
利润总额(万元)	10422.93	24678.29	13513.26	28025.11

深圳市海普瑞药业股份有限公司

公司概况					
公司名称	深圳市海普瑞药业股份有限公司			证券简称	海 普 瑞
法人代表	李锂	董秘	步海华	证券代码	002399
公司网址	www.hepalink.com		电子信箱	stock@hepalink.com	
电　话	0755-26980311		传　真	0755-86142889	
办公地址	广东省深圳市南山区松坪山郎山路 21 号				
经营范围	开发、生产经营原料药(肝素钠)、从事货物及技术进出口				

主要财务指标	2016.06.30	2015.12.31	2015.06.30	2014.12.31
指标\报告期	2016.06.30	2015.12.31	2015.06.30	2014.12.31
基本每股收益(元)	0.2100	0.7248	0.2100	0.4227
基本每股收益(扣除后)(元)	0.1500	0.6779	0.3300	0.4140
稀释每股收益(元)	0.2100	0.7248	0.2100	0.4227
每股净资产(元)	6.2958	10.8961	10.4815	10.3300
每股经营现金净流量(元)	0.0985	1.1169	0.5167	1.1407
每股现金流量(元)	-0.0162	0.0736	0.3472	-2.4047
每股资本公积金(元)	3.3838	6.5960	6.5951	6.5960
每股盈余公积金(元)	0.3454	0.5384	0.5384	0.5384
每股未分配利润(元)	1.2036	2.1343	1.7535	1.7097
净资产收益率(%)	3.3239	6.6496	3.2797	4.0905
加权净资产收益率(%)	3.1200	6.8000	3.2700	4.1700
净资产收益率(扣除)(%)	2.4073	6.2193	3.1468	4.0063
总资产(万元)	1149515.46	1216848.86	1017979.94	993035.43
归属母公司股东权益(万元)	785208.19	871902.19	838727.81	826979.42
营业收入(万元)	118986.77	229230.00	120341.50	195886.13
营业支出(万元)	78536.98	144357.24	77421.31	139348.68
投资收益(万元)	9528.06	11161.31	1030.42	186.97
净利润(万元)	25554.67	56807.80	27226.00	33533.14
营业利润(万元)	29840.95	64389.59	33457.66	39018.24
利润总额(万元)	30147.50	69054.16	33749.29	39660.99

广东省广告集团股份有限公司

公司概况					
公司名称	广东省广告集团股份有限公司			证券简称	省广股份
法人代表	陈钿隆	董秘	廖浩	证券代码	002400
公司网址	www.gimc.cn		电子信箱	db@gimc.cn	
电　话	020-87617378 87600168		传　真	020-87671661	
办公地址	广东省广州市越秀区东风东路 745 号之二				
经营范围	设计、制作、发布、代理国内外各类广告、广告咨询、承办展览业务等				

主要财务指标	2016.06.30	2015.12.31	2015.06.30	2014.12.31
指标\报告期	2016.06.30	2015.12.31	2015.06.30	2014.12.31
基本每股收益(元)	0.2200	0.6100	0.1700	0.4900
基本每股收益(扣除后)(元)	0.2100	0.5800	0.2100	0.7300
稀释每股收益(元)	0.2200	0.6100	0.1700	0.4900
每股净资产(元)	2.2530	2.6932	2.4749	3.2374
每股经营现金净流量(元)	0.1414	0.2934	0.2056	0.2221
每股现金流量(元)	0.0646	0.3145	0.1283	-0.5682
每股资本公积金(元)	0.0246	0.0342	0.2021	0.5248
每股盈余公积金(元)	-	0.1341	0.1001	0.1521
每股未分配利润(元)	1.2285	1.5249	1.1726	1.5605
净资产收益率(%)	9.7612	22.4756	8.8416	22.0567
加权净资产收益率(%)	10.1600	23.9000	8.8500	26.4600
净资产收益率(扣除)(%)	9.4068	21.4727	8.5810	21.9637
总资产(万元)	843880.35	777977.75	606027.30	485787.98
归属母公司股东权益(万元)	264987.46	243660.90	223905.98	192753.86
营业收入(万元)	443278.26	962863.67	384840.84	633758.76
营业支出(万元)	365668.02	789850.81	322716.74	506939.53
投资收益(万元)	4554.97	3692.34	1056.12	1375.16
净利润(万元)	28611.77	60648.44	20352.14	48727.07
营业利润(万元)	34622.69	78483.02	24756.51	62951.92
利润总额(万元)	36124.87	81655.90	26338.93	63111.75

中远海运科技股份有限公司

公司概况					
公司名称	中远海运科技股份有限公司			证券简称	中远海科
法人代表	周群	董秘	杨忆明	证券代码	002401
公司网址	www.cnshippingnt.com		电子信箱	dailan@cnshippingnt.com	
电　话	021-58211308		传　真	021-58210704	
办公地址	上海市浦东新区民生路 600 号				
经营范围	智能交通系统、工业自动化、交通信息化等领域的软、硬件产品的科研、开发、销售等				

主要财务指标：指标\报告期	2016.06.30	2015.12.31	2015.06.30	2014.12.31
基本每股收益(元)	0.1045	0.1809	0.1019	0.1708
基本每股收益(扣除后)(元)	0.0935	0.1746	0.1019	0.1572
稀释每股收益(元)	0.1045	0.1809	0.1019	0.1708
每股净资产(元)	2.3919	2.3374	2.2585	2.2088
每股经营现金净流量(元)	0.6316	0.5599	-0.0961	-0.0654
每股现金流量(元)	0.5619	0.2502	-0.2567	-0.1679
每股资本公积金(元)	0.2838	0.2838	0.2838	0.4539
每股盈余公积金(元)	0.1377	0.1377	0.1204	0.1204
每股未分配利润(元)	0.9705	0.9160	0.8543	0.8024
净资产收益率(%)	4.3686	7.7374	4.5123	7.6255
加权净资产收益率(%)	4.3900	7.9671	4.5300	7.9277
净资产收益率(扣除)(%)	3.9079	7.4699	4.5117	7.1177
总资产(万元)	115000.68	121537.41	109586.16	113217.70
归属母公司股东权益(万元)	72532.36	70879.89	68485.91	72069.96
营业收入(万元)	32612.06	65056.72	28150.26	55480.85
营业支出(万元)	26579.67	51225.36	21896.62	45553.98
投资收益(万元)	-222.75	-449.92	-300.12	-61.64
净利润(万元)	3325.05	5776.37	3235.87	5312.09
营业利润(万元)	3478.98	6586.17	3923.94	5810.71
利润总额(万元)	3872.18	6811.58	3925.25	6177.43

深圳和而泰智能控制股份有限公司

公司概况					
公司名称	深圳和而泰智能控制股份有限公司			证券简称	和而泰
法人代表	刘建伟	董秘	罗珊珊	证券代码	002402
公司网址	www.szhittech.com		电子信箱	het@szhittech.com	
电　话	0755-26727721		传　真	0755-26727137	
办公地址	深圳市南山区高新南区科技南十路 6 号深圳航天科技创新研究院大厦 D 座 10 楼 1010-1011				
经营范围	计算机、光机电一体化产品、家用电器、各种设备、装备等				

主要财务指标：指标\报告期	2016.06.30	2015.12.31	2015.06.30	2014.12.31
基本每股收益(元)	0.1800	0.2300	0.1000	0.1500
基本每股收益(扣除后)(元)	0.1500	0.1800	0.0700	0.2700
稀释每股收益(元)	0.1800	0.2300	0.1000	0.1500
每股净资产(元)	3.0821	3.0029	2.8785	5.6128
每股经营现金净流量(元)	0.1217	0.2622	0.0521	0.2867
每股现金流量(元)	-0.1475	-0.2330	-0.1529	0.6197
每股资本公积金(元)	1.3191	1.3202	1.3186	3.5991
每股盈余公积金(元)	0.1245	0.1066	0.0835	0.1670
每股未分配利润(元)	0.6397	0.5773	0.4781	0.8497
净资产收益率(%)	5.8480	7.5134	3.5855	4.8329
加权净资产收益率(%)	5.9200	7.8100	3.7200	5.6700
净资产收益率(扣除)(%)	4.8266	5.9210	2.5328	4.4338
总资产(万元)	147776.15	139769.49	131486.23	126431.74
归属母公司股东权益(万元)	102383.30	99750.81	95620.17	93223.30
营业收入(万元)	61574.03	111057.20	50193.71	86803.05
营业支出(万元)	47850.28	87644.91	39802.71	68671.13
投资收益(万元)	1169.33	1669.10	1062.45	196.99
净利润(万元)	6070.30	7518.84	3464.10	4661.98
营业利润(万元)	6827.93	8590.73	3762.33	5229.29
利润总额(万元)	6873.67	8790.74	3808.55	5512.62

浙江爱仕达电器股份有限公司

公司概况					
公司名称	浙江爱仕达电器股份有限公司			证券简称	爱仕达
法人代表	陈合林	董秘	刘学亮	证券代码	002403
公司网址	www.chinaasd.com		电子信箱	002403@asd.com.cn	
电　话	0576-86199005		传　真	0576-86199000	
办公地址	浙江省台州市温岭市经济开发区科技路 2 号				
经营范围	炊具、厨房小家电等系列产品的研发、生产和销售等				

主要财务指标：指标\报告期	2016.06.30	2015.12.31	2015.06.30	2014.12.31
基本每股收益(元)	0.2300	0.3600	0.1800	0.2600
基本每股收益(扣除后)(元)	0.2100	0.2600	0.1800	0.2800
稀释每股收益(元)	0.2300	0.3600	0.1800	0.2600
每股净资产(元)	5.8280	5.3444	6.9152	6.9180
每股经营现金净流量(元)	0.5814	0.4170	0.0363	1.0550
每股现金流量(元)	0.7637	-0.3421	-0.2445	-0.4932
每股资本公积金(元)	3.5551	3.1488	4.3934	4.3862
每股盈余公积金(元)	0.1286	0.1444	0.1661	0.1661
每股未分配利润(元)	1.1443	1.0512	1.3557	1.3657
净资产收益率(%)	3.5701	6.8005	3.4709	4.8993
加权净资产收益率(%)	4.1600	6.8000	3.4300	4.9500
净资产收益率(扣除)(%)	3.2376	4.7968	2.6215	3.9879
总资产(万元)	307879.47	273916.91	273180.95	270682.22
归属母公司股东权益(万元)	204166.36	166744.43	165965.48	166032.15
营业收入(万元)	117732.83	224201.94	100068.69	220653.15
营业支出(万元)	68015.77	137519.64	60583.53	142056.25
投资收益(万元)	891.93	2873.26	1113.05	1415.39
净利润(万元)	7289.03	11364.19	5785.24	8850.48
营业利润(万元)	8750.51	13083.25	7202.55	9855.54
利润总额(万元)	8706.95	13653.56	7496.47	10218.04

浙江嘉欣丝绸股份有限公司

公司概况					
公司名称	浙江嘉欣丝绸股份有限公司			证券简称	嘉欣丝绸
法人代表	周国建	董秘	郑晓	证券代码	002404
公司网址	www.jxsilk.com		电子信箱	inf@jxsilk.cn	
电　话	0573-82078789		传　真	0573-82084568	
办公地址	浙江省嘉兴市中环西路 588 号				
经营范围	丝、绸、服装等产品的研发、生产和销售				

主要财务指标：指标\报告期	2016.06.30	2015.12.31	2015.06.30	2014.12.31
基本每股收益(元)	0.0800	0.1100	0.0700	0.1500
基本每股收益(扣除后)(元)	0.0700	0.0800	0.0600	0.2400
稀释每股收益(元)	0.0800	0.1100	0.0700	0.1500
每股净资产(元)	2.3823	2.4076	2.3899	4.8223
每股经营现金净流量(元)	0.1860	0.3129	0.0277	0.0982
每股现金流量(元)	-0.0736	-0.0100	-0.0004	-0.0248
每股资本公积金(元)	0.6186	0.6186	0.6186	2.2373
每股盈余公积金(元)	0.1616	0.1616	0.1398	0.2796
每股未分配利润(元)	0.5913	0.6135	0.5935	1.2462
净资产收益率(%)	3.2656	4.6605	2.9465	6.1710
加权净资产收益率(%)	3.2000	4.6700	2.8900	6.2900
净资产收益率(扣除)(%)	2.8405	3.3840	2.3181	5.0756
总资产(万元)	204073.93	208908.86	206758.79	198539.42
归属母公司股东权益(万元)	124032.52	125353.49	124430.06	125535.81
营业收入(万元)	110615.08	201359.54	98949.24	200627.68
营业支出(万元)	88391.48	162852.26	79920.16	159236.98
投资收益(万元)	-518.09	1096.90	280.37	2321.18
净利润(万元)	4350.34	6460.87	3943.87	8949.21
营业利润(万元)	5384.81	7961.31	5042.95	9501.74
利润总额(万元)	5791.02	8337.17	5283.87	11146.78

北京四维图新科技股份有限公司

公司概况	公司名称	北京四维图新科技股份有限公司			证券简称	四维图新
	法人代表	吴劲风	董秘	雷文辉	证券代码	002405
	公司网址	www.navinfo.com			电子信箱	qinfang@navinfo.com
	电话	010-82306399 84554886			传真	010-82306909
	办公地址	北京市朝阳区曙光西里甲5号院16号楼凤凰置地广场A座写字楼16-17层				
	经营范围	导航电子地图产品的研发、生产、销售和服务				

	指标\报告期	2016.06.30	2015.12.31	2015.06.30	2014.12.31
主要财务指标	基本每股收益(元)	0.0800	0.1900	0.0700	0.1700
	基本每股收益(扣除后)(元)	0.0700	0.1500	0.0900	0.1100
	稀释每股收益(元)	0.0700	0.1900	0.0700	0.1700
	每股净资产(元)	2.4632	3.5729	3.6028	3.5579
	每股经营现金净流量(元)	0.1098	0.4167	0.1296	0.4696
	每股现金流量(元)	-0.0571	0.0981	-0.7359	0.3956
	每股资本公积金(元)	0.8094	1.6610	1.4211	1.4211
	每股盈余公积金(元)	0.0931	0.1396	0.1410	0.1410
	每股未分配利润(元)	0.7736	1.1046	1.0543	1.0024
	净资产收益率(%)	2.9821	5.1207	2.8569	4.7752
	加权净资产收益率(%)	3.0200	5.1900	2.8700	4.8600
	净资产收益率(扣除)(%)	2.6892	4.0105	2.4680	3.1532
	总资产(万元)	379265.22	372821.90	326531.15	311125.32
	归属母公司股东权益(万元)	262757.84	254187.36	249171.27	246066.09
	营业收入(万元)	71386.70	150615.34	67575.74	105901.32
	营业支出(万元)	17344.27	35597.30	16479.97	19703.91
	投资收益(万元)	1053.67	2288.40	512.91	1222.44
	净利润(万元)	6285.08	14594.67	6950.55	12941.84
	营业利润(万元)	3372.46	12347.48	5087.92	6128.71
	利润总额(万元)	8094.83	19873.24	8405.05	17339.26

许昌远东传动轴股份有限公司

公司概况	公司名称	许昌远东传动轴股份有限公司			证券简称	远东传动
	法人代表	刘延生	董秘	李丹青	证券代码	002406
	公司网址	www.yodonchina.com			电子信箱	lidq002406@163.com
	电话	0374-5650017 5656689			传真	0374-5654051
	办公地址	河南省许昌市北郊尚集镇昌盛路				
	经营范围	非等速传动轴及相关零部件的研发、生产与销售				

	指标\报告期	2016.06.30	2015.12.31	2015.06.30	2014.12.31
主要财务指标	基本每股收益(元)	0.1100	0.1600	0.1100	0.2300
	基本每股收益(扣除后)(元)	0.0800	0.1300	0.1100	0.4100
	稀释每股收益(元)	0.1100	0.1600	0.1100	0.2300
	每股净资产(元)	3.9032	3.8917	3.8405	7.6500
	每股经营现金净流量(元)	0.0538	0.3252	0.0968	0.8286
	每股现金流量(元)	0.0089	0.1493	0.0426	0.3972
	每股资本公积金(元)	1.5919	1.5919	1.5919	4.1838
	每股盈余公积金(元)	0.1607	0.1607	0.1502	0.3004
	每股未分配利润(元)	1.1506	1.1391	1.0985	2.1696
	净资产收益率(%)	2.8575	4.2360	2.9599	6.0124
	加权净资产收益率(%)	2.8300	4.2800	2.9400	6.1000
	净资产收益率(扣除)(%)	1.9247	3.3267	2.8965	5.3717
	总资产(万元)	253884.22	248139.17	245036.40	242104.56
	归属母公司股东权益(万元)	218972.09	218324.89	215453.85	214686.71
	营业收入(万元)	48209.60	92648.65	48112.12	118684.04
	营业支出(万元)	33187.64	64843.43	32475.98	84190.79
	投资收益(万元)	-127.48	73.86	345.87	1347.43
	净利润(万元)	6262.85	9257.73	6380.94	12924.36
	营业利润(万元)	5209.43	9764.33	7096.27	14760.44
	利润总额(万元)	7335.44	11032.81	7258.59	15075.38

多氟多化工股份有限公司

公司概况	公司名称	多氟多化工股份有限公司			证券简称	多 氟 多
	法人代表	李世江	董秘	陈相举	证券代码	002407
	公司网址	www.dfdchem.com			电子信箱	dfdzqb@126.com
	电话	0391-2956992 2956956			传真	0391-2956956
	办公地址	河南省焦作市中站区焦克路				
	经营范围	无机氟化盐、无机酸、助剂产品的生产与销售等				

	指标\报告期	2016.06.30	2015.12.31	2015.06.30	2014.12.31
主要财务指标	基本每股收益(元)	0.4000	0.1700	0.0200	0.0200
	基本每股收益(扣除后)(元)	0.4300	0.1100	0.0100	-0.0400
	稀释每股收益(元)	0.4000	0.1700	0.0200	0.0200
	每股净资产(元)	3.7146	8.2612	6.2297	6.4600
	每股经营现金净流量(元)	-0.2203	0.3092	0.0631	0.0335
	每股现金流量(元)	-0.0321	1.3543	0.9294	-0.3390
	每股资本公积金(元)	1.9582	6.3521	4.0480	4.1731
	每股盈余公积金(元)	0.0780	0.1949	0.2041	0.2119
	每股未分配利润(元)	0.7560	1.0434	1.0146	1.0709
	净资产收益率(%)	10.7319	1.8882	0.6605	0.2938
	加权净资产收益率(%)	11.4100	2.5400	0.6600	0.2900
	净资产收益率(扣除)(%)	11.5480	1.2351	0.0804	-0.5829
	总资产(万元)	441391.21	382527.14	322667.28	316386.18
	归属母公司股东权益(万元)	233314.75	207556.09	143981.29	143685.60
	营业收入(万元)	127319.96	218210.65	98535.26	213189717.72
	营业支出(万元)	72547.01	180298.17	82517.62	186178711.56
	投资收益(万元)	333.42	307.87	275.67	654224.66
	净利润(万元)	24886.10	3159.91	190.07	769747.03
	营业利润(万元)	31343.86	3426.73	64.42	167988.86
	利润总额(万元)	28817.90	4584.75	638.37	362487.83

淄博齐翔腾达化工股份有限公司

公司概况	公司名称	淄博齐翔腾达化工股份有限公司			证券简称	齐翔腾达
	法人代表	车成聚	董秘	周洪秀	证券代码	002408
	公司网址	www.qxtdgf.com			电子信箱	zqb@qxtdgf.com
	电话	0533-7547767 7547782			传真	0533-7547782
	办公地址	山东省淄博市临淄区杨坡路206号				
	经营范围	工业叔丁醇、仲丁醚、甲基叔丁基醚、仲丁醇、甲乙酮、甲醇、三异丁基铝等				

	指标\报告期	2016.06.30	2015.12.31	2015.06.30	2014.12.31
主要财务指标	基本每股收益(元)	0.0800	0.2500	0.0900	0.4500
	基本每股收益(扣除后)(元)	0.0700	0.2100	0.2000	0.4900
	稀释每股收益(元)	0.0800	0.2500	0.0900	0.4500
	每股净资产(元)	3.1077	6.8715	6.3754	6.5426
	每股经营现金净流量(元)	0.0636	0.0022	0.1757	-0.1554
	每股现金流量(元)	-0.1961	0.1118	0.1858	0.7189
	每股资本公积金(元)	1.2248	3.8945	3.3496	2.4106
	每股盈余公积金(元)	0.1325	0.2916	0.2599	0.3520
	每股未分配利润(元)	0.7504	1.6853	1.7659	2.4146
	净资产收益率(%)	2.4220	3.3219	2.6252	8.1619
	加权净资产收益率(%)	2.3800	4.0900	3.2300	8.6200
	净资产收益率(扣除)(%)	2.2684	2.8160	2.2826	7.5367
	总资产(万元)	789961.48	804848.26	718799.36	654079.32
	归属母公司股东权益(万元)	551690.57	554467.11	484055.73	366827.16
	营业收入(万元)	219697.91	427845.84	212009.97	520042.93
	营业支出(万元)	185111.92	367682.06	182571.08	440288.45
	投资收益(万元)	157.97	1494.13	916.68	175.23
	净利润(万元)	13596.51	18727.63	12838.61	31038.80
	营业利润(万元)	15261.63	20029.14	14730.30	34819.67
	利润总额(万元)	16115.79	21844.90	15764.67	37358.73

江苏雅克科技股份有限公司

公司概况	公司名称	江苏雅克科技股份有限公司			证券简称	雅克科技
	法人代表	沈琦	董秘	钱美芳	证券代码	002409
	公司网址	www.yokechem.com		电子信箱	ir@yokechem.com	
	电　话	0510-87126509		传　真	0510-87126509	
	办公地址	江苏省无锡市宜兴市经济开发区荆溪北路				
	经营范围	磷酸酯阻燃剂、聚氨酯催化剂、有机硅泡沫稳定剂的研发和生产等				

主要财务指标	指标\报告期	2016.06.30	2015.12.31	2015.06.30	2014.12.31
	基本每股收益(元)	0.0911	0.5428	0.1164	0.3624
	基本每股收益(扣除后)(元)	0.0573	0.4020	0.1619	0.2290
	稀释每股收益(元)	0.0911	0.5428	0.1164	0.3624
	每股净资产(元)	4.0760	8.1151	7.7914	7.6866
	每股经营现金净流量(元)	-0.0192	0.7246	0.3641	1.0102
	每股现金流量(元)	-0.2984	0.3823	0.0827	-0.1272
	每股资本公积金(元)	1.7590	4.5181	4.5181	4.5181
	每股盈余公积金(元)	0.1713	0.3425	0.2770	0.2770
	每股未分配利润(元)	1.1601	2.3031	2.0585	1.9338
	净资产收益率(%)	2.2338	6.6889	2.9871	4.7148
	加权净资产收益率(%)	2.2200	6.8900	3.0000	4.7900
	净资产收益率(扣除)(%)	1.4030	4.9536	2.0783	2.9789
	总资产(万元)	150705.44	170989.13	164722.08	168915.15
	归属母公司股东权益(万元)	135585.55	134970.35	129586.20	127842.85
	营业收入(万元)	42437.49	100573.44	51912.21	132306.51
	营业支出(万元)	32791.12	76729.26	39570.73	108042.06
	投资收益(万元)	789.35	3628.23	1721.85	2719.93
	净利润(万元)	3028.77	9028.05	3870.89	6027.54
	营业利润(万元)	3444.82	11428.13	5017.04	7711.19
	利润总额(万元)	3520.75	10996.61	4967.64	7530.76

广联达软件股份有限公司

公司概况	公司名称	广联达软件股份有限公司			证券简称	广联达
	法人代表	刁志中	董秘	张奎江	证券代码	002410
	公司网址	www.glodon.com		电子信箱	zhangkj@glodon.com	
	电　话	010-82342000		传　真	010-56403335	
	办公地址	北京市海淀区西北旺东路10号院东区13号楼				
	经营范围	工程造价系列软件、项目管理系列软件的开发、销售和相关软件技术服务				

主要财务指标	指标\报告期	2016.06.30	2015.12.31	2015.06.30	2014.12.31
	基本每股收益(元)	0.0960	0.2150	0.0500	0.5320
	基本每股收益(扣除后)(元)	0.0930	0.2090	0.0460	0.7710
	稀释每股收益(元)	0.0960	0.2150	0.0500	0.5320
	每股净资产(元)	2.3349	2.4274	2.2726	3.7149
	每股经营现金净流量(元)	-0.0087	0.1638	-0.2092	0.7984
	每股现金流量(元)	-0.3443	-0.2667	-0.8783	0.5458
	每股资本公积金(元)	0.3792	0.4108	0.4144	1.0876
	每股盈余公积金(元)	0.1967	0.1951	0.1714	0.2572
	每股未分配利润(元)	0.7753	0.8742	0.7275	1.4176
	净资产收益率(%)	4.0975	8.8341	2.1618	21.3304
	加权净资产收益率(%)	3.8400	8.8300	1.9900	22.8400
	净资产收益率(扣除)(%)	3.9628	8.5899	2.0368	20.7530
	总资产(万元)	283090.45	308782.02	269778.96	318557.02
	归属母公司股东权益(万元)	261356.66	273903.87	256443.02	279458.81
	营业收入(万元)	78228.69	153583.37	52212.83	175987.47
	营业支出(万元)	4115.70	6182.88	1714.35	6226.81
	投资收益(万元)	77.47	1044.66	287.06	2556.40
	净利润(万元)	11580.27	25652.43	5949.31	60514.27
	营业利润(万元)	7593.46	11493.19	-2195.02	51699.22
	利润总额(万元)	13460.57	28690.94	6278.32	65981.35

江苏必康制药股份有限公司

公司概况	公司名称	江苏必康制药股份有限公司			证券简称	九九久
	法人代表	周新基	董秘	陈兵	证券代码	002411
	公司网址	www.jjjkj.cn		电子信箱	jjjkj@jjjkj.com.cn	
	电　话	0513-84415116 84415048		传　真	0513-84415116	
	办公地址	江苏省如东沿海经济开发区黄海三路12号				
	经营范围	医药中间体类产品与氮肥类产品的研发、生产和销售				

主要财务指标	指标\报告期	2016.06.30	2015.12.31	2015.06.30	2014.12.31
	基本每股收益(元)	0.3480	0.6274	0.2113	0.5343
	基本每股收益(扣除后)(元)	0.3381	0.6295	-0.0158	0.0600
	稀释每股收益(元)	0.3480	0.6274	0.2113	0.5343
	每股净资产(元)	5.1178	4.1296	2.4349	2.4697
	每股经营现金净流量(元)	0.3164	0.5465	-0.1371	-0.2709
	每股现金流量(元)	0.9012	0.4151	0.0002	-0.2498
	每股资本公积金(元)	3.1923	2.3546	0.7104	0.7104
	每股盈余公积金(元)	0.2279	0.2785	0.0808	0.0808
	每股未分配利润(元)	0.5371	0.3551	0.6437	0.6786
	净资产收益率(%)	6.1832	10.9730	0.6226	3.3013
	加权净资产收益率(%)	7.3100	26.1100	0.6100	3.3300
	净资产收益率(扣除)(%)	6.0058	11.0106	-0.6481	2.3514
	总资产(万元)	1487218.49	918960.41	167208.89	156160.53
	归属母公司股东权益(万元)	784196.02	524754.64	84807.21	86020.66
	营业收入(万元)	183820.85	202340.40	45606.10	106027.36
	营业支出(万元)	81304.14	78009.76	36269.85	87375.27
	投资收益(万元)	184.08	10.93	-45.52	-32.88
	净利润(万元)	49083.36	56828.62	1323.48	3004.66
	营业利润(万元)	56296.70	68985.67	87.16	2485.26
	利润总额(万元)	57927.45	68725.44	1390.99	3475.73

湖南汉森制药股份有限公司

公司概况	公司名称	湖南汉森制药股份有限公司			证券简称	汉森制药
	法人代表	刘令安	董秘	刘厚尧	证券代码	002412
	公司网址	www.hansenzy.com		电子信箱	office@hansenzy.com	
	电　话	0737-6351486		传　真	0737-6351067	
	办公地址	湖南省益阳市银城南路龙岭工业园				
	经营范围	胃肠疾病、骨伤科疾病及心脑血管疾病中药制剂的研发、生产与销售等				

主要财务指标	指标\报告期	2016.06.30	2015.12.31	2015.06.30	2014.12.31
	基本每股收益(元)	0.1710	0.3313	0.1824	0.3973
	基本每股收益(扣除后)(元)	0.1551	0.3194	0.1794	0.3910
	稀释每股收益(元)	0.1710	0.3313	0.1824	0.3973
	每股净资产(元)	4.1355	4.1135	3.9646	3.7822
	每股经营现金净流量(元)	0.2742	0.2369	0.0404	0.3118
	每股现金流量(元)	0.0216	-0.2485	-0.1583	-0.1587
	每股资本公积金(元)	1.3458	1.4949	1.4949	1.4949
	每股盈余公积金(元)	0.2045	0.2045	0.1740	0.1740
	每股未分配利润(元)	1.5852	1.4142	1.2958	1.1134
	净资产收益率(%)	4.1356	8.0549	4.6004	10.5033
	加权净资产收益率(%)	4.0700	8.3900	4.7100	10.7700
	净资产收益率(扣除)(%)	3.7508	7.7656	4.5260	10.3368
	总资产(万元)	134691.11	138031.64	137391.95	136777.17
	归属母公司股东权益(万元)	122411.02	121760.80	117351.75	111953.05
	营业收入(万元)	36175.48	78112.79	35609.18	73742.46
	营业支出(万元)	10179.43	22591.73	10778.62	21204.06
	投资收益(万元)	-	-	-	-
	净利润(万元)	5062.18	10029.90	5506.83	11953.25
	营业利润(万元)	5615.11	11252.66	6317.84	13718.10
	利润总额(万元)	5961.15	11736.51	6420.46	13963.08

江苏雷科防务科技股份有限公司

公司概况	公司名称	江苏雷科防务科技股份有限公司		证券简称	雷科防务
	法人代表	黄小平	董秘	刘训雨	证券代码	002413
	公司网址	www.racodf.com		电子信箱	002413@racodf.com
	电　话	0519-86237018		传　真	0519-86235691
	办公地址	江苏省常州市武进区延政中路 5 号常发大厦 18 楼			
	经营范围	冰箱、空调用蒸发器及冷凝器的生产和销售			

主要财务指标	指标\报告期	2016.06.30	2015.12.31	2015.06.30	2014.12.31
	基本每股收益(元)	0.0400	0.5200	0.1400	0.1500
	基本每股收益(扣除后)(元)	0.0400	0.3100	0.1400	0.1800
	稀释每股收益(元)	0.0400	0.5200	0.1400	0.1500
	每股净资产(元)	2.0280	6.6993	6.3521	5.4671
	每股经营现金净流量(元)	-0.0622	-0.4489	0.0647	0.6251
	每股现金流量(元)	-0.6402	2.0953	0.0595	0.0870
	每股资本公积金(元)	0.6119	3.9970	3.9970	2.6595
	每股盈余公积金(元)	0.0584	0.1809	0.1510	0.2173
	每股未分配利润(元)	0.3577	1.5214	1.2087	1.5957
	净资产收益率(%)	2.1854	6.6100	1.5766	2.7705
	加权净资产收益率(%)	2.0300	8.4300	2.6000	2.7800
	净资产收益率(扣除)(%)	2.1378	4.0836	1.5930	3.3088
	总资产(万元)	224078.54	234361.08	259915.48	160614.14
	归属母公司股东权益(万元)	199540.40	212636.64	201614.14	120548.61
	营业收入(万元)	16836.02	202854.29	107959.92	216484.46
	营业支出(万元)	7778.81	173716.22	94907.10	196848.03
	投资收益(万元)	-	123.58	-	418.69
	净利润(万元)	4657.13	14055.32	3178.60	3339.74
	营业利润(万元)	5281.89	11013.94	4244.23	5992.44
	利润总额(万元)	5392.81	18022.45	4129.24	4779.34

武汉高德红外股份有限公司

公司概况	公司名称	武汉高德红外股份有限公司			证券简称	高德红外
	法人代表	黄立	董秘	陈丽玲	证券代码	002414
	公司网址	www.wuhan-guide.com		电子信箱	guide@guide-infrared.com	
	电　话	027-81298268		传　真	027-81298268	
	办公地址	湖北省武汉市东湖开发区黄龙山南路 6 号				
	经营范围	红外热像仪产品研发、生产和销售				

主要财务指标	指标\报告期	2016.06.30	2015.12.31	2015.06.30	2014.12.31
	基本每股收益(元)	0.0640	0.1057	0.0609	0.1133
	基本每股收益(扣除后)(元)	0.0558	0.0845	0.0580	0.0873
	稀释每股收益(元)	0.0640	0.1057	0.0609	0.1133
	每股净资产(元)	4.3605	4.1460	4.1006	4.0598
	每股经营现金净流量(元)	-0.4364	0.0888	-0.1789	-0.0975
	每股现金流量(元)	-0.3189	-0.0686	-0.2662	-0.7819
	每股资本公积金(元)	2.4788	2.4788	2.4788	2.4788
	每股盈余公积金(元)	0.0925	0.0925	0.0918	0.0918
	每股未分配利润(元)	0.6221	0.5740	0.5300	0.4890
	净资产收益率(%)	1.4681	2.5485	1.4854	2.7899
	加权净资产收益率(%)	1.5300	2.5800	1.4900	2.8200
	净资产收益率(扣除)(%)	1.2796	2.0384	1.4138	2.1511
	总资产(万元)	343373.48	333769.22	257666.94	252013.90
	归属母公司股东权益(万元)	261630.52	248758.82	246036.79	243587.92
	营业收入(万元)	30259.20	63234.87	26450.69	39798.06
	营业支出(万元)	12706.77	34539.75	13763.47	21275.53
	投资收益(万元)	-	366.40	366.40	1106.18
	净利润(万元)	3841.09	6339.55	3654.65	6795.92
	营业利润(万元)	3550.00	2813.38	2007.23	4164.01
	利润总额(万元)	4249.17	6702.42	3969.71	7663.61

杭州海康威视数字技术股份有限公司

公司概况	公司名称	杭州海康威视数字技术股份有限公司			证券简称	海康威视
	法人代表	陈宗年	董秘	黄方红	证券代码	002415
	公司网址	www.hikvision.com		电子信箱	hikvision@hikvision.com	
	电　话	0571-89710492		传　真	0571-89986895	
	办公地址	浙江省杭州市滨江区阡陌路 555 号				
	经营范围	电子产品的研发、生产、销售自产产品、提供技术服务、电子设备安装等				

主要财务指标	指标\报告期	2016.06.30	2015.12.31	2015.06.30	2014.12.31
	基本每股收益(元)	0.4300	1.4600	0.3700	1.1700
	基本每股收益(扣除后)(元)	0.4300	1.4000	0.5300	1.1200
	稀释每股收益(元)	0.4300	1.4500	0.3700	1.1600
	每股净资产(元)	3.1307	4.7321	3.8079	3.6475
	每股经营现金净流量(元)	0.0652	0.7906	-0.4716	0.9109
	每股现金流量(元)	-0.0254	0.7181	-0.2100	0.6210
	每股资本公积金(元)	0.1471	0.4030	0.3842	0.3637
	每股盈余公积金(元)	0.3105	0.4658	0.3292	0.3292
	每股未分配利润(元)	1.7655	2.9975	2.2337	2.0914
	净资产收益率(%)	13.6431	30.4825	14.2402	31.4330
	加权净资产收益率(%)	12.9600	35.2800	14.2900	36.2700
	净资产收益率(扣除)(%)	13.4723	29.1106	13.6322	30.1503
	总资产(万元)	3195833.51	3031644.24	2320239.41	2129052.03
	归属母公司股东权益(万元)	1910739.07	1925380.37	1549502.77	1484224.37
	营业收入(万元)	1254819.87	2527139.03	979638.17	1723311.40
	营业支出(万元)	751638.17	1513679.35	558949.76	957826.67
	投资收益(万元)	2645.15	14867.34	7916.46	15102.44
	净利润(万元)	261020.19	588239.78	221809.02	468070.12
	营业利润(万元)	240878.81	549399.35	217190.46	437756.42
	利润总额(万元)	304273.39	675004.17	261799.30	520634.24

深圳市爱施德股份有限公司

公司概况	公司名称	深圳市爱施德股份有限公司			证券简称	爱 施 德
	法人代表	黄文辉	董秘	罗筱溪	证券代码	002416
	公司网址	www.aisidi.com		电子信箱	ir@aisidi.com	
	电　话	0755-21519888 21519815		传　真	0755-21519900	
	办公地址	深圳市南山区沙河西路 3151 号新兴产业园(健兴科技大厦)C 栋 8 楼 801-806 号				
	经营范围	手机及数码电子产品的销售渠道综合服务				

主要财务指标	指标\报告期	2016.06.30	2015.12.31	2015.06.30	2014.12.31
	基本每股收益(元)	0.0920	0.1410	0.0810	0.0290
	基本每股收益(扣除后)(元)	0.0670	0.0790	0.0800	-0.0400
	稀释每股收益(元)	0.0920	0.1410	0.0810	0.0290
	每股净资产(元)	4.5959	4.5074	4.4247	4.3210
	每股经营现金净流量(元)	0.3132	0.2914	0.2345	0.0091
	每股现金流量(元)	-0.6203	0.2684	-0.0158	-1.4111
	每股资本公积金(元)	1.4897	1.4711	1.5342	1.5065
	每股盈余公积金(元)	0.2278	0.2250	0.2222	0.2228
	每股未分配利润(元)	1.8268	1.7132	1.6682	1.5918
	净资产收益率(%)	2.0008	3.1471	1.8222	0.6780
	加权净资产收益率(%)	2.0200	3.2100	1.8500	0.6600
	净资产收益率(扣除)(%)	1.4619	1.7174	1.8036	-1.0276
	总资产(万元)	860623.65	1045470.28	1051857.20	892622.08
	归属母公司股东权益(万元)	455631.14	446857.51	441315.43	429837.18
	营业收入(万元)	2326717.70	4956902.83	2286267.73	4832056.75
	营业支出(万元)	2259996.11	4828121.29	2213713.96	4665466.13
	投资收益(万元)	751.65	1180.76	135.01	360.87
	净利润(万元)	9520.31	13836.13	7801.41	4720.24
	营业利润(万元)	9903.67	13312.61	10340.98	-5435.61
	利润总额(万元)	12213.46	16552.28	9984.49	3121.22

福建三元达通讯股份有限公司

公司概况	公司名称	福建三元达通讯股份有限公司		证券简称	三元达
	法人代表	周世平	董秘 钟科	证券代码	002417
	公司网址	www.sunnada.com		电子信箱	luodd@sunnada.com
	电话	0591-83736937		传真	0591-87883838
	办公地址	福建省福州市铜盘路软件园基地C区28座			
	经营范围	无线网络优化覆盖设备及软件的生产和销售			

	指标\报告期	2016.06.30	2015.12.31	2015.06.30	2014.12.31
主要财务指标	基本每股收益(元)	-0.2200	0.1100	-0.2400	-1.2100
	基本每股收益(扣除后)(元)	-0.2200	-0.4200	-0.2500	-1.2400
	稀释每股收益(元)	-0.2200	0.1100	-0.2400	-1.2100
	每股净资产(元)	1.4379	1.6552	1.3037	1.5464
	每股经营现金净流量(元)	-0.0599	-0.2686	-0.1975	-0.0327
	每股现金流量(元)	-0.5614	0.4618	0.0197	0.0882
	每股资本公积金(元)	1.5112	1.5112	1.5112	1.5112
	每股盈余公积金(元)	0.1014	0.1014	0.1014	0.1014
	每股未分配利润(元)	-1.1748	-0.9575	-1.3089	-1.0663
	净资产收益率(%)	-15.1115	6.5734	-18.6112	-78.1944
	加权净资产收益率(%)	-14.0500	6.8000	-17.0300	-56.2200
	净资产收益率(扣除)(%)	-15.4702	-25.3457	-18.8876	-80.3296
	总资产(万元)	80585.35	104585.95	90983.35	113237.37
	归属母公司股东权益(万元)	38823.31	44690.10	35201.10	41752.43
	营业收入(万元)	13581.21	47877.60	14798.48	52078.34
	营业支出(万元)	10657.10	37734.27	12437.30	44048.07
	投资收益(万元)	-	11759.17	-52.40	833.39
	净利润(万元)	-5905.26	2883.63	-6590.21	-33172.73
	营业利润(万元)	-6041.05	1407.30	-6772.09	-33695.42
	利润总额(万元)	-5901.81	4640.91	-6590.21	-33172.73

浙江康盛股份有限公司

公司概况	公司名称	浙江康盛股份有限公司		证券简称	康盛股份
	法人代表	陈汉康	董秘 毛泽璋	证券代码	002418
	公司网址	www.kasun.cn		电子信箱	ksgf@kasun.cn
	电话	0571-64836953 64837208		传真	0571-64836953
	办公地址	浙江省杭州市淳安县千岛湖镇康盛路268号			
	经营范围	制造、销售内螺纹钢管、精密铜管、钢管、铝管、冷轧钢带、铜带、冰箱等			

	指标\报告期	2016.06.30	2015.12.31	2015.06.30	2014.12.31
主要财务指标	基本每股收益(元)	0.1000	0.2600	0.1100	-0.1200
	基本每股收益(扣除后)(元)	0.0900	0.1300	0.0300	-0.1500
	稀释每股收益(元)	0.1000	0.2600	0.1100	-0.1200
	每股净资产(元)	1.7572	5.0716	5.6049	5.5900
	每股经营现金净流量(元)	-1.4130	-0.0092	-0.4571	0.7398
	每股现金流量(元)	0.1355	0.3521	0.8964	-0.0485
	每股资本公积金(元)	0.3254	2.9761	3.6614	3.1802
	每股盈余公积金(元)	0.0273	0.0818	0.0762	0.1261
	每股未分配利润(元)	0.3852	0.9556	0.8091	1.1964
	净资产收益率(%)	5.6922	4.7038	0.7759	-2.6924
	加权净资产收益率(%)	5.7500	4.8000	1.9200	-2.1200
	净资产收益率(扣除)(%)	5.3084	2.3286	0.4962	-3.0354
	总资产(万元)	607722.70	409518.77	317888.03	247327.34
	归属母公司股东权益(万元)	199692.43	192113.59	212312.15	128104.42
	营业收入(万元)	127980.08	217958.88	107765.52	191624.21
	营业支出(万元)	99440.48	182964.70	91038.88	166118.40
	投资收益(万元)	623.23	-1035.86	477.34	924.43
	净利润(万元)	13087.00	9336.82	3376.70	-2950.83
	营业利润(万元)	15122.96	6321.16	3255.94	-3580.18
	利润总额(万元)	15823.69	11132.83	4040.48	-2655.86

天虹商场股份有限公司

公司概况	公司名称	天虹商场股份有限公司		证券简称	天虹商场
	法人代表	高书林	董秘 万颖	证券代码	002419
	公司网址	www.rainbow.cn		电子信箱	ir@rainbowcn.com
	电话	0755-23651888		传真	0755-23652166
	办公地址	广东省深圳市南山区中心路(深圳湾段)3019号天虹大厦9-14楼、17-20楼			
	经营范围	从事以百货为主的商品零售业务			

	指标\报告期	2016.06.30	2015.12.31	2015.06.30	2014.12.31
主要财务指标	基本每股收益(元)	0.3600	1.5100	0.2600	0.6700
	基本每股收益(扣除后)(元)	0.3000	0.5600	0.2600	0.6300
	稀释每股收益(元)	0.3600	1.5100	0.2600	0.6700
	每股净资产(元)	6.6918	6.8875	5.6402	5.6635
	每股经营现金净流量(元)	-0.5290	1.5533	-0.3594	0.9273
	每股现金流量(元)	-2.1866	2.1900	-0.5400	-1.3418
	每股资本公积金(元)	2.1360	2.1390	2.1390	2.1216
	每股盈余公积金(元)	0.5041	0.5041	0.5041	0.5000
	每股未分配利润(元)	3.0516	3.2444	1.9971	2.0501
	净资产收益率(%)	5.3290	21.9257	4.6608	11.7836
	加权净资产收益率(%)	5.1100	24.0800	4.5400	12.1800
	净资产收益率(扣除)(%)	4.4218	8.1219	4.5311	10.9675
	总资产(万元)	1299404.89	1388444.85	1063104.39	1149905.09
	归属母公司股东权益(万元)	535473.94	551139.85	451331.24	456918.99
	营业收入(万元)	854363.81	1739606.49	889399.76	1699795.66
	营业支出(万元)	645342.71	1329593.70	682184.98	1305730.56
	投资收益(万元)	3181.76	118769.01	2636.87	3761.30
	净利润(万元)	28477.01	120708.97	20987.21	53722.86
	营业利润(万元)	37007.21	175948.23	35043.58	75731.64
	利润总额(万元)	38692.55	167103.38	33343.13	77267.90

广州毅昌科技股份有限公司

公司概况	公司名称	广州毅昌科技股份有限公司		证券简称	毅昌股份
	法人代表	熊海涛	董秘 叶昌焱	证券代码	002420
	公司网址	www.echom.com		电子信箱	zhengquan@echom.com
	电话	020-32200889		传真	020-32200850
	办公地址	广东省广州市高新技术产业开发区科学城科丰路29号			
	经营范围	设计、生产和销售电视机外观结构件			

	指标\报告期	2016.06.30	2015.12.31	2015.06.30	2014.12.31
主要财务指标	基本每股收益(元)	-0.1879	0.1200	0.0278	0.1100
	基本每股收益(扣除后)(元)	-0.2149	0.0400	0.0018	0.0300
	稀释每股收益(元)	-0.1879	0.1200	0.0278	0.1100
	每股净资产(元)	3.9050	4.1023	4.0112	3.9827
	每股经营现金净流量(元)	0.4403	0.0915	0.3337	0.4371
	每股现金流量(元)	-0.4373	0.1454	0.5138	-0.1306
	每股资本公积金(元)	2.0148	2.0148	2.0148	2.0140
	每股盈余公积金(元)	0.0740	0.0740	0.0740	0.0740
	每股未分配利润(元)	0.8149	1.0128	0.9230	0.8952
	净资产收益率(%)	-4.8115	2.8673	0.6933	2.6656
	加权净资产收益率(%)	-4.6900	2.9100	0.7000	2.7200
	净资产收益率(扣除)(%)	-5.5043	0.8839	0.0450	0.7096
	总资产(万元)	376293.33	405420.07	381409.43	365813.01
	归属母公司股东权益(万元)	156589.42	164502.52	160850.10	159704.68
	营业收入(万元)	222426.68	371610.94	151338.23	324264.54
	营业支出(万元)	205989.65	329663.68	132417.18	285047.59
	投资收益(万元)	245.37	313.60	42.61	-638.03
	净利润(万元)	-7608.74	4733.61	1141.45	4313.24
	营业利润(万元)	-9733.45	1664.11	11.68	563.12
	利润总额(万元)	-8601.69	5006.89	1209.21	4058.29

深圳达实智能股份有限公司

公司概况					
公司名称	深圳达实智能股份有限公司			证券简称	达实智能
法人代表	刘磅	董秘	林雨斌	证券代码	002421
公司网址	www.chn-das.com			电子信箱	das@chn-das.com
电　话	0755-26525166			传　真	0755-26639599
办公地址	广东省深圳市南山区高新技术产业园达实智能大厦				
经营范围	组装生产、研发能源管理产品、IC卡读写机具产品、安防监控设备和信息终端等				

主要财务指标

指标\报告期	2016.06.30	2015.12.31	2015.06.30	2014.12.31
基本每股收益(元)	0.1300	0.2679	0.0800	0.2312
基本每股收益(扣除后)(元)	0.1100	0.2494	0.0695	0.4756
稀释每股收益(元)	0.1300	0.2679	0.0800	0.2312
每股净资产(元)	4.0615	3.9484	3.0147	6.3240
每股经营现金净流量(元)	-0.3439	0.2132	-0.1389	0.4461
每股现金流量(元)	-0.7671	0.7661	0.2064	0.9527
每股资本公积金(元)	2.3299	2.3221	1.3454	3.8879
每股盈余公积金(元)	0.0792	0.0726	0.0588	0.1323
每股未分配利润(元)	0.7632	0.6960	0.6104	1.3037
净资产收益率(%)	3.0454	6.0168	2.5357	6.9339
加权净资产收益率(%)	3.0800	9.0800	2.5800	11.1600
净资产收益率(扣除)(%)	2.6376	5.6013	2.3001	6.4839
总资产(万元)	442107.32	484355.55	279039.08	260038.54
归属母公司股东权益(万元)	260907.76	253679.29	173499.19	161766.95
营业收入(万元)	99275.48	171130.87	61398.72	126306.23
营业支出(万元)	70759.65	121960.91	44533.43	86354.42
投资收益(万元)	-69.81	-59.67	-	-
净利润(万元)	8912.47	15992.64	4945.29	14773.98
营业利润(万元)	9961.73	17644.89	5411.59	16493.35
利润总额(万元)	10781.25	19140.28	6029.62	17509.89

四川科伦药业股份有限公司

公司概况					
公司名称	四川科伦药业股份有限公司			证券简称	科伦药业
法人代表	刘革新	董秘	冯昊	证券代码	002422
公司网址	www.kelun.com			电子信箱	kelun@kelun.com
电　话	028-82860678			传　真	028-86132515
办公地址	四川省成都市青羊区百花西路36号				
经营范围	研究、生产大容量注射剂、小容量注射剂、冲洗剂、直立式聚丙烯输液袋的技术开发、生产等				

主要财务指标

指标\报告期	2016.06.30	2015.12.31	2015.06.30	2014.12.31
基本每股收益(元)	0.2700	0.4500	0.2800	0.7000
基本每股收益(扣除后)(元)	0.2500	0.4400	0.5100	1.2800
稀释每股收益(元)	0.2700	0.4500	0.2800	0.7000
每股净资产(元)	7.8212	7.6806	15.3872	14.9159
每股经营现金净流量(元)	0.6510	0.8607	0.9056	1.6927
每股现金流量(元)	0.1681	0.1610	-0.2363	-0.8903
每股资本公积金(元)	2.5525	2.5520	6.1526	6.1321
每股盈余公积金(元)	0.3431	0.3431	0.6132	0.6132
每股未分配利润(元)	3.9398	3.8100	7.6154	7.0470
净资产收益率(%)	3.4279	5.8343	3.6940	9.3292
加权净资产收益率(%)	3.4400	5.9100	3.7500	9.7800
净资产收益率(扣除)(%)	3.1382	5.6718	3.3442	8.5523
总资产(万元)	2385541.22	2258334.73	2157068.93	2120283.53
归属母公司股东权益(万元)	1126253.67	1106003.94	1107881.88	1073947.83
营业收入(万元)	409641.28	776334.00	383560.69	802342.13
营业支出(万元)	239505.51	450553.61	226064.95	460780.65
投资收益(万元)	384.68	2861.24	2045.91	1492.44
净利润(万元)	41031.21	54188.94	40519.87	98468.22
营业利润(万元)	42775.98	57350.36	44357.45	108875.20
利润总额(万元)	46133.77	68081.68	47864.09	114870.84

中原特钢股份有限公司

公司概况					
公司名称	中原特钢股份有限公司			证券简称	*ST中特
法人代表	李宗樵	董秘	蒋根豹	证券代码	002423
公司网址	www.zssw.com			电子信箱	zytggf@163.com
电　话	0391-6099022　6099031			传　真	0391-6099019
办公地址	河南省济源市承留镇小寨村				
经营范围	工业专用装备及大型特殊钢精锻件的研发、生产、销售和服务				

主要财务指标

指标\报告期	2016.06.30	2015.12.31	2015.06.30	2014.12.31
基本每股收益(元)	-0.0970	-0.4242	-0.0480	-0.0995
基本每股收益(扣除后)(元)	-0.1290	-0.4782	-0.0550	-0.1300
稀释每股收益(元)	-0.0970	-0.4242	-0.0480	-0.0995
每股净资产(元)	3.5296	3.6246	4.0008	4.0477
每股经营现金净流量(元)	-0.0136	-0.1653	0.0074	0.0631
每股现金流量(元)	-0.0015	-0.4403	-0.5345	0.0522
每股资本公积金(元)	2.1230	2.1230	2.1230	2.1230
每股盈余公积金(元)	0.0839	0.0839	0.0839	0.0839
每股未分配利润(元)	0.3196	0.4165	0.7928	0.8407
净资产收益率(%)	-2.7469	-11.7024	-1.1965	-2.2910
加权净资产收益率(%)	-2.7100	-11.0600	-1.1900	-2.6000
净资产收益率(扣除)(%)	-3.6398	-13.1939	-1.3790	-2.9733
总资产(万元)	373121.28	348388.53	343434.75	354285.83
归属母公司股东权益(万元)	177534.22	182314.12	201233.93	203592.49
营业收入(万元)	47629.07	95447.78	56863.35	121850.18
营业支出(万元)	43396.48	93600.43	50592.20	105458.27
投资收益(万元)	0.72	480.85	548.38	667.18
净利润(万元)	-4876.66	-21335.22	-2407.75	-4664.22
营业利润(万元)	-6461.95	-24135.05	-2967.91	-5997.43
利润总额(万元)	-4876.66	-21415.93	-2513.98	-4468.95

贵州百灵企业集团制药股份有限公司

公司概况					
公司名称	贵州百灵企业集团制药股份有限公司			证券简称	贵州百灵
法人代表	姜伟	董秘	牛民	证券代码	002424
公司网址	www.gzbl.com			电子信箱	niumin1804@126.com
电　话	0853-3415126			传　真	0853-3412296
办公地址	贵州省安顺市经济技术开发区西航大道				
经营范围	片剂、胶囊剂、糖浆剂、软胶囊剂、颗粒剂、丸剂、散剂、喷雾剂、煎膏剂等				

主要财务指标

指标\报告期	2016.06.30	2015.12.31	2015.06.30	2014.12.31
基本每股收益(元)	0.1500	0.2900	0.1300	0.2200
基本每股收益(扣除后)(元)	0.1500	0.2800	0.3500	0.6400
稀释每股收益(元)	0.1500	0.2900	0.1300	0.2200
每股净资产(元)	1.9493	1.8756	5.1178	4.9358
每股经营现金净流量(元)	0.0017	0.2928	0.4325	0.2805
每股现金流量(元)	-0.1315	0.2119	0.0797	-0.0415
每股资本公积金(元)	0.1039	0.1032	2.2931	0.0977
每股盈余公积金(元)	0.1144	0.1144	0.2561	0.0854
每股未分配利润(元)	0.7310	0.6580	1.5686	0.4622
净资产收益率(%)	7.8479	15.5424	7.4646	13.3723
加权净资产收益率(%)	7.9400	16.7400	7.4500	14.1800
净资产收益率(扣除)(%)	7.6432	14.7324	6.9266	12.9958
总资产(万元)	388417.74	384151.30	352965.24	356518.15
归属母公司股东权益(万元)	275082.58	264678.89	240741.97	232179.43
营业收入(万元)	102325.41	189908.76	81354.87	157467.22
营业支出(万元)	40515.23	72055.91	33090.16	61620.26
投资收益(万元)	-	549.40	119.94	894.55
净利润(万元)	21851.92	41614.87	18206.59	31505.38
营业利润(万元)	25172.19	47063.45	20438.77	37152.91
利润总额(万元)	25836.06	49189.94	21699.62	37710.63

凯撒(中国)股份有限公司

公司概况					
公司名称	凯撒(中国)股份有限公司			证券简称	凯撒股份
法人代表	郑合明	董秘	冯育升	证券代码	002425
公司网址	www.kaiser.com.cn		电子信箱	kaiser@vip.163.com	
电　话	0754-88805099		传　真	0754-88801350	
办公地址	广东省汕头市龙湖珠津工业区珠津1街3号凯撒工业城				
经营范围	生产、加工服装(皮革服装)、服饰、皮鞋、皮帽、皮包、玩具、钓鱼用具等				

主要财务指标 指标\报告期	2016.06.30	2015.12.31	2015.06.30	2014.12.31
基本每股收益(元)	0.1000	0.1900	0.0390	0.0200
基本每股收益(扣除后)(元)	0.0960	0.1400	0.0140	-0.0300
稀释每股收益(元)	0.1000	0.1900	0.0390	0.0200
每股净资产(元)	6.5774	4.5596	4.4088	3.7671
每股经营现金净流量(元)	0.3423	0.1424	-0.2224	0.2080
每股现金流量(元)	0.3783	-0.4286	-0.0035	-0.0406
每股资本公积金(元)	4.8237	2.7806	2.7840	2.0915
每股盈余公积金(元)	0.0931	0.1091	0.1082	0.1205
每股未分配利润(元)	0.6608	0.6715	0.5226	0.5611
净资产收益率(%)	1.3300	4.0867	0.8313	0.4468
加权净资产收益率(%)	1.3200	4.4200	1.0600	0.4500
净资产收益率(扣除)(%)	1.2837	3.0769	0.2947	-0.6640
总资产(万元)	414924.58	266946.54	285272.19	178198.03
归属母公司股东权益(万元)	334519.00	197995.88	191447.14	146913.31
营业收入(万元)	21885.71	63253.26	28474.64	54152.11
营业支出(万元)	8756.62	38855.60	18571.34	33380.07
投资收益(万元)	433.59	986.03	859.89	1898.92
净利润(万元)	3779.96	5013.94	-127.85	152.59
营业利润(万元)	3446.31	3211.08	169.25	1027.56
利润总额(万元)	3492.34	4828.50	843.15	1327.79

苏州胜利精密制造科技股份有限公司

公司概况					
公司名称	苏州胜利精密制造科技股份有限公司			证券简称	胜利精密
法人代表	高玉根	董秘	殷勤	证券代码	002426
公司网址	www.vicsz.com		电子信箱	zhengquan@vicsz.com	
电　话	0512-69207028 69207200		传　真	0512-69207028 69207112	
办公地址	江苏省苏州市高新区浒关工业园浒泾路55号				
经营范围	研发、生产、销售:冲压件、金属结构件、模具、五金配件等				

主要财务指标 指标\报告期	2016.06.30	2015.12.31	2015.06.30	2014.12.31
基本每股收益(元)	0.1415	0.2535	0.0390	0.1595
基本每股收益(扣除后)(元)	0.1304	0.2495	0.0849	0.1878
稀释每股收益(元)	0.1415	0.2535	0.0390	0.1595
每股净资产(元)	1.8369	4.3043	3.0602	3.0312
每股经营现金净流量(元)	-0.1090	-0.3356	-0.3138	-0.1635
每股现金流量(元)	-0.0570	-0.1041	-0.6042	0.9534
每股资本公积金(元)	0.4463	2.6350	1.4400	1.4103
每股盈余公积金(元)	0.0248	0.0618	0.0661	0.0661
每股未分配利润(元)	0.3659	0.6087	0.5561	0.5548
净资产收益率(%)	7.7036	5.2805	3.1880	4.6865
加权净资产收益率(%)	7.8700	7.1700	3.1600	6.7700
净资产收益率(扣除)(%)	7.1005	5.1958	2.7744	5.4823
总资产(万元)	1254542.95	1130742.04	543617.78	513766.23
归属母公司股东权益(万元)	533825.05	502157.56	301601.48	298741.26
营业收入(万元)	721389.77	586056.29	143269.60	325581.53
营业支出(万元)	633620.44	519752.48	122737.15	279556.48
投资收益(万元)	-683.62	194.63	275.88	-1883.27
净利润(万元)	43266.41	27648.78	10154.06	14782.91
营业利润(万元)	47520.09	32161.58	11278.04	16530.35
利润总额(万元)	51933.58	33303.17	11669.08	16996.15

浙江尤夫高新纤维股份有限公司

公司概况					
公司名称	浙江尤夫高新纤维股份有限公司			证券简称	尤夫股份
法人代表	茅惠新	董秘	陈彦	证券代码	002427
公司网址	www.unifull.com		电子信箱	ufg_cfo@unifull.com	
电　话	0572-3961786		传　真	0572-2833555	
办公地址	浙江省湖州市和孚镇工业园区				
经营范围	生产差别化FDY聚酯纤维及特种工业用布、聚酯线带、销售本公司生产产品				

主要财务指标 指标\报告期	2016.06.30	2015.12.31	2015.06.30	2014.12.31
基本每股收益(元)	0.1700	0.2700	0.2000	0.2800
基本每股收益(扣除后)(元)	0.1400	0.2400	0.1900	0.3900
稀释每股收益(元)	0.1700	0.2700	0.2000	0.2800
每股净资产(元)	5.3534	5.3057	5.2212	4.5130
每股经营现金净流量(元)	0.6318	0.7149	0.3248	1.8028
每股现金流量(元)	0.8429	0.2244	2.4282	0.0258
每股资本公积金(元)	3.3714	3.3713	3.3742	2.3205
每股盈余公积金(元)	0.1206	0.1206	0.0970	0.1622
每股未分配利润(元)	0.8618	0.8143	0.7500	1.0304
净资产收益率(%)	3.1303	4.7359	3.1309	8.8293
加权净资产收益率(%)	3.1100	6.2800	5.8900	9.2300
净资产收益率(扣除)(%)	2.6203	4.1964	3.0416	8.6423
总资产(万元)	320408.45	306698.68	347661.52	253175.81
归属母公司股东权益(万元)	213147.51	211248.54	207884.11	107498.69
营业收入(万元)	101362.79	200504.52	102663.54	247924.12
营业支出(万元)	84116.98	167879.44	84013.13	210412.87
投资收益(万元)	1218.66	848.65	-	-30.84
净利润(万元)	6870.83	10414.58	6812.71	10267.90
营业利润(万元)	8108.83	12076.35	8039.09	10504.02
利润总额(万元)	8065.20	12342.56	8144.12	10543.28

云南临沧鑫圆锗业股份有限公司

公司概况					
公司名称	云南临沧鑫圆锗业股份有限公司			证券简称	云南锗业
法人代表	包文东	董秘	金洪国	证券代码	002428
公司网址	www.sino-ge.com		电子信箱	jinhongguo@sino-ge.com	
电　话	0871-65955312 65955973		传　真	0871-63635956 63635956	
办公地址	云南省昆明市呈贡新区马金铺电力装备园魁星街				
经营范围	锗的采掘、冶炼、提纯、精深加工等				

主要财务指标 指标\报告期	2016.06.30	2015.12.31	2015.06.30	2014.12.31
基本每股收益(元)	-0.0560	0.0900	0.0860	0.1900
基本每股收益(扣除后)(元)	-0.0600	0.0060	0.0590	0.1500
稀释每股收益(元)	-0.0560	0.0900	0.0860	0.1900
每股净资产(元)	2.3585	2.4432	2.4269	2.3709
每股经营现金净流量(元)	0.2669	-0.0047	0.0457	0.1231
每股现金流量(元)	0.0112	-0.0480	-0.0956	-0.3202
每股资本公积金(元)	0.5022	0.5022	0.4956	0.4956
每股盈余公积金(元)	0.1252	0.1252	0.1187	0.1187
每股未分配利润(元)	0.7241	0.8100	0.8089	0.7530
净资产收益率(%)	-2.3695	3.8272	3.5413	8.0896
加权净资产收益率(%)	-2.3200	3.8900	3.5600	8.2700
净资产收益率(扣除)(%)	-2.5553	0.2314	2.4526	6.4945
总资产(万元)	208107.30	224092.27	215988.28	203832.62
归属母公司股东权益(万元)	154038.91	159567.67	158504.64	154846.67
营业收入(万元)	22111.27	40220.76	25991.01	55591.11
营业支出(万元)	19768.08	27234.06	15778.63	33344.03
投资收益(万元)	-	3435.61	-	-
净利润(万元)	-3647.91	6301.93	5693.03	12528.47
营业利润(万元)	-4297.95	4349.52	4751.20	12047.63
利润总额(万元)	-3942.41	7079.13	6790.69	14973.55

深圳市兆驰股份有限公司

公司概况	公司名称	深圳市兆驰股份有限公司			证券简称	兆驰股份
	法人代表	顾伟	董秘	方振宇	证券代码	002429
	公司网址	www.szmtc.com.cn		电子信箱	ls@szmtc.com.cn	
	电　话	0755-33614068		传　真	0755-33614256	
	办公地址	广东省深圳市龙岗区南湾街道下李朗社区李朗路一号兆驰创新产业园				
	经营范围	家庭视听消费类电子产品的研发、设计、制造、销售				

	指标＼报告期	2016.06.30	2015.12.31	2015.06.30	2014.12.31
主要财务指标	基本每股收益(元)	0.1385	0.2200	0.1683	0.4200
	基本每股收益(扣除后)(元)	0.1365	0.1700	0.1427	0.4055
	稀释每股收益(元)	0.1383	0.2200	0.1683	0.4200
	每股净资产(元)	3.0821	3.0143	2.9428	2.8008
	每股经营现金净流量(元)	-0.0029	0.0176	-0.3942	0.6407
	每股现金流量(元)	-0.2722	0.1906	-0.0273	-0.2152
	每股资本公积金(元)	0.3073	0.3052	0.3054	0.3054
	每股盈余公积金(元)	0.1740	0.1740	0.1468	0.1468
	每股未分配利润(元)	1.5862	1.5248	1.5045	1.3622
	净资产收益率(%)	4.4887	7.1601	5.7180	14.8379
	加权净资产收益率(%)	4.4800	7.4300	5.8300	16.0500
	净资产收益率(扣除)(%)	4.4138	5.7050	4.8506	14.5574
	总资产(万元)	919015.27	945591.28	844139.69	689642.21
	归属母公司股东权益(万元)	493612.00	482742.84	471366.27	448622.05
	营业收入(万元)	309919.31	609587.72	264070.94	710762.50
	营业支出(万元)	264008.15	531909.27	232848.32	603578.39
	投资收益(万元)	9110.08	21740.53	10163.32	13904.64
	净利润(万元)	21582.97	34457.94	26920.03	66566.24
	营业利润(万元)	22006.08	34255.39	29216.55	72406.50
	利润总额(万元)	25013.91	40077.40	31959.81	78429.99

杭州杭氧股份有限公司

公司概况	公司名称	杭州杭氧股份有限公司			证券简称	杭氧股份
	法人代表	蒋明	董秘	汪加林	证券代码	002430
	公司网址	www.hangyang.com		电子信箱	investor@hangyang.com	
	电　话	0571-85869078 85869076		传　真	0571-85869076	
	办公地址	浙江省杭州市下城区中山北路592号弘元大厦				
	经营范围	空气分离设备、工业气体产品和石化设备的生产及销售业务等				

	指标＼报告期	2016.06.30	2015.12.31	2015.06.30	2014.12.31
主要财务指标	基本每股收益(元)	-0.0700	0.1700	0.0700	0.1600
	基本每股收益(扣除后)(元)	-0.0900	0.1300	0.0600	0.0800
	稀释每股收益(元)	-0.0700	0.1700	0.0700	0.1600
	每股净资产(元)	4.3302	4.4195	4.3214	4.2547
	每股经营现金净流量(元)	0.0297	0.5201	0.2218	0.1680
	每股现金流量(元)	-0.1184	-0.0297	-0.0996	-0.3578
	每股资本公积金(元)	1.0621	1.0621	1.0621	1.0621
	每股盈余公积金(元)	0.3250	0.3250	0.3235	0.3235
	每股未分配利润(元)	1.8879	1.9853	1.8873	1.8335
	净资产收益率(%)	-1.5581	3.9202	1.7082	3.8273
	加权净资产收益率(%)	-1.5400	4.0000	1.7200	3.9300
	净资产收益率(扣除)(%)	-2.1241	2.8883	1.3419	1.8687
	总资产(万元)	965295.88	973071.41	979452.18	940175.31
	归属母公司股东权益(万元)	360171.83	367600.13	359447.33	353896.21
	营业收入(万元)	219949.88	593966.71	292841.47	593382.40
	营业支出(万元)	184828.25	494414.45	243157.57	488848.05
	投资收益(万元)	-45.90	268.11	-144.66	22.14
	净利润(万元)	-5572.33	16182.83	6964.59	16294.73
	营业利润(万元)	-5169.84	16289.55	8641.60	17159.48
	利润总额(万元)	-2780.08	20926.69	10053.41	24230.59

棕榈生态城镇发展股份有限公司

公司概况	公司名称	棕榈生态城镇发展股份有限公司			证券简称	棕榈股份
	法人代表	林从孝	董秘	冯玉兰	证券代码	002431
	公司网址	www.palm-la.com		电子信箱	002431@palm-la.com	
	电　话	020-85189002 85189003		传　真	020-85189000	
	办公地址	广东省广州市天河区马场路16号富力盈盛广场B栋23-25楼				
	经营范围	承接园林绿化、园林建筑、喷泉、雕塑、市政工程、园林规划设计等				

	指标＼报告期	2016.06.30	2015.12.31	2015.06.30	2014.12.31
主要财务指标	基本每股收益(元)	0.0400	-0.4000	0.0900	0.9300
	基本每股收益(扣除后)(元)	0.0400	0.0900	0.2400	0.9100
	稀释每股收益(元)	0.0400	-0.4000	0.0900	0.9300
	每股净资产(元)	3.0623	7.5407	8.1209	6.3775
	每股经营现金净流量(元)	-0.2310	-1.2140	-0.9914	-0.5734
	每股现金流量(元)	-0.1590	1.7478	0.6315	-0.2134
	每股资本公积金(元)	1.0769	4.1849	4.2108	2.0930
	每股盈余公积金(元)	0.1112	0.2780	0.2690	0.3215
	每股未分配利润(元)	0.8571	2.0476	2.6729	3.0007
	净资产收益率(%)	1.2425	-5.0912	2.8624	14.5681
	加权净资产收益率(%)	1.2500	-5.2700	3.2500	15.5200
	净资产收益率(扣除)(%)	1.1484	1.0963	2.7992	14.2150
	总资产(万元)	1232855.24	1224505.88	1081169.28	936229.50
	归属母公司股东权益(万元)	421682.88	415342.76	447296.08	293885.38
	营业收入(万元)	145208.04	440050.75	212677.43	500694.29
	营业支出(万元)	120743.54	363972.85	167030.23	382569.20
	投资收益(万元)	2820.97	-25356.35	1120.06	4005.29
	净利润(万元)	4537.38	-20282.75	13858.59	44819.53
	营业利润(万元)	5203.92	-19443.47	16615.12	52254.10
	利润总额(万元)	5691.41	-18642.72	16946.86	53468.65

天津九安医疗电子股份有限公司

公司概况	公司名称	天津九安医疗电子股份有限公司			证券简称	九安医疗
	法人代表	刘毅	董秘	马雅杰	证券代码	002432
	公司网址	www.jiuan.com		电子信箱	ir@jiuan.com	
	电　话	022-60526161 8065		传　真	022-60526162	
	办公地址	天津市南开区南开工业园雅安道金平路3号				
	经营范围	开发、生产、销售电子产品、医疗器械及相关的技术咨询服务等				

	指标＼报告期	2016.06.30	2015.12.31	2015.06.30	2014.12.31
主要财务指标	基本每股收益(元)	-0.1200	-0.4100	-0.1100	0.0300
	基本每股收益(扣除后)(元)	-0.1300	-0.4200	-0.1000	-0.2200
	稀释每股收益(元)	-0.1200	-0.4100	-0.1100	0.0300
	每股净资产(元)	3.4132	1.6370	1.9150	2.0397
	每股经营现金净流量(元)	-0.1596	-0.3480	-0.1897	-0.1853
	每股现金流量(元)	1.8479	0.0516	0.1833	-0.6473
	每股资本公积金(元)	2.6792	0.8253	0.8079	0.8079
	每股盈余公积金(元)	0.0401	0.0467	0.0467	0.0467
	每股未分配利润(元)	-0.3044	-0.2368	0.0610	0.1884
	净资产收益率(%)	-2.9555	-24.7577	-5.6096	1.3440
	加权净资产收益率(%)	-7.4400	-22.0400	-5.4100	1.3500
	净资产收益率(扣除)(%)	-3.2658	-25.4388	-4.9735	-10.7469
	总资产(万元)	165011.56	81986.72	95143.62	100244.09
	归属母公司股东权益(万元)	147725.41	60894.63	71236.24	75875.30
	营业收入(万元)	18092.90	39785.80	19464.70	42545.20
	营业支出(万元)	11667.55	29556.32	13764.60	29261.85
	投资收益(万元)	-487.83	-1388.58	-781.69	10173.85
	净利润(万元)	-4366.01	-15076.13	-3996.03	839.30
	营业利润(万元)	-5378.44	-15319.63	-5243.48	2031.32
	利润总额(万元)	-4920.03	-15306.98	-4994.87	992.65

广东太安堂药业股份有限公司

公司概况	公司名称	广东太安堂药业股份有限公司		证券简称	太 安 堂
	法人代表	柯少彬	董秘 陈保华	证券代码	002433
	公司网址	www.pibao.cn		电子信箱	t-a-t@163.com
	电　　话	0754-88116066 188		传　　真	0754-88105160
	办公地址	广东省汕头市金园工业区广东太安堂药业股份有限公司麒麟园			
	经营范围	中成药的研发、生产和销售			

主要财务指标　指标\报告期	2016.06.30	2015.12.31	2015.06.30	2014.12.31
基本每股收益(元)	0.1100	0.2600	0.1000	0.3000
基本每股收益(扣除后)(元)	0.0900	0.2600	0.1000	0.2900
稀释每股收益(元)	0.1100	0.2600	0.1000	0.3000
每股净资产(元)	5.8153	5.7199	5.2203	5.1338
每股经营现金净流量(元)	-0.3442	-1.6465	-0.3535	-0.3752
每股现金流量(元)	0.2192	-0.5247	-0.1243	0.5335
每股资本公积金(元)	3.8270	3.8282	3.3855	3.3703
每股盈余公积金(元)	0.0678	0.0677	0.0605	0.0610
每股未分配利润(元)	0.9551	0.8674	0.7743	0.7025
净资产收益率(%)	1.9198	4.3052	1.9707	5.0308
加权净资产收益率(%)	1.9300	4.9400	1.9900	8.7200
净资产收益率(扣除)(%)	1.6051	4.2033	1.9407	4.8263
总资产(万元)	652202.56	586885.84	451525.46	449330.95
归属母公司股东权益(万元)	448396.23	441614.00	379338.20	370329.87
营业收入(万元)	138432.21	237164.78	89231.21	122763.66
营业支出(万元)	104920.05	169711.43	62048.69	76835.26
投资收益(万元)	-	194.03	193.47	480.58
净利润(万元)	8975.08	19557.83	7706.77	19237.55
营业利润(万元)	8276.13	21911.95	8754.71	20353.77
利润总额(万元)	10112.69	22210.78	8889.22	20778.56

浙江万里扬股份有限公司

公司概况	公司名称	浙江万里扬股份有限公司		证券简称	万 里 扬
	法人代表	黄河清	董秘 胡春荣	证券代码	002434
	公司网址	www.zjwly.com		电子信箱	hcr@zjwly.com
	电　　话	0579-82216776		传　　真	0579-82216776
	办公地址	浙江省金华市宾虹西路 3999 号			
	经营范围	研制、生产、销售汽车变速器及其他汽车零部件			

主要财务指标　指标\报告期	2016.06.30	2015.12.31	2015.06.30	2014.12.31
基本每股收益(元)	0.1400	0.4100	0.1200	0.3800
基本每股收益(扣除后)(元)	0.1000	0.2600	0.1700	0.3200
稀释每股收益(元)	0.1400	0.4100	0.1200	0.3800
每股净资产(元)	2.2735	4.5399	4.3712	6.3874
每股经营现金净流量(元)	-0.0841	0.6947	0.0222	0.6138
每股现金流量(元)	-0.2212	0.0413	0.0270	0.1889
每股资本公积金(元)	0.3328	1.7802	1.7802	3.1703
每股盈余公积金(元)	0.0967	0.1933	0.1641	0.2461
每股未分配利润(元)	0.8441	1.5664	1.4269	1.9710
净资产收益率(%)	5.9750	9.1410	5.6340	8.8198
加权净资产收益率(%)	5.8700	9.4600	5.6500	9.1500
净资产收益率(扣除)(%)	4.5193	5.8154	3.9774	4.9523
总资产(万元)	628510.86	608219.19	427796.83	406179.21
归属母公司股东权益(万元)	231898.83	231536.78	222931.89	217171.92
营业收入(万元)	152381.04	197264.56	77807.81	138203.21
营业支出(万元)	113816.87	141077.88	52168.53	100314.97
投资收益(万元)	4461.91	-154.47	-40.94	1257.26
净利润(万元)	13631.45	21183.17	12859.68	19881.44
营业利润(万元)	14991.99	23529.06	14449.93	22601.44
利润总额(万元)	15790.36	25523.86	14996.08	23447.13

长江润发医药股份有限公司

公司概况	公司名称	长江润发医药股份有限公司		证券简称	长江润发
	法人代表	郁霞秋	董秘 卢斌	证券代码	002435
	公司网址	www.cjrfjx.com		电子信箱	cjrf@vip.163.com
	电　　话	0512-56926898		传　　真	0512-56926898
	办公地址	江苏省张家港市金港镇镇山东路			
	经营范围	主要从事电梯导轨系统部件的研发、生产、销售及服务			

主要财务指标　指标\报告期	2016.06.30	2015.12.31	2015.06.30	2014.12.31
基本每股收益(元)	0.0700	0.2200	0.0900	0.2400
基本每股收益(扣除后)(元)	0.0700	0.2100	0.0900	0.2400
稀释每股收益(元)	0.0700	0.2200	0.0900	0.2400
每股净资产(元)	4.3744	4.4497	4.3184	4.3292
每股经营现金净流量(元)	0.6002	0.0534	0.1142	0.2122
每股现金流量(元)	-0.0404	-0.0724	-0.0295	0.1035
每股资本公积金(元)	2.1519	2.1519	2.1519	2.1519
每股盈余公积金(元)	0.1675	0.1675	0.1388	0.1388
每股未分配利润(元)	1.0550	1.1303	1.0277	1.0384
净资产收益率(%)	1.7070	4.9570	2.0664	5.6146
加权净资产收益率(%)	1.6600	5.0300	2.0400	5.7100
净资产收益率(扣除)(%)	1.6765	4.6384	1.9850	5.4618
总资产(万元)	137000.89	142253.95	145629.81	136977.93
归属母公司股东权益(万元)	86613.51	88105.00	85504.53	85717.67
营业收入(万元)	48042.66	106470.85	51796.69	122788.22
营业支出(万元)	41618.04	91474.53	44916.96	107985.65
投资收益(万元)	-	-	-	-
净利润(万元)	1478.51	4367.33	1766.86	4812.70
营业利润(万元)	1690.08	4684.33	2163.07	5549.22
利润总额(万元)	1721.23	5014.32	2245.01	5702.64

深圳市兴森快捷电路科技股份有限公司

公司概况	公司名称	深圳市兴森快捷电路科技股份有限公司		证券简称	兴森科技
	法人代表	邱醒亚	董秘 陈岚	证券代码	002436
	公司网址	www.chinafastprint.com		电子信箱	stock@chinafastprint.com
	电　　话	0755-26074462 26062342		传　　真	0755-26051189
	办公地址	广东省深圳市南山区深南路科技园工业厂房 25 栋 1 段 3 层			
	经营范围	印制电路样板、小批量板的生产与销售等			

主要财务指标　指标\报告期	2016.06.30	2015.12.31	2015.06.30	2014.12.31
基本每股收益(元)	0.1400	0.2900	0.1000	0.2800
基本每股收益(扣除后)(元)	0.1300	0.1700	0.1000	0.5100
稀释每股收益(元)	0.1400	0.2900	0.1000	0.2800
每股净资产(元)	4.5020	4.4147	4.2261	7.6706
每股经营现金净流量(元)	0.1178	0.3729	-0.0499	0.7060
每股现金流量(元)	-0.1948	0.4710	0.2179	0.1691
每股资本公积金(元)	2.0161	2.0158	2.0158	3.9669
每股盈余公积金(元)	0.1369	0.1369	0.1323	0.2772
每股未分配利润(元)	1.3491	1.2585	1.0814	2.4152
净资产收益率(%)	3.1224	6.4036	2.3899	7.3367
加权净资产收益率(%)	3.1300	6.8600	4.5500	7.5600
净资产收益率(扣除)(%)	2.8429	3.7960	2.2611	6.7058
总资产(万元)	394656.53	379519.28	328091.67	261552.77
归属母公司股东权益(万元)	223282.93	218953.50	209600.10	171360.51
营业收入(万元)	141316.25	211947.89	100668.80	167382.52
营业支出(万元)	97288.54	146485.77	71373.37	114221.73
投资收益(万元)	-61.48	4784.48	240.19	1183.29
净利润(万元)	8238.59	15570.75	5572.86	12572.21
营业利润(万元)	8311.45	13862.41	5339.12	12542.54
利润总额(万元)	9069.89	15149.09	5672.11	13874.83

哈尔滨誉衡药业股份有限公司

公司概况					
公司名称	哈尔滨誉衡药业股份有限公司			证券简称	誉衡药业
法人代表	朱吉满	董秘	国磊峰	证券代码	002437
公司网址	www.gloria.cc		电子信箱	irm@gloria.cc	
电　话	010-80479607　68002437		传　真	010-68002438-607	
办公地址	北京市顺义区空港开发区B区裕华路融慧园28号楼				
经营范围	药品生产和药品代理销售业务等				

主要财务指标 指标\报告期	2016.06.30	2015.12.31	2015.06.30	2014.12.31
基本每股收益(元)	0.1555	0.9469	0.1473	0.6340
基本每股收益(扣除后)(元)	0.1462	0.8646	0.4200	0.5590
稀释每股收益(元)	0.1555	0.9248	0.1473	0.6292
每股净资产(元)	1.6308	4.6593	4.4702	4.1280
每股经营现金净流量(元)	0.2099	0.9578	0.4926	0.9210
每股现金流量(元)	−0.2165	−0.0591	−0.6585	0.3160
每股资本公积金(元)	0.1545	1.4513	1.7357	1.7357
每股盈余公积金(元)	0.0671	0.2013	0.1372	0.1372
每股未分配利润(元)	0.4099	2.0127	1.5974	1.2551
净资产收益率(%)	9.5342	19.8230	9.8937	14.6884
加权净资产收益率(%)	9.6200	20.4800	10.2500	16.7300
净资产收益率(扣除)(%)	8.9641	18.1047	9.4956	13.0511
总资产(万元)	825505.57	831268.11	736822.93	492234.97
归属母公司股东权益(万元)	358489.99	341532.17	327172.69	302122.12
营业收入(万元)	133706.78	270065.31	126460.54	190582.40
营业支出(万元)	55681.38	99183.68	45831.98	70588.76
投资收益(万元)	446.39	664.52	259.73	851.10
净利润(万元)	34631.60	71324.11	34066.25	45566.04
营业利润(万元)	38384.76	77667.19	39668.36	49115.45
利润总额(万元)	40364.05	84022.35	41026.97	54757.95

江苏神通阀门股份有限公司

公司概况					
公司名称	江苏神通阀门股份有限公司			证券简称	江苏神通
法人代表	吴建新	董秘	章其强	证券代码	002438
公司网址	www.stfm.cn		电子信箱	zhangqq@stfm.cn	
电　话	0513-83335899　83333645		传　真	0513-83335998	
办公地址	江苏省南通市启东市南阳镇				
经营范围	生产销售阀门及冶金、电力、化工机械、比例伺服阀				

主要财务指标 指标\报告期	2016.06.30	2015.12.31	2015.06.30	2014.12.31
基本每股收益(元)	0.1100	0.0800	0.0800	0.2600
基本每股收益(扣除后)(元)	0.1000	0.0510	0.0640	0.2290
稀释每股收益(元)	0.1100	0.0800	0.0800	0.2600
每股净资产(元)	5.4101	5.2380	4.5409	4.5084
每股经营现金净流量(元)	−0.1706	−0.1861	−0.1513	0.2129
每股现金流量(元)	−0.0815	−0.2689	−0.2398	−0.6911
每股资本公积金(元)	2.8524	2.8227	1.9580	1.9580
每股盈余公积金(元)	0.1777	0.1876	0.1794	0.1794
每股未分配利润(元)	1.3800	1.3925	1.4036	1.3711
净资产收益率(%)	2.0497	1.4645	1.8178	5.7389
加权净资产收益率(%)	2.0700	1.7600	1.8100	5.8700
净资产收益率(扣除)(%)	1.8132	0.9316	1.4126	5.0786
总资产(万元)	185891.94	175377.17	128603.31	126373.41
归属母公司股东权益(万元)	118790.92	113188.23	94451.27	93774.37
营业收入(万元)	29196.28	42752.23	20032.74	46560.64
营业支出(万元)	17678.97	28421.19	12961.52	29449.43
投资收益(万元)	97.42	381.93	223.35	307.07
净利润(万元)	2434.83	1657.63	1716.90	5381.65
营业利润(万元)	2618.98	1606.03	1699.73	5794.47
利润总额(万元)	2852.44	1934.68	1927.18	6218.85

启明星辰信息技术集团股份有限公司

公司概况					
公司名称	启明星辰信息技术集团股份有限公司			证券简称	启明星辰
法人代表	王佳	董秘	姜朋	证券代码	002439
公司网址	www.venustech.com.cn		电子信箱	ir_contacts@venustech.com.cn	
电　话	010-82779006		传　真	010-82779010	
办公地址	北京市海淀区东北旺西路8号中关村软件园21号楼启明星辰大厦				
经营范围	货物进出口、技术进出口、代理进出口、技术开发、技术转让、技术咨询等				

主要财务指标 指标\报告期	2016.06.30	2015.12.31	2015.06.30	2014.12.31
基本每股收益(元)	0.0070	0.2900	0.0200	0.2100
基本每股收益(扣除后)(元)	0.0010	0.2400	−0.0010	0.3000
稀释每股收益(元)	0.0070	0.2900	0.0200	0.2100
每股净资产(元)	2.3046	2.0374	1.7975	3.6026
每股经营现金净流量(元)	−0.2527	0.5024	−0.2695	0.8868
每股现金流量(元)	−0.5311	0.6428	0.1623	−0.8641
每股资本公积金(元)	0.5466	0.2248	0.2578	1.3155
每股盈余公积金(元)	0.0432	0.0452	0.0329	0.0658
每股未分配利润(元)	0.7147	0.7674	0.5069	1.2212
净资产收益率(%)	0.2844	14.4321	1.1816	11.3919
加权净资产收益率(%)	0.2900	15.3400	1.1800	12.0700
净资产收益率(扣除)(%)	0.0388	12.0107	−0.0739	8.4443
总资产(万元)	277057.88	282761.66	223695.56	240210.51
归属母公司股东权益(万元)	200254.76	169155.59	149239.02	149551.27
营业收入(万元)	57201.10	153395.82	47653.32	119565.26
营业支出(万元)	15735.24	48325.94	12921.49	39958.14
投资收益(万元)	−777.54	2104.88	1466.60	1016.01
净利润(万元)	538.28	25512.55	826.32	18212.10
营业利润(万元)	−8721.21	15152.94	−7665.88	11347.22
利润总额(万元)	809.09	29673.73	1635.81	20502.95

浙江闰土股份有限公司

公司概况					
公司名称	浙江闰土股份有限公司			证券简称	闰土股份
法人代表	阮静波	董秘	刘波平	证券代码	002440
公司网址	www.runtuchem.com		电子信箱	runtu@runtuchem.com	
电　话	0575-82519278		传　真	0575-82045165	
办公地址	浙江省上虞市市民大道1009号财富广场1号楼闰土大厦				
经营范围	主要从事纺织染料、印染助剂和化工原料的研发、生产和销售				

主要财务指标 指标\报告期	2016.06.30	2015.12.31	2015.06.30	2014.12.31
基本每股收益(元)	0.3400	0.9600	0.7800	1.6800
基本每股收益(扣除后)(元)	0.3300	0.8700	0.7600	1.6200
稀释每股收益(元)	0.3400	0.9600	0.7800	1.6800
每股净资产(元)	7.7622	7.8131	7.6794	7.4472
每股经营现金净流量(元)	0.6752	1.6470	0.5621	1.5971
每股现金流量(元)	0.0266	−0.0067	0.1781	0.1527
每股资本公积金(元)	2.0042	2.0042	2.0373	2.0373
每股盈余公积金(元)	0.4429	0.4429	0.3684	0.3684
每股未分配利润(元)	4.3115	4.3672	4.2673	4.0350
净资产收益率(%)	4.4347	12.2447	10.1861	22.5247
加权净资产收益率(%)	4.4200	12.6000	10.3400	24.7500
净资产收益率(扣除)(%)	4.2559	11.0853	9.9314	21.7498
总资产(万元)	725402.19	759030.14	824815.17	779583.49
归属母公司股东权益(万元)	595359.95	599264.94	589011.27	571200.66
营业收入(万元)	209493.31	452182.75	243585.55	534522.21
营业支出(万元)	150495.50	305946.98	139007.66	302096.19
投资收益(万元)	569.85	2291.12	1290.02	2796.27
净利润(万元)	27090.46	74963.31	61558.82	138579.60
营业利润(万元)	31807.57	82261.11	72786.04	164349.71
利润总额(万元)	32391.58	87857.59	73470.01	168051.64

众业达电气股份有限公司

公司概况						
公司名称	众业达电气股份有限公司			证券简称	众 业 达	
法人代表	吴开贤	董秘	张海娜	证券代码	002441	
公司网址	www.zyd.cn		电子信箱	stock@zyd.cn		
电　　话	0754-88738831		传　　真	0754-88695366		
办公地址	广东省汕头市衡山路 62 号					
经营范围	电器机械及器材、电子产品、电话通讯设备、仪器仪表、金属加工机械等					

主要财务指标 指标＼报告期	2016.06.30	2015.12.31	2015.06.30	2014.12.31
基本每股收益(元)	0.1700	0.3900	0.2500	0.4600
基本每股收益(扣除后)(元)	0.1700	0.3600	0.2500	0.8800
稀释每股收益(元)	0.1700	0.3900	0.2500	0.4600
每股净资产(元)	6.1771	5.0071	4.9045	9.5904
每股经营现金净流量(元)	0.4793	0.0654	-0.1725	0.5123
每股现金流量(元)	0.9431	-0.1224	-0.2753	0.1423
每股资本公积金(元)	3.4353	2.0449	2.0106	4.9992
每股盈余公积金(元)	0.1904	0.2213	0.1902	0.3805
每股未分配利润(元)	1.5928	1.7976	1.7041	3.2114
净资产收益率(%)	2.5311	7.7380	5.0651	9.5141
加权净资产收益率(%)	2.9500	7.9700	5.0800	9.8800
净资产收益率(扣除)(%)	2.4918	7.1035	5.0435	9.1425
总资产(万元)	456465.49	383218.80	400937.73	379266.61
归属母公司股东权益(万元)	336119.09	234396.12	227570.51	222498.05
营业收入(万元)	293176.89	670173.72	310274.81	718290.99
营业支出(万元)	259818.22	592186.73	270251.35	635628.32
投资收益(万元)	1001.07	687.64	687.37	-
净利润(万元)	8354.92	17951.64	11580.05	21668.59
营业利润(万元)	10799.65	23637.66	14779.76	28304.14
利润总额(万元)	10972.02	24931.20	14844.04	29404.64

龙星化工股份有限公司

公司概况						
公司名称	龙星化工股份有限公司			证券简称	龙星化工	
法人代表	刘江山	董秘	戚勇	证券代码	002442	
公司网址	www.hb-lx.com.cn		电子信箱	lxlishumin@126.com		
电　　话	0319-8869535		传　　真	0319-8869260		
办公地址	河北省沙河市东环路龙星街 1 号					
经营范围	炭黑的生产、销售、电力生产、服务、塑料制品、橡胶轮胎、橡塑产品的加工、销售等					

主要财务指标 指标＼报告期	2016.06.30	2015.12.31	2015.06.30	2014.12.31
基本每股收益(元)	-0.0200	-0.1717	-0.0380	0.0313
基本每股收益(扣除后)(元)	-0.0240	-0.1783	-0.0420	0.0087
稀释每股收益(元)	-0.0200	-0.1717	-0.0380	0.0313
每股净资产(元)	2.1730	2.1964	2.3302	2.3696
每股经营现金净流量(元)	0.5964	0.3186	0.1931	0.6065
每股现金流量(元)	-0.2736	0.0535	-0.0039	-0.5670
每股资本公积金(元)	0.8577	0.8577	0.8577	0.8577
每股盈余公积金(元)	0.0714	0.0714	0.0714	0.0714
每股未分配利润(元)	0.2421	0.2621	0.3956	0.4338
净资产收益率(%)	-0.9188	-7.8188	-1.6422	1.3190
加权净资产收益率(%)	-0.9100	-7.5200	-1.6300	1.3200
净资产收益率(扣除)(%)	-1.1047	-8.1188	-1.8153	0.3656
总资产(万元)	262917.72	283034.39	290832.58	316095.16
归属母公司股东权益(万元)	104305.35	105427.69	111851.10	113740.96
营业收入(万元)	82304.15	173706.89	90034.07	243832.19
营业支出(万元)	67577.66	148730.21	77969.68	212122.04
投资收益(万元)	-	-	-	-
净利润(万元)	-958.69	-8243.20	-1836.79	1500.29
营业利润(万元)	-720.86	-10378.02	-2584.76	-653.45
利润总额(万元)	-396.95	-9711.33	-2367.45	870.35

浙江金洲管道科技股份有限公司

公司概况						
公司名称	浙江金洲管道科技股份有限公司			证券简称	金洲管道	
法人代表	沈淦荣	董秘	吴巍平	证券代码	002443	
公司网址	www.chinakingland.com		电子信箱	info@chinakingland.com		
电　　话	0572-2061996		传　　真	0572-2065280		
办公地址	浙江省湖州市二里桥路 57 号					
经营范围	管道制造、销售、管线工程、城市管网建设、安装、金属材料、建筑材料、装潢材料的销售等					

主要财务指标 指标＼报告期	2016.06.30	2015.12.31	2015.06.30	2014.12.31
基本每股收益(元)	0.1000	0.1800	0.1000	0.1500
基本每股收益(扣除后)(元)	0.0700	0.1600	0.1000	0.1200
稀释每股收益(元)	0.1000	0.1800	0.1000	0.1500
每股净资产(元)	3.7969	3.7960	3.7174	3.7128
每股经营现金净流量(元)	0.1378	0.7552	0.1856	0.3393
每股现金流量(元)	0.0667	0.0758	0.0079	0.0308
每股资本公积金(元)	1.4863	1.4863	1.4863	1.4863
每股盈余公积金(元)	0.1450	0.1450	0.1270	0.1270
每股未分配利润(元)	1.1656	1.1647	1.1041	1.0994
净资产收益率(%)	2.6586	4.8263	2.8148	4.0585
加权净资产收益率(%)	2.6600	4.8900	2.8200	4.1000
净资产收益率(扣除)(%)	1.8259	4.2072	2.6188	3.3226
总资产(万元)	293586.70	273657.57	249421.75	263935.62
归属母公司股东权益(万元)	197642.69	197593.60	193503.94	193262.53
营业收入(万元)	114893.04	264157.20	134790.05	304271.74
营业支出(万元)	98636.38	231360.86	119026.37	278564.36
投资收益(万元)	-311.82	-836.73	-378.12	815.88
净利润(万元)	4909.63	9033.37	5227.32	7120.67
营业利润(万元)	5621.17	10458.34	6425.62	8512.59
利润总额(万元)	5889.56	11004.36	6351.09	8690.49

杭州巨星科技股份有限公司

公司概况						
公司名称	杭州巨星科技股份有限公司			证券简称	巨星科技	
法人代表	仇建平	董秘	何天乐	证券代码	002444	
公司网址	www.greatstartools.com		电子信箱	zq@greatstartools.com		
电　　话	0571-81601076		传　　真	0571-81601088		
办公地址	浙江省杭州市江干区九环路 35 号					
经营范围	生产、销售手工具和电动工具等					

主要财务指标 指标＼报告期	2016.06.30	2015.12.31	2015.06.30	2014.12.31
基本每股收益(元)	0.2300	0.4700	0.2000	0.5000
基本每股收益(扣除后)(元)	0.2500	0.4700	0.1700	0.4700
稀释每股收益(元)	0.2300	0.4700	0.2000	0.5000
每股净资产(元)	4.8031	3.9671	3.8337	3.8454
每股经营现金净流量(元)	0.1106	0.4961	0.1520	0.4776
每股现金流量(元)	0.8146	0.6673	0.3822	0.0194
每股资本公积金(元)	1.7928	0.9603	0.9498	0.9486
每股盈余公积金(元)	0.2222	0.2356	0.1939	0.1939
每股未分配利润(元)	1.6841	1.6548	1.4451	1.4450
净资产收益率(%)	4.6538	11.9293	5.2189	13.0265
加权净资产收益率(%)	4.8200	12.0000	5.1200	13.7100
净资产收益率(扣除)(%)	5.2262	11.7244	4.5622	12.2905
总资产(万元)	704605.40	552582.30	546550.75	544914.93
归属母公司股东权益(万元)	516446.92	402262.98	388739.44	389918.95
营业收入(万元)	156729.83	317648.45	129172.27	286606.77
营业支出(万元)	108610.75	231473.70	97287.43	201120.17
投资收益(万元)	2190.74	7262.08	6889.73	14413.33
净利润(万元)	24542.46	48120.36	20144.85	50764.80
营业利润(万元)	31471.67	60693.24	25093.61	64930.24
利润总额(万元)	31843.59	61857.67	24990.94	65444.83

中南红文化集团股份有限公司

公司概况						
公司概况	公司名称	中南红文化集团股份有限公司			证券简称	中南文化
	法人代表	陈少忠	董秘	陈光	证券代码	002445
	公司网址	www.znhi.com.cn		电子信箱	znhi@znhi.com.cn	
	电　话	0510-86996882		传　真	0510-86993300	
	办公地址	江苏省江阴市高新技术产业开发园金山路				
	经营范围	工业金属管件的研发、生产和销售等				

主要财务指标	指标\报告期	2016.06.30	2015.12.31	2015.06.30	2014.12.31
	基本每股收益(元)	0.0600	0.1900	0.1500	0.1300
	基本每股收益(扣除后)(元)	0.0600	0.1700	0.1500	0.1700
	稀释每股收益(元)	0.0600	0.1900	0.1500	0.1300
	每股净资产(元)	2.9308	2.9115	5.3492	4.0873
	每股经营现金净流量(元)	-0.1098	0.2645	0.4259	-1.2091
	每股现金流量(元)	0.2218	0.1002	0.0351	-1.1774
	每股资本公积金(元)	1.3618	1.2808	3.3049	1.7627
	每股盈余公积金(元)	0.0504	0.0510	0.1005	0.1472
	每股未分配利润(元)	0.6228	0.5789	0.9422	1.1751
	净资产收益率(%)	2.0760	6.4792	2.6189	6.3656
	加权净资产收益率(%)	2.0900	6.9600	2.9400	6.5500
	净资产收益率(扣除)(%)	1.9387	5.8002	2.5690	4.2017
	总资产(万元)	468280.48	365523.93	355875.09	251377.34
	归属母公司股东权益(万元)	219205.50	215092.36	197589.67	103062.07
	营业收入(万元)	41288.40	111934.88	42522.53	72434.42
	营业支出(万元)	25468.28	75152.98	28650.41	53132.49
	投资收益(万元)	-157.47	-681.09	-1011.55	-610.02
	净利润(万元)	4376.37	13910.59	5149.93	6531.97
	营业利润(万元)	5533.08	14330.77	5393.94	6758.37
	利润总额(万元)	5934.38	16119.68	6567.08	7781.19

广东盛路通信科技股份有限公司

公司概况						
公司概况	公司名称	广东盛路通信科技股份有限公司			证券简称	盛路通信
	法人代表	杨华	董秘	陈嘉	证券代码	002446
	公司网址	www.shenglu.com		电子信箱	stock@shenglu.com	
	电　话	0757-87744984		传　真	0757-87744984	
	办公地址	广东省佛山市三水区西南工业园进业二路四号				
	经营范围	通信天线及其相关产品的研发、生产和销售				

主要财务指标	指标\报告期	2016.06.30	2015.12.31	2015.06.30	2014.12.31
	基本每股收益(元)	0.2800	0.3200	0.1300	0.3300
	基本每股收益(扣除后)(元)	0.2300	0.3200	0.1200	0.3200
	稀释每股收益(元)	0.2800	0.3200	0.1300	0.3300
	每股净资产(元)	5.3743	5.1329	3.4124	7.2347
	每股经营现金净流量(元)	-0.0565	0.0869	-0.0674	-0.2095
	每股现金流量(元)	-0.5914	0.2964	-0.0898	-0.0503
	每股资本公积金(元)	3.4704	3.4704	1.8145	5.1919
	每股盈余公积金(元)	0.0688	0.0688	0.0734	0.1614
	每股未分配利润(元)	0.8351	0.5937	0.5246	0.8814
	净资产收益率(%)	5.2363	5.2725	3.7648	3.9183
	加权净资产收益率(%)	5.3600	8.9900	3.8300	5.6300
	净资产收益率(扣除)(%)	4.1879	5.2007	3.6374	3.8082
	总资产(万元)	300668.08	293528.07	158255.72	151908.20
	归属母公司股东权益(万元)	240930.35	230107.26	127686.47	123049.40
	营业收入(万元)	56196.42	90979.95	37224.58	52596.78
	营业支出(万元)	35624.31	62281.06	25581.29	36378.59
	投资收益(万元)	2994.80	191.47	189.18	120.96
	净利润(万元)	12531.56	12129.75	4804.57	4713.42
	营业利润(万元)	13879.27	12700.63	4956.36	5169.52
	利润总额(万元)	14708.42	13822.55	5396.48	5638.40

大连壹桥海参股份有限公司

公司概况						
公司概况	公司名称	大连壹桥海参股份有限公司			证券简称	壹桥海参
	法人代表	刘德群	董秘	林春霖	证券代码	002447
	公司网址	www.dlyiqiao.com		电子信箱	dlyiqiao@126.com	
	电　话	0411-85269999		传　真	0411-85269444	
	办公地址	辽宁省大连市瓦房店市炮台镇鲍鱼岛村				
	经营范围	鱼、虾、蟹、海参、贝类、藻类育苗、养殖、销售、海产品冷藏、销售				

主要财务指标	指标\报告期	2016.06.30	2015.12.31	2015.06.30	2014.12.31
	基本每股收益(元)	0.0100	0.2600	0.0600	0.2400
	基本每股收益(扣除后)(元)	0.0100	0.2400	0.0500	0.4700
	稀释每股收益(元)	0.0100	0.2600	0.0600	0.2400
	每股净资产(元)	2.4781	2.4900	2.2547	4.4255
	每股经营现金净流量(元)	0.0392	0.3971	0.0442	0.5427
	每股现金流量(元)	-0.2214	-0.0058	-0.1507	0.2887
	每股资本公积金(元)	0.4938	0.4884	0.4626	1.8943
	每股盈余公积金(元)	0.1103	0.1103	0.0843	0.1685
	每股未分配利润(元)	0.8791	0.8953	0.7171	1.3719
	净资产收益率(%)	0.5615	10.4884	2.4893	10.8633
	加权净资产收益率(%)	0.5600	11.1400	2.5000	12.3600
	净资产收益率(扣除)(%)	0.2473	9.7776	2.0988	10.1816
	总资产(万元)	316450.34	327148.72	317907.08	321351.39
	归属母公司股东权益(万元)	236029.59	237048.72	214544.08	210553.63
	营业收入(万元)	7816.62	57926.31	16641.54	54002.81
	营业支出(万元)	3621.71	20804.92	4796.21	19211.70
	投资收益(万元)	-	-	-	20.00
	净利润(万元)	1325.25	24862.58	5340.70	22873.12
	营业利润(万元)	554.52	24891.72	4546.19	22499.88
	利润总额(万元)	1304.88	26588.70	5405.30	23961.93

中原内配集团股份有限公司

公司概况						
公司概况	公司名称	中原内配集团股份有限公司			证券简称	中原内配
	法人代表	薛德龙	董秘	刘向宁	证券代码	002448
	公司网址	www.hnzynp.com		电子信箱	zhengquan@hnzynp.com	
	电　话	0391-8298666		传　真	0391-8298999	
	办公地址	河南省孟州市产业集聚区淮河大道69号				
	经营范围	内燃机气缸套的生产和销售				

主要财务指标	指标\报告期	2016.06.30	2015.12.31	2015.06.30	2014.12.31
	基本每股收益(元)	0.1800	0.3282	0.1700	0.3081
	基本每股收益(扣除后)(元)	0.1560	0.2980	0.1560	0.6711
	稀释每股收益(元)	0.1800	0.3282	0.1700	0.3081
	每股净资产(元)	3.5237	3.4472	3.3075	8.0432
	每股经营现金净流量(元)	0.1695	0.2177	0.0385	0.7194
	每股现金流量(元)	0.2224	-0.1473	-0.0647	0.1282
	每股资本公积金(元)	0.9044	0.9082	0.9263	3.8158
	每股盈余公积金(元)	0.1661	0.1661	0.1379	0.3447
	每股未分配利润(元)	1.4542	1.3740	1.2444	2.8850
	净资产收益率(%)	5.1135	9.5208	5.1530	9.5766
	加权净资产收益率(%)	5.3300	9.8400	5.1600	9.9700
	净资产收益率(扣除)(%)	4.4159	8.6453	4.7145	8.3439
	总资产(万元)	261646.54	259543.26	255241.49	249235.10
	归属母公司股东权益(万元)	207228.97	202730.85	194516.32	189210.14
	营业收入(万元)	55729.39	110446.97	59540.37	108398.49
	营业支出(万元)	35146.00	70017.29	37730.71	69589.39
	投资收益(万元)	2521.06	3777.31	1718.89	4026.28
	净利润(万元)	10557.24	19303.29	10025.06	18097.96
	营业利润(万元)	11404.27	20961.30	11383.12	20063.59
	利润总额(万元)	11920.92	22018.87	11866.96	20905.56

佛山市国星光电股份有限公司

公司概况

公司名称	佛山市国星光电股份有限公司			证券简称	国星光电
法人代表	何勇	董秘	刘艾璨子	证券代码	002449
公司网址	www.nationstar.com		电子信箱	stock@nationstar.com	
电　话	0757-82100271　82109323		传　真	0757-82100268	
办公地址	广东省佛山市禅城区华宝南路 18 号				
经营范围	LED 器件及其组件的研发、生产与销售				

主要财务指标

指标\报告期	2016.06.30	2015.12.31	2015.06.30	2014.12.31
基本每股收益(元)	0.1989	0.3538	0.1940	0.3367
基本每股收益(扣除后)(元)	0.1592	0.2903	0.1720	0.2695
稀释每股收益(元)	0.1989	0.3538	0.1940	0.3367
每股净资产(元)	5.8346	5.8157	5.6544	5.2774
每股经营现金净流量(元)	0.2573	0.1149	0.0102	0.1717
每股现金流量(元)	–0.2568	0.0645	0.4303	–0.7984
每股资本公积金(元)	3.3782	3.3782	3.3782	2.9098
每股盈余公积金(元)	0.2193	0.2193	0.1841	0.2037
每股未分配利润(元)	1.2369	1.2180	1.0921	1.1639
净资产收益率(%)	3.4088	5.7916	3.1064	6.3791
加权净资产收益率(%)	3.3800	6.3900	3.6500	6.5300
净资产收益率(扣除)(%)	2.7282	4.7500	2.7525	5.1062
总资产(万元)	465109.88	439227.46	432458.16	367874.61
归属母公司股东权益(万元)	277584.42	276682.43	269007.58	226926.99
营业收入(万元)	105458.69	183851.56	90633.77	154303.03
营业支出(万元)	83159.03	142262.82	70752.79	115597.21
投资收益(万元)	372.66	153.47	–	602.56
净利润(万元)	8848.92	15412.13	8450.46	13397.42
营业利润(万元)	7905.71	14556.47	8205.75	12546.31
利润总额(万元)	10539.14	18508.20	9851.71	16948.16

康得新复合材料集团股份有限公司

公司概况

公司名称	康得新复合材料集团股份有限公司			证券简称	康得新
法人代表	钟玉	董秘	杜文静	证券代码	002450
公司网址	www.kangdexin.com		电子信箱	kdx@kdxfilm.com	
电　话	010-89710777		传　真	010-80107261　6218	
办公地址	江苏省张家港市环保新材料产业园晨港路北侧、港华路西侧				
经营范围	预涂膜和预涂膜覆膜机的研发、生产和销售				

主要财务指标

指标\报告期	2016.06.30	2015.12.31	2015.06.30	2014.12.31
基本每股收益(元)	0.2791	0.9800	0.2306	0.7000
基本每股收益(扣除后)(元)	0.2784	0.9764	0.4600	1.0400
稀释每股收益(元)	0.2784	0.9800	0.2294	0.6900
每股净资产(元)	3.1081	5.7056	3.7367	5.0340
每股经营现金净流量(元)	0.0813	0.5635	0.2467	0.4512
每股现金流量(元)	0.0406	3.5524	0.8382	1.2405
每股资本公积金(元)	0.7845	2.5209	0.8085	1.7029
每股盈余公积金(元)	0.1009	0.2022	0.0354	0.0533
每股未分配利润(元)	1.2231	1.9827	1.8904	2.2744
净资产收益率(%)	8.9631	15.3557	12.2874	20.9161
加权净资产收益率(%)	9.3300	25.5500	12.8200	23.4500
净资产收益率(扣除)(%)	8.9405	15.2473	12.2230	20.6587
总资产(万元)	1975584.87	1836800.41	1268078.24	1087650.37
归属母公司股东权益(万元)	1001990.02	917872.53	536423.02	479429.17
营业收入(万元)	449917.37	745937.66	330112.61	520809.18
营业支出(万元)	282074.31	467404.23	204615.04	317170.51
投资收益(万元)	3515.55	–183.73	–	–
净利润(万元)	89780.36	140492.44	65606.93	100021.63
营业利润(万元)	106545.03	163582.92	77935.05	117451.54
利润总额(万元)	106826.71	164639.42	78326.04	118739.55

上海摩恩电气股份有限公司

公司概况

公司名称	上海摩恩电气股份有限公司			证券简称	摩恩电气
法人代表	问泽鸿	董秘	徐萍	证券代码	002451
公司网址	www.morncable.com		电子信箱	investor@morncable.com	
电　话	021-58979608		传　真	021-58979608	
办公地址	上海市浦东新区锦康路 258 号陆家嘴世纪金融广场 1 号楼 40 层				
经营范围	从事特种电缆的研发、生产和销售				

主要财务指标

指标\报告期	2016.06.30	2015.12.31	2015.06.30	2014.12.31
基本每股收益(元)	0.0120	0.0300	0.0370	0.0600
基本每股收益(扣除后)(元)	0.0050	0.0300	0.0400	0.0600
稀释每股收益(元)	0.0120	0.0300	0.0370	0.0600
每股净资产(元)	1.5181	1.5457	1.5485	1.5115
每股经营现金净流量(元)	–0.1024	–0.1001	–0.1871	–0.0238
每股现金流量(元)	–0.0384	0.0115	0.0288	–0.1111
每股资本公积金(元)	0.1554	0.1554	0.1554	0.1554
每股盈余公积金(元)	0.0283	0.0283	0.0283	0.0283
每股未分配利润(元)	0.3343	0.3619	0.3657	0.3287
净资产收益率(%)	0.8168	2.1455	2.3905	3.9796
加权净资产收益率(%)	0.7800	2.1700	2.4200	3.9900
净资产收益率(扣除)(%)	0.3247	1.7744	2.2607	3.9831
总资产(万元)	191167.81	181907.92	170628.13	158022.94
归属母公司股东权益(万元)	66672.89	67885.09	68009.10	66383.42
营业收入(万元)	24906.71	57660.59	27077.50	64665.13
营业支出(万元)	18647.20	41806.27	19491.39	50428.48
投资收益(万元)	13.27	–126.74	–53.48	–12.05
净利润(万元)	587.71	1933.22	1811.35	3078.25
营业利润(万元)	551.33	1935.26	1953.15	3370.59
利润总额(万元)	953.37	2418.56	2122.37	3712.61

湖南长高高压开关集团股份公司

公司概况

公司名称	湖南长高高压开关集团股份公司			证券简称	长高集团
法人代表	马晓	董秘	马晓	证券代码	002452
公司网址	www.gykg.cn		电子信箱	cgjtmx@yahoo.com.cn	
电　话	0731-88585000		传　真	0731-88585000	
办公地址	湖南省长沙市望城区金星大道高科技食品工业基地(金星大道与普瑞大道交汇处西南角)				
经营范围	高压隔离开关及接地开关的生产和销售				

主要财务指标

指标\报告期	2016.06.30	2015.12.31	2015.06.30	2014.12.31
基本每股收益(元)	0.0880	0.1300	0.0630	0.1720
基本每股收益(扣除后)(元)	0.0850	0.1000	0.0590	0.3230
稀释每股收益(元)	0.0880	0.1300	0.0630	0.1720
每股净资产(元)	2.3531	2.3250	2.2600	4.4874
每股经营现金净流量(元)	–0.1174	–0.3084	–0.0894	0.2396
每股现金流量(元)	–0.1023	–0.1644	–0.3497	0.6413
每股资本公积金(元)	0.4268	0.4261	0.4271	1.8413
每股盈余公积金(元)	0.1067	0.1067	0.0996	0.1926
每股未分配利润(元)	0.8196	0.7921	0.7329	1.4536
净资产收益率(%)	3.7380	5.5790	2.7963	7.7126
加权净资产收益率(%)	3.7600	5.7300	2.8100	7.9100
净资产收益率(扣除)(%)	3.5957	4.9698	2.5933	7.1800
总资产(万元)	213000.92	182259.94	140733.29	140041.80
归属母公司股东权益(万元)	123639.68	122096.72	118635.42	117226.37
营业收入(万元)	53965.85	66356.19	19141.43	47836.57
营业支出(万元)	39817.51	45861.43	11342.94	27851.48
投资收益(万元)	0.11	442.95	58.95	509.18
净利润(万元)	4646.69	6716.07	3300.61	8807.81
营业利润(万元)	5569.23	7502.84	3592.49	9702.88
利润总额(万元)	5787.81	7969.30	3816.67	10534.44

苏州天马精细化学品股份有限公司

公司概况					
公司名称	苏州天马精细化学品股份有限公司			证券简称	天马精化
法人代表	王广宇	董秘	孙宇	证券代码	002453
公司网址	www.tianmachem.com		电子信箱	stock@tianmachem.com	
电 话	0512-66571019		传 真	0512-66571020	
办公地址	江苏省苏州市高新区浒青路 122 号				
经营范围	自营和代理各类商品及技术的进出口业务等				

主要财务指标 指标\报告期	2016.06.30	2015.12.31	2015.06.30	2014.12.31
基本每股收益(元)	0.0200	0.0400	0.0500	0.0600
基本每股收益(扣除后)(元)	0.0200	0.0200	0.0400	0.0500
稀释每股收益(元)	0.0200	0.0400	0.0500	0.0600
每股净资产(元)	2.1068	2.1004	2.1039	2.0760
每股经营现金净流量(元)	0.1746	0.2034	0.1854	0.0367
每股现金流量(元)	0.3159	-0.0628	-0.0111	0.0039
每股资本公积金(元)	0.5982	0.5962	0.5962	0.5962
每股盈余公积金(元)	0.0479	0.0479	0.0479	0.0479
每股未分配利润(元)	0.4624	0.4563	0.4599	0.4320
净资产收益率(%)	1.0485	2.1129	2.2774	3.0546
加权净资产收益率(%)	1.0500	2.1100	2.2300	3.0900
净资产收益率(扣除)(%)	1.0601	1.1032	2.1839	2.3103
总资产(万元)	214597.23	194775.21	212528.85	196560.21
归属母公司股东权益(万元)	120362.94	119994.72	120196.71	118601.91
营业收入(万元)	51893.08	106265.75	56629.09	104017.78
营业支出(万元)	40709.72	85565.50	46797.78	85505.20
投资收益(万元)	30.79	624.82	398.82	1002.33
净利润(万元)	936.50	2721.99	2802.06	3542.53
营业利润(万元)	1581.43	2789.62	3392.61	4239.72
利润总额(万元)	1559.39	3824.91	3526.98	4519.47

上海加冷松芝汽车空调股份有限公司

公司概况					
公司名称	上海加冷松芝汽车空调股份有限公司			证券简称	松芝股份
法人代表	陈福泉	董秘	陈睿	证券代码	002454
公司网址	www.shsongz.com.cn		电子信箱	shstock@shsongz.com.cn	
电 话	021-54424998*225		传 真	021-54429631	
办公地址	上海市莘庄工业区华宁路 4999 号				
经营范围	生产、研究开发各类车辆空调器及相关配件、销售自产产品				

主要财务指标 指标\报告期	2016.06.30	2015.12.31	2015.06.30	2014.12.31
基本每股收益(元)	0.2700	0.7600	0.3300	0.6800
基本每股收益(扣除后)(元)	0.1700	0.6500	0.2300	0.5900
稀释每股收益(元)	0.2700	0.7600	0.3300	0.6800
每股净资产(元)	6.2568	5.9418	5.7447	5.7129
每股经营现金净流量(元)	0.1354	0.8489	0.2961	0.5552
每股现金流量(元)	0.0603	-0.0335	-0.4378	0.3999
每股资本公积金(元)	2.2642	2.2343	2.0770	2.0770
每股盈余公积金(元)	0.3928	0.3928	0.3400	0.3400
每股未分配利润(元)	2.8493	2.5820	2.3277	2.2959
净资产收益率(%)	4.2783	12.3486	5.7760	11.9264
加权净资产收益率(%)	4.4000	12.8600	5.6400	12.4200
净资产收益率(扣除)(%)	2.6825	10.4647	4.0650	10.2909
总资产(万元)	445521.82	436995.46	367578.09	374643.71
归属母公司股东权益(万元)	264112.69	251200.90	233005.21	231714.77
营业收入(万元)	150393.77	300097.72	131435.14	252724.62
营业支出(万元)	112428.04	211627.85	93940.94	174127.87
投资收益(万元)	886.97	1133.47	616.52	2004.83
净利润(万元)	12758.13	34490.17	15213.74	30124.42
营业利润(万元)	13428.74	38342.58	15094.80	34825.67
利润总额(万元)	15248.46	40517.19	17913.17	35808.98

无锡百川化工股份有限公司

公司概况					
公司名称	无锡百川化工股份有限公司			证券简称	百川股份
法人代表	郑铁江	董秘	陈慧敏	证券代码	002455
公司网址	www.bcchem.com		电子信箱	bcc@bcchem.com	
电 话	0510-81629928 81629901		传 真	0510-86013255	
办公地址	江苏省江阴市云亭街道建设路 55 号				
经营范围	醋酸丁酯、偏苯三酸酐的生产与销售				

主要财务指标 指标\报告期	2016.06.30	2015.12.31	2015.06.30	2014.12.31
基本每股收益(元)	0.0600	0.1300	0.0600	0.1200
基本每股收益(扣除后)(元)	0.0600	0.1200	0.0500	0.2100
稀释每股收益(元)	0.0600	0.1300	0.0600	0.1200
每股净资产(元)	1.6784	1.7135	1.6449	3.4232
每股经营现金净流量(元)	0.2785	0.9434	0.3520	1.2951
每股现金流量(元)	-0.0756	0.0807	0.1305	0.1455
每股资本公积金(元)	0.0849	0.0849	0.0849	1.1698
每股盈余公积金(元)	0.0609	0.0609	0.0609	0.1217
每股未分配利润(元)	0.5324	0.5677	0.4990	1.1317
净资产收益率(%)	3.8542	7.4011	3.5352	6.7557
加权净资产收益率(%)	3.7400	7.4500	3.3800	6.9000
净资产收益率(扣除)(%)	3.4180	6.7208	3.1863	6.0274
总资产(万元)	179211.26	189184.79	213446.86	210988.16
归属母公司股东权益(万元)	79575.63	81239.60	77986.27	81150.51
营业收入(万元)	92711.40	229575.49	120377.66	290455.72
营业支出(万元)	80670.88	204412.20	109217.77	263365.62
投资收益(万元)	-8.26	-	-	-
净利润(万元)	3066.97	6012.65	2756.98	5482.28
营业利润(万元)	3197.32	6171.03	3525.67	5754.91
利润总额(万元)	3614.68	6844.32	3859.09	6325.08

深圳欧菲光科技股份有限公司

公司概况					
公司名称	深圳欧菲光科技股份有限公司			证券简称	欧 菲 光
法人代表	蔡荣军	董秘	肖燕松	证券代码	002456
公司网址	www.o-film.com		电子信箱	ofkj@o-film.com	
电 话	0755-27555331		传 真	0755-27545688	
办公地址	广东省深圳市光明新区公明街道松白公路华发路段欧菲光科技园				
经营范围	精密光电薄膜元器件的研发、生产和销售				

主要财务指标 指标\报告期	2016.06.30	2015.12.31	2015.06.30	2014.12.31
基本每股收益(元)	0.3567	0.4600	0.2740	0.7500
基本每股收益(扣除后)(元)	0.3009	0.3900	0.1860	0.5700
稀释每股收益(元)	0.3567	0.4600	0.2740	0.7500
每股净资产(元)	6.1573	5.8604	5.8053	5.6468
每股经营现金净流量(元)	0.3241	0.5675	-0.1862	-0.2143
每股现金流量(元)	0.0815	-0.6038	-0.0053	0.9780
每股资本公积金(元)	2.8816	2.8816	3.0924	3.0924
每股盈余公积金(元)	0.0471	0.0471	0.0440	0.0440
每股未分配利润(元)	2.2027	1.9161	1.6748	1.5159
净资产收益率(%)	5.7924	7.9216	4.4592	11.7111
加权净资产收益率(%)	5.8900	8.2200	4.4800	16.2200
净资产收益率(扣除)(%)	4.8877	6.6127	3.2084	9.5163
总资产(万元)	1991447.01	1606776.53	1500458.17	1415573.49
归属母公司股东权益(万元)	634578.91	603983.39	598300.36	581966.98
营业收入(万元)	1101469.62	1849776.66	868501.22	1948229.02
营业支出(万元)	970400.50	1612220.98	767569.59	1714504.12
投资收益(万元)	37.21	430.25	326.60	594.14
净利润(万元)	36766.92	47845.06	26679.23	68154.65
营业利润(万元)	37195.36	44611.22	22580.76	63683.93
利润总额(万元)	44053.40	52993.41	31178.15	78110.75

宁夏青龙管业股份有限公司

公司概况					
公司名称	宁夏青龙管业股份有限公司			证券简称	青龙管业
法人代表	陈家兴	董秘	马跃	证券代码	002457
公司网址	www.qlgd.com.cn		电子信箱	myplace528@126.com	
电　话	0951-5070380 5673796		传　真	0951-5673796	
办公地址	宁夏回族自治区银川市兴庆区兴庆科技园兴春路 235 号				
经营范围	水泥混凝土制品制造、销售、塑胶、橡胶制品制造、销售				

主要财务指标：指标＼报告期	2016.06.30	2015.12.31	2015.06.30	2014.12.31
基本每股收益(元)	0.0017	0.1400	0.0500	0.1700
基本每股收益(扣除后)(元)	0.0006	0.1200	0.0400	0.1700
稀释每股收益(元)	0.0017	0.1400	0.0500	0.1700
每股净资产(元)	5.3115	5.3055	5.2088	5.1806
每股经营现金净流量(元)	-0.1144	0.3801	0.2813	0.2746
每股现金流量(元)	-0.2923	0.3586	0.3962	-1.6220
每股资本公积金(元)	2.4577	2.4504	2.4504	2.4504
每股盈余公积金(元)	0.2194	0.2201	0.1602	0.1602
每股未分配利润(元)	1.6345	1.6350	1.5983	1.5700
净资产收益率(%)	0.0321	2.7318	0.9271	3.3257
加权净资产收益率(%)	0.0300	2.7600	0.9300	3.3700
净资产收益率(扣除)(%)	0.0122	2.3274	0.8116	3.2843
总资产(万元)	250640.76	247363.82	233241.46	224571.04
归属母公司股东权益(万元)	177932.18	177729.59	174492.17	173544.40
营业收入(万元)	28096.11	81627.83	31440.29	85579.34
营业支出(万元)	18549.42	55934.11	22979.51	57777.03
投资收益(万元)	69.92	2016.18	1244.93	1238.69
净利润(万元)	-10.21	4693.36	1410.92	6155.49
营业利润(万元)	780.03	5648.17	1731.49	8123.88
利润总额(万元)	820.63	6313.89	1955.14	8144.77

山东益生种畜禽股份有限公司

公司概况					
公司名称	山东益生种畜禽股份有限公司			证券简称	益生股份
法人代表	曹积生	董秘	姜泰邦	证券代码	002458
公司网址	www.yishenggufen.com		电子信箱	sdys@vip.163.com	
电　话	0535-2119065 2119086		传　真	0535-2119002	
办公地址	山东省烟台市福山区(空港路南)益生路 1 号				
经营范围	祖代种鸡的引进与饲养、父母代种雏鸡的生产与销售等				

主要财务指标：指标＼报告期	2016.06.30	2015.12.31	2015.06.30	2014.12.31
基本每股收益(元)	0.8300	-1.4300	-0.6800	0.0800
基本每股收益(扣除后)(元)	0.8400	-1.4400	-0.6800	-0.1700
稀释每股收益(元)	0.8100	-1.4300	-0.6800	0.0800
每股净资产(元)	3.5297	1.1338	1.8204	2.4742
每股经营现金净流量(元)	0.7176	-0.9227	-0.4383	0.2462
每股现金流量(元)	0.4228	-0.4479	-0.3531	0.2266
每股资本公积金(元)	2.9247	1.5795	1.5299	1.5209
每股盈余公积金(元)	0.1406	0.1661	0.1661	0.1654
每股未分配利润(元)	-0.5290	-1.5773	-0.8411	-0.1630
净资产收益率(%)	22.9327	-124.6900	-37.2102	3.3398
加权净资产收益率(%)	28.6500	-78.4100	-31.5800	3.4300
净资产收益率(扣除)(%)	23.1214	-125.6728	-37.4465	-6.9784
总资产(万元)	184311.15	175479.57	178324.86	182451.13
归属母公司股东权益(万元)	117719.60	32130.53	51591.02	70393.61
营业收入(万元)	79840.49	60429.03	31832.63	84192.14
营业支出(万元)	44855.14	83141.26	43309.18	76436.50
投资收益(万元)	-728.65	-3302.77	-812.92	235.50
净利润(万元)	26873.63	-40376.86	-19248.60	2326.75
营业利润(万元)	27137.11	-40663.97	-19311.98	-4947.57
利润总额(万元)	26914.28	-40347.11	-19213.75	2357.22

秦皇岛天业通联重工股份有限公司

公司概况					
公司名称	秦皇岛天业通联重工股份有限公司			证券简称	天业通联
法人代表	王巍	董秘	徐波	证券代码	002459
公司网址	www.tianyetolian.com		电子信箱	zqtzb@tianyetolian.com	
电　话	0335-5302528 5302599		传　真	0335-5302528	
办公地址	河北省秦皇岛市经济技术开发区天山北路 3 号				
经营范围	铁路桥梁施工起重运输设备和其他领域起重运输设备的研发、设计、制造和销售				

主要财务指标：指标＼报告期	2016.06.30	2015.12.31	2015.06.30	2014.12.31
基本每股收益(元)	0.0090	-0.8300	-0.0500	0.1200
基本每股收益(扣除后)(元)	-0.0190	-0.8000	-0.0500	-0.2700
稀释每股收益(元)	0.0090	-0.8300	-0.0500	0.1200
每股净资产(元)	3.1338	3.1249	3.8561	3.9080
每股经营现金净流量(元)	0.0479	-0.1871	-0.1588	-0.4409
每股现金流量(元)	-0.5260	-0.3519	-1.2086	1.2683
每股资本公积金(元)	4.3078	4.3078	4.2562	4.2562
每股盈余公积金(元)	0.0663	0.0663	0.0663	0.0663
每股未分配利润(元)	-2.2538	-2.2628	-1.4850	-1.4347
净资产收益率(%)	0.2874	-26.5014	-1.3047	1.7314
加权净资产收益率(%)	0.2900	-23.7200	-1.3100	5.1000
净资产收益率(扣除)(%)	-0.5939	-25.6706	-1.1856	-3.9130
总资产(万元)	133874.12	135284.15	169257.27	174988.44
归属母公司股东权益(万元)	121808.58	121462.19	149883.47	151900.49
营业收入(万元)	15108.53	32232.48	10319.16	63038.34
营业支出(万元)	12179.44	28724.68	8445.03	52179.03
投资收益(万元)	777.63	140.23	253.54	5211.05
净利润(万元)	350.10	-32314.46	-1974.69	1104.62
营业利润(万元)	165.02	-30588.19	-1758.80	-2080.50
利润总额(万元)	350.10	-32314.46	-1974.69	1209.10

江西赣锋锂业股份有限公司

公司概况					
公司名称	江西赣锋锂业股份有限公司			证券简称	赣锋锂业
法人代表	李良彬	董秘	欧阳明	证券代码	002460
公司网址	www.ganfenglithium.com		电子信箱	ouyangming@ganfenglithium.com	
电　话	0790-6415606		传　真	0790-6860528	
办公地址	江西省新余市经济开发区龙腾路				
经营范围	深加工锂产品的研究、开发、生产与销售				

主要财务指标：指标＼报告期	2016.06.30	2015.12.31	2015.06.30	2014.12.31
基本每股收益(元)	0.3700	0.3400	0.0700	0.2400
基本每股收益(扣除后)(元)	0.4150	0.2900	0.1100	0.2100
稀释每股收益(元)	0.3700	0.3400	0.0700	0.2400
每股净资产(元)	2.7600	4.9827	3.9500	3.8893
每股经营现金净流量(元)	0.3301	0.9683	0.1304	0.0312
每股现金流量(元)	0.0108	-0.5267	-0.1045	-0.4806
每股资本公积金(元)	0.9458	2.9337	2.1483	2.1436
每股盈余公积金(元)	0.0512	0.1020	0.0891	0.0891
每股未分配利润(元)	0.7416	0.8903	0.7550	0.7119
净资产收益率(%)	13.3895	6.6482	3.6299	6.1828
加权净资产收益率(%)	13.8000	6.6900	3.6100	6.3700
净资产收益率(扣除)(%)	15.0986	5.6571	3.2135	5.3087
总资产(万元)	309466.18	252755.24	206842.14	195445.18
归属母公司股东权益(万元)	207740.68	188252.16	140549.78	138655.10
营业收入(万元)	134321.45	135392.48	54439.94	86948.01
营业支出(万元)	87530.06	105898.72	43636.17	68375.00
投资收益(万元)	4.41	144.53	101.65	359.63
净利润(万元)	27809.92	12479.74	5085.89	8439.96
营业利润(万元)	37038.27	12950.36	5657.93	9214.12
利润总额(万元)	32870.15	14989.91	6274.06	10126.79

广州珠江啤酒股份有限公司

公司概况						
公司名称	广州珠江啤酒股份有限公司			证券简称	珠江啤酒	
法人代表	方贵权	董秘	朱维彬	证券代码	002461	
公司网址	www.zhujiangbeer.com		电子信箱	zhengquan@zhujiangbeer.com		
电　　话	020-84206636 84207045		传　　真	020-84202560 84207045		
办公地址	广东省广州市海珠区新港东路磨碟沙大街118号					
经营范围	制造、加工、销售:酒、饮料、瓶盖、酒花、食品添加剂、饲料等					

主要财务指标 指标\报告期	2016.06.30	2015.12.31	2015.06.30	2014.12.31
基本每股收益(元)	0.0800	0.1200	0.0600	0.0900
基本每股收益(扣除后)(元)	0.0400	0.0700	0.0400	0.0600
稀释每股收益(元)	0.0800	0.1200	0.0600	0.0900
每股净资产(元)	5.0202	4.9863	4.9128	4.8865
每股经营现金净流量(元)	0.1578	1.0616	0.5759	1.7161
每股现金流量(元)	0.2635	-1.0118	-0.1137	0.4547
每股资本公积金(元)	2.3463	2.3463	2.3387	2.3387
每股盈余公积金(元)	0.2300	0.2300	0.2150	0.2150
每股未分配利润(元)	1.4439	1.4100	1.3592	1.3328
净资产收益率(%)	1.6710	2.4519	1.1477	1.8172
加权净资产收益率(%)	1.6700	1.4100	1.1500	1.8300
净资产收益率(扣除)(%)	0.8442	1.3916	0.8132	1.4027
总资产(万元)	628309.02	648493.90	637133.62	628453.70
归属母公司股东权益(万元)	341453.62	339148.72	334152.67	332358.22
营业收入(万元)	164119.41	351697.15	174103.61	352377.68
营业支出(万元)	95382.18	207340.85	104807.97	209154.84
投资收益(万元)	-	-	-	-
净利润(万元)	6295.20	9725.57	4777.14	6974.63
营业利润(万元)	4756.26	6177.28	3662.80	6479.50
利润总额(万元)	8614.46	12678.51	6266.40	8872.05

嘉事堂药业股份有限公司

公司概况						
公司名称	嘉事堂药业股份有限公司			证券简称	嘉事堂	
法人代表	续文利	董秘	王新佚	证券代码	002462	
公司网址	www.cachet.com.cn		电子信箱	cachet@cachet.cn		
电　　话	010-88433464		传　　真	010-88447731		
办公地址	北京市海淀区昆明湖南路11号1号楼					
经营范围	销售医疗器材、化学药制剂、中药饮片、中成药、抗生素、生化药品等					

主要财务指标 指标\报告期	2016.06.30	2015.12.31	2015.06.30	2014.12.31
基本每股收益(元)	0.0800	0.1200	0.3700	0.9500
基本每股收益(扣除后)(元)	0.0400	0.0700	0.3714	0.5072
稀释每股收益(元)	0.0800	0.1200	0.3700	0.9500
每股净资产(元)	5.0202	4.9863	5.6171	5.3632
每股经营现金净流量(元)	0.1578	1.0616	-0.8588	-3.1852
每股现金流量(元)	0.2635	-1.0118	0.0791	0.7284
每股资本公积金(元)	2.3463	2.3463	1.4931	1.4931
每股盈余公积金(元)	0.2300	0.2300	0.3325	0.3325
每股未分配利润(元)	1.4439	1.4100	2.7914	2.5375
净资产收益率(%)	1.6710	2.4519	6.6568	17.7180
加权净资产收益率(%)	1.6700	1.4100	6.7400	18.9000
净资产收益率(扣除)(%)	0.8442	1.3916	6.6124	9.4578
总资产(万元)	628309.02	648493.90	521234.52	454728.03
归属母公司股东权益(万元)	341453.62	339148.72	134810.77	128716.74
营业收入(万元)	164119.41	351697.15	368475.79	557215.23
营业支出(万元)	95382.18	207340.85	319610.61	485420.58
投资收益(万元)	-	-	10.70	14002.57
净利润(万元)	6295.20	9725.57	15133.55	30642.28
营业利润(万元)	4756.26	6177.28	19935.57	40654.76
利润总额(万元)	8614.46	12678.51	20015.33	41052.05

沪士电子股份有限公司

公司概况						
公司名称	沪士电子股份有限公司			证券简称	沪电股份	
法人代表	吴礼淦	董秘	李明贵	证券代码	002463	
公司网址	www.wuscn.com		电子信箱	fin30@wuspc.com		
电　　话	0512-57356148 57356136		传　　真	0512-57356030		
办公地址	江苏省昆山市黑龙江北路55号					
经营范围	印制电路板的研发、生产和销售等					

主要财务指标 指标\报告期	2016.06.30	2015.12.31	2015.06.30	2014.12.31
基本每股收益(元)	0.0200	0.0033	-0.0300	-0.0072
基本每股收益(扣除后)(元)	0.0100	-0.0224	-0.0300	-0.0200
稀释每股收益(元)	-	-	-	-
每股净资产(元)	1.9447	1.9280	1.9002	1.9246
每股经营现金净流量(元)	0.0261	0.0791	-0.0109	0.0346
每股现金流量(元)	0.1016	0.0326	0.0062	-0.2243
每股资本公积金(元)	0.0991	0.0991	0.0991	0.0991
每股盈余公积金(元)	0.1505	0.1505	0.1483	0.1483
每股未分配利润(元)	0.7005	0.6824	0.6563	0.6813
净资产收益率(%)	0.9320	0.1716	-1.3171	-0.3758
加权净资产收益率(%)	0.9400	0.1700	-1.3100	-0.3700
净资产收益率(扣除)(%)	0.2777	-1.1624	-1.8380	-0.9679
总资产(万元)	556351.90	543556.19	562453.18	544696.21
归属母公司股东权益(万元)	325574.42	322780.00	318129.09	322215.60
营业收入(万元)	185428.96	337713.63	164598.08	329179.49
营业支出(万元)	158109.13	298130.83	152431.77	288888.44
投资收益(万元)	3.75	508.53	406.37	560.80
净利润(万元)	3034.39	553.80	-4189.93	-1210.92
营业利润(万元)	3916.45	-3450.80	-6331.54	-2700.40
利润总额(万元)	6422.72	1727.28	-4381.81	-471.08

昆山金利表面材料应用科技股份有限公司

公司概况						
公司名称	昆山金利表面材料应用科技股份有限公司			证券简称	金利科技	
法人代表	郑玉芝	董秘	孙铁明	证券代码	002464	
公司网址	www.kebdt.com		电子信箱	sz002464@163.com		
电　　话	0512-36860986		传　　真	0512-36860985		
办公地址	江苏省昆山开发区春旭路258号东安大厦1701室					
经营范围	研发、制造和销售各类铭板、薄膜开关、传统塑胶件和IMD产品等					

主要财务指标 指标\报告期	2016.06.30	2015.12.31	2015.06.30	2014.12.31
基本每股收益(元)	0.3200	0.2200	-0.8100	-0.8900
基本每股收益(扣除后)(元)	0.3300	-0.4100	-0.8000	-0.9400
稀释每股收益(元)	0.3200	0.2200	-0.8100	-0.8900
每股净资产(元)	7.0902	6.6861	4.3493	5.1901
每股经营现金净流量(元)	0.5515	0.0917	-0.3841	-0.0485
每股现金流量(元)	0.2083	-0.2128	0.3695	-0.5359
每股资本公积金(元)	6.0776	6.0776	4.1744	4.1744
每股盈余公积金(元)	0.2425	0.2425	0.2425	0.2425
每股未分配利润(元)	-0.4199	-0.7391	-1.0164	-0.2111
净资产收益率(%)	4.5016	3.3232	-18.5169	-17.1315
加权净资产收益率(%)	4.6600	4.1900	-16.8200	-15.6300
净资产收益率(扣除)(%)	4.6953	-6.1174	-18.4033	-18.1891
总资产(万元)	209846.69	227313.85	70955.65	90485.02
归属母公司股东权益(万元)	103225.62	97342.52	63321.50	75561.96
营业收入(万元)	17256.25	56064.77	20134.33	52820.85
营业支出(万元)	2828.68	37721.18	15277.56	40830.90
投资收益(万元)	-	300.59	291.96	805.95
净利润(万元)	4646.76	3234.87	-11725.15	-12944.89
营业利润(万元)	4679.98	-8801.84	-11203.65	-12910.66
利润总额(万元)	4679.98	3616.23	-11584.90	-12733.99

广州海格通信集团股份有限公司

公司概况				
公司名称	广州海格通信集团股份有限公司		证券简称	海格通信
法人代表	杨海洲	董秘 谭伟明	证券代码	002465
公司网址	www.haige.com		电子信箱	hgzqb@haige.com
电　话	020-38699138		传　真	020-38698028
办公地址	广东省广州市高新技术产业开发区科学城海云路 88 号			
经营范围	通信设备、导航设备的研制、生产、销售和服务			

主要财务指标：指标\报告期	2016.06.30	2015.12.31	2015.06.30	2014.12.31
基本每股收益(元)	0.0900	0.2800	0.0800	0.2200
基本每股收益(扣除后)(元)	0.0700	0.2400	0.1300	0.3600
稀释每股收益(元)	0.0900	0.2800	0.0800	0.2200
每股净资产(元)	2.9576	3.0212	4.9233	4.9540
每股经营现金净流量(元)	-0.2847	0.3551	-0.3454	-0.0864
每股现金流量(元)	-0.4709	0.2394	-0.1523	-0.3738
每股资本公积金(元)	1.2090	1.2134	2.5975	2.5975
每股盈余公积金(元)	0.1086	0.1086	0.2084	0.1791
每股未分配利润(元)	0.6399	0.6991	1.1174	1.1774
净资产收益率(%)	3.0702	8.9406	3.4396	8.9590
加权净资产收益率(%)	2.9600	10.5700	3.3600	9.2500
净资产收益率(扣除)(%)	2.3866	7.5993	2.6272	7.1940
总资产(万元)	965440.33	989506.35	832620.32	848870.39
归属母公司股东权益(万元)	634618.99	648264.78	491113.61	494171.80
营业收入(万元)	159627.66	380657.91	132117.19	295382.80
营业支出(万元)	88259.24	215260.92	69801.47	164314.08
投资收益(万元)	1423.06	7709.19	2235.44	2293.91
净利润(万元)	22653.49	65431.43	18408.52	52690.12
营业利润(万元)	21660.61	63153.98	16247.10	47900.40
利润总额(万元)	26140.51	72818.04	20690.18	57569.78

天齐锂业股份有限公司

公司概况				
公司名称	天齐锂业股份有限公司		证券简称	天齐锂业
法人代表	蒋卫平	董秘 李波	证券代码	002466
公司网址	www.tianqilithium.com		电子信箱	likunda@tianqilithium.com
电　话	028-85183501		传　真	028-85183501
办公地址	四川省遂宁市射洪县太和镇城北			
经营范围	主要从事工业级碳酸锂、电池级碳酸锂、无水氯化锂、氢氧化锂等			

主要财务指标：指标\报告期	2016.06.30	2015.12.31	2015.06.30	2014.12.31
基本每股收益(元)	0.7587	0.9600	0.0417	0.5400
基本每股收益(扣除后)(元)	0.7561	1.0700	0.1680	0.4400
稀释每股收益(元)	0.7516	0.9600	0.0417	0.5400
每股净资产(元)	3.8408	11.7506	11.1267	11.4282
每股经营现金净流量(元)	0.9180	2.5225	1.2802	1.1681
每股现金流量(元)	0.3257	0.4232	0.3985	-0.9079
每股资本公积金(元)	2.6197	12.6914	12.4585	12.4585
每股盈余公积金(元)	0.0398	0.1512	0.1190	0.1190
每股未分配利润(元)	0.9567	1.0791	0.3247	0.1664
净资产收益率(%)	19.5695	8.0673	1.4232	4.4131
加权净资产收益率(%)	21.5200	8.2400	1.4000	3.7300
净资产收益率(扣除)(%)	19.5046	9.0074	1.5102	3.5808
总资产(万元)	818917.82	751632.94	724529.26	612855.45
归属母公司股东权益(万元)	381613.89	307242.47	287915.72	295716.69
营业收入(万元)	170559.48	186687.67	75566.33	142238.40
营业支出(万元)	47112.16	99052.02	39776.95	96401.15
投资收益(万元)	1350.00	583.58	108.85	241.24
净利润(万元)	86153.33	42582.81	11995.11	28151.87
营业利润(万元)	112717.36	51450.83	22234.03	29345.37
利润总额(万元)	112748.92	51305.30	22454.97	32778.72

二六三网络通信股份有限公司

公司概况				
公司名称	二六三网络通信股份有限公司		证券简称	二六三
法人代表	李小龙	董秘 刘江涛	证券代码	002467
公司网址	www.net263.com		电子信箱	invest263@net263.com
电　话	010-64260109		传　真	010-64260109
办公地址	北京市朝阳区和平里东土城路 14 号建达大厦 16-18 层			
经营范围	增值通信业务、企业通信业务及其他业务			

主要财务指标：指标\报告期	2016.06.30	2015.12.31	2015.06.30	2014.12.31
基本每股收益(元)	0.1100	0.0800	0.0800	0.2100
基本每股收益(扣除后)(元)	0.0200	0.0800	0.0800	0.2700
稀释每股收益(元)	0.1100	0.0800	0.0800	0.2100
每股净资产(元)	2.8509	2.7603	1.9516	2.9394
每股经营现金净流量(元)	0.0591	0.1622	0.0842	0.4163
每股现金流量(元)	-0.9891	0.5647	-0.3887	0.4523
每股资本公积金(元)	1.1225	1.1223	0.1513	0.7252
每股盈余公积金(元)	0.1113	0.1112	0.1043	0.1564
每股未分配利润(元)	0.6278	0.5594	0.6368	1.0108
净资产收益率(%)	3.7687	2.6734	4.2314	10.4258
加权净资产收益率(%)	3.8100	4.1500	4.1800	10.8400
净资产收益率(扣除)(%)	0.6757	2.5363	4.2427	9.3165
总资产(万元)	280852.74	262699.38	167693.08	168554.38
归属母公司股东权益(万元)	227186.42	220387.01	141173.79	141823.18
营业收入(万元)	41352.32	71636.18	32406.00	68489.78
营业支出(万元)	15097.14	26513.46	9582.89	21559.22
投资收益(万元)	8087.41	30.78	350.48	-35.06
净利润(万元)	8562.08	5891.85	5973.64	14786.24
营业利润(万元)	9486.20	6559.50	6464.52	14457.19
利润总额(万元)	8777.65	6745.53	6442.76	15607.43

申通快递股份有限公司

公司概况				
公司名称	申通快递股份有限公司		证券简称	申通快递
法人代表	陈德军	董秘 陈泉	证券代码	002468
公司网址	www.sto.cn		电子信箱	yuzhiqiang@sto.cn
电　话	021-60376669		传　真	021-60376600
办公地址	上海市青浦区重固镇北青公路 6598 弄 25 号			
经营范围	水暖器材、阀门、管件、建筑金属配件、智能家庭及环保节能控制系统相关产品的研发、制造、销售与服务			

主要财务指标：指标\报告期	2016.06.30	2015.12.31	2015.06.30	2014.12.31
基本每股收益(元)	0.0100	0.0120	0.0200	0.0300
基本每股收益(扣除后)(元)	0.0100	-0.0040	-0.0100	0.0300
稀释每股收益(元)	0.0100	0.0120	0.0200	0.0300
每股净资产(元)	2.1981	2.1944	2.1999	2.1928
每股经营现金净流量(元)	0.2129	0.4551	0.2085	0.1055
每股现金流量(元)	-0.0349	0.1426	0.2543	0.1532
每股资本公积金(元)	0.7902	0.7902	0.7902	0.7902
每股盈余公积金(元)	0.0938	0.0938	0.0868	0.0868
每股未分配利润(元)	0.3141	0.3104	0.3229	0.3158
净资产收益率(%)	0.6238	0.5311	0.7772	1.1450
加权净资产收益率(%)	0.6300	0.5300	0.7800	1.1500
净资产收益率(扣除)(%)	0.2533	-0.2294	-0.2461	1.1571
总资产(万元)	160419.62	157036.24	170592.49	162041.04
归属母公司股东权益(万元)	72928.43	72805.25	72985.83	72750.35
营业收入(万元)	70677.69	144663.99	70204.08	171596.22
营业支出(万元)	60569.89	124719.41	61165.49	147946.13
投资收益(万元)	-45.77	-37.29	214.55	-54.67
净利润(万元)	183.76	3.09	299.36	461.29
营业利润(万元)	261.02	-837.39	-354.18	71.56
利润总额(万元)	478.31	-364.31	-89.39	609.04

山东三维石化工程股份有限公司

公司概况	公司名称	山东三维石化工程股份有限公司			证券简称	三维工程
	法人代表	曲思秋	董秘	高勇	证券代码	002469
	公司网址	www.sdsunway.com.cn		电子信箱	gaoyong@sdsunway.com.cn	
	电　话	0533-7576134 7575612		传　真	0533-7576134 7575612	
	办公地址	山东省淄博市临淄区炼厂中路22号				
	经营范围	对外派遣实施境外工程所需的劳务人员等				

	指标\报告期	2016.06.30	2015.12.31	2015.06.30	2014.12.31
主要财务指标	基本每股收益(元)	0.0400	0.3800	0.1300	0.4700
	基本每股收益(扣除后)(元)	0.0400	0.3400	0.1900	0.4600
	稀释每股收益(元)	0.0400	0.3800	0.1200	0.4700
	每股净资产(元)	2.3641	3.6348	3.4082	3.3589
	每股经营现金净流量(元)	0.0369	0.7189	0.2692	-0.4143
	每股现金流量(元)	-0.6289	0.9189	-0.0035	-0.8945
	每股资本公积金(元)	0.3015	0.9522	0.8965	0.8913
	每股盈余公积金(元)	0.1370	0.2055	0.1726	0.1726
	每股未分配利润(元)	0.9257	1.4771	1.3391	1.2950
	净资产收益率(%)	1.7313	10.3117	5.6957	13.8201
	加权净资产收益率(%)	1.7000	10.9000	5.7400	15.0000
	净资产收益率(扣除)(%)	1.6164	9.3416	5.4493	13.5797
	总资产(万元)	152662.65	157286.81	142857.64	154282.16
	归属母公司股东权益(万元)	118977.22	121949.56	113495.56	111852.67
	营业收入(万元)	16717.41	62649.54	29076.33	77024.34
	营业支出(万元)	11369.08	41734.40	18958.44	48608.74
	投资收益(万元)	86.62	826.13	150.07	233.84
	净利润(万元)	2303.66	13306.05	6720.53	16364.36
	营业利润(万元)	2310.88	14898.22	7375.72	19680.74
	利润总额(万元)	2332.08	15375.92	7499.83	19761.57

金正大生态工程集团股份有限公司

公司概况	公司名称	金正大生态工程集团股份有限公司			证券简称	金 正 大
	法人代表	万连步	董秘	崔彬	证券代码	002470
	公司网址	www.kingenta.com		电子信箱	jzd@kingenta.com	
	电　话	0539-7198691		传　真	0539-6088691	
	办公地址	山东省临沂市临沭县兴大西街19号				
	经营范围	复合肥、控释肥的研发、生产和销售				

	指标\报告期	2016.06.30	2015.12.31	2015.06.30	2014.12.31
主要财务指标	基本每股收益(元)	0.2500	0.7100	0.2100	0.6100
	基本每股收益(扣除后)(元)	0.2400	0.7000	0.4100	1.2000
	稀释每股收益(元)	0.2500	0.7000	0.2100	0.6000
	每股净资产(元)	2.7718	5.1248	4.7800	8.8150
	每股经营现金净流量(元)	0.1817	1.4382	0.4979	0.2345
	每股现金流量(元)	0.0721	0.1025	-0.0991	1.1242
	每股资本公积金(元)	0.3509	1.6754	1.6223	4.1755
	每股盈余公积金(元)	0.0951	0.1905	0.1575	0.3149
	每股未分配利润(元)	1.3254	2.2583	2.0005	3.3246
	净资产收益率(%)	8.9437	13.8422	8.6435	12.5779
	加权净资产收益率(%)	9.2800	15.0800	9.0300	18.7000
	净资产收益率(扣除)(%)	8.7305	13.6163	8.6092	12.3344
	总资产(万元)	1531357.27	1174595.22	1164654.75	1101129.44
	归属母公司股东权益(万元)	870298.21	803373.68	747076.38	688820.97
	营业收入(万元)	1056502.21	1774802.84	969680.25	1355444.22
	营业支出(万元)	908961.31	1489567.36	815078.60	1116478.69
	投资收益(万元)	-771.49	-127.88	-131.19	135.38
	净利润(万元)	78642.53	111162.83	64646.98	88008.87
	营业利润(万元)	89741.57	128444.10	77233.80	102991.17
	利润总额(万元)	92399.16	130939.04	77564.19	105024.14

江苏中超控股股份有限公司

公司概况	公司名称	江苏中超控股股份有限公司			证券简称	中超控股
	法人代表	杨飞	董秘	潘志娟	证券代码	002471
	公司网址	www.zcdlgf.com		电子信箱	zccable@126.com	
	电　话	0510-87696868 87698298		传　真	0510-87698298	
	办公地址	江苏省无锡市宜兴市西郊工业园振丰东路999号				
	经营范围	电线电缆的研发、生产、销售和服务				

	指标\报告期	2016.06.30	2015.12.31	2015.06.30	2014.12.31
主要财务指标	基本每股收益(元)	0.0425	0.0878	0.0485	0.0819
	基本每股收益(扣除后)(元)	0.0321	0.0715	0.1073	0.1800
	稀释每股收益(元)	0.0425	0.0878	0.0485	0.0819
	每股净资产(元)	1.3850	1.3486	3.2932	3.2370
	每股经营现金净流量(元)	0.2639	0.1467	-0.1613	-0.5665
	每股现金流量(元)	0.0123	-0.0485	-0.2306	0.2433
	每股资本公积金(元)	0.0207	0.0207	1.5268	1.5268
	每股盈余公积金(元)	0.0450	0.0450	0.1103	0.0953
	每股未分配利润(元)	0.3193	0.2828	0.6561	0.6148
	净资产收益率(%)	3.0719	6.5106	3.6804	6.3242
	加权净资产收益率(%)	3.1100	6.6300	3.6800	6.4300
	净资产收益率(扣除)(%)	2.3199	5.2982	3.2577	5.4994
	总资产(万元)	855886.00	842014.67	602760.79	608651.47
	归属母公司股东权益(万元)	175619.75	171000.40	167029.02	164178.42
	营业收入(万元)	286559.74	516537.85	231938.83	486577.14
	营业支出(万元)	243283.21	439805.02	197491.40	409161.82
	投资收益(万元)	120.61	-41.34	15.64	67.82
	净利润(万元)	5636.12	11478.44	6216.37	15010.63
	营业利润(万元)	5572.88	10705.70	6739.66	15942.77
	利润总额(万元)	7157.62	13420.17	7641.10	17948.84

浙江双环传动机械股份有限公司

公司概况	公司名称	浙江双环传动机械股份有限公司			证券简称	双环传动
	法人代表	吴长鸿	董秘	叶松	证券代码	002472
	公司网址	www.gearsnet.com		电子信箱	ys@gearsnet.com	
	电　话	0571-81671018		传　真	0571-81671020	
	办公地址	浙江省杭州市西湖区古墩路702号赞宇大厦12楼				
	经营范围	传动用齿轮及齿轮零件的生产与销售				

	指标\报告期	2016.06.30	2015.12.31	2015.06.30	2014.12.31
主要财务指标	基本每股收益(元)	0.2500	0.4900	0.2200	0.4400
	基本每股收益(扣除后)(元)	0.2200	0.4600	0.2100	0.4100
	稀释每股收益(元)	0.2400	0.4700	0.2100	0.4300
	每股净资产(元)	8.6000	8.4300	5.5169	5.3988
	每股经营现金净流量(元)	0.3352	0.9803	0.2960	0.4393
	每股现金流量(元)	-3.2350	4.3674	0.0843	-0.1056
	每股资本公积金(元)	5.3006	6.2140	2.2722	2.2597
	每股盈余公积金(元)	0.2590	0.3039	0.2591	0.2597
	每股未分配利润(元)	2.0835	2.2990	2.0830	1.9944
	净资产收益率(%)	2.8405	4.7938	3.8681	7.8740
	加权净资产收益率(%)	2.8600	8.5000	3.8900	8.1600
	净资产收益率(扣除)(%)	2.5617	4.5762	3.7264	7.3421
	总资产(万元)	349941.69	380604.86	249660.37	239874.24
	归属母公司股东权益(万元)	290934.00	285248.57	159091.75	155318.43
	营业收入(万元)	78397.77	139728.91	69254.93	126638.55
	营业支出(万元)	60266.92	104669.21	52171.19	93524.46
	投资收益(万元)	984.16	1457.25	719.54	1168.36
	净利润(万元)	8263.90	13674.14	6153.75	12229.72
	营业利润(万元)	9143.55	14698.06	7096.89	13366.31
	利润总额(万元)	9703.46	15188.49	7213.97	14038.45

宁波圣莱达电器股份有限公司

公司概况	公司名称	宁波圣莱达电器股份有限公司		证券简称	圣 莱 达
	法人代表	胡宜东	董秘 胡宜东(代)	证券代码	002473
	公司网址	www.nbslt.com		电子信箱	cqzheng@nbslt.com
	电　话	0574-87522922 87522994		传　真	0574-87522941
	办公地址	浙江省宁波市江北区金山路 298 号			
	经营范围	电热电器、电机电器及配件的制造、加工			

主要财务指标	指标\报告期	2016.06.30	2015.12.31	2015.06.30	2014.12.31
	基本每股收益(元)	-0.0700	0.0300	-0.0500	-0.0600
	基本每股收益(扣除后)(元)	-0.0700	-0.1000	-0.0500	-0.0700
	稀释每股收益(元)	-0.0700	0.0300	-0.0500	-0.0600
	每股净资产(元)	2.3891	2.4619	2.3850	2.4349
	每股经营现金净流量(元)	-0.1206	-0.1167	-0.0387	-0.0228
	每股现金流量(元)	-0.1277	-0.0130	-0.0619	-0.1423
	每股资本公积金(元)	1.3872	1.3872	1.3872	1.3872
	每股盈余公积金(元)	0.0703	0.0703	0.0703	0.0703
	每股未分配利润(元)	-0.0684	0.0043	-0.0725	-0.0226
	净资产收益率(%)	-3.0457	1.0953	-2.0908	-2.4683
	加权净资产收益率(%)	-3.0000	1.1000	-2.0700	-2.3800
	净资产收益率(扣除)(%)	-3.0474	-3.8650	-2.2036	-2.6866
	总资产(万元)	46032.25	47477.10	42538.83	44313.56
	归属母公司股东权益(万元)	38225.49	39389.73	38160.43	38958.29
	营业收入(万元)	4368.91	10523.02	4726.28	15096.79
	营业支出(万元)	3753.50	8956.04	4029.27	12536.25
	投资收益(万元)	-	-	-	-
	净利润(万元)	-1179.32	344.26	-811.35	-1009.56
	营业利润(万元)	-1198.76	-1835.56	-844.01	-1082.54
	利润总额(万元)	-1198.08	367.15	-802.91	-994.36

福建榕基软件股份有限公司

公司概况	公司名称	福建榕基软件股份有限公司		证券简称	榕基软件
	法人代表	鲁峰	董秘 万孝雄	证券代码	002474
	公司网址	www.rongji.com		电子信箱	wanxiaoxiong@rongji.com
	电　话	0591-83517761 87303569		传　真	0591-87862566
	办公地址	福建省福州市鼓楼区铜盘路福州软件园产业基地			
	经营范围	计算机及网络软件开发服务、计算机硬件技术服务			

主要财务指标	指标\报告期	2016.06.30	2015.12.31	2015.06.30	2014.12.31
	基本每股收益(元)	0.0260	0.0254	0.0316	0.0358
	基本每股收益(扣除后)(元)	0.0152	-0.0008	0.0156	-0.0022
	稀释每股收益(元)	0.0260	0.0254	0.0316	0.0358
	每股净资产(元)	2.2263	2.1975	2.1957	2.1791
	每股经营现金净流量(元)	-0.0757	0.0289	-0.1551	-0.0694
	每股现金流量(元)	-0.0956	0.0735	-0.3203	-0.0661
	每股资本公积金(元)	0.5844	0.5844	0.5844	0.5844
	每股盈余公积金(元)	0.0880	0.0880	0.0858	0.0858
	每股未分配利润(元)	0.5456	0.5195	0.5279	0.5113
	净资产收益率(%)	1.1688	1.1578	1.4411	1.6411
	加权净资产收益率(%)	1.1800	1.1600	1.6500	1.6500
	净资产收益率(扣除)(%)	0.6846	-0.0341	0.7084	-0.0987
	总资产(万元)	202468.64	190647.12	167282.73	168615.49
	归属母公司股东权益(万元)	138521.99	136729.57	136617.23	135583.96
	营业收入(万元)	26650.93	62360.21	23224.41	59830.52
	营业支出(万元)	16673.87	41803.84	12200.43	42492.24
	投资收益(万元)	838.37	3360.71	975.60	3654.63
	净利润(万元)	1451.53	1545.02	1929.75	2196.76
	营业利润(万元)	1032.61	527.59	1791.78	1318.86
	利润总额(万元)	1547.09	1472.65	2309.82	2406.48

立讯精密工业股份有限公司

公司概况	公司名称	立讯精密工业股份有限公司		证券简称	立讯精密
	法人代表	王来春	董秘 李雄伟	证券代码	002475
	公司网址	www.luxshare-ict.com		电子信箱	Public@luxshare-ict.com
	电　话	0769-87892475		传　真	0769-87732475
	办公地址	广东省东莞市清溪镇青皇村青皇工业区葵青路 17 号			
	经营范围	生产经营连接线、连接器、电脑周边设备、塑胶五金制品			

主要财务指标	指标\报告期	2016.06.30	2015.12.31	2015.06.30	2014.12.31
	基本每股收益(元)	0.2100	0.8600	0.2000	0.5000
	基本每股收益(扣除后)(元)	0.2000	0.8100	0.2800	0.7700
	稀释每股收益(元)	0.2100	0.8600	0.2000	0.5000
	每股净资产(元)	3.0934	4.3957	3.9292	5.5198
	每股经营现金净流量(元)	0.2509	0.3876	0.0422	0.3857
	每股现金流量(元)	0.2117	-0.1406	-0.5115	1.7817
	每股资本公积金(元)	0.6751	1.5143	1.4704	2.7055
	每股盈余公积金(元)	0.0703	0.1055	0.0526	0.0788
	每股未分配利润(元)	1.4229	1.9055	1.4153	1.7445
	净资产收益率(%)	6.8726	19.5117	7.7801	13.7203
	加权净资产收益率(%)	7.0000	21.0200	8.0400	20.3000
	净资产收益率(扣除)(%)	6.3425	18.2754	7.1893	13.1108
	总资产(万元)	1269399.73	1158705.15	1028026.53	969162.89
	归属母公司股东权益(万元)	583406.72	552748.71	490319.96	459208.77
	营业收入(万元)	475247.43	1013949.24	442423.09	729594.86
	营业支出(万元)	364482.65	781936.40	350446.37	559673.19
	投资收益(万元)	-314.45	-210.30	394.31	1639.08
	净利润(万元)	40102.36	113161.21	40271.67	73865.97
	营业利润(万元)	43684.17	120694.59	43489.40	80310.64
	利润总额(万元)	47348.67	129258.00	46938.58	86378.70

山东宝莫生物化工股份有限公司

公司概况	公司名称	山东宝莫生物化工股份有限公司		证券简称	宝莫股份
	法人代表	夏春良	董秘 渠磊	证券代码	002476
	公司网址	www.slcapam.com		电子信箱	zhangyang@slcapam.com
	电　话	0546-7788268		传　真	0546-7773708
	办公地址	山东省东营市东营区西四路 892 号			
	经营范围	丙烯酰胺、聚丙烯酰胺的许可生产和销售			

主要财务指标	指标\报告期	2016.06.30	2015.12.31	2015.06.30	2014.12.31
	基本每股收益(元)	0.0251	0.0394	0.0312	0.0783
	基本每股收益(扣除后)(元)	0.0190	0.0149	0.0283	0.0528
	稀释每股收益(元)	0.0251	0.0394	0.0312	0.0783
	每股净资产(元)	1.6630	1.6600	1.6558	1.6635
	每股经营现金净流量(元)	0.1108	0.1996	0.0264	-0.1739
	每股现金流量(元)	0.1351	-0.2110	-0.2501	0.0524
	每股资本公积金(元)	0.3353	0.3353	0.3353	0.3353
	每股盈余公积金(元)	0.0747	0.0747	0.0646	0.0646
	每股未分配利润(元)	0.2717	0.2766	0.2785	0.2773
	净资产收益率(%)	1.5083	2.3761	1.8862	4.7059
	加权净资产收益率(%)	1.5000	2.3700	1.8600	4.7500
	净资产收益率(扣除)(%)	1.1421	0.8979	1.7077	3.1747
	总资产(万元)	156248.32	154786.12	146437.80	136584.93
	归属母公司股东权益(万元)	101775.12	101589.33	101335.67	101808.77
	营业收入(万元)	44436.49	74164.68	30733.27	66760.67
	营业支出(万元)	36072.98	61167.82	24646.40	53933.81
	投资收益(万元)	253.61	43.23	-92.98	340.74
	净利润(万元)	983.10	-987.86	1759.19	4833.19
	营业利润(万元)	1386.16	-2029.27	2131.95	5918.28
	利润总额(万元)	1460.04	337.24	2166.99	5989.41

雏鹰农牧集团股份有限公司

公司概况					
公司名称	雏鹰农牧集团股份有限公司			证券简称	雏鹰农牧
法人代表	侯建芳	董秘	吴易得	证券代码	002477
公司网址	www.chu-ying.com		电子信箱	wuyd@chu-ying.com	
电　话	0371-62583588 62583825		传　真	0371-62583825	
办公地址	河南省新郑市薛店镇世纪大道公司办公区				
经营范围	家畜、家禽养殖与销售				

主要财务指标				
指标\报告期	2016.06.30	2015.12.31	2015.06.30	2014.12.31
基本每股收益(元)	0.1449	0.2200	0.0017	-0.1890
基本每股收益(扣除后)(元)	0.1346	0.0200	-0.1411	-0.3442
稀释每股收益(元)	0.1449	0.2200	0.0017	-0.1890
每股净资产(元)	1.5056	4.2045	3.9891	2.8457
每股经营现金净流量(元)	0.1750	-0.2614	-0.1380	-0.1606
每股现金流量(元)	0.0375	0.9289	1.0796	-0.1703
每股资本公积金(元)	0.1751	2.5277	2.5281	1.3275
每股盈余公积金(元)	0.0401	0.1203	0.1084	0.1206
每股未分配利润(元)	0.2904	0.5565	0.3527	0.3976
净资产收益率(%)	9.6232	5.0166	0.1239	-7.0898
加权净资产收益率(%)	9.8300	5.8300	0.1900	-6.9800
净资产收益率(扣除)(%)	8.9402	0.4252	-3.3573	-12.0033
总资产(万元)	1318781.25	1018138.19	922997.98	724118.15
归属母公司股东权益(万元)	472018.92	439388.35	416887.03	267230.51
营业收入(万元)	282910.73	361902.12	125007.50	176168.47
营业支出(万元)	208689.74	306045.79	115324.83	155708.65
投资收益(万元)	6761.77	3843.37	3191.43	12064.60
净利润(万元)	43502.52	23010.54	-229.53	-18416.70
营业利润(万元)	41782.98	5145.71	-11145.78	-17181.49
利润总额(万元)	44441.83	27428.64	2548.60	-16135.61

江苏常宝钢管股份有限公司

公司概况					
公司名称	江苏常宝钢管股份有限公司			证券简称	常宝股份
法人代表	曹坚	董秘	王云芳	证券代码	002478
公司网址	www.cbsteeltube.com		电子信箱	zjb@cbsteeltube.com	
电　话	0519-88814347		传　真	0519-88812052	
办公地址	江苏省常州市延陵东路558号				
经营范围	石油天然气用管和锅炉管等专用钢管的生产和销售				

主要财务指标				
指标\报告期	2016.06.30	2015.12.31	2015.06.30	2014.12.31
基本每股收益(元)	0.1400	0.5200	0.2300	0.6100
基本每股收益(扣除后)(元)	0.0600	0.3600	0.1700	0.5800
稀释每股收益(元)	0.1400	0.5200	0.2300	0.6100
每股净资产(元)	7.3490	7.4085	7.1669	7.1384
每股经营现金净流量(元)	0.1805	0.9420	0.1262	2.2953
每股现金流量(元)	0.1784	-0.7723	-0.8749	0.6274
每股资本公积金(元)	2.7286	2.7286	2.7742	2.7742
每股盈余公积金(元)	0.6276	0.6276	0.5403	0.5403
每股未分配利润(元)	2.9649	3.0243	2.8242	2.7966
净资产收益率(%)	1.9127	6.9519	3.1759	8.6098
加权净资产收益率(%)	1.8900	7.0800	3.1500	8.8700
净资产收益率(扣除)(%)	0.7844	4.8759	2.3683	8.1041
总资产(万元)	375386.72	394836.83	383142.79	398031.46
归属母公司股东权益(万元)	294034.13	296412.66	286749.06	285608.57
营业收入(万元)	105026.10	292308.06	138455.08	377657.19
营业支出(万元)	88975.74	245331.04	116158.69	311393.14
投资收益(万元)	4046.32	6205.17	2112.88	768.30
净利润(万元)	6660.19	22576.03	10139.40	28270.98
营业利润(万元)	7838.20	23314.25	10631.10	30279.16
利润总额(万元)	7937.95	24723.74	11462.22	31543.18

浙江富春江环保热电股份有限公司

公司概况					
公司名称	浙江富春江环保热电股份有限公司			证券简称	富春环保
法人代表	张杰	董秘	张杰	证券代码	002479
公司网址	www.zhefuet.com		电子信箱	zhangjie@zhefuet.com	
电　话	0571-63553779		传　真	0571-63553789	
办公地址	浙江省杭州市富阳区灵桥镇春永路188号				
经营范围	火力发电、垃圾发电				

主要财务指标				
指标\报告期	2016.06.30	2015.12.31	2015.06.30	2014.12.31
基本每股收益(元)	0.1544	0.2400	0.1355	0.2400
基本每股收益(扣除后)(元)	0.1466	0.2200	0.1314	0.2100
稀释每股收益(元)	0.1544	0.2400	0.1355	0.2400
每股净资产(元)	3.4334	3.4290	2.9900	2.9730
每股经营现金净流量(元)	0.4125	0.2840	0.0724	0.5470
每股现金流量(元)	-0.1970	0.1166	-0.4353	0.1046
每股资本公积金(元)	1.5683	1.5683	1.1656	1.1733
每股盈余公积金(元)	0.1324	0.1324	0.1258	0.1253
每股未分配利润(元)	0.7328	0.7284	0.6986	0.6911
净资产收益率(%)	4.4967	6.6428	4.5326	7.9090
加权净资产收益率(%)	4.4600	7.5200	4.5000	8.2200
净资产收益率(扣除)(%)	4.2694	6.2162	4.3954	7.0695
总资产(万元)	480232.23	498783.84	371550.88	381777.06
归属母公司股东权益(万元)	273420.51	273067.75	218771.30	218435.73
营业收入(万元)	130703.91	287683.35	158101.85	373006.85
营业支出(万元)	102812.55	241839.90	137725.16	331904.24
投资收益(万元)	-17.47	227.04	892.56	1146.15
净利润(万元)	14837.21	23307.94	12098.00	21872.17
营业利润(万元)	16242.14	25712.29	13453.19	24578.98
利润总额(万元)	18099.38	29031.18	14632.23	26788.65

成都市新筑路桥机械股份有限公司

公司概况					
公司名称	成都市新筑路桥机械股份有限公司			证券简称	新筑股份
法人代表	黄志明	董秘	周思伟	证券代码	002480
公司网址	www.xinzhu.com		电子信箱	vendition@xinzhu.com	
电　话	028-82550671		传　真	028-82550671	
办公地址	四川省成都市四川新津工业园区				
经营范围	金属桥梁结构及桥梁零件的设计制造、建筑用金属结构、构件的设计制造				

主要财务指标				
指标\报告期	2016.06.30	2015.12.31	2015.06.30	2014.12.31
基本每股收益(元)	-0.0648	-0.2449	-0.0356	0.0195
基本每股收益(扣除后)(元)	-0.1102	-0.2519	-0.0364	-0.0786
稀释每股收益(元)	-0.0648	-0.2449	-0.0356	0.0195
每股净资产(元)	3.5165	3.5813	3.7905	3.8261
每股经营现金净流量(元)	0.3334	-0.0667	0.0119	0.3526
每股现金流量(元)	0.3613	0.0375	-0.2245	0.3645
每股资本公积金(元)	2.2430	2.2430	2.2430	2.2430
每股盈余公积金(元)	0.0848	0.0848	0.0848	0.0848
每股未分配利润(元)	0.1847	0.2495	0.4587	0.4943
净资产收益率(%)	-1.8430	-6.8369	-0.9398	0.4693
加权净资产收益率(%)	-1.8300	-6.6100	-0.9400	0.5500
净资产收益率(扣除)(%)	-3.1324	-7.0329	-0.9605	-1.8966
总资产(万元)	525021.46	511891.25	500646.62	450545.52
归属母公司股东权益(万元)	226945.40	231127.66	244627.80	246926.91
营业收入(万元)	65487.68	105389.62	64026.71	127509.08
营业支出(万元)	53573.44	83969.49	50082.33	95330.82
投资收益(万元)	4582.75	633.20	316.60	633.20
净利润(万元)	-4396.16	-17190.92	-3093.88	925.76
营业利润(万元)	-4576.97	-21113.41	-3723.10	-6512.12
利润总额(万元)	-4020.22	-20235.85	-3521.18	374.62

烟台双塔食品股份有限公司

公司概况	公司名称	烟台双塔食品股份有限公司		证券简称	双塔食品
	法人代表	杨君敏	董秘 师恩战	证券代码	002481
	公司网址	www.shuangtafensi.com		电子信箱	shuangtashipin@sohu.com
	电　话	0535-8070881		传　真	0535-8070881
	办公地址	山东省烟台市招远市金岭镇寨里			
	经营范围	生产并销售淀粉、粉丝(条)、豌豆蛋白粉、食用菌菌种、甲烷、膳食纤维等			

主要财务指标	指标＼报告期	2016.06.30	2015.12.31	2015.06.30	2014.12.31
	基本每股收益(元)	0.0500	0.1500	0.0900	0.3400
	基本每股收益(扣除后)(元)	0.0300	0.1200	0.1700	0.3300
	稀释每股收益(元)	0.0500	0.1500	0.0900	0.3400
	每股净资产(元)	2.0849	2.0330	4.9490	4.7353
	每股经营现金净流量(元)	0.0445	0.2361	−0.0844	−0.1479
	每股现金流量(元)	0.1010	−0.9042	−2.4304	2.4345
	每股资本公积金(元)	0.4884	0.4884	2.7209	2.7209
	每股盈余公积金(元)	0.0606	0.0606	0.1116	0.1116
	每股未分配利润(元)	0.5360	0.4840	1.1166	0.9028
	净资产收益率(%)	2.4930	7.4200	4.3189	6.2177
	加权净资产收益率(%)	2.5200	7.1500	4.2300	14.0000
	净资产收益率(扣除)(%)	1.6048	5.9724	3.3926	5.8694
	总资产(万元)	453568.37	418415.83	391523.32	377925.23
	归属母公司股东权益(万元)	263409.16	256842.36	250102.40	239300.70
	营业收入(万元)	84618.24	124297.82	54059.01	106517.77
	营业支出(万元)	68745.39	90749.47	38267.90	80014.54
	投资收益(万元)	2507.37	4658.00	2814.65	861.12
	净利润(万元)	6196.59	18528.94	10801.70	14878.99
	营业利润(万元)	6867.89	20674.41	12201.34	16575.23
	利润总额(万元)	7176.14	21573.95	12446.67	17067.76

深圳广田集团股份有限公司

公司概况	公司名称	深圳广田集团股份有限公司		证券简称	广田集团
	法人代表	范志全	董秘 张平	证券代码	002482
	公司网址	www.szgt.com		电子信箱	zq@szgt.com
	电　话	0755-25886666*1187		传　真	0755-22190528
	办公地址	广东省深圳市罗湖区深南东路 2098 号广田集团大厦			
	经营范围	承担境内,外各类建筑(包括车,船,飞机)的室内外装饰工程的设计与施工等			

主要财务指标	指标＼报告期	2016.06.30	2015.12.31	2015.06.30	2014.12.31
	基本每股收益(元)	0.1100	0.5100	0.1300	1.0400
	基本每股收益(扣除后)(元)	0.1000	0.4400	0.2600	1.0300
	稀释每股收益(元)	0.1100	0.5100	0.1300	1.0200
	每股净资产(元)	3.7905	9.2395	8.3943	8.0806
	每股经营现金净流量(元)	−0.2611	−1.3040	−2.0322	0.4742
	每股现金流量(元)	−0.6230	0.0396	−0.8210	1.2146
	每股资本公积金(元)	1.5204	5.3074	4.0559	3.7703
	每股盈余公积金(元)	0.1503	0.3729	0.3834	0.3990
	每股未分配利润(元)	1.1463	2.6814	2.9552	2.9113
	净资产收益率(%)	2.7772	4.8267	3.6699	12.8387
	加权净资产收益率(%)	2.7900	5.9600	3.8600	13.6000
	净资产收益率(扣除)(%)	2.7323	4.2157	2.9685	12.6930
	总资产(万元)	1297235.34	1365647.51	1199998.83	1132721.74
	归属母公司股东权益(万元)	587992.76	577866.33	451859.18	417911.84
	营业收入(万元)	391277.99	801001.09	365764.76	978797.03
	营业支出(万元)	333286.99	665740.87	303806.17	812754.71
	投资收益(万元)	−635.89	−105.20	−15.62	−0.56
	净利润(万元)	16148.80	31085.53	18021.49	54967.04
	营业利润(万元)	19274.06	32717.35	18024.45	64000.91
	利润总额(万元)	19604.75	36980.97	21808.73	64737.37

江苏润邦重工股份有限公司

公司概况	公司名称	江苏润邦重工股份有限公司		证券简称	润邦股份
	法人代表	吴建	董秘 谢贵兴	证券代码	002483
	公司网址	www.rainbowco.com.cn		电子信箱	rbgf@rainbowco.com.cn
	电　话	0513-80100206		传　真	0513-80100206
	办公地址	江苏省南通市经济技术开发区振兴西路 9 号			
	经营范围	重型装备的设计、生产、销售及服务			

主要财务指标	指标＼报告期	2016.06.30	2015.12.31	2015.06.30	2014.12.31
	基本每股收益(元)	0.1600	−1.2100	0.0800	0.2900
	基本每股收益(扣除后)(元)	0.1400	−1.2100	0.0700	0.2300
	稀释每股收益(元)	0.1600	−1.2100	0.0800	0.2900
	每股净资产(元)	5.7240	5.2711	6.1048	6.0844
	每股经营现金净流量(元)	−0.3865	0.0929	−0.4243	−0.7457
	每股现金流量(元)	−0.0527	0.3517	0.0954	−0.5698
	每股资本公积金(元)	4.3581	4.3883	3.6063	3.5130
	每股盈余公积金(元)	0.1042	0.0987	0.1059	0.1128
	每股未分配利润(元)	0.2617	0.0976	1.3926	1.4586
	净资产收益率(%)	2.7718	−19.6863	1.1558	4.7247
	加权净资产收益率(%)	2.8100	−21.3300	1.2300	4.8100
	净资产收益率(扣除)(%)	2.4645	−19.6478	1.0874	3.7958
	总资产(万元)	421575.86	450104.75	394355.87	359887.37
	归属母公司股东权益(万元)	240568.33	233900.36	234093.92	219036.61
	营业收入(万元)	155139.79	190800.99	102319.26	221158.58
	营业支出(万元)	119391.07	179278.65	81775.47	172188.57
	投资收益(万元)	964.41	414.04	−1.35	298.24
	净利润(万元)	12581.99	−43051.74	4113.45	14670.84
	营业利润(万元)	15825.75	−41604.74	5745.03	14408.50
	利润总额(万元)	16063.48	−40791.96	6061.88	16677.45

南通江海电容器股份有限公司

公司概况	公司名称	南通江海电容器股份有限公司		证券简称	江海股份
	法人代表	陈卫东	董秘 王汉明	证券代码	002484
	公司网址	www.jianghai.com		电子信箱	info@jianghai.com
	电　话	0513-86726006		传　真	0513-86571812
	办公地址	江苏省南通市通州区平潮镇通扬南路 79 号			
	经营范围	生产加工电容器及其材料、配件、电容器设备、仪器、仪表及配件等			

主要财务指标	指标＼报告期	2016.06.30	2015.12.31	2015.06.30	2014.12.31
	基本每股收益(元)	0.1137	0.3878	0.2017	0.4615
	基本每股收益(扣除后)(元)	0.0939	0.3414	0.1546	0.4291
	稀释每股收益(元)	0.1137	0.3878	0.2017	0.4615
	每股净资产(元)	3.2020	5.0412	4.8551	4.7536
	每股经营现金净流量(元)	0.1186	0.3706	0.1199	0.5056
	每股现金流量(元)	−0.0883	−0.0970	−0.2434	−0.1213
	每股资本公积金(元)	0.9022	2.0435	2.0435	2.0437
	每股盈余公积金(元)	0.2316	0.3419	0.3154	0.2836
	每股未分配利润(元)	1.0682	1.6558	1.4962	1.4263
	净资产收益率(%)	3.5520	7.6934	4.1549	9.7087
	加权净资产收益率(%)	3.5500	7.9500	4.1600	10.1000
	净资产收益率(扣除)(%)	2.9337	6.7718	3.1838	9.0274
	总资产(万元)	213152.60	205114.41	198068.79	195464.93
	归属母公司股东权益(万元)	170498.43	167770.31	161576.37	158199.85
	营业收入(万元)	55857.00	109128.83	52627.12	115520.88
	营业支出(万元)	41365.41	81346.05	39191.89	86513.98
	投资收益(万元)	507.51	1320.76	610.04	3336.01
	净利润(万元)	6377.21	13688.93	6984.90	16260.63
	营业利润(万元)	6011.29	13801.68	6041.08	18305.14
	利润总额(万元)	7301.64	15648.88	7914.19	18530.98

希努尔男装股份有限公司

公司概况					
公司名称	希努尔男装股份有限公司			证券简称	希努尔
法人代表	陈玉剑	董秘	王润田	证券代码	002485
公司网址	www.sinoer.com		电子信箱	sinoer0899@sinoer.cn	
电　话	0536-6076188		传　真	0536-6076188	
办公地址	山东省诸城市东环路58号				
经营范围	中高档西服、衬衣及服饰的制造、销售本公司制造的产品等				

主要财务指标 指标\报告期	2016.06.30	2015.12.31	2015.06.30	2014.12.31
基本每股收益(元)	0.0900	0.0706	0.0200	–0.1456
基本每股收益(扣除后)(元)	–0.0660	–0.1834	0.0100	–0.1600
稀释每股收益(元)	0.0900	0.0706	0.0200	–0.1456
每股净资产(元)	6.2370	6.1518	6.0975	6.0812
每股经营现金净流量(元)	0.0712	0.4767	–0.0742	0.0952
每股现金流量(元)	–1.0388	0.6951	–0.3415	–0.3054
每股资本公积金(元)	3.9438	3.9438	3.9438	3.9438
每股盈余公积金(元)	0.2383	0.2383	0.2312	0.2312
每股未分配利润(元)	1.0549	0.9697	0.9225	0.9062
净资产收益率(%)	1.3666	1.1473	0.2678	–2.3942
加权净资产收益率(%)	1.3800	1.1500	0.2700	–2.3600
净资产收益率(扣除)(%)	–1.0576	–2.9816	0.2091	–2.5970
总资产(万元)	248847.08	275116.70	262546.02	271710.59
归属母公司股东权益(万元)	199584.77	196857.34	195121.29	194598.74
营业收入(万元)	35091.25	101276.29	50621.17	102945.72
营业支出(万元)	26884.72	73280.15	35070.05	73209.94
投资收益(万元)	149.00	–	–	–
净利润(万元)	2727.43	2258.61	522.55	–4659.06
营业利润(万元)	–2697.59	–7444.62	549.82	–6718.26
利润总额(万元)	3601.15	3386.08	699.23	–6198.81

上海嘉麟杰纺织品股份有限公司

公司概况					
公司名称	上海嘉麟杰纺织品股份有限公司			证券简称	嘉麟杰
法人代表	黄伟国	董秘	凌云	证券代码	002486
公司网址	www.challenge-21c.com		电子信箱	wangcx.sct@challenge-21c.com	
电　话	021-37330000*1998		传　真	021-57381100*1998	
办公地址	上海市金山区亭林镇亭枫公路1918号				
经营范围	高档针织面料的研发、生产和销售				

主要财务指标 指标\报告期	2016.06.30	2015.12.31	2015.06.30	2014.12.31
基本每股收益(元)	–0.0446	–0.1230	–0.0373	0.0332
基本每股收益(扣除后)(元)	–0.0461	–0.1150	–0.0417	0.0332
稀释每股收益(元)	–0.0446	–0.1230	–0.0373	0.0332
每股净资产(元)	1.0562	1.0988	1.1869	1.2339
每股经营现金净流量(元)	–0.0398	0.0017	–0.0407	0.0840
每股现金流量(元)	–0.0043	–0.1913	–0.1023	–0.0244
每股资本公积金(元)	0.0024	0.0024	0.0024	0.0024
每股盈余公积金(元)	0.0577	0.0577	0.0577	0.0577
每股未分配利润(元)	0.0053	0.0499	0.1355	0.1829
净资产收益率(%)	–4.2228	–11.1922	–3.1454	2.6914
加权净资产收益率(%)	–4.1400	–10.5600	–3.0700	2.7000
净资产收益率(扣除)(%)	–4.3639	–10.4993	–3.5121	2.3592
总资产(万元)	168935.96	160846.96	172523.08	165978.42
归属母公司股东权益(万元)	87879.77	91420.51	98747.16	102659.81
营业收入(万元)	30802.13	70082.52	32443.14	87260.94
营业支出(万元)	24625.82	55721.72	25657.21	61857.40
投资收益(万元)	355.39	906.20	539.15	29.42
净利润(万元)	–4190.59	–11072.50	–3782.86	2352.15
营业利润(万元)	–5397.14	–10365.14	–4480.13	2197.51
利润总额(万元)	–5250.91	–11052.97	–4012.51	2614.84

辽宁大金重工股份有限公司

公司概况					
公司名称	辽宁大金重工股份有限公司			证券简称	大金重工
法人代表	金鑫	董秘	陈睿	证券代码	002487
公司网址	www.dajin.cn		电子信箱	djzq2008@139.com	
电　话	0418-6602618		传　真	0418-6602618	
办公地址	辽宁省阜新市新邱区新邱大街155号				
经营范围	钢结构制造、安装、金属门窗制造、安装、海洋工程、石化、港口机械制造等				

主要财务指标 指标\报告期	2016.06.30	2015.12.31	2015.06.30	2014.12.31
基本每股收益(元)	0.0900	0.1700	0.0600	0.0900
基本每股收益(扣除后)(元)	0.0800	0.1200	0.0300	0.0200
稀释每股收益(元)	0.0900	0.1700	0.0600	0.0900
每股净资产(元)	3.1134	3.0413	2.9306	4.3145
每股经营现金净流量(元)	–0.0943	0.2148	0.0590	–0.1878
每股现金流量(元)	–0.2302	0.1489	0.0285	–1.0188
每股资本公积金(元)	1.4078	1.4078	1.4078	2.6117
每股盈余公积金(元)	0.0740	0.0740	0.0599	0.0899
每股未分配利润(元)	0.6316	0.5595	0.4629	0.6130
净资产收益率(%)	2.9580	5.6427	2.0784	3.0428
加权净资产收益率(%)	2.9900	5.8000	2.1000	3.0900
净资产收益率(扣除)(%)	2.4988	3.8107	1.0434	0.4704
总资产(万元)	253678.02	241532.72	224576.71	198249.06
归属母公司股东权益(万元)	168123.36	164230.29	158252.41	155323.34
营业收入(万元)	38257.83	79645.55	31015.09	30750.88
营业支出(万元)	26656.34	58705.47	23816.07	25443.06
投资收益(万元)	868.61	1561.69	769.77	2300.85
净利润(万元)	4973.08	9266.94	3289.06	4726.23
营业利润(万元)	6155.29	9130.88	3037.12	3339.04
利润总额(万元)	6212.85	11317.01	3905.51	5587.89

浙江金固股份有限公司

公司概况					
公司名称	浙江金固股份有限公司			证券简称	金固股份
法人代表	孙锋峰	董秘	倪永华	证券代码	002488
公司网址	www.jgwheel.com		电子信箱	jingu@jgwheel.com	
电　话	0571-63133920		传　真	0571-63133950 63102488	
办公地址	浙江省富阳市富春街道公园西路1181号				
经营范围	从事汽车钢制车轮的研发、制造、销售				

主要财务指标 指标\报告期	2016.06.30	2015.12.31	2015.06.30	2014.12.31
基本每股收益(元)	–0.0900	0.0900	0.0800	0.1300
基本每股收益(扣除后)(元)	–0.1000	0.0700	0.0900	0.3300
稀释每股收益(元)	–0.0900	0.0900	0.0800	0.1300
每股净资产(元)	3.0302	3.1151	3.0995	7.7466
每股经营现金净流量(元)	–0.1304	–0.0464	0.1202	1.6215
每股现金流量(元)	–0.2329	0.1063	0.2118	0.4222
每股资本公积金(元)	1.6527	1.6527	1.6527	5.6318
每股盈余公积金(元)	0.0970	0.0970	0.0755	0.1888
每股未分配利润(元)	0.2747	0.3636	0.3737	0.9319
净资产收益率(%)	–2.9350	2.9641	2.6102	4.0346
加权净资产收益率(%)	–2.9000	2.9800	2.5900	6.7500
净资产收益率(扣除)(%)	–3.1412	2.2661	2.8136	3.7757
总资产(万元)	426350.35	371828.46	368432.01	352672.22
归属母公司股东权益(万元)	154079.85	158399.84	157603.58	157561.41
营业收入(万元)	108111.78	152377.37	69501.58	131315.40
营业支出(万元)	89142.92	116254.58	50452.18	98598.83
投资收益(万元)	311.11	–853.05	–581.67	–287.11
净利润(万元)	–4550.64	4355.92	4026.70	6220.21
营业利润(万元)	–4358.80	2347.81	4731.71	6323.62
利润总额(万元)	–3988.68	4299.59	4956.03	7226.34

浙江永强集团股份有限公司

公司概况

公司名称	浙江永强集团股份有限公司			证券简称	浙江永强
法人代表	谢建勇	董秘	王洪阳	证券代码	002489
公司网址	www.yotrio.com		电子信箱	yotrioir@yotrio.com	
电　话	0576-85956878　5956868		传　真	0576-85956299	
办公地址	浙江省临海市前江南路 1 号				
经营范围	户外用品及家具、遮阳用品、工艺品、金属铁制品的制造、销售等				

主要财务指标

指标＼报告期	2016.06.30	2015.12.31	2015.06.30	2014.12.31
基本每股收益(元)	0.1000	0.2400	0.2100	0.1500
基本每股收益(扣除后)(元)	0.1300	0.0700	0.3600	0.1600
稀释每股收益(元)	0.1000	0.2400	0.2100	0.1500
每股净资产(元)	1.5741	1.4950	5.7266	6.8660
每股经营现金净流量(元)	0.4143	-0.0198	1.2887	-0.4349
每股现金流量(元)	0.2149	-0.0368	0.4707	0.4417
每股资本公积金(元)	0.1145	0.1145	2.9006	4.0708
每股盈余公积金(元)	0.0781	0.0781	0.2566	0.2855
每股未分配利润(元)	0.3821	0.3077	1.3448	1.3432
净资产收益率(%)	6.6308	15.9024	12.8034	9.8266
加权净资产收益率(%)	6.7600	15.6300	13.0200	10.1600
净资产收益率(扣除)(%)	8.3233	4.4642	6.2279	2.2782
总资产(万元)	521854.54	581054.45	549155.47	563792.41
归属母公司股东权益(万元)	342485.08	325280.65	355989.28	328319.88
营业收入(万元)	220225.49	354061.50	197936.46	329973.97
营业支出(万元)	151950.50	273076.40	151265.08	265774.13
投资收益(万元)	-5394.04	52911.39	23553.62	35630.32
净利润(万元)	21456.63	50132.07	45577.43	32262.41
营业利润(万元)	32845.79	63660.86	59727.88	47819.42
利润总额(万元)	32766.22	63430.76	59723.53	45738.61

山东墨龙石油机械股份有限公司

公司概况

公司名称	山东墨龙石油机械股份有限公司			证券简称	山东墨龙
法人代表	张恩荣	董秘	赵洪峰	证券代码	002490
公司网址	www.molonggroup.com		电子信箱	sdml@molonggroup.com	
电　话	0536-5100890　5789083		传　真	0536-5100888	
办公地址	山东省寿光市文圣街 999 号				
经营范围	抽油泵、抽油杆、抽油机、抽油管、石油机械、纺织机械、石油设备等				

主要财务指标

指标＼报告期	2016.06.30	2015.12.31	2015.06.30	2014.12.31
基本每股收益(元)	0.0076	-0.3300	0.0100	0.0300
基本每股收益(扣除后)(元)	-0.0025	-0.3500	-0.0100	0.0200
稀释每股收益(元)	0.0076	-0.3300	0.0100	0.0300
每股净资产(元)	3.0565	3.0496	3.3899	3.3769
每股经营现金净流量(元)	-0.1370	0.0259	0.1589	0.5021
每股现金流量(元)	0.2109	-0.3491	-0.1161	0.2084
每股资本公积金(元)	1.0647	1.0647	1.0647	1.0647
每股盈余公积金(元)	0.2215	0.2215	0.2215	0.2215
每股未分配利润(元)	0.7726	0.7650	1.1033	1.0904
净资产收益率(%)	0.2477	-10.6678	0.3813	0.7510
加权净资产收益率(%)	0.2500	-10.1200	0.3800	0.7500
净资产收益率(扣除)(%)	-0.0806	-11.5683	-0.3634	0.5585
总资产(万元)	646148.17	585118.07	592697.62	604450.07
归属母公司股东权益(万元)	243861.81	243315.72	270462.37	269428.53
营业收入(万元)	87103.19	161391.77	109764.96	252210.25
营业支出(万元)	77074.63	149537.38	90952.24	213476.91
投资收益(万元)	-	-112.75	132.68	347.42
净利润(万元)	-1048.69	-28649.89	-99.17	1425.67
营业利润(万元)	-1322.18	-32377.84	-1716.29	1559.38
利润总额(万元)	-291.82	-29847.29	651.02	2148.91

通鼎互联信息股份有限公司

公司概况

公司名称	通鼎互联信息股份有限公司			证券简称	通鼎互联
法人代表	钱慧芳	董秘	贺忠良	证券代码	002491
公司网址	www.tdgd.com.cn		电子信箱	hezl@tdgd.com.cn	
电　话	0512-63878226		传　真	0512-63877239	
办公地址	江苏省苏州市吴江区震泽镇八都经济开发区小平大道 8 号				
经营范围	市内通信电缆、光缆和铁路信号电缆的生产和销售等				

主要财务指标

指标＼报告期	2016.06.30	2015.12.31	2015.06.30	2014.12.31
基本每股收益(元)	0.2164	0.1609	0.0989	0.1677
基本每股收益(扣除后)(元)	0.1609	0.1494	0.0613	0.4911
稀释每股收益(元)	0.2164	0.1609	0.0989	0.1677
每股净资产(元)	2.2411	2.4760	2.2500	5.8800
每股经营现金净流量(元)	0.0890	0.3793	-0.0674	1.5600
每股现金流量(元)	0.0193	-0.0512	-0.1399	0.3323
每股资本公积金(元)	0.2383	0.6700	0.5880	2.8466
每股盈余公积金(元)	0.0830	0.0830	0.0725	0.2366
每股未分配利润(元)	0.9380	0.7413	0.6060	1.8607
净资产收益率(%)	9.6576	6.5576	2.9501	8.2729
加权净资产收益率(%)	9.1500	8.2100	3.2500	9.2700
净资产收益率(扣除)(%)	7.1807	6.0896	2.6931	8.1733
总资产(万元)	643764.25	587953.74	517873.07	517553.51
归属母公司股东权益(万元)	268728.02	296905.28	269520.63	216032.28
营业收入(万元)	207027.35	312232.73	149176.35	303115.19
营业支出(万元)	145871.11	241605.91	117162.62	236732.08
投资收益(万元)	1658.63	2483.45	1089.02	1218.77
净利润(万元)	27366.19	21589.31	9010.77	18569.94
营业利润(万元)	32145.88	23995.99	10026.59	21684.00
利润总额(万元)	32239.36	25450.39	10836.84	22011.05

珠海恒基达鑫国际化工仓储股份有限公司

公司概况

公司名称	珠海恒基达鑫国际化工仓储股份有限公司			证券简称	恒基达鑫
法人代表	王青运	董秘	赖军	证券代码	002492
公司网址	www.winbase-tank.com		电子信箱	winbase@winbase-tank.com	
电　话	0756-3226342　3226242		传　真	0756-3359588	
办公地址	广东省珠海市高栏港经济区南迳湾				
经营范围	液体化工产品和油品的码头、仓储的建设与经营等				

主要财务指标

指标＼报告期	2016.06.30	2015.12.31	2015.06.30	2014.12.31
基本每股收益(元)	0.1062	0.1264	0.0487	0.1847
基本每股收益(扣除后)(元)	0.1001	0.1029	0.0477	0.1775
稀释每股收益(元)	0.1062	0.1264	0.0487	0.1847
每股净资产(元)	4.1606	4.1217	4.0945	3.7033
每股经营现金净流量(元)	0.1445	0.1036	0.0949	0.3668
每股现金流量(元)	0.3731	-0.1882	0.0611	-0.3866
每股资本公积金(元)	2.0550	2.0550	2.0550	1.5397
每股盈余公积金(元)	0.1233	0.1233	0.1163	0.1308
每股未分配利润(元)	1.0392	0.9730	0.9082	1.0170
净资产收益率(%)	2.5519	2.9237	1.1883	4.9886
加权净资产收益率(%)	2.5600	3.1800	1.4500	5.1100
净资产收益率(扣除)(%)	2.4048	2.3812	1.1653	4.7921
总资产(万元)	151698.61	151557.72	149150.45	123195.26
归属母公司股东权益(万元)	112337.47	111285.95	110551.25	88879.96
营业收入(万元)	10314.19	15296.44	6764.08	17444.32
营业支出(万元)	5315.50	9997.65	4637.58	10277.06
投资收益(万元)	333.28	1110.14	381.06	318.59
净利润(万元)	2830.48	3202.60	1289.54	4429.00
营业利润(万元)	3595.37	3374.03	1353.38	4876.15
利润总额(万元)	3894.17	4069.19	1617.89	5510.62

荣盛石化股份有限公司

公司概况	公司名称	荣盛石化股份有限公司			证券简称	荣盛石化
	法人代表	李水荣	董秘	全卫英	证券代码	002493
	公司网址	www.cnrspc.com	电子信箱	rspc@cnrspc.com		
	电　话	0571-82520189	传　真	0571-82527208 8150		
	办公地址	浙江省杭州市萧山区益农镇浙江荣盛控股集团大楼				
	经营范围	PTA、聚酯纤维相关产品的生产和销售等				

主要财务指标	指标＼报告期	2016.06.30	2015.12.31	2015.06.30	2014.12.31
	基本每股收益(元)	0.2900	0.1600	0.0700	–0.1400
	基本每股收益(扣除后)(元)	0.2500	0.1300	0.1500	–0.3000
	稀释每股收益(元)	0.2900	0.1600	0.0700	–0.1400
	每股净资产(元)	4.5066	4.2490	6.0078	5.9023
	每股经营现金净流量(元)	0.0564	–0.4813	1.0946	3.3382
	每股现金流量(元)	1.4517	0.1595	0.1906	–1.0224
	每股资本公积金(元)	1.9561	2.2375	2.1963	2.1963
	每股盈余公积金(元)	0.0716	0.0819	0.1722	0.1638
	每股未分配利润(元)	1.4797	1.3942	2.6131	2.5217
	净资产收益率(%)	6.3435	3.2575	2.4935	–5.2889
	加权净资产收益率(%)	6.5100	5.2500	2.5100	–5.1100
	净资产收益率(扣除)(%)	5.5917	2.7464	2.4357	–5.1284
	总资产(万元)	4473401.55	3747351.49	3473616.15	3066843.24
	归属母公司股东权益(万元)	1146486.29	1080956.26	668070.38	656334.92
	营业收入(万元)	1850208.09	2867373.28	1225278.56	3181084.62
	营业支出(万元)	1662221.48	2658387.12	1163241.27	3107776.57
	投资收益(万元)	7998.91	1634.85	7257.12	–18084.20
	净利润(万元)	75311.25	28861.41	16138.58	–59989.99
	营业利润(万元)	94066.02	38474.44	17660.19	–72391.61
	利润总额(万元)	98230.31	40926.10	18425.91	–67848.78

华斯控股股份有限公司

公司概况	公司名称	华斯控股股份有限公司			证券简称	华斯股份
	法人代表	贺国英	董秘	郗惠宁	证券代码	002494
	公司网址	www.huasiag.com	电子信箱	huasi@huasigufen.com		
	电　话	0317-5090055	传　真	0317-5115789		
	办公地址	河北省沧州市肃宁县尚村镇				
	经营范围	农业高新技术产品的研发、裘皮、革皮、尾毛及其制品的加工、销售等				

主要财务指标	指标＼报告期	2016.06.30	2015.12.31	2015.06.30	2014.12.31
	基本每股收益(元)	0.0300	0.0500	0.0300	0.2800
	基本每股收益(扣除后)(元)	0.0200	0.0400	0.0200	0.5100
	稀释每股收益(元)	0.0300	0.0500	0.0300	0.2800
	每股净资产(元)	4.0343	4.0310	4.0183	7.9886
	每股经营现金净流量(元)	–0.0259	0.1395	0.0501	–1.5745
	每股现金流量(元)	0.3949	–0.4764	–0.2157	1.0061
	每股资本公积金(元)	2.0328	2.0328	2.0328	5.0657
	每股盈余公积金(元)	0.1319	0.1319	0.1176	0.2352
	每股未分配利润(元)	0.8848	0.8848	0.8762	1.6944
	净资产收益率(%)	0.6211	1.2862	0.7211	6.8125
	加权净资产收益率(%)	0.6200	1.2900	0.7200	7.2800
	净资产收益率(扣除)(%)	0.4797	0.8879	0.4568	6.2732
	总资产(万元)	243878.33	229984.04	218011.29	214032.65
	归属母公司股东权益(万元)	140587.95	140472.19	140028.43	139192.51
	营业收入(万元)	20660.84	56690.98	24276.28	83388.29
	营业支出(万元)	13311.80	40749.57	16955.10	57419.91
	投资收益(万元)	–32.60	–17.22	1.93	48.23
	净利润(万元)	743.78	1322.25	839.78	9602.41
	营业利润(万元)	764.46	1647.21	730.94	10794.06
	利润总额(万元)	995.65	2309.14	1166.41	11703.18

广东佳隆食品股份有限公司

公司概况	公司名称	广东佳隆食品股份有限公司			证券简称	佳隆股份
	法人代表	林平涛	董秘	徐浪	证券代码	002495
	公司网址	www.gdjlfood.com	电子信箱	jialongshipin@126.com		
	电　话	0663-2912816	传　真	0663-2918011		
	办公地址	广东省普宁市池尾工业区上寮园 256 幢 0138 号				
	经营范围	从事食品研究开发、调味品、罐头食品生产、销售				

主要财务指标	指标＼报告期	2016.06.30	2015.12.31	2015.06.30	2014.12.31
	基本每股收益(元)	0.0363	0.0591	0.0464	0.0543
	基本每股收益(扣除后)(元)	0.0319	0.0493	0.0385	0.1023
	稀释每股收益(元)	0.0363	0.0591	0.0464	0.0543
	每股净资产(元)	1.6552	1.6289	1.6162	3.8352
	每股经营现金净流量(元)	0.0405	0.2007	0.1055	0.2306
	每股现金流量(元)	–0.0477	0.3247	0.1832	–0.9746
	每股资本公积金(元)	0.4822	0.4822	0.4822	2.1475
	每股盈余公积金(元)	0.0585	0.0585	0.0525	0.1248
	每股未分配利润(元)	0.1145	0.0882	0.0814	0.5629
	净资产收益率(%)	2.1915	3.6332	2.8722	3.3730
	加权净资产收益率(%)	2.2000	3.6700	2.8700	3.3900
	净资产收益率(扣除)(%)	1.9279	3.0261	2.3843	2.6713
	总资产(万元)	116677.57	117345.30	115118.92	110959.35
	归属母公司股东权益(万元)	110617.92	108862.04	108009.11	107890.64
	营业收入(万元)	15441.37	33394.51	18044.84	30669.42
	营业支出(万元)	9288.56	21260.10	11115.51	19326.18
	投资收益(万元)	7.18	681.26	549.77	988.91
	净利润(万元)	2424.18	3955.15	3102.22	3639.19
	营业利润(万元)	2494.00	4564.69	3907.05	4614.91
	利润总额(万元)	2831.79	4665.86	4063.28	4641.72

江苏辉丰农化股份有限公司

公司概况	公司名称	江苏辉丰农化股份有限公司			证券简称	辉丰股份
	法人代表	仲汉根	董秘	仲汉根(代)	证券代码	002496
	公司网址	www.hfagro.com	电子信箱	jshuifenggufen@163.com		
	电　话	0515-83255333 85055568	传　真	0515-83516755		
	办公地址	江苏省大丰市海洋经济开发区南区纬二路(王港闸南首)				
	经营范围	化学农药产品的研发、生产及销售等				

主要财务指标	指标＼报告期	2016.06.30	2015.12.31	2015.06.30	2014.12.31
	基本每股收益(元)	0.0700	0.4500	0.0800	0.5600
	基本每股收益(扣除后)(元)	0.0500	0.4200	0.2600	0.6200
	稀释每股收益(元)	0.0700	0.4500	0.0800	0.5600
	每股净资产(元)	2.2390	7.9443	7.7828	6.3675
	每股经营现金净流量(元)	–0.1513	–0.5679	0.2139	0.4658
	每股现金流量(元)	–0.0062	0.2914	1.0679	–0.1492
	每股资本公积金(元)	0.6385	4.8145	4.8133	3.1637
	每股盈余公积金(元)	0.0722	0.2743	0.2203	0.2744
	每股未分配利润(元)	0.5287	1.8459	1.7466	1.9789
	净资产收益率(%)	3.0940	5.4863	3.6310	9.9226
	加权净资产收益率(%)	3.2200	6.1700	5.5400	10.4500
	净资产收益率(扣除)(%)	2.4402	5.1346	3.2044	9.7431
	总资产(万元)	639379.19	617228.63	594980.89	462354.43
	归属母公司股东权益(万元)	337523.62	315152.02	308748.28	202837.04
	营业收入(万元)	193594.09	333306.76	153316.59	242906.91
	营业支出(万元)	162511.71	268173.08	122793.06	181393.90
	投资收益(万元)	3023.81	1046.18	705.09	784.30
	净利润(万元)	10074.60	16347.99	10793.10	19585.28
	营业利润(万元)	11234.96	19783.00	12014.39	24154.79
	利润总额(万元)	11476.74	21343.55	13701.24	24443.15

四川雅化实业集团股份有限公司

公司概况	公司名称	四川雅化实业集团股份有限公司		证券简称	雅化集团
	法人代表	高欣	董秘 翟雄鹰	证券代码	002497
	公司网址	www.scyahua.com		电子信箱	yhjt@scyahua.com
	电　话	028-85325316		传　真	028-85325323
	办公地址	四川省成都市高新区天府四街 66 号航兴国际广场 1 号楼			
	经营范围	工业炸药、民用爆破器材、表面活性剂、纸箱、其他化工产品等			

主要财务指标	指标\报告期	2016.06.30	2015.12.31	2015.06.30	2014.12.31
	基本每股收益(元)	0.0830	0.1235	0.0757	0.2370
	基本每股收益(扣除后)(元)	0.0771	0.0942	0.0692	0.4546
	稀释每股收益(元)	0.0830	0.1235	0.0757	0.2370
	每股净资产(元)	2.3415	2.3028	2.2756	4.5018
	每股经营现金净流量(元)	-0.0193	0.2391	0.0346	0.4115
	每股现金流量(元)	-0.0119	-0.0579	-0.0530	-0.3380
	每股资本公积金(元)	0.3800	0.3800	0.3877	1.7753
	每股盈余公积金(元)	0.1006	0.1006	0.0790	0.1580
	每股未分配利润(元)	0.7786	0.7556	0.7386	1.4257
	净资产收益率(%)	3.5453	5.3618	3.3275	10.5274
	加权净资产收益率(%)	3.5600	5.4200	3.3300	10.8700
	净资产收益率(扣除)(%)	3.2929	4.0274	3.0390	10.0957
	总资产(万元)	298372.33	289331.21	293831.85	291093.92
	归属母公司股东权益(万元)	224781.41	221067.26	218458.50	216086.60
	营业收入(万元)	71657.96	134334.96	64872.35	145486.76
	营业支出(万元)	45373.34	79689.33	38875.88	76802.30
	投资收益(万元)	2205.58	7079.56	697.96	3283.31
	净利润(万元)	8726.48	12779.92	7756.04	24893.70
	营业利润(万元)	10477.62	16284.16	9649.84	30385.51
	利润总额(万元)	10867.98	16473.64	10038.12	30477.26

青岛汉缆股份有限公司

公司概况	公司名称	青岛汉缆股份有限公司		证券简称	汉缆股份
	法人代表	陈沛云	董秘 王正庄	证券代码	002498
	公司网址	www.hanhe-cable.com		电子信箱	hanhe1@hanhe-cable.com
	电　话	0532-88817759		传　真	0532-88817462
	办公地址	山东省青岛市崂山区九水东路 628 号			
	经营范围	电线、电缆、光缆、电子通信电缆及相关材料制造等			

主要财务指标	指标\报告期	2016.06.30	2015.12.31	2015.06.30	2014.12.31
	基本每股收益(元)	0.0600	0.1000	0.0500	0.0700
	基本每股收益(扣除后)(元)	0.0400	0.1000	0.1600	0.2400
	稀释每股收益(元)	0.0600	0.1000	0.0500	0.0700
	每股净资产(元)	1.2663	1.2443	3.9988	3.9316
	每股经营现金净流量(元)	0.0810	0.0005	0.0928	0.1993
	每股现金流量(元)	0.1452	-0.0478	-0.4143	-0.1153
	每股资本公积金(元)	0.0445	0.0445	1.1379	1.4372
	每股盈余公积金(元)	0.0729	0.0729	0.2061	0.2061
	每股未分配利润(元)	0.1489	0.1268	1.6547	1.5971
	净资产收益率(%)	4.5077	8.4354	4.1758	5.6383
	加权净资产收益率(%)	4.4800	7.8200	3.9100	5.7000
	净资产收益率(扣除)(%)	3.1651	8.1615	4.0713	6.2299
	总资产(万元)	642281.53	621489.18	585409.10	640800.34
	归属母公司股东权益(万元)	421285.05	413938.39	429135.40	455061.27
	营业收入(万元)	182838.24	417110.03	207454.99	463761.04
	营业支出(万元)	147161.21	335979.05	171353.62	385964.54
	投资收益(万元)	6667.45	4286.97	4021.22	-2614.96
	净利润(万元)	18990.44	34917.04	17919.29	23807.54
	营业利润(万元)	22480.40	40634.95	21739.94	27443.45
	利润总额(万元)	23415.88	42022.47	22369.72	28880.97

科林环保装备股份有限公司

公司概况	公司名称	科林环保装备股份有限公司		证券简称	科林环保
	法人代表	宋七棣	董秘 周蔚	证券代码	002499
	公司网址	www.kelin-china.com		电子信箱	zq@kelin-china.com
	电　话	0512-62515528 62512888		传　真	0512-62515549
	办公地址	江苏省苏州市吴江区高新路 425 号科林环保科技园			
	经营范围	袋式除尘器的研发、设计、制造、销售及袋式除尘系统设计业务等			

主要财务指标	指标\报告期	2016.06.30	2015.12.31	2015.06.30	2014.12.31
	基本每股收益(元)	0.0864	0.1500	0.1404	0.0600
	基本每股收益(扣除后)(元)	0.0062	-0.0200	-0.0024	0.0100
	稀释每股收益(元)	0.0864	0.1500	0.1404	0.0600
	每股净资产(元)	3.7001	3.6930	3.6869	4.9951
	每股经营现金净流量(元)	0.2103	0.1578	-0.0355	0.1828
	每股现金流量(元)	-0.0153	-0.5963	-0.6166	0.2874
	每股资本公积金(元)	1.8580	1.8580	1.8580	3.0011
	每股盈余公积金(元)	0.1120	0.1120	0.0964	0.1350
	每股未分配利润(元)	0.7291	0.7227	0.7325	0.8590
	净资产收益率(%)	2.3341	3.9591	3.8080	1.5957
	加权净资产收益率(%)	2.3200	4.0300	3.8600	1.6100
	净资产收益率(扣除)(%)	0.1670	-0.4326	-0.0654	0.1092
	总资产(万元)	98021.06	102493.97	99624.89	124647.76
	归属母公司股东权益(万元)	69932.58	69798.56	69682.92	67434.38
	营业收入(万元)	14368.94	36180.38	16960.51	40462.58
	营业支出(万元)	10572.44	28104.77	13270.98	31268.13
	投资收益(万元)	167.42	3133.59	2913.93	24.75
	净利润(万元)	1602.44	2709.16	2646.22	814.71
	营业利润(万元)	394.40	2617.55	2881.34	-323.37
	利润总额(万元)	1982.83	3105.20	3156.57	908.18

山西证券股份有限公司

公司概况	公司名称	山西证券股份有限公司		证券简称	山西证券
	法人代表	侯巍	董秘 王怡里	证券代码	002500
	公司网址	www.sxzq.com		电子信箱	sxzq@i618.com.cn
	电　话	0351-8686905 8686668		传　真	0351-8686667 8686918
	办公地址	山西省太原市府西街 69 号山西国际贸易中心东塔楼			
	经营范围	证券经纪、证券自营、资产管理、投资银行、财务顾问等证券相关业务			

主要财务指标	指标\报告期	2016.06.30	2015.12.31	2015.06.30	2014.12.31
	基本每股收益(元)	0.0653	0.5700	0.4778	0.2300
	基本每股收益(扣除后)(元)	0.0650	0.5700	0.1000	0.2300
	稀释每股收益(元)	0.0653	0.5700	0.4778	0.2300
	每股净资产(元)	4.2266	4.9973	3.3499	2.9135
	每股经营现金净流量(元)	-0.6916	1.4378	0.6462	0.3146
	每股现金流量(元)	-2.6027	5.3882	6.4521	2.1091
	每股资本公积金(元)	2.3733	2.7884	1.2586	1.2586
	每股盈余公积金(元)	0.1410	0.1584	0.1057	0.1057
	每股未分配利润(元)	0.4463	0.6538	0.7277	0.2999
	净资产收益率(%)	1.5169	11.4313	14.2631	7.9895
	加权净资产收益率(%)	1.4600	17.9300	15.1800	8.2500
	净资产收益率(扣除)(%)	1.5148	11.4023	14.2486	7.9320
	总资产(万元)	4744038.78	4818064.90	5820143.34	2749740.19
	归属母公司股东权益(万元)	1195592.60	1258675.85	843747.77	733834.55
	营业收入(万元)	93346.30	383850.03	243347.89	195918.85
	营业支出(万元)	63594.17	-	80589.65	116667.75
	投资收益(万元)	12074.08	65309.31	57900.78	28053.74
	净利润(万元)	21134.12	148136.92	123014.55	58640.22
	营业利润(万元)	29752.13	199702.24	162758.24	79251.11
	利润总额(万元)	29788.81	200398.42	162997.82	79816.58

吉林利源精制股份有限公司

公司概况	公司名称	吉林利源精制股份有限公司			证券简称	利源精制
	法人代表	王民	董秘	张莹莹	证券代码	002501
	公司网址	www.liyuanlvye.com		电子信箱	liyuanxingcaizqb@sina.com	
	电　话	0437-3166501		传　真	0437-3166501	
	办公地址	吉林省辽源市龙山区西宁大路 5729 号				
	经营范围	铝型材及深加工产品的研发、生产与销售业务				

主要财务指标	指标\报告期	2016.06.30	2015.12.31	2015.06.30	2014.12.31
	基本每股收益(元)	0.2900	0.5100	0.2600	0.4300
	基本每股收益(扣除后)(元)	0.2800	0.5000	0.2600	0.8300
	稀释每股收益(元)	0.2900	0.5100	0.2600	0.4300
	每股净资产(元)	4.5069	4.0998	3.8499	7.3426
	每股经营现金净流量(元)	0.9337	0.8969	0.4382	1.5680
	每股现金流量(元)	0.6036	-2.3422	0.6123	3.1043
	每股资本公积金(元)	1.6914	1.5535	1.5535	4.1069
	每股盈余公积金(元)	0.1752	0.1780	0.1256	0.2512
	每股未分配利润(元)	1.6072	1.3388	1.1453	1.9410
	净资产收益率(%)	6.4294	12.4587	6.8771	11.5773
	加权净资产收益率(%)	6.7400	13.2100	7.3000	12.0900
	净资产收益率(扣除)(%)	6.2866	12.0934	6.6577	11.2639
	总资产(万元)	1107933.33	881982.87	760468.85	670130.61
	归属母公司股东权益(万元)	428699.04	383740.02	360350.92	343633.45
	营业收入(万元)	117097.77	229679.31	108763.98	193242.69
	营业支出(万元)	70507.57	147529.89	69637.82	128413.15
	投资收益(万元)	-	-	-	-
	净利润(万元)	27562.99	47809.17	24781.78	39783.47
	营业利润(万元)	31651.41	55459.13	28360.39	46130.60
	利润总额(万元)	32495.74	57162.21	29290.44	47448.99

骅威文化股份有限公司

公司概况	公司名称	骅威文化股份有限公司			证券简称	骅威文化
	法人代表	郭卓才	董秘	刘先知	证券代码	002502
	公司网址	www.huaweitoys.com		电子信箱	stock@huaweitoys.com	
	电　话	0754-83689555		传　真	0754-83689556	
	办公地址	广东省汕头市澄海区澄华工业区玉亭路				
	经营范围	各类玩具产品的设计、开发、生产和销售等				

主要财务指标	指标\报告期	2016.06.30	2015.12.31	2015.06.30	2014.12.31
	基本每股收益(元)	0.2100	0.3500	0.0700	0.1200
	基本每股收益(扣除后)(元)	0.2100	0.3600	0.0690	0.1300
	稀释每股收益(元)	0.2100	0.3500	0.0700	0.1200
	每股净资产(元)	7.4099	7.1999	4.9701	3.2528
	每股经营现金净流量(元)	0.4416	0.4298	0.0329	0.1756
	每股现金流量(元)	0.4958	0.1780	-0.0369	-0.2917
	每股资本公积金(元)	5.3964	5.3977	3.2545	1.4048
	每股盈余公积金(元)	0.0750	0.0750	0.0924	0.1145
	每股未分配利润(元)	0.9344	0.7279	0.6222	0.7335
	净资产收益率(%)	2.7862	3.8881	1.4077	3.7505
	加权净资产收益率(%)	2.8300	6.5000	2.5400	3.8000
	净资产收益率(扣除)(%)	2.7537	4.0016	1.2677	3.8545
	总资产(万元)	360520.14	333208.70	189166.82	98995.66
	归属母公司股东权益(万元)	318563.44	309532.88	173349.12	91600.07
	营业收入(万元)	35538.04	59057.31	16436.05	47677.82
	营业支出(万元)	17825.78	31595.66	8832.63	36153.30
	投资收益(万元)	-65.88	536.91	402.12	1937.46
	净利润(万元)	8841.11	12280.37	2636.69	3370.73
	营业利润(万元)	9469.65	12573.97	2878.03	3718.05
	利润总额(万元)	9527.54	12198.92	3049.29	3695.32

搜于特集团股份有限公司

公司概况	公司名称	搜于特集团股份有限公司			证券简称	搜于特
	法人代表	马鸿	董秘	廖岗岩	证券代码	002503
	公司网址	www.celucasn.com		电子信箱	syt@celucasn.com	
	电　话	0769-81333505		传　真	0769-81333508	
	办公地址	广东省东莞市道滘镇昌平第二工业区第一栋				
	经营范围	设计、销售:服装、皮具、装饰品、日用品				

主要财务指标	指标\报告期	2016.06.30	2015.12.31	2015.06.30	2014.12.31
	基本每股收益(元)	0.1400	0.1900	0.0800	0.1200
	基本每股收益(扣除后)(元)	0.1300	0.1800	0.1000	0.2000
	稀释每股收益(元)	0.1400	0.1900	0.0800	0.1200
	每股净资产(元)	1.8330	2.2256	2.1442	4.1780
	每股经营现金净流量(元)	-0.1830	0.1925	0.0691	-0.0851
	每股现金流量(元)	0.1170	-0.1126	0.2967	-0.3951
	每股资本公积金(元)	0.1190	0.4547	0.4552	1.9104
	每股盈余公积金(元)	0.0927	0.1205	0.0978	0.1956
	每股未分配利润(元)	0.6214	0.6505	0.5913	1.0389
	净资产收益率(%)	7.4418	8.4064	4.9073	5.6872
	加权净资产收益率(%)	7.6800	8.6900	4.9300	5.7800
	净资产收益率(扣除)(%)	7.2287	7.9266	4.5939	4.9005
	总资产(万元)	425050.37	366985.69	327493.13	292071.42
	归属母公司股东权益(万元)	247059.17	230747.15	222315.54	216589.91
	营业收入(万元)	228695.71	198277.34	86412.62	130581.77
	营业支出(万元)	176766.04	125765.13	53262.08	81616.49
	投资收益(万元)	1081.64	1711.66	749.02	1551.06
	净利润(万元)	20394.88	19734.33	10880.02	12302.48
	营业利润(万元)	27561.27	26873.22	14461.76	16262.13
	利润总额(万元)	27653.97	27463.63	14862.46	16977.20

北京弘高创意建筑设计股份有限公司

公司概况	公司名称	北京弘高创意建筑设计股份有限公司			证券简称	弘高创意
	法人代表	何宁	董秘	王慧龙	证券代码	002504
	公司网址	www.honggao.com.cn		电子信箱	lyzhou@jsdgme.com	
	电　话	010-57963201		传　真	010-57963201	
	办公地址	北京市朝阳区来广营西路朝来高科技产业园 7 号楼弘高大厦				
	经营范围	半导体器件、集成电路的开发、设计、制造、销售、推广应用				

主要财务指标	指标\报告期	2016.06.30	2015.12.31	2015.06.30	2014.12.31
	基本每股收益(元)	0.3000	0.6500	0.2700	0.6900
	基本每股收益(扣除后)(元)	0.3000	0.7000	0.2700	0.6900
	稀释每股收益(元)	0.3000	0.6500	0.2700	0.6900
	每股净资产(元)	2.3891	2.2108	1.8256	1.6566
	每股经营现金净流量(元)	-0.3809	-0.0584	-1.6097	-1.1047
	每股现金流量(元)	-0.2227	0.0957	-1.5246	0.0513
	每股资本公积金(元)	0.4590	0.4537	2.4829	4.3583
	每股盈余公积金(元)	0.0520	0.0513	0.1699	0.2614
	每股未分配利润(元)	1.6912	1.5232	6.3384	8.3288
	净资产收益率(%)	12.3962	29.5904	14.7322	30.1480
	加权净资产收益率(%)	12.7900	35.8900	25.7700	38.8400
	净资产收益率(扣除)(%)	12.4203	29.5467	14.7641	30.0730
	总资产(万元)	463324.60	414112.98	322329.54	257022.14
	归属母公司股东权益(万元)	97162.74	91248.93	75348.47	68375.34
	营业收入(万元)	177639.95	328888.72	160698.90	311044.28
	营业支出(万元)	143586.97	265705.63	133104.35	258282.80
	投资收益(万元)	-	-	-	-
	净利润(万元)	12044.48	27000.93	11100.48	20613.80
	营业利润(万元)	16397.98	36535.76	14860.69	28012.99
	利润总额(万元)	16366.80	36588.99	14828.65	28081.35

湖南大康国际农业食品股份有限公司

公司概况						
	公司名称	湖南大康国际农业食品股份有限公司			证券简称	大康农业
	法人代表	彭继泽	董秘	彭继泽(代)	证券代码	002505
	公司网址	www.dakangmuye.com		电子信箱	002505@dakangmuye.com	
	电　话	021-62430519		传　真	021-52137175	
	办公地址	上海市长宁区虹桥路 2188 弄虹桥商务别墅 43 号				
	经营范围	种猪、仔猪、育肥猪以及饲料的生产销售等				

主要财务指标

指标\报告期	2016.06.30	2015.12.31	2015.06.30	2014.12.31
基本每股收益(元)	0.0018	0.0010	0.0040	0.0057
基本每股收益(扣除后)(元)	0.0003	-0.0334	0.0040	-0.0020
稀释每股收益(元)	0.0018	0.0010	0.0040	0.0057
每股净资产(元)	1.0534	1.9962	2.0007	2.0039
每股经营现金净流量(元)	-0.0285	0.0217	0.0291	-0.1636
每股现金流量(元)	0.3594	-0.6379	0.2188	0.8197
每股资本公积金(元)	0.0295	0.9561	0.9561	0.9561
每股盈余公积金(元)	0.0057	0.0108	0.0098	0.0098
每股未分配利润(元)	0.0219	0.0382	0.0422	0.0382
净资产收益率(%)	0.1731	0.0520	0.2008	0.2711
加权净资产收益率(%)	0.1700	0.0500	0.2000	0.3500
净资产收益率(扣除)(%)	0.1364	-1.6747	0.1993	-0.0806
总资产(万元)	1066251.38	832058.49	703982.52	657732.07
归属母公司股东权益(万元)	577831.33	576296.28	577612.80	578527.77
营业收入(万元)	170928.01	386738.09	99151.13	58460.01
营业支出(万元)	165247.22	390150.17	98243.38	58913.06
投资收益(万元)	10272.24	14959.55	7335.55	10664.30
净利润(万元)	1005.43	492.92	1266.31	1892.60
营业利润(万元)	1071.29	-7813.47	2238.88	290.34
利润总额(万元)	1353.95	2278.82	2368.06	2283.71

协鑫集成科技股份有限公司

公司概况						
	公司名称	协鑫集成科技股份有限公司			证券简称	协鑫集成
	法人代表	舒桦	董秘	王军	证券代码	002506
	公司网址	www.gclsi.com		电子信箱	gclsizqb@gclsi.com	
	电　话	0512-69832889		传　真	0512-69832875	
	办公地址	江苏省苏州市工业园区新庆路 28 号(协鑫能源中心)				
	经营范围	研发、生产和销售晶体硅太阳能电池				

主要财务指标

指标\报告期	2016.06.30	2015.12.31	2015.06.30	2014.12.31
基本每股收益(元)	0.0400	0.2500	0.0700	1.0700
基本每股收益(扣除后)(元)	0.0400	0.2500	0.0700	0.0600
稀释每股收益(元)	0.0400	0.2500	0.0700	1.0700
每股净资产(元)	0.7474	0.7091	0.1981	0.1284
每股经营现金净流量(元)	-0.2773	-0.2085	-0.1875	-0.4400
每股现金流量(元)	-0.1642	0.3025	0.2125	-0.0155
每股资本公积金(元)	0.4042	0.4042	0.7714	0.7714
每股盈余公积金(元)	0.0150	0.0150	0.0299	0.0299
每股未分配利润(元)	-0.6718	-0.7101	-1.6033	-1.6730
净资产收益率(%)	5.1199	17.8426	37.5885	831.6675
加权净资产收益率(%)	5.2500	99.2700	44.9600	-90.1000
净资产收益率(扣除)(%)	5.0796	17.7567	37.6700	45.0485
总资产(万元)	1754209.84	1478585.84	613383.92	310761.32
归属母公司股东权益(万元)	377162.86	357852.55	49990.64	32396.56
营业收入(万元)	670860.76	628384.07	356770.22	269927.85
营业支出(万元)	576231.58	531650.18	323887.20	237461.54
投资收益(万元)	95.01	-202.04	-	75011.70
净利润(万元)	19031.78	63889.78	18790.71	268225.05
营业利润(万元)	27649.28	40653.47	18831.46	67245.86
利润总额(万元)	27852.00	40978.54	18790.71	246933.54

重庆市涪陵榨菜集团股份有限公司

公司概况						
	公司名称	重庆市涪陵榨菜集团股份有限公司			证券简称	涪陵榨菜
	法人代表	周斌全	董秘	韦永生	证券代码	002507
	公司网址	www.flzc.com		电子信箱	weiys@flzc.com	
	电　话	023-72231475　72285806		传　真	023-72231475	
	办公地址	重庆市涪陵区江北街道办事处二渡村一组				
	经营范围	生产、加工、销售蔬菜制品等				

主要财务指标

指标\报告期	2016.06.30	2015.12.31	2015.06.30	2014.12.31
基本每股收益(元)	0.2200	0.4900	0.1700	0.4100
基本每股收益(扣除后)(元)	0.2100	0.4600	0.2800	0.6100
稀释每股收益(元)	0.2200	0.4900	0.1700	0.4100
每股净资产(元)	2.7080	4.1805	6.0070	5.6555
每股经营现金净流量(元)	0.2379	0.7438	0.2929	0.5420
每股现金流量(元)	0.0943	-0.3762	-0.0067	-0.6351
每股资本公积金(元)	0.5405	1.4647	2.5359	2.5359
每股盈余公积金(元)	0.1486	0.2377	0.3073	0.3073
每股未分配利润(元)	1.0190	1.4781	2.1638	1.8123
净资产收益率(%)	8.1318	11.4453	7.5163	11.5825
加权净资产收益率(%)	8.1500	12.8500	7.6800	12.1200
净资产收益率(扣除)(%)	7.7238	10.8544	7.3356	10.7101
总资产(万元)	173166.88	166004.71	146505.79	137194.75
归属母公司股东权益(万元)	142507.36	137496.87	121041.53	113958.66
营业收入(万元)	60725.72	93065.89	47592.14	90642.87
营业支出(万元)	31732.11	52090.53	26090.99	52221.95
投资收益(万元)	299.75	508.03	273.49	228.55
净利润(万元)	11588.46	15736.96	9097.87	13199.30
营业利润(万元)	13090.86	17512.99	10550.91	14399.69
利润总额(万元)	13775.04	18462.58	10809.65	15569.14

杭州老板电器股份有限公司

公司概况						
	公司名称	杭州老板电器股份有限公司			证券简称	老板电器
	法人代表	任建华	董秘	王刚	证券代码	002508
	公司网址	www.robam.com		电子信箱	wg@robam.com	
	电　话	0571-86187810		传　真	0571-86187769	
	办公地址	浙江省杭州市余杭区余杭经济开发区临平大道 592 号				
	经营范围	制造、加工、销售:吸油烟机、燃气具、消毒碗柜、电压力煲、电磁炉等				

主要财务指标

指标\报告期	2016.06.30	2015.12.31	2015.06.30	2014.12.31
基本每股收益(元)	0.5800	1.7300	0.4200	1.2000
基本每股收益(扣除后)(元)	0.5700	1.7000	0.6200	1.7400
稀释每股收益(元)	0.5700	1.7200	0.4200	1.2000
每股净资产(元)	4.5577	6.5208	5.5458	7.7567
每股经营现金净流量(元)	1.0253	2.3117	0.9439	2.0584
每股现金流量(元)	0.5225	1.4763	0.4549	1.0129
每股资本公积金(元)	0.8187	1.6861	1.6627	2.8291
每股盈余公积金(元)	0.3902	0.5000	0.3377	0.5129
每股未分配利润(元)	2.4262	3.4609	2.5454	3.4147
净资产收益率(%)	12.7078	26.2020	11.3733	23.1413
加权净资产收益率(%)	12.6500	29.1000	11.5700	25.5500
净资产收益率(扣除)(%)	12.3240	25.7902	11.1720	22.4494
总资产(万元)	569332.42	502664.24	415107.78	362583.25
归属母公司股东权益(万元)	332740.22	316957.72	269569.83	248215.19
营业收入(万元)	252527.54	454271.80	204185.87	358894.01
营业支出(万元)	103410.50	189999.83	86981.67	155952.65
投资收益(万元)	-	-	-	-
净利润(万元)	42282.90	82795.03	30377.56	56769.32
营业利润(万元)	48363.33	95302.80	35222.70	64358.24
利润总额(万元)	49881.80	96880.96	35875.70	66411.22

天广中茂股份有限公司

公司概况

公司名称	天广中茂股份有限公司			证券简称	天广消防
法人代表	邱茂期	董秘	张红盛	证券代码	002509
公司网址	www.tianguang.com		电子信箱	tgzq@tianguang.com	
电　话	0595-26929988		传　真	0595-86395887	
办公地址	福建省南安市成功科技工业区				
经营范围	消防产品的设计,开发,生产,销售				

主要财务指标

指标\报告期	2016.06.30	2015.12.31	2015.06.30	2014.12.31
基本每股收益(元)	0.1000	0.2300	0.0700	0.2800
基本每股收益(扣除后)(元)	0.0900	0.2600	0.1400	0.2700
稀释每股收益(元)	0.1000	0.2300	0.0700	0.2800
每股净资产(元)	2.7096	5.7887	3.3739	3.2853
每股经营现金净流量(元)	-0.1036	0.0989	-0.0500	-0.0333
每股现金流量(元)	-0.0590	-0.0465	-0.1278	0.3290
每股资本公积金(元)	1.3847	4.0464	1.3103	1.3103
每股盈余公积金(元)	0.0347	0.0762	0.0961	0.0961
每股未分配利润(元)	0.2845	0.6551	0.9535	0.8679
净资产收益率(%)	3.7027	2.5675	4.3170	8.0188
加权净资产收益率(%)	3.7500	6.8400	4.3500	10.0200
净资产收益率(扣除)(%)	3.4586	2.9166	4.2185	7.5775
总资产(万元)	554552.65	510791.38	186733.92	181977.91
归属母公司股东权益(万元)	422096.19	409895.48	153997.24	149955.77
营业收入(万元)	103573.92	69181.61	36040.83	69373.00
营业支出(万元)	77165.57	46712.85	24357.80	47248.21
投资收益(万元)	908.27	2280.14	1347.23	1575.69
净利润(万元)	15625.09	10493.02	6637.10	12018.18
营业利润(万元)	16701.42	11894.92	7574.64	13826.28
利润总额(万元)	17912.59	12140.90	7735.72	14013.29

天津汽车模具股份有限公司

公司概况

公司名称	天津汽车模具股份有限公司			证券简称	天 汽 模
法人代表	常世平	董秘	任伟	证券代码	002510
公司网址	www.tqm.com.cn		电子信箱	zq@tqm.com.cn	
电　话	022-24895297		传　真	022-24895279	
办公地址	天津市空港经济区航天路77号				
经营范围	模具设计、制造、冲压件加工、铆焊加工、汽车车身及其工艺装备设计等				

主要财务指标

指标\报告期	2016.06.30	2015.12.31	2015.06.30	2014.12.31
基本每股收益(元)	0.1000	0.4000	0.1000	0.4000
基本每股收益(扣除后)(元)	0.1000	0.3900	0.1900	0.3900
稀释每股收益(元)	0.1000	0.4000	0.1000	0.4000
每股净资产(元)	2.2987	4.3444	4.1462	4.0551
每股经营现金净流量(元)	0.0042	0.1786	0.0525	-0.0046
每股现金流量(元)	0.2574	0.0371	-0.0445	-0.0266
每股资本公积金(元)	0.2851	1.5701	1.5701	1.5778
每股盈余公积金(元)	0.0778	0.1556	0.1239	0.1239
每股未分配利润(元)	0.8599	1.6194	1.4506	1.3522
净资产收益率(%)	4.3581	9.1827	4.7836	9.9729
加权净资产收益率(%)	4.8800	9.5000	4.7900	10.3900
净资产收益率(扣除)(%)	4.2209	8.8817	4.5665	9.5734
总资产(万元)	398979.86	371813.35	373242.47	350815.61
归属母公司股东权益(万元)	189191.50	178781.70	170623.14	166875.74
营业收入(万元)	92800.74	180470.50	84585.62	148912.59
营业支出(万元)	70933.51	134723.02	64112.09	104935.54
投资收益(万元)	1613.37	2987.82	1963.15	325.65
净利润(万元)	8240.29	16631.99	8169.30	16566.95
营业利润(万元)	9119.19	18425.42	8536.54	19485.78
利润总额(万元)	9432.27	19160.07	8901.36	20171.12

中顺洁柔纸业股份有限公司

公司概况

公司名称	中顺洁柔纸业股份有限公司			证券简称	中顺洁柔
法人代表	邓颖忠	董秘	张海军	证券代码	002511
公司网址	www.zhongshungroup.com		电子信箱	dsh@zhongshungroup.com	
电　话	0760-87885678		传　真	0760-87885677	
办公地址	广东省中山市西区彩虹大道136号				
经营范围	生产和销售高档生活用纸系列产品				

主要财务指标

指标\报告期	2016.06.30	2015.12.31	2015.06.30	2014.12.31
基本每股收益(元)	0.2174	0.1800	0.0941	0.1387
基本每股收益(扣除后)(元)	0.2087	0.1400	0.0881	0.1600
稀释每股收益(元)	0.2145	0.1800	0.0941	0.1400
每股净资产(元)	5.0211	5.0008	4.9136	5.7935
每股经营现金净流量(元)	0.4981	0.8818	0.6784	0.6466
每股现金流量(元)	0.1115	-0.1131	0.1191	-0.7825
每股资本公积金(元)	2.6888	2.6183	2.6183	3.3419
每股盈余公积金(元)	0.0536	0.0556	0.0556	0.0668
每股未分配利润(元)	1.4370	1.3269	1.2397	1.3848
净资产收益率(%)	4.1687	3.6236	1.9147	2.8726
加权净资产收益率(%)	4.2500	3.6900	1.9300	2.9100
净资产收益率(扣除)(%)	4.0018	2.8816	1.7931	2.7785
总资产(万元)	450131.66	454427.57	454286.54	455000.11
归属母公司股东权益(万元)	253829.69	243396.66	239156.20	234982.65
营业收入(万元)	177155.27	295897.66	129955.86	252178.02
营业支出(万元)	115797.72	201126.97	89813.58	176420.51
投资收益(万元)	43.68	642.90	3.53	26.33
净利润(万元)	10581.50	8819.61	4579.15	6750.22
营业利润(万元)	12559.11	9988.53	5994.08	9088.62
利润总额(万元)	13072.36	11760.13	6366.20	9425.88

中山达华智能科技股份有限公司

公司概况

公司名称	中山达华智能科技股份有限公司			证券简称	达华智能
法人代表	蔡小如	董秘	韩洋	证券代码	002512
公司网址	www.twh.com.cn		电子信箱	8888@twh.com.cn	
电　话	0760-22550278		传　真	0760-22130941	
办公地址	广东省中山市小榄镇泰丰工业区水怡南路9号				
经营范围	生产、销售:非接触IC智能卡、非接触式IC卡读卡器、接触式智能卡等				

主要财务指标

指标\报告期	2016.06.30	2015.12.31	2015.06.30	2014.12.31
基本每股收益(元)	0.0273	0.1454	0.0155	0.1149
基本每股收益(扣除后)(元)	0.0251	0.0837	0.0300	0.2813
稀释每股收益(元)	0.0273	0.1454	0.0155	0.1149
每股净资产(元)	2.4293	2.4164	4.0328	3.9785
每股经营现金净流量(元)	-0.0129	-0.2093	-0.5302	-0.0479
每股现金流量(元)	-0.1836	0.8474	-0.2676	-0.4246
每股资本公积金(元)	1.0078	1.1034	1.9843	1.9843
每股盈余公积金(元)	0.0261	0.0286	0.0716	0.0716
每股未分配利润(元)	0.3877	0.3946	0.7986	0.8598
净资产收益率(%)	1.1247	4.8654	0.9625	7.2219
加权净资产收益率(%)	1.1300	8.9700	0.9600	7.2200
净资产收益率(扣除)(%)	1.0313	2.8009	0.6752	7.0694
总资产(万元)	517583.64	503043.86	269338.01	226843.60
归属母公司股东权益(万元)	266103.28	264689.04	142873.15	140952.36
营业收入(万元)	146951.54	134430.08	41206.21	76068.01
营业支出(万元)	124953.64	97877.48	30403.31	46413.28
投资收益(万元)	-248.03	5628.51	223.10	336.59
净利润(万元)	3816.23	14992.54	1940.06	12927.85
营业利润(万元)	3834.90	14447.34	1199.62	14179.35
利润总额(万元)	5433.77	17288.74	2557.03	15193.04

江苏蓝丰生物化工股份有限公司

公司概况	公司名称	江苏蓝丰生物化工股份有限公司		证券简称	*ST 蓝丰
	法人代表	杨振华	董秘 陈康	证券代码	002513
	公司网址	www.jslanfeng.com		电子信箱	lfshdmb@jslanfeng.com
	电　话	0516-88920479		传　真	0516-88923712
	办公地址	江苏省徐州市新沂经济开发区苏化路 1 号			
	经营范围	杀虫剂原药及剂型、杀菌剂原药及剂型、除草剂原药及剂型、化工产品等			

	指标\报告期	2016.06.30	2015.12.31	2015.06.30	2014.12.31
主要财务指标	基本每股收益(元)	0.1900	–0.3200	–0.0400	–0.1800
	基本每股收益(扣除后)(元)	0.1600	–0.3300	–0.0600	–0.2400
	稀释每股收益(元)	0.1900	–0.3200	–0.0400	–0.1800
	每股净资产(元)	7.2624	7.0775	5.3550	5.3915
	每股经营现金净流量(元)	0.2329	1.1770	0.1127	0.6005
	每股现金流量(元)	–0.1494	1.0641	–0.1184	0.1955
	每股资本公积金(元)	5.3270	8.5006	2.8724	2.8724
	每股盈余公积金(元)	0.1316	0.2096	0.2096	0.2096
	每股未分配利润(元)	0.7482	0.8938	1.1738	1.2165
	净资产收益率(%)	2.5936	–2.8571	–0.7973	–3.2605
	加权净资产收益率(%)	2.6300	–6.1700	–0.7900	–3.2100
	净资产收益率(扣除)(%)	2.2157	–2.8570	–1.1235	–4.5297
	总资产(万元)	411109.22	403351.44	268890.53	261116.39
	归属母公司股东权益(万元)	246982.92	240695.70	114126.48	114903.26
	营业收入(万元)	67993.47	101041.62	57518.23	125206.22
	营业支出(万元)	45853.71	80698.21	46445.00	110952.00
	投资收益(万元)	–	–0.64	–	–15.00
	净利润(万元)	6405.77	–6876.96	–909.91	–3746.44
	营业利润(万元)	6449.75	–9488.25	–1807.96	–6187.26
	利润总额(万元)	7546.33	–8877.73	–1361.62	–4458.09

苏州宝馨科技实业股份有限公司

公司概况	公司名称	苏州宝馨科技实业股份有限公司		证券简称	宝馨科技
	法人代表	朱永福	董秘 朱婷	证券代码	002514
	公司网址	www.boamax.com		电子信箱	zqb@boamax.com
	电　话	0512-66729265		传　真	0512-66163297
	办公地址	江苏省苏州市高新区浒墅关经济开发区石阳路 17 号			
	经营范围	从事精密模具、用于电子专用设备、测试仪器、电力通讯设备等的钣金结构件的研发、生产等			

	指标\报告期	2016.06.30	2015.12.31	2015.06.30	2014.12.31
主要财务指标	基本每股收益(元)	0.0200	0.1700	0.1100	0.0700
	基本每股收益(扣除后)(元)	0.0200	0.1600	0.1100	0.0600
	稀释每股收益(元)	0.0200	0.1600	0.1100	0.0700
	每股净资产(元)	1.8300	3.5969	3.5194	3.4086
	每股经营现金净流量(元)	–0.0096	–0.1247	–0.0134	–0.0323
	每股现金流量(元)	0.0361	–0.3250	–0.1808	–0.0323
	每股资本公积金(元)	0.5022	1.9911	1.9726	1.9726
	每股盈余公积金(元)	0.0384	0.0768	0.0728	0.0728
	每股未分配利润(元)	0.2902	0.5334	0.4825	0.3685
	净资产收益率(%)	1.2865	4.6930	3.2380	1.7896
	加权净资产收益率(%)	1.3000	4.6600	3.2900	2.5900
	净资产收益率(扣除)(%)	1.2512	4.7871	3.1946	1.7541
	总资产(万元)	146546.32	140752.86	125848.96	122874.21
	归属母公司股东权益(万元)	101388.17	99640.29	97494.39	94425.12
	营业收入(万元)	28028.50	52307.19	26092.50	41986.50
	营业支出(万元)	18228.31	37696.37	18414.82	32191.52
	投资收益(万元)	9.43	98.22	19.45	71.43
	净利润(万元)	990.57	3415.61	2881.55	1661.08
	营业利润(万元)	879.19	2718.75	2942.42	1372.63
	利润总额(万元)	1211.66	2578.08	3121.01	1543.99

金字火腿股份有限公司

公司概况	公司名称	金字火腿股份有限公司		证券简称	金字火腿
	法人代表	施延军	董秘 王启辉	证券代码	002515
	公司网址	www.jinzichina.com		电子信箱	jinziham@jinzichina.com
	电　话	0579-82262717		传　真	0579-82262717
	办公地址	浙江省金华市工业园区金帆街 1000 号			
	经营范围	金华火腿、火腿制品等发酵肉制品及各类低温肉制品的研发、生产及销售			

	指标\报告期	2016.06.30	2015.12.31	2015.06.30	2014.12.31
主要财务指标	基本每股收益(元)	0.0300	0.0600	0.0400	0.0700
	基本每股收益(扣除后)(元)	0.0200	0.0500	0.0600	0.0600
	稀释每股收益(元)	0.0300	0.0600	0.0400	0.0700
	每股净资产(元)	2.2073	3.7538	3.7500	6.0232
	每股经营现金净流量(元)	0.0986	0.2970	0.1597	0.1379
	每股现金流量(元)	–0.0553	0.0876	–0.0155	–0.0812
	每股资本公积金(元)	0.8872	2.2082	2.2082	3.7064
	每股盈余公积金(元)	0.0467	0.0794	0.0728	0.1826
	每股未分配利润(元)	0.2734	0.4663	0.4722	1.1341
	净资产收益率(%)	1.2943	1.6230	1.6047	2.2815
	加权净资产收益率(%)	1.2900	1.7900	1.8200	2.3000
	净资产收益率(扣除)(%)	0.9703	1.4237	1.5664	0.9531
	总资产(万元)	142657.99	144180.49	143517.17	98207.96
	归属母公司股东权益(万元)	134962.53	135014.06	134988.87	86326.95
	营业收入(万元)	9080.47	18688.28	11357.42	21292.47
	营业支出(万元)	6307.62	11806.16	7039.47	14626.60
	投资收益(万元)	1110.69	1219.42	1110.00	3078.76
	净利润(万元)	1995.18	2519.06	2492.09	2547.75
	营业利润(万元)	1919.03	2521.29	2525.39	2097.17
	利润总额(万元)	2080.14	2772.04	2599.18	2535.85

旷达科技集团股份有限公司

公司概况	公司名称	旷达科技集团股份有限公司		证券简称	旷达科技
	法人代表	沈介良	董秘 徐秋	证券代码	002516
	公司网址	www.kuangdacn.com		电子信箱	dongmi@kuangdacn.com
	电　话	0519-86540239 86159358		传　真	0519-86549358
	办公地址	江苏省常州市武进区雪堰镇旷达路 1 号			
	经营范围	化纤复合面料、化纤布、化纤丝、汽车座椅套、座椅、汽车内饰件、纺织机械等			

	指标\报告期	2016.06.30	2015.12.31	2015.06.30	2014.12.31
主要财务指标	基本每股收益(元)	0.1035	0.3997	0.1028	0.2696
	基本每股收益(扣除后)(元)	0.1025	0.3955	0.2050	0.6700
	稀释每股收益(元)	0.1030	0.3987	0.1028	0.2696
	每股净资产(元)	1.7262	3.2120	2.9916	7.5400
	每股经营现金净流量(元)	0.0866	0.2372	0.0456	0.5413
	每股现金流量(元)	–0.0174	0.1621	0.1051	–2.1868
	每股资本公积金(元)	0.0979	1.0710	1.0741	3.8597
	每股盈余公积金(元)	0.0579	0.1159	0.1060	0.2808
	每股未分配利润(元)	0.6427	1.2345	1.0227	2.3966
	净资产收益率(%)	5.8196	11.8155	6.5601	8.9436
	加权净资产收益率(%)	5.9300	12.5500	6.7000	9.2300
	净资产收益率(扣除)(%)	5.7641	11.6927	6.5393	9.0006
	总资产(万元)	649847.53	654564.41	522626.91	345008.34
	归属母公司股东权益(万元)	228613.56	212690.15	198195.54	188423.17
	营业收入(万元)	103882.15	186045.51	90682.41	174376.17
	营业支出(万元)	64845.91	116232.63	55935.03	124608.46
	投资收益(万元)	–	–	–	–44.52
	净利润(万元)	13130.71	25254.41	12927.85	17102.78
	营业利润(万元)	15821.09	28594.45	14866.60	21784.55
	利润总额(万元)	15987.50	29005.46	14924.50	21819.51

恺英网络股份有限公司

公司概况	公司名称	恺英网络股份有限公司			证券简称	恺英网络
	法人代表	王悦	董秘	盛李原	证券代码	002517
	公司网址	www.kingnet.com		电子信箱	dm@kingnet.com	
	电　话	021-62203181		传　真	021-50908789-8100	
	办公地址	上海市闵行区陈行路 2388 号浦江科技广场 3 号楼 3 楼				
	经营范围	运动鞋鞋底的研发,生产及销售等				

主要财务指标	指标\报告期	2016.06.30	2015.12.31	2015.06.30	2014.12.31
	基本每股收益(元)	0.3600	1.1700	0.6900	0.1100
	基本每股收益(扣除后)(元)	0.3300	1.1500	-0.0200	-0.2900
	稀释每股收益(元)	0.3600	1.1700	0.6900	0.1100
	每股净资产(元)	1.5041	1.1351	3.4202	0.0800
	每股经营现金净流量(元)	0.4572	0.9505	1.8212	0.4649
	每股现金流量(元)	0.4306	0.2137	1.3537	-0.6523
	每股资本公积金(元)	0.4878	0.4866	1.8834	1.5661
	每股盈余公积金(元)	0.0311	0.0311	0.0878	0.0637
	每股未分配利润(元)	0.9338	0.5715	0.4490	-1.4605
	净资产收益率(%)	24.0887	85.2363	0.7574	-8.7954
	加权净资产收益率(%)	27.4100	72.0800	122.4600	52.4300
	净资产收益率(扣除)(%)	21.6602	83.5806	-0.6509	-8.5617
	总资产(万元)	166007.43	135488.37	79183.70	59763.46
	归属母公司股东权益(万元)	101796.56	76821.57	60469.16	4269.08
	营业收入(万元)	128993.44	233930.45	116876.51	72780.21
	营业支出(万元)	51575.23	90800.03	45841.63	20078.22
	投资收益(万元)	3150.06	6453.33	2867.55	385.74
	净利润(万元)	24096.84	65297.39	38492.00	6210.37
	营业利润(万元)	21460.45	64582.01	39198.73	6156.95
	利润总额(万元)	24031.04	65805.90	39309.72	6772.13

深圳科士达科技股份有限公司

公司概况	公司名称	深圳科士达科技股份有限公司			证券简称	科士达
	法人代表	刘程宇	董秘	范涛	证券代码	002518
	公司网址	www.kstar.com.cn		电子信箱	stock@kstar.com.cn	
	电　话	0755-86168479		传　真	0755-86169275	
	办公地址	广东省深圳市南山区高新北区科技中二路软件园 1 栋 4 楼 401、402 室				
	经营范围	UPS 不间断电源、逆变电源、EPS 应急电源、太阳能逆变器、太阳能控制器等				

主要财务指标	指标\报告期	2016.06.30	2015.12.31	2015.06.30	2014.12.31
	基本每股收益(元)	0.2600	0.7900	0.1800	0.5200
	基本每股收益(扣除后)(元)	0.2500	0.7700	0.2600	0.4900
	稀释每股收益(元)	0.2600	0.7900	0.1800	0.5200
	每股净资产(元)	3.9995	5.8606	5.3570	5.2299
	每股经营现金净流量(元)	-0.3893	0.7951	-0.1624	0.4621
	每股现金流量(元)	-0.1320	0.1047	-0.0062	-0.2229
	每股资本公积金(元)	1.3189	2.4745	2.4662	2.4582
	每股盈余公积金(元)	0.1717	0.2575	0.1791	0.1791
	每股未分配利润(元)	1.5232	2.1518	1.7118	1.5928
	净资产收益率(%)	6.3843	13.4130	5.0213	9.8158
	加权净资产收益率(%)	6.3700	14.2800	5.0300	10.3200
	净资产收益率(扣除)(%)	6.3267	12.9992	4.9223	9.4566
	总资产(万元)	238209.64	252475.00	204693.50	216995.68
	归属母公司股东权益(万元)	178139.76	174022.46	159198.86	155421.57
	营业收入(万元)	74824.52	152648.31	62376.58	138787.81
	营业支出(万元)	48026.27	100758.48	42856.51	96549.56
	投资收益(万元)	826.03	2867.18	1397.11	1602.22
	净利润(万元)	11526.15	23052.01	7940.15	15136.78
	营业利润(万元)	13699.40	26040.03	9363.05	16874.54
	利润总额(万元)	13829.57	26916.95	9552.78	17533.96

江苏银河电子股份有限公司

公司概况	公司名称	江苏银河电子股份有限公司			证券简称	银河电子
	法人代表	吴建明	董秘	吴刚	证券代码	002519
	公司网址	www.yinhe.com		电子信箱	yhdm@yinhe.com	
	电　话	0512-58449138　58449198		传　真	0512-58449267	
	办公地址	江苏省苏州市张家港市塘桥镇南环路 188 号				
	经营范围	计算机及部件、计算机外部设备、电子产品、网络产品、软件产品、监控设备等				

主要财务指标	指标\报告期	2016.06.30	2015.12.31	2015.06.30	2014.12.31
	基本每股收益(元)	0.2600	0.4100	0.1700	0.5300
	基本每股收益(扣除后)(元)	0.2600	0.3850	0.1600	0.5100
	稀释每股收益(元)	0.2600	0.4000	0.1700	0.5100
	每股净资产(元)	3.5373	3.4200	3.6089	7.1169
	每股经营现金净流量(元)	0.2574	0.1503	0.1656	0.4837
	每股现金流量(元)	0.0415	-0.1031	0.1774	-0.4569
	每股资本公积金(元)	1.7089	1.6344	1.8469	4.4823
	每股盈余公积金(元)	0.1531	0.1546	0.1303	0.2675
	每股未分配利润(元)	0.7829	0.7825	0.6225	1.3498
	净资产收益率(%)	7.2904	11.6911	4.5593	6.1118
	加权净资产收益率(%)	7.3300	10.8200	4.5200	8.5800
	净资产收益率(扣除)(%)	7.2353	11.0839	4.4161	5.9286
	总资产(万元)	374195.84	357728.89	255424.62	238155.05
	归属母公司股东权益(万元)	203412.97	194787.05	205404.15	197339.07
	营业收入(万元)	100862.07	152634.05	63149.88	117559.68
	营业支出(万元)	62213.72	97961.54	41576.60	87022.25
	投资收益(万元)	-40.50	-4.13	-	104.34
	净利润(万元)	14805.28	24910.22	10192.25	12255.77
	营业利润(万元)	16596.59	26604.30	11112.68	12674.49
	利润总额(万元)	17445.96	29327.11	12112.76	13683.56

浙江日发精密机械股份有限公司

公司概况	公司名称	浙江日发精密机械股份有限公司			证券简称	日发精机
	法人代表	王本善	董秘	李燕	证券代码	002520
	公司网址	www.rifapm.com		电子信箱	rifapm@rifa.com.cn	
	电　话	0575-86337958		传　真	0575-86337881	
	办公地址	浙江省绍兴市新昌县七星街道日发数码科技园				
	经营范围	数控机床、机械产品的研制、生产、销售				

主要财务指标	指标\报告期	2016.06.30	2015.12.31	2015.06.30	2014.12.31
	基本每股收益(元)	0.0500	0.1200	0.0400	0.1500
	基本每股收益(扣除后)(元)	0.0500	0.1000	0.0600	0.2000
	稀释每股收益(元)	0.0500	0.1200	0.0400	0.1500
	每股净资产(元)	3.0068	4.4808	2.0694	3.0916
	每股经营现金净流量(元)	-0.0691	0.0620	-0.1608	0.0491
	每股现金流量(元)	-1.2589	2.3700	-0.2819	-0.1673
	每股资本公积金(元)	1.7468	3.1202	0.7067	1.5601
	每股盈余公积金(元)	0.0836	0.1255	0.1344	0.2016
	每股未分配利润(元)	0.1720	0.2358	0.2291	0.3329
	净资产收益率(%)	1.6026	2.3912	3.5702	7.2714
	加权净资产收益率(%)	1.6000	5.8600	3.5400	7.5400
	净资产收益率(扣除)(%)	1.5106	2.0076	2.9937	6.5881
	总资产(万元)	234021.48	243157.41	133627.18	135081.06
	归属母公司股东权益(万元)	166606.15	165516.24	67049.85	66779.34
	营业收入(万元)	41118.57	76779.84	31624.42	55163.87
	营业支出(万元)	25153.60	48692.61	19046.35	34294.25
	投资收益(万元)	-	-	-	-
	净利润(万元)	3895.39	4546.63	2607.14	5062.69
	营业利润(万元)	4241.94	4499.54	2546.19	5547.94
	利润总额(万元)	4423.20	5150.87	2985.98	6087.81

齐峰新材料股份有限公司

公司概况					
公司名称	齐峰新材料股份有限公司			证券简称	齐峰新材
法人代表	李学峰	董秘	孙文荣	证券代码	002521
公司网址	www.qifeng.cn			电子信箱	qftzswr@163.com
电　话	0533-7785585			传　真	0533-7788998
办公地址	山东省淄博市临淄区朱台镇朱台路22号				
经营范围	造纸及纸制品加工、销售、板材销售、货物进出口等				

主要财务指标 指标\报告期	2016.06.30	2015.12.31	2015.06.30	2014.12.31
基本每股收益(元)	0.1500	0.5900	0.3100	0.6500
基本每股收益(扣除后)(元)	0.1200	0.5500	0.3100	0.6500
稀释每股收益(元)	0.1500	0.5700	0.2800	0.6400
每股净资产(元)	6.7480	6.7746	6.5060	6.1032
每股经营现金净流量(元)	0.4047	0.2485	-0.0594	1.0360
每股现金流量(元)	-0.0164	-1.2643	-0.9827	0.0410
每股资本公积金(元)	4.0235	4.0223	4.0172	3.3079
每股盈余公积金(元)	0.1773	0.1773	0.1279	0.1505
每股未分配利润(元)	1.5471	1.5946	1.3609	1.6448
净资产收益率(%)	2.2608	8.0598	4.0410	10.6340
加权净资产收益率(%)	2.2300	9.1600	4.9400	11.3600
净资产收益率(扣除)(%)	1.8119	7.5655	4.0681	10.6472
总资产(万元)	411030.49	409741.26	409523.68	402757.37
归属母公司股东权益(万元)	333813.01	335128.90	321841.96	256605.04
营业收入(万元)	123570.90	235561.23	114931.95	253797.71
营业支出(万元)	102118.92	183235.50	88410.92	191956.75
投资收益(万元)	1489.02	1761.00	1490.76	294.45
净利润(万元)	7546.86	27010.59	13005.67	27287.43
营业利润(万元)	8782.01	29608.20	14955.57	31635.49
利润总额(万元)	9138.12	29881.68	14860.50	31328.08

浙江众成包装材料股份有限公司

公司概况					
公司名称	浙江众成包装材料股份有限公司			证券简称	浙江众成
法人代表	陈健	董秘	吴军	证券代码	002522
公司网址	www.zjzhongda.com			电子信箱	sec@zjzhongda.com
电　话	0573-84187845			传　真	0573-84187829
办公地址	浙江省嘉善县经济开发区泰山路1号				
经营范围	生产、销售多层共挤热收缩薄膜、塑料制品等				

主要财务指标 指标\报告期	2016.06.30	2015.12.31	2015.06.30	2014.12.31
基本每股收益(元)	0.0600	0.0800	0.0300	0.0700
基本每股收益(扣除后)(元)	0.0500	0.0500	0.0100	0.1000
稀释每股收益(元)	0.0600	0.0800	0.0300	0.0700
每股净资产(元)	1.5781	1.5630	1.5126	3.0721
每股经营现金净流量(元)	0.0788	0.1298	0.0192	0.1922
每股现金流量(元)	0.0372	0.0048	0.4737	-0.4428
每股资本公积金(元)	0.3127	0.3127	0.3127	1.6254
每股盈余公积金(元)	0.0639	0.0639	0.0553	0.1105
每股未分配利润(元)	0.2017	0.1866	0.1450	0.3369
净资产收益率(%)	3.4907	4.9092	1.7534	4.4377
加权净资产收益率(%)	3.5100	4.9700	1.7200	4.5300
净资产收益率(扣除)(%)	3.1049	3.2335	0.7596	3.0846
总资产(万元)	189721.00	183013.73	191124.38	174312.20
归属母公司股东权益(万元)	139389.98	138054.73	133603.21	135676.93
营业收入(万元)	25305.80	48376.28	22876.28	54162.81
营业支出(万元)	15309.87	32410.50	16244.48	40143.07
投资收益(万元)	290.90	2281.88	1101.78	2453.95
净利润(万元)	4510.96	6429.80	2291.63	5968.23
营业利润(万元)	5424.10	7439.47	2627.83	6659.18
利润总额(万元)	5452.97	7721.25	2725.54	6987.00

株洲天桥起重机股份有限公司

公司概况					
公司名称	株洲天桥起重机股份有限公司			证券简称	天桥起重
法人代表	成固平	董秘	范洪泉	证券代码	002523
公司网址	www.tqcc.cn			电子信箱	sid@tqcc.cn
电　话	0731-22337000-8007			传　真	0731-22337798
办公地址	湖南省株洲市石峰区田心北门				
经营范围	从事各种起重设备的研发、制造和销售业务等				

主要财务指标 指标\报告期	2016.06.30	2015.12.31	2015.06.30	2014.12.31
基本每股收益(元)	0.0400	0.1700	0.0300	0.0400
基本每股收益(扣除后)(元)	0.0300	0.1500	0.0200	0.0100
稀释每股收益(元)	0.0400	0.1700	0.0300	0.0400
每股净资产(元)	2.0988	3.1312	2.4776	3.2383
每股经营现金净流量(元)	-0.0587	0.0654	0.0188	-0.0731
每股现金流量(元)	-0.0810	0.1343	-0.0545	-0.0142
每股资本公积金(元)	0.7455	1.6183	0.9788	1.5724
每股盈余公积金(元)	0.0472	0.0638	0.0770	0.0961
每股未分配利润(元)	0.3025	0.4462	0.4219	0.5699
净资产收益率(%)	2.0504	4.6428	1.0118	1.2713
加权净资产收益率(%)	2.0400	7.3800	1.0100	1.2700
净资产收益率(扣除)(%)	1.6010	4.0274	0.6242	0.3104
总资产(万元)	274087.35	279144.56	153581.34	145327.30
归属母公司股东权益(万元)	176982.91	176023.44	107192.23	107771.68
营业收入(万元)	42339.01	91675.29	22387.75	50199.52
营业支出(万元)	29569.76	65813.22	17449.20	39261.22
投资收益(万元)	344.61	923.53	482.99	950.60
净利润(万元)	3525.05	8203.13	986.28	1299.88
营业利润(万元)	3527.04	9034.11	1134.07	992.12
利润总额(万元)	4133.12	9451.04	1150.49	1306.17

光正集团股份有限公司

公司概况					
公司名称	光正集团股份有限公司			证券简称	光正集团
法人代表	周永麟	董秘	周永麟(代)	证券代码	002524
公司网址	www.gzss.cc			电子信箱	guangzheng@gzss.cc
电　话	0991-3766551			传　真	0991-3766551
办公地址	新疆维吾尔自治区乌鲁木齐经济技术开发区融合北路266号				
经营范围	各类钢结构的设计、生产、安装等业务				

主要财务指标 指标\报告期	2016.06.30	2015.12.31	2015.06.30	2014.12.31
基本每股收益(元)	-0.0500	0.0100	-0.0200	-0.1700
基本每股收益(扣除后)(元)	-0.0600	-0.0400	-0.0700	-0.2000
稀释每股收益(元)	-0.0500	0.0100	-0.0200	-0.1700
每股净资产(元)	1.4042	1.5528	1.5054	1.5234
每股经营现金净流量(元)	0.0083	0.2645	0.0243	0.1893
每股现金流量(元)	-0.2554	-0.0226	-0.2041	-0.6071
每股资本公积金(元)	0.5057	0.6032	0.5913	0.5913
每股盈余公积金(元)	0.0229	0.0229	0.0229	0.0229
每股未分配利润(元)	-0.1617	-0.1085	-0.1418	-0.1214
净资产收益率(%)	-3.7951	0.8313	-1.3556	-11.4319
加权净资产收益率(%)	-3.4900	0.8400	-1.3500	-10.8700
净资产收益率(扣除)(%)	-4.1056	-2.4304	-4.0933	-12.9276
总资产(万元)	169317.56	192496.18	189476.01	203706.73
归属母公司股东权益(万元)	70677.96	78157.93	75772.53	76677.67
营业收入(万元)	21574.84	55518.53	19867.65	62630.52
营业支出(万元)	14682.15	36484.73	13361.05	53533.25
投资收益(万元)	460.55	1334.99	787.50	891.70
净利润(万元)	-2552.96	2545.11	-190.93	-6826.33
营业利润(万元)	-2609.73	120.38	-2351.72	-7272.37
利润总额(万元)	-2378.42	2935.35	83.47	-6400.56

山东矿机集团股份有限公司

公司概况					
公司名称	山东矿机集团股份有限公司			证券简称	山东矿机
法人代表	赵笃学	董秘	张星春	证券代码	002526
公司网址	www.skj.cc		电子信箱	sdkj002526@163.com	
电　　话	0536-6295539		传　　真	0536-6295539	
办公地址	山东省潍坊市昌乐县经济开发区大沂路北段矿机工业园				
经营范围	煤炭机械设备开发,生产,销售及服务等				

主要财务指标：指标 \ 报告期	2016.06.30	2015.12.31	2015.06.30	2014.12.31
基本每股收益(元)	-0.0384	-0.5012	0.0224	0.0049
基本每股收益(扣除后)(元)	-0.0468	-0.6117	0.0099	-0.0521
稀释每股收益(元)	-0.0384	-0.5012	0.0224	0.0049
每股净资产(元)	3.1280	3.1694	3.6793	3.6531
每股经营现金净流量(元)	0.0585	0.1877	0.2807	-0.0258
每股现金流量(元)	-0.0567	-0.1235	-0.0482	-0.3737
每股资本公积金(元)	2.0886	2.0886	2.0749	2.0749
每股盈余公积金(元)	0.0853	0.0853	0.0853	0.0853
每股未分配利润(元)	-0.0606	-0.0192	0.5044	0.4820
净资产收益率(%)	-1.2282	-15.8145	0.6084	0.1345
加权净资产收益率(%)	-1.2200	-14.7300	0.5800	0.1300
净资产收益率(扣除)(%)	-1.4947	-19.2990	0.2700	-1.4269
总资产(万元)	276927.07	293663.09	344679.39	377043.74
归属母公司股东权益(万元)	167033.21	169246.70	196477.26	195075.58
营业收入(万元)	43776.11	107590.84	49613.20	145371.80
营业支出(万元)	40384.64	87701.63	39914.26	115936.70
投资收益(万元)	193.06	5203.30	3681.81	1301.12
净利润(万元)	-2364.22	-28319.45	1351.58	1657.76
营业利润(万元)	-2728.25	-25077.45	878.60	398.34
利润总额(万元)	-2257.68	-25414.33	1236.28	2993.23

上海新时达电气股份有限公司

公司概况					
公司名称	上海新时达电气股份有限公司			证券简称	新 时 达
法人代表	纪翌	董秘	冯骏	证券代码	002527
公司网址	www.stepelectric.com		电子信箱	yangls@stepelectric.com	
电　　话	021-69926000		传　　真	021-69926163	
办公地址	上海市嘉定区南翔镇新勤路 289 号				
经营范围	从事电梯控制系统与电梯变频器的研发、生产及销售				

主要财务指标：指标 \ 报告期	2016.06.30	2015.12.31	2015.06.30	2014.12.31
基本每股收益(元)	0.1504	0.3200	0.1421	0.3646
基本每股收益(扣除后)(元)	0.1176	0.2800	0.1209	0.5100
稀释每股收益(元)	0.1504	0.3200	0.1421	0.3700
每股净资产(元)	4.2529	3.7045	3.5247	5.1909
每股经营现金净流量(元)	-0.0433	0.1833	0.0001	0.2225
每股现金流量(元)	-0.2318	0.4566	-0.0597	-0.5106
每股资本公积金(元)	2.0340	1.4652	1.4660	2.6956
每股盈余公积金(元)	0.1373	0.1443	0.1237	0.1855
每股未分配利润(元)	1.0836	1.0960	0.9375	1.3626
净资产收益率(%)	3.4309	8.6802	4.0417	9.9599
加权净资产收益率(%)	3.7500	9.0600	4.0000	11.5800
净资产收益率(扣除)(%)	2.6830	7.5065	3.4402	9.2447
总资产(万元)	455393.41	341306.67	302168.35	247471.32
归属母公司股东权益(万元)	263752.74	218477.57	207875.01	204094.52
营业收入(万元)	102852.96	150703.30	66879.56	130507.56
营业支出(万元)	75110.34	96481.29	42867.06	78966.66
投资收益(万元)	469.25	737.03	265.79	359.95
净利润(万元)	8962.02	19156.20	8452.10	20323.49
营业利润(万元)	7755.85	14834.30	6480.94	18280.50
利润总额(万元)	11491.74	21443.33	9792.63	22665.62

深圳英飞拓科技股份有限公司

公司概况					
公司名称	深圳英飞拓科技股份有限公司			证券简称	英 飞 拓
法人代表	刘肇怀	董秘	华元柳	证券代码	002528
公司网址	www.infinova.com.cn		电子信箱	invrel@infinova.com.cn	
电　　话	0755-86096000　86095586		传　　真	0755-86098166	
办公地址	广东省深圳市宝安区观澜高新技术产业园英飞拓厂房				
经营范围	电子安防产品的研发、设计、生产和销售等				

主要财务指标：指标 \ 报告期	2016.06.30	2015.12.31	2015.06.30	2014.12.31
基本每股收益(元)	-0.0397	0.0973	-0.0109	0.0486
基本每股收益(扣除后)(元)	-0.0442	0.0954	-0.0138	0.0900
稀释每股收益(元)	-0.0394	0.0953	-0.0109	0.0482
每股净资产(元)	2.5779	3.3652	3.0412	4.6800
每股经营现金净流量(元)	-0.0518	0.0561	0.0195	0.0271
每股现金流量(元)	-0.1362	0.2417	0.1915	-0.6196
每股资本公积金(元)	1.3222	2.0164	1.9085	3.3563
每股盈余公积金(元)	0.0438	0.0569	0.0582	0.0873
每股未分配利润(元)	0.1346	0.2266	0.1191	0.3002
净资产收益率(%)	-1.5413	2.8547	-0.4678	1.5458
加权净资产收益率(%)	-1.5400	3.0000	-0.4600	1.5500
净资产收益率(扣除)(%)	-1.5485	2.7995	-0.4521	1.9612
总资产(万元)	276565.01	295213.87	250676.23	264609.76
归属母公司股东权益(万元)	238497.76	239488.55	211856.66	217299.76
营业收入(万元)	76542.80	181311.26	73115.40	97943.14
营业支出(万元)	46920.29	105614.82	42619.41	48560.50
投资收益(万元)	85.39	1340.66	995.79	6572.63
净利润(万元)	-3663.90	6901.32	-963.01	3372.08
营业利润(万元)	-3910.33	5440.64	-379.34	2325.15
利润总额(万元)	-3561.40	6875.30	48.01	3746.50

福建海源自动化机械股份有限公司

公司概况					
公司名称	福建海源自动化机械股份有限公司			证券简称	海源机械
法人代表	李良光	董秘	刘嘉屹	证券代码	002529
公司网址	www.haiyuan-group.com		电子信箱	hyjx@haiyuan-group.com	
电　　话	0591-83855071		传　　真	0591-83855031	
办公地址	福建省福州市闽侯县荆溪镇铁岭北路 2 号				
经营范围	从事全自动液压设备以及配套设备的研发、生产与销售				

主要财务指标：指标 \ 报告期	2016.06.30	2015.12.31	2015.06.30	2014.12.31
基本每股收益(元)	-0.0800	0.0140	-0.0900	0.0162
基本每股收益(扣除后)(元)	-0.0821	-0.0811	-0.1029	-0.0013
稀释每股收益(元)	-0.0800	0.0140	-0.0900	0.0162
每股净资产(元)	6.0140	4.9947	4.8897	6.2215
每股经营现金净流量(元)	-0.0886	-0.1462	-0.1057	-0.3639
每股现金流量(元)	2.0044	0.0233	-0.0090	-0.5182
每股资本公积金(元)	4.4142	3.1188	3.1188	4.1485
每股盈余公积金(元)	0.1488	0.1935	0.1935	0.2418
每股未分配利润(元)	0.4414	0.6717	0.5673	0.8221
净资产收益率(%)	-1.2521	0.2809	-1.8482	0.3250
加权净资产收益率(%)	-1.5300	0.2800	-1.8300	0.3200
净资产收益率(扣除)(%)	-1.3655	-1.6229	-2.1045	-0.0216
总资产(万元)	182433.75	122068.31	114273.87	113494.86
归属母公司股东权益(万元)	156363.52	99894.70	97794.10	99543.83
营业收入(万元)	8082.42	23014.32	8624.52	20670.26
营业支出(万元)	6053.15	15889.88	6299.18	12903.23
投资收益(万元)	-49.16	-50.64	-125.34	-129.06
净利润(万元)	-1957.83	280.62	-1807.44	323.50
营业利润(万元)	-2136.84	-2215.75	-2146.74	-175.70
利润总额(万元)	-1920.00	37.34	-1847.13	235.51

金财互联控股股份有限公司

公司概况	公司名称	金财互联控股股份有限公司			证券简称	金财互联
	法人代表	朱文明	董秘	房莉莉	证券代码	002530
	公司网址	www.fengdong.com		电子信箱	fengdong@fengdong.com	
	电　话	0515-83282838		传　真	0515-83282843	
	办公地址	江苏省大丰市经济开发区南翔西路 333 号				
	经营范围	开发、生产热处理设备及其辅助设备并销售本公司自产产品等				

	指标\报告期	2016.06.30	2015.12.31	2015.06.30	2014.12.31
主要财务指标	基本每股收益(元)	0.0300	0.1300	0.0600	0.1200
	基本每股收益(扣除后)(元)	0.0100	0.1000	0.0380	0.0900
	稀释每股收益(元)	0.0300	0.1300	0.0600	0.1200
	每股净资产(元)	2.5964	2.5984	2.5289	2.5028
	每股经营现金净流量(元)	0.0600	0.1469	-0.0658	0.1256
	每股现金流量(元)	0.0720	-0.1137	-0.1684	0.0580
	每股资本公积金(元)	0.7843	0.7843	0.7850	0.7850
	每股盈余公积金(元)	0.1040	0.1040	0.0931	0.0931
	每股未分配利润(元)	0.7081	0.7101	0.6509	0.6247
	净资产收益率(%)	1.0773	4.8596	2.2202	4.8801
	加权净资产收益率(%)	1.0800	4.9600	2.2300	4.9700
	净资产收益率(扣除)(%)	0.4414	3.8476	1.5072	3.7366
	总资产(万元)	100039.98	99962.80	99721.55	100124.59
	归属母公司股东权益(万元)	69583.03	69637.41	67775.59	67074.83
	营业收入(万元)	17525.12	43480.91	21034.24	36717.54
	营业支出(万元)	12328.46	30593.32	14913.86	25212.94
	投资收益(万元)	-7.26	537.38	246.36	760.16
	净利润(万元)	919.85	3563.84	1615.80	3489.76
	营业利润(万元)	549.56	3562.08	1410.22	3321.56
	利润总额(万元)	1238.86	4417.56	1991.23	4256.58

天顺风能(苏州)股份有限公司

公司概况	公司名称	天顺风能(苏州)股份有限公司			证券简称	天顺风能
	法人代表	严俊旭	董秘	郑康生	证券代码	002531
	公司网址	www.titanmetal.com.cn		电子信箱	public@titanwind.com.cn	
	电　话	0512-82783958　82783910		传　真	0512-82757667	
	办公地址	江苏省太仓市太仓港经济技术开发区洋江路 28 号				
	经营范围	从事设计、生产加工各类电力设备(风力发电设备)、船舶设备等				

	指标\报告期	2016.06.30	2015.12.31	2015.06.30	2014.12.31
主要财务指标	基本每股收益(元)	0.1400	0.3700	0.0800	0.2100
	基本每股收益(扣除后)(元)	0.1200	0.3500	0.1320	0.3500
	稀释每股收益(元)	0.1400	0.3700	0.0800	0.2100
	每股净资产(元)	1.6400	2.7449	2.4200	4.8692
	每股经营现金净流量(元)	0.1668	0.4120	-0.0833	0.4024
	每股现金流量(元)	0.1067	0.3321	0.0862	-0.3227
	每股资本公积金(元)	0.0069	0.8125	0.6930	2.6249
	每股盈余公积金(元)	0.0581	0.1046	0.0837	0.1674
	每股未分配利润(元)	0.5775	0.8305	0.6282	1.0660
	净资产收益率(%)	8.7732	13.4224	6.0007	8.7283
	加权净资产收益率(%)	9.0100	14.2000	5.8100	8.9700
	净资产收益率(扣除)(%)	7.2499	12.7643	5.4514	7.2509
	总资产(万元)	519136.14	464318.23	391211.99	297214.22
	归属母公司股东权益(万元)	242947.71	225903.02	199167.18	200366.77
	营业收入(万元)	97742.62	214861.25	93730.78	140231.89
	营业支出(万元)	62447.85	154267.07	69202.73	108342.47
	投资收益(万元)	1218.87	2621.25	1546.62	4928.43
	净利润(万元)	21236.18	30339.34	12020.62	17483.95
	营业利润(万元)	20706.07	35726.78	13953.30	19447.29
	利润总额(万元)	25059.86	35833.77	14501.28	20201.48

新界泵业集团股份有限公司

公司概况	公司名称	新界泵业集团股份有限公司			证券简称	新界泵业
	法人代表	许敏田	董秘	严先发	证券代码	002532
	公司网址	www.shimge.com		电子信箱	zqb@shimge.com	
	电　话	0576-81670968		传　真	0576-86338769	
	办公地址	浙江省温岭市大溪镇大洋城工业区				
	经营范围	各类水泵及控制设备以及空气压缩机的研发、生产和销售				

	指标\报告期	2016.06.30	2015.12.31	2015.06.30	2014.12.31
主要财务指标	基本每股收益(元)	0.2200	0.3700	0.2100	0.2700
	基本每股收益(扣除后)(元)	0.2100	0.3000	0.1800	0.2500
	稀释每股收益(元)	0.2200	0.3700	0.2100	0.2700
	每股净资产(元)	3.8600	3.7600	3.6016	3.3900
	每股经营现金净流量(元)	0.2720	0.3341	0.0226	0.5890
	每股现金流量(元)	-0.1480	-0.0618	0.2483	0.3381
	每股资本公积金(元)	1.1487	1.2173	1.2008	1.1563
	每股盈余公积金(元)	0.1904	0.1904	0.1468	0.1474
	每股未分配利润(元)	1.4909	1.3227	1.2119	1.0538
	净资产收益率(%)	5.6632	9.7589	5.8925	8.0749
	加权净资产收益率(%)	5.7000	10.2800	6.1000	8.3800
	净资产收益率(扣除)(%)	5.4291	7.9467	4.8580	7.4432
	总资产(万元)	192134.46	162566.44	167747.37	150431.01
	归属母公司股东权益(万元)	124106.26	120733.68	115708.11	108611.32
	营业收入(万元)	60292.52	114641.68	57428.26	114531.17
	营业支出(万元)	42851.04	83537.56	41739.51	85210.03
	投资收益(万元)	69.02	318.67	54.00	2840.71
	净利润(万元)	6746.40	11551.80	6747.87	9338.62
	营业利润(万元)	8004.44	11032.50	6344.50	8679.87
	利润总额(万元)	8076.05	13154.01	7650.44	10691.39

金杯电工股份有限公司

公司概况	公司名称	金杯电工股份有限公司			证券简称	金杯电工
	法人代表	吴学愚	董秘	黄喜华	证券代码	002533
	公司网址	www.gold-cup.cn		电子信箱	jbdg8888@163.com	
	电　话	0731-82786126　82786129		传　真	0731-82786127	
	办公地址	湖南省长沙市国家高新技术产业开发区东方红中路 580 号				
	经营范围	加工、制造、销售电线、电缆、生产、销售电线电缆材料及成品等				

	指标\报告期	2016.06.30	2015.12.31	2015.06.30	2014.12.31
主要财务指标	基本每股收益(元)	0.1280	0.2680	0.0910	0.2380
	基本每股收益(扣除后)(元)	0.1200	0.2440	0.0860	0.2140
	稀释每股收益(元)	0.1280	0.2670	0.0910	0.2370
	每股净资产(元)	3.7393	3.6824	3.5541	3.5457
	每股经营现金净流量(元)	0.1069	0.3739	0.1113	0.2010
	每股现金流量(元)	-0.8189	0.1453	-0.6480	0.1524
	每股资本公积金(元)	1.4504	1.4427	1.4266	1.4095
	每股盈余公积金(元)	0.1053	0.1053	0.0888	0.0888
	每股未分配利润(元)	1.2853	1.2575	1.0998	1.1091
	净资产收益率(%)	3.4194	7.1709	2.5516	6.5172
	加权净资产收益率(%)	3.4500	7.4200	2.5300	6.8200
	净资产收益率(扣除)(%)	3.2133	6.5350	2.4275	5.9101
	总资产(万元)	302555.47	283015.82	294257.85	286625.98
	归属母公司股东权益(万元)	206836.00	203685.99	196721.35	196258.26
	营业收入(万元)	131721.27	323613.14	148394.13	317712.82
	营业支出(万元)	108849.00	275868.44	128376.30	276885.80
	投资收益(万元)	4.96	-81.22	27.33	-468.18
	净利润(万元)	7419.32	15253.21	5414.99	13295.64
	营业利润(万元)	8232.49	16269.34	6199.34	14003.85
	利润总额(万元)	8765.23	17895.69	6466.24	15652.94

杭州锅炉集团股份有限公司

公司概况	公司名称	杭州锅炉集团股份有限公司			证券简称	杭锅股份
	法人代表	吴南平	董秘	濮卫锋	证券代码	002534
	公司网址	www.chinaboilers.com		电子信箱	boiler@mail.hz.zj.cn	
	电话	0571-85387519		传真	0571-85387598	
	办公地址	浙江省杭州市江干区大农港路 1216 号				
	经营范围	各类余热锅炉、工业锅炉、电站锅炉、核电设备和电站辅机的研发、生产和销售				

主要财务指标	指标\报告期	2016.06.30	2015.12.31	2015.06.30	2014.12.31
	基本每股收益(元)	0.1400	-0.3900	-0.5000	0.1800
	基本每股收益(扣除后)(元)	0.0700	-0.6000	-0.5800	0.0400
	稀释每股收益(元)	0.1400	-0.3900	-0.5000	0.1800
	每股净资产(元)	4.0336	6.0999	5.9646	6.6085
	每股经营现金净流量(元)	0.6346	0.9604	0.0102	1.0395
	每股现金流量(元)	0.3365	-0.4468	-0.1141	-0.7064
	每股资本公积金(元)	1.5030	2.6118	2.5951	2.5951
	每股盈余公积金(元)	0.2724	0.3990	0.3990	0.3569
	每股未分配利润(元)	1.3648	2.0121	1.9001	2.5910
	净资产收益率(%)	3.4486	-6.3417	-8.3642	2.6689
	加权净资产收益率(%)	3.4600	-6.1100	-7.8800	2.6900
	净资产收益率(扣除)(%)	1.6833	-9.8285	-9.7073	0.6193
	总资产(万元)	740055.02	706213.41	690285.98	692512.64
	归属母公司股东权益(万元)	248888.29	244314.77	238896.05	264682.43
	营业收入(万元)	107034.54	261971.78	121745.33	313278.07
	营业支出(万元)	79671.88	201800.91	95198.93	249788.30
	投资收益(万元)	3337.33	1349.16	-1252.87	833.73
	净利润(万元)	10382.90	-20153.62	-24016.58	10512.93
	营业利润(万元)	11469.62	-24441.13	-33129.11	11043.92
	利润总额(万元)	13403.75	-19115.52	-30819.84	17044.42

林州重机集团股份有限公司

公司概况	公司名称	林州重机集团股份有限公司			证券简称	林州重机
	法人代表	郭现生	董秘	曹庆平	证券代码	002535
	公司网址	www.lzzj.com		电子信箱	lzzj002535@126.com	
	电话	0372-3263686		传真	0372-3263566	
	办公地址	河南省林州市产业集聚区凤宝大道与陵阳大道交叉口				
	经营范围	液压支架等煤炭综采支护设备的设计、研发、制造、销售及技术服务				

主要财务指标	指标\报告期	2016.06.30	2015.12.31	2015.06.30	2014.12.31
	基本每股收益(元)	0.0100	-0.5200	-0.0500	0.1000
	基本每股收益(扣除后)(元)	-0.0700	-0.7100	-0.0800	0.0700
	稀释每股收益(元)	0.0100	-0.5200	-0.0500	0.1000
	每股净资产(元)	3.6742	4.7673	5.2191	4.0591
	每股经营现金净流量(元)	-0.4090	-0.3764	-0.1048	-0.1494
	每股现金流量(元)	-0.6086	0.6873	1.6517	-0.1629
	每股资本公积金(元)	2.3392	3.3409	3.3591	1.9925
	每股盈余公积金(元)	0.1016	0.1321	0.1321	0.1525
	每股未分配利润(元)	0.2335	0.2887	0.7231	0.9085
	净资产收益率(%)	0.3099	-10.0907	-0.8937	2.3489
	加权净资产收益率(%)	0.3100	-11.6200	-1.3400	2.3400
	净资产收益率(扣除)(%)	-1.5518	-13.8369	-1.3123	1.8500
	总资产(万元)	644727.54	693492.58	775971.97	684556.51
	归属母公司股东权益(万元)	294556.27	293986.77	321851.04	216850.25
	营业收入(万元)	58337.12	123281.02	77334.96	187434.94
	营业支出(万元)	49534.72	122084.06	69335.59	150126.72
	投资收益(万元)	5126.64	-23.37	359.70	1766.78
	净利润(万元)	897.62	-30388.17	-3141.89	5688.51
	营业利润(万元)	1355.39	-45528.23	-4901.86	5693.97
	利润总额(万元)	2030.64	-34383.44	-3317.13	6778.81

河南省西峡汽车水泵股份有限公司

公司概况	公司名称	河南省西峡汽车水泵股份有限公司			证券简称	西泵股份
	法人代表	孙耀志	董秘	谢国楼	证券代码	002536
	公司网址	www.xixia-waterpump.com		电子信箱	xhm@xixia-waterpump.com	
	电话	0377-69723888 69662536		传真	0377-69722888 69662536	
	办公地址	河南省南阳市西峡县工业大道				
	经营范围	汽车、摩托车零部件及其机械产品的加工、制造、销售等				

主要财务指标	指标\报告期	2016.06.30	2015.12.31	2015.06.30	2014.12.31
	基本每股收益(元)	0.1600	0.5400	0.1000	0.4200
	基本每股收益(扣除后)(元)	0.1300	0.4200	0.3100	0.3100
	稀释每股收益(元)	0.1600	0.5400	0.1000	0.4200
	每股净资产(元)	5.3485	15.7796	15.7549	12.3590
	每股经营现金净流量(元)	0.1674	0.7559	0.4599	0.8750
	每股现金流量(元)	-0.4363	2.3041	3.3831	-0.0176
	每股资本公积金(元)	3.2819	11.8458	11.8458	8.3220
	每股盈余公积金(元)	0.1229	0.3688	0.3222	0.3734
	每股未分配利润(元)	0.9436	2.5651	2.5869	2.6637
	净资产收益率(%)	2.9028	3.2546	1.8331	3.4070
	加权净资产收益率(%)	2.9300	3.7600	2.4900	3.4400
	净资产收益率(扣除)(%)	2.4137	2.6909	1.6689	2.4878
	总资产(万元)	273526.38	298554.32	311971.17	252031.15
	归属母公司股东权益(万元)	178536.10	175579.01	175303.63	118646.59
	营业收入(万元)	95429.66	191484.44	94945.96	161468.62
	营业支出(万元)	73169.17	147800.97	73648.75	127134.65
	投资收益(万元)	-	-	-	-
	净利润(万元)	5273.59	5808.05	3262.45	4114.24
	营业利润(万元)	4471.47	5355.04	3251.60	3149.09
	利润总额(万元)	5523.65	6544.42	3601.78	4551.89

青岛海立美达股份有限公司

公司概况	公司名称	青岛海立美达股份有限公司			证券简称	海立美达
	法人代表	刘国平	董秘	周建孚	证券代码	002537
	公司网址	www.haili.com.cn		电子信箱	hlmo@haili.com.cn	
	电话	0532-89066166		传真	0532-89066196	
	办公地址	山东省青岛市即墨市青威路 1626 号				
	经营范围	钢板的剪切、冲压加工、彩涂钢板、钢制零部件、模具的开发与生产等				

主要财务指标	指标\报告期	2016.06.30	2015.12.31	2015.06.30	2014.12.31
	基本每股收益(元)	0.1900	0.2400	0.2700	0.2000
	基本每股收益(扣除后)(元)	0.1200	0.0200	0.1000	0.1600
	稀释每股收益(元)	0.1900	0.2400	0.2700	0.2000
	每股净资产(元)	5.0875	4.8900	4.8949	9.3022
	每股经营现金净流量(元)	0.4837	1.6545	1.0687	2.3424
	每股现金流量(元)	0.0255	-0.0778	-0.0398	0.1529
	每股资本公积金(元)	2.5909	2.5873	2.5693	6.1461
	每股盈余公积金(元)	0.0949	0.0864	0.0672	0.1344
	每股未分配利润(元)	1.4008	1.2156	1.2585	2.0219
	净资产收益率(%)	3.6808	4.9679	5.5534	2.1381
	加权净资产收益率(%)	3.7400	5.0700	5.6800	2.1500
	净资产收益率(扣除)(%)	2.3717	0.4087	2.1154	1.7006
	总资产(万元)	285380.41	276674.19	295374.67	268753.34
	归属母公司股东权益(万元)	152625.54	147300.02	148168.97	140789.48
	营业收入(万元)	101531.68	206507.93	111592.15	250608.16
	营业支出(万元)	86125.32	180257.23	96673.52	220773.09
	投资收益(万元)	164.78	39.39	39.39	39.39
	净利润(万元)	7464.25	9073.29	11303.92	5103.08
	营业利润(万元)	7145.91	1489.29	3556.53	6484.92
	利润总额(万元)	11172.93	10976.04	12842.05	7278.14

安徽省司尔特肥业股份有限公司

公司概况					
公司名称	安徽省司尔特肥业股份有限公司			证券简称	司 尔 特
法人代表	金国清	董秘	吴勇	证券代码	002538
公司网址	www.sierte.com		电子信箱	wy3968@sina.com	
电　话	0563-4181590　4181525		传　真	0563-4181525	
办公地址	安徽省宁国市经济技术开发区汪溪园区				
经营范围	高浓度磷复肥产品研发、生产和销售等				

主要财务指标				
指标＼报告期	2016.06.30	2015.12.31	2015.06.30	2014.12.31
基本每股收益(元)	0.1800	0.4000	0.2000	0.2400
基本每股收益(扣除后)(元)	0.1600	0.3500	0.1900	0.4200
稀释每股收益(元)	0.1800	0.4000	0.2000	0.2400
每股净资产(元)	4.2697	4.1941	3.1345	5.9700
每股经营现金净流量(元)	0.0018	0.5963	0.2051	0.1076
每股现金流量(元)	-0.1627	0.8418	0.2116	-0.2795
每股资本公积金(元)	1.9137	1.9130	0.7972	2.5944
每股盈余公积金(元)	0.1532	0.1532	0.1444	0.2888
每股未分配利润(元)	1.2027	1.1278	1.1929	2.0856
净资产收益率(%)	4.0975	8.1905	6.3840	8.1544
加权净资产收益率(%)	4.1200	11.6100	6.5400	8.4300
净资产收益率(扣除)(%)	3.7401	7.2528	5.9726	7.0804
总资产(万元)	465169.61	410567.46	371740.04	337941.63
归属母公司股东权益(万元)	306618.37	301188.26	185562.11	176675.84
营业收入(万元)	139223.64	297385.68	159974.83	237836.21
营业支出(万元)	112033.62	242116.22	131187.13	196659.55
投资收益(万元)	392.78	14.19	-	-
净利润(万元)	12732.87	24668.89	11846.27	14406.85
营业利润(万元)	13500.73	25588.62	13050.24	14787.37
利润总额(万元)	14880.04	27713.20	13934.61	16992.58

成都云图控股股份有限公司

公司概况					
公司名称	成都云图控股股份有限公司			证券简称	云图控股
法人代表	牟嘉云	董秘	王生兵	证券代码	002539
公司网址	www.shindoo.com		电子信箱	zhengquan@shindoo.com	
电　话	028-87373422		传　真	028-87373422	
办公地址	四川省成都市新都工业开发区南二路				
经营范围	生产、销售复合肥等				

主要财务指标				
指标＼报告期	2016.06.30	2015.12.31	2015.06.30	2014.12.31
基本每股收益(元)	0.1100	0.2300	0.1100	0.1400
基本每股收益(扣除后)(元)	0.0800	0.1600	0.1800	0.2900
稀释每股收益(元)	0.1100	0.2300	0.1100	0.1400
每股净资产(元)	2.9767	2.9514	7.0980	7.0286
每股经营现金净流量(元)	0.0510	0.2345	-0.4895	0.7588
每股现金流量(元)	0.0846	0.1275	0.2539	-0.2132
每股资本公积金(元)	1.1250	1.1250	3.8763	3.8763
每股盈余公积金(元)	0.0789	0.0789	0.2161	0.2161
每股未分配利润(元)	0.7753	0.7465	1.9685	1.8964
净资产收益率(%)	3.6573	6.7283	3.8326	4.8787
加权净资产收益率(%)	3.6600	7.8300	3.8200	4.9500
净资产收益率(扣除)(%)	2.5290	4.7285	2.5422	4.0910
总资产(万元)	870787.94	886577.85	812976.07	667557.72
归属母公司股东权益(万元)	300678.62	298124.44	234972.94	232673.90
营业收入(万元)	318259.03	583772.96	290114.73	466704.32
营业支出(万元)	263442.08	480804.13	241314.30	384312.36
投资收益(万元)	-16.77	-2.54	-2.29	-447.56
净利润(万元)	11859.47	24637.04	12510.22	18701.58
营业利润(万元)	10770.37	24697.46	12178.39	22290.06
利润总额(万元)	15415.20	32502.79	16460.62	24842.31

江苏亚太轻合金科技股份有限公司

公司概况					
公司名称	江苏亚太轻合金科技股份有限公司			证券简称	亚太科技
法人代表	周福海	董秘	罗功武	证券代码	002540
公司网址	www.yatal.com		电子信箱	dm@yatal.com	
电　话	0510-88278652		传　真	0510-88278653	
办公地址	江苏省无锡市新区坊兴路 8 号				
经营范围	精密铝管、专用型材和高精度棒材等汽车铝挤压材及其他工业铝挤压材的研发、生产和销售				

主要财务指标				
指标＼报告期	2016.06.30	2015.12.31	2015.06.30	2014.12.31
基本每股收益(元)	0.1385	0.2320	0.1339	0.2130
基本每股收益(扣除后)(元)	0.1406	0.2200	0.1118	0.4051
稀释每股收益(元)	0.1385	0.2320	0.1339	0.2130
每股净资产(元)	2.6899	2.6023	2.5047	5.9300
每股经营现金净流量(元)	-0.0127	0.1577	0.0397	0.2122
每股现金流量(元)	-0.0422	0.0108	0.0288	0.0463
每股资本公积金(元)	0.6837	0.6837	0.6837	3.2091
每股盈余公积金(元)	0.0841	0.0841	0.0735	0.1837
每股未分配利润(元)	0.9219	0.8334	0.7463	1.5311
净资产收益率(%)	5.1495	8.8976	5.3448	8.9982
加权净资产收益率(%)	5.1800	9.3100	5.4900	9.2900
净资产收益率(扣除)(%)	5.2278	8.4559	4.4650	6.8348
总资产(万元)	302330.69	308570.57	298441.73	273633.05
归属母公司股东权益(万元)	279746.39	270639.42	260491.45	246542.29
营业收入(万元)	119166.25	228938.04	119853.38	224206.79
营业支出(万元)	88463.27	176621.10	93572.05	177905.29
投资收益(万元)	1482.51	2803.73	4293.63	5061.61
净利润(万元)	14405.41	24080.29	13922.81	22017.78
营业利润(万元)	15899.13	27148.03	15740.77	24718.12
利润总额(万元)	16705.40	27980.79	15978.42	25147.97

安徽鸿路钢结构(集团)股份有限公司

公司概况					
公司名称	安徽鸿路钢结构(集团)股份有限公司			证券简称	鸿路钢构
法人代表	开金伟	董秘	汪国胜	证券代码	002541
公司网址	www.hong-lu.com		电子信箱	wangguosheng0731@163.com	
电　话	0551-66391405		传　真	0551-66391725	
办公地址	安徽省合肥市双凤工业区				
经营范围	钢结构及其围护产品的制造和销售等				

主要财务指标				
指标＼报告期	2016.06.30	2015.12.31	2015.06.30	2014.12.31
基本每股收益(元)	0.3454	0.6600	0.3426	0.5100
基本每股收益(扣除后)(元)	0.3227	0.2200	0.3255	0.4700
稀释每股收益(元)	0.3454	0.6600	0.3426	0.5100
每股净资产(元)	9.6836	9.4083	9.0914	8.8188
每股经营现金净流量(元)	0.4212	-0.1183	0.8476	0.1540
每股现金流量(元)	0.4227	-0.6393	-0.3750	-0.3865
每股资本公积金(元)	4.4617	4.4617	4.4617	4.4617
每股盈余公积金(元)	0.3287	0.3287	0.2616	0.2616
每股未分配利润(元)	3.8932	3.6179	3.3681	3.0955
净资产收益率(%)	3.5666	7.0094	3.7683	5.8374
加权净资产收益率(%)	3.6100	7.2500	3.8100	6.0000
净资产收益率(扣除)(%)	3.3324	2.3469	3.5802	5.3205
总资产(万元)	730758.01	708302.86	721817.44	739435.30
归属母公司股东权益(万元)	259520.76	252141.53	243649.48	236344.01
营业收入(万元)	154946.18	319263.24	150027.80	422515.09
营业支出(万元)	126732.86	261249.81	119551.69	349425.66
投资收益(万元)	-234.47	1028.28	1230.92	-75.99
净利润(万元)	9256.00	17673.52	9181.48	13796.34
营业利润(万元)	10905.58	7008.10	10063.49	15612.75
利润总额(万元)	11661.20	21097.64	10609.58	17072.91

中化岩土工程股份有限公司

公司概况					
公司名称	中化岩土工程股份有限公司			证券简称	中化岩土
法人代表	梁富华	董秘	王秀格	证券代码	002542
公司网址	www.cge.com.cn		电子信箱	cge@cge.com.cn	
电　话	010-61271947		传　真	010-61271705	
办公地址	北京市大兴工业开发区科苑路 13 号				
经营范围	工业、交通与民用各类建筑项目的岩土工程勘察、设计等				

主要财务指标 指标\报告期	2016.06.30	2015.12.31	2015.06.30	2014.12.31
基本每股收益(元)	0.0500	0.2200	0.0500	0.1400
基本每股收益(扣除后)(元)	0.0400	0.2100	0.0700	0.2800
稀释每股收益(元)	0.0500	0.2200	0.0500	0.1400
每股净资产(元)	1.5162	2.2353	1.6568	3.2184
每股经营现金净流量(元)	-0.0782	-0.0943	-0.1216	-0.4609
每股现金流量(元)	-0.2961	0.5535	-0.0145	-0.3856
每股资本公积金(元)	0.2037	0.8055	0.3214	1.6428
每股盈余公积金(元)	0.0385	0.0577	0.0501	0.1002
每股未分配利润(元)	0.2724	0.3710	0.2849	0.4746
净资产收益率(%)	2.9746	8.7192	4.3818	7.7996
加权净资产收益率(%)	2.9900	12.8200	4.4100	10.8900
净资产收益率(扣除)(%)	2.6968	8.2460	4.1599	7.6592
总资产(万元)	457044.02	474845.68	326922.02	303026.06
归属母公司股东权益(万元)	264949.64	260413.65	171974.55	167034.02
营业收入(万元)	92447.39	193079.50	83544.15	120388.61
营业支出(万元)	70958.25	136761.43	62209.57	87420.72
投资收益(万元)	380.23	1251.96	-24.63	422.17
净利润(万元)	7772.91	22522.69	7361.06	13012.22
营业利润(万元)	9232.39	26246.78	8027.55	14752.45
利润总额(万元)	9504.22	26590.55	8478.78	15028.51

广东万和新电气股份有限公司

公司概况					
公司名称	广东万和新电气股份有限公司			证券简称	万和电气
法人代表	叶远璋	董秘	卢宇阳	证券代码	002543
公司网址	www.vanward.com		电子信箱	vw@vanward.com	
电　话	0757-28382828		传　真	0757-23814788	
办公地址	广东省佛山市顺德高新区(容桂)建业中路 13 号				
经营范围	生产销售燃气热水器、燃气采暖热水炉、电热水器、燃气灶具、消毒柜等				

主要财务指标 指标\报告期	2016.06.30	2015.12.31	2015.06.30	2014.12.31
基本每股收益(元)	0.5234	0.7252	0.4565	0.6066
基本每股收益(扣除后)(元)	0.5198	0.7012	0.4509	0.5834
稀释每股收益(元)	0.5234	0.7252	0.4565	0.6066
每股净资产(元)	6.6842	6.4103	6.1434	5.8647
每股经营现金净流量(元)	1.4404	1.5424	1.2590	0.4710
每股现金流量(元)	1.3434	0.1011	0.4548	-0.5329
每股资本公积金(元)	2.8386	2.8386	2.8386	2.8386
每股盈余公积金(元)	0.2204	0.2204	0.1840	0.1840
每股未分配利润(元)	2.6286	2.3552	2.1229	1.8464
净资产收益率(%)	7.8308	11.3135	7.4312	10.3425
加权净资产收益率(%)	7.8500	11.6500	7.4900	10.2000
净资产收益率(扣除)(%)	7.7772	10.9390	7.3394	9.9472
总资产(万元)	460216.82	425595.77	389817.05	375620.39
归属母公司股东权益(万元)	294105.14	282051.86	270308.12	258047.71
营业收入(万元)	237992.20	419221.97	212363.53	397771.75
营业支出(万元)	156406.62	289259.99	147209.72	279576.62
投资收益(万元)	1298.61	2324.19	964.28	2198.71
净利润(万元)	22996.19	31902.90	20087.18	26688.64
营业利润(万元)	26679.61	36381.14	23804.78	30022.17
利润总额(万元)	27582.66	37886.34	24106.10	31235.68

广州杰赛科技股份有限公司

公司概况					
公司名称	广州杰赛科技股份有限公司			证券简称	杰赛科技
法人代表	韩玉辉	董秘	黄征	证券代码	002544
公司网址	www.chinagci.com		电子信箱	IR@chinagci.com	
电　话	020-84118343		传　真	020-84119246	
办公地址	广东省广州市新港中路 381 号杰赛科技大楼				
经营范围	面向信息网络建设提供综合解决方案服务及相关信息网络产品				

主要财务指标 指标\报告期	2016.06.30	2015.12.31	2015.06.30	2014.12.31
基本每股收益(元)	0.0317	0.2081	0.0307	0.1800
基本每股收益(扣除后)(元)	0.0317	0.1800	0.0200	0.1400
稀释每股收益(元)	0.0317	0.2081	0.0307	0.1800
每股净资产(元)	2.3912	2.3820	2.2037	2.2000
每股经营现金净流量(元)	-1.2151	0.0969	-0.8279	0.0161
每股现金流量(元)	-0.8172	-0.0473	-0.5644	0.2541
每股资本公积金(元)	0.4199	0.4199	0.4199	0.4199
每股盈余公积金(元)	0.1464	0.1464	0.1270	0.1270
每股未分配利润(元)	0.8449	0.8433	0.6854	0.6835
净资产收益率(%)	1.3237	8.7347	1.3936	8.0614
加权净资产收益率(%)	1.3300	9.0900	1.3900	8.3300
净资产收益率(扣除)(%)	1.1691	7.6950	0.9105	6.3948
总资产(万元)	330477.28	351293.69	283566.71	295684.25
归属母公司股东权益(万元)	123328.41	122853.11	113658.92	113922.42
营业收入(万元)	112179.91	229377.75	76891.09	194683.75
营业支出(万元)	90649.90	184779.44	59890.93	154034.20
投资收益(万元)	-	-	-	-
净利润(万元)	1529.85	10758.82	1526.16	9237.16
营业利润(万元)	1428.81	10039.96	1042.60	8103.81
利润总额(万元)	1665.38	11610.14	1801.34	10639.70

青岛东方铁塔股份有限公司

公司概况					
公司名称	青岛东方铁塔股份有限公司			证券简称	东方铁塔
法人代表	韩方如	董秘	何良军	证券代码	002545
公司网址	www.qddftt.cn		电子信箱	stock@qddftt.cn	
电　话	0532-88056092		传　真	0532-82292646	
办公地址	山东省胶州市广州北路 318 号				
经营范围	广播电视塔、微波塔、电力塔、导航塔、钢管、公用天线及钢结构设计制造				

主要财务指标 指标\报告期	2016.06.30	2015.12.31	2015.06.30	2014.12.31
基本每股收益(元)	0.0744	0.0774	0.0447	0.0686
基本每股收益(扣除后)(元)	0.0735	0.0752	0.1320	0.1912
稀释每股收益(元)	0.0744	0.0774	0.0447	0.0686
每股净资产(元)	3.3089	3.2803	11.0525	10.9676
每股经营现金净流量(元)	0.3787	0.3073	-	0.8733
每股现金流量(元)	-0.0551	-0.0130	-0.3992	-0.7356
每股资本公积金(元)	1.2910	1.2910	5.8730	5.8730
每股盈余公积金(元)	0.1659	0.1659	0.4845	0.4803
每股未分配利润(元)	0.7625	0.7480	3.6592	3.5792
净资产收益率(%)	2.2494	2.3610	1.2143	1.8772
加权净资产收益率(%)	2.2400	2.1500	1.2200	1.8900
净资产收益率(扣除)(%)	2.2222	2.2925	1.1941	1.7431
总资产(万元)	403986.86	406188.28	410582.51	401593.98
归属母公司股东权益(万元)	258345.37	256107.65	287642.09	285430.64
营业收入(万元)	69140.02	118653.29	49536.58	99393.68
营业支出(万元)	53050.76	93282.93	39873.56	75796.43
投资收益(万元)	3078.66	4767.70	4303.21	2666.85
净利润(万元)	5877.72	6034.21	3472.37	5359.43
营业利润(万元)	6304.14	6004.64	3575.38	6194.40
利润总额(万元)	6398.51	6279.62	3692.91	6215.37

南京新联电子股份有限公司

公司概况					
公司名称	南京新联电子股份有限公司			证券简称	新联电子
法人代表	胡敏	董秘	朱忠明	证券代码	002546
公司网址	www.xldz.com			电子信箱	zzm@njxldz.com
电　　话	025-83699366			传　　真	025-87153628
办公地址	江苏省南京市江宁开发区家园中路 28 号				
经营范围	三遥系统(国家有专项规定的办理许可证后经营)、广播电视设备等				

指标\报告期	2016.06.30	2015.12.31	2015.06.30	2014.12.31
基本每股收益(元)	0.0700	0.6200	0.0900	0.6100
基本每股收益(扣除后)(元)	0.0600	0.5800	0.2170	0.5100
稀释每股收益(元)	0.0700	0.6200	0.0900	0.6100
每股净资产(元)	3.2321	5.5492	5.1794	5.2284
每股经营现金净流量(元)	–0.0081	0.5118	–0.0627	0.4089
每股现金流量(元)	–0.2809	1.7760	1.2447	0.3317
每股资本公积金(元)	1.4581	1.8913	1.8913	1.8913
每股盈余公积金(元)	0.0965	0.3188	0.2719	0.2719
每股未分配利润(元)	0.6774	2.3391	2.0163	2.0652
净资产收益率(%)	1.9050	11.1874	4.8471	11.6459
加权净资产收益率(%)	2.6900	11.5700	4.7300	12.1500
净资产收益率(扣除)(%)	1.7488	10.5068	4.1835	9.6719
总资产(万元)	317647.30	184841.46	167266.65	174133.79
归属母公司股东权益(万元)	269572.67	139839.08	130521.22	131754.75
营业收入(万元)	31273.36	77701.02	32797.81	58036.11
营业支出(万元)	18782.45	46168.69	19599.96	34508.29
投资收益(万元)	399.23	924.00	924.00	2959.96
净利润(万元)	5261.40	16362.04	6486.70	15597.47
营业利润(万元)	5676.48	17005.05	7067.80	15329.28
利润总额(万元)	6264.77	18604.57	7632.95	16826.43

苏州春兴精工股份有限公司

公司概况					
公司名称	苏州春兴精工股份有限公司			证券简称	春兴精工
法人代表	孙洁晓	董秘	徐苏云	证券代码	002547
公司网址	www.chunxing-group.com			电子信箱	cxjg@chunxing-group.com
电　　话	0512-62625328　62625319			传　　真	0512-62625328
办公地址	江苏省苏州市工业园区唯亭镇金陵东路 120 号				
经营范围	通讯系统设备以及汽车用精密铸件及各类精密部件的制造、销售及服务等				

指标\报告期	2016.06.30	2015.12.31	2015.06.30	2014.12.31
基本每股收益(元)	0.0900	0.1800	0.0800	0.1200
基本每股收益(扣除后)(元)	0.0900	0.1700	0.2000	0.3600
稀释每股收益(元)	0.0900	0.1800	0.0800	0.1200
每股净资产(元)	1.9212	1.8502	5.2367	5.0585
每股经营现金净流量(元)	0.1139	0.1544	–0.1358	0.9308
每股现金流量(元)	–0.0739	–0.4932	–1.6489	2.1060
每股资本公积金(元)	0.4667	0.4667	3.4000	3.4000
每股盈余公积金(元)	0.0234	0.0234	0.0446	0.0446
每股未分配利润(元)	0.4313	0.3602	0.8022	0.6191
净资产收益率(%)	4.7432	9.6756	4.4510	6.1073
加权净资产收益率(%)	4.8100	10.1300	4.5300	11.4500
净资产收益率(扣除)(%)	4.6671	9.0553	3.8428	6.1222
总资产(万元)	388980.58	351213.17	284564.28	326107.59
归属母公司股东权益(万元)	194424.43	187241.07	176648.25	170637.43
营业收入(万元)	120321.48	211774.92	106013.00	222016.49
营业支出(万元)	95405.79	159587.37	84081.18	175569.45
投资收益(万元)	651.20	1434.50	1093.50	–
净利润(万元)	9226.92	18309.18	7991.52	10521.06
营业利润(万元)	10910.90	22372.07	9884.64	12387.85
利润总额(万元)	10973.64	22165.79	9992.60	12317.05

深圳市金新农饲料股份有限公司

公司概况					
公司名称	深圳市金新农饲料股份有限公司			证券简称	金 新 农
法人代表	陈俊海	董秘	翟卫兵	证券代码	002548
公司网址	www.chengnong.com			电子信箱	jxnfeed@163.com
电　　话	0755-29420820　27166108			传　　真	0755-27166396
办公地址	广东省深圳市宝安区公明镇将石塘下围				
经营范围	生产、销售预混饲料、浓缩饲料、饲料、饲料添加剂等				

指标\报告期	2016.06.30	2015.12.31	2015.06.30	2014.12.31
基本每股收益(元)	0.2200	0.3300	0.1100	0.2000
基本每股收益(扣除后)(元)	0.2000	0.3100	0.0900	0.1700
稀释每股收益(元)	0.2200	0.3300	0.1100	0.2000
每股净资产(元)	4.1158	4.0413	2.6230	2.6113
每股经营现金净流量(元)	–0.4935	0.7454	–0.4629	–0.0310
每股现金流量(元)	–0.5940	1.6034	0.5095	–0.4401
每股资本公积金(元)	2.3466	2.3391	0.9777	0.9777
每股盈余公积金(元)	0.0813	0.0813	0.0796	0.0796
每股未分配利润(元)	0.6879	0.6209	0.5657	0.5540
净资产收益率(%)	5.2505	6.6868	4.2584	7.5329
加权净资产收益率(%)	5.2400	12.3100	4.2400	7.5100
净资产收益率(扣除)(%)	4.9177	6.1736	3.5785	6.6856
总资产(万元)	273909.55	244337.59	140338.47	99771.87
归属母公司股东权益(万元)	157705.95	154852.83	81365.23	81002.36
营业收入(万元)	117115.00	250485.32	126751.27	198782.65
营业支出(万元)	96333.95	215338.84	112267.38	170614.96
投资收益(万元)	4878.83	2022.46	632.10	85.76
净利润(万元)	9306.10	10751.37	3479.17	6259.47
营业利润(万元)	10046.60	13190.91	4164.57	8004.93
利润总额(万元)	10271.71	13289.48	4316.89	8129.59

湖南凯美特气体股份有限公司

公司概况					
公司名称	湖南凯美特气体股份有限公司			证券简称	凯美特气
法人代表	祝恩福	董秘	张伟	证券代码	002549
公司网址	www.china-kmt.cn			电子信箱	zhangw@china-kmt.cn
电　　话	0730-8553359			传　　真	0730-8551458
办公地址	湖南省岳阳市岳阳楼区七里山(巴陵石化化肥事业部西门)				
经营范围	干冰、液体二氧化碳、食品添加剂液体二氧化碳等的研发、生产和销售				

指标\报告期	2016.06.30	2015.12.31	2015.06.30	2014.12.31
基本每股收益(元)	0.0095	–0.0800	–0.0600	0.0600
基本每股收益(扣除后)(元)	–	–0.0900	–0.0600	0.0700
稀释每股收益(元)	0.0095	–0.0800	–0.0600	0.0600
每股净资产(元)	1.5272	1.5160	1.4038	2.0416
每股经营现金净流量(元)	0.0654	0.1510	0.0395	0.1885
每股现金流量(元)	–0.1816	0.0760	0.0120	–0.1297
每股资本公积金(元)	0.1742	0.1742	0.0384	0.4538
每股盈余公积金(元)	0.0499	0.0499	0.0422	0.0591
每股未分配利润(元)	0.2947	0.2852	0.3181	0.5225
净资产收益率(%)	0.6210	–5.2951	–3.9217	3.8048
加权净资产收益率(%)	0.6200	–5.6600	–3.8500	3.8800
净资产收益率(扣除)(%)	0.3181	–5.8310	–4.2381	3.4294
总资产(万元)	116651.44	119608.77	124683.70	119520.23
归属母公司股东权益(万元)	86590.87	85958.85	79593.25	82685.71
营业收入(万元)	11772.99	15183.97	2765.45	26199.33
营业支出(万元)	6715.40	12319.48	5009.46	12106.98
投资收益(万元)	8.48	24.25	4.38	32.81
净利润(万元)	516.82	–4552.94	–3123.50	3141.20
营业利润(万元)	104.04	–6812.30	–3972.05	1962.86
利润总额(万元)	900.11	–5187.39	–3122.69	3495.31

常州千红生化制药股份有限公司

公司概况	公司名称	常州千红生化制药股份有限公司			证券简称	千红制药
	法人代表	王耀方	董秘	蒋文群	证券代码	002550
	公司网址	www.qhsh.com.cn		电子信箱	stock@qhsh.com.cn	
	电　话	0519-85156003		传　真	0519-85156029	
	办公地址	江苏省常州市新北区长江中路90号				
	经营范围	片剂、硬胶囊剂、颗粒剂、原料药、冻干粉、冻干粉针剂等的研发、生产和销售				

主要财务指标	指标\报告期	2016.06.30	2015.12.31	2015.06.30	2014.12.31
	基本每股收益(元)	0.1116	0.4200	0.1040	0.3800
	基本每股收益(扣除后)(元)	0.0746	0.2700	0.1500	0.5300
	稀释每股收益(元)	0.1116	0.4200	0.1040	0.3800
	每股净资产(元)	1.8133	3.5534	3.3440	6.5596
	每股经营现金净流量(元)	0.1257	0.4477	0.2737	0.7875
	每股现金流量(元)	0.0272	0.0329	0.0849	-1.3010
	每股资本公积金(元)	0.0520	1.1041	1.1041	3.1958
	每股盈余公积金(元)	0.1091	0.2183	0.1761	0.3522
	每股未分配利润(元)	0.6521	1.2311	1.0639	2.0116
	净资产收益率(%)	6.1547	11.7471	6.2211	11.6736
	加权净资产收益率(%)	6.1300	12.2600	6.1500	12.2300
	净资产收益率(扣除)(%)	4.1115	7.7155	4.4060	8.1191
	总资产(万元)	284571.43	283313.77	244598.82	231073.94
	归属母公司股东权益(万元)	232103.84	227418.65	214017.89	209907.36
	营业收入(万元)	36233.97	75705.11	33090.90	81460.83
	营业支出(万元)	13381.49	24836.96	11365.12	33642.54
	投资收益(万元)	25.85	40.79	40.79	30.95
	净利润(万元)	14015.22	26229.20	13116.96	24215.59
	营业利润(万元)	16884.70	29858.05	15589.83	26887.51
	利润总额(万元)	16909.78	30298.92	15810.59	28607.61

深圳市尚荣医疗股份有限公司

公司概况	公司名称	深圳市尚荣医疗股份有限公司			证券简称	尚荣医疗
	法人代表	梁桂秋	董秘	林立	证券代码	002551
	公司网址	www.glory-medical.com.cn		电子信箱	gen@glory-medical.com.cn	
	电　话	0755-82290988		传　真	0755-89926159	
	办公地址	广东省深圳市龙岗区宝龙工业城宝龙五路二号尚荣科技工业园1号厂房2楼				
	经营范围	医疗设备及医疗系统工程、医疗设施的设计、生产、销售和安装等				

主要财务指标	指标\报告期	2016.06.30	2015.12.31	2015.06.30	2014.12.31
	基本每股收益(元)	0.1900	0.3100	0.1600	0.2300
	基本每股收益(扣除后)(元)	0.1900	0.3000	0.1600	0.2900
	稀释每股收益(元)	0.1900	0.3100	0.1600	0.2300
	每股净资产(元)	3.9264	3.3461	3.8917	3.7603
	每股经营现金净流量(元)	-0.0836	0.4997	0.1579	-0.0387
	每股现金流量(元)	0.2490	-0.4313	-0.1995	-0.3763
	每股资本公积金(元)	1.8494	1.4439	1.8785	1.8451
	每股盈余公积金(元)	0.0721	0.0736	0.0723	0.0724
	每股未分配利润(元)	1.0876	0.9178	0.9319	0.8428
	净资产收益率(%)	4.7726	9.3359	4.8726	7.4894
	加权净资产收益率(%)	5.5500	9.9100	4.9300	7.9200
	净资产收益率(扣除)(%)	4.8098	9.0754	4.8697	7.5568
	总资产(万元)	315858.02	291485.44	286935.31	235646.56
	归属母公司股东权益(万元)	174360.03	145739.09	141269.94	136401.16
	营业收入(万元)	85045.91	166631.95	86719.06	116677.75
	营业支出(万元)	59943.30	121590.60	67223.57	83650.54
	投资收益(万元)	-	646.56	-	19.67
	净利润(万元)	9206.13	15507.47	7820.69	11100.25
	营业利润(万元)	10338.78	18150.51	8746.97	13128.06
	利润总额(万元)	10601.69	18601.00	9845.01	13338.39

宝鼎科技股份有限公司

公司概况	公司名称	宝鼎科技股份有限公司			证券简称	宝鼎科技
	法人代表	朱宝松	董秘	吴建海	证券代码	002552
	公司网址	www.baoding-tech.com		电子信箱	info@baoding-tech.com	
	电　话	0571-86319217		传　真	0571-86319217	
	办公地址	浙江省杭州市余杭区塘栖镇工业园区内				
	经营范围	大型铸锻件的研发、生产和销售等				

主要财务指标	指标\报告期	2016.06.30	2015.12.31	2015.06.30	2014.12.31
	基本每股收益(元)	-0.0800	0.0100	0.0200	0.0500
	基本每股收益(扣除后)(元)	-0.0900	-0.0100	0.0100	0.0300
	稀释每股收益(元)	-0.0800	0.0100	0.0200	0.0500
	每股净资产(元)	2.5994	2.6935	2.6981	2.6994
	每股经营现金净流量(元)	0.1257	0.1230	0.0344	0.0461
	每股现金流量(元)	-0.0651	0.0415	0.6253	-0.1493
	每股资本公积金(元)	1.1344	1.1344	1.1346	1.1346
	每股盈余公积金(元)	0.0876	0.0876	0.0859	0.0859
	每股未分配利润(元)	0.3774	0.4715	0.4776	0.4789
	净资产收益率(%)	-3.2348	0.5313	0.6952	1.7601
	加权净资产收益率(%)	-3.1800	0.5300	0.6900	1.7700
	净资产收益率(扣除)(%)	-3.6319	-0.4718	0.4122	1.1482
	总资产(万元)	118670.84	126623.71	109475.28	90935.07
	归属母公司股东权益(万元)	77982.42	80805.03	80943.63	80980.90
	营业收入(万元)	9686.37	32399.06	15260.10	32443.19
	营业支出(万元)	9082.14	26389.40	12677.36	27495.49
	投资收益(万元)	-279.18	-225.11	-33.25	155.12
	净利润(万元)	-2527.02	424.40	562.73	1425.33
	营业利润(万元)	-2871.22	-629.65	378.67	1054.87
	利润总额(万元)	-2514.82	327.73	667.16	1602.67

江苏南方轴承股份有限公司

公司概况	公司名称	江苏南方轴承股份有限公司			证券简称	南方轴承
	法人代表	史建伟	董秘	蔡卫东	证券代码	002553
	公司网址	www.nf-bearings.com		电子信箱	weidong.cai@nf-bearings.com	
	电　话	0519-67893573		传　真	0519-89810195	
	办公地址	江苏省常州市武进高新技术开发区龙翔路9号				
	经营范围	滚针轴承、离合器、齿轮、滑轮总成、机械零部件、汽车零部件等的研发、生产和销售				

主要财务指标	指标\报告期	2016.06.30	2015.12.31	2015.06.30	2014.12.31
	基本每股收益(元)	0.1148	0.1874	0.1134	0.1876
	基本每股收益(扣除后)(元)	0.0872	0.1502	0.0824	0.3000
	稀释每股收益(元)	0.1148	0.1874	0.1134	0.1876
	每股净资产(元)	1.8981	1.8833	1.8093	3.5918
	每股经营现金净流量(元)	0.0985	0.1843	0.0698	0.3565
	每股现金流量(元)	0.0498	-0.2591	-0.2380	0.2326
	每股资本公积金(元)	0.1624	0.1624	0.1624	1.3248
	每股盈余公积金(元)	0.1008	0.1008	0.0815	0.1630
	每股未分配利润(元)	0.6349	0.6201	0.5654	1.1040
	净资产收益率(%)	6.0480	9.9515	6.2686	10.4433
	加权净资产收益率(%)	5.9700	10.2300	6.1800	10.8400
	净资产收益率(扣除)(%)	4.5965	7.9774	4.5527	8.3585
	总资产(万元)	71469.23	70976.77	68286.44	67429.13
	归属母公司股东权益(万元)	66055.10	65540.09	62964.91	62497.87
	营业收入(万元)	15270.03	30215.68	15194.75	30135.35
	营业支出(万元)	9437.02	19674.17	10131.84	19780.41
	投资收益(万元)	1044.67	1493.50	1241.48	1446.44
	净利润(万元)	3995.02	6522.22	3947.04	6526.82
	营业利润(万元)	4568.04	7598.42	4565.30	7516.09
	利润总额(万元)	4651.38	7699.10	4594.90	7602.53

华油惠博普科技股份有限公司

公司概况	公司名称	华油惠博普科技股份有限公司			证券简称	惠博普
	法人代表	黄松	董秘	张中炜	证券代码	002554
	公司网址	www.china-hbp.com			电子信箱	securities@china-hbp.com
	电话	010-82809807			传真	010-82809807
	办公地址	北京市海淀区马甸东路 17 号 11 层 1212				
	经营范围	油气田开发地面系统装备的工艺技术研发、系统设计等				

主要财务指标	指标\报告期	2016.06.30	2015.12.31	2015.06.30	2014.12.31
	基本每股收益(元)	0.0700	0.3200	0.0700	0.3400
	基本每股收益(扣除后)(元)	0.0600	0.3200	0.1400	0.3400
	稀释每股收益(元)	0.0700	0.3200	0.0600	0.3400
	每股净资产(元)	1.9199	3.8915	3.9901	3.1625
	每股经营现金净流量(元)	–0.0929	0.0297	–0.2102	0.2332
	每股现金流量(元)	0.1964	0.2208	–0.0328	0.0398
	每股资本公积金(元)	0.4770	1.9540	2.0407	1.1814
	每股盈余公积金(元)	0.0462	0.0924	0.0683	0.0773
	每股未分配利润(元)	0.4744	1.0102	0.8978	0.9210
	净资产收益率(%)	3.6104	7.7480	3.3561	10.8068
	加权净资产收益率(%)	3.3100	8.3300	3.9200	11.3200
	净资产收益率(扣除)(%)	3.5924	7.6401	3.3145	10.6182
	总资产(万元)	356164.74	322512.48	290742.74	275008.95
	归属母公司股东权益(万元)	205664.77	208436.43	205739.24	144092.07
	营业收入(万元)	51149.19	135905.04	70803.15	138141.71
	营业支出(万元)	32297.43	92030.93	49782.37	96200.45
	投资收益(万元)	–10.94	–41.80	35.19	–430.21
	净利润(万元)	7508.97	17166.92	7395.85	17581.21
	营业利润(万元)	7995.30	20604.33	9537.39	21162.96
	利润总额(万元)	8325.18	20994.39	9679.34	21502.42

芜湖顺荣三七互娱网络科技股份有限公司

公司概况	公司名称	芜湖顺荣三七互娱网络科技股份有限公司			证券简称	三七互娱
	法人代表	吴卫东	董秘	张云	证券代码	002555
	公司网址	www.shunrong.cn			电子信箱	dmb@shunrong.cn
	电话	0553-7653737			传真	0553-7653737
	办公地址	安徽省芜湖市鸠江区瑞祥路 88 号皖江财富广场 A1 座 11 楼				
	经营范围	多层汽车塑料燃油箱的研制、生产和销售业务				

主要财务指标	指标\报告期	2016.06.30	2015.12.31	2015.06.30	2014.12.31
	基本每股收益(元)	0.2330	0.5800	0.1230	0.0900
	基本每股收益(扣除后)(元)	0.2160	0.5100	0.2300	0.2400
	稀释每股收益(元)	0.2330	0.5800	0.1230	0.0900
	每股净资产(元)	1.8886	3.4184	3.2463	8.1413
	每股经营现金净流量(元)	0.2201	1.2327	0.4344	0.2819
	每股现金流量(元)	–0.1925	0.5817	0.4348	0.9362
	每股资本公积金(元)	0.4477	2.2523	1.9394	6.9317
	每股盈余公积金(元)	0.0168	0.0400	0.0378	0.1020
	每股未分配利润(元)	0.4259	0.5770	0.2488	0.1061
	净资产收益率(%)	12.3436	14.2006	7.5955	1.4449
	加权净资产收益率(%)	12.8400	17.5800	7.8600	4.2100
	净资产收益率(扣除)(%)	11.4217	12.6026	7.1820	1.3809
	总资产(万元)	546027.92	462331.08	410035.80	341527.90
	归属母公司股东权益(万元)	393724.68	356335.51	284732.14	264474.68
	营业收入(万元)	242861.07	465678.73	214930.66	59822.54
	营业支出(万元)	99268.59	189592.03	84051.20	34332.29
	投资收益(万元)	2657.18	509.46	643.88	37.89
	净利润(万元)	53845.31	92173.71	38980.11	5860.70
	营业利润(万元)	51805.87	80889.60	35277.89	5760.78
	利润总额(万元)	60086.11	93291.15	39527.59	6039.26

安徽辉隆农资集团股份有限公司

公司概况	公司名称	安徽辉隆农资集团股份有限公司			证券简称	辉隆股份
	法人代表	李永东	董秘	邓顶亮	证券代码	002556
	公司网址	www.ahamp.com			电子信箱	zqb@ahamp.com
	电话	0551-2634360			传真	0551-2655720
	办公地址	安徽省合肥市蜀山区祁门路 1777 号				
	经营范围	农业生产资料、农机具、农用薄膜、化工原料及产品				

主要财务指标	指标\报告期	2016.06.30	2015.12.31	2015.06.30	2014.12.31
	基本每股收益(元)	0.1811	0.3562	0.2025	0.2933
	基本每股收益(扣除后)(元)	0.1432	0.1580	0.0203	0.1301
	稀释每股收益(元)	0.1811	0.3562	0.2025	0.2933
	每股净资产(元)	4.6722	4.4928	4.4337	4.2328
	每股经营现金净流量(元)	0.0168	1.3183	1.3507	0.1230
	每股现金流量(元)	0.1461	0.8174	0.6174	–0.3995
	每股资本公积金(元)	2.1835	2.1885	2.1880	2.1891
	每股盈余公积金(元)	0.1686	0.1686	0.1417	0.1417
	每股未分配利润(元)	1.3099	1.1288	1.1019	0.8994
	净资产收益率(%)	3.8768	7.9277	4.5663	6.9295
	加权净资产收益率(%)	3.9500	8.1500	4.6700	7.0900
	净资产收益率(扣除)(%)	3.0647	3.5117	0.4569	3.0743
	总资产(万元)	602055.31	594029.02	628147.70	597327.07
	归属母公司股东权益(万元)	223516.67	214933.77	212108.05	202499.09
	营业收入(万元)	431272.15	981779.10	544637.49	943572.39
	营业支出(万元)	410410.21	923751.82	518573.77	889533.62
	投资收益(万元)	7539.60	20708.90	12317.55	16222.92
	净利润(万元)	9186.77	19459.90	11159.13	13575.11
	营业利润(万元)	9419.78	19698.60	10453.36	15319.18
	利润总额(万元)	10499.59	24449.86	13497.64	17721.70

洽洽食品股份有限公司

公司概况	公司名称	洽洽食品股份有限公司			证券简称	洽洽食品
	法人代表	陈先保	董秘	陈俊	证券代码	002557
	公司网址	www.qiaqiafood.com			电子信箱	qiaqia@qiaqiafood.com
	电话	0551-2227008			传真	0551-62586500*7040
	办公地址	安徽省合肥市经济技术开发区莲花路 1307 号				
	经营范围	坚果炒货食品的生产和销售等				

主要财务指标	指标\报告期	2016.06.30	2015.12.31	2015.06.30	2014.12.31
	基本每股收益(元)	0.3400	0.7200	0.2800	0.5800
	基本每股收益(扣除后)(元)	0.2700	0.5500	0.2300	0.6300
	稀释每股收益(元)	0.3400	0.7200	0.2800	0.5800
	每股净资产(元)	5.4713	5.6292	5.1962	8.0680
	每股经营现金净流量(元)	1.1478	0.5261	0.7945	0.4655
	每股现金流量(元)	0.0278	–0.2413	0.6654	0.1717
	每股资本公积金(元)	3.1320	3.1320	3.1330	5.1998
	每股盈余公积金(元)	0.2947	0.2947	0.2264	0.3396
	每股未分配利润(元)	1.0418	1.2006	0.8373	1.5295
	净资产收益率(%)	6.2370	12.7519	5.4712	10.7610
	加权净资产收益率(%)	5.9700	11.9400	5.2200	11.0100
	净资产收益率(扣除)(%)	4.8765	9.7639	4.3739	7.8450
	总资产(万元)	390972.19	458081.14	381642.07	428065.08
	归属母公司股东权益(万元)	277396.33	285401.90	263447.49	272699.55
	营业收入(万元)	165584.79	331137.26	150454.76	311323.14
	营业支出(万元)	113357.51	223392.04	101881.43	214938.17
	投资收益(万元)	1646.31	5729.11	3109.21	4047.82
	净利润(万元)	17581.46	36515.36	14285.72	29226.20
	营业利润(万元)	22602.89	44140.09	18991.65	35038.04
	利润总额(万元)	24066.91	47424.62	19229.54	37585.87

重庆新世纪游轮股份有限公司

公司概况					
公司名称	重庆新世纪游轮股份有限公司			证券简称	世纪游轮
法人代表	刘伟	董秘	屈发兵	证券代码	002558
公司网址	www.centuryrivercruises.com		电子信箱	wanghongren@ztgame.com	
电　　话	023-62949868 62328999 9906		传　　真	023-62949900	
办公地址	重庆市南岸区江南大道 8 号万达广场 1 栋 5 层				
经营范围	计算机游戏软件的开发、销售				

主要财务指标 指标\报告期	2016.06.30	2015.12.31	2015.06.30	2014.12.31
基本每股收益(元)	1.0300	-0.5000	0.0900	0.1600
基本每股收益(扣除后)(元)	0.9700	-0.6800	0.0040	0.0200
稀释每股收益(元)	1.0300	-0.5000	0.0900	0.1600
每股净资产(元)	12.4184	8.8586	9.3421	9.2987
每股经营现金净流量(元)	0.6345	0.3349	0.1216	1.1341
每股现金流量(元)	9.1793	0.2242	-0.0055	-0.0897
每股资本公积金(元)	9.6255	6.1764	6.1764	6.1764
每股盈余公积金(元)	0.0145	0.1243	0.3404	0.3404
每股未分配利润(元)	2.6509	15.1417	1.7656	1.7477
净资产收益率(%)	7.1553	-5.6120	0.1912	1.7387
加权净资产收益率(%)	16.1800	-5.4900	0.1900	1.7500
净资产收益率(扣除)(%)	6.7043	-7.6335	0.0441	0.2614
总资产(万元)	779971.68	182304.29	65556.64	65779.32
归属母公司股东权益(万元)	698321.98	101515.45	61144.26	60859.81
营业收入(万元)	104999.74	45829.97	21713.43	51607.66
营业支出(万元)	17381.93	40434.57	17902.36	42979.39
投资收益(万元)	-320.39	-	-	-
净利润(万元)	52300.57	-3253.78	116.93	1058.15
营业利润(万元)	46852.45	-4484.51	-468.75	670.00
利润总额(万元)	58958.68	-3312.45	107.17	1727.70

江苏亚威机床股份有限公司

公司概况					
公司名称	江苏亚威机床股份有限公司			证券简称	亚威股份
法人代表	吉素琴	董秘	谢彦森	证券代码	002559
公司网址	www.yawei.cc		电子信箱	ir@yawwei.cc	
电　　话	0514-86880522		传　　真	0514-86880505	
办公地址	江苏省扬州市江都区黄海南路仙城工业园				
经营范围	机床、机械设备、机床配件的制造、加工和销售				

主要财务指标 指标\报告期	2016.06.30	2015.12.31	2015.06.30	2014.12.31
基本每股收益(元)	0.1200	0.2100	0.1500	0.2400
基本每股收益(扣除后)(元)	0.0900	0.1700	0.1500	0.4500
稀释每股收益(元)	0.1200	0.2100	0.1500	0.2400
每股净资产(元)	3.9110	3.9337	3.6654	7.2761
每股经营现金净流量(元)	0.1077	0.5883	0.0700	0.6751
每股现金流量(元)	-0.5275	0.2563	-0.2025	-0.3943
每股资本公积金(元)	1.9070	1.9047	1.6521	4.3042
每股盈余公积金(元)	0.1541	0.1541	0.1406	0.2811
每股未分配利润(元)	0.8486	0.8734	0.8708	1.6884
净资产收益率(%)	3.1901	5.1080	4.1351	6.6089
加权净资产收益率(%)	3.1600	5.5700	4.1300	6.7600
净资产收益率(扣除)(%)	2.3567	4.2873	4.0008	6.1595
总资产(万元)	205195.99	203861.23	166411.69	175626.98
归属母公司股东权益(万元)	143195.08	144029.48	129020.34	128059.74
营业收入(万元)	53044.16	89330.49	48352.66	89356.74
营业支出(万元)	39987.23	66185.14	35425.57	64646.26
投资收益(万元)	28.05	-	-	-
净利润(万元)	4544.68	7283.33	5156.24	8396.11
营业利润(万元)	3854.34	6852.84	5917.12	9246.96
利润总额(万元)	5386.04	8468.01	6117.44	9794.63

河南通达电缆股份有限公司

公司概况					
公司名称	河南通达电缆股份有限公司			证券简称	通达股份
法人代表	史万福	董秘	张治中	证券代码	002560
公司网址	www.hntddl.com		电子信箱	hntddlzqb@163.com	
电　　话	0379-65107666		传　　真	0379-67512888	
办公地址	河南省偃师市史家湾工业区				
经营范围	钢芯铝绞线的研发、生产和销售				

主要财务指标 指标\报告期	2016.06.30	2015.12.31	2015.06.30	2014.12.31
基本每股收益(元)	0.1000	0.4100	0.2100	0.3400
基本每股收益(扣除后)(元)	0.0800	0.3900	0.1900	0.3100
稀释每股收益(元)	0.1000	0.4100	0.2100	0.3400
每股净资产(元)	3.4015	9.9865	9.9889	9.9328
每股经营现金净流量(元)	-0.3976	0.1830	-0.3144	0.4410
每股现金流量(元)	-0.2107	1.6521	1.1107	0.3288
每股资本公积金(元)	1.6223	6.8377	6.7768	6.7768
每股盈余公积金(元)	0.0913	0.2738	0.2425	0.2425
每股未分配利润(元)	0.8009	2.0996	1.9732	1.9159
净资产收益率(%)	2.9701	4.0663	2.0753	3.3762
加权净资产收益率(%)	3.0100	4.0900	2.0700	3.4900
净资产收益率(扣除)(%)	2.2491	3.7912	1.8829	3.0112
总资产(万元)	261686.30	232912.01	211045.12	196717.70
归属母公司股东权益(万元)	145647.29	142535.12	139647.35	138863.26
营业收入(万元)	64922.97	123953.92	44781.46	72388.14
营业支出(万元)	55145.88	109718.35	39140.90	64665.83
投资收益(万元)	121.49	464.41	464.39	442.34
净利润(万元)	4370.83	6236.31	3258.63	6751.14
营业利润(万元)	3778.95	7201.35	3890.27	8376.77
利润总额(万元)	4979.62	7365.93	3909.49	8546.30

上海徐家汇商城股份有限公司

公司概况					
公司名称	上海徐家汇商城股份有限公司			证券简称	徐 家 汇
法人代表	喻月明	董秘	王璐	证券代码	002561
公司网址	www.xjh-sc.com		电子信箱	xjh@xjh-sc.com	
电　　话	021-64269999 6942 64269991		传　　真	021-64269768	
办公地址	上海市徐汇区肇嘉浜路 1000 号 9 楼				
经营范围	百货、针纺织品、工艺美术品、劳防用品、日用杂货、五金交电等的零售				

主要财务指标 指标\报告期	2016.06.30	2015.12.31	2015.06.30	2014.12.31
基本每股收益(元)	0.2900	0.6100	0.3200	0.6200
基本每股收益(扣除后)(元)	0.2700	0.5500	0.2900	0.5610
稀释每股收益(元)	0.2900	0.6100	0.3200	0.6200
每股净资产(元)	4.6612	4.7297	4.4370	4.4809
每股经营现金净流量(元)	0.2972	0.6526	0.2405	0.6873
每股现金流量(元)	-0.0645	0.0740	-0.3635	0.1668
每股资本公积金(元)	1.2592	1.2592	1.2592	1.2592
每股盈余公积金(元)	0.4768	0.4768	0.4205	0.4205
每股未分配利润(元)	1.9252	1.9938	1.7573	1.8012
净资产收益率(%)	6.2525	12.8725	7.1243	13.8494
加权净资产收益率(%)	6.0500	13.3900	7.0000	14.4600
净资产收益率(扣除)(%)	5.8434	11.5542	6.4550	12.5303
总资产(万元)	236819.77	241496.66	224051.58	232223.60
归属母公司股东权益(万元)	193794.85	196645.38	184474.56	186299.59
营业收入(万元)	102611.07	199568.09	103356.51	206207.52
营业支出(万元)	71900.57	138286.14	72405.53	143628.80
投资收益(万元)	1848.03	3062.45	1445.99	2539.28
净利润(万元)	12632.00	26354.33	13682.40	26853.93
营业利润(万元)	16487.56	34333.17	17857.58	34782.06
利润总额(万元)	16545.63	35037.94	18192.33	35726.96

兄弟科技股份有限公司

公司概况					
公司名称	兄弟科技股份有限公司			证券简称	兄弟科技
法人代表	钱志达	董秘	钱柳华	证券代码	002562
公司网址	www.brother.com.cn		电子信箱	stock@brother.com.cn	
电　话	0573-80703928		传　真	0573-87081001	
办公地址	浙江省海宁市海洲街道学林街 1 号				
经营范围	维生素和皮革化学品的研发、生产和销售等业务				

主要财务指标：指标\报告期	2016.06.30	2015.12.31	2015.06.30	2014.12.31
基本每股收益(元)	0.2500	0.3800	0.1500	0.1900
基本每股收益(扣除后)(元)	0.2100	0.3600	0.1500	0.1600
稀释每股收益(元)	0.2500	0.3800	0.1500	0.1900
每股净资产(元)	6.0669	6.1846	3.9136	3.8667
每股经营现金净流量(元)	0.4620	0.8415	0.3970	0.4284
每股现金流量(元)	–2.2627	1.8132	–0.6242	0.9509
每股资本公积金(元)	4.0457	4.4141	1.9918	1.9918
每股盈余公积金(元)	0.1227	0.1227	0.1373	0.1373
每股未分配利润(元)	1.0434	0.7942	0.7855	0.7386
净资产收益率(%)	4.1061	4.9204	3.7527	4.8516
加权净资产收益率(%)	3.9300	8.9800	3.7600	4.9700
净资产收益率(扣除)(%)	3.3471	4.6251	3.7322	4.1383
总资产(万元)	219667.03	205907.41	115514.76	122074.93
归属母公司股东权益(万元)	163970.46	167151.63	83515.26	82516.25
营业收入(万元)	50825.55	90529.07	41223.83	80092.30
营业支出(万元)	35052.80	67382.94	31710.93	65100.50
投资收益(万元)	1137.65	228.36	181.27	12.58
净利润(万元)	8644.81	10233.42	3500.77	3895.29
营业利润(万元)	10322.46	10996.45	3566.56	4389.76
利润总额(万元)	10457.86	11374.02	3835.58	4608.12

浙江森马服饰股份有限公司

公司概况					
公司名称	浙江森马服饰股份有限公司			证券简称	森马服饰
法人代表	邱光和	董秘	郑洪伟	证券代码	002563
公司网址	www.semirbiz.com		电子信箱	ir@semir.com	
电　话	021-67288431		传　真	021-67288432	
办公地址	上海市闵行区莲花南路 2689 号				
经营范围	服饰设计与开发、外包生产、服饰营销和分销等				

主要财务指标：指标\报告期	2016.06.30	2015.12.31	2015.06.30	2014.12.31
基本每股收益(元)	0.1900	0.5000	0.1600	0.4100
基本每股收益(扣除后)(元)	0.1800	0.4700	0.3000	1.5100
稀释每股收益(元)	0.1900	0.5000	0.1600	0.4100
每股净资产(元)	3.3614	3.4275	6.1607	12.6907
每股经营现金净流量(元)	–0.0416	0.3235	0.2080	1.1373
每股现金流量(元)	–0.2497	–0.6460	–0.7734	–1.5441
每股资本公积金(元)	0.9480	0.9485	2.8326	6.6652
每股盈余公积金(元)	0.2745	0.2745	0.4609	0.9217
每股未分配利润(元)	1.1674	1.2271	1.8672	4.1037
净资产收益率(%)	5.6591	14.6093	5.1193	12.8460
加权净资产收益率(%)	5.5300	15.4300	4.9800	13.3500
净资产收益率(扣除)(%)	5.3766	13.7229	4.9117	11.9004
总资产(万元)	1106212.05	1165455.18	992623.75	1037281.53
归属母公司股东权益(万元)	905751.36	923547.25	825537.11	850274.95
营业收入(万元)	387926.16	945444.92	336939.41	814713.38
营业支出(万元)	239656.83	589366.51	211342.35	520914.16
投资收益(万元)	3469.70	6431.84	1376.86	6016.23
净利润(万元)	50696.12	134256.37	42239.73	108804.06
营业利润(万元)	65784.60	179577.39	56332.76	147412.37
利润总额(万元)	65659.85	180865.64	55755.94	150339.23

苏州天沃科技股份有限公司

公司概况					
公司名称	苏州天沃科技股份有限公司			证券简称	天沃科技
法人代表	陈玉忠	董秘	王煜	证券代码	002564
公司网址	www.thvow.com		电子信箱	zhanghuaji@zhanghuaji.com	
电　话	0512-58788351		传　真	0512-58788326	
办公地址	江苏省张家港市金港镇长山村临江路 1 号				
经营范围	石油化工、煤化工、化工、有色金属等领域压力容器、非标设备的设计、制造等				

主要财务指标：指标\报告期	2016.06.30	2015.12.31	2015.06.30	2014.12.31
基本每股收益(元)	–0.0322	0.0200	0.0710	0.0900
基本每股收益(扣除后)(元)	–0.0530	0.0100	0.0580	0.0700
稀释每股收益(元)	–0.0322	0.0200	0.0710	0.0900
每股净资产(元)	3.7343	3.8864	3.9720	3.9070
每股经营现金净流量(元)	0.0803	0.1811	0.0280	–0.2967
每股现金流量(元)	–0.4278	0.2334	0.2115	–0.0265
每股资本公积金(元)	1.9298	2.1145	2.0645	2.0645
每股盈余公积金(元)	0.1040	0.1040	0.1021	0.1021
每股未分配利润(元)	0.7335	0.7757	0.7963	0.7339
净资产收益率(%)	–0.8615	0.5355	1.5686	2.4279
加权净资产收益率(%)	–0.8500	0.5300	1.5800	2.4500
净资产收益率(扣除)(%)	–1.4202	0.1906	1.4492	1.8713
总资产(万元)	683988.97	721456.07	718735.34	688818.02
归属母公司股东权益(万元)	276228.74	292923.34	293810.24	289004.12
营业收入(万元)	55116.42	196736.09	104523.52	232981.40
营业支出(万元)	43276.21	151962.28	80029.29	182043.24
投资收益(万元)	43.44	224.77	199.58	172.52
净利润(万元)	–2138.04	1061.42	4620.14	6542.42
营业利润(万元)	–4270.87	–244.35	5015.03	4638.39
利润总额(万元)	–2447.79	955.76	5459.89	6598.33

上海顺灏新材料科技股份有限公司

公司概况					
公司名称	上海顺灏新材料科技股份有限公司			证券简称	上海绿新
法人代表	郭翥	董秘	陈洁敏	证券代码	002565
公司网址	www.luxinevotech.com		电子信箱	zhangxiaodong@luxinevotech.com	
电　话	021-66278702		传　真	021-66278702	
办公地址	上海市普陀区真陈路 200 号				
经营范围	真空镀铝纸、白卡纸、复膜纸、烟用丙纤丝束等产品的研发、生产和销售等				

主要财务指标：指标\报告期	2016.06.30	2015.12.31	2015.06.30	2014.12.31
基本每股收益(元)	0.0600	0.2100	0.0700	–0.0800
基本每股收益(扣除后)(元)	0.0600	0.2000	0.7200	0.1200
稀释每股收益(元)	0.0600	0.2100	0.0700	–0.0800
每股净资产(元)	2.5996	2.5357	2.4315	2.3575
每股经营现金净流量(元)	–0.1601	0.1579	–0.1609	0.3252
每股现金流量(元)	–0.0771	0.0261	–0.1108	–0.4151
每股资本公积金(元)	0.8578	0.8578	0.8578	0.8577
每股盈余公积金(元)	0.0869	0.0869	0.0834	0.0834
每股未分配利润(元)	0.6843	0.6211	0.4928	0.4186
净资产收益率(%)	2.4543	8.1218	3.0493	–3.1082
加权净资产收益率(%)	2.4800	8.4700	3.1000	–2.8200
净资产收益率(扣除)(%)	2.2780	7.8645	2.9770	4.8662
总资产(万元)	344083.79	342903.06	324923.54	328274.54
归属母公司股东权益(万元)	181109.50	176655.77	169394.65	164259.83
营业收入(万元)	74131.98	185576.41	76002.66	194525.21
营业支出(万元)	51137.33	134047.63	54882.89	140501.38
投资收益(万元)	791.05	1817.40	1101.36	–3870.31
净利润(万元)	4831.87	14597.06	5368.89	–4791.88
营业利润(万元)	6032.77	17928.89	6657.90	11604.36
利润总额(万元)	6627.04	18597.87	6827.48	–3736.48

吉林省集安益盛药业股份有限公司

公司概况						
	公司名称	吉林省集安益盛药业股份有限公司			证券简称	益盛药业
	法人代表	张益胜	董秘	李铁军	证券代码	002566
	公司网址	www.yisheng-pharm.com		电子信箱	yisheng@yisheng-pharm.com	
	电　话	0435-6236009 6236050		传　真	0435-6236009	
	办公地址	吉林省集安市文化东路 17-20 号				
	经营范围	中成药的研发、生产和销售等				

主要财务指标	指标\报告期	2016.06.30	2015.12.31	2015.06.30	2014.12.31
	基本每股收益(元)	0.0800	0.0300	0.1700	0.2900
	基本每股收益(扣除后)(元)	0.0200	0.0030	0.1500	0.2300
	稀释每股收益(元)	0.0800	0.0300	0.1700	0.2900
	每股净资产(元)	5.2935	5.2115	5.3456	5.2288
	每股经营现金净流量(元)	-0.0629	-0.9799	-1.1204	-1.7890
	每股现金流量(元)	-0.0295	-0.4542	-0.3225	-0.2596
	每股资本公积金(元)	2.5134	2.5068	2.5071	2.5071
	每股盈余公积金(元)	0.2677	0.2677	0.2511	0.2511
	每股未分配利润(元)	1.5124	1.4370	1.5874	1.4706
	净资产收益率(%)	1.4247	0.6326	3.1194	5.5712
	加权净资产收益率(%)	1.4400	0.6300	3.1500	5.7000
	净资产收益率(扣除)(%)	0.4022	0.0484	2.8687	4.4668
	总资产(万元)	278640.28	263372.56	276161.93	249034.71
	归属母公司股东权益(万元)	175189.32	172473.91	176913.24	173049.43
	营业收入(万元)	44671.99	81959.81	45575.79	78789.43
	营业支出(万元)	11433.50	21739.65	14165.77	25265.40
	投资收益(万元)	19.26	172.09	86.55	1335.32
	净利润(万元)	2624.00	1051.45	5522.06	9631.31
	营业利润(万元)	1275.06	369.48	5542.95	9840.67
	利润总额(万元)	3493.52	1534.80	6064.43	11028.77

唐人神集团股份有限公司

公司概况						
	公司名称	唐人神集团股份有限公司			证券简称	唐人神
	法人代表	陶一山	董秘	孙双胜	证券代码	002567
	公司网址	www.trsgroup.com.cn		电子信箱	sss@trsgroup.cn	
	电　话	0731-28591247		传　真	0731-28591159	
	办公地址	湖南省株洲市国家高新技术产业开发区栗雨工业园				
	经营范围	生产饲料、饲料添加剂、养殖畜禽种苗以及上述产品自销等				

主要财务指标	指标\报告期	2016.06.30	2015.12.31	2015.06.30	2014.12.31
	基本每股收益(元)	0.1351	0.1920	0.0540	0.1930
	基本每股收益(扣除后)(元)	0.1254	0.1640	0.0190	0.1880
	稀释每股收益(元)	0.1351	0.1890	0.0540	0.1920
	每股净资产(元)	4.8508	4.8451	4.1790	4.2553
	每股经营现金净流量(元)	0.3587	0.9831	0.5128	0.5129
	每股现金流量(元)	-0.6284	1.0971	0.2551	-0.0246
	每股资本公积金(元)	2.5444	2.5444	1.7963	1.7963
	每股盈余公积金(元)	0.3532	0.3532	0.3704	0.3704
	每股未分配利润(元)	0.9513	0.9462	1.0120	1.0882
	净资产收益率(%)	2.7857	3.4231	1.2854	4.5390
	加权净资产收益率(%)	2.8300	3.8000	1.2200	4.5900
	净资产收益率(扣除)(%)	2.5846	2.9352	0.4497	4.4093
	总资产(万元)	397352.94	403116.30	366393.10	366001.59
	归属母公司股东权益(万元)	239238.46	238957.57	175848.51	179058.99
	营业收入(万元)	460288.11	941266.15	459863.21	1006948.60
	营业支出(万元)	413933.82	850291.10	420113.08	915117.92
	投资收益(万元)	-713.82	-2696.22	-1983.63	503.46
	净利润(万元)	9817.85	15179.48	5157.60	13604.58
	营业利润(万元)	11687.22	18540.70	5877.40	18774.13
	利润总额(万元)	12053.32	21039.35	7512.84	18835.16

上海百润投资控股集团股份有限公司

公司概况						
	公司名称	上海百润投资控股集团股份有限公司			证券简称	百润股份
	法人代表	刘晓东	董秘	马良	证券代码	002568
	公司网址	www.bairun.net		电子信箱	info@mingr.com	
	电　话	021-58135000		传　真	021-58136000	
	办公地址	上海市浦东新区康桥工业区康桥东路 558 号				
	经营范围	香精香料的制造加工、香精香料化工原料及产品批发零售等				

主要财务指标	指标\报告期	2016.06.30	2015.12.31	2015.06.30	2014.12.31
	基本每股收益(元)	-0.1600	0.5600	0.6800	0.3200
	基本每股收益(扣除后)(元)	-0.1900	-0.1000	0.2100	0.3400
	稀释每股收益(元)	-0.1600	0.5600	0.6800	0.3200
	每股净资产(元)	0.9503	1.1120	3.4754	4.0563
	每股经营现金净流量(元)	-0.2848	0.4278	1.5268	0.3668
	每股现金流量(元)	-0.0704	-0.1868	1.1044	-0.0684
	每股资本公积金(元)	-	-	0.4776	3.2000
	每股盈余公积金(元)	0.1169	0.1169	0.3189	0.3811
	每股未分配利润(元)	-0.1666	-0.0049	1.6789	1.3824
	净资产收益率(%)	-17.0133	50.2042	39.3619	8.7832
	加权净资产收益率(%)	-15.6800	46.2200	48.6800	8.6800
	净资产收益率(扣除)(%)	-19.6124	-8.8720	2.7944	8.4864
	总资产(万元)	195909.60	181943.19	211962.61	130686.73
	归属母公司股东权益(万元)	85146.43	99632.68	155699.10	95417.16
	营业收入(万元)	41963.50	235119.77	168804.54	15718.40
	营业支出(万元)	10787.72	55638.68	36349.10	4498.65
	投资收益(万元)	-	-	-	-
	净利润(万元)	-14486.25	50019.77	61286.19	5700.46
	营业利润(万元)	-22085.55	62097.53	79914.58	6377.12
	利润总额(万元)	-19137.32	65940.87	81242.21	6603.80

浙江步森服饰股份有限公司

公司概况						
	公司名称	浙江步森服饰股份有限公司			证券简称	步森股份
	法人代表	陈建飞	董秘	李连达	证券代码	002569
	公司网址	www.busen.cn		电子信箱	bsgf@busen-group.com	
	电　话	0575-87480311		传　真	0575-87043967	
	办公地址	浙江省诸暨市枫桥镇步森大道 419 号				
	经营范围	服装、服饰、针织品、皮革制品的生产、销售、经营进出口业务				

主要财务指标	指标\报告期	2016.06.30	2015.12.31	2015.06.30	2014.12.31
	基本每股收益(元)	-0.1600	0.0800	-0.0400	-0.7300
	基本每股收益(扣除后)(元)	-0.1600	-0.1700	-0.0500	-0.7800
	稀释每股收益(元)	-0.1600	0.0800	-0.0400	-0.7300
	每股净资产(元)	3.5390	3.7038	3.5803	3.6217
	每股经营现金净流量(元)	-0.0756	0.1965	-0.0786	-0.1067
	每股现金流量(元)	-0.1308	-0.0302	-0.2125	0.0117
	每股资本公积金(元)	2.2771	2.2771	2.2771	2.2771
	每股盈余公积金(元)	0.2044	0.2044	0.1980	0.1980
	每股未分配利润(元)	0.0575	0.2224	0.1052	0.1466
	净资产收益率(%)	-4.6589	2.2184	-1.1565	-20.2453
	加权净资产收益率(%)	-4.5500	2.2400	-1.1500	-18.3800
	净资产收益率(扣除)(%)	-4.6501	-4.6637	-1.3134	-21.6032
	总资产(万元)	63998.67	68455.36	76537.14	81385.84
	归属母公司股东权益(万元)	49549.02	51857.46	50127.35	50707.05
	营业收入(万元)	15194.78	40239.25	17931.21	48202.89
	营业支出(万元)	9698.05	24617.07	11325.59	31713.87
	投资收益(万元)	-	-	-	-
	净利润(万元)	-2312.01	1137.12	-591.44	-10307.86
	营业利润(万元)	-2291.24	-2653.64	-643.26	-9315.46
	利润总额(万元)	-2309.32	1875.06	-587.77	-8713.00

贝因美婴童食品股份有限公司

公司概况	公司名称	贝因美婴童食品股份有限公司			证券简称	贝 因 美
	法人代表	王振泰	董秘	沈立军	证券代码	002570
	公司网址	www.beingmate.com		电子信箱	security@beingmate.com	
	电　话	0571-28038959　28078488		传　真	0571-28077045	
	办公地址	浙江省杭州市滨江区南环路 3758 号				
	经营范围	婴幼儿食品的研发、生产和销售等业务等				

	指标＼报告期	2016.06.30	2015.12.31	2015.06.30	2014.12.31
主要财务指标	基本每股收益(元)	–0.2100	0.1000	–0.1000	0.0700
	基本每股收益(扣除后)(元)	–0.2100	0.0300	–0.1100	0.0500
	稀释每股收益(元)	–0.2100	0.1000	–0.1000	0.0700
	每股净资产(元)	3.3727	3.5873	3.3866	3.4876
	每股经营现金净流量(元)	–0.2209	0.0284	–0.1815	–0.1835
	每股现金流量(元)	0.3271	0.0042	–0.0387	–0.0781
	每股资本公积金(元)	1.1574	1.1574	1.1574	1.1574
	每股盈余公积金(元)	0.2484	0.2484	0.2233	0.2233
	每股未分配利润(元)	0.9743	1.1838	1.0068	1.1075
	净资产收益率(%)	–6.2118	2.8255	–2.9732	1.9317
	加权净资产收益率(%)	–6.0200	2.8700	–2.9300	1.8600
	净资产收益率(扣除)(%)	–6.0863	0.9702	–3.2735	1.4397
	总资产(万元)	532195.21	532350.03	467102.06	472586.77
	归属母公司股东权益(万元)	344862.39	366806.19	346286.91	356616.02
	营业收入(万元)	136080.57	453381.61	177261.71	504878.44
	营业支出(万元)	53838.86	197013.91	81143.49	232544.00
	投资收益(万元)	165.91	902.07	437.27	752.35
	净利润(万元)	–26206.24	8947.31	–13099.09	6318.11
	营业利润(万元)	–34043.94	7549.44	–19169.57	9749.30
	利润总额(万元)	–34976.46	14394.05	–18455.01	10381.54

安徽德力日用玻璃股份有限公司

公司概况	公司名称	安徽德力日用玻璃股份有限公司			证券简称	德力股份
	法人代表	施卫东	董秘	俞乐	证券代码	002571
	公司网址	www.deliglass.com		电子信箱	yl@deliglass.com	
	电　话	0550-6678809		传　真	0550-6678868	
	办公地址	安徽省滁州市凤阳县工业园				
	经营范围	玻璃制品制造、销售、纸箱、塑料配件的加工、销售等				

	指标＼报告期	2016.06.30	2015.12.31	2015.06.30	2014.12.31
主要财务指标	基本每股收益(元)	–0.0660	–0.1599	0.0133	0.0245
	基本每股收益(扣除后)(元)	–0.0681	–0.1723	0.0099	–0.0019
	稀释每股收益(元)	–0.0660	–0.1599	0.0133	0.0245
	每股净资产(元)	3.8101	3.8761	4.0493	4.0360
	每股经营现金净流量(元)	–0.0082	0.1268	0.0343	0.1931
	每股现金流量(元)	0.0754	–0.3736	–0.4048	0.1750
	每股资本公积金(元)	2.3058	2.3058	2.3058	2.3058
	每股盈余公积金(元)	0.0952	0.0952	0.0952	0.0952
	每股未分配利润(元)	0.4091	0.4751	0.6483	0.6350
	净资产收益率(%)	–1.7329	–4.1264	0.3275	0.6068
	加权净资产收益率(%)	–1.7200	–4.0400	0.3300	0.6100
	净资产收益率(扣除)(%)	–1.7878	–4.4448	0.2452	–0.0471
	总资产(万元)	220695.66	222875.57	215157.88	226949.26
	归属母公司股东权益(万元)	149336.02	151923.85	158712.62	158192.84
	营业收入(万元)	40449.32	85757.73	43160.95	94784.70
	营业支出(万元)	33938.26	67486.74	32682.52	70740.71
	投资收益(万元)	845.49	551.29	372.04	2107.21
	净利润(万元)	–2588.65	–6273.49	519.73	958.61
	营业利润(万元)	–2476.61	–6838.59	1286.63	385.79
	利润总额(万元)	–2381.89	–6304.48	1459.55	699.92

索菲亚家居股份有限公司

公司概况	公司名称	索菲亚家居股份有限公司			证券简称	索 菲 亚
	法人代表	江淦钧	董秘	潘雯姗	证券代码	002572
	公司网址	www.sogal.com.cn		电子信箱	ningji@suofeiya.com.cn	
	电　话	020-87533019		传　真	020-87579390	
	办公地址	广东省广州市增城市新塘镇宁西工业园				
	经营范围	定制衣柜及其配套定制家具的研发、生产和销售等				

	指标＼报告期	2016.06.30	2015.12.31	2015.06.30	2014.12.31
主要财务指标	基本每股收益(元)	0.4534	1.0400	0.3064	0.7400
	基本每股收益(扣除后)(元)	0.4485	1.0200	0.3032	0.7300
	稀释每股收益(元)	0.4534	1.0400	0.3064	0.7400
	每股净资产(元)	5.2408	5.2257	4.4169	4.4019
	每股经营现金净流量(元)	0.7063	1.8815	0.6548	0.7988
	每股现金流量(元)	–0.4832	–0.0879	–0.4790	–0.2711
	每股资本公积金(元)	1.9254	1.9217	1.8474	1.8339
	每股盈余公积金(元)	0.2712	0.2712	0.2093	0.2093
	每股未分配利润(元)	2.0442	2.0907	1.4181	1.4618
	净资产收益率(%)	8.6522	19.9187	6.9362	16.8401
	加权净资产收益率(%)	8.6800	21.8500	6.8700	18.2000
	净资产收益率(扣除)(%)	8.5588	19.5464	6.8645	16.5285
	总资产(万元)	336246.35	315431.63	277513.09	253328.47
	归属母公司股东权益(万元)	231106.82	230444.05	194782.42	194117.97
	营业收入(万元)	166940.44	319573.87	115846.78	236108.44
	营业支出(万元)	107414.93	198775.52	74296.10	147890.58
	投资收益(万元)	–9.76	391.63	–	194.50
	净利润(万元)	17834.05	45189.03	13608.92	33046.53
	营业利润(万元)	25890.42	59998.13	18009.55	39600.56
	利润总额(万元)	26005.61	60578.18	18198.10	40086.43

北京清新环境技术股份有限公司

公司概况	公司名称	北京清新环境技术股份有限公司			证券简称	清新环境
	法人代表	张开元	董秘	李其林	证券代码	002573
	公司网址	www.qingxin.com.cn		电子信箱	zhqb@qingxin.com.cn	
	电　话	010-88146320		传　真	010-88146320	
	办公地址	北京市海淀区西八里庄路 69 号人民政协报大厦 10 层				
	经营范围	燃煤电厂烟气脱硫装置的建造和运营等				

	指标＼报告期	2016.06.30	2015.12.31	2015.06.30	2014.12.31
主要财务指标	基本每股收益(元)	0.2500	0.4800	0.1900	0.2500
	基本每股收益(扣除后)(元)	0.2500	0.4771	0.2000	0.5152
	稀释每股收益(元)	0.2500	0.4800	0.1900	0.2500
	每股净资产(元)	2.9293	2.7137	2.3952	4.5446
	每股经营现金净流量(元)	0.0246	0.0884	0.0199	0.3812
	每股现金流量(元)	0.0365	–0.0020	–0.2669	–0.4871
	每股资本公积金(元)	0.6746	0.6616	0.6247	2.1932
	每股盈余公积金(元)	0.1373	0.1373	0.0869	0.1739
	每股未分配利润(元)	1.1169	0.9144	0.6834	1.1773
	净资产收益率(%)	8.6117	17.5437	8.1307	11.1747
	加权净资产收益率(%)	8.8800	19.5200	8.3400	11.6300
	净资产收益率(扣除)(%)	8.5709	17.5803	8.1512	11.3362
	总资产(万元)	899996.64	654143.83	518929.43	481081.63
	归属母公司股东权益(万元)	312147.90	289173.63	255232.48	242134.41
	营业收入(万元)	108630.83	226780.02	95520.34	127679.46
	营业支出(万元)	67004.41	138353.37	62104.56	84281.15
	投资收益(万元)	–238.77	–324.93	448.77	16.03
	净利润(万元)	27793.91	51760.03	21617.50	27646.15
	营业利润(万元)	30363.66	58050.53	23017.83	30619.50
	利润总额(万元)	31909.65	58663.93	22956.23	30137.67

浙江明牌珠宝股份有限公司

公司概况	公司名称	浙江明牌珠宝股份有限公司			证券简称	明牌珠宝
	法人代表	虞兔良	董秘		证券代码	002574
	公司网址	www.mingr.com		电子信箱	info@mingr.com	
	电　话	0575-84025665		传　真	0575-84021062	
	办公地址	浙江省绍兴市柯桥区柯桥街道镜水路 1016 号				
	经营范围	中高档珠宝首饰产品的设计、生产和销售				

	指标\报告期	2016.06.30	2015.12.31	2015.06.30	2014.12.31
主要财务指标	基本每股收益(元)	0.0800	0.1200	0.1300	0.3800
	基本每股收益(扣除后)(元)	0.0400	0.0100	0.0800	0.3000
	稀释每股收益(元)	0.0800	0.1200	0.1300	0.3800
	每股净资产(元)	5.8140	5.7844	5.7925	5.7666
	每股经营现金净流量(元)	0.8629	0.6550	0.2674	0.7032
	每股现金流量(元)	-0.3068	-0.2626	0.2537	-0.3303
	每股资本公积金(元)	3.1264	3.1264	3.1264	3.1264
	每股盈余公积金(元)	0.1968	0.1968	0.1826	0.1826
	每股未分配利润(元)	1.4892	1.4602	1.4841	1.4583
	净资产收益率(%)	1.3592	2.0071	2.1730	6.5569
	加权净资产收益率(%)	1.3600	2.0100	2.1600	6.7600
	净资产收益率(扣除)(%)	0.7536	0.1999	1.3636	5.2502
	总资产(万元)	480181.37	495088.57	485734.19	500235.90
	归属母公司股东权益(万元)	306980.19	305415.26	305843.38	304478.01
	营业收入(万元)	196403.37	523965.63	327264.61	684211.16
	营业支出(万元)	177970.49	484032.25	303539.76	624983.35
	投资收益(万元)	3502.00	4804.04	2346.74	1338.08
	净利润(万元)	4114.42	5678.75	6380.43	19941.20
	营业利润(万元)	4639.49	8196.02	8566.75	25731.23
	利润总额(万元)	4842.52	8761.08	8895.99	26368.31

广东群兴玩具股份有限公司

公司概况	公司名称	广东群兴玩具股份有限公司			证券简称	群兴玩具
	法人代表	林伟章	董秘	乔新睿	证券代码	002575
	公司网址	www.qunxingtoys.com		电子信箱	info@qunxingtoys.com	
	电　话	0755-86520805		传　真	0755-86520803	
	办公地址	广东省深圳市福田区福华三路会展中心东卓越世纪中心 1 号楼 4803				
	经营范围	电子电动玩具的研发设计、生产及销售业务				

	指标\报告期	2016.06.30	2015.12.31	2015.06.30	2014.12.31
主要财务指标	基本每股收益(元)	0.0190	0.0309	0.0218	0.0253
	基本每股收益(扣除后)(元)	0.0181	0.0260	0.0200	0.0500
	稀释每股收益(元)	0.0190	0.0309	0.0218	0.0253
	每股净资产(元)	1.5390	1.5199	1.5105	3.3752
	每股经营现金净流量(元)	0.0258	0.1709	-0.0310	-0.0228
	每股现金流量(元)	-0.0606	0.0773	-0.0705	-0.5707
	每股资本公积金(元)	0.2611	0.2611	0.2611	1.7744
	每股盈余公积金(元)	0.0457	0.0457	0.0416	0.0916
	每股未分配利润(元)	0.2320	0.2130	0.2080	0.5096
	净资产收益率(%)	1.2364	2.0325	1.4437	1.6459
	加权净资产收益率(%)	1.2400	2.0400	1.4300	1.6500
	净资产收益率(扣除)(%)	1.1760	1.7105	1.1651	1.6243
	总资产(万元)	94919.08	96182.37	98831.95	98741.35
	归属母公司股东权益(万元)	90602.66	89477.31	88928.09	90320.48
	营业收入(万元)	15709.25	31938.39	17131.08	40416.31
	营业支出(万元)	12030.77	24945.23	13428.22	31977.20
	投资收益(万元)	548.16	975.58	496.22	492.77
	净利润(万元)	1120.19	1818.64	1283.81	1486.59
	营业利润(万元)	1169.97	1720.08	1300.76	1703.96
	利润总额(万元)	1234.36	2034.74	1564.06	1764.06

江苏通达动力科技股份有限公司

公司概况	公司名称	江苏通达动力科技股份有限公司			证券简称	通达动力
	法人代表	姜煜峰	董秘	刘利	证券代码	002576
	公司网址	www.tdchina.com		电子信箱	tongda@tdchina.com	
	电　话	0513-86213861		传　真	0513-86213965	
	办公地址	江苏省南通市通州区四安镇兴石路 58 号				
	经营范围	电机定转子冲片和铁心的研发、生产、销售和服务等				

	指标\报告期	2016.06.30	2015.12.31	2015.06.30	2014.12.31
主要财务指标	基本每股收益(元)	-0.0384	0.0573	0.0200	-0.1000
	基本每股收益(扣除后)(元)	-0.0464	0.0400	0.0200	-0.1200
	稀释每股收益(元)	-0.0384	0.0573	0.0200	-0.1000
	每股净资产(元)	5.0868	5.1552	5.1165	5.0979
	每股经营现金净流量(元)	0.0373	0.1046	0.0053	-0.1459
	每股现金流量(元)	-0.2725	-0.1459	0.1433	0.4595
	每股资本公积金(元)	3.3135	3.3135	3.3135	3.3135
	每股盈余公积金(元)	0.1284	0.1284	0.1220	0.1220
	每股未分配利润(元)	0.6449	0.7133	0.6809	0.6624
	净资产收益率(%)	-0.7544	1.1112	0.3627	-1.9717
	加权净资产收益率(%)	-0.9100	1.1200	0.3600	-1.9400
	净资产收益率(扣除)(%)	-0.9107	0.8099	0.3564	-2.3181
	总资产(万元)	109507.22	110997.62	113846.27	113797.94
	归属母公司股东权益(万元)	83983.61	85112.51	84473.09	84166.71
	营业收入(万元)	38221.63	85821.36	42759.11	105235.87
	营业支出(万元)	34321.89	76245.49	38623.14	97185.58
	投资收益(万元)	108.98	1061.56	876.50	763.12
	净利润(万元)	-1140.91	862.83	215.82	-1656.15
	营业利润(万元)	-1246.69	793.91	292.39	-1988.18
	利润总额(万元)	-1030.46	1107.68	298.79	-1641.11

深圳雷柏科技股份有限公司

公司概况	公司名称	深圳雷柏科技股份有限公司			证券简称	雷柏科技
	法人代表	曾浩	董秘	谢海波	证券代码	002577
	公司网址	www.rapoo.com		电子信箱	board@rapoo.com	
	电　话	0755-28588566		传　真	0755-28328808	
	办公地址	广东省深圳市坪山新区坑梓街道锦绣东路 22 号				
	经营范围	鼠标、键盘等电脑外设产品的研发、生产和销售等				

	指标\报告期	2016.06.30	2015.12.31	2015.06.30	2014.12.31
主要财务指标	基本每股收益(元)	0.7125	-1.5800	-0.0192	0.1300
	基本每股收益(扣除后)(元)	0.0467	-1.8900	-0.0304	0.1100
	稀释每股收益(元)	0.7125	-1.5800	-0.0192	0.1300
	每股净资产(元)	4.1382	3.4078	4.9727	4.9674
	每股经营现金净流量(元)	-0.1268	-0.0876	-0.0454	0.1787
	每股现金流量(元)	-0.8763	1.0457	-0.1210	0.2019
	每股资本公积金(元)	3.5011	3.4739	3.4711	3.3861
	每股盈余公积金(元)	0.1185	0.1185	0.1185	0.1190
	每股未分配利润(元)	-0.4057	-1.1181	0.4411	0.4621
	净资产收益率(%)	17.2171	-46.3180	-0.3853	2.5978
	加权净资产收益率(%)	13.4700	-37.9200	-0.3900	2.6100
	净资产收益率(扣除)(%)	1.1296	-55.1740	-0.6103	2.2938
	总资产(万元)	132527.88	145278.17	194734.56	187643.63
	归属母公司股东权益(万元)	117515.17	96772.34	141212.79	140517.95
	营业收入(万元)	25605.83	50028.11	23034.53	52133.01
	营业支出(万元)	18537.97	35044.08	14968.39	30195.71
	投资收益(万元)	90.95	-64.75	-15.77	-10.16
	净利润(万元)	19491.21	-44507.92	-108.65	6582.60
	营业利润(万元)	13.12	-59913.16	-449.61	5253.69
	利润总额(万元)	22352.15	-49815.51	-74.70	5797.48

福建省闽发铝业股份有限公司

公司概况					
公司名称	福建省闽发铝业股份有限公司			证券简称	闽发铝业
法人代表	黄天火	董秘	傅孙明	证券代码	002578
公司网址	www.minfa.com			电子信箱	minfaly@126.com
电　话	0595-86279713			传　真	0595-86279731
办公地址	福建省南安市南美综合开发区南洪路24号				
经营范围	各种铝型材产品的设计研发、生产和销售				

主要财务指标 指标＼报告期	2016.06.30	2015.12.31	2015.06.30	2014.12.31
基本每股收益(元)	0.0200	0.0400	0.0400	0.0800
基本每股收益(扣除后)(元)	0.0100	0.0400	0.0200	0.2300
稀释每股收益(元)	0.0200	0.0400	0.0400	0.0800
每股净资产(元)	2.2809	2.2686	2.2557	5.7495
每股经营现金净流量(元)	0.0573	–0.0501	–0.3064	0.4636
每股现金流量(元)	–0.0078	–0.1923	–0.1202	–0.3516
每股资本公积金(元)	0.7506	0.7506	0.7506	3.3764
每股盈余公积金(元)	0.0772	0.0772	0.0732	0.1829
每股未分配利润(元)	0.4531	0.4371	0.4320	1.1919
净资产收益率(%)	0.7000	1.9575	1.5617	3.5715
加权净资产收益率(%)	0.7000	1.9500	1.5300	3.6400
净资产收益率(扣除)(%)	0.5804	1.6276	0.9242	3.7995
总资产(万元)	124357.88	127583.70	133658.41	130779.42
归属母公司股东权益(万元)	97963.07	97438.30	96883.01	98776.02
营业收入(万元)	45797.55	114363.66	52000.10	131686.56
营业支出(万元)	41196.63	106656.73	47581.90	121239.73
投资收益(万元)	–45.40	399.15	274.78	315.80
净利润(万元)	649.92	1835.29	1476.72	3499.36
营业利润(万元)	647.22	1797.50	1428.81	4317.97
利润总额(万元)	745.07	2153.43	1731.73	4232.61

惠州中京电子科技股份有限公司

公司概况					
公司名称	惠州中京电子科技股份有限公司			证券简称	中京电子
法人代表	杨林	董秘	余祥斌	证券代码	002579
公司网址	www.ceepcb.com			电子信箱	obd@ceepcb.com
电　话	0752-2057992			传　真	0752-2057992
办公地址	广东省惠州市仲恺高新区陈江街道中京路1号				
经营范围	印刷线路板的研发、生产和销售等				

主要财务指标 指标＼报告期	2016.06.30	2015.12.31	2015.06.30	2014.12.31
基本每股收益(元)	0.2600	0.0800	0.0300	0.0800
基本每股收益(扣除后)(元)	0.0030	0.0400	–0.0100	0.0800
稀释每股收益(元)	0.2600	0.0800	0.0300	0.0800
每股净资产(元)	2.0866	1.8555	1.8017	2.6881
每股经营现金净流量(元)	–0.0435	0.2441	0.1256	0.0501
每股现金流量(元)	0.1436	0.0361	0.0464	0.0062
每股资本公积金(元)	0.4177	0.4177	0.4177	1.1266
每股盈余公积金(元)	0.0537	0.0537	0.0467	0.0700
每股未分配利润(元)	0.6152	0.3841	0.3373	0.4915
净资产收益率(%)	12.5270	4.4965	1.6437	3.0823
加权净资产收益率(%)	13.1900	4.5700	1.6400	3.1500
净资产收益率(扣除)(%)	0.1273	1.9893	–0.5524	2.8317
总资产(万元)	126025.90	126126.16	113112.59	105598.39
归属母公司股东权益(万元)	73125.58	65027.75	63142.03	62805.09
营业收入(万元)	34624.32	57859.24	24917.02	48269.86
营业支出(万元)	29259.92	48403.68	21341.67	40229.45
投资收益(万元)	11639.07	908.25	263.69	523.42
净利润(万元)	9160.45	2917.21	1034.21	1931.59
营业利润(万元)	11793.39	1164.69	–594.17	1881.32
利润总额(万元)	12239.18	3338.59	1254.71	2066.50

山东圣阳电源股份有限公司

公司概况					
公司名称	山东圣阳电源股份有限公司			证券简称	圣阳股份
法人代表	宋斌	董秘	于海龙	证券代码	002580
公司网址	www.sacredsun.cn			电子信箱	zqb@sacredsun.cn
电　话	0537-4435777			传　真	0537-4430400
办公地址	山东省曲阜市圣阳路1号				
经营范围	前置许可经营项目:HW49阀控式密封废铅酸蓄电池收集、贮存等				

主要财务指标 指标＼报告期	2016.06.30	2015.12.31	2015.06.30	2014.12.31
基本每股收益(元)	0.1200	0.1500	0.0900	0.1000
基本每股收益(扣除后)(元)	0.0900	0.1100	0.0700	0.0900
稀释每股收益(元)	0.1200	0.1500	0.0900	0.1000
每股净资产(元)	5.1737	5.0681	4.9026	7.6147
每股经营现金净流量(元)	–0.7702	0.1810	–0.3106	1.0388
每股现金流量(元)	–0.4339	0.2795	–0.1269	0.4653
每股资本公积金(元)	2.9990	2.9769	2.8485	4.5603
每股盈余公积金(元)	0.1316	0.1303	0.1184	0.2383
每股未分配利润(元)	1.0432	0.9609	0.9358	1.8162
净资产收益率(%)	2.3658	2.9077	1.7455	2.3559
加权净资产收益率(%)	2.3500	3.1800	1.8800	2.3700
净资产收益率(扣除)(%)	1.8147	2.0205	1.3936	1.1704
总资产(万元)	194849.53	180490.38	181227.24	158659.25
归属母公司股东权益(万元)	114344.95	113158.20	106658.22	82325.90
营业收入(万元)	69746.72	137976.16	65584.42	124612.50
营业支出(万元)	53248.90	110532.38	52696.82	102324.86
投资收益(万元)	198.49	549.57	–	–
净利润(万元)	2705.20	3290.32	1861.71	1939.48
营业利润(万元)	2030.55	2563.49	1562.00	970.62
利润总额(万元)	2771.94	3745.25	2003.65	2121.85

山东未名生物医药股份有限公司

公司概况					
公司名称	山东未名生物医药股份有限公司			证券简称	未名医药
法人代表	潘爱华	董秘	鲍延磊	证券代码	002581
公司网址	www.sdsinobioway.com			电子信箱	office@sdsinobioway.com
电　话	010-82890899　82890086			传　真	010-82899887
办公地址	北京市海淀区上地西路39号北大生物城				
经营范围	原甲酸三甲酯、原甲酸三乙酯等农药、医药中间体的研发、生产和销售等				

主要财务指标 指标＼报告期	2016.06.30	2015.12.31	2015.06.30	2014.12.31
基本每股收益(元)	0.2300	0.5600	0.2300	0.5900
基本每股收益(扣除后)(元)	0.2200	0.5500	0.1800	0.5700
稀释每股收益(元)	0.2300	0.5600	0.2300	0.5900
每股净资产(元)	3.3418	3.1600	5.6886	5.3238
每股经营现金净流量(元)	0.2088	0.2088	0.3822	0.6098
每股现金流量(元)	0.0617	0.7630	0.3284	–0.1053
每股资本公积金(元)	2.0534	2.0534	3.0866	3.4344
每股盈余公积金(元)	0.0877	0.0877	0.2975	0.2520
每股未分配利润(元)	0.8534	0.6715	1.3046	1.6560
净资产收益率(%)	6.9370	12.0039	6.4126	10.8725
加权净资产收益率(%)	7.0900	20.7100	6.6200	10.9500
净资产收益率(扣除)(%)	6.6453	11.7650	6.4040	10.6999
总资产(万元)	245286.34	241577.48	82588.81	126366.18
归属母公司股东权益(万元)	220472.96	208477.33	80075.30	83320.06
营业收入(万元)	55142.24	85828.57	19342.14	31913.99
营业支出(万元)	13585.85	14240.68	11841.17	19162.34
投资收益(万元)	–915.67	1327.49	–	77.22
净利润(万元)	14662.31	24030.30	5134.89	8147.87
营业利润(万元)	16701.52	27609.22	6017.57	9428.80
利润总额(万元)	17637.18	28196.08	6025.70	9569.14

好想你枣业股份有限公司

公司概况						
公司名称	好想你枣业股份有限公司			证券简称	好想你	
法人代表	石聚彬	董秘	豆妍妍	证券代码	002582	
公司网址	www.haoxiangni.cn		电子信箱	haoxiangni@haoxiangni.cn		
电　话	0371-62589968		传　真	0371-62589968		
办公地址	河南省新郑市薛店镇S102与中华路交叉口北					
经营范围	枣类相关产品的生产、加工和销售					

主要财务指标　指标\报告期	2016.06.30	2015.12.31	2015.06.30	2014.12.31
基本每股收益(元)	0.1000	–0.0200	0.2400	0.3600
基本每股收益(扣除后)(元)	–0.2300	–0.1900	0.1200	0.2800
稀释每股收益(元)	0.1000	–0.0200	0.2400	0.3600
每股净资产(元)	9.4636	9.3650	9.6265	9.4869
每股经营现金净流量(元)	0.4388	1.0726	1.2120	–0.6359
每股现金流量(元)	–0.5991	–0.2879	0.0854	–0.4431
每股资本公积金(元)	5.6605	5.6605	5.6605	5.6605
每股盈余公积金(元)	0.4195	0.4195	0.4035	0.4035
每股未分配利润(元)	2.3837	2.2850	2.5625	2.4229
净资产收益率(%)	1.0424	–0.2339	2.4894	3.8351
加权净资产收益率(%)	1.0500	–0.2300	2.5000	3.8900
净资产收益率(扣除)(%)	–2.4072	–2.0708	1.2746	2.9262
总资产(万元)	237023.11	237785.98	220602.31	224108.66
归属母公司股东权益(万元)	139682.96	138226.88	142087.37	140026.19
营业收入(万元)	43893.25	111305.03	57932.62	97292.40
营业支出(万元)	25563.85	66655.22	32110.21	55056.72
投资收益(万元)	1833.51	2444.90	1444.63	886.16
净利润(万元)	1452.81	–323.31	3537.18	5370.08
营业利润(万元)	–2559.32	–1699.92	3365.22	5210.30
利润总额(万元)	2543.17	–578.56	3849.06	6235.31

海能达通信股份有限公司

公司概况						
公司名称	海能达通信股份有限公司			证券简称	海能达	
法人代表	陈清州	董秘	张钜	证券代码	002583	
公司网址	www.hytera.com		电子信箱	stock@hytera.com		
电　话	0755-26972999 1170		传　真	0755-86133699 0110		
办公地址	广东省深圳市南山区高新区北区北环路9108号海能达大厦					
经营范围	开发、生产矿用对讲机、防爆通讯产品及配件、无线电通讯器材及配件等					

主要财务指标　指标\报告期	2016.06.30	2015.12.31	2015.06.30	2014.12.31
基本每股收益(元)	0.0200	0.1600	–0.0010	0.0300
基本每股收益(扣除后)(元)	0.0200	0.1100	–0.0200	0.0100
稀释每股收益(元)	0.0200	0.1600	–0.0010	0.0300
每股净资产(元)	1.4782	1.4871	2.8568	2.8763
每股经营现金净流量(元)	–0.2760	0.0388	–0.1734	0.1666
每股现金流量(元)	–0.1509	0.0291	–0.3392	–0.0666
每股资本公积金(元)	0.0486	0.0464	1.2594	1.2454
每股盈余公积金(元)	0.0537	0.0537	0.0738	0.0740
每股未分配利润(元)	0.3766	0.3892	0.5359	0.5603
净资产收益率(%)	1.3791	11.0717	–0.0986	2.1597
加权净资产收益率(%)	1.3700	11.8800	–0.1000	2.1800
净资产收益率(扣除)(%)	1.0514	7.5135	–0.6820	0.5008
总资产(万元)	493037.81	460371.06	356345.18	364173.24
归属母公司股东权益(万元)	227326.50	228676.08	199541.40	200335.40
营业收入(万元)	126015.17	247755.69	73096.14	194938.26
营业支出(万元)	63745.37	124986.12	35534.28	112206.57
投资收益(万元)	–	116.24	76.68	275.13
净利润(万元)	3135.16	25318.37	–196.72	4326.56
营业利润(万元)	–450.49	19458.15	–4389.44	–2337.14
利润总额(万元)	1710.22	29187.53	–581.71	5975.67

西陇科学股份有限公司

公司概况						
公司名称	西陇科学股份有限公司			证券简称	西陇科学	
法人代表	黄伟鹏	董秘	邬军晖	证券代码	002584	
公司网址	www.xlhg.com.cn		电子信箱	wujh@xilongs.com		
电　话	020-62612188 82481503		传　真	020-87277188		
办公地址	广州市萝岗区科学城新瑞路6号					
经营范围	化学试剂、并从事部分化工原料、原料药及食品添加剂的研发、生产、销售等业务					

主要财务指标　指标\报告期	2016.06.30	2015.12.31	2015.06.30	2014.12.31
基本每股收益(元)	0.1600	0.4300	0.2400	0.3900
基本每股收益(扣除后)(元)	0.1400	0.3700	0.2300	0.3500
稀释每股收益(元)	0.1600	0.4300	0.2400	0.3900
每股净资产(元)	2.9990	7.3574	5.7372	5.5300
每股经营现金净流量(元)	–0.1184	0.5502	0.1013	0.5225
每股现金流量(元)	–0.4866	1.6553	0.0060	–0.4496
每股资本公积金(元)	1.2389	4.5972	2.9099	2.9099
每股盈余公积金(元)	0.0793	0.1982	0.2003	0.2003
每股未分配利润(元)	0.6508	1.4911	1.5609	1.3629
净资产收益率(%)	3.1471	5.2718	4.1489	7.0076
加权净资产收益率(%)	3.1700	6.8500	4.2100	7.2600
净资产收益率(扣除)(%)	2.7060	4.5525	4.0718	6.3483
总资产(万元)	232380.19	239134.93	173136.19	166131.60
归属母公司股东权益(万元)	175508.34	172226.13	114744.43	110634.12
营业收入(万元)	109358.77	251352.93	107628.84	219793.58
营业支出(万元)	87484.90	209445.32	87484.82	182353.34
投资收益(万元)	388.86	819.92	904.05	25.87
净利润(万元)	5706.38	9669.59	4945.87	8144.21
营业利润(万元)	6877.27	11603.93	5925.29	9140.27
利润总额(万元)	7105.87	12075.29	6031.39	9923.33

江苏双星彩塑新材料股份有限公司

公司概况						
公司名称	江苏双星彩塑新材料股份有限公司			证券简称	双星新材	
法人代表	吴培服	董秘	吴迪	证券代码	002585	
公司网址	www.shuangxingcaisu.com		电子信箱	wudi@shuangxingcaisu.com		
电　话	0527-84252088		传　真	0527-84253042		
办公地址	江苏省宿迁市宿豫区彩塑工业园区井头街1号					
经营范围	新型塑料包装薄膜的研发、生产和销售等					

主要财务指标　指标\报告期	2016.06.30	2015.12.31	2015.06.30	2014.12.31
基本每股收益(元)	0.1100	0.1700	0.0900	0.1600
基本每股收益(扣除后)(元)	0.1000	0.1100	0.0700	0.1700
稀释每股收益(元)	0.1100	0.1700	0.0900	0.1600
每股净资产(元)	7.3809	7.2883	7.2133	9.2865
每股经营现金净流量(元)	0.1451	0.0180	0.0165	0.0849
每股现金流量(元)	–0.1955	0.3115	0.5036	0.2818
每股资本公积金(元)	5.0698	5.0698	5.0698	6.8908
每股盈余公积金(元)	0.1606	0.1606	0.1464	0.1903
每股未分配利润(元)	1.1505	1.0579	0.9971	1.2053
净资产收益率(%)	1.5248	2.3050	1.2889	1.9590
加权净资产收益率(%)	1.5300	2.3300	1.2900	2.3500
净资产收益率(扣除)(%)	1.3759	1.4523	0.9047	1.5784
总资产(万元)	587471.71	581162.21	582151.83	562331.07
归属母公司股东权益(万元)	529451.46	522813.11	517431.36	512417.71
营业收入(万元)	118392.79	238053.74	103645.39	226547.73
营业支出(万元)	100782.09	213608.56	93090.92	206127.26
投资收益(万元)	81.33	735.87	110.90	92.42
净利润(万元)	8073.01	12050.77	6669.03	10038.48
营业利润(万元)	8555.89	9004.76	5487.71	9187.02
利润总额(万元)	9483.30	13624.21	7826.35	11481.69

浙江省围海建设集团股份有限公司

公司概况					
公司名称	浙江省围海建设集团股份有限公司			证券简称	围海股份
法人代表	冯全宏	董秘	陈伟	证券代码	002586
公司网址	www.zjwh.com.cn		电子信箱	ir@zjwh.com.cn	
电　话	0574-87901130		传　真	0574-87901002	
办公地址	浙江省宁波市高新区广贤路 1009 号				
经营范围	水利水电工程、市政公用工程、港口与航道工程、房屋建筑工程等				

主要财务指标 指标＼报告期	2016.06.30	2015.12.31	2015.06.30	2014.12.31
基本每股收益(元)	0.0188	0.0900	0.0209	0.1400
基本每股收益(扣除后)(元)	0.0148	0.0800	0.0200	0.2700
稀释每股收益(元)	0.0188	0.0900	0.0209	0.1400
每股净资产(元)	2.1581	2.1767	2.1147	4.2750
每股经营现金净流量(元)	-0.3234	0.1312	-0.1644	-0.0395
每股现金流量(元)	-0.4269	0.0514	-0.2319	0.7176
每股资本公积金(元)	0.5761	0.5761	0.5761	2.1522
每股盈余公积金(元)	0.0684	0.0684	0.0597	0.1193
每股未分配利润(元)	0.4551	0.4863	0.4291	0.9163
净资产收益率(%)	0.8694	3.9924	0.9890	6.5550
加权净资产收益率(%)	0.8600	4.0300	0.9800	7.1100
净资产收益率(扣除)(%)	0.6857	3.5195	0.8386	6.2396
总资产(万元)	458427.03	445623.82	389889.23	341832.17
归属母公司股东权益(万元)	157136.36	158493.30	153977.06	155635.84
营业收入(万元)	84840.24	189686.63	85291.15	183272.45
营业支出(万元)	75469.02	160242.87	74083.67	150466.44
投资收益(万元)	290.81	893.45	64.11	157.98
净利润(万元)	1330.51	6431.55	1562.77	11078.70
营业利润(万元)	2114.73	8515.49	2241.83	14426.66
利润总额(万元)	2143.24	9193.79	2444.65	14929.89

深圳市奥拓电子股份有限公司

公司概况					
公司名称	深圳市奥拓电子股份有限公司			证券简称	奥拓电子
法人代表	吴涵渠	董秘	孔德建	证券代码	002587
公司网址	www.aoto.com		电子信箱	kongdj@aoto.com	
电　话	0755-26719889		传　真	0755-26719890	
办公地址	广东省深圳市南山区深南大道高新技术工业村 T2 厂房 T2A6-B				
经营范围	电子自助服务设备、金融电子产品、LED 光电产品、电子大屏幕显示屏等生产和销售				

主要财务指标 指标＼报告期	2016.06.30	2015.12.31	2015.06.30	2014.12.31
基本每股收益(元)	0.0727	0.0600	0.0041	0.1800
基本每股收益(扣除后)(元)	0.0669	0.0400	-0.0005	0.2900
稀释每股收益(元)	0.0727	0.0600	0.0041	0.1800
每股净资产(元)	1.6608	1.5746	1.5372	2.7639
每股经营现金净流量(元)	-0.0904	-0.1509	-0.1483	0.0835
每股现金流量(元)	-0.2015	-0.0403	-0.2078	-1.0033
每股资本公积金(元)	0.1056	0.0578	0.0743	0.8396
每股盈余公积金(元)	0.0844	0.0856	0.0817	0.1381
每股未分配利润(元)	0.4672	0.4305	0.3811	0.7862
净资产收益率(%)	4.3747	3.6420	0.2694	11.0207
加权净资产收益率(%)	4.4700	3.5600	0.2500	11.5000
净资产收益率(扣除)(%)	4.0230	2.6093	-0.0319	10.4138
总资产(万元)	73503.40	70026.00	67880.73	75971.50
归属母公司股东权益(万元)	62498.39	58803.01	57406.58	61078.11
营业收入(万元)	17906.24	29316.73	14399.51	36705.37
营业支出(万元)	8260.98	15046.73	8201.77	17803.12
投资收益(万元)	62.93	436.87	-	-
净利润(万元)	2817.58	2163.94	150.46	6904.82
营业利润(万元)	3029.06	1291.13	-94.55	7329.03
利润总额(万元)	3358.60	2032.94	112.53	7782.92

史丹利农业集团股份有限公司

公司概况					
公司名称	史丹利农业集团股份有限公司			证券简称	史 丹 利
法人代表	高文班	董秘	胡照顺	证券代码	002588
公司网址	www.shidanli.cn		电子信箱	002588@shidanli.cn	
电　话	0539-6263620		传　真	0539-6263620	
办公地址	山东省临沂市临沭县城常林东大街东首				
经营范围	生产、经营高浓度复混肥料(复合肥料)、掺混肥				

主要财务指标 指标＼报告期	2016.06.30	2015.12.31	2015.06.30	2014.12.31
基本每股收益(元)	0.3200	1.0700	0.2800	0.8700
基本每股收益(扣除后)(元)	0.3100	0.9800	0.5500	1.6800
稀释每股收益(元)	0.3200	1.0700	0.2800	0.8700
每股净资产(元)	3.3409	6.2350	5.6832	10.6869
每股经营现金净流量(元)	0.1613	0.2721	-0.4453	2.4763
每股现金流量(元)	-0.2917	-1.5822	-1.1299	0.2566
每股资本公积金(元)	0.2677	1.5398	1.4837	3.7985
每股盈余公积金(元)	0.1709	0.3414	0.2938	0.5990
每股未分配利润(元)	1.9023	3.3538	2.9057	5.2894
净资产收益率(%)	9.6936	17.0452	9.8821	16.2246
加权净资产收益率(%)	9.9200	18.5700	10.1200	17.4300
净资产收益率(扣除)(%)	9.3317	15.7074	9.6715	15.7428
总资产(万元)	618861.00	631532.97	543014.29	509271.12
归属母公司股东权益(万元)	389565.92	363849.07	330966.77	305227.35
营业收入(万元)	301941.25	704068.46	333638.27	565399.88
营业支出(万元)	219688.63	551243.17	258007.40	448192.28
投资收益(万元)	1264.54	3335.32	971.46	1600.63
净利润(万元)	38034.62	62203.82	32620.18	49513.04
营业利润(万元)	44598.18	69777.24	40217.28	56642.02
利润总额(万元)	46392.63	75570.39	40997.38	58354.32

山东瑞康医药股份有限公司

公司概况					
公司名称	山东瑞康医药股份有限公司			证券简称	瑞康医药
法人代表	韩旭	董秘	周云	证券代码	002589
公司网址	www.realcan.cn		电子信箱	stock@realcan.cn	
电　话	0535-6737695　6735656		传　真	0535-6737695	
办公地址	山东省烟台市芝罘区机场路 326 号				
经营范围	中药材、中药饮片、中成药、化学原料药、化学药制剂、抗生素、生化药品等的研发、生产和销售				

主要财务指标 指标＼报告期	2016.06.30	2015.12.31	2015.06.30	2014.12.31
基本每股收益(元)	0.3920	0.4400	0.4000	0.4200
基本每股收益(扣除后)(元)	0.3770	0.4300	0.3900	0.8000
稀释每股收益(元)	0.3920	0.4400	0.4000	0.4200
每股净资产(元)	6.1864	5.7604	11.1023	8.2512
每股经营现金净流量(元)	-1.8366	-0.8408	-0.5284	-0.7509
每股现金流量(元)	-0.8837	0.8637	1.7042	-0.4039
每股资本公积金(元)	3.4390	3.3617	7.7173	4.6903
每股盈余公积金(元)	0.0907	0.0907	0.1549	0.1971
每股未分配利润(元)	1.6567	1.3080	2.2301	2.3638
净资产收益率(%)	6.3313	7.3860	3.3551	10.0666
加权净资产收益率(%)	6.5100	8.1600	3.9200	10.5500
净资产收益率(扣除)(%)	6.0888	7.1151	3.2613	9.7507
总资产(万元)	1104048.95	886169.38	739560.03	567833.18
归属母公司股东权益(万元)	343064.17	319440.30	307834.30	179789.03
营业收入(万元)	691800.75	974995.79	450110.70	778590.71
营业支出(万元)	599320.72	868034.26	406694.60	708052.29
投资收益(万元)	16.15	115.13	73.51	115.65
净利润(万元)	23932.59	24313.37	10220.69	18176.12
营业利润(万元)	29546.78	30894.10	13209.04	23576.94
利润总额(万元)	30511.25	31845.63	13445.20	24175.92

浙江万安科技股份有限公司

公司概况	公司名称	浙江万安科技股份有限公司			证券简称	万安科技
	法人代表	陈利祥	董秘	李建林	证券代码	002590
	公司网址	www.vie.com.cn		电子信箱	lijl@vie.com.cn	
	电　话	0575-87658897 87605817		传　真	0575-87659719	
	办公地址	浙江省诸暨市店口镇工业区中央路188号				
	经营范围	汽车制动系统的研发、生产和销售和配套服务等				

主要财务指标	指标\报告期	2016.06.30	2015.12.31	2015.06.30	2014.12.31
	基本每股收益(元)	0.1200	0.2200	0.1100	0.1800
	基本每股收益(扣除后)(元)	0.1200	0.2100	0.1200	0.3400
	稀释每股收益(元)	0.1200	0.2200	0.1100	0.1800
	每股净资产(元)	3.4882	1.9697	1.8737	3.5772
	每股经营现金净流量(元)	0.0906	0.4385	0.1747	0.4087
	每股现金流量(元)	1.2352	0.1982	0.0398	-0.0990
	每股资本公积金(元)	1.7062	0.1585	0.1594	1.0189
	每股盈余公积金(元)	0.0725	0.0843	0.0688	0.1377
	每股未分配利润(元)	0.7095	0.7269	0.6455	1.4207
	净资产收益率(%)	3.5638	11.2725	6.6781	10.1413
	加权净资产收益率(%)	4.3000	11.8600	6.7800	10.6400
	净资产收益率(扣除)(%)	3.3335	10.4320	6.2063	9.5132
	总资产(万元)	296889.24	208546.07	189423.32	183553.49
	归属母公司股东权益(万元)	167312.82	81263.43	77303.49	73791.33
	营业收入(万元)	101828.10	169040.28	81301.97	132229.01
	营业支出(万元)	77578.01	130871.16	62053.90	98747.00
	投资收益(万元)	-294.52	-10.26	-	41.99
	净利润(万元)	6094.62	9706.84	5517.99	7493.07
	营业利润(万元)	6868.26	10614.16	6065.60	8842.37
	利润总额(万元)	7226.32	11245.50	6415.19	9170.26

江西恒大高新技术股份有限公司

公司概况	公司名称	江西恒大高新技术股份有限公司			证券简称	恒大高新
	法人代表	朱星河	董秘	唐明荣	证券代码	002591
	公司网址	www.heng-da.com		电子信箱	zq@heng-da.net.cn	
	电　话	0791-88194572		传　真	0791-88197020	
	办公地址	江西省南昌市高新区金庐北路88号				
	经营范围	工业设备特种防护及表面工程、硬面技术服务等				

主要财务指标	指标\报告期	2016.06.30	2015.12.31	2015.06.30	2014.12.31
	基本每股收益(元)	-0.0041	-0.2539	-0.0733	0.0185
	基本每股收益(扣除后)(元)	-0.0582	-0.2973	-0.0732	0.0099
	稀释每股收益(元)	-0.0041	-0.2539	-0.0733	0.0185
	每股净资产(元)	2.6759	2.6876	2.8959	2.8561
	每股经营现金净流量(元)	-0.0027	-0.0235	-0.0792	-0.1010
	每股现金流量(元)	-0.1278	-0.0843	-0.1535	-0.0630
	每股资本公积金(元)	1.2399	1.2233	1.1642	1.1642
	每股盈余公积金(元)	0.1098	0.1098	0.1092	0.1092
	每股未分配利润(元)	0.2929	0.2970	0.5068	0.5819
	净资产收益率(%)	-0.1529	-9.4918	-2.5309	0.7897
	加权净资产收益率(%)	-0.1500	-9.2700	-2.5500	0.7800
	净资产收益率(扣除)(%)	-2.1735	-10.9457	-2.5109	0.3478
	总资产(万元)	93939.47	92847.25	92390.29	92988.88
	归属母公司股东权益(万元)	69709.72	70012.82	75884.04	74841.76
	营业收入(万元)	6305.41	18514.28	8536.87	24879.31
	营业支出(万元)	4117.34	14018.58	6091.47	17450.47
	投资收益(万元)	1165.52	-2829.86	-257.90	-341.31
	净利润(万元)	-346.44	-6804.57	-2034.18	539.28
	营业利润(万元)	-499.24	-7833.33	-2271.60	242.79
	利润总额(万元)	-415.44	-6819.56	-2268.94	677.71

南宁八菱科技股份有限公司

公司概况	公司名称	南宁八菱科技股份有限公司			证券简称	八菱科技
	法人代表	顾瑜	董秘	黄缘	证券代码	002592
	公司网址	www.baling.com.cn		电子信箱	nnblkj@baling.com.cn	
	电　话	0771-3216598		传　真	0771-3211338	
	办公地址	广西壮族自治区南宁市高新区工业园区科德路1号				
	经营范围	研究、开发、生产、经营散热器、汽车配件、空调配件、发电机组配件等				

主要财务指标	指标\报告期	2016.06.30	2015.12.31	2015.06.30	2014.12.31
	基本每股收益(元)	0.2200	0.5000	0.3100	0.4900
	基本每股收益(扣除后)(元)	0.2100	0.4700	0.3000	0.4600
	稀释每股收益(元)	0.2200	0.5000	0.3100	0.4900
	每股净资产(元)	7.0900	7.0404	5.5039	5.3005
	每股经营现金净流量(元)	0.1597	0.3278	0.1420	0.5882
	每股现金流量(元)	-0.2814	1.6151	-0.3221	1.3148
	每股资本公积金(元)	4.2279	4.8043	2.6372	2.6372
	每股盈余公积金(元)	0.3804	0.4323	0.3589	0.3589
	每股未分配利润(元)	1.4803	1.6273	1.5079	1.3045
	净资产收益率(%)	3.1644	6.2816	5.6274	7.1581
	加权净资产收益率(%)	3.1400	9.1400	5.6800	10.9600
	净资产收益率(扣除)(%)	3.0078	5.8747	5.2444	6.7143
	总资产(万元)	260376.82	254482.48	159197.56	164093.10
	归属母公司股东权益(万元)	200844.21	199475.46	137233.39	132161.49
	营业收入(万元)	44280.15	64893.86	30751.99	63883.02
	营业支出(万元)	37191.96	50689.37	23295.05	47595.82
	投资收益(万元)	2671.96	4687.11	2915.61	3115.21
	净利润(万元)	6290.10	12519.30	7722.59	9460.31
	营业利润(万元)	6610.81	12851.05	8167.02	10026.30
	利润总额(万元)	6879.72	13522.44	8437.88	10509.68

厦门日上集团股份有限公司

公司概况	公司名称	厦门日上集团股份有限公司			证券简称	日上集团
	法人代表	吴子文	董秘	钟柏安	证券代码	002593
	公司网址	www.sunrisewheel.com		电子信箱	stock@sunrisewheel.com	
	电　话	0592-6666866		传　真	0592-6666899	
	办公地址	福建省厦门市集美区杏林杏北路30号				
	经营范围	生产、加工汽车轮圈、汽车零部件、金属制品、零售汽车零部件、建筑材料等				

主要财务指标	指标\报告期	2016.06.30	2015.12.31	2015.06.30	2014.12.31
	基本每股收益(元)	0.0700	0.1500	0.1100	0.1900
	基本每股收益(扣除后)(元)	0.0500	0.1300	0.1000	0.1500
	稀释每股收益(元)	0.0700	0.1500	0.1100	0.1900
	每股净资产(元)	2.5020	7.5052	7.4548	5.7407
	每股经营现金净流量(元)	0.0701	0.2562	0.0350	0.0578
	每股现金流量(元)	0.0020	0.3060	1.6289	-0.0411
	每股资本公积金(元)	1.0449	5.1346	5.1346	3.3390
	每股盈余公积金(元)	0.0181	0.0540	0.0421	0.0447
	每股未分配利润(元)	0.4499	1.3505	1.3138	1.3944
	净资产收益率(%)	1.3277	2.0027	1.3626	3.2471
	加权净资产收益率(%)	1.3200	2.8300	1.9300	3.2900
	净资产收益率(扣除)(%)	0.9746	1.6406	1.3486	2.6816
	总资产(万元)	332630.13	297267.34	326597.03	282701.45
	归属母公司股东权益(万元)	174962.10	174945.82	173771.01	121702.40
	营业收入(万元)	62879.81	128320.74	65682.60	134192.82
	营业支出(万元)	51430.35	106671.41	53777.39	111240.92
	投资收益(万元)	512.79	505.70	-	-
	净利润(万元)	2318.19	3503.64	2367.83	3951.82
	营业利润(万元)	2714.04	4142.99	2776.29	4275.02
	利润总额(万元)	2988.24	4441.47	2805.63	5088.65

比亚迪股份有限公司

公司概况						
公司概况	公司名称	比亚迪股份有限公司			证券简称	比 亚 迪
	法人代表	王传福	董秘	李黔	证券代码	002594
	公司网址	www.byd.com.cn		电子信箱	db@byd.com	
	电 话	0755-89888888		传 真	0755-84202222	
	办公地址	广东省深圳市坪山新区比亚迪路 3009 号				
	经营范围	锂离子电池以及其他电池、充电器、电子产品、仪器仪表、柔性线路板等				

主要财务指标	指标\报告期	2016.06.30	2015.12.31	2015.06.30	2014.12.31
	基本每股收益(元)	0.8700	1.1200	0.1900	0.1800
	基本每股收益(扣除后)(元)	0.7900	0.4700	0.0600	-0.2800
	稀释每股收益(元)	-	-	-	-
	每股净资产(元)	14.0667	13.0430	10.4359	10.4600
	每股经营现金净流量(元)	-0.5769	1.5517	1.2205	0.0154
	每股现金流量(元)	-0.4395	0.8845	-0.2143	-0.2510
	每股资本公积金(元)	4.1652	4.1647	4.1592	4.1584
	每股盈余公积金(元)	0.9627	0.9627	0.8515	0.8515
	每股未分配利润(元)	6.1649	5.2924	4.4844	4.2968
	净资产收益率(%)	6.4879	8.7428	1.8060	1.7091
	加权净资产收益率(%)	7.1400	10.2200	1.8200	1.8400
	净资产收益率(扣除)(%)	5.9345	3.7364	0.5901	-2.6701
	总资产(万元)	12173483.70	11548575.50	9525836.70	9400885.50
	归属母公司股东权益(万元)	3482917.20	3229440.40	2583936.90	2536559.70
	营业收入(万元)	4494956.50	8000896.80	3158236.60	5819587.80
	营业支出(万元)	3558844.10	6651355.90	2607575.00	4914388.60
	投资收益(万元)	-9320.50	121037.00	-8933.90	6836.60
	净利润(万元)	246906.70	313819.60	62419.60	73987.00
	营业利润(万元)	278734.60	317596.50	46228.80	-17911.50
	利润总额(万元)	300907.50	379498.60	83053.80	87395.20

山东豪迈机械科技股份有限公司

公司概况						
公司概况	公司名称	山东豪迈机械科技股份有限公司			证券简称	豪迈科技
	法人代表	张恭运	董秘	姚聪颖	证券代码	002595
	公司网址	www.haomaikeji.com		电子信箱	himile_zqb@himile.com	
	电 话	0536-2361002		传 真	0536-2361536	
	办公地址	山东省高密市密水科技工业园豪迈路 1 号				
	经营范围	轮胎模具及橡胶机械、数控机床的研制开发、生产、销售以及高端零部件铸造等				

主要财务指标	指标\报告期	2016.06.30	2015.12.31	2015.06.30	2014.12.31
	基本每股收益(元)	0.4578	0.8100	0.3939	0.6300
	基本每股收益(扣除后)(元)	0.4483	0.7900	0.3872	1.2300
	稀释每股收益(元)	0.4578	0.8100	0.3939	0.6300
	每股净资产(元)	3.9658	3.7584	3.3447	6.4022
	每股经营现金净流量(元)	0.6057	0.6918	0.4116	0.6332
	每股现金流量(元)	0.1562	0.1798	0.2930	-1.2557
	每股资本公积金(元)	0.6329	0.6329	0.6329	2.2659
	每股盈余公积金(元)	0.2716	0.2716	0.1888	0.3776
	每股未分配利润(元)	2.0573	1.8495	1.5207	2.7535
	净资产收益率(%)	11.5427	21.4338	11.7783	19.6119
	加权净资产收益率(%)	11.7300	23.5700	12.0400	20.8900
	净资产收益率(扣除)(%)	11.3046	21.0803	11.5777	19.2189
	总资产(万元)	358787.77	352331.35	304337.53	291430.69
	归属母公司股东权益(万元)	317264.11	300673.25	267575.64	256087.28
	营业收入(万元)	123503.54	230891.29	107470.94	181464.62
	营业支出(万元)	68771.01	132332.49	60470.87	102929.95
	投资收益(万元)	722.21	579.50	431.41	171.54
	净利润(万元)	36492.21	64340.81	31515.94	50164.26
	营业利润(万元)	42422.47	74743.94	36555.23	57972.93
	利润总额(万元)	42531.31	75308.52	36744.16	58975.17

海南瑞泽新型建材股份有限公司

公司概况						
公司概况	公司名称	海南瑞泽新型建材股份有限公司			证券简称	海南瑞泽
	法人代表	张海林	董秘	于清池	证券代码	002596
	公司网址	www.hnruize.com		电子信箱	yqc66888@163.com	
	电 话	0898-88710266		传 真	0898-88710266	
	办公地址	海南省三亚市吉阳镇迎宾大道 488 号				
	经营范围	商品混凝土生产与销售、加气砖、灰沙砖、新型建材生产与销售等				

主要财务指标	指标\报告期	2016.06.30	2015.12.31	2015.06.30	2014.12.31
	基本每股收益(元)	-0.0200	0.2900	-0.0200	0.1900
	基本每股收益(扣除后)(元)	-0.0700	0.2200	-0.0700	0.0700
	稀释每股收益(元)	-0.0200	0.2900	-0.0200	0.1900
	每股净资产(元)	6.3073	6.3590	5.0544	4.9867
	每股经营现金净流量(元)	-0.2856	-0.0712	-0.0674	0.1446
	每股现金流量(元)	-0.3754	0.3826	-0.1615	-0.2180
	每股资本公积金(元)	3.9546	3.9541	3.0418	2.8323
	每股盈余公积金(元)	0.1109	0.1108	0.1012	0.1064
	每股未分配利润(元)	1.2445	1.2968	0.9201	1.0626
	净资产收益率(%)	-0.3596	3.8272	-1.4021	1.3984
	加权净资产收益率(%)	-0.3600	4.4300	-1.4100	1.9700
	净资产收益率(扣除)(%)	-1.1478	2.8718	-1.4300	1.4255
	总资产(万元)	310999.82	316936.25	203898.80	208796.33
	归属母公司股东权益(万元)	204585.93	206324.04	135345.50	127042.30
	营业收入(万元)	61177.66	177528.57	55185.48	112130.85
	营业支出(万元)	50148.89	144157.93	48154.10	94126.62
	投资收益(万元)	280.42	146.91	0.16	90.45
	净利润(万元)	-568.30	8805.00	-1673.88	2264.18
	营业利润(万元)	-2178.28	9923.49	-2357.03	2995.30
	利润总额(万元)	-287.61	10962.61	-2302.47	3202.89

安徽金禾实业股份有限公司

公司概况						
公司概况	公司名称	安徽金禾实业股份有限公司			证券简称	金禾实业
	法人代表	杨迎春	董秘	仰宗勇	证券代码	002597
	公司网址	www.jinheshiye.com		电子信箱	yangzongyong@ajhchem.com	
	电 话	0550-5614224 5611232		传 真	0550-5682597	
	办公地址	安徽省滁州市来安县城东大街 127 号				
	经营范围	精细化工产品和基础化工产品的生产、研发和销售				

主要财务指标	指标\报告期	2016.06.30	2015.12.31	2015.06.30	2014.12.31
	基本每股收益(元)	0.4200	0.3800	0.2100	0.3000
	基本每股收益(扣除后)(元)	0.2700	0.3400	0.1800	0.5400
	稀释每股收益(元)	0.4200	0.3800	0.2100	0.3000
	每股净资产(元)	3.7936	3.5532	3.4620	6.7864
	每股经营现金净流量(元)	0.7560	0.9115	0.4617	1.3074
	每股现金流量(元)	0.1051	-0.0462	-0.0542	-0.0796
	每股资本公积金(元)	0.8661	0.9175	0.8967	2.7723
	每股盈余公积金(元)	0.2175	0.2161	0.1723	0.3445
	每股未分配利润(元)	1.6747	1.4169	1.2907	2.4663
	净资产收益率(%)	11.0364	10.6210	5.9951	8.6291
	加权净资产收益率(%)	11.2200	10.9400	6.0100	9.0200
	净资产收益率(扣除)(%)	7.2115	9.5274	5.1967	7.9174
	总资产(万元)	379148.87	363748.96	350609.48	337113.60
	归属母公司股东权益(万元)	214188.48	201910.64	196755.09	192841.34
	营业收入(万元)	166707.38	332775.07	158688.37	321471.06
	营业支出(万元)	130382.69	280501.70	133243.01	273800.49
	投资收益(万元)	1632.85	1734.00	962.70	928.70
	净利润(万元)	23527.56	18382.17	10947.62	13794.64
	营业利润(万元)	17748.44	21308.87	12548.04	15965.13
	利润总额(万元)	29005.83	22870.22	13458.38	17780.75

山东省章丘鼓风机股份有限公司

公司概况					
公司名称	山东省章丘鼓风机股份有限公司			证券简称	山东章鼓
法人代表	方润刚	董秘	方树鹏	证券代码	002598
公司网址	www.blower.cn		电子信箱	sdzg@blower.cn	
电　话	0531-83250020		传　真	0531-83250085	
办公地址	山东省章丘市明水经济开发区世纪大道东首				
经营范围	罗茨鼓风机(罗茨真空泵)及离心鼓风机的研发、制造、销售等				

主要财务指标：指标\报告期	2016.06.30	2015.12.31	2015.06.30	2014.12.31
基本每股收益(元)	0.0817	0.1754	0.0876	0.2437
基本每股收益(扣除后)(元)	0.0779	0.1609	0.0837	0.2315
稀释每股收益(元)	0.0817	0.1754	0.0876	0.2437
每股净资产(元)	2.3023	2.4203	2.3314	2.3440
每股经营现金净流量(元)	0.0166	0.0259	-0.0509	0.1874
每股现金流量(元)	-0.1980	0.0333	-0.2889	0.3455
每股资本公积金(元)	0.6785	0.6785	0.6785	0.6785
每股盈余公积金(元)	0.1678	0.1678	0.1502	0.1502
每股未分配利润(元)	0.4569	0.5752	0.5050	0.5174
净资产收益率(%)	3.5466	7.2470	3.7573	10.3987
加权净资产收益率(%)	3.3600	7.3600	3.6700	10.0635
净资产收益率(扣除)(%)	3.3843	6.6487	3.5899	9.8760
总资产(万元)	96158.87	98217.37	98078.79	99337.67
归属母公司股东权益(万元)	71832.85	75513.63	72740.01	73131.52
营业收入(万元)	21425.80	44613.51	21724.94	55462.78
营业支出(万元)	13776.84	27737.29	13354.44	36828.68
投资收益(万元)	448.03	1425.09	578.54	1166.33
净利润(万元)	2534.59	5468.13	2733.06	7604.74
营业利润(万元)	2811.02	5649.16	3025.71	8178.36
利润总额(万元)	2948.17	6157.79	3168.92	8628.11

北京盛通印刷股份有限公司

公司概况					
公司名称	北京盛通印刷股份有限公司			证券简称	盛通股份
法人代表	栗延秋	董秘	肖薇	证券代码	002599
公司网址	www.shengtongprint.com		电子信箱	ir@shengtongprint.com	
电　话	010-67871609		传　真	010-52249811	
办公地址	北京市北京经济技术开发区经海三路 18 号				
经营范围	出版物印刷、装订等				

主要财务指标：指标\报告期	2016.06.30	2015.12.31	2015.06.30	2014.12.31
基本每股收益(元)	0.1048	0.1500	0.0900	0.0900
基本每股收益(扣除后)(元)	0.0284	0.0700	0.0400	0.0700
稀释每股收益(元)	0.1048	0.1500	0.0900	0.0900
每股净资产(元)	4.9042	4.8086	4.5357	4.4717
每股经营现金净流量(元)	0.6144	0.3059	0.5684	0.5150
每股现金流量(元)	-0.0707	0.0349	0.0041	-0.8100
每股资本公积金(元)	2.3315	2.3108	2.0576	2.0576
每股盈余公积金(元)	0.1857	0.1857	0.1755	0.1755
每股未分配利润(元)	1.3870	1.3121	1.3026	1.2386
净资产收益率(%)	2.1376	3.0069	2.0731	1.9316
加权净资产收益率(%)	2.1600	3.2500	2.0800	1.9400
净资产收益率(扣除)(%)	0.5786	1.3953	0.9376	1.5328
总资产(万元)	133089.21	123709.89	122608.77	108083.82
归属母公司股东权益(万元)	66206.10	64916.71	59871.14	59025.96
营业收入(万元)	37657.37	70125.75	33385.53	62221.04
营业支出(万元)	30553.86	57887.12	27575.89	52301.94
投资收益(万元)	-3.48	-5.06	-	-
净利润(万元)	1422.23	1943.34	1239.60	1140.16
营业利润(万元)	907.52	914.87	394.30	943.50
利润总额(万元)	2004.84	2235.84	1243.83	1222.33

广东江粉磁材股份有限公司

公司概况					
公司名称	广东江粉磁材股份有限公司			证券简称	江粉磁材
法人代表	汪南东	董秘	梁丽	证券代码	002600
公司网址	www.jpmf.com.cn		电子信箱	jpmf@jpmf.com.cn	
电　话	0750-3506077　3506078		传　真	0750-3506111	
办公地址	广东省江门市龙湾路 8 号				
经营范围	永磁铁氧体和软磁铁氧体的研发、生产和销售等				

主要财务指标：指标\报告期	2016.06.30	2015.12.31	2015.06.30	2014.12.31
基本每股收益(元)	0.0500	0.0600	0.0100	0.0100
基本每股收益(扣除后)(元)	0.0500	0.0600	-0.0003	-0.0800
稀释每股收益(元)	0.0500	0.0600	0.0100	0.0100
每股净资产(元)	4.3580	3.0789	1.9165	3.9284
每股经营现金净流量(元)	-0.1566	0.2908	0.0807	-0.0275
每股现金流量(元)	0.1446	0.2144	-0.1680	-0.1614
每股资本公积金(元)	3.1666	1.8826	0.7108	2.4225
每股盈余公积金(元)	0.0240	0.0321	0.0438	0.0876
每股未分配利润(元)	0.1674	0.1653	0.1635	0.4142
净资产收益率(%)	1.0050	1.6996	0.3337	0.2848
加权净资产收益率(%)	1.5500	2.7100	0.3300	0.2800
净资产收益率(扣除)(%)	1.0130	1.5747	-0.0152	-1.9861
总资产(万元)	1074936.37	613659.41	316601.95	275200.91
归属母公司股东权益(万元)	513024.77	270942.44	121814.25	124844.28
营业收入(万元)	412703.31	486927.83	161526.58	206028.87
营业支出(万元)	377683.67	445021.79	148536.61	182226.24
投资收益(万元)	500.03	1342.50	839.52	2103.79
净利润(万元)	6130.06	5996.14	402.79	-350.24
营业利润(万元)	9178.62	8094.10	613.34	-1390.88
利润总额(万元)	9193.76	8131.60	667.52	111.40

龙蟒佰利联集团股份有限公司

公司概况					
公司名称	龙蟒佰利联集团股份有限公司			证券简称	龙蟒佰利
法人代表	许刚	董秘	申庆飞	证券代码	002601
公司网址	www.billionschem.com		电子信箱	002601@lomonbillions.com	
电　话	0391-3126666		传　真	0391-3126111	
办公地址	河南省焦作市中站区焦克路				
经营范围	从事钛白粉、锆制品和硫酸铝等产品的生产与销售				

主要财务指标：指标\报告期	2016.06.30	2015.12.31	2015.06.30	2014.12.31
基本每股收益(元)	0.1000	0.5700	0.0700	0.3300
基本每股收益(扣除后)(元)	0.1000	0.5300	0.2400	0.2800
稀释每股收益(元)	0.1000	0.5700	0.0700	0.3300
每股净资产(元)	3.3439	11.2424	11.7004	11.5973
每股经营现金净流量(元)	-0.3307	-2.7489	-0.9591	0.1104
每股现金流量(元)	0.7213	0.4949	2.1463	0.0095
每股资本公积金(元)	1.2514	6.8705	6.8078	6.5723
每股盈余公积金(元)	0.1373	0.4804	0.4342	0.4652
每股未分配利润(元)	1.0658	3.7299	3.4581	3.5598
净资产收益率(%)	2.9930	4.8488	1.9496	2.8536
加权净资产收益率(%)	3.0700	4.8500	2.0700	2.8900
净资产收益率(扣除)(%)	2.9505	4.4499	1.9404	2.4282
总资产(万元)	668230.89	576104.35	576133.04	464236.15
归属母公司股东权益(万元)	237584.94	229822.81	239183.68	221267.74
营业收入(万元)	129867.51	263453.22	132139.65	205129.59
营业支出(万元)	100643.41	214685.87	107309.65	168179.19
投资收益(万元)	8.32	50.30	21.66	191.27
净利润(万元)	7634.72	11895.82	5163.91	6433.34
营业利润(万元)	9398.26	12579.04	6536.39	6211.17
利润总额(万元)	9517.02	13566.33	6562.45	7332.97

浙江世纪华通集团股份有限公司

公司概况	公司名称	浙江世纪华通车业股份有限公司			证券简称	世纪华通
	法人代表	王苗通	董秘	严正山	证券代码	002602
	公司网址	www.sjhuatong.com		电子信箱	sjhuatong@sjhuatong.com	
	电　话	0575-82148872		传　真	0575-82208079	
	办公地址	浙江省上虞市经济开发区北一路				
	经营范围	汽车配件、摩托车配件、精密金属模具制造、加工等				

主要财务指标	指标\报告期	2016.06.30	2015.12.31	2015.06.30	2014.12.31
	基本每股收益(元)	0.2700	0.4000	0.1400	0.3000
	基本每股收益(扣除后)(元)	0.2700	0.3800	0.1380	0.6000
	稀释每股收益(元)	0.2700	0.4000	0.1400	0.3000
	每股净资产(元)	4.1464	3.8787	3.6218	7.0627
	每股经营现金净流量(元)	0.2217	0.4643	0.0760	0.4780
	每股现金流量(元)	-0.1629	0.2474	-0.0969	0.3437
	每股资本公积金(元)	1.8450	1.8450	1.8450	4.6900
	每股盈余公积金(元)	0.0729	0.0712	0.0639	0.1278
	每股未分配利润(元)	1.2281	0.9622	0.7129	1.2449
	净资产收益率(%)	6.4516	10.2381	3.8788	5.7669
	加权净资产收益率(%)	6.6700	10.7200	3.9000	8.9500
	净资产收益率(扣除)(%)	6.4556	9.9210	3.8102	5.7322
	总资产(万元)	536143.82	507080.99	456116.83	419887.77
	归属母公司股东权益(万元)	425872.81	398380.99	371993.01	362701.60
	营业收入(万元)	169861.34	302582.74	125522.19	171223.01
	营业支出(万元)	110635.35	208775.25	90081.29	120099.74
	投资收益(万元)	-30.25	9.00	8.23	67.06
	净利润(万元)	27728.19	41015.42	14561.68	21112.18
	营业利润(万元)	31882.27	45221.69	16551.18	23776.40
	利润总额(万元)	31758.83	46537.11	16805.84	23710.34

石家庄以岭药业股份有限公司

公司概况	公司名称	石家庄以岭药业股份有限公司			证券简称	以岭药业
	法人代表	吴相君	董秘	吴瑞	证券代码	002603
	公司网址	www.yiling.cn		电子信箱	wurui@yiling.cn	
	电　话	0311-85901311		传　真	0311-85901311	
	办公地址	河北省石家庄市高新技术产业开发区天山大街 238 号				
	经营范围	硬胶囊剂、片剂、颗粒剂、合剂、小容量注射剂的生产等				

主要财务指标	指标\报告期	2016.06.30	2015.12.31	2015.06.30	2014.12.31
	基本每股收益(元)	0.2800	0.3900	0.2000	0.3200
	基本每股收益(扣除后)(元)	0.2800	0.3900	0.2000	0.6300
	稀释每股收益(元)	0.2800	0.3800	0.2000	0.3200
	每股净资产(元)	4.4491	4.2705	4.1919	8.0834
	每股经营现金净流量(元)	0.2751	0.1169	0.0147	0.1880
	每股现金流量(元)	-0.0120	0.0258	0.0225	-0.5469
	每股资本公积金(元)	1.5024	1.5000	1.4842	3.9645
	每股盈余公积金(元)	0.2031	0.2032	0.1723	0.3445
	每股未分配利润(元)	1.8622	1.6867	1.5352	2.7742
	净资产收益率(%)	6.1995	8.9395	4.7176	7.7841
	加权净资产收益率(%)	6.2400	9.3500	4.5900	7.9900
	净资产收益率(扣除)(%)	6.2555	8.9395	4.8052	7.7842
	总资产(万元)	604855.90	570695.87	549607.39	508791.14
	归属母公司股东权益(万元)	501711.11	481560.54	472217.70	455410.18
	营业收入(万元)	203056.95	318475.24	170545.58	292115.73
	营业支出(万元)	64585.52	116441.12	62264.74	107765.14
	投资收益(万元)	42.21	576.00	502.94	1666.36
	净利润(万元)	30836.40	42680.49	22277.53	35449.52
	营业利润(万元)	36953.40	49903.13	26671.60	40999.34
	利润总额(万元)	36622.32	49938.96	26115.79	41055.96

山东龙力生物科技股份有限公司

公司概况	公司名称	山东龙力生物科技股份有限公司			证券简称	龙力生物
	法人代表	程少博	董秘	高立娟	证券代码	002604
	公司网址	www.longlive.cn		电子信箱	llgf@longlive.cn	
	电　话	0534-8103166		传　真	0534-8103168	
	办公地址	山东省德州市(禹城)国家高新技术产业开发区				
	经营范围	玉米、玉米芯收购加工销售业务、其他食品"低聚木糖"、饲料添加剂低聚木糖等				

主要财务指标	指标\报告期	2016.06.30	2015.12.31	2015.06.30	2014.12.31
	基本每股收益(元)	0.0800	0.0978	0.1000	0.2700
	基本每股收益(扣除后)(元)	0.0700	0.0800	0.0900	0.2400
	稀释每股收益(元)	0.0800	0.0978	0.1000	0.2700
	每股净资产(元)	4.5324	3.7504	3.7199	5.8656
	每股经营现金净流量(元)	0.0825	0.5682	0.1407	0.3097
	每股现金流量(元)	-0.4235	-1.0402	-0.3526	-0.9963
	每股资本公积金(元)	2.8053	1.7785	1.7785	3.4457
	每股盈余公积金(元)	0.1158	0.1158	0.1029	0.1647
	每股未分配利润(元)	0.9145	0.8260	0.8109	1.2156
	净资产收益率(%)	1.7838	2.6087	1.8795	4.6488
	加权净资产收益率(%)	2.0300	2.6400	1.8900	4.7400
	净资产收益率(扣除)(%)	1.5363	2.0291	1.6182	4.1615
	总资产(万元)	343713.06	269686.04	257361.16	271693.31
	归属母公司股东权益(万元)	250181.51	189031.20	187494.26	184775.91
	营业收入(万元)	35720.27	77630.47	37089.15	75707.05
	营业支出(万元)	22597.98	56879.75	27147.88	53304.80
	投资收益(万元)	-	-	-	-
	净利润(万元)	4435.17	4807.92	3492.72	8475.70
	营业利润(万元)	3986.00	3766.28	2891.71	3833.44
	利润总额(万元)	5323.26	6411.42	4193.92	10422.38

上海姚记扑克股份有限公司

公司概况	公司名称	上海姚记扑克股份有限公司			证券简称	姚记扑克
	法人代表	姚文琛	董秘	浦冬婵	证券代码	002605
	公司网址	www.yaojipoker.com		电子信箱	secretarybd@yaojipoker.com	
	电　话	021-69595008		传　真	021-69595008	
	办公地址	上海市嘉定区黄渡镇曹安路 4218 号				
	经营范围	各类扑克牌的设计、生产和销售等				

主要财务指标	指标\报告期	2016.06.30	2015.12.31	2015.06.30	2014.12.31
	基本每股收益(元)	0.1294	0.2541	0.1667	0.3270
	基本每股收益(扣除后)(元)	0.1236	0.2331	0.1560	0.2860
	稀释每股收益(元)	0.1294	0.2541	0.1667	0.3270
	每股净资产(元)	2.9286	2.7936	2.7062	2.5395
	每股经营现金净流量(元)	0.1979	0.5235	0.1582	0.1985
	每股现金流量(元)	-0.0850	0.3707	0.4090	-0.2071
	每股资本公积金(元)	0.4429	0.4373	0.4373	0.4373
	每股盈余公积金(元)	0.1437	0.1437	0.1198	0.1198
	每股未分配利润(元)	1.3420	1.2126	1.1491	0.9824
	净资产收益率(%)	4.4188	9.0966	6.1587	12.8776
	加权净资产收益率(%)	4.5300	9.5300	6.3500	13.6400
	净资产收益率(扣除)(%)	4.2211	8.3453	5.7656	11.2610
	总资产(万元)	139439.32	145067.28	150241.79	145094.35
	归属母公司股东权益(万元)	109531.23	104481.11	101210.10	94976.92
	营业收入(万元)	33534.09	81232.14	43855.66	75191.28
	营业支出(万元)	23522.83	57825.91	30495.72	54341.25
	投资收益(万元)	-255.90	-195.76	110.00	947.16
	净利润(万元)	4998.56	8992.76	6794.40	12319.60
	营业利润(万元)	6835.34	12690.68	9086.98	15658.53
	利润总额(万元)	6868.81	12917.88	9284.53	16620.90

大连电瓷集团股份有限公司

公司概况	公司名称	大连电瓷集团股份有限公司			证券简称	大连电瓷
	法人代表	窦刚	董秘	张永久	证券代码	002606
	公司网址	www.insulators.cn			电子信箱	zqb@insulators.cn
	电　话	0411-84305686 62272888			传　真	0411-84307907
	办公地址	辽宁省大连市经济技术开发区双D港辽河东路88号				
	经营范围	高压电瓷、避雷器、互感器、开关、合成绝缘子、高压线性电阻片、工业陶瓷等生产和销售				

主要财务指标	指标\报告期	2016.06.30	2015.12.31	2015.06.30	2014.12.31
	基本每股收益(元)	0.2200	0.1800	−0.0700	0.1300
	基本每股收益(扣除后)(元)	0.2000	0.1300	−0.1000	0.0700
	稀释每股收益(元)	0.2200	0.1800	−0.0700	0.1300
	每股净资产(元)	3.8704	3.6919	3.5137	3.6516
	每股经营现金净流量(元)	0.2338	0.5907	0.2239	0.1357
	每股现金流量(元)	−0.1701	0.3153	0.1325	−0.6612
	每股资本公积金(元)	1.6095	1.5882	1.5192	1.5192
	每股盈余公积金(元)	0.1531	0.1531	0.1375	0.1375
	每股未分配利润(元)	1.2151	1.0748	0.8632	1.0053
	净资产收益率(%)	5.5635	4.9031	−1.9123	3.5253
	加权净资产收益率(%)	5.6700	4.9100	−1.8600	3.5000
	净资产收益率(扣除)(%)	5.1085	3.4885	−2.7419	1.8378
	总资产(万元)	136197.91	136697.78	138783.91	132598.41
	归属母公司股东权益(万元)	78955.15	75315.66	70273.59	73032.65
	营业收入(万元)	37508.71	60886.84	18183.25	59160.39
	营业支出(万元)	23880.46	40900.64	13379.56	40263.92
	投资收益(万元)	−47.04	−170.95	−25.63	−146.89
	净利润(万元)	4518.06	3613.23	−1459.85	2487.27
	营业利润(万元)	4929.54	2888.79	−2411.02	1465.91
	利润总额(万元)	5352.19	4029.83	−1725.17	2772.34

亚夏汽车股份有限公司

公司概况	公司名称	亚夏汽车股份有限公司			证券简称	亚夏汽车
	法人代表	周夏耘	董秘	李林	证券代码	002607
	公司网址	www.yaxia.net			电子信箱	board@yaxia.com
	电　话	0553-2876077			传　真	0553-2876077
	办公地址	安徽省芜湖市鸠江区弋江北路花塘村亚夏汽车城				
	经营范围	品牌轿车及其配件销售、维修、装潢、美容、信息咨询服务、品牌轿车二手车销售				

主要财务指标	指标\报告期	2016.06.30	2015.12.31	2015.06.30	2014.12.31
	基本每股收益(元)	0.0800	0.0400	0.0100	−0.2100
	基本每股收益(扣除后)(元)	0.0300	−0.1200	−0.0610	−0.3000
	稀释每股收益(元)	0.0800	0.0400	0.0100	−0.2100
	每股净资产(元)	4.0117	2.3025	2.2665	2.9370
	每股经营现金净流量(元)	−0.4546	0.5314	0.2847	0.4331
	每股现金流量(元)	0.5344	−0.0331	0.0161	−0.1596
	每股资本公积金(元)	2.3644	0.5679	0.5668	1.0369
	每股盈余公积金(元)	0.0854	0.1090	0.1003	0.1304
	每股未分配利润(元)	0.5619	0.6257	0.5994	0.7697
	净资产收益率(%)	1.7929	1.8370	0.3206	−6.9896
	加权净资产收益率(%)	2.8200	1.8500	0.3200	−6.7200
	净资产收益率(扣除)(%)	0.6620	−5.0065	−2.6845	−10.2529
	总资产(万元)	397153.78	366710.90	345716.67	340851.06
	归属母公司股东权益(万元)	182830.11	82183.61	80896.54	80637.20
	营业收入(万元)	278018.34	522076.87	246480.59	523693.77
	营业支出(万元)	261385.29	491653.43	230452.17	497922.19
	投资收益(万元)	−	1995.64	1438.66	−
	净利润(万元)	3215.31	1407.58	132.90	−5896.39
	营业利润(万元)	2166.33	−1068.59	−79.97	−8194.52
	利润总额(万元)	4257.73	2815.04	972.16	−4720.91

江苏国信股份有限公司

公司概况	公司名称	江苏国信股份有限公司			证券简称	江苏国信
	法人代表	朱克江	董秘	王会清	证券代码	002608
	公司网址	www.saintymarine.com.cn			电子信箱	info@saintymarine.com.cn
	电　话	025-84679116			传　真	025-84679188
	办公地址	江苏省南京市玄武区长江路88号16层				
	经营范围	从事机动船舶和非机动船舶的制造、销售和船舶代理出口业务				

主要财务指标	指标\报告期	2016.06.30	2015.12.31	2015.06.30	2014.12.31
	基本每股收益(元)	−2.7200	−14.5400	−0.9700	−4.7200
	基本每股收益(扣除后)(元)	−0.4400	−14.5000	−0.9200	−4.4800
	稀释每股收益(元)	−2.7200	−14.5400	−0.9700	−4.7200
	每股净资产(元)	−16.6904	−13.9636	−0.3981	0.5684
	每股经营现金净流量(元)	−0.2008	−0.6219	−0.8187	−3.6885
	每股现金流量(元)	0.0170	−1.0481	−1.0341	0.2943
	每股资本公积金(元)	1.3870	1.3870	1.3870	1.3870
	每股盈余公积金(元)	0.1305	0.1305	0.1305	0.1305
	每股未分配利润(元)	−19.2080	−16.4899	−2.9262	−1.9497
	净资产收益率(%)	−	−	−245.2688	−848.4630
	加权净资产收益率(%)	−	−	−1217.9600	−159.9700
	净资产收益率(扣除)(%)	−	103.8181	229.8590	−788.0326
	总资产(万元)	137968.60	312646.83	842580.26	940076.97
	归属母公司股东权益(万元)	−625641.16	−523425.94	−14924.45	21307.95
	营业收入(万元)	1963.68	100486.65	102740.34	300764.17
	营业支出(万元)	4120.16	131925.30	100110.83	308192.09
	投资收益(万元)	−	−	−	−
	净利润(万元)	−101979.33	−547385.13	−36966.01	−180967.81
	营业利润(万元)	−16679.62	−543133.15	−35719.55	−167635.82
	利润总额(万元)	−101979.33	−544794.75	−38003.90	−181701.41

深圳市捷顺科技实业股份有限公司

公司概况	公司名称	深圳市捷顺科技实业股份有限公司			证券简称	捷顺科技
	法人代表	唐健	董秘	王恒波	证券代码	002609
	公司网址	www.jieshun.cn			电子信箱	stock@jieshun.cn
	电　话	0755-83112288*8829			传　真	0755-83112306
	办公地址	广东省深圳市福田区梅林路17号捷顺大厦				
	经营范围	智能卡、计算机软件的技术开发、机电一体化产品、电控自动大门等				

主要财务指标	指标\报告期	2016.06.30	2015.12.31	2015.06.30	2014.12.31
	基本每股收益(元)	0.0790	0.2500	0.0530	0.1700
	基本每股收益(扣除后)(元)	0.0774	0.2400	0.0520	0.3400
	稀释每股收益(元)	0.0779	0.2500	0.0530	0.1700
	每股净资产(元)	1.5933	1.6125	1.3814	2.7100
	每股经营现金净流量(元)	−0.0195	0.2476	−0.0355	0.5572
	每股现金流量(元)	−0.1685	−0.2795	−0.4658	0.6103
	每股资本公积金(元)	0.0349	0.0378	0.0269	0.8425
	每股盈余公积金(元)	0.0985	0.0983	0.0728	0.1457
	每股未分配利润(元)	0.5044	0.5256	0.3641	0.8723
	净资产收益率(%)	4.8913	14.8886	3.8395	12.2553
	加权净资产收益率(%)	4.7200	16.2700	3.8500	13.1200
	净资产收益率(扣除)(%)	4.7956	14.6810	3.7557	12.0371
	总资产(万元)	118769.33	125396.50	108589.57	110872.31
	归属母公司股东权益(万元)	95614.78	96916.46	83028.42	81299.30
	营业收入(万元)	25620.83	65103.27	20844.15	54862.32
	营业支出(万元)	11945.37	27901.73	9632.08	25611.18
	投资收益(万元)	−	−14.01	−	−
	净利润(万元)	4745.90	14476.54	2937.85	9797.58
	营业利润(万元)	4585.38	15490.60	3536.72	11345.68
	利润总额(万元)	5593.02	16785.49	3618.58	11559.22

江苏爱康科技股份有限公司

公司概况

公司名称	江苏爱康科技股份有限公司			证券简称	爱康科技
法人代表	邹承慧	董秘	张静	证券代码	002610
公司网址	www.akcome.com			电子信箱	zhengquanbu@akcome.com
电　话	0512-82557563			传　真	0512-82557644
办公地址	江苏省张家港市经济开发区金塘路				
经营范围	研究、开发、生产、加工太阳能器材专用高档五金件、太阳能发电安装系统等				

主要财务指标

指标\报告期	2016.06.30	2015.12.31	2015.06.30	2014.12.31
基本每股收益(元)	0.0500	0.1500	0.0700	0.1400
基本每股收益(扣除后)(元)	0.0300	0.0800	0.0700	0.2400
稀释每股收益(元)	0.0500	0.1500	0.0700	0.1400
每股净资产(元)	5.4379	3.3228	3.2371	6.3416
每股经营现金净流量(元)	−0.1796	0.5326	−0.1308	−0.2208
每股现金流量(元)	1.0033	1.1339	0.0144	0.6026
每股资本公积金(元)	4.2597	1.9379	1.9379	4.8758
每股盈余公积金(元)	0.0298	0.0461	0.0396	0.0793
每股未分配利润(元)	0.1566	0.3393	0.2588	0.3846
净资产收益率(%)	0.6902	4.6183	2.0534	4.0028
加权净资产收益率(%)	0.9800	4.7300	2.0700	5.7300
净资产收益率(扣除)(%)	0.4992	2.3261	2.0887	3.3657
总资产(万元)	1500291.70	1218030.92	946745.15	842374.26
归属母公司股东权益(万元)	610523.56	240899.38	234691.93	229883.42
营业收入(万元)	171217.96	321558.38	136863.46	300278.35
营业支出(万元)	140251.01	261199.92	109271.37	251879.33
投资收益(万元)	860.22	4033.86	237.58	516.42
净利润(万元)	4553.37	11897.28	5160.47	9863.69
营业利润(万元)	3945.19	11318.06	6408.21	10312.13
利润总额(万元)	5240.71	13918.43	6374.91	10948.96

广东东方精工科技股份有限公司

公司概况

公司名称	广东东方精工科技股份有限公司			证券简称	东方精工
法人代表	唐灼林	董秘	杨雅莉	证券代码	002611
公司网址	www.vmtdf.com			电子信箱	securities@vmtdf.com
电　话	0757-86695489			传　真	0757-81098937
办公地址	广东省佛山市南海区狮山镇强狮路 2 号				
经营范围	加工、制造、销售:纸箱印刷机及配件、通用机械及配件货物进出口等				

主要财务指标

指标\报告期	2016.06.30	2015.12.31	2015.06.30	2014.12.31
基本每股收益(元)	0.0700	0.1100	0.0400	0.1500
基本每股收益(扣除后)(元)	0.0300	0.0900	0.0300	0.2300
稀释每股收益(元)	0.0700	0.1100	0.0400	0.1400
每股净资产(元)	2.2679	1.5666	1.5966	2.4602
每股经营现金净流量(元)	0.1419	0.2025	0.1355	0.1172
每股现金流量(元)	0.4101	0.0102	0.0565	−0.7190
每股资本公积金(元)	0.7436	0.0888	0.0931	0.7489
每股盈余公积金(元)	0.0487	0.0538	0.0501	0.0802
每股未分配利润(元)	0.4850	0.4592	0.3960	0.5919
净资产收益率(%)	3.0729	7.1284	2.8044	9.4211
加权净资产收益率(%)	3.7200	7.2000	2.8600	10.0700
净资产收益率(扣除)(%)	1.1476	5.9029	2.1692	9.2948
总资产(万元)	288278.40	248903.40	198085.25	196536.02
归属母公司股东权益(万元)	145565.84	90958.00	92699.22	89274.76
营业收入(万元)	61261.27	129478.59	48453.53	119026.97
营业支出(万元)	44999.99	97181.16	35845.99	86643.58
投资收益(万元)	157.09	328.93	−15.28	129.09
净利润(万元)	5581.10	8432.72	2700.14	10954.29
营业利润(万元)	4621.09	10092.67	3013.49	15224.77
利润总额(万元)	7509.62	11478.07	3665.70	15760.31

朗姿股份有限公司

公司概况

公司名称	朗姿股份有限公司			证券简称	朗姿股份
法人代表	申东日	董秘	王建优	证券代码	002612
公司网址	www.lancygroup.com			电子信箱	zhengquan@lancygroup.com
电　话	010-53518800*8179			传　真	010-59297211
办公地址	北京市朝阳区西大望路 27 号大郊亭南街 3 号院 1 号楼(朗姿大厦)				
经营范围	品牌女装的设计、生产与销售				

主要财务指标

指标\报告期	2016.06.30	2015.12.31	2015.06.30	2014.12.31
基本每股收益(元)	0.0960	0.3700	0.1082	0.6100
基本每股收益(扣除后)(元)	0.0721	0.1700	0.1459	0.2600
稀释每股收益(元)	0.0960	0.3700	0.1082	0.6100
每股净资产(元)	5.7878	11.6252	11.4708	11.2792
每股经营现金净流量(元)	0.1477	0.7541	1.7856	0.1776
每股现金流量(元)	−0.4274	−0.5183	2.1045	1.1747
每股资本公积金(元)	3.6294	8.2587	8.2587	8.2587
每股盈余公积金(元)	0.1572	0.3145	0.2792	0.2792
每股未分配利润(元)	1.0344	2.0768	1.9561	1.7397
净资产收益率(%)	1.6587	3.2024	1.8859	5.3738
加权净资产收益率(%)	1.6400	3.2500	1.9000	5.0600
净资产收益率(扣除)(%)	1.2458	1.4285	1.2718	2.2987
总资产(万元)	276701.83	278885.54	325654.28	289835.77
归属母公司股东权益(万元)	231512.57	232503.47	229416.71	225583.29
营业收入(万元)	47271.32	114425.28	56941.99	123543.68
营业支出(万元)	20757.81	46922.28	23051.33	48597.74
投资收益(万元)	4266.58	4601.52	1798.15	5578.82
净利润(万元)	3840.00	7445.64	4326.65	12122.49
营业利润(万元)	3505.43	7250.75	4902.61	14125.92
利润总额(万元)	3565.90	7724.28	4839.10	15834.72

洛阳北方玻璃技术股份有限公司

公司概况

公司名称	洛阳北方玻璃技术股份有限公司			证券简称	北玻股份
法人代表	高学明	董秘	常海明	证券代码	002613
公司网址	www.northglass.com			电子信箱	beibogufen@126.com
电　话	0379-65110505			传　真	0379-64330181
办公地址	河南省洛阳市高新区滨河路 20 号				
经营范围	研制、开发玻璃深加工设备和技术、玻璃及产品的加工、销售				

主要财务指标

指标\报告期	2016.06.30	2015.12.31	2015.06.30	2014.12.31
基本每股收益(元)	0.0154	0.0321	0.0329	0.0257
基本每股收益(扣除后)(元)	−0.0003	0.0125	0.0224	0.0100
稀释每股收益(元)	0.0154	0.0321	0.0329	0.0257
每股净资产(元)	2.0659	2.0705	2.0713	3.0575
每股经营现金净流量(元)	0.0348	0.0604	0.0096	−0.0783
每股现金流量(元)	0.1171	−0.0907	−0.0039	−0.4264
每股资本公积金(元)	0.6061	0.6061	0.6061	1.4091
每股盈余公积金(元)	0.0898	0.0898	0.0898	0.1347
每股未分配利润(元)	0.3700	0.3746	0.3754	0.5137
净资产收益率(%)	0.7476	1.5525	1.5896	1.2631
加权净资产收益率(%)	0.7400	1.5600	1.6000	1.2600
净资产收益率(扣除)(%)	−0.0131	0.6519	1.0807	0.3358
总资产(万元)	190965.66	194442.35	201195.74	194121.23
归属母公司股东权益(万元)	148933.43	149261.37	149317.54	146944.05
营业收入(万元)	42219.48	90434.59	40000.16	83814.23
营业支出(万元)	31149.80	64081.00	28121.23	62132.71
投资收益(万元)	441.17	690.17	361.52	955.40
净利润(万元)	728.99	2181.18	2485.47	2205.81
营业利润(万元)	277.64	1340.04	2361.48	1816.49
利润总额(万元)	1294.57	2114.96	2903.04	2550.08

奥佳华智能健康科技集团股份有限公司

公司概况	公司名称	奥佳华智能健康科技集团股份有限公司			证券简称	奥佳华
	法人代表	邹剑寒	董秘	李巧巧	证券代码	002614
	公司网址	www.easepal.com.cn		电子信箱	stock@easepal.com.cn	
	电　话	0592-3795739　3795714		传　真	0592-3795724	
	办公地址	福建省厦门市思明区前埔路168号五楼				
	经营范围	各类按摩器具的设计、研发、生产和销售工作				

主要财务指标	指标\报告期	2016.06.30	2015.12.31	2015.06.30	2014.12.31
	基本每股收益(元)	0.0900	0.3300	0.1100	0.2600
	基本每股收益(扣除后)(元)	0.0500	0.2300	0.0350	0.3000
	稀释每股收益(元)	0.0900	0.3300	0.1100	0.2600
	每股净资产(元)	4.2405	4.1696	3.9835	6.0521
	每股经营现金净流量(元)	0.0607	0.2559	-0.0068	0.3960
	每股现金流量(元)	-0.3521	0.5307	0.1155	-0.7354
	每股资本公积金(元)	2.0361	2.0085	1.9848	3.3828
	每股盈余公积金(元)	0.0899	0.0900	0.0900	0.1386
	每股未分配利润(元)	1.2575	1.2646	1.0472	1.5499
	净资产收益率(%)	2.1603	7.8075	2.6695	6.4357
	加权净资产收益率(%)	2.1800	8.0300	2.6400	6.6100
	净资产收益率(扣除)(%)	1.1647	5.3575	0.8753	4.9038
	总资产(万元)	414375.95	392463.43	334877.72	332369.73
	归属母公司股东权益(万元)	235329.38	231258.39	220995.62	217876.97
	营业收入(万元)	126662.58	283072.72	121412.04	281125.78
	营业支出(万元)	78688.73	189065.65	81076.08	190617.34
	投资收益(万元)	-586.69	6237.31	783.27	5632.19
	净利润(万元)	5427.58	18204.76	5906.13	13869.58
	营业利润(万元)	5561.90	19639.13	5995.12	14747.14
	利润总额(万元)	6034.29	20779.95	6838.05	16368.80

浙江哈尔斯真空器皿股份有限公司

公司概况	公司名称	浙江哈尔斯真空器皿股份有限公司			证券简称	哈尔斯
	法人代表	吕强	董秘	张明	证券代码	002615
	公司网址	www.haers.com		电子信箱	zqb@haers.com	
	电　话	0579-89295369		传　真	0579-89295392	
	办公地址	浙江省永康市经济开发区哈尔斯路1号				
	经营范围	不锈钢真空保温器皿的研发设计、生产和销售				

主要财务指标	指标\报告期	2016.06.30	2015.12.31	2015.06.30	2014.12.31
	基本每股收益(元)	0.1200	0.2000	0.0800	0.7700
	基本每股收益(扣除后)(元)	0.1200	0.1700	0.0700	0.7700
	稀释每股收益(元)	0.1200	0.2000	0.0800	0.7700
	每股净资产(元)	2.4111	3.4929	3.3700	7.0779
	每股经营现金净流量(元)	0.0257	0.4569	-0.3162	0.4041
	每股现金流量(元)	0.0551	-0.4447	-0.6980	-1.1644
	每股资本公积金(元)	0.5915	1.3872	1.3872	3.7744
	每股盈余公积金(元)	0.1373	0.2059	0.1727	0.3455
	每股未分配利润(元)	0.6849	0.8998	0.8101	1.9580
	净资产收益率(%)	4.9092	5.8386	2.4063	10.8932
	加权净资产收益率(%)	4.9800	5.8700	2.2900	11.3400
	净资产收益率(扣除)(%)	4.8349	4.8743	2.0717	10.8164
	总资产(万元)	118582.28	88949.05	77417.86	81181.32
	归属母公司股东权益(万元)	65966.96	63709.77	61469.14	64550.01
	营业收入(万元)	52286.40	75843.24	33697.54	74669.04
	营业支出(万元)	34676.66	52790.99	23798.94	53041.88
	投资收益(万元)	-137.27	-128.62	175.06	456.05
	净利润(万元)	3170.40	3704.17	1479.14	7031.58
	营业利润(万元)	3747.59	4016.27	1825.70	7831.71
	利润总额(万元)	3767.60	4562.97	2006.16	8036.80

广东长青(集团)股份有限公司

公司概况	公司名称	广东长青(集团)股份有限公司			证券简称	长青集团
	法人代表	何启强	董秘	龚韫	证券代码	002616
	公司网址	www.chinachant.com		电子信箱	dmof@chinachant.com	
	电　话	0760-22583660		传　真	0760-89829008	
	办公地址	广东省中山市小榄工业大道南42号				
	经营范围	工业、农业、生活废弃物、污水、污泥、烟气的治理和循环利用、治污设备的研发、制造、销售等				

主要财务指标	指标\报告期	2016.06.30	2015.12.31	2015.06.30	2014.12.31
	基本每股收益(元)	0.1791	0.3031	0.1430	0.2113
	基本每股收益(扣除后)(元)	0.1741	0.2818	0.1401	0.3905
	稀释每股收益(元)	0.1741	0.3112	0.1430	0.2113
	每股净资产(元)	4.9689	4.4464	4.6926	9.5018
	每股经营现金净流量(元)	-0.0442	0.3771	0.0579	0.6765
	每股现金流量(元)	0.0619	-1.5079	-1.3136	3.3303
	每股资本公积金(元)	3.3747	2.7921	2.6862	6.3311
	每股盈余公积金(元)	0.1189	0.1127	0.1177	0.2090
	每股未分配利润(元)	0.8637	0.7467	0.9474	1.9985
	净资产收益率(%)	3.3831	6.8616	3.0281	3.7773
	加权净资产收益率(%)	3.6400	6.6600	3.0000	5.7400
	净资产收益率(扣除)(%)	3.2893	6.3972	2.9676	3.4911
	总资产(万元)	329889.92	290424.10	261132.26	285117.18
	归属母公司股东权益(万元)	188381.63	159772.81	165213.08	166221.95
	营业收入(万元)	89873.83	160073.84	72206.29	138551.71
	营业支出(万元)	64723.71	119073.40	54786.26	107500.57
	投资收益(万元)	-405.86	-479.39	-183.02	119.99
	净利润(万元)	6373.05	11139.82	5002.85	6278.85
	营业利润(万元)	7521.45	11922.94	5807.36	7344.34
	利润总额(万元)	9181.82	15380.40	7100.83	9634.41

露笑科技股份有限公司

公司概况	公司名称	露笑科技股份有限公司			证券简称	露笑科技
	法人代表	鲁永	董秘	李陈涛	证券代码	002617
	公司网址	www.roshowtech.com		电子信箱	roshow@roshowtech.com	
	电　话	0575-87061113		传　真	0575-89009980	
	办公地址	浙江省诸暨市店口镇露笑路38号				
	经营范围	电磁线产品的设计、研发、生产及销售等				

主要财务指标	指标\报告期	2016.06.30	2015.12.31	2015.06.30	2014.12.31
	基本每股收益(元)	0.0543	0.2300	0.0462	-0.1500
	基本每股收益(扣除后)(元)	0.0556	0.1100	0.1500	-0.2400
	稀释每股收益(元)	0.0543	0.2300	0.0462	-0.1500
	每股净资产(元)	3.0534	2.5789	4.8862	4.7095
	每股经营现金净流量(元)	-0.1911	1.1764	0.5976	1.2856
	每股现金流量(元)	0.5878	-0.0675	-0.2393	-0.4458
	每股资本公积金(元)	1.7178	0.9519	2.9190	2.9190
	每股盈余公积金(元)	0.0270	0.0550	0.1100	0.1100
	每股未分配利润(元)	0.3087	0.5719	0.8572	0.6805
	净资产收益率(%)	1.7042	8.9622	3.6169	-4.6169
	加权净资产收益率(%)	2.0000	8.8300	3.6800	-4.4900
	净资产收益率(扣除)(%)	1.4627	4.4534	3.3922	-5.1805
	总资产(万元)	277918.84	186289.56	226084.99	221693.29
	归属母公司股东权益(万元)	224372.25	92838.71	87952.34	84771.18
	营业收入(万元)	63704.34	177034.57	110606.17	264828.66
	营业支出(万元)	55849.07	154999.42	95925.77	246944.50
	投资收益(万元)	480.61	-3936.54	-3358.46	-1461.43
	净利润(万元)	3754.23	8696.21	3073.38	-4198.86
	营业利润(万元)	3600.93	4045.31	4365.21	-3478.97
	利润总额(万元)	4153.99	10550.96	4624.27	-3190.74

深圳丹邦科技股份有限公司

公司概况

公司名称	深圳丹邦科技股份有限公司			证券简称	丹邦科技
法人代表	刘萍	董秘	莫珊洁	证券代码	002618
公司网址	www.danbang.com			电子信箱	msj@danbang.com
电　话	0755-26511518 26981518			传　真	0755-26981518 8518
办公地址	广东省深圳市南山区高新园朗山一路丹邦科技大楼				
经营范围	FPC、COF 柔性封装基板及 COF 产品的研发、生产与销售				

主要财务指标

指标\报告期	2016.06.30	2015.12.31	2015.06.30	2014.12.31
基本每股收益(元)	0.0264	0.3700	0.1591	0.5000
基本每股收益(扣除后)(元)	0.0235	0.3300	0.1424	0.4500
稀释每股收益(元)	0.0264	0.3700	0.1591	0.5000
每股净资产(元)	4.5304	9.0420	8.8394	8.7219
每股经营现金净流量(元)	0.0168	0.2221	0.3010	0.2154
每股现金流量(元)	-0.1441	0.1938	0.0617	-1.5620
每股资本公积金(元)	2.4492	5.8983	5.8983	5.8983
每股盈余公积金(元)	0.1087	0.2173	0.1976	0.1976
每股未分配利润(元)	0.9782	1.9406	1.7533	1.6442
净资产收益率(%)	0.5823	4.0492	1.8000	5.7085
加权净资产收益率(%)	0.5800	4.1300	1.8100	5.8600
净资产收益率(扣除)(%)	0.5181	3.6652	1.6115	5.1370
总资产(万元)	236088.82	238669.69	228268.48	224201.21
归属母公司股东权益(万元)	165484.67	165143.99	161442.77	159295.88
营业收入(万元)	10640.10	41903.80	20892.25	50209.12
营业支出(万元)	6154.72	26270.32	12977.89	29820.81
投资收益(万元)	-	-	-	-
净利润(万元)	963.63	6686.95	2905.90	9093.37
营业利润(万元)	957.98	6832.27	3324.10	9842.55
利润总额(万元)	1082.92	7578.22	3729.86	10986.81

浙江巨龙管业股份有限公司

公司概况

公司名称	浙江巨龙管业股份有限公司			证券简称	巨龙管业
法人代表	吕仁高	董秘	郑亮	证券代码	002619
公司网址	www.zjjlgy.com			电子信箱	zhengliang_fdm@126.com
电　话	0579-82200256 82201396			传　真	0579-82201118
办公地址	浙江省金华市婺城新区临江工业园区(白龙桥镇湖家)				
经营范围	包括 PCCP、PCP、RCP、自应力管在内的混凝土输水管道的研发、生产和销售等				

主要财务指标

指标\报告期	2016.06.30	2015.12.31	2015.06.30	2014.12.31
基本每股收益(元)	0.0800	0.5900	0.1600	0.0600
基本每股收益(扣除后)(元)	0.0800	0.5700	0.2400	0.0300
稀释每股收益(元)	0.0800	0.5900	0.1600	0.0600
每股净资产(元)	4.0861	10.0120	9.7122	4.5554
每股经营现金净流量(元)	0.0793	0.3971	0.0666	0.3987
每股现金流量(元)	0.0491	0.6910	0.5239	-0.2389
每股资本公积金(元)	2.6969	8.2422	8.2466	2.8316
每股盈余公积金(元)	0.0208	0.0520	0.0523	0.1370
每股未分配利润(元)	0.3687	0.7190	0.4144	0.5869
净资产收益率(%)	1.9850	4.9548	1.9716	1.2580
加权净资产收益率(%)	2.0100	6.3400	2.7300	1.1900
净资产收益率(扣除)(%)	1.9047	4.7774	1.9569	0.7045
总资产(万元)	374879.12	368027.35	360577.04	103071.92
归属母公司股东权益(万元)	326898.44	320393.32	310797.55	55371.48
营业收入(万元)	20720.08	48954.15	20585.88	37583.97
营业支出(万元)	6285.92	17429.27	6923.13	24786.99
投资收益(万元)	55.30	260.06	-27.53	-
净利润(万元)	6489.05	15891.99	6116.84	711.04
营业利润(万元)	6835.96	16566.55	6603.40	801.19
利润总额(万元)	7060.51	16843.86	6693.48	1156.78

深圳瑞和建筑装饰股份有限公司

公司概况

公司名称	深圳瑞和建筑装饰股份有限公司			证券简称	瑞和股份
法人代表	叶志彪	董秘	叶志彪	证券代码	002620
公司网址	www.sz-ruihe.com			电子信箱	yezhibiao@sz-ruihe.com
电　话	0755-33916666 8922			传　真	0755-33916666*8922
办公地址	广东省深圳市罗湖区深南东路 3027 号瑞和大厦				
经营范围	建筑装饰工程的设计与施工				

主要财务指标

指标\报告期	2016.06.30	2015.12.31	2015.06.30	2014.12.31
基本每股收益(元)	0.4500	0.5400	0.3200	0.4600
基本每股收益(扣除后)(元)	0.4500	0.5000	0.3200	0.3800
稀释每股收益(元)	0.4500	0.5400	0.3200	0.4600
每股净资产(元)	13.5251	8.9952	8.7895	8.4895
每股经营现金净流量(元)	0.2727	-0.6766	-0.1259	0.2765
每股现金流量(元)	7.3662	-0.8720	-0.4870	0.0696
每股资本公积金(元)	11.3693	4.6895	4.6895	4.6895
每股盈余公积金(元)	0.3499	0.3499	0.2934	0.2934
每股未分配利润(元)	3.0505	2.7516	2.5855	2.3681
净资产收益率(%)	2.7467	6.0039	3.6114	5.3786
加权净资产收益率(%)	4.8400	6.1800	3.6600	5.4800
净资产收益率(扣除)(%)	2.7357	5.5820	3.6124	4.5135
总资产(万元)	352563.59	213276.30	217595.42	201709.62
归属母公司股东权益(万元)	196114.45	107942.84	105473.57	101873.43
营业收入(万元)	102520.32	181986.65	81721.47	152186.20
营业支出(万元)	87899.69	155970.55	70047.94	130623.28
投资收益(万元)	1258.87	271.56	146.50	759.40
净利润(万元)	5382.17	6480.83	3809.09	5479.33
营业利润(万元)	6062.18	7538.98	4475.67	7281.87
利润总额(万元)	6072.17	7803.25	4474.45	7559.22

大连三垒机器股份有限公司

公司概况

公司名称	大连三垒机器股份有限公司			证券简称	大连三垒
法人代表	俞建模	董秘	金秉铎	证券代码	002621
公司网址	www.slsj.com.cn			电子信箱	sljinbd@163.com
电　话	0411-84793300			传　真	0411-84791610
办公地址	辽宁省大连市高新技术产业园区七贤岭爱贤街 33 号				
经营范围	精密成型技术开发及其设备的制造、先进模具设计、开发、制造及其设备的制造				

主要财务指标

指标\报告期	2016.06.30	2015.12.31	2015.06.30	2014.12.31
基本每股收益(元)	0.0600	0.2500	0.1100	0.2700
基本每股收益(扣除后)(元)	0.0600	0.2500	0.1100	0.2700
稀释每股收益(元)	0.0600	0.2500	0.1100	0.2700
每股净资产(元)	5.0221	5.0237	4.8871	4.8379
每股经营现金净流量(元)	0.0054	0.0803	0.1059	0.3066
每股现金流量(元)	0.5714	-0.5246	0.0405	0.2620
每股资本公积金(元)	2.2576	2.2576	2.2576	2.2576
每股盈余公积金(元)	0.1980	0.1980	0.1727	0.1727
每股未分配利润(元)	1.5674	1.5692	1.4583	1.4091
净资产收益率(%)	1.1587	4.8855	2.2347	5.5274
加权净资产收益率(%)	1.1600	4.9800	2.2400	5.6700
净资产收益率(扣除)(%)	1.1417	4.5790	2.2310	5.5131
总资产(万元)	116051.14	116133.25	114259.53	114740.06
归属母公司股东权益(万元)	112998.26	113033.72	109960.86	108851.97
营业收入(万元)	4218.74	13621.73	7926.59	18522.41
营业支出(万元)	2658.85	7666.00	4681.67	11039.51
投资收益(万元)	914.31	1818.05	-	-
净利润(万元)	1299.19	5542.37	2472.09	6090.69
营业利润(万元)	1497.24	6794.33	2916.29	7172.98
利润总额(万元)	1519.09	6885.48	2921.11	7195.18

融钰集团股份有限公司

公司概况						
	公司名称	融钰集团股份有限公司			证券简称	融钰集团
	法人代表	尹宏伟	董秘	黄佳慧	证券代码	002622
	公司网址	www.royalholding.cn		电子信箱	ydjt_security@jlydjt.com	
	电　话	0432-64602099		传　真	0432-64602099	
	办公地址	吉林省吉林市船营区迎宾大路 98 号				
	经营范围	研发、生产和销售各种规格的永磁开关产品				

主要财务指标	指标\报告期	2016.06.30	2015.12.31	2015.06.30	2014.12.31
	基本每股收益(元)	0.0100	0.2200	0.0900	0.1100
	基本每股收益(扣除后)(元)	0.0100	0.2100	0.0900	0.3100
	稀释每股收益(元)	0.0100	0.2200	0.0900	0.1100
	每股净资产(元)	1.3812	2.7474	2.6364	8.1307
	每股经营现金净流量(元)	-0.0130	0.0390	0.0142	0.3982
	每股现金流量(元)	-0.1232	0.2541	0.0086	-0.9970
	每股资本公积金(元)	0.0007	1.0015	1.0015	4.6041
	每股盈余公积金(元)	0.0435	0.0771	0.0685	0.1568
	每股未分配利润(元)	0.3442	0.6833	0.5664	2.3698
	净资产收益率(%)	0.5455	7.8313	3.4022	3.8745
	加权净资产收益率(%)	0.5500	7.7000	3.2400	3.9400
	净资产收益率(扣除)(%)	0.4568	7.7478	3.3634	3.8572
	总资产(万元)	128001.02	135167.99	144195.53	140521.12
	归属母公司股东权益(万元)	116023.36	115390.44	110728.05	121960.85
	营业收入(万元)	1779.46	14651.22	5031.76	16104.26
	营业支出(万元)	840.72	7749.14	2231.42	8802.37
	投资收益(万元)	2105.59	7324.76	2687.55	673.73
	净利润(万元)	569.83	9036.55	3767.20	4725.35
	营业利润(万元)	400.26	9099.97	3949.84	5063.99
	利润总额(万元)	533.51	9530.01	4171.26	5416.13

常州亚玛顿股份有限公司

公司概况						
	公司名称	常州亚玛顿股份有限公司			证券简称	亚玛顿
	法人代表	林金锡	董秘	刘芹	证券代码	002623
	公司网址	www.czamd.com		电子信箱	amd@czamd.com	
	电　话	0519-88880015 8301		传　真	0519-88880017	
	办公地址	江苏省常州市天宁区青龙东路 639 号				
	经营范围	生产经营太阳能用镀膜导电玻璃和常压及真空镀膜玻璃产品等				

主要财务指标	指标\报告期	2016.06.30	2015.12.31	2015.06.30	2014.12.31
	基本每股收益(元)	0.1900	0.3400	0.2900	0.2400
	基本每股收益(扣除后)(元)	0.1700	0.2600	0.2300	0.1300
	稀释每股收益(元)	0.1900	0.3400	0.2900	0.2400
	每股净资产(元)	13.6351	13.4814	13.4239	13.1609
	每股经营现金净流量(元)	-1.0135	-0.2518	-0.5484	0.5993
	每股现金流量(元)	1.4698	-1.6653	-0.2265	-1.9075
	每股资本公积金(元)	9.2920	9.2920	9.2920	9.2920
	每股盈余公积金(元)	0.3679	0.3679	0.3271	0.3271
	每股未分配利润(元)	2.9602	2.8126	2.8042	2.5423
	净资产收益率(%)	1.3760	2.5296	2.1744	1.7962
	加权净资产收益率(%)	1.3800	2.5600	2.1900	1.8100
	净资产收益率(扣除)(%)	1.2219	1.9526	1.6892	1.0137
	总资产(万元)	342739.04	266891.40	264069.45	259903.75
	归属母公司股东权益(万元)	218160.81	215703.05	214783.03	210574.85
	营业收入(万元)	78319.80	109213.44	47280.56	86281.63
	营业支出(万元)	67933.63	91870.63	39253.78	74556.75
	投资收益(万元)	-90.59	-1292.97	4.88	0.36
	净利润(万元)	3014.68	5455.27	4670.16	3782.39
	营业利润(万元)	3280.20	6019.33	5271.83	3643.25
	利润总额(万元)	3673.26	6641.86	5725.48	4283.10

完美世界股份有限公司

公司概况						
	公司名称	完美世界股份有限公司			证券简称	完美世界
	法人代表	池宇峰	董秘	王巍巍	证券代码	002624
	公司网址	www.pwpic.com		电子信箱	zhengquanbu@pwpic.com	
	电　话	010-57806688		传　真	010-57805227	
	办公地址	北京市朝阳区北苑路 86 号完美世界大厦 19 层				
	经营范围	广播电视节目制作经营				

主要财务指标	指标\报告期	2016.06.30	2015.12.31	2015.06.30	2014.12.31
	基本每股收益(元)	0.3400	0.5900	0.3100	0.6600
	基本每股收益(扣除后)(元)	0.1200	0.5100	0.0400	0.6500
	稀释每股收益(元)	0.3400	0.5900	0.3100	0.6600
	每股净资产(元)	4.8944	2.1032	1.3870	1.5494
	每股经营现金净流量(元)	0.0638	0.4067	-0.1680	-0.4070
	每股现金流量(元)	0.2703	1.2529	0.3182	-0.1110
	每股资本公积金(元)	3.1670	0.0750	0.0407	0.0407
	每股盈余公积金(元)	0.0657	0.1772	0.0109	0.0109
	每股未分配利润(元)	0.6449	1.0146	0.3355	0.2992
	净资产收益率(%)	5.9407	28.1206	5.1116	25.1685
	加权净资产收益率(%)	22.3200	32.0500	5.1100	27.6200
	净资产收益率(扣除)(%)	1.2754	24.0114	2.3175	24.9079
	总资产(万元)	1195190.22	492896.99	224556.84	164649.22
	归属母公司股东权益(万元)	643420.55	111742.40	77591.50	75566.99
	营业收入(万元)	211462.90	112937.14	24767.71	92578.43
	营业支出(万元)	67260.31	56238.48	12205.72	46794.43
	投资收益(万元)	7652.97	2539.18	532.46	104.26
	净利润(万元)	35185.43	29911.21	4241.07	21315.99
	营业利润(万元)	31927.66	32779.30	2776.17	26629.80
	利润总额(万元)	39124.82	38478.57	5585.42	28790.88

浙江龙生汽车部件股份有限公司

公司概况						
	公司名称	浙江龙生汽车部件股份有限公司			证券简称	龙生股份
	法人代表	俞龙生	董秘	贾坤	证券代码	002625
	公司网址	www.longsheng988.com		电子信箱	longsheng@longsheng988.com	
	电　话	0571-64662918		传　真	0571-64651988	
	办公地址	浙江省杭州市桐庐县富春江镇机械工业区				
	经营范围	汽车座椅功能件及其他金属零部件的研发、生产和销售				

主要财务指标	指标\报告期	2016.06.30	2015.12.31	2015.06.30	2014.12.31
	基本每股收益(元)	0.0700	0.1400	0.0700	0.1300
	基本每股收益(扣除后)(元)	0.0700	0.1200	0.0600	0.2100
	稀释每股收益(元)	0.0700	0.1300	0.0700	0.1300
	每股净资产(元)	1.8377	1.7591	1.6607	2.6785
	每股经营现金净流量(元)	0.0684	0.3627	0.2034	0.3861
	每股现金流量(元)	-0.0389	0.0496	0.0531	-0.4841
	每股资本公积金(元)	0.1288	0.1234	0.0932	0.8448
	每股盈余公积金(元)	0.0763	0.0763	0.0629	0.1069
	每股未分配利润(元)	0.6583	0.5851	0.5303	0.7894
	净资产收益率(%)	3.9859	7.6243	3.9674	8.2588
	加权净资产收益率(%)	4.0700	8.0400	4.0800	8.6200
	净资产收益率(扣除)(%)	3.9674	6.9080	3.8792	7.7231
	总资产(万元)	70785.68	70371.44	64346.68	63588.36
	归属母公司股东权益(万元)	55270.43	52905.60	49946.68	47388.99
	营业收入(万元)	20142.48	40471.57	20440.17	40207.41
	营业支出(万元)	13789.92	29863.46	15200.94	29825.19
	投资收益(万元)	362.29	544.36	257.19	277.65
	净利润(万元)	2203.05	4033.70	1981.56	3913.76
	营业利润(万元)	2524.62	4235.51	2248.86	4250.56
	利润总额(万元)	2526.73	4642.94	2280.20	4510.07

厦门金达威集团股份有限公司

公司概况					
公司名称	厦门金达威集团股份有限公司			证券简称	金达威
法人代表	江斌	董秘	洪彦	证券代码	002626
公司网址	www.kingdomway.com		电子信箱	info@kingdomway.com	
电　话	0592-6511111		传　真	0592-6515151	
办公地址	福建省厦门市海沧新阳工业区阳光西路 299 号				
经营范围	食品营养强化剂、饲料添加剂生产和销售				

主要财务指标：指标\报告期	2016.06.30	2015.12.31	2015.06.30	2014.12.31
基本每股收益(元)	0.2200	0.2000	0.1500	0.3400
基本每股收益(扣除后)(元)	0.2200	0.1800	0.1400	0.6100
稀释每股收益(元)	0.2200	0.2000	0.1500	0.3400
每股净资产(元)	2.3090	2.5328	2.4658	4.9369
每股经营现金净流量(元)	0.1999	0.1416	0.0127	0.5604
每股现金流量(元)	–0.0081	–0.5241	–0.4908	0.5312
每股资本公积金(元)	0.4674	0.4833	0.4674	1.9348
每股盈余公积金(元)	0.1150	0.1150	0.1042	0.2084
每股未分配利润(元)	0.6766	0.9315	0.8946	1.7937
净资产收益率(%)	9.7430	7.7164	5.9917	13.6822
加权净资产收益率(%)	8.4900	7.4600	5.8100	14.2000
净资产收益率(扣除)(%)	9.5805	7.0971	5.7260	12.4038
总资产(万元)	290855.01	277315.27	191862.09	156894.55
归属母公司股东权益(万元)	132998.90	145887.86	142032.77	142181.64
营业收入(万元)	80574.73	120380.91	54568.80	83825.03
营业支出(万元)	48869.60	75565.79	32671.53	48257.47
投资收益(万元)	–92.69	367.73	206.37	1401.12
净利润(万元)	12968.47	10998.47	8557.84	19423.40
营业利润(万元)	16824.70	12492.50	10572.24	22322.24
利润总额(万元)	17082.56	13113.99	10809.94	23061.36

湖北宜昌交运集团股份有限公司

公司概况					
公司名称	湖北宜昌交运集团股份有限公司			证券简称	宜昌交运
法人代表	柳兵	董秘	胡军红	证券代码	002627
公司网址	www.ycjyjt.com		电子信箱	jyjt@ycjyjt.com	
电　话	0717-6451437		传　真	0717-6443860	
办公地址	湖北省宜昌市港窑路 5 号				
经营范围	旅客运输服务、汽车经销等				

主要财务指标：指标\报告期	2016.06.30	2015.12.31	2015.06.30	2014.12.31
基本每股收益(元)	0.1867	0.3581	0.1876	0.4744
基本每股收益(扣除后)(元)	0.1834	0.2970	0.1746	0.4285
稀释每股收益(元)	0.1867	0.3581	0.1876	0.4744
每股净资产(元)	6.9375	6.8995	6.7292	6.7393
每股经营现金净流量(元)	0.4138	1.2284	0.5747	1.3637
每股现金流量(元)	–0.5845	–0.9272	–1.5278	0.3652
每股资本公积金(元)	3.1095	3.1095	3.1095	3.1095
每股盈余公积金(元)	0.3870	0.3870	0.3422	0.3422
每股未分配利润(元)	2.3883	2.3516	2.2258	2.2383
净资产收益率(%)	2.6908	5.1909	2.7872	7.0393
加权净资产收益率(%)	2.6800	5.2500	2.7600	7.1900
净资产收益率(扣除)(%)	2.6439	4.3066	2.5942	5.6699
总资产(万元)	219532.19	206232.84	200281.12	196912.71
归属母公司股东权益(万元)	92616.14	92108.99	89834.33	89969.85
营业收入(万元)	81137.80	150508.42	70806.30	130388.52
营业支出(万元)	69974.80	130849.25	60479.05	110858.71
投资收益(万元)	157.33	821.80	384.53	1672.06
净利润(万元)	2516.96	4903.13	2538.03	6669.80
营业利润(万元)	3361.77	6074.89	3400.62	7085.22
利润总额(万元)	3479.13	7180.39	3654.52	8838.24

成都市路桥工程股份有限公司

公司概况					
公司名称	成都市路桥工程股份有限公司			证券简称	成都路桥
法人代表	周维刚	董秘	郭皓	证券代码	002628
公司网址	www.cdlq.com		电子信箱	zqb@cdlq.com	
电　话	028-85003688		传　真	028-85003588	
办公地址	四川省成都市武侯区武科东四路 11 号				
经营范围	公路工程、桥梁工程和隧道工程的施工等				

主要财务指标：指标\报告期	2016.06.30	2015.12.31	2015.06.30	2014.12.31
基本每股收益(元)	0.0194	0.0300	0.0151	0.1900
基本每股收益(扣除后)(元)	0.0200	0.0100	0.0100	0.1900
稀释每股收益(元)	0.0194	0.0300	0.0151	0.1900
每股净资产(元)	3.5605	3.5472	3.5348	3.5699
每股经营现金净流量(元)	0.0697	0.5160	–0.1243	–0.0241
每股现金流量(元)	–0.5028	–0.0566	–0.4320	–0.7170
每股资本公积金(元)	1.1373	1.1373	1.1373	1.1373
每股盈余公积金(元)	0.1637	0.1637	0.1607	0.1607
每股未分配利润(元)	1.2370	1.2326	1.2253	1.2602
净资产收益率(%)	0.5447	0.7166	0.4273	5.2383
加权净资产收益率(%)	0.5500	0.7100	0.4200	5.3300
净资产收益率(扣除)(%)	0.5214	0.4119	0.1989	5.2440
总资产(万元)	562030.23	567692.80	605127.86	629815.50
归属母公司股东权益(万元)	262557.85	261576.57	260661.34	263252.82
营业收入(万元)	98458.11	144497.63	52273.59	149799.55
营业支出(万元)	89173.68	127054.28	45144.65	125745.03
投资收益(万元)	997.24	9873.33	3550.30	10565.87
净利润(万元)	1430.16	1874.44	1113.76	13790.05
营业利润(万元)	1721.73	1566.15	684.31	12121.67
利润总额(万元)	1709.44	2237.70	1362.45	12042.94

浙江仁智股份有限公司

公司概况					
公司名称	浙江仁智股份有限公司			证券简称	仁智股份
法人代表	陈昊旻	董秘	陈昌文	证券代码	002629
公司网址	www.chinarenzhi.com		电子信箱	bds@renzhi.cn	
电　话	0816-2211551		传　真	0816-2211551	
办公地址	四川省绵阳市沿江西街 5 号				
经营范围	油气田技术服务和石化产品销售等				

主要财务指标：指标\报告期	2016.06.30	2015.12.31	2015.06.30	2014.12.31
基本每股收益(元)	–0.0800	–0.2400	–0.1100	0.0100
基本每股收益(扣除后)(元)	–0.0900	–0.2400	–0.1000	0.0100
稀释每股收益(元)	–0.0800	–0.2400	–0.1100	0.0100
每股净资产(元)	1.4910	1.5735	1.7059	1.8300
每股经营现金净流量(元)	–0.0318	–0.0315	0.0112	0.2932
每股现金流量(元)	–0.1007	–0.1114	–0.0508	–0.2635
每股资本公积金(元)	0.2151	0.2151	0.2151	0.8226
每股盈余公积金(元)	0.0696	0.0696	0.0696	0.1044
每股未分配利润(元)	0.2035	0.2862	0.4185	0.8070
净资产收益率(%)	–5.5474	–15.1524	–6.2203	0.7171
加权净资产收益率(%)	–5.4000	–14.0200	–5.9800	0.7200
净资产收益率(扣除)(%)	–5.8269	–15.1812	–6.0561	0.4991
总资产(万元)	70868.33	82676.08	88726.92	100195.52
归属母公司股东权益(万元)	61421.97	64820.77	70276.06	75275.24
营业收入(万元)	5857.25	24482.19	9982.34	48029.20
营业支出(万元)	5061.03	22600.21	10622.62	36731.59
投资收益(万元)	–40.68	0.94	82.54	–49.78
净利润(万元)	–3476.68	–9898.84	–4437.35	650.98
营业利润(万元)	–3745.24	–10310.80	–4441.07	644.51
利润总额(万元)	–3543.23	–10288.85	–4576.86	837.56

华西能源工业股份有限公司

公司概况	公司名称	华西能源工业股份有限公司		证券简称	华西能源
	法人代表	黎仁超	董秘 徐琳	证券代码	002630
	公司网址	www.cwpc.com.cn		电子信箱	hxny@cwpc.com.cn
	电　话	0813-4736870		传　真	0813-4736870
	办公地址	四川省自贡市高新工业园区荣川路66号			
	经营范围	锅炉及其配套产品的设计、设备成套、产品改造与性能优化、电力工程施工总承包等			

主要财务指标 指标\报告期	2016.06.30	2015.12.31	2015.06.30	2014.12.31
基本每股收益(元)	0.1621	0.2689	0.3066	0.2038
基本每股收益(扣除后)(元)	0.1184	0.2084	0.2929	0.3850
稀释每股收益(元)	0.1621	0.2689	0.3066	0.2038
每股净资产(元)	4.0650	3.9387	7.7433	7.4307
每股经营现金净流量(元)	0.0929	-0.1434	0.9734	-1.4659
每股现金流量(元)	0.1863	0.2408	0.4132	-0.0800
每股资本公积金(元)	1.7008	1.7008	4.4016	4.4016
每股盈余公积金(元)	0.1312	0.1312	0.2403	0.2403
每股未分配利润(元)	1.2226	1.0954	2.0818	1.7752
净资产收益率(%)	3.9872	6.8261	3.9591	5.4386
加权净资产收益率(%)	3.9900	7.0300	4.0400	5.8600
净资产收益率(扣除)(%)	2.9134	5.2902	3.7824	5.0921
总资产(万元)	1018621.66	916697.10	824442.03	716450.53
归属母公司股东权益(万元)	299994.75	290672.67	285727.53	274193.01
营业收入(万元)	168463.23	369973.90	170122.72	326858.54
营业支出(万元)	134312.86	304901.54	135565.13	265783.09
投资收益(万元)	4326.38	5776.34	2620.73	3636.47
净利润(万元)	11531.42	20407.67	11040.08	14910.35
营业利润(万元)	13338.83	22191.20	13651.30	15749.24
利润总额(万元)	14050.19	23483.32	14245.55	16866.99

德尔未来科技控股集团股份有限公司

公司概况	公司名称	德尔未来科技控股集团股份有限公司		证券简称	德尔未来
	法人代表	汝继勇	董秘 栾承连	证券代码	002631
	公司网址	www.der.com.cn		电子信箱	der@der.com.cn
	电　话	0512-63537615		传　真	0512-63537615
	办公地址	江苏省苏州市吴江区盛泽西环路499号德尔广场3号楼			
	经营范围	木地板的研发、生产与销售等			

主要财务指标 指标\报告期	2016.06.30	2015.12.31	2015.06.30	2014.12.31
基本每股收益(元)	0.1400	0.2100	0.1300	0.2000
基本每股收益(扣除后)(元)	0.1300	0.2100	0.1200	0.4000
稀释每股收益(元)	0.1400	0.2100	0.1300	0.2000
每股净资产(元)	2.0975	2.4021	2.2982	4.3901
每股经营现金净流量(元)	0.0646	0.2598	0.1115	0.1042
每股现金流量(元)	-0.4212	0.2836	0.2909	0.5563
每股资本公积金(元)	0.1805	0.6760	0.6289	2.2514
每股盈余公积金(元)	0.0978	0.0979	0.0737	0.1474
每股未分配利润(元)	0.8192	0.6869	0.5956	0.9913
净资产收益率(%)	6.8651	8.7969	5.4375	9.0479
加权净资产收益率(%)	5.6900	9.2500	5.5600	9.5200
净资产收益率(扣除)(%)	6.2878	8.7297	5.4385	9.0902
总资产(万元)	183773.52	196058.72	170200.91	167312.62
归属母公司股东权益(万元)	136308.22	159794.97	149239.07	142541.27
营业收入(万元)	48645.56	84441.09	36121.05	68002.13
营业支出(万元)	31159.74	56763.20	22852.29	44651.29
投资收益(万元)	1368.32	3457.10	1618.15	3725.68
净利润(万元)	9357.78	13720.09	8114.87	12897.05
营业利润(万元)	10345.44	15998.24	9699.93	15594.51
利润总额(万元)	11396.53	15971.91	9698.16	15523.84

道明光学股份有限公司

公司概况	公司名称	道明光学股份有限公司		证券简称	道明光学
	法人代表	胡智彪	董秘 尤敏卫	证券代码	002632
	公司网址	www.chinadaoming.com		电子信箱	stock@chinadaoming.com
	电　话	0579-87321111		传　真	0579-87312889
	办公地址	浙江省永康市经济开发区东吴路581号			
	经营范围	反光材料、反光服装及反光制品的研发、设计、生产和销售等			

主要财务指标 指标\报告期	2016.06.30	2015.12.31	2015.06.30	2014.12.31
基本每股收益(元)	0.0380	0.1600	0.0410	0.1000
基本每股收益(扣除后)(元)	0.0270	0.1300	0.0800	0.1800
稀释每股收益(元)	0.0380	0.1600	0.0410	0.1000
每股净资产(元)	2.3688	4.7100	4.6400	6.6155
每股经营现金净流量(元)	0.0137	0.2319	0.0326	0.9693
每股现金流量(元)	-0.0707	1.0172	0.7899	0.2261
每股资本公积金(元)	0.9255	2.8511	2.8511	4.0533
每股盈余公积金(元)	0.0407	0.0813	0.0771	0.1644
每股未分配利润(元)	0.4026	0.7795	0.7134	1.3978
净资产收益率(%)	1.5961	3.2276	1.7599	3.0098
加权净资产收益率(%)	1.5900	3.7800	2.6100	3.0400
净资产收益率(扣除)(%)	1.1603	2.6712	1.6385	2.6897
总资产(万元)	156598.01	156458.95	150227.61	106686.93
归属母公司股东权益(万元)	140165.77	139407.88	137325.16	91737.72
营业收入(万元)	23253.18	42949.78	23016.32	46277.85
营业支出(万元)	15685.52	29111.71	15958.61	32940.63
投资收益(万元)	87.06	11.41	14.57	-64.83
净利润(万元)	2050.12	4499.52	2416.80	2765.36
营业利润(万元)	1993.50	4619.19	2693.80	2611.63
利润总额(万元)	2649.83	5437.93	2879.00	2977.96

申科滑动轴承股份有限公司

公司概况	公司名称	申科滑动轴承股份有限公司		证券简称	申科股份
	法人代表	何建南	董秘 陈兰燕	证券代码	002633
	公司网址	www.shenke.com		电子信箱	zhengquan@shenke.com
	电　话	0575-87306601 89005608		传　真	0575-89005609
	办公地址	浙江省绍兴市诸暨市陶朱街道望云路132号			
	经营范围	厚壁滑动轴承及部套件的研发、生产及销售等			

主要财务指标 指标\报告期	2016.06.30	2015.12.31	2015.06.30	2014.12.31
基本每股收益(元)	-0.0800	0.1400	-0.1100	-0.2500
基本每股收益(扣除后)(元)	-0.0800	-0.1400	-0.1100	-0.1700
稀释每股收益(元)	-0.0800	0.1400	-0.1100	-0.2500
每股净资产(元)	3.5165	3.5957	3.3225	3.4292
每股经营现金净流量(元)	0.3225	0.0074	0.1248	0.2674
每股现金流量(元)	0.8644	-0.9384	-0.8561	0.4529
每股资本公积金(元)	2.0201	2.0201	1.9957	1.9927
每股盈余公积金(元)	0.1179	0.1179	0.1179	0.1179
每股未分配利润(元)	0.3784	0.4577	0.2089	0.3186
净资产收益率(%)	-2.2529	3.8686	-3.3005	-7.3875
加权净资产收益率(%)	-2.2300	3.9700	-3.2500	-7.2200
净资产收益率(扣除)(%)	-2.3353	-3.7942	-3.1727	-4.9549
总资产(万元)	70975.11	71608.51	76061.60	93821.60
归属母公司股东权益(万元)	52746.86	53935.17	49837.39	51438.29
营业收入(万元)	6059.50	23051.36	10888.59	26789.82
营业支出(万元)	4702.53	18729.24	9156.06	21569.10
投资收益(万元)	-	4169.95	-	-
净利润(万元)	-1188.31	2086.54	-1644.90	-3768.46
营业利润(万元)	-1226.59	2161.27	-1608.66	-4043.41
利润总额(万元)	-1188.31	2087.80	-1634.99	-3730.21

浙江棒杰数码针织品股份有限公司

公司概况					
公司名称	浙江棒杰数码针织品股份有限公司			证券简称	棒杰股份
法人代表	陶建伟	董秘	刘朝阳	证券代码	002634
公司网址	www.bangjie.cn		电子信箱	baj@bangjie.cn	
电　话	0579-85920903　85922008		传　真	0579-85922004	
办公地址	浙江省义乌市苏溪镇镇南小区(苏溪大道 510 号)				
经营范围	服装、服装辅料、领带的制造、销售、货物进出口、技术进出口等				

主要财务指标 指标\报告期	2016.06.30	2015.12.31	2015.06.30	2014.12.31
基本每股收益(元)	0.0500	0.2800	0.0400	0.2800
基本每股收益(扣除后)(元)	0.0400	0.2400	0.1200	0.2500
稀释每股收益(元)	0.0500	0.2800	0.0400	0.2800
每股净资产(元)	1.4000	5.0824	5.1308	4.9995
每股经营现金净流量(元)	0.1543	0.7309	0.1287	0.7250
每股现金流量(元)	0.0201	0.7261	-0.2812	0.9286
每股资本公积金(元)	0.0285	2.7025	2.7025	2.7025
每股盈余公积金(元)	0.0539	0.1939	0.1687	0.1687
每股未分配利润(元)	0.3204	1.1860	1.2596	1.1284
净资产收益率(%)	3.3151	5.5667	2.5579	5.2700
加权净资产收益率(%)	3.2600	5.1300	2.5900	6.7600
净资产收益率(扣除)(%)	3.1665	4.7503	2.3914	4.5598
总资产(万元)	105345.08	108503.40	76493.43	79213.51
归属母公司股东权益(万元)	64666.44	65083.81	65702.55	64021.93
营业收入(万元)	19382.04	33029.29	15773.47	37425.20
营业支出(万元)	13524.12	24439.98	11564.74	28005.45
投资收益(万元)	25.13	409.21	234.87	791.41
净利润(万元)	2491.69	4702.71	1680.62	3373.94
营业利润(万元)	2906.93	4369.54	1816.27	3263.96
利润总额(万元)	3020.63	5494.75	1946.16	3804.64

苏州安洁科技股份有限公司

公司概况					
公司名称	苏州安洁科技股份有限公司			证券简称	安洁科技
法人代表	吕莉	董秘	马玉燕	证券代码	002635
公司网址	www.anjiesz.com		电子信箱	zhengquan@anjiesz.com	
电　话	0512-66316043		传　真	0512-66596419	
办公地址	江苏省苏州市吴中区光福镇福锦路 8 号				
经营范围	为笔记本电脑和手机等消费电子产品品牌终端厂商提供功能性器件生产及相关服务				

主要财务指标 指标\报告期	2016.06.30	2015.12.31	2015.06.30	2014.12.31
基本每股收益(元)	0.3600	0.8200	0.1900	0.3500
基本每股收益(扣除后)(元)	0.3500	0.7800	0.1800	0.5800
稀释每股收益(元)	0.3600	0.8200	0.1900	0.3500
每股净资产(元)	6.0593	5.9708	5.3972	7.0707
每股经营现金净流量(元)	0.8591	0.6036	0.1451	1.0931
每股现金流量(元)	0.0519	0.8668	2.0721	-1.6799
每股资本公积金(元)	3.2227	3.2227	3.2153	3.6527
每股盈余公积金(元)	0.2354	0.2354	0.1588	0.3410
每股未分配利润(元)	1.6894	1.6252	1.0926	2.1889
净资产收益率(%)	6.0107	13.2245	3.3334	9.8578
加权净资产收益率(%)	5.9300	21.4200	5.3000	9.9600
净资产收益率(扣除)(%)	5.8531	12.6386	3.0852	8.1163
总资产(万元)	291375.20	308768.89	307021.52	233527.74
归属母公司股东权益(万元)	235615.92	232178.31	209753.30	128000.38
营业收入(万元)	81049.62	188043.05	63298.16	73130.06
营业支出(万元)	53624.75	124735.07	46174.14	51275.13
投资收益(万元)	1077.42	645.92	179.18	1703.23
净利润(万元)	14042.93	30223.72	6806.77	12318.51
营业利润(万元)	16990.40	36552.49	8536.67	14108.53
利润总额(万元)	17418.65	37473.99	8915.04	14558.92

金安国纪科技股份有限公司

公司概况					
公司名称	金安国纪科技股份有限公司			证券简称	金安国纪
法人代表	韩涛	董秘	程敬	证券代码	002636
公司网址	www.goldenmax.cn		电子信箱	yanmin262@163.com	
电　话	021-57747138*875		传　真	021-67742902	
办公地址	上海市松江工业区宝胜路 33 号				
经营范围	各种 FR-4、CEM-3 覆铜板及半固化片的研发、生产和销售				

主要财务指标 指标\报告期	2016.06.30	2015.12.31	2015.06.30	2014.12.31
基本每股收益(元)	0.1200	0.0740	0.0500	0.0580
基本每股收益(扣除后)(元)	0.1100	0.0610	0.0400	0.0900
稀释每股收益(元)	0.1200	0.0740	0.0500	0.0580
每股净资产(元)	2.0280	1.9094	1.8850	4.7703
每股经营现金净流量(元)	0.1462	0.2411	0.0312	0.3479
每股现金流量(元)	0.0532	0.1243	0.0428	-0.7129
每股资本公积金(元)	0.2628	0.2628	0.2628	2.2833
每股盈余公积金(元)	0.0654	0.0654	0.0642	0.1670
每股未分配利润(元)	0.7003	0.5817	0.5588	1.3220
净资产收益率(%)	5.8492	3.8935	2.6690	3.1907
加权净资产收益率(%)	6.0300	3.9700	2.7100	3.2100
净资产收益率(扣除)(%)	5.6368	3.1885	2.0114	1.8669
总资产(万元)	273416.79	268701.40	250496.94	230081.00
归属母公司股东权益(万元)	147640.21	139003.53	137226.71	133568.30
营业收入(万元)	133278.66	254513.03	124737.95	226119.09
营业支出(万元)	108297.12	224138.95	112181.87	201181.34
投资收益(万元)	524.07	801.93	498.37	1271.50
净利润(万元)	8635.75	5412.06	3662.60	4129.54
营业利润(万元)	9955.63	5666.86	3758.86	3859.92
利润总额(万元)	10047.42	6056.35	4360.06	4700.12

赞宇科技集团股份有限公司

公司概况					
公司名称	赞宇科技集团股份有限公司			证券简称	赞宇科技
法人代表	方银军	董秘	任国晓	证券代码	002637
公司网址	www.zzytech.com		电子信箱	office@zzytech.com	
电　话	0571-87830848		传　真	0571-87830847	
办公地址	浙江省杭州市西湖区古墩路 702 号				
经营范围	日化表面活性剂等产品的研究开发和生产经营等				

主要财务指标 指标\报告期	2016.06.30	2015.12.31	2015.06.30	2014.12.31
基本每股收益(元)	0.1200	0.1000	0.0400	0.3900
基本每股收益(扣除后)(元)	0.1100	0.0300	0.0700	0.3000
稀释每股收益(元)	0.1200	0.1000	0.0400	0.3900
每股净资产(元)	3.7181	7.3004	7.2781	6.6190
每股经营现金净流量(元)	-0.0427	1.2558	-0.0267	0.6131
每股现金流量(元)	-0.1271	0.3839	-0.0519	-0.0418
每股资本公积金(元)	1.4592	3.9185	3.9185	3.9185
每股盈余公积金(元)	0.1150	0.2299	0.2275	0.2275
每股未分配利润(元)	1.1443	2.1520	2.1321	2.1565
净资产收益率(%)	3.1807	1.3414	1.0394	5.1526
加权净资产收益率(%)	3.2000	1.3400	1.0300	5.2400
净资产收益率(扣除)(%)	3.0208	0.4754	0.9397	4.4776
总资产(万元)	322324.24	216552.97	202091.88	189523.74
归属母公司股东权益(万元)	118979.54	116807.11	116449.10	116839.63
营业收入(万元)	160135.62	282235.55	138634.97	249527.04
营业支出(万元)	138304.61	253967.84	125228.62	219496.30
投资收益(万元)	-	-	-	-
净利润(万元)	4076.59	1804.16	1373.70	5818.64
营业利润(万元)	4521.60	2326.05	1619.62	6141.10
利润总额(万元)	4587.14	2705.79	1620.81	6654.86

东莞勤上光电股份有限公司

公司概况

公司名称	东莞勤上光电股份有限公司			证券简称	勤上光电
法人代表	陈永洪	董秘	胡绍安	证券代码	002638
公司网址	www.kingsun-china.com		电子信箱	ks_dsh@kingsun-china.com	
电　话	0769-83996285		传　真	0769-83756736	
办公地址	广东省东莞市常平镇横江厦村				
经营范围	研发、生产、销售半导体照明产品、为用户提供LED照明解决方案等				

主要财务指标

指标\报告期	2016.06.30	2015.12.31	2015.06.30	2014.12.31
基本每股收益(元)	0.1000	0.0600	0.0500	0.0300
基本每股收益(扣除后)(元)	0.0900	0.0300	0.0300	-0.0400
稀释每股收益(元)	0.1000	0.0600	0.0500	0.0300
每股净资产(元)	6.0657	5.9664	5.9665	5.9226
每股经营现金净流量(元)	0.0650	-0.0546	0.0181	-0.0079
每股现金流量(元)	-0.4830	-0.1720	-0.0361	-0.2930
每股资本公积金(元)	3.5607	3.5607	3.5607	3.5607
每股盈余公积金(元)	0.1728	0.1632	0.1658	0.1578
每股未分配利润(元)	1.3322	1.2428	1.2401	1.2030
净资产收益率(%)	1.6304	0.9280	0.7562	0.5538
加权净资产收益率(%)	1.6400	0.9300	0.7500	0.5500
净资产收益率(扣除)(%)	1.3938	0.4352	0.5135	-0.6220
总资产(万元)	332747.85	324083.64	320362.25	324931.10
归属母公司股东权益(万元)	227262.23	223542.73	223547.65	221900.19
营业收入(万元)	44577.20	84966.44	44255.83	90578.67
营业支出(万元)	31529.62	60182.81	32072.87	71586.15
投资收益(万元)	-28.20	529.27	-319.51	-1044.54
净利润(万元)	4107.35	2722.92	1908.55	1097.06
营业利润(万元)	4254.36	1945.98	1753.14	1021.64
利润总额(万元)	4886.59	3330.59	2391.48	1353.45

福建雪人股份有限公司

公司概况

公司名称	福建雪人股份有限公司			证券简称	雪人股份
法人代表	林汝捷	董秘	华耀虹	证券代码	002639
公司网址	www.snowkey.com		电子信箱	snowman@snowkey.com	
电　话	0591-28513175		传　真	0591-28513121	
办公地址	福建省福州市长乐市闽江口洞山西路				
经营范围	制造和销售冷冻、冷藏、空调、环保设备及制冷工程所需配套产品等				

主要财务指标

指标\报告期	2016.06.30	2015.12.31	2015.06.30	2014.12.31
基本每股收益(元)	0.0036	0.0300	0.0171	-0.0200
基本每股收益(扣除后)(元)	0.0023	0.0100	0.0400	-0.0700
稀释每股收益(元)	0.0036	0.0300	0.0171	-0.0200
每股净资产(元)	3.9300	2.6383	7.8800	7.1592
每股经营现金净流量(元)	-0.0569	-0.1543	-0.9746	-0.2041
每股现金流量(元)	0.3350	0.2816	1.5739	-0.7302
每股资本公积金(元)	2.1377	1.2341	5.7022	4.7616
每股盈余公积金(元)	0.0817	0.0849	0.2418	0.3023
每股未分配利润(元)	0.3068	0.3235	0.9432	1.1457
净资产收益率(%)	0.0996	1.0471	0.5416	-0.7120
加权净资产收益率(%)	0.1400	1.2200	0.7400	-0.7100
净资产收益率(扣除)(%)	0.0906	0.4688	0.5067	-1.0051
总资产(万元)	333219.87	249894.64	242642.63	186520.86
归属母公司股东权益(万元)	224891.96	158299.91	157656.93	114546.81
营业收入(万元)	35336.90	64136.71	36983.98	42232.35
营业支出(万元)	25959.52	45784.17	27676.01	31990.22
投资收益(万元)	-75.63	344.49	39.67	56.15
净利润(万元)	181.43	1476.23	884.07	-867.71
营业利润(万元)	217.28	1056.09	889.14	-1245.80
利润总额(万元)	393.80	1602.03	965.99	-953.74

跨境通宝电子商务股份有限公司

公司概况

公司名称	跨境通宝电子商务股份有限公司			证券简称	跨境通
法人代表	杨建新	董秘	高翔	证券代码	002640
公司网址	www.byky.com		电子信箱	gx@byky.com	
电　话	0351-7212033		传　真	0351-7212031	
办公地址	山西省太原市建设南路632号盛饰大厦				
经营范围	男女裤装的研发设计、组织外包生产、物流配送、连锁销售等				

主要财务指标

指标\报告期	2016.06.30	2015.12.31	2015.06.30	2014.12.31
基本每股收益(元)	0.1200	0.2700	0.0600	0.0800
基本每股收益(扣除后)(元)	0.1200	0.2600	0.3600	0.2200
稀释每股收益(元)	0.1200	0.2600	0.0600	0.0800
每股净资产(元)	1.7039	3.1715	8.9725	8.6417
每股经营现金净流量(元)	-0.3115	-0.0204	0.1876	-0.0620
每股现金流量(元)	-0.1957	0.3266	0.4114	0.4183
每股资本公积金(元)	0.4468	1.8898	6.5931	6.5931
每股盈余公积金(元)	0.0221	0.0448	0.1344	0.1344
每股未分配利润(元)	0.3731	0.5612	1.2472	0.9187
净资产收益率(%)	7.2104	8.2391	3.9953	1.8276
加权净资产收益率(%)	7.4600	8.8100	4.0700	4.1800
净资产收益率(扣除)(%)	7.1959	8.1959	3.9789	1.7031
总资产(万元)	420550.45	312213.89	239979.41	220467.65
归属母公司股东权益(万元)	219602.83	204375.03	190038.39	183032.66
营业收入(万元)	343895.29	396081.32	120321.87	84182.07
营业支出(万元)	170618.16	175844.53	51839.10	39971.08
投资收益(万元)	84.69	-26.47	-23.00	60.45
净利润(万元)	17625.72	16636.76	7397.36	2865.91
营业利润(万元)	21867.26	20394.79	9150.01	4533.93
利润总额(万元)	21906.01	20503.27	9189.44	4825.59

永高股份有限公司

公司概况

公司名称	永高股份有限公司			证券简称	永高股份
法人代表	卢震宇	董秘	陈志国	证券代码	002641
公司网址	www.yonggao.com		电子信箱	zqb@yonggao.com	
电　话	0576-84277186		传　真	0576-84277383	
办公地址	浙江省台州市黄岩区黄椒路555号永高双浦新厂区				
经营范围	塑料管道的研发、生产与销售等				

主要财务指标

指标\报告期	2016.06.30	2015.12.31	2015.06.30	2014.12.31
基本每股收益(元)	0.1400	0.3000	0.1300	0.2200
基本每股收益(扣除后)(元)	0.1300	0.3100	0.1300	0.5100
稀释每股收益(元)	0.1400	0.3000	0.1300	0.2200
每股净资产(元)	2.8334	2.7421	2.6268	5.1159
每股经营现金净流量(元)	0.1308	0.5829	0.1251	0.4872
每股现金流量(元)	-0.0955	0.0831	0.0969	0.0214
每股资本公积金(元)	0.8381	0.8381	0.4709	2.0725
每股盈余公积金(元)	0.1878	0.1878	0.1509	0.3090
每股未分配利润(元)	0.8075	0.7162	1.0050	1.2985
净资产收益率(%)	4.9886	10.9496	5.2719	10.1825
加权净资产收益率(%)	5.0400	11.6700	5.2900	10.6300
净资产收益率(扣除)(%)	4.6837	11.1753	5.0881	9.8823
总资产(万元)	405348.10	397472.19	375108.36	366388.22
归属母公司股东权益(万元)	244807.57	236915.02	226958.17	202173.60
营业收入(万元)	157525.98	353344.33	150904.82	332560.05
营业支出(万元)	109543.01	250476.02	106288.88	249185.24
投资收益(万元)	-22.37	-14.98	-	-150.84
净利润(万元)	12212.54	25941.19	11965.03	22503.99
营业利润(万元)	14055.33	30156.64	14893.56	26053.83
利润总额(万元)	14971.64	32020.93	15406.09	27215.71

北京荣之联科技股份有限公司

公司概况						
公司名称	北京荣之联科技股份有限公司			证券简称	荣之联	
法人代表	王东辉	董秘	史卫华	证券代码	002642	
公司网址	www.ronglian.com		电子信箱	ir@ronglian.com		
电　话	010-62602016		传　真	010-62602100		
办公地址	北京市海淀区北四环西路 56 号 10 层 1002-1					
经营范围	围绕大中型企事业单位的数据中心提供系统集成及相关技术服务等					

主要财务指标 指标\报告期	2016.06.30	2015.12.31	2015.06.30	2014.12.31
基本每股收益(元)	0.0424	0.5254	0.1012	0.4504
基本每股收益(扣除后)(元)	0.0360	0.4842	0.0976	0.4396
稀释每股收益(元)	0.0423	0.5206	0.1005	0.4461
每股净资产(元)	5.6574	8.4319	6.2988	6.2114
每股经营现金净流量(元)	-0.3571	0.0721	-0.6900	0.3466
每股现金流量(元)	-1.6006	2.0405	-0.7041	0.0632
每股资本公积金(元)	3.7476	6.1180	4.3406	4.3126
每股盈余公积金(元)	0.0766	0.1149	0.1050	0.1050
每股未分配利润(元)	0.8308	1.2327	0.9542	0.9036
净资产收益率(%)	0.7473	5.8434	2.3955	6.6831
加权净资产收益率(%)	0.7500	7.9500	2.4000	9.3700
净资产收益率(扣除)(%)	0.6352	5.3854	1.5499	6.5862
总资产(万元)	436896.56	465984.87	314233.85	321017.97
归属母公司股东权益(万元)	359949.88	357646.51	251464.95	247901.04
营业收入(万元)	64016.28	154619.48	63992.59	149773.23
营业支出(万元)	41876.57	93962.79	40739.70	96080.11
投资收益(万元)	495.10	1381.82	2235.09	607.64
净利润(万元)	2672.14	21702.69	6660.96	18369.79
营业利润(万元)	3173.60	24624.02	7079.64	21302.43
利润总额(万元)	3251.94	25565.49	7785.52	21623.55

中节能万润股份有限公司

公司概况						
公司名称	中节能万润股份有限公司			证券简称	万润股份	
法人代表	赵凤岐	董秘	王焕杰	证券代码	002643	
公司网址	www.valiant-cn.com		电子信箱	hjwang@valiant-cn.com		
电　话	0535-6101017 6382740		传　真	0535-6101018		
办公地址	山东省烟台市经济技术开发区五指山路 11 号					
经营范围	液晶材料、医药中间体、光电化学品、专项化学用品等的生产制造和销售					

主要财务指标 指标\报告期	2016.06.30	2015.12.31	2015.06.30	2014.12.31
基本每股收益(元)	0.5500	0.7800	0.2200	0.3500
基本每股收益(扣除后)(元)	0.5300	0.7700	0.2200	0.3100
稀释每股收益(元)	0.5500	0.7800	0.2200	0.3500
每股净资产(元)	7.9142	7.6244	7.0710	4.9911
每股经营现金净流量(元)	0.2534	1.0786	0.5190	0.5202
每股现金流量(元)	-0.8248	1.2787	1.1973	-0.3169
每股资本公积金(元)	4.7955	4.7955	4.7955	2.4541
每股盈余公积金(元)	0.2752	0.2752	0.2057	0.2536
每股未分配利润(元)	1.7864	1.5413	1.0583	1.2727
净资产收益率(%)	6.8879	9.9505	2.9148	7.0167
加权净资产收益率(%)	6.9900	11.1600	3.1200	7.1700
净资产收益率(扣除)(%)	6.7479	9.8116	2.8528	6.2817
总资产(万元)	392705.16	301880.84	270634.39	159971.89
归属母公司股东权益(万元)	268980.17	259129.77	240322.46	137574.57
营业收入(万元)	88837.65	163104.26	61513.85	106879.62
营业支出(万元)	52306.98	107207.68	40820.19	76803.87
投资收益(万元)	1516.08	1704.69	96.33	208.42
净利润(万元)	18528.11	25792.06	7008.82	9685.89
营业利润(万元)	21225.84	29365.94	7943.99	9985.10
利润总额(万元)	21663.12	29785.16	8119.43	11168.80

兰州佛慈制药股份有限公司

公司概况						
公司名称	兰州佛慈制药股份有限公司			证券简称	佛慈制药	
法人代表	李云鹏	董秘	吕芝瑛	证券代码	002644	
公司网址	www.fczy.com		电子信箱	zqb@fczy.com		
电　话	0931-8362318 8363280		传　真	0931-8368945		
办公地址	甘肃省兰州市城关区佛慈大街 68 号					
经营范围	中成药研发、制造和销售等					

主要财务指标 指标\报告期	2016.06.30	2015.12.31	2015.06.30	2014.12.31
基本每股收益(元)	0.0594	0.0909	0.0396	0.0967
基本每股收益(扣除后)(元)	0.0574	0.0772	0.0900	0.1428
稀释每股收益(元)	0.0594	0.0909	0.0396	0.0967
每股净资产(元)	2.4668	2.4158	5.9200	4.1370
每股经营现金净流量(元)	0.0790	0.1256	0.0944	0.5275
每股现金流量(元)	0.4656	0.8721	2.2642	0.6404
每股资本公积金(元)	0.6423	0.6423	3.1058	1.1409
每股盈余公积金(元)	0.1114	0.1114	0.2566	0.2950
每股未分配利润(元)	0.7113	0.6609	1.5580	1.7011
净资产收益率(%)	2.4074	3.4813	1.5833	4.7133
加权净资产收益率(%)	2.4300	3.4400	2.5400	4.8200
净资产收益率(扣除)(%)	2.3275	2.9573	1.4311	3.4518
总资产(万元)	169459.95	136241.85	152456.13	104661.83
归属母公司股东权益(万元)	125968.24	123365.29	120963.77	73521.97
营业收入(万元)	18082.29	32758.45	16375.70	39907.13
营业支出(万元)	12762.86	24492.67	12125.41	31070.56
投资收益(万元)	-	-	-	-
净利润(万元)	3032.54	4294.76	1915.26	3465.29
营业利润(万元)	3467.93	4147.13	1977.67	2843.60
利润总额(万元)	3586.19	4908.55	2195.44	3934.71

江苏华宏科技股份有限公司

公司概况						
公司名称	江苏华宏科技股份有限公司			证券简称	华宏科技	
法人代表	胡士勇	董秘	朱大勇	证券代码	002645	
公司网址	www.hhyyjx.net		电子信箱	hhkj@hhyyjx.com		
电　话	0510-80629685		传　真	0510-80629683		
办公地址	江苏省江阴市周庄镇澄杨路 1118 号					
经营范围	再生资源加工设备的研发、生产和销售等					

主要财务指标 指标\报告期	2016.06.30	2015.12.31	2015.06.30	2014.12.31
基本每股收益(元)	0.1568	-0.0530	0.0077	0.0650
基本每股收益(扣除后)(元)	0.1287	-0.1050	-0.0323	-0.0066
稀释每股收益(元)	0.1568	-0.0530	0.0077	0.0650
每股净资产(元)	7.2746	7.1164	4.3997	4.4036
每股经营现金净流量(元)	-0.1033	0.2581	-0.0834	-0.2979
每股现金流量(元)	0.0968	-0.0002	-0.1671	-0.6743
每股资本公积金(元)	5.1245	5.1245	2.0054	2.0054
每股盈余公积金(元)	0.1599	0.1599	0.2147	0.2147
每股未分配利润(元)	0.9813	0.8245	1.1707	1.1780
净资产收益率(%)	2.1550	-0.5867	0.1757	1.4762
加权净资产收益率(%)	2.1800	-1.0700	0.1800	1.4800
净资产收益率(扣除)(%)	1.7696	-1.1659	-0.7334	-0.1495
总资产(万元)	176538.35	174482.09	84433.20	83002.72
归属母公司股东权益(万元)	152363.80	149050.04	68638.46	68699.19
营业收入(万元)	45346.60	30698.45	12263.95	36043.90
营业支出(万元)	35905.47	24210.52	9655.67	28039.79
投资收益(万元)	239.03	544.86	324.01	785.79
净利润(万元)	3263.43	-1205.19	31.71	1004.19
营业利润(万元)	3368.53	-1993.58	-339.51	589.16
利润总额(万元)	3831.96	-1533.46	72.98	1118.61

青海互助青稞酒股份有限公司

公司概况

公司名称	青海互助青稞酒股份有限公司			证券简称	青青稞酒
法人代表	李银会	董秘	赵洁	证券代码	002646
公司网址	www.qkj.com.cn		电子信箱	002646@51qkj.com	
电　　话	0972-8322971　010-84306345		传　　真	0972-8322970	
办公地址	青海省海东市互助县威远镇西大街 6 号				
经营范围	青稞酒的研发、生产、销售,主要产品含互助、天佑德、八大作坊、永庆和等系列				

主要财务指标

指标＼报告期	2016.06.30	2015.12.31	2015.06.30	2014.12.31
基本每股收益(元)	0.3320	0.5134	0.4099	0.7050
基本每股收益(扣除后)(元)	0.3245	0.4338	0.3875	0.6251
稀释每股收益(元)	0.3320	0.5134	0.4099	0.7050
每股净资产(元)	5.3654	5.2114	5.1028	4.9430
每股经营现金净流量(元)	0.3881	0.4029	0.4099	0.5143
每股现金流量(元)	-0.4527	-0.7396	0.1234	-0.6623
每股资本公积金(元)	1.8995	1.8995	1.8995	1.8995
每股盈余公积金(元)	0.2456	0.2456	0.1832	0.1832
每股未分配利润(元)	2.2127	2.0606	2.0196	1.8597
净资产收益率(%)	6.1881	9.8507	8.0320	14.2631
加权净资产收益率(%)	6.2100	10.1600	8.0300	14.9500
净资产收益率(扣除)(%)	6.0478	8.3241	7.5942	12.6471
总资产(万元)	296359.99	272296.02	298383.49	250255.81
归属母公司股东权益(万元)	241442.63	234511.18	229624.72	222434.27
营业收入(万元)	72546.50	136373.50	72281.07	135514.21
营业支出(万元)	24868.58	49971.23	24114.78	41793.73
投资收益(万元)	235.59	3526.45	1117.94	1745.99
净利润(万元)	14746.39	22692.56	18443.32	31726.00
营业利润(万元)	20120.64	29943.18	23577.08	37919.93
利润总额(万元)	20305.12	30516.55	23562.77	40590.64

民盛金科控股股份有限公司

公司概况

公司名称	民盛金科控股股份有限公司			证券简称	民盛金科
法人代表	闫伟	董秘	杨凯	证券代码	002647
公司网址	www.chinahonglei.com		电子信箱	honglei@chinahonglei.com	
电　　话	0575-80708938　87387320		传　　真	0575-80708938	
办公地址	浙江省诸暨市经济开发区迎宾路 2 号				
经营范围	漆包线、高精度铜管材和其他铜材的研发、生产和销售等				

主要财务指标

指标＼报告期	2016.06.30	2015.12.31	2015.06.30	2014.12.31
基本每股收益(元)	-0.1841	0.0400	0.0134	-0.2200
基本每股收益(扣除后)(元)	-0.2138	-1.3300	-0.0020	-0.3600
稀释每股收益(元)	-0.1841	0.0400	0.0134	-0.2200
每股净资产(元)	4.3634	4.5474	4.5213	4.5080
每股经营现金净流量(元)	2.9568	0.6307	-0.8532	-3.8844
每股现金流量(元)	1.2895	1.7935	0.0137	-1.0743
每股资本公积金(元)	2.3180	2.3180	2.3180	2.3180
每股盈余公积金(元)	0.1337	0.1337	0.1285	0.1285
每股未分配利润(元)	0.9116	1.0957	1.0749	1.0615
净资产收益率(%)	-4.2184	0.8675	0.2956	-4.8238
加权净资产收益率(%)	-4.1300	0.8700	0.3000	-4.6800
净资产收益率(扣除)(%)	-4.9003	-29.1675	-0.0448	-8.0314
总资产(万元)	263397.78	211705.29	259232.53	266813.36
归属母公司股东权益(万元)	95811.97	99853.67	99280.94	98987.45
营业收入(万元)	237383.72	445507.74	185489.02	463445.88
营业支出(万元)	235095.05	457153.93	179043.16	456881.88
投资收益(万元)	-663.64	536.96	560.00	840.00
净利润(万元)	-4644.73	620.93	32.14	-5894.51
营业利润(万元)	-5892.61	-30039.32	-106.22	-6901.40
利润总额(万元)	-5679.55	1122.04	334.83	-6287.81

浙江卫星石化股份有限公司

公司概况

公司名称	浙江卫星石化股份有限公司			证券简称	卫星石化
法人代表	马国林	董秘	沈晓炜	证券代码	002648
公司网址	www.satlpec.com		电子信箱	satlpec@gmail.com	
电　　话	0573-82229096		传　　真	0573-82229088	
办公地址	浙江省嘉兴市嘉兴工业园区步焦路				
经营范围	丙烯酸、丙烯酸甲酯、丙烯酸乙酯、丙烯酸正丁酯、丙烯酸异辛酯等				

主要财务指标

指标＼报告期	2016.06.30	2015.12.31	2015.06.30	2014.12.31
基本每股收益(元)	0.0193	-0.5450	-0.1400	0.0400
基本每股收益(扣除后)(元)	0.0174	-0.5700	-0.1600	0.0200
稀释每股收益(元)	0.0193	-0.5450	-0.1400	0.0400
每股净资产(元)	3.9329	3.9110	4.3337	4.4083
每股经营现金净流量(元)	0.0572	1.5659	0.6457	-1.1765
每股现金流量(元)	-0.0742	0.2556	0.2000	-0.6664
每股资本公积金(元)	1.8572	1.8572	1.8572	1.8471
每股盈余公积金(元)	0.2340	0.2340	0.2340	0.2325
每股未分配利润(元)	0.7714	0.7521	1.1539	1.2889
净资产收益率(%)	0.4918	-13.9353	-3.3044	0.9173
加权净资产收益率(%)	0.4900	-13.1300	-3.2800	0.9100
净资产收益率(扣除)(%)	0.4418	-14.5245	-3.6907	0.5026
总资产(万元)	713512.99	709829.53	779428.98	761444.26
归属母公司股东权益(万元)	314630.97	312881.49	346695.76	354903.06
营业收入(万元)	218522.88	418734.06	218267.12	430576.81
营业支出(万元)	184393.05	383057.27	212366.25	372232.71
投资收益(万元)	-1223.10	679.20	-5.51	-
净利润(万元)	1400.63	-43617.76	-11456.33	3255.51
营业利润(万元)	1706.76	-43615.18	-11930.97	4426.63
利润总额(万元)	1659.50	-41932.12	-10717.38	5808.50

博彦科技股份有限公司

公司概况

公司名称	博彦科技股份有限公司			证券简称	博彦科技
法人代表	王斌	董秘	韩超	证券代码	002649
公司网址	www.beyondsoft.com		电子信箱	ir@beyondsoft.com	
电　　话	010-62980335		传　　真	010-62980335	
办公地址	北京市海淀区西北旺东路 10 号院东区 7 号楼博彦科技大厦				
经营范围	信息技术开发、服务、计算机及设备软件的开发、设计、制作、测试等				

主要财务指标

指标＼报告期	2016.06.30	2015.12.31	2015.06.30	2014.12.31
基本每股收益(元)	0.4800	1.0900	0.7700	1.0300
基本每股收益(扣除后)(元)	0.5300	0.7600	0.4600	0.9200
稀释每股收益(元)	0.4800	1.0900	0.7700	1.0300
每股净资产(元)	10.1139	10.2648	9.7744	9.2844
每股经营现金净流量(元)	-0.0273	1.0968	-0.0131	1.3961
每股现金流量(元)	-0.3898	0.7204	-0.4705	-0.4642
每股资本公积金(元)	7.0207	6.3416	6.0826	6.0525
每股盈余公积金(元)	0.1443	0.1522	0.1233	0.1233
每股未分配利润(元)	3.2024	3.1227	2.8366	2.3796
净资产收益率(%)	4.5896	10.5145	7.8438	10.9453
加权净资产收益率(%)	4.4400	11.1300	7.7700	11.5500
净资产收益率(扣除)(%)	5.0417	7.3843	4.7394	9.7818
总资产(万元)	244117.64	236780.46	215887.47	209992.42
归属母公司股东权益(万元)	178919.30	172068.24	163916.06	155727.31
营业收入(万元)	92452.37	171808.92	84606.45	156146.33
营业支出(万元)	62874.51	115732.75	55767.06	103711.64
投资收益(万元)	-831.78	-300.69	-490.94	-259.00
净利润(万元)	8178.36	18069.65	12846.59	16988.04
营业利润(万元)	8209.87	13636.65	9305.73	16540.93
利润总额(万元)	9850.59	21028.17	15303.26	19083.16

加加食品集团股份有限公司

公司概况					
公司名称	加加食品集团股份有限公司			证券简称	加加食品
法人代表	杨振	董秘	彭杰	证券代码	002650
公司网址	www.jiajiagroup.com		电子信箱	dm@jiajiagroup.com	
电　话	0731-81820262		传　真	0731-81820215	
办公地址	湖南省长沙市国家级宁乡经济技术开发区三环北路与谐园路交汇处				
经营范围	酱油、食用植物油和其他调味品的研发、生产和销售等				

主要财务指标：指标\报告期	2016.06.30	2015.12.31	2015.06.30	2014.12.31
基本每股收益(元)	0.0850	0.1300	0.1290	0.1200
基本每股收益(扣除后)(元)	0.0780	0.0900	0.1800	0.2800
稀释每股收益(元)	0.0850	0.1300	0.1290	0.1200
每股净资产(元)	1.6866	1.6016	3.9991	3.7800
每股经营现金净流量(元)	0.1791	0.1584	0.1047	0.5720
每股现金流量(元)	-0.0806	-0.0561	-0.1885	-0.0326
每股资本公积金(元)	0.1820	0.1820	1.9479	1.9479
每股盈余公积金(元)	0.0748	0.0748	0.1588	0.1588
每股未分配利润(元)	0.4298	0.3448	0.8924	0.6704
净资产收益率(%)	5.0397	7.9849	8.0513	7.6351
加权净资产收益率(%)	5.1700	8.2200	8.1800	7.6200
净资产收益率(扣除)(%)	4.6013	5.8806	4.4184	7.3543
总资产(万元)	297166.59	269707.59	243794.73	229803.69
归属母公司股东权益(万元)	194291.99	184500.26	184280.43	174051.45
营业收入(万元)	96182.59	175500.87	90771.47	168475.06
营业支出(万元)	69404.90	125800.42	63695.13	117974.19
投资收益(万元)	777.80	2485.12	8717.06	131.68
净利润(万元)	9791.73	14732.18	14836.98	13289.02
营业利润(万元)	12515.57	20458.05	19931.71	17292.26
利润总额(万元)	12778.19	20664.46	19953.89	17948.79

成都利君实业股份有限公司

公司概况					
公司名称	成都利君实业股份有限公司			证券简称	利君股份
法人代表	何亚民	董秘	胡益俊	证券代码	002651
公司网址	www.cdleejun.com		电子信箱	leejun@cdleejun.com	
电　话	028-85366263		传　真	028-85370138	
办公地址	四川省成都市武侯区武科东二路5号				
经营范围	研究制造、销售、机电产品(不含汽车)及配件等				

主要财务指标：指标\报告期	2016.06.30	2015.12.31	2015.06.30	2014.12.31
基本每股收益(元)	0.0500	0.1400	0.0600	0.2600
基本每股收益(扣除后)(元)	0.0500	0.1400	0.1400	0.2500
稀释每股收益(元)	0.0500	0.1400	0.0600	0.2600
每股净资产(元)	1.8467	1.8583	4.4305	4.6755
每股经营现金净流量(元)	-0.0097	0.0939	0.0990	0.7193
每股现金流量(元)	-0.3944	-0.2151	0.1891	-0.3795
每股资本公积金(元)	0.3343	0.3343	2.3356	2.3356
每股盈余公积金(元)	0.2155	0.2155	0.5074	0.5074
每股未分配利润(元)	0.2921	0.3051	0.5882	0.8327
净资产收益率(%)	2.5479	7.7750	3.5085	13.9093
加权净资产收益率(%)	2.5100	7.8100	3.3200	14.0300
净资产收益率(扣除)(%)	2.3361	7.3429	3.1696	13.1855
总资产(万元)	240931.13	249768.03	221269.47	232765.58
归属母公司股东权益(万元)	185131.67	186293.25	177664.21	187485.83
营业收入(万元)	21925.34	57358.06	22950.47	73976.03
营业支出(万元)	11931.76	30930.14	12525.51	36202.81
投资收益(万元)	354.78	-473.57	-473.57	749.60
净利润(万元)	4717.06	14484.22	6233.41	26078.04
营业利润(万元)	5607.63	16317.97	7046.23	29813.55
利润总额(万元)	5750.20	16858.93	7342.80	30491.51

苏州扬子江新型材料股份有限公司

公司概况					
公司名称	苏州扬子江新型材料股份有限公司			证券简称	扬子新材
法人代表	胡卫林	董秘	金跃国	证券代码	002652
公司网址	www.yzjnm.com		电子信箱	jyg@yzjnm.com	
电　话	0512-68327201		传　真	0512-68073999	
办公地址	江苏省苏州市相城区潘阳工业园春丰路88号				
经营范围	有机涂层板及其基板的研发、生产与销售等				

主要财务指标：指标\报告期	2016.06.30	2015.12.31	2015.06.30	2014.12.31
基本每股收益(元)	0.1000	0.1300	0.0800	0.1100
基本每股收益(扣除后)(元)	0.1000	0.1300	0.0800	0.2300
稀释每股收益(元)	0.1000	0.1300	0.0800	0.1100
每股净资产(元)	1.9729	1.8994	1.8931	3.6616
每股经营现金净流量(元)	-0.0224	0.1299	-0.0209	0.8293
每股现金流量(元)	-0.1599	-0.4792	-0.1770	0.6824
每股资本公积金(元)	0.2288	0.2288	0.2784	1.4759
每股盈余公积金(元)	0.0880	0.0880	0.0838	0.1675
每股未分配利润(元)	0.6843	0.6384	0.5406	1.2370
净资产收益率(%)	4.8645	6.7791	4.3976	6.2897
加权净资产收益率(%)	5.0100	6.4700	4.2200	6.4200
净资产收益率(扣除)(%)	4.9507	6.8499	4.4682	6.1655
总资产(万元)	184452.43	180811.05	180893.20	111039.51
归属母公司股东权益(万元)	63139.66	60786.81	60588.31	62094.52
营业收入(万元)	72393.18	145099.77	75870.93	137965.24
营业支出(万元)	61918.32	120346.51	66271.53	124532.56
投资收益(万元)	-	-	-	94.12
净利润(万元)	5482.67	6955.39	3726.68	3632.59
营业利润(万元)	6911.56	8679.36	4576.81	4156.33
利润总额(万元)	6844.93	8616.64	4515.14	4241.94

海思科医药集团股份有限公司

公司概况					
公司名称	海思科医药集团股份有限公司			证券简称	海思科
法人代表	王俊民	董秘	王萌	证券代码	002653
公司网址	www.haisco.com		电子信箱	wangm@haisco.com	
电　话	0893-7834865		传　真	0893-7661674	
办公地址	西藏自治区山南市泽当镇三湘大道17号				
经营范围	化药制剂及原料药的研发、生产和销售等				

主要财务指标：指标\报告期	2016.06.30	2015.12.31	2015.06.30	2014.12.31
基本每股收益(元)	0.2200	0.3500	0.2000	0.4200
基本每股收益(扣除后)(元)	0.1300	0.2800	0.1700	0.3200
稀释每股收益(元)	0.2200	0.3500	0.2000	0.4200
每股净资产(元)	1.8906	1.9964	1.9495	1.9508
每股经营现金净流量(元)	0.1579	0.4101	0.1295	0.4652
每股现金流量(元)	0.1753	0.1210	0.2449	0.1107
每股资本公积金(元)	0.0259	0.0259	0.0259	0.0259
每股盈余公积金(元)	0.2236	0.2236	0.1790	0.1790
每股未分配利润(元)	0.8184	0.8459	0.7448	0.7460
净资产收益率(%)	11.6356	17.2567	10.1965	21.3793
加权净资产收益率(%)	11.3200	17.3000	9.8600	22.6000
净资产收益率(扣除)(%)	6.6119	13.8984	8.4861	16.6254
总资产(万元)	337746.58	322754.62	280261.02	287491.67
归属母公司股东权益(万元)	204239.50	215660.48	210603.87	210736.99
营业收入(万元)	66719.65	121245.33	55315.66	121059.54
营业支出(万元)	19240.65	39941.51	17357.43	36645.04
投资收益(万元)	3540.35	7003.25	3698.19	5886.70
净利润(万元)	23761.14	37215.79	21474.23	45054.11
营业利润(万元)	19124.27	40508.11	23699.25	45451.79
利润总额(万元)	26888.71	41521.96	24016.54	50454.75

深圳万润科技股份有限公司

公司概况					
公司名称	深圳万润科技股份有限公司			证券简称	万润科技
法人代表	李志江	董秘	邵立伟	证券代码	002654
公司网址	www.mason-led.com		电子信箱	wanrun@mason-led.com	
电　话	0755-33378926		传　真	0755-33378925	
办公地址	广东省深圳市福田区福华路北深圳国际交易广场 1812-1816 号				
经营范围	研发、设计、生产和销售为一体的中高端 LED 光源器件封装和 LED 照明产品				

主要财务指标 指标\报告期	2016.06.30	2015.12.31	2015.06.30	2014.12.31
基本每股收益(元)	0.0835	0.2600	0.0370	0.2300
基本每股收益(扣除后)(元)	0.0796	0.2400	0.0800	0.2100
稀释每股收益(元)	0.0835	0.2600	0.0370	0.2300
每股净资产(元)	2.6057	5.3700	5.2250	3.1673
每股经营现金净流量(元)	0.1071	0.1909	0.0839	0.2587
每股现金流量(元)	0.3671	0.5494	1.0681	-0.0611
每股资本公积金(元)	1.2083	3.2669	3.2669	0.9175
每股盈余公积金(元)	0.0339	0.1125	0.1083	0.1490
每股未分配利润(元)	0.3633	0.9932	0.8497	1.1008
净资产收益率(%)	3.0279	4.3424	1.6394	7.2482
加权净资产收益率(%)	3.9000	5.7400	3.0500	7.4600
净资产收益率(扣除)(%)	2.8874	3.9484	1.5297	6.6088
总资产(万元)	309643.96	208722.13	192666.20	97563.47
归属母公司股东权益(万元)	209199.15	130066.39	126475.86	55744.79
营业收入(万元)	58333.27	83901.02	30811.91	52326.00
营业支出(万元)	40992.69	59002.12	21473.59	37909.44
投资收益(万元)	302.56	329.85	-	-
净利润(万元)	6278.46	5666.23	2085.54	3915.26
营业利润(万元)	7207.45	6018.69	2224.75	3992.87
利润总额(万元)	7547.82	6567.41	2390.51	4479.18

山东共达电声股份有限公司

公司概况					
公司名称	山东共达电声股份有限公司			证券简称	共达电声
法人代表	赵笃仁	董秘	王永刚	证券代码	002655
公司网址	www.gettopacoustic.com		电子信箱	gettop@gettopacoustic.com	
电　话	0536-2283666-259		传　真	0536-2283666-399	
办公地址	山东省潍坊市坊子区凤山路 68 号				
经营范围	微型电声元器件及电声组件的研发、生产和销售等				

主要财务指标 指标\报告期	2016.06.30	2015.12.31	2015.06.30	2014.12.31
基本每股收益(元)	0.0200	0.0500	0.0300	0.0700
基本每股收益(扣除后)(元)	0.0100	0.0200	0.0100	0.0500
稀释每股收益(元)	0.0200	0.0500	0.0300	0.0700
每股净资产(元)	1.7667	1.7558	1.7274	1.7178
每股经营现金净流量(元)	0.0192	0.1982	-0.0957	0.1884
每股现金流量(元)	0.0025	-0.0459	-0.0973	-0.0258
每股资本公积金(元)	0.1784	0.1784	0.1784	0.1784
每股盈余公积金(元)	0.0705	0.0705	0.0643	0.0643
每股未分配利润(元)	0.5208	0.5101	0.4882	0.4770
净资产收益率(%)	1.2246	3.0407	1.4599	3.8884
加权净资产收益率(%)	1.2300	3.0500	1.4600	4.0500
净资产收益率(扣除)(%)	0.7399	1.2735	0.3912	2.6289
总资产(万元)	117933.78	115531.62	106244.14	100832.37
归属母公司股东权益(万元)	63602.83	63207.87	62185.55	61841.53
营业收入(万元)	31752.59	70526.09	32317.71	65362.36
营业支出(万元)	22134.01	51476.00	24307.04	48143.97
投资收益(万元)	-	164.25	21.68	91.89
净利润(万元)	778.87	1919.89	916.69	2394.80
营业利润(万元)	517.80	1122.05	326.07	1786.48
利润总额(万元)	880.45	2246.67	1044.86	2610.34

摩登大道时尚集团股份有限公司

公司概况					
公司名称	摩登大道时尚集团股份有限公司			证券简称	摩登大道
法人代表	林永飞	董秘	林峰国	证券代码	002656
公司网址	www.modernavenuegroup.com		电子信箱	investor@modernavenue.com	
电　话	020-83963777		传　真	020-37873549	
办公地址	广东省广州市天河区黄埔大道西 638 号富力科讯大厦 1310 房				
经营范围	高级男装服饰的研发设计、品牌推广和零售管理				

主要财务指标 指标\报告期	2016.06.30	2015.12.31	2015.06.30	2014.12.31
基本每股收益(元)	-0.0900	0.0500	0.0700	0.0700
基本每股收益(扣除后)(元)	-0.0900	0.0400	0.1200	0.0500
稀释每股收益(元)	-0.0900	0.0500	0.0700	0.0700
每股净资产(元)	3.6066	6.0124	6.1213	6.1120
每股经营现金净流量(元)	-0.1860	0.2171	0.2254	0.2122
每股现金流量(元)	-0.0658	-0.5329	1.9407	-1.4987
每股资本公积金(元)	1.2963	2.6740	2.6740	2.6740
每股盈余公积金(元)	0.1564	0.2502	0.2210	0.2210
每股未分配利润(元)	1.1826	2.1389	2.2368	2.2271
净资产收益率(%)	-2.3681	0.8497	1.9558	1.2209
加权净资产收益率(%)	-2.3100	0.8400	1.9600	1.2100
净资产收益率(扣除)(%)	-2.6153	0.6831	1.9614	0.8285
总资产(万元)	289135.30	278596.13	251818.63	203285.70
归属母公司股东权益(万元)	115411.51	120248.40	122426.25	122240.66
营业收入(万元)	37031.12	72423.72	37294.32	69992.03
营业支出(万元)	16760.33	30560.81	14697.86	26250.01
投资收益(万元)	-	-	-	120.43
净利润(万元)	-3686.59	-822.57	2167.54	1253.42
营业利润(万元)	-3567.37	-438.71	2781.29	2274.99
利润总额(万元)	-3279.68	-173.57	2790.64	2707.26

北京中科金财科技股份有限公司

公司概况					
公司名称	北京中科金财科技股份有限公司			证券简称	中科金财
法人代表	朱烨东	董秘	贺岩	证券代码	002657
公司网址	www.sinodata.net.cn		电子信箱	zkjc@sinodata.net.cn	
电　话	010-62309608		传　真	010-62309595	
办公地址	北京市海淀区学院路 39 号唯实大厦 1006 室				
经营范围	应用软件开发、技术服务及相关的计算机信息系统集成服务等				

主要财务指标 指标\报告期	2016.06.30	2015.12.31	2015.06.30	2014.12.31
基本每股收益(元)	0.2700	0.5100	0.2600	0.3000
基本每股收益(扣除后)(元)	0.2300	0.4500	0.2400	0.4900
稀释每股收益(元)	0.2700	0.5100	0.2600	0.3000
每股净资产(元)	7.9588	5.2117	4.9706	9.4713
每股经营现金净流量(元)	-0.1168	1.1758	0.1471	1.5296
每股现金流量(元)	2.5373	-0.4010	-0.5529	0.9542
每股资本公积金(元)	5.2604	2.6473	2.6473	6.2946
每股盈余公积金(元)	0.1346	0.1433	0.1160	0.2321
每股未分配利润(元)	1.5637	1.4209	1.2073	1.9447
净资产收益率(%)	3.3857	9.7055	5.3294	5.1764
加权净资产收益率(%)	3.6500	10.1900	5.4600	9.7500
净资产收益率(扣除)(%)	2.8039	8.6572	4.7642	4.2324
总资产(万元)	343362.08	258896.29	236017.24	233701.30
归属母公司股东权益(万元)	268670.59	165198.86	157556.53	150110.79
营业收入(万元)	65209.24	132755.44	61335.36	109836.72
营业支出(万元)	45048.62	94480.72	43662.40	83123.44
投资收益(万元)	1605.00	986.05	1005.13	469.89
净利润(万元)	9080.11	16141.81	8419.98	7887.54
营业利润(万元)	9367.73	15548.20	8516.18	5730.10
利润总额(万元)	10466.28	17784.33	9465.45	8458.11

北京雪迪龙科技股份有限公司

公司概况	公司名称	北京雪迪龙科技股份有限公司			证券简称	雪迪龙
	法人代表	敖小强	董秘	赵爱学	证券代码	002658
	公司网址	www.chsdl.com		电子信箱	zqb@chsdl.com	
	电话	010-80735666 80735664		传真	010-80735777	
	办公地址	北京市昌平区高新三街 3 号				
	经营范围	分析仪器仪表、环境监测系统、工业过程分析系统的研发、生产、销售等				

主要财务指标	指标\报告期	2016.06.30	2015.12.31	2015.06.30	2014.12.31
	基本每股收益(元)	0.0750	0.4300	0.1500	0.3300
	基本每股收益(扣除后)(元)	0.0660	0.4100	0.1500	0.7100
	稀释每股收益(元)	0.0750	0.4300	0.1500	0.3300
	每股净资产(元)	2.5927	2.6007	2.3143	4.9154
	每股经营现金净流量(元)	0.0643	0.1903	0.0532	0.1886
	每股现金流量(元)	0.1731	–0.1498	–0.2227	0.6296
	每股资本公积金(元)	0.4071	0.4071	0.4071	2.0957
	每股盈余公积金(元)	0.1383	0.1383	0.0943	0.2075
	每股未分配利润(元)	1.0423	1.0553	0.8128	1.6121
	净资产收益率(%)	2.8928	16.7138	6.4028	14.7130
	加权净资产收益率(%)	2.8700	18.0700	6.4600	15.7900
	净资产收益率(扣除)(%)	2.5502	15.9326	6.4016	14.5171
	总资产(万元)	180777.74	181319.12	162978.42	162295.99
	归属母公司股东权益(万元)	156824.53	157311.61	139984.89	135146.11
	营业收入(万元)	34437.23	100235.47	36271.90	74143.03
	营业支出(万元)	18569.21	50021.15	19503.44	38185.78
	投资收益(万元)	467.26	2494.18	1908.08	3116.18
	净利润(万元)	4589.16	26272.17	8945.84	19883.13
	营业利润(万元)	5013.62	29011.90	10140.98	22272.10
	利润总额(万元)	5403.27	30609.08	10545.25	23266.29

江苏中泰桥梁钢构股份有限公司

公司概况	公司名称	江苏中泰桥梁钢构股份有限公司			证券简称	中泰桥梁
	法人代表	徐广宇	董秘	石瑜	证券代码	002659
	公司网址	www.ztsschina.com		电子信箱	ztql@ztsschina.com	
	电话	0523-84633050		传真	0523-84633096	
	办公地址	江苏省江阴-经济工业园区同康路 15 号				
	经营范围	桥梁钢结构及其他金属结构及构件的制造、施工、安装、运输、修复和加固等				

主要财务指标	指标\报告期	2016.06.30	2015.12.31	2015.06.30	2014.12.31
	基本每股收益(元)	–0.0200	0.0100	–0.0300	0.0400
	基本每股收益(扣除后)(元)	–0.0200	0.0100	–0.0200	0.0300
	稀释每股收益(元)	–0.0200	0.0100	–0.0300	0.0400
	每股净资产(元)	1.9226	1.9410	1.9018	1.9347
	每股经营现金净流量(元)	0.0434	0.5606	0.3184	0.2978
	每股现金流量(元)	–0.2088	0.2836	–0.1072	–0.1193
	每股资本公积金(元)	0.5931	0.5931	0.5931	0.5931
	每股盈余公积金(元)	0.0758	0.0758	0.0747	0.0747
	每股未分配利润(元)	0.2524	0.2713	0.2342	0.2671
	净资产收益率(%)	–0.9799	0.4744	–1.5206	2.1515
	加权净资产收益率(%)	–0.9800	0.4700	–1.5100	2.1700
	净资产收益率(扣除)(%)	–0.9784	0.6061	–1.2255	1.7719
	总资产(万元)	245154.63	256456.25	200280.51	195785.99
	归属母公司股东权益(万元)	59791.44	60364.25	59146.98	60170.66
	营业收入(万元)	18356.21	76335.00	23479.81	83278.70
	营业支出(万元)	16620.94	66080.31	21095.48	72792.17
	投资收益(万元)	–	–	–	–
	净利润(万元)	–794.54	251.98	–996.57	1124.16
	营业利润(万元)	–981.48	675.08	–1160.67	1321.02
	利润总额(万元)	–972.95	576.23	–1335.03	1577.05

茂硕电源科技股份有限公司

公司概况	公司名称	茂硕电源科技股份有限公司			证券简称	茂硕电源
	法人代表	顾永德	董秘	方吉槟	证券代码	002660
	公司网址	www.mosopower.com		电子信箱	jibin.fang@mosopower.com	
	电话	0755-27659888		传真	0755-27659888	
	办公地址	深圳市南山区西丽松白路 1061 号茂硕科技园				
	经营范围	开关电源的研发、生产及销售等				

主要财务指标	指标\报告期	2016.06.30	2015.12.31	2015.06.30	2014.12.31
	基本每股收益(元)	0.0266	0.0600	–0.1100	–0.1900
	基本每股收益(扣除后)(元)	0.0098	–0.0700	–0.1200	–0.2000
	稀释每股收益(元)	0.0266	0.0600	–0.1100	–0.1900
	每股净资产(元)	3.1500	3.1465	2.9999	2.5887
	每股经营现金净流量(元)	–0.0530	0.1366	–0.1273	–0.0908
	每股现金流量(元)	–0.2169	0.3176	–0.0116	–0.1437
	每股资本公积金(元)	1.6948	1.7014	1.7138	1.1632
	每股盈余公积金(元)	0.0759	0.0758	0.0685	0.0753
	每股未分配利润(元)	0.3803	0.3693	0.2177	0.3502
	净资产收益率(%)	0.8437	1.8395	–3.3688	–7.3247
	加权净资产收益率(%)	0.8400	1.9500	–3.8400	–7.5000
	净资产收益率(扣除)(%)	0.3120	–2.2552	–3.7292	–7.8661
	总资产(万元)	203518.47	186014.13	158812.73	116185.30
	归属母公司股东权益(万元)	87291.51	87266.72	83200.83	65339.90
	营业收入(万元)	56912.06	92218.56	32544.22	62822.46
	营业支出(万元)	45629.88	72636.15	27110.29	53584.76
	投资收益(万元)	–75.61	254.85	–18.61	1212.72
	净利润(万元)	1094.80	3076.96	–2761.85	–4951.13
	营业利润(万元)	806.89	–1141.97	–3671.74	–6309.54
	利润总额(万元)	1485.87	3164.98	–3258.13	–5867.65

克明面业股份有限公司

公司概况	公司名称	克明面业股份有限公司			证券简称	克明面业
	法人代表	陈克明	董秘	王勇	证券代码	002661
	公司网址	www.kemen.net.cn		电子信箱	kemen@kemen.net.cn	
	电话	0731-89935187		传真	0731-89935152	
	办公地址	湖南省长沙市雨花区环保产业 科技园振华路 28 号				
	经营范围	专注于传统健康主食——挂面食品的研发、生产及销售等				

主要财务指标	指标\报告期	2016.06.30	2015.12.31	2015.06.30	2014.12.31
	基本每股收益(元)	0.1800	1.2893	0.2000	0.7920
	基本每股收益(扣除后)(元)	0.1400	1.1442	0.5649	0.5558
	稀释每股收益(元)	0.1800	1.2671	0.2000	0.7897
	每股净资产(元)	5.9675	17.8405	8.7742	8.6447
	每股经营现金净流量(元)	0.1846	1.6616	0.4347	0.7139
	每股现金流量(元)	–3.1639	13.2263	0.0194	0.1162
	每股资本公积金(元)	4.0758	18.6642	5.0316	5.0447
	每股盈余公积金(元)	0.1363	0.5366	0.3877	0.3860
	每股未分配利润(元)	0.8673	3.3471	2.8239	2.7174
	净资产收益率(%)	3.0733	5.4047	6.7560	8.8609
	加权净资产收益率(%)	3.0700	13.8300	6.6600	9.1100
	净资产收益率(扣除)(%)	2.3763	4.8024	6.2542	6.2185
	总资产(万元)	237707.92	245596.26	114794.81	105427.05
	归属母公司股东权益(万元)	200841.23	200156.06	75041.92	74258.33
	营业收入(万元)	94723.06	189181.88	80350.12	152709.87
	营业支出(万元)	74572.52	148690.52	62062.64	120068.20
	投资收益(万元)	807.96	370.08	301.17	1509.18
	净利润(万元)	6172.51	10802.98	5054.94	6566.42
	营业利润(万元)	6938.50	12742.63	6624.09	7784.49
	利润总额(万元)	7809.26	13851.47	6876.48	8797.30

北京威卡威汽车零部件股份有限公司

公司概况					
公司名称	北京威卡威汽车零部件股份有限公司			证券简称	京威股份
法人代表	李璟瑜	董秘	鲍丽娜	证券代码	002662
公司网址	www.beijing-wkw.com		电子信箱	jingwei@beijing-wkw.com	
电　话	010-60276313		传　真	010-60279917	
办公地址	北京市大兴区魏永路(天堂河段)70号				
经营范围	进行乘用车内外饰件系统的配套研发、制造和相关服务等				

主要财务指标 指标\报告期	2016.06.30	2015.12.31	2015.06.30	2014.12.31
基本每股收益(元)	0.2700	0.6000	0.3100	0.7000
基本每股收益(扣除后)(元)	0.2700	0.6000	0.3100	0.6800
稀释每股收益(元)	0.2600	0.6000	0.3100	0.7000
每股净资产(元)	5.7885	5.8183	5.5260	5.5135
每股经营现金净流量(元)	0.4364	0.7342	0.3995	0.3336
每股现金流量(元)	-0.6393	-0.0953	-0.2340	-0.4956
每股资本公积金(元)	2.7886	2.7886	2.7886	2.7886
每股盈余公积金(元)	0.3029	0.3029	0.2692	0.2692
每股未分配利润(元)	1.6930	1.7263	1.4680	1.4555
净资产收益率(%)	4.6071	10.3923	5.6565	10.4086
加权净资产收益率(%)	4.6000	10.7700	5.6100	14.6400
净资产收益率(扣除)(%)	4.5483	10.2923	5.6301	10.0834
总资产(万元)	697281.11	687156.32	478421.37	487735.11
归属母公司股东权益(万元)	434136.46	436371.45	414450.71	413509.96
营业收入(万元)	222321.21	361588.06	172663.84	244735.51
营业支出(万元)	153187.42	251149.71	119773.61	158055.66
投资收益(万元)	-5540.16	1004.03	338.99	-737.18
净利润(万元)	20656.27	46317.95	24008.73	42830.44
营业利润(万元)	29026.55	58596.06	30075.88	56933.98
利润总额(万元)	29407.06	59017.34	30222.13	56489.43

广州普邦园林股份有限公司

公司概况					
公司名称	广州普邦园林股份有限公司			证券简称	普邦园林
法人代表	曾伟雄	董秘	马力达	证券代码	002663
公司网址	www.pblandscape.com		电子信箱	zhengquanbu@pblandscape.com	
电　话	020-87526515		传　真	020-87526541	
办公地址	广东省广州市天河区珠江新城海安路13号越秀财富世纪广场A1幢34楼				
经营范围	园林环境配套产品、园林绿化工程、室内装修、公共社区园林绿化等				

主要财务指标 指标\报告期	2016.06.30	2015.12.31	2015.06.30	2014.12.31
基本每股收益(元)	0.0430	0.1200	0.0900	0.2800
基本每股收益(扣除后)(元)	0.0430	0.1100	0.0900	0.7000
稀释每股收益(元)	0.0430	0.1200	0.0900	0.2800
每股净资产(元)	2.5240	2.4899	2.3250	5.6109
每股经营现金净流量(元)	-0.1226	-0.2350	-0.2818	-0.2591
每股现金流量(元)	-0.1846	-0.2550	-0.3226	0.7075
每股资本公积金(元)	0.8267	0.8221	0.6590	3.1021
每股盈余公积金(元)	0.0757	0.0757	0.0693	0.1734
每股未分配利润(元)	0.6185	0.5877	0.5971	1.3356
净资产收益率(%)	1.7078	4.7028	3.8015	11.0167
加权净资产收益率(%)	1.7200	5.2200	3.8700	16.3300
净资产收益率(扣除)(%)	1.6837	4.1484	3.8016	10.9640
总资产(万元)	653712.64	643690.83	541964.21	548584.84
归属母公司股东权益(万元)	430283.90	424039.95	374683.89	361179.66
营业收入(万元)	109847.99	243263.16	114596.00	316086.27
营业支出(万元)	86694.87	192556.98	85938.19	233479.91
投资收益(万元)	255.50	2456.68	1696.72	873.14
净利润(万元)	7326.57	19914.75	14243.61	39778.84
营业利润(万元)	8486.93	20151.97	15922.56	47854.59
利润总额(万元)	8609.29	21688.59	15923.86	48084.85

信质电机股份有限公司

公司概况					
公司名称	信质电机股份有限公司			证券简称	信质电机
法人代表	尹兴满	董秘	尹兴满(代)	证券代码	002664
公司网址	www.chinaxinzhi.com		电子信箱	xinzhi@chinaxinzhi.com	
电　话	0576-88931165		传　真	0576-88931165	
办公地址	浙江省台州市椒江区前所信质路28号				
经营范围	从事各种电机定子、转子等电机核心零部件的研发、制造和销售				

主要财务指标 指标\报告期	2016.06.30	2015.12.31	2015.06.30	2014.12.31
基本每股收益(元)	0.2912	0.5100	0.2154	0.4647
基本每股收益(扣除后)(元)	0.2843	0.5000	0.2085	0.8900
稀释每股收益(元)	0.2912	0.5100	0.2154	0.4600
每股净资产(元)	3.9546	3.7144	3.4211	6.6112
每股经营现金净流量(元)	0.0340	0.6296	0.0744	0.8268
每股现金流量(元)	-1.0978	1.4829	0.0784	-0.5258
每股资本公积金(元)	1.0973	1.0973	1.0939	3.1879
每股盈余公积金(元)	0.1942	0.1942	0.1445	0.2891
每股未分配利润(元)	1.6631	1.4229	1.1826	2.1342
净资产收益率(%)	7.3639	13.6077	6.2977	14.0580
加权净资产收益率(%)	7.5600	14.3300	6.3700	14.9400
净资产收益率(扣除)(%)	7.1890	13.4674	6.0953	13.4834
总资产(万元)	220315.46	274151.86	174558.58	186415.39
归属母公司股东权益(万元)	158193.26	148584.18	136849.01	132230.89
营业收入(万元)	81729.43	150832.49	76638.80	155362.51
营业支出(万元)	59091.80	111417.57	58598.89	118374.87
投资收益(万元)	-61.22	166.38	199.38	702.77
净利润(万元)	11656.08	20408.16	9025.19	18400.95
营业利润(万元)	13029.27	23545.25	10056.55	21222.05
利润总额(万元)	13415.69	23731.21	10360.82	21448.13

北京首航艾启威节能技术股份有限公司

公司概况					
公司名称	北京首航艾启威节能技术股份有限公司			证券简称	首航节能
法人代表	黄文佳	董秘	侯建峰	证券代码	002665
公司网址	www.sh-ihw.com		电子信箱	shouhang@sh-ihw.com	
电　话	010-52255555		传　真	010-52256633	
办公地址	北京市丰台区南四环188号总部基地3区20号楼				
经营范围	空冷系统的研发、设计、生产和销售等				

主要财务指标 指标\报告期	2016.06.30	2015.12.31	2015.06.30	2014.12.31
基本每股收益(元)	0.0400	0.2400	0.0500	0.3000
基本每股收益(扣除后)(元)	0.0200	0.2100	0.1100	0.6100
稀释每股收益(元)	0.0400	0.2400	0.0500	0.3000
每股净资产(元)	1.4211	3.7635	3.6616	7.3425
每股经营现金净流量(元)	-0.0071	0.1356	-0.0038	-0.2180
每股现金流量(元)	-0.2745	0.7392	0.7088	0.0116
每股资本公积金(元)	0.0330	1.7892	1.7835	3.6436
每股盈余公积金(元)	0.0443	0.1195	0.0937	0.2565
每股未分配利润(元)	0.3435	0.8542	0.7842	1.9488
净资产收益率(%)	3.1153	6.1613	3.5698	10.8645
加权净资产收益率(%)	3.1300	7.2200	4.7900	11.4300
净资产收益率(扣除)(%)	1.7355	5.3573	2.7457	8.2571
总资产(万元)	452239.63	488144.07	459986.07	380675.30
归属母公司股东权益(万元)	280124.80	274757.04	267315.16	182674.25
营业收入(万元)	38869.13	113377.76	43015.09	111601.51
营业支出(万元)	26227.63	69317.63	24480.74	74181.47
投资收益(万元)	500.00	1246.94	-	22.37
净利润(万元)	8279.98	16241.13	9223.03	21014.23
营业利润(万元)	5573.61	17351.91	8583.29	18880.70
利润总额(万元)	10123.80	20158.60	11216.10	24887.67

广东德联集团股份有限公司

公司概况						
公司名称	广东德联集团股份有限公司			证券简称	德联集团	
法人代表	徐咸大	董秘	邓国锦	证券代码	002666	
公司网址	www.delian.cn		电子信箱	delian@delian.cn		
电　话	0757-63220244		传　真	0757-63220234		
办公地址	广东省佛山市南海区狮山镇松岗虹岭二路386号					
经营范围	汽车精细化学品的制造和销售等					

主要财务指标	2016.06.30	2015.12.31	2015.06.30	2014.12.31
指标\报告期	2016.06.30	2015.12.31	2015.06.30	2014.12.31
基本每股收益(元)	0.0900	0.2400	0.1000	0.2500
基本每股收益(扣除后)(元)	0.0800	0.2200	0.2000	0.5000
稀释每股收益(元)	0.0900	0.2400	0.1000	0.2500
每股净资产(元)	3.5337	3.5076	6.8513	5.0461
每股经营现金净流量(元)	0.0969	0.1483	0.1244	0.0009
每股现金流量(元)	0.0469	0.1792	0.7600	-0.4265
每股资本公积金(元)	1.3020	1.3020	3.6039	1.6250
每股盈余公积金(元)	0.0336	0.0336	0.0575	0.0677
每股未分配利润(元)	1.1982	1.1707	2.1900	2.3540
净资产收益率(%)	2.5040	6.7542	2.8132	10.0022
加权净资产收益率(%)	2.4600	7.3800	3.2300	10.3500
净资产收益率(扣除)(%)	2.1955	6.0452	2.7496	9.8921
总资产(万元)	329440.79	321335.51	298446.78	200202.50
归属母公司股东权益(万元)	266555.92	264587.13	258408.22	161473.99
营业收入(万元)	96238.02	198020.08	86377.47	172251.84
营业支出(万元)	77710.42	152232.21	68148.69	135551.93
投资收益(万元)	641.47	1651.54	81.20	102.57
净利润(万元)	6941.84	18143.61	7417.43	16258.85
营业利润(万元)	8278.05	20929.80	9234.96	19856.40
利润总额(万元)	8462.64	21710.09	9399.59	20036.39

鞍山重型矿山机器股份有限公司

公司概况						
公司名称	鞍山重型矿山机器股份有限公司			证券简称	鞍重股份	
法人代表	杨永柱	董秘	张宝田	证券代码	002667	
公司网址	www.aszkjqc.com		电子信箱	aszk@aszkjqc.com		
电　话	0412-5213058		传　真	0412-5213058		
办公地址	辽宁省鞍山市鞍千路294号					
经营范围	煤炭、钢铁、矿山、筑路等行业专用大型振动筛的研发、生产和销售等					

主要财务指标	2016.06.30	2015.12.31	2015.06.30	2014.12.31
指标\报告期	2016.06.30	2015.12.31	2015.06.30	2014.12.31
基本每股收益(元)	-0.0600	0.0500	0.0900	0.3400
基本每股收益(扣除后)(元)	-0.0700	-0.0100	0.0700	0.5600
稀释每股收益(元)	-0.0600	0.0500	0.0900	0.3400
每股净资产(元)	5.5220	5.5907	5.6351	11.1598
每股经营现金净流量(元)	0.1255	0.2009	0.1802	0.0080
每股现金流量(元)	-0.0869	0.0891	0.1694	-0.2877
每股资本公积金(元)	2.4195	2.4195	2.4195	5.8391
每股盈余公积金(元)	0.2364	0.2364	0.2315	0.4630
每股未分配利润(元)	1.8521	1.9208	1.9702	3.8299
净资产收益率(%)	-1.0636	0.8195	1.6010	6.1723
加权净资产收益率(%)	-1.0600	0.8200	1.6100	6.3500
净资产收益率(扣除)(%)	-1.2492	-0.1631	1.1846	5.0627
总资产(万元)	82643.04	85117.13	87861.98	88395.14
归属母公司股东权益(万元)	75076.62	76011.10	76614.86	75864.09
营业收入(万元)	4271.53	16157.44	7810.70	23438.84
营业支出(万元)	2779.19	9133.10	3990.83	12213.36
投资收益(万元)	22.38	175.45	119.94	217.40
净利润(万元)	-817.65	603.99	1221.97	4682.37
营业利润(万元)	-922.76	-64.29	1096.67	4754.68
利润总额(万元)	-853.43	562.15	1339.73	5479.62

广东奥马电器股份有限公司

公司概况						
公司名称	广东奥马电器股份有限公司			证券简称	奥马电器	
法人代表	赵国栋	董秘	何石琼	证券代码	002668	
公司网址	www.homa.cn		电子信箱	homa@homa.cn		
电　话	0760-23130226 23130225		传　真	0760-23137825		
办公地址	广东省中山市南头镇东福北路54号					
经营范围	冰箱的设计、制造和销售等					

主要财务指标	2016.06.30	2015.12.31	2015.06.30	2014.12.31
指标\报告期	2016.06.30	2015.12.31	2015.06.30	2014.12.31
基本每股收益(元)	1.0300	1.6100	0.7900	1.2300
基本每股收益(扣除后)(元)	1.0200	1.4600	0.5900	1.1100
稀释每股收益(元)	1.0300	1.6100	0.7900	1.2300
每股净资产(元)	11.4622	10.5043	9.6825	9.1693
每股经营现金净流量(元)	0.5121	4.6932	0.9060	2.8163
每股现金流量(元)	1.3079	1.8362	0.6320	0.0048
每股资本公积金(元)	2.8142	2.7276	2.7276	2.7276
每股盈余公积金(元)	0.7240	0.7240	0.5706	0.5706
每股未分配利润(元)	6.9240	6.0526	5.3843	4.8711
净资产收益率(%)	9.0151	15.3743	8.2055	13.3990
加权净资产收益率(%)	9.3600	16.4600	8.3000	14.1700
净资产收益率(扣除)(%)	8.9362	13.9204	6.1396	12.1369
总资产(万元)	456988.38	433257.42	379668.90	321474.32
归属母公司股东权益(万元)	189527.20	173688.42	160100.44	151614.83
营业收入(万元)	248985.84	470242.96	262777.67	446101.30
营业支出(万元)	164628.88	350738.06	197005.12	336892.61
投资收益(万元)	-1508.07	4255.04	3503.72	1263.88
净利润(万元)	20729.79	26703.38	13137.03	20314.80
营业利润(万元)	24253.62	28991.46	14762.67	23076.10
利润总额(万元)	24687.63	30918.15	14873.83	23817.10

上海康达化工新材料股份有限公司

公司概况						
公司名称	上海康达化工新材料股份有限公司			证券简称	康达新材	
法人代表	姚其胜	董秘	张培影	证券代码	002669	
公司网址	www.shkdchem.com		电子信箱	kdxc@shkdchem.com		
电　话	021-68918998		传　真	021-68916616		
办公地址	上海市奉贤区雷州路169号					
经营范围	胶粘剂的研发、生产、销售和服务等					

主要财务指标	2016.06.30	2015.12.31	2015.06.30	2014.12.31
指标\报告期	2016.06.30	2015.12.31	2015.06.30	2014.12.31
基本每股收益(元)	0.2450	0.5600	0.2950	0.3500
基本每股收益(扣除后)(元)	0.2370	0.5500	0.2930	0.3500
稀释每股收益(元)	0.2450	0.5600	0.2950	0.3500
每股净资产(元)	3.7405	3.6037	3.3363	3.1100
每股经营现金净流量(元)	0.1395	-0.1538	-0.1947	0.2734
每股现金流量(元)	-0.1376	-0.3961	-0.4080	-0.0810
每股资本公积金(元)	1.1476	1.1476	1.1476	1.1476
每股盈余公积金(元)	0.1706	0.1706	0.1167	0.1167
每股未分配利润(元)	1.4222	1.2854	1.0719	0.8466
净资产收益率(%)	6.5439	15.6152	8.8525	11.2358
加权净资产收益率(%)	6.6000	16.7900	9.1000	11.8000
净资产收益率(扣除)(%)	6.3463	15.3612	8.7745	11.2727
总资产(万元)	92844.77	90497.41	81180.78	77560.18
归属母公司股东权益(万元)	74809.08	72073.65	66726.16	62219.23
营业收入(万元)	29494.02	72698.05	35249.30	52718.97
营业支出(万元)	18244.43	47729.60	22874.92	35442.50
投资收益(万元)	18.09	18.09	18.09	-
净利润(万元)	4895.43	11254.42	5906.93	6990.83
营业利润(万元)	5796.63	13025.57	6964.09	8322.44
利润总额(万元)	5995.51	13240.99	7025.22	8308.51

广东国盛金控集团股份有限公司

公司概况					
公司名称	广东国盛金控集团股份有限公司			证券简称	国盛金控
法人代表	杜力	董秘	赵岑	证券代码	002670
公司网址	www.wasung.com		电子信箱	zqb@wasung.com	
电　话	0757-26680089		传　真	0757-26680089	
办公地址	广东省佛山市顺德区容桂街道华口昌宝东路13号				
经营范围	生产经营电器连接线、电源线、电线电缆及相关材料				

主要财务指标				
指标\报告期	2016.06.30	2015.12.31	2015.06.30	2014.12.31
基本每股收益(元)	0.3052	0.1308	0.1450	0.4668
基本每股收益(扣除后)(元)	0.3103	0.1174	0.1387	0.4709
稀释每股收益(元)	0.3052	0.1308	0.1450	0.4668
每股净资产(元)	11.9520	3.8629	3.8771	4.1321
每股经营现金净流量(元)	-0.3715	1.3336	0.5263	0.6369
每股现金流量(元)	13.2983	0.0071	0.1071	-0.3275
每股资本公积金(元)	10.7068	2.1454	2.1454	2.1454
每股盈余公积金(元)	0.0351	0.1641	0.1611	0.1611
每股未分配利润(元)	0.2233	0.5534	0.5706	0.8256
净资产收益率(%)	0.8795	3.3865	3.7404	11.2968
加权净资产收益率(%)	1.6500	3.1200	3.5000	11.6000
净资产收益率(扣除)(%)	0.9017	3.0395	3.5777	11.3970
总资产(万元)	2209175.66	104488.15	127611.37	135833.52
归属母公司股东权益(万元)	1118863.27	77258.82	77542.89	82642.47
营业收入(万元)	39082.82	104949.32	59718.00	149707.02
营业支出(万元)	32923.55	90689.63	50864.20	125931.36
投资收益(万元)	2909.45	-	-	-
净利润(万元)	9858.10	2604.52	2897.31	9335.92
营业利润(万元)	14541.15	2631.63	3542.00	11094.93
利润总额(万元)	14335.98	3159.56	3709.27	10997.46

山东龙泉管道工程股份有限公司

公司概况					
公司名称	山东龙泉管道工程股份有限公司			证券简称	龙泉股份
法人代表	刘长杰	董秘	赵效德	证券代码	002671
公司网址	www.lqpccp.com		电子信箱	longquangd@163.com	
电　话	0533-4292288		传　真	0533-4291123	
办公地址	山东省淄博市博山区西外环路333号				
经营范围	预应力钢筒混凝土管、预应力混凝土输水管、钢筋混凝土排水管制造、销售、安装等				

主要财务指标				
指标\报告期	2016.06.30	2015.12.31	2015.06.30	2014.12.31
基本每股收益(元)	0.0600	0.0600	0.0400	0.3800
基本每股收益(扣除后)(元)	0.0500	0.0600	0.0400	0.3600
稀释每股收益(元)	0.0600	0.0600	0.0400	0.3800
每股净资产(元)	4.2863	3.2689	3.3273	3.3542
每股经营现金净流量(元)	0.1214	-0.0379	-0.5484	-0.3190
每股现金流量(元)	-0.2733	-0.6245	-0.3416	-0.6608
每股资本公积金(元)	2.5183	1.4918	1.4848	1.4848
每股盈余公积金(元)	0.1544	0.1673	0.1618	0.1618
每股未分配利润(元)	0.6882	0.6908	0.6807	0.7077
净资产收益率(%)	1.3959	1.7730	1.2938	11.1102
加权净资产收益率(%)	1.9600	1.7100	1.3200	11.8400
净资产收益率(扣除)(%)	1.1342	1.7148	1.1520	10.7983
总资产(万元)	320207.19	246731.41	249338.09	238756.56
归属母公司股东权益(万元)	206053.88	145040.35	147630.67	148826.47
营业收入(万元)	32253.30	49178.06	23278.96	129464.46
营业支出(万元)	20273.52	29273.44	14063.53	87312.47
投资收益(万元)	-	-	-	72.00
净利润(万元)	2591.38	2071.90	1681.99	16472.91
营业利润(万元)	2686.28	2878.60	1803.03	21649.55
利润总额(万元)	3391.27	2999.30	2082.14	22277.62

东江环保股份有限公司

公司概况					
公司名称	东江环保股份有限公司			证券简称	东江环保
法人代表	张维仰	董秘	王恬	证券代码	002672
公司网址	www.dongjiang.com.cn		电子信箱	ir@dongjiang.com.cn	
电　话	0755-86676092　86676024		传　真	0755-86676002	
办公地址	广东省深圳市南山区科技园北区朗山路9号东江环保大楼				
经营范围	废物的处置及综合利用(执照另行申办)、废水、废气等				

主要财务指标				
指标\报告期	2016.06.30	2015.12.31	2015.06.30	2014.12.31
基本每股收益(元)	0.2400	0.3900	0.2000	0.3000
基本每股收益(扣除后)(元)	0.2400	0.3500	0.1900	0.7000
稀释每股收益(元)	0.2400	0.3900	0.2000	0.3000
每股净资产(元)	3.3819	3.1668	2.9818	7.0215
每股经营现金净流量(元)	0.0229	0.2620	-0.0809	0.4759
每股现金流量(元)	0.0502	-0.2396	-0.0126	0.2571
每股资本公积金(元)	0.4178	0.4151	0.4140	2.5147
每股盈余公积金(元)	0.1770	0.1770	0.1532	0.3830
每股未分配利润(元)	1.8447	1.6877	1.5313	3.4786
净资产收益率(%)	7.0089	12.0783	6.6974	10.3020
加权净资产收益率(%)	7.1300	12.7800	6.8200	10.7900
净资产收益率(扣除)(%)	6.5958	10.8125	6.3300	9.7769
总资产(万元)	775221.65	668521.72	615277.11	498547.06
归属母公司股东权益(万元)	294015.83	275315.98	259270.11	244233.82
营业收入(万元)	116999.36	240298.64	111886.69	204751.15
营业支出(万元)	74294.15	162425.90	74312.83	138220.11
投资收益(万元)	752.32	2965.37	1765.76	3616.55
净利润(万元)	22167.15	38517.41	19838.40	28246.75
营业利润(万元)	20468.66	36197.09	21607.83	30323.92
利润总额(万元)	25048.25	44935.31	23195.33	32151.29

西部证券股份有限公司

公司概况					
公司名称	西部证券股份有限公司			证券简称	西部证券
法人代表	刘建武	董秘	黄斌	证券代码	002673
公司网址	www.westsecu.com		电子信箱	huangb@xbmail.com.cn	
电　话	029-87406171　87406359		传　真	029-87406259	
办公地址	陕西省西安市新城区东新街232号信托大厦16-17层				
经营范围	证券经纪、证券投资咨询、与证券交易、证券投资活动相关的财务顾问				

主要财务指标				
指标\报告期	2016.06.30	2015.12.31	2015.06.30	2014.12.31
基本每股收益(元)	0.2100	0.7200	0.5600	0.5500
基本每股收益(扣除后)(元)	0.2000	0.7152	0.5600	0.5500
稀释每股收益(元)	0.2100	0.7200	0.5600	0.5500
每股净资产(元)	4.2675	4.3421	4.1618	4.4613
每股经营现金净流量(元)	-1.9154	-0.0355	0.7210	0.7370
每股现金流量(元)	-2.1781	4.0376	6.1037	5.9062
每股资本公积金(元)	1.9464	1.9464	1.9464	1.2199
每股盈余公积金(元)	0.2486	0.2486	0.1783	0.4154
每股未分配利润(元)	0.5625	0.5719	0.6201	0.9367
净资产收益率(%)	4.9354	16.2510	13.0476	12.4002
加权净资产收益率(%)	4.7700	19.8700	17.6500	13.2800
净资产收益率(扣除)(%)	4.8017	16.1797	13.0048	12.3193
总资产(万元)	5317854.95	5823647.24	6001923.25	2891525.29
归属母公司股东权益(万元)	1193023.09	1213868.80	1163456.27	535357.75
营业收入(万元)	169856.77	564087.88	301529.60	193847.05
营业支出(万元)	93794.52	300516.40	99968.28	105409.43
投资收益(万元)	59157.67	108250.37	69793.77	34571.01
净利润(万元)	58168.43	196784.59	151523.72	66047.96
营业利润(万元)	76062.25	263571.48	201561.32	88437.62
利润总额(万元)	78210.37	264722.09	202223.58	89050.78

兴业皮革科技股份有限公司

公司概况	公司名称	兴业皮革科技股份有限公司		证券简称	兴业科技
	法人代表	吴华春	董秘 吴美莉	证券代码	002674
	公司网址	www.xingyeleather.com		电子信箱	ir@xingyeleather.com
	电　　话	0595-36798886		传　　真	0595-36798885
	办公地址	福建省晋江市安海第二工业区			
	经营范围	中高档牛头层鞋面革的开发、生产与销售			

主要财务指标	指标\报告期	2016.06.30	2015.12.31	2015.06.30	2014.12.31
	基本每股收益(元)	0.0397	0.0548	0.0585	0.4938
	基本每股收益(扣除后)(元)	0.0309	-0.0265	0.0163	0.4372
	稀释每股收益(元)	0.0397	0.0548	0.0585	0.4938
	每股净资产(元)	6.6047	6.5579	6.5626	6.6487
	每股经营现金净流量(元)	0.5362	-0.3341	-1.0946	0.6671
	每股现金流量(元)	-0.2922	0.0731	-0.1155	-0.0034
	每股资本公积金(元)	2.9649	2.9667	2.9678	2.9698
	每股盈余公积金(元)	0.3593	0.3581	0.3503	0.3493
	每股未分配利润(元)	2.2804	2.2331	2.2446	2.3297
	净资产收益率(%)	0.6018	0.8364	0.8925	7.4203
	加权净资产收益率(%)	0.6000	0.8300	0.8800	7.6000
	净资产收益率(扣除)(%)	0.4686	-0.4052	0.2489	6.5690
	总资产(万元)	228226.63	254977.78	270905.18	231889.29
	归属母公司股东权益(万元)	159606.94	159015.42	159128.36	161653.76
	营业收入(万元)	102650.94	235814.86	94725.08	223390.54
	营业支出(万元)	94055.09	216313.45	86176.19	196372.21
	投资收益(万元)	88.83	259.27	229.94	765.67
	净利润(万元)	960.59	1329.99	1420.19	11995.24
	营业利润(万元)	811.74	-841.90	438.60	12848.19
	利润总额(万元)	1080.38	1496.02	1558.97	13979.33

烟台东诚药业集团股份有限公司

公司概况	公司名称	烟台东诚药业集团股份有限公司		证券简称	东诚药业
	法人代表	由守谊	董秘 白星华	证券代码	002675
	公司网址	www.dcb-group.com		电子信箱	stock@dcb-group.com
	电　　话	0535-6371119		传　　真	0535-6371119
	办公地址	山东省烟台市烟台经济技术开发区长白山路 7 号			
	经营范围	肝素钠原料药、硫酸软骨素的研发、生产与销售等			

主要财务指标	指标\报告期	2016.06.30	2015.12.31	2015.06.30	2014.12.31
	基本每股收益(元)	0.2504	0.4858	0.2845	0.6016
	基本每股收益(扣除后)(元)	0.2361	0.4562	0.2800	0.5761
	稀释每股收益(元)	0.2504	0.4858	0.2845	0.6016
	每股净资产(元)	9.4250	9.2834	6.9033	6.7648
	每股经营现金净流量(元)	0.1390	0.3023	-0.0122	0.3009
	每股现金流量(元)	0.0309	0.6709	0.0179	-0.3239
	每股资本公积金(元)	6.0777	6.0777	3.3206	3.3206
	每股盈余公积金(元)	0.4242	0.4242	0.4725	0.4725
	每股未分配利润(元)	1.9205	1.7800	2.1107	1.9721
	净资产收益率(%)	2.6569	4.3821	4.1793	8.8932
	加权净资产收益率(%)	2.6700	6.4000	4.1900	9.2300
	净资产收益率(扣除)(%)	2.5049	4.1156	4.1215	8.5159
	总资产(万元)	288226.10	254791.48	146798.95	139335.39
	归属母公司股东权益(万元)	207922.65	204798.50	119288.21	116895.80
	营业收入(万元)	48551.91	79491.58	37774.28	75102.19
	营业支出(万元)	27856.31	49327.53	25587.33	50257.60
	投资收益(万元)	360.21	794.51	387.29	762.93
	净利润(万元)	8453.48	11154.02	5214.34	10786.57
	营业利润(万元)	9723.70	12817.43	6052.29	12643.31
	利润总额(万元)	10189.76	13444.07	6131.81	13162.62

广东顺威精密塑料股份有限公司

公司概况	公司名称	广东顺威精密塑料股份有限公司		证券简称	顺威股份
	法人代表	李鹏志	董秘 曹惠娟	证券代码	002676
	公司网址	www.sunwill.com.cn		电子信箱	sw002676@vip.163.com
	电　　话	0757-28385938		传　　真	0757-28385305
	办公地址	广东省佛山市顺德区高新区(容桂)科苑一路 6 号			
	经营范围	塑料空调风叶的生产和销售等			

主要财务指标	指标\报告期	2016.06.30	2015.12.31	2015.06.30	2014.12.31
	基本每股收益(元)	0.0700	0.0100	0.0500	0.3000
	基本每股收益(扣除后)(元)	0.0700	-0.0100	0.1400	0.1900
	稀释每股收益(元)	0.0700	0.0100	0.0500	0.3000
	每股净资产(元)	2.7027	6.5943	6.7147	6.6676
	每股经营现金净流量(元)	0.1059	0.1698	-0.4608	0.3132
	每股现金流量(元)	0.2165	0.0611	-0.2042	-0.8158
	每股资本公积金(元)	0.9519	3.8796	3.8796	3.8796
	每股盈余公积金(元)	0.1052	0.2567	0.2583	0.2524
	每股未分配利润(元)	0.6443	1.4560	1.5782	1.5370
	净资产收益率(%)	2.5304	0.2012	2.0421	4.5244
	加权净资产收益率(%)	2.5600	0.2000	2.0400	4.6000
	净资产收益率(扣除)(%)	2.4159	-0.1365	2.0426	2.8057
	总资产(万元)	184522.87	161957.36	176567.26	175265.58
	归属母公司股东权益(万元)	108107.66	105509.45	107435.28	106681.72
	营业收入(万元)	66712.90	120151.46	74788.28	148406.90
	营业支出(万元)	52421.57	96429.90	60182.50	120905.11
	投资收益(万元)	10.00	9.00	9.00	7.00
	净利润(万元)	2678.62	170.26	2269.34	5082.82
	营业利润(万元)	2738.52	-197.62	2809.02	4123.96
	利润总额(万元)	2895.40	286.38	2809.61	6646.22

浙江美大实业股份有限公司

公司概况	公司名称	浙江美大实业股份有限公司		证券简称	浙江美大
	法人代表	夏志生	董秘 夏兰	证券代码	002677
	公司网址	www.meida.com		电子信箱	meida@meida.com
	电　　话	0573-87813679 87812298		传　　真	0573-87813990 87816161
	办公地址	浙江省海宁市袁花镇谈桥 81 号			
	经营范围	集成灶产品的研发、生产和销售等			

主要财务指标	指标\报告期	2016.06.30	2015.12.31	2015.06.30	2014.12.31
	基本每股收益(元)	0.1000	0.3900	0.0800	0.3400
	基本每股收益(扣除后)(元)	0.0900	0.3200	0.1000	0.5500
	稀释每股收益(元)	0.1000	0.3900	0.0800	0.3400
	每股净资产(元)	1.5768	2.6087	2.3549	2.4700
	每股经营现金净流量(元)	0.1000	0.3887	-0.0008	0.6482
	每股现金流量(元)	0.2020	-0.0053	0.2062	1.5148
	每股资本公积金(元)	0.0506	0.6809	0.6809	2.3619
	每股盈余公积金(元)	0.0905	0.1448	0.1057	0.2114
	每股未分配利润(元)	0.4357	0.7830	0.5683	1.3659
	净资产收益率(%)	6.5061	14.9157	5.7457	13.9430
	加权净资产收益率(%)	6.2900	15.3200	5.5100	14.6200
	净资产收益率(扣除)(%)	5.5772	12.3389	4.0753	11.0880
	总资产(万元)	116273.21	121188.79	105881.44	113117.20
	归属母公司股东权益(万元)	100912.64	104347.21	94195.22	98783.09
	营业收入(万元)	23913.69	51787.73	18881.55	46960.78
	营业支出(万元)	10936.40	24425.39	9397.35	21909.64
	投资收益(万元)	1002.76	2614.90	1601.75	3175.37
	净利润(万元)	6565.44	15564.12	5412.13	13773.37
	营业利润(万元)	7510.13	17227.65	5687.54	15040.49
	利润总额(万元)	7574.59	18117.22	6185.62	15582.00

广州珠江钢琴集团股份有限公司

公司概况					
公司名称	广州珠江钢琴集团股份有限公司			证券简称	珠江钢琴
法人代表	李建宁	董秘	杨伟华	证券代码	002678
公司网址	www.pearlriverpiano.com		电子信箱	yang@pearlriverpiano.com	
电　话	020-81514020		传　真	020-81503515	
办公地址	广东省广州市荔湾区花地大道南渔尾西路				
经营范围	钢琴及数码钢琴乐器产品的研发、制造、销售				

主要财务指标

指标\报告期	2016.06.30	2015.12.31	2015.06.30	2014.12.31
基本每股收益(元)	0.0900	0.1500	0.1000	0.1500
基本每股收益(扣除后)(元)	0.0800	0.1500	0.0900	0.1500
稀释每股收益(元)	0.0900	0.1500	0.1000	0.1500
每股净资产(元)	2.0252	2.0074	1.9486	1.9247
每股经营现金净流量(元)	-0.0907	0.1978	-0.0815	0.1332
每股现金流量(元)	-0.2134	0.0654	-0.1888	-0.0054
每股资本公积金(元)	0.3327	0.3327	0.3327	0.3327
每股盈余公积金(元)	0.0916	0.0916	0.0830	0.0830
每股未分配利润(元)	0.6007	0.5843	0.5354	0.5102
净资产收益率(%)	4.2679	7.6070	4.8864	7.6700
加权净资产收益率(%)	4.1900	7.7700	4.8300	7.9000
净资产收益率(扣除)(%)	3.9410	7.4636	4.8493	7.6092
总资产(万元)	282674.48	246419.61	242367.76	237328.80
归属母公司股东权益(万元)	193611.72	191908.86	186287.31	184002.44
营业收入(万元)	73355.49	146995.62	70709.64	146931.77
营业支出(万元)	51384.32	104822.30	49004.25	105059.76
投资收益(万元)	240.39	1300.64	404.52	1282.01
净利润(万元)	8283.74	14672.98	9107.60	14151.55
营业利润(万元)	8856.39	16189.74	9960.01	16292.19
利润总额(万元)	9606.74	16511.44	10045.77	16445.08

福建金森林业股份有限公司

公司概况					
公司名称	福建金森林业股份有限公司			证券简称	福建金森
法人代表	王国熙	董秘	应飚	证券代码	002679
公司网址	www.jinsenforestry.com		电子信箱	jsly@jinsenforestry.com	
电　话	0598-2359216		传　真	0598-2261199	
办公地址	福建省三明市将乐县水南镇三华南路48号12-15层				
经营范围	森林培育营造、森林保有管护、木材生产销售等				

主要财务指标

指标\报告期	2016.06.30	2015.12.31	2015.06.30	2014.12.31
基本每股收益(元)	-0.1600	0.2700	0.0030	0.3400
基本每股收益(扣除后)(元)	-0.1600	0.0700	-0.0600	0.1500
稀释每股收益(元)	-0.1600	0.2700	0.0030	0.3400
每股净资产(元)	4.9759	5.2184	4.9545	5.0412
每股经营现金净流量(元)	-0.0388	-0.4052	-1.0615	-0.0206
每股现金流量(元)	-0.2200	0.7188	0.1922	-0.3310
每股资本公积金(元)	2.4634	2.4634	2.4634	2.4634
每股盈余公积金(元)	0.1243	0.1243	0.1052	0.1052
每股未分配利润(元)	1.3882	1.6307	1.3859	1.4726
净资产收益率(%)	-3.1461	5.1200	0.0665	6.7206
加权净资产收益率(%)	-3.0000	5.1600	0.0500	6.9100
净资产收益率(扣除)(%)	-3.1481	1.4243	-1.1723	3.0038
总资产(万元)	161701.24	165300.67	159138.65	138910.88
归属母公司股东权益(万元)	69005.37	72369.01	68709.46	69911.86
营业收入(万元)	3855.36	19878.67	6799.11	19020.64
营业支出(万元)	1369.26	7080.90	1774.10	5539.40
投资收益(万元)	-28.44	-6.88	-84.03	203.36
净利润(万元)	-2170.99	3697.61	38.07	4692.59
营业利润(万元)	-2169.38	1066.74	-803.67	2136.34
利润总额(万元)	-2168.00	3741.26	47.54	4734.77

长生生物科技股份有限公司

公司概况					
公司名称	长生生物科技股份有限公司			证券简称	长生生物
法人代表	高俊芳	董秘	赵春志	证券代码	002680
公司网址	china.cs-vaccine.com		电子信箱	148050228@qq.com	
电　话	0431-81874554		传　真	0431-81874554	
办公地址	吉林省长春市高新开发区越达路1615号				
经营范围	岩土钻孔装备的研发、制造和销售				

主要财务指标

指标\报告期	2016.06.30	2015.12.31	2015.06.30	2014.12.31
基本每股收益(元)	0.1322	0.9708	0.2565	0.6900
基本每股收益(扣除后)(元)	0.1321	0.9531	-0.0100	0.1100
稀释每股收益(元)	0.1322	0.9708	0.2565	0.6882
每股净资产(元)	3.3716	6.7788	5.2126	3.3300
每股经营现金净流量(元)	-0.0903	0.4274	-0.0653	2.4314
每股现金流量(元)	0.1244	4.1317	-0.2020	-1.6636
每股资本公积金(元)	2.0299	3.3539	2.8976	5.6259
每股盈余公积金(元)	0.0720	0.0797	0.1754	0.2982
每股未分配利润(元)	2.6413	2.9631	1.1257	1.9409
净资产收益率(%)	3.9218	8.9194	0.3708	1.9956
加权净资产收益率(%)	3.8800	25.4300	0.3700	2.0000
净资产收益率(扣除)(%)	3.9170	8.7573	-0.2811	1.2353
总资产(万元)	373599.79	369456.18	76052.47	78369.43
归属母公司股东权益(万元)	326840.12	328562.82	70891.44	71069.77
营业收入(万元)	30561.16	79551.58	4396.46	10694.34
营业支出(万元)	7743.79	17767.80	2820.55	7038.85
投资收益(万元)	-117.90	15.60	97.29	437.67
净利润(万元)	12773.88	29308.21	262.85	1418.29
营业利润(万元)	14960.07	34395.48	-44.76	1541.94
利润总额(万元)	15117.67	34586.00	314.20	1717.56

深圳市奋达科技股份有限公司

公司概况					
公司名称	深圳市奋达科技股份有限公司			证券简称	奋达科技
法人代表	肖奋	董秘	谢玉平	证券代码	002681
公司网址	www.fenda.com		电子信箱	fdkj@fenda.com	
电　话	0755-27353923		传　真	0755-27486663	
办公地址	广东省深圳市宝安区石岩洲石路奋达科技园				
经营范围	家居及个人护理类小家电产品的研发、生产和销售				

主要财务指标

指标\报告期	2016.06.30	2015.12.31	2015.06.30	2014.12.31
基本每股收益(元)	0.0994	0.4800	0.0853	0.4800
基本每股收益(扣除后)(元)	0.0975	0.4500	0.1546	0.4400
稀释每股收益(元)	0.0994	0.4800	0.0853	0.4800
每股净资产(元)	2.0766	4.0226	3.7056	3.6209
每股经营现金净流量(元)	0.0626	0.3767	0.1763	0.5157
每股现金流量(元)	-0.1610	0.2386	-0.0714	-0.1856
每股资本公积金(元)	0.4201	1.8380	1.8132	0.9667
每股盈余公积金(元)	0.0670	0.1339	0.0828	0.1688
每股未分配利润(元)	0.6104	1.1219	0.8096	1.4853
净资产收益率(%)	4.7883	11.8078	4.4252	13.2498
加权净资产收益率(%)	4.8400	13.5300	5.3100	14.0400
净资产收益率(扣除)(%)	4.6959	11.0333	4.0087	12.1526
总资产(万元)	315684.62	312372.62	288372.36	139066.48
归属母公司股东权益(万元)	256488.92	248443.09	228867.20	109755.97
营业收入(万元)	75007.94	172449.45	70819.52	108045.68
营业支出(万元)	52093.10	122179.73	52287.57	82346.03
投资收益(万元)	100.15	953.28	492.25	653.11
净利润(万元)	12296.04	29393.42	10120.52	14546.46
营业利润(万元)	13838.41	32905.82	11302.46	16180.46
利润总额(万元)	14121.19	34053.90	11739.22	16779.00

福建龙洲运输股份有限公司

公司概况					
公司名称	福建龙洲运输股份有限公司			证券简称	龙洲股份
法人代表	王跃荣	董秘	蓝能旺	证券代码	002682
公司网址	www.lzgf.cn		电子信箱	lzyszqb@163.com	
电　话	0597-3100699		传　真	0597-3100660	
办公地址	福建省龙岩市新罗区南环西路 112 号				
经营范围	县内班车客运、县际班车客运、市际班车客运、省际班车客运等				

主要财务指标 指标＼报告期	2016.06.30	2015.12.31	2015.06.30	2014.12.31
基本每股收益(元)	0.0800	0.1700	0.0900	0.0800
基本每股收益(扣除后)(元)	0.0200	0.0400	0.0800	0.0400
稀释每股收益(元)	0.0800	0.1700	0.0900	0.0800
每股净资产(元)	5.0929	5.0809	5.1233	5.0765
每股经营现金净流量(元)	−0.0181	0.3203	0.2776	1.0852
每股现金流量(元)	−0.2830	0.3940	−0.6317	0.0327
每股资本公积金(元)	1.8915	1.8915	1.4104	1.4104
每股盈余公积金(元)	0.2160	0.2160	0.2671	0.2671
每股未分配利润(元)	1.9467	1.9390	2.4092	2.3703
净资产收益率(%)	1.6238	3.2815	2.1261	1.9505
加权净资产收益率(%)	1.6100	3.8700	2.1300	1.9200
净资产收益率(扣除)(%)	0.3612	0.8499	1.4914	0.7323
总资产(万元)	397983.27	404622.56	348260.96	302057.62
归属母公司股东权益(万元)	136791.73	136468.49	106564.72	105590.22
营业收入(万元)	94636.38	246186.37	101811.35	226174.53
营业支出(万元)	78994.85	214324.83	86022.08	198182.03
投资收益(万元)	138.29	1263.82	370.90	1032.11
净利润(万元)	3016.63	5671.99	3570.29	3410.57
营业利润(万元)	326.84	280.58	1577.24	2624.68
利润总额(万元)	4369.28	8685.87	4999.09	6256.10

广东宏大爆破股份有限公司

公司概况					
公司名称	广东宏大爆破股份有限公司			证券简称	宏大爆破
法人代表	郑炳旭	董秘	王永庆	证券代码	002683
公司网址	www.hdbp.com		电子信箱	hdbp@hdbp.com	
电　话	020-38092888		传　真	020-38031951	
办公地址	广东省广州市天河区珠江新城华夏路 49 号之二津滨腾越大厦北塔 21 层				
经营范围	矿山工程总承包、爆破与拆除工程、土石方工程、地基与基础工程等				

主要财务指标 指标＼报告期	2016.06.30	2015.12.31	2015.06.30	2014.12.31
基本每股收益(元)	0.0064	0.1800	0.2700	0.2900
基本每股收益(扣除后)(元)	0.0043	0.1600	0.2600	0.6800
稀释每股收益(元)	0.0064	0.1800	0.2700	0.2900
每股净资产(元)	4.0282	3.3392	8.5125	8.2184
每股经营现金净流量(元)	−0.4130	−0.3611	−0.7929	0.3404
每股现金流量(元)	0.0060	−0.5014	−0.3009	0.1731
每股资本公积金(元)	2.2866	1.4564	5.1226	5.1226
每股盈余公积金(元)	0.0782	0.0899	0.1992	0.1992
每股未分配利润(元)	0.6433	0.7833	2.1416	1.8681
净资产收益率(%)	0.1421	4.9796	3.2128	8.2647
加权净资产收益率(%)	0.2000	5.0200	3.2700	10.6400
净资产收益率(扣除)(%)	0.0953	4.5838	3.0503	7.6694
总资产(万元)	554802.72	424028.64	398128.30	382063.00
归属母公司股东权益(万元)	282570.48	203655.53	207670.98	200495.56
营业收入(万元)	107637.86	300537.80	116745.80	339948.76
营业支出(万元)	87404.22	234733.37	87165.71	260793.72
投资收益(万元)	457.80	308.33	122.27	50.46
净利润(万元)	566.58	13014.61	9617.58	22915.59
营业利润(万元)	157.34	13447.82	10436.30	27068.30
利润总额(万元)	398.23	14701.21	11195.09	28518.13

广东猛狮新能源科技股份有限公司

公司概况					
公司名称	广东猛狮新能源科技股份有限公司			证券简称	猛狮科技
法人代表	陈乐伍	董秘	王亚波	证券代码	002684
公司网址	www.dynavolt.net		电子信箱	msinfo@dynavolt.net	
电　话	0754-86989573		传　真	0754-86989554	
办公地址	广东省汕头市澄海区 324 线国道广益路 33 号猛狮国际广场写字楼 15-16 楼				
经营范围	各类铅蓄电池产品的研发、生产和销售等				

主要财务指标 指标＼报告期	2016.06.30	2015.12.31	2015.06.30	2014.12.31
基本每股收益(元)	0.0400	0.0100	0.0100	0.0500
基本每股收益(扣除后)(元)	0.0200	−0.0030	0.0100	0.0600
稀释每股收益(元)	0.0400	0.0100	0.0100	0.0500
每股净资产(元)	4.5312	3.0253	3.0271	4.9175
每股经营现金净流量(元)	0.0857	−0.1947	−0.3906	0.3369
每股现金流量(元)	0.8506	0.0198	0.4558	−0.1415
每股资本公积金(元)	2.9551	1.3901	1.3901	2.2830
每股盈余公积金(元)	0.0596	0.0706	0.0670	0.1751
每股未分配利润(元)	0.5165	0.5647	0.5700	1.4594
净资产收益率(%)	0.8653	0.3315	0.3899	2.0548
加权净资产收益率(%)	1.0100	0.3800	0.5200	2.0800
净资产收益率(扣除)(%)	0.3700	−0.0973	0.3005	1.1675
总资产(万元)	440005.70	159881.56	130188.04	100500.91
归属母公司股东权益(万元)	148934.45	83962.79	84011.98	52200.27
营业收入(万元)	56137.24	55043.11	25071.89	48828.71
营业支出(万元)	43928.68	43515.00	20520.91	39056.06
投资收益(万元)	1922.78	−76.14	–	–
净利润(万元)	1655.05	−40.42	−32.33	1051.61
营业利润(万元)	731.65	−958.33	−307.75	608.57
利润总额(万元)	1861.04	−518.55	−148.80	1185.30

无锡华东重型机械股份有限公司

公司概况					
公司名称	无锡华东重型机械股份有限公司			证券简称	华东重机
法人代表	翁耀根	董秘	惠岭	证券代码	002685
公司网址	www.hdhm.com		电子信箱	securities@hdhm.com	
电　话	0510-85627789		传　真	0510-85625595	
办公地址	江苏省无锡市滨湖经济技术开发区高浪东路 508 号华发大厦 B 座 24 楼				
经营范围	轨道吊、岸桥等集装箱装卸设备研发、生产、安装与销售				

主要财务指标 指标＼报告期	2016.06.30	2015.12.31	2015.06.30	2014.12.31
基本每股收益(元)	0.0235	0.0391	0.0181	0.0210
基本每股收益(扣除后)(元)	0.0220	0.0379	0.0177	0.0582
稀释每股收益(元)	0.0235	0.0391	0.0181	0.0210
每股净资产(元)	1.8730	1.4532	1.4305	3.9751
每股经营现金净流量(元)	0.2186	−0.2742	−0.3818	0.0909
每股现金流量(元)	0.6639	−0.1368	−0.2853	0.3045
每股资本公积金(元)	0.6193	0.1390	0.1390	2.1891
每股盈余公积金(元)	0.0281	0.0329	0.0301	0.0844
每股未分配利润(元)	0.2144	0.2693	0.2510	0.6771
净资产收益率(%)	1.1739	2.6925	1.2644	1.4803
加权净资产收益率(%)	1.3300	2.7300	1.2700	1.4889
净资产收益率(扣除)(%)	1.1020	2.6080	1.2384	1.4654
总资产(万元)	173774.87	119326.25	119846.83	109109.01
归属母公司股东权益(万元)	129130.67	81377.04	80105.50	79501.14
营业收入(万元)	90613.40	153645.85	63874.97	49877.72
营业支出(万元)	84025.79	140685.29	58089.45	42393.68
投资收益(万元)	275.31	227.18	167.25	441.54
净利润(万元)	1901.19	2233.75	1106.59	1186.90
营业利润(万元)	2353.36	2752.04	1434.42	1374.79
利润总额(万元)	2462.84	2764.23	1437.34	1385.69

浙江亿利达风机股份有限公司

公司概况	公司名称	浙江亿利达风机股份有限公司			证券简称	亿利达
	法人代表	章启忠	董秘	章冬友	证券代码	002686
	公司网址	www.yilida.com		电子信箱	db@yilida.com	
	电　话	0576-82655833		传　真	0576-82651228	
	办公地址	浙江省台州市路桥区横街镇亿利达路				
	经营范围	中央空调风机、建筑通风机及中央空调其他配件的设计、制造与销售等				

主要财务指标	指标\报告期	2016.06.30	2015.12.31	2015.06.30	2014.12.31
	基本每股收益(元)	0.1470	0.2350	0.1100	0.2020
	基本每股收益(扣除后)(元)	0.1150	0.2220	0.1600	0.3000
	稀释每股收益(元)	0.1470	0.2350	0.1100	0.2020
	每股净资产(元)	2.1790	2.0870	3.0474	2.8826
	每股经营现金净流量(元)	0.1912	0.2186	0.1627	0.4095
	每股现金流量(元)	0.1794	0.1382	-0.0409	-0.4390
	每股资本公积金(元)	0.2751	0.2709	0.8246	0.8246
	每股盈余公积金(元)	0.0790	0.0790	0.1003	0.1003
	每股未分配利润(元)	0.8874	0.8002	1.1224	0.9576
	净资产收益率(%)	6.7562	11.1874	5.4081	10.5132
	加权净资产收益率(%)	6.8100	11.6600	5.5600	10.9500
	净资产收益率(扣除)(%)	5.2602	10.5647	5.1635	10.3092
	总资产(万元)	161278.30	141417.55	121140.60	116604.24
	归属母公司股东权益(万元)	89777.67	85985.72	82892.07	78409.21
	营业收入(万元)	43092.33	79980.95	34904.70	69021.79
	营业支出(万元)	27245.13	52080.00	22832.52	44431.62
	投资收益(万元)	-6.66	-	-	-
	净利润(万元)	7182.99	11327.25	5013.82	9109.89
	营业利润(万元)	6971.48	12804.38	5778.31	10825.58
	利润总额(万元)	8569.69	13498.59	6038.84	11025.69

浙江乔治白服饰股份有限公司

公司概况	公司名称	浙江乔治白服饰股份有限公司			证券简称	乔治白
	法人代表	池方燃	董秘	吴匡笔	证券代码	002687
	公司网址	www.giuseppe.cn		电子信箱	info@giuseppe.cn	
	电　话	0577-63722222		传　真	0577-63726888	
	办公地址	浙江省温州市平阳县昆阳镇平瑞公路588号				
	经营范围	生产、批发、零售服装及饰品、以特许经营方式从事商业活动				

主要财务指标	指标\报告期	2016.06.30	2015.12.31	2015.06.30	2014.12.31
	基本每股收益(元)	0.1100	0.1700	0.1000	0.2300
	基本每股收益(扣除后)(元)	0.1000	0.1600	0.1000	0.3400
	稀释每股收益(元)	0.1100	0.1700	0.1000	0.2300
	每股净资产(元)	2.7405	2.7843	2.7097	4.2176
	每股经营现金净流量(元)	-0.3695	0.2619	-0.2869	0.4384
	每股现金流量(元)	-0.5105	-0.1684	-0.5245	-0.0406
	每股资本公积金(元)	1.0241	1.0241	1.0241	2.0361
	每股盈余公积金(元)	0.1969	0.1969	0.1841	0.2761
	每股未分配利润(元)	0.5196	0.5634	0.5016	0.9054
	净资产收益率(%)	3.8754	6.1993	3.6160	8.1861
	加权净资产收益率(%)	3.7800	6.2400	3.5100	8.3900
	净资产收益率(扣除)(%)	3.7704	5.8153	3.5705	7.9792
	总资产(万元)	132789.79	137498.68	126959.20	138037.67
	归属母公司股东权益(万元)	97247.81	98801.81	96153.65	99773.82
	营业收入(万元)	35941.95	67150.35	30752.21	65847.13
	营业支出(万元)	18773.05	34812.09	15616.72	34658.13
	投资收益(万元)	5.33	4.11	4.11	-
	净利润(万元)	4041.14	6056.86	3258.66	8064.47
	营业利润(万元)	5344.03	7658.30	4140.78	8901.94
	利润总额(万元)	5494.59	8080.81	4173.55	9106.95

金河生物科技股份有限公司

公司概况	公司名称	金河生物科技股份有限公司			证券简称	金河生物
	法人代表	王东晓	董秘	邓一新	证券代码	002688
	公司网址	www.jinhe.com.cn		电子信箱	jinhe@jinhe.com.cn	
	电　话	0471-3291630		传　真	0471-3291625	
	办公地址	内蒙古自治区呼和浩特市托克托县新坪路71号				
	经营范围	药物饲料添加剂的生产和销售等				

主要财务指标	指标\报告期	2016.06.30	2015.12.31	2015.06.30	2014.12.31
	基本每股收益(元)	0.1500	0.4800	0.0900	0.3500
	基本每股收益(扣除后)(元)	0.1480	0.4500	0.2200	0.3100
	稀释每股收益(元)	0.1500	0.4800	0.0900	0.3500
	每股净资产(元)	2.4205	4.7518	4.4974	4.3637
	每股经营现金净流量(元)	0.1361	0.9868	0.0231	-0.2663
	每股现金流量(元)	0.1402	0.1911	0.2577	-0.5804
	每股资本公积金(元)	0.8478	2.2862	2.2862	2.2862
	每股盈余公积金(元)	0.0778	0.2270	0.2028	0.2028
	每股未分配利润(元)	0.4908	1.2321	1.0097	0.8759
	净资产收益率(%)	6.1278	10.1102	5.1977	8.1224
	加权净资产收益率(%)	6.4400	10.5600	5.2400	8.2200
	净资产收益率(扣除)(%)	6.0573	9.4927	4.7965	7.1563
	总资产(万元)	230605.55	188520.26	169688.68	151862.79
	归属母公司股东权益(万元)	153771.68	103512.14	97970.49	95057.78
	营业收入(万元)	69665.83	125046.85	55134.83	83980.58
	营业支出(万元)	45529.99	88876.73	39440.22	58016.90
	投资收益(万元)	-	26.52	26.18	114.65
	净利润(万元)	9773.96	11575.70	5510.29	8007.91
	营业利润(万元)	11478.72	12091.95	5820.79	8341.23
	利润总额(万元)	11606.25	12854.45	6282.70	9421.67

沈阳远大智能工业集团股份有限公司

公司概况	公司名称	沈阳远大智能工业集团股份有限公司			证券简称	远大智能
	法人代表	康宝华	董秘	隋文涛	证券代码	002689
	公司网址	www.bltelevator.com		电子信箱	market@bltcn.cn	
	电　话	024-25162569		传　真	024-25162732	
	办公地址	辽宁省沈阳市沈阳经济技术开发区开发大路27号				
	经营范围	电梯、自动扶梯、自动人行道、立体车库及配件、永磁同步电机等				

主要财务指标	指标\报告期	2016.06.30	2015.12.31	2015.06.30	2014.12.31
	基本每股收益(元)	0.0358	0.1235	0.0638	0.2012
	基本每股收益(扣除后)(元)	0.0275	0.1016	0.0542	0.3400
	稀释每股收益(元)	0.0358	0.1220	0.0638	0.2012
	每股净资产(元)	1.4587	1.4183	1.3804	2.6498
	每股经营现金净流量(元)	-0.1132	0.1333	-0.0810	0.3673
	每股现金流量(元)	-0.1008	-0.1338	-0.2255	0.0037
	每股资本公积金(元)	0.1381	0.1358	0.1338	0.9988
	每股盈余公积金(元)	0.0684	0.0684	0.0561	0.1030
	每股未分配利润(元)	0.2716	0.2357	0.1875	0.5336
	净资产收益率(%)	2.4524	8.6926	4.6211	13.6692
	加权净资产收益率(%)	2.4900	8.5700	4.3300	14.1700
	净资产收益率(扣除)(%)	1.8865	7.1813	3.9016	12.9162
	总资产(万元)	254128.98	258654.20	262469.32	278185.59
	归属母公司股东权益(万元)	140358.92	136490.60	132839.26	138128.76
	营业收入(万元)	61193.33	159337.01	75625.63	195799.00
	营业支出(万元)	38915.43	102623.75	47465.22	127336.49
	投资收益(万元)	-	-	-	-
	净利润(万元)	3377.72	11714.41	6114.15	18889.27
	营业利润(万元)	3146.86	12020.78	6224.32	21483.53
	利润总额(万元)	4084.33	14466.65	7352.24	22717.37

合肥美亚光电技术股份有限公司

公司概况						
	公司名称	合肥美亚光电技术股份有限公司			证券简称	美亚光电
	法人代表	田明	董秘	程晓宏	证券代码	002690
	公司网址	www.chinameyer.com		电子信箱	mygd@chinameyer.com	
	电　话	0551-5305898		传　真	0551-5305898	
	办公地址	合肥市高新区望江西路 668 号				
	经营范围	光电检测与分级专用设备及其应用软件研发、生产和销售等				

主要财务指标	指标\报告期	2016.06.30	2015.12.31	2015.06.30	2014.12.31
	基本每股收益(元)	0.1746	0.4281	0.1670	0.3713
	基本每股收益(扣除后)(元)	0.1416	0.3668	0.1325	0.6578
	稀释每股收益(元)	0.1746	0.4281	0.1670	0.3713
	每股净资产(元)	2.7219	2.8452	2.5807	5.0276
	每股经营现金净流量(元)	0.0569	0.2082	0.0601	0.6378
	每股现金流量(元)	0.0027	-0.0366	0.1388	-1.5319
	每股资本公积金(元)	0.5869	0.5869	0.5869	2.1738
	每股盈余公积金(元)	0.3111	0.3111	0.2247	0.4495
	每股未分配利润(元)	0.8109	0.9363	0.7616	1.3891
	净资产收益率(%)	6.4140	15.0480	6.4707	14.7696
	加权净资产收益率(%)	5.9500	17.5600	6.4300	15.6300
	净资产收益率(扣除)(%)	5.2016	12.8928	5.1328	13.0828
	总资产(万元)	207009.17	217309.52	192153.29	188219.81
	归属母公司股东权益(万元)	183999.35	192333.88	174452.21	169932.67
	营业收入(万元)	37235.71	84091.09	31660.79	66117.51
	营业支出(万元)	17616.23	39392.51	13833.11	28005.43
	投资收益(万元)	1827.51	4148.22	2464.42	2460.45
	净利润(万元)	11654.08	28719.46	11205.29	25077.47
	营业利润(万元)	11476.95	29270.87	11510.65	24785.46
	利润总额(万元)	13650.61	33529.06	12894.53	29301.99

冀凯装备制造股份有限公司

公司概况						
	公司名称	冀凯装备制造股份有限公司			证券简称	冀凯股份
	法人代表	冯帆	董秘	田季英	证券代码	002691
	公司网址	www.jikaigf.com		电子信箱	tjy@jikaigf.com	
	电　话	0311-85323688		传　真	0311-85095068	
	办公地址	河北省石家庄高新区湘江道 418 号				
	经营范围	矿用采掘机械、矿用运输设备、矿用电器及仪表、风动设备、电动设备及配件等				

主要财务指标	指标\报告期	2016.06.30	2015.12.31	2015.06.30	2014.12.31
	基本每股收益(元)	0.0400	0.1200	0.0700	0.1900
	基本每股收益(扣除后)(元)	0.0300	0.1000	0.0600	0.1700
	稀释每股收益(元)	0.0400	0.1200	0.0700	0.1900
	每股净资产(元)	4.2670	4.2348	4.1785	4.1194
	每股经营现金净流量(元)	-0.3317	-0.1300	-0.2221	0.1345
	每股现金流量(元)	-0.5789	0.1906	-0.5954	0.1174
	每股资本公积金(元)	2.2114	2.2114	2.2114	2.2114
	每股盈余公积金(元)	0.0881	0.0881	0.0829	0.0829
	每股未分配利润(元)	0.9456	0.9168	0.8710	0.8168
	净资产收益率(%)	0.8626	2.8381	1.6570	4.5512
	加权净资产收益率(%)	0.8700	2.8800	1.6700	4.6500
	净资产收益率(扣除)(%)	0.7888	2.3219	1.5032	4.2376
	总资产(万元)	93668.22	100461.73	96385.53	92590.05
	归属母公司股东权益(万元)	85340.60	84696.06	83569.23	82388.51
	营业收入(万元)	10092.38	28010.03	11587.29	30675.33
	营业支出(万元)	4849.92	13581.78	5434.50	17522.88
	投资收益(万元)	-	-	-	-
	净利润(万元)	736.12	2403.77	1384.71	3749.69
	营业利润(万元)	858.58	2418.63	1364.51	4176.18
	利润总额(万元)	932.68	2933.01	1515.72	4480.19

睿康文远电缆股份有限公司

公司概况						
	公司名称	睿康文远电缆股份有限公司			证券简称	睿康股份
	法人代表	夏建军	董秘	张冬梅	证券代码	002692
	公司网址	www.yccable.cn		电子信箱	newyuancheng@yccable.cn	
	电　话	0510-80777896		传　真	0510-80777896	
	办公地址	江苏省宜兴市官林镇远程路 8 号				
	经营范围	电线电缆、通讯电缆、PVC 塑料粒子、电缆盘的制造、辐照线缆、铜材、铝材的制造、加工等				

主要财务指标	指标\报告期	2016.06.30	2015.12.31	2015.06.30	2014.12.31
	基本每股收益(元)	0.0901	0.3923	0.1007	0.3020
	基本每股收益(扣除后)(元)	0.0890	0.3964	0.2202	0.2976
	稀释每股收益(元)	0.0901	0.3923	0.1007	0.3020
	每股净资产(元)	1.9752	4.2973	4.1265	3.9550
	每股经营现金净流量(元)	-0.3222	0.4819	0.1279	-0.3869
	每股现金流量(元)	-0.0957	-0.0424	-0.3376	-0.9552
	每股资本公积金(元)	0.2103	1.6626	1.6626	1.6626
	每股盈余公积金(元)	0.0828	0.1821	0.1530	0.1530
	每股未分配利润(元)	0.6822	1.4527	1.3110	1.1395
	净资产收益率(%)	4.5595	9.1284	5.3675	7.6351
	加权净资产收益率(%)	4.5100	9.5100	5.4500	7.8600
	净资产收益率(扣除)(%)	4.5043	9.2246	5.3369	7.5241
	总资产(万元)	342340.31	322431.04	317994.82	276185.01
	归属母公司股东权益(万元)	141848.52	140277.35	134702.46	129104.48
	营业收入(万元)	135218.45	305280.21	138755.27	249380.67
	营业支出(万元)	110587.48	250394.46	114455.65	207974.66
	投资收益(万元)	91.90	54.49	5.42	9.72
	净利润(万元)	7465.80	14897.74	7831.13	10974.19
	营业利润(万元)	8924.11	18010.14	9348.78	12708.87
	利润总额(万元)	8957.06	17847.72	9395.73	12844.67

海南双成药业股份有限公司

公司概况						
	公司名称	海南双成药业股份有限公司			证券简称	双成药业
	法人代表	王成栋	董秘	于晓风	证券代码	002693
	公司网址	www.shuangchengmed.com		电子信箱	yuxiaofeng@shuangchengmed.com	
	电　话	0898-68592978		传　真	0898-68592978	
	办公地址	海南省海口市秀英区兴国路 16 号				
	经营范围	化学合成多肽药物的研发、生产和销售等				

主要财务指标	指标\报告期	2016.06.30	2015.12.31	2015.06.30	2014.12.31
	基本每股收益(元)	-0.0500	0.1300	0.0600	0.1500
	基本每股收益(扣除后)(元)	-0.0500	0.1100	0.0400	-
	稀释每股收益(元)	-0.0500	0.1300	0.0600	0.1500
	每股净资产(元)	2.2587	2.2900	2.2900	2.2100
	每股经营现金净流量(元)	0.0096	0.1103	0.0195	0.1971
	每股现金流量(元)	-0.3212	0.2180	-0.1029	-0.9717
	每股资本公积金(元)	0.7403	0.8173	0.8153	1.5612
	每股盈余公积金(元)	0.0843	0.0815	0.0665	0.1033
	每股未分配利润(元)	0.4341	0.4666	0.4042	0.6449
	净资产收益率(%)	-2.1630	5.6790	2.3276	6.5953
	加权净资产收益率(%)	-2.1600	5.8400	2.4400	6.7000
	净资产收益率(扣除)(%)	-2.3288	4.7682	1.6949	5.3179
	总资产(万元)	145400.46	155016.09	127085.99	94354.18
	归属母公司股东权益(万元)	91478.46	92760.52	95828.13	89355.36
	营业收入(万元)	5492.48	23097.04	8804.35	16119.77
	营业支出(万元)	2858.45	10213.53	3984.41	5591.97
	投资收益(万元)	359.06	1742.09	1274.26	1397.90
	净利润(万元)	-1978.70	5267.91	2230.50	5893.28
	营业利润(万元)	-2746.33	5741.88	2277.59	6965.91
	利润总额(万元)	-2574.04	6228.07	2464.24	6910.93

顾地科技股份有限公司

公司概况					
公司名称	顾地科技股份有限公司			证券简称	顾地科技
法人代表	任永明	董秘	王宏林	证券代码	002694
公司网址	www.goody.com.cn		电子信箱	goody@goody.com.cn	
电　话	0711-3350050		传　真	0711-3350621	
办公地址	湖北省鄂州经济开发区吴楚大道18号				
经营范围	塑料管道的研发、生产和销售等				

主要财务指标 指标\报告期	2016.06.30	2015.12.31	2015.06.30	2014.12.31
基本每股收益(元)	0.0200	0.0700	0.0500	0.0800
基本每股收益(扣除后)(元)	0.0100	0.0500	0.0500	0.0700
稀释每股收益(元)	0.0200	0.0700	0.0500	0.0800
每股净资产(元)	2.7508	2.7271	3.0507	3.0018
每股经营现金净流量(元)	0.0458	0.4903	0.0947	-0.2186
每股现金流量(元)	-0.2837	-0.1696	-0.0525	-0.2169
每股资本公积金(元)	1.0065	1.0065	1.0065	1.0065
每股盈余公积金(元)	0.1911	0.1911	0.1315	0.1315
每股未分配利润(元)	0.5532	0.5295	0.9127	0.8638
净资产收益率(%)	0.8640	2.6573	1.6022	2.7120
加权净资产收益率(%)	0.8100	2.5600	1.6500	2.7600
净资产收益率(扣除)(%)	0.2237	1.6873	1.5450	2.2143
总资产(万元)	213122.96	224277.09	242051.42	239256.77
归属母公司股东权益(万元)	95068.75	94247.40	105432.21	103742.97
营业收入(万元)	66155.89	177172.05	91186.66	183727.24
营业支出(万元)	51875.25	140537.87	72893.20	147983.44
投资收益(万元)	-	-	-	-
净利润(万元)	373.99	1903.08	1529.99	1876.03
营业利润(万元)	484.80	1621.50	1888.45	2262.25
利润总额(万元)	801.67	2698.18	1985.41	2915.19

江西煌上煌集团食品股份有限公司

公司概况					
公司名称	江西煌上煌集团食品股份有限公司			证券简称	煌上煌
法人代表	徐桂芬	董秘	曾细华	证券代码	002695
公司网址	www.jxhsh.com.cn		电子信箱	hshspb@163.com	
电　话	0791-85985546		传　真	0791-85950696	
办公地址	江西省南昌县小蓝经济开发区小蓝中大道66号				
经营范围	酱卤肉制品及佐餐凉菜快捷消费食品的开发、生产和销售等				

主要财务指标 指标\报告期	2016.06.30	2015.12.31	2015.06.30	2014.12.31
基本每股收益(元)	0.3800	0.4800	0.3000	0.8000
基本每股收益(扣除后)(元)	0.3800	0.4600	0.2900	0.7700
稀释每股收益(元)	0.3800	0.4800	0.3000	0.8000
每股净资产(元)	12.4900	12.0623	11.8756	11.7000
每股经营现金净流量(元)	0.9539	0.8641	1.1217	0.9656
每股现金流量(元)	-0.9150	-0.4399	0.5769	0.9091
每股资本公积金(元)	7.4153	7.4508	7.4508	7.4508
每股盈余公积金(元)	0.3360	0.3316	0.3115	0.3115
每股未分配利润(元)	3.7357	3.4263	3.2597	3.1818
净资产收益率(%)	3.0526	3.9849	2.4752	6.6556
加权净资产收益率(%)	3.1000	4.0700	2.4900	6.8300
净资产收益率(扣除)(%)	3.0424	3.8226	2.3831	6.4470
总资产(万元)	193617.77	182801.69	179793.65	159998.92
归属母公司股东权益(万元)	156074.30	152779.19	150414.18	148190.68
营业收入(万元)	66263.67	115107.48	58395.16	98398.04
营业支出(万元)	45172.45	79829.42	40293.29	68330.59
投资收益(万元)	-	-	-11.25	296.65
净利润(万元)	4938.38	6483.46	3796.23	9862.91
营业利润(万元)	6074.71	8338.11	4613.00	11958.97
利润总额(万元)	6097.06	8635.32	4790.12	12032.06

百洋产业投资集团股份有限公司

公司概况					
公司名称	百洋产业投资集团股份有限公司			证券简称	百洋股份
法人代表	孙忠义	董秘	欧顺明	证券代码	002696
公司网址	www.baiyang.com		电子信箱	baiyang@baiyang.com	
电　话	0771-3210585		传　真	0771-3212021	
办公地址	广西南宁市高新技术开发区高新四路9号				
经营范围	冷冻罗非鱼产品的生产和销售等				

主要财务指标 指标\报告期	2016.06.30	2015.12.31	2015.06.30	2014.12.31
基本每股收益(元)	0.0785	0.3243	0.0411	0.3205
基本每股收益(扣除后)(元)	0.0517	0.2334	0.0248	0.2600
稀释每股收益(元)	0.0785	0.3243	0.0411	0.3200
每股净资产(元)	5.5543	5.5758	5.2926	5.4000
每股经营现金净流量(元)	0.6658	0.4160	0.3461	-0.1933
每股现金流量(元)	0.1412	-0.3951	-0.2191	1.3065
每股资本公积金(元)	2.6603	2.6603	2.6603	2.6603
每股盈余公积金(元)	0.1349	0.1349	0.1263	0.1263
每股未分配利润(元)	1.7591	1.7807	1.5061	1.6150
净资产收益率(%)	1.4125	5.8164	0.7766	5.9330
加权净资产收益率(%)	1.4000	5.9100	0.7600	6.0600
净资产收益率(扣除)(%)	0.9306	4.1864	0.4683	4.9020
总资产(万元)	192409.31	188619.35	163619.31	170746.05
归属母公司股东权益(万元)	97755.17	98134.37	93149.90	95066.53
营业收入(万元)	85853.46	186373.95	72000.26	178081.51
营业支出(万元)	76655.55	163761.07	64228.93	157709.78
投资收益(万元)	-203.61	-267.11	-96.56	395.97
净利润(万元)	1457.62	6130.35	760.28	6027.69
营业利润(万元)	1010.65	5236.60	482.45	5501.05
利润总额(万元)	1602.63	7131.79	847.05	6689.35

成都红旗连锁股份有限公司

公司概况					
公司名称	成都红旗连锁股份有限公司			证券简称	红旗连锁
法人代表	曹世如	董秘	曹曾俊	证券代码	002697
公司网址	www.hqls.com.cn		电子信箱	zj@hqls.com.cn	
电　话	028-87825762　13808011321		传　真	028-87825530	
办公地址	四川省成都市高新区西区迪康大道7号				
经营范围	便利超市的连锁经营等				

主要财务指标 指标\报告期	2016.06.30	2015.12.31	2015.06.30	2014.12.31
基本每股收益(元)	0.0800	0.1300	0.0900	0.1300
基本每股收益(扣除后)(元)	0.0700	0.1000	0.1300	0.1400
稀释每股收益(元)	0.0800	0.1300	0.0900	0.1300
每股净资产(元)	1.5719	1.4968	2.5179	2.3900
每股经营现金净流量(元)	0.0425	0.1439	0.0873	0.3488
每股现金流量(元)	-0.2321	-0.3803	-0.9283	1.1657
每股资本公积金(元)	0.0322	0.0322	0.5550	0.5550
每股盈余公积金(元)	0.0733	0.0733	0.1074	0.1014
每股未分配利润(元)	0.4665	0.3914	0.8555	0.7305
净资产收益率(%)	4.7788	8.8041	5.8371	8.9169
加权净资产收益率(%)	4.9000	9.0500	5.9900	9.2200
净资产收益率(扣除)(%)	4.1493	6.6645	5.2019	6.0059
总资产(万元)	366620.32	364195.45	348812.15	308854.98
归属母公司股东权益(万元)	213780.03	203563.81	201428.03	190950.48
营业收入(万元)	307079.89	548617.98	264435.82	476421.09
营业支出(万元)	223104.91	399799.48	193304.06	351659.26
投资收益(万元)	150.68	3718.41	1235.34	5241.09
净利润(万元)	10216.22	17896.68	11732.38	17023.50
营业利润(万元)	10720.11	20182.89	13674.86	18842.49
利润总额(万元)	12152.56	21588.24	13944.75	20121.79

哈尔滨博实自动化股份有限公司

公司概况					
公司名称	哈尔滨博实自动化股份有限公司			证券简称	博实股份
法人代表	邓喜军	董秘	陈博	证券代码	002698
公司网址	www.boshi.cn		电子信箱	ir@boshi.cn	
电　话	0451-84367021		传　真	0451-84367022	
办公地址	黑龙江省哈尔滨市开发区迎宾路集中区东湖街9号				
经营范围	自动化设备的开发、生产、销售、调试、维修、技术服务、技术转让等				

主要财务指标：指标\报告期	2016.06.30	2015.12.31	2015.06.30	2014.12.31
基本每股收益(元)	0.0500	0.2600	0.1700	0.4700
基本每股收益(扣除后)(元)	0.0400	0.2200	0.2600	0.4200
稀释每股收益(元)	0.0500	0.2600	0.1700	0.4700
每股净资产(元)	2.5380	2.5609	4.3259	4.0279
每股经营现金净流量(元)	0.0324	0.0915	0.1018	0.2301
每股现金流量(元)	0.0068	-0.0065	0.1423	-0.0121
每股资本公积金(元)	0.2762	0.2762	1.1695	1.1695
每股盈余公积金(元)	0.1492	0.1492	0.2104	0.2104
每股未分配利润(元)	1.0966	1.1213	1.9239	1.6285
净资产收益率(%)	1.7838	10.1270	6.8285	11.5978
加权净资产收益率(%)	1.7600	10.5000	7.0700	12.1600
净资产收益率(扣除)(%)	1.4436	8.4453	6.0664	10.4151
总资产(万元)	211789.00	205430.19	203736.38	204204.26
归属母公司股东权益(万元)	173012.46	174576.36	173469.49	161516.81
营业收入(万元)	24927.51	71738.97	42942.17	60767.46
营业支出(万元)	15714.40	42202.58	24943.15	32969.59
投资收益(万元)	3604.42	1782.67	929.49	2775.85
净利润(万元)	3098.32	17524.28	11806.36	18577.40
营业利润(万元)	2772.82	16958.47	12689.52	17356.12
利润总额(万元)	3476.98	19778.43	13316.31	20923.29

美盛文化创意股份有限公司

公司概况					
公司名称	美盛文化创意股份有限公司			证券简称	美盛文化
法人代表	赵小强	董秘	张丹峰	证券代码	002699
公司网址	www.chinarising.com.cn		电子信箱	office@chinarising.com.cn	
电　话	0575-86226885		传　真	0575-86288588	
办公地址	浙江省绍兴市新昌县省级高新技术园区内(南岩)				
经营范围	动漫衍生产品设计开发、动漫饰品、节日礼品及工艺品开发设计、生产和销售等				

主要财务指标：指标\报告期	2016.06.30	2015.12.31	2015.06.30	2014.12.31
基本每股收益(元)	0.1000	0.2900	0.0600	0.2400
基本每股收益(扣除后)(元)	0.0600	0.1300	0.0400	0.3400
稀释每股收益(元)	0.1000	0.2900	0.0600	0.2400
每股净资产(元)	2.6994	2.5956	2.3806	3.4012
每股经营现金净流量(元)	-0.1716	0.1158	-0.0162	-0.1094
每股现金流量(元)	-0.5952	0.7324	0.6999	0.7463
每股资本公积金(元)	0.8627	0.8627	0.8627	1.2941
每股盈余公积金(元)	0.0867	0.0867	0.0650	0.1409
每股未分配利润(元)	0.7720	0.6702	0.4677	0.9857
净资产收益率(%)	3.7688	10.9195	2.4896	13.8826
加权净资产收益率(%)	3.8400	13.6900	3.7700	14.5600
净资产收益率(扣除)(%)	2.2613	4.9587	1.3971	10.0071
总资产(万元)	146660.33	138290.92	132289.45	96555.82
归属母公司股东权益(万元)	120392.15	115763.67	106175.24	69962.14
营业收入(万元)	19190.28	40810.12	14554.45	45599.67
营业支出(万元)	9804.15	25419.88	9224.36	28959.70
投资收益(万元)	2500.51	7062.39	2318.33	1013.39
净利润(万元)	4515.60	12715.32	2713.28	9811.07
营业利润(万元)	4784.74	13633.93	2665.34	11468.07
利润总额(万元)	5016.66	16333.91	3446.42	13420.95

新疆浩源天然气股份有限公司

公司概况					
公司名称	新疆浩源天然气股份有限公司			证券简称	新疆浩源
法人代表	周举东	董秘	吐尔洪·艾麦尔	证券代码	002700
公司网址	www.hytrq.com		电子信箱	hy002700@163.com	
电　话	0997-2530396		传　真	0997-2530396 2285202	
办公地址	新疆维吾尔自治区阿克苏市英阿瓦提路2号				
经营范围	天然气的运输(含管道运输)、加工、销售与服务业务等				

主要财务指标：指标\报告期	2016.06.30	2015.12.31	2015.06.30	2014.12.31
基本每股收益(元)	0.0900	0.2600	0.1300	0.2500
基本每股收益(扣除后)(元)	0.0900	-	0.1300	0.4500
稀释每股收益(元)	0.0900	0.2600	0.1300	0.2500
每股净资产(元)	2.0326	1.9800	1.8610	3.1863
每股经营现金净流量(元)	0.0725	0.2858	0.1104	0.5138
每股现金流量(元)	-0.3553	0.1826	0.1083	0.1643
每股资本公积金(元)	0.0562	0.0562	0.0562	0.9012
每股盈余公积金(元)	0.1041	0.1041	0.0765	0.1377
每股未分配利润(元)	0.8680	0.8195	0.7166	1.1324
净资产收益率(%)	4.5993	13.2524	7.0906	14.0326
加权净资产收益率(%)	4.6200	14.0500	7.2400	14.9300
净资产收益率(扣除)(%)	4.6267	13.2891	7.0713	14.1618
总资产(万元)	100989.64	105454.99	97085.58	94323.77
归属母公司股东权益(万元)	85861.67	83641.06	78613.22	74777.11
营业收入(万元)	17542.87	42242.59	20907.16	34544.80
营业支出(万元)	10491.78	23638.01	11643.73	18469.21
投资收益(万元)	-	-	-	-
净利润(万元)	3884.76	10923.26	5460.98	10493.18
营业利润(万元)	4812.88	13134.71	6659.49	12476.31
利润总额(万元)	4785.13	13082.28	6676.98	12361.64

奥瑞金包装股份有限公司

公司概况					
公司名称	奥瑞金包装股份有限公司			证券简称	奥瑞金
法人代表	周云杰	董秘	高树军	证券代码	002701
公司网址	www.orgpackaging.com		电子信箱	zqb@orgpackaging.com	
电　话	010-85211915		传　真	010-85289512	
办公地址	北京市怀柔区雁栖工业开发区				
经营范围	食品饮料金属包装产品的研发、设计、生产和销售等				

主要财务指标：指标\报告期	2016.06.30	2015.12.31	2015.06.30	2014.12.31
基本每股收益(元)	0.2600	1.0400	0.2351	0.8200
基本每股收益(扣除后)(元)	0.2546	0.9500	0.5200	0.9300
稀释每股收益(元)	0.2600	1.0400	0.2351	0.8200
每股净资产(元)	1.9300	4.4436	3.9756	6.1100
每股经营现金净流量(元)	0.3112	1.2080	0.3917	1.2546
每股现金流量(元)	-0.3463	0.9179	0.2988	0.3220
每股资本公积金(元)	0.0268	1.0643	1.0643	2.3029
每股盈余公积金(元)	0.0897	0.2153	0.1701	0.2721
每股未分配利润(元)	0.8075	2.1639	1.7369	2.5364
净资产收益率(%)	13.4849	23.3215	14.1917	21.5806
加权净资产收益率(%)	13.3200	25.5100	14.2200	22.5700
净资产收益率(扣除)(%)	13.2046	21.3501	13.1838	15.2325
总资产(万元)	1314525.30	1048146.41	855586.17	676465.91
归属母公司股东权益(万元)	454168.31	436069.09	390147.83	374870.37
营业收入(万元)	344557.03	666235.31	331772.71	545463.13
营业支出(万元)	220732.92	438565.67	219601.69	376477.92
投资收益(万元)	4673.49	-3571.77	-	822.09
净利润(万元)	61394.76	101266.44	54981.88	80524.20
营业利润(万元)	79746.51	129587.88	72938.33	100698.23
利润总额(万元)	81070.18	135662.89	73234.42	103580.47

海欣食品股份有限公司

公司概况					
公司名称	海欣食品股份有限公司			证券简称	海欣食品
法人代表	滕用雄	董秘	林天山	证券代码	002702
公司网址	www.haixinfoods.com			电子信箱	lintianshan@tengxinfoods.com.cn
电　话	0591-88202235　88202231			传　真	0591-88202231
办公地址	福建省福州市仓山区建新镇建新北路150号1#楼				
经营范围	冷冻(藏)食品、生产:速冻面米食品、速冻肉制品、速冻鱼糜制品等				

主要财务指标　指标\报告期	2016.06.30	2015.12.31	2015.06.30	2014.12.31
基本每股收益(元)	0.0337	-0.1397	-0.0242	0.0651
基本每股收益(扣除后)(元)	0.0247	-0.1548	-0.0361	0.1363
稀释每股收益(元)	0.0337	-0.1397	-0.0242	0.0651
每股净资产(元)	2.6783	2.6445	2.7600	5.6685
每股经营现金净流量(元)	0.2667	0.0701	0.0179	-0.0930
每股现金流量(元)	-0.2130	0.0509	-0.0162	-1.5018
每股资本公积金(元)	0.9399	0.9399	0.9399	2.8797
每股盈余公积金(元)	0.1066	0.1066	0.1066	0.2132
每股未分配利润(元)	0.6318	0.5981	0.7136	1.5756
净资产收益率(%)	1.2596	-5.2835	-0.8770	2.2948
加权净资产收益率(%)	1.2700	-5.1100	-0.8600	2.3000
净资产收益率(扣除)(%)	0.9220	-5.8519	-1.3089	2.4048
总资产(万元)	92628.50	96331.99	91478.96	105797.61
归属母公司股东权益(万元)	75741.39	74787.34	78054.21	80152.75
营业收入(万元)	38316.49	81474.30	37125.08	85527.82
营业支出(万元)	26215.65	56849.23	25778.85	59405.82
投资收益(万元)	238.47	397.97	284.40	892.03
净利润(万元)	954.05	-3951.41	-684.55	1839.33
营业利润(万元)	1353.05	-3933.35	-630.98	2663.64
利润总额(万元)	1629.52	-3435.41	-247.87	2593.46

浙江世宝股份有限公司

公司概况					
公司名称	浙江世宝股份有限公司			证券简称	浙江世宝
法人代表	张世权	董秘	刘晓平	证券代码	002703
公司网址	www.zjshibao.com			电子信箱	ir@zjshibao.com
电　话	0571-28025692			传　真	0571-28025691
办公地址	浙江省杭州市经济技术开发区17号大街6号				
经营范围	汽车零部件制造,销售,金属材料,机电产品,电子产品的销售				

主要财务指标　指标\报告期	2016.06.30	2015.12.31	2015.06.30	2014.12.31
基本每股收益(元)	0.1231	0.1695	0.1143	0.1600
基本每股收益(扣除后)(元)	0.1058	0.1300	0.0902	0.1400
稀释每股收益(元)	0.1231	0.1695	0.1143	0.1600
每股净资产(元)	4.5902	4.5672	4.5120	4.4977
每股经营现金净流量(元)	0.0068	0.2399	0.0830	0.2809
每股现金流量(元)	-0.9704	-0.8131	-0.8766	2.1663
每股资本公积金(元)	2.0896	2.0896	2.0896	2.0896
每股盈余公积金(元)	0.3974	0.3974	0.3843	0.3843
每股未分配利润(元)	1.1032	1.0802	1.0381	1.0238
净资产收益率(%)	2.6808	3.7115	2.5337	3.0532
加权净资产收益率(%)	2.6600	3.7300	2.5100	5.7500
净资产收益率(扣除)(%)	2.3045	2.8156	1.9993	2.7576
总资产(万元)	196593.24	188580.27	201261.08	210106.79
归属母公司股东权益(万元)	144986.48	144258.31	142515.20	142062.81
营业收入(万元)	53157.70	83771.93	44272.35	81124.19
营业支出(万元)	40862.64	62061.75	32612.34	59398.49
投资收益(万元)	265.65	1077.89	660.02	-
净利润(万元)	4028.18	5193.64	3427.31	3647.83
营业利润(万元)	4525.84	5487.16	3871.62	3942.42
利润总额(万元)	4848.56	5987.19	4113.70	4215.79

广东新宝电器股份有限公司

公司概况					
公司名称	广东新宝电器股份有限公司			证券简称	新宝股份
法人代表	郭建刚	董秘	杨芳欣	证券代码	002705
公司网址	www.donlim.com			电子信箱	investor@donlim.com
电　话	0757-25336206			传　真	0757-25521283
办公地址	广东省佛山市顺德区勒流镇龙洲路				
经营范围	设计研发、生产、销售小家电产品				

主要财务指标　指标\报告期	2016.06.30	2015.12.31	2015.06.30	2014.12.31
基本每股收益(元)	0.2477	0.6415	0.1756	0.4897
基本每股收益(扣除后)(元)	0.2406	0.6163	0.1818	0.4306
稀释每股收益(元)	0.2477	0.6415	0.1756	0.4897
每股净资产(元)	4.1186	5.3303	4.9127	4.9348
每股经营现金净流量(元)	0.6025	1.7231	0.3818	0.4864
每股现金流量(元)	-0.2740	0.2868	0.2769	1.0388
每股资本公积金(元)	1.0060	1.6078	1.6073	1.6076
每股盈余公积金(元)	0.3139	0.4081	0.3546	0.3546
每股未分配利润(元)	1.7934	2.3094	1.9498	1.9714
净资产收益率(%)	6.0143	12.0340	4.6479	9.7814
加权净资产收益率(%)	5.8800	12.5100	4.5300	10.3500
净资产收益率(扣除)(%)	5.8425	11.5622	3.7004	8.6017
总资产(万元)	503788.04	462966.88	485953.75	437892.53
归属母公司股东权益(万元)	236655.96	235599.93	217142.55	218116.92
营业收入(万元)	301683.44	630751.59	287313.45	566888.85
营业支出(万元)	240281.53	514497.59	240387.95	466621.46
投资收益(万元)	-746.56	1539.20	1129.21	3214.20
净利润(万元)	14330.30	28190.18	9904.35	21259.17
营业利润(万元)	18005.95	35578.40	12858.01	26960.83
利润总额(万元)	18708.99	36972.75	12923.09	27984.19

上海良信电器股份有限公司

公司概况					
公司名称	上海良信电器股份有限公司			证券简称	良信电器
法人代表	任思龙	董秘	刘晓军	证券代码	002706
公司网址	www.sh-liangxin.com			电子信箱	liuxiaojun@sh-liangxin.com
电　话	021-68586651　68586632			传　真	021-23025798
办公地址	上海市浦东新区申江南路2000号				
经营范围	低压电器产品的研发、生产和销售				

主要财务指标　指标\报告期	2016.06.30	2015.12.31	2015.06.30	2014.12.31
基本每股收益(元)	0.3100	1.1100	0.2700	1.1900
基本每股收益(扣除后)(元)	0.2700	1.0100	0.4500	1.0400
稀释每股收益(元)	0.3100	1.1000	0.2700	1.1900
每股净资产(元)	5.4900	7.9000	7.1489	8.8940
每股经营现金净流量(元)	0.3597	1.4548	1.1639	0.9451
每股现金流量(元)	0.4458	-0.0145	-0.3320	1.9869
每股资本公积金(元)	3.1229	3.9339	3.8386	5.2153
每股盈余公积金(元)	0.2061	0.4630	0.3552	0.4618
每股未分配利润(元)	1.2694	2.7606	2.3066	2.6738
净资产收益率(%)	5.2890	13.7344	7.2603	12.7456
加权净资产收益率(%)	6.2900	13.4700	7.3700	13.7900
净资产收益率(扣除)(%)	4.5801	12.4144	6.3290	11.1819
总资产(万元)	180234.12	123229.96	115751.71	103875.63
归属母公司股东权益(万元)	142002.47	91111.08	82208.49	78673.91
营业收入(万元)	56778.26	101304.92	46791.48	85570.56
营业支出(万元)	35508.84	63959.64	29220.40	54857.49
投资收益(万元)	250.97	469.91	166.22	539.51
净利润(万元)	7510.45	12513.55	5968.57	10027.48
营业利润(万元)	7836.79	13955.42	6319.71	11060.25
利润总额(万元)	8717.08	14796.13	7011.76	11942.15

众信旅游集团股份有限公司

公司概况	公司名称	众信旅游集团股份有限公司			证券简称	众信旅游
	法人代表	冯滨	董秘	王锋	证券代码	002707
	公司网址	www.utourworld.com		电子信箱	stock@utourworld.com	
	电　话	010-64489903		传　真	010-64489955	
	办公地址	北京市朝阳区和平街东土城路 12 号院 2 号楼 4 层				
	经营范围	出境旅游的批发、零售业务，以及商务会奖旅游业务				

	指标＼报告期	2016.06.30	2015.12.31	2015.06.30	2014.12.31
主要财务指标	基本每股收益(元)	0.0930	0.4710	0.0800	0.3140
	基本每股收益(扣除后)(元)	0.0910	0.4580	0.2840	1.8340
	稀释每股收益(元)	0.0900	0.4650	0.0800	0.3140
	每股净资产(元)	1.9142	3.7468	7.0037	9.7316
	每股经营现金净流量(元)	-0.4593	0.0300	-0.6593	1.1734
	每股现金流量(元)	-0.2355	1.3001	0.9793	2.4031
	每股资本公积金(元)	0.4344	1.6572	4.2731	3.3830
	每股盈余公积金(元)	0.0548	0.1108	0.1726	0.6087
	每股未分配利润(元)	0.5895	1.0613	1.5580	4.7398
	净资产收益率(%)	4.6581	11.9344	4.0078	18.8786
	加权净资产收益率(%)	4.7200	14.8700	5.7500	22.9300
	净资产收益率(扣除)(%)	4.5768	11.6021	3.7462	18.3633
	总资产(万元)	395370.19	321797.89	281750.41	107209.19
	归属母公司股东权益(万元)	161546.08	156441.93	146213.74	57601.16
	营业收入(万元)	445264.15	837007.07	313579.33	421700.31
	营业支出(万元)	402668.69	760375.81	286257.11	384715.18
	投资收益(万元)	-	-0.18	-	-
	净利润(万元)	8191.96	20966.03	6399.26	10873.81
	营业利润(万元)	10568.66	25402.27	8265.46	14432.04
	利润总额(万元)	10591.49	25761.33	8633.66	14826.73

常州光洋轴承股份有限公司

公司概况	公司名称	常州光洋轴承股份有限公司			证券简称	光洋股份
	法人代表	程上楠	董秘	沈霞	证券代码	002708
	公司网址	www.nrb.com.cn		电子信箱	bearing@nrb.com.cn	
	电　话	0519-68861888		传　真	0519-85150888	
	办公地址	江苏省常州市新北区汉江路 52 号				
	经营范围	汽车精密轴承的研发、生产和销售				

	指标＼报告期	2016.06.30	2015.12.31	2015.06.30	2014.12.31
主要财务指标	基本每股收益(元)	0.0717	0.0900	0.1653	0.1600
	基本每股收益(扣除后)(元)	0.0624	0.1063	0.1524	0.3133
	稀释每股收益(元)	0.0717	0.0900	0.1653	0.1600
	每股净资产(元)	3.1424	2.2268	4.8678	4.8526
	每股经营现金净流量(元)	0.0287	0.2435	0.1852	0.3933
	每股现金流量(元)	-0.0571	0.0439	-0.0027	0.4957
	每股资本公积金(元)	1.5794	0.6466	2.6226	2.6226
	每股盈余公积金(元)	0.0570	0.0600	0.1255	0.1096
	每股未分配利润(元)	0.5060	0.5202	1.1198	1.1204
	净资产收益率(%)	2.1164	4.0081	3.3950	6.9815
	加权净资产收益率(%)	2.8300	4.0400	3.4600	7.3700
	净资产收益率(扣除)(%)	1.8416	4.7752	3.1316	6.3610
	总资产(万元)	224618.27	111559.79	111553.07	112908.80
	归属母公司股东权益(万元)	150208.41	91075.90	90495.62	90211.94
	营业收入(万元)	42685.48	54392.86	29485.69	62217.12
	营业支出(万元)	30275.21	37668.14	20116.74	41700.58
	投资收益(万元)	-	-	-	-
	净利润(万元)	3170.98	3650.38	3072.30	6298.17
	营业利润(万元)	3254.26	3509.09	3354.80	6676.97
	利润总额(万元)	3747.16	4258.38	3635.56	7335.88

广州天赐高新材料股份有限公司

公司概况	公司名称	广州天赐高新材料股份有限公司			证券简称	天赐材料
	法人代表	徐金富	董秘	禤达燕	证券代码	002709
	公司网址	www.tinci.com		电子信箱	ir@tinci.com	
	电　话	020-66608666		传　真	020-66608668	
	办公地址	广东省广州市黄埔区云埔工业区东诚片康达路 8 号				
	经营范围	精细化工新材料的研发、生产和销售				

	指标＼报告期	2016.06.30	2015.12.31	2015.06.30	2014.12.31
主要财务指标	基本每股收益(元)	0.6025	0.8200	0.0974	0.5200
	基本每股收益(扣除后)(元)	0.5986	0.6700	0.2600	0.4500
	稀释每股收益(元)	0.6025	0.8200	0.0974	0.5200
	每股净资产(元)	4.1561	9.1000	7.1576	7.0341
	每股经营现金净流量(元)	0.1997	0.6937	0.2436	0.5728
	每股现金流量(元)	-0.1315	0.5295	-0.6392	0.5835
	每股资本公积金(元)	1.5231	5.2813	3.3746	3.3746
	每股盈余公积金(元)	0.1146	0.2868	0.2535	0.2535
	每股未分配利润(元)	1.6512	2.8310	2.5295	2.4059
	净资产收益率(%)	14.2435	8.4152	3.4026	7.2649
	加权净资产收益率(%)	14.9300	10.7100	3.4200	7.6100
	净资产收益率(扣除)(%)	14.1508	6.9179	3.6884	6.2701
	总资产(万元)	187979.35	162625.07	129991.79	102596.77
	归属母公司股东权益(万元)	135223.08	118305.18	86187.06	84699.44
	营业收入(万元)	80092.51	94580.47	36826.61	70568.69
	营业支出(万元)	46197.88	65240.03	25657.07	49783.02
	投资收益(万元)	1303.92	66.10	36.99	276.56
	净利润(万元)	19208.77	9943.95	2932.58	6393.60
	营业利润(万元)	22290.25	9484.52	3732.00	6496.97
	利润总额(万元)	22385.40	11501.94	3405.66	7291.26

欧浦智网股份有限公司

公司概况	公司名称	欧浦智网股份有限公司			证券简称	欧浦智网
	法人代表	陈礼豪	董秘	余玩丽	证券代码	002711
	公司网址	corp.opsteel.cn		电子信箱	opzqb@opsteel.net	
	电　话	0757-28977053		传　真	0757-28977053	
	办公地址	广东省佛山市顺德区乐从镇路州村委会第二工业区乐成路 7 号地				
	经营范围	第三方钢铁物流业务，包括仓储、加工、综合物流和电子商务				

	指标＼报告期	2016.06.30	2015.12.31	2015.06.30	2014.12.31
主要财务指标	基本每股收益(元)	0.1700	0.4900	0.1000	0.4300
	基本每股收益(扣除后)(元)	0.1600	0.4700	0.2700	0.7300
	稀释每股收益(元)	0.1700	0.4900	0.1000	0.4300
	每股净资产(元)	2.1615	4.0404	3.7581	8.2923
	每股经营现金净流量(元)	-0.0970	0.9213	0.8847	0.1910
	每股现金流量(元)	-0.0788	-0.1125	0.9055	-1.0743
	每股资本公积金(元)	0.0014	1.0029	1.0184	4.7407
	每股盈余公积金(元)	0.1183	0.2366	0.2097	0.4578
	每股未分配利润(元)	1.0304	1.7834	1.5300	3.7873
	净资产收益率(%)	7.6714	12.1823	5.5868	10.1604
	加权净资产收益率(%)	7.9000	11.5000	4.5300	10.9300
	净资产收益率(扣除)(%)	7.4768	11.6708	5.3137	8.5895
	总资产(万元)	283221.84	280367.71	211291.81	217870.18
	归属母公司股东权益(万元)	142669.49	133340.97	124025.56	149797.00
	营业收入(万元)	130820.44	176847.89	76505.61	177443.96
	营业支出(万元)	107791.78	147947.06	64724.11	157621.85
	投资收益(万元)	268.28	-196.44	-196.44	1260.85
	净利润(万元)	12895.02	16979.73	6929.01	12638.91
	营业利润(万元)	16814.55	21355.76	8369.06	13682.19
	利润总额(万元)	16879.93	21568.41	8536.00	14883.52

思美传媒股份有限公司

公司概况					
公司名称	思美传媒股份有限公司			证券简称	思美传媒
法人代表	朱明虬	董秘	潘海强	证券代码	002712
公司网址	www.simei.cc		电子信箱	ir@simei.cc	
电　话	0571-86588028		传　真	0571-87926126	
办公地址	杭州市虎玉路41号八卦田公园正大门内				
经营范围	媒介代理及品牌管理				

主要财务指标　指标\报告期	2016.06.30	2015.12.31	2015.06.30	2014.12.31
基本每股收益(元)	0.2100	1.0300	0.3960	0.8400
基本每股收益(扣除后)(元)	0.1750	0.9500	0.3760	0.7700
稀释每股收益(元)	0.2100	1.0100	0.3960	0.8400
每股净资产(元)	4.8909	10.5101	10.6462	9.7393
每股经营现金净流量(元)	-0.4506	3.5253	-0.1418	-4.3624
每股现金流量(元)	0.2906	0.1687	0.6906	-1.5246
每股资本公积金(元)	2.2693	4.7682	4.5621	3.7483
每股盈余公积金(元)	0.1602	0.5192	0.4829	0.4980
每股未分配利润(元)	1.7475	5.1549	4.6011	4.4929
净资产收益率(%)	4.2249	9.5194	3.7055	8.5227
加权净资产收益率(%)	5.3900	10.0800	3.0400	9.0400
净资产收益率(扣除)(%)	3.5134	8.8203	3.5167	7.7939
总资产(万元)	252058.81	169337.55	124928.01	119325.99
归属母公司股东权益(万元)	139921.24	92793.40	93675.13	83095.37
营业收入(万元)	182953.97	249372.63	101091.71	215076.13
营业支出(万元)	161371.27	220531.92	88660.68	189111.28
投资收益(万元)	367.89	170.05	29.42	2.35
净利润(万元)	6239.49	8880.04	3464.11	7147.95
营业利润(万元)	7039.37	11417.77	4742.19	9103.48
利润总额(万元)	8188.80	11876.24	4880.80	9573.02

东易日盛家居装饰集团股份有限公司

公司概况					
公司名称	东易日盛家居装饰集团股份有限公司			证券简称	东易日盛
法人代表	陈辉	董秘	王薇	证券代码	002713
公司网址	www.dyrs.com.cn		电子信箱	dyrs@dyrs.com.c	
电　话	010-58637710		传　真	010-58636921	
办公地址	北京市朝阳区东大桥路8号尚都国际中心A座20层				
经营范围	建筑装修装饰工程专业承包、室内装饰设计服务				

主要财务指标　指标\报告期	2016.06.30	2015.12.31	2015.06.30	2014.12.31
基本每股收益(元)	-0.0500	0.3900	-0.0600	0.4800
基本每股收益(扣除后)(元)	-0.0600	0.4500	-0.1200	0.9000
稀释每股收益(元)	-0.0500	0.3900	-0.0600	0.4800
每股净资产(元)	3.3640	3.8178	3.3619	7.4477
每股经营现金净流量(元)	1.3104	1.2287	0.8734	0.3764
每股现金流量(元)	-1.7448	-0.1638	-1.9353	0.4435
每股资本公积金(元)	1.5736	1.5736	1.5736	4.1471
每股盈余公积金(元)	0.2732	0.2732	0.2251	0.4296
每股未分配利润(元)	0.5172	0.9711	0.5632	1.8709
净资产收益率(%)	-1.6005	10.3192	-1.8435	12.5090
加权净资产收益率(%)	-1.4000	10.5200	-1.7000	14.1700
净资产收益率(扣除)(%)	-1.9106	11.6836	-2.0085	11.6977
总资产(万元)	237898.31	211716.83	184548.40	166193.39
归属母公司股东权益(万元)	83991.84	95323.34	83939.31	92977.14
营业收入(万元)	112958.27	225732.55	92400.00	188001.69
营业支出(万元)	72641.33	137409.31	58966.86	116246.11
投资收益(万元)	980.46	2861.19	1553.04	2167.87
净利润(万元)	-399.58	11571.06	-1438.96	11630.48
营业利润(万元)	-162.32	16175.55	-566.17	14364.85
利润总额(万元)	113.44	14991.34	-378.04	15363.05

牧原食品股份有限公司

公司概况					
公司名称	牧原食品股份有限公司			证券简称	牧原股份
法人代表	秦英林	董秘	秦军	证券代码	002714
公司网址	www.muyuanfoods.com		电子信箱	myzqb@mu-yuan.com	
电　话	0377-65239559		传　真	0377-65239559	
办公地址	河南省南阳市卧龙区龙升工业园区				
经营范围	生猪的养殖和销售,主要产品为仔猪、种猪、商品猪				

主要财务指标　指标\报告期	2016.06.30	2015.12.31	2015.06.30	2014.12.31
基本每股收益(元)	2.0700	1.2300	0.1000	0.1700
基本每股收益(扣除后)(元)	2.0500	1.1800	0.0800	0.2000
稀释每股收益(元)	2.0700	1.2300	0.1000	0.1700
每股净资产(元)	8.8889	6.8141	4.0915	8.0505
每股经营现金净流量(元)	1.4496	1.7710	0.0508	1.8818
每股现金流量(元)	-0.3736	0.7420	0.3148	0.5608
每股资本公积金(元)	2.8172	2.8172	1.0255	3.0510
每股盈余公积金(元)	0.2787	0.2787	0.2332	0.4663
每股未分配利润(元)	4.7930	2.7181	1.8329	3.5332
净资产收益率(%)	23.3419	16.9179	2.3649	4.1165
加权净资产收益率(%)	26.4300	26.6300	2.3800	4.2700
净资产收益率(扣除)(%)	23.1173	16.1768	1.9258	2.5158
总资产(万元)	927299.73	706753.32	516503.68	411930.12
归属母公司股东权益(万元)	459443.47	352200.58	198029.30	194822.25
营业收入(万元)	228430.46	300347.47	112472.65	260476.34
营业支出(万元)	111086.53	226391.36	100424.42	240329.33
投资收益(万元)	624.61	133.27	76.84	198.97
净利润(万元)	107242.89	59585.08	4683.25	8019.81
营业利润(万元)	103464.58	50543.16	1486.69	2097.53
利润总额(万元)	107242.89	59585.08	4683.25	8019.81

怀集登云汽配股份有限公司

公司概况					
公司名称	怀集登云汽配股份有限公司			证券简称	登云股份
法人代表	张弢	董秘	邓剑雄	证券代码	002715
公司网址	www.huaijivalve.com		电子信箱	dengyun@huaijivalve.com	
电　话	0758-5525368		传　真	0758-5865855	
办公地址	广东省肇庆市怀集县怀城镇登云亭				
经营范围	汽车发动机进排气门系列产品的研发、生产和销售等				

主要财务指标　指标\报告期	2016.06.30	2015.12.31	2015.06.30	2014.12.31
基本每股收益(元)	-0.0500	-0.5800	-0.1500	0.2100
基本每股收益(扣除后)(元)	-0.0700	-0.5800	-0.1525	0.1700
稀释每股收益(元)	-0.0500	-0.5800	-0.1500	0.2100
每股净资产(元)	4.7580	4.8101	5.2328	5.4401
每股经营现金净流量(元)	0.1581	-0.0815	-0.0765	0.0524
每股现金流量(元)	-0.4015	0.0978	0.2370	0.0205
每股资本公积金(元)	2.6393	2.6393	2.6393	2.6393
每股盈余公积金(元)	0.2254	0.2254	0.2254	0.2254
每股未分配利润(元)	0.8904	0.9454	1.3754	1.5754
净资产收益率(%)	-1.1551	-12.0027	-2.8151	3.7212
加权净资产收益率(%)	-1.1200	-11.2700	-2.7400	4.0500
净资产收益率(扣除)(%)	-1.4472	-12.1154	-2.9148	3.0265
总资产(万元)	65786.09	71667.68	73294.74	70530.09
归属母公司股东权益(万元)	43773.40	44253.10	48141.30	50049.36
营业收入(万元)	13675.58	23998.50	11974.93	29606.68
营业支出(万元)	10603.86	18776.91	9219.96	21256.09
投资收益(万元)	1.74	14.91	7.02	19.07
净利润(万元)	-505.63	-5311.56	-1355.23	1862.45
营业利润(万元)	-608.13	-5112.35	-1366.87	1808.78
利润总额(万元)	-457.72	-5053.51	-1310.41	2219.89

郴州市金贵银业股份有限公司

公司概况

公司名称	郴州市金贵银业股份有限公司			证券简称	金贵银业
法人代表	曹永贵	董秘	孟建怡	证券代码	002716
公司网址	www.jingui-silver.com		电子信箱	jinguizq@jingui-silver.com	
电　话	0735-2659881　2659898		传　真	0735-2659891	
办公地址	湖南省郴州市苏仙区白露塘镇福城大道 1 号				
经营范围	生产销售高纯银、电解铅、黄金、高纯铋等有价金属				

主要财务指标

指标＼报告期	2016.06.30	2015.12.31	2015.06.30	2014.12.31
基本每股收益(元)	0.1600	0.2300	0.1400	0.2400
基本每股收益(扣除后)(元)	0.1900	0.0800	0.1300	0.4100
稀释每股收益(元)	0.1600	0.2300	0.1400	0.2400
每股净资产(元)	4.0292	3.9072	3.8053	8.1309
每股经营现金净流量(元)	0.4632	0.9858	0.6841	-1.0399
每股现金流量(元)	0.3692	0.2314	-0.3608	0.7867
每股资本公积金(元)	1.0351	1.0351	1.0351	3.4772
每股盈余公积金(元)	0.1908	0.1908	0.1670	0.3674
每股未分配利润(元)	1.7035	1.5954	1.5287	3.1474
净资产收益率(%)	3.9482	5.9899	3.7703	6.3053
加权净资产收益率(%)	3.9900	6.1700	3.8000	6.6800
净资产收益率(扣除)(%)	4.8338	2.0499	1.5331	4.9317
总资产(万元)	688485.16	618402.56	577733.43	564003.78
归属母公司股东权益(万元)	202787.25	196644.64	191515.19	186009.51
营业收入(万元)	357476.83	578875.10	260417.73	429739.19
营业支出(万元)	329639.09	531966.39	240902.41	383830.69
投资收益(万元)	501.71	-129.07	-619.58	-269.91
净利润(万元)	8006.35	11778.89	7220.77	11728.52
营业利润(万元)	9988.30	3356.66	2434.87	6961.39
利润总额(万元)	8141.13	11316.95	7327.99	11085.32

岭南园林股份有限公司

公司概况

公司名称	岭南园林股份有限公司			证券简称	岭南园林
法人代表	尹洪卫	董秘	秋天	证券代码	002717
公司网址	www.lnlandscape.com		电子信箱	ln@lnlandscape.com	
电　话	0769-22500085		传　真	0769-22492600	
办公地址	广东省东莞市东城区东源路 33 号岭南园林大厦十楼				
经营范围	园林工程施工、景观规划设计、绿化养护和苗木产销等				

主要财务指标

指标＼报告期	2016.06.30	2015.12.31	2015.06.30	2014.12.31
基本每股收益(元)	0.2800	0.5200	0.2200	0.3700
基本每股收益(扣除后)(元)	0.2600	0.5100	0.2100	0.7400
稀释每股收益(元)	0.2700	0.5100	0.2200	0.3700
每股净资产(元)	5.2336	2.9431	2.5023	4.6243
每股经营现金净流量(元)	-0.2587	-0.4216	-0.3137	-1.1779
每股现金流量(元)	0.3340	-0.0002	0.4639	0.9884
每股资本公积金(元)	2.5871	0.1903	0.0499	1.0748
每股盈余公积金(元)	0.1358	0.1673	0.1262	0.2524
每股未分配利润(元)	1.5107	1.5855	1.3262	2.2971
净资产收益率(%)	4.9166	17.5190	8.5992	15.5363
加权净资产收益率(%)	6.0800	19.8700	8.9600	17.7400
净资产收益率(扣除)(%)	4.6719	17.2155	8.4907	15.5838
总资产(万元)	430148.50	363566.46	305710.91	191349.45
归属母公司股东权益(万元)	209980.64	95867.85	81508.38	75314.93
营业收入(万元)	106433.39	188886.12	64233.52	108819.29
营业支出(万元)	82182.51	133015.78	45243.30	76757.04
投资收益(万元)	-	-	-	-
净利润(万元)	10344.85	16854.25	7009.03	11701.16
营业利润(万元)	11880.59	19937.33	8302.22	14123.70
利润总额(万元)	12493.02	20279.24	8406.27	14080.54

浙江友邦集成吊顶股份有限公司

公司概况

公司名称	浙江友邦集成吊顶股份有限公司			证券简称	友邦吊顶
法人代表	时沈祥	董秘	吴伟江	证券代码	002718
公司网址	www.chinayoubang.com		电子信箱	zhejiangyoubang@163.com	
电　话	0573-86790032		传　真	0573-86788388	
办公地址	浙江省嘉兴市海盐县百步镇金范路 8 号				
经营范围	集成吊顶的研发、生产和销售				

主要财务指标

指标＼报告期	2016.06.30	2015.12.31	2015.06.30	2014.12.31
基本每股收益(元)	0.7100	1.4600	0.5900	1.2800
基本每股收益(扣除后)(元)	0.7100	1.3700	0.5100	-
稀释每股收益(元)	0.7100	1.4600	0.5900	1.2800
每股净资产(元)	7.7366	7.5311	6.6600	10.2089
每股经营现金净流量(元)	1.0501	1.5876	0.5282	2.2836
每股现金流量(元)	-0.1806	1.8878	1.0531	2.6261
每股资本公积金(元)	1.5508	1.5508	1.5508	3.0813
每股盈余公积金(元)	0.5984	0.5984	0.4513	0.7221
每股未分配利润(元)	4.5874	4.3819	3.6597	5.4055
净资产收益率(%)	9.1195	19.4263	8.9131	19.8720
加权净资产收益率(%)	9.0400	21.1100	8.9600	22.2400
净资产收益率(扣除)(%)	9.1239	18.1513	7.7137	19.4278
总资产(万元)	74723.75	69221.61	61593.01	58483.24
归属母公司股东权益(万元)	63873.26	62176.35	55000.02	52677.80
营业收入(万元)	21536.78	41070.82	17086.44	37862.18
营业支出(万元)	10763.39	19995.07	8763.95	18211.61
投资收益(万元)	-	330.64	240.33	24.57
净利润(万元)	5820.99	12078.55	4902.22	10468.15
营业利润(万元)	6817.24	13467.07	5173.24	11978.32
利润总额(万元)	6813.92	14069.05	5709.02	12232.72

麦趣尔集团股份有限公司

公司概况

公司名称	麦趣尔集团股份有限公司			证券简称	麦趣尔
法人代表	李勇	董秘	姚雪	证券代码	002719
公司网址	www.maiquer.com		电子信箱	bod@maiquer.com	
电　话	0994-6568908		传　真	0994-2516699	
办公地址	新疆维吾尔自治区昌吉回族自治州昌吉市麦趣尔大道				
经营范围	乳制品的生产和销售,烘焙食品的连锁经营				

主要财务指标

指标＼报告期	2016.06.30	2015.12.31	2015.06.30	2014.12.31
基本每股收益(元)	0.2000	0.6553	0.2151	0.4600
基本每股收益(扣除后)(元)	0.2000	0.6200	0.2021	0.4300
稀释每股收益(元)	0.2000	0.6553	0.2151	0.4600
每股净资产(元)	10.4239	10.3220	10.0715	7.0795
每股经营现金净流量(元)	-0.5587	1.4220	-0.0205	0.4082
每股现金流量(元)	-1.1519	4.4797	0.7117	1.0586
每股资本公积金(元)	6.8555	6.8249	6.7504	3.5798
每股盈余公积金(元)	0.1986	0.1988	0.1587	0.1883
每股未分配利润(元)	2.5628	2.4916	2.1624	2.3114
净资产收益率(%)	1.8967	6.3489	2.1354	6.3893
加权净资产收益率(%)	1.9100	6.5600	2.6800	6.7500
净资产收益率(扣除)(%)	1.2147	5.5870	2.0067	6.0700
总资产(万元)	138492.85	143965.28	131978.38	79104.31
归属母公司股东权益(万元)	113450.29	112223.15	109500.07	64848.62
营业收入(万元)	23864.97	51814.44	17721.18	32136.25
营业支出(万元)	13044.97	27633.82	10149.65	19130.07
投资收益(万元)	449.76	1124.64	485.86	561.19
净利润(万元)	2151.79	7124.98	2338.26	4143.40
营业利润(万元)	1769.86	7248.55	2508.64	4404.29
利润总额(万元)	2543.52	8388.72	2649.58	4645.93

北京金一文化发展股份有限公司

公司概况					
公司名称	北京金一文化发展股份有限公司			证券简称	金一文化
法人代表	钟葱	董秘	徐巍	证券代码	002721
公司网址	www.e-kingee.com		电子信箱	jyzq@1king1.com	
电　话	010-68567301		传　真	010-68567301	
办公地址	北京市西城区复兴门外大街A2号中化大厦5层515室				
经营范围	贵金属工艺品的研发设计、外包生产和销售				

主要财务指标 指标\报告期	2016.06.30	2015.12.31	2015.06.30	2014.12.31
基本每股收益(元)	0.0800	0.2400	0.1400	0.1400
基本每股收益(扣除后)(元)	0.2200	0.1800	0.3500	0.4100
稀释每股收益(元)	0.0800	0.2400	0.1400	0.1400
每股净资产(元)	3.2195	3.1806	9.2037	5.3226
每股经营现金净流量(元)	0.7986	-0.4180	-1.0567	-0.4008
每股现金流量(元)	1.0235	0.1824	0.7246	0.1130
每股资本公积金(元)	1.4075	1.4077	6.2105	2.1132
每股盈余公积金(元)	0.0246	0.0157	0.0578	0.0589
每股未分配利润(元)	0.7867	0.7567	1.9355	2.1505
净资产收益率(%)	2.4499	7.4052	4.1571	7.7386
加权净资产收益率(%)	2.4500	8.5000	5.2700	8.1500
净资产收益率(扣除)(%)	6.9698	5.4480	3.5011	7.5519
总资产(万元)	948501.45	733886.72	518090.02	305322.40
归属母公司股东权益(万元)	208633.22	206115.19	198810.48	89021.00
营业收入(万元)	620463.30	763713.20	275313.88	601636.42
营业支出(万元)	560905.47	680349.76	237512.11	558266.57
投资收益(万元)	-279.90	2411.35	698.37	3832.89
净利润(万元)	7293.22	19111.73	8556.75	7850.79
营业利润(万元)	7547.89	22248.00	9940.66	8048.00
利润总额(万元)	9890.91	25749.90	11569.86	10664.10

金轮蓝海股份有限公司

公司概况					
公司名称	金轮蓝海股份有限公司			证券简称	金轮股份
法人代表	陆挺	董秘	邱九辉	证券代码	002722
公司网址	www.geron-china.com		电子信箱	stock@geron-china.com	
电　话	0513-80776888		传　真	0513-80776886	
办公地址	江苏省南通经济技术开发区滨水路6号				
经营范围	生产销售梳理器材、纺织器材、纺织机械、特种钢丝及制品				

主要财务指标 指标\报告期	2016.06.30	2015.12.31	2015.06.30	2014.12.31
基本每股收益(元)	0.3800	0.4600	0.2100	0.2600
基本每股收益(扣除后)(元)	0.3800	0.4500	0.2200	0.2300
稀释每股收益(元)	0.3800	0.4600	0.2100	0.2600
每股净资产(元)	9.1306	7.3776	4.2989	4.1450
每股经营现金净流量(元)	-0.0323	0.4246	0.3092	0.4011
每股现金流量(元)	-0.2730	0.6930	0.5718	0.2062
每股资本公积金(元)	6.3265	4.6854	1.5342	1.5342
每股盈余公积金(元)	0.1683	0.1642	0.1924	0.1923
每股未分配利润(元)	1.6359	1.5281	1.5723	1.4185
净资产收益率(%)	3.9427	5.2417	4.9754	6.1062
加权净资产收益率(%)	4.5200	10.6100	5.0300	6.4500
净资产收益率(扣除)(%)	3.9276	5.1884	5.0139	5.4591
总资产(万元)	207780.98	209843.58	77164.10	73802.01
归属母公司股东权益(万元)	160211.73	117502.97	57647.97	55584.49
营业收入(万元)	79836.93	53055.94	21218.28	39792.29
营业支出(万元)	61485.38	33153.24	11551.77	24633.71
投资收益(万元)	-167.66	61.59	-	-
净利润(万元)	6319.91	6172.07	2871.11	3395.50
营业利润(万元)	8523.85	7904.09	3688.01	4156.92
利润总额(万元)	8556.13	7970.87	3658.49	4636.49

广东金莱特电器股份有限公司

公司概况					
公司名称	广东金莱特电器股份有限公司			证券简称	金莱特
法人代表	蒋光勇	董秘	刘德祥	证券代码	002723
公司网址	gd.kennede.com		电子信箱	kn_anyby@kennede.com	
电　话	0750-3167074		传　真	0750-3167031	
办公地址	广东省江门市蓬江区棠下镇金桐路21号				
经营范围	可充电备用照明灯具以及可充电式交直流两用风扇的研发、生产和销售				

主要财务指标 指标\报告期	2016.06.30	2015.12.31	2015.06.30	2014.12.31
基本每股收益(元)	0.0465	0.2287	0.1596	0.4472
基本每股收益(扣除后)(元)	0.0442	0.2243	0.2804	0.4099
稀释每股收益(元)	0.0465	0.2287	0.1596	0.4472
每股净资产(元)	3.4480	3.4507	3.3647	6.6400
每股经营现金净流量(元)	0.3478	-0.0253	0.0337	0.7358
每股现金流量(元)	0.1422	-0.0583	-0.1268	0.2118
每股资本公积金(元)	1.1982	1.1982	1.1982	2.8965
每股盈余公积金(元)	0.1806	0.1806	0.1574	0.3148
每股未分配利润(元)	1.0691	1.0718	1.0091	2.4327
净资产收益率(%)	1.3486	6.6272	4.2424	6.5904
加权净资产收益率(%)	1.3400	6.7700	4.2100	6.9300
净资产收益率(扣除)(%)	1.2818	6.5009	4.1675	6.0408
总资产(万元)	104655.20	98205.22	94858.21	80628.81
归属母公司股东权益(万元)	64373.38	64424.12	62819.71	62021.63
营业收入(万元)	41427.49	70250.11	39189.56	58317.96
营业支出(万元)	35693.66	59710.37	32833.27	48238.01
投资收益(万元)	194.23	519.61	167.78	-47.39
净利润(万元)	946.83	4248.08	2650.60	4087.50
营业利润(万元)	863.86	4718.39	3375.14	4358.16
利润总额(万元)	914.66	4814.06	3437.91	4741.39

海洋王照明科技股份有限公司

公司概况					
公司名称	海洋王照明科技股份有限公司			证券简称	海洋王
法人代表	周明杰	董秘	唐小芬	证券代码	002724
公司网址	www.haiyangwang.com		电子信箱	ok@oceansking.com.cn	
电　话	0755-23242666-6513		传　真	0755-26406711	
办公地址	广东省深圳市光明新区高新路1601号海洋王科技楼				
经营范围	研制、生产灯具，国内商业、物资供销业等				

主要财务指标 指标\报告期	2016.06.30	2015.12.31	2015.06.30	2014.12.31
基本每股收益(元)	0.0039	0.1681	-0.0389	0.4790
基本每股收益(扣除后)(元)	-0.0177	0.1702	-0.0069	0.4274
稀释每股收益(元)	0.0039	0.1681	-0.0389	0.4790
每股净资产(元)	3.8038	3.8349	3.6276	3.8375
每股经营现金净流量(元)	-0.1069	0.2660	-0.1252	0.4960
每股现金流量(元)	-0.2505	-0.0636	-1.0095	1.0165
每股资本公积金(元)	0.9223	0.9223	0.9223	0.9223
每股盈余公积金(元)	0.2190	0.2190	0.2087	0.2087
每股未分配利润(元)	1.6626	1.6936	1.4969	1.7068
净资产收益率(%)	0.1035	4.3825	-1.0724	11.1810
加权净资产收益率(%)	0.1000	4.4100	-1.0300	15.2900
净资产收益率(扣除)(%)	-0.4666	4.4371	-0.1906	9.9764
总资产(万元)	169235.14	176383.34	158732.28	177759.89
归属母公司股东权益(万元)	152152.48	153394.48	145104.84	153501.02
营业收入(万元)	33309.69	89637.48	34342.77	105642.85
营业支出(万元)	10101.06	26679.23	10090.23	29754.58
投资收益(万元)	168.16	406.16	18.26	-
净利润(万元)	157.41	6722.59	-1556.13	17162.88
营业利润(万元)	584.63	5309.47	-1829.45	17812.44
利润总额(万元)	1283.85	8191.83	-544.78	19989.67

浙江跃岭股份有限公司

公司概况	公司名称	浙江跃岭股份有限公司			证券简称	跃岭股份
	法人代表	林仙明	董秘	卢岳嵩	证券代码	002725
	公司网址	www.yuering.com		电子信箱	yl@yueling.com.cn	
	电　话	0576-86402693		传　真	0576-86428985	
	办公地址	浙江省温岭市泽国镇泽国大道 888 号				
	经营范围	从事铝合金车轮的研发、设计、制造和销售				

	指标＼报告期	2016.06.30	2015.12.31	2015.06.30	2014.12.31
主要财务指标	基本每股收益(元)	0.1800	0.3500	0.2100	0.5900
	基本每股收益(扣除后)(元)	0.1700	0.3400	0.2000	0.9100
	稀释每股收益(元)	0.1800	0.3500	0.2100	0.5900
	每股净资产(元)	5.5776	5.5494	5.4107	8.7072
	每股经营现金净流量(元)	0.0635	0.8248	0.3510	-0.0247
	每股现金流量(元)	-0.1345	-0.0494	-0.1470	1.3551
	每股资本公积金(元)	2.4573	2.4573	2.4573	4.5317
	每股盈余公积金(元)	0.2867	0.2867	0.2523	0.4036
	每股未分配利润(元)	1.8336	1.8054	1.6982	2.7875
	净资产收益率(%)	3.1957	6.2639	3.8074	10.7881
	加权净资产收益率(%)	3.1900	6.3500	3.7700	11.5400
	净资产收益率(扣除)(%)	3.1147	6.0493	3.7332	10.2729
	总资产(万元)	99313.62	101671.91	98744.27	105198.73
	归属母公司股东权益(万元)	89242.40	88790.44	86571.82	87071.94
	营业收入(万元)	29143.76	64406.32	33510.79	83263.74
	营业支出(万元)	22457.88	51842.77	26524.17	63246.72
	投资收益(万元)	39.69	0.40	0.40	265.10
	净利润(万元)	2851.96	5561.71	3296.15	9393.37
	营业利润(万元)	3224.72	6226.37	3843.88	10642.45
	利润总额(万元)	3272.40	6391.02	3882.97	10858.44

山东龙大肉食品股份有限公司

公司概况	公司名称	山东龙大肉食品股份有限公司			证券简称	龙大肉食
	法人代表	宫明杰	董秘	纪鹏斌	证券代码	002726
	公司网址	www.longdameat.com		电子信箱	jipb@longdameat.cn	
	电　话	0535-7717760		传　真	0535-7717337	
	办公地址	山东省莱阳市龙门东路 99 号				
	经营范围	生猪养殖、生猪屠宰、冷鲜肉、冷冻肉、熟食制品的生产加工及销售				

	指标＼报告期	2016.06.30	2015.12.31	2015.06.30	2014.12.31
主要财务指标	基本每股收益(元)	0.3000	0.2700	0.1100	0.5400
	基本每股收益(扣除后)(元)	0.2800	0.2300	0.0900	0.4800
	稀释每股收益(元)	0.3000	0.2700	0.1100	0.5400
	每股净资产(元)	3.8086	3.5434	3.3913	6.7060
	每股经营现金净流量(元)	0.2519	0.5925	0.0152	0.2057
	每股现金流量(元)	0.1259	0.0857	0.0996	1.0709
	每股资本公积金(元)	1.4053	1.3366	1.3366	3.6732
	每股盈余公积金(元)	0.1867	0.1904	0.1717	0.3435
	每股未分配利润(元)	1.2166	1.0164	0.8830	1.6893
	净资产收益率(%)	7.8361	7.4895	3.3413	6.9943
	加权净资产收益率(%)	8.3000	7.7200	3.3500	8.7300
	净资产收益率(扣除)(%)	7.2791	6.4894	2.7946	6.3168
	总资产(万元)	209011.49	193060.38	181667.50	174008.29
	归属母公司股东权益(万元)	169542.18	154661.98	148023.46	146351.12
	营业收入(万元)	254517.23	427048.99	184654.88	354651.37
	营业支出(万元)	230427.43	392926.03	170986.24	324767.61
	投资收益(万元)	386.88	527.86	297.58	109.26
	净利润(万元)	13385.32	11624.09	5002.77	10351.36
	营业利润(万元)	13640.84	11560.54	5030.56	10254.74
	利润总额(万元)	14340.66	12797.40	5660.47	11248.87

云南鸿翔一心堂药业(集团)股份有限公司

公司概况	公司名称	云南鸿翔一心堂药业(集团)股份有限公司			证券简称	一心堂
	法人代表	阮鸿献	董秘	田俊	证券代码	002727
	公司网址	www.hx8886.com		电子信箱	1192373467@qq.com	
	电　话	0871-68185283		传　真	0871-68185283	
	办公地址	云南省昆明市(呈贡新区)经济技术开发区鸿翔路 1 号				
	经营范围	医药零售连锁和医药批发业务				

	指标＼报告期	2016.06.30	2015.12.31	2015.06.30	2014.12.31
主要财务指标	基本每股收益(元)	0.3770	1.3310	0.3340	1.3050
	基本每股收益(扣除后)(元)	0.3740	1.2680	0.6650	1.3020
	稀释每股收益(元)	0.3770	1.3310	0.3340	1.3050
	每股净资产(元)	4.4932	8.7322	8.0696	8.0012
	每股经营现金净流量(元)	0.0113	0.7136	-0.1038	0.6770
	每股现金流量(元)	0.0238	-0.4261	-0.7363	2.0436
	每股资本公积金(元)	1.1092	3.2185	3.2185	3.2185
	每股盈余公积金(元)	0.2182	0.3859	0.3451	0.3006
	每股未分配利润(元)	2.1658	4.1277	3.5060	3.4822
	净资产收益率(%)	8.3936	15.2416	8.2828	14.2750
	加权净资产收益率(%)	8.4300	16.1000	8.2200	18.9300
	净资产收益率(扣除)(%)	8.3298	14.5254	8.2426	14.2374
	总资产(万元)	450842.34	418625.56	373413.54	294143.62
	归属母公司股东权益(万元)	233917.27	227298.09	210052.43	208272.23
	营业收入(万元)	295175.07	532115.23	249906.92	442841.00
	营业支出(万元)	169975.92	309029.94	145923.87	263776.30
	投资收益(万元)	-	810.07	-21.87	50.20
	净利润(万元)	19623.98	34643.86	17398.20	29504.50
	营业利润(万元)	21805.37	37901.47	19290.49	34442.68
	利润总额(万元)	21983.42	39012.72	19390.02	34534.34

特一药业集团股份有限公司

公司概况	公司名称	特一药业集团股份有限公司			证券简称	特一药业
	法人代表	许丹青	董秘	陈习良	证券代码	002728
	公司网址	www.tczy.com.cn		电子信箱	gdtczy@vip.sina.com	
	电　话	0750-5627588		传　真	0750-5627000	
	办公地址	广东省台山市北坑工业园				
	经营范围	中成药和化学制剂药的研发、生产和销售				

	指标＼报告期	2016.06.30	2015.12.31	2015.06.30	2014.12.31
主要财务指标	基本每股收益(元)	0.2200	0.4100	0.2000	0.4700
	基本每股收益(扣除后)(元)	0.2200	0.3900	0.4100	0.9100
	稀释每股收益(元)	0.2200	0.4100	0.2000	0.4700
	每股净资产(元)	4.1770	4.0215	7.7638	7.3564
	每股经营现金净流量(元)	0.2079	0.3443	0.4327	0.5735
	每股现金流量(元)	-0.8154	-1.2769	-3.0827	3.3749
	每股资本公积金(元)	1.1896	1.1896	3.3793	3.3793
	每股盈余公积金(元)	0.2182	0.2182	0.3741	0.3741
	每股未分配利润(元)	1.7547	1.6009	3.0105	2.6031
	净资产收益率(%)	5.2370	10.0840	5.2477	10.9012
	加权净资产收益率(%)	5.3000	10.5300	5.3900	15.7100
	净资产收益率(扣除)(%)	5.1500	9.7283	5.2263	10.5869
	总资产(万元)	154939.26	159808.38	117967.85	82560.27
	归属母公司股东权益(万元)	83539.56	80429.88	77638.23	73564.04
	营业收入(万元)	29989.72	51654.00	18508.02	34474.84
	营业支出(万元)	16185.34	28266.15	9993.75	19239.82
	投资收益(万元)	-	-	-	-
	净利润(万元)	4374.99	8110.53	4074.19	8019.37
	营业利润(万元)	5092.97	9176.79	4779.22	9030.10
	利润总额(万元)	5178.48	9525.19	4798.77	9302.55

好利来(中国)电子科技股份有限公司

公司概况					
公司名称	好利来(中国)电子科技股份有限公司			证券简称	好利来
法人代表	黄舒婷	董秘	赖伟星	证券代码	002729
公司网址	www.hollyfuse.com		电子信箱	securities@hollyfuse.com	
电　话	0592-5772288		传　真	0592-5760888	
办公地址	厦门市翔安区舫山东二路829号				
经营范围	熔断器、自复保险丝等过电流、过热电路保护元器件的研发、生产和销售				

主要财务指标	指标＼报告期	2016.06.30	2015.12.31	2015.06.30	2014.12.31
	基本每股收益(元)	0.1024	0.4500	0.1900	0.6400
	基本每股收益(扣除后)(元)	0.0746	0.4000	0.2100	0.5800
	稀释每股收益(元)	0.1024	0.4500	0.1900	0.6400
	每股净资产(元)	5.8259	5.8187	5.5428	5.5541
	每股经营现金净流量(元)	0.0917	0.4879	0.0831	0.6768
	每股现金流量(元)	-0.1635	-0.1734	1.1807	0.8458
	每股资本公积金(元)	2.6746	2.6746	2.6683	2.6683
	每股盈余公积金(元)	0.2801	0.2801	0.2368	0.2368
	每股未分配利润(元)	1.8650	1.8626	1.6492	1.6604
	净资产收益率(%)	1.7568	7.6583	3.4063	9.4096
	加权净资产收益率(%)	1.7500	7.8600	3.3600	15.2700
	净资产收益率(扣除)(%)	1.2796	6.8976	3.7203	8.5377
	总资产(万元)	43604.97	51238.21	48442.43	47995.96
	归属母公司股东权益(万元)	38847.13	38798.87	36959.37	37034.48
	营业收入(万元)	7586.90	15693.83	7823.05	17327.66
	营业支出(万元)	4862.68	8987.71	4619.13	9652.75
	投资收益(万元)	193.21	321.07	208.30	-
	净利润(万元)	682.48	2971.35	1258.94	3484.78
	营业利润(万元)	794.70	3435.19	1622.58	3661.11
	利润总额(万元)	815.87	3462.03	1486.08	4041.11

电光防爆科技股份有限公司

公司概况					
公司名称	电光防爆科技股份有限公司			证券简称	电光科技
法人代表	石碎标	董秘	曹汉君	证券代码	002730
公司网址	www.dianguang.com		电子信箱	ir@dianguang.com	
电　话	0577-55776666		传　真	0577-62666111	
办公地址	浙江省乐清市经济开发区纬五路180号				
经营范围	矿用防爆电器研发,设计,生产及销售				

主要财务指标	指标＼报告期	2016.06.30	2015.12.31	2015.06.30	2014.12.31
	基本每股收益(元)	0.0600	0.3700	0.2600	0.4500
	基本每股收益(扣除后)(元)	0.0500	0.1800	0.1000	0.4000
	稀释每股收益(元)	0.0600	0.3700	0.2600	0.4500
	每股净资产(元)	2.5703	5.6193	5.5076	5.3820
	每股经营现金净流量(元)	0.1800	0.6493	0.3029	0.3485
	每股现金流量(元)	-0.2232	-0.6945	-0.4735	1.5651
	每股资本公积金(元)	0.5533	2.4173	2.4173	2.4173
	每股盈余公积金(元)	0.1012	0.2227	0.1782	0.1782
	每股未分配利润(元)	0.9158	1.9793	1.9121	1.7865
	净资产收益率(%)	2.3944	6.5726	4.6780	6.7445
	加权净资产收益率(%)	2.3900	6.7300	4.6800	9.4300
	净资产收益率(扣除)(%)	1.8752	3.1159	1.7748	6.1045
	总资产(万元)	123331.75	130767.47	118901.41	122151.24
	归属母公司股东权益(万元)	82937.83	82418.69	80780.57	78937.68
	营业收入(万元)	25150.12	52829.27	21225.11	57563.89
	营业支出(万元)	16487.81	35449.23	14102.38	37658.18
	投资收益(万元)	8.61	23.94	0.54	-
	净利润(万元)	2162.40	5624.75	3775.36	5323.98
	营业利润(万元)	2281.45	3593.73	1663.70	5711.64
	利润总额(万元)	2684.75	6821.45	4412.29	6233.86

沈阳萃华金银珠宝股份有限公司

公司概况					
公司名称	沈阳萃华金银珠宝股份有限公司			证券简称	萃华珠宝
法人代表	郭英杰	董秘	郭裕春	证券代码	002731
公司网址	www.chjd.com.cn		电子信箱	chgf_zqb@163.com	
电　话	024-24868333		传　真	024-24869666	
办公地址	辽宁省沈阳市大东区北顺城路翠华巷72号				
经营范围	金银制品、氰化金、金银饰品、珠宝、铂首饰、钯首饰等生产、加工、批发、零售				

主要财务指标	指标＼报告期	2016.06.30	2015.12.31	2015.06.30	2014.12.31
	基本每股收益(元)	0.0700	0.4000	0.2500	0.8200
	基本每股收益(扣除后)(元)	0.0500	0.3500	0.2400	0.8000
	稀释每股收益(元)	0.0700	0.4000	0.2500	0.8200
	每股净资产(元)	7.2481	7.1772	7.0246	6.8362
	每股经营现金净流量(元)	1.3082	0.6265	0.1444	1.6551
	每股现金流量(元)	0.2436	-1.5101	-1.9664	2.0753
	每股资本公积金(元)	2.6676	2.6676	2.6676	2.6676
	每股盈余公积金(元)	0.2022	0.2022	0.1851	0.1851
	每股未分配利润(元)	3.3783	3.3074	3.1718	2.9835
	净资产收益率(%)	0.9773	5.5871	3.5350	9.5499
	加权净资产收益率(%)	0.9800	5.7200	3.5700	15.3500
	净资产收益率(扣除)(%)	0.6324	4.8169	3.3690	9.2143
	总资产(万元)	239661.07	228748.29	198252.41	195808.08
	归属母公司股东权益(万元)	109213.94	108146.59	105846.00	103008.39
	营业收入(万元)	145545.64	299994.15	166539.58	330805.52
	营业支出(万元)	128491.91	279190.88	155150.97	304321.20
	投资收益(万元)	-1575.34	2440.49	1032.45	1849.55
	净利润(万元)	900.02	5735.89	3597.55	9847.43
	营业利润(万元)	1198.70	7651.70	4896.76	12829.16
	利润总额(万元)	1441.78	8081.45	4998.78	13292.65

广东燕塘乳业股份有限公司

公司概况					
公司名称	广东燕塘乳业股份有限公司			证券简称	燕塘乳业
法人代表	黄宣	董秘	李春锋	证券代码	002732
公司网址	www.yantangmilk.com		电子信箱	master@ytdairy.com	
电　话	020-61372566		传　真	020-61372038	
办公地址	广东省广州市天河区沙河燕塘				
经营范围	乳制品和含乳饮料的研发、生产和销售,属于食品制造业				

主要财务指标	指标＼报告期	2016.06.30	2015.12.31	2015.06.30	2014.12.31
	基本每股收益(元)	0.3100	0.6100	0.2900	0.6500
	基本每股收益(扣除后)(元)	0.2900	0.5900	0.3000	0.6600
	稀释每股收益(元)	0.3100	0.6100	0.2900	0.6500
	每股净资产(元)	5.0509	4.9918	4.6727	4.5813
	每股经营现金净流量(元)	0.4010	0.6576	0.2359	0.6459
	每股现金流量(元)	0.4307	-2.2473	-0.9127	2.1117
	每股资本公积金(元)	2.0299	2.0299	2.0299	2.0299
	每股盈余公积金(元)	0.2276	0.2276	0.1736	0.1736
	每股未分配利润(元)	1.7934	1.7343	1.4691	1.3778
	净资产收益率(%)	6.1192	12.2295	6.2355	10.9672
	加权净资产收益率(%)	6.1000	12.8000	6.2100	20.2100
	净资产收益率(扣除)(%)	5.8230	11.8154	6.3585	11.1385
	总资产(万元)	102304.81	102962.40	98364.29	96074.20
	归属母公司股东权益(万元)	79475.50	78546.00	73524.85	72087.24
	营业收入(万元)	49733.68	103243.39	46508.69	94991.03
	营业支出(万元)	31688.91	66054.16	30247.15	64945.02
	投资收益(万元)	212.50	600.57	117.30	-
	净利润(万元)	4864.48	9587.69	4609.06	7879.57
	营业利润(万元)	6048.53	12284.18	5919.27	10126.50
	利润总额(万元)	6184.85	12219.52	5827.43	10028.41

深圳市雄韬电源科技股份有限公司

公司概况					
公司名称	深圳市雄韬电源科技股份有限公司			证券简称	雄韬股份
法人代表	张华农	董秘	肖杨健	证券代码	002733
公司网址	www.senry-batt.com		电子信箱	sales@vision-batt.com	
电　话	0755-66851118*8245		传　真	0755-66850678*8245	
办公地址	深圳市大鹏新区大鹏镇同富工业区雄韬科技园办公楼				
经营范围	阀控式密封铅酸蓄电池的研发、生产和销售				

主要财务指标 指标\报告期	2016.06.30	2015.12.31	2015.06.30	2014.12.31
基本每股收益(元)	0.1900	0.4300	0.1600	0.3600
基本每股收益(扣除后)(元)	0.1600	0.3400	0.2100	0.9100
稀释每股收益(元)	0.1900	0.4300	0.1600	0.3600
每股净资产(元)	4.0135	3.9534	5.4790	8.0853
每股经营现金净流量(元)	-0.0703	0.0345	0.2625	0.7051
每股现金流量(元)	-0.5019	-0.4495	-1.4233	2.7870
每股资本公积金(元)	1.1818	1.1818	2.2726	3.9090
每股盈余公积金(元)	0.1116	0.1116	0.1399	0.2099
每股未分配利润(元)	1.7045	1.6685	2.1165	3.0414
净资产收益率(%)	4.6349	10.9485	4.2996	8.9422
加权净资产收益率(%)	4.6300	11.3900	4.3000	14.0900
净资产收益率(扣除)(%)	4.0442	9.4403	3.7852	8.6422
总资产(万元)	235000.26	224456.02	195935.02	189928.13
归属母公司股东权益(万元)	122813.52	120974.86	111772.37	109960.16
营业收入(万元)	117385.09	241773.49	102749.94	197540.45
营业支出(万元)	101174.60	207034.46	87368.73	166613.41
投资收益(万元)	1054.19	1350.28	581.56	273.26
净利润(万元)	5780.39	13336.87	4760.41	9963.57
营业利润(万元)	5957.73	14557.19	5439.16	11209.36
利润总额(万元)	6663.46	15635.21	5605.54	11482.23

利民化工股份有限公司

公司概况					
公司名称	利民化工股份有限公司			证券简称	利民股份
法人代表	李新生	董秘	林青	证券代码	002734
公司网址	www.chinalimin.com		电子信箱	limin@chinalimin.com	
电　话	0516-88984525　88984524		传　真	0516-88984525	
办公地址	江苏省新沂市经济开发区经九路 69 号				
经营范围	农用杀菌剂原药及制剂的研发、生产和销售				

主要财务指标 指标\报告期	2016.06.30	2015.12.31	2015.06.30	2014.12.31
基本每股收益(元)	0.4500	0.5300	0.2900	0.5000
基本每股收益(扣除后)(元)	0.3800	0.4900	0.2600	0.5800
稀释每股收益(元)	0.4500	0.5300	0.2900	0.5000
每股净资产(元)	6.0964	5.9301	5.6417	6.7435
每股经营现金净流量(元)	1.3541	0.7018	-0.0932	0.8388
每股现金流量(元)	1.3301	-0.0282	-0.1478	-0.1705
每股资本公积金(元)	2.5651	2.5651	2.5651	2.1529
每股盈余公积金(元)	0.3516	0.3063	0.2804	0.4445
每股未分配利润(元)	2.1709	2.0628	1.8021	3.1626
净资产收益率(%)	7.4374	8.7480	4.1163	9.5632
加权净资产收益率(%)	7.4200	9.2300	4.3000	10.1500
净资产收益率(扣除)(%)	6.1743	8.2068	3.8106	8.6538
总资产(万元)	141878.00	115114.20	110619.59	93061.30
归属母公司股东权益(万元)	79253.27	77091.71	73341.86	50575.92
营业收入(万元)	53804.08	83454.41	43617.02	75795.30
营业支出(万元)	39237.52	62635.33	32918.28	58802.40
投资收益(万元)	1002.83	1711.03	409.42	648.04
净利润(万元)	5921.77	6754.33	3021.97	4864.67
营业利润(万元)	5587.61	7170.83	3194.08	5091.63
利润总额(万元)	6765.27	7665.25	3463.28	5641.36

深圳王子新材料股份有限公司

公司概况					
公司名称	深圳王子新材料股份有限公司			证券简称	王子新材
法人代表	王进军	董秘	罗忠放	证券代码	002735
公司网址	www.szwzxc.com		电子信箱	stock@szwzxc.com	
电　话	0755-81713366		传　真	0755-28135066	
办公地址	广东省深圳市宝安区龙华街道油松第十工业区王子工业园				
经营范围	塑料包装材料及产品的研发、设计、生产和销售				

主要财务指标 指标\报告期	2016.06.30	2015.12.31	2015.06.30	2014.12.31
基本每股收益(元)	0.1500	0.3300	0.1400	0.5300
基本每股收益(扣除后)(元)	0.1500	0.3400	0.1400	0.4900
稀释每股收益(元)	0.1500	0.3300	0.1400	0.5300
每股净资产(元)	5.7981	5.7280	5.5389	5.4804
每股经营现金净流量(元)	0.5053	0.6484	0.3399	0.4588
每股现金流量(元)	0.1457	-1.1961	-0.0713	1.7697
每股资本公积金(元)	2.0330	2.0330	2.0330	2.0330
每股盈余公积金(元)	0.1259	0.1259	0.1259	0.1259
每股未分配利润(元)	2.6393	2.5691	2.3800	2.3216
净资产收益率(%)	2.6239	5.7538	2.5364	7.4092
加权净资产收益率(%)	2.6300	5.8900	2.5400	11.4200
净资产收益率(扣除)(%)	2.6321	5.9937	2.4724	6.8325
总资产(万元)	58299.05	56327.06	51468.44	56940.55
归属母公司股东权益(万元)	46384.90	45823.81	44311.13	43843.21
营业收入(万元)	20368.80	44102.74	20850.68	47992.09
营业支出(万元)	16003.94	35228.96	17094.88	39048.42
投资收益(万元)	164.94	-	-	-44.45
净利润(万元)	1278.32	2739.42	1151.11	3299.89
营业利润(万元)	1727.87	3846.44	1533.64	4094.75
利润总额(万元)	1718.52	3769.35	1572.37	4443.42

国信证券股份有限公司

公司概况					
公司名称	国信证券股份有限公司			证券简称	国信证券
法人代表	何如	董秘	胡华勇	证券代码	002736
公司网址	www.guosen.com.cn		电子信箱	xzyxzb@guosen.com.cn	
电　话	0755-82130188		传　真	0755-82133453	
办公地址	广东省深圳市罗湖区红岭中路 1012 号国信证券大厦十六层至二十六层				
经营范围	证券经纪,证券投资咨询,与证券交易、证券投资活动有关的财务顾问				

主要财务指标 指标\报告期	2016.06.30	2015.12.31	2015.06.30	2014.12.31
基本每股收益(元)	0.2700	1.7000	1.1000	0.7000
基本每股收益(扣除后)(元)	0.2600	1.6900	1.1000	0.7000
稀释每股收益(元)	0.2700	1.7000	1.1000	0.7000
每股净资产(元)	5.5792	6.0820	5.5452	4.0000
每股经营现金净流量(元)	0.6195	-0.2802	1.4596	0.7938
每股现金流量(元)	-1.4929	3.9737	11.7402	3.9672
每股资本公积金(元)	0.8252	0.8252	0.8150	0.8150
每股盈余公积金(元)	0.3954	0.3954	0.2319	0.2319
每股未分配利润(元)	1.7678	2.1175	2.0275	1.1278
净资产收益率(%)	4.8009	27.9693	19.8409	15.0313
加权净资产收益率(%)	4.4300	33.8600	24.2700	21.2800
净资产收益率(扣除)(%)	4.7046	27.8545	19.8097	14.9550
总资产(万元)	21145889.07	24435291.43	34804711.87	16135237.11
归属母公司股东权益(万元)	4574908.32	4987271.72	4547061.40	3278212.51
营业收入(万元)	615052.34	2913913.16	1747201.74	1179232.26
营业支出(万元)	320603.37	1062254.45	550306.26	528325.35
投资收益(万元)	132323.22	718144.31	333033.08	222927.88
净利润(万元)	219643.10	1394877.87	902182.16	494322.56
营业利润(万元)	294448.98	1851658.71	1196895.48	650906.91
利润总额(万元)	300273.01	1859446.62	1198737.78	654081.07

葵花药业集团股份有限公司

公司概况				
公司名称	葵花药业集团股份有限公司		证券简称	葵花药业
法人代表	关彦斌	董秘　田艳	证券代码	002737
公司网址	www.kuihuayaoye.com		电子信箱	1538187508@qq.com
电　话	0451-82307136		传　真	0451-82367253
办公地址	黑龙江省哈尔滨市高新技术产业开发区迎宾路集中区东湖路18号			
经营范围	投资及投资管理，企业策划，医药技术开发			

主要财务指标　指标\报告期	2016.06.30	2015.12.31	2015.06.30	2014.12.31
基本每股收益(元)	0.5690	1.0500	0.6233	1.3800
基本每股收益(扣除后)(元)	0.4422	0.8900	1.1700	2.5800
稀释每股收益(元)	0.5690	1.0500	0.6233	1.3800
每股净资产(元)	8.8487	8.3873	8.0394	15.1797
每股经营现金净流量(元)	0.0751	0.4310	0.8876	2.7618
每股现金流量(元)	-0.9445	-2.9240	-3.3748	9.2707
每股资本公积金(元)	3.9963	4.1067	4.1838	9.3677
每股盈余公积金(元)	0.3939	0.3939	0.2861	0.5721
每股未分配利润(元)	3.4168	2.8477	2.5289	4.1611
净资产收益率(%)	6.4306	12.5190	7.7533	13.5874
加权净资产收益率(%)	6.5700	13.1200	7.8900	34.4800
净资产收益率(扣除)(%)	4.9975	10.3518	7.2537	12.7549
总资产(万元)	396914.95	376462.69	312474.94	373301.54
归属母公司股东权益(万元)	258382.05	244908.56	234749.91	221623.35
营业收入(万元)	153519.41	303477.05	151292.62	271876.05
营业支出(万元)	66840.48	134836.75	64865.69	103339.56
投资收益(万元)	129.86	852.34	49.30	22.75
净利润(万元)	18477.20	32751.57	19569.26	33108.49
营业利润(万元)	18004.64	34051.38	22099.48	38340.43
利润总额(万元)	22357.03	40110.62	23645.30	40695.93

中矿资源勘探股份有限公司

公司概况				
公司名称	中矿资源勘探股份有限公司		证券简称	中矿资源
法人代表	王平卫	董秘　肖晓霞	证券代码	002738
公司网址	www.nfmec.com		电子信箱	chinazkzy@126.com
电　话	010-58815527		传　真	010-58815521
办公地址	北京市海淀区长春桥路11号万柳亿城中心A座5层			
经营范围	固体矿产勘查技术服务，矿权投资业务，海外勘查后勤配套服务和建筑工程服务等			

主要财务指标　指标\报告期	2016.06.30	2015.12.31	2015.06.30	2014.12.31
基本每股收益(元)	0.0894	0.4000	0.0992	0.5000
基本每股收益(扣除后)(元)	0.1081	0.4000	0.1541	0.4900
稀释每股收益(元)	0.0894	0.4000	0.0992	0.5000
每股净资产(元)	3.1294	4.4402	4.7961	5.0818
每股经营现金净流量(元)	-0.1460	-0.4423	-0.2545	-0.0730
每股现金流量(元)	-0.2387	-0.7230	-0.9832	1.3205
每股资本公积金(元)	1.3225	2.4557	1.9274	1.9274
每股盈余公积金(元)	0.0870	0.1304	0.1306	0.1306
每股未分配利润(元)	1.7782	2.6331	2.4799	2.4811
净资产收益率(%)	2.8580	8.8510	3.1030	7.3563
加权净资产收益率(%)	2.9100	8.4200	2.9700	10.7300
净资产收益率(扣除)(%)	3.4552	8.8891	3.2138	7.2764
总资产(万元)	80906.53	77641.18	71118.80	79837.01
归属母公司股东权益(万元)	58492.40	55329.22	57553.31	60981.07
营业收入(万元)	10863.61	34486.92	11970.09	30833.61
营业支出(万元)	6297.30	24960.19	7695.30	20948.49
投资收益(万元)	-47.98	-23.47	-2.46	-8.99
净利润(万元)	1544.22	4497.08	1563.16	4020.96
营业利润(万元)	2111.39	4923.89	2058.77	4976.35
利润总额(万元)	2058.92	5221.36	2011.39	4952.05

万达电影院线股份有限公司

公司概况				
公司名称	万达电影院线股份有限公司		证券简称	万达院线
法人代表	张霖	董秘　王会武	证券代码	002739
公司网址	www.wandacinemas.com		电子信箱	wandafilm-ir@wanda.com.cn
电　话	010-85587602		传　真	010-85587600
办公地址	北京市朝阳区建国路93号万达广场B座11层			
经营范围	影院投资建设、院线电影发行、影院电影放映及相关衍生业务等			

主要财务指标　指标\报告期	2016.06.30	2015.12.31	2015.06.30	2014.12.31
基本每股收益(元)	0.6853	1.0700	0.5713	0.8000
基本每股收益(扣除后)(元)	0.6637	0.9900	1.0800	1.4150
稀释每股收益(元)	0.6853	1.0700	0.5713	0.8000
每股净资产(元)	8.3285	7.7574	7.8909	5.9962
每股经营现金净流量(元)	0.9204	1.7790	1.5960	2.5227
每股现金流量(元)	-1.6201	2.1856	2.1589	1.1415
每股资本公积金(元)	3.9095	3.9095	2.1300	0.0249
每股盈余公积金(元)	0.2197	0.2197	0.4568	0.3559
每股未分配利润(元)	3.0106	2.5253	4.3041	4.6154
净资产收益率(%)	8.2281	13.0174	14.2218	26.7150
加权净资产收益率(%)	8.4200	26.2400	14.4600	30.8300
净资产收益率(扣除)(%)	7.9689	12.0371	13.4264	23.6018
总资产(万元)	1586812.39	1545857.47	589639.11	457378.08
归属母公司股东权益(万元)	978013.45	910952.34	441889.70	299812.48
营业收入(万元)	572199.53	800073.38	348645.67	533899.21
营业支出(万元)	380987.34	523607.98	228817.22	350917.82
投资收益(万元)	1139.72	442.85	-	-
净利润(万元)	80548.04	118797.83	62949.56	80256.45
营业利润(万元)	102511.26	144732.07	78228.54	93699.83
利润总额(万元)	105321.93	156141.79	82725.07	105739.95

深圳市爱迪尔珠宝股份有限公司

公司概况				
公司名称	深圳市爱迪尔珠宝股份有限公司		证券简称	爱迪尔
法人代表	苏日明	董秘　朱新武	证券代码	002740
公司网址	www.idr.com.cn		电子信箱	zhu@idr.com.cn
电　话	0755-25798819		传　真	0755-25631878
办公地址	广东省深圳市罗湖区东晓路1005号北楼二、三楼			
经营范围	珠宝、铂金首饰、黄金饰品的零售			

主要财务指标　指标\报告期	2016.06.30	2015.12.31	2015.06.30	2014.12.31
基本每股收益(元)	0.0600	0.6900	0.3700	1.1600
基本每股收益(扣除后)(元)	0.0600	0.6600	0.3600	1.1400
稀释每股收益(元)	0.0600	0.6900	0.3700	1.1600
每股净资产(元)	3.1878	9.4921	9.3198	7.1581
每股经营现金净流量(元)	-0.4436	-1.0264	-1.7755	-0.5378
每股现金流量(元)	-0.2497	0.6091	2.1017	-0.2765
每股资本公积金(元)	0.7408	4.2224	4.2224	1.1635
每股盈余公积金(元)	0.1532	0.4597	0.3845	0.5127
每股未分配利润(元)	1.2938	3.8100	3.7129	4.4819
净资产收益率(%)	1.8957	7.0984	3.7713	16.2751
加权净资产收益率(%)	1.8600	7.5300	4.0400	17.7200
净资产收益率(扣除)(%)	1.8565	6.8295	3.6994	15.9372
总资产(万元)	131338.08	117938.10	128421.65	84301.68
归属母公司股东权益(万元)	95633.86	94920.97	93197.88	53685.46
营业收入(万元)	44603.76	83951.56	43846.71	88490.17
营业支出(万元)	37800.52	66212.57	34029.00	68595.76
投资收益(万元)	3.91	-28.32	-	-
净利润(万元)	1812.89	6737.88	3514.79	8737.37
营业利润(万元)	2516.93	8946.43	4806.87	11622.31
利润总额(万元)	2566.87	9286.78	4896.62	11857.53

广东光华科技股份有限公司

公司概况	公司名称	广东光华科技股份有限公司		证券简称	光华科技
	法人代表	郑创发	董秘 杨荣政	证券代码	002741
	公司网址	www.jinhuada.com		电子信箱	stock@jinhuada.com
	电　话	0754-88211322		传　真	0754-88110058
	办公地址	广东省汕头市大学路 295 号			
	经营范围	PCB 化学品、化学试剂等专用化学品的研发、生产、销售和服务			

主要财务指标	指标\报告期	2016.06.30	2015.12.31	2015.06.30	2014.12.31
	基本每股收益(元)	0.0900	0.1600	0.2600	0.7500
	基本每股收益(扣除后)(元)	0.0778	0.1500	0.2500	0.7100
	稀释每股收益(元)	0.0900	0.1600	0.2600	0.7500
	每股净资产(元)	2.1141	2.0242	6.0495	4.0800
	每股经营现金净流量(元)	0.0972	-0.1879	-0.5081	0.5299
	每股现金流量(元)	-0.0185	0.1201	0.7947	0.1992
	每股资本公积金(元)	0.2353	0.2353	2.7058	0.2995
	每股盈余公积金(元)	0.0676	0.0676	0.1897	0.2270
	每股未分配利润(元)	0.8099	0.7202	2.1507	2.5467
	净资产收益率(%)	4.2467	7.9531	4.2997	18.4856
	加权净资产收益率(%)	4.3400	8.7900	5.1900	19.8200
	净资产收益率(扣除)(%)	3.6784	7.3972	4.0783	17.5192
	总资产(万元)	95191.96	90031.08	92161.43	69971.86
	归属母公司股东权益(万元)	76107.68	72872.53	72593.76	36697.95
	营业收入(万元)	42976.17	86285.00	39437.65	77358.17
	营业支出(万元)	32280.88	65390.80	29341.79	57207.22
	投资收益(万元)	-	-	-	-
	净利润(万元)	3232.04	5795.65	3121.35	6783.83
	营业利润(万元)	3310.71	6259.46	3462.74	7443.57
	利润总额(万元)	3819.69	6738.20	3652.32	7861.94

重庆三圣特种建材股份有限公司

公司概况	公司名称	重庆三圣特种建材股份有限公司		证券简称	三圣特材
	法人代表	潘先文	董秘 张凯	证券代码	002742
	公司网址	www.cqsstc.com		电子信箱	cqsstc@163.com
	电　话	023-68239069		传　真	023-68239069
	办公地址	重庆市两江新区水土高新技术产业园云汉大道 1 号			
	经营范围	硫酸、二氧化硫(液态的)、焦亚硫酸钠的生产、销售			

主要财务指标	指标\报告期	2016.06.30	2015.12.31	2015.06.30	2014.12.31
	基本每股收益(元)	0.2840	0.8800	0.2480	0.9400
	基本每股收益(扣除后)(元)	0.2840	0.8800	0.3900	1.3900
	稀释每股收益(元)	0.2840	0.8800	0.2480	0.9300
	每股净资产(元)	5.7946	8.5039	8.0430	9.4765
	每股经营现金净流量(元)	-0.1949	0.3894	-0.1657	-1.6521
	每股现金流量(元)	-0.6370	1.6371	2.2358	-0.9564
	每股资本公积金(元)	2.1684	3.7526	3.7514	2.4069
	每股盈余公积金(元)	0.2615	0.3922	0.3173	0.6346
	每股未分配利润(元)	2.3083	3.2860	2.8927	5.2973
	净资产收益率(%)	4.9066	9.9433	4.6917	14.8121
	加权净资产收益率(%)	4.9100	11.1000	5.4500	15.9600
	净资产收益率(扣除)(%)	4.8919	9.9356	4.6079	14.6915
	总资产(万元)	259576.70	214057.10	207309.37	145233.57
	归属母公司股东权益(万元)	125164.36	122456.61	115819.73	68230.68
	营业收入(万元)	73428.68	141085.44	67031.71	127080.64
	营业支出(万元)	56228.22	110558.09	52468.11	102577.40
	投资收益(万元)	-	-	-	7.40
	净利润(万元)	6227.60	12324.64	5467.56	10122.49
	营业利润(万元)	7310.48	14360.70	6172.97	11870.07
	利润总额(万元)	7327.05	14371.60	6268.03	11959.36

安徽富煌钢构股份有限公司

公司概况	公司名称	安徽富煌钢构股份有限公司		证券简称	富煌钢构
	法人代表	杨俊斌	董秘 孙曼辉	证券代码	002743
	公司网址	www.fuhuang.cn		电子信箱	sunmh@fuhuang.com
	电　话	0551-88562993		传　真	0551-88561316
	办公地址	安徽省巢湖市黄麓镇富煌工业园			
	经营范围	钢结构生产、安装			

主要财务指标	指标\报告期	2016.06.30	2015.12.31	2015.06.30	2014.12.31
	基本每股收益(元)	0.2200	0.2700	0.0700	0.4300
	基本每股收益(扣除后)(元)	0.2200	0.2500	0.1400	0.4000
	稀释每股收益(元)	0.2200	0.2700	0.0700	0.4300
	每股净资产(元)	3.1991	6.1979	6.0726	5.8596
	每股经营现金净流量(元)	-0.8547	0.9221	-1.5822	-0.9754
	每股现金流量(元)	0.1812	-0.0259	-0.4567	-1.9618
	每股资本公积金(元)	0.5154	2.0307	2.0307	0.8981
	每股盈余公积金(元)	0.1650	0.3300	0.3050	0.4067
	每股未分配利润(元)	1.5140	2.8280	2.7305	3.5455
	净资产收益率(%)	3.9555	4.0986	2.1658	7.2968
	加权净资产收益率(%)	3.9800	4.3600	2.3200	7.5600
	净资产收益率(扣除)(%)	3.9331	3.8049	2.1122	6.8863
	总资产(万元)	406431.69	345702.24	316056.33	304866.27
	归属母公司股东权益(万元)	77635.10	75205.79	73685.16	53322.66
	营业收入(万元)	96526.19	149474.73	70171.48	183481.46
	营业支出(万元)	86255.99	124256.11	58690.36	157575.25
	投资收益(万元)	-	-	-	-
	净利润(万元)	3129.33	3152.58	1624.34	3980.44
	营业利润(万元)	3701.37	3214.08	1934.80	4197.24
	利润总额(万元)	3720.43	3473.49	1981.13	4463.59

木林森股份有限公司

公司概况	公司名称	木林森股份有限公司		证券简称	木林森
	法人代表	孙清焕	董秘 赖爱梅	证券代码	002745
	公司网址	www.zsmls.com		电子信箱	ir@zsmls.com
	电　话	0760-87803366		传　真	0760-87803399
	办公地址	广东省中山市小榄镇木林森大道 1 号			
	经营范围	LED 封装及应用系列产品的研发、设计、生产和销售			

主要财务指标	指标\报告期	2016.06.30	2015.12.31	2015.06.30	2014.12.31
	基本每股收益(元)	0.3400	0.5800	0.5400	1.0800
	基本每股收益(扣除后)(元)	0.3300	0.5200	0.5300	1.0600
	稀释每股收益(元)	0.3400	0.5800	0.5400	1.0800
	每股净资产(元)	9.3278	5.6517	5.5980	3.6720
	每股经营现金净流量(元)	0.2709	0.9912	-0.5983	2.0378
	每股现金流量(元)	4.7766	1.8316	1.0504	-0.1740
	每股资本公积金(元)	5.8764	1.9609	1.9609	0.0985
	每股盈余公积金(元)	0.2814	0.3345	0.2723	0.3026
	每股未分配利润(元)	2.1703	2.3563	2.3648	2.2709
	净资产收益率(%)	3.0969	10.1724	9.3114	29.5321
	加权净资产收益率(%)	5.1600	10.9800	10.6800	34.6500
	净资产收益率(扣除)(%)	3.0164	9.0139	9.2259	28.8478
	总资产(万元)	1234554.97	767806.76	663987.66	519269.68
	归属母公司股东权益(万元)	492812.82	251216.15	248831.14	146878.08
	营业收入(万元)	208678.38	388160.87	200046.81	400166.79
	营业支出(万元)	160593.73	306681.38	146450.50	296735.63
	投资收益(万元)	-2.40	418.98	3.73	37.52
	净利润(万元)	15457.69	25763.39	23222.34	43835.31
	营业利润(万元)	17621.41	27058.54	27213.85	50559.18
	利润总额(万元)	18187.26	30113.96	27402.40	51736.26

山东仙坛股份有限公司

公司概况					
公司名称	山东仙坛股份有限公司			证券简称	仙坛股份
法人代表	王寿纯	董秘	许士卫	证券代码	002746
公司网址	www.sdxiantan.com		电子信箱	xtxsw@sdxiantan.com	
电　话	0535-4658717		传　真	0535-4658318	
办公地址	山东省烟台市牟平工业园区(城东)				
经营范围	前置许可项目:种鸡、家禽饲养、销售				

主要财务指标 指标\报告期	2016.06.30	2015.12.31	2015.06.30	2014.12.31
基本每股收益(元)	0.4800	0.1500	0.0600	0.3700
基本每股收益(扣除后)(元)	0.4900	0.0400	0.0400	0.3100
稀释每股收益(元)	0.4800	0.1500	0.0600	0.3700
每股净资产(元)	6.6394	6.2601	6.1725	6.7200
每股经营现金净流量(元)	0.5796	0.9672	0.4762	0.8210
每股现金流量(元)	0.0889	-0.3267	0.5523	-0.4517
每股资本公积金(元)	2.4051	2.4051	2.4051	2.0992
每股盈余公积金(元)	0.1907	0.1907	0.1907	0.2542
每股未分配利润(元)	3.0436	2.6643	2.5767	3.3640
净资产收益率(%)	7.2196	2.2613	0.8737	5.5237
加权净资产收益率(%)	7.3900	2.3600	1.0300	5.6800
净资产收益率(扣除)(%)	7.3865	0.6058	0.6071	4.5736
总资产(万元)	152103.69	145110.90	146091.49	149831.81
归属母公司股东权益(万元)	105799.25	99754.49	98358.15	80273.76
营业收入(万元)	94502.37	175578.80	90410.61	173468.94
营业支出(万元)	82588.69	167129.24	85831.43	160237.71
投资收益(万元)	134.40	495.23	118.21	505.78
净利润(万元)	7591.14	2255.33	859.39	4434.09
营业利润(万元)	7902.19	1099.15	715.38	4096.46
利润总额(万元)	7591.14	2255.33	859.39	4479.82

南京埃斯顿自动化股份有限公司

公司概况					
公司名称	南京埃斯顿自动化股份有限公司			证券简称	埃斯顿
法人代表	吴波	董秘	潘文兵	证券代码	002747
公司网址	www.estun.com		电子信箱	zqb@estun.com	
电　话	025-52785597		传　真	025-52785966 5597	
办公地址	江苏省南京市江宁经济技术开发区将军南路155号				
经营范围	生产、开发、服务各类机电一体化产品、自动控制等				

主要财务指标 指标\报告期	2016.06.30	2015.12.31	2015.06.30	2014.12.31
基本每股收益(元)	0.0900	0.4500	0.0700	0.4900
基本每股收益(扣除后)(元)	0.0800	0.2000	0.1300	0.3900
稀释每股收益(元)	0.0900	0.4500	0.0700	0.4900
每股净资产(元)	1.9411	4.1023	3.8622	3.1989
每股经营现金净流量(元)	-0.1553	0.0689	-0.1869	-0.0191
每股现金流量(元)	0.4638	0.1252	0.2922	-0.1966
每股资本公积金(元)	0.3802	1.7411	1.4170	0.3296
每股盈余公积金(元)	0.0816	0.1634	0.1147	0.1530
每股未分配利润(元)	0.6578	1.5333	1.3202	1.7015
净资产收益率(%)	4.7337	10.2732	3.7285	15.2709
加权净资产收益率(%)	4.4400	11.7500	4.5500	16.3000
净资产收益率(扣除)(%)	4.0936	4.4993	2.9563	12.3377
总资产(万元)	91769.67	74334.51	57179.56	45386.62
归属母公司股东权益(万元)	47198.31	49829.12	46346.13	28790.49
营业收入(万元)	24459.39	48314.41	23595.95	51186.67
营业支出(万元)	16130.68	31572.70	15385.86	34601.44
投资收益(万元)	30.82	1.48	-	0.09
净利润(万元)	2233.89	5204.02	1739.49	4260.23
营业利润(万元)	1135.81	1344.83	993.46	2462.19
利润总额(万元)	1938.91	5406.05	1675.43	4697.37

江西世龙实业股份有限公司

公司概况					
公司名称	江西世龙实业股份有限公司			证券简称	世龙实业
法人代表	刘宜云	董秘	李角龙	证券代码	002748
公司网址	www.chinaselon.com		电子信箱	ljl2198@163.com	
电　话	0798-6735688		传　真	0798-6735688	
办公地址	江西省乐平市接渡镇(世龙公司3栋行政办公楼)				
经营范围	生产精细化工产品				

主要财务指标 指标\报告期	2016.06.30	2015.12.31	2015.06.30	2014.12.31
基本每股收益(元)	0.1511	0.3282	0.1054	0.9119
基本每股收益(扣除后)(元)	0.1468	0.3441	0.1900	0.8936
稀释每股收益(元)	0.1511	0.3282	0.1054	0.9119
每股净资产(元)	4.0589	7.8868	7.7611	5.8200
每股经营现金净流量(元)	0.1072	0.0925	-0.2007	1.1201
每股现金流量(元)	0.0438	0.2875	0.1145	-0.0296
每股资本公积金(元)	1.3857	3.7713	3.7713	0.8707
每股盈余公积金(元)	0.1983	0.3966	0.3658	0.4877
每股未分配利润(元)	1.4661	2.7100	2.6176	3.4441
净资产收益率(%)	3.7216	3.9013	2.3775	15.6812
加权净资产收益率(%)	3.7600	4.4200	3.0700	15.7900
净资产收益率(扣除)(%)	3.6156	4.0907	2.1980	15.3656
总资产(万元)	111036.73	106410.94	113504.84	87063.74
归属母公司股东权益(万元)	97414.68	94641.27	93132.90	52337.82
营业收入(万元)	47726.98	87485.37	48089.06	104788.80
营业支出(万元)	39073.70	74469.65	41502.42	85912.33
投资收益(万元)	142.23	491.43	-	-
净利润(万元)	3625.34	3692.22	2214.27	8207.20
营业利润(万元)	4299.14	5071.54	2446.61	9483.33
利润总额(万元)	4278.33	4369.17	2643.34	9677.66

四川国光农化股份有限公司

公司概况					
公司名称	四川国光农化股份有限公司			证券简称	国光股份
法人代表	颜昌绪	董秘	何颉	证券代码	002749
公司网址	www.scggic.com		电子信箱	dsh@scggic.com	
电　话	028-66848862		传　真	028-66848862	
办公地址	四川省成都市龙泉驿区北京路899号				
经营范围	植物生长调节剂、杀菌剂为主的农药制剂和水溶性肥料的研发、生产和销售业务				

主要财务指标 指标\报告期	2016.06.30	2015.12.31	2015.06.30	2014.12.31
基本每股收益(元)	1.3817	1.8781	1.3741	2.0600
基本每股收益(扣除后)(元)	1.3629	1.6487	1.3600	2.0434
稀释每股收益(元)	1.3817	1.8781	1.3741	2.0600
每股净资产(元)	11.4706	11.0889	10.5414	6.8800
每股经营现金净流量(元)	1.3902	1.8217	0.7631	1.8785
每股现金流量(元)	-2.2714	5.3485	4.5664	0.3821
每股资本公积金(元)	4.4085	4.4085	4.4085	0.0119
每股盈余公积金(元)	0.7076	0.6660	0.3744	0.4293
每股未分配利润(元)	5.3545	5.0145	4.7585	5.4410
净资产收益率(%)	12.0457	16.0898	11.7319	29.9290
加权净资产收益率(%)	11.9000	19.0200	14.9200	34.3800
净资产收益率(扣除)(%)	11.8817	14.1243	11.6253	29.6903
总资产(万元)	94251.02	91013.24	86295.33	49556.19
归属母公司股东权益(万元)	86029.60	83166.74	79060.67	41293.35
营业收入(万元)	37352.26	60502.00	36754.38	58351.47
营业支出(万元)	17895.29	31517.86	18550.31	29901.78
投资收益(万元)	-	78.54	78.54	51.98
净利润(万元)	10362.86	13381.39	9275.32	12358.68
营业利润(万元)	11989.25	13762.87	10801.19	14176.51
利润总额(万元)	12155.21	15688.90	10902.66	14486.12

昆明龙津药业股份有限公司

公司概况	公司名称	昆明龙津药业股份有限公司			证券简称	龙津药业
	法人代表	樊献俄	董秘	李亚鹤	证券代码	002750
	公司网址	www.longjin.com.cn		电子信箱	kmljyy@vip.sina.com	
	电　话	0871-64179595		传　真	0871-64179595	
	办公地址	云南省昆明市呈贡区马金铺兰茂路 789 号				
	经营范围	中、西医药的开发、研究、生产、销售				

	指标\报告期	2016.06.30	2015.12.31	2015.06.30	2014.12.31
主要财务指标	基本每股收益(元)	0.0844	0.3152	0.0830	0.4238
	基本每股收益(扣除后)(元)	0.0781	0.2736	0.4760	1.2315
	稀释每股收益(元)	0.0844	0.3152	0.0830	0.4238
	每股净资产(元)	1.5312	2.9935	8.4902	5.7114
	每股经营现金净流量(元)	0.1215	0.3505	0.3562	1.4033
	每股现金流量(元)	-0.0230	0.5335	3.5957	0.1077
	每股资本公积金(元)	0.0003	0.7806	4.3417	0.0884
	每股盈余公积金(元)	0.0887	0.1773	0.4346	0.5801
	每股未分配利润(元)	0.4422	1.0356	2.7139	4.0429
	净资产收益率(%)	5.5131	10.3097	5.1301	22.2618
	加权净资产收益率(%)	5.5500	12.0300	6.5700	22.6700
	净资产收益率(扣除)(%)	5.0975	8.9491	4.9031	21.5615
	总资产(万元)	71213.58	69885.88	66724.77	43558.82
	归属母公司股东权益(万元)	61322.94	59944.63	56671.81	28557.02
	营业收入(万元)	9416.59	18142.82	9324.38	18740.21
	营业支出(万元)	2473.81	6298.97	3266.36	5776.96
	投资收益(万元)	206.22	187.76	4.76	4.85
	净利润(万元)	3380.81	6176.28	2907.30	6357.30
	营业利润(万元)	3938.43	6492.55	3284.21	7337.41
	利润总额(万元)	4032.06	7264.40	3431.30	7567.81

深圳市易尚展示股份有限公司

公司概况	公司名称	深圳市易尚展示股份有限公司			证券简称	易尚展示
	法人代表	刘梦龙	董秘	王震强	证券代码	002751
	公司网址	www.es-display.com		电子信箱	szesun@es-display.com	
	电　话	0755-82535766		传　真	0755-83830798	
	办公地址	广东省深圳市福田区深圳文化创意园二期 B 座三楼				
	经营范围	提供展示服务、虚拟展示服务、循环会展服务				

	指标\报告期	2016.06.30	2015.12.31	2015.06.30	2014.12.31
主要财务指标	基本每股收益(元)	0.0421	0.3100	0.1752	0.3300
	基本每股收益(扣除后)(元)	0.0266	0.2700	0.3200	0.6100
	稀释每股收益(元)	0.0421	0.3100	0.1752	0.3300
	每股净资产(元)	3.0888	3.1066	5.9436	4.7270
	每股经营现金净流量(元)	0.4312	0.2263	0.0958	0.2286
	每股现金流量(元)	-0.3665	-0.1293	2.7019	0.8216
	每股资本公积金(元)	0.6587	0.6587	2.3175	0.4816
	每股盈余公积金(元)	0.1982	0.1982	0.3285	0.4380
	每股未分配利润(元)	1.2318	1.2497	2.2976	2.8074
	净资产收益率(%)	1.3644	9.0406	4.9134	14.1529
	加权净资产收益率(%)	1.3500	10.7100	6.6000	14.8900
	净资产收益率(扣除)(%)	0.8604	8.0530	4.5493	12.8625
	总资产(万元)	158848.23	150309.14	82466.62	61609.42
	归属母公司股东权益(万元)	43391.02	43641.89	41747.62	24901.90
	营业收入(万元)	25912.54	53717.76	24984.49	43420.84
	营业支出(万元)	17748.55	36660.94	17045.81	29172.62
	投资收益(万元)	-	-	-	-
	净利润(万元)	-808.66	3626.75	2051.23	3524.35
	营业利润(万元)	-869.37	3979.53	2128.43	3908.85
	利润总额(万元)	-611.85	4486.84	2307.37	4287.02

昇兴集团股份有限公司

公司概况	公司名称	昇兴集团股份有限公司			证券简称	昇兴股份
	法人代表	林永贤	董秘	李敦波	证券代码	002752
	公司网址	www.shengxingholdings.com		电子信箱	sxzq@shengxingholdings.com	
	电　话	0591-83684425		传　真	0591-83684425	
	办公地址	福建省福州市经济技术开发区经一路				
	经营范围	用于食品、饮料等包装所使用的金属容器的生产和销售				

	指标\报告期	2016.06.30	2015.12.31	2015.06.30	2014.12.31
主要财务指标	基本每股收益(元)	0.1400	0.3300	0.0800	0.3100
	基本每股收益(扣除后)(元)	0.1400	0.3000	0.1100	0.2900
	稀释每股收益(元)	0.1400	0.3300	0.0800	0.3100
	每股净资产(元)	2.3048	3.3440	3.1331	2.6600
	每股经营现金净流量(元)	0.5907	0.3140	0.2113	0.4226
	每股现金流量(元)	0.0208	-0.0949	0.2105	0.0982
	每股资本公积金(元)	0.3827	0.6741	0.6741	0.0805
	每股盈余公积金(元)	0.0482	0.0722	0.0623	0.0727
	每股未分配利润(元)	0.8748	1.5992	1.3971	1.5112
	净资产收益率(%)	6.1617	9.3839	3.2494	11.5809
	加权净资产收益率(%)	6.2000	10.6800	3.9400	12.2900
	净资产收益率(扣除)(%)	5.9054	8.4529	3.2370	10.9646
	总资产(万元)	223270.32	249141.61	238039.83	234132.53
	归属母公司股东权益(万元)	145199.41	140447.03	131589.60	95905.13
	营业收入(万元)	95270.42	204025.93	96878.44	187047.02
	营业支出(万元)	75650.98	165885.83	81153.24	155749.70
	投资收益(万元)	-	43.22	-	-
	净利润(万元)	8895.74	13043.90	4254.96	10955.74
	营业利润(万元)	10858.34	16176.75	5845.76	14218.47
	利润总额(万元)	11354.67	17876.95	5867.63	15006.32

山西永东化工股份有限公司

公司概况	公司名称	山西永东化工股份有限公司			证券简称	永东股份
	法人代表	刘东良	董秘	张巍	证券代码	002753
	公司网址	www.sxydhg.com		电子信箱	zqb@sxydhg.com	
	电　话	0359-5662069		传　真	0359-5662095	
	办公地址	山西省运城市稷山县西社镇高渠村				
	经营范围	炭黑制品制造及煤焦油加工				

	指标\报告期	2016.06.30	2015.12.31	2015.06.30	2014.12.31
主要财务指标	基本每股收益(元)	0.1494	0.5942	0.2577	0.8056
	基本每股收益(扣除后)(元)	0.1660	0.6257	0.3836	0.7866
	稀释每股收益(元)	0.1494	0.5942	0.2577	0.8056
	每股净资产(元)	5.8121	8.6647	8.4372	6.9100
	每股经营现金净流量(元)	0.4154	0.4997	0.2294	0.2449
	每股现金流量(元)	0.0109	0.5830	3.2402	-0.7441
	每股资本公积金(元)	2.2974	3.9461	3.9461	1.6676
	每股盈余公积金(元)	0.2453	0.3680	0.3148	0.4198
	每股未分配利润(元)	2.2374	3.3119	3.1389	3.7785
	净资产收益率(%)	2.5704	6.1424	3.6266	11.6648
	加权净资产收益率(%)	2.5500	7.4300	5.2500	12.4200
	净资产收益率(扣除)(%)	2.8559	6.4680	3.5987	11.3905
	总资产(万元)	102216.33	99452.65	110360.92	81941.26
	归属母公司股东权益(万元)	86048.23	85520.96	83274.69	51103.63
	营业收入(万元)	46359.76	86534.41	40973.10	84835.69
	营业支出(万元)	36075.69	68470.74	31819.74	66821.86
	投资收益(万元)	139.23	196.62	-	-
	净利润(万元)	2211.82	5253.04	3020.04	5961.12
	营业利润(万元)	2895.17	6575.52	3527.53	6903.26
	利润总额(万元)	2602.14	6250.66	3550.80	7068.51

北京东方新星石化工程股份有限公司

公司概况					
公司名称	北京东方新星石化工程股份有限公司			证券简称	东方新星
法人代表	陈会利	董秘	胡德新	证券代码	002755
公司网址	www.bnec.cn		电子信箱	bneczqb@bnec.cn	
电　　话	010-63706972		传　　真	010-63706966	
办公地址	北京市丰台区南四环西路188号七区28号楼				
经营范围	地理信息系统工程				

主要财务指标：指标\报告期	2016.06.30	2015.12.31	2015.06.30	2014.12.31
基本每股收益(元)	-0.0400	0.2100	0.1900	0.4900
基本每股收益(扣除后)(元)	-0.0400	0.2050	-	0.4900
稀释每股收益(元)	-0.0400	0.2100	0.1900	0.4900
每股净资产(元)	4.9505	5.0162	5.1008	4.3900
每股经营现金净流量(元)	0.0863	-0.0079	-0.2608	-0.4644
每股现金流量(元)	0.0298	1.5128	1.4022	-0.6356
每股资本公积金(元)	1.3944	1.3842	1.3939	0.0283
每股盈余公积金(元)	0.2958	0.2958	0.2969	0.3744
每股未分配利润(元)	2.2603	2.3362	2.4100	2.9870
净资产收益率(%)	-0.8250	3.7110	3.6465	11.2419
加权净资产收益率(%)	-0.8200	4.3400	4.4300	11.7700
净资产收益率(扣除)(%)	-0.8508	3.6678	3.6465	11.1021
总资产(万元)	66457.02	71642.39	75920.75	58265.63
归属母公司股东权益(万元)	50168.75	50834.60	51691.36	33361.22
营业收入(万元)	6439.71	27815.72	18132.37	47086.92
营业支出(万元)	6540.48	18643.35	12976.91	34392.54
投资收益(万元)	-103.86	-	-	22.93
净利润(万元)	-413.87	1886.45	1884.92	3750.42
营业利润(万元)	-329.23	2276.89	2069.86	4463.74
利润总额(万元)	-313.87	2301.70	2115.97	4495.82

永兴特种不锈钢股份有限公司

公司概况					
公司名称	永兴特种不锈钢股份有限公司			证券简称	永兴特钢
法人代表	高兴江	董秘	刘继斌	证券代码	002756
公司网址	www.yongxingbxg.com		电子信箱	yxzq@yongxingbxg.com	
电　　话	0572-2352506		传　　真	0572-2768603	
办公地址	浙江省湖州市杨家埠				
经营范围	不锈钢等特钢钢锭、圆钢、锻压件、荒管、线材和钢丝等金属材料及制品的冶炼、生产、加工经营进出口业务				

主要财务指标：指标\报告期	2016.06.30	2015.12.31	2015.06.30	2014.12.31
基本每股收益(元)	0.3700	1.2400	0.7700	1.7600
基本每股收益(扣除后)(元)	0.3100	1.0000	0.6500	1.6100
稀释每股收益(元)	0.3700	1.2400	0.7700	1.7600
每股净资产(元)	8.2180	14.3899	13.8797	11.3600
每股经营现金净流量(元)	0.5626	0.2318	-0.6416	1.6648
每股现金流量(元)	-0.2805	0.4192	3.7421	0.2279
每股资本公积金(元)	2.2945	4.9300	4.9300	0.2547
每股盈余公积金(元)	0.5359	0.9646	0.8658	1.1543
每股未分配利润(元)	4.3315	7.3349	6.9366	8.7844
净资产收益率(%)	4.4744	7.6997	4.4008	15.5053
加权净资产收益率(%)	4.5100	9.3900	6.4400	16.7300
净资产收益率(扣除)(%)	3.7613	6.2436	3.7120	14.1819
总资产(万元)	323902.05	323692.80	317138.51	201503.14
归属母公司股东权益(万元)	295848.63	287798.62	277594.90	170351.37
营业收入(万元)	149542.53	336008.36	180188.07	401882.20
营业支出(万元)	129956.99	302505.64	161335.92	357963.06
投资收益(万元)	1412.64	900.07	294.48	446.47
净利润(万元)	13237.43	22159.52	12216.34	26413.55
营业利润(万元)	14402.55	22305.13	12317.10	28933.19
利润总额(万元)	15674.31	26417.02	14634.66	31388.58

南兴装备股份有限公司

公司概况					
公司名称	南兴装备股份有限公司			证券简称	南兴装备
法人代表	詹谏醒	董秘	杨建林	证券代码	002757
公司网址	www.nanxing.com.cn		电子信箱	investor@nanxing.com.cn	
电　　话	0769-88803333		传　　真	0769-88803333 838	
办公地址	广东省东莞市沙田镇进港中路8号				
经营范围	板式家具生产线成套设备的研发、设计、生产和销售				

主要财务指标：指标\报告期	2016.06.30	2015.12.31	2015.06.30	2014.12.31
基本每股收益(元)	0.2764	0.5119	0.3961	0.7733
基本每股收益(扣除后)(元)	0.2646	0.4932	0.3873	0.7507
稀释每股收益(元)	0.2764	0.5119	0.3961	0.7733
每股净资产(元)	6.7465	6.5701	6.4250	4.2300
每股经营现金净流量(元)	0.6768	0.2891	0.1654	1.3637
每股现金流量(元)	-0.7337	1.6492	2.3900	0.3986
每股资本公积金(元)	3.2039	3.2039	3.2039	0.6909
每股盈余公积金(元)	0.2366	0.2366	0.1908	0.2544
每股未分配利润(元)	2.3060	2.1296	2.0304	2.2892
净资产收益率(%)	4.0973	6.9798	4.8801	18.2630
加权净资产收益率(%)	3.9500	8.9600	8.2000	20.1000
净资产收益率(扣除)(%)	3.9228	6.7252	4.7723	17.7273
总资产(万元)	95238.20	86722.23	96202.69	62772.51
归属母公司股东权益(万元)	73766.14	71837.10	70251.38	34722.99
营业收入(万元)	23830.17	46440.19	29561.38	54311.06
营业支出(万元)	16486.78	32755.74	20607.85	38554.06
投资收益(万元)	-	-	-	-
净利润(万元)	3022.45	5014.09	3428.37	6341.46
营业利润(万元)	3404.32	5608.39	3944.22	7281.59
利润总额(万元)	3555.82	5823.60	4033.38	7500.41

浙江华通医药股份有限公司

公司概况					
公司名称	浙江华通医药股份有限公司			证券简称	华通医药
法人代表	钱木水	董秘	倪赤杭	证券代码	002758
公司网址	www.sxhtyy.net		电子信箱	sxhtyy@sxhtyy.net	
电　　话	0575-85565978		传　　真	0575-85565947	
办公地址	浙江省绍兴市柯桥区轻纺城大道1605号				
经营范围	药品批发、连锁零售				

主要财务指标：指标\报告期	2016.06.30	2015.12.31	2015.06.30	2014.12.31
基本每股收益(元)	0.2764	0.3961	0.1800	1.0900
基本每股收益(扣除后)(元)	0.2646	0.3873	0.4500	1.0500
稀释每股收益(元)	0.2764	0.3961	0.1800	1.0900
每股净资产(元)	6.7465	6.4250	8.9926	6.6500
每股经营现金净流量(元)	0.6768	0.1654	-0.6695	1.8619
每股现金流量(元)	-0.7337	2.3900	1.8220	0.3803
每股资本公积金(元)	3.2039	3.2039	5.2341	2.0508
每股盈余公积金(元)	0.2366	0.1908	0.2573	0.3430
每股未分配利润(元)	2.3060	2.0304	2.5012	3.2532
净资产收益率(%)	4.0973	4.8801	4.0182	16.4431
加权净资产收益率(%)	3.9500	8.2000	6.4300	17.7000
净资产收益率(扣除)(%)	3.9228	4.7723	3.9360	15.7475
总资产(万元)	95238.20	96202.69	91449.05	75698.62
归属母公司股东权益(万元)	73766.14	70251.38	50358.51	27917.35
营业收入(万元)	23830.17	29561.38	57860.43	114389.00
营业支出(万元)	16486.78	20607.85	51255.13	101220.90
投资收益(万元)	-	-	-	11.71
净利润(万元)	3022.45	3428.37	2023.48	4590.48
营业利润(万元)	3404.32	3944.22	2662.07	5782.51
利润总额(万元)	3555.82	4033.38	2635.64	5884.94

广东天际电器股份有限公司

公司概况	公司名称	广东天际电器股份有限公司			证券简称	天际股份
	法人代表	吴锡盾	董秘	郑文龙	证券代码	002759
	公司网址	www.tonze.com		电子信箱	zwl@tonze.com	
	电　话	0754-88118888		传　真	0754-88116816	
	办公地址	广东省汕头市潮汕路金园工业城 12-12 片区				
	经营范围	生产加工家用小电器及其配套电子元器件、陶瓷制品				

	指标\报告期	2016.06.30	2015.12.31	2015.06.30	2014.12.31
主要财务指标	基本每股收益(元)	0.1100	0.6900	0.1400	0.8100
	基本每股收益(扣除后)(元)	0.1100	0.7000	0.3400	0.8000
	稀释每股收益(元)	0.1100	0.6900	0.1400	0.8100
	每股净资产(元)	2.4153	5.8803	5.5490	3.7800
	每股经营现金净流量(元)	0.0896	-0.4078	-0.4157	1.0410
	每股现金流量(元)	-0.0805	-0.5045	0.9709	0.2794
	每股资本公积金(元)	0.4850	2.7125	2.7289	0.5710
	每股盈余公积金(元)	0.1108	0.2770	0.2148	0.2863
	每股未分配利润(元)	0.8195	1.8908	1.6054	1.9233
	净资产收益率(%)	4.6020	10.5533	4.9180	21.2971
	加权净资产收益率(%)	4.6200	13.5300	8.0300	23.3100
	净资产收益率(扣除)(%)	4.4276	10.5943	4.8895	21.0320
	总资产(万元)	64425.42	64953.23	62631.51	44006.59
	归属母公司股东权益(万元)	57966.20	56450.59	53270.83	27220.38
	营业收入(万元)	20887.77	41207.74	18843.94	40061.03
	营业支出(万元)	14465.05	28162.39	12817.62	27167.90
	投资收益(万元)	-	-	-	-
	净利润(万元)	2667.60	5957.38	2619.87	5797.14
	营业利润(万元)	2814.09	6925.07	2997.66	6655.81
	利润总额(万元)	3052.72	6897.84	3015.51	6740.70

安徽省凤形耐磨材料股份有限公司

公司概况	公司名称	安徽省凤形耐磨材料股份有限公司			证券简称	凤形股份
	法人代表	陈晓	董秘	王振来	证券代码	002760
	公司网址	www.fengxing.com		电子信箱	wzl@fengxing.com	
	电　话	0563-4150393		传　真	0563-4150330	
	办公地址	安徽省宣城市宁国市经济技术开发区东城大道北侧				
	经营范围	耐磨材料研发、生产、销售和技术服务				

	指标\报告期	2016.06.30	2015.12.31	2015.06.30	2014.12.31
主要财务指标	基本每股收益(元)	0.1200	0.3800	0.2900	0.5600
	基本每股收益(扣除后)(元)	-0.0800	0.2200	0.2200	0.4800
	稀释每股收益(元)	0.1200	0.3800	0.2900	0.5600
	每股净资产(元)	6.4973	6.4973	6.3839	5.9800
	每股经营现金净流量(元)	-0.1150	-0.0415	0.0387	1.0421
	每股现金流量(元)	-0.1547	0.4885	1.2907	0.5564
	每股资本公积金(元)	2.6887	2.6887	2.6884	1.6738
	每股盈余公积金(元)	0.3349	0.3349	0.3021	0.4027
	每股未分配利润(元)	2.4737	2.4738	2.3934	2.9041
	净资产收益率(%)	1.9231	5.0561	3.3734	9.4140
	加权净资产收益率(%)	1.9000	5.9800	4.6900	9.8800
	净资产收益率(扣除)(%)	-1.3050	2.9594	2.6214	8.0634
	总资产(万元)	103750.04	104080.35	98944.24	93069.11
	归属母公司股东权益(万元)	57175.88	57176.35	56178.17	39471.93
	营业收入(万元)	12579.97	41716.11	23433.64	52220.46
	营业支出(万元)	9975.86	31217.33	17535.31	38443.99
	投资收益(万元)	283.26	203.89	106.12	-228.70
	净利润(万元)	1099.53	2890.88	1895.14	3715.89
	营业利润(万元)	-685.46	1927.28	1741.02	3655.82
	利润总额(万元)	1291.97	3247.97	2233.83	4337.32

多喜爱集团股份有限公司

公司概况	公司名称	多喜爱集团股份有限公司			证券简称	多喜爱
	法人代表	陈军	董秘	赵传淼	证券代码	002761
	公司网址	www.dohia.com		电子信箱	dohiazq@dohia.com	
	电　话	0731-88226816		传　真	0731-88226816	
	办公地址	湖南省长沙市营盘路 296 号元盛大厦六楼				
	经营范围	床上用品、床垫、服装、窗帘及家用饰品的开发、生产和销售				

	指标\报告期	2016.06.30	2015.12.31	2015.06.30	2014.12.31
主要财务指标	基本每股收益(元)	0.0800	0.3500	0.1000	0.5000
	基本每股收益(扣除后)(元)	0.0600	0.3100	0.0900	0.4200
	稀释每股收益(元)	0.0800	0.3500	0.1000	0.5000
	每股净资产(元)	5.3115	5.2711	5.0382	4.5500
	每股经营现金净流量(元)	-0.3183	0.2655	-0.3127	1.0760
	每股现金流量(元)	-0.2667	-0.1820	1.0641	0.2825
	每股资本公积金(元)	2.0018	2.0018	2.0018	0.9420
	每股盈余公积金(元)	0.2473	0.2473	0.2169	0.2892
	每股未分配利润(元)	2.0624	2.0220	1.8195	2.3226
	净资产收益率(%)	1.5524	5.8890	1.5392	11.0297
	加权净资产收益率(%)	1.5500	7.1500	2.2500	11.6700
	净资产收益率(扣除)(%)	1.1092	5.1881	1.3933	9.2756
	总资产(万元)	87070.84	93077.28	86463.37	67985.52
	归属母公司股东权益(万元)	63738.41	63252.94	60458.53	40984.57
	营业收入(万元)	28937.61	59648.51	25392.18	67211.10
	营业支出(万元)	17919.46	34832.03	14555.47	38163.19
	投资收益(万元)	249.65	262.99	-	-
	净利润(万元)	989.48	3724.96	930.56	4520.49
	营业利润(万元)	1303.11	4617.97	1102.22	5036.70
	利润总额(万元)	1429.30	4932.47	1219.48	5972.89

金发拉比妇婴童用品股份有限公司

公司概况	公司名称	金发拉比妇婴童用品股份有限公司			证券简称	金发拉比
	法人代表	林若文	董秘	贝旭	证券代码	002762
	公司网址	www.stjinfa.com		电子信箱	stjinfa@stjinfa.com	
	电　话	0754-82516061		传　真	0754-82526662	
	办公地址	广东省汕头市金平区鮀浦鮀济南路 107 号				
	经营范围	婴幼儿消费品的设计研发、生产和销售				

	指标\报告期	2016.06.30	2015.12.31	2015.06.30	2014.12.31
主要财务指标	基本每股收益(元)	0.2400	0.6600	0.3100	1.0600
	基本每股收益(扣除后)(元)	0.2400	0.6600	0.6500	1.8500
	稀释每股收益(元)	0.2400	0.6600	0.3100	1.0600
	每股净资产(元)	7.0874	7.0036	11.7258	7.5500
	每股经营现金净流量(元)	0.0269	0.2928	0.5079	2.1805
	每股现金流量(元)	-0.3765	2.6048	6.2298	1.7025
	每股资本公积金(元)	3.2107	3.2107	6.3688	1.0504
	每股盈余公积金(元)	0.3161	0.3161	0.4507	0.6009
	每股未分配利润(元)	2.5605	2.4768	3.9063	4.9009
	净资产收益率(%)	3.4389	8.2507	4.0990	24.4878
	加权净资产收益率(%)	3.4200	11.3000	8.1400	27.3700
	净资产收益率(扣除)(%)	3.3361	8.2978	4.1323	24.5552
	总资产(万元)	92986.44	90462.67	88021.08	44309.19
	归属母公司股东权益(万元)	84339.55	83343.24	79735.22	38515.87
	营业收入(万元)	16364.80	36362.40	17319.23	40691.66
	营业支出(万元)	8554.15	18344.15	9063.88	19247.84
	投资收益(万元)	-	-	-	-
	净利润(万元)	2900.32	6876.37	3268.35	9431.67
	营业利润(万元)	3753.66	9246.20	4404.32	12628.98
	利润总额(万元)	3869.16	9204.71	4379.77	12597.19

深圳汇洁集团股份有限公司

公司概况

公司名称	深圳汇洁集团股份有限公司			证券简称	汇洁股份
法人代表	吕兴平	董秘	李芳	证券代码	002763
公司网址	www.huijiegroup.com		电子信箱	lif@huijiegroup.com	
电　话	0755-82794134		传　真	0755-88916066	
办公地址	广东省深圳市福田区深南大道1006号深圳国际创新中心A栋31-33层				
经营范围	内衣产品的研发、设计、生产及销售				

主要财务指标

指标\报告期	2016.06.30	2015.12.31	2015.06.30	2014.12.31
基本每股收益(元)	0.5600	0.8800	0.7800	0.8200
基本每股收益(扣除后)(元)	0.5600	0.8400	0.7700	0.8000
稀释每股收益(元)	0.5600	0.8800	0.7800	0.8200
每股净资产(元)	7.2227	6.9674	6.7895	4.4400
每股经营现金净流量(元)	0.3121	1.0407	0.7742	1.1626
每股现金流量(元)	-0.2614	0.9169	3.1059	0.1475
每股资本公积金(元)	3.7134	3.7134	3.7134	1.2028
每股盈余公积金(元)	0.2804	0.2804	0.2147	0.2862
每股未分配利润(元)	2.2290	1.9737	1.8614	1.9475
净资产收益率(%)	7.6883	10.9972	8.6651	18.4770
加权净资产收益率(%)	7.7200	15.0200	16.6800	20.0300
净资产收益率(扣除)(%)	7.7054	10.5071	8.5449	18.1265
总资产(万元)	195772.98	188418.62	223538.48	162127.71
归属母公司股东权益(万元)	156011.07	150496.43	146653.78	71872.02
营业收入(万元)	100113.47	188754.71	92767.45	165388.26
营业支出(万元)	30704.04	59124.48	27631.50	47072.21
投资收益(万元)	-	-	-	-
净利润(万元)	12659.75	16550.35	12707.67	13279.76
营业利润(万元)	16954.41	21315.47	16899.32	17782.44
利润总额(万元)	16918.80	22298.81	17134.42	18118.27

重庆蓝黛动力传动机械股份有限公司

公司概况

公司名称	重庆蓝黛动力传动机械股份有限公司			证券简称	蓝黛传动
法人代表	朱堂福	董秘	卞卫芹	证券代码	002765
公司网址	www.cqld.com		电子信箱	landai@cqld.com	
电　话	023-41410188		传　真	023-41441126	
办公地址	重庆市璧山县璧泉街道剑山路100号				
经营范围	乘用车变速器齿轮及壳体等零部件、变速器总成、摩托车主副轴组件的研发、生产与销售				

主要财务指标

指标\报告期	2016.06.30	2015.12.31	2015.06.30	2014.12.31
基本每股收益(元)	0.2800	0.4100	0.2400	0.5200
基本每股收益(扣除后)(元)	0.2700	0.3000	0.2100	0.4400
稀释每股收益(元)	0.2800	0.4100	0.2400	0.5200
每股净资产(元)	4.8076	4.7998	4.4378	3.6800
每股经营现金净流量(元)	-0.4528	-0.0277	0.2743	-0.0768
每股现金流量(元)	-1.0590	1.1494	1.0188	0.0156
每股资本公积金(元)	2.8515	2.8778	2.6926	1.6272
每股盈余公积金(元)	0.1533	0.1533	0.1355	0.1551
每股未分配利润(元)	0.8027	0.7687	0.6097	0.8996
净资产收益率(%)	5.9088	7.4166	4.0367	14.1768
加权净资产收益率(%)	5.8000	9.3700	6.2800	16.3600
净资产收益率(扣除)(%)	5.5169	5.5428	3.5159	12.0860
总资产(万元)	154683.44	157951.46	147691.70	116545.04
归属母公司股东权益(万元)	99998.54	99835.02	92305.44	57437.92
营业收入(万元)	52278.51	78337.01	40452.16	78069.41
营业支出(万元)	39637.56	62131.88	31410.64	59428.46
投资收益(万元)	96.57	-7.06	0.34	-50.32
净利润(万元)	5711.94	7311.02	3675.81	8365.95
营业利润(万元)	6332.05	6405.82	3880.16	8388.60
利润总额(万元)	6755.68	8611.49	4445.63	9801.34

深圳市索菱实业股份有限公司

公司概况

公司名称	深圳市索菱实业股份有限公司			证券简称	索菱股份
法人代表	肖行亦	董秘	钟贵荣	证券代码	002766
公司网址	www.szsoling.com		电子信箱	dm88@szsoling.com	
电　话	0755-28022655		传　真	0755-29024084	
办公地址	广东省深圳市南山区深南大道9678号大冲商务中心1栋2号楼(B座)28楼				
经营范围	从事CID系统的研发、生产、销售，并以此为基础向客户提供专业车联网服务				

主要财务指标

指标\报告期	2016.06.30	2015.12.31	2015.06.30	2014.12.31
基本每股收益(元)	0.1900	0.4100	0.2600	0.4700
基本每股收益(扣除后)(元)	0.1900	0.3900	0.2500	0.4400
稀释每股收益(元)	0.1900	0.4100	0.2600	0.4700
每股净资产(元)	5.3550	5.2640	5.1122	4.2800
每股经营现金净流量(元)	-0.8068	0.6401	0.3354	0.4462
每股现金流量(元)	0.4549	0.6246	1.8192	0.0633
每股资本公积金(元)	2.3291	2.3291	2.3291	1.1572
每股盈余公积金(元)	0.2081	0.2081	0.1701	0.2268
每股未分配利润(元)	1.8117	1.7313	1.6070	1.8842
净资产收益率(%)	3.5178	6.7746	3.8023	10.9902
加权净资产收益率(%)	3.5200	8.4200	5.8800	11.6500
净资产收益率(扣除)(%)	3.4368	6.4513	3.5899	10.2369
总资产(万元)	172735.66	146999.26	145343.23	108991.29
归属母公司股东权益(万元)	98001.17	96335.68	93557.65	58694.31
营业收入(万元)	39610.21	80852.82	39590.08	77077.62
营业支出(万元)	27819.09	58151.41	28905.21	55738.09
投资收益(万元)	-21.37	-	-	-
净利润(万元)	3391.89	6526.36	3557.31	6450.61
营业利润(万元)	4105.61	7228.94	4005.69	7113.03
利润总额(万元)	4199.20	7600.20	4285.73	7642.36

杭州先锋电子技术股份有限公司

公司概况

公司名称	杭州先锋电子技术股份有限公司			证券简称	先锋电子
法人代表	石义民	董秘	程迪尔	证券代码	002767
公司网址	www.innover.com.cn		电子信箱	webmast@innover.com.cn	
电　话	0571-86791103		传　真	0571-86791113	
办公地址	浙江省杭州市滨江区滨安路1101号				
经营范围	计量器具、电子计算机及其外部设备、技术开发、技术服务、成果转让等				

主要财务指标

指标\报告期	2016.06.30	2015.12.31	2015.06.30	2014.12.31
基本每股收益(元)	0.1282	0.6000	0.1960	0.6598
基本每股收益(扣除后)(元)	0.1251	0.5700	0.2202	0.8800
稀释每股收益(元)	0.1282	0.6000	0.1960	0.6598
每股净资产(元)	4.1644	6.1542	5.8483	3.9000
每股经营现金净流量(元)	-0.1559	0.3562	-0.2185	0.6375
每股现金流量(元)	-0.3573	0.0471	2.6581	0.1612
每股资本公积金(元)	1.9150	3.3725	3.3725	0.5831
每股盈余公积金(元)	0.2304	0.3456	0.2930	0.3907
每股未分配利润(元)	1.0189	1.4360	1.1828	1.9226
净资产收益率(%)	3.0791	8.5534	3.7702	22.7983
加权净资产收益率(%)	3.0900	11.8100	8.1200	24.1900
净资产收益率(扣除)(%)	3.0042	8.1094	3.7647	22.6872
总资产(万元)	72401.87	72581.72	67590.57	39038.79
归属母公司股东权益(万元)	62465.63	61542.25	58483.26	29223.42
营业收入(万元)	13863.98	29114.74	12726.13	30672.43
营业支出(万元)	8691.73	17109.49	7521.19	17377.07
投资收益(万元)	-63.71	-22.08	17.93	160.77
净利润(万元)	1923.37	5263.94	2204.94	6662.43
营业利润(万元)	1502.91	4585.20	1954.33	6224.80
利润总额(万元)	2189.40	6155.70	2526.75	7776.95

青岛国恩科技股份有限公司

公司概况						
公司概况	公司名称	青岛国恩科技股份有限公司			证券简称	国恩股份
	法人代表	王爱国	董秘	刘燕	证券代码	002768
	公司网址	www.qdgon.com			电子信箱	guoenkeji_29e@163.com
	电　话	0532-89082999			传　真	0532-89082855
	办公地址	山东省青岛市城阳区棘洪滩街道青大工业园 2 号路				
	经营范围	改性塑料粒子及深加工后的各种改性塑料制品的研发、生产和销售等				

主要财务指标	指标\报告期	2016.06.30	2015.12.31	2015.06.30	2014.12.31
	基本每股收益(元)	0.2100	1.0300	0.2100	1.0500
	基本每股收益(扣除后)(元)	0.2000	1.0100	0.6200	1.0100
	稀释每股收益(元)	0.2100	1.0300	0.2100	1.0500
	每股净资产(元)	3.1215	8.9346	8.4940	5.3500
	每股经营现金净流量(元)	-0.1085	-1.0395	-0.6312	0.4040
	每股现金流量(元)	-0.1533	1.3719	3.5417	-0.0497
	每股资本公积金(元)	0.9414	4.8243	4.8243	1.4089
	每股盈余公积金(元)	0.1120	0.3360	0.2457	0.3277
	每股未分配利润(元)	1.0680	2.7742	2.4240	2.6153
	净资产收益率(%)	6.7269	10.1065	5.4444	19.5592
	加权净资产收益率(%)	6.8800	13.9500	10.8900	21.6800
	净资产收益率(扣除)(%)	6.5209	9.8598	5.4404	18.9337
	总资产(万元)	112231.66	99777.59	115429.94	69172.04
	归属母公司股东权益(万元)	74915.98	71476.44	67952.25	32111.36
	营业收入(万元)	52236.10	75003.40	40468.98	68278.84
	营业支出(万元)	42772.44	60062.80	32728.86	54901.79
	投资收益(万元)	-	-	-	-
	净利润(万元)	5039.54	7223.75	3699.56	6280.72
	营业利润(万元)	5624.59	8129.58	4293.73	6995.54
	利润总额(万元)	5806.15	8337.20	4296.90	7232.31

深圳市普路通供应链管理股份有限公司

公司概况						
公司概况	公司名称	深圳市普路通供应链管理股份有限公司			证券简称	普路通
	法人代表	陈书智	董秘	倪伟雄	证券代码	002769
	公司网址	www.prolto.com			电子信箱	info@prolto.com
	电　话	0755-82874201			传　真	0755-82874231
	办公地址	广东省深圳市福田区深南大道 1006 号深圳国际创新中心 A 栋 21 楼				
	经营范围	供应链管理服务				

主要财务指标	指标\报告期	2016.06.30	2015.12.31	2015.06.30	2014.12.31
	基本每股收益(元)	0.3100	1.2300	0.2900	0.9700
	基本每股收益(扣除后)(元)	0.2900	1.0400	0.9600	1.9300
	稀释每股收益(元)	0.3100	1.2300	0.2900	0.9700
	每股净资产(元)	7.5044	6.7476	12.4211	7.2400
	每股经营现金净流量(元)	-0.7933	1.0340	-3.3219	0.6429
	每股现金流量(元)	-0.6337	2.1082	7.8558	-6.5025
	每股资本公积金(元)	3.3135	3.3055	6.8313	1.1542
	每股盈余公积金(元)	0.2912	0.2916	0.4751	0.5064
	每股未分配利润(元)	3.3398	2.5894	4.1454	4.6134
	净资产收益率(%)	10.0531	16.8151	8.6298	26.8150
	加权净资产收益率(%)	10.5900	24.3200	17.3500	29.1000
	净资产收益率(扣除)(%)	9.5865	14.1593	5.7687	26.7096
	总资产(万元)	2054163.19	2918647.52	2170258.14	2235784.45
	归属母公司股东权益(万元)	113106.25	101658.08	91915.83	40180.19
	营业收入(万元)	152472.61	371054.62	137371.54	313257.86
	营业支出(万元)	141324.53	350613.03	128325.56	296343.39
	投资收益(万元)	38141.34	42320.48	20858.93	48608.24
	净利润(万元)	11370.70	17093.96	7932.11	10797.11
	营业利润(万元)	12802.66	16808.12	6176.23	12435.85
	利润总额(万元)	13426.15	19982.38	9270.09	12487.52

河南科迪乳业股份有限公司

公司概况						
公司概况	公司名称	河南科迪乳业股份有限公司			证券简称	科迪乳业
	法人代表	张清海	董秘	崔少松	证券代码	002770
	公司网址	www.kedidairy.com			电子信箱	cuishaosong@kedidairy.com
	电　话	0370-4218622			传　真	0370-4218668
	办公地址	河南省商丘市虞城县产业集聚区工业大道 18 号				
	经营范围	乳制品、乳饮料、饮料的生产与销售奶牛的养殖、繁育及销售				

主要财务指标	指标\报告期	2016.06.30	2015.12.31	2015.06.30	2014.12.31
	基本每股收益(元)	0.0800	0.4000	0.1000	0.4600
	基本每股收益(扣除后)(元)	0.0700	0.3800	0.2000	0.4400
	稀释每股收益(元)	0.0800	0.4000	0.1000	0.4600
	每股净资产(元)	2.0484	4.0095	3.8055	2.9670
	每股经营现金净流量(元)	0.1613	0.6300	0.2399	0.2990
	每股现金流量(元)	-0.0116	1.8853	1.9199	-0.0335
	每股资本公积金(元)	0.3199	1.6398	1.6398	0.5353
	每股盈余公积金(元)	0.0765	0.1529	0.1230	0.1641
	每股未分配利润(元)	0.6521	1.2168	1.0427	1.2677
	净资产收益率(%)	3.6943	8.8193	3.9305	15.5305
	加权净资产收益率(%)	3.4400	11.4000	6.5600	16.6900
	净资产收益率(扣除)(%)	3.3960	8.3192	3.8797	14.7951
	总资产(万元)	228668.02	201638.74	191476.21	127231.13
	归属母公司股东权益(万元)	112009.05	109620.07	104041.77	60824.36
	营业收入(万元)	35108.61	68306.41	30438.81	66620.71
	营业支出(万元)	23874.85	44058.84	20072.43	45221.30
	投资收益(万元)	-	-	-	-
	净利润(万元)	4137.97	9667.71	4089.41	9446.31
	营业利润(万元)	4718.68	11660.87	5253.57	11735.59
	利润总额(万元)	5109.46	12283.43	5306.46	12194.24

北京真视通科技股份有限公司

公司概况						
公司概况	公司名称	北京真视通科技股份有限公司			证券简称	真视通
	法人代表	胡小周	董秘	吴岚	证券代码	002771
	公司网址	www.bjzst.cn			电子信箱	wulan@zzstworld.com
	电　话	010-59220193			传　真	010-59220128
	办公地址	北京市朝阳区马甸裕民路 12 号中国国际科技会展中心 B 座 11 层				
	经营范围	多媒体视讯综合解决方案业务				

主要财务指标	指标\报告期	2016.06.30	2015.12.31	2015.06.30	2014.12.31
	基本每股收益(元)	0.4000	0.8600	0.5100	0.7800
	基本每股收益(扣除后)(元)	0.4000	0.8200	0.5100	0.7400
	稀释每股收益(元)	0.4000	0.8600	0.5100	-
	每股净资产(元)	6.8546	6.7382	6.4242	4.4900
	每股经营现金净流量(元)	-1.9187	1.0413	-0.7754	1.1167
	每股现金流量(元)	-1.7302	1.3315	1.6713	0.5467
	每股资本公积金(元)	3.4007	3.3838	3.1569	0.8210
	每股盈余公积金(元)	0.3164	0.3164	0.2440	0.3253
	每股未分配利润(元)	2.3970	2.2976	2.0233	2.3475
	净资产收益率(%)	5.8271	11.0487	5.9572	17.3278
	加权净资产收益率(%)	5.8000	14.9600	10.9300	18.5900
	净资产收益率(扣除)(%)	5.7358	10.5416	5.9052	16.5026
	总资产(万元)	87809.21	106420.12	89784.95	74145.58
	归属母公司股东权益(万元)	55279.62	54341.16	51393.47	26962.55
	营业收入(万元)	34465.64	70871.55	27166.46	58177.80
	营业支出(万元)	26141.32	55132.05	20427.63	44074.55
	投资收益(万元)	136.79	74.23	-	-
	净利润(万元)	3221.18	6003.98	3061.60	4672.02
	营业利润(万元)	3670.93	6379.19	3365.57	4955.56
	利润总额(万元)	3808.44	6909.67	3545.31	5352.29

天水众兴菌业科技股份有限公司

公司概况	项目					
公司概况	公司名称	天水众兴菌业科技股份有限公司			证券简称	众兴菌业
	法人代表	陶军	董秘	高博书	证券代码	002772
	公司网址	www.tszxjy.cn		电子信箱	gstszxjy@163.com	
	电　话	0938-2851611		传　真	0938-2855051	
	办公地址	甘肃省天水市国家农业科技园区				
	经营范围	从事食用菌的研发、生产和销售				

主要财务指标	指标\报告期	2016.06.30	2015.12.31	2015.06.30	2014.12.31
主要财务指标	基本每股收益(元)	0.2460	0.8800	0.1604	0.8100
	基本每股收益(扣除后)(元)	0.2205	0.7800	0.3000	0.7500
	稀释每股收益(元)	0.2351	0.8300	0.1604	0.8100
	每股净资产(元)	3.4071	6.9246	6.3745	4.4400
	每股经营现金净流量(元)	0.2916	1.4063	0.5120	1.5250
	每股现金流量(元)	-0.1516	-0.3582	2.4304	0.7956
	每股资本公积金(元)	1.5129	3.7439	3.7018	1.4552
	每股盈余公积金(元)	0.0481	0.1032	0.0884	0.1180
	每股未分配利润(元)	1.1515	2.0770	1.5843	1.8654
	净资产收益率(%)	6.8993	11.0914	4.0863	18.3345
	加权净资产收益率(%)	7.0400	14.9300	6.6200	20.0800
	净资产收益率(扣除)(%)	6.1845	9.8057	3.7431	16.9941
	总资产(万元)	184756.64	168272.86	150997.54	106114.02
	归属母公司股东权益(万元)	108908.63	103126.48	94934.30	49567.98
	营业收入(万元)	26527.58	47952.02	20548.18	38349.73
	营业支出(万元)	16028.60	28205.99	13019.79	23780.44
	投资收益(万元)	383.36	228.11	-	-
	净利润(万元)	7627.73	11500.70	3875.65	9080.67
	营业利润(万元)	7243.19	10442.20	3549.81	8416.25
	利润总额(万元)	7627.73	11500.70	3875.65	9080.67

成都康弘药业集团股份有限公司

公司概况	项目					
公司概况	公司名称	成都康弘药业集团股份有限公司			证券简称	康弘药业
	法人代表	柯尊洪	董秘	钟建军	证券代码	002773
	公司网址	www.cnkh.com		电子信箱	khdm@cnkh.com	
	电　话	028-87502055		传　真	028-87513956	
	办公地址	四川省成都市金牛区蜀西路36号				
	经营范围	中成药、化学药及生物制品的研发、生产和销售				

主要财务指标	指标\报告期	2016.06.30	2015.12.31	2015.06.30	2014.12.31
主要财务指标	基本每股收益(元)	0.2652	0.9314	0.2134	0.6837
	基本每股收益(扣除后)(元)	0.2670	0.8848	0.3106	0.6602
	稀释每股收益(元)	0.2652	0.9314	0.2134	0.6837
	每股净资产(元)	3.8750	5.6144	5.0179	3.9800
	每股经营现金净流量(元)	0.1921	1.0816	0.0735	0.7284
	每股现金流量(元)	0.1182	1.6656	1.1452	0.4987
	每股资本公积金(元)	0.9714	1.5116	1.5116	0.3573
	每股盈余公积金(元)	0.3367	0.4838	0.4449	0.4681
	每股未分配利润(元)	1.8429	2.6190	2.0614	2.1539
	净资产收益率(%)	6.8126	15.7414	5.7257	17.1800
	加权净资产收益率(%)	6.9200	19.3400	7.8300	18.5100
	净资产收益率(扣除)(%)	6.8571	14.9528	5.5561	16.5900
	总资产(万元)	323400.70	290119.01	260397.76	194087.71
	归属母公司股东权益(万元)	261478.57	250177.43	223598.72	159171.32
	营业收入(万元)	116442.54	207435.21	89104.84	167451.85
	营业支出(万元)	11745.68	22550.23	10136.43	19348.99
	投资收益(万元)	705.44	1136.22	738.48	1120.04
	净利润(万元)	17850.22	39698.65	12778.52	27646.55
	营业利润(万元)	21057.35	43781.53	15081.87	32956.16
	利润总额(万元)	20913.89	45638.34	15309.33	33761.73

深圳文科园林股份有限公司

公司概况	项目					
公司概况	公司名称	深圳文科园林股份有限公司			证券简称	文科园林
	法人代表	李从文	董秘	吴仲起	证券代码	002775
	公司网址	www.wkyy.com		电子信箱	investor@wkyy.com	
	电　话	0755-33052661		传　真	0755-83148398	
	办公地址	广东省深圳市福田区深南大道1006号深圳国际创新中心(福田科技广场)A栋35,36层				
	经营范围	园林景观设计、绿化苗木种植、园林绿化工程施工及园林养护				

主要财务指标	指标\报告期	2016.06.30	2015.12.31	2015.06.30	2014.12.31
主要财务指标	基本每股收益(元)	0.5126	0.9231	0.4590	1.0000
	基本每股收益(扣除后)(元)	0.5105	0.9169	0.4535	0.9800
	稀释每股收益(元)	0.5126	0.9231	0.4590	1.0000
	每股净资产(元)	9.4943	9.1817	8.7374	6.0000
	每股经营现金净流量(元)	0.0043	-2.2816	-0.7491	-0.7748
	每股现金流量(元)	0.3094	1.3705	3.3812	-0.0305
	每股资本公积金(元)	4.6800	4.6800	4.6992	1.4117
	每股盈余公积金(元)	0.4159	0.3635	0.2806	0.3741
	每股未分配利润(元)	3.3983	3.1382	2.7577	3.2179
	净资产收益率(%)	5.3987	8.7967	3.9396	16.6849
	加权净资产收益率(%)	5.4300	11.8000	5.2000	18.1200
	净资产收益率(扣除)(%)	5.3768	8.7377	3.9044	16.3603
	总资产(万元)	192097.18	176962.07	176642.67	129698.29
	归属母公司股东权益(万元)	113931.17	110180.34	104848.79	54033.15
	营业收入(万元)	57316.92	104594.38	44658.64	94470.41
	营业支出(万元)	43566.85	78057.45	32696.81	69925.60
	投资收益(万元)	-	-	-	-
	净利润(万元)	6150.83	9692.18	4130.64	9015.39
	营业利润(万元)	7338.83	11884.27	5546.90	11423.43
	利润总额(万元)	7368.19	11960.66	5596.12	11660.57

广东柏堡龙股份有限公司

公司概况	项目					
公司概况	公司名称	广东柏堡龙股份有限公司			证券简称	柏堡龙
	法人代表	陈伟雄	董秘	江伟荣	证券代码	002776
	公司网址	www.bobaolon.net		电子信箱	bobaolon@163..com	
	电　话	0663-2769999		传　真	0663-2678887	
	办公地址	广东省普宁市流沙东街道新坛村新美路南侧大德北路西				
	经营范围	服装设计、研发;服装面料的技术开发				

主要财务指标	指标\报告期	2016.06.30	2015.12.31	2015.06.30	2014.12.31
主要财务指标	基本每股收益(元)	0.2900	1.3200	0.3800	1.3700
	基本每股收益(扣除后)(元)	0.2900	1.2700	0.7600	1.3500
	稀释每股收益(元)	0.2900	1.3200	0.3800	1.3700
	每股净资产(元)	4.9356	9.4734	8.8916	5.1500
	每股经营现金净流量(元)	0.2714	1.7820	0.5731	1.8211
	每股现金流量(元)	0.2325	4.3235	5.9080	0.7001
	每股资本公积金(元)	2.4449	5.8898	5.8898	1.0450
	每股盈余公积金(元)	0.2458	0.4916	0.3756	0.5008
	每股未分配利润(元)	1.2449	2.0920	1.6262	2.6015
	净资产收益率(%)	5.8534	12.2118	6.4669	26.5208
	加权净资产收益率(%)	5.9700	17.9600	15.5500	30.5800
	净资产收益率(扣除)(%)	5.8492	11.6985	6.4487	26.2535
	总资产(万元)	142809.25	125922.10	119804.57	58536.30
	归属母公司股东权益(万元)	103529.34	99357.23	93254.66	40489.16
	营业收入(万元)	32594.68	60667.39	30866.33	54991.73
	营业支出(万元)	22946.73	42371.67	21811.76	38578.04
	投资收益(万元)	192.95	-	-	-
	净利润(万元)	6059.94	12133.27	6030.70	10738.07
	营业利润(万元)	7152.68	13489.72	7080.58	12321.91
	利润总额(万元)	7157.68	14089.73	7100.58	12449.78

四川久远银海软件股份有限公司

公司概况						
公司概况	公司名称	四川久远银海软件股份有限公司			证券简称	久远银海
	法人代表	李慧霞	董秘	杨成文	证券代码	002777
	公司网址	www.yinhai.com		电子信箱	public@yinhai.com	
	电　话	028-65516146		传　真	028-65516111	
	办公地址	四川省成都市三色路 163 号				
	经营范围	人力资源和社会保障为核心的民生信息化领域软件产品、运维服务和系统集成				

主要财务指标	指标＼报告期	2016.06.30	2015.12.31	2015.06.30	2014.12.31
	基本每股收益(元)	0.3400	0.9500	0.4100	0.9300
	基本每股收益(扣除后)(元)	0.3300	0.9000	0.3600	0.8600
	稀释每股收益(元)	0.3400	0.9500	0.4100	0.9300
	每股净资产(元)	5.0921	5.2495	3.3000	3.8900
	每股经营现金净流量(元)	-0.8520	1.1864	-0.2566	1.4827
	每股现金流量(元)	-1.4951	2.5842	-1.3646	0.5927
	每股资本公积金(元)	2.5257	2.5257	0.5500	0.5500
	每股盈余公积金(元)	0.3780	0.3780	0.4221	0.4221
	每股未分配利润(元)	1.1884	1.3458	1.3301	1.9226
	净资产收益率(%)	6.7283	13.6258	12.3400	23.8600
	加权净资产收益率(%)	6.3200	25.7400	9.9400	22.6900
	净资产收益率(扣除)(%)	6.4325	12.9244	11.0024	22.1431
	总资产(万元)	89025.72	94425.67	61576.21	68958.77
	归属母公司股东权益(万元)	40736.82	41995.91	19813.21	23368.64
	营业收入(万元)	20024.18	44981.79	17672.11	36571.04
	营业支出(万元)	10787.61	25582.29	10012.66	19741.24
	投资收益(万元)	-172.86	-207.25	-117.68	114.83
	净利润(万元)	2875.61	6317.58	2524.27	5907.82
	营业利润(万元)	3414.07	7196.10	2703.58	6299.70
	利润总额(万元)	3554.16	7556.80	3015.66	6791.02

江苏高科石化股份有限公司

公司概况						
公司概况	公司名称	江苏高科石化股份有限公司			证券简称	高科石化
	法人代表	许汉祥	董秘	刘君南	证券代码	002778
	公司网址	www.jsgaoke.com		电子信箱	ljn69580@sina.com	
	电　话	0510-87688832		传　真	0510-87681155	
	办公地址	江苏省宜兴市徐舍镇鲸塘工业集中区				
	经营范围	生物柴油的生产;石油制品、化工产品、日用化学品的生产、销售				

主要财务指标	指标＼报告期	2016.06.30	2015.12.31	2015.06.30	2014.12.31
	基本每股收益(元)	0.1900	0.5300	0.2700	0.5200
	基本每股收益(扣除后)(元)	0.1420	0.5200	0.2600	0.5000
	稀释每股收益(元)	0.1900	0.5300	0.2700	0.5200
	每股净资产(元)	6.4873	6.3774	5.7600	5.4900
	每股经营现金净流量(元)	-0.4933	0.3863	-0.1223	0.4500
	每股现金流量(元)	-1.6015	1.9690	0.1120	-0.3078
	每股资本公积金(元)	2.4056	2.4056	1.0000	1.0569
	每股盈余公积金(元)	0.2972	0.2972	0.3434	0.3434
	每股未分配利润(元)	2.7845	2.6747	3.3577	3.0910
	净资产收益率(%)	2.9265	6.2230	4.6300	9.5484
	加权净资产收益率(%)	2.9300	9.2000	4.7400	10.0300
	净资产收益率(扣除)(%)	2.1872	6.0986	75.8010	9.0977
	总资产(万元)	70774.86	73572.41	57719.33	55583.23
	归属母公司股东权益(万元)	57807.64	56828.74	38468.90	36687.49
	营业收入(万元)	26297.48	57701.69	29251.07	90441.28
	营业支出(万元)	22257.55	48064.47	24719.82	80331.39
	投资收益(万元)	65.84	-	-	-
	净利润(万元)	1691.77	3536.44	1781.41	3503.08
	营业利润(万元)	1493.15	3964.62	1984.64	3805.54
	利润总额(万元)	1930.11	4047.77	2034.19	4000.08

浙江中坚科技股份有限公司

公司概况						
公司概况	公司名称	浙江中坚科技股份有限公司			证券简称	中坚科技
	法人代表	吴明根	董秘	陈尔罕	证券代码	002779
	公司网址	www.topsunpower.cc		电子信箱	zqb02@topsunpower.cc	
	电　话	0759-86878687		传　真	0759-86878687	
	办公地址	浙江省永康市经济开发区名园南大道 10 号				
	经营范围	园林机械、农业机械、便携式发电机技术研发等				

主要财务指标	指标＼报告期	2016.06.30	2015.12.31	2015.06.30	2014.12.31
	基本每股收益(元)	0.2400	0.7400	0.3900	0.8600
	基本每股收益(扣除后)(元)	0.2400	0.6900	0.3800	0.8500
	稀释每股收益(元)	0.2400	0.7400	0.3900	0.8600
	每股净资产(元)	6.8256	6.6958	5.2800	4.8900
	每股经营现金净流量(元)	-0.0716	0.5147	0.2912	0.8399
	每股现金流量(元)	-2.3700	2.4519	-	0.6783
	每股资本公积金(元)	2.7202	2.7202	0.6629	0.6629
	每股盈余公积金(元)	0.3298	0.3298	0.3658	0.3658
	每股未分配利润(元)	2.7756	2.6458	3.2553	2.8624
	净资产收益率(%)	3.5862	8.2806	7.4360	17.6679
	加权净资产收益率(%)	3.6200	14.0500	7.7200	19.3800
	净资产收益率(扣除)(%)	3.5568	7.7205	7.1648	17.4061
	总资产(万元)	72212.92	74473.15	50778.52	48462.27
	归属母公司股东权益(万元)	60065.28	58923.21	34874.43	32281.16
	营业收入(万元)	21157.24	46085.06	25242.45	50991.23
	营业支出(万元)	16162.37	35590.42	19536.14	38551.94
	投资收益(万元)	21.39	38.02	-	-
	净利润(万元)	2154.07	4879.19	2593.27	5703.39
	营业利润(万元)	2366.26	5317.07	2850.68	6542.96
	利润总额(万元)	2387.25	5705.33	2961.97	6642.39

北京三夫户外用品股份有限公司

公司概况						
公司概况	公司名称	北京三夫户外用品股份有限公司			证券简称	三夫户外
	法人代表	张恒	董秘	周春红	证券代码	002780
	公司网址	www.sanfo.com		电子信箱	sanfoirm@sanfo.com	
	电　话	010-62051913		传　真	010-82022052*26	
	办公地址	北京市西城区北三环中路 27 号商房大厦 601 室				
	经营范围	户外运动用品的设计、技术开发等				

主要财务指标	指标＼报告期	2016.06.30	2015.12.31	2015.06.30	2014.12.31
	基本每股收益(元)	0.1000	0.6200	0.1900	0.5600
	基本每股收益(扣除后)(元)	0.1000	0.6100	0.1800	0.5500
	稀释每股收益(元)	0.1000	0.6200	0.1900	0.5600
	每股净资产(元)	5.5709	5.3763	4.1400	3.9538
	每股经营现金净流量(元)	-0.4539	0.1703	0.1743	0.3451
	每股现金流量(元)	-1.3210	2.0613	0.0854	0.1182
	每股资本公积金(元)	2.4887	2.2795	0.7600	0.7600
	每股盈余公积金(元)	0.2159	0.2175	0.2252	0.2252
	每股未分配利润(元)	1.8663	1.8794	2.1539	1.9686
	净资产收益率(%)	1.7885	8.5511	4.4781	14.0884
	加权净资产收益率(%)	1.8200	14.4600	4.5800	14.4400
	净资产收益率(扣除)(%)	1.7820	8.5106	4.3258	13.9130
	总资产(万元)	42106.90	42840.08	25258.99	25224.63
	归属母公司股东权益(万元)	37592.87	36021.38	20695.53	19768.76
	营业收入(万元)	14088.34	32757.03	13520.07	29150.46
	营业支出(万元)	7629.28	18466.12	7516.30	16441.90
	投资收益(万元)	12.02	-	-	-
	净利润(万元)	669.25	3080.21	926.77	2785.10
	营业利润(万元)	916.76	4116.96	1205.98	3688.34
	利润总额(万元)	907.98	4136.34	1248.01	3735.23

深圳市奇信建设集团股份有限公司

公司概况						
公司名称	深圳市奇信建设集团股份有限公司				证券简称	奇信股份
法人代表	叶家豪	董秘	张铁		证券代码	002781
公司网址	www.qxzs.com		电子信箱		ir@qxholding.com	
电　话	0755-25329819		传　真		0755-25329777	
办公地址	深圳市福田区福强路江南名苑一、二层					
经营范围	建筑装饰工程的设计与施工业务					

主要财务指标 指标\报告期	2016.06.30	2015.12.31	2015.06.30	2014.12.31
基本每股收益(元)	0.2700	0.7200	0.4100	0.8300
基本每股收益(扣除后)(元)	0.2600	0.7200	0.4100	0.8200
稀释每股收益(元)	0.2700	0.7200	0.4100	0.8300
每股净资产(元)	7.0034	6.7838	5.2200	4.8000
每股经营现金净流量(元)	-2.6069	-0.6362	-1.2693	-0.6520
每股现金流量(元)	-1.5684	2.3671	-0.8625	-0.0861
每股资本公积金(元)	3.1502	3.1409	1.2254	1.2254
每股盈余公积金(元)	0.2395	0.2395	0.2364	0.2364
每股未分配利润(元)	2.6138	2.4034	2.7572	2.3431
净资产收益率(%)	3.8320	8.5398	8.2600	17.2218
加权净资产收益率(%)	3.8900	14.0200	8.2600	18.8400
净资产收益率(扣除)(%)	3.7361	8.4546	-	17.0252
总资产(万元)	324891.50	344886.02	269807.48	259197.06
归属母公司股东权益(万元)	157577.19	152635.42	93941.60	86487.38
营业收入(万元)	149406.08	334019.42	165800.06	320588.10
营业支出(万元)	125344.57	276013.88	137103.25	264999.95
投资收益(万元)	-5.49	-	-	-
净利润(万元)	6038.39	13034.79	7454.22	14894.65
营业利润(万元)	7966.70	20467.79	11294.22	22482.84
利润总额(万元)	8168.17	20641.32	11461.16	22709.48

深圳可立克科技股份有限公司

公司概况						
公司名称	深圳可立克科技股份有限公司				证券简称	可立克
法人代表	肖铿	董秘	段铁群		证券代码	002782
公司网址	www.clickele.com		电子信箱		invest@clickele.com	
电　话	0755-29918075		传　真		0755-29918005	
办公地址	广东省深圳市宝安区福永街道桥头社区正中工业厂区7栋1-5层厂房8栋2层					
经营范围	开发、生产经营高低频变压器、电源产品及相关电子零配件等					

主要财务指标 指标\报告期	2016.06.30	2015.12.31	2015.06.30	2014.12.31
基本每股收益(元)	0.0880	0.4475	0.0786	0.4582
基本每股收益(扣除后)(元)	0.0825	0.4236	0.1895	0.4465
稀释每股收益(元)	0.0880	0.4475	0.0786	0.4582
每股净资产(元)	1.8689	1.8200	3.5594	3.4500
每股经营现金净流量(元)	0.0495	0.3062	0.0068	0.5628
每股现金流量(元)	-0.3701	1.7128	-0.2221	-0.0668
每股资本公积金(元)	0.1396	1.8491	0.5396	0.5396
每股盈余公积金(元)	0.0597	0.1492	0.1860	0.1860
每股未分配利润(元)	0.6696	1.5539	1.8338	1.7270
净资产收益率(%)	4.7088	7.3723	5.5210	13.2699
加权净资产收益率(%)	4.7400	12.3700	5.5800	14.0600
净资产收益率(扣除)(%)	4.4141	6.9796	5.3226	12.9326
总资产(万元)	97986.52	96239.57	63067.45	66317.63
归属母公司股东权益(万元)	79613.51	77568.69	45489.64	44124.78
营业收入(万元)	41103.67	74397.84	36031.15	74272.51
营业支出(万元)	31091.67	58271.80	28614.37	58066.69
投资收益(万元)	87.03	-	-	-
净利润(万元)	3748.82	5718.63	2511.48	5855.32
营业利润(万元)	5189.78	7742.62	3433.61	7438.65
利润总额(万元)	5391.12	8096.35	3537.89	7614.41

湖北凯龙化工集团股份有限公司

公司概况						
公司名称	湖北凯龙化工集团股份有限公司				证券简称	凯龙股份
法人代表	邵兴祥	董秘	林宏		证券代码	002783
公司网址	www.hbklgroup.cn		电子信箱		zbb@hbklgroup.cn	
电　话	0724-2309237		传　真		0724-2309615	
办公地址	湖北省荆门市东宝区泉口路20号					
经营范围	民爆产品的生产与销售、工程爆破服务、硝酸铵及其制品的生产与销售					

主要财务指标 指标\报告期	2016.06.30	2015.12.31	2015.06.30	2014.12.31
基本每股收益(元)	0.6700	1.5600	0.7600	1.7100
基本每股收益(扣除后)(元)	0.6200	1.4700	0.7300	1.6600
稀释每股收益(元)	0.6700	1.5600	0.7600	1.7100
每股净资产(元)	15.4145	15.2214	11.0700	11.0100
每股经营现金净流量(元)	0.4027	2.3654	0.4912	1.8511
每股现金流量(元)	-6.5709	7.3183	0.1206	-0.8212
每股资本公积金(元)	6.3373	6.3359	0.4297	0.4359
每股盈余公积金(元)	1.0258	1.0258	1.2097	1.2097
每股未分配利润(元)	6.1503	5.9776	7.3322	7.3695
净资产收益率(%)	4.3638	7.6813	6.8907	15.5447
加权净资产收益率(%)	4.3500	13.6600	6.7400	16.4600
净资产收益率(扣除)(%)	4.0279	7.2203	6.5906	15.1093
总资产(万元)	171484.60	175147.57	122821.67	119533.01
归属母公司股东权益(万元)	128665.16	127053.08	69285.04	68932.28
营业收入(万元)	43780.02	89060.49	41063.79	88427.50
营业支出(万元)	25134.05	55439.41	26453.53	52449.14
投资收益(万元)	370.79	896.13	407.13	750.16
净利润(万元)	6174.77	10941.22	5428.03	11947.53
营业利润(万元)	7086.41	12515.51	6144.58	14542.90
利润总额(万元)	7640.75	13231.41	6411.58	14935.05

厦门万里石股份有限公司

公司概况						
公司名称	厦门万里石股份有限公司				证券简称	万里石
法人代表	胡精沛	董秘	朱著香		证券代码	002785
公司网址	www.wanlistone.com		电子信箱		zhengquan@wanli.com	
电　话	0592-5065075		传　真		0592-5209525	
办公地址	福建省厦门市思明区湖滨北路201号宏业大厦8楼					
经营范围	建筑装饰石材及景观石材的研发设计、生产和销售					

主要财务指标 指标\报告期	2016.06.30	2015.12.31	2015.06.30	2014.12.31
基本每股收益(元)	0.0500	0.1400	0.0200	0.1400
基本每股收益(扣除后)(元)	0.0500	0.1400	0.0200	0.1300
稀释每股收益(元)	0.0500	0.1400	0.0200	0.1400
每股净资产(元)	3.1810	3.1449	3.4898	3.4700
每股经营现金净流量(元)	-0.3700	0.0956	-0.0822	-0.0228
每股现金流量(元)	-0.2901	0.3858	0.0674	-0.4274
每股资本公积金(元)	0.8666	0.8666	0.9055	0.9053
每股盈余公积金(元)	0.0493	0.0493	0.0617	0.0615
每股未分配利润(元)	1.2691	1.2347	1.5344	1.5099
净资产收益率(%)	1.4278	3.3514	0.7000	3.9001
加权净资产收益率(%)	1.4300	3.9700	0.7100	3.9800
净资产收益率(扣除)(%)	1.4408	3.3180	-	3.8450
总资产(万元)	115265.37	109506.61	98093.31	93470.51
归属母公司股东权益(万元)	63619.92	62897.77	52347.26	52043.76
营业收入(万元)	36576.36	64261.02	28437.80	63091.04
营业支出(万元)	27977.47	48465.18	21205.69	46494.27
投资收益(万元)	94.44	303.25	215.98	499.34
净利润(万元)	927.51	2154.94	354.89	2058.70
营业利润(万元)	1425.55	2957.75	466.45	2685.00
利润总额(万元)	1417.70	2972.04	475.17	2727.87

深圳市银宝山新科技股份有限公司

公司概况					
公司名称	深圳市银宝山新科技股份有限公司			证券简称	银宝山新
法人代表	刘金柱	董秘	李凌	证券代码	002786
公司网址	www.basismold.com		电子信箱	chenlin@basismold.com	
电　话	0755-27642925		传　真	0755-27642492	
办公地址	广东省深圳市宝安区石岩街道罗租社区建兴路5号				
经营范围	大型精密注塑模具的研发、设计、制造、销售及精密结构件成型生产和销售				

主要财务指标

指标\报告期	2016.06.30	2015.12.31	2015.06.30	2014.12.31
基本每股收益(元)	0.1200	0.8000	0.3500	0.6400
基本每股收益(扣除后)(元)	0.1100	0.6600	0.2800	0.6200
稀释每股收益(元)	0.1200	0.8000	0.3500	0.6400
每股净资产(元)	2.6025	7.5518	6.4900	6.2000
每股经营现金净流量(元)	-0.1551	0.6012	-0.6221	1.1651
每股现金流量(元)	-0.3886	2.7407	-0.0549	-0.3618
每股资本公积金(元)	0.4552	3.3657	1.6802	1.6802
每股盈余公积金(元)	0.1268	0.3803	0.4131	0.4131
每股未分配利润(元)	1.0206	2.8066	3.3919	3.1036
净资产收益率(%)	4.5480	7.9300	5.4600	10.3523
加权净资产收益率(%)	4.6000	12.1900	5.5800	10.8200
净资产收益率(扣除)(%)	4.2783	6.5863	-	10.0330
总资产(万元)	277259.86	276896.47	215859.22	196455.91
归属母公司股东权益(万元)	99216.35	95967.89	61809.10	59062.75
营业收入(万元)	131738.73	240182.80	101297.38	188730.07
营业支出(万元)	110536.17	200978.62	84190.79	157095.77
投资收益(万元)	5.39	132.18	224.13	62.71
净利润(万元)	4714.82	7582.99	3389.07	6177.21
营业利润(万元)	5227.27	7054.35	3438.68	6960.26
利润总额(万元)	5581.98	8354.39	4005.02	7105.13

苏州华源包装股份有限公司

公司概况					
公司名称	苏州华源包装股份有限公司			证券简称	华源包装
法人代表	李炳兴	董秘	邵娜	证券代码	002787
公司网址	www.huayuan-print.com		电子信箱	zqb@huayuan-print.com	
电　话	0512-63857748		传　真	0512-63852178	
办公地址	江苏省苏州市吴江区桃源镇桃乌公路东侧				
经营范围	金属包装产品的生产及销售业务				

主要财务指标

指标\报告期	2016.06.30	2015.12.31	2015.06.30	2014.12.31
基本每股收益(元)	0.4600	0.8000	0.3800	0.6900
基本每股收益(扣除后)(元)	0.4100	0.7700	0.3700	0.6600
稀释每股收益(元)	0.4600	0.8000	0.3800	0.6900
每股净资产(元)	6.4162	6.4588	4.8600	4.4800
每股经营现金净流量(元)	0.3791	0.4874	0.0565	1.3154
每股现金流量(元)	-1.9299	2.6706	-0.3160	0.1612
每股资本公积金(元)	3.1176	3.1176	1.1593	1.1593
每股盈余公积金(元)	0.1381	0.1381	0.1486	0.1486
每股未分配利润(元)	2.1599	2.2026	2.5519	2.1755
净资产收益率(%)	7.1279	9.2520	7.7400	15.3578
加权净资产收益率(%)	6.8400	16.3200	8.0600	16.6400
净资产收益率(扣除)(%)	6.4582	8.9316	7.6447	14.7914
总资产(万元)	116780.00	129723.90	89421.23	83480.52
归属母公司股东权益(万元)	90339.79	90940.12	51327.18	47352.35
营业收入(万元)	46480.32	90979.54	44332.70	83189.83
营业支出(万元)	33651.48	69385.97	34532.17	65825.62
投资收益(万元)	71.29	-	-	-
净利润(万元)	6439.34	8413.76	3974.84	7272.27
营业利润(万元)	7160.69	9814.37	4652.36	8290.82
利润总额(万元)	7817.52	10180.03	4717.10	8604.98

鹭燕医药股份有限公司

公司概况					
公司名称	鹭燕医药股份有限公司			证券简称	鹭燕医药
法人代表	吴金祥	董秘	雷鸣	证券代码	002788
公司网址	www.luyan.com.cn		电子信箱	zqb@luyan.com.cn	
电　话	0592-8128888		传　真	0592-8129310	
办公地址	福建省厦门市湖里区安岭路1004号				
经营范围	药品、中药饮片、医疗器械和疫苗等分销及医药零售连锁				

主要财务指标

指标\报告期	2016.06.30	2015.12.31	2015.06.30	2014.12.31
基本每股收益(元)	0.4600	1.1800	0.5600	1.1400
基本每股收益(扣除后)(元)	0.5100	1.1600	-	1.0800
稀释每股收益(元)	0.4600	1.1800	0.5600	1.1400
每股净资产(元)	10.2058	7.6735	-	6.6800
每股经营现金净流量(元)	-6.2598	0.0023	-1.6021	1.8507
每股现金流量(元)	-0.3637	-1.1387	-0.9225	2.3279
每股资本公积金(元)	5.0721	1.4652	-	1.4652
每股盈余公积金(元)	0.2970	0.3961	-	0.2977
每股未分配利润(元)	3.8266	4.8027	-	3.9205
净资产收益率(%)	4.1630	15.3857	-	17.0220
加权净资产收益率(%)	4.8400	16.2400	8.0700	17.9700
净资产收益率(扣除)(%)	4.6019	15.0734	-	16.1993
总资产(万元)	414388.21	342901.50	-	331400.81
归属母公司股东权益(万元)	130805.94	73756.51	-	64227.04
营业收入(万元)	340818.10	662571.99	315938.55	629980.17
营业支出(万元)	314537.95	609754.80	290850.73	576335.89
投资收益(万元)	-	-37.66	-37.66	152.74
净利润(万元)	5534.85	11520.58	5468.53	11097.23
营业利润(万元)	7656.43	15222.69	7237.11	14618.13
利润总额(万元)	7687.14	15570.87	7393.47	15188.51

深圳市建艺装饰集团股份有限公司

公司概况					
公司名称	深圳市建艺装饰集团股份有限公司			证券简称	建艺集团
法人代表	刘海云	董秘	高仲华	证券代码	002789
公司网址	www.jyzs.com.cn		电子信箱	investjy@jyzs.com.cn	
电　话	0755-83786867		传　真	0755-83786093	
办公地址	广东省深圳市福田区振兴路建艺大厦19层东				
经营范围	为写字楼、政府机关、星级酒店、文教体卫建筑、交通基建建筑等				

主要财务指标

指标\报告期	2016.06.30	2015.12.31	2015.06.30	2014.12.31
基本每股收益(元)	0.5400	1.3100	0.6500	1.4400
基本每股收益(扣除后)(元)	0.5300	1.3200	-	-
稀释每股收益(元)	0.5400	1.3100	0.6500	1.4400
每股净资产(元)	12.7623	9.6476	-	8.3400
每股经营现金净流量(元)	-0.5604	-2.2950	-3.2784	-1.7496
每股现金流量(元)	3.6838	-0.0297	-0.9514	-2.0811
每股资本公积金(元)	7.5189	3.5004	-	3.5004
每股盈余公积金(元)	0.3812	0.5083	-	0.3742
每股未分配利润(元)	3.6939	4.4098	-	3.2374
净资产收益率(%)	3.8206	13.5421	-	17.2118
加权净资产收益率(%)	4.8700	14.5300	7.4900	18.8100
净资产收益率(扣除)(%)	3.8022	13.6953	-	16.8955
总资产(万元)	248040.91	176975.25	-	142250.05
归属母公司股东权益(万元)	103629.69	58753.84	-	50775.20
营业收入(万元)	89536.51	185346.83	95357.46	180966.33
营业支出(万元)	76948.25	158503.87	81466.19	155038.44
投资收益(万元)	-	-	-	133.26
净利润(万元)	3934.74	7821.89	3885.10	8587.93
营业利润(万元)	4813.48	10572.61	5342.01	11367.33
利润总额(万元)	4863.48	10452.61	5192.01	11451.04

厦门瑞尔特卫浴科技股份有限公司

公司概况

公司名称	厦门瑞尔特卫浴科技股份有限公司			证券简称	瑞尔特
法人代表	罗远良	董秘	罗远良(代)	证券代码	002790
公司网址	www.rtplumbing.com		电子信箱	rtplumbing@rtplumbing.com	
电　　话	0592-6059559		传　　真	0592-6539868	
办公地址	福建省厦门市海沧区后祥路18号				
经营范围	卫浴配件产品的研发,生产与销售等				

主要财务指标

指标\报告期	2016.06.30	2015.12.31	2015.06.30	2014.12.31
基本每股收益(元)	0.4900	1.2900	0.5700	1.1600
基本每股收益(扣除后)(元)	0.4700	1.2600	–	–
稀释每股收益(元)	0.4900	1.2900	0.5700	1.1600
每股净资产(元)	7.8752	5.1196	–	4.0282
每股经营现金净流量(元)	0.4258	0.8818	0.5982	0.9101
每股现金流量(元)	0.5051	0.3774	0.0763	–0.0417
每股资本公积金(元)	4.1660	0.5692	–	0.7589
每股盈余公积金(元)	0.3189	0.3189	–	0.2963
每股未分配利润(元)	2.3903	2.2017	–	1.9729
净资产收益率(%)	6.2046	25.2252	–	28.8691
加权净资产收益率(%)	8.3400	28.4400	12.8300	32.7900
净资产收益率(扣除)(%)	6.0183	24.6854	–	27.7490
总资产(万元)	140240.12	87741.37	–	74729.30
归属母公司股东权益(万元)	126002.62	61434.97	–	48337.86
营业收入(万元)	39095.06	81513.52	38881.36	76429.85
营业支出(万元)	24527.77	53039.96	25865.57	50734.43
投资收益(万元)	–93.08	47.56	78.90	–67.58
净利润(万元)	7817.97	15497.11	6871.40	13954.73
营业利润(万元)	8757.23	17516.69	7810.60	15521.86
利润总额(万元)	9060.94	18026.54	7959.65	16182.28

广东坚朗五金制品股份有限公司

公司概况

公司名称	广东坚朗五金制品股份有限公司			证券简称	坚朗五金
法人代表	白宝鲲	董秘	殷建忠	证券代码	002791
公司网址	www.kinlong.com		电子信箱	dsb@kinlong.com	
电　　话	0769-82955232		传　　真	0769-87947885	
办公地址	广东省东莞市塘厦镇大坪坚朗路3号				
经营范围	中高端建筑门窗幕墙五金系统及金属构配件等相关产品的研发、生产和销售				

主要财务指标

指标\报告期	2016.06.30	2015.12.31	2015.06.30	2014.12.31
基本每股收益(元)	0.5000	1.2400	0.4700	1.2700
基本每股收益(扣除后)(元)	0.4800	1.2200	–	1.2500
稀释每股收益(元)	0.5000	1.2400	0.4700	1.2700
每股净资产(元)	12.0900	8.0796	–	6.8398
每股经营现金净流量(元)	–0.3461	0.8330	–0.7614	0.1994
每股现金流量(元)	1.9758	0.3178	–0.6336	–0.1297
每股资本公积金(元)	5.0594	1.4332	–	1.4332
每股盈余公积金(元)	0.3965	0.5000	–	0.4396
每股未分配利润(元)	4.3785	5.1460	–	3.9667
净资产收益率(%)	4.1296	15.3435	–	18.5152
加权净资产收益率(%)	5.1500	16.6200	6.6300	20.4100
净资产收益率(扣除)(%)	3.9626	15.0492	–	18.3456
总资产(万元)	299724.42	196444.17	–	166780.89
归属母公司股东权益(万元)	232257.90	137353.01	–	116275.76
营业收入(万元)	118426.20	232673.03	103100.36	202533.51
营业支出(万元)	70325.56	140408.61	62975.92	121906.11
投资收益(万元)	75.16	–	–	–
净利润(万元)	9524.03	21132.69	8017.47	21577.92
营业利润(万元)	10493.84	24143.54	9429.19	25463.91
利润总额(万元)	10962.00	24623.34	9677.59	25697.65

广东通宇通讯股份有限公司

公司概况

公司名称	广东通宇通讯股份有限公司			证券简称	通宇通讯
法人代表	吴中林	董秘	潘杨	证券代码	002792
公司网址	www.tycc.cn		电子信箱	zqb@tycc.cn	
电　　话	0760-85312820		传　　真	0760-85594662	
办公地址	广东省中山市火炬开发区金通街3号				
经营范围	移动通信系统中的通信天线及基站射频器件的研发、生产和销售				

主要财务指标

指标\报告期	2016.06.30	2015.12.31	2015.06.30	2014.12.31
基本每股收益(元)	0.5200	2.0600	0.8000	2.9500
基本每股收益(扣除后)(元)	0.5000	1.8600	–	2.9500
稀释每股收益(元)	0.5200	2.0600	0.8000	2.9500
每股净资产(元)	7.7121	8.8860	–	7.0600
每股经营现金净流量(元)	–0.1682	1.9357	0.2459	2.3519
每股现金流量(元)	2.7617	–1.2278	–0.2927	1.7562
每股资本公积金(元)	3.2556	1.8816	–	1.8816
每股盈余公积金(元)	0.2667	0.5000	–	0.5000
每股未分配利润(元)	3.2106	5.5437	–	3.7317
净资产收益率(%)	6.7509	23.2048	–	41.7897
加权净资产收益率(%)	8.2000	26.1500	16.0800	50.9300
净资产收益率(扣除)(%)	6.4626	20.9128	–	41.7078
总资产(万元)	242781.30	187599.31	–	166056.31
归属母公司股东权益(万元)	173522.21	106632.52	–	84738.53
营业收入(万元)	66515.56	132854.93	69272.67	150013.27
营业支出(万元)	40211.92	80370.70	40688.43	84667.00
投资收益(万元)	343.52	96.66	–	1.71
净利润(万元)	11714.36	24743.85	14464.10	35411.98
营业利润(万元)	13680.41	26508.85	16586.08	41255.98
利润总额(万元)	13908.92	29252.33	16854.42	41255.98

浙江东音泵业股份有限公司

公司概况

公司名称	浙江东音泵业股份有限公司			证券简称	东音股份
法人代表	方秀宝	董秘	方小桃	证券代码	002793
公司网址	www.doyin.com		电子信箱	fxt@doyin.com	
电　　话	0576-81609998		传　　真	0576-81609998	
办公地址	井用潜水泵、小型潜水泵及陆上泵的研发、生产和销售				
经营范围	浙江省温岭市大溪镇大石一级公路南侧				

主要财务指标

指标\报告期	2016.06.30	2015.12.31	2015.06.30	2014.12.31
基本每股收益(元)	0.6308	1.0900	0.6596	0.8500
基本每股收益(扣除后)(元)	0.5536	1.1000	–	0.8600
稀释每股收益(元)	0.6308	1.0900	0.6596	0.8500
每股净资产(元)	6.5053	4.5300	–	4.2100
每股经营现金净流量(元)	0.4151	0.7750	0.3296	0.5577
每股现金流量(元)	0.6185	0.3240	–0.0219	–0.0336
每股资本公积金(元)	3.1034	1.0249	–	1.0249
每股盈余公积金(元)	0.2972	0.3264	–	0.2179
每股未分配利润(元)	2.1047	2.1753	–	1.9633
净资产收益率(%)	8.0805	24.0908	–	20.2750
加权净资产收益率(%)	11.6300	26.1300	15.8900	22.5600
净资产收益率(扣除)(%)	7.0916	24.2303	–	20.4238
总资产(万元)	79833.39	54960.03	–	44786.02
归属母公司股东权益(万元)	65052.99	33949.64	–	31545.90
营业收入(万元)	33846.05	58421.19	30474.35	53732.58
营业支出(万元)	23940.98	41414.92	21544.41	38829.56
投资收益(万元)	–713.56	–585.28	–75.38	367.75
净利润(万元)	5256.64	8178.74	4946.76	6395.94
营业利润(万元)	5717.26	9097.68	5711.00	7015.21
利润总额(万元)	6074.13	9459.80	5739.18	7416.85

永和流体智控股份有限公司

公司概况					
公司名称	永和流体智控股份有限公司			证券简称	永和智控
法人代表	应雪青	董秘	姚米娜	证券代码	002795
公司网址	www.yhvalve.com		电子信箱	dongmi@yhvalve.com	
电　话	0576-87121675		传　真	0576-87121768	
办公地址	浙江省玉环县清港镇工业产业集聚区				
经营范围	流体控制设备及器材的研发、制造和销售				

主要财务指标：指标＼报告期	2016.06.30	2015.12.31	2015.06.30	2014.12.31
基本每股收益(元)	0.4200	0.8800	0.4300	0.8700
基本每股收益(扣除后)(元)	0.4000	0.8600	–	0.8700
稀释每股收益(元)	0.4200	0.8800	0.4300	0.8700
每股净资产(元)	5.7519	2.8262	–	2.8795
每股经营现金净流量(元)	0.5879	0.8801	0.6853	1.3711
每股现金流量(元)	2.6111	–0.4770	–0.2274	0.1454
每股资本公积金(元)	3.4270	0.5265	–	0.5265
每股盈余公积金(元)	0.2525	0.3367	–	0.2451
每股未分配利润(元)	1.0725	0.9631	–	1.1080
净资产收益率(%)	6.0873	31.1376	–	30.1056
加权净资产收益率(%)	10.3300	29.4700	15.0600	31.6300
净资产收益率(扣除)(%)	5.8003	30.4763	–	30.2824
总资产(万元)	65889.04	42069.73	–	43062.15
归属母公司股东权益(万元)	57519.47	21196.79	–	21596.61
营业收入(万元)	23057.84	47791.47	24965.38	52046.44
营业支出(万元)	15909.16	33635.32	17678.48	36525.48
投资收益(万元)	3.03	116.78	124.80	–9.43
净利润(万元)	3501.41	6600.18	3192.69	6501.79
营业利润(万元)	4083.40	7852.76	3864.88	7867.11
利润总额(万元)	4216.47	7863.07	3850.18	7867.40

苏州市世嘉科技股份有限公司

公司概况					
公司名称	苏州市世嘉科技股份有限公司			证券简称	世嘉科技
法人代表	王娟	董秘	姚跃文	证券代码	002796
公司网址	www.sz-shijia.com		电子信箱	shijiagufen@shijiakj.com	
电　话	0512-66161736		传　真	0512-68223088	
办公地址	江苏省苏州市塘西路 28 号				
经营范围	从事定制化精密箱体系统的研发、设计、生产、销售以及服务				

主要财务指标：指标＼报告期	2016.06.30	2015.12.31	2015.06.30	2014.12.31
基本每股收益(元)	0.3500	0.9000	0.3900	0.9500
基本每股收益(扣除后)(元)	0.3000	0.7800	–	0.9000
稀释每股收益(元)	0.3500	0.9000	0.3900	0.9500
每股净资产(元)	6.3466	4.3112	–	–
每股经营现金净流量(元)	0.0020	0.8517	0.4473	1.1473
每股现金流量(元)	–0.3958	–0.0980	–0.3957	1.2331
每股资本公积金(元)	3.3314	0.9891	–	0.9891
每股盈余公积金(元)	0.2771	0.3334	–	0.2508
每股未分配利润(元)	1.7381	1.9886	–	1.7730
净资产收益率(%)	4.3123	20.8343	–	–
加权净资产收益率(%)	7.1200	22.1100	9.9500	26.0400
净资产收益率(扣除)(%)	3.7897	18.0869	–	–
总资产(万元)	60450.30	34574.67	–	31442.91
归属母公司股东权益(万元)	50772.62	25866.96	–	24077.77
营业收入(万元)	22901.80	46240.13	21962.53	44326.62
营业支出(万元)	18145.66	36540.73	17346.76	34039.61
投资收益(万元)	144.86	278.36	148.07	172.76
净利润(万元)	2189.45	5389.19	2352.93	5708.51
营业利润(万元)	2394.41	5725.40	2721.32	6442.90
利润总额(万元)	2561.79	6283.31	2808.51	6639.38

第一创业证券股份有限公司

公司概况					
公司名称	第一创业证券股份有限公司			证券简称	第一创业
法人代表	刘学民	董秘	萧进华	证券代码	002797
公司网址	www.firstcapital.com.cn		电子信箱	ir@fcsc.com	
电　话	0755-23838868		传　真	0755-23838877	
办公地址	广东省深圳市福田区福华一路 115 号投行大厦 20 楼				
经营范围	证券经纪、证券投资咨询与证券交易				

主要财务指标：指标＼报告期	2016.06.30	2015.12.31	2015.06.30	2014.12.31
基本每股收益(元)	0.1100	0.5200	0.3500	0.2600
基本每股收益(扣除后)(元)	0.1100	0.5100	0.3400	0.2600
稀释每股收益(元)	0.1100	0.5200	0.3500	0.2600
每股净资产(元)	3.9333	3.1223	–	–
每股经营现金净流量(元)	–1.1920	1.9968	7.0663	0.3348
每股现金流量(元)	–0.4827	2.5557	7.8835	1.6469
每股资本公积金(元)	1.7892	0.9507	–	0.9507
每股盈余公积金(元)	0.0855	0.0950	–	0.0468
每股未分配利润(元)	0.6682	0.6259	–	0.3030
净资产收益率(%)	2.6792	16.6036	–	–
加权净资产收益率(%)	3.4800	18.1500	12.5300	10.5000
净资产收益率(扣除)(%)	2.6493	16.4710	–	–
总资产(万元)	3181314.98	3327352.00	–	2111359.90
归属母公司股东权益(万元)	861003.55	615092.80	–	513430.98
营业收入(万元)	82999.33	301016.16	165186.59	185895.18
营业支出(万元)	49931.31	170183.20	79483.55	119945.81
投资收益(万元)	18668.70	118314.92	61714.05	84532.06
净利润(万元)	25024.41	103769.58	67927.79	51760.10
营业利润(万元)	33068.03	130832.96	85703.05	65949.37
利润总额(万元)	33407.89	132089.73	86727.83	66155.50

四川帝王洁具股份有限公司

公司概况					
公司名称	四川帝王洁具股份有限公司			证券简称	帝王洁具
法人代表	刘进	董秘	吴朝容	证券代码	002798
公司网址	www.monarch-sw.com		电子信箱	monarch-zq@monarch-sw.com	
电　话	028-82801234　82801189		传　真	028-82801277	
办公地址	四川省成都市高新区天府大道中段天府三街 19 号新希望国际大厦 A 座 15 层				
经营范围	亚克力板和亚克力卫生洁具的研发、设计、制造与销售				

主要财务指标：指标＼报告期	2016.06.30	2015.12.31	2015.06.30	2014.12.31
基本每股收益(元)	0.2500	0.8200	0.2700	0.6900
基本每股收益(扣除后)(元)	0.1900	0.6100	0.2200	0.6800
稀释每股收益(元)	0.2500	0.8200	0.2700	0.6900
每股净资产(元)	6.6974	5.9824	–	5.3577
每股经营现金净流量(元)	–0.0052	0.9592	0.3019	0.4196
每股现金流量(元)	1.9563	0.6499	0.0841	–0.6654
每股资本公积金(元)	2.6571	1.1973	–	1.1973
每股盈余公积金(元)	0.3326	0.4435	–	0.3640
每股未分配利润(元)	2.7077	3.3416	–	2.7964
净资产收益率(%)	3.0120	13.7855	4.9970	12.8380
加权净资产收益率(%)	4.1000	14.7600	5.0800	13.6700
净资产收益率(扣除)(%)	2.2547	10.2537	4.0459	12.6822
总资产(万元)	63753.41	46436.72	–	44487.42
归属母公司股东权益(万元)	57850.43	38752.29	–	34705.65
营业收入(万元)	19037.00	38693.28	19123.52	45090.41
营业支出(万元)	13255.73	26369.99	13483.77	30716.45
投资收益(万元)	–	–	–	–
净利润(万元)	1742.45	5342.19	1756.68	4455.51
营业利润(万元)	853.13	3394.85	1032.56	3841.25
利润总额(万元)	1962.86	6095.55	1984.92	5080.59

西安环球印务股份有限公司

公司概况	公司名称	西安环球印务股份有限公司			证券简称	环球印务
	法人代表	李移岭	董秘	林蔚	证券代码	002799
	公司网址	www.globalprinting.cn		电子信箱	xgp@globalprinting.cn	
	电　话	029-68682020　68712188		传　真	029-88310756　68712188	
	办公地址	陕西省西安市高新区科技一路 32 号				
	经营范围	医药纸盒包装产品的设计、生产及销售并兼营酒类、食品彩盒和瓦楞纸箱业务				

	指标＼报告期	2016.06.30	2015.12.31	2015.06.30	2014.12.31
主要财务指标	基本每股收益(元)	0.1600	0.4600	0.2700	0.5100
	基本每股收益(扣除后)(元)	0.1500	–	–	–
	稀释每股收益(元)	0.1600	0.4600	0.2700	0.5100
	每股净资产(元)	5.0374	4.2517	–	3.7605
	每股经营现金净流量(元)	0.1890	0.8413	0.3995	0.9725
	每股现金流量(元)	1.8163	0.0090	–0.1111	0.3255
	每股资本公积金(元)	1.4672	0.0389	–	0.0122
	每股盈余公积金(元)	0.2580	0.3439	–	0.3001
	每股未分配利润(元)	2.3123	2.8689	–	2.4482
	净资产收益率(%)	3.1896	10.9262	–	13.5239
	加权净资产收益率(%)	4.9100	11.6000	6.8000	14.5000
	净资产收益率(扣除)(%)	3.0025	10.8850	–	12.2320
	总资产(万元)	78260.75	58664.86	–	59889.87
	归属母公司股东权益(万元)	50374.47	31887.73	–	28203.60
	营业收入(万元)	19129.08	40000.37	21145.22	39181.52
	营业支出(万元)	14498.42	30528.35	16047.46	29912.58
	投资收益(万元)	320.70	510.68	339.13	501.59
	净利润(万元)	1606.74	3484.13	1988.21	3814.23
	营业利润(万元)	1743.13	4011.76	2297.76	4165.37
	利润总额(万元)	1854.04	4028.79	2315.55	4445.36

新疆天顺供应链股份有限公司

公司概况	公司名称	新疆天顺供应链股份有限公司			证券简称	天顺股份
	法人代表	王普宇	董秘	王略	证券代码	002800
	公司网址	www.xjtsscm.com		电子信箱	XJTS@xjtsscm.com	
	电　话	0991-3792602		传　真	0991-3792602	
	办公地址	新疆维吾尔自治区乌鲁木齐市经济技术开发区大连街 52 号				
	经营范围	大宗货物和大件货物的第三方物流业务				

	指标＼报告期	2016.06.30	2015.12.31	2015.06.30	2014.12.31
主要财务指标	基本每股收益(元)	0.2477	0.5800	0.2311	0.5800
	基本每股收益(扣除后)(元)	0.1800	0.5200	–	0.5800
	稀释每股收益(元)	0.1833	0.5800	0.2073	0.5800
	每股净资产(元)	5.2370	4.8300	–	4.3600
	每股经营现金净流量(元)	–0.3741	0.8171	–0.0507	0.9746
	每股现金流量(元)	0.8866	0.1435	–0.5761	–0.2948
	每股资本公积金(元)	2.0448	1.1645	–	1.1645
	每股盈余公积金(元)	0.1289	0.1719	–	0.1440
	每股未分配利润(元)	2.0618	2.4881	–	2.0465
	净资产收益率(%)	3.7441	12.1094	–	13.2744
	加权净资产收益率(%)	5.2700	12.7300	5.1700	14.0700
	净资产收益率(扣除)(%)	2.7701	10.7622	–	13.2331
	总资产(万元)	60596.98	50449.80	–	46745.36
	归属母公司股东权益(万元)	39110.23	27027.89	–	24396.08
	营业收入(万元)	23778.00	48701.81	24011.54	55763.64
	营业支出(万元)	20358.77	40315.88	20188.95	47945.03
	投资收益(万元)	–	–	–	–
	净利润(万元)	1457.25	3264.52	1294.13	3238.43
	营业利润(万元)	1288.71	3296.21	1293.00	3623.43
	利润总额(万元)	1737.09	3741.35	1447.58	3638.18

杭州微光电子股份有限公司

公司概况	公司名称	杭州微光电子股份有限公司			证券简称	微光股份
	法人代表	何平	董秘	胡雅琴	证券代码	002801
	公司网址	www.wgmotor.com		电子信箱	Service31@wgmotor.com	
	电　话	0571-86240688		传　真	0571-89165959	
	办公地址	浙江省杭州市余杭经济开发区兴中路 365 号				
	经营范围	应用于 HVAC(采暖、通风、空调、制冷)领域微电机、风机的研发、生产和销售				

	指标＼报告期	2016.06.30	2015.12.31	2015.06.30	2014.12.31
主要财务指标	基本每股收益(元)	1.0500	1.8600	0.8700	1.6100
	基本每股收益(扣除后)(元)	0.9500	1.7100	–	1.4900
	稀释每股收益(元)	1.0500	1.8600	0.8700	1.6100
	每股净资产(元)	11.9553	9.2944	–	7.6324
	每股经营现金净流量(元)	0.7944	2.2096	0.7839	1.4666
	每股现金流量(元)	2.8356	1.3326	–0.4628	–0.4150
	每股资本公积金(元)	4.6480	0.9381	–	0.9381
	每股盈余公积金(元)	0.6029	0.8039	–	0.6182
	每股未分配利润(元)	5.7044	6.5523	–	5.0760
	净资产收益率(%)	6.6092	20.0333	–	21.0293
	加权净资产收益率(%)	10.7300	22.1700	10.9900	23.4000
	净资产收益率(扣除)(%)	5.9542	18.3681	–	19.4766
	总资产(万元)	80339.34	49047.91	49047.91	39799.77
	归属母公司股东权益(万元)	70392.69	41043.90	41043.90	33704.64
	营业收入(万元)	21434.27	39703.11	19986.36	39424.50
	营业支出(万元)	14132.60	26339.42	13491.95	27308.42
	投资收益(万元)	233.49	429.53	200.54	332.90
	净利润(万元)	4652.42	8222.46	3849.71	7087.84
	营业利润(万元)	5116.07	9271.48	4452.00	7750.41
	利润总额(万元)	5400.03	9553.75	4555.25	8210.52

无锡洪汇新材料科技股份有限公司

公司概况	公司名称	无锡洪汇新材料科技股份有限公司			证券简称	洪汇新材
	法人代表	项洪伟	董秘	李专元	证券代码	002802
	公司网址	www.wuxihonghui.com		电子信箱	wxhhxcl@wuxihonghui.com	
	电　话	0510-88721510		传　真	0510-88723566	
	办公地址	江苏省无锡市锡山区东港镇新材料产业园				
	经营范围	特种氯乙烯共聚物的研发、生产和销售				

	指标＼报告期	2016.06.30	2015.12.31	2015.06.30	2014.12.31
主要财务指标	基本每股收益(元)	0.3100	0.5600	0.2600	0.3800
	基本每股收益(扣除后)(元)	0.2800	0.5500	–	0.3400
	稀释每股收益(元)	0.3100	0.5600	0.2600	0.3800
	每股净资产(元)	4.9651	3.4729	–	2.9127
	每股经营现金净流量(元)	0.3773	0.6431	0.3383	0.3236
	每股现金流量(元)	2.1715	0.5723	0.2810	0.2232
	每股资本公积金(元)	2.1732	0.3906	0.3906	0.3906
	每股盈余公积金(元)	0.1787	0.2382	0.1822	0.1822
	每股未分配利润(元)	1.6132	1.8440	1.5974	1.3399
	净资产收益率(%)	4.6362	16.1286	–	13.0910
	加权净资产收益率(%)	8.4600	17.5400	8.4700	14.0100
	净资产收益率(扣除)(%)	4.3043	15.9088	7.9775	11.7288
	总资产(万元)	57838.09	34486.19	–	29605.22
	归属母公司股东权益(万元)	53623.03	28130.18	–	23593.17
	营业收入(万元)	14735.08	29253.24	14535.50	30553.60
	营业支出(万元)	9828.68	20257.87	10242.03	23418.99
	投资收益(万元)	–	–	–	–
	净利润(万元)	2486.05	4537.01	2085.89	3088.59
	营业利润(万元)	2721.95	5220.11	2418.52	3213.56
	利润总额(万元)	2931.23	5281.69	2456.44	3577.60

厦门吉宏包装科技股份有限公司

公司概况					
公司名称	厦门吉宏包装科技股份有限公司			证券简称	吉宏股份
法人代表	庄浩	董秘	龚红鹰	证券代码	002803
公司网址	www.jihong.cc		电子信箱	ipo@jihong.cc	
电　　话	0592-6316330		传　　真	0592-6316330	
办公地址	福建省厦门市海沧区东孚工业区二期浦头路 9 号				
经营范围	提供以快速消费品为核心领域的包装印刷综合解决方案的服务				

主要财务指标：指标\报告期	2016.06.30	2015.12.31	2015.06.30	2014.12.31
基本每股收益(元)	0.2100	0.4300	0.1900	0.2200
基本每股收益(扣除后)(元)	0.2000	0.3700	0.1900	0.1700
稀释每股收益(元)	0.2100	0.4300	0.1900	0.2200
每股净资产(元)	3.1449	2.9368	2.6998	2.5871
每股经营现金净流量(元)	–0.1895	0.6352	0.3241	0.1799
每股现金流量(元)	–0.0087	–0.0283	–0.1199	0.0406
每股资本公积金(元)	0.3100	0.4134	0.4134	0.4134
每股盈余公积金(元)	0.0905	0.1207	0.0869	0.0869
每股未分配利润(元)	1.2082	1.4027	1.1996	1.0868
净资产收益率(%)	6.6185	14.6318	7.1390	8.4800
加权净资产收益率(%)	6.8500	14.6000	6.7300	8.5800
净资产收益率(扣除)(%)	6.3989	12.6611	7.0237	6.5436
总资产(万元)	64827.63	61277.04	–	53060.12
归属母公司股东权益(万元)	27361.04	25550.20	–	22507.84
营业收入(万元)	27196.88	52186.53	24831.37	38592.75
营业支出(万元)	21545.56	41380.64	19627.12	31211.74
投资收益(万元)	–	–	–	–
净利润(万元)	1701.90	3285.82	1470.71	1717.79
营业利润(万元)	2054.72	3443.28	1759.34	1532.35
利润总额(万元)	2126.33	3841.74	1867.38	1709.40

山东丰元化学股份有限公司

公司概况					
公司名称	山东丰元化学股份有限公司			证券简称	丰元股份
法人代表	赵光辉	董秘	刘艳	证券代码	002805
公司网址	www.fengyuanhuaxue.com		电子信箱	fengyuan@fengyuanhuaxue.com	
电　　话	0632-6611106		传　　真	0632-6611219	
办公地址	山东省枣庄市台儿庄区东顺路 1227 号				
经营范围	草酸生产、销售；硝酸、硝酸盐生产、销售；经营进出口业务				

主要财务指标：指标\报告期	2016.06.30	2015.12.31	2015.06.30	2014.12.31
基本每股收益(元)	0.2000	0.3600	0.2600	0.4700
基本每股收益(扣除后)(元)	0.1600	0.3400	–	0.4300
稀释每股收益(元)	0.2000	0.3600	0.2600	0.4700
每股净资产(元)	5.7758	5.6689	–	5.4600
每股经营现金净流量(元)	0.2986	0.3817	0.0401	0.3212
每股现金流量(元)	–0.1786	–0.0688	–0.0592	–0.1478
每股资本公积金(元)	0.9960	1.0882	–	1.0882
每股盈余公积金(元)	0.4381	0.4381	–	0.4015
每股未分配利润(元)	3.3235	3.1233	–	2.9480
净资产收益率(%)	3.4658	6.3856	–	8.6200
加权净资产收益率(%)	3.5000	6.4800	4.9300	8.8800
净资产收益率(扣除)(%)	2.7065	5.9385	–	7.9075
总资产(万元)	47981.24	47968.57	–	47400.59
归属母公司股东权益(万元)	41981.59	41203.98	–	39677.01
营业收入(万元)	13060.26	29510.57	15895.54	30128.45
营业支出(万元)	10160.88	26247.30	12086.75	22971.07
投资收益(万元)	13.12	3.10	3.10	102.97
净利润(万元)	1452.16	2631.78	1894.11	3456.96
营业利润(万元)	1513.40	3266.36	2413.69	4299.31
利润总额(万元)	1938.43	3513.49	2536.70	4682.00

肇庆华锋电子铝箔股份有限公司

公司概况					
公司名称	肇庆华锋电子铝箔股份有限公司			证券简称	华锋股份
法人代表	谭帼英	董秘	李胜宇	证券代码	002806
公司网址	www.c-hfcc.com		电子信箱	board@c-hfcc.com	
电　　话	0758-8510155		传　　真	0758-8510077	
办公地址	广东省肇庆市高要区金渡镇工业园二期 B17 地块				
经营范围	铝电解电容器之关键原材料电极箔的研发、生产及销售				

主要财务指标：指标\报告期	2016.06.30	2015.12.31	2015.06.30	2014.12.31
基本每股收益(元)	0.2200	0.4300	0.1800	0.2700
基本每股收益(扣除后)(元)	0.1800	0.3600	0.1500	0.1900
稀释每股收益(元)	0.2200	0.4300	0.1843	0.2700
每股净资产(元)	4.0000	3.7700	3.5302	3.3500
每股经营现金净流量(元)	0.2807	0.4899	0.4408	0.3050
每股现金流量(元)	–0.0592	0.0335	0.0578	0.0271
每股资本公积金(元)	0.0536	0.0536	0.0536	0.0536
每股盈余公积金(元)	0.2896	0.2896	0.2574	0.2574
每股未分配利润(元)	2.6531	2.4300	2.2193	2.0350
净资产收益率(%)	5.5814	11.3259	5.2210	8.0696
加权净资产收益率(%)	5.7400	12.0100	5.3600	8.4100
净资产收益率(扣除)(%)	4.5211	9.5422	4.2566	5.7074
总资产(万元)	46273.98	43795.30	42097.19	40504.68
归属母公司股东权益(万元)	23977.96	22639.64	21181.40	20075.51
营业收入(万元)	16962.51	29965.09	14143.40	29840.54
营业支出(万元)	13839.54	24118.66	11496.37	24933.94
投资收益(万元)	–	–	–	–
净利润(万元)	1338.31	2564.14	1105.89	1620.02
营业利润(万元)	1225.77	2588.89	1072.68	1204.14
利润总额(万元)	1501.64	3013.28	1286.77	1719.52

江苏江阴农村商业银行股份有限公司

公司概况					
公司名称	江苏江阴农村商业银行股份有限公司			证券简称	江阴银行
法人代表	孙伟	董秘	陆建生	证券代码	002807
公司网址	www.jybank.com.cn		电子信箱	jyrcbank@sina.com	
电　　话	0510-86851978　86823403		传　　真	0510-86850069	
办公地址	江苏省江阴市澄江中路 1 号				
经营范围	吸收公众存款；发放短期，中期和长期贷款				

主要财务指标：指标\报告期	2016.06.30	2015.12.31	2015.06.30	2014.12.31
基本每股收益(元)	0.2322	0.5228	0.2389	0.5250
基本每股收益(扣除后)(元)	0.2251	0.5175	0.2368	0.4798
稀释每股收益(元)	–	0.5228	–	0.5254
每股净资产(元)	4.8500	4.6436	5.2605	5.0225
每股经营现金净流量(元)	1.3684	5.6989	–0.5592	3.2161
每股现金流量(元)	–0.4845	0.6397	–1.1213	–0.3130
每股资本公积金(元)	–	–	–	–
每股盈余公积金(元)	1.5137	1.3532	1.6255	1.6749
每股未分配利润(元)	1.3876	1.3480	1.4043	1.4182
净资产收益率(%)	4.7901	11.2588	5.6764	13.0665
加权净资产收益率(%)	4.8900	12.1300	5.8300	14.1200
净资产收益率(扣除)(%)	4.6443	11.1451	5.8763	11.9404
总资产(万元)	9550878.48	9047840.80	–	8358644.20
归属母公司股东权益(万元)	755206.22	723431.50	–	625971.50
营业收入(万元)	118360.36	250430.10	123175.60	236220.60
营业支出(万元)	79941.80	161694.70	82011.30	150175.00
投资收益(万元)	3822.50	2903.30	3752.80	2419.20
净利润(万元)	36135.90	81492.50	38846.00	85136.30
营业利润(万元)	38418.51	88735.40	41164.30	86045.50
利润总额(万元)	40262.48	89954.00	41745.10	95852.60

苏州恒久光电科技股份有限公司

公司概况						
公司名称	苏州恒久光电科技股份有限公司			证券简称	苏州恒久	
法人代表	余荣清	董秘	陈小华	证券代码	002808	
公司网址	www.sgt21.com		电子信箱	admin@sgt21.com		
电　话	0512-82278868		传　真	0512-82278868		
办公地址	江苏省苏州市高新区火炬路 38-1 号					
经营范围	激光 OPC 鼓系列产品的研发、生产和销售					

主要财务指标：指标\报告期	2016.06.30	2015.12.31	2015.06.30	2014.12.31
基本每股收益(元)	0.1770	0.4690	–	0.4670
基本每股收益(扣除后)(元)	0.1740	0.4470	–	0.4150
稀释每股收益(元)	0.1770	0.4690	–	0.4670
每股净资产(元)	3.3963	3.4000	–	2.9388
每股经营现金净流量(元)	0.1833	0.1871	–	0.4498
每股现金流量(元)	–0.0156	–0.0498	–	0.2066
每股资本公积金(元)	0.4551	0.4551	–	0.4551
每股盈余公积金(元)	0.3013	0.3013	–	0.2602
每股未分配利润(元)	1.6288	1.5514	–	1.2235
净资产收益率(%)	5.2218	14.1600	–	15.8994
加权净资产收益率(%)	5.3300	15.1400	–	17.0100
净资产收益率(扣除)(%)	5.1219	13.5042	–	14.1153
总资产(万元)	36054.13	34508.69	–	30695.67
归属母公司股东权益(万元)	30566.99	29807.55	–	26449.09
营业收入(万元)	11638.36	22680.20	–	21516.50
营业支出(万元)	8545.23	16291.28	–	15390.96
投资收益(万元)	32.92	159.09	–	279.76
净利润(万元)	1596.15	4220.76	–	4205.26
营业利润(万元)	1883.53	4724.41	–	4477.68
利润总额(万元)	1886.53	4869.34	–	4753.06

广东红墙新材料股份有限公司

公司概况						
公司名称	广东红墙新材料股份有限公司			证券简称	红墙股份	
法人代表	刘连军	董秘	朱吉汉	证券代码	002809	
公司网址	www.redwall.com.cn		电子信箱	public@redwall.com.cn		
电　话	0752-6113907		传　真	0752-6113901		
办公地址	广东省惠州市博罗县石湾镇科技产业园					
经营范围	混凝土外加剂的研发、生产、销售和技术服务					

主要财务指标：指标\报告期	2016.06.30	2015.12.31	2015.06.30	2014.12.31
基本每股收益(元)	0.5700	1.3800	–	1.3500
基本每股收益(扣除后)(元)	0.5100	1.3200	–	1.2800
稀释每股收益(元)	0.5700	1.3800	–	1.3500
每股净资产(元)	9.2200	7.0700	6.2413	5.8300
每股经营现金净流量(元)	0.5683	1.0655	0.2906	0.8749
每股现金流量(元)	0.2576	0.2530	–0.2341	–0.1657
每股资本公积金(元)	0.9803	0.9803	0.9803	0.9803
每股盈余公积金(元)	0.4264	0.4264	0.3284	0.3284
每股未分配利润(元)	5.2296	4.6608	3.9326	3.5224
净资产收益率(%)	7.4500	19.4800	8.8200	23.0800
加权净资产收益率(%)	7.7400	21.3800	9.0500	25.8600
净资产收益率(扣除)(%)	6.6856	18.6141	8.3237	21.9729
总资产(万元)	55341.77	50319.37	49526.59	49014.37
归属母公司股东权益(万元)	45817.77	42405.02	37448.05	34986.60
营业收入(万元)	19268.81	44895.09	20110.09	54345.33
营业支出(万元)	15614.78	35622.96	16419.94	37861.82
投资收益(万元)	–	–	–	–
净利润(万元)	3412.75	8258.42	3301.45	8074.23
营业利润(万元)	3654.03	9272.13	3690.14	8996.40
利润总额(万元)	4064.47	9702.84	3907.27	9453.65

山东赫达股份有限公司

公司概况						
公司名称	山东赫达股份有限公司			证券简称	山东赫达	
法人代表	毕心德	董秘	毕松羚	证券代码	002810	
公司网址	www.sdhead.com		电子信箱	hdzqb@sdhead.com		
电　话	0533-6696036		传　真	0533-6681618		
办公地址	山东省淄博市周村经济开发区西北外环路 999 号					
经营范围	水溶性高分子化合物产品的研发、生产和销售等					

主要财务指标：指标\报告期	2016.06.30	2015.12.31	2015.06.30	2014.12.31
基本每股收益(元)	0.3400	0.6900	0.3200	0.7700
基本每股收益(扣除后)(元)	0.3300	0.5800	–	0.7300
稀释每股收益(元)	0.3400	0.6900	0.3200	0.7700
每股净资产(元)	5.8400	5.5200	5.0779	4.9900
每股经营现金净流量(元)	0.4621	0.9196	0.2113	1.1252
每股现金流量(元)	–0.1083	–0.0697	–0.0669	0.2066
每股资本公积金(元)	0.0991	0.0991	0.0991	0.0991
每股盈余公积金(元)	0.6563	0.6563	0.5780	0.5780
每股未分配利润(元)	4.0270	3.6885	3.4008	3.2282
净资产收益率(%)	5.8536	12.6478	6.3500	15.6607
加权净资产收益率(%)	6.0300	13.3100	6.3700	16.6800
净资产收益率(扣除)(%)	5.6656	10.5774	6.1406	14.7870
总资产(万元)	79317.91	78103.36	75623.76	69726.31
归属母公司股东权益(万元)	41390.24	38967.44	36347.95	35112.62
营业收入(万元)	27694.35	49565.77	24590.77	51874.36
营业支出(万元)	20584.99	36581.08	18013.40	37464.54
投资收益(万元)	9.68	38.73	40.45	76.04
净利润(万元)	2358.56	4854.77	2277.81	5484.43
营业利润(万元)	2744.45	4884.13	2561.62	6219.95
利润总额(万元)	2835.93	5828.96	2650.15	6580.12

深圳市亚泰国际建设股份有限公司

公司概况						
公司名称	深圳市亚泰国际建设股份有限公司			证券简称	亚泰国际	
法人代表	郑忠	董秘	王小颖	证券代码	002811	
公司网址	www.atgcn.com		电子信箱	atg@atgcn.com		
电　话	0755-83028871		传　真	0755-23609266		
办公地址	广东省深圳市福田区中心区益田路与福华路交汇处卓越时代广场 4B01-02					
经营范围	高端建筑装饰工程的设计与施工					

主要财务指标：指标\报告期	2016.06.30	2015.12.31	2015.06.30	2014.12.31
基本每股收益(元)	0.3200	0.8100	0.2400	0.8300
基本每股收益(扣除后)(元)	0.3000	0.8200	0.2400	0.8100
稀释每股收益(元)	0.3200	0.8100	0.2400	0.8300
每股净资产(元)	4.6800	4.3600	3.7900	3.7000
每股经营现金净流量(元)	–0.6700	–0.3198	–0.5059	0.2634
每股现金流量(元)	–0.7385	0.3871	–0.2084	0.4912
每股资本公积金(元)	0.7415	0.7415	0.7415	0.7415
每股盈余公积金(元)	0.2520	0.2520	0.1804	0.1804
每股未分配利润(元)	2.6593	2.3403	1.8411	1.7484
净资产收益率(%)	6.8108	18.6123	6.3586	22.4501
加权净资产收益率(%)	7.0500	20.1400	6.3000	24.7400
净资产收益率(扣除)(%)	6.4494	18.8348	6.2414	21.9441
总资产(万元)	172973.57	163662.14	144249.76	132662.33
归属母公司股东权益(万元)	63228.50	58873.07	51126.96	49947.42
营业收入(万元)	89554.66	180566.70	92900.63	179000.11
营业支出(万元)	73078.63	147302.54	77703.65	147133.93
投资收益(万元)	–	–	–	–
净利润(万元)	4306.36	10957.65	3250.98	11213.25
营业利润(万元)	5426.19	14666.31	4226.89	14468.97
利润总额(万元)	5730.83	14491.67	4306.80	14805.94

云南创新新材料股份有限公司

公司概况						
	公司名称	云南创新新材料股份有限公司			证券简称	创新股份
	法人代表	李晓明	董秘	熊炜	证券代码	002812
	公司网址	www.cxxcl.cn		电子信箱	groupheadquarter@cxxcl.cn	
	电　话	0877–8888661		传　真	0877–8888677	
	办公地址	云南省玉溪市高新区抚仙路 125 号				
	经营范围	提供多种包装印刷产品、包装制品及服务				

主要财务指标	指标\报告期	2016.06.30	2015.12.31	2015.06.30	2014.12.31
	基本每股收益(元)	0.7500	1.4900	0.6300	1.2700
	基本每股收益(扣除后)(元)	0.6800	1.3600	0.5900	1.2500
	稀释每股收益(元)	0.7500	1.4900	0.6300	1.2700
	每股净资产(元)	7.3194	7.3644	6.4958	6.8658
	每股经营现金净流量(元)	–0.0867	1.8610	0.6060	1.4884
	每股现金流量(元)	–0.7837	–0.1646	–0.7786	0.4658
	每股资本公积金(元)	2.3633	2.3633	2.3633	2.3633
	每股盈余公积金(元)	0.7883	0.7883	0.7164	0.7164
	每股未分配利润(元)	3.1678	3.2128	2.4161	2.7861
	净资产收益率(%)	10.2720	20.2900	9.6400	18.5400
	加权净资产收益率(%)	10.2100	19.4200	9.7800	17.7900
	净资产收益率(扣除)(%)	9.2914	18.4413	9.1684	18.2474
	总资产(万元)	130619.84	125852.58	117392.33	110413.57
	归属母公司股东权益(万元)	73486.66	73938.09	65217.75	68932.84
	营业收入(万元)	51097.24	113148.90	53632.37	121696.87
	营业支出(万元)	36240.58	83934.67	40098.52	94103.73
	投资收益(万元)	78.66	125.22	53.87	99.98
	净利润(万元)	7548.58	15005.25	6284.91	12780.94
	营业利润(万元)	7920.07	15784.44	6841.30	14691.09
	利润总额(万元)	8765.27	17387.56	7193.14	14926.30

青岛特锐德电气股份有限公司

公司概况						
	公司名称	青岛特锐德电气股份有限公司			证券简称	特锐德
	法人代表	于德翔	董秘	于德翔(代)	证券代码	300001
	公司网址	www.qdtgood.com		电子信箱	ir@qdtgood.com	
	电　话	0532–80938126		传　真	0532–89083388	
	办公地址	山东省青岛市崂山区松岭路 336 号				
	经营范围	设计、制造 220kv 及以下的变配电一二次产品以及提供相应技术服务等				

主要财务指标	指标\报告期	2016.06.30	2015.12.31	2015.06.30	2014.12.31
	基本每股收益(元)	0.0900	0.1600	0.1000	0.1800
	基本每股收益(扣除后)(元)	0.0900	0.1400	0.0800	0.3600
	稀释每股收益(元)	0.0900	0.1600	0.1000	0.1800
	每股净资产(元)	2.5513	2.4565	1.6547	3.5273
	每股经营现金净流量(元)	–0.6233	0.3184	–0.3130	0.2807
	每股现金流量(元)	–0.4663	0.6511	–0.1316	0.0214
	每股资本公积金(元)	0.8462	0.8462	0.0322	1.2708
	每股盈余公积金(元)	0.0849	0.0849	0.0725	0.1595
	每股未分配利润(元)	0.6158	0.5214	0.5479	1.0930
	净资产收益率(%)	3.7178	5.9160	5.8350	11.2530
	加权净资产收益率(%)	3.4900	9.0600	5.2900	11.7700
	净资产收益率(扣除)(%)	3.4931	5.1193	4.6692	10.2970
	总资产(万元)	752982.94	640222.20	331845.93	303016.54
	归属母公司股东权益(万元)	255629.25	246129.59	145904.39	141373.96
	营业收入(万元)	232932.56	300198.15	99901.71	193205.42
	营业支出(万元)	177474.85	227705.32	75126.76	139974.09
	投资收益(万元)	961.96	670.18	136.55	544.29
	净利润(万元)	7453.74	13644.81	8489.34	17855.56
	营业利润(万元)	9156.92	13458.93	7557.28	19114.14
	利润总额(万元)	9666.03	15847.37	9803.52	21163.96

北京神州泰岳软件股份有限公司

公司概况						
	公司名称	北京神州泰岳软件股份有限公司			证券简称	神州泰岳
	法人代表	王宁	董秘	张黔山	证券代码	300002
	公司网址	www.ultrapower.com.cn		电子信箱	irm@ultrapower.com.cn	
	电　话	010–58847555		传　真	010–58847583	
	办公地址	北京市朝阳区北苑路甲 13 号院 1 号楼 22 层				
	经营范围	软件产品开发与销售、技术服务、系统集成、电子商务等				

主要财务指标	指标\报告期	2016.06.30	2015.12.31	2015.06.30	2014.12.31
	基本每股收益(元)	0.1232	0.1774	0.0554	0.3286
	基本每股收益(扣除后)(元)	0.0427	0.1258	0.0526	0.4736
	稀释每股收益(元)	0.1232	0.1768	0.0549	0.3277
	每股净资产(元)	2.5225	2.4993	2.4161	3.6487
	每股经营现金净流量(元)	–0.1088	0.0322	–0.0488	0.2796
	每股现金流量(元)	–0.0543	–0.2886	–0.2836	–0.1763
	每股资本公积金(元)	0.2372	0.2631	0.4090	1.1090
	每股盈余公积金(元)	0.1006	0.0990	0.0886	0.1332
	每股未分配利润(元)	1.1882	1.0449	0.9349	1.4408
	净资产收益率(%)	4.9447	7.1035	2.3136	12.8916
	加权净资产收益率(%)	4.8100	7.4500	2.3100	14.7500
	净资产收益率(扣除)(%)	1.7138	5.1641	2.1683	12.5423
	总资产(万元)	618735.08	590657.94	542843.73	558332.76
	归属母公司股东权益(万元)	494689.56	494601.00	479944.57	485580.99
	营业收入(万元)	141640.42	277348.73	115247.75	260529.66
	营业支出(万元)	103144.90	175478.53	81519.78	136694.77
	投资收益(万元)	16233.63	8019.07	4679.38	8050.50
	净利润(万元)	22394.93	29377.65	8978.51	62427.18
	营业利润(万元)	19758.22	29245.41	8370.52	64304.54
	利润总额(万元)	21918.30	34140.93	10237.44	67793.72

乐普(北京)医疗器械股份有限公司

公司概况						
	公司名称	乐普(北京)医疗器械股份有限公司			证券简称	乐普医疗
	法人代表	蒲忠杰	董秘	张霞	证券代码	300003
	公司网址	www.lepumedical.com		电子信箱	zqb@lepumedical.com	
	电　话	010–80120666　80120622		传　真	010–80120776	
	办公地址	北京市昌平区超前路 37 号 3 号楼				
	经营范围	医疗器械及其配件的技术开发、生产、销售自产产品、提供自产产品的技术咨询服务等				

主要财务指标	指标\报告期	2016.06.30	2015.12.31	2015.06.30	2014.12.31
	基本每股收益(元)	0.2190	0.6415	0.1774	0.5212
	基本每股收益(扣除后)(元)	0.2152	0.6269	0.3374	0.5011
	稀释每股收益(元)	0.2190	0.6415	0.1774	0.5212
	每股净资产(元)	2.5506	2.9599	4.0834	3.8702
	每股经营现金净流量(元)	0.2002	0.5375	0.1136	0.4290
	每股现金流量(元)	–0.5904	1.6323	0.1138	–0.2604
	每股资本公积金(元)	0.2760	2.4032	0.9271	0.9271
	每股盈余公积金(元)	0.1470	0.3157	0.2726	0.2726
	每股未分配利润(元)	1.1287	2.1306	1.8869	1.6722
	净资产收益率(%)	8.4877	10.8363	8.6870	13.4665
	加权净资产收益率(%)	8.0300	15.6200	8.8100	14.2100
	净资产收益率(扣除)(%)	8.3408	10.5901	8.2618	12.9468
	总资产(万元)	735944.25	772989.24	533462.04	382993.28
	归属母公司股东权益(万元)	444708.36	480689.87	331572.43	314256.43
	营业收入(万元)	167594.97	276871.75	133201.83	166863.70
	营业支出(万元)	66831.40	123693.66	61859.09	60827.60
	投资收益(万元)	344.93	880.73	383.58	159.27
	净利润(万元)	40832.51	59599.10	32343.72	45223.65
	营业利润(万元)	47439.10	68403.53	35780.24	51686.44
	利润总额(万元)	48611.02	70093.99	37966.57	53663.83

南方风机股份有限公司

公司概况					
公司名称	南方风机股份有限公司			证券简称	南风股份
法人代表	杨子善	董秘	邱少媚	证券代码	300004
公司网址	www.ntfan.com		电子信箱	investors@ntfan.com	
电话	0757-81006199		传真	0757-81006190	
办公地址	广东省佛山市南海区狮山大道				
经营范围	通风与空气处理系统设计和产品开发、制造和销售等				

主要财务指标 指标\报告期	2016.06.30	2015.12.31	2015.06.30	2014.12.31
基本每股收益(元)	0.0500	0.0900	0.0700	0.5000
基本每股收益(扣除后)(元)	0.0400	0.0800	0.0700	0.4800
稀释每股收益(元)	0.0500	0.0900	0.0700	0.5000
每股净资产(元)	5.9700	5.9500	11.7900	11.7700
每股经营现金净流量(元)	0.1558	0.2753	-0.0545	0.7263
每股现金流量(元)	-0.0397	-0.1497	-0.5937	0.1853
每股资本公积金(元)	4.2115	4.2115	9.4230	9.4230
每股盈余公积金(元)	0.0619	0.0619	0.1238	0.1238
每股未分配利润(元)	0.6927	0.6733	1.2468	1.2220
净资产收益率(%)	0.8283	1.4677	0.6344	3.6286
加权净资产收益率(%)	0.8300	1.4700	0.6300	6.0400
净资产收益率(扣除)(%)	0.7308	1.2715	0.5852	3.4997
总资产(万元)	363920.32	374355.18	362994.31	377400.48
归属母公司股东权益(万元)	303804.35	302815.45	300276.13	299644.08
营业收入(万元)	35043.17	82002.86	34424.06	81836.29
营业支出(万元)	22189.59	52155.22	23136.24	49594.03
投资收益(万元)	87.13	-62.78	23.74	-19.43
净利润(万元)	2175.34	3977.63	1706.24	10769.79
营业利润(万元)	2811.32	4151.15	2200.11	12001.22
利润总额(万元)	3155.64	4852.59	2374.14	12468.19

探路者控股集团股份有限公司

公司概况					
公司名称	探路者控股集团股份有限公司			证券简称	探路者
法人代表	盛发强	董秘	张成	证券代码	300005
公司网址	www.toread.com.cn		电子信箱	zhang.cheng@toread.com.cn	
电话	010-81788188		传真	010-81788593	
办公地址	北京市海淀区知春路 6 号锦秋国际大厦 A 座 21 层				
经营范围	户外用品研发设计、组织外包生产、销售等				

主要财务指标 指标\报告期	2016.06.30	2015.12.31	2015.06.30	2014.12.31
基本每股收益(元)	0.1836	0.5139	0.2414	0.5752
基本每股收益(扣除后)(元)	0.1516	0.4855	0.2392	0.5630
稀释每股收益(元)	0.1836	0.5137	0.2409	0.5750
每股净资产(元)	4.6262	2.7621	2.4933	2.4325
每股经营现金净流量(元)	-0.3624	0.1205	-0.3177	0.5671
每股现金流量(元)	1.3564	-0.2644	-0.4903	0.2784
每股资本公积金(元)	2.2915	0.3561	0.3533	0.3363
每股盈余公积金(元)	0.2245	0.2596	0.1989	0.1991
每股未分配利润(元)	1.1186	1.1526	0.9427	0.9021
净资产收益率(%)	3.4341	18.5548	9.6875	23.5826
加权净资产收益率(%)	6.4300	19.9000	9.5600	26.0400
净资产收益率(扣除)(%)	2.8355	17.5335	9.5893	23.0509
总资产(万元)	371503.37	262709.64	189318.06	176732.31
归属母公司股东权益(万元)	274881.10	141955.72	128074.05	124790.99
营业收入(万元)	108743.96	380759.20	67602.36	171524.19
营业支出(万元)	72874.62	290109.02	32922.83	87751.00
投资收益(万元)	1.31	20.61	40.36	287.65
净利润(万元)	7547.09	25286.28	11899.60	28204.04
营业利润(万元)	7978.32	27465.39	16443.85	32434.34
利润总额(万元)	9919.81	29201.14	16595.22	33224.18

重庆莱美药业股份有限公司

公司概况					
公司名称	重庆莱美药业股份有限公司			证券简称	莱美药业
法人代表	邱宇	董秘	冷雪峰	证券代码	300006
公司网址	www.cqlummy.com		电子信箱	cqlm@cqlummy.com	
电话	023-67300382 67300368		传真	023-67300381	
办公地址	重庆市北部新区杨柳路 2 号综合研发楼 B 塔楼 15 层				
经营范围	生产、销售(限本企业自产)大容量注射剂(含抗肿瘤药)、小容量注射剂等				

主要财务指标 指标\报告期	2016.06.30	2015.12.31	2015.06.30	2014.12.31
基本每股收益(元)	0.0400	0.1000	0.0100	0.0500
基本每股收益(扣除后)(元)	0.0200	0.0700	0.0400	0.0400
稀释每股收益(元)	0.0400	0.1000	0.0100	0.0500
每股净资产(元)	2.0341	7.2705	4.8597	4.9262
每股经营现金净流量(元)	0.0015	-0.1259	-0.0158	-0.2447
每股现金流量(元)	-0.6475	3.3134	0.1453	-1.2962
每股资本公积金(元)	0.7216	5.8133	2.6911	2.7125
每股盈余公积金(元)	0.0425	0.1709	0.1448	0.1448
每股未分配利润(元)	0.2716	1.0450	1.0238	1.0689
净资产收益率(%)	1.9562	1.2566	1.1284	0.9334
加权净资产收益率(%)	1.9500	2.0100	1.1100	0.8700
净资产收益率(扣除)(%)	1.0717	0.8395	0.8383	0.7983
总资产(万元)	258057.36	310276.35	255479.50	224389.76
归属母公司股东权益(万元)	165216.02	164038.56	98066.52	99407.83
营业收入(万元)	44729.04	96397.52	44140.18	91180.17
营业支出(万元)	27733.33	60659.30	28120.69	62046.66
投资收益(万元)	1446.79	-70.78	15.63	-4.71
净利润(万元)	3343.39	2039.74	1118.02	1126.48
营业利润(万元)	4026.63	1652.60	1061.26	474.21
利润总额(万元)	4240.20	2490.73	1396.46	634.28

河南汉威电子股份有限公司

公司概况					
公司名称	河南汉威电子股份有限公司			证券简称	汉威电子
法人代表	任红军	董秘	肖锋	证券代码	300007
公司网址	www.hanwei.cn		电子信箱	hwdz@hwsensor.com	
电话	0371-67169159		传真	0371-67169196	
办公地址	河南省郑州市高新技术开发区雪松路 169 号				
经营范围	气体传感器、气体检测仪器仪表的研发、生产、销售及自营产品出口等				

主要财务指标 指标\报告期	2016.06.30	2015.12.31	2015.06.30	2014.12.31
基本每股收益(元)	0.1500	0.2700	0.1100	0.2400
基本每股收益(扣除后)(元)	0.0900	0.1500	0.1300	0.3200
稀释每股收益(元)	0.1500	0.2700	0.1100	0.2400
每股净资产(元)	4.2551	4.1618	8.0315	7.8577
每股经营现金净流量(元)	0.1562	0.5093	0.1739	0.3476
每股现金流量(元)	-0.2268	0.9392	2.0196	-0.2209
每股资本公积金(元)	2.0008	2.0341	5.0900	5.0890
每股盈余公积金(元)	0.0894	0.0894	0.1634	0.1634
每股未分配利润(元)	1.1650	1.0383	1.7781	1.6053
净资产收益率(%)	3.4464	6.4491	2.7743	4.9809
加权净资产收益率(%)	3.4900	6.6300	2.8000	7.9800
净资产收益率(扣除)(%)	2.0207	3.7039	1.5850	3.3795
总资产(万元)	336425.36	281080.83	256018.77	182037.98
归属母公司股东权益(万元)	124684.84	121949.66	117670.46	115123.77
营业收入(万元)	53362.44	74671.86	31831.82	39930.68
营业支出(万元)	33276.14	42701.63	18077.39	20097.01
投资收益(万元)	11.78	467.08	299.20	-47.28
净利润(万元)	6192.84	9916.28	3866.76	5837.35
营业利润(万元)	4190.85	7554.81	3256.44	3309.08
利润总额(万元)	7262.36	11948.78	4859.95	6645.53

天海融合防务装备技术股份有限公司

公司概况	公司名称	天海融合防务装备技术股份有限公司			证券简称	天海防务
	法人代表	刘楠	董秘	马锐	证券代码	300008
	公司网址	www.bestwaysh.com		电子信箱	public@bestwaysh.com	
	电　话	021-60859788　60859745		传　真	021-60859896	
	办公地址	上海市松江区莘砖公路 518 号 10 号				
	经营范围	船舶工程及海洋工程设计、设计工程总承包(EPC)、船舶建造监理等				

主要财务指标	指标\报告期	2016.06.30	2015.12.31	2015.06.30	2014.12.31
	基本每股收益(元)	0.3440	0.2220	0.0830	0.1840
	基本每股收益(扣除后)(元)	0.3230	0.1940	0.0820	0.1430
	稀释每股收益(元)	0.3440	0.2210	0.0830	0.1840
	每股净资产(元)	7.4190	3.7115	3.3983	3.3297
	每股经营现金净流量(元)	-0.6554	-0.2482	-0.3405	-0.0948
	每股现金流量(元)	0.7065	-0.0093	-0.4261	-0.5624
	每股资本公积金(元)	5.5185	1.7540	1.5687	1.5334
	每股盈余公积金(元)	0.0971	0.1467	0.1360	0.1360
	每股未分配利润(元)	0.8032	0.8105	0.6933	0.6602
	净资产收益率(%)	3.5906	5.9168	2.4456	5.5164
	加权净资产收益率(%)	6.4100	6.3900	2.4700	6.6000
	净资产收益率(扣除)(%)	3.3774	5.1671	1.9952	4.2932
	总资产(万元)	367079.13	170213.38	139087.23	131863.69
	归属母公司股东权益(万元)	283280.23	93861.27	84947.46	83233.51
	营业收入(万元)	84506.84	119684.27	45737.29	84666.94
	营业支出(万元)	67219.43	103142.41	38675.55	70261.41
	投资收益(万元)	95.72	-121.12	-6.42	-33.13
	净利润(万元)	9983.72	5088.37	1856.80	4114.59
	营业利润(万元)	11751.94	6025.51	2230.16	4736.44
	利润总额(万元)	12483.42	6883.57	2619.59	5692.02

安徽安科生物工程(集团)股份有限公司

公司概况	公司名称	安徽安科生物工程(集团)股份有限公司			证券简称	安科生物
	法人代表	宋礼华	董秘	姚建平	证券代码	300009
	公司网址	www.ankebio.com		电子信箱	master@ankebio.com	
	电　话	0551-65316867　65316841		传　真	0551-65316867	
	办公地址	安徽省合肥市长江西路 669 号高新区海关路 k-1				
	经营范围	生物医药的研究、开发、生产和销售等				

主要财务指标	指标\报告期	2016.06.30	2015.12.31	2015.06.30	2014.12.31
	基本每股收益(元)	0.1605	0.3600	0.1247	0.2900
	基本每股收益(扣除后)(元)	0.1500	0.3500	0.1564	0.3700
	稀释每股收益(元)	0.1605	0.3600	0.1247	0.2900
	每股净资产(元)	2.3209	2.9837	2.0549	2.5448
	每股经营现金净流量(元)	0.1477	0.2911	0.1290	0.3743
	每股现金流量(元)	0.1256	-0.2270	-0.2380	-0.1687
	每股资本公积金(元)	0.5744	1.0721	0.2687	0.5835
	每股盈余公积金(元)	0.1387	0.1802	0.1603	0.2084
	每股未分配利润(元)	0.6078	0.7313	0.6259	0.7529
	净资产收益率(%)	6.9176	11.1965	7.8876	14.8669
	加权净资产收益率(%)	6.9200	17.1400	8.1700	15.8800
	净资产收益率(扣除)(%)	6.3358	10.7473	7.6110	14.3974
	总资产(万元)	184947.14	140129.27	90874.03	91557.64
	归属母公司股东权益(万元)	123035.70	121693.98	77548.36	73889.73
	营业收入(万元)	35510.69	63575.51	29462.87	54240.59
	营业支出(万元)	10165.84	18122.01	8804.41	15729.07
	投资收益(万元)	491.50	96.18	7.06	10.42
	净利润(万元)	8455.87	13243.10	5836.67	10877.12
	营业利润(万元)	9548.03	15013.96	6637.47	12267.18
	利润总额(万元)	9886.38	15597.28	6887.39	12671.25

北京立思辰科技股份有限公司

公司概况	公司名称	北京立思辰科技股份有限公司			证券简称	立思辰
	法人代表	池燕明	董秘	华婷	证券代码	300010
	公司网址	www.lanxum.com		电子信箱	contact@lanxum.com	
	电　话	010-82736996　82736433		传　真	010-82736055*6433	
	办公地址	北京市海淀区学清路 8 号科技财富中心 B 座 3A 层				
	经营范围	办公信息系统解决方案及服务等				

主要财务指标	指标\报告期	2016.06.30	2015.12.31	2015.06.30	2014.12.31
	基本每股收益(元)	0.0390	0.1955	-0.0197	0.3640
	基本每股收益(扣除后)(元)	0.0346	0.1723	-0.0218	0.3631
	稀释每股收益(元)	0.0390	0.1951	-0.0197	0.3626
	每股净资产(元)	5.9349	2.5394	1.9929	4.4824
	每股经营现金净流量(元)	-0.1633	0.1437	-0.1696	0.3121
	每股现金流量(元)	1.1373	0.0050	0.0012	0.5503
	每股资本公积金(元)	5.0186	0.9503	0.6067	2.5308
	每股盈余公积金(元)	0.0205	0.0229	0.0229	0.0533
	每股未分配利润(元)	0.5526	0.5715	0.3730	0.9203
	净资产收益率(%)	0.5892	7.4757	-0.9877	7.6189
	加权净资产收益率(%)	1.1600	8.4300	-0.9700	9.7100
	净资产收益率(扣除)(%)	0.5184	6.6091	-1.0920	7.5992
	总资产(万元)	623995.32	271107.75	203259.45	193072.24
	归属母公司股东权益(万元)	513216.49	174096.45	128882.61	131741.65
	营业收入(万元)	50163.28	102314.55	36606.92	84703.12
	营业支出(万元)	25766.38	54721.96	23734.36	49189.97
	投资收益(万元)	-163.35	-108.84	-5.53	-146.14
	净利润(万元)	2556.45	13259.97	-1092.70	11316.45
	营业利润(万元)	1371.38	11248.96	-2409.04	10291.54
	利润总额(万元)	3855.37	15163.83	-587.98	11760.40

北京鼎汉技术股份有限公司

公司概况	公司名称	北京鼎汉技术股份有限公司			证券简称	鼎汉技术
	法人代表	顾庆伟	董秘	吴志刚	证券代码	300011
	公司网址	www.dinghantech.com		电子信箱	ir@dinghantech.com	
	电　话	010-83683366-8287		传　真	010-83683366-8223	
	办公地址	北京市丰台区南四环西路 188 号 18 区 2 号楼				
	经营范围	生产轨道交通信号智能电源产品、轨道交通电力操作电源、屏蔽门电源等				

主要财务指标	指标\报告期	2016.06.30	2015.12.31	2015.06.30	2014.12.31
	基本每股收益(元)	0.0152	0.5010	0.1792	0.3863
	基本每股收益(扣除后)(元)	-0.0339	0.4257	0.1774	0.3701
	稀释每股收益(元)	0.0150	0.4941	0.1756	0.3768
	每股净资产(元)	3.8898	3.9296	3.6060	3.4801
	每股经营现金净流量(元)	-0.1295	0.1797	0.2771	0.2818
	每股现金流量(元)	-0.0779	-0.4111	-0.2603	0.1885
	每股资本公积金(元)	1.7708	1.7613	1.7516	1.7414
	每股盈余公积金(元)	0.0833	0.0836	0.0367	0.0368
	每股未分配利润(元)	1.0396	1.0886	0.8180	0.7019
	净资产收益率(%)	0.3902	12.6918	4.9565	9.5999
	加权净资产收益率(%)	0.3900	13.5500	5.0400	15.1200
	净资产收益率(扣除)(%)	-0.8682	10.7847	4.9068	9.1968
	总资产(万元)	308497.93	310911.42	299780.91	212759.12
	归属母公司股东权益(万元)	205839.72	207102.92	189368.87	182005.68
	营业收入(万元)	36444.72	114457.76	45899.93	79572.30
	营业支出(万元)	22246.39	65326.80	24809.50	47268.62
	投资收益(万元)	-27.65	1438.71	-24.42	-64.60
	净利润(万元)	803.17	26241.74	9355.22	17470.82
	营业利润(万元)	-1675.42	24124.96	10451.06	18465.28
	利润总额(万元)	1298.60	29066.59	10660.33	20330.30

华测检测认证集团股份有限公司

公司概况

公司名称	华测检测认证集团股份有限公司			证券简称	华测检测
法人代表	万峰	董秘	陈砚	证券代码	300012
公司网址	www.cti-cert.com			电子信箱	security@cti-cert.com
电　　话	0755-33682137			传　　真	0755-33683385-2137
办公地址	广东省深圳市宝安区西乡铁岗水库桃花源科技创新园C栋公共检测中心1楼				
经营范围	计量仪器与设备的技术咨询、电子安全电磁兼技术开发、电子元器件和仪器的销售等				

主要财务指标

指标＼报告期	2016.06.30	2015.12.31	2015.06.30	2014.12.31
基本每股收益(元)	0.0210	0.4700	0.0513	0.3900
基本每股收益(扣除后)(元)	0.0133	0.4400	0.0900	0.3500
稀释每股收益(元)	0.0210	0.4700	0.0513	0.3900
每股净资产(元)	1.8372	3.7278	3.3549	3.3342
每股经营现金净流量(元)	0.0025	0.7238	0.0756	0.6603
每股现金流量(元)	-0.1712	0.5176	-0.0758	-0.0625
每股资本公积金(元)	0.0437	1.0849	1.0827	1.0592
每股盈余公积金(元)	0.0909	0.1819	0.1364	0.1369
每股未分配利润(元)	0.7042	1.4669	1.1441	1.1464
净资产收益率(%)	1.1453	12.6405	3.0483	11.4927
加权净资产收益率(%)	1.1300	13.4000	3.0400	14.1300
净资产收益率(扣除)(%)	0.7250	11.7053	2.6709	10.1171
总资产(万元)	193341.18	188844.03	156821.70	158756.03
归属母公司股东权益(万元)	140860.56	142854.01	128489.80	127146.06
营业收入(万元)	63611.68	128783.54	53251.59	92604.55
营业支出(万元)	34090.46	59307.62	26771.92	38810.53
投资收益(万元)	16.22	103.68	4.51	59.71
净利润(万元)	1762.09	18217.26	3955.79	14870.11
营业利润(万元)	2478.60	19979.53	5165.77	15965.98
利润总额(万元)	3209.07	21547.89	5741.35	18065.03

江苏新宁现代物流股份有限公司

公司概况

公司名称	江苏新宁现代物流股份有限公司			证券简称	新宁物流
法人代表	王雅军	董秘	张瑜	证券代码	300013
公司网址	www.xinning.com.cn			电子信箱	jsxn@xinning.com.cn
电　　话	0512-57120911			传　　真	0512-57999356
办公地址	江苏省昆山市张浦镇阳光西路760号				
经营范围	进出口货物的仓储、集装箱堆存及有关配套业务等				

主要财务指标

指标＼报告期	2016.06.30	2015.12.31	2015.06.30	2014.12.31
基本每股收益(元)	0.0200	-0.5200	0.0100	0.0400
基本每股收益(扣除后)(元)	-0.0200	-0.5200	0.0100	0.0300
稀释每股收益(元)	0.0200	-0.5200	0.0100	0.0400
每股净资产(元)	3.9429	3.9268	1.8893	1.8900
每股经营现金净流量(元)	-0.1708	-0.1005	-0.0197	0.0787
每股现金流量(元)	-0.6065	0.6586	0.0745	-0.2561
每股资本公积金(元)	3.0347	3.0347	0.4518	0.4518
每股盈余公积金(元)	0.0313	0.0313	0.0518	0.0518
每股未分配利润(元)	-0.1243	-0.1400	0.3853	0.3881
净资产收益率(%)	0.3995	-9.3852	0.3827	1.8901
加权净资产收益率(%)	0.4000	-21.1200	0.3800	1.9000
净资产收益率(扣除)(%)	-0.6330	-9.2515	0.2418	1.6980
总资产(万元)	172890.01	171808.88	57261.04	68208.08
归属母公司股东权益(万元)	117415.03	116935.31	34006.97	34061.83
营业收入(万元)	33913.49	59027.40	20324.70	40428.84
营业支出(万元)	23643.64	43296.18	14579.71	27812.47
投资收益(万元)	329.59	541.42	376.56	493.56
净利润(万元)	492.83	-10822.39	222.36	864.16
营业利润(万元)	-835.13	-9980.62	511.06	1637.42
利润总额(万元)	1153.43	-10059.73	588.33	1734.21

惠州亿纬锂能股份有限公司

公司概况

公司名称	惠州亿纬锂能股份有限公司			证券简称	亿纬锂能
法人代表	刘金成	董秘	唐秋英	证券代码	300014
公司网址	www.evebattery.com			电子信箱	ir@evebattery.com
电　　话	0752-5751928　2605878			传　　真	0752-2606033
办公地址	广东省惠州市仲恺高新区惠风七路36号				
经营范围	生产、销售锂一次电池、锂二次电池、锂聚合物电池、锂离子电池等				

主要财务指标

指标＼报告期	2016.06.30	2015.12.31	2015.06.30	2014.12.31
基本每股收益(元)	0.2100	0.3800	0.1500	0.2100
基本每股收益(扣除后)(元)	0.2083	0.2300	0.1578	0.0500
稀释每股收益(元)	0.2100	0.3800	0.1500	0.2100
每股净资产(元)	4.1360	2.5507	2.5507	2.4458
每股经营现金净流量(元)	-0.1700	0.1335	0.0246	0.0982
每股现金流量(元)	-0.3126	0.8102	-0.0467	-0.2972
每股资本公积金(元)	1.5311	1.5289	0.1939	0.1939
每股盈余公积金(元)	0.1705	0.1706	0.1600	0.1600
每股未分配利润(元)	1.4344	1.3016	1.1969	1.0920
净资产收益率(%)	5.0347	8.8544	6.0728	8.6474
加权净资产收益率(%)	5.1000	13.8600	6.1400	9.0500
净资产收益率(扣除)(%)	4.7960	5.3839	6.1860	1.9895
总资产(万元)	317488.56	248795.63	179282.63	168049.28
归属母公司股东权益(万元)	176704.44	170879.31	101589.74	97411.83
营业收入(万元)	82128.12	134893.29	63382.44	120892.40
营业支出(万元)	56819.14	97212.71	44363.00	89501.72
投资收益(万元)	203.32	477.65	-	55.90
净利润(万元)	10761.01	16600.68	6699.89	8090.70
营业利润(万元)	12372.09	13462.93	7955.86	3559.68
利润总额(万元)	12656.13	18091.22	7805.40	9961.43

爱尔眼科医院集团股份有限公司

公司概况

公司名称	爱尔眼科医院集团股份有限公司			证券简称	爱尔眼科
法人代表	陈邦	董秘	吴士君	证券代码	300015
公司网址	www.aierchina.com			电子信箱	zhengquanbu@yeah.net
电　　话	0731-82570739			传　　真	0731-85179288　8039
办公地址	湖南省长沙市芙蓉中路二段198号新世纪大厦4楼				
经营范围	眼科医院的投资和医院经营管理服务等				

主要财务指标

指标＼报告期	2016.06.30	2015.12.31	2015.06.30	2014.12.31
基本每股收益(元)	0.2737	0.4400	0.2057	0.3200
基本每股收益(扣除后)(元)	0.2724	0.4700	0.2125	0.4852
稀释每股收益(元)	0.2722	0.4300	0.2057	0.3200
每股净资产(元)	2.6904	2.4305	2.1863	3.0941
每股经营现金净流量(元)	0.3181	0.5298	0.2169	0.6934
每股现金流量(元)	0.0807	-0.0665	-0.1442	0.1539
每股资本公积金(元)	0.4361	0.1537	0.1180	0.6488
每股盈余公积金(元)	0.1421	0.1452	0.1121	0.1684
每股未分配利润(元)	1.3952	1.1490	0.9562	1.2769
净资产收益率(%)	10.0659	17.8694	9.4074	15.2722
加权净资产收益率(%)	10.6800	19.6600	9.5600	16.9100
净资产收益率(扣除)(%)	10.0183	19.2031	9.7159	15.6078
总资产(万元)	394268.20	325662.52	280149.75	255043.04
归属母公司股东权益(万元)	270968.12	239540.72	214791.42	202450.02
营业收入(万元)	191966.06	316558.05	145410.72	240204.76
营业支出(万元)	102438.30	169065.93	77630.60	132320.59
投资收益(万元)	777.45	988.59	387.58	1661.76
净利润(万元)	28074.29	43658.15	21067.26	31288.41
营业利润(万元)	35743.15	60067.06	28185.83	42935.08
利润总额(万元)	34921.66	55016.74	27142.92	40708.68

北京北陆药业股份有限公司

公司概况					
公司名称	北京北陆药业股份有限公司			证券简称	北陆药业
法人代表	王代雪	董秘	刘宁	证券代码	300016
公司网址	www.beilu.com.cn		电子信箱	blxp@beilu.com.cn	
电　话	010-62625287		传　真	010-82626933	
办公地址	北京市海淀区西直门北大街 32 号枫蓝国际 A 座写字楼 7 层				
经营范围	药品生产以及药品经销等				

主要财务指标 指标\报告期	2016.06.30	2015.12.31	2015.06.30	2014.12.31
基本每股收益(元)	0.1719	0.1100	0.1800	0.2800
基本每股收益(扣除后)(元)	0.1682	0.2800	0.1800	0.2800
稀释每股收益(元)	0.1719	0.1100	0.1800	0.2800
每股净资产(元)	2.8838	2.6963	2.1561	2.0021
每股经营现金净流量(元)	0.1114	0.2446	0.1243	0.1353
每股现金流量(元)	-0.2218	0.3726	-0.0202	-0.3221
每股资本公积金(元)	0.9682	0.9944	0.3390	0.3185
每股盈余公积金(元)	0.1478	0.1457	0.1419	0.1418
每股未分配利润(元)	0.7678	0.6055	0.7276	0.6088
净资产收益率(%)	6.0308	3.6558	8.2777	13.9231
加权净资产收益率(%)	6.1700	4.9800	8.5400	14.7400
净资产收益率(扣除)(%)	5.8992	3.3442	8.1910	13.5445
总资产(万元)	106355.97	105002.04	95311.25	90700.49
归属母公司股东权益(万元)	94009.55	89116.29	67081.32	62320.06
营业收入(万元)	27149.95	49143.10	27177.75	43998.04
营业支出(万元)	7977.13	13112.66	7082.39	12025.20
投资收益(万元)	-167.57	-105.44	-6.11	-18.75
净利润(万元)	5582.08	3091.61	5935.53	9416.47
营业利润(万元)	6368.71	4464.87	6687.30	11113.73
利润总额(万元)	6538.82	4800.47	6754.54	11397.91

网宿科技股份有限公司

公司概况					
公司名称	网宿科技股份有限公司			证券简称	网宿科技
法人代表	刘成彦	董秘	周丽萍	证券代码	300017
公司网址	www.chinanetcenter.com		电子信箱	wangsudmb@chinanetcenter.com	
电　话	021-64685982		传　真	021-64879605	
办公地址	上海市徐汇区斜土路 2899 号光启文化广场 A 幢 5 楼				
经营范围	计算机软硬件的技术开发、技术转让、技术咨询、技术服务、信息采集等				

主要财务指标 指标\报告期	2016.06.30	2015.12.31	2015.06.30	2014.12.31
基本每股收益(元)	0.7817	1.1870	0.4615	0.6957
基本每股收益(扣除后)(元)	0.6954	1.0703	0.4259	1.4254
稀释每股收益(元)	0.7682	1.1610	0.4471	0.6864
每股净资产(元)	8.2354	3.5355	2.7510	5.1559
每股经营现金净流量(元)	0.6472	1.0141	0.3335	1.6448
每股现金流量(元)	-0.2198	0.2893	-0.2709	-0.3548
每股资本公积金(元)	4.5886	0.1790	0.1021	1.3871
每股盈余公积金(元)	0.2298	0.2575	0.1407	0.3101
每股未分配利润(元)	2.4058	2.0912	1.5090	2.4605
净资产收益率(%)	8.9669	33.2129	16.7502	29.5666
加权净资产收益率(%)	12.8100	40.9600	18.0800	35.3000
净资产收益率(扣除)(%)	7.9763	29.9453	15.4579	27.4029
总资产(万元)	750361.39	350573.77	253853.09	197766.05
归属母公司股东权益(万元)	653303.83	250309.06	192397.57	163596.77
营业收入(万元)	205611.69	293166.15	123682.31	191076.71
营业支出(万元)	115942.29	161938.14	69189.91	107806.63
投资收益(万元)	1695.89	3238.13	1796.63	1531.91
净利润(万元)	58486.86	82955.35	32189.23	48370.02
营业利润(万元)	56509.49	81463.82	34530.62	47721.51
利润总额(万元)	62412.36	87845.22	35665.99	50140.44

武汉中元华电科技股份有限公司

公司概况					
公司名称	武汉中元华电科技股份有限公司			证券简称	中元华电
法人代表	邓志刚	董秘	陈志兵	证券代码	300018
公司网址	www.zyhd.com.cn		电子信箱	stock@zyhd.com.cn	
电　话	027-87180718		传　真	027-87180719	
办公地址	湖北省武汉市东湖新技术开发区华中科技大学科技园六路 6 号				
经营范围	计算机软、硬件、自动化、电力、电子设备与器件、通讯、办公设备的开发、研制等				

主要财务指标 指标\报告期	2016.06.30	2015.12.31	2015.06.30	2014.12.31
基本每股收益(元)	0.0700	0.3600	0.0600	0.2600
基本每股收益(扣除后)(元)	0.0600	0.3600	0.0600	0.2500
稀释每股收益(元)	0.0700	0.3600	0.0600	0.2600
每股净资产(元)	2.8000	5.5725	3.8900	3.8300
每股经营现金净流量(元)	0.0039	0.4225	0.0077	0.2487
每股现金流量(元)	-0.0989	-0.0358	-0.0152	-0.0348
每股资本公积金(元)	1.2456	3.4913	1.8860	1.8860
每股盈余公积金(元)	0.0691	0.1381	0.1440	0.1440
每股未分配利润(元)	0.4867	0.9431	0.8631	0.8037
净资产收益率(%)	2.3265	5.6096	1.5266	6.6696
加权净资产收益率(%)	2.3300	8.2200	1.5400	6.8400
净资产收益率(扣除)(%)	2.2449	5.4881	1.5152	6.4714
总资产(万元)	149965.65	152270.73	86216.22	85410.97
归属母公司股东权益(万元)	134701.53	133971.83	75915.22	74756.30
营业收入(万元)	14468.41	27096.11	8056.33	22510.68
营业支出(万元)	5755.25	10579.32	3435.96	10355.63
投资收益(万元)	-	-	-	-
净利润(万元)	3097.50	7392.92	1014.42	4999.12
营业利润(万元)	2804.58	7749.50	1161.24	5164.78
利润总额(万元)	3433.39	8829.78	1340.16	5910.05

成都硅宝科技股份有限公司

公司概况					
公司名称	成都硅宝科技股份有限公司			证券简称	硅宝科技
法人代表	王跃林	董秘	曹振海	证券代码	300019
公司网址	www.guibao.cn		电子信箱	guibao@cnguibao.com	
电　话	028-85317909 86039232		传　真	028-86039232	
办公地址	四川省成都市高新区新园大道 16 号				
经营范围	研发、生产和销售有机硅室温胶等				

主要财务指标 指标\报告期	2016.06.30	2015.12.31	2015.06.30	2014.12.31
基本每股收益(元)	0.1136	0.2736	0.1016	0.2453
基本每股收益(扣除后)(元)	0.1016	0.2453	0.0893	0.4500
稀释每股收益(元)	0.1136	0.2736	0.1016	0.2453
每股净资产(元)	1.9390	1.9800	1.8047	1.8000
每股经营现金净流量(元)	0.0126	0.2032	0.0313	0.2773
每股现金流量(元)	-0.1917	-0.0667	-0.1736	-0.1297
每股资本公积金(元)	0.0368	0.0368	0.0368	1.0736
每股盈余公积金(元)	0.1285	0.1285	0.1091	0.2183
每股未分配利润(元)	0.7732	0.8096	0.6570	1.3108
净资产收益率(%)	5.8611	13.8472	5.6305	13.6044
加权净资产收益率(%)	5.6600	14.5400	5.5300	14.2500
净资产收益率(扣除)(%)	5.2376	12.1203	4.9497	12.3784
总资产(万元)	86043.67	89883.97	81671.48	81440.48
归属母公司股东权益(万元)	63290.02	64489.09	58906.30	58852.49
营业收入(万元)	26274.77	60615.64	25558.30	54949.96
营业支出(万元)	16899.16	40679.49	17641.44	37027.52
投资收益(万元)	-21.54	-0.39	-	-
净利润(万元)	3713.99	8928.60	3298.07	7958.87
营业利润(万元)	3881.59	9029.90	3330.26	8375.19
利润总额(万元)	4364.46	10390.96	3828.76	9242.46

银江股份有限公司

公司概况	公司名称	银江股份有限公司			证券简称	银江股份
	法人代表	章建强	董秘	金振江	证券代码	300020
	公司网址	www.enjoyor.net		电子信箱	enjoyor@enjoyor.net	
	电　话	0571-89716117		传　真	0571-89716114	
	办公地址	杭州市西湖区西湖经济科技园西园八路2号				
	经营范围	向交通、医疗、建筑等行业用户提供智能化系统工程及服务				

	指标\报告期	2016.06.30	2015.12.31	2015.06.30	2014.12.31
主要财务指标	基本每股收益(元)	0.3100	0.1800	0.1800	0.3100
	基本每股收益(扣除后)(元)	0.1200	0.1300	0.1700	0.6000
	稀释每股收益(元)	0.3100	0.1800	0.1800	0.3100
	每股净资产(元)	4.5727	4.0697	3.1929	6.7001
	每股经营现金净流量(元)	-0.4081	0.1512	-0.2885	-0.9357
	每股现金流量(元)	-0.5211	1.2617	-0.2557	-0.3402
	每股资本公积金(元)	2.0661	2.0560	1.0536	3.4823
	每股盈余公积金(元)	0.1237	0.1238	0.1112	0.2453
	每股未分配利润(元)	1.2167	0.9284	1.0280	1.9725
	净资产收益率(%)	6.7418	4.1708	5.5935	9.9013
	加权净资产收益率(%)	7.0400	5.0600	5.7300	11.5800
	净资产收益率(扣除)(%)	2.6563	2.9778	5.2346	8.3630
	总资产(万元)	520409.73	472962.07	441230.68	409049.48
	归属母公司股东权益(万元)	299870.03	266641.37	194950.55	185516.50
	营业收入(万元)	84404.50	193500.20	101115.34	231905.37
	营业支出(万元)	64323.30	145136.31	72806.12	171645.40
	投资收益(万元)	12167.06	513.78	58.65	1070.47
	净利润(万元)	20071.02	10861.82	10850.78	18479.78
	营业利润(万元)	22592.46	-21506.96	11639.60	18401.11
	利润总额(万元)	23231.35	11498.55	12394.85	21198.05

大禹节水集团股份有限公司

公司概况	公司名称	大禹节水集团股份有限公司			证券简称	大禹节水
	法人代表	王栋	董秘	王光敏	证券代码	300021
	公司网址	www.dyjs.com		电子信箱	dyjszqb@163.com	
	电　话	0937-2689028		传　真	0937-2688963	
	办公地址	甘肃省酒泉市解放路290号				
	经营范围	节水灌溉用塑料制品及过滤器、施肥器、排灌机械、建筑用塑料管材等				

	指标\报告期	2016.06.30	2015.12.31	2015.06.30	2014.12.31
主要财务指标	基本每股收益(元)	0.0600	0.2203	0.0400	0.0746
	基本每股收益(扣除后)(元)	0.0437	0.1791	0.0200	0.0570
	稀释每股收益(元)	0.0400	0.2203	0.0400	0.0746
	每股净资产(元)	3.9669	1.7594	1.7594	1.7200
	每股经营现金净流量(元)	-0.5533	0.6762	-0.0442	0.0473
	每股现金流量(元)	1.7496	0.3001	0.0664	-0.0762
	每股资本公积金(元)	2.2270	0.1588	0.1588	0.1588
	每股盈余公积金(元)	0.0716	0.0820	0.0786	0.0786
	每股未分配利润(元)	0.6683	0.6971	0.5220	0.4802
	净资产收益率(%)	1.5004	11.3704	2.3803	4.3445
	加权净资产收益率(%)	2.8100	12.0600	2.4000	4.3630
	净资产收益率(扣除)(%)	0.9903	9.2425	1.3629	3.3203
	总资产(万元)	240660.18	169510.50	163328.58	153374.24
	归属母公司股东权益(万元)	126522.90	53989.34	49017.34	47850.56
	营业收入(万元)	51525.85	116009.79	46576.07	78911.50
	营业支出(万元)	39587.94	86361.12	34937.06	57909.94
	投资收益(万元)	-	-293.39	-	-
	净利润(万元)	1893.55	6141.74	1166.78	2069.69
	营业利润(万元)	1527.49	7161.72	802.06	2122.33
	利润总额(万元)	2286.83	8507.90	1388.78	2699.03

吉峰农机连锁股份有限公司

公司概况	公司名称	吉峰农机连锁股份有限公司			证券简称	吉峰农机
	法人代表	王新明	董秘	杨元兴	证券代码	300022
	公司网址	www.gifore.com		电子信箱	office@gifore.com.cn	
	电　话	028-67518546		传　真	028-67518546	
	办公地址	四川省成都市郫县现代工业港北部园区港通北二路219				
	经营范围	批发、零售农业机械、机械设备、汽车零配件、摩托车及配件、建筑材料等				

	指标\报告期	2016.06.30	2015.12.31	2015.06.30	2014.12.31
主要财务指标	基本每股收益(元)	0.0628	0.0351	0.0033	-1.0831
	基本每股收益(扣除后)(元)	0.0100	-0.0353	0.0027	-1.2750
	稀释每股收益(元)	0.0628	0.0351	0.0033	-1.0831
	每股净资产(元)	0.6877	0.2178	0.2178	0.2140
	每股经营现金净流量(元)	0.1980	-0.0130	-0.1847	-0.1959
	每股现金流量(元)	-0.0175	0.1196	0.1670	-0.4564
	每股资本公积金(元)	0.5258	0.5249	0.2085	0.2080
	每股盈余公积金(元)	0.0392	0.0392	0.0417	0.0417
	每股未分配利润(元)	-0.8851	-0.9478	-1.0406	-1.0439
	净资产收益率(%)	9.1309	5.3486	1.5134	-506.1165
	加权净资产收益率(%)	9.5800	12.2300	1.5300	-141.1200
	净资产收益率(扣除)(%)	1.4573	-5.3782	1.2536	-595.8006
	总资产(万元)	266336.23	232243.58	291420.75	236770.68
	归属母公司股东权益(万元)	26147.49	23728.41	7783.55	7648.12
	营业收入(万元)	153222.13	328500.54	137499.25	389748.64
	营业支出(万元)	129741.04	280574.97	116798.72	348883.52
	投资收益(万元)	-41.10	1321.67	1.60	12344.12
	净利润(万元)	5701.99	3217.53	1637.03	-48588.50
	营业利润(万元)	6598.35	3134.18	1987.81	-39755.54
	利润总额(万元)	6642.50	4087.89	2013.04	-47613.64

西安宝德自动化股份有限公司

公司概况	公司名称	西安宝德自动化股份有限公司			证券简称	宝德股份
	法人代表	赵敏	董秘	范勇建	证券代码	300023
	公司网址	www.bode-e.com		电子信箱	dongmiban@bode-e.com	
	电　话	029-89010616		传　真	029-89010610	
	办公地址	西安高新区草堂科技产业基地秦岭大道西付6号				
	经营范围	微电子及光机电一体化产品的设计、生产、销售、维修、改造及服务等				

	指标\报告期	2016.06.30	2015.12.31	2015.06.30	2014.12.31
主要财务指标	基本每股收益(元)	0.1140	0.4200	0.0600	0.1700
	基本每股收益(扣除后)(元)	0.1103	0.4100	0.0500	0.1500
	稀释每股收益(元)	0.1140	0.4200	0.0600	0.1700
	每股净资产(元)	3.2154	7.8025	7.4328	3.7774
	每股经营现金净流量(元)	-4.4822	-12.7729	-5.0751	0.0077
	每股现金流量(元)	0.0133	0.5300	1.3092	-0.1785
	每股资本公积金(元)	1.8657	6.1642	6.1642	2.4791
	每股盈余公积金(元)	0.0220	0.0550	0.0525	0.0737
	每股未分配利润(元)	0.3267	0.5817	0.2165	0.2252
	净资产收益率(%)	3.5468	5.4334	0.7569	4.6225
	加权净资产收益率(%)	3.6000	8.0800	1.1100	4.7300
	净资产收益率(扣除)(%)	3.4301	5.2590	0.6554	3.8644
	总资产(万元)	605804.28	455657.27	300016.71	50094.62
	归属母公司股东权益(万元)	101642.43	98657.48	93981.73	33996.33
	营业收入(万元)	23823.23	33277.36	6736.81	9075.03
	营业支出(万元)	14045.22	19923.26	3892.10	5265.70
	投资收益(万元)	42.27	80.59	0.01	92.25
	净利润(万元)	3781.50	6583.01	936.95	1691.54
	营业利润(万元)	5704.53	8151.90	1238.56	1450.33
	利润总额(万元)	5828.26	8790.92	1350.81	1758.93

沈阳新松机器人自动化股份有限公司

公司概况

公司名称	沈阳新松机器人自动化股份有限公司			证券简称	机 器 人
法人代表	于海斌	董秘	赵立国	证券代码	300024
公司网址	www.siasun.com		电子信箱	zlg5335@163.com	
电　话	024-31699888 31699818		传　真	024-31680024	
办公地址	辽宁省沈阳市浑南新区金辉街 16 号				
经营范围	机器人与自动化装备、自动化立体仓库及仓储物流设备、机械电子设备等				

主要财务指标

指标 \ 报告期	2016.06.30	2015.12.31	2015.06.30	2014.12.31
基本每股收益(元)	0.1100	0.6000	0.1000	0.5000
基本每股收益(扣除后)(元)	0.0900	0.3600	0.2300	0.3900
稀释每股收益(元)	0.1100	0.6000	0.1000	0.5000
每股净资产(元)	3.4013	3.3451	3.1849	2.9536
每股经营现金净流量(元)	-0.1727	-0.1678	-0.3158	0.1405
每股现金流量(元)	-0.9216	3.7229	-0.3202	0.2089
每股资本公积金(元)	1.6987	4.5371	0.4751	0.4751
每股盈余公积金(元)	0.1042	0.2292	0.1922	0.1922
每股未分配利润(元)	0.6030	1.5930	1.4188	1.2284
净资产收益率(%)	3.1224	7.5648	7.5484	16.8378
加权净资产收益率(%)	3.1300	16.7200	7.8200	18.4700
净资产收益率(扣除)(%)	2.5723	4.4997	7.2701	13.3519
总资产(万元)	682792.99	656529.67	367052.27	324262.23
归属母公司股东权益(万元)	530684.30	521920.26	208564.85	193415.73
营业收入(万元)	88904.76	168539.15	81004.49	152353.51
营业支出(万元)	59921.43	111084.87	52969.46	97792.69
投资收益(万元)	-55.80	6413.29	-14.90	498.97
净利润(万元)	17043.35	40250.72	15915.98	33207.97
营业利润(万元)	16110.28	32723.24	16803.33	30389.28
利润总额(万元)	20031.13	46649.29	18425.03	38700.44

杭州华星创业通信技术股份有限公司

公司概况

公司名称	杭州华星创业通信技术股份有限公司			证券简称	华星创业
法人代表	程小彦	董秘	陈伟达	证券代码	300025
公司网址	www.hxcy.com.cn		电子信箱	hxcy_1@hxcy.com.cn	
电　话	0571-87208518		传　真	0571-87208517	
办公地址	浙江省杭州市滨江区聚才路 500 号				
经营范围	提供移动通信技术服务及研发、生产、销售测试优化系统等				

主要财务指标

指标 \ 报告期	2016.06.30	2015.12.31	2015.06.30	2014.12.31
基本每股收益(元)	0.0700	0.5100	0.0600	0.4200
基本每股收益(扣除后)(元)	0.0600	0.5000	0.1300	0.4000
稀释每股收益(元)	0.0700	0.5100	0.0600	0.4200
每股净资产(元)	1.9812	3.8932	3.5574	3.4531
每股经营现金净流量(元)	-0.2778	0.1628	-0.4935	-0.2964
每股现金流量(元)	-0.3316	0.3893	-0.1468	-0.0579
每股资本公积金(元)	0.0741	1.1483	1.1883	1.1906
每股盈余公积金(元)	0.0217	0.0433	0.0427	0.0427
每股未分配利润(元)	0.8752	1.6722	1.2956	1.1865
净资产收益率(%)	3.2851	13.0062	3.6313	12.0294
加权净资产收益率(%)	3.2900	13.7700	3.6800	12.7500
净资产收益率(扣除)(%)	3.2161	12.7987	3.5876	11.6024
总资产(万元)	217295.89	220022.59	178334.83	172955.24
归属母公司股东权益(万元)	84900.60	83416.96	76222.92	73988.97
营业收入(万元)	52423.60	128145.72	44770.80	105875.56
营业支出(万元)	37850.96	91441.70	31104.31	72976.88
投资收益(万元)	162.81	42.08	8.16	-17.97
净利润(万元)	2812.02	10821.68	2746.41	9124.44
营业利润(万元)	3433.34	12866.91	3351.48	10904.21
利润总额(万元)	3419.02	12998.21	3442.13	11331.36

天津红日药业股份有限公司

公司概况

公司名称	天津红日药业股份有限公司			证券简称	红日药业
法人代表	姚小青	董秘	郑丹	证券代码	300026
公司网址	www.chasesun.cn		电子信箱	shangxm_420@sina.com	
电　话	022-59623217		传　真	022-59623290	
办公地址	天津市新技术产业园区武清开发区泉发路西				
经营范围	小容量注射剂、片剂、硬胶囊剂、颗粒剂、原料药等				

主要财务指标

指标 \ 报告期	2016.06.30	2015.12.31	2015.06.30	2014.12.31
基本每股收益(元)	0.3100	0.6000	0.2800	0.5300
基本每股收益(扣除后)(元)	0.2800	0.5600	0.2800	0.7400
稀释每股收益(元)	0.3100	0.5900	0.2800	0.5200
每股净资产(元)	5.5530	5.2440	3.8267	4.0861
每股经营现金净流量(元)	0.1520	0.1204	0.0245	0.2612
每股现金流量(元)	-0.0869	0.8366	0.7489	0.3785
每股资本公积金(元)	2.6057	2.5980	1.2228	0.8652
每股盈余公积金(元)	0.1138	0.1137	0.1025	0.1627
每股未分配利润(元)	1.8777	1.6270	1.5014	2.0582
净资产收益率(%)	5.5833	10.1514	7.1027	19.0558
加权净资产收益率(%)	5.7500	20.3700	8.4300	21.7200
净资产收益率(扣除)(%)	5.0423	9.5375	7.0046	17.9546
总资产(万元)	668221.61	647257.43	414059.68	304340.91
归属母公司股东权益(万元)	557775.96	526927.79	348812.07	234581.37
营业收入(万元)	174679.47	334825.07	146027.45	286355.96
营业支出(万元)	44039.20	57872.43	25149.67	46725.05
投资收益(万元)	161.93	1194.73	870.13	859.73
净利润(万元)	31423.11	53623.44	24869.58	44893.54
营业利润(万元)	33406.61	57916.41	28737.83	48849.33
利润总额(万元)	37402.21	61859.96	29217.60	51938.10

华谊兄弟传媒股份有限公司

公司概况

公司名称	华谊兄弟传媒股份有限公司			证券简称	华谊兄弟
法人代表	王忠军	董秘	王忠军(代)	证券代码	300027
公司网址	www.huayimedia.com		电子信箱	ir@huayimedia.com	
电　话	010-65805818		传　真	010-65881512	
办公地址	北京市朝阳区新源南路甲 2 号华谊兄弟办公大楼				
经营范围	制作、复制、发行:专题、专栏、综艺、动画片、广播剧、电视剧等				

主要财务指标

指标 \ 报告期	2016.06.30	2015.12.31	2015.06.30	2014.12.31
基本每股收益(元)	0.1100	0.7600	0.2000	0.7300
基本每股收益(扣除后)(元)	0.0200	0.3700	0.1600	0.4400
稀释每股收益(元)	0.1100	0.7600	0.2000	0.7300
每股净资产(元)	3.4000	7.1400	4.7700	4.0600
每股经营现金净流量(元)	0.1543	0.3786	-0.0528	-0.0169
每股现金流量(元)	0.1690	1.4246	0.1061	0.1560
每股资本公积金(元)	1.0029	3.0006	0.6359	0.6684
每股盈余公积金(元)	0.1066	0.2133	0.1991	0.1992
每股未分配利润(元)	1.0061	1.8959	1.7827	1.4781
净资产收益率(%)	3.1996	9.8256	8.4946	17.8000
加权净资产收益率(%)	3.1400	13.6700	8.6100	20.4000
净资产收益率(扣除)(%)	0.7351	4.7494	3.3949	10.7200
总资产(万元)	1881786.57	1789397.93	1102861.66	981864.16
归属母公司股东权益(万元)	946294.60	993474.83	593196.34	503741.58
营业收入(万元)	146813.44	387356.51	129304.31	238902.28
营业支出(万元)	61166.62	192583.35	53255.04	93367.49
投资收益(万元)	30429.81	62684.64	37710.07	42584.93
净利润(万元)	35804.26	121823.49	60072.69	103436.83
营业利润(万元)	41696.14	138813.53	69069.16	117915.61
利润总额(万元)	45897.63	149642.96	73103.82	127910.23

金亚科技股份有限公司

公司概况					
公司名称	金亚科技股份有限公司			证券简称	金亚科技
法人代表	董昱坤	董秘	田晔	证券代码	300028
公司网址	www.geeya.cn		电子信箱	stocks@geeya.cn	
电　话	028-68232103		传　真	028-68232100	
办公地址	四川省成都市蜀西路50号				
经营范围	数字电视机顶盒、有线电视器材、数字化用户信息网络终端产品等				

主要财务指标：指标\报告期	2016.06.30	2015.12.31	2015.06.30	2014.12.31
基本每股收益(元)	0.0187	0.0370	-0.3200	0.0047
基本每股收益(扣除后)(元)	-0.0097	-0.3900	-0.3200	-0.0087
稀释每股收益(元)	0.0187	0.0418	-0.3200	0.0047
每股净资产(元)	0.9911	0.9814	0.6046	1.2500
每股经营现金净流量(元)	0.0013	0.5047	0.8217	-0.1174
每股现金流量(元)	-0.4366	0.4863	-0.0477	-0.5067
每股资本公积金(元)	0.8235	0.8311	0.7261	1.2323
每股盈余公积金(元)	-	-	0.0403	0.0524
每股未分配利润(元)	-0.8197	-0.8384	-1.1320	-1.0599
净资产收益率(%)	1.8838	3.7696	-40.9343	4.1065
加权净资产收益率(%)	1.8900	4.0500	-37.7600	4.1700
净资产收益率(扣除)(%)	-0.9808	-38.2376	-43.3653	1.6876
总资产(万元)	62885.74	94990.59	65011.75	99584.10
归属母公司股东权益(万元)	34310.53	33975.38	20930.61	31328.28
营业收入(万元)	8988.14	24837.98	10486.03	55822.95
营业支出(万元)	6255.72	20689.69	8808.93	42234.90
投资收益(万元)	-877.05	12814.21	985.45	492.25
净利润(万元)	646.34	1280.75	-8618.41	2632.55
营业利润(万元)	-139.21	588.92	-8622.78	852.76
利润总额(万元)	868.65	3114.17	-8034.09	2401.88

江苏华盛天龙光电设备股份有限公司

公司概况					
公司名称	江苏华盛天龙光电设备股份有限公司			证券简称	天龙光电
法人代表	孙利	董秘	张洪宇	证券代码	300029
公司网址	www.hstl.cn		电子信箱	info@hstl.cn	
电　话	0519-82330395　82686000		传　真	0519-82330395	
办公地址	江苏省金坛市经济开发区华城路318号				
经营范围	硅材料生长、加工设备的研发、生产和销售等				

主要财务指标：指标\报告期	2016.06.30	2015.12.31	2015.06.30	2014.12.31
基本每股收益(元)	-0.0126	-1.7925	-0.1127	0.1474
基本每股收益(扣除后)(元)	-0.0757	-1.7362	-0.2021	-0.8141
稀释每股收益(元)	-0.0126	-1.7925	-0.1127	0.1474
每股净资产(元)	1.1758	1.1884	2.8682	2.9809
每股经营现金净流量(元)	-0.1380	0.0400	-0.6390	0.2026
每股现金流量(元)	-0.1640	0.1871	-0.2391	0.1335
每股资本公积金(元)	4.1573	4.1573	4.1573	4.1573
每股盈余公积金(元)	0.1278	0.1278	0.1278	0.1278
每股未分配利润(元)	-4.1093	-4.0967	-2.4169	-2.3042
净资产收益率(%)	-1.0735	-150.8328	-3.9283	4.9437
加权净资产收益率(%)	-1.0700	-74.7100	-3.8500	5.1000
净资产收益率(扣除)(%)	-6.4395	-146.0989	-7.0452	-27.3093
总资产(万元)	57189.18	60878.27	104809.92	109805.44
归属母公司股东权益(万元)	23515.36	23767.80	57364.03	59617.44
营业收入(万元)	9421.59	13014.31	8448.41	13859.22
营业支出(万元)	6788.18	12301.15	7094.27	12809.45
投资收益(万元)	-4.22	-2.28	-2.26	16079.72
净利润(万元)	-269.06	-39976.16	-2668.01	556.07
营业利润(万元)	-1430.92	-38685.97	-4347.46	-1653.49
利润总额(万元)	-169.56	-39860.75	-2550.35	686.63

广州阳普医疗科技股份有限公司

公司概况					
公司名称	广州阳普医疗科技股份有限公司			证券简称	阳普医疗
法人代表	邓冠华	董秘	倪桂英	证券代码	300030
公司网址	www.improve-medical.com		电子信箱	board@improve-medical.com	
电　话	020-32218167		传　真	020-32312573	
办公地址	广东省广州市经济技术开发区科学城开源大道102号				
经营范围	为临床检验实验室与临床护理提供以专业解决方案为依托的技术、产品和服务等				

主要财务指标：指标\报告期	2016.06.30	2015.12.31	2015.06.30	2014.12.31
基本每股收益(元)	0.0500	0.1300	0.0600	0.1800
基本每股收益(扣除后)(元)	0.0400	0.1100	0.0500	0.1400
稀释每股收益(元)	0.0500	0.1300	0.0600	0.1800
每股净资产(元)	3.0046	2.9815	2.4960	2.4661
每股经营现金净流量(元)	-0.1698	-0.0260	-0.2906	-0.3655
每股现金流量(元)	-0.2111	0.1254	-0.1512	-0.5766
每股资本公积金(元)	1.2773	1.2773	0.8371	0.8371
每股盈余公积金(元)	0.0914	0.0914	0.0781	0.0781
每股未分配利润(元)	0.6275	0.6052	0.5740	0.5441
净资产收益率(%)	1.5722	4.3267	2.4003	7.2684
加权净资产收益率(%)	1.5700	5.0900	2.4100	7.5200
净资产收益率(扣除)(%)	1.1690	3.6311	2.0138	5.6231
总资产(万元)	141103.73	143934.08	112047.31	101933.35
归属母公司股东权益(万元)	92779.30	92068.33	73881.04	72997.21
营业收入(万元)	22407.29	54534.89	23143.76	46179.22
营业支出(万元)	12329.21	30853.09	13280.46	26162.70
投资收益(万元)	172.35	186.34	24.24	281.32
净利润(万元)	1408.96	4128.22	1916.91	5674.47
营业利润(万元)	1047.43	3824.33	2101.64	5351.45
利润总额(万元)	1713.85	4978.01	2449.70	6593.70

无锡宝通科技股份有限公司

公司概况					
公司名称	无锡宝通科技股份有限公司			证券简称	宝通科技
法人代表	包志方	董秘	包志方(代)	证券代码	300031
公司网址	www.btdy.com		电子信箱	boton8011@126.com	
电　话	0510-83709871		传　真	0510-83709871	
办公地址	江苏省无锡市新区张公路19号				
经营范围	加工制造橡胶产品、普通机械、销售自产产品并提供售后服务等				

主要财务指标：指标\报告期	2016.06.30	2015.12.31	2015.06.30	2014.12.31
基本每股收益(元)	0.2271	0.2277	0.1309	0.2453
基本每股收益(扣除后)(元)	0.2256	0.2101	0.1240	0.2338
稀释每股收益(元)	0.2271	0.2277	0.1309	0.2453
每股净资产(元)	6.2652	2.9728	2.8761	2.7451
每股经营现金净流量(元)	0.2807	0.1603	0.2494	0.3016
每股现金流量(元)	1.3562	-0.1971	0.1086	0.0253
每股资本公积金(元)	4.1594	0.7839	0.7839	0.7839
每股盈余公积金(元)	0.1214	0.1605	0.1378	0.1378
每股未分配利润(元)	0.9713	1.0284	0.9543	0.8234
净资产收益率(%)	3.0929	7.6582	4.5524	8.9347
加权净资产收益率(%)	5.1600	7.9600	4.6400	9.1300
净资产收益率(扣除)(%)	3.0729	7.0697	4.3208	8.5174
总资产(万元)	301252.14	104139.70	98098.69	98757.95
归属母公司股东权益(万元)	248581.36	89182.80	86282.18	82354.30
营业收入(万元)	69710.54	46982.04	23845.57	50245.06
营业支出(万元)	35646.91	31128.04	15781.38	35331.09
投资收益(万元)	-	-	-	-
净利润(万元)	10536.73	6997.18	4032.07	7359.71
营业利润(万元)	10909.80	7638.00	4610.35	8277.49
利润总额(万元)	10969.04	8223.40	4832.88	8681.65

金龙机电股份有限公司

公司概况

公司名称	金龙机电股份有限公司			证券简称	金龙机电
法人代表	金绍平	董秘	黄娟	证券代码	300032
公司网址	www.kotl.com.cn		电子信箱	hj@kotl.com.cn	
电　话	0577-61806666-8982		传　真	0577-61801666	
办公地址	浙江省温州市乐清市北白象镇进港大道边金龙科技园				
经营范围	生产销售微电机和微电机组件、新型电子元器件及消费类电子等				

主要财务指标

指标\报告期	2016.06.30	2015.12.31	2015.06.30	2014.12.31
基本每股收益(元)	0.1829	0.4800	0.3004	0.2000
基本每股收益(扣除后)(元)	0.1762	0.4200	0.2470	0.3800
稀释每股收益(元)	0.1829	0.4800	0.3004	0.2000
每股净资产(元)	3.2491	3.1704	2.9870	2.7365
每股经营现金净流量(元)	0.2110	0.1246	0.2306	0.2652
每股现金流量(元)	0.1415	0.2296	0.3140	0.0333
每股资本公积金(元)	1.4609	1.4609	1.4609	3.9218
每股盈余公积金(元)	0.1255	0.1255	0.0726	0.1452
每股未分配利润(元)	0.6625	0.5837	0.4532	0.4056
净资产收益率(%)	5.6307	15.2607	10.0558	6.3018
加权净资产收益率(%)	5.6400	16.4000	10.4400	11.4900
净资产收益率(扣除)(%)	5.4230	13.1371	8.2701	6.0798
总资产(万元)	428825.93	390731.75	345740.57	320320.93
归属母公司股东权益(万元)	219617.75	214300.44	201901.47	184971.26
营业收入(万元)	166628.42	303364.19	132295.36	122657.60
营业支出(万元)	138079.89	228888.90	100693.72	87158.40
投资收益(万元)	-9.41	4007.21	4079.77	972.73
净利润(万元)	9991.58	28784.30	18052.01	7629.48
营业利润(万元)	12687.96	35824.28	21882.09	10640.22
利润总额(万元)	13123.54	36914.57	22159.17	11111.02

浙江核新同花顺网络信息股份有限公司

公司概况

公司名称	浙江核新同花顺网络信息股份有限公司			证券简称	同 花 顺
法人代表	易峥	董秘	朱志峰	证券代码	300033
公司网址	www.10jqka.com.cn		电子信箱	myhexin@myhexin.com	
电　话	0571-88852766		传　真	0571-88911818 8001	
办公地址	浙江省杭州市余杭区五常街道同顺街 18 号				
经营范围	技术开发、技术服务、电子计算机、电子产品等				

主要财务指标

指标\报告期	2016.06.30	2015.12.31	2015.06.30	2014.12.31
基本每股收益(元)	0.6800	1.7800	0.4200	0.1100
基本每股收益(扣除后)(元)	0.6700	1.7400	0.4000	0.1900
稀释每股收益(元)	0.6800	1.7800	0.4200	0.1100
每股净资产(元)	3.8938	3.9568	2.5937	4.4326
每股经营现金净流量(元)	0.3936	3.0038	1.1038	0.7642
每股现金流量(元)	-0.5714	3.2062	1.1241	0.6034
每股资本公积金(元)	0.6636	0.6636	0.6636	2.3273
每股盈余公积金(元)	0.1753	0.1753	0.0495	0.0990
每股未分配利润(元)	2.0548	2.1178	0.8806	1.0063
净资产收益率(%)	17.3862	44.9999	16.0964	5.0740
加权净资产收益率(%)	17.2500	57.8100	17.2200	5.1900
净资产收益率(扣除)(%)	17.1818	44.0452	15.5559	4.2572
总资产(万元)	336133.26	355817.33	268424.23	158101.94
归属母公司股东权益(万元)	209328.81	212716.55	139436.43	119148.51
营业收入(万元)	63808.76	144194.49	40585.83	26559.71
营业支出(万元)	7445.13	16928.44	7943.20	4276.32
投资收益(万元)	9363.84	24273.20	7465.11	2142.36
净利润(万元)	36394.36	95722.28	22444.19	6045.55
营业利润(万元)	42373.25	108843.11	25385.93	4899.29
利润总额(万元)	43432.67	112006.13	26625.06	6281.10

北京钢研高纳科技股份有限公司

公司概况

公司名称	北京钢研高纳科技股份有限公司			证券简称	钢研高纳
法人代表	才让	董秘	许洪贵	证券代码	300034
公司网址	www.cisri-gaona.com.cn		电子信箱	mahj@cisri.com.cn	
电　话	010-62182656		传　真	010-62185097	
办公地址	北京市海淀区大柳树南村 19 号				
经营范围	航空航天材料中高温合金材料的研发、生产和销售等				

主要财务指标

指标\报告期	2016.06.30	2015.12.31	2015.06.30	2014.12.31
基本每股收益(元)	0.1112	0.3884	0.1321	0.3465
基本每股收益(扣除后)(元)	0.1058	0.3821	0.1297	0.3095
稀释每股收益(元)	0.1112	0.3864	0.1321	0.3460
每股净资产(元)	2.9605	3.7466	3.4709	3.4528
每股经营现金净流量(元)	0.1490	0.0125	-0.0482	0.0068
每股现金流量(元)	0.1077	-0.1984	-0.2384	-0.4126
每股资本公积金(元)	0.7711	1.2549	1.2349	1.1806
每股盈余公积金(元)	0.1638	0.2139	0.1771	0.1784
每股未分配利润(元)	1.0262	1.2779	1.0589	1.0938
净资产收益率(%)	3.7508	10.3538	3.7988	10.0359
加权净资产收益率(%)	3.7700	10.7700	3.7200	10.4700
净资产收益率(扣除)(%)	3.5679	10.1860	3.7083	8.9628
总资产(万元)	167916.05	156692.91	139956.45	144103.32
归属母公司股东权益(万元)	123900.39	120041.28	111175.98	109794.37
营业收入(万元)	32820.09	70962.30	28541.86	61658.32
营业支出(万元)	22318.35	48355.31	19264.90	43640.09
投资收益(万元)	-	26.63	-	-
净利润(万元)	4625.27	12603.91	4198.82	10958.38
营业利润(万元)	5267.60	14077.08	4862.47	11213.43
利润总额(万元)	5570.87	14330.82	4993.53	12763.55

湖南中科电气股份有限公司

公司概况

公司名称	湖南中科电气股份有限公司			证券简称	中科电气
法人代表	余新	董秘	黄雄军	证券代码	300035
公司网址	www.cseco.cn		电子信箱	yueyangzhongke@vip.sina.com	
电　话	0730-8688891		传　真	0730-8688895	
办公地址	湖南省岳阳市经济技术开发区岳阳大道中科工业园				
经营范围	电磁、电气、电子、电器、机械设备的设计、制造及销售等				

主要财务指标

指标\报告期	2016.06.30	2015.12.31	2015.06.30	2014.12.31
基本每股收益(元)	0.0700	0.0700	0.0700	0.2300
基本每股收益(扣除后)(元)	0.0700	0.0600	0.0700	0.1000
稀释每股收益(元)	0.0700	0.0700	0.0700	0.2300
每股净资产(元)	3.4699	3.6000	3.6086	3.6378
每股经营现金净流量(元)	0.1282	0.1083	0.0688	0.0305
每股现金流量(元)	0.0494	-1.2886	-1.2599	0.1585
每股资本公积金(元)	1.6018	1.6018	1.6018	1.6018
每股盈余公积金(元)	0.1498	0.1498	0.1438	0.1438
每股未分配利润(元)	0.7181	0.8515	0.8624	0.8919
净资产收益率(%)	1.9193	1.8189	1.9529	6.2642
加权净资产收益率(%)	1.8300	1.8200	1.9200	6.3700
净资产收益率(扣除)(%)	1.6690	1.7993	1.9075	2.8191
总资产(万元)	97708.49	95684.65	100821.50	101343.38
归属母公司股东权益(万元)	81145.39	84262.02	84388.76	85071.37
营业收入(万元)	8197.68	16703.48	9051.44	20706.81
营业支出(万元)	4256.46	9392.29	4919.55	12131.85
投资收益(万元)	430.74	305.16	545.53	2502.37
净利润(万元)	1557.40	1430.83	1618.36	5026.91
营业利润(万元)	1630.66	1024.11	1585.59	4258.35
利润总额(万元)	1838.99	1641.92	1860.86	5968.20

北京超图软件股份有限公司

公司概况

公司名称	北京超图软件股份有限公司			证券简称	超图软件
法人代表	钟耳顺	董秘	李煜	证券代码	300036
公司网址	www.supermap.com.cn		电子信箱	public@supermap.com	
电　话	010-59896000　59896232		传　真	010-59896666	
办公地址	北京市朝阳区酒仙桥北路甲10号电子城IT产业园107号楼6层				
经营范围	地理信息系统、遥感、全球定位系统、办公自动化软件技术开发、技术咨询等				

主要财务指标

指标\报告期	2016.06.30	2015.12.31	2015.06.30	2014.12.31
基本每股收益(元)	0.0270	0.3000	0.0100	0.2300
基本每股收益(扣除后)(元)	0.0200	0.2800	0.0070	0.3080
稀释每股收益(元)	0.0270	0.3000	0.0100	0.2300
每股净资产(元)	3.3306	1.7600	3.2758	5.2800
每股经营现金净流量(元)	–0.3142	0.6590	–0.3875	0.6437
每股现金流量(元)	0.4705	0.9410	–0.5936	–0.8825
每股资本公积金(元)	2.1356	1.3671	1.3640	2.7767
每股盈余公积金(元)	0.0723	0.1446	0.1213	0.1941
每股未分配利润(元)	0.5556	1.1555	0.8990	1.5056
净资产收益率(%)	0.7133	8.5009	0.5937	7.0997
加权净资产收益率(%)	1.5400	8.7800	0.6000	7.3300
净资产收益率(扣除)(%)	0.5279	7.7423	0.2164	5.8320
总资产(万元)	184047.28	103695.52	81019.41	86552.19
归属母公司股东权益(万元)	149736.40	69144.21	64171.39	64643.13
营业收入(万元)	23782.52	46715.10	15704.46	36111.28
营业支出(万元)	9400.52	16609.14	6980.51	12122.53
投资收益(万元)	–41.63	12.58	–18.80	–63.78
净利润(万元)	1047.10	5831.32	362.68	4571.98
营业利润(万元)	400.24	4010.80	–494.78	2789.76
利润总额(万元)	1361.37	6319.77	410.60	5172.82

深圳新宙邦科技股份有限公司

公司概况

公司名称	深圳新宙邦科技股份有限公司			证券简称	新宙邦
法人代表	覃九三	董秘	梁作	证券代码	300037
公司网址	www.capchem.com		电子信箱	stock@capchem.com	
电　话	0755-89924512		传　真	0755-89924533	
办公地址	广东省深圳市龙岗区坪山沙坐同富裕工业区				
经营范围	电容器化学品与锂离子电池化学品两大类产品等				

主要财务指标

指标\报告期	2016.06.30	2015.12.31	2015.06.30	2014.12.31
基本每股收益(元)	0.6800	0.7200	0.2400	0.7800
基本每股收益(扣除后)(元)	0.6500	0.6700	0.2000	0.7300
稀释每股收益(元)	0.6800	0.7200	0.2400	0.7800
每股净资产(元)	11.1163	10.7393	10.2740	7.8427
每股经营现金净流量(元)	0.4596	0.5643	0.1683	0.7773
每股现金流量(元)	0.0555	–0.4630	–0.1056	–0.2770
每股资本公积金(元)	6.3479	6.3479	6.3479	3.9485
每股盈余公积金(元)	0.4101	0.4101	0.3630	0.3902
每股未分配利润(元)	3.3559	2.9793	2.5558	2.5074
净资产收益率(%)	6.0866	6.4603	2.1712	9.8877
加权净资产收益率(%)	6.1100	7.5600	2.8900	10.2600
净资产收益率(扣除)(%)	5.8270	6.0531	1.8168	9.2770
总资产(万元)	251227.29	231026.27	225318.49	163267.92
归属母公司股东权益(万元)	204562.88	197626.30	189062.21	134266.78
营业收入(万元)	68398.50	93425.67	39521.49	75678.20
营业支出(万元)	39180.35	60308.81	27008.29	48413.34
投资收益(万元)	31.18	437.89	357.30	707.25
净利润(万元)	12856.82	13309.57	4311.69	13527.78
营业利润(万元)	14645.19	14970.17	4915.25	15702.50
利润总额(万元)	15078.01	15456.55	5176.14	15934.61

北京梅泰诺通信技术股份有限公司

公司概况

公司名称	北京梅泰诺通信技术股份有限公司			证券简称	梅泰诺
法人代表	张志勇	董秘	陈鹏	证券代码	300038
公司网址	www.miteno.com		电子信箱	info@miteno.com	
电　话	010-82054080		传　真	010-82055731	
办公地址	北京市海淀区花园东路15号旷怡大厦7-8层				
经营范围	三管通信塔为核心的各类通信塔的研发设计、生产制造及安装维护				

主要财务指标

指标\报告期	2016.06.30	2015.12.31	2015.06.30	2014.12.31
基本每股收益(元)	0.2058	0.3520	0.1270	0.3300
基本每股收益(扣除后)(元)	0.1931	0.3410	0.1210	0.2960
稀释每股收益(元)	0.2058	0.3520	0.1270	0.3300
每股净资产(元)	10.0846	9.8786	7.1041	6.6000
每股经营现金净流量(元)	–0.1073	0.7094	0.0889	–1.0634
每股现金流量(元)	–0.7833	1.1957	0.1576	–0.7039
每股资本公积金(元)	7.5836	7.5836	4.7949	4.3862
每股盈余公积金(元)	0.1120	0.1120	0.1058	0.1058
每股未分配利润(元)	1.3878	1.1820	1.2035	1.1108
净资产收益率(%)	2.0403	3.0032	1.7895	5.0295
加权净资产收益率(%)	2.0600	4.6900	1.9100	5.1700
净资产收益率(扣除)(%)	1.9152	2.9149	1.7106	4.4855
总资产(万元)	302948.95	302275.53	224892.44	188920.51
归属母公司股东权益(万元)	192042.11	188118.45	114126.34	106127.51
营业收入(万元)	34165.04	76804.94	29055.71	63565.92
营业支出(万元)	22839.90	53852.36	20622.62	44712.59
投资收益(万元)	–7.24	93.49	–139.26	–70.51
净利润(万元)	4007.85	5617.35	2028.26	6164.91
营业利润(万元)	4493.76	5862.38	2318.45	5849.57
利润总额(万元)	4791.87	6227.24	2579.65	7172.19

上海凯宝药业股份有限公司

公司概况

公司名称	上海凯宝药业股份有限公司			证券简称	上海凯宝
法人代表	刘宜善	董秘	穆竟伟	证券代码	300039
公司网址	www.xykb.com		电子信箱	kbyydmb@126.com	
电　话	021-37572069		传　真	021-37572069	
办公地址	上海市工业综合开发区程普路88号				
经营范围	清热解毒类中成药，痰热清注射液的研发、生产和销售等				

主要财务指标

指标\报告期	2016.06.30	2015.12.31	2015.06.30	2014.12.31
基本每股收益(元)	0.2308	0.3381	0.2283	0.4283
基本每股收益(扣除后)(元)	0.2365	0.3196	0.2247	0.5461
稀释每股收益(元)	0.2308	0.3381	0.2283	0.4283
每股净资产(元)	2.5491	2.4176	2.3510	2.3404
每股经营现金净流量(元)	0.1714	0.3923	0.1180	0.4410
每股现金流量(元)	–0.1078	0.0991	–0.0843	0.0041
每股资本公积金(元)	0.3093	0.3315	0.3227	0.8039
每股盈余公积金(元)	0.1940	0.1931	0.1794	0.2335
每股未分配利润(元)	1.0830	0.9474	0.8490	1.0095
净资产收益率(%)	9.0545	14.0437	9.6625	18.5367
加权净资产收益率(%)	9.1900	14.2500	9.3500	20.6100
净资产收益率(扣除)(%)	9.2773	13.2890	9.5580	18.3142
总资产(万元)	251721.95	242666.85	248435.31	230190.40
归属母公司股东权益(万元)	211455.59	200550.93	195998.81	195118.54
营业收入(万元)	88471.41	139578.86	88280.28	148107.69
营业支出(万元)	15824.48	25036.37	15117.82	23000.45
投资收益(万元)	–904.90	354.85	–	–
净利润(万元)	19146.18	28164.85	18938.36	34935.17
营业利润(万元)	22189.04	32791.22	21814.26	40990.45
利润总额(万元)	22502.45	33481.53	22067.86	41483.94

哈尔滨九洲电气股份有限公司

公司概况					
公司名称	哈尔滨九洲电气股份有限公司			证券简称	九洲电气
法人代表	李寅	董秘	李斌	证券代码	300040
公司网址	www.jze.com.cn			电子信箱	stock@jze.com.cn
电话	0451-86687723 58771318			传真	0451-86696792
办公地址	黑龙江省哈尔滨市松北区九洲路 609 号				
经营范围	电力电子产品、高压变频器、高低压电气设备、箱式变电站、整流装置等				

主要财务指标 指标\报告期	2016.06.30	2015.12.31	2015.06.30	2014.12.31
基本每股收益(元)	0.0700	0.0700	-0.0611	-0.2000
基本每股收益(扣除后)(元)	0.0500	0.0400	-0.0808	-0.2600
稀释每股收益(元)	0.0700	0.0700	-0.0611	-0.2000
每股净资产(元)	4.8064	4.7388	4.1998	4.4783
每股经营现金净流量(元)	0.0170	-0.3711	-0.0871	0.3332
每股现金流量(元)	0.0119	0.1116	0.5482	-0.0150
每股资本公积金(元)	2.3148	2.3151	1.3766	1.3766
每股盈余公积金(元)	0.1712	0.1712	0.1051	0.1051
每股未分配利润(元)	1.4672	1.3994	1.7181	1.7792
净资产收益率(%)	1.4106	1.2255	-1.4539	-4.7077
加权净资产收益率(%)	1.4200	1.6300	-1.4400	-4.5800
净资产收益率(扣除)(%)	1.0042	0.7335	-1.9245	-5.9995
总资产(万元)	229998.97	233936.48	139122.53	139631.71
归属母公司股东权益(万元)	166338.57	164000.57	116670.55	118366.82
营业收入(万元)	33388.36	75876.72	7100.51	18951.37
营业支出(万元)	24493.99	60650.59	5297.91	16461.24
投资收益(万元)	153.34	241.43	92.34	358.22
净利润(万元)	2346.61	2010.40	-1696.27	-5572.32
营业利润(万元)	2143.28	1167.50	-2607.22	-8115.31
利润总额(万元)	2774.02	2292.81	-1984.23	-6560.59

湖北回天新材料股份有限公司

公司概况					
公司名称	湖北回天新材料股份有限公司			证券简称	回天新材
法人代表	章锋	董秘	章宏建	证券代码	300041
公司网址	www.huitian.net.cn			电子信箱	htjy2009@163.com
电话	0710-3626888-8068			传真	0710-3347316
办公地址	湖北省襄阳市国家高新技术开发区航天路 7 号				
经营范围	胶粘剂、汽车制动液、原子灰的生产与销售、精细化工产品的研究与开发、生产、销售				

主要财务指标 指标\报告期	2016.06.30	2015.12.31	2015.06.30	2014.12.31
基本每股收益(元)	0.1572	0.4742	0.1192	0.6484
基本每股收益(扣除后)(元)	0.1391	0.3300	0.2575	0.5614
稀释每股收益(元)	0.1572	0.4742	0.1192	0.6484
每股净资产(元)	3.8475	7.5307	6.3796	6.2770
每股经营现金净流量(元)	-0.0035	-0.1566	-0.2524	-0.0140
每股现金流量(元)	-0.1440	0.6282	-0.1144	-0.4532
每股资本公积金(元)	1.5726	4.1452	2.7639	2.7639
每股盈余公积金(元)	0.2095	0.4189	0.4770	0.4770
每股未分配利润(元)	1.0655	1.9666	2.1387	2.0361
净资产收益率(%)	4.0852	5.5565	4.4308	10.3298
加权净资产收益率(%)	4.1000	7.0700	4.4700	10.7700
净资产收益率(扣除)(%)	3.6164	3.8662	4.0363	8.9435
总资产(万元)	183322.89	177096.87	142515.32	133383.44
归属母公司股东权益(万元)	154202.46	150908.86	107787.28	106052.59
营业收入(万元)	55461.79	97521.25	48965.18	84372.50
营业支出(万元)	36072.49	65499.74	33006.47	54202.33
投资收益(万元)	-	-	-	-
净利润(万元)	6248.61	8349.97	4777.34	10956.53
营业利润(万元)	6342.03	6050.79	4736.93	10004.45
利润总额(万元)	7286.92	9441.33	5365.93	12200.57

深圳市朗科科技股份有限公司

公司概况					
公司名称	深圳市朗科科技股份有限公司			证券简称	朗科科技
法人代表	石桂生	董秘	王爱凤	证券代码	300042
公司网址	www.netac.com.cn			电子信箱	ir@netac.com
电话	0755-26727600			传真	0755-26727575
办公地址	广东省深圳市南山区高新区南区高新南六道 10 号朗科大厦 16、18、19 层				
经营范围	电脑软硬件、移动存储产品、数码影音娱乐产品、多媒体产品、网络等				

主要财务指标 指标\报告期	2016.06.30	2015.12.31	2015.06.30	2014.12.31
基本每股收益(元)	0.1479	0.1818	0.0743	0.1502
基本每股收益(扣除后)(元)	0.1407	0.1619	0.0638	0.0846
稀释每股收益(元)	0.1479	0.1818	0.0743	0.1502
每股净资产(元)	6.4642	6.3167	6.2011	6.2268
每股经营现金净流量(元)	-0.1839	0.3363	0.1387	0.0040
每股现金流量(元)	-1.8959	0.1109	-0.1110	1.1008
每股资本公积金(元)	4.5094	4.5094	4.5094	4.5094
每股盈余公积金(元)	0.1152	0.1057	0.0993	0.0964
每股未分配利润(元)	0.8320	0.6936	0.5925	0.6212
净资产收益率(%)	2.2886	2.8779	1.1974	2.4124
加权净资产收益率(%)	2.3100	2.9100	1.1900	2.4400
净资产收益率(扣除)(%)	2.1891	2.5635	1.0293	1.3579
总资产(万元)	89914.00	88254.59	85781.06	86120.04
归属母公司股东权益(万元)	86362.13	84390.93	82846.23	83190.20
营业收入(万元)	22109.26	40413.99	18459.06	21101.80
营业支出(万元)	18429.95	34345.86	15659.00	16257.29
投资收益(万元)	14.04	47.05	-	737.87
净利润(万元)	1976.45	2428.72	992.01	2006.85
营业利润(万元)	2179.67	2539.00	986.92	1986.02
利润总额(万元)	2346.18	2958.09	1200.28	2285.65

星辉互动娱乐股份有限公司

公司概况					
公司名称	星辉互动娱乐股份有限公司			证券简称	互动娱乐
法人代表	陈雁升	董秘	杨农	证券代码	300043
公司网址	www.rastar.cn			电子信箱	stock@rastar.cn
电话	020-28123517			传真	020-28123521
办公地址	广东省广州市天河区珠江新城华夏路 16 号富力盈凯广场 49 楼				
经营范围	车模、玩具车及其他玩具及汽车品牌衍生品等				

主要财务指标 指标\报告期	2016.06.30	2015.12.31	2015.06.30	2014.12.31
基本每股收益(元)	0.2200	0.2800	0.1400	0.2200
基本每股收益(扣除后)(元)	0.2000	0.1800	0.0900	0.3900
稀释每股收益(元)	0.2200	0.2800	0.1400	0.2200
每股净资产(元)	1.7634	1.6832	1.5041	3.3664
每股经营现金净流量(元)	-0.0124	0.0800	-0.0672	0.5814
每股现金流量(元)	-0.3170	0.3842	-0.0472	0.2333
每股资本公积金(元)	0.0352	0.0314	0.0019	1.3092
每股盈余公积金(元)	0.0017	0.0017	-	0.1061
每股未分配利润(元)	0.7177	0.6471	0.5049	0.9552
净资产收益率(%)	12.2689	16.8051	9.3388	13.5030
加权净资产收益率(%)	12.0800	17.2300	8.8600	16.4200
净资产收益率(扣除)(%)	11.3761	10.4547	5.8772	10.9752
总资产(万元)	475796.35	330110.31	370109.46	284268.84
归属母公司股东权益(万元)	219397.15	209421.10	187134.39	190387.05
营业收入(万元)	90304.61	167266.07	72421.96	251768.44
营业支出(万元)	55671.10	95081.33	42466.08	201977.32
投资收益(万元)	34844.82	14996.55	6237.54	9151.95
净利润(万元)	27232.18	40205.89	19051.60	27091.57
营业利润(万元)	31600.62	44403.94	20455.70	29976.31
利润总额(万元)	33438.48	46470.72	20973.00	30865.15

深圳市赛为智能股份有限公司

公司概况				
公司名称	深圳市赛为智能股份有限公司		证券简称	赛为智能
法人代表	周勇	董秘 商毛红	证券代码	300044
公司网址	www.szsunwin.com		电子信箱	sunwin@szsunwin.com
电　话	0755-86169631 86169980		传　真	0755-86169393
办公地址	广东省深圳市南山区高新区科技中二路软件园2号楼3楼			
经营范围	为水利行业、城市轨道交通行业、建筑行业、铁路行业提供智能化系统解决方案等			

主要财务指标：指标\报告期	2016.06.30	2015.12.31	2015.06.30	2014.12.31
基本每股收益(元)	0.0756	0.3500	0.0437	0.2300
基本每股收益(扣除后)(元)	0.0260	0.2500	0.0286	0.2200
稀释每股收益(元)	0.0756	0.3500	0.0437	0.2300
每股净资产(元)	2.2483	2.1910	2.9278	2.9041
每股经营现金净流量(元)	-0.2149	0.6056	-0.2767	0.0069
每股现金流量(元)	-0.3142	0.0570	-0.4919	-0.9335
每股资本公积金(元)	0.4878	1.2329	1.1640	1.1640
每股盈余公积金(元)	0.0710	0.1064	0.0855	0.0855
每股未分配利润(元)	0.7072	0.9770	0.6943	0.6706
净资产收益率(%)	3.3636	10.5435	1.4928	8.0770
加权净资产收益率(%)	3.8300	11.2600	1.4900	7.9200
净资产收益率(扣除)(%)	1.1599	7.4920	0.9773	7.4480
总资产(万元)	143806.86	126108.53	104840.25	99301.14
归属母公司股东权益(万元)	75385.78	73464.70	65481.71	64942.53
营业收入(万元)	25752.37	66494.36	18632.00	61958.58
营业支出(万元)	20816.09	50535.10	14790.12	48022.49
投资收益(万元)	133.30	1620.52	-	-
净利润(万元)	2715.37	8281.55	1007.43	6224.07
营业利润(万元)	685.78	8571.73	756.25	6570.45
利润总额(万元)	3054.47	9717.29	1166.42	7145.49

北京华力创通科技股份有限公司

公司概况				
公司名称	北京华力创通科技股份有限公司		证券简称	华力创通
法人代表	高小离	董秘 吴梦冰	证券代码	300045
公司网址	www.hwacreate.com.cn		电子信箱	IRM@hwacreate.com.cn
电　话	010-82966393		传　真	010-82803295
办公地址	北京市海淀区东北旺西路8号院乙18号楼			
经营范围	基于计算机技术的仿真测试系统及其相关设备的研发、生产和销售等			

主要财务指标：指标\报告期	2016.06.30	2015.12.31	2015.06.30	2014.12.31
基本每股收益(元)	0.0260	0.0600	0.0190	0.0900
基本每股收益(扣除后)(元)	0.0170	0.0500	0.0150	0.0900
稀释每股收益(元)	0.0260	0.0600	0.0190	0.0900
每股净资产(元)	1.6400	1.4995	1.4995	1.5044
每股经营现金净流量(元)	-0.1243	-0.0525	-0.1636	0.0366
每股现金流量(元)	-0.1273	0.0103	-0.1170	-0.1294
每股资本公积金(元)	0.2407	0.2354	0.2240	1.3111
每股盈余公积金(元)	0.0405	0.0405	0.0363	0.0737
每股未分配利润(元)	0.4349	0.4092	0.3755	0.7534
净资产收益率(%)	1.5660	3.5044	1.2422	5.7061
加权净资产收益率(%)	1.5800	3.7500	1.2400	5.9700
净资产收益率(扣除)(%)	1.0045	3.0707	0.9887	2.8641
总资产(万元)	119272.18	115809.39	108527.27	106165.44
归属母公司股东权益(万元)	91071.67	89349.28	83238.68	82404.62
营业收入(万元)	19579.53	41498.71	18273.01	40338.64
营业支出(万元)	9356.46	20568.39	7749.06	20445.69
投资收益(万元)	-	-60.40	-14.52	3.82
净利润(万元)	1213.90	2879.03	950.32	4233.38
营业利润(万元)	129.10	2124.77	385.76	1397.93
利润总额(万元)	1263.15	3163.23	963.93	4463.84

湖北台基半导体股份有限公司

公司概况				
公司名称	湖北台基半导体股份有限公司		证券简称	台基股份
法人代表	邢雁	董秘 康进	证券代码	300046
公司网址	www.tech-sem.com		电子信箱	securities@techsem.com.cn
电　话	0710-3506236		传　真	0710-3500847
办公地址	湖北省襄阳市襄城区胜利街162号			
经营范围	功率晶闸管、整流管、电力半导体模块等大功率半导体元器件及其功率组件等			

主要财务指标：指标\报告期	2016.06.30	2015.12.31	2015.06.30	2014.12.31
基本每股收益(元)	0.0722	0.2023	0.1106	0.3090
基本每股收益(扣除后)(元)	0.0559	0.1686	0.0978	0.2759
稀释每股收益(元)	0.0722	0.2023	0.1106	0.3090
每股净资产(元)	5.3757	5.4618	5.4618	5.7512
每股经营现金净流量(元)	0.1694	0.2001	0.1282	0.4950
每股现金流量(元)	-0.7420	-0.6230	-0.4409	0.0352
每股资本公积金(元)	3.9659	3.9659	3.9659	3.9659
每股盈余公积金(元)	0.2932	0.2932	0.2730	0.2730
每股未分配利润(元)	0.1166	0.2944	0.2229	0.5123
净资产收益率(%)	1.3432	3.6419	2.0243	5.3727
加权净资产收益率(%)	1.2900	3.6200	1.9000	5.3900
净资产收益率(扣除)(%)	1.0401	3.0364	1.7913	4.7975
总资产(万元)	107134.39	83243.13	83109.66	87942.15
归属母公司股东权益(万元)	76378.09	78904.16	77601.45	81713.76
营业收入(万元)	8587.01	16615.45	8678.97	22171.32
营业支出(万元)	6093.51	11395.32	5767.35	15124.91
投资收益(万元)	221.22	65.34	9.57	-
净利润(万元)	1025.93	2873.60	1570.89	4390.26
营业利润(万元)	1181.15	2792.14	1655.75	4625.04
利润总额(万元)	1232.35	3288.90	1858.89	5179.08

深圳天源迪科信息技术股份有限公司

公司概况				
公司名称	深圳天源迪科信息技术股份有限公司		证券简称	天源迪科
法人代表	陈友	董秘 陈秀琴	证券代码	300047
公司网址	www.tydic.com		电子信箱	v-mailbox@tydic.com
电　话	0755-26745678		传　真	0755-26745600
办公地址	广东省深圳市高新区南区市高新技术工业村T3栋B3楼			
经营范围	计算机硬件及软件的研发、生产和销售及技术咨询服务等			

主要财务指标：指标\报告期	2016.06.30	2015.12.31	2015.06.30	2014.12.31
基本每股收益(元)	0.0086	0.2000	-0.0086	0.1900
基本每股收益(扣除后)(元)	0.0023	0.1600	-0.0312	0.1800
稀释每股收益(元)	0.0086	0.2000	-0.0086	0.1900
每股净资产(元)	4.2131	4.0467	3.8424	3.8376
每股经营现金净流量(元)	-0.8570	-0.2073	-0.0131	-0.3970
每股现金流量(元)	-0.3242	0.1697	-0.4231	-0.0360
每股资本公积金(元)	1.8690	1.6387	1.6360	1.5880
每股盈余公积金(元)	0.1708	0.1774	0.1628	0.1648
每股未分配利润(元)	1.1733	1.2306	1.0436	1.0848
净资产收益率(%)	0.1963	4.8157	-0.2219	4.9960
加权净资产收益率(%)	0.2100	5.0100	-0.2200	5.1800
净资产收益率(扣除)(%)	0.0533	4.0267	-0.8062	4.5778
总资产(万元)	269539.98	241727.85	197323.94	190743.39
归属母公司股东权益(万元)	141637.44	130926.88	124136.06	122503.68
营业收入(万元)	82060.17	167661.50	52520.06	118664.45
营业支出(万元)	66485.42	134555.16	41603.71	88291.39
投资收益(万元)	-130.28	268.27	-115.16	148.82
净利润(万元)	1103.56	7506.31	40.44	6864.79
营业利润(万元)	542.37	5753.37	-1632.10	6689.77
利润总额(万元)	1219.77	7018.85	-626.25	7312.06

北京合康亿盛变频科技股份有限公司

公司概况						
	公司名称	北京合康亿盛变频科技股份有限公司			证券简称	合康变频
	法人代表	刘锦成	董秘	刘瑞霞	证券代码	300048
	公司网址	www.hiconics.com		电子信箱	hicon@hiconics.com	
	电　话	010-59180256		传　真	010-59180234	
	办公地址	北京市经济技术开发区博兴二路3号				
	经营范围	研发、生产、销售各种高压变频器等				

主要财务指标	指标＼报告期	2016.06.30	2015.12.31	2015.06.30	2014.12.31
	基本每股收益(元)	0.1300	0.1500	0.0300	0.1300
	基本每股收益(扣除后)(元)	0.0800	0.1500	0.0700	0.1200
	稀释每股收益(元)	0.1300	0.1500	0.0300	0.1300
	每股净资产(元)	3.0453	5.8956	4.5141	4.4986
	每股经营现金净流量(元)	0.0688	-0.0650	-0.0428	0.0174
	每股现金流量(元)	-0.3202	0.9205	-0.3342	-0.4459
	每股资本公积金(元)	1.4740	4.2237	2.5145	2.5145
	每股盈余公积金(元)	0.0717	0.1528	0.1575	0.1575
	每股未分配利润(元)	0.4996	0.8435	0.8421	0.8267
	净资产收益率(%)	4.2395	2.2374	1.4496	2.8734
	加权净资产收益率(%)	4.2900	3.3700	1.4400	2.9000
	净资产收益率(扣除)(%)	2.5207	2.2408	1.4867	2.5595
	总资产(万元)	365989.55	336558.14	207309.52	209230.14
	归属母公司股东权益(万元)	239755.16	232076.61	152640.75	152118.87
	营业收入(万元)	63148.57	80751.56	34817.94	66744.67
	营业支出(万元)	37812.70	49234.62	21209.88	42575.51
	投资收益(万元)	4384.33	-146.68	263.97	-1292.24
	净利润(万元)	13595.93	6964.73	3293.55	5114.69
	营业利润(万元)	15131.02	5113.63	2584.69	3320.02
	利润总额(万元)	15987.83	7756.21	3370.17	6129.54

内蒙古福瑞医疗科技股份有限公司

公司概况						
	公司名称	内蒙古福瑞医疗科技股份有限公司			证券简称	福瑞股份
	法人代表	王冠一	董秘	林欣	证券代码	300049
	公司网址	www.fu-rui.com		电子信箱	dshbgs@fu-rui.com	
	电　话	010-84683855		传　真	010-84683766	
	办公地址	北京市朝阳区新源里16号琨莎中心2座7层				
	经营范围	提供肝病领域诊断及治疗手段以及配套服务等				

主要财务指标	指标＼报告期	2016.06.30	2015.12.31	2015.06.30	2014.12.31
	基本每股收益(元)	0.1700	0.3500	0.2800	0.7000
	基本每股收益(扣除后)(元)	0.1600	0.3600	0.2900	0.5900
	稀释每股收益(元)	0.1700	0.3500	0.2800	0.6600
	每股净资产(元)	5.1544	5.0901	9.5339	6.6769
	每股经营现金净流量(元)	0.2643	0.6003	0.6454	0.3919
	每股现金流量(元)	0.0682	2.1399	4.4499	0.1412
	每股资本公积金(元)	2.9368	3.1002	7.1869	4.1097
	每股盈余公积金(元)	0.1643	0.1641	0.2750	0.2790
	每股未分配利润(元)	1.0379	0.9715	1.5724	1.5222
	净资产收益率(%)	3.2115	6.8369	2.8542	10.4472
	加权净资产收益率(%)	3.2000	8.2900	3.6800	11.2600
	净资产收益率(扣除)(%)	3.1616	7.0462	3.0020	8.8582
	总资产(万元)	210131.47	204094.62	194287.50	133119.39
	归属母公司股东权益(万元)	135687.98	134102.67	125589.49	83500.86
	营业收入(万元)	35287.43	60419.13	28598.46	64551.77
	营业支出(万元)	9782.11	19704.70	9590.25	23208.11
	投资收益(万元)	483.69	754.90	-23.30	-8.30
	净利润(万元)	5023.66	9505.73	3919.99	8480.51
	营业利润(万元)	5788.14	12103.13	5306.04	12597.60
	利润总额(万元)	5877.87	11654.67	5065.44	12182.62

珠海世纪鼎利科技股份有限公司

公司概况						
	公司名称	珠海世纪鼎利科技股份有限公司			证券简称	世纪鼎利
	法人代表	王耘	董秘	许泽权	证券代码	300050
	公司网址	www.dinglicom.com		电子信箱	IR@dinglicom.com	
	电　话	0756-3626066		传　真	0756-3626065	
	办公地址	广东省珠海市港湾大道科技五路8号一层				
	经营范围	软件开发、系统集成、电力技术推广、技术服务、通信设备、仪器仪表等的生产和销售				

主要财务指标	指标＼报告期	2016.06.30	2015.12.31	2015.06.30	2014.12.31
	基本每股收益(元)	0.1100	0.4600	0.0900	0.2000
	基本每股收益(扣除后)(元)	0.1000	0.4200	0.1600	0.2000
	稀释每股收益(元)	0.1100	0.4600	0.0900	0.2000
	每股净资产(元)	4.1651	8.2632	7.9835	9.0702
	每股经营现金净流量(元)	-0.0431	0.3275	-0.0533	0.5378
	每股现金流量(元)	-0.3012	-0.4069	-0.8508	0.6797
	每股资本公积金(元)	2.3283	5.6566	5.6716	6.6905
	每股盈余公积金(元)	0.1088	0.2177	0.2059	0.2378
	每股未分配利润(元)	0.7319	1.3991	1.1201	1.1574
	净资产收益率(%)	2.5763	5.5515	2.1033	2.2386
	加权净资产收益率(%)	2.5600	5.7000	2.1200	3.0600
	净资产收益率(扣除)(%)	2.2892	5.0054	1.9350	2.1567
	总资产(万元)	235784.16	243132.30	225397.30	237017.31
	归属母公司股东权益(万元)	207804.08	206130.93	199153.83	195917.20
	营业收入(万元)	33504.44	69604.24	31902.64	44705.43
	营业支出(万元)	18596.11	36977.93	17676.19	25088.94
	投资收益(万元)	-55.36	38.51	57.91	-21.39
	净利润(万元)	5347.46	11432.89	4166.71	4325.77
	营业利润(万元)	4661.49	10700.56	3573.06	3101.16
	利润总额(万元)	6161.17	13251.40	4576.97	4480.67

厦门三五互联科技股份有限公司

公司概况						
	公司名称	厦门三五互联科技股份有限公司			证券简称	三五互联
	法人代表	龚少晖	董秘	龚少晖(代)	证券代码	300051
	公司网址	www.35.com		电子信箱	zqb@35.cn	
	电　话	0592-5397222　5391849		传　真	0592-5392104	
	办公地址	福建省厦门市火炬高新技术产业开发区软件园二期观日路8号				
	经营范围	网络工程、信息系统工程、计算机软件及其他电子产品的技术开发等				

主要财务指标	指标＼报告期	2016.06.30	2015.12.31	2015.06.30	2014.12.31
	基本每股收益(元)	0.1100	-0.2400	-0.0100	0.0200
	基本每股收益(扣除后)(元)	0.0700	-0.2500	-0.0200	0.0100
	稀释每股收益(元)	0.1100	-0.2400	-0.0100	0.0200
	每股净资产(元)	2.5301	2.3668	1.5244	1.5488
	每股经营现金净流量(元)	0.0875	-0.0262	-0.0515	0.0750
	每股现金流量(元)	0.0896	0.0664	0.0648	-0.4730
	每股资本公积金(元)	1.5172	1.4657	0.4026	0.3981
	每股盈余公积金(元)	0.0492	0.0498	0.0567	0.0567
	每股未分配利润(元)	-0.0371	-0.1495	0.0641	0.0931
	净资产收益率(%)	4.3755	-9.2135	-0.9171	1.1184
	加权净资产收益率(%)	4.5600	-14.1600	-0.9100	1.1100
	净资产收益率(扣除)(%)	2.8474	-9.4504	-1.0663	0.4982
	总资产(万元)	141412.68	135400.47	83548.32	77111.42
	归属母公司股东权益(万元)	93602.57	86552.99	48932.17	49716.88
	营业收入(万元)	14739.19	24896.41	10777.86	27989.99
	营业支出(万元)	4118.03	8185.70	3680.19	11267.06
	投资收益(万元)	1336.52	15.04	-19.36	-155.64
	净利润(万元)	3863.70	-8723.59	-610.34	263.32
	营业利润(万元)	3723.38	-9167.38	-836.75	38.25
	利润总额(万元)	3805.20	-8820.34	-639.21	539.01

深圳中青宝互动网络股份有限公司

公司概况						
	公司名称	深圳中青宝互动网络股份有限公司			证券简称	中 青 宝
	法人代表	李瑞杰	董秘	许岳明	证券代码	300052
	公司网址	www.zqgame.com		电子信箱	ir@zqgame.com	
	电　话	0755-26733925		传　真	0755-26000524	
	办公地址	广东省深圳市南山区科技园南区高新南四道 W1B 栋 4 楼				
	经营范围	计算机软、硬件及网络系统的技术开发等				

主要财务指标	指标＼报告期	2016.06.30	2015.12.31	2015.06.30	2014.12.31
	基本每股收益(元)	0.0200	0.2500	0.0500	-0.0800
	基本每股收益(扣除后)(元)	-0.0400	-1.1900	0.0400	-0.3000
	稀释每股收益(元)	0.0200	0.2500	0.0500	-0.0800
	每股净资产(元)	3.8313	3.8385	3.5944	3.5474
	每股经营现金净流量(元)	0.0827	0.6556	-0.0021	-0.1002
	每股现金流量(元)	-0.1125	0.3057	-0.1575	-0.4093
	每股资本公积金(元)	2.2659	2.2659	2.2148	2.2190
	每股盈余公积金(元)	0.2033	0.2033	0.0698	0.0698
	每股未分配利润(元)	0.3689	0.3730	0.3091	0.2581
	净资产收益率(%)	0.4144	6.5073	1.4180	-2.3892
	加权净资产收益率(%)	0.4100	6.8200	1.4300	-2.3700
	净资产收益率(扣除)(%)	-1.0551	-30.9349	1.0071	-8.5830
	总资产(万元)	115520.60	125585.83	154326.81	153517.35
	归属母公司股东权益(万元)	100012.53	100199.84	93453.76	92232.86
	营业收入(万元)	11879.31	34309.09	15448.35	48952.76
	营业支出(万元)	4506.32	19529.90	6778.14	19933.91
	投资收益(万元)	-80.80	24887.04	1263.03	6041.11
	净利润(万元)	484.93	6260.69	1195.79	645.09
	营业利润(万元)	-1041.25	-9159.66	237.17	-1855.49
	利润总额(万元)	661.89	8752.10	732.14	-1218.59

珠海欧比特控制工程股份有限公司

公司概况						
	公司名称	珠海欧比特控制工程股份有限公司			证券简称	欧 比 特
	法人代表	颜军	董秘	颜志宇	证券代码	300053
	公司网址	www.myorbita.net		电子信箱	zqb@myorbita.net	
	电　话	0756-3391979　3399569		传　真	0756-3391980	
	办公地址	广东省珠海市唐家东岸白沙路 1 号欧比特科技园				
	经营范围	集成电路和计算机软件及硬件产品、宇航总线测试系统及产品、智能控制系统及产品等				

主要财务指标	指标＼报告期	2016.06.30	2015.12.31	2015.06.30	2014.12.31
	基本每股收益(元)	0.0350	0.2650	0.1234	0.1250
	基本每股收益(扣除后)(元)	0.0316	0.2470	0.1070	0.1230
	稀释每股收益(元)	0.0350	0.2650	0.1234	0.1250
	每股净资产(元)	2.1804	5.2440	5.2440	3.2849
	每股经营现金净流量(元)	-0.1387	0.5573	-0.0259	0.1787
	每股现金流量(元)	-0.1309	0.2446	-0.2994	-0.0784
	每股资本公积金(元)	0.7874	3.4685	3.4549	1.4915
	每股盈余公积金(元)	0.0416	0.1039	0.0979	0.1132
	每股未分配利润(元)	0.3520	0.8227	0.7019	0.6937
	净资产收益率(%)	1.6043	4.6407	2.3529	3.8151
	加权净资产收益率(%)	1.6100	5.7100	4.2500	3.8800
	净资产收益率(扣除)(%)	1.4498	4.3151	2.0413	3.7478
	总资产(万元)	151082.38	149815.81	142001.80	75059.98
	归属母公司股东权益(万元)	126003.93	124622.35	121219.93	65697.89
	营业收入(万元)	15795.25	38881.75	16895.72	17650.20
	营业支出(万元)	10135.46	23533.59	9651.43	9573.78
	投资收益(万元)	53.29	79.66	27.07	-130.61
	净利润(万元)	1960.02	5869.75	2935.00	2522.67
	营业利润(万元)	1517.44	5754.08	3016.16	2949.70
	利润总额(万元)	2338.35	6802.35	3463.30	2998.55

湖北鼎龙控股股份有限公司

公司概况						
	公司名称	湖北鼎龙控股股份有限公司			证券简称	鼎龙股份
	法人代表	朱双全	董秘	朱双全	证券代码	300054
	公司网址	www.dl-kg.com		电子信箱	hbdl@dl-kg.com	
	电　话	027-59720677　59720699		传　真	027-59720677　59720699	
	办公地址	湖北省武汉市经济技术开发区东荆河路 1 号				
	经营范围	电子成像显像专用信息化学品的研发、生产和销售及相关贸易业务				

主要财务指标	指标＼报告期	2016.06.30	2015.12.31	2015.06.30	2014.12.31
	基本每股收益(元)	0.2227	0.3600	0.1652	0.3100
	基本每股收益(扣除后)(元)	0.2200	0.3400	0.1600	0.2800
	稀释每股收益(元)	0.2227	0.3600	0.1648	0.3000
	每股净资产(元)	4.4335	2.9496	2.7796	2.6619
	每股经营现金净流量(元)	0.3073	0.2603	0.1330	0.3049
	每股现金流量(元)	0.4106	-0.0996	-0.1074	-0.0174
	每股资本公积金(元)	2.4825	1.0867	0.9940	0.9914
	每股盈余公积金(元)	0.0858	0.0935	0.0767	0.0767
	每股未分配利润(元)	0.9593	0.8719	0.7090	0.5937
	净资产收益率(%)	4.6142	12.0229	5.9433	11.4515
	加权净资产收益率(%)	7.2700	12.7600	6.0700	12.1800
	净资产收益率(扣除)(%)	4.5182	11.3991	5.7006	10.3387
	总资产(万元)	288892.10	177868.71	159894.37	156301.62
	归属母公司股东权益(万元)	216234.25	132110.51	122542.88	117351.80
	营业收入(万元)	52751.59	104983.64	49483.08	91863.78
	营业支出(万元)	32916.80	69482.42	32455.71	62821.29
	投资收益(万元)	115.63	-	-	88.05
	净利润(万元)	10895.18	18651.10	8708.15	15722.77
	营业利润(万元)	12648.31	20783.07	9812.17	16813.02
	利润总额(万元)	12906.43	21848.56	10185.21	18396.82

北京万邦达环保技术股份有限公司

公司概况						
	公司名称	北京万邦达环保技术股份有限公司			证券简称	万 邦 达
	法人代表	王飘扬	董秘	杜政修	证券代码	300055
	公司网址	www.waterbd.cn		电子信箱	waterbd@waterbd.cn	
	电　话	010-58800036　58809232		传　真	010-58800018	
	办公地址	北京市海淀区新街口外大街 19 号京师大厦 9325 室				
	经营范围	环境保护工程领域内的技术研发、技术咨询、技术服务、投资、建设等				

主要财务指标	指标＼报告期	2016.06.30	2015.12.31	2015.06.30	2014.12.31
	基本每股收益(元)	0.1814	0.3945	0.2292	0.2730
	基本每股收益(扣除后)(元)	0.1795	0.3874	0.2275	0.8162
	稀释每股收益(元)	0.1814	0.3945	0.2292	0.2730
	每股净资产(元)	6.1983	3.9328	3.7568	10.6446
	每股经营现金净流量(元)	-0.2040	0.0425	-0.0245	-0.1760
	每股现金流量(元)	0.9802	0.3039	-0.2121	-0.9239
	每股资本公积金(元)	4.1630	1.8888	1.8780	7.6360
	每股盈余公积金(元)	0.0635	0.0748	0.0692	0.2075
	每股未分配利润(元)	0.9718	0.9692	0.8096	1.8010
	净资产收益率(%)	2.6334	10.0306	6.1020	7.3549
	加权净资产收益率(%)	3.7700	10.5600	6.2800	9.0200
	净资产收益率(扣除)(%)	2.6061	9.8508	6.0580	7.2823
	总资产(万元)	730255.98	599093.87	488028.34	367215.24
	归属母公司股东权益(万元)	536269.96	289132.61	276191.45	260857.62
	营业收入(万元)	73812.11	197128.32	88781.41	102915.31
	营业支出(万元)	49424.13	141447.96	62240.80	72116.98
	投资收益(万元)	-51.78	66.13	-	126.47
	净利润(万元)	14215.85	29005.52	16863.82	19230.41
	营业利润(万元)	15582.16	33186.83	19294.38	22531.28
	利润总额(万元)	16629.43	33712.93	19450.83	22613.12

厦门三维丝环保股份有限公司

公司概况					
公司名称	厦门三维丝环保股份有限公司			证券简称	三维丝
法人代表	罗祥波	董秘	王荣聪	证券代码	300056
公司网址	www.savings.com.cn		电子信箱	savings@savings.com.cn	
电话	0592-7769767		传真	0592-7769502	
办公地址	福建省厦门市火炬高新区(翔安)产业区春光路 1178-1188 号				
经营范围	袋式除尘器核心部件高性能高温滤料的研发、生产、销售和服务等				

主要财务指标 指标\报告期	2016.06.30	2015.12.31	2015.06.30	2014.12.31
基本每股收益(元)	0.2000	0.2100	0.1000	0.2000
基本每股收益(扣除后)(元)	0.1600	0.1900	0.2000	0.3400
稀释每股收益(元)	0.2000	0.2100	0.1000	0.2000
每股净资产(元)	3.5960	2.2541	4.0098	3.0951
每股经营现金净流量(元)	-0.0982	-0.3467	-0.1711	0.4969
每股现金流量(元)	0.4043	0.2055	-0.0661	-0.0567
每股资本公积金(元)	2.0017	0.6665	2.0383	1.1629
每股盈余公积金(元)	0.0606	0.0689	0.1150	0.1233
每股未分配利润(元)	0.5337	0.5187	0.8565	0.8089
净资产收益率(%)	5.3360	9.2779	4.8660	12.6536
加权净资产收益率(%)	6.2200	11.4900	6.6400	13.2700
净资产收益率(扣除)(%)	4.1480	8.0847	4.5664	10.9861
总资产(万元)	267694.18	152825.66	136848.13	86913.13
归属母公司股东权益(万元)	134560.40	74233.30	64366.84	46352.32
营业收入(万元)	46368.75	68820.67	35420.23	45452.86
营业支出(万元)	31030.97	49354.79	27158.69	29949.15
投资收益(万元)	-88.13	1489.81	601.91	454.95
净利润(万元)	7336.06	7110.31	3198.33	6110.72
营业利润(万元)	6724.45	7263.67	3396.23	6518.67
利润总额(万元)	8597.71	8260.46	3615.60	7311.34

汕头万顺包装材料股份有限公司

公司概况					
公司名称	汕头万顺包装材料股份有限公司			证券简称	万顺股份
法人代表	杜成城	董秘	黄薇	证券代码	300057
公司网址	www.wanshun.cn		电子信箱	wanshun1@wanshun.cn	
电话	0754-83597700		传真	0754-83590689	
办公地址	广东省汕头市汕头保税区万顺工业园				
经营范围	纸制品、光电产品、包装材料、塑料制品、工艺美术品的加工、制造等				

主要财务指标 指标\报告期	2016.06.30	2015.12.31	2015.06.30	2014.12.31
基本每股收益(元)	0.0791	0.1499	0.1109	0.4255
基本每股收益(扣除后)(元)	0.0538	0.1019	0.1068	0.3143
稀释每股收益(元)	0.0791	0.1499	0.1109	0.4255
每股净资产(元)	5.1919	5.1427	5.0864	4.1869
每股经营现金净流量(元)	0.0473	0.8153	0.3329	0.3603
每股现金流量(元)	-0.2872	0.4464	0.8520	-0.2117
每股资本公积金(元)	2.8009	2.8009	2.7854	1.8524
每股盈余公积金(元)	0.1155	0.1155	0.1041	0.1085
每股未分配利润(元)	1.2750	1.2259	1.1969	1.2260
净资产收益率(%)	1.5233	2.8569	2.0930	10.1623
加权净资产收益率(%)	1.5300	3.2200	2.6200	10.7000
净资产收益率(扣除)(%)	1.0371	1.9422	2.0161	7.5076
总资产(万元)	467069.72	453579.53	487305.57	449891.47
归属母公司股东权益(万元)	228267.64	226105.58	223630.62	176686.28
营业收入(万元)	101354.94	219354.25	108751.40	217398.13
营业支出(万元)	86013.66	186000.89	90729.45	176344.15
投资收益(万元)	51.96	-	-	-
净利润(万元)	4092.03	6158.65	5305.67	21966.73
营业利润(万元)	3024.60	4347.93	6111.90	18931.97
利润总额(万元)	4341.36	7425.88	6325.69	25099.49

北京蓝色光标品牌管理顾问股份有限公司

公司概况					
公司名称	北京蓝色光标品牌管理顾问股份有限公司			证券简称	蓝色光标
法人代表	赵文权	董秘	熊剑	证券代码	300058
公司网址	www.bluefocusgroup.com		电子信箱	bfg@bluefocus.com	
电话	010-56478871 56478872		传真	010-56478000	
办公地址	北京市朝阳区酒仙桥北路 9 号恒通国际创新园 C9 楼				
经营范围	公共关系服务、核心业务是为企业提供品牌管理服务、主要内容为品牌传播、产品推广等				

主要财务指标 指标\报告期	2016.06.30	2015.12.31	2015.06.30	2014.12.31
基本每股收益(元)	0.1800	0.0400	0.0400	0.3800
基本每股收益(扣除后)(元)	0.0800	0.1200	0.0800	0.6400
稀释每股收益(元)	0.1800	0.0400	0.0400	0.3700
每股净资产(元)	2.3900	2.1830	2.2906	4.6369
每股经营现金净流量(元)	-0.1018	0.2533	0.0513	0.2129
每股现金流量(元)	-0.6755	1.0302	-0.0480	-0.2036
每股资本公积金(元)	0.7322	0.7165	0.5836	2.2005
每股盈余公积金(元)	0.0651	0.0674	0.0339	0.0677
每股未分配利润(元)	0.7617	0.6069	0.6704	1.4010
净资产收益率(%)	7.5970	1.6059	1.9494	15.9130
加权净资产收益率(%)	7.9400	1.6300	1.9100	16.9600
净资产收益率(扣除)(%)	3.5263	5.5259	3.4678	13.6217
总资产(万元)	1528523.97	1636921.20	1291339.95	1137017.31
归属母公司股东权益(万元)	461556.35	421578.18	441837.19	447360.60
营业收入(万元)	514099.41	834726.90	345271.25	597908.82
营业支出(万元)	391401.12	604753.25	244506.93	408056.87
投资收益(万元)	20727.88	3943.44	-4375.10	11678.68
净利润(万元)	35774.42	7751.93	8755.59	74211.50
营业利润(万元)	40532.29	-45803.60	13749.44	91148.51
利润总额(万元)	41329.61	12003.23	14238.23	94795.38

东方财富信息股份有限公司

公司概况					
公司名称	东方财富信息股份有限公司			证券简称	东方财富
法人代表	其实	董秘	陆威	证券代码	300059
公司网址	www.eastmoney.com		电子信箱	dongmi@eastmoney.com	
电话	021-64382978		传真	021-64389508	
办公地址	上海市徐汇区龙田路 195 号 3 号楼 C 座 9 楼				
经营范围	企业投资咨询、策划、商务企业投资咨询、策划、商务咨询、会务会展咨询服务等				

主要财务指标 指标\报告期	2016.06.30	2015.12.31	2015.06.30	2014.12.31
基本每股收益(元)	0.0998	1.0897	0.3418	0.0979
基本每股收益(扣除后)(元)	0.0822	1.0585	0.6100	0.1346
稀释每股收益(元)	0.0998	1.0897	0.3418	0.0979
每股净资产(元)	3.4841	4.4066	1.7033	1.5540
每股经营现金净流量(元)	-0.2723	0.2953	1.7774	1.9535
每股现金流量(元)	0.4337	5.2157	1.5087	1.8914
每股资本公积金(元)	1.9046	2.3754	0.0532	0.2420
每股盈余公积金(元)	0.0649	0.1245	0.0342	0.0480
每股未分配利润(元)	0.5149	0.9065	0.6159	0.2640
净资产收益率(%)	2.7167	22.6283	35.9921	8.8165
加权净资产收益率(%)	3.7600	66.4200	43.9200	9.3800
净资产收益率(扣除)(%)	2.2358	21.9807	35.6869	8.6647
总资产(万元)	2728552.36	2373347.57	1969471.13	618277.40
归属母公司股东权益(万元)	1239742.61	816928.95	289477.28	187970.75
营业收入(万元)	65696.45	281271.27	156996.19	61200.70
营业支出(万元)	14595.95	32405.44	19149.74	14856.91
投资收益(万元)	4424.39	3891.63	170.79	-
净利润(万元)	33649.81	184851.38	104189.01	16566.89
营业利润(万元)	32632.49	211085.61	121877.34	19388.64
利润总额(万元)	39584.61	217092.63	122714.95	19725.38

上海康耐特光学股份有限公司

公司概况	公司名称	上海康耐特光学股份有限公司			证券简称	康 耐 特
	法人代表	费铮翔	董秘	张惠祥	证券代码	300061
	公司网址	www.conantoptical.com		电子信箱	zhanghx@conantoptical.com	
	电　话	021-58598866-1298		传　真	021-58598535	
	办公地址	上海市浦东新区川大路555号				
	经营范围	工程塑料、树脂镜片及材料、成镜及配件、眼镜镜架、光学仪器的技术开发及生产等				

	指标\报告期	2016.06.30	2015.12.31	2015.06.30	2014.12.31
主要财务指标	基本每股收益(元)	0.1100	0.2100	0.0800	0.1500
	基本每股收益(扣除后)(元)	0.1000	0.1800	0.0598	0.2151
	稀释每股收益(元)	0.1100	0.2100	0.0800	0.1500
	每股净资产(元)	1.8747	1.7239	1.6674	2.6121
	每股经营现金净流量(元)	0.1128	0.3138	0.0648	0.3019
	每股现金流量(元)	0.0658	0.0787	-0.0307	0.1245
	每股资本公积金(元)	0.2028	0.1729	0.2051	0.9611
	每股盈余公积金(元)	0.0587	0.0589	0.0453	0.0734
	每股未分配利润(元)	0.6463	0.5601	0.4511	0.6198
	净资产收益率(%)	5.7580	11.9202	5.2197	9.1535
	加权净资产收益率(%)	5.9900	12.4300	4.8600	8.9200
	净资产收益率(扣除)(%)	5.5610	10.5431	3.8509	8.2347
	总资产(万元)	89562.00	83088.02	79063.89	76943.08
	归属母公司股东权益(万元)	46868.87	42963.31	41524.44	40122.61
	营业收入(万元)	36761.80	69444.12	32777.67	62073.79
	营业支出(万元)	24097.06	48070.79	22932.12	43470.89
	投资收益(万元)	-35.78	-51.81	17.40	49.82
	净利润(万元)	3045.63	5673.97	2297.44	4204.08
	营业利润(万元)	3364.88	5617.91	1920.54	4249.88
	利润总额(万元)	3511.64	6428.01	2602.98	4690.12

中能电气股份有限公司

公司概况	公司名称	中能电气股份有限公司			证券简称	中能电气
	法人代表	陈添旭	董秘	黄孝銮	证券代码	300062
	公司网址	www.ceepower.com		电子信箱	ceepower300062@ceepower.com	
	电　话	4000620666-5		传　真	0591-86550211	
	办公地址	福建省福清市融侨经济技术开发区宏路街道周店村				
	经营范围	输配电设备产品的研发、生产和销售等				

	指标\报告期	2016.06.30	2015.12.31	2015.06.30	2014.12.31
主要财务指标	基本每股收益(元)	0.1900	0.1300	0.1100	0.2000
	基本每股收益(扣除后)(元)	0.1800	0.1000	0.1100	0.1600
	稀释每股收益(元)	0.1900	0.1300	0.1100	0.2000
	每股净资产(元)	5.1756	4.9853	4.9637	4.9058
	每股经营现金净流量(元)	0.5483	1.0670	0.1851	0.0924
	每股现金流量(元)	-0.4953	-0.0121	0.0211	-0.1768
	每股资本公积金(元)	2.3427	2.3427	2.3410	2.3431
	每股盈余公积金(元)	0.1583	0.1583	0.1527	0.1525
	每股未分配利润(元)	1.6746	1.4844	1.4699	1.4557
	净资产收益率(%)	3.6763	2.6515	2.2341	3.9763
	加权净资产收益率(%)	3.1100	2.6600	2.2100	4.0400
	净资产收益率(扣除)(%)	3.4588	2.0080	1.8413	3.3126
	总资产(万元)	269330.73	255000.64	99505.51	102653.90
	归属母公司股东权益(万元)	79703.47	76773.33	76440.49	76353.84
	营业收入(万元)	53979.80	73084.11	20822.34	45752.88
	营业支出(万元)	38294.04	49349.40	14069.46	31602.09
	投资收益(万元)	-	-26.12	-	16.53
	净利润(万元)	3454.75	2515.54	1797.80	3352.22
	营业利润(万元)	3895.36	2436.05	1823.59	3377.42
	利润总额(万元)	4228.87	3218.49	2177.70	3972.45

广东天龙油墨集团股份有限公司

公司概况	公司名称	广东天龙油墨集团股份有限公司			证券简称	天龙集团
	法人代表	冯毅	董秘	徐永全	证券代码	300063
	公司网址	www.tlym.cn		电子信箱	tljt@tlym.cn	
	电　话	0758-8507810		传　真	0758-8507306	
	办公地址	广东省肇庆市金渡工业园内				
	经营范围	水性油墨的研发、生产和销售等				

	指标\报告期	2016.06.30	2015.12.31	2015.06.30	2014.12.31
主要财务指标	基本每股收益(元)	0.2326	0.2156	0.0074	0.0077
	基本每股收益(扣除后)(元)	0.2270	0.2023	0.0047	0.0020
	稀释每股收益(元)	0.2326	0.2156	0.0074	0.0077
	每股净资产(元)	7.3461	7.0686	3.2692	3.2279
	每股经营现金净流量(元)	0.3523	0.0378	0.1631	-0.3968
	每股现金流量(元)	0.2316	0.1687	0.0995	-0.3764
	每股资本公积金(元)	5.5830	5.5196	1.7030	1.6513
	每股盈余公积金(元)	0.0352	0.0352	0.0508	0.0508
	每股未分配利润(元)	0.7058	0.4931	0.4886	0.5013
	净资产收益率(%)	3.1668	2.2667	0.2249	0.2393
	加权净资产收益率(%)	3.2400	5.1600	0.2300	0.2400
	净资产收益率(扣除)(%)	3.0902	2.1269	0.1437	0.0717
	总资产(万元)	374490.89	335142.96	143794.82	120001.49
	归属母公司股东权益(万元)	213457.09	205392.20	65710.48	64879.87
	营业收入(万元)	234769.37	171406.94	46190.78	90528.97
	营业支出(万元)	208443.20	141437.93	37283.02	75938.25
	投资收益(万元)	1.88	120.58	120.59	-
	净利润(万元)	6653.75	4293.73	-22.99	356.03
	营业利润(万元)	8525.94	6718.22	510.38	788.73
	利润总额(万元)	8782.95	7025.99	580.66	984.39

郑州华晶金刚石股份有限公司

公司概况	公司名称	郑州华晶金刚石股份有限公司			证券简称	豫金刚石
	法人代表	郭留希	董秘	张凯	证券代码	300064
	公司网址	www.sinocrystal.com.cn		电子信箱	chinadiamond@sinocrystal.com.cn	
	电　话	0371-63377777		传　真	0371-63377777	
	办公地址	郑州市高新开发区长椿路23号郑州高新企业加速器产业园C5-1/2楼				
	经营范围	人造金刚石及制品、设备的生产、销售、人造金刚石相关技术、材料、设备等				

	指标\报告期	2016.06.30	2015.12.31	2015.06.30	2014.12.31
主要财务指标	基本每股收益(元)	0.1147	0.1558	0.0840	0.1009
	基本每股收益(扣除后)(元)	0.1129	0.1522	0.0821	0.0871
	稀释每股收益(元)	0.1147	0.1558	0.0840	0.1009
	每股净资产(元)	2.9705	2.8748	2.8023	2.4001
	每股经营现金净流量(元)	-0.0253	0.2310	0.1271	0.2013
	每股现金流量(元)	0.2622	0.0427	0.5788	-0.0191
	每股资本公积金(元)	1.0331	1.0331	1.0331	0.6141
	每股盈余公积金(元)	0.0959	0.0959	0.0853	0.0951
	每股未分配利润(元)	0.8414	0.7457	0.6840	0.6909
	净资产收益率(%)	3.8604	5.1404	2.6866	4.2025
	加权净资产收益率(%)	3.9200	5.8800	3.4400	4.2800
	净资产收益率(扣除)(%)	3.8014	5.0213	2.6272	3.6310
	总资产(万元)	417271.56	337700.97	348398.97	282940.78
	归属母公司股东权益(万元)	201434.69	194947.02	190031.47	145923.70
	营业收入(万元)	54729.39	76321.21	40215.55	63759.63
	营业支出(万元)	37405.05	49326.76	25837.93	42047.60
	投资收益(万元)	-46.98	-123.47	-60.51	330.99
	净利润(万元)	8660.66	10968.56	6019.30	6069.12
	营业利润(万元)	9791.94	12844.39	6896.41	6606.52
	利润总额(万元)	9944.84	13101.41	7023.08	7326.13

北京海兰信数据科技股份有限公司

公司概况					
公司名称	北京海兰信数据科技股份有限公司			证券简称	海兰信
法人代表	申万秋	董秘	姜楠	证券代码	300065
公司网址	www.highlander.com.cn		电子信箱	hlx@highlander.com.cn	
电　话	010-82151445		传　真	010-82150083	
办公地址	北京市海淀区清华科技园科技大厦 C 座 1902 室				
经营范围	技术开发、转让、咨询、服务、培训、销售开发后的产品、通信设备、五金交电等				

主要财务指标：指标\报告期	2016.06.30	2015.12.31	2015.06.30	2014.12.31
基本每股收益(元)	0.1243	0.1700	0.0614	0.0900
基本每股收益(扣除后)(元)	0.1000	0.0700	0.0400	0.0300
稀释每股收益(元)	0.1243	0.1700	0.0614	0.0900
每股净资产(元)	5.0020	2.8809	2.8809	2.8493
每股经营现金净流量(元)	–0.2090	0.2645	–0.1109	–0.0549
每股现金流量(元)	–1.1605	1.2850	–0.2260	–0.4098
每股资本公积金(元)	3.2721	3.7695	1.3933	1.3933
每股盈余公积金(元)	0.0579	0.0664	0.0501	0.0501
每股未分配利润(元)	0.6299	0.6147	0.4397	0.4083
净资产收益率(%)	2.4843	2.9961	2.1319	3.0129
加权净资产收益率(%)	2.5100	5.7700	2.1300	3.0500
净资产收益率(扣除)(%)	1.9428	1.1742	1.2215	1.0966
总资产(万元)	157744.73	165728.02	78155.48	82592.97
归属母公司股东权益(万元)	120828.09	118253.76	60644.59	59979.15
营业收入(万元)	26632.54	32781.25	13524.19	39282.07
营业支出(万元)	14609.77	21708.75	8606.32	28589.57
投资收益(万元)	–154.89	1375.33	149.08	–29.95
净利润(万元)	4274.84	3621.35	1334.00	1813.52
营业利润(万元)	3918.74	1609.08	438.19	–172.26
利润总额(万元)	5035.09	4093.30	1517.93	2055.58

三川智慧科技股份有限公司

公司概况					
公司名称	三川智慧科技股份有限公司			证券简称	三川智慧
法人代表	童保华	董秘	倪国强	证券代码	300066
公司网址	www.ytsanchuan.com		电子信箱	webmaster@ytsanchuan.com	
电　话	0701-6318013 6318005		传　真	0701-6318013	
办公地址	江西省鹰潭市高新区龙岗片区三川水工产业园				
经营范围	各种水表产品的研发、生产和销售				

主要财务指标：指标\报告期	2016.06.30	2015.12.31	2015.06.30	2014.12.31
基本每股收益(元)	0.0700	0.3400	0.0600	0.3100
基本每股收益(扣除后)(元)	0.0621	0.2769	0.1246	0.4300
稀释每股收益(元)	0.0700	0.3400	0.0600	0.3100
每股净资产(元)	1.3490	3.2700	2.9137	4.5083
每股经营现金净流量(元)	0.0271	0.3157	0.0989	0.4332
每股现金流量(元)	–0.0367	0.2147	–0.1132	0.3795
每股资本公积金(元)	0.0656	0.9639	0.7391	1.7805
每股盈余公积金(元)	0.0655	0.1639	0.1350	0.2160
每股未分配利润(元)	0.2133	1.1358	1.0267	1.4928
净资产收益率(%)	5.2618	10.2177	5.3618	11.1488
加权净资产收益率(%)	5.4900	11.7600	5.4300	11.7800
净资产收益率(扣除)(%)	4.6014	8.2280	4.2750	9.4282
总资产(万元)	166989.40	160156.89	142003.01	141604.78
归属母公司股东权益(万元)	140305.43	136241.12	116333.20	112502.37
营业收入(万元)	32131.30	64704.72	31305.93	69793.34
营业支出(万元)	19658.72	42143.03	20869.42	45668.93
投资收益(万元)	1209.75	2073.08	632.24	1799.65
净利润(万元)	7537.40	14616.42	6611.21	14399.40
营业利润(万元)	7145.49	12659.21	5747.56	14781.67
利润总额(万元)	8702.07	16948.02	7638.60	16918.95

上海安诺其集团股份有限公司

公司概况					
公司名称	上海安诺其集团股份有限公司			证券简称	安诺其
法人代表	纪立军	董秘	徐长进	证券代码	300067
公司网址	www.anoky.com.cn		电子信箱	investor@anoky.com.cn	
电　话	021-59867500		传　真	021-59867578	
办公地址	上海市青浦工业园区崧华路 881 号				
经营范围	新型纺织染料的研发、生产、销售和相关技术服务等				

主要财务指标：指标\报告期	2016.06.30	2015.12.31	2015.06.30	2014.12.31
基本每股收益(元)	0.1100	0.1200	0.1500	0.1900
基本每股收益(扣除后)(元)	0.0900	0.1117	0.1464	0.2966
稀释每股收益(元)	0.1100	0.1200	0.1500	0.1900
每股净资产(元)	1.8620	1.7632	1.7888	2.6731
每股经营现金净流量(元)	0.1100	–0.0484	–0.0566	0.0001
每股现金流量(元)	–0.0325	0.2441	–0.0527	–0.0379
每股资本公积金(元)	0.2772	0.2831	0.2801	1.0432
每股盈余公积金(元)	0.0466	0.0466	0.0391	0.0625
每股未分配利润(元)	0.5543	0.4485	0.4849	0.5918
净资产收益率(%)	5.6687	6.6720	8.1762	11.4644
加权净资产收益率(%)	5.8600	6.8600	8.4000	12.1300
净资产收益率(扣除)(%)	4.9872	6.3360	8.1837	11.0266
总资产(万元)	151873.57	137247.76	130659.55	102693.35
归属母公司股东权益(万元)	98307.68	92861.15	94206.59	87986.72
营业收入(万元)	46375.34	68994.88	42990.14	74636.23
营业支出(万元)	32708.73	46568.49	26726.98	49271.39
投资收益(万元)	–	–	–	–
净利润(万元)	5426.37	6136.48	7819.22	10503.36
营业利润(万元)	5766.44	7161.63	9516.48	12642.79
利润总额(万元)	6677.86	7534.57	9494.08	13085.32

浙江南都电源动力股份有限公司

公司概况					
公司名称	浙江南都电源动力股份有限公司			证券简称	南都电源
法人代表	王海光	董秘	王莹娇	证券代码	300068
公司网址	www.naradapower.com		电子信箱	nddy@narada.biz	
电　话	0571-56975697		传　真	0571-56975910	
办公地址	浙江省杭州市文二西路 822 号				
经营范围	化学电源、新能源储能产品的研究、开发、制造和销售等				

主要财务指标：指标\报告期	2016.06.30	2015.12.31	2015.06.30	2014.12.31
基本每股收益(元)	0.2300	0.3400	0.1300	0.1800
基本每股收益(扣除后)(元)	0.2000	0.2800	0.1200	0.1600
稀释每股收益(元)	0.2300	0.3400	0.1300	0.1800
每股净资产(元)	7.2106	5.0301	4.7682	4.6367
每股经营现金净流量(元)	–0.5945	0.0691	–0.4880	0.0665
每股现金流量(元)	3.0516	0.1996	0.0727	–0.0250
每股资本公积金(元)	6.4999	2.8217	2.7654	2.7654
每股盈余公积金(元)	0.1499	0.1510	0.1355	0.1355
每股未分配利润(元)	1.3050	1.0596	0.8718	0.7390
净资产收益率(%)	2.7358	6.6807	2.7850	3.7647
加权净资产收益率(%)	4.3700	6.9300	2.8200	3.6900
净资产收益率(扣除)(%)	2.3710	5.6254	2.5112	3.3724
总资产(万元)	974679.75	693218.51	554353.78	486786.44
归属母公司股东权益(万元)	562412.28	304313.90	288463.62	280508.05
营业收入(万元)	294576.22	515312.69	204642.67	378636.13
营业支出(万元)	247673.94	437533.37	171735.61	324038.79
投资收益(万元)	–	–421.24	–421.24	–1021.77
净利润(万元)	18737.51	27929.91	8432.01	10284.94
营业利润(万元)	9867.56	11264.53	9057.16	12792.67
利润总额(万元)	21266.86	30824.51	9964.60	14218.06

浙江金利华电气股份有限公司

公司概况	公司名称	浙江金利华电气股份有限公司			证券简称	金利华电
	法人代表	赵坚	董秘	翁永华	证券代码	300069
	公司网址	www.jlhdq.com		电子信箱	Cjh@jlhdq.com	
	电　话	0579-82913599		传　真	0579-82913333	
	办公地址	浙江省金华市金东经济开发区傅村镇华丰东路 1088 号				
	经营范围	新型高强度功能玻璃制造技术的研究和特高压输变电绝缘器材开发等				

	指标\报告期	2016.06.30	2015.12.31	2015.06.30	2014.12.31
主要财务指标	基本每股收益(元)	0.1700	0.0900	0.0600	0.1300
	基本每股收益(扣除后)(元)	0.1600	0.0500	0.0500	0.1000
	稀释每股收益(元)	0.1700	0.0900	0.0600	0.1300
	每股净资产(元)	4.2987	4.1802	4.1503	4.1400
	每股经营现金净流量(元)	–0.0085	0.0204	–0.0893	–0.3000
	每股现金流量(元)	–0.0543	0.1323	–0.0440	–0.3005
	每股资本公积金(元)	2.2268	2.2268	2.2268	2.2268
	每股盈余公积金(元)	0.1414	0.1414	0.1293	0.1293
	每股未分配利润(元)	0.9306	0.8120	0.7941	0.7839
	净资产收益率(%)	3.9209	2.1566	1.4512	3.2409
	加权净资产收益率(%)	3.9700	2.1700	1.4400	3.2500
	净资产收益率(扣除)(%)	3.6228	1.1983	1.0969	2.3745
	总资产(万元)	74620.80	69175.59	66384.95	65723.54
	归属母公司股东权益(万元)	50295.18	48908.16	48558.12	48438.42
	营业收入(万元)	15303.04	21343.97	10648.96	20772.59
	营业支出(万元)	10114.99	15740.47	7802.38	15059.37
	投资收益(万元)	–	–	–	–
	净利润(万元)	1972.02	1054.74	704.70	1528.83
	营业利润(万元)	2095.59	746.33	584.00	1331.33
	利润总额(万元)	2255.85	1232.49	769.98	1782.27

北京碧水源科技股份有限公司

公司概况	公司名称	北京碧水源科技股份有限公司			证券简称	碧水源
	法人代表	文剑平	董秘	何愿平	证券代码	300070
	公司网址	www.originwater.com		电子信箱	ir@originwater.com	
	电　话	010-88465890		传　真	010-88434847	
	办公地址	北京市海淀区生命科学园路 23-2 碧水源大厦				
	经营范围	污水处理和污水资源化领域的技术研究与开发、设备制造与销售等				

	指标\报告期	2016.06.30	2015.12.31	2015.06.30	2014.12.31
主要财务指标	基本每股收益(元)	0.0900	1.2100	0.0500	0.8800
	基本每股收益(扣除后)(元)	0.0900	1.2000	0.1400	0.8700
	稀释每股收益(元)	0.0900	1.2000	0.0500	0.8700
	每股净资产(元)	4.4900	11.0400	5.8200	5.6400
	每股经营现金净流量(元)	–0.3079	1.1055	–0.7368	0.7256
	每股现金流量(元)	–0.4634	2.3783	–0.6346	0.1902
	每股资本公积金(元)	2.0869	6.6262	1.9407	1.7680
	每股盈余公积金(元)	0.1143	0.2886	0.2220	0.2229
	每股未分配利润(元)	1.2491	3.0337	2.4371	2.4394
	净资产收益率(%)	1.9384	10.0314	2.4345	15.4789
	加权净资产收益率(%)	1.8700	16.3500	2.4900	17.2600
	净资产收益率(扣除)(%)	1.9157	9.9831	2.4149	15.2904
	总资产(万元)	2013972.94	1838877.21	1089437.14	1053559.45
	归属母公司股东权益(万元)	1392840.84	1357438.30	629556.05	607803.23
	营业收入(万元)	234717.51	521426.03	105379.35	344915.79
	营业支出(万元)	174810.10	306573.97	66118.24	209886.26
	投资收益(万元)	5492.48	21746.30	5399.43	31780.26
	净利润(万元)	26056.77	145741.90	18082.28	101368.01
	营业利润(万元)	32116.29	168731.53	20525.98	116191.72
	利润总额(万元)	32535.27	169505.74	20692.61	117485.11

北京华谊嘉信整合营销顾问集团股份有限公司

公司概况	公司名称	北京华谊嘉信整合营销顾问集团股份有限公司			证券简称	华谊嘉信
	法人代表	刘伟	董秘	杨真	证券代码	300071
	公司网址	www.spearhead.com.cn		电子信箱	investor@spearhead.com.cn	
	电　话	010-58039145		传　真	010-58039088	
	办公地址	北京市朝阳区广渠路 3 号竞园文化艺术产业区 39B				
	经营范围	终端营销服务、活动营销服务、其他营销服务等				

	指标\报告期	2016.06.30	2015.12.31	2015.06.30	2014.12.31
主要财务指标	基本每股收益(元)	0.0900	0.1900	0.1100	0.1100
	基本每股收益(扣除后)(元)	0.0700	0.1300	0.0700	0.1600
	稀释每股收益(元)	0.0900	0.1900	0.1100	0.1100
	每股净资产(元)	1.6522	1.5979	1.6807	2.5805
	每股经营现金净流量(元)	–0.1418	0.3143	–0.1207	0.3014
	每股现金流量(元)	–0.2022	0.1225	–0.0874	–0.0204
	每股资本公积金(元)	0.0192	0.0192	0.2293	0.8794
	每股盈余公积金(元)	0.0439	0.0439	0.0298	0.0548
	每股未分配利润(元)	0.5342	0.4799	0.3847	0.6063
	净资产收益率(%)	5.7075	11.6585	4.5772	7.3340
	加权净资产收益率(%)	5.7800	11.2800	4.8800	11.5300
	净资产收益率(扣除)(%)	4.4561	8.3427	4.2163	5.9245
	总资产(万元)	277864.41	258457.92	174717.35	171032.87
	归属母公司股东权益(万元)	113222.78	109501.81	115174.34	96133.12
	营业收入(万元)	155043.51	325005.63	91033.24	155983.93
	营业支出(万元)	128837.36	267024.71	74277.89	136018.10
	投资收益(万元)	523.20	–67.91	–23.25	13.49
	净利润(万元)	6450.34	12540.42	5233.29	6976.17
	营业利润(万元)	6595.71	18216.90	6323.87	8302.42
	利润总额(万元)	7756.35	19038.69	6885.21	9357.61

北京三聚环保新材料股份有限公司

公司概况	公司名称	北京三聚环保新材料股份有限公司			证券简称	三聚环保
	法人代表	刘雷	董秘	曹华锋	证券代码	300072
	公司网址	www.sanju.cn		电子信箱	investor@sanju.cn	
	电　话	010-82685562		传　真	010-82684108	
	办公地址	北京市海淀区人大北路 33 号 1 号楼大行基业大厦 9 层				
	经营范围	脱硫净化剂、脱硫催化剂、其他净化剂、特种催化材料及催化剂等的研发、生产、销售等				

	指标\报告期	2016.06.30	2015.12.31	2015.06.30	2014.12.31
主要财务指标	基本每股收益(元)	0.6800	1.1900	0.6100	0.6100
	基本每股收益(扣除后)(元)	0.6800	1.1800	0.6100	0.7900
	稀释每股收益(元)	0.6800	1.1900	0.6100	0.6100
	每股净资产(元)	4.5481	6.0350	3.4752	3.8006
	每股经营现金净流量(元)	–0.9183	0.0780	–0.4254	0.6262
	每股现金流量(元)	0.4093	2.4725	0.0277	0.8625
	每股资本公积金(元)	1.8305	2.8285	0.5108	0.9387
	每股盈余公积金(元)	0.0776	0.1189	0.0643	0.0836
	每股未分配利润(元)	1.9061	2.0876	1.9001	1.7784
	净资产收益率(%)	14.8269	17.4716	17.5247	20.7858
	加权净资产收益率(%)	15.9400	29.2800	19.0200	23.8800
	净资产收益率(扣除)(%)	14.7220	17.3620	17.4824	20.5924
	总资产(万元)	1479462.57	1023148.03	716886.65	528082.09
	归属母公司股东权益(万元)	542407.93	469655.98	229880.56	193390.75
	营业收入(万元)	580660.91	569811.52	221393.57	300991.45
	营业支出(万元)	437222.37	384443.52	138925.26	206422.21
	投资收益(万元)	–29.09	87.67	–5.46	–8.23
	净利润(万元)	79040.70	81441.36	39985.27	41117.14
	营业利润(万元)	93066.08	95648.47	46549.16	48774.82
	利润总额(万元)	93840.06	96320.48	46685.30	49195.73

北京当升材料科技股份有限公司

公司概况					
公司名称	北京当升材料科技股份有限公司			证券简称	当升科技
法人代表	李建忠	董秘	曲晓力	证券代码	300073
公司网址	www.easpring.com.cn		电子信箱	securities@easpring.com.cn	
电　话	010-52269718		传　真	010-52269720 9718	
办公地址	北京市丰台区南四环西路 188 号总部基地 18 区 21 号楼				
经营范围	研究开发、生产和销售锂离子电池正极材料、电子粉体材料和新型金属材料等				

主要财务指标 指标\报告期	2016.06.30	2015.12.31	2015.06.30	2014.12.31
基本每股收益(元)	0.1996	0.0783	0.0060	-0.1600
基本每股收益(扣除后)(元)	0.1902	0.0366	-0.0119	-0.2364
稀释每股收益(元)	0.1996	0.0783	0.0060	-0.1600
每股净资产(元)	6.9829	6.7832	5.1156	5.1096
每股经营现金净流量(元)	-0.2926	0.0554	0.0995	-0.0012
每股现金流量(元)	-0.4408	0.6505	0.0921	0.0278
每股资本公积金(元)	5.3404	5.3404	3.6861	3.6861
每股盈余公积金(元)	0.0984	0.0984	0.1125	0.1125
每股未分配利润(元)	0.5439	0.3444	0.3169	0.3109
净资产收益率(%)	2.8578	1.0697	0.1170	-3.1305
加权净资产收益率(%)	2.9000	1.3300	0.1200	-3.0800
净资产收益率(扣除)(%)	2.7234	0.5006	-0.2324	-4.6267
总资产(万元)	184078.88	174069.79	108540.01	101812.73
归属母公司股东权益(万元)	127810.12	124155.98	81849.18	81753.46
营业收入(万元)	55297.44	86042.27	34104.10	62499.80
营业支出(万元)	47074.14	78866.23	32918.03	60590.28
投资收益(万元)	599.08	1564.60	1222.47	225.36
净利润(万元)	3652.60	1328.16	95.72	-2559.27
营业利润(万元)	3510.45	563.03	-225.99	-4362.18
利润总额(万元)	3923.19	1425.33	123.69	-2870.25

华平信息技术股份有限公司

公司概况					
公司名称	华平信息技术股份有限公司			证券简称	华平股份
法人代表	刘焱	董秘	唐晓云	证券代码	300074
公司网址	www.avcon.com.cn		电子信箱	ir@avcon.com.cn	
电　话	021-65650210		传　真	021-55666998	
办公地址	上海市杨浦区国权北路 1688 弄 A6 座				
经营范围	计算机软硬件及其他电子产品的设计、销售、计算机系统集成服务等				

主要财务指标 指标\报告期	2016.06.30	2015.12.31	2015.06.30	2014.12.31
基本每股收益(元)	0.0114	0.0635	-0.0386	0.0587
基本每股收益(扣除后)(元)	-0.0223	0.0220	-0.0435	0.0840
稀释每股收益(元)	0.0114	0.0635	-0.0386	0.0587
每股净资产(元)	2.0010	1.9899	1.8849	3.0750
每股经营现金净流量(元)	-0.0147	0.0539	-0.0516	0.0623
每股现金流量(元)	-0.0396	-0.0967	-0.2425	0.0907
每股资本公积金(元)	0.3253	0.3255	0.3210	1.1136
每股盈余公积金(元)	0.0871	0.0871	0.0840	0.1344
每股未分配利润(元)	0.5887	0.5773	0.4799	0.8296
净资产收益率(%)	0.5708	3.1889	-2.0454	3.0558
加权净资产收益率(%)	0.5700	3.2500	-2.0200	3.0900
净资产收益率(扣除)(%)	-1.1147	1.0861	-2.3099	2.7354
总资产(万元)	121996.14	124450.79	106022.08	106444.08
归属母公司股东权益(万元)	105655.29	105067.40	99521.67	101557.27
营业收入(万元)	10018.10	33121.31	9472.94	22087.95
营业支出(万元)	3828.42	14529.69	4067.67	5789.19
投资收益(万元)	1606.56	1826.69	-14.73	166.70
净利润(万元)	477.57	3150.80	-2190.60	2852.02
营业利润(万元)	-31.78	2289.75	-3330.95	1583.68
利润总额(万元)	685.92	3433.11	-2722.74	3755.06

北京数字政通科技股份有限公司

公司概况					
公司名称	北京数字政通科技股份有限公司			证券简称	数字政通
法人代表	吴强华	董秘	邱鲁闽	证券代码	300075
公司网址	www.egova.com.cn		电子信箱	egova@egova.com.cn	
电　话	010-56161618		传　真	010-56161688	
办公地址	北京市海淀区中关村软件园 9 号楼国际软件大厦三区 101 室				
经营范围	基于 GIS 应用的电子政务平台的开发和推广工作等				

主要财务指标 指标\报告期	2016.06.30	2015.12.31	2015.06.30	2014.12.31
基本每股收益(元)	0.1200	0.3200	0.0900	0.3100
基本每股收益(扣除后)(元)	0.1200	0.2800	0.0900	0.6200
稀释每股收益(元)	0.1200	0.3200	0.0900	0.3100
每股净资产(元)	3.5240	2.9900	3.0707	6.0005
每股经营现金净流量(元)	-0.3489	0.3255	-0.0998	-0.3117
每股现金流量(元)	-0.9756	0.8989	-0.1338	-2.3724
每股资本公积金(元)	1.2985	1.1077	1.1184	3.1762
每股盈余公积金(元)	0.1361	0.1393	0.1081	0.2169
每股未分配利润(元)	1.0894	1.0351	0.8442	1.6075
净资产收益率(%)	3.3349	9.6650	3.0275	10.4349
加权净资产收益率(%)	3.5600	10.1400	3.0600	10.9600
净资产收益率(扣除)(%)	3.3071	8.4405	3.0363	10.3265
总资产(万元)	188680.44	186082.83	145903.83	141190.78
归属母公司股东权益(万元)	138011.78	125539.31	117158.85	114095.42
营业收入(万元)	25793.00	65113.53	18619.31	54608.68
营业支出(万元)	14439.34	39433.60	11413.81	30391.02
投资收益(万元)	-248.24	14.94	121.24	-
净利润(万元)	4902.95	12063.23	3591.38	12700.54
营业利润(万元)	2790.31	8873.16	2724.94	10679.40
利润总额(万元)	4640.68	13713.89	3812.55	13367.49

宁波 GQY 视讯股份有限公司

公司概况					
公司名称	宁波 GQY 视讯股份有限公司			证券简称	GQY 视讯
法人代表	郭启寅	董秘	黄健	证券代码	300076
公司网址	www.gqy.com.cn		电子信箱	investor@gqy.com.cn	
电　话	021-61002033		传　真	021-61002008	
办公地址	浙江省宁波市杭州湾新区滨海四路 131 号				
经营范围	网络、数字、图像电子产品的研制、开发及销售、IT 工程项目系统集成				

主要财务指标 指标\报告期	2016.06.30	2015.12.31	2015.06.30	2014.12.31
基本每股收益(元)	-	0.0200	0.0200	0.0900
基本每股收益(扣除后)(元)	-	0.0100	0.0300	0.0600
稀释每股收益(元)	-	0.0200	0.0200	0.0900
每股净资产(元)	2.5147	2.5123	5.0325	5.0815
每股经营现金净流量(元)	-0.0170	-0.0074	0.0098	0.1645
每股现金流量(元)	-0.1522	-0.4239	0.0021	0.0362
每股资本公积金(元)	1.0758	3.1517	3.1517	3.1517
每股盈余公积金(元)	0.0699	0.1398	0.1347	0.1347
每股未分配利润(元)	0.3690	0.7331	0.7461	0.7951
净资产收益率(%)	0.0973	0.4600	0.6159	1.8161
加权净资产收益率(%)	0.1000	0.4600	0.6100	1.8200
净资产收益率(扣除)(%)	0.0341	0.2395	0.5738	1.1821
总资产(万元)	114278.57	112021.01	119756.19	118065.63
归属母公司股东权益(万元)	106625.32	106521.52	106688.69	107727.57
营业收入(万元)	10604.21	20351.94	9736.74	26432.86
营业支出(万元)	7074.03	12650.55	5777.09	15877.20
投资收益(万元)	1.72	10.95	-	448.47
净利润(万元)	103.80	489.96	657.12	2014.94
营业利润(万元)	63.15	454.97	780.52	2259.92
利润总额(万元)	142.44	708.43	833.07	2704.22

国民技术股份有限公司

公司概况						
公司名称	国民技术股份有限公司			证券简称	国民技术	
法人代表	罗昭学	董秘	刘红晶	证券代码	300077	
公司网址	www.nationz.com.cn		电子信箱	investors@nationz.com.cn		
电　话	0755-86916692		传　真	0755-86169100		
办公地址	广东省深圳市南山区高新南区粤兴三道9号华中科技大学产学研基地A座2-7层					
经营范围	开发、生产、销售手机芯片、数据通讯芯片、图像处理芯片、语音处理芯片等					

主要财务指标 指标\报告期	2016.06.30	2015.12.31	2015.06.30	2014.12.31
基本每股收益(元)	0.0800	0.3200	0.0500	0.0400
基本每股收益(扣除后)(元)	0.0600	0.1700	0.0700	-0.1100
稀释每股收益(元)	0.0800	0.3100	0.0500	0.0400
每股净资产(元)	5.1200	4.9900	10.0700	9.9700
每股经营现金净流量(元)	-0.1629	-0.0572	-0.0625	-0.1249
每股现金流量(元)	-0.5025	-4.1808	0.3949	-0.6013
每股资本公积金(元)	3.6866	8.3764	8.0632	8.0632
每股盈余公积金(元)	0.1047	0.2093	0.1853	0.1853
每股未分配利润(元)	0.5112	0.9607	0.8195	0.7263
净资产收益率(%)	1.5748	3.0557	1.0744	0.3741
加权净资产收益率(%)	1.6100	3.1200	1.0800	0.3700
净资产收益率(扣除)(%)	1.2554	1.6135	0.6636	-1.1370
总资产(万元)	315388.86	319970.24	305729.28	286537.73
归属母公司股东权益(万元)	288733.15	281465.99	273824.05	271291.05
营业收入(万元)	29346.53	56059.25	22627.88	42569.55
营业支出(万元)	18328.23	36076.01	14754.38	25891.47
投资收益(万元)	2402.45	7235.30	636.16	546.90
净利润(万元)	4546.78	8598.22	2941.68	1013.77
营业利润(万元)	3356.19	3915.83	1757.83	-4721.91
利润总额(万元)	5032.96	9749.23	3291.38	1021.52

思创医惠科技股份有限公司

公司概况						
公司名称	思创医惠科技股份有限公司			证券简称	思创医惠	
法人代表	路楠	董秘	周为利	证券代码	300078	
公司网址	www.century-cn.com		电子信箱	zhengquanbu@century-cn.com		
电　话	0571-28818665		传　真	0571-28818665		
办公地址	浙江省杭州市莫干山路1418-48号					
经营范围	物联网技术的开发、应用、推广，信息系统集成等					

主要财务指标 指标\报告期	2016.06.30	2015.12.31	2015.06.30	2014.12.31
基本每股收益(元)	0.1500	0.3400	0.1000	0.1900
基本每股收益(扣除后)(元)	0.1447	0.2600	0.1600	0.4000
稀释每股收益(元)	0.1500	0.3400	0.1000	0.1900
每股净资产(元)	3.1692	3.0679	7.0925	6.8825
每股经营现金净流量(元)	0.0662	0.3889	0.2598	0.2946
每股现金流量(元)	-0.5989	-0.1487	-1.8483	-1.7685
每股资本公积金(元)	1.4356	1.4356	5.0835	5.0835
每股盈余公积金(元)	0.1387	0.1387	0.3073	0.3073
每股未分配利润(元)	0.6117	0.5102	0.7353	0.5232
净资产收益率(%)	4.7817	10.9730	3.6956	6.7633
加权净资产收益率(%)	4.8500	11.5800	3.7500	6.7700
净资产收益率(扣除)(%)	4.5660	8.5780	2.2525	5.8166
总资产(万元)	229876.56	245694.07	212636.43	127889.80
归属母公司股东权益(万元)	132709.89	128468.40	118798.87	115281.81
营业收入(万元)	42830.89	85294.70	29603.90	49117.48
营业支出(万元)	24285.70	48854.25	18263.79	28824.68
投资收益(万元)	-219.87	1757.50	966.38	146.64
净利润(万元)	6287.61	14031.55	4328.20	8116.29
营业利润(万元)	6100.58	14926.99	5204.59	9889.43
利润总额(万元)	7111.78	16627.44	5361.95	10150.55

北京数码视讯科技股份有限公司

公司概况						
公司名称	北京数码视讯科技股份有限公司			证券简称	数码视讯	
法人代表	郑海涛	董秘	姚志坚	证券代码	300079	
公司网址	www.sumavision.com		电子信箱	sumavision@sumavision.com		
电　话	010-82345841		传　真	010-82345842		
办公地址	北京市海淀区上地信息产业基地开拓路15号1幢					
经营范围	数字电视软硬件产品的研发、生产、销售和技术服务业务等					

主要财务指标 指标\报告期	2016.06.30	2015.12.31	2015.06.30	2014.12.31
基本每股收益(元)	0.0721	0.1600	0.0804	0.1300
基本每股收益(扣除后)(元)	0.0657	0.1400	0.1451	0.2300
稀释每股收益(元)	0.0721	0.1600	0.0804	0.1300
每股净资产(元)	2.3939	2.3003	4.3473	4.2038
每股经营现金净流量(元)	-0.0965	0.0957	-0.1002	0.3667
每股现金流量(元)	-0.0005	0.2100	0.5107	-1.1094
每股资本公积金(元)	0.4466	0.4231	1.7849	1.7770
每股盈余公积金(元)	0.0643	0.0643	0.1199	0.1136
每股未分配利润(元)	0.8601	0.7981	1.4479	1.3165
净资产收益率(%)	3.0103	6.9057	3.6995	6.2658
加权净资产收益率(%)	3.0800	7.4700	3.7600	6.5300
净资产收益率(扣除)(%)	2.7464	5.9059	3.3386	5.4745
总资产(万元)	389415.12	411848.51	373342.20	328548.16
归属母公司股东权益(万元)	329831.04	316937.35	299486.28	289572.44
营业收入(万元)	62437.04	102887.23	38555.93	54732.06
营业支出(万元)	29278.36	39389.53	14179.62	15416.33
投资收益(万元)	115.40	246.45	-55.16	58.59
净利润(万元)	10800.48	22952.07	10716.84	18673.56
营业利润(万元)	7043.88	13544.30	6248.40	12308.24
利润总额(万元)	10966.32	23081.95	10262.21	19419.04

河南易成新能源股份有限公司

公司概况						
公司名称	河南易成新能源股份有限公司			证券简称	易成新能	
法人代表	孙毅	董秘	宋中学	证券代码	300080	
公司网址	www.ycne.com.cn		电子信箱	ycne@ycne.com.cn		
电　话	0378-2656626		传　真	0371-27771027		
办公地址	河南省开封市精细化工产业园区					
经营范围	晶硅片切割刃料的生产和销售等					

主要财务指标 指标\报告期	2016.06.30	2015.12.31	2015.06.30	2014.12.31
基本每股收益(元)	0.0036	0.0127	-0.0402	0.0912
基本每股收益(扣除后)(元)	0.0006	-0.0070	-0.0430	0.0661
稀释每股收益(元)	0.0036	0.0127	-0.0402	0.0912
每股净资产(元)	6.4116	6.4080	6.3622	6.4003
每股经营现金净流量(元)	-0.1334	-0.6214	-0.1911	0.4080
每股现金流量(元)	0.7231	0.0499	-0.1986	0.2875
每股资本公积金(元)	4.8351	4.8351	4.8424	4.8302
每股盈余公积金(元)	0.0825	0.0825	0.0665	0.0665
每股未分配利润(元)	0.4941	0.4904	0.4533	0.5037
净资产收益率(%)	0.0567	0.1987	-0.6348	1.4249
加权净资产收益率(%)	0.0600	0.2000	-0.6300	1.4300
净资产收益率(扣除)(%)	0.0090	-0.1086	-0.6782	1.0322
总资产(万元)	589807.98	542691.90	541516.68	555458.72
归属母公司股东权益(万元)	322377.99	322195.35	319892.38	321810.40
营业收入(万元)	115947.59	170876.09	74720.28	225903.47
营业支出(万元)	93519.83	133695.17	57718.43	176267.71
投资收益(万元)	24.50	-622.16	-54.34	310.18
净利润(万元)	371.34	-88.01	-3135.02	2840.42
营业利润(万元)	1022.87	-748.96	-2969.98	1734.56
利润总额(万元)	1147.59	3.65	-2806.82	3336.88

恒信东方文化股份有限公司

公司概况					
公司名称	恒信东方文化股份有限公司			证券简称	恒信东方
法人代表	孟宪民	董秘	段赵东	证券代码	300081
公司网址	www.hxgro.com		电子信箱	office@hxgro.com	
电　话	0311-86130089		传　真	0311-86130089	
办公地址	河北省石家庄市建设南大街 80 号恒辉商务大厦				
经营范围	移动信息产品的销售与服务等				

主要财务指标 指标\报告期	2016.06.30	2015.12.31	2015.06.30	2014.12.31
基本每股收益(元)	0.0100	0.0800	0.0100	0.0800
基本每股收益(扣除后)(元)	0.0100	0.0400	0.0100	-0.1100
稀释每股收益(元)	0.0100	0.0800	0.0100	0.0800
每股净资产(元)	2.3575	2.3834	5.8651	5.8378
每股经营现金净流量(元)	0.0521	0.2283	0.0001	0.3541
每股现金流量(元)	-0.3631	-0.8806	-1.4355	0.7875
每股资本公积金(元)	1.0077	4.0194	3.9778	3.9778
每股盈余公积金(元)	0.0375	0.0936	0.0891	0.0891
每股未分配利润(元)	0.3123	0.8454	0.7982	0.7709
净资产收益率(%)	0.6001	1.3262	0.4654	1.3473
加权净资产收益率(%)	0.6000	1.3400	0.4700	1.3600
净资产收益率(扣除)(%)	0.4811	0.6670	0.0876	-1.8186
总资产(万元)	96025.80	97540.81	87575.18	88654.31
归属母公司股东权益(万元)	78976.38	79842.28	78592.11	78226.35
营业收入(万元)	18418.79	47488.01	25719.34	66735.76
营业支出(万元)	10504.90	30929.37	17318.86	46165.18
投资收益(万元)	289.99	1260.97	31.88	3115.57
净利润(万元)	-354.22	117.44	145.61	803.22
营业利润(万元)	-507.57	-440.59	-327.85	463.57
利润总额(万元)	-289.59	79.43	133.38	916.91

辽宁奥克化学股份有限公司

公司概况					
公司名称	辽宁奥克化学股份有限公司			证券简称	奥克股份
法人代表	朱建民	董秘	李裕丰	证券代码	300082
公司网址	www.oxiranchem.com		电子信箱	ox300082@126.com	
电　话	0419-5167408 5160718		传　真	0419-5160978	
办公地址	辽宁省辽阳市宏伟区万和七路 38 号				
经营范围	聚乙二醇、聚醚、化工助剂、化工产品的生产和销售				

主要财务指标 指标\报告期	2016.06.30	2015.12.31	2015.06.30	2014.12.31
基本每股收益(元)	0.0475	-0.3100	0.0144	0.1400
基本每股收益(扣除后)(元)	0.0348	-0.3400	0.0100	0.2300
稀释每股收益(元)	0.0475	-0.3100	0.0144	0.1400
每股净资产(元)	3.8839	3.8815	4.2112	8.5376
每股经营现金净流量(元)	0.0437	0.0018	0.2937	-1.4102
每股现金流量(元)	0.1014	-0.3341	0.2675	-1.2110
每股资本公积金(元)	2.5171	2.5171	2.5231	6.0462
每股盈余公积金(元)	0.0914	0.0914	0.0914	0.1827
每股未分配利润(元)	0.2610	0.2636	0.5899	1.3009
净资产收益率(%)	1.2220	-8.0345	0.3430	3.1933
加权净资产收益率(%)	1.2200	-7.6600	0.3400	3.2300
净资产收益率(扣除)(%)	0.8970	-8.7283	0.2537	2.6390
总资产(万元)	513352.96	498519.98	525592.32	519570.89
归属母公司股东权益(万元)	261745.38	261585.01	283803.17	287682.38
营业收入(万元)	178258.42	296531.88	133276.34	288309.52
营业支出(万元)	164126.79	282660.61	121422.28	258010.88
投资收益(万元)	690.01	193.54	-124.28	321.20
净利润(万元)	2947.21	-23064.94	447.03	9236.34
营业利润(万元)	1892.28	-22751.87	804.61	10926.74
利润总额(万元)	2965.50	-21003.24	1186.43	11453.86

东莞劲胜精密组件股份有限公司

公司概况					
公司名称	东莞劲胜精密组件股份有限公司			证券简称	劲胜精密
法人代表	王九全	董秘	周洪敏	证券代码	300083
公司网址	www.januscn.com		电子信箱	ir@januscn.com	
电　话	0769-82288265		传　真	0769-85075902	
办公地址	广东省东莞市长安镇上角村				
经营范围	生产和销售塑胶制品、塑胶五金模具、精冲模、精密型腔模、模具标准件等				

主要财务指标 指标\报告期	2016.06.30	2015.12.31	2015.06.30	2014.12.31
基本每股收益(元)	0.0400	-2.1200	-0.8400	0.3700
基本每股收益(扣除后)(元)	0.0300	-2.2100	-0.8400	0.3500
稀释每股收益(元)	0.0400	-2.1200	-0.8400	0.3700
每股净资产(元)	3.5380	14.0022	8.4214	7.4132
每股经营现金净流量(元)	-0.0764	-1.4890	-0.9649	-0.6046
每股现金流量(元)	-0.5100	3.7884	0.9956	-1.2765
每股资本公积金(元)	2.5407	13.1609	6.3464	4.2987
每股盈余公积金(元)	0.0471	0.1885	0.2940	0.3333
每股未分配利润(元)	-0.0510	-0.3457	0.7850	1.7854
净资产收益率(%)	1.0006	-9.4416	-8.7860	4.9820
加权净资产收益率(%)	1.0100	-27.5200	-9.8500	5.1300
净资产收益率(扣除)(%)	0.7301	-9.8254	-8.8508	4.6706
总资产(万元)	880578.58	877268.81	428323.17	376243.57
归属母公司股东权益(万元)	503662.24	498330.51	192183.69	149231.16
营业收入(万元)	240003.30	356669.32	140922.66	398051.09
营业支出(万元)	185595.45	311246.13	125492.18	324898.35
投资收益(万元)	92.98	-3.04	-	-
净利润(万元)	5040.49	-47154.31	-16938.19	7323.66
营业利润(万元)	9056.09	-52380.33	-17038.61	7927.58
利润总额(万元)	10516.13	-50147.49	-16912.04	8452.52

海默科技(集团)股份有限公司

公司概况					
公司名称	海默科技(集团)股份有限公司			证券简称	海默科技
法人代表	窦剑文	董秘	张立强	证券代码	300084
公司网址	www.haimo.com.cn		电子信箱	securities@haimo.com.cn	
电　话	0931-8559076		传　真	0931-8553789	
办公地址	甘肃省兰州市城关区张苏滩 593 号				
经营范围	多相流量计的研发、生产、销售和售后技术服务等				

主要财务指标 指标\报告期	2016.06.30	2015.12.31	2015.06.30	2014.12.31
基本每股收益(元)	0.0090	0.0321	0.0285	0.1424
基本每股收益(扣除后)(元)	0.0068	0.0246	0.0240	0.2668
稀释每股收益(元)	0.0090	0.0321	0.0285	0.1414
每股净资产(元)	3.4019	3.3529	3.2877	7.2071
每股经营现金净流量(元)	0.0124	0.2705	0.2000	0.3676
每股现金流量(元)	-0.1491	-0.1421	-0.0704	-0.0503
每股资本公积金(元)	1.8718	1.8718	1.8712	5.3167
每股盈余公积金(元)	0.0413	0.0413	0.0413	0.0908
每股未分配利润(元)	0.4489	0.4399	0.4363	0.9272
净资产收益率(%)	0.2636	0.9558	0.8663	3.7692
加权净资产收益率(%)	0.2700	0.9500	0.8700	5.9100
净资产收益率(扣除)(%)	0.1992	0.7334	0.7294	3.2511
总资产(万元)	168928.04	168818.74	161757.30	162426.07
归属母公司股东权益(万元)	110482.27	108890.83	106774.27	106391.33
营业收入(万元)	15380.22	40702.87	19729.23	31556.39
营业支出(万元)	10339.68	28486.45	13732.85	17584.20
投资收益(万元)	-	-	-	-
净利润(万元)	343.52	1162.82	1034.31	4275.87
营业利润(万元)	393.89	863.31	1127.30	4932.45
利润总额(万元)	478.28	1158.46	1337.61	5597.35

深圳市银之杰科技股份有限公司

公司名称	深圳市银之杰科技股份有限公司			证券简称	银之杰
法人代表	陈向军	董秘	刘奕	证券代码	300085
公司网址	www.yinzhijie.com		电子信箱	invest@yinzhijie.com	
电　话	0755-83930085		传　真	0755-83562955	
办公地址	深圳市福田区天安数码城天祥大厦 AB 座 10A				
经营范围	兴办实业(具体项目另行申报)、银行验印系统、计算机软、硬件的技术开发等				

指标\报告期	2016.06.30	2015.12.31	2015.06.30	2014.12.31
基本每股收益(元)	0.0223	0.1393	0.0152	0.0565
基本每股收益(扣除后)(元)	0.0223	0.1428	0.0232	0.1116
稀释每股收益(元)	0.0222	0.1387	0.0152	0.0563
每股净资产(元)	1.3155	1.7110	1.5892	3.1688
每股经营现金净流量(元)	-0.1879	0.0632	-0.0807	0.1213
每股现金流量(元)	-0.0553	-0.4172	-0.1686	0.3095
每股资本公积金(元)	0.0725	0.3942	0.3907	1.7783
每股盈余公积金(元)	0.0301	0.0392	0.0340	0.0679
每股未分配利润(元)	0.2156	0.2813	0.1676	0.3257
净资产收益率(%)	1.6973	8.1098	1.2440	3.3257
加权净资产收益率(%)	1.6900	8.4400	1.2400	4.7800
净资产收益率(扣除)(%)	1.6960	8.3136	1.4611	3.2862
总资产(万元)	130685.35	117850.20	99511.00	96320.53
归属母公司股东权益(万元)	89923.09	89965.96	83502.37	83251.76
营业收入(万元)	37057.40	61966.37	22306.17	19212.40
营业支出(万元)	23181.32	34799.89	13149.97	9532.00
投资收益(万元)	-695.77	-621.01	-179.22	-124.97
净利润(万元)	2011.51	7823.48	1300.74	2820.78
营业利润(万元)	2046.41	8379.85	1640.38	2641.16
利润总额(万元)	2253.08	8433.86	1546.87	3080.30

康芝药业股份有限公司

公司名称	康芝药业股份有限公司			证券简称	康芝药业
法人代表	洪江游	董秘	林德新	证券代码	300086
公司网址	www.honz.com.cn		电子信箱	honz168@honz.com.cn	
电　话	0898-66812876		传　真	0898-66812876	
办公地址	海南省海口市国家高新技术产业开发区药谷工业园药谷三路 6 号				
经营范围	生产销售粉针剂(头孢菌素类)、冻干粉针剂、片剂、胶囊剂、颗粒剂等				

指标\报告期	2016.06.30	2015.12.31	2015.06.30	2014.12.31
基本每股收益(元)	0.0534	0.0534	0.0417	0.1380
基本每股收益(扣除后)(元)	0.0246	0.0246	0.0197	0.1608
稀释每股收益(元)	0.0534	0.0534	0.0417	0.1380
每股净资产(元)	3.9692	3.9692	5.8829	5.8204
每股经营现金净流量(元)	0.0605	0.0605	0.0980	0.2464
每股现金流量(元)	-0.2307	-0.2307	0.1086	0.0027
每股资本公积金(元)	2.4811	2.4811	4.2217	4.2217
每股盈余公积金(元)	0.0841	0.0841	0.1365	0.1311
每股未分配利润(元)	0.4041	0.4041	0.5247	0.4677
净资产收益率(%)	1.3461	1.3461	1.0623	3.3836
加权净资产收益率(%)	1.3600	1.3600	1.0700	3.3800
净资产收益率(扣除)(%)	0.6207	0.6207	0.3342	2.7625
总资产(万元)	214636.78	214636.78	194454.30	192717.48
归属母公司股东权益(万元)	178616.23	178616.23	176486.65	174611.79
营业收入(万元)	24050.81	24050.81	13823.62	40853.85
营业支出(万元)	14695.82	14695.82	6391.08	19598.72
投资收益(万元)	1222.02	1222.02	1468.07	219.95
净利润(万元)	2043.62	2043.62	1763.53	5859.89
营业利润(万元)	3109.63	3109.63	2423.29	6918.22
利润总额(万元)	3224.59	3224.59	2547.03	7897.67

安徽荃银高科种业股份有限公司

公司名称	安徽荃银高科种业股份有限公司			证券简称	荃银高科
法人代表	张琴	董秘	叶红	证券代码	300087
公司网址	www.winallseed.com		电子信箱	winallseed@yahoo.cn	
电　话	0551-5355175		传　真	0551-5320226	
办公地址	合肥市高新区创新大道 98 号				
经营范围	安徽省高产、优质杂交水稻种子研发、繁育、推广及服务等				

指标\报告期	2016.06.30	2015.12.31	2015.06.30	2014.12.31
基本每股收益(元)	-0.0200	0.0699	-0.0113	0.0165
基本每股收益(扣除后)(元)	-0.0286	0.0441	-0.0217	-0.0241
稀释每股收益(元)	-0.0200	0.0699	-0.0113	0.0165
每股净资产(元)	1.9284	1.8921	1.7964	3.5902
每股经营现金净流量(元)	-0.0307	0.3122	-0.0197	0.6139
每股现金流量(元)	0.1228	0.0763	-0.2639	0.0212
每股资本公积金(元)	0.5918	0.5321	0.5177	2.0103
每股盈余公积金(元)	0.0368	0.0371	0.0371	0.0742
每股未分配利润(元)	0.2997	0.3227	0.2415	0.5057
净资产收益率(%)	-1.0368	3.6930	-0.6304	0.9196
加权净资产收益率(%)	-1.0700	3.7800	-0.6300	0.9100
净资产收益率(扣除)(%)	-1.4754	2.3032	-1.2063	-0.6630
总资产(万元)	114985.84	110779.62	103540.54	104831.51
归属母公司股东权益(万元)	61675.50	59941.29	56908.38	56868.94
营业收入(万元)	18205.57	60744.80	17332.36	46902.28
营业支出(万元)	10864.63	37552.39	10487.84	31019.56
投资收益(万元)	29.92	399.59	303.05	107.59
净利润(万元)	-710.90	4287.35	-51.75	2417.30
营业利润(万元)	-893.09	3904.54	-51.10	1520.71
利润总额(万元)	-518.50	4384.93	-14.91	2657.54

芜湖长信科技股份有限公司

公司名称	芜湖长信科技股份有限公司			证券简称	长信科技
法人代表	陈奇	董秘	陈伟达	证券代码	300088
公司网址	www.token-ito.com		电子信箱	token@token-ito.com	
电　话	0553-2398888 6102 2398888		传　真	0553-5843520	
办公地址	安徽省芜湖市经济技术开发区汽经二路以东				
经营范围	ITO 导电膜玻璃及手机面板视窗材料的研发、生产及销售等				

指标\报告期	2016.06.30	2015.12.31	2015.06.30	2014.12.31
基本每股收益(元)	0.1200	0.2100	0.1900	0.1600
基本每股收益(扣除后)(元)	0.1100	0.1800	0.1600	0.2800
稀释每股收益(元)	0.1200	0.2100	0.1900	0.1600
每股净资产(元)	3.1823	5.9884	5.9884	4.2241
每股经营现金净流量(元)	0.1525	0.3424	0.2914	0.0658
每股现金流量(元)	0.3865	0.3137	2.1348	0.1348
每股资本公积金(元)	1.1364	1.1280	3.2685	1.4963
每股盈余公积金(元)	0.1039	0.1035	0.1886	0.2118
每股未分配利润(元)	0.9429	0.8209	1.5283	1.5163
净资产收益率(%)	3.7326	6.7541	2.9778	7.6358
加权净资产收益率(%)	3.8000	7.5900	6.6000	7.8800
净资产收益率(扣除)(%)	3.3927	5.7417	2.6517	6.6204
总资产(万元)	577707.05	483993.64	499080.37	352432.50
归属母公司股东权益(万元)	365785.61	351958.34	345536.55	216994.99
营业收入(万元)	299716.78	398699.45	178293.53	164338.06
营业支出(万元)	272899.29	349334.72	156927.76	125586.52
投资收益(万元)	79.37	1280.82	-54.39	-
净利润(万元)	13842.99	24054.37	10387.96	16488.89
营业利润(万元)	15390.07	26586.43	11043.95	16542.85
利润总额(万元)	16874.00	29350.54	12370.37	19007.74

广东文化长城集团股份有限公司

公司概况

公司名称	广东文化长城集团股份有限公司		证券简称	文化长城
法人代表	蔡廷祥	董秘 任锋	证券代码	300089
公司网址	www.thegreatwall-china.com		电子信箱	zqb@thegreatwall-china.com
电　　话	0768-2932398 0755-36988132		传　　真	0768-2931162
办公地址	广东省潮州市枫溪区蔡陇大道			
经营范围	艺术陶瓷的研发设计、生产和销售等			

主要财务指标

指标＼报告期	2016.06.30	2015.12.31	2015.06.30	2014.12.31
基本每股收益(元)	0.0291	0.0800	0.0246	0.0600
基本每股收益(扣除后)(元)	0.0277	0.0500	0.0700	0.0300
稀释每股收益(元)	0.0291	0.0800	0.0246	0.0600
每股净资产(元)	2.1525	2.1314	5.3072	5.2658
每股经营现金净流量(元)	-0.0496	0.4152	-0.2751	0.2934
每股现金流量(元)	-0.1908	-0.2983	-0.8995	-0.5310
每股资本公积金(元)	0.6957	3.2393	3.2393	3.2393
每股盈余公积金(元)	0.0822	0.2054	0.1849	0.1849
每股未分配利润(元)	0.3746	0.8837	0.8829	0.8416
净资产收益率(%)	1.3520	1.5502	1.1565	1.0638
加权净资产收益率(%)	1.3600	1.5600	1.1600	1.0700
净资产收益率(扣除)(%)	1.2857	0.9783	1.2274	0.5128
总资产(万元)	121672.78	118915.25	113150.13	116336.01
归属母公司股东权益(万元)	80717.33	79926.00	79607.64	78986.99
营业收入(万元)	19859.68	44493.27	22124.05	44860.81
营业支出(万元)	14338.08	32007.89	15654.87	31994.38
投资收益(万元)	358.10	-1480.63	-	-694.98
净利润(万元)	1091.32	1239.01	920.65	840.26
营业利润(万元)	1143.07	673.01	1007.53	935.10
利润总额(万元)	1206.10	1207.69	951.05	1447.40

安徽盛运环保(集团)股份有限公司

公司概况

公司名称	安徽盛运环保(集团)股份有限公司		证券简称	盛运环保
法人代表	开晓胜	董秘 齐敦卫	证券代码	300090
公司网址	www.300090.com.cn		电子信箱	qi_dunwei@sina.com
电　　话	0551-64844638		传　　真	0551-64844638
办公地址	安徽省桐城市经济开发区新东环路			
经营范围	输送机械产品和环保设备产品的研发、生产和销售等			

主要财务指标

指标＼报告期	2016.06.30	2015.12.31	2015.06.30	2014.12.31
基本每股收益(元)	0.0616	0.6985	0.2372	0.5400
基本每股收益(扣除后)(元)	0.0584	-0.0200	0.1409	0.3500
稀释每股收益(元)	0.0616	0.6985	0.2372	0.5400
每股净资产(元)	3.9369	4.2519	4.0857	3.9308
每股经营现金净流量(元)	-0.0781	-0.1899	-0.2761	0.3628
每股现金流量(元)	-1.5932	2.0525	-0.3279	0.6846
每股资本公积金(元)	1.6410	1.6410	1.5394	1.5716
每股盈余公积金(元)	0.0778	0.0778	0.0879	0.0879
每股未分配利润(元)	1.0193	1.0077	1.4584	1.2713
净资产收益率(%)	1.5642	13.1792	5.8052	11.2361
加权净资产收益率(%)	1.4400	28.9300	5.8600	11.9700
净资产收益率(扣除)(%)	1.4867	-0.4662	3.4477	7.2522
总资产(万元)	1059204.27	1190615.42	691182.80	602197.53
归属母公司股东权益(万元)	519655.17	561230.59	216333.61	208131.28
营业收入(万元)	65148.98	164032.50	77370.52	121013.68
营业支出(万元)	36851.07	114419.91	54297.82	76110.57
投资收益(万元)	143.19	87821.94	10605.01	20970.75
净利润(万元)	8113.31	74048.46	12598.90	23995.54
营业利润(万元)	8274.41	86893.93	13416.51	21450.01
利润总额(万元)	8773.89	88096.10	13650.52	23978.68

江苏金通灵流体机械科技股份有限公司

公司概况

公司名称	江苏金通灵流体机械科技股份有限公司		证券简称	金通灵
法人代表	季伟	董秘 陈树军	证券代码	300091
公司网址	www.jtlfans.com		电子信箱	dsh@jtlfans.com
电　　话	0513-85198488		传　　真	0513-85198488
办公地址	江苏省南通市钟秀中路 135 号			
经营范围	大型工业离心鼓风机、通风机、轴流鼓风机、通风机、多级离心鼓风机等			

主要财务指标

指标＼报告期	2016.06.30	2015.12.31	2015.06.30	2014.12.31
基本每股收益(元)	0.0670	0.1600	0.0400	0.0700
基本每股收益(扣除后)(元)	0.0630	0.1400	0.1000	0.0560
稀释每股收益(元)	0.0670	0.1600	0.0400	0.0700
每股净资产(元)	1.6732	1.6126	3.9717	3.8816
每股经营现金净流量(元)	-0.0920	0.2742	-0.0497	-0.0373
每股现金流量(元)	-0.0582	-0.0419	-0.1114	-0.1749
每股资本公积金(元)	0.2470	2.1175	2.1175	2.1175
每股盈余公积金(元)	0.0466	0.1164	0.1036	0.1036
每股未分配利润(元)	0.3785	0.7948	0.7481	0.6583
净资产收益率(%)	4.0257	3.9490	2.5111	1.7225
加权净资产收益率(%)	4.0900	4.0300	2.5400	1.7400
净资产收益率(扣除)(%)	3.7596	3.4178	2.4257	1.4496
总资产(万元)	241318.10	213261.79	198238.75	187584.20
归属母公司股东权益(万元)	87426.41	84259.26	83009.06	81126.11
营业收入(万元)	48256.13	90252.52	44293.98	85670.18
营业支出(万元)	34107.59	66466.13	33120.96	66504.46
投资收益(万元)	-22.86	-21.85	-	-
净利润(万元)	3259.68	3028.36	2050.78	1326.37
营业利润(万元)	3396.28	3467.67	2420.22	1480.78
利润总额(万元)	3685.79	4002.72	2503.75	1749.94

四川科新机电股份有限公司

公司概况

公司名称	四川科新机电股份有限公司		证券简称	科新机电
法人代表	林祯华	董秘 杨多荣	证券代码	300092
公司网址	www.sckxjd.com		电子信箱	comelec001@sina.com
电　　话	0838-8265111		传　　真	0838-8501288
办公地址	四川省什邡市经济开发区沱江路西段 21 号			
经营范围	三类压力容器的设计、制造、安装、销售等			

主要财务指标

指标＼报告期	2016.06.30	2015.12.31	2015.06.30	2014.12.31
基本每股收益(元)	0.0500	-0.1800	0.0200	0.0500
基本每股收益(扣除后)(元)	0.0200	-0.2239	-0.0100	-0.1000
稀释每股收益(元)	0.0500	-0.1800	0.0200	0.0500
每股净资产(元)	2.1150	2.0700	2.2673	5.6227
每股经营现金净流量(元)	-0.1436	0.0983	-0.0173	0.1048
每股现金流量(元)	0.1366	0.0129	-0.0424	-0.1769
每股资本公积金(元)	0.9072	0.9072	0.9072	3.7680
每股盈余公积金(元)	0.0609	0.0609	0.0609	0.1522
每股未分配利润(元)	0.1466	0.0997	0.2978	0.6996
净资产收益率(%)	2.2167	-8.7032	0.7923	2.1088
加权净资产收益率(%)	2.2400	-8.3500	0.8000	2.1300
净资产收益率(扣除)(%)	0.9461	-10.8150	-0.5156	-1.8246
总资产(万元)	58691.77	67298.18	74449.20	76161.21
归属母公司股东权益(万元)	48117.36	47096.13	51581.89	51166.40
营业收入(万元)	12161.53	23531.72	13842.33	31127.39
营业支出(万元)	9617.97	20110.76	11281.22	25438.49
投资收益(万元)	220.46	-	-	-
净利润(万元)	1030.58	-5106.96	176.81	694.69
营业利润(万元)	608.12	-6110.05	-564.71	-1698.56
利润总额(万元)	1078.06	-4893.66	251.11	839.04

广东金刚玻璃科技股份有限公司

公司概况	公司名称	广东金刚玻璃科技股份有限公司			证券简称	金刚玻璃
	法人代表	庄大建	董秘	林臻	证券代码	300093
	公司网址	www.golden-glass.cn			电子信箱	wangx@golden-glass.cn
	电　话	0754-82514288			传　真	0754-82535211
	办公地址	广东省汕头市大学路叠金工业区				
	经营范围	特种玻璃产品的研发、生产和销售等				

主要财务指标	指标＼报告期	2016.06.30	2015.12.31	2015.06.30	2014.12.31
	基本每股收益(元)	–	0.0200	0.0400	0.0900
	基本每股收益(扣除后)(元)	–	0.0100	0.0300	0.0800
	稀释每股收益(元)	–	0.0200	0.0400	0.0900
	每股净资产(元)	4.0382	4.0438	4.0783	4.0500
	每股经营现金净流量(元)	0.0811	0.2960	0.2153	0.5963
	每股现金流量(元)	–0.5604	–0.7191	–0.6308	0.6194
	每股资本公积金(元)	1.7909	1.7909	1.7909	1.7909
	每股盈余公积金(元)	0.2500	0.2500	0.2480	0.2480
	每股未分配利润(元)	1.0192	1.0182	1.0361	1.0088
	净资产收益率(%)	0.0741	0.5291	0.9160	2.2080
	加权净资产收益率(%)	0.0700	0.5300	0.9400	8.5600
	净资产收益率(扣除)(%)	0.0151	0.2015	0.7759	2.0475
	总资产(万元)	127461.68	162497.76	144607.06	159623.16
	归属母公司股东权益(万元)	87225.34	87346.71	88090.80	87497.79
	营业收入(万元)	14416.11	34988.65	18525.43	43317.20
	营业支出(万元)	8801.23	22104.15	11808.60	28658.45
	投资收益(万元)	–	–	–	–
	净利润(万元)	64.54	461.85	806.92	1928.52
	营业利润(万元)	154.61	236.66	722.85	2059.70
	利润总额(万元)	218.48	578.37	870.22	2231.84

湛江国联水产开发股份有限公司

公司概况	公司名称	湛江国联水产开发股份有限公司			证券简称	国联水产
	法人代表	李忠	董秘	易绚雯	证券代码	300094
	公司网址	www.guolian.cn			电子信箱	IR@guolian.cn
	电　话	0759-3153930　2533778			传　真	0759-3153931
	办公地址	广东省湛江市开发区平乐工业区永平南路6号				
	经营范围	水产种苗、饲料、养殖、加工及销售等业务				

主要财务指标	指标＼报告期	2016.06.30	2015.12.31	2015.06.30	2014.12.31
	基本每股收益(元)	0.0200	0.0644	–0.1100	0.6400
	基本每股收益(扣除后)(元)	0.0040	0.0534	–0.1200	0.0300
	稀释每股收益(元)	0.0200	0.0644	–0.1100	0.6400
	每股净资产(元)	4.9300	4.9000	4.7401	4.8517
	每股经营现金净流量(元)	0.1535	0.0499	0.2144	0.0250
	每股现金流量(元)	–0.0209	–0.0750	–0.0794	0.0136
	每股资本公积金(元)	2.8228	2.8228	2.8228	2.8207
	每股盈余公积金(元)	0.1740	0.1740	0.1695	0.1697
	每股未分配利润(元)	0.9217	0.8968	0.7534	0.8677
	净资产收益率(%)	0.5043	1.3135	–2.3946	13.1204
	加权净资产收益率(%)	0.5100	1.3200	–2.3700	13.5900
	净资产收益率(扣除)(%)	0.0711	1.0902	–2.6345	1.0185
	总资产(万元)	257665.66	259605.90	262021.41	274902.09
	归属母公司股东权益(万元)	174418.19	173317.27	167708.01	171495.99
	营业收入(万元)	99778.05	207046.99	83101.70	212936.22
	营业支出(万元)	88720.34	185256.36	77183.14	187031.74
	投资收益(万元)	–	0.04	–	23205.61
	净利润(万元)	879.62	2276.57	–4015.96	22501.02
	营业利润(万元)	210.08	1252.09	–4385.61	24948.83
	利润总额(万元)	965.61	1989.63	–3983.32	26863.62

江西华伍制动器股份有限公司

公司概况	公司名称	江西华伍制动器股份有限公司			证券简称	华伍股份
	法人代表	聂景华	董秘	陈凤菊	证券代码	300095
	公司网址	www.hua-wu.com			电子信箱	hwzqb@hua-wu.com
	电　话	0795-6206009			传　真	0795-6206009
	办公地址	江西省宜春市丰城市高新技术产业园区火炬大道26号				
	经营范围	起重电器系列各种工业制动装置、防风装置、吊具用液压控制装置等				

主要财务指标	指标＼报告期	2016.06.30	2015.12.31	2015.06.30	2014.12.31
	基本每股收益(元)	0.0666	0.1716	0.1016	0.1366
	基本每股收益(扣除后)(元)	0.0384	0.1518	0.0828	0.1993
	稀释每股收益(元)	0.0659	0.1682	0.1013	0.1355
	每股净资产(元)	3.2207	2.6095	2.6408	3.8467
	每股经营现金净流量(元)	–0.0292	0.3451	0.0086	0.2991
	每股现金流量(元)	0.9753	0.0327	0.0503	–0.0019
	每股资本公积金(元)	1.5112	0.7680	0.8754	1.7923
	每股盈余公积金(元)	0.0772	0.0942	0.0788	0.1182
	每股未分配利润(元)	0.6393	0.7558	0.7038	0.9532
	净资产收益率(%)	1.9028	6.4783	3.8469	5.1983
	加权净资产收益率(%)	2.2100	6.4800	3.9100	5.3200
	净资产收益率(扣除)(%)	1.0976	5.7311	3.1336	5.0570
	总资产(万元)	174434.54	119383.91	120155.54	113333.33
	归属母公司股东权益(万元)	121123.53	80422.60	81389.02	79034.93
	营业收入(万元)	28085.33	56601.43	29270.19	67790.33
	营业支出(万元)	18064.35	35634.33	18350.02	48407.84
	投资收益(万元)	–116.23	–61.71	–71.21	–
	净利润(万元)	2816.38	5727.46	3397.19	4643.27
	营业利润(万元)	2062.43	5635.06	3361.95	5303.10
	利润总额(万元)	3373.68	6635.11	3989.51	5547.31

易联众信息技术股份有限公司

公司概况	公司名称	易联众信息技术股份有限公司			证券简称	易联众
	法人代表	张曦	董秘	李虹海	证券代码	300096
	公司网址	www.ylzinfo.com			电子信箱	tylee173@163.com
	电　话	0592-2517011　6307553			传　真	0592-2517008
	办公地址	福建省厦门市软件园二期观日路18号502室				
	经营范围	研发、设计和生产智能卡、银行卡、销售智能卡、开发、生产计算机软件等				

主要财务指标	指标＼报告期	2016.06.30	2015.12.31	2015.06.30	2014.12.31
	基本每股收益(元)	0.0029	0.0500	0.0266	0.1100
	基本每股收益(扣除后)(元)	0.0051	0.0300	0.0224	0.0980
	稀释每股收益(元)	0.0029	0.0500	0.0266	0.1100
	每股净资产(元)	1.6508	1.6468	1.6277	1.5852
	每股经营现金净流量(元)	–0.2016	0.1275	–0.1797	0.1453
	每股现金流量(元)	–0.2093	0.1882	–0.2013	0.0754
	每股资本公积金(元)	0.0935	0.0875	0.0794	0.0754
	每股盈余公积金(元)	0.0417	0.0417	0.0411	0.0411
	每股未分配利润(元)	0.5156	0.5176	0.5071	0.4687
	净资产收益率(%)	0.1786	3.3085	1.6335	6.8810
	加权净资产收益率(%)	0.1800	3.3700	1.6600	7.0400
	净资产收益率(扣除)(%)	–0.1312	1.5181	1.5312	6.1952
	总资产(万元)	95868.07	92622.82	86843.27	89548.71
	归属母公司股东权益(万元)	70983.74	70811.98	69989.48	68164.18
	营业收入(万元)	18648.33	37409.92	17740.29	40217.95
	营业支出(万元)	9421.52	19176.24	8767.64	21611.59
	投资收益(万元)	–220.72	875.52	–96.38	175.51
	净利润(万元)	28.29	1856.20	946.05	4415.36
	营业利润(万元)	–461.95	1675.45	814.80	3779.42
	利润总额(万元)	–88.34	2351.40	1067.32	5008.62

大连智云自动化装备股份有限公司

公司概况					
公司名称	大连智云自动化装备股份有限公司			证券简称	智云股份
法人代表	谭永良	董秘	任彤	证券代码	300097
公司网址	www.zhiyun-cn.com		电子信箱	rentong@zhiyun-cn.com	
电　话	0411-86705641		传　真	0411-86705333	
办公地址	辽宁省大连市甘井子区营日路 32 号-1				
经营范围	自动化制造工艺系统研发及系统集成、自动化装备的研发、设计、制造等				

主要财务指标 指标\报告期	2016.06.30	2015.12.31	2015.06.30	2014.12.31
基本每股收益(元)	0.3423	0.4300	0.0637	0.1900
基本每股收益(扣除后)(元)	0.0880	0.4200	0.0628	0.1500
稀释每股收益(元)	0.3423	0.4300	0.0637	0.1800
每股净资产(元)	8.7204	3.7933	3.7933	3.8113
每股经营现金净流量(元)	-0.8265	0.2999	-0.2407	-0.1293
每股现金流量(元)	-0.6410	0.6393	-0.7331	-0.0899
每股资本公积金(元)	6.2074	6.0472	1.7106	1.7591
每股盈余公积金(元)	0.0898	0.0908	0.1007	0.1010
每股未分配利润(元)	1.4232	1.1089	0.9820	0.9512
净资产收益率(%)	3.9080	4.4037	1.6772	4.8769
加权净资产收益率(%)	4.0900	9.7700	1.6500	4.9900
净资产收益率(扣除)(%)	1.0052	4.2325	1.6546	3.9333
总资产(万元)	191091.65	199466.02	71170.24	55069.96
归属母公司股东权益(万元)	130297.05	121920.58	46032.65	46115.29
营业收入(万元)	18900.04	42102.05	9818.88	21903.00
营业支出(万元)	10912.79	28110.77	6617.16	15191.39
投资收益(万元)	4152.40	-	-	-
净利润(万元)	4320.56	5793.92	785.94	2293.26
营业利润(万元)	4774.03	6190.42	953.96	2182.31
利润总额(万元)	5180.77	6608.97	983.53	2697.20

高新兴科技集团股份有限公司

公司概况					
公司名称	高新兴科技集团股份有限公司			证券简称	高新兴
法人代表	刘双广	董秘	陈婧	证券代码	300098
公司网址	www.gosun.info		电子信箱	irm@gosun.info	
电　话	020-32068888		传　真	020-32032888	
办公地址	广东省广州市萝岗区科学城开创大道 2819 号				
经营范围	通信基站/机房运维综合管理服务系统的研发、生产、销售和服务				

主要财务指标 指标\报告期	2016.06.30	2015.12.31	2015.06.30	2014.12.31
基本每股收益(元)	0.1234	0.1894	0.1404	0.1883
基本每股收益(扣除后)(元)	0.1196	0.1813	0.1296	0.3700
稀释每股收益(元)	0.1231	0.1873	0.1404	0.1844
每股净资产(元)	3.3100	3.3086	3.3086	5.2786
每股经营现金净流量(元)	-0.1174	-0.1110	-0.5228	-0.7655
每股现金流量(元)	-0.1905	0.7640	-0.7679	0.2095
每股资本公积金(元)	1.8994	1.8758	1.2632	2.8201
每股盈余公积金(元)	0.0480	0.0402	0.1260	0.1802
每股未分配利润(元)	0.3913	0.2874	0.9549	1.3775
净资产收益率(%)	3.7135	4.0980	4.2426	13.3142
加权净资产收益率(%)	3.7700	10.8300	4.3300	13.6800
净资产收益率(扣除)(%)	3.6030	3.9228	3.9158	7.0567
总资产(万元)	439165.57	429540.50	166171.76	166888.59
归属母公司股东权益(万元)	355752.11	341971.65	97136.11	96857.64
营业收入(万元)	61201.12	108059.32	36226.63	73733.20
营业支出(万元)	36803.93	77581.83	24628.32	53024.50
投资收益(万元)	-54.65	466.23	-41.79	-5.48
净利润(万元)	13148.71	14087.56	4108.90	13378.61
营业利润(万元)	13441.85	13564.06	4350.81	7226.20
利润总额(万元)	15484.21	16228.67	5041.78	15683.56

尤洛卡精准信息工程股份有限公司

公司概况					
公司名称	尤洛卡精准信息工程股份有限公司			证券简称	精准信息
法人代表	黄自伟	董秘	曹洪伟	证券代码	300099
公司网址	www.uroica.com.cn		电子信箱	chen19341912@163.com	
电　话	0538-8926155		传　真	0538-8926202	
办公地址	山东省泰安市高新区凤祥路以西规划支路以北				
经营范围	煤矿顶板安全监控设备的研发、生产与销售等				

主要财务指标 指标\报告期	2016.06.30	2015.12.31	2015.06.30	2014.12.31
基本每股收益(元)	0.0047	0.1100	-0.0300	0.0230
基本每股收益(扣除后)(元)	0.0057	0.0136	-0.0300	0.0160
稀释每股收益(元)	0.0047	0.1100	-0.0300	0.0230
每股净资产(元)	1.5097	3.8627	3.7260	3.8529
每股经营现金净流量(元)	-0.0115	0.0469	0.0146	-0.0721
每股现金流量(元)	-0.0512	-0.0434	-0.1371	-0.0146
每股资本公积金(元)	0.1024	1.7560	1.7560	1.7560
每股盈余公积金(元)	0.0716	0.1789	0.1789	0.1789
每股未分配利润(元)	0.3358	0.9277	0.7911	0.9181
净资产收益率(%)	0.3086	2.8221	-0.7417	0.5989
加权净资产收益率(%)	0.2900	2.7900	-0.7200	0.5800
净资产收益率(扣除)(%)	0.3773	0.3517	-0.6850	0.4226
总资产(万元)	90392.17	94334.98	88913.86	93333.93
归属母公司股东权益(万元)	80996.98	82893.01	79960.60	82685.10
营业收入(万元)	5397.95	16506.60	3791.54	17904.46
营业支出(万元)	2035.50	7677.42	1699.72	6406.10
投资收益(万元)	-	2231.59	-	140.79
净利润(万元)	307.65	3450.43	-740.11	867.25
营业利润(万元)	415.77	2496.12	-736.57	22.61
利润总额(万元)	417.13	3565.71	-640.21	988.59

宁波双林汽车部件股份有限公司

公司概况					
公司名称	宁波双林汽车部件股份有限公司			证券简称	双林股份
法人代表	邬建斌	董秘	叶醒	证券代码	300100
公司网址	www.shuanglin.cn		电子信箱	qcbjzqb@shuanglin.com	
电　话	0574-83518938		传　真	0574-83518939	
办公地址	浙江省宁波市宁海县西店潢溪口				
经营范围	主营汽车零部件的生产与销售等				

主要财务指标 指标\报告期	2016.06.30	2015.12.31	2015.06.30	2014.12.31
基本每股收益(元)	0.4100	0.6200	0.3000	0.4700
基本每股收益(扣除后)(元)	0.3900	0.6000	0.2900	0.4700
稀释每股收益(元)	0.4100	0.6200	0.3000	0.4700
每股净资产(元)	5.6783	5.3500	5.0000	4.8072
每股经营现金净流量(元)	0.2511	0.9130	0.3290	0.2242
每股现金流量(元)	-0.1533	-0.0494	-0.0272	-0.1184
每股资本公积金(元)	2.6120	2.5706	2.5352	2.5082
每股盈余公积金(元)	0.1778	0.1778	0.1527	0.1535
每股未分配利润(元)	1.9142	1.5995	1.3120	1.1455
净资产收益率(%)	7.2622	11.4970	6.0374	7.0251
加权净资产收益率(%)	7.5000	12.1700	6.1500	12.3700
净资产收益率(扣除)(%)	6.9143	11.1663	5.6679	7.1264
总资产(万元)	472613.80	406609.54	378324.72	364211.79
归属母公司股东权益(万元)	225970.14	211661.81	197887.11	189261.07
营业收入(万元)	146736.98	247223.37	122004.48	149724.03
营业支出(万元)	105736.93	180776.58	90703.36	109314.17
投资收益(万元)	-	-	-	-
净利润(万元)	17345.66	24604.52	12040.62	13471.73
营业利润(万元)	19325.23	27409.14	13339.72	14620.12
利润总额(万元)	20370.43	28917.35	14160.97	15359.99

成都振芯科技股份有限公司

公司概况					
公司名称	成都振芯科技股份有限公司			证券简称	振芯科技
法人代表	莫晓宇	董秘	杨国勇	证券代码	300101
公司网址	www.gotecom.com		电子信箱	corpro@corpro.cn	
电　话	028-65557625		传　真	028-65557627	
办公地址	四川省成都市高新区高朋大道 1 号				
经营范围	设计、开发、销售集成电路、微波组件及相关电子器件、开发、生产、销售等				

主要财务指标：指标＼报告期	2016.06.30	2015.12.31	2015.06.30	2014.12.31
基本每股收益(元)	0.0803	0.1400	0.0741	0.0900
基本每股收益(扣除后)(元)	0.0682	0.1100	0.1445	0.1600
稀释每股收益(元)	0.0803	0.1400	0.0741	0.0900
每股净资产(元)	1.5097	1.4795	2.8255	2.7274
每股经营现金净流量(元)	−0.2333	0.0874	−0.5960	0.6828
每股现金流量(元)	−0.6434	0.0078	−1.3669	0.6503
每股资本公积金(元)	0.0856	0.0856	1.1711	1.1711
每股盈余公积金(元)	0.0397	0.0397	0.0743	0.0711
每股未分配利润(元)	0.3845	0.3542	0.5801	0.4851
净资产收益率(%)	5.3205	9.5154	5.2416	6.7949
加权净资产收益率(%)	5.3200	9.9000	5.2900	7.0300
净资产收益率(扣除)(%)	4.5191	7.5164	5.1154	5.8327
总资产(万元)	110063.03	135616.81	103135.46	117388.69
归属母公司股东权益(万元)	83937.95	82257.65	78547.64	75820.46
营业收入(万元)	24970.13	53515.00	23906.71	40719.74
营业支出(万元)	11045.34	24903.81	11849.87	18653.50
投资收益(万元)	39.35	320.49	221.89	-
净利润(万元)	6001.61	10109.13	5117.91	6622.83
营业利润(万元)	6125.70	9859.82	5871.36	6778.44
利润总额(万元)	6935.83	11853.14	6002.49	7674.93

厦门乾照光电股份有限公司

公司概况					
公司名称	厦门乾照光电股份有限公司			证券简称	乾照光电
法人代表	王维勇	董秘	张国胜	证券代码	300102
公司网址	www.changelight.com.cn		电子信箱	300102@changelight.com.cn	
电　话	0592-7616279　7616258		传　真	0592-7616278	
办公地址	福建省厦门市火炬高新区(翔安)产业区翔天路 259-269 号				
经营范围	半导体光电产品的研发、生产和销售业务等				

主要财务指标：指标＼报告期	2016.06.30	2015.12.31	2015.06.30	2014.12.31
基本每股收益(元)	−0.0088	−0.1500	0.0413	0.0900
基本每股收益(扣除后)(元)	−0.0343	−0.1700	0.0300	0.1400
稀释每股收益(元)	−0.0088	−0.1500	0.0413	0.0900
每股净资产(元)	3.4714	3.4802	3.0464	3.0300
每股经营现金净流量(元)	−0.1353	−0.2174	0.0194	0.3948
每股现金流量(元)	0.0262	−0.0832	−0.1616	−0.6892
每股资本公积金(元)	2.1336	2.1336	1.4383	3.8766
每股盈余公积金(元)	0.0628	0.0628	0.0750	0.1501
每股未分配利润(元)	0.2750	0.2838	0.5330	1.0235
净资产收益率(%)	−0.2525	−3.6791	1.3544	3.1321
加权净资产收益率(%)	−0.2500	−4.8500	1.3500	3.1600
净资产收益率(扣除)(%)	−0.9875	−4.2197	1.1001	2.2980
总资产(万元)	338706.84	336060.33	223459.88	213228.25
归属母公司股东权益(万元)	244579.01	245196.49	179736.03	178481.65
营业收入(万元)	45833.92	61447.04	22126.78	42636.83
营业支出(万元)	40424.46	49252.88	14890.36	26163.08
投资收益(万元)	336.60	−120.11	42.72	847.31
净利润(万元)	−617.48	−9021.13	2434.39	5590.15
营业利润(万元)	−2016.37	−12295.47	2390.51	5241.01
利润总额(万元)	−387.79	−10816.96	2928.38	6667.42

西安达刚路面机械股份有限公司

公司概况					
公司名称	西安达刚路面机械股份有限公司			证券简称	达刚路机
法人代表	孙建西	董秘	韦尔奇	证券代码	300103
公司网址	www.sxdagang.com		电子信箱	investor@dagang.com.cn	
电　话	029-88327811		传　真	029-88327811	
办公地址	陕西省西安市高新区毕原三路 10 号				
经营范围	公路机械设备、公路沥青材料、软件的开发、研制、销售及技术咨询等				

主要财务指标：指标＼报告期	2016.06.30	2015.12.31	2015.06.30	2014.12.31
基本每股收益(元)	0.0693	0.1778	0.1084	0.2381
基本每股收益(扣除后)(元)	0.0668	0.1734	0.1070	0.1914
稀释每股收益(元)	0.0693	0.1778	0.1084	0.2381
每股净资产(元)	3.9812	3.9603	3.8720	3.8126
每股经营现金净流量(元)	0.0681	0.2405	0.0089	0.4057
每股现金流量(元)	−0.1784	−0.1017	−0.0336	−0.3389
每股资本公积金(元)	1.4962	1.4962	1.4775	1.4775
每股盈余公积金(元)	0.1949	0.1949	0.1772	0.1772
每股未分配利润(元)	1.2828	1.2635	1.2119	1.1535
净资产收益率(%)	1.7404	4.4902	2.7988	6.2452
加权净资产收益率(%)	1.7500	4.5900	2.8200	6.4000
净资产收益率(扣除)(%)	1.6782	4.3789	2.7642	5.0198
总资产(万元)	100636.01	101066.70	98152.17	94796.05
归属母公司股东权益(万元)	84295.73	83854.04	81983.75	80725.04
营业收入(万元)	11021.59	22682.07	10277.60	33068.36
营业支出(万元)	7852.62	16243.67	6851.74	25324.47
投资收益(万元)	37.62	582.95	166.03	−6.71
净利润(万元)	1467.12	3765.21	2294.59	5041.41
营业利润(万元)	1732.41	4311.30	2461.52	5120.84
利润总额(万元)	1794.12	4421.08	2494.93	6277.20

乐视网信息技术(北京)股份有限公司

公司概况					
公司名称	乐视网信息技术(北京)股份有限公司			证券简称	乐 视 网
法人代表	贾跃亭	董秘	赵凯	证券代码	300104
公司网址	www.le.com		电子信箱	ir@le.com	
电　话	010-51665282		传　真	010-59283480	
办公地址	北京市朝阳区姚家园路 105 号院 3 号楼宏城鑫泰大厦 16 层				
经营范围	网络视频基础服务和视频平台增值服务等				

主要财务指标：指标＼报告期	2016.06.30	2015.12.31	2015.06.30	2014.12.31
基本每股收益(元)	0.1500	0.3100	0.1400	0.2000
基本每股收益(扣除后)(元)	0.1437	0.3000	0.0839	0.4200
稀释每股收益(元)	0.1500	0.3000	0.1400	0.2000
每股净资产(元)	2.5800	2.1200	1.8424	1.7112
每股经营现金净流量(元)	0.1544	0.4718	0.2507	0.2784
每股现金流量(元)	0.3272	1.2217	0.3560	−0.1645
每股资本公积金(元)	0.6478	0.2959	0.2097	1.6239
每股盈余公积金(元)	0.0956	0.0965	0.0630	0.1390
每股未分配利润(元)	0.8234	0.7088	0.5710	1.0026
净资产收益率(%)	5.8885	14.5895	7.4526	11.4951
加权净资产收益率(%)	6.7400	16.1700	7.7500	13.8300
净资产收益率(扣除)(%)	5.5243	14.1288	5.0478	10.8956
总资产(万元)	2485109.53	1698215.46	1123395.98	885102.32
归属母公司股东权益(万元)	482947.01	392765.94	341802.38	316682.77
营业收入(万元)	1005655.89	1301672.51	446071.30	681893.86
营业支出(万元)	855838.00	1111200.91	378789.31	582813.35
投资收益(万元)	1507.41	7874.94	8526.36	0.50
净利润(万元)	8029.81	21711.68	10924.12	12879.66
营业利润(万元)	2837.23	6942.28	7336.30	4786.65
利润总额(万元)	4604.19	7416.92	7341.00	7289.91

烟台龙源电力技术股份有限公司

公司概况	公司名称	烟台龙源电力技术股份有限公司			证券简称	龙源技术
	法人代表	汤得军	董秘	郝欣冬	证券代码	300105
	公司网址	www.lypower.com		电子信箱	lypower@lypower.com.cn	
	电　话	0535-6103004		传　真	0535-6399366	
	办公地址	山东省烟台市经济技术开发区衡山路9号				
	经营范围	生产、销售、安装和运营电力、能源及相关领域生产设备等				

主要财务指标	指标\报告期	2016.06.30	2015.12.31	2015.06.30	2014.12.31
	基本每股收益(元)	–0.0900	–0.0932	–0.0600	0.3300
	基本每股收益(扣除后)(元)	–0.0900	–0.1079	–0.0700	0.3200
	稀释每股收益(元)	–0.0900	–0.0932	–0.0600	0.3300
	每股净资产(元)	3.9703	4.0556	4.0851	4.1875
	每股经营现金净流量(元)	0.1926	0.0785	–0.0193	–0.2688
	每股现金流量(元)	–0.8870	0.0044	–0.0845	–0.4094
	每股资本公积金(元)	1.3193	1.3193	1.3193	1.3193
	每股盈余公积金(元)	0.2128	0.2128	0.2128	0.2128
	每股未分配利润(元)	1.4376	1.5233	1.5541	1.6565
	净资产收益率(%)	–2.1586	–2.2976	–1.5277	7.8812
	加权净资产收益率(%)	–2.1300	–2.2500	–1.5000	8.1200
	净资产收益率(扣除)(%)	–2.2886	–2.6520	–1.6627	7.5236
	总资产(万元)	263414.49	279308.53	291011.39	318073.61
	归属母公司股东权益(万元)	203762.56	208138.94	209654.60	214911.27
	营业收入(万元)	20214.69	83776.47	34858.66	163794.80
	营业支出(万元)	16037.24	66423.86	27148.95	124217.87
	投资收益(万元)	–	–	–	–
	净利润(万元)	–4675.93	–5096.05	–3282.08	17073.67
	营业利润(万元)	–5213.62	–6682.53	–3717.77	20241.47
	利润总额(万元)	–4903.52	–5817.84	–3384.49	21153.18

新疆西部牧业股份有限公司

公司概况	公司名称	新疆西部牧业股份有限公司			证券简称	西部牧业
	法人代表	徐义民	董秘	梁雷	证券代码	300106
	公司网址	www.xjxbmy.com		电子信箱	liang-lei-100@163.com	
	电　话	0993-2516883		传　真	0993-2516883	
	办公地址	新疆维吾尔自治区石河子市北三东路29号				
	经营范围	优质生鲜乳的供应及辅助产品的生产与销售等				

主要财务指标	指标\报告期	2016.06.30	2015.12.31	2015.06.30	2014.12.31
	基本每股收益(元)	–0.1261	0.1400	0.1100	0.1400
	基本每股收益(扣除后)(元)	–0.1313	0.0200	0.0700	0.0200
	稀释每股收益(元)	–0.1261	0.1400	0.1100	0.1400
	每股净资产(元)	4.7962	3.9840	3.9728	3.8629
	每股经营现金净流量(元)	–0.7681	0.4443	0.1421	–1.0172
	每股现金流量(元)	0.1713	0.2234	0.0125	0.2836
	每股资本公积金(元)	2.9371	1.7130	1.7130	1.7130
	每股盈余公积金(元)	0.0961	0.1239	0.0904	0.0904
	每股未分配利润(元)	0.7630	1.1471	1.1694	1.0595
	净资产收益率(%)	–2.6299	3.5418	2.7662	3.5543
	加权净资产收益率(%)	–3.2000	3.5900	2.8100	3.6100
	净资产收益率(扣除)(%)	–2.7383	0.4649	1.6754	0.5339
	总资产(万元)	240683.63	227087.75	183495.53	174881.03
	归属母公司股东权益(万元)	101358.60	65258.06	65074.47	63274.38
	营业收入(万元)	33641.73	59990.20	36947.83	77137.98
	营业支出(万元)	29385.77	56657.26	30417.14	65784.36
	投资收益(万元)	9.70	–129.38	12.66	97.63
	净利润(万元)	–2857.70	2097.18	2243.69	3083.14
	营业利润(万元)	–2906.77	–11694.30	1551.15	1054.97
	利润总额(万元)	–2796.91	1752.73	2385.13	3298.63

河北建新化工股份有限公司

公司概况	公司名称	河北建新化工股份有限公司			证券简称	建新股份
	法人代表	朱守琛	董秘	彭建民	证券代码	300107
	公司网址	www.jianxinchemical.com		电子信箱	jx@jianxinchemical.com	
	电　话	0317-3598366		传　真	0317-3598366	
	办公地址	河北省沧州市清池南大道建新大厦8楼				
	经营范围	生产销售氯乙烷、间氨基苯酚、间氨基苯磺酸、间羟基-N、N-二乙基苯胺等				

主要财务指标	指标\报告期	2016.06.30	2015.12.31	2015.06.30	2014.12.31
	基本每股收益(元)	0.0235	0.0430	0.0199	0.0760
	基本每股收益(扣除后)(元)	0.0218	0.0440	0.0200	0.1500
	稀释每股收益(元)	0.0235	0.0410	0.0199	0.0730
	每股净资产(元)	1.6527	1.6554	1.6253	3.2283
	每股经营现金净流量(元)	0.1041	0.1142	0.0555	0.3926
	每股现金流量(元)	0.1466	–0.0718	0.0733	–0.2083
	每股资本公积金(元)	0.3024	0.2980	0.2898	1.5429
	每股盈余公积金(元)	0.0478	0.0480	0.0439	0.0885
	每股未分配利润(元)	0.3008	0.3084	0.2913	0.5969
	净资产收益率(%)	1.4207	2.5813	1.2352	4.6973
	加权净资产收益率(%)	1.4200	2.6300	1.2500	4.8100
	净资产收益率(扣除)(%)	1.3182	2.6606	1.2295	4.6546
	总资产(万元)	94796.89	94494.56	92677.84	91376.17
	归属母公司股东权益(万元)	89873.84	89685.81	87649.65	86388.11
	营业收入(万元)	19310.45	41555.08	20955.60	46635.11
	营业支出(万元)	15267.23	33398.65	17078.86	35308.50
	投资收益(万元)	406.80	546.83	165.23	236.12
	净利润(万元)	1276.84	2315.07	1082.66	4057.92
	营业利润(万元)	1403.82	2755.75	1178.94	4777.01
	利润总额(万元)	1512.16	2672.04	1184.86	4820.44

通化双龙化工股份有限公司

公司概况	公司名称	通化双龙化工股份有限公司			证券简称	双龙股份
	法人代表	卢忠奎	董秘	张亮	证券代码	300108
	公司网址	www.thslhg.com		电子信箱	shuanglong@thslhg.com	
	电　话	0435-3752903		传　真	0435-3751886	
	办公地址	吉林省通化市二道江区铁厂镇				
	经营范围	精细化工产品(不含危险品)生产、制造、销售、进出口贸易等				

主要财务指标	指标\报告期	2016.06.30	2015.12.31	2015.06.30	2014.12.31
	基本每股收益(元)	0.1439	0.3800	0.1955	0.3100
	基本每股收益(扣除后)(元)	0.0958	0.3400	0.1797	0.2600
	稀释每股收益(元)	0.1439	0.3800	0.1955	0.3100
	每股净资产(元)	2.6025	3.7321	3.7321	5.3100
	每股经营现金净流量(元)	–0.1260	0.4037	–0.1006	0.3031
	每股现金流量(元)	–0.1473	0.2417	–0.2068	0.4212
	每股资本公积金(元)	1.0993	2.1490	2.1490	3.7235
	每股盈余公积金(元)	0.0538	0.0807	0.0490	0.0734
	每股未分配利润(元)	0.4494	0.6301	0.5342	0.5129
	净资产收益率(%)	3.6871	8.2881	5.2370	3.7777
	加权净资产收益率(%)	3.7300	8.6500	5.3100	5.9100
	净资产收益率(扣除)(%)	3.6806	7.2811	4.8139	3.1576
	总资产(万元)	241283.42	232017.98	227168.84	216790.64
	归属母公司股东权益(万元)	165521.29	163658.52	158245.95	150094.40
	营业收入(万元)	31425.30	67840.02	35124.63	34326.26
	营业支出(万元)	20097.43	43019.41	21596.98	21679.31
	投资收益(万元)	–	1.51	1.51	–
	净利润(万元)	6220.09	13830.65	8445.71	5748.89
	营业利润(万元)	7618.79	14412.67	9282.98	5917.95
	利润总额(万元)	7649.20	16407.32	10094.46	7035.75

博爱新开源制药股份有限公司

公司概况					
公司名称	博爱新开源制药股份有限公司			证券简称	新 开 源
法人代表	方华生	董秘	张军政	证券代码	300109
公司网址	www.china-pvp.com		电子信箱	pr@china-pvp.com	
电　话	0391-8610680		传　真	0391-8610681	
办公地址	河南省焦作市博爱县文化路(东段)1888 号				
经营范围	经营药用辅料、聚乙烯吡咯烷酮系列产品及乙烯基甲醚/马来酸酐聚合物产品				

主要财务指标：指标\报告期	2016.06.30	2015.12.31	2015.06.30	2014.12.31
基本每股收益(元)	0.2500	0.4300	0.2200	0.2600
基本每股收益(扣除后)(元)	0.2500	0.4200	0.2200	0.2600
稀释每股收益(元)	0.2500	0.4300	0.2200	0.2600
每股净资产(元)	6.9711	6.8210	3.5991	3.4744
每股经营现金净流量(元)	0.2346	0.3761	0.1794	0.4045
每股现金流量(元)	0.1011	1.0041	-0.1947	0.1634
每股资本公积金(元)	4.9616	4.9616	1.5974	1.5974
每股盈余公积金(元)	0.1036	0.1036	0.1180	0.1180
每股未分配利润(元)	0.9059	0.7558	0.8837	0.7591
净资产收益率(%)	3.5876	4.9005	6.2399	7.5248
加权净资产收益率(%)	3.6000	8.6200	6.2900	7.7500
净资产收益率(扣除)(%)	3.5375	4.8300	6.1979	7.4815
总资产(万元)	156077.58	123597.36	47893.46	47462.93
归属母公司股东权益(万元)	118845.75	116286.48	41461.23	40024.71
营业收入(万元)	20249.23	29063.98	12680.65	25334.35
营业支出(万元)	11225.24	16771.91	7558.43	17650.72
投资收益(万元)	8.94	5.48	-	33.88
净利润(万元)	4263.72	5698.57	2587.15	3011.79
营业利润(万元)	4937.49	6607.24	2992.81	3489.27
利润总额(万元)	5007.55	6703.64	3013.31	3509.68

华仁药业股份有限公司

公司概况					
公司名称	华仁药业股份有限公司			证券简称	华仁药业
法人代表	梁富友	董秘	龚凌	证券代码	300110
公司网址	www.qdhuaren.com		电子信箱	huaren@qdhuaren.com	
电　话	0532-88701303		传　真	0532-88702625	
办公地址	山东省青岛市高科技工业园株洲路 187 号				
经营范围	非 PVC 大输液产品的研发设计、生产和销售等				

主要财务指标：指标\报告期	2016.06.30	2015.12.31	2015.06.30	2014.12.31
基本每股收益(元)	0.0047	0.0300	0.0311	0.0800
基本每股收益(扣除后)(元)	0.0064	0.0300	0.0300	0.0900
稀释每股收益(元)	0.0047	0.0300	0.0311	0.0800
每股净资产(元)	2.1962	2.1669	2.2138	2.2013
每股经营现金净流量(元)	0.0308	0.0282	0.0294	0.0975
每股现金流量(元)	-0.0759	-0.0904	-0.2048	-0.2350
每股资本公积金(元)	0.4728	0.4872	0.5064	0.5145
每股盈余公积金(元)	0.0791	0.0782	0.0739	0.0731
每股未分配利润(元)	0.6443	0.6325	0.6335	0.6446
净资产收益率(%)	0.2120	1.5920	1.4133	3.7949
加权净资产收益率(%)	0.2100	1.5700	1.3900	3.7900
净资产收益率(扣除)(%)	0.2947	1.3916	1.3689	3.8748
总资产(万元)	276068.19	274876.69	264992.75	262159.78
归属母公司股东权益(万元)	144378.62	144072.48	147191.01	147970.46
营业收入(万元)	58224.10	110589.60	50132.73	91676.14
营业支出(万元)	34491.55	60957.20	25565.50	47505.62
投资收益(万元)	-	-	-	-
净利润(万元)	187.91	2217.66	2080.20	5615.40
营业利润(万元)	297.54	2265.53	2259.69	6506.90
利润总额(万元)	157.05	2431.36	2379.37	6378.52

浙江向日葵光能科技股份有限公司

公司概况					
公司名称	浙江向日葵光能科技股份有限公司			证券简称	向 日 葵
法人代表	俞相明	董秘	俞相明(代)	证券代码	300111
公司网址	www.sunowe.com.cn		电子信箱	wxyang@sunowe.com	
电　话	0575-88919159		传　真	0575-88919159	
办公地址	浙江省绍兴市袍江工业区三江路				
经营范围	生产、销售大规格高效晶体硅太阳能电池等				

主要财务指标：指标\报告期	2016.06.30	2015.12.31	2015.06.30	2014.12.31
基本每股收益(元)	0.0500	0.0800	0.0020	0.0300
基本每股收益(扣除后)(元)	0.0500	0.0700	-0.0100	0.0200
稀释每股收益(元)	0.0500	0.0800	0.0020	0.0300
每股净资产(元)	1.1783	1.1300	1.0577	1.0786
每股经营现金净流量(元)	0.1525	0.2020	0.1736	0.1014
每股现金流量(元)	0.0085	0.0477	0.0328	-0.1993
每股资本公积金(元)	0.1911	0.1911	0.1911	0.1911
每股盈余公积金(元)	0.0493	0.0493	0.0438	0.0438
每股未分配利润(元)	-0.0651	-0.1136	-0.1846	-0.1864
净资产收益率(%)	4.1141	6.9253	0.1677	3.1020
加权净资产收益率(%)	4.2000	7.1800	0.1700	3.1600
净资产收益率(扣除)(%)	3.9583	5.9761	-1.2354	2.1817
总资产(万元)	296697.48	307874.05	318163.97	315389.95
归属母公司股东权益(万元)	131942.93	126542.56	118438.00	117601.78
营业收入(万元)	81814.36	182424.15	72616.01	164389.54
营业支出(万元)	62560.16	141562.91	58292.65	135823.02
投资收益(万元)	-8.01	4545.03	5321.81	-63.75
净利润(万元)	5404.07	8766.53	199.21	3753.78
营业利润(万元)	7220.08	9863.08	30.09	3303.46
利润总额(万元)	7419.36	10662.24	250.31	3891.00

深圳万讯自控股份有限公司

公司概况					
公司名称	深圳万讯自控股份有限公司			证券简称	万讯自控
法人代表	傅宇晨	董秘	董慧宇	证券代码	300112
公司网址	www.maxonic.com.cn		电子信箱	info@maxonic.com.cn	
电　话	0755-86250365		传　真	0755-86250389	
办公地址	广东省深圳市南山区高新技术产业园北区三号路万讯自控大楼 1-6 层				
经营范围	生产经营自动化仪器仪表、计算机软件、自动化工程、经营进出口业务等				

主要财务指标：指标\报告期	2016.06.30	2015.12.31	2015.06.30	2014.12.31
基本每股收益(元)	0.0400	0.0500	0.0400	0.0900
基本每股收益(扣除后)(元)	0.0300	0.0500	0.0400	0.0900
稀释每股收益(元)	0.0400	0.0500	0.0400	0.0900
每股净资产(元)	2.6619	2.5986	1.9810	1.9446
每股经营现金净流量(元)	0.0590	0.1004	-0.0157	0.0781
每股现金流量(元)	-0.0419	-0.1531	-0.1714	-0.0085
每股资本公积金(元)	1.2137	1.1850	0.5469	0.5411
每股盈余公积金(元)	0.0493	0.0491	0.0525	0.0524
每股未分配利润(元)	0.4648	0.4544	0.4861	0.4680
净资产收益率(%)	1.3472	1.8257	2.2527	4.7348
加权净资产收益率(%)	1.3600	2.3000	2.2700	4.7800
净资产收益率(扣除)(%)	1.1113	1.7330	2.2218	4.5422
总资产(万元)	92376.24	92023.47	61204.87	60666.11
归属母公司股东权益(万元)	70961.80	69665.24	49011.74	48264.83
营业收入(万元)	18332.15	39016.53	14788.78	33697.31
营业支出(万元)	8690.39	19929.40	8046.59	17558.12
投资收益(万元)	38.32	152.82	6.46	26.55
净利润(万元)	991.49	1559.81	1395.62	2712.84
营业利润(万元)	719.11	1410.21	1403.34	2931.37
利润总额(万元)	1149.16	2142.32	1507.76	3203.82

杭州顺网科技股份有限公司

公司概况	公司名称	杭州顺网科技股份有限公司			证券简称	顺网科技
	法人代表	华勇	董秘	张丽	证券代码	300113
	公司网址	www.shunwang.com		电子信箱	DSH@shunwang.com	
	电　　话	0571-87205808 89712215		传　　真	0571-87397837	
	办公地址	浙江省杭州市西湖区文一西路 857 号杭州智慧产业创业园 A 座				
	经营范围	主要从事互联网娱乐平台的开发与推广以及基于互联网娱乐平台的增值服务业务				

主要财务指标	指标\报告期	2016.06.30	2015.12.31	2015.06.30	2014.12.31
	基本每股收益(元)	0.3700	0.9800	0.1500	0.5400
	基本每股收益(扣除后)(元)	0.3500	0.9500	0.3400	0.4700
	稀释每股收益(元)	0.3700	0.9700	0.1500	0.5400
	每股净资产(元)	3.1557	4.9770	3.9339	3.5442
	每股经营现金净流量(元)	0.4022	1.5075	0.4255	0.9356
	每股现金流量(元)	0.4976	1.5582	0.7149	-1.4184
	每股资本公积金(元)	0.8897	1.5325	1.4494	1.3022
	每股盈余公积金(元)	0.0800	0.1876	0.1419	0.1426
	每股未分配利润(元)	1.0795	1.9232	1.3426	1.0994
	净资产收益率(%)	11.5931	19.6239	8.8458	15.2380
	加权净资产收益率(%)	13.8600	23.6100	9.3300	16.6900
	净资产收益率(扣除)(%)	11.0470	19.0488	8.7065	13.2120
	总资产(万元)	277604.81	190889.10	143661.62	132755.75
	归属母公司股东权益(万元)	216348.57	145536.72	114794.44	102923.64
	营业收入(万元)	68596.26	102214.73	40049.04	64902.98
	营业支出(万元)	11991.61	21822.51	8330.72	14269.89
	投资收益(万元)	705.43	1248.59	664.06	726.03
	净利润(万元)	27825.64	31069.84	10780.87	16037.15
	营业利润(万元)	30588.36	32683.64	11695.46	14258.39
	利润总额(万元)	32243.27	33023.23	11778.25	15995.55

中航电测仪器股份有限公司

公司概况	公司名称	中航电测仪器股份有限公司			证券简称	中航电测
	法人代表	康学军	董秘	纪刚	证券代码	300114
	公司网址	www.zemic.com.cn		电子信箱	jigang@zemic.com.cn	
	电　　话	029-61807799 61807777		传　　真	029-61807022	
	办公地址	陕西省西安市高新技术产业开发区西部大道 166 号				
	经营范围	电阻应变计、传感器、电子衡器、交通运输检测设备、测量与自动控制设备等				

主要财务指标	指标\报告期	2016.06.30	2015.12.31	2015.06.30	2014.12.31
	基本每股收益(元)	0.1600	0.3800	0.1400	0.3500
	基本每股收益(扣除后)(元)	0.1400	0.3700	0.2000	0.2800
	稀释每股收益(元)	0.1600	0.3800	0.1400	0.3500
	每股净资产(元)	3.2900	3.1900	4.6027	4.4300
	每股经营现金净流量(元)	0.1086	0.6740	0.2182	0.3683
	每股现金流量(元)	-0.0280	0.2488	-0.0048	0.4179
	每股资本公积金(元)	0.9948	1.9922	1.9786	2.8721
	每股盈余公积金(元)	0.3701	0.5424	0.5360	0.6714
	每股未分配利润(元)	0.9464	1.2789	1.1100	1.2495
	净资产收益率(%)	4.7236	7.9796	4.4938	7.4822
	加权净资产收益率(%)	4.7700	8.3100	4.5700	8.6500
	净资产收益率(扣除)(%)	4.3708	7.7957	4.3860	3.8331
	总资产(万元)	185848.02	181013.89	171988.30	165536.11
	归属母公司股东权益(万元)	129765.54	125724.29	120847.95	116443.86
	营业收入(万元)	50587.10	102406.55	48437.73	91690.39
	营业支出(万元)	32772.93	67616.75	32620.79	61815.64
	投资收益(万元)	336.60	1489.07	516.91	1637.80
	净利润(万元)	7286.54	11505.95	6509.53	10192.94
	营业利润(万元)	7786.61	13043.87	7281.25	11089.20
	利润总额(万元)	8358.28	13293.06	7463.03	11616.94

深圳市长盈精密技术股份有限公司

公司概况	公司名称	深圳市长盈精密技术股份有限公司			证券简称	长盈精密
	法人代表	陈奇星	董秘	徐正光	证券代码	300115
	公司网址	www.ewpt.cn		电子信箱	IR@ewpt.cn	
	电　　话	0755-27347334-8068		传　　真	0755-29912057	
	办公地址	广东省深圳市宝安区福永镇桥头富桥工业三区 11 栋				
	经营范围	生产、销售、开发连接器件、精密五金件、精密接插件及自营进出口业务				

主要财务指标	指标\报告期	2016.06.30	2015.12.31	2015.06.30	2014.12.31
	基本每股收益(元)	0.3700	0.8200	0.2500	0.5600
	基本每股收益(扣除后)(元)	0.3600	0.8000	0.4000	0.5300
	稀释每股收益(元)	0.3700	0.8200	0.2500	0.5600
	每股净资产(元)	4.0055	5.9193	5.5459	3.8145
	每股经营现金净流量(元)	1.0124	1.5704	0.2417	0.0587
	每股现金流量(元)	0.4690	0.4314	0.5410	0.0710
	每股资本公积金(元)	1.3755	2.7272	2.6125	1.0360
	每股盈余公积金(元)	0.1324	0.2130	0.1691	0.1822
	每股未分配利润(元)	1.4972	2.1199	1.7649	1.5970
	净资产收益率(%)	9.1272	13.5663	7.0731	14.7426
	加权净资产收益率(%)	9.4900	15.6200	10.4000	15.8500
	净资产收益率(扣除)(%)	8.8295	13.1861	6.9235	13.9427
	总资产(万元)	639856.02	508394.62	482349.67	390845.45
	归属母公司股东权益(万元)	360810.68	331535.79	308218.59	196827.94
	营业收入(万元)	269933.83	388880.05	179224.57	232036.65
	营业支出(万元)	191113.32	279125.14	126279.04	157087.44
	投资收益(万元)	-49.31	174.64	176.35	-
	净利润(万元)	33227.03	45420.12	21771.95	29028.60
	营业利润(万元)	36222.78	49563.53	26486.67	32718.96
	利润总额(万元)	37355.91	51353.91	27065.49	34627.71

陕西坚瑞沃能股份有限公司

公司概况	公司名称	陕西坚瑞沃能股份有限公司			证券简称	坚瑞沃能
	法人代表	李瑶	董秘	李军	证券代码	300116
	公司网址	www.xajr.com		电子信箱	stock@xajr.com	
	电　　话	029-88332970*8060		传　　真	029-88332680	
	办公地址	陕西省西安市高新区科技二路 65 号清扬大厦 A 座 8 层				
	经营范围	S 型气溶胶灭火系统的研发、生产、销售和服务等				

主要财务指标	指标\报告期	2016.06.30	2015.12.31	2015.06.30	2014.12.31
	基本每股收益(元)	-0.0026	0.0707	0.0182	0.0357
	基本每股收益(扣除后)(元)	-0.0263	0.0677	-0.0056	-0.0086
	稀释每股收益(元)	-0.0026	0.0707	0.0182	0.0357
	每股净资产(元)	1.9253	1.9130	2.7906	2.7814
	每股经营现金净流量(元)	-0.0272	-0.0080	-0.1456	0.0514
	每股现金流量(元)	-0.0864	-0.2140	-0.4383	0.6317
	每股资本公积金(元)	0.7480	0.7332	1.5998	1.5998
	每股盈余公积金(元)	0.0143	0.0143	0.0215	0.0215
	每股未分配利润(元)	0.1629	0.1655	0.1694	0.1602
	净资产收益率(%)	-0.1328	3.6959	0.9766	0.9220
	加权净资产收益率(%)	-0.1300	3.7500	0.9700	1.7800
	净资产收益率(扣除)(%)	-1.3645	2.5574	-0.1990	-0.2263
	总资产(万元)	145106.51	145413.60	132915.86	144747.18
	归属母公司股东权益(万元)	96309.77	95693.57	93065.72	92757.15
	营业收入(万元)	22313.19	58134.31	18629.38	35107.41
	营业支出(万元)	17224.59	41098.52	12778.93	24179.30
	投资收益(万元)	-0.97	977.76	898.28	596.60
	净利润(万元)	-111.85	3703.80	1073.90	987.74
	营业利润(万元)	-1113.47	4492.98	1214.67	978.42
	利润总额(万元)	72.83	4690.19	1410.42	1529.53

北京嘉寓门窗幕墙股份有限公司

公司概况						
	公司名称	北京嘉寓门窗幕墙股份有限公司			证券简称	嘉寓股份
	法人代表	田新甲	董秘	牟世凤	证券代码	300117
	公司网址	www.jiayu.com.cn		电子信箱	service@jiayu.com.cn	
	电　　话	010-69415566　69412772		传　　真	010-69416588　69415566	
	办公地址	北京市顺义区牛栏山镇牛富路1号				
	经营范围	节能门窗幕墙的研发设计、生产加工、安装及服务等				

主要财务指标	指标＼报告期	2016.06.30	2015.12.31	2015.06.30	2014.12.31
	基本每股收益(元)	0.0600	0.2100	0.1100	0.1500
	基本每股收益(扣除后)(元)	0.0700	0.1000	0.0800	0.0700
	稀释每股收益(元)	0.0600	0.2100	0.1100	0.1500
	每股净资产(元)	1.9375	4.1900	4.1000	4.0104
	每股经营现金净流量(元)	-0.0645	-0.0564	-0.1660	-0.3769
	每股现金流量(元)	-0.2857	0.4722	0.3056	-0.1545
	每股资本公积金(元)	0.2207	1.6841	1.6720	1.6682
	每股盈余公积金(元)	0.0619	0.1362	0.1187	0.1187
	每股未分配利润(元)	0.6539	1.3683	1.3116	1.2250
	净资产收益率(%)	2.1168	4.9749	2.5985	3.6344
	加权净资产收益率(%)	2.1300	5.0800	2.6200	3.6800
	净资产收益率(扣除)(%)	2.1678	2.2961	1.9569	1.6981
	总资产(万元)	418335.76	424463.71	387868.66	358717.47
	归属母公司股东权益(万元)	138869.87	136453.28	133584.90	130659.32
	营业收入(万元)	82346.07	209803.76	90639.00	183349.74
	营业支出(万元)	68885.90	175867.78	75522.75	154440.57
	投资收益(万元)	-	142.43	0.01	-
	净利润(万元)	2939.61	6788.39	3471.14	4748.71
	营业利润(万元)	3446.81	3321.01	2990.75	2797.32
	利润总额(万元)	3386.48	7963.80	4082.67	5851.57

东方日升新能源股份有限公司

公司概况						
	公司名称	东方日升新能源股份有限公司			证券简称	东方日升
	法人代表	林海峰	董秘	雪山行	证券代码	300118
	公司网址	www.risenenergy.com		电子信箱	xuesx@risenenergy.com	
	电　　话	0574-65173983		传　　真	0574-59953338	
	办公地址	浙江省宁波市宁海县梅林镇塔山工业园区				
	经营范围	电器、灯具、橡塑制品、电子产品、光电子器件、硅太阳能电池组件和部件的制造、加工等				

主要财务指标	指标＼报告期	2016.06.30	2015.12.31	2015.06.30	2014.12.31
	基本每股收益(元)	0.7385	0.4960	0.1586	0.1135
	基本每股收益(扣除后)(元)	0.4297	0.4800	0.1499	0.1441
	稀释每股收益(元)	0.7115	0.4898	0.1586	0.1135
	每股净资产(元)	5.3399	4.4808	4.2874	4.1415
	每股经营现金净流量(元)	-0.3032	-0.2129	-0.4454	-0.1585
	每股现金流量(元)	0.2838	-0.0092	0.2115	0.0656
	每股资本公积金(元)	3.1652	3.1498	3.1286	3.1266
	每股盈余公积金(元)	0.1250	0.1250	0.0763	0.0763
	每股未分配利润(元)	1.0028	0.3612	0.0987	-0.0677
	净资产收益率(%)	13.3248	10.6654	3.6988	2.4873
	加权净资产收益率(%)	14.7100	11.3000	3.7600	3.2300
	净资产收益率(扣除)(%)	7.7527	10.3208	3.4970	3.1582
	总资产(万元)	1068743.21	848643.94	702737.15	587062.77
	归属母公司股东权益(万元)	360224.77	302274.77	278641.33	269160.98
	营业收入(万元)	319449.02	525944.20	161567.45	295219.23
	营业支出(万元)	252926.53	411081.97	124447.91	234601.29
	投资收益(万元)	1636.99	-199.98	-55.06	921.38
	净利润(万元)	49451.07	34176.92	11276.85	7774.15
	营业利润(万元)	35797.99	43063.91	13845.26	12802.03
	利润总额(万元)	55479.53	44801.07	14507.29	9719.64

天津瑞普生物技术股份有限公司

公司概况						
	公司名称	天津瑞普生物技术股份有限公司			证券简称	瑞普生物
	法人代表	李守军	董秘	徐健	证券代码	300119
	公司网址	www.ringpu.com		电子信箱	zqb@ringpu.com	
	电　　话	022-88958118		传　　真	022-88958118	
	办公地址	天津自贸试验区(空港经济区)东九道1号				
	经营范围	兽用生物制品和兽用制剂研发、生产、销售和技术服务等				

主要财务指标	指标＼报告期	2016.06.30	2015.12.31	2015.06.30	2014.12.31
	基本每股收益(元)	0.1302	0.2800	0.1227	0.0700
	基本每股收益(扣除后)(元)	0.1049	0.2500	0.1041	0.0300
	稀释每股收益(元)	0.1302	0.2800	0.1227	0.0700
	每股净资产(元)	4.1105	4.1313	4.1698	4.1499
	每股经营现金净流量(元)	0.1017	0.5789	0.1017	0.3299
	每股现金流量(元)	-0.0057	-0.7178	-0.3305	-0.0039
	每股资本公积金(元)	1.8949	1.8959	2.0960	2.0973
	每股盈余公积金(元)	0.1397	0.1397	0.1234	0.1234
	每股未分配利润(元)	1.0758	1.0957	0.9505	0.9293
	净资产收益率(%)	3.1666	6.8616	2.9064	1.6799
	加权净资产收益率(%)	3.1200	6.7200	2.8900	1.6800
	净资产收益率(扣除)(%)	2.5508	6.0439	2.4973	0.8325
	总资产(万元)	236833.74	234859.89	230847.93	198294.38
	归属母公司股东权益(万元)	159957.53	160766.36	162266.50	161491.30
	营业收入(万元)	45009.81	79283.45	33495.08	58519.70
	营业支出(万元)	20306.92	32719.25	13466.94	23711.58
	投资收益(万元)	287.26	389.08	103.21	-7.62
	净利润(万元)	6048.98	12247.62	4840.48	2886.70
	营业利润(万元)	5759.95	12528.21	4668.43	2075.49
	利润总额(万元)	6989.00	14153.75	5483.85	3928.78

天津经纬电材股份有限公司

公司概况						
	公司名称	天津经纬电材股份有限公司			证券简称	经纬电材
	法人代表	董树林	董秘	张秋凤	证券代码	300120
	公司网址	www.jwdc.cn		电子信箱	tjjwdc@163.com	
	电　　话	022-28572588-8551		传　　真	022-28572588-8056	
	办公地址	天津市津南区小站工业区创新道1号				
	经营范围	生产、加工、销售电线、电缆、有色金属材料、绝缘材料、矽钢片、电抗器等				

主要财务指标	指标＼报告期	2016.06.30	2015.12.31	2015.06.30	2014.12.31
	基本每股收益(元)	0.0367	0.0326	0.0289	0.0240
	基本每股收益(扣除后)(元)	0.0320	0.0200	0.0195	0.0116
	稀释每股收益(元)	0.0367	0.0326	0.0289	0.0240
	每股净资产(元)	2.8956	2.9084	2.9020	2.9084
	每股经营现金净流量(元)	-0.0461	0.0135	-0.0878	-0.1482
	每股现金流量(元)	-0.0504	0.0891	-0.3103	-0.2322
	每股资本公积金(元)	1.4885	1.4887	1.4887	1.4812
	每股盈余公积金(元)	0.1402	0.1402	0.1329	0.1322
	每股未分配利润(元)	0.2630	0.2761	0.2823	0.3013
	净资产收益率(%)	1.2675	1.1272	0.9989	0.8266
	加权净资产收益率(%)	1.2700	1.1200	1.0000	0.8200
	净资产收益率(扣除)(%)	1.1067	0.6931	0.6679	0.3998
	总资产(万元)	80524.59	76745.40	67594.93	70934.62
	归属母公司股东权益(万元)	59228.76	59369.84	59437.46	59883.26
	营业收入(万元)	35170.25	50710.09	23967.23	42502.05
	营业支出(万元)	31447.98	46142.02	21623.21	38876.84
	投资收益(万元)	-23.34	-125.73	-45.40	-23.98
	净利润(万元)	563.08	505.48	573.80	494.04
	营业利润(万元)	554.48	388.84	471.91	326.06
	利润总额(万元)	673.07	750.49	743.65	626.66

山东阳谷华泰化工股份有限公司

公司概况					
公司名称	山东阳谷华泰化工股份有限公司			证券简称	阳谷华泰
法人代表	王文博	董秘	贺玉广	证券代码	300121
公司网址	www.yghuatai.com		电子信箱	hyg@yghuatai.com	
电　话	0635-5106606		传　真	0635-5106609	
办公地址	山东省聊城市阳谷县清河西路 217 号				
经营范围	橡胶助剂的研发、生产、销售等				

主要财务指标 指标＼报告期	2016.06.30	2015.12.31	2015.06.30	2014.12.31
基本每股收益(元)	0.2074	0.1400	0.0670	0.1000
基本每股收益(扣除后)(元)	0.2046	0.1300	0.0640	0.0500
稀释每股收益(元)	0.2074	0.1400	0.0670	0.1000
每股净资产(元)	1.8944	1.7772	1.7441	1.6767
每股经营现金净流量(元)	0.5923	0.2868	0.2573	-0.2300
每股现金流量(元)	0.2387	0.0527	0.2167	0.2422
每股资本公积金(元)	0.4717	0.3434	0.3434	0.3434
每股盈余公积金(元)	0.0435	0.0448	0.0409	0.0409
每股未分配利润(元)	0.5457	0.3885	0.3590	0.2925
净资产收益率(%)	10.9461	7.8775	3.8159	5.7271
加权净资产收益率(%)	11.4600	7.8800	3.8900	5.7800
净资产收益率(扣除)(%)	10.7982	7.3653	3.6599	3.1470
总资产(万元)	135475.77	124125.62	130298.51	121808.45
归属母公司股东权益(万元)	54789.35	49905.14	48974.78	47081.91
营业收入(万元)	52838.26	86002.66	40738.90	74535.73
营业支出(万元)	38276.20	65212.43	30995.57	60437.27
投资收益(万元)	-	1.46	1.46	88.66
净利润(万元)	5997.27	3931.29	1868.82	2696.45
营业利润(万元)	7117.45	4661.99	2338.19	1756.44
利润总额(万元)	7211.42	4962.73	2431.22	3262.11

重庆智飞生物制品股份有限公司

公司概况					
公司名称	重庆智飞生物制品股份有限公司			证券简称	智飞生物
法人代表	蒋仁生	董秘	蒋仁生(代)	证券代码	300122
公司网址	www.zhifeishengwu.com		电子信箱	office2@zhifeishengwu.com	
电　话	023-86358226		传　真	023-86358226	
办公地址	重庆市江北区金源路 7 号 25 层				
经营范围	疫苗、生物制品的研发、生产和销售等				

主要财务指标 指标＼报告期	2016.06.30	2015.12.31	2015.06.30	2014.12.31
基本每股收益(元)	0.0100	0.2500	0.0700	0.1900
基本每股收益(扣除后)(元)	0.0100	0.2400	0.1300	0.1800
稀释每股收益(元)	0.0100	0.2500	0.0700	0.1900
每股净资产(元)	1.5630	1.5433	3.1099	3.0722
每股经营现金净流量(元)	-0.0116	0.2793	-0.0028	0.2017
每股现金流量(元)	-0.0731	-0.4087	-0.2430	-0.2367
每股资本公积金(元)	0.1300	1.2600	1.2705	1.2680
每股盈余公积金(元)	0.0521	0.1041	0.0909	0.0909
每股未分配利润(元)	0.3809	0.8468	0.7484	0.7133
净资产收益率(%)	0.4814	7.9945	4.3459	6.0220
加权净资产收益率(%)	0.4800	7.9400	4.3300	6.1200
净资产收益率(扣除)(%)	0.3890	7.6482	4.2239	5.9122
总资产(万元)	266052.21	268163.08	268491.53	271445.56
归属母公司股东权益(万元)	250077.55	246922.88	248788.32	245773.87
营业收入(万元)	18394.40	71273.81	38461.78	80093.75
营业支出(万元)	1653.12	14176.46	11223.50	31079.33
投资收益(万元)	-	149.94	-68.53	-49.94
净利润(万元)	1203.89	19740.19	10812.21	14800.40
营业利润(万元)	925.84	22062.83	12333.49	17207.29
利润总额(万元)	1182.08	23068.71	12690.67	17524.77

太阳鸟游艇股份有限公司

公司概况					
公司名称	太阳鸟游艇股份有限公司			证券简称	太 阳 鸟
法人代表	李跃先	董秘	夏亦才	证券代码	300123
公司网址	www.cnsunbird.com		电子信箱	stock@cnsunbird.com	
电　话	0737-2732399　2606540		传　真	0737-2854608	
办公地址	湖南省沅江市游艇工业园				
经营范围	复合材料船艇的设计、研发、生产、销售及服务				

主要财务指标 指标＼报告期	2016.06.30	2015.12.31	2015.06.30	2014.12.31
基本每股收益(元)	0.0190	0.0500	-0.0260	0.0800
基本每股收益(扣除后)(元)	0.0100	0.0200	-0.0390	-0.0100
稀释每股收益(元)	0.0190	0.0500	-0.0260	0.0800
每股净资产(元)	3.2297	3.2700	3.1976	3.1940
每股经营现金净流量(元)	-0.3606	0.4306	-0.1340	0.0222
每股现金流量(元)	-0.6986	0.3940	-0.3392	0.0378
每股资本公积金(元)	1.5341	1.5341	1.5341	1.5438
每股盈余公积金(元)	0.0352	0.0352	0.0295	0.0292
每股未分配利润(元)	0.6758	0.7132	0.6453	0.6653
净资产收益率(%)	0.5879	1.4473	-0.8237	2.4064
加权净资产收益率(%)	0.5800	1.4100	-0.7700	2.3800
净资产收益率(扣除)(%)	0.3060	0.5422	-1.2594	-0.2199
总资产(万元)	186368.55	180303.66	148883.86	145757.44
归属母公司股东权益(万元)	92099.55	93166.87	91184.03	91950.67
营业收入(万元)	24690.70	44156.65	17287.84	38617.17
营业支出(万元)	18590.26	31920.99	13390.95	29402.42
投资收益(万元)	-	-	-	-
净利润(万元)	477.96	1468.91	-838.44	2108.49
营业利润(万元)	366.51	952.80	-1158.41	-146.86
利润总额(万元)	671.96	1943.79	-742.97	2694.20

深圳市汇川技术股份有限公司

公司概况					
公司名称	深圳市汇川技术股份有限公司			证券简称	汇川技术
法人代表	朱兴明	董秘	宋君恩	证券代码	300124
公司网址	www.inovance.cn		电子信箱	ir@inovance.cn	
电　话	0755-83185787　83185521		传　真	0755-83185659	
办公地址	广东省深圳市宝安区新安街道留仙二路鸿威工业园 E 栋厂房 1,2,3,4,5 楼				
经营范围	工业自动化控制产品的研发、生产及销售等				

主要财务指标 指标＼报告期	2016.06.30	2015.12.31	2015.06.30	2014.12.31
基本每股收益(元)	0.2400	1.0300	0.2100	0.8500
基本每股收益(扣除后)(元)	0.2300	0.9700	0.4000	0.8200
稀释每股收益(元)	0.2400	1.0200	0.2100	0.8400
每股净资产(元)	2.5467	5.1049	4.5100	4.4300
每股经营现金净流量(元)	-0.0118	1.0082	0.3582	0.6700
每股现金流量(元)	0.0117	-0.1596	-0.0260	0.1745
每股资本公积金(元)	0.5034	1.9352	1.8973	1.6973
每股盈余公积金(元)	0.1668	0.3364	0.2367	0.2404
每股未分配利润(元)	0.9250	1.8765	1.3752	1.4744
净资产收益率(%)	9.5171	19.9345	9.2188	19.2143
加权净资产收益率(%)	9.3200	21.9100	9.4200	20.5500
净资产收益率(扣除)(%)	8.8984	18.7570	8.6881	18.3854
总资产(万元)	582351.66	594651.46	480665.39	467129.21
归属母公司股东权益(万元)	408365.19	405970.00	358130.58	346781.25
营业收入(万元)	146476.65	277052.99	111178.99	224255.01
营业支出(万元)	74548.23	142769.09	56152.02	111602.46
投资收益(万元)	1637.76	2648.27	1459.91	281.41
净利润(万元)	40264.49	83396.69	34219.30	69006.26
营业利润(万元)	33975.47	72481.99	29647.88	61677.46
利润总额(万元)	43210.43	90541.12	36941.08	77539.54

大连易世达新能源发展股份有限公司

公司概况					
公司名称	大连易世达新能源发展股份有限公司			证券简称	易世达
法人代表	赖建清	董秘	赖建清(代)	证券代码	300125
公司网址	www.dleast.cc		电子信箱	dalianyishida@163.com	
电　话	0411-84732571		传　真	0411-84732571	
办公地址	辽宁省大连市高新技术产业园区火炬路 32 号 B 座 18-20 层				
经营范围	余热发电技术服务、工程设计、设备成套、工程总承包以及合同能源管理等				

主要财务指标	指标\报告期	2016.06.30	2015.12.31	2015.06.30	2014.12.31
	基本每股收益(元)	0.2400	1.0300	-0.1700	0.1200
	基本每股收益(扣除后)(元)	0.2300	0.9700	-0.3600	0.1200
	稀释每股收益(元)	0.2400	1.0200	-0.1700	0.1200
	每股净资产(元)	2.5467	5.1049	9.0787	9.2851
	每股经营现金净流量(元)	-0.0118	1.0082	-0.3135	0.9546
	每股现金流量(元)	0.0117	-0.1596	0.1107	-3.0413
	每股资本公积金(元)	0.5034	1.9352	6.8749	6.8749
	每股盈余公积金(元)	0.1668	0.3364	0.2079	0.2079
	每股未分配利润(元)	0.9250	1.8765	0.9959	1.2023
	净资产收益率(%)	9.5171	19.9345	-1.8321	1.3413
	加权净资产收益率(%)	9.3200	21.9100	-1.8100	1.3500
	净资产收益率(扣除)(%)	8.8984	18.7570	-3.9537	1.3097
	总资产(万元)	582351.66	594651.46	218464.45	236928.55
	归属母公司股东权益(万元)	408365.19	405970.00	107128.79	109563.93
	营业收入(万元)	146476.65	277052.99	9701.38	27106.44
	营业支出(万元)	74548.23	142769.09	7407.08	20845.74
	投资收益(万元)	1637.76	2648.27	2162.31	-135.79
	净利润(万元)	40264.49	83396.69	-1933.36	1523.96
	营业利润(万元)	33975.47	72481.99	-2114.03	1608.01
	利润总额(万元)	43210.43	90541.12	-2029.03	1822.08

锐奇控股股份有限公司

公司概况					
公司名称	锐奇控股股份有限公司			证券简称	锐奇股份
法人代表	吴明厅	董秘	陈海燕	证券代码	300126
公司网址	www.ken-tools.com		电子信箱	300126@china-ken.com	
电　话	021-57825832		传　真	021-37008859	
办公地址	上海市松江区新桥镇新茸路 5 号				
经营范围	高等级专业电动工具的研发、生产和销售等				

主要财务指标	指标\报告期	2016.06.30	2015.12.31	2015.06.30	2014.12.31
	基本每股收益(元)	0.0280	0.0250	0.0620	0.2050
	基本每股收益(扣除后)(元)	0.0270	0.0170	0.0567	0.1737
	稀释每股收益(元)	0.0280	0.0250	0.0620	0.2050
	每股净资产(元)	3.4083	3.4139	3.3690	3.3811
	每股经营现金净流量(元)	-0.0885	-0.0973	-0.3499	0.1062
	每股现金流量(元)	-0.1189	-1.2022	-1.2727	0.7491
	每股资本公积金(元)	1.5591	1.5562	1.5555	1.6042
	每股盈余公积金(元)	0.1307	0.1303	0.1254	0.1254
	每股未分配利润(元)	0.6815	0.6715	0.7129	0.6764
	净资产收益率(%)	0.8215	0.7323	1.8259	5.9751
	加权净资产收益率(%)	0.8200	0.7400	1.8000	6.1600
	净资产收益率(扣除)(%)	0.7878	0.5075	1.6818	5.0843
	总资产(万元)	130941.00	126610.76	124424.99	123819.86
	归属母公司股东权益(万元)	104409.51	104853.32	103531.03	103904.76
	营业收入(万元)	29756.36	55715.37	35320.05	67387.36
	营业支出(万元)	22798.06	45704.63	28415.03	53327.38
	投资收益(万元)	177.14	239.55	-	-
	净利润(万元)	857.83	362.87	1498.66	6220.18
	营业利润(万元)	1077.41	512.69	2047.36	6096.54
	利润总额(万元)	1119.19	812.64	2240.38	7118.14

成都银河磁体股份有限公司

公司概况					
公司名称	成都银河磁体股份有限公司			证券简称	银河磁体
法人代表	戴炎	董秘	朱魁文	证券代码	300127
公司网址	www.galaxymagnets.com		电子信箱	huangyinghyhy@126.com	
电　话	028-87823555 890 892		传　真	028-87824018	
办公地址	四川省成都市高新区西区百草路 6 号 608				
经营范围	制造、销售永磁合金元件及光机电高新技术服务等				

主要财务指标	指标\报告期	2016.06.30	2015.12.31	2015.06.30	2014.12.31
	基本每股收益(元)	0.1600	0.2900	0.1100	0.2200
	基本每股收益(扣除后)(元)	0.1600	0.2800	0.1100	0.2100
	稀释每股收益(元)	0.1600	0.2900	0.1100	0.2200
	每股净资产(元)	3.2052	3.2425	3.0689	3.1000
	每股经营现金净流量(元)	0.1138	0.2361	0.0986	0.3202
	每股现金流量(元)	0.1852	-1.3576	-1.2178	0.0995
	每股资本公积金(元)	1.5355	1.5355	1.5355	1.5355
	每股盈余公积金(元)	0.2864	0.2864	0.2594	0.2594
	每股未分配利润(元)	0.3832	0.4206	0.2739	0.3100
	净资产收益率(%)	5.0739	8.8684	3.7117	7.1849
	加权净资产收益率(%)	4.9900	9.1300	3.6000	7.3300
	净资产收益率(扣除)(%)	5.0195	8.7386	3.6565	6.7037
	总资产(万元)	112340.13	113224.58	107586.24	110309.70
	归属母公司股东权益(万元)	103573.61	104781.28	99169.75	100336.08
	营业收入(万元)	19282.75	38203.79	17834.46	37903.82
	营业支出(万元)	11953.29	25853.41	12389.81	27142.42
	投资收益(万元)	1023.58	1405.44	330.40	-
	净利润(万元)	5290.75	9365.31	3716.15	7271.93
	营业利润(万元)	6190.34	10767.06	4306.16	7870.17
	利润总额(万元)	6256.62	10927.55	4370.65	8441.31

苏州锦富技术股份有限公司

公司概况					
公司名称	苏州锦富技术股份有限公司			证券简称	锦富技术
法人代表	富国平	董秘	王文德	证券代码	300128
公司网址	www.jin-fu.cn		电子信箱	jinfu@jin-fu.cn	
电　话	0512-62820000		传　真	0512-62820200	
办公地址	江苏省苏州市工业园区华池街时代广场 24 幢苏州国际金融中心 11 楼				
经营范围	生产、加工各种高性能复合材料、高分子材料、销售本公司所生产的产品等				

主要财务指标	指标\报告期	2016.06.30	2015.12.31	2015.06.30	2014.12.31
	基本每股收益(元)	-0.0748	0.0400	-0.0127	0.1800
	基本每股收益(扣除后)(元)	-0.0800	0.0200	-0.0174	0.1700
	稀释每股收益(元)	-0.0748	0.0400	-0.0127	0.1800
	每股净资产(元)	4.5520	4.4520	4.9787	4.9551
	每股经营现金净流量(元)	-0.2196	0.6696	0.0425	0.6369
	每股现金流量(元)	-0.1537	-0.3128	-0.1288	0.1106
	每股资本公积金(元)	2.7221	3.1138	3.1190	3.0686
	每股盈余公积金(元)	0.0798	0.0765	0.0777	0.0800
	每股未分配利润(元)	0.7692	0.8190	0.7840	0.8367
	净资产收益率(%)	-1.6426	0.9693	-0.2509	2.9485
	加权净资产收益率(%)	-1.6200	0.8600	-0.2500	5.2000
	净资产收益率(扣除)(%)	-1.8509	0.4839	-0.3471	2.7943
	总资产(万元)	320524.18	331460.20	384620.80	390164.06
	归属母公司股东权益(万元)	218239.81	222657.87	249002.12	240760.33
	营业收入(万元)	106841.87	315419.14	146938.42	265301.21
	营业支出(万元)	97927.72	283959.31	134299.90	234972.29
	投资收益(万元)	-35.11	1.78	-85.32	91.54
	净利润(万元)	-3675.10	3432.11	-44.59	8098.29
	营业利润(万元)	-6120.81	-24395.94	-829.41	9306.03
	利润总额(万元)	-5533.06	4298.27	-403.44	10218.52

上海泰胜风能装备股份有限公司

公司概况	公司名称	上海泰胜风能装备股份有限公司			证券简称	泰胜风能
	法人代表	柳志成	董秘	邹涛	证券代码	300129
	公司网址	www.shtsp.com		电子信箱	tspzhqb@263.net	
	电　话	021-57243692		传　真	021-57243692	
	办公地址	上海市金山区卫清东路 1988 号				
	经营范围	风力发电机组配套塔架的制造和销售				

	指标\报告期	2016.06.30	2015.12.31	2015.06.30	2014.12.31
主要财务指标	基本每股收益(元)	0.1500	0.2600	0.1200	0.1500
	基本每股收益(扣除后)(元)	0.1400	0.2600	0.1200	0.2900
	稀释每股收益(元)	0.1500	0.2600	0.1200	0.1500
	每股净资产(元)	2.7881	2.3901	2.3901	4.6748
	每股经营现金净流量(元)	-0.0575	0.0890	0.1150	0.2243
	每股现金流量(元)	-0.0933	-0.1579	-0.0965	0.3094
	每股资本公积金(元)	0.9582	1.0007	0.7097	2.4355
	每股盈余公积金(元)	0.0436	0.0456	0.0485	0.0969
	每股未分配利润(元)	0.8043	0.7421	0.6560	1.1774
	净资产收益率(%)	5.2406	8.6311	4.9071	6.4085
	加权净资产收益率(%)	5.3000	10.7200	4.9100	6.5400
	净资产收益率(扣除)(%)	4.9118	8.1690	4.8194	6.2430
	总资产(万元)	296108.73	311009.10	284739.93	277105.66
	归属母公司股东权益(万元)	203953.22	196272.87	154877.54	151464.81
	营业收入(万元)	53784.19	159697.66	69209.79	143818.64
	营业支出(万元)	33599.00	107772.34	49842.48	111785.02
	投资收益(万元)	375.00	926.21	553.47	98.70
	净利润(万元)	10686.45	16926.47	7863.55	9652.22
	营业利润(万元)	12349.44	19508.03	9350.00	12873.09
	利润总额(万元)	12563.23	19874.84	9529.83	13201.32

深圳市新国都技术股份有限公司

公司概况	公司名称	深圳市新国都技术股份有限公司			证券简称	新国都
	法人代表	刘祥	董秘	李艳芳	证券代码	300130
	公司网址	www.xinguodu.com		电子信箱	xgd-zqb@xinguodu.com	
	电　话	0755-83899462 83481391		传　真	0755-83890344	
	办公地址	广东省深圳市福田区深南路车公庙工业区泰然劲松大厦 17A				
	经营范围	银行卡电子支付终端产品(POS 机)、电子技术密码系统产品、计算机产品等				

	指标\报告期	2016.06.30	2015.12.31	2015.06.30	2014.12.31
主要财务指标	基本每股收益(元)	0.1500	0.3700	0.1600	0.3500
	基本每股收益(扣除后)(元)	0.1310	0.3300	0.1400	0.6000
	稀释每股收益(元)	0.1500	0.3700	0.1600	0.3500
	每股净资产(元)	5.6610	5.1490	5.1490	4.9448
	每股经营现金净流量(元)	0.0330	1.1445	-0.0116	-0.0338
	每股现金流量(元)	-0.5386	-0.4671	-1.0202	-1.5224
	每股资本公积金(元)	2.6755	2.6262	2.5112	5.8718
	每股盈余公积金(元)	0.1049	0.1069	0.0763	0.1526
	每股未分配利润(元)	1.7973	1.7316	1.5616	2.8652
	净资产收益率(%)	2.6268	6.7727	2.9904	7.0402
	加权净资产收益率(%)	2.6800	7.1500	3.0700	7.4600
	净资产收益率(扣除)(%)	2.3216	6.0217	2.7058	6.0783
	总资产(万元)	251307.69	182247.85	156033.32	138126.00
	归属母公司股东权益(万元)	130782.31	126235.44	117707.12	113037.85
	营业收入(万元)	53608.57	97756.64	34331.74	67820.03
	营业支出(万元)	32487.80	60866.45	21233.57	38895.77
	投资收益(万元)	-137.42	409.89	64.21	263.24
	净利润(万元)	3480.80	8640.73	3598.43	7957.20
	营业利润(万元)	1441.98	2965.88	1628.09	3583.20
	利润总额(万元)	3569.79	8727.55	3702.02	7733.29

深圳市英唐智能控制股份有限公司

公司概况	公司名称	深圳市英唐智能控制股份有限公司			证券简称	英唐智控
	法人代表	胡庆周	董秘	刘林	证券代码	300131
	公司网址	www.yitoa.com		电子信箱	Yitoa_stock@yitoa.com	
	电　话	0755-86140392		传　真	0755-26613854	
	办公地址	广东省深圳市南山区高新技术产业园高新南五道英唐大厦五楼				
	经营范围	家电智能控制器的软件、硬件的开发与销售、电力智能控制器及设备软件等				

	指标\报告期	2016.06.30	2015.12.31	2015.06.30	2014.12.31
主要财务指标	基本每股收益(元)	0.0941	0.0800	0.0040	0.0500
	基本每股收益(扣除后)(元)	0.0383	0.0700	-0.0159	-0.3800
	稀释每股收益(元)	0.0941	0.0800	0.0040	0.0500
	每股净资产(元)	1.6561	3.1739	1.2597	2.6641
	每股经营现金净流量(元)	-0.0238	-0.2986	-0.0064	-0.4500
	每股现金流量(元)	-0.0414	-0.0958	-0.2688	0.1043
	每股资本公积金(元)	0.4871	1.9741	0.0795	1.1792
	每股盈余公积金(元)	0.0131	0.0262	0.0346	0.0688
	每股未分配利润(元)	0.1389	0.1394	0.1008	0.3302
	净资产收益率(%)	5.6846	2.2162	0.7377	3.9659
	加权净资产收益率(%)	5.8100	4.3100	0.7200	4.0700
	净资产收益率(扣除)(%)	2.3127	1.7591	-1.2609	-14.2966
	总资产(万元)	292027.38	251352.82	75411.49	96955.72
	归属母公司股东权益(万元)	177120.02	169729.00	50943.08	54274.76
	营业收入(万元)	144215.99	177139.49	11124.93	49078.92
	营业支出(万元)	129851.17	158980.58	8580.60	42270.49
	投资收益(万元)	6000.06	27.75	20.13	10279.03
	净利润(万元)	10094.23	3735.94	406.98	2423.90
	营业利润(万元)	11008.63	4782.78	106.21	2730.18
	利润总额(万元)	11084.08	5292.33	508.19	2969.45

福建青松股份有限公司

公司概况	公司名称	福建青松股份有限公司			证券简称	青松股份
	法人代表	柯维龙	董秘	吴德斌	证券代码	300132
	公司网址	www.greenpine.cc		电子信箱	office@greenpine.cc	
	电　话	0599-5820498 5820121		传　真	0599-5820900	
	办公地址	福建省建阳市回瑶工业园区				
	经营范围	松节油深加工产品的研发、生产和销售等				

	指标\报告期	2016.06.30	2015.12.31	2015.06.30	2014.12.31
主要财务指标	基本每股收益(元)	0.0348	0.0282	0.0185	0.1353
	基本每股收益(扣除后)(元)	0.0327	0.0069	0.0155	0.1233
	稀释每股收益(元)	0.0348	0.0282	0.0185	0.1353
	每股净资产(元)	1.5918	1.5556	1.5453	1.5563
	每股经营现金净流量(元)	0.8145	0.2581	0.1451	0.1826
	每股现金流量(元)	0.1474	-0.0099	0.0219	-0.0812
	每股资本公积金(元)	0.2136	0.2136	0.2136	0.2136
	每股盈余公积金(元)	0.0510	0.0510	0.0490	0.0490
	每股未分配利润(元)	0.3237	0.2889	0.2811	0.2927
	净资产收益率(%)	2.1865	1.8158	1.1941	8.6932
	加权净资产收益率(%)	2.2100	1.8100	1.1800	9.0000
	净资产收益率(扣除)(%)	2.0541	0.4419	1.0017	7.9229
	总资产(万元)	68714.48	90239.03	103663.07	105464.94
	归属母公司股东权益(万元)	61432.27	60032.39	59637.12	60059.23
	营业收入(万元)	26732.34	58896.03	28264.82	76321.60
	营业支出(万元)	21482.20	49172.25	23705.03	60522.15
	投资收益(万元)	-	134.45	-	-
	净利润(万元)	1343.21	1090.04	712.15	5221.04
	营业利润(万元)	1463.39	-304.76	600.96	5711.19
	利润总额(万元)	1550.56	266.79	727.87	6238.14

浙江华策影视股份有限公司

公司概况	公司名称	浙江华策影视股份有限公司		证券简称	华策影视
	法人代表	傅梅城	董秘 王丛	证券代码	300133
	公司网址	www.huacemedia.com		电子信箱	zqsw@huacemedia.com
	电　话	0571-87553075		传　真	0571-81061286
	办公地址	浙江省杭州市文二西路683号西溪创意产业园C-C座			
	经营范围	影视剧的制作、发行及衍生业务等			

指标\报告期	2016.06.30	2015.12.31	2015.06.30	2014.12.31
基本每股收益(元)	0.1600	0.4800	0.1300	0.4100
基本每股收益(扣除后)(元)	0.1400	0.3700	0.2100	0.4800
稀释每股收益(元)	0.1600	0.4700	0.1300	0.4100
每股净资产(元)	3.5238	3.3853	3.7660	5.1841
每股经营现金净流量(元)	-0.3511	-0.5673	-0.4155	0.3160
每股现金流量(元)	-0.4259	1.4890	-0.3194	0.2822
每股资本公积金(元)	1.6268	3.1972	1.5906	2.8417
每股盈余公积金(元)	0.0267	0.0427	0.0468	0.0708
每股未分配利润(元)	0.9231	1.2722	1.1565	1.4738
净资产收益率(%)	4.4107	8.0480	5.9215	11.6321
加权净资产收益率(%)	4.4800	11.9200	6.1700	12.6500
净资产收益率(扣除)(%)	3.9879	6.2458	5.4647	9.0893
总资产(万元)	949629.47	815250.43	537622.57	502354.97
归属母公司股东权益(万元)	615473.33	590807.23	368806.90	335329.70
营业收入(万元)	154824.74	265730.33	92617.21	191607.32
营业支出(万元)	102932.33	166873.81	55500.26	114149.89
投资收益(万元)	938.82	1984.22	1509.20	653.56
净利润(万元)	28438.26	49971.69	22556.93	40657.32
营业利润(万元)	33226.88	47614.26	24449.30	42268.27
利润总额(万元)	36747.67	62255.07	26819.72	52213.81

深圳市大富科技股份有限公司

公司概况	公司名称	深圳市大富科技股份有限公司		证券简称	大富科技
	法人代表	孙尚传	董秘 林晓媚	证券代码	300134
	公司网址	www.tatfook.com		电子信箱	ir@tatfook.com
	电　话	0755-29816308		传　真	0755-27356851
	办公地址	广东省深圳市宝安区沙井街道蚝乡路沙井工业公司第三工业区A2			
	经营范围	滤波器、合路器、分路器、隔离器、耦合器、微波元器件、电子专用设备等			

指标\报告期	2016.06.30	2015.12.31	2015.06.30	2014.12.31
基本每股收益(元)	0.0700	0.1500	0.0800	0.8200
基本每股收益(扣除后)(元)	0.0600	0.0400	0.0600	0.7000
稀释每股收益(元)	0.0700	0.1500	0.0800	0.8200
每股净资产(元)	3.7314	3.8593	3.7889	6.6949
每股经营现金净流量(元)	0.2125	0.2160	0.2244	1.2388
每股现金流量(元)	0.1139	-0.4527	-0.0589	0.5254
每股资本公积金(元)	2.3097	2.3121	2.3121	4.6187
每股盈余公积金(元)	0.1329	0.1329	0.1070	0.1819
每股未分配利润(元)	0.2870	0.4132	0.3710	0.8964
净资产收益率(%)	1.9779	3.8119	2.0868	20.8297
加权净资产收益率(%)	1.9300	3.8100	2.0300	22.2300
净资产收益率(扣除)(%)	1.6679	1.0941	1.5490	10.5097
总资产(万元)	454471.81	434926.84	393292.35	346194.16
归属母公司股东权益(万元)	243585.93	251935.57	247341.01	257085.68
营业收入(万元)	117823.82	206076.04	98135.16	245086.40
营业支出(万元)	91631.17	161944.95	75523.66	173886.52
投资收益(万元)	-431.76	5500.86	-488.86	23924.03
净利润(万元)	4892.92	9783.39	5072.66	53538.11
营业利润(万元)	4297.45	8642.19	3848.10	56313.11
利润总额(万元)	5219.80	10362.42	5506.68	63887.40

江苏宝利国际投资股份有限公司

公司概况	公司名称	江苏宝利国际投资股份有限公司		证券简称	宝利国际
	法人代表	周德洪	董秘 王学良	证券代码	300135
	公司网址	www.baolijt.cn		电子信箱	jsbaoli2008@126.com
	电　话	0510-86017020		传　真	0510-86158880
	办公地址	江苏省江阴市云亭镇工业园区澄杨路502号			
	经营范围	高等级公路新材料的研发、生产和销售等			

指标\报告期	2016.06.30	2015.12.31	2015.06.30	2014.12.31
基本每股收益(元)	0.0210	0.0260	0.0340	0.0690
基本每股收益(扣除后)(元)	0.0210	-0.0070	0.0130	0.0750
稀释每股收益(元)	0.0210	0.0260	0.0340	0.0690
每股净资产(元)	1.2742	1.2524	1.2576	2.2621
每股经营现金净流量(元)	0.0659	-0.0031	-0.4477	0.6075
每股现金流量(元)	-0.1192	-0.0989	-0.0608	0.2712
每股资本公积金(元)	0.0383	0.0383	0.0383	0.5689
每股盈余公积金(元)	0.0434	0.0434	0.0418	0.0752
每股未分配利润(元)	0.1919	0.1710	0.1777	0.6183
净资产收益率(%)	1.6404	2.3246	2.7172	5.4770
加权净资产收益率(%)	1.6600	2.0400	2.6900	5.5800
净资产收益率(扣除)(%)	1.7174	-0.3031	1.0183	3.2951
总资产(万元)	251284.53	279373.82	344503.24	236567.94
归属母公司股东权益(万元)	117432.35	115422.59	115896.68	115820.67
营业收入(万元)	52166.77	175239.67	62207.25	176956.41
营业支出(万元)	43503.33	155551.59	52621.59	153035.12
投资收益(万元)	3218.46	8292.95	3731.20	6395.97
净利润(万元)	1935.56	2350.05	2960.39	6310.02
营业利润(万元)	2647.49	4186.86	3661.68	7627.99
利润总额(万元)	2569.68	4171.66	3805.47	7866.16

深圳市信维通信股份有限公司

公司概况	公司名称	深圳市信维通信股份有限公司		证券简称	信维通信
	法人代表	彭浩	董秘 杜敏	证券代码	300136
	公司网址	www.sz-sunway.com.cn		电子信箱	ir@sz-sunway.com
	电　话	0755-36615880*8811		传　真	0755-86561715
	办公地址	广东省深圳市宝安区沙井街道西环路1013号A.B栋			
	经营范围	移动终端天线的设计、技术开发、生产和销售并提供相关技术服务等			

指标\报告期	2016.06.30	2015.12.31	2015.06.30	2014.12.31
基本每股收益(元)	0.1715	0.3912	0.0786	0.1157
基本每股收益(扣除后)(元)	0.1707	0.3850	0.1267	0.2112
稀释每股收益(元)	0.1715	0.3912	0.0786	0.1157
每股净资产(元)	1.5928	2.3237	1.3420	2.4716
每股经营现金净流量(元)	0.1084	0.3547	0.1080	0.0440
每股现金流量(元)	0.1238	0.1246	0.0403	-0.0941
每股资本公积金(元)	0.1376	0.8127	0.0556	1.1112
每股盈余公积金(元)	0.0361	0.0578	0.0415	0.0830
每股未分配利润(元)	0.4264	0.4581	0.2491	0.2874
净资产收益率(%)	10.7642	15.9277	9.7185	9.3751
加权净资产收益率(%)	11.1800	22.6500	10.0300	9.6100
净资产收益率(扣除)(%)	10.7159	15.6759	9.4380	8.5605
总资产(万元)	221686.80	194703.84	121495.16	104644.74
归属母公司股东权益(万元)	152496.62	138983.89	73076.92	67290.52
营业收入(万元)	77178.94	129997.07	51197.69	80771.81
营业支出(万元)	50761.26	91000.51	36547.73	60426.27
投资收益(万元)	-157.32	2859.53	392.42	631.90
净利润(万元)	16080.18	22136.88	7101.99	6308.57
营业利润(万元)	18156.70	24883.57	7740.16	6284.95
利润总额(万元)	18243.41	25295.29	7981.31	6929.78

河北先河环保科技股份有限公司

公司概况						
	公司名称	河北先河环保科技股份有限公司			证券简称	先河环保
	法人代表	李玉国	董秘	王少军	证券代码	300137
	公司网址	www.sailhero.com.cn		电子信箱	xhhbzq@sailhero.com.cn	
	电　　话	0311-85323900		传　　真	0311-85329383	
	办公地址	河北省石家庄市裕华区湘江道 251 号				
	经营范围	计量仪器、环保设备的研制开发、化工产品等				

主要财务指标	指标\报告期	2016.06.30	2015.12.31	2015.06.30	2014.12.31
	基本每股收益(元)	0.1260	0.2500	0.1000	0.2200
	基本每股收益(扣除后)(元)	0.1100	0.2300	0.0800	0.1800
	稀释每股收益(元)	0.1260	0.2500	0.1000	0.2200
	每股净资产(元)	4.0510	3.8522	3.8522	2.9782
	每股经营现金净流量(元)	−0.2780	0.0882	−0.3103	0.0035
	每股现金流量(元)	−0.4851	0.0162	−0.4401	−0.2222
	每股资本公积金(元)	1.9680	1.9680	1.9680	1.3314
	每股盈余公积金(元)	0.1133	0.1031	0.0904	0.0900
	每股未分配利润(元)	0.9665	0.9010	0.7961	0.7403
	净资产收益率(%)	3.1029	6.3365	2.7060	6.9900
	加权净资产收益率(%)	3.0500	6.6200	2.7000	7.1500
	净资产收益率(扣除)(%)	2.8111	5.6650	2.0875	5.5926
	总资产(万元)	167185.31	162891.44	160982.96	119529.40
	归属母公司股东权益(万元)	139513.01	136875.47	132667.65	102566.76
	营业收入(万元)	36256.29	62814.12	27099.60	44061.57
	营业支出(万元)	19711.84	31848.86	15060.35	22733.75
	投资收益(万元)	–	–	–	–
	净利润(万元)	5050.06	9181.76	3890.89	7183.37
	营业利润(万元)	5224.31	9711.41	3805.36	5811.99
	利润总额(万元)	5776.16	11283.74	4804.95	8282.20

晨光生物科技集团股份有限公司

公司概况						
	公司名称	晨光生物科技集团股份有限公司			证券简称	晨光生物
	法人代表	卢庆国	董秘	周静	证券代码	300138
	公司网址	www.cn-cg.com		电子信箱	sesu@hdchenguang.com	
	电　　话	0310-8859023		传　　真	0310-8851655	
	办公地址	河北省邯郸市曲周县城晨光路 1 号				
	经营范围	辣椒红、红米红、甜菜红、姜黄色素、红曲米(粉)、调味油等				

主要财务指标	指标\报告期	2016.06.30	2015.12.31	2015.06.30	2014.12.31
	基本每股收益(元)	0.1961	0.3835	0.1567	0.1246
	基本每股收益(扣除后)(元)	0.1860	0.2774	0.1574	0.0376
	稀释每股收益(元)	0.1961	0.3835	0.1567	0.1246
	每股净资产(元)	5.6394	6.5400	5.8114	5.6089
	每股经营现金净流量(元)	1.0412	−0.2986	0.2890	1.5200
	每股现金流量(元)	−0.1597	0.5622	−0.4519	0.2866
	每股资本公积金(元)	3.5016	4.3503	3.5390	3.5434
	每股盈余公积金(元)	0.1248	0.1510	0.1487	0.1487
	每股未分配利润(元)	1.0985	1.1439	1.2563	1.0445
	净资产收益率(%)	3.4522	4.8614	3.9025	2.2221
	加权净资产收益率(%)	3.5300	6.6200	3.9700	2.2400
	净资产收益率(扣除)(%)	3.2748	3.5169	2.6907	0.6704
	总资产(万元)	192845.27	199126.98	139966.22	150821.24
	归属母公司股东权益(万元)	147814.32	141650.32	104355.45	100720.40
	营业收入(万元)	104588.00	126762.92	67750.91	120717.97
	营业支出(万元)	91093.48	109677.27	58796.45	107023.17
	投资收益(万元)	89.66	–	–	–
	净利润(万元)	5765.39	6836.66	4053.84	2067.24
	营业利润(万元)	6186.32	5748.11	3385.78	1171.54
	利润总额(万元)	6493.63	7924.06	4849.06	2917.74

北京晓程科技股份有限公司

公司概况						
	公司名称	北京福星晓程电子科技股份有限公司			证券简称	晓程科技
	法人代表	程毅	董秘	王含静	证券代码	300139
	公司网址	www.xiaocheng.com		电子信箱	tzz@xiaocheng.com	
	电　　话	010-68459012-8072		传　　真	010-68466652	
	办公地址	北京市海淀区西三环北路 87 号国际财经中心 D 座 503				
	经营范围	承接网络系统集成、自营和代理各类商品及技术的进出口业务等				

主要财务指标	指标\报告期	2016.06.30	2015.12.31	2015.06.30	2014.12.31
	基本每股收益(元)	0.0300	0.1300	0.1400	0.2200
	基本每股收益(扣除后)(元)	0.0300	0.1400	0.1400	0.5400
	稀释每股收益(元)	0.0300	0.1300	0.1400	0.2200
	每股净资产(元)	4.6816	4.6278	4.5252	11.1015
	每股经营现金净流量(元)	−0.0901	0.0437	−0.0058	−0.2308
	每股现金流量(元)	−0.1560	−0.2833	−0.1673	−1.1319
	每股资本公积金(元)	2.1184	2.1184	2.1184	6.7959
	每股盈余公积金(元)	0.2570	0.2570	0.2445	0.6113
	每股未分配利润(元)	1.3043	1.2906	1.3137	3.0386
	净资产收益率(%)	0.5694	2.7583	3.0556	4.9060
	加权净资产收益率(%)	0.5700	2.8200	3.0700	4.9900
	净资产收益率(扣除)(%)	0.5554	2.9429	3.1121	4.8906
	总资产(万元)	140759.34	143435.37	139655.53	134001.38
	归属母公司股东权益(万元)	128276.25	126802.51	123991.12	121672.37
	营业收入(万元)	9438.28	22408.62	12166.99	25430.58
	营业支出(万元)	6811.50	11492.54	5315.32	13334.58
	投资收益(万元)	17.85	45.54	–	–
	净利润(万元)	27.36	3834.54	4434.90	6481.59
	营业利润(万元)	680.67	3709.18	4768.18	6980.39
	利润总额(万元)	748.08	3580.56	4781.01	7009.55

中节能环保装备股份有限公司

公司概况						
	公司名称	中节能环保装备股份有限公司			证券简称	中环装备
	法人代表	余红辉	董秘	齐岳	证券代码	300140
	公司网址	www.sdricom.com		电子信箱	zhaolijun@sdricom.com	
	电　　话	029-86531385　86531386		传　　真	029-86531333	
	办公地址	陕西省西安市经济技术开发区凤城十二路 98 号				
	经营范围	从事变压器专用设备及组件的设计、开发、制造、销售、服务等				

主要财务指标	指标\报告期	2016.06.30	2015.12.31	2015.06.30	2014.12.31
	基本每股收益(元)	−0.0059	0.0274	0.0014	0.0348
	基本每股收益(扣除后)(元)	−0.0144	0.0180	−0.0069	0.0456
	稀释每股收益(元)	−0.0059	0.0274	0.0014	0.0348
	每股净资产(元)	3.1548	3.2127	3.1863	6.4706
	每股经营现金净流量(元)	0.0983	−0.0039	−0.0327	−0.0631
	每股现金流量(元)	0.0202	−0.5657	−0.5535	−1.0471
	每股资本公积金(元)	1.5395	1.5395	1.5395	4.0790
	每股盈余公积金(元)	0.1380	0.1380	0.1376	0.2753
	每股未分配利润(元)	0.4723	0.5283	0.5026	1.1024
	净资产收益率(%)	−0.1879	0.8532	0.0426	1.0767
	加权净资产收益率(%)	−0.1900	0.8500	0.0400	1.0800
	净资产收益率(扣除)(%)	−0.4565	0.5609	−0.2156	0.7043
	总资产(万元)	115794.80	115807.61	110931.96	109916.64
	归属母公司股东权益(万元)	76976.37	78389.21	77745.95	78941.28
	营业收入(万元)	12236.34	28977.58	11148.78	26747.41
	营业支出(万元)	8164.07	19341.12	7773.99	18555.90
	投资收益(万元)	−44.28	−107.07	−71.93	−129.97
	净利润(万元)	161.76	1370.07	134.94	1457.85
	营业利润(万元)	45.92	1208.94	−190.94	1394.66
	利润总额(万元)	323.52	1505.45	173.97	1714.99

苏州工业园区和顺电气股份有限公司

公司概况

公司名称	苏州工业园区和顺电气股份有限公司			证券简称	和顺电气
法人代表	姚建华	董秘	褚晟	证券代码	300141
公司网址	www.cnheshun.com		电子信箱	cnheshun@hotmail.com	
电话	0512-62862607		传真	0512-62862608	
办公地址	江苏省苏州市工业园区和顺路8号				
经营范围	高低压电器及成套设备、电工器材、电力滤波装置、无功补偿装置等				

主要财务指标

指标\报告期	2016.06.30	2015.12.31	2015.06.30	2014.12.31
基本每股收益(元)	0.0100	0.1400	0.1000	0.3100
基本每股收益(扣除后)(元)	0.0100	0.1000	0.0900	0.2800
稀释每股收益(元)	0.0100	0.1400	0.1000	0.3100
每股净资产(元)	4.1195	4.1191	4.1191	4.1200
每股经营现金净流量(元)	-0.2319	-0.1713	-0.3086	0.0812
每股现金流量(元)	-0.3731	0.0143	-0.0740	-0.3288
每股资本公积金(元)	1.8134	1.8134	1.8209	1.8187
每股盈余公积金(元)	0.1634	0.1634	0.1502	0.1502
每股未分配利润(元)	1.1427	1.1702	1.1481	1.1483
净资产收益率(%)	0.3196	3.2637	2.4265	7.5586
加权净资产收益率(%)	0.3500	3.2900	2.4300	7.8700
净资产收益率(扣除)(%)	0.3227	2.3094	2.1017	6.8107
总资产(万元)	91275.40	86207.44	78106.95	81894.99
归属母公司股东权益(万元)	68781.68	69240.94	68774.78	68734.41
营业收入(万元)	12534.95	30138.64	14650.04	32497.20
营业支出(万元)	8335.15	22873.35	10919.35	22983.84
投资收益(万元)	-11.97	256.30	-	-
净利润(万元)	242.17	2262.68	1673.02	5195.76
营业利润(万元)	495.36	2434.26	1967.02	5847.66
利润总额(万元)	496.13	2730.99	2043.87	6311.23

云南沃森生物技术股份有限公司

公司概况

公司名称	云南沃森生物技术股份有限公司			证券简称	沃森生物
法人代表	李云春	董秘	徐可仁	证券代码	300142
公司网址	www.walvax.com		电子信箱	ir@walvax.com.cn	
电话	0871-8312779		传真	0871-8312779	
办公地址	昆明市高新区科园路99号鼎易天城9栋A座19楼				
经营范围	人用疫苗产品研发、生产、销售				

主要财务指标

指标\报告期	2016.06.30	2015.12.31	2015.06.30	2014.12.31
基本每股收益(元)	-0.1200	-0.6000	-0.0500	0.1000
基本每股收益(扣除后)(元)	-0.1200	-0.2900	-0.1700	-1.9000
稀释每股收益(元)	-0.1200	-0.6000	-0.0500	0.1000
每股净资产(元)	1.5353	1.6272	5.9691	6.1601
每股经营现金净流量(元)	-0.1222	-0.0494	-0.1542	-0.2818
每股现金流量(元)	0.4430	0.2909	-0.2898	-2.7596
每股资本公积金(元)	0.7276	0.7042	3.5467	8.1385
每股盈余公积金(元)	0.0263	0.0263	0.0788	0.1577
每股未分配利润(元)	-0.2186	-0.1033	1.3436	3.0240
净资产收益率(%)	-7.5108	-36.8072	-2.4029	4.9750
加权净资产收益率(%)	-7.3500	-33.6200	-2.3600	5.1100
净资产收益率(扣除)(%)	-7.7301	-18.0964	-2.8994	-15.3864
总资产(万元)	686322.88	625784.06	631487.57	596771.62
归属母公司股东权益(万元)	215559.09	228459.55	279352.73	288290.58
营业收入(万元)	29299.33	100602.70	41374.73	71902.13
营业支出(万元)	17666.68	57490.37	22861.00	40695.63
投资收益(万元)	819.57	772.98	-436.79	56021.34
净利润(万元)	-18958.55	-92465.28	-8658.55	9670.51
营业利润(万元)	-20002.22	-89816.46	-8486.99	12816.14
利润总额(万元)	-19288.17	-88468.04	-8208.13	13795.73

广东星河生物科技股份有限公司

公司概况

公司名称	广东星河生物科技股份有限公司			证券简称	星河生物
法人代表	叶运寿	董秘	邵亚宁	证券代码	300143
公司网址	www.starway.com.cn		电子信箱	starway@starway.com.cn	
电话	0769-87935678		传真	0769-87920269	
办公地址	广东省东莞市塘厦镇蛟坪大道83号				
经营范围	种植、加工、销售食用菌等农副产品、食(药)用菌和其他有益微生物育种等				

主要财务指标

指标\报告期	2016.06.30	2015.12.31	2015.06.30	2014.12.31
基本每股收益(元)	0.0591	0.0700	0.0408	-1.9900
基本每股收益(扣除后)(元)	0.0477	-0.0400	-0.0500	-2.0100
稀释每股收益(元)	0.0591	0.0700	0.0408	-1.9900
每股净资产(元)	6.2237	6.1640	2.1197	2.0789
每股经营现金净流量(元)	-0.0697	0.3553	0.0722	0.1442
每股现金流量(元)	-0.2626	0.3221	-0.3165	0.1842
每股资本公积金(元)	6.6111	10.4926	3.4474	3.4474
每股盈余公积金(元)	0.0416	0.0660	0.0660	0.0660
每股未分配利润(元)	-1.4296	-2.3627	-2.3936	-2.4345
净资产收益率(%)	0.9498	0.7335	1.9268	-95.7082
加权净资产收益率(%)	0.9500	3.3900	1.9500	-64.7300
净资产收益率(扣除)(%)	0.7668	-0.4451	-2.4871	-96.6541
总资产(万元)	181602.87	184885.92	73168.88	80399.88
归属母公司股东权益(万元)	145597.42	144200.33	31244.59	30642.56
营业收入(万元)	17329.03	28013.72	12441.35	30784.25
营业支出(万元)	10738.43	19274.15	9276.92	26395.74
投资收益(万元)	60.00	79.45	-	-
净利润(万元)	925.04	1514.28	650.81	-29933.51
营业利润(万元)	1033.21	-481.05	-943.19	-30262.16
利润总额(万元)	1332.71	1514.28	650.81	-29933.51

宋城演艺发展股份有限公司

公司概况

公司名称	宋城演艺发展股份有限公司			证券简称	宋城演艺
法人代表	张娴	董秘	董昕	证券代码	300144
公司网址	www.chinascgf.com		电子信箱	zqb@chinascyy.com	
电话	0571-87091255		传真	0571-87091233	
办公地址	浙江省杭州市西湖区之江路148号				
经营范围	实业投资、旅游服务、旅游电子商务、文化传播、餐饮、停车服务、工艺品及书画展览、销售等				

主要财务指标

指标\报告期	2016.06.30	2015.12.31	2015.06.30	2014.12.31
基本每股收益(元)	0.2975	0.4500	0.2062	0.2700
基本每股收益(扣除后)(元)	0.2939	0.4500	0.4700	0.6200
稀释每股收益(元)	0.2975	0.4500	0.2062	0.2700
每股净资产(元)	4.0847	3.8567	6.5240	6.1469
每股经营现金净流量(元)	0.3947	0.6301	0.7069	0.9466
每股现金流量(元)	-0.2473	0.3182	0.1782	0.2068
每股资本公积金(元)	1.7045	1.7041	3.1352	3.1341
每股盈余公积金(元)	0.1108	0.1108	0.2232	0.2231
每股未分配利润(元)	1.2773	1.0498	2.1656	1.8189
净资产收益率(%)	7.2830	11.2548	7.6090	10.4860
加权净资产收益率(%)	7.4900	15.1500	7.7600	11.0100
净资产收益率(扣除)(%)	7.1958	11.3225	7.2221	10.0292
总资产(万元)	722024.52	698702.76	405086.92	384235.35
归属母公司股东权益(万元)	593349.70	560258.09	363837.20	344442.25
营业收入(万元)	118609.70	169451.40	57309.68	93511.91
营业支出(万元)	42748.44	58206.74	15538.20	30688.68
投资收益(万元)	163.14	488.09	6.76	651.66
净利润(万元)	43558.92	64544.51	27880.31	36472.28
营业利润(万元)	54699.18	82782.66	34380.96	47198.86
利润总额(万元)	54862.83	82512.60	36259.83	49141.32

南方中金环境股份有限公司

公司概况					
公司名称	南方中金环境股份有限公司			证券简称	中金环境
法人代表	沈金浩	董秘	沈梦晖	证券代码	300145
公司网址	www.nanfang-pump.com		电子信箱	smh@nanfang-pump.com	
电　　话	0571-86397850		传　　真	0571-86396201	
办公地址	杭州市余杭区仁和街道仁河大道46号				
经营范围	不锈钢冲压焊接离心泵及无负压变频供水设备等的研发、制造和销售等				

主要财务指标：指标\报告期	2016.06.30	2015.12.31	2015.06.30	2014.12.31
基本每股收益(元)	0.2300	1.0800	0.1600	0.7600
基本每股收益(扣除后)(元)	0.2300	1.0300	0.3100	0.7000
稀释每股收益(元)	0.2300	1.0800	0.1600	0.7500
每股净资产(元)	5.5268	10.6724	5.7995	5.5045
每股经营现金净流量(元)	0.1017	0.5773	-0.0654	0.6819
每股现金流量(元)	-0.5492	2.0973	-0.4492	-0.0908
每股资本公积金(元)	3.0760	7.1401	2.3590	2.3173
每股盈余公积金(元)	0.1338	0.2682	0.2562	0.2569
每股未分配利润(元)	1.3037	2.2541	2.1728	1.9647
净资产收益率(%)	4.1519	7.9821	5.4081	13.5839
加权净资产收益率(%)	4.2200	16.3300	5.5500	14.5800
净资产收益率(扣除)(%)	4.0624	7.5504	5.3107	12.6187
总资产(万元)	620594.60	536301.56	204381.94	205200.97
归属母公司股东权益(万元)	369243.91	355586.81	152593.64	144832.77
营业收入(万元)	103928.28	194835.05	72698.94	157148.54
营业支出(万元)	59464.97	113207.71	43942.34	97370.64
投资收益(万元)	875.99	4.45	4.45	24.38
净利润(万元)	15476.85	28192.36	8168.35	19616.52
营业利润(万元)	18241.16	31535.73	9510.15	21380.27
利润总额(万元)	18739.77	33253.06	9681.84	23007.18

汤臣倍健股份有限公司

公司概况					
公司名称	汤臣倍健股份有限公司			证券简称	汤臣倍健
法人代表	梁允超	董秘	胡超	证券代码	300146
公司网址	www.by-health.com.cn		电子信箱	tcbj@by-health.com	
电　　话	020-28956666		传　　真	020-28957910	
办公地址	广东省广州市萝岗区科学城科学大道中99号科汇金谷3街3号				
经营范围	膳食营养补充剂的研发、生产和销售等				

主要财务指标：指标\报告期	2016.06.30	2015.12.31	2015.06.30	2014.12.31
基本每股收益(元)	0.2500	0.8900	0.2900	0.7700
基本每股收益(扣除后)(元)	0.2300	0.8500	0.5800	0.7200
稀释每股收益(元)	0.2500	0.8900	0.2900	0.7600
每股净资产(元)	3.0812	3.1590	5.9487	3.7198
每股经营现金净流量(元)	0.2573	0.8721	0.5856	0.8520
每股现金流量(元)	0.1305	-0.1314	0.1250	0.0484
每股资本公积金(元)	1.3127	3.6254	3.6178	1.3278
每股盈余公积金(元)	0.1486	0.2972	0.2215	0.2451
每股未分配利润(元)	0.6136	1.3343	1.1097	1.1474
净资产收益率(%)	7.9973	13.9302	9.6270	20.5334
加权净资产收益率(%)	7.9300	15.6900	11.2900	22.0200
净资产收益率(扣除)(%)	7.4325	13.3539	9.4094	19.2139
总资产(万元)	511335.93	490540.97	467659.33	270117.44
归属母公司股东权益(万元)	448624.57	456201.53	433071.57	244769.60
营业收入(万元)	123333.11	226604.30	117704.84	170498.05
营业支出(万元)	42865.76	76421.08	39034.88	58000.88
投资收益(万元)	2476.75	3180.48	257.30	-
净利润(万元)	35127.20	62034.04	41609.97	50259.50
营业利润(万元)	41226.90	72083.37	47685.24	55410.70
利润总额(万元)	42731.13	73995.89	48792.69	59223.70

广州市香雪制药股份有限公司

公司概况					
公司名称	广州市香雪制药股份有限公司			证券简称	香雪制药
法人代表	王永辉	董秘	黄滨	证券代码	300147
公司网址	www.xphcn.com		电子信箱	directorate@xphcn.com	
电　　话	020-22211011　22211007		传　　真	020-22211018	
办公地址	广东省广州市萝岗区广州经济技术开发区科学城金峰园路2号				
经营范围	现代中药生产与销售、辅之医疗设备等业务				

主要财务指标：指标\报告期	2016.06.30	2015.12.31	2015.06.30	2014.12.31
基本每股收益(元)	0.0804	0.2800	0.1826	0.3200
基本每股收益(扣除后)(元)	0.0732	0.2300	0.1700	0.3600
稀释每股收益(元)	0.0804	0.2800	0.1826	0.3200
每股净资产(元)	5.1139	5.1516	5.0280	3.4223
每股经营现金净流量(元)	-0.1631	0.2417	0.0732	0.3249
每股现金流量(元)	-0.3720	0.5071	2.0997	-0.8818
每股资本公积金(元)	3.2267	3.2267	3.2321	1.4369
每股盈余公积金(元)	0.1282	0.1282	0.1118	0.1451
每股未分配利润(元)	0.7608	0.8004	0.6894	0.8473
净资产收益率(%)	1.5729	5.2029	2.7983	11.2849
加权净资产收益率(%)	1.5500	6.9000	5.2300	11.8300
净资产收益率(扣除)(%)	1.4319	4.3203	2.5883	10.5069
总资产(万元)	569935.36	465200.22	508749.02	358828.32
归属母公司股东权益(万元)	338270.46	340768.57	332592.41	174389.21
营业收入(万元)	81431.95	146460.48	75217.77	152398.01
营业支出(万元)	53853.42	83908.32	43972.75	88885.62
投资收益(万元)	41.81	510.70	641.78	557.42
净利润(万元)	7107.31	20164.63	10309.37	21654.39
营业利润(万元)	6970.71	18556.46	10696.91	20694.18
利润总额(万元)	7636.13	21750.20	11086.16	22459.50

天舟文化股份有限公司

公司概况					
公司名称	天舟文化股份有限公司			证券简称	天舟文化
法人代表	肖志鸿	董秘	杨灏	证券代码	300148
公司网址	www.t-angel.com		电子信箱	tangeldm@126.com	
电　　话	0731-88834956　85565647		传　　真	0731-88834956	
办公地址	湖南省长沙市岳麓区银杉路31号绿地中央广场紫峰写字楼6栋33F				
经营范围	青少年读物的策划、设计、制作与发行业务等				

主要财务指标：指标\报告期	2016.06.30	2015.12.31	2015.06.30	2014.12.31
基本每股收益(元)	0.1426	0.4200	0.1581	0.3300
基本每股收益(扣除后)(元)	0.1410	0.3400	0.1290	0.3700
稀释每股收益(元)	0.1426	0.4200	0.1581	0.3300
每股净资产(元)	3.9149	4.5668	4.3393	5.0145
每股经营现金净流量(元)	0.0204	0.5083	0.0042	0.4964
每股现金流量(元)	-0.3473	0.2313	-0.1239	0.5560
每股资本公积金(元)	2.0739	2.6887	2.6887	3.4264
每股盈余公积金(元)	0.0385	0.0462	0.0359	0.0430
每股未分配利润(元)	0.8026	0.8320	0.6147	0.5450
净资产收益率(%)	3.6422	9.1361	4.3716	6.7005
加权净资产收益率(%)	3.6800	9.5400	4.4400	9.5100
净资产收益率(扣除)(%)	3.6018	7.5240	2.9730	6.2673
总资产(万元)	220030.50	208578.68	193817.15	202938.34
归属母公司股东权益(万元)	198417.68	192879.98	183270.04	176490.05
营业收入(万元)	23898.21	54428.25	22601.85	51575.58
营业支出(万元)	9305.84	23577.07	9569.76	28143.98
投资收益(万元)	-234.50	2618.53	2627.31	179.09
净利润(万元)	7302.10	17699.74	8041.23	11903.89
营业利润(万元)	8491.96	20673.29	9147.90	13575.47
利润总额(万元)	8572.97	22132.94	9916.92	14355.56

量子高科(中国)生物股份有限公司

公司概况	公司名称	量子高科(中国)生物股份有限公司			证券简称	量子高科
	法人代表	曾宪经	董秘	梁宝霞	证券代码	300149
	公司网址	www.qht.cc		电子信箱	boardsecretary@qht.cc	
	电　话	0750-3869162		传　真	0750-3869666	
	办公地址	广东省江门市高新区高新西路 133 号				
	经营范围	以低聚果糖、低聚半乳糖为代表的益生元系列产品的研发、生产和销售等				

	指标\报告期	2016.06.30	2015.12.31	2015.06.30	2014.12.31
主要财务指标	基本每股收益(元)	0.0760	0.1400	0.0590	0.1100
	基本每股收益(扣除后)(元)	0.0660	0.1300	0.0500	0.1300
	稀释每股收益(元)	0.0760	0.1400	0.0590	0.1100
	每股净资产(元)	1.7456	1.7146	1.6314	2.2400
	每股经营现金净流量(元)	0.0814	0.2385	0.1440	0.1978
	每股现金流量(元)	0.1111	-0.5152	-0.1196	-0.0828
	每股资本公积金(元)	0.1901	0.1848	0.1831	0.6550
	每股盈余公积金(元)	0.0685	0.0685	0.0563	0.0789
	每股未分配利润(元)	0.4870	0.4613	0.3920	0.5057
	净资产收益率(%)	4.3377	8.2170	3.6243	6.0271
	加权净资产收益率(%)	4.3800	8.5200	3.6400	6.1700
	净资产收益率(扣除)(%)	3.8082	7.4344	3.3165	6.0270
	总资产(万元)	76106.91	75600.38	76926.17	74112.85
	归属母公司股东权益(万元)	73683.21	72373.74	68862.73	67523.07
	营业收入(万元)	12291.04	31864.50	16760.94	28116.69
	营业支出(万元)	5783.43	16259.97	9161.83	14633.77
	投资收益(万元)	453.81	463.15	251.07	113.88
	净利润(万元)	3195.04	6070.54	2463.15	3829.61
	营业利润(万元)	3672.59	6893.72	2926.98	4493.91
	利润总额(万元)	3771.11	7043.75	2928.98	4344.23

北京世纪瑞尔技术股份有限公司

公司概况	公司名称	北京世纪瑞尔技术股份有限公司			证券简称	世纪瑞尔
	法人代表	牛俊杰	董秘	朱江滨	证券代码	300150
	公司网址	www.c-real.com.cn		电子信箱	ireal@c-real.com.cn	
	电　话	010-62970877		传　真	010-62962298	
	办公地址	北京市海淀区上地信息路 22 号上地科技综合楼 B 座九、十层				
	经营范围	包括铁路综合视频监控系统、铁路防灾安全监控系统、铁路综合监控系统平台等				

	指标\报告期	2016.06.30	2015.12.31	2015.06.30	2014.12.31
主要财务指标	基本每股收益(元)	0.0017	0.2100	0.0300	0.2300
	基本每股收益(扣除后)(元)	0.0019	0.1300	0.0300	0.2700
	稀释每股收益(元)	0.0017	0.2100	0.0300	0.2300
	每股净资产(元)	2.6991	2.7974	2.6172	2.6900
	每股经营现金净流量(元)	-0.1228	-0.0063	-0.0813	0.0108
	每股现金流量(元)	-0.1328	-0.1309	-0.2162	-0.5954
	每股资本公积金(元)	1.3494	1.3494	1.3494	3.6988
	每股盈余公积金(元)	0.1164	0.1164	0.1052	0.2104
	每股未分配利润(元)	0.2333	0.3316	0.1627	0.4643
	净资产收益率(%)	0.0614	7.5322	1.1379	8.6208
	加权净资产收益率(%)	0.0600	7.7100	1.1100	8.8700
	净资产收益率(扣除)(%)	0.0706	4.7330	1.1337	5.0504
	总资产(万元)	159832.17	170661.43	152809.52	162428.01
	归属母公司股东权益(万元)	145751.11	151061.61	141331.16	145083.35
	营业收入(万元)	12280.60	39189.02	12915.76	33254.60
	营业支出(万元)	7147.52	21635.06	6956.23	18441.11
	投资收益(万元)	-337.23	5319.94	-217.41	6454.27
	净利润(万元)	391.93	11546.35	1857.80	12519.05
	营业利润(万元)	622.29	11951.45	1614.91	13134.81
	利润总额(万元)	589.58	13557.44	2097.24	13761.25

深圳市昌红科技股份有限公司

公司概况	公司名称	深圳市昌红科技股份有限公司			证券简称	昌红科技
	法人代表	李焕昌	董秘	刘军	证券代码	300151
	公司网址	www.sz-changhong.com		电子信箱	changhong@sz-changhong.com	
	电　话	0755-89785568*885		传　真	0755-89785598	
	办公地址	广东省深圳市坪山新区坪山锦龙大道西侧				
	经营范围	非金属制品模具设计、加工、制造,塑料制品、模具、五金制造				

	指标\报告期	2016.06.30	2015.12.31	2015.06.30	2014.12.31
主要财务指标	基本每股收益(元)	0.0400	0.0600	0.0300	0.2600
	基本每股收益(扣除后)(元)	0.0300	0.0600	0.0300	0.2500
	稀释每股收益(元)	0.0400	0.0600	0.0300	0.2600
	每股净资产(元)	1.6007	1.5859	1.5559	3.8630
	每股经营现金净流量(元)	0.0220	0.0980	0.0205	0.3445
	每股现金流量(元)	-0.0134	-0.6278	-0.0615	-0.0546
	每股资本公积金(元)	0.2210	0.2210	0.2210	2.0525
	每股盈余公积金(元)	0.0386	0.0386	0.0281	0.0703
	每股未分配利润(元)	0.3352	0.3256	0.3097	0.7424
	净资产收益率(%)	2.4729	3.7217	2.1051	6.6610
	加权净资产收益率(%)	2.4700	3.7500	2.1000	6.8500
	净资产收益率(扣除)(%)	2.1638	3.6434	2.1879	6.5238
	总资产(万元)	96557.79	96780.29	99888.65	95308.83
	归属母公司股东权益(万元)	80436.75	79692.27	78182.81	77645.93
	营业收入(万元)	26766.23	54871.55	26248.29	57866.18
	营业支出(万元)	20021.45	43224.77	20882.40	44514.45
	投资收益(万元)	301.31	923.02	-	5.00
	净利润(万元)	1971.90	2900.40	1553.56	5086.74
	营业利润(万元)	2161.17	3274.88	1847.53	5832.49
	利润总额(万元)	2466.93	3298.00	1771.83	5968.25

徐州科融环境资源股份有限公司

公司概况	公司名称	徐州科融环境资源股份有限公司			证券简称	科融环境
	法人代表	贾红生	董秘	单庆廷	证券代码	300152
	公司网址	www.kre.cn		电子信箱	xcc@xcc.com.cn	
	电　话	0516-87986552		传　真	0516-87986552	
	办公地址	江苏省徐州市经济开发区杨山路 12 号				
	经营范围	锅炉点火及燃烧成套设备和控制系统的设计制造等				

	指标\报告期	2016.06.30	2015.12.31	2015.06.30	2014.12.31
主要财务指标	基本每股收益(元)	0.0170	0.0400	0.1300	0.0600
	基本每股收益(扣除后)(元)	0.0036	0.0300	0.1200	0.1000
	稀释每股收益(元)	0.0170	0.0400	0.1300	0.0600
	每股净资产(元)	2.1146	2.0559	6.2567	6.1511
	每股经营现金净流量(元)	-0.0804	-0.1695	-0.5242	-0.0203
	每股现金流量(元)	0.3844	-0.1415	-0.4977	-0.3442
	每股资本公积金(元)	0.7108	0.6691	4.0798	4.0798
	每股盈余公积金(元)	0.0535	0.0535	0.1517	0.1517
	每股未分配利润(元)	0.3503	0.3333	1.0252	0.9196
	净资产收益率(%)	0.8070	1.7690	2.0073	2.8905
	加权净资产收益率(%)	0.7000	1.7600	2.0200	2.9200
	净资产收益率(扣除)(%)	0.1655	1.4266	1.9105	1.5605
	总资产(万元)	346997.19	325806.32	313553.63	273715.31
	归属母公司股东权益(万元)	150731.78	146547.25	148658.97	146150.07
	营业收入(万元)	45955.30	99864.26	46863.18	84252.30
	营业支出(万元)	33279.37	74868.69	32832.57	61871.09
	投资收益(万元)	0.28	64.81	15.81	-
	净利润(万元)	2145.93	3203.18	3545.68	4857.04
	营业利润(万元)	1741.01	3453.81	4413.72	3550.90
	利润总额(万元)	2849.88	4102.13	4574.50	5912.75

上海科泰电源股份有限公司

公司概况					
公司名称	上海科泰电源股份有限公司			证券简称	科泰电源
法人代表	谢松峰	董秘	廖晓华	证券代码	300153
公司网址	www.cooltechsh.com		电子信箱	irm@cooltechsh.com	
电　话	021-69758010　69758012		传　真	021-69758500	
办公地址	上海市张江高新区青浦园天辰路 1633 号				
经营范围	新能源及柴油发电机组系统集成的开发、设计、制造等				

主要财务指标：指标\报告期	2016.06.30	2015.12.31	2015.06.30	2014.12.31
基本每股收益(元)	0.0400	0.1300	0.0500	0.1000
基本每股收益(扣除后)(元)	0.0300	0.1200	0.0400	0.1800
稀释每股收益(元)	0.0400	0.1300	0.0500	0.1000
每股净资产(元)	2.9318	2.9822	2.9004	2.9341
每股经营现金净流量(元)	-0.0605	0.0071	-0.0511	-0.0401
每股现金流量(元)	-0.1733	-0.1385	-0.1453	-0.5113
每股资本公积金(元)	1.5457	1.5457	1.5457	4.0915
每股盈余公积金(元)	0.0741	0.0741	0.0652	0.1303
每股未分配利润(元)	0.3155	0.3709	0.2987	0.6520
净资产收益率(%)	1.5237	4.3189	1.6443	3.3366
加权净资产收益率(%)	1.5000	4.3600	1.6200	3.3700
净资产收益率(扣除)(%)	1.1635	3.9484	1.5511	3.0037
总资产(万元)	151186.54	135784.80	121106.15	115143.74
归属母公司股东权益(万元)	93818.87	95429.02	92813.55	93889.86
营业收入(万元)	37711.51	81735.63	31054.50	63453.53
营业支出(万元)	28953.73	64244.36	24280.68	51923.38
投资收益(万元)	664.41	1713.92	430.23	789.76
净利润(万元)	572.99	5076.86	1522.83	3132.72
营业利润(万元)	-55.46	5321.57	1662.84	3176.20
利润总额(万元)	406.24	5763.96	1749.91	3516.87

深圳市瑞凌实业股份有限公司

公司概况					
公司名称	深圳市瑞凌实业股份有限公司			证券简称	瑞凌股份
法人代表	邱光	董秘	邱文	证券代码	300154
公司网址	www.riland.com.cn		电子信箱	riland@riland.com.cn	
电　话	0755-27345888		传　真	0755-27345999	
办公地址	深圳宝安区新安街道留仙二路飞扬兴业科技厂区厂房 B 栋 2-6 楼				
经营范围	逆变焊割设备的研发、生产、销售等				

主要财务指标：指标\报告期	2016.06.30	2015.12.31	2015.06.30	2014.12.31
基本每股收益(元)	0.1000	0.1800	0.1200	0.2500
基本每股收益(扣除后)(元)	0.0900	0.1800	0.2300	0.4800
稀释每股收益(元)	0.1000	0.1800	0.1200	0.2500
每股净资产(元)	3.3681	3.4046	6.6311	6.6987
每股经营现金净流量(元)	0.1524	0.1002	0.0934	0.4191
每股现金流量(元)	0.2567	-0.0447	0.2112	0.4173
每股资本公积金(元)	1.5518	1.5518	4.0575	4.0575
每股盈余公积金(元)	0.1360	0.1360	0.2386	0.2386
每股未分配利润(元)	0.6706	0.7168	1.3350	1.4026
净资产收益率(%)	3.0812	5.3513	3.5047	7.4985
加权净资产收益率(%)	3.0000	5.3600	3.4100	7.6900
净资产收益率(扣除)(%)	2.8033	5.2627	3.4137	7.1091
总资产(万元)	166965.77	170333.25	169077.19	175893.41
归属母公司股东权益(万元)	150556.17	152186.51	148206.09	149716.96
营业收入(万元)	26572.90	55265.96	28367.84	68144.41
营业支出(万元)	19183.16	39885.64	20236.15	48137.93
投资收益(万元)	340.83	74.93	133.16	806.44
净利润(万元)	4518.26	8026.81	5158.90	11019.12
营业利润(万元)	5120.22	9206.77	5794.48	12421.05
利润总额(万元)	5263.34	9463.25	5939.51	13082.08

广东安居宝数码科技股份有限公司

公司概况					
公司名称	广东安居宝数码科技股份有限公司			证券简称	安 居 宝
法人代表	张波	董秘	黄伟宁	证券代码	300155
公司网址	www.anjubao.com		电子信箱	anjubao@anjubao.net	
电　话	020-82051026		传　真	020-82082030	
办公地址	广东省广州市开发区科学城起云路 6 号安居宝科技园				
经营范围	自动控制设备、通讯设备的开发、设计、研发、制造、销售及技术咨询等				

主要财务指标：指标\报告期	2016.06.30	2015.12.31	2015.06.30	2014.12.31
基本每股收益(元)	0.0100	0.0600	0.0300	0.1500
基本每股收益(扣除后)(元)	0.0028	0.0500	0.0300	0.2200
稀释每股收益(元)	0.0100	0.0600	0.0300	0.1500
每股净资产(元)	2.0648	2.0833	3.0905	3.0536
每股经营现金净流量(元)	-0.0834	-0.0899	-0.1637	-0.1316
每股现金流量(元)	-0.1338	-0.1759	-0.2117	-0.2675
每股资本公积金(元)	0.6532	0.6825	1.5147	1.5230
每股盈余公积金(元)	0.0926	0.0926	0.1188	0.1182
每股未分配利润(元)	0.3106	0.3249	0.5046	0.4598
净资产收益率(%)	0.2780	3.0862	1.3736	7.4079
加权净资产收益率(%)	0.2700	3.1200	1.3900	7.4300
净资产收益率(扣除)(%)	0.1342	2.3945	1.1316	7.0864
总资产(万元)	140899.96	140277.25	137670.00	137039.95
归属母公司股东权益(万元)	112194.56	113936.56	112491.69	111708.27
营业收入(万元)	33948.07	78410.23	32375.12	63994.32
营业支出(万元)	20253.19	47467.27	20500.47	36479.14
投资收益(万元)	-	-	-	98.09
净利润(万元)	492.64	3524.97	1547.19	8238.58
营业利润(万元)	-785.26	-124.50	820.82	6441.67
利润总额(万元)	402.64	3501.62	1764.24	9346.70

神雾环保技术股份有限公司

公司概况					
公司名称	神雾环保技术股份有限公司			证券简称	神雾环保
法人代表	吴道洪	董秘	卢邦杰	证券代码	300156
公司网址	www.swet.net.cn		电子信箱	swet@swet.net.cn	
电　话	010-80470099　80470166		传　真	010-80470098	
办公地址	北京市朝阳区将台路 5 号院 15 号楼 C 座 7 层				
经营范围	环保节能工程设计、技术开发、技术咨询、技术服务、专业承包、销售等				

主要财务指标：指标\报告期	2016.06.30	2015.12.31	2015.06.30	2014.12.31
基本每股收益(元)	0.2500	0.4500	0.1200	0.2500
基本每股收益(扣除后)(元)	0.1900	0.1800	0.1100	-0.0700
稀释每股收益(元)	0.2500	0.4500	0.1200	0.2500
每股净资产(元)	2.0486	4.3305	5.1157	5.0078
每股经营现金净流量(元)	-0.6322	0.2706	-0.2157	0.9733
每股现金流量(元)	0.5191	-0.2064	-1.0009	-0.6614
每股资本公积金(元)	0.3476	2.1076	3.2405	3.4137
每股盈余公积金(元)	0.0400	0.1000	0.1298	0.1818
每股未分配利润(元)	0.6605	1.1211	0.7428	0.6368
净资产收益率(%)	12.3010	10.3576	2.0724	2.0988
加权净资产收益率(%)	13.5600	10.8000	2.0900	2.1300
净资产收益率(扣除)(%)	9.2815	4.0752	2.0669	-1.3410
总资产(万元)	471331.70	313987.85	251586.74	292751.29
归属母公司股东权益(万元)	206918.22	174954.85	147699.33	158669.38
营业收入(万元)	112559.57	121468.03	29530.27	30141.24
营业支出(万元)	75341.48	86407.36	21975.67	22632.45
投资收益(万元)	5122.59	-	-	4862.87
净利润(万元)	25456.89	17548.22	2663.13	2069.22
营业利润(万元)	27038.53	19957.61	2269.72	1872.23
利润总额(万元)	28106.68	19886.21	2279.70	2017.59

恒泰艾普集团股份有限公司

公司概况					
公司名称	恒泰艾普集团股份有限公司			证券简称	恒泰艾普
法人代表	汤承锋	董秘	刘庆枫	证券代码	300157
公司网址	www.ldocean.com.cn		电子信箱	zqb@ldocean.com.cn	
电　话	010-56931156		传　真	010-56931156	
办公地址	北京海淀区丰秀中路3号院4号楼401室				
经营范围	石油天然气勘探的技术开发、销售、计算机软件的开发、销售等				

主要财务指标 指标\报告期	2016.06.30	2015.12.31	2015.06.30	2014.12.31
基本每股收益(元)	0.0200	0.1300	0.0900	0.1400
基本每股收益(扣除后)(元)	0.0200	0.1200	0.0800	0.1300
稀释每股收益(元)	0.0200	0.1300	0.0900	0.1400
每股净资产(元)	5.1900	3.8600	3.7900	3.7100
每股经营现金净流量(元)	-0.2811	-0.1027	-0.1604	0.1919
每股现金流量(元)	0.4699	0.3588	-0.0465	-0.2893
每股资本公积金(元)	3.4267	1.9678	1.9815	1.9809
每股盈余公积金(元)	0.0328	0.0429	0.0429	0.0429
每股未分配利润(元)	0.6918	0.8361	0.7973	0.7105
净资产收益率(%)	0.3805	3.2566	2.2872	3.6668
加权净资产收益率(%)	0.5500	3.3100	2.3100	3.7100
净资产收益率(扣除)(%)	0.2676	3.0088	2.2255	3.5467
总资产(万元)	580425.75	387584.48	334102.98	303393.18
归属母公司股东权益(万元)	370071.95	230461.09	226751.23	221832.65
营业收入(万元)	56055.90	83980.53	37360.45	72325.16
营业支出(万元)	36841.49	42345.29	20275.99	36964.01
投资收益(万元)	-1321.40	442.13	127.94	-1213.54
净利润(万元)	1331.20	13060.89	6253.34	12444.02
营业利润(万元)	1599.54	13510.53	6382.13	14654.72
利润总额(万元)	2298.85	14468.77	6750.95	14956.63

山西振东制药股份有限公司

公司概况					
公司名称	山西振东制药股份有限公司			证券简称	振东制药
法人代表	李安平	董秘	宁潞宏	证券代码	300158
公司网址	www.zdjt.com		电子信箱	zqb@zdjt.com	
电　话	0355-8096012		传　真	0355-8096018	
办公地址	山西省长治市长治县光明南路振东科技园				
经营范围	中药制剂(仅限原料药比卡鲁胺、甘草酸二铵)、小容量注射剂、片剂等				

主要财务指标 指标\报告期	2016.06.30	2015.12.31	2015.06.30	2014.12.31
基本每股收益(元)	0.1186	0.2245	0.1115	0.1457
基本每股收益(扣除后)(元)	0.0956	0.1452	0.0672	0.0704
稀释每股收益(元)	0.1186	0.2245	0.1115	0.1457
每股净资产(元)	6.5013	6.9269	6.8140	6.8024
每股经营现金净流量(元)	0.0938	0.5272	-0.0787	0.2543
每股现金流量(元)	0.4245	-0.0972	0.0928	-0.4912
每股资本公积金(元)	4.5216	4.4367	4.4367	4.4367
每股盈余公积金(元)	0.2647	0.2729	0.2536	0.2536
每股未分配利润(元)	0.7149	1.2173	1.1237	1.1121
净资产收益率(%)	1.7874	3.2405	1.6371	2.1417
加权净资产收益率(%)	1.7100	3.2700	1.6300	2.1500
净资产收益率(扣除)(%)	1.4413	2.0966	0.9862	1.0344
总资产(万元)	435595.36	407045.38	314723.11	285833.97
归属母公司股东权益(万元)	193048.41	199494.31	196242.30	195909.69
营业收入(万元)	111999.76	226209.31	99868.52	191948.50
营业支出(万元)	65869.10	122923.73	56161.51	108002.90
投资收益(万元)	-	-	-	4.80
净利润(万元)	2918.92	5516.59	2882.89	3452.05
营业利润(万元)	2629.98	4282.16	2338.54	2348.55
利润总额(万元)	3370.69	6875.75	3656.75	4896.09

新疆机械研究院股份有限公司

公司概况					
公司名称	新疆机械研究院股份有限公司			证券简称	新研股份
法人代表	周卫华	董秘	曹钟滢	证券代码	300159
公司网址	www.xjjxy.com.cn		电子信箱	xinyangufen@126.com	
电　话	0991-3792045 3736150		传　真	0991-3736150	
办公地址	新疆维吾尔自治区乌鲁木齐市经济技术开发区融合南路501号				
经营范围	多种农牧业机械的研究开发、生产和销售等				

主要财务指标 指标\报告期	2016.06.30	2015.12.31	2015.06.30	2014.12.31
基本每股收益(元)	0.0122	0.2018	0.0114	0.0750
基本每股收益(扣除后)(元)	0.0021	0.3600	0.0181	0.2900
稀释每股收益(元)	0.0122	0.2018	0.0114	0.3100
每股净资产(元)	3.7416	3.7518	1.5343	3.0715
每股经营现金净流量(元)	-0.1317	0.3626	0.0422	-0.0437
每股现金流量(元)	-0.3418	0.3672	-0.2680	-0.1835
每股资本公积金(元)	2.3178	2.3178	0.0459	1.0918
每股盈余公积金(元)	0.0317	0.0317	0.0557	0.1113
每股未分配利润(元)	0.3825	0.3923	0.4268	0.8566
净资产收益率(%)	0.3265	5.3788	1.5321	10.1217
加权净资产收益率(%)	0.3300	18.8600	1.5400	10.5500
净资产收益率(扣除)(%)	0.0570	5.1207	1.1798	9.5236
总资产(万元)	747716.10	752661.78	151739.73	127467.27
归属母公司股东权益(万元)	557636.36	559145.93	110713.46	110821.30
营业收入(万元)	26129.29	140103.89	10299.27	56091.14
营业支出(万元)	16359.33	87580.08	6658.32	34953.57
投资收益(万元)	-39.56	191.81	-	-
净利润(万元)	1675.40	30041.98	1700.72	11204.63
营业利润(万元)	518.62	33403.88	1679.38	12159.35
利润总额(万元)	2021.41	34898.82	2069.41	12865.81

江苏秀强玻璃工艺股份有限公司

公司概况					
公司名称	江苏秀强玻璃工艺股份有限公司			证券简称	秀强股份
法人代表	卢秀强	董秘	张小伟	证券代码	300160
公司网址	www.jsxq.com		电子信箱	zqb@jsxq.com	
电　话	0527-81081160		传　真	0527-84459085	
办公地址	江苏省宿迁市宿豫区江山大道28号				
经营范围	生产冰箱玻璃、汽车玻璃、家居玻璃、生产钢化、中空、夹胶、热弯等				

主要财务指标 指标\报告期	2016.06.30	2015.12.31	2015.06.30	2014.12.31
基本每股收益(元)	0.1211	0.3236	0.0705	0.1953
基本每股收益(扣除后)(元)	0.1162	0.3433	0.2391	0.2000
稀释每股收益(元)	0.1211	0.3236	0.0705	0.1953
每股净资产(元)	1.9747	6.0314	5.9335	5.8078
每股经营现金净流量(元)	0.1190	0.7848	0.1905	0.5560
每股现金流量(元)	0.0088	-0.5964	-0.3258	-0.3860
每股资本公积金(元)	0.3851	3.4324	3.4324	3.4324
每股盈余公积金(元)	0.0738	0.2362	0.1993	0.1993
每股未分配利润(元)	0.5157	1.3628	1.3018	1.1761
净资产收益率(%)	6.1320	5.3654	3.8036	3.3627
加权净资产收益率(%)	6.2400	5.4600	3.8100	3.4100
净资产收益率(扣除)(%)	5.8852	5.6920	4.0289	3.4435
总资产(万元)	164819.45	153527.54	140929.37	136271.72
归属母公司股东权益(万元)	118036.92	112666.87	110837.70	108489.85
营业收入(万元)	60753.91	102006.95	46356.89	83730.99
营业支出(万元)	43114.35	74671.95	32595.96	64008.97
投资收益(万元)	-	-	-	-79.87
净利润(万元)	7236.78	6045.02	4215.85	3282.58
营业利润(万元)	8220.86	7415.03	5248.62	4019.33
利润总额(万元)	8571.73	6981.19	4962.23	3520.04

武汉华中数控股份有限公司

公司概况	公司名称	武汉华中数控股份有限公司		证券简称	华中数控
	法人代表	陈吉红	董秘 田茂胜	证券代码	300161
	公司网址	www.huazhongcnc.com		电子信箱	hcnc@hzncc.com
	电　话	027-87180605		传　真	027-87180605
	办公地址	湖北省武汉市东湖开发区华工科技园			
	经营范围	数控系统、机电一体化、电子、计算机、激光、通信等技术及产品的开发、研制等			

主要财务指标 指标\报告期	2016.06.30	2015.12.31	2015.06.30	2014.12.31
基本每股收益(元)	–0.2200	–0.2557	–0.1800	0.0662
基本每股收益(扣除后)(元)	–0.3100	–0.6721	–0.3500	–0.3400
稀释每股收益(元)	–0.2200	–0.2557	–0.1800	0.0662
每股净资产(元)	4.8151	5.0377	5.1174	5.3134
每股经营现金净流量(元)	–0.9711	–0.9816	–1.0460	0.2026
每股现金流量(元)	–0.7335	–0.5820	–1.0745	–0.2908
每股资本公积金(元)	3.0137	3.0137	3.0137	3.0137
每股盈余公积金(元)	0.1882	0.1882	0.1882	0.1882
每股未分配利润(元)	0.6132	0.8358	0.9154	1.1115
净资产收益率(%)	–4.6230	–5.0758	–3.4409	1.2467
加权净资产收益率(%)	–4.5200	–4.9400	–3.3700	1.2500
净资产收益率(扣除)(%)	–6.3875	–13.3420	–6.7485	–6.4842
总资产(万元)	148998.61	150387.03	134143.97	136446.80
归属母公司股东权益(万元)	77882.35	81482.87	82770.71	85942.26
营业收入(万元)	27994.38	55073.66	24126.35	58623.31
营业支出(万元)	19475.67	37677.00	16501.14	42159.26
投资收益(万元)	–28.92	–332.70	–77.63	–60.76
净利润(万元)	–4502.47	–4527.79	–2943.07	1600.71
营业利润(万元)	–5918.78	–12361.58	–6467.94	–5782.06
利润总额(万元)	–4285.71	–4606.23	–2804.01	2118.97

深圳雷曼光电科技股份有限公司

公司概况	公司名称	深圳雷曼光电科技股份有限公司		证券简称	雷曼股份
	法人代表	李漫铁	董秘 罗竝	证券代码	300162
	公司网址	www.ledman.cn		电子信箱	ledman@ledman.cn
	电　话	0755-86137035		传　真	0755-86139001
	办公地址	广东省深圳市南山区松白公路百旺信工业园区二区第八栋			
	经营范围	研发、生产经营高品级发光二极管及LED显示、照明及其他应用产品货物的进出口			

主要财务指标 指标\报告期	2016.06.30	2015.12.31	2015.06.30	2014.12.31
基本每股收益(元)	0.0800	0.0600	0.0600	0.1900
基本每股收益(扣除后)(元)	0.0700	0.0200	0.0500	0.1300
稀释每股收益(元)	0.0800	0.0600	0.0600	0.1900
每股净资产(元)	3.1315	3.0551	2.2504	5.5801
每股经营现金净流量(元)	0.1089	0.1413	–0.0582	0.5270
每股现金流量(元)	–0.0030	–0.1767	0.0495	–0.6217
每股资本公积金(元)	1.7814	1.8601	0.9788	3.9418
每股盈余公积金(元)	0.0445	0.0465	0.0422	0.1054
每股未分配利润(元)	0.2950	0.2285	0.2294	0.5330
净资产收益率(%)	2.4326	1.8958	2.6298	3.4466
加权净资产收益率(%)	2.4100	2.6600	2.5400	3.4900
净资产收益率(扣除)(%)	2.0988	0.7211	2.2109	2.2714
总资产(万元)	129256.53	142765.14	89630.06	91505.09
归属母公司股东权益(万元)	109534.50	106863.22	75388.71	74773.67
营业收入(万元)	25071.77	38079.07	16780.72	40505.37
营业支出(万元)	16557.69	24752.12	11008.49	28040.87
投资收益(万元)	450.98	805.54	36.79	163.18
净利润(万元)	2643.19	1830.45	1759.15	3207.88
营业利润(万元)	3030.68	1641.51	1652.97	2741.91
利润总额(万元)	3009.91	2371.42	2024.42	3827.68

宁波先锋新材料股份有限公司

公司概况	公司名称	宁波先锋新材料股份有限公司		证券简称	先锋新材
	法人代表	卢先锋	董秘 熊军	证券代码	300163
	公司网址	www.aplus.cn		电子信箱	xj622972@sina.com
	电　话	0574-88003135		传　真	0574-88003131
	办公地址	浙江省宁波市鄞州区集士港镇山下庄村			
	经营范围	一般经营项目为PVC玻纤高分子复合材料的制造			

主要财务指标 指标\报告期	2016.06.30	2015.12.31	2015.06.30	2014.12.31
基本每股收益(元)	0.0685	0.0700	0.0135	0.0700
基本每股收益(扣除后)(元)	0.0500	0.0600	0.0300	0.1700
稀释每股收益(元)	0.0685	0.0700	0.0135	0.0700
每股净资产(元)	1.4813	1.4308	4.1299	4.2255
每股经营现金净流量(元)	0.1429	0.0930	0.0817	0.5204
每股现金流量(元)	0.0469	–0.1105	–0.6130	0.4902
每股资本公积金(元)	0.1977	0.1992	2.5977	2.5977
每股盈余公积金(元)	0.0342	0.0342	0.0737	0.0737
每股未分配利润(元)	0.2797	0.2362	0.5772	0.6367
净资产收益率(%)	4.6249	4.6817	0.9820	4.6377
加权净资产收益率(%)	4.6800	4.7200	0.9600	4.6000
净资产收益率(扣除)(%)	3.1568	3.8834	0.7506	4.1403
总资产(万元)	117174.79	116002.62	99389.81	97707.06
归属母公司股东权益(万元)	70214.06	67821.17	65252.07	66763.49
营业收入(万元)	37813.93	74344.67	34611.04	44788.92
营业支出(万元)	19868.51	39120.40	18589.20	27092.67
投资收益(万元)	–	–	–	–
净利润(万元)	3332.74	2980.90	489.14	3117.35
营业利润(万元)	2739.67	2616.78	173.62	3532.31
利润总额(万元)	3920.30	3267.94	326.83	3906.98

西安通源石油科技股份有限公司

公司概况	公司名称	西安通源石油科技股份有限公司		证券简称	通源石油
	法人代表	张国桉	董秘 张志坚	证券代码	300164
	公司网址	www.tongoiltools.com		电子信箱	investor@tongoiltools.com
	电　话	029-87607465		传　真	029-87607465
	办公地址	陕西省西安市高新区科技二路70号软件园唐乐阁D301室			
	经营范围	石油、天然气开发领域中钻井、测井、录井和井下作业等			

主要财务指标 指标\报告期	2016.06.30	2015.12.31	2015.06.30	2014.12.31
基本每股收益(元)	–0.0289	–0.1100	–0.0696	0.1100
基本每股收益(扣除后)(元)	–0.0427	–0.1200	–0.0704	0.0200
稀释每股收益(元)	–0.0289	–0.1100	–0.0696	0.1100
每股净资产(元)	3.1733	3.2231	3.2470	3.0921
每股经营现金净流量(元)	0.0833	0.4879	0.2316	–0.1045
每股现金流量(元)	–0.2963	0.3312	0.1363	–0.1815
每股资本公积金(元)	1.6002	1.6258	1.6385	1.8316
每股盈余公积金(元)	0.0981	0.0981	0.0981	0.1045
每股未分配利润(元)	0.4415	0.4703	0.5168	0.6340
净资产收益率(%)	–0.9095	–3.5567	–2.0998	1.0124
加权净资产收益率(%)	–0.9000	–3.1900	–1.9200	1.0100
净资产收益率(扣除)(%)	–1.3464	–3.7019	–2.1224	0.7758
总资产(万元)	178831.11	202449.75	198469.95	231846.39
归属母公司股东权益(万元)	128549.30	130565.70	131533.14	135612.52
营业收入(万元)	11880.00	63559.01	26400.59	39414.94
营业支出(万元)	6469.58	32548.90	12032.74	23090.77
投资收益(万元)	377.16	–	–	3326.88
净利润(万元)	–1873.87	–3855.27	–2629.92	2965.89
营业利润(万元)	–3231.07	–5105.69	–3098.20	3430.02
利润总额(万元)	–2549.85	–5153.80	–3079.16	3757.21

江苏天瑞仪器股份有限公司

公司概况					
公司名称	江苏天瑞仪器股份有限公司			证券简称	天瑞仪器
法人代表	刘召贵	董秘	肖廷良	证券代码	300165
公司网址	www.skyray-instrument.com		电子信箱	zqb@skyray-instrument.com	
电　话	0512-57017339		传　真	0512-57018681	
办公地址	江苏省昆山市玉山镇中华园西路 1888 号天瑞大厦				
经营范围	化学分析仪器及其应用软件的研发、生产、销售等				

主要财务指标 指标\报告期	2016.06.30	2015.12.31	2015.06.30	2014.12.31
基本每股收益(元)	0.1185	0.2000	0.0894	0.2200
基本每股收益(扣除后)(元)	0.0894	0.0600	0.0697	0.0800
稀释每股收益(元)	0.1185	0.2000	0.0894	0.2200
每股净资产(元)	3.2610	3.2312	6.3841	9.5461
每股经营现金净流量(元)	-0.0910	-0.0228	-0.0686	0.2160
每股现金流量(元)	-0.1743	-1.2593	-0.3084	0.1242
每股资本公积金(元)	1.6628	4.3257	4.3257	6.9885
每股盈余公积金(元)	0.0912	0.1823	0.1670	0.2505
每股未分配利润(元)	0.4982	0.9385	0.8762	1.3355
净资产收益率(%)	2.4228	3.0453	1.8675	3.3869
加权净资产收益率(%)	2.3900	3.0700	1.8800	3.4400
净资产收益率(扣除)(%)	1.3100	0.8976	0.8394	0.8515
总资产(万元)	174055.67	171554.39	165052.88	156680.66
归属母公司股东权益(万元)	150579.05	149203.04	147396.04	147666.30
营业收入(万元)	18093.59	32147.39	14548.56	27683.14
营业支出(万元)	8021.75	14296.99	5748.33	10937.77
投资收益(万元)	326.51	348.40	-	-
净利润(万元)	3525.09	4390.39	2680.94	4862.32
营业利润(万元)	3069.20	3522.83	2538.03	3205.35
利润总额(万元)	3946.46	5494.59	3247.06	5874.72

北京东方国信科技股份有限公司

公司概况					
公司名称	北京东方国信科技股份有限公司			证券简称	东方国信
法人代表	管连平	董秘	刘彦斐	证券代码	300166
公司网址	www.bonc.com.cn		电子信箱	investor@bonc.com.cn	
电　话	010-64392089		传　真	010-64398978	
办公地址	北京市朝阳区望京北路 9 号叶青大厦 D 座 1108				
经营范围	因特网信息服务业务等				

主要财务指标 指标\报告期	2016.06.30	2015.12.31	2015.06.30	2014.12.31
基本每股收益(元)	0.1200	0.4100	0.1000	0.2500
基本每股收益(扣除后)(元)	0.1100	0.4000	0.1000	0.5100
稀释每股收益(元)	0.1200	0.4000	0.1000	0.2400
每股净资产(元)	5.8045	3.2758	2.9674	5.3677
每股经营现金净流量(元)	-0.0523	0.1563	-0.0984	0.3075
每股现金流量(元)	2.5036	0.3910	-0.0133	-0.1145
每股资本公积金(元)	3.7915	1.2217	1.2195	2.9507
每股盈余公积金(元)	0.0803	0.0930	0.0700	0.1418
每股未分配利润(元)	0.9357	0.9612	0.6778	1.2752
净资产收益率(%)	1.8230	12.3394	3.2821	9.0558
加权净资产收益率(%)	2.8000	13.2800	3.4100	12.5000
净资产收益率(扣除)(%)	1.7625	12.0343	3.2276	8.7745
总资产(万元)	470444.02	282994.32	196699.49	181679.60
归属母公司股东权益(万元)	380088.20	185191.57	167643.36	149769.66
营业收入(万元)	44909.51	93110.91	29493.33	61526.64
营业支出(万元)	26027.43	49307.81	15555.22	31781.52
投资收益(万元)	-336.76	-121.43	-92.55	-198.92
净利润(万元)	6889.58	22797.80	5497.57	13485.33
营业利润(万元)	6616.60	21862.68	5082.00	13808.73
利润总额(万元)	7601.30	24738.62	6270.02	14744.96

深圳市迪威视讯股份有限公司

公司概况					
公司名称	深圳市迪威视讯股份有限公司			证券简称	迪威视讯
法人代表	季刚	董秘	梁丹妮	证券代码	300167
公司网址	www.dvision.cn		电子信箱	ir@dvision.cn	
电　话	0755-26727427		传　真	0755-26727234	
办公地址	深圳市南山区西丽镇茶光路中深圳集成电路设计应用产业园 307				
经营范围	智慧城市规划设计、建设、运营服务,技术开发、技术服务等				

主要财务指标 指标\报告期	2016.06.30	2015.12.31	2015.06.30	2014.12.31
基本每股收益(元)	-0.0500	0.0300	-0.0700	-0.0300
基本每股收益(扣除后)(元)	-0.0520	0.0120	-0.0700	-0.0200
稀释每股收益(元)	-0.0500	0.0300	-0.0800	-0.0300
每股净资产(元)	2.2765	2.2132	2.2132	2.2132
每股经营现金净流量(元)	-0.0731	0.1831	0.3494	-0.9794
每股现金流量(元)	-0.1442	0.0381	0.1169	-0.7672
每股资本公积金(元)	0.9939	0.9939	0.9922	0.9903
每股盈余公积金(元)	0.0353	0.0353	0.0300	0.0300
每股未分配利润(元)	0.2457	0.2921	0.1909	0.2640
净资产收益率(%)	-2.0371	1.4360	-3.3025	-1.3645
加权净资产收益率(%)	-2.0200	1.4500	-3.2500	-1.0500
净资产收益率(扣除)(%)	-2.2887	0.5170	-3.4488	-1.0030
总资产(万元)	107349.32	121957.25	115622.85	113523.28
归属母公司股东权益(万元)	68348.52	69732.57	66450.21	68583.67
营业收入(万元)	10331.15	33637.97	5802.16	23408.78
营业支出(万元)	6871.07	19111.35	3369.37	12780.17
投资收益(万元)	-	249.74	-	22.52
净利润(万元)	-1750.20	1683.43	-2662.31	-550.45
营业利润(万元)	-2002.66	1911.89	-2761.20	-147.86
利润总额(万元)	-1756.48	2511.91	-2608.96	-235.60

万达信息股份有限公司

公司概况					
公司名称	万达信息股份有限公司			证券简称	万达信息
法人代表	史一兵	董秘	张令庆	证券代码	300168
公司网址	www.wondersgroup.com		电子信箱	invest@wondersgroup.com	
电　话	021-24177888		传　真	021-32140588	
办公地址	上海市闵行区联航路 1518 号				
经营范围	计算机专业领域内的技术咨询、开发、转让、培训、承包等				

主要财务指标 指标\报告期	2016.06.30	2015.12.31	2015.06.30	2014.12.31
基本每股收益(元)	0.0313	0.2319	0.0266	0.1950
基本每股收益(扣除后)(元)	0.0396	0.2163	0.0361	0.3663
稀释每股收益(元)	0.0313	0.2240	0.0266	0.1878
每股净资产(元)	1.9732	1.8878	3.3793	3.2751
每股经营现金净流量(元)	-0.4989	0.0122	-0.8633	-0.2059
每股现金流量(元)	-0.0178	0.0608	-0.2419	-0.2555
每股资本公积金(元)	0.2502	0.1478	1.2322	1.0513
每股盈余公积金(元)	0.0842	0.0842	0.1481	0.1522
每股未分配利润(元)	0.6376	0.6763	0.9992	1.0718
净资产收益率(%)	1.5866	11.9489	1.6082	11.9052
加权净资产收益率(%)	1.6500	12.7000	1.6700	12.5700
净资产收益率(扣除)(%)	2.0080	11.1449	1.0673	11.1852
总资产(万元)	580821.94	507608.24	439520.48	373413.36
归属母公司股东权益(万元)	201912.63	193173.53	169241.05	159534.33
营业收入(万元)	72234.15	186856.16	57831.41	154280.58
营业支出(万元)	43815.75	112328.16	37857.51	105143.26
投资收益(万元)	1157.24	201.59	-20.40	523.76
净利润(万元)	2714.62	22942.30	2138.71	19899.82
营业利润(万元)	3894.18	24704.66	1696.58	21487.56
利润总额(万元)	3338.85	27425.76	2846.14	22402.27

常州天晟新材料股份有限公司

公司概况					
公司名称	常州天晟新材料股份有限公司			证券简称	天晟新材
法人代表	吴海宙	董秘	李桦	证券代码	300169
公司网址	www.tschina.com		电子信箱	dongmi@tschina.com	
电　话	0519-86929019 86929011		传　真	0519-88866091	
办公地址	江苏省常州市龙锦路508号				
经营范围	塑料制品、橡胶制品(限分支机构经营)、新型复合材料、新型墙体材料等				

主要财务指标 指标\报告期	2016.06.30	2015.12.31	2015.06.30	2014.12.31
基本每股收益(元)	0.0117	0.0719	0.0224	0.0848
基本每股收益(扣除后)(元)	0.0068	0.0696	0.0178	-0.0359
稀释每股收益(元)	0.0117	0.0719	0.0224	0.0848
每股净资产(元)	3.8171	3.7987	3.7453	3.7200
每股经营现金净流量(元)	-0.0038	0.4242	-0.0738	0.4345
每股现金流量(元)	-0.0942	0.0408	0.0499	-0.1088
每股资本公积金(元)	2.5429	2.5429	2.5429	2.5429
每股盈余公积金(元)	0.0406	0.0406	0.0406	0.0406
每股未分配利润(元)	0.2244	0.2127	0.1632	0.1408
净资产收益率(%)	0.3075	1.8936	0.5991	2.0875
加权净资产收益率(%)	0.3100	1.9100	0.6000	2.5300
净资产收益率(扣除)(%)	0.1777	1.8311	0.4739	-0.8824
总资产(万元)	191693.27	182086.51	193774.67	184808.33
归属母公司股东权益(万元)	124432.40	123832.03	122092.02	121266.74
营业收入(万元)	34188.76	76118.61	37551.75	76105.55
营业支出(万元)	24758.89	54012.29	27071.27	56557.13
投资收益(万元)	23.79	-229.11	-	129.20
净利润(万元)	372.33	2344.87	702.33	2417.78
营业利润(万元)	323.89	2376.58	492.07	-829.93
利润总额(万元)	511.26	2668.64	675.35	2950.25

上海汉得信息技术股份有限公司

公司概况					
公司名称	上海汉得信息技术股份有限公司			证券简称	汉得信息
法人代表	陈迪清	董秘	陈迪清(代)	证券代码	300170
公司网址	www.hand-china.com		电子信箱	investors@vip.hand-china.com	
电　话	021-50177372		传　真	021-59800969	
办公地址	上海市青浦区汇联路33号				
经营范围	研究、开发和生产计算机软件、信息系统和网络产品等				

主要财务指标 指标\报告期	2016.06.30	2015.12.31	2015.06.30	2014.12.31
基本每股收益(元)	0.1260	0.2600	0.1100	0.2200
基本每股收益(扣除后)(元)	0.1100	0.2300	0.1000	0.3000
稀释每股收益(元)	0.1260	0.2600	0.1100	0.2200
每股净资产(元)	2.2399	1.8640	2.0830	2.9423
每股经营现金净流量(元)	-0.2633	0.2488	-0.1154	0.1103
每股现金流量(元)	-0.3392	0.1697	-0.2130	0.0227
每股资本公积金(元)	0.4853	0.4769	0.4002	1.0837
每股盈余公积金(元)	0.0959	0.0967	0.0719	0.1078
每股未分配利润(元)	0.8214	0.7313	0.6116	0.7515
净资产收益率(%)	5.6191	12.3702	5.3088	10.9751
加权净资产收益率(%)	5.7100	13.5800	5.4700	12.2100
净资产收益率(扣除)(%)	5.0122	11.0554	4.8348	9.9440
总资产(万元)	218135.34	210838.02	184942.00	175982.85
归属母公司股东权益(万元)	187119.37	173190.90	171557.59	161549.47
营业收入(万元)	72174.91	121879.81	55742.83	100902.39
营业支出(万元)	46527.14	72990.81	32553.18	60953.10
投资收益(万元)	-448.19	162.73	-	-154.65
净利润(万元)	10524.48	21484.81	8552.05	17672.05
营业利润(万元)	8469.80	17141.28	9109.08	16217.88
利润总额(万元)	10406.55	19911.73	9983.45	17927.46

上海东富龙科技股份有限公司

公司概况					
公司名称	上海东富龙科技股份有限公司			证券简称	东富龙
法人代表	郑效东	董秘	熊芳君	证券代码	300171
公司网址	www.tofflon.com		电子信箱	dfl@tofflon.com	
电　话	021-64909699		传　真	021-64909369	
办公地址	上海市闵行区都会路1509号				
经营范围	医用冻干机及冻干系统的研发、设计、生产、销售和服务				

主要财务指标 指标\报告期	2016.06.30	2015.12.31	2015.06.30	2014.12.31
基本每股收益(元)	0.2284	0.6200	0.3187	0.5400
基本每股收益(扣除后)(元)	0.1984	0.5800	0.3152	1.0100
稀释每股收益(元)	0.2283	0.6200	0.3187	0.5400
每股净资产(元)	4.4604	4.5226	4.2233	8.2023
每股经营现金净流量(元)	0.0181	0.2216	0.0791	0.1735
每股现金流量(元)	-0.2128	-0.7427	0.2449	0.1917
每股资本公积金(元)	1.8403	1.8725	1.8815	4.7436
每股盈余公积金(元)	0.2649	0.2648	0.2082	0.4165
每股未分配利润(元)	1.3831	1.4578	1.2184	2.3105
净资产收益率(%)	5.0393	13.4694	7.4144	12.8828
加权净资产收益率(%)	4.8600	14.1100	7.3500	13.5200
净资产收益率(扣除)(%)	4.3758	12.6464	7.2755	12.0118
总资产(万元)	398391.63	406221.38	414230.36	416800.25
归属母公司股东权益(万元)	283044.42	287083.51	268110.17	260355.08
营业收入(万元)	72648.12	155555.61	79075.15	125869.37
营业支出(万元)	41166.00	86519.03	41771.37	65298.66
投资收益(万元)	574.63	1066.51	361.66	183.33
净利润(万元)	14096.33	39523.37	20000.05	35135.31
营业利润(万元)	15483.30	43574.53	23533.77	38755.03
利润总额(万元)	16985.94	45842.42	23703.68	41476.72

中电环保股份有限公司

公司概况					
公司名称	南京中电环保股份有限公司			证券简称	中电环保
法人代表	王政福	董秘	周安翔	证券代码	300172
公司网址	www.ce-ep.com		电子信箱	ceep@ce-ep.com	
电　话	025-86533202 86533261		传　真	025-86524972	
办公地址	江苏省南京市江宁开发区诚信大道1800号				
经营范围	环保、电力、化工、水处理设备的研发、设计、制造、系统集成及销售等				

主要财务指标 指标\报告期	2016.06.30	2015.12.31	2015.06.30	2014.12.31
基本每股收益(元)	0.0900	0.3000	0.0800	0.2500
基本每股收益(扣除后)(元)	0.0900	0.2700	0.1100	0.4500
稀释每股收益(元)	0.0900	0.3000	0.0800	0.2500
每股净资产(元)	2.0651	3.0061	2.8270	5.5153
每股经营现金净流量(元)	-0.1656	0.1709	-0.0703	0.4452
每股现金流量(元)	-0.2964	-0.1040	-0.5462	0.0728
每股资本公积金(元)	0.2399	0.8598	0.8598	2.7196
每股盈余公积金(元)	0.0747	0.1120	0.0900	0.1800
每股未分配利润(元)	0.7506	1.0344	0.8772	1.6156
净资产收益率(%)	4.5699	9.9295	4.2233	8.9477
加权净资产收益率(%)	4.6100	10.3900	4.2600	9.3000
净资产收益率(扣除)(%)	4.2489	8.8326	4.0411	8.2056
总资产(万元)	156640.60	151063.94	139367.55	132573.27
归属母公司股东权益(万元)	104701.64	101606.89	95553.29	93207.81
营业收入(万元)	30399.71	60761.42	27305.04	60712.36
营业支出(万元)	19903.41	41347.01	18389.62	43498.25
投资收益(万元)	38.26	293.65	48.41	1.04
净利润(万元)	5086.21	10390.08	4215.69	8706.42
营业利润(万元)	5410.05	10512.04	4709.55	9184.87
利润总额(万元)	5915.76	11947.75	4940.90	10069.01

松德智慧装备股份有限公司

公司概况	公司名称	松德智慧装备股份有限公司			证券简称	智慧松德
	法人代表	郭景松	董秘	张金群	证券代码	300173
	公司网址	www.songde.com.cn		电子信箱	sec@sotech.cn	
	电　话	0760-23112733		传　真	0760-23380870	
	办公地址	广东省中山市南头镇东福北路35号				
	经营范围	生产、加工、销售:包装机械及材料、印刷机械、光电材料及其设备等				

主要财务指标	指标\报告期	2016.06.30	2015.12.31	2015.06.30	2014.12.31
	基本每股收益(元)	0.0800	0.1300	0.0390	0.0200
	基本每股收益(扣除后)(元)	0.0500	0.0900	0.0300	-0.1100
	稀释每股收益(元)	0.0800	0.1300	0.0390	0.0200
	每股净资产(元)	2.7557	2.7158	2.6292	7.7707
	每股经营现金净流量(元)	-0.0950	-0.0474	-0.0195	-0.0789
	每股现金流量(元)	-0.1748	-0.0731	-0.1455	0.9783
	每股资本公积金(元)	1.3945	1.3945	1.3945	6.1835
	每股盈余公积金(元)	0.0305	0.0305	0.0305	0.0916
	每股未分配利润(元)	0.3307	0.2908	0.2042	0.4956
	净资产收益率(%)	2.9009	4.6231	1.4835	0.5148
	加权净资产收益率(%)	2.9000	4.7300	1.4900	1.4500
	净资产收益率(扣除)(%)	1.8326	3.4122	1.3387	-0.8564
	总资产(万元)	213722.59	206916.49	194792.42	196992.90
	归属母公司股东权益(万元)	161535.09	159193.76	154120.51	151834.08
	营业收入(万元)	22990.16	51185.88	23037.76	19479.79
	营业支出(万元)	14962.52	34370.69	15764.41	14531.28
	投资收益(万元)	-108.74	141.52	-9.81	393.00
	净利润(万元)	4686.03	7359.68	2286.43	746.88
	营业利润(万元)	3227.20	4547.01	1830.94	-1315.89
	利润总额(万元)	5685.26	8393.42	2574.55	772.38

福建元力活性炭股份有限公司

公司概况	公司名称	福建元力活性炭股份有限公司			证券简称	元力股份
	法人代表	卢元健	董秘	许文显	证券代码	300174
	公司网址	www.yuanlicarbon.com		电子信箱	dm@yuanlicarbon.com	
	电　话	0599-8558803		传　真	0599-8558803	
	办公地址	福建省南平市八一路356号				
	经营范围	一直致力于木质活性炭的研发、生产和销售等				

主要财务指标	指标\报告期	2016.06.30	2015.12.31	2015.06.30	2014.12.31
	基本每股收益(元)	0.1536	0.2270	0.1485	0.1493
	基本每股收益(扣除后)(元)	0.1499	0.1731	0.1010	0.0272
	稀释每股收益(元)	0.1536	0.2270	0.1485	0.1493
	每股净资产(元)	3.8947	3.8412	3.7627	3.6679
	每股经营现金净流量(元)	0.3591	0.3383	0.1444	0.1563
	每股现金流量(元)	-0.0732	0.2341	0.0141	-0.0043
	每股资本公积金(元)	1.8594	1.8594	1.9194	1.9194
	每股盈余公积金(元)	0.1439	0.1439	0.1321	0.1321
	每股未分配利润(元)	0.8914	0.8378	0.7112	0.6126
	净资产收益率(%)	3.9427	5.9109	3.9478	1.6255
	加权净资产收益率(%)	3.9500	5.7300	3.9700	1.6300
	净资产收益率(扣除)(%)	3.8496	4.5057	2.6835	0.7408
	总资产(万元)	85100.51	88785.95	82766.98	83575.38
	归属母公司股东权益(万元)	52968.11	52239.76	51172.13	49831.94
	营业收入(万元)	30256.85	58830.65	29407.91	39830.34
	营业支出(万元)	24861.38	48020.13	24081.46	31881.76
	投资收益(万元)	1508.96	1940.84	1068.02	-
	净利润(万元)	3115.45	4456.74	2837.93	810.84
	营业利润(万元)	1112.66	1785.04	965.90	-1147.67
	利润总额(万元)	3130.87	4516.49	3046.67	539.01

朗源股份有限公司

公司概况	公司名称	朗源股份有限公司			证券简称	朗源股份
	法人代表	戚大广	董秘	李博	证券代码	300175
	公司网址	www.lontrue.com		电子信箱	ir@lontrue.com	
	电　话	0535-8611766		传　真	0535-8610658	
	办公地址	山东省烟台市龙口高新技术产业园区朗源路299号				
	经营范围	种植、加工、储存、销售:水果、蔬菜、坚果、果仁及其深加工产品等				

主要财务指标	指标\报告期	2016.06.30	2015.12.31	2015.06.30	2014.12.31
	基本每股收益(元)	0.0330	0.0760	0.0570	0.1860
	基本每股收益(扣除后)(元)	0.0314	0.0700	0.0370	0.1610
	稀释每股收益(元)	0.0330	0.0760	0.0570	0.1860
	每股净资产(元)	1.9101	1.9132	1.9591	1.8128
	每股经营现金净流量(元)	0.6800	0.3008	-0.0330	-0.5763
	每股现金流量(元)	-0.2551	0.3783	0.1030	-0.1338
	每股资本公积金(元)	0.1496	0.1496	0.1496	0.1496
	每股盈余公积金(元)	0.0673	0.0673	0.0616	0.0616
	每股未分配利润(元)	0.5729	0.5495	0.5569	0.4996
	净资产收益率(%)	1.7275	3.9485	2.9223	10.2761
	加权净资产收益率(%)	1.7100	4.0800	2.9500	11.9900
	净资产收益率(扣除)(%)	1.6436	3.6444	1.9023	8.8747
	总资产(万元)	128226.80	157540.07	165735.78	148294.88
	归属母公司股东权益(万元)	89926.94	90072.55	92235.78	85344.47
	营业收入(万元)	29979.37	84652.89	33917.80	80916.17
	营业支出(万元)	25386.82	72456.93	28790.49	66930.71
	投资收益(万元)	287.15	243.31	-	202.70
	净利润(万元)	2307.01	3759.03	2786.99	8843.91
	营业利润(万元)	2232.78	3846.51	1835.94	7716.70
	利润总额(万元)	2308.23	3877.12	2776.71	8912.76

广东鸿特精密技术股份有限公司

公司概况	公司名称	广东鸿特精密技术股份有限公司			证券简称	鸿特精密
	法人代表	卢楚隆	董秘	邱碧开	证券代码	300176
	公司网址	www.hongteo.com.cn		电子信箱	zq@hongteo.com.cn	
	电　话	0758-2696338 2696038		传　真	0758-2691582	
	办公地址	广东省肇庆市鼎湖城区北十区				
	经营范围	设计、制造、加工、销售铝合金精密压铸件、汽车零配件及通讯类零配件				

主要财务指标	指标\报告期	2016.06.30	2015.12.31	2015.06.30	2014.12.31
	基本每股收益(元)	0.2392	0.3567	0.1015	0.1488
	基本每股收益(扣除后)(元)	0.2114	0.3057	0.0653	0.1288
	稀释每股收益(元)	0.2392	0.3567	0.1015	0.1488
	每股净资产(元)	5.7162	5.5770	5.3218	5.2703
	每股经营现金净流量(元)	0.0782	2.4973	1.6739	0.5387
	每股现金流量(元)	-0.5281	0.7859	0.1354	-0.4972
	每股资本公积金(元)	2.9764	2.9764	2.9764	2.9764
	每股盈余公积金(元)	0.2146	0.2146	0.1801	0.1801
	每股未分配利润(元)	1.5252	1.3860	1.1653	1.1139
	净资产收益率(%)	4.1844	6.3956	1.9064	2.8235
	加权净资产收益率(%)	4.2100	6.5700	1.9100	2.8400
	净资产收益率(扣除)(%)	3.6982	5.4811	1.2275	2.4437
	总资产(万元)	179577.05	203247.79	196878.74	181759.62
	归属母公司股东权益(万元)	61323.32	59830.09	57091.98	56539.98
	营业收入(万元)	70260.33	143298.41	68868.18	123574.54
	营业支出(万元)	54139.76	113235.27	54469.90	97911.57
	投资收益(万元)	-	-	-	-
	净利润(万元)	2566.04	3826.51	1088.40	1596.39
	营业利润(万元)	2784.45	3539.19	831.68	1097.83
	利润总额(万元)	3137.54	4200.21	1300.98	1351.08

广州中海达卫星导航技术股份有限公司

公司概况	公司名称	广州中海达卫星导航技术股份有限公司			证券简称	中 海 达
	法人代表	廖定海	董秘	欧阳业恒	证券代码	300177
	公司网址	www.hi-target.com.cn		电子信箱	zhdsec@hi-target.com.cn	
	电　话	020-22883958		传　真	020-28688200	
	办公地址	广东省广州市番禺区番禺大道北 555 号番禺节能科技园总部中心 13 号楼				
	经营范围	卫星导航定位系统及软硬件产品、地理信息采集系统及软硬件产品等				

主要财务指标	指标＼报告期	2016.06.30	2015.12.31	2015.06.30	2014.12.31
	基本每股收益(元)	0.0392	0.0036	0.0251	0.2500
	基本每股收益(扣除后)(元)	0.0154	-0.0500	0.0144	0.2300
	稀释每股收益(元)	0.0392	0.0036	0.0251	0.2500
	每股净资产(元)	3.5580	3.5287	3.5723	2.5310
	每股经营现金净流量(元)	-0.0537	-0.0725	-0.3080	0.0294
	每股现金流量(元)	-0.6628	0.5435	-0.0202	-0.1675
	每股资本公积金(元)	1.7192	1.7192	1.7150	0.6362
	每股盈余公积金(元)	0.0931	0.0931	0.0883	0.0949
	每股未分配利润(元)	0.7457	0.7165	0.7690	0.7999
	净资产收益率(%)	1.1030	0.1007	0.6697	9.6982
	加权净资产收益率(%)	1.1100	0.1100	0.8600	10.2200
	净资产收益率(扣除)(%)	0.4315	-1.3155	0.3845	9.2089
	总资产(万元)	190357.63	190346.83	183998.90	130695.81
	归属母公司股东权益(万元)	155456.58	154178.89	155613.27	102689.42
	营业收入(万元)	33148.32	63798.47	25848.14	68722.19
	营业支出(万元)	19767.30	37965.21	15399.67	33997.89
	投资收益(万元)	941.94	1274.87	449.23	-1.45
	净利润(万元)	1538.38	15.91	1117.80	10572.08
	营业利润(万元)	661.67	-2743.96	162.91	9380.25
	利润总额(万元)	1559.94	105.21	1226.57	12333.31

深圳市腾邦国际商业服务股份有限公司

公司概况	公司名称	深圳市腾邦国际商业服务股份有限公司			证券简称	腾邦国际
	法人代表	钟百胜	董秘	周小凤	证券代码	300178
	公司网址	www.feiren.com		电子信箱	tt@tempus.cn	
	电　话	0755-83663222		传　真	0755-83663222	
	办公地址	中国深圳腾邦国际互联网金融产业园(福田保税区桃花路 9 号腾邦集团大厦)5 楼				
	经营范围	经营国际、国内航线或香港、澳门、台湾地区的航空客运销售代理业务等				

主要财务指标	指标＼报告期	2016.06.30	2015.12.31	2015.06.30	2014.12.31
	基本每股收益(元)	0.1400	0.2700	0.1200	0.2300
	基本每股收益(扣除后)(元)	0.1400	0.2686	0.1193	0.5269
	稀释每股收益(元)	0.1400	0.2600	0.1200	0.2300
	每股净资产(元)	2.6042	2.4906	2.3945	5.0642
	每股经营现金净流量(元)	-0.3412	-0.2114	-0.4079	-1.0185
	每股现金流量(元)	-0.3355	0.3708	0.1464	-0.5033
	每股资本公积金(元)	0.6494	0.6461	0.4799	2.2429
	每股盈余公积金(元)	0.1058	0.1058	0.0917	0.2018
	每股未分配利润(元)	1.0355	0.9252	0.8303	1.6358
	净资产收益率(%)	5.3906	10.5182	5.0946	10.4809
	加权净资产收益率(%)	5.4700	11.1600	5.1800	11.1000
	净资产收益率(扣除)(%)	5.4158	10.3812	4.9843	10.4076
	总资产(万元)	384225.80	328372.69	293670.30	212876.10
	归属母公司股东权益(万元)	144655.91	138345.57	128885.53	123901.40
	营业收入(万元)	52584.98	92820.32	39411.17	46377.79
	营业支出(万元)	26246.21	43366.72	17530.42	15978.40
	投资收益(万元)	-145.38	315.85	179.78	345.17
	净利润(万元)	8166.98	15688.23	6914.17	13381.63
	营业利润(万元)	10801.79	20368.75	9394.34	15320.95
	利润总额(万元)	10726.28	20479.13	9409.32	15020.45

河南四方达超硬材料股份有限公司

公司概况	公司名称	河南四方达超硬材料股份有限公司			证券简称	四 方 达
	法人代表	方海江	董秘	方海江(代)	证券代码	300179
	公司网址	www.sf-diamond.com.cn		电子信箱	sr@sf-diamond.com	
	电　话	0371-66728022		传　真	0371-86070182-321	
	办公地址	河南省郑州市经济技术开发区第十大街 109 号				
	经营范围	复合超硬材料及制品的生产和销售业务等				

主要财务指标	指标＼报告期	2016.06.30	2015.12.31	2015.06.30	2014.12.31
	基本每股收益(元)	0.0183	0.0971	0.0470	0.1800
	基本每股收益(扣除后)(元)	0.0125	0.0820	0.0404	-0.1200
	稀释每股收益(元)	0.0183	0.0971	0.0470	0.1800
	每股净资产(元)	1.5151	1.5473	1.5081	1.5065
	每股经营现金净流量(元)	0.0128	-0.0203	-0.0357	0.1786
	每股现金流量(元)	-0.1297	0.1989	-0.1407	-0.9287
	每股资本公积金(元)	0.1348	0.1359	0.1143	1.4514
	每股盈余公积金(元)	0.0609	0.0610	0.0487	0.1070
	每股未分配利润(元)	0.3480	0.3799	0.3451	0.7559
	净资产收益率(%)	1.2070	6.2272	3.1158	5.2323
	加权净资产收益率(%)	1.1700	6.3700	3.1000	5.4000
	净资产收益率(扣除)(%)	0.7777	5.2939	2.6800	-3.6303
	总资产(万元)	83776.65	85574.57	82820.68	84911.27
	归属母公司股东权益(万元)	72529.24	74072.97	71662.93	71590.06
	营业收入(万元)	6380.82	20326.17	9536.26	18907.32
	营业支出(万元)	3714.36	10385.87	5188.00	10045.84
	投资收益(万元)	9.64	648.94	282.65	648.17
	净利润(万元)	839.24	4264.09	2163.21	3359.68
	营业利润(万元)	679.97	4420.18	2488.49	-2045.81
	利润总额(万元)	1036.61	4551.03	2573.24	3761.48

上海华峰超纤材料股份有限公司

公司概况	公司名称	上海华峰超纤材料股份有限公司			证券简称	华峰超纤
	法人代表	尤小平	董秘	程鸣	证券代码	300180
	公司网址	www.microfibre.huafeng.com		电子信箱	chengming2003@126.com	
	电　话	021-57243140		传　真	021-57245968	
	办公地址	上海市金山区亭卫南路 888 号				
	经营范围	超细纤维聚氨酯合成革的研发、生产、销售与服务等				

主要财务指标	指标＼报告期	2016.06.30	2015.12.31	2015.06.30	2014.12.31
	基本每股收益(元)	0.1000	0.3000	0.2100	0.2900
	基本每股收益(扣除后)(元)	0.0900	0.3100	0.4200	0.7000
	稀释每股收益(元)	0.1000	0.3000	0.2100	0.2900
	每股净资产(元)	5.4223	3.7751	3.7751	8.9818
	每股经营现金净流量(元)	-0.2210	0.2719	0.0381	0.7711
	每股现金流量(元)	0.0870	-0.2867	-0.1831	-0.5411
	每股资本公积金(元)	3.1211	1.3723	1.3723	4.9309
	每股盈余公积金(元)	0.1421	0.1709	0.1375	0.3438
	每股未分配利润(元)	1.1591	1.3185	1.2653	2.7072
	净资产收益率(%)	1.7074	7.7970	5.6789	8.1384
	加权净资产收益率(%)	2.1400	8.0800	5.8000	8.2600
	净资产收益率(扣除)(%)	1.5342	7.9471	5.5020	7.8359
	总资产(万元)	333814.90	264384.94	184869.92	176811.02
	归属母公司股东权益(万元)	257560.67	152542.20	149116.69	141912.56
	营业收入(万元)	62579.93	113695.79	57944.50	97031.31
	营业支出(万元)	47775.64	83218.05	40911.69	70680.84
	投资收益(万元)	26.19	-	-	-
	净利润(万元)	4397.47	11893.65	8468.14	11549.37
	营业利润(万元)	4763.11	13776.12	9567.44	12575.53
	利润总额(万元)	5333.58	13537.29	9882.14	13149.79

浙江佐力药业股份有限公司

公司概况	公司名称	浙江佐力药业股份有限公司		证券简称	佐力药业
	法人代表	俞有强	董秘 郑超一	证券代码	300181
	公司网址	www.jolly.com.cn		电子信箱	zhengcy@zuoli.com
	电　话	0572-8281383		传　真	0572-8281246
	办公地址	浙江省湖州市德清县武康镇志远路			
	经营范围	乌灵菌粉及乌灵胶囊的生产等			

主要财务指标	指标\报告期	2016.06.30	2015.12.31	2015.06.30	2014.12.31
	基本每股收益(元)	0.0944	0.1500	0.1016	0.1900
	基本每股收益(扣除后)(元)	0.0830	0.1300	0.0875	0.3000
	稀释每股收益(元)	0.0944	0.1500	0.1016	0.1900
	每股净资产(元)	2.1476	2.1223	2.0760	2.5369
	每股经营现金净流量(元)	-0.0983	0.1596	-0.0666	0.0432
	每股现金流量(元)	-0.3419	0.3359	0.5087	-0.3539
	每股资本公积金(元)	0.6769	0.6759	0.6789	0.7469
	每股盈余公积金(元)	0.0800	0.0676	0.0676	0.0986
	每股未分配利润(元)	0.3908	0.3788	0.3294	0.6915
	净资产收益率(%)	4.3945	6.5630	4.3313	12.8386
	加权净资产收益率(%)	4.3500	7.6400	6.6700	13.4000
	净资产收益率(扣除)(%)	3.8633	5.7456	3.7282	11.9582
	总资产(万元)	203138.81	185054.66	162797.80	118151.65
	归属母公司股东权益(万元)	130711.06	129169.02	126348.36	80370.15
	营业收入(万元)	46763.42	67085.71	32889.57	51492.62
	营业支出(万元)	16936.80	21034.14	8642.80	9009.69
	投资收益(万元)	95.31	70.84	-	-
	净利润(万元)	6338.79	9363.64	5915.96	10675.73
	营业利润(万元)	5346.64	7988.71	5086.26	9923.27
	利润总额(万元)	7167.75	10544.69	6639.14	12049.30

北京捷成世纪科技股份有限公司

公司概况	公司名称	北京捷成世纪科技股份有限公司		证券简称	捷成股份
	法人代表	徐子泉	董秘 游尤	证券代码	300182
	公司网址	www.jetsen.com.cn		电子信箱	jetsen@jetsen.cn
	电　话	010-82330868		传　真	010-61736100
	办公地址	北京市海淀区知春路1号学院国际大厦709室			
	经营范围	音视频整体解决方案的设计、开发与实施等			

主要财务指标	指标\报告期	2016.06.30	2015.12.31	2015.06.30	2014.12.31
	基本每股收益(元)	0.2577	0.3918	0.0691	0.1932
	基本每股收益(扣除后)(元)	0.2447	0.3843	0.2259	0.5500
	稀释每股收益(元)	0.2577	0.3899	0.0691	0.1932
	每股净资产(元)	5.4207	2.5154	3.7186	2.9965
	每股经营现金净流量(元)	-0.1969	0.0892	0.1155	-0.2838
	每股现金流量(元)	-0.0886	0.2709	-0.2530	-0.5161
	每股资本公积金(元)	3.5562	1.2752	1.3441	1.2941
	每股盈余公积金(元)	0.0809	0.0975	0.2382	0.2388
	每股未分配利润(元)	0.7836	0.6604	1.1366	1.0701
	净资产收益率(%)	4.3528	12.4018	6.1562	15.4900
	加权净资产收益率(%)	5.9600	18.9000	5.9300	17.2300
	净资产收益率(扣除)(%)	4.1323	12.1635	6.0431	15.2300
	总资产(万元)	1159356.92	602098.89	243913.08	234031.41
	归属母公司股东权益(万元)	926167.04	429782.94	175547.20	169671.86
	营业收入(万元)	136924.19	221061.47	63883.40	123384.09
	营业支出(万元)	75150.41	139935.41	43251.78	71360.52
	投资收益(万元)	2730.86	8305.03	3124.85	1895.40
	净利润(万元)	42017.72	53614.18	10602.19	26447.77
	营业利润(万元)	44033.30	54993.58	9543.73	25193.31
	利润总额(万元)	49805.58	59058.78	11092.19	28014.54

青岛东软载波科技股份有限公司

公司概况	公司名称	青岛东软载波科技股份有限公司		证券简称	东软载波
	法人代表	崔健	董秘 王辉	证券代码	300183
	公司网址	www.eastsoft.com.cn		电子信箱	wanghui@eastsoft.com.cn
	电　话	0532-83676959		传　真	0532-83676855
	办公地址	山东省青岛市市北区上清路16号甲			
	经营范围	计算机软件开发及配套技术服务、集成电路设计及销售等			

主要财务指标	指标\报告期	2016.06.30	2015.12.31	2015.06.30	2014.12.31
	基本每股收益(元)	0.3000	0.6151	0.2600	0.5500
	基本每股收益(扣除后)(元)	0.2900	0.5964	0.2600	1.0800
	稀释每股收益(元)	0.3000	0.6151	0.2600	0.5500
	每股净资产(元)	5.0868	4.9845	4.3113	8.3979
	每股经营现金净流量(元)	0.2184	0.4468	0.1916	1.1172
	每股现金流量(元)	0.4868	-1.4518	-0.6019	0.2072
	每股资本公积金(元)	1.9267	1.9267	1.5785	4.1492
	每股盈余公积金(元)	0.2913	0.2913	0.2346	0.4692
	每股未分配利润(元)	1.8688	1.7665	1.4982	2.7795
	净资产收益率(%)	5.9419	12.2157	5.9956	13.1135
	加权净资产收益率(%)	5.8900	13.4700	5.9700	13.6900
	净资产收益率(扣除)(%)	5.7172	11.8438	5.9185	12.8052
	总资产(万元)	253211.18	246889.04	215154.07	206737.17
	归属母公司股东权益(万元)	230566.36	225931.75	192045.31	187041.68
	营业收入(万元)	39745.89	82532.64	32908.19	64439.60
	营业支出(万元)	14626.38	35731.72	15809.13	28325.04
	投资收益(万元)	64.02	195.75	-	-
	净利润(万元)	13532.31	27314.41	11252.10	24586.13
	营业利润(万元)	12863.88	26262.23	10251.75	22767.66
	利润总额(万元)	15870.12	32628.26	13075.38	27122.67

武汉力源信息技术股份有限公司

公司概况	公司名称	武汉力源信息技术股份有限公司		证券简称	力源信息
	法人代表	赵马克	董秘 王晓东	证券代码	300184
	公司网址	www.icbase.com		电子信箱	zqb@icbase.com
	电　话	027-59417345		传　真	027-59417373
	办公地址	湖北省武汉市东湖新技术开发区武大园三路5号			
	经营范围	电子产品、电子元器件、信息技术及相关成套产品方案的开发、研制、生产、销售等			

主要财务指标	指标\报告期	2016.06.30	2015.12.31	2015.06.30	2014.12.31
	基本每股收益(元)	0.0574	0.1014	0.0478	0.0652
	基本每股收益(扣除后)(元)	0.0540	0.0876	0.0300	0.1200
	稀释每股收益(元)	0.0567	0.0993	0.0467	0.0652
	每股净资产(元)	1.8604	1.7900	1.7551	3.3600
	每股经营现金净流量(元)	-0.1132	-0.2116	-0.0999	0.1495
	每股现金流量(元)	0.0778	-0.1445	-0.1208	0.0375
	每股资本公积金(元)	0.5531	0.5511	0.5297	1.9946
	每股盈余公积金(元)	0.0185	0.0185	0.0198	0.0401
	每股未分配利润(元)	0.3104	0.2531	0.2147	0.3391
	净资产收益率(%)	3.0838	5.3815	2.6909	3.4100
	加权净资产收益率(%)	3.1400	5.8200	2.7500	4.0400
	净资产收益率(扣除)(%)	2.9040	4.6530	1.9320	3.3223
	总资产(万元)	115944.79	100481.53	92106.31	91443.07
	归属母公司股东权益(万元)	71452.99	68795.63	63059.02	59560.46
	营业收入(万元)	64870.23	102038.10	43992.51	63077.81
	营业支出(万元)	56968.04	86434.82	37175.50	53691.58
	投资收益(万元)	-	-185.99	-103.30	-33.01
	净利润(万元)	2203.43	4180.02	2174.64	2557.04
	营业利润(万元)	2330.39	4117.67	1898.47	2878.57
	利润总额(万元)	2458.84	4845.38	2575.42	2960.86

通裕重工股份有限公司

公司概况					
公司名称	通裕重工股份有限公司			证券简称	通裕重工
法人代表	司兴奎	董秘	祖吉旭	证券代码	300185
公司网址	www.tongyuheavy.com		电子信箱	tyzgsaj@126.com	
电　话	0534-7520688		传　真	0534-7287759	
办公地址	山东省禹城市高新技术产业开发区				
经营范围	大型锻件坯料、电渣锭、锻件、管模、数控机床、通用机械非标准设备制造、销售等				

主要财务指标				
指标\报告期	2016.06.30	2015.12.31	2015.06.30	2014.12.31
基本每股收益(元)	0.0900	0.1300	0.0600	0.0900
基本每股收益(扣除后)(元)	0.0800	0.1200	0.0600	0.0600
稀释每股收益(元)	0.0900	0.1300	0.0600	0.0900
每股净资产(元)	4.6079	3.9648	3.8946	3.9004
每股经营现金净流量(元)	0.1016	0.1859	–0.0212	0.0516
每股现金流量(元)	1.2497	0.3462	0.3096	–0.1040
每股资本公积金(元)	3.0587	2.3931	2.3931	2.3931
每股盈余公积金(元)	0.0804	0.0875	0.0637	0.0637
每股未分配利润(元)	0.4679	0.4839	0.4378	0.4436
净资产收益率(%)	1.6554	3.3805	1.6474	2.2979
加权净资产收益率(%)	2.1600	3.4100	1.6400	2.3100
净资产收益率(扣除)(%)	1.4370	3.0234	1.4508	1.4852
总资产(万元)	933665.03	789078.20	772622.33	689053.70
归属母公司股东权益(万元)	501913.27	356832.17	350512.27	351038.05
营业收入(万元)	116682.67	234284.42	114093.29	205580.59
营业支出(万元)	84958.86	180244.66	90051.17	163194.09
投资收益(万元)	249.97	1680.61	1236.51	2147.74
净利润(万元)	9938.07	12243.31	5798.63	7414.35
营业利润(万元)	10921.11	12469.68	6270.66	8170.38
利润总额(万元)	12331.10	13985.61	7060.02	10136.89

永清环保股份有限公司

公司概况					
公司名称	永清环保股份有限公司			证券简称	永清环保
法人代表	刘正军	董秘	熊素勤	证券代码	300187
公司网址	www.yonker.com.cn		电子信箱	pear77hi@163.com	
电　话	0731-83285599		传　真	0731-83285599	
办公地址	湖南省长沙市浏阳市国家生物医药产业基地(319 国道旁)				
经营范围	大气污染防治工程、新能源发电、火力发电工程的咨询、设计等				

主要财务指标				
指标\报告期	2016.06.30	2015.12.31	2015.06.30	2014.12.31
基本每股收益(元)	0.0900	0.5500	0.0500	0.2700
基本每股收益(扣除后)(元)	0.0800	0.3800	0.1500	0.2600
稀释每股收益(元)	0.0900	0.5500	0.0500	0.2700
每股净资产(元)	2.1208	6.1246	4.6186	4.5163
每股经营现金净流量(元)	0.0399	0.0716	–0.8561	0.5820
每股现金流量(元)	–0.1763	1.6086	–1.1816	–0.2290
每股资本公积金(元)	0.5923	3.7772	2.3278	2.3278
每股盈余公积金(元)	0.0629	0.1887	0.1464	0.1464
每股未分配利润(元)	0.5354	1.3712	1.1284	1.0278
净资产收益率(%)	4.1662	8.5390	3.4096	6.0358
加权净资产收益率(%)	4.2400	10.3900	3.4300	6.2100
净资产收益率(扣除)(%)	3.7857	5.8672	3.1712	5.7121
总资产(万元)	278092.96	231070.50	153749.75	155668.34
归属母公司股东权益(万元)	137345.31	132213.00	92529.67	90480.41
营业收入(万元)	64265.77	77332.15	35251.68	90114.03
营业支出(万元)	51329.35	59358.37	28277.70	75317.05
投资收益(万元)	718.82	1802.99	–	–
净利润(万元)	6043.61	11013.68	2998.23	5444.33
营业利润(万元)	6907.57	11101.74	3342.78	6104.54
利润总额(万元)	7159.76	12858.69	3574.28	6436.92

厦门市美亚柏科信息股份有限公司

公司概况					
公司名称	厦门市美亚柏科信息股份有限公司			证券简称	美亚柏科
法人代表	滕达	董秘	李滢雪	证券代码	300188
公司网址	www.300188.cn		电子信箱	tzzgx@300188.cn	
电　话	0592-3698792		传　真	0592-2519335	
办公地址	福建省厦门市软件园二期观日路 12 号美亚柏科大厦				
经营范围	系统集成、计算机软件开发、信息咨询服务等				

主要财务指标				
指标\报告期	2016.06.30	2015.12.31	2015.06.30	2014.12.31
基本每股收益(元)	0.0490	0.3100	0.0430	0.2600
基本每股收益(扣除后)(元)	0.0400	0.2800	0.0360	0.4800
稀释每股收益(元)	0.0490	0.3100	0.0430	0.2600
每股净资产(元)	3.4528	3.7748	2.2634	4.2587
每股经营现金净流量(元)	–0.3468	0.4098	–0.3614	0.7837
每股现金流量(元)	–0.2581	0.1086	–0.1619	0.1529
每股资本公积金(元)	1.4998	1.7469	0.4932	1.7588
每股盈余公积金(元)	0.0968	0.1065	0.0805	0.1611
每股未分配利润(元)	0.8561	0.9214	0.6897	1.3388
净资产收益率(%)	1.3915	7.9603	1.8901	12.1447
加权净资产收益率(%)	1.3900	13.3700	1.9500	12.9400
净资产收益率(扣除)(%)	1.1475	7.2180	1.5773	11.3364
总资产(万元)	210097.58	220246.58	123815.40	131444.71
归属母公司股东权益(万元)	168237.94	167285.98	100304.64	94364.16
营业收入(万元)	25894.70	76316.04	19983.33	60309.52
营业支出(万元)	8052.21	26332.97	6887.66	21871.84
投资收益(万元)	–156.21	–586.14	–265.06	–429.76
净利润(万元)	1866.37	15247.56	2101.91	12341.95
营业利润(万元)	–671.67	12876.71	–136.82	11603.08
利润总额(万元)	2176.14	17285.01	2163.83	13748.48

海南神农基因科技股份有限公司

公司概况					
公司名称	海南神农基因科技股份有限公司			证券简称	神农基因
法人代表	黄培劲	董秘	胥洋	证券代码	300189
公司网址	www.sndf.com.cn		电子信箱	sndf2010@126.com	
电　话	0898-68598068		传　真	0898-68545606	
办公地址	海南省海口市紫荆路 2-1 号紫荆信息公寓 26A				
经营范围	优质杂交水稻种子和其他农作物良种的选育、推广、销售等				

主要财务指标				
指标\报告期	2016.06.30	2015.12.31	2015.06.30	2014.12.31
基本每股收益(元)	0.0051	0.0073	0.0014	–0.0864
基本每股收益(扣除后)(元)	–	–0.0245	–0.0035	–0.2115
稀释每股收益(元)	0.0051	0.0073	0.0014	–0.0864
每股净资产(元)	1.3921	1.3870	3.0395	3.0381
每股经营现金净流量(元)	–0.1602	0.0748	0.0656	0.1104
每股现金流量(元)	–0.0899	–0.0542	–0.1485	–0.2061
每股资本公积金(元)	0.2738	0.2738	1.7735	1.7735
每股盈余公积金(元)	0.0191	0.0191	0.0459	0.0459
每股未分配利润(元)	0.0991	0.0940	0.2202	0.2187
净资产收益率(%)	0.3647	0.5265	0.0472	–7.1100
加权净资产收益率(%)	0.3700	0.5859	0.0472	–6.8263
净资产收益率(扣除)(%)	–0.0013	–1.7658	–0.1150	–6.9624
总资产(万元)	255555.42	228150.67	155465.76	158382.86
归属母公司股东权益(万元)	142548.99	142029.05	124499.88	124441.10
营业收入(万元)	51132.95	33274.54	20507.95	35566.00
营业支出(万元)	44597.51	25188.84	15313.07	29624.63
投资收益(万元)	–72.48	51.65	–16.97	–47.94
净利润(万元)	838.17	15.67	–279.48	–11595.27
营业利润(万元)	684.12	–3559.14	–489.82	–11426.58
利润总额(万元)	1267.60	62.26	–247.80	–11526.57

江苏维尔利环保科技股份有限公司

公司概况						
	公司名称	江苏维尔利环保科技股份有限公司			证券简称	维 尔 利
	法人代表	李月中	董秘	宗韬	证券代码	300190
	公司网址	www.jswelle.com		电子信箱	zongtao@jswelle.com	
	电　话	0519-85125884		传　真	0519-85125883	
	办公地址	江苏省常州市新北区汉江路 156 号				
	经营范围	环保设备的设计、集成、制造等				

主要财务指标	指标\报告期	2016.06.30	2015.12.31	2015.06.30	2014.12.31
	基本每股收益(元)	0.1300	0.3500	0.1300	0.3000
	基本每股收益(扣除后)(元)	0.1200	0.3300	0.1300	0.5900
	稀释每股收益(元)	0.1300	0.3500	0.1300	0.3000
	每股净资产(元)	6.7086	4.5539	4.3384	8.5133
	每股经营现金净流量(元)	–0.3196	0.1487	–0.0712	0.2308
	每股现金流量(元)	2.8085	0.2946	0.3698	0.0123
	每股资本公积金(元)	4.8616	2.6472	2.6472	6.2927
	每股盈余公积金(元)	0.0686	0.0804	0.0677	0.1354
	每股未分配利润(元)	0.7758	0.8263	0.6235	1.0852
	净资产收益率(%)	1.6944	7.6048	3.0164	6.4831
	加权净资产收益率(%)	2.5900	7.8800	3.0400	8.3800
	净资产收益率(扣除)(%)	1.5424	7.2728	2.9514	6.4322
	总资产(万元)	424074.55	277756.53	250534.94	197213.73
	归属母公司股东权益(万元)	273791.01	158530.31	151029.94	148183.62
	营业收入(万元)	35123.89	96090.90	40305.64	65058.92
	营业支出(万元)	21764.30	63293.07	26173.60	42133.13
	投资收益(万元)	–138.69	–16.12	–36.81	–59.35
	净利润(万元)	4784.38	12709.87	4708.26	9873.34
	营业利润(万元)	5214.88	14253.06	5406.41	11235.79
	利润总额(万元)	5652.87	14868.82	5521.25	11326.62

潜能恒信能源技术股份有限公司

公司概况						
	公司名称	潜能恒信能源技术股份有限公司			证券简称	潜能恒信
	法人代表	周锦明	董秘	张卉	证券代码	300191
	公司网址	www.sinogeo.com		电子信箱	zqb@sinogeo.com	
	电　话	010-84922368		传　真	010-84928085	
	办公地址	北京市朝阳区北苑路甲 13 号北辰新纪元大厦 2 塔 22 层				
	经营范围	为石油公司提供地震数据处理解释一体化找油服务等				

主要财务指标	指标\报告期	2016.06.30	2015.12.31	2015.06.30	2014.12.31
	基本每股收益(元)	0.0191	–0.1500	–0.0168	0.0800
	基本每股收益(扣除后)(元)	0.0101	–0.1500	–0.0200	0.0800
	稀释每股收益(元)	0.0191	–0.1500	–0.0168	0.0800
	每股净资产(元)	3.6544	3.6443	3.7755	3.8016
	每股经营现金净流量(元)	–0.0588	0.1932	–0.0708	0.4134
	每股现金流量(元)	–0.3185	0.3302	–0.2694	0.5051
	每股资本公积金(元)	1.7172	1.7172	1.7189	1.7189
	每股盈余公积金(元)	0.2202	0.2202	0.2145	0.2145
	每股未分配利润(元)	0.7152	0.7061	0.8447	0.8708
	净资产收益率(%)	0.5223	–4.0904	–0.4498	2.0201
	加权净资产收益率(%)	0.5200	–4.0000	–0.4700	2.0300
	净资产收益率(扣除)(%)	0.2762	–4.1038	–0.4446	2.0018
	总资产(万元)	122756.44	125855.10	123551.01	124279.90
	归属母公司股东权益(万元)	116942.26	116617.45	120814.96	121651.02
	营业收入(万元)	4583.49	4483.32	2549.12	7755.29
	营业支出(万元)	2129.00	2789.54	1738.04	3239.79
	投资收益(万元)	–35.54	–	–	–
	净利润(万元)	609.80	–4816.91	–573.01	2446.84
	营业利润(万元)	557.84	–4444.76	–463.03	3307.36
	利润总额(万元)	896.35	–4426.28	–470.38	3334.41

苏州科斯伍德油墨股份有限公司

公司概况						
	公司名称	苏州科斯伍德油墨股份有限公司			证券简称	科斯伍德
	法人代表	吴贤良	董秘	张峰	证券代码	300192
	公司网址	www.szkinks.com		电子信箱	szkinks@szkinks.com	
	电　话	0512-65370257		传　真	0512-65374760	
	办公地址	江苏省苏州市相城区潘阳工业园春申路 989 号				
	经营范围	胶印油墨的研发、生产和销售等				

主要财务指标	指标\报告期	2016.06.30	2015.12.31	2015.06.30	2014.12.31
	基本每股收益(元)	0.0800	0.1400	0.0600	0.1600
	基本每股收益(扣除后)(元)	0.0700	0.1300	0.0500	0.1369
	稀释每股收益(元)	0.0800	0.1400	0.0600	0.1600
	每股净资产(元)	2.8305	2.7982	2.7032	2.6815
	每股经营现金净流量(元)	0.1024	0.1917	0.1281	0.1736
	每股现金流量(元)	0.0356	0.0375	0.1097	–0.2816
	每股资本公积金(元)	0.8272	0.8272	0.8272	0.8272
	每股盈余公积金(元)	0.1165	0.1165	0.1013	0.1013
	每股未分配利润(元)	0.8986	0.8733	0.8014	0.7654
	净资产收益率(%)	2.6613	5.1160	2.0736	6.0770
	加权净资产收益率(%)	2.6600	5.2000	2.0700	6.1800
	净资产收益率(扣除)(%)	2.4442	4.5520	1.8685	5.0981
	总资产(万元)	78454.28	80292.28	80243.89	81415.40
	归属母公司股东权益(万元)	68653.02	67869.65	65567.10	65040.03
	营业收入(万元)	22759.74	49507.85	23860.83	52102.17
	营业支出(万元)	17194.04	38798.24	19082.34	40862.29
	投资收益(万元)	–	–	–	–
	净利润(万元)	1827.04	3472.21	1359.60	3952.47
	营业利润(万元)	2082.34	3678.10	1384.67	3933.23
	利润总额(万元)	2248.88	4072.41	1542.90	4619.44

深圳市佳士科技股份有限公司

公司概况						
	公司名称	深圳市佳士科技股份有限公司			证券简称	佳士科技
	法人代表	潘磊	董秘	李锐	证券代码	300193
	公司网址	www.jasic.com.cn		电子信箱	jasiczqb@jasic.com.cn	
	电　话	0755-21674251		传　真	0755-21674250	
	办公地址	广东省深圳市南山区桃园路田厦国际中心 A 栋 1606-1610				
	经营范围	焊割设备及配件、五金制品、电子设备、电源设备及配件的生产、加工、销售等				

主要财务指标	指标\报告期	2016.06.30	2015.12.31	2015.06.30	2014.12.31
	基本每股收益(元)	0.1100	0.1600	0.1000	0.1100
	基本每股收益(扣除后)(元)	0.1000	0.1500	0.2000	0.2300
	稀释每股收益(元)	0.1000	0.1500	0.1000	0.1100
	每股净资产(元)	4.0800	3.9250	8.7400	8.6096
	每股经营现金净流量(元)	0.1783	0.2508	0.1294	0.4509
	每股现金流量(元)	0.3236	–1.6465	–3.7907	–0.8912
	每股资本公积金(元)	2.5131	2.4762	6.5787	6.5600
	每股盈余公积金(元)	0.1172	0.1175	0.2111	0.2197
	每股未分配利润(元)	0.5453	0.4732	0.9560	0.8337
	净资产收益率(%)	2.5324	3.8832	2.3212	2.7495
	加权净资产收益率(%)	2.5800	3.9700	2.4100	2.7500
	净资产收益率(扣除)(%)	2.4592	3.6469	2.1996	2.6741
	总资产(万元)	237186.20	228906.93	221862.55	211914.20
	归属母公司股东权益(万元)	207162.93	199043.98	201487.28	190703.37
	营业收入(万元)	32349.34	62487.08	29682.28	58824.10
	营业支出(万元)	20622.29	41248.94	19951.63	41420.65
	投资收益(万元)	–59.27	–250.56	–115.78	3.36
	净利润(万元)	5367.96	7485.16	4528.12	4917.92
	营业利润(万元)	5650.39	8624.44	5301.42	5883.08
	利润总额(万元)	5823.94	9304.07	5591.18	6041.43

福安药业(集团)股份有限公司

公司概况

公司名称	福安药业(集团)股份有限公司			证券简称	福安药业
法人代表	汪天祥	董秘	汤沁	证券代码	300194
公司网址	www.fapharm.com		电子信箱	tangqin@fapharm.com	
电　话	023-61028766		传　真	023-68573999	
办公地址	重庆市长寿区化南一路1号				
经营范围	普通货运、生产、销售、无菌原料药、非无菌原料药等				

主要财务指标

指标\报告期	2016.06.30	2015.12.31	2015.06.30	2014.12.31
基本每股收益(元)	0.3000	0.2400	0.1000	0.1800
基本每股收益(扣除后)(元)	0.2800	0.2100	0.0900	0.1700
稀释每股收益(元)	0.3000	0.2400	0.1000	0.1800
每股净资产(元)	9.0078	7.5707	7.4478	6.5617
每股经营现金净流量(元)	0.4011	0.5710	0.1668	-0.1202
每股现金流量(元)	0.0964	-1.8455	-1.7313	-0.1648
每股资本公积金(元)	6.8382	5.3242	5.3242	4.3510
每股盈余公积金(元)	0.1126	0.1389	0.1311	0.1421
每股未分配利润(元)	1.0549	1.1046	0.9793	1.0564
净资产收益率(%)	2.6735	3.0399	1.3025	2.6778
加权净资产收益率(%)	3.8600	3.3300	1.5400	2.6800
净资产收益率(扣除)(%)	2.5457	2.6876	1.1186	2.5838
总资产(万元)	390522.45	247908.64	247594.34	183219.21
归属母公司股东权益(万元)	313469.15	213492.33	210027.29	170690.76
营业收入(万元)	49737.69	70809.60	29603.12	44856.97
营业支出(万元)	26011.42	39512.26	18339.16	30579.03
投资收益(万元)	409.85	1011.79	415.77	257.86
净利润(万元)	8402.75	6555.62	2771.54	4586.79
营业利润(万元)	9883.08	7795.88	3316.20	5380.43
利润总额(万元)	9946.38	7637.27	3353.45	5399.49

天津长荣印刷设备股份有限公司

公司概况

公司名称	天津长荣印刷设备股份有限公司			证券简称	长荣股份
法人代表	李莉	董秘	李东晖	证券代码	300195
公司网址	www.mkmchina.com		电子信箱	crgf@mkmchina.com	
电　话	022-26986268		传　真	022-26973430	
办公地址	天津市北辰科技园区双辰中路11号				
经营范围	印刷设备的设计制造、主要集中于印后加工设备的设计与制造等				

主要财务指标

指标\报告期	2016.06.30	2015.12.31	2015.06.30	2014.12.31
基本每股收益(元)	0.2100	0.5800	0.3800	1.1000
基本每股收益(扣除后)(元)	0.1200	0.4900	0.3500	1.0000
稀释每股收益(元)	0.2100	0.5800	0.3800	1.1000
每股净资产(元)	7.1239	6.6914	6.6914	13.1147
每股经营现金净流量(元)	0.2912	0.0288	0.3544	-0.6031
每股现金流量(元)	-0.4828	-0.1122	-0.5539	-0.9951
每股资本公积金(元)	4.3393	4.3393	4.2972	9.5848
每股盈余公积金(元)	0.2571	0.2571	0.2167	0.4335
每股未分配利润(元)	1.5895	1.3822	1.1861	2.1144
净资产收益率(%)	2.9094	7.0520	3.7951	7.8449
加权净资产收益率(%)	3.0400	7.2400	3.8200	9.3600
净资产收益率(扣除)(%)	1.7252	5.9790	3.4388	7.1028
总资产(万元)	354877.13	367480.70	294250.28	283951.89
归属母公司股东权益(万元)	241714.14	233650.76	228076.86	223509.34
营业收入(万元)	49724.25	111112.86	47351.77	95678.34
营业支出(万元)	31181.42	65391.51	27089.84	53749.06
投资收益(万元)	1713.52	2395.16	-	303.83
净利润(万元)	7294.60	17581.39	9253.34	18724.27
营业利润(万元)	5699.80	18394.63	10057.40	20790.27
利润总额(万元)	8786.08	21382.29	11154.49	22747.87

江苏长海复合材料股份有限公司

公司概况

公司名称	江苏长海复合材料股份有限公司			证券简称	长海股份
法人代表	杨国文	董秘	蔡志军	证券代码	300196
公司网址	www.changhaigfrp.com		电子信箱	finance@changhaigfrp.com	
电　话	0519-88712521		传　真	0519-88712521	
办公地址	江苏省常州市武进区遥观镇塘桥村				
经营范围	玻纤制品及玻纤复合材料的研发、生产和销售等				

主要财务指标

指标\报告期	2016.06.30	2015.12.31	2015.06.30	2014.12.31
基本每股收益(元)	0.6500	1.1100	0.4800	0.7700
基本每股收益(扣除后)(元)	0.6400	1.0000	0.4200	0.7000
稀释每股收益(元)	0.6500	1.1100	0.4800	0.7700
每股净资产(元)	7.2365	6.7300	6.1000	5.5200
每股经营现金净流量(元)	0.7901	1.5387	0.7252	0.7116
每股现金流量(元)	0.2229	0.4743	0.4313	0.1567
每股资本公积金(元)	2.3796	2.3796	2.3796	2.3852
每股盈余公积金(元)	0.3174	0.3174	0.2211	0.2211
每股未分配利润(元)	3.5395	3.0359	2.5024	2.1200
净资产收益率(%)	9.0312	16.5189	7.9047	13.3594
加权净资产收益率(%)	9.2900	17.9200	8.1500	14.2100
净资产收益率(扣除)(%)	8.7792	14.8352	6.9095	12.2344
总资产(万元)	232540.82	226749.49	229329.04	153531.60
归属母公司股东权益(万元)	138940.26	129272.34	117180.70	109945.10
营业收入(万元)	85713.75	151606.43	67074.52	111261.26
营业支出(万元)	57321.58	104358.45	47493.44	81193.27
投资收益(万元)	80.83	-78.00	383.53	91.27
净利润(万元)	13445.31	22470.32	9645.77	14875.25
营业利润(万元)	15238.22	23388.37	10178.34	16095.84
利润总额(万元)	15593.17	26044.29	11332.54	17300.93

深圳市铁汉生态环境股份有限公司

公司概况

公司名称	深圳市铁汉生态环境股份有限公司			证券简称	铁汉生态
法人代表	陈阳春	董秘	杨锋源	证券代码	300197
公司网址	www.sztechand.com		电子信箱	techand@sztechand.com	
电　话	0755-82917023		传　真	0755-82927550	
办公地址	广东省深圳市福田区红荔西路8133号农科商务办公楼5、6、7、8楼				
经营范围	水土保持、生态修复、园林绿化工程施工和园林养护、生态环保产品的技术开发等				

主要财务指标

指标\报告期	2016.06.30	2015.12.31	2015.06.30	2014.12.31
基本每股收益(元)	0.1900	0.3900	0.2200	0.3200
基本每股收益(扣除后)(元)	0.1800	0.3800	0.2300	0.4800
稀释每股收益(元)	0.1900	0.3900	0.2200	0.3200
每股净资产(元)	4.7140	4.0068	5.7041	4.0075
每股经营现金净流量(元)	-0.2053	-0.0705	-0.0795	-0.4785
每股现金流量(元)	0.2877	0.5213	1.0588	0.1212
每股资本公积金(元)	2.5563	1.6602	3.0293	1.3608
每股盈余公积金(元)	0.1144	0.1435	0.1549	0.1651
每股未分配利润(元)	1.0433	1.2032	1.5199	1.4816
净资产收益率(%)	3.7142	9.4578	3.9138	12.0693
加权净资产收益率(%)	4.4500	11.9100	5.7700	12.8600
净资产收益率(扣除)(%)	3.6546	9.2889	3.8604	12.0427
总资产(万元)	940215.99	693829.83	612918.15	506422.41
归属母公司股东权益(万元)	477575.49	323586.83	307106.95	202493.65
营业收入(万元)	144933.56	261327.30	110227.08	200309.27
营业支出(万元)	103839.21	191047.81	78499.29	138297.87
投资收益(万元)	8207.75	13206.41	5423.83	10332.12
净利润(万元)	17861.76	30410.14	11982.07	24358.59
营业利润(万元)	19884.34	32877.70	13270.84	29417.47
利润总额(万元)	20225.89	33632.44	13464.92	29566.13

福建纳川管材科技股份有限公司

公司概况					
公司名称	福建纳川管材科技股份有限公司			证券简称	纳川股份
法人代表	陈志江	董秘	罗靖	证券代码	300198
公司网址	www.nachuan.com		电子信箱	nachuan@nachuan.com	
电　话	0595-87770399 87770616		传　真	0595-87962111	
办公地址	福建省泉州市泉港区普安工业区				
经营范围	塑料管道生产销售、钢管塑料防腐处理及塑料防腐钢管成品销售等				

主要财务指标 指标\报告期	2016.06.30	2015.12.31	2015.06.30	2014.12.31
基本每股收益(元)	0.0524	0.0640	0.0570	0.1180
基本每股收益(扣除后)(元)	0.0510	0.0590	0.0530	0.1130
稀释每股收益(元)	0.0524	0.0640	0.0570	0.1180
每股净资产(元)	3.2963	2.7227	2.7157	2.6785
每股经营现金净流量(元)	-0.1154	-0.0909	-0.2469	0.1169
每股现金流量(元)	0.4925	0.2221	0.1368	-0.2054
每股资本公积金(元)	1.4992	0.8676	0.8676	0.8676
每股盈余公积金(元)	0.0795	0.0893	0.0893	0.0893
每股未分配利润(元)	0.7177	0.7660	0.7589	0.7217
净资产收益率(%)	1.4409	2.3633	2.1072	4.4352
加权净资产收益率(%)	1.7000	2.3800	2.1200	4.4500
净资产收益率(扣除)(%)	1.3908	2.1816	1.9629	4.2359
总资产(万元)	238051.45	207700.08	192516.24	155575.64
归属母公司股东权益(万元)	154558.08	113231.35	112938.12	111390.82
营业收入(万元)	47656.62	130794.81	52131.37	99859.47
营业支出(万元)	34699.56	103105.26	42454.44	83752.66
投资收益(万元)	585.52	2026.83	922.29	3445.98
净利润(万元)	3173.20	5315.04	3072.71	4971.50
营业利润(万元)	3564.41	4430.19	3606.68	5762.14
利润总额(万元)	3856.26	5201.05	3810.31	6022.71

深圳翰宇药业股份有限公司

公司概况					
公司名称	深圳翰宇药业股份有限公司			证券简称	翰宇药业
法人代表	曾少贵	董秘	朱文丰	证券代码	300199
公司网址	www.hybio.com.cn		电子信箱	hy@hybio.com.cn	
电　话	0755-26588036		传　真	0755-26588078	
办公地址	广东省深圳市南山区高新技术工业园中区翰宇生物医药园办公大楼四层				
经营范围	生产经营片剂、硬胶囊剂、颗粒剂、小容量注射剂、冻干粉针剂、原料药等				

主要财务指标 指标\报告期	2016.06.30	2015.12.31	2015.06.30	2014.12.31
基本每股收益(元)	0.1200	0.3400	0.1000	0.1900
基本每股收益(扣除后)(元)	0.1200	0.3300	0.1000	0.4300
稀释每股收益(元)	0.1200	0.3400	0.1000	0.1900
每股净资产(元)	3.1021	2.9632	2.7077	3.2404
每股经营现金净流量(元)	0.0528	0.1560	0.0224	0.3836
每股现金流量(元)	0.1658	-0.5779	-0.5292	0.6304
每股资本公积金(元)	1.1519	1.1190	1.1190	1.0432
每股盈余公积金(元)	0.0759	0.0759	0.0514	0.1144
每股未分配利润(元)	0.8568	0.7575	0.5397	1.0878
净资产收益率(%)	4.0074	11.5778	3.7215	13.2363
加权净资产收益率(%)	4.1100	12.7300	4.0500	14.1800
净资产收益率(扣除)(%)	3.8832	11.2740	3.4527	13.0382
总资产(万元)	379160.27	354599.94	305062.14	169746.33
归属母公司股东权益(万元)	276088.99	263731.51	240988.66	129614.64
营业收入(万元)	34352.13	76826.38	26541.79	41942.82
营业支出(万元)	7033.51	14675.34	5756.51	7196.57
投资收益(万元)	254.20	716.65	51.00	-
净利润(万元)	11064.00	30534.20	8968.38	17156.17
营业利润(万元)	11643.39	32893.48	9087.83	18331.43
利润总额(万元)	12046.97	33835.90	9850.04	18633.87

北京高盟新材料股份有限公司

公司概况					
公司名称	北京高盟新材料股份有限公司			证券简称	高盟新材
法人代表	何宇飞	董秘	史向前	证券代码	300200
公司网址	www.co-mens.com		电子信箱	zqb@co-mens.com	
电　话	010-69343241		传　真	010-69343241	
办公地址	北京市房山区燕山东流水工业区8号				
经营范围	复合聚氨酯胶粘剂的研制、开发、生产和销售等				

主要财务指标 指标\报告期	2016.06.30	2015.12.31	2015.06.30	2014.12.31
基本每股收益(元)	0.1737	0.2500	0.1276	0.2300
基本每股收益(扣除后)(元)	0.1669	0.2500	0.1238	0.2200
稀释每股收益(元)	0.1737	0.2500	0.1276	0.2300
每股净资产(元)	3.5725	3.5989	3.4758	3.5482
每股经营现金净流量(元)	0.3000	0.3653	0.1181	0.3321
每股现金流量(元)	-0.7439	-0.1092	-0.1776	-0.1587
每股资本公积金(元)	1.9569	1.9569	1.9569	1.9569
每股盈余公积金(元)	0.1163	0.1163	0.0974	0.0974
每股未分配利润(元)	0.4994	0.5257	0.4216	0.4939
净资产收益率(%)	4.8619	6.9642	3.6718	6.4527
加权净资产收益率(%)	4.7600	7.0500	3.5700	6.4800
净资产收益率(扣除)(%)	4.6731	6.8441	3.5621	6.3334
总资产(万元)	81560.91	83683.40	80503.95	82853.30
归属母公司股东权益(万元)	76309.55	76871.47	74244.08	75790.00
营业收入(万元)	23094.00	48847.29	23219.75	51774.95
营业支出(万元)	14982.21	32487.51	15977.24	37123.37
投资收益(万元)	99.21	19.08	-	-
净利润(万元)	3710.08	5353.47	2726.08	4890.50
营业利润(万元)	4244.25	6352.01	3191.41	5621.68
利润总额(万元)	4413.92	6464.67	3287.25	5725.25

徐州海伦哲专用车辆股份有限公司

公司概况					
公司名称	徐州海伦哲专用车辆股份有限公司			证券简称	海伦哲
法人代表	丁剑平	董秘	栗沛思	证券代码	300201
公司网址	www.xzhlz.com		电子信箱	hlzzqb@xzhlz.com	
电　话	0516-87987729		传　真	0516-87987777	
办公地址	江苏省徐州市经济技术开发区宝莲寺路19号				
经营范围	设计、制造专用汽车、工程机械、建设机械、环保机械等产品，销售自产产品等				

主要财务指标 指标\报告期	2016.06.30	2015.12.31	2015.06.30	2014.12.31
基本每股收益(元)	0.0111	0.0727	-0.0307	0.0468
基本每股收益(扣除后)(元)	0.0033	0.0631	-0.0357	0.0195
稀释每股收益(元)	0.0108	0.0714	-0.0307	0.0468
每股净资产(元)	2.8433	1.8261	1.9956	1.8939
每股经营现金净流量(元)	-0.3577	0.2450	-0.1549	0.1001
每股现金流量(元)	0.1285	0.0440	-0.1971	-0.0854
每股资本公积金(元)	1.4845	0.7123	0.6742	0.5211
每股盈余公积金(元)	0.0277	0.0323	0.0319	0.0331
每股未分配利润(元)	0.3199	0.3775	0.2770	0.3291
净资产收益率(%)	0.3348	3.2850	-1.5242	2.4716
加权净资产收益率(%)	0.5100	3.4000	-1.5400	2.5000
净资产收益率(扣除)(%)	0.1001	2.8524	-1.7218	1.0321
总资产(万元)	201612.90	131855.56	125347.88	107681.50
归属母公司股东权益(万元)	121194.43	77833.79	72917.87	66665.61
营业收入(万元)	40477.45	82134.81	26208.37	57591.27
营业支出(万元)	27936.68	60019.24	20083.11	42513.82
投资收益(万元)	-10.69	57.40	-	26.39
净利润(万元)	263.16	2482.83	-1133.47	1631.72
营业利润(万元)	56.06	2342.05	-1408.55	512.26
利润总额(万元)	363.63	2739.95	-1276.62	1636.15

聚龙股份有限公司

公司概况					
公司名称	聚龙股份有限公司			证券简称	聚龙股份
法人代表	柳长庆	董秘	崔文华	证券代码	300202
公司网址	www.julong.cc		电子信箱	cwh@julong.cc	
电　话	0412-2538288		传　真	0412-2538311	
办公地址	辽宁省鞍山市铁东区千山中路308号				
经营范围	金融办公自动化设备制造、设计、经营及有关技术咨询和技术服务等				

主要财务指标 指标\报告期	2016.06.30	2015.12.31	2015.06.30	2014.12.31
基本每股收益(元)	0.0249	0.4700	0.1100	0.6726
基本每股收益(扣除后)(元)	0.0200	0.4400	0.1000	0.6500
稀释每股收益(元)	0.0249	0.4700	0.1100	0.6700
每股净资产(元)	2.8295	2.8855	2.5229	2.5170
每股经营现金净流量(元)	-0.2527	0.3235	-0.3577	0.5533
每股现金流量(元)	0.3278	-0.0565	-0.5425	0.3114
每股资本公积金(元)	0.1776	0.1776	0.1776	0.1776
每股盈余公积金(元)	0.2162	0.2162	0.1699	0.1699
每股未分配利润(元)	1.4415	1.4966	1.1800	1.1706
净资产收益率(%)	0.8793	16.3680	4.3360	26.7221
加权净资产收益率(%)	0.8600	17.3800	4.2400	30.4300
净资产收益率(扣除)(%)	0.6932	15.2641	3.9952	25.7067
总资产(万元)	223299.01	182269.90	163432.99	175863.87
归属母公司股东权益(万元)	155482.13	158558.02	138633.60	138311.95
营业收入(万元)	21115.75	88682.24	27263.67	113345.94
营业支出(万元)	9899.31	41352.63	11237.11	53277.58
投资收益(万元)	-13.51	-	-	-
净利润(万元)	1339.34	25914.50	5965.66	36940.19
营业利润(万元)	338.77	19645.04	3283.81	32991.15
利润总额(万元)	1793.41	29028.46	6874.38	40666.73

聚光科技(杭州)股份有限公司

公司概况					
公司名称	聚光科技(杭州)股份有限公司			证券简称	聚光科技
法人代表	叶华俊	董秘	田昆仑	证券代码	300203
公司网址	www.fpi-inc.com		电子信箱	fpi@fpi-inc.com	
电　话	0571-85012176		传　真	0571-85012008	
办公地址	浙江省杭州市滨江区滨安路760号				
经营范围	光机电一体化产品和相关软件的研究、开发、生产、安装等				

主要财务指标 指标\报告期	2016.06.30	2015.12.31	2015.06.30	2014.12.31
基本每股收益(元)	0.1900	0.5500	0.1800	0.4300
基本每股收益(扣除后)(元)	0.1500	0.5800	0.1300	0.3400
稀释每股收益(元)	0.1900	0.5500	0.1800	0.4300
每股净资产(元)	5.2857	5.1860	4.7432	4.5867
每股经营现金净流量(元)	-0.6034	0.6021	-0.1678	0.3162
每股现金流量(元)	-0.3941	0.2985	-0.4524	-0.1111
每股资本公积金(元)	2.1119	2.1036	2.0380	2.0106
每股盈余公积金(元)	0.1817	0.1816	0.1642	0.1642
每股未分配利润(元)	2.1127	2.0238	1.6724	1.5414
净资产收益率(%)	3.5574	10.5115	3.7098	9.2683
加权净资产收益率(%)	3.5600	11.1800	3.8500	9.6800
净资产收益率(扣除)(%)	2.8325	11.0584	2.7045	7.3174
总资产(万元)	436835.22	411346.90	305510.96	290649.32
归属母公司股东权益(万元)	239433.10	235019.03	214896.96	207803.94
营业收入(万元)	72966.84	183325.20	65123.18	123060.44
营业支出(万元)	37299.98	95346.93	34302.57	66809.28
投资收益(万元)	532.41	130.67	-	42.12
净利润(万元)	8471.32	26956.54	8164.69	19662.90
营业利润(万元)	5245.94	26265.06	4928.26	12745.58
利润总额(万元)	9907.43	32635.31	9591.44	22754.22

舒泰神(北京)生物制药股份有限公司

公司概况					
公司名称	舒泰神(北京)生物制药股份有限公司			证券简称	舒泰神
法人代表	周志文	董秘	马莉娜	证券代码	300204
公司网址	www.staidson.com		电子信箱	securities@staidson.com	
电　话	010-67875255		传　真	010-67875255	
办公地址	北京市北京经济技术开发区经海二路36号				
经营范围	生物制品和部分化学药品的研发、生产和销售等				

主要财务指标 指标\报告期	2016.06.30	2015.12.31	2015.06.30	2014.12.31
基本每股收益(元)	0.2500	0.6300	0.2300	0.5800
基本每股收益(扣除后)(元)	0.2500	0.6100	0.3300	0.6900
稀释每股收益(元)	0.2500	0.6300	0.2300	0.5800
每股净资产(元)	3.6160	4.9020	4.6156	4.5048
每股经营现金净流量(元)	0.1977	0.6806	0.4214	0.8615
每股现金流量(元)	-0.1886	0.3906	0.0282	0.3470
每股资本公积金(元)	1.1801	2.0448	1.8973	3.0562
每股盈余公积金(元)	0.1953	0.2739	0.2028	0.2840
每股未分配利润(元)	1.3382	1.7279	1.5155	1.9665
净资产收益率(%)	6.8773	12.6751	7.0438	12.8950
加权净资产收益率(%)	6.9500	13.4100	6.9700	13.7100
净资产收益率(扣除)(%)	6.8565	12.4114	7.0266	10.9881
总资产(万元)	210421.55	207085.59	181984.18	181191.88
归属母公司股东权益(万元)	172101.50	166529.26	155162.66	151437.82
营业收入(万元)	61857.78	124789.18	55904.30	109300.34
营业支出(万元)	3405.33	6772.91	3262.08	6133.43
投资收益(万元)	988.71	1799.55	925.65	1343.61
净利润(万元)	11733.39	20941.64	10929.33	19527.92
营业利润(万元)	14117.58	23797.76	13090.04	20359.00
利润总额(万元)	14159.37	24304.62	13120.51	23294.85

武汉天喻信息产业股份有限公司

公司概况					
公司名称	武汉天喻信息产业股份有限公司			证券简称	天喻信息
法人代表	张新访	董秘	江绥	证券代码	300205
公司网址	www.whty.com.cn		电子信箱	tyobd@whty.com.cn	
电　话	027-87920301		传　真	027-87920306	
办公地址	湖北省武汉市东湖新技术开发区华工大学科技园天喻楼				
经营范围	智能卡产品及相关应用系统的研发、生产、销售和服务等				

主要财务指标 指标\报告期	2016.06.30	2015.12.31	2015.06.30	2014.12.31
基本每股收益(元)	0.0820	0.0163	0.0450	0.1363
基本每股收益(扣除后)(元)	0.0710	0.0045	0.0465	0.1214
稀释每股收益(元)	0.0820	0.0163	0.0450	0.1363
每股净资产(元)	2.6152	2.5849	2.5777	2.5810
每股经营现金净流量(元)	-0.6273	0.6792	-0.3283	-0.2531
每股现金流量(元)	-0.2027	-0.4597	-0.7616	0.1890
每股资本公积金(元)	0.9666	0.9666	0.9312	0.9312
每股盈余公积金(元)	0.1117	0.1117	0.0980	0.0980
每股未分配利润(元)	0.5265	0.4945	0.5369	0.5420
净资产收益率(%)	3.1346	0.6293	1.7450	5.2812
加权净资产收益率(%)	3.1200	0.6300	1.7300	5.3700
净资产收益率(扣除)(%)	2.7149	0.1739	1.8035	4.7029
总资产(万元)	190323.52	168340.84	182057.21	202458.58
归属母公司股东权益(万元)	112468.33	111163.32	110856.47	110998.82
营业收入(万元)	80878.31	148329.60	68506.15	135468.65
营业支出(万元)	56653.06	103038.04	47315.35	87140.34
投资收益(万元)	-147.35	-129.24	-46.23	-1124.51
净利润(万元)	2565.97	611.11	1866.18	5962.10
营业利润(万元)	3582.23	1167.17	3192.89	5881.80
利润总额(万元)	4137.47	1769.81	3119.09	6399.78

深圳市理邦精密仪器股份有限公司

公司概况						
	公司名称	深圳市理邦精密仪器股份有限公司			证券简称	理邦仪器
	法人代表	张浩	董秘	祖幼冬	证券代码	300206
	公司网址	www.edan.com.cn		电子信箱	ir@edan.com.cn	
	电　话	0755-26851437		传　真	0755-26850550	
	办公地址	广东省深圳市南山区蛇口南海大道 1019 号南山医疗器械园 B 栋三楼				
	经营范围	产科、多参数监护、超声影像、心电四大系列产品的研发、生产和销售等				

主要财务指标	指标\报告期	2016.06.30	2015.12.31	2015.06.30	2014.12.31
	基本每股收益(元)	0.0386	0.4400	0.0104	0.0600
	基本每股收益(扣除后)(元)	0.0104	-0.1100	-0.0600	-0.0161
	稀释每股收益(元)	0.0386	0.4400	0.0104	0.0600
	每股净资产(元)	1.9800	2.0300	4.9100	5.9572
	每股经营现金净流量(元)	-0.0265	0.1216	-0.0521	0.0410
	每股现金流量(元)	0.0576	-1.5464	-1.8212	-1.0811
	每股资本公积金(元)	0.6695	3.1738	3.4195	4.3034
	每股盈余公积金(元)	0.0569	0.1294	0.1223	0.1388
	每股未分配利润(元)	0.2598	0.7758	0.3679	0.5182
	净资产收益率(%)	1.9496	8.7026	0.5309	1.1564
	加权净资产收益率(%)	1.9000	8.5900	0.5300	1.1500
	净资产收益率(扣除)(%)	0.7073	-2.1734	-1.1862	-0.2702
	总资产(万元)	142476.59	145255.77	134013.90	135508.97
	归属母公司股东权益(万元)	115785.42	118595.44	114823.39	116164.69
	营业收入(万元)	32477.34	55013.64	26294.87	52277.56
	营业支出(万元)	14771.64	25984.35	12430.38	23593.41
	投资收益(万元)	368.43	10136.92	746.64	-345.78
	净利润(万元)	1873.96	10100.05	488.68	1140.67
	营业利润(万元)	623.16	6550.80	-922.04	-1019.25
	利润总额(万元)	1804.52	10087.78	454.64	1141.24

欣旺达电子股份有限公司

公司概况						
	公司名称	欣旺达电子股份有限公司			证券简称	欣旺达
	法人代表	王明旺	董秘	王继宝	证券代码	300207
	公司网址	www.sunwoda.com		电子信箱	sunwei@sunwoda.com	
	电　话	0755-27352064		传　真	0755-29517735	
	办公地址	广东省深圳市宝安区石岩街道石龙社区颐和路 2 号综合楼				
	经营范围	锂离子电池模组的研发、设计、生产及销售等				

主要财务指标	指标\报告期	2016.06.30	2015.12.31	2015.06.30	2014.12.31
	基本每股收益(元)	0.2400	0.5300	0.1600	0.2700
	基本每股收益(扣除后)(元)	0.2200	0.5400	0.1601	0.6900
	稀释每股收益(元)	0.2300	0.5100	0.1600	0.2700
	每股净资产(元)	3.0344	2.4712	2.4712	2.3000
	每股经营现金净流量(元)	0.4677	0.9853	0.4074	2.9199
	每股现金流量(元)	-0.1981	0.0192	-0.5719	2.6584
	每股资本公积金(元)	1.0432	1.0193	0.7217	3.2096
	每股盈余公积金(元)	0.1703	0.1430	0.0882	0.2211
	每股未分配利润(元)	1.1862	1.0448	0.7664	1.6341
	净资产收益率(%)	7.5168	18.0924	6.2496	11.6114
	加权净资产收益率(%)	7.8400	20.0500	6.5600	11.5600
	净资产收益率(扣除)(%)	7.0766	18.5679	6.4616	11.8718
	总资产(万元)	582057.79	571149.85	466017.89	481244.12
	归属母公司股东权益(万元)	195745.60	179639.56	155877.42	144659.98
	营业收入(万元)	308396.67	647155.80	268979.68	427918.78
	营业支出(万元)	263496.86	547912.79	231520.05	368594.14
	投资收益(万元)	1.52	368.52	323.82	-118.70
	净利润(万元)	14374.55	33191.54	9553.85	17143.72
	营业利润(万元)	15765.00	37183.53	11811.09	20457.26
	利润总额(万元)	16504.15	35660.70	11453.30	19981.51

青岛市恒顺众昇集团股份有限公司

公司概况						
	公司名称	青岛市恒顺众昇集团股份有限公司			证券简称	恒顺众昇
	法人代表	贾全臣	董秘	莫柏欣	证券代码	300208
	公司网址	www.qdhengshun.com		电子信箱	hengshun@188.com	
	电　话	0532-68004136		传　真	0532-87712839	
	办公地址	山东省青岛市城阳区流亭街道双元路西侧(空港工业聚集区)				
	经营范围	高压无功补偿装置、滤波装置及核心部件的研发、设计、生产与销售等				

主要财务指标	指标\报告期	2016.06.30	2015.12.31	2015.06.30	2014.12.31
	基本每股收益(元)	0.2000	0.4600	0.2900	0.1500
	基本每股收益(扣除后)(元)	0.2000	0.4100	0.6791	0.3700
	稀释每股收益(元)	0.2000	0.4500	0.2900	0.1500
	每股净资产(元)	1.7617	1.5032	3.3659	2.6673
	每股经营现金净流量(元)	-0.1452	0.7419	0.7721	0.4583
	每股现金流量(元)	-0.3873	0.2745	0.7046	-0.4332
	每股资本公积金(元)	0.1047	0.0967	1.1277	1.0014
	每股盈余公积金(元)	0.0740	0.0740	0.0729	0.0740
	每股未分配利润(元)	0.6642	0.4648	1.3950	0.7407
	净资产收益率(%)	11.3186	29.3910	19.7728	13.5988
	加权净资产收益率(%)	12.2100	34.6900	23.2700	15.0600
	净资产收益率(扣除)(%)	11.2250	25.9413	18.7498	13.2384
	总资产(万元)	222118.42	213675.22	193334.99	143700.49
	归属母公司股东权益(万元)	135035.86	115222.07	103201.70	80544.50
	营业收入(万元)	59409.22	116326.62	63083.73	67044.26
	营业支出(万元)	32515.90	63845.80	32354.73	44906.84
	投资收益(万元)	-	-	-	-
	净利润(万元)	15789.65	33853.21	20215.76	11721.08
	营业利润(万元)	17998.88	35195.50	22698.83	13518.29
	利润总额(万元)	18284.37	39853.47	23928.42	13844.87

天泽信息产业股份有限公司

公司概况						
	公司名称	天泽信息产业股份有限公司			证券简称	天泽信息
	法人代表	陈进	董秘	高丽丽	证券代码	300209
	公司网址	www.tiza.com.cn		电子信箱	tianze@tiza.com.cn	
	电　话	025-87793753		传　真	025-87793753	
	办公地址	江苏省南京市建邺区云龙山路 80 号				
	经营范围	车辆远程管理信息服务及配套软硬件的研发与销售等				

主要财务指标	指标\报告期	2016.06.30	2015.12.31	2015.06.30	2014.12.31
	基本每股收益(元)	0.1000	0.0100	0.0200	0.0400
	基本每股收益(扣除后)(元)	0.0900	-0.0100	0.0100	0.0300
	稀释每股收益(元)	0.1000	0.0100	0.0200	0.0400
	每股净资产(元)	6.5948	3.7051	3.7109	5.3283
	每股经营现金净流量(元)	-0.1639	0.0510	-0.0712	0.0087
	每股现金流量(元)	-0.2403	-0.6811	-0.5482	-0.1585
	每股资本公积金(元)	5.0726	2.1783	2.1783	3.5179
	每股盈余公积金(元)	0.0462	0.0551	0.0551	0.0844
	每股未分配利润(元)	0.4559	0.4684	0.4810	0.7260
	净资产收益率(%)	1.2117	0.1938	0.5321	1.2097
	加权净资产收益率(%)	2.5400	0.2000	0.5700	1.2100
	净资产收益率(扣除)(%)	1.1744	-0.1729	0.3457	0.4892
	总资产(万元)	230402.03	100494.90	100781.16	91906.57
	归属母公司股东权益(万元)	192648.69	90748.61	90890.11	85253.27
	营业收入(万元)	25694.66	29458.67	12403.60	17276.45
	营业支出(万元)	15996.48	16874.02	6552.96	7447.56
	投资收益(万元)	33.15	16.14	-59.54	-2.96
	净利润(万元)	2083.44	-88.30	479.77	876.29
	营业利润(万元)	2401.22	-651.05	208.93	24.47
	利润总额(万元)	2599.71	105.83	583.51	1197.10

鞍山森远路桥股份有限公司

公司概况						
	公司名称	鞍山森远路桥股份有限公司			证券简称	森远股份
	法人代表	孙斌武	董秘	于健	证券代码	300210
	公司网址	www.assyrb.com		电子信箱	assyrb@assyrb.com	
	电　话	0412-5260113　5223068		传　真	0412-5223068	
	办公地址	辽宁省鞍山市高新技术产业开发区鞍千路 281 号				
	经营范围	公路筑路养护设备、除雪设备、市政环卫设备、港口设备、铁路养护设备等				

主要财务指标	指标\报告期	2016.06.30	2015.12.31	2015.06.30	2014.12.31
	基本每股收益(元)	0.1200	0.3600	0.1400	0.4500
	基本每股收益(扣除后)(元)	0.1200	0.1868	0.1400	0.3300
	稀释每股收益(元)	0.1200	0.3600	0.1300	0.4500
	每股净资产(元)	4.4642	4.3752	3.6415	3.5500
	每股经营现金净流量(元)	-0.6156	-0.0098	-0.2134	-0.4882
	每股现金流量(元)	-0.2362	0.4010	-0.4153	-0.2555
	每股资本公积金(元)	1.5194	1.5194	0.8034	0.8034
	每股盈余公积金(元)	0.1352	0.1352	0.1425	0.1425
	每股未分配利润(元)	1.7922	1.7064	1.6820	1.5954
	净资产收益率(%)	2.7281	7.6224	4.1627	12.6809
	加权净资产收益率(%)	2.7500	9.8300	4.1900	13.3900
	净资产收益率(扣除)(%)	2.6324	4.2685	3.8938	9.3197
	总资产(万元)	182186.99	174373.39	142285.59	143431.89
	归属母公司股东权益(万元)	120092.82	117696.50	88310.70	86092.07
	营业收入(万元)	16793.74	40442.41	18706.27	48310.69
	营业支出(万元)	8368.05	22353.30	10810.06	27395.85
	投资收益(万元)	-	751.18	-	5.61
	净利润(万元)	3248.91	8971.19	3676.08	10917.22
	营业利润(万元)	3495.21	7984.55	2646.44	9417.72
	利润总额(万元)	3937.14	10187.65	3573.37	11198.16

江苏亿通高科技股份有限公司

公司概况						
	公司名称	江苏亿通高科技股份有限公司			证券简称	亿通科技
	法人代表	王振洪	董秘	王桂珍	证券代码	300211
	公司网址	www.yitong-group.com		电子信箱	yitong@yitong-group.com	
	电　话	0512-52816252		传　真	0512-52818006	
	办公地址	江苏省常熟市通林路 28 号				
	经营范围	有线电视网络设备、数字化用户信息网络终端产品等				

主要财务指标	指标\报告期	2016.06.30	2015.12.31	2015.06.30	2014.12.31
	基本每股收益(元)	0.0226	0.0737	0.0213	0.0659
	基本每股收益(扣除后)(元)	0.0207	0.0632	0.0370	0.1048
	稀释每股收益(元)	0.0226	0.0737	0.0213	0.0659
	每股净资产(元)	1.6627	1.6464	3.0949	5.8535
	每股经营现金净流量(元)	-0.0211	0.3429	-0.0492	0.2799
	每股现金流量(元)	-0.0739	0.0793	-0.2469	-0.3712
	每股资本公积金(元)	0.1235	1.1346	1.1346	3.0557
	每股盈余公积金(元)	0.0652	0.1239	0.1165	0.2213
	每股未分配利润(元)	0.4740	0.8697	0.8438	1.5765
	净资产收益率(%)	1.3612	2.3545	1.3060	2.1391
	加权净资产收益率(%)	1.3700	2.3700	1.3100	2.1500
	净资产收益率(扣除)(%)	1.2456	2.0195	1.1952	1.7896
	总资产(万元)	57946.64	59498.77	56880.02	58064.82
	归属母公司股东权益(万元)	50325.80	49831.93	49302.51	49077.84
	营业收入(万元)	12141.53	22702.08	10323.38	21139.98
	营业支出(万元)	8904.57	17079.35	7615.13	16172.11
	投资收益(万元)	-	-	-	-
	净利润(万元)	685.03	1173.31	643.89	1049.83
	营业利润(万元)	757.42	1325.27	703.92	1053.39
	利润总额(万元)	825.85	1424.33	768.16	1255.25

北京易华录信息技术股份有限公司

公司概况						
	公司名称	北京易华录信息技术股份有限公司			证券简称	易华录
	法人代表	韩建国	董秘	闫肃	证券代码	300212
	公司网址	www.ehualu.com		电子信箱	zhengquan@ehualu.com	
	电　话	010-52281160		传　真	010-52281188	
	办公地址	北京市石景山区阜石路 165 号中国华录大厦 B 座				
	经营范围	技术进出口、货物进出口、代理进出口等				

主要财务指标	指标\报告期	2016.06.30	2015.12.31	2015.06.30	2014.12.31
	基本每股收益(元)	0.2120	0.3740	0.1788	0.4470
	基本每股收益(扣除后)(元)	0.2054	0.4310	0.2504	0.4350
	稀释每股收益(元)	0.2120	0.3740	0.1788	0.4470
	每股净资产(元)	6.7279	6.6152	3.1003	3.0215
	每股经营现金净流量(元)	-0.9467	-1.1279	-0.9920	-1.3022
	每股现金流量(元)	-0.5577	0.6019	-0.2364	-0.2099
	每股资本公积金(元)	4.2432	4.2432	0.7326	0.7326
	每股盈余公积金(元)	0.1228	0.1228	0.1160	0.1160
	每股未分配利润(元)	1.3610	1.2490	1.2517	1.1729
	净资产收益率(%)	3.1508	5.1068	5.7672	14.7852
	加权净资产收益率(%)	3.1500	9.1600	5.7500	15.8100
	净资产收益率(扣除)(%)	3.0524	5.8812	8.0758	14.3987
	总资产(万元)	485062.97	465496.90	372607.28	325612.63
	归属母公司股东权益(万元)	248790.04	244619.19	99706.70	97172.76
	营业收入(万元)	89619.77	161393.07	75375.61	157992.79
	营业支出(万元)	60569.45	107250.58	50017.30	111455.63
	投资收益(万元)	-165.47	-	-	-
	净利润(万元)	9273.25	14882.45	6093.49	15587.01
	营业利润(万元)	10534.71	18780.54	9762.69	16375.70
	利润总额(万元)	11068.82	17882.12	7611.40	17994.98

北京佳讯飞鸿电气股份有限公司

公司概况						
	公司名称	北京佳讯飞鸿电气股份有限公司			证券简称	佳讯飞鸿
	法人代表	林菁	董秘	王翊	证券代码	300213
	公司网址	www.jiaxun.com		电子信箱	zqb@jiaxun.com	
	电　话	010-62460088		传　真	010-62492088	
	办公地址	北京市海淀区地锦路 5 号院 1 号楼				
	经营范围	生产、制造数字调度设备、专用通信设备等				

主要财务指标	指标\报告期	2016.06.30	2015.12.31	2015.06.30	2014.12.31
	基本每股收益(元)	0.1631	0.3200	0.1192	0.2800
	基本每股收益(扣除后)(元)	0.1511	0.3200	0.1191	0.2700
	稀释每股收益(元)	0.1631	0.3200	0.1192	0.2800
	每股净资产(元)	3.4239	3.4219	3.5350	3.5158
	每股经营现金净流量(元)	-0.2331	0.3683	-0.1632	0.3363
	每股现金流量(元)	-0.3736	0.1787	-0.1734	-0.1945
	每股资本公积金(元)	0.9820	1.0432	1.3548	1.3548
	每股盈余公积金(元)	0.1361	0.1361	0.1140	0.1140
	每股未分配利润(元)	1.3058	1.2426	1.0662	1.0470
	净资产收益率(%)	4.7648	9.2847	3.3712	7.5830
	加权净资产收益率(%)	4.7600	8.8900	3.3300	9.0300
	净资产收益率(扣除)(%)	4.4117	9.2056	3.3688	7.4117
	总资产(万元)	167016.52	165083.68	158431.57	136639.73
	归属母公司股东权益(万元)	89368.33	89317.59	92269.06	91767.20
	营业收入(万元)	52552.55	101253.23	47520.20	83173.50
	营业支出(万元)	36831.97	71808.84	33011.02	58343.24
	投资收益(万元)	95.00	-	-	-
	净利润(万元)	4242.13	9150.10	3467.78	8340.46
	营业利润(万元)	3685.16	6812.65	2365.54	8597.13
	利润总额(万元)	4748.54	10477.83	3553.99	9872.56

山东日科化学股份有限公司

公司概况					
公司名称	山东日科化学股份有限公司			证券简称	日科化学
法人代表	赵东日	董秘	田志龙	证券代码	300214
公司网址	www.rikechem.com		电子信箱	rikechem@rikechem.com	
电　话	0536-6283716		传　真	0536-6283716	
办公地址	山东省潍坊市昌乐县英轩街3999号1号楼				
经营范围	PVC塑料改性剂产品的研发、生产和销售等				

主要财务指标 指标\报告期	2016.06.30	2015.12.31	2015.06.30	2014.12.31
基本每股收益(元)	0.1100	0.2600	0.1200	0.1300
基本每股收益(扣除后)(元)	0.1100	0.2400	0.1200	0.1200
稀释每股收益(元)	0.1100	0.2600	0.1200	0.1300
每股净资产(元)	3.2676	3.2579	3.1146	3.0417
每股经营现金净流量(元)	-0.1304	0.5104	0.0096	0.1184
每股现金流量(元)	-0.2725	0.4110	-0.0873	-0.0052
每股资本公积金(元)	1.1071	1.1071	1.1057	1.1057
每股盈余公积金(元)	0.1211	0.1211	0.0940	0.0940
每股未分配利润(元)	1.0394	1.0296	0.9148	0.8420
净资产收益率(%)	3.3597	8.1261	3.9455	4.3226
加权净资产收益率(%)	3.3300	8.4200	3.9700	4.4200
净资产收益率(扣除)(%)	3.2456	7.3778	3.7873	3.9956
总资产(万元)	143777.83	155139.22	152553.16	138986.12
归属母公司股东权益(万元)	132339.46	131943.29	126139.60	123187.75
营业收入(万元)	69387.43	142336.31	73138.25	130484.97
营业支出(万元)	57622.46	117072.96	60398.66	112399.01
投资收益(万元)	-	-	-	-
净利润(万元)	4446.17	10780.68	5011.22	5294.36
营业利润(万元)	5680.39	12301.55	6045.66	6631.77
利润总额(万元)	5867.23	13589.52	6297.17	7150.43

苏州电器科学研究院股份有限公司

公司概况					
公司名称	苏州电器科学研究院股份有限公司			证券简称	电科院
法人代表	胡德霖	董秘	顾怡倩	证券代码	300215
公司网址	www.eeti-easa.com		电子信箱	zqb@eeti.cn	
电　话	0512-68252194		传　真	0512-68081686	
办公地址	江苏省苏州市吴中区越溪前珠路5号				
经营范围	开展各类发电设备、输变电设备、机电设备、高低压电器元件等				

主要财务指标 指标\报告期	2016.06.30	2015.12.31	2015.06.30	2014.12.31
基本每股收益(元)	0.0200	0.0400	-0.0300	0.1100
基本每股收益(扣除后)(元)	0.0200	0.0300	-0.0400	0.1000
稀释每股收益(元)	0.0200	0.0400	-0.0300	0.1100
每股净资产(元)	1.8417	1.8362	1.7700	1.8298
每股经营现金净流量(元)	0.1974	0.3564	0.1252	0.3613
每股现金流量(元)	-0.3372	0.4167	0.0911	0.0148
每股资本公积金(元)	0.3413	0.3413	0.3413	0.3413
每股盈余公积金(元)	0.0791	0.0791	0.0762	0.0762
每股未分配利润(元)	0.4213	0.4158	0.3525	0.4124
净资产收益率(%)	1.1102	1.9821	-1.6867	5.8905
加权净资产收益率(%)	1.1100	1.9900	-1.6400	5.9400
净资产收益率(扣除)(%)	0.8384	1.4071	-2.0319	5.1956
总资产(万元)	358234.69	382134.28	347480.68	326742.38
归属母公司股东权益(万元)	132599.48	132207.42	127437.45	131746.89
营业收入(万元)	24717.80	41740.22	14967.52	42176.10
营业支出(万元)	13984.91	21622.93	9399.35	20369.04
投资收益(万元)	228.12	-	-	-
净利润(万元)	1499.94	2675.83	-2123.04	7758.97
营业利润(万元)	1602.97	1884.60	-2622.23	7794.35
利润总额(万元)	1772.71	2827.40	-2099.14	8907.43

湖南千山制药机械股份有限公司

公司概况					
公司名称	湖南千山制药机械股份有限公司			证券简称	千山药机
法人代表	刘祥华	董秘	金杰	证券代码	300216
公司网址	www.chinasun.com.cn		电子信箱	zqb@chinasun.com.cn	
电　话	0731-84030025		传　真	0731-84030025	
办公地址	湖南省长沙市经济技术开发区盼盼路9号				
经营范围	制造、销售制药机械、食品饮料机械、包装机械及备品备件、包装材料等				

主要财务指标 指标\报告期	2016.06.30	2015.12.31	2015.06.30	2014.12.31
基本每股收益(元)	0.0300	0.1700	0.1000	0.3700
基本每股收益(扣除后)(元)	0.0300	0.1000	0.0500	0.6100
稀释每股收益(元)	0.0300	0.1700	0.1000	0.3700
每股净资产(元)	2.7618	2.7548	2.6667	5.2555
每股经营现金净流量(元)	-0.0146	0.2963	0.2303	0.0310
每股现金流量(元)	-0.0040	0.0726	-0.1520	0.5518
每股资本公积金(元)	0.5982	0.5982	0.5962	2.1833
每股盈余公积金(元)	0.1346	0.1346	0.1310	0.2619
每股未分配利润(元)	1.0121	1.0122	0.9530	1.8001
净资产收益率(%)	1.0827	6.0027	3.8591	14.1579
加权净资产收益率(%)	1.0800	6.1700	3.8400	14.7400
净资产收益率(扣除)(%)	0.9541	3.7939	1.9217	11.7994
总资产(万元)	319295.15	287030.41	255203.42	170506.21
归属母公司股东权益(万元)	99820.21	99566.55	96425.15	95017.35
营业收入(万元)	31582.70	54587.58	22426.04	59135.00
营业支出(万元)	15427.14	24589.75	9060.14	26029.15
投资收益(万元)	1035.33	-	-	-
净利润(万元)	1233.16	6328.34	4028.19	13310.01
营业利润(万元)	1466.69	5316.20	3421.49	13400.55
利润总额(万元)	1639.92	8301.81	5899.95	16087.85

镇江东方电热科技股份有限公司

公司概况					
公司名称	镇江东方电热科技股份有限公司			证券简称	东方电热
法人代表	谭荣生	董秘	孙汉武	证券代码	300217
公司网址	www.dongfang-heater.com		电子信箱	sunhw@dongfang-heater.com	
电　话	0511-88988598		传　真	0511-88988060	
办公地址	江苏省镇江市镇江新区大港五峰山路18号				
经营范围	工业和民用高性能电加热器及其控制系统的研发、制造和销售等				

主要财务指标 指标\报告期	2016.06.30	2015.12.31	2015.06.30	2014.12.31
基本每股收益(元)	0.0194	0.1881	0.0375	0.2596
基本每股收益(扣除后)(元)	0.0187	0.1658	0.0985	0.2572
稀释每股收益(元)	0.0194	0.1881	0.0375	0.2596
每股净资产(元)	1.4024	3.9618	2.9859	2.9308
每股经营现金净流量(元)	0.0984	0.2838	0.3153	0.1738
每股现金流量(元)	0.0308	0.1981	0.2082	-0.3259
每股资本公积金(元)	0.0330	1.8925	0.8415	0.8415
每股盈余公积金(元)	0.0407	0.1140	0.1145	0.1145
每股未分配利润(元)	0.3284	0.9555	1.0301	0.9750
净资产收益率(%)	1.3801	4.1794	3.5215	8.8582
加权净资产收益率(%)	1.3600	6.0900	3.5200	9.1500
净资产收益率(扣除)(%)	1.3359	3.6852	3.3001	8.7767
总资产(万元)	217797.10	231673.97	173788.17	167048.43
归属母公司股东权益(万元)	178589.05	180189.34	118083.04	115905.56
营业收入(万元)	36217.89	94216.76	48482.92	101900.54
营业支出(万元)	28163.25	70855.69	37332.41	75861.22
投资收益(万元)	707.18	12.80	-	-
净利润(万元)	2410.58	7972.27	4153.94	10566.80
营业利润(万元)	2894.22	8628.95	4706.71	12467.65
利润总额(万元)	2993.86	9474.01	4836.73	12556.41

安徽安利材料科技股份有限公司

公司概况						
	公司名称	安徽安利材料科技股份有限公司			证券简称	安利股份
	法人代表	姚和平	董秘	刘松霞	证券代码	300218
	公司网址	www.chinapuleather.com		电子信箱	anli@mail.hf.ah.cn	
	电　　话	0551-8991557		传　　真	0551-65896562	
	办公地址	安徽省合肥市经济技术开发区桃花工业园拓展区				
	经营范围	中高档聚氨酯合成革的研发、生产、销售与服务等				

主要财务指标	指标\报告期	2016.06.30	2015.12.31	2015.06.30	2014.12.31
	基本每股收益(元)	0.1543	0.2552	0.1206	0.2516
	基本每股收益(扣除后)(元)	0.1133	0.1971	0.1128	0.1921
	稀释每股收益(元)	0.1543	0.2552	0.1206	0.2516
	每股净资产(元)	4.5260	4.3724	4.3724	4.3107
	每股经营现金净流量(元)	0.0680	0.5376	-0.2062	0.8373
	每股现金流量(元)	0.0022	-0.4225	-0.6643	-0.1042
	每股资本公积金(元)	1.6621	1.6621	1.7094	1.6743
	每股盈余公积金(元)	0.3175	0.3175	0.2826	0.2841
	每股未分配利润(元)	1.5404	1.4711	1.3715	1.3382
	净资产收益率(%)	3.4090	5.7157	2.7498	5.7231
	加权净资产收益率(%)	3.4200	5.8400	2.7600	6.0500
	净资产收益率(扣除)(%)	2.5036	4.4140	2.5736	4.3686
	总资产(万元)	185828.94	180863.22	178710.83	175685.78
	归属母公司股东权益(万元)	98209.34	96754.91	94867.74	93029.69
	营业收入(万元)	67300.49	137608.99	64630.51	133219.45
	营业支出(万元)	51480.57	108660.80	50246.30	105078.37
	投资收益(万元)	-	-	-	-
	净利润(万元)	3675.57	6170.36	2951.03	5893.73
	营业利润(万元)	3037.50	4764.02	2970.45	4732.31
	利润总额(万元)	3953.36	6463.09	3163.53	6124.28

鸿利智汇集团股份有限公司

公司概况						
	公司名称	鸿利智汇集团股份有限公司			证券简称	鸿利智汇
	法人代表	李国平	董秘	邓寿铁	证券代码	300219
	公司网址	www.honglitronic.com		电子信箱	stock@honglitronic.com	
	电　　话	020-86733958		传　　真	020-86733777	
	办公地址	广东省广州市花都区花东镇先科一路 1 号				
	经营范围	LED 器件及其应用产品的研发、生产与销售等				

主要财务指标	指标\报告期	2016.06.30	2015.12.31	2015.06.30	2014.12.31
	基本每股收益(元)	0.2200	0.2500	0.0900	0.1500
	基本每股收益(扣除后)(元)	0.1500	0.2300	0.2100	0.3200
	稀释每股收益(元)	0.2200	0.2500	0.0900	0.1500
	每股净资产(元)	2.7376	1.7096	3.9335	3.6885
	每股经营现金净流量(元)	0.1331	0.3834	0.2240	0.8458
	每股现金流量(元)	0.8149	0.1254	-0.1260	-0.1844
	每股资本公积金(元)	0.9461	0.0464	1.6441	1.6194
	每股盈余公积金(元)	0.0537	0.0587	0.1211	0.1211
	每股未分配利润(元)	0.7364	0.6101	1.1621	0.9605
	净资产收益率(%)	7.4959	14.4785	5.8873	10.0076
	加权净资产收益率(%)	11.5900	15.5200	6.0900	10.6200
	净资产收益率(扣除)(%)	5.1087	13.4965	5.4428	8.7234
	总资产(万元)	305171.14	206269.13	174213.19	157175.91
	归属母公司股东权益(万元)	183827.31	105112.17	96875.10	90840.78
	营业收入(万元)	99404.52	159231.83	69348.28	101766.93
	营业支出(万元)	73206.40	117826.72	50788.72	76411.89
	投资收益(万元)	3081.62	364.91	111.03	21.08
	净利润(万元)	13779.52	16578.78	6469.28	9397.01
	营业利润(万元)	14747.48	18405.42	7318.11	9513.24
	利润总额(万元)	17041.53	19680.21	7792.62	11122.31

武汉金运激光股份有限公司

公司概况						
	公司名称	武汉金运激光股份有限公司			证券简称	金运激光
	法人代表	梁伟	董秘	李丹	证券代码	300220
	公司网址	www.goldenlaser.cn		电子信箱	whjytz2008@163.com	
	电　　话	027-82943465		传　　真	027-82943465	
	办公地址	湖北省武汉市江岸区石桥一路金运激光大厦				
	经营范围	光机电系列激光设备、激光器的研制、生产、销售及技术服务等				

主要财务指标	指标\报告期	2016.06.30	2015.12.31	2015.06.30	2014.12.31
	基本每股收益(元)	0.0447	-0.1180	0.0427	0.0856
	基本每股收益(扣除后)(元)	0.0400	-0.1490	0.0246	0.0216
	稀释每股收益(元)	0.0447	-0.1180	0.0427	0.0856
	每股净资产(元)	2.2499	2.2046	2.3704	2.3277
	每股经营现金净流量(元)	0.0173	-0.1102	-0.1093	0.0910
	每股现金流量(元)	-0.1703	-0.0219	-0.1811	-0.2461
	每股资本公积金(元)	0.6607	0.6607	0.6573	0.6573
	每股盈余公积金(元)	0.0752	0.0752	0.0752	0.0752
	每股未分配利润(元)	0.5119	0.4672	0.6379	0.5952
	净资产收益率(%)	1.9871	-5.3525	1.8021	2.3151
	加权净资产收益率(%)	2.0100	-5.2200	1.8200	2.3300
	净资产收益率(扣除)(%)	1.8767	-6.5291	1.0364	0.5834
	总资产(万元)	47010.93	47044.06	43053.99	42185.51
	归属母公司股东权益(万元)	28349.02	27777.63	29867.01	29328.78
	营业收入(万元)	8657.05	18290.45	9287.77	19253.58
	营业支出(万元)	5379.55	11930.00	5877.32	12054.44
	投资收益(万元)	-10.54	44.46	50.41	149.58
	净利润(万元)	527.33	-1551.09	461.14	574.85
	营业利润(万元)	604.47	-2062.64	351.97	139.98
	利润总额(万元)	639.24	-1731.13	570.49	584.18

广东银禧科技股份有限公司

公司概况						
	公司名称	广东银禧科技股份有限公司			证券简称	银禧科技
	法人代表	谭颂斌	董秘	郑桂华	证券代码	300221
	公司网址	www.silverage.cn		电子信箱	silverage@silverage.cn	
	电　　话	0769-38858388		传　　真	0769-38858399	
	办公地址	广东省东莞市道滘镇南阁工业区银禧工程塑料(东莞)有限公司办公大楼				
	经营范围	生产和销售改性塑料、塑料制品、设立研发中心等				

主要财务指标	指标\报告期	2016.06.30	2015.12.31	2015.06.30	2014.12.31
	基本每股收益(元)	0.2490	0.1000	0.0640	0.0600
	基本每股收益(扣除后)(元)	0.2230	0.0700	0.0500	0.0300
	稀释每股收益(元)	0.2490	0.1000	0.0640	0.0600
	每股净资产(元)	2.0994	1.8688	1.8142	3.5094
	每股经营现金净流量(元)	0.0338	0.1851	0.0114	0.0062
	每股现金流量(元)	0.0841	0.0145	0.1348	-0.3111
	每股资本公积金(元)	0.3402	0.3270	0.3076	1.5708
	每股盈余公积金(元)	0.0526	0.0525	0.0427	0.0855
	每股未分配利润(元)	0.7134	0.4982	0.4720	0.8615
	净资产收益率(%)	11.8584	5.3336	3.5154	3.3578
	加权净资产收益率(%)	12.5100	5.5700	3.5800	3.4600
	净资产收益率(扣除)(%)	10.6350	3.9181	2.5025	0.8287
	总资产(万元)	145786.13	127516.03	131460.50	122651.95
	归属母公司股东权益(万元)	84453.35	75355.99	73155.69	70757.16
	营业收入(万元)	61172.64	114871.23	54437.37	110695.70
	营业支出(万元)	49392.33	93876.09	44514.00	95633.21
	投资收益(万元)	7387.10	1715.83	342.78	413.63
	净利润(万元)	10098.85	3959.18	2544.18	2332.55
	营业利润(万元)	9300.42	2857.14	1966.81	575.05
	利润总额(万元)	10519.44	4110.65	2838.38	2798.30

科大智能科技股份有限公司

公司概况	公司名称	科大智能科技股份有限公司		证券简称	科大智能
	法人代表	黄明松	董秘	穆峻柏	证券代码	300222
	公司网址	www.csg.com.cn		电子信箱	mjb@csg.com.cn
	电　话	021-50804882		传　真	021-50804883
	办公地址	上海市浦东新区张江高科技园区碧波路 456 号 A203-A206 室			
	经营范围	智能配电网监控通讯装置与自动化系统软硬件产品的生产、销售等			

	指标\报告期	2016.06.30	2015.12.31	2015.06.30	2014.12.31
主要财务指标	基本每股收益(元)	0.1200	0.2400	0.2000	0.1600
	基本每股收益(扣除后)(元)	0.1100	0.2200	0.1900	0.4900
	稀释每股收益(元)	0.1200	0.2400	0.2000	0.1600
	每股净资产(元)	3.9800	2.4200	4.1200	7.8601
	每股经营现金净流量(元)	-0.1166	0.2678	-0.0363	0.2858
	每股现金流量(元)	-0.4809	-0.0134	-0.4014	0.2653
	每股资本公积金(元)	2.8786	1.1249	2.8011	5.7756
	每股盈余公积金(元)	0.0258	0.0258	0.0357	0.0706
	每股未分配利润(元)	0.5278	0.4742	0.6623	1.0139
	净资产收益率(%)	2.8131	9.3683	4.6123	5.9684
	加权净资产收益率(%)	5.0200	10.0700	4.6800	7.4200
	净资产收益率(扣除)(%)	2.5459	8.3954	4.3777	5.4952
	总资产(万元)	365543.25	218840.97	186523.63	175327.05
	归属母公司股东权益(万元)	264835.87	145905.80	133527.18	128823.88
	营业收入(万元)	53371.08	85788.63	40137.88	61472.38
	营业支出(万元)	32365.10	48206.87	22814.59	35907.56
	投资收益(万元)	467.17	775.02	258.49	-
	净利润(万元)	7479.93	15148.49	6824.57	8180.82
	营业利润(万元)	8109.98	15865.29	7775.87	8013.79
	利润总额(万元)	8745.49	17514.15	8328.05	9486.75

北京君正集成电路股份有限公司

公司概况	公司名称	北京君正集成电路股份有限公司		证券简称	北京君正
	法人代表	刘强	董秘	张敏	证券代码	300223
	公司网址	www.ingenic.cn		电子信箱	investors@ingenic.cn
	电　话	010-82825005		传　真	010-56345001
	办公地址	北京市海淀区西北旺东路 10 号院东区 14 号楼 A 座一至三层			
	经营范围	32 位嵌入式 CPU 芯片及配套软件平台的研发和销售等			

	指标\报告期	2016.06.30	2015.12.31	2015.06.30	2014.12.31
主要财务指标	基本每股收益(元)	0.0185	0.1926	0.0026	-0.0603
	基本每股收益(扣除后)(元)	-0.0790	-0.1340	-0.0187	-0.1382
	稀释每股收益(元)	0.0185	0.1926	0.0026	-0.0603
	每股净资产(元)	6.5360	6.5473	6.3572	10.1675
	每股经营现金净流量(元)	-0.2050	0.3140	0.0188	-0.0104
	每股现金流量(元)	0.0470	-4.7630	-1.9941	-0.1141
	每股资本公积金(元)	4.4076	4.4076	4.4076	7.6521
	每股盈余公积金(元)	0.1776	0.1776	0.1576	0.2522
	每股未分配利润(元)	0.9560	0.9675	0.7974	1.2718
	净资产收益率(%)	0.2833	2.9417	0.0405	-0.9485
	加权净资产收益率(%)	0.2800	2.9900	0.0400	-0.9400
	净资产收益率(扣除)(%)	-1.2086	-2.0462	-0.2940	-1.3595
	总资产(万元)	111021.17	112630.71	106721.08	107318.13
	归属母公司股东权益(万元)	108759.19	108947.58	105783.49	105742.06
	营业收入(万元)	3879.75	7010.50	3089.94	5903.17
	营业支出(万元)	1856.56	3146.96	1371.08	2629.56
	投资收益(万元)	1239.31	1544.56	178.58	107.47
	净利润(万元)	308.10	3255.49	67.96	-999.36
	营业利润(万元)	-316.17	-1285.29	-216.24	-1848.72
	利润总额(万元)	421.78	3777.54	113.95	-1275.30

烟台正海磁性材料股份有限公司

公司概况	公司名称	烟台正海磁性材料股份有限公司		证券简称	正海磁材
	法人代表	秘波海	董秘	宋侃	证券代码	300224
	公司网址	www.zhmag.com		电子信箱	dmb@zhmag.com
	电　话	0535-6397287		传　真	0535-6397287
	办公地址	山东省烟台市经济技术开发区汕头大街 9 号			
	经营范围	高性能钕铁硼永磁材料的研发、生产、销售和服务等			

	指标\报告期	2016.06.30	2015.12.31	2015.06.30	2014.12.31
主要财务指标	基本每股收益(元)	0.1400	0.3200	0.2000	0.2400
	基本每股收益(扣除后)(元)	0.1300	0.2900	0.2000	0.4600
	稀释每股收益(元)	0.1400	0.3200	0.2000	0.2400
	每股净资产(元)	4.2079	4.0246	4.0215	6.2189
	每股经营现金净流量(元)	0.0416	0.2280	0.4103	-0.2970
	每股现金流量(元)	-0.2550	-0.2859	-0.2769	-1.2589
	每股资本公积金(元)	1.8785	1.8467	1.8113	2.9231
	每股盈余公积金(元)	0.1598	0.1602	0.1339	0.2818
	每股未分配利润(元)	1.2477	1.1662	1.0697	2.0025
	净资产收益率(%)	3.4221	7.7571	4.7110	7.5758
	加权净资产收益率(%)	3.5100	8.5800	5.7000	7.8500
	净资产收益率(扣除)(%)	3.0693	7.0555	4.7155	7.4164
	总资产(万元)	298047.11	293817.26	286372.62	203626.69
	归属母公司股东权益(万元)	213010.79	203271.80	203117.90	149254.08
	营业收入(万元)	72403.80	136583.71	62039.48	76904.39
	营业支出(万元)	56271.01	98392.85	43475.06	57716.22
	投资收益(万元)	713.55	1265.06	627.93	-
	净利润(万元)	7428.06	16015.86	9747.61	11299.68
	营业利润(万元)	6813.66	16932.04	11141.01	12813.64
	利润总额(万元)	7796.46	18296.27	11133.92	13091.09

上海金力泰化工股份有限公司

公司概况	公司名称	上海金力泰化工股份有限公司		证券简称	金力泰
	法人代表	Wu Yichao	董秘	杜晟华	证券代码	300225
	公司网址	www.knt.cn		电子信箱	knttzxx@knt.cn
	电　话	021-31156097		传　真	021-31156068
	办公地址	上海市化学工业区楚工路 139 号			
	经营范围	制造、加工高性能涂料产品、溶剂、添加剂、销售自产产品等			

	指标\报告期	2016.06.30	2015.12.31	2015.06.30	2014.12.31
主要财务指标	基本每股收益(元)	0.0832	0.1470	0.0723	0.1870
	基本每股收益(扣除后)(元)	0.0816	0.1400	0.0705	0.3080
	稀释每股收益(元)	0.0832	0.1470	0.0723	0.1870
	每股净资产(元)	1.7824	1.7679	1.6936	3.0671
	每股经营现金净流量(元)	0.0745	0.0756	0.0229	0.3556
	每股现金流量(元)	-0.1551	-0.0794	-0.2863	-0.0501
	每股资本公积金(元)	0.0535	0.0535	0.0535	0.8962
	每股盈余公积金(元)	0.1450	0.1450	0.1289	0.2320
	每股未分配利润(元)	0.5728	0.5596	0.5008	0.9213
	净资产收益率(%)	4.6666	8.3268	4.2700	10.9510
	加权净资产收益率(%)	4.6200	8.4800	4.1600	11.2500
	净资产收益率(扣除)(%)	4.5791	7.8900	4.1639	10.0438
	总资产(万元)	109434.08	107150.36	100695.60	102395.11
	归属母公司股东权益(万元)	83832.61	83153.50	79656.57	80144.53
	营业收入(万元)	37137.40	70249.66	32671.31	69335.61
	营业支出(万元)	25931.11	50269.66	23123.31	49237.09
	投资收益(万元)	17.48	362.50	55.48	114.44
	净利润(万元)	3688.46	6305.76	3294.13	8776.64
	营业利润(万元)	4024.19	6652.96	3610.63	9360.16
	利润总额(万元)	4109.81	7081.53	3708.17	10215.57

上海钢联电子商务股份有限公司

公司概况					
公司名称	上海钢联电子商务股份有限公司			证券简称	上海钢联
法人代表	朱军红	董秘	游绍诚	证券代码	300226
公司网址	www.mysteel.com		电子信箱	public@mysteel.com.cn	
电　话	021-26093997		传　真	021-66896911	
办公地址	上海市宝山区园丰路 68 号				
经营范围	钢铁、能源、矿业和有色金属等相关行业信息服务为基础的 B2B 电子商务服务等				

主要财务指标：指标\报告期	2016.06.30	2015.12.31	2015.06.30	2014.12.31
基本每股收益(元)	0.0871	-1.6100	-0.6977	0.1204
基本每股收益(扣除后)(元)	0.0694	-1.6400	-0.7179	0.0700
稀释每股收益(元)	0.0871	-1.6100	-0.6977	0.1204
每股净资产(元)	2.4682	0.4951	1.4014	2.8422
每股经营现金净流量(元)	-1.4929	-1.0138	-2.9426	-2.7588
每股现金流量(元)	2.5974	0.9541	1.6793	-0.2330
每股资本公积金(元)	2.1988	0.3128	0.3118	1.0356
每股盈余公积金(元)	0.1145	0.1145	0.1145	0.1145
每股未分配利润(元)	-0.8452	-0.9323	-0.0249	0.6921
净资产收益率(%)	3.5289	-324.2018	-49.7858	4.2346
加权净资产收益率(%)	4.8600	-99.2200	-28.0200	4.6900
净资产收益率(扣除)(%)	2.8118	-330.7186	-51.2256	2.4070
总资产(万元)	311268.66	187087.54	260896.82	158137.94
归属母公司股东权益(万元)	38503.73	7723.13	21861.52	44338.46
营业收入(万元)	1672018.47	2135713.57	906335.81	755711.02
营业支出(万元)	1658726.05	2149991.54	916498.38	735549.05
投资收益(万元)	-167.87	-206.24	202.35	-142.70
净利润(万元)	1745.55	-44789.05	-24468.33	1332.58
营业利润(万元)	1576.00	-44821.03	-24801.52	178.80
利润总额(万元)	1918.51	-44234.30	-24434.72	1159.35

深圳光韵达光电科技股份有限公司

公司概况					
公司名称	深圳光韵达光电科技股份有限公司			证券简称	光韵达
法人代表	侯若洪	董秘	李璐	证券代码	300227
公司网址	www.sunshine-laser.com		电子信箱	info@sunshine-laser.com	
电　话	0755-26981580		传　真	0755-26981500	
办公地址	广东省深圳市南山区高新区北区朗山路 13 号清华紫光科技园 C 座 1 层				
经营范围	激光应用技术的研究与开发、提供激光切割、激光钻孔、激光焊接等				

主要财务指标：指标\报告期	2016.06.30	2015.12.31	2015.06.30	2014.12.31
基本每股收益(元)	0.0029	0.1883	0.2316	0.1980
基本每股收益(扣除后)(元)	-0.0067	0.0100	0.0600	0.1900
稀释每股收益(元)	0.0029	0.1883	0.2316	0.1980
每股净资产(元)	2.6642	2.6700	2.7577	2.5238
每股经营现金净流量(元)	0.0447	0.3873	0.2772	0.4009
每股现金流量(元)	-0.0065	-0.0428	-0.0199	-0.2676
每股资本公积金(元)	0.9054	0.9054	0.8974	0.9740
每股盈余公积金(元)	0.0391	0.0391	0.0292	0.0293
每股未分配利润(元)	0.9225	0.9295	0.9819	0.7742
净资产收益率(%)	0.1101	7.0381	8.3646	7.8438
加权净资产收益率(%)	0.1100	6.4800	8.8700	8.1300
净资产收益率(扣除)(%)	-0.2497	0.3449	2.1045	7.5153
总资产(万元)	63483.41	60401.07	59164.33	58679.18
归属母公司股东权益(万元)	37072.95	37161.92	38389.97	34995.15
营业收入(万元)	10922.53	22577.59	10464.72	25249.99
营业支出(万元)	6524.88	13695.84	6102.49	13056.31
投资收益(万元)	-	2610.34	2610.34	-
净利润(万元)	-77.99	2432.92	3146.32	2937.78
营业利润(万元)	-123.41	2566.52	3133.49	3326.29
利润总额(万元)	33.88	2838.48	3350.99	3471.43

张家港富瑞特种装备股份有限公司

公司概况					
公司名称	张家港富瑞特种装备股份有限公司			证券简称	富瑞特装
法人代表	邬品芳	董秘	李欣	证券代码	300228
公司网址	www.furuise.com		电子信箱	furui@furuise.com	
电　话	0512-58982295		传　真	0512-58982293	
办公地址	江苏省张家港市杨舍镇晨新路 19 号				
经营范围	金属压力容器的设计、生产和销售等				

主要财务指标：指标\报告期	2016.06.30	2015.12.31	2015.06.30	2014.12.31
基本每股收益(元)	-0.1500	0.0600	0.4000	0.8100
基本每股收益(扣除后)(元)	-0.1500	0.0038	0.3700	1.4500
稀释每股收益(元)	-0.1500	0.0600	0.4000	0.8000
每股净资产(元)	4.1597	4.2670	9.4505	9.0869
每股经营现金净流量(元)	-0.5170	0.2295	0.8024	1.6523
每股现金流量(元)	-0.5132	0.9772	-1.4441	0.1451
每股资本公积金(元)	1.8475	3.5155	3.1003	2.9171
每股盈余公积金(元)	0.1446	0.2330	0.4863	0.4899
每股未分配利润(元)	1.1484	2.1045	4.8077	4.6400
净资产收益率(%)	-3.6528	0.8154	4.2510	17.7303
加权净资产收益率(%)	-3.6500	1.0500	4.3200	19.2800
净资产收益率(扣除)(%)	-4.1295	0.0537	3.8707	15.9523
总资产(万元)	375930.55	384616.64	304730.63	327001.68
归属母公司股东权益(万元)	195768.64	200815.13	128769.41	122897.98
营业收入(万元)	36236.10	130339.41	74526.39	200368.05
营业支出(万元)	28678.24	91235.41	50099.03	128802.31
投资收益(万元)	-540.44	-452.35	-217.75	-215.57
净利润(万元)	-7878.49	1208.18	5227.50	21575.48
营业利润(万元)	-9188.49	-1073.06	5724.69	24232.63
利润总额(万元)	-8083.20	865.84	6324.41	26468.33

北京拓尔思信息技术股份有限公司

公司概况					
公司名称	北京拓尔思信息技术股份有限公司			证券简称	拓尔思
法人代表	李渝勤	董秘	何东炯	证券代码	300229
公司网址	www.trs.com.cn		电子信箱	ir@trs.com.cn	
电　话	010-64848899		传　真	010-64879084	
办公地址	北京市朝阳区大屯路科学园南里风林西奥中心 B 座 16 层				
经营范围	技术推广、技术开发、技术转让、技术服务、技术咨询等				

主要财务指标：指标\报告期	2016.06.30	2015.12.31	2015.06.30	2014.12.31
基本每股收益(元)	0.0343	0.2598	0.0548	0.2263
基本每股收益(扣除后)(元)	0.0258	0.2356	0.0904	0.3887
稀释每股收益(元)	0.0343	0.2598	0.0548	0.2263
每股净资产(元)	3.2282	3.2433	3.0367	6.0639
每股经营现金净流量(元)	-0.2110	0.2031	-0.0796	0.5167
每股现金流量(元)	-0.6840	0.1963	-0.2649	-0.1343
每股资本公积金(元)	1.1709	1.1709	1.1709	3.3417
每股盈余公积金(元)	0.1189	0.1189	0.0988	0.1976
每股未分配利润(元)	0.9363	0.9520	0.7671	1.5246
净资产收益率(%)	1.0634	8.0091	1.8045	6.7920
加权净资产收益率(%)	1.0600	8.2800	1.7900	9.3900
净资产收益率(扣除)(%)	0.7992	7.2637	1.4889	5.8332
总资产(万元)	191489.17	180658.32	155905.83	156791.48
归属母公司股东权益(万元)	150397.20	151099.69	141474.86	141254.73
营业收入(万元)	24606.39	38796.15	14304.94	29007.97
营业支出(万元)	8880.02	7747.89	3148.72	5237.13
投资收益(万元)	55.32	477.99	-10.20	-60.73
净利润(万元)	1865.12	12101.67	2538.92	9594.33
营业利润(万元)	605.13	10254.62	977.77	8244.76
利润总额(万元)	1915.20	13831.16	2825.06	10774.08

上海永利带业股份有限公司

公司概况					
公司名称	上海永利带业股份有限公司			证券简称	永利股份
法人代表	史佩浩	董秘	恽黎明	证券代码	300230
公司网址	www.yonglibelt.com		电子信箱	yongli@yonglibelt.com	
电　话	021-59884061		传　真	021-59884157	
办公地址	上海市青浦区徐泾镇徐旺路 58 号				
经营范围	新材料轻型输送带的研发、生产和销售等				

主要财务指标　指标＼报告期	2016.06.30	2015.12.31	2015.06.30	2014.12.31
基本每股收益(元)	0.2632	0.5030	0.1786	0.3502
基本每股收益(扣除后)(元)	0.2468	0.4782	0.1695	0.3243
稀释每股收益(元)	0.2632	0.5030	0.1786	0.3502
每股净资产(元)	5.1166	4.9457	4.6058	3.5871
每股经营现金净流量(元)	0.1122	0.3389	0.1119	0.2967
每股现金流量(元)	0.1963	-0.4868	-0.4985	-0.0429
每股资本公积金(元)	2.4606	2.4606	2.4395	1.1835
每股盈余公积金(元)	0.1370	0.1370	0.1157	0.1466
每股未分配利润(元)	1.5355	1.3722	1.0820	1.2848
净资产收益率(%)	5.1450	9.2763	3.1956	9.7631
加权净资产收益率(%)	5.2000	11.3800	4.6200	10.0900
净资产收益率(扣除)(%)	4.8244	8.8197	3.0328	9.0408
总资产(万元)	180646.55	168182.55	147288.02	70530.86
归属母公司股东权益(万元)	104748.59	101250.16	94291.14	57940.06
营业收入(万元)	70401.12	92843.79	26348.69	39919.65
营业支出(万元)	49815.15	63642.39	16553.75	22556.30
投资收益(万元)	92.65	-105.99	-	-
净利润(万元)	6062.93	9704.26	3229.21	6030.43
营业利润(万元)	6838.48	11184.72	3602.52	6631.11
利润总额(万元)	7135.88	11731.04	3786.94	7125.54

北京银信长远科技股份有限公司

公司概况					
公司名称	北京银信长远科技股份有限公司			证券简称	银信科技
法人代表	詹立雄	董秘	卢英	证券代码	300231
公司网址	www.trustfar.cn		电子信箱	public@trustfar.cn	
电　话	010-82629666		传　真	010-82621118	
办公地址	北京市朝阳区安定路 35 号北京安华发展大厦 8 层				
经营范围	计算机系统服务				

主要财务指标　指标＼报告期	2016.06.30	2015.12.31	2015.06.30	2014.12.31
基本每股收益(元)	0.1707	0.2571	0.1211	0.2673
基本每股收益(扣除后)(元)	0.1707	0.2477	0.1044	0.2600
稀释每股收益(元)	0.1707	0.2571	0.1211	0.2673
每股净资产(元)	1.5153	1.4632	1.2469	1.7890
每股经营现金净流量(元)	-0.5969	0.1337	-0.0005	-0.0871
每股现金流量(元)	0.0548	-0.0562	-0.0488	0.0275
每股资本公积金(元)	0.3712	0.2168	0.1932	0.1832
每股盈余公积金(元)	0.0849	0.0865	0.0617	0.0928
每股未分配利润(元)	0.3419	0.2775	0.1757	0.7121
净资产收益率(%)	11.0633	16.9298	9.7151	14.4421
加权净资产收益率(%)	11.0200	19.7800	10.4200	15.3700
净资产收益率(扣除)(%)	11.0632	16.3104	8.3459	14.1518
总资产(万元)	106695.61	65867.20	54840.58	52458.93
归属母公司股东权益(万元)	51898.85	49208.62	41934.88	39973.48
营业收入(万元)	38280.48	67105.93	28513.88	48927.56
营业支出(万元)	25986.34	46060.39	19660.43	33858.67
投资收益(万元)	-	-	-	-
净利润(万元)	5741.72	8330.94	4074.02	5773.01
营业利润(万元)	6759.21	9410.13	3968.15	6644.15
利润总额(万元)	6763.74	9794.91	4655.67	6817.37

深圳市洲明科技股份有限公司

公司概况					
公司名称	深圳市洲明科技股份有限公司			证券简称	洲明科技
法人代表	林洺锋	董秘	徐朋	证券代码	300232
公司网址	www.unilumin.com		电子信箱	irm@unilumin.com	
电　话	0755-29918999		传　真	0755-29912092	
办公地址	广东省深圳市宝安区福永街道桥头社区永福路 112 号 A 栋				
经营范围	LED 显示屏、LED 灯饰、LED 照明灯的生产和销售等				

主要财务指标　指标＼报告期	2016.06.30	2015.12.31	2015.06.30	2014.12.31
基本每股收益(元)	0.1139	0.5600	0.2811	0.3000
基本每股收益(扣除后)(元)	0.1075	0.4600	0.2600	0.2600
稀释每股收益(元)	0.1139	0.5600	0.2811	0.3000
每股净资产(元)	1.8864	4.4810	3.4484	3.1819
每股经营现金净流量(元)	0.0422	0.3371	-0.0988	0.4334
每股现金流量(元)	-0.1158	0.8038	-0.3200	0.1722
每股资本公积金(元)	0.2453	2.1012	1.1752	1.1597
每股盈余公积金(元)	0.0569	0.1423	0.1119	0.1119
每股未分配利润(元)	0.5887	1.2480	1.1836	0.9325
净资产收益率(%)	6.0377	11.0272	8.1508	9.4203
加权净资产收益率(%)	6.1700	16.0700	8.4500	9.8800
净资产收益率(扣除)(%)	5.6976	9.1033	7.4862	8.0389
总资产(万元)	194834.65	170381.07	153413.56	133798.27
归属母公司股东权益(万元)	108531.51	102988.67	70015.86	64603.99
营业收入(万元)	67152.54	130637.24	62411.99	97340.25
营业支出(万元)	46013.69	89808.31	40797.65	68948.51
投资收益(万元)	-356.72	-268.46	-188.83	51.89
净利润(万元)	6555.39	14430.21	8002.97	8026.03
营业利润(万元)	7348.80	14624.61	8987.17	8387.10
利润总额(万元)	7783.96	16535.73	9413.80	9464.97

山东金城医药化工股份有限公司

公司概况					
公司名称	山东金城医药化工股份有限公司			证券简称	金城医药
法人代表	赵叶青	董秘	朱晓刚	证券代码	300233
公司网址	www.jinchengpharm.com		电子信箱	jcpc@jinchengpharm.com	
电　话	0533-5439432		传　真	0533-5439426	
办公地址	山东省淄博市淄川区经济开发区				
经营范围	氨噻肟酸、碳二亚胺、头孢他啶活性酯、AE-活性酯、三嗪环、呋喃胺盐生产、销售等				

主要财务指标　指标＼报告期	2016.06.30	2015.12.31	2015.06.30	2014.12.31
基本每股收益(元)	0.3000	0.6800	0.3400	0.4400
基本每股收益(扣除后)(元)	0.2500	0.6500	0.6600	0.8700
稀释每股收益(元)	0.3000	0.6800	0.3400	0.4400
每股净资产(元)	5.3427	5.1047	9.4463	4.4204
每股经营现金净流量(元)	0.5074	0.8212	0.5366	1.7375
每股现金流量(元)	-0.0137	0.0653	-0.3984	0.3146
每股资本公积金(元)	2.1110	2.1048	4.7889	4.5727
每股盈余公积金(元)	0.1818	0.1818	0.2348	0.2353
每股未分配利润(元)	2.1393	1.9942	3.4486	3.0730
净资产收益率(%)	5.5232	13.2282	7.2197	9.7343
加权净资产收益率(%)	5.6700	14.1900	7.4800	10.1600
净资产收益率(扣除)(%)	4.6170	12.6992	6.9950	9.6677
总资产(万元)	203313.40	199629.22	180236.50	178527.89
归属母公司股东权益(万元)	135278.10	129251.89	119590.45	111667.30
营业收入(万元)	51629.25	117856.03	59053.75	105083.00
营业支出(万元)	34701.43	76293.39	38664.76	68128.16
投资收益(万元)	-	-	-	-
净利润(万元)	7238.62	16920.49	8634.13	10870.07
营业利润(万元)	6642.94	16506.50	9757.83	12786.98
利润总额(万元)	8204.54	17311.01	10074.12	12332.40

浙江开尔新材料股份有限公司

公司概况	公司名称	浙江开尔新材料股份有限公司		证券简称	开尔新材
	法人代表	邢翰学	董秘 程志勇	证券代码	300234
	公司网址	www.zjke.com		电子信箱	stock@zjke.com
	电　话	0571-86800327		传　真	0571-86592917
	办公地址	浙江省金华市金东区曹宅工业区			
	经营范围	新型功能性搪瓷材料的前瞻性研发和市场化推广等			

主要财务指标	指标\报告期	2016.06.30	2015.12.31	2015.06.30	2014.12.31
	基本每股收益(元)	0.0600	0.2500	0.2100	0.4000
	基本每股收益(扣除后)(元)	0.0300	0.2000	0.1900	0.3900
	稀释每股收益(元)	0.0600	0.2500	0.2100	0.4000
	每股净资产(元)	3.4228	2.2127	2.1708	2.0022
	每股经营现金净流量(元)	0.1304	0.0645	-0.0313	0.2273
	每股现金流量(元)	-0.0508	0.0832	0.0572	-0.0887
	每股资本公积金(元)	1.4321	0.1581	0.1581	0.1581
	每股盈余公积金(元)	0.1123	0.1232	0.0939	0.0939
	每股未分配利润(元)	0.8787	0.9317	0.9188	0.7503
	净资产收益率(%)	1.5450	11.3283	9.6064	19.8677
	加权净资产收益率(%)	1.9400	11.8700	9.9000	21.9400
	净资产收益率(扣除)(%)	0.8144	9.1701	8.7132	19.3883
	总资产(万元)	116597.17	87603.23	81574.26	76148.64
	归属母公司股东权益(万元)	99100.88	58415.84	57308.12	52858.85
	营业收入(万元)	14829.19	42116.27	23762.79	50554.39
	营业支出(万元)	10166.92	25252.04	13771.88	27604.77
	投资收益(万元)	125.54	-	-	-
	净利润(万元)	1568.73	6512.02	5469.42	10434.18
	营业利润(万元)	1144.90	6460.58	5970.23	11887.71
	利润总额(万元)	1977.82	7883.06	6537.65	12149.17

深圳市方直科技股份有限公司

公司概况	公司名称	深圳市方直科技股份有限公司		证券简称	方直科技
	法人代表	黄元忠	董秘 陈克让	证券代码	300235
	公司网址	www.kingsunsoft.com		电子信箱	feng.li@kingsunsoft.com
	电　话	0755-86336966		传　真	0755-86336977
	办公地址	广东省深圳市南山区科技中二路深圳软件园 12 号楼 302			
	经营范围	计算机软件、硬件、网络及教育软件和教学资源的开发、销售等			

主要财务指标	指标\报告期	2016.06.30	2015.12.31	2015.06.30	2014.12.31
	基本每股收益(元)	0.0307	0.1400	0.0700	0.1400
	基本每股收益(扣除后)(元)	0.0104	0.1000	0.0500	0.1000
	稀释每股收益(元)	0.0307	0.1400	0.0700	0.1400
	每股净资产(元)	2.1338	2.1631	2.0906	2.1228
	每股经营现金净流量(元)	-0.0567	0.1226	0.0373	0.1303
	每股现金流量(元)	-0.1615	-0.3058	-0.5169	-0.0321
	每股资本公积金(元)	0.3951	0.3951	0.3951	0.3951
	每股盈余公积金(元)	0.1066	0.1033	0.0956	0.0886
	每股未分配利润(元)	0.6321	0.6647	0.5999	0.6391
	净资产收益率(%)	1.4392	6.4874	3.2449	6.6987
	加权净资产收益率(%)	1.4500	6.5500	3.1500	6.8700
	净资产收益率(扣除)(%)	0.4879	4.4655	2.3135	4.6161
	总资产(万元)	35054.07	36769.57	34677.38	35475.19
	归属母公司股东权益(万元)	33799.25	34263.20	33114.95	33624.39
	营业收入(万元)	4326.14	9944.18	4051.80	8282.78
	营业支出(万元)	1478.34	3486.39	1159.56	2156.67
	投资收益(万元)	237.80	713.52	317.31	442.41
	净利润(万元)	486.45	2222.81	1074.56	2252.39
	营业利润(万元)	436.63	2160.66	1026.59	1853.04
	利润总额(万元)	577.11	2525.89	1193.31	2590.93

上海新阳半导体材料股份有限公司

公司概况	公司名称	上海新阳半导体材料股份有限公司		证券简称	上海新阳
	法人代表	王福祥	董秘 孙奉军	证券代码	300236
	公司网址	www.sinyang.com.cn		电子信箱	info@sinyang.com.cn
	电　话	021-57850066		传　真	021-57850066
	办公地址	上海市松江区思贤路 3600 号			
	经营范围	制造加工与电子科技、信息科技、半导体材料、航空航天材料有关的化学产品等			

主要财务指标	指标\报告期	2016.06.30	2015.12.31	2015.06.30	2014.12.31
	基本每股收益(元)	0.1524	0.2800	0.2100	0.3700
	基本每股收益(扣除后)(元)	0.1314	0.2700	0.2100	0.5800
	稀释每股收益(元)	0.1524	0.2800	0.2100	0.3700
	每股净资产(元)	6.2472	4.9200	4.7945	7.4397
	每股经营现金净流量(元)	0.2459	-0.0298	-0.0350	0.1940
	每股现金流量(元)	1.0468	-0.3295	-0.3260	-0.8789
	每股资本公积金(元)	4.1131	2.8236	2.7987	5.0779
	每股盈余公积金(元)	0.1005	0.1064	0.1037	0.1659
	每股未分配利润(元)	1.0282	0.9842	0.8874	1.2122
	净资产收益率(%)	2.3720	4.6734	2.7065	7.9791
	加权净资产收益率(%)	2.7200	4.8100	2.7500	8.3200
	净资产收益率(扣除)(%)	2.0456	4.4812	2.7350	7.7374
	总资产(万元)	136193.99	115995.99	100892.72	104087.13
	归属母公司股东权益(万元)	121659.58	90568.38	88152.12	85490.71
	营业收入(万元)	19179.21	36848.02	17285.40	37617.03
	营业支出(万元)	10721.80	21593.95	10521.03	21849.13
	投资收益(万元)	147.38	-89.29	86.55	27.81
	净利润(万元)	2844.25	4144.38	2335.03	6746.85
	营业利润(万元)	3139.59	4481.16	2799.31	7624.43
	利润总额(万元)	3356.34	4849.53	2781.82	7928.70

山东美晨科技股份有限公司

公司概况	公司名称	山东美晨科技股份有限公司		证券简称	美晨科技
	法人代表	张磊	董秘 李炜刚	证券代码	300237
	公司网址	www.meichen.cc		电子信箱	liweigang@meichen.cc
	电　话	0536-6151511		传　真	0536-6320138
	办公地址	山东省潍坊市诸城市密州街道北十里四村 600 号			
	经营范围	非轮胎橡胶制品的研发、生产和销售			

主要财务指标	指标\报告期	2016.06.30	2015.12.31	2015.06.30	2014.12.31
	基本每股收益(元)	0.1900	0.3100	0.2100	0.1500
	基本每股收益(扣除后)(元)	0.1815	0.3100	0.2000	0.8900
	稀释每股收益(元)	0.1900	0.3100	0.2100	0.1500
	每股净资产(元)	2.9175	2.7560	4.8550	9.3984
	每股经营现金净流量(元)	-0.5927	-0.2808	-0.3129	0.3094
	每股现金流量(元)	-0.3695	0.7932	0.0263	0.4207
	每股资本公积金(元)	1.1694	1.1694	2.6340	6.2687
	每股盈余公积金(元)	0.0430	0.0430	0.1234	0.2268
	每股未分配利润(元)	0.7051	0.5438	1.0976	1.9029
	净资产收益率(%)	6.5580	9.3985	4.2467	8.4309
	加权净资产收益率(%)	6.7300	15.0700	4.1600	12.9600
	净资产收益率(扣除)(%)	6.2204	9.0260	4.0552	8.1010
	总资产(万元)	470961.52	443001.06	293018.66	288010.28
	归属母公司股东权益(万元)	235517.28	222493.72	126562.79	122502.02
	营业收入(万元)	101980.31	180319.26	59318.67	114876.26
	营业支出(万元)	68904.68	120296.99	38916.04	78589.02
	投资收益(万元)	284.38	-344.64	85.33	424.54
	净利润(万元)	15339.91	20693.32	5259.86	10027.04
	营业利润(万元)	17774.24	23904.56	6161.93	12680.55
	利润总额(万元)	18314.05	24925.89	6557.47	12802.46

冠昊生物科技股份有限公司

公司概况					
公司名称	冠昊生物科技股份有限公司			证券简称	冠昊生物
法人代表	朱卫平	董秘	周利军	证券代码	300238
公司网址	www.grandhopebio.com			电子信箱	ir@grandhopebio.com
电　话	020-32052295			传　真	020-32211255
办公地址	广东省广州市萝岗区玉岩路12号				
经营范围	专业从事再生医学材料及再生型医用植入器械研发、生产及销售				

主要财务指标 指标\报告期	2016.06.30	2015.12.31	2015.06.30	2014.12.31
基本每股收益(元)	0.0600	0.2600	0.0700	0.2000
基本每股收益(扣除后)(元)	0.0400	0.2200	0.0600	0.3500
稀释每股收益(元)	0.0600	0.2600	0.0700	0.2000
每股净资产(元)	2.4200	2.3525	2.1731	4.3012
每股经营现金净流量(元)	0.1208	0.2748	0.1127	0.5295
每股现金流量(元)	-0.3478	0.2493	0.0905	-0.0719
每股资本公积金(元)	0.4558	0.4568	0.4874	1.9695
每股盈余公积金(元)	0.1247	0.1181	0.0916	0.1831
每股未分配利润(元)	0.8716	0.8148	0.6538	1.2684
净资产收益率(%)	2.5901	10.9055	3.1778	9.4248
加权净资产收益率(%)	2.4600	11.4400	3.1800	10.0000
净资产收益率(扣除)(%)	1.5833	9.1839	2.6826	8.0918
总资产(万元)	94395.55	80702.37	65620.21	61953.71
归属母公司股东权益(万元)	59611.84	58104.49	53673.26	53161.22
营业收入(万元)	10680.29	22617.25	8663.09	19035.67
营业支出(万元)	2444.72	4089.84	1336.89	2211.66
投资收益(万元)	-269.27	-276.62	-125.72	-93.42
净利润(万元)	1453.75	6247.72	1663.10	5010.31
营业利润(万元)	945.15	6167.46	1581.23	5110.10
利润总额(万元)	1746.56	7421.38	1893.93	5949.27

包头东宝生物技术股份有限公司

公司概况					
公司名称	包头东宝生物技术股份有限公司			证券简称	东宝生物
法人代表	王军	董秘	刘芳	证券代码	300239
公司网址	www.dongbaoshengwu.com			电子信箱	xmliu@dongbaoshengwu.com
电　话	0472-5319863			传　真	0472-5319863
办公地址	内蒙古自治区包头市稀土高新技术产业开发区黄河大街46号				
经营范围	生产经营照相明胶、药用明胶、食用明胶、工业明胶、骨油、骨粉等				

主要财务指标 指标\报告期	2016.06.30	2015.12.31	2015.06.30	2014.12.31
基本每股收益(元)	0.0181	0.0290	0.0203	0.0247
基本每股收益(扣除后)(元)	0.0103	0.0109	0.0130	0.0120
稀释每股收益(元)	0.0181	0.0290	0.0203	0.0247
每股净资产(元)	1.5362	3.0661	1.7242	1.7239
每股经营现金净流量(元)	-0.0217	0.1978	0.0497	-0.0619
每股现金流量(元)	-0.1523	0.8880	-0.0124	-0.2098
每股资本公积金(元)	0.3304	1.6608	0.2609	0.2609
每股盈余公积金(元)	0.0463	0.0927	0.1038	0.1038
每股未分配利润(元)	0.1594	0.3126	0.3595	0.3592
净资产收益率(%)	1.1792	0.8336	1.1782	1.4353
加权净资产收益率(%)	1.1800	1.4700	1.1800	1.4200
净资产收益率(扣除)(%)	0.6711	0.3137	0.7527	0.6975
总资产(万元)	77063.91	78004.33	52652.24	53056.96
归属母公司股东权益(万元)	70798.16	70654.62	34061.81	34055.58
营业收入(万元)	16117.39	29191.61	14225.86	25105.39
营业支出(万元)	13156.69	23625.39	11777.37	20392.26
投资收益(万元)	237.93	52.65	-	-
净利润(万元)	834.85	588.96	401.33	488.81
营业利润(万元)	812.77	373.80	342.54	369.17
利润总额(万元)	990.31	738.56	505.28	649.17

江苏飞力达国际物流股份有限公司

公司概况					
公司名称	江苏飞力达国际物流股份有限公司			证券简称	飞力达
法人代表	沈黎明	董秘	李镭	证券代码	300240
公司网址	www.feiliks.com			电子信箱	dshmsc@feiliks.com
电　话	0512-55278563　55278689			传　真	0512-55278558
办公地址	江苏省苏州市昆山市开发区玫瑰路999号				
经营范围	综合货运站(场)(仓储)、货物专用运输(集装箱)、普通货运、承办空运等				

主要财务指标 指标\报告期	2016.06.30	2015.12.31	2015.06.30	2014.12.31
基本每股收益(元)	0.0900	0.1800	0.0600	0.1400
基本每股收益(扣除后)(元)	0.0600	0.1000	0.0600	0.1300
稀释每股收益(元)	0.0900	0.1800	0.0600	0.1400
每股净资产(元)	2.7617	4.0072	3.9246	3.9000
每股经营现金净流量(元)	0.3103	0.7888	0.2477	0.1775
每股现金流量(元)	0.0045	0.3957	0.0455	-0.5953
每股资本公积金(元)	0.6709	1.5064	1.5135	2.7631
每股盈余公积金(元)	0.0531	0.0797	0.0652	0.0978
每股未分配利润(元)	1.0449	1.4323	1.3598	2.0060
净资产收益率(%)	3.2593	4.4136	2.2704	3.5391
加权净资产收益率(%)	3.3300	4.4800	2.2700	3.5100
净资产收益率(扣除)(%)	1.9969	2.6092	1.4253	2.2618
总资产(万元)	184363.78	168555.39	165625.71	159603.52
归属母公司股东权益(万元)	100956.40	97657.39	95644.57	94980.89
营业收入(万元)	119594.39	222938.15	106227.11	274166.48
营业支出(万元)	100397.37	184883.28	88884.34	237985.62
投资收益(万元)	-48.73	154.30	99.24	1493.69
净利润(万元)	3498.15	5900.45	2633.09	4672.42
营业利润(万元)	3096.03	5558.11	2415.66	5526.14
利润总额(万元)	5088.18	8418.78	3680.12	6677.06

深圳市瑞丰光电子股份有限公司

公司概况					
公司名称	深圳市瑞丰光电子股份有限公司			证券简称	瑞丰光电
法人代表	龚伟斌	董秘	吴强	证券代码	300241
公司网址	www.refond.com			电子信箱	yafang.liu@refond.com
电　话	0755-66831166			传　真	0755-66821166
办公地址	广东省深圳市南山区科技南十二路28号康佳研发大厦5层5C				
经营范围	电子产品的购销及其他国内商业、物资供销业等				

主要财务指标 指标\报告期	2016.06.30	2015.12.31	2015.06.30	2014.12.31
基本每股收益(元)	0.0984	0.1513	0.0988	0.1109
基本每股收益(扣除后)(元)	0.0669	0.1032	0.0826	0.0788
稀释每股收益(元)	0.0984	0.1513	0.0988	0.1109
每股净资产(元)	3.8912	3.0129	2.9363	2.9193
每股经营现金净流量(元)	0.1883	0.0897	-0.0396	0.6926
每股现金流量(元)	0.1895	0.0536	-0.1211	-0.3453
每股资本公积金(元)	2.0430	1.1252	1.1416	1.1200
每股盈余公积金(元)	0.0915	0.1056	0.0861	0.0865
每股未分配利润(元)	0.7566	0.7846	0.7444	0.7488
净资产收益率(%)	2.4171	5.0480	3.3512	3.7256
加权净资产收益率(%)	2.7200	5.1400	3.3300	3.9100
净资产收益率(扣除)(%)	1.6436	3.4434	2.7996	2.6468
总资产(万元)	171680.19	118446.65	126324.82	124415.19
归属母公司股东权益(万元)	98020.91	65765.62	64626.33	63973.79
营业收入(万元)	51922.47	92093.22	46257.99	90684.93
营业支出(万元)	41925.44	77785.03	38799.98	75500.94
投资收益(万元)	164.34	644.73	13.77	-484.16
净利润(万元)	2391.72	3327.67	2171.80	2374.01
营业利润(万元)	1783.12	2456.03	1818.06	1764.32
利润总额(万元)	2721.71	3575.16	2267.52	2644.55

广东明家联合移动科技股份有限公司

公司概况						
公司名称	广东明家联合移动科技股份有限公司			证券简称	明家联合
法人代表	周建林	董秘	李惠军	证券代码	300242
公司网址	www.migsurge.com			电子信箱	mig-dshh@migsurge.com.cn
电　话	0769-88972266			传　真	0769-88973889
办公地址	广东省东莞市横沥镇村头村工业区				
经营范围	研发、生产及销售:避雷器及雷电防护装置、防雷插座、配电箱及防雷产品等				

主要财务指标

指标\报告期	2016.06.30	2015.12.31	2015.06.30	2014.12.31
基本每股收益(元)	0.3600	0.2600	0.0500	0.0200
基本每股收益(扣除后)(元)	0.3200	0.0600	0.1100	0.0400
稀释每股收益(元)	0.3600	0.2600	0.0500	0.0200
每股净资产(元)	6.5105	6.1638	5.7199	3.4269
每股经营现金净流量(元)	-0.5649	-0.0689	0.0368	0.3455
每股现金流量(元)	-0.7913	0.8035	-0.8066	-0.1368
每股资本公积金(元)	5.0073	4.8915	4.2425	2.0016
每股盈余公积金(元)	0.0294	0.0295	0.1075	0.1250
每股未分配利润(元)	0.5789	0.2427	0.3699	0.3004
净资产收益率(%)	5.4579	2.8296	2.1210	1.5947
加权净资产收益率(%)	5.6100	11.1400	2.2600	1.6100
净资产收益率(扣除)(%)	4.8849	0.7052	1.9393	1.0688
总资产(万元)	267517.09	257036.85	86062.87	31487.91
归属母公司股东权益(万元)	207515.60	195563.58	49847.85	25701.87
营业收入(万元)	130044.01	90082.53	37474.43	16899.93
营业支出(万元)	109972.96	78190.40	32002.51	13677.84
投资收益(万元)	515.88	3902.37	104.61	208.32
净利润(万元)	11325.97	5533.76	1057.25	409.86
营业利润(万元)	11367.09	5700.95	1410.12	276.90
利润总额(万元)	12109.78	6083.04	1501.78	412.06

山东瑞丰高分子材料股份有限公司

公司概况					
公司名称	山东瑞丰高分子材料股份有限公司			证券简称	瑞丰高材
法人代表	周仕斌	董秘	赵子阳	证券代码	300243
公司网址	www.ruifengchemical.com			电子信箱	zhlin@ruifengchemical.com
电　话	0533-3220711			传　真	0533-3256197
办公地址	山东省淄博市沂源县经济开发区				
经营范围	制造销售塑料助剂等				

主要财务指标

指标\报告期	2016.06.30	2015.12.31	2015.06.30	2014.12.31
基本每股收益(元)	0.0800	0.2300	0.1100	0.1700
基本每股收益(扣除后)(元)	0.0800	0.2100	0.1000	0.1600
稀释每股收益(元)	0.0800	0.2300	0.1100	0.1700
每股净资产(元)	2.3195	2.2641	2.1484	2.0460
每股经营现金净流量(元)	0.0561	-1.1846	0.1449	-0.0638
每股现金流量(元)	-0.1521	0.0772	-0.1242	0.0823
每股资本公积金(元)	0.2022	0.2022	0.2010	0.2042
每股盈余公积金(元)	0.0992	0.0992	0.0849	0.0846
每股未分配利润(元)	1.0255	0.9701	0.8700	0.7721
净资产收益率(%)	3.2499	10.1358	5.3557	8.2526
加权净资产收益率(%)	3.2800	10.6600	5.4600	8.6200
净资产收益率(扣除)(%)	3.2867	9.4833	4.5717	7.8992
总资产(万元)	117466.58	124523.49	88101.65	85807.55
归属母公司股东权益(万元)	47817.57	46675.85	44290.79	42329.71
营业收入(万元)	41234.04	80485.28	40242.87	84552.00
营业支出(万元)	28938.77	59645.41	30075.21	66383.88
投资收益(万元)	3.96	30.64	-	-
净利润(万元)	1554.01	4730.95	2372.10	3493.31
营业利润(万元)	2490.54	5900.13	3082.48	4557.84
利润总额(万元)	2468.28	6278.93	3326.89	4749.95

浙江迪安诊断技术股份有限公司

公司概况					
公司名称	浙江迪安诊断技术股份有限公司			证券简称	迪安诊断
法人代表	陈海斌	董秘	徐敏	证券代码	300244
公司网址	www.dazd.cn			电子信箱	zqb@dagene.net
电　话	0571-88933708			传　真	0571-88918912
办公地址	浙江省杭州市西湖区古墩路 702 号赞宇大厦 5-6 层				
经营范围	面向各种综合医院与专科医院、社区卫生服务中心(站)、乡(镇)卫生院等				

主要财务指标

指标\报告期	2016.06.30	2015.12.31	2015.06.30	2014.12.31
基本每股收益(元)	0.2500	0.6500	0.1800	0.4700
基本每股收益(扣除后)(元)	0.2400	0.6000	0.3178	0.5700
稀释每股收益(元)	0.2500	0.6500	0.1800	0.4600
每股净资产(元)	3.6110	2.5342	3.1228	3.3265
每股经营现金净流量(元)	0.0740	0.4865	0.2929	0.5737
每股现金流量(元)	0.3053	-0.2896	-0.2560	0.1725
每股资本公积金(元)	1.5605	0.6794	0.6853	0.7728
每股盈余公积金(元)	0.0366	0.0747	0.0401	0.0526
每股未分配利润(元)	1.0139	1.6804	1.3974	1.5011
净资产收益率(%)	6.8120	18.8583	10.5580	18.2170
加权净资产收益率(%)	7.5100	21.3100	12.0500	19.5700
净资产收益率(扣除)(%)	6.5876	17.4567	10.0830	17.1433
总资产(万元)	408489.80	229218.29	162709.66	110870.62
归属母公司股东权益(万元)	198976.89	92688.43	84246.96	68389.16
营业收入(万元)	162824.70	185818.09	81322.62	133510.01
营业支出(万元)	110987.75	123346.09	51680.72	84778.41
投资收益(万元)	1609.39	2551.25	916.38	258.89
净利润(万元)	16383.86	17878.54	8635.13	12785.26
营业利润(万元)	19439.57	19454.04	9858.61	15021.69
利润总额(万元)	19968.53	21045.66	10291.29	15230.98

上海天玑科技股份有限公司

公司概况					
公司名称	上海天玑科技股份有限公司			证券简称	天玑科技
法人代表	陆文雄	董秘	陆廷洁	证券代码	300245
公司网址	www.dnt.com.cn			电子信箱	public@dnt.com.cn
电　话	021-54278888			传　真	021-23521380
办公地址	上海市徐汇区桂林路 406 号楼 2 号 11 楼				
经营范围	计算机软硬件开发、销售、维修、系统集成、通讯设备的销售及维修等				

主要财务指标

指标\报告期	2016.06.30	2015.12.31	2015.06.30	2014.12.31
基本每股收益(元)	0.1416	0.1700	0.0965	0.2700
基本每股收益(扣除后)(元)	0.0854	0.1300	0.0811	0.3700
稀释每股收益(元)	0.1416	0.1700	0.0965	0.2700
每股净资产(元)	2.8749	2.5034	2.4941	3.6829
每股经营现金净流量(元)	-0.2155	0.1246	-0.1867	0.2965
每股现金流量(元)	-0.2947	-0.2843	-0.2807	0.3040
每股资本公积金(元)	0.7270	0.5008	0.5158	1.2612
每股盈余公积金(元)	0.1298	0.1310	0.1084	0.1625
每股未分配利润(元)	1.0180	0.9180	0.8707	1.2604
净资产收益率(%)	4.9444	6.6363	3.8689	10.7955
加权净资产收益率(%)	5.3100	6.6500	3.9000	11.4300
净资产收益率(扣除)(%)	2.9801	5.2172	3.2530	10.0380
总资产(万元)	89705.37	81591.50	77574.87	78691.13
归属母公司股东权益(万元)	79085.39	68264.05	68026.60	67016.50
营业收入(万元)	22541.21	39499.56	19343.88	40904.07
营业支出(万元)	13933.90	23700.75	11324.71	22551.41
投资收益(万元)	1432.57	-15.87	-	-
净利润(万元)	3658.18	4289.83	2482.26	7512.65
营业利润(万元)	4053.08	3306.93	2292.94	8016.07
利润总额(万元)	4449.69	4571.38	2806.03	8668.94

广东宝莱特医用科技股份有限公司

公司概况					
公司名称	广东宝莱特医用科技股份有限公司			证券简称	宝 莱 特
法人代表	燕金元	董秘	燕传平	证券代码	300246
公司网址	www.blt.com.cn		电子信箱	ir@blt.com.cn	
电 话	0756-3399909		传 真	0756-3399903	
办公地址	广东省珠海市高新区科技创新海岸创新一路 2 号				
经营范围	医疗监护仪及相关医疗器械的研发、生产和销售等				

主要财务指标：指标\报告期	2016.06.30	2015.12.31	2015.06.30	2014.12.31
基本每股收益(元)	0.2014	0.1600	0.0565	0.2314
基本每股收益(扣除后)(元)	0.1872	0.1100	0.0421	0.2200
稀释每股收益(元)	0.2014	0.1600	0.0565	0.2300
每股净资产(元)	3.0855	2.9342	2.8223	2.8157
每股经营现金净流量(元)	-0.0127	0.1944	-0.0255	0.2896
每股现金流量(元)	-0.2007	0.0178	-0.1345	-0.1056
每股资本公积金(元)	0.7892	0.7892	0.7845	0.7845
每股盈余公积金(元)	0.1468	0.1468	0.1397	0.1397
每股未分配利润(元)	1.1496	0.9982	0.8981	0.8915
净资产收益率(%)	6.5271	5.5802	2.0031	8.2173
加权净资产收益率(%)	6.6900	5.7100	2.0100	8.5000
净资产收益率(扣除)(%)	6.0666	3.8290	1.4901	7.8144
总资产(万元)	64526.34	58064.70	52853.71	51900.61
归属母公司股东权益(万元)	45076.14	42864.41	41229.87	41134.43
营业收入(万元)	26772.48	38050.55	14034.99	28899.35
营业支出(万元)	16447.39	23092.65	8473.16	15950.51
投资收益(万元)	7.94	16.34	-	-
净利润(万元)	3410.72	2929.17	884.04	3520.68
营业利润(万元)	3625.29	2444.14	456.62	3642.23
利润总额(万元)	3990.11	3317.02	804.83	4075.48

安徽乐金健康科技股份有限公司

公司概况					
公司名称	安徽乐金健康科技股份有限公司			证券简称	乐金健康
法人代表	金道明	董秘	梁俊	证券代码	300247
公司网址	www.saunaking.com.cn		电子信箱	saunaking@saunaking.com.cn	
电 话	0551-5329393		传 真	0551-5847577	
办公地址	安徽省合肥市高新区合欢路 34 号				
经营范围	家用桑拿设备的研发、生产和销售等				

主要财务指标：指标\报告期	2016.06.30	2015.12.31	2015.06.30	2014.12.31
基本每股收益(元)	0.0213	0.1500	0.0449	0.0800
基本每股收益(扣除后)(元)	0.0147	0.1300	0.0404	0.0714
稀释每股收益(元)	0.0213	0.1300	0.0449	0.0700
每股净资产(元)	2.0440	4.0625	2.6285	2.5973
每股经营现金净流量(元)	-0.0345	-0.0710	-0.0370	0.0794
每股现金流量(元)	-0.0968	0.4686	0.2090	-0.1084
每股资本公积金(元)	0.9490	3.0619	0.9794	0.9794
每股盈余公积金(元)	0.0308	0.0651	0.0828	0.0828
每股未分配利润(元)	0.2537	0.5237	0.6021	0.5572
净资产收益率(%)	1.0441	2.7993	1.7073	2.8931
加权净资产收益率(%)	1.0400	4.7400	1.7100	3.2800
净资产收益率(扣除)(%)	0.7239	2.4835	1.5476	2.6200
总资产(万元)	189490.05	193153.61	90180.49	79875.77
归属母公司股东权益(万元)	146801.12	145880.74	67975.15	67167.55
营业收入(万元)	19845.69	42921.94	18033.22	28412.11
营业支出(万元)	12277.24	25376.99	10088.02	17530.27
投资收益(万元)	1068.59	731.85	-	-
净利润(万元)	1570.99	4129.37	1145.58	1966.14
营业利润(万元)	1330.55	3587.48	1198.07	2066.29
利润总额(万元)	1805.88	4718.82	1333.19	2283.59

新开普电子股份有限公司

公司概况					
公司名称	新开普电子股份有限公司			证券简称	新 开 普
法人代表	杨维国	董秘	华梦阳	证券代码	300248
公司网址	www.newcapec.com.cn		电子信箱	zqswb@newcapec.net	
电 话	0371-67579758		传 真	0371-67579716	
办公地址	河南省郑州市高新技术产业开发区迎春街 18 号				
经营范围	计算机系统集成、计算机及相关产品、仪器仪表、各类智能卡应用产品等				

主要财务指标：指标\报告期	2016.06.30	2015.12.31	2015.06.30	2014.12.31
基本每股收益(元)	0.0310	0.2100	0.0009	0.1300
基本每股收益(扣除后)(元)	0.0260	0.2100	-0.0022	0.2600
稀释每股收益(元)	0.0310	0.2100	0.0009	0.1300
每股净资产(元)	2.6591	2.6785	1.8289	3.7561
每股经营现金净流量(元)	-0.2145	0.2601	-0.2242	0.0254
每股现金流量(元)	-0.5086	0.0874	-0.2438	-0.3712
每股资本公积金(元)	0.9072	0.9072	0.2233	1.4467
每股盈余公积金(元)	0.0825	0.0825	0.0751	0.1503
每股未分配利润(元)	0.6694	0.6888	0.5305	1.1591
净资产收益率(%)	1.1524	7.4648	0.0488	7.0432
加权净资产收益率(%)	1.1400	9.8600	0.0500	7.2500
净资产收益率(扣除)(%)	0.9773	7.4427	-0.1226	6.8502
总资产(万元)	127192.69	136533.82	64002.17	64668.81
归属母公司股东权益(万元)	80330.71	80915.49	52205.34	53607.08
营业收入(万元)	22504.83	51044.33	15448.10	31536.09
营业支出(万元)	10788.85	23735.90	7563.69	14913.55
投资收益(万元)	-63.05	21.71	-	-
净利润(万元)	656.80	6070.76	-22.65	3806.43
营业利润(万元)	-802.58	6631.51	-399.25	3173.36
利润总额(万元)	850.09	6963.53	-45.80	4316.36

四川依米康环境科技股份有限公司

公司概况					
公司名称	四川依米康环境科技股份有限公司			证券简称	依 米 康
法人代表	张菀	董秘	周淑兰	证券代码	300249
公司网址	www.ymk.com.cn		电子信箱	yimikang@ymk.com.cn	
电 话	028-85185206 85977635		传 真	028-82001888*1	
办公地址	四川省成都市高新区科园南二路二号				
经营范围	生产、销售及安装制冷设备、空调、不间断电源、电池及相关产品等				

主要财务指标：指标\报告期	2016.06.30	2015.12.31	2015.06.30	2014.12.31
基本每股收益(元)	0.0200	0.0800	-0.0200	0.0700
基本每股收益(扣除后)(元)	0.0200	0.0700	-0.0600	0.0600
稀释每股收益(元)	0.0200	0.0800	-0.0200	0.0700
每股净资产(元)	1.6296	3.9407	3.7668	3.8245
每股经营现金净流量(元)	0.0699	-0.0807	-0.4708	0.0905
每股现金流量(元)	-0.0627	-0.4655	-0.6720	0.2111
每股资本公积金(元)	0.2865	2.2161	2.1827	2.1827
每股盈余公积金(元)	0.0255	0.0638	0.0613	0.0613
每股未分配利润(元)	0.2707	0.6447	0.5100	0.5839
净资产收益率(%)	1.5262	2.1134	-1.4312	1.6562
加权净资产收益率(%)	1.2300	2.1600	-1.1500	2.3100
净资产收益率(扣除)(%)	1.3536	1.7465	-1.5729	1.4126
总资产(万元)	185912.12	158138.64	144510.11	143592.77
归属母公司股东权益(万元)	71692.55	69344.85	66285.82	67301.05
营业收入(万元)	39104.20	87728.72	32423.17	48921.42
营业支出(万元)	28259.17	64847.82	24171.13	33440.25
投资收益(万元)	-39.91	-341.25	-191.31	-172.63
净利润(万元)	1790.36	2728.67	-391.53	2775.83
营业利润(万元)	1786.74	2838.09	-708.13	2708.82
利润总额(万元)	2056.24	3231.85	-551.56	3266.91

杭州初灵信息技术股份有限公司

公司概况	公司名称	杭州初灵信息技术股份有限公司		证券简称	初灵信息
	法人代表	洪爱金	董秘：许平	证券代码	300250
	公司网址	www.cncr-it.com		电子信箱	IR@cncr-it.com
	电　　话	0571-86791278 86797396		传　　真	0571-86791287
	办公地址	浙江省杭州市滨江区浦沿街道伟业路1号5幢			
	经营范围	信息接入方案的设计及相应设备的研发、生产和销售等			

主要财务指标	指标\报告期	2016.06.30	2015.12.31	2015.06.30	2014.12.31
	基本每股收益(元)	0.2300	0.7600	0.0500	0.4000
	基本每股收益(扣除后)(元)	0.2300	0.7200	0.1100	0.3800
	稀释每股收益(元)	0.2300	0.7400	0.0500	0.3900
	每股净资产(元)	6.7807	8.3033	7.5609	5.0334
	每股经营现金净流量(元)	-0.0767	0.8516	0.0242	0.3756
	每股现金流量(元)	-0.0609	0.7363	-0.0147	0.1569
	每股资本公积金(元)	4.7932	5.1915	5.0777	2.2802
	每股盈余公积金(元)	0.0845	0.1983	0.1588	0.1946
	每股未分配利润(元)	0.9030	1.9136	1.3243	1.5586
	净资产收益率(%)	3.1967	8.7981	1.3471	7.9222
	加权净资产收益率(%)	4.6300	10.0300	1.5600	8.2800
	净资产收益率(扣除)(%)	2.9155	8.3489	1.3116	7.5978
	总资产(万元)	173727.37	95045.23	89018.46	49153.55
	归属母公司股东权益(万元)	155924.50	81396.76	74118.58	40267.25
	营业收入(万元)	19729.58	36638.73	10832.17	23122.98
	营业支出(万元)	6599.05	17749.18	5393.97	13546.60
	投资收益(万元)	3.80	189.63	-34.78	-26.77
	净利润(万元)	4912.06	6887.61	955.14	3642.11
	营业利润(万元)	4533.13	5673.59	572.09	3386.51
	利润总额(万元)	6058.22	7318.70	982.66	4274.95

北京光线传媒股份有限公司

公司概况	公司名称	北京光线传媒股份有限公司		证券简称	光线传媒
	法人代表	王长田	董秘：侯俊	证券代码	300251
	公司网址	www.ewang.com		电子信箱	ir@ewang.com
	电　　话	010-64516451		传　　真	010-64516488
	办公地址	北京市东城区和平里东街11号院内3号楼3层			
	经营范围	广播电视节目的制作、发行、设计、制作、代理、发布国内及外商来华广告等			

主要财务指标	指标\报告期	2016.06.30	2015.12.31	2015.06.30	2014.12.31
	基本每股收益(元)	0.1100	0.2800	0.0300	0.2500
	基本每股收益(扣除后)(元)	0.1000	0.2500	0.0400	0.3100
	稀释每股收益(元)	0.1100	0.2800	0.0300	0.2500
	每股净资产(元)	2.3623	4.6900	4.3956	3.1232
	每股经营现金净流量(元)	0.2959	0.2712	-0.1378	-0.0818
	每股现金流量(元)	0.1154	0.6351	0.0211	-0.0403
	每股资本公积金(元)	0.4707	1.9272	1.9282	0.4893
	每股盈余公积金(元)	0.0438	0.0875	0.0642	0.0930
	每股未分配利润(元)	0.4523	0.7854	0.5905	0.8856
	净资产收益率(%)	4.6387	5.8511	1.2747	10.4121
	加权净资产收益率(%)	4.6300	7.0400	1.7000	13.0800
	净资产收益率(扣除)(%)	4.3986	5.2740	0.9485	9.8265
	总资产(万元)	872124.77	818921.17	776108.34	498377.53
	归属母公司股东权益(万元)	692997.51	687199.12	644744.59	316290.21
	营业收入(万元)	72169.09	152329.47	41412.05	121807.16
	营业支出(万元)	34451.83	101017.58	27440.79	73907.80
	投资收益(万元)	2540.89	7568.59	1003.46	5592.40
	净利润(万元)	32060.29	41661.07	8855.23	35186.93
	营业利润(万元)	34146.92	43330.78	9103.05	41190.98
	利润总额(万元)	35786.17	45406.02	10415.46	42608.44

深圳金信诺高新技术股份有限公司

公司概况	公司名称	深圳金信诺高新技术股份有限公司		证券简称	金 信 诺
	法人代表	黄昌华	董秘：伍婧娉	证券代码	300252
	公司网址	www.kingsignal.com		电子信箱	kingsignal@kingsignal.com
	电　　话	0755-26016250 877		传　　真	0755-26581802
	办公地址	广东省深圳市南山区科技中二路深圳软件园9#楼302			
	经营范围	中高端射频同轴电缆的研发、生产和销售等			

主要财务指标	指标\报告期	2016.06.30	2015.12.31	2015.06.30	2014.12.31
	基本每股收益(元)	0.2800	0.3400	0.1900	0.2100
	基本每股收益(扣除后)(元)	0.2700	0.3200	0.1704	0.4400
	稀释每股收益(元)	0.2700	0.3400	0.1900	0.2000
	每股净资产(元)	2.2377	2.0300	1.8894	4.6927
	每股经营现金净流量(元)	0.0144	0.3384	0.2038	0.2781
	每股现金流量(元)	-0.0195	-0.0840	-0.1760	0.3117
	每股资本公积金(元)	0.2569	0.2552	0.2520	2.4655
	每股盈余公积金(元)	0.0774	0.0648	0.0568	0.1027
	每股未分配利润(元)	0.9190	0.7278	0.5841	1.1309
	净资产收益率(%)	12.2356	16.7016	9.9232	10.8741
	加权净资产收益率(%)	12.6200	17.9400	9.5100	11.4100
	净资产收益率(扣除)(%)	12.0482	15.4139	9.0208	9.3973
	总资产(万元)	257893.16	234430.33	204443.97	181521.59
	归属母公司股东权益(万元)	91416.14	82948.04	77189.12	76684.84
	营业收入(万元)	98548.87	153223.93	67373.43	119404.81
	营业支出(万元)	70009.33	109607.21	47552.49	88282.69
	投资收益(万元)	-	-	462.76	-
	净利润(万元)	12605.93	14850.50	7973.64	9392.97
	营业利润(万元)	14839.78	16235.60	8894.22	9525.12
	利润总额(万元)	15089.07	17498.28	9644.97	10957.45

卫宁健康科技集团股份有限公司

公司概况	公司名称	卫宁健康科技集团股份有限公司		证券简称	卫宁健康
	法人代表	周炜	董秘：靳茂	证券代码	300253
	公司网址	www.winning.com.cn		电子信箱	wndsh@winning.com.cn
	电　　话	021-26018382		传　　真	021-26018347
	办公地址	上海市静安区广中西路355号宝华中心10楼			
	经营范围	计算机软件的开发、设计和制作、销售自产产品、计算机及辅助设备的销售等			

主要财务指标	指标\报告期	2016.06.30	2015.12.31	2015.06.30	2014.12.31
	基本每股收益(元)	0.5294	0.2783	0.0764	0.2234
	基本每股收益(扣除后)(元)	0.0927	0.2536	0.0970	0.5200
	稀释每股收益(元)	0.5216	0.2754	0.0757	0.2219
	每股净资产(元)	2.7119	1.8250	1.4942	3.5158
	每股经营现金净流量(元)	-0.0672	0.1431	-0.1387	0.1960
	每股现金流量(元)	0.3390	-0.2572	-0.4991	-0.3988
	每股资本公积金(元)	1.0692	0.2468	0.0788	1.1121
	每股盈余公积金(元)	0.0551	0.0807	0.0629	0.1572
	每股未分配利润(元)	0.5898	0.4975	0.3525	1.2465
	净资产收益率(%)	19.1946	15.0515	7.1612	15.7476
	加权净资产收益率(%)	26.2300	17.8600	7.3500	17.6200
	净资产收益率(扣除)(%)	3.3614	13.7182	6.4834	14.5816
	总资产(万元)	297900.47	173485.50	125765.16	121802.36
	归属母公司股东权益(万元)	220610.20	101321.53	81655.19	76819.14
	营业收入(万元)	36341.93	75315.77	26414.80	49141.16
	营业支出(万元)	15769.58	34549.25	11985.56	22277.82
	投资收益(万元)	40335.49	-24.51	-	-
	净利润(万元)	42425.36	16149.15	5778.28	12264.20
	营业利润(万元)	46349.91	10170.47	3724.84	8976.50
	利润总额(万元)	49016.92	15450.67	5990.75	12899.67

山西仟源医药集团股份有限公司

公司概况						
公司名称	山西仟源医药集团股份有限公司			证券简称	仟源医药
法人代表	翁占国	董秘	俞俊贤	证券代码	300254
公司网址	www.cy-pharm.com		电子信箱	stock@cy-pharm.com	
电　话	0352-6116426		传　真	0352-6116452	
办公地址	山西省大同市经济技术开发区湖滨大街53号				
经营范围	医药研发、生产和销售等				

主要财务指标 指标\报告期	2016.06.30	2015.12.31	2015.06.30	2014.12.31
基本每股收益(元)	0.1154	0.1389	0.1185	0.3064
基本每股收益(扣除后)(元)	0.1114	0.1236	0.1116	0.2672
稀释每股收益(元)	0.1154	0.1389	0.1185	0.3064
每股净资产(元)	4.5933	4.5279	3.6624	4.7655
每股经营现金净流量(元)	-0.0030	0.0890	0.0365	0.6143
每股现金流量(元)	-0.0069	0.4699	-0.2510	0.1932
每股资本公积金(元)	2.7477	2.7477	1.8431	2.8244
每股盈余公积金(元)	0.0831	0.0831	0.0898	0.1078
每股未分配利润(元)	0.7625	0.6971	0.7295	0.8333
净资产收益率(%)	2.5124	2.9135	3.2342	6.4298
加权净资产收益率(%)	2.5200	3.4000	3.0000	6.6000
净资产收益率(扣除)(%)	2.4263	2.5925	3.0481	5.6070
总资产(万元)	145692.21	130843.06	114209.27	118133.77
归属母公司股东权益(万元)	79735.41	78599.80	58804.14	63761.93
营业收入(万元)	33309.29	68393.49	31263.10	65365.52
营业支出(万元)	10588.61	21428.25	10537.24	20548.98
投资收益(万元)	-63.14	220.23	-9.94	286.42
净利润(万元)	2266.66	2905.48	2152.36	5589.13
营业利润(万元)	2789.44	3086.92	2357.07	5164.62
利润总额(万元)	2875.83	3834.47	2513.18	6021.68

河北常山生化药业股份有限公司

公司概况					
公司名称	河北常山生化药业股份有限公司			证券简称	常山药业
法人代表	高树华	董秘	张威	证券代码	300255
公司网址	www.heparin.cn		电子信箱	zhengquan@heparin.cn	
电　话	0311-89190181		传　真	0311-89190182	
办公地址	河北省石家庄市正定新区银川大街北首				
经营范围	肝素系列产品的研发、生产和销售等				

主要财务指标 指标\报告期	2016.06.30	2015.12.31	2015.06.30	2014.12.31
基本每股收益(元)	0.0800	0.3300	0.0700	0.2800
基本每股收益(扣除后)(元)	0.0800	0.3100	0.1100	0.6600
稀释每股收益(元)	0.0800	0.3300	0.0700	0.2800
每股净资产(元)	1.8376	1.7851	3.0046	2.9079
每股经营现金净流量(元)	0.1265	-0.0810	-0.2916	-0.4509
每股现金流量(元)	0.1169	-0.1731	-0.2341	-0.1745
每股资本公积金(元)	0.0827	0.9472	0.9435	3.8496
每股盈余公积金(元)	0.0782	0.1408	0.1089	0.2721
每股未分配利润(元)	0.6767	1.1251	0.9522	2.1481
净资产收益率(%)	4.4141	10.3266	4.2252	9.7631
加权净资产收益率(%)	4.4700	10.8600	4.2800	10.2900
净资产收益率(扣除)(%)	4.2215	9.6606	3.7895	9.0645
总资产(万元)	256335.92	232827.14	217979.27	204475.78
归属母公司股东权益(万元)	155810.58	151354.13	141530.16	136977.70
营业收入(万元)	51353.72	91598.72	42114.68	81128.46
营业支出(万元)	18398.47	30411.93	16004.92	33520.07
投资收益(万元)	-	-	-	-
净利润(万元)	7024.32	15667.39	6231.21	13431.72
营业利润(万元)	8020.42	17426.80	6460.76	14748.85
利润总额(万元)	8374.66	18616.53	7190.38	15686.96

浙江星星科技股份有限公司

公司概况					
公司名称	浙江星星科技股份有限公司			证券简称	星星科技
法人代表	王先玉	董秘	李伟敏	证券代码	300256
公司网址	www.first-panel.com		电子信箱	irm@first-panel.com	
电　话	0576-89081618		传　真	0576-89081616	
办公地址	浙江省台州市椒江区洪家星星电子产业基地4号楼				
经营范围	手机及平板电脑等产品的视窗防护屏的研发、生产与销售等				

主要财务指标 指标\报告期	2016.06.30	2015.12.31	2015.06.30	2014.12.31
基本每股收益(元)	0.0446	0.2400	0.0255	0.1222
基本每股收益(扣除后)(元)	0.0359	0.1757	0.0408	0.0833
稀释每股收益(元)	0.0446	0.2400	0.0255	0.1200
每股净资产(元)	5.1411	4.9916	9.4533	7.1501
每股经营现金净流量(元)	0.2864	-0.1291	0.0277	-0.7152
每股现金流量(元)	-0.0860	0.4851	0.1486	-0.1744
每股资本公积金(元)	4.1027	8.9965	8.6350	6.4575
每股盈余公积金(元)	0.0174	0.0342	0.0373	0.0492
每股未分配利润(元)	0.0210	-0.0476	-0.2190	-0.3566
净资产收益率(%)	0.8789	2.0074	0.5396	1.6658
加权净资产收益率(%)	0.8900	2.8200	0.9400	1.6934
净资产收益率(扣除)(%)	0.7080	1.4444	0.4319	1.1363
总资产(万元)	678228.95	636149.45	557296.00	304459.68
归属母公司股东权益(万元)	328881.11	324189.48	281989.69	161468.16
营业收入(万元)	224006.36	388522.01	118493.46	167838.58
营业支出(万元)	194063.63	341975.54	106466.27	139499.17
投资收益(万元)	-	282.13	-	-
净利润(万元)	2021.02	5024.12	1087.51	1437.56
营业利润(万元)	3040.29	5653.49	1399.71	1924.68
利润总额(万元)	3675.92	7460.39	1825.37	2904.34

浙江开山压缩机股份有限公司

公司概况					
公司名称	浙江开山压缩机股份有限公司			证券简称	开山股份
法人代表	曹克坚	董秘	杨建军	证券代码	300257
公司网址	www.kaishancomp.com		电子信箱	zqtzb@kaishangroup.com	
电　话	0570-3662177		传　真	0570-3662786	
办公地址	浙江省衢州市经济开发区凯旋西路9号				
经营范围	空气压缩机、真空泵、螺杆膨胀机及配件的生产、销售等				

主要财务指标 指标\报告期	2016.06.30	2015.12.31	2015.06.30	2014.12.31
基本每股收益(元)	0.0515	0.2100	0.1632	0.3800
基本每股收益(扣除后)(元)	0.0474	0.2000	0.1600	0.7300
稀释每股收益(元)	0.0515	0.2100	0.1632	0.3800
每股净资产(元)	3.9265	3.8818	3.8423	7.8717
每股经营现金净流量(元)	0.0452	0.0168	-0.0591	0.6608
每股现金流量(元)	-0.5113	-0.4334	-0.2563	-0.0761
每股资本公积金(元)	1.7574	1.7612	1.7612	4.5224
每股盈余公积金(元)	0.1724	0.1724	0.1461	0.2923
每股未分配利润(元)	1.0138	0.9623	0.9467	2.0669
净资产收益率(%)	1.3113	5.2832	4.2475	9.7133
加权净资产收益率(%)	1.3200	5.2700	4.0700	9.9400
净资产收益率(扣除)(%)	1.2068	5.1378	4.2261	9.3074
总资产(万元)	455129.32	422525.60	447497.95	434582.90
归属母公司股东权益(万元)	336892.88	333062.04	329672.45	337695.37
营业收入(万元)	72596.70	163786.72	102090.95	199530.14
营业支出(万元)	56854.08	123124.11	75293.41	144281.04
投资收益(万元)	70.27	245.09	165.23	362.34
净利润(万元)	4536.43	17849.93	14191.90	33301.52
营业利润(万元)	5534.74	22136.89	17724.93	40046.55
利润总额(万元)	5909.78	22471.82	17725.15	41647.55

江苏太平洋精锻科技股份有限公司

公司概况	公司名称	江苏太平洋精锻科技股份有限公司		证券简称	精锻科技
	法人代表	夏汉关	董秘	董义	证券代码	300258
	公司网址	www.ppforging.com		电子信箱	ppf@ppforging.com
	电　话	0523-80512658 80512699		传　真	0523-80512000
	办公地址	江苏省泰州市姜堰区双登大道 198 号			
	经营范围	汽车精锻齿轮及其他精密锻件的研发、生产与销售等			

主要财务指标	指标\报告期	2016.06.30	2015.12.31	2015.06.30	2014.12.31
	基本每股收益(元)	0.2284	0.5182	0.1660	0.4651
	基本每股收益(扣除后)(元)	0.2042	0.4825	0.2221	0.6527
	稀释每股收益(元)	0.2284	0.5182	0.1660	0.4651
	每股净资产(元)	3.3464	3.1886	4.5123	4.3653
	每股经营现金净流量(元)	0.3239	0.7563	0.1551	0.7230
	每股现金流量(元)	–0.2239	0.3263	0.0317	–0.1393
	每股资本公积金(元)	0.8657	1.7986	1.7986	3.1979
	每股盈余公积金(元)	0.1458	0.2186	0.1880	0.2820
	每股未分配利润(元)	1.3231	1.7521	1.5134	2.0567
	净资产收益率(%)	6.8244	10.8353	5.5175	10.6541
	加权净资产收益率(%)	6.9100	11.3600	5.5700	11.1300
	净资产收益率(扣除)(%)	6.1019	10.0890	4.8956	9.9682
	总资产(万元)	181299.32	180446.23	173950.46	158787.45
	归属母公司股东权益(万元)	135529.46	129136.93	121830.90	117864.08
	营业收入(万元)	41982.89	69844.48	34621.37	62754.96
	营业支出(万元)	25133.45	42547.95	21178.43	38685.99
	投资收益(万元)	23.99	17.13	17.13	36.76
	净利润(万元)	9249.09	13992.34	6722.06	12557.31
	营业利润(万元)	10179.84	16073.90	7610.60	13989.63
	利润总额(万元)	11394.09	17277.84	8350.74	14983.51

新天科技股份有限公司

公司概况	公司名称	新天科技股份有限公司		证券简称	新天科技
	法人代表	费战波	董秘	杨冬玲	证券代码	300259
	公司网址	www.suntront.com		电子信箱	xtkj@suntront.com
	电　话	0371-56160968		传　真	0371-56160968
	办公地址	河南省郑州市高新技术产业开发区红松路 252 号			
	经营范围	开发、研制、生产、销售电子仪器、仪表、电子元器件、计算机外部设备及软件等			

主要财务指标	指标\报告期	2016.06.30	2015.12.31	2015.06.30	2014.12.31
	基本每股收益(元)	0.0800	0.1700	0.0700	0.2200
	基本每股收益(扣除后)(元)	0.0700	0.1400	0.0600	0.3400
	稀释每股收益(元)	0.0800	0.1700	0.0700	0.2200
	每股净资产(元)	1.9271	1.8819	1.7406	2.9400
	每股经营现金净流量(元)	0.0419	0.1004	–0.0016	0.4001
	每股现金流量(元)	0.0295	–0.2878	–0.1808	0.1828
	每股资本公积金(元)	0.0456	0.0640	0.0181	0.7307
	每股盈余公积金(元)	0.1027	0.1024	0.0856	0.1455
	每股未分配利润(元)	0.7788	0.7154	0.6369	1.0638
	净资产收益率(%)	4.2138	9.0513	4.0237	12.9956
	加权净资产收益率(%)	4.2300	9.5200	3.9100	13.7400
	净资产收益率(扣除)(%)	3.4109	7.2249	3.2474	11.7323
	总资产(万元)	107513.41	103094.29	98524.35	96476.31
	归属母公司股东权益(万元)	89669.08	87835.63	80618.30	80098.94
	营业收入(万元)	19592.88	38048.63	14018.56	38032.60
	营业支出(万元)	11022.23	22381.46	7754.98	20889.40
	投资收益(万元)	544.75	1379.97	654.70	723.89
	净利润(万元)	3792.24	7908.06	3203.80	10682.15
	营业利润(万元)	4058.32	7409.20	3092.05	10224.76
	利润总额(万元)	4453.22	9058.99	3712.16	12157.13

昆山新莱洁净应用材料股份有限公司

公司概况	公司名称	昆山新莱洁净应用材料股份有限公司		证券简称	新莱应材
	法人代表	李水波	董秘	郭红飞	证券代码	300260
	公司网址	www.kinglai.com.cn		电子信箱	lucy@kinglai.com.cn
	电　话	0512-57871991		传　真	0512-57871472
	办公地址	江苏省苏州市昆山市陆家镇陆丰西路 22 号			
	经营范围	以高纯不锈钢为母材之高洁净应用材料研发、生产与销售等			

主要财务指标	指标\报告期	2016.06.30	2015.12.31	2015.06.30	2014.12.31
	基本每股收益(元)	0.0370	0.0208	0.0570	0.0870
	基本每股收益(扣除后)(元)	0.0370	0.0160	0.0340	0.0860
	稀释每股收益(元)	0.0370	0.0208	0.0570	0.0870
	每股净资产(元)	6.4890	6.4407	6.4756	6.4341
	每股经营现金净流量(元)	0.3036	–0.5682	0.0831	–0.1909
	每股现金流量(元)	0.0541	–0.3601	–0.1549	–0.3431
	每股资本公积金(元)	3.9289	3.9289	3.9289	3.9289
	每股盈余公积金(元)	0.1691	0.1691	0.1633	0.1633
	每股未分配利润(元)	1.3876	1.3521	1.3917	1.3520
	净资产收益率(%)	0.3729	0.3237	0.8447	1.3525
	加权净资产收益率(%)	0.3700	0.3100	0.2100	1.3600
	净资产收益率(扣除)(%)	0.3729	0.2354	0.5099	1.3430
	总资产(万元)	100387.21	101485.57	100728.76	94988.49
	归属母公司股东权益(万元)	64922.26	64440.07	64788.72	64373.24
	营业收入(万元)	20988.27	42662.51	21250.40	42211.24
	营业支出(万元)	16003.63	32954.79	16388.14	32087.58
	投资收益(万元)	–5.62	–5.62	–	–
	净利润(万元)	169.96	–218.54	255.63	503.75
	营业利润(万元)	255.40	–148.23	376.06	696.26
	利润总额(万元)	296.82	–82.54	586.66	704.21

雅本化学股份有限公司

公司概况	公司名称	雅本化学股份有限公司		证券简称	雅本化学
	法人代表	蔡彤	董秘	王卓颖	证券代码	300261
	公司网址	www.abachem.com		电子信箱	info@abachem.com
	电　话	021-32270636		传　真	021-51159188
	办公地址	江苏省太仓市太仓港港口开发区石化区东方东路 18 号			
	经营范围	农药中间体、医药中间体的研究与开发、生产、销售等			

主要财务指标	指标\报告期	2016.06.30	2015.12.31	2015.06.30	2014.12.31
	基本每股收益(元)	0.0235	0.1560	0.0722	0.1287
	基本每股收益(扣除后)(元)	0.0229	0.1581	0.1182	0.1581
	稀释每股收益(元)	0.0235	0.1560	0.0722	0.1674
	每股净资产(元)	1.8762	1.8366	2.3083	2.2347
	每股经营现金净流量(元)	–0.0187	0.1779	0.1240	0.2804
	每股现金流量(元)	0.0736	0.0116	0.0853	–0.1640
	每股资本公积金(元)	0.4861	0.3135	0.7075	0.7075
	每股盈余公积金(元)	0.0496	0.0679	0.0767	0.0767
	每股未分配利润(元)	0.3404	0.4552	0.5240	0.4505
	净资产收益率(%)	1.2355	8.4962	5.3527	7.4894
	加权净资产收益率(%)	1.3500	8.7600	5.3800	7.7200
	净资产收益率(扣除)(%)	1.2076	8.6071	5.1195	7.0738
	总资产(万元)	187092.93	157876.36	148805.25	131226.72
	归属母公司股东权益(万元)	100744.55	72069.00	69675.43	67455.15
	营业收入(万元)	28716.81	62715.10	32406.22	52607.60
	营业支出(万元)	19094.80	41563.10	21631.05	36588.54
	投资收益(万元)	–55.83	100.69	65.02	–27.65
	净利润(万元)	1381.71	6254.42	3801.65	5263.82
	营业利润(万元)	1426.59	7099.92	4394.50	5775.70
	利润总额(万元)	1496.62	7195.75	4404.56	5938.04

上海巴安水务股份有限公司

公司概况					
公司名称	上海巴安水务股份有限公司			证券简称	巴安水务
法人代表	张春霖	董秘	陆天怡	证券代码	300262
公司网址	www.safbon.com		电子信箱	safbon@safbon.com	
电 话	021-32020653		传 真	021-52135781	
办公地址	上海市青浦区练塘镇章练塘路666号				
经营范围	环保水处理、污水处理、饮用水处理系统工程设计、咨询及设备安装、调试等				

主要财务指标 指标\报告期	2016.06.30	2015.12.31	2015.06.30	2014.12.31
基本每股收益(元)	0.2200	0.2064	0.1100	0.2015
基本每股收益(扣除后)(元)	0.1100	0.1969	0.1350	0.2701
稀释每股收益(元)	0.2200	0.2064	0.1100	0.2015
每股净资产(元)	2.0235	1.6968	1.6968	2.2489
每股经营现金净流量(元)	-0.4034	-0.3546	0.1676	0.5200
每股现金流量(元)	0.0258	0.1069	0.2590	0.0289
每股资本公积金(元)	0.0468	0.0468	0.0468	0.3655
每股盈余公积金(元)	0.1029	0.0856	0.0737	0.0892
每股未分配利润(元)	0.8533	0.6512	0.5654	0.7833
净资产收益率(%)	10.8235	11.4744	6.4091	12.5470
加权净资产收益率(%)	10.0100	12.1200	6.5800	13.3300
净资产收益率(扣除)(%)	10.3968	10.9457	6.0566	12.0106
总资产(万元)	253742.45	176804.99	143007.04	118968.90
归属母公司股东权益(万元)	75582.17	67195.25	63379.75	60000.71
营业收入(万元)	53390.47	67926.74	31318.54	35071.77
营业支出(万元)	36726.85	49292.33	24203.40	20947.99
投资收益(万元)	326.07	945.37	1273.28	2429.36
净利润(万元)	8083.02	7620.90	4043.37	7510.53
营业利润(万元)	9569.92	9565.91	4499.92	9499.67
利润总额(万元)	9949.37	10039.57	4762.77	9928.76

洛阳隆华传热节能股份有限公司

公司概况					
公司名称	洛阳隆华传热节能股份有限公司			证券简称	隆华节能
法人代表	李占明	董秘	段嘉刚	证券代码	300263
公司网址	www.longhuachuanre.com		电子信箱	lylhzqb@126.com	
电 话	0379-67891813		传 真	0379-67891813	
办公地址	河南省洛阳市空港产业集聚区				
经营范围	冷却(凝)设备的研发,生产和销售等				

主要财务指标 指标\报告期	2016.06.30	2015.12.31	2015.06.30	2014.12.31
基本每股收益(元)	0.0208	0.4300	0.0723	0.3800
基本每股收益(扣除后)(元)	0.0103	0.3400	0.1342	0.3700
稀释每股收益(元)	0.0208	0.4300	0.0717	0.3800
每股净资产(元)	2.7255	5.4493	5.1903	4.0541
每股经营现金净流量(元)	-0.1254	0.1783	-0.2207	-0.5225
每股现金流量(元)	-0.3165	1.1416	1.3861	-0.2505
每股资本公积金(元)	1.1203	3.2406	3.2383	2.0609
每股盈余公积金(元)	0.0550	0.1101	0.0770	0.0888
每股未分配利润(元)	0.5597	1.1175	0.8750	0.9044
净资产收益率(%)	0.7624	7.3955	2.4160	9.3848
加权净资产收益率(%)	0.7600	9.0400	3.5100	9.8300
净资产收益率(扣除)(%)	0.3745	5.7546	2.2430	9.0532
总资产(万元)	341501.55	362104.46	370014.89	267777.37
归属母公司股东权益(万元)	241646.55	241567.06	229247.12	155272.92
营业收入(万元)	42621.79	137079.93	57146.50	124501.61
营业支出(万元)	33670.18	102557.61	42333.66	89010.36
投资收益(万元)	1829.48	2170.14	-0.26	1.75
净利润(万元)	1924.71	18030.45	5624.18	14787.33
营业利润(万元)	1338.63	16480.37	6106.34	16777.14
利润总额(万元)	2441.21	21323.45	6573.08	17382.87

深圳市佳创视讯技术股份有限公司

公司概况					
公司名称	深圳市佳创视讯技术股份有限公司			证券简称	佳创视讯
法人代表	陈坤江	董秘	李汉辉	证券代码	300264
公司网址	www.avit.com.cn		电子信箱	avit@avit.com.cn	
电 话	0755-83571200 83575056		传 真	0755-83575099	
办公地址	广东省深圳市福田区滨河路以南、沙嘴路以东中央西谷大厦15层01-08、16层04、05				
经营范围	数字电视软硬件产品的研发、生产、销售和系统集成				

主要财务指标 指标\报告期	2016.06.30	2015.12.31	2015.06.30	2014.12.31
基本每股收益(元)	-0.0070	0.0300	-0.0151	0.0800
基本每股收益(扣除后)(元)	-0.0178	0.0100	-0.0307	0.0600
稀释每股收益(元)	-0.0070	0.0300	-0.0151	0.0800
每股净资产(元)	1.4680	1.4750	2.5969	2.7040
每股经营现金净流量(元)	-0.0286	-0.0056	-0.1073	0.0492
每股现金流量(元)	-0.2935	-0.6559	-0.9833	-0.0766
每股资本公积金(元)	0.2336	1.2204	1.2204	1.2204
每股盈余公积金(元)	0.0493	0.0888	0.0818	0.0818
每股未分配利润(元)	0.1852	0.3461	0.2948	0.4019
净资产收益率(%)	-0.4798	1.1762	-1.0447	3.0421
加权净资产收益率(%)	-0.4800	1.1700	-1.0200	3.0600
净资产收益率(扣除)(%)	-1.2145	0.4322	-1.1838	2.0960
总资产(万元)	69004.89	66286.38	63240.82	67161.40
归属母公司股东权益(万元)	60643.17	60933.61	59598.27	62056.93
营业收入(万元)	8532.28	14603.78	6012.58	14992.79
营业支出(万元)	6043.47	8542.75	4291.18	7379.01
投资收益(万元)	316.93	581.32	229.15	-31.00
净利润(万元)	-617.29	145.37	-859.87	1679.54
营业利润(万元)	-1379.57	-916.81	-1334.05	840.57
利润总额(万元)	-640.60	361.25	-864.04	1839.15

江苏通光电子线缆股份有限公司

公司概况					
公司名称	江苏通光电子线缆股份有限公司			证券简称	通光线缆
法人代表	张忠	董秘	王旭光	证券代码	300265
公司网址	www.tgjt.cn		电子信箱	cwb@tgjt.cn	
电 话	0513-82263991		传 真	0513-82105111	
办公地址	江苏省海门市海门镇渤海路169号				
经营范围	生产销售半导体芯片、光有源、无源器件、电子线缆、计算机软件开发等				

主要财务指标 指标\报告期	2016.06.30	2015.12.31	2015.06.30	2014.12.31
基本每股收益(元)	0.2100	0.2700	0.0600	0.1000
基本每股收益(扣除后)(元)	0.1900	0.2900	0.0600	0.2100
稀释每股收益(元)	0.2100	0.2700	0.0600	0.1000
每股净资产(元)	2.7515	2.5446	2.3346	5.7874
每股经营现金净流量(元)	-0.2887	0.1090	-0.1434	-0.4565
每股现金流量(元)	-0.1087	-0.0746	-0.1508	-0.6909
每股资本公积金(元)	0.7243	0.7243	0.7243	3.3109
每股盈余公积金(元)	0.0827	0.0827	0.0675	0.1686
每股未分配利润(元)	0.9430	0.7377	0.5481	1.3121
净资产收益率(%)	7.4642	10.5355	2.7104	4.1265
加权净资产收益率(%)	7.7600	11.0500	2.7200	4.1700
净资产收益率(扣除)(%)	6.7452	11.2823	2.7477	3.5507
总资产(万元)	153097.67	130907.09	129716.87	120263.21
归属母公司股东权益(万元)	92862.42	85881.07	78794.36	78129.88
营业收入(万元)	47981.09	97903.01	44349.69	85684.11
营业支出(万元)	29630.38	66664.04	31416.21	63247.67
投资收益(万元)	470.50	-873.74	-153.19	-73.54
净利润(万元)	6931.44	9048.01	2135.61	3224.01
营业利润(万元)	7751.51	9906.30	2199.71	3298.95
利润总额(万元)	8123.83	10554.66	2567.22	4135.41

兴源环境科技股份有限公司

公司概况					
公司名称	兴源环境科技股份有限公司			证券简称	兴源环境
法人代表	周立武	董秘	樊昌源	证券代码	300266
公司网址	www.xingyuan.com		电子信箱	stock@xingyuan.com	
电　话	0571-88771111		传　真	0571-88793599	
办公地址	杭州市余杭区杭州余杭经济技术开发区望梅路 1588 号				
经营范围	过滤机及其配件的制造、浓缩、分离、过滤、破碎、筛分、干化、成型技术的研究与开发等				

主要财务指标 指标 \ 报告期	2016.06.30	2015.12.31	2015.06.30	2014.12.31
基本每股收益(元)	0.2794	0.2500	0.0850	0.1700
基本每股收益(扣除后)(元)	0.2658	0.2200	0.0810	0.2800
稀释每股收益(元)	0.2794	0.2500	0.0850	0.1700
每股净资产(元)	5.8211	2.5970	2.5970	6.2293
每股经营现金净流量(元)	–0.2304	–0.0988	–0.1635	0.5967
每股现金流量(元)	0.5491	0.1273	–0.0868	–0.2343
每股资本公积金(元)	3.7475	0.9826	0.9824	4.1691
每股盈余公积金(元)	0.0576	0.0516	0.0464	0.1248
每股未分配利润(元)	0.9967	0.6929	0.5375	1.2393
净资产收益率(%)	4.0600	8.9480	3.2835	6.1773
加权净资产收益率(%)	6.8100	9.3500	3.3400	7.1700
净资产收益率(扣除)(%)	3.8619	8.1804	3.1180	4.0828
总资产(万元)	500901.16	188300.10	153718.98	150868.80
归属母公司股东权益(万元)	296038.78	113840.61	107520.05	102864.04
营业收入(万元)	85605.56	88434.83	37591.86	74976.31
营业支出(万元)	61614.48	60603.93	26639.50	54324.53
投资收益(万元)	53.67	46.52	27.70	31.91
净利润(万元)	12148.64	10349.54	3631.37	7986.27
营业利润(万元)	13411.88	11542.57	4371.85	8572.80
利润总额(万元)	14093.44	12450.29	4526.62	9334.84

湖南尔康制药股份有限公司

公司概况					
公司名称	湖南尔康制药股份有限公司			证券简称	尔康制药
法人代表	帅放文	董秘	罗琅	证券代码	300267
公司网址	www.hnerkang.com		电子信箱	hnerkang@126.com	
电　话	0731-83282597		传　真	0731-83282705	
办公地址	湖南省长沙市浏阳市经济技术开发区康平路 167 号				
经营范围	医药产品的研发、生产和销售，主要业务包括药用辅料及新型抗生素等				

主要财务指标 指标 \ 报告期	2016.06.30	2015.12.31	2015.06.30	2014.12.31
基本每股收益(元)	0.2600	0.6600	0.1600	0.3200
基本每股收益(扣除后)(元)	0.2400	0.6400	0.3100	0.6300
稀释每股收益(元)	0.2600	0.6600	0.1600	0.3200
每股净资产(元)	2.2492	4.0683	2.0803	3.5683
每股经营现金净流量(元)	0.0456	0.5046	0.0607	0.3859
每股现金流量(元)	–0.4273	1.5456	0.1823	–0.3331
每股资本公积金(元)	0.4506	1.8965	0.1234	1.1747
每股盈余公积金(元)	0.0326	0.0653	0.0484	0.0972
每股未分配利润(元)	0.7521	1.0944	0.9088	1.2966
净资产收益率(%)	11.3938	14.4509	15.0193	17.7767
加权净资产收益率(%)	11.9000	29.0200	16.2700	19.8400
净资产收益率(扣除)(%)	10.8762	14.1653	14.7157	17.5157
总资产(万元)	500075.81	480135.54	294657.02	222055.40
归属母公司股东权益(万元)	462588.11	418366.27	189711.31	162172.34
营业收入(万元)	130316.83	175599.89	77932.82	137035.85
营业支出(万元)	63140.77	85220.53	33868.93	78914.65
投资收益(万元)	1176.37	123.51	–	–85.98
净利润(万元)	52228.73	59898.54	28366.53	28741.16
营业利润(万元)	54197.64	64628.96	30772.78	33045.69
利润总额(万元)	57023.04	65916.30	31452.47	33565.20

万福生科(湖南)农业开发股份有限公司

公司概况					
公司名称	万福生科(湖南)农业开发股份有限公司			证券简称	万福生科
法人代表	卢建之	董秘	张久利	证券代码	300268
公司网址	www.wanfushk.com		电子信箱	wanfushk@126.com	
电　话	0736-6689376		传　真	0736-6689376	
办公地址	湖南省常德市桃源县陬市镇桂花路 1 号				
经营范围	稻米精深加工系列产品的研发、生产和销售等				

主要财务指标 指标 \ 报告期	2016.06.30	2015.12.31	2015.06.30	2014.12.31
基本每股收益(元)	–0.0386	–0.7420	–0.1017	0.0380
基本每股收益(扣除后)(元)	–0.0405	–0.7430	–0.0999	–0.0610
稀释每股收益(元)	–0.0386	–0.7420	–0.1017	0.0380
每股净资产(元)	1.4914	1.5300	2.1704	2.2721
每股经营现金净流量(元)	–0.0292	–0.1176	–0.0715	0.2674
每股现金流量(元)	–0.0201	–0.8258	–0.8843	0.2885
每股资本公积金(元)	2.8133	2.8133	2.8133	2.8133
每股盈余公积金(元)	0.0105	0.0105	0.0105	0.0105
每股未分配利润(元)	–2.3324	–2.2939	–1.6534	–1.5517
净资产收益率(%)	–2.5854	–48.5039	–4.6856	1.6776
加权净资产收益率(%)	–2.5500	–39.0400	–4.5800	1.6900
净资产收益率(扣除)(%)	–2.7155	–48.5922	–4.6033	–2.6975
总资产(万元)	25869.64	26612.09	33856.76	42317.99
归属母公司股东权益(万元)	19985.40	20502.11	29083.69	30446.43
营业收入(万元)	14.48	692.49	589.09	7749.76
营业支出(万元)	14.84	512.32	473.57	7672.11
投资收益(万元)	316.67	–	–	3330.26
净利润(万元)	–516.71	–9944.32	–1362.74	510.76
营业利润(万元)	–542.71	–9962.43	–1338.81	–821.30
利润总额(万元)	–516.71	–9944.32	–1362.74	510.76

深圳市联建光电股份有限公司

公司概况					
公司名称	深圳市联建光电股份有限公司			证券简称	联建光电
法人代表	刘虎军	董秘	钟菊英	证券代码	300269
公司网址	www.lcjh.com		电子信箱	dm@lcjh.com	
电　话	0755-29746682		传　真	0755-29746765	
办公地址	广东省深圳市宝安区 68 区留仙三路安通达工业厂区四号厂房 2 楼				
经营范围	中高端 LED 全彩显示应用产品的研发、生产和销售等				

主要财务指标 指标 \ 报告期	2016.06.30	2015.12.31	2015.06.30	2014.12.31
基本每股收益(元)	0.2648	0.4533	0.1899	0.3464
基本每股收益(扣除后)(元)	0.2264	0.4237	0.1775	0.8213
稀释每股收益(元)	0.2646	0.4533	0.1899	0.3464
每股净资产(元)	8.2966	5.2191	4.9777	9.0464
每股经营现金净流量(元)	0.2347	0.4553	0.0979	1.0609
每股现金流量(元)	1.1607	–0.0014	0.0046	0.8041
每股资本公积金(元)	7.8290	3.2589	3.2789	6.3043
每股盈余公积金(元)	0.0719	0.0721	0.0627	0.1831
每股未分配利润(元)	0.9706	0.8886	0.6364	1.5631
净资产收益率(%)	2.8181	8.4775	3.6331	8.5508
加权净资产收益率(%)	4.1000	9.3400	4.1600	11.0500
净资产收益率(扣除)(%)	2.4097	7.9239	3.3955	8.1095
总资产(万元)	687324.68	325962.48	313077.87	205192.62
归属母公司股东权益(万元)	509234.78	263842.63	251641.26	156679.96
营业收入(万元)	99624.86	152259.64	65347.90	97009.80
营业支出(万元)	64052.27	93821.71	41132.59	64426.99
投资收益(万元)	368.79	665.22	93.21	34.02
净利润(万元)	14336.66	22398.16	9162.73	13354.84
营业利润(万元)	15025.64	25328.90	10593.72	15780.15
利润总额(万元)	17087.25	27027.24	11309.84	16235.84

杭州中威电子股份有限公司

公司概况						
公司名称	杭州中威电子股份有限公司			证券简称	中威电子
法人代表	石旭刚	董秘	孙琳	证券代码	300270
公司网址	www.obtelecom.com		电子信箱	sunlin@obtelecom.com	
电　　话	0571-88373153		传　　真	0571-88394930	
办公地址	浙江省杭州市西湖区文三路20号浙江建工大楼17层				
经营范围	安防视频监控传输技术及产品的研发、生产和销售等				

主要财务指标：指标\报告期	2016.06.30	2015.12.31	2015.06.30	2014.12.31
基本每股收益(元)	0.1322	0.1600	0.1073	0.1500
基本每股收益(扣除后)(元)	0.1310	0.1500	0.1000	0.3000
稀释每股收益(元)	0.1322	0.1600	0.1073	0.1600
每股净资产(元)	2.2642	2.1180	2.0554	4.2460
每股经营现金净流量(元)	-0.0322	-0.3501	-0.2311	0.2218
每股现金流量(元)	-0.0520	-0.2529	-0.1275	-0.2074
每股资本公积金(元)	0.5349	0.5285	0.5178	2.2870
每股盈余公积金(元)	0.0811	0.0811	0.0644	0.1421
每股未分配利润(元)	0.6958	0.5934	0.5612	1.0521
净资产收益率(%)	5.8370	7.3716	5.2169	7.9887
加权净资产收益率(%)	6.0600	7.7200	5.3600	8.3800
净资产收益率(扣除)(%)	5.7875	6.7523	4.6566	6.8399
总资产(万元)	85774.63	77562.80	71415.04	66532.33
归属母公司股东权益(万元)	61736.19	57749.89	56071.31	52485.41
营业收入(万元)	15724.90	25245.28	13596.29	20333.69
营业支出(万元)	6935.86	11096.77	6614.02	8247.25
投资收益(万元)	-	-	-	78.21
净利润(万元)	3614.23	4102.19	2914.04	4185.26
营业利润(万元)	3080.61	1084.57	1487.94	3294.11
利润总额(万元)	3942.45	4126.69	3293.32	4748.76

北京华宇软件股份有限公司

公司概况						
公司名称	北京华宇软件股份有限公司			证券简称	华宇软件
法人代表	邵学	董秘	韦光宇	证券代码	300271
公司网址	www.thunisoft.com		电子信箱	ir@thunisoft.com	
电　　话	010-82150085		传　　真	010-82150616	
办公地址	北京市海淀区中关村东路1号院清华科技园科技大厦C座25层				
经营范围	电子政务系统的产品开发与服务等				

主要财务指标：指标\报告期	2016.06.30	2015.12.31	2015.06.30	2014.12.31
基本每股收益(元)	0.2000	0.6900	0.1500	0.5000
基本每股收益(扣除后)(元)	0.2000	0.6700	0.2800	0.9700
稀释每股收益(元)	0.2000	0.6700	0.1400	0.4900
每股净资产(元)	2.5700	2.3800	4.3800	7.4636
每股经营现金净流量(元)	-0.2957	1.0909	-0.6468	1.9257
每股现金流量(元)	-0.5437	0.7956	-0.9121	0.7232
每股资本公积金(元)	0.4395	1.8428	1.5506	3.1569
每股盈余公积金(元)	0.0597	0.1196	0.1201	0.2486
每股未分配利润(元)	1.1571	2.0300	1.7109	3.0582
净资产收益率(%)	7.5655	13.7029	6.4361	13.1683
加权净资产收益率(%)	7.9100	16.0000	7.0700	14.2600
净资产收益率(扣除)(%)	7.4930	13.3791	6.3780	12.9084
总资产(万元)	254211.25	267727.41	217238.95	178881.44
归属母公司股东权益(万元)	165180.91	152125.83	136023.21	111920.80
营业收入(万元)	66559.84	135166.99	47010.57	90260.28
营业支出(万元)	36731.05	76390.54	24764.61	49398.42
投资收益(万元)	-63.91	208.87	-6.89	2.55
净利润(万元)	12426.09	20861.80	8341.34	14961.07
营业利润(万元)	10908.97	18504.93	7402.03	12697.44
利润总额(万元)	13894.07	24107.80	9347.99	16931.27

上海开能环保设备股份有限公司

公司概况						
公司名称	上海开能环保设备股份有限公司			证券简称	开能环保
法人代表	瞿建国	董秘	蒋玮芳	证券代码	300272
公司网址	www.canature.com		电子信箱	dongmiban@canature.com	
电　　话	021-58599901		传　　真	021-58599079	
办公地址	上海市浦东新区川大路518号				
经营范围	全屋水处理设备及其专业部件的研发、制造、销售与服务等				

主要财务指标：指标\报告期	2016.06.30	2015.12.31	2015.06.30	2014.12.31
基本每股收益(元)	0.1051	0.2309	0.0883	0.1935
基本每股收益(扣除后)(元)	0.0972	0.2018	0.0812	0.2329
稀释每股收益(元)	0.1051	0.2315	0.0883	0.1967
每股净资产(元)	1.8629	1.8343	1.6710	2.0900
每股经营现金净流量(元)	-0.0228	0.2424	0.0381	0.3144
每股现金流量(元)	0.0892	0.0315	-0.0164	-0.3598
每股资本公积金(元)	0.4028	0.4076	0.3712	0.5412
每股盈余公积金(元)	0.1214	0.1214	0.0957	0.1244
每股未分配利润(元)	0.3525	0.3191	0.2041	0.4205
净资产收益率(%)	5.6083	12.4884	5.2827	12.0630
加权净资产收益率(%)	5.5700	13.4000	5.3800	12.7200
净资产收益率(扣除)(%)	5.1891	10.9234	4.8576	11.1683
总资产(万元)	168910.22	126818.06	92980.74	86948.70
归属母公司股东权益(万元)	61816.17	60866.47	55446.57	53250.76
营业收入(万元)	26368.18	45684.14	18728.74	37473.77
营业支出(万元)	17003.30	27257.24	11201.00	22698.20
投资收益(万元)	562.12	805.79	392.36	513.48
净利润(万元)	3023.17	7600.98	2913.17	6827.83
营业利润(万元)	3727.66	8213.47	3461.26	7840.69
利润总额(万元)	3804.26	8682.77	3527.68	8081.77

珠海和佳医疗设备股份有限公司

公司概况						
公司名称	珠海和佳医疗设备股份有限公司			证券简称	和佳股份
法人代表	郝镇熙	董秘	郝镇熙(代)	证券代码	300273
公司网址	www.hokai.com		电子信箱	ir@hokai.com	
电　　话	0756-8686333		传　　真	0756-8686077	
办公地址	广东省珠海市香洲区宝盛路5号				
经营范围	医疗设备的研发、生产、销售和服务等				

主要财务指标：指标\报告期	2016.06.30	2015.12.31	2015.06.30	2014.12.31
基本每股收益(元)	0.1293	0.1400	0.1682	0.3000
基本每股收益(扣除后)(元)	0.0977	0.1000	0.1400	0.3700
稀释每股收益(元)	0.1293	0.1400	0.1682	0.3000
每股净资产(元)	3.0151	2.8858	1.7619	2.1218
每股经营现金净流量(元)	-0.2812	-1.0114	-0.3029	-0.6145
每股现金流量(元)	0.0950	0.1306	-0.0678	-0.4244
每股资本公积金(元)	1.2151	1.2151	0.0255	0.3332
每股盈余公积金(元)	0.0820	0.0820	0.0815	0.1060
每股未分配利润(元)	0.7179	0.5886	0.6548	0.6826
净资产收益率(%)	4.2888	4.6545	9.5485	18.3790
加权净资产收益率(%)	4.3800	6.3700	9.8400	19.9200
净资产收益率(扣除)(%)	3.2397	3.4574	7.9613	17.3282
总资产(万元)	404334.91	372983.81	274628.13	239521.24
归属母公司股东权益(万元)	237534.22	227346.84	131031.72	121380.54
营业收入(万元)	46480.12	79104.64	46955.80	92984.31
营业支出(万元)	22184.07	30264.58	17395.84	34162.06
投资收益(万元)	-13.36	286.37	15.64	0.50
净利润(万元)	10561.62	10763.26	13164.62	22558.65
营业利润(万元)	8900.78	9520.63	13343.25	24831.94
利润总额(万元)	12009.17	13141.85	16262.69	27003.29

阳光电源股份有限公司

公司概况						
公司名称	阳光电源股份有限公司			证券简称	阳光电源	
法人代表	曹仁贤	董秘	谢乐平	证券代码	300274	
公司网址	www.sungrowpower.com		电子信箱	board@sungrowpower.com		
电　话	0551-65327867 65325617		传　真	0551-5327800		
办公地址	安徽省合肥市高新区习友路 1699 号					
经营范围	新能源发电设备、分布式电源及其配套产品的研制、生产、销售、服务等					

主要财务指标 指标\报告期	2016.06.30	2015.12.31	2015.06.30	2014.12.31
基本每股收益(元)	0.3400	0.6500	0.2500	0.4300
基本每股收益(扣除后)(元)	0.3000	0.5900	0.2400	0.3700
稀释每股收益(元)	0.3400	0.6400	0.2500	0.4300
每股净资产(元)	7.2534	4.2582	3.8123	3.5950
每股经营现金净流量(元)	-0.3684	-0.4943	0.0648	0.0157
每股现金流量(元)	4.0317	-0.7220	-0.2685	-0.1191
每股资本公积金(元)	5.3742	1.5810	1.5232	1.5094
每股盈余公积金(元)	0.2331	0.1836	0.1229	0.1229
每股未分配利润(元)	1.7790	1.4895	1.1632	0.9606
净资产收益率(%)	3.9714	15.1169	6.6269	11.9706
加权净资产收益率(%)	7.6900	16.3500	6.8300	13.0400
净资产收益率(扣除)(%)	3.5415	13.8315	6.1783	10.3276
总资产(万元)	1069425.23	678311.66	536920.43	487935.09
归属母公司股东权益(万元)	566788.68	281407.41	250957.79	236651.15
营业收入(万元)	238179.86	456924.72	178369.09	306224.74
营业支出(万元)	179684.79	348639.28	136377.73	229002.14
投资收益(万元)	247.47	-141.49	303.86	-1592.44
净利润(万元)	22510.97	42611.08	16630.65	28328.65
营业利润(万元)	25030.05	44356.38	18449.22	27878.85
利润总额(万元)	28464.51	49251.01	19764.67	32565.84

重庆梅安森科技股份有限公司

公司概况						
公司名称	重庆梅安森科技股份有限公司			证券简称	梅安森	
法人代表	马焰	董秘	彭治江	证券代码	300275	
公司网址	www.cqmas.com		电子信箱	mas@cqmas.com		
电　话	023-68467829 68467887		传　真	023-68465683		
办公地址	重庆市九龙坡区二郎创业路 105 号高科创业园 C2 区 6 层					
经营范围	煤矿安全生产监测监控设备及成套安全保障系统的研发、设计、生产和销售					

主要财务指标 指标\报告期	2016.06.30	2015.12.31	2015.06.30	2014.12.31
基本每股收益(元)	-0.1900	-0.4000	-0.1800	0.1800
基本每股收益(扣除后)(元)	-0.2000	-0.4400	-0.1900	0.1400
稀释每股收益(元)	-0.1900	-0.4000	-0.1800	0.1800
每股净资产(元)	3.3091	3.4937	3.8839	4.0691
每股经营现金净流量(元)	-0.1209	-0.3965	-0.1508	-0.2938
每股现金流量(元)	-0.2019	-0.4151	-0.3088	-0.7962
每股资本公积金(元)	1.4769	1.4768	1.5279	1.5026
每股盈余公积金(元)	0.2069	0.2069	0.2049	0.2054
每股未分配利润(元)	0.7617	0.9463	1.1511	1.3611
净资产收益率(%)	-5.5791	-11.3496	-4.5595	4.3544
加权净资产收益率(%)	-5.4300	-10.6900	-4.4500	4.4200
净资产收益率(扣除)(%)	-5.8784	-12.3182	-4.9259	3.5409
总资产(万元)	84550.43	86185.71	79858.11	81071.90
归属母公司股东权益(万元)	55439.93	58532.14	65677.52	68658.92
营业收入(万元)	5267.14	13905.79	6385.11	27481.25
营业支出(万元)	2854.58	8367.34	3305.81	14067.06
投资收益(万元)	397.80	689.06	-	43.05
净利润(万元)	-3302.74	-7005.48	-3260.34	2773.79
营业利润(万元)	-3605.85	-9263.82	-3751.54	1420.19
利润总额(万元)	-3387.98	-8141.18	-3370.29	3020.13

湖北三丰智能输送装备股份有限公司

公司概况						
公司名称	湖北三丰智能输送装备股份有限公司			证券简称	三丰智能	
法人代表	朱汉平	董秘	徐恢川	证券代码	300276	
公司网址	www.cnsanf.com		电子信箱	sfgfzxh@163.com		
电　话	0714-6399668 6359320		传　真	0714-6359320		
办公地址	湖北省黄石市黄石经济技术开发区黄金山工业园新区金山大道 398 号					
经营范围	智能输送成套设备的研发设计、生产制造、安装调试与技术服务等					

主要财务指标 指标\报告期	2016.06.30	2015.12.31	2015.06.30	2014.12.31
基本每股收益(元)	0.0220	0.0615	0.0400	0.0800
基本每股收益(扣除后)(元)	0.0200	0.0495	0.0300	0.1000
稀释每股收益(元)	0.0220	0.0615	0.0400	0.0804
每股净资产(元)	1.5959	1.5838	1.5567	2.3000
每股经营现金净流量(元)	0.0886	-0.0105	-0.0437	0.1437
每股现金流量(元)	-0.0444	-0.1957	-0.1573	-0.1607
每股资本公积金(元)	0.1102	0.1102	0.1082	0.6622
每股盈余公积金(元)	0.0612	0.0612	0.0555	0.0832
每股未分配利润(元)	0.4245	0.4124	0.3931	0.5499
净资产收益率(%)	1.3811	3.8855	2.3444	5.2536
加权净资产收益率(%)	1.3900	3.9600	2.3600	5.3900
净资产收益率(扣除)(%)	1.2656	3.1268	2.1721	4.5186
总资产(万元)	93799.93	87523.87	82702.27	79295.26
归属母公司股东权益(万元)	59749.85	59299.03	58283.56	57291.58
营业收入(万元)	14149.12	34453.22	15559.20	33394.45
营业支出(万元)	10045.60	25498.88	11245.68	24816.99
投资收益(万元)	36.74	95.52	47.96	-
净利润(万元)	870.13	2309.02	1285.32	2891.43
营业利润(万元)	909.81	2039.02	1375.97	2815.60
利润总额(万元)	987.42	2674.36	1534.85	3394.24

深圳海联讯科技股份有限公司

公司概况						
公司名称	深圳海联讯科技股份有限公司			证券简称	海联讯	
法人代表	王天青	董秘	蔺晓静	证券代码	300277	
公司网址	www.hirisun.com		电子信箱	szhlx@hirisun.com		
电　话	0755-26972918		传　真	0755-26972818		
办公地址	广东省深圳市南山区深南大道市高新技术园 R2 厂房 B 区 3a 层					
经营范围	电力信息化系统集成、软件开发与销售、技术及咨询服务等					

主要财务指标 指标\报告期	2016.06.30	2015.12.31	2015.06.30	2014.12.31
基本每股收益(元)	-0.0403	0.0600	-0.0713	-0.3800
基本每股收益(扣除后)(元)	-0.0403	0.0500	-0.0700	-0.3300
稀释每股收益(元)	-0.0403	0.0600	-0.0713	-0.3800
每股净资产(元)	1.3477	3.4999	3.3504	3.4216
每股经营现金净流量(元)	-0.0987	0.0930	-0.3001	0.5738
每股现金流量(元)	-0.1073	-0.1484	-0.3319	-0.2319
每股资本公积金(元)	0.2474	2.1185	2.1185	2.1185
每股盈余公积金(元)	0.0487	0.1217	0.1217	0.1217
每股未分配利润(元)	0.0432	0.2388	0.1101	0.1814
净资产收益率(%)	-2.9913	1.6379	-2.1279	-10.9970
加权净资产收益率(%)	-2.8900	1.6600	-2.1100	-10.3500
净资产收益率(扣除)(%)	-2.9887	1.4492	-2.0887	-9.5932
总资产(万元)	59436.43	64045.15	63973.06	69633.00
归属母公司股东权益(万元)	45146.38	46898.85	44894.75	45850.05
营业收入(万元)	5740.86	41056.84	14523.62	39975.37
营业支出(万元)	4438.97	31807.78	10732.10	31393.18
投资收益(万元)	100.00	-159.16	-158.25	-
净利润(万元)	-1597.91	491.80	-955.29	-5042.15
营业利润(万元)	-1566.80	145.85	-899.94	-4714.13
利润总额(万元)	-1570.07	357.91	-920.72	-5357.80

湖北华昌达智能装备股份有限公司

公司概况					
公司名称	湖北华昌达智能装备股份有限公司			证券简称	华昌达
法人代表	陈泽	董秘	华家蓉	证券代码	300278
公司网址	www.hchd.com.cn		电子信箱	hchd@hchd.com.cn	
电　话	0719-8767909		传　真	0719-8767768	
办公地址	湖北省十堰市东益大道9号				
经营范围	机械设备及电气、环保设备、机械输送系统设计、制造、销售、安装、检修等				

主要财务指标 指标\报告期	2016.06.30	2015.12.31	2015.06.30	2014.12.31
基本每股收益(元)	0.1100	0.1800	0.1100	0.1000
基本每股收益(扣除后)(元)	0.1100	0.1800	0.1060	0.2100
稀释每股收益(元)	0.1100	0.1800	0.1100	0.1000
每股净资产(元)	2.8222	2.7087	2.6381	5.0524
每股经营现金净流量(元)	–0.0498	–0.0550	–0.1684	–0.0793
每股现金流量(元)	0.0320	0.2754	0.1004	–0.0691
每股资本公积金(元)	1.2682	1.2682	1.2682	3.5363
每股盈余公积金(元)	0.0236	0.0236	0.0195	0.0390
每股未分配利润(元)	0.5345	0.4201	0.3503	0.4790
净资产收益率(%)	4.0566	6.8182	4.2025	3.5682
加权净资产收益率(%)	4.1400	7.0500	4.2900	5.9100
净资产收益率(扣除)(%)	3.8967	6.5109	4.0066	3.2142
总资产(万元)	354739.77	324943.24	288980.94	197694.66
归属母公司股东权益(万元)	153819.86	147635.09	143789.74	137689.84
营业收入(万元)	110513.41	174970.87	87750.95	43685.85
营业支出(万元)	89277.87	143597.73	72662.08	30871.29
投资收益(万元)	–4.13	–5.20	–1.97	–6.23
净利润(万元)	6138.97	10073.62	6048.13	4914.32
营业利润(万元)	8144.20	11288.09	6905.80	4935.53
利润总额(万元)	8425.47	11828.93	7237.76	5515.73

无锡和晶科技股份有限公司

公司概况					
公司名称	无锡和晶科技股份有限公司			证券简称	和晶科技
法人代表	陈柏林	董秘	徐宏斌	证券代码	300279
公司网址	www.hodgen-china.com		电子信箱	stock@hodgen-china.com	
电　话	0510-85259761		传　真	0510-85258772	
办公地址	无锡新区长江东路177号				
经营范围	大型白色家电智能控制器的研发、生产和销售等				

主要财务指标 指标\报告期	2016.06.30	2015.12.31	2015.06.30	2014.12.31
基本每股收益(元)	0.3356	0.1805	0.1388	0.1955
基本每股收益(扣除后)(元)	0.3137	0.1681	0.1366	0.1756
稀释每股收益(元)	0.3356	0.1805	0.1388	0.1955
每股净资产(元)	10.0213	4.4592	4.4204	4.3831
每股经营现金净流量(元)	–0.1600	–0.1380	–0.2190	0.3237
每股现金流量(元)	1.6314	–0.0755	–0.2635	–0.2684
每股资本公积金(元)	8.0190	2.6175	2.6175	2.6175
每股盈余公积金(元)	0.0854	0.1029	0.0935	0.0935
每股未分配利润(元)	0.9453	0.7810	0.7488	0.7100
净资产收益率(%)	2.9611	4.0470	3.1397	4.0570
加权净资产收益率(%)	4.3200	4.0800	3.1300	6.2000
净资产收益率(扣除)(%)	2.7673	3.7699	3.0911	3.6442
总资产(万元)	229747.97	133564.95	111914.74	106286.65
归属母公司股东权益(万元)	160678.54	59374.48	58858.60	58362.04
营业收入(万元)	62216.60	78740.44	36908.74	68175.47
营业支出(万元)	48098.76	65005.43	30587.03	58855.93
投资收益(万元)	–1483.80	–1240.92	–454.23	–116.60
净利润(万元)	4779.83	2402.90	1848.00	2367.75
营业利润(万元)	5342.62	3200.27	2373.20	2537.79
利润总额(万元)	6006.26	3506.11	2467.15	2945.74

南通锻压设备股份有限公司

公司概况					
公司名称	南通锻压设备股份有限公司			证券简称	南通锻压
法人代表	姚小欣	董秘	张剑峰	证券代码	300280
公司网址	www.ntdy.com.cn		电子信箱	ntdygs@163.com	
电　话	0513-82153885		传　真	0513-82153885	
办公地址	江苏省南通市如皋市经济开发区锻压产业园区内				
经营范围	锻压设备(液压机床、机械压力机)及配件的制造、销售、维修等				

主要财务指标 指标\报告期	2016.06.30	2015.12.31	2015.06.30	2014.12.31
基本每股收益(元)	0.0411	0.0491	0.0170	0.0237
基本每股收益(扣除后)(元)	0.0398	0.0448	0.0133	–0.0318
稀释每股收益(元)	0.0411	0.0491	0.0170	0.0237
每股净资产(元)	4.9669	4.9445	4.9085	4.9095
每股经营现金净流量(元)	0.1046	0.4015	0.2370	0.3127
每股现金流量(元)	0.5152	–0.2889	–0.0940	–0.6023
每股资本公积金(元)	3.2971	3.2991	3.2991	3.2991
每股盈余公积金(元)	0.0810	0.0810	0.0745	0.0745
每股未分配利润(元)	0.5594	0.5383	0.5127	0.5157
净资产收益率(%)	0.8280	0.9924	0.3463	0.4818
加权净资产收益率(%)	0.8300	1.0000	0.3500	0.4800
净资产收益率(扣除)(%)	0.8019	0.9054	0.2712	–0.6477
总资产(万元)	84594.51	80998.76	80993.24	78749.03
归属母公司股东权益(万元)	63576.48	63289.86	62828.23	62841.83
营业收入(万元)	12626.33	25043.98	12002.46	33179.60
营业支出(万元)	9130.88	19071.74	9233.85	26813.24
投资收益(万元)	821.66	1540.00	768.34	792.03
净利润(万元)	526.25	614.49	174.42	270.54
营业利润(万元)	641.03	645.55	177.97	113.66
利润总额(万元)	659.64	710.43	232.90	327.89

广东金明精机股份有限公司

公司概况					
公司名称	广东金明精机股份有限公司			证券简称	金明精机
法人代表	马镇鑫	董秘	林尧鑫	证券代码	300281
公司网址	www.jmjj.com		电子信箱	stock@jmjj.com	
电　话	0754-89811399		传　真	0754-89811303	
办公地址	广东省汕头市濠江区纺织工业园				
经营范围	货物进出口、技术进出口(法律、行政法规禁止的项目除外)等				

主要财务指标 指标\报告期	2016.06.30	2015.12.31	2015.06.30	2014.12.31
基本每股收益(元)	0.1000	0.1200	0.1000	0.5000
基本每股收益(扣除后)(元)	0.0900	0.1100	0.0981	0.4500
稀释每股收益(元)	0.1000	0.1200	0.1000	0.5000
每股净资产(元)	2.9929	2.9364	2.8872	2.7900
每股经营现金净流量(元)	–0.0315	–0.0397	–0.1202	0.5595
每股现金流量(元)	–0.1253	–0.1492	–0.2532	0.2782
每股资本公积金(元)	0.9845	0.9806	0.9542	2.8996
每股盈余公积金(元)	0.1044	0.1045	0.0959	0.1919
每股未分配利润(元)	0.9204	0.8678	0.8646	1.5755
净资产收益率(%)	3.4506	4.0864	3.5390	8.8460
加权净资产收益率(%)	3.4600	4.2100	3.6200	9.3400
净资产收益率(扣除)(%)	3.0685	3.5962	3.3990	8.0137
总资产(万元)	109879.01	104299.84	98493.56	100171.70
归属母公司股东权益(万元)	73142.92	71709.50	70011.14	68010.87
营业收入(万元)	17421.30	31380.44	17282.49	36146.83
营业支出(万元)	11087.42	20453.22	11007.51	22705.89
投资收益(万元)	–	–	–	–
净利润(万元)	2543.09	2980.58	2487.42	6029.24
营业利润(万元)	2622.64	3161.52	2807.73	6373.87
利润总额(万元)	2963.24	3590.80	2923.06	7040.01

北京汇冠新技术股份有限公司

公司概况					
公司名称	北京汇冠新技术股份有限公司			证券简称	汇冠股份
法人代表	解浩然	董秘	张辉	证券代码	300282
公司网址	www.irtouch.com		电子信箱	dm@irtouch.com	
电　话	010-84573455		传　真	010-84574981	
办公地址	北京市海淀区东北旺西路 10 号院 21 号楼汇冠大厦五层				
经营范围	触摸屏的研发、设计、生产和销售等				

主要财务指标 指标＼报告期	2016.06.30	2015.12.31	2015.06.30	2014.12.31
基本每股收益(元)	0.1776	–0.4800	0.2024	0.0500
基本每股收益(扣除后)(元)	0.1719	–0.4900	0.1907	0.1500
稀释每股收益(元)	0.1776	–0.4800	0.2024	0.0500
每股净资产(元)	5.6087	5.3763	10.7725	10.5917
每股经营现金净流量(元)	–0.2459	0.8172	0.1323	0.1514
每股现金流量(元)	–0.2486	0.3622	–0.0153	0.1229
每股资本公积金(元)	4.6420	4.5865	9.0722	9.0722
每股盈余公积金(元)	0.0370	0.0356	0.0641	0.0641
每股未分配利润(元)	–0.0703	–0.2452	0.6367	0.4563
净资产收益率(%)	3.2947	–9.0384	1.8789	0.8282
加权净资产收益率(%)	3.2500	–8.6300	1.8500	3.8800
净资产收益率(扣除)(%)	3.1884	–9.3005	1.7707	1.0144
总资产(万元)	219093.41	217286.07	221719.86	207071.35
归属母公司股东权益(万元)	123674.90	123322.16	137051.76	134752.44
营业收入(万元)	65835.10	163573.07	70599.62	82377.28
营业支出(万元)	50509.95	131379.83	58457.35	67790.04
投资收益(万元)	–34.84	51.50	–	–
净利润(万元)	5475.96	–8460.13	3458.26	2185.40
营业利润(万元)	6425.39	–7011.85	4242.08	3289.19
利润总额(万元)	6616.80	–6517.46	4419.97	3241.63

温州宏丰电工合金股份有限公司

公司概况					
公司名称	温州宏丰电工合金股份有限公司			证券简称	温州宏丰
法人代表	陈晓	董秘	严学文	证券代码	300283
公司网址	www.wzhf.com		电子信箱	zqb@wzhf.com	
电　话	0577-62876828		传　真	0577-62876808	
办公地址	浙江省乐清市北白象镇大桥工业区塘下片区				
经营范围	电接触功能复合材料、元件及组件的研发、生产和销售等				

主要财务指标 指标＼报告期	2016.06.30	2015.12.31	2015.06.30	2014.12.31
基本每股收益(元)	0.0400	0.0200	0.0200	0.0800
基本每股收益(扣除后)(元)	0.0400	0.0100	0.0300	0.1200
稀释每股收益(元)	0.0400	0.0200	0.0200	0.0800
每股净资产(元)	1.3483	1.9700	1.9761	4.0486
每股经营现金净流量(元)	–0.1209	0.1876	0.0359	0.3198
每股现金流量(元)	–0.0252	–0.2771	–0.2976	0.2668
每股资本公积金(元)	0.0333	0.5500	0.5500	2.1000
每股盈余公积金(元)	0.0481	0.0721	0.0659	0.1319
每股未分配利润(元)	0.2669	0.3479	0.3602	0.8167
净资产收益率(%)	3.0865	1.0506	1.3553	4.1602
加权净资产收益率(%)	3.1200	1.0400	1.3300	4.2500
净资产收益率(扣除)(%)	2.9322	0.2209	1.2662	2.9253
总资产(万元)	89868.49	83464.06	86386.25	88943.63
归属母公司股东权益(万元)	55866.62	54419.31	54587.39	55919.36
营业收入(万元)	31423.34	62786.41	31664.02	66849.64
营业支出(万元)	25156.85	54655.21	27279.16	56732.94
投资收益(万元)	33.47	351.94	250.98	237.60
净利润(万元)	1602.89	242.23	579.08	2307.32
营业利润(万元)	1989.28	206.60	548.37	2115.58
利润总额(万元)	2030.96	340.33	533.14	2519.20

苏交科集团股份有限公司

公司概况					
公司名称	苏交科集团股份有限公司			证券简称	苏 交 科
法人代表	符冠华	董秘	潘岭松	证券代码	300284
公司网址	www.jsti.com		电子信箱	sjkdmb@jsti.com	
电　话	025-86576542		传　真	025-86576666	
办公地址	江苏省南京市江宁科学园诚信大道 2200 号				
经营范围	工程勘察、设计、施工、试验、监理及相关技术服务、地质勘察等				

主要财务指标 指标＼报告期	2016.06.30	2015.12.31	2015.06.30	2014.12.31
基本每股收益(元)	0.2266	0.5823	0.1946	0.5173
基本每股收益(扣除后)(元)	0.2204	0.5565	0.1884	0.4994
稀释每股收益(元)	0.2266	0.5755	0.1946	0.5173
每股净资产(元)	4.8880	4.7667	4.3569	3.9214
每股经营现金净流量(元)	–1.0726	0.0213	–0.6884	0.5019
每股现金流量(元)	0.3657	0.4998	–0.1408	–0.1469
每股资本公积金(元)	1.9421	1.9382	1.9060	1.4276
每股盈余公积金(元)	0.1766	0.1767	0.1392	0.1527
每股未分配利润(元)	1.7587	1.6514	1.3111	1.3405
净资产收益率(%)	4.6351	11.7522	4.1367	12.7607
加权净资产收益率(%)	4.6600	13.2900	4.7900	14.6400
净资产收益率(扣除)(%)	4.5090	11.2133	4.0048	12.3204
总资产(万元)	636333.87	544568.31	450716.47	429507.61
归属母公司股东权益(万元)	271261.73	264319.55	241190.32	197899.21
营业收入(万元)	122388.33	256256.91	87375.22	216279.27
营业支出(万元)	84301.94	164421.03	57379.95	144349.78
投资收益(万元)	–184.62	245.04	–30.61	571.53
净利润(万元)	14077.80	33944.44	10322.23	26916.72
营业利润(万元)	16204.70	40953.34	12624.05	32130.35
利润总额(万元)	16641.08	42882.27	13198.77	33270.83

山东国瓷功能材料股份有限公司

公司概况					
公司名称	山东国瓷功能材料股份有限公司			证券简称	国瓷材料
法人代表	张曦	董秘	许少梅	证券代码	300285
公司网址	www.sinocera.com.cn		电子信箱	sinocera@sinocera.com.cn	
电　话	0546-8073768		传　真	0546-8073610	
办公地址	山东省东营市东营区辽河路 24 号				
经营范围	生产、销售电子陶瓷粉体材料(不含危险品),对销售后的产品进行技术服务等				

主要财务指标 指标＼报告期	2016.06.30	2015.12.31	2015.06.30	2014.12.31
基本每股收益(元)	0.2000	0.3400	0.1600	0.2500
基本每股收益(扣除后)(元)	0.1700	0.2600	0.1300	0.4500
稀释每股收益(元)	0.2000	0.3400	0.1600	0.2500
每股净资产(元)	5.3894	3.1335	2.9362	5.6592
每股经营现金净流量(元)	0.2060	0.1844	–0.0603	–0.0723
每股现金流量(元)	1.8643	–0.0325	–0.2066	–1.0194
每股资本公积金(元)	3.2596	0.9051	0.8847	2.7693
每股盈余公积金(元)	0.1375	0.1611	0.1341	0.2682
每股未分配利润(元)	0.9923	1.0673	0.9174	1.6217
净资产收益率(%)	3.3642	10.7387	5.3341	8.7913
加权净资产收益率(%)	4.4400	11.3500	5.3900	9.3900
净资产收益率(扣除)(%)	2.9678	8.2109	4.5843	7.9138
总资产(万元)	187859.09	118674.72	102400.72	91810.84
归属母公司股东权益(万元)	161224.65	80011.84	74719.35	72006.15
营业收入(万元)	28374.36	53268.39	24215.91	37488.44
营业支出(万元)	17033.36	32926.69	14217.13	22986.62
投资收益(万元)	446.74	166.59	–	–
净利润(万元)	6068.07	9829.42	4614.39	7238.38
营业利润(万元)	6149.46	8940.33	4946.52	7842.60
利润总额(万元)	6991.17	11015.03	5613.73	8734.96

安科瑞电气股份有限公司

公司概况						
公司名称	安科瑞电气股份有限公司			证券简称	安 科 瑞	
法人代表	周中	董秘	罗叶兰	证券代码	300286	
公司网址	www.acrel.cn		电子信箱	acrel@acrel.cn		
电　话	021-69158331		传　真	021-69158330		
办公地址	上海市嘉定区育绿路 253 号					
经营范围	用户端智能电力仪表的研发、生产和销售等					

主要财务指标 指标\报告期	2016.06.30	2015.12.31	2015.06.30	2014.12.31
基本每股收益(元)	0.2800	0.4600	0.2300	0.5100
基本每股收益(扣除后)(元)	0.2700	0.4300	0.2200	0.4800
稀释每股收益(元)	0.2800	0.4600	0.2300	0.5100
每股净资产(元)	3.8718	3.7597	3.4963	3.4290
每股经营现金净流量(元)	0.2325	0.5862	0.1686	0.6854
每股现金流量(元)	-0.4606	-0.0383	-0.2309	-0.0205
每股资本公积金(元)	1.2751	1.2740	1.2306	1.2249
每股盈余公积金(元)	0.2276	0.2273	0.1800	0.1798
每股未分配利润(元)	1.4129	1.3330	1.1612	1.1300
净资产收益率(%)	7.1724	11.9397	6.5736	14.5568
加权净资产收益率(%)	7.3600	12.7000	6.7200	15.6300
净资产收益率(扣除)(%)	6.7957	11.1401	6.1766	13.7127
总资产(万元)	69178.96	67274.51	61523.63	62129.65
归属母公司股东权益(万元)	55236.44	53706.49	49944.14	49035.15
营业收入(万元)	15367.97	30717.15	13719.78	28347.85
营业支出(万元)	6185.83	13178.96	5751.58	11828.32
投资收益(万元)	-63.54	47.27	-	-
净利润(万元)	3948.97	6148.83	3200.93	7146.81
营业利润(万元)	3490.13	5327.24	2835.62	6398.37
利润总额(万元)	4607.23	7368.95	3810.76	8351.99

北京飞利信科技股份有限公司

公司概况						
公司名称	北京飞利信科技股份有限公司			证券简称	飞 利 信	
法人代表	杨振华	董秘	许莉	证券代码	300287	
公司网址	www.philisense.com		电子信箱	phls@philisense.com		
电　话	010-62053775 62058123		传　真	010-60958100		
办公地址	北京市海淀区塔院志新村 2 号飞利信大厦					
经营范围	国务院决定未规定许可的自主选择经营项目开展经营活动					

主要财务指标 指标\报告期	2016.06.30	2015.12.31	2015.06.30	2014.12.31
基本每股收益(元)	0.1100	0.1600	0.0300	0.0900
基本每股收益(扣除后)(元)	0.1000	0.1600	0.0700	0.3600
稀释每股收益(元)	0.1100	0.1600	0.0300	0.0900
每股净资产(元)	3.6734	2.4024	2.6152	4.4023
每股经营现金净流量(元)	-0.1198	-0.0290	-0.2689	-0.4870
每股现金流量(元)	0.2728	0.1014	-0.2375	0.7685
每股资本公积金(元)	2.3005	1.0492	1.1036	2.4062
每股盈余公积金(元)	0.0081	0.0095	0.0183	0.0381
每股未分配利润(元)	0.3647	0.3437	0.4931	0.9577
净资产收益率(%)	2.6667	6.1088	2.5183	7.6641
加权净资产收益率(%)	3.7400	12.5300	2.9600	15.9600
净资产收益率(扣除)(%)	2.4637	5.9992	2.4505	7.4945
总资产(万元)	668408.87	559858.16	255719.24	259542.80
归属母公司股东权益(万元)	527230.17	295692.15	149119.47	120802.77
营业收入(万元)	82617.04	135614.80	49329.21	68089.86
营业支出(万元)	47538.15	84187.79	29913.27	42668.21
投资收益(万元)	-2.55	787.67	755.65	-
净利润(万元)	13856.32	18327.90	3689.92	9260.35
营业利润(万元)	13167.45	20107.72	3909.28	10585.45
利润总额(万元)	15065.15	21083.32	4430.02	10826.56

贵阳朗玛信息技术股份有限公司

公司概况						
公司名称	贵阳朗玛信息技术股份有限公司			证券简称	朗玛信息	
法人代表	王伟	董秘	余周军	证券代码	300288	
公司网址	www.longmaster.com.cn		电子信箱	zhengquanbu@longmaster.com.cn		
电　话	0851-3842119		传　真	0851-3835538		
办公地址	贵州省贵阳市观山湖区长岭南路 31 号国家数字内容产业园二楼					
经营范围	计算机技术及软件开发、销售、计算机硬件及耗材销售、计算机网络互联设备销售等					

主要财务指标 指标\报告期	2016.06.30	2015.12.31	2015.06.30	2014.12.31
基本每股收益(元)	0.1200	0.2900	0.1000	0.1000
基本每股收益(扣除后)(元)	0.0900	0.2200	0.0800	0.1300
稀释每股收益(元)	0.1200	0.2900	0.1000	0.1100
每股净资产(元)	3.0166	2.9008	2.7062	7.8099
每股经营现金净流量(元)	0.1036	0.3771	0.1039	0.4081
每股现金流量(元)	-0.3129	0.1754	-0.1154	-0.6260
每股资本公积金(元)	0.9313	0.9313	0.9216	4.7649
每股盈余公积金(元)	0.0835	0.0835	0.0794	0.2393
每股未分配利润(元)	1.0017	0.8859	0.7051	1.8056
净资产收益率(%)	3.8388	10.0377	3.8164	3.9499
加权净资产收益率(%)	3.9100	10.5900	3.8900	6.4100
净资产收益率(扣除)(%)	2.9977	7.4576	3.0163	1.6017
总资产(万元)	127918.13	120675.72	112623.00	117599.57
归属母公司股东权益(万元)	101942.59	98029.20	91454.93	87975.94
营业收入(万元)	18951.54	31662.65	15745.10	12134.10
营业支出(万元)	7618.30	7663.79	4566.52	1253.51
投资收益(万元)	75.84	404.28	508.83	3.76
净利润(万元)	3583.90	9438.58	3290.36	2972.11
营业利润(万元)	3315.79	8773.09	4063.94	1252.08
利润总额(万元)	4432.14	11038.74	4406.24	3544.56

北京利德曼生化股份有限公司

公司概况						
公司名称	北京利德曼生化股份有限公司			证券简称	利 德 曼	
法人代表	沈广仟	董秘	牛巨辉	证券代码	300289	
公司网址	www.leadmanbio.com		电子信箱	leadman@leadmanbio.com		
电　话	010-84923554		传　真	010-67856540*8881		
办公地址	北京市经济技术开发区宏达南路 5 号					
经营范围	主要从事体外诊断产品及生物化学原料的研发、生产和销售等					

主要财务指标 指标\报告期	2016.06.30	2015.12.31	2015.06.30	2014.12.31
基本每股收益(元)	0.0800	0.4000	0.1300	0.3300
基本每股收益(扣除后)(元)	0.0800	0.3800	0.2800	0.8100
稀释每股收益(元)	0.0800	0.3900	0.1300	0.3300
每股净资产(元)	2.8600	2.8000	6.4000	6.1300
每股经营现金净流量(元)	0.0720	0.4181	0.5680	-0.0840
每股现金流量(元)	-0.0354	0.1712	0.2779	-1.4147
每股资本公积金(元)	0.6273	0.6273	3.0320	2.9756
每股盈余公积金(元)	0.1424	0.1420	0.3152	0.3160
每股未分配利润(元)	1.1195	1.0929	2.2740	2.1193
净资产收益率(%)	2.9248	13.2456	4.8457	13.3001
加权净资产收益率(%)	2.9400	14.7600	4.9500	14.1600
净资产收益率(扣除)(%)	2.7202	12.5730	4.2606	12.8982
总资产(万元)	161112.71	165867.99	160846.26	161616.86
归属母公司股东权益(万元)	121130.98	118695.58	100867.09	96451.11
营业收入(万元)	25706.47	68167.58	29942.60	53697.08
营业支出(万元)	11355.61	28788.34	13801.91	20495.66
投资收益(万元)	-	-4.06	-	-
净利润(万元)	4443.81	17812.27	6702.58	14372.01
营业利润(万元)	4995.60	19850.69	7233.05	16174.36
利润总额(万元)	5295.22	20907.25	7967.35	16779.53

荣科科技股份有限公司

公司概况						
公司概况	公司名称	荣科科技股份有限公司			证券简称	荣科科技
	法人代表	付永全	董秘	冯丽	证券代码	300290
	公司网址	www.bringspring.com		电子信箱	zqtz@bringspring.com	
	电　话	024-22851050 86901698		传　真	024-22851050	
	办公地址	辽宁省沈阳市和平区和平北大街62号				
	经营范围	计算机软硬件技术、电控工程技术开发、计算机系统集成及咨询服务等				

主要财务指标	指标\报告期	2016.06.30	2015.12.31	2015.06.30	2014.12.31
	基本每股收益(元)	0.0423	0.1707	0.0650	0.2094
	基本每股收益(扣除后)(元)	0.0421	0.1550	0.1091	0.3981
	稀释每股收益(元)	0.0423	0.1707	0.0650	0.2094
	每股净资产(元)	2.6687	2.6610	5.1139	3.1808
	每股经营现金净流量(元)	-0.2462	0.1648	-0.5954	-0.1986
	每股现金流量(元)	-0.4257	0.5549	1.7132	-0.2458
	每股资本公积金(元)	0.9191	0.9191	2.8381	0.7131
	每股盈余公积金(元)	0.0874	0.0874	0.1470	0.1737
	每股未分配利润(元)	0.6604	0.6532	1.1290	1.2942
	净资产收益率(%)	1.5838	5.9201	2.1512	13.1641
	加权净资产收益率(%)	1.5800	7.8600	4.0100	13.8700
	净资产收益率(扣除)(%)	1.5785	5.3754	1.8052	12.5159
	总资产(万元)	100397.81	107012.48	101851.35	65434.09
	归属母公司股东权益(万元)	85779.38	85531.76	82188.49	43259.30
	营业收入(万元)	21801.01	54187.30	19541.72	41191.95
	营业支出(万元)	14961.70	37266.43	12932.31	26906.76
	投资收益(万元)	-	-	-	-
	净利润(万元)	1238.88	5827.28	1706.10	5825.23
	营业利润(万元)	1137.51	5650.27	1546.36	5609.59
	利润总额(万元)	1483.73	6412.42	2094.99	6316.48

北京华录百纳影视股份有限公司

公司概况						
公司概况	公司名称	北京华录百纳影视股份有限公司			证券简称	华录百纳
	法人代表	陈润生	董秘	陈永倬	证券代码	300291
	公司网址	www.hlbn.cc		电子信箱	hbndsh@hlbn.cc	
	电　话	010-52281866		传　真	010-52281853	
	办公地址	北京市石景山区阜石路165号中国华录大厦13层				
	经营范围	电视剧、电影的投资制作发行及衍生业务等				

主要财务指标	指标\报告期	2016.06.30	2015.12.31	2015.06.30	2014.12.31
	基本每股收益(元)	0.1290	0.3770	0.0880	0.3660
	基本每股收益(扣除后)(元)	0.1130	0.3370	0.0800	0.4450
	稀释每股收益(元)	0.1290	0.3770	0.0880	0.3660
	每股净资产(元)	5.5180	5.4689	5.1803	9.2560
	每股经营现金净流量(元)	-0.0287	-0.2030	-0.3926	-0.1464
	每股现金流量(元)	0.0460	0.0990	-0.2087	-0.1130
	每股资本公积金(元)	3.4601	3.4601	3.4601	7.0281
	每股盈余公积金(元)	0.0477	0.0477	0.0474	0.0841
	每股未分配利润(元)	1.0102	0.9612	0.6727	1.1438
	净资产收益率(%)	2.3383	6.8879	1.6993	4.1005
	加权净资产收益率(%)	2.3400	7.1100	1.7000	9.8800
	净资产收益率(扣除)(%)	2.0432	6.1555	1.5441	3.4848
	总资产(万元)	505847.15	469800.73	437850.06	404940.30
	归属母公司股东权益(万元)	390968.47	387494.59	367041.44	364347.05
	营业收入(万元)	109605.20	188488.72	87604.76	75957.46
	营业支出(万元)	87166.89	139990.67	69755.70	52297.33
	投资收益(万元)	9.16	3.45	4.31	58.55
	净利润(万元)	9487.19	26857.74	6839.20	15012.71
	营业利润(万元)	9028.19	25031.02	6588.98	14708.55
	利润总额(万元)	10019.76	27612.79	7617.74	17596.32

吴通控股集团股份有限公司

公司概况						
公司概况	公司名称	吴通控股集团股份有限公司			证券简称	吴通控股
	法人代表	万卫方	董秘	姜红	证券代码	300292
	公司网址	www.jswutong.com		电子信箱	wutong@jswutong.com	
	电　话	0512-82285059		传　真	0512-65461778	
	办公地址	江苏省苏州市相城区黄桥街道永方路32号				
	经营范围	无线通信射频连接系统、光纤连接产品的研发、生产及销售等				

主要财务指标	指标\报告期	2016.06.30	2015.12.31	2015.06.30	2014.12.31
	基本每股收益(元)	0.4100	0.6100	0.2600	0.2900
	基本每股收益(扣除后)(元)	0.3900	0.5600	0.2200	0.2700
	稀释每股收益(元)	0.4100	0.6100	0.2600	0.2900
	每股净资产(元)	7.9194	7.5036	6.6081	4.2437
	每股经营现金净流量(元)	-0.1929	0.3886	-0.1524	0.5392
	每股现金流量(元)	-0.5801	0.2851	-0.4402	0.7970
	每股资本公积金(元)	5.6706	5.6652	5.0782	2.7145
	每股盈余公积金(元)	0.0478	0.0478	0.0338	0.0433
	每股未分配利润(元)	1.1990	0.7892	0.4965	0.4865
	净资产收益率(%)	5.1664	6.9953	2.9480	5.6672
	加权净资产收益率(%)	5.3000	10.0900	5.7300	9.1800
	净资产收益率(扣除)(%)	4.9244	6.3532	2.5917	5.1820
	总资产(万元)	303658.83	305772.96	249741.10	145551.22
	归属母公司股东权益(万元)	252402.55	239341.00	196084.27	98306.14
	营业收入(万元)	96499.84	150099.11	60391.90	78419.31
	营业支出(万元)	70251.42	110544.07	45437.13	62303.76
	投资收益(万元)	-	73.60	-	-
	净利润(万元)	13040.17	16742.52	5780.58	5571.24
	营业利润(万元)	13653.33	17003.71	6610.13	5922.50
	利润总额(万元)	14367.17	18795.85	7534.13	6441.72

沈阳蓝英工业自动化装备股份有限公司

公司概况						
公司概况	公司名称	沈阳蓝英工业自动化装备股份有限公司			证券简称	蓝英装备
	法人代表	郭洪生	董秘	马缨	证券代码	300293
	公司网址	www.chnsbs.net		电子信箱	sbs@blue-silver.net	
	电　话	024-23810393		传　真	024-23825186	
	办公地址	辽宁省沈阳市浑南产业区东区飞云路3号				
	经营范围	专业机械和自动化电气控制系统的设计、生产、安装、调试、销售等				

主要财务指标	指标\报告期	2016.06.30	2015.12.31	2015.06.30	2014.12.31
	基本每股收益(元)	0.0159	0.0402	0.1170	0.2738
	基本每股收益(扣除后)(元)	0.0096	0.0076	0.1086	0.2300
	稀释每股收益(元)	0.0159	0.0402	0.1170	0.2738
	每股净资产(元)	2.4110	2.5682	2.5682	2.8007
	每股经营现金净流量(元)	0.2931	0.1585	0.2900	0.3643
	每股现金流量(元)	-0.0433	-0.2888	-0.2967	-0.4544
	每股资本公积金(元)	0.5892	0.5892	0.5892	0.5888
	每股盈余公积金(元)	0.0889	0.0889	0.0789	0.0789
	每股未分配利润(元)	0.7292	0.8132	0.9001	1.1330
	净资产收益率(%)	0.6615	1.6125	4.5605	9.7695
	加权净资产收益率(%)	0.6400	1.5400	4.1000	10.1400
	净资产收益率(扣除)(%)	0.3963	0.3067	4.2313	8.0931
	总资产(万元)	97996.42	180057.57	209945.26	216138.55
	归属母公司股东权益(万元)	65096.02	67343.90	69340.74	75618.82
	营业收入(万元)	9856.45	22619.48	23081.35	60935.65
	营业支出(万元)	6278.51	14354.87	14321.65	41096.12
	投资收益(万元)	5.23	3.70	1.91	2.41
	净利润(万元)	430.63	1083.49	3159.84	7390.07
	营业利润(万元)	-646.87	-1531.77	2713.50	7162.16
	利润总额(万元)	-199.82	710.44	3801.05	9042.24

江西博雅生物制药股份有限公司

公司概况						
公司名称	江西博雅生物制药股份有限公司			证券简称	博雅生物	
法人代表	徐建新	董秘	范一沁	证券代码	300294	
公司网址	www.china-boya.com			电子信箱	dongmi@china-boya.com	
电　　话	0794-8264398			传　　真	0794-8237323	
办公地址	江西省抚州市金巢经济开发区惠泉路 333 号					
经营范围	血液制品的研发、生产和销售等					

主要财务指标：指标＼报告期	2016.06.30	2015.12.31	2015.06.30	2014.12.31
基本每股收益(元)	0.4000	0.6600	0.6200	1.3700
基本每股收益(扣除后)(元)	0.3900	0.5400	0.4100	1.3100
稀释每股收益(元)	0.4000	0.6600	0.6200	1.3700
每股净资产(元)	7.2100	7.0100	7.7700	3.7700
每股经营现金净流量(元)	0.1491	0.5498	0.3896	1.6080
每股现金流量(元)	-0.5735	1.3166	-0.8045	-0.6659
每股资本公积金(元)	4.4493	4.4493	3.8104	6.2155
每股盈余公积金(元)	0.1922	0.1922	0.3355	0.5032
每股未分配利润(元)	1.5657	1.3702	2.6253	3.6056
净资产收益率(%)	5.4850	8.0967	7.9986	12.1367
加权净资产收益率(%)	5.5300	16.2300	8.1100	12.7700
净资产收益率(扣除)(%)	5.4040	6.6505	5.3235	11.5497
总资产(万元)	221663.48	218821.56	109549.92	101783.17
归属母公司股东权益(万元)	192708.68	187483.18	88358.02	85838.65
营业收入(万元)	40166.53	54318.27	22517.50	43779.30
营业支出(万元)	15591.65	19494.78	8304.39	16759.19
投资收益(万元)	-20.55	2308.32	2546.94	-424.15
净利润(万元)	10805.47	16704.51	7672.89	11520.41
营业利润(万元)	12723.68	19229.02	8994.93	12939.29
利润总额(万元)	12831.62	19759.01	9154.38	13590.92

江苏三六五网络股份有限公司

公司概况						
公司名称	江苏三六五网络股份有限公司			证券简称	三六五网	
法人代表	章海林	董秘	凌云	证券代码	300295	
公司网址	www.house365.com			电子信箱	dshbgs@house365.com	
电　　话	025-83201657　83203503			传　　真	025-85507365	
办公地址	江苏省南京市建邺区新城科技园云龙山路 99 号省建大厦 B 座					
经营范围	新房网络营销服务、二手房网络营销服务、家居网络营销服务以及研究咨询业务等					

主要财务指标：指标＼报告期	2016.06.30	2015.12.31	2015.06.30	2014.12.31
基本每股收益(元)	0.3000	0.6600	0.2900	0.7800
基本每股收益(扣除后)(元)	0.2300	0.5700	0.5400	1.6300
稀释每股收益(元)	0.3000	0.6600	0.2900	0.7800
每股净资产(元)	5.0837	4.7694	8.8059	9.8670
每股经营现金净流量(元)	0.2165	0.7524	0.2406	1.7367
每股现金流量(元)	0.9382	0.4624	0.5052	0.1072
每股资本公积金(元)	1.4284	1.4181	3.8315	4.8026
每股盈余公积金(元)	0.2930	0.2930	0.4167	0.5000
每股未分配利润(元)	2.3623	2.0583	3.5577	3.5644
净资产收益率(%)	5.9798	13.7927	6.6708	19.0606
加权净资产收益率(%)	6.0300	14.8200	6.9000	19.4900
净资产收益率(扣除)(%)	4.5757	11.9165	6.1290	16.5536
总资产(万元)	120961.10	108548.01	97577.75	92397.02
归属母公司股东权益(万元)	97638.25	91601.53	84563.32	78960.58
营业收入(万元)	29248.03	64146.03	27914.14	47618.20
营业支出(万元)	1912.20	3666.90	1580.14	3020.24
投资收益(万元)	893.84	826.02	332.75	524.94
净利润(万元)	5692.61	11407.23	5216.29	14711.94
营业利润(万元)	6337.46	12930.90	7101.36	16424.65
利润总额(万元)	6872.00	14090.26	7410.21	18171.93

利亚德光电股份有限公司

公司概况						
公司名称	利亚德光电股份有限公司			证券简称	利亚德	
法人代表	李军	董秘	李楠楠	证券代码	300296	
公司网址	www.leyard.com			电子信箱	leyard2010@leyard.com	
电　　话	010-62864532　62888888			传　　真	010-62877624	
办公地址	北京市海淀区颐和园北正红旗西街 9 号					
经营范围	LED 应用产品研发、设计、生产、销售和服务等					

主要财务指标：指标＼报告期	2016.06.30	2015.12.31	2015.06.30	2014.12.31
基本每股收益(元)	0.2400	0.4800	0.1100	0.2500
基本每股收益(扣除后)(元)	0.2200	0.4000	0.0800	0.4000
稀释每股收益(元)	0.2400	0.4800	0.1100	0.2500
每股净资产(元)	3.2897	3.1165	1.7893	3.4126
每股经营现金净流量(元)	-0.1653	0.1578	-0.1041	0.2604
每股现金流量(元)	-0.3564	0.5037	0.0255	-0.0270
每股资本公积金(元)	1.3033	1.3346	0.2185	1.4107
每股盈余公积金(元)	0.0297	0.0306	0.0266	0.0538
每股未分配利润(元)	0.9678	0.8192	0.5466	0.9524
净资产收益率(%)	7.3420	13.9648	6.9759	14.6448
加权净资产收益率(%)	7.5800	21.2300	7.1400	17.4200
净资产收益率(扣除)(%)	6.6557	11.4487	4.5229	11.3939
总资产(万元)	582801.99	528182.54	222076.51	195584.02
归属母公司股东权益(万元)	250038.98	236873.90	116612.79	110155.89
营业收入(万元)	173181.56	202262.51	60040.57	117992.36
营业支出(万元)	109088.15	117813.79	36786.25	71502.39
投资收益(万元)	49.18	-53.51	608.58	1039.82
净利润(万元)	18069.70	33204.27	8255.39	16379.42
营业利润(万元)	19128.03	30780.24	5621.32	16200.49
利润总额(万元)	21486.62	39075.61	10021.38	19478.07

蓝盾信息安全技术股份有限公司

公司概况						
公司名称	蓝盾信息安全技术股份有限公司			证券简称	蓝盾股份	
法人代表	柯宗贵	董秘	李德桂	证券代码	300297	
公司网址	www.bluedon.com			电子信箱	stock@chinabluedon.cn	
电　　话	020-85639340			传　　真	020-85639340	
办公地址	广东省广州市天河区科韵路 16 号 1 栋 2101					
经营范围	计算机软、硬件开发、计算机信息集成、布线、承接网络工程建设项目等					

主要财务指标：指标＼报告期	2016.06.30	2015.12.31	2015.06.30	2014.12.31
基本每股收益(元)	0.0800	0.1300	0.0700	0.1800
基本每股收益(扣除后)(元)	0.0700	0.1100	0.0500	0.1700
稀释每股收益(元)	0.0800	0.1300	0.0700	0.1800
每股净资产(元)	2.8210	1.2803	2.4022	3.6389
每股经营现金净流量(元)	-0.1013	0.1143	-0.3604	0.1814
每股现金流量(元)	1.1281	0.1806	-0.0500	-0.3247
每股资本公积金(元)	1.7095	0.0105	0.9209	1.5931
每股盈余公积金(元)	0.0249	0.0252	0.0473	0.1115
每股未分配利润(元)	0.2840	0.2443	0.4339	0.9344
净资产收益率(%)	2.3632	9.6120	2.6410	4.9497
加权净资产收益率(%)	4.8500	11.8900	3.8500	5.0600
净资产收益率(扣除)(%)	2.0963	8.2628	1.8850	4.5499
总资产(万元)	558236.28	225666.25	206399.83	131464.85
归属母公司股东权益(万元)	331600.67	124274.59	116588.03	71322.85
营业收入(万元)	51632.38	100092.52	33017.97	52490.45
营业支出(万元)	24179.45	62001.78	18711.10	30670.25
投资收益(万元)	14.63	49.99	-12.53	0.07
净利润(万元)	7834.20	12182.39	3092.01	3692.36
营业利润(万元)	8062.79	11198.96	2560.48	3218.42
利润总额(万元)	9200.80	14278.92	3780.51	4118.93

三诺生物传感股份有限公司

公司概况					
公司名称	三诺生物传感股份有限公司			证券简称	三诺生物
法人代表	李少波	董秘	黄安国	证券代码	300298
公司网址	www.sinocare.com.cn		电子信箱	investor@sinocare.com	
电　话	0731-89935529		传　真	0731--89935530	
办公地址	湖南省长沙市国家高新技术开发区谷苑路 265 号				
经营范围	利用生物传感技术研发、生产、销售即时检测产品等				

主要财务指标 指标 \ 报告期	2016.06.30	2015.12.31	2015.06.30	2014.12.31
基本每股收益(元)	0.1747	0.5509	0.2884	0.9884
基本每股收益(扣除后)(元)	0.2124	0.4939	0.2576	0.9200
稀释每股收益(元)	0.1747	0.5503	0.2884	0.9845
每股净资产(元)	3.5184	4.7381	4.4041	5.5547
每股经营现金净流量(元)	0.3283	0.4655	0.2002	0.7655
每股现金流量(元)	0.5745	-1.0949	-0.4789	0.4193
每股资本公积金(元)	1.2257	1.9041	1.9129	2.6255
每股盈余公积金(元)	0.3282	0.4255	0.3407	0.4442
每股未分配利润(元)	0.9893	1.4407	1.2637	1.6326
净资产收益率(%)	4.3986	11.6155	6.5323	17.7579
加权净资产收益率(%)	4.3100	12.4200	6.4900	19.3500
净资产收益率(扣除)(%)	5.3476	10.4151	5.8349	16.4417
总资产(万元)	131157.36	133401.25	128469.32	121178.06
归属母公司股东权益(万元)	119046.42	123681.90	114885.90	111127.32
营业收入(万元)	34427.15	64550.07	31585.71	54492.32
营业支出(万元)	13549.15	22098.93	11028.07	16945.40
投资收益(万元)	-1848.65	1134.09	738.28	1000.93
净利润(万元)	5199.66	14311.36	7473.78	19733.92
营业利润(万元)	3575.48	13802.69	8758.11	19803.15
利润总额(万元)	6162.59	16168.31	8962.54	23019.73

富春科技股份有限公司

公司概况					
公司名称	富春科技股份有限公司			证券简称	富春股份
法人代表	缪品章	董秘	刘斌	证券代码	300299
公司网址	www.forcom.com.cn		电子信箱	fuchungroup@163.com	
电　话	0591-83992010		传　真	0591-83920667	
办公地址	福建省福州市鼓楼区铜盘路软件大道 89 号 C 区 25 号楼				
经营范围	通信网络建设前期的规划咨询、可行性研究、勘察设计等				

主要财务指标 指标 \ 报告期	2016.06.30	2015.12.31	2015.06.30	2014.12.31
基本每股收益(元)	0.1100	0.2100	0.0800	0.0500
基本每股收益(扣除后)(元)	0.0900	0.1816	0.0700	0.0800
稀释每股收益(元)	0.1100	0.2100	0.0800	0.0500
每股净资产(元)	3.5398	3.4822	3.3582	2.2406
每股经营现金净流量(元)	-0.0234	0.2511	0.0684	-0.0740
每股现金流量(元)	-0.0980	0.0418	-0.0423	-0.1774
每股资本公积金(元)	2.1103	2.1103	2.1103	0.7463
每股盈余公积金(元)	0.0252	0.0252	0.0252	0.0530
每股未分配利润(元)	0.4037	0.3465	0.2227	0.4412
净资产收益率(%)	3.0274	5.2863	1.7943	3.6233
加权净资产收益率(%)	3.0300	7.5200	5.1400	3.6800
净资产收益率(扣除)(%)	2.6349	4.5764	1.6382	3.4477
总资产(万元)	162821.48	161756.51	153853.18	55510.76
归属母公司股东权益(万元)	134514.67	132325.53	127612.02	40532.37
营业收入(万元)	18306.11	37842.45	13794.66	22287.23
营业支出(万元)	8084.20	18658.94	7686.93	14649.40
投资收益(万元)	194.23	201.77	-22.08	35.58
净利润(万元)	4000.05	7265.44	2468.67	1873.92
营业利润(万元)	4493.97	7049.12	2556.92	2449.12
利润总额(万元)	4828.05	7971.88	2764.03	2506.33

汉鼎宇佑互联网股份有限公司

公司概况					
公司名称	汉鼎宇佑互联网股份有限公司			证券简称	汉鼎宇佑
法人代表	吴艳	董秘	方路遥	证券代码	300300
公司网址	www.hakim.com.cn		电子信箱	hakim@hakim.com.cn	
电　话	0571-89938397		传　真	0571-88303333	
办公地址	浙江省杭州市天目山路 181 号天际大厦 6 楼				
经营范围	建筑智能化、公共安全管理智能化等				

主要财务指标 指标 \ 报告期	2016.06.30	2015.12.31	2015.06.30	2014.12.31
基本每股收益(元)	0.0614	0.2100	0.1188	0.2200
基本每股收益(扣除后)(元)	0.0564	0.1000	0.0771	0.3704
稀释每股收益(元)	0.0610	0.2000	0.1183	0.2200
每股净资产(元)	4.7285	2.0554	1.9747	1.8960
每股经营现金净流量(元)	-0.3739	-0.2188	-0.1771	-0.6886
每股现金流量(元)	2.6811	0.1472	-0.1101	-0.3898
每股资本公积金(元)	3.0105	0.1845	0.1906	1.3613
每股盈余公积金(元)	0.0776	0.0931	0.0748	0.1496
每股未分配利润(元)	0.6427	0.7778	0.7094	1.2811
净资产收益率(%)	1.1539	10.0018	6.0177	11.7545
加权净资产收益率(%)	1.9900	10.4400	6.0800	12.6100
净资产收益率(扣除)(%)	1.0608	4.6308	3.9047	9.7677
总资产(万元)	336669.55	161779.25	130807.99	124693.47
归属母公司股东权益(万元)	217223.19	78679.60	75592.20	72577.88
营业收入(万元)	33413.50	71260.51	36944.04	74611.21
营业支出(万元)	25143.16	51986.60	26711.20	52904.93
投资收益(万元)	512.58	3989.35	1415.83	121.10
净利润(万元)	2594.11	7898.43	4662.96	9047.54
营业利润(万元)	2690.97	7861.62	5153.19	8598.37
利润总额(万元)	2917.12	8732.66	5553.27	9890.12

深圳市长方集团股份有限公司

公司概况					
公司名称	深圳市长方集团股份有限公司			证券简称	长方集团
法人代表	邓子长	董秘	胡济荣	证券代码	300301
公司网址	www.cfled.com		电子信箱	hujr@cfled.com	
电　话	0755-82828966		传　真	0755-83981999	
办公地址	广东省深圳市坪山新区大工业区聚龙山 3 号路				
经营范围	LED 照明光源器件和 LED 照明产品的研发、设计、生产和销售等				

主要财务指标 指标 \ 报告期	2016.06.30	2015.12.31	2015.06.30	2014.12.31
基本每股收益(元)	0.0533	0.1536	0.0594	0.1877
基本每股收益(扣除后)(元)	0.0458	0.1417	0.0550	0.1876
稀释每股收益(元)	0.0531	0.1533	0.0592	0.1863
每股净资产(元)	2.8133	2.8983	1.9416	1.3139
每股经营现金净流量(元)	-0.1143	0.2098	0.1396	0.1173
每股现金流量(元)	0.7709	0.1747	0.1255	-0.2473
每股资本公积金(元)	1.4381	0.6528	0.6513	1.2708
每股盈余公积金(元)	0.0350	0.0401	0.0296	0.0752
每股未分配利润(元)	0.3426	0.3478	0.2634	0.5588
净资产收益率(%)	1.6895	7.1696	2.6391	6.4330
加权净资产收益率(%)	2.4200	8.5700	4.3200	6.6200
净资产收益率(扣除)(%)	1.4524	6.6114	2.4443	6.4317
总资产(万元)	382454.88	307700.27	293007.72	174032.41
归属母公司股东权益(万元)	222353.61	140686.16	134039.31	78771.06
营业收入(万元)	72748.63	141853.22	60994.05	92119.16
营业支出(万元)	53247.03	105047.96	46674.60	73140.04
投资收益(万元)	-	2.79	2.79	-
净利润(万元)	6165.67	13309.98	4620.19	5067.31
营业利润(万元)	6246.09	13527.67	4785.90	5733.12
利润总额(万元)	7023.09	14701.00	5114.96	5734.32

北京同有飞骥科技股份有限公司

公司概况	公司名称	北京同有飞骥科技股份有限公司			证券简称	同有科技
	法人代表	周泽湘	董秘	沈晶	证券代码	300302
	公司网址	www.toyou.com.cn		电子信箱	zqtz@toyou.com.cn	
	电　话	010-62491977		传　真	010-62491977	
	办公地址	北京市海淀区地锦路9号院2号楼-1至4层101				
	经营范围	数据存储、数据保护、容灾等技术的研究、开发和应用等				

	指标\报告期	2016.06.30	2015.12.31	2015.06.30	2014.12.31
主要财务指标	基本每股收益(元)	0.1000	0.3400	0.0300	0.1300
	基本每股收益(扣除后)(元)	0.1000	0.3100	0.0600	0.2100
	稀释每股收益(元)	0.1000	0.3400	0.0300	0.1300
	每股净资产(元)	1.4540	2.8584	2.6543	4.6770
	每股经营现金净流量(元)	-0.2359	1.3983	-0.1400	0.2773
	每股现金流量(元)	-0.7394	1.6274	-0.1990	0.0827
	每股资本公积金(元)	0.1955	1.2849	0.9930	2.5787
	每股盈余公积金(元)	0.0466	0.0978	0.0671	0.1207
	每股未分配利润(元)	0.3674	0.8022	0.5942	0.9776
	净资产收益率(%)	7.1852	11.4866	2.6790	5.1338
	加权净资产收益率(%)	7.3700	12.2700	2.7000	5.2500
	净资产收益率(扣除)(%)	6.9434	10.9675	2.4089	4.5684
	总资产(万元)	79139.06	92140.10	57697.33	59534.92
	归属母公司股东权益(万元)	61281.91	57368.46	51599.19	50512.01
	营业收入(万元)	17572.45	36111.64	11639.78	24653.29
	营业支出(万元)	9856.60	21164.52	6818.16	15150.82
	投资收益(万元)	-	-	-	-
	净利润(万元)	4403.21	6589.69	1382.33	2593.16
	营业利润(万元)	3702.94	7037.50	1371.29	2619.14
	利润总额(万元)	5109.41	7622.54	1569.37	2955.08

深圳市聚飞光电股份有限公司

公司概况	公司名称	深圳市聚飞光电股份有限公司			证券简称	聚飞光电
	法人代表	邢其彬	董秘	于芳	证券代码	300303
	公司网址	www.jfled.com.cn		电子信箱	jfzq@jfled.com.cn	
	电　话	0755-29646311		传　真	0755-29646312	
	办公地址	广东省深圳市龙岗区平湖街道鹅公岭社区鹅岭工业区4号				
	经营范围	SMD LED器件的研发、生产和销售等				

	指标\报告期	2016.06.30	2015.12.31	2015.06.30	2014.12.31
主要财务指标	基本每股收益(元)	0.0900	0.1600	0.1100	0.2900
	基本每股收益(扣除后)(元)	0.0900	0.1300	0.0800	0.5800
	稀释每股收益(元)	0.0900	0.1600	0.1100	0.2900
	每股净资产(元)	2.5063	2.4679	1.7303	3.7166
	每股经营现金净流量(元)	0.0839	0.2667	0.0925	0.5476
	每股现金流量(元)	-0.0691	-0.2666	-0.5265	0.2730
	每股资本公积金(元)	0.7835	0.7835	0.0290	0.9639
	每股盈余公积金(元)	0.1115	0.1027	0.1077	0.2123
	每股未分配利润(元)	0.6092	0.5817	0.5936	1.5404
	净资产收益率(%)	3.4453	6.0286	6.3103	17.0169
	加权净资产收益率(%)	3.4400	9.1100	6.3400	18.2600
	净资产收益率(扣除)(%)	3.4033	4.7666	4.5612	15.6443
	总资产(万元)	252239.74	222672.92	144637.08	143546.76
	归属母公司股东权益(万元)	172448.44	169804.10	107684.50	105135.13
	营业收入(万元)	65496.35	95948.46	41632.20	99050.89
	营业支出(万元)	50082.39	73343.07	31140.23	70525.00
	投资收益(万元)	927.66	2552.35	1814.37	1931.48
	净利润(万元)	5993.10	10005.77	6689.33	17683.73
	营业利润(万元)	6609.45	10831.93	7211.88	20231.10
	利润总额(万元)	6694.71	11554.38	7628.22	20583.05

江苏云意电气股份有限公司

公司概况	公司名称	江苏云意电气股份有限公司			证券简称	云意电气
	法人代表	付红玲	董秘	李成忠	证券代码	300304
	公司网址	www.yunyi-china.com		电子信箱	dsh@yunyi-china.com	
	电　话	0516-83306666		传　真	0516-83306669	
	办公地址	江苏省徐州市铜山经济开发区黄山路26号				
	经营范围	车用整流器和调节器等汽车电子产品的研发、生产和销售等				

	指标\报告期	2016.06.30	2015.12.31	2015.06.30	2014.12.31
主要财务指标	基本每股收益(元)	0.3000	0.3500	0.2300	0.4100
	基本每股收益(扣除后)(元)	0.2500	0.2800	0.2000	0.3400
	稀释每股收益(元)	0.3000	0.3500	0.2300	0.4100
	每股净资产(元)	6.7630	4.9088	4.7901	4.7554
	每股经营现金净流量(元)	0.2089	0.5153	0.2471	0.3307
	每股现金流量(元)	1.2032	1.1631	0.7152	-0.7652
	每股资本公积金(元)	4.2188	2.2391	2.2391	2.2391
	每股盈余公积金(元)	0.2017	0.2287	0.1930	0.1930
	每股未分配利润(元)	1.3425	1.4410	1.3580	1.3234
	净资产收益率(%)	4.0212	7.1989	4.8988	8.6445
	加权净资产收益率(%)	5.2100	7.3600	4.8800	8.9000
	净资产收益率(扣除)(%)	3.4727	5.7923	4.1927	7.2304
	总资产(万元)	180091.77	125244.82	120788.45	120599.36
	归属母公司股东权益(万元)	153404.28	98176.27	95801.78	95108.62
	营业收入(万元)	25568.07	43151.47	22884.58	43069.89
	营业支出(万元)	16511.37	29756.14	15675.12	29819.20
	投资收益(万元)	-	1008.03	450.03	1082.77
	净利润(万元)	6461.61	6978.30	4709.66	8116.71
	营业利润(万元)	5956.92	7161.64	5041.41	8777.05
	利润总额(万元)	7393.60	7890.45	5437.87	9334.15

江苏裕兴薄膜科技股份有限公司

公司概况	公司名称	江苏裕兴薄膜科技股份有限公司			证券简称	裕兴股份
	法人代表	王建新	董秘	陈琼	证券代码	300305
	公司网址	www.czyuxing.com		电子信箱	info@czyuxing.com	
	电　话	0519-83905129		传　真	0519-83971008	
	办公地址	江苏省常州市钟楼经济开发区童子河西路8-8号				
	经营范围	中厚型特种功能性聚酯薄膜的研发、生产和销售等				

	指标\报告期	2016.06.30	2015.12.31	2015.06.30	2014.12.31
主要财务指标	基本每股收益(元)	0.1231	0.5688	0.1503	0.4646
	基本每股收益(扣除后)(元)	0.1062	0.5222	0.2835	0.4386
	稀释每股收益(元)	0.1228	0.5665	0.1503	0.4646
	每股净资产(元)	4.6885	9.1674	8.9249	8.6727
	每股经营现金净流量(元)	0.2839	0.4288	0.4465	0.0381
	每股现金流量(元)	-0.1148	-0.8498	-0.4352	-0.0471
	每股资本公积金(元)	2.0597	5.0361	4.9599	4.8715
	每股盈余公积金(元)	0.3928	0.7864	0.6734	0.6793
	每股未分配利润(元)	1.2758	2.4445	2.2915	2.1220
	净资产收益率(%)	2.6179	6.1613	3.3495	5.3565
	加权净资产收益率(%)	2.6300	6.4000	3.4100	5.4800
	净资产收益率(扣除)(%)	2.2586	5.6560	3.1586	5.0573
	总资产(万元)	142355.84	139962.45	134812.04	130066.29
	归属母公司股东权益(万元)	136335.90	133160.45	129637.98	124886.67
	营业收入(万元)	26192.14	52113.35	24644.50	58277.30
	营业支出(万元)	19233.06	38917.87	18516.57	47031.99
	投资收益(万元)	564.93	972.39	474.91	578.19
	净利润(万元)	3569.15	8204.37	4342.20	6689.53
	营业利润(万元)	4120.51	9222.37	4849.94	7293.82
	利润总额(万元)	4387.53	9620.86	5058.76	7601.55

杭州远方光电信息股份有限公司

公司概况					
公司名称	杭州远方光电信息股份有限公司			证券简称	远方光电
法人代表	潘建根	董秘	张杰	证券代码	300306
公司网址	www.everfine.cn		电子信箱	board@everfine.cn	
电　话	0571-88990665		传　真	0571-86673318	
办公地址	浙江省杭州市滨江区滨康路669号				
经营范围	计算机软件、电流表、电压表、电功率表、功率因素表、光学标准灯等				

主要财务指标

指标\报告期	2016.06.30	2015.12.31	2015.06.30	2014.12.31
基本每股收益(元)	0.1600	0.2300	0.1200	0.3800
基本每股收益(扣除后)(元)	0.1600	0.1900	0.0900	0.6500
稀释每股收益(元)	0.1600	0.2300	0.1100	0.3800
每股净资产(元)	4.5570	4.4880	4.3757	8.7005
每股经营现金净流量(元)	0.1643	0.3193	0.0654	0.7644
每股现金流量(元)	-0.0141	0.0184	0.1144	-0.0147
每股资本公积金(元)	1.9338	1.9273	1.9346	4.8489
每股盈余公积金(元)	0.1924	0.1924	0.1683	0.3366
每股未分配利润(元)	1.4270	1.3663	1.2736	2.5163
净资产收益率(%)	3.5382	5.1750	2.6373	8.6539
加权净资产收益率(%)	3.5300	5.2800	2.6300	8.9700
净资产收益率(扣除)(%)	3.4483	4.2810	2.0544	7.4541
总资产(万元)	116438.51	115479.42	110825.71	111213.19
归属母公司股东权益(万元)	109367.63	107711.72	105015.75	104406.11
营业收入(万元)	9822.23	18440.64	8413.67	20897.50
营业支出(万元)	3212.71	6625.81	2712.65	7078.89
投资收益(万元)	104.67	1057.58	686.41	563.75
净利润(万元)	3879.92	5583.04	2769.55	9035.17
营业利润(万元)	3972.45	5021.97	2674.88	8382.32
利润总额(万元)	4517.14	6342.39	3180.48	10090.80

宁波慈星股份有限公司

公司概况					
公司名称	宁波慈星股份有限公司			证券简称	慈星股份
法人代表	孙平范	董秘	傅桂平	证券代码	300307
公司网址	www.ci-xing.com		电子信箱	stock@ci-xing.com	
电　话	0574-63932279		传　真	0574-63932266	
办公地址	浙江省宁波市杭州湾新区滨海四路708号				
经营范围	纺织机械制造、纺织制成品设计及制造、机械用电脑集成电路开发等				

主要财务指标

指标\报告期	2016.06.30	2015.12.31	2015.06.30	2014.12.31
基本每股收益(元)	0.1400	0.1300	0.1100	-0.4300
基本每股收益(扣除后)(元)	0.1000	0.0900	0.0810	-0.4500
稀释每股收益(元)	0.1400	0.1300	0.1100	-0.4300
每股净资产(元)	4.8485	4.8013	4.7792	4.6710
每股经营现金净流量(元)	0.1084	0.0852	0.0106	-0.2088
每股现金流量(元)	-0.1893	0.0781	0.5048	-0.3102
每股资本公积金(元)	2.4038	2.4038	2.4038	2.4038
每股盈余公积金(元)	0.2499	0.2499	0.2328	0.2328
每股未分配利润(元)	1.1831	1.1433	1.1376	1.0324
净资产收益率(%)	2.8838	2.6666	2.2022	-9.2927
加权净资产收益率(%)	2.8700	2.7000	2.2300	-8.8000
净资产收益率(扣除)(%)	2.5721	1.8449	1.6469	-9.6299
总资产(万元)	427926.65	409712.01	433044.34	430946.51
归属母公司股东权益(万元)	388848.41	385061.69	383288.99	374631.02
营业收入(万元)	56446.98	74959.24	40885.29	76353.46
营业支出(万元)	34179.04	44947.92	24758.01	48684.13
投资收益(万元)	1980.74	222.83	225.00	198.56
净利润(万元)	11037.93	10053.62	8392.73	-34839.66
营业利润(万元)	10495.47	2190.95	2438.76	-40417.88
利润总额(万元)	12672.89	11239.89	9004.96	-31917.48

山东中际电工装备股份有限公司

公司概况					
公司名称	山东中际电工装备股份有限公司			证券简称	中际装备
法人代表	王伟修	董秘	邓扬锋	证券代码	300308
公司网址	www.zhongji.cc		电子信箱	info@zhongji.cc	
电　话	0535-8573360		传　真	0535-8573360	
办公地址	山东省龙口市诸由观镇驻地				
经营范围	电机绕组制造装备的研发、设计、生产和销售等				

主要财务指标

指标\报告期	2016.06.30	2015.12.31	2015.06.30	2014.12.31
基本每股收益(元)	0.0200	0.0300	-0.0200	0.0400
基本每股收益(扣除后)(元)	-0.0280	0.0010	-0.0200	0.0100
稀释每股收益(元)	0.0200	0.0300	-0.0200	0.0400
每股净资产(元)	2.5594	2.5379	2.4985	2.5228
每股经营现金净流量(元)	0.1209	0.1248	0.0853	0.0422
每股现金流量(元)	0.1318	0.2878	0.1069	-0.2427
每股资本公积金(元)	1.0756	1.0756	1.0756	1.0756
每股盈余公积金(元)	0.0570	0.0570	0.0544	0.0544
每股未分配利润(元)	0.4230	0.3984	0.3614	0.3851
净资产收益率(%)	0.9626	1.0204	-0.9459	1.4984
加权净资产收益率(%)	0.9700	1.0200	-0.9400	1.5400
净资产收益率(扣除)(%)	-1.1013	0.0311	-1.0272	0.4812
总资产(万元)	62941.37	64131.16	65413.21	65575.75
归属母公司股东权益(万元)	55286.51	54820.72	53971.01	54495.74
营业收入(万元)	5668.80	12140.99	4307.67	11874.62
营业支出(万元)	4086.40	8844.99	3093.76	8020.00
投资收益(万元)	79.68	351.54	-185.89	212.24
净利润(万元)	532.18	559.40	-510.49	816.55
营业利润(万元)	-685.53	252.53	-562.16	215.09
利润总额(万元)	629.02	637.28	-510.49	867.25

吉艾科技(北京)股份公司

公司概况					
公司名称	吉艾科技(北京)股份公司			证券简称	吉艾科技
法人代表	高怀雪	董秘	高怀雪(代)	证券代码	300309
公司网址	www.gi-tech.cn		电子信箱	investor@gi-tech.cn	
电　话	010-83612293		传　真	010-83612366	
办公地址	北京市朝阳区中汇广场A座801				
经营范围	石油测井仪器的研发、生产、销售和现场技术服务等				

主要财务指标

指标\报告期	2016.06.30	2015.12.31	2015.06.30	2014.12.31
基本每股收益(元)	-0.0200	0.1700	0.0500	0.3900
基本每股收益(扣除后)(元)	-0.0200	0.1500	0.0500	0.3700
稀释每股收益(元)	-0.0200	0.1700	0.0500	0.3900
每股净资产(元)	3.0132	3.0189	2.9948	6.0036
每股经营现金净流量(元)	0.1240	0.0116	0.4315	-0.4197
每股现金流量(元)	0.5491	-0.2333	-0.1428	-1.0868
每股资本公积金(元)	1.1175	1.1175	1.1175	3.2349
每股盈余公积金(元)	0.0945	0.0945	0.0945	0.1890
每股未分配利润(元)	0.9110	0.9297	0.7842	1.5742
净资产收益率(%)	-0.6202	5.7198	1.6973	6.5692
加权净资产收益率(%)	-0.6200	5.7100	1.6800	6.7400
净资产收益率(扣除)(%)	-0.6707	5.1459	1.6898	6.2378
总资产(万元)	277466.67	252166.85	232646.11	142026.99
归属母公司股东权益(万元)	130938.21	131186.81	130140.48	130443.12
营业收入(万元)	8980.30	28987.33	8505.71	25396.28
营业支出(万元)	5717.18	11428.01	3666.94	12300.43
投资收益(万元)	938.42	17.35	21.85	3004.23
净利润(万元)	-980.95	8511.43	1770.24	9486.42
营业利润(万元)	-628.04	8984.53	2200.14	10055.52
利润总额(万元)	-544.05	9853.26	2213.12	10583.24

广东宜通世纪科技股份有限公司

公司概况						
公司名称	广东宜通世纪科技股份有限公司			证券简称	宜通世纪	
法人代表	童文伟	董秘	吴伟生	证券代码	300310	
公司网址	www.etonetech.com			电子信箱	etonetech@etonetech.com	
电　话	020-66819698　66810090			传　真	020-85566235	
办公地址	广东省广州市天河区科韵路16号广州信息港A栋12楼					
经营范围	通信网络技术服务和系统解决方案等					

指标＼报告期	2016.06.30	2015.12.31	2015.06.30	2014.12.31
基本每股收益(元)	0.2000	0.2700	0.1400	0.2100
基本每股收益(扣除后)(元)	0.1900	0.2700	0.1400	0.2000
稀释每股收益(元)	0.2000	0.2700	0.1400	0.2100
每股净资产(元)	5.1200	3.1771	3.0400	2.9500
每股经营现金净流量(元)	–0.2195	0.4565	–0.3445	0.1666
每股现金流量(元)	0.6481	0.2197	–0.4722	–0.1315
每股资本公积金(元)	3.3059	0.9141	0.9141	0.9141
每股盈余公积金(元)	0.0636	0.1233	0.0938	0.0938
每股未分配利润(元)	0.7471	1.1396	1.0354	0.9456
净资产收益率(%)	3.7320	8.6097	4.5927	7.0318
加权净资产收益率(%)	5.6400	8.9400	4.6500	7.2500
净资产收益率(扣除)(%)	3.5217	8.3431	4.5975	6.9158
总资产(万元)	298861.95	108841.12	93589.21	96515.26
归属母公司股东权益(万元)	227138.74	72692.10	69631.48	67577.52
营业收入(万元)	78053.43	118443.42	47693.66	91059.90
营业支出(万元)	58124.43	92791.88	36320.43	69421.48
投资收益(万元)	–130.00	–383.88	–193.91	331.41
净利润(万元)	8324.36	5966.32	3148.78	4714.39
营业利润(万元)	9575.66	6466.84	3685.89	5366.68
利润总额(万元)	10099.56	6728.91	3703.25	5487.96

任子行网络技术股份有限公司

公司概况						
公司名称	任子行网络技术股份有限公司			证券简称	任子行	
法人代表	景晓军	董秘	张冰	证券代码	300311	
公司网址	www.1218.com.cn			电子信箱	rzxshenzhen@1218.com.cn	
电　话	0755-86156779			传　真	0755-86168355	
办公地址	广东省深圳市南山区高新区科技中2路软件园2栋6楼					
经营范围	计算机软硬件技术开发、销售及相关技术服务、计算机信息系统集成等					

指标＼报告期	2016.06.30	2015.12.31	2015.06.30	2014.12.31
基本每股收益(元)	0.1100	0.2600	0.0200	0.1600
基本每股收益(扣除后)(元)	0.1000	0.2200	0.0381	0.3100
稀释每股收益(元)	0.1100	0.2600	0.0200	0.1800
每股净资产(元)	2.5860	3.7387	2.0053	3.9208
每股经营现金净流量(元)	–0.0304	0.2514	–0.1482	0.2689
每股现金流量(元)	–0.1348	0.2851	–0.3577	–0.5844
每股资本公积金(元)	1.1086	2.1565	0.5204	1.8555
每股盈余公积金(元)	0.0477	0.0715	0.0769	0.1415
每股未分配利润(元)	0.5123	0.6410	0.6134	1.1817
净资产收益率(%)	4.1712	5.8487	2.8605	9.0610
加权净资产收益率(%)	4.2400	9.5000	2.8900	9.4700
净资产收益率(扣除)(%)	3.8573	4.9929	1.7745	7.5815
总资产(万元)	163668.02	158537.98	67865.90	62810.50
归属母公司股东权益(万元)	115940.11	111770.97	46829.20	45642.17
营业收入(万元)	24354.44	35991.24	11998.52	29678.01
营业支出(万元)	8317.24	12500.01	4949.75	12406.56
投资收益(万元)	205.00	–4.05	–86.63	–110.75
净利润(万元)	5621.78	5707.93	1205.67	3744.20
营业利润(万元)	5161.09	4639.86	565.37	3100.12
利润总额(万元)	6245.21	6676.95	1425.48	4277.75

邦讯技术股份有限公司

公司概况						
公司名称	邦讯技术股份有限公司			证券简称	邦讯技术	
法人代表	张庆文	董秘	王传世	证券代码	300312	
公司网址	www.boomsense.com			电子信箱	zqb@boomsense.com	
电　话	010-65800931			传　真	010-65800000-8166	
办公地址	北京市海淀区四季青镇杏石口路中部65号益园文化创意产业基地A区4号楼					
经营范围	无线网络优化系统业务、包括系统集成、设备销售和代维服务等					

指标＼报告期	2016.06.30	2015.12.31	2015.06.30	2014.12.31
基本每股收益(元)	–0.0817	0.0600	0.0203	0.0600
基本每股收益(扣除后)(元)	–0.0815	0.0200	0.0196	0.0400
稀释每股收益(元)	–0.0817	0.0600	0.0203	0.0600
每股净资产(元)	2.3845	4.9624	4.9519	4.9316
每股经营现金净流量(元)	–0.1033	–0.7297	–0.8599	–0.7654
每股现金流量(元)	–0.1921	–0.3653	–0.7390	–1.2766
每股资本公积金(元)	1.1168	3.2335	3.2297	3.2297
每股盈余公积金(元)	0.0747	0.1494	0.1271	0.1271
每股未分配利润(元)	0.1931	0.5796	0.5950	0.5748
净资产收益率(%)	–3.4267	1.1490	0.4097	1.1575
加权净资产收益率(%)	–3.3500	1.1500	0.4100	1.1600
净资产收益率(扣除)(%)	–3.4196	0.3038	0.3950	0.8955
总资产(万元)	163468.71	165169.20	154983.77	151430.11
归属母公司股东权益(万元)	76313.70	79408.84	79240.29	78915.63
营业收入(万元)	18020.82	53345.09	24468.37	51357.90
营业支出(万元)	10034.64	27451.58	13013.30	26465.41
投资收益(万元)	–192.86	–107.05	–38.29	0.81
净利润(万元)	–2762.05	696.86	182.45	614.62
营业利润(万元)	–3190.73	511.58	–123.50	909.72
利润总额(万元)	–3197.18	747.84	–114.75	902.70

新疆天山畜牧生物工程股份有限公司

公司概况						
公司名称	新疆天山畜牧生物工程股份有限公司			证券简称	天山生物	
法人代表	蒋炜	董秘	何敏	证券代码	300313	
公司网址	www.xjtssw.com			电子信箱	tsxmgs@sina.com	
电　话	0994-6566618			传　真	0994-6566616	
办公地址	新疆昌吉市延安北路198号东方广场写字楼20楼					
经营范围	种牛、奶牛养殖和销售等					

指标＼报告期	2016.06.30	2015.12.31	2015.06.30	2014.12.31
基本每股收益(元)	–0.1516	–0.2000	–0.0513	0.0100
基本每股收益(扣除后)(元)	–0.1662	–0.1800	–0.0577	–0.0172
稀释每股收益(元)	–0.1516	–0.2000	–0.0513	0.0100
每股净资产(元)	2.4156	1.7801	2.0230	2.1738
每股经营现金净流量(元)	0.3861	–1.0700	–0.7118	0.0350
每股现金流量(元)	0.2941	0.0831	0.0725	0.3349
每股资本公积金(元)	1.4699	0.9303	0.9303	2.6269
每股盈余公积金(元)	0.0547	0.0571	0.0571	0.1174
每股未分配利润(元)	–0.0733	0.0836	0.2202	0.6142
净资产收益率(%)	–6.2778	–10.1506	–2.6790	0.4532
加权净资产收益率(%)	–7.6000	–9.5400	–2.6100	0.4500
净资产收益率(扣除)(%)	–6.8788	–9.2549	–2.7718	–0.3568
总资产(万元)	103841.07	91191.28	72469.19	61001.24
归属母公司股东权益(万元)	47672.68	35131.02	37819.50	39524.60
营业收入(万元)	21034.79	24686.79	5045.99	12194.30
营业支出(万元)	20522.68	19723.28	3056.88	7649.02
投资收益(万元)	9.42	–472.48	30.75	-
净利润(万元)	–4218.36	–4749.88	–1402.80	210.62
营业利润(万元)	–4402.04	–4876.56	–1396.00	–37.19
利润总额(万元)	–4187.92	–4684.76	–1360.89	392.07

宁波戴维医疗器械股份有限公司

公司概况				
公司名称	宁波戴维医疗器械股份有限公司		证券简称	戴维医疗
法人代表	陈再宏	董秘 李则东	证券代码	300314
公司网址	www.nbdavid.com		电子信箱	zqb@nbdavid.com
电话	0574-65982386		传真	0574-65950888
办公地址	浙江省宁波市象山经济开发区滨海工业园金兴路 35 号			
经营范围	婴儿保育设备研发、生产、销售等			

主要财务指标 指标\报告期	2016.06.30	2015.12.31	2015.06.30	2014.12.31
基本每股收益(元)	0.1083	0.1600	0.0900	0.1900
基本每股收益(扣除后)(元)	-	0.1500	0.0900	0.3300
稀释每股收益(元)	0.1083	0.1600	0.0900	0.1900
每股净资产(元)	2.4916	2.4233	2.3611	4.1810
每股经营现金净流量(元)	0.0131	0.1681	0.0047	0.4237
每股现金流量(元)	-0.1501	-1.0731	-0.1104	0.1056
每股资本公积金(元)	0.6095	0.6095	0.6095	1.8971
每股盈余公积金(元)	0.1162	0.1162	0.0978	0.1760
每股未分配利润(元)	0.7659	0.6976	0.6538	1.1080
净资产收益率(%)	4.3473	6.4385	3.9738	8.0133
加权净资产收益率(%)	4.3700	6.5900	3.9600	8.2800
净资产收益率(扣除)(%)	3.5222	6.2839	3.8903	7.9331
总资产(万元)	77221.16	75277.41	72392.54	71875.15
归属母公司股东权益(万元)	71757.66	69790.13	67998.83	66896.71
营业收入(万元)	11132.48	21942.74	10834.19	22718.14
营业支出(万元)	5138.87	10351.53	5076.92	10564.12
投资收益(万元)	480.52	2.75	-	-
净利润(万元)	3119.54	4493.42	2702.12	5360.66
营业利润(万元)	3430.62	5283.36	3163.68	6362.09
利润总额(万元)	3704.52	5391.35	3219.66	6402.46

北京掌趣科技股份有限公司

公司概况				
公司名称	北京掌趣科技股份有限公司		证券简称	掌趣科技
法人代表	姚文彬	董秘 李好胜	证券代码	300315
公司网址	www.ourpalm.com		电子信箱	ir@ourpalm.com
电话	010-65073699		传真	010-65073699
办公地址	北京市海淀区马甸东路 17 号 8 层 916			
经营范围	第二类增值电信业务中的信息服务业务等			

主要财务指标 指标\报告期	2016.06.30	2015.12.31	2015.06.30	2014.12.31
基本每股收益(元)	0.1500	0.1900	0.0700	0.1400
基本每股收益(扣除后)(元)	0.1500	0.1600	0.0651	0.2300
稀释每股收益(元)	0.1500	0.1900	0.0700	0.1400
每股净资产(元)	2.9744	2.4018	1.6867	3.0764
每股经营现金净流量(元)	0.1626	0.1823	0.0652	0.3149
每股现金流量(元)	0.5706	-0.1700	-0.1933	0.0762
每股资本公积金(元)	1.4733	1.0186	0.4018	1.6354
每股盈余公积金(元)	0.0425	0.0443	0.0269	0.0511
每股未分配利润(元)	0.4538	0.3338	0.2581	0.3900
净资产收益率(%)	5.0723	7.3676	4.0480	8.2814
加权净资产收益率(%)	5.3400	11.1000	4.1400	11.1500
净资产收益率(扣除)(%)	4.9713	6.2210	3.8568	7.0681
总资产(万元)	1006108.07	787824.93	479091.27	502308.92
归属母公司股东权益(万元)	825066.70	638487.45	416207.18	399198.16
营业收入(万元)	95441.02	112377.86	45743.10	77476.42
营业支出(万元)	37064.10	43340.91	17016.08	29631.33
投资收益(万元)	-359.80	-881.94	-534.03	-712.31
净利润(万元)	44201.51	50119.40	18022.18	35045.27
营业利润(万元)	44557.48	51173.75	19721.00	34666.09
利润总额(万元)	45414.10	53552.97	20668.23	36850.18

浙江晶盛机电股份有限公司

公司概况				
公司名称	浙江晶盛机电股份有限公司		证券简称	晶盛机电
法人代表	邱敏秀	董秘 陆晓雯	证券代码	300316
公司网址	www.jsjd.cc		电子信箱	jsjd@jsjd.cc
电话	0571-88317398		传真	0571-89900293
办公地址	浙江省杭州市余杭区五常街道创智一号 2 号楼			
经营范围	晶体生长炉、半导体材料制备设备、机电设备制造、销售、进出口业务等			

主要财务指标 指标\报告期	2016.06.30	2015.12.31	2015.06.30	2014.12.31
基本每股收益(元)	0.0900	0.1200	0.0500	0.0700
基本每股收益(扣除后)(元)	0.0700	0.1100	0.0500	0.1500
稀释每股收益(元)	0.0900	0.1200	0.0500	0.0700
每股净资产(元)	2.0829	2.0474	1.9815	4.3038
每股经营现金净流量(元)	-0.0414	-0.1064	-0.0733	0.3344
每股现金流量(元)	-0.0208	-0.5523	-0.1010	-0.6365
每股资本公积金(元)	0.3950	0.3740	0.3550	1.9342
每股盈余公积金(元)	0.0821	0.0822	0.0700	0.1546
每股未分配利润(元)	0.6352	0.6111	0.5565	1.2151
净资产收益率(%)	4.0850	5.7839	2.6016	3.8224
加权净资产收益率(%)	4.1100	5.9400	2.6200	3.8700
净资产收益率(扣除)(%)	3.4951	5.3083	2.5302	3.5367
总资产(万元)	259067.45	236284.11	223662.10	189384.30
归属母公司股东权益(万元)	184351.78	180873.05	175053.48	172172.74
营业收入(万元)	42229.02	59177.76	23741.84	24532.04
营业支出(万元)	26696.83	32794.67	14440.92	14895.39
投资收益(万元)	1062.69	251.78	170.80	336.52
净利润(万元)	7003.05	11321.01	4513.01	6431.39
营业利润(万元)	7169.57	10737.70	5170.21	5923.88
利润总额(万元)	8235.37	12303.85	5279.61	6944.38

深圳珈伟光伏照明股份有限公司

公司概况				
公司名称	深圳珈伟光伏照明股份有限公司		证券简称	珈伟股份
法人代表	丁孔贤	董秘 陈琼阁	证券代码	300317
公司网址	www.jiawei.com		电子信箱	jw@jiawei.com
电话	0755-85224478		传真	0755-85224353
办公地址	广东省深圳市龙岗区坪地街道高桥社区富高东路 4 号 A、B、C、D 栋厂房			
经营范围	光伏照明产品的研发、生产与销售等			

主要财务指标 指标\报告期	2016.06.30	2015.12.31	2015.06.30	2014.12.31
基本每股收益(元)	0.3148	0.4849	-0.0468	0.0389
基本每股收益(扣除后)(元)	0.3040	0.4155	-0.0619	-0.1004
稀释每股收益(元)	0.3148	0.4849	-0.0468	0.0389
每股净资产(元)	8.0246	6.0474	4.1491	4.2000
每股经营现金净流量(元)	-0.2080	0.3728	-0.5512	-0.2777
每股现金流量(元)	1.5901	-0.1925	-0.5501	-0.3536
每股资本公积金(元)	6.2953	4.4971	2.6869	2.6869
每股盈余公积金(元)	0.0208	0.0238	0.0638	0.0638
每股未分配利润(元)	0.7207	0.5289	0.4560	0.5028
净资产收益率(%)	3.4589	5.9011	-1.1279	1.3899
加权净资产收益率(%)	4.8800	10.0500	-1.1200	1.3800
净资产收益率(扣除)(%)	3.3397	5.0565	-1.4928	-2.3887
总资产(万元)	864508.28	647699.01	142949.68	138448.89
归属母公司股东权益(万元)	353534.05	232016.18	58087.38	58819.95
营业收入(万元)	129948.91	190226.61	40590.93	68014.60
营业支出(万元)	103202.32	143031.80	29848.04	51440.92
投资收益(万元)	-	-143.19	-	642.46
净利润(万元)	12255.02	13623.62	-740.19	615.43
营业利润(万元)	13416.17	14352.18	-838.35	-1252.26
利润总额(万元)	13885.47	16499.05	-626.38	380.67

北京博晖创新光电技术股份有限公司

公司概况	公司名称	北京博晖创新光电技术股份有限公司			证券简称	博晖创新
	法人代表	卢信群	董秘	刘敏	证券代码	300318
	公司网址	www.bohui-tech.com			电子信箱	dsh@bohui-tech.com
	电　话	010-88850168			传　真	010-88856244
	办公地址	北京市昌平区生命园路 9 号院				
	经营范围	临床检验快速检测技术的研发及应用产品系统等				

	指标＼报告期	2016.06.30	2015.12.31	2015.06.30	2014.12.31
主要财务指标	基本每股收益(元)	0.0150	0.0303	0.0538	0.1035
	基本每股收益(扣除后)(元)	0.0147	0.0415	0.0623	0.1804
	稀释每股收益(元)	0.0150	0.0303	0.0538	0.1035
	每股净资产(元)	1.7041	3.3938	6.8515	4.4197
	每股经营现金净流量(元)	0.0069	0.2174	0.0939	0.1895
	每股现金流量(元)	–0.0276	–0.5320	–1.0708	–0.7994
	每股资本公积金(元)	0.3672	1.6813	4.3625	1.7012
	每股盈余公积金(元)	0.0513	0.1031	0.1961	0.2448
	每股未分配利润(元)	0.3143	0.6042	1.2929	1.4737
	净资产收益率(%)	0.8757	0.8558	1.6420	5.2669
	加权净资产收益率(%)	0.8800	1.0700	2.7200	5.3600
	净资产收益率(扣除)(%)	0.8587	1.1709	0.7586	4.0825
	总资产(万元)	210899.70	207019.71	201993.98	79933.80
	归属母公司股东权益(万元)	139990.98	138842.83	140149.84	72412.66
	营业收入(万元)	19455.20	26884.60	5760.29	10096.95
	营业支出(万元)	9406.67	14057.32	1621.02	2163.49
	投资收益(万元)	–200.66	–	–	1136.11
	净利润(万元)	2233.96	1548.06	1947.19	3654.34
	营业利润(万元)	2176.25	1087.41	684.52	3934.27
	利润总额(万元)	2378.98	1473.85	2373.21	4308.56

深圳市麦捷微电子科技股份有限公司

公司概况	公司名称	深圳市麦捷微电子科技股份有限公司			证券简称	麦捷科技
	法人代表	李文燕	董秘	姜波	证券代码	300319
	公司网址	www.szmicrogate.com			电子信箱	securities@szmcirogate.com
	电　话	0755-28085000-320			传　真	0755-28085605
	办公地址	广东省深圳市宝安区观澜街道广培社区裕新路南兴工业园厂房第一栋、第二栋				
	经营范围	生产各类电子元器件、集成电路等电子产品等				

	指标＼报告期	2016.06.30	2015.12.31	2015.06.30	2014.12.31
主要财务指标	基本每股收益(元)	0.2000	0.4700	0.0800	0.2200
	基本每股收益(扣除后)(元)	0.2000	0.4400	0.0700	0.2100
	稀释每股收益(元)	0.2000	0.4700	0.0800	0.2200
	每股净资产(元)	6.0716	5.5865	2.5429	2.4218
	每股经营现金净流量(元)	0.0142	0.1863	0.0750	0.2273
	每股现金流量(元)	0.0242	0.6140	0.2657	–0.0732
	每股资本公积金(元)	4.0630	3.8024	0.7975	0.7110
	每股盈余公积金(元)	0.1001	0.0984	0.1282	0.1282
	每股未分配利润(元)	0.9126	0.6945	0.6289	0.5981
	净资产收益率(%)	3.4027	6.3940	3.1757	8.7732
	加权净资产收益率(%)	3.5700	12.1900	3.2900	8.9700
	净资产收益率(扣除)(%)	3.3675	5.9441	2.8400	8.4095
	总资产(万元)	221760.29	206563.89	49299.46	47424.28
	归属母公司股东权益(万元)	128642.76	120326.63	35285.97	33605.47
	营业收入(万元)	59958.14	67889.83	10806.80	22049.87
	营业支出(万元)	48835.92	53147.84	8092.17	15946.23
	投资收益(万元)	–	93.17	93.17	34.00
	净利润(万元)	4328.92	7686.59	1136.02	2896.88
	营业利润(万元)	4887.03	7985.10	1284.18	3258.79
	利润总额(万元)	4935.88	8500.56	1322.60	3351.08

江阴海达橡塑股份有限公司

公司概况	公司名称	江阴海达橡塑股份有限公司			证券简称	海达股份
	法人代表	钱振宇	董秘	胡蕴新	证券代码	300320
	公司网址	www.haida.cn			电子信箱	haida@haida.cn
	电　话	0510-86900687			传　真	0510-86221558
	办公地址	江苏省江阴市周庄镇云顾路 585 号				
	经营范围	橡胶零配件的研发、生产和销售等				

	指标＼报告期	2016.06.30	2015.12.31	2015.06.30	2014.12.31
主要财务指标	基本每股收益(元)	0.1405	0.2240	0.1522	0.2790
	基本每股收益(扣除后)(元)	0.1366	0.2110	0.1421	0.5890
	稀释每股收益(元)	0.1405	0.2240	0.1522	0.2790
	每股净资产(元)	2.7019	2.6068	2.5353	2.4399
	每股经营现金净流量(元)	0.0589	0.3277	0.0723	0.1989
	每股现金流量(元)	–0.1523	0.0380	–0.0041	–0.0808
	每股资本公积金(元)	0.2250	0.2250	0.2250	1.6950
	每股盈余公积金(元)	0.1510	0.1510	0.1297	0.2853
	每股未分配利润(元)	1.3259	1.2309	1.1806	2.3874
	净资产收益率(%)	5.1990	8.5997	6.0025	11.4523
	加权净资产收益率(%)	5.2500	8.9000	6.0500	12.0100
	净资产收益率(扣除)(%)	5.0574	8.1032	5.6067	10.9696
	总资产(万元)	107235.79	108920.52	105038.93	103642.11
	归属母公司股东权益(万元)	79259.11	76470.96	74371.61	71574.17
	营业收入(万元)	39387.89	82878.69	41140.42	83697.37
	营业支出(万元)	28365.82	61223.64	30331.94	60739.83
	投资收益(万元)	–11.12	–6.57	–	0.70
	净利润(万元)	4149.10	6975.99	4617.87	8553.73
	营业利润(万元)	4755.52	8382.85	5218.83	10669.76
	利润总额(万元)	4893.71	8750.46	5508.49	10640.20

山东同大海岛新材料股份有限公司

公司概况	公司名称	山东同大海岛新材料股份有限公司			证券简称	同大股份
	法人代表	孙俊成	董秘	于洪亮	证券代码	300321
	公司网址	www.td300321.com			电子信箱	tdhdgf@126.com
	电　话	0536-7191939 7199701			传　真	0536-7191956
	办公地址	山东省昌邑市同大街 522 号				
	经营范围	海岛纤维材料、鞋材、服装面料(不含棉纺)、沙发革、汽车座套及高档擦拭布等生产销售				

	指标＼报告期	2016.06.30	2015.12.31	2015.06.30	2014.12.31
主要财务指标	基本每股收益(元)	0.1624	0.7791	0.2549	0.6548
	基本每股收益(扣除后)(元)	0.1463	0.7311	0.5099	0.6357
	稀释每股收益(元)	0.1624	0.7791	0.2549	0.6558
	每股净资产(元)	6.2897	6.3048	12.3404	12.0076
	每股经营现金净流量(元)	0.1049	1.6854	0.7377	2.4442
	每股现金流量(元)	–0.2429	0.2991	–0.4453	–0.2601
	每股资本公积金(元)	2.6809	6.3618	6.3618	6.3618
	每股盈余公积金(元)	0.3046	0.6091	0.5312	0.5312
	每股未分配利润(元)	2.3042	4.6388	4.4474	4.1146
	净资产收益率(%)	2.5812	6.1788	4.1318	5.4615
	加权净资产收益率(%)	2.5400	6.2800	4.1700	5.5500
	净资产收益率(扣除)(%)	2.3266	5.7979	4.0085	5.2946
	总资产(万元)	65892.91	68954.97	72027.66	72132.21
	归属母公司股东权益(万元)	55852.54	55987.07	54791.59	53313.61
	营业收入(万元)	21729.17	45321.52	25442.25	49074.49
	营业支出(万元)	17636.17	35630.27	19684.97	40483.81
	投资收益(万元)	38.00	–	–	4.37
	净利润(万元)	1441.67	3459.34	2263.86	2911.74
	营业利润(万元)	1570.16	3742.02	2586.64	3190.20
	利润总额(万元)	1699.44	3992.89	2666.08	3286.69

惠州硕贝德无线科技股份有限公司

公司概况	公司名称	惠州硕贝德无线科技股份有限公司		证券简称	硕 贝 德
	法人代表	朱坤华	董秘 孙文科	证券代码	300322
	公司网址	www.speed-hz.com		电子信箱	speed@speed-hz.com
	电　话	0752-2836716		传　真	0752-2836145
	办公地址	广东省惠州市东江高新区上霞片区 SX-01-02 号			
	经营范围	无线通信终端天线的研发、生产和销售等			

主要财务指标	指标\报告期	2016.06.30	2015.12.31	2015.06.30	2014.12.31
	基本每股收益(元)	0.1200	-0.2600	-0.0700	0.2400
	基本每股收益(扣除后)(元)	0.0100	-0.2700	-0.0700	0.2300
	稀释每股收益(元)	0.1200	-0.2600	-0.0700	0.2400
	每股净资产(元)	1.3499	1.2082	1.3520	2.5919
	每股经营现金净流量(元)	-0.2368	-0.0752	0.1188	0.0505
	每股现金流量(元)	0.0164	0.0365	0.0567	-0.5592
	每股资本公积金(元)	0.1619	0.1448	0.1044	0.9269
	每股盈余公积金(元)	0.0474	0.0475	0.0477	0.0859
	每股未分配利润(元)	0.1573	0.0331	0.2229	0.6205
	净资产收益率(%)	9.2077	-21.0787	-4.9037	9.3458
	加权净资产收益率(%)	9.8100	-19.9000	-4.6000	9.9300
	净资产收益率(扣除)(%)	0.8690	-22.2121	-5.1395	8.7039
	总资产(万元)	210459.79	0.01	103774.28	112343.35
	归属母公司股东权益(万元)	55104.27	49199.23	54785.91	58349.16
	营业收入(万元)	80469.18	77058.54	32352.33	83814.34
	营业支出(万元)	65347.84	64091.35	24857.92	63471.73
	投资收益(万元)	4133.28	9.13	-	-
	净利润(万元)	4231.21	-12146.27	-2974.08	4920.25
	营业利润(万元)	3341.97	-12857.07	-4081.22	5038.79
	利润总额(万元)	4185.78	-12029.92	-3886.87	5477.72

华灿光电股份有限公司

公司概况	公司名称	华灿光电股份有限公司		证券简称	华灿光电
	法人代表	刘榕	董秘 叶爱民	证券代码	300323
	公司网址	www.hcsemitek.com		电子信箱	zq@hcsemitek.com
	电　话	027-81929003		传　真	027-81929091-9003
	办公地址	湖北省武汉市东湖开发区滨湖路 8 号			
	经营范围	LED 外延片及芯片的研发、生产和销售业务等			

主要财务指标	指标\报告期	2016.06.30	2015.12.31	2015.06.30	2014.12.31
	基本每股收益(元)	0.0800	-0.1400	0.0200	0.1300
	基本每股收益(扣除后)(元)	-0.0500	-0.2800	0.0030	0.0400
	稀释每股收益(元)	0.0800	-0.1400	0.0200	0.1300
	每股净资产(元)	4.8181	2.4731	2.6546	3.9292
	每股经营现金净流量(元)	0.2797	-0.0387	-0.0195	-0.2887
	每股现金流量(元)	0.8338	0.0389	-0.0576	-0.0389
	每股资本公积金(元)	3.4524	1.2131	1.2131	2.3197
	每股盈余公积金(元)	0.0312	0.0312	0.0312	0.0468
	每股未分配利润(元)	0.3118	0.2330	0.3938	0.5627
	净资产收益率(%)	1.6349	-5.7485	0.7015	5.1413
	加权净资产收益率(%)	3.1400	-5.5800	0.7100	5.2800
	净资产收益率(扣除)(%)	-1.0471	-11.4211	0.1294	0.9148
	总资产(万元)	634438.10	421511.41	409151.79	377855.86
	归属母公司股东权益(万元)	325219.03	166935.97	179184.35	176815.17
	营业收入(万元)	61295.28	95539.36	43423.52	70608.16
	营业支出(万元)	50390.00	79539.92	31545.54	49984.06
	投资收益(万元)	-860.38	-	-	-
	净利润(万元)	5317.16	-9596.39	1256.95	9090.62
	营业利润(万元)	-2920.26	-19974.64	45.49	1160.32
	利润总额(万元)	6434.01	-9177.41	1346.44	10706.96

北京旋极信息技术股份有限公司

公司概况	公司名称	北京旋极信息技术股份有限公司		证券简称	旋极信息
	法人代表	陈江涛	董秘 黄海涛	证券代码	300324
	公司网址	www.watertek.com		电子信箱	investor@watertek.com
	电　话	010-82885950		传　真	010-82885950
	办公地址	北京市海淀区丰秀中路 3 号院 12 号楼			
	经营范围	嵌入式系统的开发、生产、销售和技术服务业务等			

主要财务指标	指标\报告期	2016.06.30	2015.12.31	2015.06.30	2014.12.31
	基本每股收益(元)	0.1143	0.2172	0.0232	0.1501
	基本每股收益(扣除后)(元)	0.1162	0.2157	0.0915	0.2900
	稀释每股收益(元)	0.1143	0.2172	0.0232	0.1501
	每股净资产(元)	1.4275	1.3549	1.6283	3.1472
	每股经营现金净流量(元)	0.1832	0.6877	0.0766	0.0654
	每股现金流量(元)	0.1771	0.3969	-0.0765	-0.0209
	每股资本公积金(元)	0.1446	1.2880	0.2292	1.3739
	每股盈余公积金(元)	0.0178	0.0359	0.0379	0.0760
	每股未分配利润(元)	0.3029	0.5084	0.3627	0.7004
	净资产收益率(%)	7.0048	7.6157	2.6345	9.3316
	加权净资产收益率(%)	7.1900	12.8800	2.6900	11.8000
	净资产收益率(扣除)(%)	7.1236	7.5633	2.8087	8.8997
	总资产(万元)	251632.72	219347.63	119591.66	105012.62
	归属母公司股东权益(万元)	142742.45	135485.24	77017.44	74342.34
	营业收入(万元)	79100.33	98031.92	32665.02	36243.21
	营业支出(万元)	28719.14	49040.83	14250.09	15513.28
	投资收益(万元)	-507.96	699.85	17.28	219.73
	净利润(万元)	21889.80	11560.15	3114.85	6727.80
	营业利润(万元)	23334.67	12928.48	4766.69	7547.74
	利润总额(万元)	26311.95	15109.00	5389.07	8203.55

江苏德威新材料股份有限公司

公司概况	公司名称	江苏德威新材料股份有限公司		证券简称	德威新材
	法人代表	周建明	董秘 李红梅	证券代码	300325
	公司网址	www.chinadewei.com		电子信箱	dongmi@chinadewei.com
	电　话	0512-53229379 53229354		传　真	0512-53222355
	办公地址	江苏省苏州市太仓市沙溪镇沙南东路 99 号			
	经营范围	线缆用高分子材料的研发、生产、销售等			

主要财务指标	指标\报告期	2016.06.30	2015.12.31	2015.06.30	2014.12.31
	基本每股收益(元)	0.0800	0.2000	0.1000	0.1800
	基本每股收益(扣除后)(元)	0.0800	0.1910	0.1000	0.1800
	稀释每股收益(元)	0.0800	0.2000	0.1000	0.1800
	每股净资产(元)	3.5147	2.5700	2.4715	2.4085
	每股经营现金净流量(元)	-0.8118	0.1794	-0.1605	0.2337
	每股现金流量(元)	1.0347	0.2034	-0.1547	-0.1331
	每股资本公积金(元)	1.6465	0.3650	0.3650	0.3650
	每股盈余公积金(元)	0.1046	0.1330	0.1155	0.1155
	每股未分配利润(元)	0.8742	1.0683	0.9911	0.9281
	净资产收益率(%)	2.0861	7.6962	4.1669	7.6265
	加权净资产收益率(%)	2.5800	7.9400	4.1900	7.8900
	净资产收益率(扣除)(%)	2.1050	7.4320	3.9148	7.4707
	总资产(万元)	306445.94	214773.85	196788.12	180910.47
	归属母公司股东权益(万元)	142988.38	82164.91	79086.45	77071.70
	营业收入(万元)	89744.03	156803.27	70388.16	137851.11
	营业支出(万元)	78288.21	135726.45	60569.88	120429.57
	投资收益(万元)	22.53	122.89	102.71	163.78
	净利润(万元)	2936.43	6507.82	3432.95	6100.63
	营业利润(万元)	3660.26	7616.69	3927.45	7195.45
	利润总额(万元)	3632.42	7860.27	4159.98	7338.63

上海凯利泰医疗科技股份有限公司

公司概况						
公司名称	上海凯利泰医疗科技股份有限公司			证券简称	凯利泰	
法人代表	秦杰	董秘	丁魁	证券代码	300326	
公司网址	www.kineticmedinc.com.cn			电子信箱	KMC@shkmc.com.cn	
电话	021-50728758			传真	021-50728758	
办公地址	上海市浦东新区张江高科技园区东区瑞庆路528号23幢					
经营范围	椎体成形微创介入手术系统的研发、生产和销售等					

主要财务指标 指标＼报告期	2016.06.30	2015.12.31	2015.06.30	2014.12.31
基本每股收益(元)	0.1842	0.3426	0.1980	0.1939
基本每股收益(扣除后)(元)	0.1645	0.2557	0.1218	0.3617
稀释每股收益(元)	0.1825	0.3386	0.1980	0.1939
每股净资产(元)	4.3295	3.3164	3.1768	5.9304
每股经营现金净流量(元)	0.0733	0.3157	0.0021	0.4059
每股现金流量(元)	0.7699	-0.3161	-0.5349	0.4153
每股资本公积金(元)	2.4348	1.4947	1.4625	3.8821
每股盈余公积金(元)	0.0724	0.0755	0.0688	0.1376
每股未分配利润(元)	0.8267	0.7463	0.6455	0.9106
净资产收益率(%)	3.8654	10.3306	7.4018	5.9598
加权净资产收益率(%)	5.1600	11.0000	7.6300	9.3200
净资产收益率(扣除)(%)	3.4521	7.7096	3.8331	5.5573
总资产(万元)	208444.56	169574.19	153879.02	131259.78
归属母公司股东权益(万元)	171205.50	116786.95	111868.79	104417.46
营业收入(万元)	26286.47	46288.52	20398.32	22235.56
营业支出(万元)	6350.43	12451.92	5847.95	8375.78
投资收益(万元)	-1.56	3113.89	4613.19	1088.44
净利润(万元)	7267.48	14981.75	9442.41	6693.70
营业利润(万元)	7696.72	16722.32	10670.82	7419.28
利润总额(万元)	8517.39	17313.55	10849.13	7766.53

中颖电子股份有限公司

公司概况						
公司名称	中颖电子股份有限公司			证券简称	中颖电子	
法人代表	傅启明	董秘	潘一德	证券代码	300327	
公司网址	www.sinowealth.com			电子信箱	ir@sinowealth.com	
电话	021-61219988 1688			传真	021-61219989	
办公地址	上海市长宁区金钟路767弄3号					
经营范围	集成电路的设计、制造、加工、与研发相关电子系统模块、销售自产产品等					

主要财务指标 指标＼报告期	2016.06.30	2015.12.31	2015.06.30	2014.12.31
基本每股收益(元)	0.2214	0.2920	0.1222	0.1832
基本每股收益(扣除后)(元)	0.2159	0.2880	0.1222	0.1758
稀释每股收益(元)	0.2205	0.2918	0.1222	0.1832
每股净资产(元)	3.7755	3.5433	3.3819	3.3960
每股经营现金净流量(元)	0.1742	0.2537	0.1867	0.2962
每股现金流量(元)	0.0281	-0.7400	-0.8451	0.4926
每股资本公积金(元)	2.1301	2.1193	1.9833	2.2816
每股盈余公积金(元)	0.1499	0.1270	0.1061	0.1032
每股未分配利润(元)	0.6304	0.4320	0.2925	0.3508
净资产收益率(%)	5.8632	8.1071	3.6134	5.3933
加权净资产收益率(%)	6.0500	8.3900	3.5300	5.4100
净资产收益率(扣除)(%)	5.7196	7.9949	3.6111	4.7064
总资产(万元)	76325.67	74022.87	66459.08	63690.97
归属母公司股东权益(万元)	65431.00	61407.06	57616.11	57857.40
营业收入(万元)	23898.96	41137.14	20575.24	37107.32
营业支出(万元)	13502.28	23725.07	12484.60	23597.15
投资收益(万元)	497.45	693.51	166.80	-
净利润(万元)	3836.34	4978.32	2081.91	3120.42
营业利润(万元)	4315.34	5326.19	2385.87	2557.88
利润总额(万元)	4427.22	5407.62	2387.54	3019.50

东莞宜安科技股份有限公司

公司概况						
公司名称	东莞宜安科技股份有限公司			证券简称	宜安科技	
法人代表	李扬德	董秘	张春联	证券代码	300328	
公司网址	www.e-ande.com			电子信箱	eon@e-ande.com	
电话	0769-87387777			传真	0769-87367777	
办公地址	广东省东莞市清溪镇银泉工业区					
经营范围	铝合金、镁合金等轻合金精密压铸件的研究、开发、生产和销售等					

主要财务指标 指标＼报告期	2016.06.30	2015.12.31	2015.06.30	2014.12.31
基本每股收益(元)	0.0340	0.2400	0.0506	0.2184
基本每股收益(扣除后)(元)	0.0241	0.1979	0.0716	0.3629
稀释每股收益(元)	0.0340	0.2400	0.0506	0.2184
每股净资产(元)	1.6758	2.9985	2.8318	5.5852
每股经营现金净流量(元)	0.0732	0.5628	0.2921	0.2623
每股现金流量(元)	0.1818	0.2733	0.1310	-0.2901
每股资本公积金(元)	0.1077	0.9391	0.9265	2.7567
每股盈余公积金(元)	0.0629	0.1133	0.0943	0.1886
每股未分配利润(元)	0.5026	0.9435	0.8136	1.6450
净资产收益率(%)	2.0263	8.0054	3.2169	7.8202
加权净资产收益率(%)	2.0100	8.3100	3.2100	8.1100
净资产收益率(扣除)(%)	1.4373	6.6008	2.5300	6.4974
总资产(万元)	104520.01	92363.35	89094.89	85669.32
归属母公司股东权益(万元)	67567.80	67166.61	63432.78	62554.13
营业收入(万元)	23986.11	55522.61	26146.94	51463.55
营业支出(万元)	16695.08	39195.50	18750.48	37027.21
投资收益(万元)	2.74	9.27	9.27	17.19
净利润(万元)	1306.79	5356.26	2038.04	4890.28
营业利润(万元)	999.39	5104.57	1832.83	4808.81
利润总额(万元)	1469.75	6295.40	2346.03	5782.91

海伦钢琴股份有限公司

公司概况						
公司名称	海伦钢琴股份有限公司			证券简称	海伦钢琴	
法人代表	陈海伦	董秘	石定靖	证券代码	300329	
公司网址	www.hailunpiano.com			电子信箱	phil@hailunpiano.com	
电话	0574-86813822			传真	0574-55221607	
办公地址	浙江省宁波市北仑区龙潭山路36号					
经营范围	钢琴制造、乐器制品、汽车配件、装潢五金、模具制品、非金属制品模具设计、加工、制造					

主要财务指标 指标＼报告期	2016.06.30	2015.12.31	2015.06.30	2014.12.31
基本每股收益(元)	0.0710	0.1285	0.0646	0.1065
基本每股收益(扣除后)(元)	0.0500	0.1100	0.0900	0.1700
稀释每股收益(元)	0.0710	0.1285	0.0646	0.1065
每股净资产(元)	3.1231	3.0761	4.1130	4.0306
每股经营现金净流量(元)	-0.0228	0.1914	0.0124	0.0385
每股现金流量(元)	-0.9592	0.7127	-0.1430	-0.3150
每股资本公积金(元)	1.3920	1.4504	1.9448	1.9448
每股盈余公积金(元)	0.0947	0.0913	0.1527	0.1404
每股未分配利润(元)	0.6364	0.6215	1.0155	0.9454
净资产收益率(%)	2.2737	4.0096	2.8287	4.7566
加权净资产收益率(%)	2.2800	5.6000	2.8500	4.8500
净资产收益率(扣除)(%)	1.6955	3.3022	2.2289	4.2552
总资产(万元)	89442.13	88951.85	68145.60	66843.16
归属母公司股东权益(万元)	78480.51	77299.16	55105.40	54002.17
营业收入(万元)	17946.84	36906.16	17540.10	35308.24
营业支出(万元)	13102.46	26444.56	12515.37	25865.00
投资收益(万元)	490.20	41.39	-	-
净利润(万元)	1774.68	3128.52	1571.48	2602.94
营业利润(万元)	1944.34	3037.56	1470.52	2699.94
利润总额(万元)	2130.33	3645.52	1838.99	2980.55

上海华虹计通智能系统股份有限公司

公司概况

公司名称	上海华虹计通智能系统股份有限公司			证券简称	华虹计通
法人代表	项翔	董秘	佘嘉音	证券代码	300330
公司网址	www.huahongjt.com		电子信箱	hhjt@huahongjt.com	
电　话	021-31016917		传　真	021-31016909	
办公地址	上海市浦东新区锦绣东路 2777 弄 9 号楼				
经营范围	设计、开发、生产和销售智能卡读写设备及系统、自动售检票设备及系统等				

主要财务指标

指标\报告期	2016.06.30	2015.12.31	2015.06.30	2014.12.31
基本每股收益(元)	-0.0463	-0.0800	0.0040	0.0800
基本每股收益(扣除后)(元)	-0.0493	-0.1000	0.0040	-0.0300
稀释每股收益(元)	-0.0463	-0.0800	0.0040	0.0800
每股净资产(元)	2.3973	2.5742	2.5742	2.5699
每股经营现金净流量(元)	-0.0635	-0.0505	0.0259	-0.2337
每股现金流量(元)	-0.5978	-0.0944	0.0241	-0.2055
每股资本公积金(元)	1.1463	1.1596	1.1776	1.1776
每股盈余公积金(元)	0.0731	0.0731	0.0727	0.0727
每股未分配利润(元)	0.1915	0.2378	0.3411	0.3369
净资产收益率(%)	-1.9315	-3.2744	0.1666	3.0422
加权净资产收益率(%)	-1.9100	-3.1600	0.1700	3.0100
净资产收益率(扣除)(%)	-1.9636	-3.8704	0.1659	-1.3171
总资产(万元)	54109.85	55153.90	60680.50	61694.98
归属母公司股东权益(万元)	40569.79	41579.53	43779.92	43706.99
营业收入(万元)	7866.47	21209.12	10151.88	22705.47
营业支出(万元)	6794.74	18554.71	8360.59	18949.43
投资收益(万元)	51.05	210.30	31.05	-
净利润(万元)	-783.60	-1361.48	72.92	1329.67
营业利润(万元)	-796.61	-1683.79	85.46	-709.21
利润总额(万元)	-783.60	-1392.23	85.79	1532.37

苏州苏大维格光电科技股份有限公司

公司概况

公司名称	苏州苏大维格光电科技股份有限公司			证券简称	苏大维格
法人代表	陈林森	董秘	姚维品	证券代码	300331
公司网址	www.svgoptronics.com		电子信箱	info@svgoptronics.com	
电　话	0512-62868882-881		传　真	0512-62589155	
办公地址	江苏省苏州市苏州工业园区科教创新区新昌路 68 号				
经营范围	微纳光学产品的设计、开发与制造、关键制造设备的研制和相关技术的研发服务等				

主要财务指标

指标\报告期	2016.06.30	2015.12.31	2015.06.30	2014.12.31
基本每股收益(元)	0.0300	0.0500	0.0100	0.0400
基本每股收益(扣除后)(元)	-0.0300	-0.0400	-0.0800	-0.1100
稀释每股收益(元)	0.0300	0.0500	0.0100	0.0400
每股净资产(元)	2.6403	2.6161	5.1884	5.1428
每股经营现金净流量(元)	-0.1307	0.1218	-0.0221	0.0559
每股现金流量(元)	-0.1432	-0.1800	-0.8175	0.0005
每股资本公积金(元)	0.9202	0.9046	2.8584	2.8028
每股盈余公积金(元)	0.1278	0.1278	0.2157	0.2157
每股未分配利润(元)	0.5923	0.5837	1.1143	1.1243
净资产收益率(%)	1.0816	1.9689	0.1933	1.6532
加权净资产收益率(%)	1.0900	1.9900	0.1900	1.7000
净资产收益率(扣除)(%)	-0.9676	-1.5098	-1.5458	-2.1830
总资产(万元)	71826.72	70060.76	67998.60	69262.94
归属母公司股东权益(万元)	49109.12	48659.18	48252.25	47827.64
营业收入(万元)	18127.94	36515.79	17040.02	35730.27
营业支出(万元)	12644.37	26250.45	12350.50	25874.48
投资收益(万元)	92.44	170.59	70.12	-
净利润(万元)	356.07	351.79	-191.18	164.00
营业利润(万元)	-377.83	-926.93	-762.86	-1436.30
利润总额(万元)	723.60	882.85	146.91	733.64

天壕环境股份有限公司

公司概况

公司名称	天壕环境股份有限公司			证券简称	天壕环境
法人代表	陈作涛	董秘	王祖锋	证券代码	300332
公司网址	www.trce.com.cn		电子信箱	ir@trce.com.cn	
电　话	010-62211992		传　真	010-62213992	
办公地址	北京市海淀区西直门北大街 32 号枫蓝国际中心 2 号楼 906 室				
经营范围	能源技术咨询、技术开发、工业废气余热发电等节能项目的工程设计等				

主要财务指标

指标\报告期	2016.06.30	2015.12.31	2015.06.30	2014.12.31
基本每股收益(元)	0.0776	0.4100	0.0948	0.4400
基本每股收益(扣除后)(元)	0.0467	0.4000	0.1900	0.4200
稀释每股收益(元)	0.0763	0.4000	0.0922	0.4300
每股净资产(元)	2.9610	2.9140	4.2938	4.1968
每股经营现金净流量(元)	0.0158	0.1155	-0.0480	0.0817
每股现金流量(元)	-0.0003	0.0109	-0.1320	-0.3635
每股资本公积金(元)	1.3338	3.6526	2.2101	2.1975
每股盈余公积金(元)	0.0349	0.0698	0.0539	0.0539
每股未分配利润(元)	0.6224	1.1732	1.2054	1.1210
净资产收益率(%)	2.5777	6.2239	4.2941	10.1433
加权净资产收益率(%)	2.5900	8.3200	4.3100	10.6200
净资产收益率(扣除)(%)	1.5510	5.9771	4.2413	9.8186
总资产(万元)	505979.69	414071.26	237350.02	236997.57
归属母公司股东权益(万元)	229293.10	225655.12	141288.68	138097.04
营业收入(万元)	63490.38	95343.02	24085.77	44775.05
营业支出(万元)	50708.77	70077.28	14108.59	23878.06
投资收益(万元)	2178.00	278.27	-	244.63
净利润(万元)	6172.44	13869.43	5911.33	13862.59
营业利润(万元)	5635.96	11083.46	4996.60	11454.86
利润总额(万元)	7566.43	15386.79	6548.44	16007.14

深圳兆日科技股份有限公司

公司概况

公司名称	深圳兆日科技股份有限公司			证券简称	兆日科技
法人代表	魏恺言	董秘	余凯	证券代码	300333
公司网址	www.sinosun.com.cn		电子信箱	IR@sinosun.com.cn	
电　话	0755-23609873		传　真	0755-83420054	
办公地址	广东省深圳市福田区车公庙泰然八路泰然大厦 C 座 1605				
经营范围	计算机软件、硬件、电子产品的技术开发、销售和技术咨询等				

主要财务指标

指标\报告期	2016.06.30	2015.12.31	2015.06.30	2014.12.31
基本每股收益(元)	0.0444	0.1239	0.0649	0.1102
基本每股收益(扣除后)(元)	0.0424	0.1182	0.1900	0.3300
稀释每股收益(元)	0.0444	0.1239	0.0649	0.1102
每股净资产(元)	2.5130	7.5409	7.3638	7.2692
每股经营现金净流量(元)	-0.0267	0.1327	-0.0443	0.2656
每股现金流量(元)	-0.4668	0.0717	-2.3590	2.4843
每股资本公积金(元)	1.1468	1.1468	5.4404	5.4404
每股盈余公积金(元)	0.0836	0.0836	0.2181	0.2181
每股未分配利润(元)	0.2826	0.2832	0.7052	0.6106
净资产收益率(%)	1.7678	4.9292	2.6426	4.5479
加权净资产收益率(%)	1.7600	5.0300	2.6500	4.6000
净资产收益率(扣除)(%)	1.6875	4.7016	2.6427	4.5492
总资产(万元)	87043.47	89102.29	85676.39	85409.08
归属母公司股东权益(万元)	84438.33	84457.61	82474.03	81414.56
营业收入(万元)	8478.48	20014.31	9104.38	18052.51
营业支出(万元)	3035.70	7244.11	2822.87	6800.57
投资收益(万元)	92.52	225.75	103.48	-
净利润(万元)	2106.06	5861.98	3238.28	4860.21
营业利润(万元)	2602.45	7221.91	4123.23	5649.60
利润总额(万元)	2689.52	7500.90	4210.52	5983.11

天津膜天膜科技股份有限公司

公司概况	公司名称	天津膜天膜科技股份有限公司			证券简称	津膜科技
	法人代表	李新民	董秘	郝锴	证券代码	300334
	公司网址	www.motimo.com			电子信箱	IR@motimo.com.cn
	电　话	022-66230126			传　真	022-66230122
	办公地址	天津市经济技术开发区第11大街60号				
	经营范围	生产销售中空纤维膜、膜组件、膜分离设备、水处理设备及相关产品等				

	指标\报告期	2016.06.30	2015.12.31	2015.06.30	2014.12.31
主要财务指标	基本每股收益(元)	0.0200	0.2000	0.0600	0.3300
	基本每股收益(扣除后)(元)	0.0200	0.1200	0.0600	0.3000
	稀释每股收益(元)	0.0200	0.2000	0.0600	0.3300
	每股净资产(元)	4.6530	4.6522	3.3054	3.2838
	每股经营现金净流量(元)	-0.4156	-0.6559	-0.5465	-0.3983
	每股现金流量(元)	-0.5298	1.3201	-0.4785	-0.4793
	每股资本公积金(元)	2.5000	2.5000	1.2278	1.2278
	每股盈余公积金(元)	0.1273	0.1273	0.1135	0.1135
	每股未分配利润(元)	1.0258	1.0249	0.9641	0.9424
	净资产收益率(%)	0.4486	4.1187	1.9151	9.9679
	加权净资产收益率(%)	0.4400	5.8100	1.9200	10.4300
	净资产收益率(扣除)(%)	0.3725	2.4350	1.6910	9.0857
	总资产(万元)	214125.61	211828.49	131917.72	124936.32
	归属母公司股东权益(万元)	128441.03	128416.93	86271.72	85706.82
	营业收入(万元)	24372.78	60462.04	21373.35	52449.55
	营业支出(万元)	14551.88	41266.68	15159.17	32606.58
	投资收益(万元)	214.49	420.41	352.38	360.55
	净利润(万元)	639.04	5330.08	1669.50	8530.24
	营业利润(万元)	318.99	3175.89	1692.13	9084.68
	利润总额(万元)	434.04	5718.60	1920.51	9975.59

广州迪森热能技术股份有限公司

公司概况	公司名称	广州迪森热能技术股份有限公司			证券简称	迪森股份
	法人代表	马革	董秘	黄博	证券代码	300335
	公司网址	www.devotiongroup.com			电子信箱	zcl@devotiongroup.com
	电　话	020-82199956			传　真	020-82199901
	办公地址	广东省广州市经济开发区东区东众路42号				
	经营范围	利用生物质燃料等新型清洁能源、为客户提供热能服务等				

	指标\报告期	2016.06.30	2015.12.31	2015.06.30	2014.12.31
主要财务指标	基本每股收益(元)	0.1198	0.1400	0.1441	0.2000
	基本每股收益(扣除后)(元)	0.0913	0.1100	0.0788	0.1700
	稀释每股收益(元)	0.1198	0.1400	0.1441	0.2000
	每股净资产(元)	2.6784	4.5869	2.5552	2.4802
	每股经营现金净流量(元)	0.1745	0.2776	0.1971	-0.0029
	每股现金流量(元)	-1.0646	2.3179	0.1175	-0.4121
	每股资本公积金(元)	0.8854	3.3202	0.9403	0.9100
	每股盈余公积金(元)	0.0975	0.1114	0.0996	0.0996
	每股未分配利润(元)	0.7312	0.7276	0.5591	0.5149
	净资产收益率(%)	4.4731	2.7970	4.0752	8.0630
	加权净资产收益率(%)	2.7400	5.4200	4.1300	7.4700
	净资产收益率(扣除)(%)	3.4070	2.1662	3.0828	6.6140
	总资产(万元)	206030.83	228227.42	106973.94	103512.95
	归属母公司股东权益(万元)	96925.73	166250.80	80807.99	78443.04
	营业收入(万元)	34481.60	50891.60	23280.76	57334.54
	营业支出(万元)	22431.17	35038.54	16186.20	41546.04
	投资收益(万元)	48.06	-	-	-37.59
	净利润(万元)	4266.92	4212.53	3231.69	6292.97
	营业利润(万元)	3928.93	3137.87	2084.84	6371.41
	利润总额(万元)	4785.32	4645.70	3623.27	6906.06

上海新文化传媒集团股份有限公司

公司概况	公司名称	上海新文化传媒集团股份有限公司			证券简称	新 文 化
	法人代表	杨震华	董秘	盛文蕾	证券代码	300336
	公司网址	www.ncmedia.com.cn			电子信箱	xinwenhua@ncmedia.com.cn
	电　话	021-65871976			传　真	021-65873968
	办公地址	上海市虹口区东江湾路444号北区238室				
	经营范围	影视剧的投资、制作、发行及衍生业务等				

	指标\报告期	2016.06.30	2015.12.31	2015.06.30	2014.12.31
主要财务指标	基本每股收益(元)	0.2161	0.4700	0.2043	0.2900
	基本每股收益(扣除后)(元)	0.1506	0.4400	0.2000	0.5900
	稀释每股收益(元)	0.2161	0.4700	0.2043	0.2900
	每股净资产(元)	4.9577	4.9269	4.7042	5.3941
	每股经营现金净流量(元)	0.0219	-0.0970	-0.2932	-0.6125
	每股现金流量(元)	0.1321	0.0863	-0.1640	-0.5997
	每股资本公积金(元)	2.7727	2.7727	2.7727	2.5121
	每股盈余公积金(元)	0.1098	0.0883	0.0847	0.2173
	每股未分配利润(元)	1.0250	0.9303	0.6770	1.4694
	净资产收益率(%)	4.3593	9.3704	4.3423	11.7163
	加权净资产收益率(%)	4.3400	10.2400	5.4200	12.6800
	净资产收益率(扣除)(%)	3.0385	8.8882	4.2075	11.0210
	总资产(万元)	385609.77	372256.56	349030.61	140333.97
	归属母公司股东权益(万元)	266501.09	264845.36	252871.13	103567.40
	营业收入(万元)	54652.82	102608.74	43264.24	62068.63
	营业支出(万元)	35635.86	55089.10	22516.46	39794.33
	投资收益(万元)	2929.30	863.20	-5.01	-13.80
	净利润(万元)	11551.99	24826.88	11039.80	12137.95
	营业利润(万元)	13615.57	31544.08	13340.89	15225.34
	利润总额(万元)	15525.28	33039.38	13805.57	16184.27

银邦金属复合材料股份有限公司

公司概况	公司名称	银邦金属复合材料股份有限公司			证券简称	银邦股份
	法人代表	沈健生	董秘	张稷	证券代码	300337
	公司网址	www.cn-yinbang.com			电子信箱	stock@cn-yinbang.com
	电　话	0510-88991610			传　真	0510-88990799
	办公地址	江苏省无锡市新区鸿山街道后宅鸿山路99号				
	经营范围	铝合金复合材料、铝基多金属复合材料以及铝合金非复合材料的研究、生产和销售等				

	指标\报告期	2016.06.30	2015.12.31	2015.06.30	2014.12.31
主要财务指标	基本每股收益(元)	0.0028	-0.2273	-0.0368	0.0677
	基本每股收益(扣除后)(元)	0.0014	-0.2324	-0.0800	0.1300
	稀释每股收益(元)	0.0028	-0.2273	-0.0368	0.0677
	每股净资产(元)	1.8572	1.8543	4.4987	4.6245
	每股经营现金净流量(元)	-0.1838	-0.3456	-0.7230	-0.2914
	每股现金流量(元)	0.0286	-0.0080	-0.0091	-0.0473
	每股资本公积金(元)	0.6952	0.6952	2.7294	2.7294
	每股盈余公积金(元)	0.0448	0.0448	0.0986	0.0986
	每股未分配利润(元)	0.1171	0.1143	0.6705	0.7964
	净资产收益率(%)	0.1531	-12.2559	-1.7968	3.2194
	加权净资产收益率(%)	0.1500	-11.4900	-1.3400	3.2500
	净资产收益率(扣除)(%)	0.0779	-12.5345	-1.7654	2.8663
	总资产(万元)	251731.32	244720.06	277035.69	260048.76
	归属母公司股东权益(万元)	152643.59	152408.64	168071.03	172770.57
	营业收入(万元)	76518.81	136070.90	72100.65	142870.93
	营业支出(万元)	72512.07	136692.74	67609.51	122588.00
	投资收益(万元)	1396.97	-91.17	-123.01	-58.14
	净利润(万元)	232.74	-18694.98	-3029.97	5553.72
	营业利润(万元)	97.98	-20039.98	-3028.24	6015.02
	利润总额(万元)	232.74	-19435.50	-3115.71	6709.82

长沙开元仪器股份有限公司

公司概况	公司名称	长沙开元仪器股份有限公司		证券简称	开元仪器
	法人代表	罗建文	董秘 郭剑锋	证券代码	300338
	公司网址	www.chs5e.com		电子信箱	gojefe@126.com
	电　话	0731-84874926		传　真	0731-84874926
	办公地址	湖南省长沙市经济技术开发区开元路 172 号			
	经营范围	检测分析测量仪器、设备及相关软件的开发、生产、销售等			

主要财务指标	指标\报告期	2016.06.30	2015.12.31	2015.06.30	2014.12.31
	基本每股收益(元)	0.0200	0.0151	0.0139	0.1942
	基本每股收益(扣除后)(元)	0.0148	0.0057	0.0081	0.3558
	稀释每股收益(元)	0.0200	0.0151	0.0139	0.1942
	每股净资产(元)	2.9919	2.9794	2.9744	6.0132
	每股经营现金净流量(元)	-0.1494	-0.0836	-0.1811	0.2868
	每股现金流量(元)	-0.1753	0.1962	-0.1655	-0.0149
	每股资本公积金(元)	1.1360	1.1360	1.1360	3.2721
	每股盈余公积金(元)	0.0993	0.0993	0.0993	0.1987
	每股未分配利润(元)	0.7225	0.7125	0.7114	1.4949
	净资产收益率(%)	0.6688	0.5053	0.4685	6.4590
	加权净资产收益率(%)	0.6700	0.5000	0.4600	6.5800
	净资产收益率(扣除)(%)	0.4950	0.1918	0.2709	5.9176
	总资产(万元)	90635.42	93107.18	85344.75	87878.39
	归属母公司股东权益(万元)	75397.00	75079.94	74953.71	75766.85
	营业收入(万元)	13849.92	28247.87	9933.61	30739.05
	营业支出(万元)	7474.26	14985.58	4823.62	14267.55
	投资收益(万元)	-2.66	-	-	-
	净利润(万元)	440.74	185.24	236.82	4788.50
	营业利润(万元)	0.07	-787.29	-280.73	4579.31
	利润总额(万元)	678.93	477.63	333.45	5732.41

江苏润和软件股份有限公司

公司概况	公司名称	江苏润和软件股份有限公司		证券简称	润和软件
	法人代表	周红卫	董秘 朱祖龙	证券代码	300339
	公司网址	www.hoperun.com		电子信箱	company@hoperun.com
	电　话	025-52668518		传　真	025-52668895
	办公地址	江苏省南京市雨花台区软件大道 168 号			
	经营范围	为国际、国内客户提供专业领域的软件外包服务等			

主要财务指标	指标\报告期	2016.06.30	2015.12.31	2015.06.30	2014.12.31
	基本每股收益(元)	0.1400	0.6400	0.1000	0.4500
	基本每股收益(扣除后)(元)	0.1000	0.4100	0.0900	0.3200
	稀释每股收益(元)	0.1400	0.6400	0.1000	0.4500
	每股净资产(元)	8.8923	8.9064	5.1800	5.1278
	每股经营现金净流量(元)	-0.4609	0.2145	-0.1694	0.1687
	每股现金流量(元)	-0.4344	-0.0581	-0.7989	-0.0871
	每股资本公积金(元)	6.9398	6.9587	3.2350	3.1795
	每股盈余公积金(元)	0.0901	0.0901	0.1100	0.1100
	每股未分配利润(元)	1.1276	1.1377	0.8481	0.8511
	净资产收益率(%)	1.5702	6.1031	1.8739	7.5390
	加权净资产收益率(%)	1.5600	9.9400	1.8700	11.8700
	净资产收益率(扣除)(%)	1.0868	3.8845	1.6644	5.3899
	总资产(万元)	489374.26	499862.51	218861.95	226474.40
	归属母公司股东权益(万元)	318434.63	319004.45	147430.78	145945.80
	营业收入(万元)	55975.85	112858.40	46874.36	73323.47
	营业支出(万元)	34861.99	70081.93	30996.03	44206.76
	投资收益(万元)	-55.60	5370.54	236.71	-3.41
	净利润(万元)	4923.06	19305.10	2869.67	11435.14
	营业利润(万元)	1909.61	18241.39	3083.45	8900.47
	利润总额(万元)	4959.46	22174.51	3339.90	12917.77

江门市科恒实业股份有限公司

公司概况	公司名称	江门市科恒实业股份有限公司		证券简称	科恒股份
	法人代表	万国江	董秘 唐秀雷	证券代码	300340
	公司网址	www.keheng.com.cn		电子信箱	tangxiulei@keheng.com.cn
	电　话	0750-3863815 3814790		传　真	0750-3899896
	办公地址	广东省江门市江海区滘头工业区滘兴南路 22 号			
	经营范围	生产、销售化工原料及化工产品等			

主要财务指标	指标\报告期	2016.06.30	2015.12.31	2015.06.30	2014.12.31
	基本每股收益(元)	0.0410	-0.7433	-0.0963	-0.4819
	基本每股收益(扣除后)(元)	0.0736	-0.7630	-0.0995	-0.4701
	稀释每股收益(元)	0.0410	-0.7433	-0.0963	-0.4819
	每股净资产(元)	7.9868	7.9458	8.5963	8.6926
	每股经营现金净流量(元)	-0.2112	-0.6204	-0.1510	-0.1203
	每股现金流量(元)	-1.2192	-1.0495	-0.5231	-0.5578
	每股资本公积金(元)	5.1352	5.1352	5.1352	5.1352
	每股盈余公积金(元)	0.2731	0.2731	0.2731	0.2731
	每股未分配利润(元)	1.5785	1.5375	2.1880	2.2843
	净资产收益率(%)	0.5140	-9.3542	-1.1197	-5.5433
	加权净资产收益率(%)	0.5200	-8.9300	-1.1100	-5.3868
	净资产收益率(扣除)(%)	0.9217	-9.6022	-1.1571	-5.4084
	总资产(万元)	97852.92	94998.23	97428.85	100834.20
	归属母公司股东权益(万元)	79868.15	79457.66	85963.11	86925.66
	营业收入(万元)	25465.97	39132.82	18449.71	38969.76
	营业支出(万元)	23007.03	38038.60	17218.83	36260.85
	投资收益(万元)	461.28	2275.15	176.37	70.15
	净利润(万元)	413.85	-8340.43	-1200.47	-4908.01
	营业利润(万元)	813.03	-9651.07	-1241.40	-5442.06
	利润总额(万元)	487.37	-9740.02	-1202.59	-5608.84

麦克奥迪(厦门)电气股份有限公司

公司概况	公司名称	麦克奥迪(厦门)电气股份有限公司		证券简称	麦迪电气
	法人代表	杨泽声	董秘 李臻	证券代码	300341
	公司网址	www.motic-electric.com		电子信箱	info@motic-electric.com
	电　话	0592-5676713 5676875		传　真	0592-5626612
	办公地址	福建省厦门市火炬高新区(翔安)产业区舫山南路 808 号			
	经营范围	输配电设备核心部件——环氧绝缘件的研发、生产和销售等			

主要财务指标	指标\报告期	2016.06.30	2015.12.31	2015.06.30	2014.12.31
	基本每股收益(元)	0.0763	0.3726	0.0663	0.2887
	基本每股收益(扣除后)(元)	0.0755	0.3431	0.0886	0.2017
	稀释每股收益(元)	0.0763	0.3708	0.0663	0.2887
	每股净资产(元)	1.7981	3.5050	3.0538	4.3280
	每股经营现金净流量(元)	0.0280	0.4800	0.0824	0.4139
	每股现金流量(元)	0.0685	-0.2075	-0.0911	-0.3570
	每股资本公积金(元)	0.1537	1.2886	1.0587	2.1384
	每股盈余公积金(元)	0.1207	0.2404	0.0819	0.3159
	每股未分配利润(元)	0.5095	0.9621	0.9245	0.8717
	净资产收益率(%)	4.2511	10.5508	2.9896	6.8638
	加权净资产收益率(%)	4.2300	11.2400	3.0300	7.0600
	净资产收益率(扣除)(%)	4.2039	7.9446	2.9050	6.7732
	总资产(万元)	106817.41	104483.85	64477.27	99201.65
	归属母公司股东权益(万元)	91763.17	89808.57	56971.57	79231.39
	营业收入(万元)	32736.46	71403.26	14957.22	30594.66
	营业支出(万元)	20077.93	43108.44	10617.53	21559.32
	投资收益(万元)	147.64	82.99	59.46	-
	净利润(万元)	3918.64	9478.52	1703.21	3760.51
	营业利润(万元)	4718.11	10932.62	1986.70	4311.22
	利润总额(万元)	4792.57	11567.33	2043.41	4369.70

常熟市天银机电股份有限公司

公司概况	公司名称	常熟市天银机电股份有限公司			证券简称	天银机电
	法人代表	赵晓东	董秘	李玲玲	证券代码	300342
	公司网址	www.tyjd.cc		电子信箱	tyjd@tyjd.cc	
	电　话	0512-52690818		传　真	0512-52691888	
	办公地址	江苏省苏州市常熟碧溪新区迎宾路8号				
	经营范围	冰箱压缩机零部件的研发、生产和销售				

	指标\报告期	2016.06.30	2015.12.31	2015.06.30	2014.12.31
主要财务指标	基本每股收益(元)	0.2300	0.5500	0.1900	0.4551
	基本每股收益(扣除后)(元)	0.2300	0.5300	0.2900	0.4400
	稀释每股收益(元)	0.2300	0.5500	0.1900	0.4600
	每股净资产(元)	3.4411	2.8631	4.0372	3.9564
	每股经营现金净流量(元)	0.1865	0.4592	0.1917	0.5160
	每股现金流量(元)	0.6139	–0.8322	–0.9427	–0.0284
	每股资本公积金(元)	1.4531	1.7024	1.7024	1.6748
	每股盈余公积金(元)	0.1501	0.2179	0.1979	0.1720
	每股未分配利润(元)	0.8234	1.3504	1.1157	1.0983
	净资产收益率(%)	6.3590	12.7605	7.2646	11.5019
	加权净资产收益率(%)	7.3900	13.4000	7.2000	11.9400
	净资产收益率(扣除)(%)	6.1567	12.4514	7.0697	11.2166
	总资产(万元)	129299.61	105092.12	98511.48	90561.36
	归属母公司股东权益(万元)	113051.36	85892.61	80743.73	79127.43
	营业收入(万元)	30240.55	53377.33	27824.09	40917.45
	营业支出(万元)	18925.93	32832.01	17440.98	26561.92
	投资收益(万元)	–	–	–	4.00
	净利润(万元)	7267.18	12580.35	6538.72	9101.12
	营业利润(万元)	8359.63	14467.87	7619.01	10487.45
	利润总额(万元)	8628.75	14849.43	7796.89	10748.99

山东联创互联网传媒股份有限公司

公司概况	公司名称	山东联创互联网传媒股份有限公司			证券简称	联创互联
	法人代表	李洪国	董秘	胡安智	证券代码	300343
	公司网址	www.lecron.cn		电子信箱	lczq@lecron.cn	
	电　话	0533-6286018		传　真	0533-6286018	
	办公地址	山东省淄博市张店区东部化工区昌国东路219号				
	经营范围	聚氨酯硬泡组合聚醚的技术研发、生产与销售等				

	指标\报告期	2016.06.30	2015.12.31	2015.06.30	2014.12.31
主要财务指标	基本每股收益(元)	0.1489	0.3000	0.0393	0.0800
	基本每股收益(扣除后)(元)	0.1349	0.2800	0.0184	0.0600
	稀释每股收益(元)	0.1489	0.2800	0.0393	0.0800
	每股净资产(元)	6.6201	5.8326	5.8326	5.8400
	每股经营现金净流量(元)	0.0485	0.3978	0.2855	–2.3214
	每股现金流量(元)	0.4534	0.3336	0.5781	–0.3792
	每股资本公积金(元)	5.2080	10.8470	2.7946	2.7946
	每股盈余公积金(元)	0.0319	0.1506	0.2363	0.2363
	每股未分配利润(元)	0.3802	1.3735	1.8017	1.8124
	净资产收益率(%)	2.1617	1.8417	0.6745	1.3649
	加权净资产收益率(%)	3.4600	2.8800	0.6700	1.3500
	净资产收益率(扣除)(%)	1.9549	1.6891	0.3148	0.9922
	总资产(万元)	483594.01	247733.69	260804.27	91329.20
	归属母公司股东权益(万元)	390844.52	167317.75	46661.03	46746.29
	营业收入(万元)	87089.97	96457.92	31363.42	83261.61
	营业支出(万元)	67919.57	81773.77	28158.43	74293.51
	投资收益(万元)	–	132.75	100.00	0.15
	净利润(万元)	8449.03	2743.27	376.72	1172.34
	营业利润(万元)	10023.01	3694.77	200.75	1477.11
	利润总额(万元)	11457.61	4424.49	424.64	1672.44

北京太空板业股份有限公司

公司概况	公司名称	北京太空板业股份有限公司			证券简称	太空板业
	法人代表	樊立	董秘	李争朝	证券代码	300344
	公司网址	www.taikong.cn		电子信箱	public@taikong.cn	
	电　话	010-83682311		传　真	010-63789321	
	办公地址	北京市丰台区科学城中核路1号03号楼12层				
	经营范围	太空板(发泡水泥复合板)系列产品的研发、设计、生产、销售及安装等				

	指标\报告期	2016.06.30	2015.12.31	2015.06.30	2014.12.31
主要财务指标	基本每股收益(元)	–0.1464	–0.2709	–0.0882	–0.0834
	基本每股收益(扣除后)(元)	–0.1443	–0.2918	–0.0919	–0.1023
	稀释每股收益(元)	–0.1464	–0.2709	–0.0882	–0.0834
	每股净资产(元)	2.4663	2.6127	2.7953	2.8835
	每股经营现金净流量(元)	–0.1683	–0.0221	0.0123	–0.0010
	每股现金流量(元)	0.2925	–0.0293	–0.0107	–0.5499
	每股资本公积金(元)	1.3891	1.3891	1.3891	1.3891
	每股盈余公积金(元)	0.1066	0.1066	0.1066	0.1066
	每股未分配利润(元)	–0.0323	0.1142	0.2968	0.3851
	净资产收益率(%)	–5.9380	–10.3677	–3.1562	–2.8932
	加权净资产收益率(%)	–5.7700	–9.8600	–3.1100	–2.8400
	净资产收益率(扣除)(%)	–5.8508	–11.1670	–3.2891	–3.5439
	总资产(万元)	95257.77	86998.56	90405.64	90460.10
	归属母公司股东权益(万元)	59498.96	63032.02	67435.86	69564.25
	营业收入(万元)	1857.46	11736.19	3660.87	12841.32
	营业支出(万元)	1314.61	10265.90	2455.89	8098.26
	投资收益(万元)	–	–	–	–
	净利润(万元)	–3581.76	–6656.61	–2170.14	–2049.55
	营业利润(万元)	–3630.53	–7505.98	–2272.68	–2585.99
	利润总额(万元)	–3689.17	–6903.97	–2163.26	–2050.84

湖南红宇耐磨新材料股份有限公司

公司概况	公司名称	湖南红宇耐磨新材料股份有限公司			证券简称	红宇新材
	法人代表	朱红玉	董秘	朱红玉(代)	证券代码	300345
	公司网址	www.chinahongyu.cn		电子信箱	hongyu_zqtzb@163.com	
	电　话	0731-89661618*8031		传　真	0731-89661610	
	办公地址	湖南省长沙市岳麓区银杉路031号(绿地中央广场)6栋31楼				
	经营范围	磨球、磨段、衬板、辊类耐磨件及各种耐磨新材料生产、加工、销售等				

	指标\报告期	2016.06.30	2015.12.31	2015.06.30	2014.12.31
主要财务指标	基本每股收益(元)	0.0250	0.0800	0.0500	0.0300
	基本每股收益(扣除后)(元)	0.0250	0.0700	0.1700	0.1000
	稀释每股收益(元)	0.0250	0.0800	0.0500	0.0300
	每股净资产(元)	1.8200	1.8201	5.1289	1.5607
	每股经营现金净流量(元)	–0.3421	–0.0440	0.3949	0.9433
	每股现金流量(元)	–0.3956	0.2438	0.1195	–0.1842
	每股资本公积金(元)	0.5590	0.5590	3.0348	4.0452
	每股盈余公积金(元)	0.0488	0.0488	0.1678	0.1967
	每股未分配利润(元)	0.2116	0.2122	0.9263	1.2505
	净资产收益率(%)	1.3952	3.7623	3.3766	1.8145
	加权净资产收益率(%)	1.3900	4.7500	3.4200	1.8200
	净资产收益率(扣除)(%)	1.3718	3.4612	3.2253	1.6101
	总资产(万元)	109012.57	108456.68	90742.29	83527.10
	归属母公司股东权益(万元)	80291.52	80318.64	64008.22	62326.94
	营业收入(万元)	11526.15	25055.74	13723.52	21321.74
	营业支出(万元)	6709.16	15586.94	8403.77	14800.99
	投资收益(万元)	–196.09	541.51	391.75	187.26
	净利润(万元)	1081.13	3198.02	2255.09	1178.30
	营业利润(万元)	1255.68	3021.04	2324.80	1185.68
	利润总额(万元)	1295.17	3403.37	2486.38	1386.32

江苏南大光电材料股份有限公司

公司概况	公司名称	江苏南大光电材料股份有限公司		证券简称	南大光电
	法人代表	孙祥祯	董秘 张建富	证券代码	300346
	公司网址	www.natachem.com		电子信箱	natainfo@natachem.com
	电　话	0512-62520998*228		传　真	0512-62527116
	办公地址	江苏省苏州市工业园区翠薇街 9 号月亮湾国际商务中心 701-702			
	经营范围	光电新材料 MO 源的研发、生产和销售等			

主要财务指标	指标\报告期	2016.06.30	2015.12.31	2015.06.30	2014.12.31
	基本每股收益(元)	0.0225	0.2764	0.1329	0.3167
	基本每股收益(扣除后)(元)	0.0032	0.1551	0.1219	0.4555
	稀释每股收益(元)	0.0225	0.2764	0.1329	0.3167
	每股净资产(元)	7.3651	7.4426	7.2990	11.6600
	每股经营现金净流量(元)	0.0533	0.1709	0.0454	0.4448
	每股现金流量(元)	0.6407	-1.4932	0.3415	2.1801
	每股资本公积金(元)	4.1067	4.1067	4.1067	7.1668
	每股盈余公积金(元)	0.2534	0.2534	0.2267	0.3627
	每股未分配利润(元)	2.0050	2.0824	1.9656	3.1323
	净资产收益率(%)	0.3062	3.7144	1.8209	4.3448
	加权净资产收益率(%)	0.3000	3.7600	1.8100	4.4100
	净资产收益率(扣除)(%)	0.0441	2.0838	1.6703	3.9060
	总资产(万元)	126590.70	129943.50	130768.22	126525.41
	归属母公司股东权益(万元)	118478.22	119724.14	117415.17	117247.79
	营业收入(万元)	4835.94	12037.23	6100.07	14987.80
	营业支出(万元)	2975.16	6372.12	3408.84	7926.31
	投资收益(万元)	506.51	710.20	-14.19	-38.78
	净利润(万元)	254.24	4494.45	2103.47	5094.13
	营业利润(万元)	14.40	2447.34	2295.00	5284.14
	利润总额(万元)	383.61	5064.35	2503.09	5892.19

杭州泰格医药科技股份有限公司

公司概况	公司名称	杭州泰格医药科技股份有限公司		证券简称	泰格医药
	法人代表	叶小平	董秘 曹晓春	证券代码	300347
	公司网址	www.tigermed.net		电子信箱	ir@tigermed.net
	电　话	0571-89986795		传　真	0571-89986795
	办公地址	浙江省杭州市滨江区江南大道 618 号东冠大厦 15-16 层			
	经营范围	医药相关产业产品及健康相关产业产品的技术开发、技术咨询等			

主要财务指标	指标\报告期	2016.06.30	2015.12.31	2015.06.30	2014.12.31
	基本每股收益(元)	0.1700	0.3600	0.1800	0.2900
	基本每股收益(扣除后)(元)	0.1500	0.3500	0.1644	0.6200
	稀释每股收益(元)	0.1700	0.3600	0.1800	0.2900
	每股净资产(元)	3.2085	2.0682	2.0682	4.0162
	每股经营现金净流量(元)	0.0454	0.4286	0.1196	0.2031
	每股现金流量(元)	0.2537	-0.4654	-0.6455	-0.2422
	每股资本公积金(元)	1.3200	0.4214	0.3598	1.7503
	每股盈余公积金(元)	0.0829	0.0902	0.0669	0.1341
	每股未分配利润(元)	0.8115	0.8109	0.6533	1.1551
	净资产收益率(%)	5.1682	15.5911	8.5256	14.5327
	加权净资产收益率(%)	5.4600	17.2300	8.4800	15.4400
	净资产收益率(扣除)(%)	4.5307	15.1336	7.9411	15.3899
	总资产(万元)	214132.37	161003.12	114830.93	135761.81
	归属母公司股东权益(万元)	151216.11	100235.48	89054.47	86354.17
	营业收入(万元)	56576.75	95699.77	42706.39	62456.17
	营业支出(万元)	33080.19	53474.70	22475.40	32899.82
	投资收益(万元)	38.12	574.77	927.24	580.13
	净利润(万元)	8614.70	17389.15	8546.65	13639.53
	营业利润(万元)	10341.83	21365.28	10641.87	16946.11
	利润总额(万元)	11301.67	22020.60	10889.27	17166.15

深圳市长亮科技股份有限公司

公司概况	公司名称	深圳市长亮科技股份有限公司		证券简称	长亮科技
	法人代表	王长春	董秘 徐亚丽	证券代码	300348
	公司网址	www.sunline.cn		电子信箱	invest@sunline.cn
	电　话	0755-86168118 828		传　真	0755-86168166
	办公地址	广东省深圳市南山区沙河西路深圳湾科技生态园一区 2 栋 A 座 5 层			
	经营范围	计算机软、硬件及电子仪器的开发及服务、网络技术的开发及服务等			

主要财务指标	指标\报告期	2016.06.30	2015.12.31	2015.06.30	2014.12.31
	基本每股收益(元)	0.0214	0.2766	0.0247	0.7119
	基本每股收益(扣除后)(元)	0.0174	4.9728	0.0225	0.6550
	稀释每股收益(元)	0.0213	0.2758	0.0245	0.7073
	每股净资产(元)	2.3975	4.8122	3.4245	8.5774
	每股经营现金净流量(元)	-0.5515	0.0240	-0.4770	0.1630
	每股现金流量(元)	-0.5752	1.6759	0.5474	-5.0417
	每股资本公积金(元)	1.0551	3.1881	2.0899	6.3820
	每股盈余公积金(元)	0.0739	0.1528	0.1130	0.2839
	每股未分配利润(元)	0.4809	1.0332	0.8339	2.1880
	净资产收益率(%)	0.8736	5.2556	0.6597	7.7635
	加权净资产收益率(%)	0.8700	7.3300	0.6600	8.5900
	净资产收益率(扣除)(%)	0.7079	4.9386	0.6530	7.2190
	总资产(万元)	106357.29	100627.21	59371.36	64259.06
	归属母公司股东权益(万元)	70064.28	70315.86	48437.73	48299.78
	营业收入(万元)	23474.55	43624.61	14637.62	24923.30
	营业支出(万元)	13479.16	20047.64	6991.87	10181.14
	投资收益(万元)	385.76	124.93	11.74	-
	净利润(万元)	646.03	3674.28	319.56	3749.77
	营业利润(万元)	429.13	4136.62	286.35	3596.50
	利润总额(万元)	566.70	4389.44	290.19	3888.73

金卡智能集团股份有限公司

公司概况	公司名称	金卡智能集团股份有限公司		证券简称	金卡智能
	法人代表	杨斌	董秘 马芳芬	证券代码	300349
	公司网址	www.china-goldcard.com		电子信箱	stock@china-goldcard.com
	电　话	0571-56615623		传　真	0571-56615621
	办公地址	浙江省杭州经济技术开发区金乔街 158 号			
	经营范围	软件开发、电子设备及电子元器件、燃气设备、仪器仪表的制造、销售等			

主要财务指标	指标\报告期	2016.06.30	2015.12.31	2015.06.30	2014.12.31
	基本每股收益(元)	0.2183	0.4600	0.3267	0.7600
	基本每股收益(扣除后)(元)	0.2155	0.4500	0.3300	0.7600
	稀释每股收益(元)	0.2183	0.4600	0.3267	0.7600
	每股净资产(元)	5.3639	5.1867	5.0559	4.8292
	每股经营现金净流量(元)	-0.0382	0.5264	-0.1185	0.4502
	每股现金流量(元)	0.1036	-1.4239	-0.7933	-0.1372
	每股资本公积金(元)	1.7231	1.7034	1.6983	1.6983
	每股盈余公积金(元)	0.2784	0.2784	0.2304	0.2304
	每股未分配利润(元)	2.3476	2.1894	2.1071	1.8804
	净资产收益率(%)	4.0689	8.8120	6.4617	15.6545
	加权净资产收益率(%)	4.1300	9.1400	6.5700	16.9000
	净资产收益率(扣除)(%)	4.0169	8.6716	6.4848	15.7700
	总资产(万元)	127580.05	125415.02	123478.74	115612.68
	归属母公司股东权益(万元)	96551.09	93360.55	91005.52	86925.37
	营业收入(万元)	31764.38	59269.96	26943.69	58886.95
	营业支出(万元)	19654.46	36469.83	15898.69	34116.82
	投资收益(万元)	637.88	2531.83	1182.35	1146.97
	净利润(万元)	4161.22	8907.66	6211.78	14385.67
	营业利润(万元)	4137.64	7914.72	6126.33	13960.87
	利润总额(万元)	4821.06	10395.50	7114.98	16119.58

深圳市华鹏飞现代物流股份有限公司

公司概况						
公司概况	公司名称	深圳市华鹏飞现代物流股份有限公司			证券简称	华鹏飞
	法人代表	张京豫	董秘	李黎明	证券代码	300350
	公司网址	www.huapengfei.com		电子信箱	ir@huapengfei.com	
	电　话	0755-84190977 84190988		传　真	0755-84160867	
	办公地址	广东省深圳市龙岗区坂田街道南坑社区华鹏飞物流基地				
	经营范围	综合物流服务以及供应链商品销售等				

主要财务指标	指标\报告期	2016.06.30	2015.12.31	2015.06.30	2014.12.31
	基本每股收益(元)	0.1200	0.3800	0.0900	0.1800
	基本每股收益(扣除后)(元)	0.1100	0.3200	0.1500	0.2000
	稀释每股收益(元)	0.1200	0.3800	0.0900	0.1800
	每股净资产(元)	5.9025	5.8360	5.0920	2.4600
	每股经营现金净流量(元)	0.4738	0.6487	0.1173	-0.3847
	每股现金流量(元)	0.0750	0.1229	-0.6010	-0.8064
	每股资本公积金(元)	4.0704	4.0704	2.2827	2.2827
	每股盈余公积金(元)	0.0593	0.0593	0.1733	0.1733
	每股未分配利润(元)	0.7728	0.7063	1.6360	1.4610
	净资产收益率(%)	1.9746	4.9317	3.4381	7.2324
	加权净资产收益率(%)	1.9800	8.6300	3.5000	7.4000
	净资产收益率(扣除)(%)	1.8948	4.1898	2.8521	4.1563
	总资产(万元)	203854.12	214084.91	82768.94	78986.50
	归属母公司股东权益(万元)	174989.00	173016.83	44132.66	42615.71
	营业收入(万元)	28073.08	77706.70	33666.73	67970.69
	营业支出(万元)	19921.58	58515.97	27254.99	55871.60
	投资收益(万元)	140.98	1182.50	119.13	63.25
	净利润(万元)	3443.28	8780.32	1656.30	3305.83
	营业利润(万元)	3906.24	9369.16	1853.14	2649.11
	利润总额(万元)	4117.65	10271.31	2165.01	4145.09

浙江永贵电器股份有限公司

公司概况						
公司概况	公司名称	浙江永贵电器股份有限公司			证券简称	永贵电器
	法人代表	范纪军	董秘	范纪军(代)	证券代码	300351
	公司网址	www.yonggui.com		电子信箱	yonggui@yonggui.com	
	电　话	0576-83938635		传　真	0576-83938061	
	办公地址	浙江省天台县白鹤镇东园路5号(西工业区)				
	经营范围	轨道交通连接器产品的研发、生产和销售等				

主要财务指标	指标\报告期	2016.06.30	2015.12.31	2015.06.30	2014.12.31
	基本每股收益(元)	0.1708	0.3404	0.1668	0.3385
	基本每股收益(扣除后)(元)	0.1658	0.3306	0.1553	0.7200
	稀释每股收益(元)	0.1708	0.3404	0.1668	0.3385
	每股净资产(元)	4.8533	3.1795	3.0059	6.4961
	每股经营现金净流量(元)	0.0439	0.1653	-0.0519	0.7228
	每股现金流量(元)	-0.1952	-0.8596	-0.5812	-0.1853
	每股资本公积金(元)	2.8287	1.2053	1.2053	3.8516
	每股盈余公积金(元)	0.0882	0.0936	0.0749	0.1648
	每股未分配利润(元)	0.9363	0.8807	0.7257	1.4797
	净资产收益率(%)	3.3505	10.7062	5.5476	11.4652
	加权净资产收益率(%)	4.8700	11.2100	5.4600	12.0500
	净资产收益率(扣除)(%)	3.2524	10.3968	5.1662	11.0828
	总资产(万元)	247936.20	128154.41	117796.30	115202.08
	归属母公司股东权益(万元)	173585.18	107212.38	101356.92	99565.80
	营业收入(万元)	32315.41	51112.84	23570.92	38406.74
	营业支出(万元)	18495.97	28100.67	13733.33	16971.36
	投资收益(万元)	-52.17	1.26	25.90	0.46
	净利润(万元)	5642.54	11236.57	5507.90	11311.06
	营业利润(万元)	6367.53	12794.82	5847.80	12981.91
	利润总额(万元)	6560.92	13162.99	6290.98	13409.00

北京北信源软件股份有限公司

公司概况						
公司概况	公司名称	北京北信源软件股份有限公司			证券简称	北信源
	法人代表	林皓	董秘	李旭	证券代码	300352
	公司网址	www.web.vrv.com.cn		电子信箱	vrvzq@vrvmail.com.cn	
	电　话	010-62140485*8073		传　真	010-62147259	
	办公地址	北京市海淀区中关村南大街34号中关村科技发展大厦C座1602室				
	经营范围	信息安全软件产品的研发、生产、销售及技术服务等				

主要财务指标	指标\报告期	2016.06.30	2015.12.31	2015.06.30	2014.12.31
	基本每股收益(元)	0.0334	0.2600	0.0512	0.2500
	基本每股收益(扣除后)(元)	0.0331	0.2500	0.0500	0.2400
	稀释每股收益(元)	0.0334	0.2600	0.0512	0.2500
	每股净资产(元)	1.6422	3.0998	2.6278	2.6289
	每股经营现金净流量(元)	-0.0937	-0.0097	-0.1395	-0.0724
	每股现金流量(元)	-0.1300	-0.3159	-0.2218	-0.3072
	每股资本公积金(元)	0.0272	0.9517	0.6769	0.6769
	每股盈余公积金(元)	0.0709	0.1348	0.1127	0.1127
	每股未分配利润(元)	0.5470	1.0209	0.8439	0.8427
	净资产收益率(%)	2.0318	8.4427	1.9502	9.6941
	加权净资产收益率(%)	2.0200	9.5400	1.9300	10.0700
	净资产收益率(扣除)(%)	2.0178	8.0870	1.7750	9.2959
	总资产(万元)	97843.24	97134.73	79327.60	79168.72
	归属母公司股东权益(万元)	84317.93	83764.51	70108.86	70139.47
	营业收入(万元)	14227.32	47001.53	10571.92	26273.36
	营业支出(万元)	2585.40	21446.74	1847.60	3170.52
	投资收益(万元)	-	22.67	-	-
	净利润(万元)	1713.17	7071.96	1367.27	6799.39
	营业利润(万元)	1089.92	5674.14	264.78	6436.74
	利润总额(万元)	1809.91	7769.03	1213.55	7415.31

北京东土科技股份有限公司

公司概况						
公司概况	公司名称	北京东土科技股份有限公司			证券简称	东土科技
	法人代表	李平	董秘	吴建国	证券代码	300353
	公司网址	www.kyland.com.cn		电子信箱	ir@kyland.com	
	电　话	010-88798888		传　真	010-88799850	
	办公地址	北京市石景山区实兴大街30号院2号楼8至12层				
	经营范围	生产电子产品、技术开发、技术转让、技术推广、技术服务、计算机系统服务等				

主要财务指标	指标\报告期	2016.06.30	2015.12.31	2015.06.30	2014.12.31
	基本每股收益(元)	0.0791	0.1709	0.0382	0.0593
	基本每股收益(扣除后)(元)	0.0744	0.1347	0.0748	0.0945
	稀释每股收益(元)	0.0791	0.1709	0.0382	0.0593
	每股净资产(元)	3.8326	2.3732	2.5156	2.4663
	每股经营现金净流量(元)	-0.0533	0.1880	-0.0158	0.2824
	每股现金流量(元)	0.7433	0.0723	-0.2793	0.2394
	每股资本公积金(元)	2.6734	1.1117	0.6353	0.6353
	每股盈余公积金(元)	0.0438	0.0464	0.1091	0.1091
	每股未分配利润(元)	0.2720	0.2174	0.7785	0.7260
	净资产收益率(%)	1.8835	5.4841	3.0399	4.8128
	加权净资产收益率(%)	2.9700	12.0500	3.0600	4.8700
	净资产收益率(扣除)(%)	1.7721	4.3237	1.9689	3.8318
	总资产(万元)	247784.59	142282.28	55849.65	54603.67
	归属母公司股东权益(万元)	198119.72	109846.51	43078.00	42232.64
	营业收入(万元)	25804.08	40255.32	12113.64	24119.50
	营业支出(万元)	12673.34	21006.80	5520.94	11682.06
	投资收益(万元)	-12.97	-12.34	-9.83	-28.45
	净利润(万元)	3546.83	6996.39	1459.07	2569.56
	营业利润(万元)	3592.28	5746.53	778.03	1480.19
	利润总额(万元)	4314.03	8117.94	1684.74	2917.22

江苏东华测试技术股份有限公司

公司概况	公司名称	江苏东华测试技术股份有限公司			证券简称	东华测试
	法人代表	刘士钢	董秘	瞿小松	证券代码	300354
	公司网址	www.dhtest.com			电子信箱	dhc@dhtest.com
	电　话	0523-84908559			传　真	0523-84892079
	办公地址	江苏省靖江市新港大道 208 号				
	经营范围	结构力学性能测试仪器及配套软件的研发、生产和销售等				

	指标＼报告期	2016.06.30	2015.12.31	2015.06.30	2014.12.31
主要财务指标	基本每股收益(元)	0.0109	0.0590	0.0139	0.0537
	基本每股收益(扣除后)(元)	0.0037	0.0524	0.0040	0.0751
	稀释每股收益(元)	0.0109	0.0590	0.0139	0.0537
	每股净资产(元)	2.4592	2.4599	2.3968	3.8381
	每股经营现金净流量(元)	-0.0860	0.0476	-0.0645	0.0377
	每股现金流量(元)	-0.1912	-0.1341	-0.1919	-0.1728
	每股资本公积金(元)	0.7693	0.7693	0.7545	1.8072
	每股盈余公积金(元)	0.1112	0.1112	0.0962	0.1539
	每股未分配利润(元)	0.5756	0.5768	0.5468	0.8775
	净资产收益率(%)	0.4416	2.3989	0.5806	2.2369
	加权净资产收益率(%)	0.4400	2.4400	0.5800	2.2400
	净资产收益率(扣除)(%)	0.1508	2.1320	0.1649	1.9570
	总资产(万元)	37141.85	36516.65	35184.54	36041.42
	归属母公司股东权益(万元)	34028.08	34037.59	33164.05	33192.20
	营业收入(万元)	4889.33	11419.38	4583.96	9122.81
	营业支出(万元)	2037.03	4817.97	1997.14	3756.12
	投资收益(万元)	-	-	-	-
	净利润(万元)	150.26	816.54	192.55	742.46
	营业利润(万元)	-66.42	520.99	-53.31	96.90
	利润总额(万元)	224.67	1006.00	254.10	752.24

内蒙古蒙草生态环境(集团)股份有限公司

公司概况	公司名称	内蒙古蒙草生态环境(集团)股份有限公司			证券简称	蒙草生态
	法人代表	樊俊梅	董秘	王强	证券代码	300355
	公司网址	www.mengcao.com			电子信箱	mckh2010@163.com
	电　话	0471-6695125			传　真	0471-6695192
	办公地址	内蒙古自治区呼和浩特市公园南路 39 号银都大厦 B 座 3 层				
	经营范围	城市园林绿化壹级、风景园林工程设计专项乙级等				

	指标＼报告期	2016.06.30	2015.12.31	2015.06.30	2014.12.31
主要财务指标	基本每股收益(元)	0.1300	0.3600	0.1300	0.3800
	基本每股收益(扣除后)(元)	0.1300	0.3400	0.2500	0.3600
	稀释每股收益(元)	0.1300	0.3600	0.1300	0.3800
	每股净资产(元)	2.2902	4.3868	3.4633	3.2728
	每股经营现金净流量(元)	-0.5066	0.1803	-0.5294	-0.1454
	每股现金流量(元)	0.1589	0.2780	-0.5748	0.2248
	每股资本公积金(元)	0.5284	2.0568	1.1536	1.1537
	每股盈余公积金(元)	0.1362	0.2723	0.2296	0.2296
	每股未分配利润(元)	0.6256	1.0577	1.0802	0.8896
	净资产收益率(%)	5.7106	7.7421	7.3806	11.5703
	加权净资产收益率(%)	5.8000	10.2900	7.5200	12.8100
	净资产收益率(扣除)(%)	5.5179	7.2516	7.1196	10.8967
	总资产(万元)	540445.35	455075.48	384315.70	350538.55
	归属母公司股东权益(万元)	214711.52	205637.80	152523.09	144133.02
	营业收入(万元)	105867.52	176839.65	90055.66	162614.34
	营业支出(万元)	73639.46	119395.59	59380.57	111936.03
	投资收益(万元)	-17.45	91.35	-23.21	-20.48
	净利润(万元)	12412.51	17358.07	11833.06	18104.73
	营业利润(万元)	14446.99	20288.39	13763.83	21277.14
	利润总额(万元)	14941.61	21843.22	14320.46	22477.87

光一科技股份有限公司

公司概况	公司名称	光一科技股份有限公司			证券简称	光一科技
	法人代表	龙昌明	董秘	蒋悦	证券代码	300356
	公司网址	www.elefirst.com			电子信箱	elefirst@elefirst.com
	电　话	025-68531928			传　真	025-68531868
	办公地址	江苏省南京市江宁区东山街道润麒路 86 号				
	经营范围	智能用电信息采集系统的软、硬件研发、生产、销售及服务等				

	指标＼报告期	2016.06.30	2015.12.31	2015.06.30	2014.12.31
主要财务指标	基本每股收益(元)	0.0343	0.2454	0.0400	0.2764
	基本每股收益(扣除后)(元)	0.0315	0.1917	0.0400	0.2113
	稀释每股收益(元)	0.0343	0.2454	0.0400	0.2764
	每股净资产(元)	8.5910	8.0424	8.0424	8.0396
	每股经营现金净流量(元)	0.1714	0.1575	-0.4086	-0.0742
	每股现金流量(元)	0.7055	-1.0032	-1.0168	0.1162
	每股资本公积金(元)	6.1244	5.7489	5.7489	5.7491
	每股盈余公积金(元)	0.1229	0.1267	0.1267	0.1267
	每股未分配利润(元)	1.3436	1.3691	1.1668	1.1638
	净资产收益率(%)	0.3992	2.9760	0.5349	2.7721
	加权净资产收益率(%)	0.4200	3.0100	0.5300	5.2100
	净资产收益率(扣除)(%)	0.3621	2.3249	0.5192	2.1195
	总资产(万元)	232333.00	217797.37	195021.13	198772.31
	归属母公司股东权益(万元)	142715.59	132923.16	129660.91	129615.38
	营业收入(万元)	28685.70	70767.37	26452.52	34334.69
	营业支出(万元)	20155.57	50143.07	18828.13	23184.21
	投资收益(万元)	-256.97	-76.07	-48.36	-
	净利润(万元)	971.86	4940.19	1032.32	2934.35
	营业利润(万元)	1424.92	5273.28	1420.42	2358.28
	利润总额(万元)	1589.38	6301.29	1477.28	3832.83

浙江我武生物科技股份有限公司

公司概况	公司名称	浙江我武生物科技股份有限公司			证券简称	我武生物
	法人代表	胡赓熙	董秘	颜华	证券代码	300357
	公司网址	www.wolwobiotech.com			电子信箱	Invest@wolwobiotech.com
	电　话	0572-8350682			传　真	0572-8351800
	办公地址	浙江省湖州市德清县武康镇志远北路 636 号				
	经营范围	研发、生产和销售变应原制品				

	指标＼报告期	2016.06.30	2015.12.31	2015.06.30	2014.12.31
主要财务指标	基本每股收益(元)	0.3300	0.7300	0.3200	0.6200
	基本每股收益(扣除后)(元)	0.3300	0.7000	0.3002	0.5800
	稀释每股收益(元)	0.3300	0.7300	0.3200	0.6200
	每股净资产(元)	3.5921	3.6071	3.1956	3.1779
	每股经营现金净流量(元)	0.3700	0.7105	0.3608	0.5180
	每股现金流量(元)	-0.2263	-0.0227	0.3678	1.0652
	每股资本公积金(元)	1.1244	1.1244	1.1244	1.1244
	每股盈余公积金(元)	0.2346	0.2346	0.1617	0.1617
	每股未分配利润(元)	1.2330	1.2481	0.9096	0.8919
	净资产收益率(%)	9.3248	20.2123	9.9406	19.3856
	加权净资产收益率(%)	9.0100	21.9800	9.9700	21.6300
	净资产收益率(扣除)(%)	9.0585	19.3321	9.3945	18.1084
	总资产(万元)	60798.36	61148.75	53474.63	53130.68
	归属母公司股东权益(万元)	58048.95	58291.35	51640.76	51355.02
	营业收入(万元)	13341.56	26710.56	11778.40	23951.11
	营业支出(万元)	600.07	1310.40	623.17	973.25
	投资收益(万元)	178.23	154.31	55.98	124.87
	净利润(万元)	5412.94	11781.66	5133.04	9954.86
	营业利润(万元)	6368.31	13412.26	5791.58	11241.04
	利润总额(万元)	6371.93	13861.62	6067.37	11887.82

楚天科技股份有限公司

公司概况	公司名称	楚天科技股份有限公司			证券简称	楚天科技
	法人代表	唐岳	董秘	周飞跃	证券代码	300358
	公司网址	www.truking.cn		电子信箱	truking@truking.cn	
	电　话	0731-87938220		传　真	0731-87938211	
	办公地址	湖南省长沙市宁乡县玉潭镇新康路1号				
	经营范围	水剂类制药装备的研发、设计、生产、销售和服务				

	指标\报告期	2016.06.30	2015.12.31	2015.06.30	2014.12.31
主要财务指标	基本每股收益(元)	0.1100	0.6200	0.1200	0.6800
	基本每股收益(扣除后)(元)	0.1000	0.5500	0.1900	1.2000
	稀释每股收益(元)	0.1100	0.6200	0.1200	0.6800
	每股净资产(元)	3.4500	3.4135	3.6249	7.1317
	每股经营现金净流量(元)	–0.0875	–0.1188	–0.0668	–0.0744
	每股现金流量(元)	–0.0766	–0.0610	0.3020	1.0857
	每股资本公积金(元)	1.7573	3.2471	0.6830	2.3660
	每股盈余公积金(元)	0.1303	0.2093	0.2008	0.4016
	每股未分配利润(元)	1.1038	1.8005	1.7411	3.3641
	净资产收益率(%)	3.2381	10.0954	5.7680	18.8368
	加权净资产收益率(%)	3.2400	13.7600	5.8200	21.0400
	净资产收益率(扣除)(%)	2.9571	8.9422	5.3330	16.8003
	总资产(万元)	257144.27	238637.23	235316.79	143592.79
	归属母公司股东权益(万元)	153928.36	151940.19	84677.85	83297.59
	营业收入(万元)	43941.53	97482.87	42102.20	100518.98
	营业支出(万元)	24249.15	55037.67	24664.01	59933.17
	投资收益(万元)	–	–	–	–
	净利润(万元)	4984.37	15338.90	4884.22	15690.62
	营业利润(万元)	5089.59	15301.49	4946.88	16302.94
	利润总额(万元)	5602.73	17068.11	5381.19	18298.70

全通教育集团(广东)股份有限公司

公司概况	公司名称	全通教育集团(广东)股份有限公司			证券简称	全通教育
	法人代表	陈炽昌	董秘	孙光庆	证券代码	300359
	公司网址	www.qtone.cn		电子信箱	qtjy@qtone.cn	
	电　话	0760-88368596		传　真	0760-88328736	
	办公地址	广东省中山市东区中山四路88号尚峰金融商务中心5座17-18层				
	经营范围	计算机软、硬件的研发、销售、销售等				

	指标\报告期	2016.06.30	2015.12.31	2015.06.30	2014.12.31
主要财务指标	基本每股收益(元)	0.0600	0.4300	0.0600	0.2100
	基本每股收益(扣除后)(元)	0.0500	0.3900	0.1600	0.3900
	稀释每股收益(元)	0.0600	0.4300	0.0600	0.2100
	每股净资产(元)	3.0698	7.5892	1.8627	3.8188
	每股经营现金净流量(元)	–0.2815	0.4339	–0.0064	0.2691
	每股现金流量(元)	–0.6484	1.8970	–0.3953	0.8092
	每股资本公积金(元)	1.6636	5.6589	0.0393	1.2865
	每股盈余公积金(元)	0.0368	0.0919	0.0926	0.2037
	每股未分配利润(元)	0.3695	0.8385	0.7307	1.3285
	净资产收益率(%)	1.8444	4.8615	8.4467	12.0904
	加权净资产收益率(%)	1.8500	17.4500	8.7000	13.1200
	净资产收益率(扣除)(%)	1.5789	4.4528	8.5015	10.0604
	总资产(万元)	218410.73	234880.34	44625.88	39565.92
	归属母公司股东权益(万元)	194689.87	192524.54	39831.50	37118.30
	营业收入(万元)	40661.69	43901.85	14020.43	19257.38
	营业支出(万元)	26326.24	21202.94	6637.78	10043.37
	投资收益(万元)	383.50	109.54	–11.45	191.68
	净利润(万元)	4423.41	11586.67	3511.16	4487.74
	营业利润(万元)	4905.42	13194.65	4192.34	4670.39
	利润总额(万元)	5490.44	14137.32	4157.39	5365.18

杭州炬华科技股份有限公司

公司概况	公司名称	杭州炬华科技股份有限公司			证券简称	炬华科技
	法人代表	丁敏华	董秘	姜千才	证券代码	300360
	公司网址	www.sunrisemeter.com		电子信箱	sunrise@ sunrisemeter.com	
	电　话	0571-89935881		传　真	0571-89935899	
	办公地址	浙江省杭州市余杭区仓前街道龙潭路9号				
	经营范围	电能计量仪表和用电信息采集系统产品研发、生产与销售等				

	指标\报告期	2016.06.30	2015.12.31	2015.06.30	2014.12.31
主要财务指标	基本每股收益(元)	0.3500	0.9900	0.3000	0.9000
	基本每股收益(扣除后)(元)	0.3300	0.9300	0.4300	0.8700
	稀释每股收益(元)	0.3500	0.9800	0.2900	0.9000
	每股净资产(元)	3.2013	4.4700	3.8411	3.5722
	每股经营现金净流量(元)	–0.1451	0.6650	–0.3351	0.7281
	每股现金流量(元)	–0.1863	–0.4555	–0.7389	–0.0100
	每股资本公积金(元)	0.1233	0.5943	0.5613	0.5047
	每股盈余公积金(元)	0.2418	0.3627	0.2698	0.2702
	每股未分配利润(元)	1.8975	2.6199	2.1726	1.9386
	净资产收益率(%)	10.9631	21.8381	11.3642	24.7991
	加权净资产收益率(%)	11.2900	24.5800	11.6300	28.6200
	净资产收益率(扣除)(%)	10.2180	20.6176	11.1064	23.8195
	总资产(万元)	161361.09	162013.81	144947.06	148870.72
	归属母公司股东权益(万元)	116104.72	108129.03	92873.10	86248.14
	营业收入(万元)	56263.38	108683.64	52403.58	98832.50
	营业支出(万元)	35799.68	72371.91	35574.81	64150.12
	投资收益(万元)	–	77.67	52.45	96.26
	净利润(万元)	12728.62	23613.28	10554.27	21388.77
	营业利润(万元)	13904.16	25851.14	11963.42	24018.45
	利润总额(万元)	15099.55	27587.66	12298.58	25045.89

成都天翔环境股份有限公司

公司概况	公司名称	成都天翔环境股份有限公司			证券简称	天翔环境
	法人代表	邓亲华	董秘	王培勇	证券代码	300362
	公司网址	www.tbhic.cn		电子信箱	tbzz@tbhic.cn	
	电　话	028-83625802　83625163		传　真	028-83626299	
	办公地址	四川省成都市青白江区大同镇(工业园区内)				
	经营范围	大型节能环保及清洁能源设备的研发、生产和销售				

	指标\报告期	2016.06.30	2015.12.31	2015.06.30	2014.12.31
主要财务指标	基本每股收益(元)	0.1486	0.4614	0.1428	0.3308
	基本每股收益(扣除后)(元)	0.1171	–	0.1286	0.3105
	稀释每股收益(元)	0.1486	0.4614	0.1428	0.3308
	每股净资产(元)	11.9219	11.5725	6.0616	5.9748
	每股经营现金净流量(元)	–0.8986	–0.2711	–0.3759	–0.6665
	每股现金流量(元)	–3.5803	10.1520	–0.4342	–0.6157
	每股资本公积金(元)	9.5682	12.4015	3.3269	3.3269
	每股盈余公积金(元)	0.1449	0.2041	0.1840	0.1840
	每股未分配利润(元)	1.1658	1.8351	1.5468	1.4641
	净资产收益率(%)	1.2219	2.9165	2.3551	5.4205
	加权净资产收益率(%)	1.2600	19.1500	2.3700	5.6800
	净资产收益率(扣除)(%)	0.9625	2.6931	2.1218	5.0891
	总资产(万元)	351240.65	384775.80	163269.46	158687.03
	归属母公司股东权益(万元)	172556.85	162522.35	62271.91	61380.26
	营业收入(万元)	31673.72	49379.04	19607.01	39932.40
	营业支出(万元)	20149.11	27552.95	13115.65	25521.91
	投资收益(万元)	296.89	294.29	113.41	1.44
	净利润(万元)	2261.31	5398.94	1483.38	3338.96
	营业利润(万元)	2502.26	6214.69	1482.59	3845.57
	利润总额(万元)	2918.90	6619.42	1652.91	4064.35

重庆博腾制药科技股份有限公司

公司概况					
公司名称	重庆博腾制药科技股份有限公司			证券简称	博腾股份
法人代表	居年丰	董秘	陶荣	证券代码	300363
公司网址	www.porton.cn		电子信箱	porton.db@porton.cn	
电　话	023-67038625		传　真	023-67866760	
办公地址	重庆市渝北区洪湖西路 18 号上丁企业公园 6 栋				
经营范围	医药定制研发生产服务				

主要财务指标 指标\报告期	2016.06.30	2015.12.31	2015.06.30	2014.12.31
基本每股收益(元)	0.2200	0.2700	0.2000	0.3200
基本每股收益(扣除后)(元)	0.2300	0.2600	0.2000	1.1200
稀释每股收益(元)	0.2200	0.2700	0.2000	0.3200
每股净资产(元)	2.8166	2.6549	3.0978	7.4386
每股经营现金净流量(元)	0.2433	0.2664	0.5215	1.1185
每股现金流量(元)	0.3494	–0.4292	–0.3188	1.8120
每股资本公积金(元)	0.5978	0.5346	0.5771	2.9833
每股盈余公积金(元)	0.1132	0.1141	0.1526	0.3425
每股未分配利润(元)	1.2028	1.0323	1.4198	3.1959
净资产收益率(%)	7.7589	9.8613	6.5684	15.4766
加权净资产收益率(%)	8.0200	11.9500	6.7000	17.1300
净资产收益率(扣除)(%)	8.0031	9.6286	6.4054	14.9482
总资产(万元)	266072.12	237940.13	187570.25	185495.52
归属母公司股东权益(万元)	119733.92	111947.04	84414.85	81081.08
营业收入(万元)	61282.97	102120.92	53680.60	98725.59
营业支出(万元)	36014.64	68871.54	38009.46	62475.15
投资收益(万元)	–14.70	0.61	–	–
净利润(万元)	9031.51	10563.45	5308.47	12257.95
营业利润(万元)	11871.36	12907.40	6603.60	14270.75
利润总额(万元)	11527.37	13175.64	6765.24	14784.82

中文在线数字出版集团股份有限公司

公司概况					
公司名称	中文在线数字出版集团股份有限公司			证券简称	中文在线
法人代表	童之磊	董秘	张帆	证券代码	300364
公司网址	www.chineseall.com		电子信箱	ir@chineseall.com	
电　话	010-51667567		传　真	010-84195550	
办公地址	北京市东城区安定门东大街 28 号 2 号楼 9 层 905 号				
经营范围	数字阅读产品、数字出版运营服务、数字内容增值服务				

主要财务指标 指标\报告期	2016.06.30	2015.12.31	2015.06.30	2014.12.31
基本每股收益(元)	0.0326	0.2700	0.0296	0.5100
基本每股收益(扣除后)(元)	0.0297	0.1500	–0.0050	0.3700
稀释每股收益(元)	0.0326	0.2700	0.0288	0.5100
每股净资产(元)	2.5536	4.2651	3.8836	3.3467
每股经营现金净流量(元)	0.1309	0.3009	–0.0789	0.4258
每股现金流量(元)	0.0438	0.2818	0.6038	–0.6354
每股资本公积金(元)	0.6914	1.5736	1.3946	0.3320
每股盈余公积金(元)	0.0886	0.1786	0.1683	0.2244
每股未分配利润(元)	0.7735	1.5130	1.3208	1.7903
净资产收益率(%)	1.2684	6.1067	1.4940	15.3282
加权净资产收益率(%)	1.4500	6.5700	1.5700	16.4000
净资产收益率(扣除)(%)	1.1576	3.3553	–0.1396	11.1266
总资产(万元)	99212.95	87899.68	52881.95	43313.04
归属母公司股东权益(万元)	61731.31	51180.86	46603.72	30120.63
营业收入(万元)	22717.49	39024.62	12964.61	26973.81
营业支出(万元)	10754.08	20612.05	6201.47	14473.58
投资收益(万元)	–11.09	581.54	–136.11	607.64
净利润(万元)	744.86	2936.66	684.60	4610.12
营业利润(万元)	1170.42	2133.62	141.56	3992.02
利润总额(万元)	1247.71	3540.92	1021.37	5369.42

北京恒华伟业科技股份有限公司

公司概况					
公司名称	北京恒华伟业科技股份有限公司			证券简称	恒华科技
法人代表	方文	董秘	陈显龙	证券代码	300365
公司网址	www.ieforever.com		电子信箱	irm@ieforever.com	
电　话	010-62078588		传　真	010-62032013	
办公地址	北京市东城区安定门外大街 138 号皇城国际中心 A 座 12 层				
经营范围	面向智能电网的信息化服务供应商,致力于运用信息技术、物联网技术等				

主要财务指标 指标\报告期	2016.06.30	2015.12.31	2015.06.30	2014.12.31
基本每股收益(元)	0.1700	0.4600	0.1100	0.3600
基本每股收益(扣除后)(元)	0.1700	0.4000	0.0700	0.8800
稀释每股收益(元)	0.1700	0.4600	0.1100	0.3600
每股净资产(元)	3.7165	3.5822	3.2214	3.0200
每股经营现金净流量(元)	–0.3387	–0.0334	–0.2694	0.2633
每股现金流量(元)	–0.0483	–0.2416	–0.5208	2.4522
每股资本公积金(元)	0.9871	0.9703	0.9570	2.5991
每股盈余公积金(元)	0.1751	0.1753	0.1326	0.2680
每股未分配利润(元)	1.5543	1.4366	1.1319	2.1618
净资产收益率(%)	4.5504	12.8122	3.4628	11.5600
加权净资产收益率(%)	4.6100	13.7500	3.6000	15.9100
净资产收益率(扣除)(%)	4.5306	11.0961	2.2713	10.7338
总资产(万元)	82097.02	72271.38	60300.56	55920.89
归属母公司股东权益(万元)	65387.71	62960.79	56619.46	52436.80
营业收入(万元)	18269.23	39178.59	10589.42	22763.77
营业支出(万元)	10093.03	21843.31	5456.76	12116.21
投资收益(万元)	–	–	–	–
净利润(万元)	3350.40	9108.49	2255.09	6061.70
营业利润(万元)	3375.78	8989.80	2021.30	6115.85
利润总额(万元)	3687.48	10571.52	2777.84	6631.21

四川创意信息技术股份有限公司

公司概况					
公司名称	四川创意信息技术股份有限公司			证券简称	创意信息
法人代表	陆文斌	董秘	王晓伟	证券代码	300366
公司网址	www.sc-troy.com		电子信箱	zq@sc-troy.com	
电　话	028-87827800		传　真	028-87825625	
办公地址	成都市高新西区西芯大道 28 号				
经营范围	电信外包服务中的电信级数据网络系统解决方案及技术服务				

主要财务指标 指标\报告期	2016.06.30	2015.12.31	2015.06.30	2014.12.31
基本每股收益(元)	0.0551	0.8373	0.1213	0.3589
基本每股收益(扣除后)(元)	0.0420	0.8470	0.1817	0.6600
稀释每股收益(元)	0.0551	0.8373	0.1213	0.3589
每股净资产(元)	6.0037	8.9230	3.1514	6.0141
每股经营现金净流量(元)	–0.6963	–0.3280	–0.5666	–0.5761
每股现金流量(元)	–0.3609	–0.0582	–0.5018	0.9115
每股资本公积金(元)	3.7892	6.1838	0.5752	1.8504
每股盈余公积金(元)	0.1730	0.2594	0.3093	0.6186
每股未分配利润(元)	1.0416	1.4798	1.2669	2.5450
净资产收益率(%)	0.9174	7.4245	5.7715	11.8120
加权净资产收益率(%)	0.9200	21.1400	5.8700	12.7800
净资产收益率(扣除)(%)	0.6989	7.5104	5.7646	10.8411
总资产(万元)	175684.04	169253.05	48644.01	50152.71
归属母公司股东权益(万元)	133297.27	132074.38	36020.81	34370.50
营业收入(万元)	28177.03	62073.26	13678.26	27882.72
营业支出(万元)	21081.11	43550.61	8901.69	19034.22
投资收益(万元)	–25.29	196.00	–	93.38
净利润(万元)	1270.83	9746.33	2075.53	4059.84
营业利润(万元)	1318.98	10709.74	2366.71	4418.51
利润总额(万元)	1661.70	10910.08	2369.63	4701.25

东方网力科技股份有限公司

公司概况					
公司名称	东方网力科技股份有限公司			证券简称	东方网力
法人代表	刘光	董秘	张晨	证券代码	300367
公司网址	www.netposa.com		电子信箱	irm@netposa.com	
电　话	010-82325566		传　真	010-82328940	
办公地址	北京市朝阳区阜通东大街1号望京SOHO塔二C座26层				
经营范围	城市视频监控管理平台的研发、制造、销售及提供相关技术服务				

主要财务指标 指标\报告期	2016.06.30	2015.12.31	2015.06.30	2014.12.31
基本每股收益(元)	0.0842	0.8391	0.0551	0.4660
基本每股收益(扣除后)(元)	0.0845	0.8333	0.1363	1.1539
稀释每股收益(元)	0.0837	0.8288	0.0551	0.4660
每股净资产(元)	2.4931	6.0909	2.9605	6.5534
每股经营现金净流量(元)	-0.2928	0.4389	-0.3085	0.0891
每股现金流量(元)	-0.5853	1.0079	-0.4406	1.9666
每股资本公积金(元)	0.8062	3.4685	0.6203	2.8786
每股盈余公积金(元)	0.0706	0.1766	0.1319	0.3298
每股未分配利润(元)	0.7165	1.7069	1.2084	2.8007
净资产收益率(%)	3.3592	12.6561	4.5972	16.2611
加权净资产收益率(%)	3.4000	25.6000	4.7700	19.7400
净资产收益率(扣除)(%)	3.3695	12.5693	4.6026	16.1803
总资产(万元)	369137.63	366814.53	157772.15	158066.25
归属母公司股东权益(万元)	200923.55	196349.19	88181.81	83507.71
营业收入(万元)	58624.60	101678.26	33142.87	63980.70
营业支出(万元)	25745.73	44440.34	16779.41	29536.24
投资收益(万元)	-251.12	460.34	-396.08	55.72
净利润(万元)	6986.91	27009.42	4055.44	13742.44
营业利润(万元)	4697.73	24840.64	2302.26	12884.48
利润总额(万元)	8063.61	30269.63	4594.33	15818.91

河北汇金机电股份有限公司

公司概况					
公司名称	河北汇金机电股份有限公司			证券简称	汇金股份
法人代表	孙景涛	董秘	孙景涛(代)	证券代码	300368
公司网址	www.hjjs.com		电子信箱	hbhuijin@hjjs.com	
电　话	0311-66858368　66858108		传　真	0311-66858108	
办公地址	河北省石家庄高新技术产业开发区湘江道209号				
经营范围	金融机具的研发、生产、销售及服务				

主要财务指标 指标\报告期	2016.06.30	2015.12.31	2015.06.30	2014.12.31
基本每股收益(元)	-0.0279	0.2142	-0.0107	0.1845
基本每股收益(扣除后)(元)	-0.0303	0.2034	-0.0200	0.3500
稀释每股收益(元)	-0.0279	0.2142	-0.0107	0.1845
每股净资产(元)	1.8550	3.7928	2.0613	4.2455
每股经营现金净流量(元)	-0.1980	0.3945	-0.3193	0.3022
每股现金流量(元)	-0.2627	0.6697	-0.3321	0.9068
每股资本公积金(元)	0.4147	1.8294	0.2401	1.4801
每股盈余公积金(元)	0.0538	0.1075	0.1092	0.2183
每股未分配利润(元)	0.3800	0.8559	0.7121	1.5471
净资产收益率(%)	-1.5056	5.1730	-1.0397	8.6207
加权净资产收益率(%)	-1.4800	9.3000	-1.0200	9.1200
净资产收益率(扣除)(%)	-1.6343	4.9103	-1.0475	8.1106
总资产(万元)	146198.04	145389.32	78814.11	82746.52
归属母公司股东权益(万元)	100904.74	103155.06	51038.61	52559.66
营业收入(万元)	14931.51	50892.31	14682.87	30498.50
营业支出(万元)	9306.57	27353.90	9101.83	16968.80
投资收益(万元)	268.95	-12.36	-16.11	29.02
净利润(万元)	-2592.16	7693.52	-190.61	5372.97
营业利润(万元)	-2903.24	6786.13	-292.69	5308.38
利润总额(万元)	-2449.92	8286.42	-103.04	6087.02

北京神州绿盟信息安全科技股份有限公司

公司概况					
公司名称	北京神州绿盟信息安全科技股份有限公司			证券简称	绿盟科技
法人代表	沈继业	董秘	黎宏	证券代码	300369
公司网址	www.nsfocus.com		电子信箱	ir@nsfocus.com	
电　话	010-68438880		传　真	010-68728708	
办公地址	北京市海淀区北洼路4号益泰大厦5层				
经营范围	信息安全产品的研发、生产、销售及提供专业安全服务				

主要财务指标 指标\报告期	2016.06.30	2015.12.31	2015.06.30	2014.12.31
基本每股收益(元)	0.0078	0.5500	-0.0400	0.4300
基本每股收益(扣除后)(元)	-0.0265	0.4600	-0.0900	1.0100
稀释每股收益(元)	0.0078	0.5500	-0.0400	0.4300
每股净资产(元)	4.6787	4.6935	4.0203	7.1684
每股经营现金净流量(元)	-0.3218	0.3758	-0.1494	0.7317
每股现金流量(元)	-0.5085	0.3056	-0.3206	2.8030
每股资本公积金(元)	2.1632	1.9421	1.8161	2.6657
每股盈余公积金(元)	0.1951	0.1973	0.1608	0.4253
每股未分配利润(元)	1.5716	1.5811	1.0495	3.0923
净资产收益率(%)	0.1664	11.4977	-0.8890	14.8925
加权净资产收益率(%)	0.1700	13.4400	-1.0600	16.7800
净资产收益率(扣除)(%)	-0.5658	9.7760	-2.1714	13.9089
总资产(万元)	212003.45	213287.19	165629.37	122315.69
归属母公司股东权益(万元)	170339.26	169010.47	143919.86	97030.82
营业收入(万元)	31518.21	87766.48	22041.84	70266.82
营业支出(万元)	6860.27	19033.05	4832.29	15444.98
投资收益(万元)	1060.35	-82.87	-	2.52
净利润(万元)	242.96	19347.87	-1304.34	14446.06
营业利润(万元)	-1226.36	11929.47	-4214.62	8907.51
利润总额(万元)	1338.52	21515.14	-921.73	15891.61

北京安控科技股份有限公司

公司概况					
公司名称	北京安控科技股份有限公司			证券简称	安控科技
法人代表	俞凌	董秘	宋卫红	证券代码	300370
公司网址	www.etrol.com		电子信箱	info@etrol.com	
电　话	010-62971668　62971668*6135		传　真	010-62979746	
办公地址	北京市海淀区地锦路9号院6号楼				
经营范围	计算机应用软件开发及服务等				

主要财务指标 指标\报告期	2016.06.30	2015.12.31	2015.06.30	2014.12.31
基本每股收益(元)	-0.0206	0.3270	-0.0183	0.2313
基本每股收益(扣除后)(元)	-0.0210	0.3181	-0.0366	0.5606
稀释每股收益(元)	-0.0206	0.3270	-0.0183	0.2313
每股净资产(元)	1.4762	3.0435	1.6990	4.4893
每股经营现金净流量(元)	-0.1145	-0.0060	-0.1910	-0.3553
每股现金流量(元)	-0.0554	-0.1142	-0.1991	0.6169
每股资本公积金(元)	0.1310	1.2519	0.1936	1.4840
每股盈余公积金(元)	0.0536	0.1072	0.0967	0.2417
每股未分配利润(元)	0.2913	0.6839	0.4088	1.7636
净资产收益率(%)	-1.3967	9.8319	-2.1571	12.7721
加权净资产收益率(%)	-1.3700	16.1700	-2.0700	13.8900
净资产收益率(扣除)(%)	-1.4241	9.5632	-2.3543	12.4337
总资产(万元)	169899.10	154210.93	92161.62	89766.95
归属母公司股东权益(万元)	79093.92	81532.87	41298.38	43649.84
营业收入(万元)	12577.35	54764.70	13174.21	42839.18
营业支出(万元)	7013.99	32331.92	9218.61	24032.74
投资收益(万元)	-253.10	511.61	-	-
净利润(万元)	-1403.83	8137.05	-938.07	5691.25
营业利润(万元)	-1906.38	8779.81	-1251.38	6375.76
利润总额(万元)	-1818.22	9384.65	-1109.07	6614.67

汇中仪表股份有限公司

公司概况	公司名称	汇中仪表股份有限公司			证券简称	汇中股份
	法人代表	张力新	董秘	杨文博	证券代码	300371
	公司网址	www.hzyb.com		电子信箱	tshzdmb@hzyb.com	
	电　　话	0315-3856690		传　　真	0315-3190081	
	办公地址	河北省唐山市高新技术产业开发区高新西道 126 号				
	经营范围	超声热量表,超声水表,超声流量计等产品的开发,生产和销售				

主要财务指标	指标\报告期	2016.06.30	2015.12.31	2015.06.30	2014.12.31
	基本每股收益(元)	0.0691	0.5600	0.1666	0.6300
	基本每股收益(扣除后)(元)	0.0641	0.5500	0.1700	0.7600
	稀释每股收益(元)	0.0691	0.5600	0.1666	0.6300
	每股净资产(元)	4.1906	4.2914	3.8922	4.7969
	每股经营现金净流量(元)	-0.1376	0.5058	-0.0890	0.6456
	每股现金流量(元)	-0.1234	-1.1617	-0.7484	1.4547
	每股资本公积金(元)	1.5383	1.5383	1.5320	2.1650
	每股盈余公积金(元)	0.2732	0.2732	0.2172	0.2715
	每股未分配利润(元)	1.3791	1.4800	1.1430	1.3604
	净资产收益率(%)	1.6493	13.0411	4.2814	16.1469
	加权净资产收益率(%)	1.6200	13.8400	4.2900	18.1600
	净资产收益率(扣除)(%)	1.5296	12.8458	4.2450	15.6789
	总资产(万元)	54390.70	56154.38	51509.64	49943.29
	归属母公司股东权益(万元)	50286.63	51497.24	46705.85	46050.19
	营业收入(万元)	6216.17	21249.91	8075.70	20175.14
	营业支出(万元)	2406.03	8443.76	3183.52	7869.12
	投资收益(万元)	69.64	96.06	-	32.09
	净利润(万元)	829.38	6715.79	1999.65	7435.69
	营业利润(万元)	407.27	6400.15	1835.82	7220.05
	利润总额(万元)	900.76	7863.79	2250.48	8957.74

扬州扬杰电子科技股份有限公司

公司概况	公司名称	扬州扬杰电子科技股份有限公司			证券简称	扬杰科技
	法人代表	梁勤	董秘	梁瑶	证券代码	300373
	公司网址	www.21yangjie.com		电子信箱	zjb@21yangjie.com	
	电　　话	0514-87755155		传　　真	0514-87943666	
	办公地址	江苏省扬州市维扬经济开发区荷叶西路 6 号				
	经营范围	新型电子元器件及其他电子元器件的制造,加工,销售本公司自产产品				

主要财务指标	指标\报告期	2016.06.30	2015.12.31	2015.06.30	2014.12.31
	基本每股收益(元)	0.2400	0.3300	0.1600	0.2800
	基本每股收益(扣除后)(元)	0.2300	0.3000	0.3500	0.6100
	稀释每股收益(元)	0.2400	0.3300	0.1600	0.2800
	每股净资产(元)	2.2265	2.0143	4.5549	4.3747
	每股经营现金净流量(元)	0.1869	0.2013	0.2299	0.5162
	每股现金流量(元)	-0.0242	-0.0091	-0.0283	0.2092
	每股资本公积金(元)	0.1360	0.0802	1.6321	1.4227
	每股盈余公积金(元)	0.0929	0.0935	0.1682	0.1710
	每股未分配利润(元)	1.1015	0.9352	1.9714	1.7810
	净资产收益率(%)	10.4209	16.3146	8.5049	15.5671
	加权净资产收益率(%)	11.0300	17.6800	8.6300	17.2500
	净资产收益率(扣除)(%)	10.0724	14.8077	7.6016	13.6971
	总资产(万元)	145270.28	133051.25	96698.65	89084.71
	归属母公司股东权益(万元)	93971.85	84466.04	76308.69	72094.67
	营业收入(万元)	54613.88	83389.34	33838.70	64781.18
	营业支出(万元)	35390.85	54507.08	21449.61	43878.65
	投资收益(万元)	28.92	752.07	489.51	255.41
	净利润(万元)	9817.64	13850.71	6547.19	11238.30
	营业利润(万元)	11166.29	15669.11	7364.04	11941.88
	利润总额(万元)	11516.07	16407.18	7674.42	13201.28

北京恒通创新赛木科技股份有限公司

公司概况	公司名称	北京恒通创新赛木科技股份有限公司			证券简称	恒通科技
	法人代表	孙志强	董秘	谭黎明	证券代码	300374
	公司网址	www.htcxms.com		电子信箱	hengtongsaimu@sohu.com	
	电　　话	010-57961616		传　　真	010-57961616	
	办公地址	北京市房山区长阳万兴路 05 号				
	经营范围	技术开发、技术转让、技术咨询、技术服务、技术培训等				

主要财务指标	指标\报告期	2016.06.30	2015.12.31	2015.06.30	2014.12.31
	基本每股收益(元)	0.0300	0.2300	0.1100	0.3700
	基本每股收益(扣除后)(元)	0.0100	0.1700	0.3500	0.6100
	稀释每股收益(元)	0.0300	0.2300	0.1100	0.3700
	每股净资产(元)	3.9309	3.9158	4.5549	6.1306
	每股经营现金净流量(元)	-0.4089	-0.3112	0.2299	0.7226
	每股现金流量(元)	-0.3368	0.1685	-0.0283	0.2299
	每股资本公积金(元)	1.3314	1.3345	1.6321	1.4227
	每股盈余公积金(元)	0.0444	0.0444	0.1682	0.1710
	每股未分配利润(元)	1.5534	1.5261	1.9714	1.7810
	净资产收益率(%)	0.6933	5.7039	8.5049	15.5671
	加权净资产收益率(%)	0.6900	6.4700	8.6300	17.2500
	净资产收益率(扣除)(%)	0.1796	4.1103	7.6016	13.6971
	总资产(万元)	119022.95	114075.14	96698.65	89084.71
	归属母公司股东权益(万元)	76525.97	76233.55	76308.69	72094.67
	营业收入(万元)	8798.34	45066.02	33838.70	64781.18
	营业支出(万元)	5290.27	31219.28	21449.61	43878.65
	投资收益(万元)	-	-	489.51	255.41
	净利润(万元)	451.20	4313.57	6547.19	11238.30
	营业利润(万元)	21.82	4746.27	7364.04	11941.88
	利润总额(万元)	551.01	6112.73	7674.42	13201.28

天津鹏翎胶管股份有限公司

公司概况	公司名称	天津鹏翎胶管股份有限公司			证券简称	鹏翎股份
	法人代表	张洪起	董秘	刘世玲	证券代码	300375
	公司网址	www.pengling.cn		电子信箱	office@pengling.cn	
	电　　话	022-63267828		传　　真	022-63267817	
	办公地址	天津市滨海新区大港葛万公路 1703 号				
	经营范围	生产、销售汽车用橡胶软管				

主要财务指标	指标\报告期	2016.06.30	2015.12.31	2015.06.30	2014.12.31
	基本每股收益(元)	0.3400	0.6900	0.3400	0.7100
	基本每股收益(扣除后)(元)	0.3200	0.6600	0.3300	1.3500
	稀释每股收益(元)	0.3400	0.6900	0.3400	0.7100
	每股净资产(元)	6.2377	6.0705	5.2911	10.1090
	每股经营现金净流量(元)	0.1258	0.6318	0.3766	1.1051
	每股现金流量(元)	-0.2065	0.3099	-0.1174	2.1210
	每股资本公积金(元)	1.9022	1.8765	1.4347	3.7364
	每股盈余公积金(元)	0.5444	0.5444	0.5048	0.9529
	每股未分配利润(元)	2.9198	2.7849	2.5480	4.8125
	净资产收益率(%)	5.3711	11.0529	6.4265	13.6181
	加权净资产收益率(%)	5.4100	12.5700	6.4700	14.9100
	净资产收益率(扣除)(%)	5.1442	10.5850	6.1742	12.9045
	总资产(万元)	142729.88	141953.91	123889.61	117045.56
	归属母公司股东权益(万元)	115918.13	112870.80	96404.92	92094.42
	营业收入(万元)	51230.79	98532.21	51737.90	109915.42
	营业支出(万元)	35932.27	69063.64	36825.55	80132.25
	投资收益(万元)	-	-	-	-
	净利润(万元)	6226.08	12475.45	6195.50	12541.47
	营业利润(万元)	7094.84	14060.50	7057.00	13576.39
	利润总额(万元)	7424.25	14711.38	7364.48	14370.72

易事特集团股份有限公司

公司概况	公司名称	易事特集团股份有限公司			证券简称	易事特
	法人代表	何思模	董秘	赵久红	证券代码	300376
	公司网址	www.eastups.com			电子信箱	zhaojh@eastups.com
	电　话	0769-22897777-8223			传　真	0769-87882853
	办公地址	广东省东莞市松山湖科技产业园区工业北路 6 号				
	经营范围	本公司主要从事 UPS 等功率电子装置的研发、生产、销售和服务				

主要财务指标	指标\报告期	2016.06.30	2015.12.31	2015.06.30	2014.12.31
	基本每股收益(元)	0.3100	1.1100	0.2100	0.7000
	基本每股收益(扣除后)(元)	0.2600	0.9700	0.3949	0.8400
	稀释每股收益(元)	0.3100	1.1100	0.2100	0.7000
	每股净资产(元)	2.8362	4.6193	4.6193	6.0590
	每股经营现金净流量(元)	0.6196	0.8824	-0.9063	0.2975
	每股现金流量(元)	0.3133	-0.4206	-0.4470	0.1570
	每股资本公积金(元)	0.1194	0.2404	0.2329	0.7244
	每股盈余公积金(元)	0.1699	0.3399	0.2286	0.3200
	每股未分配利润(元)	1.5467	3.7390	3.1577	4.0145
	净资产收益率(%)	10.8301	20.9469	9.1284	16.0096
	加权净资产收益率(%)	11.1800	23.1100	9.2900	17.3800
	净资产收益率(扣除)(%)	9.2016	18.2137	8.5499	13.7240
	总资产(万元)	526472.50	443715.38	317675.08	252196.92
	归属母公司股东权益(万元)	142070.56	133233.84	115694.28	108395.09
	营业收入(万元)	229073.32	368238.51	141384.54	196908.54
	营业支出(万元)	195537.13	303985.23	116967.20	149501.56
	投资收益(万元)	970.87	2504.33	861.69	1077.64
	净利润(万元)	15490.03	27866.91	10540.57	17298.02
	营业利润(万元)	15785.32	28007.87	11144.05	17973.93
	利润总额(万元)	18135.98	31643.80	11813.48	19631.68

深圳市赢时胜信息技术股份有限公司

公司概况	公司名称	深圳市赢时胜信息技术股份有限公司			证券简称	赢时胜
	法人代表	唐球	董秘	程霞	证券代码	300377
	公司网址	www.ysstech.com			电子信箱	ysstech@ysstech.com
	电　话	0755-23968617			传　真	0755-88265113
	办公地址	深圳市南山区侨香路 4068 号智慧广场 B 栋 1101 室				
	经营范围	计算机软件的技术开发、咨询、销售及售后服务等				

主要财务指标	指标\报告期	2016.06.30	2015.12.31	2015.06.30	2014.12.31
	基本每股收益(元)	0.0796	0.5300	0.0296	0.4200
	基本每股收益(扣除后)(元)	0.0761	0.5200	0.0600	0.3900
	稀释每股收益(元)	0.0796	0.5300	0.0296	0.4200
	每股净资产(元)	8.3520	4.1337	3.6653	3.8600
	每股经营现金净流量(元)	-0.0139	0.5805	-0.2784	0.3400
	每股现金流量(元)	4.4683	-0.2945	-0.9195	1.3898
	每股资本公积金(元)	6.7226	1.2441	1.2441	1.2441
	每股盈余公积金(元)	0.0844	0.2247	0.1712	0.1712
	每股未分配利润(元)	0.5450	1.6648	1.2500	1.4407
	净资产收益率(%)	0.8343	12.7661	1.6176	10.8681
	加权净资产收益率(%)	1.3900	13.2800	1.5400	11.8000
	净资产收益率(扣除)(%)	0.7982	12.6905	1.5983	10.0184
	总资产(万元)	250682.11	50754.81	44073.17	46246.14
	归属母公司股东权益(万元)	246160.36	45760.16	40574.69	42685.86
	营业收入(万元)	12798.66	25010.52	9485.67	20003.73
	营业支出(万元)	2700.52	4628.16	2001.25	3893.82
	投资收益(万元)	-64.73	-	-	-
	净利润(万元)	2023.15	5783.45	656.84	4639.13
	营业利润(万元)	2210.25	6268.41	709.39	4443.33
	利润总额(万元)	2303.24	6371.42	770.35	4927.94

鼎捷软件股份有限公司

公司概况	公司名称	鼎捷软件股份有限公司			证券简称	鼎捷软件
	法人代表	孙蔼彬	董秘	张苑逸	证券代码	300378
	公司网址	www.digiwin.com.cn			电子信箱	digiwin-zhengquan@ digiwin.biz
	电　话	021-51791699			传　真	021-51791698
	办公地址	上海市静安区江场路 1377 弄 7 号 20 层				
	经营范围	以自制 ERP 软件为核心的企业管理软件的研发、销售、实施及服务				

主要财务指标	指标\报告期	2016.06.30	2015.12.31	2015.06.30	2014.12.31
	基本每股收益(元)	0.0800	0.0600	0.0900	0.3200
	基本每股收益(扣除后)(元)	0.0800	0.0100	0.0900	0.3800
	稀释每股收益(元)	0.0800	0.0600	0.0900	0.3200
	每股净资产(元)	4.3605	5.6188	5.7103	7.4258
	每股经营现金净流量(元)	-0.1912	0.6264	-0.0496	-0.0058
	每股现金流量(元)	-0.3928	-1.2432	-0.8425	2.7551
	每股资本公积金(元)	2.1174	3.0469	3.0484	4.2630
	每股盈余公积金(元)	0.1413	0.1837	0.1559	0.2027
	每股未分配利润(元)	1.1378	1.4775	1.5592	2.0814
	净资产收益率(%)	1.7918	1.0340	1.9606	5.5154
	加权净资产收益率(%)	1.8000	1.0300	1.9600	5.7300
	净资产收益率(扣除)(%)	1.8222	0.2193	1.5668	5.0096
	总资产(万元)	166105.88	155070.79	150554.70	147581.04
	归属母公司股东权益(万元)	113795.91	112794.22	114633.05	114669.72
	营业收入(万元)	52318.21	102011.66	49140.68	105318.67
	营业支出(万元)	8885.65	20116.61	9685.95	20581.03
	投资收益(万元)	114.69	265.21	-3.30	-184.73
	净利润(万元)	2094.24	1215.69	2247.52	6297.29
	营业利润(万元)	1893.64	-1882.84	2171.24	5384.51
	利润总额(万元)	2827.97	1807.58	3137.13	8308.78

北京东方通科技股份有限公司

公司概况	公司名称	北京东方通科技股份有限公司			证券简称	东方通
	法人代表	张齐春	董秘	徐少璞	证券代码	300379
	公司网址	www.tongtech.com			电子信箱	tongtech@tongtech.com
	电　话	010-82652668			传　真	010-82652226
	办公地址	北京市海淀区彩和坊路 10 号 1+1 大厦三层				
	经营范围	技术推广,软件服务,销售计算机、软件及辅助设备				

主要财务指标	指标\报告期	2016.06.30	2015.12.31	2015.06.30	2014.12.31
	基本每股收益(元)	0.1130	0.6135	0.0596	0.5611
	基本每股收益(扣除后)(元)	0.0972	0.5353	0.0505	0.9698
	稀释每股收益(元)	0.1125	0.6081	0.0596	0.5611
	每股净资产(元)	11.9800	7.3000	6.7405	13.5618
	每股经营现金净流量(元)	0.1320	0.5691	0.0463	1.0186
	每股现金流量(元)	6.9836	-1.0019	-1.2632	3.9227
	每股资本公积金(元)	11.1990	4.3282	4.3237	9.6475
	每股盈余公积金(元)	0.1279	0.1279	0.1159	0.2318
	每股未分配利润(元)	1.8308	1.8428	1.3009	2.6826
	净资产收益率(%)	0.7871	8.4053	0.8845	7.3104
	加权净资产收益率(%)	1.5400	8.7400	0.8800	17.4786
	净资产收益率(扣除)(%)	0.6770	7.3339	0.7490	6.3178
	总资产(万元)	231068.23	92288.89	87299.94	97075.83
	归属母公司股东权益(万元)	165411.17	84097.80	77664.62	78129.89
	营业收入(万元)	11054.22	23727.72	8311.26	19413.76
	营业支出(万元)	2108.19	3753.31	607.94	396.71
	投资收益(万元)	21.51	3.24	-	0.94
	净利润(万元)	1302.00	7068.64	686.93	5711.60
	营业利润(万元)	289.18	4828.88	-543.42	2977.36
	利润总额(万元)	1777.59	8228.01	1002.34	6266.58

上海安硕信息技术股份有限公司

公司概况	公司名称	上海安硕信息技术股份有限公司			证券简称	安硕信息
	法人代表	高鸣	董秘	曹丰	证券代码	300380
	公司网址	www.amarsoft.com		电子信箱	ir@amarsoft.com	
	电　话	021-55137223		传　真	021-65108010	
	办公地址	上海市杨浦区国泰路 11 号 2308 室				
	经营范围	计算机软件的开发、实施，以及提供相关技术咨询和服务				

主要财务指标	指标\报告期	2016.06.30	2015.12.31	2015.06.30	2014.12.31
	基本每股收益(元)	0.0500	0.1600	0.0500	0.5700
	基本每股收益(扣除后)(元)	0.0500	0.1200	0.0800	0.5340
	稀释每股收益(元)	0.0500	0.1600	0.0500	0.2800
	每股净资产(元)	3.0426	3.0879	2.9835	6.0600
	每股经营现金净流量(元)	-0.8266	0.1938	-0.3973	0.5566
	每股现金流量(元)	-1.1212	0.0402	-0.5724	2.4265
	每股资本公积金(元)	1.0415	1.0415	1.0415	3.0830
	每股盈余公积金(元)	0.1487	0.1487	0.1291	0.2583
	每股未分配利润(元)	0.8525	0.8977	0.8129	1.7233
	净资产收益率(%)	1.7995	5.0400	1.7183	9.2651
	加权净资产收益率(%)	1.7500	5.1000	1.7000	9.9200
	净资产收益率(扣除)(%)	1.8118	3.9048	1.7283	8.7177
	总资产(万元)	53566.15	53616.91	46232.23	48889.48
	归属母公司股东权益(万元)	41817.96	42439.85	41005.49	41675.28
	营业收入(万元)	16011.69	30325.19	11760.54	22003.46
	营业支出(万元)	9333.59	17491.65	6105.73	11766.37
	投资收益(万元)	-77.44	51.19	65.01	-4.58
	净利润(万元)	564.41	2064.06	653.61	3861.26
	营业利润(万元)	434.15	1557.58	440.49	3021.68
	利润总额(万元)	612.23	2124.08	642.43	4100.14

广东溢多利生物科技股份有限公司

公司概况	公司名称	广东溢多利生物科技股份有限公司			证券简称	溢多利
	法人代表	陈少美	董秘	周德荣	证券代码	300381
	公司网址	www.yiduoli.com		电子信箱	vtr@yiduoli.com	
	电　话	0756-8676888*8829		传　真	0756-8673989	
	办公地址	广东省珠海市南屏高科技工业区屏北一路 8 号				
	经营范围	生产及销售酶制剂，饲料添加剂，添加剂预混合饲料，兽药散剂				

主要财务指标	指标\报告期	2016.06.30	2015.12.31	2015.06.30	2014.12.31
	基本每股收益(元)	0.2685	0.7019	0.2507	0.6087
	基本每股收益(扣除后)(元)	0.2275	0.6807	0.2333	0.6082
	稀释每股收益(元)	0.2685	0.7019	0.2507	0.6087
	每股净资产(元)	13.5111	10.7941	7.0660	6.6671
	每股经营现金净流量(元)	-0.7292	0.4511	0.0099	0.1806
	每股现金流量(元)	4.3186	0.4896	0.0546	0.1133
	每股资本公积金(元)	10.9598	6.8939	3.1226	2.6823
	每股盈余公积金(元)	0.3186	0.3186	0.3344	0.3447
	每股未分配利润(元)	2.8506	2.5815	2.6090	2.6401
	净资产收益率(%)	1.7637	5.5427	3.5138	8.3129
	加权净资产收益率(%)	2.4400	9.6300	3.5700	11.6200
	净资产收益率(扣除)(%)	1.4940	5.2382	3.2703	8.3061
	总资产(万元)	334033.32	245226.24	94952.00	96336.26
	归属母公司股东权益(万元)	183189.98	129591.87	72454.82	66310.05
	营业收入(万元)	62189.86	70347.27	25959.55	35981.64
	营业支出(万元)	39626.34	37555.30	13926.16	12971.40
	投资收益(万元)	8.80	-	-	6.10
	净利润(万元)	4164.42	8026.70	2731.93	5513.35
	营业利润(万元)	4182.54	8833.03	2974.65	6366.92
	利润总额(万元)	4810.19	9398.49	3209.43	6366.12

苏州斯莱克精密设备股份有限公司

公司概况	公司名称	苏州斯莱克精密设备股份有限公司			证券简称	斯莱克
	法人代表	安旭	董秘	叶清	证券代码	300382
	公司网址	www.slac.com.cn		电子信箱	stock@slac.com.cn	
	电　话	0512-66590361		传　真	0512-66248543	
	办公地址	苏州市吴中区胥口镇孙武路 1028 号				
	经营范围	研发、生产、加工精冲模、冲压系统和农产品、食品包装的新技术、新设备及相关零配件				

主要财务指标	指标\报告期	2016.06.30	2015.12.31	2015.06.30	2014.12.31
	基本每股收益(元)	0.3700	0.8400	0.4200	0.7400
	基本每股收益(扣除后)(元)	0.3500	0.7400	0.4200	1.4300
	稀释每股收益(元)	0.3700	0.8400	0.4200	0.7400
	每股净资产(元)	5.3497	5.4600	5.0329	11.6439
	每股经营现金净流量(元)	-0.0740	-0.1119	-0.4600	2.0724
	每股现金流量(元)	-0.1342	-0.2184	0.1040	0.6890
	每股资本公积金(元)	1.5001	1.4806	1.4806	4.4573
	每股盈余公积金(元)	0.4070	0.4070	0.3214	0.7071
	每股未分配利润(元)	2.3884	2.5226	2.1888	5.4002
	净资产收益率(%)	6.8383	15.3036	8.2657	13.8336
	加权净资产收益率(%)	6.2200	15.5600	8.9600	15.1800
	净资产收益率(扣除)(%)	6.4526	13.5577	6.8379	12.1051
	总资产(万元)	92384.76	83439.33	71983.69	79088.36
	归属母公司股东权益(万元)	62656.48	63931.61	58946.31	61985.78
	营业收入(万元)	16037.40	34833.16	13366.92	29206.97
	营业支出(万元)	8159.95	18488.07	6850.95	16003.64
	投资收益(万元)	-	592.60	484.75	442.54
	净利润(万元)	4159.12	9708.26	4873.17	8575.79
	营业利润(万元)	4572.62	10707.61	5264.09	9367.28
	利润总额(万元)	4918.53	11465.68	5769.48	10177.81

北京光环新网科技股份有限公司

公司概况	公司名称	北京光环新网科技股份有限公司			证券简称	光环新网
	法人代表	耿殿根	董秘	高宏	证券代码	300383
	公司网址	www.sinnet.com.cn		电子信箱	i_r@sinnet.com.cn	
	电　话	010-64183433		传　真	010-64181819	
	办公地址	北京市东城区东中街 9 号东环广场 A 座 2A				
	经营范围	宽带接入服务、IDC 及其增值服务以及其他互联网服务				

主要财务指标	指标\报告期	2016.06.30	2015.12.31	2015.06.30	2014.12.31
	基本每股收益(元)	0.2100	0.2100	0.0900	0.1800
	基本每股收益(扣除后)(元)	0.2200	0.1700	0.1700	0.8800
	稀释每股收益(元)	0.2100	0.2100	0.0900	0.1800
	每股净资产(元)	8.0744	1.3962	2.6071	6.3905
	每股经营现金净流量(元)	0.1532	0.1831	-0.2005	1.3664
	每股现金流量(元)	2.0028	-0.1110	-0.4744	1.8316
	每股资本公积金(元)	6.6226	0.0201	0.5402	2.8505
	每股盈余公积金(元)	0.0597	0.0725	0.1097	0.2744
	每股未分配利润(元)	0.3921	0.3036	0.9571	2.2656
	净资产收益率(%)	2.2666	14.9056	6.5541	13.6448
	加权净资产收益率(%)	8.0200	15.5100	6.5200	15.1200
	净资产收益率(扣除)(%)	2.2772	12.4543	6.5427	13.6390
	总资产(万元)	843206.57	157563.98	88506.59	86274.22
	归属母公司股东权益(万元)	583921.41	76205.10	71146.69	69758.46
	营业收入(万元)	83779.65	59153.04	26218.64	43454.31
	营业支出(万元)	56787.16	39621.76	17230.78	24769.94
	投资收益(万元)	51.50	50.68	62.37	-
	净利润(万元)	13296.33	11417.86	4663.07	9518.60
	营业利润(万元)	16683.46	10996.24	5421.30	11243.10
	利润总额(万元)	16569.24	13162.33	5401.11	11248.87

北京三联虹普新合纤技术服务股份有限公司

公司概况					
公司名称	北京三联虹普新合纤技术服务股份有限公司			证券简称	三联虹普
法人代表	刘迪	董秘	韩梅	证券代码	300384
公司网址	www.slhpcn.com		电子信箱	slhp@slhpcn.com	
电　话	010-64392238		传　真	010-64391702	
办公地址	北京市朝阳区广泽路2号院(西区)3号楼W-301、W-302、W-303				
经营范围	纺织化工设备的技术开发、技术转让;纺织化工工程设计、咨询、技术服务等				

主要财务指标 指标\报告期	2016.06.30	2015.12.31	2015.06.30	2014.12.31
基本每股收益(元)	0.3582	0.7706	0.4309	0.7286
基本每股收益(扣除后)(元)	0.3448	0.6781	0.7126	2.2075
稀释每股收益(元)	0.3582	0.7706	0.4309	0.7286
每股净资产(元)	5.3178	5.1000	4.8200	13.2900
每股经营现金净流量(元)	0.1169	-0.6052	-0.6103	4.0547
每股现金流量(元)	-1.0687	0.6765	-0.9510	4.3758
每股资本公积金(元)	1.7629	1.7629	1.7629	6.7362
每股盈余公积金(元)	0.2930	0.2930	0.2230	0.6244
每股未分配利润(元)	2.2619	2.1037	1.8341	4.9290
净资产收益率(%)	6.7354	14.9342	8.9391	15.3502
加权净资产收益率(%)	6.7100	15.6500	8.7900	37.5800
净资产收益率(扣除)(%)	6.4846	13.1426	8.4300	14.1873
总资产(万元)	115463.47	118744.14	119312.11	134757.48
归属母公司股东权益(万元)	79422.98	77060.58	71987.18	70886.20
营业收入(万元)	12817.56	37560.68	20316.27	41778.25
营业支出(万元)	4147.25	19966.54	11287.00	24230.90
投资收益(万元)	59.54	1417.05	359.51	594.59
净利润(万元)	5343.67	11508.38	6434.98	10881.18
营业利润(万元)	6088.87	13065.67	7491.43	12318.95
利润总额(万元)	6241.28	13357.24	7600.80	12747.82

无锡雪浪环境科技股份有限公司

公司概况					
公司名称	无锡雪浪环境科技股份有限公司			证券简称	雪浪环境
法人代表	杨建平	董秘	汪崇标	证券代码	300385
公司网址	www.cecm.com.cn		电子信箱	zqsw@cecm.com.cn	
电　话	0510-85183412		传　真	0510-85183412	
办公地址	江苏省无锡市滨湖区蠡湖大道2020号				
经营范围	烟气净化与灰渣处理系统设备的研发、生产、系统集成、销售及服务等				

主要财务指标 指标\报告期	2016.06.30	2015.12.31	2015.06.30	2014.12.31
基本每股收益(元)	0.2733	0.4713	0.2548	0.4383
基本每股收益(扣除后)(元)	0.2562	0.4465	0.2382	0.5866
稀释每股收益(元)	0.2733	0.4713	0.2548	0.4383
每股净资产(元)	5.9972	5.8223	8.4062	8.1239
每股经营现金净流量(元)	-0.9089	0.3019	0.2583	-0.4813
每股现金流量(元)	-0.3029	-0.3611	-0.4581	1.4529
每股资本公积金(元)	2.6411	2.6411	4.4616	4.4616
每股盈余公积金(元)	0.2580	0.2580	0.3321	0.3321
每股未分配利润(元)	2.0949	1.9216	2.6125	2.3302
净资产收益率(%)	4.5572	8.0953	4.5472	7.0804
加权净资产收益率(%)	4.6000	8.3800	4.6000	9.2400
净资产收益率(扣除)(%)	4.2713	7.6681	4.2510	6.3179
总资产(万元)	152602.31	140634.07	125067.11	93580.52
归属母公司股东权益(万元)	71966.44	69867.15	67249.53	64991.58
营业收入(万元)	30595.84	57953.94	24406.12	41968.61
营业支出(万元)	19775.15	38281.65	15139.44	28951.58
投资收益(万元)	-	0.22	-	-
净利润(万元)	3948.12	7037.12	3781.16	4601.67
营业利润(万元)	4847.11	7989.69	4214.39	4946.66
利润总额(万元)	5103.26	8409.22	4473.67	5608.74

飞天诚信科技股份有限公司

公司概况					
公司名称	飞天诚信科技股份有限公司			证券简称	飞天诚信
法人代表	黄煜	董秘	吴彼	证券代码	300386
公司网址	www.ftsafe.com.cn		电子信箱	wubi@ftsafe.com	
电　话	010-62304466-1709		传　真	010-62304477	
办公地址	北京市海淀区学清路9号汇智大厦B楼17层				
经营范围	以身份认证为核心的信息安全产品的研发、生产、销售和服务				

主要财务指标 指标\报告期	2016.06.30	2015.12.31	2015.06.30	2014.12.31
基本每股收益(元)	0.0700	0.8800	0.1400	1.4100
基本每股收益(扣除后)(元)	0.0500	0.7300	0.6200	3.0200
稀释每股收益(元)	0.0700	0.8800	0.1400	1.4100
每股净资产(元)	3.5399	7.1810	14.4993	14.6285
每股经营现金净流量(元)	-0.3071	0.5048	-0.8222	2.8970
每股现金流量(元)	1.2134	-2.1080	-0.7641	6.6093
每股资本公积金(元)	0.8699	2.7398	7.2276	7.2276
每股盈余公积金(元)	0.1844	0.3689	0.6385	0.6385
每股未分配利润(元)	1.4857	3.0735	5.6333	5.7625
净资产收益率(%)	1.9484	12.2308	4.3509	19.0213
加权净资产收益率(%)	1.9100	12.6500	4.2200	27.8700
净资产收益率(扣除)(%)	1.4427	10.1261	4.2813	18.4770
总资产(万元)	168730.02	175407.06	164895.39	163290.37
归属母公司股东权益(万元)	147981.90	150099.01	137758.27	138985.33
营业收入(万元)	34566.33	91159.61	38087.64	108043.08
营业支出(万元)	19776.45	54788.16	23949.73	64367.64
投资收益(万元)	864.73	3052.07	750.82	13.48
净利润(万元)	2677.68	18139.10	5800.06	26418.73
营业利润(万元)	1817.34	14464.43	4231.42	24791.72
利润总额(万元)	3476.19	19680.81	7005.99	28590.92

湖北富邦科技股份有限公司

公司概况					
公司名称	湖北富邦科技股份有限公司			证券简称	富邦股份
法人代表	王仁宗	董秘	万刚	证券代码	300387
公司网址	www.forbon.com		电子信箱	hbforbon@forbon.com	
电　话	0712-3257290		传　真	0712-3257290	
办公地址	湖北省应城市经济技术开发区				
经营范围	化肥助剂的研发、生产、销售和服务				

主要财务指标 指标\报告期	2016.06.30	2015.12.31	2015.06.30	2014.12.31
基本每股收益(元)	0.3600	0.5200	0.2400	0.4000
基本每股收益(扣除后)(元)	0.3600	0.5800	0.4600	0.7000
稀释每股收益(元)	0.3600	0.5200	0.2400	0.4000
每股净资产(元)	4.6479	4.9748	9.6261	9.2890
每股经营现金净流量(元)	0.5338	0.6424	0.2783	-0.1978
每股现金流量(元)	0.0243	0.5546	-0.0570	3.0193
每股资本公积金(元)	1.4380	2.0074	4.6010	4.6010
每股盈余公积金(元)	0.2263	0.2263	0.3737	0.3737
每股未分配利润(元)	2.2543	2.0146	3.6514	3.3147
净资产收益率(%)	7.5235	10.2515	5.0565	8.1292
加权净资产收益率(%)	6.7700	10.7000	5.1100	10.7400
净资产收益率(扣除)(%)	7.5127	11.3941	4.9369	6.7660
总资产(万元)	88422.10	86322.10	64874.68	62022.00
归属母公司股东权益(万元)	57950.02	62026.20	58709.76	56653.70
营业收入(万元)	26640.89	39234.72	17427.72	30344.92
营业支出(万元)	14348.56	22459.88	10452.74	19055.65
投资收益(万元)	-21.84	-0.72	-	-
净利润(万元)	5132.57	6605.23	2962.77	4598.22
营业利润(万元)	5979.00	7661.61	3368.34	4312.81
利润总额(万元)	5986.31	7690.79	3450.94	5225.83

安徽国祯环保节能科技股份有限公司

公司概况	公司名称	安徽国祯环保节能科技股份有限公司			证券简称	国祯环保
	法人代表	李炜	董秘	李燕来	证券代码	300388
	公司网址	www.gzep.com.cn		电子信箱	gzhb@gzep.com.cn	
	电　话	0551-65324976		传　真	0551-65324976	
	办公地址	安徽省合肥市高新技术产业开发区科学大道91号				
	经营范围	项目投资及投资管理，资产管理，企业管理，建设工程项目管理等				

	指标\报告期	2016.06.30	2015.12.31	2015.06.30	2014.12.31
主要财务指标	基本每股收益(元)	0.1500	0.2600	0.0900	0.2000
	基本每股收益(扣除后)(元)	0.1500	0.2400	0.0900	0.6600
	稀释每股收益(元)	0.1500	0.2600	0.0900	0.2000
	每股净资产(元)	4.4750	2.9256	2.9256	8.6331
	每股经营现金净流量(元)	-1.7901	-1.1363	-0.5747	0.3756
	每股现金流量(元)	0.6281	0.4001	0.1256	1.5754
	每股资本公积金(元)	2.4406	0.9610	0.3248	2.9745
	每股盈余公积金(元)	0.1077	0.1175	0.1095	0.3284
	每股未分配利润(元)	1.5489	1.5884	1.4912	4.3297
	净资产收益率(%)	3.2091	9.0546	3.0053	6.8272
	加权净资产收益率(%)	4.3200	9.4500	3.0000	8.6400
	净资产收益率(扣除)(%)	3.0857	8.0755	3.0337	6.5725
	总资产(万元)	485961.58	397568.81	290507.15	258417.81
	归属母公司股东权益(万元)	136106.00	82795.48	77435.71	76167.23
	营业收入(万元)	57075.73	104629.77	50205.25	102267.27
	营业支出(万元)	37705.13	74407.88	36586.80	75235.65
	投资收益(万元)	208.90	202.65	38.79	184.86
	净利润(万元)	4465.48	8145.68	2374.39	5301.85
	营业利润(万元)	3781.45	7572.85	3394.11	6880.35
	利润总额(万元)	5853.85	10483.83	3370.08	7051.43

深圳市艾比森光电股份有限公司

公司概况	公司名称	深圳市艾比森光电股份有限公司			证券简称	艾比森
	法人代表	丁彦辉	董秘	张文磊	证券代码	300389
	公司网址	www.absen.cn		电子信箱	dm@absen.com	
	电　话	0755-28794126		传　真	0755-28792955	
	办公地址	广东省深圳市龙岗区坂田街道雪岗路2018号天安云谷产业园一期3栋A座20层				
	经营范围	LED应用产品的研发、生产、销售和服务，主要产品为LED全彩显示屏				

	指标\报告期	2016.06.30	2015.12.31	2015.06.30	2014.12.31
主要财务指标	基本每股收益(元)	0.1913	0.7983	0.1390	1.1410
	基本每股收益(扣除后)(元)	0.1878	0.7444	0.2582	2.1850
	稀释每股收益(元)	0.1913	0.7983	0.1390	1.1410
	每股净资产(元)	2.7725	5.3437	4.6823	9.2096
	每股经营现金净流量(元)	-0.1369	-0.1481	-0.3857	2.3421
	每股现金流量(元)	-0.4222	0.7888	-0.4336	2.0284
	每股资本公积金(元)	0.2278	1.4479	1.2997	3.4853
	每股盈余公积金(元)	0.1835	0.3658	0.2851	0.5706
	每股未分配利润(元)	1.3656	2.5395	2.1187	4.1727
	净资产收益率(%)	6.8605	14.6583	5.8701	21.5367
	加权净资产收益率(%)	6.8500	15.0700	5.8600	31.1700
	净资产收益率(扣除)(%)	6.7347	13.6696	5.3236	20.6208
	总资产(万元)	138220.84	131713.60	120617.55	123687.37
	归属母公司股东权益(万元)	88571.12	85640.93	75057.27	73755.06
	营业收入(万元)	50867.42	101353.86	45543.39	107946.62
	营业支出(万元)	33596.05	67989.78	31012.28	71700.39
	投资收益(万元)	38.98	738.72	502.70	384.38
	净利润(万元)	6131.59	12745.32	4550.55	15884.39
	营业利润(万元)	7494.25	14374.55	5452.08	17826.09
	利润总额(万元)	7587.92	14658.94	5464.62	18236.40

苏州天华超净科技股份有限公司

公司概况	公司名称	苏州天华超净科技股份有限公司			证券简称	天华超净
	法人代表	裴振华	董秘	陆建平	证券代码	300390
	公司网址	www.canmax.com.cn		电子信箱	thcj@ canmax.com.cn	
	电　话	0512-62852336		传　真	0512-62852120	
	办公地址	江苏省苏州市工业园区双马街99号				
	经营范围	防静电制品、无尘制品、医用防护制品的研发与制造及相关技术咨询等				

	指标\报告期	2016.06.30	2015.12.31	2015.06.30	2014.12.31
主要财务指标	基本每股收益(元)	0.0300	0.4000	0.1300	0.4500
	基本每股收益(扣除后)(元)	0.0300	0.3900	0.2000	0.5700
	稀释每股收益(元)	0.0300	0.4000	0.1300	0.4500
	每股净资产(元)	2.3055	2.8924	2.8924	4.2383
	每股经营现金净流量(元)	0.0177	0.3928	0.1336	0.4628
	每股现金流量(元)	-0.2143	0.1651	-0.3713	1.0508
	每股资本公积金(元)	0.8097	3.5242	0.4949	1.2424
	每股盈余公积金(元)	0.0562	0.1405	0.1349	0.2023
	每股未分配利润(元)	0.4395	1.2172	1.2626	1.7936
	净资产收益率(%)	1.4159	5.8064	6.9211	12.5990
	加权净资产收益率(%)	1.3900	12.3500	6.9500	16.4100
	净资产收益率(扣除)(%)	1.3356	5.6033	6.8785	11.8138
	总资产(万元)	92277.92	97036.56	42011.99	40778.29
	归属母公司股东权益(万元)	79436.80	81067.95	33832.26	33050.31
	营业收入(万元)	25163.70	46012.98	22639.17	39012.93
	营业支出(万元)	19016.24	34011.68	16862.31	28956.87
	投资收益(万元)	-79.24	-1.86	-	-
	净利润(万元)	1230.93	4849.77	2412.51	4164.00
	营业利润(万元)	1597.07	5567.83	2939.00	4687.71
	利润总额(万元)	1650.90	5780.27	2941.75	4994.39

康跃科技股份有限公司

公司概况	公司名称	康跃科技股份有限公司			证券简称	康跃科技
	法人代表	郭锡禄	董秘	杨月晓	证券代码	300391
	公司网址	www.chinakangyue.com		电子信箱	kysecu@chinakangyue.com	
	电　话	0536-5788238		传　真	0536-5788238	
	办公地址	山东省潍坊市寿光市开发区(原北洛镇政府驻地)				
	经营范围	内燃机增压器的研发、制造和销售等				

	指标\报告期	2016.06.30	2015.12.31	2015.06.30	2014.12.31
主要财务指标	基本每股收益(元)	0.0136	0.0300	0.0503	0.1800
	基本每股收益(扣除后)(元)	-0.0271	-0.0200	0.0272	0.3706
	稀释每股收益(元)	0.0136	0.0300	0.0503	0.1800
	每股净资产(元)	2.1599	2.1864	2.1864	5.4703
	每股经营现金净流量(元)	-0.1825	0.2459	-0.0560	-0.5832
	每股现金流量(元)	-0.3793	0.2496	0.1747	0.4474
	每股资本公积金(元)	0.4089	0.4089	0.4089	2.5223
	每股盈余公积金(元)	0.0972	0.0972	0.0892	0.2230
	每股未分配利润(元)	0.6539	0.6602	0.6883	1.7251
	净资产收益率(%)	0.6315	1.3925	2.2984	7.8745
	加权净资产收益率(%)	0.6300	1.3900	2.2700	10.6500
	净资产收益率(扣除)(%)	-1.2548	-0.6974	1.2436	5.7869
	总资产(万元)	70781.18	69464.11	76687.20	68184.71
	归属母公司股东权益(万元)	36000.75	36106.77	36441.53	36470.68
	营业收入(万元)	11317.61	19125.06	10992.92	24342.87
	营业支出(万元)	7788.75	12718.69	7399.50	15403.45
	投资收益(万元)	-	-	-	-
	净利润(万元)	153.95	395.42	816.44	2871.87
	营业利润(万元)	-1014.35	-1137.28	158.59	1857.80
	利润总额(万元)	61.45	78.33	787.67	3109.98

北京腾信创新网络营销技术股份有限公司

公司概况						
公司名称	北京腾信创新网络营销技术股份有限公司			证券简称	腾信股份
法人代表	高鹏	董秘	蔡可	证券代码	300392
公司网址	www.tensynchina.com		电子信箱	board@tensynchina.com	
电　　话	010-52937866		传　　真	010-52937865	
办公地址	北京市朝阳区光华路15#院2#楼铜牛国际大厦六层601室				
经营范围	技术开发、技术转让、技术咨询、技术推广、计算机网络技术培训等				

主要财务指标 指标\报告期	2016.06.30	2015.12.31	2015.06.30	2014.12.31
基本每股收益(元)	0.0700	0.3800	0.4400	0.6800
基本每股收益(扣除后)(元)	0.0600	0.3800	0.4300	1.6600
稀释每股收益(元)	0.0700	0.3800	0.4400	0.6800
每股净资产(元)	2.4089	2.3400	6.3193	11.9600
每股经营现金净流量(元)	0.0662	-0.3616	-0.0740	-0.4905
每股现金流量(元)	-0.0792	-0.7702	-1.2145	5.0084
每股资本公积金(元)	0.2130	0.2130	2.6391	6.2782
每股盈余公积金(元)	0.1207	0.1207	0.2465	0.4931
每股未分配利润(元)	1.0752	1.0084	2.4336	4.1912
净资产收益率(%)	2.7754	16.3664	7.0106	11.6961
加权净资产收益率(%)	2.8100	17.7300	7.1300	19.5000
净资产收益率(扣除)(%)	2.4816	16.2288	6.8594	11.2741
总资产(万元)	150325.78	146660.51	113328.03	96240.64
归属母公司股东权益(万元)	92502.22	89934.88	80886.43	76559.78
营业收入(万元)	69795.76	145238.61	60864.08	83931.25
营业支出(万元)	61512.06	119980.36	50249.57	68532.26
投资收益(万元)	33.04	0.28	-	-
净利润(万元)	2552.23	14653.06	5658.16	8954.48
营业利润(万元)	2689.23	16651.30	6523.07	9877.29
利润总额(万元)	3009.01	16796.89	6664.61	10257.35

苏州中来光伏新材股份有限公司

公司概况						
公司名称	苏州中来光伏新材股份有限公司			证券简称	中来股份
法人代表	林建伟	董秘	张超	证券代码	300393
公司网址	www.jolywood.cn		电子信箱	stock@jolywood.cn	
电　　话	0512-52933702		传　　真	0512-52334544	
办公地址	江苏省常熟市沙家浜镇常昆工业园区青年路				
经营范围	太阳能电池背膜的研发、生产与销售				

主要财务指标 指标\报告期	2016.06.30	2015.12.31	2015.06.30	2014.12.31
基本每股收益(元)	0.4500	0.9000	0.2500	1.1500
基本每股收益(扣除后)(元)	0.4500	0.8800	0.3700	1.1300
稀释每股收益(元)	0.4500	0.9000	0.2500	1.1500
每股净资产(元)	4.9091	6.9819	6.3705	6.2053
每股经营现金净流量(元)	0.2992	0.8616	-0.2857	-0.6188
每股现金流量(元)	-0.8460	0.6118	-0.5275	1.1294
每股资本公积金(元)	1.8675	2.8092	2.7337	2.7337
每股盈余公积金(元)	0.2534	0.3802	0.2793	0.2793
每股未分配利润(元)	1.7812	2.7927	2.3636	2.1923
净资产收益率(%)	9.2213	12.9083	5.8280	15.8432
加权净资产收益率(%)	9.3400	13.7800	5.8700	27.9500
净资产收益率(扣除)(%)	9.1283	12.5766	5.8086	15.4709
总资产(万元)	191138.72	159816.54	117224.95	105522.02
归属母公司股东权益(万元)	87988.17	83426.94	76121.20	74147.59
营业收入(万元)	60721.88	73403.52	24219.38	47589.81
营业支出(万元)	41641.09	49701.62	15853.89	27981.59
投资收益(万元)	-295.22	-1226.34	-228.92	-88.51
净利润(万元)	8061.13	10770.44	4436.86	11747.34
营业利润(万元)	9715.63	12856.06	5251.33	13590.28
利润总额(万元)	9806.53	13179.31	5285.13	13862.00

苏州天孚光通信股份有限公司

公司概况						
公司名称	苏州天孚光通信股份有限公司			证券简称	天孚通信
法人代表	邹支农	董秘	欧洋	证券代码	300394
公司网址	www.tfcsz.com		电子信箱	zhengquan@tfcsz.com	
电　　话	0512-66905892		传　　真	0512-66256801	
办公地址	江苏省苏州市高新区长江路695号				
经营范围	陶瓷套管、光纤适配器和光收发接口组件				

主要财务指标 指标\报告期	2016.06.30	2015.12.31	2015.06.30	2014.12.31
基本每股收益(元)	0.3238	1.4400	0.2748	1.5000
基本每股收益(扣除后)(元)	0.2989	1.3500	0.6600	1.4300
稀释每股收益(元)	0.3238	1.4400	0.2748	1.5000
每股净资产(元)	3.7445	9.1087	8.3639	5.5100
每股经营现金净流量(元)	0.3412	1.3900	0.6027	1.0150
每股现金流量(元)	0.2899	0.8673	1.0063	0.1303
每股资本公积金(元)	1.1914	4.4784	4.4784	1.0601
每股盈余公积金(元)	0.1812	0.4529	0.3153	0.3966
每股未分配利润(元)	1.3720	3.1774	2.5701	3.0515
净资产收益率(%)	8.6483	15.2502	7.6537	27.2401
加权净资产收益率(%)	8.5900	17.4000	8.9200	31.0800
净资产收益率(扣除)(%)	7.9831	14.3460	7.3850	25.9662
总资产(万元)	73895.79	70742.44	64193.81	34511.36
归属母公司股东权益(万元)	69592.02	67714.20	62176.86	32553.28
营业收入(万元)	14402.64	23703.09	11323.99	20064.38
营业支出(万元)	5238.21	8750.70	4263.02	7432.19
投资收益(万元)	435.16	404.03	6.85	-
净利润(万元)	6018.55	10326.56	4758.82	8867.53
营业利润(万元)	6976.29	11802.82	5429.41	9968.67
利润总额(万元)	7080.64	12119.13	5627.43	10424.27

湖北菲利华石英玻璃股份有限公司

公司概况						
公司名称	湖北菲利华石英玻璃股份有限公司			证券简称	菲利华
法人代表	邓家贵	董秘	李中原	证券代码	300395
公司网址	www.feilihua.com		电子信箱	zqb@feilihua.com	
电　　话	0716-8304687		传　　真	0716-8304640	
办公地址	湖北省荆州市东方大道68号				
经营范围	生产、销售石英玻璃材料及制品				

主要财务指标 指标\报告期	2016.06.30	2015.12.31	2015.06.30	2014.12.31
基本每股收益(元)	0.2251	0.6515	0.1922	0.5389
基本每股收益(扣除后)(元)	0.2191	0.6693	0.2826	1.2495
稀释每股收益(元)	0.2243	0.6499	0.1922	0.6638
每股净资产(元)	3.7227	5.1856	5.1856	10.0446
每股经营现金净流量(元)	0.2625	0.6997	0.1199	0.5498
每股现金流量(元)	-0.1009	-0.1013	-0.2451	4.2206
每股资本公积金(元)	1.0145	1.9774	1.8083	4.6165
每股盈余公积金(元)	0.2281	0.3421	0.2840	0.5680
每股未分配利润(元)	1.6293	2.3608	2.0934	3.8601
净资产收益率(%)	5.9559	11.6982	5.5605	10.7307
加权净资产收益率(%)	5.9300	12.3800	5.6500	16.4500
净资产收益率(扣除)(%)	5.7968	12.0177	5.4493	10.1002
总资产(万元)	95525.61	86729.34	76342.65	75752.32
归属母公司股东权益(万元)	73261.93	71958.00	66998.55	64888.13
营业收入(万元)	19579.87	34027.71	14369.68	28721.56
营业支出(万元)	10408.74	16684.85	6942.84	14065.65
投资收益(万元)	-	-	-	-
净利润(万元)	4363.37	8417.80	3725.42	6962.96
营业利润(万元)	5163.17	10126.74	4295.05	7679.89
利润总额(万元)	5301.49	9859.30	4382.65	8161.26

迪瑞医疗科技股份有限公司

公司概况					
公司名称	迪瑞医疗科技股份有限公司			证券简称	迪瑞医疗
法人代表	宋勇	董秘	李洪谕	证券代码	300396
公司网址	www.dirui.com.cn		电子信箱	zqb@dirui.com.cn	
电　话	0431-81931002		传　真	0431-81931002	
办公地址	吉林省长春市高新开发区宜居路 3333 号				
经营范围	医疗检验仪器及配套试纸试剂的研发、生产与销售				

主要财务指标				
指标\报告期	2016.06.30	2015.12.31	2015.06.30	2014.12.31
基本每股收益(元)	0.4100	0.7100	0.3100	0.8100
基本每股收益(扣除后)(元)	0.3800	0.6500	0.2800	1.8200
稀释每股收益(元)	0.4100	0.7100	0.3100	0.8100
每股净资产(元)	6.7115	6.1114	6.1114	14.9955
每股经营现金净流量(元)	0.7312	0.9911	0.4586	2.0243
每股现金流量(元)	−0.0779	−2.4506	−0.0114	8.1619
每股资本公积金(元)	2.6733	2.6733	2.6733	8.1833
每股盈余公积金(元)	0.2666	0.2666	0.2000	0.5000
每股未分配利润(元)	2.7716	2.5644	2.2380	5.3122
净资产收益率(%)	6.0676	10.8557	5.1244	11.0194
加权净资产收益率(%)	6.1000	11.3600	5.1400	18.2800
净资产收益率(扣除)(%)	5.6243	10.0392	4.6529	9.8353
总资产(万元)	183024.41	176694.09	106514.27	104673.81
归属母公司股东权益(万元)	102920.86	99743.04	93717.74	91982.23
营业收入(万元)	33538.11	56732.60	22648.47	48647.23
营业支出(万元)	12716.15	23373.18	10173.66	21473.94
投资收益(万元)	123.83	198.40	93.30	63.51
净利润(万元)	7793.42	11994.80	4802.51	10135.89
营业利润(万元)	7857.48	11394.43	4403.75	9461.08
利润总额(万元)	8986.81	13689.32	5336.67	11470.94

西安天和防务技术股份有限公司

公司概况					
公司名称	西安天和防务技术股份有限公司			证券简称	天和防务
法人代表	贺增林	董秘	王振平	证券代码	300397
公司网址	www.thtw.com.cn		电子信箱	thdsh126@126.com	
电　话	029-88454533		传　真	029-88452228	
办公地址	陕西省西安市高新区科技五路 9 号				
经营范围	以连续波雷达技术和光电探测技术为核心的侦察、指挥、控制系统的研发、生产、销售等				

主要财务指标				
指标\报告期	2016.06.30	2015.12.31	2015.06.30	2014.12.31
基本每股收益(元)	−0.0904	−0.4600	−0.0646	0.7700
基本每股收益(扣除后)(元)	−0.1186	−0.6000	−0.1500	0.6000
稀释每股收益(元)	−0.0904	−0.4600	−0.0646	0.7700
每股净资产(元)	5.0116	10.2045	10.6637	10.7928
每股经营现金净流量(元)	−0.1685	−0.6241	−0.4880	−0.6998
每股现金流量(元)	−0.1037	−3.3597	0.0611	3.9419
每股资本公积金(元)	2.1976	5.3952	5.3952	5.3952
每股盈余公积金(元)	0.1020	0.2040	0.2040	0.2040
每股未分配利润(元)	1.7109	3.6026	4.0645	4.1936
净资产收益率(%)	−1.8043	−4.5182	−1.2110	5.8128
加权净资产收益率(%)	−1.7900	−4.4000	−1.2000	9.7100
净资产收益率(扣除)(%)	−2.3672	−5.8383	−1.4457	4.4857
总资产(万元)	168181.71	162074.73	155878.94	150360.58
归属母公司股东权益(万元)	120277.53	122454.50	127963.95	129513.62
营业收入(万元)	7826.16	7787.38	998.64	22301.33
营业支出(万元)	5234.82	5511.71	923.66	11668.40
投资收益(万元)	590.19	785.47	255.11	1229.99
净利润(万元)	−1947.05	−5296.03	−1549.68	7528.40
营业利润(万元)	−2533.22	−7570.73	−2344.42	5077.11
利润总额(万元)	−2202.49	−6251.26	−1944.12	5968.67

上海飞凯光电材料股份有限公司

公司概况					
公司名称	上海飞凯光电材料股份有限公司			证券简称	飞凯材料
法人代表	张金山	董秘	苏斌	证券代码	300398
公司网址	www.phichem.com.cn		电子信箱	investor@phichem.com.cn	
电　话	021-50322662		传　真	021-50322661	
办公地址	上海市宝山区潘泾路 2999 号				
经营范围	高科技领域适用的紫外固化材料等新材料的研究、生产和销售				

主要财务指标				
指标\报告期	2016.06.30	2015.12.31	2015.06.30	2014.12.31
基本每股收益(元)	0.3500	1.0100	0.5000	1.3900
基本每股收益(扣除后)(元)	0.2500	0.9000	0.4500	1.3600
稀释每股收益(元)	0.3500	1.0100	0.5000	1.3900
每股净资产(元)	7.2050	7.0556	6.5398	8.0549
每股经营现金净流量(元)	0.1884	0.8530	0.2738	1.0084
每股现金流量(元)	−0.7852	−1.1243	−0.9613	3.3756
每股资本公积金(元)	2.8174	2.8174	2.8174	3.9626
每股盈余公积金(元)	0.0949	0.0949	0.0729	0.0947
每股未分配利润(元)	3.2904	3.1419	2.6499	2.9980
净资产收益率(%)	4.8360	14.3384	7.6087	13.9793
加权净资产收益率(%)	4.9100	15.3300	7.7800	24.7600
净资产收益率(扣除)(%)	3.4755	12.8129	6.8621	13.7435
总资产(万元)	105001.99	99583.13	93241.42	83411.82
归属母公司股东权益(万元)	74932.15	73378.64	68013.73	64439.05
营业收入(万元)	19506.53	43207.27	21886.53	40241.76
营业支出(万元)	10247.34	22182.70	11458.65	22007.87
投资收益(万元)	216.95	24.40	–	–
净利润(万元)	3623.73	10521.34	5174.95	9008.10
营业利润(万元)	3428.69	10898.06	5718.62	10320.52
利润总额(万元)	4732.12	12169.81	6316.00	10499.28

北京无线天利移动信息技术股份有限公司

公司概况					
公司名称	北京无线天利移动信息技术股份有限公司			证券简称	京天利
法人代表	钱永耀	董秘	陈洪亮	证券代码	300399
公司网址	www.ihandy.cn		电子信箱	IRM@ihandy.cn	
电　话	010-57551169 57551331		传　真	010-57551123	
办公地址	北京市石景山区实兴大街 30 号院 6 号楼 901 室				
经营范围	因特网信息服务业务				

主要财务指标				
指标\报告期	2016.06.30	2015.12.31	2015.06.30	2014.12.31
基本每股收益(元)	0.1300	0.2200	0.1000	0.3700
基本每股收益(扣除后)(元)	0.1100	0.1600	0.1100	0.4900
稀释每股收益(元)	0.1300	0.2200	0.1000	0.3700
每股净资产(元)	2.8948	2.8029	5.8705	5.7875
每股经营现金净流量(元)	0.0472	0.2180	0.0267	0.8942
每股现金流量(元)	0.4968	−0.9926	−0.7081	2.3664
每股资本公积金(元)	0.4175	0.4175	2.4881	2.4881
每股盈余公积金(元)	0.1462	0.1462	0.2449	0.2449
每股未分配利润(元)	1.3311	1.2393	2.1375	2.0545
净资产收益率(%)	4.6234	7.9809	3.0037	8.0628
加权净资产收益率(%)	4.6700	7.8300	3.0200	11.7400
净资产收益率(扣除)(%)	3.9495	5.5899	1.8713	6.8547
总资产(万元)	48991.25	45183.84	50829.77	47590.12
归属母公司股东权益(万元)	44000.23	42604.31	46963.85	46300.39
营业收入(万元)	14604.36	18539.60	7646.26	13849.11
营业支出(万元)	10078.20	11828.51	5016.36	7045.69
投资收益(万元)	403.73	822.43	395.41	641.05
净利润(万元)	2095.58	3592.16	1512.96	3733.10
营业利润(万元)	2816.74	3857.25	1624.46	4298.16
利润总额(万元)	2838.71	4254.74	1863.63	4315.15

深圳市劲拓自动化设备股份有限公司

公司概况					
公司名称	深圳市劲拓自动化设备股份有限公司			证券简称	劲拓股份
法人代表	吴限	董秘	王德祥	证券代码	300400
公司网址	www.jt-ele.com		电子信箱	zqtzb@jt-ele.com	
电　话	0755-89481726		传　真	0755-89481726	
办公地址	广东省深圳市宝安区西乡街道广深高速公路北侧鹤洲工业区劲拓自动化工业厂区				
经营范围	兴办实业(具体项目另行申报),机械设备,电子设备及其零配件的购销等				

主要财务指标 指标\报告期	2016.06.30	2015.12.31	2015.06.30	2014.12.31
基本每股收益(元)	0.1682	0.2700	0.1564	0.3300
基本每股收益(扣除后)(元)	0.1452	0.2400	0.1300	0.4554
稀释每股收益(元)	0.1682	0.2700	0.1564	0.3300
每股净资产(元)	3.3132	3.1950	3.0844	4.4921
每股经营现金净流量(元)	0.1458	0.4149	0.1547	0.3902
每股现金流量(元)	0.0532	0.2636	-0.0054	1.6719
每股资本公积金(元)	0.6977	0.6977	0.6977	1.5466
每股盈余公积金(元)	0.1871	0.1871	0.1585	0.2378
每股未分配利润(元)	1.4284	1.3102	1.2281	1.7077
净资产收益率(%)	5.0753	8.3564	5.0695	8.9295
加权净资产收益率(%)	5.1400	8.6400	5.1100	12.6600
净资产收益率(扣除)(%)	4.3838	7.6481	4.3321	8.2378
总资产(万元)	52967.11	46902.41	47680.87	45759.78
归属母公司股东权益(万元)	39758.37	38340.53	37013.03	35936.64
营业收入(万元)	13959.50	25744.05	13483.61	26983.08
营业支出(万元)	8187.31	15567.24	8110.79	16463.31
投资收益(万元)	-	24.79	20.68	-
净利润(万元)	2009.48	3176.23	1861.35	3186.44
营业利润(万元)	1820.14	2699.55	1670.09	2841.12
利润总额(万元)	2384.89	3689.70	2204.10	3713.28

浙江花园生物高科股份有限公司

公司概况					
公司名称	浙江花园生物高科股份有限公司			证券简称	花园生物
法人代表	邵钦祥	董秘	喻铨衡	证券代码	300401
公司网址	www.hybiotech.com		电子信箱	gkstock@hybiotech.cn	
电　话	0579-86271622		传　真	0579-86271615	
办公地址	浙江省金华市东阳市南马镇花园村				
经营范围	维生素 D3 是维生素行业的细分品类				

主要财务指标 指标\报告期	2016.06.30	2015.12.31	2015.06.30	2014.12.31
基本每股收益(元)	0.0900	0.0700	0.0600	0.2300
基本每股收益(扣除后)(元)	0.0700	0.0300	0.0400	0.4200
稀释每股收益(元)	0.0900	0.0700	0.0600	0.2300
每股净资产(元)	3.9969	3.9252	3.9184	3.9086
每股经营现金净流量(元)	0.0379	0.2344	0.1292	-0.1315
每股现金流量(元)	0.0666	0.0284	0.0543	0.0554
每股资本公积金(元)	0.2788	0.2788	0.2788	1.5577
每股盈余公积金(元)	0.2307	0.2307	0.2256	0.4513
每股未分配利润(元)	2.4873	2.4156	2.4140	4.8082
净资产收益率(%)	2.1695	1.6958	1.5270	5.2590
加权净资产收益率(%)	2.1900	1.7000	1.5300	6.2900
净资产收益率(扣除)(%)	1.8113	0.6684	1.0019	4.3592
总资产(万元)	86151.53	78783.76	74561.16	75524.39
归属母公司股东权益(万元)	72503.35	71202.49	71080.41	70902.02
营业收入(万元)	15913.37	15122.11	7122.05	15884.04
营业支出(万元)	10385.36	9575.90	3503.39	6655.01
投资收益(万元)	6.73	356.33	236.73	559.23
净利润(万元)	1572.95	1207.47	1085.39	3715.08
营业利润(万元)	1573.54	678.65	1083.08	4115.32
利润总额(万元)	1872.35	1177.82	1286.08	4358.51

南京宝色股份公司

公司概况					
公司名称	南京宝色股份公司			证券简称	宝色股份
法人代表	高颀	董秘	申克义	证券代码	300402
公司网址	www.baose.com		电子信箱	dsoffice@baose.com	
电　话	025-51180028		传　真	025-51180028	
办公地址	江苏省南京市江宁滨江经济开发区景明大街 15 号				
经营范围	研发,制造,安装,维修,销售,技术咨询;金属腐蚀试验检测等				

主要财务指标 指标\报告期	2016.06.30	2015.12.31	2015.06.30	2014.12.31
基本每股收益(元)	-0.2860	0.0200	0.0100	0.2800
基本每股收益(扣除后)(元)	-0.3012	-0.0300	-0.0080	0.2100
稀释每股收益(元)	-0.2860	0.0200	0.0100	0.2800
每股净资产(元)	3.1536	3.4495	3.4389	3.4709
每股经营现金净流量(元)	-0.2036	0.2755	0.1529	0.3812
每股现金流量(元)	-0.2427	-0.6727	-0.5020	0.9865
每股资本公积金(元)	1.1100	1.1100	1.1100	1.1100
每股盈余公积金(元)	0.1580	0.1580	0.1485	0.1485
每股未分配利润(元)	0.8856	1.1816	1.1804	1.2124
净资产收益率(%)	-9.0684	0.5985	0.2917	6.5894
加权净资产收益率(%)	-8.6500	0.6000	0.2900	8.7500
净资产收益率(扣除)(%)	-9.5517	-0.9305	-0.2334	4.9176
总资产(万元)	147893.04	152067.63	153005.18	151103.53
归属母公司股东权益(万元)	63702.04	69680.81	69466.43	70112.20
营业收入(万元)	8706.06	66740.17	30722.15	68732.42
营业支出(万元)	8568.68	52502.64	24047.39	50458.81
投资收益(万元)	-	-	-	-
净利润(万元)	-5776.77	417.02	202.63	4619.95
营业利润(万元)	-6200.95	-458.33	112.43	4043.20
利润总额(万元)	-5884.80	622.29	495.53	5313.88

江门市地尔汉宇电器股份有限公司

公司概况					
公司名称	江门市地尔汉宇电器股份有限公司			证券简称	地尔汉宇
法人代表	石华山	董秘	马俊涛	证券代码	300403
公司网址	www.idearhanyu.com		电子信箱	idearhanyu@oceanhanyu.com	
电　话	0750-3839060		传　真	0750-3839366	
办公地址	广东省江门市高新技术开发区清澜路 336 号				
经营范围	高效节能家用电器排水泵的研发、生产和销售				

主要财务指标 指标\报告期	2016.06.30	2015.12.31	2015.06.30	2014.12.31
基本每股收益(元)	0.7913	1.1030	0.4935	1.2417
基本每股收益(扣除后)(元)	0.6383	1.1779	0.4857	1.2342
稀释每股收益(元)	0.7913	1.1030	0.4935	1.2417
每股净资产(元)	9.3685	9.1271	8.5176	8.5241
每股经营现金净流量(元)	0.6674	1.2802	0.5804	0.6832
每股现金流量(元)	1.2664	-1.9035	-1.5375	4.6380
每股资本公积金(元)	4.8037	4.8037	4.8037	4.8037
每股盈余公积金(元)	0.4342	0.4342	0.3217	0.3217
每股未分配利润(元)	3.1306	2.8893	2.3922	2.3987
净资产收益率(%)	8.4468	12.0851	5.7940	11.4873
加权净资产收益率(%)	8.3800	12.1000	5.7400	22.4500
净资产收益率(扣除)(%)	6.8130	12.9060	5.7028	11.4171
总资产(万元)	139057.31	135694.19	123469.91	124040.31
归属母公司股东权益(万元)	125537.65	122303.73	114136.23	114223.23
营业收入(万元)	37647.75	69630.54	33023.05	64914.36
营业支出(万元)	22280.61	42726.44	20853.31	41771.11
投资收益(万元)	1009.13	219.23	7.89	-
净利润(万元)	10410.99	14512.00	6500.76	13105.45
营业利润(万元)	12468.51	16795.10	7726.73	15264.73
利润总额(万元)	12576.03	16993.84	7838.66	15314.13

广州博济医药生物技术股份有限公司

公司概况	公司名称	广州博济医药生物技术股份有限公司		证券简称	博济医药
	法人代表	王廷春	董秘 郑蕾	证券代码	300404
	公司网址	www.gzboji.com		电子信箱	board@gzboji.com
	电　话	020-28081015		传　真	020-38473053
	办公地址	广东省广州市天河区龙怡路 117 号 1506 房			
	经营范围	接受医药企业和其他新药研发机构委托提供新药研发外包服务			

主要财务指标	指标\报告期	2016.06.30	2015.12.31	2015.06.30	2014.12.31
	基本每股收益(元)	-0.0126	0.2008	0.2228	0.3796
	基本每股收益(扣除后)(元)	-0.0208	0.1868	0.2200	0.7500
	稀释每股收益(元)	-0.0126	0.2008	0.2228	0.3796
	每股净资产(元)	3.1824	3.2450	6.2906	4.3697
	每股经营现金净流量(元)	-0.1427	0.0144	0.0112	0.5138
	每股现金流量(元)	0.1360	0.1261	2.8206	-0.4382
	每股资本公积金(元)	1.1900	1.1900	3.3800	1.0695
	每股盈余公积金(元)	0.1042	0.1042	0.1662	0.2217
	每股未分配利润(元)	0.8882	0.9508	1.7444	2.0785
	净资产收益率(%)	-0.3956	5.9313	2.9513	17.3759
	加权净资产收益率(%)	-0.3900	7.1900	4.3100	18.2700
	净资产收益率(扣除)(%)	-0.6525	5.4922	2.8766	17.0881
	总资产(万元)	51031.69	52015.19	51135.63	31026.30
	归属母公司股东权益(万元)	42433.82	43268.36	41939.76	21848.37
	营业收入(万元)	2322.52	12662.60	6136.36	14387.36
	营业支出(万元)	1203.59	6383.24	3291.80	7285.47
	投资收益(万元)	228.56	61.82	-	-
	净利润(万元)	-167.85	2566.38	1237.77	3796.36
	营业利润(万元)	-377.73	2740.95	1412.34	4396.10
	利润总额(万元)	-249.47	2965.05	1449.20	4471.27

辽宁科隆精细化工股份有限公司

公司概况	公司名称	辽宁科隆精细化工股份有限公司		证券简称	科隆精化
	法人代表	姜艳	董秘 王笑衡	证券代码	300405
	公司网址	www.kelongchem.com		电子信箱	kelong@kelongchem.com
	电　话	0419-5589876		传　真	0419-5589837
	办公地址	辽宁省辽阳市宏伟区万和七路 36 号			
	经营范围	以环氧乙烷为主要原料的精细化工新材料系列产品研发、生产与销售等			

主要财务指标	指标\报告期	2016.06.30	2015.12.31	2015.06.30	2014.12.31
	基本每股收益(元)	0.0627	-0.4219	0.0301	0.7096
	基本每股收益(扣除后)(元)	0.0481	-0.4848	0.0153	0.6067
	稀释每股收益(元)	0.0627	-0.4219	0.0301	0.7096
	每股净资产(元)	8.6339	9.0160	9.0160	9.1796
	每股经营现金净流量(元)	0.4846	0.2635	-1.7970	0.1267
	每股现金流量(元)	-0.3316	-1.2393	-1.6774	3.1294
	每股资本公积金(元)	4.0477	4.0477	4.0477	4.0477
	每股盈余公积金(元)	0.4001	0.4001	0.4001	0.4001
	每股未分配利润(元)	3.1230	3.0603	3.5123	3.6822
	净资产收益率(%)	0.7259	-4.9246	0.3339	6.1197
	加权净资产收益率(%)	0.7300	-4.7700	0.3300	9.5700
	净资产收益率(扣除)(%)	0.5574	-5.6581	0.1693	5.2327
	总资产(万元)	129778.34	128382.37	137693.05	140649.28
	归属母公司股东权益(万元)	58710.62	58262.26	61308.80	62421.15
	营业收入(万元)	29731.99	80003.70	38576.41	113730.78
	营业支出(万元)	24955.89	68729.87	32492.01	95747.21
	投资收益(万元)	-	98.75	-	-
	净利润(万元)	427.52	-2869.98	204.38	3818.49
	营业利润(万元)	378.81	-3812.71	249.92	4015.33
	利润总额(万元)	497.96	-3300.36	371.81	4710.20

北京九强生物技术股份有限公司

公司概况	公司名称	北京九强生物技术股份有限公司		证券简称	九强生物
	法人代表	邹左军	董秘 王建民	证券代码	300406
	公司网址	www.bsbe.com.cn		电子信箱	jiuqiangzhengquan@bsbe.com.cn
	电　话	010-82247199		传　真	010-82012812
	办公地址	北京市海淀区花园东路 15 号旷怡大厦 5 层			
	经营范围	体外诊断试剂的研发、生产和销售，并辅以销售生化分析仪器			

主要财务指标	指标\报告期	2016.06.30	2015.12.31	2015.06.30	2014.12.31
	基本每股收益(元)	0.2424	0.9800	0.4289	2.0200
	基本每股收益(扣除后)(元)	0.2423	0.9700	0.4243	1.9600
	稀释每股收益(元)	0.2424	0.9800	0.4289	2.0200
	每股净资产(元)	2.4551	4.7039	4.1451	7.9324
	每股经营现金净流量(元)	0.1232	0.5707	0.2383	1.2613
	每股现金流量(元)	-0.0739	0.2115	-0.0380	3.6727
	每股资本公积金(元)	0.0429	1.0643	0.9444	2.8888
	每股盈余公积金(元)	0.2020	0.3555	0.3013	0.5169
	每股未分配利润(元)	1.2633	2.3902	1.8994	3.5267
	净资产收益率(%)	9.8744	20.8511	10.3469	21.3409
	加权净资产收益率(%)	9.9900	22.8900	10.4700	33.3500
	净资产收益率(扣除)(%)	9.8711	20.5214	10.2355	20.6320
	总资产(万元)	131046.42	126176.52	111095.29	104447.18
	归属母公司股东权益(万元)	122673.67	117520.50	103154.47	98702.69
	营业收入(万元)	29490.22	56620.17	26625.23	50827.43
	营业支出(万元)	8569.17	15776.66	7775.59	14576.77
	投资收益(万元)	-	-	-	-
	净利润(万元)	12113.31	24504.34	10673.28	21064.09
	营业利润(万元)	14096.39	28211.70	12420.33	23802.76
	利润总额(万元)	14101.11	28667.53	12555.47	24626.02

天津凯发电气股份有限公司

公司概况	公司名称	天津凯发电气股份有限公司		证券简称	凯发电气
	法人代表	孔祥洲	董秘 蔡登明	证券代码	300407
	公司网址	www.keyvia.cn		电子信箱	zhengquan@keyvia.cn
	电　话	022-60128018		传　真	022-60128001*8049
	办公地址	天津滨海高新区华苑产业园(环外)海泰发展二路 15 号			
	经营范围	铁路供电及城市轨道交通自动化设备和系统的研发、生产、销售与技术服务			

主要财务指标	指标\报告期	2016.06.30	2015.12.31	2015.06.30	2014.12.31
	基本每股收益(元)	0.0400	0.5100	0.2600	0.7000
	基本每股收益(扣除后)(元)	0.0400	0.4900	0.2600	1.3000
	稀释每股收益(元)	0.0400	0.5100	0.2600	0.7000
	每股净资产(元)	2.8998	5.8200	5.5710	10.7651
	每股经营现金净流量(元)	-0.1488	-0.3127	-0.3232	0.6452
	每股现金流量(元)	-0.2266	-0.6656	-1.2371	3.8006
	每股资本公积金(元)	0.4528	1.9056	1.9055	4.8111
	每股盈余公积金(元)	0.1249	0.2498	0.2260	0.4520
	每股未分配利润(元)	1.3221	2.6645	2.4395	4.5020
	净资产收益率(%)	1.3747	8.8022	4.7296	10.0260
	加权净资产收益率(%)	1.3800	9.1600	4.7900	19.1800
	净资产收益率(扣除)(%)	1.3009	8.4887	4.5999	9.3354
	总资产(万元)	109771.54	114678.94	101656.75	108138.55
	归属母公司股东权益(万元)	78874.33	79150.04	75766.05	73202.66
	营业收入(万元)	17566.37	42352.76	20088.23	34150.26
	营业支出(万元)	10053.42	23836.50	11551.50	17109.67
	投资收益(万元)	259.40	1156.93	217.56	686.25
	净利润(万元)	1107.51	7052.48	3657.22	7394.80
	营业利润(万元)	1041.10	7451.09	3951.67	7542.28
	利润总额(万元)	1413.69	8217.64	4251.75	8672.11

潮州三环(集团)股份有限公司

公司概况	公司名称	潮州三环(集团)股份有限公司			证券简称	三环集团
	法人代表	张万镇	董秘	徐瑞英	证券代码	300408
	公司网址	www.cctc.cc		电子信箱	dsh@cctc.cc	
	电　话	0768-6850192		传　真	0768-6850193	
	办公地址	广东省潮州市凤塘三环工业城内综合楼				
	经营范围	研究、开发、生产、销售各类型电子元器件				

主要财务指标	指标\报告期	2016.06.30	2015.12.31	2015.06.30	2014.12.31
	基本每股收益(元)	0.2900	1.0200	0.2200	0.8400
	基本每股收益(扣除后)(元)	0.2600	0.9300	0.4300	1.6300
	稀释每股收益(元)	0.2900	1.0200	0.2200	0.8400
	每股净资产(元)	2.6047	4.9536	4.4100	8.4200
	每股经营现金净流量(元)	0.1911	0.6120	0.2029	1.6454
	每股现金流量(元)	-0.0037	-1.0872	-0.6178	2.4931
	每股资本公积金(元)	0.0648	1.1091	0.9752	2.9505
	每股盈余公积金(元)	0.2336	0.4671	0.3725	0.7450
	每股未分配利润(元)	1.3746	2.5162	2.0626	3.7274
	净资产收益率(%)	11.1904	20.4170	10.1817	17.9560
	加权净资产收益率(%)	11.3700	22.1100	10.2200	30.5700
	净资产收益率(扣除)(%)	9.8198	18.6372	9.6763	17.4732
	总资产(万元)	524033.56	499453.38	439505.37	421424.30
	归属母公司股东权益(万元)	449996.13	427899.24	378075.23	361030.54
	营业收入(万元)	145567.71	248922.49	119654.63	220039.85
	营业支出(万元)	77060.51	125093.40	62678.37	115542.50
	投资收益(万元)	4435.13	4838.41	1664.05	450.87
	净利润(万元)	50381.84	87576.25	38583.92	65002.93
	营业利润(万元)	56501.88	98678.66	44938.99	74757.18
	利润总额(万元)	59325.15	102812.53	45513.36	76363.34

广东道氏技术股份有限公司

公司概况	公司名称	广东道氏技术股份有限公司			证券简称	道氏技术
	法人代表	荣继华	董秘	秦智宏	证券代码	300409
	公司网址	www.dowstone.com.cn		电子信箱	dm@dowstone.com.cn	
	电　话	0757-82260396		传　真	0757-82106833	
	办公地址	广东省佛山市禅城区季华四路意美家卫浴陶瓷世界30栋2楼				
	经营范围	无机非金属材料、高分子材料、陶瓷色釉料及原辅料、陶瓷添加剂等				

主要财务指标	指标\报告期	2016.06.30	2015.12.31	2015.06.30	2014.12.31
	基本每股收益(元)	0.2200	0.5200	0.2000	0.9600
	基本每股收益(扣除后)(元)	0.2200	0.5200	0.3950	1.4300
	稀释每股收益(元)	0.2200	0.5200	0.2000	0.9600
	每股净资产(元)	5.1972	5.9779	5.8538	8.6835
	每股经营现金净流量(元)	-0.1519	-0.7376	-0.8866	0.7389
	每股现金流量(元)	1.0092	-2.2643	-2.3430	4.2376
	每股资本公积金(元)	2.9282	2.5005	2.5005	4.2507
	每股盈余公积金(元)	0.1399	0.3084	0.2632	0.3948
	每股未分配利润(元)	1.1291	2.1689	2.0902	3.0380
	净资产收益率(%)	4.2429	8.7351	6.8016	12.8060
	加权净资产收益率(%)	4.6300	8.9200	6.7100	24.1300
	净资产收益率(扣除)(%)	4.1687	8.6734	6.7540	12.6771
	总资产(万元)	157266.90	106791.14	78433.84	81540.86
	归属母公司股东权益(万元)	111739.76	58284.20	57075.03	56443.00
	营业收入(万元)	31652.58	55356.31	24285.80	44679.26
	营业支出(万元)	19359.01	33323.47	13816.40	24564.60
	投资收益(万元)	72.26	-	-	-
	净利润(万元)	4735.58	5090.46	3876.37	7228.11
	营业利润(万元)	5517.86	5878.31	4580.68	8233.21
	利润总额(万元)	5568.80	5923.71	4612.65	8319.04

广东正业科技股份有限公司

公司概况	公司名称	广东正业科技股份有限公司			证券简称	正业科技
	法人代表	徐地华	董秘	秦艳平	证券代码	300410
	公司网址	www.zhengyee.com		电子信箱	ir@zhengyee.com	
	电　话	0769-88774270		传　真	0769-88774271	
	办公地址	广东省东莞市松山湖科技产业园区科技九路2号				
	经营范围	PCB精密加工检测设备及辅助材料的研发、生产、销售和服务				

主要财务指标	指标\报告期	2016.06.30	2015.12.31	2015.06.30	2014.12.31
	基本每股收益(元)	0.1223	0.2623	0.1102	0.2590
	基本每股收益(扣除后)(元)	0.1079	0.2261	0.2200	0.5700
	稀释每股收益(元)	0.1223	0.2623	0.1102	0.2590
	每股净资产(元)	6.2815	3.3811	6.5904	6.3700
	每股经营现金净流量(元)	0.0959	-0.2165	-0.3360	-0.0255
	每股现金流量(元)	-0.1398	-0.2218	-0.7283	2.0709
	每股资本公积金(元)	4.0061	1.0316	2.3820	2.3820
	每股盈余公积金(元)	0.0990	0.1124	0.2480	0.2480
	每股未分配利润(元)	1.1665	1.2372	2.9604	2.7450
	净资产收益率(%)	1.7533	7.2928	4.1794	8.7083
	加权净资产收益率(%)	3.0800	9.8300	4.2200	14.1700
	净资产收益率(扣除)(%)	1.5472	6.2870	3.2830	6.6840
	总资产(万元)	142432.93	77795.06	49498.66	49637.52
	归属母公司股东权益(万元)	113771.55	53944.54	39542.43	38249.80
	营业收入(万元)	23212.85	35708.35	15776.26	31107.47
	营业支出(万元)	14340.11	23039.44	10178.46	20484.34
	投资收益(万元)	372.21	792.58	-	-
	净利润(万元)	1994.73	3934.04	1652.64	3330.89
	营业利润(万元)	1843.65	3836.82	1507.53	2928.49
	利润总额(万元)	2119.50	4475.22	1924.53	3839.39

浙江金盾风机股份有限公司

公司概况	公司名称	浙江金盾风机股份有限公司			证券简称	金盾股份
	法人代表	王淼根	董秘	管美丽	证券代码	300411
	公司网址	www.jindunfan.com		电子信箱	zqb@jindun.cc	
	电　话	0575-82952012		传　真	0575-82952018	
	办公地址	浙江省绍兴市上虞区章镇工业园区				
	经营范围	风机、消声器、风阀等通风设备及通风系统的研发、生产和销售				

主要财务指标	指标\报告期	2016.06.30	2015.12.31	2015.06.30	2014.12.31
	基本每股收益(元)	0.1200	0.2700	0.1400	0.3400
	基本每股收益(扣除后)(元)	0.1200	0.2300	0.1300	0.6300
	稀释每股收益(元)	0.1200	0.2700	0.1400	0.3400
	每股净资产(元)	3.4936	3.4190	3.2875	6.3987
	每股经营现金净流量(元)	-0.1371	-0.1792	-0.3172	-0.2272
	每股现金流量(元)	-0.2029	-1.1539	-1.4968	2.4513
	每股资本公积金(元)	1.2502	1.2502	1.2502	3.4980
	每股盈余公积金(元)	0.1219	0.1219	0.0950	0.1901
	每股未分配利润(元)	1.1216	1.0467	0.9423	1.7106
	净资产收益率(%)	3.5756	7.8446	4.1658	7.8751
	加权净资产收益率(%)	3.5900	8.1100	4.1900	14.7800
	净资产收益率(扣除)(%)	3.3656	6.8524	3.9691	7.4101
	总资产(万元)	86858.58	83960.56	74712.10	84702.77
	归属母公司股东权益(万元)	55898.24	54699.51	52599.75	51189.49
	营业收入(万元)	16514.15	33556.86	16271.17	30893.87
	营业支出(万元)	9631.11	20467.23	9730.82	19125.12
	投资收益(万元)	-	-	-	-
	净利润(万元)	1998.72	4290.95	2191.18	4031.20
	营业利润(万元)	2195.18	4387.22	2426.27	4727.30
	利润总额(万元)	2318.81	4992.45	2531.98	4975.70

浙江迦南科技股份有限公司

公司概况	公司名称	浙江迦南科技股份有限公司			证券简称	迦南科技
	法人代表	方亨志	董秘	晁虎	证券代码	300412
	公司网址	www.china-jianan.com		电子信箱	dsb@china-jianan.com	
	电　话	0577-67976666		传　真	0577-67378833	
	办公地址	浙江省温州市永嘉县瓯北镇东瓯工业园区园区大道				
	经营范围	固体制剂设备的研发,生产和销售				

主要财务指标	指标\报告期	2016.06.30	2015.12.31	2015.06.30	2014.12.31
	基本每股收益(元)	0.2200	0.4400	0.1800	0.3600
	基本每股收益(扣除后)(元)	0.2000	0.4000	0.1700	0.9700
	稀释每股收益(元)	0.2200	0.4400	0.1800	0.3600
	每股净资产(元)	3.1614	3.3444	3.0853	6.6941
	每股经营现金净流量(元)	-0.1010	0.3401	-0.0535	0.7285
	每股现金流量(元)	-0.7685	-0.2752	-0.8182	3.4830
	每股资本公积金(元)	0.8029	0.8029	0.8029	2.9663
	每股盈余公积金(元)	0.1933	0.1933	0.1458	0.3209
	每股未分配利润(元)	1.1653	1.3483	1.1366	2.4070
	净资产收益率(%)	6.8639	13.0960	5.7972	11.9625
	加权净资产收益率(%)	6.4100	13.8100	5.7900	22.8600
	净资产收益率(扣除)(%)	6.3021	11.8573	5.5048	10.8738
	总资产(万元)	48546.59	53799.53	44827.60	45517.37
	归属母公司股东权益(万元)	37140.21	39290.13	36245.96	35746.71
	营业收入(万元)	11679.51	21741.84	9521.32	18381.00
	营业支出(万元)	5529.34	10587.84	4638.19	9113.80
	投资收益(万元)	12.38	106.58	-	-
	净利润(万元)	2630.59	5145.43	2101.25	4276.21
	营业利润(万元)	2846.54	5362.34	2386.81	4497.46
	利润总额(万元)	3137.05	5966.94	2516.68	4960.79

快乐购物股份有限公司

公司概况	公司名称	快乐购物股份有限公司			证券简称	快乐购
	法人代表	陈刚	董秘	陈刚(代)	证券代码	300413
	公司网址	www.happigo.com		电子信箱	happigo@happigo.com	
	电　话	0731-82168010		传　真	0731-82168899	
	办公地址	湖南省长沙市金鹰影视文化城金鹰阁				
	经营范围	日用化学品、日用百货、文体用品、玩具、五金工具、家用电器、首饰珠宝零售等				

主要财务指标	指标\报告期	2016.06.30	2015.12.31	2015.06.30	2014.12.31
	基本每股收益(元)	0.0704	0.2500	0.1120	0.4700
	基本每股收益(扣除后)(元)	0.0528	0.2200	0.1029	0.3900
	稀释每股收益(元)	0.0704	0.2500	0.1120	0.4700
	每股净资产(元)	4.0064	3.9360	3.8031	2.9062
	每股经营现金净流量(元)	0.1861	-0.0500	0.1080	0.3227
	每股现金流量(元)	-0.1488	0.4627	1.5298	-0.0739
	每股资本公积金(元)	1.6793	1.6793	1.6747	0.5377
	每股盈余公积金(元)	0.1716	0.1716	0.1404	0.1700
	每股未分配利润(元)	1.1556	1.0852	0.9880	1.1984
	净资产收益率(%)	1.7568	6.0250	2.8596	16.0205
	加权净资产收益率(%)	1.7700	6.3100	3.0100	17.2500
	净资产收益率(扣除)(%)	1.3190	5.4179	2.6268	13.5341
	总资产(万元)	226998.04	235966.76	219164.92	147249.68
	归属母公司股东权益(万元)	160657.46	157835.06	152503.12	96196.11
	营业收入(万元)	173494.66	279760.72	148214.71	273801.14
	营业支出(万元)	136520.80	204608.59	109995.85	197493.95
	投资收益(万元)	-	-	-	-
	净利润(万元)	2707.37	9274.48	4359.26	15411.14
	营业利润(万元)	2037.92	7741.60	4026.13	13099.78
	利润总额(万元)	2741.30	8699.92	4381.14	15491.63

四川中光防雷科技股份有限公司

公司概况	公司名称	四川中光防雷科技股份有限公司			证券简称	中光防雷
	法人代表	王德言	董秘	周辉	证券代码	300414
	公司网址	www.zhongguang.com		电子信箱	zhouhui@zhongguang.com	
	电　话	028-66755418		传　真	028-87843532	
	办公地址	四川省成都市高新区西部园区天宇路 19 号				
	经营范围	研发、设计、生产、销售避雷器材及设备				

主要财务指标	指标\报告期	2016.06.30	2015.12.31	2015.06.30	2014.12.31
	基本每股收益(元)	0.2191	0.6500	0.4900	1.5400
	基本每股收益(扣除后)(元)	0.2037	0.5900	0.4500	1.4800
	稀释每股收益(元)	0.2191	0.6500	0.4900	1.5400
	每股净资产(元)	4.1198	7.5734	7.5734	5.0291
	每股经营现金净流量(元)	0.2067	0.3715	0.3352	1.6562
	每股现金流量(元)	-0.7654	2.0387	1.8801	1.3425
	每股资本公积金(元)	1.2492	1.2492	3.4983	0.5800
	每股盈余公积金(元)	0.2115	0.1898	0.3338	0.3790
	每股未分配利润(元)	1.6591	1.5817	2.7413	3.0701
	净资产收益率(%)	5.3188	11.8919	6.4491	30.7081
	加权净资产收益率(%)	5.3800	19.9100	10.6900	35.8900
	净资产收益率(扣除)(%)	4.9454	10.7932	5.9880	29.5210
	总资产(万元)	80740.85	79997.09	74553.35	46768.79
	归属母公司股东权益(万元)	69430.35	67759.82	63817.54	31781.31
	营业收入(万元)	18253.10	35977.28	18420.87	45652.84
	营业支出(万元)	11723.95	23112.46	11798.50	28152.89
	投资收益(万元)	336.96	406.09	-	-
	净利润(万元)	3692.89	8057.91	4115.63	9759.44
	营业利润(万元)	4344.62	9093.62	4681.26	10799.24
	利润总额(万元)	4405.83	9525.67	4985.83	11243.09

广东伊之密精密机械股份有限公司

公司概况	公司名称	广东伊之密精密机械股份有限公司			证券简称	伊之密
	法人代表	陈敬财	董秘	张涛	证券代码	300415
	公司网址	www.yizumi-group.com		电子信箱	zhangt@yizumi-group.com	
	电　话	0757-29262160　29262162		传　真	0757-29262266	
	办公地址	广东省佛山市顺德高新区(容桂)科苑三路 22 号				
	经营范围	生产经营、研究伺服高精密注塑机、压铸机、橡胶注射成型机等				

主要财务指标	指标\报告期	2016.06.30	2015.12.31	2015.06.30	2014.12.31
	基本每股收益(元)	0.2100	0.3000	0.1900	0.4200
	基本每股收益(扣除后)(元)	0.2000	0.2400	0.3500	0.7600
	稀释每股收益(元)	0.2100	0.3000	0.1900	0.4200
	每股净资产(元)	3.2619	3.1894	6.1470	4.2332
	每股经营现金净流量(元)	0.3657	0.1851	0.1585	0.3521
	每股现金流量(元)	-0.2883	0.3650	0.2103	-0.3643
	每股资本公积金(元)	0.9509	0.9509	2.9018	0.1957
	每股盈余公积金(元)	0.2121	0.2121	0.3556	0.4741
	每股未分配利润(元)	1.0708	1.0044	1.8471	2.5262
	净资产收益率(%)	6.5114	9.4485	6.0596	19.9601
	加权净资产收益率(%)	6.4900	10.0600	6.4200	22.2000
	净资产收益率(扣除)(%)	6.1388	7.3282	5.3854	18.0155
	总资产(万元)	167896.28	143682.32	138672.77	127555.69
	归属母公司股东权益(万元)	78286.59	76544.57	73764.31	38098.72
	营业收入(万元)	64189.54	118888.93	60494.03	117514.01
	营业支出(万元)	40775.61	78438.10	39415.84	79828.60
	投资收益(万元)	22.40	35.51	-	-
	净利润(万元)	5164.62	7709.87	4718.93	7581.19
	营业利润(万元)	5605.98	6686.78	4664.46	8183.98
	利润总额(万元)	6079.16	8573.68	5257.74	9056.86

苏州苏试试验仪器股份有限公司

公司概况						
公司名称	苏州苏试试验仪器股份有限公司				证券简称	苏试试验
法人代表	钟琼华	董秘	陈英		证券代码	300416
公司网址	www.chinasti.com		电子信箱		sushi@chinasti.com	
电　话	0512-66658033		传　真		0512-66658030	
办公地址	江苏省苏州市工业园区中新科技城唯亭镇科峰路 18 号					
经营范围	研发、组装加工生产振动试验仪器					

主要财务指标

指标\报告期	2016.06.30	2015.12.31	2015.06.30	2014.12.31
基本每股收益(元)	0.1600	0.7900	0.2800	0.8448
基本每股收益(扣除后)(元)	0.1500	0.7100	0.2400	0.7726
稀释每股收益(元)	0.1600	0.7900	0.2800	0.8448
每股净资产(元)	3.5949	7.0800	6.5756	5.6412
每股经营现金净流量(元)	-0.2555	0.1487	-0.0549	0.9271
每股现金流量(元)	-0.3712	0.4485	0.6589	-0.0895
每股资本公积金(元)	1.1158	3.2316	3.2310	1.6079
每股盈余公积金(元)	0.1096	0.2193	0.1705	0.2273
每股未分配利润(元)	1.3695	2.6267	2.1741	2.8059
净资产收益率(%)	4.3436	10.8937	4.1015	14.9759
加权净资产收益率(%)	4.3400	11.7100	4.3300	16.1800
净资产收益率(扣除)(%)	4.1537	9.7991	3.4872	13.6959
总资产(万元)	63036.69	61395.36	51937.30	43654.12
归属母公司股东权益(万元)	45152.25	44447.03	41294.82	26570.14
营业收入(万元)	16700.42	31293.23	13467.65	25397.94
营业支出(万元)	9008.40	16569.64	7317.95	13213.45
投资收益(万元)	-	-	-	-
净利润(万元)	2270.24	5338.44	1875.55	4183.77
营业利润(万元)	2663.84	5946.94	2176.32	4867.17
利润总额(万元)	2772.24	6562.51	2479.06	5286.73

佛山市南华仪器股份有限公司

公司概况						
公司名称	佛山市南华仪器股份有限公司				证券简称	南华仪器
法人代表	杨耀光	董秘	伍颂颖		证券代码	300417
公司网址	www.nanhua.com.cn		电子信箱		IR@nanhua.com.cn	
电　话	0757-86718362		传　真		0757-86718963	
办公地址	广东省佛山市南海区桂城街道夏南路 59 号					
经营范围	机动车环保和安全检测用分析仪器及系统研发、生产和销售					

主要财务指标

指标\报告期	2016.06.30	2015.12.31	2015.06.30	2014.12.31
基本每股收益(元)	0.2001	0.8079	0.3552	0.9825
基本每股收益(扣除后)(元)	0.1854	0.7823	0.3501	0.9572
稀释每股收益(元)	0.2001	0.8079	0.3552	0.9825
每股净资产(元)	4.4636	8.7260	8.2748	6.1875
每股经营现金净流量(元)	0.0772	0.4577	-0.0543	0.6929
每股现金流量(元)	-0.3084	0.8599	3.2640	0.1829
每股资本公积金(元)	1.4698	3.9396	3.9396	0.9288
每股盈余公积金(元)	0.1877	0.3753	0.3087	0.4116
每股未分配利润(元)	1.8057	3.4112	3.0272	3.8491
净资产收益率(%)	4.4832	9.0658	4.1139	15.8787
加权净资产收益率(%)	4.5000	9.7200	4.4100	17.2500
净资产收益率(扣除)(%)	4.1543	8.7785	4.0552	15.4698
总资产(万元)	39106.53	38884.37	36963.44	22171.74
归属母公司股东权益(万元)	36422.72	35602.21	33761.04	18933.69
营业收入(万元)	7698.75	16898.01	7820.23	14584.82
营业支出(万元)	4241.11	9015.26	4117.63	7551.19
投资收益(万元)	1.46	-	-	-
净利润(万元)	1632.90	3227.62	1388.89	3006.42
营业利润(万元)	1489.51	3441.40	1471.19	3335.65
利润总额(万元)	1786.88	3855.22	1644.58	3609.28

北京昆仑万维科技股份有限公司

公司概况						
公司名称	北京昆仑万维科技股份有限公司				证券简称	昆仑万维
法人代表	周亚辉	董秘	金天		证券代码	300418
公司网址	www.kalends.cn		电子信箱		ir@kunlun-inc.com	
电　话	010-65210288 65210366		传　真		010-65210399	
办公地址	北京市东城区西总布胡同 46 号明阳国际中心 B 座					
经营范围	网络游戏、的开发和全球发行					

主要财务指标

指标\报告期	2016.06.30	2015.12.31	2015.06.30	2014.12.31
基本每股收益(元)	0.2200	0.3700	0.7000	0.3900
基本每股收益(扣除后)(元)	0.1900	0.2200	0.5600	1.5300
稀释每股收益(元)	0.2200	0.3700	0.7000	0.3900
每股净资产(元)	2.4932	2.4400	8.7266	4.8186
每股经营现金净流量(元)	0.0661	0.1705	-0.3230	1.8895
每股现金流量(元)	0.0291	0.2573	0.8102	0.2151
每股资本公积金(元)	0.8266	0.7747	5.0848	0.7780
每股盈余公积金(元)	0.0698	0.0698	0.2527	0.3369
每股未分配利润(元)	0.9123	0.8008	2.5007	2.7398
净资产收益率(%)	8.6812	15.1226	7.9733	32.2542
加权净资产收益率(%)	8.8500	16.6700	8.8800	35.8000
净资产收益率(扣除)(%)	7.3799	9.2011	6.4463	31.7282
总资产(万元)	557344.12	388848.43	317459.12	146824.31
归属母公司股东权益(万元)	281019.31	268001.90	244345.48	101190.56
营业收入(万元)	122577.95	178914.06	88624.42	193414.58
营业支出(万元)	57420.09	69861.53	32115.84	59814.51
投资收益(万元)	18472.52	15879.25	3126.45	-1.38
净利润(万元)	25197.45	40528.84	19482.51	32638.23
营业利润(万元)	24045.77	40254.75	18966.36	32350.57
利润总额(万元)	24748.58	41595.85	19660.37	32968.61

北京浩丰创源科技股份有限公司

公司概况						
公司名称	北京浩丰创源科技股份有限公司				证券简称	浩丰科技
法人代表	孙成文	董秘	杨志炯		证券代码	300419
公司网址	www.interact.net.cn		电子信箱		haofeng@interact.net.cn	
电　话	010-82001150		传　真		010-88878800*5678	
办公地址	北京市石景山区八角东街 65 号融科创意中心大厦 A 座 11 层					
经营范围	营销信息化解决方案提供商					

主要财务指标

指标\报告期	2016.06.30	2015.12.31	2015.06.30	2014.12.31
基本每股收益(元)	0.1600	1.4200	0.5800	1.7400
基本每股收益(扣除后)(元)	0.1500	1.3300	0.5600	1.7400
稀释每股收益(元)	0.1600	1.4200	0.5800	1.7400
每股净资产(元)	7.7503	31.5440	12.7484	5.8800
每股经营现金净流量(元)	-0.2585	-0.0513	-0.6493	0.2878
每股现金流量(元)	0.1279	5.4459	0.3049	-0.1473
每股资本公积金(元)	5.3542	24.4106	6.4308	0.2524
每股盈余公积金(元)	0.0847	0.3788	0.3091	0.4125
每股未分配利润(元)	1.3114	5.7546	5.0084	6.1810
净资产收益率(%)	1.9885	4.4136	4.5214	22.2262
加权净资产收益率(%)	2.1800	10.0200	5.0100	24.7000
净资产收益率(扣除)(%)	1.8831	4.1273	4.3784	22.2170
总资产(万元)	159160.73	144174.89	60055.05	34662.47
归属母公司股东权益(万元)	142509.59	129645.83	52395.76	24165.41
营业收入(万元)	16446.73	35444.30	14923.87	28402.91
营业支出(万元)	10665.88	24962.67	10976.79	19662.77
投资收益(万元)	181.58	376.33	-	-
净利润(万元)	2833.82	5722.04	2369.02	5371.06
营业利润(万元)	2571.32	5524.26	2316.37	5445.73
利润总额(万元)	2976.87	6088.39	2512.21	5774.30

徐州五洋科技股份有限公司

公司概况	公司名称	徐州五洋科技股份有限公司		证券简称	五洋科技
	法人代表	侯友夫	董秘	张立永	证券代码	300420
	公司网址	www.wuyangkeji.com		电子信箱	wuyangsh@163.com
	电 话	0516-83501768		传 真	0516-83502339
	办公地址	江苏省徐州市铜山新区银山路东,珠江路北			
	经营范围	散料搬运核心装置及设备研发、设计、生产和销售的高新技术企业			

主要财务指标 指标\报告期	2016.06.30	2015.12.31	2015.06.30	2014.12.31
基本每股收益(元)	0.3495	0.2800	0.1355	0.5200
基本每股收益(扣除后)(元)	0.3362	0.1900	0.1259	0.4900
稀释每股收益(元)	0.3495	0.2800	0.1355	0.5200
每股净资产(元)	11.1825	8.4700	4.7854	4.1800
每股经营现金净流量(元)	–0.1609	0.6219	–0.0422	0.1311
每股现金流量(元)	–0.3528	1.5772	1.5936	–0.0412
每股资本公积金(元)	8.6585	6.1926	2.4850	1.4473
每股盈余公积金(元)	0.1371	0.1466	0.1491	0.1987
每股未分配利润(元)	1.3868	1.1290	1.1514	1.5296
净资产收益率(%)	2.9575	2.8223	2.5948	12.3645
加权净资产收益率(%)	3.8600	5.4800	2.9100	13.1800
净资产收益率(扣除)(%)	2.8445	1.9551	2.4109	11.6635
总资产(万元)	147101.05	141582.62	46804.84	32937.00
归属母公司股东权益(万元)	108521.48	76877.44	38283.58	25053.72
营业收入(万元)	25105.79	20671.27	8130.47	18986.31
营业支出(万元)	16273.85	13122.67	4789.32	10871.24
投资收益(万元)	197.38	101.38	1.03	1.49
净利润(万元)	3197.00	2169.72	993.38	3097.77
营业利润(万元)	3566.17	1888.50	1072.10	3417.84
利润总额(万元)	3710.42	2565.88	1154.96	3714.75

江苏力星通用钢球股份有限公司

公司概况	公司名称	江苏力星通用钢球股份有限公司		证券简称	力星股份
	法人代表	施祥贵	董秘	张邦友	证券代码	300421
	公司网址	www.jgbr.com.cn		电子信箱	board@jgbr.cn
	电 话	0513-87513793		传 真	0513-87516774
	办公地址	江苏省如皋市如城街道兴源大道 68 号			
	经营范围	精密轴承钢球的研发、生产和销售			

主要财务指标 指标\报告期	2016.06.30	2015.12.31	2015.06.30	2014.12.31
基本每股收益(元)	0.2354	0.5046	0.2480	0.6236
基本每股收益(扣除后)(元)	0.2313	0.4553	0.2301	0.5556
稀释每股收益(元)	0.2354	0.5046	0.2480	0.6236
每股净资产(元)	5.0630	5.1776	4.9213	3.8291
每股经营现金净流量(元)	0.0922	–0.0585	0.3750	0.8461
每股现金流量(元)	–0.1707	0.1931	0.4375	0.0130
每股资本公积金(元)	2.8724	2.8724	2.8724	1.4403
每股盈余公积金(元)	0.2281	0.2281	0.1853	0.2471
每股未分配利润(元)	0.9625	1.0771	0.8636	1.1417
净资产收益率(%)	4.6501	9.3401	4.6186	16.2854
加权净资产收益率(%)	4.5500	10.3600	6.3100	15.5300
净资产收益率(扣除)(%)	4.5681	8.4280	4.2861	14.5091
总资产(万元)	70353.07	69586.91	70046.26	64376.63
归属母公司股东权益(万元)	56706.11	57989.24	55118.68	32164.37
营业收入(万元)	23933.20	47810.48	24010.83	47098.62
营业支出(万元)	17846.16	36153.73	18518.12	35472.25
投资收益(万元)	–	–	–	–
净利润(万元)	2636.86	5416.26	2545.69	5373.97
营业利润(万元)	3146.78	5725.90	2789.23	5643.57
利润总额(万元)	3201.46	6348.23	3004.84	6316.84

广西博世科环保科技股份有限公司

公司概况	公司名称	广西博世科环保科技股份有限公司		证券简称	博世科
	法人代表	宋海农	董秘	赵璇	证券代码	300422
	公司网址	www.bossco.cc		电子信箱	bskdb@bossco.cc
	电 话	0771-3225158		传 真	0771-4960252
	办公地址	广西壮族自治区南宁市高新区东盟企业总部基地一期 A12 栋			
	经营范围	环保设备制造及销售			

主要财务指标 指标\报告期	2016.06.30	2015.12.31	2015.06.30	2014.12.31
基本每股收益(元)	0.1600	0.3500	0.3500	0.3400
基本每股收益(扣除后)(元)	0.1200	0.3000	0.3200	0.5800
稀释每股收益(元)	0.1600	0.3500	0.3500	0.3400
每股净资产(元)	3.0479	2.9006	5.5664	4.3976
每股经营现金净流量(元)	–0.4465	–0.5884	–1.0119	0.0127
每股现金流量(元)	–0.0821	0.5613	0.4424	0.0519
每股资本公积金(元)	1.1684	1.1237	2.2394	0.6417
每股盈余公积金(元)	0.1519	0.1382	0.2491	0.2841
每股未分配利润(元)	1.2659	1.1771	2.0779	2.4717
净资产收益率(%)	5.3332	11.6444	5.7512	15.2882
加权净资产收益率(%)	5.4700	13.1100	6.6700	16.3500
净资产收益率(扣除)(%)	4.0993	9.8110	5.2604	13.1974
总资产(万元)	137299.97	104203.94	76621.34	59566.97
归属母公司股东权益(万元)	38795.43	36920.72	34511.44	20448.62
营业收入(万元)	28167.43	50467.33	22354.17	28031.42
营业支出(万元)	19815.52	35777.32	15582.73	18672.40
投资收益(万元)	–43.48	–14.25	–5.73	–4.75
净利润(万元)	2033.83	4289.23	1983.61	3124.54
营业利润(万元)	1779.88	4175.77	2060.75	3196.64
利润总额(万元)	2342.78	4972.14	2257.15	3461.82

山东鲁亿通智能电气股份有限公司

公司概况	公司名称	山东鲁亿通智能电气股份有限公司		证券简称	鲁亿通
	法人代表	纪法清	董秘	崔静	证券代码	300423
	公司网址	www.luyitong.com		电子信箱	lyt@luyitong.com
	电 话	0535-7962672		传 真	0535-7962999
	办公地址	山东省莱阳市龙门西路 256 号			
	经营范围	电气成套设备的研发设计、生产与销售			

主要财务指标 指标\报告期	2016.06.30	2015.12.31	2015.06.30	2014.12.31
基本每股收益(元)	0.0800	0.5200	0.2600	0.6500
基本每股收益(扣除后)(元)	0.0700	0.4900	0.2400	0.6000
稀释每股收益(元)	0.0800	0.5200	0.2600	0.6500
每股净资产(元)	4.3576	5.0031	4.7381	3.2551
每股经营现金净流量(元)	0.1707	0.2753	–0.0302	–0.1317
每股现金流量(元)	–0.0113	0.4976	0.8198	–0.2987
每股资本公积金(元)	1.7446	2.0309	2.0309	0.1590
每股盈余公积金(元)	0.1693	0.2072	0.1572	0.2096
每股未分配利润(元)	1.4436	1.7650	1.5500	1.8865
净资产收益率(%)	1.9090	9.9955	4.9618	19.9309
加权净资产收益率(%)	2.0200	11.2800	5.8800	22.1400
净资产收益率(扣除)(%)	1.6084	9.4370	4.6804	18.3667
总资产(万元)	59478.89	58599.83	57958.13	47438.27
归属母公司股东权益(万元)	46929.81	44027.47	41695.59	21483.73
营业收入(万元)	9568.62	31417.21	15887.05	30404.88
营业支出(万元)	6677.53	21491.28	10683.19	21020.33
投资收益(万元)	–	–	–	–
净利润(万元)	895.90	4400.75	2068.86	4281.89
营业利润(万元)	851.48	5087.29	2506.88	4280.46
利润总额(万元)	1017.45	5376.56	2663.34	4675.80

广州航新航空科技股份有限公司

公司概况					
公司名称	广州航新航空科技股份有限公司			证券简称	航新科技
法人代表	卜范胜	董秘	陈茜茜	证券代码	300424
公司网址	www.hangxin.com		电子信箱	securities@hangxin.com	
电话	020-66350978		传真	020-66354166	
办公地址	广东省广州市经济技术开发区科学城光宝路1号				
经营范围	航空机载设备研制、机载设备检测设备研制和机载设备维修服务等				

主要财务指标 指标\报告期	2016.06.30	2015.12.31	2015.06.30	2014.12.31
基本每股收益(元)	0.1506	0.5900	0.2189	0.8100
基本每股收益(扣除后)(元)	0.1303	0.4100	0.2102	0.7200
稀释每股收益(元)	0.1506	0.5900	0.2189	0.8100
每股净资产(元)	6.2740	6.1475	6.1227	4.5051
每股经营现金净流量(元)	-0.4872	0.0551	-0.5839	0.5042
每股现金流量(元)	-0.7051	0.7820	0.9759	-0.5544
每股资本公积金(元)	2.2780	2.2780	2.2780	0.0037
每股盈余公积金(元)	0.2509	0.2509	0.2333	0.3111
每股未分配利润(元)	2.7432	2.6176	2.6115	3.1903
净资产收益率(%)	2.4003	8.8263	3.5745	17.8908
加权净资产收益率(%)	2.4400	10.3100	4.6100	19.3000
净资产收益率(扣除)(%)	2.0774	7.5652	3.4331	15.8635
总资产(万元)	98257.75	100433.26	106244.44	85426.45
归属母公司股东权益(万元)	83488.26	81804.73	81475.29	44960.95
营业收入(万元)	16938.00	41264.65	19967.59	50911.18
营业支出(万元)	9573.53	21184.90	9193.10	27595.66
投资收益(万元)	59.14	258.15	100.67	183.07
净利润(万元)	2003.93	7220.34	2912.36	8043.87
营业利润(万元)	1686.53	5870.01	2839.64	6118.83
利润总额(万元)	2341.95	8265.38	3412.86	9189.13

环能科技股份有限公司

公司概况					
公司名称	环能科技股份有限公司			证券简称	环能科技
法人代表	倪明亮	董秘	唐益军	证券代码	300425
公司网址	www.scimee.com		电子信箱	tyj@scimee.com	
电话	028-85001659		传真	028-85001655	
办公地址	四川省成都市武侯区武兴一路3号				
经营范围	节能、环保高新技术、矿选技术、资源回收再生技术、新材料研发技术、电子应用软件研发及技术服务				

主要财务指标 指标\报告期	2016.06.30	2015.12.31	2015.06.30	2014.12.31
基本每股收益(元)	0.1904	0.3400	0.2433	0.4500
基本每股收益(扣除后)(元)	0.1887	0.3000	0.5100	0.8800
稀释每股收益(元)	0.1904	0.3400	0.2433	0.4500
每股净资产(元)	6.1730	6.0752	9.2923	7.5364
每股经营现金净流量(元)	-0.0283	0.0675	-0.1691	0.4472
每股现金流量(元)	-0.6430	1.3148	2.6615	-0.2486
每股资本公积金(元)	3.6276	3.6276	5.0391	2.5330
每股盈余公积金(元)	0.1430	0.1430	0.3044	0.4059
每股未分配利润(元)	1.3465	1.2561	2.8937	3.5375
净资产收益率(%)	3.0842	4.8635	5.2801	13.2639
加权净资产收益率(%)	3.0900	7.5100	6.0400	14.0700
净资产收益率(扣除)(%)	3.0566	4.3824	5.0064	11.7138
总资产(万元)	139302.09	142964.19	84315.55	61245.72
归属母公司股东权益(万元)	109028.25	107301.69	66904.58	40696.46
营业收入(万元)	23624.52	32955.73	14778.23	23512.61
营业支出(万元)	13587.23	17225.18	7025.20	11081.15
投资收益(万元)	-	-	-	-
净利润(万元)	3388.30	5078.01	3450.28	5364.21
营业利润(万元)	3256.21	4718.82	3503.37	5326.98
利润总额(万元)	3742.61	5354.99	3726.14	5895.49

浙江唐德影视股份有限公司

公司概况					
公司名称	浙江唐德影视股份有限公司			证券简称	唐德影视
法人代表	吴宏亮	董秘	李兰天	证券代码	300426
公司网址	www.tangde.com.cn		电子信箱	investor@tangde.com.cn	
电话	010-58549091		传真	010-62367673	
办公地址	北京市海淀区花园路16号				
经营范围	电视剧的投资、制作、发行和衍生业务				

主要财务指标 指标\报告期	2016.06.30	2015.12.31	2015.06.30	2014.12.31
基本每股收益(元)	0.3500	0.7300	0.3700	0.7100
基本每股收益(扣除后)(元)	0.2900	0.6800	0.6700	1.3300
稀释每股收益(元)	0.3500	0.7300	0.3700	0.7100
每股净资产(元)	5.6990	5.4250	10.2447	5.7700
每股经营现金净流量(元)	-1.9535	-0.7800	-0.2171	-1.1506
每股现金流量(元)	-1.2436	1.5772	2.7986	-0.0967
每股资本公积金(元)	2.1883	2.1883	5.3748	0.5192
每股盈余公积金(元)	0.1886	0.1886	0.2589	0.3453
每股未分配利润(元)	2.3223	2.0482	3.6109	3.9069
净资产收益率(%)	6.2148	12.9435	6.6448	24.7709
加权净资产收益率(%)	6.3200	14.9800	8.3400	28.2700
净资产收益率(扣除)(%)	5.0234	12.0149	6.0025	22.9736
总资产(万元)	202822.81	147887.99	123022.79	91080.96
归属母公司股东权益(万元)	91183.50	86800.74	81957.51	34628.50
营业收入(万元)	26617.14	53746.72	26875.82	40778.86
营业支出(万元)	14818.39	34403.35	16294.17	21730.61
投资收益(万元)	8.49	-	-	-
净利润(万元)	5589.78	11225.71	5443.31	8571.29
营业利润(万元)	5196.82	13585.65	6562.95	10789.88
利润总额(万元)	6635.49	14582.31	7235.20	11609.63

厦门红相电力设备股份有限公司

公司概况					
公司名称	厦门红相电力设备股份有限公司			证券简称	红相电力
法人代表	杨成	董秘	罗媛	证券代码	300427
公司网址	www.redphase.com.cn		电子信箱	securities@redphase.com.cn	
电话	0592-8126108		传真	0592-2107581	
办公地址	福建省厦门市思明区水仙路33号海光大厦21层E单元				
经营范围	电力设备状态检测、监测产品和电能表的研发、生产和销售				

主要财务指标 指标\报告期	2016.06.30	2015.12.31	2015.06.30	2014.12.31
基本每股收益(元)	0.0455	0.8300	0.1300	0.8500
基本每股收益(扣除后)(元)	0.0330	0.6700	0.1100	0.7600
稀释每股收益(元)	0.0455	0.8300	0.1300	0.8500
每股净资产(元)	1.9739	6.3608	5.8630	4.8468
每股经营现金净流量(元)	-0.1056	0.4790	-0.6398	0.2521
每股现金流量(元)	-0.1795	2.0902	-0.1078	-0.0435
每股资本公积金(元)	0.0157	2.2502	2.2502	0.5252
每股盈余公积金(元)	0.1063	0.3401	0.2808	0.3744
每股未分配利润(元)	0.8546	2.7792	2.3412	2.9581
净资产收益率(%)	2.3032	12.5774	2.0931	17.4691
加权净资产收益率(%)	2.2500	13.6700	2.4100	18.8200
净资产收益率(扣除)(%)	1.6712	10.0499	1.7399	15.6900
总资产(万元)	72837.27	75972.80	58954.58	42404.76
归属母公司股东权益(万元)	56008.30	56401.00	51987.48	32231.39
营业收入(万元)	15373.33	30525.46	10371.40	26759.70
营业支出(万元)	8635.47	15220.43	6650.38	13325.34
投资收益(万元)	41.18	474.65	112.57	-
净利润(万元)	1657.05	7554.49	1088.16	5630.53
营业利润(万元)	1428.93	7164.96	800.54	6188.45
利润总额(万元)	2048.68	8792.49	1304.88	6605.06

河北四通新型金属材料股份有限公司

公司概况

公司名称	河北四通新型金属材料股份有限公司			证券简称	四通新材
法人代表	臧立国	董秘	李志国	证券代码	300428
公司网址	www.stnm.com.cn		电子信箱	info@stnm.com.cn	
电　话	0312-5806816		传　真	0312-5806515	
办公地址	河北省保定市清苑县发展路西街 359 号				
经营范围	铝基中间合金、铜基中间合金、铁基中间合金、镍基中间合金及特殊合金材料制造、销售				

主要财务指标

指标\报告期	2016.06.30	2015.12.31	2015.06.30	2014.12.31
基本每股收益(元)	0.4200	0.8200	0.4700	0.9600
基本每股收益(扣除后)(元)	0.4000	0.7400	0.4300	0.8600
稀释每股收益(元)	0.4200	0.8200	0.4700	0.9600
每股净资产(元)	7.2657	7.8097	7.4167	4.8800
每股经营现金净流量(元)	0.1016	0.1999	-0.3899	0.4114
每股现金流量(元)	-0.2265	0.8354	1.3011	0.3932
每股资本公积金(元)	3.6312	3.6312	3.6312	0.7455
每股盈余公积金(元)	0.2990	0.2990	0.2247	0.2996
每股未分配利润(元)	2.1457	2.7213	2.4403	2.7024
净资产收益率(%)	5.8409	9.8454	5.5755	19.7029
加权净资产收益率(%)	5.5100	11.7100	7.4600	21.9800
净资产收益率(扣除)(%)	5.4444	8.9354	5.0961	17.6020
总资产(万元)	63939.41	70338.91	67329.71	49464.03
归属母公司股东权益(万元)	58706.69	63102.16	59927.00	29590.40
营业收入(万元)	39339.80	74599.20	38661.66	69597.09
营业支出(万元)	33953.09	64891.09	33432.60	59985.47
投资收益(万元)	-32.23	206.69	68.81	-20.72
净利润(万元)	3429.00	6212.66	3341.23	5830.16
营业利润(万元)	3643.89	6476.65	3509.61	5753.71
利润总额(万元)	4018.77	7222.74	3923.17	6770.61

常州强力电子新材料股份有限公司

公司概况

公司名称	常州强力电子新材料股份有限公司			证券简称	强力新材
法人代表	钱晓春	董秘	管瑞卿	证券代码	300429
公司网址	www.tronly.com		电子信箱	ir@tronly.com	
电　话	0519-88388908		传　真	0519-85788911	
办公地址	江苏省常州市武进区遥观镇钱家工业园				
经营范围	化工原料销售				

主要财务指标

指标\报告期	2016.06.30	2015.12.31	2015.06.30	2014.12.31
基本每股收益(元)	0.7000	1.1566	0.5800	1.1369
基本每股收益(扣除后)(元)	0.5600	1.0874	0.5211	1.1400
稀释每股收益(元)	0.7000	1.1566	0.5800	1.1369
每股净资产(元)	8.0239	7.5420	6.9692	4.3840
每股经营现金净流量(元)	0.5144	0.8061	0.1749	1.1172
每股现金流量(元)	1.7814	-0.1229	2.1922	0.1583
每股资本公积金(元)	3.7334	3.7334	3.7334	0.7357
每股盈余公积金(元)	0.1948	0.1948	0.1467	0.1957
每股未分配利润(元)	3.0957	2.6138	2.0891	2.4525
净资产收益率(%)	8.7473	14.3746	7.3365	25.9342
加权净资产收益率(%)	8.8900	17.2900	9.7300	29.6000
净资产收益率(扣除)(%)	6.9942	13.5148	6.5400	25.9094
总资产(万元)	104571.92	65501.03	59927.63	36937.36
归属母公司股东权益(万元)	64030.74	60185.38	55614.13	26215.80
营业收入(万元)	17930.66	33443.86	14737.88	27593.34
营业支出(万元)	9767.12	18529.12	8121.33	14971.93
投资收益(万元)	301.75	277.07	21.35	-42.32
净利润(万元)	5580.18	8627.86	4072.26	6787.54
营业利润(万元)	5563.72	9814.17	4594.46	7883.71
利润总额(万元)	6610.81	10093.15	4863.24	7964.01

北京诚益通控制工程科技股份有限公司

公司概况

公司名称	北京诚益通控制工程科技股份有限公司			证券简称	诚益通
法人代表	梁学贤	董秘	刘棣	证券代码	300430
公司网址	www.ctntech.com		电子信箱	sec@eastctn.com	
电　话	010-61258926		传　真	010-61258926	
办公地址	北京市大兴区生物医药产业基地庆丰西路 27 号				
经营范围	面向大中型制药、生物企业,提供个性化的自动化控制系统产品及整体解决方案				

主要财务指标

指标\报告期	2016.06.30	2015.12.31	2015.06.30	2014.12.31
基本每股收益(元)	0.3200	0.5900	0.3600	0.7100
基本每股收益(扣除后)(元)	0.3100	0.5400	0.5200	1.1000
稀释每股收益(元)	0.3200	0.5900	0.3600	0.7100
每股净资产(元)	6.4936	6.2900	9.6802	6.8300
每股经营现金净流量(元)	-0.1170	-0.3453	-0.1679	0.5356
每股现金流量(元)	-0.3558	0.8036	2.8558	0.6272
每股资本公积金(元)	2.8840	2.8840	5.2144	1.8795
每股盈余公积金(元)	0.2307	0.2307	0.2855	0.3806
每股未分配利润(元)	2.3789	2.1738	3.1803	3.5737
净资产收益率(%)	4.8678	8.7606	5.1651	16.7119
加权净资产收益率(%)	4.9200	10.2400	6.7500	18.2400
净资产收益率(扣除)(%)	4.7961	7.9797	4.7011	16.1199
总资产(万元)	96133.29	90775.85	94112.98	72888.81
归属母公司股东权益(万元)	63169.92	61174.73	58855.44	31162.28
营业收入(万元)	20156.67	34449.57	19151.53	31948.56
营业支出(万元)	12933.96	22458.46	12401.09	20314.57
投资收益(万元)	-	-	-	-
净利润(万元)	3075.00	5359.25	3039.96	5207.80
营业利润(万元)	3607.34	5629.46	3246.98	5861.31
利润总额(万元)	3662.96	6231.10	3584.89	6103.27

暴风集团股份有限公司

公司概况

公司名称	暴风集团股份有限公司			证券简称	暴风集团
法人代表	冯鑫	董秘	毕士钧	证券代码	300431
公司网址	www.baofeng.com		电子信箱	IR@baofeng.com	
电　话	010-62309066		传　真	010-62309066*5555	
办公地址	北京市海淀区学院路 51 号首享科技大厦 6 层、13 层				
经营范围	互联网信息服务业务				

主要财务指标

指标\报告期	2016.06.30	2015.12.31	2015.06.30	2014.12.31
基本每股收益(元)	0.0700	0.7000	0.0600	0.4700
基本每股收益(扣除后)(元)	0.0300	0.2200	0.0100	0.4100
稀释每股收益(元)	0.0700	0.6900	0.0600	0.4700
每股净资产(元)	2.5090	2.4285	4.0190	3.1865
每股经营现金净流量(元)	0.2772	0.3222	0.4890	0.8969
每股现金流量(元)	-0.3837	1.0003	0.9806	0.4537
每股资本公积金(元)	0.9493	0.5822	1.7102	0.5160
每股盈余公积金(元)	0.1011	0.1018	0.0965	0.1287
每股未分配利润(元)	1.1364	1.0754	1.2122	1.5419
净资产收益率(%)	2.7163	27.0331	1.3891	14.6245
加权净资产收益率(%)	2.8000	33.8400	1.7600	15.7800
净资产收益率(扣除)(%)	1.1136	8.4370	0.1819	13.0076
总资产(万元)	164320.80	134850.52	63056.03	45332.71
归属母公司股东权益(万元)	69446.39	64111.60	48227.86	28678.95
营业收入(万元)	49512.74	65211.01	21655.21	38620.58
营业支出(万元)	28132.95	22492.90	5869.23	9828.58
投资收益(万元)	-107.85	10403.51	-276.48	96.70
净利润(万元)	-4833.36	15779.10	686.13	4185.49
营业利润(万元)	-5667.17	16076.36	390.34	3245.50
利润总额(万元)	-4262.78	16740.63	753.58	3669.11

绵阳富临精工机械股份有限公司

公司概况						
	公司名称	绵阳富临精工机械股份有限公司			证券简称	富临精工
	法人代表	曹勇	董秘	黎昌军	证券代码	300432
	公司网址	www.fulinpm.com		电子信箱	fljgzqb@fulinpm.com	
	电 话	0816-6800673		传 真	0816-6800655	
	办公地址	四川省绵阳市高端装备制造产业园凤凰中路 37 号				
	经营范围	汽车发动机精密零部件的研发、生产和销售				

主要财务指标

指标\报告期	2016.06.30	2015.12.31	2015.06.30	2014.12.31
基本每股收益(元)	0.3100	0.5733	0.8500	1.5197
基本每股收益(扣除后)(元)	0.3070	0.5497	0.8333	1.4484
稀释每股收益(元)	0.3100	0.5733	0.8500	1.5197
每股净资产(元)	2.6200	2.5254	6.8696	4.4278
每股经营现金净流量(元)	0.1855	0.2075	0.3520	1.2568
每股现金流量(元)	0.1091	0.4959	0.8710	0.4792
每股资本公积金(元)	0.3290	0.3290	2.9869	0.1723
每股盈余公积金(元)	0.1481	0.1481	0.2992	0.3989
每股未分配利润(元)	1.1390	1.0483	2.5835	2.8567
净资产收益率(%)	11.8737	19.1067	10.7868	34.3223
加权净资产收益率(%)	11.5900	23.3300	14.2500	41.0800
净资产收益率(扣除)(%)	11.6909	18.3198	10.6142	32.7104
总资产(万元)	149658.73	133402.87	121430.56	76938.72
归属母公司股东权益(万元)	94175.61	90913.46	82434.93	39850.62
营业收入(万元)	55000.12	85940.78	43911.38	69957.16
营业支出(万元)	35939.97	56075.89	28506.22	45665.54
投资收益(万元)	108.24	392.73	78.11	-
净利润(万元)	11182.15	17370.65	8892.13	13677.62
营业利润(万元)	13050.44	19786.11	10373.39	15323.00
利润总额(万元)	13144.05	20235.02	10462.68	16078.71

蓝思科技股份有限公司

公司概况						
	公司名称	蓝思科技股份有限公司			证券简称	蓝思科技
	法人代表	周群飞	董秘	彭孟武	证券代码	300433
	公司网址	www.hnlens.com		电子信箱	lsgf@hnlens.com	
	电 话	0731-83285699		传 真	0731-83285010	
	办公地址	湖南省浏阳市生物医药园				
	经营范围	公司的主营业务是视窗防护玻璃的研发、生产和销售				

主要财务指标

指标\报告期	2016.06.30	2015.12.31	2015.06.30	2014.12.31
基本每股收益(元)	0.1192	2.3500	0.3567	1.9400
基本每股收益(扣除后)(元)	-0.0169	1.6700	0.7200	1.1100
稀释每股收益(元)	0.1192	2.3500	0.3567	1.9400
每股净资产(元)	5.9806	5.1611	14.2676	12.2287
每股经营现金净流量(元)	0.2648	5.0785	1.4084	4.2210
每股现金流量(元)	0.0247	0.4064	0.6810	0.2187
每股资本公积金(元)	1.4700	2.1650	2.1649	0.0306
每股盈余公积金(元)	0.3181	1.0305	0.8245	0.9161
每股未分配利润(元)	3.2014	11.3010	10.2330	10.2402
净资产收益率(%)	1.8941	14.7974	7.1292	15.8808
加权净资产收益率(%)	2.1300	16.6000	8.0500	17.2700
净资产收益率(扣除)(%)	-0.2682	10.5111	4.7904	9.0903
总资产(万元)	2161694.19	2049183.65	1972637.22	1823842.64
归属母公司股东权益(万元)	1304734.00	1042583.35	960726.16	741058.93
营业收入(万元)	565761.43	1722738.47	865937.58	1449701.40
营业支出(万元)	437331.31	1312050.79	685533.36	1125652.34
投资收益(万元)	1329.30	1155.58	-64.95	-94.69
净利润(万元)	24824.90	154218.09	68480.02	117628.96
营业利润(万元)	-2193.19	135554.38	63356.81	113719.90
利润总额(万元)	25562.55	173816.78	75747.19	136139.86

四川金石东方新材料设备股份有限公司

公司概况						
	公司名称	四川金石东方新材料设备股份有限公司			证券简称	金石东方
	法人代表	蒯一希	董秘	林强	证券代码	300434
	公司网址	www.goldstone-group.com		电子信箱	goldstone@goldstone-group.com	
	电 话	028-87086807		传 真	028-87086861	
	办公地址	四川省成都市家园路 8 号大地新光华广场 A1 区 8 楼				
	经营范围	研发、生产、销售塑料复合管材、管件及设备				

主要财务指标

指标\报告期	2016.06.30	2015.12.31	2015.06.30	2014.12.31
基本每股收益(元)	0.0876	0.3800	0.1203	0.6300
基本每股收益(扣除后)(元)	0.0693	0.2600	0.2000	0.6200
稀释每股收益(元)	0.0876	0.3800	0.1203	0.6300
每股净资产(元)	2.8589	2.8214	5.5194	4.3449
每股经营现金净流量(元)	0.0957	0.4531	0.3556	0.5138
每股现金流量(元)	-0.9760	1.1440	2.2663	-0.0772
每股资本公积金(元)	0.5395	2.0790	2.0790	0.2150
每股盈余公积金(元)	0.1413	0.2826	0.2505	0.3340
每股未分配利润(元)	1.1782	2.2811	2.1899	2.7958
净资产收益率(%)	3.0639	6.0934	3.9951	14.4891
加权净资产收益率(%)	3.0600	7.1900	5.3900	15.4900
净资产收益率(扣除)(%)	2.4246	4.3050	3.0002	14.2082
总资产(万元)	45035.22	43242.86	42676.76	28725.58
归属母公司股东权益(万元)	38881.71	38370.41	37531.79	22158.78
营业收入(万元)	7747.37	11711.21	7004.93	17283.01
营业支出(万元)	5081.96	7104.52	4157.12	10457.47
投资收益(万元)	211.92	217.60	18.52	50.37
净利润(万元)	1182.46	2338.06	1499.44	3210.60
营业利润(万元)	1282.79	2077.01	1300.14	3665.68
利润总额(万元)	1363.37	2682.87	1737.07	3688.52

杭州中泰深冷技术股份有限公司

公司概况						
	公司名称	杭州中泰深冷技术股份有限公司			证券简称	中泰股份
	法人代表	章有虎	董秘	周娟萍	证券代码	300435
	公司网址	www.zhongtaihangzhou.com		电子信箱	info@zhongtaichina.com	
	电 话	0571-58838858		传 真	0571-58838859	
	办公地址	浙江省杭州市富阳区东洲街道高尔夫路 228 号				
	经营范围	生产、销售冷箱、压力容器、压力管道及相关技术咨询服务				

主要财务指标

指标\报告期	2016.06.30	2015.12.31	2015.06.30	2014.12.31
基本每股收益(元)	0.2700	1.2300	0.4800	1.3300
基本每股收益(扣除后)(元)	0.2300	1.0700	0.4200	1.2600
稀释每股收益(元)	0.2700	1.2300	0.4800	1.3300
每股净资产(元)	2.6679	7.8498	7.2597	4.9561
每股经营现金净流量(元)	0.0502	-0.7476	-0.3867	2.2413
每股现金流量(元)	0.0015	0.5718	0.5128	1.0491
每股资本公积金(元)	0.6430	3.9290	3.5306	0.6968
每股盈余公积金(元)	0.1230	0.3690	0.2602	0.3470
每股未分配利润(元)	1.0557	3.0133	2.4556	2.8947
净资产收益率(%)	4.4223	14.4211	5.7942	26.8803
加权净资产收益率(%)	4.4300	17.3300	7.4400	29.9600
净资产收益率(扣除)(%)	3.6932	12.5163	5.0950	25.4357
总资产(万元)	99495.45	92757.35	95606.02	69635.44
归属母公司股东权益(万元)	65310.47	64054.22	58077.92	29736.53
营业收入(万元)	13336.64	46246.40	18598.08	43277.05
营业支出(万元)	8575.11	30029.75	12136.78	27033.06
投资收益(万元)	498.61	313.43	67.86	111.67
净利润(万元)	2888.24	9237.33	3365.16	7993.26
营业利润(万元)	3368.09	9731.83	3594.30	9030.24
利润总额(万元)	3418.37	10816.11	3992.03	9389.10

福建广生堂药业股份有限公司

公司概况					
公司名称	福建广生堂药业股份有限公司			证券简称	广生堂
法人代表	李国平	董秘	陈迎	证券代码	300436
公司网址	www.cosunter.com		电子信箱	chenying@cosunter.com	
电　话	0591-28378999		传　真	0591-28378833	
办公地址	福建省福州市鼓楼区软件大道 89 号软件园 B 区 10 号楼 B 座				
经营范围	片剂、胶囊剂、茶剂、颗粒剂、原料药、人工天竺黄				

主要财务指标　指标\报告期	2016.06.30	2015.12.31	2015.06.30	2014.12.31
基本每股收益(元)	0.2911	0.9241	0.6425	1.4959
基本每股收益(扣除后)(元)	0.2699	0.8692	0.8091	1.4357
稀释每股收益(元)	0.2911	0.9241	0.6425	1.4959
每股净资产(元)	3.7496	3.7085	6.6908	2.8000
每股经营现金净流量(元)	0.2191	0.7973	0.7947	1.9114
每股现金流量(元)	1.5787	0.2674	0.9331	0.0780
每股资本公积金(元)	1.2518	1.2518	3.5037	0.0076
每股盈余公积金(元)	0.2205	0.2205	0.2931	0.3664
每股未分配利润(元)	1.2773	1.2362	1.8939	1.4272
净资产收益率(%)	7.7629	19.9336	11.2418	53.3991
加权净资产收益率(%)	7.6400	27.1500	19.5400	59.0700
净资产收益率(扣除)(%)	7.1992	18.7494	10.4805	51.2534
总资产(万元)	60145.52	60069.98	54406.08	22411.35
归属母公司股东权益(万元)	52494.71	51919.59	46835.26	15687.14
营业收入(万元)	14929.70	30892.34	14416.71	25446.78
营业支出(万元)	1830.01	3763.31	1730.23	3639.42
投资收益(万元)	-160.55	-7.53	-	-
净利润(万元)	4075.12	10349.46	5265.13	8376.78
营业利润(万元)	4453.64	11413.86	5790.88	9452.15
利润总额(万元)	4801.77	12140.25	6215.19	9851.82

河南清水源科技股份有限公司

公司概况					
公司名称	河南清水源科技股份有限公司			证券简称	清水源
法人代表	王志清	董秘	朱晓军	证券代码	300437
公司网址	www.qywt.com.cn		电子信箱	dongshihui@qywt.com.cn	
电　话	0391-6089790		传　真	0391-6089919	
办公地址	河南省济源市轵城镇 207 国道东侧正兴玉米公司北邻				
经营范围	水处理剂、化学清洗剂、油田注剂及包装桶的生产销售				

主要财务指标　指标\报告期	2016.06.30	2015.12.31	2015.06.30	2014.12.31
基本每股收益(元)	0.0902	0.6399	0.1187	0.7391
基本每股收益(扣除后)(元)	0.0786	0.5554	0.3277	0.7279
稀释每股收益(元)	0.0902	0.6399	0.1187	0.7391
每股净资产(元)	2.2994	6.3463	6.0588	4.6935
每股经营现金净流量(元)	0.1285	0.4246	0.0755	0.8497
每股现金流量(元)	-0.2108	1.1780	1.2286	0.4816
每股资本公积金(元)	0.2392	2.4697	2.4697	0.5825
每股盈余公积金(元)	0.1220	0.3416	0.2821	0.3763
每股未分配利润(元)	0.9381	2.5240	2.2738	2.6640
净资产收益率(%)	3.9235	9.2421	4.5686	15.7468
加权净资产收益率(%)	3.9500	11.0000	6.2700	16.6800
净资产收益率(扣除)(%)	3.4164	8.0211	4.5065	15.5085
总资产(万元)	52402.49	48064.56	46890.34	30665.17
归属母公司股东权益(万元)	42944.45	42329.51	40412.19	23467.57
营业收入(万元)	20557.51	39803.36	18703.34	42455.45
营业支出(万元)	15795.28	30469.90	13841.69	31825.46
投资收益(万元)	188.35	65.63	4.53	-
净利润(万元)	1684.94	3912.16	1846.27	3695.39
营业利润(万元)	1927.43	3928.04	2138.36	4328.15
利润总额(万元)	1995.28	4470.46	2163.36	4393.94

广州鹏辉能源科技股份有限公司

公司概况					
公司名称	广州鹏辉能源科技股份有限公司			证券简称	鹏辉能源
法人代表	夏信德	董秘	鲁宏力	证券代码	300438
公司网址	www.greatpower.net		电子信箱	info@greatpower.net	
电　话	020-39196888		传　真	020-39196767	
办公地址	广东省广州市番禺区沙湾镇市良路(西村段)912 号				
经营范围	能源技术研究、技术开发服务				

主要财务指标　指标\报告期	2016.06.30	2015.12.31	2015.06.30	2014.12.31
基本每股收益(元)	0.1700	1.1300	0.1500	0.9600
基本每股收益(扣除后)(元)	0.1600	1.0500	0.4100	0.8600
稀释每股收益(元)	0.1700	1.1300	0.1500	0.9600
每股净资产(元)	3.3978	3.2852	9.1939	7.3500
每股经营现金净流量(元)	-0.2652	0.2901	-0.1172	0.6572
每股现金流量(元)	-0.2210	1.0112	0.7868	-0.0675
每股资本公积金(元)	1.0086	5.0258	5.0258	2.6186
每股盈余公积金(元)	0.0888	0.2664	0.1824	0.2432
每股未分配利润(元)	1.2975	3.5727	2.9837	3.4901
净资产收益率(%)	5.1007	10.5437	3.9818	13.0065
加权净资产收益率(%)	5.1400	12.6100	5.3800	13.9100
净资产收益率(扣除)(%)	4.7064	9.7949	3.6727	11.7310
总资产(万元)	146820.58	137661.22	113413.05	80807.74
归属母公司股东权益(万元)	85625.72	82787.15	77228.87	46318.34
营业收入(万元)	47926.30	87873.57	34425.69	70053.53
营业支出(万元)	36652.75	66853.47	26137.23	53496.78
投资收益(万元)	86.02	274.11	6.74	7.75
净利润(万元)	4355.24	8591.59	3029.08	5972.50
营业利润(万元)	4614.37	9469.56	3098.15	6155.53
利润总额(万元)	5019.19	9924.54	3380.64	6852.71

美康生物科技股份有限公司

公司概况					
公司名称	美康生物科技股份有限公司			证券简称	美康生物
法人代表	邹炳德	董秘	赵家保	证券代码	300439
公司网址	www.nb-medicalsystem.com		电子信箱	nbmk@nb-medicalsystem.com	
电　话	0574-28882206		传　真	0574-28882205	
办公地址	浙江省宁波市鄞州区启明南路 299 号				
经营范围	第二、三类 6840 体外诊断试剂的制造、加工				

主要财务指标　指标\报告期	2016.06.30	2015.12.31	2015.06.30	2014.12.31
基本每股收益(元)	0.2500	0.5200	0.2100	0.5400
基本每股收益(扣除后)(元)	0.2100	0.4700	0.6800	1.6000
稀释每股收益(元)	0.2500	0.5200	0.2100	0.5400
每股净资产(元)	3.8578	3.7878	10.5238	4.8700
每股经营现金净流量(元)	0.0701	0.5222	0.1951	1.3707
每股现金流量(元)	-0.4368	1.1295	5.5975	0.1288
每股资本公积金(元)	1.6208	1.3440	6.0320	0.0003
每股盈余公积金(元)	0.1525	0.1525	0.2980	0.3973
每股未分配利润(元)	1.4403	1.2888	3.1942	3.4708
净资产收益率(%)	6.3758	12.5214	5.6181	33.2710
加权净资产收益率(%)	6.5000	16.6300	9.7900	38.7900
净资产收益率(扣除)(%)	5.2580	11.3200	5.4020	32.7849
总资产(万元)	196566.91	144679.16	133413.13	62124.64
归属母公司股东权益(万元)	134107.33	128793.67	119277.10	41382.69
营业收入(万元)	38446.60	68314.12	31203.93	59784.92
营业支出(万元)	14334.99	28201.70	11977.09	26241.83
投资收益(万元)	1265.08	327.42	-	-
净利润(万元)	8480.29	15946.22	6618.14	13679.00
营业利润(万元)	10116.64	17615.35	7860.69	16478.37
利润总额(万元)	10428.90	19152.17	8125.44	16675.07

成都运达科技股份有限公司

公司概况

公司名称	成都运达科技股份有限公司			证券简称	运达科技
法人代表	何鸿云	董秘	王海峰	证券代码	300440
公司网址	www.yd-tec.com		电子信箱	wanghf@yd-tec.com	
电　话	028-82839983		传　真	028-82839988	
办公地址	四川省成都市高新区新达路 11 号				
经营范围	轨道交通机务运用安全系统的研发、生产和销售				

主要财务指标

指标\报告期	2016.06.30	2015.12.31	2015.06.30	2014.12.31
基本每股收益(元)	0.2120	1.2502	0.2191	1.2969
基本每股收益(扣除后)(元)	0.2109	1.2257	0.4327	1.2600
稀释每股收益(元)	0.2120	1.2502	0.2191	1.2969
每股净资产(元)	5.3578	5.2758	9.7730	6.2444
每股经营现金净流量(元)	-0.1007	0.7106	-0.3970	1.2238
每股现金流量(元)	-2.0631	4.4602	4.0922	0.3256
每股资本公积金(元)	2.4116	5.8233	5.8257	1.4547
每股盈余公积金(元)	0.2184	0.4367	0.3219	0.4292
每股未分配利润(元)	1.7278	3.2916	2.6255	3.3605
净资产收益率(%)	3.9573	10.8614	3.7359	20.7691
加权净资产收益率(%)	3.9600	13.6000	5.6300	22.4700
净资产收益率(扣除)(%)	3.9363	10.6479	3.6894	20.1759
总资产(万元)	151922.69	160125.94	136531.77	78310.49
归属母公司股东权益(万元)	120015.13	118177.81	109457.99	52452.59
营业收入(万元)	19322.98	45988.54	14717.94	36309.88
营业支出(万元)	9769.98	21470.60	6721.60	17037.99
投资收益(万元)	522.43	800.84	-	-
净利润(万元)	4750.29	12822.76	4089.23	10893.93
营业利润(万元)	3903.03	12228.49	3218.18	9655.35
利润总额(万元)	5389.80	14590.01	4697.09	12337.81

宁波鲍斯能源装备股份有限公司

公司概况

公司名称	宁波鲍斯能源装备股份有限公司			证券简称	鲍斯股份
法人代表	陈金岳	董秘	陈军	证券代码	300441
公司网址	www.cnbaosi.com		电子信箱	chenj@cnbaosi.com	
电　话	0574-88661525		传　真	0574-88661529	
办公地址	浙江省宁波市奉化市西坞街道尚桥路 18 号				
经营范围	螺杆压缩机核心部件——螺杆主机以及螺杆压缩机整机的研发生产及销售				

主要财务指标

指标\报告期	2016.06.30	2015.12.31	2015.06.30	2014.12.31
基本每股收益(元)	0.0800	0.1900	0.0800	0.3200
基本每股收益(扣除后)(元)	0.0800	0.1600	0.2800	0.5700
稀释每股收益(元)	0.0800	0.1900	0.0800	0.3200
每股净资产(元)	2.7715	2.6844	5.2425	4.0657
每股经营现金净流量(元)	0.1458	0.1701	0.0799	0.6928
每股现金流量(元)	0.3452	0.3974	0.8278	0.2857
每股资本公积金(元)	1.3510	0.4689	1.9378	0.1844
每股盈余公积金(元)	0.0619	0.1277	0.2159	0.2879
每股未分配利润(元)	0.3586	1.0878	2.0888	2.5934
净资产收益率(%)	2.6562	6.8928	4.6500	15.7430
加权净资产收益率(%)	4.7100	8.1300	6.3200	17.0900
净资产收益率(扣除)(%)	2.5116	5.8134	4.4169	14.0036
总资产(万元)	131907.80	60838.90	56751.31	48325.11
归属母公司股东权益(万元)	96591.45	45355.30	44288.47	25760.25
营业收入(万元)	21647.30	25722.56	14954.61	24696.38
营业支出(万元)	14851.38	18411.38	10265.02	16042.70
投资收益(万元)	-44.19	-	-	-
净利润(万元)	2664.64	3097.83	2054.40	4029.65
营业利润(万元)	3013.29	2954.55	2231.90	4157.55
利润总额(万元)	3165.75	3531.98	2354.77	4686.26

上海普丽盛包装股份有限公司

公司概况

公司名称	上海普丽盛包装股份有限公司			证券简称	普丽盛
法人代表	姜卫东	董秘	舒石泉	证券代码	300442
公司网址	www.cn-pls.com		电子信箱	pls@cn-pls.com	
电　话	021-57211797		传　真	021-57213028	
办公地址	上海市金山区张堰镇金张支路 84 号				
经营范围	液态食品包装机械和纸铝复合无菌包装材料的研发				

主要财务指标

指标\报告期	2016.06.30	2015.12.31	2015.06.30	2014.12.31
基本每股收益(元)	0.0400	0.5500	0.3200	1.2100
基本每股收益(扣除后)(元)	0.0200	0.5100	0.2900	1.1600
稀释每股收益(元)	0.0400	0.5500	0.3200	1.2100
每股净资产(元)	9.6374	9.7014	9.4711	6.6539
每股经营现金净流量(元)	-0.4274	-0.4759	-0.6046	0.6062
每股现金流量(元)	-0.6175	1.0215	3.6853	-0.7017
每股资本公积金(元)	5.2063	5.2063	5.2063	1.6613
每股盈余公积金(元)	0.2082	0.2082	0.1990	0.2653
每股未分配利润(元)	3.2229	3.2869	3.0658	3.7272
净资产收益率(%)	0.3842	5.1606	2.8545	18.2022
加权净资产收益率(%)	0.3800	6.2200	4.1400	20.0200
净资产收益率(扣除)(%)	0.1774	4.8613	2.5779	17.4645
总资产(万元)	128895.26	125936.25	118308.07	78008.53
归属母公司股东权益(万元)	96374.33	97014.03	94711.07	49904.15
营业收入(万元)	24056.22	54061.19	26098.97	58159.06
营业支出(万元)	17375.79	35939.95	17569.11	37011.55
投资收益(万元)	-	-	-	-
净利润(万元)	106.06	5006.54	2703.56	9083.64
营业利润(万元)	102.88	5494.48	2809.87	10527.49
利润总额(万元)	318.69	5837.83	3135.36	10872.82

山东莱芜金雷风电科技股份有限公司

公司概况

公司名称	山东莱芜金雷风电科技股份有限公司			证券简称	金雷风电
法人代表	伊廷雷	董秘	周丽	证券代码	300443
公司网址	www.jinleiwind.com		电子信箱	jinleizqb@163.com	
电　话	0634-6494368		传　真	0634-6494367	
办公地址	山东省莱芜市钢城区里辛镇张家岭村				
经营范围	风电主轴研发、锻造，金属锻件、机械零部件加工销售				

主要财务指标

指标\报告期	2016.06.30	2015.12.31	2015.06.30	2014.12.31
基本每股收益(元)	0.7745	2.7700	1.2390	2.0300
基本每股收益(扣除后)(元)	0.8012	2.6600	1.2400	2.0300
稀释每股收益(元)	0.7745	2.7700	1.2390	2.0300
每股净资产(元)	8.5135	15.9981	14.5310	9.3519
每股经营现金净流量(元)	1.3335	1.4158	0.8113	1.3919
每股现金流量(元)	-0.9468	2.5989	4.0541	1.3181
每股资本公积金(元)	3.3439	7.6879	7.6879	2.4407
每股盈余公积金(元)	0.3655	0.7310	0.4728	0.5911
每股未分配利润(元)	3.8041	6.5792	5.3703	5.3201
净资产收益率(%)	9.0973	16.1400	7.6731	21.7386
加权净资产收益率(%)	9.3800	20.2900	10.1300	24.3900
净资产收益率(扣除)(%)	9.4113	15.4898	7.6779	21.7170
总资产(万元)	110909.54	102988.68	105138.36	62245.58
归属母公司股东权益(万元)	95794.29	90005.07	81751.15	42083.40
营业收入(万元)	26205.62	66120.41	32043.29	45483.07
营业支出(万元)	14921.73	43479.17	21261.16	31354.05
投资收益(万元)	-	-	-	4.33
净利润(万元)	8714.74	14526.77	6272.86	9148.36
营业利润(万元)	8344.63	18304.43	8368.82	10632.10
利润总额(万元)	7990.81	19084.27	8363.57	10642.79

北京双杰电气股份有限公司

公司概况						
公司名称	北京双杰电气股份有限公司				证券简称	双杰电气
法人代表	赵志宏	董秘	李涛		证券代码	300444
公司网址	www.sojoline.com		电子信箱		sojo@sojoline.com	
电　话	010-62988465　62987100		传　真		010-62988464	
办公地址	北京市海淀区上地三街9号D座1111					
经营范围	输配电及控制设备的研发、生产和销售					

主要财务指标：指标\报告期	2016.06.30	2015.12.31	2015.06.30	2014.12.31
基本每股收益(元)	0.0700	0.3900	0.0800	0.5000
基本每股收益(扣除后)(元)	0.0700	0.3700	0.1100	0.7000
稀释每股收益(元)	0.0700	0.3900	0.0800	0.5000
每股净资产(元)	2.8198	2.8851	5.6585	3.8271
每股经营现金净流量(元)	0.1177	0.0646	0.0176	0.4726
每股现金流量(元)	-0.2893	1.2353	2.6238	-0.1111
每股资本公积金(元)	1.0903	1.0856	2.7678	0.4452
每股盈余公积金(元)	0.1130	0.1130	0.1955	0.2606
每股未分配利润(元)	0.8547	0.9287	1.6952	2.1213
净资产收益率(%)	2.6961	11.0264	1.8421	18.7511
加权净资产收益率(%)	2.6000	13.3100	2.7300	20.2100
净资产收益率(扣除)(%)	2.6868	10.5289	1.6712	18.3917
总资产(万元)	166746.75	121164.56	108374.62	70390.40
归属母公司股东权益(万元)	79910.21	81761.09	78056.03	39595.23
营业收入(万元)	30061.68	66106.33	21072.72	54492.12
营业支出(万元)	20308.03	40886.09	13483.61	32524.17
投资收益(万元)	-2.25	-0.17	-	-
净利润(万元)	2154.48	9015.33	1437.90	7424.56
营业利润(万元)	2460.85	9910.34	1627.41	8470.82
利润总额(万元)	2534.68	10492.92	1820.32	8638.28

北京康斯特仪表科技股份有限公司

公司概况						
公司名称	北京康斯特仪表科技股份有限公司				证券简称	康斯特
法人代表	姜维利	董秘	刘楠楠		证券代码	300445
公司网址	www.constgroup.com		电子信箱		zqb@constgroup.com	
电　话	010-56973355		传　真		010-56973349	
办公地址	北京市海淀区丰秀中路3号院5号楼					
经营范围	数字压力、温度校准仪表产品的研究、开发、生产、销售、技术服务、技术转让					

主要财务指标：指标\报告期	2016.06.30	2015.12.31	2015.06.30	2014.12.31
基本每股收益(元)	0.0827	0.5456	0.1797	0.5693
基本每股收益(扣除后)(元)	0.0862	0.5265	0.3501	1.0512
稀释每股收益(元)	0.0827	0.5456	0.1797	0.5693
每股净资产(元)	2.3139	4.5472	8.3264	5.7166
每股经营现金净流量(元)	-0.0074	0.5794	0.0122	1.3362
每股现金流量(元)	-0.0822	1.8811	2.7788	0.8157
每股资本公积金(元)	0.1595	1.3191	3.6382	0.0011
每股盈余公积金(元)	0.1296	0.2592	0.4197	0.5595
每股未分配利润(元)	1.0183	1.9613	3.2752	4.1644
净资产收益率(%)	3.5733	11.4986	3.5968	19.9166
加权净资产收益率(%)	3.5700	14.2700	5.2200	21.7700
净资产收益率(扣除)(%)	3.7248	11.0967	3.5050	18.3878
总资产(万元)	39245.96	40108.72	36100.99	24586.85
归属母公司股东权益(万元)	37762.22	37105.38	33971.51	17492.70
营业收入(万元)	6945.58	16252.36	6166.96	14087.78
营业支出(万元)	1998.73	4757.59	1794.56	3904.76
投资收益(万元)	-	-	-	-
净利润(万元)	1349.36	4266.60	1221.90	3483.96
营业利润(万元)	1404.09	3844.47	1185.25	3219.02
利润总额(万元)	1631.42	4951.40	1494.41	4024.62

保定乐凯新材料股份有限公司

公司概况						
公司名称	保定乐凯新材料股份有限公司				证券简称	乐凯新材
法人代表	张新明	董秘	周春丽		证券代码	300446
公司网址	maginfo.luckyfilm.com.cn		电子信箱		lekaixincai@luckyfilm.com	
电　话	0312-7922999		传　真		0312-7922999	
办公地址	河北省保定市和润路569号					
经营范围	感光化学品及热敏化学品等的研发、生产和销售					

主要财务指标：指标\报告期	2016.06.30	2015.12.31	2015.06.30	2014.12.31
基本每股收益(元)	0.4258	1.7500	0.8729	1.6700
基本每股收益(扣除后)(元)	0.4082	1.6800	0.8700	1.6600
稀释每股收益(元)	0.4258	1.7500	0.8729	1.6700
每股净资产(元)	3.5965	6.9414	6.0554	5.2900
每股经营现金净流量(元)	0.4553	1.7644	0.7302	2.1398
每股现金流量(元)	-0.0405	-0.2049	0.8817	0.0816
每股资本公积金(元)	0.2899	1.5799	1.5747	0.0121
每股盈余公积金(元)	0.2630	0.5261	0.3653	0.4876
每股未分配利润(元)	2.0436	3.8355	3.1154	3.7880
净资产收益率(%)	11.8401	23.1626	12.0053	31.6130
加权净资产收益率(%)	11.7200	28.4900	15.4500	36.3200
净资产收益率(扣除)(%)	11.3501	22.1916	11.9331	31.4114
总资产(万元)	49493.06	47096.72	44762.81	32855.68
归属母公司股东权益(万元)	44165.17	42619.98	37180.03	24323.22
营业收入(万元)	13103.64	24138.75	11734.11	21053.76
营业支出(万元)	4899.98	8695.38	4248.03	7762.43
投资收益(万元)	219.30	171.29	-	-
净利润(万元)	5229.18	9871.90	4463.57	7689.30
营业利润(万元)	6143.79	11291.17	5235.57	9157.53
利润总额(万元)	6174.47	11597.52	5262.55	9208.31

南京全信传输科技股份有限公司

公司概况						
公司名称	南京全信传输科技股份有限公司				证券简称	全信股份
法人代表	陈祥楼	董秘	方进		证券代码	300447
公司网址	www.qx-kj.com		电子信箱		sxl2029@126.com	
电　话	025-83245761　83240178		传　真		025-52777568	
办公地址	江苏省南京市鼓楼区汉中门大街301号01幢12层					
经营范围	国防军工用高性能传输线缆及线缆组件的研发生产和销售等					

主要财务指标：指标\报告期	2016.06.30	2015.12.31	2015.06.30	2014.12.31
基本每股收益(元)	0.2969	0.9666	0.2380	0.8107
基本每股收益(扣除后)(元)	0.2815	0.9416	0.4532	0.7715
稀释每股收益(元)	0.2969	0.9666	0.2380	0.8107
每股净资产(元)	3.6649	3.4413	6.3930	4.5342
每股经营现金净流量(元)	-0.2601	0.4360	0.1277	0.6575
每股现金流量(元)	-0.5038	2.1508	2.7169	-0.3146
每股资本公积金(元)	0.7347	2.4658	2.4658	0.1602
每股盈余公积金(元)	0.1747	0.3495	0.2644	0.3525
每股未分配利润(元)	1.7555	3.0672	2.6628	3.0217
净资产收益率(%)	8.1015	12.8743	6.2035	17.8799
加权净资产收益率(%)	8.2700	15.9000	8.8800	18.6200
净资产收益率(扣除)(%)	7.6801	12.5413	5.9072	17.0145
总资产(万元)	74303.07	67974.41	61272.68	33423.35
归属母公司股东权益(万元)	59371.85	55748.24	51783.43	27545.85
营业收入(万元)	17555.27	25126.35	12435.36	20517.60
营业支出(万元)	7334.64	10295.83	5239.06	8660.69
投资收益(万元)	-8.65	40.80	-6.72	66.44
净利润(万元)	4780.69	7188.60	3212.38	4925.17
营业利润(万元)	5357.12	6950.98	3552.69	5430.84
利润总额(万元)	5625.40	8349.17	3733.20	5711.32

浩云科技股份有限公司

公司概况	公司名称	浩云科技股份有限公司			证券简称	浩云科技
	法人代表	雷洪文	董秘	陈翩	证券代码	300448
	公司网址	www.haoyuntech.com		电子信箱	zqb@haoyuntech.com	
	电　话	020-34831515		传　真	020-34831415	
	办公地址	广东省广州市番禺区东环街番禺大道北555号天安总部中心2号楼2201				
	经营范围	金融安防系统设计集成和运维服务以及相关软硬件产品的研发生产和销售				

	指标\报告期	2016.06.30	2015.12.31	2015.06.30	2014.12.31
主要财务指标	基本每股收益(元)	-0.1900	0.9000	0.0800	0.9500
	基本每股收益(扣除后)(元)	-0.2000	0.8700	0.1200	0.9200
	稀释每股收益(元)	-0.1900	0.9000	0.0800	0.9500
	每股净资产(元)	2.6517	7.2119	6.5399	4.0515
	每股经营现金净流量(元)	-0.5426	0.3182	-1.1873	0.5572
	每股现金流量(元)	-0.7936	3.3781	2.0298	0.1889
	每股资本公积金(元)	1.2296	3.8348	3.6247	0.4332
	每股盈余公积金(元)	0.1219	0.3056	0.2274	0.3032
	每股未分配利润(元)	0.4760	2.3092	1.6879	2.3151
	净资产收益率(%)	-7.0173	11.3219	1.5524	23.4703
	加权净资产收益率(%)	-6.6800	14.4400	3.3700	26.2200
	净资产收益率(扣除)(%)	-7.3597	10.9560	1.5395	22.6006
	总资产(万元)	70666.68	67996.95	58886.22	37332.43
	归属母公司股东权益(万元)	53617.62	58191.47	52319.50	24309.25
	营业收入(万元)	13349.89	46569.14	17998.55	38626.94
	营业支出(万元)	9937.29	26402.39	10846.73	21999.86
	投资收益(万元)	-	46.38	-	-
	净利润(万元)	-3896.99	6588.39	812.21	5705.45
	营业利润(万元)	-4234.79	7477.02	948.28	6249.78
	利润总额(万元)	-3973.38	7738.63	956.21	6496.81

北京汉邦高科数字技术股份有限公司

公司概况	公司名称	北京汉邦高科数字技术股份有限公司			证券简称	汉邦高科
	法人代表	王立群	董秘	冯军飞	证券代码	300449
	公司网址	www.hbgk.net		电子信箱	chlma@hbgk.net	
	电　话	010-57985711		传　真	010-57985799	
	办公地址	北京市海淀区长春桥路11号4号楼裙房四层南侧1-12号房间				
	经营范围	安防行业数字视频监控产品和系统的研发生产和销售				

	指标\报告期	2016.06.30	2015.12.31	2015.06.30	2014.12.31
主要财务指标	基本每股收益(元)	0.1300	0.7000	0.2100	1.0700
	基本每股收益(扣除后)(元)	0.1300	0.7000	0.4011	1.0300
	稀释每股收益(元)	0.1300	0.7000	0.2100	1.0700
	每股净资产(元)	4.4900	4.4939	10.2600	6.0400
	每股经营现金净流量(元)	-1.2550	-2.3628	-3.2638	1.0134
	每股现金流量(元)	-0.6696	0.6028	-0.1843	1.4007
	每股资本公积金(元)	2.1867	4.6273	4.6273	1.2845
	每股盈余公积金(元)	0.1252	0.2554	0.1820	0.2428
	每股未分配利润(元)	1.5968	3.1052	2.8752	3.5159
	净资产收益率(%)	2.7438	7.1528	3.9097	17.7100
	加权净资产收益率(%)	2.7600	8.6700	5.6500	19.4300
	净资产收益率(扣除)(%)	2.7463	7.0837	3.8568	17.0568
	总资产(万元)	92876.95	86175.06	83932.60	68715.26
	归属母公司股东权益(万元)	64738.43	63544.14	61399.53	32028.86
	营业收入(万元)	19433.66	47919.15	21457.60	56289.24
	营业支出(万元)	11948.26	31028.92	14008.40	37680.38
	投资收益(万元)	-	-	-	-
	净利润(万元)	1776.27	4545.17	2400.56	5671.44
	营业利润(万元)	1016.24	3970.79	1860.54	5616.34
	利润总额(万元)	1818.92	5258.90	2632.67	6676.10

无锡先导智能装备股份有限公司

公司概况	公司名称	无锡先导智能装备股份有限公司			证券简称	先导智能
	法人代表	王燕清	董秘	陈强	证券代码	300450
	公司网址	www.leadchina.cn		电子信箱	lead@leadchina.cn	
	电　话	0510-81163600		传　真	0510-81163638	
	办公地址	江苏省无锡市国家高新技术产业开发区新锡路20号				
	经营范围	电子工业专用设备研发、生产和技术服务				

	指标\报告期	2016.06.30	2015.12.31	2015.06.30	2014.12.31
主要财务指标	基本每股收益(元)	0.2331	1.7400	0.8587	1.2800
	基本每股收益(扣除后)(元)	0.2267	1.6500	0.8371	1.2305
	稀释每股收益(元)	0.2331	1.7400	0.8587	1.2800
	每股净资产(元)	1.8346	5.3500	9.4483	5.6287
	每股经营现金净流量(元)	-0.0631	1.5952	0.3629	1.8343
	每股现金流量(元)	-0.2228	0.9343	4.2570	1.2848
	每股资本公积金(元)	0.2032	2.6097	6.2194	2.1740
	每股盈余公积金(元)	0.0734	0.2201	0.2252	0.3002
	每股未分配利润(元)	0.5580	1.5248	2.0038	2.1544
	净资产收益率(%)	12.7062	19.9886	7.1953	22.8224
	加权净资产收益率(%)	12.8800	27.3400	13.0200	25.0300
	净资产收益率(扣除)(%)	12.3544	18.9332	7.0136	21.8610
	总资产(万元)	195506.25	171657.73	127240.39	73571.21
	归属母公司股东权益(万元)	74852.92	72821.92	64248.73	28706.19
	营业收入(万元)	39138.40	53611.08	19232.27	30654.37
	营业支出(万元)	23094.57	30532.51	11572.61	17324.38
	投资收益(万元)	376.64	343.47	72.29	83.09
	净利润(万元)	9510.99	14556.08	4622.88	6551.45
	营业利润(万元)	9477.44	13054.54	4284.64	7486.70
	利润总额(万元)	11195.06	17025.70	5449.80	7728.31

创业软件股份有限公司

公司概况	公司名称	创业软件股份有限公司			证券简称	创业软件
	法人代表	葛航	董秘	董祖琰	证券代码	300451
	公司网址	www.bsoft.com.cn		电子信箱	bsoft@bsoft.com.cn	
	电　话	0571-88217878		传　真	0571-88217703	
	办公地址	浙江省杭州市文三路199号创业大厦三楼				
	经营范围	医疗卫生信息化应用软件和基于信息技术的系统集成业务				

	指标\报告期	2016.06.30	2015.12.31	2015.06.30	2014.12.31
主要财务指标	基本每股收益(元)	-0.0100	0.8200	0.0500	0.9300
	基本每股收益(扣除后)(元)	-0.0300	0.7700	0.1200	0.8100
	稀释每股收益(元)	-0.0100	0.8100	0.0500	0.9300
	每股净资产(元)	2.8923	2.7061	10.2500	6.7500
	每股经营现金净流量(元)	-0.1844	0.2636	-1.1375	1.0767
	每股现金流量(元)	-0.1027	1.8698	1.3813	0.5676
	每股资本公积金(元)	1.1904	4.9505	3.5434	1.1258
	每股盈余公积金(元)	0.1433	0.4317	0.3668	0.4890
	每股未分配利润(元)	1.1447	3.6414	3.2081	4.1327
	净资产收益率(%)	-0.5072	8.2999	1.3366	13.8253
	加权净资产收益率(%)	-0.5100	10.2200	1.9400	14.6700
	净资产收益率(扣除)(%)	-0.9129	7.8490	1.2185	12.0548
	总资产(万元)	87520.85	88845.13	68461.14	49621.08
	归属母公司股东权益(万元)	61029.04	59858.31	55204.21	34412.33
	营业收入(万元)	19613.56	42597.16	17047.62	40564.81
	营业支出(万元)	10867.79	21518.00	8729.35	20970.07
	投资收益(万元)	-24.76	-237.02	-76.12	-21.49
	净利润(万元)	-311.30	4968.45	737.89	4758.38
	营业利润(万元)	-1057.33	3343.99	235.74	2790.44
	利润总额(万元)	-315.86	5829.70	914.16	5612.43

安徽山河药用辅料股份有限公司

公司概况						
公司名称	安徽山河药用辅料股份有限公司			证券简称	山河药辅	
法人代表	尹正龙	董秘	胡浩	证券代码	300452	
公司网址	www.shanhe01.com		电子信箱	sunhere@shanhe01.com		
电　话	0554-2796116		传　真	0554-2796150		
办公地址	安徽省淮南市经济技术开发区河滨路2号					
经营范围	药用辅料的研发、生产和销售					

主要财务指标				
指标\报告期	2016.06.30	2015.12.31	2015.06.30	2014.12.31
基本每股收益(元)	0.5900	1.0700	0.5600	1.0000
基本每股收益(扣除后)(元)	0.5300	0.9400	0.5500	0.8700
稀释每股收益(元)	0.5900	1.0700	0.5600	1.0000
每股净资产(元)	4.1079	7.8276	7.3133	5.0920
每股经营现金净流量(元)	0.3392	0.9193	0.3894	1.0583
每股现金流量(元)	0.4567	1.3199	0.8566	0.4997
每股资本公积金(元)	1.2166	3.4333	3.4333	0.6384
每股盈余公积金(元)	0.2001	0.4002	0.3084	0.4112
每股未分配利润(元)	1.6912	2.9941	2.5717	3.0424
净资产收益率(%)	7.1598	12.1897	6.0149	19.7136
加权净资产收益率(%)	7.2400	15.7300	9.7300	21.5600
净资产收益率(扣除)(%)	6.4399	10.7085	5.9187	17.0393
总资产(万元)	48475.36	45806.22	43288.26	26639.44
归属母公司股东权益(万元)	38121.32	36319.91	33933.69	17720.02
营业收入(万元)	14246.68	25891.92	13209.48	23939.38
营业支出(万元)	9102.56	16921.81	8622.64	16278.16
投资收益(万元)	150.18	222.83	4.73	11.62
净利润(万元)	2729.40	4427.30	2041.08	3493.25
营业利润(万元)	3019.11	4770.65	2348.59	3531.42
利润总额(万元)	3191.77	5180.72	2382.28	4077.29

江西三鑫医疗科技股份有限公司

公司概况						
公司名称	江西三鑫医疗科技股份有限公司			证券简称	三鑫医疗	
法人代表	彭义兴	董秘	乐珍荣	证券代码	300453	
公司网址	www.sanxin-med.com		电子信箱	sanxin-med@vip.163.com		
电　话	0791-85950380		传　真	0791-85988030		
办公地址	江西省南昌市小蓝经济开发区富山大道999号					
经营范围	一次性使用无菌注输类医疗器械的研发、生产和销售					

主要财务指标				
指标\报告期	2016.06.30	2015.12.31	2015.06.30	2014.12.31
基本每股收益(元)	0.1205	0.7300	0.3800	0.8200
基本每股收益(扣除后)(元)	0.1078	0.6300	0.3500	0.7500
稀释每股收益(元)	0.1205	0.7300	0.3800	0.8200
每股净资产(元)	3.3716	6.7020	6.3494	4.2063
每股经营现金净流量(元)	0.0598	0.7923	0.0465	1.1478
每股现金流量(元)	-0.8729	1.8279	1.7524	0.1605
每股资本公积金(元)	1.0235	3.0470	3.0470	0.5368
每股盈余公积金(元)	0.1471	0.2943	0.2272	0.3030
每股未分配利润(元)	1.2009	2.3608	2.0753	2.3665
净资产收益率(%)	3.5752	9.7535	4.7414	19.4250
加权净资产收益率(%)	3.5900	12.6500	7.9500	21.3700
净资产收益率(扣除)(%)	3.1971	8.3989	4.4224	17.8110
总资产(万元)	60231.80	59227.81	56194.77	38137.00
归属母公司股东权益(万元)	53513.46	53187.45	50388.94	25027.22
营业收入(万元)	15210.20	31184.82	16133.35	32220.46
营业支出(万元)	10145.03	20342.75	10498.52	21680.20
投资收益(万元)	13.80	1.08	-	-
净利润(万元)	1913.20	5187.64	2389.13	4861.54
营业利润(万元)	1987.37	5229.00	2591.74	5207.10
利润总额(万元)	2210.79	6037.61	2771.38	5643.63

北京康拓红外技术股份有限公司

公司概况						
公司名称	北京康拓红外技术股份有限公司			证券简称	康拓红外	
法人代表	赵大鹏	董秘	曹昶辉	证券代码	300455	
公司网址	www.cchbds.com.cn		电子信箱	cchbds@cchbds.com.cn		
电　话	010-68378620		传　真	010-68379141		
办公地址	北京市海淀区知春路61号9层					
经营范围	铁路车辆运行安全检测领域和机车车辆检修自动化领域相关设备的销售、安装和服务					

主要财务指标				
指标\报告期	2016.06.30	2015.12.31	2015.06.30	2014.12.31
基本每股收益(元)	0.1100	0.4900	0.1400	0.5200
基本每股收益(扣除后)(元)	0.1100	0.4800	0.1400	0.5000
稀释每股收益(元)	0.1100	0.4900	0.1400	0.5200
每股净资产(元)	2.1288	4.2306	3.8918	3.2157
每股经营现金净流量(元)	-0.1417	-0.0445	-0.2303	0.4734
每股现金流量(元)	-0.2216	0.2170	1.1618	0.2952
每股资本公积金(元)	0.2846	1.5692	1.5560	0.4843
每股盈余公积金(元)	0.0967	0.1933	0.1495	0.1994
每股未分配利润(元)	0.7475	1.4681	1.1862	1.5321
净资产收益率(%)	2.9822	10.3492	2.8823	16.0874
加权净资产收益率(%)	2.9900	12.8400	4.1800	17.3000
净资产收益率(扣除)(%)	2.9639	10.2267	2.8607	15.6766
总资产(万元)	73423.36	73887.21	65829.82	48522.87
归属母公司股东权益(万元)	59605.93	59228.38	54485.17	33765.21
营业收入(万元)	8349.22	25209.54	7267.98	23359.58
营业支出(万元)	4590.92	14487.00	4327.27	12395.63
投资收益(万元)	162.36	250.27	-	-
净利润(万元)	1777.55	6129.63	1570.42	5431.95
营业利润(万元)	1469.32	5191.92	461.84	5400.38
利润总额(万元)	1958.91	7167.10	1641.06	6441.68

北京耐威科技股份有限公司

公司概况						
公司名称	北京耐威科技股份有限公司			证券简称	耐威科技	
法人代表	杨云春	董秘	张阿斌	证券代码	300456	
公司网址	www.navgnss.com		电子信箱	zqb@navgnss.com		
电　话	010-82252103		传　真	010-59702066		
办公地址	北京市西城区裕民路18号北环中心A座2607室(中关村德胜园区)					
经营范围	从事惯性导航产品、卫星导航产品的研发、生产与销售					

主要财务指标				
指标\报告期	2016.06.30	2015.12.31	2015.06.30	2014.12.31
基本每股收益(元)	0.0827	0.6300	0.1155	0.8600
基本每股收益(扣除后)(元)	0.0802	0.5472	0.2327	0.8130
稀释每股收益(元)	0.0827	0.6300	0.1155	0.8600
每股净资产(元)	3.4602	6.8750	6.5391	4.1900
每股经营现金净流量(元)	0.0404	0.2423	-0.2691	0.4710
每股现金流量(元)	0.1350	1.8996	2.7492	0.5556
每股资本公积金(元)	1.0924	3.1848	3.1848	0.3549
每股盈余公积金(元)	0.0289	0.0577	0.0397	0.0529
每股未分配利润(元)	1.3389	2.6325	2.3146	2.7780
净资产收益率(%)	2.3900	8.2477	3.5338	20.4562
加权净资产收益率(%)	2.3400	10.7600	6.3000	22.0700
净资产收益率(扣除)(%)	2.3180	7.1306	2.8169	19.4230
总资产(万元)	66772.63	66481.01	66520.89	39436.25
归属母公司股东权益(万元)	58131.51	57750.17	54928.19	26370.12
营业收入(万元)	6908.93	17097.39	6438.99	16939.10
营业支出(万元)	3933.94	9684.03	3476.09	9185.06
投资收益(万元)	33.18	29.27	-	-
净利润(万元)	1431.71	4937.21	1973.09	5485.91
营业利润(万元)	1318.69	3889.13	1220.91	4974.84
利润总额(万元)	1713.75	5543.72	2244.15	6139.49

深圳市赢合科技股份有限公司

公司概况	公司名称	深圳市赢合科技股份有限公司			证券简称	赢合科技
	法人代表	王维东	董秘	严莉	证券代码	300457
	公司网址	www.yhwins.com			电子信箱	yinghekejiid@163.com
	电　　话	0752-2566289			传　　真	0752-2566289
	办公地址	广东省惠州市惠澳大道惠南高新科技产业园惠泰路7号惠州赢合产业园办公楼				
	经营范围	锂离子电池自动化生产设备的研发、设计、制造、销售与服务				

主要财务指标	指标\报告期	2016.06.30	2015.12.31	2015.06.30	2014.12.31
	基本每股收益(元)	0.4900	0.5700	0.3300	0.5800
	基本每股收益(扣除后)(元)	0.4700	0.4500	0.4628	0.8179
	稀释每股收益(元)	0.4900	0.5700	0.3300	0.5800
	每股净资产(元)	4.8100	4.4200	6.2478	4.3200
	每股经营现金净流量(元)	0.3431	0.1519	-0.2757	0.5240
	每股现金流量(元)	-0.0875	0.2125	2.1838	0.2347
	每股资本公积金(元)	1.6084	1.6084	2.9126	0.7271
	每股盈余公积金(元)	0.1859	0.1859	0.2012	0.2682
	每股未分配利润(元)	2.0183	1.6254	2.1341	2.3248
	净资产收益率(%)	10.2422	11.6470	6.2493	19.9904
	加权净资产收益率(%)	10.4400	11.7800	10.0800	22.2100
	净资产收益率(扣除)(%)	9.8900	9.1589	5.8644	18.9332
	总资产(万元)	151802.95	97730.00	76391.33	53328.47
	归属母公司股东权益(万元)	56307.03	51709.93	48732.75	25272.79
	营业收入(万元)	32606.19	36517.09	15923.46	22500.62
	营业支出(万元)	18921.22	23893.60	10535.22	13269.93
	投资收益(万元)	-	-	-	-
	净利润(万元)	5833.99	5995.42	3045.46	5052.13
	营业利润(万元)	5772.29	4417.33	2349.41	4631.99
	利润总额(万元)	6564.91	6727.18	3325.56	5690.64

珠海全志科技股份有限公司

公司概况	公司名称	珠海全志科技股份有限公司			证券简称	全志科技
	法人代表	张建辉	董秘	薛巍	证券代码	300458
	公司网址	www.allwinnertech.com			电子信箱	ir@allwinnertech.com
	电　　话	0756-3818276			传　　真	0756-3818300
	办公地址	广东省珠海市高新区唐家湾镇科技二路9号				
	经营范围	电子元器件、软件的研发及销售，系统集成				

主要财务指标	指标\报告期	2016.06.30	2015.12.31	2015.06.30	2014.12.31
	基本每股收益(元)	0.4130	0.8900	0.3900	0.9200
	基本每股收益(扣除后)(元)	0.3960	0.7800	0.3500	0.8600
	稀释每股收益(元)	0.4130	0.8900	0.3900	0.9200
	每股净资产(元)	9.7942	9.5794	9.1702	8.3300
	每股经营现金净流量(元)	-0.1004	1.7037	0.2904	2.7104
	每股现金流量(元)	-1.5067	3.6007	2.6198	1.2560
	每股资本公积金(元)	2.5259	2.5259	2.5259	0.1231
	每股盈余公积金(元)	0.4376	0.4376	0.3750	0.5000
	每股未分配利润(元)	5.8282	5.6151	5.2694	6.7037
	净资产收益率(%)	4.2183	8.3497	4.2697	11.0429
	加权净资产收益率(%)	4.2500	9.8800	5.7500	11.2700
	净资产收益率(扣除)(%)	4.0461	7.3094	3.8465	10.2740
	总资产(万元)	174758.54	178505.71	163650.88	119729.85
	归属母公司股东权益(万元)	156707.34	153269.90	146722.49	99917.28
	营业收入(万元)	47694.80	120946.55	51878.02	124196.38
	营业支出(万元)	26654.20	75729.04	32386.42	86394.51
	投资收益(万元)	-	-	-	-5.11
	净利润(万元)	6610.43	12797.54	6264.62	11033.76
	营业利润(万元)	7408.30	10883.00	6447.07	9802.54
	利润总额(万元)	8045.18	13117.70	7315.23	11289.24

浙江金科娱乐文化股份有限公司

公司概况	公司名称	浙江金科娱乐文化股份有限公司			证券简称	金科娱乐
	法人代表	朱志刚	董秘	魏洪涛	证券代码	300459
	公司网址	www.jinke-chem.com			电子信箱	zqb@jinkegroup.com
	电　　话	0575-82738067			传　　真	0575-82735552
	办公地址	浙江省杭州湾上虞工业园区纬九路5号				
	经营范围	氧系漂白助剂SPC的研发、生产和销售的“国家高新技术企业”				

主要财务指标	指标\报告期	2016.06.30	2015.12.31	2015.06.30	2014.12.31
	基本每股收益(元)	0.2200	0.1900	0.1000	0.1500
	基本每股收益(扣除后)(元)	0.2100	0.1800	0.2600	0.4600
	稀释每股收益(元)	0.2200	0.1900	0.1000	0.1500
	每股净资产(元)	9.0797	5.6647	5.6647	5.1818
	每股经营现金净流量(元)	0.2261	0.4837	0.3993	1.2972
	每股现金流量(元)	3.0933	0.0896	0.8090	1.3017
	每股资本公积金(元)	7.6082	0.6123	3.0308	2.1667
	每股盈余公积金(元)	0.0312	0.0621	0.1292	0.1722
	每股未分配利润(元)	0.4296	0.6811	1.4910	1.8289
	净资产收益率(%)	1.4033	7.7320	3.8720	8.7824
	加权净资产收益率(%)	5.0000	9.0600	5.1300	9.1900
	净资产收益率(扣除)(%)	1.3644	7.3958	3.7014	8.9090
	总资产(万元)	539948.80	87671.45	73935.83	65753.87
	归属母公司股东权益(万元)	478579.90	62697.30	60045.85	41195.25
	营业收入(万元)	35051.00	50644.25	23441.22	47690.20
	营业支出(万元)	22101.16	38006.18	18031.00	37695.17
	投资收益(万元)	-63.90	-60.87	-33.34	-24.62
	净利润(万元)	7491.07	5540.58	2324.49	3617.93
	营业利润(万元)	8673.59	6386.37	2667.56	3876.21
	利润总额(万元)	8876.94	6546.55	2799.32	4160.36

广东惠伦晶体科技股份有限公司

公司概况	公司名称	广东惠伦晶体科技股份有限公司			证券简称	惠伦晶体
	法人代表	赵积清	董秘	王军	证券代码	300460
	公司网址	www.dgylec.com			电子信箱	yl@dgylec.com
	电　　话	0769-38879888*2233			传　　真	0769-38879889
	办公地址	广东省东莞市黄江镇东环路鸡啼岗段36号				
	经营范围	设计、生产和销售新型电子元器件				

主要财务指标	指标\报告期	2016.06.30	2015.12.31	2015.06.30	2014.12.31
	基本每股收益(元)	0.0700	0.2700	0.1700	0.4000
	基本每股收益(扣除后)(元)	0.0600	0.2600	0.1700	0.3800
	稀释每股收益(元)	0.0700	0.2700	0.1700	0.4000
	每股净资产(元)	3.8727	3.8683	3.7601	2.8800
	每股经营现金净流量(元)	0.2216	0.3657	0.1653	0.9340
	每股现金流量(元)	0.2250	0.0886	1.4418	0.0351
	每股资本公积金(元)	1.5266	1.5266	1.5266	0.4143
	每股盈余公积金(元)	0.1406	0.1406	0.1163	0.1551
	每股未分配利润(元)	1.2055	1.2011	1.1171	1.3061
	净资产收益率(%)	1.9226	6.3552	3.6608	14.0481
	加权净资产收益率(%)	1.9100	7.8400	5.5700	15.1100
	净资产收益率(扣除)(%)	1.6361	6.1053	3.6401	13.0801
	总资产(万元)	88929.74	86216.06	90406.33	63832.83
	归属母公司股东权益(万元)	65167.82	65092.85	63272.38	36286.64
	营业收入(万元)	17382.30	41641.71	19706.32	40415.71
	营业支出(万元)	13463.26	30907.28	14074.00	29937.43
	投资收益(万元)	37.13	94.93	-	-
	净利润(万元)	1252.89	4136.77	2316.30	5097.58
	营业利润(万元)	1047.30	4590.11	2718.06	5421.70
	利润总额(万元)	1229.80	4686.55	2733.47	5835.32

浙江田中精机股份有限公司

公司概况	公司名称	浙江田中精机股份有限公司		证券简称	田中精机
	法人代表	钱承林	董秘 詹劲松	证券代码	300461
	公司网址	www.tanac.com.cn		电子信箱	securities@tanac.com.cn
	电　话	0573-84778878		传　真	0573-84778977
	办公地址	浙江省嘉兴市嘉善县姚庄镇新景路 398 号			
	经营范围	数控自动化电子线圈生产设备的研发、生产和销售			

主要财务指标	指标\报告期	2016.06.30	2015.12.31	2015.06.30	2014.12.31
	基本每股收益(元)	0.0500	0.3700	0.2300	0.5100
	基本每股收益(扣除后)(元)	0.0200	0.3100	0.2100	0.4600
	稀释每股收益(元)	0.0500	0.3700	0.2300	0.5100
	每股净资产(元)	4.3664	4.5574	4.5574	3.9011
	每股经营现金净流量(元)	0.0400	0.1673	0.0396	1.0966
	每股现金流量(元)	-0.8145	0.8888	1.5988	0.5680
	每股资本公积金(元)	2.2853	2.2853	2.2853	1.4484
	每股盈余公积金(元)	0.2052	0.2052	0.1742	0.2323
	每股未分配利润(元)	0.8754	0.9713	1.1065	1.2298
	净资产收益率(%)	1.2395	7.4163	4.0432	13.1861
	加权净资产收益率(%)	1.2100	8.5300	5.6600	13.8300
	净资产收益率(扣除)(%)	0.5344	6.2154	3.6153	11.7828
	总资产(万元)	32782.59	32923.43	34532.61	22790.49
	归属母公司股东权益(万元)	29115.36	29681.17	30388.42	19505.67
	营业收入(万元)	5271.73	10853.39	6041.24	12296.41
	营业支出(万元)	2851.96	5280.31	3008.78	5637.97
	投资收益(万元)	178.43	297.33	148.91	168.77
	净利润(万元)	360.89	2201.24	1228.65	2572.04
	营业利润(万元)	403.87	2476.34	1560.51	2936.75
	利润总额(万元)	459.48	2586.73	1577.90	3008.52

上海华铭智能终端设备股份有限公司

公司概况	公司名称	上海华铭智能终端设备股份有限公司		证券简称	华铭智能
	法人代表	张亮	董秘 蔡红梅	证券代码	300462
	公司网址	www.hmmachine.com		电子信箱	hmzn@hmmachine.com
	电　话	021-57784382		传　真	021-57784383
	办公地址	上海市松江区茸北工业区施惠路北侧			
	经营范围	自动售检票系统终端设备的研发、生产、销售与维护			

主要财务指标	指标\报告期	2016.06.30	2015.12.31	2015.06.30	2014.12.31
	基本每股收益(元)	0.2000	0.3400	0.1600	0.5000
	基本每股收益(扣除后)(元)	0.1500	0.3000	0.3700	0.8300
	稀释每股收益(元)	0.2000	0.3400	0.1600	0.5000
	每股净资产(元)	3.8548	3.6586	7.0201	4.8190
	每股经营现金净流量(元)	-0.0469	-0.1939	-0.3474	0.7247
	每股现金流量(元)	-1.7725	1.2793	0.0311	1.7255
	每股资本公积金(元)	1.4374	1.4374	3.8749	1.1824
	每股盈余公积金(元)	0.1672	0.1672	0.2691	0.3588
	每股未分配利润(元)	1.2502	1.0540	1.8761	2.2778
	净资产收益率(%)	5.0904	8.4026	4.5266	20.8200
	加权净资产收益率(%)	5.2200	10.7700	7.4500	21.9500
	净资产收益率(扣除)(%)	4.0075	7.4545	4.2249	17.1600
	总资产(万元)	69411.19	68874.85	61103.59	39967.02
	归属母公司股东权益(万元)	53103.72	50400.52	48354.40	24895.13
	营业收入(万元)	9217.62	18707.96	9033.91	18154.06
	营业支出(万元)	5072.46	9626.29	4932.87	9021.58
	投资收益(万元)	278.82	537.47	151.80	458.70
	净利润(万元)	2703.20	4234.95	2188.83	5182.33
	营业利润(万元)	2866.02	4483.52	2513.85	5433.44
	利润总额(万元)	3264.72	5001.11	2533.72	6046.43

四川迈克生物科技股份有限公司

公司概况	公司名称	四川迈克生物科技股份有限公司		证券简称	迈克生物
	法人代表	唐勇	董秘 邹媛	证券代码	300463
	公司网址	www.makerbio.com		电子信箱	zqb@makerbio.com
	电　话	028-87825789		传　真	028-87825764
	办公地址	四川省成都市高新区百川路 16 号			
	经营范围	体外诊断试剂及临床检验分析仪器的生产			

主要财务指标	指标\报告期	2016.06.30	2015.12.31	2015.06.30	2014.12.31
	基本每股收益(元)	0.3000	1.4700	0.8800	1.5200
	基本每股收益(扣除后)(元)	0.2500	1.4300	0.8800	1.5700
	稀释每股收益(元)	0.3000	1.4700	0.8800	1.5200
	每股净资产(元)	3.7856	10.7267	10.1133	5.3336
	每股经营现金净流量(元)	-0.0962	0.1784	-0.0549	0.7750
	每股现金流量(元)	-0.2179	0.1027	4.6802	0.4607
	每股资本公积金(元)	1.0770	5.2173	5.2173	0.0714
	每股盈余公积金(元)	0.1044	0.3133	0.2194	0.2748
	每股未分配利润(元)	1.6042	4.1961	3.6766	3.9875
	净资产收益率(%)	7.8069	12.5826	7.2805	28.5600
	加权净资产收益率(%)	7.9700	17.1800	13.7400	32.5500
	净资产收益率(扣除)(%)	6.6407	12.1875	7.2493	29.4100
	总资产(万元)	253757.62	237218.10	236262.71	121631.70
	归属母公司股东权益(万元)	211237.08	199515.91	188106.73	79204.55
	营业收入(万元)	66901.84	106516.90	51442.26	93484.61
	营业支出(万元)	30564.31	45839.85	22456.28	38091.82
	投资收益(万元)	2676.15	1087.34	303.67	280.36
	净利润(万元)	17332.49	25096.25	13695.18	22621.09
	营业利润(万元)	21102.81	30232.04	16478.17	29300.15
	利润总额(万元)	21307.41	30239.67	16498.89	28391.07

广东星徽精密制造股份有限公司

公司概况	公司名称	广东星徽精密制造股份有限公司		证券简称	星徽精密
	法人代表	蔡耿锡	董秘 陈惠吟	证券代码	300464
	公司网址	www.sh-abc.cn		电子信箱	sec@sh-abc.cn
	电　话	0757-26332400		传　真	0757-26326798
	办公地址	广东省佛山市顺德区北滘镇工业园兴业路 7 号			
	经营范围	滑轨、铰链等精密金属连接件的研发、设计、生产、销售及服务			

主要财务指标	指标\报告期	2016.06.30	2015.12.31	2015.06.30	2014.12.31
	基本每股收益(元)	0.2000	0.5000	0.2200	0.6500
	基本每股收益(扣除后)(元)	0.1700	0.4700	0.1300	0.6000
	稀释每股收益(元)	0.2000	0.4900	0.2200	0.6500
	每股净资产(元)	5.7571	5.6221	5.4073	4.1733
	每股经营现金净流量(元)	0.0709	0.4933	0.0964	0.9060
	每股现金流量(元)	-0.5988	0.6095	2.2713	0.0180
	每股资本公积金(元)	3.0432	3.0122	2.7473	1.1501
	每股盈余公积金(元)	0.2576	0.2576	0.2154	0.2872
	每股未分配利润(元)	1.7636	1.6595	1.4446	1.7359
	净资产收益率(%)	3.5458	7.6068	2.6394	15.6480
	加权净资产收益率(%)	3.5600	9.8600	4.4600	15.8700
	净资产收益率(扣除)(%)	2.9713	7.1768	2.4174	14.3536
	总资产(万元)	74856.75	67589.22	71843.79	51585.96
	归属母公司股东权益(万元)	48483.69	47346.14	44702.25	25874.16
	营业收入(万元)	20600.74	41190.29	18195.91	39159.12
	营业支出(万元)	15818.94	30953.62	13698.09	29326.55
	投资收益(万元)	23.95	79.17	-	-
	净利润(万元)	1719.16	3601.54	1179.85	4048.80
	营业利润(万元)	1705.71	4077.33	1490.31	4320.13
	利润总额(万元)	2009.27	4238.43	1622.60	4714.19

高伟达软件股份有限公司

公司概况					
公司名称	高伟达软件股份有限公司			证券简称	高伟达
法人代表	于伟	董秘	高源	证券代码	300465
公司网址	www.git.com.cn			电子信箱	securities@git.com.cn
电　话	010-57321010			传　真	010-57321000
办公地址	北京市朝阳区亮马桥路32号高斓大厦1601室				
经营范围	向以银行、保险、证券等为主的金融企业客户提供IT解决方案、IT运维服务				

主要财务指标　指标\报告期	2016.06.30	2015.12.31	2015.06.30	2014.12.31
基本每股收益(元)	0.0400	0.3500	0.1300	0.6600
基本每股收益(扣除后)(元)	0.0300	0.3400	0.1200	0.6500
稀释每股收益(元)	0.0400	0.3500	0.1300	0.6600
每股净资产(元)	5.5258	5.5879	5.3803	3.5542
每股经营现金净流量(元)	-0.5816	0.2301	-0.8203	0.3954
每股现金流量(元)	-0.8976	1.1099	1.0194	0.7452
每股资本公积金(元)	2.8824	2.6635	2.6635	0.4004
每股盈余公积金(元)	0.1692	0.1713	0.1459	0.1945
每股未分配利润(元)	1.7214	1.7531	1.5710	1.9592
净资产收益率(%)	0.6339	5.5334	1.8891	18.5926
加权净资产收益率(%)	0.6300	10.4300	2.5300	19.4900
净资产收益率(扣除)(%)	0.6273	5.4320	1.7672	18.4229
总资产(万元)	92807.78	86671.61	87395.80	67919.34
归属母公司股东权益(万元)	74565.41	74508.61	71740.98	35541.55
营业收入(万元)	40390.03	93862.40	35957.87	99593.06
营业支出(万元)	29733.81	71219.80	25570.41	76927.14
投资收益(万元)	-	-	-	-
净利润(万元)	472.69	4122.89	1355.27	6608.09
营业利润(万元)	228.69	4538.99	1175.79	7360.30
利润总额(万元)	252.92	4665.65	1300.65	7440.65

赛摩电气股份有限公司

公司概况					
公司名称	赛摩电气股份有限公司			证券简称	赛摩电气
法人代表	厉达	董秘	李恒	证券代码	300466
公司网址	www.saimo.cn			电子信箱	dshoffice@saimo.cn
电　话	0516-87885998			传　真	0516-87793650
办公地址	江苏省徐州市经济开发区螺山2号				
经营范围	研发、生产、销售煤能源及其他矿物料的计量、采样设备				

主要财务指标　指标\报告期	2016.06.30	2015.12.31	2015.06.30	2014.12.31
基本每股收益(元)	0.0279	0.4600	0.0447	0.6000
基本每股收益(扣除后)(元)	0.0226	0.4300	0.1300	0.5900
稀释每股收益(元)	0.0279	0.4600	0.0447	0.6000
每股净资产(元)	1.9569	5.5700	5.5695	4.3900
每股经营现金净流量(元)	-0.1673	-0.0672	-0.3004	0.1225
每股现金流量(元)	-0.3823	1.4648	2.0015	0.0255
每股资本公积金(元)	0.2679	2.8036	2.8036	1.1756
每股盈余公积金(元)	0.0741	0.2224	0.1809	0.2413
每股未分配利润(元)	0.6126	1.8540	1.5873	1.9749
净资产收益率(%)	1.4281	7.0453	1.9057	13.7513
加权净资产收益率(%)	1.4300	8.7200	2.8600	14.5500
净资产收益率(扣除)(%)	1.1545	6.4672	1.8957	13.5471
总资产(万元)	59847.36	62347.11	61517.22	41919.49
归属母公司股东权益(万元)	46965.33	47036.89	44555.93	26332.59
营业收入(万元)	8952.57	23324.39	9893.98	24210.51
营业支出(万元)	5509.81	14099.87	5892.64	14461.33
投资收益(万元)	-	-	-	-
净利润(万元)	670.73	3313.89	849.12	3621.07
营业利润(万元)	108.03	2496.19	478.12	3005.01
利润总额(万元)	789.16	3818.95	974.61	4183.35

四川迅游网络科技股份有限公司

公司概况					
公司名称	四川迅游网络科技股份有限公司			证券简称	迅游科技
法人代表	章建伟	董秘	王巍	证券代码	300467
公司网址	www.xunyou.com			电子信箱	corp@xunyou.com
电　话	028-65598000			传　真	028-65598000*289
办公地址	四川省成都市高新区世纪城南路599号7栋6,7层				
经营范围	为网游等互联网实时交互应用提供网络加速服务				

主要财务指标　指标\报告期	2016.06.30	2015.12.31	2015.06.30	2014.12.31
基本每股收益(元)	0.1200	0.3800	0.2500	0.5000
基本每股收益(扣除后)(元)	0.0900	0.3600	0.9600	1.9600
稀释每股收益(元)	0.1200	0.3800	0.9600	2.0100
每股净资产(元)	2.8020	2.7188	10.3873	0.8900
每股经营现金净流量(元)	-0.0558	0.3367	0.4956	2.0915
每股现金流量(元)	0.2638	-0.0799	7.0050	0.1189
每股资本公积金(元)	2.4403	1.3620	8.0812	1.0940
每股盈余公积金(元)	0.1220	0.1267	0.4345	0.4728
每股未分配利润(元)	0.3438	0.2302	0.8716	1.0014
净资产收益率(%)	4.3531	13.6470	7.3444	60.0500
加权净资产收益率(%)	3.7700	20.6700	19.3900	60.0500
净资产收益率(扣除)(%)	3.1755	12.7446	7.3439	56.2000
总资产(万元)	71046.69	49794.62	47363.55	15478.21
归属母公司股东权益(万元)	46528.05	43500.41	41549.17	10704.59
营业收入(万元)	7683.07	17186.79	8466.88	17806.31
营业支出(万元)	2502.21	4955.27	2280.37	4778.99
投资收益(万元)	448.70	134.22	0.65	-
净利润(万元)	1509.05	5628.26	2747.60	5690.94
营业利润(万元)	841.31	5340.03	3278.99	6608.02
利润总额(万元)	1854.26	6546.12	3278.99	6774.59

深圳四方精创资讯股份有限公司

公司概况					
公司名称	深圳四方精创资讯股份有限公司			证券简称	四方精创
法人代表	周志群	董秘	李琳	证券代码	300468
公司网址	www.formssi.com			电子信箱	formssyntronss@formssi.com
电　话	0755-86649962			传　真	0755-86329137
办公地址	广东省深圳市南山区高新中一道9号软件大厦10楼1008室				
经营范围	以定制化软件开发为主的各类型专业IT外包服务				

主要财务指标　指标\报告期	2016.06.30	2015.12.31	2015.06.30	2014.12.31
基本每股收益(元)	0.2039	0.5700	0.3561	1.1200
基本每股收益(扣除后)(元)	0.2030	0.5500	0.3542	1.0900
稀释每股收益(元)	0.2039	0.5700	0.3561	1.1200
每股净资产(元)	7.4976	7.7096	7.4736	4.3894
每股经营现金净流量(元)	-0.3412	0.2568	-0.4444	1.0438
每股现金流量(元)	-0.0776	3.2882	3.1049	0.1038
每股资本公积金(元)	5.4599	4.6917	4.6917	0.8893
每股盈余公积金(元)	0.3462	0.3598	0.3106	0.4142
每股未分配利润(元)	1.6527	1.6636	1.4883	2.1085
净资产收益率(%)	2.6928	6.5682	3.7717	25.6021
加权净资产收益率(%)	2.6900	8.7000	6.9000	27.8500
净资产收益率(扣除)(%)	2.6805	6.3929	3.7516	24.8016
总资产(万元)	92391.35	81463.50	78248.84	37208.06
归属母公司股东权益(万元)	77916.06	77095.57	74735.68	32920.69
营业收入(万元)	13934.86	30032.97	14031.70	33798.82
营业支出(万元)	7092.62	16757.75	7092.02	17835.82
投资收益(万元)	-	-	-	-
净利润(万元)	2098.16	5063.82	2818.80	8428.38
营业利润(万元)	2338.29	5407.20	3113.21	8876.70
利润总额(万元)	2349.02	5566.19	3130.91	9169.52

上海中信信息发展股份有限公司

公司概况						
公司名称	上海中信信息发展股份有限公司			证券简称	信息发展
法人代表	张曙华	董秘	石富义	证券代码	300469
公司网址	www.cesgroup.com.cn			电子信箱	ir@cesgroup.com.cn
电　话	021-51208285			传　真	021-51208285
办公地址	上海市普陀区中江路 879 号 11 号楼				
经营范围	从事面向档案、食品流通追溯、政法等领域的信息化系统开发与服务				

主要财务指标

指标\报告期	2016.06.30	2015.12.31	2015.06.30	2014.12.31
基本每股收益(元)	-0.1750	0.6540	-0.2440	0.7050
基本每股收益(扣除后)(元)	-0.2050	0.3990	-0.2460	0.5890
稀释每股收益(元)	-0.1750	0.6540	-0.2440	0.7050
每股净资产(元)	4.7352	4.3548	4.3548	3.1820
每股经营现金净流量(元)	-3.0599	-0.4857	-2.3755	0.1869
每股现金流量(元)	-2.1845	1.8263	0.6788	-0.0615
每股资本公积金(元)	1.9014	1.9014	1.9014	0.0002
每股盈余公积金(元)	0.2292	0.2292	0.1861	0.2481
每股未分配利润(元)	1.6046	1.9799	1.2673	1.9340
净资产收益率(%)	-3.7013	11.2023	-4.2079	22.1656
加权净资产收益率(%)	-3.5100	15.2700	-9.1800	24.9300
净资产收益率(扣除)(%)	-4.4532	6.8360	-4.2656	18.4939
总资产(万元)	68943.05	68815.46	57872.42	42428.17
归属母公司股东权益(万元)	31631.34	34138.12	29089.80	15943.31
营业收入(万元)	18235.89	43790.00	13406.99	36832.88
营业支出(万元)	11409.51	25916.09	8337.84	22062.04
投资收益(万元)	-	-	-	-
净利润(万元)	-1314.25	3903.86	-1230.97	3758.35
营业利润(万元)	-1881.45	2444.54	-1507.95	3481.82
利润总额(万元)	-1515.92	4277.86	-1435.29	4255.55

四川日机密封件股份有限公司

公司概况						
公司名称	四川日机密封件股份有限公司			证券简称	日机密封
法人代表	赵其春	董秘	陈虹	证券代码	300470
公司网址	www.sns-china.com			电子信箱	chenhong@sns-china.com
电　话	028-85361968　85542909			传　真	028-85366222
办公地址	四川省成都市武侯区武科西四路八号				
经营范围	通用零部件制造及机械修理				

主要财务指标

指标\报告期	2016.06.30	2015.12.31	2015.06.30	2014.12.31
基本每股收益(元)	0.6800	1.7600	0.8400	2.2200
基本每股收益(扣除后)(元)	0.6400	1.5900	0.7400	2.1100
稀释每股收益(元)	0.6800	1.7600	0.8400	2.2200
每股净资产(元)	15.8110	15.1336	14.2213	8.4807
每股经营现金净流量(元)	0.4388	0.4741	0.0857	0.9634
每股现金流量(元)	0.1778	6.3412	7.2600	1.2460
每股资本公积金(元)	7.9341	7.9341	7.9341	0.6658
每股盈余公积金(元)	0.7845	0.7845	0.6246	0.8328
每股未分配利润(元)	6.0925	5.4151	4.6627	5.9820
净资产收益率(%)	4.2846	10.1693	4.4067	26.2091
加权净资产收益率(%)	4.3800	14.3200	9.3900	29.1700
净资产收益率(扣除)(%)	4.0357	9.1903	3.8819	24.9092
总资产(万元)	94762.06	91326.04	89307.83	48260.78
归属母公司股东权益(万元)	84336.09	80722.66	75856.46	33922.79
营业收入(万元)	16502.96	32357.10	16193.65	35698.39
营业支出(万元)	7740.81	13644.28	7556.39	14956.09
投资收益(万元)	57.37	47.66	-	-
净利润(万元)	3613.43	8208.94	3342.74	8890.85
营业利润(万元)	3980.08	8737.17	3395.60	9922.09
利润总额(万元)	4172.85	9624.43	3865.60	10440.84

成都华气厚普机电设备股份有限公司

公司概况						
公司名称	成都华气厚普机电设备股份有限公司			证券简称	厚普股份
法人代表	江涛	董秘	敬志坚	证券代码	300471
公司网址	www.hqhop.com			电子信箱	jingzhijian@hqhop.cn
电　话	028-63165912　63166001			传　真	028-63165920
办公地址	四川省成都市经济开发区(龙泉驿)车城东七路 360 号				
经营范围	天然气汽车加气站设备及信息化集成监管系统的研发、设计、生产、销售和服务				

主要财务指标

指标\报告期	2016.06.30	2015.12.31	2015.06.30	2014.12.31
基本每股收益(元)	0.4010	1.3690	0.5880	1.5900
基本每股收益(扣除后)(元)	0.2910	1.2910	1.1230	3.1200
稀释每股收益(元)	0.4010	1.3690	0.5880	1.5900
每股净资产(元)	9.9485	9.9300	18.6505	10.2600
每股经营现金净流量(元)	-1.1278	0.4322	-2.3886	2.4063
每股现金流量(元)	-2.6290	4.9434	6.5292	0.5411
每股资本公积金(元)	6.3097	6.0952	10.9573	1.3790
每股盈余公积金(元)	0.4728	0.4073	0.7811	0.8027
每股未分配利润(元)	3.2974	3.5624	5.9205	7.0814
净资产收益率(%)	4.0259	12.0149	4.9950	31.0397
加权净资产收益率(%)	3.9000	17.5900	11.1500	35.8400
净资产收益率(扣除)(%)	2.9217	11.3278	4.7709	30.4137
总资产(万元)	219704.44	235415.78	203656.24	150442.28
归属母公司股东权益(万元)	147206.62	146955.25	132791.51	57859.59
营业收入(万元)	46032.69	111319.61	43751.74	95759.38
营业支出(万元)	26302.31	63309.80	24140.37	53438.19
投资收益(万元)	-16.05	79.30	-21.32	16.92
净利润(万元)	5919.75	17656.56	6632.92	17959.45
营业利润(万元)	4160.76	18122.62	7577.05	18443.88
利润总额(万元)	6946.45	20590.68	7917.08	20964.04

北京万向新元科技股份有限公司

公司概况						
公司名称	北京万向新元科技股份有限公司			证券简称	新元科技
法人代表	朱业胜	董秘	潘帮南	证券代码	300472
公司网址	www.newu.com.cn			电子信箱	newu@newu.com.cn
电　话	010-51607598			传　真	010-88131355
办公地址	北京市海淀区阜成路 58 号新洲商务大厦 409 室				
经营范围	提供工业智能化物料输送、配料成套解决方案				

主要财务指标

指标\报告期	2016.06.30	2015.12.31	2015.06.30	2014.12.31
基本每股收益(元)	0.0400	0.4300	0.2200	0.6900
基本每股收益(扣除后)(元)	0.0300	0.3600	0.2200	0.6600
稀释每股收益(元)	0.0400	0.4300	0.2200	0.6900
每股净资产(元)	3.7247	5.6259	5.4695	3.8800
每股经营现金净流量(元)	-0.2573	-0.5122	-0.5168	0.5096
每股现金流量(元)	0.1709	0.3649	1.7712	0.3435
每股资本公积金(元)	1.5223	2.7705	2.7705	0.7658
每股盈余公积金(元)	0.1202	0.1803	0.1529	0.2039
每股未分配利润(元)	1.0822	1.6751	1.5461	1.9056
净资产收益率(%)	0.8019	6.7261	4.0580	17.8237
加权净资产收益率(%)	0.8000	8.9100	7.4400	19.3800
净资产收益率(扣除)(%)	0.6363	5.5574	3.4865	17.0487
总资产(万元)	50207.46	50301.33	48415.24	35496.94
归属母公司股东权益(万元)	37249.13	37507.98	36464.88	19376.16
营业收入(万元)	6661.73	21427.21	9782.72	19226.24
营业支出(万元)	4344.53	14496.71	6118.17	11422.39
投资收益(万元)	31.59	-	-	11.44
净利润(万元)	297.38	2522.82	1479.73	3453.55
营业利润(万元)	231.34	2164.59	1308.76	3768.54
利润总额(万元)	357.45	2876.51	1747.94	4037.84

阜新德尔汽车部件股份有限公司

公司概况					
公司名称	阜新德尔汽车部件股份有限公司			证券简称	德尔股份
法人代表	李毅	董秘	韩颖	证券代码	300473
公司网址	www.fzb.com.cn		电子信箱	zqb@fzb.com.cn	
电话	0418-3399169		传真	0418-3399170	
办公地址	辽宁省阜新市经济开发区 E 路 55 号				
经营范围	机电产品、汽车零部件、环保设备的技术开发、技术咨询及生产、销售				

主要财务指标 指标\报告期	2016.06.30	2015.12.31	2015.06.30	2014.12.31
基本每股收益(元)	0.6226	1.5796	1.1510	1.7959
基本每股收益(扣除后)(元)	0.5786	1.5309	0.8253	1.6679
稀释每股收益(元)	0.6226	1.5796	1.1510	1.7959
每股净资产(元)	14.6240	15.0019	14.4867	9.6933
每股经营现金净流量(元)	1.1917	1.6091	0.8079	1.8507
每股现金流量(元)	-0.6502	6.3770	6.8424	0.9295
每股资本公积金(元)	9.9233	9.9233	9.9233	4.5931
每股盈余公积金(元)	0.5858	0.5849	0.4125	0.5500
每股未分配利润(元)	3.1262	3.4951	3.1485	3.5471
净资产收益率(%)	4.2574	9.2131	5.9587	18.5275
加权净资产收益率(%)	4.1100	12.5200	11.1800	19.5300
净资产收益率(扣除)(%)	3.9564	8.9291	5.7108	17.2066
总资产(万元)	188598.70	188068.93	183904.58	108251.59
归属母公司股东权益(万元)	146240.23	150019.40	144866.89	72700.00
营业收入(万元)	31383.82	69456.94	39282.49	67447.61
营业支出(万元)	19176.80	42336.24	23387.54	42592.28
投资收益(万元)	-	-	-	246.34
净利润(万元)	6420.86	13526.55	8506.67	13304.32
营业利润(万元)	7258.25	15879.56	9801.14	15073.76
利润总额(万元)	7815.87	16393.92	10232.64	15975.67

长沙景嘉微电子股份有限公司

公司概况					
公司名称	长沙景嘉微电子股份有限公司			证券简称	景嘉微
法人代表	曾万辉	董秘	廖凯	证券代码	300473
公司网址	www.jingjiamicro.com		电子信箱	public@jingjiamicro.com	
电话	0731-82737008-8003		传真	0731-82737001	
办公地址	湖南省长沙高新开发区麓谷麓景路 2 号				
经营范围	高可靠军用电子产品的研发、生产和销售				

主要财务指标 指标\报告期	2016.06.30	2015.12.31	2015.06.30	2014.12.31
基本每股收益(元)	0.4600	0.8900	0.4100	0.8200
基本每股收益(扣除后)(元)	0.4400	0.8600	-	-
稀释每股收益(元)	0.4600	0.8900	0.4100	0.8200
每股净资产(元)	6.3053	3.9400	-	3.0500
每股经营现金净流量(元)	0.0601	0.5186	-0.2421	0.3423
每股现金流量(元)	1.9737	0.3363	-0.3903	0.1420
每股资本公积金(元)	2.7284	0.0351	-	0.0351
每股盈余公积金(元)	0.4061	0.4523	-	0.3200
每股未分配利润(元)	2.1707	2.4520	-	1.6948
净资产收益率(%)	6.3656	22.5808	-	26.9472
加权净资产收益率(%)	8.6700	25.4500	12.7100	31.1400
净资产收益率(扣除)(%)	6.1709	21.7574	-	26.0749
总资产(万元)	90609.86	54783.40	-	42052.50
归属母公司股东权益(万元)	84176.30	39393.95	-	30498.47
营业收入(万元)	13030.68	23967.97	9417.45	20479.54
营业支出(万元)	2426.32	6073.52	1591.25	3596.63
投资收益(万元)	13.25	-	-	-
净利润(万元)	5358.32	8895.48	4138.32	8218.49
营业利润(万元)	5897.56	9978.05	4523.86	8928.96
利润总额(万元)	6193.07	10420.35	4745.39	9475.04

安徽聚隆传动科技股份有限公司

公司概况					
公司名称	安徽聚隆传动科技股份有限公司			证券简称	聚隆科技
法人代表	刘军	董秘	阮懿威	证券代码	300475
公司网址	www.ahjlcd.com		电子信箱	ahjlcd@126.com	
电话	0563-4186119		传真	0563-4132222	
办公地址	安徽省宣城市宁国市经济技术开发区创业北路 16 号				
经营范围	新型、高效节能洗衣机减速离合器研发、生产、销售				

主要财务指标 指标\报告期	2016.06.30	2015.12.31	2015.06.30	2014.12.31
基本每股收益(元)	0.2519	0.6000	0.3415	1.0500
基本每股收益(扣除后)(元)	0.2311	0.5700	0.3315	0.8800
稀释每股收益(元)	0.2519	0.6000	0.3415	1.0500
每股净资产(元)	5.4550	5.3091	5.0384	3.8985
每股经营现金净流量(元)	0.2486	0.8136	0.5231	0.9430
每股现金流量(元)	0.4098	1.3060	2.4069	0.5575
每股资本公积金(元)	2.1700	2.1700	2.1700	0.5286
每股盈余公积金(元)	0.1911	0.1911	0.1470	0.1960
每股未分配利润(元)	2.0939	1.9480	1.7214	2.1738
净资产收益率(%)	4.6176	9.9216	5.0830	27.0303
加权净资产收益率(%)	4.6800	12.9300	8.7100	30.9100
净资产收益率(扣除)(%)	4.2360	9.3635	4.9343	22.5687
总资产(万元)	132622.16	125364.84	120696.54	83578.52
归属母公司股东权益(万元)	109099.18	106181.41	100768.64	58476.90
营业收入(万元)	19953.63	38461.15	17713.30	45808.97
营业支出(万元)	12655.08	21362.99	9251.38	23819.49
投资收益(万元)	-	-	-	-
净利润(万元)	5037.52	10534.85	5122.07	15806.50
营业利润(万元)	5461.29	11637.40	5703.08	15365.38
利润总额(万元)	6032.65	12521.73	5996.16	18765.63

胜宏科技(惠州)股份有限公司

公司概况					
公司名称	胜宏科技(惠州)股份有限公司			证券简称	胜宏科技
法人代表	陈涛	董秘	赵启祥	证券代码	300476
公司网址	www.shpcb.com		电子信箱	zqb@shpcb.com	
电话	0752-3761918		传真	0752-3761928	
办公地址	广东省惠州市惠阳区淡水镇新桥村行诚科技园				
经营范围	高密度印制线路板的研发、生产和销售				

主要财务指标 指标\报告期	2016.06.30	2015.12.31	2015.06.30	2014.12.31
基本每股收益(元)	0.2500	0.9800	0.5700	0.9400
基本每股收益(扣除后)(元)	0.2300	0.9300	0.5600	0.9100
稀释每股收益(元)	0.2500	0.9800	0.5700	0.9400
每股净资产(元)	3.4526	8.3448	8.0543	5.3251
每股经营现金净流量(元)	0.5457	0.1258	0.1032	1.8532
每股现金流量(元)	0.2660	0.9838	3.5984	-0.6790
每股资本公积金(元)	1.5102	5.2754	4.9689	2.1108
每股盈余公积金(元)	0.0963	0.1915	0.1611	0.1749
每股未分配利润(元)	1.0083	2.2834	1.9245	2.0396
净资产收益率(%)	7.3742	10.1390	5.2738	17.6109
加权净资产收益率(%)	7.4000	13.8100	10.1000	18.4600
净资产收益率(扣除)(%)	6.7170	9.5973	5.2122	17.1492
总资产(万元)	217429.30	198295.61	177712.69	128519.22
归属母公司股东权益(万元)	129092.05	124805.37	118132.42	58576.05
营业收入(万元)	78957.47	128463.15	57078.68	108672.54
营业支出(万元)	57388.46	97157.03	42561.93	83075.02
投资收益(万元)	486.05	580.69	105.89	-158.14
净利润(万元)	9519.48	12653.97	6230.01	10315.78
营业利润(万元)	10243.72	14151.40	6863.95	11391.45
利润总额(万元)	10787.46	14587.22	6843.65	11875.27

北京合纵科技股份有限公司

公司概况					
公司名称	北京合纵科技股份有限公司			证券简称	合纵科技
法人代表	刘泽刚	董秘	冯峥	证券代码	300477
公司网址	www.chinahezong.com		电子信箱	hezong@chinahezong.com	
电　话	010-62973188		传　真	010-62975911	
办公地址	北京市海淀区上地三街 9 号(嘉华大厦)D 座 1211,1212				
经营范围	配电及控制设备制造及相关技术服务				

主要财务指标	2016.06.30	2015.12.31	2015.06.30	2014.12.31
指标\报告期	2016.06.30	2015.12.31	2015.06.30	2014.12.31
基本每股收益(元)	0.1100	0.9200	0.1500	0.9200
基本每股收益(扣除后)(元)	0.1100	0.8600	0.3300	0.9100
稀释每股收益(元)	0.1100	0.9200	0.1500	0.9200
每股净资产(元)	2.6605	6.2410	6.2410	5.0800
每股经营现金净流量(元)	0.0597	0.2789	–0.2280	0.2309
每股现金流量(元)	–0.1479	0.4219	1.7848	–0.2605
每股资本公积金(元)	0.2788	2.1970	2.1970	0.2376
每股盈余公积金(元)	0.1237	0.3092	0.2635	0.3469
每股未分配利润(元)	1.2581	3.2673	2.7805	3.4964
净资产收益率(%)	4.1779	11.9406	4.4277	18.0304
加权净资产收益率(%)	4.0200	15.3200	5.4700	19.4000
净资产收益率(扣除)(%)	4.0965	11.1647	4.0590	17.8403
总资产(万元)	167721.59	156431.06	142344.56	99396.21
归属母公司股东权益(万元)	71954.56	73275.60	67515.42	41754.60
营业收入(万元)	48189.72	111744.90	48210.85	91146.47
营业支出(万元)	33729.50	81792.46	35512.83	63114.62
投资收益(万元)	–	–	–	–
净利润(万元)	3078.31	8721.11	2857.64	7501.36
营业利润(万元)	3590.61	9250.18	3149.95	8920.75
利润总额(万元)	3645.95	9920.20	3444.22	9014.07

杭州高新橡塑材料股份有限公司

公司概况					
公司名称	杭州高新橡塑材料股份有限公司			证券简称	杭州高新
法人代表	高长虹	董秘	周黎隽	证券代码	300478
公司网址	www.gxsl.com		电子信箱	hzgaoxinxiangsu@163.com	
电　话	0571-88581338		传　真	0571-88581338	
办公地址	浙江省杭州市余杭区径山镇龙皇路 10 号				
经营范围	线缆用高分子材料的研发、生产和销售				

主要财务指标	2016.06.30	2015.12.31	2015.06.30	2014.12.31
指标\报告期	2016.06.30	2015.12.31	2015.06.30	2014.12.31
基本每股收益(元)	0.2300	0.7000	0.3100	0.9200
基本每股收益(扣除后)(元)	0.2300	0.6500	0.3000	0.8600
稀释每股收益(元)	0.2300	0.7000	0.3100	0.9200
每股净资产(元)	7.4201	7.3440	6.9613	4.9500
每股经营现金净流量(元)	0.1849	0.0379	0.1814	0.2580
每股现金流量(元)	0.5571	1.6411	2.7948	–0.2658
每股资本公积金(元)	3.6020	3.6020	3.6020	0.8756
每股盈余公积金(元)	0.4537	0.4537	0.3612	0.4816
每股未分配利润(元)	2.3644	2.2883	1.9981	2.5023
净资产收益率(%)	3.0468	8.3971	3.3607	18.9940
加权净资产收益率(%)	3.0300	11.2400	6.2800	20.8100
净资产收益率(扣除)(%)	3.0483	7.7720	3.2298	17.7135
总资产(万元)	65860.31	59055.47	61163.52	42131.69
归属母公司股东权益(万元)	49469.81	48962.61	46410.90	24297.71
营业收入(万元)	27945.65	54231.06	23550.06	57295.51
营业支出(万元)	21475.98	41405.07	17437.62	44262.18
投资收益(万元)	–	–	–	–
净利润(万元)	1507.25	4111.43	1559.73	4615.11
营业利润(万元)	1789.00	4252.34	1797.05	4900.93
利润总额(万元)	1765.39	4603.96	1845.01	5252.93

神思电子技术股份有限公司

公司概况					
公司名称	神思电子技术股份有限公司			证券简称	神思电子
法人代表	王继春	董秘	王继春(代)	证券代码	300479
公司网址	www.sdses.com		电子信箱	security@sdses.com	
电　话	0531-88878969		传　真	0531-88878968	
办公地址	山东省济南市高新区舜华西路 699 号				
经营范围	智能身份认证终端和行业应用软件的研发、生产、销售与服务				

主要财务指标	2016.06.30	2015.12.31	2015.06.30	2014.12.31
指标\报告期	2016.06.30	2015.12.31	2015.06.30	2014.12.31
基本每股收益(元)	0.0500	0.7100	0.1400	0.7000
基本每股收益(扣除后)(元)	0.0400	0.6500	0.2900	0.6500
稀释每股收益(元)	0.0500	0.7100	0.1400	0.7000
每股净资产(元)	2.4343	5.0684	4.7404	3.2200
每股经营现金净流量(元)	–0.3460	0.1900	–0.7399	0.6888
每股现金流量(元)	–0.5568	2.1040	1.4300	0.3776
每股资本公积金(元)	0.5090	2.0180	2.0180	0.1464
每股盈余公积金(元)	0.1288	0.2475	0.2147	0.2477
每股未分配利润(元)	0.7965	1.8028	1.5077	1.8291
净资产收益率(%)	2.0579	12.1895	6.1147	21.8483
加权净资产收益率(%)	1.9600	16.6000	11.5000	23.7000
净资产收益率(扣除)(%)	1.7143	11.2708	6.0666	20.0367
总资产(万元)	45303.08	50024.93	45274.31	27178.75
归属母公司股东权益(万元)	38948.55	40547.01	37923.41	19339.06
营业收入(万元)	11798.36	34919.49	16790.72	24747.57
营业支出(万元)	8428.88	23807.22	10973.94	15937.39
投资收益(万元)	–	–	–	–
净利润(万元)	801.54	4942.49	2318.89	4225.25
营业利润(万元)	380.42	4017.34	2341.62	3174.88
利润总额(万元)	847.42	5550.96	2598.17	4699.75

郑州光力科技股份有限公司

公司概况					
公司名称	郑州光力科技股份有限公司			证券简称	光力科技
法人代表	赵彤宇	董秘	曹伟	证券代码	300480
公司网址	www.gltech.cn		电子信箱	info@gltech.cn	
电　话	0371-67858887		传　真	0371-67991111	
办公地址	河南省郑州市高新开发区长椿路 10 号				
经营范围	煤矿安全监控设备及系统的研发、生产、销售				

主要财务指标	2016.06.30	2015.12.31	2015.06.30	2014.12.31
指标\报告期	2016.06.30	2015.12.31	2015.06.30	2014.12.31
基本每股收益(元)	0.0800	0.3000	0.1300	0.4900
基本每股收益(扣除后)(元)	0.0700	0.2400	0.2000	0.4200
稀释每股收益(元)	0.0800	0.3000	0.1300	0.4900
每股净资产(元)	2.4659	2.8364	4.8673	4.2201
每股经营现金净流量(元)	–0.0724	0.3124	0.0558	0.6941
每股现金流量(元)	–0.3073	1.5352	1.3738	0.5399
每股资本公积金(元)	0.5833	1.9775	1.9775	0.9501
每股盈余公积金(元)	0.1190	0.2391	0.2083	0.2777
每股未分配利润(元)	0.8646	1.7285	1.6815	1.9923
净资产收益率(%)	3.1962	5.3604	3.8465	11.7149
加权净资产收益率(%)	3.1000	6.5400	5.7500	12.3400
净资产收益率(扣除)(%)	2.6983	4.3057	3.1107	10.0047
总资产(万元)	51208.76	50234.17	48583.31	36344.44
归属母公司股东权益(万元)	45571.63	45495.06	44778.79	29118.78
营业收入(万元)	6263.52	12071.40	6546.29	12731.05
营业支出(万元)	2706.05	5041.85	2812.54	4829.69
投资收益(万元)	111.22	–	–	–
净利润(万元)	1454.65	2437.20	1720.86	3406.84
营业利润(万元)	1151.77	1614.55	1232.64	2681.18
利润总额(万元)	1659.55	2700.11	1926.91	3881.91

濮阳惠成电子材料股份有限公司

公司概况						
公司名称	濮阳惠成电子材料股份有限公司			证券简称	濮阳惠成
法人代表	王中锋	董秘	陈淑敏	证券代码	300481
公司网址	www.huichengchem.com			电子信箱	chenshumin@huichengchem.com
电　话	0393-8910373			传　　真	0393-8961801
办公地址	河南省濮阳市胜利路西段				
经营范围	顺酐酸酐衍生物等精细化学品的研发、生产、销售				

主要财务指标

指标\报告期	2016.06.30	2015.12.31	2015.06.30	2014.12.31
基本每股收益(元)	0.1979	0.8200	0.2375	0.5300
基本每股收益(扣除后)(元)	0.1729	0.7700	0.4500	0.6900
稀释每股收益(元)	0.1979	0.8200	0.2375	0.5300
每股净资产(元)	2.6501	5.4039	5.0368	3.8200
每股经营现金净流量(元)	0.1558	0.7521	0.3160	0.3824
每股现金流量(元)	0.1076	0.3237	1.7851	0.1314
每股资本公积金(元)	0.4966	1.9933	1.9933	0.5579
每股盈余公积金(元)	0.1281	0.2562	0.1843	0.2457
每股未分配利润(元)	1.0223	2.1479	1.8574	2.0015
净资产收益率(%)	7.4839	13.2982	7.0720	13.8777
加权净资产收益率(%)	7.1900	17.4200	11.7000	14.7700
净资产收益率(扣除)(%)	6.5246	12.4374	6.6264	17.9920
总资产(万元)	45874.76	46329.25	46459.79	32116.32
归属母公司股东权益(万元)	42402.02	43231.27	40294.19	22929.72
营业收入(万元)	17640.37	35021.29	18540.89	37560.93
营业支出(万元)	11494.12	23971.79	13290.90	28654.52
投资收益(万元)	148.47	75.23	-	-
净利润(万元)	3166.78	5748.96	2849.60	3182.12
营业利润(万元)	3377.59	6320.67	3084.75	4735.36
利润总额(万元)	3709.12	6758.44	3295.96	3625.60

广州万孚生物技术股份有限公司

公司概况					
公司名称	广州万孚生物技术股份有限公司			证券简称	万孚生物
法人代表	李文美	董秘	陈斌	证券代码	300482
公司网址	www.wondfo.com.cn			电子信箱	stock@wondfo.com.cn
电　话	020-32215701			传　　真	020-32022032
办公地址	广东省广州市萝岗区科学城荔枝山路 8 号				
经营范围	快速诊断试剂、快速检测仪器等 POCT 相关产品的研发、生产与销售				

主要财务指标

指标\报告期	2016.06.30	2015.12.31	2015.06.30	2014.12.31
基本每股收益(元)	0.6800	1.6300	0.8900	1.4900
基本每股收益(扣除后)(元)	0.5400	1.3300	0.7900	1.1500
稀释每股收益(元)	0.6800	1.6300	0.8900	1.4900
每股净资产(元)	4.4389	7.9600	7.5063	4.7500
每股经营现金净流量(元)	0.2927	1.4979	0.4762	1.5829
每股现金流量(元)	-0.5235	3.6583	3.7476	0.7320
每股资本公积金(元)	1.6507	4.3014	4.3014	1.2956
每股盈余公积金(元)	0.2390	0.3757	0.2335	0.3114
每股未分配利润(元)	1.5491	2.2874	1.9699	2.1402
净资产收益率(%)	10.2849	17.8910	8.8566	31.3829
加权净资产收益率(%)	10.8400	24.4000	12.0100	33.8400
净资产收益率(扣除)(%)	9.0792	14.6102	7.8750	24.2094
总资产(万元)	88093.30	79856.88	74513.54	40987.68
归属母公司股东权益(万元)	78124.30	70064.19	66055.52	31343.18
营业收入(万元)	24862.11	42877.98	19163.67	36539.59
营业支出(万元)	7484.86	14247.97	6483.97	12835.10
投资收益(万元)	436.32	473.81	160.19	348.87
净利润(万元)	8034.99	12535.15	5850.26	9836.40
营业利润(万元)	8526.08	12179.10	6256.61	9149.11
利润总额(万元)	9197.58	14414.81	6859.01	11456.21

上海沃施园艺股份有限公司

公司概况					
公司名称	上海沃施园艺股份有限公司			证券简称	沃施股份
法人代表	吴海林	董秘	赵云	证券代码	300483
公司网址	www.worthgarden.com			电子信箱	worthgarden@worthgarden.com
电　话	021-64093206			传　　真	021-64093209
办公地址	上海市闵行区元江路 5000 号				
经营范围	园艺用品的研发、生产、销售				

主要财务指标

指标\报告期	2016.06.30	2015.12.31	2015.06.30	2014.12.31
基本每股收益(元)	0.2100	0.4300	0.3400	0.7200
基本每股收益(扣除后)(元)	0.1600	0.4100	0.3300	0.6600
稀释每股收益(元)	0.2100	0.4300	0.3400	0.7200
每股净资产(元)	6.4403	6.3536	6.2255	5.0427
每股经营现金净流量(元)	0.3243	0.1652	0.3591	0.4614
每股现金流量(元)	-0.4456	1.6482	3.1118	0.0452
每股资本公积金(元)	3.0942	3.0942	3.0867	1.2260
每股盈余公积金(元)	0.2137	0.2137	0.1929	0.2578
每股未分配利润(元)	2.1324	2.0458	1.9460	2.5588
净资产收益率(%)	3.2087	5.9351	4.1191	14.3169
加权净资产收益率(%)	3.2000	7.5300	6.5800	14.4900
净资产收益率(扣除)(%)	2.5035	5.6064	3.9968	13.1370
总资产(万元)	44929.19	55124.60	55847.05	41622.78
归属母公司股东权益(万元)	39607.81	39074.93	38286.75	23196.31
营业收入(万元)	16175.79	38492.87	19219.62	38787.56
营业支出(万元)	12017.62	28677.80	14089.87	27793.63
投资收益(万元)	-	-	-	-
净利润(万元)	1242.89	2236.48	1525.37	3180.56
营业利润(万元)	1346.88	2480.73	1941.33	3561.46
利润总额(万元)	1679.28	2860.27	1997.06	4028.67

深圳市蓝海华腾技术股份有限公司

公司概况					
公司名称	深圳市蓝海华腾技术股份有限公司			证券简称	蓝海华腾
法人代表	邱文渊	董秘	谷益	证券代码	300484
公司网址	www.v-t.net.cn			电子信箱	information@v-t.net.cn
电　话	0755-27657465			传　　真	0755-81795840
办公地址	广东省深圳市南山区西丽阳光社区新锋大楼 B 栋第 6 层				
经营范围	工业自动化控制产品的研发、生产和销售				

主要财务指标

指标\报告期	2016.06.30	2015.12.31	2015.06.30	2014.12.31
基本每股收益(元)	0.6900	1.8200	0.7000	1.3000
基本每股收益(扣除后)(元)	0.6900	1.8100	-	-
稀释每股收益(元)	0.6900	1.8200	0.7000	1.3000
每股净资产(元)	5.0186	6.5665	-	4.8800
每股经营现金净流量(元)	0.0692	-0.7065	-0.3963	1.0083
每股现金流量(元)	1.9574	-1.3271	-0.6178	0.8050
每股资本公积金(元)	1.7916	0.9620	-	0.9620
每股盈余公积金(元)	0.1880	0.5014	-	0.3196
每股未分配利润(元)	2.0390	4.1031	-	2.5942
净资产收益率(%)	12.9585	27.7005	-	26.6564
加权净资产收益率(%)	17.1600	31.9700	13.6400	30.4800
净资产收益率(扣除)(%)	12.9305	27.5848	-	25.8537
总资产(万元)	69315.39	37397.07	-	24829.35
归属母公司股东权益(万元)	52193.86	25609.32	-	19015.41
营业收入(万元)	25733.46	30982.11	10772.27	20472.54
营业支出(万元)	13789.13	16546.57	5280.44	10538.93
投资收益(万元)	-	-	-	-
净利润(万元)	6763.54	7093.91	2746.89	5068.83
营业利润(万元)	6844.98	6824.13	2399.74	4436.88
利润总额(万元)	7799.21	8124.51	3138.80	5831.77

北京赛升药业股份有限公司

公司概况	公司名称	北京赛升药业股份有限公司			证券简称	赛升药业
	法人代表	马骉	董秘	王雪峰	证券代码	300485
	公司网址	www.ssyy.com.cn		电子信箱	ssyyzqb@ssyy.com.cn	
	电　话	010-67862500		传　真	010-67862501	
	办公地址	北京市经济技术开发区兴盛街 8 号				
	经营范围	生物生化药品的研发、生产和销售				

主要财务指标	指标\报告期	2016.06.30	2015.12.31	2015.06.30	2014.12.31
	基本每股收益(元)	0.5500	1.9900	1.1700	2.2500
	基本每股收益(扣除后)(元)	1.1700	1.9900	1.1700	2.2300
	稀释每股收益(元)	0.5500	1.9900	1.1700	2.2500
	每股净资产(元)	8.2082	15.6800	14.8992	7.1700
	每股经营现金净流量(元)	0.5678	1.4113	0.5425	2.3803
	每股现金流量(元)	-3.4563	4.3106	9.1084	1.7450
	每股资本公积金(元)	4.2937	9.5875	9.6743	1.1061
	每股盈余公积金(元)	0.2500	0.5000	0.3750	0.5000
	每股未分配利润(元)	2.6645	4.5906	3.8499	4.5622
	净资产收益率(%)	6.6910	11.1235	5.8949	31.3994
	加权净资产收益率(%)	6.8200	16.7500	15.1000	36.1500
	净资产收益率(扣除)(%)	6.6653	11.0923	5.8739	31.1131
	总资产(万元)	203441.84	194481.03	182508.99	71834.78
	归属母公司股东权益(万元)	196997.35	188136.31	178790.01	64514.45
	营业收入(万元)	30391.85	60713.83	29085.31	58984.64
	营业支出(万元)	10099.58	23827.38	11689.84	22502.89
	投资收益(万元)	2124.72	2371.56	-	-
	净利润(万元)	13177.01	20922.87	10535.80	20243.01
	营业利润(万元)	15394.20	24254.39	12195.82	23390.83
	利润总额(万元)	15453.80	24324.23	12240.07	23608.07

山西东杰智能物流装备股份有限公司

公司概况	公司名称	山西东杰智能物流装备股份有限公司			证券简称	东杰智能
	法人代表	贾俊亭	董秘	张新海	证券代码	300486
	公司网址	www.omhgroup.com		电子信箱	sec@omhgroup.com	
	电　话	0351-3633818		传　真	0351-3633818	
	办公地址	山西省太原市新兰路 51 号				
	经营范围	智能物流输送系统和智能物流仓储系统的研发设计、生产制造、销售等				

主要财务指标	指标\报告期	2016.06.30	2015.12.31	2015.06.30	2014.12.31
	基本每股收益(元)	-0.2100	0.3000	0.2800	0.5200
	基本每股收益(扣除后)(元)	-0.2100	0.2300	0.2700	0.5200
	稀释每股收益(元)	-0.2100	0.3000	0.2800	0.5200
	每股净资产(元)	4.8798	4.9060	4.9100	3.6400
	每股经营现金净流量(元)	-0.0085	-0.5145	-0.3835	0.0661
	每股现金流量(元)	0.0799	0.7901	1.6400	-0.1559
	每股资本公积金(元)	2.3016	2.0249	2.0249	0.4115
	每股盈余公积金(元)	0.1684	0.1714	0.1611	0.2148
	每股未分配利润(元)	1.4061	1.7515	1.7104	2.0005
	净资产收益率(%)	-4.1845	5.2875	4.2835	14.2860
	加权净资产收益率(%)	-4.1500	6.8100	7.4200	15.3200
	净资产收益率(扣除)(%)	-4.2319	4.0884	4.1009	14.2794
	总资产(万元)	98214.88	94594.65	100063.34	67516.13
	归属母公司股东权益(万元)	68990.78	68706.28	68124.76	37872.78
	营业收入(万元)	8880.93	36565.23	20563.34	39611.47
	营业支出(万元)	7010.13	26231.54	14178.65	27480.15
	投资收益(万元)	-	-	-	-
	净利润(万元)	-2965.21	3632.88	2918.13	5410.50
	营业利润(万元)	-3316.61	2681.22	2900.36	6111.47
	利润总额(万元)	-3087.98	4084.97	3266.12	6245.51

西安蓝晓科技新材料股份有限公司

公司概况	公司名称	西安蓝晓科技新材料股份有限公司			证券简称	蓝晓科技
	法人代表	高月静	董秘	张成	证券代码	300487
	公司网址	www.sunresin.com		电子信箱	pub@sunresin.com	
	电　话	029-88445729		传　真	029-88453538	
	办公地址	陕西省西安市高新区科技二路 72 号天泽大厦南楼四层				
	经营范围	研发、生产和销售吸附分离树脂并提供应用解决方案				

主要财务指标	指标\报告期	2016.06.30	2015.12.31	2015.06.30	2014.12.31
	基本每股收益(元)	0.3100	0.7300	0.4800	1.0000
	基本每股收益(扣除后)(元)	0.2900	0.6500	0.4300	0.9700
	稀释每股收益(元)	0.3100	0.7300	0.4800	1.0000
	每股净资产(元)	8.4478	8.5000	8.2200	6.4100
	每股经营现金净流量(元)	-0.0342	0.3106	-0.3696	0.4424
	每股现金流量(元)	-0.4346	0.5667	2.3386	0.0684
	每股资本公积金(元)	4.9683	4.7860	4.7860	2.4592
	每股盈余公积金(元)	0.3096	0.3133	0.2500	0.3334
	每股未分配利润(元)	2.4319	2.3998	2.1840	2.6153
	净资产收益率(%)	3.6398	7.4792	4.3378	15.5285
	加权净资产收益率(%)	3.6000	9.6000	7.2500	16.5700
	净资产收益率(扣除)(%)	3.4780	6.6931	3.9278	15.1089
	总资产(万元)	82142.39	80885.05	78522.86	47657.85
	归属母公司股东权益(万元)	68391.63	67993.45	65760.64	38447.65
	营业收入(万元)	14894.62	29537.34	15020.64	28603.80
	营业支出(万元)	9400.12	18655.53	9320.26	17565.79
	投资收益(万元)	228.93	287.69	-	-
	净利润(万元)	2489.32	5085.36	2852.55	5970.35
	营业利润(万元)	2664.71	5534.72	2959.94	6759.41
	利润总额(万元)	2782.55	5848.48	3263.47	6926.52

恒锋工具股份有限公司

公司概况	公司名称	恒锋工具股份有限公司			证券简称	恒锋工具
	法人代表	陈尔容	董秘	陈子怡	证券代码	300488
	公司网址	www.esttools.com		电子信箱	pr@esttools.com	
	电　话	0573-86169505		传　真	0573-86122456	
	办公地址	浙江省嘉兴市海盐县武原镇新桥北路 239 号				
	经营范围	机床用工具的研发、生产与销售				

主要财务指标	指标\报告期	2016.06.30	2015.12.31	2015.06.30	2014.12.31
	基本每股收益(元)	0.5700	1.2090	0.6300	1.3600
	基本每股收益(扣除后)(元)	0.4900	1.1100	0.6000	1.3000
	稀释每股收益(元)	0.5700	1.2090	0.6300	1.3600
	每股净资产(元)	9.9184	9.5707	8.9890	6.4930
	每股经营现金净流量(元)	0.5211	1.1356	0.3735	1.4399
	每股现金流量(元)	0.8726	0.0311	3.6730	1.1774
	每股资本公积金(元)	3.2675	3.2675	3.2675	0.0734
	每股盈余公积金(元)	0.5000	0.5000	0.4699	0.5875
	每股未分配利润(元)	5.1507	4.8032	4.2515	4.8321
	净资产收益率(%)	5.7219	11.3694	5.6337	20.9552
	加权净资产收益率(%)	5.7800	14.6200	9.4000	22.2000
	净资产收益率(扣除)(%)	4.9065	10.4415	5.3437	20.0652
	总资产(万元)	65282.22	63708.59	66851.37	41942.43
	归属母公司股东权益(万元)	62000.05	59826.39	56190.07	32465.08
	营业收入(万元)	9452.12	18385.78	8690.42	17323.16
	营业支出(万元)	3981.33	7227.01	3360.74	6612.32
	投资收益(万元)	427.66	66.81	-	-
	净利润(万元)	3547.61	6801.90	3165.59	6803.12
	营业利润(万元)	3991.22	7440.59	3507.07	7655.40
	利润总额(万元)	4150.04	7960.95	3698.20	7932.92

哈尔滨中飞新技术股份有限公司

公司概况	公司名称	哈尔滨中飞新技术股份有限公司			证券简称	中飞股份
	法人代表	杨志峰	董秘	杨志峰(代)	证券代码	300489
	公司网址	www.zfgf.cc		电子信箱	hrbzfgf@126.com	
	电　话	0451-51835038		传　真	0451-86811102	
	办公地址	黑龙江省哈尔滨市哈南工业新城核心区哈南第八大道 5 号				
	经营范围	高性能铝合金材料及其机加工产品的研发、生产和销售				

	指标\报告期	2016.06.30	2015.12.31	2015.06.30	2014.12.31
主要财务指标	基本每股收益(元)	0.1198	0.7321	0.1758	1.0584
	基本每股收益(扣除后)(元)	0.1078	0.5373	0.4667	1.0193
	稀释每股收益(元)	0.1198	0.7321	0.1758	1.0584
	每股净资产(元)	9.7467	9.5072	9.2184	7.0623
	每股经营现金净流量(元)	–0.6224	0.3638	–0.1702	1.1152
	每股现金流量(元)	–0.3555	0.2725	3.0428	–0.0391
	每股资本公积金(元)	4.6453	4.6453	4.6453	1.7662
	每股盈余公积金(元)	0.3555	0.3365	0.3118	0.3801
	每股未分配利润(元)	3.7460	3.5255	3.2614	3.9159
	净资产收益率(%)	2.4573	6.7370	3.8149	14.9864
	加权净资产收益率(%)	2.4900	8.6500	6.4300	16.2000
	净资产收益率(扣除)(%)	2.2122	4.9443	3.7959	14.4335
	总资产(万元)	62678.60	57938.82	69233.56	50209.30
	归属母公司股东权益(万元)	44225.86	43139.11	41828.53	24029.44
	营业收入(万元)	7400.22	12917.89	7815.66	15725.40
	营业支出(万元)	4546.96	7493.36	4589.05	9031.40
	投资收益(万元)	–	–	–	–
	净利润(万元)	1086.75	2906.30	1595.71	3601.16
	营业利润(万元)	1185.12	2604.12	1925.72	4136.22
	利润总额(万元)	1312.65	3516.57	1935.56	4295.64

华自科技股份有限公司

公司概况	公司名称	华自科技股份有限公司			证券简称	华自科技
	法人代表	黄文宝	董秘	宋辉	证券代码	300490
	公司网址	www.cshnac.com		电子信箱	sh@cshnac.com	
	电　话	0731-88238888*8612		传　真	0731-88907777	
	办公地址	湖南省长沙市高新开发区麓谷麓松路 609 号				
	经营范围	水利、电力及工业自动化设备、辅机控制设备、输配电控制设备的研究				

	指标\报告期	2016.06.30	2015.12.31	2015.06.30	2014.12.31
主要财务指标	基本每股收益(元)	0.1000	0.6000	0.1500	0.5900
	基本每股收益(扣除后)(元)	0.0800	0.5300	0.2700	0.5300
	稀释每股收益(元)	0.1000	0.6000	0.1500	0.5900
	每股净资产(元)	2.7616	2.7602	4.4300	4.2400
	每股经营现金净流量(元)	–0.2273	0.3496	–0.0964	1.1580
	每股现金流量(元)	–1.2033	2.1719	–0.2551	0.9327
	每股资本公积金(元)	0.9908	2.9817	1.6695	1.6695
	每股盈余公积金(元)	0.0922	0.1844	0.1867	0.1867
	每股未分配利润(元)	0.6786	1.3544	1.5691	1.3821
	净资产收益率(%)	3.6729	8.1909	6.9400	13.8689
	加权净资产收益率(%)	3.6800	13.5500	7.0900	14.7800
	净资产收益率(扣除)(%)	2.9877	7.1999	6.0227	12.4434
	总资产(万元)	92524.15	98838.05	74555.76	69323.05
	归属母公司股东权益(万元)	55232.58	55203.95	33189.49	31786.99
	营业收入(万元)	22468.86	41932.45	19078.56	35846.08
	营业支出(万元)	14076.14	26345.20	11818.10	21040.09
	投资收益(万元)	138.76	235.15	111.89	–
	净利润(万元)	2028.63	4521.70	2302.50	4408.50
	营业利润(万元)	1598.48	3517.61	1948.06	3239.19
	利润总额(万元)	2307.40	5113.10	2636.54	5078.48

石家庄通合电子科技股份有限公司

公司概况	公司名称	石家庄通合电子科技股份有限公司			证券简称	通合科技
	法人代表	马晓峰	董秘	祝佳霖	证券代码	300491
	公司网址	www.sjzthdz.com		电子信箱	Investor@sjzthdz.com	
	电　话	0311-67300568		传　真	0311-67300568	
	办公地址	河北省石家庄高新区漓江道 350 号				
	经营范围	高频开关电源的研发、制造和销售				

	指标\报告期	2016.06.30	2015.12.31	2015.06.30	2014.12.31
主要财务指标	基本每股收益(元)	0.2345	0.7100	0.2725	0.6200
	基本每股收益(扣除后)(元)	0.1834	0.7000	0.2700	0.6100
	稀释每股收益(元)	0.2345	0.7100	0.2725	0.6200
	每股净资产(元)	4.8792	4.9447	3.1602	3.0100
	每股经营现金净流量(元)	–0.0601	0.3576	0.2197	0.4574
	每股现金流量(元)	–1.1207	2.2723	–0.1406	–0.3634
	每股资本公积金(元)	2.4827	2.4827	0.6506	0.6506
	每股盈余公积金(元)	0.1706	0.1706	0.1562	0.1562
	每股未分配利润(元)	1.2259	1.2914	1.3534	1.2058
	净资产收益率(%)	4.8065	10.8038	8.6200	20.6078
	加权净资产收益率(%)	4.7300	21.1400	8.6500	21.9600
	净资产收益率(扣除)(%)	3.7579	10.6092	–	20.1854
	总资产(万元)	49575.05	52629.30	26055.10	25070.74
	归属母公司股东权益(万元)	39033.39	39557.24	18961.23	18076.12
	营业收入(万元)	8698.42	18547.15	6118.93	14999.48
	营业支出(万元)	5018.15	9225.21	2866.39	7406.75
	投资收益(万元)	–	–	–	–
	净利润(万元)	1876.15	4273.70	1635.11	3725.10
	营业利润(万元)	1179.90	3445.96	1376.33	3194.24
	利润总额(万元)	2135.20	4687.50	1800.80	4119.25

山鼎设计股份有限公司

公司概况	公司名称	山鼎设计股份有限公司			证券简称	山鼎设计
	法人代表	袁歆	董秘	刘骏翔	证券代码	300492
	公司网址	www.cendes-arch.com		电子信箱	cendes.bso@cendes-arch.com	
	电　话	028-86713701		传　真	028-86672200	
	办公地址	四川省成都市锦江区天仙桥北路 3 号附 1 号				
	经营范围	建筑工程设计及相关咨询服务				

	指标\报告期	2016.06.30	2015.12.31	2015.06.30	2014.12.31
主要财务指标	基本每股收益(元)	0.0500	0.4300	0.2500	0.4100
	基本每股收益(扣除后)(元)	0.0400	0.4100	0.2600	0.4000
	稀释每股收益(元)	0.0500	0.4300	0.2500	0.4100
	每股净资产(元)	3.3824	3.4869	2.7500	2.4900
	每股经营现金净流量(元)	–0.2212	0.1117	–0.1092	–0.3007
	每股现金流量(元)	–0.7231	1.5458	–0.1752	–0.3083
	每股资本公积金(元)	1.1564	1.1564	0.1546	0.1442
	每股盈余公积金(元)	0.1741	0.1741	0.1896	0.1896
	每股未分配利润(元)	1.0519	1.1564	1.4035	1.1548
	净资产收益率(%)	1.3451	9.2383	9.0500	16.4942
	加权净资产收益率(%)	1.3000	15.8500	9.5100	17.3400
	净资产收益率(扣除)(%)	1.3050	8.7355	–	16.0985
	总资产(万元)	35193.08	40323.82	27040.33	26587.65
	归属母公司股东权益(万元)	28141.57	29011.03	17145.63	15528.92
	营业收入(万元)	6973.01	18546.83	9816.60	20182.16
	营业支出(万元)	4274.75	10455.43	5649.89	12318.81
	投资收益(万元)	–	–	–	–
	净利润(万元)	387.38	2684.70	1567.62	2566.38
	营业利润(万元)	455.84	2997.04	1912.14	3011.97
	利润总额(万元)	469.73	3169.29	1848.56	3077.99

上海润欣科技股份有限公司

公司概况	公司名称	上海润欣科技股份有限公司			证券简称	润欣科技
	法人代表	郎晓刚	董秘	庞军	证券代码	300493
	公司网址	www.fortune-co.com		电子信箱	investment@fortune-co.com	
	电话	021-54264260		传真	021-54264261	
	办公地址	上海市徐汇区田林路 200 号 A 号楼 301 室				
	经营范围	电子产品、通信设备、软件及器件的研发、生产、批发				

	指标\报告期	2016.06.30	2015.12.31	2015.06.30	2014.12.31
主要财务指标	基本每股收益(元)	0.1900	0.4600	0.2200	0.4300
	基本每股收益(扣除后)(元)	0.1800	0.4300	0.2200	0.4000
	稀释每股收益(元)	0.1900	0.4600	0.2200	0.4300
	每股净资产(元)	3.6955	5.0500	3.0500	2.8300
	每股经营现金净流量(元)	-0.2608	-0.2850	0.0662	-0.0530
	每股现金流量(元)	0.0563	-0.2899	-0.2915	-0.2386
	每股资本公积金(元)	1.7720	1.7720	0.8038	0.8038
	每股盈余公积金(元)	0.0989	0.0989	0.1000	0.1000
	每股未分配利润(元)	0.8158	0.9216	1.2005	0.9828
	净资产收益率(%)	5.2534	9.0731	7.1332	15.0282
	加权净资产收益率(%)	4.7800	14.4600	7.4000	15.5900
	净资产收益率(扣除)(%)	4.9679	8.4902	7.1361	14.0799
	总资产(万元)	68375.58	64843.76	46830.47	44000.08
	归属母公司股东权益(万元)	44346.13	45411.03	27465.54	25493.63
	营业收入(万元)	61983.16	114340.07	51238.92	101061.00
	营业支出(万元)	54722.57	100762.81	45068.70	89139.29
	投资收益(万元)	151.61	61.64	52.94	72.02
	净利润(万元)	2344.76	4118.56	1969.36	3845.01
	营业利润(万元)	2720.48	4683.87	2307.23	4193.02
	利润总额(万元)	2869.38	4995.19	2306.09	4477.44

湖北盛天网络技术股份有限公司

公司概况	公司名称	湖北盛天网络技术股份有限公司			证券简称	盛天网络
	法人代表	赖春临	董秘	陈爱斌	证券代码	300494
	公司网址	www.stnts.com		电子信箱	info@stnts.com	
	电话	027-86655050		传真	027-86695525	
	办公地址	湖北省武汉市东湖新技术开发区光谷大道 77 号金融港 B7 栋 9-11 楼				
	经营范围	计算机软硬件研发、技术服务				

	指标\报告期	2016.06.30	2015.12.31	2015.06.30	2014.12.31
主要财务指标	基本每股收益(元)	0.1620	0.8500	0.2030	1.1700
	基本每股收益(扣除后)(元)	0.1620	0.8300	0.3900	1.1600
	稀释每股收益(元)	0.1620	0.8500	0.2030	1.1700
	每股净资产(元)	3.4790	6.6351	3.5200	3.1100
	每股经营现金净流量(元)	0.1283	0.8660	0.3179	1.0754
	每股现金流量(元)	0.0084	4.5022	0.2852	0.4880
	每股资本公积金(元)	1.4037	3.8073	0.1220	0.1220
	每股盈余公积金(元)	0.1893	0.3463	0.4175	0.3768
	每股未分配利润(元)	0.8861	1.4814	1.9763	1.6101
	净资产收益率(%)	4.6423	9.6093	11.5700	37.7484
	加权净资产收益率(%)	4.7500	25.0800	12.2800	40.5100
	净资产收益率(扣除)(%)	4.4828	9.3474	-	37.2391
	总资产(万元)	86715.55	85890.92	33883.43	30890.53
	归属母公司股东权益(万元)	83497.20	79620.98	31641.38	27980.05
	营业收入(万元)	12531.55	23978.82	10170.87	23170.52
	营业支出(万元)	4793.80	6734.03	2522.39	4356.42
	投资收益(万元)	12.49	5.00	5.00	-
	净利润(万元)	3876.21	7650.99	3661.33	10562.03
	营业利润(万元)	4237.09	8521.74	3994.23	11689.73
	利润总额(万元)	4406.80	8809.32	4223.87	11870.97

美尚生态景观股份有限公司

公司概况	公司名称	美尚生态景观股份有限公司			证券简称	美尚生态
	法人代表	王迎燕	董秘	陆兵	证券代码	300495
	公司网址	www.misho.com.cn		电子信箱	ir@misho.com.cn	
	电话	0510-82702530		传真	0510-82762145	
	办公地址	江苏省无锡市滨湖区山水城科教软件园 B 区 3 号楼				
	经营范围	生态景观建设				

	指标\报告期	2016.06.30	2015.12.31	2015.06.30	2014.12.31
主要财务指标	基本每股收益(元)	0.3525	2.2081	0.4312	2.1513
	基本每股收益(扣除后)(元)	0.3294	2.1148	1.2993	2.1000
	稀释每股收益(元)	0.3525	2.2081	0.4312	2.1513
	每股净资产(元)	5.1803	15.3840	9.6800	8.3900
	每股经营现金净流量(元)	-0.9563	-2.1470	0.3409	0.0151
	每股现金流量(元)	-1.0643	7.8128	1.3907	-0.3704
	每股资本公积金(元)	2.5171	8.0941	1.2132	1.2132
	每股盈余公积金(元)	0.1667	0.5000	0.6083	0.6083
	每股未分配利润(元)	2.0865	5.7821	6.8576	5.5639
	净资产收益率(%)	6.6817	10.7648	13.3700	25.6549
	加权净资产收益率(%)	6.7400	23.2700	14.3200	29.4300
	净资产收益率(扣除)(%)	6.2439	10.3102	-	25.0018
	总资产(万元)	179126.84	173798.40	110806.92	96264.93
	归属母公司股东权益(万元)	105559.61	102558.96	48395.53	41927.02
	营业收入(万元)	31581.57	58034.66	30052.11	57272.84
	营业支出(万元)	21992.87	37341.09	18861.60	37549.83
	投资收益(万元)	38.40	-	-	-
	净利润(万元)	7048.41	11024.91	6462.44	10772.82
	营业利润(万元)	8291.76	13091.90	7702.74	12440.41
	利润总额(万元)	8303.69	12994.59	7640.70	12724.59

中科创达软件股份有限公司

公司概况	公司名称	中科创达软件股份有限公司			证券简称	中科创达
	法人代表	赵鸿飞	董秘	武楠	证券代码	300496
	公司网址	www.thundersoft.com		电子信箱	zq@thundersoft.com	
	电话	010-82036551		传真	010-82036511	
	办公地址	北京市海淀区龙翔路甲 1 号泰翔商务楼 4 层 401-409				
	经营范围	移动智能终端操作系统产品的研发、销售及提供相关技术服务				

	指标\报告期	2016.06.30	2015.12.31	2015.06.30	2014.12.31
主要财务指标	基本每股收益(元)	0.1843	1.5548	0.4947	1.4975
	基本每股收益(扣除后)(元)	0.1460	1.4564	0.8911	1.3498
	稀释每股收益(元)	0.1843	1.5548	0.4947	1.4975
	每股净资产(元)	2.5250	9.6982	4.5216	4.5389
	每股经营现金净流量(元)	0.1177	0.3163	-0.2624	0.9387
	每股现金流量(元)	-0.0835	4.8766	-0.7105	0.1769
	每股资本公积金(元)	1.4477	5.9602	0.9528	0.9528
	每股盈余公积金(元)	0.0840	0.3386	0.3010	0.3010
	每股未分配利润(元)	0.6587	2.4242	2.7310	2.3280
	净资产收益率(%)	7.2261	12.0238	18.2837	33.0940
	加权净资产收益率(%)	7.3100	30.8400	19.0600	38.7200
	净资产收益率(扣除)(%)	5.7530	11.2628	18.0429	29.7385
	总资产(万元)	163258.29	119626.97	48288.51	42084.55
	归属母公司股东权益(万元)	101792.47	96982.29	37040.69	34007.28
	营业收入(万元)	34580.29	61546.33	26832.57	45220.96
	营业支出(万元)	17148.01	29811.40	11997.20	20740.41
	投资收益(万元)	112.16	-147.03	-55.91	8.58
	净利润(万元)	7306.80	11638.28	6772.39	11265.75
	营业利润(万元)	5087.65	10622.54	6857.90	9904.40
	利润总额(万元)	8055.36	12813.15	7345.56	12094.51

江西富祥药业股份有限公司

公司概况	公司名称	江西富祥药业股份有限公司			证券简称	富祥股份
	法人代表	包建华	董秘	黄晓东	证券代码	300497
	公司网址	www.fushine.cn		电子信箱	stock@fushine.cn	
	电　话	0798-2699929		传　真	0798-2699928	
	办公地址	江西省景德镇市昌江区鱼丽工业区2号(鱼山与丽阳交界处)				
	经营范围	专业从事原料药、医药中间体及相关产品研发、生产与销售				

主要财务指标	指标\报告期	1.2000	2015.12.31	2015.06.30	2014.12.31
	基本每股收益(元)	1.0600	1.7300	0.7500	0.9900
	基本每股收益(扣除后)(元)	1.2000	1.7000	0.7300	0.9400
	稀释每股收益(元)	9.0500	1.7300	0.7500	0.9900
	每股净资产(元)	1.2752	11.0400	5.6000	5.2500
	每股经营现金净流量(元)	-1.0884	1.0279	1.0246	0.5813
	每股现金流量(元)	4.4923	4.0689	0.4821	-0.0432
	每股资本公积金(元)	0.3340	4.4199	1.7661	1.7661
	每股盈余公积金(元)	3.2239	0.3340	0.2764	0.2764
	每股未分配利润(元)	13.2554	2.5237	2.5553	2.2004
	净资产收益率(%)	13.4800	15.6994	13.4700	18.8663
	加权净资产收益率(%)	11.7053	29.6500	13.7500	20.8400
	净资产收益率(扣除)(%)	114223.87	15.3612	-	17.8851
	总资产(万元)	65195.01	100965.86	68036.00	63234.82
	归属母公司股东权益(万元)	36356.23	59621.37	30257.34	28326.27
	营业收入(万元)	21122.35	57974.31	27617.08	51072.71
	营业支出(万元)	95.97	37408.35	18648.66	37126.93
	投资收益(万元)	8641.85	32.76	32.76	90.98
	净利润(万元)	9184.14	9360.18	4076.33	5344.12
	营业利润(万元)	10330.53	10990.27	4813.86	6083.29
	利润总额(万元)	1.2000	11158.48	4926.23	6360.24

广东温氏食品集团股份有限公司

公司概况	公司名称	广东温氏食品集团股份有限公司			证券简称	温氏股份
	法人代表	温鹏程	董秘	梅锦方	证券代码	300498
	公司网址	www.wens.com.cn		电子信箱	dsh@wens.com.cn	
	电　话	0766-2292926		传　真	0766-2292613	
	办公地址	广东省云浮市新兴县新城镇东堤北路9号				
	经营范围	畜禽养殖				

主要财务指标	指标\报告期	2016.06.30	2015.12.31	2015.06.30	2014.12.31
	基本每股收益(元)	1.6600	1.7100	0.3900	0.7400
	基本每股收益(扣除后)(元)	1.6500	1.6900	-	-
	稀释每股收益(元)	1.6600	1.7100	0.3900	0.7400
	每股净资产(元)	6.4030	5.1178	-	4.1442
	每股经营现金净流量(元)	1.7869	2.5662	-	-
	每股现金流量(元)	-0.0848	0.0071	-	-
	每股资本公积金(元)	1.3139	1.7777	-	-
	每股盈余公积金(元)	0.1725	0.2070	-	-
	每股未分配利润(元)	3.8621	3.1411	-	-
	净资产收益率(%)	25.9437	27.8717	-	17.8978
	加权净资产收益率(%)	27.9900	34.9500	10.7700	19.4700
	净资产收益率(扣除)(%)	25.8143	27.4989	-	-
	总资产(万元)	3653942.32	3273496.56	2553579.48	2768592.15
	归属母公司股东权益(万元)	2785498.45	2226405.88	1562053.52	1502385.99
	营业收入(万元)	2835945.18	4823736.98	2026376.74	3872306.98
	营业支出(万元)	1941448.86	3879580.74	1740575.52	3349269.49
	投资收益(万元)	6257.89	49104.07	48998.39	10505.75
	净利润(万元)	757760.77	663647.69	178633.53	299399.34
	营业利润(万元)	759837.10	672063.49	176172.01	288848.23
	利润总额(万元)	763235.50	668928.10	181727.31	305591.27

广州高澜节能技术股份有限公司

公司概况	公司名称	广州高澜节能技术股份有限公司			证券简称	高澜股份
	法人代表	李琦	董秘	陆宏	证券代码	300499
	公司网址	www.goaland.com.cn		电子信箱	luhong@goaland.com.cn	
	电　话	020-62800188　66616248		传　真	020-62800132	
	办公地址	广东省广州市高新技术产业开发区科学城南云五路3号				
	经营范围	大功率电力电子装置用纯水冷却设备及控制系统的研发、设计、生产和销售				

主要财务指标	指标\报告期	2016.06.30	2015.12.31	2015.06.30	2014.12.31
	基本每股收益(元)	0.3200	1.0200	0.2800	0.9500
	基本每股收益(扣除后)(元)	0.2800	0.9200	0.2300	0.9000
	稀释每股收益(元)	0.3200	1.0200	0.2800	0.9500
	每股净资产(元)	8.3580	6.4700	5.7358	5.4496
	每股经营现金净流量(元)	-1.1725	0.8326	-1.3091	1.4219
	每股现金流量(元)	0.8572	0.8399	-1.1684	0.5440
	每股资本公积金(元)	4.0303	1.1551	1.1551	1.1551
	每股盈余公积金(元)	0.2819	0.3760	0.3128	0.3128
	每股未分配利润(元)	3.0453	3.9370	3.2677	2.9816
	净资产收益率(%)	3.5021	15.7499	4.9889	17.4872
	加权净资产收益率(%)	4.0200	17.1000	5.1200	19.1600
	净资产收益率(扣除)(%)	3.1788	14.2600	4.1347	16.5338
	总资产(万元)	95198.01	75419.14	60390.19	53213.22
	归属母公司股东权益(万元)	55723.00	32339.29	28678.95	27248.05
	营业收入(万元)	23826.60	35409.84	14749.44	28365.54
	营业支出(万元)	14915.51	19574.93	8319.89	14964.28
	投资收益(万元)	-	-	-	-
	净利润(万元)	1943.31	5090.79	1412.47	4733.71
	营业利润(万元)	1907.48	4839.15	1243.72	4956.94
	利润总额(万元)	2299.94	5787.44	1546.47	5462.06

启迪设计集团股份有限公司

公司概况	公司名称	启迪设计集团股份有限公司			证券简称	启迪设计
	法人代表	戴雅萍	董秘	华亮	证券代码	300500
	公司网址	www.siad-c.com		电子信箱	huiling.yu@siad-c.com	
	电　话	0512-69564641　65150100		传　真	0512-69564641	
	办公地址	江苏省苏州市工业园区星海街9号				
	经营范围	建筑设计等工程技术服务				

主要财务指标	指标\报告期	2016.06.30	2015.12.31	2015.06.30	2014.12.31
	基本每股收益(元)	0.5700	1.1400	0.6000	1.2600
	基本每股收益(扣除后)(元)	0.5700	1.1100	0.6000	1.2200
	稀释每股收益(元)	0.5700	1.1400	0.6000	1.2600
	每股净资产(元)	10.7676	7.7639	7.2277	6.8782
	每股经营现金净流量(元)	0.0992	0.6540	-0.3974	1.0510
	每股现金流量(元)	5.1358	0.2074	-0.6835	0.3989
	每股资本公积金(元)	6.4253	2.7392	2.7392	2.7392
	每股盈余公积金(元)	0.3682	0.4726	0.4193	0.3872
	每股未分配利润(元)	2.9740	3.5520	3.0692	2.7517
	净资产收益率(%)	4.8646	14.6279	8.3000	18.2700
	加权净资产收益率(%)	5.7300	15.2500	8.4500	19.5300
	净资产收益率(扣除)(%)	4.8526	14.2936	8.2623	17.6686
	总资产(万元)	78052.96	44522.73	38743.13	39814.04
	归属母公司股东权益(万元)	64605.77	34937.35	32524.71	30951.74
	营业收入(万元)	17290.66	33230.73	16161.84	33802.92
	营业支出(万元)	10201.06	20169.91	9395.51	20149.29
	投资收益(万元)	100.00	200.00	200.00	200.00
	净利润(万元)	3178.04	5224.01	2778.79	5818.55
	营业利润(万元)	3728.57	5885.51	3100.49	6862.50
	利润总额(万元)	3729.42	6022.91	3113.06	7074.76

上海海顺新型药用包装材料股份有限公司

公司概况	公司名称	上海海顺新型药用包装材料股份有限公司	证券简称	海顺新材
	法人代表	林武辉　董秘　童小晖	证券代码	300501
	公司网址	www.haishunpackaging.com	电子信箱	xiaohui@haishunpackaging.com
	电　话	021-37017626	传　真	021-33887318
	办公地址	上海市闵行区申滨南路 938 号龙湖虹桥天街 G 栋 508 室		
	经营范围	直接接触药品的高阻隔包装材料研发、生产和销售		

	指标\报告期	2016.06.30	2015.12.31	2015.06.30	2014.12.31
主要财务指标	基本每股收益(元)	0.6800	1.4700	0.8200	1.3600
	基本每股收益(扣除后)(元)	0.6700	1.4000	0.7687	1.2800
	稀释每股收益(元)	0.6800	1.4700	0.8200	1.3600
	每股净资产(元)	10.1420	6.7300	–	5.7600
	每股经营现金净流量(元)	0.0742	1.3319	0.2977	1.5701
	每股现金流量(元)	0.8037	0.4770	–0.2996	1.0940
	每股资本公积金(元)	5.9873	1.6918	–	1.6918
	每股盈余公积金(元)	0.2748	0.3667	–	0.2934
	每股未分配利润(元)	2.8799	3.6746	–	2.7787
	净资产收益率(%)	6.1765	21.8204	–	23.5189
	加权净资产收益率(%)	7.2900	23.9900	13.8600	26.2700
	净资产收益率(扣除)(%)	6.0360	21.5417	–	22.1805
	总资产(万元)	60700.53	33883.23	–	28804.05
	归属母公司股东权益(万元)	54138.15	26932.32	–	23055.58
	营业收入(万元)	14279.39	29397.84	15463.37	28984.97
	营业支出(万元)	8480.07	18593.06	9697.32	18819.66
	投资收益(万元)	66.41	101.16	66.10	36.72
	净利润(万元)	3343.83	5878.41	3285.35	5429.13
	营业利润(万元)	3628.16	6636.73	3608.76	6119.13
	利润总额(万元)	3652.56	6849.00	3790.26	6389.85

成都新易盛通信技术股份有限公司

公司概况	公司名称	成都新易盛通信技术股份有限公司	证券简称	新易盛
	法人代表	高光荣　董秘　匡安荣	证券代码	300502
	公司网址	www.eoptolink.com	电子信箱	ir@eoptolink.com
	电　话	028-67087999	传　真	028-67087999
	办公地址	成都市双流区公兴镇物联西街 127 号		
	经营范围	光模块的研发及制造		

	指标\报告期	2016.06.30	2015.12.31	2015.06.30	2014.12.31
主要财务指标	基本每股收益(元)	0.7100	1.6200	0.8800	1.5900
	基本每股收益(扣除后)(元)	0.6700	1.5400	–	–
	稀释每股收益(元)	0.7100	1.6200	0.8800	1.5900
	每股净资产(元)	12.0967	9.0328	–	7.4100
	每股经营现金净流量(元)	–0.1729	0.5614	–0.6525	0.9831
	每股现金流量(元)	1.2636	–0.0384	–0.9132	0.3148
	每股资本公积金(元)	5.8834	1.9145	–	1.9145
	每股盈余公积金(元)	0.4762	0.6349	–	0.4611
	每股未分配利润(元)	4.7372	5.4834	–	4.0344
	净资产收益率(%)	5.1635	17.9662	–	21.4253
	加权净资产收益率(%)	6.6200	19.7400	11.2500	24.0000
	净资产收益率(扣除)(%)	4.8136	17.0525	–	20.5917
	总资产(万元)	111653.86	68800.28	–	55834.09
	归属母公司股东权益(万元)	93870.61	52570.98	–	43125.94
	营业收入(万元)	33911.26	61511.96	30773.62	52263.43
	营业支出(万元)	25319.08	44655.32	22245.48	36306.99
	投资收益(万元)	54.26	–	–	–
	净利润(万元)	4847.03	9445.03	5141.55	9239.85
	营业利润(万元)	5421.16	10515.61	5737.27	10394.85
	利润总额(万元)	5791.63	11047.32	6034.19	10819.54

广州市昊志机电股份有限公司

公司概况	公司名称	广州市昊志机电股份有限公司	证券简称	昊志机电
	法人代表	汤丽君　董秘　肖泳林	证券代码	300503
	公司网址	www.haozhihs.com	电子信箱	zqswb@haozhihs.com
	电　话	020-62868399	传　真	020-32226553-8884
	办公地址	广东省广州市经济技术开发区永和经济区江东街 6 号		
	经营范围	机床附件制造、轴承制造、金属切削机床制造、其他金属加工机械制造等		

	指标\报告期	2016.06.30	2015.12.31	2015.06.30	2014.12.31
主要财务指标	基本每股收益(元)	0.3200	0.5800	0.2100	0.5300
	基本每股收益(扣除后)(元)	0.3000	0.4500	0.1737	–
	稀释每股收益(元)	0.3200	0.5800	0.2100	0.5300
	每股净资产(元)	6.5029	4.5400	–	5.4795
	每股经营现金净流量(元)	–0.2202	0.0875	–0.1090	0.1125
	每股现金流量(元)	0.8859	–0.3370	–0.4252	–0.0097
	每股资本公积金(元)	2.6535	1.6366	–	1.6366
	每股盈余公积金(元)	0.2916	0.3889	–	0.3309
	每股未分配利润(元)	2.5577	3.0333	–	2.5120
	净资产收益率(%)	4.3476	9.5610	–	9.7600
	加权净资产收益率(%)	6.0300	10.0400	4.4600	9.8800
	净资产收益率(扣除)(%)	3.9860	7.3942	–	9.2544
	总资产(万元)	76853.51	54224.44	–	48702.92
	归属母公司股东权益(万元)	65028.57	45440.51	–	41095.95
	营业收入(万元)	15662.08	22125.67	10528.81	20009.45
	营业支出(万元)	7603.77	10460.17	4749.27	8424.33
	投资收益(万元)	–	–	–	–
	净利润(万元)	2827.16	4344.57	1873.67	4010.95
	营业利润(万元)	3259.23	3790.56	1857.25	4386.30
	利润总额(万元)	3535.84	4949.28	2203.53	4622.90

昆明川金诺化工股份有限公司

公司概况	公司名称	昆明川金诺化工股份有限公司	证券简称	川金诺
	法人代表	刘甍　董秘　陈勇	证券代码	300505
	公司网址	www.kmcjn.com	电子信箱	chenyong@kmcjn.com
	电　话	0871-62124601	传　真	0871-62124600
	办公地址	云南省昆明市东川区铜都镇古铜路下段金沙酒店七楼川金诺公司		
	经营范围	湿法磷酸的研究、生产及分级利用		

	指标\报告期	2016.06.30	2015.12.31	2015.06.30	2014.12.31
主要财务指标	基本每股收益(元)	0.2600	0.6000	0.2100	0.5800
	基本每股收益(扣除后)(元)	0.2400	0.5900	–	0.5300
	稀释每股收益(元)	0.2600	0.6000	0.2100	0.5800
	每股净资产(元)	6.2488	5.1346	–	4.5318
	每股经营现金净流量(元)	0.1087	0.8612	–0.0020	0.6199
	每股现金流量(元)	0.8961	0.1478	–0.5236	–0.1406
	每股资本公积金(元)	2.9706	1.3943	–	1.3943
	每股盈余公积金(元)	0.2796	0.3402	–	0.2742
	每股未分配利润(元)	1.9986	2.4000	–	1.8633
	净资产收益率(%)	3.5743	11.7389	–	12.8500
	加权净资产收益率(%)	4.9600	12.4700	4.4300	13.4200
	净资产收益率(扣除)(%)	3.3095	11.5858	–	11.7313
	总资产(万元)	79025.40	53440.31	53440.31	50447.09
	归属母公司股东权益(万元)	58339.01	35947.00	7010.10	31727.22
	营业收入(万元)	27992.84	54595.95	23652.62	46001.31
	营业支出(万元)	17863.73	36527.47	16252.32	30775.59
	投资收益(万元)	–	–	–	–
	净利润(万元)	2085.23	4219.78	1436.04	4077.39
	营业利润(万元)	2306.73	4975.75	1728.27	4466.09
	利润总额(万元)	2488.49	5040.89	1726.61	4884.84

深圳市名家汇科技股份有限公司

公司概况	公司名称	深圳市名家汇科技股份有限公司			证券简称	名家汇
	法人代表	程宗玉	董秘	刘东华	证券代码	300506
	公司网址	www.minkave.com		电子信箱	minkave@minkave.com	
	电　话	0755-26067248		传　真	0755-26070372	
	办公地址	广东省深圳市南山区南油大道西海岸大厦 17 层				
	经营范围	照明工程业务及与之相关的照明工程设计、照明产品的研发、生产、销售及合同能源管理业务				

主要财务指标	指标\报告期	2016.06.30	2015.12.31	2015.06.30	2014.12.31
	基本每股收益(元)	0.2300	0.5500	0.2500	0.5300
	基本每股收益(扣除后)(元)	0.2300	0.5400	–	–
	稀释每股收益(元)	0.2300	0.5500	0.2500	0.5300
	每股净资产(元)	4.2884	3.0500	–	2.5000
	每股经营现金净流量(元)	–0.3774	–0.1838	–0.1186	–0.4589
	每股现金流量(元)	0.4981	0.1009	–0.0919	–0.0387
	每股资本公积金(元)	1.7162	0.0900	–	0.0900
	每股盈余公积金(元)	0.1593	0.2124	–	0.1566
	每股未分配利润(元)	1.4129	1.7507	–	1.2542
	净资产收益率(%)	4.6595	18.0894	–	21.1747
	加权净资产收益率(%)	5.9900	19.8900	0.0939	23.6800
	净资产收益率(扣除)(%)	4.6154	17.5342	–	19.9272
	总资产(万元)	72829.26	58207.31	58207.31	44925.07
	归属母公司股东权益(万元)	51460.76	27478.89	2397.79	22508.11
	营业收入(万元)	13222.97	24752.34	11464.34	23481.59
	营业支出(万元)	6797.83	12097.58	5984.77	11856.58
	投资收益(万元)	–	–	–	–
	净利润(万元)	2397.79	4970.77	2217.09	4766.02
	营业利润(万元)	2783.74	5687.12	2561.99	5461.72
	利润总额(万元)	2813.26	5869.49	2614.46	5792.67

江苏奥力威传感高科股份有限公司

公司概况	公司名称	江苏奥力威传感高科股份有限公司			证券简称	苏奥传感
	法人代表	李宏庆	董秘	陈武峰	证券代码	300507
	公司网址	www.yos.net.cn		电子信箱	olive@yos.net.cn	
	电　话	0514-85118056		传　真	0514-85118071	
	办公地址	江苏省扬州高新技术产业开发区祥园路 158 号				
	经营范围	传感器及配件、燃油系统附件及汽车内饰件的生产和销售				

主要财务指标	指标\报告期	2016.06.30	2015.12.31	2015.06.30	2014.12.31
	基本每股收益(元)	0.8000	1.5600	0.8200	1.3800
	基本每股收益(扣除后)(元)	0.7400	1.4500	–	1.3500
	稀释每股收益(元)	0.8000	1.5600	0.8200	1.3800
	每股净资产(元)	11.0205	6.7174	–	5.2788
	每股经营现金净流量(元)	0.4831	1.4931	0.6766	1.0401
	每股现金流量(元)	2.8032	0.9480	0.4082	0.2693
	每股资本公积金(元)	5.3636	0.3970	–	0.3970
	每股盈余公积金(元)	0.4163	0.5551	–	0.4089
	每股未分配利润(元)	4.2406	4.7653	–	3.4729
	净资产收益率(%)	6.0509	23.2032	–	26.1392
	加权净资产收益率(%)	9.3400	26.0700	14.4400	29.7400
	净资产收益率(扣除)(%)	5.6160	21.5176	–	25.5760
	总资产(万元)	84039.40	43698.59	–	36749.81
	归属母公司股东权益(万元)	73473.64	33587.02	–	26393.76
	营业收入(万元)	26512.05	46967.45	24751.28	46154.74
	营业支出(万元)	18400.82	33012.20	17594.76	33212.48
	投资收益(万元)	–	–	–	–
	净利润(万元)	4637.23	8205.59	4276.17	7273.55
	营业利润(万元)	5085.71	8985.11	4589.29	8371.96
	利润总额(万元)	5466.54	9669.44	5036.40	8551.14

上海维宏电子科技股份有限公司

公司概况	公司名称	上海维宏电子科技股份有限公司			证券简称	维宏股份
	法人代表	汤同奎	董秘	刘明洲	证券代码	300508
	公司网址	www.weihong.com.cn		电子信箱	weihongzq@weihong.com.cn	
	电　话	021-33587550　33587515		传　真	021-33587519	
	办公地址	上海市奉贤区沪杭公路 1590 号				
	经营范围	研发、生产和销售工业运动控制系统等				

主要财务指标	指标\报告期	2016.06.30	2015.12.31	2015.06.30	2014.12.31
	基本每股收益(元)	0.5466	1.1500	0.6785	1.3700
	基本每股收益(扣除后)(元)	0.5348	1.1000	–	1.2100
	稀释每股收益(元)	0.5466	1.1500	0.6785	1.3700
	每股净资产(元)	7.4074	4.3054	–	3.4027
	每股经营现金净流量(元)	0.1998	1.1005	0.6286	1.2041
	每股现金流量(元)	3.7085	0.3693	0.0665	–0.3042
	每股资本公积金(元)	3.5223	0.0497	–	0.0497
	每股盈余公积金(元)	0.3432	0.4334	–	0.3185
	每股未分配利润(元)	2.5419	2.8223	–	2.0345
	净资产收益率(%)	6.3555	26.6798	–	40.1383
	加权净资产收益率(%)	9.6600	30.2900	18.7500	43.6500
	净资产收益率(扣除)(%)	6.2187	25.6300	–	35.5481
	总资产(万元)	45564.30	21243.92	–	16235.33
	归属母公司股东权益(万元)	42088.91	19374.09	–	15312.12
	营业收入(万元)	7039.17	13057.72	7983.91	14052.28
	营业支出(万元)	2127.71	4023.68	–	3749.67
	投资收益(万元)	–	–	–	–
	净利润(万元)	2674.95	5168.97	–	6146.02
	营业利润(万元)	1889.70	4169.64	–	5942.22
	利润总额(万元)	3028.53	5895.84	–	7068.06

江苏新美星包装机械股份有限公司

公司概况	公司名称	江苏新美星包装机械股份有限公司			证券简称	新美星
	法人代表	何德平	董秘	侯礼栋	证券代码	300509
	公司网址	www.newamstar.com		电子信箱	dsh@newamstar.com	
	电　话	0512-58693918		传　真	0512-58693908	
	办公地址	江苏省苏州市张家港经济开发区南区(新泾东路)				
	经营范围	液体包装机械、水处理设备制造、销售				

主要财务指标	指标\报告期	2016.06.30	2015.12.31	2015.06.30	2014.12.31
	基本每股收益(元)	0.4100	0.8300	0.4100	0.7400
	基本每股收益(扣除后)(元)	0.3700	0.7700	–	0.6300
	稀释每股收益(元)	0.4100	0.8300	0.4100	0.7400
	每股净资产(元)	6.8298	5.2000	–	4.3800
	每股经营现金净流量(元)	–0.1558	1.2306	0.1197	0.0841
	每股现金流量(元)	1.7940	1.0913	–0.0129	0.1954
	每股资本公积金(元)	3.8310	1.5915	–	1.5915
	每股盈余公积金(元)	0.1875	0.2500	–	0.1683
	每股未分配利润(元)	1.8017	2.3503	–	1.6069
	净资产收益率(%)	4.9622	15.8539	–	16.8223
	加权净资产收益率(%)	6.7300	17.2200	9.0100	18.3800
	净资产收益率(扣除)(%)	4.5676	14.7359	–	14.2953
	总资产(万元)	111994.04	87477.44	–	83169.27
	归属母公司股东权益(万元)	54638.29	31227.77	–	26280.88
	营业收入(万元)	23258.91	44828.43	22705.03	44334.95
	营业支出(万元)	14719.20	27413.69	14098.85	27463.18
	投资收益(万元)	–	–	–	–
	净利润(万元)	2711.27	4950.82	2480.56	4421.05
	营业利润(万元)	2847.53	5280.99	2739.88	4311.32
	利润总额(万元)	3089.07	5666.78	2857.75	5067.84

吉林省金冠电气股份有限公司

公司概况	公司名称	吉林省金冠电气股份有限公司			证券简称	金冠电气
	法人代表	徐海江	董秘	张文福	证券代码	300510
	公司网址	www.jljgdq.cn		电子信箱	jilinjinguan@163.com	
	电　话	0431-84155588		传　真	0431-84155588	
	办公地址	吉林省长春市双阳经济开发区延寿路4号				
	经营范围	智能电气成套开关设备及其配套元器件的研发、生产和销售				

	指标＼报告期	2016.06.30	2015.12.31	2015.06.30	2014.12.31
主要财务指标	基本每股收益(元)	0.2600	0.7700	0.2500	0.7000
	基本每股收益(扣除后)(元)	0.2300	0.7100	–	0.6500
	稀释每股收益(元)	0.2600	0.7700	0.2500	0.7000
	每股净资产(元)	6.4426	4.7981	–	4.1000
	每股经营现金净流量(元)	–0.2143	0.8209	–0.0652	0.2269
	每股现金流量(元)	2.1611	0.6669	–0.2572	–0.1102
	每股资本公积金(元)	3.1838	0.8933	–	0.8933
	每股盈余公积金(元)	0.2347	0.3132	–	0.2414
	每股未分配利润(元)	2.0241	2.5916	–	1.9668
	净资产收益率(%)	3.1406	16.0174	–	16.9627
	加权净资产收益率(%)	4.9600	17.3400	6.0300	18.4000
	净资产收益率(扣除)(%)	2.8166	14.8829	–	15.9231
	总资产(万元)	73214.53	47212.06	–	40294.88
	归属母公司股东权益(万元)	55999.45	31245.86	–	26709.05
	营业收入(万元)	14016.43	26195.56	11025.63	24002.85
	营业支出(万元)	8844.41	15127.36	6726.63	13962.20
	投资收益(万元)	–	–	–	–
	净利润(万元)	1950.87	5125.37	1730.52	4453.87
	营业利润(万元)	2170.94	5521.45	1855.49	4954.14
	利润总额(万元)	2367.72	5908.01	1991.73	5257.24

上海雪榕生物科技股份有限公司

公司概况	公司名称	上海雪榕生物科技股份有限公司			证券简称	雪榕生物
	法人代表	杨勇萍	董秘	靳佩臻	证券代码	300511
	公司网址	www.xuerong.com		电子信箱	xrtz@ xuerong.com	
	电　话	021-37198681		传　真	021-37198897	
	办公地址	上海市奉贤区现代农业园区高丰路999号				
	经营范围	鲜品食用菌的研发、工厂化种植与销售				

	指标＼报告期	2016.06.30	2015.12.31	2015.06.30	2014.12.31
主要财务指标	基本每股收益(元)	0.0992	1.1000	–	0.8500
	基本每股收益(扣除后)(元)	0.0600	0.9800	–	0.7000
	稀释每股收益(元)	0.0992	1.1000	–	0.8500
	每股净资产(元)	7.9324	5.6437	–	4.6472
	每股经营现金净流量(元)	0.5030	2.4335	–	2.2510
	每股现金流量(元)	0.4294	–0.0173	–	–
	每股资本公积金(元)	4.2170	0.8666	–	0.8666
	每股盈余公积金(元)	0.1746	0.2327	–	0.1976
	每股未分配利润(元)	2.5383	3.5409	–	2.5796
	净资产收益率(%)	1.0423	19.4277	–	18.2573
	加权净资产收益率(%)	1.4900	21.4100	–	20.0900
	净资产收益率(扣除)(%)	0.6277	17.2898	–	15.1431
	总资产(万元)	224709.42	177476.15	–	154866.04
	归属母公司股东权益(万元)	118986.26	63491.10	–	52281.23
	营业收入(万元)	42417.53	101900.10	–	88837.54
	营业支出(万元)	34560.10	74166.19	–	64396.15
	投资收益(万元)	12.45	–	–	–
	净利润(万元)	1295.48	12524.01	–	9726.32
	营业利润(万元)	798.81	11294.40	–	8361.77
	利润总额(万元)	1331.08	12875.89	–	10193.08

杭州中亚机械股份有限公司

公司概况	公司名称	杭州中亚机械股份有限公司			证券简称	中亚股份
	法人代表	史中伟	董秘	徐强	证券代码	300512
	公司网址	www.zhongyagroup.com		电子信箱	zydb@zhongyagroup.com	
	电　话	0571-86522536		传　真	0571-88011205	
	办公地址	浙江省杭州市拱墅区方家埭路189号				
	经营范围	设计、制造中高端的液态食品包装设备				

	指标＼报告期	2016.06.30	2015.12.31	2015.06.30	2014.12.31
主要财务指标	基本每股收益(元)	0.7200	1.3200	0.7000	1.2400
	基本每股收益(扣除后)(元)	0.6900	1.2100	–	1.1500
	稀释每股收益(元)	0.7200	1.3200	0.7000	1.2400
	每股净资产(元)	9.2813	5.0200	–	4.6300
	每股经营现金净流量(元)	0.2594	1.1586	–0.2699	1.7615
	每股现金流量(元)	4.8871	–0.2109	–1.5343	1.3658
	每股资本公积金(元)	5.2104	0.6912	–	0.6912
	每股盈余公积金(元)	0.3341	0.4455	–	0.3236
	每股未分配利润(元)	2.6885	2.8233	–	2.5749
	净资产收益率(%)	6.1518	26.3217	–	26.6767
	加权净资产收益率(%)	11.7200	28.7900	15.5400	30.8400
	净资产收益率(扣除)(%)	5.9269	24.2105	–	24.7954
	总资产(万元)	184584.68	106359.55	–	92607.37
	归属母公司股东权益(万元)	125297.53	50787.61	–	46883.91
	营业收入(万元)	31149.36	58659.51	28085.08	51976.57
	营业支出(万元)	16490.17	31024.20	13948.31	26187.06
	投资收益(万元)	10.10	179.74	159.23	204.49
	净利润(万元)	7708.03	13368.17	7094.55	12507.07
	营业利润(万元)	8737.50	14727.70	7994.63	14133.50
	利润总额(万元)	9035.73	15794.65	8337.00	14968.68

北京恒泰实达科技股份有限公司

公司概况	公司名称	北京恒泰实达科技股份有限公司			证券简称	恒泰实达
	法人代表	钱苏晋	董秘	李焱	证券代码	300513
	公司网址	www.techstar.com.cn		电子信箱	zqsw@techstar.com.cn	
	电　话	010-62670506		传　真	010-62670508	
	办公地址	北京市海淀区东北旺西路8号院23号楼孵化加速器大厦303-305				
	经营范围	技术开发、技术转让、技术咨询、技术服务、技术培训等				

	指标＼报告期	2016.06.30	2015.12.31	2015.06.30	2014.12.31
主要财务指标	基本每股收益(元)	0.1510	0.6819	0.1587	0.6040
	基本每股收益(扣除后)(元)	0.1337	0.6808	–	0.5861
	稀释每股收益(元)	0.1510	–	0.1587	–
	每股净资产(元)	6.7283	5.3743	–	4.6900
	每股经营现金净流量(元)	–0.9618	0.5400	–0.5018	–0.0784
	每股现金流量(元)	1.5835	0.3752	–0.5789	–0.2362
	每股资本公积金(元)	3.5446	1.6212	–	1.6212
	每股盈余公积金(元)	0.2072	0.2763	–	0.2183
	每股未分配利润(元)	1.9765	2.4768	–	1.8529
	净资产收益率(%)	1.7765	12.6885	–	12.8716
	加权净资产收益率(%)	2.9200	13.5500	3.3300	13.7600
	净资产收益率(扣除)(%)	1.5727	12.6674	–	12.4906
	总资产(万元)	62707.23	46603.62	–	44471.75
	归属母公司股东权益(万元)	51242.45	30687.07	–	26793.33
	营业收入(万元)	12282.02	40774.60	12892.38	34961.15
	营业支出(万元)	8477.30	28680.37	9454.07	23581.39
	投资收益(万元)	19.83	–17.67	–11.98	3.59
	净利润(万元)	812.13	3854.15	807.85	3356.13
	营业利润(万元)	562.70	3868.57	634.34	3060.58
	利润总额(万元)	958.38	4419.28	919.84	3945.52

湖南三德科技股份有限公司

公司概况	公司名称	湖南三德科技股份有限公司			证券简称	三德科技
	法人代表	朱先德	董秘	唐芳东	证券代码	300515
	公司网址	www.sandegroup.com		电子信箱	sandegroup@163.com	
	电　话	0731-89864008		传　真	0731-89864008	
	办公地址	湖南省长沙高新开发区桐梓坡西路558号				
	经营范围	实验分析仪器及其解决方案的研发、生产和销售等				

	指标\报告期	2016.06.30	2015.12.31	2015.06.30	2014.12.31
主要财务指标	基本每股收益(元)	0.2060	0.5623	0.2312	0.6271
	基本每股收益(扣除后)(元)	0.1949	0.4972	–	0.6056
	稀释每股收益(元)	0.2060	0.5623	0.2312	0.6271
	每股净资产(元)	4.2821	3.0423	–	2.6400
	每股经营现金净流量(元)	–0.0677	0.3666	0.0939	0.2040
	每股现金流量(元)	1.7181	0.0982	–0.1866	0.1467
	每股资本公积金(元)	2.0992	0.6711	–	0.6711
	每股盈余公积金(元)	0.1495	0.1994	–	0.1431
	每股未分配利润(元)	1.0334	1.1719	–	0.8258
	净资产收益率(%)	3.6076	18.4824	–	23.7528
	加权净资产收益率(%)	6.5500	19.5200	8.3900	25.3600
	净资产收益率(扣除)(%)	3.4137	16.3422	–	22.9398
	总资产(万元)	54285.68	34544.35	–	30452.80
	归属母公司股东权益(万元)	42820.82	22817.36	–	19800.17
	营业收入(万元)	8654.27	22455.64	8891.97	22350.73
	营业支出(万元)	3864.50	10398.49	4102.60	9601.82
	投资收益(万元)	–	–	–	–
	净利润(万元)	1544.78	4217.19	1733.79	4703.09
	营业利润(万元)	951.33	3083.76	1084.02	4214.36
	利润总额(万元)	1686.97	4751.97	2033.79	5515.49

湖北久之洋红外系统股份有限公司

公司概况	公司名称	湖北久之洋红外系统股份有限公司			证券简称	久之洋
	法人代表	赵坤	董秘	陆磊	证券代码	300516
	公司网址	www.hbjir.com		电子信箱	market@hbjir.com	
	电　话	027-59601200		传　真	027-59601202	
	办公地址	湖北省武汉市江夏区庙山开发区明泽街9号				
	经营范围	红外热像仪、激光测距仪等产品的研发、生产与销售				

	指标\报告期	2016.06.30	2015.12.31	2015.06.30	2014.12.31
主要财务指标	基本每股收益(元)	0.5400	1.3300	0.5600	1.0300
	基本每股收益(扣除后)(元)	0.5400	–	–	–
	稀释每股收益(元)	0.5400	1.3300	0.5600	1.0300
	每股净资产(元)	8.9729	4.3947	–	3.2705
	每股经营现金净流量(元)	–0.4733	1.3853	0.1733	0.4057
	每股现金流量(元)	4.1282	0.7622	0.0199	0.1361
	每股资本公积金(元)	5.2339	0.3125	–	0.3125
	每股盈余公积金(元)	0.2871	0.3828	–	0.2496
	每股未分配利润(元)	2.4519	2.6993	–	1.7084
	净资产收益率(%)	4.7627	30.2917	–	31.6312
	加权净资产收益率(%)	9.7500	33.8200	15.8600	35.3200
	净资产收益率(扣除)(%)	4.7535	29.7107	–	30.8328
	总资产(万元)	126958.02	62663.17	–	41761.81
	归属母公司股东权益(万元)	107674.40	39552.17	–	29434.14
	营业收入(万元)	19905.61	38633.95	15762.89	30483.67
	营业支出(万元)	10470.22	20214.49	–	15590.67
	投资收益(万元)	–	–	–	–
	净利润(万元)	5128.25	11981.02	–	9310.39
	营业利润(万元)	5378.22	12130.18	–	10526.12
	利润总额(万元)	5856.50	13832.63	–	10804.02

海波重型工程科技股份有限公司

公司概况	公司名称	海波重型工程科技股份有限公司			证券简称	海波重科
	法人代表	张海波	董秘	何海燕	证券代码	300517
	公司网址	www.haiod.com		电子信箱	haiod_dsh@163.com	
	电　话	027-87028600		传　真	027-87028378	
	办公地址	湖北省武汉市江夏区郑店街黄金桥工业园6号				
	经营范围	桥梁钢结构工程业务				

	指标\报告期	2016.06.30	2015.12.31	2015.06.30	2014.12.31
主要财务指标	基本每股收益(元)	0.2500	0.5900	0.2200	0.5000
	基本每股收益(扣除后)(元)	0.2500	–	–	0.4900
	稀释每股收益(元)	0.2500	0.5900	0.2200	0.5000
	每股净资产(元)	4.4451	4.1942	–	3.5980
	每股经营现金净流量(元)	0.4139	0.9720	0.3304	0.5019
	每股现金流量(元)	0.0831	–	–0.2818	0.3667
	每股资本公积金(元)	0.8153	0.8153	–	0.8153
	每股盈余公积金(元)	0.2727	0.2727	–	0.2138
	每股未分配利润(元)	2.3398	2.0901	–	1.5593
	净资产收益率(%)	5.6176	14.0600	–	13.8606
	加权净资产收益率(%)	5.7800	15.1500	5.9500	14.8600
	净资产收益率(扣除)(%)	5.6315	13.8922	–	13.6858
	总资产(万元)	80415.69	73711.27	–	69060.20
	归属母公司股东权益(万元)	34138.12	32211.40	–	27632.60
	营业收入(万元)	16262.46	37574.13	13813.42	40318.14
	营业支出(万元)	12080.14	32431.36	9644.64	30199.91
	投资收益(万元)	–	–	–	–
	净利润(万元)	1917.74	4528.90	1694.04	3830.06
	营业利润(万元)	2254.47	5142.77	1935.33	4283.85
	利润总额(万元)	2248.88	5206.33	2002.14	4330.56

深圳市盛讯达科技股份有限公司

公司概况	公司名称	深圳市盛讯达科技股份有限公司			证券简称	盛讯达
	法人代表	陈湧锐	董秘	李衍钢	证券代码	300518
	公司网址	www.gamexun.com		电子信箱	SXD@gamexun.com	
	电　话	0755-82731691		传　真	0755-23991975	
	办公地址	广东省深圳市福田区深南大道7888号东海国际中心一期A栋11层01B				
	经营范围	手机游戏开发、销售以及游戏运营业务				

	指标\报告期	2016.06.30	2015.12.31	2015.06.30	2014.12.31
主要财务指标	基本每股收益(元)	0.7100	1.3200	0.5900	1.2500
	基本每股收益(扣除后)(元)	0.6700	–	–	1.2600
	稀释每股收益(元)	0.7100	1.3200	0.5900	1.2500
	每股净资产(元)	10.6587	5.2019	–	5.6188
	每股经营现金净流量(元)	0.3292	1.2635	0.3731	1.8552
	每股现金流量(元)	5.2982	–	0.2822	–
	每股资本公积金(元)	5.2196	0.7222	–	0.7222
	每股盈余公积金(元)	0.3750	0.5000	–	0.4068
	每股未分配利润(元)	4.0641	4.7141	–	3.4910
	净资产收益率(%)	4.9615	18.9800	–	22.3079
	加权净资产收益率(%)	9.6700	20.9700	9.9400	25.1100
	净资产收益率(扣除)(%)	4.7378	18.8358	–	22.3550
	总资产(万元)	106681.79	51945.19	–	42717.56
	归属母公司股东权益(万元)	99488.03	48554.46	–	39331.76
	营业收入(万元)	11223.56	20373.71	9625.81	20557.98
	营业支出(万元)	1711.71	2448.68	1150.68	3979.52
	投资收益(万元)	–	–	–	–
	净利润(万元)	4936.09	9213.64	4114.18	8774.09
	营业利润(万元)	5052.52	9826.66	4547.19	9409.07
	利润总额(万元)	5702.77	10573.15	4727.68	9944.03

浙江新光药业股份有限公司

公司概况	公司名称	浙江新光药业股份有限公司			证券简称	新光药业
	法人代表	王岳钧	董秘	蒋源洋	证券代码	300519
	公司网址	www.xgpharma.com		电子信箱	xgpharma@163.com	
	电　话	0575-83292898		传　真	0575-83292898	
	办公地址	浙江省嵊州市剡湖街道环城西路 25 号				
	经营范围	中成药的研发、生产与销售				

主要财务指标	指标\报告期	2016.06.30	2015.12.31	2015.06.30	2014.12.31
	基本每股收益(元)	0.9508	–	0.9241	1.7600
	基本每股收益(扣除后)(元)	0.9300	–	0.9169	1.7500
	稀释每股收益(元)	0.9508	–	0.9241	1.7600
	每股净资产(元)	7.2115	–	–	4.1500
	每股经营现金净流量(元)	0.7955	–	1.2312	1.6637
	每股现金流量(元)	3.4854	–	0.1347	–
	每股资本公积金(元)	2.9937	–	–	0.7971
	每股盈余公积金(元)	0.4106	–	–	0.3495
	每股未分配利润(元)	2.7587	–	–	1.9457
	净资产收益率(%)	9.8881	–	–	–
	加权净资产收益率(%)	16.9100	–	21.7800	47.3300
	净资产收益率(扣除)(%)	9.6722	–	–	42.0573
	总资产(万元)	63199.49	–	–	30309.58
	归属母公司股东权益(万元)	57691.83	–	–	24899.72
	营业收入(万元)	15602.86	–	15540.71	29210.94
	营业支出(万元)	5332.32	–	5399.64	10699.42
	投资收益(万元)	24.00	–	201.41	281.06
	净利润(万元)	5704.62	–	5544.50	10565.15
	营业利润(万元)	6535.87	–	6464.95	12208.25
	利润总额(万元)	6669.30	–	6492.21	12295.27

科大国创软件股份有限公司

公司概况	公司名称	科大国创软件股份有限公司			证券简称	科大国创
	法人代表	董永东	董秘	储士升	证券代码	300520
	公司网址	www.kdgcsoft.com		电子信箱	zhengquanbu@ustcsoft.com	
	电　话	0551-65396760		传　真	0551-65396799	
	办公地址	安徽省合肥市长江西路 669 号				
	经营范围	软件开发、系统集成、云计算大数据研发与服务				

主要财务指标	指标\报告期	2016.06.30	2015.12.31	2015.06.30	2014.12.31
	基本每股收益(元)	0.1400	0.6400	0.1100	0.4900
	基本每股收益(扣除后)(元)	0.1300	0.5800	0.1100	0.4300
	稀释每股收益(元)	0.1400	0.6400	0.1100	0.4900
	每股净资产(元)	3.9900	3.8400	–	3.2300
	每股经营现金净流量(元)	–1.3263	0.5089	–0.5009	0.3096
	每股现金流量(元)	–1.0962	0.3373	–0.6721	–0.0424
	每股资本公积金(元)	0.9213	0.9213	–	0.9213
	每股盈余公积金(元)	0.1480	0.1480	–	0.1174
	每股未分配利润(元)	1.9132	1.7707	–	1.1571
	净资产收益率(%)	3.5694	45.4675	–	15.1779
	加权净资产收益率(%)	3.6400	18.3100	3.3500	16.1500
	净资产收益率(扣除)(%)	3.3220	41.1534	–	13.3432
	总资产(万元)	48741.81	46506.75	–	38128.11
	归属母公司股东权益(万元)	27538.44	26506.89	–	22051.35
	营业收入(万元)	20543.53	40575.91	17644.62	37014.40
	营业支出(万元)	12800.81	25105.75	11885.22	24180.06
	投资收益(万元)	–	–	–	–
	净利润(万元)	853.99	4287.83	717.40	3339.48
	营业利润(万元)	649.04	4189.07	527.41	3170.17
	利润总额(万元)	803.67	4672.29	549.86	3755.44

广州市爱司凯科技股份有限公司

公司概况	公司名称	广州市爱司凯科技股份有限公司			证券简称	爱司凯
	法人代表	李明之	董秘	李晓霞	证券代码	300521
	公司网址	www.amsky.cc		电子信箱	amsky@amsky.cc	
	电　话	020-28079595		传　真	020-37816963	
	办公地址	广东省广州市东风东路 745 号东山紫园商务大厦 1401 房				
	经营范围	工业化打印产品的研发、生产和销售				

主要财务指标	指标\报告期	2016.06.30	2015.12.31	2015.06.30	2014.12.31
	基本每股收益(元)	0.2600	0.7100	0.2400	0.6200
	基本每股收益(扣除后)(元)	0.2400	0.6500	–	0.5800
	稀释每股收益(元)	0.2600	0.7100	0.2400	0.6200
	每股净资产(元)	5.4341	3.8300	–	3.1192
	每股经营现金净流量(元)	0.0218	0.5070	0.2054	0.2166
	每股现金流量(元)	2.4473	0.3455	0.1324	0.0940
	每股资本公积金(元)	2.5507	0.5856	–	0.5856
	每股盈余公积金(元)	0.1134	0.1435	–	0.1000
	每股未分配利润(元)	1.7700	2.1035	–	1.4337
	净资产收益率(%)	3.6467	18.6138	–	20.0153
	加权净资产收益率(%)	6.6600	20.5200	7.3200	22.2400
	净资产收益率(扣除)(%)	3.3248	17.0396	–	18.5274
	总资产(万元)	49731.74	28710.37	–	23733.18
	归属母公司股东权益(万元)	43472.97	22995.43	–	18715.11
	营业收入(万元)	7748.44	17941.73	7534.68	18514.64
	营业支出(万元)	3800.36	8777.35	3778.81	10089.79
	投资收益(万元)	–	–	–	–
	净利润(万元)	1585.33	4280.32	1421.85	3745.88
	营业利润(万元)	1377.40	4097.15	1379.90	3483.44
	利润总额(万元)	1838.12	4981.57	1621.22	4260.11

苏州世名科技股份有限公司

公司概况	公司名称	苏州世名科技股份有限公司			证券简称	世名科技
	法人代表	吕仕铭	董秘	王岩	证券代码	300522
	公司网址	www.smcolor.com.cn		电子信箱	smkj@smcolor.com.cn	
	电　话	0512-57667120		传　真	0512-57667120	
	办公地址	江苏省昆山市周市镇黄浦江北路 219 号				
	经营范围	色浆的研发、生产和销售				

主要财务指标	指标\报告期	2016.06.30	2015.12.31	2015.06.30	2014.12.31
	基本每股收益(元)	0.5400	1.1100	0.4700	0.8900
	基本每股收益(扣除后)(元)	0.5100	1.0800	–	0.8800
	稀释每股收益(元)	0.5400	1.1100	0.4700	0.8900
	每股净资产(元)	7.7728	4.5630	–	3.6073
	每股经营现金净流量(元)	0.2445	1.1759	0.3379	0.5121
	每股现金流量(元)	4.3856	0.7912	0.4954	–0.1498
	每股资本公积金(元)	4.2541	0.3765	–	0.3765
	每股盈余公积金(元)	0.3227	0.4302	–	0.3183
	每股未分配利润(元)	2.1960	2.7563	–	1.9125
	净资产收益率(%)	5.5175	24.2300	–	24.7544
	加权净资产收益率(%)	12.3000	27.3200	12.4400	26.5000
	净资产收益率(扣除)(%)	5.2065	23.5854	–	24.5086
	总资产(万元)	65006.14	31910.23	–	23314.24
	归属母公司股东权益(万元)	51821.18	22815.20	–	18036.39
	营业收入(万元)	12969.66	22487.36	10559.83	20494.09
	营业支出(万元)	7081.15	11905.57	5691.74	11122.09
	投资收益(万元)	–	–	–	12.13
	净利润(万元)	2859.22	5528.81	2343.38	4464.80
	营业利润(万元)	3197.98	6268.32	2667.88	5154.92
	利润总额(万元)	3387.58	6442.15	2713.49	5194.93

北京辰安科技股份有限公司

公司概况	公司名称	北京辰安科技股份有限公司			证券简称	辰安科技
	法人代表	王忠	董秘	吴鹏	证券代码	300523
	公司网址	www.gsafety.com		电子信箱	ir@gsafety.com	
	电　话	010-57930911		传　真	010-57930135	
	办公地址	北京市海淀区永丰产业基地丰秀中路3号院1号楼				
	经营范围	技术开发、技术服务、技术推广、技术咨询、技术转让等				

主要财务指标	指标\报告期	2016.06.30	2015.12.31	2015.06.30	2014.12.31
	基本每股收益(元)	0.2200	1.3000	0.1600	0.5900
	基本每股收益(扣除后)(元)	0.2100	1.2700	0.1600	0.5700
	稀释每股收益(元)	0.2200	1.3000	–	0.5900
	每股净资产(元)	5.4700	5.2500	–	4.0500
	每股经营现金净流量(元)	–1.3395	0.9623	–0.6197	0.6242
	每股现金流量(元)	–1.2048	0.8443	–	0.3456
	每股资本公积金(元)	1.4443	1.4443	–	1.4466
	每股盈余公积金(元)	0.1631	0.1631	–	0.0997
	每股未分配利润(元)	2.8610	2.6391	–	1.5058
	净资产收益率(%)	4.0600	24.7151	–	14.6769
	加权净资产收益率(%)	4.1400	27.5900	3.9300	15.3000
	净资产收益率(扣除)(%)	3.8334	24.2302	–	13.9969
	总资产(万元)	72850.05	77813.60	–	57951.31
	归属母公司股东权益(万元)	32800.25	31477.81	–	24312.67
	营业收入(万元)	17946.11	41302.40	15592.23	26874.69
	营业支出(万元)	8399.99	16213.68	–	9644.54
	投资收益(万元)	11.67	0.04	–	55.25
	净利润(万元)	1355.67	9212.55	–	5163.49
	营业利润(万元)	350.85	9549.78	–	3152.51
	利润总额(万元)	1675.02	10686.67	–	5346.02

福建博思软件股份有限公司

公司概况	公司名称	福建博思软件股份有限公司			证券简称	博思软件
	法人代表	陈航	董秘	郑升尉	证券代码	300525
	公司网址	www.bosssoft.com.cn		电子信箱	bosssoft@bosssoft.com.cn	
	电　话	0591-87664003 87603609		传　真	0591-87664001	
	办公地址	福建省闽侯县上街镇科技东路福州高新技术产业开发区				
	经营范围	电子计算机软、硬件开发、销售等				

主要财务指标	指标\报告期	2016.06.30	2015.12.31	2015.06.30	2014.12.31
	基本每股收益(元)	0.0939	0.7197	0.0652	0.6110
	基本每股收益(扣除后)(元)	0.0594	0.6782	–	0.6073
	稀释每股收益(元)	0.0939	0.7197	0.0652	0.6110
	每股净资产(元)	4.5400	4.4500	3.9452	3.7900
	每股经营现金净流量(元)	–0.5124	0.9569	–0.3506	0.5661
	每股现金流量(元)	–	0.5632	–0.7014	–0.0996
	每股资本公积金(元)	0.8048	0.8048	0.8227	0.8227
	每股盈余公积金(元)	0.2184	0.2184	0.1595	0.1465
	每股未分配利润(元)	2.5169	2.4229	1.9630	1.7752
	净资产收益率(%)	2.0693	16.1866	1.6675	16.3184
	加权净资产收益率(%)	2.0900	17.5400	1.7300	17.7700
	净资产收益率(扣除)(%)	1.3091	15.2533	1.4451	16.2180
	总资产(万元)	26181.35	27876.40	22310.94	24488.72
	归属母公司股东权益(万元)	23172.37	22692.86	20135.85	19110.57
	营业收入(万元)	5097.92	15319.75	4367.95	12001.19
	营业支出(万元)	1785.00	5040.78	1419.38	3526.07
	投资收益(万元)	–	39.80	0.17	22.93
	净利润(万元)	514.28	3754.07	341.20	3188.10
	营业利润(万元)	157.29	3571.47	261.46	3147.77
	利润总额(万元)	545.50	4250.75	402.02	3621.27

中潜股份有限公司

公司概况	公司名称	中潜股份有限公司			证券简称	中潜股份
	法人代表	张顺	董秘	明小燕	证券代码	300526
	公司网址	www.sumnet.com.cn		电子信箱	mingxiaoyan@sumnet.com.cn	
	电　话	0755-83571281		传　真	0755-83571291	
	办公地址	广东省惠州市惠阳区新圩镇长布村				
	经营范围	潜水及水下救捞装备等涉水运动个人防护装备开发、制造、租售				

主要财务指标	指标\报告期	2016.06.30	2015.12.31	2015.06.30	2014.12.31
	基本每股收益(元)	0.2800	0.6600	0.2500	0.5100
	基本每股收益(扣除后)(元)	0.2800	0.6100	0.2400	0.4800
	稀释每股收益(元)	0.2800	0.6600	0.2500	0.5100
	每股净资产(元)	4.4931	4.2100	–	3.5400
	每股经营现金净流量(元)	–0.0465	1.7062	0.6365	0.8039
	每股现金流量(元)	0.0194	–0.0412	–0.2736	–0.1438
	每股资本公积金(元)	0.0662	0.0662	–	0.0662
	每股盈余公积金(元)	0.3631	0.3387	–	0.2771
	每股未分配利润(元)	3.0566	2.8025	–	2.2004
	净资产收益率(%)	6.1997	15.7583	–	14.2655
	加权净资产收益率(%)	6.4000	17.1400	6.7400	15.3600
	净资产收益率(扣除)(%)	6.1261	14.4669	–	13.4331
	总资产(万元)	60863.67	53222.08	–	52005.59
	归属母公司股东权益(万元)	28602.11	26810.18	–	22539.85
	营业收入(万元)	17840.06	37067.82	17647.73	28878.45
	营业支出(万元)	12320.52	24809.47	12805.17	18405.43
	投资收益(万元)	23.09	9.35	9.35	–
	净利润(万元)	1773.23	4224.83	1598.32	3215.41
	营业利润(万元)	2027.94	4491.39	1738.86	3204.21
	利润总额(万元)	2025.51	4892.96	1758.74	3426.82

湖北华舟重工应急装备股份有限公司

公司概况	公司名称	湖北华舟重工应急装备股份有限公司			证券简称	华舟应急
	法人代表	余皓	董秘	唐勇	证券代码	300527
	公司网址	www.harzone.com.cn		电子信箱	chinaharzone@163.com	
	电　话	027-87970446		传　真	027-87970222	
	办公地址	湖北省武汉市江夏区庙山开发区阳光大道5号				
	经营范围	应急交通工程装备的研发、生产和销售				

主要财务指标	指标\报告期	2016.06.30	2015.12.31	2015.06.30	2014.12.31
	基本每股收益(元)	0.2130	0.3920	0.1690	0.3040
	基本每股收益(扣除后)(元)	0.2090	–	–	0.2960
	稀释每股收益(元)	–	0.3920	–	0.3040
	每股净资产(元)	2.8600	2.6400	–	2.3233
	每股经营现金净流量(元)	–1.9427	1.6274	–	1.2352
	每股现金流量(元)	–2.0676	1.4367	–0.7099	1.0740
	每股资本公积金(元)	0.8363	0.8363	–	0.8254
	每股盈余公积金(元)	0.1266	0.1177	–	0.0854
	每股未分配利润(元)	0.8946	0.6902	–	0.4124
	净资产收益率(%)	7.4625	14.8102	–	13.0685
	加权净资产收益率(%)	7.7500	15.5500	–	14.2000
	净资产收益率(扣除)(%)	7.4625	14.5654	–	12.7337
	总资产(万元)	215044.31	258239.18	–	203608.45
	归属母公司股东权益(万元)	99155.06	91755.60	–	80616.87
	营业收入(万元)	91463.07	172056.12	86557.05	138834.00
	营业支出(万元)	72296.67	135868.60	68505.34	107390.67
	投资收益(万元)	–	1023.78	–	60.00
	净利润(万元)	7399.46	13589.21	5875.73	10535.44
	营业利润(万元)	8394.25	15094.42	6462.24	11589.60
	利润总额(万元)	8580.98	15352.53	6614.38	11906.48

幸福蓝海影视文化集团股份有限公司

公司概况					
公司名称	幸福蓝海影视文化集团股份有限公司			证券简称	幸福蓝海
法人代表	卜宇	董秘	赖业军	证券代码	300528
公司网址	www.omnijoi.com		电子信箱	board@omnijoi.com	
电　话	025-83188552		传　真	025-83188595	
办公地址	江苏省南京市中山路 348 号中信大厦 17 楼				
经营范围	电视剧业务和电影业务				

主要财务指标	指标\报告期	2016.06.30	2015.12.31	2015.06.30	2014.12.31
	基本每股收益(元)	0.2900	0.4600	0.2500	0.3500
	基本每股收益(扣除后)(元)	0.2700	0.3800	0.2400	0.2500
	稀释每股收益(元)	0.2900	0.4600	–	0.3500
	每股净资产(元)	5.8100	5.5200	–	5.0600
	每股经营现金净流量(元)	0.9912	1.6472	0.7475	1.1381
	每股现金流量(元)	0.5424	0.5215	0.2166	0.3926
	每股资本公积金(元)	2.3769	2.3769	–	2.3769
	每股盈余公积金(元)	0.1401	0.1401	–	0.1235
	每股未分配利润(元)	2.2917	2.0066	–	1.5633
	净资产收益率(%)	4.9084	8.3241	–	6.9625
	加权净资产收益率(%)	5.0300	8.6900	4.7600	7.2100
	净资产收益率(扣除)(%)	4.6700	6.9531	–	4.8585
	总资产(万元)	189342.78	181676.48	–	161716.45
	归属母公司股东权益(万元)	135267.35	128628.30	–	117921.98
	营业收入(万元)	68092.97	143726.81	60796.65	86397.45
	营业支出(万元)	33503.66	83084.31	35070.45	43845.51
	投资收益(万元)	45.51	703.72	367.52	546.20
	净利润(万元)	6880.58	11424.82	6143.24	8393.25
	营业利润(万元)	6771.15	10360.40	6250.96	6230.68
	利润总额(万元)	7131.15	12208.94	6493.31	8797.73

珠海健帆生物科技股份有限公司

公司概况					
公司名称	珠海健帆生物科技股份有限公司			证券简称	健帆生物
法人代表	董凡	董秘	黄海燕	证券代码	300529
公司网址	www.jafron.com		电子信箱	IR@jafron.com	
电　话	0756-3619693		传　真	0756-3619373	
办公地址	广东省珠海市高新区科技六路 98 号				
经营范围	血液灌流相关产品的研发、生产与销售				

主要财务指标	指标\报告期	2016.06.30	2015.12.31	2015.06.30	2014.12.31
	基本每股收益(元)	0.2700	0.5400	0.2200	0.4300
	基本每股收益(扣除后)(元)	0.2600	0.5200	0.2100	0.3900
	稀释每股收益(元)	0.2700	0.5400	0.2200	0.4300
	每股净资产(元)	1.8000	1.5245	1.3493	1.2228
	每股经营现金净流量(元)	0.1536	0.5545	0.1902	0.3712
	每股现金流量(元)	0.1025	0.1472	0.0083	–0.0419
	每股资本公积金(元)	0.0003	0.0003	0.0003	0.0003
	每股盈余公积金(元)	0.1812	0.1812	0.1268	0.1268
	每股未分配利润(元)	0.6146	0.3429	0.2222	0.0956
	净资产收益率(%)	15.1239	35.5352	16.0488	35.3758
	加权净资产收益率(%)	16.3600	39.5800	17.0400	41.3500
	净资产收益率(扣除)(%)	14.5836	0.0034	15.8326	0.0032
	总资产(万元)	77533.79	68867.46	59586.46	53901.31
	归属母公司股东权益(万元)	66457.27	56406.37	49924.58	45242.27
	营业收入(万元)	25990.27	50890.52	22186.13	37093.75
	营业支出(万元)	4070.07	7862.46	3374.08	5667.99
	投资收益(万元)	–	–	–	–
	净利润(万元)	10050.90	20044.10	8012.32	16004.82
	营业利润(万元)	11558.27	23204.03	10816.85	17404.35
	利润总额(万元)	12002.92	23982.28	10961.22	19111.46

广东达志环保科技股份有限公司

公司概况					
公司名称	广东达志环保科技股份有限公司			证券简称	达志科技
法人代表	蔡志华	董秘	蔡志斌	证券代码	300530
公司网址	www.dazhitech.com		电子信箱	dazhitech@126.com	
电　话	020-32221952		传　真	020-32221966	
办公地址	广东省广州市经济技术开发区永和经济区田园东路 1 号、2 号				
经营范围	新型环保表面工程化学品的研发、生产及销售				

主要财务指标	指标\报告期	2016.06.30	2015.12.31	2015.06.30	2014.12.31
	基本每股收益(元)	0.4400	0.7200	0.3900	0.7200
	基本每股收益(扣除后)(元)	0.3800	0.6900	0.3900	0.7000
	稀释每股收益(元)	0.4400	0.7200	0.3900	0.7200
	每股净资产(元)	5.2700	4.8328	4.5004	4.1092
	每股经营现金净流量(元)	0.3050	1.1677	0.3501	0.7519
	每股现金流量(元)	0.1592	0.8270	0.2050	0.3851
	每股资本公积金(元)	0.7694	0.7694	0.7694	0.7694
	每股盈余公积金(元)	0.3282	0.3282	0.2547	0.2547
	每股未分配利润(元)	3.1707	2.7352	2.4763	2.0851
	净资产收益率(%)	8.2665	14.9729	8.6921	17.4950
	加权净资产收益率(%)	8.6200	16.1800	9.0900	19.1700
	净资产收益率(扣除)(%)	7.2033	14.3734	8.6834	16.9606
	总资产(万元)	29978.78	27352.01	–	22350.82
	归属母公司股东权益(万元)	27658.86	25372.43	–	21573.44
	营业收入(万元)	6205.76	12164.97	6421.84	13397.58
	营业支出(万元)	3080.32	6329.99	3400.34	7579.21
	投资收益(万元)	230.75	–	–	–
	净利润(万元)	2286.43	3798.98	2053.71	3774.27
	营业利润(万元)	2602.60	4240.27	2421.85	4268.71
	利润总额(万元)	2718.06	4419.39	2424.27	4404.33

深圳市优博讯科技股份有限公司

公司概况					
公司名称	深圳市优博讯科技股份有限公司			证券简称	优博讯
法人代表	郭颂	董秘	刘镇	证券代码	300531
公司网址	www.urovo.com		电子信箱	info@urovo.com	
电　话	0755-86186300		传　真	0755-86186290	
办公地址	广东省深圳市南山区高新区南区粤兴三道 8 号中国地质大学产学研基地中地大楼 A701-710				
经营范围	计算机软、硬件产品、电子产品、移动手持终端产品、自动识别产品等				

主要财务指标	指标\报告期	2016.06.30	2015.12.31	2015.06.30	2014.12.31
	基本每股收益(元)	0.4200	0.9900	0.3800	0.7900
	基本每股收益(扣除后)(元)	0.3800	0.7800	0.2900	0.6000
	稀释每股收益(元)	0.4200	0.9900	0.3800	0.7900
	每股净资产(元)	4.8600	4.4307	3.8170	3.4404
	每股经营现金净流量(元)	0.1391	0.7818	0.0343	–0.3127
	每股现金流量(元)	–0.2507	0.6992	–0.0880	–0.2042
	每股资本公积金(元)	0.3437	0.3437	0.3437	0.3437
	每股盈余公积金(元)	0.1594	0.1594	2.3432	0.1299
	每股未分配利润(元)	3.3535	2.9293	0.0003	1.9673
	净资产收益率(%)	8.7371	22.3796	9.8474	22.8800
	加权净资产收益率(%)	9.1400	25.1900	10.3600	24.9300
	净资产收益率(扣除)(%)	7.7321	17.4965	7.5287	17.5581
	总资产(万元)	36314.19	–	–	27005.04
	归属母公司股东权益(万元)	29132.20	–	–	20642.10
	营业收入(万元)	14002.94	27259.74	12093.93	21638.18
	营业支出(万元)	8525.29	16355.98	7183.64	12456.86
	投资收益(万元)	–	6.00	–	64.53
	净利润(万元)	2545.32	5949.47	2255.25	4634.64
	营业利润(万元)	2144.26	4168.87	1534.50	2764.85
	利润总额(万元)	2823.48	6607.28	2560.41	4695.35

深圳市今天国际物流技术股份有限公司

公司概况					
公司名称	深圳市今天国际物流技术股份有限公司			证券简称	今天国际
法人代表	邵健伟	董秘	张永清	证券代码	300532
公司网址	www.nti56.com		电子信箱	lz@nti56.com	
电　话	0755-82684590		传　真	0755-25161166	
办公地址	广东省深圳市罗湖区笋岗东路 1002 宝安广场 A 座 10 楼 F,G,H				
经营范围	提供自动化物流系统综合解决方案				

指标\报告期	2016.06.30	2015.12.31	2015.06.30	2014.12.31
基本每股收益(元)	0.5000	0.9900	0.3600	1.1700
基本每股收益(扣除后)(元)	0.4600	0.9500	0.3400	1.0800
稀释每股收益(元)	0.5000	0.9900	-	1.1700
每股净资产(元)	6.3300	5.8300	-	5.3300
每股经营现金净流量(元)	-0.4116	0.1512	0.0016	-0.7872
每股现金流量(元)	-0.6351	-0.1424	-0.6951	-0.8221
每股资本公积金(元)	1.1022	1.1022	1.1022	1.1022
每股盈余公积金(元)	0.4840	0.4840	0.4044	0.4044
每股未分配利润(元)	3.7500	3.2489	2.6985	2.8395
净资产收益率(%)	7.9149	16.9703	-	21.9756
加权净资产收益率(%)	9.2100	17.7300	6.8200	24.1900
净资产收益率(扣除)(%)	7.2526	16.2501	-	20.2479
总资产(万元)	77945.26	79750.67	-	80439.49
归属母公司股东权益(万元)	39883.00	36712.93	-	33594.54
营业收入(万元)	17511.24	50724.25	25228.52	49191.45
营业支出(万元)	10254.90	35544.90	18858.53	33403.36
投资收益(万元)	94.30	-	-	-
净利润(万元)	3156.71	6230.28	2261.45	7382.60
营业利润(万元)	3365.86	6613.20	2488.30	7840.80
利润总额(万元)	3611.53	7042.51	2681.14	8730.44

深圳冰川网络股份有限公司

公司概况					
公司名称	深圳冰川网络股份有限公司			证券简称	冰川网络
法人代表	高祥	董秘	章国俊	证券代码	300533
公司网址	www.q1.com		电子信箱	zqb@szgla.com	
电　话	0755-86384819		传　真	0755-86384819	
办公地址	广东省深圳市南山区科技中二路 1 号深圳软件园(2 期)9 栋 601,602 室				
经营范围	计算机软、硬件的技术开发与销售				

指标\报告期	2016.06.30	2015.12.31	2015.06.30	2014.12.31
基本每股收益(元)	1.1800	2.2900	1.3000	2.1000
基本每股收益(扣除后)(元)	1.1728	2.2500	-	2.0400
稀释每股收益(元)	1.1800	2.2900	-	2.1000
每股净资产(元)	7.4900	6.3100	5.8201	5.3200
每股经营现金净流量(元)	0.7369	2.3069	1.0738	3.1928
每股现金流量(元)	2.8007	3.5963	1.6769	1.6600
每股资本公积金(元)	0.5903	0.5903	0.5903	0.5903
每股盈余公积金(元)	0.5000	0.5000	0.5000	0.5000
每股未分配利润(元)	5.3985	4.2156	3.7304	3.2349
净资产收益率(%)	15.7931	36.2752	22.9451	39.4649
加权净资产收益率(%)	17.1500	38.7100	23.9600	48.3900
净资产收益率(扣除)(%)	15.6964	35.6231	22.3551	38.2865
总资产(万元)	82066.80	75865.75	-	68058.81
归属母公司股东权益(万元)	56176.97	47290.98	-	39935.48
营业收入(万元)	19139.69	36988.22	19193.19	36000.85
营业支出(万元)	1473.97	2754.87	1271.97	3123.08
投资收益(万元)	-8.84	-44.59	-21.20	-87.58
净利润(万元)	9031.07	17586.21	10161.74	16330.25
营业利润(万元)	9473.00	19194.93	11818.80	17026.71
利润总额(万元)	9673.38	20558.92	12193.94	17549.65

甘肃陇神戎发药业股份有限公司

公司概况					
公司名称	甘肃陇神戎发药业股份有限公司			证券简称	陇神戎发
法人代表	康海军	董秘	元勤辉	证券代码	300534
公司网址	www.lsrfzy.com		电子信箱	lsrfyy@126.com	
电　话	0931-2143336		传　真	0931-2143336	
办公地址	甘肃省兰州市榆中县定远镇国防路 10 号				
经营范围	中成药的研发、制造和销售				

指标\报告期	2016.06.30	2015.12.31	2015.06.30	2014.12.31
基本每股收益(元)	0.3789	0.9335	-	0.9296
基本每股收益(扣除后)(元)	0.3672	0.7911	-	0.7079
稀释每股收益(元)	0.3789	0.9335	-	0.9296
每股净资产(元)	6.6200	6.2400	-	5.5861
每股经营现金净流量(元)	-0.1420	0.4708	-	0.6001
每股现金流量(元)	-1.1086	-0.6428	-	-0.7569
每股资本公积金(元)	2.9678	2.9678	-	2.9678
每股盈余公积金(元)	0.3118	0.3118	-	0.2159
每股未分配利润(元)	2.3388	1.9599	-	1.4024
净资产收益率(%)	5.7249	14.9608	-	16.6414
加权净资产收益率(%)	5.8900	15.9100	-	17.9600
净资产收益率(扣除)(%)	5.5486	12.6785	-	12.6733
总资产(万元)	63556.87	64674.22	-	47849.30
归属母公司股东权益(万元)	43020.20	40557.32	-	36309.61
营业收入(万元)	12337.67	27736.09	-	30157.53
营业支出(万元)	7813.56	16940.79	-	20077.80
投资收益(万元)	-	27.52	-	80.32
净利润(万元)	2462.88	6067.72	-	6042.44
营业利润(万元)	2785.61	6981.76	-	6800.29
利润总额(万元)	2875.48	7196.29	-	7107.85

四川达威科技股份有限公司

公司概况					
公司名称	四川达威科技股份有限公司			证券简称	达威股份
法人代表	严建林	董秘	李红	证券代码	300535
公司网址	www.dowellchem.cn		电子信箱	dowell@dowellchem.cn	
电　话	028-85136056		传　真	028-85328399	
办公地址	四川省成都市新津县五津镇希望路 555 号				
经营范围	皮革化学品的研发、生产和销售业务				

指标\报告期	2016.06.30	2015.12.31	2015.06.30	2014.12.31
基本每股收益(元)	0.5500	1.0700	0.4200	0.9000
基本每股收益(扣除后)(元)	0.5400	-	0.4500	0.8500
稀释每股收益(元)	-	1.0700	-	0.9000
每股净资产(元)	7.5800	7.0100	-	6.0998
每股经营现金净流量(元)	0.6140	1.5340	1.0026	0.4319
每股现金流量(元)	-0.0917	0.1492	0.1598	-0.0696
每股资本公积金(元)	1.7153	1.7153	-	1.7153
每股盈余公积金(元)	0.5000	0.5000	-	0.4216
每股未分配利润(元)	4.3324	3.7813	-	2.9662
净资产收益率(%)	7.2743	15.3027	-	14.7013
加权净资产收益率(%)	7.5500	16.3700	6.7000	15.7600
净资产收益率(扣除)(%)	7.1701	15.3588	-	13.9220
总资产(万元)	41037.59	39360.60	-	39333.97
归属母公司股东权益(万元)	33937.63	31427.03	-	27327.26
营业收入(万元)	13277.00	27506.32	12565.28	27041.60
营业支出(万元)	6564.67	21775.77	6518.77	14469.73
投资收益(万元)	3.86	26.52	-	-
净利润(万元)	2466.98	4798.23	1858.47	3995.04
营业利润(万元)	2900.68	5757.07	2416.33	4399.81
利润总额(万元)	2904.61	5709.36	2256.84	4649.81

武汉农尚环境股份有限公司

公司概况						
公司名称	武汉农尚环境股份有限公司			证券简称	农尚环境
法人代表	吴亮	董秘	郑菁华	证券代码	300536
公司网址	www.nusunlandscape.com			电子信箱	nusunmax@sina.com
电　话	027-84701170			传　真	027-84454919
办公地址	湖北省武汉市江岸区江汉北路 34 号九运大厦 C 单元 23 层 1-3 室				
经营范围	园林绿化工程设计、施工、养护及苗木培育业务				

主要财务指标 指标＼报告期	2016.06.30	2015.12.31	2015.06.30	2014.12.31
基本每股收益(元)	0.3500	0.6800	0.3300	0.6100
基本每股收益(扣除后)(元)	0.3500	0.6700	–	0.6300
稀释每股收益(元)	0.3500	0.6800	0.3300	0.6100
每股净资产(元)	4.1700	3.8300	3.4781	3.1500
每股经营现金净流量(元)	0.3524	0.0750	–0.1819	–0.1527
每股现金流量(元)	0.3306	0.0424	–0.2048	–0.2108
每股资本公积金(元)	0.8840	0.8840	0.8840	0.8840
每股盈余公积金(元)	0.2359	0.2011	0.1659	0.1328
每股未分配利润(元)	2.0551	1.7435	1.4281	1.1315
净资产收益率(%)	8.2963	17.7683	9.4800	19.4150
加权净资产收益率(%)	8.6600	19.5000	9.9500	21.5000
净资产收益率(扣除)(%)	8.2961	17.4799	9.4803	19.8601
总资产(万元)	53489.91	51402.49	42247.58	42882.91
归属母公司股东权益(万元)	29154.01	26735.30	24287.41	21984.89
营业收入(万元)	18077.11	35368.56	16670.94	31257.35
营业支出(万元)	13081.21	25523.81	14007.30	21646.73
投资收益(万元)	–	–	–	–
净利润(万元)	2418.71	4750.41	2302.53	4268.37
营业利润(万元)	2791.01	5402.68	2663.64	5058.82
利润总额(万元)	2791.10	5493.75	2663.64	4943.71

江苏广信感光新材料股份有限公司

公司概况					
公司名称	江苏广信感光新材料股份有限公司			证券简称	广信材料
法人代表	李有明	董秘	富欣伟	证券代码	300537
公司网址	www.kuangshun.com			电子信箱	kuangshun_ir@kuangshun.com
电　话	0510-68826620			传　真	0510-68821951
办公地址	江苏省江阴市青阳镇工业集中区华澄路 18 号				
经营范围	专用油墨的研发、生产和销售				

主要财务指标 指标＼报告期	2016.06.30	2015.12.31	2015.06.30	2014.12.31
基本每股收益(元)	0.2800	0.5500	0.2800	0.5355
基本每股收益(扣除后)(元)	–	0.5400	–	0.5192
稀释每股收益(元)	0.2800	0.5500	0.2800	0.5355
每股净资产(元)	3.5199	3.2400	2.9618	2.6847
每股经营现金净流量(元)	0.1853	0.6035	0.1775	0.5690
每股现金流量(元)	0.0522	–0.2627	–0.0506	0.0364
每股资本公积金(元)	0.6483	0.6483	0.6483	0.6483
每股盈余公积金(元)	0.2491	0.2491	0.1883	0.1883
每股未分配利润(元)	1.6224	1.3418	1.1253	0.8482
净资产收益率(%)	7.9728	17.1176	9.3552	19.9472
加权净资产收益率(%)	8.3000	18.7200	9.8100	20.7300
净资产收益率(扣除)(%)	7.9074	16.5635	8.9667	19.3402
总资产(万元)	35316.92	34652.23	31832.03	32414.66
归属母公司股东权益(万元)	26398.89	24294.15	22213.70	20135.57
营业收入(万元)	13112.75	25037.13	11972.97	26847.03
营业支出(万元)	7165.65	14166.16	6748.99	15398.38
投资收益(万元)	–	–	–	–
净利润(万元)	2104.74	4158.58	2078.14	4016.48
营业利润(万元)	2511.08	4763.76	2343.93	4590.82
利润总额(万元)	2531.54	4923.70	2444.99	4735.15

深圳市同益实业股份有限公司

公司概况					
公司名称	深圳市同益实业股份有限公司			证券简称	同益股份
法人代表	邵羽南	董秘	马英	证券代码	300538
公司网址	www.tongyiplastic.com			电子信箱	tongyizq@tongyiplastic.com
电　话	0755-27872396 27872397			传　真	0755-27780676
办公地址	广东省深圳市宝安区宝安中心区兴华路南侧荣超滨海大厦 B 座 0301				
经营范围	中高端化工及电子材料的销售				

主要财务指标 指标＼报告期	2016.06.30	2015.12.31	2015.06.30	2014.12.31
基本每股收益(元)	0.3800	1.0100	–	0.9700
基本每股收益(扣除后)(元)	0.3800	0.9200	–	0.9500
稀释每股收益(元)	0.3800	1.0100	–	0.9700
每股净资产(元)	4.6100	4.5200	–	3.7666
每股经营现金净流量(元)	0.6008	1.0096	–	0.6378
每股现金流量(元)	–0.4100	–0.1492	–	–0.0869
每股资本公积金(元)	0.7445	0.7445	–	0.7445
每股盈余公积金(元)	0.1986	0.1986	–	0.1393
每股未分配利润(元)	2.6630	2.5793	–	1.8828
净资产收益率(%)	8.3305	22.2395	–	25.7368
加权净资产收益率(%)	8.6000	24.3900	–	28.3800
净资产收益率(扣除)(%)	8.2775	20.3357	–	25.2916
总资产(万元)	31941.33	36441.87	–	30928.03
归属母公司股东权益(万元)	19345.69	18994.10	–	15819.91
营业收入(万元)	39244.11	85701.66	–	82437.09
营业支出(万元)	33775.71	74036.86	–	70773.97
投资收益(万元)	–	–	–	–
净利润(万元)	1611.59	4224.19	–	4071.54
营业利润(万元)	2012.67	4647.86	–	5090.09
利润总额(万元)	2026.34	5130.01	–	5183.96

宁波横河模具股份有限公司

公司概况					
公司名称	宁波横河模具股份有限公司			证券简称	横河模具
法人代表	胡志军	董秘	苏华	证券代码	300539
公司网址	www.mouldcenter.com			电子信箱	suhua@mouldcenter.com
电　话	0574-63254939			传　真	0574-63265678
办公地址	浙江省慈溪市横河镇工业园区				
经营范围	家电、LED 灯具、工业部件、卫生洁具、医疗器械部件等精密塑料模具的研发等				

主要财务指标 指标＼报告期	2016.06.30	2015.12.31	2015.06.30	2014.12.31
基本每股收益(元)	0.2000	0.3700	0.1800	0.3100
基本每股收益(扣除后)(元)	0.2000	0.3600	–	0.2900
稀释每股收益(元)	0.2000	0.3700	0.1800	0.3100
每股净资产(元)	3.0900	2.8900	2.7015	2.5904
每股经营现金净流量(元)	0.3165	0.6965	0.3961	0.4384
每股现金流量(元)	0.0021	–0.0208	0.1744	–0.1193
每股资本公积金(元)	0.5532	0.5532	0.5532	0.5532
每股盈余公积金(元)	0.1115	0.1115	0.0740	0.0740
每股未分配利润(元)	1.4290	1.2284	1.0746	0.9634
净资产收益率(%)	6.4803	12.8777	6.7100	11.9162
加权净资产收益率(%)	6.7000	13.6800	6.7600	12.6700
净资产收益率(扣除)(%)	6.4601	12.2821	5.9475	11.0731
总资产(万元)	44983.77	44538.28	46266.92	42299.23
归属母公司股东权益(万元)	22049.03	20618.13	19248.51	18456.47
营业收入(万元)	18461.11	37348.00	17945.41	37519.42
营业支出(万元)	14200.58	29666.08	16555.51	29923.42
投资收益(万元)	–	–	22.95	–
净利润(万元)	1444.23	2629.89	1319.15	2210.37
营业利润(万元)	1591.43	3109.81	1554.71	2435.13
利润总额(万元)	1724.85	3153.20	1548.67	2653.30

成都深冷液化设备股份有限公司

公司概况	公司名称	成都深冷液化设备股份有限公司		证券简称	深冷股份
	法人代表	谢乐敏	董秘 马继刚	证券代码	300540
	公司网址	www.chengduair.com		电子信箱	cdkf-board@chengduair.com
	电　　话	028-87893658		传　　真	028-87893650
	办公地址	四川省成都市郫县成都现代工业港北片区			
	经营范围	为客户提供天然气液化与液体空分工艺包及处理			

主要财务指标	指标\报告期	2016.06.30	2015.12.31	2015.06.30	2014.12.31
	基本每股收益(元)	0.4700	1.0100	–	1.1800
	基本每股收益(扣除后)(元)	0.4800	0.9700	–	1.0700
	稀释每股收益(元)	0.4700	1.0100	–	1.1800
	每股净资产(元)	5.4100	4.9200	–	4.1100
	每股经营现金净流量(元)	0.0678	–0.7643	–	–0.9023
	每股现金流量(元)	0.2579	–0.4216	–	–1.0407
	每股资本公积金(元)	0.9014	0.9014	–	0.9014
	每股盈余公积金(元)	0.3223	0.3223	–	0.2276
	每股未分配利润(元)	3.0814	2.6074	–	1.9229
	净资产收益率(%)	8.7600	20.5624	–	28.6000
	加权净资产收益率(%)	9.1900	22.4700	–	33.2800
	净资产收益率(扣除)(%)	8.7981	19.6476	–	26.0744
	总资产(万元)	71159.60	73276.75	–	58629.18
	归属母公司股东权益(万元)	32462.19	29534.34	–	24684.32
	营业收入(万元)	16645.41	45429.89	–	51130.14
	营业支出(万元)	13091.70	29625.11	–	34563.68
	投资收益(万元)	–	–	–	–
	净利润(万元)	3050.52	6386.42	–	7252.94
	营业利润(万元)	3553.72	7244.19	–	7785.27
	利润总额(万元)	3526.81	7575.05	–	8521.02

北京先进数通信息技术股份公司

公司概况	公司名称	北京先进数通信息技术股份公司		证券简称	先进数通
	法人代表	林鸿	董秘 朱胡勇	证券代码	300541
	公司网址	www.adtec.com.cn		电子信箱	adtec@adtec.com.cn
	电　　话	010-68700009-8052		传　　真	010-68700510
	办公地址	北京市海淀区车道沟一号滨河大厦D座六层			
	经营范围	提供面向商业银行为主的IT解决方案及服务等			

主要财务指标	指标\报告期	2016.06.30	2015.12.31	2015.06.30	2014.12.31
	基本每股收益(元)	0.2800	0.6800	–	0.6000
	基本每股收益(扣除后)(元)	0.2600	0.6400	–	0.6000
	稀释每股收益(元)	0.2800	0.6800	–	0.6000
	每股净资产(元)	4.1200	3.8400	–	3.8350
	每股经营现金净流量(元)	–3.1418	0.2556	–	0.3411
	每股现金流量(元)	–1.4795	1.0010	–	–0.1740
	每股资本公积金(元)	0.8907	0.8907	–	0.8907
	每股盈余公积金(元)	0.2302	0.2302	–	0.1624
	每股未分配利润(元)	1.9948	1.7141	–	1.1045
	净资产收益率(%)	6.8212	17.6615	–	15.6475
	加权净资产收益率(%)	7.0600	19.3700	–	20.5700
	净资产收益率(扣除)(%)	6.3969	16.7492	–	15.6447
	总资产(万元)	79981.53	72316.31	–	80895.32
	归属母公司股东权益(万元)	37041.97	34515.27	–	28419.37
	营业收入(万元)	38122.23	112144.50	–	113908.69
	营业支出(万元)	29509.23	92390.11	–	94521.68
	投资收益(万元)	–	1.74	–	–
	净利润(万元)	2526.70	6095.90	–	5400.78
	营业利润(万元)	2772.94	6750.91	–	6489.14
	利润总额(万元)	2985.15	7202.96	–	6541.41

新晨科技股份有限公司

公司概况	公司名称	新晨科技股份有限公司		证券简称	新晨科技
	法人代表	康路	董秘 张大新	证券代码	300542
	公司网址	www.brilliance.com.cn		电子信箱	brilliance@brilliance.com.cn
	电　　话	010-88877301		传　　真	010-88877301
	办公地址	北京市海淀区蓝靛厂东路2号金源时代商务中心2号楼B座8层			
	经营范围	行业应用软件开发、软硬件系统集成和专业技术服务			

主要财务指标	指标\报告期	2016.06.30	2015.12.31	2015.06.30	2014.12.31
	基本每股收益(元)	0.1010	0.5200	0.0900	0.5200
	基本每股收益(扣除后)(元)	0.0900	0.4800	0.0800	0.4700
	稀释每股收益(元)	0.1010	0.5200	0.0800	0.5200
	每股净资产(元)	5.5900	5.4900	5.0605	5.0665
	每股经营现金净流量(元)	–0.9260	–0.2450	–1.2666	0.1355
	每股现金流量(元)	–1.0830	0.1322	–1.0193	–0.4897
	每股资本公积金(元)	0.9516	0.9516	0.9516	0.9516
	每股盈余公积金(元)	0.5000	0.5000	0.4833	0.4833
	每股未分配利润(元)	3.1397	3.0389	2.6256	2.6316
	净资产收益率(%)	1.8027	9.4725	1.7784	10.2617
	加权净资产收益率(%)	1.8200	9.8800	1.7700	10.7100
	净资产收益率(扣除)(%)	1.6240	8.6785	1.6170	9.2165
	总资产(万元)	50090.70	54847.90	47950.30	52536.01
	归属母公司股东权益(万元)	37797.49	37116.10	34208.65	34249.25
	营业收入(万元)	18269.97	41352.72	18943.22	38443.57
	营业支出(万元)	13628.68	30754.98	14787.90	28577.31
	投资收益(万元)	–	–	–	80.96
	净利润(万元)	681.39	3515.76	608.02	3513.48
	营业利润(万元)	808.30	3392.67	661.22	3556.57
	利润总额(万元)	891.20	3875.20	826.68	3892.80

深圳市朗科智能电气股份有限公司

公司概况	公司名称	深圳市朗科智能电气股份有限公司		证券简称	朗科智能
	法人代表	刘显武	董秘 吴晓成	证券代码	300543
	公司网址	www.longood.com		电子信箱	stock@longood.com
	电　　话	0755-36690853		传　　真	0755-33236611
	办公地址	广东省深圳市宝安区石岩街道上排社区爱群路同富裕工业区8-4#厂房			
	经营范围	电子智能控制器产品的研发、生产和销售			

主要财务指标	指标\报告期	2016.06.30	2015.12.31	2015.06.30	2014.12.31
	基本每股收益(元)	0.7900	1.3900	0.6600	1.1800
	基本每股收益(扣除后)(元)	0.7700	1.3400	0.6400	1.0800
	稀释每股收益(元)	0.7900	1.3900	0.6600	1.1800
	每股净资产(元)	6.3800	5.6000	4.8628	4.5547
	每股经营现金净流量(元)	0.5488	1.9844	0.5550	1.4413
	每股现金流量(元)	–0.1089	0.2014	–0.5513	–0.3465
	每股资本公积金(元)	1.3872	1.3872	1.3872	1.3872
	每股盈余公积金(元)	0.3387	0.3387	0.2161	0.2161
	每股未分配利润(元)	3.6588	2.8726	2.2595	1.9514
	净资产收益率(%)	12.3136	24.8958	13.5300	25.9918
	加权净资产收益率(%)	13.1200	27.9400	13.9800	29.7300
	净资产收益率(扣除)(%)	12.0804	23.8762	13.2622	23.7725
	总资产(万元)	55466.35	53029.37	40712.55	38344.29
	归属母公司股东权益(万元)	28731.03	25193.22	21882.40	20496.17
	营业收入(万元)	40215.02	71376.09	29301.45	58792.88
	营业支出(万元)	33010.71	57845.58	23322.45	47776.15
	投资收益(万元)	–	–	–	–5.99
	净利润(万元)	3537.81	6272.05	2961.23	5327.33
	营业利润(万元)	3894.46	7125.29	3280.79	5865.03
	利润总额(万元)	3983.70	7441.02	3348.60	6407.59

深圳市联得自动化装备股份有限公司

公司概况						
公司概况	公司名称	深圳市联得自动化装备股份有限公司			证券简称	联得装备
	法人代表	聂泉	董秘	钟辉	证券代码	300545
	公司网址	www.liande-china.com		电子信箱	irm@szliande.com	
	电　话	0755-33687809		传　真	0755-33687809	
	办公地址	广东省深圳市宝安区大浪街道大浪社区同富邨工业园 A 区 3 栋 1-4 层				
	经营范围	电子专用设备与解决方案供应商，产品主要为平板显示模组组装设备				

主要财务指标	指标\报告期	2016.06.30	2015.12.31	2015.06.30	2014.12.31
	基本每股收益(元)	0.3000	0.9600	–	0.9000
	基本每股收益(扣除后)(元)	0.2500	0.7800	–	0.7700
	稀释每股收益(元)	0.3000	0.9600	–	0.9000
	每股净资产(元)	4.4000	4.1100	–	3.4300
	每股经营现金净流量(元)	–0.1412	0.5161	–	0.7133
	每股现金流量(元)	–0.2198	–0.0297	–	0.6378
	每股资本公积金(元)	0.6102	0.6102	–	0.6101
	每股盈余公积金(元)	0.3124	0.3124	–	0.2142
	每股未分配利润(元)	2.4824	2.1861	–	1.6052
	净资产收益率(%)	6.7266	23.3571	–	26.1616
	加权净资产收益率(%)	6.9600	25.9400	–	30.1000
	净资产收益率(扣除)(%)	5.7838	19.0632	–	22.4428
	总资产(万元)	32712.04	29659.60	–	30541.28
	归属母公司股东权益(万元)	23556.00	21971.49	–	18339.60
	营业收入(万元)	11436.77	25046.90	–	20916.54
	营业支出(万元)	8039.21	16116.79	–	12916.18
	投资收益(万元)	–	–	–	–
	净利润(万元)	1584.51	5131.90	–	4797.93
	营业利润(万元)	1318.94	4040.35	–	4016.95
	利润总额(万元)	1870.29	5984.62	–	5496.91

深圳市雄帝科技股份有限公司

公司概况						
公司概况	公司名称	深圳市雄帝科技股份有限公司			证券简称	雄帝科技
	法人代表	高晶	董秘	陈先彪	证券代码	300546
	公司网址	www.xiongdi.cn		电子信箱	dongmiban@xiongdi.cn	
	电　话	0755-83416677		传　真	0755-83416349	
	办公地址	广东省深圳市南山区粤海街道深圳市软件产业基地 1 栋 C 座 9 层				
	经营范围	计算机软件的开发与信息系统集成				

主要财务指标	指标\报告期	2016.06.30	2015.12.31	2015.06.30	2014.12.31
	基本每股收益(元)	0.4800	1.3400	0.5900	1.0900
	基本每股收益(扣除后)(元)	0.4700	1.1800	0.5600	0.9700
	稀释每股收益(元)	0.4800	1.3400	0.5900	1.0900
	每股净资产(元)	7.4600	6.9800	–	5.6400
	每股经营现金净流量(元)	–0.9352	0.7646	–0.3329	1.9380
	每股现金流量(元)	–0.9420	0.7887	–	0.8536
	每股资本公积金(元)	0.2578	0.2578	–	0.2578
	每股盈余公积金(元)	0.6091	0.6091	–	0.4748
	每股未分配利润(元)	5.5901	5.1086	–	3.9062
	净资产收益率(%)	6.4570	19.1629	–	19.3041
	加权净资产收益率(%)	6.6700	21.1900	9.6200	20.8500
	净资产收益率(扣除)(%)	6.3565	16.9872	–	17.2226
	总资产(万元)	39213.57	39137.72	–	33189.22
	归属母公司股东权益(万元)	29827.96	27901.97	–	22555.14
	营业收入(万元)	10160.33	24944.31	13357.71	22827.86
	营业支出(万元)	4737.56	11035.28	–	11265.49
	投资收益(万元)	–	–	–	–
	净利润(万元)	1925.99	5346.83	2363.42	4354.07
	营业利润(万元)	1708.09	5014.34	2636.20	4170.87
	利润总额(万元)	2330.74	6302.49	2819.39	5175.57

四川川环科技股份有限公司

公司概况						
公司概况	公司名称	四川川环科技股份有限公司			证券简称	川环科技
	法人代表	文谟统	董秘	张富厚	证券代码	300547
	公司网址	www.chuanhuan.com		电子信箱	chkj@chuanhuan.com	
	电　话	0818-6923198		传　真	0818-6231544	
	办公地址	四川省达州市大竹县东柳工业园区				
	经营范围	汽车及摩托车零部件、新型材料研究、开发、生产、销售				

主要财务指标	指标\报告期	2016.06.30	2015.12.31	2015.06.30	2014.12.31
	基本每股收益(元)	0.8100	1.4500	0.7600	1.3300
	基本每股收益(扣除后)(元)	0.7600	1.2900	0.6800	1.2100
	稀释每股收益(元)	0.8100	1.4500	0.7600	1.3300
	每股净资产(元)	7.1200	6.3100	5.6225	5.8600
	每股经营现金净流量(元)	0.5155	1.4888	0.4849	1.4318
	每股现金流量(元)	0.1466	–0.1377	0.1840	0.0572
	每股资本公积金(元)	0.7071	0.7071	0.7071	0.7071
	每股盈余公积金(元)	0.5000	0.5000	0.5000	0.5000
	每股未分配利润(元)	4.9129	4.1058	3.4154	3.6521
	净资产收益率(%)	11.3350	23.0279	13.5759	22.7181
	加权净资产收益率(%)	12.0200	24.5600	15.5500	23.7300
	净资产收益率(扣除)(%)	10.6272	20.3805	12.1540	20.6660
	总资产(万元)	52754.50	51241.87	57389.17	53162.55
	归属母公司股东权益(万元)	31918.34	28300.39	25205.24	26266.34
	营业收入(万元)	23752.25	44156.95	21848.42	42098.99
	营业支出(万元)	15508.97	29301.83	14379.41	27635.91
	投资收益(万元)	–	–	–	–
	净利润(万元)	3617.95	6516.98	3421.83	5967.20
	营业利润(万元)	3615.92	5955.88	3165.20	5455.17
	利润总额(万元)	4123.05	7430.70	3915.55	6774.10

博创科技股份有限公司

公司概况						
公司概况	公司名称	博创科技股份有限公司			证券简称	博创科技
	法人代表	朱伟	董秘	郑志新	证券代码	300547
	公司网址	www.broadex-tech.com		电子信箱	stock@broadex-tech.com	
	电　话	0573-82585880		传　真	0573-82585881	
	办公地址	浙江省嘉兴市南湖区亚太路 306 号				
	经营范围	光通信领域集成光电子器件的研发、生产和销售				

主要财务指标	指标\报告期	2016.06.30	2015.12.31	2015.06.30	2014.12.31
	基本每股收益(元)	0.5200	0.7100	0.2700	–
	基本每股收益(扣除后)(元)	0.4900	0.6800	–	–
	稀释每股收益(元)	0.5200	0.7100	–	–
	每股净资产(元)	5.1500	4.8400	–	–
	每股经营现金净流量(元)	0.4289	0.2038	0.1633	–
	每股现金流量(元)	0.1904	–0.5115	–0.2647	–
	每股资本公积金(元)	0.7423	0.7423	0.7423	–
	每股盈余公积金(元)	0.4255	0.4255	0.3551	–
	每股未分配利润(元)	2.9840	2.6678	2.3007	–
	净资产收益率(%)	10.0100	14.6527	6.1600	–
	加权净资产收益率(%)	10.2000	15.3800	–	–
	净资产收益率(扣除)(%)	9.6000	14.1068	5.5900	–
	总资产(万元)	38216.01	35718.30	–	–
	归属母公司股东权益(万元)	31946.07	29984.52	–	–
	营业收入(万元)	15059.45	23726.24	9755.43	–
	营业支出(万元)	9379.08	15337.13	–	–
	投资收益(万元)	–	49.36	24.93	–
	净利润(万元)	3200.19	4393.53	1680.73	–
	营业利润(万元)	3271.49	4586.10	–	–
	利润总额(万元)	3721.83	5096.80	1965.56	–

优德精密工业(昆山)股份有限公司

公司概况	公司名称	优德精密工业(昆山)股份有限公司			证券简称	优德精密
	法人代表	曾正雄	董秘	陈海鹰	证券代码	300549
	公司网址	www.jouder.com		电子信箱	jdcn@jouder.com	
	电　话	0512-57770626		传　真	0512-50333518	
	办公地址	江苏省昆山市高科技工业园北门路3168号				
	经营范围	汽车模具零部件,半导体计算机模具零部件				

	指标\报告期	2016.06.30	2015.12.31	2015.06.30	2014.12.31
主要财务指标	基本每股收益(元)	0.4000	0.8800	–	0.9700
	基本每股收益(扣除后)(元)	0.3800	0.8700	–	0.9700
	稀释每股收益(元)	0.4000	0.8800	–	0.9700
	每股净资产(元)	3.7300	3.3300	–	3.4500
	每股经营现金净流量(元)	0.5123	1.3047	–	0.4226
	每股现金流量(元)	–0.1239	0.0012	–	0.3792
	每股资本公积金(元)	0.7821	0.7821	–	0.7821
	每股盈余公积金(元)	0.3091	0.3091	–	0.2211
	每股未分配利润(元)	1.6390	1.2419	–	1.4497
	净资产收益率(%)	10.6443	26.4074	–	28.1914
	加权净资产收益率(%)	11.2400	24.5000	–	29.2100
	净资产收益率(扣除)(%)	10.1094	26.1570	–	28.0683
	总资产(万元)	37171.91	37495.07	–	34584.72
	归属母公司股东权益(万元)	18651.00	16665.74	–	17264.76
	营业收入(万元)	16421.92	30909.00	14287.03	30869.41
	营业支出(万元)	10600.81	19262.93	–	19106.74
	投资收益(万元)	–	–	–	–
	净利润(万元)	1985.26	4400.99	–	4867.18
	营业利润(万元)	2241.64	5059.05	2151.17	5694.44
	利润总额(万元)	2359.00	5108.14	2165.55	5719.45

浙江和仁科技股份有限公司

公司概况	公司名称	浙江和仁科技股份有限公司			证券简称	和仁科技
	法人代表	杨一兵	董秘	章逸	证券代码	300550
	公司网址	www.herenit.com		电子信箱	contact@herenit.com	
	电　话	0571-81397006		传　真	0571-81397100	
	办公地址	浙江省杭州市东信大道66号E座302室				
	经营范围	医疗机构临床医疗管理信息系统及数字化场景应用系统的研发销售、实施集成、服务支持				

	指标\报告期	2016.06.30	2015.12.31	2015.06.30	2014.12.31
主要财务指标	基本每股收益(元)	0.3000	0.8600	–	0.7700
	基本每股收益(扣除后)(元)	0.2100	0.7300	–	0.6200
	稀释每股收益(元)	0.3000	0.8600	–	0.7700
	每股净资产(元)	3.8700	3.5700	–	2.7100
	每股经营现金净流量(元)	–0.5492	0.6786	–	0.4161
	每股现金流量(元)	–0.4168	0.1273	–	–0.1221
	每股资本公积金(元)	0.5497	0.5497	–	0.5537
	每股盈余公积金(元)	0.2049	0.2049	–	0.1176
	每股未分配利润(元)	2.1106	1.8131	–	1.0383
	净资产收益率(%)	7.6956	24.1651	–	28.5646
	加权净资产收益率(%)	8.0000	27.4600	–	33.3200
	净资产收益率(扣除)(%)	5.5026	20.3725	–	22.8914
	总资产(万元)	39601.07	37670.87	–	28777.27
	归属母公司股东权益(万元)	23190.71	21406.04	–	16257.61
	营业收入(万元)	9558.83	22512.58	–	22717.54
	营业支出(万元)	4251.03	10557.43	–	12306.41
	投资收益(万元)	33.84	70.13	–	43.20
	净利润(万元)	1722.89	5089.09	–	4596.55
	营业利润(万元)	1124.88	4088.63	–	4005.83
	利润总额(万元)	1927.97	5719.72	–	5165.55

上海古鳌电子科技股份有限公司

公司概况	公司名称	上海古鳌电子科技股份有限公司			证券简称	古鳌科技
	法人代表	陈崇军	董秘	姜小丹	证券代码	300551
	公司网址	www.gooao.cn		电子信箱	ir@gooao.cn	
	电　话	021-22252595		传　真	021-22252662	
	办公地址	上海市普陀区同普路1225弄6号				
	经营范围	金融电子机具、人民币鉴别仪、伪钞鉴别仪的设计、生产、销售				

	指标\报告期	2016.06.30	2015.12.31	2015.06.30	2014.12.31
主要财务指标	基本每股收益(元)	0.2653	0.9219	–	1.0162
	基本每股收益(扣除后)(元)	0.2321	0.7274	–	0.9412
	稀释每股收益(元)	0.2653	0.9219	–	1.0162
	每股净资产(元)	5.2200	4.9600	–	4.0400
	每股经营现金净流量(元)	–1.8786	0.3808	–	1.2085
	每股现金流量(元)	–1.7997	–0.0813	–	1.0043
	每股资本公积金(元)	0.8088	0.8088	–	0.8088
	每股盈余公积金(元)	0.3070	0.3070	–	0.2340
	每股未分配利润(元)	3.1076	2.8423	–	1.9933
	净资产收益率(%)	5.0795	18.5935	–	25.1776
	加权净资产收益率(%)	5.2100	20.5000	–	28.8000
	净资产收益率(扣除)(%)	4.4441	14.6714	–	23.3200
	总资产(万元)	44158.79	47279.78	–	40680.18
	归属母公司股东权益(万元)	28728.50	27269.22	–	22198.92
	营业收入(万元)	11237.60	25777.56	–	32740.23
	营业支出(万元)	6081.35	13641.35	–	16585.54
	投资收益(万元)	–	–	–	–
	净利润(万元)	1458.98	5069.72	–	5589.15
	营业利润(万元)	503.90	3099.04	–	4992.35
	利润总额(万元)	1514.76	5582.70	–	6418.22

北京万集科技股份有限公司

公司概况	公司名称	北京万集科技股份有限公司			证券简称	万集科技
	法人代表	翟军	董秘	练源	证券代码	300552
	公司网址	www.wanji.net.cn		电子信箱	zqb@wanji.net.cn	
	电　话	86-10-58858600		传　真	010-58858966	
	办公地址	北京市海淀区上地东路1号院5号楼601				
	经营范围	计算机与电子信息的技术开发、技术服务、技术咨询				

	指标\报告期	2016.06.30	2015.12.31	2015.06.30	2014.12.31
主要财务指标	基本每股收益(元)	0.4400	0.8000	0.0800	–
	基本每股收益(扣除后)(元)	0.4300	0.7800	0.0700	–
	稀释每股收益(元)	0.4400	0.8000	0.0800	–
	每股净资产(元)	5.3842	4.9471	4.2242	–
	每股经营现金净流量(元)	–2.2839	1.0776	–1.5671	–
	每股现金流量(元)	–1.4893	0.5908	–1.1020	–
	每股资本公积金(元)	1.1508	1.1508	1.1508	–
	每股盈余公积金(元)	0.2910	0.2910	0.2076	–
	每股未分配利润(元)	2.9423	2.5052	1.8657	–
	净资产收益率(%)	8.1175	16.1561	1.8068	–
	加权净资产收益率(%)	8.4600	17.5800	1.8200	–
	净资产收益率(扣除)(%)	7.9004	15.7946	1.6267	–
	总资产(万元)	77696.35	72953.80	58506.06	–
	归属母公司股东权益(万元)	43073.28	39576.83	33793.34	–
	营业收入(万元)	29069.50	51191.72	15167.20	–
	营业支出(万元)	17560.69	30929.34	9437.73	–
	投资收益(万元)	–	–	–	–
	净利润(万元)	3496.46	6394.06	610.57	–
	营业利润(万元)	2480.31	4392.56	–971.52	–
	利润总额(万元)	4102.95	7409.90	662.08	–

杭州集智机电股份有限公司

公司概况						
公司名称	杭州集智机电股份有限公司				证券简称	集智股份
法人代表	楼荣伟	董秘	陈旭初		证券代码	300553
公司网址	www.zjjizhi.com		电子信箱		investor@zjjizhi.com	
电　话	0571-87203495		传　真		0571-88302639	
办公地址	浙江省杭州市余杭区良渚街道七贤路 1-1 号					
经营范围	全自动平衡机的研发、设计、生产和销售					

主要财务指标 指标\报告期	2016.06.30	2015.12.31	2015.06.30	2014.12.31
基本每股收益(元)	0.4300	0.8300	–	–
基本每股收益(扣除后)(元)	0.4100	0.8200	–	–
稀释每股收益(元)	0.4300	0.8300	–	–
每股净资产(元)	4.5900	4.4400	–	–
每股经营现金净流量(元)	0.2590	0.7562	–	–
每股现金流量(元)	–0.3243	–0.0775	–	–
每股资本公积金(元)	1.1609	1.1609	–	–
每股盈余公积金(元)	0.3205	0.3205	–	–
每股未分配利润(元)	2.1097	1.9616	–	–
净资产收益率(%)	9.3247	18.7716	–	–
加权净资产收益率(%)	9.5800	20.4800	–	–
净资产收益率(扣除)(%)	8.8303	18.3759	–	–
总资产(万元)	18383.15	18048.96	–	–
归属母公司股东权益(万元)	16527.85	15994.68	–	–
营业收入(万元)	5239.05	9789.64	–	–
营业支出(万元)	2335.38	4209.38	–	–
投资收益(万元)	8.52	60.49	–	–
净利润(万元)	1541.17	3002.45	–	–
营业利润(万元)	1480.27	2799.38	–	–
利润总额(万元)	1806.96	3504.84	–	–

南京三超新材料股份有限公司

公司概况						
公司名称	南京三超新材料股份有限公司				证券简称	三超新材
法人代表	邹余耀	董秘	周海鑫		证券代码	300554
公司网址	www.diasc.com.cn		电子信箱		zhouhx@diasc.com.cn	
电　话	025-84154778 8015		传　真		025-84154558	
办公地址	南京市江宁区淳化街道泽诚路 77 号					
经营范围	金刚石工具的研发、生产和销售					

主要财务指标 指标\报告期	2016.06.30	2015.12.31	2015.06.30	2014.12.31
基本每股收益(元)	–	0.8600	0.4700	0.7600
基本每股收益(扣除后)(元)	–	0.7500	0.4600	0.7420
稀释每股收益(元)	–	0.8600	0.4700	0.7600
每股净资产(元)	–	4.8500	4.4600	3.9900
每股经营现金净流量(元)	–	0.6203	0.2532	0.3346
每股现金流量(元)	–	0.3168	0.2432	–0.0906
每股资本公积金(元)	–	2.6991	2.6991	2.6991
每股盈余公积金(元)	–	0.1180	0.0304	0.0304
每股未分配利润(元)	–	1.0329	0.7288	0.2614
净资产收益率(%)	–	17.7100	10.4800	18.9845
加权净资产收益率(%)	–	19.4300	11.0600	24.9300
净资产收益率(扣除)(%)	–	–	–	18.5937
总资产(万元)	–	24100.69	20614.05	18396.03
归属母公司股东权益(万元)	–	18914.53	17386.98	15564.12
营业收入(万元)	–	11474.21	6200.61	9403.48
营业支出(万元)	–	5345.22	2731.47	3754.24
投资收益(万元)	–	2.36	2.36	0.15
净利润(万元)	–	3349.48	1821.93	2954.91
营业利润(万元)	–	3489.59	2153.32	3417.24
利润总额(万元)	–	3941.08	2174.96	3488.68

无锡路通视信网络股份有限公司

公司概况						
公司名称	无锡路通视信网络股份有限公司				证券简称	路通视信
法人代表	贾清	董秘	黄晓军		证券代码	300555
公司网址	www.lootom.com		电子信箱		lootom@lootom.com	
电　话	0510-85113059		传　真		0510-85168153	
办公地址	江苏省无锡市滨湖区胡埭工业园陆藕东路 182 号					
经营范围	通信设备、有线电视网络设备及广播设备的设计、开发、制造、销售等					

主要财务指标 指标\报告期	2016.06.30	2015.12.31	2015.06.30	2014.12.31
基本每股收益(元)	0.4100	0.9900	–	–
基本每股收益(扣除后)(元)	0.3900	0.9000	–	–
稀释每股收益(元)	0.4100	0.9900	–	–
每股净资产(元)	4.8700	4.4200	–	–
每股经营现金净流量(元)	–0.2534	0.3281	–	–
每股现金流量(元)	–0.0318	–0.0086	–	–
每股资本公积金(元)	0.4741	0.4741	–	–
每股盈余公积金(元)	0.3475	0.3475	–	–
每股未分配利润(元)	3.0111	2.6006	–	–
净资产收益率(%)	8.4961	22.4255	–	–
加权净资产收益率(%)	8.8700	25.0200	–	–
净资产收益率(扣除)(%)	7.9915	20.2657	–	–
总资产(万元)	49315.66	42821.30	–	–
归属母公司股东权益(万元)	28996.45	26532.89	–	–
营业收入(万元)	16227.51	32163.46	–	–
营业支出(万元)	10410.58	20197.80	–	–
投资收益(万元)	–	–	–	–
净利润(万元)	2427.66	5927.76	–	–
营业利润(万元)	2364.61	5289.03	–	–
利润总额(万元)	2961.05	7009.48	–	–

丝路视觉科技股份有限公司

公司概况						
公司名称	丝路视觉科技股份有限公司				证券简称	丝路视觉
法人代表	李萌迪	董秘	王军平		证券代码	300556
公司网址	www.silkroadcg.com		电子信箱		securities@silkroadcg.com	
电　话	0755-88321687		传　真		0755-88321687	
办公地址	广东省深圳市福田保税区市花路花样年福年广场 B4 栋 108 室					
经营范围	电脑动画、图像的设计、多媒体技术开发、虚拟数字技术开发等					

主要财务指标 指标\报告期	2016.06.30	2015.12.31	2015.06.30	2014.12.31
基本每股收益(元)	0.1200	0.3800	–	–
基本每股收益(扣除后)(元)	0.1000	0.3200	–	–
稀释每股收益(元)	0.1200	0.3800	–	–
每股净资产(元)	3.2200	3.0800	–	–
每股经营现金净流量(元)	–0.2977	0.1453	–	–
每股现金流量(元)	–0.1187	0.2189	–	–
每股资本公积金(元)	1.0367	1.0153	–	–
每股盈余公积金(元)	0.1236	0.1236	–	–
每股未分配利润(元)	1.0573	0.9418	–	–
净资产收益率(%)	3.5894	12.1973	–	–
加权净资产收益率(%)	3.6700	12.9800	–	–
净资产收益率(扣除)(%)	3.1086	10.4320	–	–
总资产(万元)	41017.79	37101.21	–	–
归属母公司股东权益(万元)	26816.60	25676.24	–	–
营业收入(万元)	17787.38	34642.97	–	–
营业支出(万元)	10480.46	19456.81	–	–
投资收益(万元)	–	–	–	–
净利润(万元)	780.37	3242.74	–	–
营业利润(万元)	680.87	3236.16	–	–
利润总额(万元)	831.72	3769.70	–	–

武汉理工光科股份有限公司

公司概况	公司名称	武汉理工光科股份有限公司			证券简称	理工光科
	法人代表	鲁国庆	董秘	林海	证券代码	300557
	公司网址	www.wutos.com		电子信箱	info@wutos.com	
	电　　话	027-87960139		传　　真	027-87960139	
	办公地址	湖北省武汉市东湖开发区武汉理工大学科技园				
	经营范围	光纤传感、仪器仪表、光机电器件、计算机软、硬件等技术及产品的开发、技术服务等				

主要财务指标	指标\报告期	2016.06.30	2015.12.31	2015.06.30	2014.12.31
	基本每股收益(元)	0.1900	0.9100	–	0.8400
	基本每股收益(扣除后)(元)	0.1400	0.8100	–	0.6700
	稀释每股收益(元)	0.1900	0.9100	–	0.8400
	每股净资产(元)	6.3100	6.1100	–	5.6000
	每股经营现金净流量(元)	–0.9534	0.5991	–	0.3843
	每股现金流量(元)	–0.9897	0.1196	–	–0.0862
	每股资本公积金(元)	1.0444	1.0444	–	1.0444
	每股盈余公积金(元)	0.5597	0.5597	–	0.4685
	每股未分配利润(元)	3.7018	3.5105	–	3.0873
	净资产收益率(%)	3.0300	14.9600	–	15.0078
	加权净资产收益率(%)	3.0800	15.1000	–	15.9900
	净资产收益率(扣除)(%)	2.2509	13.2224	–	11.9882
	总资产(万元)	34121.42	35834.12	–	36479.63
	归属母公司股东权益(万元)	26275.98	25478.84	–	23335.21
	营业收入(万元)	6239.64	18369.13	–	17986.16
	营业支出(万元)	2995.22	9178.22	–	9511.55
	投资收益(万元)	–	–	–	–
	净利润(万元)	797.14	3810.37	–	3502.10
	营业利润(万元)	234.59	2614.47	–	2401.87
	利润总额(万元)	866.09	4419.99	–	4017.91

贝达药业股份有限公司

公司概况	公司名称	贝达药业股份有限公司			证券简称	贝达药业
	法人代表	丁列明	董秘	童佳	证券代码	300558
	公司网址	www.bettapharma.com		电子信箱	betta0107@bettapharma.com	
	电　　话	0571-89265665		传　　真	0571-89265665	
	办公地址	浙江省杭州市余杭经济技术开发区兴中路355号				
	经营范围	抗癌、抗心血管等新药的研究、开发、技术转让和技术咨询				

主要财务指标	指标\报告期	2016.06.30	2015.12.31	2015.06.30	2014.12.31
	基本每股收益(元)	0.5900	0.9600	–	–
	基本每股收益(扣除后)(元)	–	0.8500	–	–
	稀释每股收益(元)	0.5900	0.9600	–	–
	每股净资产(元)	3.0800	2.4700	–	–
	每股经营现金净流量(元)	0.6002	1.0710	–	–
	每股现金流量(元)	–0.4641	0.1732	–	–
	每股资本公积金(元)	0.0296	0.0296	–	–
	每股盈余公积金(元)	0.2031	0.2031	–	–
	每股未分配利润(元)	1.8081	1.2182	–	–
	净资产收益率(%)	19.2471	38.8711	–	–
	加权净资产收益率(%)	21.4800	48.7200	–	–
	净资产收益率(扣除)(%)	15.0355	34.5052	–	–
	总资产(万元)	136865.48	114704.49	–	–
	归属母公司股东权益(万元)	110337.54	88831.60	–	–
	营业收入(万元)	51857.59	91466.39	–	–
	营业支出(万元)	1546.55	2794.31	–	–
	投资收益(万元)	360.47	–76.19	–	–
	净利润(万元)	21189.36	34343.49	–	–
	营业利润(万元)	19962.22	35811.48	–	–
	利润总额(万元)	24464.71	39872.02	–	–

成都佳发安泰科技股份有限公司

公司概况	公司名称	成都佳发安泰科技股份有限公司			证券简称	佳发安泰
	法人代表	袁斌	董秘	文晶	证券代码	300559
	公司网址	www.jf-r.com		电子信箱	cdjiafaantai@163.com	
	电　　话	028-85925608		传　　真	028-85925610	
	办公地址	四川省成都市武侯区兴五路433号2栋8楼(武侯新城管委会内)				
	经营范围	研发、生产、销售具有自主知识产权和自主品牌的教育考试信息化产品并提供相关服务				

主要财务指标	指标\报告期	2016.06.30	2015.12.31	2015.06.30	2014.12.31
	基本每股收益(元)	0.5500	1.0703	–	1.3400
	基本每股收益(扣除后)(元)	0.5000	1.0200	–	1.2500
	稀释每股收益(元)	0.5500	1.0703	–	1.3400
	每股净资产(元)	5.0100	4.4600	–	3.9400
	每股经营现金净流量(元)	–0.0005	1.0104	–	1.2246
	每股现金流量(元)	–0.2613	–0.4080	–	0.5704
	每股资本公积金(元)	0.3868	0.3868	–	0.3868
	每股盈余公积金(元)	0.5108	0.5108	–	0.4054
	每股未分配利润(元)	3.1004	2.5492	–	2.1343
	净资产收益率(%)	11.0000	24.0000	–	34.0000
	加权净资产收益率(%)	11.6400	26.6600	–	39.8400
	净资产收益率(扣除)(%)	10.0400	22.8600	–	31.6600
	总资产(万元)	31745.24	29768.42	–	24712.78
	归属母公司股东权益(万元)	26957.02	23989.86	–	21184.83
	营业收入(万元)	8097.26	14852.02	–	17929.90
	营业支出(万元)	3695.37	6700.99	–	7659.46
	投资收益(万元)	–	–	–	–
	净利润(万元)	2965.23	5758.09	–	7203.72
	营业利润(万元)	2548.81	4390.26	–	6561.33
	利润总额(万元)	3001.92	6463.25	–	8222.52

中富通股份有限公司

公司概况	公司名称	中富通股份有限公司			证券简称	中富通
	法人代表	陈融洁	董秘		证券代码	300560
	公司网址	www.zftii.com		电子信箱	zftii@zftii.com	
	电　　话	0591-83800952		传　　真	0591-87867879	
	办公地址	福建省福州市闽侯县荆溪镇永丰村文山里福州软件园五期C楼				
	经营范围	制造电源变换器、放大器、通讯产品、电子元器件				

主要财务指标	指标\报告期	2016.06.30	2015.12.31	2015.06.30	2014.12.31
	基本每股收益(元)	0.4300	0.6600	–	–
	基本每股收益(扣除后)(元)	0.4200	0.5900	–	–
	稀释每股收益(元)	0.4300	0.6600	–	–
	每股净资产(元)	5.4800	5.0454	–	–
	每股经营现金净流量(元)	–0.4807	0.2778	–	–
	每股现金流量(元)	–0.5686	0.2089	–	–
	每股资本公积金(元)	0.9922	0.9922	–	–
	每股盈余公积金(元)	0.3063	0.3063	–	–
	每股未分配利润(元)	3.1822	2.7555	–	–
	净资产收益率(%)	7.7938	13.0824	–	–
	加权净资产收益率(%)	8.1700	13.9900	–	–
	净资产收益率(扣除)(%)	7.6072	11.7917	–	–
	总资产(万元)	38921.35	37867.25	–	–
	归属母公司股东权益(万元)	28792.77	26533.50	–	–
	营业收入(万元)	16712.36	28580.62	–	–
	营业支出(万元)	11756.70	19482.60	–	–
	投资收益(万元)	–	–	–	–
	净利润(万元)	2244.04	3471.33	–	–
	营业利润(万元)	2603.86	3753.33	–	–
	利润总额(万元)	2667.04	4080.49	–	–

珠海汇金科技股份有限公司

公司概况

公司名称	珠海汇金科技股份有限公司		证券简称	汇金科技
法人代表	陈喆	董秘 马铮	证券代码	300561
公司网址	www.sgsg.cc		电子信箱	investor@sgsg.cc
电　话	0756-3236673		传　真	0756-3236667
办公地址	广东省珠海市软件园路 1 号会展中心 3# 第三层			
经营范围	电子计算机软硬件、电子产品、安全防范技术产品、通信设备的设计、研发、生产等			

主要财务指标

指标\报告期	2016.06.30	2015.12.31	2015.06.30	2014.12.31
基本每股收益(元)	1.2500	1.6900	–	–
基本每股收益(扣除后)(元)	1.2100	1.5100	–	–
稀释每股收益(元)	1.2500	1.6900	–	–
每股净资产(元)	6.1800	5.6400	–	–
每股经营现金净流量(元)	–0.3769	1.0390	–	–
每股现金流量(元)	–1.1292	0.4829	–	–
每股资本公积金(元)	0.9281	0.9281	–	–
每股盈余公积金(元)	0.4888	0.4888	–	–
每股未分配利润(元)	3.7619	3.2238	–	–
净资产收益率(%)	20.2683	29.9575	–	–
加权净资产收益率(%)	21.1900	34.3800	–	–
净资产收益率(扣除)(%)	19.5879	26.8480	–	–
总资产(万元)	28802.32	31294.07	–	–
归属母公司股东权益(万元)	25951.03	23691.21	–	–
营业收入(万元)	11593.13	17023.47	–	–
营业支出(万元)	2878.15	4385.27	–	–
投资收益(万元)	146.41	414.12	–	–
净利润(万元)	5259.82	7097.30	–	–
营业利润(万元)	5104.40	6050.41	–	–
利润总额(万元)	6205.66	8235.26	–	–

广东乐心医疗电子股份有限公司

公司概况

公司名称	广东乐心医疗电子股份有限公司		证券简称	乐心医疗
法人代表	潘伟潮	董秘 许迎丰	证券代码	300562
公司网址	www.lifesense.com		电子信箱	ls@lifesense.com
电　话	0760-85166286		传　真	0760-85166521
办公地址	广东省中山市火炬开发区东利路 105 号 A 区			
经营范围	软件开发和销售			

主要财务指标

指标\报告期	2016.06.30	2015.12.31	2015.06.30	2014.12.31
基本每股收益(元)	0.8100	1.1400	–	–
基本每股收益(扣除后)(元)	0.7700	0.9100	–	–
稀释每股收益(元)	0.8100	1.1400	–	–
每股净资产(元)	5.7008	5.0800	–	–
每股经营现金净流量(元)	0.5651	0.8138	–	–
每股现金流量(元)	0.0482	–0.1918	–	–
每股资本公积金(元)	1.2946	1.2946	–	–
每股盈余公积金(元)	0.3124	0.3124	–	–
每股未分配利润(元)	3.0938	2.4751	–	–
净资产收益率(%)	14.1384	22.3429	–	–
加权净资产收益率(%)	14.9500	24.5700	–	–
净资产收益率(扣除)(%)	13.4316	17.8609	–	–
总资产(万元)	38973.80	34172.47	–	–
归属母公司股东权益(万元)	25197.35	22463.02	–	–
营业收入(万元)	36316.67	62900.55	–	–
营业支出(万元)	24546.86	45902.94	–	–
投资收益(万元)	–120.63	202.79	–	–
净利润(万元)	3562.51	5018.88	–	–
营业利润(万元)	3707.11	4692.68	–	–
利润总额(万元)	3916.63	5878.06	–	–

神宇通信科技股份公司

公司概况

公司名称	神宇通信科技股份公司		证券简称	神宇股份
法人代表	汤晓楠	董秘 殷刘碗	证券代码	300563
公司网址	www.shenyucable.com		电子信箱	sygf@shenyucable.com
电　话	0510-86279909		传　真	0510-86279909
办公地址	江苏省江阴市东外环路 275 号			
经营范围	射频同轴电缆的研发、生产和销售			

主要财务指标

指标\报告期	2016.06.30	2015.12.31	2015.06.30	2014.12.31
基本每股收益(元)	0.3300	0.5400	–	–
基本每股收益(扣除后)(元)	0.2900	0.5100	–	–
稀释每股收益(元)	0.3300	0.5400	–	–
每股净资产(元)	4.3700	4.0400	–	–
每股经营现金净流量(元)	0.3263	0.8505	–	–
每股现金流量(元)	0.1125	–0.0210	–	–
每股资本公积金(元)	0.5522	0.5522	–	–
每股盈余公积金(元)	0.2511	0.2511	–	–
每股未分配利润(元)	2.5651	2.2339	–	–
净资产收益率(%)	7.5808	13.4111	–	–
加权净资产收益率(%)	7.8800	14.3800	–	–
净资产收益率(扣除)(%)	6.5398	12.7009	–	–
总资产(万元)	39481.77	37273.53	–	–
归属母公司股东权益(万元)	26210.29	24223.34	–	–
营业收入(万元)	13718.16	26365.90	–	–
营业支出(万元)	10372.41	19602.07	–	–
投资收益(万元)	–	–	–	–
净利润(万元)	1986.78	3248.60	–	–
营业利润(万元)	1950.44	3500.14	–	–
利润总额(万元)	2271.43	3702.78	–	–

深圳市科信通信技术股份有限公司

公司概况

公司名称	深圳市科信通信技术股份有限公司		证券简称	科信技术
法人代表	陈登志	董秘 戈文龙	证券代码	300565
公司网址	www.szkexin.com.cn		电子信箱	szkexin@szkexin.com.cn
电　话	0755-29893456 8852		传　真	0755-29895093
办公地址	广东省深圳市光明新区公明办事处塘家社区高新科技园汇业路南科信小区第 1 栋			
经营范围	通信网络配线设备、光器件、宽带接入网设备的研发、生产与销售			

主要财务指标

指标\报告期	2016.06.30	2015.12.31	2015.06.30	2014.12.31
基本每股收益(元)	0.2800	0.5200	–	–
基本每股收益(扣除后)(元)	0.2900	0.5100	–	–
稀释每股收益(元)	0.2800	0.5200	–	–
每股净资产(元)	3.1300	2.8400	–	–
每股经营现金净流量(元)	–0.7476	0.0683	–	–
每股现金流量(元)	–0.0350	–0.0677	–	–
每股资本公积金(元)	0.2298	0.2298	–	–
每股盈余公积金(元)	0.1642	0.1642	–	–
每股未分配利润(元)	1.7315	1.4476	–	–
净资产收益率(%)	9.0822	18.4285	–	–
加权净资产收益率(%)	9.5100	20.3000	–	–
净资产收益率(扣除)(%)	9.2124	17.9225	–	–
总资产(万元)	87319.18	76623.99	–	–
归属母公司股东权益(万元)	37504.71	34098.44	–	–
营业收入(万元)	34329.54	76678.53	–	–
营业支出(万元)	21896.17	51263.35	–	–
投资收益(万元)	–	–0.16	–	–
净利润(万元)	3406.27	6283.82	–	–
营业利润(万元)	3949.06	6986.18	–	–
利润总额(万元)	4025.05	7187.91	–	–

第四编

中国基金市场

第一章 中国基金市场概况

2016年度基金业资产管理业务统计报告

一、资产管理业务总体情况

截至2016年底，证券公司资管业务、基金公司及其子公司专户业务、期货公司资管业务管理资产总规模34.48万亿元，较2015年底增加9.74万亿元，增长39.4%。其中，证券公司资管业务管理资产规模17.31万亿元，较2015年底增加5.42万亿元，增长45.5%；基金公司专户业务管理资产规模5.10万亿元(社保基金企业年金规模1.28万亿元)，较2015年底增加2.12万亿元，增长70.8%；基金子公司专户业务管理资产规模10.50万亿元，较2015年底增加1.93万亿元，增长22.5%；期货公司资管业务管理资产规模2 792亿元，较2015年底增加1 728亿元，增长162%。

表1 证券公司、基金公司及其子公司2016年资产管理业务总体情况

	2016年底规模(亿元)	占比(%)	年度规模增量(亿元)	增长率(%)
证券公司资管	173111	50.2%	54163	45.5%
基金公司专户	51043	14.8%	21164	70.8%
基金公司社保、企业年金专户	12787	3.7%	1034	8.8%
基金子公司专户	105031	30.5%	19303	22.5%
期货公司资管	2792	0.8%	1728	162.4%
合计	344764	100.0%	97392	39.4%

从全年来看，证券公司、基金公司、期货公司及其资管子公司资管业务呈现以下特点：一是资产管理规模继续增长，市场份额进一步提升，但受监管政策和市场环境影响，年度规模增速趋缓，特别是基金子公司业务规模增量下降、增速大幅放缓。二是资管主动管理业务发展趋缓，机构主动管理业务发展呈现分化态势，证券公司、基金公司主动管理业务规模继续呈现增长态势，尤其证券公司资管主动管理业务规模及占比均持续提升，而基金子公司专户受资本金、主动管理能力等方面制约，主动管理业务规模及占比有所下降。三是通道业务整体增速下降，证券公司、基金公司资管通道业务发展继续保持较快增长，增速保持与2015年相近的水平，但基金子公司专户通道业务受监管政策影响较大，增速大幅下降。四是证券公司、基金公司及其子公司资管证券投资业务规模及占比进一步提升，特别是借助债券投资的优势及便利，在银行委外资金的驱动下，大力发展债券市场投资，债券投资规模大幅增长。五是证券公司、基金子公司继续支持实体经济发展，实体经济投资规模继续保持快速增长态势。六是资管业务收入因管理规模的提升持续稳步增长。七是资产管理行业竞争加剧，中小公司竞争能力有所增强，证券公司、基金子公司行业集中度下降，基金公司行业集中度略有上升。

表2 主动管理、被动管理产品规模及占比

	主动产品		被动产品		合计规模(亿元)
	规模(亿元)	占比(%)	规模(亿元)	占比(%)	
证券公司	49353	28.5%	123758	71.5%	173111
基金公司	35053	68.7%	15990	31.3%	51043
基金子公司	30321	28.9%	74710	71.1%	105031
合计	114727	34.9%	214458	65.1%	329185

表3 标准、非标产品规模及占比

	标准产品		非标产品		合计规模(亿元)
	规模(亿元)	占比(%)	规模(亿元)	占比(%)	
证券公司	56451	32.6%	116660	67.4%	173111
基金公司	51043	100.0%	—	—	51043
基金子公司	13808	13.1%	91223	86.9%	105031
合计	121302	36.8%	207883	63.2%	329185

表 4　一对一、一对多产品规模及占比

	一对一(定向)		一对多(集合、专项)		合计规模(亿元)
	规模(亿元)	占比(%)	规模(亿元)	占比(%)	
证券公司	146857	84.8%	26254	15.2%	173111
基金公司	41774	81.8%	7396	14.5%	51043
基金子公司	82100	78.2%	24438	23.3%	105031
合计	270730	82.2%	58087	17.6%	329185

二、证券公司资管业务情况

(一)整体情况

截至 2016 年底,证券公司资管业务存续产品 25 886 只,管理资产规模 17.31 万亿元,较 2015 年底增加 5.42 万亿元,增长 45.5%。受资金宽松,银行资金委外意愿较强,证券公司主动管理能力进一步提升,银行通道业务在基金子公司渠道受限的情况加强与证券公司合作等综合因素影响,证券公司资管业务规模全年月均增长 4 514 亿元,较 2015 年增长 37.2%,特别是以债券市场投资为主的主动管理产品规模及占比增长显著,业务结构进一步优化,资产管理业务总体运行平稳,收入稳步增长,对证券公司收入贡献度大幅提升,达 9.0%。

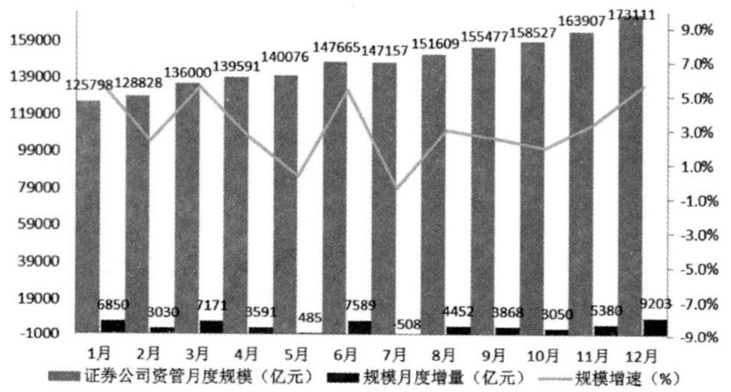

图 1　2016 年证券公司资管业务规模月度增长情况

从产品类型来看,截至 2016 年底,集合计划存续产品 3 643只,管理资产规模 21 938 亿元,较 2015 年增加 6 364 亿元,增长 40.9%;定向资管存续合约 20 196 份,资产规模 14.69万亿元,较 2015 年增加 4.53 万亿元,增长 44.6%;专项资管计划存续产品 2047 只,资产规模 4 315 亿元,较 2015 年增加 2 522 亿元,增长 141%。

从管理方式来看,存续的主动管理产品 7 245 只,管理资产规模 4.94 万亿元,较 2015 年增加 1.89 万亿元,增长 62.1%。存续的通道产品 16 594 只,管理资产规模 12.38 万亿元,较 2015 年增加 3.53 万亿元,增长 39.8%。

从投资标的来看,存续产品投向交易所、银行间市场的规模约 5.65 万亿元;其他投向各类非标资产的规模约 11.67 万亿,包括委托贷款 1.75 万亿元、信托贷款 1.48 万亿元、票据 1.56 万亿元、资产收益权 1.77 万亿元等。

(二)新设情况

2016 年,证券公司新设资管产品 9 619 只,规模 4.33 万亿元。新设集合计划 1 613 只,规模 3 593 亿元,25% 为结构化产品。其中,混合类产品 577 只,规模 1 171 亿元;固定收益类产品 584 只,规模 1614 亿元;权益类 244 只,规模 367 亿元;基金宝类 5 只,规模 2 亿元;其他类型 203 只,规模 438 亿元。新签订定向合约 8 006 份,规模 3.63 万亿元。其中,主动管理定向合约 1 610 份,规模 3 344 亿元;被动管理定向合约 6 116份,规模 3.29 万亿元。新设专项资管计划 184 只,规模 3 440亿元。

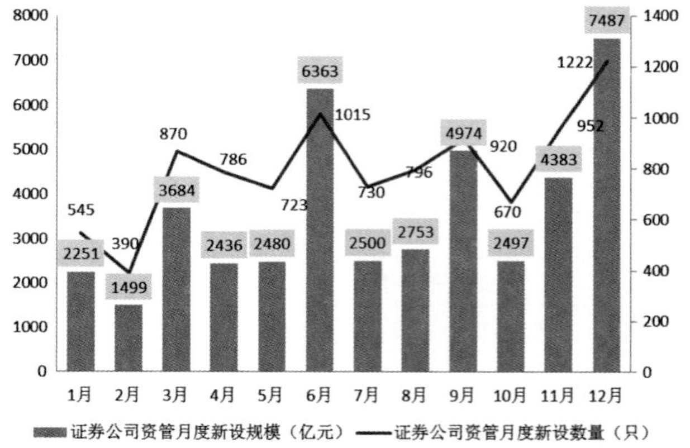

图 2　2016 年 1 - 12 月资管计划月度新设情况

(三)投向情况

截至 2016 年底,集合计划主要投向债券、股票、协议或定期存款、信托计划、基金,分别占总投资规模的 63.2%、7.6%、6.8%、5.8% 和 5.4%。2016 年,债券市场持续向好,债券供给加大,集合计划优先配置债券类资产,占比较 2015 年底提升 25.7 个百分点。受下半年利率上升、融资类项目兑付风险事件多发等因素影响,基金、协议存款、信托计划占比较 2015 年分别下降 15.3 个百分点、2.4 个百分点、1.5 个百分点。

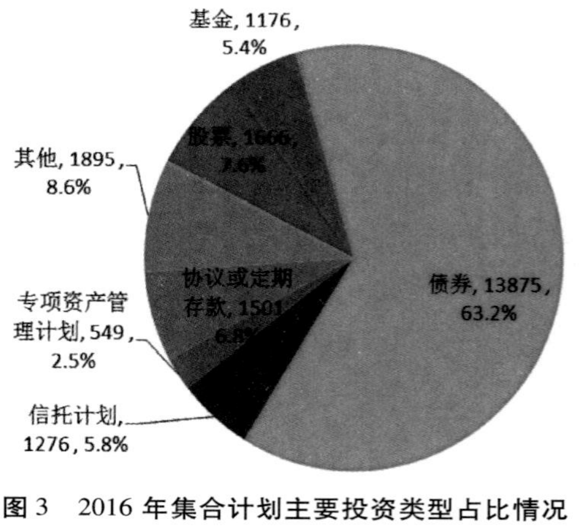

图 3　2016 年集合计划主要投资类型占比情况

主动管理定向业务以债券、信托计划、股票投资为主,分别投资 1.56 万亿元、2 267 亿元、1 792 亿元,占比合计为 70.2%,其中债券市场投资规模占比大幅提升 10.2 个百分点,而信托计划、股票市场投资规模占比分别下降 2.8 个百分点、3.8个百分点。投向证券投资基金、证券公司资产管理计划等的规模占比 8.1%。

表 5　2016 年证券公司主动管理定向业务投资情况

投资类别	2016 年底		2015 年底		增长率(%)
	投资金额(亿元)	占比(%)	投资金额(亿元)	占比(%)	
债券	15552	55.7%	7168	45.5%	117.0%
信托计划	2267	8.1%	1727	11.0%	31.3%
股票	1792	6.4%	1613	10.2%	11.1%
券商集合计划	1254	4.5%	889	5.6%	41.0%
证券投资基金	1007	3.6%	642	4.1%	56.9%
债券逆回购	1045	3.7%	474	3.0%	120.7%
股票质押回购	603	2.2%	438	2.8%	37.4%
资产收益权	168	0.6%	420	2.7%	-59.9%
同业存款	370	1.3%	281	1.8%	31.8%
其他	3865	13.8%	2109	13.4%	83.3%

2016 年,证券公司在银行与基金子公司通道业务合作渠道受限的情况下,加大与银行的合作,通道规模进一步增长,各类资产规模均有所增长,特别是股权质押融资、资产收益权和以银行理财、信托为主的其他投资规模增速较快,同时,实体经济投资规模也较大幅度增长,进一步支持实体经济的发展。截至 2016 年底,定向通道业务投向以债券投资为主的证券类资产规模达 1.96 万亿元,占比 15.8%,较 2015 年增长 37.8%;委托贷款的规模达到 1.75 万亿元,占比 14.1%,较 2015 年增长 17.2%;投向信托贷款规模达到 1.48 万亿元,占比 11.9%,较 2015 年增长 20.6%;投向资产收益权规模达到 1.77 万亿元,占比 14.3%%,较 2015 年增长 78.5%;票据类资产投资规模达 1.56 万亿元,占比 12.6%,较 2015 年增长 3.3%。

从最终投向来看,定向通道业务投向融资类业务规模合计 6.38 万亿元,主要投向一般工商企业、房地产、地方融资平台及基础产业,截至 2016 年底,投资规模分别为 2.27 万亿元、9 435 亿元、3 962 亿元及 3 705 亿元。

表 6　2016 年证券公司通道业务投资情况

投资类别	2016 年底		2015 年底		增长率(%)
	投资金额(亿元)	占比(%)	投资金额(亿元)	占比(%)	
票据	15644	12.6%	15139	17.1%	3.3%
银行委托贷款	17473	14.1%	14903	16.8%	17.2%
证券投资	19566	15.8%	14195	16.0%	37.8%
信托贷款	14756	11.9%	12236	13.8%	20.6%
资产收益权	17669	14.3%	9901	11.2%	78.5%
同业存款	5771	4.7%	3583	4.0%	61.1%
股权质押融资	4665	3.8%	2196	2.5%	112.4%
债券逆回购	705	0.6%	693	0.8%	1.8%
其他	27689	22.3%	15659	17.7%	76.8%

(四)集中度情况

2016 年,中小证券公司加强资管业务发展,证券公司资管业务集中度小幅下降,排名前 10 的证券公司资管业务规模合计占资管业务总规模的 47.5%,前 20 的证券公 司占比为 64.5%,较 2015 年分别下降了 3 个百分点、5 个百分点。

表 7　2016 年资管业务规模前 10 的证券公司及规模

排名	证券公司	管理资产规模(亿元)	占行业总规模比例(%)
1	中信证券	18152	10.5%
2	华泰证券资管(上海)	8652	5.0%
3	上海国泰君安证券资产	8464	4.9%
4	上海海通证券资产	8339	4.8%
5	中信建投	8124	4.7%
6	广发证券资管(广东)	7151	4.1%
7	申万宏源	6838	4.0%
8	招商资管	6289	3.6%
9	中银国际	5454	3.2%
10	华福证券	4793	2.8%

(五)投资者情况

截至 2016 年底,持有证券公司集合计划份额的个人投资者共计 441 万户、机构投资者 2.65 万户。其中,个人投资者委托资产规模为 9 126 亿元,占集合计划资产规模的 42.9%;机构投资者委托资产规模为 12 134 亿元,占集合计划资产规模的 57.1%。2016 年,机构投资者委托规模占比进一步上升 5.3 个百分点。

截至 2016 年底，持有定向资管计划的投资者总量 1.60 万户。其中个人投资者 1 237 户，委托规模 416 亿元，占定向资管计划资产规模 0.3%；机构投资者 1.46 万户，委托规模 14.63 万亿元，占定向资管计划资产规模 99.7%。定向资管计划投资者中，银行和信托公司合计 10 635 户，委托规模 12.68万亿元，占定向资管计划资产规模 86.4%，较 2015 年底下降 3.5 个百分点。

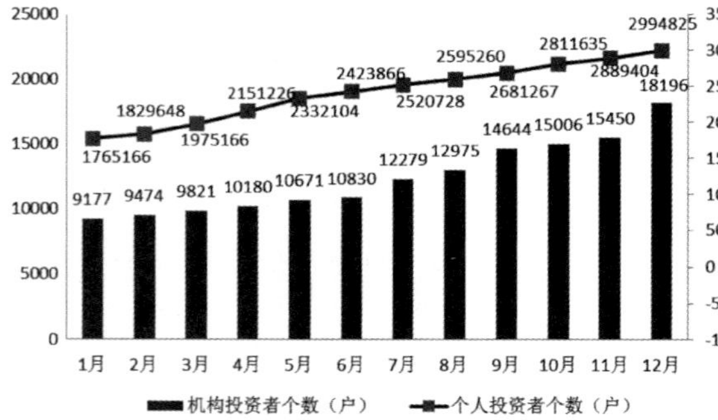

图 4　2016 年证券公司集合计划客户数量月度变化情况

（六）集合计划收益情况

2016 年，股票市场较为低迷，债券市场在四季度大幅向下调整，证券公司集合计划受到大幅影响，整体表现明显弱于 2015 年。2016 年存续的集合计划中，32.4% 的产品实现正收益，13.5% 的产品收益持平，其余 54.2% 的产品亏损。从全年收益看，固定收益类产品和其他类产品在各类集合计划中表现较好，平均净值收益率分别为 4.2% 和 5.7%；混合类产品平均净值收益率 –1.7%；权益类产品平均净值收益率 –1.7%。

表 8　2016 年证券公司存续集合计划净值收益率情况

产品类型	平均净值收益率（%）
权益类	–1.7
混合类	–1.7
基金宝	–5.5
固定收益类	4.2
QDII	–1.1
其他	5.7

（七）收入情况

2016 年，证券公司资产管理业务收入受益于管理规模增长及主动管理能力提升而小幅增长，但由于证券市场表现不佳、通道费率下降的影响，收入增速低于管理规模增速。证券公司资产管理业务全年收入 212.60 亿元，较 2015 年增加 28.54亿元，增长 16%。由于证券公司其他业务收入下降，资产管理业务收入对证券公司收入的贡献度有大幅提升，达 9.0%，较 2015 年提升 5.8 个百分点。

表 9　2016 年证券公司资管业务收入

产品类型	收入（亿元）	资产管理规模（亿元）	平均管理费率（%）
集合计划	88.43	21938	0.44%
定向资管	117.71	146857	0.09%
专项资管	6.46	4315	0.23%
合计	212.60	173111	—

三、基金子公司专户业务情况

（一）整体情况

截至 2016 年底，基金子公司专户存续产品 14 494 只，管理资产规模 10.50 万亿元，较 2015 年底增加 1.93 万亿元，增长 22.5%，全年月均增长 1 609 亿元。2016 年，基金子公司专户继续发力定增、股票股权质押、债券投资等业务，积极参与实体经济投资，整体业务规模小幅增长，专户收入稳步提升，行业集中度也小幅下降。但在监管政策趋严、资本金导向的影响下，基金子公司降低专户业务发展速度，压缩专户规模，管理规模呈现前升后降的态势。同时，受宏观经济影响，基金子公司专户部分主动管理业务面临融资方信用风险，主动管理业务发展受到一些限制，主动管理业务规模及占比略有下降。

从产品类型来看，截至 2016 年底，一对一专户存续产品 8 420 只，管理资产规模 8.21 万亿元，占比 78%，较 2015 年底增加 2.08 万亿元，增长 34%；一对多专户存续产品 6 074 只，管理资产规模 2.29 万亿元，占比 22%，较 2015 年底减少 1 506亿元，减少 6.2%。

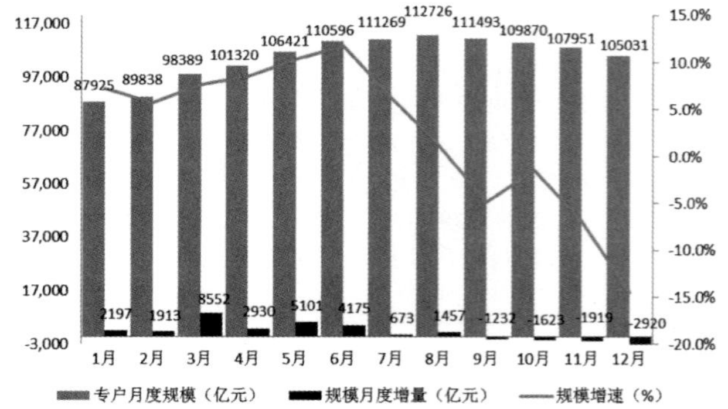

图 5　2016 年 1 – 12 月基金子公司专户存续产品情况

从管理方式来看，基金子公司专户主动管理类和合作管理类产品管理资产规模合计 3.03 万亿元，占比 31.6%；通道产品管理资产规模 7.47 万亿元，占比 71.1%。

从投资标的来看，基金子公司专户主要投向非标市场，规模为 8.87 万亿元，占比 82.8%；投向交易所、银行间市场的标准证券规模 1.38 万亿元，占比 12.8%；其余为少量现金及其他投资。

（二）新设情况

2016 年，基金子公司专户业务新设产品 8 972 只，新设规模 3.96 万亿元，月均新设产品规模 3 302 亿元，月均新设规模较 2015 年减少 21%。新设一对一产品规模 2.69 万亿元，占比 68%，新设一对多产品 1.27 万亿元，占比 32%，新设一对一、一对多产品规模较 2015 年分别下降 11%、36%。基金子公司受监管政策趋严、资本金导向的影响，加之部分公司受到监管处罚暂停新设产品，全年新设产品规模下降，月度新设产品规模呈现前高后低的态势。

（三）投向情况

基金子公司专户以融资类业务、金融机构资产投资、证券投资为主，另有少部分股权投资、收益权投资等其他投资。基金子公司通过信托贷款、委托贷款、收益权等方式进行的债权投资规模为 3.95 万亿元，占比 37%；投资基金专户、证券资管、银行理财、信托、私募基金等规模为 3.47 万亿元，占比 32.3%；投资股票、债券、基金等证券规模 1.38 万亿元，占比 12.8%；投资资产收益权规模 5 052 亿元，占比 4.7%；股权投

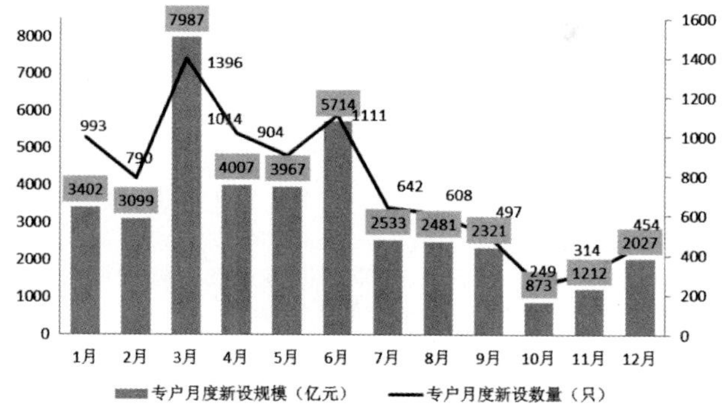

图6　2016年1－12月基金子公司专户月度新设情况

资规模4 030亿元，占比3.8%；同业存款及现金规模3 105亿元，占比2.9%；另有少量股票股权质押、银行票据等其他类资产投资。

从实体经济投向上看，基金子公司专户投向一般工商企业的规模1.95万亿元，占比41.3%；投向房地产的规模1.28万亿元，占比27.2%；投向地方融资平台的规模8 640亿元，占比18.3%；投向基础产业的规模6 249亿元，占比13.2%。受市场因素及监管因素的影响，投向房地产规模占比从年初33.6%降至年底27.2%；而投向地方融资平台的规模占比则从年初14.3%上升至18.3%。

表10　2016年底基金子公司专户业务投资情况

资金投向	投资金额（亿元）	占比
股票	3472	3.2%
债券	6238	5.8%
证券投资基金	2300	2.1%
资产支持证券及其他证券	1732	1.6%
期货衍生品保证金	67	0.1%
银行委托贷款、信托贷款	21783	20.4%
以收益权、股权为形式的债权投资	17751	16.6%
其他资产收益权	5052	4.7%
股权投资	4030	3.8%
商业银行理财计划	4504	4.2%
信托计划	5673	5.3%
保险资产管理计划	267	0.2%
证券公司资产管理计划	8055	7.5%
基金公司及子公司资产管理计划	12982	12.1%
期货资产管理计划	100	0.1%
私募基金	3147	2.9%
股票股权质押融资	651	0.6%
信贷票据信用证保理	2658	2.5%
同业存款含协议存款	2050	1.9%
现金	1055	1.0%
其他	3468	3.2%
总计	107034	100.0%

（四）集中度情况

2016年，共有79家基金子公司开展专户业务，较2015年底无新增。专户规模前5的基金子公司管理资产规模合计2.92万亿元，占基金子公司专户规模的27.8%，较2015年底下降4.5个百分点；专户规模前10的基金子公司管理资产规模合计4.61万亿元，占基金子公司专户规模的43.9%，较2015年底下降近5个百分点。

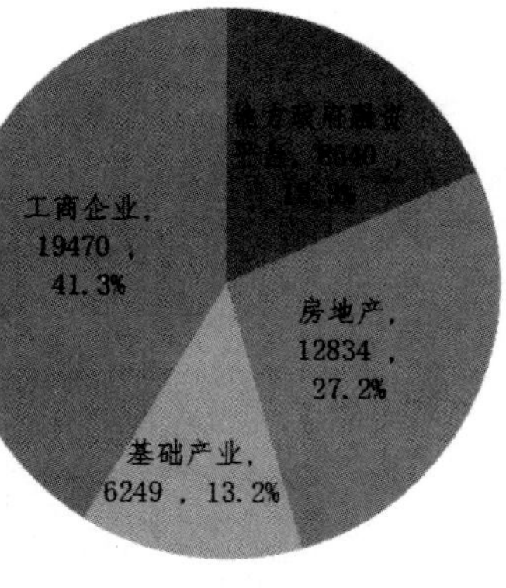

图7　基金子公司专户业务融资类产品投向情况（单位：亿元）

截至2016年底，13家银行系基金子公司充分发挥自身优势，发展速度快于行业平均水平，专户规模合计4.35万亿元，占子公司专户总规模的41%，有8家银行系基金子公司进入行业规模前10。

表11　2016年底专户规模前10的基金子公司及其规模

序号	基金子公司	管理资产规模（亿元）	占行业总规模比例（%）
1	招商财富资产管理有限公司	6777	6.5%
2	深圳平安大华汇通财富管理有限公司	6605	6.3%
3	民生加银资产管理有限公司	5615	5.3%
4	上海浦银安盛资产管理有限公司	5180	4.9%
5	博时资本管理有限公司	4988	4.7%
6	建信资本管理有限责任公司	4162	4.0%
7	兴业财富资产管理有限公司	3256	3.1%
8	交银施罗德资产管理有限公司	3252	3.1%
9	鑫沅资产管理有限公司	3231	3.1%
10	工银瑞信投资管理有限公司	3014	2.9%

（五）投资者情况

截至2016年底，基金子公司专户资金来源主要包含：银行委托资金6.42万亿元，占比63.1%；个人客户委托资金5 547亿元，占比5.5%；企业委托资金7 157亿元，占比7.0%；信托公司委托资金5 522亿元，占比5.4%；基金子公司及关联人委托资金1.03万亿元，占比10.1%；证券公司委托资金3 432亿元，占比3.4%；财务及保险公司委托资金56亿元，占比0.1%；其他机构委托资金5 459亿元，占比5.4%。2016年，基金子公司专户通道业务规模占比较高，银行资金仍占基金子公司业务资金来源的较大比重，与2015年底基本持平；个人资金规模占比有所下降，较2015年底下降4个百分点。

（六）产品收益情况

2016年，受股票市场低迷、债券市场四季度大幅回调的影响，基金子公司一对多专户产品收益率下降，而一对一专户主要以融资类项目为主，收益率小幅上升。基金子公司存续一对一专户平均收益率为6.00%，较2015年提升0.78个百分点；存续一对多专户平均收益率达5.12%，较2015年回落1.3个百分点。

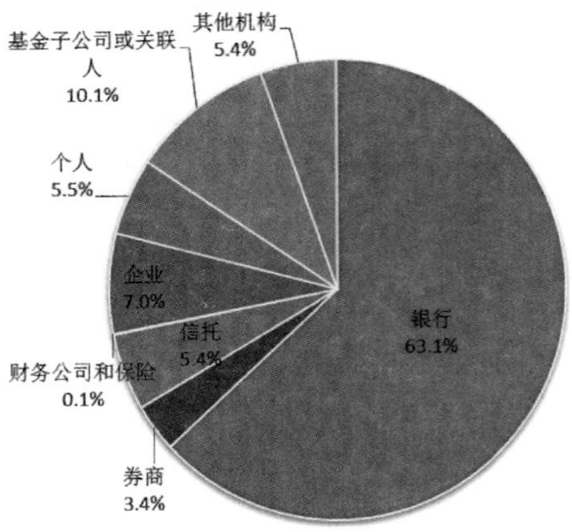

图 8　2016 年底基金子公司专户投资者委托资金情况

（七）收入情况

2016 年，基金子公司专户业务管理费收入小幅增长，全年累计达 113.79 亿元，为 2015 年收入的 1.1 倍。其中，固定管理费收入合计 101.50 亿元，业绩报酬收入合计 13.15 亿元。基金子公司专户全年平均管理费率为 0.10%，较 2015 年的 0.17% 下降 0.07 个百分点。管理费率下降主要有两方面原因，一是市场竞争导致通道业务管理费率进一步下降，二是基金子公司 2016 年业务规模增长主要是管理费率较低的通道业务。

四、基金公司专户业务情况

（一）整体情况

截至 2016 年底，102 家基金公司开展专户业务，较 2015 年底新增 2 家，存续产品 7 147 只，管理资产规模 5.10 万亿元，较 2015 年底增加 2.12 万亿元，增长 71%。

2016 年，基金公司专户在股票市场低迷、债券市场前涨后跌、银行资金委外意愿较强的环境下，呈现出业务规模持续快速增长、产品管理能力进一步提升、产品收益率回落、行业集中度小幅提升、行业收入小幅增长等特点。

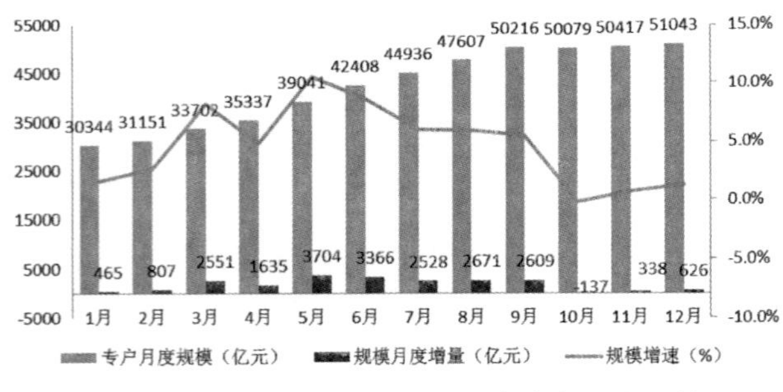

图 9　2016 年 1－12 月基金公司专户存续产品情况

从产品类型来看，截至 2016 年底，基金公司一对一专户存续产品 4 036 只，管理资产规模 4.18 万亿元，占比 81.8%，较 2015 年底增加 1.93 万亿元，增长 86%；一对多专户存续产品 3 111 只，管理资产规模 9 270 亿元，占比 18.2%，较 2015 年底增加 1 873 亿元，增长 25%。

从管理方式来看，基金公司专户主动管理产品资产规模 3.51 万亿元，较 2015 年底增加 1.23 万亿元，增长 54%，占比 68.7%，占比下降 7.6 个百分点；通道产品规模 1.60 万亿元，较 2015 年底增加 8 911 亿元，增长 126%，占比 31.3%。通道产品主要以银行委托为主，其中，银基合作、信基合作、私募合作、证基合作的通道规模分别为 1.05 万亿元、1 839 亿元、1 231亿元、1 404 亿元。

（二）新设情况

2016 年，基金公司新设专户产品 4 250 只，新设规模 1.57 万亿元。其中，混合类产品规模 7 183 亿元，占比 46.0%；债券类产品规模 4 700 亿元，占比 30.1%；股票类产品规模2 364 亿元，占比 15.1%；现金管理类产品规模 213 亿元，占比 1.4%；QDII 类产品规模 143 亿元，占比 0.9%；其他产品规模 1032 亿元，占比 6.6%。从月度新设的情况看，月度新设规模在年初股票市场大幅下跌、四季度债券市场大幅回调的影响下，呈现二三季度高、一四季度低的态势。

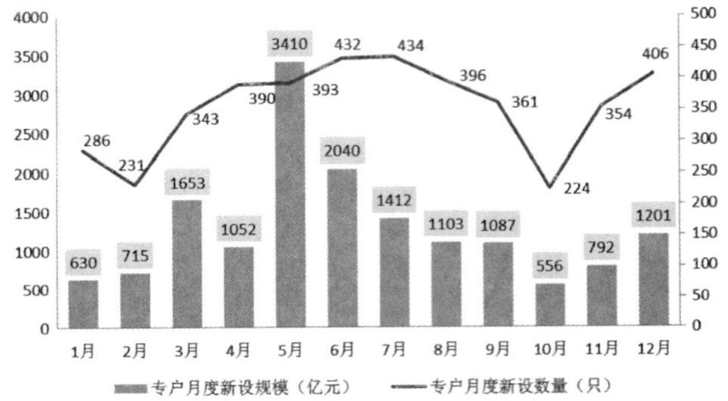

图 10　2016 年 1－12 月基金公司专户新设产品情况

（三）投向情况

基金公司存续专户产品中，债券类产品规模 3.05 万亿元，占比 60%；混合类产品规模 1.13 万亿元，占比 22%；现金管理类产品规模 2 401 亿元，占比 5%；股票类产品规模 4 693 亿元，占比 9%；QDII 类产品规模 1 884 亿元，占比 4%。

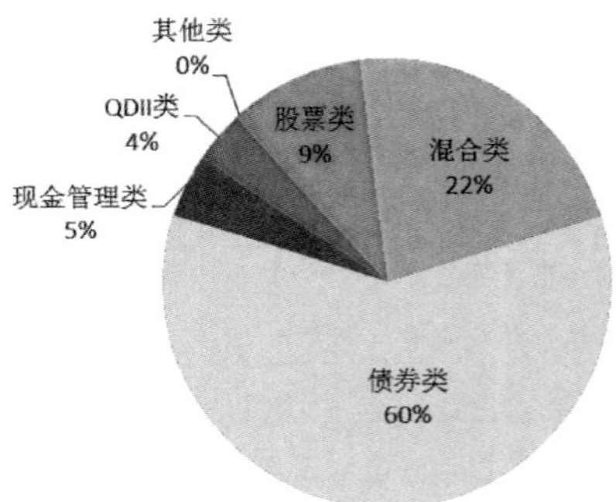

图 11　2016 年底基金公司专户各类别产品规模占比情况

从产品投向来看，基金公司专户产品主要以债券、股票、基金、同业存款投资为主。其中，投资债券规模 3.86 万亿元，占比 64%；投资股票规模 6826 亿元，占比 11%；投资基金规模 4 091 亿元，占比 7%；投资同业存款规模 3 478 亿元，占比 5.7%。

表 12　2016 年底基金公司专户产品投资情况表

资金投向	投资金额（亿元）	占比
股票	6826	11.3%
债券	38596	63.7%
证券投资基金	4091	6.7%
资产支持证券	935	1.5%
其他境内证券	101	0.2%
期货衍生品保证金	58	0.1%
同业存款	3478	5.7%

资金投向	投资金额（亿元）	占比
现金	1525	2.5%
境外投资	1769	2.9%
其他	3232	5.3%
总计	60610	100.0%

（四）集中度情况

2016年，基金公司专户重点发展了银行委外业务，排名靠前的基金公司获得较多的银行委外资金，业务规模占比进一步提升，行业集中度小幅提升。专户规模前5的基金公司管理资产规模合计1.78万亿元，占基金公司专户规模的34.8%，较2015年底增长3.6个百分点；专户规模前10的基金公司的管理资产规模合计2.69万亿元，占基金公司专户规模的52.6%，较2015年底增长约4个百分点。

表13　2016年底专户规模前10的基金公司及其规模

序号	基金公司	管理资产规模（亿元）	占行业总规模比例（%）
1	华夏基金管理有限公司	4433	8.7%
2	建信基金管理有限责任公司	4133	8.1%
3	中银基金管理有限公司	3574	7.0%
4	创金合信基金管理有限公司	3156	6.2%
5	易方达基金管理有限公司	2465	4.8%
6	天弘基金管理有限公司	2292	4.5%
7	嘉实基金管理有限公司	2149	4.2%
8	工银瑞信基金管理有限公司	2043	4.0%
9	广发基金管理有限公司	1331	2.6%
10	南方基金管理有限公司	1292	2.5%

（五）投资者情况

截至2016年底，基金公司专户资金来源主要包含：银行委托资金2.73万亿元，占比58.1%；信托公司委托资金3 176亿元，占比6.8%；个人委托资金2 083亿元，占比4.4%；财务及保险公司委托资金2 651亿元，占比5.6%；企业委托资金2 536亿元，占比5.4%；证券公司委托资金2 473亿元，占比5.3%；基金公司及关联人委托资金1 395亿元，占比3.0%；其他机构委托资金5 394亿元，占比11.5%。其中，银行、个人委托资金占比较2015年底分别下降2.9个百分点、4.3个百分点，信托委托资金占比下降1.2个百分点。

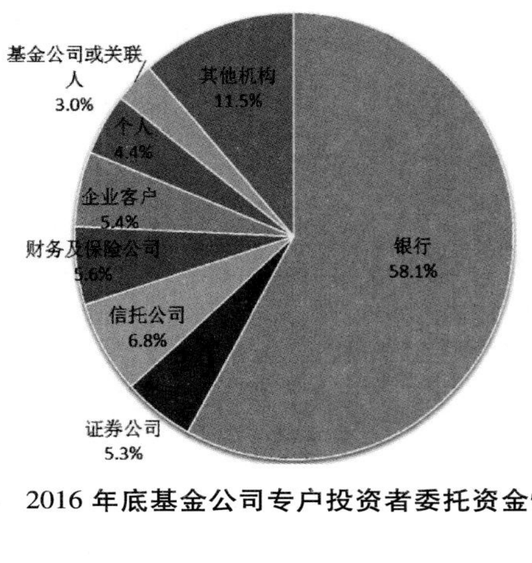

图12　2016年底基金公司专户投资者委托资金情况

（六）销售渠道情况

截至2016年底，基金公司专户产品直销规模的占比为80%，较2015年底降低2个百分点；通过银行代销的规模占比为14%，较2015年略有提升；证券公司、第三方机构的代销渠道占比小幅提升。基金公司主要以直销、银行代销两个渠道为主，销售体系逐步完善。

（七）产品收益情况

2016年，受股票市场低迷、债券市场大幅调整的影响，基金公司专户整体收益率较2015年大幅下降，专户产品平均收益率下降到2.30%，较2015年降低11.2个百分点。其中，股票类产品平均收益率1.7%；混合类产品平均收益率1.6%；债券类产品平均收益率2.9%；现金管理类产品平均收益率2.8%；QDII类产品平均收益率3.2%。各类产品收益率与2015年相比均有不同程度的下降。

表14　2016年基金公司专户存续产品收益率情况

产品类型	平均收益率（%）
股票类	1.7
混合类	1.6
债券类	2.9
现金管理类	2.8
QDII	3.2

（八）收入情况

2016年，基金公司专户业务收入112.00亿元，较去年增加10.25亿元，其中管理费收入82.10亿元，业绩报酬收入27.88亿元。从收入分项看，受益于管理规模的增加，管理费收入有所提升，较2015年增加13.86亿元；但由于产品收益整体表现低于2015年，业绩报酬收入减少6.04亿元，业绩报酬收入占比也下降到25%，较2015年下降8个百分点。基金公司专户2016年平均管理费率为0.27%，较2015年上升0.08个百分点，反映基金公司专户管理能力、经营业绩整体上得到一定提升。

五、期货公司资管业务情况

（一）整体情况

截至2016年底，期货公司资管存续产品3 644只，管理资产规模2 792亿元，较2015年底增加1 728亿元，增长1.6倍。

从产品类型来看，截至2016年底，一对一期货资管存续产品758只，管理资产规模482亿元，占比17.3%，一对多期货资管存续产品2 886只，管理资产规模2 310亿元，占比82.7%。

（二）新设情况

2016年度共收到119家期货公司及资管子公司在基金业协会备案的资管产品3 424只，设立规模1 912亿元，较2015年增加1 221亿元，增长177%。其中一对一产品741只，设立规模165亿元，占比8.6%；一对多产品2683只，设立规模747亿元，占比91.4%。

（三）投向情况

期货公司存续资管产品投资证券市场规模1 575亿元，其他投资921亿元。其中，投资股票规模1 028亿元，占比37%；投资债券规模249亿元，占比8.9%；投资证券投资基金规模86亿元，占比3.1%；投资期货规模73亿元，占比2.6%；其他证券投资139亿元，占比5%。

附表

1. 2016 年证券公司资管业务管理资产规模排名(前 10)

排名	证券公司	管理资产规模(亿元)	占行业总规模比例(%)
1	中信证券	18152	10.5%
2	华泰证券资管(上海)	8652	5.0%
3	上海国泰君安证券资产	8464	4.9%
4	上海海通证券资产	8339	4.8%
5	中信建投	8124	4.7%
6	广发证券资管(广东)	7151	4.1%
7	申万宏源	6838	4.0%
8	招商资管	6289	3.6%
9	中银国际	5454	3.2%
10	华福证券	4793	2.8%

2. 2016 年证券公司集合计划产品管理资产规模排名(前 10)

排名	证券公司	管理资产规模(亿元)	占行业集合计划产品总规模比例(%)
1	广发证券资产管理(广东)有限公司	3681	16.8%
2	中信证券股份有限公司	1816	8.3%
3	华泰证券(上海)资产管理有限公司	1227	5.6%
4	华融证券股份有限公司	953	4.3%
5	上海国泰君安证券资产管理有限公司	840	3.8%
6	上海光大证券资产管理有限公司	695	3.2%
7	广州证券股份有限公司	682	3.1%
8	财通证券资产管理有限公司	660	3.0%
9	天风证券股份有限公司	650	3.0%
10	上海海通证券资产管理有限公司	622	2.8%

3. 2016 年证券公司资管产品新设规模排名(前 10)

排名	证券公司	新设规模(亿元)	占行业新设产品总规模比例(%)
1	中信证券	5152	12.1%
2	华福证券	1730	4.1%
3	上海海通证券资产	1574	3.7%
4	上海国泰君安证券资产	1355	3.2%
5	华泰证券资管(上海)	1330	3.1%
6	广发证券资管(广东)	1219	2.9%
7	德邦证券	1186	2.8%
8	国信证券	1118	2.6%
9	国都证券	1050	2.5%
10	长城证券	1041	2.4%

4. 2016 年基金子公司专户业务管理资产规模排名(前 10)

排名	基金子公司	管理资产规模(亿元)	占行业总规模比例(%)
1	招商财富资产管理有限公司	6777	6.5%
2	深圳平安大华汇通财富管理有限公司	6605	6.3%
3	民生加银资产管理有限公司	5615	5.3%
4	上海浦银安盛资产管理有限公司	5180	4.9%
5	博时资本管理有限公司	4988	4.7%
6	建信资本管理有限责任公司	4162	4.0%
7	兴业财富资产管理有限公司	3256	3.1%
8	交银施罗德资产管理有限公司	3252	3.1%
9	鑫沅资产管理有限公司	3231	3.1%
10	工银瑞信投资管理有限公司	3014	2.9%

5. 2016 年基金子公司一对多专户产品管理资产规模排名(前 10)

排名	基金子公司	管理资产规模(亿元)	占行业一对多专户产品总规模比例(%)
1	招商财富资产管理有限公司	2162	9.4%
2	深圳平安大华汇通财富管理有限公司	1994	8.7%
3	民生加银资产管理有限公司	1638	7.1%
4	博时资本管理有限公司	1541	6.7%
5	中信信诚资产管理有限公司	1374	6.0%
6	嘉实资本管理有限公司	916	4.0%
7	鑫沅资产管理有限公司	682	3.0%
8	鹏华资产管理有限公司	677	3.0%
9	首誉光控资产管理有限公司	582	2.5%
10	深圳市融通资本管理股份有限公司	579	2.5%

6. 2016 年基金子公司专户产品新设规模排名(前 10)

排名	基金子公司	新设规模(亿元)	占行业新设产品总规模比例(%)
1	深圳平安大华汇通财富管理有限公司	3084	7.8%
2	招商财富资产管理有限公司	2797	7.1%
3	博时资本管理有限公司	2517	6.4%
4	建信资本管理有限责任公司	1889	4.8%
5	北京新华富时资产管理有限公司	1521	3.8%
6	工银瑞信投资管理有限公司	1263	3.2%
7	北京方正富邦创融资产管理有限公司	1142	2.9%
8	嘉实资本管理有限公司	1070	2.7%
9	深圳前海金鹰资产管理有限公司	1044	2.6%
10	深圳平安大华汇通财富管理有限公司	913	2.3%

7. 2016 年基金公司专户业务管理资产规模排名(前 10)

排名	基金公司	管理资产规模(亿元)	占行业总规模比例(%)
1	华夏基金管理有限公司	4433	8.7%
2	建信基金管理有限责任公司	4133	8.1%
3	中银基金管理有限公司	3574	7.0%
4	创金合信基金管理有限公司	3156	6.2%
5	易方达基金管理有限公司	2465	4.8%
6	天弘基金管理有限公司	2292	4.5%
7	嘉实基金管理有限公司	2149	4.2%
8	工银瑞信基金管理有限公司	2043	4.0%
9	广发基金管理有限公司	1331	2.6%
10	南方基金管理有限公司	1292	2.5%

8. 2016 年基金公司专户产品新设规模排名(前 10)

排名	基金公司	新设规模(亿元)	占行业新设产品总规模比例(%)
1	建信基金管理有限责任公司	4563	29.2%
2	博时基金管理有限公司	934	6.0%
3	中信建投基金管理有限公司	851	5.4%
4	广发基金管理有限公司	528	3.4%
5	财通基金管理有限公司	514	3.3%
6	天弘基金管理有限公司	501	3.2%
7	嘉实基金管理有限公司	428	2.7%
8	创金合信基金管理有限公司	417	2.7%
9	前海开源基金管理有限公司	341	2.2%
10	华夏基金管理有限公司	297	1.9%

全文来源:中国证券投资基金业协会——证券期货经营机构私募资产管理业务 2016 年统计年报。

2016 年基金规模统计

基金类型	基金支数	基金期末总份额(亿份)	基金资产净值(亿元)
股票型	634	6,515.69	7,157.81
混合型	1,597	18,506.27	20,446.67
债券型	790	13,845.88	15,074.51
货币型	251	68,430.45	42,327.18
QDII	112	1,068.53	1,003.25
短期理财债券型	45	1,386.55	1,386.12
全市场	3,429	109,753.37	87,395.54

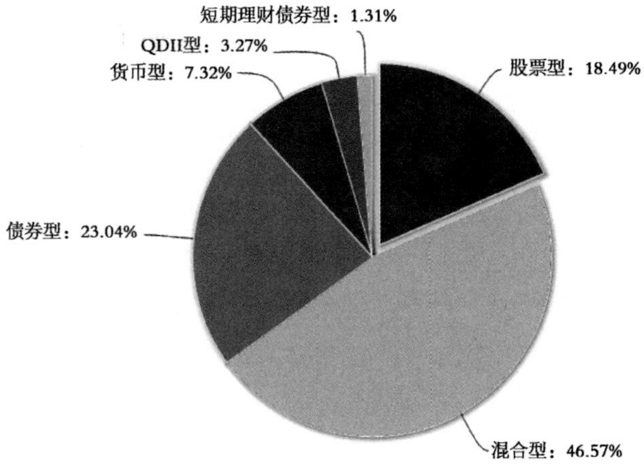

2016 年公募基金市场数据

截至 2016 年 12 月底，我国境内共有基金管理公司 108 家，其中中外合资公司 44 家，内资公司 64 家；取得公募基金管理资格的证券公司或证券公司资管子公司共 12 家，保险资管公司 1 家。以上机构管理的公募基金资产合计 9.16 万亿元。

类别	基金数量(只)(2016/12/31)	份额(亿份)(2016/12/31)	净值(亿元)(2016/12/31)
封闭式基金	303	6179.14	6340.11
开放式基金	3564	82249.17	85252.94
其中:股票基金	661	6450.19	7059.02
其中:混合基金	1707	18667.35	20090.29
其中:货币基金	286	42730.63	42840.57
其中:债券基金	789	13310.59	14239.10
其中:QDII 基金	121	1090.41	1023.96
合计	3867	88428.31	91593.05

2016 年证券期货经营机构资产管理业务统计数据

截至 2016 年 12 月 31 日，基金管理公司及其子公司、证券公司、期货公司、私募基金管理机构资产管理业务总规模约 51.79 万亿元①，其中，基金管理公司管理公募基金规模 9.16 万亿元，基金管理公司及其子公司专户业务规模 16.89 万亿元，证券公司资产管理业务规模 17.58 万亿元，期货公司资产管理业务规模约 2792 亿元，私募基金管理机构资产管理认缴规模 10.24 万亿元，实缴规模 7.89 万亿元。

表 1　基金管理公司管理公募基金规模

(截至 2016 年 12 月 31 日)

基金类型	基金数量(只)	基金份额(亿份)	基金净值(亿元)
封闭式基金	303	6179.14	6340.11
开放式基金	3564	82249.17	85252.94
其中:股票基金	661	6450.19	7059.02

① 资管总规模中的私募基金规模及证券公司直投子公司的直投基金规模为实缴规模口径。

基金类型	基金数量（只）	基金份额（亿份）	基金净值（亿元）
其中:混合基金	1707	18667.35	20090.29
其中:货币基金	286	42730.63	42840.57
其中:债券基金	789	13310.59	14239.10
其中:QDII 基金	121	1090.41	1023.96
合计	3867	88428.31	91593.05

表 2　基金管理公司及其子公司专户业务规模

（截至 2016 年 12 月 31 日）

产品类型	产品数量（只）	资产规模（亿元）
基金公司	7147	63830.70
其中:一对一产品	4036	41773.66
其中:一对多产品	3111	9269.58
其中:社保基金及企业年金	—	12787.46
基金子公司	14494	105030.91
其中:一对一产品	8420	82099.61
其中:一对多产品	6074	22931.30
合计	21641	168861.61

表 3　证券公司资产管理业务规模

（截至 2016 年 12 月 31 日）

产品类型	产品数量（只）	资产规模（亿元）
集合计划	3643	21938.37
定向资管计划	20196	146857.06
专项资管计划	442	4315.31
直投子公司的直投基金	501	2671.38
合计	24782	175782.12

表 4　私募基金管理机构资产管理规模

（截至 2016 年 12 月 31 日）

基金类型	基金数量（只）	认缴规模（亿元）	实缴规模（亿元）
私募证券投资基金	25950	25729.24	26116.7
股权投资基金	14154	54693	35264.07
创业投资基金	2218	4331.69	3396.82
其他	4183	17688.46	14134.28
合计	46505	102442.41	78911.86

表 5　在基金业协会登记的私募基金管理人家数

（截至 2016 年 12 月 31 日）

管理人类型	已登记家数(家)
私募证券投资基金管理人	7781
股权投资基金管理人	7988
创业投资基金管理人	1218
其他类型管理人	446
合计	17433

2016 年私募基金登记备案情况综述

为促进我国私募基金行业规范健康发展，切实保护投资者合法权益，督促私募基金管理人履行诚实信用、谨慎勤勉的受托人义务，中国证券投资基金业协会（以下简称“协会”）于 2016 年 2 月 5 日发布了《关于进一步规范私募基金管理人登记若干事项的公告》（以下简称《公告》）。《公告》取消了私募基金管理人登记证明，对私募基金管理人持续信息报送、法律意见书、高管人员基金从业资格等方面提出了规范要求。《公告》发布以来，登记备案、持续信息报送、合规从业已成为私募基金行业的共识和遵循，绝大部分机构积极支持和配合《公告》落实工作，《公告》达到了规范行业发展的预期目标。现将 2016 年私募基金登记备案情况综述如下。

一、私募基金登记备案整体情况

截至 2016 年 12 月底，中国证券投资基金业协会已登记私募基金管理人 17 433 家，同比减少 7 572 家；备案私募基金 46 505 只，同比增加 22 451 只；基金实缴规模 7.89 万亿元，同比增长 95%；私募基金从业人员 27.20 万人，同比减少 10.74 万人。

私募基金管理人登记方面，《公告》发布以来，新完成登记的私募基金管理人 3 308 家，协会共办理通过管理人登记法律意见书 9 468 份，办理通过法定代表人/执行事务合伙人（委派代表）、控股股东及实际控制人三项重大事项变更专项法律意见书 10 717 份。截至目前，协会共注销 12 834 家私募基金管理人。其中，因未按期完成《公告》整改要求而被注销的机构 10 957 家；因在办结登记手续之日起六个月内未完成备案首只私募基金产品而被注销的机构 86 家；1 791 家机构主动注销登记。一大批无展业能力的空壳机构被注销，改善了行业构成，重塑了行业形象。

高管人员从业资格方面，从业人员的专业能力和职业操守是行业的生命线，基金从业人员资格考试和注册是建立行业人员诚信记录的起点。《公告》发布后，各私募基金管理人的高管人员积极参加基金从业资格考试，落实从业资格整改工作。2016 年，协会组织了三次基金从业资格全国统一考试，完成预约式考试五次并将预约考试地点扩大到 18 个城市，此外，组织针对高级管理人员的周考八次，2016 年全年累计通过考试达 35.3 万人。

截至目前，已登记的私募基金管理人共有高管 51 122 人，其中已有 44 262 人取得了基金从业资格，包括以“通过考试”方式取得资格的 36 218 人，以“通过科目一 + 资格认定”及“双认定”方式取得资格的 8 044 人。2016 年 9 月，协会增设针对私募股权和创业投资基金从业人员的《私募股权投资基金基础知识》考试科目三，并组织编写出版《股权投资基金基础知识要点及法律法规汇编》。尽管如此，仍有 2 955 家私募基金管理人的 3 972 名高管人员尚未按规定取得基金从业资格，未按期完成整改。

异常机构公示方面，2016 年，因未按要求提交 2015 年度经审计的年度财务报告或者累计两次未履行完毕季度更新义务等原因，共计 1 219 家私募基金管理人按照《公告》达到异常机构公示标准，协会通过私募基金管理人公示平台（http://gs.amac.org.cn）进行了对外公示。截至 2016 年底，404 家异常机构已完成整改，整改率达 33%。异常公示制度的设立，是对私募基金管理人建立诚信积累机制的有益尝试，对机构切实履行持续信息报送义务发挥了很好的外部约束作用。

二、关于近期被注销机构的情况及后续安排

（一）在《公告》落实宽限期后仍未按要求完成首只私募基金产品备案机构的情况及后续安排

2016年12月31日，最新一批553家私募基金管理人被注销登记。此类机构均在2016年2月5日前已登记为私募基金管理人，按照《公告》及协会2016年8月1日发布的《关于私募基金管理人注销相关事宜的公告》的要求已宽延办理满五个月，但截至2016年12月31日仍未完成首只私募基金产品备案。

协会重申，注销登记不是自律处分，被注销登记的机构若存在真实业务需求或者已经募集设立私募基金产品的，可按照《私募投资基金管理人登记和基金备案办法(试行)》和《公告》的要求，尽快通过中国证券投资基金业协会资产管理业务综合报送平台(https://ambers.amac.org.cn)重新申请私募基金管理人登记。协会将依法依规办理相关私募基金管理人登记和私募基金产品备案申请，对符合要求的申请机构，协会将以在私募基金管理人公示平台(http://gs.amac.org.cn)公示其基本情况的方式，为其再次办结登记备案手续。

(二)已备案私募基金产品但仍未办结《私募基金管理人登记法律意见书》补提事项机构的情况及后续安排

为维护已备案私募基金产品的现有投资者利益，针对2016年2月5日前已登记、截至2016年12月31日已完成备案首只私募基金产品、但未按照《公告》要求办结《私募基金管理人登记法律意见书》补提事项的机构，将被列为异常机构并对外公示，协会将暂停受理该类机构新的私募基金产品备案申请，直至相关机构整改完毕。同时，请相关私募基金管理人及时向投资者做好相关风险的信息披露，做好相关私募基金产品的妥善处置预案，切实维护投资者利益。

(三)优化《公告》后新登记但仍未完成首只私募基金产品备案机构的提示功能

按照《私募投资基金管理人登记和基金备案办法(试行)》要求，协会自备案材料齐备之后起20个工作日内，以在私募基金管理人公示平台(http://gs.amac.org.cn)公示私募基金基本情况的方式，为私募基金办结备案手续。根据《公告》要求，《公告》后新登记的私募基金管理人在办结登记手续之日起六个月内仍未完成首只私募基金产品备案的，该机构的私募基金管理人登记将被注销。

协会郑重提醒，相关私募基金管理人应当合理统筹规划私募基金管理人登记、私募基金产品设立及申请备案的时间安排，避免临近最后时限才仓促提交备案申请，进而因备案材料不齐备等原因未能及时完成基金备案，导致被注销管理人登记。为更好提醒新登记的私募基金管理人尽快完成首只私募基金产品备案，协会已在“资产管理业务综合报送平台”(https://ambers.amac.org.cn)对临近首只基金备案最后时限的新登记机构用户端增加“注销倒计时”提示功能。

三、高管人员基金从业资格整改情况及后续安排

按照《公告》要求，从事私募证券投资基金业务的各类私募基金管理人，其高管人员，包括法定代表人/执行事务合伙人及委派代表、总经理、副总经理、合规/风控负责人等，均应当取得基金从业资格。从事非私募证券投资基金业务的各类私募基金管理人，至少2名高管人员应当取得基金从业资格，其法定代表人/执行事务合伙人(委派代表)、合规\风控负责人应当取得基金从业资格。

截至目前，尚有2 955家私募基金管理人的高管人员的基金从业资格情况仍未完成整改。根据《公告》，协会将暂停受理该类机构的私募基金产品备案申请，直至相关机构高管人员资质整改完毕。同时，协会将在私募基金管理人公示平台(http://gs.amac.org.cn)中特别提示此类机构相关高管人员的未取得基金从业资格的情况。协会提醒私募基金投资者、托管人及相关服务机构在进行投资或选择业务合作伙伴时，注意查看私募基金管理人相关高管人员的从业资格情况，审慎识别相关风险。

协会再次敦促相关私募基金管理人，尽快落实整改本机构高管人员从业资质要求，通过参加考试等方式取得基金从业资格。私募基金管理人的高管人员取得基金从业资格并按规定完成整改后，协会将即时恢复相关机构高管人员的正常公示，并重新受理私募基金产品备案申请。

为了方便广大私募基金行业从业人员参加基金从业资格考试，2017年协会计划组织全国43个城市的统一考试三次，17个城市的预约式考试五次，针对高级管理人员的周考8－12次。近期，协会将于2017年1月20日、2月17日、3月3日组织周考，后续的周考安排将根据行业需求陆续公布。

2017年基金从业人员资格考试全国统一考试计划、基金从业资格考试具体报名方式和考试要求见基金业协会网站(www.amac.org.cn)“从业人员管理栏目－考试平台”。科目一和科目二考试所用教材为中国证券投资基金业协会组编的《证券投资基金》，由高等教育出版社出版；科目三考试所用教材为中国证券投资基金业协会组编的《股权投资基金基础知识考试要点与法律法规汇编》，已于2016年9月1日由中国金融出版社出版。具体购买方法详见中国证券投资基金业协会网站“从业人员管理”栏目。

私募基金登记备案和自律管理是保障我国私募基金行业合规健康发展的重要制度安排，是《基金法》赋予中国证券投资基金业协会的重要职责。协会将继续秉承“自律、服务、创新”宗旨，不困于心，不惑于行，坚守资产管理本质，坚持“扶优限劣”方针，继续凝聚行业共识，以投资者保护和建设行业诚信为目标，抓紧建设行业信用积累和失信约束机制，推动私募基金行业持续健康发展。

2016年基金管理公司公募基金月均规模前20名

排名	公司名称	公募基金2016年月均规模(亿元)
1	天弘基金管理有限公司	8213.52
2	华夏基金管理有限公司	5483.95
3	工银瑞信基金管理有限公司	4836.15
4	易方达基金管理有限公司	4190.83
5	南方基金管理有限公司	3561.30
6	嘉实基金管理有限公司	3090.03
7	广发基金管理有限公司	3006.01
8	汇添富基金管理股份有限公司	2933.36
9	建信基金管理有限责任公司	2748.23
10	博时基金管理有限公司	2619.36
11	中银基金管理有限公司	2423.54
12	招商基金管理有限公司	2396.78
13	鹏华基金管理有限公司	1964.38
14	富国基金管理有限公司	1891.18

排名	公司名称	公募基金 2016 年月均规模(亿元)
15	银华基金管理股份有限公司	1766.59
16	华宝兴业基金管理有限公司	1669.88
17	华安基金管理有限公司	1466.37
18	兴全基金管理有限公司	1254.11
19	诺安基金管理有限公司	1045.12
20	华泰柏瑞基金管理有限公司	998.53

注:2016 年公募基金月均规模指 2016 年 12 个月末公募基金管理规模的算术平均。

2016 年基金管理公司社保及企业年金管理规模排名

排名	公司名称
1	嘉实基金管理有限公司
2	华夏基金管理有限公司
3	工银瑞信基金管理有限公司
4	博时基金管理公司
5	易方达基金管理有限公司
6	南方基金管理有限公司
7	鹏华基金管理有限公司
8	海富通基金管理有限公司
9	富国基金管理有限公司
10	银华基金管理有限公司
11	广发基金管理有限公司
12	招商基金管理有限公司
13	国泰基金管理有限公司
14	长盛基金管理有限公司
15	汇添富基金管理股份有限公司
16	大成基金管理有限公司

2016 年基金管理公司非货币公募基金月均规模前 20 名

排名	公司名称	非货币公募基金 2016 年月均规模(亿元)
1	易方达基金管理有限公司	2182.78
2	华夏基金管理有限公司	2073.39
3	嘉实基金管理有限公司	1944.57
4	工银瑞信基金管理有限公司	1849.22
5	南方基金管理有限公司	1826.99
6	博时基金管理有限公司	1491.59
7	富国基金管理有限公司	1452.00
8	招商基金管理有限公司	1242.41
9	汇添富基金管理股份有限公司	1210.04
10	鹏华基金管理有限公司	1195.83
11	华安基金管理有限公司	1193.06
12	中银基金管理有限公司	1140.72
13	广发基金管理有限公司	1124.03
14	建信基金管理有限责任公司	872.53
15	银华基金管理股份有限公司	774.58
16	中邮创业基金管理股份有限公司	623.09
17	诺安基金管理有限公司	605.52
18	国泰基金管理有限公司	592.23
19	中欧基金管理有限公司	587.13
20	长城基金管理有限公司	555.10

注:2016 年非货币公募基金月均规模指2016 年12 个月末非货币公募基金管理规模的算术平均。

2016 年基金管理公司专户管理规模前 20 名

排名	公司名称	基金专户 2016 年底规模(亿元)
1	华夏基金管理有限公司	4433.13
2	建信基金管理有限责任公司	4133.16
3	中银基金管理有限公司	3574.28
4	创金合信基金管理有限公司	3156.18
5	易方达基金管理有限公司	2465.13
6	天弘基金管理有限公司	2291.85
7	嘉实基金管理有限公司	2149.36
8	工银瑞信基金管理有限公司	2042.80
9	广发基金管理有限公司	1331.14
10	南方基金管理有限公司	1292.02
11	中信建投基金管理有限公司	1241.28
12	银华基金管理股份有限公司	1178.68
13	汇添富基金管理股份有限公司	1172.25
14	博时基金管理有限公司	1154.07
15	中邮创业基金管理股份有限公司	1014.77
16	财通基金管理有限公司	936.71
17	鹏华基金管理有限公司	928.86
18	交银施罗德基金管理有限公司	863.66
19	富国基金管理有限公司	848.70
20	浦银安盛基金管理有限公司	805.68

注:不含基金管理公司管理的社保及企业年金。

2016 年基金子公司专户管理规模前 20 名

排名	公司名称	子公司专户 2016 年底规模(亿元)
1	招商财富资产管理有限公司	6777.21
2	深圳平安大华汇通财富管理有限公司	6605.12
3	民生加银资产管理有限公司	5614.59
4	上海浦银安盛资产管理有限公司	5179.66
5	博时资本管理有限公司	4988.36
6	建信资本管理有限责任公司	4162.13
7	兴业财富资产管理有限公司	3256.49
8	交银施罗德资产管理有限公司	3252.36
9	鑫沅资产管理有限公司	3231.37
10	工银瑞信投资管理有限公司	3013.50
11	农银汇理(上海)资产管理有限公司	2928.94
12	南方资本管理有限公司	2782.06
13	天弘创新资产管理有限公司	2327.37
14	深圳市融通资本管理股份有限公司	2299.88
15	易方达资产管理有限公司	2149.37
16	北银丰业资产管理有限公司	2148.06
17	中银资产管理有限公司	2065.97
18	中信信诚资产管理有限公司	1903.15
19	银华财富资本管理(北京)有限公司	1896.71
20	万家共赢资产管理有限公司	1800.56

2016 年证券公司主动管理资产月均规模前 20 名

排名	公司名称	主动管理资产 2016 年月均规模(亿元)
1	中信证券股份有限公司	5269.79
2	广发证券资产管理(广东)有限公司	4618.19
3	上海国泰君安证券资产管理有限公司	2461.72
4	华泰证券(上海)资产管理有限公司	2165.30
5	申万宏源证券有限公司	1702.70
6	中银国际证券有限责任公司	1602.85
7	中信建投证券股份有限公司	1457.05
8	华融证券股份有限公司	1414.69
9	齐鲁证券(上海)资产管理有限公司	1401.62
10	上海光大证券资产管理有限公司	943.37
11	中国国际金融股份有限公司	929.23
12	招商证券资产管理有限公司	906.66
13	上海海通证券资产管理有限公司	903.95
14	上海东方证券资产管理有限公司	861.69
15	德邦证券有限责任公司	845.88
16	中山证券有限责任公司	726.02
17	中邮证券有限责任公司	716.98
18	第一创业证券股份有限公司	643.91
19	财通证券资产管理有限公司	642.63
20	广州证券有限责任公司	612.13

注:2016 年主动管理资产月均规模指 2016 年 12 个月末主动管理资产规模的算术平均。

2016 年证券公司资产管理月均规模前 20 名

排名	公司名称	资产管理 2016 年月均规模(亿元)
1	中信证券股份有限公司	14809.99
2	华泰证券(上海)资产管理有限公司	8146.52
3	中信建投证券股份有限公司	6987.25
4	广发证券资产管理(广东)有限公司	6711.21
5	上海国泰君安证券资产管理有限公司	6679.58
6	申万宏源证券有限公司	6635.83
7	上海海通证券资产管理有限公司	6471.19
8	中银国际证券有限责任公司	5589.82
9	招商证券资产管理有限公司	5068.80
10	华福证券有限责任公司	4603.82
11	德邦证券有限责任公司	3950.73
12	江海证券有限公司	3577.99
13	上海光大证券资产管理有限公司	2640.44
14	华融证券股份有限公司	2547.01
15	安信证券股份有限公司	2531.22
16	东吴证券股份有限公司	2496.75
17	长城证券有限责任公司	2398.60
18	齐鲁证券(上海)资产管理有限公司	2387.53
19	第一创业证券股份有限公司	2326.69
20	国都证券股份有限公司	2176.03

注:2016 年资产管理月均规模指 2016 年 12 个月末资产管理规模的算术平均。

2016 年资产证券化管理人已备案产品规模排名前 20 名

（截至 2016 上 12 月 31 日）

排名	公司名称	发行产品规模(亿元)
1	德邦证券股份有限公司	624.11
2	嘉实资本管理有限公司	375.59
3	恒泰证券股份有限公司	362.96
4	中信证券股份有限公司	362.38
5	上海国泰君安证券资产管理有限公司	345.16
6	广发证券资产管理(广东)有限公司	315.57
7	国金证券股份有限公司	312.30
8	华泰证券(上海)资产管理有限公司	304.39
9	招商证券资产管理有限公司	235.25
10	中国国际金融股份有限公司	201.98
11	上海东方证券资产管理有限公司	184.65
12	上海富诚海富通资产管理有限公司	166.77
13	华夏资本管理有限公司	147.75
14	申万宏源证券有限公司	138.54
15	万家共赢资产管理有限公司	137.31
16	长城嘉信资产管理有限公司	123.42
17	博时资本管理有限公司	115.79
18	华福证券有限责任公司	113.98
19	国海证券股份有限公司	101.08
20	中国中投证券有限责任公司	80.42

2016 年资产证券化管理人已备案产品数量排名前 20 名

（截至 2016 上 12 月 31 日）

排名	公司名称	发行产品数量(只)
1	德邦证券股份有限公司	38
2	广发证券资产管理(广东)有限公司	38
3	国金证券股份有限公司	32
4	华泰证券(上海)资产管理有限公司	32
5	恒泰证券股份有限公司	26
6	中信证券股份有限公司	20
7	上海国泰君安证券资产管理有限公司	19
8	招商证券资产管理有限公司	16
9	嘉实资本管理有限公司	15
10	中国国际金融股份有限公司	15
11	上海富诚海富通资产管理有限公司	13
12	申万宏源证券有限公司	13
13	中信建投证券股份有限公司	12
14	西部证券股份有限公司	10
15	博时资本管理有限公司	9
16	国海证券股份有限公司	9
17	上海东方证券资产管理有限公司	8
18	兴证证券资产管理有限公司	8
19	上海光大证券资产管理有限公司	8
20	万家共赢资产管理有限公司	7

公募基金管理机构名录

序号	公司名称	注册地	办公地
1	国泰基金管理有限公司	上海	上海
2	南方基金管理有限公司	深圳	深圳
3	华夏基金管理有限公司	北京	北京
4	华安基金管理有限公司	上海	上海
5	博时基金管理有限公司	深圳	深圳
6	鹏华基金管理有限公司	深圳	深圳
7	长盛基金管理有限公司	深圳	北京
8	嘉实基金管理有限公司	上海	北京
9	大成基金管理有限公司	深圳	深圳
10	富国基金管理有限公司	上海	上海
11	易方达基金管理有限公司	广东	广州
12	宝盈基金管理有限公司	深圳	北京
13	融通基金管理有限公司	深圳	深圳
14	银华基金管理股份有限公司	深圳	北京
15	长城基金管理有限公司	深圳	深圳
16	银河基金管理有限公司	上海	上海
17	泰达宏利基金管理有限公司	北京	深圳
18	国投瑞银基金管理有限公司	深圳	北京
19	万家基金管理有限公司	上海	上海
20	金鹰基金管理有限公司	广东	广州
21	招商基金管理有限公司	深圳	深圳
22	华宝兴业基金管理有限公司	上海	上海
23	摩根士丹利华鑫基金管理有限公司	深圳	深圳
24	国联安基金管理有限公司	上海	上海
25	海富通基金管理有限公司	上海	上海
26	长信基金管理有限责任公司	上海	上海
27	泰信基金管理有限公司	上海	上海

序号	公司名称	注册地	办公地
28	天治基金管理有限公司	上海	上海
29	景顺长城基金管理有限公司	深圳	深圳
30	广发基金管理有限公司	广东	广州
31	兴全基金管理有限公司	上海	上海
32	诺安基金管理有限公司	深圳	深圳
33	申万菱信基金管理有限公司	上海	上海
34	中海基金管理有限公司	上海	上海
35	光大保德信基金管理有限公司	上海	上海
36	华富基金管理有限公司	上海	上海
37	上投摩根基金管理有限公司	上海	上海
38	东方基金管理有限责任公司	北京	北京
39	中银基金管理有限公司	上海	上海
40	东吴基金管理有限公司	上海	上海
41	国海富兰克林基金管理有限公司	南宁	上海
42	天弘基金管理有限公司	天津	北京
43	华泰柏瑞基金管理有限公司	上海	上海
44	新华基金管理股份有限公司	重庆	北京
45	汇添富基金管理有限公司	上海	上海
46	工银瑞信基金管理有限公司	北京	北京
47	交银施罗德基金管理有限公司	上海	上海
48	信诚基金管理有限公司	上海	上海
49	建信基金管理有限责任公司	北京	北京
50	华商基金管理有限公司	北京	北京
51	汇丰晋信基金管理有限公司	上海	上海
52	益民基金管理有限公司	重庆	北京
53	中邮创业基金管理股份有限公司	北京	北京
54	信达澳银基金管理有限公司	深圳	深圳
55	诺德基金管理有限公司	上海	上海
56	中欧基金管理有限公司	上海	上海
57	金元顺安基金管理有限公司	上海	上海
58	浦银安盛基金管理有限公司	上海	上海
59	农银汇理基金管理有限公司	上海	上海
60	民生加银基金管理有限公司	深圳	深圳
61	西部利得基金管理有限公司	上海	上海
62	浙商基金管理有限公司	杭州	杭州
63	平安大华基金管理有限公司	深圳	深圳
64	富安达基金管理有限公司	上海	上海
65	财通基金管理有限公司	上海	上海
66	方正富邦基金管理有限公司	北京	北京
67	长安基金管理有限公司	上海	上海
68	国金基金管理有限公司	北京	北京
69	安信基金管理有限责任公司	深圳	深圳

序号	公司名称	注册地	办公地
70	德邦基金管理有限公司	上海	上海
71	华宸未来基金管理有限公司	上海	上海
72	红塔红土基金管理有限公司	深圳	深圳
73	英大基金管理有限公司	北京	北京
74	江信基金管理有限公司	北京	北京
75	太平基金管理有限公司	上海	上海
76	华润元大基金管理有限公司	深圳	深圳
77	前海开源基金管理有限公司	深圳	深圳
78	东海基金管理有限责任公司	上海	上海
79	中加基金管理有限公司	北京	北京
80	兴业基金管理有限公司	福建	上海
81	中融基金管理有限公司	北京	北京
82	国开泰富基金管理有限责任公司	北京	北京
83	中信建投基金管理有限公司	北京	北京
84	上银基金管理有限公司	上海	上海
85	鑫元基金管理有限公司	上海	上海
86	永赢基金管理有限公司	浙江	上海
87	华福基金管理有限责任公司	福建	上海
88	国寿安保基金管理有限公司	上海	北京
89	圆信永丰基金管理有限公司	福建	上海
90	中金基金管理有限公司	北京	北京
91	北信瑞丰基金管理有限公司	北京	北京
92	红土创新基金管理有限公司	深圳	深圳
93	嘉合基金管理有限公司	上海	上海
94	创金合信基金管理有限公司	深圳	深圳
95	九泰基金管理有限公司	北京	北京
96	泓德基金管理有限公司	西藏	北京
97	金信基金管理有限公司	深圳	深圳
98	新疆前海联合基金管理有限公司	新疆	深圳
99	新沃基金管理有限公司	上海	北京
100	中科沃土基金管理有限公司	珠海	广州
101	富荣基金管理有限公司	广州	深圳
102	汇安基金管理有限责任公司	上海	北京
103	先锋基金管理有限公司	北京	北京
104	中航基金管理有限公司	北京	北京
105	华泰保兴基金管理有限公司	上海	上海
106	鹏扬基金管理有限公司	上海	北京
107	恒生前海基金管理有限公司	深圳	深圳
108	格林基金管理有限公司	北京	北京
109	南华基金管理有限公司	浙江	北京

证券投资基金托管人名录

序号	托管人代码	托管人名称	注册地域	取得托管资格时间	地址
1	23060000	包商银行股份有限公司	内蒙古	2014.2.10	北京
2	23220000	恒泰证券股份有限公司	内蒙古	2015.8.24	内蒙古
3	23180000	兴业证券股份有限公司	福建	2014.11.6	上海
4	20380000	宁波银行股份有限公司	浙江	2012.11.5	浙江
5	23050000	广州农村商业银行股份有限公司	广东	2014.1.9	广东
6	23170000	中信证券股份有限公司	深圳	2014.10.10	北京
7	20060000	华夏银行股份有限公司	北京	2005.2.23	北京
8	20050000	交通银行股份有限公司	上海	1998.7.3	上海
9	20130000	上海浦东发展银行股份有限公司	上海	2003.9.10	上海
10	20120000	兴业银行股份有限公司	福建	2005.4.25	上海
11	20080000	招商银行股份有限公司	深圳	2002.11.6	深圳
12	20010000	中国工商银行股份有限公司	北京	1998.2.24	北京
13	20070000	中国光大银行股份有限公司	北京	2002.10.23	北京
14	20040000	中国建设银行股份有限公司	北京	1998.3.18	北京
15	20100000	中国民生银行股份有限公司	北京	2004.7.9	北京
16	20020000	中国农业银行股份有限公司	北京	1998.5.29	北京
17	20030000	中国银行股份有限公司	北京	1998.7.7	北京
18	20090000	中信银行股份有限公司	北京	2004.8.18	北京
19	20150000	北京银行股份有限公司	北京	2008.6.3	北京
20	20110000	平安银行股份有限公司	深圳	2008.8.6	深圳
21	20160000	广东发展银行股份有限公司	广东	2009.5.4	北京
22	20730000	中国邮政储蓄银行有限责任公司	北京	2009.7.16	北京
23	20140000	上海银行股份有限公司	上海	2009.8.18	上海
24	20770000	渤海银行股份有限公司	天津	2010.6.29	天津
25	23130000	国信证券股份有限公司	深圳	2013.12.31	深圳
26	23100000	国泰君安证券股份有限公司	上海	2014.5.20	上海
27	23150000	华泰证券股份有限公司	南京	2014.9.29	南京
28	23020000	徽商银行股份有限公司	安徽	2014.1.3	安徽
29	23230000	中泰证券股份有限公司	山东	2015.12.23	山东
30	23080000	中国证券登记结算有限责任公司	北京	2014.3.4	北京
31	23030000	海通证券股份有限公司	上海	2013.12.30	上海
32	23110000	招商证券股份有限公司	深圳	2014.1.10	深圳
33	23010000	浙商银行股份有限公司	浙江	2013.11.13	浙江
34	23140000	江苏银行股份有限公司	南京	2014.5.20	南京
35	23070000	杭州银行股份有限公司	浙江	2014.3.17	浙江
36	23120000	广发证券股份有限公司	广东	2014.5.20	广东
37	23160000	中国银河证券股份有限公司	北京	2014.6.24	北京
38	23090000	南京银行股份有限公司	南京	2014.4.9	南京
39	23040000	恒丰银行股份有限公司	上海	2014.2.10	上海
40	23200000	中信建投证券股份有限公司	北京	2015.2.6	北京
41	23210000	中国证券金融股份有限公司	北京	2015.6.30	北京
42	23190000	中国国际金融股份有限公司	北京	2015.6.30	北京

基金管理公司从事特定客户资产管理业务子公司名录

序号	公司名称	母公司名称	注册地
1	工银瑞信投资管理有限公司	工银瑞信基金管理有限公司	上海
2	嘉实资本管理有限公司	嘉实基金管理有限公司	北京
3	深圳平安大华汇通财富管理有限公司	平安大华基金管理有限公司	深圳
4	华夏资本管理有限公司	华夏基金管理有限公司	深圳
5	北京方正富邦创融资产管理有限公司	方正富邦基金管理有限公司	北京
6	长安财富资产管理有限公司	长安基金管理有限公司	上海
7	富安达资产管理(上海)有限公司	富安达基金管理有限公司	上海
8	上海兴全睿众资产管理有限公司	兴全基金管理有限公司	上海
9	北京千石创富资本管理有限公司	国金基金管理有限公司	北京
10	深圳市红塔资产管理有限公司	红塔红土基金管理有限公司	深圳
11	鹏华资产管理有限公司	鹏华基金管理有限公司	深圳
12	北京天地方中资产管理有限公司	天弘基金管理有限公司	北京
13	民生加银资产管理有限公司	民生加银基金管理有限公司	上海
14	上海新东吴优胜资产管理有限公司	东吴基金管理有限公司	上海
15	上海锐懿资产管理有限公司	泰信基金管理有限公司	上海
16	万家共赢资产管理有限公司	万家基金管理有限公司	上海
17	首誉资产管理有限公司	中邮创业基金管理有限公司	深圳
18	招商财富资产管理有限公司	招商基金管理有限公司	深圳
19	博时资本管理有限公司	博时基金管理有限公司	深圳
20	德邦创新资本有限责任公司	德邦基金管理有限公司	上海
21	上海金元百利资产管理有限公司	金元惠理基金管理有限公司	上海
22	上海聚潮资产管理有限公司	浙商基金管理有限公司	上海
23	汇添富资本管理有限公司	汇添富基金管理股份有限公司	上海
24	信达新兴财富(北京)资产管理有限公司	信达澳银基金管理有限公司	北京
25	银华财富资本管理(北京)有限公司	银华基金管理股份有限公司	北京
26	深圳华宸未来资产管理有限公司	华宸未来基金管理有限公司	深圳
27	国泓资产管理有限公司	益民基金管理有限公司	北京
28	北京新华富时资产管理有限公司	新华基金管理股份有限公司	深圳
29	中信信诚资产管理有限公司	信诚基金管理有限公司	上海
30	深圳市融通资本管理股份有限公司	融通基金管理有限公司	深圳
31	国泰元鑫资产管理有限公司	国泰基金管理有限公司	上海
32	上海华富利得资产管理有限公司	华富基金管理有限公司	上海
33	上海财通资产管理有限公司	财通基金管理有限公司	上海
34	建信资本管理有限责任公司	建信基金管理有限责任公司	上海
35	瑞元资本管理有限公司	广发基金管理有限公司	珠海
36	易方达资产管理有限公司	易方达基金管理有限公司	珠海
37	兴业财富资产管理有限公司	兴业基金管理有限公司	上海
38	天治北部资产管理有限公司	天治基金管理有限公司	北京
39	深圳前海金鹰资产管理有限公司	金鹰基金管理有限公司	深圳
40	中海恒信资产管理(上海)有限公司	中海基金管理有限公司	上海
41	国投瑞银资本管理有限公司	国投瑞银基金管理有限公司	深圳
42	富国资产管理(上海)有限公司	富国基金管理有限公司	上海
43	长城嘉信资产管理有限公司	长城基金管理有限公司	深圳
44	上海长江财富资产管理有限公司	长信基金管理有限责任公司	上海

序号	公司名称	母公司名称	注册地
45	中欧盛世资本管理(上海)有限公司	中欧基金管理有限公司	深圳
46	东方汇智资产管理有限公司	东方基金管理有限责任公司	深圳
47	上海瑞京资产管理有限公司	东海基金管理有限责任公司	上海
48	诺安资产管理有限公司	诺安基金管理有限公司	北京
49	前海开源资产管理有限公司	前海开源基金管理有限公司	深圳
50	农银汇理(上海)资产管理有限公司	农银汇理基金管理有限公司	上海
51	景顺长城资产管理(深圳)有限公司	景顺长城基金管理有限公司	深圳
52	中融(北京)资产管理有限公司	中融基金管理有限公司	北京
53	华安未来资产管理(上海)有限公司	华安基金管理有限公司	上海
54	大成创新资本管理有限公司	大成基金管理有限公司	深圳
55	南方资本管理有限公司	南方基金管理有限公司	深圳
56	长盛创富资产管理有限公司	长盛基金管理有限公司	北京
57	上海浦银安盛资产管理有限公司	浦银安盛基金管理有限公司	上海
58	安信乾盛财富管理(深圳)有限公司	安信基金管理有限责任公司	深圳
59	中铁宝盈资产管理有限公司	宝盈基金管理有限公司	深圳
60	交银施罗德资产管理有限公司	交银施罗德基金管理有限公司	上海
61	深圳华润元大资产管理有限公司	华润元大基金管理有限公司	深圳
62	国海富兰克林资产管理(上海)有限公司	国海富兰克林基金管理有限公司	上海
63	鑫沅资产管理有限公司	鑫元基金管理有限公司	上海
64	北银丰业资产管理有限公司	中加基金管理有限公司	深圳
65	上银瑞金资本管理有限公司	上银基金基金管理有限公司	上海
66	申万菱信(上海)资产管理有限公司	申万菱信基金管理有限公司	上海
67	永赢资产管理有限公司	永赢基金管理有限公司	上海
68	银河资本资产管理有限公司	银河基金管理有限公司	上海
69	北京国开泰富资产管理有限公司	国开泰富基金管理有限责任公司	北京
70	上海富诚海富通资产管理有限公司	海富通基金管理有限公司	上海
71	柏瑞爱建资产管理(上海)有限公司	华泰柏瑞基金管理有限公司	上海
72	中银资产管理有限公司	中银基金管理有限公司	上海
73	国寿财富管理有限公司	国寿安保基金管理有限公司	上海
74	上海兴瀚资产管理有限公司	华福基金管理有限责任公司	上海
75	尚腾资本管理有限公司	上投摩根基金管理有限公司	上海
76	元达信资本管理(北京)有限公司	中信建投基金管理有限公司	北京
77	上海北信瑞丰资产管理有限公司	北信瑞丰基金管理有限公司	上海
78	光大保德信资产管理有限公司	光大保德信基金管理有限公司	上海
79	深圳英大资本管理有限公司	英大基金管理有限公司	深圳

基金管理机构名录

序号	基金管理人代码	基金管理人简称	基金管理人全称	网站地址
1	50700000	安信	安信基金管理有限责任公司	www. essencefund. com
2	50120000	宝盈	宝盈基金管理有限公司	www. byfunds. com
3	50920000	北信瑞丰	北信瑞丰基金管理有限公司	www. bxrfund. com
4	50050000	博时	博时基金管理有限公司	www. bosera. com
5	50660000	财通	财通基金管理有限公司	www. ctfund. com
6	50680000	长安	长安基金管理有限公司	www. changanfunds. com
7	50150000	长城	长城基金管理有限公司	www. ccfund. com. cn
8	50070000	长盛	长盛基金管理有限公司	www. csfunds. com. cn

序号	基金管理人代码	基金管理人简称	基金管理人全称	网站地址
9	50260000	长信	长信基金管理有限责任公司	www.cxfund.com.cn
10	50990000	创金合信	创金合信基金管理有限公司	www.cjhxfund.com
11	50090000	大成	大成基金管理有限公司	www.dcfund.com.cn
12	50710000	德邦	德邦基金管理有限公司	www.dbfund.com.cn
13	50390000	东方	东方基金管理有限责任公司	www.orient-fund.com
14	50790000	东海	东海基金管理有限责任公司	www.donghaifunds.com
15	50410000	东吴	东吴基金管理有限公司	www.scfund.com.cn
16	50670000	方正富邦	方正富邦基金管理有限公司	www.founderff.com
17	50650000	富安达	富安达基金管理有限公司	www.fadfunds.com
18	50100000	富国	富国基金管理有限公司	www.fullgoal.com.cn
19	51130000	富荣	富荣基金管理有限公司	www.furamc.com.cn
20	51360000	格林	格林基金管理有限公司	www.china-greenfund.com
21	50470000	工银瑞信	工银瑞信基金管理有限公司	www.icbccs.com.cn
22	50360000	光大保德信	光大保德信基金管理有限公司	www.epf.com.cn
23	50300000	广发	广发基金管理有限公司	www.gffunds.com.cn
24	50420000	国海富兰克林	国海富兰克林基金管理有限公司	www.ftsfund.com
25	50690000	国金	国金基金管理有限公司	www.gfund.com
26	50830000	国开泰富	国开泰富基金管理有限责任公司	www.cdbsfund.com
27	50240000	国联安	国联安基金管理有限公司	www.gtja-allianz.com
28	50900000	国寿安保	国寿安保基金管理有限公司	www.gsfunds.com.cn
29	50010000	国泰	国泰基金管理有限公司	www.gtfund.com
30	50180000	国投瑞银	国投瑞银基金管理有限公司	www.ubssdic.com
31	50250000	海富通	海富通基金管理有限公司	www.hftfund.com
32	51280000	恒生前海	恒生前海基金管理有限公司	www.hsqhfunds.com
33	50730000	红塔红土	红塔红土基金管理有限公司	www.htamc.com.cn
34	50970000	红土创新	红土创新基金管理有限公司	www.htcxfund.com
35	50040000	华安	华安基金管理有限公司	www.huaan.com.cn
36	50220000	华宝兴业	华宝兴业基金管理有限公司	www.fsfund.com
37	50370000	华富	华富基金管理有限公司	www.hffund.com
38	50770000	华润元大	华润元大基金管理有限公司	www.cryuantafund.com
39	50510000	华商	华商基金管理有限公司	www.hsfund.com
40	50440000	华泰柏瑞	华泰柏瑞基金管理有限公司	www.aig-huatai.com
41	51250000	华泰保兴	华泰保兴基金管理有限公司	fund.ehuaitai.com
42	50030000	华夏	华夏基金管理有限公司	www.chinaamc.com
43	50720000	华宸未来	华宸未来基金管理有限公司	www.hcmiraefund.com
44	51300000	汇安	汇安基金管理有限责任公司	www.huianfund.cn
45	50520000	汇丰晋信	汇丰晋信基金管理有限公司	www.hsbcjt.cn
46	50460000	汇添富	汇添富基金管理有限公司	www.99fund.com
47	50940000	嘉合	嘉合基金管理有限公司	www.haoamc.com
48	50080000	嘉实	嘉实基金管理有限公司	www.jsfund.cn
49	50500000	建信	建信基金管理有限责任公司	www.ccbfund.cn
50	50750000	江信	江信基金管理有限公司	www.jxfund.cn
51	50480000	交银施罗德	交银施罗德基金管理有限公司	www.jyfund.com
52	51080000	金信	金信基金管理有限公司	www.jxfunds.com.cn
53	50200000	金鹰	金鹰基金管理有限公司	www.gefund.com.cn
54	50580000	金元顺安	金元顺安基金管理有限公司	www.jykbc.com
55	50290000	景顺长城	景顺长城基金管理有限公司	www.invescogreatwall.com

序号	基金管理人代码	基金管理人简称	基金管理人全称	网站地址
56	50980000	九泰	九泰基金管理有限公司	www. jtamc. com
57	50610000	民生加银	民生加银基金管理有限公司	www. msjyfund. com. cn
58	50230000	摩根士丹利华鑫	摩根士丹利华鑫基金管理有限公司	www. msfunds. com. cn
59	50020000	南方	南方基金管理有限公司	www. nffund. com
60	51500000	南华	南华基金管理有限公司	www. nanhuafunds. com
61	50600000	农银汇理	农银汇理基金管理有限公司	www. abc-ca. com
62	50330000	诺安	诺安基金管理有限公司	www. lionfund. com. cn
63	50560000	诺德	诺德基金管理有限公司	www. nuodefund. com
64	50060000	鹏华	鹏华基金管理有限公司	www. phfund. com. cn
65	51190000	鹏扬	鹏扬基金管理有限公司	www. pyamc. com
66	50640000	平安大华	平安大华基金管理有限公司	fund. pingan. com
67	50590000	浦银安盛	浦银安盛基金管理有限公司	www. py-axa. comindex. html
68	50780000	前海开源	前海开源基金管理有限公司	www. qhkyfund. com
69	51160000	前海联合	新疆前海联合基金管理有限公司	www. qhlhfund. com
70	50130000	融通	融通基金管理有限公司	www. rtfund. com
71	50380000	上投摩根	上投摩根基金管理有限公司	www. 51fund. com
72	50850000	上银	上银基金管理有限公司	
73	50340000	申万菱信	申万菱信基金管理有限公司	www. swsmu. com
74	50170000	泰达宏利	泰达宏利基金管理有限公司	www. mfcteda. com
75	50270000	泰信	泰信基金管理有限公司	www. ftfund. com
76	50760000	太平	太平基金管理有限公司	www. acfund. com. cn
77	50430000	天弘	天弘基金管理有限公司	www. thfund. com. cn
78	50280000	天治	天治基金管理有限公司	www. chinanature. com. cn
79	50190000	万家	万家基金管理有限公司	www. wjasset. com
80	50620000	西部利得	西部利得基金管理有限公司	www. bnyfund. com
81	51390000	先锋	先锋基金管理有限公司	www. xf-fund. com
82	50450000	新华	新华基金管理有限公司	www. ncfund. com. cn
83	51040000	新沃	新沃基金管理有限公司	www. sinvofund. com
84	50490000	信诚	信诚基金管理有限公司	www. citicprufunds. com. cn
85	50550000	信达澳银	信达澳银基金管理有限公司	www. fscinda. com
86	50310000	兴全	兴全基金管理有限公司	www. xyfunds. com. cn
87	50810000	兴业	兴业基金管理有限公司	www. cib-fund. com. cn
88	50890000	兴银	兴银基金管理有限责任公司	www. hffund. com
89	50110000	易方达	易方达基金管理有限公司	www. efunds. com. cn
90	50530000	益民	益民基金管理有限公司	www. ymfund. com
91	50160000	银河	银河基金管理有限公司	www. galaxyasset. com
92	50140000	银华	银华基金管理有限公司	www. yhfund. com. cn
93	50740000	英大	英大基金管理有限公司	www. ydamc. com
94	50880000	永赢	永赢基金管理有限公司	www. maxwealthfund. com
95	50950000	圆信永丰	圆信永丰基金管理有限公司	www. gtsfund. com. cn
96	50210000	招商	招商基金管理有限公司	www. cmfchina. com
97	50630000	浙商	浙商基金管理有限公司	www. zsfund. com
98	50350000	中海	中海基金管理有限公司	www. zhfund. com
99	51230000	中航	中航基金管理有限公司	
100	50800000	中加	中加基金管理有限公司	www. bobbns. com
101	50960000	中金	中金基金管理有限公司	
102	51060000	中科沃土	中科沃土基金管理有限公司	www. richlanasm. com. cn

序号	基金管理人代码	基金管理人简称	基金管理人全称	网站地址
103	50570000	中欧	中欧基金管理有限公司	www. lcfunds. com
104	50820000	中融	中融基金管理有限公司	www. ssga-fund. com
105	50320000	中信	中信基金管理有限责任公司	www. citicfunds. com
106	50840000	中信建投	中信建投基金管理有限公司	www. cfund108. com
107	50400000	中银	中银基金管理有限公司	www. bocim. com
108	50540000	中邮创业	中邮创业基金管理股份有限公司	www. postfund. com. cn
109	51070000	泓德	泓德基金管理有限公司	www. hongdefund. com
110	50860000	鑫元	鑫元基金管理有限公司	www. xyamc. com
111	50870000	东证资管	上海东方证券资产管理有限公司	www. dfham. com
112	51010000	山西证券	山西证券股份有限公司	www. sxzq. com
113	51020000	浙商资管	浙江浙商证券资产管理有限公司	www. stocke. com. cn
114	51100000	东兴证券	东兴证券股份有限公司	www. dxzq. net. cn
115	51320000	财通资管	财通证券资产管理有限公司	www. ctzg. com
116	51260000	长江资管	长江证券(上海)资产管理有限公司	www. 95579. com
117	50910000	华融证券	华融证券股份有限公司	www. hrsec. com. cn
118	51170000	泰康资产	泰康资产管理有限责任公司	www. taikang. comtkzc
119	51000000	中银国际证券	中银国际证券有限责任公司	www. bocichina. com
120	51120000	高华证券	北京高华证券有限责任公司	www. ghsl. cn
121	51030000	国都证券	国都证券股份有限公司	www. guodu. com
122	51050000	渤海汇金	渤海汇金证券资产管理有限公司	www. bhhjamc. com
123	51430000	华泰资管	华泰证券(上海)资产管理有限公司	www. htamc. htsc. com. cn
124	51410000	人保资产	中国人保资产管理有限公司	www. piccamc. com

公开募集基金销售机构名录

商业银行(141 家)

(1)全国性商业银行(18 家)

编号	机构名称	网址	联系地址	电话	核准时间
1	中国工商银行	www. icbc. com. cn	北京市西城区复兴门内大街 55 号	95588	2001 年 8 月
2	中国农业银行	www. abchina. com	北京市东城区建国门内大街 69 号	95599	2001 年 12 月
3	中国银行	www. boc. cn	北京市西城区复兴门内大街 1 号	95566	2001 年 12 月
4	中国建设银行	www. ccb. com	北京市西城区金融大街 25 号	95533	2001 年 7 月
5	交通银行	www. bankcomm. com	上海市银城中路 188 号	95559	2001 年 9 月
6	中信银行	www. ecitic. com	北京市东城区朝阳门北大街 8 号富华大厦 C 座	95558	2002 年 1 月
7	平安银行	www. bank. pingan. com	广东省深圳市深南东路 5047 号	95501 95511－3	2002 年 5 月
8	上海浦东发展银行	www. spdb. com. cn	上海市中山东一路 12 号	95528	2002 年 7 月
9	招商银行	www. cmbchina. com	广东省深圳市深南大道 7088 号招商银行大厦	95555	2001 年 12 月
10	兴业银行	www. cib. com. cn	上海市江宁路 168 号兴业大厦 9 层	95561	2002 年 8 月
11	中国民生银行	www. cmbc. com. cn	北京市西城区复兴门内大街 2 号	95568	2002 年 9 月
12	中国光大银行	www. cebbank. com	北京市西城区复兴门外大街 6 号光大大厦	95595	2003 年 1 月
13	华夏银行	www. hxb. com. cn	北京市东城区建国门内大街 22 号华夏银行大厦	95577	2004 年 11 月
14	广发银行	www. gdb. com. cn	广东省广州市农林下路 83 号广发银行大厦	95508	2005 年 7 月
15	中国邮政储蓄银行	www. psbc. com	北京市西城区金融大街 3 号	95580	2006 年 7 月
16	浙商银行	www. czbank. com	浙江省杭州市庆春路 288 号	95527	2008 年 8 月
17	渤海银行	www. cbhb. com. cn	天津市河西区马场道－205 号	4008888811	2009 年 10 月
18	恒丰银行	www. egbank. com. cn	山东省烟台市南大街 248 号	4008138888	2014 年 1 月

（2）城市商业银行（73 家）

编号	机构名称	网址	联系地址	电话	核准时间
1	北京银行	www. bankofbeijing. com. cn	北京市西城区金融大街丙 17 号	010－96169	2004 年 10 月
2	上海银行	www. bankofshanghai. com. cn	上海市黄浦区中山东二路 585 号	021－962888	2005 年 1 月
3	宁波银行	www. nbcb. com. cn	浙江省宁波市中山东路 294 号	96528	2008 年 2 月
4	青岛银行	www. qdcb. com	山东省青岛市香港中路 68 号	0532－96588	2008 年 5 月
5	徽商银行	www. hsbank. com. cn	安徽省合肥市安庆路 79 号徽商银行大厦	96588	2008 年 7 月
6	东莞银行	www. dongguanbank. cn	广东省东莞市城区运河东一路 193 号	0769－22118118	2008 年 10 月
7	南京银行	www. njcb. com. cn	江苏省南京市淮海路 50 号	025－96400	2008 年 10 月
8	杭州银行	www. hccb. com. cn	浙江省杭州市凤起路 432 号	96523	2009 年 1 月
9	临商银行	www. lsbchina. com	山东省临沂市沂蒙路 336 号	4006996588	2009 年 2 月
10	温州银行	www. wzcb. com. cn	浙江省温州市车站大道温州银行大楼	0577－96699	2009 年 5 月
11	汉口银行	www. hkbchina. com	湖北省武汉市建设大道 933 号	027－82656666	2009 年 6 月
12	江苏银行	www. jsbchina. cn	江苏省南京市洪武北路 55 号置地广场	4008696098	2009 年 9 月
13	洛阳银行	www. bankofluoyang. com. cn	河南省洛阳市新区开元大道 256 号	96699	2010 年 1 月
14	乌鲁木齐商业银行	www. uccb. com. cn	新疆维吾尔自治区乌鲁木齐市新华北路 8 号	96518	2010 年 2 月
15	烟台银行	www. ytcb. com	山东省烟台市芝罘区海港路 25－18 号	4008311777	2010 年 6 月
16	齐商银行	www. qsbank. cc	山东省淄博市张店区金晶大道 105 号	0533－96588	2010 年 9 月
17	浙江民泰商业银行	www. mintaibank. com	浙江省温岭市三星大道 168 号	0576－86109988	2010 年 10 月
18	大连银行	www. bankofdl. com	辽宁省大连市中山区中山路 88 号	4006640099	2010 年 10 月
19	哈尔滨银行	www. hrbcb. com. cn	黑龙江省哈尔滨市道里区尚志大街 160 号	4006096358	2010 年 10 月
20	重庆银行	www. cqcbank. com	重庆市渝中区邹容路 153 号	96899 4007096899	2010 年 11 月
21	浙江稠州商业银行	www. czcb. com. cn	浙江省义乌市江滨路义乌乐园东侧	0571－96527 4008096527	2010 年 11 月
22	天津银行	www. tccb. com. cn	天津市河西区友谊路 15 号	4006960296 022－960296	2011 年 2 月
23	河北银行	www. sccb. com. cn	河北省石家庄市平安北大街 28 号	4006129999 0311－96368	2011 年 5 月
24	嘉兴银行	www. jxccb. com	浙江省嘉兴市建国南路 409 号	0573－96528 4008396528	2011 年 6 月
25	广州银行	www. gzcb. com. cn	广东省广州市广州大道北 195 号	020－96699	2011 年 7 月
26	西安银行	www. 96779. com. cn	陕西省西安市东四路 35 号	029－96779	2011 年 9 月
27	长沙银行	www. cscb. cn	湖南省长沙市芙蓉中路 1 段 433 号	96511	2011 年 9 月
28	金华银行	www. jhccb. com. cn	浙江省金华市金东区光南路 668 号	0579－96528 4007116668	2011 年 9 月
29	包商银行	www. bsb. com. cn	内蒙古自治区包头市青山区钢铁大街 6 号	96016（内蒙） 976210（宁波、深圳）	2011 年 9 月
30	郑州银行	www. zzbank. cn	河南省郑州市郑东新区商务外环 22 号郑银大厦	4000967585	2012 年 4 月
31	厦门银行	www. xmccb. com	福建省厦门市思明区湖滨北路 101 号商业银行大厦	0592－96319	2012 年 5 月
32	吉林银行	www. jlbank. com. cn	吉林省长春市东南湖大道 1817 号	400－88－96666	2012 年 10 月
33	苏州银行	www. suzhoubank. com	江苏省苏州市吴中区东吴北路 143 号	96067	2012 年 12 月
34	珠海华润银行	www. crbank. com. cn	广东省珠海市香洲区吉大九洲大道东 1346 号	4008800338	2012 年 12 月
35	威海市商业银行	www. whccb. com	山东省威海市宝泉路 9 号财政大厦	96636 40000－96636	2013 年 2 月
36	南充市商业银行	www. cgnb. com	四川省南充市文化路 301 号	028－96869 4001696869	2013 年 2 月
37	长安银行	www. ccabchina. com	陕西省西安市高新技术产业开发区高新四路 13 号朗臣大厦	029－96669 4000596669	2013 年 6 月
38	晋商银行	www. jshbank. com	山西省太原市万柏林区长风西街一号丽华大厦	95105588	2013 年 8 月

编号	机构名称	网址	联系地址	电话	核准时间
39	富滇银行	www. fudian – bank. com	云南省昆明市官渡区昆明市拓东路41号	0871 – 96533	2013年8月
40	昆仑银行	www. klb. cn	新疆维吾尔自治区乌鲁木齐市民主路75号金新信托大厦	4006696569	2013年9月
41	日照银行	www. bankofrizhao. com	山东省日照市烟台路197号	96588 4006896588	2013年12月
42	南昌银行	www. naccb. com	江西省南昌市中山路159号	0791 – 96266 4007896266	2013年12月
43	潍坊银行	www. wfccb. com	山东省潍坊市胜利东街5139号	0536 – 96588 4006196588	2013年12月
44	福建海峡银行	www. fjhxbank. com	福建省福州市六一北路158号	4008939999	2013年12月
45	绍兴银行	www. sxccb. com	浙江省绍兴市越城区中兴南路1号	0575 – 96528	2013年12月
46	攀枝花市商业银行	ebank. pzhccb. com	四川省攀枝花东区机场路88号	96998 4001096998	2013年3月
47	广东华兴银行	www. ghbank. com. cn	广东省广州市天河区天河路533号	4008308001	2014年4月
48	成都银行	www. bocd. com. cn	四川省成都市青羊区西御街16号	028 – 96511	2014年7月
49	龙江银行	www. lj – bank. com	黑龙江省哈尔滨市道里区友谊路436号	4006458888	2014年8月
50	泉州银行	www. qzccbank. com	福建省泉州市丰泽区云鹿路3号	0595 – 96312 4008896312	2014年8月
51	浙江泰隆商业银行	www. zjtlcb. com	浙江省台州市路桥区南官大道188号	4008896575	2014年10月
52	兰州银行	www. lzbank. com	甘肃省兰州市城关区酒泉路211号	4008896799	2014年11月
53	锦州银行	www. jinzhoubank. com	辽宁省锦州市松山新区科技路68号	4006696178 96178	2015年1月
54	辽阳银行	www. bankofliaoyang. net	辽宁省辽阳市白塔区民主路21号	96678 04193733333	2015年2月
55	华融湘江银行	www. hrxjbank. com. cn	湖南省长沙市天心区芙蓉南路一段828号鑫远杰座大厦	0731 – 96599	2015年4月
56	德阳银行	www. dyccb. com	四川省德阳市旌阳区德阳市蒙山街14号	0838 – 96836	2015年5月
57	贵阳银行	www. bankgy. cn	贵州省贵阳市云岩区中华北路77号	4001196033	2015年5月
58	盛京银行	www. shengjingbak. com. cn	辽宁省沈阳市沈河区北站路109号	024 – 96666	2015年5月
59	深圳前海微众银行	www. webank. com	广东省深圳市南山区田厦国际中心36楼、37楼	4009998877	2015年7月
60	广东南粤银行	www. gdnybank. com	广东省湛江市开放区乐山大道60号	4000961818	2015年8月
61	晋城银行	www. jinchengbank. com	山西省晋城市城区文昌西街1669号	95105757	2015年8月
62	桂林银行	www. guilinbank. com. cn	广西壮族自治区桂林市中山南路76号	4008696299	2015年9月
63	德州银行	www. dzbchina. com	山东省德州市德城区德州市三八东路1266号	4008496588	2015年10月
64	浙江网商银行股份有限公司	www. mybank. cn	浙江省杭州市西湖区学院路28 – 38号德力西大厦1号楼15 – 17层	95188	2015年11月
65	云南红塔银行	www. yxccb. com. cn	云南省玉溪市红塔区东风南路2号	0877 – 96522	2016年3月
66	青海银行	www. bankqh. com	青海省西宁市城西区黄河路36号	4008888883	2016年3月
67	中原银行	www. zybank. com. cn	河南省郑州市郑东新区CBD商务外环路23号中科金座大厦	96688	2016年4月
68	兰州银行	www. lzbank. com	甘肃省兰州市城关区酒泉路211号	4008896799	2016年5月
69	宁夏银行	www. bankofnx. com. cn	宁夏回族自治区银川市金凤区北京中路157号	4008096558	2016年7月
70	内蒙古银行	www. boimc. com	内蒙古自治区呼和浩特市赛罕区腾飞南路33号	4000596019	2016年7月
71	营口银行	www. bankofyk. com	辽宁省营口市新海大街99号	4007896178	2016年7月
72	丹东银行	www. dandongbank. com	辽宁省丹东市锦山大街119号	4007096658	2016年9月
73	阜新银行	www. fuxinbank. com	辽宁省阜新市细河区中华路51号	041896665	2016年9月

（3）农村商业银行（40 家）

编号	机构名称	网址	联系地址	电话	核准时间
1	上海农商银行	www. shrcb. com	上海市延安西路 728 号华敏翰尊国际	021－962999	2008 年 2 月
2	北京农商银行	www. bjrcb. com	北京市西城区阜成门内大街 410 号	96198	2008 年 4 月
3	张家港农村商业银行	www. zrcbank. com	江苏省张家港市人民中路 66 号	0512－96065	2009 年 12 月
4	深圳农村商业银行	www. 961200. net	广东省深圳市深南东路 3038 号合作金融大厦	961200	2010 年 1 月
5	东莞农村商业银行	www. dgrcc. com	广东省东莞市城区南城路 2 号	0769－961122	2011 年 2 月
6	常熟农村商业银行	www. csrcbank. com	江苏省常熟市新世纪大道 58 号	962000	2011 年 7 月
7	顺德农村商业银行	www. sdebank. com	广东省佛山市顺德区大良新城区拥翠路 2 号	0757－22223388	2011 年 8 月
8	重庆农村商业银行（业务网点仅限于县级支行及城市地区网点，不包括三农服务性网点）	www. cqrcb. com	重庆市江北区洋河东路 10 号	966866	2011 年 8 月
9	吴江农村商业银行	www. wjrcb. com	江苏省吴江市中山南路 1777 号	96068	2011 年 9 月
10	江南农村商业银行	www. jnbank. cc	江苏省常州市延陵中路 668 号	96005	2011 年 9 月
11	江阴农村商业银行	www. jybank. com. cn	江苏省江阴市澄江中路 1 号	0510－96078	2011 年 9 月
12	昆山农村商业银行	www. 96079. com. cn	江苏省昆山市前进中路 219 号	0512－57379216	2011 年 10 月
13	广州农村商业银行	www. 961111. cn	广东省广州市天河区珠江新城华夏路 1 号	961111	2012 年 7 月
14	成都农村商业银行（业务网点仅限于非三农服务性网点）	www. cdrcb. com	四川省成都市武侯区科华中路新 5 号	028－962711	2012 年 9 月
15	杭州联合农村商业银行	www. urcb. com	浙江省杭州市建国中路 99 号	96592 96596	2013 年 2 月
16	山东寿光农村商业银行	www. sdnxs. com	山东省潍坊市寿光市银海路 19 号	0536－96633	2013 年 9 月
17	无锡农村商业银行	www. wrcb. com. cn	江苏省无锡市崇安区解放北路 1 号	0510－96058	2013 年 11 月
18	浙江绍兴瑞丰农村商业银行	www. borf. cn	浙江省绍兴市柯桥笛扬路 1363 号	400－88－96596	2014 年 1 月
19	浙江温州龙湾农村商业银行	www. lwrcb. com	浙江省温州市龙湾区永强大道衙前段	4008296596	2014 年 2 月
20	广东南海农村商业银行	www. nanhaibank. com	广东省佛山市南海区桂城南海大道北 26 号农商银行大厦	96138	2014 年 3 月
21	长春农村商业银行	www. cccb. cn	吉林省长春市绿园区正阳街 4288 号	96888	2014 年 10 月
22	浙江温州鹿城农村商业银行	www. lcrcbank. com	浙江省温州市鹿城区车站大道 547 号信合大厦 A 幢	96526	2015 年 1 月
23	天津农村商业银行	www. trcbank. com. cn	天津市河西区马场道 59 号国际经济贸易中心 A 座 1－6 层	022－96155	2015 年 4 月
24	浙江乐清农村商业银行	www. yqbank. com	浙江省温州市乐清市城南街道伯乐西路 99 号	4008896595 96596	2015 年 5 月
25	浙江临海农村商业银行	www. zjlhbank. com	浙江省临海市古城街道巾山中路 2 号	4008896596	2015 年 7 月
26	青岛农村商业银行	www. qrcb. com. cn	山东省青岛市崂山区香港东路 109 号	4001196668	2015 年 9 月
27	浙江义乌农村商业银行	www. ywbank. com	浙江省金华市义乌市稠州北路 488 号	4008896596	2015 年 11 月

编号	机构名称	网址	联系地址	电话	核准时间
28	浙江新昌农村商业银行	www. . xcbank. com	浙江省绍兴市新昌县七星街道七星路18号	4008896596 96596	2015年11月
29	江苏紫金农村商业银行	www. zjrcbank. com	江苏省南京市建邺区梦都大街136号	96008	2015年11月
30	天津滨海农村商业银行	www. tjbhb. com	天津市东丽区空港物流加工区西三道158号金融中心1号楼	4006068698	2015年12月
31	吉林九台农村商业银行	www. jtnsh. com	吉林省长春市蔚山路2559号	96888	2016年2月
32	浙江杭州余杭农村商业银行	www. yhrcb. com	浙江省杭州市余杭区南苑街道南大街72号	8008571686	2016年2月
33	宁波慈溪农村商业银行	www. cixibank. com	浙江省慈溪市浒山街道南城路25号	40088－96596	2016年4月
34	浙江德清农村商业银行	www. deqingbank. com	浙江省湖州市德清县武康镇永安街119号、121号	4008896596	2016年6月
35	武汉农村商业银行	www. whrcbank. com	湖北省武汉市江岸区建设大道618号	96555	2016年6月
36	浙江瑞安农村商业银行	www. rarcbank. com	浙江省温州市瑞安市万松东路148号	4008057702	2016年7月
37	佛山农村商业银行	www. bankofchancheng. com	广东省佛山市禅城区华远东路5号	96138	2016年7月
38	浙江富阳农村商业银行	www. fyrcbk. com	浙江省杭州市富阳市桂花西路187号	4008896596	2016年7月
39	福建漳州农村商业银行	www. fjxn. com. cn/zzrcb	福建省漳州市芗城区水仙大街53号信合大厦A－B幢	0596－2688325/96336	2016年9月
40	浙江萧山农村商业银行	www. zjxsbank. com	浙江省杭州市萧山区萧山区人民路258号	4008896596	2016年9月

（4）在华外资法人银行（10家）

编号	机构名称	网址	联系地址	电话	核准时间
1	渣打银行	www. standardchartered. com. cn	上海市浦东新区世纪大道201号	8008208088	2013年6月
2	大华银行	www. uobchina. com. cn	上海市浦东新区东园路111号1层105单元2层3层	4008886826	2013年6月
3	花旗银行	www. citibank. com. cn	上海市浦东新区花园石桥路33号花旗集团大厦	8008301880 8008201268	2013年6月
4	东亚银行	www. hkbea. com. cn	上海市浦东新区花园石桥路66号	8008303811	2013年6月
5	恒生银行	www. hangseng. com. cn	上海市浦东新区陆家嘴环路1000号恒生银行大厦34楼、36楼及浦东南路528号27楼	8008308008 4008308008	2013年6月
6	星展银行	www. dbs. com. cn	上海市浦东新区陆家嘴环路1318号1301、1801单元	4008208988	2013年6月
7	汇丰银行	www. hsbc. com. cn	上海市浦东新区世纪大道8号上海国金中心汇丰银行大楼	8008208828 8008208878	2013年6月
8	南洋商业银行	www. ncbchina. cn	上海市浦东新区世纪大道800号3层、6—9层	800－830－2066 4008302066	2013年6月
9	摩根大通银行	www. jpmorganchina. com. cn	北京市西城区金融大街7号北京英蓝国际金融中心19层	4008102580 021－52002368	2013年9月
10	华侨永亨银行	www. ocbc. com. cn	上海市浦东新区源深路1155号华侨银行大厦	4006702888	2013年10月

证券公司(99 家)

编号	机构名称	网址	联系地址	电话	核准时间
1	国泰君安证券	www. gtja. com	上海市延平路 135 号	4008888666	2002 年 7 月
2	广发证券	www. gf. com. cn	广东省广州市天河北路 183 号大都会广场 42 楼	020 -87555888 -875	2002 年 8 月
3	国信证券	www. guosen. com. cn	广东省深圳市红岭中路 1012 号国信证券大厦 26 层	8008108868	2002 年 8 月
4	招商证券	www. newone. com. cn	广东省深圳市福田区益田路江苏大厦 A 座 39 -45 层	95565	2002 年 8 月
5	华泰联合证券	www. lhzq. com	广东省深圳市深南东路 5047 号发展银行大厦 25 层	4008888555	2002 年 8 月
6	中信证券	www. cs. ecitic. com	北京市朝阳区新源南路 6 号京城大厦三层	95558	2002 年 8 月
7	海通证券	www. htsec. com	上海市淮海中路 98 号金钟广场 19 层	4008888001	2002 年 10 月
8	申银万国证券	www. sywg. com. cn	上海市常熟路 171 号	021 -962505	2002 年 10 月
9	西南证券	www. swsc. com. cn	重庆市渝中区临江支路 2 号合景国际大厦 A 座 22 -25 层	023 -63786187	2003 年 1 月
10	华龙证券	www. hlzqgs. com	甘肃省兰州市城关区静宁路 308 号	0931 -8730264	2003 年 1 月
11	大同证券	www. dtsbc. com. cn	山西省太原市青年路 8 号	0351 -4167056	2003 年 1 月
12	民生证券	www. mszq. com	北京市朝阳区朝外大街 16 号中国人寿大厦 1901	4006198888	2003 年 1 月
13	山西证券	www. sxzq. net	山西省太原市府西街 69 号山西国际贸易中心	0351 -8686868	2003 年 1 月
14	长江证券	www. cjsc. com. cn	湖北省武汉市江汉区新华路特 8 号	4008888999	2003 年 2 月
15	中信万通证券	www. zxwt. com. cn	山东省青岛市东海西路 28 号	96577	2003 年 2 月
16	广州证券	www. gzs. com. cn	广东省广州市先烈中路 69 号东山广场主楼 5 楼	020 -961303	2003 年 2 月
17	兴业证券	www. xyzq. com. cn	上海市浦东新区陆家嘴东路 166 号/福州市湖东路 99 号标力大厦 18 层	021 -68419974	2003 年 2 月
18	华泰证券	www. htsc. com. cn	江苏省南京市中山东路 90 号华泰证券大厦	4008888168	2003 年 2 月
19	渤海证券	www. ewww. com. cn	天津市河西区宾水道 3 号	022 -28455588	2003 年 2 月
20	中信证券(浙江)	www. bigsun. com. cn	浙江省杭州市中河南路 11 号万凯庭院商务楼 A 座	0571 -96598	2003 年 2 月
21	万联证券	www. wlzq. com. cn	广东省广州市东风东路 836 号东峻广场 3 座 34 -35 层	4008888133	2003 年 2 月
22	国元证券	www. gyzq. com. cn	安徽省合肥市寿春路 179 号国元大厦	4008888777	2003 年 2 月
23	湘财证券	www. xcsc. com	上海市浦东新区陆家嘴环路 958 号华能联合大厦 5 楼	021 -68865111	2003 年 3 月
24	东吴证券	www. dwjq. com. cn	江苏省苏州市爱河桥路 28 号	0512 -96288	2003 年 12 月
25	东方证券	www. dfzq. com. cn	上海市中山南路 318 号 2 号楼	021 -962506	2004 年 4 月
26	光大证券	www. ebscn. com	上海市浦东南路 528 号上海证券大厦南塔 16 楼	4008888788	2004 年 4 月
27	上海证券	www. 962518. com	上海市九江路 111 号 4 楼	021 -962518	2004 年 5 月
28	国联证券	www. glsc. com. cn	江苏省无锡市县前东街 168 号国联大厦 6 层	0510 -82588168	2004 年 6 月
29	浙商证券	www. stocke. com. cn	广东省深圳市福田区益田路江苏大厦 A 座	95105665	2004 年 6 月
30	平安证券	www. xmpb. com	广东省深圳市福田区八卦岭八卦三路平安大厦	95511	2004 年 8 月
31	华安证券	www. huaans. com. cn	安徽省合肥市阜南路 166 号 A 座	96518	2004 年 8 月
32	东北证券	www. nesc. cn	吉林省长春市自由大路 1138 号证券大厦	0431 -9668899	2004 年 7 月
33	南京证券	www. njzq. com. cn	江苏省南京市玄武区鼓楼大钟亭 8 号	025 -83364032	2004 年 8 月
34	长城证券	www. cc168. com. cn	广东省深圳市福田区深南大道 6008 号特区报业大厦	0755 -82288968	2004 年 8 月
35	国海证券	www. ghzq. com. cn	广西壮族自治区南宁市滨湖路 46 号	4008888100	2004 年 9 月
36	财富证券	www. cfzq. com	湖南省长沙市芙蓉中路二段 80 号顺天财富中心	0731 -4403360	2004 年 9 月
37	东莞证券	www. dgzq. com. cn	广东省东莞市莞城区可园南路 1 号金源中心	0769 -961130	2004 年 9 月
38	中原证券	www. ccnew. com	河南省郑州市经三路 15 号广汇国际贸易大厦	0371 -967218	2004 年 10 月
39	国都证券	www. guodu. com	北京市东城区东直门南大街 3 号国华投资大厦	8008108809	2004 年 11 月
40	恒泰证券	www. cnht. com. cn	内蒙古自治区呼和浩特市新城区东风路 111 号	0471 -4961259	2004 年 11 月
41	中银国际证券	www. bocichina. com	上海市浦东新区银城中路 200 号中银大厦	021 -68604866	2004 年 11 月
42	齐鲁证券	www. qlzq. com. cn	山东省济南市经十路 128 号	0531 -82084184	2004 年 11 月
43	华西证券	www. hx168. com. cn	四川省成都市陕西街 239 号	4008888818	2004 年 11 月

编号	机构名称	网址	联系地址	电话	核准时间
44	国盛证券	www. gsstock. com	江西省南昌市永叔路15号信达大厦	0791－6285337	2004年11月
45	新时代证券	www. xsdzq. cn	北京市西城区月坛北街2号月坛大厦15层	010－68083601	2004年11月
46	华林证券	www. chinalions. com	广东省深圳市福田区民田路178号华融大厦6楼	4008802888	2004年11月
47	中金公司	www. cicc. com. cn	北京市建国门外大街1号国贸大厦2座	010－85679238	2004年12月
48	宏源证券	www. ehongyuan. com	新疆维吾尔自治区乌鲁木齐市建设路2号宏源大厦	010－62294600	2004年12月
49	华福证券	www. hfzq. com. cn	福建省福州市鼓楼区温泉街道五四路157号	0591－96326	2005年1月
50	世纪证券	www. csco. com. cn	广东省深圳市深南大道7088号招商银行大厦	0755－83199599	2005年2月
51	德邦证券	www. tebon. com. cn	上海市浦东新区福山路500号城建国际中心26楼	021－68761616－8125	2005年2月
52	金元证券	www. jyzq. com. cn	广东省深圳市福田区益田路4001号时代金融中心	4008888228	2005年4月
53	西部证券	www. westsecu. com	陕西省西安市东新街232号信托大厦	029－87419999	2005年4月
54	东海证券	www. longone. com. cn	上海市浦东新区东方路989号中达广场	0519－8166222	2004年9月
55	中航证券	www. scstock. com	江西省南昌市抚河北路291号江西教育出版大厦	0791－6768763	2005年4月
56	第一创业证券	www. firstcapital. com. cn	广东省深圳市罗湖区笋岗路12号中民时代广场B座	0755－25832686	2005年3月
57	中信建投证券	www. csc108. com	北京市东城区朝内大街188号	4008888108	2005年12月
58	财通证券	www. ctsec. com	浙江省杭州市解放路111号	0571－96336	2006年7月
59	安信证券	www. essences. com. cn	广东省深圳市福田区金田路4018号安联大厦	0755－82825555	2007年4月
60	银河证券	www. chinastock. com. cn	北京市西城区金融街35号国际企业大厦C座	4008888888	2007年5月
61	华鑫证券	www. cfsc. com. cn	上海市肇嘉浜路750号	021－64339000	2008年1月
62	瑞银证券	www. ubs. com/cn/sc/ubs-securities. html	北京市西城区金融大街7号英蓝国际金融中心	010－58328888	2008年2月
63	国金证券	www. gjzq. com. cn	四川省成都市东城根上街95号	4006666598	2008年3月
64	中投证券	www. cjis. cn	广东省深圳市福田区益田路与福华三路交界处深圳国际商会中心	4006008008	2008年3月
65	中山证券	www. zszq. com. cn	广东省深圳市福田区益田路江苏大厦B座	0755－82943750	2008年3月
66	红塔证券	www. hongtazq. com	云南省昆明市北京路155号附1号红塔大厦	0871－3577927	2008年3月
67	日信证券	www. rxzq. com. cn	北京市西城区闹市口1号长安兴融中心西楼11层	010－88086830	2008年5月
68	西藏同信证券	www. xzsec. com	上海市永和路118弄东方企业园24号	4008811177	2008年5月
69	方正证券	www. foundersc. com	湖南省长沙市芙蓉中路二段200号	0731－95571	2008年6月
70	联讯证券	www. lxzq. com. cn	广东省惠州市下埔路14号	0752－2119397	2008年6月
71	天源证券	www. tyzq. com. cn	广东省深圳市民田路新华保险大厦18楼	0755－3333118－8806	2008年8月
72	江海证券	www. jhzq. com. cn	黑龙江省哈尔滨市香坊区赣水路56号	0451－82269280	2008年8月
73	银泰证券	www. ytzq. net	广东省深圳市福田区竹子林四路紫竹七道18号光大银行大厦	0755－83703759	2008年12月
D74	民族证券	www. e5618. com	北京市西城区金融大街5号新盛大厦A座6－9层	4008895618	2008年12月
75	华宝证券	www. cnhbstock. com	上海市陆家嘴环路166号未来资产大厦	021－38929908	2009年1月
76	厦门证券	www. xmzq. com. cn	福建省厦门市莲前西路2号莲富大厦17楼	0592－5163588	2009年1月
77	爱建证券	www. ajzq. com	上海市南京西路758号(博爱大厦)20层－25层	021－32229888	2009年1月
78	英大证券	www. vsun. com	广东省深圳市深南中路华能大厦30楼	0755－26982993	2009年3月
79	信达证券	www. cindasc. com	北京市西城区三里河东路5号中商大厦10层	4008008899	2009年7月
80	东兴证券	www. dxzq. net	北京市西城区金融大街5号新盛大厦B座12－15层	010－66555383	2009年7月
81	华融证券	www. hrsec. com. cn	北京市西城区月坛北街26号恒华国际商务中心A座9层	010－58568162	2009年9月
82	天风证券	www. tfzq. com	湖北省武汉市东湖新技术开发区关东园路2号高科大厦4楼	028－86712334	2009年11月
83	大通证券	www. estock. com	辽宁省大连市中山区延安路1号保嘉大厦	4008169169	2009年12月

编号	机构名称	网址	联系地址	电话	核准时间
84	财达证券	www.s10000.com	河北省石家庄市桥西区自强路35号庄家金融大厦	4006128888	2009年12月
85	中天证券	www.stockren.com	辽宁省沈阳市和平区光荣街23甲	4006180315	2010年1月
86	财富里昂证券	www.cf-clsa.com	上海市浦东新区福山路500号城建中心15楼	021-38784818	2010年2月
87	五矿证券	www.wkzq.com.cn	广东省深圳市福田区荣超经贸中心47楼	40018-40028	2010年4月
88	高华证券	www.ghsl.cn	北京市西城区金融大街7号英蓝国际中心18楼	010-66273000	2010年5月
89	华创证券	www.hczq.com	贵州省贵阳市中华北路216号华创大厦	0851-960872	2010年6月
90	恒泰长财证券	www.cczq.net	吉林省长春市珠江路439号长财大厦	0431-82951765	2010年7月
91	万和证券	www.wanhesec.com	广东省深圳市福田区深南大道7028号时代科技大厦20层西厅	0755-25170332	2010年9月
92	中邮证券	www.cnpsec.com.cn	陕西省西安市太白北路320号华弘大厦	4008888005	2010年11月
93	首创证券	www.sczq.com.cn	北京市西城区德胜门外大街115号德胜尚城E座	4006200620	2011年2月
94	国开证券	www.stockfly.com.cn	北京市东城区东直门南大街3号国华投资大厦17层	010-85285202 010-85285217	2011年5月
95	太平洋证券	www.tpyzq.com	云南省昆明市青年路389号志远大厦18层	0871-8898130	2012年11月
96	开源证券	www.sxkyzq.com	陕西省西安市雁塔区锦业路1号都市之门B座5层	4008608866	2012年12月
97	诚浩证券	www.chstock.com	辽宁省沈阳市沈河区热闹路51号	024-22955438	2013年2月
98	宏信证券	www.hx818.com	四川省成都市人民南路二段18号川信大厦10楼	4008366366	2013年6月
99	川财证券	www.cczq.com	四川省成都市高新区交子大道177号中海国际中心B座17楼	95105118	2014年1月

期货公司(18家)

编号	机构名称	网址	联系地址	电话	核准时间	监督银行	监督银行指定部门	监督银行联系地址	监督银行联系电话
1	中信建投期货有限公司	www.cfc108.com	重庆市渝中区中山三路107号上站大楼平街11-B	4008877780	2013年9月	浦发银行	资产托管部	上海市北京东路689号东银大厦19楼	021-61616629
2	中国国际期货有限公司	www.cifco.net	北京市朝阳区建国门外光华路14号1幢1层、2层、9层、11层、12层	95162	2013年11月	民生银行	电子银行部	北京市东城区安定门外大街136号	010-56362723
3	兴证期货有限公司	www.xzfutures.com	福建省福州市鼓楼区温泉街道湖东路268号6层	4008888123	2014年7月	浦发银行	资产托管部	上海市北京东路689号东银大厦19楼	021-61616629
4	中信期货有限公司	www.citicsf.com	广东省深圳市福田区中心三路8号卓越时代广场(二期)北座13层1303-1305、14层	4009908826	2014年11月	浦发银行	资产托管部	上海市北京东路689号东银大厦19楼	021-61616629
5	中州期货有限公司	www.zzfco.com	山东省烟台市莱山区迎春大街133-1科技创业大厦	4006535377	2014年11月	民生银行	电子银行部	北京市东城区安定门外大街136号	010-56362723
6	海通期货有限公司	www.htfutures.com	上海市浦东新区世纪大道1589号17楼、6楼01-04单元、25楼、2楼05单元	4008209133	2015年1月	浦发银行	资产托管部	上海市北京东路689号东银大厦19楼	021-61616629
7	安粮期货有限公司	www.ahcoffco.com	安徽省合肥市包河区芜湖路168号同济大厦10-11层	4006269988	2015年3月	民生银行	电子银行部	北京市东城区安定门外大街136号	010-56362723
8	徽商期货有限责任公司	www.hsqh.net	安徽省合肥市芜湖路258号3号楼6-7层、6号楼1-2层	4008878707	2015年7月	民生银行	电子银行部	北京市东城区安定门外大街136号	010-56362723
9	广发期货有限公司	www.gfqh.cn	广东省广州市天河区体育西路57号红盾大厦9楼、14楼、15楼	95105826	2015年7月	浦发银行	资产托管部	上海市北京东路689号东银大厦19楼	021-61616629

编号	机构名称	网址	联系地址	电话	核准时间	监督银行	监督银行指定部门	监督银行联系地址	监督银行联系电话
10	东海期货有限责任公司	www.qh168.com.cn	上海市浦东新区东方路1928号东海证券大厦	95531	2015年7月	民生银行	电子银行部	北京市东城区安定门外大街136号	010－56362723
11	浙江中大期货有限公司	www.zdqh.com	浙江省杭州市下城区中山北路310号3层12层东	4008810999	2015年7月	浦发银行	资产托管部	上海市北京东路689号东银大厦19楼	021－61616629
12	中投天琪期货有限公司	www.tqfutures.com	广东省深圳市深南大道4009号投资大厦3楼01、04区、13楼E1－E3区、E4－1区	400108－7888	2015年8月	民生银行	电子银行部	北京市东城区安定门外大街136号	010－56362723
13	上海东证期货有限公司	www.orietfutures.com	上海市黄浦区中山南路318号2号楼35楼	95503	2015年10月	民生银行	电子银行部	北京市东城区安定门外大街136号	010－56362723
14	申银万国期货有限公司	www.sywgqh.com.cn	上海市浦东新区东方路800号7、8、10楼	4008887868	2015年12月	浦发银行	资产托管部	上海市北京东路689号东银大厦19楼	021－61616629
15	银河期货有限公司	www.yhqh.com.cn	北京市朝阳门外大街16号中国人寿大厦13层1306室	010－58363322	2016年1月	民生银行	电子银行部	北京市东城区安定门外大街136号	010－56362723
16	南华期货股份有限公司	www.nanhua.net	浙江省杭州市西湖大道193号二层、三层	4008888910	2016年2月	浦发银行	资产托管部	上海市北京东路689号东银大厦19楼	021－61616629
17	永安期货股份有限公司	www.yafco.com	浙江省杭州市湖王路208号浙江协作大厦3、5－10、22楼	4007007878	2016年3月	浦发银行	资产托管部	上海市北京东路689号东银大厦19楼	021－61616629
18	弘业期货股份有限公司	www.ftol.com.cn	江苏省南京市白下区中华路50号	4008281288	2016年4月	浦发银行	资产托管部	上海市北京东路689号东银大厦19楼	021－61616629

保险公司（4家）

编号	机构名称	网址	联系地址	电话	核准时间	监督银行	监督银行指定部门	监督银行联系地址	监督银行联系电话
1	泰康人寿保险有限公司	www.taikang.com	北京市西城区复兴门内大街156号泰康人寿大厦	95522	2014年1月	中国民生银行	电子银行部	北京市东城区安定门外大街136号	010－56362723
2	阳光人寿保险股份有限公司	www.sinosig.com	北京市朝阳区东三环中路16号京粮大厦7层	95510	2014年6月	中国民生银行	电子银行部	北京市东城区安定门外大街136号	010－56362723
3	中国平安人寿保险股份有限公司	www.pingan.com	广东省深圳市福田区福华三路星河发展中心9、10、11层	95511－1	2014年7月	平安银行	资产托管部	广东省深圳市深南东路5047号深发展大厦27楼	0755－22166371
4	中宏人寿保险有限公司	www.manulife-sinochem.com	上海市浦东新区世纪大道88号金茂大厦6楼	4008188888 8008203998	2014年12月	浦发银行	资产托管部	上海市北京东路689号东银大厦19楼	021－61616629

保险代理公司和保险经纪公司（5家）

编号	机构名称	网址	联系地址	电话	核准时间	监督银行	监督银行指定部门	监督银行联系地址	监督银行联系电话
1	华瑞保险销售有限公司	www.huaruisales.com	上海市浦东新区金海路1000号27号楼9层	021－50153731	2014年11月	民生银行	电子银行部	北京市东城区安定门外大街136号	010－56362723
2	玄元保险代理有限公司	www.xyinsure.com	上海市浦东新区锦康路258号10楼02单元	021－60795035	2014年12月	民生银行	电子银行部	北京市东城区安定门外大街136号	010－56362723
3	和谐保险销售有限公司	www.hx-sales.com	北京市朝阳区东三环中路55号楼20层2302	95569	2015年9月	民生银行	电子银行部	北京市东城区安定门外大街136号	010－56362723
4	永鑫保险销售服务有限公司	www.all-share.com.cn	上海市浦东新区陆家嘴环路958号3楼A区	021－68865231	2015年12月	民生银行	电子银行部	北京市东城区安定门外大街136号	010－56362723

编号	机构名称	网址	联系地址	电话	核准时间	监督银行	监督银行指定部门	监督银行联系地址	监督银行联系电话
5	金惠家保险代理有限公司	www.jhjhome.net	北京市朝阳区朝外大街18号丰联广场A座1009	4008557333	2016年4月	民生银行	电子银行部	北京市东城区安定门外大街136号	010－56362723

证券投资咨询机构(6家)

编号	机构名称	网址	联系地址	电话	核准时间	监督银行	监督银行指定部门	监督银行联系地址	监督银行联系电话
1	天相投资顾问有限公司	www.txsec.com	北京市西城区金融大街19号富凯大厦B座701	010－66045666	2004年7月	民生银行	电子银行部	北京市东城区安定门外大街136号	010－56362723
2	江苏金百临投资咨询有限公司	www.jsjbl.com	江苏省无锡市滨湖区锦溪路99号	0510－82798298	2012年5月	宁波银行	资产托管部	浙江省宁波市鄞州区宁南南路700号	0574－87050366
3	鼎信汇金(北京)投资管理有限公司	www.9ifund.com	北京市海淀区中关村东路1号院8号楼1701室	010－82151989	2012年5月	浦发银行	资产托管部	上海市北京东路689号东银大厦19楼	021－61616629
4	和讯信息科技有限公司	www.hexun.com	北京市朝阳区朝外大街22号1002室	010－85625158	2012年6月	浦发银行	资产托管部	上海市北京东路689号东银大厦19楼	021－61616629
5	深圳市新兰德证券投资咨询有限公司	www.new-rand.cn	广东省深圳市福田区华强北路赛格科技园4栋10层1006#	0755－88394666	2012年9月	民生银行	电子银行部	北京市东城区安定门外大街136号	010－56362723
6	厦门市鑫鼎盛控股有限公司	www.xds.com.cn	福建省厦门市思明区鹭江道2号第一广场西座1501－1504室	0592－8060766	2013年2月	浦发银行	资产托管部	上海市北京东路689号东银大厦19楼	021－61616629

独立基金销售机构(107家)

编号	机构名称	网址	联系地址	电话	核准时间	监督银行	监督银行指定部门	监督银行联系地址	监督银行联系电话
1	诺亚正行(上海)基金销售投资顾问有限公司	www.noah－fund.com	上海市杨浦区昆明路508号北美广场B座12层	021－38600676	2012年2月	民生银行	电子银行部	北京市东城区安定门外大街136号	010－56362723
分支机构:1. 上海分公司(上海杨浦区昆明路508号北美广场B座10层);2. 厦门分公司(厦门市思明区湖滨西路9号17楼C2室);3. 天津分公司(天津市河西区友谊路35号城市大厦1801室);4. 武汉分公司(武汉市武昌区积玉桥临江大道万达中心3302－3303室);5. 广州分公司(广州市天河区珠江新城珠江东路28号越秀金融大厦1312室);6. 南京分公司(南京市玄武区洪武北路55号置地广场1901－1902室);7. 杭州分公司(杭州市环城北路208号坤和中心2702－2704室);8. 苏州分公司(苏州工业园区苏州大道西2号国际大厦1709室);9. 青岛分公司(青岛市香港中路40号数码旗舰大厦39楼39E);10. 北京分公司(北京市光华路1号嘉里中心北楼6层605－606,608,615);11. 深圳分公司(深圳市南山区滨海大道3012号三诺大厦1202);12. 江阴分公司(江阴市澄江中路5号东都国际大厦1004室)									
2	深圳众禄基金销售有限公司	www.jjmmw.com	深圳市深南东路5047号深圳发展银行大厦25层	4006788887	2012年2月	中国工商银行	资产托管部	北京市西城区太平桥大街96号	010－66105773
分支机构:无									
3	上海天天基金销售有限公司	www.1234567.com.cn	上海市徐汇区龙田路190号2号楼东方财富大厦2楼	4001818188	2012年2月	民生银行	电子银行部	北京市东城区安定门外大街136号	010－56362723
分支机构:无									
4	上海好买基金销售有限公司	www.ehowbuy.com	上海市浦东新区浦东南路1118号903－906室	4007009665	2012年2月	民生银行	电子银行部	北京市东城区安定门外大街136号	010－56362723
分支机构:浦东分公司(上海市浦东南路1118号鄂尔多斯国际大厦903－906室)									
5	蚂蚁(杭州)基金销售有限公司	www.fund123.cn	浙江省杭州市滨江区江南大道3588号12楼	4000766123	2012年4月	浦发银行	资产托管部	上海市北京东路689号东银大厦19楼	021－61616629
分支机构:无									

编号	机构名称	网址	联系地址	电话	核准时间	监督银行	监督银行指定部门	监督银行联系地址	监督银行联系电话
6	上海长量基金销售投资顾问有限公司	www.erichfund.com	上海市浦东新区浦东大道555号裕景国际B座16层	4008202899	2012年4月	浦发银行	资产托管部	上海市北京东路689号东银大厦19楼	021-61616629
分支机构：无									
7	浙江同花顺基金销售有限公司	www.5ifund.com	浙江省杭州市西湖区文二西路1号903室	4008773772	2012年4月	民生银行	电子银行部	北京市东城区安定门外大街136号	010-56362723
分支机构：无									
8	北京展恒基金销售有限公司	www.myfund.com	北京市朝阳区华严北里2号民建大厦6层	4008886661	2012年6月	民生银行	电子银行部	北京市东城区安定门外大街136号	010-56362723
分支机构：无									
9	上海利得基金销售有限公司	www.leadfund.com.cn	上海市浦东新区东方路989号中达广场2楼	4000056355	2012年8月	浦发银行	资产托管部	上海市北京东路689号东银大厦19楼	021-61616629
分支机构：无									
10	深圳市前海凤凰财富基金销售有限公司	www.fhcaifu.com	广东省深圳市南山区侨香路4068号智慧广场B座2单元1302	4000067599	2012年10月	平安银行	资产托管部	广东省深圳市深南东路5047号深发展大厦27楼	0755-22166371
分支机构：无									
11	中期时代基金销售(北京)有限公司	www.cifcofund.com	北京市朝阳区建国门外光华路14号1幢11层1103号	95162	2012年11月	民生银行	电子银行部	北京市东城区安定门外大街136号	010-56362723
分支机构：无									
12	浙江金观诚财富管理有限公司	www.jincheng-fund.com	浙江省杭州市西湖区教工路18号EAC欧美中心A座C区805室	4000580068	2012年12月	浦发银行	资产托管部	上海市北京东路689号东银大厦19楼	021-61616629
分支机构：无									
13	北京创金启富投资管理有限公司	www.5irich.com	北京市西城区民丰胡同31号5号楼215A	010-66154828	2012年12月	民生银行	电子银行部	北京市东城区安定门外大街136号	010-56362723
分支机构：无									
14	嘉实财富管理有限公司	www.harvestwm.cn	上海市浦东新区世纪大道8号国金中心二期46楼06-10单元	4000218850	2012年12月	浦发银行	资产托管部	上海市北京东路689号东银大厦19楼	021-61616629
分支机构：广州分公司(广州市天河区珠江西路5号广州国际金融中心主塔写字楼35层5单元)									
15	众升财富(北京)基金销售有限公司	www.wy-fund.com	北京市朝阳区北四环中路27号院5号楼3201内3201单元	4000598888	2013年2月	民生银行	电子银行部	北京市东城区安定门外大街136号	010-56362723
分支机构：无									
16	北京中天嘉华基金销售有限公司	www.5ilicai.cn	北京市朝阳区京顺路5号	010-58276917	2013年2月	民生银行	电子银行部	北京市东城区安定门外大街136号	010-56362723
分支机构：无									
17	北京增财基金销售有限公司	www.zcvc.com.cn	北京市西城区南礼士路66号1号楼12层1208室	4000018811	2013年2月	民生银行	电子银行部	北京市东城区安定门外大街136号	010-56362723
分支机构：无									
18	泛华普益基金销售有限公司	www.pyfund.com.cn	四川省成都市成华区建设路9号高地中心1101室	028-82000996	2013年2月	浦发银行	资产托管部	上海市北京东路689号东银大厦19楼	021-61616629
分支机构：无									
19	宜信普泽投资顾问(北京)有限公司	www.yixinfund.com	北京市朝阳区北京朝阳区建国路88号9号楼14层1706	4006099500	2013年2月	浦发银行	资产托管部	上海市北京东路689号东银大厦19楼	021-61616629
分支机构：无									
20	深圳腾元基金销售有限公司	www.tenyuanfund.com	广东省深圳市福田区金田路2028号皇岗商务中心主楼4F07单元	0755-33376922	2013年3月	民生银行	电子银行部	北京市东城区安定门外大街136号	010-56362723

编号	机构名称	网址	联系地址	电话	核准时间	监督银行	监督银行指定部门	监督银行联系地址	监督银行联系电话
分支机构:无									
21	上海通华财富资产管理有限公司	www.tonghuafund.com	上海市浦东新区金桥路28号新金桥大厦五层	021－60877906	2013年6月	浦发银行	资产托管部	上海市北京东路689号东银大厦19楼	021－61616629
分支机构:无									
22	北京恒天明泽基金销售有限公司	www.chtfund.com	北京市朝阳区东三环中路20号乐成中心A座2302、2303单元	010－56810777	2013年8月	民生银行	电子银行部	北京市东城区安定门外大街136号	010－56362723
分支机构:无									
23	深圳宜投基金销售有限公司	无	深圳市福田区金田路2028号皇岗商务中心2405室	4008909888	2013年9月	浦发银行	资产托管部	上海市北京东路689号东银大厦19楼	021－61616629
分支机构:无									
24	深圳前海汇联基金销售有限公司	无	深圳市福田区金田路2028号皇岗商务中心4楼	0755－82133027	2013年9月	民生银行	电子银行部	北京市东城区安定门外大街136号	010－56362723
分支机构:无									
25	北京晟视天下投资管理有限公司	www.shengshiview.com	北京市朝阳区朝外大街甲6号万通中心D座28层	4008188866	2013年9月	浦发银行	资产托管部	上海市北京东路689号东银大厦19楼	021－61616629
分支机构:无									
26	北京钱景财富投资管理有限公司	www.niuji.net	北京市海淀区海淀南路13号楼6层616室	4006785095	2013年11月	民生银行	电子银行部	北京市东城区安定门外大街136号	010－56362723
分支机构:无									
27	北京植信基金销售有限公司	www.zhixin-inv.com	北京市朝阳区建华南路6号院2号楼二层201－1A	010－65166196	2013年12月	民生银行	电子银行部	北京市东城区安定门外大街136号	010－56362723
分支机构:无									
28	一路财富(北京)信息科技有限公司	www.yilucaifu.com	北京市西城区车公庄大街9号院5号院702(德胜园区)	4000011566	2013年12月	平安银行	资产托管部	广东省深圳市深南东路5047号深发展大厦27楼	0755－22166371
分支机构:无									
29	成都华羿恒信财富投资管理有限公司	www.chcwealth.com	四川省成都市锦江区人民南路二段1号仁恒置地广场A座9F	4006355510	2014年1月	浦发银行	资产托管部	上海市北京东路689号东银大厦19楼	021－61616629
分支机构:无									
30	海银基金销售有限公司	www.fundhaiyin.com	上海市浦东新区东方路1217号陆家嘴金融服务广场16楼	4008081016	2014年1月	浦发银行	资产托管部	上海市北京东路689号东银大厦19楼	021－61616629
分支机构:无									
31	上海久富财富管理有限公司	www.jfcta.com	上海市浦东新区民生路1403号1215室	4000219898	2014年1月	民生银行	电子银行部	北京市东城区安定门外大街136号	010－56362723
分支机构:无									
32	北京唐鼎耀华投资咨询有限公司	www.tdyhfund.com	北京市朝阳区亮马桥路甲40号二十一世纪大厦A座3层	4008199868	2014年3月	民生银行	电子银行部	北京市东城区安定门外大街136号	010－56362723
分支机构:无									
33	日发资产管理(上海)有限公司	www.rffund.com	上海市浦东新区陆家嘴花园石桥路66号东亚银行金融大厦1307室	021－61600500	2014年3月	浦发银行	资产托管部	上海市北京东路689号东银大厦19楼	021－61616629
分支机构:无									
34	北京新浪仓石投资管理有限公司	www.xincai.com	北京市海淀区海淀区北四环西路58号906室	010－62676632	2014年3月	浦发银行	资产托管部	上海市北京东路689号东银大厦19楼	021－61616629
分支机构:无									
35	上海大智慧财富管理有限公司	www.wg.com.cn	上海市浦东新区杨高南路428号1号楼10－11层	021－20219931	2014年3月	浦发银行	资产托管部	上海市北京东路689号东银大厦19楼	021－61616629

编号	机构名称	网址	联系地址	电话	核准时间	监督银行	监督银行指定部门	监督银行联系地址	监督银行联系电话
分支机构:无									
36	中经北证(北京)资产管理有限公司	www.bzfunds.com	北京市西城区车公庄大街4号1号楼1层	010-68998820	2014年4月	民生银行	电子银行部	北京市东城区安定门外大街136号	010-56362723
分支机构:无									
37	北京君德汇富投资咨询有限公司	无	北京市东城区建国门内大街中粮广场B座1305	010-51457956	2014年4月	民生银行	电子银行部	北京市东城区安定门外大街136号	010-56362723
分支机构:无									
38	济安财富(北京)资本管理有限公司	www.pjfortune.com	北京市朝阳区东三环中路7号4号楼40层4601室	010-65309516	2014年5月	民生银行	电子银行部	北京市东城区安定门外大街136号	010-56362723
分支机构:无									
39	上海国金通用财富资产管理有限公司	www.gfund.com/gjcf	上海市浦东新区芳甸路1088号紫竹国际大厦6层	021-60870952	2014年6月	民生银行	电子银行部	北京市东城区安定门外大街136号	010-56362723
分支机构:无									
40	北京恒久浩信投资咨询有限公司	www.haofunds.com	北京市朝阳区光华路7号汉威大厦15B5	4006525676	2014年8月	平安银行	资产托管部	广东省深圳市深南东路5047号深发展大厦27楼	0755-22166371
分支机构:无									
41	广东省深圳市锦安基金销售有限公司	www.goldann.com.cn	广东省深圳市福田区益田路新世界中心4403A室	0755-84669000	2014年9月	平安银行	资产托管部	深圳市深南东路5047号深发展大厦27楼	0755-22166371
分支机构:无									
42	扬州国信嘉利投资理财有限公司	www.gxjlcn.com	江苏省扬州市广陵区文昌西路56号公元国际大厦3层	4000216088	2014年9月	宁波银行	资产托管部	浙江省宁波市鄞州区宁南南路700号	0574-87050366
分支机构:无									
43	上海联泰资产管理有限公司	www.91fund.com.cn	上海市长宁区金钟路658弄2号楼乙座6楼	021-51507139	2014年10月	民生银行	电子银行部	北京市东城区安定门外大街136号	010-56362723
分支机构:无									
44	上海钰茂投资管理有限公司	www.jp-fund.com	上海市浦东新区浦东南路379号金穗大厦14C	4000963866	2014年11月	民生银行	电子银行部	北京市东城区安定门外大街136号	010-56362723
分支机构:无									
45	广东省深圳市金海九洲基金销售有限公司	www.123jijin.cn	深圳市福田区深圳市福田区福华三路88号财富大厦38GH	0755-23960668	2014年12月	民生银行	电子银行部	北京市东城区安定门外大街136号	010-56362723
分支机构:无									
46	上海汇付金融服务有限公司	无	上海市徐汇区虹梅路1801号凯科国际大厦7楼	021-33323600 021-33323806	2014年12月	上海银行	新型机构部	上海市四川中路261号7楼	021-63235367
分支机构:无									
47	江西正融资产管理有限公司	www.jxzrzg.com	江西省南昌市红谷新区红谷中大道1619号南昌国际金融大厦A座2802室	0791-88193603	2014年12月	民生银行	电子银行部	北京市东城区安定门外大街136号	010-56362723
分支机构:无									
48	北京坤元投资咨询有限公司	www.kunyuanfund.com	北京市东城区建国门内大街8号北京中粮广场B座5层0114单位	4008378018	2014年12月	民生银行	电子银行部	北京市东城区安定门外大街136号	010-56362723
分支机构:无									
49	泰诚财富基金销售(大连)有限公司	www.taichengcaifu.com	辽宁省大连市沙河口区星海中龙园3号	4006411709	2014年12月	民生银行	电子银行部	北京市东城区安定门外大街136号	010-56362723

编号	机构名称	网址	联系地址	电话	核准时间	监督银行	监督银行指定部门	监督银行联系地址	监督银行联系电话
分支机构:无									
50	北京微动利投资管理有限公司	www.buyforyou.com.cn	北京市石景山区古城西路113号景山财富中心金融商业楼341室	010-68854002	2015年2月	民生银行	电子银行部	北京市东城区安定门外大街136号	010-56362723
分支机构:无									
51	北京富国大通资产管理有限公司	无	北京市海淀区首体南路9号7楼502	4000880088	2015年3月	民生银行	电子银行部	北京市东城区安定门外大街136号	010-56362723
分支机构:无									
52	上海基煜基金销售有限公司	www.jiyufund.com.cn	上海市杨浦区昆明路518号北美广场A1002-A1003室	021-65370077	2015年3月	民生银行	电子银行部	北京市东城区安定门外大街136号	010-56362723
分支机构:无									
53	泰信财富投资管理有限公司	无	北京市石景山区实兴大街30号院3号楼8层8995房间	88460066	2015年3月	民生银行	电子银行部	北京市东城区安定门外大街136号	010-56362723
分支机构:无									
54	利和财富(上海)基金销售有限公司	www.lihe-fund.com	上海市虹口区四平路257号31楼A-D座	021-56686088-802	2015年6月	民生银行	电子银行部	北京市东城区安定门外大街136号	010-56362723
分支机构:无									
55	上海凯石财富基金销售有限公司	www.vworksfund.com	上海市黄浦区延安东路1号4层	4000178000	2015年7月	民生银行	电子银行部	北京市东城区安定门外大街136号	010-56362723
分支机构:无									
56	上海景谷资产管理有限公司	www.g-fund.com.cn	上海市浦东新区陆家嘴环路958号华能联合大厦402K室	021-61621602	2015年7月	民生银行	电子银行部	北京市东城区安定门外大街136号	010-56362723
分支机构:无									
57	北京恒宇天泽投资管理有限公司	www.caifuyu.cn	北京市朝阳区工人体育场东路丙2号11层1102室	4001888848	2015年7月	民生银行	电子银行部	北京市东城区安定门外大街136号	010-56362723
分支机构:无									
58	上海朝阳永续投资顾问有限公司	www.998fund.com	上海市浦东新区丰和路1号港务大厦南六楼	4009987172	2015年7月	民生银行	电子银行部	北京市东城区安定门外大街136号	010-56362723
分支机构:无									
59	上海中正达广投资管理有限公司	www.zzwealth.cn	上海市徐汇区龙腾大道2815号302室	4006767523	2015年8月	民生银行	电子银行部	北京市东城区安定门外大街136号	010-56362723
分支机构:无									
60	广东省深圳前海京西票号基金销售有限公司	www.ph6.com	,深圳市罗湖区深南东路与和平路交汇处鸿隆世纪广场312	0755-33188876	2015年8月	民生银行	电子银行部	北京市东城区安定门外大街136号	010-56362723
分支机构:无									
61	北京乐融多源投资咨询有限公司	www.jimujijin.com	北京市朝阳区西大望路1号1号楼1603	010-56409010	2015年8月	民生银行	电子银行部	北京市东城区安定门外大街136号	010-56362723
分支机构:无									
62	上海攀赢金融信息服务有限公司	www.pytz.cn	上海市浦东新区银城中路488号	021-68889082	2015年8月	民生银行	电子银行部	北京市东城区安定门外大街136号	010-56362723
分支机构:无									
63	广东省深圳新华信通资产管理有限公司	www.cw-china.com	广东省深圳市福田区民田路171号新华保险大厦16层	0755-88269057	2015年8月	浦发银行	资产托管部	上海市北京东路689号东银大厦19楼	021-61616629
分支机构:无									
64	上海陆金所资产管理有限公司	www.lufunds.com	上海市浦东新区陆家嘴环路1333号14楼	021-38637845	2015年8月	平安银行	资产托管部	深圳市深南东路5047号深发展大厦27楼	0755-22166371
分支机构:无									

编号	机构名称	网址	联系地址	电话	核准时间	监督银行	监督银行指定部门	监督银行联系地址	监督银行联系电话
65	武汉市伯嘉基金销售有限公司	www.buyfunds.cn	湖北省武汉市江汉区泛海国际SOHO城7栋23层	027-87006003	2015年9月	民生银行	电子银行部	北京市东城区安定门外大街136号	010-56362723
分支机构:无									
66	深圳富济财富管理有限公司	www.jinqianwo.cn	广东省深圳市南山区高新南七道12号惠恒集团二期418室	0755-83999907	2015年9月	民生银行	电子银行部	北京市东城区安定门外大街136号	010-56362723
分支机构:无									
67	钱滚滚财富投资管理(上海)有限公司	www.qiangungun.com	上海市浦东新区花园石桥路66号8层东区中庭	4007009700	2015年9月	民生银行	电子银行部	北京市东城区安定门外大街136号	010-56362723
分支机构:无									
68	大泰金石投资管理有限公司	www.dtfunds.com	江苏省南京市秦淮区中山南路1号南京中心57层	025-68206666	2015年9月	民生银行	电子银行部	北京市东城区安定门外大街136号	010-56362723
分支机构:无									
69	珠海盈米财富管理有限公司	www.yingmi.cn	广东省广州市海珠区琶洲大道东路1号保利国际广场南塔1201-1203室	020-89629066	2015年9月	平安银行	资产托管部	广东省深圳市深南东路5047号深发展大厦27楼	0755-22166371
分支机构:无									
70	成都万华源基金销售有限责任公司	www.whuayuan.com	四川省成都市高新区府城大道中段88号中航城市广场A座12层1211	028-83328511	2015年9月	平安银行	资产托管部	广东省深圳市深南东路5047号深发展大厦27楼	0755-22166371
分支机构:无									
71	九泰基金销售(北京)有限公司	www.jtamc.com	北京市西城区广宁伯街2号金泽大厦西区6层	4006280606	2015年9月	民生银行	电子银行部	北京市东城区安定门外大街136号	010-56362723
分支机构:无									
72	和耕传承基金销售有限公司	www.chuancheng-caifu.com	河南省郑州市金水区心怡路西、广场路南升龙广场2号楼701	0371-85518391	2015年10月	浦发银行	资产托管部	上海市北京东路689号东银大厦19楼	021-61616629
分支机构:无									
73	南京途牛金融信息服务有限公司	www.tuniufu.com	江苏省南京市玄武区玄武大道699-1号	025-86853960	2015年10月	宁波银行	资产托管部	浙江省宁波市鄞州区宁南南路700号	0574-87050366
分支机构:无									
74	中证金牛(北京)投资咨询有限公司	www.jlc.com	北京市西城区宣武门外大街甲1号环球财讯中心A座5层	010-59336506	2015年11月	平安银行	资产托管部	广东省深圳市深南东路5047号深发展大厦27楼	0755-22166371
分支机构:无									
75	北京懒猫金融信息服务有限公司	www.lanmao.com	北京市石景山区鲁谷路74号瑞达大厦16层东区	010-59439950	2015年11月	民生银行	电子银行部	北京市东城区安定门外大街136号	010-56362723
分支机构:无									
76	广东省深圳秋实惠智财富投资管理有限公司	www.qiushicaifu.com	深圳市前海深港合作区前湾一路1号A栋201室	4009987593	2015年12月	民生银行	电子银行部	北京市东城区安定门外大街136号	010-56362723
分支机构:无									
77	广东省深圳市小牛投资咨询有限公司	www.eo66.com.cn	深圳市南山区高新技术开发区金蝶大厦B座7楼	0755-32981999	2015年12月	上海银行	资产托管部	上海市四川中路261号7楼	021-63235367
分支机构:无									
78	天津万家财富资产管理有限公司	无	北京市西城区丰盛胡同28号A座5层	010-59013795	2015年12月	民生银行	电子银行部	北京市东城区安定门外大街136号	010-56362723
分支机构:无									
79	尚智逢源(北京)基金销售有限公司	www.szfyfud.com.cn	北京市朝阳区东四环中路62号远洋国际中心D座-13层	010-56763417	2016年1月	民生银行	电子银行部	北京市东城区安定门外大街136号	010-56362723
分支机构:无									

编号	机构名称	网址	联系地址	电话	核准时间	监督银行	监督银行指定部门	监督银行联系地址	监督银行联系电话
80	北京电盈基金销售有限公司	www.dianyingfund.com	北京市朝阳区呼家楼(京广中心)1号楼36层3603	4001003391	2016年1月	民生银行	电子银行部	北京市东城区安定门外大街136号	010-56362723
分支机构:无									
81	奕丰金融服务(深圳)有限公司	www.ifastps.com.cn	广东省深圳市南山区海德三道海岸大厦东座1307室及1116室	0755-89460500	2016年1月	民生银行	电子银行部	北京市东城区安定门外大街136号	010-56362723
分支机构:无									
82	北京肯特瑞财富投资管理有限公司	keterui.jd.com	北京市大兴区亦庄经济开发区科创十一街18号院A座4层A428室	4000988511	2016年1月	民生银行	电子银行部	北京市东城区安定门外大街136号	010-56362723
分支机构:无									
83	上海爱建财富管理有限公司	www.ajcf.com.cn	上海市徐汇区零陵路599号1楼	4009206188	2016年1月	上海银行	新型机构部	上海市四川中路261号7楼	021-63235367
分支机构:无									
84	中民财富管理(上海)有限公司	www.cminwm.com	上海市黄浦区中山南路100号7层05单元	4009655365	2016年1月	浦发银行	资产托管部	上海市北京东路689号东银大厦19楼	021-61616629
分支机构:无									
85	大连网金金融信息服务有限公司	www.yibaiji.com	辽宁省大连市沙河口区体坛路22号诺德大厦2层202室	4000899100	2016年1月	浦发银行	资产托管部	上海市北京东路689号东银大厦19楼	021-61616629
分支机构:无									
86	北京蛋卷基金销售有限公司	www.cfjj.com	北京市朝阳区阜通东大街1号院6号楼2单元21层	4000618518	2016年2月	浦发银行	资产托管部	上海市北京东路689号东银大厦19楼	021-61616629
分支机构:无									
87	上海云湾投资管理有限公司	www.bebejj.com	上海市浦东新区锦康路308号6号楼6楼602单元	021-68783023	2016年1月	上海银行	资产托管部	上海市四川中路261号7楼	021-63235367
分支机构:无									
88	上海华夏财富投资管理有限公司	无	北京市西城区金融大街33号通泰大厦1层	4008186666	2016年1月	民生银行	电子银行部	北京市东城区安定门外大街136号	010-56362723
分支机构:无									
89	深圳市金斧子投资咨询有限公司	www.jfziv.com	广东省深圳市南山区智慧广场第A栋11层1101-02	4009500888	2016年2月	民生银行	电子银行部	北京市东城区安定门外大街136号	010-56362723
分支机构:无									
90	深圳市前海排排网基金销售有限责任公司	无	广东省深圳市福田区福强路4001号深圳市世纪工艺品文化市场313栋E4-03	0755-82779746	2016年2月	民生银行	电子银行部	北京市东城区安定门外大街136号	010-56362723
分支机构:无									
91	深圳前海财厚资产管理有限公司	www.dtgrants.com	广东省深圳市南山区南山大道1088号南园枫叶大厦15K	40086100778	2016年2月	浦发银行	资产托管部	上海市北京东路689号东银大厦19楼	021-61616629
分支机构:无									
92	深圳前海凯恩斯基金销售有限公司	www.keyesasset.com	广东省深圳市福田区深南大道6019号金润大厦23楼	0755-83655588	2016年2月	民生银行	电子银行部	北京市东城区安定门外大街136号	010-56362723
分支机构:无									
93	深圳市华融金融服务有限公司	www.roge88.com	广东省深圳市福田区福田街道滨河路5022号联合广场A座裙楼A302	4008161600	2016年2月	民生银行	电子银行部	北京市东城区安定门外大街136号	010-56362723
分支机构:无									
94	南京苏宁基金销售有限公司	www.snjijin.com	江苏省南京市玄武区苏宁大道1-5号	4008365365-9	2016年3月	民生银行	电子银行部	北京市东城区安定门外大街136号	010-56362723
分支机构:无									

编号	机构名称	网址	联系地址	电话	核准时间	监督银行	监督银行指定部门	监督银行联系地址	监督银行联系电话
95	乾道金融信息服务(北京)有限公司	www.qiandaojr.com	北京市西城区德胜门外大街13号院1号楼1302	010-62357761	2016年3月	民生银行	电子银行部	北京市东城区安定门外大街136号	010-56362723
分支机构:无									
96	深圳前海欧中联合基金销售有限公司	www.ecpefund.com	广东省深圳市宝安区新安街道海秀路19号国际西岸商务大厦703、705	0755-23073400	2016年3月	民生银行	电子银行部	北京市东城区安定门外大街136号	010-56362723
分支机构:无									
97	北京汇成基金销售有限公司	www.fundzoe.cn	北京市海淀区中关村大街11号11层1108号	010-62680527	2016年3月	民生银行	电子银行部	北京市东城区安定门外大街136号	010-56362723
分支机构:无									
98	北京格上富信投资顾问有限公司	www.igesafe.com	北京市朝阳区东三环北路19号楼701内09室	010-65983367	2016年3月	民生银行	电子银行部	北京市东城区安定门外大街136号	010-56362723
分支机构:无									
99	深圳盈信基金销售有限公司	www.fundying.com	广东省深圳市福田区福田街道福华三路皇岗商务中心2103室	400-790-3688	2016年4月	浦发银行	资产托管部	上海市北京东路689号东银大厦19楼	021-61616629
分支机构:无									
100	北京广源达信投资管理有限公司	www.niuniufund.com	北京市朝阳区望京东园四区13楼浦项中心B座19层	4006255268	2016年4月	民生银行	电子银行部	北京市东城区安定门外大街136号	010-56362723
分支机构:无									
101	杭州科地瑞富基金销售有限公司	www.codifund.com	浙江省杭州市下城区武林时代商务中心1604室	0571-86655920	2016年6月	浦发银行	资产托管部	上海市北京东路689号东银大厦19楼	021-61616629
分支机构:无									
102	上海万得投资顾问有限公司	www.520fund.com.cn	中国(上海)自由贸易试验区福山路33号8楼	400-821-0203	2016年6月	民生银行	电子银行部	北京市东城区安定门外大街136号	010-56362723
分支机构:无									
103	天津国美基金销售有限公司	www.gomemyj.com	天津市经济技术开发区第一大街79号泰达MSD-C1座28层	022-59848466	2016年6月	民生银行	电子银行部	北京市东城区安定门外大街136号	010-56362723
分支机构:无									
104	上海陆享投资管理有限公司	无	上海市浦东新区世纪大道1600号陆家嘴商务广场裙楼1楼02单元	021-33356682	2016年7月	民生银行	电子银行部	北京市东城区安定门外大街136号	010-56362723
分支机构:无									
105	贵州华阳众惠基金销售有限公司	www.hyzhjj.com	贵州省贵阳市云岩区北京路9号贵州医科大学学术交流中心16楼	0851-86909950	2016年8月	民生银行	电子银行部	北京市东城区安定门外大街136号	010-56362723
分支机构:无									
106	凤凰金信(银川)投资管理有限公司	www.fengfd.com	宁夏回族自治区银川市金凤区阅海湾中央商务区万寿路142号CBD金融中心14层	4008105919	2016年8月	民生银行	电子银行部	北京市东城区安定门外大街136号	010-56362723
分支机构:无									
107	江苏汇林保大基金销售有限公司	www.huilibd.com	江苏省南京市高淳县高淳区砖墙集镇78号	025-52816429	2016年9月	民生银行	基金托管部	北京市西城区复兴门内大街2号	010-56362682
分支机构:无									

公开募集基金销售支付结算机构名录

<table>
<tr><th>编号</th><th>机构名称</th><th>网址</th><th>联系地址</th><th>电话</th><th>首次备案时间</th><th>监督银行</th><th>监督银行
指定部门</th><th>监督银行
联系地址</th><th>监督银行
联系电话</th></tr>
<tr><td>1</td><td>上海汇付数据服务有限公司(汇付数据)</td><td>www.ttyfund.com</td><td>上海市虹梅路1801号凯科国际大厦8-9层</td><td>4008202819</td><td>2010年5月</td><td>民生银行</td><td>电子银行部</td><td>北京市东城区安定门外大街136号</td><td>010-56362723</td></tr>
<tr><td colspan="10">合作的基金销售机构
基金管理公司:国泰、南方、华夏、华安、博时、鹏华、长盛、嘉实、大成、富国、易方达、宝盈、银华、长城、银河、泰达宏利、金鹰、招商、华宝兴业、国联安、海富通、长信、泰信、景顺长城、广发、兴业全球、申万菱信、中海、光大保德信、上投摩根、东方、东吴、天弘、华泰柏瑞、汇添富、工银瑞信、信诚、建信、华商、汇丰晋信、诺德、浙商、平安大华、富安达、方正富邦、英大、鑫元。(47家)
独立基金销售机构:诺亚正行、天天基金、好买基金。(3家)</td></tr>
<tr><td>2</td><td>通联支付网路服务股份有限公司(通联支付)</td><td>www.allinpay.com</td><td>上海市浦东新区新金桥路28号新金桥大厦10楼</td><td>95156
4006695156</td><td>2010年10月</td><td>浦发银行</td><td>资产托管部</td><td>上海市北京东路689号东银大厦19楼</td><td>021-61616629</td></tr>
<tr><td colspan="10">合作的基金销售机构
基金管理公司:国泰、南方、华安、博时、鹏华、大成、富国、易方达、宝盈、长城、银河、国投瑞银、万家、金鹰、招商、华宝兴业、国联安、海富通、长信、景顺长城、广发、兴业全球、中海、光大保德信、上投摩根、中银、国海富兰克林、天弘、汇添富、工银瑞信、交银施罗德、建信、汇丰晋信、浙商、富安达、财通、长安。(37家)</td></tr>
<tr><td>3</td><td>上海银联电子支付服务有限公司(银联电子)</td><td>www.chinapay.com</td><td>上海市浦东新区东方路800号宝安大厦29楼</td><td>95516-5</td><td>2012年1月</td><td>交通银行</td><td>托管部</td><td>上海市浦东新区银城中路188号</td><td>021-58781234</td></tr>
<tr><td colspan="10">合作的基金销售机构
基金管理公司:国泰、南方、华夏、华安、博时、长盛、嘉实、大成、富国、易方达、宝盈、融通、银华、银河、泰达宏利、国投瑞银、万家、金鹰、招商、华宝兴业、摩根士丹利华鑫、国联安、海富通、长信、泰信、天治、景顺长城、广发、兴业全球、诺安、申万菱信、中海、光大保德信、上投摩根、中银、东吴、国海富兰克林、华泰柏瑞、汇添富、交银施罗德、华商、汇丰晋信、益民、信达澳银、诺德、中欧、金元比联、浦银安盛。(48家)</td></tr>
<tr><td>4</td><td>北京通融通信息技术有限公司(易宝支付)</td><td>www.yeepay.com</td><td>北京市朝阳区朝外大街甲6号万通中心D座23层</td><td>010-59370500</td><td>2012年3月</td><td>中国工商银行</td><td>资产托管部</td><td>北京市西城区太平桥大街96号</td><td>010-66105773</td></tr>
<tr><td colspan="10">合作的基金销售机构
基金管理公司:银华。(1家)</td></tr>
<tr><td>5</td><td>深圳市财付通科技有限公司(财付通)</td><td>www.tenpay.com</td><td>广东省深圳市南山区高新科技园科技中一路腾讯大厦8层</td><td>0755-86013860</td><td>2012年5月</td><td>广发银行</td><td>资产托管部</td><td>北京市东城区大华路2号</td><td>010-65169615</td></tr>
<tr><td colspan="10">合作的基金销售机构
基金管理公司:南方、华夏、博时、鹏华、大成、富国、金鹰、国海富兰克林、天弘、汇添富、华安、融通、嘉实、建信、民生加银、招商、光大保德信、工银瑞信、广发、招商、新华、海富通、国投瑞银、易方达。(24家)</td></tr>
<tr><td>6</td><td>快钱支付清算信息有限公司(快钱支付)</td><td>www.99bill.com</td><td>上海市浦东新区浦电路360号陆家嘴投资大厦12楼</td><td>025-68526799</td><td>2012年5月</td><td>中国农业银行</td><td>现金管理部</td><td>北京市东城区建国门内大街69号</td><td>010-85108648</td></tr>
<tr><td colspan="10">合作的基金销售机构
基金管理公司:汇添富。(1家)</td></tr>
<tr><td>7</td><td>支付宝(中国)网络技术有限公司(支付宝)</td><td>www.alipay.com</td><td>浙江省杭州市西湖区万塘路18号广厦黄龙时代中心B栋3-21层</td><td>0571-88156688</td><td>2012年5月</td><td>中信银行</td><td>公司银行部</td><td>北京市东城区朝阳门北大街8号富华大厦C座</td><td>010-65556791</td></tr>
<tr><td colspan="10">合作的基金销售机构
基金管理公司:国泰、南方、华安、博时、鹏华、嘉实、大成、富国、易方达、融通、长城、银河、国投瑞银、万家、金鹰、招商、海富通、长信、天治、景顺长城、广发、兴业全球、申万菱信、中海、光大保德信、天弘、新华、汇添富、工银瑞信、交银施罗德、信诚、建信、华商、益民、中欧、德邦、红塔红土。(37家)</td></tr>
<tr><td>8</td><td>证联融通电子有限公司(证联融通)</td><td>www.zlrt.com.cn</td><td>贵州省贵阳市民权路1号振华凯都大厦22号楼1号</td><td>0851-5296991
010-59370893</td><td>2013年6月</td><td>建设银行</td><td>资金结算部</td><td>贵州市贵阳市中华北路148号</td><td>0851-6696244</td></tr>
<tr><td colspan="10">合作的基金销售机构
基金管理公司:长城。(1家)</td></tr>
</table>

编号	机构名称	网址	联系地址	电话	首次备案时间	监督银行	监督银行指定部门	监督银行联系地址	监督银行联系电话
9	深圳市快付通金融网络科技服务有限公司（深圳快付通）	www.lycheepay.com	广东省深圳市福田区车公庙泰然501栋	4001002323	2013年6月	建设银行	公司银行部	广东省深圳市福田区益田路6003号荣超商务中心A座13楼	0755－23808182
合作的基金销售机构 基金管理公司：博时。（1家）									
10	深圳市深银联易办事金融服务有限公司（深银联易办事）	www.ebankunion.com	广东省深圳市深南大道4001号时代金融中心9楼	95105989	2013年6月	平安银行	资产托管部	广东省深圳市深南东路5047号深发展大厦27楼	0755－22166371
合作的基金销售机构 基金销售机构：平安银行。（1家）									
11	南京苏宁易付宝网络科技有限公司（易付宝）	无	江苏省南京市玄武区玄武大道699－19号5幢	无	2013年10月	广发银行	资产托管部	北京市东城区大华路2号	010－65169615
合作的基金销售机构 基金管理公司：广发、汇添富、南方、富国、大成。（5家）									
12	网银在线（北京）科技有限公司（网银在线）	www.chinabank.com.cn	北京市朝阳区天辰东路7号国家会议中心写字楼5层	4006226586	2013年11月	中国农业银行	电子银行部	北京市东城区建国门内大街乙18号院2号楼	010－85104729
合作的基金销售机构 基金管理公司：鹏华基金。（1家）									
13	平安付科技服务有限公司（平安付，原名深圳市壹卡会科技服务有限公司）	www.eka.cn	上海市浦东新区崂山路316号5楼	4008880999	2014年1月	平安银行	资产托管部	深圳市深南东路5047号深发展大厦27楼	0755－22166371
合作的基金销售机构 基金管理公司：平安大华基金。（1家）									
14	北京新浪支付科技有限公司（新浪支付）	pay.sina.com.cn	北京市海淀区北二街8号中关村SOHO－B座911	4009218887	2014年3月	中国工商银行	资产托管部	北京市西城区太平桥大街96号	010－66105773
合作的基金销售机构 基金管理公司：汇添富基金。（1家）									
15	北京百付宝科技有限公司（百付宝）	www.baifubao.com	北京市海淀上地10街	4008988855	2014年4月	中国光大银行	公司银行部	北京市西城区太平桥大街25号	010－63636353
合作的基金销售机构 基金管理公司：华夏基金。（1家）									
16	广州易联商业服务有限公司（易联支付）	www.gdyilian.com	广东省广州市天河区体育西路103号维多利广场B塔25楼	020－28863558	2014年4月	中国光大银行	公司银行部	北京市西城区太平桥大街25号	010－63636353
合作的基金销售机构 基金管理公司：交银施罗德基金。（1家）									
17	天翼电子商务有限公司（天翼电子）	www.bestpay.com.cn	北京市西城区复兴门南大街乙2号天银大厦A座东层	4008011888	2014年4月	中信银行	公司银行部	北京市东城区朝阳门北大街8号富华大厦C座	010－65556791
合作的基金销售机构 基金管理公司：嘉实基金。（1家）									

<table>
<tr><th>编号</th><th>机构名称</th><th>网址</th><th>联系地址</th><th>电话</th><th>首次备案时间</th><th>监督银行</th><th>监督银行指定部门</th><th>监督银行联系地址</th><th>监督银行联系电话</th></tr>
<tr><td>18</td><td>上海得仕企业服务有限公司(得仕)</td><td>www.dayspass.com.cn</td><td>上海市中山西路1800号1FO、1F1、1F2</td><td>4008200222</td><td>2014年5月</td><td>上海银行</td><td>资产托管部</td><td>上海市四川中路261号7楼</td><td>021-63235367</td></tr>
<tr><td colspan="10">合作的基金销售机构
基金管理公司:宝盈基金、大成基金、富国。(3家)</td></tr>
<tr><td>19</td><td>广州银联网络支付有限公司(银联网络)</td><td>www.gnete.com</td><td>广东省广州市高新技术产业开发区工业园建中路6号</td><td>4008333222</td><td>2014年5月</td><td>广发银行</td><td>资产托管部</td><td>北京市东城区大华路2号</td><td>010-65169615</td></tr>
<tr><td colspan="10">合作的基金销售机构
基金管理公司:广发基金。(1家)</td></tr>
<tr><td>20</td><td>上海富友支付服务有限公司(富友支付)</td><td>www.fuiou.com</td><td>上海市浦东新区民生路1399号太平人寿大厦5楼</td><td>4006677133</td><td>2014年5月</td><td>中国建设银行</td><td>上海分行</td><td>上海市陆家嘴环路900号</td><td>021-58880000</td></tr>
<tr><td colspan="10">合作的基金销售机构
基金管理公司:光大保德信基金。(1家)</td></tr>
<tr><td>21</td><td>网易宝有限公司(网易宝)</td><td>epay.163.com</td><td>浙江省杭州市滨江区网商路599号网易大楼B1楼</td><td>020-89166198</td><td>2014年6月</td><td>中信银行</td><td>公司银行部</td><td>北京市东城区朝阳门北大街8号富华大厦C座</td><td>010-65556791</td></tr>
<tr><td colspan="10">合作的基金销售机构
基金管理公司:华夏基金。(1家)</td></tr>
<tr><td>22</td><td>商银信支付服务有限责任公司(商银信)</td><td>www.allscore.cn</td><td>北京市西城区平安里西大街28号中海国际中心5层</td><td>400-610-7755</td><td>2014年6月</td><td>广发银行</td><td>资产托管部</td><td>北京市东城区大华路2号</td><td>010-65169615</td></tr>
<tr><td colspan="10">合作的基金销售机构
基金管理公司:广发基金。(1家)</td></tr>
<tr><td>23</td><td>中移电子商务有限公司(中移电子)</td><td>www.cmpay.com</td><td>湖南省长沙市高新区麓谷大道662号软件中心大楼</td><td>100086</td><td>2014年7月</td><td>浦发银行</td><td>资产托管部</td><td>上海市北京东路689号东银大厦19楼</td><td>021-61616629</td></tr>
<tr><td colspan="10">合作的基金销售机构
基金管理公司:汇添富基金。(1家)</td></tr>
<tr><td>24</td><td>拉卡拉支付有限公司(拉卡拉)</td><td>www.lakala.com</td><td>北京市海淀区丹棱街6号中关村金融大厦7层、8层</td><td>4007-666-666</td><td>2014年8月</td><td>中信银行</td><td>公司银行部</td><td>北京市东城区朝阳门北大街8号富华大厦C座</td><td>010-65556791</td></tr>
<tr><td colspan="10">合作的基金销售机构
基金管理公司:建信基金。(1家)</td></tr>
<tr><td>25</td><td>深圳市腾付通电子支付科技有限公司(腾付通)</td><td>www.tftpau.com</td><td>广东省深圳福田区保税区桃花路9号腾邦集团大厦</td><td>4000-288-309</td><td>2014年8月</td><td>平安银行</td><td>资产托管部</td><td>广东省深圳市深南东路5047号深发展大厦27楼</td><td>0755-22166371</td></tr>
<tr><td colspan="10">合作的基金销售机构
基金管理公司:诺安基金。(1家)</td></tr>
<tr><td>26</td><td>先锋支付有限公司(先锋支付)</td><td>www.ucfpay.com</td><td>北京市朝阳区酒仙桥中路24号院4号楼</td><td>400-890-9888</td><td>2014年9月</td><td>广发银行</td><td>资产托管部</td><td>北京市东城区大华路2号</td><td>010-65169615</td></tr>
<tr><td colspan="10">合作的基金销售机构
基金管理公司:广发基金。(1家)</td></tr>
<tr><td>27</td><td>顺丰恒通支付有限公司(顺手付,原名深圳市泰海网络科技服务有限公司)</td><td>www.sf-pay.com</td><td>广东省深圳市福田区香梅路1061号中投国际商务中心A座4楼</td><td>4000-555-555</td><td>2014年12月</td><td>中国工商银行</td><td>资产托管部</td><td>北京市西城区太平桥大街96号</td><td>010-66105773</td></tr>
<tr><td colspan="10">合作的基金销售机构
基金管理公司:易方达基金。(1家)</td></tr>
</table>

<table>
<tr><th>编号</th><th>机构名称</th><th>网址</th><th>联系地址</th><th>电话</th><th>首次备案时间</th><th>监督银行</th><th>监督银行指定部门</th><th>监督银行联系地址</th><th>监督银行联系电话</th></tr>
<tr><td>28</td><td>联通支付有限公司(联通支付)</td><td>epay.10010.com</td><td>北京市西城区西单北大街甲133号联通办公楼</td><td>400-688-9900</td><td>2014年12月</td><td>中信银行</td><td>公司银行部</td><td>北京市东城区朝阳门北大街8号富华大厦C座</td><td>010-65556791</td></tr>
<tr><td colspan="10">合作的基金销售机构
基金管理公司:嘉实基金。(1家)</td></tr>
<tr><td>29</td><td>天津融宝支付网络有限公司(融宝支付)</td><td>www.reapal.com</td><td>天津市经济技术开放区盛达街9号泰达金融广场7层</td><td>400-022-6816</td><td>2015年1月</td><td>民生银行</td><td>电子银行部</td><td>北京市东城区安定门外大街136号</td><td>010-56362723</td></tr>
<tr><td colspan="10">合作的基金销售机构
基金管理公司:南方基金。(1家)</td></tr>
<tr><td>30</td><td>裕福支付有限公司(裕福支付)</td><td>www.fuka.cc</td><td>北京市朝阳区东光路30号楼甲3号</td><td>010-65305555</td><td>2015年1月</td><td>中信银行</td><td>公司银行部</td><td>北京市东城区朝阳门北大街8号富华大厦C座</td><td>010-65556791</td></tr>
<tr><td colspan="10">合作的基金销售机构
基金管理公司:建信基金。(1家)</td></tr>
<tr><td>31</td><td>国付宝信息科技有限公司(国付宝)</td><td>www.gopay.com.cn</td><td>北京市朝阳区霞光里9号中电发展大厦12层</td><td>400-0550-009</td><td>2015年1月</td><td>中国农业银行</td><td>电子银行部</td><td>北京市东城区建国门内大街乙18号院2号楼</td><td>010-85104729</td></tr>
<tr><td colspan="10">合作的基金销售机构
基金管理公司:融通基金。(1家)</td></tr>
<tr><td>32</td><td>易生支付有限公司(易生支付)</td><td>www.bhecard.com</td><td>北京市朝阳区酒仙桥路4号宏源大厦20层</td><td>9507108</td><td>2015年2月</td><td>民生银行</td><td>电子银行部</td><td>北京市东城区安定门外大街136号</td><td>010-56362723</td></tr>
<tr><td colspan="10">合作的基金销售机构
基金管理公司:银华基金。(1家)</td></tr>
<tr><td>33</td><td>联动优势电子商务有限公司(联动优势)</td><td>www.umpay.com</td><td>北京市海淀区学院南路12号京师科技大厦A座7层</td><td>400-612-5880</td><td>2015年2月</td><td>中国农业银行</td><td>电子银行部</td><td>北京市东城区建国门内大街乙18号院2号楼</td><td>010-85104729</td></tr>
<tr><td colspan="10">合作的基金销售机构
基金管理公司:数米基金。(1家)</td></tr>
<tr><td>34</td><td>重庆易极付科技有限公司(易极付)</td><td>www.yiji.com</td><td>重庆市北部新区黄山大道中段9号木星科技大厦一区6楼</td><td>023-88505858</td><td>2015年2月</td><td>中信银行</td><td>公司银行部</td><td>北京市东城区朝阳门北大街8号富华大厦C座</td><td>010-65556791</td></tr>
<tr><td colspan="10">合作的基金销售机构
基金管理公司:金鹰基金。(1家)</td></tr>
<tr><td>35</td><td>资和信电子支付有限公司(资和信)</td><td>www.zihexin.net</td><td>北京市西城区金融大街20号交通银行大厦</td><td>010-66211188</td><td>2015年3月</td><td>广发银行</td><td>资产托管部</td><td>北京市东城区大华路2号</td><td>010-65169615</td></tr>
<tr><td colspan="10">合作的基金销售机构
基金管理公司:华安基金。(1家)</td></tr>
<tr><td>36</td><td>快捷通支付服务有限公司(快捷通)</td><td>www.kjtpay.com</td><td>浙江省杭州市下城区东新路江南巷11号5楼</td><td>400-611-0909</td><td>2015年4月</td><td>中信银行</td><td>公司银行部</td><td>北京市东城区朝阳门北大街8号富华大厦C座</td><td>010-65556791</td></tr>
<tr><td colspan="10">合作的基金销售机构
基金管理公司:建信基金。(1家)</td></tr>
<tr><td>37</td><td>集付通支付有限公司(集付通)</td><td>www.jftzf.con</td><td>广西省南宁市金湖南路39号</td><td>400-887-1663</td><td>2015年5月</td><td>民生银行</td><td>电子银行部</td><td>北京市东城区安定门外大街136号</td><td>010-56362723</td></tr>
<tr><td colspan="10">合作的基金销售机构
基金管理公司:红塔红土基金。(1家)</td></tr>
<tr><td>38</td><td>北京帮付宝网络科技有限公司(帮付宝)</td><td>www.8f8.com</td><td>北京市朝阳区东三环中路55号楼5层</td><td>400-6688-020</td><td>2015年5月</td><td>民生银行</td><td>电子银行部</td><td>北京市东城区安定门外大街136号</td><td>010-56362723</td></tr>
<tr><td colspan="10">合作的基金销售机构
基金管理公司:华安基金。(1家)</td></tr>
</table>

编号	机构名称	网址	联系地址	电话	首次备案时间	监督银行	监督银行指定部门	监督银行联系地址	监督银行联系电话
39	连连银通电子支付有限公司（连连银）	www.lianlianpay.com	浙江省杭州市滨江区江南大道3688号潮人汇6楼	400－600－5200	2015年7月	广发银行	资产托管部	北京市东城区大华路2号	010－65169615
合作的基金销售机构 基金管理公司：广发基金。（1家）									
40	鹰皇金佰仕网络技术有限公司（金佰仕）	www.kingpass.cn	湖南省长沙市开福区新河路470号	400－677－1872	2015年11月	民生银行	电子银行部	北京市东城区安定门外大街136号	010－56362723
合作的基金销售机构 基金管理公司：九泰基金。（1家）									

QFII 名录

序号	中文名称	外文名称	国别/地区	托管行	批准日期
1	瑞士银行	UBS AG	瑞士	花旗银行	2003－5－23
2	野村证券株式会社	Nomura Securities Co.,Ltd.	日本	农业银行	2003－5－23
3	摩根士丹利国际股份有限公司	Morgan Stanley & Co. International PLC.	英国	汇丰银行	2003－6－5
4	花旗环球金融有限公司	Citigroup Global Markets Limited	英国	德意志银行	2003－6－5
5	高盛公司	Goldman, Sachs & Co.	美国	汇丰银行	2003－7－4
6	德意志银行	Deutsche Bank Aktiengesellschaft	德国	花旗银行	2003－7－30
7	香港上海汇丰银行有限公司	The Hongkong and Shanghai Banking Corporation Limited	中国香港	建设银行	2003－8－4
8	荷兰安智银行股份有限公司	ING Bank N. V.	荷兰	渣打银行	2003－9－10
9	摩根大通银行	JPMorgan Chase Bank, National Association	美国	汇丰银行	2003－9－30
10	瑞士信贷(香港)有限公司	Credit Suisse (Hong Kong) Limited	中国香港	工商银行	2003－10－24
11	渣打银行(香港)有限公司	Standard Chartered Bank (Hong Kong) Limited	中国香港	中国银行	2003－12－11
12	日兴资产管理有限公司	Nikko Asset Management Co.,Ltd.	日本	交通银行	2003－12－11
13	美林国际	Merrill Lynch International	英国	汇丰银行	2004－4－30
14	恒生银行有限公司	Hang Seng Bank Limited	中国香港	建设银行	2004－5－10
15	大和证券株式会社	Daiwa Securities Co. Ltd.	日本	工商银行	2004－5－10
16	比尔及梅林达盖茨信托基金会	Bill & Melinda Gates Foundation Trust	美国	汇丰银行	2004－7－19
17	景顺资产管理有限公司	INVESCO Asset Management Limited	英国	中国银行	2004－8－4
18	苏格兰皇家银行有限公司	The Royal Bank of Scotland N. V.	荷兰	汇丰银行	2004－9－2
19	法国兴业银行	Société Générale	法国	汇丰银行	2004－9－2
20	巴克莱银行	Barclays Bank PLC	英国	渣打银行	2004－9－15
21	德国商业银行	Commerzbank AG	德国	工商银行	2004－9－27
22	法国巴黎银行	BNP Paribas	法国	工商银行	2004－9－29
23	加拿大鲍尔公司	Power Corporation of Canada	加拿大	建设银行	2004－10－15
24	东方汇理银行	Credit Agrigole Corporate and Investment Bank	法国	汇丰银行	2004－10－15
25	高盛国际资产管理公司	Goldman Sachs Asset Management International	英国	汇丰银行	2005－5－9
26	马丁可利投资管理有限公司	Martin Currie Investment Management Ltd	英国	花旗银行	2005－10－25
27	新加坡政府投资有限公司	GIC Private Limited	新加坡	渣打银行	2005－10－25
28	柏瑞投资有限责任公司	PineBridge Investment LLC	美国	中国银行	2005－11－14
29	淡马锡富敦投资有限公司	Temasek Fullerton Alpha Pte Ltd	新加坡	汇丰银行	2005－11－15
30	JF资产管理有限公司	JF Asset Management Limited	中国香港	建设银行	2005－12－28
31	日本第一生命保险株式会社	The Dai－ichi Life Insurance Company, Limited	日本	中国银行	2005－12－28

序号	中文名称	外文名称	国别/地区	托管行	批准日期
32	星展银行有限公司	DBS Bank Ltd	新加坡	农业银行	2006-2-13
33	安保资本投资有限公司	AMP Capital Investors Limited	澳大利亚	建设银行	2006-4-10
34	加拿大丰业银行	The Bank of Nova Scotia	加拿大	中国银行	2006-4-10
35	比联金融产品英国有限公司	KBC Financial Products UK Limited	英国	花旗银行	2006-4-10
36	爱德蒙得洛希尔(法国)	Edmond de Rothschild(France)	法国	中国银行	2006-4-10
37	耶鲁大学	Yale University	美国	汇丰银行	2006-4-14
38	摩根士丹利投资管理公司	Morgan Stanley Investment Management Inc.	美国	汇丰银行	2006-7-7
39	瀚亚投资(香港)有限公司	Eastspring Investment(Hong Kong) Limited	中国香港	农业银行	2006-7-7
40	斯坦福大学	Stanford University	美国	汇丰银行	2006-8-5
41	通用电气资产管理公司	GE Asset Management Incorporated	美国	汇丰银行	2006-8-5
42	大华银行有限公司	United Overseas Bank Limited	新加坡	工商银行	2006-8-5
43	施罗德投资管理有限公司	Schroder Investment Mangement Limited	英国	交通银行	2006-8-29
44	汇丰环球投资管理(香港)有限公司	HSBC Global Asset Management (Hong Kong) Limited	中国香港	交通银行	2006-9-5
45	瑞穗证券株式会社	Mizuho Securities Co.,Ltd	日本	建设银行	2006-9-5
46	瑞银资产管理(新加坡)有限公司	UBS Asset Management (Singapore) Ltd	新加坡	花旗银行	2006-9-25
47	三井住友资产管理株式会社	Sumitomo Mitsui Asset Management Company, Limited	日本	花旗银行	2006-9-25
48	挪威中央银行	Norges Bank	挪威	花旗银行	2006-10-24
49	百达资产管理有限公司	Pictet Asset Management Limited	英国	汇丰银行	2006-10-25
50	哥伦比亚大学	The Trustees of Columbia University in the City of New York	美国	汇丰银行	2008-3-12
51	荷宝基金管理公司	Robeco Institutional Asset management B. V.	荷兰	花旗银行	2008-5-5
52	道富环球投资管理亚洲有限公司	State Street Global Advisors Asia Limited	中国香港	渣打银行	2008-5-16
53	铂金投资管理有限公司	Platinum Investment Company Limited	澳大利亚	汇丰银行	2008-6-2
54	比利时联合资产管理有限公司	KBC Asset Management N. V.	比利时	工商银行	2008-6-2
55	未来资产基金管理公司	Mirae Asset Global Investments Co., Ltd.	韩国	工商银行	2008-7-25
56	安达国际控股有限公司	ACE INA International Holdings, Ltd.	美国	工商银行	2008-8-5
57	魁北克储蓄投资集团	Caisse de dép? t et placement du Québec	加拿大	汇丰银行	2008-8-22
58	哈佛大学	President and Fellows of Harvard College	美国	工商银行	2008-8-22
59	三星资产运用株式会社	Samsung Investment Trust Management Co., Ltd.	韩国	中国银行	2008-8-25
60	联博有限公司	AllianceBernstein Limited	英国	汇丰银行	2008-8-28
61	华侨银行有限公司	Oversea-Chinese Banking Corporation Limited	新加坡	建设银行	2008-8-28
62	首域投资管理(英国)有限公司	First State Investment Management (UK) Limited	英国	花旗银行	2008-9-11
63	大和证券投资信托株式会社	DAIWA Asset Management Co.	日本	中国银行	2008-9-11
64	壳牌资产管理有限公司	Shell Asset Management Company B. V.	荷兰	花旗银行	2008-9-12
65	普信投资公司	T. Rowe Price Associates, Inc.	美国	汇丰银行	2008-9-12
66	瑞士信贷银行股份有限公司	Credit Suisse AG	瑞士	工商银行	2008-10-14
67	大华资产管理有限公司	UOB Asset Management Ltd	新加坡	工商银行	2008-11-28
68	阿布达比投资局	ABU Dhabi Investment Authority	阿联酋	汇丰银行	2008-12-3
69	安联环球投资有限公司	Allianz Global Investors GmbH	德国	工商银行	2008-12-16
70	资本国际公司	Capital International, Inc.	美国	汇丰银行	2008-12-18
71	三菱日联摩根士丹利证券股份有限公司	Mitsubishi UFJ Morgan Stanley Securities Co., Ltd.	日本	中国银行	2008-12-29
72	韩华资产运用株式会社	Hanwha Investment Trust Management Co., Ltd.	韩国	花旗银行	2009-2-5
73	安石股票投资管理(美国)有限公司	Ashmore Equities Investment Management(US) LLC	美国	汇丰银行	2009-2-10

序号	中文名称	外文名称	国别/地区	托管行	批准日期
74	DWS 投资管理有限公司	DWS Investment S. A.	卢森堡	汇丰银行	2009 - 2 - 24
75	韩国产业银行	The Korea Development Bank	韩国	建设银行	2009 - 4 - 23
76	韩国友利银行股份有限公司	Woori Bank Co., Ltd	韩国	工商银行	2009 - 5 - 4
77	马来西亚国家银行	Bank Negara Malaysia	马来西亚	汇丰银行	2009 - 5 - 19
78	罗祖儒投资管理(香港)有限公司	Lloyd George Management (Hong Kong) Limited	中国香港	汇丰银行	2009 - 5 - 27
79	邓普顿投资顾问有限公司	Templeton Investment Counsel, LLC	美国	汇丰银行	2009 - 6 - 5
80	东亚联丰投资管理有限公司	BEA Union Investment Management Limited	中国香港	工商银行	2009 - 6 - 18
81	三井住友信托银行股份有限公司	The Sumitomo Trust & Banking Co., Ltd.	日本	花旗银行	2009 - 6 - 26
82	韩国投资信托运用株式会社	Korea Investment Trust Management Co., Ltd	韩国	工商银行	2009 - 7 - 21
83	霸菱资产管理有限公司	Baring Asset Management Limited	英国	汇丰银行	2009 - 8 - 6
84	安石投资管理有限公司	Ashmore Investment Management Limited	英国	工商银行	2009 - 9 - 14
85	纽约梅隆资产管理国际有限公司	BNY Mellon Asset Management International Limited	英国	建设银行	2009 - 11 - 6
86	宏利资产管理(香港)有限公司	Manulife Asset Management (Hong Kong) Limited	中国香港	花旗银行	2009 - 11 - 20
87	野村资产管理株式会社	Nomura Asset Management CO., LTD	日本	工商银行	2009 - 11 - 23
88	东洋资产运用(株)	Tongyang Asset Management Corp.	韩国	花旗银行	2009 - 12 - 11
89	加拿大皇家银行	Royal Bank of Canada	加拿大	工商银行	2009 - 12 - 23
90	英杰华投资集团全球服务有限公司	Aviva Investors Global Services Limited	英国	工商银行	2009 - 12 - 28
91	常青藤资产管理公司	Ivy Investment Management Company	美国	汇丰银行	2010 - 2 - 8
92	达以安资产管理公司	DIAM Co., Ltd.	日本	汇丰银行	2010 - 4 - 20
93	法国欧菲资产管理公司	OFI Asset Management	法国	渣打银行	2010 - 5 - 21
94	安本亚洲资产管理公司	Aberdeen Asset Management Asia Limited	新加坡	花旗银行	2010 - 7 - 6
95	KB 资产运用	KB Asset Management Co., Ltd.	韩国	花旗银行	2010 - 8 - 9
96	富达基金(香港)有限公司	Fidelity Investments Management (Hong Kong) Limited	中国香港	汇丰银行	2010 - 9 - 1
97	美盛投资(欧洲)有限公司	Legg Mason Investements (Europe) Limited	英国	花旗银行	2010 - 10 - 8
98	香港金融管理局	Hong Kong Monetary Authority	中国香港	花旗银行	2010 - 10 - 27
99	富邦证券投资信托股份有限公司	Fubon Asset Management Co., Ltd.	中国台湾	建设银行	2010 - 10 - 29
100	群益证券投资信托股份有限公司	Capital Securities Investment Trust Corporation	中国台湾	汇丰银行	2010 - 10 - 29
101	蒙特利尔银行投资公司	BMO Investments Inc.	加拿大	工商银行	2010 - 12 - 6
102	瑞士宝盛银行	Bank Julius Bear & Co.,Ltd	瑞士	花旗银行	2010 - 12 - 14
103	科提比资产运用株式会社	KTB Asset Management Co.,Ltd	韩国	建设银行	2010 - 12 - 28
104	领先资产管理	Lyxor Asset Management	法国	建设银行	2011 - 2 - 16
105	元大证券投资信托股份有限公司	Yuanta Securities Investment Trust Co.,Ltd.	中国台湾	农业银行	2011 - 3 - 4
106	忠利保险有限公司	Assicurazioni Generali S. p. A.	意大利	工商银行	2011 - 3 - 18
107	西班牙对外银行有限公司	Banco Bilbao Vizcaya Argentaria, S. A.	西班牙	中信银行	2011 - 5 - 6
108	国泰证券投资信托股份有限公司	Cathay Securities Investment Trust Co., Ltd.	中国台湾	农业银行	2011 - 6 - 9
109	复华证券投资信托股份有限公司	Fuh Hwa Securities Investment Trust Co. Ltd.	中国台湾	花旗银行	2011 - 6 - 9
110	亢简资产管理公司	Comgest S. A.	法国	德意志银行	2011 - 6 - 24
111	东方汇理资产管理香港有限公司	Amundi Hong Kong Limited	中国香港	建设银行	2011 - 7 - 14
112	贝莱德机构信托公司	BlackRock Institutional Trust Company, N. A.	美国	花旗银行	2011 - 7 - 14
113	GMO 有限责任公司	Grantham, Mayo, Van Otterloo & Co. LLC	美国	汇丰银行	2011 - 8 - 9
114	新加坡金融管理局	Monetary Authority of Singapore	新加坡	汇丰银行	2011 - 10 - 8
115	中国人寿保险股份有限公司(台湾)	China Life Insurance Co., Ltd. (Taiwan)	中国台湾	建设银行	2011 - 10 - 26
116	新光人寿保险股份有限公司	Shin Kong Life Insurance Co., Ltd.	中国台湾	中国银行	2011 - 10 - 26
117	普林斯顿大学	Princeton University	美国	汇丰银行	2011 - 11 - 25
118	新光投信株式会社	Shinko Asset Management Co., Ltd.	日本	汇丰银行	2011 - 11 - 25
119	加拿大年金计划投资委员会	Canada Pension Plan Investment Board	加拿大	汇丰银行	2011 - 12 - 9

序号	中文名称	外文名称	国别/地区	托管行	批准日期
120	泛达公司	Van Eck Associates Corporation	美国	工商银行	2011－12－9
121	瀚博环球投资公司	Hansberger Global Investors, Inc.	美国	渣打银行	2011－12－13
122	安耐德合伙人有限公司	EARNEST Partners LLC	美国	建设银行	2011－12－13
123	泰国银行	Bank of Thailand	泰国	汇丰银行	2011－12－16
124	科威特政府投资局	Kuwait Investment Authority	科威特	工商银行	2011－12－21
125	北美信托环球投资公司	Northern Trust Global Investments Limited	英国	交通银行	2011－12－21
126	台湾人寿保险股份有限公司	Taiwan Life Insurance Co., Ltd.	中国台湾	工商银行	2011－12－21
127	韩国银行	The Bank of Korea	韩国	汇丰银行	2011－12－21
128	安大略省教师养老金计划委员会	Ontario Teachers´Pension Plan Board	加拿大	汇丰银行	2011－12－22
129	韩国投资公司	Korea Investment Corporation	韩国	汇丰银行	2011－12－28
130	罗素投资爱尔兰有限公司	Russell Investments Ireland Limited	爱尔兰	汇丰银行	2011－12－28
131	迈世勒资产管理有限责任公司	Metzler Asset Management GmbH	德国	工商银行	2011－12－31
132	华宜资产运用有限公司	HI Asset Management Co., Linmited.	韩国	工商银行	2011－12－31
133	新韩法国巴黎资产运用株式会社	Shinhan BNP Paribas Asset Management Co., Ltd.	韩国	汇丰银行	2012－1－5
134	家庭医生退休基金	Stichting Pensioenfonds voor Huisartsen	荷兰	汇丰银行	2012－1－5
135	国民年金公团(韩国)	National Pension Service	韩国	花旗银行	2012－1－5
136	三商美邦人寿保险股份有限公司	Mercuries Life Insurance Co,Ltd	中国台湾	汇丰银行	2012－1－30
137	保德信证券投资信托股份有限公司	Prudential Financial Securities Investment Trust Enterprise	中国台湾	汇丰银行	2012－1－31
138	信安环球投资有限公司	Principal Global Investors LLC	美国	建设银行	2012－1－31
139	医院管理局公积金计划	Hospital Authority Provident Fund Scheme	中国香港	汇丰银行	2012－1－31
140	全球人寿保险股份有限公司	TransGlobe Life Insurance Inc.	中国台湾	花旗银行	2012－2－3
141	大众信托基金有限公司	Public Mutual Berhad	马来西亚	花旗银行	2012－2－3
142	明治安田资产管理有限公司	Meiji Yasuda Asset Management Company Ltd.	日本	花旗银行	2012－2－27
143	国泰人寿保险股份有限公司	Cathay Life Insurance Co., LTD.	中国台湾	中国银行	2012－2－28
144	三井住友银行株式会社	Sumitomo Mitsui Banking Corporation	日本	中国银行	2012－2－28
145	富邦人寿保险股份有限公司	Fubon Life Insurance Co. Ltd	中国台湾	花旗银行	2012－3－1
146	友邦保险有限公司	AIA Company Limited	中国香港	中国银行	2012－3－5
147	纽伯格伯曼欧洲有限公司	Neuberger Berman Europe Limited	英国	工商银行	2012－3－5
148	马来西亚国库控股公司	KHAZANAH NASIONAL BERHAD	马来西亚	工商银行	2012－3－7
149	资金研究与管理公司	Capital Research and Management Company	美国	汇丰银行	2012－3－9
150	日本东京海上资产管理株式会社	Tokio Marine Asset Management Co.,Ltd	日本	汇丰银行	2012－3－14
151	韩亚金融投资株式会社	Hana Financial Investment Co.,Ltd	韩国	花旗银行	2012－3－29
152	兴元资产管理有限公司	Genesis Asset Managers,LLP	美国	德意志银行	2012－3－30
153	伦敦市投资管理有限公司	City of London Investment Managementi Company Limited	英国	汇丰银行	2012－3－30
154	摩根资产管理(英国)有限公司	JPMorgan Asset Management (UK) Limited	英国	工商银行	2012－3－30
155	冈三资产管理股份有限公司	Okasan Asset Management Co.,Ltd	日本	汇丰银行	2012－3－30
156	预知投资管理公司	Prescient Investment Management PTY LTD	南非	工商银行	2012－4－18
157	东部资产运用株式会社	Dongbu Asset Management Co.,Ltd.	韩国	建设银行	2012－4－20
158	骏利资产管理有限公司	Janus Capital Management LLC	美国	汇丰银行	2012－4－20
159	瑞穗投信投资顾问有限公司	Mizuho Asset Management Co., Ltd.	日本	汇丰银行	2012－4－26
160	瀚森全球投资有限公司	Henderson Global Investors Limited	英国	渣打银行	2012－4－28
161	欧利盛资产管理有限公司	Eurizon Capital S. A.	卢森堡	工商银行	2012－5－2
162	中银国际英国保诚资产管理有限公司	BOCI－Prudential Asset Management Limited	中国香港	渣打银行	2012－5－3
163	富敦资金管理有限公司	Fullerton Fund Management Company Ltd	新加坡	工商银行	2012－5－4
164	利安资金管理公司	Lion Global Investors Limited	新加坡	花旗银行	2012－5－7

序号	中文名称	外文名称	国别/地区	托管行	批准日期
165	忠利银行基金管理卢森堡有限责任公司	BG FUND MANAGEMENT LUXEMBOURG S. A.	卢森堡	建设银行	2012－5－23
166	威廉博莱公司	William Blair & Company, L. L. C.	美国	汇丰银行	2012－5－24
167	天达资产管理有限公司	Investec Asset Management Limited	英国	花旗银行	2012－5－28
168	安智投资管理亚太(香港)有限公司	ING Investment Management Aisa Pacific (Hong Kong) Limited	中国香港	花旗银行	2012－6－4
169	三菱日联国际资产管理公司	Mitsubishi UFJ Kokusai Asset Management Co., Ltd.	日本	汇丰银行	2012－6－4
170	中银集团人寿保险有限公司	BOC Group Life Assurance Company Limited	中国香港	农业银行	2012－7－12
171	霍尔资本有限公司	Hall Capital Partners LLC	美国	花旗银行	2012－8－6
172	得克萨斯大学体系董事会	Board of Regents of The University of Texas System	美国	汇丰银行	2012－8－6
173	南山人寿保险股份有限公司	Nan Shan Life Insurance Company, Ltd.	中国台湾	工商银行	2012－8－6
174	SUVA 瑞士国家工伤保险机构	Suva	瑞士	花旗银行	2012－8－13
175	不列颠哥伦比亚省投资管理公司	British Columbia Investment Management Corporation	加拿大	汇丰银行	2012－8－17
176	惠理基金管理香港有限公司	Value Partners Hong Kong Limited	中国香港	汇丰银行	2012－8－21
177	安大略退休金管理委员会	Ontario Pension Board	加拿大	中国银行	2012－8－29
178	教会养老基金	The Church Pension Fund	美国	工商银行	2012－8－31
179	麦格理银行有限公司	Macquarie Bank Limited	澳大利亚	汇丰银行	2012－9－4
180	瑞典第二国家养老金	Andra AP－fonden	瑞典	汇丰银行	2012－9－20
181	海通资产管理(香港)有限公司	Hai Tong Asset Management (HK) Limited	中国香港	交通银行	2012－9－20
182	IDG 资本管理(香港)有限公司	IDG CAPITAL MANAGEMENT (HK) LIMITED	中国香港	建设银行	2012－9－20
183	杜克大学	Duke University	美国	工商银行	2012－9－24
184	卡塔尔控股有限责任公司	Qatar Holding LLC	卡塔尔	农业银行	2012－9－25
185	瑞士盈丰银行股份有限公司	EFG Bank AG	瑞士	花旗银行	2012－9－26
186	海拓投资管理公司	Cutwater Investor Services Corporation	美国	中国银行	2012－10－26
187	奥博医疗顾问有限公司	OrbiMed Advisors LLC	美国	花旗银行	2012－10－26
188	新思路投资有限公司	New Silk Road Investment Pte. Ltd.	新加坡	汇丰银行	2012－10－26
189	贝莱德资产管理北亚有限公司	BlackRock Asset Management North Asia Limited	中国香港	花旗银行	2012－10－26
190	摩根证券投资信托股份有限公司	JPMorgan Asset Management Taiwan	中国台湾	建设银行	2012－11－5
191	全球保险集团美国投资管理有限公司	AEGON USA Investment Management, LLC	美国	花旗银行	2012－11－5
192	鼎晖投资咨询新加坡有限公司	CDH Investment Advisory Private Limited	新加坡	建设银行	2012－11－7
193	瑞典北欧斯安银行有限公司	Skandinaviska Enskilda Banken AB(publ)	瑞典	中国银行	2012－11－12
194	嘉实国际资产管理有限公司	Harvest Global Investments Limited	中国香港	中国银行	2012－11－12
195	灰石投资管理有限公司	Greystone Managed Investments Inc.	加拿大	工商银行	2012－11－21
196	统一证券投资信托股份有限公司	Uni－President Assets Management Corporation	中国台湾	汇丰银行	2012－11－21
197	大和住银投信投资顾问株式会社	Daiwa SB Investments Ltd.	日本	农业银行	2012－11－19
198	毕盛资产管理有限公司	APS Asset Management Pte Ltd	新加坡	建设银行	2012－11－27
199	中信证券国际投资管理(香港)有限公司	CITIC Securities International Investment Management (HK) Limited	中国香港	工商银行	2012－12－11
200	太平洋投资策略有限公司	Pacific Alliance Investment Management (HK) Limited	中国香港	建设银行	2012－12－11
201	易方达资产管理(香港)有限公司	E Fund Management (Hongkong) Co., Limited	中国香港	汇丰银行	2012－12－11
202	高瓴资本管理有限公司	Hillhouse Capital Management Pte. Ltd.	新加坡	建设银行	2012－12－11
203	永丰证券投资信托股份有限公司	SinoPac Securities Investment Trust Co., Ltd	中国台湾	工商银行	2012－12－13
204	华夏基金(香港)有限公司	China Asset Management (Hong Kong) Limited	中国香港	汇丰银行	2012－12－25
205	宜思投资管理有限责任公司	East Capital AB	瑞典	花旗银行	2013－1－7
206	第一金证券投资信托股份有限公司	First Securities Investment Trust Co., Ltd.	中国台湾	汇丰银行	2013－1－24
207	太平洋投资管理公司亚洲私营有限公司	PIMCO Asia Pte Ltd	新加坡	汇丰银行	2013－1－24
208	瑞银资产管理(香港)有限公司	UBS Asset Management (Hong Kong) Ltd	中国香港	花旗银行	2013－1－24

序号	中文名称	外文名称	国别/地区	托管行	批准日期
209	南方东英资产管理有限公司	CSOP Asset Management Limited	中国香港	渣打银行	2013-1-31
210	EJS投资管理有限公司	EJS Investment Management S. A.	瑞士	交通银行	2013-1-31
211	国泰君安资产管理(亚洲)有限公司	Guotai Junan Assets (Asia) Limited	中国香港	交通银行	2013-2-21
212	泰康资产管理(香港)有限公司	Taikang Asset Management (HK) Company Limited	中国香港	工商银行	2013-2-22
213	招商证券资产管理(香港)有限公司	CMS Asset Management (HK) Co., Limited	中国香港	交通银行	2013-2-22
214	现代证券株式会社	Hyundai Securities Co., Ltd	韩国	建设银行	2013-3-22
215	工银亚洲投资管理有限公司	ICBC (Asia) Investment Management Company Limited	中国香港	建设银行	2013-3-25
216	亚洲资本再保险集团私人有限公司	Asia Capital Reinsurance Group Pte. Ltd.	新加坡	花旗银行	2013-4-11
217	AZ基金管理股份有限公司	AZ Fund Management S. A.	卢森堡	德意志银行	2013-4-11
218	台新证券投资信托股份有限公司	Taishin Securities Investment Trust Co., Ltd.	中国台湾	建设银行	2013-4-27
219	海富通资产管理(香港)有限公司	HFT Investment Management (HK) Limited	中国香港	工商银行	2013-5-7
220	汇丰中华证券投资信托股份有限公司	HSBC Global Asset Management (Taiwan) Limited	中国台湾	交通银行	2013-5-10
221	太平资产管理(香港)有限公司	Taiping Assets Management (HK) Company Limited	中国香港	建设银行	2013-5-15
222	中国国际金融香港资产管理有限公司	China International Capital Corporation Hong Kong Asset Management Limited	中国香港	建设银行	2013-5-16
223	中国光大资产管理有限公司	China Everbright Assets Management Limited	中国香港	汇丰银行	2013-5-30
224	博时基金(国际)有限公司	Bosera Asset Management (International) Co., Ltd.	中国香港	汇丰银行	2013-6-4
225	兆丰国际证券投资信托股份有限公司	Mega International Investment Trust Co., Ltd.	中国台湾	德意志银行	2013-6-4
226	法国巴黎投资管理亚洲有限公司	BNP Paribas Investment Partners Asia Limited	中国香港	中国银行	2013-6-19
227	圣母大学	University of Notre Dame du Lac	美国	汇丰银行	2013-6-19
228	纽堡亚洲	Newport Asia LLC	美国	汇丰银行	2013-7-15
229	华南永昌证券投资信托股份有限公司	HUA NAN INVESTMENT TRUST CORPORATION	中国台湾	花旗银行	2013-7-15
230	景林资产管理香港有限公司	Greenwoods Asset Management Hong Kong Limited	中国香港	汇丰银行	2013-7-15
231	中国信托人寿保险股份有限公司	CTBC Life Insurance Co., Ltd.	中国台湾	中国银行	2013-8-20
232	凯思博投资管理(香港)有限公司	Keywise Capital Management (HK) Limited	中国香港	工商银行	2013-8-20
233	富邦产物保险股份有限公司	FUBON INSURANCE COMPANY LIMITED	中国台湾	工商银行	2013-8-26
234	欧特咨询有限公司	Alta Advisers Limited	英国	汇丰银行	2013-8-26
235	盛树投资管理有限公司	Flowering Tree Investment Manangement Pte. Ltd.	新加坡	汇丰银行	2013-8-26
236	广发国际资产管理有限公司	GF International Investment Management Limited	中国香港	工商银行	2013-9-26
237	梅奥诊所	Mayo Clinic	美国	汇丰银行	2013-9-29
238	国信证券(香港)资产管理有限公司	Guosen Securities (HK) Asset Management Company Limited	中国香港	花旗银行	2013-9-29
239	新加坡科技资产管理有限公司	ST Asset Management Ltd	新加坡	渣打银行	2013-10-18
240	政府养老基金(泰国)	Government Pension Fund	泰国	建设银行	2013-10-24
241	狮诚控股国际私人有限公司	SeaTown Holdings International Pte. Ltd.	新加坡	汇丰银行	2013-10-30
242	CSAM资产管理有限公司	CSAM Asset Management Pte Ltd	新加坡	花旗银行	2013-10-30
243	中国人寿富兰克林资产管理有限公司	China Life Franklin Asset Management Co., Limited	中国香港	建设银行	2013-10-30
244	福特基金会	The Ford Foundation	美国	汇丰银行	2013-10-31
245	瑞银韩亚资产运用株式会社	UBS Hana Asset Management Co., Ltd.	韩国	花旗银行	2013-10-31
246	国泰世华商业银行股份有限公司	Cathay United Bank Co., Ltd.	中国台湾	工商银行	2013-11-7
247	立陶宛银行	Bank of Lithuania	立陶宛	汇丰银行	2013-11-23
248	富兰克林华美证券投资信托股份有限公司	Franklin Templeton SinoAM SIM Inc.	中国台湾	农业银行	2013-11-23
249	中国信托商业银行股份有限公司	CTBC Bank Co., Ltd.	中国台湾	中国银行	2013-11-23

序号	中文名称	外文名称	国别/地区	托管行	批准日期
250	华盛顿大学	The Washington University	美国	汇丰银行	2014－1－23
251	澳门金融管理局	Monetary Authority of Macao	澳门	中国银行	2014－1－27
252	史帝夫尼可洛司股份有限公司	Stifel Nicolaus & Company, Inc.	美国	花旗银行	2014－1－27
253	职总英康保险合作社有限公司	NTUC Income Insurance Co－operative Limited	新加坡	花旗银行	2014－1－27
254	Invesco PowerShares 资产管理有限公司	Invesco PowerShares Capital Management LLC	美国	建设银行	2014－1－27
255	瑞士再保险亚洲股份有限公司	Swiss Re Asia AG	瑞士	花旗银行	2014－1－27
256	Nordea 投资管理公司	Nordea Investment Management AB	瑞典	汇丰银行	2014－1－27
257	华顿证券投资信托股份有限公司	Paradigm Asset Management Co., Ltd.	中国台湾	工商银行	2014－3－11
258	喀斯喀特有限责任公司	Cascade Investment, L. L. C.	美国	德意志银行	2014－3－11
259	铭基国际投资公司	Matthews International Capital Management, LLC	美国	汇丰银行	2014－3－12
260	奥本海默基金公司	Oppenheimer Funds, Inc.	美国	汇丰银行	2014－3－19
261	高观投资有限公司	Overlook Investments Limited	中国香港	汇丰银行	2014－4－8
262	台新国际商业银行股份有限公司	Taishin International Bank	中国台湾	建设银行	2014－6－3
263	花旗集团基金管理有限公司	Citigroup First Investment Management Limited	中国香港	德意志银行	2014－6－16
264	爱斯普乐基金管理公司	ASSETPLUS Investment Management Co., Ltd.	韩国	花旗银行	2014－7－24
265	彭博家族基金会	The Bloomberg Family Foundation Inc.	美国	汇丰银行	2014－7－25
266	石溪集团	The Rock Creek Group, LP.	美国	汇丰银行	2014－7－28
267	麻省理工学院	Massachusetts Institute of Technology	美国	汇丰银行	2014－9－19
268	万金全球香港有限公司	Viking Global Hong Kong Limited	中国香港	花旗银行	2014－9－22
269	高盛国际	Goldman Sachs International	英国	汇丰银行	2014－9－22
270	安盛基金管理有限公司	AXA Fund Management S. A.	卢森堡	汇丰银行	2014－10－8
271	国投瑞银资产管理(香港)有限公司	UBS SDIC Asset Management (Hong Kong) Company Limited	中国香港	工商银行	2014－12－1
272	工银瑞信资产管理(国际)有限公司	ICBC Credit Suisse Asset Management (International) Company Limited	中国香港	汇丰银行	2014－12－4
273	中信证券经纪(香港)有限公司	CITIC Securities Brokerage (HK) Limited	中国香港	德意志银行	2014－12－24
274	申万宏源投资管理(亚洲)有限公司	Shenwan Hongyuan Asset Management (Asia) Limited	中国香港	工商银行	2014－12－30
275	宾夕法尼亚大学校董会	Trustees of the University of Pennsylvania	美国	汇丰银行	2015－1－5
276	广发资产管理(香港)有限公司	GF Asset Management (Hong Kong) Limited	中国香港	工商银行	2015－1－7
277	麦盛资产管理(亚洲)有限公司	Munsun Asset Management (Asia) Limited	中国香港	兴业银行	2015－1－22
278	玉山商业银行股份有限公司	E. SUN COMMERCIAL BANK, LTD.	中国台湾	中国银行	2015－2－27
279	汇添富资产管理(香港)有限公司	China Universal Asset Management (Hong Kong) Company Limited	中国香港	建设银行	2015－2－27
280	加利福尼亚大学校董会	The Regents of the University of California	美国	德意志银行	2015－3－25
281	富国资产管理(香港)有限公司	Fullgoal Asset Management (HK) Limited	中国香港	汇丰银行	2015－4－8
282	文莱投资局	Brunei Investment Agency	文莱	渣打银行	2015－5－7
283	台湾银行股份有限公司	Bank of Taiwan	中国台湾	汇丰银行	2015－5－20
284	淡水泉(香港)投资管理有限公司	Springs Capital (Hong Kong) Limited	中国香港	汇丰银行	2015－5－20
285	安联证券投资信托股份有限公司	Allianz Global Investors Taiwan Limited	中国台湾	德意志银行	2015－5－21
286	安信资产管理(香港)有限公司	Essence Asset Management (Hong Kong) Limited	中国香港	汇丰银行	2015－6－2
287	日盛证券投资信托股份有限公司	Jih Sun Securities Investment Trust Co., Ltd	中国台湾	德意志银行	2015－6－2
288	泛亚投资管理有限公司	General Oriental Investments SA	瑞士	汇丰银行	2015－6－29
289	建银国际资产管理有限公司	CCB International Asset Management Limited	中国香港	工商银行	2015－7－28
290	忠诚保险有限公司	Fidelidade－Companhia de Seguros, S. A.	葡萄牙	工商银行	2015－8－31
291	挚信投资顾问(香港)有限公司	TBP Investment Advisory (HK) Limited	中国香港	工商银行	2015－10－12
292	瀚亚证券投资信托股份有限公司	Eastspring Securities Investment Trust Co. Ltd.	中国台湾	汇丰银行	2015－11－2

序号	中文名称	外文名称	国别/地区	托管行	批准日期
293	柏瑞证券投资信托股份有限公司	PineBridge Investments Management Taiwan Limited	中国台湾	德意志银行	2015－11－24
294	农银国际资产管理有限公司	ABCI Asset Management Limited	中国香港	中国银行	2015－11－24
295	融通国际资产管理有限公司	Rongtong Global Investment Limited	中国香港	工商银行	2016－1－15
296	国泰全球投资管理有限公司	Guotai Global Investments Limited	中国香港	建设银行	2016－3－17
297	第一商业银行股份有限公司	First Commercial Bank, Ltd.	中国台湾	汇丰银行	2016－5－3
298	元大证券股份有限公司	Yuanta Securities Co., Ltd.	中国台湾	交通银行	2016－7－19
299	工银国际资产管理有限公司	ICBC International Asset Management Limited Company	中国香港	农业银行	2016－7－19
300	中国光大证券资产管理有限公司	China Everbright Securities Asset Management Limited	中国香港	交通银行	2016－8－12
301	领航集团有限公司	The Vanguard Group, Inc.	美国	汇丰银行	2016－9－1
302	中邮创业国际资产管理有限公司	China Post & Capital Global Asset Management Limited	中国香港	中国银行	2016－9－9
303	财通国际资产管理有限公司	Caitong International Asset Management Co. Limited	中国香港	中国银行	2016－9－9
304	摩根大通证券股份有限公司	J. P. Morgan Securities plc	英国	汇丰银行	2016－9－28
305	大成国际资产管理有限公司	Da Cheng International Asset Management Company Limited	中国香港	渣打银行	2016－12－6
306	招银国际资产管理有限公司	CMB International Asset Management Limited	中国香港	中国银行	2017－1－5
307	中加国际资产管理有限公司	BOB Scotia International Asset Management Company Limited	中国香港	建设银行	2017－1－10
308	国家第一养老金信托公司	FSS Trustee Corporation	澳大利亚	汇丰银行	2017－1－18
309	海通银行股份有限公司	Haitong Bank, S. A.	葡萄牙	花旗银行	2017－2－13

RQFII 名录

序号	中文名称	英文名称	注册地	批准日期
1	南方东英资产管理有限公司		中国香港	2011.12.21
2	易方达资产管理(香港)有限公司		中国香港	2011.12.21
3	嘉实国际资产管理有限公司		中国香港	2011.12.21
4	华夏基金(香港)有限公司		中国香港	2011.12.21
5	大成国际资产管理有限公司		中国香港	2011.12.21
6	汇添富资产管理(香港)有限公司		中国香港	2011.12.21
7	博时基金(国际)有限公司		中国香港	2011.12.21
8	海富通资产管理(香港)有限公司		中国香港	2011.12.21
9	华安资产管理(香港)有限公司		中国香港	2011.12.21
10	中国国际金融(香港)有限公司		中国香港	2011.12.22
11	国信证券(香港)金融控股有限公司		中国香港	2011.12.22
12	光大证券金融控股有限公司		中国香港	2011.12.22
13	华泰金融控股(香港)有限公司		中国香港	2011.12.22
14	国泰君安金融控股有限公司		中国香港	2011.12.22
15	海通国际控股有限公司		中国香港	2011.12.22
16	广发控股(香港)有限公司		中国香港	2011.12.22
17	招商证券国际有限公司		中国香港	2011.12.22
18	申万宏源(国际)集团有限公司	Shenwan Hongyuan (International) Holdings Limited	中国香港	2011.12.22
19	中信证券国际有限公司		中国香港	2011.12.22
20	安信国际金融控股有限公司		中国香港	2011.12.22
21	国元证券(香港)有限公司		中国香港	2011.12.22

序号	中文名称	英文名称	注册地	批准日期
22	工银瑞信资产管理(国际)有限公司		中国香港	2012.08.07
23	广发国际资产管理有限公司		中国香港	2012.08.07
24	上投摩根资产管理(香港)有限公司		中国香港	2012.10.26
25	国投瑞银资产管理(香港)有限公司		中国香港	2012.12.17
26	富国资产管理(香港)有限公司		中国香港	2012.12.17
27	诺安基金(香港)有限公司		中国香港	2013.02.22
28	泰康资产管理(香港)有限公司	Taikang Asset Management (Hong Kong) Company Limited	中国香港	2013.03.14
29	建银国际资产管理有限公司	CCB International Asset Management Limited	中国香港	2013.03.25
30	兴证(香港)金融控股有限公司		中国香港	2013.04.25
31	中国人寿富兰克林资产管理有限公司	China Life Franklin Asset Management Co., Limited	中国香港	2013.05.15
32	农银国际资产管理有限公司	ABCI Asset Management Limited	中国香港	2013.05.15
33	中投证券(香港)金融控股有限公司		中国香港	2013.05.16
34	东方金融控股(香港)有限公司		中国香港	2013.05.23
35	工银亚洲投资管理有限公司	ICBC (Asia) Investment Management Company Limited	中国香港	2013.06.04
36	恒生投资管理有限公司	Hang Seng Investment Management Limited	中国香港	2013.06.04
37	太平资产管理(香港)有限公司	Taiping Assets Management (HK) Company Limited	中国香港	2013.06.19
38	中银香港资产管理有限公司	BOCHK Asset Management Limited	中国香港	2013.07.15
39	横华国际资产管理有限公司	HGNH International Asset Management Co., Limited	中国香港	2013.07.15
40	长江证券控股(香港)有限公司		中国香港	2013.07.15
41	中国平安资产管理(香港)有限公司	Ping An of China Asset Management (Hong Kong) Company Limited	中国香港	2013.07.19
42	信达国际资产管理有限公司	Cinda International Asset Management Limited	中国香港	2013.07.19
43	丰收投资管理(香港)有限公司	Income Partners Asset Management (HK) Limited	中国香港	2013.07.19
44	汇丰环球投资管理(香港)有限公司	HSBC Global Asset Management (Hong Kong) Limited	中国香港	2013.07.19
45	东亚银行有限公司	The Bank of East Asia, Limited	中国香港	2013.08.15
46	永丰金资产管理(亚洲)有限公司	SinoPac Asset Management (Asia) Ltd.	中国香港	2013.08.15
47	交银国际资产管理有限公司	BOCOM International Asset Management Limited	中国香港	2013.08.20
48	中国东方国际资产管理有限公司	China Orient International Asset Management Limited	中国香港	2013.08.20
49	惠理基金管理香港有限公司	Value Partners Hong Kong Limited	中国香港	2013.08.20
50	柏瑞投资香港有限公司	PineBridge Investments Hong Kong Limited	中国香港	2013.09.26
51	创兴银行有限公司	Chong Hing Bank Limited	中国香港	2013.09.26
52	JF 资产管理有限公司	JF Asset Management Limited	中国香港	2013.10.30
53	未来资产环球投资(香港)有限公司	Mirae Asset Global Investments (Hong Kong) Limited	中国香港	2013.10.30
54	香港沪光国际投资管理有限公司	SHANGHAI INTERNATIONAL ASSET MANAGEMENT (HONG KONG) COMPANY LIMITED	中国香港	2013.10.30
55	中国光大资产管理有限公司	China Everbright Assets Management Limited	中国香港	2013.10.30
56	中信建投(国际)金融控股有限公司		中国香港	2013.10.30
57	国金证券(香港)有限公司	Sinolink Securities (Hong Kong) Company Limited	中国香港	2013.12.06
58	中国银河国际金融控股有限公司		中国香港	2013.12.11
59	安石投资管理有限公司	Ashmore Investment Management Limited	英国	2013.12.17
60	瑞银资产管理(香港)有限公司	UBS Asset Management (Hong Kong) Limited	中国香港	2013.12.19
61	永隆资产管理有限公司	Wing Lung Asset Management Limited	中国香港	2013.12.30
62	景林资产管理香港有限公司	Greenwoods Asset Management Hong Kong Limited	中国香港	2014.01.10
63	华宝兴业资产管理(香港)有限公司	Fortune SG Asset Management (Hong Kong) Co., Limited	中国香港	2014.01.20
64	易亚投资管理有限公司	Enhanced Investment Products Limited	中国香港	2014.01.27
65	麦格理基金管理(香港)有限公司	Macquarie Funds Management Hong Kong Limited	中国香港	2014.01.27
66	道富环球投资管理亚洲有限公司	State Street Global Advisors Asia Limited	中国香港	2014.01.27

序号	中文名称	英文名称	注册地	批准日期
67	嘉理资产管理有限公司	Galaxy Asset Management (H. K.) Limited	中国香港	2014.03.06
68	施罗德投资管理(香港)有限公司	Schroder Investment Management(Hong Kong) Limited	中国香港	2014.03.06
69	贝莱德资产管理北亚有限公司	BlackRock Asset Management North Asia Limited	中国香港	2014.03.11
70	交银施罗德资产管理(香港)有限公司	BOCOM Schroder Asset Management (Hong Kong) Company Limited	中国香港	2014.03.12
71	越秀资产管理有限公司	Yue Xiu Asset Management Limited	中国香港	2014.03.26
72	润晖投资管理香港有限公司	Cephei Capital Management (Hong Kong) Limited	中国香港	2014.03.27
73	赤子之心资本亚洲有限公司	Pureheart Capital Asia Limited	中国香港	2014.04.15
74	招商资产(香港)有限公司	China Merchants Asset Management(Hong Kong) Company Limited	中国香港	2014.05.21
75	富达基金(香港)有限公司	FIL Investment Management (Hong Kong) Limited	中国香港	2014.05.21
76	日兴资产管理亚洲有限公司	Nikko Asset Management Asia Ltd	新加坡	2014.05.21
77	毕盛资产管理有限公司	APS Asset Management Pte Ltd	新加坡	2014.05.21
78	富敦资金管理有限公司	Fullerton Fund Management Company Ltd	新加坡	2014.05.21
79	辉立资本管理(香港)有限公司	Phillip Capital Management (HK) Ltd	中国香港	2014.06.03
80	长盛基金(香港)有限公司	Changsheng Fund Management (H. K.) Limited	中国香港	2014.06.12
81	贝莱德顾问(英国)有限公司	BlackRock Advisors (UK) Limited	英国	2014.06.13
82	汇丰环球资产管理(英国)有限公司	HSBC Global Asset Management (UK) Limited	英国	2014.06.16
83	齐鲁国际控股有限公司	Zhongtai Financial International Limited	中国香港	2014.06.27
84	三星资产运用(香港)有限公司	Samsung Asset Management (Hong Kong) Limited	中国香港	2014.06.30
85	新思路投资有限公司	New Silk Road Investment Pte. Ltd.	新加坡	2014.07.24
86	新华资产管理(香港)有限公司	New China Asset Management (Hong Kong) Limited	中国香港	2014.07.24
87	元富证券(香港)有限公司	Masterlink Securites (Hong Kong) Corporation Limited	中国香港	2014.07.28
88	国泰君安基金管理有限公司	Guotai Junan Fund Management Limited	中国香港	2014.08.11
89	高泰盆景资产管理(香港)有限公司	Gottex Penjing Asset Management (HK) Limited	中国香港	2014.08.11
90	联博香港有限公司	AllianceBernstein Hong Kong Limited	中国香港	2014.08.12
91	财通国际资产管理有限公司	Caitong International Asset Management Co., Limited	中国香港	2014.08.12
92	元大宝来证券(香港)有限公司	Yuanta Securities (Hong Kong) Company Limited	中国香港	2014.08.15
93	安本亚洲资产管理有限公司	Aberdeen Asset Management Asia Limited	新加坡	2014.08.15
94	法国巴黎投资管理	BNP Paribas Asset Management	法国	2014.08.27
95	天达资产管理有限公司	Investec Asset Management Limited	英国	2014.08.28
96	凯敏雅克资产管理公司	Carmignac Gestion	法国	2014.09.19
97	星展银行有限公司	DBS Bank Ltd	新加坡	2014.09.22
98	利安资金管理公司	Lion Global Investors Limited	新加坡	2014.09.23
99	融通国际资产管理有限公司	Rongtong Global Investment Limited	中国香港	2014.10.8
100	新韩法国巴黎资产运用株式会社	Shinhan BNP Paribas Asset Management Co., Ltd.	韩国	2014.10.13
101	上海商业银行有限公司	Shanghai Commercial Bank Limited	中国香港	2014.10.13
102	法国巴黎投资管理亚洲有限公司	BNP Paribas Investment Partners Asia Limited	中国香港	2014.10.13
103	中诚国际资本有限公司	CCTIC International Limited	中国香港	2014.10.31
104	百达资产管理有限公司	Pictet Asset Management Limited	英国	2014.11.6
105	亨茂资产管理有限公司	Hamon Asset Management Limited	中国香港	2014.11.19
106	赛德堡资本(英国)有限公司	Cederberg Capital UK LLP	英国	2014.11.19
107	霸菱资产管理(亚洲)有限公司	Baring Asset Management (Asia) Limited	中国香港	2014.11.25
108	信安环球投资(香港)有限公司	Principal Global Investors (Hong Kong) Limited	中国香港	2014.11.25
109	施罗德投资管理(新加坡)有限公司	Schroder Investment Management (Singapore) Ltd	新加坡	2014.12.1
110	未来资产环球投资有限公司	Mirae Asset Global Investment Co., Ltd	韩国	2014.12.4
111	威灵顿投资管理国际有限公司	Wellington Management International Limited	英国	2014.12.10

序号	中文名称	英文名称	注册地	批准日期
112	加拿大丰业亚洲有限公司	BNS Asia Limited	新加坡	2014.12.12
113	摩根资产管理(新加坡)有限公司	JPMorgan Asset Management (Singapore) Limited	新加坡	2014.12.24
114	东洋资产运用(株)	Tong Yang Asset Management Corp.	韩国	2014.12.24
115	NH-CA 资产管理有限公司	NH-CA Asset Management Co., Ltd	韩国	2014.12.26
116	富舜资产管理(香港)有限公司	Total Invest Group Asset Management (Hong Kong) Limited	中国香港	2014.12.26
117	东部资产运用株式会社	Dongbu Asset Management Co., Ltd	韩国	2014.12.26
118	韩亚金融投资株式会社	Hana Financial Investment Co.,Ltd	韩国	2014.12.29
119	瑞银韩亚资产运用株式会社	UBS Hana Asset Management Co., Ltd.	韩国	2015.1.5
120	CSAM 资产管理有限公司	CSAM Asset Management Pte Ltd	新加坡	2015.1.5
121	东亚联丰投资管理有限公司	BEA Union Investment Management Limited	中国香港	2015.1.5
122	忠利投资亚洲有限公司	Generali Investments Asia Limited	中国香港	2015.1.7
123	新加坡政府投资有限公司	GIC Private Limited	新加坡	2015.1.22
124	纽伯格曼新加坡	Neuberger Berman Singapore Pte. Limited	新加坡	2015.1.22
125	TRUSTON 资产管理有限公司	TRUSTON Asset Management Co., Ltd.	韩国	2015.1.22
126	大信资产运用株式会社	Daishin Asset Management Co., Ltd.	韩国	2015.1.22
127	三星资产运用株式会社	Samsung Asset Management Co., Ltd.	韩国	2015.1.22
128	韩国投资信托运用株式会社	Korea Investment Management Co., Ltd.	韩国	2015.1.22
129	景顺投资管理有限公司	Investco Hong Kong Limited	中国香港	2015.2.6
130	MY Asset 投资管理有限公司	MY Asset Investment Management Co., Ltd.	韩国	2015.2.6
131	德意志资产及财富管理投资有限公司	Deutsche Asset & Wealth Management Investment GmbH	德国	2015.2.6
132	新韩金融投资公司	Shinhan Investment Corporation	韩国	2015.2.16
133	凯思博投资管理(香港)有限公司	Keywise Capital Management (HK) Limited	中国香港	2015.2.16
134	兴国资产管理公司	Heungkuk Asset Management	韩国	2015.2.16
135	英杰华投资亚洲私人有限公司	Aviva Investors Asia Pte. Limited	新加坡	2015.2.17
136	中国建设银行(伦敦)有限公司	China Construction Bank (London) Limited	英国	2015.2.17
137	达杰资金管理有限公司	Target Asset Management Pte Ltd	新加坡	2015.2.27
138	KKR 新加坡有限公司	KKR Singapore Pte. Ltd.	新加坡	2015.3.2
139	领航投资澳洲有限公司	Vanguard Investment Australia Ltd	澳大利亚	2015.3.2
140	兴元投资管理有限公司	Genesis Investment Management, LLP	英国	2015.3.6
141	大华资产管理有限公司	UOB Asset Management Ltd	新加坡	2015.3.6
142	苏尔斯英国服务有限公司	Source UK Services Limited	英国	2015.3.25
143	领先资产管理	Lyxor Asset Management	法国	2015.3.25
144	未来资产大宇株式会社	MIRAE ASSET DAEWOO CO., LTD.	韩国	2015.3.25
145	信诚资产管理(新加坡)有限公司	Reliance Asset Management (Singapore) Pte. Ltd.	新加坡	2015.3.31
146	三星生命保险(株)	Samsung Life Insurance Co., Ltd.	韩国	2015.3.31
147	教保安盛资产运用(株)	Kyobo AXA Investment Managers Co., Ltd.	韩国	2015.4.2
148	迈睿思资产管理有限公司	Meritz Asset Management Co., Ltd.	韩国	2015.4.8
149	德盛安联资产管理新加坡有限公司	Allianz Global Investors Singapore Limited	新加坡	2015.4.8
150	方圆投资管理(香港)有限公司	Prudence Investment Management (Hong Kong) Ltd.	中国香港	2015.4.8
151	三星证券株式会社	Samsung Securities Co., Ltd	韩国	2015.4.17
152	GAM 国际管理有限公司	GAM International Management Limited	英国	2015.4.17
153	华宜资产运用株式会社	HI Asset Management	韩国	2015.5.6
154	华侨银行有限公司	OVERSEA-CHINESE BANKING CORPORATION LIMITED	新加坡	2015.5.6
155	嘉实国际资产管理(英国)有限公司	Harvest Global Investment (UK) Limited	英国	2015.5.6
156	东方汇理资产管理香港有限公司	Amundi Hong Kong Limited	中国香港	2015.5.20
157	Insight 投资管理(环球)有限公司	Insight Investment Management (Global) Limited	英国	2015.5.20
158	瑞士再保险股份有限公司	Swiss Reinsurance Company Ltd	瑞士	2015.6.2

序号	中文名称	英文名称	注册地	批准日期
159	东部证券股份有限公司	Dongbu Securities Company Limited	韩国	2015.6.25
160	蓝海资产管理公司	BlueBay Asset Management LLP	英国	2015.6.26
161	爱斯普乐基金管理公司	ASSETPLUS Investment Management Co.,Ltd	韩国	2015.6.29
162	KB资产运用有限公司	KB Asset Management Co., Ltd	韩国	2015.6.29
163	韩国产业银行	Korea Development Bank	韩国	2015.6.29
164	瑞银资产管理(新加坡)有限公司	UBS Asset Management (Singapore) Ltd	新加坡	2015.6.29
165	CI投资管理公司	CI Investments Inc.	加拿大	2015.6.29
166	元大证券株式会社	Yuanta Securities Korea Co., Ltd.	韩国	2015.7.28
167	UBI资产管理公司	Union Bancaire Gestion Institutionnelle (France) SAS	法国	2015.7.28
168	韩华资产运用株式会社	Hanwha Asset Management Co., Ltd.	韩国	2015.7.28
169	大信证券(株)	Daishin Securities Co., Ltd	韩国	2015.7.28
170	韩国投资证券株式会社	Korea Investment & Securities Co., Ltd.	韩国	2015.8.10
171	IBK投资证券株式会社	IBK Securities Co., Ltd.	韩国	2015.8.10
172	未来资产证券株式会社	Mirae Asset Securities Co., Ltd.	韩国	2015.8.30
173	三星火灾海上保险公司	Samsung Fire & Marine Insurance Co., Ltd.	韩国	2015.8.31
174	东方汇理资产管理新加坡有限公司	Amundi Singapore Limited	新加坡	2015.8.31
175	韩国产业银行资产管理有限公司	KDB Asset Management Co., Ltd.	韩国	2015.8.31
176	Hermes投资管理有限公司	Hermes Investment Management Limited	英国	2015.8.31
177	东方汇理	Amundi	法国	2015.9.17
178	Kiwoom投资资产管理有限公司	Kiwoom Asset Management Co., Ltd	韩国	2015.9.23
179	现代投资公司(株)	Hyundai Investments Co., Ltd	韩国	2015.10.9
180	中国工商银行(欧洲)有限公司	Industrial and Commercial Bank of China (Europe) S. A.	卢森堡	2015.11.2
181	中国银行(卢森堡)有限公司	Bank of China (Luxembourg) S. A.	卢森堡	2015.11.3
182	广发国际资产管理(英国)有限公司	GF International Asset Management (UK) Company Limited	英国	2015.12.10
183	安大略退休金管理委员会	Ontario Pension Board	加拿大	2015.12.21
184	加拿大年金计划投资委员会	Canada Pension Plan Investment Board	加拿大	2015.12.21
185	现代证券株式会社	Hyundai Securites Co., Ltd	韩国	2015.12.29
186	保宁资产有限公司	Polunin Capital Partners Limited	英国	2016.1.13
187	MEAG慕尼黑安顾投资有限公司	MEAG MUNICH ERGO Kapitalanlagegesellschaft mbH	德国	2016.1.25
188	贝莱德(新加坡)有限公司	BlackRock (Singapore) Limited	新加坡	2016.1.25
189	野村资产管理德国有限公司	Nomura Asset Management Deutschland KAG mbH	德国	2016.2.1
190	太平洋投资管理公司亚洲私营有限公司	PIMCO Asia Pte Ltd	新加坡	2016.2.15
191	忠利投资卢森堡有限公司	Generali Investments Luxembourg S. A.	卢森堡	2016.2.22
192	法国工商信贷银行有限公司	Credit Industriel et Commercial S. A.	法国	2016.2.22
193	OCTO资产管理公司	OCTO Asset Management	法国	2016.2.26
194	Avanda投资管理私人有限公司	Avanda Investment Management Pte. Ltd.	新加坡	2016.3.15
195	景顺资产管理有限公司	Investco Asset Management Limited	英国	2016.3.16
196	瀚亚投资(新加坡)有限公司	Eastspring Investments (Singapore) Limited	新加坡	2016.3.17
197	安盛投资管理有限公司(巴黎)	AXA Investment Managers Paris	法国	2016.4.1
198	广发金融交易(英国)有限公司	GF Financial Markets (UK) Limited	英国	2016.4.1
199	高盛国际资产管理公司	Goldman Sachs Asset Management International	英国	2016.4.15
200	安联环球投资有限公司	Allianz Global Investors GmbH	德国	2016.4.26
201	辉立资金管理有限公司	Phillip Capital Management (S) Ltd	新加坡	2016.4.26
202	韩华投资证券公司	Hanwha Investment & Securities Co., Ltd.	韩国	2016.5.3
203	迈达思基金管理有限公司	Midas International Asset Management Ltd.	韩国	2016.5.6
204	富达投资管理(新加坡)有限公司	Fidelity Investments (Singapore) Limited	新加坡	2016.6.6
205	荷宝卢森堡股份有限公司	Robeco Luxembourg S. A.	卢森堡	2016.6.8

序号	中文名称	英文名称	注册地	批准日期
206	爱德蒙得洛希尔资产管理(法国)有限公司	Edmond de Rothschild Asset Management (France)	法国	2016.6.8
207	新加坡科技资产管理有限公司	ST Asset Management Ltd.	新加坡	2016.6.24
208	海汇通资产管理有限公司	Harveston Asset Management Pte. Ltd.	新加坡	2016.7.19
209	有进投资证券公司	Eugene Investment & Securities Co., Ltd.	韩国	2016.8.12
210	株式会社新韩银行	Shinhan Bank Co., Ltd.	韩国	2016.8.22
211	凯恩国际基金管理股份有限公司(卢森堡)	Carne Global Fund Managers (Luxembourg) S. A.	卢森堡	2016.9.9
212	开泰基金管理有限公司	Kasikorn Asset Management Co., Ltd	泰国	2016.9.9
213	东吴证券中新(新加坡)有限公司	Soochow Securities CSSD (Singapore) Pte. Ltd	新加坡	2016.10.27
214	罗素投资管理(澳大利亚)有限公司	Russell Investment Management Limited	澳大利亚	2016.10.27
215	贝莱德基金顾问公司	BlackRock Fund Advisors	美国	2016.11.25
216	Lemanik 资产管理股份有限公司	Lemanik Asset Management S. A.	卢森堡	2016.11.25
217	锋裕资产管理公司	Pioneer Asset Management S. A.	卢森堡	2016.12.20
218	联昌信安资产管理有限公司	CIMB-Principal Asset Management Berhad	马来西亚	2017.1.18
219	范达投资有限公司	VanEck Investments Limited	澳大利亚	2017.2.23

QFII 托管行名录

序号	QFII 托管行中文名称	QFII 托管行英文名称
1	汇丰银行(中国)有限公司	HSBC Bank(China) Company Limited
2	花旗银行(中国)有限公司	CitiBank(China) Company Limited
3	渣打银行(中国)有限公司	Standard Chartered Bank(China) Company Limited
4	中国工商银行股份有限公司	Industrial & Commercial Bank of China
5	中国银行股份有限公司	Bank of China
6	中国农业银行股份有限公司	Agricultural Bank of China
7	交通银行股份有限公司	Bank of Communications
8	中国建设银行股份有限公司	China Construction Bank
9	中国光大银行股份有限公司	China Everbright Bank
10	中国招商银行股份有限公司	China Merchants Bank
11	德意志银行(中国)有限公司	Deutsche Bank(China) Company Limited
12	新加坡星展银行	DBS Bank
13	中国中信银行股份有限公司	China Citic Bank
14	上海浦东发展银行股份有限公司	Shanghai Pudong Development Bank Co.,Ltd.
15	中国民生银行股份有限公司	China Minsheng Bandkingcorp.,Ltd.
16	三菱东京日联银行(中国)有限公司	Bank of Tokyo-Mitsubishi UFJ (China)
17	兴业银行股份有限公司	Industrial Bank Co.,Ltd.
18	平安银行股份有限公司	Ping An Bank Co., Ltd.
19	华夏银行股份有限公司	Hua Xia Bank Co., Ltd

第二章　资产托管银行

中国工商银行资产托管部

作为中国大陆托管服务的先行者，中国工商银行自1998年在国内首家提供托管服务以来，秉承"诚实信用、勤勉尽责"的宗旨，依靠严密科学的风险管理和内部控制体系、规范的管理模式、先进的营运系统和专业的服务团队，严格履行资产托管人职责，为境内外广大投资者、金融资产管理机构和企业客户提供安全、高效、专业的托管服务，展现优异的市场形象和影响力。

中国工商银行资产托管部内设综合管理处、证券投资基金处、委托资产一处、委托资产二处、全球资产托管处、产品与系统开发处、信息与增值服务处、监督与风险管理处、营运一处，营运二处，营运三处和业务外包中心，在国内设有多家托管分部。目前，工商银行境内37家一级（直属）分行全部开办资产托管业务，部分境外分支机构也具备了托管服务能力。截至2016年9月末，中国工商银行资产托管部共有员工210人，平均年龄30岁，95%以上员工拥有大学本科以上学历，高管人员均拥有研究生以上学历或高级技术职称。截至2016年9月，中国工商银行共托管证券投资基金624只。自2003年以来，本行连续十三年获得香港《亚洲货币》、英国《全球托管人》、香港《财资》、美国《环球金融》、内地《证券时报》、《上海证券报》等境内外权威财经媒体评选的51项最佳托管银行大奖；是获得奖项最多的国内托管银行，优良的服务品质获得国内外金融领域的持续认可和广泛好评。截至2015年末，中国工商银行资产托管规模突破11.5万亿，连续17年居同业首位。

建立了国内托管银行中最丰富、最成熟的产品线。拥有包括证券投资基金、信托资产、保险资产、社会保障基金、企业年金基金、QFII资产、QDII资产、股权投资基金、证券公司集合资产管理计划、证券公司定向资产管理计划、商业银行信贷资产证券化、基金公司特定客户资产管理、QDII专户资产、ESCROW等门类齐全的托管产品体系，同时在国内率先开展绩效评估、风险管理等增值服务，可以为各类客户提供个性化的托管服务。

中国工商银行资产托管部自成立以来，各项业务飞速发展，始终保持在资产托管行业的优势地位。这些成绩的取得，是与资产托管部"一手抓业务拓展，一手抓内控建设"的做法是分不开的。资产托管部非常重视改进和加强内部风险管理工作，在积极拓展各项托管业务的同时，把加强风险防范和控制的力度，精心培育内控文化，完善风险控制机制，强化业务项目全过程风险管理作为重要工作来做。继2005、2007、2009、2010、2011、2012、2013、2014年八次顺利通过评估组织内部控制和安全措施是否充分的最权威的SAS70（审计标准第70号）审阅后，2015年中国工商银行资产托管部第九次通过ISAE3402（原SAS70）审阅获得无保留意见的控制及有效性报告，表明独立第三方对我行托管服务在风险管理、内部控制方面的健全性和有效性的全面认可。也证明中国工商银行托管服务的风险控制能力已经与国际大型托管银行接轨，达到国际先进水平。目前，ISAE3402审阅已经成为年度化、常规化的内控工作手段。

中国工商银行托管业务服务团队秉承创新精神，提出许多业务处理方案，成为国内托管行业的标准。凭借丰富的托管经验和专业的服务团队，成为众多行业监管机构专家顾问中的托管银行代表。

中国建设银行资产托管业务部

1998年3月，经中国证券监督管理委员会和中国人民银行核准，中国建设银行成为我国首批具有证券投资基金托管人资格的托管银行。目前，中国建设银行总行设立资产托管业务部，负责全行各类资产托管业务的经营与管理，具体职责包括承担资产托管业务的整体规划、市场开发和营销、托管产品研究和设计、业务运营服务、风险防范和控制等工作。

经过多年的经营与积淀，中国建设银行在资产托管业务领域积累了丰富的市场及运作经验，培养了大批专业人才，在业内树立了良好的信誉与品牌形象，与国内外众多知名企业建立了稳固长久的业务合作关系，得到了包括行业监管部门、主管部门、专业评价机构、合作客户乃至托管同行的一致认可。

一、托管业务范围不断扩大，托管规模快速增长

中国建设银行紧紧抓住国内金融市场改革开放的有利时机，持续拓展资产托管业务范围，不断涉猎新兴业务品种，抢占市场先机。业务品种由最初的封闭式基金托管拓展到开放式基金托管、合格境外机构投资者（QFII）托管、养老金托管、保险资产托管、券商资产托管、信托财产保管、合格境内机构投资者（QDII）托管、特定客户资产托管、银行理财产品托管及股权投资基金托管等各类业务品种；涉及市场已由最初的国内交易所市场扩大到交易所市场、银行间市场、产权市场和柜台交易市场，以及国外所有成熟市场和部分新兴市场；合作客户由基金公司扩展为基金公司、保险公司、证券公司、信托公司、养老金公司、企业年金客户、境外投资机构、产业投资基金、私募股权基金、商业银行、各类专户投资者等社会各界方方面面的企业和个人；提供的服务不仅包括账户开立、财产保管、资金清算、会计核算、资产估值、投资监督等常规服务，还包括风险绩效评价、报告定制、公司服务、会计外包等增值服务和创新服务。中国建设银行已发展成为国内托管业务体系最完善、牌照最多、产品最全、服务范围最广的托管银行之一，并仍在继续发展和完善。

到2016年底，中国建设银行资产托管业务规模已达到9.25万亿元。较2015年新增2.08万亿元，增速29.05%。托管的股票型基金只数市场第一，托管的债券型基金、商品型基金和QDII（合格境内机构投资者）基金的规模均为市场第一。保险资产托管中标规模和新增规模同业第一，保险托管规模达到2.58万亿元，较上年新增1.05万亿元，增速68.97%。

二、强化产品创新机制,稳步推进产品创新工作

2016 年,中国建设银行以客户需求为导向,以监管政策为标准,稳步推进托管产品创新及托管服务的流程优化工作。一是本着质量优先的原则,完成了"银行间债券交收处理解决方案"和"客户融入资金托管业务"等项创新项目。二是持续推动已完成创新产品的应用及移植工作,通过定期培训、联动营销、产品运营指导、客户路演等多层次推介活动,推动创新产品应用范围不断扩大,产品覆盖度持续提高。三是加强产品创新项目动态管理,根据市场变化及客户需求及时调整产品创新重点和内容。作为第一家,也是唯一一家提供香港基金互认代理人业务的托管银行,中国建设银行对其形成了一套完整的业务处理方案,托管业务已由单纯的偏后台托管服务,向中台资管行政服务扩展,业务覆盖领域扩大,产品功能优化,产品市场竞争力进一步增强。四是产品实效性逐步提升。在业内率先实现托管系统与上清所结算系统业务直通式处理,并推出银行间交割全流程自动化处理方案,系统自动完成交易与结算信息的匹配,为管理人和托管人省去了大量人工重复机械劳动,操作风险大大降低,结算效率迅速提高,业务承载能力进一步加强。

三、全力打造新一代托管业务系统,资产托管运营效率迅速提升

中国建设银行十分重视系统应用与系统建设,自主研发托管业务系统,新一代托管系统 3.1、3.2 期成功上线,实现托管清算、核算、监督、绩效、外包、网银、分行运营等业务全线部署,新一代托管业务系统建设总体目标基本实现,资产托管运营功能大力增强,综合服务能力稳步提升。

四、全面强化风险管控,确保客户资产安全

中国建设银行高度重视客户托管资产的安全,始终以"尽责、规范、稳健、审慎"为原则,把内控风险管理工作放在首位。通过全行托管业务风险管理制度体系建设和实施、岗位隔离、员工从业行为规范制定和执行、内外部业务检查、总分行条线化管理以及积极引入内外部审计等有效措施,严格内控管理,规范业务操作和员工行为,切实防范经营风险和道德风险。持续实施反洗钱评估、不相容岗位管理、轻微违规行为积分管理等内控工作,内控风险管理能力进一步提升。聘请会计师事务所按照 ISAE3402 标准进行内部控制审计。自 2008 年开始,中国建设银行每年聘请国际上的权威专业外部审计机构进行 ISAE3402(原 SAS70)审计,审计范围覆盖所有产品和所有环节,已连续九年获得外部审计机构出具的无保留意见审计报告,风险控制能力得到国际权威机构、监管部门和业界的高度认可。2016 年,经受住台风"妮姐"导致部分机构停业突发事件的考验,及时启动业务连续性管理和应急机制,总分行多地联动,迅速承接受灾机构运营工作,有力地保障了客户资产安全。

五、托管能力市场高度认可,品牌影响力不断扩大

中国建设银行荣获《环球金融》杂志 2016 年度中国市场唯一一家"最佳托管银行";连续 11 年获得《全球托管人》《财资》《环球金融》各项托管专业荣誉;连续四年荣获"中国债券市场优秀托管机构"奖项。

中国银行托管业务部

一、基本情况

1912 年 2 月,经孙中山先生批准,中国银行正式成立。在中华人民共和国成立前的 37 年间,中国银行先后是当时的国家中央银行、国际汇兑银行和外贸专业银行。在动荡的历史年代,中国银行作为民族金融的支柱,以服务大众、振兴民族金融业为己任,稳健经营,锐意进取,各项业务取得了长足发展。新中国成立后,中国银行成为国家指定的外汇外贸专业银行,继续保持和发扬了顽强创业的企业精神,为国家对外经贸发展、开展经济建设作出了贡献。1994 年,随着金融体制改革的深化,中国银行由外汇外贸专业银行向功能完善、服务全面的国有商业银行转化。1994 年和 1995 年,中国银行分别成为香港地区、澳门地区的发钞银行。2004 年 8 月 26 日,中国银行股份有限公司在北京注册成立,中国银行成为国家控股的股份制商业银行,标志中国银行向建立拥有良好公司治理机制的现代化股份制商业银行的目标迈出了一大步,中国银行历史翻开了新的一页。中国银行于 2006 年 6 月 1 日在香港联合交易所(股票代号:3988)上市,同年 7 月 5 日亦在上海证券交易所(股票代号:601988)挂牌上市,进一步扩大了中国银行在国际市场和国内市场的实力和影响力,为中国银行的百年品牌再添美誉。中国银行是国内主要金融服务提供商之一,业务范围涵盖商业银行、投资银行和保险领域,旗下有中银香港、中银国际、中银保险、中银基金、中银航空租赁、中银投资等控股金融机构。商业银行为中国银行的主营业务,包括公司金融、个人金融和金融市场等业务。

作为中国唯一连续经营百年的银行,中国银行在全球范围内的卓越表现得到了海内外的高度认可。连续 28 年入选美国《财富》杂志评选的"世界 500 强",中国企业独此一家。中国银行曾先后多次被《欧洲货币》评选为"中国最佳银行"和"中国最佳国内银行",多次被香港《财资》(The Asset)评为"中国最佳国内银行",被美国《环球金融》杂志评为"中国最佳外汇银行"。在美国斯坦福大学和 IDG 集团评选的全球竞争力品牌"中国 TOP10"中,中国银行榜上有名。在 A + H 资本市场整体上市后,中国银行荣获《投资者关系》"最佳 IPO 投资者关系奖"等多个重要奖项。中国银行连续 7 年被优兴咨询评为"中国大学生最佳理想雇主"。

2016 年,全球银行业权威杂志英国《银行家》公布"2016 年全球银行品牌 500 强排行榜",中国银行在全球银行业中排名第 6 位,较 2015 年上升 3 位,品牌价值 277.35 亿美元。2016 年 3 月,《南方周末》公布"2015 中国企业社会责任榜",中国银行凭借长期以来在支持实体经济、促进社会公益事业发展中做出的贡献,在"国有上市企业社会责任榜百强企业"中排名第二位,比上年度提升两位;此外,中国银行还在子榜单——"国有上市企业经济责任榜"中排名第四位。2016 年 4 月 12 日,由中国银行业协会贸易金融专业委员会组织的"第四次中国贸易金融卓越奖"评选活动正式揭晓,中国银行连续第四次获得"最佳贸易金融银行"和"最佳跨境人民币业务银行"两项大奖。日前,《财资》杂志公布了 2016 年度亚洲地区贸易融资类评奖结果,中国银行荣获"中国最佳贸易融资银行"、"最佳财资及营运资本供应链方案"等五项大奖,这是中国银行第十次获得《财资》最佳贸易融资银行奖项。2016 年 9 月 24 日,中国《银行家》杂志发布"2016 中国商业银行竞争力排名"榜单,中国银行获评"2015 年度最佳资本管理银行"。

中国银行是中国国际化程度最高的银行。1929 年,中国银行在伦敦设立第一家海外分行,此后在世界各大金融中心相继开设分支机构,截至 2016 年年末,除在中国内地外,中国银行在香港、澳门及 51 个国家和地区拥有分支机构,并拥有广泛的代理行机构网络。通过引进国际管理技术人才和经营理念，中国银行不断向国际化一流大银行的目标迈进。

二、托管业务介绍

（一）基本概况

1998 年 7 月，经中国证监会和中国人民银行核准，中国银行成为国内首批五家从事基金托管业务的银行之一，同年 10 月总行基金托管部成立，2014 年年初正式更名为"托管业务部"。

经过近 18 年的发展，中国银行拥有目前业内最为齐全的托管业务资质，取得了所有监管机构开办托管业务的批复，依托遍布全球一万多家境内外分支机构的网络优势，为客户的全球资产配置提供跨境托管"一站式"服务。截至 2016 年末，中银集团全球托管资产规模逾 8 万亿元，是业内领先的大型托管银行。

（二）亮点与优势

1. 托管业务起步早，托管经验丰富。中国银行托管业务起步于 1998 年。经过 18 年的发展，中国银行拥有全面的业务资格、业内最为齐全和丰富的托管产品线，覆盖主权基金、基金公司、证券公司、信托公司、商业银行、工商企业及高端个人客户等几乎所有客户类型，服务手段和内容不断深化，风险管理能力不断增强，积累了丰富的托管业务经验。

2. 产品创新引领市场。中国银行致力于通过创新服务和引领客户需需求，在几乎所有的托管产品领域，中国银行均是首家或首批实践者。中国银行首批获得基金、保险托管资格，首家同时拥有全国社保基金、企业年金、基本养老保险基金等养老金业务托管资格的银行，首批为交易所交易基金（ETF）、信托计划、银行理财、券商资产管理计划、资产证券化等创新金融产品提供托管服务，也是最早为 QFII、QDII、RQFII 等客户跨境投资提供托管服务的银行；在托管服务方面，中国银行率先推出绩效评估、公司行动、风险分析等增值服务，并首家推出"一站式"跨境托管服务。

3. 领先的"一站式"跨境托管能力。中国银行依托海外机构优势，在国内同业中率先构建海内外一体化的托管综合服务平台。以中国银行担任全球托管行，在不同市场委任海外机构或外资托管行，建立全球托管网络，即"总行 + 中银香港 + 境外托管业务中心 + 其他海外分行"的托管模式，在香港、美国、新加坡、卢森堡等地利用自有网络和托管系统开展托管业务，同时通过与全球托管行的合作形成覆盖全球的托管网络，为机构和个人投资者的全球投资活动提供全面托管及相关金融服务。

4. 安全稳定高效的托管系统平台。中国银行结合国际先进托管业务设计思想，推出了全球托管系统平台，用信息化手段和国际化的管理思维，为客户提供账户管理、指令管理、公司行动、清算交收、核算估值、投资监督等托管服务内容；并率先打造完全自主知识产权的跨境托管模块，直接深入对接海外本地资本市场，为全球托管业务的开展提供了强有力的网络化、电子化和信息化的支持。同时，该平台实现与渠道系统、资金汇划系统及各登记结算机构的无缝衔接，为客户提供安全、稳定、便捷、高效的全球资产托管服务。

中国银行托管债券交收服务能力引领行业。于 2012 年首家与中央结算公司系统完成了大证书下的直联，实现了债券结算业务的自动化、电子化，并于 2016 年实现了与银行间债券交易另一大结算机构——上清所的直联，目前银行间债券结算业务自动化率达到 99% 以上，有力地支持了业务发展，在债券托管市场上树立了良好的品牌形象。

5. 严密完善的风险内控体系。中国银行建立了全面、严格的管理制度和操作流程，通过制度控制、岗位控制、系统应用控制、操作风险管理工具应用、业务持续性管理、内控检查及审计等措施建立了涵盖托管业务全流程的风险体系。截至 2016 年，中国银行托管业务已连续九年获得国际主流内控审阅准则（最新标准为 ISAE3402 和 SSAE16）的无保留意见的内控报告。

6. 卓越的品牌声誉：经过不懈的努力，"中银托管"品牌在业内建立起较高知名度，先后获得《21 世纪经济报道》"年度最佳托管银行"、《金融理财》"年度金牌最稳健托管银行"、《财资》杂志"最佳 RQFII 托管银行"奖、"中国最佳本地托管银行"、《首席财务官》杂志"中国 CFO 最佳资产托管银行"、中央国债登记结算公司评选的"优秀托管机构"等诸多奖项，取得了境内外客户、监管机构及同业的肯定。

中国农业银行托管业务部

中国农业银行证券投资基金托管部于 1998 年 5 月经中国证监会和中国人民银行批准成立，2014 年更名为托管业务部/养老金管理中心，内设综合管理处、证券投资基金托管处、委托资产托管处、境外资产托管处、保险资产托管处、风险管理处、技术保障处、营运中心、市场营销处、内控监管处、账户管理处，拥有先进的安全防范设施和基金托管业务系统。中国农业银行托管业务部现有员工近 140 名，其中具有高级职称的专家 30 余名，服务团队成员专业水平高、业务素质好、服务能力强，高级管理层均有 20 年以上金融从业经验和高级技术职称，精通国内外证券市场的运作。截止 2016 年 9 月 30 日，中国农业银行托管的封闭式证券投资基金和开放式证券投资基金共 332 只。

中国农业银行股份有限公司是中国金融体系的重要组成部分，总行设在北京。经国务院批准，中国农业银行整体改制为中国农业银行股份有限公司并于 2009 年 1 月 15 日依法成立。中国农业银行股份有限公司承继原中国农业银行全部资产、负债、业务、机构网点和员工。中国农业银行网点遍布中国城乡，成为国内网点最多、业务辐射范围最广，服务领域最广，服务对象最多，业务功能齐全的大型国有商业银行之一。在海外，中国农业银行同样通过自己的努力赢得了良好的信誉，每年位居《财富》世界 500 强企业之列。作为一家城乡并举、联通国际、功能齐备的大型国有商业银行，中国农业银行一贯秉承以客户为中心的经营理念，坚持审慎稳健经营、可持续发展，立足县域和城市两大市场，实施差异化竞争策略，着力打造"伴你成长"服务品牌，依托覆盖全国的分支机构、庞大的电子化网络和多元化的金融产品，致力为广大客户提供优质的金融服务，与广大客户共创价值、共同成长。

中国农业银行是中国第一批开展托管业务的国内商业银行，经验丰富，服务优质，业绩突出，2004 年被英国《全球托管人》评为中国"最佳托管银行"。2007 年中国农业银行通过了美国 SAS70 内部控制审计，并获得无保留意见的 SAS70 审计报告。自 2010 年起中国农业银行连续通过托管业务国际内控标准（ISAE3402）认证，表明了独立公正第三方对中国农业银行托管服务运作流程的风险管理、内部控制的健全有效性的全面认可。中国农业银行着力加强能力建设，品牌声誉进一步提升，在 2010 年首届"'金牌理财'TOP10 颁奖盛典"中成绩突出，获"最佳托管银行"奖。2010 年再次荣获《首席财务官》杂志颁发的“最佳资产托管奖”。2012 年荣获第十届中国财经风云榜“最佳资产托管银行”称号；2013 年至 2015 年连续三年荣获上海清算所授予的“托管银行优秀奖”和中央国债登记结算有限责任公司授予的“优秀托管机构奖”称号；2015 年荣获中国银行业协会授予的“养老金业务最佳发展奖”称号。

招商银行总行资产托管部

2002 年 8 月 26 日，招商银行成立总行基金托管部，2005 年 8 月 30 日，更名为总行资产托管部。2002 年 11 月 8 日，经中国人民银行和中国证监会批准获得证券投资基金托管业务资格，招行成为国内首家获得该项业务资格的股份制商业银行。2003 年 4 月 28 日，招行正式开办了证券投资基金托管业务，根据各地托管市场特点与分行专业程度，建立了全行资产托管业务运作与管理体系，2016 年 12 月 12 日，招行海外全球托管中心开业，拉开了托管海外布局的序幕。

招商银行作为托管业务资质最全的商业银行，拥有证券投资基金托管、受托投资管理托管、合格境外机构投资者托管（QFII）、全国社会保障基金托管、保险资金托管、企业年金基金托管等业务资格。2016 年 11 月 29 日，招行成功中标全国社保基金理事会基本养老保险基金托管资格，成为基本养老保险基金托管行。

根据市场变化和客户需要，招商银行托管服务全面覆盖各类资产管理公司、商业银行、工商企业、政府机构及公益基金会、私人客户等，全面涉足基金投资、券商理财、信托财产、银行理财、股权投资基金、养老基金、保险资产、跨境托管、客户资金、慈善基金等所有托（保）管业务领域，托管业务呈现多元均衡发展态势，并在基金客户资产管理、券商资管、银行理财、信托资金、股权投资等托管领域处于行业前列地位。招行充分挖掘庞大托管数据资源，将服务延伸至外包业务和绩效评估领域，连续六年举办“金眼睛”投资绩效评选，打造了独具特色的绩效评估增值服务体系，实现了从单一托管服务商向全面投资者服务机构的转变。

自 2014 年以来，招商银行加速轻型银行转型的进程，资产托管业务迅猛发展。截至 2016 年底，招商银行托管资产规模 10.17 万亿元，居国内托管行业第二，成为国内两家托管规模超过十万亿的托管行之一。

坚持技术创造价值，招商银行持续开发与优化托管系统平台：2007 年 5 月，率先开发托管银行系统及独特的客户端，实现了托管指令电子化、托管业务直通式处理。2008 年 5 月，开发了托管核心业务系统，成为国内两家拥有自主研发托管系统的托管行。2009 年 7 月，推出了国内首个集托管业务处理和客户服务为一体的“6S 资产托管综合业务平台”，并获 2010 年度深圳市金融创新奖。2014 年 10 月，推出了国内首个全功能网上托管银行 1.0，实现了托管全流程电子化、自动化、网络化处理。2015 年 6 月，率先采用分布式开发技术对托管系统架构进行颠覆性重构，实现了高效的“一健估值”。2016 年 11 月，发布了全功能网上托管银行 2.0 版，托管平台处理智能化飞跃，率先实现了银行间上清所 DVP 资金直调中债登 DVP 账户，极大地提升了业务处理效率与客户体验，持续领跑国内托管系统建设。

为切实地履行托管人职责，招商银行构建了覆盖全行托管业务全流程、动态化的风险管控体系，有效地维护投资者（委托人）的合法权益，建立了托管人才快速培育机制，拥有一大批掌握托管政策法规、熟悉托管市场与客户需求、较强协调与专业水平的托管专业人才队伍，可快速响应以市场和客户的需要，进行托管产品创新、托管系统开发、业务流程与风控优化，做到业务创新与合规并举。

2006 年招商银行首创了国内托管业内唯一的“6S 托管银行”品牌体系，确立了“因势而变、先您所想”的托管理念、“财富所托、信守承诺”的核心价值，和“保护您的业务、保护您的财富”的历史使命，建立了“6 心”托管服务标准，2016 年招行连获“2016 年度中国本土最佳托管银行”（*The Asset*）、“2016 最佳托管银行”（《21 世纪经济报道》）以及“十佳金融产品创新奖”（《银行家》）等三项托管奖项。

交通银行总行资产托管部

一、业务概况

交通银行总行设资产托管部。现有员工具有多年基金、证券和银行的从业经验，具备基金从业资格，以及经济师、会计师、工程师和律师等中高级专业技术职称，员工的学历层次较高，专业分布合理，职业技能优良，职业道德素质过硬，是一支诚实勤勉、积极进取、开拓创新、奋发向上的资产托管从业人员队伍。

2015 年，本行积极抢抓政策机遇和市场热点，强化集团内业务联动，加快发展基础和创新托管业务，提升市场影响力。不断丰富养老金托管产品线，大力开发国家社会保障储备基金、补充养老保障、商业养老保障、境外养老金等多层次养老金市场，巩固养老金业务优势。持续增强跨境服务能力，香港托管中心建设成效显著。加速推进风险小中台建设，逐步完善全流程、全覆盖的托管业务风险管理体系，实现托管业务安全稳健运作。截至 2015 年末，全行托管资产规模达人民币 55，783.60 亿元，较年初增长 34.09%。

二、服务品种

（一）证券投资基金托管

交通银行自 1998 年 7 月获得基金托管资格，从封闭式基金托管起步，一直致力于业务的创新和发展，如今交通银行的证券投资基金托管业务已经发展成为一项比较成熟、有较高知名度、市场竞争能力较强的中间业务品种，曾先后托管了国内第一只开放式基金、第一只纯债券基金、第一只伞型基金、首批货币市场基金之一、首只跟踪上证 50 指数的基金、第一只生命周期型基金，创造了多个第一。

（二）全国社保基金资产托管

2002 年底，交通银行从全国社会保障基金理事会托管人招标中脱颖而出，成为全国社保基金首批两家托管行之一。交通银行以高度社会责任感，勤勉尽责地履行托管人义务，为全国社保基金提供高质量的托管服务。

（三）保险资金托管业务

2005 年 3 月，保监会核准交通银行从事保险公司股票资产托管业务。保险资金托管业务是交通银行接受保险行业客户的委托，对其委托资产提供托管服务。具体包括：为委托资产分别开立银行账户和证券账户，安全保管各类资产；为委托资产提供安全、高效的资金清算服务，并执行资产委托人和投资管理人发送的其他资金清算指令；为委托资产单独建账，进行会计核算；对各投资管理人的投资行为进行监控，确保其投资符合监管部门的要求、符合事先确定的投资范围和投资比例；及时与投资管理人进行账务核对；按要求向监管部门提供各类报表；编制托管报告；保管与各保险行业客户有关的重要合同及业务资料等。

（四）券商集合/定向资产管理计划托管

交通银行根据与证券公司签订的《集合资产管理计划托管协议》或《定向资产管理合同》，为资产管理计划的资产提供资产保管、资金清算、会计核算、交易监管等托管服务。

（五）企业年金托管

2005年8月，经劳动和社会保障部批准，交通银行成为首批获得企业年金基金托管业务资格的商业银行之一。如今交通银行企业年金托管客户涉及电力、航空、铁路运输、烟草、金融、石化、港口、基础设施建设等行业的多家大型企业，而且获得了国内多个省市地方社保的整体移交托管项目。

（六）国际托管

2003年9月，交通银行托管了首个QFII项目：日兴资产管理公司的封闭式基金——"日兴中国人民币国债母基金"，这是中国首个QFII基金项目。目前交通银行不仅为QFII资产提供托管服务，而且与知名的全球托管银行展开了紧密合作，为境内合格的机构投资者投资境外市场搭建高效的服务平台。

（七）信托资金保管

信托资金保管业务是指交通银行根据国家颁布的有关法律法规的规定和信托资产托管合同的约定，作为信托资金保管人，接受受托人的委托，对信托资产进行保管，办理信托资金名下清算、核算、估值及其资金往来等业务，并对信托财产的投资情况、收益分配情况等进行监督。曾托管首只银行、信托公司、担保公司合作的新型理财产品——得利宝"宝蓝"系列人民币理财产品。

（八）私募股权基金托管

私募股权基金托管业务是指交通银行作为托管人，为有限合伙型、公司型、信托契约型等各种组织形式的私募股权投资基金提供的基金项下资金清算、核算、估值、投资监督等托管服务的总称。目前私募股权基金包括产业投资基金、创业投资基金、私募PE基金等。

（九）资产证券化类产品托管

2006年5月交通银行开始托管由东方证券股份有限公司作为计划管理人的远东首期租赁资产支持收益专项资产管理计划。远东首期租赁资产支持收益专项资产计划是中国金融市场上首只上市交易的国内租赁业资产证券化项目，也是交通银行托管的首只资产证券化创新产品，它的获批标志着交通银行在资产证券化托管业务上的突破。

（十）基金管理公司特定资产管理计划托管业务

基金管理公司特定资产管理计划托管业务是指基金管理公司向特定客户募集资金或接受特定客户财产委托，为资产委托人的利益进行证券投资，托管银行为该委托财产提供托管服务的业务。2008年3月交通银行与客户签订了国内首单基金公司特定资产管理计划的资产管理合同。

平安银行资产托管事业部

平安银行于2008年1月4日经报备深圳市银监局核准，获得运营信托保管业务资格；2008年8月6日经中国证监会及银监会核准，获得证券投资基金托管资格；2010年1月2日经中国银监会及全国社保基金理事会核准，获得全国社会保障基金托管资格；2013年3月29日经中国保监会及银监会核准，获得保险资金托管资格。目前我行已开展涵盖证券投资基金、基金公司（含子公司）客户资产管理、信托财产、商业银行理财产品、私募投资基金、全国社会保障基金、保险资金、跨境资产、其他创新产品等二十余种资产托管产品和服务，与众多基金公司、证券公司、信托公司、商业银行、PE公司等紧密合作。此外，我行自主开发的"金橙管家"基金服务平台，涵盖销售监督、募集监督及运营管理服务，能更好地服务于广大客户。

一、高速增长，持续提升

平安银行资产托管业务近年发展迅猛，已跻身于股份制银行第二梯队。截至2017年1月31日，平安银行资产托管净值规模超过5.45万亿，较上年末增长39%；同时，截至2016年末，平安银行托管规模净值占总托管市场份额为4.48%，较上年末上升27BP。

二、机制灵活，管理高效

事业部是平安银行基于"以客户为中心"的理念，按照"流程银行"的要求，实行由成本中心向利润中心的转变，对重点行业、重点业务进行嵌入式管理，专业化、集约化经营的重要举措，承担着银行转型发展的重要任务。自2013年平安银行全面实施事业部制以来，作为产品事业部的平安资产托管事业部充分发挥事业部灵活机制，实行资源集中管控、试行托管业务经营所有权与经营管理权相分离模式，构建"总分一体、统一布局、前置营销、贴身服务"的一级经营营销体系，实现被动型→主动型、银行内→市场上、操作型→服务型、单一化→多元化、重规模→规模效益、跟随型→创新型、集中运营→分层运营转变，客户基础与盈利能力得到显著提升，竞争优势日趋明显，创出一条有特色的发展之路，为托管业务的跨越发展打下良好基础。

三、托管专家，六星服务

2017年平安银行强势推出"托管家"品牌，借助平安集团综合金融优势，通过科技引领、创新驱动、营销前置、高效服务，关注监管政策、聚焦市场创新、拓展合作机构、提升服务水准，实现托管业务快速跨越。平安托管家基于构建的托管业务生态圈，为客户提供贯穿资管产业链的全流程托管增值服务，实现真正的"托管+综合金融服务"。

平安托管家坚持以"托管，就是平安"为核心服务理念，围绕托管银行的核心职责，依托平安银行先进的网络平台、资产托管综合服务系统，集网上托管、云端托管、电子智能于一体，通过建立高效便捷的托管网银、托管微信、托管直联、电子传真系统，强化互通互联；打造基金服务云，应用大数据和云计算技术，实现数据管理和业务管理智能化；建立覆盖商务谈判、签约、开户、投资运营至清算等完善的托管标准全流程，当好委托人的托管"管家+专家"，打造集"专心、精心、省心、贴心、核心、创新"于一体的全方位"六星托管服务"，最大限度帮助每一位投资管理人减轻后台运营处理压力，助您"拂去繁杂，专注价值"。

四、锐意创新，努力探索

平安银行密切跟踪资产管理行业政策和市场形势变化，及时研究并落地大资管潮流中新的托管业务机会，紧盯互联网机遇，加快推进具有战略意义的新兴托管业务发展。2015年，平安银行担任业协会"互联网金融资金存管业务课题组"组长单位并积极推进相关课题研究，有效促进互联网金融存管。2017年3月，平安银行正式推出"存管家"网络借贷资金存管业务。在产品和模式创新上，平安银行落地QDII/QDIE跨境投资类托管业务、企业资产证券化托管业务等新产品5类，开发新模式24项，创新设计陆金所网络投融资平台和私募基金销售资金监督模式。

五、严控风险，合规护航

平安银行一直坚持业务发展与风险管控并重，通过制度和流程设计、检查与整改等措施管控托管业务操作风险、声誉风险、合规风险、信息系统风险，为业务健康发展保驾护航。一是总分联动，杜绝或化解风险事件，确保全年零损失；二是以制度建设为抓手，制定或修订多项风控制度，并建立法规政策信息库，大力完善风险管理长效机制；三是根据监管政策和市场环境变化，梳理修订格式合同，排除风险盲点；四是统筹各类业务检查，并督导相关问题整改落实，严控风险隐患；五是提升投资监督效能，积极参与行业协会托管委员会下设投资监督工作组，保障托管履职；六是优化客户准入机制，确保业务安全；七是紧抓日常合规内控，提升内部管理。

六、建设品牌，打造名片

平安银行持续加强托管品牌建设，强力打造"托管，就是平安"的多彩托管品牌：充分发挥托管业务不占用经济资本的"绿色优势"，依托先进的托管系统、资管运营外包云、互联网资金存管平台等"黑色科技"，进军公募、私募基金托管等"蓝海市场"，优化服务、提升效率，打造"橙意服务"，成就"红色业绩"，创建平安托管"金字招牌"。平安银行的托管业务已在业内树立起良好的品牌形象，2016 当选为银行业协会托管委员会第四届主任单位，并荣获"2015—2016 中国最佳资产托管银行""2016 中国年度资产托管行业领军品牌""中国资产托管最佳创新银行"等多项荣誉。

兴业银行资产托管部

兴业银行资产托管部成立于 2005 年 2 月，办公地点常设上海。托管的业务品种涵盖了证券投资基金、基金公司特定客户资产、证券公司集合资产管理计划、证券公司定向资产、保险资金、集合资金信托、单一资金信托、合格境内机构投资者资产（QDII）、商业银行理财产品、产业投资基金、私募股权基金、直投基金、资产证券化资金、基本养老保险个人账户基金、账户监管类资产等多个业务门类。资产托管部下辖综合管理处、市场处、委托资产管理处、稽核监察处、产品研发处、核算管理处、企业年金中心等职能处室。配备了一支涉及证券、基金、银行、会计、计算机、法律等专业的高素质人才队伍，半数以上人员具备证券从业资格。80% 的人员具有 3 年以上金融从业经历，处级以上管理人员均具有 5 年以上金融行业从业经历，部门负责人更是具有 15 年以上金融行业从业经历。目前，资产托管业务已合作信托公司、商业银行、证券公司、基金公司，保险资产管理公司等金融机构约 200 余家。

2016 年，兴业银行资产托管业务通过优化产品结构、重构组织模式及推动系统升级，稳中求进、主动作为，实现了业务的转型发展和高效运行，托管行业地位稳居第一梯队。截至 2016 年末，公司在线托管产品 21,457 只，资产托管业务规模 94,423.07 亿元，较期初增加 22,283.59 亿元，增长 30.89%；实现资产托管中间业务收入 43.45 亿元。

2016 年，兴业银行继续强化传统托管业务，确保其行业优势地位，同时紧随资本市场热点，着力布局银行理财产品托管、证券投资基金托管和基金公司客户资产管理产品托管三大业务，培育新的业务增长点。截至 2016 年末，银行理财产品托管业务规模 19,484.67 亿元，较期初增加 4,849.04 亿元；基金公司客户资产管理产品托管业务规模 10,553.98 亿元，较期初增加 2,862.99 亿元；证券投资基金托管业务规模 4,678.33 亿元，较期初增加 1,795.15 亿元；信托资产管理产品保管业务规模 20,595.74 亿元，较期初增加 2,549.92 亿元；证券公司客户资产管理产品托管业务规模 20,116.44 亿元，较期初增加 4,450.17 亿元；保险资产管理产品托管业务规模 7,003.37 亿元，较期初增加 620.39 亿元；私募资产管理产品托管业务规模 3,308.58 亿元，较期初增加 1,171.60 亿元。

兴业银行资产托管业务发展迅速，十多年来，托管产品数量从 4 只增长到 21,457 只，托管规模从 26.52 亿元增长到 9.4万亿元。尤其是近五年，托管规模由 2011 年初的 2272.04 亿快速增长到如今的 9 多万亿元，业务发展规模呈几何级数增长，多项指标跃居行业前列。兴业银行也因为资产托管业绩蝉联"第一财经金融价值榜""最佳托管银行"称号。

中国民生银行资产托管部

经中国证券监督管理委员会和中国银行业监督管理委员会核准，中国民生银行于 2004 年 7 月 9 日获得证券投资基金托管业务资格，经过十多年的努力，凭借自身资源禀赋及业务特点，坚持多元化经营和专业化创新并举的发展之路，民生银行资产托管业务已成为国内托管业务资质最全、托管业务服务领域最广的托管银行之一。

一、高效的组织机构，支撑托管业务做大做强

中国民生银行 2007 年成立了全行一级独立部门——资产托管部，资产托管部根据业务条线下设市场营销中心、营销管理与产品研发中心、托管运营中心、风险监督中心、业务管理中心、养老金产品研发与营销中心、养老金账户管理中心，各中心协调运作保证快速响应客户需求。部门从成立之初就本着高起点、高素质的原则，注重人才培养战略，打造出了一支专业知识扎实、业务经验丰富、服务意识卓越的托管专业服务团队。目前资产托管部人员全部为本科以上学历，其中 90% 以上为硕士学历，所有从事托管业务操作人员均获得中国基金业协会颁发的基金从业资格，从事资产托管业务的平均从业年限达到 7 年，最长从业年限达到 20 年。

二、把握市场机遇，实现托管业务快速发展

中国民生银行以敏锐的眼光捕捉托管业务发展的商机，紧抓"大资管"的历史机遇，搭建"托管 + 代销""托管 + 增信""托管 + 投资"等合作模式，凭借一贯的创新精神、优质的服务体系和良好的客户资源，大力拓展资产托管市场，实现资产托管业务快速发展，受到业内的广泛关注。截至 2016 年底，民生银行资产托管规模达到 7.07 万亿元，年复合增长率（2008—2016 年）达到 84.93%；实现年托管费收入 34.17 亿元，不论是资产托管规模还是托管业务收入均稳居股份制银行前列，成为国内托管业务领域发展速度最快的新锐。

三、以客户需求为导向，坚持多元化发展战略

中国民生银行目前已经具有全面完备的托管业务资质并积累了丰富的托管业务经验，托管业务涉及境内外资本、货币和实业等多个市场，是目前国内托管业务资格最为齐备、托管业务产品线最为齐全的商业银行之一。民生银行开办的资产托管产品分为：投资类产品、融资类产品、交易类产品、保险保障类产品以及特定目的类产品，托管业务覆盖证券投资基金、私募投资基金、券商资产管理计划、社保基金、信托计划、企业年金、保险资金、商业银行理财、QDII、QFII 等多个业务领域近 30 多个品种。托管服务的对象包括金融机构、企事业法人、自然人客户等。

中国民生银行一直坚持产品多元化发展战略，在新兴产品研发中不遗余力，并不断获得新的突破，在行业内开创了一系列先河：在业内率先推出“托管＋财务顾问”“托管＋担保”模式参与保险债权计划业务；在股份制银行中首家开展企业资产证券化业务托管；首家实现与证券交易软件对接合作互联网式货币基金托管业务，并在互联网公募基金托管方面发展迅速，实现与腾讯、直销银行等各类电商平台的互联网化模式的货币基金的托管；全行业内首家通过先进系统提供P2P资金托管的银行，通过互联网交易资金托管平台，打造互联网金融核心服务系统，将之应用于金融资产交易所、互联网信托、互联网门户网站、电商平台、各类商品交易所、P2P网贷等各类互联网交易资金存管业务；2017年一季度托管的工银瑞信丰淳债券基金，单只基金上线规模达到909亿元，成为国内基金史上首发规模最大的基金，在市场上产生强烈反响。

四、注重科技建设，打造先进的托管系统

中国民生银行一直致力于先进科技系统的建设，每年将税后利润的10%投入于科技开发和建设，先后与国际著名的管理咨询公司科尔尼、埃森哲及SAP公司合作引进具有国际一流的全功能银行业务系统，并在此基础上开发了新一代核心系统，可以全面满足资产托管业务的各项需要，大幅提升运营效率，全力保障托管业务的稳健运行。目前民生银行已经具有了领先于国内同行的安全、高效、快捷的资金清算系统和支付系统，具有很高的电子化水平，实现了托管系统与核心系统、管理人系统等的无缝衔接。

五、强化风险管理，保障托管业务健康发展

中国民生银行每年聘请外部机构进行内部控制制度和风险管理的评审，其中包含对资产托管业务相关事项的评审。资产托管部也会定期聘请外部机构进行托管业务内控有效性评估。2011—2015年，先后聘请国际知名的毕马威华振会计师事务所和安永华明会计师事务所根据国际ISAE3402准则对资产托管业务及内部控制进行年度审计，并获得审计师出具的无保留意见的ISAE3402内部控制报告。中国民生银行是国内首批按照新准则ISAE3402进行托管业务内部控制专项审计的托管行之一。

六、重视行业形象，品牌价值不断提升

秉承“专业、优质、高效”的服务理念，以及长期良好的市场口碑，中国民生银行树立了“民生托管 安享财富”的托管业务品牌，获得业内及市场的高度认可：曾荣获21世纪经济报道评选的”最佳托管银行”、金融理财杂志社评选的“2013年度金牌最稳健托管银行奖”、“2015年度金牌创新托管力银行”、“2016年度金牌托管银行”、清科集团颁发的“中国VC/PE基金托管银行5强”等多项荣誉。

江苏银行资产托管部

江苏银行是在江苏省内无锡、苏州、南通等10家城市商业银行基础上，合并重组而成的现代股份制商业银行，开创了地方法人银行改革的新模式。江苏银行于2007年1月24日正式挂牌开业，是江苏省最大的地方法人银行。江苏银行秉承“融创美好生活”的使命，以“融合创新、务实担当、精益成长”企业文化为引领，致力于建设“特色化、智慧化、综合化、国际化”的一流商业银行，已成长为一家综合实力和市场竞争力较强的现代股份制银行。截至2016年末，资产总额达15 983亿元，各项存款总额达9 074亿元，各项贷款总额达6 494亿元。江苏银行下辖13家省内分行、4家省外分行，服务网络辐射长三角、珠三角、环渤海三大经济圈，实现了江苏省内县域全覆盖。营业网点541家，员工1.4万人。发起设立了苏银金融租赁公司和丹阳保得村镇银行。2016年8月2日，江苏银行首次公开发行A股在上海证券交易所成功上市，股票代码600919。江苏银行的发展得到了社会各界的肯定，获得江苏省委省政府“江苏省优秀企业”、银监会“全国银行业金融机构小微企业金融服务先进单位”、《金融时报》“最具竞争力中小银行”等多项荣誉称号。在英国《银行家》杂志2016年度全球1 000强银行排名中，按一级资本列126位，是中国排名提升最快的银行之一。被美国《环球金融》杂志评为中国最佳城市商业银行。

在“特色化、智慧化、综合化、国际化”的战略指引下，资产托管业务作为一项不消耗资本的真正非息与转型业务，在推动江苏银行创新转型、提升综合竞争力中的作用逐步显现。近年来，在加快创新转型的大背景下，江苏银行资产托管部从分设成立以来，以“托管＋”思维为指引，发挥跨市场、跨条线、跨客群的纽带作用，加快创新业务模式，着力调整业务结构，持续强化风险管控，不断夯实工作基础，在较短的时间内，实现了规模和效益的跨越式发展。

完善组织架构，打造专业队伍。健全的组织架构是托管业务发展的基础。2015年7月20日，江苏银行资产托管部正式从金融同业部分设成为一级部门，下设总经理室，营销管理团队、运营管理团队和风险管理团队。在17家分行金融同业部或公司业务部设置了专门的托管岗，在北京、深圳等重点省外分行设立了托管团队，强化总分两级联动，壮大托管条线人员队伍。建立资产托管条线总分行联系人制度并设置托管岗AB角，要求托管岗人员必须通过基金从业资格考试，做到持证上岗。坚持外引内培，加强专业人才的选拔培养，加快融入托管条线，提升队伍专业化水平。

强化资质获批，夯实发展后劲。托管业务具有集中度的特点，规模优势是资产托管的利器，达到一定的业务量后，规模效应就会凸显出来。在正式分设成立的第一年，部门以证券投资基金、保险资金托管资质获批为契机，大力拓展业务，实现了规模突破1万亿元、收入突破1亿元的目标。在2016年，部门以“全牌照”托管为目标，选取重点、主动跟进，寻求新资质的突破，拓展业务新空间。相继取得了从业人员管理人、债券受托管理人、险资独立监督人等资质，加入中国证券业协会，成为会员单位。此外，主动对接主管部门，持续做好企业年金与职业年金托管人、基金服务业务等资质申请准备工作，进一步拓宽业务发展渠道。

推进系统建设，释放科技产能。“技术一小步，托管一大步。”资产托管部成立之初，就坚持系统先行策略，以实现审批线上化、运营智能化、报表自动化，达到行业先进水平为目标，加大系统研发投入，着力依托科技创新的力量推动资产托管业务在大资管时代下迅速发展。针对非估值类“三管”业务，自主研发资产托管综合业务平台，顺利实现托管业务管理系统（二期）的投产上线。实现托管清算系统与公司部现金管理系统直连，大大提高了资金划付效率与业务承接能力，有助于全方位保障客户资金安全、实现客户信息全行共享。完成托管估值核算系统与投行部代客理财系统对接开发，通过系统对接提高了理财业务的处理速度，保障我行客户理财资金安全。确定资产托管部同城应急中心，提升业务连续性管理能力。资产托管业务系统的持续完善和信息科技的持续创新极大地释放了人工产能，提高了工作效率，并有效降低了操作风险。

健全内控体系，确保合规运营。资产托管部正式分设成立以来，逐步完善了资金监管业务、私募投资基金托管、保险资金托管、信托计划保管的业务流程。为加强风险控制、提高服务水平，建立了托管产品业务模式库，将作业流程、托管协议标准化，管控好操作风险和法律风险。同时，紧盯政策形势变化，对部门重点产品、重点业务的合同协议进行了修订，完善业务报批流程及风险管控措施，确保合规有序发展。根据ISAE3402 鉴证服务反馈意见，对存量制度部分条款进行了修订，新制定下发了四项规章制度，并顺利取得 ISAE3402 认证资格，本行资产托管业务在内部控制、安全保障、运营效能等方面得到了外部专业机构的认可。

上海浦东发展银行资产托管部

上海浦东发展银行自 2003 年开展资产托管业务以来，经过十多年的辛勤耕耘，现已发展成为国内托管业务资格最全、产品线最长、托管运作经验最丰富的银行之一。浦发银行以"五星托管、全心服务"为理念，全力打造面向各类客户，联接各类市场，横跨境内、境外，专业服务资产管理与交易的托管平台。

多年以来，浦发银行始终高度重视资产托管业务发展，并将其作为全行"十三五"战略规划中"三强三大"重点业务之一。2016 年，浦发银行以"做强托管业务"为目标，以一切为营销服务、一切为客户服务为出发点，积极进取、勇于创新，不断夯实业务发展基础，力促形成业务发展合力，守住合规经营和安全运营底线，取得良好经营业绩，行业排名稳步提升。

2016 年末，浦发银行资产托管规模 7.56 万亿元，同比增长 52%；托管中间业务收入 35.38 亿元，同比增长 13%。托管规模同业排名第 6 位，托管费收入排名第 5 位，规模和中收同比均上升 2 位，荣获"2016 金融界 · 领航中国年度评选——杰出托管银行奖"。

一、丰富完备的产品体系

经过十多年的发展，浦发银行已拥有客户资金托管、资金信托保管、证券投资基金托管、全球资产托管、保险资金托管、基金公司客户资产管理托管、证券公司客户资产托管、期货公司客户资产托管、私募投资基金托管、直接股权托管、银行理财产品托管、互联网金融产品托管、养老金托管等多项托管产品，形成完备的产品体系，可满足多领域客户、境内外市场的资产托管需求。

二、协同联动的业务模式

2016 年，浦发银行托管业务协同联动成效显著，业务增长形成合力，全行上下积极推进板块内、行内、集团内托管业务协同联动工作，取得良好效果，新的体制改革优势逐步显现，实现了托管经营和营销资源持续向外拓展。密切关注市场动态，主动适应市场需求，准确判断、快速响应，产品创新卓有成效，细分市场持续保持优势。

三、高效平稳的托管系统

2016 年，浦发银行新一代托管系统成功上线并稳定运行，自动化、流程化和批量处理能力持续提升，打造产品类型多样化、数据管理集约化、信息流转直通化、运营操作流程化、风险监控智能化、客户服务个性化的托管综合服务平台，不断扩充业务支持范围，强化基础支撑能力，有效支撑业务快速发展。

四、专业集约的运营支撑

浦发银行推动实施托管集约化运营体系，夯实基础管理，强化服务支撑，构建专业、标准、规范、高效、低成本的特色化托管运营服务模式。同时，浦发银行积极推动托管运营流程再造，开展公募基金属地化开户、电子对账推广、三费免指令服务、托管账户开户优化、证券代码转换、投资监督流程梳理、业务统计流程优化等工作，细化服务标准，打造一站式客户服务体系，全面提升客户满意度。

五、安全严谨的风险管控

浦发银行持续加强制度建设，构建严密内控体系。严控各类风险，高度关注客户资金产品边界风险和托管业务清算风险；要求全行严格按照合同约定和监管要求完整履行托管职责。组织开展全行托管业务运营应急演练和总分行托管业务全面自查，研究推动总行建立对外清算的应急机制。持续开展运营流程优化，严守操作风险底线，确保安全运营。细化服务标准，打造一站式客户服务体系，全面提升客户满意度。

中信银行资产托管部

2004 年 8 月 18 日，经中国证监会和中国银监会核准，中信银行获得证券投资基金托管资格。中信银行资产托管部内设市场发展部、托管营运部、投资者服务部和企业年金部四个职能部门，拥有一批高素质的专业托管人才，托管部 90% 以上人员具有基金从业资格，40% 以上的人员具有硕士研究生以上学历，90% 以上人员具有三年以上银行或证券基金从业经历。

中信银行资产托管部创造性开拓"商行 + 投行 + 托管"业务模式，努力提高托管业务在本行轻资本转型中的战略地位，通过推广复制典型客户服务案例，不断实现重点地区和重点项目的重点突破，在促进资产托管业务较快增长的同时，带动公司存款业务发展。截至 2016 年末，中信银行已托管 119 只公开募集证券投资基金，以及证券公司资产管理产品、信托产品、企业年金、股权基金、QDII 等其他托管资产，托管资产总规模 65,697.47 亿元，比 2015 年末增长 35.31%，当年新增 17,145.23 亿元，新增规模创新高；实现托管及其他受托业务佣金收入 25.66 亿元，比上年增长 15.17%。

2016 年，中信银行继续巩固"电商基金托管第一家"的市场竞争优势和品牌影响力，推进"托管 + 代销"业务模式，基金托管业务继续保持领先，公募基金托管规模突破 1.09 万亿元，连续四年位居股份制银行首位，成为公募基金、券商资金托管规模增长最多的托管银行。同时创新推出地方商业银行"托管 + 投顾"业务模式，合作的地方商业银行超过 70 家，相关理财产品托管规模达 3,153 亿元。着力推进企业年金与职业年金托管业务布局，截至 2016 年末，企业年金托管规模 513.21 亿元，比上年增长 30.60%，年金托管规模居股份制银行第二；养老金个人账户数累计 29.08 万户，比上年增长 73.76%。

中信银行托管中心建立了一套独立、先进的托管业务技术系统，业务功能完善、系统处理能力强，各种安全防范设施稳定可靠，具备安全保管财产的条件和资金核算清算和投资监督能力，配备了独立的门禁系统和电话录音、录像监控系统，确保托管业务运作相对独立。托管中心积聚了一批高素质的员工队伍，具有丰富的资金清算、会计核算、市场营销、风险控制等方面的经验，为托管业务安全运作打下了坚实的基础。

宁波银行资产托管部

2012年10月31日，宁波银行成为第十九家获得证券投资基金托管资格的商业银行，也是第三家获得该资格的城市商业银行。2013年9月30日，宁波银行获得保险资金托管资格。宁波银行严格履行托管人职责，按照法律法规和托管协议规定，安全保管委托资产，严格监督托管资产投资运作，将业务运作与控制风险有机结合，维护投资人的利益，树立了良好的市场形象，得到监管部门和业界的认同。

截至2016年末，公司托管各类资产总规模达到2.78万亿元，较2015年末增长44%，规模总量位列全行业第14，城商行第1。公司存量托管项目数4761个，较年初净增1234个。公司直接业务合作客户超500家，其中基金公司、基金子公司、证券公司市场覆盖率近80%，托管余额超过20亿元的核心客户达到200家，托管费收入4.1亿元。

2016年，公司继续打造高效、安全的资产托管服务，实现托管规模、托管收入、客群规模的有效增长。继续深化行业内首个独立的资产托管业务服务品牌——易托管，在托管产品和服务上不断推陈出新，完成易直连、易托管委托人版本、新一代核心系统开发，完成易托管2.0版本升级。在业务风险管理方面，通过引入外部审计，加强系统安全性，2016年3月，公司成为行业内首家取得外包服务尽调报告的机构，获得安永华明提供的《鉴证业务国际准则第3402号——服务类组织控制鉴证报告》(ISAE3402)，是国内唯一一家获得此类鉴证报告的城市商业银行。2016年12月，公司获得由《经济观察报》评选颁发的“2016年度卓越资产托管银行”奖项。

中国邮政储蓄银行托管业务部

中国邮政储蓄银行自2009年7月获得证券投资基金托管资格，成为我国第16家具有证券投资基金托管资格的托管银行，可托管证券投资基金、银行理财产品、信托产品、专户理财产品、券商理财等多种资产，为客户提供账户开立、财产保管、资金结算、会计核算、投资监督、信息披露、托管报告等安全、高效、专业的托管服务。

中国邮政储蓄银行股份有限公司总行设托管业务部，下设资产托管处、风险管理处、运营管理处等处室。现有员工20人，全部员工拥有大学本科以上学历及基金从业资格，80%员工具有三年以上基金从业经历，具备丰富的托管服务经验。

中国邮政储蓄银行坚持以客户为中心、以服务为基础的经营理念，依托专业的托管团队、灵活的托管业务系统、规范的托管管理制度、健全的内控体系、运作高效的业务处理模式，为广大基金份额持有人和众多资产管理机构提供安全、高效、专业、全面的托管服务，并获得了合作伙伴一致好评。

2016年，中国邮政储蓄银行加强营销体系建设、突出发展重点托管产品，总分行分级运营体系已臻成熟，为416家客户提供托管服务，资产托管业务实现了持续快速健康发展。业内首次将区块链技术应用于资产托管业务系统，进一步提升托管业务服务能力。截至2016年末，本行资产托管总规模4.17万亿元，同比增长85.36%，近三年复合增长率100.59%，其中，股权投资基金托管规模1.84万亿元，位居行业首位。全年托管业务手续费累计收入9.57亿元，较上年增长89.13%，保持快速增长势头。

作为国内第16家托管行，中国邮政储蓄银行高度重视基金托管业务发展。自2009年获得证券投资基金托管资格并开办首单基金托管业务以来，经过7年发展，中国邮政储蓄银行已与26家基金公司合作托管了65只证券投资基金。至今，中国邮政储蓄银行已形成涵盖证券投资基金、基金公司特定客户资产管理计划、信托计划、银行理财产品(本外币)、私募基金、证券公司资产管理计划、保险资金、保险资产管理计划等多种资产类型的托管产品体系，托管规模达41721.27亿元。

中国邮政储蓄银行作为一家新兴的托管银行，从开放式基金、一对多专户理财等产品的托管起步，将持续致力于托管业务的创新和发展，为投资者和合作伙伴提供安全可靠、优质精心的资产托管服务。同时，邮储银行也将依托强大的网络优势、客户资源优势和资金优势，业务联动，以金融同业业务创新为动力，以全面完整的产品线为支撑，建立托管客户综合金融服务体系，与基金公司之间实现优势互补，共创持续创新、合作共赢的新篇章。

中国光大银行投资与托管业务部

2002年10月，经中国人民银行和中国证券监督管理委员会批准同意，中国光大银行成为继工、农、中、建、交行后第六家获得证券投资基金托管资格的国内商业银行。中国光大银行投资与托管业务部拥有一支高素质的员工队伍。人员知识构成中，涉及证券、基金、银行、会计、计算机、法律、国际金融等专业。能够为基金托管业务提供全方位的知识支持。50%以上人员具有海外金融机构培训经历。

2016年，光大银行资产托管业务围绕“开拓市场、加强创新、提升服务”，加大托管产品市场营销力度，保险债权计划资金托管规模居股份制商业银行前列；加强产品创新，推介商业银行委外投资托管，拓展私募基金托管，积极开展资管行政外包业务；推进新一代托管系统升级，构建自动化、智能化的托管业务平台，提升市场服务能力。截至2016年末，托管业务收入15.07亿元，托管资产规模44,326.19亿元，比上年增长31.45%，创历史新高。

作为国内获得基金托管人资格的首批股份制银行，近年来，光大银行始终以“忠诚守护，勤勉尽责”为宗旨，牢固树立“阳光托管”的品牌与服务理念，坚持“在发展中创新，在创新中发展”的工作思路，长期致力于向委托人、投资人提供优质的托管服务，努力促进基金业生态环境发展、提高托管人增值服务水平。

目前，光大银行具有证券投资基金、QFII境内证券投资、全国社会保障基金、企业年金基金、保险资金等全部资产托管资质，产品链延伸至包括证券投资基金、企业年金基金、信托计划资金、券商集合资产管理计划、基金专户理财、券商专户理财、私募基金、银行理财、QDII、产业投资基金、股权基金及企业债等在内的10多类品种。

资产托管业务开办以来，光大银行在业务运做上积累了丰富的实践经验，培养了一批专业人才，为客户打造了高效的“一站式”托管服务，创造了业内的多项第一：首批获得企业年金基金托管人和账户管理人双资格；最早将托管机制引入银行理财产品；首家托管证券公司集合资产管理计划；托管业内规模最大的文化产业基金；首次举办“托管银行投资绩效评估与风险管理研讨会”；首次开展投资者教育活动，等。

依托光大集团的综合经营优势，光大银行将致力于不断整合集团内部的保险、证券、信托、基金、资产管理公司等多种金融资源，努力为客户提供全方位托管服务，在为客户创造价值的过程中实现自身的不断发展。

南京银行资产托管部

南京银行成立于 1996 年 2 月 8 日，是一家具有由国有股份、中资法人股份、外资股份及众多个人股份共同组成独立法人资格的股份制商业银行，实行一级法人体制。南京银行历经两次更名，先后于 2001 年、2005 年引入国际金融公司和法国巴黎银行入股，在全国城商行中率先启动上市辅导程序并于 2007 年成功上市。目前注册资本为 60.59 亿元，下辖 17 家分行，161 家营业网点，员工总数近 8000 人。自 2006 年首次入选英国《银行家》杂志公布的全球 1000 家大银行排行榜以来，我行排名逐年提升，2016 年已升至第 152 位，位次较 2015 年提升 49 位。

2014 年 4 月 9 日，南京银行获得证监会和银监会联合批复的证券投资基金托管业务资格。取得资格后，南京银行充分发挥基金公司、资产管理等牌照齐全的优势，持续加强与金融市场、投资银行等业务的条线联动优，托管产品种类不断丰富，目前可以开展公募基金托管、银行理财托管、基金公司专户产品托管、基金子公司专户/专项产品托管、证券公司定向/集合资产管理计划托管、信托计划保管、私募基金托管、保险资金托管等业务。截至 2016 年 12 月 31 日，南京银行托管产品组合数超过 1600 只，托管规模超 15000 亿。托管及受托业务实现收入 4.21 亿元，较上年增加 2.5 亿元，增幅 145.84%。

南京银行于 2013 年 10 月 28 日成立了独立的一级部门——资产托管部，下设业务运营部、业务一部、业务二部、内控稽核部、综合管理部、研究开发部六个内设部门。目前，南京银行资产托管部共有 35 人，其中从事会计核算、资金清算、投资监督、信息披露、内控稽核的人员 21 人，市场营销 10 人。相较同期获批基金托管资格的其他银行，南京银行在托管运营上配备较强的人力。

南京银行托管业务系统建设由深圳市赢时胜信息技术股份有限公司承建，使用了其最新版本的资产托管业务系统，能支持目前市场上大多数公募基金的托管业务。该系统采用了基于 EJB 技术的 B/S 结构，支持远程接入功能，能够实现与基金管理人、基金注册登记机构、证券登记结算机构等相关业务机构的系统安全对接，具有良好的安全性、稳定性、开放性和可扩展性，且与本行的其他业务系统严格分离。

2016 年 10 月，资产托管部定制的鑫托管系统上线。鑫托管系统主要包括两部分——"鑫托管"运营平台清算系统与"鑫托管"运营平台项管系统。"鑫托管"清算系统针对我部清算业务需求，通过借助核心直连支付、模糊搜索、背靠背录入等技术，提高清算业务的自动化。"鑫托管"项管系统主要对托管项目整个生命周期进行管理，将项目在立项、落地、运作和结束四个阶段的活动用自动化办公手段进行统一管理。鑫托管系统的上线，使我行运营流程更为数字化、标准化，大大增强了托管业务的竞争力。

上海银行资产托管部

上海银行股份有限公司（以下简称"上海银行"）成立于 1995 年 12 月 29 日，总行位于上海，是上海证券交易所主板上市公司，股票代码 601229。

上海银行以"精品银行"为战略愿景，以"精诚至上，信义立行"为核心价值观，近年来通过推进专业化经营和精细化管理，着力在中小企业、财富管理和养老金融、金融市场、跨境金融、在线金融等领域培育和塑造经营特色，不断增强可持续发展能力。

上海银行目前在上海、北京、深圳、天津、成都、宁波、南京、杭州、苏州、无锡、绍兴、南通、常州、盐城等城市设立分支机构，形成长三角、环渤海、珠三角和中西部重点城市的布局框架；发起设立四家村镇银行、上银基金管理有限公司，设立上海银行（香港）有限公司，获准筹建消费金融公司，并与全球 120 多个国家和地区近 1500 多家境内外银行及其分支机构建立了代理行关系。

成立以来上海银行市场影响力不断提升。根据未经审计数据，截至 2016 年末，总资产 17555 亿元，同比增长 21%；实现净利润 143 亿元，同比增长 10%。2016 年在英国《银行家》"全球前 1000 家银行"排名中，按一级资本和总资产计算，上海银行分别列全球银行业第 91 位和 97 位；多次被《亚洲银行家》杂志评为"中国最佳城市零售银行"。

上海银行于 2009 年 8 月 21 日获得中国证监会、中国银监会核准开办证券投资基金托管业务，批准文号：中国证监会证监许可〔2009〕814 号。内设托管运作团队、稽核监督团队、运行保障团队和市场拓展团队，平均年龄 30 岁，100% 员工拥有大学本科以上学历，业务岗位人员均具有基金从业资格。截至 2016 年 9 月 30 日，上海银行已托管 25 只证券投资基金。

2016 年，上海银行围绕市场需求，大力推进资产托管、行政管理服务、资金监管三大重点产品，拓展托管领域，丰富托管产品，实现托管业务规模和效益持续稳健增长。资产托管部为各类证券公司、基金公司、信托公司、商业银行、保险公司、私募投资机构等客户提供托管综合金融服务，积极开展托管创新业务；以私募投资机构为重点，开展份额登记、估值核算等行政管理服务；研发各类互联网金融及资金监管产品，为投资/交易资金、IPO/定增/发 债募集资金、ABS 回款资金及其他专项资金提供监管服务，创新推出"银商 e 户通"、网贷平台资金 存管、基金销售支付监督等互联网金融新型监管产品。截至 2016 年末，实现资产托管规模 14,302.28 亿元，同比增长 42.89%；托管费收入 11.73 亿 元，同比增长83.86%。

广发银行资产托管部

广发银行成立于 1988 年，是国内首批组建的股份制商业银行之一。围绕成为一流商业银行的愿景目标，本行确立以创新、高效、客户为中心、以 IT 为领先、关爱员工为核心的经营理念，致力于打造优秀零售银行和高效中小企业服务银行，始终将"只争朝夕，臻于至善"的企业精神贯彻于经营管理的过程之中，不断改革创新，提升发展质量和水平，成为具有较强竞争优势和影响力的全国性商业银行。2015 年，在英国《银行家》杂志全球 1,000 家大银行排名中，本行按一级资本排名列第 92 位，进入全球银行前 100 名。

本行致力于为客户提供高质量、高效率、全方位的金融服务。截至 2015 年末，本行资产 1.84 万亿，在北京、天津、河北、辽宁、黑龙江、上海、江苏、浙江、安徽、福建、山东、河南、湖北、湖南、广东、重庆、四川、云南、陕西、新疆等境内 20 个省（直辖市、自治区）84 个地级及地级以上城市和澳门特别行政区设立了 40 家分行、759 家营业机构、227 家"小企业金融中心"、136 台智能银行，个人网银客户规模超 1800 万户，信用卡发卡量4140多万张，与全球125个国家和地区的1702家银行总部及其分支机构建立了代理行关系。

广发银行股份有限公司于2009年5月4日获得中国证监会、银监会核准开办证券投资基金托管业务，基金托管业务批准文号：证监许可〔2009〕363号。广发银行股份有限公司总行设资产托管部，是从事资产托管业务的职能部门，内设客户营销处、保险与期货业务处、增值与外包业务处、业务运行处、内控与综合管理处，部门全体人员均具备本科以上学历和基金从业资格，部门经理以上人员均具备研究生以上学历。

广发银行建立了一只优秀、专业的托管业务团队，保证了托管服务水准在行业的领先地位。建立了完善的产品线，产品涵盖证券投资基金、基金公司客户特定资产管理计划、证券公司客户资产管理计划、保险资金托管、股权投资基金、产业基金、信托计划、银行理财产品、交易资金托管、专项资金托管、中介资金托管等，能为托管产品托管全面的托管服务。截至2016年12月31日，广发银行托管资产规模已达20429.55亿元，其中托管公募基金30只，托管规模1007.9亿元。

北京银行资产托管部

北京银行成立于1996年，是一家中外资本融合的新型股份制银行。成立以来，北京银行依托中国经济腾飞崛起的大好形势，先后实现引资、上市、跨区域等战略突破。目前，已在北京、天津、上海、西安、深圳、杭州、长沙、南京、济南、南昌、石家庄及乌鲁木齐等十余个中心城市以及香港、荷兰拥有500家分支机构，开辟和探索了中小银行创新发展的经典模式。

截至2016年9月末，北京银行资产达到2.04万亿元，前三季度实现净利润150.36亿元。成本收入比23.84%，不良贷款率1.20%，拨备覆盖率为275.20%，资本充足率12.55%，各项经营指标均达到国际银行业先进水平，公司价值排名中国区域性发展银行首位，品牌价值达310亿元，一级资本排名全球千家大银行77位、排名首都金融业第一位，连续三年跻身全球银行业百强，被誉为中国最具创新能力和发展潜力的中小银行。

20年来，北京银行积极履行社会责任，在医疗、教育、慈善、赈灾等方面向社会捐助超过1.5亿元。凭借优异的经营业绩和优质的金融服务，北京银行赢得了社会各界的高度赞誉，先后荣获"全国文明单位""亚洲十大最佳上市银行""中国最佳城市商业零售银行""最佳区域性银行""最佳支持中小企业贡献奖""最佳便民服务银行""中国上市公司百强企业""中国社会责任优秀企业""最具持续投资价值上市公司""最受尊敬银行""最值得百姓信赖的银行机构"及"中国优秀企业公民"等称号。

北京银行总行资产托管部充分发挥作为新兴托管银行的高起点优势，搭建了由高素质人才组成的专业团队，内设核算估值岗、资金清算岗、投资运作监督岗、系统运行保障岗及风险内控岗，各岗位人员均分别具有相应的会计核算、资产估值、资金清算、投资监督、风险控制等方面的专业知识和丰富的业务经验，70%的员工拥有研究生及以上学历。

北京银行资产托管部秉持"严谨、专业、高效"的经营理念，严格履行托管人的各项职责，切实维护基金持有人的合法权益，为基金提供高质量的托管服务。经过多年稳步发展，北京银行托管资产规模不断扩大，托管业务品种不断增加，已形成包括证券投资基金、基金专户理财、证券公司资产管理计划、信托计划、银行理财、保险资金、股权投资基金等产品在内的托管产品体系，北京银行专业高效的托管服务赢得了客户的广泛高度认同。截至2016年末，实现资产托管规模14,466亿元，同比增长64%；托管类中间业务收入7.35亿元，同比增长52%。

广州农村商业银行资产托管部

广州农村商业银行前身是成立于1951年，至今已有65年发展历史的广州市农村信用合作社，1998年9月市农村信用合作社联合社成立，2006年9月统一法人，2009年12月改制开业。广州农村商业银行稳步推进跨区域跨行业战略，截至2016年末，本行拥有营业网点625家，其中广州市内营业网点618家（含辖下支行393家、分理处225家），营业网点数量位列广州地区所有商业银行首位，广泛分布于广州城区和农村地区；目前在京、粤、豫、鲁、川、湘、赣、辽、苏等地正式开业23家珠江村镇银行，在广东河源、肇庆、清远、佛山成立4家分支机构，在北京、上海、郑州、成都、大连设立5家业务中心，全资设立的珠江金融租赁有限公司已于2014年12月挂牌成立。

广州农村商业银行规范经营、开拓创新，近年来主要业务发展迅速，综合实力不断增强，主要经营指标居广东省农村合作金融机构首位，业务规模居国内农商行前列。2016年末，集团总资产达6609.5亿元，各项存款余额达5012.8亿元，各项贷款余额达2481.3亿元，全年实现中间业务收入31.9亿元，拨备前利润97.8亿元，年末不良贷款率1.81%，拨备覆盖率178.58%，各项监管指标均满足监管要求。2016年蝉联"中国企业500强"，连续7年入选英国《银行家》杂志"全球1000家大银行"，荣获"年度最具创新力金融服务商"、"最具市场影响力农商银行"等奖项，太阳公益基金荣获"年度社会责任大奖"。

广州农村商业银行于2014年1月9日经中国证监会和中国银监会共同核准，获得证券投资基金托管资格。总行设资产托管部，是从事资产托管业务的职能部门，内设业务运营室、监督稽核室、产品营销室、系统管理室，部门全体人员均具备本科以上学历及相关从业经验，高管人员均具备研究生以上学历或高级技术职称。

广州农村商业银行资产托管部秉承"诚实信用、勤勉尽责"的宗旨，依托严格的内控管理、先进的营运系统、专业的服务团队和丰富的业务经验，严格履行资产托管人职责，为广大基金份额持有人和资产管理机构提供安全、高效、专业的托管服务。目前托管产品涵盖公募基金、基金专户、银行理财、资管计划、信托计划、股权投资基金等，截至2016年12月末，托管资产规模逾7000亿元，托管公募基金7只。

第三章　基金管理公司

华宝兴业基金管理有限公司

【基本情况】

法定名称:华宝兴业基金管理有限公司

办公地址:上海市浦东新区世纪大道 100 号环球金融中心 58 层

邮政编码:200120

电话号码:021 - 38505888

传真号码:38505777

客服邮箱:fsf@ fsfund. com

【公司概况】

华宝兴业基金管理有限公司成立于 2003 年 3 月 7 日,是国内首批中外合资基金管理公司。宝钢集团(现更名为宝武集团)旗下华宝信托持有公司 51% 股权,法国兴业银行旗下领先资产持有公司 49% 股权,股东背景强大,股权结构简单。公司始终把维护持有人利益放在首位,以"稳见智,信达远"为经营理念,以"基金持有人利益高于股东利益"为宗旨。公司成立至今已超过 13 年,拥有稳定的公司高管团队,现已成为一家向客户提供国内公募基金产品、海外投资基金产品和专户理财服务的综合性资产管理公司。

截至 2016 年末,华宝兴业共管理 49 只开放式基金,管理公募基金资产合计 1168 亿元,行业排名第 19(19/113)。在行业和主题基金领域,华宝兴业已布局 19 只公募基金产品,基本覆盖中国经济持续高成长投资主题和细分行业。

【企业文化】

1. 经营哲学:稳见智　信达远

(1)"稳见智"的涵义:

致力于为基金持有人创造稳定的可持续的、而非波动剧烈的不可持续的投资回报,是华宝兴业投资智慧所在。我们相信,始终如一地将风险控制放在投资流程的第一位,始终如一地以"恪守投资边界,策略胜过预测"的投资理念贯穿投资决策流程的每一个环节,是为基金持有人创造稳定的可持续的回报的制度基础;我们相信,始终如一地以勤勉尽责的精神管理基金财产、始终如一地以专业严谨的职业操守为基金保值增值,是为基金持有人创造稳定的可持续的回报的必由之路。

(2)"信达远"的涵义:

致力于与基金持有人建立基于理性认知而达成的相互信任,而非盲目的跟从,是华宝兴业创造可传承财富的基石所在。我们致力于为基金持有人提供可以世代传承的财富管理服务,因此我们无比珍视基金持有人给予我们的信任和支持,并始终坚持以"基金持有人利益高于股东利益"为公司经营宗旨;我们致力于为基金持有人提供适合其财务需求和风险承受能力的基金产品,全力推动基金持有人在获取投资回报的同时,树立起正确的风险意识和投资理念,成为真正理性的投资人。

2. 经营理念

华宝兴业的经营宗旨是"基金持有人利益高于股东利益",核心价值观为"Responsibility/Teamwork/Execution/Innovation",经营风格简洁、务实、高效、前瞻。公司秉承"恪守投资边界,策略胜过预测"的股票投资理念,坚持投资具有可预见持续增长的上市公司,并针对市场的不同特点,制定相应有效的投资策略;同时还贯彻"控制风险、积极投资、精细管理、注重流动性"的债券投资理念,将控制投资风险放首位,在新兴的中国证券市场上以积极的策略获取超额收益,同时锱铢必较,不因利小而不为,在收益性与流动性之间寻求最佳平衡。

【经营状况与市场成就】

截至 2016 年年末,公司管理多只开放式证券投资基金,公司目前管理产品包括股票型基金、混合型基金、债券型基金、货币型基金、国际(QDII)型基金以及另类投资型基金,其中,股票型 2 只、混合型 25 只、国际(QDII)型 5 只、货币市场型 2 只、指数型 11 只。产品涵盖了从低风险低收益基金产品直至高风险高收益基金产品,可提供一站式不同风险收益产品选择服务。截至 2016 年 12 月 31 日,公司共管理 49 只公募基金,管理规模合计 1167. 85 亿元。同业可比 113 家基金公司第 19 位。

截至 2016 年 12 月 31 日,行业基金资产净值 90967. 72 亿元,我司管理基金资产净值市场占比市场占比 1. 28%;截至 2016 年 12 月 31 日,根据银河证券数据,我司债券投资主动管理能力位居同业可比 82 家基金公司第 20 位,位居同类基金前 1/4 区间;截至 2016 年 12 月 31 日,根据银河证券周报数据,2016 年度我司以下基金业绩优异:华宝资源优选净值增长 16. 34%,位居同类可比 372 只基金第 2 位;华宝量化对冲策略(C 类)年度净值增长 3. 94%,(A 类)年度净值增长 3. 57%,分别位居同类可比 15 只基金第 1 位和第 2 位;华宝油气(人民币)净值增长 45. 25%,位居同类可比 41 只基金第 2 位。

公司旗下旗舰产品华宝添益(场内买卖:511990;场内申赎:511991;场外申赎 001893)成立于 2012 年 12 月,并于 2013 年 1 月 28 日登陆上交所挂牌上市。上市交易后,立刻受到投资者的追捧,上市首日交易额就达到 6. 1 亿元,一举成为每日成交量最大的交易所挂牌基金之一。至 2014 年一季度末,该基金就以 244. 5 亿元的规模,一举成为场内最大货币基金、两市最大交易型基金,在同类产品当中占据半壁江山。2015 年 6 月 24 日,华宝添益单日成交额突破 1450 亿元,超越历史上所有个股、基金、权证等交易型产品,创下沪深两市的单日单产品成交最高纪录。截至 2016 年末的规模为 755 亿,稳居场内货币基金第一名,占据了场内货币基金近 33. 6% 的市场份额。

作为全市场首只场内货基,华宝添益投资团队具备丰富的投资管理经验和严密的风控体系,成立以来从未设置申赎上限，该基金历经2013年钱荒、2014年年底流动性危机，以及2015年产品规模暴增至两千亿等各类流动性波动考验，在2016年底的股债危机中，作为目前两市规模最大、流动性最好的场内货基，华宝添益近期收益始终保持平稳较高水平，同时在货基整体面临赎回压力的背景下，华宝添益2016年12月以来场内规模逆势增长，并成为当月增量最多的场内货币基金。未发生过任何流动性风险事件。华宝添益得到了包括多家国有和股份制银行的自营和理财资金、以及包括高盛国际、瑞士信贷等QFII机构的青睐，目前机构客户数量已近4000家。

【公司荣誉】

2017年1月6日，东方财富网主办的“东方财富风云榜”揭晓，华宝兴业基金荣获“2016年度最具创新力基金公司”“2016年度最佳海外投资基金公司”两大奖项。

2016年11月23日，在新浪财经主办的2016金麒麟论坛暨中国（首届）波特菲勒奖颁奖典礼中，华宝兴业基金管理有限公司荣获2016中国（首届）波特菲勒“最受客户欢迎基金公司”奖。

2016年5月10日，在《上海证券报》社主办的第十三届中国“金基金”奖评选活动中，华宝兴业基金管理公司荣获“2015年度金基金·TOP公司奖”。

2016年1月13日，在由瞭望东方周刊、中国董事局主办的“首届中国基金业营销创新高峰论坛暨金果奖颁奖典礼”中，华宝兴业基金管理有限公司获评“2015年度中国最具品牌成长力基金公司”。

2015年11月20日，在由《证券日报》主办的“第十一届中国资本市场年会”中，华宝兴业基金管理有限公司荣获“中国证券市场2015年优秀贡献龙鼎奖”。

2014年11月21日，在由《证券日报》主办的“第十届中国资本市场年会”中，华宝兴业基金管理有限公司荣获“‘金算盘’十大基金公司奖”。

2014年6月20日，在《证券时报》主办的2013年度“中国基金业明星基金奖”评选中，华宝兴业基金管理公司荣获“2013年度十大明星基金公司”称号。

2014年4月9日，在《上海证券报》主办的第十一届中国“金基金”奖评选活动中，华宝兴业基金管理公司荣获“金基金·TOP公司大奖”。

2013年3月29日，在《证券时报》主办的2012年度“中国基金业明星基金奖”评选中，华宝兴业基金管理公司荣获“2012年度十大明星基金公司奖”。

2010年6月21日，在由上海证券报社主办的第七届中国“金基金奖”评选中，华宝兴业荣获2009年度“金基金·投资回报公司奖”。

2010年5月23日，在中国证券报主办的第七届“中国基金业金牛奖”评选中，华宝兴业入选十大“2009年度金牛基金管理公司”。

2009年3月27日，在上海证券报主办的第六届中国基金业“金基金”奖评选中，华宝兴业基金公司荣获2008年度“金基金－最具潜力奖”。

2009年1月8日，在日前由和讯网发起，中国证券市场研究设计中心等机构联合主办的“2008年度中国财经风云榜颁奖典礼”上，华宝兴业基金公司被评为“2008年度最佳基金网上交易平台”。

2008年1月22日，在《华夏时报》、天相投资顾问有限公司主办的“华夏理财总评榜”评选中，华宝兴业基金公司荣获“最佳基金营销渠道创新奖”。

2008年1月11日，在由证券时报社主办、安信证券协办的“2007年度中国明星基金暨最佳托管银行评选”中，华宝兴业基金公司入选“2007年度十大明星基金公司”

2006年4月18日，华宝兴业基金管理有限公司荣获上海证券报主办的第三届“中国最佳基金公司奖”评选“最佳服务奖”

2006年3月5日，《大众证券》联合新浪财经、中国银河证券基金研究中心《寻找成长力量——中国基金年度状元颁奖峰会》活动在南京举行。华宝兴业基金管理有限公司获得2005年度基金公司综合表现金奖（100亿～200亿规模）。

2005年4月12日，华宝兴业在中国证券报主办的“第二届中国基金业金牛奖”评选中入选2004年度十大“金牛基金管理公司”。

2005年1月19日，21世纪（2004）年度“中国赢基金奖”结果揭晓，华宝兴业基金管理有限公司荣获：“2004年中国基金管理公司综合实力奖”第三名、“2004年中国基金管理公司开放式基金综合表现奖”第二名。

【社会责任与大事记】

1. 社会责任

（1）守法合规

华宝兴业基金的合规规制度主要有：《合规手册》、《信息披露制度》、《投资管理制度》、《市场业务管理制度》、《风险管理制度》、《反洗钱合规指引》等。

2016年公司组织合规培训共12次。其中，内部主讲培训5次，内容涵盖防控内幕交易、员工个人投资行为规范、销售行为规范、防控异常交易及老鼠仓、香港子公司展业规范等；组织相关人员参加外部合规培训7次。参加人员为全体员工或特定业务人员（如投资研究人员、销售人员）。

（2）公益活动

自2013年起，华宝兴业发起了中国人口福利基金会“图书馆计划”小学图书室捐建项目，为福建、四川8所偏远贫困小学全体师生捐赠千册适龄读物及书架、桌椅等，共计投入金额180,000元。除此之外，还发起了中国人口福利基金会贫困“图书馆计划”小学互动阅读培训项目，帮助培训贫困小学教师阅读互动教学技巧，共计投入25,000元。

华宝兴业基金还成立了复旦“萌志训练营－华宝兴业”贫困大学生奖学金，奖励扶助优秀贫困大学生，共计投入80,000元。2016年11月19日，华宝兴业携手萌基金在复旦大学光华楼举办了华宝兴业复旦奖学金颁奖仪式暨明星基金经理校友交流会。华宝兴业基金董事长郑安国先生上台致辞、华宝兴业明星基金经理刘自强先生上台发言。

华宝兴业认养了陆家嘴中心绿地草坪，共计投入金额18,000元，为环保事业尽责，造福公众。

（3）行业贡献

2016年11月26日，华宝兴业基金总经理黄小薏女士受邀在雪球嘉年华上做主题演讲，题为“冰心一片到灵犀互通：中国资管业网络化重生”，分享自己的真知灼见。

2016年12月9日，华宝兴业基金承办了由上海市基金同业公会业务发展与创新委员会主办的FOF新起点基金业务创新研讨会，吸引了近30家基金公司产品设计、机构投研等一线岗位的精英人士以及基金公司总经理、产品部门业务总监资深人士到场倾听、分享经验。

2. 大事记

2003 年 3 月 7 日，华宝兴业基金管理有限公司成立，注册资本人民币一亿元，股东持股比例为华宝信托投资有限责任公司 67%，法国兴业资产管理有限责任公司 33%。

2007 年 5 月 31 日，公司的注册资本由人民币一亿元增加为人民币一亿五千万元，股东持股比例变更为：华宝信托投资有限责任公司 51%，法国兴业资产管理有限责任公司 49%。

2010 年 12 月 30 日，华宝兴业基金管理有限公司的股东变更为华宝信托有限责任公司（持股比例 51%），领先资产管理有限公司（持股比例 49%），公司注册资本保持不变。华宝兴业基金现任董事长为郑安国先生，现任总经理为黄小薏女士。

2007 年 8 月，华宝兴业获得 QDII 业务资格。

2008 年 3 月，华宝兴业获得特定客户资产管理业务资格。

2011 年 12 月，华宝兴业资产管理（香港）有限公司成立。

2012 年 10 月，华宝兴业获得由中国保监会核准的保险资金管理资格。华宝兴业现在已成为一家向客户提供国内公募基金产品、海外投资基金产品和专户理财服务的综合性资产管理公司。

成立逾 13 年以来，华宝兴业走过了从单纯的基金管理公司发展为综合性资产管理公司的历程，旗下三大业务线已在业内建立了初步优势地位，分别是行业主题基金，创新量化产品，“云图”MAP 业务。

【发展历程】

2003 年 2 月，获准开业，成为我国第二家中外合资基金公司。

2003 年 7 月，公募业务起步，宝康系列开放式基金正式成立。

2007 年 8 月，成为首批 6 家获得 QDII 业务资格的基金公司之一。

2008 年 3 月，获准开展特定客户资产管理业务。

2010 年 12 月，股东变更为：华宝信托（持股 51%）领先资产（持股 49%）。

2011 年 8 月，涉足期货领域，量化对冲专户成立。

2011 年 12 月，华宝兴业资产管理（香港）有限公司成立。

2012 年 9 月，涉足商品期货领域，发行首只量化 CTA 专户，“云图”MAP 业务平台起步。

2014 年 9 月，成立旗下首只量化对冲公募产品。

【旗下基金】

序号	基金代码	基金名称	期间申购（亿份）	期间赎回（亿份）	期末总份额（亿份）	期末净资产（亿元）
1	000124	华宝服务优选混合	0.23	1.90	10.27	17.43
2	000601	华宝创新优选混合	0.02	0.13	1.30	1.11
3	000612	华宝生态中国混合	0.18	0.37	5.58	10.17
4	000678	华宝兴业现金宝货币 E	26.88	38.44	41.59	46.01
5	000753	华宝兴业量化对冲混合 A	2.85	2.32	4.92	6.51
6	000754	华宝兴业量化对冲混合 C	2.09	2.28	1.52	6.51
7	000866	华宝兴业制造	1.07	1.29	6.78	9.26
8	000867	华宝品质生活股票	0.02	0.14	2.89	2.29
9	000993	华宝稳健回报混合	0.06	0.37	7.28	6.52
10	001088	华宝国策导向混合	0.05	1.13	20.54	15.53
11	001118	华宝事件驱动混合	0.15	2.20	44.01	32.45
12	001324	华宝新价值混合	3.81	0.58	8.94	9.41
13	001481	华宝兴业标普油气上游股票美元	–	–	35.30	25.22
14	001534	华宝万物互联混合	0.04	0.48	6.17	4.82
15	001767	华宝中国互联股票人民币	0.06	0.06	0.43	0.40
16	001768	华宝中国互联股票美元	–	–	0.43	0.40
17	001893	华宝兴业现金添益 B	171.80	158.43	136.14	755.16
18	001967	华宝转型升级混合	0.01	0.80	2.90	2.85
19	002152	华宝核心优势混合	0.02	0.59	2.07	2.05
20	002423	华宝标普美国消费美元	–	–	1.92	2.11
21	002508	华宝宝鑫债券 A	–	–	4.22	5.34
22	002509	华宝宝鑫债券 C	–	–	1.19	5.34
23	003144	华宝新机遇混合（LOF）C	3.73	1.73	6.08	8.40
24	003154	华宝新活力混合	0.01	0.29	5.66	5.60
25	150261	华宝兴业中证医疗指数分级 A	–	–	1.10	5.27
26	150262	华宝兴业中证医疗指数分级 B	–	–	1.10	5.27
27	150263	华宝兴业中证 1000 分级 A	–	–	0.12	1.05
28	150264	华宝兴业中证 1000 分级 B	–	–	0.12	1.05
29	162411	华宝标普石油指数	17.89	21.78	35.30	25.22
30	162412	华宝兴业中证医疗指数分级	0.06	1.71	2.95	5.27
31	162413	华宝兴业中证 1000 指数分级	0.01	0.10	1.06	1.05
32	162414	华宝新机遇混合（LOF）A	0.02	0.22	1.77	8.40
33	162415	华宝标普美国消费人民币	1.51	0.12	1.92	2.11
34	240001	华宝宝康消费品	0.10	0.23	5.53	12.16
35	240002	华宝宝康灵活配置	0.04	0.10	2.01	3.71
36	240003	华宝宝康债券	43.86	0.51	45.27	61.22
37	240004	华宝动力组合混合	1.13	2.16	11.85	19.01
38	240005	华宝多策略增长	0.41	1.13	39.97	22.29
39	240006	华宝现金宝货币 A	0.90	0.62	1.82	46.01
40	240007	华宝现金宝货币 B	3.43	1.23	2.61	46.01
41	240008	华宝收益增长	0.04	0.28	2.75	15.76
42	240009	华宝先进成长混合	0.04	0.55	4.56	13.00
43	240010	华宝行业精选混合	0.10	0.82	20.59	28.03
44	240011	华宝大盘精选混合	0.01	0.03	0.58	0.94
45	240012	华宝增强债券 A	14.92	12.95	3.54	4.04
46	240013	华宝增强债券 B	1.22	1.90	0.14	4.04
47	240014	华宝中证 100	0.95	0.11	5.17	5.27
48	240016	华宝上证 180 联接	0.07	0.11	0.88	1.24
49	240017	华宝新兴产业混合	0.10	0.23	3.43	6.99
50	240018	华宝可转债	0.09	0.05	0.65	0.64
51	240019	华宝上证 180 成长联接	0.02	0.04	0.37	0.51
52	240020	华宝医药生物混合	0.40	0.75	1.96	2.83
53	240022	华宝资源优选混合	2.57	1.68	3.18	3.97
54	241001	华宝海外中国混合（QDII）	0.01	0.19	1.10	1.34
55	501021	华宝兴业香港中国中小盘	3.08	2.25	8.66	9.18
56	510030	华宝上证 180 价值 ETF	0.01	0.03	0.35	1.37
57	510280	华宝上证 180 成长 ETF	–	0.03	0.39	0.53
58	511990	华宝兴业现金添益 A	1.81	5.70	6.19	755.16
59	512000	华宝兴业中证全指证券 ETF	1.65	4.08	1.56	1.51
60	512810	华宝兴业中证军工 ETF	0.30	1.35	2.06	1.91
61	150261	华宝兴业中证医疗指数分级 A	–	–	1.10	–
62	150262	华宝兴业中证医疗指数分级 B	–	–	1.10	–
63	150263	华宝兴业中证 1000 分级 A	–	–	0.12	–
64	150264	华宝兴业中证 1000 分级 B	–	–	0.12	–
65	510030	华宝上证 180 价值 ETF	–	–	0.35	–
66	510280	华宝上证 180 成长 ETF	–	–	0.39	–
67	511990	华宝兴业现金添益 A	–	–	6.19	–

序号	基金代码	基金名称	期间申购（亿份）	期间赎回（亿份）	期末总份额（亿份）	期末净资产（亿元）
68	512000	华宝兴业中证全指证券 ETF	–	–	1.56	–
69	512810	华宝兴业中证军工 ETF	–	–	2.06	–

交银施罗德基金管理有限公司

【基本情况】

法定名称：交银施罗德基金管理有限公司

英文名称：Bank Of Communications Schroder Fund Management Co., Ltd.

公司属性：合资企业

成立日期：2005－08－04

注册资本：20000（万元）

法人代表：于亚利

总 经 理：阮　红

注册地址：上海市浦东新区银城中路 188 号交通银行大楼二层（裙）

办公地址：上海浦东新区世纪大道 8 号国金中心二期 21－22 楼

网站地址：www. jyfund. com, www. jysld. com, www. fund001. com

邮政编码：200120

客服邮箱：services@ jysld. com

电话号码：400－700－5000，021－61055000

传真号码：021－61055034

经营范围：基金募集、基金销售、资产管理和中国证监会许可的其他业务（依法须经批准的项目，经相关部门批准后方可开展经营活动）。

基金数量：107 只（其中普通基金 87 只，货币基金 12 只，理财基金 4 只，封闭式基金 0 只，其他基金 4 只）。

管理规模：1047.48 亿元

经理人数：22 人

【公司概况】

2005 年，交银施罗德诞生前中国基金行业正经历过一轮洗礼，百废待兴，熊市将尽。这一年，也是公募基金高速发展的前夜，当年全行业资产总规模仅为 4700 亿元。而时至今日，公募基金产品以每年 200 只的速度增长，行业总资产规模早已突破 2 万亿元。

交银施罗德是中国第一批银行背景基金公司之一，也是众多中外合资基金公司中的佼佼者。由拥有百年历史的交通银行、二百年投资经验积累的施罗德投资管理有限公司、以及全球集装箱行业的佼佼者中国国际海运集装箱（集团）股份有限公司强强联合，共同发起设立。

成立至今，一直秉承“诚信百年、专业理财”的经营宗旨，以诚信和专业作为公司的立身之本，以“稳健源自前瞻”作为公司的核心价值主张，打造“专业、纪律、协作”的团队，营造“激情、包容、关爱”的企业文化，致力于在策略上远见，投资上前瞻，服务上领先，为投资人提供多元化的、全球视野的、专业独具的理财产品和投资服务。公司成立至今已获得包括“金牛奖”在内的众多荣誉，得到了普通投资者和各机构的广泛关注和认可。

目前，公司旗下共管理着包括股票型基金、混合型基金、债券型基金、QDII 基金以及 ETF 基金等类型在内的超过 20 只公募基金产品。同时，作为国内专户理财业务的“先驱者”，公司在专户理财、投资咨询业务方面上也积极开拓业务，较为成功地管理着数只专户理财产品，有力地推动了公司业务的多元化发展。

站在巨人肩上，我们将秉承百年传承的诚信，兼收千锤百炼的专业方法，勤勉尽责，规范运作，力争成为业绩出众、服务一流、深受投资者青睐的基金管理公司。

【公司大事记】

2016 年 1 月 6 日，继中港基金互认开闸成为首批提交“南下”申请的基金公司之后，我司旗下两只老牌明星基金——交银成长（519692）和交银稳健（519690）已经获批，正式进入香港基金市场。

2016 年 2 月 17 日，公司旗下交银施罗德卓越回报灵活配置混合型证券投资基金成立，募集资金 2.65 亿元。

2016 年 3 月 25 日，公司旗下交银施罗德荣鑫保本混合型证券投资基金成立，募集资金 9.89 亿元。

2016 年 4 月 22 日，公司旗下交银施罗德优选回报灵活配置混合型证券投资基金成立，募集资金 5.00 亿元。

2016 年 4 月 22 日，公司旗下交银施罗德优择回报灵活配置混合型证券投资基金成立，募集资金 5.00 亿元。

2016 年 5 月 5 日，公司旗下交银施罗德科技创新灵活配置混合型证券投资基金成立，募集资金 5.81 亿元。

2016 年 3 月 27 日，在《中国证券报》主办的第十三届中国“基金业金牛奖”中，交银制造、交银行业荣获“三年期开放式混合型持续优胜金牛基金”称号；交银强化回报荣获“2015 年度开放式债券型金牛基金”称号。

2016 年 5 月 10 日，在上海证券报主办的第十三届中国“金基金奖”中，交银行业荣获“5 年期灵活配置型金基金奖“，交银制造荣获“3 年期偏股混合型金基金奖”。

2016 年 5 月 13 日，在《证券时报》主办的中国第十一届“基金业明星奖”评选中，交银施罗德斩获最高奖项——“2015 年度十大明星基金公司奖”，旗下交银制造荣获“2015 年度积极混合型明星基金奖”。

2016 年 7 月 27 日，公司旗下交银施罗德活期通货币市场基金成立，募集资金 2.10 亿元。

2016 年 8 月 15 日，公司旗下交银施罗德现金宝货币市场基金增加 E 类份额。

2016 年 8 月 16 日，公司旗下交银施罗德数据产业灵活配置混合型证券投资基金成立，募集资金 22.00 亿元。

2016 年 9 月 7 日，公司旗下交银施罗德裕兴纯债债券型证券投资基金成立，募集资金 2.00 亿元。

【旗下基金】

序号	基金代码	基金名称	期间申购（亿份）	期间赎回（亿份）	期末总份额（亿份）	期末净资产（亿元）
1	000710	交银现金宝货币 A	232.59	235.12	30.64	30.74
2	002889	交银天利宝货币 A	0.04	0.02	0.03	5.06
3	002890	交银天利宝货币 E	0.03	–	5.03	5.06
4	002918	交银现金宝货币 E	0.00	–	0.10	30.74
5	003042	交银活期通货币 A	27.52	17.31	11.48	17.56

序号	基金代码	基金名称	期间申购（亿份）	期间赎回（亿份）	期末总份额（亿份）	期末净资产（亿元）
6	003043	交银活期通货币 E	5.59	2.01	6.08	17.56
7	150217	交银国证新能源指数分级 A	-	-	2.66	9.12
8	150218	交银国证新能源指数分级 B	-	-	2.66	9.12
9	150317	交银中证互联网金融指数分级 A	-	-	0.05	1.62
10	150318	交银中证互联网金融指数分级 B	-	-	0.05	1.62
11	159913	交银深证 300ETF	-	-	0.30	0.43
12	164902	交银信用添利债券（LOF）	0.12	0.15	1.55	2.10
13	164905	交银国证新能源指数分级	0.05	3.39	5.78	9.12
14	164906	交银中证海外中国互联网指数	0.54	1.10	4.42	4.13
15	164907	交银中证互联网金融指数分级	0.02	0.17	1.42	1.62
16	164908	交银中证环境治理（LOF）	0.20	0.41	1.44	1.41
17	510010	交银上证 180 治理 ETF	0.01	2.04	5.21	5.03
18	519588	交银货币 A	12.26	8.22	9.91	382.86
19	519680	交银增利 A/B	0.16	2.40	4.30	5.27
20	519682	交银增利债券 C	0.13	0.21	1.15	5.27
21	519683	交银双利 A/B	0.02	1.57	7.22	8.89
22	519685	交银双利债券 C	0.01	0.06	0.25	8.89
23	519686	交银 180 治理联接	0.16	2.10	4.57	5.00
24	519688	交银精选混合	23.94	8.41	56.76	32.25
25	519690	交银稳健配置混合 A	0.23	5.37	18.85	20.44
26	519692	交银成长混合	0.44	0.33	8.68	37.64
27	519694	交银蓝筹混合	0.25	1.31	30.33	25.10
28	519696	交银环球精选混合（QDII）	0.04	0.03	0.61	1.01
29	519697	交银优势行业混合	1.56	0.73	2.40	6.54
30	519698	交银先锋混合	2.54	4.40	12.80	18.27
31	519700	交银主题优选	0.17	0.32	3.70	7.05
32	519702	交银趋势混合	6.53	1.86	13.08	15.64
33	519704	交银先进制造混合	7.35	1.22	12.23	26.31
34	519706	交银深证 300 联接	0.04	0.03	0.32	0.44
35	519709	交银全球资源混合（QDII）	0.10	0.03	0.32	0.39
36	519710	交银策略回报灵活配置混合	0.83	0.38	2.69	3.08
37	519712	交银阿尔法核心混合	46.09	40.32	6.44	10.69
38	519714	交银消费新驱动股票	0.09	0.10	0.46	0.46
39	519716	交银理财 21 天债券 A	0.10	0.12	0.12	40.23
40	519717	交银 21 天 B	40.17	20.25	40.11	40.23
41	519718	交银纯债 A	0.01	0.48	5.96	6.12
42	519720	交银纯债 C	0.03	0.09	0.12	6.12
43	519721	交银 60 天 A	0.00	0.01	0.08	20.09
44	519722	交银 60 天 B	10.09	0.08	20.00	20.09
45	519723	交银双轮 A	0.00	2.01	28.94	29.95
46	519725	交银双轮 C	0.00	0.01	0.08	29.95
47	519726	交银荣祥保本混合	0.02	0.55	10.10	10.10
48	519727	交银成长 30 混合	1.14	0.39	1.36	1.45
49	519729	交银增强收益债券	-	0.05	0.79	1.00
50	519730	交银定期支付月月丰债券 A	0.52	0.25	1.00	1.48
51	519731	交银定期支付月月丰债券 C	0.09	0.09	0.08	1.48
52	519732	交银定期支付双息平衡混合	0.03	0.05	0.44	0.92
53	519733	交银强化回报 A	10.52	7.44	7.29	7.72
54	519735	交银强化回报 C	0.23	0.30	0.11	7.72
55	519736	交银新成长混合	0.59	0.81	2.76	5.09
56	519738	交银周期回报灵活配置混合 A	0.01	0.17	2.84	6.33
57	519743	交银丰润收益债券 A	0.00	3.32	0.71	0.80
58	519745	交银丰润收益债券 C	0.01	0.16	0.08	0.80
59	519752	交银新回报灵活配置混合 A	0.00	1.97	9.68	9.93
60	519753	交银荣和保本混合	0.00	1.28	15.19	14.84
61	519755	交银多策略回报灵活配置混合 A	0.48	0.47	4.50	6.61
62	519756	交银国企改革灵活配置混合	0.17	2.42	12.46	12.89
63	519759	交银周期回报灵活配置混合 C	0.00	0.00	2.55	6.33
64	519760	交银新回报灵活配置混合 C	0.00	-	0.00	9.93
65	519761	交银多策略回报灵活配置混合 C	3.86	5.53	1.80	6.61
66	519762	交银裕通纯债债券 A	0.00	0.02	17.04	17.01
67	519763	交银裕通纯债债券 C	0.00	0.00	0.01	17.01
68	519764	交银卓越回报灵活配置混合 A	0.98	0.51	7.28	9.80
69	519765	交银卓越回报灵活配置混合 C	2.50	-	2.50	9.80
70	519766	交银荣鑫保本混合	0.00	0.34	9.27	9.28
71	519767	交银科技创新灵活配置混合	0.74	0.51	1.97	2.06
72	519768	交银优选回报灵活配置混合 A	0.00	0.00	5.00	5.11
73	519769	交银优选回报灵活配置混合 C	0.00	0.00	0.00	5.11
74	519770	交银优择回报灵活配置混合 A	0.00	0.00	5.00	5.11
75	519771	交银优择回报灵活配置混合 C	0.00	0.00	0.00	5.11
76	519773	交银数据产业灵活配置混合	0.70	8.93	15.48	14.56
77	519774	交银裕兴纯债债券 A	3.99	0.00	5.99	5.92
78	519775	交银裕兴纯债债券 C	0.00	0.00	0.00	5.92
79	519778	交银经济新动力混合	0.92	0.76	8.60	8.49
80	519781	交银领先回报混合	3.49	0.00	5.49	5.49
81	960016	交银成长混合 H	0.00	0.01	0.00	37.64
82	150217	交银国证新能源指数分级 A	-	-	2.66	-
83	150218	交银国证新能源指数分级 B	-	-	2.66	-
84	150317	交银中证互联网金融指数分级 A	-	-	0.05	-
85	150318	交银中证互联网金融指数分级 B	-	-	0.05	-
86	159913	交银深证 300ETF	-	-	0.30	-
87	510010	交银上证 180 治理 ETF	-	-	5.21	-
88	519729	交银增强收益债券	-	0.37	0.83	-

【公司高管】

于亚利女士：董事长，硕士学位。现任交通银行执行董事、副行长。历任交通银行郑州分行财务会计处处长、郑州分行副行长，交通银行财务会计部副总经理、总经理，交通银行预算财务部总经理，交通银行首席财务官。

阮红女士：董事，总经理，博士学位，兼任交银施罗德资产管理有限公司董事长。历任交通银行办公室副处长、处长，交通银行海外机构管理部副总经理、总经理，交通银行上海分行副行长，交通银行资产托管部总经理，交通银行投资管理部总经理。

新华基金管理股份有限公司

【基本情况】

法定名称：新华基金管理股份有限公司
英文名称：New China Fund Management Co., Ltd.
公司属性：合资企业
成立日期：2004－12－09
注册资本：21750（万元）
法人代表：陈　重
总 经 理：张宗友
注册地址：重庆市江北区建新东路 85 号附 1 号 1 层 1－1
办公地址：北京市海淀区西三环北路 11 号海通时代商务中心 C1 座
网站地址：www. ncfund. com. cn
邮政编码：100089
客服邮箱：service@ ncfund. com. cn

电话号码:010－68730888,400－819－8866

传真号码:010－88423303

经营范围:基金募集、基金销售、资产管理、中国证监会许可的其他业务。

基金数量:56 只(其中普通基金 50 只,货币基金 4 只,理财基金 0 只,封闭式基金 0 只,其他基金 2 只)。

管理规模:447.83 亿元

经理人数:14 人

【公司概况】

新华基金管理股份有限公司于 2004 年 12 月 9 日获准成立,目前,公司注册资本为 2.175 亿元人民币,注册地在重庆市,经营管理中心位于北京市。公司主要股东有恒泰证券股份有限公司、新华信托股份有限公司等。2013 年 4 月,公司设立了全资设立子公司"深圳新华富时资产管理有限公司",加快向现代财富管理机构的转型。

历经十余年的不懈努力,新华基金管理规模逐年扩大,产品线日趋完备,管理水平不断提升,特别是投资管理能力始终处于行业领先地位、竞争优势明显。另外,公司积极推进员工股权激励计划,未来还将实现新三板挂牌上市,进一步激发员工工作热情,推动公司业务快速健康发展。

2009—2014 年六年期间,新华基金的股票基金投资能力屡次问鼎"三甲",在海通证券历年排行榜单中,新华基金共摘得"状元"两次、"榜眼"三次;2015 年度,公司再以股票投资能力排名第一的成绩突围而出。由于业绩表现十分出色,公司斩获多项殊荣,2011—2013 年度,公司连续三年获得《上海证券报》年度"金基金・股票投资回报公司奖";2011—2015 年度,公司四年获得《上海证券报》年度"金基金・股票投资回报公司奖";2014—2015 年度,公司连续两年获得《中国证券报》"金牛进取基金公司"。

2016 年,公司把握住债券市场机会,固定收益类产品取得了较好的业绩,多只债券基金业绩名列前茅。据海通证券发布的业绩排行榜显示,公司固定收益类基金绝对收益净值增长率为 4.09%,排名第 5 位,超额收益率排名第 1 位。

过去的成就见证了新华基金每一步的成长,而每登上一个台阶就意味公司会在更高的起点上面向未来、持久发展、刷新成绩。"受人之托,代人理财"是资管行业的根本使命,新华基金成立以来,始终牢记行业根本,坚持"慧投资,惠生活"的经营理念,不断完善公司的治理结构和风控体系,持续提升投研能力,秉承客户利益至高无上的基本准则,为基金持有人创造持续而稳定的回报。

【股东概况】

排序	股东名称	持股数量(万股)	股权比例
1	新华信托投资股份有限公司	7680.00	48%
2	恒泰证券股份有限公司	7000.00	43.75%
3	杭州永原网络科技有限公司	1320.00	8.25%

【旗下基金】

序号	基金代码	基金名称	期间申购(亿份)	期间赎回(亿份)	期末总份额(亿份)	期末净资产(亿元)
1	000434	新华壹诺宝货币 A	57.35	124.21	7.98	172.21
2	000584	新华鑫益灵活配置混合	0.05	0.15	1.41	2.42
3	000610	新华阿里一号保本混合	–	–	8.01	8.64
4	000900	新华阿鑫一号保本	–	–	7.01	7.24
5	000903	新华活期添利货币 A	11.15	5.06	6.31	21.41
6	000972	新华万银策略灵活配置混合	1.86	0.18	4.39	4.38
7	000973	新华增盈回报债券	4.88	0.89	21.40	23.86
8	001004	新华稳健回报混合发起式	0.01	0.33	5.22	4.30
9	001040	新华策略精选股票	0.17	1.45	11.74	11.51
10	001294	新华战略新兴产业灵活配置混合	0.03	3.00	3.95	3.36
11	001622	新华鑫锐混合	0.77	0.68	2.94	2.96
12	001681	新华积极价值灵活配置混合	0.03	0.69	3.45	3.30
13	001682	新华鑫回报混合	0.27	0.12	0.52	0.55
14	001814	新华阿鑫二号保本	–	–	11.47	11.78
15	002083	新华鑫动力灵活配置混合 A	0.00	0.26	0.79	1.06
16	002084	新华鑫动力灵活配置混合 C	0.13	0.29	0.27	1.06
17	002272	新华科技创新主题灵活配置混合	0.01	0.45	1.50	1.49
18	002421	新华信用增强 A	0.15	0.48	3.49	4.35
19	002422	新华信用增强 C	0.20	0.56	0.65	4.35
20	002715	新华健康生活主题混合	0.00	0.13	2.09	2.10
21	002765	新华双利债券 A	0.00	0.28	0.51	0.94
22	002766	新华双利债券 C	0.01	0.24	0.43	0.94
23	002866	新华丰盈回报债券	0.00	0.00	9.97	10.05
24	002867	新华恒稳添利债券	0.15	2.15	0.34	0.35
25	003221	新华丰利债券 A	–	–	4.00	9.43
26	003222	新华丰利债券 C	–	–	5.42	9.43
27	003264	新华活期添利货币 B	12.66	7.94	15.10	21.41
28	003267	新华壹诺宝货币 B	202.48	38.25	164.23	172.21
29	150161	新华惠鑫分级债券 B	–	–	2.96	5.41
30	150190	新华中证环保产业指数分级 A	–	–	0.51	2.72
31	150191	新华中证环保产业指数分级 B	–	–	0.51	2.72
32	164302	新华惠鑫分级债券	–	–	3.08	5.41
33	164303	新华惠鑫分级债券 A	–	–	0.12	5.41
34	164304	新华中证环保产业指数分级	0.07	0.32	1.37	2.72
35	519087	新华优选分红混合	0.24	0.65	16.40	12.04
36	519089	新华优选成长混合	0.10	0.20	2.80	3.90
37	519091	新华泛资源优势混合	0.10	0.07	0.97	2.19
38	519093	新华钻石品质企业混合	0.03	0.16	2.34	4.43
39	519095	新华行业周期轮换混合	0.03	0.06	0.79	1.46
40	519097	新华中小市值优选混合	0.06	1.27	1.11	1.76
41	519099	新华灵活主题混合	0.02	0.66	0.27	0.36
42	519150	新华优选消费混合	48.77	47.53	4.39	5.92
43	519152	新华纯债添利 A	0.95	0.94	4.30	6.24
44	519153	新华纯债添利 C	0.17	0.42	0.41	6.24
45	519156	新华行业灵活配置混合 A	1.32	3.91	17.53	25.78
46	519157	新华行业灵活配置混合 C	0.31	0.07	0.44	25.78
47	519158	新华趋势领航混合	7.09	1.55	16.49	29.81
48	519160	新华安享惠金定开债券 A	0.50	0.81	1.68	2.23
49	519161	新华安享惠金定开债券 C	0.01	0.09	0.19	2.23
50	519162	新华信用增益债券 A	1.78	0.03	5.99	8.74
51	519163	新华信用增益债券 C	0.46	0.22	0.69	8.74
52	519165	新华鑫利灵活配置	0.02	0.54	0.77	0.95
53	519167	新华鑫安保本一号混合	–	0.01	15.00	15.14
54	000434	新华壹诺宝货币 A	–	–	7.98	–
55	000584	新华鑫益灵活配置混合	–	–	1.41	–
56	000610	新华阿里一号保本混合	–	–	8.01	–
57	000900	新华阿鑫一号保本	–	–	7.01	–
58	000903	新华活期添利货币 A	–	–	6.31	–
59	000972	新华万银策略灵活配置混合	–	–	4.39	–

序号	基金代码	基金名称	期间申购（亿份）	期间赎回（亿份）	期末总份额（亿份）	期末净资产（亿元）
60	000973	新华增盈回报债券	-	-	21.40	-
61	001004	新华稳健回报混合发起式	-	-	5.22	-
62	001040	新华策略精选股票	-	-	11.74	-
63	001294	新华战略新兴产业灵活配置混合	-	-	3.95	-
64	001622	新华鑫锐混合	-	-	2.94	-
65	001681	新华积极价值灵活配置混合	-	-	3.45	-
66	001682	新华鑫回报混合	-	-	0.52	-
67	001814	新华阿鑫二号保本	-	-	11.47	-
68	002083	新华鑫动力灵活配置混合 A	-	-	0.79	-
69	002084	新华鑫动力灵活配置混合 C	-	-	0.27	-
70	002272	新华科技创新主题灵活配置混合	-	-	1.50	-
71	002421	新华信用增强 A	-	-	3.49	-
72	002422	新华信用增强 C	-	-	0.65	-
73	002715	新华健康生活主题混合	-	-	2.09	-
74	002765	新华双利债券 A	-	-	0.51	-
75	002766	新华双利债券 C	-	-	0.43	-
76	002866	新华丰盈回报债券	-	-	9.97	-
77	002867	新华恒稳添利债券	-	-	0.34	-
78	003221	新华丰利债券 A	-	-	4.00	-
79	003222	新华丰利债券 C	-	-	5.42	-
80	003264	新华活期添利货币 B	-	-	15.10	-
81	003267	新华壹诺宝货币 B	-	-	164.23	-
82	003462	新华鑫盛灵活配置混合	-	-	2.00	-
83	003739	新华鑫弘灵活配置混合	-	-	2.00	-
84	150161	新华惠鑫分级债券 B	-	-	2.96	-
85	150190	新华中证环保产业指数分级 A	-	-	1.37	-
86	150191	新华中证环保产业指数分级 B	-	-	1.37	-
87	164303	新华惠鑫分级债券 A	-	-	0.12	-
88	164304	新华中证环保产业指数分级	-	-	1.37	-
89	519087	新华优选分红混合	-	-	16.40	-
90	519089	新华优选成长混合	-	-	2.80	-
91	519091	新华泛资源优势混合	-	-	0.97	-
92	519093	新华钻石品质企业混合	-	-	2.34	-
93	519095	新华行业周期轮换混合	-	-	0.79	-
94	519097	新华中小市值优选混合	-	-	1.11	-
95	519099	新华灵活主题混合	-	-	0.27	-
96	519150	新华优选消费混合	-	-	4.39	-
97	519152	新华纯债添利 A	-	-	4.30	-
98	519153	新华纯债添利 C	-	-	0.41	-
99	519156	新华行业灵活配置混合 A	-	-	17.53	-
100	519157	新华行业灵活配置混合 C	-	-	0.44	-
101	519158	新华趋势领航混合	-	-	16.49	-
102	519160	新华安享惠金定开债券 A	-	-	1.68	-
103	519161	新华安享惠金定开债券 C	-	-	0.19	-
104	519162	新华信用增益债券 A	-	-	5.99	-
105	519163	新华信用增益债券 C	-	-	0.69	-
106	519165	新华鑫利灵活配置	-	-	0.77	-
107	519167	新华鑫安保本一号混合	-	-	15.00	-

【公司高管】

陈重先生：董事长，金融学博士。历任原国家经委中国企业管理协会研究部副主任、主任，中国企业报社社长，中国企业管理科学基金会秘书长，重庆市政府副秘书长，中国企业联合会常务副理事长，享受国务院特殊津贴专家。现任新华基金管理有限公司董事长、代任新华基金管理有限公司总经理。

农银汇理基金管理有限公司

【基本概况】

农银汇理基金管理有限公司于2008年2月25日获得中国证券监督管理委员会的设立行政许可，2008年3月18日正式注册成立，是国内第60家基金公司、第30家合资基金公司和上海地区的第30家基金公司。公司注册资本金为人民币20000.0001万元，三方股东分别为中国农业银行、法国东方汇理资产管理公司（Amundi）、中国铝业股份有限公司（2016年8月变更为中铝资本控股）。

【经营状况与市场成就】

（一）公募基金产品、规模及业绩情况。

1.产品及规模情况。截至2016年底，公司旗下共管理37只基金，涵盖了股票型、混合型、指数型、债券型和货币市场基金，资产管理规模（AUM）1130亿元，排名全行业第20位。（中国银河证券基金研究中心；截至2016/12/31）

2、投资业绩。公司管理的农银中小盘混合基金，凭借一贯优异的投资业绩，荣膺2015年度“五年期开放式混合型持续优胜金牛基金奖”；农银区间收益混合基金在过去两年业绩回报率排名同业前1/10位（来源：晨星；截至2016/11/30），并获评《上海证券报》“一年期灵活配置型金基金奖”和《证券时报》“2015年度平衡混合型明星基金”。

（二）专户业务及农银汇理（上海）资产管理公司业务情况。

目前，我公司还具有特定客户资产管理业务（通称为“专户业务”）牌照，可以向符合条件的客户，以私募的方式募集资金，投资于上市的证券。

农银汇理（上海）资产管理有限公司（以下简称农银汇理资管公司）系农银汇理基金公司下属的全资子公司，成立于2013年9月，注册资本2000万元。该公司可以通过设立专项资管计划募集资金，投资于“未在证券交易所转让的股权、债权及其他财产权利”等非标准产品。

目前，公司的专户业务分为证券投资、专项资产管理计划和投资顾问服务三类。其中，证券投资类专户业务针对不同风险偏好的客户推出类企业年金产品、债券通系列产品和分级结构化系列产品；专项资产管理计划根据融资标的的不同分为项目融资、票据收益权、两融收益权、股权质押类、过桥通道类、资产证券化类、定向增发类等；投资顾问服务主要依托外方股东的资源优势，为境外客户提供QFII投顾业务。截至2016年末，资产管理规模（AUM）为2928.94亿元，排名全行业第11位。

【公司荣誉】

旗下权益类基金近两年绝对收益净值增长率为30.32%，排名29/74位；近五年绝对收益净值增长率为100.13%，排名16/64位；旗下固定收益类产品最近三年和最近五年的超额收益均排名全行业前十！（海通证券《基金公司权益及固定收益类资产业绩排行榜》、《基金公司权益及固定收益类资产超额收益排行榜》截至2016/12/31）

公司投资总监付娟女士获评三年期权益类最佳基金经理；投资副总监史向明女士获评三年期纯债型最佳基金经理。（《证券时报》中国基金业英华奖评选；时间2016年4月15日）

农银中小盘基金2015年获“五年期开放式混合型持续优

胜金牛基金奖”。(《中国证券报社》第十三届中国基金业金牛奖评选)

农银汇理债券投资能力获海通证券“五星”评级。(最高等级)(海通证券;截至2016/10/28)

【社会责任】

在履行社会责任方面,农银汇理注重投资者教育、关注员工发展、追求企业与社会的和谐,并积极参与公益事业,回馈社会。日常经营中,农银汇理将公司业务和公益事业相结合。自2009年起,公司参与中国妇女发展基金会“大地之爱·母亲水窖”公益项目,同时开展电子对账单推广活动,鼓励基金持有人订制电子对账单取消纸质对账单,促进环境保护。

2012年起,公司与“东昌金联”开展合作,携手华师大附属东昌中学开展“基金大讲堂”、视频讲座等活动,向广大师生传播正确的投资理念。

【大事记】

2004年10月29日,中国农业银行决定正式筹备设立合资基金公司。

2007年3月10日,中国农业银行正式获得中国银监会批准发起设立基金管理公司。

2008年2月25日,中国证监会对中国农业银行、东方汇理资产管理公司及中国铝业股份有限公司合资成立基金公司的申请给予批复,核准设立农银汇理基金管理有限公司。

2008年3月18日,农银汇理基金管理有限公司完成工商注册登记程序,依法正式成立,成为国内第六十家基金公司。

2008年4月16日,农银汇理基金管理有限公司举办开业仪式。

2008年8月4日,公司第一只产品——农银汇理行业成长股票型证券投资基金成立,首发规模68.4亿份。

2009年2月4日,公司正式启动“大地之爱·母亲水窖”电子对账单推广活动,第一笔款项汇入中国妇女发展基金会的公益项目。

2009年4月17日,农银汇理网上交易正式开通。

2011年12月13日,农银汇理获得证监会许可的特定客户资产管理业务资格。

2013年9月9日,农银汇理设立全资子公司农银汇理(上海)资产管理有限公司。

2013年3月30日,农银汇理荣获2012年度“金牛基金公司”奖。

2014年3月29日,农银汇理荣获2013年度“金牛基金公司”奖。

2015年1月29日,农银汇理取得受托管理保险资金业务资格。

2015年4月1日,农银汇理取得合格境内机构投资者(QDII)业务资格。

2016年12月31日,农银汇理旗下公募产品管理规模达1131亿元,排名行业第20位。

【旗下基金】

序号	基金代码	基金名称	期间申购(亿份)	期间赎回(亿份)	期末总份额(亿份)	期末净资产(亿元)
1	000039	农银高增长混合	0.16	0.23	2.75	4.99
2	000127	农银行业领先混合	1.23	1.45	5.87	10.75
3	000259	农银区间收益混合	0.36	0.44	0.91	1.73
4	000322	农银14天理财A	0.45	0.44	1.41	3.79
5	000323	农银14天理财B	2.68	1.23	2.39	3.79
6	000336	农银研究精选	0.12	0.17	2.50	3.53
7	000462	农银主题轮动混合	0.23	0.58	6.00	5.88
8	000907	农银汇理红利日结货币A	362.81	262.12	135.56	247.21
9	000908	农银汇理红利日结货币B	226.75	160.78	111.65	247.21
10	000913	农银医疗保健股票	1.34	6.41	19.75	20.89
11	001319	农银信息传媒股票	0.13	1.46	31.62	23.56
12	001606	农银工业4.0混合	0.35	0.28	1.44	1.44
13	001940	农银现代农业加	0.06	0.88	2.44	2.46
14	001991	农银天天利货币A	14.52	11.46	6.40	15.82
15	001992	农银天天利货币B	23.68	22.77	9.41	15.82
16	002189	农银汇理国企改革混合	0.18	0.64	0.89	0.92
17	002190	农银新能源主题	0.02	0.46	1.97	1.94
18	002191	农银物联网混合	0.03	0.38	2.04	1.94
19	002848	农银纯债定开债	–	–	5.01	4.95
20	003050	农银汇理金丰一年定开债	–	–	20.00	19.88
21	660001	农银行业成长混合	0.74	0.83	10.40	22.49
22	660002	农银恒久增利债券A	0.26	0.11	1.11	2.00
23	660003	农银平衡双利	0.11	0.12	2.28	3.19
24	660004	农银策略价值混合	0.04	0.08	2.11	3.48
25	660005	农银中小盘混合	0.42	2.31	5.15	12.27
26	660006	农银大盘蓝筹混合	0.09	0.15	2.87	2.75
27	660007	农银货币A	217.61	186.36	93.67	265.16
28	660008	农银沪深300	0.45	0.85	7.75	8.44
29	660009	农银增强收益债券A	0.09	0.09	0.34	0.77
30	660010	农银策略精选混合	0.33	0.32	1.56	1.33
31	660011	农银中证500	0.04	0.05	0.54	0.86
32	660012	农银消费主题混合	0.28	1.06	5.35	12.51
33	660013	农银汇理信用添利债券	0.46	0.28	0.52	0.58
34	660014	农银深证100增强	0.07	0.08	0.29	0.35
35	660015	农银行业轮动混合	0.08	0.11	1.10	2.82
36	660016	农银汇理7天理财债券A	6.83	7.81	9.82	20.81
37	660102	农银恒久增利债券C	0.64	2.65	0.38	2.00
38	660107	农银货币B	327.23	434.92	171.49	265.16
39	660109	农银增强收益债券C	0.09	0.19	0.21	0.77
40	660116	农银汇理7天理财债券B	18.21	34.06	10.99	20.81

【公司高管】

董事长于进先生:金融学硕士、高级经济师。于进先生1983年开始在农业银行总行工作,历任信息部副处长、处长,人事部处长、副总经理,电子银行总经理,科技与产品管理局局长。2015年9月30日起任农银汇理基金管理有限公司董事长。

总经理许金超先生:高级经济师、经济学硕士。许金超先生1983年7月进入中国农业银行工作,历任中国农业银行河南省分行办公室副主任、处长、副行长,中国农业银行山西分行党委副书记,中国农业银行内蒙古自治区分行党委书记、行长,中国农业银行采购管理部总经理,中国农业银行托管业务部总经理。2014年12月起任农银汇理基金管理有限公司董事。2015年5月28日起任农银汇理基金管理有限公司总经理。

景顺长城基金管理有限公司

【基本情况】

法定名称:景顺长城基金管理有限公司

英文名称:Invesco Great Wall Fund Management Co., Ltd.

公司属性:合资企业

成立日期:2003－06－12

注册资本:13000(万元)

法人代表:杨光裕

总 经 理:许义明

注册地址:深圳市福田区中心四路1号嘉里建设广场第一座21层

办公地址:深圳市福田区中心四路1号嘉里建设广场第一座21层

网站地址:www.igwfmc.com

邮政编码:518048

客服邮箱:investor@igwfmc.com

电话号码:400－8888－606,0755－82370688

传真号码:0755－22381339

经营范围:从事基金管理、发起设立基金以及法律、法规或中国证监会准许和批准的其他业务。

基金数量:88只(其中普通基金81只,货币基金7只,理财基金0只,封闭式基金0只,其他基金0只)。

管理规模:873.39亿元

经理人数:22人

【公司概况】

景顺长城基金管理有限公司成立于2003年6月12日,是经中国证监会证监基金字〔2003〕76号文批准设立的国内首家中美合资的基金管理公司。景顺长城基金管理有限公司由景顺集团下属景顺资产管理有限公司与长城证券股份有限公司联合开滦(集团)有限责任公司和大连实德集团有限公司共同发起设立,其中景顺资产管理有限公司和长城证券股份有限公司各持有49%的公司股份。公司注册资本1.3亿元人民币,总部设在深圳,在北京、上海、广州设有分公司。

景顺长城秉承"为每一个信赖我们的客户持续地创造财富"的公司宗旨和"客户为先、投资领先、专业诚信、追求卓越"的经营理念,始终如一地把保护投资者利益放在第一位,力保客户资产的保值增值,致力于成为中国资产管理行业的持续领跑者。作为第一家中美合资的基金管理公司,景顺长城充分利用中外股东的资源优势,引进、吸收、消化景顺集团的全球化视野和资产管理能力,并结合国内市场的特色和实际需要,形成了极具特色的"四大支柱体系",即管理体系、投资体系、营销体系和技术平台体系,以卓越的绩效、专业的团队、严谨的管理和优质的资源,为投资者创造长期而稳定的收益。目前,景顺长城旗下管理了64只开放式基金,建立了覆盖高中低风险等级的较为完善的产品线,在股票型基金的管理上形成了独特的优势。

【股东概况】

排序	股东名称	持股数量(万股)	股权比例
1	长城证券有限责任公司	6370.00	49%
2	景顺资产管理有限公司	6370.00	49%
3	开滦(集团)有限责任公司	130.00	1%
4	大连实德集团有限公司	130.00	1%

【旗下基金】

序号	基金代码	基金名称	期间申购(亿份)	期间赎回(亿份)	期末总份额(亿份)	期末净资产(亿元)
1	000020	景顺长城品质投资混合	0.09	0.21	2.04	3.33
2	000181	景顺长城四季金利债券A	0.01	5.92	5.57	6.26
3	000182	景顺长城四季金利债券C	0.00	0.04	0.05	6.26
4	000242	景顺长城策略精选	0.09	0.38	1.66	2.33
5	000252	景顺长城景兴信用纯债A	1.10	9.15	7.21	9.49
6	000253	景顺长城景兴信用纯债C	0.11	2.69	0.36	9.49
7	000311	景顺长城沪深300增强	1.68	0.56	3.67	6.82
8	000380	景顺长城景益货币A	11.55	5.45	8.06	22.40
9	000381	景顺长城景益货币B	21.62	9.60	14.34	22.40
10	000385	景顺长城景颐双利债券A	0.31	1.49	15.84	22.43
11	000386	景顺长城景颐双利债券C	0.02	0.13	0.16	22.43
12	000411	景顺长城优质成长	0.04	0.99	0.54	0.55
13	000418	景顺长城成长之星	0.06	0.07	0.47	0.71
14	000465	景顺长城鑫月薪定期支付债券	0.00	1.62	3.61	3.70
15	000532	景顺长城优势企业混合	0.03	0.20	2.16	2.90
16	000586	景顺中小板创业板精选股票	1.55	1.91	3.97	6.74
17	000688	景顺长城研究精选股票	0.01	0.06	0.41	0.51
18	000701	景顺长城景丰货币A	23.75	21.68	6.14	326.72
19	000707	景顺长城景丰货币B	483.42	624.85	320.58	326.72
20	000772	景顺长城中国回报灵活配置	0.00	0.10	0.87	1.06
21	000978	景顺长城量化精选股票	1.59	0.85	7.47	10.02
22	000979	景顺长城沪港深精选股票	5.19	4.34	64.99	56.45
23	001194	景顺长城稳健回报混合A	9.59	0.00	9.60	10.27
24	001361	景顺中证TMT150ETF联接	0.05	0.51	9.07	5.24
25	001362	景顺长城领先回报混合A	0.05	0.01	4.80	5.22
26	001379	景顺长城领先回报混合C	0.01	0.02	0.06	5.22
27	001407	景顺长城稳健回报混合C	–	9.67	0.00	10.27
28	001422	景顺长城安享回报混合A	0.00	0.03	5.15	5.53
29	001423	景顺长城安享回报混合C	0.00	0.00	0.06	5.53
30	001455	景顺长城中证500ETF联接	0.04	0.05	0.99	0.81
31	001506	景顺长城泰和回报混合A	0.00	0.00	7.91	8.27
32	001507	景顺长城泰和回报混合C	0.00	–	0.00	8.27
33	001535	景顺长城改革机遇灵活配置混合	0.07	0.45	1.39	1.43
34	001750	景顺长城景瑞收益定开债	–	–	20.27	21.30
35	001854	景顺长城景颐增利债券A	0.15	0.35	3.75	3.86
36	001855	景顺长城景颐增利债券C	0.00	–	0.00	3.86
37	001920	景顺长城景颐宏利债券A	0.10	3.13	5.29	5.42
38	001921	景顺长城景颐宏利债券C	0.02	0.05	0.02	5.42
39	001974	景顺长城量化新动力股票	0.19	1.01	0.89	0.95
40	001975	景顺长城环保优势股票	0.29	0.32	0.81	0.96
41	002065	景顺长城景盛双息收益债券A	0.14	0.67	1.79	2.58
42	002066	景顺长城景盛双息收益债券C	0.01	0.30	0.75	2.58
43	002244	景顺长城低碳科技主题混合	0.77	0.90	2.61	2.88
44	002796	景顺长城景盈双利债券A	39.57	0.53	40.14	40.49
45	002797	景顺长城景盈双利债券C	0.01	0.18	0.16	40.49
46	002842	景顺长城景盈金利债券A	0.06	0.81	2.65	3.51
47	002843	景顺长城景盈金利债券C	0.06	2.50	0.89	3.51
48	003409	景顺长城景颐盛利债券A	0.00	0.00	2.10	2.08
49	003410	景顺景颐盛利C	0.00	0.00	0.00	2.08
50	159924	景顺沪深300等权ETF	–	0.06	0.45	0.61
51	159935	景顺长城中证500ETF	–	–	0.51	0.82
52	162605	景顺长城鼎益混合(LOF)	1.72	4.00	18.85	16.40

序号	基金代码	基金名称	期间申购（亿份）	期间赎回（亿份）	期末总份额（亿份）	期末净资产（亿元）
53	162607	景顺长城资源垄断混合	2.60	1.07	33.88	14.92
54	260101	景顺长城优选混合	0.14	0.84	5.40	11.82
55	260102	景顺货币 A	1.77	1.66	2.17	31.93
56	260103	景顺长城动力平衡	0.87	3.03	19.57	17.07
57	260104	景顺长城内需增长混合	0.07	0.13	2.39	11.00
58	260108	景顺长城新兴成长混合	0.03	0.30	10.74	9.92
59	260109	景顺长城内需贰号混合	0.47	1.00	21.68	20.07
60	260110	景顺长城精选蓝筹混合	0.13	0.87	28.70	28.49
61	260111	景顺长城公司治理混合	1.19	0.06	1.54	1.58
62	260112	景顺长城能源基建混合	9.06	6.71	8.61	13.56
63	260115	景顺长城中小盘混合	26.92	25.73	2.25	2.27
64	260116	景顺长城核心竞争力混合 A	0.16	2.53	7.60	16.59
65	260117	景顺长城支柱产业混合	0.01	0.05	0.55	0.56
66	260202	景顺长城货币 B	30.92	5.42	29.76	31.93
67	261001	景顺长城稳定债券 A	0.11	1.88	10.94	15.30
68	261002	景顺长城优信增利债券 A	0.01	0.02	7.79	10.34
69	261101	景顺长城稳定债券 C	0.02	0.10	3.85	15.30
70	261102	景顺长城信增债券 C	0.01	0.02	0.04	10.34
71	262001	景顺长城大中华混合	0.01	0.50	1.20	1.50
72	263001	景顺长城上证 180 联接	0.02	0.03	0.36	0.52
73	510420	景顺长城上证 180ETF	–	0.02	0.73	1.06
74	511890	景顺长城交易型货币	0.03	0.07	0.07	6.93
75	512210	景顺中证 800 食品饮料 ETF	–	0.01	0.51	0.72
76	512220	景顺中证 TMT150ETF	–	0.18	3.67	5.00
77	512230	景顺长城中证医药卫生 ETF	–	0.17	0.26	0.33
78	960008	景顺长城核心竞争力混合 H	0.07	0.00	0.10	16.59
79	159924	景顺沪深 300 等权 ETF	–	–	0.45	–
80	159935	景顺长城中证 500ETF	–	–	0.51	–
81	510420	景顺长城上证 180ETF	–	–	0.73	–
82	511890	景顺长城交易型货币	–	–	0.07	–
83	512210	景顺中证 800 食品饮料 ETF	–	–	0.51	–
84	512220	景顺中证 TMT150ETF	–	–	3.67	–
85	512230	景顺长城中证医药卫生 ETF	–	–	0.26	–

申万菱信基金管理有限公司

【基本情况】

法定名称：申万菱信基金管理有限公司
英文名称：SWS MU Fund Management Co., Ltd.
公司属性：合资企业
成立日期：2004 – 01 – 15
注册资本：15000（万元）
法人代表：刘　郎
总 经 理：来肖贤
注册地址：上海市中山南路 100 号上海金外滩国际广场 11 层
办公地址：上海市中山南路 100 号上海金外滩国际广场 11 层
网站地址：www.swsmu.com
邮政编码：200010
客服邮箱：service@ swsmu.com
电话号码：400 – 8808588，021 – 962299
传真号码：021 – 23261199
经营范围：基金管理业务、发起设立基金以及经中国证监会批准的其他业务（包括销售其本身发起设立的基金）。
基金数量：53 只（其中普通基金 35 只，货币基金 2 只，理财基金 0 只，封闭式基金 0 只，其他基金 16 只）。
管理规模：354.96 亿元
经理人数：12 人

【公司概况】

申万菱信基金管理有限公司（SWS MU Fund Management Co., Ltd.）成立于 2004 年 1 月 15 日，注册地位于中国上海，注册资本为 1.5 亿元人民币。现有股东申万宏源证券有限公司（Shenwan Hongyuan Securities Co., Ltd.）持有 67% 的股权，三菱 UFJ 信托银行株式会社（Mitsubishi UFJ Trust and Banking Corporation）持有 33% 的股权。

申万菱信立足于“以客为先，创新求变，专业管理，业绩至上”的经营理念，以负责的态度、高效的管理、专业的服务，全力为投资者提供丰厚的投资回报。公司成立以来，业务增长迅速，在北京、广州先后建立了分公司，目前旗下管理 24 只开放式基金，资产管理规模超过 379 亿元，客户数超过 571 万户（截至 2016 年 6 月 30 日，数据来源：申万菱信）。

公司经过努力，逐渐形成了规范、诚信、专业、稳健的运作风格。展望未来，申万菱信将继续依靠强大的股东背景，不断丰富和完善产品线，借助完善高效的客户服务体系，通过海内外资深专业人士组成的精英团队为投资者提供优质的理财服务！依托丰富的全球和本土运作经验，采用成熟的投资及风险管理技术，实现客户资产的保值增值，努力打造国内领先、国际知名的财富管理中心！

【股东概况】

排序	股东名称	持股数量（万股）	股权比例
1	申银万国证券股份有限公司	10050.00	67%
2	三菱 UFJ 信托银行株式会社	4950.00	33%

【旗下基金】

序号	基金代码	基金名称	期间申购（亿份）	期间赎回（亿份）	期末总份额（亿份）	期末净资产（亿元）
1	001148	申万菱信多策略灵活配置混合 A	1.15	0.13	8.60	9.60
2	001156	申万菱信新能源汽车混合	0.01	0.49	6.98	6.38
3	001201	申万菱信安鑫回报混合 A	1.03	0.07	6.20	7.79
4	001724	申万菱信多策略灵活配置混合 C	–	0.94	0.93	9.60
5	001727	申万菱信安鑫回报混合 C	0.18	2.59	1.12	7.79
6	002510	申万菱信中证 500 指数增强	1.27	0.24	1.50	1.59
7	150022	申万菱信深证成指分级收益	–	–	30.22	37.27
8	150023	申万菱信深证成指分级进取	–	–	30.22	37.27
9	150085	申万中小板分级 A	–	–	1.87	4.70
10	150086	申万中小板分级 B	–	–	1.87	4.70
11	150171	申万菱信申万证券分级 A	–	–	23.85	78.99
12	150172	申万菱信申万证券分级 B	–	–	23.85	78.99
13	150184	申万中证环保产业指数分级 A	–	–	3.54	11.83
14	150185	申万中证环保产业指数分级 B	–	–	3.54	11.83
15	150186	申万菱信中证军工指数分级 A	–	–	3.76	27.92
16	150187	申万菱信中证军工指数分级 B	–	–	3.76	27.92
17	150231	申万菱信申万电子分级 A	–	–	0.32	1.94

序号	基金代码	基金名称	期间申购(亿份)	期间赎回(亿份)	期末总份额(亿份)	期末净资产(亿元)
18	150232	申万菱信申万电子分级 B	–	–	0.32	1.94
19	150233	申万菱信申万传媒分级 A	–	–	0.25	1.04
20	150234	申万菱信申万传媒分级 B	–	–	0.25	1.04
21	150283	申万菱信申万医药生物分级 A	–	–	0.83	9.74
22	150284	申万菱信申万医药生物分级 B	–	–	0.83	9.74
23	163109	申万菱信深证成指分级	26.29	24.03	1.84	37.27
24	163110	申万量化小盘	4.82	2.88	9.89	26.46
25	163111	申万中小板	0.64	0.70	1.06	4.70
26	163113	申万菱信申万证券分级	5.86	22.76	24.09	78.99
27	163114	申万中证环保产业指数分级	0.13	4.12	5.38	11.83
28	163115	申万菱信中证军工指数分级	2.81	4.37	22.95	27.92
29	163116	申万菱信申万电子分级	0.02	0.22	1.31	1.94
30	163117	申万菱信申万传媒分级	0.13	0.22	0.82	1.04
31	163118	申万菱信申万医药生物分级	0.04	2.72	9.66	9.74
32	163119	申万中证申万新兴健康产业指数	0.01	3.10	1.09	1.02
33	310308	申万菱信盛利精选混合	0.01	0.21	8.28	6.35
34	310318	申万菱信沪深 300 指数增强	0.31	1.29	1.93	3.73
35	310328	申万菱信新动力混合	0.10	0.44	14.72	9.76
36	310338	申万菱信收益宝货币 A	0.35	0.31	0.48	68.65
37	310339	申万收益宝货币 B	117.46	165.98	68.16	68.65
38	310358	申万菱信新经济混合	0.03	0.33	12.06	9.93
39	310368	申万菱信竞争优势混合	0.36	0.12	0.60	0.85
40	310378	申万菱信添益宝债券 A	0.01	0.58	2.62	3.11
41	310379	申万菱信添益宝债券 B	0.09	0.01	0.19	3.11
42	310388	申万菱信消费增长混合	0.01	0.04	0.97	0.99
43	310398	申万菱信沪深 300 价值指数	0.74	0.44	1.57	1.89
44	310508	申万菱信稳益宝债券	0.08	0.01	1.75	2.31
45	310518	申万可转换债券	0.01	0.02	0.49	0.64
46	150022	申万菱信深证成指分级收益	–	–	30.25	–
47	150023	申万菱信深证成指分级进取	–	–	30.25	–
48	150085	申万中小板分级 A	–	–	1.87	–
49	150086	申万中小板分级 B	–	–	1.87	–
50	150171	申万菱信申万证券分级 A	–	–	23.85	–
51	150172	申万菱信申万证券分级 B	–	–	23.85	–
52	150184	申万中证环保产业指数分级 A	–	–	3.53	–
53	150185	申万中证环保产业指数分级 B	–	–	3.53	–
54	150186	申万菱信中证军工指数分级 A	–	–	3.77	–
55	150187	申万菱信中证军工指数分级 B	–	–	3.77	–
56	150231	申万菱信申万电子分级 A	–	–	0.32	–
57	150232	申万菱信申万电子分级 B	–	–	0.32	–
58	150233	申万菱信申万传媒分级 A	–	–	0.25	–
59	150234	申万菱信申万传媒分级 B	–	–	0.25	–
60	150283	申万菱信申万医药生物分级 A	–	–	0.83	–
61	150284	申万菱信申万医药生物分级 B	–	–	0.83	–

【公司高管】

刘郎先生：董事，副教授，硕士研究生。1982 年至 1983 年在湖南邵阳学院物理系任教，1986 年至 1994 年在东南大学哲学系担任系副主任。1994 年至 2003 年底在泰阳证券公司任公司总裁。2004 年任万联证券总裁。2006 年 6 月至 2007 年 1 月在广州城市商学院担任主任。2007 年 1 月至 8 月在大通证券公司担任副总经理。2007 年 9 月至今担任申银万国证券股份有限公司副总裁。申万宏源证券有限公司副总经理。

来肖贤先生：经济学硕士；1997 年加入申银万国证券股份有限公司，历任国际业务总部投资分析师、部门副经理等。2004 年加入申万菱信基金管理有限公司（原申万巴黎基金管理管理有限公司），历任监察稽核总部副总监，公司督察长。2014 年 8 月 26 日开始担任申万菱信基金管理有限公司副总经理。2016 年 12 月 6 日起担任申万菱信基金管理有限公司总经理。

金元顺安基金管理有限公司

【基本情况】

【基本情况】

法定名称：金元顺安基金管理有限公司
英文名称：Goldstate Capital Fund Management Co.，Ltd.
公司属性：合资企业
成立日期：2006－11－13
注册资本：24500（万元）
法人代表：任开宇
总 经 理：张嘉宾
注册地址：中国（上海）自由贸易试验区花园石桥路 33 号花旗集团大厦 3608 室
办公地址：上海市浦东新区花园石桥路 33 号花旗集团大厦 36 楼 3608
网站地址：www.jyvpfund.com，www.jysa99.com
邮政编码：200120
客服邮箱：wangyu@jyvpfund.com
电话号码：021－61601898，400－666－0666
传真号码：021－68881875
经营范围：募集基金、管理基金和经中国证监会批准的其他业务。【依法须经批准的项目，经相关部门批准后方可开展经营活动】
基金数量：17 只（其中普通基金 13 只，货币基金 4 只，理财基金 0 只，封闭式基金 0 只，其他基金 0 只）
管理规模：110.98 亿元
经理人数：5 人

【公司概况】

金元顺安基金管理有限公司成立于 2006 年 11 月，是经中国证券监督管理委员会证监基金字［2006］222 号文批准设立的基金管理公司，公司经营范围为募集基金、管理基金和经中国证监会批准的其他业务（涉及行政许可的凭许可证经营）。公司注册地为上海，注册资本 2.45 亿元人民币，其中金元证券股份有限公司持有公司 51% 的股份，上海泉意金融信息服务有限公司持有公司 49% 的股份。

【旗下基金】

序号	基金代码	基金名称	期间申购(亿份)	期间赎回(亿份)	期末总份额(亿份)	期末净资产(亿元)
1	001375	金元顺安保本混合 C	–	–	3.55	3.94
2	003135	金元顺安沣楹债券	0.51	0.00	2.52	2.46
3	620001	金元顺安宝石动力混合	0.00	0.04	1.12	1.11
4	620002	金元顺安成长动力混合	0.00	0.01	0.21	0.19

序号	基金代码	基金名称	期间申购（亿份）	期间赎回（亿份）	期末总份额（亿份）	期末净资产（亿元）
5	620003	金元顺安丰利债券	15.05	14.09	22.72	23.53
6	620004	金元顺安价值增长混合	0.01	0.02	0.25	0.24
7	620005	金元顺安核心动力混合	0.00	0.01	0.27	0.28
8	620006	金元顺安消费主题混合	0.01	0.02	0.19	0.16
9	620007	金元顺安保本混合 A	0.00	0.00	0.23	3.94
10	620008	金元顺安新经济主题混合	0.03	0.05	0.21	0.23
11	620009	金元顺安丰祥债券	0.00	0.59	1.98	2.10
12	620010	金元顺安金元宝货币 A	1.27	1.26	0.84	39.13
13	620011	金元顺安金元宝货币 B	57.91	70.65	38.29	39.13

【公司高管】

陈重先生：董事长，金融学博士。历任原国家经委中国企业管理协会研究部副主任、主任，中国企业报社社长，中国企业管理科学基金会秘书长，重庆市政府副秘书长，中国企业联合会常务副理事长，享受国务院特殊津贴专家。现任新华基金管理有限公司董事长、代任新华基金管理有限公司总经理。

方正富邦基金管理有限公司

【基本情况】

法定名称：方正富邦基金管理有限公司
英文名称：Founder Fubon Fund Management Co. ,ltd.
公司属性：合资企业
成立日期：2011 – 07 – 08
注册资本：40000（万元）
法人代表：何其聪
总 经 理：吴辉（代）
注册地址：北京市西城区车公庄大街 12 号东侧 8 层
办公地址：北京市西城区车公庄大街 12 号核建大厦 8 层
网站地址：www. founderff. com
邮政编码：100037
客服邮箱：services@ founderff. com
电话号码：400 – 818 – 0990
传真号码：010 – 57303718
经营范围：基金募集、基金销售、资产管理和中国证监会许可的其他业务。（依法须经批准的项目，经相关部门批准后依批准的内容开展经营活动。）
基金数量：17 只（其中普通基金 10 只，货币基金 5 只，理财基金 0 只，封闭式基金 0 只，其他基金 2 只）
管理规模：169.74 亿元
经理人数：4 人

【公司概况】

作为首家获批的陆台合资基金管理公司，方正富邦基金管理有限公司开启了两岸基金领域合作的新篇章。

方正富邦基金管理有限公司于 2011 年 6 月 30 日正式获批，是首家获中国证监会批准设立的陆台合资基金管理公司。公司注册资本为 2 亿元人民币，2016 年公司注册资本增至 4 亿元人民币。其中，方正证券股份有限公司出资 66.7%，富邦证券投资信托股份有限公司出资 33.3%，公司注册地为北京市。

方正富邦基金管理有限公司是继两岸银行、证券及期货、保险业《两岸金融监管合作备忘录》（两岸 MOU）签署后大陆与台湾基金行业合作筹建基金公司的首例。也是《海峡两岸经济合作框架协议》（ECFA）于 2010 年 9 月 12 日正式生效后，首家获批的陆台合资基金管理公司。方正富邦基金的扬帆起航，象征着两岸的合作交流从通邮、通航、通商上升到了更深层次的金融领域合作，同时也为将来两地资本市场的进一步深化合作奠定了基础。

【旗下基金】

序号	基金代码	基金名称	期间申购（亿份）	期间赎回（亿份）	期末总份额（亿份）	期末净资产（亿元）
1	000247	方正富邦互利债券	–	0.02	0.11	0.12
2	000797	方正富邦金小宝货币	814.60	919.12	113.86	113.86
3	001431	方正富邦优选灵活配置混合 A	2.16	2.22	4.77	3.99
4	002297	方正富邦优选灵活配置混合 C	–	0.00	0.00	3.99
5	150329	方正富邦保险主题指数分级 A	–	–	1.06	2.40
6	150330	方正富邦保险主题指数分级 B	–	–	1.06	2.40
7	167301	方正富邦保险主题指数分级	0.94	0.84	0.38	2.40
8	730001	方正富邦创新动力混合	0.06	0.05	0.36	0.43
9	730002	方正富邦红利精选混合	9.36	8.36	1.11	1.12
10	730003	方正富邦货币 A	2.00	2.82	3.05	6.46
11	730103	方正富邦货币 B	1.38	0.93	3.41	6.46
12	150329	方正富邦保险主题指数分级 A	–	–	1.06	–
13	150330	方正富邦保险主题指数分级 B	–	–	1.06	–

【公司高管】

何其聪先生：监事，工商管理硕士，注册会计师、律师、注册资产评估师。曾任方正产业控股有限公司财务总监、北大方正集团有限公司资金部副总经理、总经理、方正和生投资有限责任公司董事长、方正证券股份有限公司财务管理部总经理。现任瑞信方正证券有限责任公司监事会主席、方正证券股份有限公司董事、执行委员会副主任、总裁、财务负责人、董事会秘书，方正和生投资有限责任公司董事长，方正中期期货有限公司董事。2015 年 4 月 28 日起任新任基金管理公司法定代表人（董事长）。

宝盈基金管理有限公司

【基本情况】

法定名称：宝盈基金管理有限公司
英文名称：Baoying Fund Management Co.,Ltd.
公司属性：中资企业
成立日期：2001 – 05 – 18
注册资本：10000（万元）
法人代表：李文众
总 经 理：李文众（代）
注册地址：广东省深圳市福田区深圳特区报业大厦第 15 层
办公地址：深圳市福田区福华一路 115 号投行大厦 10、11 层
网站地址：www. byfunds. com
邮政编码：518048
客服邮箱：public@ byfunds. com

电话号码:400 - 8888 - 300
传真号码:0755 - 83515599
经营范围:发起设立基金,基金管理业务(按《基金管理公司法人许可证》的规定办理)。
基金数量:26 只(其中普通基金 24 只,货币基金 2 只,理财基金 0 只,封闭式基金 0 只,其他基金 0 只)。
管理规模:432.44 亿元
经理人数:12 人

【公司概况】

宝盈基金管理有限公司成立于 2001 年 5 月 18 日,注册资本人民币 1 亿元,注册地深圳。公司股东实力雄厚,分别为中铁信托有限责任公司、中国对外经济贸易信托有限公司。

公司主要经营业务是发起设立证券投资基金(以下简称基金)、基金管理、特定客户资产管理以及证监会批准的其他业务。公司旗下基金产品齐全、风格多样。目前,公司共管理基金 22 只,已构建了涵盖股票型基金、债券型基金、指数型基金、混合型基金和货币市场基金等较完备的产品线,能够满足各类风险偏好投资者的需求。2008 年 3 月,公司获特定客户资产管理业务资格。目前,已管理多只特定客户资产管理产品。

在投资研究方面,公司坚持"研究创造价值,风险管理创造收益"的理念,通过打造投研一体化平台,力争为投资人创造持续良好的投资回报。在内部控制方面,公司秉持"投资者利益至上"的首要原则,高度重视合规文化的建设,通过加强制度建设和监察稽核工作,将风险控制贯穿在业务操作的各个环节,保证业务运作合法合规。

公司弘扬"进取、共享、和谐"的企业文化,坚持"规范管理求效益、诚信创新谋发展、回报服务创品牌"的经营理念,做投资人信赖的资产管理者,为投资者提供优质的理财服务!

【股东概况】

排序	股东名称	股权比例
1	中铁信托有限责任公司	75%
2	中国对外经济贸易信托投资有限公司	25%

【旗下基金】

序号	基金代码	基金名称	期间申购(亿份)	期间赎回(亿份)	期末总份额(亿份)	期末净资产(亿元)
1	000241	宝盈核心优势混合 C	0.03	0.04	0.25	17.50
2	000574	宝盈新价值混合	1.25	3.96	17.15	23.95
3	000639	宝盈祥瑞养老混合	0.11	1.72	6.16	7.59
4	000698	宝盈科技 30 混合	0.31	3.32	19.99	29.44
5	000794	宝盈睿丰创新混合 A	0.08	0.23	0.86	4.88
6	000796	宝盈睿丰创新混合 C	0.63	1.08	2.70	4.88
7	000924	宝盈先进制造混合	0.19	1.73	6.69	7.67
8	001075	宝盈转型动力混合	0.41	2.28	43.52	31.77
9	001128	宝盈新兴产业混合	0.10	1.54	37.17	23.62
10	001358	宝盈祥泰养老混合	0.01	0.81	6.80	7.08
11	001487	宝盈优势产业混合	0.07	0.28	1.19	1.09
12	001543	宝盈新锐混合	0.02	0.23	0.89	0.91
13	001877	宝盈国家安全沪港深股票	0.65	0.84	1.60	1.78
14	001915	宝盈医疗健康沪港深股票	0.14	0.25	3.48	3.02
15	002482	宝盈互联网沪港深混合	0.04	0.43	0.75	0.73
16	184728	基金鸿阳	-	-	20.00	20.18
17	213001	宝盈鸿利收益灵活配置混合	0.15	2.77	4.11	3.55
18	213002	宝盈泛沿海增长混合	0.43	1.02	23.24	15.01
19	213003	宝盈策略增长混合	0.96	2.33	29.93	31.41
20	213006	宝盈核心优势混合 A	0.54	1.63	16.19	17.50
21	213007	宝盈增强收益债券 A/B	0.52	4.28	2.79	3.64
22	213008	宝盈资源优选混合	1.02	2.77	24.80	42.89
23	213009	宝盈货币 A	44.96	49.23	31.22	174.09
24	213010	宝盈中证 100 增强	0.18	0.10	0.76	0.82
25	213909	宝盈货币 B	192.34	190.00	142.87	174.09
26	213917	宝盈增强债券 C	0.35	2.25	0.47	3.64

【公司高管】

李文众先生:中国国籍,山西人,中共党员,四川省委党校本科毕业,经济师。1978 年 12 月至 1985 年 5 月,在中国人民银行成都市分行解放中路办事处工作;1985 年 6 月至 1997 年 12 月,任中国工商银行成都市信托投资公司部门经理;1997 年 12 月至 2002 年 11 月,任成都工商信托投资公司部门经理、总经理助理;2002 年 11 月至今在中铁信托投资有限责任公司任副总经理;2015 年 3 月至今兼任宝盈基金管理有限公司董事长(法定代表人);2017 年 1 月 26 日起代任宝盈基金管理有限公司总经理。

博时基金管理有限公司

【基本情况】

法定名称:博时基金管理有限公司
英文名称:Bosera Fund Management Co., Ltd.
公司属性:中资企业
成立日期:1998 - 07 - 13
注册资本:25000(万元)
法人代表:张光华
总 经 理:江向阳
注册地址:广东省深圳市福田区深南大道 7088 号招商银行大厦 29 层
办公地址:广东省深圳市福田区深南大道 7088 号招商银行大厦 29 层
网站地址:www. bosera. com
邮政编码:518040
客服邮箱:service@ bosera. com
电话号码:95105568
传真号码:0755 - 83195140
经营范围:发起设立基金、基金管理。
基金数量:250 只(其中普通基金 230 只,货币基金 14 只,理财基金 2 只,封闭式基金 0 只,其他基金 4 只)。
管理规模:3766.94 亿元
经理人数:39 人

【公司概况】

博时基金管理有限公司成立于 1998 年 7 月 13 日,是中国内地首批成立的五家基金管理公司之一,致力为海内外各类机构和个人投资者提供专业、全面的资产管理服务。博时总部设在深圳，在北京、上海等地设有分公司，同时拥有博时基金（国际）有限公司和博时资本管理有限公司两家全资子公司。博时基金公司经营范围包括基金募集、基金销售、资产管理和中国证监会许可的其他业务。"为国民创造财富"是博时的使命。"做投资价值的发现者"是博时始终坚持的投资理念。

博时基金是目前我国资产管理规模最大的基金公司之一。截至2016年12月31日，博时基金公司共管理164只开放式基金，并受全国社会保障基金理事会委托管理部分社保基金，以及多个企业年金账户，管理资产总规模约为6250.22亿元人民币，其中公募基金规模约3760.13亿元人民币，累计分红约781.21亿元人民币。博时是首批全国社保基金投资管理人、首批企业年金基金投资管理人、首批基本养老保险基金证券投资管理人，博时养老金资产管理规模在同业中名列前茅。

博时遵循资本市场的价值规律，依托精心打造的专业系统，深入研究投资对象价值，努力为客户实现财富增值。我们的股票投资强调以内部研究为基础的基本面分析，持续挖掘业绩稳定增长、有核心竞争力、有成长潜力的上市公司。我们坚信股票的二级市场价格终将反映企业的内在价值，坚守对企业的深入把握这一获取收益、规避风险的根本方法。18年来，博时所管理的各类资产均取得良好投资收益增长，产品策略全力满足各类客户的资产配置需求，以实现各类客户长期财富管理的收益目标。

作为首批成立的五家基金公司之一，博时基金不但在中国基金业内率先倡导价值投资理念，而且最早开始细分投资风格小组，进而形成了"权益投资强调于低风险基础上获取稳健收益，固定收益投资满足客户多元需求"的稳健型投资风格。博时基金拥有业内居前的投研团队和完善的投研管理体系。并于2016年7月，成立多元资产管理部，发力公募FOF。经过18年稳健发展，博时基金建立了制度、技术、执行三重保障的内部控制体系，设立了以董事会风险管理委员会、公司风险管理委员会为中心的风险管理组织架构。同时博时基金吸引并培养了大批优秀的IT人才，搭建起实力雄厚的IT信息系统。

【公司大事记】

2016年12月6日，全国社会保障基金理事会发布公告，博时成为基本养老保险基金首批证券投资管理机构之一。这是继博时2002年12月获得全国社会保障基金首批投资管理人资格、2005年8月获得企业年金基金首批投资管理人资格、2008年6月成为全国社会保障基金海外资产首家境内投资管理人之后，在养老金业务方面的又一重大突破。由此成为国内截至目前仅有的两家获管养老金全业务（含社保基金海外资产）的资产管理机构之一。

2016年8月5日，由21世纪经济报道主办的"2016深港通论坛暨'金帆奖'系列颁奖礼上，博时一举斩获2016年综合实力十强基金公司奖、2016年互联网突出表现奖、2016年ABS最具实力管理人奖（博时资本）三项大奖。

2016年6月24日，由南方日报主办的一年一度"金榕奖"南方金融大奖系列评选正式揭晓，博时基金董事长张光华荣膺"2016南方金融领导力年度大奖"，博时基金基金经理魏桢荣获"2016南方金融年度投资理财师"称号。

2016年5月19日，博时资本与上市公司海王生物签订《产业基金合作框架协议》。5月19日，博时资本与知名医药上市公司海王生物签订了《设立产业投资基金合作框架协议》，该产业投资基金主要围绕海王生物产业链升级及布局医药医疗大健康市场的发展战略，针对市场中医药医疗大健康行业有价值及潜力的优质中小型标的进行投资。

2016年5月10日，博时与标准人寿投资合作产品成功发行。2016年5月10日，张光华董事长带队出席了与标准人寿投资合作的新基金——"博时—标准人寿投资精选新兴市场债券基金"的产品发行典礼。该基金的成功发行丰富了我司的产品线，标志着两家公司战略合作的进一步深化，也开创了中资基金公司对外合作的先河。

2016年3月30日，博时资本成功发行全国首单电票类应收账款资产证券化项目。2016年3月30日，博时资本成功发行了全国首单电票类应收账款资产证券化项目。该资产支持专项计划获得了中诚信证券评估有限公司给予的AAA级评级，开辟了供应链金融下应收账款融资的新模式，实现基础资产类型的丰富和规模的扩容，并引导商业承兑汇票向电子化、有序化发展。

2016年3月27日，纯债定开百花齐放，博时捧回"固收金牛"大奖。被誉为基金业"奥斯卡"的第十三届"金牛奖"评选落下帷幕，博时基金凭借其在固收产品线的雄厚实力，一举夺得"固定收益金牛基金公司"大奖。

2016年3月15日，张光华董事长获评"投资者最认同的公募基金领军人物"。由腾讯证券主办的《"挑战机遇"315评选——投资者最认同的券商、基金领军人物》评选活动中，博时基金董事长张光华先生获评"投资者最认同的公募基金领军人物"，网络票选高居第二位。张光华董事长接受活动主办方腾讯证券采访时表示，资本市场风险增多，危中存机。博时基金要敏锐捕捉、详加研判市场形势，把握机遇建设一流的代资产管理公司。

2016年2月16日，云南白药控股携手博时资本设立百亿大健康产业并购基金。云南白药控股有限公司与博时资本管理有限公司签订了设立产业并购基金合作框架协议。博时资本与云南白药控股共同设立医药、医疗及大健康领域的产业并购基金，依托于博时资本及其母公司博时基金、招商局集团丰富的产融资源，博时资本能够为云南白药控股深化布局医药医疗大健康产业提供并购方案设计、并购标的选择、并购资金募集、资产管理以及战略咨询等各项业务的支持。

【公司荣誉】

2016年12月27日，2016金融新媒体峰会暨金V榜2016颁奖典礼在广州隆重举行。博时基金凭借旗下官方公众号的优秀传播影响力，荣获"最具传播力基金公司"奖项。

2016年12月13日，由中国经营报主办的"2016第十四届中国企业竞争力年会暨金融高峰论坛"在北京举行，博时基金荣获"2016卓越竞争力品牌建设金融机构"奖项。

2016年12月9日，在证券日报主办的"第十二届中国证券市场年会"上，博时基金荣膺中国证券市场"2016年度最全能公募基金龙鼎奖"。

2016年12月8日，金融界网站主办的首届智能金融国际论坛暨第五届金融界"领航中国"年度盛典，博时基金荣获"2016年杰出品牌奖"。

2016年12月1日，由《经济观察报》主办的"2015—2016年度观察家金融峰会"在沪盛大开展，博时基金再次独家蝉联"卓越固定收益投资团队奖"。

2016年11月25日，由北大汇丰商学院、南方都市报、奥一网联合主办的 2016 年（第二届）CFAC 中国金融年会在深召开，本次大会向今年创新进取的金融机构表示致敬，博时基金再次蝉联“年度最佳基金公司大奖”。

2016 年 11 月 23 日，由新浪财经主办的“2016 新浪全球资产管理论坛”在京举行，作为资产管理行业年度盛会的重头戏——“2016 中国（首届）波特菲勒奖综合评选”结果正式揭晓。博时基金荣获“2016 最具互联网创新基金公司”、基金经理过钧获得“2016 最佳债券基金经理”、何凯获得“2016 最佳 QDII 基金经理”。本届波特菲勒奖博时基金共斩获三项大奖，成为获奖最多的公募基金公司之一。

2016 年 11 月 17 日，全国社保基金境内投资管理人 2016 年座谈会在上海举行，博时基金副总裁董良泓荣获“五年服务社保奖”，该奖项授予长期为社保服务且业绩优秀的投资管理人，本次仅授予 5 人，董良泓先生是自 2015 年之后再次蝉联该奖项。

2016 年 9 月 7 日，第二届结构性融资与资产证券化论坛暨 2016 年度资产证券化·介甫奖颁奖典礼上，“博时资本—平安银行橙鑫橙 e 资产支持专项计划”荣获“应收账款类最受投资者欢迎产品”和“最佳风控产品”两项大奖。

2016 年 8 月 5 日，由 21 世纪经济报道主办的“2016 深港通论坛暨‘金帆奖’系列颁奖礼上，博时一举斩获 2016 年综合实力十强基金公司奖、2016 年互联网突出表现奖、2016 年 ABS 最具实力管理人奖（博时资本）三项大奖。

2016 年 6 月 24 日，由南方日报主办的一年一度“金榕奖”南方金融大奖系列评选正式揭晓，博时基金董事长张光华荣膺“2016 南方金融领导力年度大奖”，博时基金基金经理魏桢荣获“2016 南方金融年度投资理财师”称号。

由中国基金报、香山财富论坛、深圳市政府金融办、国泰基金联合主办的“中国机构投资者峰会暨财富管理国际论坛”2016 年 5 月 13 日在深举行。博时旗下博时信用债券获得“五年持续回报积极债券型明星基金奖”。

2016 年 5 月 10 日，由上海证券报主办的 2016 中国基金业峰会暨第十三届“金基金”奖颁奖典礼在上海举办，博时基金凭借在固定收益投资领域的突出表现，荣获“2015 年度金基金·债券投资回报基金管理公司”大奖。

2016 年 4 月 15 日，由中国基金报主办的第三届中国基金业英华奖评选隆重揭晓，博时基金经理过钧先生获评三年期二级债基最佳基金经理、五年期二级债基最佳基金经理。

2016 年 3 月 27 日，第十三届中国基金业金牛奖揭晓，博时基金凭借在固定收益产品出色的业绩表现摘得了基金业的“奥斯卡”奖——“固定收益投资金牛基金公司”奖。wind 数据显示，2015 年博时基金旗下 10 只纯债产品平均收益率达 12.65%，其中 6 只定期开放债基平均收益率更高达 15.17%，博时安丰 18 个月定期开放债券和博时双月薪双双夺得同类基金收益榜冠军。

2016 年 3 月 15 日，由腾讯证券主办的《“挑战机遇”315 评选——投资者最认同的券商、基金领军人物》评选活动日前揭晓，博时基金董事长张光华先生获评“投资者最认同的公募基金领军人物”，网络票选高居第二位。

2016 年 1 月 18 日，大众证券报“2015 中国基金风云榜”上，博时创业成长（050014）荣获 2015“最受投资者喜爱基金”奖、博时安丰 18 个月定开债（160515）荣获 2015“最佳固定收益型基金”奖。

2016 年 1 月 15 日，2016 年金融理财创新与发展论坛暨第六届“金貔貅”奖颁奖盛典在京举办，博时基金获评年度金牌品牌力、金牌创新力两项大奖；博时“存金宝”获年度金牌创新力金融产品奖。

【股东概况】

排序	股东名称	持股数量（万股）	股权比例
1	招商证券股份有限公司	12250	49%
2	中国长城资产管理公司	6250	25%
3	天津港（集团）有限公司	1500	6%
4	璟安实业有限公司	1500	6%
5	上海盛业资产管理有限公司	1500	6%
6	丰益实业发展有限公司	1500	6%
7	广厦建设集团有限责任公司	500	2%

【旗下基金】

序号	基金代码	基金名称	期间申购（亿份）	期间赎回（亿份）	期末总份额（亿份）	期末净资产（亿元）
1	000084	博时安盈债券 A	0.12	0.36	1.22	20.79
2	000085	博时安盈债券 C	3.14	10.95	17.68	20.79
3	000178	博时灵活配置混合 A	4.82	0.04	4.97	10.16
4	000200	博时岁岁增利一年定开债券	–	–	14.26	14.05
5	000219	博时裕益灵活配置	0.08	0.15	1.27	1.42
6	000246	博时月月薪定期支付债券	–	0.03	8.07	7.89
7	000264	博时内需增长混合	0.01	0.07	2.77	2.64
8	000277	博时双月薪定期支付债券	14.60	1.20	17.32	17.05
9	000280	博时双债增强债券 A	0.01	0.15	81.64	94.78
10	000281	博时双债增强债券 C	0.01	0.09	0.10	94.78
11	000652	博时裕隆混合	2.01	0.17	6.35	12.36
12	000665	博时现金收益货币 B	792.70	912.54	661.17	733.14
13	000730	博时现金宝货币 A	90.89	89.73	11.18	33.22
14	000734	博时天天增利货币 A	15.04	5.54	10.64	136.70
15	000735	博时天天增利货币 B	190.66	98.67	126.06	136.70
16	000752	博时优势收益信用债券	0.01	0.56	15.09	15.04
17	000784	博时月月盈短期理财债券 R	4.51	–	4.51	4.51
18	000891	博时现金宝货币 B	15.71	16.63	8.08	33.22
19	000927	博时大中华亚太精选美元现汇	–	–	1.72	1.78
20	000929	博时黄金 ETFD	0.58	0.44	0.23	48.70
21	000930	博时黄金 ETFI	28.17	18.66	16.58	48.70
22	000936	博时产业新动力混合	0.07	0.21	2.83	3.45
23	001055	博时产业债纯债债券 A	0.01	0.23	0.78	3.29
24	001125	博时互联网主题灵活配置混合	0.30	1.82	28.19	18.12
25	001215	博时沪港深优质企业基金 A	0.06	0.84	13.70	15.11
26	001236	博时丝路主题股票 A	0.28	1.38	19.50	15.89
27	001237	博时上证 50ETF 联接	0.11	0.49	0.83	0.64
28	001238	博时招财一号保本	–	–	13.53	13.79
29	001242	博时中证淘金大数据 100A	0.96	3.24	18.47	19.02
30	001243	博时中证淘金大数据 100I	0.30	0.43	3.26	19.02
31	001277	博时国企改革股票	0.32	1.25	22.35	18.00
32	001308	博时外服货币	136.44	161.82	188.88	188.88
33	001394	博时新趋势混合 A	0.08	0.08	1.09	1.46
34	001395	博时新趋势混合 C	–	0.01	0.29	1.46
35	001424	博时新起点混合 A	0.00	0.00	0.01	5.49
36	001425	博时新起点混合 C	–	–	5.53	5.49
37	001429	博时新财富混合	1.90	0.06	8.08	8.79
38	001522	博时新策略灵活配置混合 A	0.00	0.00	4.86	5.10
39	001545	博时裕嘉纯债	0.00	0.00	2.00	2.00
40	001546	博时裕盈纯债债券	0.00	0.00	19.69	19.46
41	001578	博时裕瑞纯债债券	0.00	0.00	9.18	9.16
42	001661	博时信用债纯债债券 C	5.50	9.30	6.60	24.34

序号	基金代码	基金名称	期间申购（亿份）	期间赎回（亿份）	期末总份额（亿份）	期末净资产（亿元）
43	001911	博时裕恒纯债债券	0.00	15.00	9.99	10.19
44	001961	博时裕荣纯债债券	0.00	0.00	76.93	77.69
45	001971	博时产业债纯债债券 C	1.06	1.83	2.31	3.29
46	001993	博时裕泰纯债债券	0.00	0.00	9.95	10.31
47	001999	博时安荣 18 个月定开债	0.09	–	23.32	22.93
48	002008	博时裕晟纯债债券	0.00	0.00	30.95	31.61
49	002048	博时安誉 18 个月定开债	0.01	–	25.99	26.20
50	002095	博时新收益 A	0.00	0.00	7.00	10.03
51	002096	博时新收益 C	–	–	2.99	10.03
52	002104	博时新价值 A	0.00	0.01	9.76	9.87
53	002109	博时裕丰纯债债券	0.00	0.00	7.96	8.12
54	002140	博时裕诚纯债债券	10.35	2.41	9.95	10.02
55	002142	博时外延增长主题灵活配置混合	0.03	0.08	0.44	0.49
56	002143	博时裕坤纯债	20.44	8.00	37.10	37.55
57	002150	博时裕和纯债	0.00	0.00	2.00	2.03
58	002175	博时裕乾纯债 A	0.00	0.00	0.00	6.43
59	002198	博时裕达纯债债券	0.00	0.00	19.96	20.28
60	002206	博时裕康纯债债券	0.02	0.02	10.08	10.12
61	002208	博时境源保本 A	0.01	0.39	8.81	26.23
62	002209	博时境源保本 C	0.13	1.36	17.29	26.23
63	002266	博时安和 18 个月定开债 A	–	–	1.11	4.89
64	002267	博时安和 18 个月定开债 C	–	–	3.68	4.89
65	002294	博时新机遇混合 C	0.00	0.00	0.00	5.15
66	002354	博时裕腾纯债	0.00	0.00	3.99	4.04
67	002356	博时安泰 18 个月定开债 A	–	–	16.29	18.78
68	002357	博时安泰 18 个月定开债 C	–	–	2.15	18.78
69	002385	博时沪深 300 指数 C	0.32	0.17	0.38	46.66
70	002404	博时裕乾纯债 C	1.00	4.67	6.29	6.43
71	002447	博时裕安纯债	0.00	0.01	2.11	2.09
72	002466	博时裕新纯债	0.00	0.01	19.83	20.13
73	002476	博时安瑞 18 个月定开债 A	–	–	41.32	47.33
74	002477	博时安瑞 18 个月定开债 C	–	–	5.52	47.33
75	002519	博时裕景纯债	11.71	10.61	21.09	21.36
76	002530	博时保泽保本 A	0.00	0.66	24.75	28.18
77	002531	博时保泽保本 C	0.00	0.18	3.45	28.18
78	002553	博时创业成长混合 C	0.12	0.05	0.09	4.09
79	002555	博时沪港深优质企业基金 C	0.00	0.00	6.67	15.11
80	002556	博时丝路主题股票 C	0.02	0.02	0.01	15.89
81	002557	博时灵活配置混合 C	0.00	0.02	4.95	10.16
82	002558	博时鑫瑞混合 A	0.00	0.00	0.01	4.85
83	002559	博时鑫瑞混合 C	3.00	–	5.00	4.85
84	002568	博时裕发纯债	0.00	0.00	5.00	5.05
85	002569	博时裕弘纯债债券	0.00	0.00	14.08	13.88
86	002578	博时裕泉纯债债券	10.01	0.00	12.12	12.03
87	002588	博时银智大数据 100	0.22	0.10	0.51	0.60
88	002595	博时工业 4.0 主题股票	0.13	0.38	0.53	0.56
89	002608	博时泰和债券 A	0.00	0.00	2.00	2.01
90	002609	博时泰和债券 C	0.00	0.00	0.00	2.01
91	002610	博时黄金 ETF 联接 A	0.23	0.10	0.63	1.22
92	002611	博时黄金 ETF 联接 C	0.41	0.18	0.68	1.22
93	002625	博时安怡 6 个月	9.85	0.00	29.89	30.79
94	002641	博时安润 18 个月定开债 A	–	–	13.96	17.42
95	002642	博时安润 18 个月定开债 C	–	–	3.56	17.42
96	002698	博时裕利纯债债券	49.88	0.01	59.82	60.59
97	002716	博时裕通纯债债券 A	0.00	0.50	0.00	0.11
98	002751	博时安恒 18 个月定开债 A	–	–	28.27	29.58
99	002752	博时安恒 18 个月定开债 C	–	–	1.87	29.58
100	002754	博时裕创纯债	0.00	0.00	5.50	5.55
101	002755	博时裕盛纯债债券	0.00	0.00	2.10	2.10
102	002761	博时安源 18 个月 A	–	–	6.47	6.68
103	002762	博时安源 18 个月 C	–	–	0.22	6.68
104	002775	博时景兴纯债债券	2.93	0.01	7.30	7.35
105	002781	博时聚瑞纯债债券	0.00	0.01	5.07	5.08
106	002811	博时裕顺纯债债券	0.01	0.01	5.01	5.00
107	002812	博时裕通纯债债券 C	0.12	0.02	0.10	0.11
108	002813	博时保泰保本 A	0.01	0.36	27.45	28.61
109	002814	博时保泰保本 C	0.01	0.09	1.41	28.61
110	002855	博时现金宝货币 C	49.03	39.83	13.95	33.22
111	002856	博时保丰保本 A	–	–	9.97	9.87
112	002857	博时保丰保本 C	–	–	0.01	9.87
113	002904	博时安仁一年定开债 A	–	–	5.03	5.00
114	002905	博时安仁一年定开债 C	–	–	0.00	5.00
115	002929	博时聚盈纯债债券	4.94	0.01	10.34	10.31
116	002930	博时聚润纯债债券	0.00	0.00	29.98	30.10
117	002960	博时合利货币	1.03	0.00	2.03	2.03
118	002970	博时裕昂纯债债券	1.00	0.03	12.59	12.57
119	002998	博时弘裕 18 个月定开债 A	–	–	12.66	15.95
120	002999	博时弘裕 18 个月定开债 C	–	–	3.33	15.95
121	003023	博时景发纯债债券	0.01	0.01	5.01	4.94
122	003055	博时招财二号保本	–	–	7.93	7.83
123	003119	博时鑫源混合 A	0.00	0.00	5.01	4.85
124	003162	博时富宁纯债债券	9.93	0.01	19.92	19.92
125	003206	博时合鑫货币	100.56	0.01	102.55	102.55
126	003207	博时富发纯债	0.00	0.00	3.00	3.00
127	003210	博时智臻纯债债券	7.98	0.00	9.98	10.00
128	003239	博时安祺一年定开债 A	–	–	12.36	13.25
129	003240	博时安祺一年定开债 C	–	–	1.21	13.25
130	003259	博时聚利纯债债券	0.01	0.01	2.10	2.10
131	003260	博时利发纯债	0.00	0.00	2.10	2.05
132	003268	博时悦楚纯债	504.70	186.43	320.27	314.85
133	003331	博时乐臻定开混合	–	–	7.97	7.64
134	003381	博时裕信纯债债券	0.00	0.00	2.02	2.03
135	003434	博时鑫泽灵活配置混合 A	2.00	0.00	4.01	4.00
136	050001	博时价值增长	0.10	4.11	60.04	48.52
137	050002	博时沪深 300 指数 A	2.07	3.15	39.57	46.66
138	050003	博时现金收益货币 A	53.63	37.90	71.97	733.14
139	050004	博时精选混合 A	0.32	0.91	22.52	39.13
140	050006	博时稳定价值债券 B	5.85	7.44	18.72	30.62
141	050007	博时平衡配置	0.05	0.19	6.68	5.84
142	050008	博时第三产业混合	0.33	0.89	25.99	21.70
143	050009	博时新兴成长混合	0.41	1.48	59.73	37.84
144	050010	博时特许价值混合 A	0.06	0.12	2.00	2.95
145	050011	博时信用债券 A/B	8.47	5.45	9.58	33.51
146	050012	博时策略配置	0.02	0.16	3.73	4.68
147	050013	博时上证超大盘联接	0.49	0.20	2.81	2.45
148	050014	博时创业成长混合 A	0.28	0.41	2.10	4.09
149	050015	博时大中华亚太精选股票	0.04	0.39	1.72	1.78
150	050016	博时宏观债券 A/B	0.01	0.02	4.55	5.42
151	050018	博时行业轮动混合	0.11	0.59	2.30	2.31
152	050019	博时转债增强债券 A	0.03	0.08	0.82	2.79
153	050020	博时抗通胀增强	0.01	0.05	1.42	0.75
154	050021	博时深证 200 联接	0.06	0.04	0.32	0.38
155	050022	博时回报灵活配置	46.14	15.34	31.38	30.72
156	050023	博时天颐债券 A	3.54	0.03	5.53	6.57

序号	基金代码	基金名称	期间申购（亿份）	期间赎回（亿份）	期末总份额（亿份）	期末净资产（亿元）
157	050024	博时上证自然资源联接	0.35	0.35	0.55	0.36
158	050025	博时标普500ETF联接	0.11	0.10	1.05	1.85
159	050026	博时医疗保健行业混合A	0.19	0.64	5.19	7.58
160	050027	博时信用债纯债债券A	5.25	1.07	16.27	24.34
161	050028	博时安心收益定期债券A	–	–	25.61	34.39
162	050029	博时新机遇混合A	0.00	0.00	5.26	5.15
163	050030	博时亚洲票息收益债券	0.84	1.51	16.77	21.33
164	050106	博时稳定价值债券A	0.84	0.35	2.52	30.62
165	050111	博时信用债券C	6.73	4.17	5.95	33.51
166	050116	博时宏观债券C	0.01	0.02	0.18	5.42
167	050119	博时转债增强债券C	0.79	0.64	1.31	2.79
168	050123	博时天颐债券C	0.01	0.04	0.34	6.57
169	050128	博时安心收益定期债券C	–	–	8.26	34.39
170	050201	博时价值增长二号	0.04	0.71	27.22	18.55
171	050202	博时亚洲票息收益债券现汇	–	–	16.77	21.33
172	050203	博时亚洲票息收益债券现钞	–	–	16.77	21.33
173	150225	博时中证800证券保险分级A	–	–	0.27	2.64
174	150226	博时中证800证券保险分级B	–	–	0.27	2.64
175	150267	博时中证银行指数分级A	–	–	0.21	1.29
176	150268	博时中证银行指数分级B	–	–	0.21	1.29
177	159908	博时深证200ETF	0.03	–	0.37	0.45
178	159937	博时黄金ETF	1.33	3.04	1.65	48.70
179	160505	博时主题行业混合(LOF)	1.47	1.75	34.17	68.29
180	160512	博时卓越品牌混合(LOF)	2.97	1.60	5.31	12.81
181	160513	博时稳健回报债券(LOF)A	20.18	0.06	20.29	30.89
182	160514	博时稳健回报债券(LOF)C	0.15	0.59	1.10	30.89
183	160515	博时安丰18个月定开债A	118.97	0.73	129.83	134.49
184	160516	博时中证800证券保险分级	0.26	0.23	1.90	2.64
185	160517	博时中证银行指数分级	0.12	0.10	1.09	1.29
186	160518	博时睿远	–	–	22.96	22.86
187	160519	博时睿利定增	–	–	6.71	6.66
188	160520	博时弘盈定期开放混合A	–	–	20.49	33.13
189	160521	博时弘盈定期开放混合C	–	–	12.81	33.13
190	160522	博时睿益	–	–	6.84	6.86
191	160523	博时安丰18个月定开债C	3.04	0.00	3.04	134.49
192	510020	博时上证超大盘ETF	0.10	0.03	1.14	2.67
193	510410	博时上证自然资源ETF	0.16	0.17	1.15	0.78
194	510710	博时上证50ETF	0.03	0.16	0.60	1.39
195	511210	博时上证企债30ETF	–	0.01	0.00	0.13
196	511860	博时保证金实时交易型货币	1.03	0.95	0.75	75.36
197	513500	博时标普500ETF	0.22	–	1.85	2.65
198	960022	博时沪深300指数R	–	–	0.00	46.66
199	960026	博时特许价值混合R	–	–	0.00	2.95
200	960027	博时信用债券R	–	–	0.00	33.51
201	150225	博时中证800证券保险分级A	–	–	0.27	–
202	150226	博时中证800证券保险分级B	–	–	0.27	–
203	150267	博时中证银行指数分级A	–	–	0.21	–
204	150268	博时中证银行指数分级B	–	–	0.21	–
205	159908	博时深证200ETF	–	–	0.37	–
206	159937	博时黄金ETF	–	–	1.65	–
207	510020	博时上证超大盘ETF	–	–	1.14	–
208	510410	博时上证自然资源ETF	–	–	1.15	–
209	510710	博时上证50ETF	–	–	0.60	–
210	511210	博时上证企债30ETF	–	–	0.00	–
211	511860	博时保证金实时交易型货币	–	–	0.75	–
212	513500	博时标普500ETF	–	–	1.85	–

【公司高管】

张光华先生：博士，董事长。历任国家外汇管理局政研室副主任，计划处处长，中国人民银行海南省分行副行长、党委委员，中国人民银行广州分行副行长、党委副书记，广东发展银行行长、党委副书记，招商银行副行长、执行董事、副董事长、党委副书记，在招商银行任职期间曾兼任永隆银行副董事长、招商基金管理有限公司董事长、招商信诺人寿保险有限公司董事长、招银国际金融有限公司董事长、招银金融租赁有限公司董事长。2015 年 8 月起，任博时基金管理有限公司董事长暨法定代表人。

江向阳先生：中国国籍，博士。1990 年起在中国农业工程研究设计院工作，历任中国证监会办公厅、党办副主任兼新闻办（网信办）主任；中国证监会办公厅副巡视员；中国证监会深圳专员办处长、副专员；中国证监会期货监管部副处长、处长。2015 年 1 月至今任招商局金融集团副总经理、博时基金管理有限公司党委副书记、总经理。2015 年 7 月起，任博时基金管理有限公司第六届董事会董事。

长城基金管理有限公司

【基本情况】

法定名称：长城基金管理有限公司
英文名称：Great Wall Fund Management Co., Ltd.
公司属性：中资企业
成立日期：2001－12－27
注册资本：15000（万元）
法人代表：何　伟
总 经 理：熊科金
注册地址：深圳市福田区益田路 6009 号新世界商务中心 41 层
办公地址：深圳市福田区益田路 6009 号新世界商务中心 41 层
网站地址：www. ccfund. com. cn
邮政编码：518026
客服邮箱：support@ ccfund. com. cn
电话号码：0755－83680399，400－8868－666
传真号码：0755－23982328
经营范围：基金募集、基金销售、资产管理和中国证监会许可的其他业务。
基金数量：53 只（其中普通基金 44 只，货币基金 4 只，理财基金 0 只，封闭式基金 1 只，其他基金 4 只）。
管理规模：1027.62 亿元
经理人数：15 人

【公司概况】

长城基金管理有限公司成立于 2001 年 12 月 27 日，由长城证券有限责任公司、东方证券股份有限公司、北方国际信托股份有限公司、中原信托有限公司共同出资设立。公司的经营范围为基金募集、基金销售、资产管理和中国证监会许可的其他业务。

长城基金管理有限公司一直秉承“诚信、规范、专业、创新”的经营理念，坚持基金持有人利益至上的经营原则，凭借完善的公司治理结构、严格的风险控制、规范的业务流程、高效专业的员工团队、开放与学习的文化氛围，努力打造一流的基金管理公司品牌，竭诚为客户提供优质的投资理财产品和服务。

【公司荣誉】

2015 年 4 月，由《上海证券报》主办的第十二届金基金奖评选结果在京揭晓，长城基金荣获“第十二届金基金——债券投资回报基金管理公司奖”。

2013 年 3 月，由《中国证券报》主办的第十届中国基金业金牛奖评选结果在京揭晓，长城基金荣获“2012 年十大金牛基金公司”奖。

2013 年 3 月，由《证券时报》主办的 2012 年度“中国基金业明星基金奖”评选结果在京揭晓，长城基金荣获“2012 年度十大明星基金公司”奖。

2012 年 2 月 28 日，由凤凰网、凤凰网财经联合主办的“2012 金凤凰金融盛典”在北京举办，长城基金荣获“2011 年度最具影响力客户服务基金”称号。

2011 年 10 月，由理财周报主办的《2011 中国三千万基金持有人最尊敬基金公司调查报告》在深圳发布，长城基金荣获“2011 中国最具发展潜力基金公司”奖项。

2009 年 4 月，金融界网站联合中国社会工作协会共同主办的“2008 中国金融企业慈善榜”揭晓，长城基金荣获“2008 中国金融企业慈善榜基金业突出贡献奖”。

2009 年 3 月，中国主流媒体理财联盟主办、《钱经》杂志社承办的“2008—2009 年度第二届中国理财总评榜”揭晓，长城基金荣获“最佳服务基金公司”奖项。

2009 年 1 月 8 日，和讯网“2008 年度第六届中国财经风云榜”揭晓，长城基金荣获“2008 年度十大品牌基金公司”奖项。

2008 年 12 月 18 日，“2008 搜狐金融理财网络盛典”揭晓，长城基金再次荣获“2008 年最有影响力客户服务奖”。

2008 年 3 月 30 日，《大众理财顾问》杂志举办的“2007 最受消费者青睐的基金公司”评选结果揭晓，长城基金荣获“卓越成长奖”。

2008 年 1 月 11 日，证券时报主办、安信证券协办的“2007 年度中国明星基金暨最佳托管银行评选”结果揭晓，长城基金荣膺“十大明星基金公司”奖项。

2008 年 1 月 20 日，和讯网主办的第五届财经风云榜揭晓，长城基金荣获“最具成长性的基金公司”奖项。

2007 年 12 月 20 日，“2007 搜狐金融理财网络调查报告”暨年底评选揭晓，长城基金获得“2007 年最佳基金客户服务奖”。

2007 年 9 月 20 日，齐鲁晚报启动的“山东百姓最信赖的基金公司”理财评选揭晓，长城基金喜获“山东百姓最信赖的基金公司”奖项。

【公司大事记】

2016 年 11 月 30 日，公司管理的第四十二只基金——长城久信债券型证券投资基金正式成立。

2016 年 11 月 11 日，长城淘金一年期理财债券型证券投资基金清算。

2016 年 11 月 11 日，长城久稳债券型证券投资基金正式成立。

2016 年 11 月 4 日，长城岁岁金理财债券型证券投资基金清算。

2016 年 11 月 4 日，长城久盛安稳纯债两年定期开放债券型证券投资基金正式成立。

2016 年 11 月 1 日，公司管理的第四十只基金——长城久稳债券型证券投资基金公开发行。

2016 年 10 月 26 日，公司管理的第三十九只基金——长城久盛安稳纯债两年定期开放债券型证券投资基金公开发行。

2016 年 7 月 21 日，长城久鼎保本混合型证券投资基金正式成立。

2016 年 7 月 11 日，公司管理的第三十八只基金——长城久鼎保本混合型证券投资基金公开发行。

2016 年 6 月 21 日，长城久源保本混合型证券投资基金正式成立。

2016 年 5 月 26 日，公司管理的第三十七只基金——长城久源保本混合型证券投资基金公开发行。

2016 年 4 月 29 日，长城新视野混合型证券投资基金正式成立。

2016 年 4 月 28 日，长城久益保本混合型证券投资基金正式成立。

2016 年 4 月 26 日，长城久润保本混合型证券投资基金正式成立。

2016 年 4 月 11 日，公司管理的第三十六只基金——长城新视野混合型证券投资基金公开发行。

2016 年 4 月 7 日，公司管理的第三十五只基金——长城久益保本混合型证券投资基金公开发行。

2016 年 3 月 28 日，公司管理的第三十四只基金——长城久润保本混合型证券投资基金公开发行。

2016 年 3 月 22 日，长城新优选混合型证券投资基金正式成立。

2016 年 2 月 22 日，公司管理的第三十三只基金——长城新优选混合型证券投资基金公开发行。

2016 年 1 月 12 日，长城久安保本混合型证券投资基金正式成立。

【股东概况】

排序	股东名称	股权比例
1	长城证券有限责任公司	47.059%
2	东方证券股份有限公司	17.647%
3	北方国际信托投资股份有限公司	17.647%
4	中原信托投资有限公司	17.647%

【旗下基金】

序号	基金代码	基金名称	期间申购（亿份）	期间赎回（亿份）	期末总份额（亿份）	期末净资产（亿元）
1	000030	长城久利保本混合	0.13	2.56	42.72	42.92
2	000254	长城增强收益定开债券 A	83.36	7.32	97.18	108.84
3	000255	长城增强收益定开债券 C	2.65	1.27	3.46	108.84
4	000333	长城稳固收益债券 A	45.50	0.10	45.95	49.68
5	000334	长城稳固收益债券 C	0.00	0.04	0.20	49.68
6	000339	长城医疗保健混合	0.29	0.20	1.23	1.74
7	000615	长城工资宝货币	0.51	0.52	0.35	0.35
8	000649	长城久鑫保本混合	0.00	4.35	21.26	21.45
9	000768	长城久盈纯债分级债券	–	–	30.12	–
10	000769	长城久盈纯债分级债券 A	19.63	0.24	19.90	29.93
11	000770	长城久盈纯债分级债券 B	6.06	0.28	10.22	29.93
12	000861	长城货币 E	0.94	1.06	0.60	303.74

序号	基金代码	基金名称	期间申购（亿份）	期间赎回（亿份）	期末总份额（亿份）	期末净资产（亿元）
13	000976	长城新兴产业混合	0.01	1.12	7.01	8.18
14	000977	长城环保主题混合	1.60	1.03	21.55	19.82
15	001255	长城改革红利混合	0.05	0.79	18.21	14.22
16	001363	长城久惠保本	0.00	2.05	22.37	22.39
17	001613	长城久祥保本	0.00	2.15	24.64	24.94
18	001670	长城新策略混合 A	1.02	0.02	4.99	4.90
19	001671	长城新策略混合 C	0.01	0.01	0.03	4.90
20	002225	长城新视野混合 A	0.00	0.00	0.01	3.28
21	002226	长城新视野混合 C	0.00	0.49	3.36	3.28
22	002227	长城新优选混合 A	0.00	0.00	5.47	5.68
23	002228	长城新优选混合 C	0.01	0.02	0.08	5.68
24	002296	长城久安保本	0.01	1.48	26.30	26.83
25	002512	长城久润保本	0.00	1.21	24.04	24.20
26	002542	长城久鼎保本混合	0.00	1.07	37.43	37.33
27	002543	长城久益保本 A	0.00	1.07	24.78	28.10
28	002544	长城久益保本 C	0.00	0.24	3.03	28.10
29	002703	长城久源保本混合	0.00	0.68	19.65	19.59
30	150057	长城久兆中小板稳健	–	–	0.03	0.29
31	150058	长城久兆中小板积极	–	–	0.05	0.29
32	162006	长城久富混合(LOF)	0.03	0.22	8.71	9.26
33	162010	长城久兆中小板 300	0.19	0.19	0.18	0.29
34	184722	基金久嘉	–	–	20.00	20.58
35	200001	长城久恒灵活配置混合	0.00	0.06	1.53	2.39
36	200002	长城久泰沪深 300 指数	0.11	0.20	4.59	6.32
37	200003	长城货币 A	53.24	68.72	54.54	303.74
38	200006	长城消费增值混合	0.06	2.81	11.39	10.02
39	200007	长城安心回报混合	0.53	1.05	24.43	23.65
40	200008	长城品牌优选混合	0.09	1.92	33.48	36.26
41	200009	长城稳健增利	0.90	7.14	3.54	3.94
42	200010	长城双动力混合	1.74	0.90	6.07	11.55
43	200011	长城景气行业龙头	0.08	0.10	0.59	0.68
44	200012	长城中小盘成长混合	0.10	0.07	0.79	0.92
45	200013	长城积极增利债券 A	3.77	8.19	21.35	38.75
46	200015	长城优化升级混合	0.12	0.81	0.80	1.26
47	200016	长城保本	0.03	1.04	14.48	14.91
48	200103	长城货币 B	233.40	190.32	248.60	303.74
49	200113	长城积极增利债券 C	1.16	8.81	8.73	38.75
50	150057	长城久兆中小板稳健	–	–	0.03	–
51	150058	长城久兆中小板积极	–	–	0.05	–

【公司高管】

何伟先生：中共党员，硕士研究生。现任长城证券股份有限公司总裁、党委副书记。曾任职于北京兵器工业部计算机所、深圳蛇口工业区电子开发公司、深圳蛇口百佳超市有限公司等公司，1993 年 2 月起历任君安证券有限公司投资二部经理、总裁办主任、公司总裁助理兼资产管理公司常务副总经理、营业部总经理，国泰君安证券股份有限公司总裁助理，华富基金管理有限公司（筹）拟任总经理，国泰君安证券股份有限公司总裁助理、公司副总裁。

熊科金先生：经济学硕士。曾任中国银行江西信托投资公司证券业务部负责人，中国东方信托投资公司南昌证券营业部总经理、公司证券总部负责人，华夏证券有限公司江西管理总部总经理，中国银河证券有限责任公司基金部负责人、银河基金管理有限公司筹备组负责人，银河基金管理有限公司副总经理、总经理。

长盛基金管理有限公司

【基本情况】

法定名称：长盛基金管理有限公司
英文名称：Changsheng Fund Management Co., Ltd.
公司属性：合资企业
成立日期：1999－03－26
注册资本：18900（万元）
法人代表：高　新
总 经 理：周　兵
注册地址：深圳市福田中心区福中三路诺德金融中心主楼 10D
办公地址：北京市海淀区北太平庄路 18 号城建大厦 A 座 21 层
网站地址：www. csfunds. com. cn
邮政编码：100088
客服邮箱：services@ csfunds. com. cn
电话号码：400－888－2666，010－62350088
传真号码：010－82255988
经营范围：基金募集；基金销售；资产管理；及中国证监会许可的其他业务。
基金数量：109 只（其中普通基金 94 只，货币基金 3 只，理财基金 0 只，封闭式基金 0 只，其他基金 12 只）。
管理规模：759.16 亿元
经理人数：18 人

【公司概况】

长盛基金管理有限公司（以下简称“长盛基金”或“公司”）成立于 1999 年 3 月 26 日，是国内最早成立的十家基金管理公司之一，也是首批获得全国社保基金管理资格的基金管理公司。公司注册资本为人民币 1.89 亿元，总部位于北京，在北京、上海、成都设有分公司，在深圳、武汉、青岛设有营销中心，并拥有长盛基金（香港）有限公司、长盛创富资产管理有限公司两家全资子公司。公司的股东为国元证券股份有限公司、新加坡星展银行有限公司、安徽省信用担保集团有限公司、安徽省投资集团控股有限公司。公司的经营范围包括基金募集、基金销售、资产管理及中国证监会许可的其他业务，是一家为客户提供专业投资理财服务的资产管理机构。

长盛基金大股东国元证券股份有限公司植根安徽，面向全国，拥有深厚的徽商文化底蕴，是一家业务资质全面、资产质量优良、综合实力较强的上市证券服务商。外资股东星展银行的加入，有利于提升公司管理水平，增强公司海外视野及业务优势。

经过多年布局，公司已经建立起齐全的产品线，业务涉及公募基金、社保基金、专户理财、国际业务（QDII、QFII）等领域，产品涵盖股票、股票混合、债券、指数、货币、QDII、保本等各种类型和风险属性，形成多元化、互补的业务结构。

作为一家致力于为客户提供专业投资理财服务的资产管理机构，长盛基金以“专业理财 造福百姓”为企业使命，始终坚持以基金持有人利益的最大化为最高追求目标，结合公募基金及受托管理社保基金委托组合的丰富经验，注重投资研究，强化风险控制，专注于以优秀的投资管理能力和创新能力为投资者创造投资回报，为客户创造持续稳健的收益，自成立以来累计分红近二百五十亿元。

成立17年来，长盛基金载誉无数。在2015年的基金业三大权威评选中，长盛基金包揽了全部奖项的顶级公司大奖——十大金牛基金管理公司奖、2014年度明星基金公司奖和金基金·TOP公司大奖；2015年蝉联"金牛基金公司"大奖，连续两年问鼎金牛基金公司大奖。根据海通证券发布的《2016年第2季度基金公司权益及固定收益类资产业绩排行榜》，长盛基金最近三年的长期投资业绩非常优异，近三年以113.55%的净值增长率，在69家可比基金公司中位居第5名，基金管理的"长跑者"形象不断提升，市场美誉度和品牌影响力进一步扩大。

经过多年的发展与沉淀，公司企业文化建设得到不断加强，团结友爱、积极向上、独具特色的长盛"家"文化业已形成。此外，公司还认真践行社会责任，组织开展了多项公益行活动，积极投身社会公益事业，用实际行动回报社会，奉献爱心。

【公司大事记】

2016年12月7日，长盛可转债债券型证券投资基金正式成立，募集份额为305,290,910.63份。

2016年11月18日，长盛盛丰灵活配置混合型证券投资基金正式成立，募集份额为700,108,461.62份。

2016年11月10日，长盛盛崇灵活配置混合型证券投资基金正式成立，募集份额为565,184,213.53份。

2016年10月25日，长盛盛平灵活配置混合型证券投资基金正式成立，募集份额为440,210,906.27份。

2016年9月27日，长盛盛琪一年期定期开放债券型证券投资基金正式成立，募集份额为2,204,781,151.29份。

2016年8月4日，长盛盛裕纯债债券型证券投资基金正式成立，募集份额为1,000,048,999.00份。2016年8月4日，长盛盛景纯债债券型证券投资基金正式成立，募集份额为1,000,063,448.57份。

2016年7月5日，长盛沪港深优势精选灵活配置混合型证券投资基金正式成立，募集份额为322,529,979.43份。2016年7月5日，长盛盛和纯债债券型证券投资基金正式成立，募集份额为500,532,404.53份。

2016年7月13日，长盛盛鑫灵活配置混合型证券投资基金正式成立，募集份额为200,797,066.85份。

2016年6月28日，长盛同享保本混合型证券投资基金正式成立，募集份额为4,734,480,303.02份。

2016年5月17日，长盛同泰债券型证券投资基金正式成立，募集份额为414,305,641.90份。

2016年3月29日，长盛同裕纯债债券型证券投资基金正式成立，募集份额为490,359,408.25份。

2016年2月3日，长盛医疗行业量化配置股票型证券投资基金正式成立，募集份额为332,476,665.65份。

【公司荣誉】

2016年3月，2015年度第十三届中国基金业金牛奖评选活动中，公司荣获金牛基金管理公司、三年期开放式混合型持续优胜金牛基金、2015年度开放式混合型金牛基金。

2015年4月，长盛基金管理有限公司荣获《中国证券报》"2014年度金牛基金管理公司"称号。

2015年4月，长盛同禧信用增利债券基金获得《中国证券报》"2014年度债券型金牛基金"称号。

2015年4月，长盛基金管理有限公司荣获《证券时报》"2014年度明星基金公司奖"称号。

2015年4月，长盛创新先锋灵活配置混合基金获得《证券时报》颁发的"五年持续回报平衡混合型明星基金奖"称号。

2015年4月，长盛同智优势成长混合基金获得《证券时报》颁发的"2014年度积极混合型明星基金奖"称号。

2015年4月，长盛成长价值基金荣获《上海证券报》颁发的"2014年度一年期偏股混合型基金奖"称号。

2015年4月，长盛基金管理有限公司荣获《上海证券报》颁发的"金基金·TOP公司大奖"称号。

2015年4月，长盛创新先锋灵活配置混合基金荣获《上海证券报》颁发的"2014年度五年期灵活配置型金基金奖"称号。

2014年6月，长盛电子信息产业基金获证券时报"2013年度股票型明星基金奖"。

2014年4月，长盛电子信息产业获上海证券报"2013年度中国金基金·股票型基金奖"。

2014年3月，长盛电子信息产业基金获第十一届中国基金业金牛奖"2013年度股票型金牛基金"。

2013年3月，长盛中证100指数基金荣获第十届中国基金业金牛奖"2012年度指数型金牛基金"。

2012年3月，长盛创新先锋混合型基金在证券时报社主办，晨星资讯等机构提供数据支持的2011年度明星基金奖评选中获两项大奖：三年持续回报平衡混合型明星基金奖和2011年度平衡混合型明星基金奖。

2011年3月，长盛创新先锋基金获证券时报"2010年度积极混合型明星基金奖 "。

2011年3月，长盛同德主题增长基金获证券时报"2010年三年持续回报股票型明星基金奖"。

2010年7月，长盛基金公司荣获《上海证券报》"金基金·创新公司奖"

2010年5月，长盛同益封闭基金荣获第七届中国基金业金牛奖"2009年度封闭式金牛基金"。

2010年5月，长盛中信全债指数增强型债券基金荣获第七届中国基金业金牛奖"三年期开放式债券型持续优胜金牛基金"。

2009年10月，长盛基金管理有限公司再次荣获海通证券〈基金公司股票投资管理能力〉5星评级。

2009年9月，长盛基金管理有限公司荣获《证券时报》"2009年年度最佳基金网站"称号。

2009年1月，获证券时报"2008年度市场营销明星基金公司"奖。

2008年3月，长盛中信全债指数增强型债券基金获得上海证券报"2007年度金基金最佳债券基金奖"称号。

2008年2月，获得特定客户理财业务资格。

2008年1月，获《证券时报》"2007年中国明星基金管理公司"。

2007年10月，长盛债券被银河证券评为双五星级基金。堪称业内投资业绩表现最稳定的开放式基金。

2007年10月，银河证券统计截至9月24日，长盛动态精选基金最近三年的总回报率达到391.37%，居同类基金第一。

2007年9月，长盛旗下的封闭式基金同德日前被天相投资评为五星级基金，基金同益被评为四星级基金。

2007 年 5 月，2006 年证券时报年度明星基金评奖揭晓，我公司继去年获奖后，今年再次获得“明星基金管理公司”大奖。

2006 年 4 月，我公司在由上海证券报举办的第三届“中国最佳基金公司奖”暨首届“最受投资者欢迎的基金经理奖”评选中获得基金公司年度“最快进步奖”。在由证券时报举办的“2005 年度明星基金奖”评选中喜获“明星基金管理公司奖”，旗下基金同益喜获“封闭式明星基金奖”。

2006 年 2 月，我公司在中国证券报“第三届中国基金业金牛奖”评选中荣获 2005 年“金牛基金管理公司”；基金同智获得 2005 年“封闭式持续优胜金牛基金”，基金同益、同德获得 2005 年“封闭式金牛基金”。

【股东概况】

排序	股东名称	持股数量（万股）	股权比例
1	国元证券有限责任公司	6150.00	41%
2	新加坡星展资产管理有限公司	4950.00	33%
3	安徽省创新投资有限公司	1950.00	13%
3	安徽省投资集团有限责任公司	1950.00	13%

【旗下基金】

序号	基金代码	基金名称	期间申购（亿份）	期间赎回（亿份）	期末总份额（亿份）	期末净资产（亿元）
1	000050	长盛纯债债券 A	0.03	1.52	2.29	2.59
2	000052	长盛纯债债券 C	0.05	0.13	0.16	2.59
3	000063	长盛电子信息主题灵活配置混合	1.18	2.94	10.51	18.87
4	000225	长盛年年收益定期开放债券 A	0.98	–	1.17	1.60
5	000226	长盛年年收益定期开放债券 C	0.03	–	0.13	1.60
6	000303	长盛双月红定期债券 A	0.82	0.17	1.01	1.18
7	000304	长盛双月红定期债券 C	0.04	0.12	0.21	1.18
8	000354	长盛城镇化主题混合	0.66	1.67	1.18	1.52
9	000424	长盛添利宝货币 A	15.22	4.17	12.46	255.53
10	000425	长盛添利宝货币 B	312.06	188.50	243.08	255.53
11	000534	长盛高端装备制造灵活配置	0.04	0.23	3.35	5.16
12	000535	长盛航天海工装备灵活配置	0.06	0.13	1.48	1.60
13	000598	长盛生态环境主题混合	0.04	0.40	2.42	3.39
14	000684	长盛养老健康产业灵活配置	0.03	0.28	0.76	0.94
15	001197	长盛转型升级主题灵活配置混合	0.05	2.71	44.44	34.52
16	001239	长盛国企改革混合	0.22	1.36	25.69	11.99
17	001892	长盛新兴成长混合	0.93	4.69	7.31	7.25
18	002085	长盛互联网 + 混合	0.14	0.48	2.16	2.12
19	002089	长盛盛鑫混合 A	0.00	0.00	5.49	5.55
20	002090	长盛盛鑫混合 C	0.00	0.01	0.01	5.55
21	002156	长盛盛世混合 A	0.02	0.99	0.09	7.82
22	002157	长盛盛世混合 C	1.95	0.02	7.56	7.82
23	002283	长盛同裕纯债 A	0.00	0.17	0.63	0.85
24	002284	长盛同裕纯债 C	0.00	0.09	0.23	0.85
25	002285	长盛同裕纯债 E	0.00	–	0.00	0.85
26	002300	长盛医疗行业量化配置股票	0.04	0.27	0.75	0.77
27	002571	长盛同泰债券 A	0.00	0.02	0.12	0.17
28	002572	长盛同泰债券 C	0.00	0.05	0.05	0.17
29	002732	长盛沪港深混合	0.01	0.40	0.56	0.54
30	002789	长盛同享保本混合 A	0.00	0.91	45.90	45.96
31	002790	长盛同享保本混合 C	0.00	0.00	0.00	45.96
32	002927	长盛盛和纯债 A	0.00	0.00	14.93	14.67
33	002928	长盛盛和纯债 C	0.01	0.02	0.00	14.67
34	003099	长盛盛景纯债 A	0.00	0.00	14.97	14.65
35	003100	长盛盛景纯债 C	0.00	0.00	0.00	14.65
36	003102	长盛盛裕纯债 A	0.00	0.00	14.97	14.67
37	003103	长盛盛裕纯债 C	0.02	0.02	0.00	14.67
38	003169	长盛盛辉混合 A	0.00	0.00	8.00	8.03
39	003170	长盛盛辉混合 C	0.00	0.00	0.00	8.03
40	003199	长盛盛琪一年债券 A	–	–	21.80	21.80
41	003200	长盛盛琪一年债券 C	–	–	0.25	21.80
42	003490	长盛盛平灵活配置混合 A	0.00	–	1.80	5.41
43	003491	长盛盛平灵活配置混合 C	1.00	0.00	3.60	5.41
44	080001	长盛成长价值	0.40	1.52	6.11	6.29
45	080002	长盛创新先锋	0.06	0.14	1.47	1.34
46	080003	长盛积极配置债券	35.22	30.07	8.21	8.51
47	080005	长盛量化红利混合	37.94	21.69	17.79	19.12
48	080006	长盛环球行业混合(QDII)	0.01	0.47	0.27	0.29
49	080007	长盛同鑫行业配置混合	0.83	0.10	1.25	1.11
50	080008	长盛战略新兴产业混合 A	0.02	0.07	2.70	5.02
51	080009	长盛同禧债券 A	0.01	0.04	2.28	3.06
52	080010	长盛同禧债券 C	0.00	0.01	0.03	3.06
53	080011	长盛货币	75.73	43.45	61.76	61.76
54	080012	长盛电子信息产业混合	10.79	8.98	19.72	32.12
55	080015	长盛中小盘精选混合	0.13	0.13	0.53	0.44
56	150064	长盛同瑞 200 分级 A	–	–	0.03	0.18
57	150065	长盛同瑞 200 分级 B	–	–	0.04	0.18
58	150108	长盛同辉深 100 等权重 A	–	–	0.08	0.26
59	150109	长盛同辉深 100 等权重 B	–	–	0.08	0.26
60	150281	长盛中证金融地产指数分级 A	–	–	0.28	2.81
61	150282	长盛中证金融地产指数分级 B	–	–	0.28	2.81
62	160805	长盛同智优势	0.02	0.25	8.90	7.37
63	160806	长盛同庆中证 800(LOF)	0.00	0.09	1.31	1.63
64	160807	长盛沪深 300	0.10	0.06	0.52	0.58
65	160808	长盛同瑞 200 分级	0.00	0.04	0.11	0.18
66	160809	长盛同辉 100 等权分级	0.00	0.05	0.11	0.26
67	160810	长盛同丰债券(LOF)	0.00	0.01	0.42	0.49
68	160812	长盛同益成长回报	0.00	0.04	1.54	2.17
69	160813	长盛同盛成长优选	0.01	0.34	2.84	2.21
70	160814	长盛中证金融地产指数分级	0.50	1.31	3.31	2.81
71	502013	长盛中证申万一带一路分级	7.93	5.76	14.27	15.38
72	502014	长盛中证申万一带一路分级 A	–	–	2.52	15.38
73	502015	长盛中证申万一带一路分级 B	–	–	2.52	15.38
74	502040	长盛上证 50 指数分级	0.27	0.31	0.15	0.27
75	502041	长盛上证 50 指数分级 A	–	–	0.07	0.27
76	502042	长盛上证 50 指数分级 B	–	–	0.07	0.27
77	502053	长盛中证证券公司分级	0.74	1.28	0.74	2.29
78	502054	长盛中证证券公司分级 A	–	–	0.78	2.29
79	502055	长盛中证证券公司分级 B	–	–	0.78	2.29
80	510080	长盛全债指数强债	23.86	2.93	22.30	24.79
81	510081	长盛动态精选	0.02	0.41	4.61	5.99
82	519039	长盛同德主题混合	0.23	0.95	11.84	16.50
83	519100	长盛中证 100	0.16	0.16	3.81	3.66
84	150064	长盛同瑞 200 分级 A	–	–	0.03	–
85	150065	长盛同瑞 200 分级 B	–	–	0.04	–
86	150108	长盛同辉深 100 等权重 A	–	–	0.08	–
87	150109	长盛同辉深 100 等权重 B	–	–	0.08	–
88	150281	长盛中证金融地产指数分级 A	–	–	0.28	–
89	150282	长盛中证金融地产指数分级 B	–	–	0.28	–
90	502014	长盛中证申万一带一路分级 A	–	–	2.52	–
91	502015	长盛中证申万一带一路分级 B	–	–	2.52	–

序号	基金代码	基金名称	期间申购（亿份）	期间赎回（亿份）	期末总份额（亿份）	期末净资产（亿元）
92	502041	长盛上证50指数分级A	-	-	0.07	-
93	502042	长盛上证50指数分级B	-	-	0.07	-
94	502054	长盛中证证券公司分级A	-	-	0.78	-
95	502055	长盛中证证券公司分级B	-	-	0.78	-

【公司高管】

高新先生：中国国籍，中共党员，管理工程硕士。曾担任安徽省国际信托投资公司证券发行部副经理、证券营业部经理，安徽国元信托投资有限责任公司总经理助理，上海安申投资管理公司总经理，国元证券有限责任公司投资银行总部总经理、总裁助理、副总裁，国元证券股份有限公司副总裁。现任长盛基金管理有限公司董事长。

周兵先生：董事、总经理，经济学硕士。曾任中国银行总行综合计划部副主任科员、香港南洋商业银行内地融资部副经理、香港中银国际亚洲有限公司企业财务部经理、广发证券股份有限公司北京业务总部副总经理（期间兼任海南华银国际信托投资公司北京证券营业部托管组负责人）、北京朝阳门大街证券营业部总经理。2004 年 10 月加入长盛基金管理有限公司，曾任公司副总经理。现任长盛基金管理有限公司总经理，兼任长盛基金（香港）有限公司董事长。

叶金松先生：大学，会计师。曾任美菱股份有限公司财会部经理，安徽省信托投资公司财会部副经理，国元证券有限责任公司清算中心主任、风险监管部副经理、经理。2004 年 10 月起加入长盛基金管理有限公司，现任长盛基金管理有限公司督察长。

长信基金管理有限公司

【基本情况】

法定名称：长信基金管理有限责任公司

英文名称：Chang Xin Asset Management Co., Ltd.

公司属性：中资企业

成立日期：2003-05-09

注册资本：16500（万元）

法人代表：成善栋

总 经 理：覃 波

注册地址：上海市浦东新区银城中路 68 号 9 楼

办公地址：上海市浦东新区银城中路 68 号 9 楼

网站地址：www.cxfund.com.cn

邮政编码：200120

客服邮箱：service@cxfund.com.cn

电话号码：400-700-5566

传真号码：021-61009800

经营范围：基金管理业务，发起设立基金，中国证监会批准的其他业务（涉及许可经营的凭许可证经营）。

基金数量：67 只（其中普通基金 63 只，货币基金 2 只，理财基金 0 只，封闭式基金 0 只，其他基金 2 只）。

管理规模：631.98 亿元

经理人数：13 人

【公司概况】

长信基金管理有限责任公司由长江证券股份有限公司、上海海欣（集团）股份有限公司、武汉钢铁股份有限公司共同发起设立，于 2003 年 4 月 28 日经中国证券监督管理委员会批准，并于 2003 年 5 月 9 日成立。注册资本金 1.65 亿元人民币，公司的经营范围包括发起设立基金、基金管理业务和中国证监会批准的其他业务。

股东会是公司的最高权力机构，下设董事会和监事会。公司组织管理实行董事会领导下的总经理负责制，总经理、副总经理、督察长组成公司的经营管理层。在经营管理层下设内部控制委员会、投资决策委员会两个非常设委员会，以及金融工程部、国际业务部、专户理财部、投资管理部、研究发展部、固定收益部、交易管理部、基金事务部、市场开发部、信息技术部、监察稽核部、综合行政部、产品开发部等十三个职能部门，并根据公司发展需要设北京分公司、深圳分公司和武汉办事处。

【公司荣誉】

左金保先生荣获 2016 年中国量化投资风云榜‘金矿奖’之最佳公募量化投资经理奖。

长信基金荣获 2016 年中国量化投资风云榜‘金矿奖’之最具实力量化投资公司奖。

长信利丰荣获‘上海证券报’金基金 · 债券基金奖（三年期）。

长信基金荣获‘上海证券报’金基金 · 债券投资回报基金公司奖。

李小羽先生荣获‘中国基金报’三年期二级债最佳基金经理。

李小羽先生荣获‘中国基金报’五年期二级债最佳基金经理。

长信量化先锋荣获‘中国证券报’五年期开放式混合型持续优胜金牛基金。

长信利丰荣获‘中国证券报’三年期开放式债券型持续优胜金牛基金。

长信基金荣获‘中国证券报’固定收益类投资金牛基金公司奖。

主动型量化基金第二名。

中国大奖章. 中国最佳量化基金管理公司第一名。

【股东概况】

排序	股东名称	持股数量（万股）	股权比例
1	长江证券有限责任公司	7350.00	49%
2	上海海欣集团股份有限公司	5149.50	34.33%
3	武汉钢铁股份有限公司	2500.50	16.67%

【旗下基金】

序号	基金代码	基金名称	期间申购（亿份）	期间赎回（亿份）	期末总份额（亿份）	期末净资产（亿元）
1	002254	长信金葵纯债A	-	-	7.09	9.89
2	002255	长信金葵纯债C	-	-	2.47	9.89
3	002858	长信富平纯债一年定开债A	-	-	16.75	17.51
4	002859	长信富平纯债一年定开债C	-	-	0.90	17.51
5	003059	长信先利半年定期开放混合	-	-	11.31	11.11
6	003349	长信稳益纯债	50.40	0.37	52.06	52.01
7	163001	长信医疗保健混合(LOF)	0.41	0.15	1.64	1.59

序号	基金代码	基金名称	期间申购(亿份)	期间赎回(亿份)	期末总份额(亿份)	期末净资产(亿元)
8	163003	长信利鑫债券(LOF)C	1.14	2.43	2.91	2.94
9	163005	长信利众债券(LOF)C	12.21	3.20	13.47	13.33
10	163007	长信利众债券(LOF)A	0.00	5.84	3.09	13.33
11	501002	长信中证能源互联指数(LOF)	0.04	0.05	0.06	0.06
12	502016	长信中证一带一路主题指数分级	0.26	0.21	0.14	0.19
13	502017	长信中证一带一路指数分级 A	–	–	0.02	0.19
14	502018	长信中证一带一路指数分级 B	–	–	0.02	0.19
15	519929	长信电子信息行业量化混合	1.13	1.04	8.94	8.44
16	519933	长信利发债券	1.43	1.51	5.36	5.39
17	519935	长信创新驱动股票	0.02	1.10	1.12	1.11
18	519937	长信先锐债券	0.91	1.05	2.18	2.17
19	519939	长信海外收益一年定开债	–	–	2.44	2.67
20	519940	长信富全纯债一年定开债 C	–	–	9.14	18.67
21	519941	长信富全纯债一年定开债 A	–	–	9.41	18.67
22	519942	长信富泰纯债一年定开债 C	–	–	6.46	10.75
23	519943	长信富泰纯债一年定开债 A	–	–	4.27	10.75
24	519944	长信富安纯债一年定开债 C	4.54	5.79	4.43	23.99
25	519945	长信富安纯债一年定开债 A	14.10	3.30	19.95	23.99
26	519947	长信利保债券	0.00	3.88	6.63	6.24
27	519951	长信利泰灵活配置混合	1.72	1.20	8.32	8.36
28	519953	长信富海纯债一年定开债	25.45	7.19	30.31	29.82
29	519955	长信富民纯债一年定开债	–	–	14.29	14.25
30	519956	长信睿进混合 C	0.12	0.15	0.68	0.73
31	519957	长信睿进混合 A	0.01	0.03	0.10	0.73
32	519959	长信多利混合	0.23	0.76	7.28	6.66
33	519960	长信利广混合 C	0.00	–	0.00	6.20
34	519961	长信利广混合 A	5.47	5.48	6.17	6.20
35	519962	长信利盈混合 C	0.00	0.00	0.00	19.95
36	519963	长信利盈混合 A	8.76	0.04	17.73	19.95
37	519965	长信量化多策略股票	0.84	0.36	1.65	2.09
38	519967	长信利富债券	0.98	6.18	8.86	8.73
39	519969	长信新利灵活配置混合	0.47	0.01	5.02	5.37
40	519971	长信改革红利混合	0.00	0.01	7.83	8.06
41	519972	长信纯债一年定开债券 C	–	–	5.90	16.23
42	519973	长信纯债一年定开债券 A	–	–	10.29	16.23
43	519975	长信量化中小盘股票	26.01	6.96	36.93	39.74
44	519976	长信可转债债券 C	1.49	1.48	1.30	4.85
45	519977	长信可转债债券 A	0.49	0.46	2.76	4.85
46	519979	长信内需成长混合	0.57	2.00	4.59	6.09
47	519981	长信美国标普 100	0.18	0.03	0.36	0.41
48	519983	长信量化先锋混合	36.83	14.50	55.57	109.44
49	519985	长信纯债壹号债券 A	5.04	34.42	13.44	18.08
50	519987	长信恒利优势混合	0.01	0.03	0.32	0.35
51	519989	长信利丰债券	3.83	28.02	25.38	35.19
52	519991	长信双利优选	0.05	3.08	4.83	5.66
53	519993	长信增利动态策略混合	2.36	2.23	11.69	14.18
54	519995	长信金利趋势混合	1.45	5.04	37.33	21.35
55	519997	长信银利精选混合	0.05	0.28	7.26	6.68
56	519998	长信利息收益货币 B	78.62	109.24	46.84	51.02
57	519999	长信利息收益货币 A	7.13	6.27	4.18	51.02
58	502017	长信中证一带一路指数分级 A	–	–	0.02	–
59	502018	长信中证一带一路指数分级 B	–	–	0.02	–

【公司高管】

成善栋先生：中共党员，硕士研究生，EMBA，曾任职中国人民银行上海市分行静安区办事处办公室科员，中国人民银行上海市分行、工商银行上海市分行办公室科员、科长，上海巴黎国际银行信贷部总经理，工商银行上海市分行办公室副主任、管理信息部总经理、办公室主任、党委委员、副行长，并历任上海市金融学会副秘书长，上海城市金融学会副会长、秘书长。2016 年 11 月 22 日起担任长信基金管理有限责任公司董事长。

覃波先生：硕士，上海国家会计学院 EMBA 毕业，具有基金从业资格。现任长信基金管理有限责任公司总经理。1998 年 9 月至 2002 年 7 月在长江证券公司从事资产管理和债券承销发行工作。2002 年加入长信基金管理有限责任公司，历任市场开发部区域经理、营销策划部副总监、市场开发部总监、专户理财部总监、公司总经理助理、公司副总经理。

大成基金管理有限公司

【基本情况】

法定名称：大成基金管理有限公司

英文名称：Dacheng Fund Management Co., Ltd.

公司属性：中资企业

成立日期：1999 – 04 – 12

注册资本：20000（万元）

法人代表：刘　卓

总 经 理：罗登攀

注册地址：深圳市福田区深南大道 7088 号招商银行大厦 32 层

办公地址：深圳市福田区深南大道 7088 号招商银行大厦 32 层

网站地址：www. dcfund. com. cn

邮政编码：518040

客服邮箱：callcenter@ dcfund. com. cn

电话号码：400 – 888 – 5558

传真号码：0755 – 83199588

经营范围：基金募集、基金销售、资产管理、中国证监会许可的其他业务。

基金数量：122 只（其中普通基金 94 只，货币基金 20 只，理财基金 6 只，封闭式基金 0 只，其他基金 2 只）。

管理规模：1069.67 亿元

经理人数：25 人

【公司概况】

大成基金管理有限公司（以下简称“公司”）成立于 1999 年 4 月 12 日，注册资本金人民币 2 亿元，是中国首批获准成立的老十家基金管理公司之一。公司总部设在广东省深圳市，主要业务是公募基金的募集和管理，还具有全国社保基金投资管理业务资格、社保海外合格投资人资格、特定客户资产管理资格、QDII 业务资格、保险资金管理人资格、保险保障基金管理人资格。

经过十多年的稳健发展，公司打造了一支具有良好职业素养和丰富经验的投资研究团队，各项业务迅猛发展，综合实力不断提升，旗下基金产品齐全、风格多样，构建了涵盖货币市场基金、债券型基金、混合型基金、股票型基金和指数型基金的完备产品线，为广大投资者带来了丰厚回报。截至 2015 年 12 月 31 日，公司旗下基金已累计向持有人分红超过 330 亿元人民币。

公司实行董事会领导下的总经理负责制，在“专业管理专业"的管理理念下，充分发挥各专业委员会的专业职能。公司组织架构完整稳定，职责明晰，并根据业务发展不断更新完善。公司先后成立了大成国际资产管理有限公司、大成创新资本管理有限公司，稳步推进国际业务，并积极开拓另类投资领域。

此外，公司始终保持高度的社会责任感，坚持在发展自身的同时回报社会，2009 年 4 月出资设立了基金行业内第一家慈善基金会——广东省大成慈善基金会，致力公益慈善事业、积极履行企业社会责任。截至 2015 年 12 月底，大成慈善基金会累计捐赠金额超过 1600 万元，已完成捐赠项目 36 个，建成 10 余所大成基金小学和爱心食堂，在教育资助、灾害救助、医疗环保以及公益支持等方面尽企业一份绵薄之力。

【公司大事记】

1999 年 4 月 12 日，大成基金管理有限公司成立。

1999 年 5 月 4 日，景宏证券投资基金基金合同生效，基金规模 20 亿份，存续期 15 年。

2002 年 11 月 11 日，公司第一只开放式基金—大成价值增长证券投资基金合同生效。

2003 年 4 月，率先在业内建立基金运营业务异地灾难备份中心。

2003 年 9 月，在上海建立业内最大客户服务中心。

2004 年 3 月，推出开放式基金网上交易业务。

2006 年 12 月，基金景业成为首只封转开方案获持有人大会全票通过的封闭式基金。

2007 年 8 月 1 日，创新型封闭式基金大成优选股票型证券投资基金基金合同生效。

2008 年 1 月，公司获得合格境内机构投资者（QDII）业务资格。

2008 年 3 月，公司获得特定客户资产管理业务资格。

2009 年 3 月，公司武汉、西安、成都、沈阳、福州五地分公司获中国证监会批复同意。

2009 年 4 月 12 日，为庆祝成立 10 周年，公司在深圳、北京、上海、武汉、西安、成都、福州、沈阳等地开展植树造林活动。

2009 年 4 月，公司出资设立的大成慈善基金会经广东省民政厅批准，正式设立。

2009 年 10 月，香港公司——大成国际资产管理有限公司正式开业。

2010 年 7 月，中资基金公司在香港发行的首只公募产品——大成中证中国内地消费 ETF 在香港交易所上市。

2010 年 9 月，广州分公司成立。

2010 年 12 月，公司获得全国社保基金境内委托投资管理人资格。

2011 年 9 月，南京分公司成立。

2011 年 12 月，公司香港子公司获人民币合格境外投资者（RQFII）业务资格。

2012 年 9 月，公司获得首批保险资金投资管理人资格。

2013 年 11 月，子公司—大成创新资本管理有限公司成立。

【股东概况】

排序	股东名称	持股数量（万股）	股权比例
1	中泰信托投资有限责任公司	9600.00	48%
2	光大证券有限责任公司	5000.00	25%
3	中国银河证券有限责任公司	5000.00	25%
4	广东证券股份有限公司	400.00	2%

【旗下基金】

序号	基金代码	基金名称	期间申购（亿份）	期间赎回（亿份）	期末总份额（亿份）	期末净资产（亿元）
1	000128	大成景安短融债券 A	2.51	3.03	0.90	5.82
2	000129	大成景安短融债券 B	0.17	3.94	0.33	5.82
3	000130	大成景兴信用债债券 A	0.10	1.24	3.05	4.55
4	000131	大成景兴信用债债券 C	0.07	1.90	1.08	4.55
5	000152	大成景旭纯债 A	0.12	0.14	0.30	1.97
6	000153	大成景旭纯债 C	0.71	3.15	1.57	1.97
7	000426	大成信用增利一年定开债券 A	–	–	7.07	12.78
8	000427	大成信用增利一年定开债券 C	–	–	5.11	12.78
9	000587	大成灵活配置混合	2.75	0.15	4.51	7.21
10	000626	大成丰财宝货币 A	0.48	0.22	0.72	28.26
11	000627	大成丰财宝货币 B	27.57	0.51	27.54	28.26
12	000628	大成高新技术产业股票	0.05	0.16	1.23	1.49
13	000695	大成景益平稳收益混合	0.18	0.18	2.29	3.18
14	000724	大成添利宝货币 A	0.55	0.11	0.56	129.40
15	000725	大成添利宝货币 B	116.43	22.34	113.46	129.40
16	000726	大成添利宝货币 E	25.55	19.99	15.38	129.40
17	000834	大成纳斯达克 100 指数	0.23	0.05	0.30	0.38
18	000865	大成景利混合	0.05	0.19	0.37	0.46
19	001144	大成互联网思维混合	0.10	1.01	19.11	13.93
20	001159	大成景秀灵活配置混合 A	0.00	7.08	4.01	4.28
21	001262	大成景明灵活配置混合 A	0.00	19.87	0.14	6.14
22	001263	大成景穗灵活配置混合 A	0.00	0.29	6.75	7.37
23	001295	大成景源灵活配置混合 A	5.43	0.19	10.93	12.00
24	001300	大成睿景灵活配置混合 A	0.05	1.22	16.31	17.28
25	001301	大成睿景灵活配置混合 C	0.26	0.83	7.57	17.28
26	001333	大成景鹏灵活配置混合 A	0.01	0.98	0.05	0.05
27	001365	大成正向回报灵活配置混合	0.01	0.13	2.82	1.86
28	001497	大成月添利债券 E	0.69	0.88	0.19	5.43
29	001516	大成月月盈短期理财债券 E	2.21	0.23	2.18	12.86
30	001517	大成景裕灵活配置混合 A	5.11	0.05	7.44	7.92
31	001582	大成景辉灵活配置混合 A	–	0.05	4.98	5.14
32	001697	大成恒丰宝货币 A	0.12	0.12	0.09	52.15
33	001698	大成恒丰宝货币 B	51.29	0.91	51.14	52.15
34	001699	大成恒丰宝货币 E	2.34	2.32	0.93	52.15
35	001791	大成绝对收益策略混合 A	0.00	0.03	0.32	0.40
36	001792	大成绝对收益策略混合 C	0.23	0.26	0.09	0.40
37	002081	大成景沛灵活配置混合 A	0.00	0.06	5.01	5.18
38	002086	大成景安短融债券 E	5.66	10.37	3.61	5.82
39	002200	大成慧成货币 A	0.01	0.02	0.06	10.10
40	002201	大成慧成货币 B	13.25	53.86	10.04	10.10
41	002202	大成慧成货币 E	0.00	0.00	0.00	10.10
42	002236	大成 360 互联网 + 大数据 100A	0.44	0.34	0.97	1.15
43	002371	大成景明灵活配置混合 C	5.85	–	5.85	6.14
44	002372	大成景穗灵活配置混合 C	–	0.49	0.48	7.37
45	002375	大成景裕灵活配置混合 C	0.46	1.57	0.00	7.92
46	002383	大成趋势回报灵活配置混合	0.01	0.40	2.19	2.00
47	002567	大成国家安全主题混合	0.01	0.15	1.53	1.37
48	002644	大成景荣保本混合 A	0.00	0.57	21.19	21.12
49	002763	大成景华一年定开债 A	–	–	4.10	5.20
50	002764	大成景华一年定开债 C	–	–	1.12	5.20
51	003147	大成动态量化混合	0.06	1.94	3.73	3.63

序号	基金代码	基金名称	期间申购（亿份）	期间赎回（亿份）	期末总份额（亿份）	期末净资产（亿元）
52	003252	大成添益交易型货币 A	0.34	0.71	0.42	31.88
53	003253	大成添益交易型货币 B	0.24	4.36	0.23	31.88
54	003373	大成景禄灵活配置混合 A	-	0.00	0.00	7.96
55	003374	大成景禄灵活配置混合 C	-	0.00	8.00	7.96
56	090001	大成价值增长	4.76	5.02	34.77	34.72
57	090002	大成债券 A/B	0.31	0.57	4.20	5.56
58	090003	大成蓝筹稳健	0.12	1.13	48.60	35.94
59	090004	大成精选增值	1.92	2.56	15.32	12.71
60	090005	大成货币 A	10.28	9.34	4.84	219.86
61	090006	大成 2020 生命周期	0.28	1.22	34.85	26.79
62	090007	大成策略回报混合	3.01	0.58	7.70	9.89
63	090008	大成强化收益定期开放债券	0.31	0.01	2.01	2.40
64	090009	大成行业轮动混合	0.02	0.06	1.13	1.51
65	090010	大成中证红利指数	0.04	0.06	0.68	0.97
66	090011	大成核心双动力混合	3.50	0.73	3.09	3.10
67	090012	大成深证成长 40 联接	0.02	0.09	1.81	1.69
68	090013	大成竞争优势混合	25.66	9.95	16.15	16.17
69	090015	大成内需增长混合	0.38	0.41	2.70	6.02
70	090016	大成消费主题混合	0.09	0.14	0.48	0.41
71	090017	大成可转债增强债券	0.04	0.05	0.45	0.52
72	090018	大成新锐产业混合	0.24	0.18	0.71	1.22
73	090019	大成景恒保本混合	0.00	0.13	1.52	1.52
74	090020	大成健康产业混合	0.03	0.08	0.35	0.32
75	090021	大成月添利债券 A	0.40	0.56	1.17	5.43
76	090022	大成现金增利货币 A	30.36	36.90	26.91	29.25
77	090023	大成月月盈短期理财债券 A	0.03	0.05	0.24	12.86
78	091005	大成货币 B	310.14	386.29	215.03	219.86
79	091021	大成月添利债券 B	1.90	0.82	4.07	5.43
80	091022	大成现金增利货币 B	3.40	1.84	2.34	29.25
81	091023	大成月月盈短期理财债券 B	10.18	11.04	10.44	12.86
82	092002	大成债券 C	2.99	5.36	1.01	5.56
83	096001	大成标普 500	1.03	0.20	1.46	2.41
84	159906	大成深证成长 40ETF	-	0.04	1.82	1.66
85	159923	大成中证 100ETF	-	0.02	0.36	0.46
86	159932	大成中证 500 深市 ETF	-	-	0.20	0.35
87	159943	大成深证成份 ETF	0.00	0.05	0.41	4.35
88	160910	大成创新成长混合	0.05	0.54	23.15	22.13
89	160915	大成景丰债券(LOF)	0.44	2.38	11.99	13.23
90	160916	大成优选混合(LOF)	0.01	0.39	2.89	6.37
91	160918	大成中小盘混合(LOF)	0.02	0.34	2.67	4.55
92	160919	大成产业升级股票	0.00	0.48	2.93	3.24
93	160921	大成定增灵活配置混合	-	-	10.06	10.07
94	502036	大成中证互联网金融指数分级	0.01	0.08	0.80	0.93
95	502037	大成中证互联网金融指数分级 A	-	-	0.04	0.93
96	502038	大成中证互联网金融指数分级 B	-	-	0.04	0.93
97	510440	中证 500 沪市 ETF	-	0.01	0.22	0.40
98	511690	大成添益交易型货币 E	43.40	37.69	31.24	31.88
99	519017	大成积极成长混合	0.57	0.31	11.22	12.26
100	519019	大成景阳领先混合	2.26	2.64	17.30	16.73
101	519300	大成沪深 300 指数	0.39	0.91	19.70	19.20
102	519898	大成现金宝货币 A	4431.29	4617.14	773.75	12.90
103	519899	大成现金宝货币 B	2849.00	3520.86	515.86	12.90
104	960018	大成内需增长混合 H	-	0.00	0.00	6.02
105	159906	大成深证成长 40ETF	-	-	1.82	-
106	159923	大成中证 100ETF	-	-	0.36	-
107	159932	大成中证 500 深市 ETF	-	-	0.20	-
108	159943	大成深证成份 ETF	-	-	0.41	-
109	502037	大成中证互联网金融指数分级 A	-	-	0.04	-
110	502038	大成中证互联网金融指数分级 B	-	-	0.04	-
111	510440	中证 500 沪市 ETF	-	-	0.22	-
112	511690	大成添益交易型货币 E	-	-	0.31	-

【公司高管】

刘卓先生：董事，工学学士。先后在共青团哈尔滨市委、哈尔滨银行股份有限公司、中泰信托有限责任公司任职。2007 年 6 月起担任哈尔滨银行股份有限公司执行董事；2008 年 8 月起担任哈尔滨银行股份有限公司董事会秘书；2012 年 4 月起担任哈尔滨银行股份有限公司副董事长，2012 年 11 月起担任中泰信托有限责任公司监事会主席。2014 年 12 月 15 日起任大成基金管理有限公司董事长。

罗登攀先生：董事，耶鲁大学经济学博士，持注册金融分析师（CFA）、金融风险管理师（FRM）资格。曾供职于毕马威（KPMG），任法律诉讼部资深咨询师、金融部资深咨询师；SL-CG 证券诉讼和咨询公司合伙人；2009 年至 2012 年，任中国证券监督管理委员会规划委专家顾问委员，机构部创新处负责人；国家“千人计划”专家。2013 年 2 月至至 2014 年 10 月，任中信并购基金管理有限公司董事总经理，执委会委员。2014 年 10 月 14 日起任大成基金管理有限公司董事会董事。2014 年 11 月 26 日起任大成基金管理有限公司总经理。2015 年 3 月起兼任大成国际资产管理有限公司董事长。2015 年 10 月起兼任大成国际资产管理有限公司董事总经理。

东方基金管理有限责任公司

【基本情况】

法定名称：东方基金管理有限责任公司

英文名称：Orient Fund Management Co., Ltd.

公司属性：中资企业

成立日期：2004 - 06 - 11

注册资本：20000（万元）

法人代表：崔　伟

总 经 理：刘鸿鹏

注册地址：北京市西城区锦什坊街 28 号 1 - 4 层

办公地址：北京市西城区锦什坊街 28 号 1 - 4 层

网站地址：www. orient - fund. com

邮政编码：100033

客服邮箱：services@ orient - fund. com

电话号码：400 - 628 - 5888

传真号码：021 - 61642003，010 - 66295999

经营范围：基金募集、基金销售、资产管理、境外证券投资管理业务、中国证监会许可的其他业务。

基金数量：60 只（其中普通基金 56 只，货币基金 4 只，理财基金 0 只，封闭式基金 0 只，其他基金 0 只）。

管理规模：262.32 亿元

经理人数：13 人

【公司概况】

东方基金管理有限责任公司成立于 2004 年 6 月，注册地在北京。目前设立了北京、上海、广州三个分公司。是一家业务范围覆盖公募业务、专户特定资产管理业务、大资产管理服务等多个领域的综合型资产管理公司，致力于成为值得投资者托付与信赖的财富管理机构。股东包括东北证券股份有限公司（持股 64%）、河北省国有资产控股运营有限公司（持股 27%）和渤海国际信托有限公司（持股 9%）。

作为以诚信而立的资产管理人，为持有人创造长期稳健的回报是东方基金的核心价值所在。公司成立以来，已经建立起了一套成熟、高效的投资决策、风险控制、研究支持、运作保障和市场拓展体系。

“稳健投资创造持久价值”，未来东方基金将以市场为导向，投资者利益为中心，依托公司完善的治理结构、科学化的风险控制流程，树立知名品牌，提升核心竞争力，努力为千千万万持有人创造优质理财服务，并携手广大投资者共创资本市场美好明天。

截至 2016 年第一季度末，公司旗下拥有 31 只不同风险收益特征的公募基金产品，规模达 281 亿元。管理 28 个特定客户资产管理计划，规模超 48 亿元。各类资产总规模超过 300 亿元，为约 300 万客户提供理财服务。

公司股东结构稳定，治理结构严谨，管理规范，为公司健康发展提供了优势土壤。

东方基金自成立以来，高度重视风险控制体系的建设，建立完善了保证公司有序运行和基金有效管理的内部控制和风险管理架构。自上而下、由点及面，覆盖到每一部门的运作，贯彻到每一环节的执行，渗透到每一员工的思想行为，权责分明、相互制衡。

【公司大事记】

2016 年 2 月 4 日东方大健康混合型证券投资基金成立。

2016 年 3 月 18 日东方金证通货币市场基金成立。

2016 年 3 月 29 日东方荣家保本混合型证券投资基金成立。

2016 年 4 月 6 日东方互联网嘉混合型证券投资基金成立。

2016 年 4 月 15 日东方盛世灵活配置混合型证券投资基金成立。

2016 年 6 月 16 日东方合家保本混合型证券投资基金成立。

2016 年 6 月 17 日东方臻馨债券型证券投资基金成立。

【股东概况】

持股单位	出资金额（人民币）	占总股本比例
东北证券股份有限公司	12800 万元	64%
河北国有资产控股运营有限公司	5400 万元	27%
渤海国际信托有限公司	1800 万元	9%
合 计	10000 万元	100

【旗下基金】

序号	基金代码	基金名称	期间申购（亿份）	期间赎回（亿份）	期末总份额（亿份）	期末净资产（亿元）
1	001120	东方睿鑫热点挖掘混合 A	0.01	0.03	0.42	2.18
2	001121	东方睿鑫热点挖掘混合 C	0.03	0.20	3.04	2.18
3	001160	东方永润 18 个月定开债 A	1.56	3.10	1.83	2.08
4	001161	东方永润 18 个月定开债 C	0.02	2.56	0.23	2.08
5	001196	东方鼎新灵活配置混合 A	0.00	0.00	5.19	5.55
6	001198	东方惠新灵活配置混合 A	2.75	1.00	5.07	5.39
7	001317	东方赢家保本混合	–	4.89	0.39	0.42
8	001318	东方新策略灵活配置混合 A	0.02	1.37	4.97	6.66
9	001384	东方新思路混合 A	0.05	0.44	5.25	7.05
10	001385	东方新思路混合 C	0.15	0.46	3.76	7.05
11	001450	东方稳定增利债券 A	0.01	0.20	0.24	0.68
12	001451	东方稳定增利债券 C	0.03	0.05	0.40	0.68
13	001495	东方新价值混合 A	0.00	0.04	5.09	5.53
14	001614	东方区域发展混合	0.03	0.34	0.61	0.61
15	001702	东方创新科技混合	0.02	0.07	0.33	0.30
16	001987	东方金元宝货币	3.95	0.97	3.57	3.57
17	002060	东方新策略灵活配置混合 C	0.00	1.80	1.40	6.66
18	002068	东方多策略灵活配置混合 C	0.40	0.40	2.13	9.76
19	002162	东方新价值混合 C	0.00	–	0.00	5.53
20	002163	东方惠新灵活配置混合 C	–	1.99	0.00	5.39
21	002173	东方大健康混合	0.02	0.07	0.19	0.18
22	002174	东方互联网嘉混合	0.03	0.16	0.43	0.44
23	002192	东方鼎新灵活配置混合 C	0.00	0.14	0.05	5.55
24	002193	东方利群混合 C	0.00	0.00	5.42	8.53
25	002243	东方金证通货币	1.30	0.95	0.89	0.89
26	002480	东方荣家保本混合	–	–	4.20	4.27
27	002497	东方盛世灵活配置混合	0.03	0.00	7.73	7.90
28	002545	东方岳灵活配置混合	–	0.00	8.00	7.82
29	002648	东方合家保本混合	0.00	0.56	6.99	6.92
30	002896	东方臻馨债券 A	0.01	0.50	4.51	4.37
31	002897	东方臻馨债券 C	0.00	0.00	0.00	4.37
32	400001	东方龙混合	1.93	0.48	10.31	11.06
33	400003	东方精选	0.27	0.87	18.23	30.57
34	400005	东方金账簿货币 A	2.45	1.55	2.85	35.77
35	400006	东方金账簿货币 B	55.17	83.29	32.92	35.77
36	400007	东方策略成长混合	0.06	0.25	2.10	5.19
37	400009	东方稳健债券	0.97	11.82	2.84	3.36
38	400011	东方核心动力混合	0.01	0.08	0.35	0.51
39	400013	东方保本	0.04	0.06	4.31	4.99
40	400015	东方增长中小盘	0.01	0.01	0.12	0.23
41	400016	东方强化收益债券	0.01	0.63	4.78	4.88
42	400018	东方启明量化先锋基金	0.32	0.06	0.34	0.52
43	400020	东方安心收益保本	0.02	0.74	18.26	17.82
44	400022	东方利群混合 A	0.11	0.25	1.55	8.53
45	400023	东方多策略灵活配置混合 A	4.42	0.29	5.63	9.76
46	400025	东方新兴成长混合	0.01	0.18	1.32	1.56
47	400027	东方双债添利债券 A	0.66	0.74	0.80	1.59
48	400029	东方双债添利债券 C	0.00	0.20	0.27	1.59
49	400030	东方添益债券	1.23	7.78	4.26	4.44
50	400032	东方主题精选混合	0.01	0.09	2.50	1.92

【公司高管】

崔伟先生：中国国籍，经济学博士。1993 年起先后任中国人民银行党组秘书，中国证监会秘书处长，中国人民银行东莞中心支行副行长、汕头中心支行行长，中国证监会海南局局长、协调部副主任等职务。2011 年 10 月加入东方基金管理有限责任公司，任职董事长。

刘鸿鹏先生：中国国籍，吉林大学行政管理硕士，具有基金从业资格、基金行业高级管理人员任职资格。1992 年 7 月至 1998 年 8 月曾在吉林物贸股份有限公司、君安证券有限责任公司、吉林省信托营业部任职；1998 年 9 月至 2004 年 4 月，任新华证券股份有限公司长春同志街营业部副总经理、总经理;2004 年 4 月至 2011 年 4 月,任东北证券股份有限公司长春同志街营业部总经理、杭州营业部总经理、营销交易管理总部副总经理兼市场营销部经理、营销管理部总经理;2011 年 5 月至 2013 年 5 月任东方基金管理有限责任公司总经理助理兼市场总监;2013 年 5 月至今任东方基金管理有限责任公司副总经理。2016 年 10 月 28 日起担任东方基金管理有限责任公司总经理。

东吴基金管理有限公司

【基本情况】

法定名称:东吴基金管理有限公司
英文名称:Soochow Asset Management Co., Ltd.
公司属性:中资企业
成立日期:2004 - 09 - 02
注册资本:10000(万元)
法人代表:王　炯
总 经 理:王　炯
注册地址:上海市浦东新区源深路 279 号
办公地址:上海市浦东新区源深路 279 号
网站地址:www. scfund. com. cn
邮政编码:200135
客服邮箱:services@ scfund. com. cn
电话号码:021 - 50509666,400 - 821 - 0588 - 8
传真号码:021 - 50509884
经营范围:基金募集、基金销售、资产管理、中国证监会许可的其他业务(涉及许可经营的凭许可证经营)。
基金数量:33 只(其中普通基金 27 只,货币基金 4 只,理财基金 0 只,封闭式基金 0 只,其他基金 2 只)。
管理规模:148.47 亿元
经理人数:12 人

【公司概况】

东吴基金管理有限公司是经中国证监会批准成立的全国性基金管理公司。公司成立于 2004 年 9 月,总部位于上海。注册资本 1 亿元人民币。

公司股东为东吴证券股份有限公司(占 70% 股份)、上海兰生(集团)有限公司(占 30% 股份)。其中,东吴证券股份有限公司注册资本 20 亿元,并于 2011 年 12 月 12 日在上海证券交易所挂牌上市,主要从事证券代理买卖、证券自营买卖、证券承销和上市推荐、企业重组、收购与兼并、基金与资产管理等业务;上海兰生(集团)有限公司是由上海市人民政府批准组建的以国有资产管理、进出口贸易为主的国有大型企业集团,集团现有成员企业 18 家,拥有总资产 74.82 亿多元,净资产近 24.74 亿元。

公司经营范围包括基金管理业务、发起设立基金和经中国证监会批准的其他业务。自 2005 年发行第一支基金以来,公司逐渐形成了高中低风险结合的完善产品线,并走出了一条独具特色的新兴产业投资产品线,凸显了战略投资基于成长性公司的产品线优势。除了公募业务之外,公司还始终致力于业务多元化发展,公司专户资格已获批,机构理财、专户投资、QDII 等新业务也已准备有序。

依托新兴产业方面的先发优势和良好的投资业绩,公司先后荣获最具投资价值基金公司、最佳投资团队、中国证券报金牛进取奖、上海证券报金基金・股票投资回报公司奖、证券时报明星基金公司成长奖、证券日报金算盘奖、金基金・成长公司奖。由于业绩表现突出,公司多支基金产品也获得业界殊荣。东吴行业轮动获理财周刊“年度最佳表现股票型基金”;东吴双动力获中国证券报“股票型金牛基金”,东吴策略获中国证券报“混合型金牛基金”;东吴嘉禾获证券时报“积极混合型明星基金奖”,东吴双动力获证券时报“股票型明星基金奖”,东吴策略获证券时报“积极混合型明星基金奖”。东吴基金和中央电视台财经频道在上海联合举办的“新经济财富论坛”,已成为业内一年一度的饕餮盛宴,强化了东吴基金在新兴产业方面的权威形象。

东吴基金拥有一支经验丰富而又充满活力的专业团队,平均年龄 33 岁,其中硕士以上学历占 50%;具有 5 年以上基金、证券从业经历的占 60%;公司高管和主要投资管理人员的平均金融从业年限为 10 年,具有丰富的实践操作经验和管理经验。

作为传统吴文化与前沿经济理念的有机结合,东吴基金崇尚“以人为本,以市场为导向,以客户为中心,以价值创造为根本出发点”的经营理念;遵循“诚而有信、稳而又健、和而有铮、勤而又专、有容乃大”的企业格言;树立了“做价值的创造者、市场的创新者和行业的思想者”的远大理想,创造性地树立公司独特的文化体系,在众多基金管理公司中树立自己鲜明的企业形象。

【股东概况】

排序	股东名称	持股数量(万股)	股权比例
1	东吴证券有限责任公司	4900.00	49%
2	上海兰生(集团)有限公司	3000.00	30%
3	江阴澄星实业集团有限公司	2100.00	21%

【旗下基金】

序号	基金代码	基金名称	期间申购(亿份)	期间赎回(亿份)	期末总份额(亿份)	期末净资产(亿元)
1	000531	东吴阿尔法灵活配置混合	0.00	0.09	0.34	0.35
2	000958	东吴鼎元 A	0.01	0.02	0.36	0.52
3	000959	东吴鼎元 C	0.24	0.40	0.14	0.52
4	001322	东吴新趋势	0.02	0.30	6.65	5.00
5	001323	东吴移动互联 A	0.00	1.38	3.41	3.34
6	002159	东吴国企改革	0.01	0.45	1.25	1.31
7	002170	东吴移动互联 C	-	-	0.00	3.34
8	002270	东吴安盈量化灵活配置混合	1.72	0.40	4.47	4.69
9	002561	东吴安鑫量化	0.01	0.34	0.33	0.32
10	002919	东吴智慧医疗量化策略混合	0.02	0.73	3.80	3.62
11	150164	东吴转债 A	-	-	0.54	0.82
12	150165	东吴转债 B	-	-	0.23	0.82
13	165806	东吴深证 100 增强	0.02	0.07	0.06	0.07
14	165807	东吴鼎利债券(LOF)	5.49	10.17	5.41	5.53
15	165809	东吴转债	0.62	0.43	0.15	0.82
16	580001	东吴嘉禾优势精选	0.15	0.32	7.31	6.15
17	580002	东吴双动力混合	0.20	1.28	5.04	3.93
18	580003	东吴行业轮动混合	0.58	0.84	7.09	5.54
19	580005	东吴进取策略	0.03	0.12	0.62	0.91
20	580006	东吴新经济混合	0.01	0.38	0.35	0.34
21	580007	东吴新创业混合	43.51	42.56	1.08	1.11

序号	基金代码	基金名称	期间申购（亿份）	期间赎回（亿份）	期末总份额（亿份）	期末净资产（亿元）
22	580008	东吴新产业精选混合	0.12	0.15	0.56	0.95
23	580009	东吴内需增长混合	1.05	1.33	1.18	1.13
24	582001	东吴优信稳健债券 A	0.06	0.01	0.27	0.31
25	582002	东吴增利债券 A	24.65	1.00	24.91	34.16
26	582003	东吴配置优化混合	1.69	0.02	1.86	2.18
27	582201	东吴优信稳健债券 C	0.00	0.06	0.01	0.31
28	582202	东吴增利债券 C	1.40	1.47	1.29	34.16
29	583001	东吴货币 A	6.01	2.22	4.38	56.62
30	583101	东吴货币 B	101.50	111.57	52.25	56.62
31	585001	东吴中证新兴产业	0.01	0.10	1.07	1.18
32	150164	东吴转债 A	-	-	0.54	-
33	150165	东吴转债 B	-	-	0.23	-

【公司高管】

范力先生：中国国籍，本科学历、硕士学位，1989 年 08 月至 1997 年 12 月任苏州团市委干事、科员、副部长、主任、部长；1997 年 12 月至 1998 年 04 月任苏州证券公司办公室副主任；1998 年 04 月至 2000 年 01 月任苏州证券公司投资一部副经理；2000 年 01 月至 2001 年 06 月任苏州证券公司办公室主任、人事部总经理；2001 年 06 月至 2002 年 04 月任东吴证券有限责任公司总裁助理；2002 年 04 月至 2003 年 12 月任东吴证券有限责任公司董事会秘书、总裁助理；2003 年 12 月至 2006 年 04 月任东吴证券有限责任公司党委委员、副总裁、工会主席；2006 年 04 月至 2008 年 11 月任东吴证券有限责任公司党委委员、常务副总裁、工会主席；2008 年 11 月至 2010 年 06 月任东吴证券有限责任公司党委副书记、常务副总裁、工会主席；2010 年 06 月至 2012 年 02 月任东吴证券股份有限公司党委副书记、常务副总裁、工会主席；2012 年 03 月至 2013 年 04 月任东吴证券股份有限公司总裁、党委副书记、工会主席；2013 年 05 月至 2014 年 01 月任东吴证券股份有限公司副董事长、党委副书记、总裁、工会主席；2014 年 01 月至今任东吴证券股份有限公司党委书记、董事长、总裁、工会主席。

王炯先生：董事，硕士研究生、MBA 学位、经济师，中共党员。1991 年 7 月至 1993 年 5 月就职于苏州市统计局，任综合处科员；历任苏州证券西北街营业部业务主管，1993 年 5 月至 2012 年 9 月就职于东吴证券股份有限公司（原东吴证券有限责任公司），历任总裁办公室副主任、主任、机构客户部总经理、总裁助理、东吴证券上海分公司总经理；2012 年 10 月至今就职于东吴基金管理有限公司，现任公司总经理。

工银瑞信基金管理有限公司

【基本情况】

法定名称：工银瑞信基金管理有限公司

英文名称：ICBC Credit Suisse Asset Management Co., Ltd.

公司属性：合资企业

成立日期：2005 - 06 - 21

注册资本：20000（万元）

法人代表：郭特华

总 经 理：郭特华

注册地址：北京市西城区金融大街 5 号、甲 5 号 6 层甲 5 号 601、甲 5 号 7 层甲 5 号 701、甲 5 号 8 层甲 5 号 801、甲 5 号 9 层甲 5 号 901

办公地址：北京市西城区金融大街 5 号新盛大厦 A 座 6 - 9层

网站地址：www. icbccs. com. cn

邮政编码：100033

客服邮箱：customerservice@ icbccs. com. cn

电话号码：400 - 811 - 9999

传真号码：010 - 66583158

经营范围：基金募集、基金销售、资产管理、中国证监会许可的其他业务（依法须经批准的项目，经相关部门批准后依批准的内容开展经营活动）。

基金数量：151 只（其中普通基金 122 只，货币基金 11 只，理财基金 6 只，封闭式基金 0 只，其他基金 12 只）。

管理规模：5520. 85 亿元

经理人数：46 人

【公司概况】

工银瑞信基金管理有限公司是由中国工商银行和瑞士信贷合资设立的基金管理公司，成立于 2005 年 6 月。目前，公司在北京、上海、深圳等地设有分公司，分别在香港和上海设有全资子公司——工银瑞信资产管理（国际）有限公司、工银瑞信投资管理有限公司。

自成立以来，公司坚持“以稳健的投资管理，为客户提供卓越的理财服务”为使命，依托强大的股东背景、稳健的经营理念、科学的投研体系、严密的风控机制和资深的管理团队，立足专业化、国际化、规范化，坚持“稳健投资、价值投资、长期投资”，致力于为广大投资者提供一流的投资管理服务。

公司秉持“以人为本”的理念，全方位引入国内外优秀人才，组建了一支风格稳健、诚信敬业、创新进取、团结协作的专业团队。目前，公司共有员工逾 550 人，平均年龄 32 岁，72% 的员工拥有硕士以上学历。公司投研团队由资深基金经理和研究员组成，投研人员逾 170 人，投资人员平均拥有约 10 年的从业经验。

经过十多年的发展，工银瑞信已成为一家拥有公募基金、专户管理、企业年金、社保基金境内外委托投资、基本养老保险基金委托投资、保险资金委托投资、企业年金养老产品、QDII、QFII、RQFII 等多项业务资格的全能型资产管理公司，公司为逾 1600 万境内外个人和机构投资者提供涵盖公募与私募、上市与非上市、境内与跨境业务的全方位财富管理服务。

公司成立以来以持续优秀的投资业绩、完善周到的客户服务，赢得了广大基金投资人、社保理事会、企业年金客户、专户客户等的认可和信赖。截至 2016 年 12 月 31 日，工银瑞信（含子公司）旗下管理近 100 只公募基金和多个年金、专户组合，资产管理规模逾 11000 亿元，其中公募基金管理规模逾 4600 亿元，公司已经发展成为国内业务资格全面、产品种类丰富、经营业绩优秀、资产管理规模领先、业务发展均衡的基金管理公司之一。

【股东概况】

排序	股东名称	股权比例
1	中国工商银行	80%
2	瑞士信贷银行股份有限公司	20%

【旗下基金】

序号	基金代码	基金名称	期间申购（亿份）	期间赎回（亿份）	期末总份额（亿份）	期末净资产（亿元）
1	000045	工银产业债 A	0.60	0.61	3.09	4.97
2	000046	工银产业债 B	0.02	0.52	1.01	4.97
3	000074	工银信用纯债一年定开债券 A	–	–	16.02	21.82
4	000077	工银信用纯债一年定开债券 C	–	–	0.95	21.82
5	000078	工银信用纯债两年定开债券 A	–	–	0.79	1.31
6	000079	工银信用纯债两年定开债券 C	–	–	0.30	1.31
7	000184	工银添福债券 A	11.95	13.70	36.92	61.46
8	000185	工银添福债券 B	0.29	0.72	0.61	61.46
9	000195	工银保本 3 号混合 A	–	–	33.40	37.61
10	000196	工银保本 3 号混合 B	–	–	4.49	37.61
11	000236	工银月月薪定期支付债券 A	0.02	0.50	5.17	7.41
12	000251	工银金融地产混合	1.86	2.92	6.99	14.88
13	000263	工银信息产业混合	0.49	0.97	7.25	11.64
14	000402	工银纯债债券 A	34.95	60.26	82.78	114.54
15	000403	工银纯债债券 B	12.75	49.00	9.15	114.54
16	000528	工银薪金货币 A	64.74	74.29	52.32	415.06
17	000667	工银绝对收益混合发起 A	0.01	13.66	2.95	4.20
18	000672	工银绝对收益混合发起 B	0.08	0.23	0.97	4.20
19	000677	工银现金货币	65.77	69.13	45.34	45.34
20	000716	工银薪金货币 B	376.00	827.26	362.73	415.06
21	000728	工银目标收益一年定开债券	–	–	17.24	19.40
22	000760	工银财富货币 A	30.55	33.22	11.32	98.01
23	000763	工银新财富灵活配置混合	1.51	1.80	14.04	20.63
24	000793	工银高端制造股票	0.52	2.16	17.68	18.31
25	000803	工银研究精选股票	0.04	0.06	0.60	0.76
26	000831	工银医疗保健	0.79	2.60	30.20	38.43
27	000848	工银添益快线货币	175.01	156.07	83.10	83.10
28	000893	工银创新动力	2.58	1.16	20.04	16.34
29	000943	工银中高等级信用债债券 A	5.14	11.53	10.94	13.17
30	000944	工银中高等级信用债债券 B	0.56	3.96	2.16	13.17
31	000991	工银战略转型股票	0.80	1.70	9.98	9.85
32	001008	工银国企改革股票	1.98	2.82	27.63	24.34
33	001043	工银美丽城镇股票	0.08	0.40	8.09	7.18
34	001054	工银新金融股票	2.62	2.49	18.54	17.63
35	001140	工银总回报灵活配置混合	0.56	3.69	22.77	21.63
36	001158	工银新材料新能源股票	0.69	3.64	38.91	26.86
37	001171	工银养老产业股票	0.31	0.72	11.05	7.23
38	001195	工银农业产业股票	0.60	1.12	17.04	9.57
39	001245	工银生态环境股票	2.51	2.22	23.22	20.69
40	001320	工银丰盈回报灵活配置混合	0.48	26.08	7.24	7.52
41	001409	工银互联网加股票	9.40	8.36	153.10	70.63
42	001428	工银保本混合 B	–	0.12	0.00	4.45
43	001496	工银聚焦 30 股票	0.05	0.22	4.67	4.07
44	001650	工银丰收回报灵活配置混合 A	0.00	0.79	2.95	2.95
45	001651	工银新蓝筹股票	0.10	0.23	1.75	1.86
46	001714	工银文体产业股票	1.00	0.45	2.08	2.40
47	001715	工银新焦点混合 A	0.00	0.20	2.87	5.78
48	001716	工银新趋势灵活配置混合 A	0.00	9.83	10.18	15.42
49	001717	工银前沿医疗股票	0.28	0.30	1.03	1.16
50	001718	工银物流产业股票	0.04	0.18	0.49	0.54
51	001719	工银国家战略股票	0.06	0.07	0.72	0.66
52	001997	工银新趋势灵活配置混合 C	0.00	0.00	5.01	15.42
53	001998	工银新焦点混合 C	0.00	0.49	2.91	5.78
54	002233	工银丰收回报灵活配置混合 C	0.00	4.32	0.00	2.95
55	002379	工银香港中小盘人民币	0.13	0.25	2.25	2.45
56	002380	工银香港中小盘美元	–	–	2.25	2.45
57	002387	工银沪港深股票	7.96	10.53	17.30	16.09
58	002492	工银月月薪定期支付债券 C	0.00	0.00	0.00	7.41
59	002594	工银现代服务业混合	–	–	2.51	2.50
60	002603	工银瑞丰纯债半年定开债	0.01	0.01	20.08	20.02
61	002679	工银安盈货币 A	–	0.00	0.00	133.00
62	002680	工银安盈货币 B	81.00	–	133.00	133.00
63	002722	工银财富货币 B	184.99	163.86	86.69	98.01
64	002750	工银泰享三年理财债券	–	–	300.00	302.43
65	002832	工银恒享纯债债券	–	99.90	379.02	379.90
66	002997	工银瑞享纯债债券	20.86	0.00	26.87	26.52
67	003551	工银恒丰纯债债券	99.93	0.00	102.93	103.23
68	150055	工银中证 500 分级 A	–	–	0.12	0.98
69	150056	工银中证 500 分级 B	–	–	0.18	0.98
70	150112	深证 100A	–	–	0.08	0.57
71	150113	深证 100B	–	–	0.08	0.57
72	150247	工银中证传媒指数分级 A	–	–	3.46	6.59
73	150248	工银中证传媒指数分级 B	–	–	3.46	6.59
74	150323	工银中证环保产业指数分级 A	–	–	0.45	0.99
75	150324	工银中证环保产业指数分级 B	–	–	0.45	0.99
76	150325	工银中证高铁产业指数分级 A	–	–	0.11	0.72
77	150326	工银中证高铁产业指数分级 B	–	–	0.11	0.72
78	150327	工银中证新能源指数分级 A	–	–	0.08	0.52
79	150328	工银中证新能源指数分级 B	–	–	0.08	0.52
80	159905	工银深证红利 ETF	0.43	0.69	1.87	2.18
81	164808	工银四季收益债券（LOF）	8.39	4.33	26.04	25.84
82	164809	工银中证 500 分级	0.49	0.19	0.44	0.98
83	164810	工银纯债定期开放债券	–	–	3.99	4.19
84	164811	工银深证 100 指数分级	0.26	0.03	0.32	0.57
85	164812	工银政府债纯债债券（LOF）A	1.48	1.21	4.22	4.22
86	164814	工银双债增强债券	0.04	2.51	1.65	1.67
87	164815	工银国际原油人民币	0.04	0.01	0.25	0.22
88	164818	工银中证传媒指数分级	4.84	0.42	2.16	6.59
89	164819	工银中证环保产业指数分级	0.11	0.66	0.36	0.99
90	164820	工银中证高铁产业指数分级	0.16	0.22	0.44	0.72
91	164821	工银中证新能源指数分级	0.06	0.04	0.29	0.52
92	481001	工银核心价值混合 A	5.59	8.11	152.03	42.08
93	481004	工银稳健成长混合 A	0.08	2.21	9.83	14.40
94	481006	工银红利混合	0.06	0.30	7.31	5.67
95	481008	工银大盘蓝筹混合	0.10	0.16	3.40	3.46
96	481009	工银沪深 300	1.25	6.07	17.35	16.66
97	481010	工银中小盘混合	0.15	0.27	3.01	4.40
98	481012	工银深证红利联接	7.42	6.75	2.17	2.10
99	481013	工银消费服务混合	0.01	0.09	2.27	3.41
100	481015	工银主题策略混合	0.23	1.14	7.84	14.79
101	481017	工银量化策略混合	0.09	0.06	0.72	1.39
102	482002	工银货币	1,410.93	1,701.68	1,152.02	1,152.02
103	483003	工银精选平衡混合	0.23	1.04	39.04	18.67
104	485005	工银增强收益债券 B	4.36	6.63	6.18	30.02
105	485007	工银信用添利债券 B	39.63	99.57	25.50	61.82
106	485011	工银双利债券 B	0.28	1.36	3.97	145.84
107	485014	工银添颐债券 B	6.37	9.32	7.17	23.17
108	485018	工银 7 天理财债券 B	83.40	351.88	70.58	147.27
109	485019	工银信用纯债债券 B	0.28	2.33	0.98	11.37
110	485020	工银 14 天理财债券发起 B	84.57	238.64	111.59	122.38
111	485022	工银 60 天理财债券 B	1.80	1.93	6.43	17.26
112	485105	工银增强收益债券 A	7.92	9.52	21.10	30.02
113	485107	工银信用添利债券 A	14.67	43.60	26.08	61.82

序号	基金代码	基金名称	期间申购（亿份）	期间赎回（亿份）	期末总份额（亿份）	期末净资产（亿元）
114	485111	工银双利债券 A	16.74	24.70	81.82	145.84
115	485114	工银添颐债券 A	1.53	0.97	4.59	23.17
116	485118	工银 7 天理财债券 A	34.43	51.13	76.69	147.27
117	485119	工银信用纯债债券 A	0.77	2.49	9.08	11.37
118	485120	工银 14 天理财债券发起 A	2.02	4.53	10.79	122.38
119	485122	工银 60 天理财债券 A	3.43	4.79	10.84	17.26
120	486001	工银全球配置	0.12	0.15	2.76	3.15
121	486002	工银全球精选	0.20	0.21	0.89	1.45
122	487016	工银保本混合 A	0.03	0.31	4.07	4.45
123	487021	工银优质精选混合	0.01	0.23	1.93	2.70
124	510060	工银上证央企 50ETF	0.29	0.43	1.41	2.21
125	960010	工银核心价值混合 H	–	–	0.00	42.08
126	960023	工银稳健成长混合 H	–	–	0.00	14.40
127	150055	工银中证 500 分级 A	–	–	0.12	–
128	150056	工银中证 500 分级 B	–	–	0.18	–
129	150112	深证 100A	–	–	0.08	–
130	150113	深证 100B	–	–	0.08	–
131	150247	工银中证传媒指数分级 A	–	–	3.47	–
132	150248	工银中证传媒指数分级 B	–	–	3.47	–
133	150323	工银中证环保产业指数分级 A	–	–	0.45	–
134	150324	工银中证环保产业指数分级 B	–	–	0.45	–
135	150325	工银中证高铁产业指数分级 A	–	–	0.11	–
136	150326	工银中证高铁产业指数分级 B	–	–	0.11	–
137	150327	工银中证新能源指数分级 A	–	–	0.08	–
138	150328	工银中证新能源指数分级 B	–	–	0.08	–
139	159905	工银深证红利 ETF	–	–	1.76	–
140	510060	工银上证央企 50ETF	–	–	1.41	–

【公司高管】

尚军先生：中国工商银行战略管理与投资者关系部资深专家、专职派出董事。复旦大学工商管理（国际）硕士，高级经济师。历任中国工商银行河南郑州分行团委书记、国际部副总经理，河南分行国际部副总经理、储蓄处处长、国际业务处处长，河南分行副行长、党委委员，陕西分行党委书记、行长等职务。

郭特华女士：董事，博士，现任工银瑞信基金管理有限公司总经理，兼任工银瑞信资产管理（国际）有限公司董事长。历任中国工商银行总行商业信贷部、资金计划部副处长，中国工商银行总行资产托管部处长、副总经理。

光大保德信基金管理有限公司

【基本情况】

法定名称：光大保德信基金管理有限公司
英文名称：Everbright Pramerica Fund Management Co.,Ltd.
公司属性：合资企业
成立日期：2004－04－22
注册资本：16000（万元）
法人代表：林　昌
总 经 理：包爱丽
注册地址：上海市延安东路 222 号外滩中心大厦 46 层
办公地址：上海市黄浦区中山东二路 558 号外滩金融中心 1 幢（北区 3 号楼）6 层至 10 层
网站地址：www.epf.com.cn
邮政编码：200002
客服邮箱：epfservice@ epf.com.cn
电话号码：4008－202－888，021－53524620
传真号码：021－63351152
经营范围：基金募集、基金销售、资产管理和中国证监会许可的其他业务（依法须经批准的项目，经相关部门批准后方可开展经营活动）。
基金数量：53 只（其中普通基金 46 只，货币基金 5 只，理财基金 2 只，封闭式基金 0 只，其他基金 0 只）。
管理规模：567.88 亿元
经理人数：17 人

【公司概况】

光大保德信基金管理有限公司（以下简称“光大保德信”）成立于 2004 年 4 月，总部设在上海，在北京和广州设有分公司，注册资本 1.6 亿元人民币。光大证券和美国保德信国际投资管理公司分别占有 55% 和 45% 的股份。

依托中国光大集团强大的实力、对中国市场的深刻认知和广泛的网络；借力美国保德信金融集团丰富的国际经验、先进的技术、享誉全球的资产管理能力和品牌，光大保德信基金致力于以科学理性的投资管理，帮助客户实现资产的保值增值，成为投资者可信赖的财富管理专家。

2015 年 8 月，公司全资子公司—光大保德信资产管理有限公司正式成立，成为开启公司新业务的重要平台。

截止 2016 年 12 月末，光大保德信基金旗下管理着 30 只风格各异的开放式基金。光大保德信基金具有专户管理业务、QDII 业务资格。

【公司大事记】

2004 年 3 月 24 日，公司获得了中国证监会（证监基金字〔2004〕42 号）发布的《关于同意光大保德信基金管理有限公司开业的批复》；4 月 22 日，公司获得上海市工商行政管理局“企合沪总字第 035703 号”《企业法人营业执照》；4 月 23 日，公司获得中国证监会颁发的编号为 A036“基金管理公司法人许可证”。自此，公司可以正式从事基金业务，此举成为公司业务发展的重要标志。

2004 年 10 月 11 日，经中国证监会批准，公司英文名称由“EVERBRIGHT PRUMERICA FUND MANAGEMENT CO.，LTD.”变更为“EVERBRIGHT PRAMERICA FUND MANAGEMENT CO.，LTD.”，公司中文名称维持不变。

2005 年 10 月 12 日，公司发布公告，公司注册资本由人民币一亿元增加到人民币一亿六千万元。原股东持股比例保持不变，仍为：光大证券股份有限公司 67%，保德信投资管理有限公司 33%。

2011 年 1 月，公司发布公告，中方股东光大证券股份有限公司向外方股东保德信投资管理有限公司转让光大保德信 12% 的股权，双方股东的持股比例变更为：光大证券持有 55% 的股份，保德信持有 45% 的股份。

2012 年 5 月 21 日，公司的第十二只开放式基金产品——光大保德信添天利季度开放短期理财债券型证券投资基金获得同意募集的批复（中国证监会证监许可〔2012〕672 号），并于 2012 年 5 月 28 日至 2012 年 6 月 12 日在全国发售。2012 年 6 月 19 日基金合同正式生效，总募集规模为 823,786,627.31 元人民币。

2012 年 8 月 8 日，公司的第十三只开放式基金产品——光大保德信添盛双月理财债券型证券投资基金获得同意募集的批复（中国证监会证监许可〔2012〕1071 号），并于 2012 年 8 月 24 日至 2012 年 9 月 3 日在全国发售。2012 年 9 月 5 日基金合同正式生效，总募集规模为 3,443,822,310.62 元人民币。

2013 年 5 月 29 日，公司的第十五只开放式基金产品——光大保德信现金宝货币市场基金获得同意募集的批复（中国证监会证监许可〔2013〕700 号），并于 2013 年 8 月 21 日至 2013 年 9 月 3 日在全国发售。2013 年 9 月 5 日基金合同正式生效，总募集规模为 1,972,398,150.89 元人民币。

2013 年 10 月 18 日，光大保德信基金携手银联商务正式推出银联商务“天天富”互联网金融理财平台。“天天富”面向银联商务近 230 万的商户企业，是对货币基金销售渠道的一次突破性尝试。

2014 年 3 月 11 日，公司的第十六只开放式基金产品——光大保德信银发商机主题股票型证券投资基金获得同意募集的批复（中国证监会证监许可〔2014〕278 号），并于 2014 年 3 月 31 日至 2014 年 4 月 25 日在全国发售。2014 年 4 月 29 日基金合同正式生效，总募集规模为 315,731,210.37 元人民币。

2014 年 3 月 15 日，公司发布公告，经公司八届六次董事会审议通过，聘任陶耿先生担任公司董事、总经理。陶耿先生的总经理任职资格已获中国证监会核准。

2014 年 4 月 22 日，公司成立 10 周年，再次向“耀未来”慈善专项基金注资 50 万，用于乡村助学计划。截至目前，“耀未来”慈善专项基金累计捐款数目已接近 300 万，捐助 15 所“梦想教室”，惠及 8340 名小学生。2014 年公司还将携手真爱梦想公益基金会，捐建 4 所学校的梦想教室。

2014 年 10 月 23 日，光大保德信基金管理有限公司成立 10 周年庆典活动在上海隆重举办。

2015 年 1 月 20 日，公司的第十八只开放式基金产品——光大保德信国企改革主题股票型证券投资基金获得同意募集的批复（中国证监会证监许可〔2015〕101 号），并于 2015 年 3 月 2 日至 2015 年 3 月 20 日在全国发售。2015 年 3 月 25 日基金合同正式生效，总募集规模为 2,909,225,581.65 元人民币。

2015 年 6 月 2 日，公司的第十九只开放式基金——光大鼎鑫灵活配置混合型证券投资基金获得同意募集的批复（中国证监会证监许可〔2015〕1110 号），并于 2015 年 6 月 8 日至 2015 年 6 月 9 日在全国发售。2015 年 6 月 11 日基金合同正式生效，总募集规模为 3,497,537,217.39 元人民币。

2015 年 11 月 4 日，公司的第二十一只开放式基金——光大保德信耀钱包货币市场基金获得同意募集的批复（中国证监会证监许可〔2015〕2376 号），并于 2015 年 11 月 3 日在全国发售。2015 年 11 月 4 日基金合同正式生效，总募集规模为 200,123,154.86 元人民币。

2015 年 12 月 23 日，公司的第二十五只开放式基金——光大保德信中国制造 2025 灵活配置混合型证券投资基金获得同意募集的批复（中国证监会证监许可〔2015〕1681 号），并于 2015 年 11 月 23 日至 2015 年 12 月 18 日在全国发售。2015 年 12 月 23 日基金合同正式生效，总募集规模为 422,133,785.44元人民币。

2016 年 2 月 4 日，公司的第二十六只开放式基金——光大保德信风格轮动混合型证券投资基金获得同意募集的批复（中国证监会证监许可〔2015〕3004 号），并于 2016 年 1 月 7 日至 2016 年 2 月 2 日在全国发售。2016 年 2 月 4 日基金合同正式生效，总募集规模为 216,657,891.82 元人民币。

2016 年 8 月 19 日，公司的第二十七只开放式基金——光大保德信吉鑫灵活配置混合型证券投资基金获得同意募集的批复（中国证监会证监许可〔2016〕1070 号），并于 2016 年 8 月 15 日至 2016 年 8 月 17 日在全国发售。2016 年 8 月 19 日基金合同正式生效，总募集规模为 600,161,650.50 元人民币。

2016 年 9 月 13 日，公司的第二十九只开放式基金——光大保德信产业新动力灵活配置混合型证券投资基金获得同意募集的批复（中国证监会证监许可〔2016〕678 号），并于 2016 年 8 月 15 日至 2016 年 9 月 9 日在全国发售。2016 年 9 月 13 日基金合同正式生效，总募集规模为 958,095,990.80 元人民币。

2016 年 10 月 17 日，公司的第三十只开放式基金——光大保德信铭鑫灵活配置混合型证券投资基金获得同意募集的批复（中国证监会证监许可〔2016〕676 号），并于 2016 年 9 月 26 日至 2016 年 10 月 14 日在全国发售。2016 年 10 月 17 日基金合同正式生效，总募集规模为 500,090,305.82 元人民币。

2016 年 12 月 15 日，公司的第三十一只开放式基金——光大保德信诚鑫灵活配置混合型证券投资基金获得同意募集的批复（中国证监会证监许可〔2016〕276 号），并于 2016 年 12 月 7 日至 2016 年 12 月 13 日在全国发售。2016 年 12 月 15 日基金合同正式生效，总募集规模为 200,019,801.27 元人民币。

【社会价值（2016）】

2016 年 12 月，梦想与“礼物”——光大保德信捐建 6.0 版本梦想中心启动仪式现场回顾。

2016 年 10 月，光大保德信，爱耀跑出来！——2016 年上海市健康慈善慢跑现场直击，活动当天共计募集善款 7330 元，成为本次慈善跑所有爱心单位中募集金额最高的！

2016 年 2 月，光大保德信基金发布《2015 年度企业社会责任报告》。

【股东概况】

排序	股东名称	出资额（万元）	出资比例
1	光大证券股份有限公司	8800.00	55%
2	保德信投资管理有限公司	7200.00	45%

【旗下基金】

序号	基金代码	基金名称	期间申购（亿份）	期间赎回（亿份）	期末总份额（亿份）	期末净资产（亿元）
1	000210	光大保德信现金宝货币 A	3.89	3.86	0.84	83.94
2	000211	光大保德信现金宝货币 B	91.40	111.10	83.09	83.94
3	000489	光大保德信岁末红利纯债 A	1.79	6.87	3.94	4.05
4	000490	光大保德信岁末红利纯债 C	0.10	0.61	0.05	4.05
5	000589	光大保德信银发商机混合	0.02	0.11	1.68	2.37
6	001047	光大国企改革股票	1.37	1.29	16.20	15.37
7	001463	光大一带一路混合	0.31	0.95	8.48	7.08
8	001464	光大鼎鑫混合 A	6.43	10.89	7.75	7.96
9	001740	光大中国制造 2025 混合	1.31	0.85	2.49	2.61
10	001823	光大鼎鑫混合 C	0.00	0.01	0.00	7.96
11	001903	光大欣鑫混合 A	0.34	0.28	3.58	5.49
12	001904	光大欣鑫混合 C	0.00	0.04	0.02	5.49

序号	基金代码	基金名称	期间申购（亿份）	期间赎回（亿份）	期末总份额（亿份）	期末净资产（亿元）
13	001939	光大睿鑫混合A	3.09	0.03	4.27	9.02
14	001952	光大尊尚一年定开债A	2.48	0.60	4.58	4.70
15	001953	光大尊尚一年定开债C	-	0.05	0.01	4.70
16	001973	光大耀钱包货币A	14.48	17.31	1.06	14.86
17	002075	光大睿鑫混合C	1.67	1.18	3.48	9.02
18	002305	光大风格轮动混合	0.45	0.21	0.69	0.74
19	002523	光大恒利纯债	47.78	0.00	49.78	50.10
20	002772	光大产业新动力混合	0.01	2.70	6.90	6.79
21	002773	光大铭鑫混合A	-	-	5.00	5.00
22	002774	光大铭鑫混合C	-	-	0.00	5.00
23	003105	光大永鑫混合A	5.99	0.00	11.99	11.92
24	003106	光大永鑫混合C	-	0.00	0.00	11.92
25	003117	光大吉鑫混合A	5.99	0.00	11.99	11.79
26	003118	光大吉鑫混合C	-	0.00	0.00	11.79
27	003481	光大耀钱包货币B	13.80	-	13.80	14.86
28	360001	光大量化核心	0.85	1.33	24.00	33.88
29	360003	光大货币	76.05	55.75	69.71	69.71
30	360005	光大保德信红利混合	5.36	1.92	9.35	21.65
31	360006	光大保德信新增长混合	20.51	20.21	2.24	2.33
32	360007	光大保德信优势配置混合	0.08	1.56	21.93	27.80
33	360008	光大增利A	0.00	2.10	89.91	100.18
34	360009	光大增利C	0.00	0.01	0.08	100.18
35	360010	光大保德信均衡精选混合	0.26	0.15	1.30	1.56
36	360011	光大动态优选	1.28	3.02	7.34	8.16
37	360012	光大保德信中小盘混合	1.20	1.32	5.38	9.43
38	360013	光大添益债券A	19.30	1.33	19.62	20.22
39	360014	光大添益债券C	0.00	0.01	0.14	20.22
40	360016	光大保德信行业轮动混合	0.11	0.10	0.64	0.60
41	360019	光大添天盈理财债券A	0.00	0.01	0.06	5.38
42	360020	光大添天盈理财债券B	0.04	-	5.32	5.38

【公司高管】

林昌先生：董事长，北京大学硕士，中国国籍。1996年5月至1998年3月，担任光大证券有限责任公司南方总部研究部总经理；1998年3月至2000年3月，担任光大证券有限责任公司南方总部投行部总经理；2000年3月至2001年1月，担任光大证券有限责任公司南方总部副总经理；2001年1月至2001年12月，担任光大证券有限责任公司投行一部总经理，2001年12月至2003年2月，担任光大证券有限责任公司投行总部总经理；2003年2月至2005年3月，担任光大证券有限责任公司助理总裁。2005年3月至今，担任光大保德信基金管理有限公司董事长，其中2013年1月21日至2014年3月13日代任公司总经理。

包爱丽女士：中国籍，美国哥伦比亚大学硕士。1999年1月至2004年3月在贝莱德资产管理公司，先后担任研究员、经理、业务负责人职务；2004年3月至2006年3月在银华基金管理有限公司，担任战略发展部负责人；2006年6月至2016年2月，在国投瑞银基金管理有限公司先后担任产品发展团队负责人，总经理助理，督察长，副总经理职务。

广发基金管理有限公司

【基本情况】

法定名称：广发基金管理有限公司
英文名称：GF Fund Management Co., Ltd.
公司属性：中资企业
成立日期：2003-08-05
注册资本：12688（万元）
法人代表：孙树明
总　经　理：林传辉
注册地址：广东省珠海市横琴新区宝中路3号4004-56室
办公地址：广州市海珠区琶洲大道东1号保利国际广场南塔31-33楼
网站地址：www.gffunds.com.cn
邮政编码：510308
客服邮箱：services@gf-funds.com
电话号码：020-83936999，95105828
传真号码：020-89899158
经营范围：基金募集、基金销售、资产管理、中国证监会许可的其他业务。
基金数量：203只（其中普通基金181只，货币基金14只，理财基金4只，封闭式基金0只，其他基金4只）。
管理规模：3066.82亿元
经理人数：35人

【公司概况】

广发基金管理有限公司经中国证监会证监基金字〔2003〕91号文批准，于2003年8月5日成立，是业内第30家成立的基金管理公司，总部设在广州，公司注册资本金12688万元人民币。公司及旗下子公司目前拥有公募基金管理、社保基金境内委托投资管理人、基本养老保险基金证券投资管理机构、特定客户资产管理、QDII、RQFII、QFII、受托管理保险资金投资管理人和保险保障基金委托资产管理投资管理人等业务资格，具备多种业务的综合资产管理能力与经验。

截至2016年12月31日，公司管理125只开放式基金，管理公募基金资产规模为3048亿元，长期位居行业前列。公司旗下产品覆盖主动权益、债券、货币、海外投资、被动投资、量化对冲、另类投资等不同类别，产品线齐全。公司曾获五届中国证券报“金牛基金管理公司”奖项、两届“固定收益投资金牛基金公司”奖项，连续两届获得“海外投资金牛基金公司”奖项，获七届证券时报“明星基金管理公司”奖项，是行业最全的QDII产品提供商，业内最全的行业ETF产品提供商，在业内首创公募基金大数据先河。同时，公司还管理着多个特定客户资产管理投资组合、社保基金投资组合、养老基金投资组合。

公司坚持“专业创造价值、客户利益至上”的经营理念，以完备的产品供给、策略供给、区域供给为基础，构建多元投资能力、顶层资产配置能力，致力成为优秀的全能型资产管理公司，为投资者谋求长期稳定的收益，为我国资本市场的繁荣与发展贡献一份力量。

【公司大事记】

2016年12月，公司获得首批基本养老保险基金证券投资管理机构资格。

2016年9月，市场上首只投资国开债指数的基金——广发中债7-10年期国开债指数基金成立。

2016年6月，公司管理的第100只基金——广发稳裕保本混合型证券投资基金成立。

2015年12月，广发基金二级子公司——广发国际资产管理(英国)有限公司获得中国证监会颁发的人民币合格境外机构投资者资格(RQFII),并获得国家外汇管理局30亿人民币境外机构投资额度。

2015年10月,广发基金二级子公司——广发国际资产管理(英国)有限公司获得英国金融行业监管局(FCA)颁发的MiFID和UCITS牌照(公募、专户和投资顾问等业务)。

2015年7月,广发基金香港子公司——亚洲首只跟踪MSCI中国A股国际指数表现的广发国际MSCI A股ETF基金在港交所挂牌。

2014年10月,业内第一只大数据指数基金广发百发100指数基金发行成立。

2014年5月,广发基金直销上线C类收费模式,为客户提供免申购/赎回手续费、按实际持有时间收费的购基模式。

2014年4月,广发天天红货币基金入驻腾讯微信理财通等,开启与互联网平台的深度用户合作。

2014年3月,广发基金香港子公司——广发国际资产管理有限公司获得香港证监会颁发的第1号牌照。

2013年9月,广发基金香港子公司——广发国际资产管理有限公司获得合格境外机构投资者资格。

2013年8月,广发基金获得中国保险保障基金有限责任公司授予的保险保障基金委托资产管理投资管理人资格。

2013年6月,广发基金子公司——瑞元资本管理有限公司注册成立。

2013年4月,广发管理的第一只跨市场ETF——广发中证500交易型开放式基金成立。

2012年10月,广发基金获得受托管理保险资金投资管理人资格。

2012年8月,广发基金香港子公司获得RQFII资格(《关于核准广发国际资产管理有限公司人民币合格境外机构投资者资格的批复》(证监许可〔2012〕1075号))。

2011年9月,广发基金香港分公司获发香港证监会第四类(投资咨询)和第九类(资产管理)牌照。

2011年3月,广发管理的第一只保本基金——广发聚祥保本基金成立。

2010年12月,广发基金获得第三批社保基金管理人资格。

2010年12月,广发基金在香港设立全资子公司——广发国际资产管理有限公司。

2010年8月,广发管理的第一只QDII基金——广发亚太精选股票基金成立。

2009年1月,广发基金获得合格境内机构投资者(QDII)资格,成为符合资格开展境外证券投资管理业务的基金管理公司。

2008年3月,广发管理的第一只债券基金——广发强债基金成立。

2008年2月,广发基金获中国证券监督管理委员会批准从事特定客户资产管理业务。

2005年1月,广发基金跟工行合作开办定投业务,并于07年成为国内首个拥有百万定投客户的基金管理公司。

2007年12月,广发基金成为资产管理规模超过千亿的基金公司,资产管理规模位列行业第六。

2007年11月,广发基金获原劳动和社会保障部颁发的企业年金投资管理人资格。

2006年12月,公司成立仅三年,公募资产管理规模进入业内前六。

2005年6月,广发基金网上交易系统上线,投资者可通过广发基金网上直销购买基金。

2005年5月,广发管理的第一只货币市场基金——广发货币基金成立。

2005年2月,广发管理的第一只LOF基金——广发小盘成长股票基金成立。

2003年12月,广发管理的第一只基金——广发聚富混合基金成立。

2003年8月,经中国证监会批准,广发基金管理有限公司成立。

【股东概况】

排序	股东名称	持股数量(万股)	股权比例
1	广发证券股份有限公司	5799.60	48.33%
2	烽火通信科技股份有限公司	2000.40	16.67%
3	香江投资有限公司	2000.40	16.67%
4	广东康美药业股份有限公司	1200.00	10%
5	广州科技风险投资有限公司	999.60	8.33%

【旗下基金】

序号	基金代码	基金名称	期间申购(亿份)	期间赎回(亿份)	期末总份额(亿份)	期末净资产(亿元)
1	000037	广发理财7天债券A	2.15	2.27	1.64	31.90
2	000038	广发理财7天债券B	36.38	16.39	30.26	31.90
3	000055	广发纳斯达克100指数美元现汇	–	–	1.58	2.42
4	000117	广发轮动配置混合	0.26	0.49	7.29	11.08
5	000118	广发聚鑫债券A	0.58	1.39	7.94	11.06
6	000119	广发聚鑫债券C	0.07	0.52	1.37	11.06
7	000167	广发聚优灵活配置混合A	0.07	0.36	1.75	2.10
8	000179	广发美国房地产指数	–	0.25	1.34	1.76
9	000180	广发美国房地产指数现汇	–	–	1.34	1.76
10	000214	广发成长优选混合	0.39	1.14	1.91	2.55
11	000215	广发趋势优选灵活配置	0.07	0.04	4.24	6.31
12	000267	广发集利一年定期开放债券A	38.90	0.49	115.02	141.93
13	000268	广发集利一年定期开放债券C	5.12	0.35	16.01	141.93
14	000274	广发亚太中高收益债券	–	0.31	2.48	3.05
15	000275	广发亚太中高收益债券现汇	–	–	2.48	3.05
16	000369	广发全球医疗保健现钞	–	0.17	1.29	1.51
17	000370	广发全球医疗保健现汇	–	–	1.29	1.51
18	000389	广发天天红货币A	150.98	177.88	65.42	434.94
19	000473	广发集鑫债券A	26.65	1.05	26.70	30.00
20	000474	广发集鑫债券C	0.00	0.01	0.05	30.00
21	000475	广发天天利货币A	1.56	1.51	2.29	51.07
22	000476	广发天天利货币B	37.72	5.56	40.73	51.07
23	000477	广发主题领先混合	0.26	0.60	11.56	18.82
24	000509	广发钱袋子货币	107.47	102.09	111.99	111.99
25	000529	广发竞争优势混合	0.20	0.46	4.31	5.87
26	000550	广发新动力混合	0.17	1.74	6.75	14.42
27	000567	广发聚祥灵活混合	0.10	0.47	3.99	6.39
28	000747	广发逆向策略混合	0.11	0.17	0.91	1.39
29	000748	广发活期宝货币A	1.18	1.27	0.67	63.33
30	000826	广发百发100指数A	0.02	0.24	4.11	10.59
31	000827	广发百发100指数E	0.65	1.09	7.28	10.59
32	000885	广发全球农业指数美元现汇	–	–	0.71	0.82
33	000906	广发全球精选股票美元现汇	–	–	6.67	9.73
34	000942	广发信息技术联接A	1.78	1.68	2.72	2.88
35	000968	广发养老指数A	0.21	0.21	1.71	1.69

序号	基金代码	基金名称	期间申购（亿份）	期间赎回（亿份）	期末总份额（亿份）	期末净资产（亿元）
36	000992	广发对冲套利定期开放混合	0.01	2.30	3.68	4.22
37	001064	广发环保指数 A	1.02	2.45	11.95	9.21
38	001092	广发生物科技指数(QDII)	-	0.20	4.14	3.46
39	001093	广发生物科技指数美元	-	-	4.14	3.46
40	001115	广发聚安混合 A	0.00	0.00	0.00	3.47
41	001116	广发聚安混合 C	0.00	0.00	3.51	3.47
42	001133	广发中证全指可选消费联接 A	0.11	0.23	5.14	4.15
43	001134	广发天天利货币 E	22.25	15.13	8.06	51.07
44	001180	广发医药卫生联接 A	0.52	0.64	7.83	6.32
45	001189	广发聚宝混合	2.95	0.59	6.20	6.44
46	001206	广发聚惠混合 A	0.00	29.99	8.05	8.77
47	001207	广发聚惠混合 C	0.00	0.00	0.01	8.77
48	001260	广发安心混合	-	0.09	5.75	6.02
49	001290	广发安泰混合	-	0.01	5.67	5.96
50	001355	广发聚泰混合 A	1.68	0.95	3.37	9.29
51	001356	广发聚泰混合 C	1.73	0.03	5.19	9.29
52	001458	广发中证全指主要消费联接 A	0.25	0.29	0.22	0.28
53	001459	广发中证全指原材料联接 A	0.34	0.23	0.32	0.39
54	001460	广发中证全指能源 ETF 联接 A	0.99	0.80	0.76	0.83
55	001468	广发改革混合	0.47	1.25	10.54	7.92
56	001469	广发中证全指金融地产联接 A	0.27	0.30	0.45	0.44
57	001734	广发百发大数据成长混合 A	0.01	0.59	3.62	4.10
58	001735	广发百发大数据成长混合 E	0.01	0.14	0.56	4.10
59	001741	广发百发大数据精选混合 A	0.07	0.16	0.53	1.61
60	001742	广发百发大数据精选混合 E	0.08	0.25	1.09	1.61
61	001761	广发安宏回报混合 A	0.00	0.00	4.50	5.08
62	001762	广发安宏回报混合 C	-	0.00	0.01	5.08
63	001763	广发多策略混合	0.13	4.68	34.05	30.88
64	001764	广发沪港深新机遇股票	4.85	2.96	9.99	9.82
65	002025	广发聚盛混合 A	0.13	0.00	7.34	7.92
66	002026	广发聚盛混合 C	0.00	0.00	0.01	7.92
67	002107	广发安富回报混合 A	0.00	0.50	2.66	2.35
68	002108	广发安富回报混合 C	0.00	0.00	0.00	2.35
69	002116	广发安享混合 A	0.97	0.00	5.89	6.01
70	002117	广发安享混合 C	0.68	0.73	0.00	6.01
71	002124	广发新兴产业混合	0.48	0.32	1.08	1.20
72	002132	广发鑫享混合	-	0.00	3.00	2.85
73	002134	广发鑫裕混合	-	0.00	4.71	5.15
74	002183	广发天天红货币 B	454.45	635.69	369.52	434.94
75	002295	广发稳安保本	0.06	1.56	34.30	34.67
76	002446	广发稳鑫保本	0.02	1.04	27.42	27.70
77	002622	广发稳裕保本	0.03	0.40	49.37	49.76
78	002623	广发服务业精选混合	2.20	0.00	8.20	8.08
79	002624	广发优企精选混合	0.04	2.13	6.31	6.29
80	002636	广发集裕债券 A	0.00	0.01	2.61	2.65
81	002637	广发集裕债券 C	0.01	0.02	0.01	2.65
82	002711	广发集丰债券 A	-	-	2.01	2.01
83	002712	广发集丰债券 C	-	-	0.00	2.01
84	002864	广发安泽回报纯债 A	-	0.00	2.00	2.01
85	002865	广发安泽回报纯债 C	-	0.00	0.00	2.01
86	002903	广发中证 500ETF 联接 C	3.08	3.93	0.22	14.27
87	002939	广发创新升级混合	0.08	1.62	2.07	2.05
88	002941	广发安瑞回报混合 A	-	0.00	5.51	5.46
89	002942	广发安瑞回报混合 C	-	0.00	0.00	5.46
90	002973	广发中证全指能源 ETF 联接 C	0.67	0.46	0.26	0.83
91	002974	广发信息技术联接 C	0.17	0.16	0.09	2.88
92	002975	广发中证全指原材料联接 C	0.09	0.06	0.04	0.39
93	002976	广发中证全指主要消费联接 C	0.08	0.07	0.03	0.28
94	002977	广发中证全指可选消费联接 C	0.07	0.43	0.02	4.15
95	002978	广发医药卫生联接 C	0.21	0.22	0.09	6.32
96	002979	广发中证全指金融地产联接 C	0.10	0.10	0.05	0.44
97	002982	广发养老指数 C	0.07	0.06	0.04	1.69
98	002984	广发环保指数 C	0.33	0.31	0.17	9.21
99	002987	广发沪深 300ETF 联接 C	4.93	0.32	4.67	18.55
100	003017	广发中证军工 ETF 联接	0.17	0.13	0.53	0.51
101	003035	广发安祥回报混合 A	5.99	0.00	11.99	11.86
102	003036	广发安祥回报混合 C	0.02	0.01	0.00	11.86
103	003178	广发景盛纯债	143.73	30.00	165.73	163.63
104	003281	广发活期宝货币 B	113.92	87.70	62.66	63.33
105	003376	广发中债 7-10 年国开债指数 A	0.12	15.00	7.11	8.03
106	003377	广发中债 7-10 年国开债指数 C	0.16	0.01	1.16	8.03
107	150083	广发深证 100A	-	-	0.07	0.60
108	150084	广发深证 100B	-	-	0.07	0.60
109	159907	广发中小板 300ETF	0.06	0.12	1.87	2.64
110	159936	广发中证全指可选消费 ETF	-	0.24	2.54	3.92
111	159938	广发中证全指医药卫生 ETF	0.15	0.18	5.27	6.75
112	159939	广发中证全指信息技术 ETF	0.54	0.54	3.83	4.17
113	159940	广发中证全指金融地产 ETF	0.09	0.18	1.43	1.13
114	159941	广发纳斯达克 100ETF	0.07	-	0.30	0.34
115	159944	广发中证全指原材料 ETF	0.24	0.18	1.08	0.92
116	159945	广发中证全指能源 ETF	0.81	0.46	1.89	1.32
117	159946	广发中证全指主要消费 ETF	0.12	0.23	0.49	0.49
118	162703	广发小盘成长混合(LOF)	0.29	0.65	16.74	18.48
119	162711	广发中证 500ETF 联接 A	0.50	0.78	10.66	14.27
120	162712	广发聚利债券(LOF)	4.02	8.08	11.32	15.82
121	162714	广发深证 100 指数分级	0.04	0.05	0.46	0.60
122	162715	广发聚源债券(LOF)A	0.00	0.02	88.82	95.38
123	162716	广发聚源债券(LOF)C	0.00	0.02	0.41	95.38
124	270001	广发聚富	0.32	0.61	19.57	16.18
125	270002	广发稳健增长	0.65	1.07	26.67	29.10
126	270004	广发货币 A	72.78	83.10	73.77	833.19
127	270005	广发聚丰混合	0.80	2.82	82.08	73.95
128	270006	广发策略优选	0.23	0.71	22.86	40.53
129	270007	广发大盘成长	0.23	2.18	28.63	30.33
130	270008	广发核心精选混合	0.44	0.50	4.69	13.77
131	270009	广发增强债券	0.62	28.96	12.60	13.85
132	270010	广发沪深 300ETF 联接 A	1.57	1.92	7.68	18.55
133	270014	广发货币 B	1184.82	1716.29	750.77	833.19
134	270021	广发聚瑞混合	0.22	0.42	6.14	10.62
135	270022	广发内需增长	0.20	0.47	4.49	3.83
136	270023	广发全球精选股票(QDII)	1.75	3.23	6.67	9.73
137	270025	广发行业领先混合 A	5.01	2.40	24.47	36.25
138	270026	广发中小板 300 联接	0.91	1.01	2.07	2.42
139	270027	广发全球农业指数	-	0.07	0.71	0.82
140	270028	广发制造业精选混合	0.51	0.73	3.53	8.13
141	270029	广发聚财信用债券 A	10.65	6.85	13.81	19.12
142	270030	广发聚财信用债券 B	2.07	3.59	3.75	19.12
143	270041	广发消费品精选混合	0.14	0.20	0.75	1.51
144	270042	广发纳斯达克 100 指数	-	0.20	1.58	2.42
145	270044	广发双债添利债券 A	0.63	23.47	10.21	13.05
146	270045	广发双债添利债券 C	0.01	0.61	0.42	13.05
147	270046	广发理财 30 天债券 A	1.36	0.40	2.09	35.93
148	270047	广发理财 30 天债券 B	34.17	80.64	33.85	35.93
149	270048	广发纯债债券 A	4.29	10.70	15.66	27.49

序号	基金代码	基金名称	期间申购（亿份）	期间赎回（亿份）	期末总份额（亿份）	期末净资产（亿元）
150	270049	广发纯债债券 C	1.73	12.18	7.75	27.49
151	270050	广发新经济混合	0.06	0.17	1.62	2.76
152	502056	广发医疗指数分级	0.22	0.29	0.71	1.00
153	502057	广发医疗指数分级 A	–	–	0.10	1.00
154	502058	广发医疗指数分级 B	–	–	0.10	1.00
155	510360	广发沪深 300ETF	5.01	–	16.46	16.83
156	510510	广发中证 500ETF	1.96	2.64	7.91	13.65
157	511920	广发货币 E	0.08	0.00	0.09	833.19
158	512680	广发中证军工 ETF	1.50	6.79	3.59	3.46
159	519858	广发现金宝场内货币 A	1734.24	1964.84	373.98	8.11
160	519859	广发现金宝场内货币 B	2630.14	2920.10	436.92	8.11
161	960001	广发行业领先混合 H	0.00	0.01	0.07	36.25
162	002943	广发多因子混合	–	–	2.01	–
163	150083	广发深证 100A	–	–	0.07	–
164	150084	广发深证 100B	–	–	0.07	–
165	159907	广发中小板 300ETF	–	–	1.86	–
166	159936	广发中证全指可选消费 ETF	–	–	2.54	–
167	159938	广发中证全指医药卫生 ETF	–	–	5.27	–
168	159939	广发中证全指信息技术 ETF	–	–	3.83	–
169	159940	广发中证全指金融地产 ETF	–	–	1.43	–
170	159941	广发纳斯达克 100ETF	–	–	0.30	–
171	159944	广发中证全指原材料 ETF	–	–	1.08	–
172	159945	广发中证全指能源 ETF	–	–	1.89	–
173	159946	广发中证全指主要消费 ETF	–	–	0.49	–
174	502057	广发医疗指数分级 A	–	–	0.10	–
175	502058	广发医疗指数分级 B	–	–	0.10	–
176	510360	广发沪深 300ETF	–	–	16.45	–
177	510510	广发中证 500ETF	–	–	7.91	–
178	511920	广发货币 E	–	–	0.09	–
179	511950	广发添利交易型货币	–	–	0.01	–
180	512680	广发中证军工 ETF	–	–	3.59	–

【公司高管】

孙树明先生：1962 年 6 月生，中共党员，经济学博士，高级经济师。自 2012 年 5 月起获委任为我们的董事长兼执行董事。孙先生的主要工作经历包括：1984 年 8 月至 1990 年 8 月历任中国财政部条法司科员、副主任科员及主任科员，1990 年 8 月至 1994 年 9 月任中国财政部条法司副处长，1994 年 9 月至 1996 年 3 月任中国财政部条法司处长，1994 年 7 月至 1995 年 7 月任河北涿州市人民政府副市长（挂职），1996 年 3 月至 2000 年 6 月任中国经济开发信托投资公司总经理办公室主任、总经理助理，2000 年 6 月至 2003 年 3 月任中共中央金融工作委员会监事会工作部副部长，2003 年 9 月至 2006 年 1 月任中国银河证券有限公司监事会监事，2006 年 1 月至 2007 年 4 月任中国证监会会计部副主任，2007 年 4 月至 2011 年 3 月任中国证监会会计部主任，自 2015 年 3 月起兼任中证机构间报价系统股份有限公司副董事长。现兼任广发证券股份有限公司董事长兼执行董事、党委书记。2016 年 5 月 26 日起担任广发基金管理有限公司董事长。

林传辉先生：副董事长，大学本科学历，现任广发基金管理有限公司总经理，兼任广发国际资产管理有限公司董事长、瑞元资本管理有限公司董事长、总经理，中国基金业协会创新与战略发展专业委员会委员，资产管理业务专业委员会委员，深圳证券交易所第三届上诉复核委员会委员。曾任广发证券投资银行总部北京业务总部总经理、投资银行总部副总经理兼投资银行上海业务总部副总经理、投资银行部常务副总经理，瑞元资本管理有限公司总经理。

国金基金管理有限公司

【基本情况】

法定名称：国金基金管理有限公司
英文名称：Gfund Management Co., Ltd.
公司属性：中资企业
成立日期：2011 – 11 – 02
注册资本：28000（万元）
法人代表：尹庆军
总　经　理：尹庆军
注册地址：北京市怀柔区府前街三号楼 3 – 6
办公地址：北京市海淀区西三环北路 87 号国际财经中心 D 座 14 层
网站地址：www. gfund. com
邮政编码：100089
客服邮箱：service@ gfund. com
电话号码：4000 – 2000 – 18
传真号码：010 – 88005666
经营范围：基金募集；基金销售；资产管理和中国证监会许可的其他业务（依法须经批准的项目，经相关部门批准后依批准的内容开展经营活动）。
基金数量：14 只（其中普通基金 5 只，货币基金 4 只，理财基金 1 只，封闭式基金 0 只，其他基金 4 只）。
管理规模：185.98 亿元
经理人数：5 人

【公司概况】

国金基金管理有限公司（英文名称：Gfund Management Co., Ltd.）成立于 2011 年 11 月 2 日，是经中国证监会批准成立的从事基金募集、基金销售、资产管理以及中国证监会许可的其他业务的专业资产管理公司。

公司股东为国金证券股份有限公司、苏州工业园区兆润投资控股集团有限公司、广东宝丽华新能源股份有限公司、涌金投资控股有限公司，四家企业共同出资 2.8 亿元人民币，出资比例分别为 49%、19.5% 、19.5% 和 12% 。

国金证券股份有限公司是一家资产质量优良、专业团队精干、创新能力突出、服务特色鲜明的上市证券公司，是沪深 300 指数、上证 180 指数、上证 180 金融股指数和上证中型企业指数成份股。

苏州工业园区兆润投资控股集团有限公司成立于 2000 年，是苏州工业园区管委会直属最大的国有企业，注册资本 160 亿元。

广东宝丽华新能源股份有限公司是 1997 年 1 月在深圳证券交易所上市的新能源电力公司，已经确立了以新能源电力为核心、以房地产开发和建设施工为基础、以现代金融投资为动力的主营业务架构，是中国证券市场中的新能源电力龙头上市公司，是深证红利、泰达环保、南方低碳、巨潮公司治理等多个重要指数样本股。

涌金投资控股有限公司成立于 1999 年，是国内知名的大型综合性民营投资企业，以控股投资及财富管理为主要业务，以“诚信、责任、专业、团队、共赢”为核心价值观，坚持价值投资、长期投资的理念，顺应社会发展需求，凭借规范的企业管理机制、专业的核心人才团队和准确的战略投资决策，取得了令人瞩目的投资佳绩。

雄厚的股东背景为公司的渠道开发、市场销售等方面提供了强有力的支持，为公司的发展奠定了基础。

【公司大事记】

2016 年 8 月 4 日，国金及第七天理财债券型证券投资基金（总第 11 只）发行成功，首募 2 亿元。

2016 年 5 月，国金基金荣获《上海证券报》第十三届中国"金基金"成长基金管理公司奖，国金国鑫灵活配置混合型发起式基金荣获《证券时报》中国基金业明星基金奖之"2015 年度平衡混合型明星基金奖"。

2016 年 3 月，国金基金荣获济安金信基金评价中心 2015 年第 4 季度货币型基金和混合型基金两个五星基金公司评级，国金金腾通货币市场证券投资基金和国金国鑫灵活配置混合型发起式基金分获货币型、混合型基金五星评级。

2015 年 12 月，国金基金荣获《经济观察报》2014—2015 年度中国卓越金融奖之"年度卓越成长基金公司"。

2015 年 11 月，国金基金荣获济安金信基金评价中心 2015 年第 3 季度货币型基金和混合型基金两个五星基金公司评级，国金金腾通货币市场证券投资基金和国金国鑫灵活配置混合型发起式基金分获货币型、混合型基金五星评级。

2015 年 7 月 23 日，国金通用完成名称变更，变更后的名称为：国金基金管理有限公司。

2015 年 7 月 6 日，国金通用子公司北京千石创富资本管理有限公司完成办公场所变更，新址为：北京市海淀区西三环北路 87 号国际财经中心 B 座 8 层。

2015 年 7 月 3 日，国金通用鑫新灵活配置混合型证券投资基金（LOF）（总第 10 只）发行成功，首募 2.04 亿元。

2015 年 6 月 25 日，国金通用众赢货币市场证券投资基金（总第 9 只）发行成功，首募 2.00 亿元。

2015 年 6 月 24 日，国金通用鑫运灵活配置混合型证券投资基金（总第 8 只）发行成功，首募 25.45 亿元。

2015 年 5 月 27 日，国金通用上证 50 指数分级证券投资基金（总第 7 只）发行成功，首募 2.07 亿元。

2015 年 4 月，国金通用荣获《证券时报》中国基金业明星基金奖之"2014 年度明星基金公司成长奖"，国金通用国鑫灵活配置混合型发起式基金荣获"2014 年度平衡混合型明星基金奖"。

2014 年 8 月 27 日，国金通用鑫安保本混合型证券投资基金（总第 6 只）发行成功，首募 14.43 亿元。

2014 年 5 月 12 日，国金通用新版网站正式上线。

2014 年 2 月 17 日，国金通用金腾通货币市场证券投资基金（总第 5 只）发行成功，首募 2.02 亿元。

2014 年 1 月 21 日，国金通用首只分级债基金——国金通用鑫利分级债券型证券投资基金（总第 4 只）发行成功，首募 4.3 亿元。

2014 年 1 月 15 日，国金通用全资子公司上海国金通用财富资产管理有限公司在上海正式注册成立。

2013 年 12 月 16 日，国金通用首只货币基金——国金通用鑫盈货币市场证券投资基金（总第 3 只）发行成功，首募 5.45 亿元。

2013 年 7 月 26 日，国金通用首只被动型基金——国金通用沪深 300 指数分级证券投资基金（总第 2 只）发行成功，首募 3.23 亿元。

2013 年 6 月，国金通用荣获《WTO 经济导刊》"2012 金蜜蜂企业社会责任·中国榜"之"金蜜蜂·成长型企业"奖。

2013 年 4 月 8 日，国金通用完成办公场所变更，新址为：北京市海淀区西三环北 路 87 号国际财经中心 D 座 14 层。

2013 年 1 月 25 日，国金通用全资子公司北京千石创富资本管理有限公司在北京正式注册成立。

2012 年 11 月，国金通用荣获《证券日报》第八届中国证券市场年会"金算盘·产品创新"奖。

2012 年 9 月 7 日，国金通用完成增资工作，注册资本由 1.6 亿元人民币增加至 2.8 亿元人民币。

2012 年 8 月 24 日，国金通用首只基金——国金通用国鑫灵活配置混合型发起式基金发行成功，首募 1.78 亿元。

2011 年 11 月 2 日，国金通用基金管理有限公司在北京正式注册成立。

【股东概况】

排序	股东名称	股权比例
1	国金证券股份有限公司	49%
2	苏州工业园区兆润投资控股集团有限公司	19.5%
3	广东宝丽华新能源股份有限公司	19.5%
4	中国通用技术（集团）控股有限责任公司	12%

【旗下基金】

序号	基金代码	基金名称	期间申购（亿份）	期间赎回（亿份）	期末总份额（亿份）	期末净资产（亿元）
1	000439	国金鑫盈货币	1.47	1.52	3.27	3.27
2	000540	国金金腾通货币 A	608.97	625.56	97.80	115.33
3	000749	国金鑫安保本	0.01	0.26	0.93	0.93
4	001234	国金众赢货币	182.40	204.90	60.50	60.50
5	001621	国金金腾通货币 C	123.00	124.09	17.53	115.33
6	003002	国金及第七天理财	4.59	3.75	1.34	1.34
7	150140	国金 300A	–	–	0.07	0.29
8	150141	国金沪深 300 指数分级 B	–	–	0.07	0.29
9	167601	国金沪深 300 指数分级	0.01	0.02	0.21	0.29
10	501000	国金鑫新灵活配置（LOF）	0.00	0.98	0.05	0.05
11	502020	国金上证 50 分级	0.01	0.03	0.15	0.23
12	502021	国金上证 50 分级 A	–	–	0.02	0.23
13	502022	国金上证 50 分级 B	–	–	0.02	0.23
14	762001	国金国鑫发起	0.47	0.61	2.17	4.04
15	150140	国金 300A	–	–	0.07	–
16	150141	国金沪深 300 指数分级 B	–	–	0.07	–
17	502021	国金上证 50 分级 A	–	–	0.02	–
18	502022	国金上证 50 分级 B	–	–	0.02	–

【公司高管】

纪路先生：董事长，EMBA。历任博时基金管理有限公司分析师、金信证券有限责任公司投资研究中心总经理、国金证券股份有限公司研究所总经理。现任国金证券股份有限公司副总经理，中国证券业协会证券公司专业评价专家，四川证券业协会创新咨询委员会主任委员。2011 年 11 月至今任国金通用基金管理有限公司（2015 年 7 月起更名为"国金基金管理有限公司"）董事长。

尹庆军先生：董事，硕士。历任中央编译局世界所助理研究员、办公厅科研外事秘书，中央编译出版社出版部主任，博时基金管理有限公司人力资源部总经理、董事会秘书、监事，国金通用基金管理有限公司筹备组拟任督察长，国金通用基金管理有限公司督察长。2012 年 7 月至今任国金通用基金管理有限公司总经理。兼任北京千石创富资本管理有限公司执行董事。

国开泰富基金管理有限责任公司

【基本情况】

法定名称：国开泰富基金管理有限责任公司
公司属性：合资企业
成立日期：2013－07－16
注册资本：20000（万元）
法人代表：崔智生
总 经 理：李　鑫
注册地址：北京市怀柔区北房镇幸福西街 3 号 416 室
办公地址：北京市东城区朝阳门北大街 7 号五矿广场 C 座 10 层
网站地址：www.cdbsfund.com
邮政编码：100010
客服邮箱：services@cdbsfund.com
电话号码：010－59363299
传真号码：010－59363298
经营范围：基金募集、基金销售、特定客户资产管理、资产管理和中国证监会许可的其他业务（依法须经批准的项目，经相关部门批准后依批准的内容开展经营活动）。
基金数量：6 只（其中普通基金 4 只，货币基金 2 只，理财基金 0 只，封闭式基金 0 只，其他基金 0 只）。
管理规模：17.78 亿元
经理人数：1 人

【公司概况】

国开泰富基金管理有限责任公司（以下简称"国开泰富"）于 2013 年 6 月 28 日正式获得中国证券监督管理委员会批准成立，公司注册地位于北京市，注册资本为人民币贰亿元整，其中国开证券有限责任公司出资比例为 66.7%，国泰证券投资信托股份有限公司出资比例为 33.3%。

2010 年 9 月 12 日，《海峡两岸经济合作框架协议》（ECFA）的正式生效，标志着两岸经济关系向正常化、制度化、自由化方向推进又迈出了具有里程碑意义的重要一步。国开泰富正是在互利双赢、合作发展的"ECFA 新时代"下顺势而生的国际化资产管理公司。2013 年 6 月 21 日，两岸签署了《海峡两岸服务贸易协议》，向台湾提出金融服务部门的多项开放承诺，为即将挂牌成立的国开泰富的业务开展带来了机遇。作为连接两岸资本市场的桥梁和纽带，国开泰富将充分融合并发挥双方股东的先进管理经验和市场资源优势，开拓创新，积极实践和探索跨境金融模式创新，不断将两岸资本市场合作推向新的高度。

"潮平两岸阔，风正一帆悬"，承载着海峡两岸金融业的热忱与希冀，国开泰富将秉持"专注、责任、稳健、创新"的经营理念，走差异化发展道路，形成独具特色的核心竞争力。公司将坚持投资人利益至上的宗旨，不断深化和丰富产品体系，提高服务能力，强化风险控制，努力提升资产管理规模和盈利能力，力争引领行业发展，逐步打造固定收益投资领域的国际化品牌。

【股东概况】

股东名称	出资比例
国开证券有限责任公司	66.7%
国泰证券投资信托股份有限公司	33.3%
合　计	100%

【旗下基金】

序号	基金代码	基金名称	期间申购（亿份）	期间赎回（亿份）	期末总份额（亿份）	期末净资产（亿元）
1	000412	国开岁月鎏金定开信用债 A	1.53	2.05	8.25	8.78
2	000413	国开岁月鎏金定开信用债 C	0.11	0.06	0.26	8.78
3	000901	国开货币 A	2.38	2.57	1.89	6.68
4	000902	国开货币 B	6.88	7.93	4.79	6.68

【公司高管】

郑文杰先生：中国国籍，硕士研究生，具有基金从业资格。2016.2 至今，任职于国开证券有限责任公司党委副书记、总裁；1995.8—2016.2，任职于国家开发银行；1980.8—1995.8，任职于总参兵种部。2017 年 1 月 6 日开始担任国开泰富基金管理有限责任公司董事长。

李鑫先生：中国国籍，硕士研究生。2006.6－2007.10，任职于国家开发银行青海省分行。2007.10—2010.8，任职于国家开发银行金融研发中心。2010.8—2016.1，任职于国开证券有限责任公司。2016 年 1 月 22 日起开始担任国开泰富基金管理有限责任公司总经理。

国联安基金管理有限公司

【基本情况】

法定名称：国联安基金管理有限公司
英文名称：GTJA Allianz Fund Management CO., Ltd.
公司属性：合资企业
成立日期：2003－04－03
注册资本：15000（万元）
法人代表：庹启斌
总 经 理：谭晓雨
注册地址：上海市浦东新区陆家嘴环路 1318 号星展银行大厦 9 楼
办公地址：上海市浦东新区陆家嘴环路 1318 号星展银行大厦 9 楼
网站地址：www.gtja－allianz.com，www.vip－funds.com
邮政编码：200121
客服邮箱：customer.service@gtja－allianz.com
电话号码：400－700－0365，021－38784766
传真号码：021－50151880
经营范围：基金管理业务；发起设立基金及中国有关政府机构批准及同意的其他业务（依法须经批准的项目，经相关部门批准后方可开展经营活动）。
基金数量：63 只（其中普通基金 59 只，货币基金 2 只，理财基金 0 只，封闭式基金 0 只，其他基金 2 只）。
管理规模：436.72 亿元
经理人数：12 人

【公司概况】

国联安基金管理有限公司是国内首家获准筹建的中外合资基金管理公司。由国泰君安证券股份有限公司与德国安联集团(Allianz AG)共同发起设立。公司注册资本为1.5亿人民币,注册地为中国上海。

国联安愿景

成为一流的资产管理公司,为社会提供最佳投资产品

公司理念

公司目标:追求可持续回报

经营理念:诚信 专业 创新 卓越

投资理念:择时选股 双轮驱动

企业文化

正直:恪守职业准则,以德养身

敬业:工作态度勤勉,业精于勤

进取:主动创造价值,自强不息

合作:团队齐心协力,厚德载物

【股东概况】

排序	股东名称	出资额(万元)	出资比例
1	国泰君安证券股份有限公司	7650.00	51%
2	安联集团(Allianz AG)	7350.00	49%

【旗下基金】

序号	基金代码	基金名称	期间申购(亿份)	期间赎回(亿份)	期末总份额(亿份)	期末净资产(亿元)
1	000058	国联安保本混合	0.00	0.05	0.57	0.56
2	000059	国联安中证医药100	76.66	59.33	19.20	19.00
3	000060	国联安股债动态	0.00	0.00	0.03	0.03
4	000417	国联安新精选灵活配置	0.01	5.16	8.05	9.48
5	000664	国联安通盈混合A	2.17	0.18	5.43	10.57
6	001007	国联安鑫安灵活配置混合	0.03	0.69	6.43	6.93
7	001157	国联安睿祺灵活配置混合	0.10	8.66	4.41	4.61
8	001221	国联安鑫富混合A	0.00	3.89	11.75	13.68
9	001228	国联安鑫享灵活配置混合A	1.16	0.09	4.60	4.85
10	001359	国联安添鑫灵活配置混合A	0.00	0.13	0.60	7.60
11	001654	国联安添鑫灵活配置混合C	0.73	2.82	7.05	7.60
12	001956	国联安科技动力	0.02	0.13	0.57	0.53
13	002186	国联安鑫享灵活配置混合C	0.04	0.04	0.08	4.85
14	002187	国联安鑫富混合C	0.19	1.98	1.10	13.68
15	002365	国联安鑫禧灵活配置混合A	5.46	4.02	8.48	9.47
16	002366	国联安鑫禧灵活配置混合C	1.10	1.74	0.77	9.47
17	002367	国联安安稳保本混合	0.00	1.59	34.13	34.07
18	002368	国联安鑫悦灵活配置混合A	0.00	0.09	5.52	6.22
19	002369	国联安鑫悦灵活配置混合C	0.01	0.32	0.72	6.22
20	002485	国联安通盈混合C	2.50	1.24	3.42	10.57
21	003271	国联安鑫瑞混合A	0.00	0.00	8.08	8.02
22	003272	国联安鑫瑞混合C	0.00	0.00	0.00	8.02
23	003275	国联安鑫盈混合A	–	0.03	7.23	8.79
24	003276	国联安鑫盈混合C	–	0.07	1.65	8.79
25	150012	国联安双禧中证100A	–	–	0.68	2.16
26	150013	国联安双禧中证100B	–	–	1.02	2.16
27	162509	国联安双禧中证100	0.00	0.29	0.35	2.16
28	162510	国联安双力中小板综指	0.13	0.03	0.30	0.32
29	162511	国联安双佳信用债券(LOF)	0.01	0.35	0.71	0.79
30	253010	国联安安心成长混合	0.05	1.04	19.18	12.81
31	253020	国联安德盛增利债A	0.58	13.58	4.52	6.28
32	253021	国联安德盛增利债B	0.00	0.08	0.29	6.28
33	253030	国联安信心增益债券	0.00	0.03	1.04	1.06
34	253050	国联安货币A	2.54	1.87	1.26	171.20
35	253051	国联安货币B	359.97	300.14	169.94	171.20
36	253060	国联安信心增长债券A	4.60	0.01	9.99	10.58
37	253061	国联安信心增长债券B	0.00	0.00	0.03	10.58
38	255010	国联安稳健	0.27	0.04	2.27	2.51
39	257010	国联安德盛小盘精选	0.18	3.01	13.62	14.21
40	257020	国联安精选混合	0.71	11.53	15.37	14.40
41	257030	国联安优势混合	0.03	0.10	2.46	3.10
42	257040	国联安红利混合	0.03	0.12	1.22	1.35
43	257050	国联安主题驱动混合	0.29	0.63	1.45	1.70
44	257060	国联安商品ETF联接	0.13	0.13	2.34	1.29
45	257070	国联安优选行业混合	0.24	2.32	6.01	9.28
46	510170	国联安上证商品ETF	0.05	0.06	0.86	1.49
47	150012	国联安双禧中证100A	–	–	0.68	–
48	150013	国联安双禧中证100B	–	–	1.02	–
49	510170	国联安上证商品ETF	–	–	0.86	–

【公司高管】

庹启斌先生,董事长,经济学博士。历任华东师范大学国际金融系讲师、君安证券有限公司万航渡路营业部经理、资产管理公司研究部经理、香港公司研究策划部经理、研究发展中心主任、经纪管理部总经理、债券部总经理、副总裁,国泰君安证券股份有限公司副总裁。现任国泰君安证券股份有限公司执行董事、党委委员;国联安基金管理有限公司董事长。

国泰基金管理有限公司

【基本情况】

法定名称:国泰基金管理有限公司

英文名称:Guotai Asset Management Co., Ltd.

公司属性:合资企业

成立日期:1998-03-05

注册资本:11000(万元)

法人代表:唐建光

总 经 理:周向勇

注册地址:上海市浦东新区世纪大道100号上海环球金融中心39楼

办公地址:上海市虹口区公平路18号8号楼嘉昱大厦16层-19层

网站地址:www.gtfund.com

邮政编码:200082

客服邮箱:service@gtfund.com

电话号码:400-888-8688,021-38569000

传真号码:021-31081800

经营范围:基金设立、基金业务管理,及中国证监会批准的其他业务(依法须经批准的项目,经相关部门批准后方可开展经营活动)。

基金数量:123只(其中普通基金106只,货币基金5只,理财基金0只,封闭式基金0只,其他基金12只)。

管理规模:771.02亿元

经理人数:20人

【公司概况】

国泰基金成立于 1998 年 3 月，是国内首批规范成立的基金管理公司之一。历经 17 年的市场磨砺，公司稳步发展，目前进入了新的发展阶段。2010 年全球领先的保险集团之一意大利忠利集团正式收购公司部分股权，国泰基金变身为中外合资基金公司，并在投资管理、产品研发、风险控制、基金营销等多方面与之展开交流与合作，得到了显著提高。（注：基金管理人与股东之间实行业务隔离制度，股东并不直接参与基金财产的投资运作。）

目前公司已拥有包括公募基金、社保基金投资管理人、企业年金投资管理人、特定客户资产管理业务和合格境内机构投资者等业务资格，是行业内极少数拥有并开展多类业务的资产管理公司之一。

自 1998 年 3 月 23 日公开发行国内第一只封闭式基金——基金金泰以来，国泰基金的产品线不断得到丰富和完善。目前公司旗下共管理着 58 只公募基金，2 只养老金产品和包括专户、年金、社保、投资咨询在内 80 多个资产委托组合，形成了丰富的资产管理产品线，能够满足不同风险偏好投资者的需求。

17 年来，国泰基金始终秉承“以最大的专业性和勤勉为投资人实现长期稳定的财富增值”的经营宗旨，赢得了包括全国社会保障基金理事会在内的数百万投资人的信任。在为投资者创造物质财富的同时，也不忘承担社会责任，通过“红蜡烛助教计划”开展支学助教活动，积极践行“和谐社会”的价值观，为社会精神财富的创造贡献力量。截至 2015 年，国泰基金“红蜡烛助教计划”已历时 8 年，在全国范围内完成助教 22 次、捐助“红蜡烛图书馆”12 座、“红蜡烛・梦想中心”多媒体教室 4 个、助养学生 128 人、捐赠图书 21287 本、受益师生近 6000 人次。

【公司大事记】

1998 年 3 月 5 日 经中国证监会批准，国泰基金管理有限公司在上海成立。成为境内首批规范成立的基金公司之一。

1998 年 3 月 27 日 国泰基金旗下首只基金——基金金泰成立，4 月 7 日在上交所上市。

1999 年 10 月 21 日 基金金鑫成立，11 月 26 日在上交所上市

2000 年 4 月 26 日 在对原珠江基金清理规范后设立基金金盛，6 月 30 日在深交所上市。

2000 年 5 月 16 日 在对原建业基金、沈阳公众基金、陕建基金清理规范后设立基金金鼎，8 月 4 日在上交所上市。

2000 年 8 月 22 日 国泰基金增资扩股，注册资本从 6000 万元增加为 1.1 亿元人民币。

2001 年 9 月 3 日 国泰基金与瑞士银行资产管理集团签定《投资与业务合作协议》。

2002 年 5 月 8 日 国泰基金第一只开放式基金——国泰金鹰增长基金成立。

2002 年 6 月 国泰北京分公司获批设立。

2003 年 12 月 9 日 国泰基金首只伞形基金——金龙系列基金成立。

2004 年 4 月 国泰基金荣获首届《上海证券报》“最佳服务基金公司奖”。

2004 年 8 月 在首届《中国证券报》基金金牛奖评审中，国泰基金的旗下管理的三只基金获殊荣，在所有基金公司中名列第一：国泰金鹰增长基金荣获“开放式基金金牛奖”；基金金盛荣获“封闭式基金金牛奖”；基金金泰荣获“封闭式基金金牛奖”。

2004 年 9 月 国泰基金获得全国社会保障基金理事会投资管理人资格。

2004 年 11 月 10 日 国泰基金旗下首只保本基金——国泰金象保本基金成立。

2005 年 6 月 21 日 国泰货币基金成立。

2005 年 9 月 国泰基金完成档案升级工作，成为业内首家获得档案二级先进资质的公司。

2006 年 4 月 28 日 国泰金鹿保本基金成立。

2006 年 9 月 29 日 国泰金鹏蓝筹价值基金成立。

2006 年 12 月 封闭式基金金盛荣获《中国证券报》第四届中国基金业金牛奖“封闭式持续优胜金牛基金”的称号。

2007 年 4 月 在《中国证券报》第三届基金金牛奖评选中，基金金盛荣获“封闭式持续优胜金牛基金”奖。

2007 年 4 月 11 日 基金金鼎“封转开”为国泰金鼎价值精选基金成立。

2007 年 5 月 在《证券时报》第二届明星基金评选中，基金金盛荣获“封闭式明星基金”奖。

2007 年 5 月 18 日 国泰金牛创新成长基金成立。

2007 年 9 月 7 日 国泰基金启动“红蜡烛助教计划”。

2007 年 10 月 国泰基金获得劳动和社会保障部企业年金投资管理资格。

2007 年 10 月 建银投资正式入主国泰基金，成为第一大股东。

2007 年 12 月 14 日 国泰沪深 300 指数基金成立。

2008 年 1 月 国泰金龙行业精选基金荣获《证券时报》“三年持续回报明星基金奖”。

2008 年 2 月 国泰基金首批获得特定客户资产管理业务资格。

2008 年 4 月 国泰基金获得合格境内机构投资人资格，成为业内少数拥有“全牌照”管理资格的基金管理公司。

2008 年 5 月 国泰基金签下“一对一”专户理财第一单。

2008 年 6 月 国泰金鹿保本增值基金转入第二个保本周期（二年）。

2008 年 11 月 国泰基金上海总部搬迁至上海环球金融中心。

2009 年 1 月 国泰深圳分公司获批设立。

2009 年 1 月 国泰金龙债券基金荣获《中国证券报》“2008 年度开放式债券型金牛基金”、《上海证券报》2008 年度“金基金 - 债券型基金奖”、《证券时报》“2008 年度债券型明星基金奖”。

2009 年 2 月 国泰基金与纳斯达克 OMX 集团签署独家许可协议，使用纳斯达克 100 指数在中国开发场内交易产品。

2009 年 3 月 11 日 国泰双利债券基金成立。

2009 年 3 月 26 日 国泰基金总经理金旭在纳斯达克参加开市敲钟仪式，这也是境内基金行业获此邀请的第一人。

2009 年 5 月 27 日 国泰区位优势基金成立。

2009 年 6 月 国泰基金首个“红蜡烛图书室”在山东临沂建成。

2009 年 7 月 国泰基金与意大利忠利保险有限公司正式签署《全面合作及投资备忘录》。

2009 年 9 月 国泰基金第 2 个和第 3 个“红蜡烛图书室”在河南大别山和甘肃迭部建成。

2009 年 9 月 23 日 国泰基金首只“一对多”产品——国泰

隆金顺利发行结束。

2009 年 10 月 19 日　国泰金盛“封转开”为国泰中小盘成长基金成立。

2009 年 11 月　国泰基金第 4 个“红蜡烛图书馆”在陕西延安建成。

2010 年 2 月 10 日　国泰估值优势分级封闭基金成立。

2010 年 3 月 22 日　国内首只海外指数基金——国泰纳斯达克 100 指数基金获批正式发行。

2010 年 4 月 29 日　国泰纳斯达克 100 指数基金（QDII）成立。

2010 年 5 月　国泰基金荣获《证券时报》5 项大奖，国泰基金管理公司荣获“2009 年度十大明星基金公司”、国泰金龙行业混合基金荣获“2009 年度三年持续回报积极混合型明星基金奖”、国泰金牛创新股票基金荣获“2009 年度股票型明星基金奖”、国泰金马稳健混合基金荣获“2009 年度积极混合型明星基金奖”、国泰金鹏蓝筹混合基金荣获“200 年度积极混合型明星基金奖”。

2010 年 6 月　国泰基金荣获《上海证券报》2 项大奖，国泰金鹰增长股票基金荣获“2009 年度金基金三年期分红奖”、国泰金牛创新成长基金荣获“2009 年度金基金一年期产品奖”。

2010 年 6 月 21 日　国泰基金对外发布公告，公司股东中国建银投资有限责任公司、万联证券有限责任公司已将其所持有的国泰基金管理有限公司合计 30% 的股权转让给意大利忠利集团。国泰基金正式成为合资基金公司，公司目前股东结构为：中国建银投资有限责任公司出资比例为 60%、意大利忠利集团出资比例为 30%、中国电力财务有限公司出资比例为 10%。

2010 年 8 月 13 日　国泰基金第 16 只开放式基金——国泰价值经典股票基金（LOF）成立。

2011 年 3 月　上证 180 金融交易型开放式指数证券投资基金及其联接基金成立。

2011 年 4 月　荣获《证券时报》2010 年度十大明星基金公司奖。

2011 年 4 月　国泰保本混合型证券投资基金成立。

2011 年 4 月　国泰基金首个“红蜡烛图书室”在山东临沂建成。

2011 年 4 月　金旭总经理在哈佛中国年会发表演讲，并获得论坛组委会授予的社会责任奖。

2011 年 8 月　国泰事件驱动策略股票型证券投资基金成立。

2011 年 9 月　金旭总经理等公司高管带队，由公司员工、股东单位代表、渠道和客户代表组成的 4 支队伍再次奔赴甘肃、湖北等地，连续第 4 年开展助学支教活动。

2011 年 12 月　国泰信用互利分级债券型证券投资基金成立。

2012 年 3 月　中小板 300 成长交易型开放式指数证券投资基金及其联接基金成立。

2012 年 3 月　国泰成长优选股票型证券投资基金成立。

2012 年 3 月　荣获《上海证券报》金基金评选“2011 年度金基金·海外投资回报公司奖”。旗下国泰金牛创新基金获“三年期金基金·股票型基金奖”。国泰金龙行业精选基金获“一年期金基金·分红基金奖”。荣获《中国证券报》金牛基金评选“2011 年度十大金牛基金公司奖”。旗下国泰金牛创新基金获“三年期金牛股票型基金奖”。荣获《证券时报》明星基金评选“五年持续回报明星基金公司奖”、“2011 年度十大明星基金公司奖”。旗下国泰金牛创新基金获“三年期持续回报股票型明星基金奖”。国泰金鹰增长基金获“五年期持续回报股票型明星基金奖”。国泰金龙行业精选基金获“五年期持续回报积极混合型明星基金奖”。

2012 年 5 月　国泰大宗商品配置证券投资基金（LOF）成立，成为国泰基金旗下第二只 QDII 产品。

2013 年公司荣获《上海证券报》“金基金十年卓越公司奖”。

2013 年国泰金龙债券荣获《中国证券报》评选“2012 年度债券型金牛基金奖”。

2013 年国泰金鹰增长荣获《上海证券报》“金基金十年投资回报奖”、《证券时报》“五年持续回报股票型明星基金奖”。

2013 年国泰基金首家子公司国泰元鑫资产管理有限公司成立。

2013 年国泰上证 5 年期国债 ETF 及其联接基金超市场预期成功发行，国内首只黄金 ETF 国泰黄金、首只跨国 ETF 国泰纳斯达克 100 也随即闪亮登场

2014 年公司荣获《中国证券报》颁发的“海外投资金牛基金公司奖”，《上海证券报》颁发的“金基金·海外投资回报基金管理公司奖”。

2014 年国泰金牛创新基金荣获《中国证券报》颁发的“五年期股票型金牛基金奖”，《上海证券报》颁发的“五年期股票型金基金奖”。

2014 年国泰金鑫封闭基金荣获《中国证券报》颁发的“三年期封闭式金牛基金奖”，晨星（中国）颁发的“晨星基金（封闭式）奖”。

2014 年国泰金鼎价值精选荣获《上海证券报》颁发的“金基金·2013 年度偏股混合型基金奖”。

2015 年公司荣获 21 世纪传媒 颁发的“最佳品牌建设基金公司奖”。

【股东概况】

排序	股东名称	股权比例
1	中国建银投资有限责任公司	60%
2	意大利忠利集团	30%
3	中国电力财务有限公司	10%

【旗下基金】

序号	基金代码	基金名称	期间申购（亿份）	期间赎回（亿份）	期末总份额（亿份）	期末净资产（亿元）
1	000103	国泰中国企业境外高收益债券	1.83	0.07	7.94	10.70
2	000193	国泰美国房地产开发股票	–	0.02	0.13	0.15
3	000199	国泰策略收益灵活配置混合	0.03	0.07	0.32	0.43
4	000218	国泰黄金 ETF 联接	1.37	0.23	2.19	2.22
5	000302	国泰淘金互联网债券	0.02	0.04	9.00	10.48
6	000362	国泰聚信价值优势灵活配置 A	9.11	3.27	6.75	10.96
7	000363	国泰聚信价值优势灵活配置 C	25.03	22.73	2.63	10.96
8	000367	国泰安康养老定期支付混合 A	0.01	0.11	0.70	5.32
9	000511	国泰国策驱动灵活配置混合 A	0.01	0.02	2.44	3.60
10	000512	国泰结构转型灵活配置混合 A	0.02	0.05	2.70	4.80
11	000526	国泰浓益灵活配置混合 A	0.01	0.19	1.36	5.80
12	000742	国泰新经济灵活配置混合	1.49	1.05	4.96	8.02
13	000953	国泰睿吉灵活配置混合 A	0.00	0.03	0.09	3.60
14	000954	国泰睿吉灵活配置混合 C	0.01	0.06	3.46	3.60

序号	基金代码	基金名称	期间申购(亿份)	期间赎回(亿份)	期末总份额(亿份)	期末净资产(亿元)
15	001265	国泰兴益灵活配置混合 A	0.00	0.18	2.23	6.35
16	001491	国泰生益灵活配置混合 A	0.26	0.18	0.27	20.34
17	001542	国泰互联网 + 股票	0.72	1.39	4.77	6.00
18	001626	国泰央企改革股票	0.22	0.22	0.98	0.99
19	001645	国泰大健康股票	0.83	0.89	1.69	2.12
20	001813	国泰福益灵活配置混合	0.00	0.00	8.02	8.06
21	001922	国泰新目标收益保本混合	0.00	5.32	20.66	20.69
22	001923	国泰添益灵活配置混合	0.00	2.01	5.53	5.54
23	001934	国泰全球绝对收益美元现钞	–	–	0.59	1.99
24	001935	国泰全球绝对收益美元现汇	–	–	0.59	1.99
25	001936	国泰全球绝对收益人民币	–	0.12	0.59	1.99
26	002045	国泰生益灵活配置混合 C	18.71	6.92	18.71	20.34
27	002055	国泰兴益灵活配置混合 C	0.28	0.20	3.78	6.35
28	002059	国泰浓益灵活配置混合 C	0.01	0.25	1.65	5.80
29	002061	国泰安康养老定期支付混合 C	0.25	0.06	1.90	5.32
30	002063	国泰结构转型灵活配置混合 C	0.00	0.00	0.14	4.80
31	002197	国泰鑫保本混合	0.00	8.15	16.01	16.08
32	002458	国泰民利保本混合	0.00	0.50	30.10	29.88
33	002489	国泰民福保本混合	0.00	0.55	9.85	9.87
34	020001	国泰金鹰增长混合	3.93	4.20	25.52	25.28
35	020002	国泰金龙债券 A	57.66	5.02	59.55	61.61
36	020003	国泰金龙行业精选	18.23	24.57	40.05	26.72
37	020005	国泰金马稳健	1.30	1.16	17.43	14.58
38	020007	国泰货币	180.48	343.65	53.33	53.33
39	020009	国泰金鹏蓝筹	0.06	0.33	6.07	5.35
40	020010	国泰金牛创新成长混合	0.56	0.87	11.87	15.58
41	020011	国泰沪深 300	2.08	1.26	26.81	18.89
42	020012	国泰金龙债券 C	0.37	1.85	0.34	61.61
43	020015	国泰区位优势混合	0.02	0.06	0.94	2.04
44	020018	国泰金鹿保本混合	0.01	0.35	19.42	19.38
45	020019	国泰双利债券 A	1.88	0.41	1.99	3.75
46	020020	国泰双利债券 C	0.95	1.07	0.87	3.75
47	020021	国泰上证 180 金融联接	0.79	0.27	4.38	6.24
48	020022	国泰保本	0.20	0.20	1.94	2.55
49	020023	国泰事件驱动策略混合	0.03	0.08	0.43	0.89
50	020026	国泰成长优选混合	0.96	1.16	1.54	4.01
51	020027	国泰信用债券 A	0.00	0.67	1.05	1.34
52	020028	国泰信用债券 C	0.01	0.02	0.08	1.34
53	020029	国泰创利债券	0.44	0.44	0.06	0.06
54	020031	国泰现金管理货币 A	17.26	17.20	2.38	10.97
55	020032	国泰现金管理货币 B	10.28	8.10	8.60	10.97
56	020033	国泰民安增利债券 A	0.02	0.02	0.10	21.86
57	020034	国泰民安增利债券 C	50.75	34.74	19.45	21.86
58	020035	国泰上证 5 年期国债联接 A	0.00	0.01	0.07	0.10
59	020036	国泰上证 5 年期国债联接 C	0.00	0.01	0.03	0.10
60	020037	国泰现金管理货币 R	–	–	2.38	10.97
61	150066	国泰互利分级债券 A	–	–	0.07	2.73
62	150067	国泰互利分级债券 B	–	–	0.03	2.73
63	150117	国泰国证房地产行业指数分级 A	–	–	7.15	13.17
64	150118	国泰国证房地产行业指数分级 B	–	–	7.15	13.17
65	150130	国泰国证医药卫生指数分级 A	–	–	39.86	70.05
66	150131	国泰国证医药卫生指数分级 B	–	–	39.86	70.05
67	150196	国泰国证有色金属行业分级 A	–	–	8.42	19.70
68	150197	国泰国证有色金属行业分级 B	–	–	8.42	19.70
69	150198	国泰国证食品饮料行业指数 A	–	–	4.20	10.33
70	150199	国泰国证食品饮料行业指数 B	–	–	4.20	10.33
71	150215	国泰深证 TMT50 指数分级 A	–	–	0.22	2.45
72	150216	国泰深证 TMT50 指数分级 B	–	–	0.22	2.45
73	160211	国泰中小盘成长混合(LOF)	2.03	3.30	7.23	19.48
74	160212	国泰估值优势混合(LOF)	2.85	3.88	6.88	15.19
75	160213	国泰纳斯达克 100 指数	–	0.12	1.82	4.20
76	160215	国泰价值经典混合(LOF)	3.65	2.24	10.16	14.77
77	160216	国泰商品	–	0.63	7.24	3.39
78	160217	国泰互利分级债券	0.40	1.37	2.45	2.73
79	160218	国泰国证房地产行业指数分级	0.97	9.66	2.89	13.17
80	160219	国泰国证医药卫生指数分级	10.33	32.37	8.74	70.05
81	160220	国泰民益混合(LOF)A	0.04	0.67	2.21	2.83
82	160221	国泰国证有色金属行业指数分级	7.49	8.23	1.51	19.70
83	160222	国泰国证食品饮料行业指数分级	1.96	4.00	3.38	10.33
84	160224	国泰深证 TMT50 指数分级	0.10	0.17	1.94	2.45
85	160225	国泰国证新能源汽车指数	0.36	0.72	1.17	1.11
86	160226	国泰民益混合(LOF)C	0.00	0.01	0.00	2.83
87	501017	国泰融丰定增灵活配置混合	–	–	11.16	11.25
88	510230	国泰上证 180 金融 ETF	0.30	0.16	6.52	33.77
89	511010	国泰上证 5 年期国债 ETF	0.01	0.02	0.05	5.99
90	512660	国泰中证军工 ETF	1.41	2.91	1.54	1.51
91	512880	国泰中证全指证券公司 ETF	4.79	5.60	1.42	1.47
92	513100	国泰纳斯达克 100ETF	0.45	–	0.99	1.76
93	518800	国泰黄金 ETF	2.18	1.25	3.29	8.62
94	519020	国泰金泰平衡混合 A	0.00	0.19	1.09	1.28
95	519021	国泰金鼎价值	0.32	5.46	23.92	12.01
96	519606	国泰金鑫	1.80	1.36	4.18	5.68
97	150066	国泰互利分级债券 A	–	–	0.07	–
98	150067	国泰互利分级债券 B	–	–	0.03	–
99	150117	国泰国证房地产行业指数分级 A	–	–	7.10	–
100	150118	国泰国证房地产行业指数分级 B	–	–	7.10	–
101	150130	国泰国证医药卫生指数分级 A	–	–	39.62	–
102	150131	国泰国证医药卫生指数分级 B	–	–	39.62	–
103	150196	国泰国证有色金属行业分级 A	–	–	8.42	–
104	150197	国泰国证有色金属行业分级 B	–	–	8.42	–
105	150198	国泰国证食品饮料行业指数 A	–	–	4.21	–
106	150199	国泰国证食品饮料行业指数 B	–	–	4.21	–
107	150215	国泰深证 TMT50 指数分级 A	–	–	0.22	–
108	150216	国泰深证 TMT50 指数分级 B	–	–	0.22	–
109	510230	国泰上证 180 金融 ETF	–	–	6.52	–
110	511010	国泰上证 5 年期国债 ETF	–	–	0.05	–
111	512660	国泰中证军工 ETF	–	–	1.54	–
112	512880	国泰中证全指证券公司 ETF	–	–	1.42	–
113	513100	国泰纳斯达克 100ETF	–	–	0.99	–
114	518800	国泰黄金 ETF	–	–	3.29	–

【公司高管】

唐建光先生:中国国籍,大学本科,高级工程师。1982 年 1 月至 1988 年 10 月在煤炭工业部基建司任工程师;1988 年 10 月至 1993 年 7 月在中国统配煤矿总公司基建局任副处长;1993 年 7 月至 1995 年 9 月在中煤建设开发总公司总经理办公室任处长;1995 年 9 月至 1998 年 10 月在煤炭部基建管理中心工作,先后任综合处处长、中心副主任;1998 年 10 月至 2005 年 1 月在中国建设银行资产保全部任副总经理;2005 年 1 月起在中国建银投资有限责任公司先后任资产管理处置部总经理、企业管理部高级业务总监。2010 年 11 月至 2014 年 10 月任国泰基金管理有限公司监事会主席,2014 年 8 月起任公司党委书记,2015 年 8 月起任公司董事长、法定代表人。

周向勇先生：中国籍，硕士研究生，1996 年 7 月至 2004 年 12 月在中国建设银行总行工作，先后任办公室科员、个人银行业务部主任科员。2004 年 12 月至 2011 年 1 月在中国建银投资公司工作，任办公室高级业务经理、业务运营组负责人。2011 年 1 月加入国泰基金管理有限公司，任总经理助理，2012 年 11 月至 2016 年 7 月 7 日任公司副总经理，2016 年 7 月 8 日起任公司总经理及公司董事。

国投瑞银基金管理有限公司

【基本情况】

法定名称：国投瑞银基金管理有限公司

英文名称：UBS SDIC Fund Management Co., Ltd.

公司属性：合资企业

成立日期：2002－06－13

注册资本：10000（万元）

法人代表：叶柏寿

总 经 理：王 彬

注册地址：上海市虹口区东大名路 638 号 7 层

办公地址：深圳市福田区金田路 4028 号荣超经贸中心 46 层

网站地址：www. ubssdic. com

邮政编码：518035

客服邮箱：service@ ubssdic. com

电话号码：400－880－6868，0755－83160000

传真号码：0755－82904048

经营范围：基金募集、基金销售、资产管理、中国证监会许可的其他业务（依法须经批准的项目，经相关部门批准后方可开展经营活动）。

基金数量：88 只（其中普通基金 76 只，货币基金 8 只，理财基金 0 只，封闭式基金 0 只，其他基金 4 只）。

管理规模：940.08 亿元

经理人数：25 人

【公司概况】

国投瑞银基金管理有限公司的前身为成立于 2002 年 6 月的中融基金管理有限公司。2005 年，公司经历合资重组，股东正式变更为国投泰康信托有限公司与全球领先的金融机构瑞银集团（UBS），中外股东分别持有公司 51% 和 49% 的股份。自合资以来，国投瑞银展现出快速发展的蓬勃朝气和勇于创新的开拓精神，迅速成长为一家具备较强综合实力的基金公司。目前公司的业务范围已涵盖公募基金、专户产品、专项资产管理，并已获得 QDII、RQFII、QFII、QDIE 等业务资格。截至 2016 年 12 月底，公司共管理着 63 只公募基金产品，总规模达到 934.62 亿元，银河证券数据显示，国投瑞银管理基金资产净值规模在 113 家基金公司中排名第 27，进入公募排名前 1/4。国投瑞银管理各类资产规模合计超过 2142 亿元（含公募、专户、香港子公司、专户子公司）。

国投瑞银秉承瑞银环球资产管理公司的投资理念，成功吸收其全球市场行之有效的投资方法，并结合中国本土实际情况，不断加以完善，形成了自身独特的稳中求胜的投资风格，投资管理能力在业内居前。银河证券数据显示，2016 年国投瑞银基金公司股票主动投资管理能力算术平均口径排名列 22/95，位于行业前 1/4 分位。作为一家拥有 13 年债券投资经验的基金公司，国投瑞银基金旗下固定收益产品中长期业绩稳健。银河证券数据显示，2016 年公司债券主动投资管理能力算术平均口径列 42/82，位于行业 51% 分位。

2016 年，国投瑞银基金共斩获 12 项业内权威大奖。公司奖项方面，国投瑞银成功将“2015 年度十大明星基金公司”、“2015 年度金基金 · 海外投资回报基金公司奖”两项公司大奖收入囊中。产品奖方面，国投瑞银美丽中国混合基金包揽 2015 年度“明星基金奖”“金牛奖”“金基金奖”三大奖项，实现“大满贯”。凭借长期优异的业绩，国投瑞银优化强债勇夺三年期“明星基金奖”、五年期“金牛奖”、三年期“金基金奖”三大业内权威奖项，同样荣获“大满贯”！此外，国投瑞银双债增利、国投瑞银稳定增利两只债基分别斩获三年期“明星基金奖”、三年期“金牛奖”，国投瑞银白银期货基金荣获 2015 年度“上海金融创新二等奖”，国投瑞银优化强债基金经理李怡文还在中国基金业“英华奖”评选中荣膺三年期、五年期二级债基“最佳基金经理”。

【股东概况】

排序	股东名称	出资金额（万元）	股权比例
1	国投信托投资公司	5100.00	51%
2	瑞士银行集团（UBS AG）	4900.00	49%

【旗下基金】

序号	基金代码	基金名称	期间申购（亿份）	期间赎回（亿份）	期末总份额（亿份）	期末净资产（亿元）
1	000069	国投瑞银中高等级债券 A	0.18	2.48	2.08	2.59
2	000070	国投瑞银中高等级债券 C	0.05	0.45	0.34	2.59
3	000165	国投瑞银策略精选混合	1.68	1.79	5.91	10.04
4	000237	国投瑞银一年定期开放债 A	–	–	4.23	4.47
5	000238	国投瑞银一年定期开放债 C	–	–	0.12	4.47
6	000523	国投瑞银医疗保健混合	3.89	1.88	5.71	9.87
7	000556	国投新机遇混合 A	2.59	0.83	4.47	8.17
8	000557	国投新机遇混合 C	0.60	0.19	2.10	8.17
9	000663	国投瑞银美丽中国混合	0.14	0.47	3.84	5.56
10	000781	国投岁增利一年定开债券 A	0.02	5.20	2.28	2.49
11	000782	国投岁增利一年定开债券 C	0.00	0.32	0.16	2.49
12	000836	国投瑞银钱多宝货币 A	8.48	0.13	9.32	9.79
13	000837	国投瑞银钱多宝货币 I	0.45	0.03	0.47	9.79
14	000845	国投瑞银信息消费混合	0.92	0.38	2.52	3.24
15	000868	国投瑞银增利宝货币 A	1.81	2.20	0.69	45.63
16	000869	国投瑞银增利宝货币 B	135.91	141.17	44.93	45.63
17	001029	国投瑞银新动力混合	6.11	4.03	9.67	9.83
18	001037	国投瑞银锐意改革混合	0.27	1.36	18.27	16.33
19	001094	国投瑞银添利宝货币 A	1.05	0.24	1.03	6.13
20	001095	国投瑞银添利宝货币 B	12.10	12.12	5.10	6.13
21	001119	国投瑞银新回报混合	0.05	0.64	1.89	1.98
22	001137	国投瑞银岁丰利一年债券 A	–	–	1.34	1.59
23	001138	国投瑞银岁丰利一年债券 C	–	–	0.24	1.59
24	001168	国投瑞银优选收益混合	4.59	0.06	4.78	5.19
25	001169	国投瑞银新价值混合	0.25	7.26	6.46	6.53
26	001218	国投瑞银精选收益混合	0.02	1.36	16.47	11.55
27	001266	国投瑞银招财保本混合	0.01	1.33	17.56	18.01
28	001499	国投瑞银新增长混合	5.28	3.60	6.05	6.44
29	001584	国投瑞银新活力灵活配置混合 A	1.91	0.00	5.84	6.06
30	001585	国投瑞银新活力灵活配置混合 C	–	1.94	0.00	6.06
31	001704	国投瑞银进宝保本混合	0.00	3.40	29.98	30.27

序号	基金代码	基金名称	期间申购（亿份）	期间赎回（亿份）	期末总份额（亿份）	期末净资产（亿元）
32	001838	国投瑞银国家安全混合	0.65	0.93	6.46	5.90
33	001907	国投瑞银境煊保本混合 A	0.00	0.40	5.76	32.87
34	001908	国投瑞银境煊保本混合 C	0.01	3.96	26.19	32.87
35	002039	国投瑞银新收益混合 A	0.00	0.00	5.37	5.57
36	002040	国投瑞银新收益混合 C	–	0.00	0.00	5.57
37	002041	国投瑞银新成长混合 A	1.94	9.92	1.97	2.04
38	002042	国投瑞银新成长混合 C	0.00	0.00	0.01	2.04
39	002242	国投瑞银瑞兴保本混合	0.00	5.49	14.17	14.44
40	002355	国投瑞银岁赢利一年债券	–	–	8.27	8.36
41	002358	国投瑞银瑞祥保本混合	0.01	6.58	11.96	12.13
42	002467	国投瑞银全球债券人民币	–	0.18	0.69	1.71
43	002468	国投瑞银全球债券美元现汇	–	0.01	0.14	1.71
44	002677	国投瑞银和安债券 A	0.00	0.00	5.00	5.11
45	002678	国投瑞银和安债券 C	0.00	0.00	0.00	5.11
46	002831	国投瑞银瑞宁混合	0.00	0.21	2.82	2.78
47	002964	国投瑞银顺鑫一年债券	–	–	10.01	9.85
48	003158	国投瑞银瑞达混合	0.00	2.65	1.37	1.38
49	121001	国投瑞银融华债券	0.37	0.36	2.67	4.60
50	121002	国投瑞银景气行业混合	0.09	0.20	6.48	7.84
51	121003	国投瑞银核心企业混合	0.14	0.46	17.01	11.48
52	121005	国投瑞银创新动力混合	0.34	0.65	18.43	11.02
53	121006	国投瑞银稳健增长	0.75	0.77	3.28	5.66
54	121008	国投瑞银成长优选混合	0.21	0.29	8.70	4.59
55	121009	国投瑞银稳定增利债券 A	0.75	4.56	5.63	6.22
56	121010	国投瑞银瑞源保本	0.31	0.80	12.87	14.92
57	121011	国投瑞银货币 A	36.20	15.81	23.69	397.48
58	121012	国投瑞银优化强债 A/B	1.73	6.98	7.30	13.83
59	121013	国投瑞银纯债 A	0.18	0.36	0.34	49.24
60	128011	国投瑞银货币 B	420.19	203.20	373.79	397.48
61	128013	国投瑞银纯债 B	47.65	4.28	47.42	49.24
62	128112	国投瑞银优化强债 C	1.51	4.78	1.57	13.83
63	150008	国投瑞银瑞和小康	0.00	0.01	0.23	1.32
64	150009	国投瑞银瑞和远见	0.00	0.01	0.23	1.32
65	150213	国投瑞银中证创业指数分级 A	0.09	1.77	6.36	9.18
66	150214	国投瑞银中证创业指数分级 B	0.09	1.77	6.36	9.18
67	159933	国投瑞银金融地产 ETF	0.39	0.17	2.84	4.49
68	161207	国投瑞银沪深 300	0.37	0.24	0.82	1.32
69	161210	国投瑞银新兴市场	0.13	0.24	0.60	0.51
70	161211	国投沪深 300 金融地产联接	0.64	0.36	3.64	4.70
71	161213	国投瑞银消费服务指数	0.02	0.06	0.44	0.58
72	161216	国投瑞银双债债券(LOF)A	0.12	0.21	1.43	1.59
73	161217	国投瑞银中证指数	0.59	0.46	2.08	1.30
74	161219	国投瑞银新兴产业	0.34	1.82	2.88	3.47
75	161221	国投瑞银双债债券 C	0.26	0.41	0.12	1.59
76	161222	国投瑞银瑞利混合(LOF)	0.00	2.08	4.70	4.74
77	161223	国投瑞银中证创业指数分级	3.57	3.61	0.09	9.18
78	161224	国投瑞银新丝路混合(LOF)	0.09	0.43	2.98	3.37
79	161225	国投瑞银瑞盈混合(LOF)	0.00	3.97	9.81	10.08
80	161226	国投瑞银白银期货(LOF)	9.71	6.65	6.38	6.20
81	161227	国投瑞银深证 100 指数	0.08	0.66	7.09	6.18
82	161229	国投瑞银中国价值发现股票	0.38	0.30	1.41	1.61
83	161230	国投瑞银双债丰利定开债 A	–	–	8.02	8.06
84	161231	国投瑞银双债丰利定开债 C	–	–	0.01	8.06
85	161232	国投瑞银瑞盛混合	–	–	15.85	15.48
86	150008	国投瑞银瑞和小康	–	–	0.23	–
87	150009	国投瑞银瑞和远见	–	–	0.23	–
88	150213	国投瑞银中证创业指数分级 A	–	–	6.36	–
89	150214	国投瑞银中证创业指数分级 B	–	–	6.36	–
90	159933	国投瑞银金融地产 ETF	–	–	2.84	–

【公司高管】

叶柏寿先生：中国籍，经济学学士，毕业于江西财经大学财政金融系。现任国家开发投资公司副总经济师、国投资本控股有限公司副董事长（法定代表人）、国投财务有限公司董事、国投电力控股股份有限公司监事会主席、国投融资租赁有限公司董事长。曾任国家计委经济研究所干部、研究室副主任，国家开发投资公司财务会计部干部、处长、副主任、主任，国家开发投资公司财务会计部干部、处长、副主任、主任，国投资本控股有限公司副董事长。

王彬女士：总经理，董事，中国籍，香港中文大学工商管理硕士，高级经济师。曾任国投泰康信托有限公司副总经理兼董事会秘书、国投瑞银基金管理有限公司副总经理兼董事会秘书、国投泰康信托有限公司资产管理部经理兼董事会秘书，北京京能热电股份有限公司董事会秘书、北京国际电力开发投资公司董事会秘书、北京市人民政府新闻处主任科员、北京天然气联合公司职员。

海富通基金管理有限公司

【基本情况】

法定名称：海富通基金管理有限公司
英文名称：Hft Investment Management Co., Ltd.
公司属性：合资企业
成立日期：2003－04－18
注册资本：15000（万元）
法人代表：张文伟
总 经 理：张文伟（代）
注册地址：上海市浦东新区陆家嘴花园石桥路 66 号东亚银行金融大厦 36－37 层
办公地址：上海市浦东新区陆家嘴花园石桥路 66 号东亚银行金融大厦 36－37 层
网站地址：www.hftfund.com
邮政编码：200120
客服邮箱：info@hftfund.com
电话号码：40088－40099
传真号码：021－50479997
经营范围：基金募集、基金销售、资产管理和中国证监会许可的其他业务（依法须经批准的项目，经相关部门批准后方可开展经营活动。
基金数量：60 只（其中普通基金 55 只，货币基金 2 只，理财基金 1 只，封闭式基金 0 只，其他基金 2 只）。
管理规模：446.12 亿元
经理人数：16 人

【公司概况】

海富通基金管理有限公司成立于 2003 年 4 月，是中国首批获准成立的中外合资基金管理公司。

从 2003 年 8 月开始，海富通先后募集成立了 31 只公募基金。截至2015年12月31日，海富通管理的公募基金资产规模为470亿元人民币。

作为国家人力资源和社会保障部首批企业年金基金投资管理人，截至2015年12月31日，海富通为近80家企业超过349亿元的企业年金基金担任了投资管理人。作为首批特定客户资产管理业务资格的基金管理公司，截至2015年12月31日，海富通旗下专项管理业务总管理金额超过987.18亿元人民币。2010年12月，海富通基金管理有限公司被全国社会保障基金理事会选聘为境内委托投资管理人。2012年9月，中国保监会公告确认海富通基金为首批保险资金投资管理人之一。

2004年末开始，海富通为QFII（合格境外机构投资者）及其他多个海内外投资组合担任投资咨询顾问，截至2015年12月31日，投资咨询及海外业务规模近111.54亿元人民币。2011年12月，海富通全资子公司——海富通资产管理（香港）有限公司获得证监会核准批复RQFII（人民币合格境外机构投资者）业务资格，能够在香港筹集人民币资金投资境内证券市场。2012年2月，海富通资产管理（香港）有限公司已募集发行了首只RQFII产品。2014年8月，上海富诚海富通资产管理有限公司成立。

2012年3月，国内权威财经媒体《中国证券报》等授予海富通基金管理有限公司"中国基金业金牛基金管理公司"大奖，《证券时报》授予海富通精选混合基金"2011年中国基金业明星奖—五年持续回报平衡混合型明星基金"荣誉。2013年4月，《上海证券报》授予海富通精选混合基金2012年"金基金"奖——分红基金奖。2016年3月，《中国证券报》等授予海富通基金管理有限公司"固定收益投资金牛基金公司"大奖。

海富通同时还在不断践行其社会责任。公司自2008年启动"绿色与希望－橄榄枝公益环保计划"，针对汶川震区受灾学校、上海民工小学、安徽老区小学进行了物资捐赠，向内蒙古库伦旗捐建了环保公益林。几年来，海富通的公益行动进一步升级，持续为上海民工小学学生捐献生活物资，并向安徽农村小学捐献图书室。此外，海富通还积极推进投资者教育工作，推出了以"幸福投资"为主题和特色的投资者教育活动，向投资者传播长期投资、理性投资的理念。

【公司大事记】

2013年3月海富通现金管理货币市场基金正式成立、海富通双利分级债券型证券投资基金、海富通内需热点股票型证券投资基金正式成立。

2013年5月海富通养老收益混合型证券投资基金正式成立。

2013年5月海富通香港子公司获批QFII资格。

2013年10月海富通一年定期开放债券型证券投资基金正式成立。

2013年12月海富通精选基金获《上海证券报》授予的"金基金·分红基金奖"。

2014年4月海富通上证可质押城投债交易型开放式指数证券投资基金正式成立。

2014年5月海富通全资子公司上海富诚海富通资产管理有限公司正式成立。

2014年8月海富通季季增利理财债券型证券投资基金正式成立。

2014年8月海富通双福分级债券型证券投资基金正式成立。

2014年11月海富通纯债债券型证券投资基金正式成立。

2015年1月《大众证券报》2014年度十佳基金产品——海富通国策导向基金。

2015年11月《每日经济新闻》2015年中国基金金鼎奖"专户一对多最具创新公司"。

2015年12月东方财富网最受欢迎债券类基金——海富通纯债债券。

2016年1月《大众证券报》2015十大风云基金产品——海富通阿尔法。

2016年1月《大众证券报》2015最佳固定收益类基金——海富通货币。

2016年3月《中国证券报》第十三届中国基金业金牛奖评选"固定收益投资金牛基金公司"。

【股东概况】

排序	股东名称	持股数量（万股）	股权比例
1	海通证券股份有限公司	7650.00	51%
2	法国巴黎投资管理BE控股公司	7350.00	49%

【旗下基金】

序号	基金代码	基金名称	期间申购（亿份）	期间赎回（亿份）	期末总份额（亿份）	期末净资产（亿元）
1	001976	海富通一年定开债C	–	0.54	0.00	6.11
2	002172	海富通新内需混合C	0.00	0.00	0.00	1.84
3	002339	海富通养老收益混合C	0.16	–	0.16	4.13
4	162307	海富通中证100	0.01	0.12	1.32	1.33
5	162308	海富通稳进增利债券(LOF)	0.01	1.43	0.20	0.22
6	510110	海富通上证周期ETF	–	0.01	0.13	0.39
7	510120	海富通上证非周期ETF	–	0.01	0.12	0.32
8	511220	海富通上证可质押城投债ETF	–	–	0.61	60.24
9	519003	海富通收益增长	3.39	1.35	23.19	22.67
10	519005	海富通股票混合	0.09	0.44	16.82	9.64
11	519007	海富通强化回报	0.01	0.17	6.25	5.02
12	519011	海富通精选	14.83	8.15	54.36	26.85
13	519013	海富通风格优势混合	0.05	0.27	7.83	5.62
14	519015	海富通精选二号	0.00	1.37	6.23	5.38
15	519023	海富通稳健添利债券C	0.00	0.15	0.11	5.95
16	519024	海富通稳健添利债A	0.01	0.64	4.57	5.95
17	519025	海富通领先成长混合	0.01	0.03	1.09	1.29
18	519026	海富通中小盘混合	0.02	0.08	1.83	1.56
19	519027	海富通上证周期联接	0.01	0.02	0.29	0.31
20	519030	海富通稳固债券	0.02	6.26	4.88	5.57
21	519032	海富通上证非周期联接	0.00	0.02	0.23	0.24
22	519033	海富通国策导向混合	0.27	0.55	2.28	2.62
23	519034	海富通中证内地低碳指数	0.01	0.03	0.19	0.27
24	519050	海富通养老收益混合A	0.00	0.17	3.20	4.13
25	519051	海富通一年定开债券A	0.00	9.15	3.46	6.11
26	519055	海富通双利债券	0.21	2.60	0.71	0.66
27	519056	海富通内需热点混合	0.02	0.03	0.33	0.29
28	519057	海富通双福分级债券A	0.02	1.04	0.28	1.11
29	519058	海富通双福分级债券B	–	–	0.97	1.11
30	519060	海富通纯债债券C	0.03	0.07	0.74	61.57
31	519061	海富通纯债债券A	36.16	0.37	36.60	61.57
32	519062	海富通阿尔法对冲	1.35	3.69	5.62	6.88
33	519130	海富通新内需混合A	0.42	0.06	1.29	1.84

序号	基金代码	基金名称	期间申购（亿份）	期间赎回（亿份）	期末总份额（亿份）	期末净资产（亿元）
34	519132	海富通东财大数据混合	0.14	0.76	0.64	0.66
35	519133	海富通改革驱动混合	1.13	0.17	2.85	3.14
36	519134	海富通富祥混合	0.00	0.73	3.33	3.32
37	519135	海富通瑞益债券	0.00	0.00	2.00	2.00
38	519136	海富通瑞丰一年定开债	-	-	15.00	14.99
39	519220	海富通聚利债券	15.01	0.00	17.11	17.09
40	519221	海富通欣益混合 C	0.00	0.00	0.50	4.99
41	519222	海富通欣益混合 A	0.99	0.00	4.49	4.99
42	519223	海富通欣荣混合 C	0.00	-	2.00	4.44
43	519224	海富通欣荣混合 A	-	0.00	2.50	4.44
44	519225	海富通集利债券	0.55	1.00	2.16	2.15
45	519505	海富通货币 A	10.61	7.12	9.37	144.48
46	519506	海富通货币 B	137.79	144.22	135.12	144.48
47	519601	海富通中国海外混合	0.01	0.15	1.21	1.65
48	519602	海富通大中华混合(QDII)	0.02	0.06	0.70	0.60
49	510110	海富通上证周期 ETF	-	-	0.13	-
50	510120	海富通上证非周期 ETF	-	-	0.12	-
51	511220	海富通上证可质押城投债 ETF	-	-	0.61	-

【公司高管】

张文伟先生，董事长，硕士，高级经济师。历任交通银行郑州分行铁道支行行长、紫荆山支行行长、私人金融处处长，海通证券办公室主任，海通证券投资银行总部副总经理、海富通基金管理有限公司董事、副总经理。2013 年 5 月起任海富通基金管理有限公司董事长。

华富基金管理有限公司

【基本情况】

法定名称：华富基金管理有限公司
英文名称：Harfor Fund Management Co.，Ltd
公司属性：中资企业
成立日期：2004－04－19
注册资本：20000（万元）
法人代表：章宏韬
总 经 理：余海春
注册地址：中国（上海）自由贸易试验区陆家嘴环路 1000 号 31 层
办公地址：中国（上海）自由贸易试验区陆家嘴环路 1000 号 31 层
网站地址：www. hffund. com
邮政编码：200120
客服邮箱：hf@ hffund. com
电话号码：400－700－8001，021－50619688
传真号码：021－68887997
经营范围：基金募集、基金销售、资产管理、中国证监会许可的其他业务（依法须经批准的项目，经相关部门批准后方可开展经营活动）。
基金数量：48 只（其中普通基金 39 只，货币基金 5 只，理财基金 0 只，封闭式基金 0 只，其他基金 4 只）。
管理规模：146.63 亿元
经理人数：13 人

【公司概况】

华富基金管理有限公司是按照市场化机制设立的专业基金管理公司。公司于 2004 年 4 月 19 日在上海正式注册成立，注册资金为人民币 1.2 亿元。2016 年 2 月 26 日公告完成增资，注册资本金增至人民币 2 亿元。

经过多年的积累，华富基金形成了一支精干、团结、自信的人才队伍，逐渐摸索出适合的投资模式。投资团队长期从事投资、研究工作，具有丰富的投资经验。公司凭借团结、高效、锐意、创新的投资团队，以规范、务实的管理风格，科学、理性、健康的投资运作为基金持有人提供专业化、高质量的金融服务。

华富基金管理有限公司是国内证券投资基金业的新锐，秉承“诚信、稳健、专业、进取”的经营理念，致力于为投资人提供专业化、高质量的基金理财服务。

【股东概况】

排序	股东名称	持股数量（万股）	股权比例
1	华安证券有限责任公司	5880.00	49%
2	安徽省信用担保集团有限公司	3240.00	27%
3	合肥兴泰控股集团有限公司	2880.00	24%

【旗下基金】

序号	基金代码	基金名称	期间申购（亿份）	期间赎回（亿份）	期末总份额（亿份）	期末净资产（亿元）
1	000028	华富保本混合	0.04	0.37	7.08	7.14
2	000398	华富灵活配置混合	0.00	0.46	1.79	1.88
3	000500	华富恒富分级债券	-	-	2.14	-
4	000501	华富恒富分级债券 A	0.00	0.14	0.24	2.22
5	000502	华富恒富分级债券 B	-	-	1.90	2.22
6	000622	华富恒财分级债券	-	-	1.34	-
7	000623	华富恒财分级债券 A	0.00	0.02	0.01	1.37
8	000624	华富恒财分级债券 B	-	-	1.33	1.37
9	000757	华富智慧城市灵活配置混合	0.05	0.51	1.47	1.47
10	000767	华富国泰民安灵活配置混合	0.01	0.15	1.85	1.80
11	000898	华富恒稳纯债债券 A	0.00	0.11	0.13	0.41
12	000899	华富恒稳纯债债券 C	0.01	0.02	0.25	0.41
13	001034	华富旺财保本混合	-	-	3.04	3.03
14	001086	华富恒利债券 A	1.94	1.63	3.38	4.40
15	001087	华富恒利债券 C	0.10	0.10	0.91	4.40
16	001466	华富永鑫灵活配置混合 A	0.00	0.01	0.02	4.94
17	001467	华富永鑫灵活配置混合 C	0.98	1.02	4.75	4.94
18	001563	华富健康文娱灵活配置混合	0.02	0.25	0.82	0.76
19	001709	华富物联世界灵活配置混合	0.81	1.70	6.54	7.05
20	002280	华富安享保本混合	0.00	0.58	11.66	11.74
21	002412	华富安福保本混合	0.00	0.39	3.22	3.23
22	002726	华富诚鑫灵活配置混合 A	0.20	0.98	5.89	6.89
23	002727	华富诚鑫灵活配置混合 C	0.96	0.00	0.96	6.89
24	002728	华富益鑫灵活配置混合 A	-	-	0.00	1.78
25	002729	华富益鑫灵活配置混合 C	1.00	1.20	1.80	1.78
26	002853	华富元鑫灵活配置混合 A	0.00	0.00	1.20	4.82
27	002854	华富元鑫灵活配置混合 C	2.68	0.00	3.58	4.82
28	164105	华富强化债券	22.09	18.69	4.81	5.83
29	410001	华富竞争力优选	0.55	1.50	5.91	5.54
30	410002	华富货币	36.87	44.24	29.39	29.39

序号	基金代码	基金名称	期间申购（亿份）	期间赎回（亿份）	期末总份额（亿份）	期末净资产（亿元）
31	410003	华富成长趋势混合	0.04	1.16	7.27	6.95
32	410004	华富增强债券A	1.30	1.50	8.01	15.51
33	410005	华富增强债券B	0.54	0.78	0.91	15.51
34	410006	华富策略精选	0.03	0.02	0.16	0.25
35	410007	华富价值增长	1.18	1.96	2.95	3.06
36	410008	华富中证100	0.01	0.03	0.33	0.33
37	410009	华富量子生命力混合	0.23	0.12	0.75	0.84
38	410010	华富中小板指数增强	0.02	0.00	0.07	0.09

【公司高管】

章宏韬先生：董事长，本科学历，工商管理硕士，经济师。历任安徽省农村经济管理干部学院政治处职员，安徽省农村经济委员会调查研究处秘书、副科秘书，安徽证券交易中心综合部（办公室）经理助理、副经理（副主任），安徽省证券公司合肥蒙城路营业部总经理，华安证券有限责任公司办公室副主任、总裁助理兼办公室主任、副总裁。现任华安证券股份有限公司公司董事、总经理，兼任华富基金管理有限公司董事长，华安期货有限责任公司董事，中国证券业协会创新发展战略专业委员会委员。

余海春先生：中国国籍，硕士研究生。多年证券从业经验，先后担任安徽省证券公司合肥营业部业务员、上海自忠路营业部业务主管、合肥第二营业部经理助理，华安证券股份有限公司投资总部副总经理、池州营业部总经理、合肥花园街营业部总经理、办公室主任、固定收益部总经理、投资管理部总经理，现任华富基金管理有限公司总经理。

华夏基金管理有限公司

【基本情况】

法定名称：华夏基金管理有限公司

英文名称：China Asset Management Co.,Ltd.

公司属性：合资企业

成立日期：1998－04－09

注册资本：23800（万元）

法人代表：杨明辉

总　经　理：汤晓东

注册地址：北京市顺义区天竺空港工业区A区

办公地址：北京市西城区金融大街33号通泰大厦B座8层

网站地址：www.chinaamc.com

邮政编码：100033

客服邮箱：service@chinaamc.com

电话号码：400－818－6666

传真号码：010－88066508

经营范围：基金募集、基金销售、资产管理、中国证监会核准的其他业务（依法须经批准的项目，经相关部门批准后依批准的内容开展经营活动）。

基金数量：155只（其中普通基金133只，货币基金20只，理财基金2只，封闭式基金0只，其他基金0只）。

管理规模：4031.98亿元

经理人数：40人

【公司概况】

华夏基金管理有限公司成立于1998年4月9日，是经中国证监会批准成立的首批全国性基金管理公司之一。公司总部设在北京，在北京、上海、深圳、成都、南京、杭州、广州和青岛设有分公司，在香港、深圳、上海设有子公司。

华夏基金定位于综合性、全能化的资产管理公司，服务范围覆盖多个资产类别、行业和地区，构建了以公募基金和机构业务为核心，涵盖华夏香港、华夏资本、华夏财富的多元化资产管理平台。

华夏基金规范运作、稳健经营，以雄厚的综合实力持续保持了行业的领先地位。公司拥有18年投资管理经验，是管理基金规模最大的基金管理公司之一。截至2016年6月30日，公司服务机构客户46321余户，服务公众持有人超过4036万户。华夏基金秉承“为信任奉献回报”的企业宗旨，注重将投资收益及时转化为红利，为投资人创造了丰厚的回报，累计为持有人分红超过1230亿元。

华夏基金在业内最早提出了“研究创造价值”的投资理念，以卓越的主动投资管理为核心，建立了业内最大的投研团队之一，通过宏观趋势判断、策略研究以及实地调研，审视每一个投资标的基本面及投资潜力，力求为投资者提供长期而稳定的投资收益。

华夏基金拥有卓越的平台、雄厚的实力以及良好的声誉，汇聚了大批优秀的研究员及基金经理，选拔了海内外知名高校的优秀人才，构建了精英荟萃的投研平台，逐步形成了业内规模最大的投资团队之一，并形成了稳定而长远的投资管理模式。

在公募基金方面，华夏基金建立了完善的基金产品线，可以满足投资者各类投资需求。公司旗下共有75只公募基金，主动管理的基金囊括了货币型、理财型、债券型、混合型以及股票型等5大类不同风险收益特征的品种；在被动管理方面，公司构建了覆盖综合指数、权重股指数、中小盘指数、行业指数以及海外市场指数的完善的产品线。

华夏基金机构业务包括全国社保、企业年金、基本养老金、职业年金、专户理财业务、机构客户公募基金组合管理业务及海外机构业务。围绕机构客户的多元化投资需求，华夏基金构建了以投资、产品、风控为核心，全面覆盖机构股票投资、机构债券投资、数量投资、现金管理以及海外投资在内的专属投资管理和服务平台。

18年来，华夏基金凭借规范的经营管理及良好的品牌声誉，获得了业界的广泛认可，多次荣获境内外各大权威奖项。华夏基金8次获得《中国证券报》评选的“金牛基金管理公司奖”，8次获得《上海证券报》评选的“金基金TOP公司大奖”，五次获得《证券时报》评选的“明星基金公司奖”，并多次获得《亚洲投资者》《亚洲资产管理》以及《财资》等境外权威机构评选的“中国最佳基金管理公司奖”。

【股东概况】

持股单位	持股占总股本比例
中信证券股份有限公司	59%
南方工业资产管理有限责任公司	11%
山东省农村经济开发投资公司	10%
POWER CORPORATION OF CANADA	10%
青岛海鹏科技投资有限公司	10%
合　计	100%

【旗下基金】

序号	基金代码	基金名称	期间申购（亿份）	期间赎回（亿份）	期末总份额（亿份）	期末净资产（亿元）
1	000001	华夏成长	2.48	2.39	45.42	47.15
2	000011	华夏大盘精选	0.14	0.18	1.85	18.78
3	000014	华夏聚利债券	1.80	2.03	17.50	20.30
4	000015	华夏纯债债券 A	22.50	33.19	44.22	54.82
5	000016	华夏纯债债券 C	5.14	12.40	3.40	54.82
6	000021	华夏优势增长混合	0.84	1.96	40.94	64.63
7	000031	华夏复兴混合	0.18	0.51	11.16	20.40
8	000041	华夏全球精选	0.30	1.81	62.84	48.34
9	000047	华夏双债增强债券 A	25.03	0.81	27.08	31.67
10	000048	华夏双债增强债券 C	0.09	0.35	0.63	31.67
11	000051	华夏沪深 300ETF 联接	3.32	5.22	96.63	102.54
12	000061	华夏盛世混合	1.34	1.46	18.79	19.57
13	000071	华夏恒生 ETF 联接	6.56	1.36	9.36	11.17
14	000075	华夏恒生联接现汇	-	-	9.36	11.17
15	000076	华夏恒生联接现钞	-	-	9.36	11.17
16	000121	华夏永福养老理财混合 A	0.09	0.29	6.26	9.31
17	000343	华夏财富宝货币 A	216.54	424.52	180.81	227.76
18	000645	华夏薪金宝货币	343.80	339.07	152.23	152.23
19	000945	华夏医疗健康混合 A	0.93	2.15	24.87	40.58
20	000946	华夏医疗健康混合 C	0.47	0.68	5.06	40.58
21	000948	华夏沪港通恒生 ETF 联接	8.74	2.67	20.05	19.79
22	000975	MSCI 中国 A 股 ETF 联接	0.07	0.10	1.08	1.02
23	001001	华夏债券 A/B	0.65	1.94	9.49	24.58
24	001003	华夏债券 C	10.67	17.61	13.63	24.58
25	001011	华夏希望债券 A	1.12	3.36	10.09	20.44
26	001013	华夏希望债券 C	2.46	3.47	7.97	20.44
27	001015	华夏沪深 300 指数增强 A	0.31	0.32	1.68	2.96
28	001016	华夏沪深 300 指数增强 C	0.22	0.22	0.85	2.96
29	001021	华夏亚债中国指数 A	0.83	1.35	37.90	43.40
30	001023	华夏亚债中国指数 C	0.05	0.10	0.14	43.40
31	001031	华夏安康优选债券 A	2.40	2.19	7.11	10.76
32	001033	华夏安康优选债券 C	0.07	0.43	2.18	10.76
33	001042	华夏领先股票	0.76	2.65	44.79	31.66
34	001045	华夏可转债增强债券 A	0.11	0.27	2.75	2.71
35	001051	华夏上证 50ETF 联接	4.82	0.65	10.22	7.78
36	001052	华夏中证 500ETF 联接	0.57	0.81	11.44	7.56
37	001057	华夏理财 30 天债券 A	1.29	0.64	3.01	7.70
38	001058	华夏理财 30 天债券 B	4.79	0.09	4.70	7.70
39	001061	华夏海外收益债券 A	4.30	2.42	11.16	17.94
40	001063	华夏海外收益债券 C	0.66	0.42	2.99	17.94
41	001065	华夏海外收益债券现汇	-	-	11.16	-
42	001066	华夏海外收益债券现钞	-	-	11.16	-
43	001077	华夏现金宝货币 A	1.53	0.91	0.86	1.85
44	001078	华夏现金宝货币 B	1.09	0.37	0.99	1.85
45	001374	华夏现金增利货币 B	585.60	1545.14	769.42	1327.13
46	001683	华夏新经济混合	-	0.00	400.11	387.41
47	001924	华夏国企改革混合	0.15	3.47	17.82	15.36
48	001927	华夏消费升级灵活配置混合 A	0.26	0.35	0.79	1.42
49	001928	华夏消费升级灵活配置混合 C	0.25	0.16	0.44	1.42
50	001929	华夏收益宝货币 A	2.07	1.74	0.88	45.42
51	001930	华夏收益宝货币 B	193.80	293.66	44.54	45.42
52	002001	华夏回报混合 A	1.41	3.02	59.31	70.24
53	002011	华夏红利	1.35	2.35	46.93	110.81
54	002021	华夏回报二号混合	0.60	1.64	39.25	40.00
55	002031	华夏策略精选	0.47	0.59	3.20	9.81
56	002229	华夏经济转型股票	0.66	0.49	1.62	1.78
57	002230	华夏大中华混合(QDII)	0.80	0.52	1.75	2.15
58	002231	华夏新趋势混合 A	0.00	0.13	0.36	7.36
59	002232	华夏新趋势混合 C	4.94	5.20	7.00	7.36
60	002251	华夏军工安全混合	0.24	0.37	1.38	1.46
61	002264	华夏乐享健康混合	0.22	4.20	7.35	7.34
62	002345	华夏高端制造混合	0.34	2.34	2.88	2.95
63	002348	华夏鼎新债券 A	0.03	0.05	0.03	2.02
64	002349	华夏鼎新债券 I	-	-	2.00	2.02
65	002409	华夏新活力混合 A	0.00	0.00	5.11	6.13
66	002410	华夏新活力混合 C	-	-	1.00	6.13
67	002411	华夏新机遇混合	0.00	0.01	10.01	10.03
68	002552	华夏恒利定开债	0.02	0.00	29.72	30.07
69	002604	华夏新起点混合	1.06	1.82	10.31	10.20
70	002699	华夏新起航混合 A	-	0.01	0.04	7.96
71	002700	华夏新起航混合 C	-	-	8.00	7.96
72	002833	华夏新锦绣混合 A	-	0.00	0.00	7.96
73	002834	华夏新锦绣混合 C	-	-	8.00	7.96
74	002835	华夏新锦泰混合 A	-	0.00	0.00	7.97
75	002836	华夏新锦泰混合 C	-	-	8.00	7.97
76	002838	华夏新锦程混合 A	5.97	0.00	11.98	11.86
77	002871	华夏新锦源混合 A	5.97	0.00	11.98	11.86
78	002873	华夏新锦福混合 A	5.97	0.00	11.98	11.85
79	002875	华夏新锦安混合 A	5.97	0.00	11.98	11.86
80	002877	华夏大中华信用债 A	-	4.47	13.29	13.98
81	002878	华夏大中华信用债美元现汇 A	-	-	13.29	-
82	002879	华夏大中华信用债美元现钞 A	-	-	13.29	-
83	002880	华夏大中华信用债 C	-	0.31	1.04	13.98
84	002894	华夏天利货币 A	21.65	29.86	15.46	42.06
85	002895	华夏天利货币 B	27.08	24.88	26.61	42.06
86	002980	华夏创新前沿股票	0.21	3.40	10.06	9.87
87	003003	华夏现金增利货币 A/E	506.73	533.70	557.71	1327.13
88	004201	华夏财富宝货币 B	46.95	0.00	46.95	227.76
89	159902	华夏中小板 ETF	1.83	2.11	7.77	24.18
90	159920	华夏恒生 ETF	5.58	0.86	13.52	16.44
91	160311	华夏蓝筹	0.31	1.20	32.70	41.04
92	160314	华夏行业混合(LOF)	0.33	4.00	28.30	28.04
93	288001	华夏经典混合	0.09	0.42	9.79	9.58
94	288002	华夏收入混合	0.26	0.80	6.89	30.77
95	288101	华夏货币 A	7.19	4.96	12.53	66.04
96	288102	华夏稳定双利债券	4.19	6.60	16.57	17.44
97	288201	华夏货币 B	173.65	279.06	53.51	66.04
98	501050	华夏上证 50AH 优选指数	0.03	2.96	3.90	3.76
99	510050	华夏上证 50ETF	47.79	43.37	127.99	293.08
100	510330	华夏沪深 300ETF	0.23	0.81	45.77	161.45
101	510630	上证主要消费 ETF	0.17	0.34	1.29	2.08
102	510650	上证金融地产 ETF	0.09	0.12	0.34	0.50
103	510660	上证医药卫生 ETF	0.20	0.34	0.62	0.93
104	512500	华夏中证 500ETF	-	0.13	3.12	9.47
105	512990	MSCI 中国 A 股 ETF	-	0.35	3.34	3.29
106	513660	华夏沪港通恒生 ETF	3.57	0.83	9.93	19.96
107	519029	华夏平稳增长	0.13	0.38	10.05	17.61
108	519800	华夏保证金理财货币 A	1020.47	1115.88	230.20	9.73
109	519801	华夏保证金理财货币 B	946.33	540.08	743.10	9.73
110	519908	华夏兴华混合 A	0.25	0.43	6.86	12.16
111	519918	华夏兴和混合	0.05	0.22	4.74	6.73
112	159920	华夏恒生 ETF	-	-	13.54	-
113	510050	华夏上证 50ETF	-	-	127.99	-

序号	基金代码	基金名称	期间申购（亿份）	期间赎回（亿份）	期末总份额（亿份）	期末净资产（亿元）
114	510330	华夏沪深300ETF	–	–	45.77	–
115	510630	上证主要消费ETF	–	–	1.29	–
116	510650	上证金融地产ETF	–	–	0.34	–
117	510660	上证医药卫生ETF	–	–	0.62	–
118	512500	华夏中证500ETF	–	–	3.12	–
119	512990	MSCI中国A股ETF	–	–	3.34	–
120	513660	华夏沪港通恒生ETF	–	–	9.93	–

【公司高管】

杨明辉先生：硕士研究生。高级经济师。1985年2月至1988年12月任职于纺织部北京纺织机械研究所，担任工程师、室副主任；1989年1月至1992年12月任职于中信兴业信托投资公司纺织处，担任项目经理；1992年12月至1993年8月任职于中国国际信托投资公司证券部，担任项目经理；1993年8月至1994年10月任职于中信证券北京营业部，担任副总经理；1994年11月至2002年5月任职于中信证券公司，担任董事、襄理、副总经理等；2002年5月至2005年8月，任职于中信控股公司，担任董事、常务副总裁，并兼任中信证券董事、中信信托董事；2005年8月至2011年10月任职于中国建银投资证券有限责任公司，担任党委副书记、执行董事、总裁，其中2005年7月至2007年1月兼任信诚基金管理有限公司董事长。2011年11月至今任职于中信证券股份有限公司，担任董事总经理、党委委员。2013年11月27日起担任华夏基金管理有限公司董事长，兼任华夏资本管理有限公司董事长。2014年6月至今担任中共华夏基金管理有限公司委员会书记。代总经理。

汤晓东先生：硕士，曾任职于JP Morgan Chase（摩根大通）、ABN AMRO（荷兰银行）、Mariner Investment Group Royal Bank of Scotland（苏格兰皇家银行）、Great Eastem Advisory、中国证监会等。2014年9月11日至2015年8月1号担任华夏基金管理有限公司督察长。现任华夏基金管理有限公司总经理。兼任华夏资本管理有限公司董事。

汇添富基金管理股份有限公司

【基本情况】

法定名称：汇添富基金管理股份有限公司
英文名称：China Universal Asset Management Co., Ltd.
公司属性：中资企业
成立日期：2005－02－03
注册资本：13272.4224（万元）
法人代表：李　文
总 经 理：张　晖
注册地址：上海市大沽路288号6幢538室
办公地址：上海市富城路99号震旦国际大楼21楼
网站地址：www.99fund.com，www.htffund.com
邮政编码：200120
客服邮箱：service@99fund.com
电话号码：400－888－9918，021－28932999
传真号码：021－50199035，50199036
经营范围：基金募集，基金销售，资产管理，经中国证监会许可的其他业务（依法须经批准的项目，经相关部门批准后方可开展经营活动）。
基金数量：125只（其中普通基金103只，货币基金14只，理财基金8只，封闭式基金0只，其他基金0只）。
管理规模：2716.71亿元
经理人数：33人

【公司概况】

汇添富基金成立于2005年2月，资产管理总规模超过5100亿元，是中国一流的综合性资产管理集团之一。公司总部设在上海，在北京、上海、广州、成都等地设有分公司，在上海和香港设有子公司——汇添富资本管理有限公司和汇添富资产管理（香港）有限公司。公司业务牌照齐全，是首批QDII基金管理人、专户资产管理人、RQFII基金管理人，以及社保基金境内委托投资管理人和境外配售策略委托投资管理人、保险资金投资管理人、特定客户资产管理人。

汇添富基金自成立以来，始终将投资业绩放在首位，形成了独树一帜的品牌优势，被誉为“选股专家”，并以优秀的长期投资业绩和一流的客户服务，赢得了广大基金持有人和海内外机构的认可和信赖。截至2016年年中，公司公募、专户、社保及特定客户资产管理业务协同发展，资产管理总规模超过5100亿元，其中公募资产管理规模为2862亿元，稳居行业前十；服务客户超过3500万人。

汇添富基金已经发展成为长期业绩优异、产品布局完善、业务领域全面、资产管理规模居前的大型基金公司。公募业务方面，截至2016年年中，汇添富基金共管理62只开放式基金，涵盖股票型基金、指数型基金、QDII基金、混合型基金、保本型基金、债券型基金、理财基金及货币市场基金等各类产品。公司立志于做中国证券市场的选股专家，并已形成一整套行之有效的独特个股研究方法，旗下基金的投资业绩也因此获得了投资者的充分认可。截至2016年年中，公司累计为基金持有人盈利超过700亿元。

汇添富基金是业内最先布局互联网金融的基金公司。公司于2009年7月推出了业内首个基金电子账户“现金宝”，经过多年耕耘，目前汇添富现金宝平台保有量接近900亿元，个人客户保有量超过1800万人，机构客户超过2万户。平台账户2015年累计成交量超过12000亿元，“现金宝APP”下载量超过2.4亿次。

汇添富基金在业内率先获得QDII资格，也是业内最早一批获准设立海外子公司的基金管理公司。汇添富资产管理（香港）有限公司于2009年11月正式成立，目前同时拥有RQFII和QFII牌照，是汇添富基金开展跨境业务和合作的重要平台。

汇添富基金在业内首批获得了专户资产管理资格，最早组建了实力强大的专业团队率先开展专户业务，积累了丰富的专户资产管理经验，并拥有出色的投资管理业绩。截至2016年年中，汇添富基金专户资产规模接近1000亿，位居行业前列。

汇添富基金拥有社保基金境内委托投资管理人资格，所管理的社保组合投资业绩连续多年领先。2015年12月，汇添富基金再次获得社保基金境外配售策略委托投资管理人资格。

2013年年初，汇添富基金设立了汇添富资本管理有限公司，业务范围为特定客户资产管理业务以及中国证监会许可的其他业务。未来汇添富资本将积极拓展非二级市场投资管理业务，包括逐步参与资产证券化投资、股权投资等领域。

公司自成立以来屡获殊荣，多次获得中国基金业金牛奖、中国明星基金奖、中国金基金奖、金鼎奖等多项业内重量级奖项。除此之外，汇添富基金还收获了“最受尊敬基金公司奖”“最佳管理团队”“最佳创新产品”“最佳投资者教育”“上海市金融创新奖一等奖”“卓越雇主——中国最适宜工作的公司”等一系列大奖。

汇添富基金坚持强调完善的公司治理体系和科学的公司治理文化，是亚洲公司治理协会（ACGA）的首家中国会员企业。汇添富基金致力于为员工提供完善的个人职业发展规划和良好的工作与成长平台，并努力营造愉悦简单的工作氛围。

中国资产管理行业正迈入高速发展时期。汇添富基金的愿景是：通过全体员工的共同努力和长期艰苦不懈的奋斗，成为中国最受认可的资产管理品牌，发展成为中国最佳的资产管理公司之一，和全球资产管理行业最优秀的中国有关资产的管理人之一。

【公司大事记】

12 月 29 日，汇添富基金旗下第 75 至第 76 只基金产品汇添富中证环境治理指数型证券投资基金（LOF）、汇添富中证中药指数型发起式证券投资基金（LOF）成立，首募规模分别为 3.5 亿元和 2.8 亿元。

12 月 26 日，汇添富基金旗下第 74 只基金产品汇添富鑫瑞债券型证券投资基金成立，首募规模 2.0 亿元。

12 月 22 日，汇添富基金旗下第 72 至第 73 只基金产品汇添富中证互联网医疗主题指数型发起式证券投资基金（LOF）、汇添富中证生物科技主题指数型发起式证券投资基金（LOF）成立，首募规模分别为 2.3 亿元和 2.3 亿元。

12 月 21 日，汇添富基金旗下第 71 只基金产品汇添富新睿精选灵活配置混合型证券投资基金发成立，首募规模 8.7 亿元。

12 月 6 日，汇添富荣获首批基本养老保险基金投资管理人资格。

9 月 18 日，汇添富基金旗下第 70 只基金产品中证上海国企交易型开放式指数证券投资基金联接基金成立，首募规模 22.5 亿元。

9 月 1 日，由汇添富基金捐建的第八所添富小学——广西百色市右江区永乐镇平塘添富小学正式落成投入使用。

8 月 29 日，中证上海国企交易型开放式指数证券投资基金在上海证券交易所成功上市交易。

8 月 3 日，汇添富基金旗下第 69 只基金产品汇添富保鑫保本混合型证券投资基金成立，首募规模 11.6 亿元。

8 月 3 日，汇添富基金旗下第 68 只基金产品汇添富盈稳保本混合型证券投资基金，首募规模 29.7 亿元。

8 月 1 日，汇添富基金旗下第 67 只基金产品汇添富长添利定期开放债券型证券投资基金成立，首募规模 150 亿元。

7 月 28 日，汇添富基金旗下第 65 只基金产品中证上海国企交易型开放式指数证券投资基金成立，首募规模 152.2 亿元。

7 月 27 日，汇添富基金旗下第 66 只基金产品汇添富沪港深新价值股票型证券投资基金成立，首募规模 4.1 亿元。

7 月 26 日，“河流 · 孩子”第九期乡村优秀青年教师培训项目于上海举办。

6 月 23 日，“河流 · 孩子”汇添富基金湘江流域公益助学计划在湖南邵阳市城步县金紫乡启动。

6 月 2 日，汇添富基金旗下第 64 只基金产品汇添富多策略定期开放灵活配置混合型发起式证券投资基金成立，首募规模 13.0 亿元。

4 月 19 日，汇添富基金旗下第 63 只基金产品汇添富盈安保本混合型证券投资基金成立，首募规模 45.7 亿元。

3 月 16 日，汇添富基金旗下第 62 只基金产品汇添富稳健添利定期开放债券型证券投资基金成立，首募规模 20.0 亿元。

1 月 21 日，汇添富基金旗下第六十只基金产品汇添富中证精准医疗主题指数型发起式证券投资基金（LOF）成立，首募规模 18.46 亿元。

【股东概况】

排序	股东名称	持股数量（万股）	股权比例
1	东方证券股份有限公司	4700.00	47%
2	文汇新民联合报业集团	2650.00	26.5%
3	东航金戎控股有限责任公司	2650.00	26.5%

【旗下基金】

序号	基金代码	基金名称	期间申购（亿份）	期间赎回（亿份）	期末总份额（亿份）	期末净资产（亿元）
1	000083	汇添富消费行业混合	0.37	0.81	9.61	21.51
2	000122	汇添富实业债债券 A	1.32	2.89	2.08	2.86
3	000123	汇添富实业债债券 C	0.72	2.08	0.60	2.86
4	000173	汇添富美丽 30 混合	0.45	1.35	12.62	23.45
5	000174	汇添富高息债债券 A	49.77	0.40	49.81	68.62
6	000175	汇添富高息债债券 C	0.21	0.45	0.19	68.62
7	000221	汇添富年年利定期开放债券 A	47.91	6.09	49.76	71.98
8	000222	汇添富年年利定期开放债券 C	7.84	1.12	8.39	71.98
9	000248	汇添富中证主要消费 ETF 联接	0.25	1.37	10.62	10.65
10	000330	汇添富现金宝货币	2220.58	2276.36	399.38	399.38
11	000366	汇添富添富通货币 A	2.22	2.33	3.06	410.38
12	000368	汇添富沪深 300 安中指数	0.18	0.10	2.09	2.74
13	000395	汇添富安心中国债券 A	0.00	0.03	1.62	1.99
14	000396	汇添富安心中国债券 C	0.01	0.05	0.12	1.99
15	000397	汇添富全额宝货币	89.05	106.64	79.05	79.05
16	000406	汇添富双利增强债券 A	0.09	0.18	2.21	2.87
17	000407	汇添富双利增强债券 C	0.03	0.08	0.04	2.87
18	000600	汇添富和聚宝货币	62.96	59.18	22.66	22.66
19	000642	汇添富货币 C	238.68	246.95	29.86	48.05
20	000650	汇添富货币 D	7.89	6.78	5.95	48.05
21	000692	汇添富双利债券 C	0.04	0.07	0.11	1.19
22	000696	汇添富环保行业股票	1.65	2.95	24.93	35.01
23	000697	汇添富移动互联股票	2.57	5.27	44.93	64.23
24	000925	汇添富外延增长主题	0.58	2.49	36.60	38.21
25	000980	汇添富添富通货币 B	518.99	733.69	334.98	410.38
26	001050	汇添富成长多因子量化策略股票	3.43	3.00	15.41	17.59
27	001417	汇添富医疗服务混合	0.71	11.24	183.61	151.24
28	001490	汇添富国企创新股票	0.47	2.15	14.80	14.45
29	001541	汇添富民营新动力股票	0.16	0.95	9.19	8.16
30	001685	汇添富沪港深新价值股票	11.44	0.98	16.13	16.41
31	001726	汇添富新兴消费股票	0.19	2.36	20.79	19.66
32	001796	汇添富安鑫智选混合 A	0.00	1.44	4.33	6.38
33	001801	汇添富达欣混合 A	4.23	0.61	9.89	11.44
34	002158	汇添富安鑫智选混合 C	0.00	4.90	1.79	6.38
35	002165	汇添富达欣混合 C	0.26	0.99	1.26	11.44

序号	基金代码	基金名称	期间申购（亿份）	期间赎回（亿份）	期末总份额（亿份）	期末净资产（亿元）
36	002418	汇添富优选回报灵活配置混合C	0.00	0.00	0.00	2.12
37	002419	汇添富盈安保本混合	0.10	1.78	42.79	43.10
38	002420	汇添富盈鑫保本混合	0.04	1.77	44.66	44.52
39	002487	汇添富稳添利定开债A	–	–	29.70	29.79
40	002488	汇添富稳添利定开债C	–	–	0.00	29.79
41	002746	汇添富多策略定开混合	–	–	12.99	13.09
42	002959	汇添富盈稳保本混合	0.04	0.48	29.29	28.95
43	003189	汇添富保鑫保本混合	0.00	0.20	11.41	11.22
44	003194	汇添富中证上海国企ETF联接	4.28	1.16	25.67	24.71
45	150169	汇添富恒生指数分级A	–	–	5.97	14.61
46	150170	汇添富恒生指数分级B	–	–	5.97	14.61
47	159005	汇添富收益快钱货币A	0.25	0.25	0.01	1.70
48	159006	汇添富收益快钱货币B	0.04	0.05	0.01	1.70
49	159912	汇添富深证300ETF	0.02	–	0.59	0.75
50	159928	汇添富中证主要消费ETF	–	0.71	6.78	9.92
51	159929	汇添富中证医药卫生ETF	–	0.04	0.64	0.89
52	159930	汇添富中证能源ETF	–	–	0.11	0.09
53	159931	汇添富中证金融地产ETF	–	0.05	0.23	0.33
54	164701	汇添富黄金及贵金属	0.95	0.51	4.45	2.60
55	164702	汇添富季季红定期开放债券	–	–	4.13	4.19
56	164703	汇添富纯债债券(LOF)	0.60	3.26	0.73	0.73
57	164705	汇添富恒生指数分级	3.60	3.01	2.61	14.61
58	470006	汇添富医药保健混合	5.40	3.08	28.98	39.07
59	470007	汇添富上证综指	0.65	0.98	14.30	14.03
60	470008	汇添富策略回报混合	0.21	1.34	9.36	13.89
61	470009	汇添富民营活力混合	1.24	2.97	20.76	56.49
62	470010	汇添富多元收益债券A	3.00	6.39	10.93	13.65
63	470011	汇添富多元收益债券C	0.47	3.25	0.99	13.65
64	470014	汇添富理财14天债券A	0.07	0.08	0.22	0.29
65	470018	汇添富双利债券A	0.06	0.17	0.71	1.19
66	470021	汇添富优选回报灵活配置混合A	0.00	0.01	2.11	2.12
67	470028	汇添富社会责任混合	0.83	2.06	19.29	29.76
68	470030	汇添富理财30天债券A	0.96	1.32	4.33	5.25
69	470058	汇添富可转换债券A	0.02	0.04	0.53	1.46
70	470059	汇添富可转换债券C	0.03	0.07	0.60	1.46
71	470060	汇添富理财60天债券A	2.14	0.72	3.41	4.11
72	470068	汇添富深证300ETF联接	0.09	0.07	0.46	0.60
73	470078	汇添富增强债券C	0.39	0.63	0.69	6.84
74	470088	汇添富6月红添利定开债A	0.00	0.00	22.25	22.61
75	470089	汇添富6月红添利定开债C	0.00	0.00	0.08	22.61
76	470098	汇添富逆向投资混合	0.60	0.74	5.14	11.19
77	470888	汇添富香港混合(QDII)	1.25	0.30	2.53	2.42
78	471007	汇添富理财7天债券A	2.17	2.45	3.03	23.08
79	471014	汇添富理财14天债券B	0.36	0.45	0.07	0.29
80	471030	汇添富理财30天债券B	0.60	0.25	0.93	5.25
81	471060	汇添富理财60天债券B	0.58	0.20	0.69	4.11
82	472007	汇添富理财7天债券B	20.00	0.05	20.05	23.08
83	501005	汇添富中证精准医疗指数A	0.76	2.08	6.76	8.06
84	501006	汇添富中证精准医疗指数C	0.27	0.42	1.23	8.06
85	510810	汇添富中证上海国企ETF	196.27	186.13	152.66	149.61
86	511980	汇添富添富通货币E	1.69	2.51	0.72	410.38
87	519008	汇添富优势精选	0.19	0.46	7.05	16.35
88	519018	汇添富均衡增长混合	0.83	2.35	89.19	50.61
89	519066	汇添富蓝筹稳健	0.23	2.86	5.19	9.29
90	519068	汇添富成长焦点混合	0.20	3.29	23.64	41.25
91	519069	汇添富价值精选混合	0.96	2.92	14.32	33.91
92	519078	汇添富增强收益债券A	0.69	7.80	4.89	6.84

序号	基金代码	基金名称	期间申购（亿份）	期间赎回（亿份）	期末总份额（亿份）	期末净资产（亿元）
93	519517	汇添富货币B	13.80	25.11	10.27	48.05
94	519518	汇添富货币A	1.22	1.38	1.98	48.05
95	519888	汇添富收益快线货币A	124633.48	125825.13	11116.49	234.25
96	519889	汇添富收益快线货币B	94310.81	106982.80	12308.45	234.25
97	150169	汇添富恒生指数分级A	–	–	5.92	–
98	150170	汇添富恒生指数分级B	–	–	5.92	–
99	159005	汇添富收益快钱货币A	–	–	0.02	–
100	159912	汇添富深证300ETF	–	–	0.59	–
101	159928	汇添富中证主要消费ETF	–	–	6.78	–
102	159929	汇添富中证医药卫生ETF	–	–	0.64	–
103	159930	汇添富中证能源ETF	–	–	0.11	–
104	159931	汇添富中证金融地产ETF	–	–	0.23	–
105	510810	汇添富中证上海国企ETF	–	–	152.66	–
106	511980	汇添富添富通货币E	–	–	0.72	–

【公司高管】

李文先生：董事长。中国国籍，厦门大学会计学博士，高级经济师，中国注册会计师。历任中国人民银行厦门市分行稽核处科长，中国人民银行杏林支行、国家外汇管理局杏林支局副行长、副局长，中国人民银行厦门市中心支行银行监管一处、二处副处长，东方证券有限责任公司资金财务管理总部副总经理，稽核总部总经理，东方证券股份有限公司资金财务管理总部总经理，汇添富基金管理股份有限公司督察长。现任汇添富基金管理股份有限公司董事长，汇添富资本管理有限公司董事。

张晖先生：中国国籍，上海财经大学数量经济学硕士。历任申银万国研究所高级分析师、富国基金管理有限公司高级分析师、研究主管和基金经理，汇添富基金管理股份有限公司副总经理、投资总监、投资决策委员会副主席。现任汇添富基金管理股份有限公司总经理。

嘉实基金管理有限公司

【基本情况】

法定名称：嘉实基金管理有限公司

英文名称：Harvest Fund Management Co., Ltd.

公司属性：合资企业

成立日期：1999－03－25

注册资本：15000（万元）

法人代表：邓红国

总　经　理：赵学军

注册地址：中国（上海）自由贸易试验区世纪大道8号上海国金中心二期53层09－11单元

办公地址：北京市建国门北大街8号华润大厦8层

网站地址：www. jsfund. cn

邮政编码：100005

客服邮箱：service@ jsfund. cn

电话号码：400－600－8800

传真号码：010－65185678

经营范围：基金募集，基金销售，资产管理，中国证监会许可的其他业务（依法须经批准的项目，经相关部门批准后方可开展经营活动）。

基金数量:148 只(其中普通基金 122 只,货币基金 17 只,理财基金 6 只,封闭式基金 1 只,其他基金 2 只)。

管理规模:3380.43 亿元

经理人数:50 人

【公司概况】

嘉实基金管理有限公司成立于 1999 年 3 月,是国内最早成立的十家基金管理公司之一。17 年来,嘉实基金坚持合规经营,秉承"远见者稳进"理念,至今已发展形成涵盖公募基金、机构投资、养老金业务、海外投资、私募股权投资、财富管理等"全牌照"业务,联动一、二级市场投资的金融服务全产业链。截至 2016 年中期,嘉实基金实现各类资产管理规模超 9500 亿元人民币,连续十年位居行业前列,为逾五千万投资者提供专业、高效的理财服务。

发展中的嘉实基金以"助力产业腾飞,服务财富增长"为核心使命,以普惠金融为理念,创造一流的产品和服务,力争实现客户、员工和公司长期共赢发展,致力于使嘉实成为中国领先、具有国际竞争力的资产管理集团。

以资产管理为核心的嘉实基金,业内首创"全天候、多策略"的投研模式,已建立超过 20 个投资策略组,构建丰富的产品线,为投资者创造优秀稳定的回报,屡获行业殊荣。十余年来,嘉实不断获得社保追加的委托管理资产,被包括数十家中央企业在内的 300 余家企业选定为企业年金投资管理人,为超过 800 万职工提供企业年金服务。

嘉实坚持国际化战略,自 2009 年建立香港子公司至今连续数年保持了在港中资资产管理机构的领先地位。2012 年起嘉实推出海外 ETF 业务,已经先后完成国内的指数在香港市场、纽约和伦敦挂牌上市。2015 年,嘉实分别在伦敦与纽约注册成立分公司,进一步拓展国际市场。

2014 年嘉实推进集团化发展,在二级市场投资中所建立的主动管理投资能力,逐步向更广泛的投资领域拓展,投资涵盖 VC、PE、PIPE、新三板投资、并购投资等,并围绕优质标的积极进行产业的上下游布局,构建完整金融产业链。

嘉实基金始终以"创造财富增值,服务未来生活"为使命,以普惠金融为理念,创造优质产品和服务,力争实现客户、员工和公司长期共赢发展,从而使嘉实成为具有国际竞争力的综合金融集团。

【企业荣誉】

2016 年 11 月,在中国基金博物馆年度评选中,嘉实基金荣获 2016 年年度中国基金行业机构贡献奖。

2016 年 11 月,在由《经济观察报》主办的"2015—2016 年度中国最受尊敬企业评选"中,嘉实基金代表基金业首摘"中国最受尊敬企业"大奖。

2016 年 11 月,在新浪主办的 2016 中国(首届)波特菲勒奖评选中,嘉实基金荣获"2016 最佳资产管理公司"奖。

2016 年 5 月,第十三届中国"金基金奖"评选中,嘉实基金获得"2015 年度金基金 · TOP 公司奖"。

2016 年 5 月,第十一届中国基金业"明星基金奖"评选中,嘉实基金公司获得"2015 年度十大明星基金公司奖"。

2016 年 5 月,第十三届中国"金基金奖"评选中,嘉实成长收益获得"金基金"偏股混合型基金奖(五年期),嘉实沪深 300ETF 获得"金基金"指数型基金奖(三年期)。

2016 年 5 月,第十一届中国基金业"明星基金奖"评选中,嘉实成长收益获得"五年持续回报平衡混合型明星基金奖",嘉实优化红利获得"2015 年度积极混合型明星基金奖",嘉实绝对收益策略获得"2015 年度绝对收益明星基金奖"。

2016 年 3 月,Morningstar 晨星(中国)2016 年度基金奖评选中,嘉实成长收益荣获混合型基金奖。

2016 年 3 月,《中国证券报》"第十三届金牛奖"评选中,嘉实成长收益荣获五年期开放式混合型持续优胜金牛基金,嘉实活期宝货币荣获 2015 年度开放式货币市场金牛基金,嘉实沪深 300ETF 荣获 2015 年度开放式指数型金牛基金,嘉实基金总裁赵学军博士荣获"2016 第一财经金融价值榜(CFV)十年 · 年度基金管理人"大奖。

【公司大事记】

2016 年 12 月,嘉实基金获得全国社会保障基金理事会公布的首批基本养老保险基金投资管理人资格。

2016 年中期,嘉实基金实现各类资产管理规模超 8000 亿元人民币,为逾五千万投资者提供专业、高效的理财服务。

2015 年 12 月,水杉投资知识产权项目通过验收,正式试水非基金、财富类业务系统开发。

2015 年 12 月,国内首单央企环保领域资产证券化产品在上交所挂牌成立。

2015 年 10 月,国内首单酒店会展行业资产证券化产品成立。

2015 年 7 月,公募基金首款私募地产投资基金"嘉实融瑞"成立。

2015 年 6 月,嘉实旗下互联网金融平台"嘉石榴"正式上线。

2015 年 3 月,嘉实互联网金融与中国移动、中国电信、中国联通三大运营商全部开展业务合作。

2015 年 3 月,首只"混合"基金嘉实远和挂牌仪式在上交所举行,该基金也是上海证券交易所时隔 12 年迎来的一只全新的封闭式基金。

2015 年 3 月,嘉实在伦敦注册成立分公司:HGI(UK)。

【股东概况】

排序	股东名称	持股数量(万股)	股权比例
1	中诚信托投资有限责任公司	6000.00	40%
2	立信投资有限责任公司	4500.00	30%
3	德意志资产管理(亚洲)有限公司	4500.00	30%

【旗下基金】

序号	基金代码	基金名称	期间申购(亿份)	期间赎回(亿份)	期末总份额(亿份)	期末净资产(亿元)
1	000005	嘉实增强信用定期债券	0.03	0.07	13.09	13.14
2	000008	嘉实中证 500ETF 联接	0.87	1.80	3.57	6.07
3	000043	嘉实美国成长股票	0.06	0.08	0.31	0.77
4	000044	嘉实美国成长股票现汇	0.00	0.00	0.04	0.77
5	000082	嘉实研究阿尔法股票	0.43	0.62	4.26	4.79
6	000087	嘉实中证金边国债 ETF 联接 A	0.03	0.03	0.11	0.13
7	000088	嘉实中证金边国债 ETF 联接 C	0.00	0.01	0.01	0.13
8	000113	嘉实如意宝定期债券 A	–	–	8.86	10.68
9	000115	嘉实如意宝定期债券 C	–	–	0.34	10.68
10	000116	嘉实丰益纯债定期债券	0.00	–	23.40	23.05
11	000176	嘉实沪深 300 指数研究增强	0.32	0.42	3.03	3.18
12	000177	嘉实丰益信用定期债券 A	3.13	0.19	3.52	3.76
13	000183	嘉实丰益策略定期债券	10.15	0.14	10.67	10.65

序号	基金代码	基金名称	期间申购（亿份）	期间赎回（亿份）	期末总份额（亿份）	期末净资产（亿元）
14	000341	嘉实新兴市场C2(QDII)	0.02	0.04	0.38	8.87
15	000342	嘉实新兴市场A1(QDII)	0.49	0.53	5.30	8.87
16	000414	嘉实绝对收益策略定期混合	0.00	0.09	1.81	2.11
17	000464	嘉实活期宝货币	128.22	91.55	157.22	157.22
18	000485	嘉实1个月理财债券A	87.50	0.00	87.50	97.66
19	000486	嘉实1个月理财债券E	10.16	–	10.16	97.66
20	000488	嘉实3个月理财债券E	21.35	–	21.35	21.35
21	000581	嘉实活钱包货币A	92.83	94.90	31.72	33.74
22	000585	嘉实对冲套利定期混合	0.00	1.57	1.58	1.69
23	000595	嘉实泰和混合	0.13	0.79	7.17	13.38
24	000618	嘉实薪金宝货币	343.63	340.72	168.09	168.09
25	000711	嘉实医疗保健股票	2.43	1.78	12.59	16.35
26	000751	嘉实新兴产业股票	0.06	0.22	1.26	1.86
27	000870	嘉实新收益混合	0.86	5.99	10.46	16.19
28	000917	嘉实机构快线货币A	269.52	231.72	120.59	226.72
29	000918	嘉实机构快线货币B	194.82	185.17	12.99	226.72
30	000919	嘉实机构快线货币C	109.02	73.21	85.11	226.72
31	000985	嘉实逆向策略股票	0.26	1.16	17.04	18.70
32	000988	嘉实全球互联网股票人民币	0.46	2.72	17.48	23.16
33	000989	嘉实全球互联网股票美元现汇	0.07	0.04	0.80	23.16
34	000990	嘉实全球互联网股票美元现钞	–	–	0.80	23.16
35	001036	嘉实企业变革股票	7.65	5.66	28.41	25.22
36	001039	嘉实先进制造股票	0.19	1.69	28.36	22.63
37	001044	嘉实新消费股票	0.16	2.11	16.96	16.37
38	001416	嘉实事件驱动股票	0.30	7.37	112.66	93.37
39	001539	嘉实中证金融地产ETF联接	0.15	0.11	0.50	0.54
40	001577	嘉实低价策略股票	0.53	0.71	3.74	3.76
41	001616	嘉实环保低碳股票	3.60	2.58	11.05	12.87
42	001620	嘉实新机遇混合发起式	–	–	400.10	395.47
43	001637	嘉实腾讯自选股大数据策略股票	2.12	1.99	6.45	6.94
44	001639	嘉实新常态混合A	0.00	0.21	6.20	6.50
45	001640	嘉实新常态混合C	0.01	0.11	0.18	6.50
46	001688	嘉实新起点混合A	0.00	10.21	5.74	5.64
47	001755	嘉实新思路混合	0.00	0.00	5.00	5.12
48	001760	嘉实创新成长混合	0.04	0.44	1.62	1.62
49	001812	嘉实货币E	0.39	0.26	0.19	513.92
50	001872	嘉实丰益信用定期债券C	0.24	1.33	0.24	3.76
51	001873	嘉实增强收益定期债券C	0.00	–	0.00	20.97
52	001878	嘉实沪港深精选股票	10.78	1.86	11.89	13.70
53	002149	嘉实新优选混合	0.00	0.07	5.20	5.32
54	002168	嘉实智能汽车股票	1.57	0.43	2.38	2.96
55	002178	嘉实新起点混合C	0.00	9.87	0.00	5.64
56	002211	嘉实新财富混合	0.00	0.00	5.00	5.15
57	002212	嘉实新起航混合	0.00	0.00	5.00	5.14
58	002222	嘉实新趋势混合	0.56	0.60	8.19	8.42
59	002548	嘉实稳瑞纯债债券	0.00	0.00	9.22	9.76
60	002549	嘉实稳祥纯债债券A	0.81	0.00	1.32	2.35
61	002551	嘉实稳泰债券	0.00	0.00	29.94	29.96
62	002744	嘉实稳丰纯债债券	7.83	9.50	23.29	23.63
63	002749	嘉实稳盛债券	0.20	3.00	2.20	2.14
64	002917	嘉实活钱包货币E	11.86	10.49	2.02	33.74
65	002991	嘉实稳鑫纯债债券	0.00	0.00	10.00	9.83
66	003053	嘉实文体娱乐股票A	0.56	0.94	7.72	8.31
67	003054	嘉实文体娱乐股票C	0.02	0.33	0.66	8.31
68	003056	嘉实稳泽纯债债券	0.00	0.00	5.00	4.98
69	003187	嘉实安益混合	5.98	0.00	11.98	11.96
70	003357	嘉实稳祥纯债债券C	2.91	1.90	1.01	2.35
71	070001	嘉实成长收益混合A	3.82	5.51	45.14	52.47
72	070002	嘉实增长	0.19	0.18	2.86	26.46
73	070003	嘉实稳健	0.13	1.12	33.61	35.89
74	070005	嘉实债券	28.54	10.35	21.97	25.40
75	070006	嘉实服务增值行业	0.06	0.23	4.11	23.79
76	070008	嘉实货币A	241.98	291.92	229.83	513.92
77	070009	嘉实超短债债券	4.17	5.26	3.00	3.13
78	070010	嘉实主题精选	0.74	1.41	26.00	41.40
79	070011	嘉实策略增长	0.87	1.99	36.97	44.10
80	070012	嘉实海外中国股票混合	0.16	2.43	81.17	53.97
81	070013	嘉实研究精选混合A	2.52	2.95	24.84	46.99
82	070015	嘉实多元债券A	2.59	0.14	3.36	5.13
83	070016	嘉实多元债券B	0.27	0.32	1.05	5.13
84	070017	嘉实量化阿尔法混合	0.98	0.50	2.91	4.12
85	070018	嘉实回报	0.03	0.15	3.87	3.98
86	070019	嘉实价值优势混合	0.07	0.35	3.34	5.01
87	070020	嘉实稳固债券	0.04	6.59	15.54	16.58
88	070021	嘉实主题新动力混合	0.07	0.33	4.57	6.65
89	070022	嘉实领先成长混合	13.35	8.17	15.10	27.05
90	070023	嘉实深证120联接	0.16	0.12	0.65	0.89
91	070025	嘉实信用债券A	16.60	42.62	27.88	35.98
92	070026	嘉实信用债券C	3.07	5.43	4.29	35.98
93	070027	嘉实周期优选混合	0.48	1.07	12.63	25.00
94	070028	嘉实安心货币市场A	0.49	0.46	0.66	23.52
95	070029	嘉实安心货币市场B	15.98	12.73	22.85	23.52
96	070030	嘉实中创400联接	0.19	0.27	0.81	1.52
97	070031	嘉实全球房地产	0.14	0.22	0.66	0.73
98	070032	嘉实优化红利混合	0.14	1.40	5.26	5.12
99	070033	嘉实增强收益定期债券A	0.01	0.10	20.58	20.97
100	070035	嘉实理财宝7天债券A	0.02	0.11	0.29	40.43
101	070036	嘉实理财宝7天债券B	40.03	–	40.14	40.43
102	070037	嘉实纯债债券A	1.64	22.28	11.70	79.69
103	070038	嘉实纯债债券C	59.14	0.17	59.37	79.69
104	070088	嘉实货币B	276.46	288.93	283.90	513.92
105	070099	嘉实优质企业混合	1.11	6.44	16.85	23.20
106	150032	嘉实多利优先	–	–	0.54	1.45
107	150033	嘉实多利进取	–	–	0.14	1.45
108	159910	嘉实深证120ETF	0.11	0.06	0.66	0.89
109	159918	嘉实中创400ETF	0.10	0.14	0.76	1.51
110	159919	嘉实沪深300ETF	2.38	1.35	48.66	173.69
111	159922	嘉实中证500ETF	0.08	0.31	1.49	9.39
112	159926	嘉实中证中期国债ETF	0.00	0.00	0.02	2.15
113	160706	嘉实沪深300ETF联接	4.59	7.61	164.72	155.39
114	160716	嘉实基本面50	5.49	4.74	11.47	13.92
115	160717	嘉实恒生中国企业	11.42	3.34	28.21	20.25
116	160718	嘉实多利分级债券	0.71	0.50	0.74	1.45
117	160719	嘉实黄金	0.38	0.52	4.58	3.11
118	160720	嘉实中证中期企业债指数A	0.88	1.64	5.58	6.44
119	160721	嘉实中证中期企业债指数C	0.30	0.47	0.19	6.44
120	160722	嘉实惠泽定增混合	–	–	32.72	32.64
121	511960	嘉实机构快线货币H	0.11	0.22	0.08	226.72
122	512600	嘉实中证主要消费ETF	–	–	0.08	0.13
123	512610	嘉实中证医药卫生ETF	0.03	0.04	0.19	0.26
124	512640	嘉实中证金融地产ETF	0.08	0.06	0.34	0.55
125	519808	嘉实保证金场内申赎货币A	835.81	944.57	198.83	3.22
126	519809	嘉实保证金场内申赎货币B	320.53	403.69	122.83	3.22
127	960024	嘉实成长收益混合H	–	–	0.01	52.47

序号	基金代码	基金名称	期间申购（亿份）	期间赎回（亿份）	期末总份额（亿份）	期末净资产（亿元）
128	150032	嘉实多利优先	-	-	0.54	-
129	150033	嘉实多利进取	-	-	0.14	-
130	159910	嘉实深证120ETF	-	-	0.64	-
131	159918	嘉实中创400ETF	-	-	0.74	-
132	159919	嘉实沪深300ETF	-	-	48.66	-
133	159922	嘉实中证500ETF	-	-	1.49	-
134	159926	嘉实中证中期国债ETF	-	-	0.02	-
135	511960	嘉实机构快线货币H	-	-	0.08	-
136	512600	嘉实中证主要消费ETF	-	-	0.08	-
137	512610	嘉实中证医药卫生ETF	-	-	0.19	-
138	512640	嘉实中证金融地产ETF	-	-	0.33	-

【公司高管】

邓红国先生：硕士研究生，中共党员。1983年3月至1992年2月任物资部研究室、政策体制法规司副处长，1992年3月至2003年4月任中国人民银行国际司、外资金融机构管理司、银行监管一司、银行管理司副处长、处长、副巡视员，2003年5月至2010年3月任中国银监会银行监管三部副主任、四部主任，2010年4月至2014年10月任中诚信托有限责任公司董事长、党委书记、法定代表人。2014年12月2日起任嘉实基金管理有限公司董事长。

赵学军先生：董事、总经理，经济学博士，中共党员。曾就职于天津通信广播公司电视设计所、外经贸部中国仪器进出口总公司、北京商品交易所、天津纺织原材料交易所、商鼎期货经纪有限公司、北京证券有限公司、大成基金管理有限公司。2000年10月至今任嘉实基金管理有限公司总经理。2011年5月起代任公司董事长职务。

金鹰基金管理有限公司

【基本情况】

法定名称：金鹰基金管理有限公司

英文名称：Golden Eagle Asset Management Co.,Ltd.

公司属性：合资企业

成立日期：2002-12-25

注册资本：25000（万元）

法人代表：凌富华

总 经 理：刘　岩

注册地址：广东省珠海市吉大九洲大道东段商业银行大厦7楼16单元

办公地址：广东省广州市天河区珠江新城珠江东路28号越秀金融大厦30层

网站地址：www.gefund.com.cn

邮政编码：510620

客服邮箱：csmail@gefund.com.cn

电话号码：020-83936180，400-6135-888

传真号码：020-83282856

经营范围：基金募集、基金销售、资产管理、特定客户资产管理和中国证监会许可的其他业务（依法须经批准的项目，经相关部门批准后方可开展经营活动）。

基金数量：50只（其中普通基金45只，货币基金5只，理财基金0只，封闭式基金0只，其他基金0只）。

管理规模：256.57亿元

经理人数：11人

【公司概况】

金鹰基金管理有限公司2002年成立，总部设在广州，注册资本2.5亿元人民币。股东包括广州证券股份有限公司、广州白云山医药集团股份有限公司、美的集团股份有限公司、东亚联丰投资管理有限公司，分别持有49%、20%、20%和11%的股份。

公司现设有权益投资部、研究部、固定收益部、指数及量化投资部、专户投资部、零售业务部、机构业务部、电子商务部、产品研发部、集中交易部、基金事务部、信息技术部、合规风控部、财务管理部、综合管理部、党群工作部等一级部门，在北京、上海、广州、深圳、成都等地设有分公司。

公司旗下全资子公司深圳前海金鹰资产管理有限公司于2013年7月30日成立，注册地位于深圳前海，是首批获得中国证监会核准成立的基金子公司。

【公司大事记】

2016年12月18日金鹰基金推出全新互联网财富管理平台：金鹰理财宝。

2016年12月12日金鹰基金荣获2016领航中国年度评选“杰出服务奖”。

2016年12月06日金鹰鑫瑞灵活配置混合型证券投资基金成立。

2016年11月28日金鹰添富纯债债券型证券投资基金成立。

2016年11月25日金鹰基金荣获2016中国金鼎奖“专户一对多”一年期最佳传统股票型产品奖。

2016年12月18日金鹰基金推出全新互联网财富管理平台：金鹰理财宝。

2016年12月12日金鹰基金荣获2016领航中国年度评选“杰出服务奖”。

2016年12月06日金鹰鑫瑞灵活配置混合型证券投资基金成立。

2016年11月28日金鹰添富纯债债券型证券投资基金成立。

2016年11月25日金鹰基金荣获2016中国金鼎奖“专户一对多”一年期最佳传统股票型产品奖。

2016年11月23日金鹰添裕纯债债券型证券投资基金成立。

2016年11月16日金鹰鑫益灵活配置混合型证券投资基金成立。

2016年08月25日金鹰量化精选股票型证券投资基金（LOF）成立。

2016年08月19日金鹰添益纯债债券型证券投资基金成立。

2016年08月09日金鹰多元策略灵活配置混合型证券投资基金成立。

2016年06月30日金鹰基金管理有限公司2016年上半年参与定增项目18个，排名第二；参与金额63.38亿元，排名第三。（数据来源：Wind资讯）

2016年05月26日金鹰元和保本混合型证券投资基金成立。

2016年04月07日金鹰元祺保本混合型证券投资基金

成立。

2016 年 03 月 28 日金鹰基金管理有限公司及广州分公司搬迁至“广州市珠江东路 28 号越秀金融大厦 30 层”。

2016 年 03 月 24 日金鹰智慧生活灵活配置混合型证券投资基金成立。

【股东概况】

排序	股东名称	持股数量(万股)	股权比例
1	广州证券有限责任公司	12250.00	49%
2	广州白云山医药集团股份有限公司	5000.00	20%
3	广东美的集团股份有限公司	5000.00	20%
4	东亚联丰投资管理有限公司	2750.00	11%

【旗下基金】

序号	基金代码	基金名称	期间申购(亿份)	期间赎回(亿份)	期末总份额(亿份)	期末净资产(亿元)
1	000110	金鹰元安保本混合 A	0.00	0.81	0.27	5.24
2	001167	金鹰科技创新股票	0.08	0.80	12.20	7.93
3	001298	金鹰民族新兴混合	0.10	0.51	2.30	2.31
4	001366	金鹰产业整合混合	0.02	2.42	5.82	4.34
5	001951	金鹰改革红利混合	0.58	0.29	2.43	2.62
6	002196	金鹰技术领先灵活配置混合 C	0.01	0.00	0.00	0.20
7	002303	金鹰智慧生活混合	0.00	0.12	0.79	0.74
8	002425	金鹰保本混合 C	9.08	4.04	7.24	8.50
9	002490	金鹰元祺保本混合	0.00	0.00	6.79	6.95
10	002513	金鹰元安保本混合 C	0.00	1.00	5.00	5.24
11	002681	金鹰元和保本 A	0.00	0.43	12.14	15.17
12	002682	金鹰元和保本 C	0.00	0.19	3.08	15.17
13	002844	金鹰多元策略混合	0.00	0.00	2.52	2.40
14	003163	金鹰添益纯债	7.98	0.00	9.98	9.98
15	162102	金鹰中小盘精选	0.13	0.22	5.08	5.15
16	162105	金鹰持久增利债券(LOF)C	0.28	0.05	0.43	0.46
17	162107	金鹰量化精选股票(LOF)	0.03	0.05	0.17	0.17
18	162108	金鹰元盛债券型发起式	0.81	3.00	2.66	2.89
19	210001	金鹰成份优选	0.95	0.24	5.84	5.61
20	210002	金鹰红利价值	0.64	0.48	1.89	2.36
21	210003	金鹰行业优势混合	0.07	0.15	1.76	1.74
22	210004	金鹰稳健成长混合	20.56	5.03	19.01	29.39
23	210005	金鹰主题优势混合	0.19	0.33	3.19	3.17
24	210006	金鹰保本混合 A	0.01	0.03	0.42	8.50
25	210007	金鹰技术领先灵活配置混合 A	0.01	0.02	0.17	0.20
26	210008	金鹰策略配置混合	0.06	0.46	0.82	0.88
27	210009	金鹰核心资源混合	17.02	14.08	16.84	22.77
28	210010	金鹰灵活配置混合 A	0.01	0.03	0.05	4.20
29	210011	金鹰灵活配置混合 C	0.08	0.60	4.07	4.20
30	210012	金鹰货币 A	1.75	1.64	1.37	79.68
31	210013	金鹰货币 B	101.69	123.04	78.31	79.68
32	210014	金鹰元丰保本	0.10	0.57	8.92	9.10

【公司高管】

凌富华先生：董事，经济学学士，会计师。1991 年 7 月至 2000 年 8 月先后任苏州航空工业部长风机械总厂财务处会计、广州大同精密机械有限公司会计部经理，广西北海国际信托投资公司所属城市信用社、营业部、信贷部经理助理，香港大同机械企业有限公司驻国内企业会计主任，广东省联谊信诚贸易有限公司财务部经理，2000 年 9 月先后担任长城证券有限责任公司广州营业部财务经理、总部财务中心综合部经理、广州营业部拟任总经理，2006 年 5 月起任广州恒运企业集团股份有限公司财务部副经理、财务部经理兼任财务负责人、财务总监兼任财务负责人，广州证券有限责任公司财务总监兼任财务负责人。现任广州证券股份有限公司副总裁兼任财务总监、财务负责人。经公司第五届董事会第五次会议决议通过，并经中国证券监督管理委员会证监许可〔2014〕1401 号核准，自 2015 年 1 月起，担任金鹰基金管理有限公司董事长。

刘岩先生：董事，西南财经大学金融学博士研究生，获英国雷丁大学 ISMA 中心，国际证券投资及银行学硕士学位，具有基金从业资格。历任中国光大银行总行投行业务部业务主管，中国光大银行总行财富管理中心业务副经理，广州证券有限责任公司资产管理总部总经理等职。经公司第四届董事会第三十九次会议审议通过，并报经中国证监会核准，自 2014 年 8 月 7 日至今，担任金鹰基金管理有限公司总经理。

摩根士丹利华鑫基金管理有限公司

【基本情况】

法定名称：摩根士丹利华鑫基金管理有限公司

英文名称：Morgan Stanley Huaxin Fund Management CO., Ltd.

公司属性：合资企业

成立日期：2003 - 03 - 14

注册资本：22750(万元)

法人代表：于 华

总 经 理：高潮生

注册地址：深圳市福田区中心四路 1 号嘉里建设广场第二座第十七层 01 - 04 室

办公地址：深圳市福田区中心四路 1 号嘉里建设广场一期二座 17 楼

网站地址：www.msfunds.com.cn

邮政编码：518048

客服邮箱：Services@msfunds.com.cn

电话号码：400 - 8888 - 668

传真号码：0755 - 82990384

经营范围：发起设立基金、基金管理业务及中国证监会允许的其他业务。

基金数量：31 只(其中普通基金 31 只，货币基金 0 只，理财基金 0 只，封闭式基金 0 只，其他基金 0 只)。

管理规模：297.66 亿元

经理人数：11 人

【公司概况】

摩根士丹利华鑫基金管理有限公司于 2008 年 6 月 12 日完成工商注册变更登记，是一家中外合资基金管理公司(公司前身为 2003 年 3 月 14 日成立的巨田基金管理有限公司)，公司注册资本 2.275 亿元人民币，注册地为深圳市。公司总部现处深圳，另在北京、上海设有分公司。

“聚环球睿智，成人生梦想”。作为一家合资基金公司，摩根士丹利华鑫基金既受益于外方股东摩根士丹利的国际化视野，又吸收了中方股东华鑫证券的本土投资智慧。在中外股东的共同支持下，摩根士丹利华鑫基金致力于成为国内一流的资产管理公司，立足于中国市场的现实，借助国际化的优势，努力塑造“和谐、规范、透明、进取”的企业文化，以良好的投资业绩及专业的服务和投资人一起成就梦想。

目前,公司已成功为投资者提供包括主动投资、被动投资、量化投资、固定收益投资、特定资产管理等在内的多元资产管理服务,力求全面满足投资人的财富管理需求。

【公司荣誉】

2017年1月,摩根士丹利华鑫基金获评2016东方财富风云榜"年度最具社会责任基金公司"。

2017年2月,摩根士丹利华鑫基金获评第二届中国基金业营销创新高峰论坛2016年度金果奖"最佳公共关系建设奖"。

2016年12月,摩根士丹利华鑫基金获评金融界2016领航中国年度"杰出产品创新奖"。

2016年11月,摩根士丹利华鑫基金获评新浪财经首届"波特菲勒奖"2016最具成长性基金公司。

2016年11月,大摩品质生活精选股票获评新浪财经首届"波特菲勒奖"2016最佳股票型基金产品。

2016年5月,大摩多元收益债券基金获评《证券时报》"三年持续回报积极债券型明星基金奖"。

2016年4月,李铁获评《中国基金报》"三年期二级债最佳基金经理"。

2016年3月,大摩多因子策略基金获评《中国证券报》"三年期开放式混合型持续优胜金牛基金"。

2016年1月,摩根士丹利华鑫基金获评和讯网2015第十三届财经风云榜"2015年度最佳投资者关系"奖。

2016年1月,摩根士丹利华鑫基金获评2015年首届中国基金业营销创新高峰论坛"2015年度最佳公共关系建设基金公司"金果奖。

2016年1月,大摩量化配置混合基金获评羊城晚报·平点金基2015年度首届中国大奖章量化投资主动管理型基金三等奖。

2016年1月,摩根士丹利华鑫基金获评羊城晚报·平点金基2015年度首届中国大奖章量化基金管理公司二等奖。

【股东概况】

排序	股东名称	持股数量(万股)	股权比例
1	华鑫证券有限责任公司	8999.9000	39.560%
2	摩根士丹利国际控股公司	8500.0825	37.363%
3	深圳招融投资控股有限公司	2499.9975	10.989%
4	汉唐证券有限责任公司	1499.9075	6.593%
5	深圳市中技实业(集团)有限公司	1250.1125	5.495%

【旗下基金】

序号	基金代码	基金名称	期间申购(亿份)	期间赎回(亿份)	期末总份额(亿份)	期末净资产(亿元)
1	000024	大摩双利增强债券A	0.75	3.82	4.29	10.06
2	000025	大摩双利增强债券C	5.30	5.19	3.36	10.06
3	000064	大摩18个月定期开放债券	–	–	35.61	37.35
4	000309	大摩品质生活股票	4.23	1.17	8.81	15.91
5	000415	大摩添利18个月开放债券A	–	–	30.22	48.88
6	000416	大摩添利18个月开放债券C	–	–	14.14	48.88
7	000419	大摩优质信价纯债A	0.04	4.41	3.00	3.67
8	000420	大摩优质信价纯债C	0.02	0.55	0.23	3.67
9	000594	大摩进取优选股票	0.02	0.04	0.36	0.54
10	001291	大摩量化多策略股票	0.50	4.81	12.19	12.39
11	001348	大摩新机遇混合	0.01	0.08	0.45	0.46
12	001655	大摩收益18个月开放债券	–	–	20.90	21.87
13	001737	大摩沪港深新价值混合	0.23	0.29	0.32	0.33
14	001859	大摩增值18个月开放债券A	–	–	16.03	23.76
15	001860	大摩增值18个月开放债券C	–	–	6.80	23.76
16	002708	大摩健康产业混合	0.02	1.44	1.76	1.82
17	003094	大摩多元兴利18个月定开债	–	–	6.01	6.01
18	163302	大摩资源优选混合(LOF)	0.19	0.25	5.37	7.86
19	233001	大摩基础行业混合	0.11	0.29	1.51	1.32
20	233005	大摩强收益债券	1.09	4.22	4.72	7.72
21	233006	大摩领先优势混合	0.08	0.36	2.59	4.85
22	233007	大摩卓越成长混合	0.93	0.43	3.55	7.35
23	233008	大摩消费领航	0.07	0.50	2.12	1.99
24	233009	大摩多因子策略混合	11.39	5.82	29.03	49.07
25	233010	大摩深证300指数增强	0.02	0.02	0.32	0.46
26	233011	大摩主题优选混合	0.39	0.49	2.61	5.35
27	233012	大摩多元收益债券A	1.75	1.49	2.82	7.34
28	233013	大摩多元收益债券C	1.11	4.29	1.64	7.34
29	233015	大摩量化配置混合	0.22	1.71	9.32	18.80

南方基金管理有限公司

【基本情况】

法定名称:南方基金管理有限公司

英文名称:China Southern Fund Management Co., Ltd.

公司属性:中资企业

成立日期:1998-03-06

注册资本:30000(万元)

法人代表:张海波

总 经 理:杨小松

注册地址:深圳市福田中心区福华一路6号免税商务大厦塔楼31、32、33层整层

办公地址:深圳市福田中心区福华一路6号免税商务大厦塔楼31、32、33层整层

网站地址:www.nffund.com

邮政编码:518048

客服邮箱:service@nffund.com,service@southernfund.com

电话号码:400-889-8899

传真号码:0755-82763889

经营范围:基金募集、基金销售、资产管理、中国证监会许可的其他业务。

基金数量:176只(其中普通基金146只,货币基金17只,理财基金5只,封闭式基金0只,其他基金8只)。

管理规模:3864.26亿元

经理人数:38人

【公司概况】

1998年3月6日,经中国证监会批准,南方基金管理有限公司作为国内首批规范的基金管理公司正式成立,成为我国"新基金时代"的起始标志。

南方基金总部设在深圳,注册资本3亿元人民币。股东结构为:华泰证券股份有限公司(45%);深圳市投资控股有限公司(30%);厦门国际信托有限公司(15%);兴业证券股

份有限公司(10%)。目前,公司在北京、上海、合肥、成都、深圳等地设有分公司,在香港和深圳前海设有子公司——南方东英资产管理有限公司(香港子公司)和南方资本管理有限公司(深圳子公司)。其中,南方东英是境内基金公司获批成立的第一家境外分支机构。

公司拥有一支高素质、经验丰富的专业化团队。现有员工545人,超过68%的员工具有硕士以上学历,近55%的员工具有5年以上的证券从业经历,其中投研人员的平均证券从业年限为6年,39%的投研人员具有海外学习或工作经验。

公司经历了中国证券市场多次牛熊交替的长期考验,以持续优秀的投资业绩、完善周到的客户服务,赢得了广大基金投资人、社保理事会、企业年金客户、专户客户的认可和信赖。截至2016年三季度末,公司管理资产规模6355亿元,位居行业前列。旗下管理公募基金共107只,产品涵盖股票型、混合型、指数型、保本型、债券型、货币型、QDII等。公募基金资产管理规模3898亿元,排名行业第五,累计向基金持有人分红超过782亿元,拥有客户数量近2400万人。私募业务管理规模2457亿元,在行业中持续保持领先地位。南方基金已经发展成为国内产品种类最丰富、业务领域最全面、经营业绩优秀、资产管理规模最大的基金管理公司之一。

【公司大事记】

2016年9月29日,发行、成立旗下第107只开放式证券投资基金——南方多元债券型发起式证券投资基金,募集规模为50.10亿元

2016年9月29日,发行、成立旗下第106只开放式证券投资基金——南方中证1000交易型开放式指数证券投资基金,募集规模为5.88亿元

2016年9月26日,发行、成立旗下第105只开放式证券投资基金——南方颐元债券型发起式证券投资基金,募集规模为1.10亿元

2016年9月22日,发行、成立旗下第104只开放式证券投资基金——南方安泰养老混合型证券投资基金,募集规模为26.62亿元

2016年8月17日,发行、成立旗下第103只开放式证券投资基金——南方中证500信息技术指数交易型开放式指数证券投资基金发起式联接基金,募集规模为1.89亿元

2016年8月17日,发行、成立旗下第102只开放式证券投资基金——南方转型增长灵活配置混合型证券投资基金,募集规模为13.02亿元

2016年8月10日,发行、成立旗下第101只开放式证券投资基金——南方荣冠定期开放混合型证券投资基金,募集规模为6.25亿元

2016年8月3日,发行、成立旗下第100只开放式证券投资基金——南方荣欢定期开放混合型发起式证券投资基金,募集规模为5.10亿元

2016年8月3日,发行、成立旗下第99只开放式证券投资基金——南方荣毅定期开放混合型证券投资基金,募集规模为5.94亿元

2016年8月1日,发行、成立旗下第98只开放式证券投资基金——南方品质优选灵活配置混合型证券投资基金,募集规模为8.80亿元

2016年7月6日,发行、成立旗下第97只开放式证券投资基金——南方甑智定期开放混合型发起式证券投资基金,募集规模为11.65亿元

2016年6月15日,发行、成立旗下第96只开放式证券投资基金——南方原油证券投资基金,募集规模为3.48亿元

2016年5月20日,发行、成立旗下第95只开放式证券投资基金——南方创业板交易型开放式指数证券投资基金联接基金,募集规模为2.93亿元

2016年5月13日,发行、成立旗下第94只开放式证券投资基金——南方创业板交易型开放式指数证券投资基金,募集规模为7.44亿元

2016年5月9日,发行、成立旗下第93只开放式证券投资基金——南方卓享绝对收益策略定期开放混合型发起式证券投资基金,募集规模为2.96亿元

2016年5月3日,发行、成立旗下第92只开放式证券投资基金——南方新兴龙头灵活配置混合型证券投资基金,募集规模为10.02亿元

2016年4月8日,发行、成立旗下第90只开放式证券投资基金——南方安享绝对收益策略定期开放混合型发起式证券投资基金,募集规模为3.98亿元

2016年3月23日,发行、成立旗下第89只开放式证券投资基金——南方转型驱动灵活配置混合型证券投资基金,募集规模为4.50亿元

2016年2月3日,发行、成立旗下第88只开放式证券投资基金——南方日添益货币市场基金,募集规模为11.74亿元

2016年2月3日,发行、成立旗下第87只开放式证券投资基金——南方君选灵活配置混合型证券投资基金,募集规模为3.46亿元

2016年1月11日,发行、成立旗下第86只开放式证券投资基金——南方益和保本混合型证券投资基金,募集规模为29.85亿元

【公司荣誉】

1.公司奖

《证券时报》,第11届中国基金业明星基金奖·2015年度十大明星基金公司。

《大众证券报》,2015年度十大风云基金公司之最佳资产管理公司。

《信息时报》,基金业年度活跃品牌竞争力企业。

全国银行间同业拆借中心2015年度银行间本币市场最佳资产管理人奖。

《中国证券报》,2015年度被动投资金牛基金公司。

《中国证券报》,2015年度金牛基金管理公司。

《上海证券报》,第十三届中国"金基金"TOP公司奖。

2.基金奖

《南方日报社》,金交会组委会新浪大数据指数:金榕奖·2015年度互联网金融创新大奖。

集思录南方500ETF:2016年投资者最爱场内基金。

集思录南方理财金H:2016年投资者最爱场内基金。

《中国证券报》,南方通利债券:2015年度开放式债券型金牛基金。

《中国证券报》,南方中证500ETF:2015年度开放式指数型金牛基金。

《上海证券报》,南方中证500ETF:第十三届中国"金基金"指数基金奖(1年期)。

《上海证券报》,南方开元沪深300ETF:第十三届中国"金基金"指数基金奖(1年期)。

《上海证券报》,南方医药保健:第十三届中国"金基金"

平衡性奖(1 年期)。

《证券时报》,南方通利:第 11 届中国基金业明星基金奖·2015 年度普通债券型明星基金。

《大众证券报》,南方国策动力:2015 年度十大风云基金产品之最具投资价值基金。

《大众证券社》,南方小康产业 ETF:2015 年度十佳基金产品。

《上海证券报》,南方宝元债券:第十三届中国"金基金"平衡性奖(3 年期)。

《证券时报》,南方优选价值:第 11 届中国基金业明星基金奖·五年持续回报积极混合型明星基金。

《证券时报》,南方新优享:第 11 届中国基金业明星基金奖·2015 年度平衡混合型明星基金。

3. 人物奖

《中国证券报》,罗文杰:2015 年度最佳人气金牛基金经理

【股东概况】

排序	股东名称	股权比例
1	华泰证券有限责任公司	45%
2	深圳市投资控股有限公司	30%
3	厦门国际信托投资股份有限公司	15%
4	兴业证券股份有限公司	10%

【旗下基金】

序号	基金代码	基金名称	期间申购(亿份)	期间赎回(亿份)	期末总份额(亿份)	期末净资产(亿元)
1	000022	南方中票 A	0.09	0.12	0.40	0.55
2	000023	南方中票 C	0.03	0.06	0.08	0.55
3	000086	南方稳利 1 年定期开放债券 A	0.07	0.90	79.73	81.10
4	000326	南方顺达	–	1.33	26.54	27.34
5	000327	南方丰合	–	1.22	22.17	23.16
6	000355	南方丰元 A	5.68	12.28	6.18	7.76
7	000356	南方丰元 C	1.81	4.38	0.94	7.76
8	000452	南方医保	0.47	1.80	3.91	5.47
9	000493	南方现金通货币 A	40.43	40.41	0.14	94.42
10	000494	南方现金通货币 B	3.68	3.56	0.66	94.42
11	000495	南方现金通货币 C	39.11	8.42	42.01	94.42
12	000527	南方新优享	0.11	0.11	1.32	2.56
13	000554	中国梦基金	0.04	0.15	2.02	2.85
14	000561	南方启元 A	0.02	0.07	37.10	40.08
15	000562	南方启元 C	0.02	0.04	0.14	40.08
16	000563	南方通利 A	2.79	6.00	31.51	43.23
17	000564	南方通利 C	0.45	8.33	10.41	43.23
18	000687	南方薪金宝	90.58	90.32	39.79	39.79
19	000719	南方现金通 E	93.44	75.58	51.61	94.42
20	000720	南方稳利 1 年定开债券 C	0.00	0.03	2.10	81.10
21	000816	南方理财金交易型货币 A	41.94	12.82	32.46	278.55
22	000844	南方绝对收益	0.00	0.88	3.53	4.00
23	000955	南方产业活力	1.16	4.58	19.18	23.16
24	000997	南方双元 A	0.05	0.97	1.47	1.73
25	000998	南方双元 C	0.03	0.07	0.19	1.73
26	001041	南方理财 60 天债券 E	0.00	0.01	0.01	13.57
27	001053	南方创新经济	0.06	1.28	15.68	15.20
28	001113	南方大数据 100	1.61	4.30	73.00	65.07
29	001181	南方改革机遇	0.07	3.13	21.60	20.16
30	001183	南方利淘 A	0.29	1.38	8.91	9.66
31	001334	南方利鑫 A	0.00	0.55	10.39	11.06
32	001335	南方利众 A	2.22	0.67	4.83	6.34
33	001420	南方大数据 300A	0.64	2.15	10.97	11.80
34	001421	南方量化	9.00	2.44	9.95	12.95
35	001426	南方大数据 300C	0.11	0.34	1.14	11.80
36	001504	南方利淘 C	0.23	0.19	0.14	9.66
37	001505	南方利众 C	0.65	–	0.77	6.34
38	001536	南方君选	0.05	0.29	1.26	1.32
39	001566	南方利达 A	2.86	0.00	7.91	9.72
40	001567	南方利达 C	1.33	4.96	1.33	9.72
41	001570	南方利安 A	0.24	0.01	9.59	10.40
42	001580	南方利安 C	0.49	0.29	0.39	10.40
43	001667	南方转型混合	0.20	2.16	11.07	10.43
44	001691	南方香港成长(QDII)	27.07	16.07	16.85	15.17
45	001692	南方国策动力	0.21	0.58	2.68	2.80
46	001772	南方消费活力	–	–	400.10	442.68
47	001979	南方沪港深价值	1.30	0.91	4.86	4.82
48	002015	南方荣光 A	0.01	0.01	0.02	7.98
49	002016	南方荣光 C	–	–	7.88	7.98
50	002160	南方驱动混合	0.05	0.73	1.29	1.38
51	002167	南方顺康	–	0.95	23.11	23.74
52	002218	南方弘利 A	–	–	15.10	15.03
53	002220	南方瑞利保本	–	0.32	14.26	14.74
54	002293	南方益和保本	–	0.49	28.80	29.53
55	002324	南方日添益 A	15.94	5.49	11.99	24.75
56	002325	南方日添益 E	17.61	25.85	12.76	24.75
57	002400	南方亚洲美元债人民币 A	15.16	3.41	33.04	43.00
58	002401	南方亚洲美元债人民币 C	4.44	0.94	5.99	43.00
59	002402	南方亚洲美元债美元现汇 A	–	–	33.04	43.00
60	002403	南方亚洲美元债美元现汇 C	–	–	33.04	43.00
61	002527	南方安享绝对收益	0.00	0.76	2.10	2.10
62	002577	南方新兴混合	0.17	2.28	7.28	7.08
63	002655	南方卓享绝对收益	0.00	0.48	2.09	2.08
64	002656	南方创业板 ETF 联接	0.56	0.27	0.91	0.84
65	002828	南方现金增利货币 E	405.68	409.60	32.66	944.07
66	002829	南方开元金增利货币 F	0.00	0.00	0.00	944.07
67	002850	南方甑智混合	0.00	0.00	11.65	11.28
68	002851	南方品质混合	0.15	2.98	5.97	5.99
69	002900	南方中证 500 信息技术联接	0.02	0.23	1.51	1.39
70	002931	南方荣毅	–	–	5.94	5.71
71	003033	南方荣冠定开混合	–	–	6.25	5.98
72	003064	南方荣欢混合	–	–	5.10	4.96
73	003161	南方安泰养老混合	0.01	0.67	25.95	25.98
74	003337	南方颐元债券发起式 A	–	–	1.10	1.09
75	003406	南方多元债券	69.86	–	119.96	119.07
76	003473	南方天天利 A	1.46	0.58	1.44	31.42
77	003474	南方天天利 B	29.46	1.48	29.98	31.42
78	150049	南方消费收益	–	–	0.15	2.74
79	150050	南方消费进取	–	–	0.15	2.74
80	150293	南方中证高铁产业指数分级 A	–	–	0.07	2.72
81	150294	南方中证高铁产业指数分级 B	–	–	0.07	2.72
82	150295	南方中证国有企业改革分级 A	–	–	1.49	4.55
83	150296	南方中证国有企业改革分级 B	–	–	1.49	4.55
84	150297	南方中证互联网指数分级 A	–	–	0.47	2.92
85	150298	南方中证互联网指数分级 B	–	–	0.47	2.92
86	159903	南方深成 ETF	0.12	0.15	4.57	4.96
87	159925	南方开元沪深 300ETF	0.04	1.04	7.41	10.04

序号	基金代码	基金名称	期间申购（亿份）	期间赎回（亿份）	期末总份额（亿份）	期末净资产（亿元）
88	159948	南方创业板 ETF	1.06	0.89	0.73	1.45
89	160105	南方积极配置混合（LOF）	0.17	2.27	9.29	9.04
90	160106	南方高增长混合（LOF）	0.23	0.46	14.53	18.69
91	160119	南方中证 500ETF 联接	3.58	5.67	26.79	41.03
92	160121	南方金砖四国指数	0.18	0.22	1.00	0.87
93	160123	南方中债 10 年期国债 A	0.03	0.03	0.14	2.33
94	160124	南方中债 10 年期国债 C	0.01	0.01	1.84	2.33
95	160125	南方香港优选股票（QDII）	0.14	0.37	5.53	4.51
96	160127	南方新兴消费分级	0.54	0.20	1.74	2.74
97	160128	南方金利 A	0.02	–	2.41	3.58
98	160129	南方金利 C	0.01	0.00	1.16	3.58
99	160130	南方永利 1 年定开债 A	–	–	1.53	1.50
100	160131	南方聚利 1 年定开债 A	0.08	–	21.95	25.37
101	160132	南方永利 C	–	–	0.05	1.50
102	160133	南方天元	0.01	0.11	2.91	5.02
103	160134	南方聚利 C	0.03	–	3.18	25.37
104	160135	南方中证高铁产业指数分级	2.58	1.79	2.41	2.72
105	160136	南方中证国有企业改革指数分级	1.26	2.33	2.15	4.55
106	160137	南方中证互联网指数分级	0.35	0.85	3.10	2.92
107	202001	南方稳健成长	0.12	0.58	16.28	20.20
108	202002	南方稳健成长贰号	0.33	1.37	43.75	18.27
109	202003	南方绩优成长混合	0.60	3.10	46.21	40.07
110	202005	南方成份精选混合	1.39	7.51	37.09	36.10
111	202007	南方隆元产业主题混合	0.09	0.84	30.03	20.73
112	202009	南方盛元红利混合	0.68	3.25	13.28	11.64
113	202011	南方优选价值混合 A	0.52	0.70	6.78	9.28
114	202015	南方开元沪深 300ETF 联接	0.43	1.51	6.62	7.87
115	202017	南方深成联接	0.07	0.19	3.78	3.14
116	202019	南方策略优化混合	6.34	1.57	9.41	14.96
117	202021	南方小康产业联接	1.48	0.73	7.25	8.47
118	202023	南方优选成长	0.07	0.54	2.12	4.12
119	202025	南方上证 380 联接	0.16	0.17	1.56	2.29
120	202027	南方高端装备灵活配置混合	0.05	0.21	3.46	4.50
121	202101	南方宝元债券	0.31	0.75	7.83	14.66
122	202102	南方多利增强债券 C	0.91	3.68	7.18	28.62
123	202103	南方多利增强债券 A	6.34	13.16	18.52	28.62
124	202105	南方广利债券 A/B	0.42	4.28	5.66	10.75
125	202107	南方广利债券 C	1.24	2.92	2.83	10.75
126	202108	南方润元 A	15.09	11.72	11.78	18.73
127	202110	南方润元 C	8.30	15.93	3.88	18.73
128	202202	南方避险增值	–	0.52	23.35	78.12
129	202211	南方恒元保本	–	0.10	4.10	4.98
130	202212	南方保本	–	0.17	4.16	5.91
131	202213	南方安心	–	0.59	38.44	38.32
132	202301	南方现金增利货币 A	145.51	169.53	217.14	944.07
133	202302	南方现金增利货币 B	709.41	649.39	694.26	944.07
134	202303	南方理财 14 天 A	6.13	9.37	10.26	20.08
135	202304	南方理财 14 天 B	10.94	7.56	9.81	20.08
136	202305	南方理财 60 天 A	0.94	1.18	3.47	13.57
137	202306	南方理财 60 天 B	10.59	101.21	10.10	13.57
138	202307	南方收益宝货币 A	6.57	6.21	6.87	384.19
139	202308	南方收益宝货币 B	724.29	858.87	377.33	384.19
140	202801	南方全球精选	0.04	1.59	59.10	46.60
141	501018	南方原油	5.56	6.41	2.77	2.96
142	510160	南方中证小康产业 ETF	1.90	0.66	15.38	8.18
143	510290	南方上证 380ETF	0.06	0.12	1.68	2.59
144	510500	南方中证 500ETF	1.95	2.90	25.52	167.28
145	511810	南方理财金交易型货币 H	2.02	1.59	2.46	278.55
146	512100	南方中证 1000ETF	0.03	4.23	1.68	1.59
147	512300	中证 500 医药卫生 ETF	0.06	0.05	0.53	0.64
148	512310	南方中证 500 工业 ETF	0.03	0.13	1.34	0.92
149	512330	南方中证 500 信息技术 ETF	0.01	0.26	1.83	1.48
150	512340	南方中证 500 原材料 ETF	0.06	0.17	0.91	0.74
151	513600	南方恒生 ETF	–	0.17	0.27	0.54
152	960020	南方优选价值混合 H	–	–	0.00	9.28
153	150049	南方消费收益	–	–	0.15	–
154	150050	南方消费进取	–	–	0.15	–
155	150293	南方中证高铁产业指数分级 A	–	–	0.07	–
156	150294	南方中证高铁产业指数分级 B	–	–	0.07	–
157	150295	南方中证国有企业改革分级 A	–	–	1.47	–
158	150296	南方中证国有企业改革分级 B	–	–	1.47	–
159	150297	南方中证互联网指数分级 A	–	–	0.47	–
160	150298	南方中证互联网指数分级 B	–	–	0.47	–
161	159903	南方深成 ETF	–	–	4.54	–
162	159925	南方开元沪深 300ETF	–	–	7.41	–
163	159948	南方创业板 ETF	–	–	0.73	–
164	510160	南方中证小康产业 ETF	–	–	15.38	–
165	510290	南方上证 380ETF	–	–	1.68	–
166	510500	南方中证 500ETF	–	–	25.52	–
167	511810	南方理财金交易型货币 H	–	–	2.46	–
168	512100	南方中证 1000ETF	–	–	1.68	–
169	512300	中证 500 医药卫生 ETF	–	–	0.53	–
170	512310	南方中证 500 工业 ETF	–	–	1.34	–
171	512330	南方中证 500 信息技术 ETF	–	–	1.83	–
172	512340	南方中证 500 原材料 ETF	–	–	0.91	–
173	513600	南方恒生 ETF	–	–	0.27	–

【公司高管】

张海波先生：研究生学历。曾任江苏省委农工部科员、副主任科员、主任科员、助理调研员，江苏省政府办公厅农业处副处级秘书、调研员，江苏省证券公司总裁助理，华泰证券有限责任公司总裁助理、投资银行部总经理、投资银行业务总监兼投资银行业务管理总部总经理，副总裁、党委委员；2007 年 12 月至今任华泰证券副总裁、党委委员、兼华泰证券（上海）资产管理有限公司董事长。本届任期为 2013 年 11 月至 2016 年 11 月。现任、南方基金管理有限公司董事长。

杨小松先生：董事、总裁，中共党员，经济学硕士，注册会计师。历任德勤国际会计师行会计专业翻译，光大银行证券部职员，美国 NASDAQ 实习职员，证监会处长、副主任。2012 年加入南方基金管理有限公司，担任督察长，现任南方基金管理有限公司董事、总裁、党委副书记、南方东英资产管理有限公司（香港）董事。

诺安基金管理有限公司

【基本情况】

法定名称：诺安基金管理有限公司

英文名称：Lion Fund Management Co., Ltd.

公司属性：中资企业

成立日期：2003－12－09

注册资本：15000（万元）
法人代表：秦维舟
总 经 理：奥成文
注册地址：深圳市福田区深南大道 4013 号兴业银行大厦 19 层 1901－1908 室，20 层 2001－2008 室
办公地址：深圳市深南大道 4013 号兴业银行大厦 19－20 层
网站地址：www.lionfund.com.cn
邮政编码：518048
客服邮箱：services@lionfund.com.cn
电话号码：400－888－8998
传真号码：0755－83026677
经营范围：基金募集、基金销售、资产管理、中国证监会许可的其他业务。
基金数量：70 只（其中普通基金 55 只，货币基金 13 只，理财基金 0 只，封闭式基金 0 只，其他基金 2 只）。
管理规模：947.22 亿元
经理人数：22 人

【公司概况】

诺安基金管理有限公司成立于 2003 年 12 月，目前公司旗下管理着超过 50 只开放式基金。截至 2016 年 12 月底，公司管理资产总规模超过 1200 亿元，拥有客户数量近 770 万。

“智 汇财富 稳 见未来”，诺安基金管理有限公司致力于以科学严谨的专业知识，以稳健的风格，以卓越的远见在瞬息万变的市场中为投资者实现长期持久的投资回报。

【股东概况】

排序	股东名称	持股数量（万股）	股权比例
1	中国对外经济贸易信托投资有限公司	6000.00	40%
2	深圳市捷隆投资有限公司	6000.00	40%
3	北京中关村科学城建设股份有限公司	3000.00	20%

【旗下基金】

序号	基金代码	基金名称	期间申购（亿份）	期间赎回（亿份）	期末总份额（亿份）	期末净资产（亿元）
1	000066	诺安鸿鑫保本混合	0.03	0.29	22.14	22.33
2	000151	诺安信用一年定开债券	–	–	1.10	1.06
3	000201	诺安泰鑫一年定期开放债券 A	0.08	1.47	1.39	1.44
4	000235	诺安稳固收益一年定开债券	5.07	26.31	13.03	12.76
5	000510	诺安永鑫收益一年定开债券	–	–	8.41	8.16
6	000538	诺安优势行业混合 A	0.00	0.40	6.19	7.99
7	000559	诺安天天宝 A	0.14	0.84	0.40	6.12
8	000560	诺安天天宝 E	1.61	1.77	0.72	6.12
9	000625	诺安天天宝 B	54.91	53.92	4.98	6.12
10	000640	诺安理财宝货币 A	0.01	0.39	1.05	102.19
11	000641	诺安理财宝货币 B	220.29	235.25	101.10	102.19
12	000714	诺安稳健回报灵活配置混合	0.00	0.02	0.21	15.59
13	000736	诺安聚利债券 A	43.80	3.99	44.14	47.43
14	000737	诺安聚利债券 C	0.04	0.21	0.24	47.43
15	000771	诺安聚鑫宝货币 A	162.88	221.63	100.61	155.95
16	000779	诺安聚鑫宝货币 B	95.78	113.92	43.83	155.95
17	000818	诺安天天宝 C	0.17	0.26	0.02	6.12
18	000971	诺安新经济股票	1.06	1.56	6.03	6.02
19	001020	诺安裕鑫收益定开债	–	–	2.10	2.18
20	001026	诺安理财宝货币 C	0.03	0.06	0.04	102.19
21	001208	诺安低碳经济股票	0.05	1.39	22.75	18.00
22	001351	诺安中证 500ETF 联接	0.03	0.10	1.94	1.67
23	001411	诺安创新驱动混合 A	–	0.32	1.69	9.91
24	001528	诺安先进制造股票	0.22	0.40	0.63	0.71
25	001669	诺安聚鑫宝货币 C	6.17	6.18	1.00	155.95
26	001706	诺安积极回报混合	0.00	0.00	10.10	10.08
27	001743	诺安优选回报混合	–	0.02	10.32	10.28
28	001744	诺安进取回报混合	0.00	0.11	3.70	3.67
29	001867	诺安聚鑫宝货币 D	21.51	22.40	10.50	155.95
30	001964	诺安泰鑫一年定开债 C	0.02	0.74	0.02	1.44
31	002051	诺安创新驱动混合 C	–	0.50	7.85	9.91
32	002052	诺安稳健回报灵活配置混合 C	–	–	11.61	15.59
33	002053	诺安优势行业混合 C	–	–	0.00	7.99
34	002067	诺安精选回报混合	0.00	0.00	10.00	10.15
35	002137	诺安利鑫保本混合	0.00	2.41	43.99	43.72
36	002145	诺安景鑫保本混合	0.00	11.16	36.87	36.70
37	002291	诺安安鑫保本混合	0.00	1.68	45.92	45.79
38	002292	诺安益鑫保本	0.00	1.32	37.63	37.79
39	002560	诺安和鑫保本混合	0.00	0.72	48.64	48.36
40	150073	诺安稳健	–	–	0.03	0.26
41	150075	诺安进取	–	–	0.05	0.26
42	159921	诺安中小板等权重 ETF	–	–	0.11	0.17
43	163208	诺安油气能源	0.39	0.59	2.10	2.08
44	163209	诺安中证创业成长指数分级	0.00	0.01	0.15	0.26
45	163210	诺安纯债定期开放债券 A	–	–	3.50	4.34
46	163211	诺安纯债定期开放债券 C	–	–	0.64	4.34
47	320001	诺安平衡	0.07	0.40	19.48	15.70
48	320002	诺安货币 A	2.77	2.74	1.88	71.22
49	320003	诺安先锋混合	0.07	1.10	31.33	41.13
50	320004	诺安优化收益债券	1.65	1.53	4.04	5.52
51	320005	诺安价值增长混合	0.54	1.89	20.21	23.42
52	320006	诺安灵活配置	3.06	5.08	20.92	45.86
53	320007	诺安成长混合	0.23	0.79	6.06	6.48
54	320008	诺安增利债券 A	0.03	2.81	2.13	3.27
55	320009	诺安增利债券 B	3.52	5.75	0.24	3.27
56	320010	诺安中证 100	0.05	0.11	1.28	1.27
57	320011	诺安中小盘精选混合	1.31	1.35	3.45	8.83
58	320012	诺安主题精选混合	0.02	0.13	1.28	1.98
59	320013	诺安全球黄金	0.86	0.56	9.11	6.98
60	320014	诺安上证新兴联接	0.02	0.07	0.63	0.69
61	320015	诺安保本	0.02	0.37	5.81	7.27
62	320016	诺安多策略混合	0.03	0.04	0.37	0.61
63	320017	诺安全球不动产	–	0.18	1.48	2.25
64	320018	诺安新动力灵活配置	0.00	0.02	0.28	0.44
65	320019	诺安货币 B	156.91	195.72	69.34	71.22
66	320020	诺安汇鑫保本	0.01	1.60	20.28	20.20
67	320021	诺安双利债券	0.26	1.76	1.49	2.06
68	320022	诺安研究精选股票	0.07	0.83	9.47	8.91
69	510260	诺安上证新兴 ETF	0.02	0.08	0.75	0.83
70	510520	诺安中证 500ETF	0.02	0.04	1.01	1.65
71	150073	诺安稳健	–	–	0.03	–

序号	基金代码	基金名称	期间申购(亿份)	期间赎回(亿份)	期末总份额(亿份)	期末净资产(亿元)
72	150075	诺安进取	-	-	0.05	-
73	159921	诺安中小板等权重 ETF	-	-	0.11	-
74	510260	诺安上证新兴 ETF	-	-	0.75	-
75	510520	诺安中证 500ETF	-	-	1.01	-

【公司高管】

秦维舟先生：董事长，工商管理硕士。历任北京中联新技术有限公司总经理，香港昌维发展有限公司总经理，香港先锋投资有限公司总经理，中国新纪元有限公司副总裁，诺安基金管理有限公司副董事长。

奥成文先生：董事、总经理，经济学硕士，经济师。历任中国通用技术(集团)控股有限责任公司资产经营部副经理，中国对外经济贸易信托投资有限公司投资银行部副总经理，2002 年 10 月开始参加诺安基金管理有限公司筹备工作，任公司督察长，现任诺安基金管理有限公司总经理。

鹏华基金管理有限公司

【基本情况】

法定名称：鹏华基金管理有限公司
英文名称：Penghua Fund Management Co., Ltd.
公司属性：合资企业
成立日期：1998 - 12 - 22
注册资本：15000(万元)
法人代表：何　如
总 经 理：邓召明
注册地址：深圳市福田区福华三路 168 号深圳国际商会中心第 43 层
办公地址：深圳市福田区福华三路 168 号深圳国际商会中心第 43 层
网站地址：www. phfund. com. cn
邮政编码：518048
客服邮箱：service@ phfund. com. cn
电话号码：400 - 6788 - 999，0755 - 82353668
传真号码：0755 - 82021155
经营范围：基金募集、基金销售、资产管理、中国证监会许可的其他业务。
基金数量：203 只(其中普通基金 160 只，货币基金 7 只，理财基金 0 只，封闭式基金 0 只，其他基金 36 只)。
管理规模：2513. 36 亿元
经理人数：35 人

【公司概况】

鹏华基金管理有限公司成立于 1998 年 12 月 22 日，注册资本 15,000 万元人民币，总部设在深圳，在北京、上海、广州、武汉设有分公司，2013 年 1 月，在深圳前海设立控股子公司鹏华资产管理有限公司。目前的股东由国信证券股份有限公司、意大利欧利盛资本资产管理股份公司(Eurizon Capital SGR S. P. A.)、深圳市北融信投资发展有限公司组成，三家股东的出资比例分别为 50%、49%、1%，业务范围包括基金募集、基金销售、资产管理及中国证监会许可的其他业务。截至 2016 年 12 月 31 日，公司管理资产总规模达到 4,551 亿元，管理 129 只基金和 10 只全国社保投资组合。

【公司荣誉】

2016 年 1 月，中央国债登记结算有限责任公司公布了 2015 年度中国债券市场优秀成选结果，鹏华基金荣获“中国债券市场优秀资产管理机构(基金公司)”奖。

2016 年 1 月，在和讯网主办的“第 13 届中国财经风云榜”评选中，鹏华基金荣获“2015 年度最具影响力基金公司”。

2016 年 1 月，在《瞭望东方周刊》、中国董事局网主办的中国基金业营销创新“金果奖”评选中，鹏华基金荣获“2015 年最佳营销策划团队”“2015 年度最佳自媒体建设基金公司”“2015 年度最佳公共关系建设基金公司”三项大奖。

2015 年 12 月，金融界主办的“第四届领航中国年度评选”中，鹏华基金荣获基金行业“产品创新奖”和“营销创新奖”。

【公司大事记】

1998 年 12 月 22 日，鹏华基金管理有限公司经中国证监会批准正式成立，注册资本金 8000 万元。

2001 年 9 月 26 日，公司注册资本由 8000 万元增加到 15000 万元。

2002 年 8 月 12 日，鹏华基金管理有限公司北京分公司在北京注册成立。

2002 年 8 月 15 日，鹏华基金管理有限公司上海分公司在上海注册成立。

2002 年 12 月 13 日，全国社会保障基金理事会正式签发《关于投资管理人评审有关问题的通知》的文件(社保基金办〔2002〕53 号)，鹏华基金被确定为全国社会保障基金首批投资管理人。

2007 年 6 月 22 日，经中国证券监督管理委员会批准，公司原股东深圳市北融信投资发展有限公司、方正证券有限责任公司、安徽国元信托投资有限责任公司将其持有的占本公司总股本 49% 的股权一次性整体转让给意大利欧利盛金融集团股份公司(Eurizon Financial Group S. P. A.)，中国商务部于 6 月 27 日向本公司颁发了外商投资企业批准证书(商外资资审字〔2007〕0259 号)。

2008 年 2 月 14 日，公司经中国证券监督管理委员会批准，成为获得从事特定客户资产管理业务资格的首批投资管理人之一。

2008 年 4 月 25 日，经中国证券监督管理委员会批准，鹏华基金管理有限公司获得作为合格境内机构投资者从事境外证券投资管理业务的资格。

2009 年 8 月 6 日，经中国证券监督管理委员会批准，本公司原股东意大利欧利盛金融集团股份公司将其持有的本公司 49% 的股权转让给意大利欧利盛资本资产管理股份公司(Eurizon Capital SGR S. P. A.)。

2010 年 4 月 16 日，鹏华基金管理有限公司武汉分公司在武汉注册成立。

2010 年 10 月 13 日，鹏华基金管理有限公司广州分公司在广州注册成立。

2012 年 10 月 12 日，经中国保险监督管理委员会批准，鹏华基金管理有限公司获得保险资金投资管理人资格。

2013 年 1 月 4 日，鹏华基金全资子公司鹏华资产管理(深圳)有限公司在深圳前海注册成立。

【股东概况】

排序	股东名称	持股数量(万股)	股权比例
1	国信证券有限责任公司	7500.00	50%
2	Eurizon Capital SGR S. p. A.	7350.00	49%
3	深圳市北融信投资发展有限公司	150.00	1%

【旗下基金】

序号	基金代码	基金名称	期间申购(亿份)	期间赎回(亿份)	期末总份额(亿份)	期末净资产(亿元)
1	000007	鹏华国企债债券	0.05	2.50	2.21	2.55
2	000053	鹏华实业债纯债债券	0.01	0.11	1.68	2.27
3	000054	鹏华双债增利债券	0.01	0.17	4.12	5.25
4	000143	鹏华双债加利债券	0.39	2.74	5.27	6.77
5	000289	鹏华丰泰定期开放债券 A	12.40	2.89	35.19	35.21
6	000290	鹏华全球高收益债	3.08	3.48	17.26	21.51
7	000291	鹏华丰信分级债券	–	–	41.68	40.32
8	000292	鹏华丰信分级债券 A	26.78	0.01	28.82	40.32
9	000293	鹏华丰信分级债券 B	8.01	0.25	12.86	40.32
10	000295	鹏华丰实定期开放债券 A	77.47	4.07	79.97	87.33
11	000296	鹏华丰实定期开放债券 B	1.83	0.78	2.64	87.33
12	000297	鹏华可转债债券	0.01	0.04	0.55	0.46
13	000329	鹏华丰饶定开债	0.01	0.54	45.09	44.33
14	000338	鹏华双债保利债券	0.00	0.00	2.53	2.84
15	000345	鹏华丰融定期开放债券	–	–	0.98	1.14
16	000409	鹏华环保产业股票	0.08	1.07	2.45	3.71
17	000431	鹏华品牌传承混合	0.00	9.72	0.97	1.00
18	000569	鹏华增值宝货币	314.81	316.03	63.68	63.68
19	000778	鹏华先进制造股票	6.77	0.20	7.72	10.97
20	000780	鹏华医疗保健股票	0.33	2.95	14.85	19.15
21	000854	鹏华养老产业	0.03	0.58	1.55	1.79
22	000905	鹏华安盈宝货币	26.99	32.17	39.49	39.49
23	001067	鹏华弘盛混合 A	0.46	0.35	8.79	15.61
24	001122	鹏华弘利混合 A	9.73	0.33	12.52	15.57
25	001123	鹏华弘利混合 C	0.28	9.70	1.89	15.57
26	001172	鹏华弘泽混合 A	2.41	0.14	13.76	15.57
27	001188	鹏华改革红利股票	0.05	1.10	24.26	19.24
28	001190	鹏华弘润混合 A	11.18	1.47	13.11	15.40
29	001191	鹏华弘润混合 C	0.00	11.31	1.34	15.40
30	001222	鹏华外延成长混合	0.01	0.34	5.68	4.37
31	001223	鹏华文化传媒娱乐股票	0.05	0.13	0.53	0.56
32	001230	鹏华医药科技	0.31	1.87	32.45	16.86
33	001325	鹏华弘和混合 A	11.64	10.00	11.67	14.70
34	001326	鹏华弘和混合 C	1.14	3.68	2.45	14.70
35	001327	鹏华弘华混合 A	0.01	0.04	9.62	14.46
36	001328	鹏华弘华混合 C	1.83	3.61	4.51	14.46
37	001329	鹏华弘实混合 A	0.00	0.00	5.10	5.49
38	001330	鹏华弘实混合 C	0.01	0.12	0.02	5.49
39	001331	鹏华弘信混合 A	0.01	0.04	0.04	20.02
40	001332	鹏华弘信混合 C	0.00	0.00	20.01	20.02
41	001336	鹏华弘益混合 A	0.01	0.05	0.24	16.48
42	001337	鹏华弘益混合 C	0.67	0.00	15.68	16.48
43	001380	鹏华弘盛混合 C	0.08	0.21	3.86	15.61
44	001381	鹏华弘泽混合 C	0.68	1.37	0.60	15.57
45	001453	鹏华弘鑫混合 A	1.57	0.47	3.03	12.90
46	001454	鹏华弘鑫混合 C	1.94	5.87	9.42	12.90
47	001492	鹏华弘锐混合 A	0.00	0.01	9.94	15.61
48	001493	鹏华弘锐混合 C	0.00	0.05	3.15	15.61
49	001666	鹏华添利宝货币	245.79	291.78	283.26	283.26
50	001775	鹏华弘泰 C	0.00	0.00	0.14	19.19
51	001950	鹏华丰泰定开债 B	0.38	0.03	0.40	35.21
52	002018	鹏华弘安混合 A	10.06	0.01	12.13	17.89
53	002019	鹏华弘安混合 C	0.31	10.10	5.27	17.89
54	002188	鹏华丰华债券	0.00	0.00	19.97	19.54
55	002259	鹏华健康环保混合	0.01	0.28	0.98	1.01
56	002318	鹏华添利交易型货币 A	17.59	12.07	6.26	60.12
57	002395	鹏华丰尚定开债 A	24.93	–	47.68	59.14
58	002396	鹏华丰尚定开债 B	4.91	–	12.49	59.14
59	002504	鹏华金鼎保本混合 A	0.01	1.11	38.80	44.59
60	002505	鹏华金鼎保本混合 C	0.01	0.45	6.76	44.59
61	002643	鹏华兴利混合	0.21	0.10	12.21	12.37
62	002695	鹏华兴泽定期开放混合 A	–	–	5.72	8.51
63	002696	鹏华兴泽定期开放混合 C	–	–	2.79	8.51
64	002714	鹏华金城保本混合	0.00	0.35	45.83	45.30
65	002809	鹏华兴华定期开放混合	1.19	0.00	11.31	11.39
66	002868	鹏华丰茂债券	4.89	0.00	14.88	14.78
67	002911	鹏华兴实定期开放混合	–	–	13.14	13.04
68	002913	鹏华兴益定期开放混合	–	0.00	10.01	9.90
69	002914	鹏华兴锐定期开放混合	–	–	9.92	9.77
70	003122	鹏华兴盛定开混合	–	–	8.02	7.91
71	003140	鹏华弘腾混合 A	5.99	0.00	12.00	11.99
72	003141	鹏华弘腾混合 C	0.00	–	0.00	11.99
73	003142	鹏华弘达混合 A	5.99	0.00	11.99	11.93
74	003143	鹏华弘达混合 C	0.00	–	0.00	11.93
75	003165	鹏华弘嘉混合 A 类	1.07	1.33	8.52	11.25
76	003166	鹏华弘嘉混合 C 类	0.00	0.31	2.84	11.25
77	003172	鹏华丰安债券	0.00	3.01	7.09	7.08
78	003186	鹏华兴安定期开放混合	–	–	16.64	16.46
79	003209	鹏华丰达债券	4.97	0.00	14.98	14.49
80	003224	鹏华兴润定期开放混合 A	–	–	4.95	10.57
81	003225	鹏华兴润定期开放混合 C	–	–	5.75	10.57
82	003280	鹏华丰恒债券	0.45	0.80	1.65	1.65
83	003343	鹏华弘惠灵活配置混合 A	3.00	0.80	6.20	11.59
84	003344	鹏华弘惠灵活配置混合 C	2.30	3.64	5.66	11.59
85	003367	鹏华兴合定期开放混合 A	–	–	7.35	9.95
86	003368	鹏华兴合定期开放混合 C	–	–	2.71	9.95
87	003411	鹏华弘康灵活配置混合 A	0.00	0.00	0.00	9.96
88	003412	鹏华弘康灵活配置混合 C	5.00	0.00	10.00	9.96
89	003495	鹏华弘尚灵活配置混合 A	–	–	12.00	11.98
90	003496	鹏华弘尚灵活配置混合 C	–	–	0.00	11.98
91	003527	鹏华丰腾债券	27.98	0.00	29.98	29.88
92	003547	鹏华丰禄债券	3.00	0.00	5.00	4.99
93	150100	鹏华资源分级 A	–	–	1.41	4.41
94	150101	鹏华资源分级 B	–	–	1.41	4.41
95	150177	鹏华证券保险分级 A	–	–	1.61	13.78
96	150178	鹏华证券保险分级 B	–	–	1.61	13.78
97	150179	鹏华信息分级 A	–	–	0.47	3.21
98	150180	鹏华信息分级 B	–	–	0.47	3.21
99	150192	鹏华地产分级 A	–	–	0.55	2.29
100	150193	鹏华地产分级 B	–	–	0.55	2.29
101	150203	鹏华传媒分级 A	–	–	1.17	7.41

序号	基金代码	基金名称	期间申购（亿份）	期间赎回（亿份）	期末总份额（亿份）	期末净资产（亿元）
102	150204	鹏华传媒分级 B	–	–	1.17	7.41
103	150205	鹏华中证国防指数分级 A	–	–	62.93	166.10
104	150206	鹏华中证国防指数分级 B	–	–	62.93	166.10
105	150227	鹏华银行分级 A	–	–	29.55	87.31
106	150228	鹏华银行分级 B	–	–	29.55	87.31
107	150229	鹏华酒分级 A	–	–	0.86	4.36
108	150230	鹏华酒分级 B	–	–	0.86	4.36
109	150235	鹏华证券分级 A	–	–	2.21	6.88
110	150236	鹏华证券分级 B	–	–	2.21	6.88
111	150237	鹏华环保分级 A	–	–	0.09	1.74
112	150238	鹏华环保分级 B	–	–	0.09	1.74
113	150243	鹏华创业板分级 A	–	–	6.65	13.15
114	150244	鹏华创业板分级 B	–	–	6.65	13.15
115	150245	鹏华互联网分级 A	–	–	0.10	1.81
116	150246	鹏华互联网分级 B	–	–	0.10	1.81
117	150273	鹏华一带一路分级 A	–	–	0.75	6.45
118	150274	鹏华一带一路分级 B	–	–	0.75	6.45
119	150277	鹏华高铁分级 A	–	–	2.79	5.72
120	150278	鹏华高铁分级 B	–	–	2.79	5.72
121	150279	鹏华新能源分级 A	–	–	0.10	0.56
122	150280	鹏华新能源分级 B	–	–	0.10	0.56
123	159911	鹏华深证民营 ETF	–	–	0.13	0.54
124	159927	鹏华沪深 300ETF	0.10	0.10	0.08	0.27
125	160602	鹏华普天债券 A	0.04	2.30	3.44	4.41
126	160603	鹏华普天收益	0.04	0.17	4.50	5.75
127	160605	鹏华中国 50	0.23	0.67	8.75	10.48
128	160606	鹏华货币 A	24.11	12.93	15.37	342.21
129	160607	鹏华价值优势混合（LOF）	0.34	2.14	27.84	18.55
130	160608	鹏华普天债券 B	0.08	0.26	0.32	4.41
131	160609	鹏华货币 B	448.28	551.68	326.84	342.21
132	160610	鹏华动力增长	0.12	3.44	17.62	17.40
133	160611	鹏华优质治理混合（LOF）	0.02	0.38	14.27	12.67
134	160612	鹏华丰收债券	0.60	1.30	25.39	27.69
135	160613	鹏华盛世创新混合（LOF）	0.06	0.05	0.73	0.96
136	160615	鹏华沪深 300	0.10	0.13	1.95	2.53
137	160616	鹏华中证 500	0.12	0.21	2.10	2.69
138	160617	鹏华丰润债券（LOF）	0.02	0.06	92.40	93.13
139	160618	鹏华丰泽债券（LOF）	0.41	4.89	2.67	3.01
140	160620	鹏华资源分级	2.35	2.32	0.98	4.41
141	160621	鹏华丰和债券（LOF）	1.82	6.71	6.12	6.47
142	160622	鹏华丰利债券（LOF）	0.05	4.15	6.12	6.03
143	160624	鹏华消费领先混合	0.01	0.12	2.03	3.04
144	160625	鹏华证券保险分级	0.54	2.17	8.44	13.78
145	160626	鹏华信息分级	0.13	0.51	1.92	3.21
146	160627	鹏华策略优选混合	0.00	0.21	1.88	2.61
147	160628	鹏华地产分级	0.26	1.77	1.17	2.29
148	160629	鹏华传媒分级	0.52	3.29	4.86	7.41
149	160630	鹏华国防	32.14	43.68	109.63	166.10
150	160631	鹏华银行分级	30.30	9.23	44.13	87.31
151	160632	鹏华酒分级	1.36	2.25	3.10	4.36
152	160633	鹏华证券分级	1.08	3.53	2.78	6.88
153	160634	鹏华环保分级	0.06	0.57	1.43	1.74
154	160635	鹏华中证医药卫生（LOF）	0.19	0.28	0.33	0.32
155	160636	鹏华互联网分级	0.15	0.25	1.57	1.81
156	160637	鹏华创业板分级	16.86	5.82	1.18	13.15
157	160638	鹏华一带一路分级	1.81	1.97	6.54	6.45
158	160639	鹏华高铁分级	2.37	5.99	1.45	5.72
159	160640	鹏华新能源分级	0.04	0.10	0.43	0.56
160	160642	鹏华增瑞混合	–	–	8.06	8.12
161	184801	鹏华前海万科 REITS	–	–	0.30	31.80
162	206001	鹏华弘泰 A	0.03	0.10	18.43	19.19
163	206002	鹏华精选成长混合	0.02	0.07	1.83	2.17
164	206003	鹏华信用增利债券 A	11.15	8.81	3.77	4.90
165	206004	鹏华信用增利债券 B	0.24	0.43	0.17	4.90
166	206005	鹏华上证民企 50ETF 联接	0.01	0.02	0.55	0.73
167	206006	鹏华环球发现	0.00	0.06	0.49	0.48
168	206007	鹏华消费优选混合	0.02	0.09	1.30	2.01
169	206008	鹏华丰盛稳固债券	1.26	0.59	23.70	27.01
170	206009	鹏华新兴产业混合	0.75	0.86	5.21	10.71
171	206010	鹏华深证民营联接	0.02	0.02	0.38	0.46
172	206011	鹏华美国房地产	0.18	0.16	1.06	1.24
173	206012	鹏华价值精选股票	0.06	0.12	0.46	0.62
174	206013	鹏华金刚保本混合	0.02	0.27	2.87	2.91
175	206015	鹏华纯债债券	0.02	1.26	1.76	1.73
176	206018	鹏华产业债债券	0.02	2.85	4.78	5.16
177	501023	鹏华香港中小企业指数 LOF	0.03	2.73	3.11	3.08
178	502023	鹏华钢铁分级	0.55	1.73	0.28	0.41
179	502024	鹏华钢铁分级 A	–	–	0.09	0.41
180	502025	鹏华钢铁分级 B	–	–	0.09	0.41
181	502026	鹏华新丝路分级	0.34	0.52	0.14	0.20
182	502027	鹏华新丝路分级 A	–	–	0.04	0.20
183	502028	鹏华新丝路分级 B	–	–	0.04	0.20
184	510070	鹏华上证民企 50ETF	–	0.01	0.52	0.81
185	511820	鹏华添利交易型货币 B	0.40	0.91	0.54	60.12
186	150100	鹏华资源分级 A	–	–	1.41	–
187	150101	鹏华资源分级 B	–	–	1.41	–
188	150177	鹏华证券保险分级 A	–	–	1.61	–
189	150178	鹏华证券保险分级 B	–	–	1.61	–
190	150179	鹏华信息分级 A	–	–	0.47	–
191	150180	鹏华信息分级 B	–	–	0.47	–
192	150192	鹏华地产分级 A	–	–	0.55	–
193	150193	鹏华地产分级 B	–	–	0.55	–
194	150203	鹏华传媒分级 A	–	–	1.17	–
195	150204	鹏华传媒分级 B	–	–	1.17	–
196	150205	鹏华中证国防指数分级 A	–	–	63.37	–
197	150206	鹏华中证国防指数分级 B	–	–	63.37	–
198	150227	鹏华银行分级 A	–	–	29.60	–
199	150228	鹏华银行分级 B	–	–	29.60	–
200	150229	鹏华酒分级 A	–	–	0.86	–
201	150230	鹏华酒分级 B	–	–	0.86	–
202	150235	鹏华证券分级 A	–	–	2.21	–
203	150236	鹏华证券分级 B	–	–	2.21	–
204	150237	鹏华环保分级 A	–	–	0.09	–
205	150238	鹏华环保分级 B	–	–	0.09	–
206	150243	鹏华创业板分级 A	–	–	6.66	–
207	150244	鹏华创业板分级 B	–	–	6.66	–
208	150245	鹏华互联网分级 A	–	–	0.10	–
209	150246	鹏华互联网分级 B	–	–	0.10	–

序号	基金代码	基金名称	期间申购（亿份）	期间赎回（亿份）	期末总份额（亿份）	期末净资产（亿元）
210	150273	鹏华一带一路分级 A	-	-	0.75	-
211	150274	鹏华一带一路分级 B	-	-	0.75	-
212	150277	鹏华高铁分级 A	-	-	2.79	-
213	150278	鹏华高铁分级 B	-	-	2.79	-
214	150279	鹏华新能源分级 A	-	-	0.10	-
215	150280	鹏华新能源分级 B	-	-	0.10	-
216	159911	鹏华深证民营 ETF	-	-	0.13	-
217	159927	鹏华沪深 300ETF	-	-	0.08	-
218	502024	鹏华钢铁分级 A	-	-	0.09	-
219	502025	鹏华钢铁分级 B	-	-	0.09	-
220	502027	鹏华新丝路分级 A	-	-	0.04	-
221	502028	鹏华新丝路分级 B	-	-	0.04	-
222	510070	鹏华上证民企 50ETF	-	-	0.52	-
223	511820	鹏华添利交易型货币 B	-	-	0.54	-

【公司高管】

何如先生：中国国籍，董事长，硕士，高级会计师。历任中国电子器件公司深圳公司副总会计师兼财务处处长、总会计师、常务副总经理、总经理、党委书记，深圳发展银行行长助理、副行长、党委委员、副董事长、行长、党委副书记，现任国信证券股份有限公司董事长、党委书记，鹏华基金管理有限公司董事长。

邓召明先生：中国国籍，董事，经济学博士，讲师。历任北京理工大学管理与经济学院讲师、中国兵器工业总公司主任科员、中国证监会处长、南方基金管理有限公司副总经理，现任鹏华基金管理有限公司总裁、党总支书记。

高永杰先生：中国国籍，美国哥伦比亚大学法学硕士。历任中共中央办公厅秘书局干部、中国证监会办公厅新闻处干部、秘书处副处级秘书、发行监管部副处长、人事教育部副处长、处长。现任鹏华基金管理有限公司督察长、监察稽核部总经理。

上投摩根基金管理有限公司

【基本情况】

法定名称：上投摩根基金管理有限公司
英文名称：China International Fund Management Co., Ltd.
公司属性：合资企业
成立日期：2004－05－12
注册资本：25000（万元）
法人代表：穆　矢
总 经 理：章硕麟
注册地址：中国（上海）自由贸易试验区富城路 99 号震旦国际大楼 20 楼
办公地址：上海市浦东富城路 99 号震旦国际大楼 20 层
网站地址：www. cifm. com，www. 51fund. com
邮政编码：200120
客服邮箱：services@ cifm. com
电话号码：4008894888，021－38794888
传真号码：021－68416113
经营范围：基金募集、基金销售、资产管理和中国证监会许可的其他业务（依法须经批准的项目，经相关部门批准后方可开展经营活动）。
基金数量：83 只（其中普通基金 75 只，货币基金 8 只，理财基金 0 只，封闭式基金 0 只，其他基金 0 只）。
管理规模：1386.08 亿元
经理人数：27 人

【公司概况】

上投摩根基金管理有限公司成立于 2004 年 5 月，总部位于上海，注册资本 2.5 亿元人民币。其中上海国际信托出资占比 51%，摩根大通旗下摩根资产管理出资占比 49%。

集摩根资产管理 150 年享誉全球的专业资产管理经验，汇上海国际信托扎根本土的悠久品牌信誉，上投摩根传承中外股东精粹，致力于设立和管理证券投资基金，为不同类型的投资者提供多元化、国际领先的资产管理服务，成为值得信赖的长期合作伙伴。

【公司大事记】

2004 年，上投摩根经中国证监会证监基字〔2004〕56 号文批准，于 2004 年 5 月 12 日成立。同年 8 月，推出上投摩根中国优势基金，受到了市场广泛关注。

2005 年，上投摩根率先推出了“致富 100”百场理财知识讲座活动，百场讲座全部围绕子女教育、养老、购房购车等与百姓生活息息相关的热门理财话题，为投资者带来深入浅出的全新理财观念。

2006 年，上投摩根创建大型基金理财知识普及活动“摩根基金大学”，讲座内容从基金产品的基本概念到基金投资策略，从子女教育到个人养老，以及总结基金投资误区等，几乎涵盖了投资者所关注的所有领域。同年，上投摩根的股票投资管理能力排名处于全市场前列，展现出了良好的、持续性较长的专业化资产管理风采。

2007 年，上投摩根内需动力和上投摩根亚太优势均创造了当时的基金销售记录。面对火爆的牛市，上投摩根长时间暂停旗下全部股票型基金的申购业务，以保持基金合理运作环境，争取稳健的基金业绩。同年，上投摩根点燃“火炬行动”，通过真实反映十位基金持有人的理财生活，连接十位基金持有人的理财人生，最终播撒倡导健康理财文化的“火种”。

2008 年，上投摩根率先在基金定投客户中，将投资目的为儿女教育成长基金的人群细分出来，创造出了“亲子定投”的概念。此外，上投摩根启动了新的大型投资主题活动“新致富 100”，旨在引导投资者更深刻地理解投资精髓，内容涵盖海外投资、女性理财、子女教育、社会公益、投资者体验等多项内容。

2009 年，上投摩根在业内率先提出了群星计划，将人才、产品、绩效和获利有机地结合，包括外部人才招聘、内部人才培养、投研信息交流、投研成果结合等一系列的步骤和流程，最终全面提高基金业绩。

2010 年，上投摩根进入二次起飞阶段，公司规模排名显著提升，投研团队的精神面貌焕然一新，投研力量得到不断增强，业绩也得到明显改善。

2011 年，上投摩根香港子公司和厦门分公司于 7 月先后成立。

2012 年 10 月，上投摩根南京办事处于 10 月成立。

2013 年 12 月，香港子公司首只 RQFII 产品成立。

2015 年 4 月上投摩根基金全资子公司——尚腾资本管理有限公司成立。

【股东概况】

排序	股东名称	持股数量(万股)	股权比例
1	上海国际信托投资有限公司	12750.00	51%
2	摩根富林明资产管理(英国)有限公司	12250.00	49%

【旗下基金】

序号	基金代码	基金名称	期间申购(亿份)	期间赎回(亿份)	期末总份额(亿份)	期末净资产(亿元)
1	000073	上投成长动力	0.10	0.14	1.51	1.55
2	000125	上投摩根天颐年丰混合 A	0.04	0.12	6.06	6.04
3	000256	上投摩根红利回报混合 A	0.52	0.13	0.90	6.08
4	000257	上投岁岁盈定开债券 A	–	1.07	2.44	4.43
5	000258	上投岁岁盈定开债券 C	–	0.02	0.06	4.43
6	000328	上投摩根转型动力	0.11	6.42	5.73	7.76
7	000377	上投双债增利 A	2.65	4.30	5.98	7.32
8	000378	上投双债增利 C	0.53	0.54	1.12	7.32
9	000457	上投摩根核心成长	1.09	0.69	2.87	5.14
10	000524	上投摩根民生需求	3.79	0.95	9.29	15.16
11	000616	上投摩根优信增利债券 A	0.01	0.18	0.25	0.52
12	000617	上投摩根优信增利债券 C	0.02	0.03	0.13	0.52
13	000685	上投摩根现金管理货币	16.73	4.58	14.16	14.16
14	000712	上投摩根天添宝货币 A	0.03	0.03	0.09	9.61
15	000713	上投摩根天添宝货币 B	9.25	0.00	9.52	9.61
16	000765	上投岁岁盈定开债券 B	1.81	0.11	2.00	4.43
17	000766	上投岁岁盈定开债券 D	0.03	–	0.03	4.43
18	000839	上投摩根纯债丰利债券 A	0.50	1.67	0.79	0.88
19	000840	上投摩根纯债丰利债券 C	0.02	0.05	0.10	0.88
20	000855	上投摩根天添盈货币 A	0.04	0.04	0.01	4.63
21	000856	上投摩根天添盈货币 B	3.57	0.49	3.59	4.63
22	000857	上投摩根天添盈货币 E	0.92	1.09	1.04	4.63
23	000887	上投摩根稳进回报混合	1.45	0.07	2.04	2.02
24	000889	上投摩根纯债添利债券 A	49.32	0.06	49.58	49.61
25	000890	上投摩根纯债添利债券 C	0.02	0.05	0.09	49.61
26	001009	上投摩根安全战略股票	0.10	0.68	11.52	10.14
27	001126	上投摩根卓越制造股票	0.14	1.25	24.90	17.10
28	001192	上投摩根整合驱动混合	0.15	1.26	23.38	14.76
29	001219	上投摩根动态多因子混合	6.75	1.12	17.68	15.84
30	001313	上投摩根智慧互联股票	0.20	1.39	27.49	18.00
31	001482	上投摩根新兴服务股票	0.02	0.09	1.18	1.06
32	001538	上投摩根科技前沿灵活配置混合	0.03	0.14	1.00	0.89
33	001766	上投摩根医疗健康股票	0.12	0.53	1.97	1.62
34	001795	上投摩根文体休闲灵活配置混合	0.02	0.17	1.99	1.73
35	001947	上投摩根安鑫回报 A	0.83	0.47	5.33	6.35
36	001984	上投摩根智慧生活混合	0.00	0.33	1.11	1.07
37	002436	上投摩根红利回报混合 C	2.89	3.00	5.17	6.08
38	002654	上投摩根策略精选混合	0.14	0.73	2.21	2.15
39	002845	上投摩根安鑫回报 C	0.05	1.27	1.07	6.35
40	003087	上投摩根岁岁丰定开债券 A	–	–	12.12	13.57
41	003088	上投摩根岁岁丰定开债券 C	–	–	1.93	13.57
42	370010	上投货币 A	207.88	207.72	1.42	938.83
43	370011	上投货币 B	974.41	658.41	937.42	938.83
44	370021	上投分红添利债券 A	0.11	0.64	1.39	1.57
45	370022	上投分红添利债券 B	0.00	0.01	0.08	1.57
46	370023	上投中证消费指数	0.02	0.01	0.15	0.20
47	370024	上投摩根核心优选混合	0.06	0.17	3.64	7.85
48	370025	上投轮动添利债券 A	0.39	1.18	4.09	4.11
49	370026	上投轮动添利债券 C	0.00	0.01	0.08	4.11
50	370027	上投摩根智选 30 混合	0.10	0.48	1.30	1.95
51	371020	上投纯债债券 A	0.01	1.52	7.62	10.84
52	371120	上投纯债债券 B	0.00	0.04	0.22	10.84
53	372010	上投强化债券 A	0.01	0.00	0.07	0.15
54	372110	上投强化债券 B	0.00	0.00	0.05	0.15
55	373010	上投摩根双息平衡混合 A	0.58	4.13	26.06	21.07
56	373020	上投双核平衡	0.06	0.07	1.55	2.55
57	375010	上投中国优势	0.24	0.50	11.24	11.20
58	376510	上投大盘蓝筹	0.04	0.11	1.24	1.60
59	377010	上投摩根阿尔法混合	0.09	0.31	6.28	19.65
60	377016	上投摩根亚太优势混合	0.40	2.94	75.89	46.13
61	377020	上投摩根内需动力混合	0.72	2.08	26.66	23.71
62	377150	上投摩根健康品质生活混合	0.03	0.07	0.76	1.51
63	377240	上投摩根新兴动力混合 A	0.56	3.38	5.56	11.53
64	377530	上投摩根行业轮动混合 A	0.08	3.29	4.55	7.63
65	378006	上投摩根全球新兴市场混合	0.05	0.06	0.54	0.43
66	378010	上投摩根成长先锋混合	0.10	0.30	8.45	8.54
67	378546	上投摩根全球天然资源混合	3.59	1.39	4.45	2.91
68	379010	上投摩根中小盘混合	0.12	0.30	2.27	4.05
69	960005	上投摩根双息平衡混合 H	0.00	–	0.00	21.07
70	960006	上投摩根行业轮动混合 H	0.00	0.00	0.00	7.63
71	960007	上投摩根新兴动力混合 H	0.00	–	0.00	11.53

【公司高管】

穆矢先生：中国国籍，硕士研究生，高级经济师职称。曾任天津市人大财经委办公室副主任、天津信托投资公司总裁助理、上海浦东发展银行天津分行副行长、行长、党委书记、总行风险管理总部总监、上海浦东发展银行党委委员、副行长。现任上海浦东发展银行董事会秘书、上投摩根基金管理有限公司董事长。

章硕麟先生：获台湾大学商学硕士学位。曾任怡富证券(台湾)投资顾问股份有限公司协理、摩根大通(台湾)证券副总经理、摩根富林明(台湾)证券股份有限公司董事长。现任上投摩根基金管理有限公司总经理。

泰达宏利基金管理有限公司

【基本情况】

法定名称：泰达宏利基金管理有限公司

英文名称：Manulife Teda Fund Management Co.,Ltd.

公司属性：合资企业

成立日期：2002－06－06

注册资本：18000(万元)

法人代表：弓劲梅

总 经 理：刘　建

注册地址：北京市西城区金融大街 7 号英蓝国际金融中心南楼三层

办公地址：北京市西城区金融大街 7 号英蓝国际金融中心南楼三层

网站地址：www.mfcteda.com

邮政编码：100033

客服邮箱：irm@mfcteda.com

电话号码：400－698－8888，010－66555662

传真号码：010－66577666

经营范围:基金募集、基金销售、资产管理、中国证监会许可的其他业务。

基金数量:85 只(其中普通基金 73 只,货币基金 8 只,理财基金 0 只,封闭式基金 0 只,其他基金 4 只)。

管理规模:503.36 亿元

经理人数:13 人

【公司简介】

泰达宏利基金管理有限公司成立于 2002 年 6 月,是中国首批合资基金管理公司之一,注册资本 1.8 亿元人民币。在吸取外方股东全球投资智慧以及深刻认知中国资本市场的基础上,公司建立并拥有了一整套科学严谨的内控体系,并且在十余年的实践中积累了丰富的投资管理经验,取得了良好的长期投资业绩,赢得了投资者的信任。公司旗下管理的产品类型丰富,具有较为完善的产品线可供选择。

【股东概况】

排序	股东名称	股权比例
1	北方国际信托投资股份有限公司公司	51%
2	宏利资产管理(香港)有限公司	49%

天津泰达投资控股有限公司成立于 2001 年,其企业规模和实力位居天津市首位,经营范围涉及银行、经纪业务、保险、证券及其他多种行业。旗下的北方信托是经国务院、中国人民银行批准成立的大型国有股份制金融机构,是全国首家引入外资股份的信托投资公司。

宏利金融(Manulife Financial)成立于 1887 年,总部位于加拿大多伦多,具有超过 120 年的发展历史,其业务遍布全球 19 个国家;具有良好的风控文化、经营稳健,获得多个业内财务实力最高评级。宏利金融的主要业务范围为共同基金、个人保险及财富管理、团体福利及退休金、团体寿险及医疗保险等。目前,宏利金融在亚洲 10 个国家和地区开展业务,已经拥有 9 家资产管理公司。中国首家合资人寿保险公司——中宏保险,就是宏利金融与中国中化集团合资成立。

【旗下基金】

序号	基金代码	基金名称	期间申购(亿份)	期间赎回(亿份)	期末总份额(亿份)	期末净资产(亿元)
1	000026	泰达信用合利债券 A	0.00	-	3.56	3.66
2	000027	泰达信用合利债券 B	0.00	-	0.08	3.66
3	000169	泰达收益增强债券 A	0.02	0.03	4.54	4.72
4	000170	泰达收益增强债券 B	0.00	0.03	0.17	4.72
5	000319	泰达淘利债券 A	49.33	2.61	49.34	59.66
6	000320	泰达淘利债券 B	0.17	0.49	0.01	59.66
7	000387	泰达宏利瑞利债券 A	0.00	0.16	0.39	2.44
8	000388	泰达宏利瑞利债券 B	0.50	2.64	2.10	2.44
9	000507	泰达宏利养老混合 A	2.54	0.14	4.36	6.80
10	000508	泰达宏利养老混合 B	1.45	2.92	2.16	6.80
11	000700	泰达宏利货币 B	270.49	324.11	143.39	147.79
12	000828	泰达转型机遇	0.02	0.09	1.29	1.06
13	001017	泰达改革动力混合	8.75	1.30	17.86	21.36
14	001141	泰达宏利创盈混合 A	0.00	0.01	2.28	3.54
15	001142	泰达宏利创盈混合 B	0.19	4.59	1.01	3.54
16	001170	泰达宏利复兴混合	0.02	3.16	12.28	9.23
17	001254	泰达宏利新起点混合 A	0.00	0.21	6.49	6.88
18	001267	泰达宏利蓝筹混合	0.04	0.16	2.43	1.31
19	001418	泰达宏利创益混合 A	0.00	2.07	3.51	5.67
20	001419	泰达宏利新思路混合 A	0.00	0.07	6.44	6.97
21	001568	泰达宏利增利混合	-	-	3.64	3.58
22	001733	泰达宏利量化股票	0.13	2.08	2.10	2.04
23	001894	泰达宏利活期友货币 A	0.16	0.17	0.21	51.62
24	001895	泰达宏利活期友货币 B	50.78	11.95	51.41	51.62
25	001896	泰达宏利绝对混合	-	0.64	2.39	2.35
26	002263	泰达宏利大数据混合	1.37	0.45	1.75	2.06
27	002273	泰达宏利创益混合 B	-	-	1.91	5.67
28	002314	泰达宏利新思路混合 B	-	-	0.43	6.97
29	002470	泰达多元回报债券 A	0.00	0.26	0.57	1.07
30	002471	泰达多元回报债券 C	0.21	0.62	0.49	1.07
31	003073	泰达宏利汇利债券 A	0.00	0.00	10.03	9.97
32	003074	泰达宏利汇利债券 C	-	0.00	0.00	9.97
33	003104	泰达宏利定宏混合	0.00	1.37	4.22	4.21
34	003247	泰达宏利启智灵活配置混合 A	5.49	0.00	5.49	5.48
35	003248	泰达宏利启智灵活配置混合 C	0.00	2.00	0.01	5.48
36	003414	泰达宏利创金混合 A	0.00	0.00	1.00	7.64
37	003415	泰达宏利创金混合 C	3.99	1.00	6.64	7.64
38	003463	泰达宏利亚洲债券(QDII)A	-	-	6.77	7.05
39	003464	泰达宏利亚洲债券(QDII)C	-	-	0.21	7.05
40	150053	泰达中证 500 稳健	-	-	0.05	2.20
41	150054	泰达中证 500 进取	-	-	0.08	2.20
42	162201	泰达宏利成长混合	0.19	0.34	6.05	7.90
43	162202	泰达宏利周期混合	0.02	0.10	1.81	2.34
44	162203	泰达宏利稳定混合	0.04	0.08	1.12	0.96
45	162204	泰达宏利行业混合	0.02	0.07	1.60	4.41
46	162205	泰达宏利风险预算混合	0.04	0.09	2.15	2.18
47	162206	泰达宏利货币 A	5.27	2.77	4.40	147.79
48	162207	泰达宏利效率优选混合	0.02	0.26	8.04	9.01
49	162208	泰达宏利首选企业股票	18.23	16.12	5.20	5.54
50	162209	泰达宏利市值优选混合	0.13	0.37	18.07	12.99
51	162210	泰达宏利集利债券 A	10.77	4.00	13.58	17.65
52	162211	泰达宏利品质生活混合	3.24	0.02	3.60	3.01
53	162212	泰达宏利红利先锋混合	0.07	0.40	1.88	1.95
54	162213	泰达宏利大盘指数	0.07	0.07	0.76	0.88
55	162214	泰达宏利领先中小盘混合	0.14	0.79	1.88	1.45
56	162215	泰达宏利聚利债券(LOF)	0.00	3.17	6.36	6.41
57	162216	泰达中证 500 分级	1.69	0.15	2.16	2.20
58	162299	泰达宏利集利债券 C	3.94	5.47	0.22	17.65
59	229002	泰达宏利逆向策略混合	7.91	1.42	8.45	18.76
60	150053	泰达中证 500 稳健	-	-	0.05	-
61	150054	泰达中证 500 进取	-	-	0.08	-

【公司高管】

弓劲梅女士:中国国籍,拥有天津南开大学经济学博士学位。2002—2003 年,天津信托有限责任公司研究员;2003—2006 年,天弘基金管理有限公司高级研究员;2006—2008 年,天津泰达投资控股有限公司资产管理部高级项目经理;2008—2009 年,天津市泰达国际控股(集团)有限公司融资与风险管理部部长助理、副部长;2010 年,天津市泰达国际控股(集团)有限公司资产管理部副部长主持工作、部长。现任天津市泰达国际控股(集团)有限公司资产管理部部长兼泰达宏利基金管理有限公司董事长。

刘建先生:中国国籍,经济学硕士;1988—2001 年任中国建设银行股份有限公司金融机构部副处长；2001—2003 年任中信银行股份有限公司资金清算部负责人；2003—2014 年任中银国际证券有限责任公司机构业务部董事总经理。2014 年 10 月加盟泰达宏利基金管理有限公司，2015 年 4 月起任泰达宏利基金管理有限公司副总经理。2015 年 8 月 13 日起任泰达宏利基金管理有限公司总经理。

泰信基金管理有限公司

【基本情况】

法定名称：泰信基金管理有限公司

英文名称：First - trust Fund Management Co.，Ltd.

公司属性：中资企业

成立日期：2003 - 05 - 23

注册资本：20000（万元）

法人代表：葛　航

总 经 理：葛　航

注册地址：上海市浦东新区浦东南路 256 号华夏银行大厦 37 层

办公地址：上海市浦东新区浦东南路 256 号华夏银行大厦 36 - 37 层

网站地址：www. ftfund. com

邮政编码：200120

客服邮箱：service@ ftfund. com

电话号码：021 - 38784566；400 - 888 - 5988

传真号码：021 - 20899008

经营范围：基金设立、基金业务管理及中国证监会批准的其他业务。

基金数量：27 只（其中普通基金 22 只，货币基金 3 只，理财基金 0 只，封闭式基金 0 只，其他基金 2 只）。

管理规模：61.79 亿元

经理人数：9 人

【公司概况】

泰信基金管理有限公司于 2003 年 5 月 8 日获《关于同意泰信基金管理有限公司开业的批复》（证监基金字〔2003〕68 号），并于 2003 年 5 月 23 日正式成立。公司注册资本金为人民币 2 亿元，是由山东省国际信托股份有限公司（出资 9000 万元）、江苏省投资管理有限责任公司（出资 6000 万元）、青岛国信实业有限公司（出资 5000 万元）共同发起设立的。泰信的三家股东均是其所在地的政府投资主体，实力雄厚、经营稳健、业绩优良，在国内外资本市场上保持着良好的信誉，设立泰信是三家股东长期发展战略的重要组成部分，也将为其今后的发展提供强有力的支持。

泰信基金管理有限公司是第一家以信托公司为主发起人的基金管理公司。自 2003 年 5 月成立至今，公司已经拥有泰信天天收益货币、泰信先行策略混合、泰信双息双利债券、泰信优质生活混合、泰信优势增长混合、泰信蓝筹精选混合、泰信债券增强收益、泰信发展主题混合、泰信债券周期回报、泰信中证 200 指数、泰信中小盘精选混合、泰信行业精选混合、泰信中证锐联基本面 400 指数分级、泰信现代服务业混合、泰信鑫益定期开放债券、泰信国策驱动混合、泰信鑫选混合、泰信互联网 + 混合等 18 只开放式基金，形成了较完善的基金产品线。

自成立以来，我们秉承“先行一步创造优质生活”的企业理念，坚守“诚信 专业 责任 共赢”的价值观，努力实现为客户增值财富，为员工创造空间，为股东创造价值，对社会承担责任的使命，力争做最值得公众信赖的财富管理人。

【股东概况】

股东单位名称	现金出资金额	股权比例
山东省国际信托有限公司	9000 万元	45%
江苏省投资管理有限责任公司	6000 万元	30%
青岛国信实业有限公司	5000 万元	25%
合　计	2 亿元	100%

【旗下基金】

序号	基金代码	基金名称	期间申购（亿份）	期间赎回（亿份）	期末总份额（亿份）	期末净资产（亿元）
1	000212	泰信鑫益定期开放债券 A	0.00	-	1.28	1.99
2	000213	泰信鑫益定期开放债券 C	0.00	-	0.62	1.99
3	001569	泰信国策驱动灵活配置混合	0.00	0.23	3.05	2.51
4	001970	泰信鑫选灵活配置混合 A	-	0.58	0.48	0.48
5	001978	泰信互联网 + 混合	0.00	0.31	0.58	0.56
6	002234	泰信天天收益货币 B	13.53	10.29	19.33	20.59
7	002235	泰信天天收益货币 E	0.00	-	0.00	20.59
8	002583	泰信行业精选混合 C	0.34	-	0.34	3.72
9	150094	泰信基本面 400A	-	-	0.07	0.44
10	150095	泰信基本面 400B	-	-	0.07	0.44
11	162907	泰信基本面 400 指数分级	0.13	0.08	0.44	0.44
12	290001	泰信天天收益货币 A	2.79	2.59	1.26	20.59
13	290002	泰信先行策略	0.02	0.36	19.36	11.98
14	290003	泰信双息双利债券	0.29	0.49	0.25	0.26
15	290004	泰信优质生活混合	0.93	0.53	9.21	8.67
16	290005	泰信优势增长	0.02	0.03	0.60	0.82
17	290006	泰信蓝筹精选混合	0.02	0.26	2.16	2.61
18	290007	泰信增强债券 A	0.00	0.17	0.06	0.18
19	290008	泰信发展主题混合	0.00	0.01	0.60	0.68
20	290009	泰信周期债券	0.27	0.31	1.07	1.20
21	290010	泰信中证 200	0.00	0.01	0.51	0.52
22	290011	泰信中小盘精选混合	0.02	0.70	0.49	0.86
23	290012	泰信行业精选混合 A	0.05	0.38	2.86	3.72
24	290014	泰信现代服务业混合	0.00	0.01	0.34	0.54
25	291007	泰信增强债券 C	0.00	0.32	0.12	0.18
26	150094	泰信基本面 400A	-	-	0.07	-
27	150095	泰信基本面 400B	-	-	0.07	-

【公司高管】

葛航先生：董事，公司总经理、上海锐懿资产管理有限公司执行董事，学士学位；1989 年 7 月加入山东省国际信托有限公司，曾任山东省国际信托有限公司租赁部高级业务经理、山东省国际信托有限公司自营业务部经理。

天治基金管理有限公司

【基本情况】

法定名称：天治基金管理有限公司

英文名称：China Nature Asset Management Co.，Ltd.

公司属性：中资企业

成立日期：2003 - 05 - 27

注册资本：16000（万元）

法人代表：赵玉彪
总 经 理：常永涛
注册地址：浦东新区莲振路 298 号 4 号楼 231 室
办公地址：上海复兴西路 159 号
网站地址：www. chinanature. com. cn
邮政编码：200031
客服邮箱：marketing@ chinanature. com. cn
电话号码：4000984800，02160374800
传真号码：021 – 64713758
经营范围：基金管理业务，发起设立基金，中国证监会批准的其他业务（依法须经批准的项目，经相关部门批准后方可开展经营活动）。
基金数量：14 只（其中普通基金 13 只，货币基金 1 只，理财基金 0 只，封闭式基金 0 只，其他基金 0 只）。
管理规模：25. 84 亿元
经理人数：8 人

【公司概况】

天治基金管理有限公司于 2003 年 5 月成立，股东为吉林省信托有限责任公司、中国吉林森林工业集团有限责任公司，各股东出资比例分别为 61. 25% 、38. 75% 。公司注册资本1. 6亿元人民币，注册地为上海。

目前，天治公司旗下共有 11 只开放式基金，分别是天治财富增长基金（混合型）、天治低碳经济基金（混合型）、天治研究驱动基金 A&C（混合型）、天治核心成长基金（混合型）、天治中国制造 2025 基金（混合型）、天治新消费基金（混合型）、天治稳健双盈基金（债券型）、天治天得利基金（货币型）和天治趋势精选基金（混合型）、天治可转债 A&C（债券型）、天治鑫利半年定开债 A&C（债券型）。

经过多年的积累，天治基金形成了一支精干、团结、自信的人才队伍，逐渐摸索出适合的投资模式。

天治基金秉承以诚感人，以信立业，顺天而治，顺势而为，以智慧发现规律，依规律共享财富增长的经营理念，力争为投资者提供优质的基金理财服务，与投资者共同分享中国经济发展的成果，回报投资者的信任。

天治基金管理有限公司愿所有稳健而理性的投资者生活更美好！

【股东概况】

排序	股东名称	出资额（万元）	出资比例
1	吉林省信托投资有限责任公司	9800. 00	61. 25
2	中国吉林森林工业（集团）总公司	6200. 00	38. 75

【旗下基金】

序号	基金代码	基金名称	期间申购（亿份）	期间赎回（亿份）	期末总份额（亿份）	期末净资产（亿元）
1	000080	天治可转债 A	0. 02	0. 04	0. 70	2. 13
2	000081	天治可转债 C	0. 20	0. 27	1. 20	2. 13
3	002043	天治研究驱动混合 C	0. 00	0. 75	0. 00	0. 16
4	163503	天治核心成长混合（LOF）	0. 22	0. 32	13. 79	6. 41
5	350001	天治财富增长	0. 01	0. 02	0. 86	0. 79
6	350002	天治低碳经济混合	0. 04	0. 05	0. 46	0. 31
7	350004	天治天得利货币	2. 89	8. 34	5. 58	5. 58
8	350005	天治中国制造 2025	0. 01	0. 03	0. 23	0. 34
9	350006	天治稳健双盈债券	0. 73	1. 86	3. 04	5. 25
10	350007	天治趋势精选	0. 14	0. 16	0. 30	0. 26
11	350008	天治新消费混合	0. 00	0. 01	0. 16	0. 23
12	350009	天治研究驱动混合 A	0. 00	0. 02	0. 14	0. 16

【公司高管】

吕文龙先生：1965 年 7 月出生，研究生学历，政治经济学硕士，高级经济师，历任中国人民银行吉林省分行金融管理处科员、副处长，银行处副处长，外汇管理处副处长，非银行处副处长，中国证监会长春特派办机构处处长、稽查处处长，中国证监会吉林监管局期货处处长，吉林省信托有限责任公司总经理助理。现任吉林省信托有限责任公司党委委员、副总经理，兼任天治基金管理有限公司董事、吉林银行监事。

常永涛先生：中国国籍，本科。1992. 8—2000. 12 就职于四川省信托投资公司上海证券总部任副经理；2001. 1—2004. 10 就职于大成基金管理公司任交易员、基金经理助理、基金经理；2004. 12—2009. 9 就职于申万巴黎基金管理有限公司任基金经理、投资部总经理；2009. 9—2013. 5 就职于天治基金管理有限公司任总经理助理；2013. 5—2014. 1 就职于天治基金管理有限公司任副总经理。现任天治基金管理有限公司总经理、董事。

万家基金管理有限公司

【基本情况】

法定名称：万家基金管理有限公司
英文名称：Wanjia Asset Management Co.， Ltd.
公司属性：中资企业
成立日期：2002 – 08 – 23
注册资本：10000（万元）
法人代表：方一天
总 经 理：经晓云
注册地址：上海市浦东新区浦电路 360 号陆家嘴投资大厦 9 楼
办公地址：上海市浦东新区浦电路 360 号陆家嘴投资大厦 9 楼
网站地址：www. wjasset. com
邮政编码：200122
客服邮箱：Callcenter@ ttasset. com
电话号码：400 – 888 – 0800，95538 – 6
传真号码：021 – 38909608，38909609
经营范围：基金募集、基金销售、资产管理和中国证监会许可的其他业务。
基金数量：77 只（其中普通基金 65 只，货币基金 10 只，理财基金 0 只，封闭式基金 0 只，其他基金 2 只）。
管理规模：541. 68 亿元
经理人数：8 人

【公司概况】

万家基金管理有限公司，原名为天同基金管理有限公司，于 2002 年 8 月 23 日正式成立。2006 年 2 月 20 日正式更名为万家基金管理有限公司。万家基金管理有限公司严格遵守基金合同,运作透明规范,以为百姓提供高水准的理财服务为经营目标,以对投资者的不同需求提供差异化服务为动力,在投资组合管理、定量分析以及风险控制方面追求高专业水准,是一家独具特色、并基于特色全面发展的基金管理公司。

【公司业绩】

2016 年 5 月,万家精选混合型基金荣获《证券时报》评选的“2015 年度积极混合型明星基金”奖。

2016 年 3 月,万家稳健增利债券基金荣获《中国证券报》“2015 年度开放式债券型金牛基金奖”。

2015 年 11 月,万家基金获得“2015 年度资产证券化介甫奖—最佳财务顾问”。

2014 年 9 月,万家基金孙驰荣获《中国基金报》2013 年度三年期十大最佳固定收益投资基金经理。

2014 年 4 月,万家基金管理有限公司荣获《上海证券报》2013 年度“金基金债券投资回报公司”奖。

2014 年 4 月,万家增强收益债荣获《上海证券报》2013 年度 3 年期债券型金基金奖。

2013 年 4 月,万家基金管理有限公司荣获《上海证券报》2012 年度“金基金・债券投资回报公司”奖项。

2013 年 3 月,万家基金管理有限公司荣获《中国证券报》“2012 年度债券投资金牛基金公司”,万家添利分级债券型证券投资基金、万家增强收益债券型证券投资基金荣获《中国证券报》“2012 年度债券型金牛基金”,万家精选股票型证券投资基金荣获《中国证券报》“2012 年度股票型金牛基金”。

2012 年 3 月,万家货币市场基金荣获《中国证券报》“2011 年度开放式货币市场金牛基金奖”。

2011 年 4 月,万家货币市场基金荣获《中国证券报》“2010 年度开放式货币市场金牛基金奖”。2010 年 6 月,万家增强收益债券型证券投资基金荣获《上海证券报》2009 年度“金基金・三年期债券基金奖”。

2010 年 6 月,万家双引擎灵活配置混合型证券投资基金荣获《上海证券报》2009 年度“金基金・一年期分红基金奖”。

2010 年 5 月,万家货币市场证券投资基金荣获《中国证券报》“2009 年度开放式货币市场金牛基金奖”。

2009 年 1 月,万家货币市场证券投资基金荣获《证券时报》“2008 年度货币市场明星基金奖”。

2009 年 1 月,万家双引擎灵活配置混合型证券投资基金荣获《证券时报》“2008 年度新基金明星奖”。

2008 年 1 月,万家公用事业行业基金荣获《证券时报》“2007 年平衡型基金明星奖”。

【公司大事记】

2016 年 6 月 2 日,万家颐达保本混合证型券投资基金成立。

2016 年 1 月 26 日,万家新兴蓝筹灵活配置混合证券投资基金成立。

2015 年 12 月 15 日,万家上证 380 交易型开放式指数证券投资基金转型为万家上证 50 交易型开放式指数证券投资基金。

2015 年 12 月 4 日,万家瑞益灵活配置混合型证券投资基金成立。

2015 年 8 月 26 日,万家品质生活股票型证券投资基金成立。

2015 年 7 月 23 日,万家瑞兴灵活配置混合型证券投资基金成立。

2015 年 6 月 19 日,万家瑞丰灵活配置混合型证券投资基金成立。

2014 年 9 月 23 日,万家现金宝货币市场证券投资基金成立。

2014 年 1 月 24 日,万家城市建设主题纯债债券型证券投资基金成立。

2013 年 11 月 27 日,万家市政纯债定期开放债券型证券投资基金成立。

2013 年 10 月 31 日,万家上证 380 交易型开放式指数证券投资基金成立。

2013 年 5 月 7 日,万家强化收益定期开放债券型证券投资基金成立。

2013 年 3 月 6 日,万家岁得利定期开放债券证券投资基金成立。

2013 年 1 月 15 日,万家 14 天理财债券型证券投资基金成立。

2012 年 9 月 21 日,万家信用恒利债券型证券投资基金成立。

2012 年 8 月 2 日,万家中证创业成长指数分级证券投资基金成立。

2011 年 6 月 2 日,万家添利分级债券型证券投资基金成立。

2011 年 3 月 17 日,万家中证红利指数型证券投资基金正式成立。

2009 年 8 月 12 日,万家稳健增利债券型证券投资基金正式成立。

2009 年 5 月 18 日,万家精选股票型证券投资基金正式成立。

2008 年 6 月 26 日,万家双引擎灵活配置混合型证券投资基金成立。

2006 年 11 月 30 日,万家和谐增长混合型证券投资基金正式成立。

2006 年 5 月 24 日,万家货币市场证券投资基金正式成立。

2006 年 2 月 20 日,公司正式更名为万家基金管理有限公司,旗下产品全部更名为‘万家’系列。

2005 年 7 月 8 日,天同公用事业股票型证券投资基金正式成立。

2004 年 9 月 28 日,天同保本增值证券投资基金正式成立。

2003 年 3 月 15 日,天同 180 指数证券投资基金正式成立。

2002 年 8 月 23 日,天同基金管理有限公司正式成立。

【股东概况】

排序	股东名称	持股数量(万股)	股权比例
1	齐鲁证券有限公司	4900.00	49%
2	新疆国际实业股份有限公司	4000.00	40%
3	山东省国有资产投资控股有限公司	1100.00	11%

【旗下基金】

序号	基金代码	基金名称	期间申购(亿份)	期间赎回(亿份)	期末总份额(亿份)	期末净资产(亿元)
1	000764	万家货币 E	6.24	6.25	3.17	146.81
2	000773	万家现金宝	30.10	23.20	9.82	9.82
3	001488	万家瑞丰灵活配置混合 A	0.96	0.02	2.78	5.40

序号	基金代码	基金名称	期间申购（亿份）	期间赎回（亿份）	期末总份额（亿份）	期末净资产（亿元）
4	001489	万家瑞丰灵活配置混合 C	0.01	0.01	2.29	5.40
5	001518	万家瑞兴	12.39	9.64	6.26	7.53
6	001635	万家瑞益灵活配置混合 A	0.01	0.00	0.01	10.92
7	001636	万家瑞益灵活配置混合 C	9.95	0.29	9.87	10.92
8	002664	万家瑞和灵活配置混合 A	0.49	0.00	6.18	7.19
9	002665	万家瑞和灵活配置混合 C	0.00	0.00	0.99	7.19
10	002670	万家瑞旭灵活配置混合 A	2.99	0.00	4.99	4.97
11	002671	万家瑞旭灵活配置混合 C	–	0.00	0.00	4.97
12	003159	万家恒瑞 18 个月定开债 A	–	–	10.04	9.68
13	003160	万家恒瑞 18 个月定开债 C	–	–	0.00	9.68
14	003327	万家鑫璟纯债 A	0.00	–	2.00	2.01
15	003328	万家鑫璟纯债 C	–	0.00	0.00	2.01
16	003329	万家鑫安纯债债券 A	119.71	–	151.69	151.94
17	003330	万家鑫安纯债债券 C	–	0.00	0.00	151.94
18	150090	万家中创指数分级 A	–	–	0.10	0.29
19	150091	万家中创指数分级 B	–	–	0.10	0.29
20	161902	万家增强收益债券	0.06	1.29	2.27	2.48
21	161903	万家行业优选混合(LOF)	0.18	2.31	1.91	1.71
22	161907	万家中证红利指数	0.00	0.02	0.33	0.48
23	161908	万家添利债券(LOF)	0.32	2.72	1.13	1.01
24	161910	万家中创指数分级	0.01	0.02	0.08	0.29
25	161911	万家强化收益定期开放债券	–	–	3.12	3.15
26	510680	万家上证 50ETF	–	0.01	0.03	0.05
27	519180	万家 180 指数	0.12	0.68	19.75	15.53
28	519181	万家和谐增长	1.60	1.61	16.68	15.59
29	519183	万家双引擎灵活配置	3.64	2.41	4.03	5.72
30	519185	万家精选混合	8.81	2.20	9.32	14.77
31	519186	万家稳健增利债券 A	2.07	6.20	9.67	10.86
32	519187	万家稳健增利债券 C	0.08	0.79	0.19	10.86
33	519188	万家恒利 A	0.15	1.30	3.11	5.22
34	519189	万家恒利 C	0.29	1.57	1.06	5.22
35	519190	万家双利债券	0.00	0.02	0.26	0.28
36	519191	万家新利灵活配置混合	2.31	3.72	6.45	7.18
37	519195	万家品质	0.22	0.18	0.86	1.02
38	519196	万家新兴蓝筹灵活配置混合	0.41	0.35	0.49	0.55
39	519197	万家颐达	0.00	0.57	6.72	6.66
40	519198	万家颐和保本混合	0.00	0.09	8.64	8.57
41	519199	万家家享纯债	–	–	10.01	10.02
42	519208	万家年年恒祥定开债 A	–	–	6.70	6.51
43	519209	万家年年恒祥定开债 C	–	–	0.00	6.51
44	519501	万家货币 R	0.00	0.00	0.21	146.81
45	519507	万家货币 B	188.89	167.43	137.94	146.81
46	519508	万家货币 A	3.41	4.00	5.48	146.81
47	519511	万家日日薪货币 A	4.54	2.49	2.49	10.13
48	519512	万家日日薪货币 B	6.88	1.12	7.65	10.13
49	150090	万家中创指数分级 A	–	–	0.10	–
50	150091	万家中创指数分级 B	–	–	0.10	–
51	510680	万家上证 50ETF	–	–	0.03	–

【公司高管】

方一天先生：大学本科，学士学位，先后在上海财政证券公司、中国证监会系统、上证所信息网络有限公司任职，2014 年 10 月加入万家基金管理有限公司，2014 年 12 月起任公司董事，2015 年 2 月起任公司总经理。2015 年 7 月 23 日起担任公司董事长。

经晓云女士：上海财经大学工商管理硕士学位。任职于上海证券（原上海财政证券），先后担任总经理办公室副主任（主持工作）、市场管理部经理，经纪管理总部副总经理、总经理，负责证券经纪业务的管理和运作。2011 年 1 月至 2016 年 7 月任上投摩根基金管理有限公司副总经理，2016 年 7 月加入万家基金管理有限公司，任公司董事、公司总经理，负责公司经营管理工作，兼任尚腾资本管理有限公司董事。

鑫元基金管理有限公司

【基本情况】

法定名称：鑫元基金管理有限公司

公司属性：中资企业

成立日期：2013－08－29

注册资本：20000（万元）

法人代表：束行农

总 经 理：张乐赛

注册地址：上海市浦东新区富城路 99 号震旦大厦 31 楼

办公地址：上海市静安区中山北路 909 号 12 楼

网站地址：www. xyamc. com

客服邮箱：service@ xyamc. com

电话号码：400－606－6188

传真号码：021－20892111

经营范围：基金募集、基金销售、特定客户资产管理、资产管理和中国证监会许可的其他业务（依法须经批准的项目，经相关部门批准后方可开展经营活动）。

基金数量：26 只（其中普通基金 20 只，货币基金 4 只，理财基金 0 只，封闭式基金 0 只，其他基金 2 只）。

管理规模：250.70 亿元

经理人数：5 人

【公司概况】

鑫元基金管理有限公司经中国证监会批准，于 2013 年 9 月 12 日在上海正式成立。由南京银行股份有限公司发起，与南京高科股份有限公司联合组建。注册资本金 2 亿元人民币，总部设在上海。鑫元基金经营范围包括基金募集、基金销售、特定客户资产管理、资产管理和中国证监会许可的其他业务。

鑫元基金专注于固定收益资产管理细分市场。与国际市场相比，中国债券市场尚处于起步阶段，固定收益市场的前景非常广阔。各类投资者需要大量收益稳健、风险较低的金融产品来进行专业化资产配置和流动性管理，固定收益类产品将成为资产管理的核心配置。可以预见，固定收益类产品更将迎来黄金发展期，投资标的、投资策略和投资技术的创新将开启理财市场的大时代。此外，鑫元基金也将根据市场变化适当运用权益策略、衍生品工具等，力争为固定收益投资做正向加强，追求长期持续的稳定回报。

以“责任金融 和谐共赢”为宗旨的“益”文化。鑫元基金努力践行“责任金融”使命，积极履行对于“客户、股东、员工、社会”所承诺的责任，营造公司与各利益相关方相得益彰的“和谐共赢”局面，最终实现金融增益，普惠社会的终极使命。“客户收益、资本增益、公司利益、员工获益、社会公益”是鑫元基金“益”文化的核心。

截至 2016 年 12 月 31 日，公司旗下管理 16 只公募产品，包括2只货币型基金,13只债券型基金,1只混合型基金。另外,鑫元基金也为高端客户提供量身定制的,与其风险收益特征、投资期限及现金流相匹配的专户产品或投资咨询服务。

【股东概况】

股东名称	出资比例
南京银行股份有限公司	80%
南京高科股份有限公司	20%
合　计	100%

【旗下基金】

序号	基金代码	基金名称	期间申购(亿份)	期间赎回(亿份)	期末总份额(亿份)	期末净资产(亿元)
1	000483	鑫元货币A	10.45	10.60	4.68	110.15
2	000484	鑫元货币B	142.54	142.36	105.47	110.15
3	000578	鑫元一年定期开放债券A	-	0.01	1.44	1.59
4	000579	鑫元一年定期开放债券C	-	0.03	0.29	1.59
5	000655	鑫元稳利债券	20.94	13.26	32.11	33.68
6	000694	鑫元鸿利债券	0.85	0.87	15.07	17.60
7	000813	鑫元合享分级债券	-	-	9.56	-
8	000814	鑫元合享分级债券A	6.57	4.20	6.57	9.47
9	000815	鑫元合享分级债券B	2.99	2.07	2.99	9.47
10	000896	鑫元半年定期开放债券A	-	-	0.94	1.09
11	000897	鑫元半年定期开放债券C	-	-	0.26	1.09
12	000910	鑫元合丰纯债C	0.00	-	0.00	0.70
13	000911	鑫元合丰纯债A	0.45	-	0.70	0.70
14	001527	鑫元安鑫宝货币B	56.18	53.57	8.44	8.44
15	001601	鑫元鑫新收益灵活配置混合A	0.00	0.00	2.01	7.72
16	001602	鑫元鑫新收益灵活配置混合C	0.00	7.00	5.76	7.72
17	002265	鑫元兴利债券	0.02	0.01	4.98	4.99
18	002442	鑫元汇利债券	0.00	5.00	15.87	16.04
19	002632	鑫元双债增强债券A	0.00	0.00	5.00	5.03
20	002633	鑫元双债增强债券C	0.00	0.00	0.00	5.03
21	002915	鑫元裕利债券	1.99	0.00	9.97	9.98
22	003041	鑫元得利债券	0.27	0.07	2.20	2.19
23	003500	鑫元聚利债券	17.99	0.00	20.00	20.01

【公司高管】

束行农先生:董事长,中央党校经济管理学士。1981年10月至1994年3月,在中国人民解放军以及南京陆军指挥学院任职;1994年3月至1996年2月,在南京城市合作银行信联证券部任职,历任副经理、经理;1996年2月至今在南京银行股份有限公司任职,历任计划处副处长、资金交易部副总经理、资金运营中心总经理、金融市场部总经理、投资银行部总经理,现任南京银行总行副行长。2013年8月至今任鑫元基金管理有限公司董事长;2014年2月至今任鑫沅资产管理有限公司执行董事;2014年11月至今任上海鑫沅股权投资管理有限公司执行董事。

张乐赛先生:硕士,具有基金从业资格。2001年7月至2004年11月任职于南京银行股份有限公司,担任资金营运中心债券交易员;2004年12月至2014年12月,任职于诺安基金管理有限公司,历任基金经理助理、固定收益部总监,同时兼任基金经理;2014年12月加入鑫元基金管理有限公司,担任常务副总经理,现任鑫元基金管理有限公司总经理,兼任鑫沅资产管理有限公司执行董事。

信诚基金管理有限公司

【基本情况】

法定名称:信诚基金管理有限公司
英文名称:Citic - prudential Fund Management CO. , Ltd.
公司属性:合资企业
成立日期:2005 - 09 - 30
注册资本:20000(万元)
法人代表:张翔燕
总 经 理:吕　涛
注册地址:上海市浦东新区世纪大道8号上海国金中心汇丰银行大楼9层
办公地址:上海市浦东新区世纪大道8号上海国金中心汇丰银行大楼9层
网站地址:www. citicprufunds. com. cn
邮政编码:200120
客服邮箱:fund@ citicpru. com. cn
电话号码:400 - 666 - 0066
传真号码:021 - 58822888
经营范围:基金募集、基金销售、资产管理、境外证券投资管理和中国证监会许可的其他业务(涉及行政许可的凭许可证经营)。
基金数量:121只(其中普通基金95只,货币基金3只,理财基金2只,封闭式基金0只,其他基金21只)。
管理规模:708.99亿元
经理人数:17人

【公司概况】

信诚基金管理有限公司成立于2005年9月,注册资本人民币2亿元,其中,中信信托有限责任公司和英国保诚集团股份有限公司各持股权49%,中新苏州工业园区创业投资有限公司持股2%。公司自成立之初,就坚持"诚则立、信则达"的经营理念,全力以赴,为个人及机构投资者提供符合需要的金融产品和高水平的投资理财服务。

中方股东中信信托承接了中信集团的所有信托类资产、负债及业务,是银监会直接监管的三家全国性信托投资公司之一。中信集团目前已发展成为一家金融与实业并举的大型综合性跨国企业集团。其中,金融涉及银行、证券、信托、保险、基金、资产管理等行业和领域;实业涉及房地产、工程承包、资源能源、基础设施、机械制造、信息产业等行业和领域,具有较强的综合优势和良好发展势头。截至2014年末,中信集团总资产达47329亿元。公司自2009年以来连续六年入选美国《财富》杂志"世界500强"企业排行榜,2015年排名第186位。(数据来源:中信信托,截至2015年6月30日)

外方股东英国保诚集团股份有限公司是英国保诚集团的下属公司。英国保诚集团成立于1848年,是环球领先的金融服务集团。截至2015年6月30日,集团共管理资产达5050亿英镑,在全球拥有约2500万名客户。集团于伦敦、香港、新加坡及纽约四地上市。(数据来源:英国保诚集团,截至2015年6月30日)

作为一家中英合资公司,信诚基金在海外投资领域具有得天独厚的优势,充分利用和借鉴外方股东跨市场、多元化的资产管理能力和风险管理经验,深入跟踪全球市场。公司于

2009 年获得 QDII 业务资格，在全球化金融服务领域迈出了重要一步。

自 2006 年起，信诚基金便开始发展投资咨询业务。凭借保诚集团在亚洲的跨市场合作平台，以及信诚基金专业的投研团队，信诚基金目前为保诚集团旗下的瀚亚投资提供 A 股市场的投资咨询服务，该基金为在韩国市场募集的 A 股基金，截至 2015 年 6 月 30 日，该基金的管理规模约为 28.6 亿元人民币。

截至 2016 年 12 月 31 日，公司旗下共管理 55 只公募基金产品，包括 23 只混合型基金、19 只债券型基金、9 只指数分级基金、2 只货币基金、2 只 QDII 基金，已建立起能够满足不同风险需求的完善的产品线。

【股东概况】

排序	股东名称	持股数量（万股）	股权比例
1	中信信托投资有限责任公司	9800.00	49%
1	英国保诚集团股份有限公司	9800.00	49%
2	中新苏州工业园区创业投资有限公司	400.00	2%

【旗下基金】

序号	基金代码	基金名称	期间申购（亿份）	期间赎回（亿份）	期末总份额（亿份）	期末净资产（亿元）
1	000091	信诚新双盈分级债券	–	–	1.09	1.10
2	000092	信诚新双盈分级债券 A	–	–	0.75	1.10
3	000093	信诚新双盈分级债券 B	–	–	0.35	1.10
4	000209	信诚新兴产业混合	0.00	0.01	0.16	0.27
5	000260	信诚季季定期支付债券	0.01	0.06	3.97	5.15
6	000360	信诚年年有余 A	1.61	2.45	4.51	5.11
7	000361	信诚年年有余 B	0.00	0.04	0.04	5.11
8	000405	信诚月月支付	0.01	0.07	0.02	0.03
9	000467	信诚惠报债券 A	0.48	0.00	4.48	4.54
10	000479	信诚惠报债券 B	0.01	0.00	0.01	4.54
11	000551	信诚幸福消费混合	0.01	0.00	0.11	0.18
12	000599	信诚薪金宝货币	280.51	284.41	146.28	146.28
13	001402	信诚新选混合 A	0.00	0.00	0.03	6.00
14	001415	信诚新锐混合 A	0.00	0.00	2.00	1.87
15	001494	信诚新鑫混合 A	0.00	0.01	0.07	16.46
16	002030	信诚新选混合 B	3.06	0.60	5.74	6.00
17	002046	信诚新锐混合 B	–	–	0.00	1.87
18	002047	信诚新鑫混合 B	–	–	16.00	16.46
19	003121	信诚稳利 A	–	0.00	14.98	14.68
20	003130	信诚稳利 C	–	0.00	0.00	14.68
21	003215	信诚至鑫灵活配置混合 A	1.99	0.00	4.19	4.68
22	003216	信诚至鑫灵活配置混合 C	0.50	0.00	0.50	4.68
23	003226	信诚稳健债券 A	–	0.00	10.00	9.88
24	003227	信诚稳健债券 C	–	0.00	0.00	9.88
25	003234	信诚至利混合 A	–	0.00	5.00	4.95
26	003235	信诚至利混合 C	–	0.00	0.00	4.95
27	003236	信诚惠盈债券 A	5.97	0.00	7.97	7.97
28	003237	信诚惠盈债券 C	0.00	0.00	0.00	7.97
29	003256	信诚至益混合 A	3.00	0.00	6.00	5.87
30	003257	信诚至益混合 C	–	0.00	0.00	5.87
31	003277	信诚稳瑞债券 A	15.04	0.00	20.04	19.98
32	003278	信诚稳瑞债券 C	0.00	0.00	0.00	19.98
33	003282	信诚至裕灵活配置混合 A	–	0.00	0.00	5.58
34	003283	信诚至裕灵活配置混合 C	3.69	0.00	5.70	5.58
35	003287	信诚稳益债券 A	–	0.00	14.99	14.73
36	003288	信诚稳益债券 C	–	0.00	0.00	14.73
37	003353	信诚至优灵活配置混合 A	0.88	0.00	4.88	5.49
38	003354	信诚至优灵活配置混合 C	–	0.33	0.67	5.49
39	003432	信诚至瑞灵活配置 A	–	–	5.43	6.61
40	003433	信诚至瑞灵活配置 C	–	–	1.24	6.61
41	150028	信诚中证 500A	–	–	0.37	2.64
42	150029	信诚中证 500B	–	–	0.56	2.64
43	150051	信诚沪深 300 分级 A	–	–	2.07	5.39
44	150052	信诚沪深 300 分级 B	–	–	2.07	5.39
45	150148	信诚中证 800 医药指数分级 A	–	–	0.91	2.37
46	150149	信诚中证 800 医药指数分级 B	–	–	0.91	2.37
47	150150	信诚中证 800 有色指数分级 A	–	–	0.61	1.69
48	150151	信诚中证 800 有色指数分级 B	–	–	0.61	1.69
49	150157	信诚中证 800 金融指数分级 A	–	–	9.12	18.56
50	150158	信诚中证 800 金融指数分级 B	–	–	9.12	18.56
51	150173	信诚中证 TMT 产业指数分级 A	–	–	1.51	4.24
52	150174	信诚中证 TMT 产业指数分级 B	–	–	1.51	4.24
53	150309	信诚中证信息安全指数分级 A	–	–	0.11	2.47
54	150310	信诚中证信息安全指数分级 B	–	–	0.11	2.47
55	150311	信诚中证智能家居指数分级 A	–	–	0.11	1.03
56	150312	信诚中证智能家居指数分级 B	–	–	0.11	1.03
57	165508	信诚深度价值混合（LOF）	0.00	0.03	0.44	0.76
58	165509	信诚增强债券	0.67	0.44	4.45	4.97
59	165510	信诚金砖四国	–	0.02	0.24	0.17
60	165511	信诚中证 500 分级	0.16	0.45	1.20	2.64
61	165512	信诚新机遇混合（LOF）	0.00	0.01	0.13	0.28
62	165513	信诚全球商品主题	–	0.08	0.91	0.44
63	165515	信诚沪深 300 分级	1.28	2.62	0.57	5.39
64	165516	信诚周期轮动混合（LOF）	0.05	0.21	2.70	6.21
65	165517	信诚双盈债券（LOF）	63.26	24.76	39.32	29.19
66	165519	信诚中证 800 医药指数分级	0.03	0.46	1.23	2.37
67	165520	信诚中证 800 有色指数分级	0.14	0.75	0.49	1.69
68	165521	信诚中证 800 金融指数分级	1.10	4.08	2.17	18.56
69	165522	信诚中证 TMT 产业指数分级	0.18	0.88	2.25	4.24
70	165523	信诚中证信息安全指数分级	0.02	0.28	2.58	2.47
71	165524	信诚中证智能家居指数分级	0.01	0.26	0.91	1.03
72	165525	信诚中证基建工程指数 LOF	3.08	1.42	1.78	2.13
73	165526	信诚新旺混合（LOF）A	–	0.00	1.01	5.17
74	165527	信诚新旺混合（LOF）C	1.06	1.10	4.01	5.17
75	165528	信诚鼎利定增	–	–	12.17	12.29
76	165530	信诚惠泽	–	–	15.00	14.63
77	550001	信诚四季红	2.46	1.50	15.02	15.89
78	550002	信诚精萃成长混合	0.08	3.76	15.65	12.67
79	550003	信诚盛世蓝筹混合	0.04	0.06	0.76	1.88
80	550004	信诚三得益债券 A	12.22	9.42	3.02	30.75
81	550005	信诚三得益债券 B	45.39	23.11	27.04	30.75
82	550006	信诚经典优债债券 A	0.00	0.03	0.04	0.18
83	550007	信诚经典优债债券 B	0.07	0.20	0.10	0.18
84	550008	信诚优胜精选混合	26.66	13.76	13.79	17.45
85	550009	信诚中小盘混合	0.02	0.02	0.40	0.58
86	550010	信诚货币 A	1.22	1.64	1.23	148.20
87	550011	信诚货币 B	264.59	274.77	146.98	148.20
88	550012	信诚理财 7 日盈债券 A	0.02	0.05	0.18	5.09
89	550013	信诚理财 7 日盈债券 B	4.91	0.00	4.91	5.09
90	550015	信诚添金分级债券季季添金	–	3.85	1.15	1.63
91	550016	信诚添金分级债券岁岁添金	–	1.60	0.49	1.63
92	550017	信诚添金分级债券	–	–	1.64	1.63

序号	基金代码	基金名称	期间申购（亿份）	期间赎回（亿份）	期末总份额（亿份）	期末净资产（亿元）
93	550018	信诚优质纯债债券 A	0.04	4.46	2.21	5.15
94	550019	信诚优质纯债债券 B	4.85	3.83	2.74	5.15
95	150028	信诚中证 500A	-	-	0.37	-
96	150029	信诚中证 500B	-	-	0.56	-
97	150051	信诚沪深 300 分级 A	-	-	2.08	-
98	150052	信诚沪深 300 分级 B	-	-	2.08	-
99	150148	信诚中证 800 医药指数分级 A	-	-	0.91	-
100	150149	信诚中证 800 医药指数分级 B	-	-	0.91	-
101	150150	信诚中证 800 有色指数分级 A	-	-	0.61	-
102	150151	信诚中证 800 有色指数分级 B	-	-	0.61	-
103	150157	信诚中证 800 金融指数分级 A	-	-	9.11	-
104	150158	信诚中证 800 金融指数分级 B	-	-	9.11	-
105	150173	信诚中证 TMT 产业指数分级 A	-	-	1.51	-
106	150174	信诚中证 TMT 产业指数分级 B	-	-	1.51	-
107	150309	信诚中证信息安全指数分级 A	-	-	0.11	-
108	150310	信诚中证信息安全指数分级 B	-	-	0.11	-
109	150311	信诚中证智能家居指数分级 A	-	-	0.11	-
110	150312	信诚中证智能家居指数分级 B	-	-	0.11	-

【公司高管】

张翔燕女士：董事长，中国国籍，工商管理硕士学位。历任中信银行总行营业部副总经理、综合计划部总经理，中信银行北京分行副行长、中信银行总行营业总部副总经理，中信证券股份有限公司副总经济师，中信控股有限责任公司风险管理部总经理、中信控股有限责任公司副总裁。现任中国中信集团有限公司业务协同部主任、中信信托有限责任公司董事、中信信诚资产管理有限公司（信诚基金管理有限公司之子公司）监事。

吕涛先生：英国克拉费尔德大学（Granfield Universitiy）工商管理硕士。多年证券、金融从业经历，具有基金从业人员资格证书和证券从业人员资格证书。历任中信证券股份有限公司资产管理部总经理、中信基金管理有限公司（中信证券股份有限公司的全资子公司，2009 年 2 月已与华夏基金管理有限公司合并）总经理、中信证券股份有限公司董事总经理、中信资产管理有限公司副总经理。现任信诚基金管理有限公司总经理、首席执行官。

兴全基金管理有限公司

【基本情况】

法定名称：兴全基金管理有限公司
英文名称：Aegon - industrial Fund Management Co.，Ltd.
公司属性：合资企业
成立日期：2003 - 09 - 30
注册资本：15000（万元）
法人代表：庄园芳
总　经　理：庄园芳（代）
注册地址：上海市黄浦区金陵东路 368 号
办公地址：上海市张杨路 500 号时代广场 20 楼
网站地址：www. xqfunds. com
邮政编码：200122
客服邮箱：service@ xqfunds. com
电话号码：400 - 678 - 0099，021 - 38824536
传真号码：021 - 58368868，58368858
经营范围：基金募集、基金销售、资产管理和中国证监会许可的其他业务（涉及许可经营的凭许可证经营）。
基金数量：21 只（其中普通基金 15 只，货币基金 4 只，理财基金 0 只，封闭式基金 0 只，其他基金 0 只）。
管理规模：1102.40 亿元
经理人数：14 人

【公司概况】

兴全基金管理有限公司（成立时名为“兴业基金管理有限公司”，以下简称“公司”）经证监基金字〔2003〕100 号文批准于 2003 年 9 月 30 日成立。2008 年 1 月，中国证监会批复（证监许可〔2008〕6 号），同意全球人寿保险国际公司（AEGON International B. V）受让公司股权并成为公司股东。2008 年 4 月 9 日，公司完成股权转让、变更注册资本等相关手续后，公司注册资本为人民币 1.2 亿元，其中兴业证券股份有限公司的出资占注册资本的 51%，全球人寿保险国际公司的出资占注册资本的 49%。2008 年 7 月，经中国证监会批准（证监许可〔2008〕888 号），公司于 2008 年 8 月 25 日完成变更公司名称、注册资本等相关手续后，公司名称变更为“兴业全球基金管理有限公司”，注册资本增加为 1.5 亿元人民币，其中两股东出资比例不变。2016 年 12 月 28 日，因公司发展需要，公司名称变更为“兴全基金管理有限公司”。

自成立以来，公司始终以“基金持有人利益最大化”为首要经营原则，遵循诚信、规范、稳健的经营方针，倡导严谨、求实、高效的管理作风，以风险控制、长期投资、价值投资的投资理念，专业、专注、创新的运营方式管理和运用基金资产，为基金持有人提供一流的投资理财服务。目前，公司旗下共管理着兴全可转债混合型基金、兴全趋势混合型基金（LOF）、兴全货币市场基金、兴全全球视野股票型基金、兴全社会责任混合型基金、兴全有机增长混合型基金、兴全磐稳增利债券型基金、兴全合润分级混合型基金、兴全沪深 300 指数增强型基金（LOF）、兴全绿色投资混合型基金（LOF）、兴全保本混合型基金、兴全轻资产投资混合型基金（LOF）、兴全商业模式优选混合型基金（LOF）、兴全添利宝货币市场基金、兴全新视野灵活配置定期开放混合型发起式基金、兴全稳益债券型证券投资基金、兴全天添益货币市场基金、兴全稳泰债券型证券投资基金共十八只基金。

近年来公司及旗下基金取得的荣誉有：兴全趋势混合型基金获“五年期混合型金牛基金”（《中国证券报》）、兴全全球视野股票型基金获“五年期股票型金牛基金”（《中国证券报》）、兴全可转债混合型基金获“五年期混合型金牛基金”（《中国证券报》）、兴全社会责任股票型基金获“三年期股票型金牛基金”（《中国证券报》）等。公司也因旗下基金业绩突出，2007 年以来七度荣膺《中国证券报》评选的“年度十大金牛基金公司”称号。

经中国证监会许可（证监许可〔2012〕1760 号），公司于 2013 年 1 月 14 日在上海市黄浦区登记注册成立全资资产管理子公司“上海兴全睿众资产管理有限公司”，注册资本 2000 万元人民币，经营范围是特定客户资产管理和中国证监会许可的其他业务。子公司以“委托人利益最大化”为首要业务发展原则，专注于基础资产为股票的相关业务，重点开展权益类主动管理、收益权转让、综合财富管理以及金融机构同业合作等多种业务,以专业、专注、创新的运营方式管理和运用客户委托资产,为客户提供一流的投资理财服务。

【公司大事记】

2016 年 12 月 28 日,公司中文名称变更为“兴全基金管理有限公司”。

2016 年 12 月 9 日,兴全稳泰债券型证券投资基金公开发行,2016 年 12 月 16 日正式成立,募集份额 2.14 亿份。

2015 年 11 月 2 日,兴全天添益货币市场基金公开发行,2015 年 11 月 5 日正式成立,募集份额 2.00 亿份。

2015 年 9 月 7 日,兴全稳益债券型证券投资基金公开发行,2015 年 9 月 10 日正式成立,募集份额 2.02 亿份。

2015 年 8 月 7 日,兴全轻资产股票型证券投资基金(LOF)、兴全合润分级股票型证券投资基金、兴全社会责任股票型证券投资基金、兴全绿色投资股票型证券投资基金(LOF)、兴全商业模式优选股票型证券投资基金(LOF),由股票型证券投资基金变更为混合型证券投资基金。

2015 年 6 月 23 日,兴全新视野灵活配置定期开放混合型发起式基金公开发行,2015 年 7 月 1 日正式成立,募集份额 47.87 亿份。

2014 年 2 月 26 日,兴全添利宝货币市场基金公开发行,2014 年 2 月 27 日正式成立,募集份额 13.06 亿份。

2012 年 11 月 12 日,兴全商业模式优选股票型基金公开发行,2012 年 12 月 18 日正式成立,募集份额 5.46 亿份。

2012 年 2 月 27 日,兴全轻资产投资股票型基金公开发行,2012 年 4 月 5 日正式成立,募集份额 9.94 亿份。

2011 年 7 月 4 日,兴全保本混合型基金公开发行,2011 年 8 月 3 日正式成立,募集份额 14.93 亿份。

2011 年 4 月 6 日,兴全绿色投资股票型基金(LOF)公开发行,2011 年 5 月 6 日正式成立,募集份额 20.22 亿份。

2010 年 12 月 17 日,经中国证监会批准,公司旗下九只开放式基金从 2011 年 1 月 1 日起变更名称(各只基金的基金代码保持不变)。以兴业趋势投资混合型证券投资基金(LOF)为例,名称变更后为“兴全”趋势投资混合型证券投资基金(LOF),简称“兴全”趋势混合基金。

2010 年 10 月 12 日,兴业沪深 300 指数增强型基金(LOF)公开发行,2010 年 11 月 2 日正式成立,募集份额 29.55 亿份。

2010 年 3 月 15 日,兴业合润分级股票型证券投资基金公开发行,2010 年 4 月 22 日正式成立,募集份额 33.28 亿份。

2009 年 7 月 1 日,兴业磐稳增利债券型证券投资基金公开发行,2009 年 7 月 23 日正式成立,募集份额 14.18 亿份。

2009 年 2 月 23 日,兴业有机增长混合型证券投资基金公开发行,2009 年 3 月 25 日正式成立,募集份额 19.80 亿份。兴业有机增长基金是国内首只明确提出“有机增长”投资理念的证券投资基金。

2008 年 12 月 31 日,经中国证监会批准,公司获准从事特定客户资产管理业务。

2008 年 8 月 25 日,经中国证监会批准,公司中文名称变更为“兴业全球基金管理有限公司”,公司注册资本增加到人民币 1.5 亿元,兴业证券股份有限公司和全球人寿保险国际公司的出资比例不变。

2008 年 4 月 12 日,经中国证监会批准,公司完成股权变更。公司注册资本由人民币 9,800 万元变更为人民币 1.2 亿元,其中,兴业证券股份有限公司的出资占注册资本的 51%,全球人寿保险国际公司的出资占注册资本的 49%。

2008 年 3 月 28 日,兴业社会责任股票型证券投资基金公开发行,2008 年 4 月 30 日正式成立,募集份额 13.88 亿份。兴业社会责任基金是国内首只系统运用“社会责任”投资理念的证券投资基金。

2007 年 8 月 7 日,兴业银行、兴业证券、兴业基金管理公司在福州共同签署《关于进一步深入开展战略联盟合作备忘录》,开创了国内银行、证券、基金三类金融机构通力合作、结成战略合作联盟的先河。

2007 年 5 月 11 日,兴业趋势投资混合型证券投资基金(LOF)实施拆分,拆分比例为 1:3.9939。

2006 年 8 月 15 日,兴业全球视野股票型证券投资基金公开发行,2006 年 9 月 20 日正式成立,募集份额 32.86 亿份。兴业全球视野基金是国内首只系统运用“全球视野”投资理念的证券投资基金。

2006 年 4 月 12 日,兴业货币市场证券投资基金公开发行,2006 年 4 月 27 日正式成立,募集份额 17.3 亿份。

2005 年 9 月 19 日,兴业趋势投资混合型证券投资基金公开发行,2005 年 11 月 3 日正式成立,募集份额 9.27 亿份。兴业趋势投资基金首次引入趋势投资理念,投资上强调顺势而为,把握投资对象中长期趋势,追求中长期收益。

2004 年 4 月 2 日,兴业可转债混合型证券投资基金公开发行,2004 年 5 月 11 日正式成立,募集份额 32.82 亿份。兴业可转债基金是国内首只可转债投资基金。

2003 年 9 月 30 日,经中国证监会批准,兴业基金管理有限公司在上海成立。注册资本 9800 万人民币。

【旗下基金】

序号	基金代码	基金名称	期间申购(亿份)	期间赎回(亿份)	期末总份额(亿份)	期末净资产(亿元)
1	000575	兴全添利宝货币	631.18	880.23	430.78	430.78
2	001511	兴全新视野定开混合	5.02	3.01	52.72	57.02
3	001819	兴全稳益债券	0.07	0.20	78.45	81.38
4	001820	兴全天添益货币 A	0.05	0.05	0.03	81.98
5	001821	兴全天添益货币 B	0.65	–	81.94	81.98
6	150016	兴全合润分级混合 A	0.22	0.00	0.58	39.50
7	150017	兴全合润分级混合 B	0.33	0.00	0.87	39.50
8	163402	兴全趋势投资混合(LOF)	70.46	44.39	70.41	69.24
9	163406	兴全合润分级混合	5.80	7.80	35.18	39.50
10	163407	兴全沪深 300 指数(LOF)	0.82	0.34	3.43	4.78
11	163409	兴全绿色投资混合(LOF)	0.16	3.24	4.42	6.77
12	163411	兴全保本	0.40	0.77	7.70	9.96
13	163412	兴全轻资产混合(LOF)	4.72	5.12	21.78	55.74
14	163415	兴全商业模式优选混合	15.36	6.75	18.13	24.86
15	340001	兴全可转债混合	1.37	1.51	20.30	21.57
16	340005	兴全货币	32.57	17.29	38.37	38.37
17	340006	兴全全球视野股票	0.68	1.62	17.97	30.12
18	340007	兴全社会责任混合	1.28	3.55	21.45	57.34
19	340008	兴全有机增长混合	2.96	2.58	13.00	24.85
20	340009	兴全磐稳增利债券	20.13	47.58	56.98	75.10
21	150016	兴全合润分级混合 A	–	–	0.58	–
22	150017	兴全合润分级混合 B	–	–	0.87	–

【公司高管】

庄园芳女士:1992 年 9 月加入兴业证券,历任交易业务部干部、交易业务部总经理助理、交易业务部负责人、证券投资部副总经理、证券投资部总经理、投资总监、副总裁。庄园芳女士同时兼任兴业证券股份有限公司副总裁、兴业创新资本管理有限公司董事、兴证(香港)金融控股有限公司董事、兴证投资管理有限公司执行董事。

兴业基金管理有限公司

【基本情况】

法定名称:兴业基金管理有限公司

英文名称:CIB Fund Management Co.,Ltd.

公司属性:中资企业

成立日期:2013 - 04 - 17

注册资本:70000(万元)

法人代表:卓新章

总 经 理:汤夕生

注册地址:福建省福州市鼓楼区五四路 137 号信和广场 25 楼

办公地址:上海市浦东新区浦明路 198 号财富广场 7 号楼

网站地址:www. cib - fund. com. cn

邮政编码:200120

客服邮箱:service@ cib - fund. com. cn

电话号码:40000 - 95561

传真号码:021 - 22211999

经营范围:基金募集、基金销售、特定客户资产管理、资产管理和中国证监会许可的其他业务(以上经营范围涉及许可经营项目的,应在取得有关部门的许可后方可经营)。

基金数量:52 只(其中普通基金 41 只,货币基金 9 只,理财基金 2 只,封闭式基金 0 只,其他基金 0 只)。

管理规模:1326.77 亿元

经理人数:11 人

【公司概况】

兴业基金管理有限公司(以下简称"兴业基金"或"公司")成立于 2013 年 4 月 17 日,是兴业银行控股的全国性基金管理公司。公司注册资本人民币 7 亿元,其中,兴业银行出资 6.3 亿元,持股比例 90%,中海集团投资有限公司出资 0.7 亿元,持股比例 10%。公司注册地位于福建省福州市,营运总部设在上海市陆家嘴金融贸易区。公司业务范围包括基金募集、基金销售、特定客户资产管理、资产管理和中国证监会许可的其他业务。

兴业基金秉承兴业银行的优秀传统,坚持"真诚服务,相伴成长"的经营理念,围绕"大财富、大资管、大投行"的战略目标,选择核心领域、发挥核心优势、建立核心品牌,致力于为投资者提供全面、优质、高效的一站式金融服务,帮助投资者实现财富增值。

目前,兴业基金已在全国设立了包括上海、北京、深圳等在内的 11 家分公司和 4 家业务部,并全资拥有基金子公司——兴业财富资产管理有限公司,间接控股自贸区股权投资子公司——上海兴晟股权投资管理有限公司。其中基金子公司兴业财富资产管理有限公司成立于 2013 年 6 月 28 日,注册资本人民币 3.8 亿元,业务范围包括特定客户资产管理及中国证监会许可的其他业务。

2015 年基金子公司兴业财富荣登东方财富风云榜,获评"2015 年度最受欢迎基金子公司";2016 年 5 月,兴业基金荣获上海证券报社主办的第十三届"金基金 · 成长基金管理公司奖"。

【股东概况】

排序	股东名称	持股数量(万股)	股权比例
1	兴业证券股份有限公司	7650.00	51%
2	全球人寿保险国际公司	7350.00	49%

【旗下基金】

序号	基金代码	基金名称	期间申购(亿份)	期间赎回(亿份)	期末总份额(亿份)	期末净资产(亿元)
1	000546	兴业定开债券 A	–	–	84.48	93.62
2	000721	兴业货币 A	32.02	34.55	20.83	361.96
3	000722	兴业货币 B	589.01	550.55	341.13	361.96
4	000963	兴业多策略混合	0.24	0.60	4.92	6.40
5	001019	兴业年年利定开债	–	–	63.91	66.34
6	001257	兴业收益增强债券 A	0.28	0.47	1.82	3.58
7	001258	兴业收益增强债券 C	0.34	0.70	1.45	3.58
8	001272	兴业聚利灵活配置混合	2.14	0.95	3.27	4.88
9	001299	兴业添利债券	–	0.00	99.94	101.52
10	001321	兴业聚优灵活配置混合	0.43	0.99	0.45	0.52
11	001369	兴业稳固收益两年理财债券	–	–	18.48	18.81
12	001547	兴业聚惠灵活配置混合 A	5.18	0.00	10.45	12.10
13	001623	兴业国企改革混合	0.09	0.74	1.98	2.02
14	001624	兴业添天盈货币 A	0.00	0.00	0.00	103.08
15	001625	兴业添天盈货币 B	0.75	–	103.08	103.08
16	001925	兴业鑫天盈货币 A	0.00	0.00	0.00	193.64
17	001926	兴业鑫天盈货币 B	81.25	45.00	193.64	193.64
18	002268	兴业丰利债券	47.76	0.00	49.81	50.22
19	002301	兴业聚盛灵活配置混合 A	5.71	0.00	11.47	12.03
20	002330	兴业聚宝灵活配置混合	5.65	0.50	5.66	5.67
21	002338	兴业保本混合	0.02	0.90	12.60	12.94
22	002445	兴业丰泰债券	47.90	0.00	49.91	50.33
23	002494	兴业聚盈灵活配置混合	5.82	0.00	11.70	12.03
24	002498	兴业聚鑫灵活配置混合	1.93	2.12	4.72	4.74
25	002507	兴业定开债 C	–	–	0.01	93.62
26	002524	兴业福益债券	0.00	0.00	19.95	19.56
27	002597	兴业成长动力混合	0.01	0.03	0.61	0.60
28	002638	兴业天融债券	2.79	11.40	20.98	21.38
29	002659	兴业聚全灵活配置混合	5.76	0.00	11.55	12.00
30	002660	兴业聚源灵活配置混合	5.76	0.02	11.54	12.03
31	002661	兴业天禧债券	–	0.00	3.97	3.97
32	002668	兴业聚丰灵活配置混合	5.58	0.02	11.19	12.02
33	002769	兴业聚盛灵活配置混合 C	0.00	0.00	0.00	12.03
34	002870	兴业增益五年定开债	–	–	20.00	20.10
35	002912	兴业稳天盈货币	3.02	3.27	4.16	4.16
36	002923	兴业聚惠灵活配置混合 C	0.00	–	0.00	12.10
37	003309	兴业启元一年定开债 A	–	–	32.13	34.35
38	003310	兴业启元一年定开债 C	–	–	2.21	34.35
39	003430	兴业 14 天理财 A	0.00	0.00	0.00	30.10
40	003431	兴业 14 天理财 B	28.10	–	30.10	30.10

【公司高管】

卓新章先生:董事长,本科学历。曾任兴业银行宁德分行副行长、行长,兴业银行总行信贷审查部总经理,兴业银行福州分行副行长,兴业银行济南分行行长,兴业银行基金业务筹建工作小组负责人，兴业银行总行基金金融部总经理，兴业银行总行资产管理部总经理等职。现任兴业基金管理有限公司董事长，兴业财富资产管理有限公司执行董事，兴业银行金融市场总部副总裁。

汤夕生先生：董事，总经理，硕士学历。历任中国建设银行浦东分行花木办事处主任，中国建设银行浦东分行办公室负责人，兴业银行上海分行南市支行副行长、行长，兴业银行上海分行副行长、党委委员。2013 年加入兴业基金管理有限公司。现任兴业基金管理有限公司总经理。

易方达基金管理有限公司

【基本情况】

法定名称：易方达基金管理有限公司

英文名称：E Fund Management Co., Ltd.

公司属性：中资企业

成立日期：2001－04－17

注册资本：12000（万元）

法人代表：刘晓艳

总 经 理：刘晓艳

注册地址：广东省珠海市横琴新区宝中路 3 号 4004－8 室

办公地址：广州市天河区珠江新城珠江东路 30 号广州银行大厦 40－43F

网站地址：www. efunds. com. cn

邮政编码：510620

客服邮箱：service@ efunds. com. cn

电话号码：400－881－8088

传真号码：020－38799488

经营范围：基金募集、基金销售；资产管理；经中国证监会批准的其他业务。

基金数量：177 只（其中普通基金 134 只，货币基金 21 只，理财基金 4 只，封闭式基金 0 只，其他基金 18 只）。

管理规模：4183.26 亿元

经理人数：32 人

【公司概况】

易方达基金管理有限公司（简称“易方达”或“公司”）成立于 2001 年 4 月 17 日，总部设在广州，在北京、上海、香港等地设有办公室。

十六年来，历经多轮市场周期的考验，公司始终坚持以“诚信”和“专业”立足，致力于为投资者创造价值，较好把握了中国资本市场发展的机遇，各项业务稳健快速增长。目前已经形成了覆盖主动权益、固定收益、指数量化、海外投资、多资产投资等五大投资板块全方位发展的业务格局，在管理规模、市场地位、投资能力、风控和运营水平等多方面形成了比较突出的优势。截至 2016 年 12 月 31 日，公司旗下管理的各类资产总规模 10491 亿元，其中公募基金规模 4283 亿元，公募基金规模排名连续 12 年保持在行业前五名，服务客户超过 5000 万户，公司净资产 66 亿元，在国内资产管理行业具有领先的市场地位和综合实力。2016 年，公司确立了“以资产管理业务为核心的世界级金融企业”的新战略愿景，引领全体员工继续开拓奋进。

易方达在十六年的发展中始终专注于资产管理，潜心摸索和探寻资本市场的发展规律，虚心借鉴先进经验和模式，打造跨越周期的投资管理能力，各业务条线的投资理念清晰，投资风格稳定，投资流程不断优化，并建设了行业领先的投资管理系统平台。公司成立十六年来，主动权益、固定收益公募基金以规模加权平均计算的总累计回报均位居中国基金行业前列，并大幅战胜股、债市场基准指数的表现。

易方达紧随中国资本市场改革创新的步伐，力求满足日益多元化的客户需求，投资管理业务从权益类资产起步并不断向其他资产类别和策略延伸，目前已经形成了覆盖主动权益、固定收益、指数量化、海外投资、多资产投资等五大板块，全方位的业务格局。

易方达深知，强大的风险管理能力是资产管理公司基业长青的关键。公司建立了良好的风控文化，倡导“全员风控”的理念，将风险管理贯穿于业务发展的每一方面、每一层次、每一环节，并落实到每一岗位的工作之中，不断建立健全相关制度流程，并依托强大的 IT 系统支持各项制度和风控措施的高效执行，以保障客户利益、稳健合规经营为前提，力求在业务发展与风险防范之间找到最佳的平衡。

信息技术研发能力是现代资产管理公司竞争力的重要体现。易方达自成立初期起就高度重视信息系统建设，多年来持续大力投入。公司的系统研发团队经验丰富，开发能力行业领先，研发覆盖面广，业务介入程度深，响应速度快。目前公司的 IT 应用系统已覆盖所有业务、部门，在投研管理、产品运作、绩效评估、风险控制等方面发挥至关重要的作用。

易方达股权结构均衡稳定，近十年来，公司股权未发生任何变动。股东对资产管理行业有着深刻理解，对管理层充分信任支持，董事会和管理层就公司的经营理念达成高度一致，形成了权责分工明确、监督制衡有效、团队精诚协作的良好关系，被引为行业典范。在此基础上，公司的经营理念、企业文化、核心团队均保持了高度的延续性，成为公司稳健持续发展的重要保障；同时，公司结合资产管理业务的特点，不断优化完善内部管理机制和激励约束机制，奠定公司良好运转的基础。

公司认为人力资本是资产管理行业的核心所在，易方达自创立以来一直践行以人为本的管理理念，持续地关心人、尊重人；推崇简单、坦诚、基于信任的人际关系，营造平等、民主、和谐的内部氛围；服从真理而不是权威，尊重规律、实事求是、勤于思考、和而不同。经过十六年的发展沉淀，逐步形成了以“持信、抱朴、存谐、笃进”为内涵的易方达特色公司文化，有效激发了员工的企业家精神和自我管理意识，使得员工在工作中敢于突破自我，大胆创新，保持了团队的活力和战斗力。

良好的治理结构和以人为本的公司文化造就了易方达稳定而富有激情的专业团队。公司高层管理人员中有六人为创业团队成员，自公司成立至今一直在易方达任职，投研团队的离职率多年来也始终远低于行业平均水平。在公司独特文化的吸引和熏陶下，易方达聚集了一批有共同价值取向、事业心强、专业精湛的优秀人才，每个员工深知“人人都是管理者”，自我设定高标准的绩效目标，自下而上充满激情地开展工作，这也是易方达主要的核心竞争优势。

【公司大事记】

2016 年 1 月 11 日，易方达发行的保本一号混合基金“一日售罄”，单日认购规模约 45 亿元，创下三年多来保本基金发行首日募集规模新纪录。

2016 年 1 月 21 日，全国银行间同业拆借中心披露“2015

年度银行间本币市场交易200强”，易方达基金公司的交易量排名已连续三年居基金公司之首，并在2015年成为三十强中的唯一一家基金公司。

2016年1月12日，易方达裕翔混合证券投资基金合同生效。

2016年2月3日，易方达基金旗下的一只固定收益产品完成了中国基金行业的首笔利率互换交易，标志 着管理20万亿资产规模的基金行业正式进入银行间利率互换交易市场。

2016年2月4日，易方达瑞财混合证券投资基金合同生效。

2016年3月14日，2015年度银行间本币市场评优结果公布，易方达荣获最佳资产管理人奖。

2016年4月6日，万亿企业年金去年收益率创8年新高，易方达全线领先且单类夺冠。

2016年4月12日，易方达裕景混合证券投资基金合同生效。

2016年5月26日，易方达黄金交易型开放式证券投资基金联接基金合同生效。

2016年6月22日，易方达H股ETF突破100亿份，是2015年底规模的两倍，成为了2016年以来新增份额最多的一只权益类ETF。

2016年6月27日，易方达基金与欧洲养老金管理公司荷兰APG资产管理公司签署合作意向书，双方就建立长期战略伙伴关系达成共识。

2016年6月30日，易方达科翔和易方达中小盘以不错的长期业绩表现，新入围银河证券基金研究中心的三年期五星评级。。

2016年6月30日，易方达黄金ETF规模于2016年上半年从1.077亿元迅速扩张至9.62亿元，增幅达到793%，成为亚洲规模前三的黄金基金。

2016年9月27日，作为首批国开行债券指数基金，易方达中债7－10年期国开行债券指数基金发行受热捧，短短两日就以近28亿元的首募规模结束募集。

2016年10月17日，105只恒生综合小型股指数纳入深港通，易方达发行香港恒生综合小型股指数基金（LOF－QDII）提前布局。

2016年10月28日，据三季报披露，易方达旗下五星债基稳健收益三季度净申购达26.67亿份，是所有二级债基中净申购份额最多的产品。

2016年11月23日，易方达丰和债券基金合同生效，首募规模超过42亿元。

2016年11月30日，易方达资产管理（香港）有限公司获得了由香港中资基金业协会和彭博联合主办的“2016离岸中国基金大奖”中“最佳另类投资管理人”称号。

2016年12月5日，易方达基金管理公司发行原油证券投资基金，为投资者提供投资原油的便利工具，成为国内基金业首家同时布局了黄金和原油两大商品基金的公司。

2016年12月6日，易方达基金首批获得基本养老保险基金投资管理人资格，标志着易方达三大养老业务牌照齐备（全国社保基金、企业年金基金、基本养老保险基金投资管理人）。

2016年12月31日，易方达多只基金业绩名列年度业绩前十，公募规模超过5200亿元，总规模超过万亿元。公募规模位居行业第三，且连续十二年排名前五。

【股东概况】

排序	股东名称	持股数量（万股）	股权比例
1	广东粤财信托投资有限公司	3000.00	25%
2	广发证券股份有限公司	3000.00	25%
3	广东美的电器股份有限公司	3000.00	25%
4	重庆国际信托投资有限公司	2000.00	16.67%
5	广州市广永国有资产经营有限公司	1000.00	8.33%

【旗下基金】

序号	基金代码	基金名称	期间申购（亿份）	期间赎回（亿份）	期末总份额（亿份）	期末净资产（亿元）
1	000009	易方达天天理财货币A	216.44	231.69	161.73	366.91
2	000010	易方达天天理财货币B	224.66	365.91	189.00	366.91
3	000013	易方达天天理财货币R	56.67	69.48	16.18	366.91
4	000032	易方达信用债债券A	5.27	6.98	10.35	15.01
5	000033	易方达信用债债券C	1.30	2.52	1.98	15.01
6	000111	易方达纯债1年定开债券A	–	0.03	14.67	16.13
7	000112	易方达纯债1年定开债券C	–	0.00	0.77	16.13
8	000147	易方达高等级信用债A	1.47	8.32	2.53	4.92
9	000148	易方达高等级信用债C	0.09	3.52	1.87	4.92
10	000171	易方达裕丰回报债券	0.27	3.96	19.96	28.91
11	000189	易方达保本一号混合	–	0.67	44.78	45.39
12	000205	易方达投资级信用债债券A	2.60	12.86	10.40	13.83
13	000206	易方达投资级信用债债券C	1.48	4.50	2.31	13.83
14	000265	易方达恒久添利1年定开债券A	–	–	26.62	32.42
15	000266	易方达恒久添利1年定开债券C	–	–	2.72	32.42
16	000307	易方达黄金ETF联接A	7.96	3.75	13.62	13.43
17	000359	易方达易理财货币	322.07	281.10	215.79	215.79
18	000404	易方达新兴成长灵活配置	0.55	1.23	5.01	9.93
19	000428	易方达聚盈分级债券发起式	–	–	24.04	23.36
20	000429	易方达聚盈分级债券发起式A	2.89	3.14	12.32	23.36
21	000430	易方达聚盈分级债券发起式B	–	0.00	11.72	23.36
22	000436	易方达裕惠定开混合发起式	–	–	20.00	33.22
23	000593	易方达标普消费品指数现汇	–	–	0.16	0.23
24	000603	易方达创新驱动灵活配置混合	2.80	2.41	34.19	31.18
25	000620	易方达现金增利货币A	0.94	0.45	0.94	287.91
26	000621	易方达现金增利货币B	18.45	254.53	286.97	287.91
27	000647	易方达财富快线货币A	67.80	36.13	67.23	102.98
28	000648	易方达财富快线货币B	4.91	12.66	4.50	102.98
29	000704	易方达天天增利货币A	2.23	2.57	4.40	5.11
30	000705	易方达天天增利货币B	0.72	0.87	0.72	5.11
31	000789	易方达龙宝货币A	13.89	14.38	7.35	7.48
32	000790	易方达龙宝货币B	0.10	0.49	0.13	7.48
33	000920	易方达财富快线货币Y	38.24	24.70	31.25	102.98
34	000950	易方达沪深300非银ETF联接	1.11	1.65	13.13	10.02
35	001010	易方达增金宝货币	737.65	713.02	151.81	151.81
36	001018	易方达新经济混合	0.31	2.24	6.04	7.43
37	001076	易方达改革红利混合	0.32	1.33	24.30	16.88
38	001136	易方达裕如混合	–	0.02	31.54	34.74
39	001182	易方达安心回馈混合	2.37	16.77	6.68	7.30
40	001184	易方达新常态灵活配置混合	0.91	4.96	96.93	50.05
41	001216	易方达新收益混合A	0.01	16.48	13.28	14.91
42	001217	易方达新收益混合C	0.03	0.01	0.05	14.91
43	001249	易方达新利灵活配置混合	5.28	4.41	5.95	6.13
44	001285	易方达新鑫混合I	1.91	0.50	6.78	7.16
45	001286	易方达新鑫混合E	0.00	0.00	0.02	7.16
46	001314	易方达新益混合I	0.03	0.02	8.67	10.73
47	001315	易方达新益混合E	0.22	0.21	0.22	10.73

序号	基金代码	基金名称	期间申购（亿份）	期间赎回（亿份）	期末总份额（亿份）	期末净资产（亿元）
48	001342	易方达新享混合 A	0.02	0.94	1.97	4.82
49	001343	易方达新享混合 C	0.00	3.87	1.97	4.82
50	001373	易方达新丝路灵活配置混合	0.40	8.87	179.82	120.24
51	001433	易方达瑞景混合	0.01	0.19	1.15	1.14
52	001437	易方达瑞享混合 I	0.03	0.04	0.89	1.91
53	001438	易方达瑞享混合 E	0.07	0.04	0.71	1.91
54	001443	易方达瑞选灵活配置混合 I	1.92	0.92	6.51	9.65
55	001444	易方达瑞选灵活配置混合 E	1.82	0.00	2.77	9.65
56	001475	易方达国防军工混合	0.71	3.09	53.76	45.93
57	001512	易方达中债 3－5 年期国债指数	–	0.00	2.00	2.15
58	001513	易方达信息产业混合	0.03	1.68	2.42	2.39
59	001769	易方达瑞惠混合发起式	–	–	400.10	494.91
60	001802	易方达瑞财混合 I	–	0.00	10.85	11.20
61	001803	易方达瑞财混合 E	–	0.00	0.01	11.20
62	002351	易方达裕祥回报债券	3.33	2.97	7.35	7.50
63	002600	易方达裕景添利 6 个月定开债	9.70	0.01	29.74	30.44
64	002963	易方达黄金 ETF 联接 C	1.41	1.13	0.53	13.43
65	003133	易方达裕鑫债券 A	0.00	0.10	3.50	3.41
66	003134	易方达裕鑫债券 C	0.00	0.00	0.01	3.41
67	003214	易方达富惠纯债债券	19.88	0.01	42.83	42.46
68	003358	易方达中债 7－10 年国开债指数	5.97	20.66	12.89	12.48
69	110001	易方达平稳增长	0.20	0.39	8.66	20.30
70	110002	易方达策略成长	0.09	0.21	4.66	14.80
71	110003	易方达上证 50	8.81	5.31	84.79	88.72
72	110005	易方达积极成长	1.38	4.91	35.33	25.30
73	110006	易方达货币 A	67.48	52.89	40.18	601.00
74	110007	易方达稳健收益债券 A	4.04	8.17	22.21	101.69
75	110008	易方达稳健收益债券 B	34.83	51.94	53.60	101.69
76	110009	易方达价值精选混合	0.39	1.44	27.16	27.98
77	110010	易方达价值成长混合 A	0.47	1.30	36.77	55.26
78	110011	易方达中小盘混合	0.96	1.26	6.49	18.82
79	110012	易方达科汇灵活配置	35.20	0.11	37.63	50.83
80	110013	易方达科翔混合	1.04	3.52	11.91	26.96
81	110015	易方达行业领先混合	0.18	0.25	3.45	5.83
82	110016	易方达货币 B	1383.80	1246.17	515.33	601.00
83	110017	易方达增强债券 A	12.15	21.33	30.20	51.68
84	110018	易方达增强债券 B	13.82	35.60	12.57	51.68
85	110019	易方达深证 100 联接	3.50	4.18	17.41	17.07
86	110020	易方达沪深 300ETF 联接	1.51	3.12	33.60	36.94
87	110021	易方达上证中盘联接	0.06	0.13	1.74	2.09
88	110022	易方达消费行业	2.06	2.64	9.08	12.84
89	110023	易方达医疗保健行业混合	0.75	1.64	10.51	13.40
90	110025	易方达资源行业混合	15.47	10.52	14.68	14.07
91	110026	易方达创业板联接	1.77	1.26	5.37	10.77
92	110027	易方达安心债券 A	1.18	3.37	14.08	42.15
93	110028	易方达安心债券 B	1.26	2.73	14.36	42.15
94	110029	易方达科讯混合	2.53	4.29	54.76	60.07
95	110030	易方达沪深 300 量化增强	1.24	0.33	2.95	5.46
96	110031	易方达恒生 ETF 联接	21.66	7.89	40.69	41.11
97	110032	易方达恒生联接现汇	–	–	40.69	41.11
98	110033	易方达恒生联接现钞	–	–	40.69	41.11
99	110035	易方达双债强债 A	0.13	8.32	22.72	28.56
100	110036	易方达双债强债 C	0.02	0.17	0.25	28.56
101	110037	易方达纯债债券 A	2.78	23.21	9.32	11.40
102	110038	易方达纯债债券 C	0.64	5.17	1.32	11.40
103	110050	易方达月月利理财债券 A	2.09	2.35	4.70	6.63
104	110051	易方达月月利理财债券 B	2.64	1.50	1.94	6.63

序号	基金代码	基金名称	期间申购（亿份）	期间赎回（亿份）	期末总份额（亿份）	期末净资产（亿元）
105	110052	易方达双月利理财债券 A	0.56	1.24	3.55	4.28
106	110053	易方达双月利理财债券 B	0.20	1.11	0.73	4.28
107	112002	易方达策略成长二号	0.15	0.60	13.02	12.53
108	118001	易方达亚洲精选	0.14	0.36	8.33	6.09
109	118002	易方达标普消费品指数	0.05	0.03	0.16	0.23
110	150106	易方达稳健	–	–	1.15	3.07
111	150107	易方达进取	–	–	1.15	3.07
112	150255	易方达银行分级 A	–	–	1.41	3.95
113	150256	易方达银行分级 B	–	–	1.41	3.95
114	150257	易方达生物分级 A	–	–	0.13	2.16
115	150258	易方达生物分级 B	–	–	0.13	2.16
116	150259	易方达重组分级 A	–	–	0.80	19.95
117	150260	易方达重组分级 B	–	–	0.80	19.95
118	159001	易方达保证金收益货币 A	0.95	0.95	0.03	4.60
119	159002	易方达保证金收益货币 B	0.44	0.46	0.02	4.60
120	159901	易方达深证 100ETF	1.83	2.23	8.92	35.22
121	159915	易方达创业板 ETF	32.36	30.26	27.99	52.66
122	159934	易方达黄金 ETF	5.26	4.00	7.51	19.72
123	161115	易方达岁丰添利债券(LOF)	39.71	0.71	40.32	70.34
124	161116	易方达黄金主题	1.31	0.63	6.24	4.36
125	161117	易方达永旭添利债券	–	–	16.77	17.56
126	161118	易方达中小指数分级	0.25	0.62	0.83	3.07
127	161119	易方达新综合债券 A	0.81	2.79	1.98	2.70
128	161120	易方达新综合债券 C	0.09	0.39	0.24	2.70
129	161121	易方达银行分级	4.05	0.55	1.91	3.95
130	161122	易方达生物分级	0.09	0.19	1.77	2.16
131	161123	易方达重组分级	0.04	1.43	19.89	19.95
132	500056	基金科瑞	–	–	30.00	25.62
133	502003	易方达军工分级	0.43	2.28	1.40	6.39
134	502004	易方达军工分级 A	–	–	2.26	6.39
135	502005	易方达军工分级 B	–	–	2.26	6.39
136	502006	易方达国企改革指数分级	0.59	2.51	3.46	5.92
137	502007	易方达国企改革指数分级 A	–	–	1.41	5.92
138	502008	易方达国企改革指数分级 B	–	–	1.41	5.92
139	502010	易方达证券公司分级	1.00	1.96	1.01	3.45
140	502011	易方达证券公司分级 A	–	–	0.99	3.45
141	502012	易方达证券公司分级 B	–	–	0.99	3.45
142	502048	易方达上证 50 指数分级	1.31	1.47	1.98	6.30
143	502049	易方达上证 50 指数分级 A	–	–	1.77	6.30
144	502050	易方达上证 50 指数分级 B	–	–	1.77	6.30
145	510130	易方达上证中盘 ETF	–	0.05	0.73	2.56
146	510310	易方达沪深 300ETF	0.02	1.68	26.56	36.71
147	510580	易方达中证 500ETF	–	–	0.01	0.07
148	510900	易方达恒生 ETF	13.55	10.59	90.55	95.02
149	511800	易方达货币 E	0.15	0.42	0.45	601.00
150	512010	易方达沪深 300 医药 ETF	–	0.02	0.26	0.34
151	512070	易方达沪深 300 非银 ETF	1.87	0.54	8.06	13.54
152	150106	易方达稳健	–	–	1.15	–
153	150107	易方达进取	–	–	1.15	–
154	150255	易方达银行分级 A	–	–	1.41	–
155	150256	易方达银行分级 B	–	–	1.41	–
156	150257	易方达生物分级 A	–	–	0.13	–
157	150258	易方达生物分级 B	–	–	0.13	–
158	150259	易方达重组分级 A	–	–	0.80	–
159	150260	易方达重组分级 B	–	–	0.80	–
160	159001	易方达保证金收益货币 A	–	–	0.05	–
161	159901	易方达深证 100ETF	–	–	8.92	–

序号	基金代码	基金名称	期间申购（亿份）	期间赎回（亿份）	期末总份额（亿份）	期末净资产（亿元）
162	159915	易方达创业板 ETF	–	–	27.31	–
163	159934	易方达黄金 ETF	–	–	7.51	–
164	502004	易方达军工分级 A	–	–	2.26	–
165	502005	易方达军工分级 B	–	–	2.26	–
166	502007	易方达国企改革指数分级 A	–	–	1.41	–
167	502008	易方达国企改革指数分级 B	–	–	1.41	–
168	502011	易方达证券公司分级 A	–	–	0.99	–
169	502012	易方达证券公司分级 B	–	–	0.99	–
170	502049	易方达上证 50 指数分级 A	–	–	1.80	–
171	502050	易方达上证 50 指数分级 B	–	–	1.80	–
172	510130	易方达上证中盘 ETF	–	–	0.73	–
173	510310	易方达沪深 300ETF	–	–	25.38	–
174	510580	易方达中证 500ETF	–	–	0.01	–
175	510900	易方达恒生 ETF	–	–	90.55	–
176	511800	易方达货币 E	–	–	0.45	–
177	512010	易方达沪深 300 医药 ETF	–	–	0.21	–
178	512070	易方达沪深 300 非银 ETF	–	–	6.34	–

【公司高管】

詹余引先生：中国国籍，硕士研究生。自 1993 年 1 月至 2001 年 6 月在中国平安保险股份有限公司工作，曾任中国平安保险公司证券部研究咨询室总经理助理，平安证券有限责任公司研究咨询部副总经理（主持工作）、国债部副总经理（主持工作）、资产管理部副总经理、总经理；中国平安保险股份有限公司投资管理部副总经理（主持工作）；2001 年 7 月至 2016 年 1 月在全国社会保障基金理事会工作，曾任投资部资产配置处处长、投资部副主任、境外投资部主任、投资部主任、证券投资部主任。现任易方达基金管理有限公司董事长；易方达国际控股有限公司董事长。

刘晓艳女士：经济学博士，董事、总裁。曾任广发证券有限责任公司投资理财部副经理、基金经理，基金投资理财部副总经理、基金资产管理部总经理，易方达基金管理有限公司督察员兼监察部总经理、总裁助理兼市场部总经理、公司副总裁、常务副总裁。现任易方达基金管理有限公司副董事长、总裁；易方达资产管理（香港）有限公司董事长；易方达国际控股有限公司董事。

银河基金管理有限公司

【基本情况】

法定名称：银河基金管理有限公司

英文名称：Galaxy Asset Management Co., Ltd.

公司属性：中资企业

成立日期：2002－06－14

注册资本：20000（万元）

法人代表：许国平

总　经　理：刘立达

注册地址：上海市浦东新区世纪大道 1568 号中建大厦 15 楼

办公地址：上海市浦东新区世纪大道 1568 号中建大厦 15 楼

网站地址：www. galaxyasset. com

邮政编码：200122

客服邮箱：callcenter@ galaxyasset. com

电话号码：400－820－0860

传真号码：021－38568800

经营范围：基金募集、基金销售、资产管理、中国证监会许可的其他业务。一般经营项目：无。

基金数量：72 只（其中普通基金 67 只，货币基金 2 只，理财基金 0 只，封闭式基金 1 只，其他基金 2 只）。

管理规模：656.79 亿元

经理人数：14 人

【公司概况】

银河基金管理有限公司成立于 2002 年 6 月 14 日，是经中国证券监督管理委员会按照市场化机制批准成立的第一家基金管理公司（俗称："好人举手第一家"），是中央汇金公司旗下专业资产管理机构。

银河基金公司的经营范围包括发起设立、管理基金等，注册资本 2 亿元人民币，注册地中国上海。银河基金公司的股东分别为：中国银河金融控股有限责任公司（控股股东）、中国石油天然气集团公司、首都机场集团公司、上海城投（集团）有限公司、湖南电广传媒股份有限公司。银河基金公司成立以来，股权结构稳定。

银河基金公司构建了管理规范、机制健全、分工明确、运作高效、相互制衡的治理结构。股东会、董事会、监事会、经理层、督察长权责分明，报告路径清晰、完整。银河基金公司实行独立董事制度，独立董事在公司内部风险控制、重大经营决策、基金经理选拔等重要事项的决定中发挥重要作用，并对经理层进行监督。

银河基金公司成立以来，已发行并管理多只基金，涵盖股票、混合、债券、货币等系列品种。旗下基金投资稳健、运作规范、业绩稳定，体现出优良的基金管理能力。凭借旗下基金稳健卓越的业绩表现，银河基金赢得独立专业机构的高度评价。

银河基金公司倡导企业实践并承担社会责任，秉持并恪守"基金持有人利益优先"和"基金持有人利益最大化"之企业核心价值观，以集体的智慧和勇气持续改善共生的商业环境和商业生态。

银河基金公司致力于为基金持有人创造价值，创建具有"品格和特色的资产管理公司"，努力成为"运营规范、投资稳健、信誉卓著"的一流财富管理机构。

底蕴——银河基金公司内生的专业传统与优良基因，来自工行、农行、中行、建行、中国人保等到中国银河证券的历史传承。

高度——立国内著名金融服务品牌"银河"之肩，高瞻远瞩，承系专业之成功经验和品牌优势，为投资者提供卓越的服务体验和持续稳健的投资回报。

视野——秉承国际视野和本土智慧相结合之原则，银河基金汇聚具有丰富的国内外证券市场投资管理经验的基金经理人和研究专家，开启睿思，与时俱进，将国际化投资理念融入本地市场，运用国际化的专业投资分析框架检验并发掘投资机会。

【股东概况】

排序	股东名称	持股数量（万股）	股权比例
1	中国银河金融控股有限责任公司	7500.00	50%
2	中国石油天然气集团公司	1875.00	12.5%
3	上海市城市建设投资开发总公司	1875.00	12.5%
4	北京首都机场集团公司	1875.00	12.5%
5	湖南电广传媒股份有限公司	1875.00	12.5%

【旗下基金】

序号	基金代码	基金名称	期间申购(亿份)	期间赎回(亿份)	期末总份额(亿份)	期末净资产(亿元)
1	150005	银河银富货币 A	15.22	11.29	9.08	254.05
2	150015	银河银富货币 B	261.55	51.26	244.97	254.05
3	150103	银河银泰理财	0.21	0.32	12.89	12.87
4	150121	银河沪深 300 成长优先	–	–	0.04	0.26
5	150122	银河沪深 300 成长进取	–	–	0.04	0.26
6	151001	银河稳健	7.74	4.42	8.74	11.64
7	151002	银河收益债券	1.07	1.17	4.36	5.87
8	161505	银河通利债券(LOF)A	0.00	0.15	4.63	5.07
9	161506	银河通利债券(LOF)C	0.00	0.01	0.15	5.07
10	161507	银河沪深 300 成长分级	0.01	0.11	0.15	0.26
11	500058	基金银丰	–	–	30.00	30.79
12	519610	银河旺利混合 A	0.00	0.02	0.60	11.26
13	519611	银河旺利混合 C	0.00	0.05	0.03	11.26
14	519612	银河旺利混合 I	–	–	10.47	11.26
15	519613	银河君尚混合 A	0.00	0.30	0.61	7.65
16	519614	银河君尚混合 C	0.00	0.79	0.53	7.65
17	519615	银河君尚混合 I	1.00	3.20	6.50	7.65
18	519616	银河君信混合 A	9.22	0.16	9.40	9.64
19	519617	银河君信混合 C	0.00	0.77	0.44	9.64
20	519618	银河君信混合 I	–	0.65	–	9.64
21	519619	银河君荣灵活配置混合 A	1.00	0.24	8.16	8.47
22	519620	银河君荣灵活配置混合 C	0.00	0.39	0.32	8.47
23	519640	银河鸿利混合 A	0.00	0.13	0.75	11.64
24	519641	银河鸿利混合 C	0.00	0.02	0.09	11.64
25	519642	银河智造混合	0.09	0.48	1.08	1.05
26	519644	银河智联混合	0.02	0.76	4.62	3.95
27	519646	银河鑫利混合 I	0.00	0.80	1.20	7.55
28	519647	银河鸿利混合 I	–	7.50	10.50	11.64
29	519648	银河润利保本混合 I	–	0.80	17.59	28.46
30	519651	银河转型混合	0.12	1.69	26.69	14.76
31	519652	银河鑫利混合 A	0.00	0.13	6.16	7.55
32	519653	银河鑫利混合 C	0.00	0.02	0.14	7.55
33	519654	银河泽利保本混合	0.00	1.21	22.82	22.98
34	519655	银河服务混合	0.04	1.81	31.10	26.89
35	519656	银河灵活配置混合 A	0.01	0.03	0.56	1.85
36	519657	银河灵活配置混合 C	0.01	0.04	0.53	1.85
37	519660	银河增利债券 A	2.43	2.14	3.68	6.40
38	519661	银河增利债券 C	0.03	0.13	0.38	6.40
39	519662	银河岁岁回报债券 A	–	–	7.45	14.69
40	519663	银河岁岁回报债券 C	–	–	1.77	14.69
41	519664	银河美丽混合 A	0.14	0.26	2.50	5.00
42	519665	银河美丽混合 C	0.06	0.10	0.78	5.00
43	519666	银河银信添利债券 B	0.24	0.56	0.91	2.34
44	519667	银河银信添利债券 A	0.71	1.07	1.25	2.34
45	519668	银河成长混合	0.08	0.99	2.05	2.66
46	519669	银河领先债券	39.46	0.56	41.66	50.36
47	519670	银河行业混合	0.84	1.82	12.49	17.42
48	519671	银河沪深 300 价值	0.19	0.16	1.45	1.72
49	519672	银河蓝筹混合	0.04	0.05	0.60	1.04
50	519673	银河康乐	0.14	0.34	5.09	6.62
51	519674	银河创新成长混合	0.03	0.57	1.08	2.29
52	519675	银河润利保本混合 A	0.02	0.26	11.06	28.46
53	519676	银河强化债券	36.79	10.60	26.66	27.64
54	519677	银河定投宝腾讯济安指数	6.38	6.46	4.47	7.55
55	519678	银河消费混合	0.04	0.06	0.45	0.64
56	519679	银河主题混合	0.11	0.26	3.04	10.60
57	150121	银河沪深 300 成长优先	–	–	0.04	–
58	150122	银河沪深 300 成长进取	–	–	0.04	–

【公司高管】

许国平先生：中共党员，经济学博士。历任中国人民银行国际司处长、东京代表处代表、研究局调研员、金融稳定局体改处处长，中央汇金投资有限责任公司建行股权管理部主任，中国银河投资管理有限公司总经理。现任中国银河金融控股有限责任公司董事、副总经理、党委委员，中国银河证券股份有限公司董事，中国银河投资管理有限公司董事长、党委书记，北京银河吉星投资管理有限公司董事长。

刘立达先生：中共党员，英国威尔士大学（班戈）金融 MBA。1988.9—1990.4 中国人民银行金融研究所资料室干部；1990.4—1991.4 中国人民银行海门县支行干部；1991.4—1993.9 中国人民银行金融研究所资料室助理馆员；1993.9—1994.7 中国人民银行研究生部在职学生；1994.7—1998.8 中国人民银行金融研究所国内金融研究室助理研究员；1998.8—2002.11 中国人民银行研究局资本市场处主任科员；2002.11—2004.9 中国人民银行研究局货币政策处副调研员；2004.9—2005.9 英国威尔士大学（BANGOR）班戈商学院在职学生；2005.9—2008.6 中国人民银行研究局货币政策处副调研员；2008.6—2010.10 中国银河金融控股有限责任公司曾任股权管理运营部总经理、银河保险经纪公司董事、战略发展部总经理、综合管理部总经理等职。2010.10—2016.2 中国银河金融控股有限责任公司战略发展部总经理；其中 2013.5—2016.2 中国银河金融控股有限责任公司综合管理部总经理（兼任）。现任银河基金管理有限公司总经理。

银华基金管理股份有限公司

【基本情况】

法定名称：银华基金管理股份有限公司
英文名称：Yinhua Fund Management Co.,Ltd.
公司属性：中资企业
成立日期：2001-05-28
注册资本：20000（万元）
法人代表：王珠林
总 经 理：王立新
注册地址：广东省深圳市福田区深南大道 6008 号特区报业大厦 19 层
办公地址：北京市东城区东长安街 1 号东方广场东方经贸城 C2 办公楼 15 层
网站地址：www.yhfund.com.cn
邮政编码：100738
客服邮箱：yhjj@yhfund.com.cn
电话号码：010-85186558，400-678-3333
传真号码：010-58163027
经营范围：基金募集、基金销售、资产管理、中国证监会许可的其他业务（凭基金管理资格证书 A012 经营）。

基金数量：111 只（其中普通基金 80 只，货币基金 12 只，理财基金 1 只，封闭式基金 0 只，其他基金 16 只）。

管理规模：1633.27 亿元

经理人数：27 人

【公司概况】

银华基金成立于 2001 年 5 月，成立 16 年以来，凭借诚信、规范、稳健、务实的运作风格，银华基金致力于为广大投资者提供专业的资产管理服务，逐步发展为一个具有大资金管理能力的综合型资产管理公司。截至 2016 年中，银华基金资产管理规模超五千亿。

我们致力于提供有质量的资产管理和理财服务，帮助投资者打造高品质的财富生活。为实现这一目标，我们强调通过严格的制度和流程化管理提升公司的服务质量。2005 年 8 月，银华基金获得企业年金基金投资管理人资格，成为国内 9 家首批获此资格的基金管理公司之一。2007 年 10 月底，银华基金管理公司正式获得合格境内机构投资者（QDII）资格，获准开展境外证券投资管理业务。在接下来的 2008 年 2 月，银华基金管理公司获得特定客户资产管理业务资格。2010 年 12 月，银华基金管理有限公司获得"社保基金境内委托投资管理人"资格。2012 年 10 月，银华基金管理有限公司获得保险资金投资管理人资格。2016 年 12 月，银华基金管理股份有限公司获选首批基本养老保险基金证券投资管理机构。至此，银华基金成为业内为数不多的同时拥有企业年金基金投资管理人资格、合格境内机构投资者业务资格、特定客户资产管理业务资格、社保基金境内委托投资管理人资格、保险资金投资管理人资格和养老保险基金证券投资管理人资格的全牌照基金管理公司。

作为一个资产管理者，为持有人提供长期稳健的回报是银华基金的核心价值所在。16 年来，银华旗下管理的多只基金业绩排名同类产品前列，并获得多项业内大奖，多次赢得独立专业机构高度评价，为持有人带来了可持续的稳健投资回报。银华基金因为整体业绩表现突出，五度荣膺"金牛基金公司"。

时至今日，银华基金旗下管理着六十八只基金，建立了覆盖股票型、配置型、债券型、货币型、保本型和 QDII 基金的较为完善的产品线，为数百万不同风险收益特征和理财需求的客户提供专业的资产管理服务。

我们的目标

在稳健经营的基础上，我们致力于让风险收益特征各异的投资者在银华享受到全面的理财服务。未来，在继续完善产品线基础上，我们还将努力在企业年金管理、独立帐户资产管理、QDII 等领域拓展自己的业务。继续为自己所追求的目标——投资改变生活而执著前行。

我们将继续秉承"诚信经营赢得客户、优质服务贴近客户、一流业绩回报客户"的质量管理方针，帮助更多的普通人实现他们的财富梦想。

【企业荣誉】

2015 年 4 月，在《上海证券报》主办的"金基金"评选中，银华和谐主题混合基金荣获"金基金灵活配置型基金奖（三年期）"。

2015 年 4 月，在由《证券时报》主办的 2014 年度"中国基金业明星基金奖"评选中，银华和谐主题混合基金摘得"三年持续回报积极混合型明星基金奖"奖项 。

2015 年 3 月，在由《中国证券报》主办的第十届金牛奖评选中，银华和谐主题混合基金荣膺"三年期开放式混合型持续优胜金牛基金" 。

2014 年 9 月，在《中国基金报》推出的第一届中国最佳基金经理评选中，银华基金管理有限公司总经理助理、固定收益投资总监姜永康获得"五年期固定收益类投资最佳基金经理"奖项。

2014 年 3 月，在由《中国证券报》主办的第九届金牛奖评选中，银华优质增长股票基金荣膺"2013 年度股票型金牛基金"。

2013 年 4 月，在《上海证券报》主办的"金基金"评选中，银华基金管理有限荣获"金基金十年・卓越成就奖"。

2011 年 4 月，银华基金管理有限公司在由《中国证券报》主办的第八届金牛奖评选中荣获"2010 年度十大金牛基金管理公司"称号，旗下基金银华富裕主题股票基金也同时荣膺"2010 三年持续优胜股票型金牛基金"。

2011 年 4 月，在由上海证券报社主办，中国银河证券、上海证券、晨星资讯（深圳）有限公司提供技术支持的第八届中国"金基金"奖评选中。银华富裕主题股票基金获"金基金三年期产品・主动型股票基金奖"。

2011 年 4 月，在由《证券时报》主办的 2010 年度"中国基金业明星基金奖"评选中，银华基金管理有限公司荣获"2010 年度十大明星基金公司"称号，旗下银华富裕主题股票基金摘得"三年持续回报股票型明星基金奖"。

2010 年 6 月 21 日，银华基金管理有限公司在由《上海证券报》主办，中国银河证券研究所基金研究中心和晨星资讯（深圳）有限公司提供技术支持的第七届中国"金基金奖"评选中荣获"金基金・投资回报公司奖"，旗下基金银华核心价值优选股票型证券投资基金获得"金基金・主动型股票基金奖"，银华增强收益债券型证券投资基金获得"金基金・债券基金奖"。

2010 年 6 月 21 日，银华富裕主题股票型基金在晨星（中国）2009 年度基金奖评选中荣获"股票型基金奖"，成为业内唯一获此殊荣的股票型基金。

2010 年 5 月，银华基金管理有限公司在由《中国证券报》主办，中国银河证券、天相投资顾问、招商证券、海通证券联合协办的第七届金牛奖评选中荣获"2009 年度十大金牛基金管理公司"称号，旗下基金银华价值优选股票基金和银华富裕主题股票基金也同时荣膺"2009 年度开放式股票型金牛基金"。

2010 年 5 月 19 日，在由《证券时报》主办、晨星资讯（深圳）有限公司提供数据支持的 2009 年度"中国基金业明星基金奖"中，凭借 2009 年的优异表现，银华基金管理有限公司获得"2009 年度十大明星基金公司"称号，银华核心价值优选股票基金、银华富裕主题股票基金、银华领先策略股票基金荣获"2009 年度股票型明星基金奖"，银华增强收益债券基金荣获"2009 年度积极债券型明星基金奖"。

在由《证券时报》主办的"2008 中国明星基金评选"中，银华基金管理有限公司旗下银华核心价值优选基金凭借持续稳健的优异表现，获得"三年持续回报股票型明星基金奖"。

2008 年 3 月 31 日，在由《上海证券报》主办的 2007 年"金基金"评选中，银华基金管理有限公司获"最佳投资者关系"大奖。

2008 年 1 月 11 日，在由《证券时报》主办、安信证券协办的"2007 年度中国明星基金评选"中，银华基金管理有限公司获得"市场营销明星基金公司"奖。同时，银华旗下的增强型指数基金银华－道琼斯 88 精选基金获得"三年持续回报明星基金奖”。

2008 年 1 月，在由《中国证券报》主办的“第五届中国基金业金牛奖”评选中，银华基金管理有限公司荣获“2007 年度金牛基金公司”奖，这是银华基金连续第三次获此殊荣。

2007 年 5 月，在由《证券时报》主办的“2006 证券时报年度明星基金评选”中，银华基金管理有限公司获得“明星基金管理公司奖”，银华优质增长基金获得“大基金明星奖”。

2007 年 1 月，银华基金管理有限公司蝉联“2006 年度金牛基金公司”奖，旗下银华核心价值优选基金获选“2006 年度开放式股票型金牛基金”称号。

2006 年 02 月，银华基金管理有限公司在《中国证券报》主办，由中国银河证券有限责任公司、中信证券股份有限公司、天相投资顾问有限公司联合举行的第三届金牛奖评选中荣获“2005 年度十大金牛基金管理公司”称号及 2005 年度创新奖两项大奖。

【股东概况】

排序	股东名称	股权比例
1	西南证券有限责任公司	49%
2	第一创业证券有限责任公司	29%
3	东北证券有限责任公司	21%
4	山西海鑫实业股份有限公司	1%

【旗下基金】

序号	基金代码	基金名称	期间申购（亿份）	期间赎回（亿份）	期末总份额（亿份）	期末净资产（亿元）
1	000062	银华量化智慧动力混合	0.64	0.01	0.72	0.90
2	000194	银华信用四季红债券	1.13	3.46	6.42	6.61
3	000286	银华信用季季红债券	1.20	50.80	30.44	30.84
4	000287	银华永利债券 A	0.25	5.82	1.85	2.30
5	000288	银华永利债券 C	0.00	0.14	0.04	2.30
6	000604	银华多利宝货币 A	1.24	1.13	1.44	106.66
7	000605	银华多利宝货币 B	105.89	5.89	105.22	106.66
8	000662	银华活钱宝货币 F	476.70	534.82	222.52	222.52
9	000791	银华双月定期理财债券	10.15	3.38	11.73	11.73
10	000823	银华高端制造业	0.08	0.21	4.49	3.47
11	000860	银华惠增利货币	76.76	91.88	72.20	72.20
12	000904	银华回报灵活配置定期开放混合	0.00	0.53	6.82	6.35
13	001101	银华惠添益货币	65.65	56.45	12.09	12.09
14	001163	银华中国梦 30 股票	0.05	0.93	16.79	14.28
15	001231	银华泰利灵活配置混合 A	0.00	13.80	9.32	10.04
16	001264	银华恒利灵活配置混合 A	0.53	10.01	11.27	11.38
17	001280	银华聚利灵活配置混合 A	0.00	0.00	6.98	8.01
18	001289	银华汇利灵活配置混合 A	4.71	0.00	9.57	12.05
19	001303	银华稳利灵活配置混合 A	–	0.00	1.88	2.94
20	001703	银华沪港深增长股票	0.02	0.67	1.27	1.28
21	001728	银华战略新兴定开混合	0.00	0.38	5.55	5.31
22	001729	银华逆向投资定开混合	0.00	0.06	0.36	0.34
23	001808	银华互联网主题灵活配置混合	0.03	0.30	2.32	1.80
24	001954	银华生态环保主题灵活配置混合	0.01	0.33	1.11	1.16
25	002269	银华大数据灵活配置定开混合	0.00	0.14	1.12	1.06
26	002306	银华合利债券	0.05	0.00	1.54	1.55
27	002307	银华多元视野灵活配置混合	0.39	0.39	1.56	1.67
28	002322	银华汇利灵活配置混合 C	0.00	0.00	0.00	12.05
29	002323	银华稳利灵活配置混合 C	0.00	0.00	0.99	2.94
30	002326	银华聚利灵活配置混合 C	0.00	0.00	0.00	8.01
31	002327	银华恒利灵活配置混合 C	0.38	0.30	0.18	11.38
32	002328	银华泰利灵活配置混合 C	–	–	0.00	10.04
33	002481	银华双动力债券	0.49	0.75	3.18	3.19
34	002491	银华添益定开债	–	–	29.64	29.90
35	002501	银华远景债券	0.00	0.00	6.96	7.05
36	003062	银华通利混合 A	10.50	–	12.50	12.42
37	003063	银华通利混合 C	0.00	0.00	0.00	12.42
38	003816	银华日利 B	1.34	0.20	1.14	349.31
39	150018	银华稳进	–	–	27.92	54.99
40	150019	银华锐进	–	–	27.92	54.99
41	150030	银华中证等权 90 金利	–	–	0.28	2.45
42	150031	银华中证等权 90 鑫利	–	–	0.28	2.45
43	150047	银华消费 A	–	–	0.07	2.41
44	150048	银华消费 B	–	–	0.29	2.41
45	150059	银华金瑞	–	–	0.37	1.41
46	150060	银华鑫瑞	–	–	0.55	1.41
47	150138	银华 800A	–	–	0.03	0.49
48	150139	银华 800B	–	–	0.03	0.49
49	150143	银华中证转债指数增强分级 A	–	–	0.89	2.90
50	150144	银华中证转债指数增强分级 B	–	–	0.38	2.90
51	150162	银华永益分级债券 B	–	–	0.81	1.49
52	150167	银华沪深 300 指数分级 A	–	–	0.28	1.33
53	150168	银华沪深 300 指数分级 B	–	–	0.28	1.33
54	150175	银华恒生国企指数分级 A	–	–	34.60	76.01
55	150176	银华恒生国企指数分级 B	–	–	34.60	76.01
56	161810	银华内需精选混合(LOF)	0.06	0.55	3.68	6.06
57	161811	银华沪深 300 指数分级	0.02	0.12	1.03	1.33
58	161812	银华深证 100 分级	11.66	29.33	4.64	54.99
59	161813	银华信用债券(LOF)	0.00	2.27	0.67	0.85
60	161815	银华抗通胀主题	–	0.14	1.98	0.94
61	161816	银华中证等权 90 分级	0.02	0.20	1.75	2.45
62	161818	银华消费分级混合	0.03	0.37	1.86	2.41
63	161819	银华资源指数分级	0.09	0.21	0.41	1.41
64	161820	银华纯债信用债券	8.28	12.19	42.65	45.52
65	161821	银华中证中票 50 指数债券 A	0.00	0.02	4.79	5.81
66	161822	银华中证中票 50 指数债券 C	0.00	0.01	0.01	5.81
67	161823	银华永兴纯债债券(LOF)A	48.26	1.48	49.53	50.49
68	161824	银华永兴纯债债券(LOF)C	0.00	0.17	0.30	50.49
69	161825	银华中证 800 分级	0.02	0.06	0.44	0.49
70	161826	银华中证转债指数增强分级	0.91	0.69	1.92	2.90
71	161827	银华永益分级债券	–	–	1.04	1.49
72	161828	银华永益分级债券 A	–	0.06	0.23	1.49
73	161831	银华恒生国企指数分级	29.79	23.84	17.16	76.01
74	161834	银华鑫锐定增灵活配置混合	–	–	16.22	16.25
75	180001	银华优势企业	0.06	0.23	8.40	11.08
76	180002	银华保本增值	0.02	2.76	41.23	41.21
77	180003	银华道琼斯 88	0.18	0.85	25.32	24.34
78	180008	银华货币 A	16.38	17.74	9.77	111.20
79	180009	银华货币 B	351.53	367.52	101.43	111.20
80	180010	银华优质增长混合	0.41	0.51	19.56	27.40
81	180012	银华富裕主题混合	1.11	1.09	17.70	32.82
82	180013	银华领先策略混合	0.15	0.50	8.72	12.27
83	180015	银华增强债券	0.01	0.04	8.83	10.67
84	180018	银华和谐主题	0.02	0.05	1.53	2.75
85	180020	银华成长先锋	0.01	0.12	1.80	2.01
86	180025	银华信用双利债券 A	0.15	6.94	4.55	5.71
87	180026	银华信用双利债券 C	0.01	0.19	0.36	5.71
88	180028	银华永祥保本	0.03	0.06	0.87	1.24

序号	基金代码	基金名称	期间申购（亿份）	期间赎回（亿份）	期末总份额（亿份）	期末净资产（亿元）
89	180029	银华永泰积极债券 A	0.02	0.09	0.06	5.64
90	180030	银华永泰积极债券 C	0.00	0.08	4.33	5.64
91	180031	银华中小盘混合	6.71	3.72	9.21	23.33
92	180033	银华上证 50 等权联接	0.03	0.04	0.85	0.98
93	183001	银华全球优选	–	0.02	0.66	0.62
94	501022	银华鑫盛定增混合	–	–	11.06	11.06
95	510430	银华上证 50 等权 ETF	0.01	0.03	0.72	0.97
96	511880	银华日利 A	0.85	3.79	2.35	349.31
97	519001	银华价值优选混合	0.30	0.98	25.70	50.89
98	150018	银华稳进	–	–	29.25	–
99	150019	银华锐进	–	–	29.25	–
100	150030	银华中证等权 90 金利	–	–	0.28	–
101	150031	银华中证等权 90 鑫利	–	–	0.28	–
102	150047	银华消费 A	–	–	0.07	–
103	150048	银华消费 B	–	–	0.29	–
104	150059	银华金瑞	–	–	0.37	–
105	150060	银华鑫瑞	–	–	0.55	–
106	150138	银华 800A	–	–	0.03	–
107	150139	银华 800B	–	–	0.03	–
108	150143	银华中证转债指数增强分级 A	–	–	0.89	–
109	150144	银华中证转债指数增强分级 B	–	–	0.38	–
110	150167	银华沪深 300 指数分级 A	–	–	0.28	–
111	150168	银华沪深 300 指数分级 B	–	–	0.28	–
112	150175	银华恒生国企指数分级 A	–	–	34.45	–
113	150176	银华恒生国企指数分级 B	–	–	34.45	–
114	510430	银华上证 50 等权 ETF	–	–	0.72	–
115	511880	银华日利 A	–	–	2.35	–

【公司高管】

王珠林先生：董事长，经济学博士。曾任甘肃省职工财经学院财会系讲师，甘肃省证券公司发行部经理，中国蓝星化学工业总公司处长，蓝星清洗股份有限公司董事、副总经理、董事会秘书，西南证券副总裁，中国银河证券副总裁，西南证券董事、总裁；还曾先后担任中国证监会发行审核委员会委员、中国证监会上市公司并购重组审核委员会委员、中国证券业协会投资银行业委员会委员、重庆市证券期货业协会会长。现任银华基金公司董事长、西南证券股份有限公司董事，兼任中国上市公司协会并购融资委员会执行主任、中国退役士兵就业创业服务促进会副理事长、中证机构间报价系统股份有限公司董事、中航动力股份有限公司独立董事、中国中材股份有限公司独立董事、财政部资产评估准则委员会委员。

王立新先生：董事总经理、代董事长，经济学博士。历任中国工商银行总行科员；南方证券股份有限公司基金部副处长；南方基金管理有限公司研究开发部、市场拓展部总监；银华基金管理有限公司总经理助理、副总经理、代总经理。现任银华基金管理有限公司总经理、代董事长。

招商基金管理有限公司

【基本情况】

法定名称：招商基金管理有限公司
英文名称：China Merchants Fund Management Co.,Ltd.
公司属性：合资企业
成立日期：2002－12－27
注册资本：21000（万元）
法人代表：李　浩
总 经 理：金　旭
注册地址：深圳市深南大道 7088 号招商银行大厦 28 楼
办公地址：深圳市深南大道 7088 号招商银行大厦 28 楼
网站地址：www.cmfchina.com
邮政编码：518040
客服邮箱：cmf@cmfchina.com
电话号码：400－887－9555
传真号码：0755－83076974，0755－83196405
经营范围：基金募集、基金销售、特定客户资产管理、资产管理和中国证监会许可的其他业务（以上经营范围涉及许可经营项目的，应在取得有关部门的许可后方可经营）。
基金数量：231 只（其中普通基金 191 只，货币基金 17 只，理财基金 5 只，封闭式基金 0 只，其他基金 18 只）。
管理规模：3528.09 亿元
经理人数：31 人

【公司概况】

招商基金管理有限公司于 2002 年 12 月 27 日经中国证监会〔2002〕100 号文批准设立，是中国第一家中外合资基金管理公司。公司的经营范围包括发起设立基金、基金管理业务和中国证监会批准的其他业务。

经招商基金管理有限公司（以下简称“本公司”）股东会审议通过，并经中国证券监督管理委员会证监许可〔2013〕1074 号文批复同意。目前，本公司的股东股权结构为：招商银行股份有限公司持有公司全部股权的 55%，招商证券股份有限公司持有公司全部股权的 45%。公司注册资本金为 2.1 亿元人民币。目前，招商基金拥有两家全资子公司，分别为招商财富资产管理有限公司和招商资产管理（香港）有限公司。

招商基金以“为投资者创造更多价值”为使命，秉承诚信、理性、专业、协作、成长的核心价值观，努力成为中国资产管理行业具有差异化竞争优势、一流品牌的资产管理公司。

【股东概况】

排序	股东名称	出资额（万元）	出资比例
1	招商银行	11550.00	55%
2	招商证券股份有限公司	9450.00	45%

【旗下基金】

序号	基金代码	基金名称	期间申购（亿份）	期间赎回（亿份）	期末总份额（亿份）	期末净资产（亿元）
1	000126	招商安润保本混合	0.06	1.50	47.07	47.44
2	000314	招商瑞丰灵活配置混合发起式 A	0.01	0.02	0.34	8.90
3	000530	招商丰盛稳定增长混合 A	0.05	0.69	2.86	6.52
4	000588	招商招钱宝货币 A	184.28	86.27	123.79	612.86
5	000607	招商招钱宝货币 B	634.32	620.90	489.05	612.86
6	000644	招商招金宝货币 A	3.75	1.95	4.41	74.74
7	000651	招商招金宝货币 B	97.49	62.93	70.33	74.74
8	000679	招商丰利灵活配置混合 A	0.01	0.46	2.92	3.58
9	000746	招商行业精选股票	0.07	1.35	4.20	5.31
10	000758	招商招钱宝货币 C	0.10	0.09	0.02	612.86
11	000808	招商招利 1 个月期理财债券 A	40.81	13.95	45.21	56.08

序号	基金代码	基金名称	期间申购（亿份）	期间赎回（亿份）	期末总份额（亿份）	期末净资产（亿元）
12	000809	招商招利 1 个月期理财债券 B	0.14	5.47	0.79	56.08
13	000960	招商医药健康产业股票	0.28	0.73	10.78	10.83
14	001403	招商国企改革主题混合基金	0.11	1.20	14.85	13.19
15	001404	招商移动互联网产业股票基金	0.41	4.62	27.19	20.47
16	001427	招商丰泽混合 A	–	0.00	8.48	9.18
17	001446	招商丰泽混合 C	–	0.00	0.00	9.18
18	001501	招商丰裕混合 A	0.08	0.06	4.44	5.54
19	001502	招商丰裕混合 C	1.04	2.68	0.80	5.54
20	001531	招商安益保本混合	0.04	1.23	12.52	13.25
21	001597	招商丰融混合 A	0.01	0.01	5.02	5.56
22	001598	招商丰融混合 C	0.00	0.01	0.01	5.56
23	001628	招商体育文化休闲股票	0.07	0.13	0.99	0.77
24	001693	招商招利 1 个月期理财债券 C	7.41	7.66	10.07	56.08
25	001773	招商丰庆混合 A	–	–	400.10	468.08
26	001840	招商丰享混合 C	0.58	0.48	1.27	7.60
27	001841	招商丰享混合 A	0.06	0.00	6.04	7.60
28	001868	招商产业债券 C	3.40	1.42	9.85	18.64
29	001869	招商制造业混合	0.70	0.49	2.71	2.70
30	001917	招商量化精选股票	0.59	0.14	2.76	2.92
31	002017	招商瑞丰灵活配置混合发起式 C	0.15	0.04	5.95	8.90
32	002103	招商康泰养老混合	0.00	0.09	0.83	0.81
33	002215	招商招益一年定开债	0.00	0.79	2.88	2.98
34	002249	招商境远保本混合	–	2.30	44.71	45.22
35	002271	招商安弘保本混合	0.01	6.25	26.23	26.64
36	002317	招商睿逸混合	0.06	0.64	6.99	7.04
37	002341	招商招瑞纯债发起式 A	–	–	0.10	2.56
38	002389	招商安德保本混合 A	0.00	0.72	18.27	18.45
39	002416	招商丰利灵活配置混合 C	0.85	2.05	0.09	3.58
40	002417	招商丰盛稳定增长混合 C	1.28	0.41	2.47	6.52
41	002456	招商安元保本混合 A	0.00	0.58	18.56	18.79
42	002506	招商招盈 18 个月定开债	–	–	4.41	4.45
43	002514	招商丰益混合 A	5.97	0.00	11.97	11.88
44	002515	招商丰益混合 C	–	0.00	0.00	11.88
45	002516	招商丰达混合 A	–	0.00	8.00	8.00
46	002517	招商丰达混合 C	–	0.00	0.00	8.00
47	002520	招商招瑞纯债发起式 C	0.61	2.27	2.42	2.56
48	002538	招商丰嘉混合 A	0.00	0.00	0.00	5.00
49	002539	招商丰嘉混合 C	3.01	0.00	5.01	5.00
50	002540	招商丰和混合 A	0.00	0.00	0.00	0.84
51	002541	招商丰和混合 C	1.56	5.69	0.86	0.84
52	002574	招商瑞庆混合	0.00	0.51	4.33	4.30
53	002575	招商丰睿混合 A	–	0.00	0.00	8.00
54	002576	招商丰睿混合 C	–	0.00	8.00	8.00
55	002581	招商丰凯混合 A	5.97	0.00	11.97	11.88
56	002582	招商丰凯混合 C	0.00	0.00	0.00	11.88
57	002626	招商丰源混合 A	–	0.00	8.00	7.93
58	002627	招商丰源混合 C	–	0.00	0.00	7.93
59	002628	招商安博保本混合 A	0.00	0.22	17.53	18.04
60	002629	招商安博保本混合 C	0.00	0.09	0.56	18.04
61	002657	招商安裕保本混合 A	0.00	0.33	25.94	29.19
62	002658	招商安裕保本混合 C	0.01	0.17	3.25	29.19
63	002756	招商招兴纯债 A	21.22	0.00	62.20	63.93
64	002757	招商招兴纯债 C	–	0.00	0.00	63.93
65	002776	招商安荣保本混合 A	0.00	0.39	16.99	19.04
66	002777	招商安荣保本混合 C	0.03	0.18	2.11	19.04
67	002817	招商招恒纯债 A	0.00	0.00	92.00	90.98
68	002818	招商招恒纯债 C	0.00	0.00	0.00	90.98
69	002821	招商丰乐灵活配置混合 A	–	–	8.00	7.95
70	002822	招商丰乐灵活配置混合 C	–	0.00	0.00	7.95
71	002823	招商盛达混合 A	0.00	0.09	0.92	1.43
72	002824	招商盛达混合 C	0.00	2.21	0.54	1.43
73	002852	招商财富宝交易型货币 A	25.16	6.01	20.95	25.77
74	002992	招商招元纯债 A	0.00	15.00	36.96	35.98
75	002993	招商招元纯债 C	0.00	0.00	0.00	35.98
76	002994	招商招裕纯债 A	18.84	0.00	74.72	73.91
77	002995	招商招裕纯债 C	0.00	0.00	0.00	73.91
78	003004	招商睿祥定开混合	–	–	10.32	10.25
79	003046	招商信用定开债人民币	–	–	2.09	2.16
80	003047	招商信用定开债美元	–	–	2.09	2.16
81	003156	招商招悦纯债 A	18.87	0.00	29.85	29.68
82	003157	招商招悦纯债 C	–	0.00	0.00	29.68
83	003265	招商招坤纯债 A	0.01	0.60	8.07	8.13
84	003266	招商招坤纯债 C	0.00	0.22	0.10	8.13
85	003269	招商招乾纯债 A	2.96	4.54	0.42	0.50
86	003270	招商招乾纯债 C	0.48	0.48	0.00	0.50
87	003351	招商稳荣定开混合 A	–	–	18.11	18.07
88	003352	招商稳荣定开混合 C	–	–	0.05	18.07
89	003355	招商稳祥定开灵活混合 A	–	–	4.54	7.60
90	003356	招商稳祥定开灵活混合 C	–	–	3.05	7.60
91	003369	招商招庆纯债 A	0.10	0.00	2.10	2.12
92	003370	招商招庆纯债 C	–	0.00	0.00	2.12
93	003371	招商招轩纯债 A	47.32	2.00	47.32	50.06
94	003372	招商招轩纯债 C	–	0.00	0.00	50.06
95	003452	招商招盛纯债 A	70.37	15.00	70.37	90.08
96	003453	招商招盛纯债 C	3.26	3.26	0.00	90.08
97	003454	招商招通纯债 A	3.04	–	5.04	4.98
98	003455	招商招通纯债 C	–	0.00	0.00	4.98
99	150096	招商中证商品 A	–	–	0.99	2.25
100	150097	招商中证商品 B	–	–	0.99	2.25
101	150145	招商沪深 300 高贝塔分级 A	–	–	0.12	0.30
102	150146	招商沪深 300 高贝塔分级 B	–	–	0.12	0.30
103	150188	招商可转债分级债券 A	–	–	0.71	1.45
104	150189	招商可转债分级债券 B	–	–	0.30	1.45
105	150200	招商中证全指证券公司 A	–	–	88.40	157.92
106	150201	招商中证全指证券公司 B	–	–	88.40	157.92
107	150207	招商沪深 300 地产指数分级 A	–	–	0.64	1.46
108	150208	招商沪深 300 地产指数分级 B	–	–	0.64	1.46
109	150249	招商中证银行指数分级 A	–	–	0.28	4.61
110	150250	招商中证银行指数分级 B	–	–	0.28	4.61
111	150251	招商中证煤炭等权指数分级 A	–	–	0.98	5.61
112	150252	招商中证煤炭等权指数分级 B	–	–	0.98	5.61
113	150269	招商中证白酒指数分级 A	–	–	3.50	13.28
114	150270	招商中证白酒指数分级 B	–	–	3.50	13.28
115	150271	招商国证生物医药指数分级 A	–	–	0.17	4.55
116	150272	招商国证生物医药指数分级 B	–	–	0.17	4.55
117	159003	招商保证金快线 A	1.51	1.49	0.07	19.49
118	159004	招商保证金快线 B	1.91	1.93	0.13	19.49
119	159909	招商深证 TMT50ETF	–	0.00	0.16	0.73
120	161706	招商优质成长混合(LOF)	0.08	0.31	7.87	10.91
121	161713	招商信用添利债券(LOF)	1.04	3.62	8.05	8.04

序号	基金代码	基金名称	期间申购（亿份）	期间赎回（亿份）	期末总份额（亿份）	期末净资产（亿元）
122	161714	招商标普金砖四国	–	0.05	0.52	0.41
123	161715	招商中证大宗商品指数分级	0.30	0.91	0.21	2.25
124	161716	招商双债增强债券(LOF)	0.00	0.02	1.02	1.09
125	161718	招商沪深300高贝塔指数分级	0.05	0.09	0.15	0.30
126	161719	招商可转债分级债券	0.54	5.44	0.43	1.45
127	161720	招商中证全指证券公司指数分级	37.88	51.93	33.57	157.92
128	161721	招商沪深300地产指数分级	1.24	3.28	0.77	1.46
129	161722	招商丰泰混合(LOF)	0.00	3.68	3.43	3.71
130	161723	招商中证银行指数分级	0.13	0.53	4.72	4.61
131	161724	招商中证煤炭等权指数分级	4.67	3.60	3.14	5.61
132	161725	招商中证白酒指数分级	8.24	13.70	6.55	13.28
133	161726	招商国证生物医药指数分级	0.33	0.67	4.17	4.55
134	161727	招商增荣混合	–	–	12.11	12.06
135	217001	招商安泰混合	4.76	4.29	16.38	5.85
136	217002	招商安泰平衡	0.02	0.07	0.65	0.66
137	217003	招商安泰债券A	0.83	4.17	5.60	9.57
138	217004	招商现金增值货币A	110.97	81.14	122.61	738.20
139	217005	招商先锋	0.05	3.01	24.54	19.84
140	217008	招商安本增利债券	0.69	0.69	6.12	8.34
141	217009	招商核心价值	0.04	1.19	11.47	12.15
142	217010	招商大盘蓝筹混合	0.10	0.99	5.87	8.25
143	217011	招商安心债券	1.43	3.25	5.73	8.19
144	217012	招商行业领先混合A	0.06	0.24	3.91	4.41
145	217013	招商中小盘混合	0.03	0.12	1.31	1.72
146	217014	招商现金增值货币B	739.34	566.28	615.59	738.20
147	217015	招商全球资源	–	0.03	0.37	0.35
148	217016	招商深证100	0.04	0.08	0.49	0.54
149	217017	招商上证消费80联接	0.01	0.09	0.89	1.10
150	217018	招商安瑞进取债券	0.05	1.08	1.46	2.45
151	217019	招商深证TMT50联接	0.04	0.07	0.52	0.71
152	217020	招商安达保本	0.00	0.65	8.29	9.94
153	217021	招商优企灵活配置	0.01	0.03	0.38	0.76
154	217022	招商产业债券A	0.22	1.35	5.47	18.64
155	217023	招商信用增强债券	1.13	0.91	5.86	6.09
156	217024	招商安盈保本	0.02	4.99	32.48	33.27
157	217025	招商理财7天债券A	0.37	0.71	1.22	61.60
158	217026	招商理财7天债券B	60.25	0.39	60.37	61.60
159	217027	招商央视财经50指数	0.04	0.30	0.25	0.37
160	217203	招商安泰债券B	3.30	6.94	2.75	9.57
161	510150	招商上证消费80ETF	–	0.02	0.30	1.16
162	511850	招商财富宝交易型货币E	0.06	0.07	0.05	25.77
163	150096	招商中证商品A	–	–	0.99	–
164	150097	招商中证商品B	–	–	0.99	–
165	150145	招商沪深300高贝塔分级A	–	–	0.12	–
166	150146	招商沪深300高贝塔分级B	–	–	0.12	–
167	150188	招商可转债分级债券A	–	–	0.71	–
168	150189	招商可转债分级债券B	–	–	0.30	–
169	150200	招商中证全指证券公司A	–	–	89.39	–
170	150201	招商中证全指证券公司B	–	–	89.39	–
171	150207	招商沪深300地产指数分级A	–	–	0.64	–
172	150208	招商沪深300地产指数分级B	–	–	0.64	–
173	150249	招商中证银行指数分级A	–	–	0.28	–
174	150250	招商中证银行指数分级B	–	–	0.28	–
175	150251	招商中证煤炭等权指数分级A	–	–	0.98	–
176	150252	招商中证煤炭等权指数分级B	–	–	0.98	–
177	150269	招商中证白酒指数分级A	–	–	3.33	–
178	150270	招商中证白酒指数分级B	–	–	3.33	–
179	150271	招商国证生物医药指数分级A	–	–	0.17	–
180	150272	招商国证生物医药指数分级B	–	–	0.17	–
181	159003	招商保证金快线A	–	–	0.19	–
182	159909	招商深证TMT50ETF	–	–	0.16	–
183	510150	招商上证消费80ETF	–	–	0.30	–
184	511850	招商财富宝交易型货币E	–	–	0.05	–

【公司高管】

李浩先生：招商银行执行董事、常务副行长兼财务负责人。美国南加州大学工商管理硕士学位，高级会计师。1997年5月加入招商银行任总行行长助理，2000年4月至2002年3月兼任招商银行上海分行行长，2002年3月起担任招商银行副行长，2007年3月起兼任财务负责人，2007年6月起担任招商银行执行董事，2013年5月起担任招商银行常务副行长，2016年3月起兼任深圳市招银前海金融资产交易中心有限公司副董事长。现任公司董事长。

金旭女士：北京大学硕士研究生。1993年7月至2001年11月任职于中国证券监督管理委员会。2001年11月至2004年7月任职于华夏基金管理有限公司。2004年7月至2006年1月在宝盈基金管理有限公司任总经理。2006年1月至2007年5月在梅隆全球投资有限公司北京代表处任首席代表。2007年6月至2014年12月担任国泰基金管理有限公司总经理。2015年1月加入招商基金管理有限公司。现任公司总经理、董事、代理董事长。

中海基金管理有限公司

【基本情况】

法定名称：中海基金管理有限公司

英文名称：Zhong Hai Fund Management Co., Ltd.

公司属性：合资企业

成立日期：2004－03－18

注册资本：14666.67（万元）

法人代表：黄　鹏

总 经 理：黄　鹏

注册地址：上海市浦东新区银城中路68号2905－2908室及30层

办公地址：上海市浦东新区银城中路68号2905－2908室及30层

网站地址：www.zhfund.com

邮政编码：200120

客服邮箱：service@zhfund.com

电话号码：400－888－9788

传真号码：021－68419525

经营范围：基金募集、基金销售、资产管理、中国证监会许可的其他业务（涉及行政许可的凭许可证经营）。

基金数量：48只（其中普通基金38只，货币基金2只，理财基金0只，封闭式基金0只，其他基金8只）。

管理规模:342.41 亿元

经理人数:13 人

【公司概况】

中海基金管理有限公司(以下简称“中海基金”)成立于2004年3月18日,前身为国联基金管理有限公司。2006年7月,中国海洋石油总公司旗下中海信托股份有限公司入主成为中海基金第一大股东,公司相应更名为“中海基金管理有限公司”。公司现注册资本为1.47亿元人民币,各方股东持股比例为:中海信托股份有限公司41.591%、国联证券股份有限公司33.409%、法国爱德蒙得洛希尔银行股份有限公司25.000%。公司总部位于上海浦东陆家嘴金融圈,在北京设有分公司,并于2013年7月成立子公司——中海恒信资产管理(上海)有限公司。

中海基金旗下目前拥有包括不同类型、不同风格的数十只公募基金以及多款专户产品(“一对一”与“一对多”)在内的较为完善的产品线,涵盖了主动管理与被动管理、权益投资与固定收益投资等不同领域,在以能源及新能源为视角的主题投资、债券投资和量化投资方面已形成独有特色。公司先后服务机构与个人投资者300多万人(家),并获得投资者广泛好评。公司现有包括公募基金经理、专户投资经理及分析师在内的近40人的投资研究团队,通过扎实研究,努力为客户创造价值。

依托“世界500强”中国海洋石油总公司的产业资本支撑,以及洛希尔银行在资产管理方面的丰富经验,中海基金始终遵循诚实信用、勤勉尽责的原则来管理基金资产,经营稳健、运作规范。公司成立十余年来,从公司治理、风险控制、投资研究等多个方面得到快速提升,熔铸起了稳健的根基,成长为具有强大央企背景及丰富外资先进管理经验的基金管理公司,正在朝“受人尊敬的一流资产管理公司”的目标稳步迈进。

【公司大事记】

2015年5月20日,中海积极增利灵活配置混合型证券投资基金正式成立(证监许可〔2015〕693号),左剑先生担任中海积极增利灵活配置混合型证券投资基金基金经理。

2015年5月13日,中海进取收益灵活配置混合型证券投资基金正式成立(证监许可〔2015〕647号),左剑先生担任中海进取收益灵活配置混合型证券投资基金基金经理。

2015年4月3日,中海安鑫宝1号保本混合型证券投资基金正式成立(证监许可〔2015〕391号),刘俊先生担任中海安鑫宝1号保本混合型证券投资基金基金经理。

2015年4月,中海蓝筹灵活基金荣膺上海证券报“灵活配置型金基金奖(一年期)”。

2015年4月,中海消费主题基金荣膺证券时报“三年持续回报股票型明星基金”;中海蓝筹灵活基金荣膺证券时报“五年持续回报平衡混合型明星基金”。

2015年3月,中海蓝筹灵活基金荣膺中国证券报“2014年度开放式混合型金牛基金”。

2015年2月11日,中海合鑫灵活配置混合型证券投资基金正式成立(证监许可〔2015〕6号),骆泽斌先生担任中海合鑫灵活配置混合型证券投资基金基金经理。

2014年12月17日,中海医药健康产业精选灵活配置混合型证券投资基金正式成立(证监许可〔2014〕1137号),郑磊先生担任中海医药健康产业精选灵活配置混合型证券投资基金基金经理。

2014年8月29日,中海惠祥分级债券型证券投资基金正式成立(证监许可〔2014〕348号),江小震先生担任中海惠祥分级债券型证券投资基金基金经理。

2014年5月26日,中海积极收益灵活配置混合型证券投资基金正式成立(证监许可〔2014〕288号),刘俊先生担任中海积极收益灵活配置混合型证券投资基金基金经理。

2014年4月23日,中海纯债债券型证券投资基金基金正式成立(证监许可〔2013〕1020号),冯小波先生担任中海纯债债券型证券投资基金基金基金经理。

2013年11月21日,中海惠利纯债分级债券型证券投资基金正式成立(基金部函〔2013〕995号),陆成来先生担任中海惠利纯债分级债券型证券投资基金基金经理。

2013年9月12日,中海惠丰纯债分级债券型证券投资基金正式成立(基金部函〔2013〕799号),陆成来先生担任中海惠丰纯债分级债券型证券投资基金基金经理。

2013年7月31日,中海安鑫保本混合型证券投资基金正式成立(基金部函〔2013〕622号),刘俊先生担任中海安鑫保本混合型证券投资基金基金经理。

2013年7月30日,中海基金出资设立的专户子公司中海恒信资产管理(上海)有限公司正式成立,业务范围包括特定客户资产管理业务以及中国证监会认可的其他业务。

2013年3月20日,中海可转换债券债券型证券投资基金正式成立(基金部函〔2013〕203号),周其源先生担任中海可转换债券债券型证券投资基金基金经理。

2013年1月7日,中海惠裕纯债分级债券型发起式证券投资基金正式成立(基金部函〔2013〕12号),江小震先生担任中海惠裕纯债分级债券型发起式证券投资基金基金经理。

2012年10月18日,中海基金获得由中国保监会颁发的保险资金受托管理业务资质。

2012年6月20日,中海保本混合型证券投资基金正式成立(基金部函〔2012〕506号),刘俊先生担任中海保本混合型证券投资基金基金经理。

2012年3月7日,中海上证380指数型证券投资基金正式成立(基金部函〔2012〕120号),陈明星先生担任中海上证380指数型证券投资基金基金经理。

【股东概况】

排序	股东名称	持股数量(万股)	股权比例
1	中海信托投资有限责任公司	6100.01472	41.591%
2	国联证券有限责任公司	4899.98778	33.409%
3	法国爱德蒙得洛希尔银行	3666.6675	25%

【旗下基金】

序号	基金代码	基金名称	期间申购(亿份)	期间赎回(亿份)	期末总份额(亿份)	期末净资产(亿元)
1	000003	中海可转债A	0.03	0.05	0.36	0.59
2	000004	中海可转债C	0.03	0.04	0.37	0.59
3	000166	中海安鑫保本	0.00	0.49	6.97	6.99
4	000298	中海纯债债券A	0.79	4.89	0.74	1.01
5	000299	中海纯债债券C	0.47	1.13	0.29	1.01
6	000316	中海惠利纯债分级债券	–	–	55.04	–
7	000317	中海惠利纯债分级债券A	–	19.09	35.92	54.43
8	000318	中海惠利纯债分级债券B	–	4.26	19.12	54.43
9	000597	中海积极收益混合	0.88	0.05	5.37	6.20

序号	基金代码	基金名称	期间申购（亿份）	期间赎回（亿份）	期末总份额（亿份）	期末净资产（亿元）
10	000674	中海惠祥分级债券	-	-	99.49	-
11	000675	中海惠祥分级债券 A	-	-	69.54	97.19
12	000676	中海惠祥分级债券 B	-	-	29.95	97.19
13	000878	中海医药健康产业混合 A	0.02	0.31	3.25	4.33
14	000879	中海医药健康产业混合 C	0.03	0.49	0.76	4.33
15	001005	中海合鑫混合	0.13	0.15	0.92	0.56
16	001155	中海安鑫宝 1 号保本混合	-	-	2.39	2.43
17	001252	中海进取收益混合	1.18	0.17	4.70	4.85
18	001279	中海积极增利混合	0.00	0.31	4.44	3.64
19	001574	中海混改红利混合	0.02	0.12	0.99	0.77
20	001864	中海魅力长三角混合	0.00	0.02	0.49	0.51
21	002110	中海中鑫灵活配置混合	1.98	1.19	4.86	4.93
22	002213	中海顺鑫保本混合	0.00	0.00	12.62	12.61
23	002214	中海沪港深价值优选混合	1.42	0.18	1.71	1.88
24	002965	中海合嘉增强收益债券 A	1.00	0.56	7.88	8.10
25	002966	中海合嘉增强收益债券 C	0.00	0.25	0.46	8.10
26	150154	中海惠丰纯债分级债券 B	-	-	5.51	18.30
27	163907	中海惠裕纯债发起式	0.00	0.60	5.85	5.99
28	163909	中海惠丰纯债分级债券	-	-	18.31	-
29	163910	中海惠丰纯债分级债券 A	-	-	12.80	18.30
30	392001	中海货币 A	4.16	3.80	3.01	52.07
31	392002	中海货币 B	96.19	96.08	49.06	52.07
32	393001	中海优势精选灵活配置混合	0.08	0.50	3.97	4.68
33	395001	中海稳健债券	0.01	4.11	2.29	2.31
34	395011	中海增强债券 A	0.00	0.00	4.90	6.16
35	395012	中海增强债券 C	0.00	0.00	0.05	6.16
36	398001	中海优质成长混合	0.82	1.64	37.16	14.70
37	398011	中海分红增利混合	0.26	0.38	7.10	4.27
38	398021	中海能源策略	0.26	0.78	21.14	13.98
39	398031	中海蓝筹灵活	0.14	0.42	1.51	1.00
40	398041	中海量化策略混合	0.07	0.07	0.80	0.72
41	398051	中海环保新能源	0.18	0.12	0.80	0.67
42	398061	中海消费混合	0.21	0.57	2.01	4.10
43	399001	中海上证 50	0.07	0.16	1.29	1.25
44	399011	中海医疗保健主题股票	0.03	0.08	0.47	0.59
45	502030	中海中证高铁产业指数分级	0.33	0.29	0.45	0.59
46	502031	中海中证高铁产业指数分级 A	0.00	0.00	0.05	0.59
47	502032	中海中证高铁产业指数分级 B	0.00	0.00	0.05	0.59
48	502031	中海中证高铁产业指数分级 A	-	-	0.05	-
49	502032	中海中证高铁产业指数分级 B	-	-	0.05	-

【公司高管】

黄晓峰先生：董事长，中国人民大学硕士，高级经济师。现任中海信托股份有限公司总裁、党委书记。历任湖北省计划管理干部学院助教，国家海洋局管理司主任科员，中国海洋石油总公司计划项目处干部、经济评价处干部，中海石油有限公司税收保险岗，中国海洋石油总公司保险处保险主管，中海石油有限公司代理融资岗位经理、资金部副总监，中国海洋石油总公司资金部代理总监、资金部总监，中海石油财务有限责任公司总经理。

黄鹏先生：董事、总经理，复旦大学金融学专业硕士。历任上海市新长宁（集团）有限公司销售经理，上海浦东发展银行股份有限公司大连分行行长秘书，中海信托股份有限公司综合管理部经理助理、投资管理部经理、风控委员会委员。2007 年 10 月进入中海基金管理有限公司工作，曾任董事会秘书、总经理助理兼营销中心总经理，2011 年 10 月至今任中海基金总经理，2013 年 2 月至今任中海基金董事，2013 年 7 月至今任中海恒信资产管理（上海）有限公司董事长。

中欧基金管理有限公司

【基本情况】

法定名称：中欧基金管理有限公司
英文名称：Lombarda China Fund Management Co.,Ltd.
公司属性：合资企业
成立日期：2006－07－19
注册资本：18800（万元）
法人代表：窦玉明
总 经 理：刘建平
注册地址：上海市浦东新区花园石桥路 66 号东亚银行金融大厦 8 层
办公地址：中国（上海）自由贸易试验区陆家嘴环路 333 号东方汇经大厦五层
网站地址：www.zofund.com
邮政编码：－
客服邮箱：service@zofund.com
电话号码：021－68609700，400－700－9700
传真号码：021－33830351
经营范围：基金管理业务、包括依中国法律从事证券投资基金的设立和管理、基金管理和与此相关的其他业务。
基金数量：104 只（其中普通基金 91 只，货币基金 9 只，理财基金 0 只，封闭式基金 0 只，其他基金 4 只）。
管理规模：800.15 亿元
经理人数：20 人

【公司概况】

中欧基金成立于 2006 年 7 月 19 日，是经中国证监会批准的公募基金管理公司，注册资本 1.88 亿元人民币。

中欧基金为第一家实现员工持股的基金公司，致力为客户提供超越市场的长期回报，打造“多策略投资精品店”。

截至 2015 年 5 月底，中欧基金共管理逾 1000 亿元公募资产，荣获 2014 年度金牛基金管理公司（《中国证券报》，2015 年 3 月）。高速发展的中欧基金正成为公募基金行业的一类现象。

【公司荣誉】

2015 年度金牛基金管理公司，《中国证券报》。

2015 年度中国基金业特别贡献奖，《中国证券报》。

2015 年度“股票投资明星团队奖”，《证券时报。

2015 年度“五年持续回报明星基金公司奖”，《证券时报》。

2014 年度金牛基金管理公司，《中国证券报》。

2014 年度“三年持续回报明星基金公司”，《中国基金报》。

2014 年度“金基金 · 股票投资回报基金管理公司”，《上海证券报》。

【股东概况】

排序	股东名称	持股数量(万股)	股权比例
1	意大利意大利意联银行股份有限公司	6580.00	35%
2	国都证券有限责任公司	5640.00	30%
3	北京百骏投资有限公司	5640.00	30%
4	万盛基业投资有限责任公司	940.00	5%

【旗下基金】

序号	基金代码	基金名称	期间申购(亿份)	期间赎回(亿份)	期末总份额(亿份)	期末净资产(亿元)
1	000894	中欧睿达定期开放	0.04	2.19	9.13	10.35
2	001000	中欧明睿新起点混合	1.53	10.66	27.82	25.56
3	001110	中欧瑾泉灵活配置混合 A	0.00	0.00	0.03	9.69
4	001111	中欧瑾泉灵活配置混合 C	1.37	0.01	8.91	9.69
5	001117	中欧精选定期开放混合 A	0.02	3.38	22.88	17.14
6	001146	中欧瑾源灵活配置混合 A	0.00	0.01	0.02	15.43
7	001147	中欧瑾源灵活配置混合 C	0.00	0.00	14.75	15.43
8	001164	中欧琪和灵活配置混合 A	7.12	11.00	8.81	11.88
9	001165	中欧琪和灵活配置混合 C	0.00	0.00	2.02	11.88
10	001173	中欧瑾和灵活配置混合 A	0.21	0.38	3.34	3.75
11	001174	中欧瑾和灵活配置混合 C	0.00	0.00	0.02	3.75
12	001211	中欧滚钱宝货币	60.75	54.85	23.05	23.05
13	001306	中欧永裕混合 A	0.10	5.55	39.95	35.54
14	001307	中欧永裕混合 C	0.01	0.06	0.55	35.54
15	001615	中欧睿尚定期开放混合	–	–	7.83	8.13
16	001776	中欧兴利债券	19.12	0.01	48.33	50.21
17	001787	中欧骏盈货币 A	0.00	0.00	0.00	81.50
18	001788	中欧骏盈货币 B	0.62	–	81.50	81.50
19	001810	中欧潜力价值灵活配置混合	2.31	0.68	5.30	6.31
20	001811	中欧明睿新常态混合	0.03	0.19	1.55	1.43
21	001881	中欧新趋势混合(LOF)E	0.02	0.00	2.22	38.86
22	001882	中欧价值发现混合 E	0.01	0.00	0.05	22.05
23	001883	中欧新动力混合(LOF)E	0.05	0.05	0.02	25.04
24	001884	中欧沪深 300 指数增强 E	0.00	0.00	0.01	0.67
25	001885	中欧新蓝筹混合 E	0.02	0.01	0.08	31.75
26	001886	中欧行业成长混合(LOF)E	0.00	0.15	0.01	17.77
27	001887	中欧价值智选混合 E	0.00	0.01	0.01	20.84
28	001888	中欧盛世成长混合(LOF)E	0.02	0.04	0.14	35.19
29	001889	中欧增强回报债券(LOF)E	0.09	0.22	0.06	10.86
30	001890	中欧精选定期开放混合 E	0.00	0.00	0.01	17.14
31	001891	中欧成长优选混合 E	0.00	0.00	1.59	2.32
32	001912	中欧强势多策略债券	0.10	18.42	15.79	16.36
33	001938	中欧时代先锋股票 A	0.77	0.32	1.28	1.38
34	001955	中欧养老产业混合	0.10	0.38	0.65	0.69
35	001963	中欧天禧债券	3.04	8.22	5.76	5.90
36	001990	中欧数据挖掘混合 A	1.68	0.53	3.96	4.02
37	002009	中欧瑾通灵活配置混合 A	0.00	–	4.93	5.58
38	002010	中欧瑾通灵活配置混合 C	0.00	0.00	0.51	5.58
39	002013	中欧琪丰灵活配置混合 A	5.68	–	11.38	12.04
40	002014	中欧琪丰灵活配置混合 C	0.00	0.00	0.00	12.04
41	002478	中欧天添债券 A	0.00	–	1.59	4.90
42	002479	中欧天添债券 C	0.00	–	3.32	4.90
43	002532	中欧强盈债券	–	–	15.62	15.79
44	002591	中欧信用增利债券(LOF)E	0.00	5.03	4.96	5.83
45	002592	中欧纯债债券(LOF)E	0.30	14.33	3.12	4.54
46	002621	中欧消费主题股票 A	0.01	1.10	3.83	3.87
47	002697	中欧消费主题股票 C	0.01	0.09	0.11	3.87
48	002725	中欧强瑞多策略债券	–	–	19.74	19.86
49	002747	中欧货币 C	0.05	0.07	0.00	24.68
50	002748	中欧货币 D	2.05	2.78	1.57	24.68
51	002940	中欧强惠债券	–	–	3.00	2.97
52	003091	中欧强利债券	59.69	4.20	57.79	57.14
53	003095	中欧医疗健康混合 A	0.03	0.13	1.53	1.69
54	003096	中欧医疗健康混合 C	0.00	0.16	0.30	1.69
55	003148	中欧瑾悠灵活配置混合 A	0.99	–	2.09	7.56
56	003149	中欧瑾悠灵活配置混合 C	5.92	2.35	5.57	7.56
57	150039	中欧鼎利分级债券 A	–	–	0.17	3.65
58	150040	中欧鼎利分级债券 B	–	–	0.07	3.65
59	150159	中欧添 B	13.40	3.34	15.47	28.75
60	166001	中欧新趋势混合(LOF)A	6.52	3.36	35.43	38.86
61	166002	中欧新蓝筹混合 A	10.50	7.75	22.00	31.75
62	166003	中欧稳健债券 A	0.39	0.89	4.02	4.41
63	166004	中欧稳健债券 C	1.06	1.49	0.21	4.41
64	166005	中欧价值发现混合 A	1.76	5.57	9.87	22.05
65	166006	中欧行业成长混合(LOF)A	3.55	4.11	18.02	17.77
66	166007	中欧沪深 300 指数增强 A	0.01	0.04	0.56	0.67
67	166008	中欧增强回报债券(LOF)A	1.92	19.24	10.66	10.86
68	166009	中欧新动力混合(LOF)A	6.05	1.57	12.55	25.04
69	166010	中欧鼎利分级债券	1.08	1.42	2.61	3.65
70	166011	中欧盛世成长混合(LOF)A	8.14	12.66	28.95	35.19
71	166012	中欧信用增利债券(LOF)C	0.01	0.43	0.64	5.83
72	166014	中欧货币 A	0.51	0.68	0.79	24.68
73	166015	中欧货币 B	90.22	187.19	22.32	24.68
74	166016	中欧纯债债券(LOF)C	0.37	2.16	0.40	4.54
75	166019	中欧价值智选混合 A	0.31	0.86	11.55	20.84
76	166020	中欧成长优选混合 A	0.02	0.17	0.71	2.32
77	166021	中欧添利	–	–	29.04	28.75
78	166022	中欧添 A	13.15	5.19	13.57	28.75
79	150039	中欧鼎利分级债券 A	–	–	0.17	–
80	150040	中欧鼎利分级债券 B	–	–	0.07	–

【公司高管】

窦玉明先生：中国国籍，清华大学经济管理学院本科、硕士，美国杜兰大学 MBA。历任中信国际合作公司交易员(1994 年 9 月起至 1995 年 7 月)，深圳君安证券公司投资经理(1995 年 7 月起至 2000 年 2 月)，大成基金管理有限公司基金经理助理(2000 年 2 月起至 2000 年 10 月)，嘉实基金管理有限公司投资总监、总经理助理、副总经理兼基金经理(2000 年 10 月起至 2008 年 8 月)，富国基金管理有限公司总经理(2008 年 8 月起至 2013 年 5 月)，现任中欧基金管理有限公司董事长，民航投资管理有限公司董事。

刘建平先生：中国国籍，北京大学法学硕士。历任北京大学助教、副科长，中国证券监督管理委员会基金监管部副处长，上投摩根基金管理有限公司督察长。现任中欧基金管理有限公司董事、总经理。

第五编

中国期货市场

第一章　中国期货市场概况

2016年中国期货市场运行情况

2016年，中国期货市场成交规模持续增长，且增幅显著高于去年水平。截至2016年底，全国共有150家期货公司，分布于30省市。期货及期权品种已经达52个，其中商品期货46个，金融期货5个，金融期权1个。2016年全国期货市场累计成交量为41.38亿手，累计成交额为195.63万亿元，同比分别增长15.65%和下降64.70%。

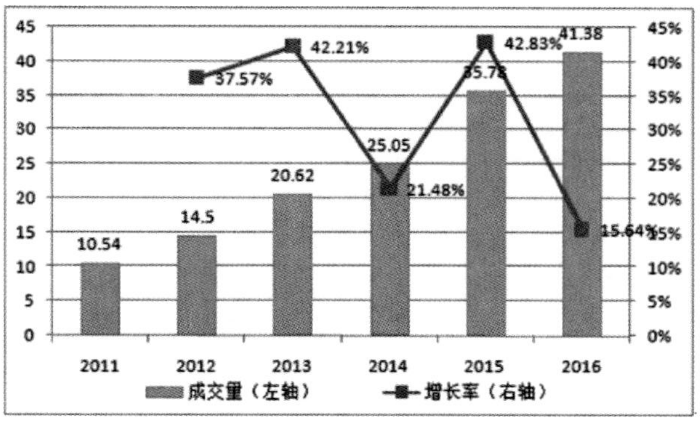

数据来源：中国期货业协会

期货行业成交量(2011－2016年)

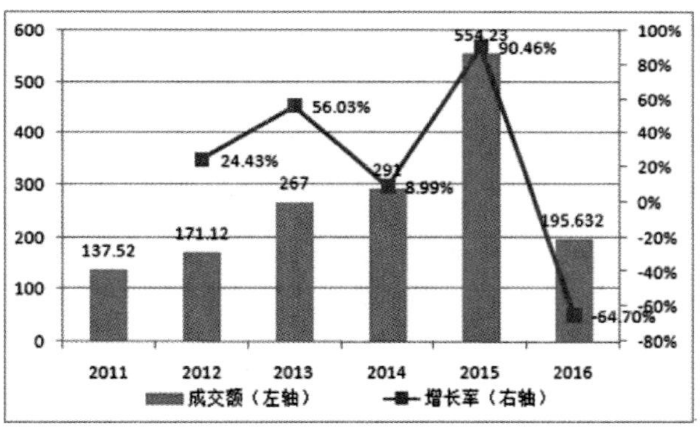

数据来源：中国期货业协会

期货行业成交额(2011－2016年)

从成交量与成交额两大指标看，商品期货与金融期货表现迥异，商品期货的成交量与成交额再创历史新高，金融期货因为股指期货的交易限制而成交萎缩幅度较大。商品期货方面，2016年市场累计成交量为41.19亿手，累计成交额为177.41万亿元，同比增长27.26%和30.00%。金融期货方面，2016年市场累计成交量为0.18亿手，累计成交额为18.22万亿元，同比下降94.62%和95.64%。金融期货产品中，沪深300、上证50、中证500股指期货品种成交量较去年大幅下降98.48%、95.42%和84%。

在供给侧改革叠加高收益资产荒的背景下，大宗商品价格超跌反弹，资金参与热情高涨，一定程度上弥补了股指期货受限对经纪业务的影响。

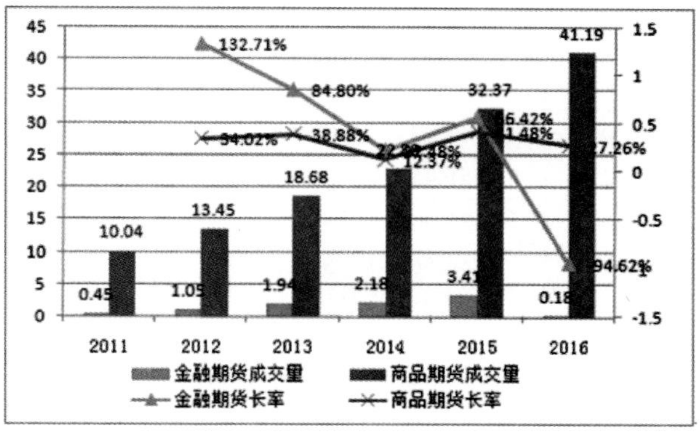

数据来源：中国期货业协会

商品与金融期货成交量(2011－2016年)

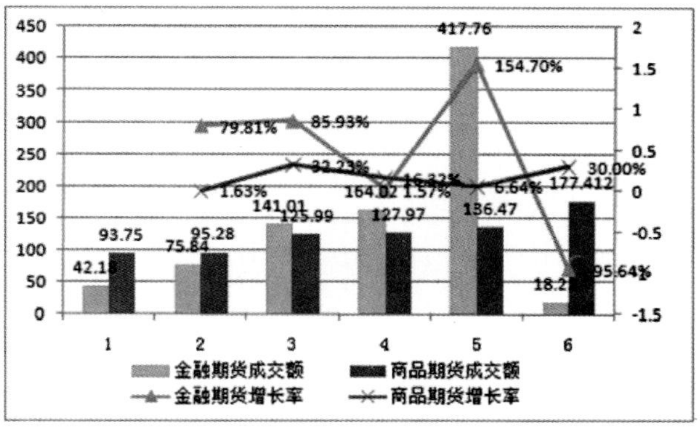

数据来源：中国期货业协会

商品与金融期货成交额(2011－2016年)

总体来看，期货市场的集中度有提升的趋势。目前，我国期货市场的体量大致在4 000亿规模，有150家期货公司。保证金前10名期货公司的行业占比从2013年的不到35%提升至2015年的45%以上；前20名期货公司的行业占比从2013年的约52%提升至2015年的60%以上；前30名期货公司的行业占比从2013年的约62%提升至2015年的70%以上。在净利润方面，期货公司也逐渐体现出规模经济特征。

期货行业集中度对比(2014年、2015年)

行业占比(%)	年份	前10名	前20名	前30名
保证金行业占比	2014	38.75	62.15	67.65
	2015	45.14	61.26	71.77
手续费收入行业占比	2014	30.37	46.57	58.23
	2015	30.54	48.01	59.32
净利润行业占比	2014	41.3	61.6	74.63
	2015	44.09	63.88	75.57

2016 年 1—12 月期货交易情况统计表

日期	大连商品交易所		上海期货交易所		郑州商品交易所		中国金融期货交易所	
	成交量（万张）	成交金额（亿元）	成交量（万张）	成交金额（亿元）	成交量（万张）	成交金额（亿元）	成交量（万张）	成交金额（亿元）
2016.01	11503.31	38347.35	11695.77	56535.46	6329.37	18631.32	189.02	18488.96
2016.02	8524.12	29837.58	7756.63	40232.57	3795.03	11655.72	137.02	13056.16
2016.03	20929.79	80661.67	24494.35	104166.37	8773.26	25849.74	207.59	20008.02
2016.04	18949.40	79463.10	22842.38	95487.51	9371.59	31921.35	157.66	15718.16
2016.05	14551.45	52774.83	15958.37	71570.51	8334.29	26729.71	141.65	13849.51
2016.06	13425.58	47825.32	11618.84	56975.90	9250.64	31558.36	121.63	12080.25
2016.07	13749.56	52727.17	16020.29	87359.17	9920.28	36882.22	133.71	13673.92
2016.08	10394.02	43082.98	13029.57	65998.20	7228.11	25356.95	154.99	15914.64
2016.09	8668.97	35345.82	9862.67	48519.42	5968.05	21167.96	108.27	11048.14
2016.10	8434.46	38430.28	8430.58	43930.72	5989.98	22760.37	90.27	9276.06
2016.11	13865.20	66755.86	15003.88	101128.86	8754.53	33926.52	145.88	14945.54
2016.12	10752.13	48801.02	11357.85	77870.25	6413.40	23880.16	245.90	24131.74

注：自 2011 年 1 月份起，成交量和成交金额数据按照单边统计。

2016 年 1 月份全国期货市场交易情况统计

交易所	品种	今年1月成交量（手）	去年1月交易量（手）	同比增减百分比（%）	今年1月成交金额（亿元）	去年1月成交金额（亿元）	同比增减百分比（%）	今年1-1月成交总量（手）	去年1-1月成交总量（手）	同比增减百分比（%）	今年1-1月成交金额（亿元）	去年1-1月成交金额（亿元）	同比增减百分比（%）	今年1-1月成交金额所占份额（%）	去年1-1月成交金额所占份额（%）	同比增减百分比（%）
上海期货交易所	铜	8,396,831	9,405,081	-10.72	14,857.41	19,447.92	-23.60	8,396,831	9,405,081	-10.72	14,857.41	19,447.92	-23.60	11.26%	4.35%	159.00
	铝	3,615,083	982,272	268.03	1,936.07	629.56	207.53	3,615,083	982,272	268.03	1,936.07	629.56	207.53	1.47%	0.14%	942.59
	锌	5,374,077	3,531,313	52.18	3,446.68	2,857.08	20.64	5,374,077	3,531,313	52.18	3,446.68	2,857.08	20.64	2.61%	0.64%	308.99
	铅	138,859	155,403	-10.65	89.93	95.65	-5.98	138,859	155,403	-10.65	89.93	95.65	-5.98	0.07%	0.02%	218.76
	黄金	2,652,761	2,529,455	4.87	6,226.51	6,422.55	-3.05	2,652,761	2,529,455	4.87	6,226.51	6,422.55	-3.05	4.72%	1.44%	228.68
	天胶	7,558,400	7,291,603	3.66	7,643.89	9,488.16	-19.44	7,558,400	7,291,603	3.66	7,643.89	9,488.16	-19.44	5.79%	2.12%	173.13
	燃料油	117	145	-19.31	0.15	0.22	-33.08	117	145	-19.31	0.15	0.22	-33.08	0.00%	0.00%	126.88
	螺纹钢	63,273,826	42,569,947	48.63	11,408.86	10,730.54	6.32	63,273,826	42,569,947	48.63	11,408.86	10,730.54	6.32	8.64%	2.40%	260.45
	线材	1	20	-95.00	0.00	0.01	-96.63	1	20	-95.00	0.00	0.01	-96.63	0.00%	0.00%	-88.59
	白银	5,027,091	21,120,383	-76.20	2,508.80	11,711.26	-78.58	5,027,091	21,120,383	-76.20	2,508.80	11,711.26	-78.58	1.90%	2.62%	-27.37
	沥青	10,936,765	46,405	23,468.07	1,909.29	13.37	14,177.61	10,936,765	46,405	23,468.07	1,909.29	13.37	14,177.61	1.45%	0.00%	48,304.44
	热轧卷板	807,476	124,623	547.93	154.92	33.19	366.83	807,476	124,623	547.93	154.92	33.19	366.83	0.12%	0.01%	1,482.65
	镍	9,000,890			6,185.07			9,000,890			6,185.07			4.69%		
	锡	175,500			167.86			175,500			167.86			0.13%		
	小 计	116,957,677	87,756,650	33.28	56,535.46	61,429.51	-7.97	116,957,677	87,756,650	33.28	56,535.46	61,429.51	-7.97	42.83%	13.73%	212.01
郑州商品交易所	强麦	75,215	11,598	548.52	43.43	6.12	610.15	75,215	11,598	548.52	43.43	6.12	610.15	0.03%	0.00%	2,307.56
	棉花	1,704,933	2,345,650	-27.32	957.45	1,535.71	-37.65	1,704,933	2,345,650	-27.32	957.45	1,535.71	-37.65	0.73%	0.34%	111.37
	白糖	14,759,836	14,346,158	2.88	8,114.00	7,008.71	15.77	14,759,836	14,346,158	2.88	8,114.00	7,008.71	15.77	6.15%	1.57%	292.49
	pta	12,291,279	17,855,037	-31.16	2,666.33	4,153.05	-35.80	12,291,279	17,855,037	-31.16	2,666.33	4,153.05	-35.80	2.02%	0.93%	117.66
	菜籽油	819,710	805,496	1.76	457.92	481.44	-4.88	819,710	805,496	1.76	457.92	481.44	-4.88	0.35%	0.11%	222.46
	早籼稻	42	569	-92.62	0.02	0.26	-91.85	42	569	-92.62	0.02	0.26	-91.85	0.00%	0.00%	-72.36
	甲醇	16,262,684	18,295,345	-11.11	2,830.82	3,679.72	-23.07	16,262,684	18,295,345	-11.11	2,830.82	3,679.72	-23.07	2.14%	0.82%	160.81
	普麦	21	37	-43.24	0.02	0.05	-47.90	21	37	-43.24	0.02	0.05	-47.90	0.00%	0.00%	76.62

交易所	品种	今年1月成交量（手）	去年1月交易量（手）	同比增减百分比（%）	今年1月成交金额（亿元）	去年1月成交金额（亿元）	同比增减百分比（%）	今年1-1月成交总量（手）	去年1-1月成交总量（手）	同比增减百分比（%）	今年1-1月成交金额（亿元）	去年1-1月成交金额（亿元）	同比增减百分比（%）	今年1-1月成交金额所占份额（%）	去年1-1月成交金额所占份额（%）	同比增减百分比（%）
郑州商品交易所	玻璃	2,871,052	4,470,285	-35.77	484.66	834.61	-41.93	2,871,052	4,470,285	-35.77	484.66	834.61	-41.93	0.37%	0.19%	96.87
	油菜籽	438	76	476.32	0.17	0.03	403.53	438	76	476.32	0.17	0.03	403.53	0.00%	0.00%	1,607.07
	菜籽粕	12,147,777	19,824,874	-38.72	2,336.22	4,259.31	-45.15	12,147,777	19,824,874	-38.72	2,336.22	4,259.31	-45.15	1.77%	0.95%	85.95
	动力煤(旧)	137	103,671	-99.87	0.08	98.22	-99.92	137	103,671	-99.87	0.08	98.22	-99.92	0.00%	0.02%	-99.71
	粳稻		6	-100.00	0.00	0.00	-100.00		6	-100.00	0.00	0.00	-100.00	0.00%	0.00%	-100.00
	晚籼稻	10	584	-98.29	0.00	0.33	-98.50	10	584	-98.29	0.00	0.33	-98.50	0.00%	0.00%	-94.90
	硅铁	6,756	1,073	529.64	1.36	0.28	382.84	6,756	1,073	529.64	1.36	0.28	382.84	0.00%	0.00%	1,536.93
	锰硅	7,225	2,718	165.82	1.53	0.78	97.73	7,225	2,718	165.82	1.53	0.78	97.73	0.00%	0.00%	570.37
	动力煤(新)	2,346,587			737.27			2,346,587			737.27			0.56%		
	小 计	63,293,702	78,063,177	-18.92	18,631.32	22,058.63	-15.54	63,293,702	78,063,177	-18.92	18,631.32	22,058.63	-15.54	14.11%	4.93%	186.35
大连商品交易所	豆一	1,355,286	1,208,592	12.14	484.56	538.80	-10.07	1,355,286	1,208,592	12.14	484.56	538.80	-10.07	0.37%	0.12%	204.89
	豆二	56	141	-60.28	0.02	0.05	-59.98	56	141	-60.28	0.02	0.05	-59.98	0.00%	0.00%	35.68
	豆粕	17,471,925	23,970,065	-27.11	4,200.34	6,545.41	-35.83	17,471,925	23,970,065	-27.11	4,200.34	6,545.41	-35.83	3.18%	1.46%	117.56
	玉米	4,855,463	524,714	825.35	877.54	126.87	591.70	4,855,463	524,714	825.35	877.54	126.87	591.70	0.66%	0.03%	2,245.02
	豆油	6,885,076	5,032,441	36.81	3,853.60	2,817.83	36.76	6,885,076	5,032,441	36.81	3,853.60	2,817.83	36.76	2.92%	0.63%	363.64
	线型低密度聚乙烯	11,596,033	11,066,320	4.79	4,655.75	4,559.58	2.11	11,596,033	11,066,320	4.79	4,655.75	4,559.58	2.11	3.53%	1.02%	246.17
	棕榈油	13,073,759	4,426,013	195.38	6,150.98	2,172.82	183.09	13,073,759	4,426,013	195.38	6,150.98	2,172.82	183.09	4.66%	0.49%	859.73
	聚氯乙烯	195,941	145,740	34.45	46.25	36.96	25.16	195,941	145,740	34.45	46.25	36.96	25.16	0.04%	0.01%	324.33
	焦炭	1,773,696	1,314,680	34.91	1,123.28	1,373.85	-18.24	1,773,696	1,314,680	34.91	1,123.28	1,373.85	-18.24	0.85%	0.31%	177.19
	焦煤	2,103,310	1,081,935	94.40	684.77	475.62	43.97	2,103,310	1,081,935	94.40	684.77	475.62	43.97	0.52%	0.11%	388.11
	铁矿石	29,012,551	7,826,223	270.71	9,130.65	3,878.06	135.44	29,012,551	7,826,223	270.71	9,130.65	3,878.06	135.44	6.92%	0.87%	698.21
	鸡蛋	1,820,933	1,428,651	27.46	596.26	604.83	-1.42	1,820,933	1,428,651	27.46	596.26	604.83	-1.42	0.45%	0.14%	234.22
	胶合板	2	110,969	-100.00	0.00	64.60	-100.00	2	110,969	-100.00	0.00	64.60	-100.00	0.00%	0.01%	-100.00
	纤维板	81	31,372	-99.74	0.02	9.32	-99.79	81	31,372	-99.74	0.02	9.32	-99.79	0.00%	0.00%	-99.29
	聚丙烯	16,790,218	6,693,887	150.83	4,880.57	2,437.20	100.25	16,790,218	6,693,887	150.83	4,880.57	2,437.20	100.25	3.70%	0.54%	578.91
	玉米淀粉	8,098,760	127,136	6,270.15	1,662.76	34.40	4,733.21	8,098,760	127,136	6,270.15	1,662.76	34.40	4,733.21	1.26%	0.01%	16,285.71
	小 计	115,033,090	64,988,879	77.00	38,347.35	25,676.18	49.35	115,033,090	64,988,879	77.00	38,347.35	25,676.18	49.35	29.05%	5.74%	406.33
中金所	沪深300指数	445,345	31,477,396	-98.59	4,160.69	337,018.59	-98.77	445,345	31,477,396	-98.59	4,160.69	337,018.59	-98.77	3.15%	75.31%	-95.81
	5年期国债期货	452,946	137,593	229.19	4,561.43	1,338.43	240.80	452,946	137,593	229.19	4,561.43	1,338.43	240.80	3.46%	0.30%	1,055.41
	10年期国债期货	550,910			5,516.00			550,910			5,516.00			4.18%		
	上证50股指期货	165,014			1,028.85			165,014			1,028.85			0.78%		
	中证500股指期货	275,978			3,221.99			275,978			3,221.99			2.44%		
	小 计	1,890,193	31,614,989	-94.02	18,488.96	338,357.02	-94.54	1,890,193	31,614,989	-94.02	18,488.96	338,357.02	-94.54	14.01%	75.61%	-81.47
全国期货市场		297,174,662	262,423,695	13.24	132,003.09	447,521.34	-70.50	297,174,662	262,423,695	13.24	132,003.09	447,521.34	-70.50	100.00%	100.00%	0.00%

注：动力煤(新)是郑商所5月18日修改后，新合约交易单位100吨/手。

动力煤(旧)是郑商所5月18日修改前，旧合约交易单位200吨/手。

2016 年 2 月份全国期货市场交易情况统计

交易所	品种	今年2月成交量（手）	去年2月交易量（手）	同比增减百分比（%）	今年2月成交金额（亿元）	去年2月成交金额（亿元）	同比增减百分比（%）	今年1-2月成交总量（手）	去年1-2月成交总量（手）	同比增减百分比（%）	今年1-2月成交金额（亿元）	去年1-2月成交金额（亿元）	同比增减百分比（%）	今年1-2月成交金额所占份额（%）	去年1-2月成交金额所占份额（%）	同比增减百分比（%）
上海期货交易所	铜	4,534,398	5,479,955	-17	8,147	11,310	-28	12,931,229	14,885,036	-13	23,004	30,758	-25			135
	铝	2,466,512	571,217	332	1,364	375	264	6,081,595	1,553,489	291	3,300	1,004	229			933
	锌	4,277,772	1,284,330	233	2,961	1,043	184	9,651,849	4,815,643	100	6,408	3,900	64			417
	铅	157,943	47,095	235	108	29	268	296,802	202,498	47	198	125	58			398
	黄金	3,087,835	1,427,054	116	7,885	3,608	119	5,740,596	3,956,509	45	14,112	10,030	41			342
	天胶	5,111,046	4,289,729	19	5,347	5,799	-8	12,669,446	11,581,332	9	12,991	15,287	-15			167
	燃料油	61	178	-66			-73	178	323	-45		1	-56			39
	螺纹钢	38,255,278	14,920,410	156	7,217	3,745	93	101,529,104	57,490,357	77	18,626	14,475	29			305
	线材		12	-100			-100	1	32	-97			-98			-93
	白银	3,387,943	12,112,705	-72	1,734	6,595	-74	8,415,034	33,233,088	-75	4,243	18,307	-77			-27
	沥青	10,420,722	81,781	12,642	1,782	24	7,410	21,357,487	128,186	16,561	3,691	37	9,850			31,189
	热轧卷板	787,017	89,620	778	158	23	580	1,594,493	214,243	644	313	56	455			1,645
	镍	4,859,677			3,304			13,860,567			9,489					
	锡	220,132			226			395,632			394					
	小 计	77,566,336	40,304,086	92	40,233	32,550	24	194,524,013	128,060,736	52	96,768	93,980	3			224
郑州商品交易所	强麦	48,709	4,179	1,066	28	2	1,161	123,924	15,777	685	71	8	756			2,592
	棉花	1,927,095	1,535,979	25	1,015	1,024	-1	3,632,028	3,881,629	-6	1,973	2,560	-23			142
	白糖	9,175,612	12,402,321	-26	4,955	6,286	-21	23,935,448	26,748,479	-11	13,069	13,294	-2			209
	pta	6,819,624	13,280,924	-49	1,504	3,171	-53	19,110,903	31,135,961	-39	4,170	7,324	-43			79
	菜籽油	610,856	409,657	49	342	239	43	1,430,566	1,215,153	18	800	720	11			249
	早籼稻	18	326	-94			-94	60	895	-93			-93			-77
	甲醇	9,406,193	15,818,306	-41	1,702	3,462	-51	25,668,877	34,113,651	-25	4,532	7,142	-37			100
	普麦	2	11	-82			-82	23	48	-52			-56			39
	玻璃	1,665,122	1,702,663	-2	296	319	-7	4,536,174	6,172,948	-27	781	1,153	-32			113
	油菜籽	63	76	-17			-29	501	152	230			185			795
	菜籽粕	6,592,344	12,688,217	-48	1,257	2,780	-55	18,740,121	32,513,091	-42	3,593	7,039	-49			61
	动力煤(旧)	8	62,786	-100		58	-100	145	166,457	-100		156	-100			-100
	粳稻	7	2	250			238	7	8	-13			-15			168
	晚籼稻	3	48	-94			-94	13	632	-98			-98			-94
	硅铁	1,250	421	197			142	8,006	1,494	436	2		316			1,208
	锰硅	1,638	1,589	3			-19	8,863	4,307	106	2	1	55			388
	动力煤(新)	1,701,739			557			4,048,326			1,294					
	小 计	37,950,283	57,907,505	-34	11,656	17,341	-33	101,243,985	135,970,682	-26	30,287	39,400	-23			142
大连商品交易所	豆一	874,942	621,726	41	305	271	12	2,230,228	1,830,318	22	789	810	-3			206
	豆二	46	160	-71			-71	102	301	-66			-66			8
	豆粕	10,285,114	15,848,611	-35	2,451	4,364	-44	27,757,039	39,818,676	-30	6,651	10,909	-39			92
	玉米	5,399,304	459,535	1,075	924	114	711	10,254,767	984,249	942	1,802	241	648			2,252
	豆油	4,046,595	3,474,862	16	2,312	1,912	21	10,931,671	8,507,303	28	6,165	4,730	30			310
	线型低密度聚乙烯	8,275,542	8,024,608	3	3,569	3,551	1	19,871,575	19,090,928	4	8,225	8,111	1			219
	棕榈油	7,378,866	3,516,836	110	3,634	1,707	113	20,452,625	7,942,849	157	9,785	3,879	152			693

交易所	品种	今年2月成交量（手）	去年2月交易量（手）	同比增减百分比（%）	今年2月成交金额（亿元）	去年2月成交金额（亿元）	同比增减百分比（%）	今年1-2月成交总量（手）	去年1-2月成交总量（手）	同比增减百分比（%）	今年1-2月成交金额（亿元）	去年1-2月成交金额（亿元）	同比增减百分比（%）	今年1-2月成交金额所占份额（%）	去年1-2月成交金额所占份额（%）	同比增减百分比（%）
大连商品交易所	聚氯乙烯	116,356	66,709	74	29	17	70	312,297	212,449	47	75	54	39			338
	焦炭	1,904,989	307,071	520	1,293	317	307	3,678,685	1,621,751	127	2,416	1,691	43			349
	焦煤	1,904,227	311,436	511	672	137	389	4,007,537	1,393,371	188	1,356	613	121			596
	铁矿石	27,110,016	3,625,428	648	9,470	1,735	446	56,122,567	11,451,651	390	18,601	5,613	231			942
	鸡蛋	1,272,976	946,513	34	402	400	1	3,093,909	2,375,164	30	999	1,005	-1			213
	胶合板		16,067	-100		9	-100	2	127,036	-100		74	-100			-100
	纤维板	66	11,052	-99		3	-100	147	42,424	-100		13	-100			-99
	聚丙烯	12,270,852	4,786,357	156	3,884	1,878	107	29,061,070	11,480,244	153	8,765	4,315	103			539
	玉米淀粉	4,401,271	196,638	2,138	893	57	1,480	12,500,031	323,774	3,761	2,556	91	2,710			8,738
	小计	85,241,162	42,213,609	102	29,838	16,473	81	200,274,252	107,202,488	87	68,185	42,150	62			409
中金所	沪深300指数	353,421	19,072,975	-98	3,118	197,928	-98	798,766	50,550,371	-98	7,279	534,946	-99		1	-96
	5年期国债期货	240,194	138,476	73	2,416	1,365	77	693,140	276,069	151	6,978	2,703	158			712
	10年期国债期货	413,613			4,131			964,523			9,647					
	上证50股指期货	125,131			735			290,145			1,764					
	中证500股指期货	237,826			2,656			513,804			5,878					
	小计	1,370,185	19,211,451	-93	13,056	199,293	-93	3,260,378	50,826,440	-94	31,545	537,650	-94		1	-82
全国期货市场		202,127,966	159,636,651	27	94,782	265,657	-64	499,302,628	422,060,346	18	226,785	713,179	-68	100.00%	100.00%	0.00%

注：动力煤（新）是郑商所5月18日修改后，新合约交易单位100吨/手。

动力煤（旧）是郑商所5月18日修改前，旧合约交易单位200吨/手。

2016年3月份全国期货市场交易情况统计

交易所	品种	今年3月成交量（手）	去年3月交易量（手）	同比增减百分比（%）	今年3月成交金额（亿元）	去年3月成交金额（亿元）	同比增减百分比（%）	今年1-3月成交总量（手）	去年1-3月成交总量（手）	同比增减百分比（%）	今年1-3月成交金额（亿元）	去年1-3月成交金额（亿元）	同比增减百分比（%）	今年1-3月成交金额所占份额（%）	去年1-3月成交金额所占份额（%）	同比增减百分比（%）
上海期货交易所	铜	9,573,066	8,216,519	17	17,963	17,609	2	22,504,295	23,101,555	-3	40,967	48,367	-15	8.96	4.05	121.01
	铝	3,432,110	885,292	288	1,968	582	238	9,513,705	2,438,781	290	5,268	1,586	232.05	1.15	0.13	766.44
	锌	6,984,844	2,039,544	242	4,985	1,615	209	16,636,693	6,855,187	143	11,393	5,515	106.58	2.49	0.46	439.05
	铅	157,339	76,006	107	108	47	131	454,141	278,504	63	305	172	78.02	0.07	0.01	364.52
	黄金	5,397,518	2,264,062	138	14,144	5,448	160	11,138,114	6,220,571	79	28,256	15,478	82.56	6.18	1.30	376.35
	天胶	11,819,380	5,909,621	100	13,510	7,655	76	24,488,826	17,490,953	40	26,501	22,942	15.51	5.79	1.92	201.42
	燃料油	81	678	-88		1	-92	259	1,001	-74		2	-80.69	0.00	0.00	-49.61
	螺纹钢	154,598,723	41,100,474	276	32,753	10,215	221	256,127,827	98,590,831	160	51,379	24,690	108.09	11.23	2.07	442.99
	线材	10	73	-86			-89	11	105	-90			-91.65	0.00	0.00	-78.20
	白银	8,032,161	17,757,317	-55	4,141	9,434	-56	16,447,195	50,990,405	-68	8,384	27,741	-69.78	1.83	2.32	-21.14
	沥青	30,380,076	548,767	5,436	5,623	169	3,230	51,737,563	676,953	7,543	9,314	206	4,422.21	2.04	0.02	—
	热轧卷板	3,102,996	152,160	1,939	708	39	1,732	4,697,489	366,403	1,182	1,021	95	973.98	0.22	0.01	2,702.39
	镍	10,761,962	104,201	10,228	7,490	102	7,271	24,622,529	104,201	—	16,979	102	—	3.71	0.01	—
	锡	703,242	4,436	15,753	773	5	14,657	1,098,874	4,436	—	1,167	5	—	0.26	0.00	—
	小计	244,943,508	79,059,150	210	104,166	52,921	97	439,467,521	207,119,886	112	200,934	146,901	36.78	43.92	12.31	256.91

交易所	品种	今年3月成交量（手）	去年3月交易量（手）	同比增减百分比（%）	今年3月成交金额（亿元）	去年3月成交金额（亿元）	同比增减百分比（%）	今年1-3月成交总量（手）	去年1-3月成交总量（手）	同比增减百分比（%）	今年1-3月成交金额（亿元）	去年1-3月成交金额（亿元）	同比增减百分比（%）	今年1-3月成交金额所占份额（%）	去年1-3月成交金额所占份额（%）	同比增减百分比（%）
郑州商品交易所	强麦	71,813	6,111	1,075	41	3	1,174	195,737	21,888	794	112	12	871.78	0.02	0.00	2,435.71
	棉花	5,334,533	1,548,345	245	2,744	1,027	167	8,966,561	5,429,974	65	4,717	3,587	31.50	1.03	0.30	243.14
	白糖	15,085,685	16,770,190	-10	8,259	8,586	-4	39,021,133	43,518,669	-10	21,328	21,880	-2.52	4.66	1.83	154.35
	pta	17,117,120	26,011,389	-34	4,001	6,272	-36	36,228,023	57,147,350	-37	8,171	13,596	-39.90	1.79	1.14	56.82
	菜籽油	1,464,518	463,337	216	840	273	208	2,895,084	1,678,490	72	1,639	993	65.08	0.36	0.08	330.76
	早籼稻	54	393	-86			-85	114	1,288	-91		1	-90.40	0.00	0.00	-74.95
	甲醇	20,781,621	71,779,672	-71	3,978	17,285	-77	46,450,498	105,893,323	-56	8,510	24,426	-65.16	1.86	2.05	-9.09
	普麦	3	6	-50			-50	26	54	-52			-55.13	0.00	0.00	17.07
	玻璃	4,605,546	3,298,260	40	880	625	41	9,141,720	9,471,208	-3	1,661	1,779	-6.61	0.36	0.15	143.68
	油菜籽	1,008	88	1,045			847	1,509	240	529	1		435.56	0.00	0.00	1,297.47
	菜籽粕	19,631,748	32,971,362	-40	3,822	7,513	-49	38,371,869	65,484,453	-41	7,415	14,552	-49.05	1.62	1.22	32.96
	动力煤(旧)	2	177,050	-100		158	-100	147	343,507	-100		314	-99.97	0.00	0.03	-99.93
	粳稻	24	11	118			114	31	19	63			59.10	0.00	0.00	315.14
	晚籼稻	46	87	-47			-47	59	719	-92			-92.05	0.00	0.00	-79.27
	硅铁	11,413	212	5,283	3		4,905	19,419	1,706	1,038	4		874.54	0.00	0.00	2,442.92
	锰硅	16,210	4,929	229	4	1	214	25,073	9,236	171	6	3	139.00	0.00	0.00	523.62
	动力煤(新)	3,611,287			1,279			7,659,613			2,573			0.56	0.00	
	小 计	87,732,631	153,031,442	-43	25,850	41,743	-38	188,976,616	289,002,124	-35	56,137	81,143	-30.82	12.27	6.80	80.52
大连商品交易所	豆一	2,402,140	1,499,863	60	840	626	34	4,632,368	3,330,181	39	1,629	1,436	13.49	0.36	0.12	196.13
	豆二	345	342	1			3	447	643	-30			-29.18	0.00	0.00	84.78
	豆粕	25,360,251	30,288,605	-16	5,938	8,512	-30	53,117,290	70,107,281	-24	12,589	19,421	-35.18	2.75	1.63	69.14
	玉米	14,147,826	779,794	1,714	2,278	197	1,057	24,402,593	1,764,043	1,283	4,080	438	831.81	0.89	0.04	2,331.43
	豆油	10,195,589	6,453,323	58	5,998	3,549	69	21,127,260	14,960,626	41	12,163	8,279	46.92	2.66	0.69	283.36
	线型低密度聚乙烯	16,767,396	14,473,347	16	7,498	6,797	10	36,638,971	33,564,275	9	15,722	14,907	5.47	3.44	1.25	175.20
	棕榈油	16,786,267	6,469,294	159	8,816	3,105	184	37,238,892	14,412,143	158	18,601	6,984	166.32	4.07	0.59	594.91
	聚氯乙烯	316,337	154,937	104	83	42	97	628,634	367,386	71	159	96	64.53	0.03	0.01	329.31
	焦炭	6,720,345	741,363	806	5,046	727	594	10,399,030	2,363,114	340	7,462	2,418	208.56	1.63	0.20	705.15
	焦煤	4,407,600	750,313	487	1,626	319	410	8,415,137	2,143,684	293	2,983	932	220.13	0.65	0.08	735.35
	铁矿石	76,214,430	10,009,380	661	30,913	4,420	599	132,336,997	21,461,031	517	49,514	10,033	393.49	10.82	0.84	1,187.70
	鸡蛋	2,158,167	1,383,837	56	721	593	22	5,252,076	3,759,001	40	1,719	1,597	7.65	0.38	0.13	180.89
	胶合板	4	15,266	-100		9	-100	6	142,302	-100		83	-100.00	0.00	0.01	-99.99
	纤维板	18	7,680	-100		2	-100	165	50,104	-100		15	-99.74	0.00	0.00	-99.32
	聚丙烯	27,191,998	11,410,719	138	9,574	4,726	103	56,253,068	22,890,963	146	18,338	9,041	102.84	4.01	0.76	429.28
	玉米淀粉	6,629,150	702,331	844	1,330	210	532	19,129,181	1,026,105	1,764	3,886	301	1,189.53	0.85	0.03	3,264.85
	小 计	209,297,863	85,140,394	146	80,662	33,833	138	409,572,115	192,342,882	113	148,847	75,983	95.89	32.54	6.37	411.16

交易所	品种	今年3月成交量（手）	去年3月交易量（手）	同比增减百分比（%）	今年3月成交金额（亿元）	去年3月成交金额（亿元）	同比增减百分比（%）	今年1-3月成交总量（手）	去年1-3月成交总量（手）	同比增减百分比（%）	今年1-3月成交金额（亿元）	去年1-3月成交金额（亿元）	同比增减百分比（%）	今年1-3月成交金额所占份额（%）	去年1-3月成交金额所占份额（%）	同比增减百分比（%）
中金所	沪深300指数	562,412	30,737,191	-98	5,163	347,819	-99	1,361,178	81,287,562	-98	12,441	882,766	-98.59	2.72	73.95	-96.32
	5年期国债期货	313,722	414,944	-24	3,155	4,076	-23	1,006,862	691,013	46	10,133	6,779	49.47	2.21	0.57	290.03
	10年期国债期货	550,266	13,812	3,884	5,470	133	4,001	1,514,789	13,812	10,867	15,117	133	11,233.86	3.30	0.01	29,474.09
	上证50股指期货	215,968			1,350			506,113			3,113			0.68	0.00	
	中证500股指期货	433,560			4,871			947,364			10,749			2.35	0.00	
	小计	2,075,928	31,165,947	-93	20,008	352,028	-94	5,336,306	81,992,387	-93	51,553	889,678	-94.21	11.27	74.53	-84.88
全国期货市场		544,049,930	348,396,933	56	230,686	480,526	-52	1,043,352,558	770,457,279	35	457,471	1,193,705	-61.68	100.00	100.00	0.00%

注：动力煤(新)是郑商所5月18日修改后，新合约交易单位100吨/手。
动力煤(旧)是郑商所5月18日修改前，旧合约交易单位200吨/手。

2016年4月份全国期货市场交易情况统计

交易所	品种	今年4月成交量（手）	去年4月交易量（手）	同比增减百分比（%）	今年4月成交金额（亿元）	去年4月成交金额（亿元）	同比增减百分比（%）	今年1-4月成交总量（手）	去年1-4月成交总量（手）	同比增减百分比（%）	今年1-4月成交金额（亿元）	去年1-4月成交金额（亿元）	同比增减百分比（%）	今年1-4月成交金额所占份额（%）	去年1-4月成交金额所占份额（%）	同比增减百分比（%）
上海期货交易所	铜	6,961,779	5,587,995	24.58	12,927.05	12,140.63	6.48	29,466,074	28,689,550	2.71	53,894.20	60,507.53	-10.93	7.92%	3.29%	140.78
	铝	4,196,617	835,618	402.22	2,590.67	553.01	368.47	13,710,322	3,274,399	318.71	7,858.43	2,139.45	267.31	1.16%	0.12%	892.95
	锌	5,708,450	2,025,130	181.88	4,241.35	1,672.31	153.62	22,345,143	8,880,317	151.63	15,634.46	7,187.32	117.53	2.30%	0.39%	488.05
	铅	130,100	154,050	-15.55	86.52	102.74	-15.79	584,241	432,554	35.07	391.92	274.30	42.88	0.06%	0.01%	286.26
	黄金	2,982,096	1,976,430	50.88	7,760.11	4,760.77	63.00	14,120,210	8,197,001	72.26	36,015.91	20,238.64	77.96	5.30%	1.10%	381.07
	天胶	10,531,501	5,159,301	104.13	13,263.89	6,837.53	93.99	35,020,327	22,650,254	54.61	39,764.84	29,779.39	33.53	5.85%	1.62%	260.98
	燃料油	144	527	-72.68	0.17	0.88	-80.34	403	1,528	-73.63	0.49	2.53	-80.57	0.00%	0.00%	-47.47
	螺纹钢	143,928,094	67,672,268	112.68	35,220.35	15,818.25	122.66	400,055,921	166,263,099	140.62	86,599.37	40,508.70	113.78	12.73%	2.20%	477.91
	线材	4	29	-86.21	0.00	0.01	-86.23	15	134	-88.81	0.00	0.04	-90.51	0.00%	0.00%	-74.36
	白银	8,900,633	13,333,255	-33.24	4,873.40	7,091.66	-31.28	25,347,828	64,323,660	-60.59	13,257.26	34,832.72	-61.94	1.95%	1.89%	2.89
	沥青	29,367,297	1,721,124	1,606.29	5,872.62	572.04	926.61	81,104,860	2,398,077	3,282.08	15,186.97	778.01	1,852.03	2.23%	0.04%	5,176.93
	热轧卷板	5,846,079	144,517	3,945.25	1,569.64	35.06	4,376.89	10,543,568	510,920	1,963.64	2,590.82	130.14	1,890.72	0.38%	0.01%	5,281.53
	镍	9,593,617	2,128,677	350.68	6,778.48	2,079.70	225.94	34,216,146	2,232,878	1,432.38	23,757.30	2,181.31	989.13	3.49%	0.12%	2,844.25
	锡	277,390	71,481	288.06	303.25	82.62	267.03	1,376,264	75,917	1,712.85	1,469.91	87.86	1,573.01	0.22%	0.00%	4,422.65
	小计	228,423,801	100,810,402	126.59	95,487.51	51,747.19	84.53	667,891,322	307,930,288	116.90	296,421.88	198,647.94	49.22	43.59%	10.81%	303.39
郑州商品交易所	强麦	62,147	7,561	721.94	34.45	3.87	791.20	257,884	29,449	775.70	146.24	15.37	851.51	0.02%	0.00%	2,472.22
	棉花	14,466,613	2,502,740	478.03	8,863.36	1,652.89	436.23	23,433,174	7,932,714	195.40	13,580.12	5,239.67	159.18	2.00%	0.29%	600.64
	白糖	11,736,756	14,538,384	-19.27	6,623.67	8,020.10	-17.41	50,757,889	58,057,053	-12.57	27,951.63	29,900.43	-6.52	4.11%	1.63%	152.71
	pta	22,563,659	27,990,095	-19.39	5,551.28	7,219.60	-23.11	58,791,682	85,137,445	-30.94	13,722.37	20,815.38	-34.08	2.02%	1.13%	78.21
	菜籽油	2,046,297	462,191	342.74	1,249.80	274.91	354.63	4,941,381	2,140,681	130.83	2,889.13	1,267.95	127.86	0.42%	0.07%	515.97
	早籼稻	213	352	-39.49	0.12	0.17	-27.55	327	1,640	-80.06	0.18	0.77	-76.62	0.00%	0.00%	-36.79
	甲醇	15,052,907	36,901,211	-59.21	2,966.41	9,207.48	-67.78	61,503,405	142,794,534	-56.93	11,476.50	33,633.70	-65.88	1.69%	1.83%	-7.76
	普麦	29	27	7.41	0.04	0.03	3.19	55	81	-32.10	0.07	0.10	-35.70	0.00%	0.00%	73.83
	玻璃	3,880,298	4,225,650	-8.17	778.25	767.37	1.42	13,022,018	13,696,858	-4.93	2,439.15	2,545.89	-4.19	0.36%	0.14%	159.00

交易所	品种	今年4月成交量（手）	去年4月交易量（手）	同比增减百分比（%）	今年4月成交金额（亿元）	去年4月成交金额（亿元）	同比增减百分比（%）	今年1-4月成交总量（手）	去年1-4月成交总量（手）	同比增减百分比（%）	今年1-4月成交金额（亿元）	去年1-4月成交金额（亿元）	同比增减百分比（%）	今年1-4月成交金额所占份额（%）	去年1-4月成交金额所占份额（%）	同比增减百分比（%）
郑州商品交易所	油菜籽	4,493	128	3,410.16	1.79	0.06	2,888.44	6,002	368	1,530.98	2.39	0.17	1,293.96	0.00%	0.00%	3,668.31
	菜籽粕	19,049,094	26,042,809	-26.85	3,995.57	5,739.03	-30.38	57,420,963	91,527,262	-37.26	11,410.52	20,291.43	-43.77	1.68%	1.10%	52.02
	粳稻	2	6	-66.67	0.00	0.00	-68.70	33	25	32.00	0.02	0.02	28.93	0.00%	0.00%	248.54
	晚籼稻	3	147	-97.96	0.00	0.08	-97.91	62	866	-92.84	0.03	0.48	-93.01	0.00%	0.00%	-81.09
	硅铁	6,541	236	2,671.61	1.45	0.06	2,477.89	25,960	1,942	1,236.77	5.78	0.50	1,054.52	0.00%	0.00%	3,021.01
	锰硅	4,964	2,037	143.69	1.34	0.55	143.71	30,037	11,273	166.45	7.55	3.15	139.82	0.00%	0.00%	548.30
	动力煤(新)	4,841,866			1,853.82			12,501,479			4,426.38			0.65%		
	小计	93,715,882	112,976,230	-17.05	31,921.35	33,135.53	-3.66	282,692,498	401,978,354	-29.67	88,058.14	114,278.55	-22.94	12.95%	6.22%	108.31
大连商品交易所	豆一	4,584,156	2,190,454	109.28	1,645.06	899.47	82.89	9,216,524	5,520,635	66.95	3,274.56	2,335.29	40.22	0.48%	0.13%	279.06
	豆二	462	699	-33.91	0.16	0.22	-29.91	909	1,342	-32.27	0.30	0.43	-29.56	0.00%	0.00%	90.42
	豆粕	35,282,346	24,502,534	43.99	8,931.73	6,724.39	32.83	88,399,636	94,609,815	-6.56	21,520.67	26,145.43	-17.69	3.16%	1.42%	122.51
	玉米	12,425,721	814,789	1,425.02	1,940.38	202.71	857.24	36,828,314	2,578,832	1,328.10	6,020.52	640.58	839.86	0.89%	0.03%	2,440.72
	豆油	9,259,457	8,561,264	8.16	5,746.35	4,777.70	20.27	30,386,717	23,521,890	29.18	17,909.80	13,056.86	37.17	2.63%	0.71%	270.81
	线型低密度聚乙烯	12,653,652	11,250,015	12.48	5,376.27	5,507.32	-2.38	49,292,623	44,814,290	9.99	21,098.71	20,414.64	3.35	3.10%	1.11%	179.39
	棕榈油	12,190,287	7,093,310	71.86	6,809.25	3,405.76	99.93	49,429,179	21,505,453	129.84	25,409.86	10,390.18	144.56	3.74%	0.57%	561.11
	聚氯乙烯	397,089	206,085	92.68	101.66	58.75	73.03	1,025,723	573,471	78.86	260.33	155.19	67.75	0.04%	0.01%	353.47
	焦炭	14,691,141	1,672,563	778.36	14,304.15	1,536.74	830.81	25,090,171	4,035,677	521.71	21,766.36	3,955.11	450.34	3.20%	0.22%	1,387.72
	焦煤	9,189,446	1,935,670	374.74	4,000.87	780.48	412.62	17,604,583	4,079,354	331.55	6,983.56	1,712.17	307.88	1.03%	0.09%	1,002.62
	铁矿石	50,176,638	18,641,225	169.17	21,318.67	7,443.63	186.40	182,513,635	40,102,256	355.12	70,832.46	17,476.97	305.29	10.42%	0.95%	995.62
	鸡蛋	1,546,320	1,303,626	18.62	600.65	562.13	6.85	6,798,396	5,062,627	34.29	2,319.78	2,159.14	7.44	0.34%	0.12%	190.44
	胶合板	8	23,620	-99.97	0.00	12.21	-99.97	14	165,922	-99.99	0.01	95.38	-99.99	0.00%	0.01%	-99.98
	纤维板	12	10,610	-99.89	0.00	3.20	-99.88	177	60,714	-99.71	0.04	18.08	-99.76	0.00%	0.00%	-99.36
	聚丙烯	22,520,587	10,065,294	123.74	7,751.87	4,334.06	78.86	78,773,655	32,956,257	139.02	26,090.33	13,374.91	95.07	3.84%	0.73%	427.33
	玉米淀粉	4,576,708	485,118	843.42	936.02	144.23	548.95	23,705,889	1,511,223	1,468.66	4,822.42	445.62	982.19	0.71%	0.02%	2,825.50
	小计	189,494,030	88,756,876	113.50	79,463.10	36,393.00	118.35	599,066,145	281,099,758	113.12	228,309.70	112,375.98	103.17	33.57%	6.11%	449.22
中金所	沪深300指数	427,184	34,952,414	-98.78	4,071.93	468,709.22	-99.13	1,788,362	116,239,976	-98.46	16,513.37	1,351,474.83	-98.78	2.43%	73.51%	-96.70
	5年期国债期货	255,616	262,173	-2.50	2,569.62	2,555.24	0.56	1,262,478	953,186	32.45	12,702.47	9,334.21	36.09	1.87%	0.51%	267.88
	10年期国债期货	383,677	44,618	759.92	3,806.18	431.97	781.13	1,898,466	58,430	3,149.13	18,923.04	565.35	3,247.16	2.78%	0.03%	8,948.39
	上证50股指期货	151,846	2,845,727	-94.66	977.88	27,923.68	-96.50	657,959	2,845,727	-76.88	4,091.17	27,923.68	-85.35	0.60%	1.52%	-60.39
	中证500股指期货	358,265	1,471,612	-75.65	4,292.54	23,811.64	-81.97	1,305,629	1,471,612	-11.28	15,041.26	23,811.64	-36.83	2.21%	1.30%	70.76
	小计	1,576,588	39,576,544	-96.02	15,718.16	523,431.75	-97.00	6,912,894	121,568,931	-94.31	67,271.31	1,413,109.71	-95.24	9.89%	76.87%	-87.13
全国期货市场		513,210,301	342,120,052	50.01	222,590.12	644,707.48	-65.47	1,556,562,859	1,112,577,331	39.91	680,061.02	1,838,412.18	-63.01	100.00%	100.00%	0.00%

注：动力煤（新）是郑商所5月18日修改后，新合约交易单位100吨/手。

动力煤（旧）是郑商所5月18日修改前，旧合约交易单位200吨/手。

2016年5月份全国期货市场交易情况统计

交易所	品种	今年5月成交量（手）	去年5月交易量（手）	同比增减百分比（%）	今年5月成交金额（亿元）	去年5月成交金额（亿元）	同比增减百分比（%）	今年1-5月成交总量（手）	去年1-5月成交总量（手）	同比增减百分比（%）	今年1-5月成交金额（亿元）	去年1-5月成交金额（亿元）	同比增减百分比（%）	今年1-5月成交金额所占份额（%）	去年1-5月成交金额所占份额（%）	同比增减百分比（%）
上海期货交易所	铜	6,618,327	4,401,041	50.38	11,882.75	9,976.66	19.11	36,084,401	33,090,591	9.05	65,776.95	70,484.19	-6.68	7.78%	2.76%	181.67
	铝	3,695,444	749,203	393.25	2,258.33	500.65	351.08	17,405,766	4,023,602	332.59	10,116.76	2,640.10	283.20	1.20%	0.10%	1,056.58
	锌	5,268,359	2,185,744	141.03	3,929.42	1,850.03	112.40	27,613,502	11,066,061	149.53	19,563.88	9,037.35	116.48	2.32%	0.35%	553.38
	铅	124,169	97,226	27.71	80.08	65.49	22.28	708,410	529,780	33.72	472.00	339.78	38.91	0.06%	0.01%	319.27
	黄金	3,261,407	1,495,737	118.05	8,695.55	3,627.95	139.68	17,381,617	9,692,738	79.33	44,711.46	23,866.59	87.34	5.29%	0.94%	465.44
	天胶	8,704,666	6,375,782	36.53	10,000.03	9,316.85	7.33	43,724,993	29,026,036	50.64	49,764.87	39,096.24	27.29	5.89%	1.53%	284.19
	燃料油	103	985	-89.54	0.13	1.62	-92.27	506	2,513	-79.86	0.62	4.15	-85.13	0.00%	0.00%	-55.13
	螺纹钢	94,814,015	42,531,615	122.93	19,996.10	10,137.60	97.25	494,869,936	208,794,714	137.01	106,595.47	50,646.30	110.47	12.62%	1.99%	535.25
	线材	4	58	-93.10	0.00	0.02	-94.62	19	192	-90.10	0.00	0.05	-91.78	0.00%	0.00%	-75.18
	白银	7,124,567	12,575,994	-43.35	3,989.89	6,938.93	-42.50	32,472,395	76,899,654	-57.77	17,247.15	41,771.65	-58.71	2.04%	1.64%	24.62
	沥青	16,818,760	772,158	2,078.15	3,247.77	247.45	1,212.50	97,923,620	3,170,235	2,988.84	18,434.74	1,025.46	1,697.71	2.18%	0.04%	5,325.92
	热轧卷板	3,824,072	131,760	2,802.30	875.14	32.82	2,566.08	14,367,640	642,680	2,135.58	3,465.96	162.97	2,026.75	0.41%	0.01%	6,319.05
	镍	9,082,128	7,075,446	28.36	6,345.67	7,571.55	-16.19	43,298,274	9,308,324	365.16	30,102.97	9,752.87	208.66	3.56%	0.38%	831.60
	锡	247,691	205,290	20.65	269.68	245.87	9.68	1,623,955	281,207	477.49	1,739.58	333.73	421.26	0.21%	0.01%	1,473.29
	小计	159,583,712	78,598,039	103.04	71,570.51	50,513.48	41.69	827,475,034	386,528,327	114.08	367,992.39	249,161.42	47.69	43.55%	9.77%	345.77
郑州商品交易所	强麦	22,897	5,368	326.55	12.24	2.80	337.36	280,781	34,817	706.45	158.48	18.17	772.28	0.02%	0.00%	2,532.76
	棉花	7,848,441	2,477,326	216.81	4,940.50	1,653.17	198.85	31,281,615	10,410,040	200.49	18,520.62	6,892.84	168.69	2.19%	0.27%	710.98
	白糖	9,575,635	10,292,019	-6.96	5,350.93	5,732.26	-6.65	60,333,524	68,349,072	-11.73	33,302.56	35,632.69	-6.54	3.94%	1.40%	182.09
	pta	10,543,638	21,805,629	-51.65	2,482.74	5,747.05	-56.80	69,335,320	106,943,074	-35.17	16,205.11	26,562.43	-38.99	1.92%	1.04%	84.14
	菜籽油	2,835,842	523,062	442.16	1,731.74	317.72	445.05	7,777,223	2,663,743	191.97	4,620.87	1,585.68	191.41	0.55%	0.06%	779.56
	早籼稻	27	67	-59.70	0.01	0.03	-56.45	354	1,707	-79.26	0.20	0.81	-75.77	0.00%	0.00%	-26.88
	甲醇	8,964,605	21,022,433	-57.36	1,713.58	5,252.59	-67.38	70,468,010	163,816,967	-56.98	13,190.08	38,886.29	-66.08	1.56%	1.52%	2.38
	普麦	45	30	50.00	0.05	0.04	42.14	100	111	-9.91	0.12	0.14	-14.94	0.00%	0.00%	156.74
	玻璃	3,839,755	3,534,766	8.63	740.15	657.96	12.49	16,861,773	17,231,624	-2.15	3,179.30	3,203.85	-0.77	0.38%	0.13%	199.51
	油菜籽	5,559	384	1,347.66	2.23	0.18	1,142.31	11,561	752	1,437.37	4.61	0.35	1,216.43	0.00%	0.00%	3,873.31
	菜籽粕	35,551,094	24,812,163	43.28	8,145.77	5,371.33	51.65	92,972,057	116,339,425	-20.09	19,556.29	25,662.76	-23.80	2.31%	1.01%	130.01
	粳稻	39	13	200.00	0.02	0.01	202.51	72	38	89.47	0.04	0.02	88.23	0.00%	0.00%	468.13
	晚籼稻	8	147	-94.56	0.00	0.08	-95.12	70	1,013	-93.09	0.04	0.56	-93.31	0.00%	0.00%	-79.81
	硅铁	3,669	189	1,841.27	0.74	0.05	1,464.70	29,629	2,131	1,290.38	6.52	0.55	1,089.90	0.00%	0.00%	3,491.41
	锰硅	995	31	3,109.68	0.23	0.01	2,599.66	31,032	11,304	174.52	7.78	3.15	146.57	0.00%	0.00%	644.21
	动力煤(新)	4,150,608	467	—	1,608.76	0.21	781,092.70	16,652,087	467	—	6,035.14	0.21	—	0.71%	0.00%	—
	小计	83,342,857	84,474,094	-1.34	26,729.71	24,735.48	8.06	366,035,208	485,806,285	-24.65	114,787.76	138,450.49	-17.09	13.58%	5.43%	150.24
大连商品交易所	豆一	4,941,309	1,545,013	219.82	1,800.11	674.69	166.81	14,157,833	7,065,648	100.38	5,074.67	3,009.97	68.60	0.60%	0.12%	408.86
	豆二	264	972	-72.84	0.09	0.30	-68.57	1,173	2,314	-49.31	0.40	0.73	-45.58	0.00%	0.00%	64.25
	豆粕	59,341,125	22,709,424	161.31	16,647.31	6,029.28	176.11	147,740,761	117,319,239	25.93	38,167.98	32,174.71	18.63	4.52%	1.26%	258.05
	玉米	9,042,791	605,462	1,393.54	1,421.96	148.51	857.46	45,871,105	3,184,294	1,340.54	7,442.47	789.09	843.17	0.88%	0.03%	2,746.73
	豆油	8,916,682	9,840,967	-9.39	5,416.74	5,746.64	-5.74	39,303,399	33,362,857	17.81	23,326.54	18,803.50	24.05	2.76%	0.74%	274.43
	线型低密度聚乙烯	7,723,053	9,051,934	-14.68	3,100.68	4,361.72	-28.91	57,015,676	53,866,224	5.85	24,199.39	24,776.36	-2.33	2.86%	0.97%	194.80
	棕榈油	11,270,907	10,167,358	10.85	5,956.54	5,161.01	15.41	60,700,086	31,672,811	91.65	31,366.40	15,551.19	101.70	3.71%	0.61%	508.77
	聚氯乙烯	286,744	162,356	76.61	72.93	46.98	55.25	1,312,467	735,827	78.37	333.27	202.17	64.84	0.04%	0.01%	397.54

交易所	品种	今年5月成交量（手）	去年5月交易量（手）	同比增减百分比（%）	今年5月成交金额（亿元）	去年5月成交金额（亿元）	同比增减百分比（%）	今年1-5月成交总量（手）	去年1-5月成交总量（手）	同比增减百分比（%）	今年1-5月成交金额（亿元）	去年1-5月成交金额（亿元）	同比增减百分比（%）	今年1-5月成交金额所占份额（%）	去年1-5月成交金额所占份额（%）	同比增减百分比（%）
大连商品交易所	焦炭	4,753,723	2,826,711	68.17	4,468.86	2,599.78	71.89	29,843,894	6,862,388	334.89	26,235.22	6,554.89	300.24	3.10%	0.26%	1,108.02
	焦煤	3,506,512	2,740,919	27.93	1,456.17	1,117.08	30.36	21,111,095	6,820,273	209.53	8,439.73	2,829.25	198.30	1.00%	0.11%	800.35
	铁矿石	22,878,013	24,861,818	-7.98	8,588.33	10,682.07	-19.60	205,391,648	64,964,074	216.16	79,420.79	28,159.04	182.04	9.40%	1.10%	751.28
	鸡蛋	1,386,963	982,140	41.22	536.94	429.21	25.10	8,185,359	6,044,767	35.41	2,856.72	2,588.35	10.37	0.34%	0.10%	233.12
	胶合板	3	7,162	-99.96	0.00	3.87	-99.97	17	173,084	-99.99	0.01	99.26	-99.99	0.00%	0.00%	-99.98
	纤维板		3,676	-100.00	0.00	0.94	-100.00	177	64,390	-99.73	0.04	19.02	-99.78	0.00%	0.00%	-99.32
	聚丙烯	7,468,685	6,165,165	21.14	2,470.72	2,619.88	-5.69	86,242,340	39,121,422	120.45	28,561.05	15,994.79	78.56	3.38%	0.63%	438.95
	玉米淀粉	3,997,706	253,677	1,475.90	837.44	75.66	1,006.77	27,703,595	1,764,900	1,469.70	5,659.86	521.28	985.76	0.67%	0.02%	3,177.09
	小计	145,514,480	91,924,754	58.30	52,774.83	39,697.61	32.94	744,580,625	373,024,512	99.61	281,084.53	152,073.59	84.83	33.27%	5.96%	457.88
中金所	沪深300指数	381,974	31,591,215	-98.79	3,509.28	455,193.01	-99.23	2,170,336	147,831,191	-98.53	20,022.65	1,806,667.84	-98.89	2.37%	70.84%	-96.65
	5年期国债期货	170,331	258,719	-34.16	1,710.52	2,527.35	-32.32	1,432,809	1,211,905	18.23	14,412.99	11,861.56	21.51	1.71%	0.47%	266.75
	10年期国债期货	340,429	73,586	362.63	3,378.93	712.20	374.44	2,238,895	132,016	1,595.93	22,301.97	1,277.54	1,645.69	2.64%	0.05%	5,168.93
	上证50股指期货	133,504	5,680,200	-97.65	831.59	54,702.70	-98.48	791,463	8,525,927	-90.72	4,922.76	82,626.38	-94.04	0.58%	3.24%	-82.02
	中证500股指期货	390,231	4,534,310	-91.39	4,419.19	84,443.87	-94.77	1,695,860	6,005,922	-71.76	19,460.45	108,255.51	-82.02	2.30%	4.24%	-45.74
	小计	1,416,469	42,138,030	-96.64	13,849.51	597,579.12	-97.68	8,329,363	163,706,961	-94.91	81,120.82	2,010,688.83	-95.97	9.60%	78.84%	-87.82
全国期货市场		389,857,518	297,134,917	31.21	164,924.57	712,525.69	-76.85	1,946,420,230	1,409,066,085	38.14	844,985.50	2,550,374.33	-66.87	100.00%	100.00%	0.00%

注：动力煤（新）是郑商所5月18日修改后，新合约交易单位100吨/手。

动力煤（旧）是郑商所5月18日修改前，旧合约交易单位200吨/手。

2016年6月份全国期货市场交易情况统计

交易所	品种	今年6月成交量（手）	去年6月交易量（手）	同比增减百分比（%）	今年6月成交金额（亿元）	去年6月成交金额（亿元）	同比增减百分比（%）	今年1-6月成交总量（手）	去年1-6月成交总量（手）	同比增减百分比（%）	今年1-6月成交金额（亿元）	去年1-6月成交金额（亿元）	同比增减百分比（%）	今年1-6月成交金额所占份额（%）	去年1-6月成交金额所占份额（%）	同比增减百分比（%）
上海期货交易所	铜	5,364,433	4,360,342	23.03	9,646.27	9,296.43	3.76	41,448,834	37,450,933	10.68	75,423.22	79,780.62	-5.46	7.59%	2.26%	236.45
	铝	3,203,956	709,837	351.37	1,929.81	456.28	322.95	20,609,722	4,733,439	335.41	12,046.57	3,096.37	289.05	1.21%	0.09%	1,284.60
	锌	4,882,664	1,734,155	181.56	3,834.71	1,394.77	174.93	32,496,166	12,800,216	153.87	23,398.58	10,432.12	124.29	2.36%	0.30%	698.24
	铅	101,666	85,324	19.15	65.30	55.57	17.50	810,076	615,104	31.70	537.30	395.36	35.90	0.05%	0.01%	383.66
	黄金	3,193,948	1,164,947	174.17	8,761.49	2,789.82	214.05	20,575,565	10,857,685	89.50	53,472.94	26,656.41	100.60	5.38%	0.75%	613.92
	天胶	7,824,753	6,393,609	22.38	8,591.80	9,261.40	-7.23	51,549,746	35,419,645	45.54	58,356.66	48,357.64	20.68	5.87%	1.37%	329.48
	燃料油	141	151	-6.62	0.18	0.24	-23.78	647	2,664	-75.71	0.80	4.39	-81.77	0.00%	0.00%	-35.11
	螺纹钢	66,341,632	38,202,048	73.66	14,017.34	8,698.35	61.15	561,211,568	246,996,762	127.21	120,612.81	59,344.65	103.24	12.14%	1.68%	623.31
	线材	6	47	-87.23	0.00	0.01	-88.00	25	239	-89.54	0.01	0.06	-91.04	0.00%	0.00%	-68.12
	白银	5,453,865	9,752,006	-44.07	3,140.35	5,223.10	-39.88	37,926,260	86,651,660	-56.23	20,387.50	46,994.75	-56.62	2.05%	1.33%	54.39
	沥青	10,868,151	394,866	2,652.36	2,136.80	120.04	1,680.11	108,791,771	3,565,101	2,951.58	20,571.54	1,145.50	1,695.86	2.07%	0.03%	6,291.29
	热轧卷板	3,232,853	116,934	2,664.68	739.97	27.53	2,588.04	17,600,493	759,614	2,217.03	4,205.93	190.50	2,107.86	0.42%	0.01%	7,757.55
	镍	5,583,592	4,745,544	17.66	3,960.49	4,618.46	-14.25	48,881,866	14,053,868	247.82	34,063.46	14,371.33	137.02	3.43%	0.41%	743.54
	锡	136,727	26,305	419.78	151.38	29.93	405.80	1,760,682	307,512	472.56	1,890.96	363.66	419.99	0.19%	0.01%	1,750.58
	小计	116,188,387	67,686,115	71.66	56,975.90	41,971.93	35.75	943,663,421	454,214,442	107.76	424,968.29	291,133.36	45.97	42.78%	8.23%	419.49

交易所	品种	今年6月成交量（手）	去年6月交易量（手）	同比增减百分比（%）	今年6月成交金额（亿元）	去年6月成交金额（亿元）	同比增减百分比（%）	今年1-6月成交总量（手）	去年1-6月成交总量（手）	同比增减百分比（%）	今年1-6月成交金额（亿元）	去年1-6月成交金额（亿元）	同比增减百分比（%）	今年1-6月成交金额所占份额（%）	去年1-6月成交金额所占份额（%）	同比增减百分比（%）
郑州商品交易所	强麦	27,789	12,506	122.21	14.96	6.99	113.97	308,570	47,323	552.05	173.44	25.16	589.32	0.02%	0.00%	2,353.23
	棉花	9,015,517	1,446,598	523.22	6,042.99	944.63	539.72	40,297,132	11,856,638	239.87	24,563.61	7,837.47	213.41	2.47%	0.22%	1,015.40
	白糖	10,536,362	9,059,008	16.31	6,150.25	5,026.54	22.36	70,869,886	77,408,080	-8.45	39,452.80	40,659.23	-2.97	3.97%	1.15%	245.33
	pta	10,644,190	18,004,843	-40.88	2,518.99	4,627.26	-45.56	79,979,510	124,947,917	-35.99	18,724.09	31,189.68	-39.97	1.88%	0.88%	113.65
	菜籽油	1,936,093	745,728	159.62	1,204.76	453.37	165.73	9,713,316	3,409,471	184.89	5,825.63	2,039.05	185.70	0.59%	0.06%	916.79
	早籼稻	357	176	102.84	0.19	0.09	113.11	711	1,883	-62.24	0.39	0.90	-56.72	0.00%	0.00%	54.02
	甲醇	7,132,922	15,558,001	-54.15	1,363.23	3,857.01	-64.66	77,600,932	179,374,968	-56.74	14,553.31	42,743.30	-65.95	1.46%	1.21%	21.17
	普麦	17	89	-80.90	0.02	0.12	-82.77	117	200	-41.50	0.14	0.26	-45.49	0.00%	0.00%	94.00
	玻璃	5,010,880	2,602,753	92.52	1,024.18	490.06	108.99	21,872,653	19,834,377	10.28	4,203.48	3,693.91	13.79	0.42%	0.10%	304.98
	油菜籽	3,570	11,620	-69.28	1.50	4.46	-66.32	15,131	12,372	22.30	6.12	4.81	27.03	0.00%	0.00%	352.08
	菜籽粕	44,722,946	20,514,001	118.01	11,786.45	4,248.51	177.43	137,695,003	136,853,426	0.61	31,342.74	29,911.27	4.79	3.16%	0.85%	272.92
	粳稻	63	3	2,000.00	0.04	0.00	2,065.66	135	41	229.27	0.08	0.02	237.27	0.00%	0.00%	1,100.30
	晚籼稻	3		—	0.00	0.00	—	73	1,013	-92.79	0.04	0.56	-93.05	0.00%	0.00%	-75.26
	硅铁	2,460	23	10,595.65	0.51	0.01	8,818.58	32,089	2,154	1,389.74	7.03	0.55	1,169.30	0.00%	0.00%	4,417.30
	锰硅	515	30	1,616.67	0.12	0.01	1,435.12	31,547	11,334	178.34	7.90	3.16	149.78	0.00%	0.00%	788.93
	动力煤(新)	3,472,726	715	—	1,450.16	0.31	474,147.49	20,124,813	1,182	—	7,485.30	0.51	—	0.75%	0.00%	—
	小计	92,506,410	67,956,094	36.13	31,558.36	19,659.36	60.53	458,541,618	553,762,379	-17.20	146,346.12	158,109.85	-7.44	14.73%	4.47%	229.41
大连商品交易所	豆一	3,435,497	1,230,786	179.13	1,320.31	526.20	150.91	17,593,330	8,296,434	112.06	6,394.98	3,536.17	80.84	0.64%	0.10%	543.61
	豆二	190	668	-71.56	0.08	0.20	-62.18	1,363	2,982	-54.29	0.47	0.93	-49.14	0.00%	0.00%	81.00
	豆粕	66,482,208	25,821,587	157.47	21,230.63	6,613.58	221.02	214,222,969	143,140,826	49.66	59,398.61	38,788.29	53.14	5.98%	1.10%	444.99
	玉米	9,997,902	1,202,483	731.44	1,619.04	274.90	488.95	55,869,007	4,386,777	1,173.58	9,061.51	1,063.99	751.65	0.91%	0.03%	2,930.94
	豆油	6,894,586	9,262,888	-25.57	4,188.24	5,419.59	-22.72	46,197,985	42,625,745	8.38	27,514.79	24,223.09	13.59	2.77%	0.69%	304.25
	线型低密度聚乙烯	6,806,356	8,715,507	-21.91	2,910.50	4,165.82	-30.13	63,822,032	62,581,731	1.98	27,109.89	28,942.18	-6.33	2.73%	0.82%	233.36
	棕榈油	8,910,756	12,185,054	-26.87	4,622.21	6,322.68	-26.89	69,610,842	43,857,865	58.72	35,988.61	21,873.87	64.53	3.62%	0.62%	485.54
	聚氯乙烯	556,897	96,272	478.46	149.48	26.78	458.27	1,869,364	832,099	124.66	482.75	228.95	110.85	0.05%	0.01%	650.41
	焦炭	1,555,565	1,301,698	19.50	1,362.00	1,171.96	16.22	31,399,459	8,164,086	284.60	27,597.22	7,726.85	257.16	2.78%	0.22%	1,171.10
	焦煤	1,545,370	1,266,585	22.01	639.13	520.83	22.71	22,656,465	8,086,858	180.16	9,078.86	3,350.08	171.00	0.91%	0.09%	864.48
	铁矿石	15,158,195	21,031,961	-27.93	5,691.05	9,160.51	-37.87	220,549,843	85,996,035	156.47	85,111.84	37,319.54	128.06	8.57%	1.06%	711.65
	鸡蛋	1,947,335	1,043,004	86.70	756.41	431.54	75.28	10,132,694	7,087,771	42.96	3,613.13	3,019.89	19.64	0.36%	0.09%	325.80
	胶合板	238	3,212	-92.59	0.11	1.64	-93.57	255	176,296	-99.86	0.11	100.90	-99.89	0.00%	0.00%	-99.60
	纤维板	4	1,479	-99.73	0.00	0.37	-99.71	181	65,869	-99.73	0.04	19.38	-99.77	0.00%	0.00%	-99.20
	聚丙烯	6,532,206	5,059,929	29.10	2,359.56	2,150.41	9.73	92,774,546	44,181,351	109.99	30,920.61	18,145.19	70.41	3.11%	0.51%	506.46
	玉米淀粉	4,432,449	181,782	2,338.33	976.57	51.92	1,780.90	32,136,044	1,946,682	1,550.81	6,636.43	573.20	1,057.78	0.67%	0.02%	4,020.43
	小计	134,255,754	88,404,895	51.86	47,825.32	36,838.92	29.82	878,836,379	461,429,407	90.46	328,909.85	188,912.51	74.11	33.11%	5.34%	519.63

交易所	品种	今年6月成交量（手）	去年6月交易量（手）	同比增减百分比（%）	今年6月成交金额（亿元）	去年6月成交金额（亿元）	同比增减百分比（%）	今年1-6月成交总量（手）	去年1-6月成交总量（手）	同比增减百分比（%）	今年1-6月成交金额（亿元）	去年1-6月成交金额（亿元）	同比增减百分比（%）	今年1-6月成交金额所占份额（%）	去年1-6月成交金额所占份额（%）	同比增减百分比（%）
中金所	沪深300指数	329,603	42,100,989	-99.22	3,046.23	622,681.01	-99.51	2,499,939	189,932,180	-98.68	23,068.88	2,429,348.85	-99.05	2.32%	68.71%	-96.62
	5年期国债期货	132,865	216,491	-38.63	1,336.60	2,084.96	-35.89	1,565,674	1,428,396	9.61	15,749.58	13,946.52	12.93	1.59%	0.39%	301.90
	10年期国债期货	285,003	75,810	275.94	2,840.29	719.45	294.78	2,523,898	207,826	1,114.43	25,142.25	1,997.00	1,159.00	2.53%	0.06%	4,380.66
	上证50股指期货	117,740	11,289,944	-98.96	737.50	106,368.72	-99.31	909,203	19,815,871	-95.41	5,660.27	188,995.10	-97.01	0.57%	5.35%	-89.34
	中证500股指期货	351,116	7,493,618	-95.31	4,119.64	154,799.22	-97.34	2,046,976	13,499,540	-84.84	23,580.09	263,054.73	-91.04	2.37%	7.44%	-68.10
	小计	1,216,327	61,176,852	-98.01	12,080.25	886,653.36	-98.64	9,545,690	224,883,813	-95.76	93,201.07	2,897,342.19	-96.78	9.38%	81.95%	-88.55
全国期货市场		344,166,878	285,223,956	20.67	148,439.83	985,123.58	-84.93	2,290,587,108	,694,290,041	35.19	993,425.33	3,535,497.91	-71.90	100.00%	100.00%	0.00%

2016 年 7 月份全国期货市场交易情况统计

交易所	品种	今年7月成交量（手）	去年7月交易量（手）	同比增减百分比（%）	今年7月成交金额（亿元）	去年7月成交金额（亿元）	同比增减百分比（%）	今年1-7月成交总量（手）	去年1-7月成交总量（手）	同比增减百分比（%）	今年1-7月成交金额（亿元）	去年1-7月成交金额（亿元）	同比增减百分比（%）	今年1-7月成交金额所占份额（%）	去年1-7月成交金额所占份额（%）	同比增减百分比（%）
上海期货交易所	铜	6,904,618	8,364,101	-17.45	13,090.28	16,599.71	-21.14	48,353,452	45,815,034	5.54	88,513.50	96,380.33	-8.16	7.48%	2.22%	237.06
	铝	3,156,715	917,990	243.87	1,962.86	568.50	245.27	23,766,437	5,651,429	320.54	14,009.43	3,664.87	282.26	1.18%	0.08%	1,302.99
	锌	6,152,133	2,493,619	146.72	5,203.58	1,896.64	174.36	38,648,299	15,293,835	152.71	28,602.16	12,328.76	132.00	2.42%	0.28%	751.47
	铅	196,273	95,946	104.57	131.30	61.69	112.83	1,006,349	711,050	41.53	668.60	457.05	46.29	0.06%	0.01%	436.90
	黄金	3,342,012	2,387,356	39.99	9,686.38	5,418.01	78.78	23,917,577	13,245,041	80.58	63,159.33	32,074.42	96.91	5.33%	0.74%	622.72
	天胶	10,714,434	7,435,787	44.09	12,590.81	9,609.66	31.02	62,264,180	42,855,432	45.29	70,947.47	57,967.30	22.39	5.99%	1.33%	349.21
	燃料油	153	259	-40.93	0.20	0.32	-37.14	800	2,923	-72.63	1.00	4.71	-78.76	0.00%	0.00%	-22.06
	螺纹钢	84,441,840	73,673,988	14.62	20,260.30	15,109.89	34.09	645,653,408	320,670,750	101.34	140,873.11	74,454.54	89.21	11.90%	1.71%	594.43
	线材	15	40	-62.50	0.00	0.01	-63.39	40	279	-85.66	0.01	0.07	-87.45	0.00%	0.00%	-53.93
	白银	12,307,056	12,625,751	-2.52	8,137.65	6,262.32	29.95	50,233,316	99,277,411	-49.40	28,525.14	53,257.07	-46.44	2.41%	1.23%	96.58
	沥青	13,393,721	1,038,691	1,189.48	2,717.46	266.64	919.15	122,185,492	4,603,792	2,554.02	23,289.00	1,412.14	1,549.20	1.97%	0.03%	5,952.93
	热轧卷板	4,177,563	254,796	1,539.57	1,073.18	52.89	1,929.06	21,778,056	1,014,410	2,046.87	5,279.11	243.39	2,069.01	0.45%	0.01%	7,860.73
	镍	15,094,876	7,743,093	94.95	12,122.93	6,582.10	84.18	63,976,742	21,796,961	193.51	46,186.40	20,953.43	120.42	3.90%	0.48%	709.00
	锡	321,453	32,914	876.65	382.23	35.93	963.95	2,082,135	340,426	511.63	2,273.19	399.58	468.89	0.19%	0.01%	1,987.97
	小计	160,202,862	117,064,331	36.85	87,359.17	62,464.29	39.85	,103,866,283	571,278,773	93.23	512,327.46	353,597.65	44.89	43.27%	8.14%	431.78
郑州商品交易所	强麦	25,793	42,442	-39.23	13.50	23.43	-42.40	334,363	89,765	272.49	186.94	48.59	284.70	0.02%	0.00%	1,311.92
	棉花	13,210,466	1,633,563	708.69	10,065.56	1,044.81	863.39	53,507,598	13,490,201	296.64	34,629.17	8,882.28	289.87	2.92%	0.20%	1,330.90
	白糖	11,220,002	11,089,650	1.18	6,784.43	5,950.16	14.02	82,089,888	88,497,730	-7.24	46,237.24	46,609.40	-0.80	3.90%	1.07%	264.09
	pta	13,844,828	19,228,238	-28.00	3,293.53	4,479.47	-26.48	93,824,338	144,176,155	-34.92	22,017.62	35,669.15	-38.27	1.86%	0.82%	126.55
	菜籽油	3,092,262	713,380	333.47	1,974.54	426.21	363.27	12,805,578	4,122,851	210.60	7,800.17	2,465.27	216.40	0.66%	0.06%	1,061.27
	早籼稻	161	449	-64.14	0.09	0.23	-60.54	872	2,332	-62.61	0.48	1.13	-57.51	0.00%	0.00%	55.94
	甲醇	8,170,290	19,219,422	-57.49	1,582.76	4,442.78	-64.37	85,771,222	198,594,390	-56.81	16,136.07	47,186.08	-65.80	1.36%	1.09%	25.51
	普麦	5	58	-91.38	0.01	0.07	-92.15	122	258	-52.71	0.15	0.33	-55.89	0.00%	0.00%	61.91
	玻璃	6,180,118	2,667,421	131.69	1,349.96	466.60	189.32	28,052,771	22,501,798	24.67	5,553.44	4,160.51	33.48	0.47%	0.10%	389.90
	油菜籽	1,550	20,725	-92.52	0.65	7.64	-91.49	16,681	33,097	-49.60	6.77	12.46	-45.68	0.00%	0.00%	99.35

交易所	品种	今年7月成交量（手）	去年7月交易量（手）	同比增减百分比（%）	今年7月成交金额（亿元）	去年7月成交金额（亿元）	同比增减百分比（%）	今年1-7月成交总量（手）	去年1-7月成交总量（手）	同比增减百分比（%）	今年1-7月成交金额（亿元）	去年1-7月成交金额（亿元）	同比增减百分比（%）	今年1-7月成交金额所占份额（%）	去年1-7月成交金额所占份额（%）	同比增减百分比（%）
郑州商品交易所	菜籽粕	40,667,547	44,284,078	-8.17	10,618.24	9,891.33	7.35	178,362,550	181,137,504	-1.53	41,960.98	39,802.59	5.42	3.54%	0.92%	286.92
	粳稻	56	16	250.00	0.04	0.01	267.66	191	57	235.09	0.12	0.03	246.09	0.00%	0.00%	1,170.21
	晚籼稻	9	14	-35.71	0.00	0.01	-32.33	82	1,027	-92.02	0.04	0.57	-92.32	0.00%	0.00%	-71.80
	硅铁	29,680	226	13,032.74	6.60	0.06	11,759.43	61,769	2,380	2,495.34	13.64	0.61	2,136.37	0.00%	0.00%	8,107.97
	锰硅	54,681	76	71,848.68	16.08	0.02	83,369.77	86,228	11,410	655.72	23.98	3.18	653.66	0.00%	0.00%	2,666.09
	动力煤(新)	2,705,381	1,635	—	1,176.24	0.64	183,433.46	22,830,194	2,817	—	8,661.55	1.15	—	0.73%	0.00%	—
	小计	99,202,829	98,901,393	0.30	36,882.22	26,733.48	37.96	557,744,447	652,663,772	-14.54	183,228.34	184,843.33	-0.87	15.47%	4.25%	263.82
大连商品交易所	豆一	2,627,239	1,504,062	74.68	994.45	625.84	58.90	20,220,569	9,800,496	106.32	7,389.42	4,162.01	77.54	0.62%	0.10%	551.63
	豆二	178	942	-81.10	0.07	0.27	-73.56	1,541	3,924	-60.73	0.54	1.20	-54.69	0.00%	0.00%	66.29
	豆粕	56,293,377	41,138,147	36.84	17,841.25	11,219.63	59.02	270,516,346	184,278,973	46.80	77,239.86	50,007.92	54.46	6.52%	1.15%	466.88
	玉米	10,018,840	3,628,193	176.14	1,526.62	779.32	95.89	65,887,847	8,014,970	722.06	10,588.13	1,843.32	474.41	0.89%	0.04%	2,008.20
	豆油	10,134,166	7,719,093	31.29	6,278.39	4,339.04	44.70	56,332,151	50,344,838	11.89	33,793.18	28,562.14	18.31	2.85%	0.66%	334.24
	线型低密度聚乙烯	8,495,647	9,958,814	-14.69	3,833.41	4,616.18	-16.96	72,317,679	72,540,545	-0.31	30,943.31	33,558.36	-7.79	2.61%	0.77%	238.42
	棕榈油	11,689,855	8,394,244	39.26	5,949.45	4,106.61	44.88	81,300,697	52,252,109	55.59	41,938.06	25,980.48	61.42	3.54%	0.60%	492.45
	聚氯乙烯	531,555	123,815	329.31	150.24	32.93	356.21	2,400,919	955,914	151.16	632.99	261.88	141.71	0.05%	0.01%	787.12
	焦炭	1,620,341	1,483,883	9.20	1,626.65	1,233.41	31.88	33,019,800	9,647,969	242.25	29,223.86	8,960.25	226.15	2.47%	0.21%	1,097.04
	焦煤	1,215,283	1,196,613	1.56	539.94	457.90	17.92	23,871,748	9,283,471	157.14	9,618.80	3,807.98	152.60	0.81%	0.09%	827.08
	铁矿石	20,794,247	32,384,239	-35.79	9,024.93	11,949.17	-24.47	241,344,090	118,380,274	103.87	94,136.77	49,268.72	91.07	7.95%	1.13%	601.26
	鸡蛋	2,592,169	1,490,479	73.92	1,039.19	629.95	64.96	12,724,863	8,578,250	48.34	4,652.31	3,649.84	27.47	0.39%	0.08%	367.83
	胶合板	117	2,722	-95.70	0.06	1.25	-95.59	372	179,018	-99.79	0.17	102.15	-99.84	0.00%	0.00%	-99.40
	纤维板	24	729	-96.71	0.01	0.20	-96.42	205	66,598	-99.69	0.05	19.58	-99.74	0.00%	0.00%	-99.04
	聚丙烯	8,126,208	4,927,588	64.91	3,259.46	2,001.34	62.86	100,900,754	49,108,939	105.46	34,180.07	20,146.53	69.66	2.89%	0.46%	522.68
	玉米淀粉	3,356,379	218,146	1,438.59	663.07	60.31	999.45	35,492,423	2,164,828	1,539.50	7,299.49	633.51	1,052.23	0.62%	0.01%	4,128.94
	小计	137,495,625	114,171,709	20.43	52,727.17	42,053.35	25.38	1,016,332,004	575,601,116	76.57	381,637.02	230,965.87	65.24	32.23%	5.31%	506.45
中金所	沪深300指数	333,353	45,046,589	-99.26	3,196.47	533,634.47	-99.40	2,833,292	234,978,769	-98.79	26,265.35	2,962,983.32	-99.11	2.22%	68.18%	-96.75
	5年期国债期货	181,038	153,645	17.83	1,831.47	1,490.01	22.92	1,746,712	1,582,041	10.41	17,581.06	15,436.53	13.89	1.48%	0.36%	318.01
	10年期国债期货	367,711	76,098	383.21	3,698.47	729.33	407.11	2,891,609	283,924	918.44	28,840.72	2,726.32	957.86	2.44%	0.06%	3,782.58
	上证50股指期货	120,343	9,070,954	-98.67	778.96	72,960.00	-98.93	1,029,546	28,886,825	-96.44	6,439.22	261,955.10	-97.54	0.54%	6.03%	-90.98
	中证500股指期货	334,623	4,607,666	-92.74	4,168.55	70,223.75	-94.06	2,381,599	18,107,206	-86.85	27,748.64	333,278.48	-91.67	2.34%	7.67%	-69.44
	小计	1,337,068	58,954,952	-97.73	13,673.92	679,037.56	-97.99	10,882,758	283,838,765	-96.17	106,874.99	3,576,379.75	-97.01	9.03%	82.30%	-89.03
全国期货市场		398,238,384	389,092,385	2.35	190,642.48	810,288.69	-76.47	2,688,825,492	2,083,382,426	29.06	1,184,067.81	4,345,786.60	-72.75	100.00%	100.00%	0.00%

2016 年 8 月份全国期货市场交易情况统计

交易所	品种	今年8月成交量（手）	去年8月交易量（手）	同比增减百分比（%）	今年8月成交金额（亿元）	去年8月成交金额（亿元）	同比增减百分比（%）	今年1-8月成交总量（手）	去年1-8月成交总量（手）	同比增减百分比（%）	今年1-8月成交金额（亿元）	去年1-8月成交金额（亿元）	同比增减百分比（%）	今年1-8月成交金额所占份额（%）	去年1-8月成交金额所占份额（%）	同比增减百分比（%）
上海期货交易所	铜	4,283,573	7,758,222	-44.79	7,988.40	15,002.35	-46.75	52,637,025	53,573,256	-1.75	96,501.90	111,382.68	-13.36	7.23%	2.24%	223.35
	铝	2,369,648	821,859	188.33	1,463.03	493.52	196.45	26,136,085	6,473,288	303.75	15,472.46	4,158.39	272.08	1.16%	0.08%	1,288.65
	锌	5,326,577	2,483,013	114.52	4,673.32	1,815.45	157.42	43,974,876	17,776,848	147.37	33,275.48	14,144.21	135.26	2.49%	0.28%	778.02
	铅	162,669	104,145	56.19	112.55	68.48	64.36	1,169,018	815,195	43.40	781.15	525.53	48.64	0.06%	0.01%	454.75
	黄金	2,347,614	3,610,778	-34.98	6,767.94	8,400.65	-19.44	26,265,191	16,855,819	55.82	69,927.27	40,475.07	72.77	5.24%	0.81%	544.79
	天胶	7,758,908	6,621,072	17.19	9,676.45	7,892.37	22.61	70,023,088	49,476,504	41.53	80,623.92	65,859.67	22.42	6.04%	1.32%	356.88
	燃料油	47	357	-86.83	0.06	0.36	-83.57	847	3,280	-74.18	1.06	5.07	-79.10	0.00%	0.00%	-22.02
	螺纹钢	75,370,272	51,730,437	45.70	19,050.82	10,527.54	80.96	721,023,680	372,401,187	93.61	159,923.94	84,982.08	88.19	11.98%	1.71%	602.33
	线材	2	7	-71.43	0.00	0.00	-72.14	42	286	-85.31	0.01	0.08	-87.13	0.00%	0.00%	-51.97
	白银	8,266,922	17,320,010	-52.27	5,404.97	8,799.34	-38.58	58,500,238	116,597,421	-49.83	33,930.11	62,056.41	-45.32	2.54%	1.25%	104.06
	沥青	11,438,802	1,473,353	676.38	2,220.52	355.26	525.03	133,624,294	6,077,145	2,098.80	25,509.52	1,767.40	1,343.34	1.91%	0.04%	5,286.72
	热轧卷板	3,744,198	171,877	2,078.42	1,027.49	35.02	2,833.93	25,522,254	1,186,287	2,051.44	6,306.60	278.41	2,165.23	0.47%	0.01%	8,354.13
	镍	9,071,383	5,363,047	69.15	7,422.97	4,282.49	73.33	73,048,125	27,160,008	168.95	53,609.36	25,235.91	112.43	4.02%	0.51%	692.83
	锡	155,075	11,729	1,222.15	189.68	12.47	1,420.92	2,237,210	352,155	535.29	2,462.87	412.05	497.71	0.18%	0.01%	2,130.73
	小计	130,295,690	97,469,906	33.68	65,998.20	57,685.30	14.41	1,234,161,973	668,748,679	84.55	578,325.65	411,282.95	40.62	43.34%	8.26%	424.79
郑州商品交易所	强麦	17,609	43,301	-59.33	9.18	23.47	-60.89	351,972	133,066	164.51	196.12	72.06	172.14	0.01%	0.00%	915.68
	棉花	8,230,483	1,516,245	442.82	5,998.91	949.56	531.76	61,738,081	15,006,446	311.41	40,628.08	9,831.84	313.23	3.04%	0.20%	1,442.23
	白糖	6,800,526	15,073,656	-54.88	4,164.81	7,859.52	-47.01	88,890,414	103,571,386	-14.17	50,402.05	54,468.92	-7.47	3.78%	1.09%	245.35
	pta	11,670,469	18,702,187	-37.60	2,791.61	4,292.57	-34.97	105,494,807	162,878,342	-35.23	24,809.23	39,961.73	-37.92	1.86%	0.80%	131.70
	菜籽油	1,654,670	611,161	170.74	1,049.39	351.53	198.52	14,460,248	4,734,012	205.45	8,849.56	2,816.80	214.17	0.66%	0.06%	1,072.53
	早籼稻	181	404	-55.20	0.10	0.21	-51.22	1,053	2,736	-61.51	0.58	1.34	-56.55	0.00%	0.00%	62.18
	甲醇	7,323,607	27,995,169	-73.84	1,446.82	5,658.78	-74.43	93,094,829	226,589,559	-58.91	17,582.89	52,844.86	-66.73	1.32%	1.06%	24.18
	普麦	1	22	-95.45	0.00	0.03	-95.70	123	280	-56.07	0.15	0.36	-58.87	0.00%	0.00%	53.50
	玻璃	10,315,094	2,553,514	303.96	2,446.40	451.19	442.22	38,367,865	25,055,312	53.13	7,999.84	4,611.70	73.47	0.60%	0.09%	547.41
	油菜籽	156	11,234	-98.61	0.07	4.29	-98.48	16,837	44,331	-62.02	6.83	16.75	-59.20	0.00%	0.00%	52.25
	菜籽粕	21,039,038	24,165,857	-12.94	4,993.90	5,061.62	-1.34	199,401,588	205,303,361	-2.87	46,954.88	44,864.21	4.66	3.52%	0.90%	290.61
	粳稻	37	35	5.71	0.02	0.02	14.03	228	92	147.83	0.15	0.06	156.65	0.00%	0.00%	857.86
	晚籼稻	13	5	160.00	0.01	0.00	167.35	95	1,032	-90.79	0.05	0.57	-91.15	0.00%	0.00%	-66.99
	硅铁	68,063	152	44,678.29	15.35	0.04	40,497.65	129,832	2,532	5,027.65	28.99	0.65	4,376.94	0.00%	0.00%	16,608.53
	锰硅	259,247	64	404,973.44	81.19	0.02	484,462.74	345,475	11,474	2,910.94	105.17	3.20	3,187.84	0.01%	0.00%	12,170.68
	动力煤(新)	4,901,859	4,247	115,319.33	2,359.19	1.58	149,544.17	27,732,053	7,064	392,482.86	11,020.73	2.73	403,717.48	0.83%	0.00%	1,507,001.37
	小计	72,281,053	90,677,253	-20.29	25,356.95	24,654.42	2.85	630,025,500	743,341,025	-15.24	208,585.29	209,497.75	-0.44	15.63%	4.21%	271.59
大连商品交易所	豆一	1,798,190	1,663,683	8.08	672.64	712.25	-5.56	22,018,759	11,464,179	92.07	8,062.07	4,874.26	65.40	0.60%	0.10%	517.30
	豆二	129	652	-80.21	0.05	0.19	-74.07	1,670	4,576	-63.51	0.59	1.39	-57.37	0.00%	0.00%	59.12
	豆粕	27,685,266	30,967,177	-10.60	8,202.27	8,366.99	-1.97	298,201,612	215,246,150	38.54	85,442.13	58,374.91	46.37	6.40%	1.17%	446.26
	玉米	8,397,369	4,209,444	99.49	1,231.31	881.32	39.71	74,285,216	12,224,414	507.68	11,819.44	2,724.63	333.80	0.89%	0.05%	1,519.00
	豆油	7,386,955	8,742,364	-15.50	4,630.82	4,782.97	-3.18	63,719,106	59,087,202	7.84	38,424.00	33,345.10	15.23	2.88%	0.67%	330.06
	线型低密度聚乙烯	6,634,139	10,955,937	-39.45	2,980.49	4,682.35	-36.35	78,951,818	83,496,482	-5.44	33,923.79	38,240.71	-11.29	2.54%	0.77%	231.08
	棕榈油	12,546,192	9,345,339	34.25	6,759.31	4,169.74	62.10	93,846,889	61,597,448	52.36	48,697.37	30,150.22	61.52	3.65%	0.61%	502.80
	聚氯乙烯	535,259	98,177	445.20	153.35	25.35	504.84	2,936,178	1,054,091	178.55	786.34	287.23	173.76	0.06%	0.01%	921.72

交易所	品种	今年8月成交量（手）	去年8月交易量（手）	同比增减百分比（%）	今年8月成交金额（亿元）	去年8月成交金额（亿元）	同比增减百分比（%）	今年1-8月成交总量（手）	去年1-8月成交总量（手）	同比增减百分比（%）	今年1-8月成交金额（亿元）	去年1-8月成交金额（亿元）	同比增减百分比（%）	今年1-8月成交金额所占份额（%）	去年1-8月成交金额所占份额（%）	同比增减百分比（%）
大连商品交易所	焦炭	3,268,029	865,595	277.55	3,969.90	700.57	466.66	36,287,829	10,513,564	245.15	33,193.76	9,660.83	243.59	2.49%	0.19%	1,182.33
	焦煤	1,754,871	773,450	126.89	885.11	277.11	219.40	25,626,619	10,056,921	154.82	10,503.91	4,085.10	157.13	0.79%	0.08%	859.63
	铁矿石	22,250,484	30,077,793	-26.02	9,965.47	11,407.41	-12.64	263,594,574	148,458,067	77.55	104,102.24	60,676.12	71.57	7.80%	1.22%	540.32
	鸡蛋	2,227,344	1,251,766	77.94	777.72	515.64	50.83	14,952,207	9,830,016	52.11	5,430.03	4,165.48	30.36	0.41%	0.08%	386.51
	胶合板	41	3,014	-98.64	0.02	1.29	-98.54	413	182,032	-99.77	0.19	103.44	-99.82	0.00%	0.00%	-99.33
	纤维板	22	796	-97.24	0.01	0.23	-96.53	227	67,394	-99.66	0.06	19.82	-99.70	0.00%	0.00%	-98.89
	聚丙烯	5,485,197	5,891,088	-6.89	2,132.32	2,266.86	-5.93	106,385,951	55,000,027	93.43	36,312.39	22,413.39	62.01	2.72%	0.45%	504.65
	玉米淀粉	3,970,681	251,250	1,480.37	722.20	60.48	1,094.06	39,463,104	2,416,078	1,533.35	8,021.69	693.99	1,055.88	0.60%	0.01%	4,213.89
	小计	103,940,168	105,097,525	-1.10	43,082.98	38,850.75	10.89	1,120,272,172	680,698,641	64.58	424,720.00	269,816.62	57.41	31.83%	5.42%	487.48
中金所	沪深300指数	348,864	39,373,211	-99.11	3,428.53	429,103.71	-99.20	3,182,156	274,351,980	-98.84	29,693.88	3,392,087.03	-99.12	2.23%	68.11%	-96.73
	5年期国债期货	244,893	124,373	96.90	2,488.55	1,213.20	105.12	1,991,605	1,706,414	16.71	20,069.61	16,649.73	20.54	1.50%	0.33%	349.87
	10年期国债期货	517,489	98,800	423.77	5,239.56	945.70	454.04	3,409,098	382,724	790.75	34,080.28	3,672.02	828.11	2.55%	0.07%	3,363.82
	上证50股指期货	123,520	5,590,732	-97.79	819.20	38,316.15	-97.86	1,153,066	34,477,557	-96.66	7,258.43	300,271.25	-97.58	0.54%	6.03%	-90.98
	中证500股指期货	315,116	2,967,297	-89.38	3,938.80	43,682.02	-90.98	2,696,715	21,074,503	-87.20	31,687.44	376,960.50	-91.59	2.37%	7.57%	-68.63
	小计	1,549,882	48,154,413	-96.78	15,914.64	513,260.78	-96.90	12,432,640	331,993,178	-96.26	122,789.63	4,089,640.53	-97.00	9.20%	82.12%	-88.79
全国期货市场		308,066,793	341,399,097	-9.76	150,352.77	634,451.26	-76.30	2,996,892,285	2,424,781,523	23.59	1,334,420.58	4,980,237.85	-73.21	100.00%	100.00%	0.00%

2016 年 9 月份全国期货市场交易情况统计

交易所	品种	今年9月成交量（手）	去年9月交易量（手）	同比增减百分比（%）	今年9月成交金额（亿元）	去年9月成交金额（亿元）	同比增减百分比（%）	今年1-9月成交总量（手）	去年1-9月成交总量（手）	同比增减百分比（%）	今年1-9月成交金额（亿元）	去年1-9月成交金额（亿元）	同比增减百分比（%）	今年1-9月成交金额所占份额（%）	去年1-9月成交金额所占份额（%）	同比增减百分比（%）
上海期货交易所	铜	2,985,622	7,300,701	-59.10	5,528.61	14,548.81	-62.00	55,622,647	60,873,957	-8.63	102,030.51	125,931.49	-18.98	7.03%	2.46%	186.05
	铝	2,539,988	727,301	249.23	1,542.97	431.79	257.34	28,676,073	7,200,589	298.25	17,015.43	4,590.18	270.69	1.17%	0.09%	1,208.74
	锌	5,638,785	2,810,056	100.66	5,079.71	1,972.12	157.58	49,613,661	20,586,904	141.00	38,355.19	16,116.33	137.99	2.64%	0.31%	740.23
	铅	251,603	92,227	172.81	182.61	61.05	199.12	1,420,621	907,422	56.56	963.77	586.58	64.30	0.07%	0.01%	480.08
	黄金	1,632,191	1,792,933	-8.97	4,679.74	4,176.78	12.04	27,897,382	18,648,752	49.59	74,607.01	44,651.85	67.09	5.14%	0.87%	489.90
	天胶	5,701,031	8,057,612	-29.25	7,381.18	9,354.31	-21.09	75,724,119	57,534,116	31.62	88,005.09	75,213.98	17.01	6.07%	1.47%	313.10
	燃料油	132	373	-64.61	0.17	0.41	-57.29	979	3,653	-73.20	1.23	5.48	-77.49	0.00%	0.00%	-20.51
	螺纹钢	55,916,653	39,661,187	40.99	12,999.96	7,631.78	70.34	776,940,333	412,062,374	88.55	172,923.90	92,613.86	86.71	11.92%	1.81%	559.21
	线材	5	19	-73.68	0.00	0.00	-73.04	47	305	-84.59	0.01	0.08	-86.38	0.00%	0.00%	-51.92
	白银	6,254,667	9,033,624	-30.76	4,049.10	4,534.56	-10.71	64,754,905	125,631,045	-48.46	37,979.21	66,590.97	-42.97	2.62%	1.30%	101.36
	沥青	9,170,954	5,500,056	66.74	1,678.95	1,322.79	26.93	142,795,248	11,577,201	1,133.42	27,188.47	3,090.19	779.83	1.87%	0.06%	3,006.29
	热轧卷板	2,872,340	136,444	2,005.14	747.68	26.33	2,739.59	28,394,594	1,322,731	2,046.66	7,054.28	304.74	2,214.85	0.49%	0.01%	8,072.69
	镍	5,494,171	9,734,474	-43.56	4,436.13	7,561.34	-41.33	78,542,296	36,894,482	112.88	58,045.49	32,797.26	76.98	4.00%	0.64%	524.85
	锡	168,589	6,277	2,585.82	212.61	6.31	3,270.85	2,405,799	358,432	571.20	2,675.48	418.36	539.52	0.18%	0.01%	2,157.85
	小计	98,626,731	84,853,284	16.23	48,519.42	51,628.38	-6.02	1,332,788,704	753,601,963	76.86	626,845.08	462,911.33	35.41	43.22%	9.04%	378.08

交易所	品种	今年9月成交量（手）	去年9月交易量（手）	同比增减百分比（%）	今年9月成交金额（亿元）	去年9月成交金额（亿元）	同比增减百分比（%）	今年1-9月成交总量（手）	去年1-9月成交总量（手）	同比增减百分比（%）	今年1-9月成交金额（亿元）	去年1-9月成交金额（亿元）	同比增减百分比（%）	今年1-9月成交金额所占份额（%）	去年1-9月成交金额所占份额（%）	同比增减百分比（%）
郑州商品交易所	强麦	28,262	39,963	-29.28	15.09	21.83	-30.87	380,234	173,029	119.75	211.21	93.89	124.95	0.01%	0.00%	694.20
	棉花	4,594,826	1,234,836	272.10	3,351.34	766.67	337.13	66,332,907	16,241,282	308.42	43,979.42	10,598.51	314.96	3.03%	0.21%	1,365.03
	白糖	6,684,971	22,893,551	-70.80	4,298.72	12,498.59	-65.61	95,575,385	126,464,937	-24.43	54,700.76	66,967.51	-18.32	3.77%	1.31%	188.38
	pta	8,490,913	19,174,648	-55.72	2,030.66	4,414.72	-54.00	113,985,720	182,052,990	-37.39	26,839.89	44,376.45	-39.52	1.85%	0.87%	113.54
	菜籽油	1,301,225	679,833	91.40	821.81	382.90	114.63	15,761,473	5,413,845	191.13	9,671.38	3,199.70	202.26	0.67%	0.06%	967.14
	早籼稻	132	399	-66.92	0.07	0.20	-65.25	1,185	3,135	-62.20	0.65	1.53	-57.67	0.00%	0.00%	49.47
	甲醇	7,957,998	29,291,722	-72.83	1,625.46	5,691.66	-71.44	101,052,827	255,881,281	-60.51	19,208.34	58,536.52	-67.19	1.32%	1.14%	15.85
	普麦	19	12	58.33	0.02	0.01	56.93	142	292	-51.37	0.17	0.37	-54.44	0.00%	0.00%	60.84
	玻璃	11,373,102	2,653,408	328.62	2,602.54	445.43	484.27	49,740,967	27,708,720	79.51	10,602.38	5,057.13	109.65	0.73%	0.10%	640.19
	油菜籽		318	-100.00	0.00	0.12	-100.00	16,837	44,649	-62.29	6.83	16.87	-59.51	0.00%	0.00%	42.97
	菜籽粕	11,897,344	18,979,688	-37.32	2,670.67	3,854.35	-30.71	211,298,932	224,283,049	-5.79	49,625.54	48,718.56	1.86	3.42%	0.95%	259.63
	粳稻	20	6	233.33	0.01	0.00	226.00	248	98	153.06	0.16	0.06	160.90	0.00%	0.00%	821.12
	晚籼稻	52	3	1,633.33	0.03	0.00	1,742.65	147	1,035	-85.80	0.08	0.57	-86.36	0.00%	0.00%	-51.84
	硅铁	40,453	340	11,797.94	10.22	0.09	11,796.95	170,285	2,872	5,829.14	39.21	0.73	5,245.84	0.00%	0.00%	18,773.72
	锰硅	195,457	33	592,193.94	63.84	0.01	760,178.44	540,932	11,507	4,600.90	169.01	3.21	5,169.87	0.01%	0.00%	18,505.50
	动力煤(新)	7,127,515	4,255	167,409.17	3,682.03	1.53	240,301.58	34,859,568	11,319	307,873.92	14,702.77	4.26	344,974.23	1.01%	0.00%	1,218,199.37
	小计	59,692,289	94,953,015	-37.13	21,172.50	28,078.12	-24.59	689,717,789	838,294,040	-17.72	229,757.79	237,575.88	-3.29	15.84%	4.64%	241.44
大连商品交易所	豆一	1,650,143	1,330,931	23.98	609.22	548.68	11.03	23,668,902	12,795,110	84.98	8,671.28	5,422.95	59.90	0.60%	0.11%	464.53
	豆二	28	118	-76.27	0.01	0.04	-70.93	1,698	4,694	-63.83	0.60	1.43	-57.71	0.00%	0.00%	49.30
	豆粕	18,596,068	17,670,043	5.24	5,392.16	4,721.78	14.20	316,797,680	232,916,193	36.01	90,834.29	63,096.69	43.96	6.26%	1.23%	408.26
	玉米	9,584,823	6,760,996	41.77	1,374.55	1,279.20	7.45	83,870,039	18,985,410	341.76	13,193.99	4,003.84	229.53	0.91%	0.08%	1,063.43
	豆油	5,802,407	6,607,984	-12.19	3,660.06	3,554.61	2.97	69,521,513	65,695,186	5.82	42,084.05	36,899.71	14.05	2.90%	0.72%	302.66
	线型低密度聚乙烯	4,968,056	8,492,716	-41.50	2,165.93	3,600.10	-39.84	83,919,874	91,989,198	-8.77	36,089.73	41,840.81	-13.75	2.49%	0.82%	204.53
	棕榈油	11,125,617	10,858,875	2.46	6,206.04	4,738.61	30.97	104,972,506	72,456,323	44.88	54,903.41	34,888.83	57.37	3.79%	0.68%	455.59
	聚氯乙烯	773,303	68,177	1,034.26	226.34	16.95	1,235.62	3,709,481	1,122,268	230.53	1,012.68	304.18	232.92	0.07%	0.01%	1,075.39
	焦炭	3,668,244	722,591	407.65	4,446.50	562.69	690.22	39,956,073	11,236,155	255.60	37,640.26	10,223.52	268.17	2.59%	0.20%	1,199.85
	焦煤	3,269,220	822,006	297.71	1,810.63	287.50	529.78	28,895,839	10,878,927	165.61	12,314.54	4,372.60	181.63	0.85%	0.09%	894.31
	铁矿石	16,395,387	29,604,722	-44.62	6,695.91	11,506.01	-41.81	279,989,961	178,062,789	57.24	110,798.15	72,182.13	53.50	7.64%	1.41%	441.93
	鸡蛋	1,554,017	1,380,002	12.61	520.78	533.20	-2.33	16,506,224	11,210,018	47.25	5,950.81	4,698.68	26.65	0.41%	0.09%	347.14
	胶合板	26	326	-92.02	0.01	0.14	-90.86	439	182,358	-99.76	0.20	103.58	-99.81	0.00%	0.00%	-99.32
	纤维板		300	-100.00	0.00	0.09	-100.00	227	67,694	-99.66	0.06	19.91	-99.70	0.00%	0.00%	-98.95
	聚丙烯	3,534,896	8,609,777	-58.94	1,267.30	3,186.39	-60.23	109,920,847	63,609,804	72.80	37,579.69	25,599.77	46.80	2.59%	0.50%	418.27
	玉米淀粉	5,767,424	611,005	843.92	970.39	137.34	606.54	45,230,528	3,027,083	1,394.20	8,992.08	831.34	981.64	0.62%	0.02%	3,718.79
	小计	86,689,659	93,540,569	-7.32	35,345.82	34,673.34	1.94	1,206,961,831	774,239,210	55.89	460,065.81	304,489.96	51.09	31.72%	5.95%	433.44

交易所	品种	今年9月成交量（手）	去年9月交易量（手）	同比增减百分比（%）	今年9月成交金额（亿元）	去年9月成交金额（亿元）	同比增减百分比（%）	今年1-9月成交总量（手）	去年1-9月成交总量（手）	同比增减百分比（%）	今年1-9月成交金额（亿元）	去年1-9月成交金额（亿元）	同比增减百分比（%）	今年1-9月成交金额所占份额（%）	去年1-9月成交金额所占份额（%）	同比增减百分比（%）
中金所	沪深300指数	276,882	1,621,540	-82.92	2,704.08	14,883.22	-81.83	3,459,038	275,973,520	-98.75	32,397.96	3,406,970.25	-99.05	2.23%	66.53%	-96.64
	5年期国债期货	120,699	165,101	-26.89	1,223.83	1,631.09	-24.97	2,112,304	1,871,515	12.87	21,293.44	18,280.82	16.48	1.47%	0.36%	311.24
	10年期国债期货	330,282	94,265	250.38	3,332.35	910.08	266.16	3,739,380	476,989	683.96	37,412.63	4,582.10	716.49	2.58%	0.09%	2,782.67
	上证50股指期货	111,689	569,412	-80.39	734.06	3,549.55	-79.32	1,264,755	35,046,969	-96.39	7,992.48	303,820.80	-97.37	0.55%	5.93%	-90.71
	中证500股指期货	243,169	483,452	-49.70	3,053.81	5,483.54	-44.31	2,939,884	21,557,955	-86.36	34,741.25	382,444.04	-90.92	2.40%	7.47%	-67.93
	小计	1,082,721	2,933,770	-63.09	11,048.14	26,457.48	-58.24	13,515,361	334,926,948	-95.96	133,837.77	4,116,098.01	-96.75	9.23%	80.38%	-88.52
全国期货市场		246,091,400	276,280,638	-10.93	116,085.87	140,837.32	-17.57	3,242,983,685	2,701,062,161	20.06	1,450,506.45	5,121,075.17	-71.68	100.00%	100.00%	0.00%

2016年10月份全国期货市场交易情况统计

交易所	品种	今年10月成交量（手）	去年10月交易量（手）	同比增减百分比（%）	今年10月成交金额（亿元）	去年10月成交金额（亿元）	同比增减百分比（%）	今年1-10月成交总量（手）	去年1-10月成交总量（手）	同比增减百分比（%）	今年1-10月成交金额（亿元）	去年1-10月成交金额（亿元）	同比增减百分比（%）	今年1-10月成交金额所占份额（%）	去年1-10月成交金额所占份额（%）	同比增减百分比（%）
上海期货交易所	铜	2,723,868	5,895,558	-53.80	5,134.61	11,605.94	-55.76	58,346,515	66,769,515	-12.62	107,165.12	137,537.44	-22.08	6.85%	2.63%	160.39
	铝	3,406,328	2,328,943	46.26	2,229.37	1,251.79	78.09	32,082,401	9,529,532	236.66	19,244.80	5,841.97	229.42	1.23%	0.11%	1,000.89
	锌	4,337,733	4,148,836	4.55	3,980.09	2,955.20	34.68	53,951,394	24,735,740	118.11	42,335.28	19,071.53	121.98	2.71%	0.36%	641.83
	铅	233,495	76,081	206.90	185.26	50.95	263.57	1,654,116	983,503	68.19	1,149.02	637.53	80.23	0.07%	0.01%	502.30
	黄金	1,479,866	1,767,028	-16.25	4,088.39	4,228.79	-3.32	29,377,248	20,415,780	43.89	78,695.39	48,880.64	61.00	5.03%	0.93%	438.02
	天胶	5,963,032	7,286,042	-18.16	8,397.82	8,286.85	1.34	81,687,151	64,820,158	26.02	96,402.91	83,500.83	15.45	6.16%	1.60%	285.82
	燃料油	12	48	-75.00	0.02	0.06	-73.85	991	3,701	-73.22	1.25	5.53	-77.45	0.00%	0.00%	-24.63
	螺纹钢	44,110,300	26,662,938	65.44	10,817.42	4,852.28	122.93	821,050,633	438,725,312	87.14	183,741.32	97,466.13	88.52	11.74%	1.86%	530.00
	线材	4	19	-78.95	0.00	0.00	-74.41	51	324	-84.26	0.01	0.08	-85.84	0.00%	0.00%	-52.67
	白银	4,312,664	5,773,049	-25.30	2,606.58	2,993.01	-12.91	69,067,569	131,404,094	-47.44	40,585.79	69,583.98	-41.67	2.59%	1.33%	94.92
	沥青	10,332,793	5,254,103	96.66	1,864.96	1,210.78	54.03	153,128,041	16,831,304	809.78	29,053.43	4,300.97	575.51	1.86%	0.08%	2,157.46
	热轧卷板	2,760,795	77,673	3,454.38	764.83	14.41	5,207.23	31,155,389	1,400,404	2,124.74	7,819.11	319.15	2,349.97	0.50%	0.01%	8,087.48
	镍	4,504,252	5,485,730	-17.89	3,677.02	4,343.17	-15.34	83,046,548	42,380,212	95.96	61,722.51	37,140.43	66.19	3.94%	0.71%	455.37
	锡	140,629	17,634	697.49	184.36	17.10	977.94	2,546,428	376,066	577.12	2,859.84	435.46	556.74	0.18%	0.01%	2,094.73
	小计	84,305,771	64,773,682	30.15	43,930.72	41,810.36	5.07	1,417,094,475	818,375,645	73.16	670,775.80	504,721.69	32.90	42.86%	9.65%	344.13
郑州商品交易所	强麦	18,580	115,958	-83.98	10.29	63.59	-83.83	398,814	288,987	38.00	221.49	157.48	40.65	0.01%	0.00%	370.02
	棉花	3,960,410	2,008,666	97.17	2,995.72	1,200.66	149.51	70,293,317	18,249,948	285.17	46,975.14	11,799.17	298.12	3.00%	0.23%	1,230.47
	白糖	5,832,906	19,102,077	-69.46	3,953.19	10,688.40	-63.01	101,408,291	145,567,014	-30.34	58,653.96	77,655.91	-24.47	3.75%	1.48%	152.41
	pta	12,819,803	13,474,511	-4.86	3,118.59	3,154.42	-1.14	126,805,523	195,527,501	-35.15	29,958.47	47,530.86	-36.97	1.91%	0.91%	110.64
	菜籽油	3,270,091	513,195	537.20	2,238.69	292.00	666.67	19,031,564	5,927,040	221.10	11,910.06	3,491.70	241.10	0.76%	0.07%	1,039.90
	早籼稻	162	128	26.56	0.09	0.06	35.33	1,347	3,263	-58.72	0.74	1.60	-53.96	0.00%	0.00%	53.85
	甲醇	10,392,283	14,294,567	-27.30	2,368.75	2,780.48	-14.81	111,445,110	270,175,848	-58.75	21,577.10	61,317.00	-64.81	1.38%	1.17%	17.60
	普麦	9	20	-55.00	0.01	0.02	-55.78	151	312	-51.60	0.18	0.40	-54.52	0.00%	0.00%	51.98
	玻璃	6,054,202	3,471,008	74.42	1,325.25	592.80	123.56	55,795,169	31,179,728	78.95	11,927.63	5,649.93	111.11	0.76%	0.11%	605.51
	油菜籽		45	-100.00	0.00	0.02	-100.00	16,837	44,694	-62.33	6.83	16.89	-59.55	0.00%	0.00%	35.18

交易所	品种	今年10月成交量（手）	去年10月交易量（手）	同比增减百分比（%）	今年10月成交金额（亿元）	去年10月成交金额（亿元）	同比增减百分比（%）	今年1-10月成交总量（手）	去年1-10月成交总量（手）	同比增减百分比（%）	今年1-10月成交金额（亿元）	去年1-10月成交金额（亿元）	同比增减百分比（%）	今年1-10月成交金额所占份额（%）	去年1-10月成交金额所占份额（%）	同比增减百分比（%）
郑州商品交易所	菜籽粕	9,668,188	11,828,862	-18.27	2,164.69	2,338.89	-7.45	220,967,120	236,111,911	-6.41	51,790.24	51,057.45	1.44	3.31%	0.98%	238.98
	粳稻		1	-100.00	0.00	0.00	-100.00	248	99	150.51	0.16	0.06	158.28	0.00%	0.00%	763.13
	晚籼稻	73		-	0.04	0.00	-	220	1,035	-78.74	0.12	0.57	-79.81	0.00%	0.00%	-32.52
	硅铁	171,515	2,197	7,706.78	47.00	0.44	10,555.53	341,800	5,069	6,642.95	86.21	1.17	7,239.83	0.01%	0.00%	-
	锰硅	328,001	1,770	18,431.13	122.59	0.33	36,608.45	868,933	13,277	6,444.65	291.61	3.54	8,134.86	0.02%	0.00%	-
	动力煤(新)	7,383,602	24,081	30,561.53	4,415.47	7.94	55,481.67	42,243,170	35,400	-	19,118.24	12.20	-	1.22%	0.00%	-
	小计	59,899,825	64,837,086	-7.61	22,760.37	21,120.07	7.77	749,617,614	903,131,126	-17.00	252,518.17	258,695.95	-2.39	16.14%	4.95%	226.21
大连商品交易所	豆一	1,964,321	2,386,546	-17.69	737.57	937.76	-21.35	25,633,223	15,181,656	68.84	9,408.85	6,360.71	47.92	0.60%	0.12%	394.33
	豆二	33	124	-73.39	0.01	0.04	-66.75	1,731	4,818	-64.07	0.62	1.46	-57.95	0.00%	0.00%	40.54
	豆粕	17,642,610	16,519,430	6.80	5,025.93	4,313.54	16.52	334,440,290	249,435,623	34.08	95,860.22	67,410.23	42.20	6.13%	1.29%	375.23
	玉米	9,158,009	5,753,414	59.18	1,346.66	1,047.92	28.51	93,028,048	24,738,824	276.04	14,540.65	5,051.75	187.83	0.93%	0.10%	861.90
	豆油	7,462,348	6,908,315	8.02	4,933.93	3,846.31	28.28	76,983,861	72,603,501	6.03	47,017.98	40,746.02	15.39	3.00%	0.78%	285.63
	线型低密度聚乙烯	4,240,817	5,466,744	-22.43	1,998.99	2,289.85	-12.70	88,160,691	97,455,942	-9.54	38,088.71	44,130.65	-13.69	2.43%	0.84%	188.43
	棕榈油	9,794,151	11,207,535	-12.61	5,674.11	5,100.02	11.26	114,766,657	83,663,858	37.18	60,577.51	39,988.85	51.49	3.87%	0.76%	406.25
	聚氯乙烯	907,161	76,983	1,078.39	298.68	18.63	1,502.94	4,616,642	1,199,251	284.96	1,311.35	322.81	306.23	0.08%	0.01%	1,257.55
	焦炭	3,984,572	828,143	381.15	6,200.31	611.36	914.18	43,940,645	12,064,298	264.22	43,840.57	10,834.88	304.62	2.80%	0.21%	1,252.20
	焦煤	4,245,516	699,959	506.54	3,049.00	237.54	1,183.56	33,141,355	11,578,886	186.22	15,363.53	4,610.14	233.26	0.98%	0.09%	1,013.69
	铁矿石	14,027,503	21,569,444	-34.97	6,250.98	7,907.01	-20.94	294,017,464	199,632,233	47.28	117,049.13	80,089.14	46.15	7.48%	1.53%	388.41
	鸡蛋	1,445,013	989,027	46.10	502.73	363.02	38.49	17,951,237	12,199,045	47.15	6,453.54	5,061.70	27.50	0.41%	0.10%	326.08
	胶合板	23	239	-90.38	0.01	0.11	-89.64	462	182,597	-99.75	0.21	103.68	-99.80	0.00%	0.00%	-99.32
	纤维板	1	201	-99.50	0.00	0.06	-99.61	228	67,895	-99.66	0.06	19.97	-99.70	0.00%	0.00%	-99.01
	聚丙烯	3,429,039	6,915,482	-50.42	1,349.04	2,458.68	-45.13	113,349,886	70,525,286	60.72	38,928.73	28,058.45	38.74	2.49%	0.54%	363.66
	玉米淀粉	6,043,475	3,087,057	95.77	1,062.34	607.26	74.94	51,274,003	6,114,140	738.61	10,054.42	1,438.59	598.91	0.64%	0.03%	2,235.66
	小计	84,344,592	82,408,643	2.35	38,430.28	29,739.10	29.22	1,291,306,423	856,647,853	50.74	498,496.09	334,229.06	49.15	31.85%	6.39%	398.43
中金所	沪深300指数	206,336	314,837	-34.46	2,041.16	3,196.03	-36.13	3,665,374	276,288,357	-98.67	34,439.12	3,410,166.27	-98.99	2.20%	65.21%	-96.63
	5年期国债期货	115,436	670,145	-82.77	1,175.03	6,708.14	-82.48	2,227,740	2,541,660	-12.35	22,468.47	24,988.95	-10.09	1.44%	0.48%	200.48
	10年期国债期货	312,067	286,344	8.98	3,165.16	2,831.82	11.77	4,051,447	763,333	430.76	40,577.79	7,413.93	447.32	2.59%	0.14%	1,729.07
	上证50股指期货	89,621	110,928	-19.21	595.87	754.49	-21.02	1,354,376	35,157,897	-96.15	8,588.35	304,575.29	-97.18	0.55%	5.82%	-90.58
	中证500股指期货	179,204	185,505	-3.40	2,298.84	2,465.35	-6.75	3,119,088	21,743,460	-85.66	37,040.09	384,909.39	-90.38	2.37%	7.36%	-67.84
	小计	902,664	1,567,759	-42.42	9,276.06	15,955.83	-41.86	14,418,025	336,494,707	-95.72	143,113.83	4,132,053.84	-96.54	9.15%	79.01%	-88.43
全国期货市场		229,452,852	213,587,170	7.43	114,397.43	108,625.35	5.31	3,472,436,537	2,914,649,331	19.14	1,564,903.88	5,229,700.53	-70.08	100.00%	100.00%	0.00%

2016年11月份全国期货市场交易情况统计

交易所	品种	今年11月成交量（手）	去年11月交易量（手）	同比增减百分比（%）	今年11月成交金额（亿元）	去年11月成交金额（亿元）	同比增减百分比（%）	今年1-11月成交总量（手）	去年1-11月成交总量（手）	同比增减百分比（%）	今年1-11月成交金额（亿元）	去年1-11月成交金额（亿元）	同比增减百分比（%）	今年1-11月成交金额所占份额（%）	去年1-11月成交金额所占份额（%）	同比增减百分比（%）
上海期货交易所	铜	8,960,011	11,733,570	-23.64	19,909.36	20,932.79	-4.89	67,306,526	78,503,085	-14.26	127,074.48	158,470.23	-19.81	7.13%	2.94%	142.57
	铝	7,466,828	6,261,356	19.25	5,141.69	3,165.90	62.41	39,549,229	15,790,888	150.46	24,386.49	9,007.87	170.72	1.37%	0.17%	718.94
	锌	10,370,626	11,803,897	-12.14	11,041.53	7,541.10	46.42	64,322,020	36,539,637	76.03	53,376.82	26,612.63	100.57	3.00%	0.49%	506.72
	铅	1,052,180	153,559	585.20	1,025.76	95.88	969.84	2,706,296	1,137,062	138.01	2,174.78	733.41	196.53	0.12%	0.01%	797.00
	黄金	3,094,241	2,224,374	39.11	8,609.25	5,004.82	72.02	32,471,489	22,640,154	43.42	87,304.64	53,885.46	62.02	4.90%	1.00%	390.11
	天胶	9,032,275	8,649,340	4.43	14,704.33	9,018.84	63.04	90,719,426	73,469,498	23.48	111,107.24	92,519.68	20.09	6.24%	1.72%	263.27
	燃料油	230	57	303.51	0.34	0.07	397.61	1,221	3,758	-67.51	1.59	5.60	-71.66	0.00%	0.00%	-14.27
	螺纹钢	64,883,549	37,341,081	73.76	18,783.14	6,412.96	192.89	885,934,182	476,066,393	86.09	202,524.46	103,879.10	94.96	11.37%	1.93%	489.76
	线材		3	-100.00	0.00	0.00	-100.00	51	327	-84.40	0.01	0.08	-85.93	0.00%	0.00%	-57.44
	白银	9,314,928	6,672,656	39.60	5,836.50	3,272.20	78.37	78,382,497	138,076,750	-43.23	46,422.29	72,856.18	-36.28	2.61%	1.35%	92.75
	沥青	18,884,148	7,666,989	146.30	3,931.68	1,623.37	142.19	172,012,189	24,498,293	602.14	32,985.11	5,924.34	456.77	1.85%	0.11%	1,584.24
	热轧卷板	6,168,220	171,045	3,506.20	2,026.40	29.98	6,658.79	37,323,609	1,571,449	2,275.11	9,845.52	349.13	2,719.99	0.55%	0.01%	8,430.48
	镍	10,393,011	9,874,832	5.25	9,505.44	7,028.05	35.25	93,439,559	52,255,044	78.81	71,227.94	44,168.48	61.26	4.00%	0.82%	387.82
	锡	418,575	47,251	785.85	613.44	40.81	1,403.05	2,965,003	423,317	600.42	3,473.28	476.28	629.26	0.19%	0.01%	2,106.01
	小计	150,038,822	102,600,010	46.24	101,128.86	64,166.77	57.60	,567,133,297	920,975,655	70.16	771,904.66	568,888.45	35.69	43.33%	10.56%	310.45
郑州商品交易所	强麦	41,137	84,493	-51.31	23.69	47.00	-49.58	439,951	373,480	17.80	245.19	204.48	19.91	0.01%	0.00%	262.72
	棉花	6,530,053	2,179,413	199.62	5,151.74	1,293.74	298.21	76,823,370	20,429,361	276.04	52,126.88	13,092.91	298.13	2.93%	0.24%	1,104.35
	白糖	9,294,515	23,832,052	-61.00	6,420.25	12,991.45	-50.58	110,702,806	169,399,066	-34.65	65,074.21	90,647.37	-28.21	3.65%	1.68%	117.16
	pta	24,669,168	20,726,172	19.02	6,158.36	4,773.80	29.00	151,474,691	216,253,673	-29.96	36,116.83	52,304.66	-30.95	2.03%	0.97%	108.88
	菜籽油	4,971,177	819,955	506.27	3,523.87	462.40	662.08	24,002,741	6,746,995	255.75	15,433.93	3,954.10	290.33	0.87%	0.07%	1,080.74
	早籼稻	293	96	205.21	0.16	0.05	236.10	1,640	3,359	-51.18	0.90	1.65	-45.47	0.00%	0.00%	64.95
	甲醇	12,024,088	22,871,560	-47.43	2,948.84	4,157.69	-29.08	123,469,198	293,047,408	-57.87	24,525.94	65,474.69	-62.54	1.38%	1.21%	13.31
	普麦	19	31	-38.71	0.02	0.04	-35.99	170	343	-50.44	0.20	0.43	-52.94	0.00%	0.00%	42.35
	玻璃	7,191,758	6,888,718	4.40	1,783.76	1,193.00	49.52	62,986,927	38,068,446	65.46	13,711.39	6,842.93	100.37	0.77%	0.13%	506.13
	油菜籽	1,613	537	200.37	0.76	0.22	247.99	18,450	45,231	-59.21	7.59	17.11	-55.64	0.00%	0.00%	34.17
	菜籽粕	15,758,427	13,163,361	19.71	3,673.60	2,454.89	49.64	236,725,547	249,275,272	-5.03	55,463.84	53,512.34	3.65	3.11%	0.99%	213.53
	粳稻	30		—	0.02	0.00	—	278	99	180.81	0.18	0.06	191.27	0.00%	0.00%	781.08
	晚籼稻	48	5	860.00	0.03	0.00	977.66	268	1,040	-74.23	0.14	0.58	-75.16	0.00%	0.00%	-24.86
	硅铁	284,058	26,257	981.84	78.63	5.02	1,464.86	625,858	31,326	1,897.89	164.84	6.20	2,558.98	0.01%	0.00%	7,943.41
	锰硅	347,536	32,034	984.90	143.70	6.17	2,227.20	1,216,469	45,311	2,584.71	435.31	9.72	4,380.31	0.02%	0.00%	13,452.94
	动力煤	6,431,366	325,208	1,877.62	4,019.10	95.67	4,101.02	48,674,536	360,608	13,397.91	23,137.34	107.87	21,348.38	1.30%	0.00%	64,781.37
	小计	87,545,286	90,949,892	-3.74	33,926.52	27,481.14	23.45	837,162,900	994,081,018	-15.79	286,444.69	286,177.08	0.09	16.08%	5.31%	202.78
大连商品交易所	豆一	2,972,277	1,859,351	59.86	1,146.42	705.97	62.39	28,605,500	17,041,007	67.86	10,555.27	7,066.69	49.37	0.59%	0.13%	351.83
	豆二	63	88	-28.41	0.02	0.03	-13.15	1,794	4,906	-63.43	0.64	1.49	-57.10	0.00%	0.00%	29.77
	豆粕	32,253,374	20,478,756	57.50	9,425.43	4,933.64	91.04	366,693,664	269,914,379	35.86	105,285.65	72,343.87	45.54	5.91%	1.34%	340.24
	玉米	15,828,295	10,424,009	51.84	2,481.48	1,936.58	28.14	108,856,343	35,162,833	209.58	17,022.14	6,988.34	143.58	0.96%	0.13%	636.83
	豆油	10,052,038	9,164,826	9.68	6,851.34	5,040.16	35.93	87,035,899	81,768,327	6.44	53,869.32	45,786.18	17.65	3.02%	0.85%	255.90
	线型低密度聚乙烯	6,681,906	11,444,718	-41.62	3,260.02	4,434.68	-26.49	94,842,597	108,900,660	-12.91	41,348.73	48,565.33	-14.86	2.32%	0.90%	157.55
	棕榈油	14,253,309	13,865,255	2.80	8,705.89	5,954.50	46.21	129,019,966	97,529,113	32.29	69,283.40	45,943.36	50.80	3.89%	0.85%	356.18
	聚氯乙烯	3,647,203	169,392	2,053.11	1,360.28	38.69	3,415.66	8,263,845	1,368,643	503.80	2,671.63	361.51	639.03	0.15%	0.01%	2,135.56

交易所	品种	今年11月成交量（手）	去年11月交易量（手）	同比增减百分比（%）	今年11月成交金额（亿元）	去年11月成交金额（亿元）	同比增减百分比（%）	今年1-11月成交总量（手）	去年1-11月成交总量（手）	同比增减百分比（%）	今年1-11月成交金额（亿元）	去年1-11月成交金额（亿元）	同比增减百分比（%）	今年1-11月成交金额所占份额（%）	去年1-11月成交金额所占份额（%）	同比增减百分比（%）
大连商品交易所	焦炭	4,790,093	1,749,609	173.78	9,469.18	1,166.06	712.07	48,730,738	13,813,907	252.77	53,309.76	12,000.94	344.21	2.99%	0.22%	1,243.74
	焦煤	5,639,062	1,838,091	206.79	4,917.51	589.43	734.28	38,780,417	13,416,977	189.04	20,281.05	5,199.57	290.05	1.14%	0.10%	1,079.91
	铁矿石	25,441,841	27,346,512	-6.96	14,288.48	9,057.42	57.75	319,459,305	226,978,745	40.74	131,337.60	89,146.56	47.33	7.37%	1.65%	345.67
	鸡蛋	2,504,627	1,378,543	81.69	908.20	498.99	82.01	20,455,864	13,577,588	50.66	7,361.74	5,560.69	32.39	0.41%	0.10%	300.48
	胶合板	5,537	71	7,698.59	3.13	0.03	10,129.43	5,999	182,668	-96.72	3.34	103.72	-96.78	0.00%	0.00%	-90.25
	纤维板	356	127	180.31	0.11	0.04	171.78	584	68,022	-99.14	0.17	20.01	-99.17	0.00%	0.00%	-97.48
	聚丙烯	5,130,942	17,149,983	-70.08	2,184.46	5,253.31	-58.42	118,480,828	87,675,269	35.14	41,113.19	33,311.76	23.42	2.31%	0.62%	273.34
	玉米淀粉	9,451,100	11,475,717	-17.64	1,753.90	2,433.58	-27.93	60,725,103	17,589,857	245.23	11,808.32	3,872.17	204.95	0.66%	0.07%	822.48
	小计	138,652,023	128,345,048	8.03	66,755.86	42,043.13	58.78	,429,958,446	984,992,901	45.17	565,251.95	376,272.18	50.22	31.73%	6.98%	354.43
中金所	沪深300指数	280,249	395,279	-29.10	2,868.40	4,306.15	-33.39	3,945,623	276,683,636	-98.57	37,307.52	3,414,472.42	-98.91	2.09%	63.35%	-96.69
	5年期国债期货	205,107	1,248,135	-83.57	2,071.28	12,444.60	-83.36	2,432,847	3,789,795	-35.81	24,539.75	37,433.55	-34.44	1.38%	0.69%	98.31
	10年期国债期货	614,460	505,934	21.45	6,148.12	4,972.01	23.65	4,665,907	1,269,267	267.61	46,725.91	12,385.94	277.25	2.62%	0.23%	1,041.18
	上证50股指期货	132,502	156,407	-15.28	920.51	1,131.62	-18.66	1,486,878	35,314,304	-95.79	9,508.86	305,706.92	-96.89	0.53%	5.67%	-90.59
	中证500股指期货	226,508	226,056	0.20	2,937.23	3,278.76	-10.42	3,345,596	21,969,516	-84.77	39,977.32	388,188.15	-89.70	2.24%	7.20%	-68.85
	小计	1,458,826	2,531,811	-42.38	14,945.54	26,133.14	-42.81	15,876,851	339,026,518	-95.32	158,059.36	4,158,186.98	-96.20	8.87%	77.15%	-88.50
全国期货市场		377,694,957	324,426,761	16.42	216,756.78	159,824.17	35.62	3,850,131,494	3,239,076,092	18.87	1,781,660.66	5,389,524.70	-66.94	100.00%	100.00%	0.00%

2016年12月份全国期货市场交易情况统计

交易所	品种	今年12月成交量（手）	去年12月交易量（手）	同比增减百分比（%）	今年12月成交金额（亿元）	去年12月成交金额（亿元）	同比增减百分比（%）	今年1-12月成交总量（手）	去年1-12月成交总量（手）	同比增减百分比（%）	今年1-12月成交金额（亿元）	去年1-12月成交金额（亿元）	同比增减百分比（%）	今年1-12月成交金额所占份额（%）	去年1-12月成交金额所占份额（%）	同比增减百分比（%）
上海期货交易所	铜	5,088,389	9,815,473	-48.16	11,797.56	17,443.57	-32.37	72,394,915	88,318,558	-18.03	138,872.04	175,913.80	-21.06	7.10%	3.18%	123.58
	铝	4,842,556	7,109,803	-31.89	3,161.17	3,733.48	-15.33	44,391,785	22,900,691	93.84	27,547.66	12,741.35	116.21	1.41%	0.23%	512.32
	锌	8,743,902	8,697,798	0.53	9,608.25	5,566.23	72.62	73,065,922	45,237,435	61.52	62,985.07	32,178.85	95.73	3.22%	0.58%	454.34
	铅	1,854,904	173,044	971.93	1,806.31	111.99	1,512.97	4,561,200	1,310,106	248.16	3,981.09	845.40	370.91	0.20%	0.02%	1,233.67
	黄金	2,288,034	2,677,046	-14.53	6,120.96	6,034.07	1.44	34,759,523	25,317,200	37.30	93,425.60	59,919.53	55.92	4.78%	1.08%	341.58
	天胶	6,651,830	9,598,049	-30.70	12,524.44	9,928.50	26.15	97,371,256	83,067,547	17.22	123,631.68	102,448.18	20.68	6.32%	1.85%	241.77
	燃料油	1,701	117	1,353.85	3.58	0.15	2,352.83	2,922	3,875	-24.59	5.17	5.75	-10.11	0.00%	0.00%	154.59
	螺纹钢	48,214,227	64,969,467	-25.79	15,347.44	11,070.30	38.64	934,148,409	541,035,860	72.66	217,871.90	114,949.40	89.54	11.14%	2.07%	436.79
	线材	10		—	0.00	0.00	—	61	327	-81.35	0.01	0.08	-82.97	0.00%	0.00%	-51.77
	白银	8,119,064	6,709,701	21.00	5,048.87	3,295.30	53.21	86,501,561	144,786,451	-40.26	51,471.16	76,151.47	-32.41	2.63%	1.37%	91.42
	沥青	14,802,058	7,899,530	87.38	3,711.11	1,434.48	158.71	186,814,247	32,397,823	476.63	36,696.23	7,358.81	398.67	1.88%	0.13%	1,312.29
	热轧卷板	5,958,142	440,917	1,251.31	2,141.99	81.38	2,531.97	43,281,751	2,012,366	2,050.79	11,987.50	430.52	2,684.45	0.61%	0.01%	7,785.85
	镍	6,810,382	11,335,074	-39.92	6,303.01	7,878.64	-20.00	100,249,941	63,590,118	57.65	77,530.96	52,047.12	48.96	3.96%	0.94%	321.88
	锡	203,345	92,472	119.90	295.55	86.10	243.29	3,168,348	515,789	514.27	3,768.84	562.37	570.17	0.19%	0.01%	1,797.99
	小计	113,578,544	129,518,491	-12.31	77,870.25	66,664.18	16.81	,680,711,841	,050,494,146	59.99	849,774.91	635,552.63	33.71	43.44%	11.47%	278.67

交易所	品种	今年12月成交量（手）	去年12月交易量（手）	同比增减百分比（%）	今年12月成交金额（亿元）	去年12月成交金额（亿元）	同比增减百分比（%）	今年1-12月成交总量（手）	去年1-12月成交总量（手）	同比增减百分比（%）	今年1-12月成交金额（亿元）	去年1-12月成交金额（亿元）	同比增减百分比（%）	今年1-12月成交金额所占份额（%）	去年1-12月成交金额所占份额（%）	同比增减百分比（%）
郑州商品交易所	强麦	60,127	87,249	-31.09	36.09	50.03	-27.87	500,078	460,729	8.54	281.28	254.51	10.52	0.01%	0.00%	212.99
	棉花	3,706,759	2,183,950	69.73	2,887.85	1,257.03	129.74	80,530,129	22,613,311	256.12	55,014.73	14,349.94	283.38	2.81%	0.26%	985.77
	白糖	6,591,078	17,924,390	-63.23	4,589.09	9,973.00	-53.98	117,293,884	187,323,456	-37.38	69,663.30	100,620.37	-30.77	3.56%	1.82%	96.08
	pta	21,185,179	15,324,348	38.25	5,701.61	3,371.34	69.12	172,659,870	231,578,021	-25.44	41,818.44	55,676.00	-24.89	2.14%	1.00%	112.72
	菜籽油	3,309,505	1,033,460	220.24	2,492.83	586.74	324.86	27,312,246	7,780,455	251.04	17,926.76	4,540.84	294.79	0.92%	0.08%	1,018.09
	早籼稻	360	212	69.81	0.19	0.11	72.50	2,000	3,571	-43.99	1.09	1.76	-38.06	0.00%	0.00%	75.43
	甲醇	13,269,818	21,310,405	-37.73	3,730.13	3,576.38	4.30	136,739,016	314,357,813	-56.50	28,256.06	69,051.08	-59.08	1.44%	1.25%	15.89
	普麦	3	832	-99.64	0.00	1.02	-99.64	173	1,175	-85.28	0.21	1.46	-85.77	0.00%	0.00%	-59.69
	玻璃	4,661,386	3,479,852	33.95	1,202.40	576.32	108.63	67,648,313	41,548,298	62.82	14,913.78	7,419.24	101.01	0.76%	0.13%	469.30
	油菜籽	429	472	-9.11	0.21	0.19	11.03	18,879	45,703	-58.69	7.80	17.30	-54.91	0.00%	0.00%	27.70
	菜籽粕	9,542,211	12,211,937	-21.86	2,290.92	2,296.29	-0.23	246,267,758	261,487,209	-5.82	57,754.76	55,808.62	3.49	2.95%	1.01%	193.09
	粳稻	64		—	0.04	0.00	—	342	99	245.45	0.22	0.06	262.06	0.00%	0.00%	925.40
	晚籼稻	66	23	186.96	0.04	0.01	231.20	334	1,063	-68.58	0.18	0.59	-69.25	0.00%	0.00%	-12.90
	硅铁	33,627	8,080	316.18	9.09	1.42	540.30	659,485	39,406	1,573.56	173.93	7.62	2,182.81	0.01%	0.00%	6,365.17
	锰硅	148,056	5,128	2,787.21	58.46	0.96	5,978.67	1,364,525	50,439	2,605.30	493.77	10.68	4,524.28	0.03%	0.00%	12,996.44
	动力煤	1,625,332	620,102	162.11	881.21	186.92	371.43	50,299,868	980,710	5,028.92	24,018.54	294.80	8,047.44	1.23%	0.01%	22,974.40
	小计	64,134,000	74,190,440	-13.55	23,880.16	21,877.78	9.15	901,296,900	1,068,271,458	-15.63	310,324.85	308,054.86	0.74	15.86%	5.56%	185.30
大连商品交易所	豆一	3,964,658	1,769,896	124.01	1,685.95	655.40	157.24	32,570,158	18,810,903	73.15	12,241.22	7,722.09	58.52	0.63%	0.14%	348.95
	豆二	40	30	33.33	0.02	0.01	64.81	1,834	4,936	-62.84	0.66	1.50	-56.30	0.00%	0.00%	23.76
	豆粕	22,256,306	19,582,401	13.65	6,482.41	4,619.74	40.32	388,949,970	289,496,780	34.35	111,768.06	76,963.61	45.22	5.71%	1.39%	311.28
	玉米	13,506,621	6,927,402	94.97	2,079.21	1,287.68	61.47	122,362,964	42,090,235	190.72	19,101.34	8,276.01	130.80	0.98%	0.15%	553.66
	豆油	7,725,915	10,735,937	-28.04	5,495.33	6,044.87	-9.09	94,761,814	92,504,264	2.44	59,364.65	51,831.06	14.53	3.03%	0.94%	224.37
	线型低密度聚乙烯	6,088,536	10,956,338	-44.43	3,056.18	4,175.70	-26.81	100,931,133	119,856,998	-15.79	44,404.91	52,741.03	-15.81	2.27%	0.95%	138.45
	棕榈油	10,137,933	13,985,897	-27.51	6,385.75	6,553.12	-2.55	139,157,899	111,515,010	24.79	75,669.15	52,496.48	44.14	3.87%	0.95%	308.22
	聚氯乙烯	2,979,148	197,928	1,405.17	987.01	46.38	2,028.14	11,242,993	1,566,571	617.68	3,658.64	407.88	796.98	0.19%	0.01%	2,440.34
	焦炭	1,730,312	1,848,422	-6.39	3,037.18	1,161.79	161.42	50,461,050	15,662,329	222.18	56,346.93	13,162.74	328.08	2.88%	0.24%	1,112.37
	焦煤	2,297,010	2,289,583	0.32	1,766.89	733.27	140.96	41,077,427	15,706,560	161.53	22,047.94	5,932.84	271.63	1.13%	0.11%	952.48
	铁矿石	22,806,004	32,593,340	-30.03	13,442.72	9,817.12	36.93	342,265,309	259,572,085	31.86	144,780.32	98,963.68	46.30	7.40%	1.79%	314.33
	鸡蛋	2,018,875	1,141,150	76.92	711.14	375.72	89.28	22,474,739	14,718,738	52.69	8,072.88	5,936.40	35.99	0.41%	0.11%	285.14
	胶合板	2,158	36	5,894.44	1.09	0.02	7,151.89	8,157	182,704	-95.54	4.43	103.73	-95.73	0.00%	0.00%	-87.90
	纤维板	126	249	-49.40	0.04	0.07	-41.35	710	68,271	-98.96	0.21	20.08	-98.97	0.00%	0.00%	-97.07
	聚丙烯	5,287,519	19,838,042	-73.35	2,420.89	5,653.54	-57.18	123,768,347	107,513,311	15.12	43,534.08	38,965.30	11.73	2.23%	0.70%	216.42
	玉米淀粉	6,720,161	9,463,823	-28.99	1,249.23	1,963.13	-36.37	67,445,264	27,053,680	149.30	13,057.55	5,835.30	123.77	0.67%	0.11%	533.74
	小计	107,521,322	131,330,474	-18.13	48,801.02	43,087.55	13.26	1,537,479,768	1,116,323,375	37.73	614,052.98	419,359.74	46.43	31.39%	7.57%	314.69

交易所	品种	今年12月成交量（手）	去年12月交易量（手）	同比增减百分比（%）	今年12月成交金额（亿元）	去年12月成交金额（亿元）	同比增减百分比（%）	今年1-12月成交总量（手）	去年1-12月成交总量（手）	同比增减百分比（%）	今年1-12月成交金额（亿元）	去年1-12月成交金额（亿元）	同比增减百分比（%）	今年1-12月成交金额所占份额（%）	去年1-12月成交金额所占份额（%）	同比增减百分比（%）
中金所	沪深300指数	279,943	418,353	-33.08	2,835.11	4,593.48	-38.28	4,225,566	277,101,989	-98.48	40,142.63	3,419,065.91	-98.83	2.05%	61.71%	-96.67
	5年期国债期货	324,362	613,777	-47.15	3,202.56	6,161.44	-48.02	2,757,209	4,403,572	-37.39	27,742.32	43,594.99	-36.36	1.42%	0.79%	80.23
	10年期国债期货	1,510,896	414,654	264.38	14,545.45	4,125.83	252.55	6,176,803	1,683,921	266.81	61,271.36	16,511.76	271.08	3.13%	0.30%	950.93
	上证50股指期货	137,508	169,616	-18.93	963.75	1,215.89	-20.74	1,624,386	35,483,920	-95.42	10,472.62	306,922.81	-96.59	0.54%	5.54%	-90.34
	中证500股指期货	206,295	226,413	-8.89	2,584.86	3,321.09	-22.17	3,551,891	22,195,929	-84.00	42,562.18	391,509.24	-89.13	2.18%	7.07%	-69.21
	小计	2,459,004	1,842,813	33.44	24,131.74	19,417.73	24.28	18,335,855	340,869,331	-94.62	182,191.10	4,177,604.71	-95.64	9.31%	75.40%	-87.65
全国期货市场		287,692,870	336,882,218	-14.60	174,683.17	151,047.23	15.65	4,137,824,364	3,575,958,310	15.71	1,956,343.83	5,540,571.93	-64.69	100.00%	100.00%	0.00%

2016 年全国期货交易情况统计表

日期	大连商品交易所		上海期货交易所		郑州商品交易所		中国金融期货交易所	
	成交量（万张）	成交金额（亿元）	成交量（万张）	成交金额（亿元）	成交量（万张）	成交金额（亿元）	成交量（万张）	成交金额（亿元）
2016.01	11503.31	38347.35	11695.77	56535.46	6329.37	18631.32	189.02	18488.96
2016.02	8524.12	29837.58	7756.63	40232.57	3795.03	11655.72	137.02	13056.16
2016.03	20929.79	80661.67	24494.35	104166.37	8773.26	25849.74	207.59	20008.02
2016.04	18949.40	79463.10	22842.38	95487.51	9371.59	31921.35	157.66	15718.16
2016.05	14551.45	52774.83	15958.37	71570.51	8334.29	26729.71	141.65	13849.51
2016.06	13425.58	47825.32	11618.84	56975.90	9250.64	31558.36	121.63	12080.25
2016.07	13749.56	52727.17	16020.29	87359.17	9920.28	36882.22	133.71	13673.92
2016.08	10394.02	43082.98	13029.57	65998.20	7228.11	25356.95	154.99	15914.64
2016.09	8668.97	35345.82	9862.67	48519.42	5968.05	21167.96	108.27	11048.14
2016.10	8434.46	38430.28	8430.58	43930.72	5989.98	22760.37	90.27	9276.06
2016.11	13865.20	66755.86	15003.88	101128.86	8754.53	33926.52	145.88	14945.54
2016.12	10752.13	48801.02	11357.85	77870.25	6413.40	23880.16	245.90	24131.74

期货公司名录

序号	公司名称	辖区
1	安粮期货有限公司	安徽
2	宝城期货有限责任公司	浙江
3	北京首创期货有限责任公司	北京
4	倍特期货有限公司	四川
5	渤海期货股份有限公司	上海
6	财达期货有限公司	天津
7	中金期货有限公司	青海
8	长安期货有限公司	陕西
9	长江期货有限公司	湖北
10	创元期货股份有限公司	江苏
11	大地期货有限公司	浙江
12	大连良运期货经纪有限公司	辽宁
13	大通期货经纪有限公司	黑龙江

序号	公司名称	辖区
14	大有期货有限公司	湖南
15	大越期货股份有限公司	浙江
16	道通期货经纪有限公司	江苏
17	德盛期货有限公司	湖南
18	第一创业期货有限责任公司	北京
19	东方汇金期货有限公司	吉林
20	东海期货有限责任公司	江苏
21	东航期货有限责任公司	上海
22	东吴期货有限公司	上海
23	东兴期货有限责任公司	上海
24	方正中期期货有限公司	北京
25	格林大华期货有限公司	北京
26	冠通期货有限公司	北京
27	光大期货有限公司	上海
28	广发期货有限公司	广东
29	广永期货有限公司	广东
30	广州期货股份有限公司	广东
31	国都期货有限公司	北京
32	国富期货有限公司	辽宁
33	国海良时期货有限公司	浙江
34	国金期货有限责任公司	四川
35	国联期货股份有限公司	江苏
36	国贸期货有限公司	福建
37	国泰君安期货有限公司	上海
38	国投安信期货有限公司	上海
39	国信期货有限责任公司	上海
40	国元期货股份有限公司	北京
41	海航期货股份有限公司	广东
42	海通期货股份有限公司	上海
43	海证期货有限公司	上海
44	和合期货经纪有限公司	山西
45	和融期货有限责任公司	天津
46	河北恒银期货经纪有限公司	河北
47	黑龙江时代期货经纪有限公司	黑龙江
48	恒泰期货有限公司	上海
49	弘业期货股份有限公司	江苏
50	红塔期货有限责任公司	云南
51	宏源期货有限公司	北京
52	华安期货有限责任公司	安徽
53	华创期货有限责任公司	重庆
54	九州期货有限公司	北京
55	华联期货有限公司	广东
56	华龙期货股份有限公司	甘肃
57	华融期货有限责任公司	海南
58	华泰期货有限公司	广东
59	华闻期货有限公司	上海
60	华西期货有限责任公司	四川

序号	公司名称	辖区
61	华鑫期货有限公司	上海
62	徽商期货有限责任公司	安徽
63	混沌天成期货股份有限公司	广东
64	集成期货股份有限公司	广东
65	建信期货有限责任公司	上海
66	江海汇鑫期货有限公司	辽宁
67	江苏东华期货有限公司	江苏
68	江西瑞奇期货经纪有限公司	江西
69	江信国盛期货有限责任公司	辽宁
70	华金期货有限公司	天津
71	金鹏期货经纪有限公司	北京
72	金瑞期货股份有限公司	广东
73	金石期货有限公司	新疆
74	金信期货有限公司	湖南
75	福能期货股份有限公司	福建
76	金元期货有限公司	海南
77	津投期货经纪有限公司	天津
78	锦泰期货有限公司	江苏
79	鲁证期货股份有限公司	山东
80	迈科期货经纪有限公司	陕西
81	美尔雅期货有限公司	湖北
82	民生期货有限公司	北京
83	摩根大通期货有限公司	广东
84	南华期货股份有限公司	浙江
85	南证期货有限责任公司	江苏
86	平安期货有限公司	广东
87	乾坤期货有限公司	深圳
88	瑞达期货股份有限公司	福建
89	瑞银期货有限责任公司	上海
90	山金期货有限公司	天津
91	山西三立期货经纪有限公司	山西
92	上海大陆期货有限公司	上海
93	上海东方期货经纪有限责任公司	上海
94	上海东亚期货有限公司	上海
95	上海东证期货有限公司	上海
96	通惠期货有限公司	上海
97	上海浙石期货经纪有限公司	上海
98	上海中财期货有限公司	上海
99	上海中期期货经纪有限公司	上海
100	申银万国期货有限公司	上海
101	深圳金汇期货经纪有限公司	广东
102	深圳瑞龙期货有限公司	广东
103	神华期货有限公司	广东
104	晟鑫期货经纪有限公司	山西
105	盛达期货有限公司	浙江
106	首创京都期货有限公司	北京
107	天风期货股份有限公司	辽宁

序号	公司名称	辖区
108	天富期货有限公司	吉林
109	天鸿期货经纪有限公司	上海
110	同信久恒期货有限责任公司	上海
111	铜冠金源期货有限公司	上海
112	万达期货股份有限公司	河南
113	文峰期货有限公司	江苏
114	五矿经易期货有限公司	广东
115	西部期货有限公司	陕西
116	西南期货有限公司	重庆
117	新湖期货有限公司	上海
118	新纪元期货有限公司	江苏
119	新疆天利期货经纪有限公司	新疆
120	新晟期货有限公司	广东
121	鑫鼎盛期货有限公司	福建
122	信达期货有限公司	浙江
123	兴业期货有限公司	浙江
124	兴证期货有限公司	福建
125	一德期货有限公司	天津
126	银河期货有限公司	北京
127	银建期货经纪有限责任公司	北京
128	英大期货有限公司	北京
129	永安期货股份有限公司	浙江
130	云晨期货有限责任公司	云南
131	招金期货有限公司	山东
132	招商期货有限公司	广东
133	浙江新世纪期货有限公司	浙江
134	浙商期货有限公司	浙江
135	中大期货有限公司	浙江
136	中电投先融期货有限公司	重庆
137	中钢期货有限公司	北京
138	中国国际期货有限公司	北京
139	中航期货有限公司	广东
140	中辉期货经纪有限公司	上海
141	中粮期货有限公司	北京
142	中融汇信期货有限公司	上海
143	中投天琪期货有限公司	广东
144	中信建投期货有限公司	重庆
145	中信期货有限公司	广东
146	中衍期货有限公司	北京
147	中银国际期货有限责任公司	海南
148	中原期货股份有限公司	河南
149	中州期货有限公司	山东

2016 年各期货公司分类评价结果

序号	公司简称	2016 年评级
1	永安期货	AA
2	国投安信	AA
3	银河期货	AA
4	广发期货	AA
5	招商期货	AA
6	光大期货	AA
7	申银万国	AA
8	中信建投	AA
9	方正中期	AA
10	中粮期货	AA
11	华泰期货	A
12	长江期货	A
13	国际期货	A
14	南华期货	A
15	鲁证期货	A
16	瑞达期货	A
17	华信万达	A
18	宏源期货	A
19	新湖期货	A
20	兴证期货	A
21	金瑞期货	A
22	格林大华	A
23	五矿经易	A
24	中大期货	A
25	弘业期货	A
26	中金期货	A
27	上海中期	A
28	西部期货	A
29	东海期货	A
30	宝城期货	A
31	中投天琪	BBB
32	信达期货	BBB
33	国贸期货	BBB
34	中衍期货	BBB
35	大地期货	BBB
36	国海良时	BBB
37	东航期货	BBB
38	一德期货	BBB
39	混沌天成	BBB
40	英大期货	BBB
41	美尔雅期货	BBB
42	徽商期货	BBB
43	安粮期货	BBB
44	中银国际	BBB
45	中融汇信	BBB
46	大有期货	BBB
47	迈科期货	BBB
48	广州期货	BBB

序号	公司简称	2016 年评级
49	北京首创	BBB
50	海航期货	BBB
51	中原期货	BBB
52	锦泰期货	BBB
53	东吴期货	BBB
54	广永期货	BBB
55	民生期货	BBB
56	恒泰期货	BBB
57	新纪元期货	BBB
58	平安期货	BBB
59	上海中财	BBB
60	倍特期货	BBB
61	华西期货	BBB
62	中钢期货	BBB
63	华安期货	BBB
64	财达期货	BBB
65	铜冠金源	BBB
66	中航期货	BBB
67	渤海期货	BBB
68	盛达期货	BBB
69	华金期货	BBB

期货从业人员管理办法

（中国证券监督管理委员会令第 48 号 2007 年 7 月 4 日）

第一章　总　则

第一条　为了加强期货从业人员的资格管理，规范期货从业人员的执业行为，根据《期货交易管理条例》，制定本办法。

第二条　申请期货从业人员资格（以下简称从业资格），从事期货经营业务的机构（以下简称机构）任用期货从业人员，以及期货从业人员从事期货业务的，应当遵守本办法。

第三条　本办法所称机构是指：

（一）期货公司；

（二）期货交易所的非期货公司结算会员；

（三）期货投资咨询机构；

（四）为期货公司提供中间介绍业务的机构；

（五）中国证券监督管理委员会（以下简称中国证监会）规定的其他机构。

第四条　本办法所称期货从业人员是指：

（一）期货公司的管理人员和专业人员；

（二）期货交易所的非期货公司结算会员中从事期货结算业务的管理人员和专业人员；

（三）期货投资咨询机构中从事期货投资咨询业务的管理人员和专业人员；

（四）为期货公司提供中间介绍业务的机构中从事期货经营业务的管理人员和专业人员；

（五）中国证监会规定的其他人员。

第五条　中国证监会及其派出机构依法对期货从业人员进行监督管理。

中国期货业协会（以下简称协会）依法对期货从业人员实行自律管理，负责从业资格的认定、管理及撤销。

第二章　从业资格的取得和注销

第六条　协会负责组织从业资格考试。

第七条　参加从业资格考试的，应当符合下列条件：

（一）年满 18 周岁；

（二）具有完全民事行为能力；

（三）具有高中以上文化程度；

（四）中国证监会规定的其他条件。

第八条　通过从业资格考试的，取得协会颁发的从业资格考试合格证明。

第九条　取得从业资格考试合格证明的人员从事期货业务的，应当事先通过其所在机构向协会申请从业资格。

未取得从业资格的人员，不得在机构中开展期货业务活动。

第十条　机构任用具有从业资格考试合格证明且符合下列条件的人员从事期货业务的，应当为其办理从业资格申请：

（一）品行端正，具有良好的职业道德；

（二）已被本机构聘用；

（三）最近 3 年内未受过刑事处罚或者中国证监会等金融监管机构的行政处罚；

（四）未被中国证监会等金融监管机构采取市场禁入措施，或者禁入期已经届满；

（五）最近 3 年内未因违法违规行为被撤销证券、期货从业资格；

（六）中国证监会规定的其他条件。

机构不得任用无从业资格的人员从事期货业务，不得在办理从业资格申请过程中弄虚作假。

第十一条　期货从业人员辞职、被解聘或者死亡的，机构应当自上述情形发生之日起 10 个工作日内向协会报告，由协会注销其从业资格。

机构的相关期货业务许可被注销的，由协会注销该机构中从事相应期货业务的期货从业人员的从业资格。

第十二条　取得从业资格考试合格证明或者被注销从业资格的人员连续 2 年未在机构中执业的，在申请从业资格前应当参加协会组织的后续职业培训。

第三章　执业规则

第十三条　期货从业人员必须遵守有关法律、行政法规和中国证监会的规定，遵守协会和期货交易所的自律规则，不得从事或者协同他人从事欺诈、内幕交易、操纵期货交易价格、编造并传播有关期货交易的虚假信息等违法违规行为。

第十四条　期货从业人员应当遵守下列执业行为规范：

（一）诚实守信，恪尽职守，促进机构规范运作，维护期货行业声誉；

（二）以专业的技能，谨慎、勤勉尽责地为客户提供服务，保守客户的商业秘密，维护客户的合法权益；

（三）向客户提供专业服务时，充分揭示期货交易风险，不得作出不当承诺或者保证；

（四）当自身利益或者相关方利益与客户的利益发生冲突或者存在潜在利益冲突时，及时向客户进行披露，并且坚持客户合法利益优先的原则；

（五）具有良好的职业道德与守法意识，抵制商业贿赂，不得从事不正当竞争行为和不正当交易行为；

（六）不得为迎合客户的不合理要求而损害社会公共利益、所在机构或者他人的合法权益；

（七）不得以本人或者他人名义从事期货交易；

（八）协会规定的其他执业行为规范。

第十五条 期货公司的期货从业人员不得有下列行为：

（一）进行虚假宣传，诱骗客户参与期货交易；

（二）挪用客户的期货保证金或者其他资产；

（三）中国证监会禁止的其他行为。

第十六条 期货交易所的非期货公司结算会员的期货从业人员不得有下列行为：

（一）利用结算业务关系及由此获得的结算信息损害非结算会员及其客户的合法权益；

（二）代理客户从事期货交易；

（三）中国证监会禁止的其他行为。

第十七条 期货投资咨询机构的期货从业人员不得有下列行为：

（一）利用传播媒介或者通过其他方式提供、传播虚假或者误导客户的信息；

（二）代理客户从事期货交易；

（三）中国证监会禁止的其他行为。

第十八条 为期货公司提供中间介绍业务的机构的期货从业人员不得有下列行为：

（一）收付、存取或者划转期货保证金；

（二）代理客户从事期货交易；

（三）中国证监会禁止的其他行为。

第十九条 机构或者其管理人员对期货从业人员发出违法违规指令的，期货从业人员应当予以抵制，并及时按照所在机构内部程序向高级管理人员或者董事会报告。机构应当及时采取措施妥善处理。

机构未妥善处理的，期货从业人员应当及时向中国证监会或者协会报告。中国证监会和协会应当对期货从业人员的报告行为保密。

机构的管理人员及其他相关人员不得对期货从业人员的上述报告行为打击报复。

第四章 监督管理

第二十条 中国证监会指导和监督协会对期货从业人员的自律管理活动。

第二十一条 协会应当建立期货从业人员信息数据库，公示并且及时更新从业资格注册、诚信记录等信息。

中国证监会及其派出机构履行监管职责，需要协会提供期货从业人员信息和资料的，协会应当按照要求及时提供。

第二十二条 协会应当组织期货从业人员后续职业培训，提高期货从业人员的职业道德和专业素质。

期货从业人员应当按照有关规定参加后续职业培训，其所在机构应予以支持并提供必要保障。

第二十三条 协会应当对期货从业人员的执业行为进行定期或者不定期检查，期货从业人员及其所在机构应当予以配合。

第二十四条 期货从业人员违反本办法以及协会自律规则的，协会应当进行调查、给予纪律惩戒。

期货从业人员涉嫌违法违规需要中国证监会给予行政处罚的，协会应当及时移送中国证监会处理。

第二十五条 协会应当设立专门的纪律惩戒及申诉机构，制订相关制度和工作规程，按照规定程序对期货从业人员进行纪律惩戒，并保障当事人享有申诉等权利。

第二十六条 协会应当自对期货从业人员作出纪律惩戒决定之日起10个工作日内，向中国证监会及其有关派出机构报告，并及时在协会网站公示。

第二十七条 期货从业人员受到机构处分，或者从事的期货业务行为涉嫌违法违规被调查处理的，机构应当在作出处分决定、知悉或者应当知悉该期货从业人员违法违规被调查处理事项之日起10个工作日内向协会报告。

第二十八条 协会应当定期向中国证监会报告期货从业人员管理的有关情况。

第二十九条 期货从业人员违反本办法规定的，中国证监会及其派出机构可以采取责令改正、监管谈话、出具警示函等监管措施。

第三十条 期货从业人员自律管理的具体办法，包括从业资格考试、从业资格注册和公示、执业行为准则、后续职业培训、执业检查、纪律惩戒和申诉等，由协会制订，报中国证监会核准。

第五章 罚 则

第三十一条 未取得从业资格，擅自从事期货业务的，中国证监会责令改正，给予警告，单处或者并处3万元以下罚款。

第三十二条 有下列行为之一的，中国证监会根据《期货交易管理条例》第七十条处罚：

（一）任用无从业资格的人员从事期货业务；

（二）在办理从业资格申请过程中弄虚作假；

（三）不履行本办法第二十三条规定的配合义务；

（四）不按照本办法第二十七条的规定履行报告义务或者报告材料存在虚假内容。

第三十三条 违反本办法第十九条的规定，对期货从业人员进行打击报复的，中国证监会根据《期货交易管理条例》第七十条、第八十一条处罚。

第三十四条 期货从业人员违法违规的，中国证监会依法给予行政处罚。但因被迫执行违法违规指令而按照本办法第十九条第二款的规定履行了报告义务的，可以从轻、减轻或者免予行政处罚。

第三十五条 协会工作人员不按本办法规定履行职责，徇私舞弊、玩忽职守或者故意刁难有关当事人的，协会应当给予纪律处分。

第六章 附 则

第三十六条 本办法自公布之日起施行。2002年1月23日发布的《期货从业人员资格管理办法（修订）》（证监发[2002]6号）同时废止。

期货交易管理条例

（2007年2月7日国务院第168次常务会议通过 2007年3月6日国务院令第489号公布 根据2012年10月24日国务院令第627号《关于修改〈期货交易管理条例〉的决定》第一次修订 根据2013年7月18日国务院令第638号《关于废止和修改部分行政法规的决定》第二次修订 根据2016年2月6日国务院令第666号《关于修改部分行政法规的决定》第三次修订）

第一章　总　则

第一条　为了规范期货交易行为,加强对期货交易的监督管理,维护期货市场秩序,防范风险,保护期货交易各方的合法权益和社会公共利益,促进期货市场积极稳妥发展,制定本条例。

第二条　任何单位和个人从事期货交易及其相关活动,应当遵守本条例。

本条例所称期货交易,是指采用公开的集中交易方式或者国务院期货监督管理机构批准的其他方式进行的以期货合约或者期权合约为交易标的的交易活动。

本条例所称期货合约,是指期货交易场所统一制定的、规定在将来某一特定的时间和地点交割一定数量标的物的标准化合约。期货合约包括商品期货合约和金融期货合约及其他期货合约。

本条例所称期权合约,是指期货交易场所统一制定的、规定买方有权在将来某一时间以特定价格买入或者卖出约定标的物(包括期货合约)的标准化合约。

第三条　从事期货交易活动,应当遵循公开、公平、公正和诚实信用的原则。禁止欺诈、内幕交易和操纵期货交易价格等违法行为。

第四条　期货交易应当在依照本条例第六条第一款规定设立的期货交易所、国务院批准的或者国务院期货监督管理机构批准的其他期货交易场所进行。

禁止在前款规定的期货交易场所之外进行期货交易。

第五条　国务院期货监督管理机构对期货市场实行集中统一的监督管理。

国务院期货监督管理机构派出机构依照本条例的有关规定和国务院期货监督管理机构的授权,履行监督管理职责。

第二章　期货交易所

第六条　设立期货交易所,由国务院期货监督管理机构审批。

未经国务院批准或者国务院期货监督管理机构批准,任何单位或者个人不得设立期货交易场所或者以任何形式组织期货交易及其相关活动。

第七条　期货交易所不以营利为目的,按照其章程的规定实行自律管理。期货交易所以其全部财产承担民事责任。期货交易所的负责人由国务院期货监督管理机构任免。

期货交易所的管理办法由国务院期货监督管理机构制定。

第八条　期货交易所会员应当是在中华人民共和国境内登记注册的企业法人或者其他经济组织。

期货交易所可以实行会员分级结算制度。实行会员分级结算制度的期货交易所会员由结算会员和非结算会员组成。

第九条　有《中华人民共和国公司法》第一百四十七条规定的情形或者下列情形之一的,不得担任期货交易所的负责人、财务会计人员:

(一)因违法行为或者违纪行为被解除职务的期货交易所、证券交易所、证券登记结算机构的负责人,或者期货公司、证券公司的董事、监事、高级管理人员,以及国务院期货监督管理机构规定的其他人员,自被解除职务之日起未逾5年;

(二)因违法行为或者违纪行为被撤销资格的律师、注册会计师或者投资咨询机构、财务顾问机构、资信评级机构、资产评估机构、验证机构的专业人员,自被撤销资格之日起未逾5年。

第十条　期货交易所应当依照本条例和国务院期货监督管理机构的规定,建立、健全各项规章制度,加强对交易活动的风险控制和对会员以及交易所工作人员的监督管理。期货交易所履行下列职责:

(一)提供交易的场所、设施和服务;

(二)设计合约,安排合约上市;

(三)组织并监督交易、结算和交割;

(四)为期货交易提供集中履约担保;

(五)按照章程和交易规则对会员进行监督管理;

(六)国务院期货监督管理机构规定的其他职责。

期货交易所不得直接或者间接参与期货交易。未经国务院期货监督管理机构审核并报国务院批准,期货交易所不得从事信托投资、股票投资、非自用不动产投资等与其职责无关的业务。

第十一条　期货交易所应当按照国家有关规定建立、健全下列风险管理制度:

(一)保证金制度;

(二)当日无负债结算制度;

(三)涨跌停板制度;

(四)持仓限额和大户持仓报告制度;

(五)风险准备金制度;

(六)国务院期货监督管理机构规定的其他风险管理制度。

实行会员分级结算制度的期货交易所,还应当建立、健全结算担保金制度。

第十二条　当期货市场出现异常情况时,期货交易所可以按照其章程规定的权限和程序,决定采取下列紧急措施,并应当立即报告国务院期货监督管理机构:

(一)提高保证金;

(二)调整涨跌停板幅度;

(三)限制会员或者客户的最大持仓量;

(四)暂时停止交易;

(五)采取其他紧急措施。

前款所称异常情况,是指在交易中发生操纵期货交易价格的行为或者发生不可抗拒的突发事件以及国务院期货监督管理机构规定的其他情形。

异常情况消失后,期货交易所应当及时取消紧急措施。

第十三条　期货交易所办理下列事项,应当经国务院期货监督管理机构批准:

(一)制定或者修改章程、交易规则;

(二)上市、中止、取消或者恢复交易品种;

(三)国务院期货监督管理机构规定的其他事项。

国务院期货监督管理机构批准期货交易所上市新的交易品种,应当征求国务院有关部门的意见。

第十四条　期货交易所的所得收益按照国家有关规定管理和使用,但应当首先用于保证期货交易场所、设施的运行和改善。

第三章　期货公司

第十五条　期货公司是依照《中华人民共和国公司法》和本条例规定设立的经营期货业务的金融机构。设立期货公司,应当在公司登记机关登记注册,并经国务院期货监督管理机构批准。

未经国务院期货监督管理机构批准，任何单位或者个人不得设立或者变相设立期货公司，经营期货业务。

第十六条 申请设立期货公司，应当符合《中华人民共和国公司法》的规定，并具备下列条件：

（一）注册资本最低限额为人民币 3 000 万元；

（二）董事、监事、高级管理人员具备任职条件，从业人员具有期货从业资格；

（三）有符合法律、行政法规规定的公司章程；

（四）主要股东以及实际控制人具有持续盈利能力，信誉良好，最近 3 年无重大违法违规记录；

（五）有合格的经营场所和业务设施；

（六）有健全的风险管理和内部控制制度；

（七）国务院期货监督管理机构规定的其他条件。

国务院期货监督管理机构根据审慎监管原则和各项业务的风险程度，可以提高注册资本最低限额。注册资本应当是实缴资本。股东应当以货币或者期货公司经营必需的非货币财产出资，货币出资比例不得低于 85%。

国务院期货监督管理机构应当在受理期货公司设立申请之日起 6 个月内，根据审慎监管原则进行审查，作出批准或者不批准的决定。

未经国务院期货监督管理机构批准，任何单位和个人不得委托或者接受他人委托持有或者管理期货公司的股权。

第十七条 期货公司业务实行许可制度，由国务院期货监督管理机构按照其商品期货、金融期货业务种类颁发许可证。期货公司除申请经营境内期货经纪业务外，还可以申请经营境外期货经纪、期货投资咨询以及国务院期货监督管理机构规定的其他期货业务。

期货公司不得从事与期货业务无关的活动，法律、行政法规或者国务院期货监督管理机构另有规定的除外。

期货公司不得从事或者变相从事期货自营业务。

期货公司不得为其股东、实际控制人或者其他关联人提供融资，不得对外担保。

第十八条 期货公司从事经纪业务，接受客户委托，以自己的名义为客户进行期货交易，交易结果由客户承担。

第十九条 期货公司办理下列事项，应当经国务院期货监督管理机构批准：

（一）合并、分立、停业、解散或者破产；

（二）变更业务范围；

（三）变更注册资本且调整股权结构；

（四）新增持有 5% 以上股权的股东或者控股股东发生变化；

（五）国务院期货监督管理机构规定的其他事项。

前款第三项、第五项所列事项，国务院期货监督管理机构应当自受理申请之日起 20 日内作出批准或者不批准的决定；前款所列其他事项，国务院期货监督管理机构应当自受理申请之日起 2 个月内作出批准或者不批准的决定。

第二十条 期货公司或者其分支机构有《中华人民共和国行政许可法》第七十条规定的情形或者下列情形之一的，国务院期货监督管理机构应当依法办理期货业务许可证注销手续：

（一）营业执照被公司登记机关依法注销；

（二）成立后无正当理由超过 3 个月未开始营业，或者开业后无正当理由停业连续 3 个月以上；

（三）主动提出注销申请；

（四）国务院期货监督管理机构规定的其他情形。

期货公司在注销期货业务许可证前，应当结清相关期货业务，并依法返还客户的保证金和其他资产。期货公司分支机构在注销经营许可证前，应当终止经营活动，妥善处理客户资产。

第二十一条 期货公司应当建立、健全并严格执行业务管理规则、风险管理制度，遵守信息披露制度，保障客户保证金的存管安全，按照期货交易所的规定，向期货交易所报告大户名单、交易情况。

第二十二条 从事期货投资咨询业务的其他期货经营机构应当取得国务院期货监督管理机构批准的业务资格，具体管理办法由国务院期货监督管理机构制定。

第四章　期货交易基本规则

第二十三条 在期货交易所进行期货交易的，应当是期货交易所会员。

符合规定条件的境外机构，可以在期货交易所从事特定品种的期货交易。具体办法由国务院期货监督管理机构制定。

第二十四条 期货公司接受客户委托为其进行期货交易，应当事先向客户出示风险说明书，经客户签字确认后，与客户签订书面合同。期货公司不得未经客户委托或者不按照客户委托内容，擅自进行期货交易。

期货公司不得向客户作获利保证；不得在经纪业务中与客户约定分享利益或者共担风险。

第二十五条 下列单位和个人不得从事期货交易，期货公司不得接受其委托为其进行期货交易：

（一）国家机关和事业单位；

（二）国务院期货监督管理机构、期货交易所、期货保证金安全存管监控机构和期货业协会的工作人员；

（三）证券、期货市场禁止进入者；

（四）未能提供开户证明材料的单位和个人；

（五）国务院期货监督管理机构规定不得从事期货交易的其他单位和个人。

第二十六条 客户可以通过书面、电话、互联网或者国务院期货监督管理机构规定的其他方式，向期货公司下达交易指令。客户的交易指令应当明确、全面。

期货公司不得隐瞒重要事项或者使用其他不正当手段诱骗客户发出交易指令。

第二十七条 期货交易所应当及时公布上市品种合约的成交量、成交价、持仓量、最高价与最低价、开盘价与收盘价和其他应当公布的即时行情，并保证即时行情的真实、准确。期货交易所不得发布价格预测信息。

未经期货交易所许可，任何单位和个人不得发布期货交易即时行情。

第二十八条 期货交易应当严格执行保证金制度。期货交易所向会员、期货公司向客户收取的保证金，不得低于国务院期货监督管理机构、期货交易所规定的标准，并应当与自有资金分开，专户存放。

期货交易所向会员收取的保证金，属于会员所有，除用于会员的交易结算外，严禁挪作他用。

期货公司向客户收取的保证金，属于客户所有，除下列可划转的情形外，严禁挪作他用：

（一）依据客户的要求支付可用资金；

（二）为客户交存保证金，支付手续费、税款；

（三）国务院期货监督管理机构规定的其他情形。

第二十九条 期货公司应当为每一个客户单独开立专门账户、设置交易编码，不得混码交易。

第三十条　期货公司经营期货经纪业务又同时经营其他期货业务的，应当严格执行业务分离和资金分离制度，不得混合操作。

第三十一条　期货交易所、期货公司、非期货公司结算会员应当按照国务院期货监督管理机构、财政部门的规定提取、管理和使用风险准备金，不得挪用。

第三十二条　期货交易的收费项目、收费标准和管理办法由国务院有关主管部门统一制定并公布。

第三十三条　期货交易的结算，由期货交易所统一组织进行。

期货交易所实行当日无负债结算制度。期货交易所应当在当日及时将结算结果通知会员。

期货公司根据期货交易所的结算结果对客户进行结算，并应当将结算结果按照与客户约定的方式及时通知客户。客户应当及时查询并妥善处理自己的交易持仓。

第三十四条　期货交易所会员的保证金不足时，应当及时追加保证金或者自行平仓。会员未在期货交易所规定的时间内追加保证金或者自行平仓的，期货交易所应当将该会员的合约强行平仓，强行平仓的有关费用和发生的损失由该会员承担。

客户保证金不足时，应当及时追加保证金或者自行平仓。客户未在期货公司规定的时间内及时追加保证金或者自行平仓的，期货公司应当将该客户的合约强行平仓，强行平仓的有关费用和发生的损失由该客户承担。

第三十五条　期货交易的交割，由期货交易所统一组织进行。

交割仓库由期货交易所指定。期货交易所不得限制实物交割总量，并应当与交割仓库签订协议，明确双方的权利和义务。交割仓库不得有下列行为：

（一）出具虚假仓单；

（二）违反期货交易所业务规则，限制交割商品的入库、出库；

（三）泄露与期货交易有关的商业秘密；

（四）违反国家有关规定参与期货交易；

（五）国务院期货监督管理机构规定的其他行为。

第三十六条　会员在期货交易中违约的，期货交易所先以该会员的保证金承担违约责任；保证金不足的，期货交易所应当以风险准备金和自有资金代为承担违约责任，并由此取得对该会员的相应追偿权。

客户在期货交易中违约的，期货公司先以该客户的保证金承担违约责任；保证金不足的，期货公司应当以风险准备金和自有资金代为承担违约责任，并由此取得对该客户的相应追偿权。

第三十七条　实行会员分级结算制度的期货交易所，应当向结算会员收取结算担保金。期货交易所只对结算会员结算，收取和追收保证金，以结算担保金、风险准备金、自有资金代为承担违约责任，以及采取其他相关措施；对非结算会员的结算、收取和追收保证金、代为承担违约责任，以及采取其他相关措施，由结算会员执行。

第三十八条　期货交易所、期货公司和非期货公司结算会员应当保证期货交易、结算、交割资料的完整和安全。

第三十九条　任何单位或者个人不得编造、传播有关期货交易的虚假信息，不得恶意串通、联手买卖或者以其他方式操纵期货交易价格。

第四十条　任何单位或者个人不得违规使用信贷资金、财政资金进行期货交易。

银行业金融机构从事期货交易融资或者担保业务的资格，由国务院银行业监督管理机构批准。

第四十一条　国有以及国有控股企业进行境内外期货交易，应当遵循套期保值的原则，严格遵守国务院国有资产监督管理机构以及其他有关部门关于企业以国有资产进入期货市场的有关规定。

第四十二条　境外期货项下购汇、结汇以及外汇收支，应当符合国家外汇管理有关规定。

境内单位或者个人从事境外期货交易的办法，由国务院期货监督管理机构会同国务院商务主管部门、国有资产监督管理机构、银行业监督管理机构、外汇管理部门等有关部门制订，报国务院批准后施行。

第五章　期货业协会

第四十三条　期货业协会是期货业的自律性组织，是社会团体法人。

期货公司以及其他专门从事期货经营的机构应当加入期货业协会，并缴纳会员费。

第四十四条　期货业协会的权力机构为全体会员组成的会员大会。

期货业协会的章程由会员大会制定，并报国务院期货监督管理机构备案。

期货业协会设理事会。理事会成员按照章程的规定选举产生。

第四十五条　期货业协会履行下列职责：

（一）教育和组织会员遵守期货法律法规和政策；

（二）制定会员应当遵守的行业自律性规则，监督、检查会员行为，对违反协会章程和自律性规则的，按照规定给予纪律处分；

（三）负责期货从业人员资格的认定、管理以及撤销工作；

（四）受理客户与期货业务有关的投诉，对会员之间、会员与客户之间发生的纠纷进行调解；

（五）依法维护会员的合法权益，向国务院期货监督管理机构反映会员的建议和要求；

（六）组织期货从业人员的业务培训，开展会员间的业务交流；

（七）组织会员就期货业的发展、运作以及有关内容进行研究；

（八）期货业协会章程规定的其他职责。

期货业协会的业务活动应当接受国务院期货监督管理机构的指导和监督。

第六章　监督管理

第四十六条　国务院期货监督管理机构对期货市场实施监督管理，依法履行下列职责：

（一）制定有关期货市场监督管理的规章、规则，并依法行使审批权；

（二）对品种的上市、交易、结算、交割等期货交易及其相关活动，进行监督管理；

（三）对期货交易所、期货公司及其他期货经营机构、非期货公司结算会员、期货保证金安全存管监控机构、期货保证金存管银行、交割仓库等市场相关参与者的期货业务活动，进行监督管理；

（四）制定期货从业人员的资格标准和管理办法，并监督实施；

（五）监督检查期货交易的信息公开情况；

（六）对期货业协会的活动进行指导和监督；

（七）对违反期货市场监督管理法律、行政法规的行为进行查处；

（八）开展与期货市场监督管理有关的国际交流、合作活动；

（九）法律、行政法规规定的其他职责。

第四十七条 国务院期货监督管理机构依法履行职责，可以采取下列措施：

（一）对期货交易所、期货公司及其他期货经营机构、非期货公司结算会员、期货保证金安全存管监控机构和交割仓库进行现场检查；

（二）进入涉嫌违法行为发生场所调查取证；

（三）询问当事人和与被调查事件有关的单位和个人，要求其对与被调查事件有关的事项作出说明；

（四）查阅、复制与被调查事件有关的财产权登记等资料；

（五）查阅、复制当事人和与被调查事件有关的单位和个人的期货交易记录、财务会计资料以及其他相关文件和资料；对可能被转移、隐匿或者毁损的文件和资料，可以予以封存；

（六）查询与被调查事件有关的单位的保证金账户和银行账户；

（七）在调查操纵期货交易价格、内幕交易等重大期货违法行为时，经国务院期货监督管理机构主要负责人批准，可以限制被调查事件当事人的期货交易，但限制的时间不得超过 15 个交易日；案情复杂的，可以延长至 30 个交易日；

（八）法律、行政法规规定的其他措施。

第四十八条 期货交易所、期货公司及其他期货经营机构、期货保证金安全存管监控机构，应当向国务院期货监督管理机构报送财务会计报告、业务资料和其他有关资料。

对期货公司及其他期货经营机构报送的年度报告，国务院期货监督管理机构应当指定专人进行审核，并制作审核报告。审核人员应当在审核报告上签字。审核中发现问题的，国务院期货监督管理机构应当及时采取相应措施。

必要时，国务院期货监督管理机构可以要求非期货公司结算会员、交割仓库，以及期货公司股东、实际控制人或者其他关联人报送相关资料。

第四十九条 国务院期货监督管理机构依法履行职责，进行监督检查或者调查时，被检查、调查的单位和个人应当配合，如实提供有关文件和资料，不得拒绝、阻碍和隐瞒；其他有关部门和单位应当给予支持和配合。

第五十条 国家根据期货市场发展的需要，设立期货投资者保障基金。

期货投资者保障基金的筹集、管理和使用的具体办法，由国务院期货监督管理机构会同国务院财政部门制定。

第五十一条 国务院期货监督管理机构应当建立、健全保证金安全存管监控制度，设立期货保证金安全存管监控机构。

客户和期货交易所、期货公司及其他期货经营机构、非期货公司结算会员以及期货保证金存管银行，应当遵守国务院期货监督管理机构有关保证金安全存管监控的规定。

第五十二条 期货保证金安全存管监控机构依照有关规定对保证金安全实施监控，进行每日稽核，发现问题应当立即报告国务院期货监督管理机构。国务院期货监督管理机构应当根据不同情况，依照本条例有关规定及时处理。

第五十三条 国务院期货监督管理机构对期货交易所和期货保证金安全存管监控机构的董事、监事、高级管理人员，实行资格管理制度。

第五十四条 国务院期货监督管理机构应当制定期货公司持续性经营规则，对期货公司的净资本与净资产的比例，净资本与境内期货经纪、境外期货经纪等业务规模的比例，流动资产与流动负债的比例等风险监管指标作出规定；对期货公司及其分支机构的经营条件、风险管理、内部控制、保证金存管、关联交易等方面提出要求。

第五十五条 期货公司及其分支机构不符合持续性经营规则或者出现经营风险的，国务院期货监督管理机构可以对期货公司及其董事、监事和高级管理人员采取谈话、提示、记入信用记录等监管措施或者责令期货公司限期整改，并对其整改情况进行检查验收。

期货公司逾期未改正，其行为严重危及期货公司的稳健运行、损害客户合法权益，或者涉嫌严重违法违规正在被国务院期货监督管理机构调查的，国务院期货监督管理机构可以区别情形，对其采取下列措施：

（一）限制或者暂停部分期货业务；

（二）停止批准新增业务；

（三）限制分配红利，限制向董事、监事、高级管理人员支付报酬、提供福利；

（四）限制转让财产或者在财产上设定其他权利；

（五）责令更换董事、监事、高级管理人员或者有关业务部门、分支机构的负责人员，或者限制其权利；

（六）限制期货公司自有资金或者风险准备金的调拨和使用；

（七）责令控股股东转让股权或者限制有关股东行使股东权利。

对经过整改符合有关法律、行政法规规定以及持续性经营规则要求的期货公司，国务院期货监督管理机构应当自验收完毕之日起 3 日内解除对其采取的有关措施。

对经过整改仍未达到持续性经营规则要求，严重影响正常经营的期货公司，国务院期货监督管理机构有权撤销其部分或者全部期货业务许可、关闭其分支机构。

第五十六条 期货公司违法经营或者出现重大风险，严重危害期货市场秩序、损害客户利益的，国务院期货监督管理机构可以对该期货公司采取责令停业整顿、指定其他机构托管或者接管等监管措施。经国务院期货监督管理机构批准，可以对该期货公司直接负责的董事、监事、高级管理人员和其他直接责任人员采取以下措施：

（一）通知出境管理机关依法阻止其出境；

（二）申请司法机关禁止其转移、转让或者以其他方式处分财产，或者在财产上设定其他权利。

第五十七条 期货公司的股东有虚假出资或者抽逃出资行为的，国务院期货监督管理机构应当责令其限期改正，并可责令其转让所持期货公司的股权。

在股东按照前款要求改正违法行为、转让所持期货公司的股权前，国务院期货监督管理机构可以限制其股东权利。

第五十八条 当期货市场出现异常情况时，国务院期货监督管理机构可以采取必要的风险处置措施。

第五十九条 期货公司的交易软件、结算软件，应当满足期货公司审慎经营和风险管理以及国务院期货监督管理机构有关保证金安全存管监控规定的要求。期货公司的交易软件、结算软件不符合要求的，国务院期货监督管理机构有权要求期货公司予以改进或者更换。

国务院期货监督管理机构可以要求期货公司的交易软件、结算软件的供应商提供该软件的相关资料，供应商应当予以配合。国务院期货监督管理机构对供应商提供的相关资料负有保密义务。

第六十条　期货公司涉及重大诉讼、仲裁，或者股权被冻结或者用于担保，以及发生其他重大事件时，期货公司及其相关股东、实际控制人应当自该事件发生之日起5日内向国务院期货监督管理机构提交书面报告。

第六十一条　会计师事务所、律师事务所、资产评估机构等中介服务机构向期货交易所和期货公司等市场相关参与者提供相关服务时，应当遵守期货法律、行政法规以及国家有关规定，并按照国务院期货监督管理机构的要求提供相关资料。

第六十二条　国务院期货监督管理机构应当与有关部门建立监督管理的信息共享和协调配合机制。

国务院期货监督管理机构可以和其他国家或者地区的期货监督管理机构建立监督管理合作机制，实施跨境监督管理。

第六十三条　国务院期货监督管理机构、期货交易所、期货保证金安全存管监控机构和期货保证金存管银行等相关单位的工作人员，应当忠于职守，依法办事，公正廉洁，保守国家秘密和有关当事人的商业秘密，不得利用职务便利牟取不正当的利益。

第七章　法律责任

第六十四条　期货交易所、非期货公司结算会员有下列行为之一的，责令改正，给予警告，没收违法所得：

（一）违反规定接纳会员的；

（二）违反规定收取手续费的；

（三）违反规定使用、分配收益的；

（四）不按照规定公布即时行情的，或者发布价格预测信息的；

（五）不按照规定向国务院期货监督管理机构履行报告义务的；

（六）不按照规定向国务院期货监督管理机构报送有关文件、资料的；

（七）不按照规定建立、健全结算担保金制度的；

（八）不按照规定提取、管理和使用风险准备金的；

（九）违反国务院期货监督管理机构有关保证金安全存管监控规定的；

（十）限制会员实物交割总量的；

（十一）任用不具备资格的期货从业人员的；

（十二）违反国务院期货监督管理机构规定的其他行为。

有前款所列行为之一的，对直接负责的主管人员和其他直接责任人员给予纪律处分，处1万元以上10万元以下的罚款。

有本条第一款第二项所列行为的，应当责令退还多收取的手续费。

期货保证金安全存管监控机构有本条第一款第五项、第六项、第九项、第十一项、第十二项所列行为的，依照本条第一款、第二款的规定处罚、处分。期货保证金存管银行有本条第一款第九项、第十二项所列行为的，依照本条第一款、第二款的规定处罚、处分。

第六十五条　期货交易所有下列行为之一的，责令改正，给予警告，没收违法所得，并处违法所得1倍以上5倍以下的罚款；没有违法所得或者违法所得不满10万元的，并处10万元以上50万元以下的罚款；情节严重的，责令停业整顿：

（一）未经批准，擅自办理本条例第十三条所列事项的；

（二）允许会员在保证金不足的情况下进行期货交易的；

（三）直接或者间接参与期货交易，或者违反规定从事与其职责无关的业务的；

（四）违反规定收取保证金，或者挪用保证金的；

（五）伪造、涂改或者不按照规定保存期货交易、结算、交割资料的；

（六）未建立或者未执行当日无负债结算、涨跌停板、持仓限额和大户持仓报告制度的；

（七）拒绝或者妨碍国务院期货监督管理机构监督检查的；

（八）违反国务院期货监督管理机构规定的其他行为。

有前款所列行为之一的，对直接负责的主管人员和其他直接责任人员给予纪律处分，处1万元以上10万元以下的罚款。

非期货公司结算会员有本条第一款第二项、第四项至第八项所列行为之一的，依照本条第一款、第二款的规定处罚、处分。

期货保证金安全存管监控机构有本条第一款第三项、第七项、第八项所列行为的，依照本条第一款、第二款的规定处罚、处分。

第六十六条　期货公司有下列行为之一的，责令改正，给予警告，没收违法所得，并处违法所得1倍以上3倍以下的罚款；没有违法所得或者违法所得不满10万元的，并处10万元以上30万元以下的罚款；情节严重的，责令停业整顿或者吊销期货业务许可证：

（一）接受不符合规定条件的单位或者个人委托的；

（二）允许客户在保证金不足的情况下进行期货交易的；

（三）未经批准，擅自办理本条例第十九条所列事项的；

（四）违反规定从事与期货业务无关的活动的；

（五）从事或者变相从事期货自营业务的；

（六）为其股东、实际控制人或者其他关联人提供融资，或者对外担保的；

（七）违反国务院期货监督管理机构有关保证金安全存管监控规定的；

（八）不按照规定向国务院期货监督管理机构履行报告义务或者报送有关文件、资料的；

（九）交易软件、结算软件不符合期货公司审慎经营和风险管理以及国务院期货监督管理机构有关保证金安全存管监控规定的要求的；

（十）不按照规定提取、管理和使用风险准备金的；

（十一）伪造、涂改或者不按照规定保存期货交易、结算、交割资料的；

（十二）任用不具备资格的期货从业人员的；

（十三）伪造、变造、出租、出借、买卖期货业务许可证或者经营许可证的；

（十四）进行混码交易的；

（十五）拒绝或者妨碍国务院期货监督管理机构监督检查的；

（十六）违反国务院期货监督管理机构规定的其他行为。

期货公司有前款所列行为之一的，对直接负责的主管人员和其他直接责任人员给予警告，并处1万元以上5万元以下的罚款;情节严重的,暂停或者撤销期货从业人员资格。

期货公司之外的其他期货经营机构有本条第一款第八项、第十二项、第十三项、第十五项、第十六项所列行为的,依照本条第一款、第二款的规定处罚。

期货公司的股东、实际控制人或者其他关联人未经批准擅自委托他人或者接受他人委托持有或者管理期货公司股权的,拒不配合国务院期货监督管理机构的检查,拒不按照规定履行报告义务、提供有关信息和资料,或者报送、提供的信息和资料有虚假记载、误导性陈述或者重大遗漏的,依照本条第一款、第二款的规定处罚。

第六十七条 期货公司有下列欺诈客户行为之一的,责令改正,给予警告,没收违法所得,并处违法所得 1 倍以上 5 倍以下的罚款;没有违法所得或者违法所得不满 10 万元的,并处 10 万元以上 50 万元以下的罚款;情节严重的,责令停业整顿或者吊销期货业务许可证:

(一)向客户作获利保证或者不按照规定向客户出示风险说明书的;

(二)在经纪业务中与客户约定分享利益、共担风险的;

(三)不按照规定接受客户委托或者不按照客户委托内容擅自进行期货交易的;

(四)隐瞒重要事项或者使用其他不正当手段,诱骗客户发出交易指令的;

(五)向客户提供虚假成交回报的;

(六)未将客户交易指令下达到期货交易所的;

(七)挪用客户保证金的;

(八)不按照规定在期货保证金存管银行开立保证金账户,或者违规划转客户保证金的;

(九)国务院期货监督管理机构规定的其他欺诈客户的行为。

期货公司有前款所列行为之一的,对直接负责的主管人员和其他直接责任人员给予警告,并处 1 万元以上 10 万元以下的罚款;情节严重的,暂停或者撤销期货从业人员资格。

任何单位或者个人编造并且传播有关期货交易的虚假信息,扰乱期货交易市场的,依照本条第一款、第二款的规定处罚。

第六十八条 期货公司及其他期货经营机构、非期货公司结算会员、期货保证金存管银行提供虚假申请文件或者采取其他欺诈手段隐瞒重要事实骗取期货业务许可的,撤销其期货业务许可,没收违法所得。

第六十九条 期货交易内幕信息的知情人或者非法获取期货交易内幕信息的人,在对期货交易价格有重大影响的信息尚未公开前,利用内幕信息从事期货交易,或者向他人泄露内幕信息,使他人利用内幕信息进行期货交易的,没收违法所得,并处违法所得 1 倍以上 5 倍以下的罚款;没有违法所得或者违法所得不满 10 万元的,处 10 万元以上 50 万元以下的罚款。单位从事内幕交易的,还应当对直接负责的主管人员和其他直接责任人员给予警告,并处 3 万元以上 30 万元以下的罚款。

国务院期货监督管理机构、期货交易所和期货保证金安全存管监控机构的工作人员进行内幕交易的,从重处罚。

第七十条 任何单位或者个人有下列行为之一,操纵期货交易价格的,责令改正,没收违法所得,并处违法所得 1 倍以上 5 倍以下的罚款;没有违法所得或者违法所得不满 20 万元的,处 20 万元以上 100 万元以下的罚款:

(一)单独或者合谋,集中资金优势、持仓优势或者利用信息优势联合或者连续买卖合约,操纵期货交易价格的;

(二)蓄意串通,按事先约定的时间、价格和方式相互进行期货交易,影响期货交易价格或者期货交易量的;

(三)以自己为交易对象,自买自卖,影响期货交易价格或者期货交易量的;

(四)为影响期货市场行情囤积现货的;

(五)国务院期货监督管理机构规定的其他操纵期货交易价格的行为。

单位有前款所列行为之一的,对直接负责的主管人员和其他直接责任人员给予警告,并处 1 万元以上 10 万元以下的罚款。

第七十一条 交割仓库有本条例第三十六条第二款所列行为之一的,责令改正,给予警告,没收违法所得,并处违法所得 1 倍以上 5 倍以下的罚款;没有违法所得或者违法所得不满 10 万元的,并处 10 万元以上 50 万元以下的罚款;情节严重的,责令期货交易所暂停或者取消其交割仓库资格。对直接负责的主管人员和其他直接责任人员给予警告,并处 1 万元以上 10 万元以下的罚款。

第七十二条 国有以及国有控股企业违反本条例和国务院国有资产监督管理机构以及其他有关部门关于企业以国有资产进入期货市场的有关规定进行期货交易,或者单位、个人违规使用信贷资金、财政资金进行期货交易的,给予警告,没收违法所得,并处违法所得 1 倍以上 5 倍以下的罚款;没有违法所得或者违法所得不满 10 万元的,并处 10 万元以上 50 万元以下的罚款。对直接负责的主管人员和其他直接责任人员给予降级直至开除的纪律处分。

第七十三条 境内单位或者个人违反规定从事境外期货交易的,责令改正,给予警告,没收违法所得,并处违法所得 1 倍以上 5 倍以下的罚款;没有违法所得或者违法所得不满 20 万元的,并处 20 万元以上 100 万元以下的罚款;情节严重的,暂停其境外期货交易。对单位直接负责的主管人员和其他直接责任人员给予警告,并处 1 万元以上 10 万元以下的罚款。

第七十四条 非法设立期货交易场所或者以其他形式组织期货交易活动的,由所在地县级以上地方人民政府予以取缔,没收违法所得,并处违法所得 1 倍以上 5 倍以下的罚款;没有违法所得或者违法所得不满 20 万元的,处 20 万元以上 100 万元以下的罚款。对单位直接负责的主管人员和其他直接责任人员给予警告,并处 1 万元以上 10 万元以下的罚款。

非法设立期货公司及其他期货经营机构,或者擅自从事期货业务的,予以取缔,没收违法所得,并处违法所得 1 倍以上 5 倍以下的罚款;没有违法所得或者违法所得不满 20 万元的,处 20 万元以上 100 万元以下的罚款。对单位直接负责的主管人员和其他直接责任人员给予警告,并处 1 万元以上 10 万元以下的罚款。

第七十五条 期货公司的交易软件、结算软件供应商拒不配合国务院期货监督管理机构调查,或者未按照规定向国务院期货监督管理机构提供相关软件资料,或者提供的软件资料有虚假、重大遗漏的,责令改正,处 3 万元以上 10 万元以下的罚款。对直接负责的主管人员和其他直接责任人员给予警告,并处 1 万元以上 5 万元以下的罚款。

第七十六条 会计师事务所、律师事务所、资产评估机构等中介服务机构未勤勉尽责,所出具的文件有虚假记载、误导性陈述或者重大遗漏的,责令改正,没收业务收入,暂停或者撤销相关业务许可,并处业务收入 1 倍以上 5 倍以下的罚款。对直接负责的主管人员和其他直接责任人员给予警告,并处 3 万元以上 10 万元以下的罚款。

第七十七条 任何单位或者个人违反本条例规定,情节严重的，由国务院期货监督管理机构宣布该个人、该单位或者该单位的直接责任人员为期货市场禁止进入者。

第七十八条　国务院期货监督管理机构、期货交易所、期货保证金安全存管监控机构和期货保证金存管银行等相关单位的工作人员，泄露知悉的国家秘密或者会员、客户商业秘密，或者徇私舞弊、玩忽职守、滥用职权、收受贿赂的，依法给予行政处分或者纪律处分。

第七十九　条违反本条例规定，构成犯罪的，依法追究刑事责任。

第八十条　对本条例规定的违法行为的行政处罚，除本条例已有规定的外，由国务院期货监督管理机构决定；涉及其他有关部门法定职权的，国务院期货监督管理机构应当会同其他有关部门处理；属于其他有关部门法定职权的，国务院期货监督管理机构应当移交其他有关部门处理。

第八章　附　则

第八十一条　本条例下列用语的含义：

（一）商品期货合约，是指以农产品、工业品、能源和其他商品及其相关指数产品为标的物的期货合约。

（二）金融期货合约，是指以有价证券、利率、汇率等金融产品及其相关指数产品为标的物的期货合约。

（三）保证金，是指期货交易者按照规定交纳的资金或者提交的价值稳定、流动性强的标准仓单、国债等有价证券，用于结算和保证履约。

（四）结算，是指根据期货交易所公布的结算价格对交易双方的交易结果进行的资金清算和划转。

（五）交割，是指合约到期时，按照期货交易所的规则和程序，交易双方通过该合约所载标的物所有权的转移，或者按照规定结算价格进行现金差价结算，了结到期未平仓合约的过程。

（六）平仓，是指期货交易者买入或者卖出与其所持合约的品种、数量和交割月份相同但交易方向相反的合约，了结期货交易的行为。

（七）持仓量，是指期货交易者所持有的未平仓合约的数量。

（八）持仓限额，是指期货交易所对期货交易者的持仓量规定的最高数额。

（九）标准仓单，是指交割仓库开具并经期货交易所认定的标准化提货凭证。

（十）涨跌停板，是指合约在1个交易日中的交易价格不得高于或者低于规定的涨跌幅度，超出该涨跌幅度的报价将被视为无效，不能成交。

（十一）内幕信息，是指可能对期货交易价格产生重大影响的尚未公开的信息，包括：国务院期货监督管理机构以及其他相关部门制定的对期货交易价格可能发生重大影响的政策，期货交易所作出的可能对期货交易价格发生重大影响的决定，期货交易所会员、客户的资金和交易动向以及国务院期货监督管理机构认定的对期货交易价格有显著影响的其他重要信息。

（十二）内幕信息的知情人员，是指由于其管理地位、监督地位或者职业地位，或者作为雇员、专业顾问履行职务，能够接触或者获得内幕信息的人员，包括：期货交易所的管理人员以及其他由于任职可获取内幕信息的从业人员，国务院期货监督管理机构和其他有关部门的工作人员以及国务院期货监督管理机构规定的其他人员。

第八十二条　国务院期货监督管理机构可以批准设立期货专门结算机构，专门履行期货交易所的结算以及相关职责，并承担相应法律责任。

第八十三条　境外机构在境内设立、收购或者参股期货经营机构，以及境外期货经营机构在境内设立分支机构（含代表处）的管理办法，由国务院期货监督管理机构会同国务院商务主管部门、外汇管理部门等有关部门制订，报国务院批准后施行。

第八十四条　在期货交易所之外的国务院期货监督管理机构批准的交易场所进行的期货交易，依照本条例的有关规定执行。

第八十五条　不属于期货交易的商品或者金融产品的其他交易活动，由国家有关部门监督管理，不适用本条例。

第八十六条　本条例自2007年4月15日起施行。1999年6月2日国务院发布的《期货交易管理暂行条例》同时废止。

不断提升市场运行质量和效率

——郑州商品交易所自律管理工作年度报告

2016年，郑商所积极贯彻证监会统一部署，紧紧围绕服务实体经济发展目标，稳步推进品种和工具创新，全力深化市场服务，切实履行一线监管职责，依法从严全面监管，确保市场安全平稳运行。2017年，郑商所将进一步加强市场一线监管，牢牢守住风险底线，切实维护市场规范运行，稳中求进，不断提升市场运行质量和效率，为实体经济发展做出更大贡献。

《报告》表示，2016年，郑商所在优化规则体系、加强市场监管、完善技术系统建设、深化市场服务、提高市场运行质量和效率等方面取得了积极成效，得到了广大会员单位和投资者的理解和支持。

一是加强业务创新，提高服务实体经济能力。

首先，持续优化合约规则。2016年，郑商所修订完善了《套期保值管理办法》等业务规则。调整一般月份及临近交割月份套期保值额度使用和申请时段，取消临近交割月份套保建仓时间限制，方便产业客户进行套保交易；将动力煤合约单位由200吨/手调整至100吨/手、菜油最小变动价位修改为1元/吨，降低企业参与门槛；提高动力煤交割基准品标准，将含硫量由1%降低至0.6%，并对挥发分作出限制性要求，提高交易标的物的质量确定性；在新疆增设棉花交割仓库，并将交割基准区域调整至新疆，适应棉花产业发展趋势，便利新疆棉企参与期货市场；推出玻璃交割厂库自报现货升贴水窗口，满足玻璃期货提货客户的个性化需求。

其次，做好期权上市准备，推进场外市场建设。2016年，郑商所继续优化期权规则制度与技术系统，不断提高期权上市各项准备工作的精细化水平。修订期权交易管理办法、做市商管理办法等制度，制定期权投资者适当性管理办法，进一步完善期权规则制度体系。推动做市商业务准备，培育合格做市商主体。开发完成场外综合业务平台建设（一期）并通过功能测试，有序推进二期技术系统开发工作。

最后，推进技术系统建设，全面提升系统性能。2016年，郑商所着力优化技术系统，提高技术系统的稳定性、安全性和健壮性，一是完成异构前置机系统和前置机域名解析系统建设，技术风险概率大幅下降；二是进一步明确软件设计、编码、测试等流程规范，建立技术评审与验收机制，开展全业务仿真测试，全面排查系统风险隐患；三是对主备切换系统进行了完善升级，热备系统支持的定单容量大幅扩充，有效应对交易量突增情况。

二是加强市场监管，维护市场平稳运行。

第一，贯彻落实依法从严全面监管理念，切实履行一线监管职责。2016 年，郑商所切实履行一线监管职责，深入分析评估市场运行情况，仔细排查潜在风险隐患，持续加大监管力度，坚决防控交易过热，切实维护市场交易秩序。2016 年，郑商所共处理异常交易及违规交易线索 494 起，处理违规交易案件 55 起，对涉案的 75 个自然人客户、6 个法人客户分别给予了纪律处分，并将其违规行为记入资本市场诚信档案数据库。

第二，加大实际控制关系账户的认定和管理力度。2016 年，郑商所共认定实际控制关系账户 206 组，涉及 643 个客户。其中调查并认定对市场有重大影响的实际控制关系账户 48 组 153 个客户，调查认定客户数较去年增加 30%。

第三，强化交割仓库管理。2016 年，郑商所加大交割仓库检查工作力度。通过实行集中检查、日常巡查、重点抽查和远程移动视频监控相结合的形式加强对交割仓库和交割商品的日常检查工作，防范和化解交割风险。全年组织仓库现场检查共计 218 次，较去年增加 38%。对一家交割仓库进行约谈，给予一家交割仓库纪律处分。通过对交割仓库进行定量考核和交割违规纪律处分，完善奖惩机制，督促交割仓库提升服务理念、服务质量和管理水平。

第四，加强会员合规运作检查。2016 年，郑商所对辽宁、天津、海南、河北 4 个地区的 15 家期货公司会员进行年度合规运作检查。通过检查，了解期货公司会员合规运作情况，发现存在的问题，督促会员合规运作。

第五，探索自律监管与行政执法有效结合监管模式。2016 年，郑商所高度重视配合稽查执法工作，主动学习稽查执法经验。强化市场监控，深入排查各类违法违规线索，对于符合移送标准的案件，及时移送并配合稽查执法部门做好后续调查工作，探索并初步形成了期货交易所与证监局联合办案的工作机制，实现了派出机构和期货交易所联合办案，提高了案件办理的速度和效率。

三是抑制市场交易过热，防范市场风险。

2016 年，郑商所针对棉花、动力煤等品种出现的阶段性交易过热及风险隐患，采取加强实时监控分析、排查实际控制关系、密切跟踪仓单注册进度、调整交易保证金及手续费标准、严厉查处违规行为等措施，及时抑制交易过热，有效化解风险隐患，保障了市场健康平稳运行。

2016 年，郑商所根据市场运行情况，在节假日休市期间调整部分品种交易保证金标准和涨跌停板幅度 5 次。根据品种运行情况，适时调整部分品种合约交易保证金和手续费 19 次。

四是加强市场培育，持续推进投资者教育工作。

2016 年，郑商所通过多种形式加强市场培育，积极推进投资者教育工作。全年共组织视频讲座 52 场，共计接入 4 500 点次；开展市场活动 202 场，参加人数 1 万余人次；举办会员中层业务人员培训班等活动 25 场次，累计培训会员高管、中层及业务骨干人数 2 334 人次。

中国期货业协会会员管理办法

（2010 年 12 月 22 日中国期货业协会第三届理事会第三次会议通过，2015 年 12 月 22 日修订）

第一章　总　则

第一条　为加强会员的自律性管理，维护会员的合法权益，促进期货市场的公开、公平、公正，推动期货市场的健康稳定发展，根据《期货交易管理条例》和《中国期货业协会章程》（以下简称《章程》），制定本办法。

第二　条会员享有《章程》规定的相应的权利，履行《章程》规定的相应的义务。

第三条　本办法适用于中国期货业协会（以下简称协会）会员。

第二章　会　员

第四条　协会会员由普通会员、特别会员和联系会员组成。

普通会员是指经中国证券监督管理委员会（以下简称中国证监会）核准或其他依法设立的从事期货及衍生品业务的期货经营机构。

特别会员是指经中国证监会批准组织开展期货交易活动的期货交易场所、期货保证金安全存管监控机构以及组织开展其他衍生品交易的机构。

联系会员是指经各地方民政部门批准设立的省、自治区、直辖市、计划单列市的期货业社会团体法人、期货服务机构，以及其他从事期货等衍生品业务或相关活动的机构。

第五条　普通会员包括期货公司及其子公司、从事期货中间介绍业务的证券公司、私募期货基金管理人以及其他从事期货及衍生品业务的期货经营机构。

特别会员包括期货交易所、期货监测监控机构及其他衍生品交易场所。

联系会员包括地方期货行业协会、期货保证金存管银行、期货信息技术服务商、参与期货市场的实体企业以及律师事务所、会计师事务所等其他期货服务机构。

第六条　协会会员应当符合下列条件：

（一）拥护协会《章程》；

（二）在中国境内登记注册；

（三）符合法律法规规定并从事期货及衍生品业务或相关活动；

（四）协会要求的其他条件。

第三章　会　籍

第七条　申请入会的机构，应到协会常设办事机构进行登记注册。

第八条　申请入会的机构进行登记注册时，应提交以下申请文件：

（一）按协会要求填写的《入会申请表》；

（二）法人营业执照或相关登记证复印件；

（三）经营业务许可证复印件或其他法定资格文件；

（四）协会要求的其他文件。

第九条　协会在常设办事机构收到本办法第八条规定的入会申请文件之日起 20 个工作日内做出是否同意吸收申请机构入会的决定。申请机构根据要求补正入会申请文件的时间不计算在内。

协会同意申请机构入会的，向申请机构发送入会告知函。申请机构按协会规定缴纳入会费后，协会为其颁发会员证书、分配会员邮箱及会员信息管理平台账号。协会不同意申请机构入会的，应及时告知其原因。

第十条　会员设会员代表一名，代表其在协会履行职责。会员代表应当由会员单位的法定代表人、主要负责人或其授权的高级管理人员担任，且不得同时兼任其他会员单位的会员代表。

会员更换会员代表，须向协会书面报告。会员理事更换会员代表、且会员代表兼任该会员理事代表的，须书面向协会提出更换申请并推荐继任人选，继任人选应当符合协会章程规定的条件并经理事会审查同意。

第十一条　会员入会自愿，退会自由，但国家法律法规规定应当加入协会的会员除外。

第十二条　会员出现合并或分立情形时，协会按照以下规定处理会员资格变动情况：

（一）会员吸收合并其他会员的，吸收会员的资格继续存在，被吸收会员的资格终止；

会员进行新设合并的，合并前的各会员资格终止，合并后的新设机构需要重新申请会员资格。

（二）会员进行派生分立的，原会员资格继续存在，派生出的新设机构需要重新申请会员资格；

会员进行新设分立的，原会员资格终止，派生的各新设机构需要重新申请会员资格。

第十三条　除第十二条规定的情形外，会员出现以下情形时，会员资格终止：

（一）申请退会；

（二）被依法撤销或吊销期货业务许可证；

（三）法人资格被依法注销；

（四）无故连续一年不缴纳会费或不参加协会组织的活动；

（五）受到协会取消会员资格的纪律惩戒；

（六）其他导致会员资格终止的情形。

会员资格终止时，协会收回其会员证书、注销其会员邮箱及会员信息管理平台账号。其会员代表在协会担任的职务自动终止。

第十四条　协会通过协会网站公告会员资格的取得、变更和终止信息。

第四章自律管理

第十五条　协会教育和督促会员遵守国家法律法规、部门规章、其他规范性文件及行业自律规则，有权监督、检查会员的相关执业行为。

第十六条　协会依法维护会员合法权益，调解会员纠纷，代表会员向主管部门、立法机关反映会员的建议和要求，向会员提供包括但不限于专业研究、培训研讨、交流合作、法律咨询、行业资讯等方面的服务。

第十七条　协会对会员实行分类管理。

协会根据机构类型和执业范围的差异，制定相应的自律规则对其业务进行分类规范。

第十八条　会员应指定专门工作人员担任协会联络员，负责与协会日常沟通与联系。

第十九条　会员应根据《中国期货业协会会费收取办法》的规定及时、足额缴纳会费。

第二十条　会员出现下列情形时，应自发生该情形之日起5个工作日内在会员信息管理平台中更新有关信息，并同时告知协会：

（一）变更名称；

（二）变更住所或者营业场所；

（三）变更法定代表人、主要负责人；

（四）变更注册资本；

（五）变更经营范围；

（六）变更持股5%以上的股东或者股权结构；

（七）设立或者终止分支机构；

（八）合并、分立或者变更公司形式；

（九）变更与协会的联系方式；

（十）受到中国证监会等有权机关行政处罚；

（十一）受到期货交易所等行业自律组织处分；

（十二）协会认为需要报告的其他情形。

第二十一条　会员应对其向协会报告的信息和在会员信息管理平台中所填报信息的真实性、准确性、完整性和及时性负责。协会有权对会员所报告、填报信息进行核查，督促其对虚假、不准确、遗漏或已过期的信息进行修改、补充等操作，并视情节对不实报告、违规填报信息的行为给予批评警示或纪律惩戒。

第二十二条　对期货行业的发展或协会工作做出突出贡献的会员，协会可视情形给予书面表扬、公开表彰、授予荣誉称号和协会认为合适的其他形式的奖励。

协会奖励会员的，由会长办公会提出建议，报理事会通过。

第二十三条　会员违反国家法律法规、部门规章、其他规范性文件、协会《章程》或行业自律规则的，协会视情节轻重给予其以下纪律惩戒：

（一）训诫；

（二）公开谴责；

（三）暂停会员部分权利；

（四）暂停会员资格；

（五）取消会员资格；

（六）行业自律规则中规定的其他纪律惩戒。

会员违反国家法律法规、部门规章、其他规范性文件，需要对其实施行政监管措施或者行政处罚的，由协会移交中国证监会等有关机关处理。

第二十四条　会员有违反协会《章程》或行业自律规则的行为，但情节显著轻微，不需要予以纪律惩戒的，协会可以给予其书面警示、约见高管谈话等形式的批评警示。

第五章　附　则

第二十五条　本办法由协会理事会审议通过，解释权属于协会理事会。

第二十六条　本办法自颁布之日起实施。

中国期货业协会自律规则制定办法

（2015年12月22日经第四届理事会第九次会议审议通过）

第一章　总　则

第一条　为了规范中国期货业协会（以下简称“协会”）自律规则制定程序，提高自律规则质量和规则制定工作效率，根据《中国期货业协会章程》（以下简称《章程》），制定本办法。

第二条　自律规则的制定、解释、修改和废止适用本办法。

第三条　协会制定自律规则以法律、行政法规、部门规章、其他规范性文件及《章程》为依据，立足行业实际情况，广泛吸收各方意见，不断增强自律规则制定的规范性和科学性。

第四条　自律规则分为管理性规则、指导性规则、宣示性规则。

管理性规则名称可以采用“办法”、“规则”、“规范”、“准则”、“细则”等，对规范对象具有强制约束力。

指导性规则名称可以采用“指引”、“指南”、“范本”等，规范对象应当参照适用。

宣示性规则名称可以采用“公约”、“宣言”等，规范对象应当自觉遵守。

对某项特定业务在一定期限内暂时规范或试行规范的，可以采用“暂行”或“试行”等名称。

第五条 自律规则根据内容需要可以分为章、节、条、款、项、目。章、节、条的序号用中文数字依次表述，款不编序号，项的序号用中文数字加括号依次表述，目的序号用阿拉伯数字依次表述。

第二章 立 项

第六条 协会自律监察部作为自律规则制定和修改工作的统筹部门，在每年年初征求理事会、专业委员会及其他业务部门有关自律规则制定、修改、废止意见，制定年度自律规则制定、修改或废止计划，明确拟制定、修改或废止自律规则的名称、主要内容、起草部门、完成时间等，报会长办公会批准后执行。

第七条 下列机构或人员可以提出制定、修改或废止自律规则的议案：

（一）理事会；

（二）专业委员会；

（三）10 名以上理事联名；

（四）20 名以上会员联名；

（五）协会业务部门。

制定、修改或废止议案应当以书面形式提出，载明议题、理由和主要内容建议。制定、修改自律规则议案可以附草案及说明。

第八条 制定、修改或废止自律规则的议案，除理事会提出的以外，由会长办公会审核决定是否进入制定、修改或废止程序。

理事会提出的议案直接进入制定、修改或废止程序。

第三章 起 草

第九条 自律规则由承担相关职能的专业委员会或业务部门作为起草部门具体负责起草工作。

自律规则涉及两个或两个以上机构职责的，由涉及机构协商确定或会长办公会指定主要起草部门，其他机构应当予以配合。

自律规则涉及具体业务行为或执业准则的，相关专业委员会应当参与起草工作，保证自律规则的专业性、合理性和可操作性。

重要的或综合性的自律规则，可以由自律监察部或成立专门工作小组作为起草部门负责起草。

第十条 起草部门可以邀请业内人士、专家学者等参与自律规则起草工作。

第十一条 起草部门完成自律规则草案初稿后，应当由自律监察部负责初步审查，保证规则符合法律、行政法规、部门规章及其他规范性文件的规定，并避免与现行自律规则矛盾、冲突或用语不一致。

第十二条 自律规则在征求意见前，应当征求协会法律顾问意见。

自律规则草案初稿经吸收协会法律顾问意见或协会法律顾问确认无修改意见，起草部门报会长办公会批准后，形成自律规则征求意见稿，进行公开征求意见。

第十三条 自律规则应当征求证监会、期货交易所、期货市场监控中心、专业委员会、会员及其他相关单位意见。

自律规则非普遍适用于全体会员的，向会员征求意见的范围可以是自律规则的主要规范对象及其他相关会员单位。

第十四条 对于涉及向社会提供公共服务、关系到社会公共利益的自律规则，可以通过协会网站向社会公开征求意见。

第十五条 自律规则征求意见应当通过书面形式进行，并附带起草说明，对自律规则制定的必要性、起草过程、主要内容或问题等作出说明。

起草部门还可以通过座谈会、论证会等多种形式广泛征求相关单位意见。

第十六条 起草部门应当及时收集整理反馈意见，认真研究，对征求意见稿进行修改，形成自律规则草案。

第十七条 起草自律规则应当与现行自律规则衔接。新起草的自律规则拟取代现行自律规则的，应当在草案中写明拟废止自律规则的名称、发布时间。

第四章 审 议

第十八条 起草部门应当将自律规则草案提交理事会审议。提交审议时应当附带起草说明，对自律规则制定的必要性、主要内容、征求意见情况、各方对主要问题的不同意见等作出说明。

第十九条 理事会应当按照《章程》、本办法及其议事规则审议自律规则草案。

理事会审议自律规则草案时，可以要求参与起草的相关部门或人员就草案作出解释。

第二十条 理事会审议表决通过自律规则草案的，草案进入核准备案和公布程序。

理事会审议表决原则通过自律规则草案的，起草部门应进行修改，形成草案修改稿，草案进入核准备案程序。

第二十一条 理事会对自律规则提出修改意见的，起草部门应当进行修改，形成草案修改稿，报会长办公会批准后再次进入审议程序。

第二十二条 理事会审议未通过自律规则草案的，可以决定停止自律规则制定或修改程序，相应程序应当终止。

第二十三条 协会会费收取办法、宣示性规则经理事会审议通过后，应当提交会员大会审议通过。

会员大会应当按照《章程》及其议事规则审议自律规则草案，并参照理事会审议程序执行。

第五章 核准、备案和公布

第二十四条 自律规则经理事会或会员大会审议通过后，应当根据法律、行政法规、部门规章及其他规范性文件等相关规定履行核准或备案程序。

依据前款规定需要报证监会核准或备案的，起草部门应当于自律规则审议通过后 15 个工作日内报送证监会。

第二十五条 自律规则由会长签发，以协会公告形式于五个工作日内在协会网站发布。发布公告中应当注明自律规则的审议机构、通过日期及施行日期。

在协会网站上发布的自律规则文本为标准文本。

第六章 解释和适用

第二十六条 自律规则有以下情况之一的，应当由理事会解释：

（一）自律规则的规定需要进一步明确具体含义或作出补充规定的；

（二）自律规则制定后出现新的情况，需要明确适用依据的。

自律规则的原起草部门应当研究拟订自律规则解释草案，经理事会审议通过后以协会公告形式在协会网站发布。

自律规则解释与自律规则具有同等效力。

第二十七条　自律规则特别规定与一般规定不一致的，适用特别规定；新的规定与旧的规定不一致的，适用新的规定。

第二十八条　自律规则之间对同一事项的新的一般规定与旧的特别规定不一致，不能确定如何适用时，由理事会或理事会授权会长办公会决定。

第二十九条　自律规则不溯及既往，但自律规则有特别规定的除外。

第三十条　暂行或试行规则的效力原则上不应超过三年。相关规则原起草部门或自律监察部应当于三年期限届满之前提出规则修改或废止建议，并纳入年度自律规则制定和修改计划。

第七章　修改和废止

第三十一条　自律规则出现下列情形之一的，应当予以修改：

（一）因法律、行政法规、部门规章及其他规范性文件修改或国家政策发生变化，有必要进行相应修改的；

（二）因市场情况、行业情况发生重大变化，已经不能完全适应现实及未来发展需要的；

（三）自律规则之间规定冲突，无法确定适用的；

（四）有必要修改的其他情形。

第三十二条　自律规则修改草案起草、审议和核准备案等程序适用自律规则制定程序的规定。

第三十三条　自律规则出现下列情形之一的，应当予以废止：

（一）因法律、行政法规、部门规章及其他规范性文件修改或国家政策发生变化，导致自律规则失去制定依据的；

（二）所规范事项已由新的自律规则予以规范的；

（三）所规范事项已经不存在或者已经执行完毕，无继续存在必要的；

（四）有必要废止的其他情形。

第三十四条　自律规则需要废止的，由相关规则原起草部门或自律监察部提出废止建议，报会长办公会批准后，提交理事会或会员大会审议通过，以协会公告形式公布。

第八章　附　则

第三十五条　协会理事会、专业委员会相关工作办法的制定、修改和废止，参照本办法执行。

第三十六条　本办法由协会理事会审议通过，理事会负责解释。

第三十七条　本办法自 2016 年 1 月 26 日起施行。

第二章 期货监管与经纪机构

第一节 期货监管与自律组织

中国期货业协会

中国期货业协会(以下简称协会)成立于2000年12月29日,是根据《社会团体登记管理条例》设立的全国期货行业自律性组织,为非营利性的社会团体法人。协会的注册地和常设机构设在北京。协会接受中国证监会和国家社会团体登记管理机关的业务指导和管理。

协会由期货公司等从事期货业务的会员、期货交易所特别会员和地方期货业协会联系会员组成。会员大会是协会的最高权力机构,每四年举行一次。理事会是会员大会闭会期间的协会常设权力机构,对会员大会负责,理事会每年至少召开一次会议。理事会由会员理事、特别会员理事和非会员理事组成。理事任期四年,可连选连任。理事会根据工作需要下设专业委员会,专业委员会为理事会议事机构,对理事会负责。

协会设会长一名,专职副会长若干名,兼职副会长若干名,秘书长一名,副秘书长若干名。会长、副会长和秘书长任期四年,可连选连任。协会实行会长负责制,会长为协会法定代表人。协会设会长办公会,由会长、专职副会长、秘书长、副秘书长以及会长指定的其他人员组成,在理事会闭会期间行使理事会授权的职责。目前协会常设办事机构设办公室、党委办公室(纪检办)、会员部、培训部、投资者教育部、研究部、合规调查部、资格考试与认证部、信息技术部等九个部门。

协会宗旨是:在国家对期货业实行集中统一监督管理的前提下,进行期货业自律管理;发挥政府与期货行业间的桥梁和纽带作用,为会员服务,维护会员的合法权益;坚持期货市场的公开、公平、公正,维护期货业的正当竞争秩序,保护投资者利益,推动期货市场的健康稳定发展。

协会主要职能有:

(1)教育和组织会员及期货从业人员遵守期货法律法规和政策,制定行业自律性规则,建立健全期货业诚信评价制度,进行诚信监督。

(2)负责期货从业人员资格的认定、管理以及撤销工作,负责组织期货从业资格考试、期货公司高级管理人员资质测试及行政法规、中国证监会规范性文件授权的其他专业资格胜任能力考试。

(3)监督、检查会员和期货从业人员的执业行为,受理对会员和期货从业人员的举报、投诉并进行调查处理,对违反本章程及自律规则的会员和期货从业人员给予纪律惩戒;向中国证监会反映和报告会员和期货从业人员执业状况,为期货监管工作提供意见和建议。

(4)制定期货业行为准则、业务规范,参与开展行业资信评级,参与拟订与期货相关的行业和技术标准。

(5)受理客户与期货业务有关的投诉,对会员之间、会员与客户之间发生的纠纷进行调解。

(6)为会员服务,依法维护会员的合法权益,积极向中国证监会及国家有关部门反映会员在经营活动中的问题、建议和要求。

(7)制定并实施期货业人才发展战略,加强期货业人才队伍建设,对期货从业人员进行持续教育和业务培训,提高期货从业人员的业务技能和职业道德水平。

(8)设立专项基金,为期货业人才培养、投资者教育或其他特定事业提供资金支持。

(9)负责行业信息安全保障工作的自律性组织协调,提高行业信息安全保障和信息技术水平。

(10)收集、整理期货信息,开展会员间的业务交流,推动会员按现代金融企业要求完善法人治理结构和内控机制,促进业务创新,为会员创造更大市场空间和发展机会。

(11)组织会员对期货业的发展进行研究,参与有关期货业规范、发展的政策论证,对相关方针政策、法律法规提出建议。

(12)加强与新闻媒体的沟通与联系,广泛开展期货市场宣传和投资者教育,为行业发展创造良好的环境。

(13)表彰、奖励行业内有突出贡献的会员和个人,组织开展业务竞赛和文化活动,加强会员间沟通与交流,培育健康向上的行业文化。

(14)开展期货业的国际交流与合作,代表中国期货业加入国际组织,推动相关资质互认,对期货涉外业务进行自律性规范与管理。

(15)法律、行政法规规定以及中国证监会赋予的其他职责。

协会领导

会长:王明伟

副会长:郑小国、党剑

纪委书记:陈东升

兼职副会长:叶春和、张静、魏振祥、鲁东升、酆强、施建军、马文胜、陈方

副秘书长:吴亚军

地址:北京市西城区金融大街33号通泰大厦C座八层

邮政编码:100140

联系电话:010-88087239

传真电话:010-88087060

电子邮箱:cfa@cfachina.org

中国金融期货交易所

中国金融期货交易所(以下简称“中金所”)是经国务院同意,中国证监会批准设立的,专门从事金融期货、期权等金

融衍生品交易与结算的公司制交易所。中金所由上海期货交易所、郑州商品交易所、大连商品交易所、上海证券交易所和深圳证券交易所共同发起，于2006年9月8日在上海正式挂牌成立。成立中金所，发展金融期货，对于深化金融市场改革，完善金融市场体系，发挥金融市场功能，适应经济新常态，具有重要的战略意义。

中金所以服务实体经济需要，服务多层次资本市场体系建设为宗旨，通过向市场提供安全、高效、完善的金融衍生产品及服务，促进金融风险合理转移与配置，提升金融市场效率，促进社会经济繁荣。

中金所的主要职能是：组织安排金融期货等金融衍生品上市交易、结算和交割，制订业务管理规则，实施自律管理，发布市场交易信息，提供技术、场所、设施服务，以及中国证监会许可的其他职能。

截至2016年末，中国金融期货交易所累计成交量为18 335 855手，累计成交额为182 191.10亿元，同比分别下降94.62%和95.64%，分别占全国市场的0.44%和9.31%。

中金所按照"高标准、稳起步"的原则，积极推动金融期货新品种的上市，努力完善权益、利率、外汇三条产品线，满足参与者多样化风险管理需求。采取全电子化交易方式，以高效安全的技术系统为强大后盾，在借鉴国内外交易所先进技术成果和设计理念的基础上，建立了一个结构合理、功能完善、运行稳定的金融期货交易运行平台。

中金所实行会员分级结算制度，会员分为结算会员和交易会员。结算会员按照业务范围分为交易结算会员、全面结算会员和特别结算会员。实行会员分级结算制度，形成多层次风险控制体系，保障市场安全运行。

中金所建立了投资者适当性、跨市场协调监管、异常交易监控等一系列制度，维护金融市场正常秩序，维护市场公开、公平、公正，维护投资者特别是中小投资者合法权益，牢牢守住不发生系统性风险的底线。

中金所稳步扩大金融期货市场对外开放程度，积极加入国际期货行业组织，与境外主要交易所签订合作谅解备忘录，做实信息共享与互换、人员培训、业务学习、产品开发等合作内容，满足境内外投资的跨境交易需求。

联系地址：浦东世纪大道1600号陆家嘴商务广场6楼

邮编：200122

电话：021－50160666

传真：021－50160606

网址：www.cffex.com.cn

上海期货交易所

上海期货交易所是在中国证监会集中统一监督管理下，依法依规组织期货交易并实行自律管理的法人，根本宗旨是促进社会主义市场经济的发展。上海期货交易所目前挂牌交易黄金、白银、铜、铝、锌、铅、螺纹钢、线材、燃料油、天然橡胶、石油沥青、热轧卷板、镍、锡等14种期货合约。上海上期商务服务有限公司、上海期货信息技术有限公司、上海期货与衍生品研究院有限公司和上海国际能源交易中心股份有限公司是上海期货交易所的下属子公司。

上海期货交易所坚决维护以习近平同志为核心的党中央权威，牢固树立"四个意识"，立足服务"五位一体"总体布局和"四个全面"战略布局，以新发展理念统一思想、引领工作，坚持市场化、法治化、国际化的改革发展方向，严格依照法规政策制度组织交易，切实履行市场一线监管职责，服务好实体经济发展。长期目标是努力建设成为规范、高效、透明，综合性、国际化的衍生品交易所。

上海期货交易所现有会员190多家（其中期货公司会员占近75%），在全国各地开通远程交易终端1400多个。截至2016年末，上海期货交易所累计成交量为16.81亿手，累计成交额为84.98万亿元（成交量、额均为单边统计），同比分别增长59.99%和33.71%，分别占全国市场的40.62%和43.44%。

随着行业风险控制能力的强化提高、市场交易的持续活跃和规模的稳步扩大，市场功能及其辐射影响力显著增强，铜期货价格作为世界铜市场三大定价中心权威报价之一的地位进一步巩固；天然橡胶期货价格得到国内外各方的高度关注；燃料油期货在探索能源期货发展的道路上稳健运行；镍、锡期货上市，与铜、铝、锌、铅期货关联，初步形成了有色金属期货品种系列；黄金期货上市，为促进黄金市场的发展，增进商品期货市场与金融市场的联系开辟了新路径；螺纹钢、线材和热轧卷板的先后上市，将逐步优化钢材价格形成机制，促进钢铁工业健康有序发展，进一步提高我国钢铁工业的国际竞争力；白银期货的上市，丰富了我国贵金属期货品种，完善了国内白银市场价格体系，促进了国内白银产业可持续健康发展；石油沥青期货多种交割方式的创新，顺应了石油沥青产业发展趋势，提高了企业风险管理效率。黄金、白银和有色金属的连续交易上线运行，促进了相关品种国内外价格的及时联动，增强了我国期货市场的价格影响力，并为投资者实时进行风险管理提供了便利。

按照《上海期货交易所章程》，会员大会是交易所的权力机构，由全体会员组成；理事会是会员大会的常设机构，下设监察、交易、结算、会员资格审查、调解、财务、技术、有色金属产品、能源化工产品、黄金钢材产品等10个专门委员会；监事会是交易所的内部监督机构，监督理事会、经营管理层的履职情况。

交易所设有文化建设委员会、交易运作委员会、人才发展委员会、技术管理委员会、产业服务与发展委员会等5个专业委员会，以及办公室、文化建设办公室、新闻信息部、衍生品部、国际合作部、商品一部、商品二部、会员服务和投资者教育部、交易部、结算部、交割部、监查部、法律事务部、技术中心、人力资源部、党委办公室、纪律检查办公室、内审合规部、财务部、行政部（保卫部）、北京联络处等21个职能部门。

根据国务院颁布的《期货交易管理条例》及中国证监会发布的《期货交易所管理办法》等法规，交易所建立了交易运作和市场管理规章制度体系。

交易所拥有适用可靠的计算机交易系统，通过高容量光纤及数据专线、双向卫星、三所联网等通讯手段确保前台和远程交易的实时和安全可靠。同时，通过中心数据库实现结算、资金、交割、异地交割仓库、风险监控等系统数据的实时同步传送和交换。

为维护市场稳定和投资者合法权益，交易所建有多元结合的风险控制体系，主要包括以交易规范为准则的一系列制度措施；以量化系列指标与计算机自动化运作相结合的风险预警系统；以全程控制风险为目标，按职能分工落实相关责任制的风险动态跟踪、分析、应对的工作机制。

上海期货交易所坚持监管、服务两手抓的理念，坚持稳健运行，稳步发展，推进改革创新，深化服务，真诚地为会员及投资者提供全面及时的各项服务。

交易所实行保证金和每日无负债结算制度，通过指定的结算银行每天对会员的交易进行集中清算，会员负责对其客户交易进行清算。交易所实行实物交割履约制度，合约到期须在规定期限内，以实物交割方式履约。交易所指定交割仓库为交割双方提供相关服务。客户交割须通过会员办理。

交易所坚持维护投资者合法权益的基本宗旨，制订、实施风险控制管理制度，健全风险监控机制，保证市场规范有序地运行。

交易所通过建立的卫星广播网和公共电讯网，将实时和延时交易行情经授权的国内外信息资讯机构进行同步信息发布。通过实时行情短信播报服务系统和电话语音报价服务系统，向市场提供动态交易行情咨询服务。交易所通过自建的网站（http://www.shfe.com.cn/）及时规范地向市场发布交易、交割、持仓、库存等各类统计数据资料及相关信息。交易所还通过新闻媒体报道、电话咨询交流、举办多种形式的培训班、开展各种形式的对外交流等活动，向会员、投资者及社会提供咨询、培训等服务。

上海期货交易所2016年大事记

12月

12月9日，举行“七五”普法实施动员大会。

12月13日，在重庆地区举办从业人员会计和财务培训。

12月13日，在重庆地区以铜为主题举办上期所品种市场推介会。

12月19日，与相关单位联合举办“2016年钢材期货高管培训班”。

11月

11月3日、15日、17日、24日，分别在杭州、北京、上海、重庆、武汉、深圳召开2016年度片区会员座谈会。

11月8日，与相关单位联合举办2016年中国国际造纸和装备博览会暨全国纸张订货交易会。

11月11日，举办指定交割仓库及质检机构工作会议。

11月17日、22日、24日、29日，分别在深圳、武汉、杭州、北京与相关单位联合举办钢材期货市场宣传服务活动。

11月24日，召开“保险+期货”与“精准扶贫”座谈会。

11月24日、29日，分别在杭州、北京举办第四季度从业人员财务和会计业务培训。

10月

10月21日，举办天然橡胶和沥青期货分析师培训班。

10月27日、28日，举办第三期套期保值企业培训班。

9月

9月26日连续交易起，我所有价证券实时充抵保证金业务正式上线。

9月27日，对部分期货公司会员开展现场合规检查。

8月

8月4日—5日，与相关单位联合举办“2016年（第四届）中国锡业年会”。

8月8日—9日，举办“2016年中国北方铅锌市场研讨会”。

8月16日—17日，举办2016年第一期有色金属产业培训基地活动暨“中国经济的战略风险与有色企业的风险管控”高管研修班。

8月17日—18日，与相关单位联合举办“2016中国（第五届）建筑用钢产业链高端论坛”。

8月18日—19日，与相关单位联合举办“2016年中国镍铬不锈钢产业链高峰论坛”。

8月22日—25日，与相关单位联合举办第二期有色金属（锡）产业培训基地活动。

8月25日、30日，分别在无锡和济南举办铝品种的期货市场宣传服务活动。

8月26日、30日，与相关单位联合举办期货从业人员技术业务专场培训。

7月

7月4日—7日、7月11日—14日，与相关单位联合举办“2016年度期货行业专业人才培训项目”。

7月5日，召开钢材期货地区升贴水研讨会。

7月6日，召开纸浆期货检验、交割细则制定研讨会。

7月19日、21日，分别在郑州和太原举办铜与钢材期货市场宣传服务活动。

7月26日—28日，与相关单位联合举办“2016中国国际黄金大会”。

7月27日—28日，与相关单位联合举办“2016年工业品期货实操能力提升培训班”。

6月

6月21日、30日，与相关单位联合举办期货从业人员风控业务专场培训。

6月21日、30日，与相关单位联合举办“上海期货交易所铜和钢材市场分析会”。

6月23日，召开钢铁期货座谈会。

6月29日，与相关单位联合举办“2016钢铁中国——第十三届华南黑色金属产业链会议”。

5月

5月10日、12日，在北京、长春举办黄金期货市场宣传服务活动。

5月16日，与相关单位联合举办第九届中国国际钢铁大会。

5月18日，与相关单位联合举办第一届云南橡胶产业发展论坛。

5月19日，在深圳举办市场宣传服务活动（黄金期货）。

5月19日，与相关单位联合举办第二季度从业人员风控业务培训。

5月20日，与相关单位联合举办第十二届（2016年）中国铅锌产业链会议。

5月25、26日，举办第十三届上海衍生品市场论坛，主题为“供给侧改革下的期货市场服务实体经济”。

4月

4月8日，举办媒体期权基础知识培训活动。

4月12日，与相关单位联合举办“产业与机构投资者交流活动”。

4月15日，举办2016年沥青期货市场研讨会。

4月15日，与相关单位联合举办“商品期货基金研讨会”。

4月19日、21日、26日和28日，分别在上海、杭州、青岛和厦门举办天然橡胶市场宣传服务活动。

3月

3月15日，举办“上海期货交易所钢材期货市场推介会（杭州）”。

3月15日、17日、22日和24日，在杭州、北京、武汉和重庆分别举办“上海期货交易所钢材市场分析会”。

3月22日和24日，在武汉、重庆举办“期货从业人员交割业务专场培训”活动。

3月22日—25日，与有关单位联合举办"2016年中国橡胶年会暨中国橡胶工业展"。

3月23日—25日，与有关单位联合举办"第十四届钢材市场和贸易国际研讨会"。

2月

2月1日，主要围绕会员单位在市场推介活动、产业客户开发、机构投资者服务、期货从业人员培训和期货分析师培训等五个板块开展的工作，搜集相关数据信息和意见建议进行问卷调研。

1月

1月12日、14日、19日和21日，在上海、深圳、南京和成都分别举办"上海期货交易所铜市场分析会"。

1月14日，会同有关单位组织国内主要锡冶炼企业合作召开培训会。

1月19日，举办"石油沥青期货检验细则研讨会"。

1月19日、21日，在南京和成都分别举办"上海期货交易所从业人员巡回培训——交割业务专场"。

1月22日，发布《关于做好2016年春节期间市场风险控制工作的通知》，调整部分品种交易保证金比例及涨跌幅度限制，提醒各会员单位及时落实相关合约持仓限额、自然人客户持仓及整倍数调整、交割准备等事项。

地址：上海市浦东新区浦电路500号

邮编：200122

电话：021－68400000

传真：021－68401198

热线电话（市场服务中心）：800－820－3618

大连商品交易所

大连商品交易所成立于1993年2月28日，并于同年11月18日正式开业，是经国务院批准并由中国证监会监督管理的四家期货交易所之一，也是中国东北地区唯一一家期货交易所。经中国证监会批准，目前上市交易的有玉米、玉米淀粉、黄大豆1号、黄大豆2号、豆粕、豆油、棕榈油、鸡蛋、纤维板、胶合板、线型低密度聚乙烯、聚氯乙烯、聚丙烯、焦炭、焦煤和铁矿石共计16个期货品种。

成立二十多年以来，大商所规范运营、稳步发展，已经成为我国重要的期货交易中心。截至2016年末，大商所共有会员165家，指定交割库210个（按品种统计），2016年期货成交量和成交额分别达15.37亿手和61.41万亿元（成交量、额均为单边统计）。根据美国期货业协会（FIA）公布的全球主要衍生品交易所成交量排名，2015年大商所在全球排名第8位。

经过多年发展，大商所期货品种价格已成为国内市场的权威价格，为相关各类生产经营提供了价格"指南针"和"避风港"的作用，并为国家宏观调控提供了有效的价格参考。近年来，大商所先后面向东北粮食主产区开展了以培训期货知识、免费信息服务及推动"公司＋农户、期货＋订单"模式试点等为主要内容的"千村万户"市场服务工程，面向产业企业开展了以现代市场经营和期货市场参与模式推广为主要内容的"千厂万企"市场服务工程，积极探索期货市场服务产业的新路，进一步强化市场功能发挥，促进了相关产业稳步健康发展，也为大连区域性金融中心建设和东北地区振兴做出了积极贡献！

2007年8月国务院批准的《东北地区振兴规划》中提出要"依托大连商品交易所，大力发展期货贸易，建设亚洲重要的期货交易中心"；2009年国务院通过的《辽宁沿海经济带发展规划》、《关于进一步实施东北地区等老工业基地振兴战略的若干意见》及2012年《东北振兴"十二五"规划》进一步对大商所建设亚洲重要期货交易中心提出了要求。新的形势下，大商所正以"建设亚洲重要期货交易中心"为契机，以品种、技术和服务创新为动力，努力将交易所建成国际一流的期货市场，为相关产业和实体经济发展，以及东北地区振兴做出更大的贡献！

大连商品交易所2016年大事记

12月

12月19—20日证监会派出机构期货监管干部培训班在大连举行，证监会副主席方星海出席并讲话。

12月18日我所第六次会员大会于在大连召开，中国证监会主席刘士余、大连市长肖盛峰致开幕词，中国证监会副主席方星海出席并作闭幕式总结讲话，中央纪委驻证监会纪检组副组长侯丽春、大连副市长洪登金等出席开幕式。大会审议通过了《大连商品交易所章程》和《大连商品交易所交易规则》的修订草案，选举产生了新一届会员理事和会员监事。

12月17日中国证监会主席刘士余、副主席方星海一行来我所视察。我所党委书记、理事长李正强代表所领导班子作全面汇报。

12月15日中国证监会批准我所开展豆粕期权交易。

12月7日我所与辽宁出入境检验检疫局（在大连联合举办了进口期货大豆检验检疫监管路演。来自国家质检总局动植司、辽宁检疫局等15个直属检疫局、大商所及大豆现货企业、投资机构等80余位代表参加了此次会议。

11月

11月30日值我所期货学院成立10周年之际，我所在大连举办了"期货行业人才暨期货学院转型发展交流会。

11月25日中国证监会党委决定，王文胜同志任我所党委副书记、纪委书记，委派其为我所监事，提名我所监事长人选。

11月18日我所发布企业发展愿景、使命、核心价值观等文化理念。愿景为"国际一流衍生品交易所"，使命为"服务实体经济、服务市场参与者"，核心价值观为"稳健、进取、尚德、和谐"。

11月9日我所与马来西亚衍生产品交易所在广州举办第十一届国际油脂油料大会。

11月8日我所与马来西亚衍生品交易所在广州签署合作协议，继续联合举办国际油脂油料大会。

11月7日国务院批准印发了《东北振兴十三五规划》，明确提出要提升大连商品交易所国际化水平和服务功能，建设全球重要的期货交易中心，稳步扩大"保险＋期货"试点。

10月

10月15日中国证监会批复大商所乙二醇期货的立项申请。

10月11日辽宁省委常委、省纪委书记陈小江一行来我所调研，辽宁省委常委、大连市委书记唐军陪同调研。

10月3日我所6.4期交易系统上线。

9月

9月13日我所在大连举办"第九届中国玉米产业大会"。

8月

8月25日我所与中国煤炭工业协会、中国钢铁工业协会、中国炼焦行业协会在青岛联合举办"2016中国煤焦矿产业大会"。

7 月

7 月 5 日我所召开庆祝建党 95 周年暨表彰先进会议。党委书记、理事长李正强就全面深入学习习近平总书记“七一”重要讲话进行动员，就我所下一步工作作出部署，并带领全体党员庄严宣誓、重温入党誓词。党委副书记、总经理王凤海传达 7 月 3 日、4 日证监会系统会议精神。会议宣布了批准入党积极分子和转正党员的决定，表彰了优秀共产党员、优秀党务工作者和先进党支部。相关代表作了发言。党委委员、副总经理许强主持会议。我所和下属单位全体党员以及非党员领导干部共计 296 人参加会议。

6 月

6 月 24 日在建党 95 周年前夕，中国证监会副主席方星海给我所和大连证监局党员干部讲“两学一做”党课。我所党委书记、理事长李正强主持讲课。中国证监会期货监管部主任冉华，中国证监会党委组织部副部长、人教部副主任李霞，大连证监局局长柳磊，大商所党委中心组成员，我所（含子公司）和大连证监局有关党员干部 250 多人参加听课。

6 月 24 日我所召开干部大会，宣布中国证监会关于我所领导班子成员调整的决定，中国证监会副主席方星海代表会党委做重要讲话。会党委组织部副部长、人教部副主任李霞宣读有关干部任免决定。会期货部主任冉华，会党委组织部、人教部有关领导，办公厅有关同志出席会议。会党委决定，王凤海任大商所党委副书记、总经理，委派其任大商所非会员理事，许强任大商所党委委员、副总经理。

6 月 23 日交通银行股份有限公司副行长沈如军一行到我所调研。我所党委书记、理事长李正强介绍我所相关情况，大连市副市长洪登金、交通银行大连分行行长赵永强等同志陪同调研。

6 月 3 日中国证券投资基金业协会、我所行业测试中心及恒生电子股份有限公司在期货大厦共同签署了《基金行业核心系统统一测试合作备忘录》。基金业协会会长洪磊、我所党委书记、理事长李正强出席，基金业协会、飞创公司和恒生电子代表在备忘录上签字。我所副总经理王凤海主持了签约仪式。来自基金业协会、基金管理公司、飞创公司、恒生电子等机构的代表参加了签约仪式。

5 月

5 月 26 日我所与中国石油和化学工业联合会、中国轻工业联合会在深圳联合主办“2016 中国塑料产业大会”，本次大会以“供给侧改革中的发展机遇”为主题，吸引了来自相关行业组织、现货企业、期货公司及投资机构等三百多家企业和机构的 700 余位代表参加，产业客户参会人员占比为 61%。

5 月 20 日中编办主任张纪南一行到我所调研，我所党委书记、理事长李正强介绍我所情况。辽宁省委常委、大连市委书记唐军，大连市委副书记、市长肖盛峰，大连市委常委、副市长曹爱华及市金融局领导陪同调研。

5 月 11 日我所发布了新修订的《大连商品交易所风险管理办法》，办法增加了交易限额制度，具体标准和实施方案将由交易所另行公布。

5 月 4 日为纪念“五四”运动 97 周年，我所团委组织召开题为“青春的向往奋进的力量”青年员工座谈会。党委书记、理事长李正强在座谈会上同青年员工共同交流，一起谈理想、聊工作、讲体会、悟人生。

4 月

3 月上旬针对铁矿石等黑色板块品种出现个别日期价格涨停、成交趋热的现象，在会期货监管部指导下，我所适时采取了调整涨跌停板幅度、提高保证金水平、取消当日开平仓费用减半、加强窗口指导等风险防控措施。4 月中旬以来，面对全国期货市场黑色系列品种普遍出现价格轮番上涨、成交和换手率屡创新高的过热局面，我所于 4 月 14、20、21、22 日先后多次出台调控措施，持续加大对铁矿石、焦炭、焦煤等黑色系列期货交易调控力度，着力抑制过度交易。

4 月 22 日由中国冶金报社、上期所和我所共同主办的“2016（首届）中国钢铁产业期货大会”在北京隆重召开。我所党委书记、理事长李正强参会并致辞。

4 月 15 日我所与内蒙古自治区人民政府在期货大厦签订战略合作备忘录。内蒙古自治区副主席云光中与我所党委副书记、监事长李鸣出席签约仪式，并代表双方在备忘录上签字。党委委员、副总经理王凤海主持签约仪式。

4 月 11 日我所发布了关于 2016 年支持期货公司开展“场外期权”、“保险 + 期货”试点的通知，全面推进“保险 + 期货”试点和“场外期权”服务产业链试点相关工作。

3 月

3 月 27 日中央书记处书记、全国政协副主席杜青林一行到我所调研，辽宁省委副书记、省长陈求发和辽宁省委常委、大连市委书记唐军陪同调研，我所党委委员、副总经理王凤海介绍我所情况。

3 月 25 日根据美国期货业协会（FIA）最新发布的对全球 78 家衍生品交易所期货期权成交量的统计数据，2015 年全球场内期货期权成交量为 247.7 亿手，同比增长13.5%。国内三家商品交易所全部晋升前十，其中我所以期货成交量 11.16 亿手、由上年的第十位升至第八位（郑商所、上期所分别第九、第十）。

3 月 24—25 日“2016 年证券期货监管系统机构监管座谈会”在期货大厦召开，证监会副主席李超在参加会议期间到我所调研。李超主席听取了我所领导班子汇报并与大家座谈，我所党委书记、理事长李正强代表班子汇报工作，党委副书记、监事长李鸣、副总经理王凤海、朱丽红、夏耘、魏振祥，总经理助理刘志强参加座谈。

2 月

2 月 5 日我所发布通知，对《大连商品交易所保税交割实施细则（试行）》等细则进行修改，明确了铁矿石期货保税交割规则制度。此举意味着铁矿石期货品种保税交割业务落地，铁矿石期货国际化过程中“人”、“钱”、“物”三要素里“物”这一要素的问题得到解决。

2 月 4 日我所发布通知，新增广发银行股份有限公司为期货保证金存管银行。至此，我所指定期货保证金存管银行已达 14 家。

1 月

1 月 27 日我所“保险 + 期货”工作被写入 2016 年中央一号文件。文件明确指出，要“创设农产品期货品种，开展农产品期权试点”、“探索建立农业补贴、涉农信贷、农产品期货和农业保险联动机制”、“稳步扩大保险 + 期货试点”、“改革完善粮食等重要农产品价格形成机制和收储制度”。

1 月 22 日我所在期货大厦召开 2015 年度工作总结会议。会上党委书记、理事长李正强作了重要讲话，回顾了我所 2015 年发展情况，肯定了过去一年取得的成绩，分析了现阶段发展形势、面临的机遇和挑战，并就做好 2016 年工作提出了要求和希望；党委副书记、总经理冯博传达了 2016 年全国证券期货监管会议精神，对我所 2015 年工作进行了全面梳理和总结，并就 2016 年各项工作安排进行了部署。会议对我所

6 个先进集体和 54 名先进个人进行了表彰。会议由党委副书记、监事长李鸣主持。

地址:中国大连会展路 129 号

邮编:116023

电话:0411－84808888

传真:0411－84808588

技术服务热线电话:400－861－8888

郑州商品交易所

郑州商品交易所(以下简称郑商所)是经国务院批准成立的我国首家期货市场试点单位。郑商所隶属中国证券监督管理委员会管理。

郑商所按照《期货交易管理条例》和《期货交易所管理办法》履行职能。依据《郑州商品交易所章程》、《郑州商品交易所交易规则》及其实施细则和办法实行自律性管理。遵循公开、公平、公正和诚实信用的原则,为期货合约集中竞价交易提供场所、设施及相关服务,对期货交易进行市场一线监管,防范市场风险,安全组织交易。

郑商所实行会员制。会员大会是郑商所权力机构,由全体会员组成。理事会是会员大会常设机构,下设战略发展、品种、监察、交易、交割、会员资格审查、调解、财务、技术、结算等 10 个专门委员会。截至 2016 年底,郑商所共有会员 196 家,分布在全国 26 个省(市)、自治区。其中期货公司会员 155 家,占会员总数的 79%;非期货公司会员 41 家,占会员总数的 21%。

截至 2016 年末,郑州商品交易所累计成交量为 9.01 亿手,累计成交额为 31.03 万亿元(成交量、额均为单边统计),同比分别下降 15.79% 和增长 0.16%,分别占全国市场的 21.78% 和 15.86%。

郑商所总经理为法定代表人。根据工作需要,内设办公室、党委办公室(理事会办公室、监事会办公室)、农产品部、非农产品部、期货衍生品部、市场服务部、会员部、交易部、结算部、交割部、市场监察部、系统运行中心、法律合规部、新闻信息部、国际合作部(港澳台办公室)、人力资源部(党委组织部)、财务部、行政部(安全保卫部)、内审部、纪检监察室等 20 个职能部门。全资易盛信息技术有限公司、郑州商品交易所期货及衍生品研究所有限公司,以及北京研发中心等 5 个下属机构。

郑商所目前上市交易期货品种有普通小麦、优质强筋小麦、早籼稻、晚籼稻、粳稻、棉花、油菜籽、菜籽油、菜籽粕、白糖、动力煤、甲醇、精对苯二甲酸(PTA)、玻璃、硅铁和锰硅。基本形成的综合性品种体系覆盖农业、能源、化工、建材和冶金等国民经济重要领域。

郑商所实行保证金制、每日涨跌停板制、每日无负债结算制、实物交割制等期货交易制度。积极适应市场创新发展要求,不断优化制度安排。

郑商所拥有功能完善的交易、交割、结算、风险监控、信息发布和会员服务等电子化系统。会员和投资者也可以通过远程交易系统进行期货交易。期货交易行情信息通过路透社、彭博资讯、世华信息等多条报价系统向国内外同步发布。

郑商所注重加强对外交流与合作。1995 年 6 月加入国际期权(期货)市场协会。2012 年 10 月加入世界交易所联合会。先后与美国芝加哥期权交易所、芝加哥商业交易所、纽约－泛欧交易所集团、印度多商品交易所、尼日利亚证券与商品交易所、香港交易及结算所有限公司、墨西哥衍生品交易所、泰国农产品期货交易所、加拿大多伦多蒙特利尔交易所集团等多家期货交易所签订了友好合作协议,定期交换市场信息,进一步扩大了郑商所在国际上的影响力。

面向未来,郑商所将深入贯彻落实新“国九条”,牢牢把握服务实体经济根本要求,坚持“两维护、一促进”,深化市场服务,推动监管转型,充分发挥期货市场功能作用,不断增强服务实体经济能力,努力将郑商所建设成为在国内和国际市场上具有重要地位和影响力的期货交易所。

地址:郑州市郑东新区商务外环路 30 号

邮编:450018

电话:0371－65610800

传真:0371－65613068

中国期货市场监控中心

中国期货市场监控中心有限责任公司(简称中国期货监控,原中国期货保证金监控中心,于 2015 年 4 月正式更名)是经国务院同意,中国证监会决定设立,于 2006 年 3 月成立的非营利性公司制法人。其股东单位有上海期货交易所、中国金融期货交易所、郑州商品交易所以及大连商品交易所,注册资本 13.65 亿元。中国期货市场监控中心的业务接受中国证监会的指导、监督和管理。现有主要职能是:

(1)期货市场统一开户。

(2)期货保证金安全监控。

(3)为期货投资者提供交易结算信息查询。

(4)期货市场运行监测监控。

(5)宏观和产业分析研究。

(6)期货中介机构监测监控。

(7)代管期货投资者保障基金。

(8)商品及其他指数的编制、发布。

(9)为监管机构和期货交易所等提供信息服务。

(10)期货市场调查。

(11)协助风险公司处置。

大事记

中国期货市场监控中心有限责任公司(原中国期货保证金监控中心有限责任公司)是经国务院同意、中国证监会决定设立,由上海期货交易所、郑州商品交易所、大连商品交易所共同出资,于 2006 年 3 月 16 日在国家工商行政管理总局注册登记的非营利性公司制法人。

2006 年 5 月 18 日,监控中心举行开业仪式,对外宣布正式成立。

2007 年 6 月,中国证监会、财政部联合指定监控中心作为保障基金的代管机构,负责基金的筹集、管理和使用。

2008 年 6 月 23 日,中国证监会印发《关于进一步充实中国期货保证金监控中心职能的通知》,授权监控中心负责期货市场运行监测监 控系统建设,并承担期货市场运行的监测、监控及研究分析等工作职能。

2008 年 7 月,“期货市场统一开户论证会”在北京召开,中国证监会授权监控中心组织实施统一开户工作。

2008 年 9 月 21 日期货公司风险处置第一单——四川嘉陵期货公司风险处置工作正式启动。截至 2009 年 9 月,嘉陵期货风险处置工作基本结束,共收购投资者保证金权益约 4 700 万元,发放保障基金资金约 3 890 万元。

2009 年 1 月 7 日，中国期货保证金监控中心上海总部（简称上海总部）正式注册成立，专职负责监测监控和研究分析工作。

2009 年 8 月 11 日，期货市场统一开户实施推广及首批上线工作正式启动，同年 11 月 26 日，期货市场统一开户上线工作完成了在全国范围的部署，标志着期货市场统一开户系统全面建成。

2009 年 8 月 31 日，财政部、国家税务总局下发《关于期货投资者保障基金有关税收问题的通知》，期货投资者保障基金税收优惠申请获批。

2009 年 9 月 1 日，《期货市场客户开户管理规定》施行。

2010 年 2 月 22 日，股指期货客户开始正式通过期货保证金监控中心统一开户系统进行开户，为股指期货上市交易迈开标志性一步。

2010 年 6 月，中国证券登记结算公司与股指期货相关的现货市场数据接入上海总部监控室，股指期货跨市场监控平台初步建立。

2011 年 7 月 22 日，北亚期货行政清理组成立，北亚期货风险处置正式启动。

2011 年 9 月 20 日，财政部、国家税务总局下发《关于期货投资者保障基金有关税收优惠政策继续执行的通知》，同意有关税收优惠政策继续执行至 2012 年 12 月 31 日。

2012 年 6 月，完成历史账户规范工作。

2012 年 7 月，启动账户常态化休眠工作。

2012 年 10 月，期货市场运行监测监控系统一期工程圆满完成并投入使用。

2012 年 10 月，完成并维护更新监控中心中国大宗商品综合指数和金属、农产品、能源化工等分行业指数。

2013 年 2 月 4 日，统一开户系统特殊单位客户开户功能正式开通。

2013 年 3 月 7 日，正式发布中国商品综合指数（简称 CCCI）。

2013 年 5 月，期货市场运行监控监测系统正式建成并投入使用。

2013 年 11 月 22 日，监控中心董事会正式成立。

2014 年 3 月 17 日，正式发布中国农产品期货指数（简称 CAFI）。

2014 年 7 月 14 日，正式发布中国工业品期货指数（简称 CIFI）。

2014 年 12 月，顺利完成黑龙江北亚期货公司的风险处置工作。

2015 年 2 月，正式对期货公司参与股票期权业务进行资金监控。

2015 年 4 月，正式更名为中国期货市场监控中心有限责任公司。

地址：北京西城区金融大街 5 号新盛大厦 B 座 17 层
邮编：100034
电话：010－66555088
传真：010－66555038
网址：www.cfmmc.com 或 www.cfmmc.cn

第二节　期货经纪机构

国泰君安期货有限公司

【基本情况】

公司名称：国泰君安期货有限公司

注册资本：12 亿元

注册地址：上海市静安区延平路 121 号 26 层、28 层、31 层及 6F 室、10A 室、10F 室

法人代表：何晓斌

客服热线：95521

邮政编码：200042

公司网址：www. gtjaqh. com

电子邮箱：service@ gtjaqh. com

【公司概况】

国泰君安期货有限公司（GUO TAI JUNAN FUTURES CO. ,LTD.），是国泰君安证券股份有限公司的全资子公司。公司注册资本 12 亿元，具有商品期货经纪业务、金融期货经纪业务、期货投资咨询、资产管理业务资格，是国内首批获得金融期货全面结算业务资格的期货公司，是中国金融期货交易所的一号会员，同时也拥有上海期货交易所、大连商品交易所、郑州商品交易所的会员资格和交易结算席位。公司是中国期货业协会第二届至第四届理事会理事单位、中国证监会证券期货业信息化工作专家委员会委员单位、中国期货业协会信息技术委员会委员单位和全国金融标准化技术委员会证券分技术委员会委员单位。公司总部位于上海，服务网点遍及全国 29 个省、自治区、直辖市。

公司具备强大的研究能力，在国内券商系期货公司中最早开设了独立研究机构，创新设立了专兼职的研究服务体系，在业内率先成立了股指期货研究中心和国债期货研究中心，创建了国泰君安期货与金融衍生品研究院。公司践行“贴近市场、贴近客户、贴近业务”的服务理念，努力打造完善齐备的研究体系，在金融和产业领域提供衍生品、期现产品设计和投资策略的全覆盖的期货研究和咨询服务，实现“促营销、提服务、帮风控、固品牌”的效能。

公司具有业内一流的信息技术平台，达到了《期货公司信息技术管理指引》三类要求。公司每年 IT 投入多达几千万元，打造了一流的数据中心和国内领先的交易结算系统，并建设了多条专用交易跑道，为客户提供分类分级服务。公司已全面开通交通银行、工商银行、建设银行、农业银行、中国银行、浦发银行、兴业银行、招商银行、民生银行、中信银行、光大银行十一家银行的银期转账业务。

公司整合各方资源倾力打造国泰君安“君弘”期货服务体系，为客户提供“专业、尊贵、优享”的全方位综合服务，成为中国期货行业内首家通过“品牌化会员分级服务体系”为期货客户提供全方位高端综合服务的期货公司。作为最早为特殊法人提供服务的期货经纪商之一，公司在为证券、基金、信托、保险、私募等机构提供股指期货交易服务方面积累了丰富的经验。

公司围绕母公司战略目标，顺势而为、深化转型，确定了“立足于期货及衍生品金融服务，力争把期货公司打造成为期货及衍生品交易服务最佳提供商”的战略目标，坚持“争创一流，追求卓越——客户、员工、股东一起成长”的核心价值观，倡导“真实、团结、和谐、快乐”的企业文化。

公司自成立以来，充分发挥金融中介机构的功能，服务于国民经济特别是实体经济的发展，不断提高自身规范发展水平，市场影响力不断提升，受到了政府、行业、客户及权威媒体的肯定与褒奖。

【公司大事记】

2015. 12. 22，国泰君安君易智十二号资产管理计划成立。

2015. 11. 13，国泰君安期货在“2015 年中国期货业创新发展论坛暨第八届中国最佳期货分析师评选颁奖典礼”共揽下 15 项大奖，包括中国最佳期货公司和中国期货公司金牌管理团队等重量级大奖。

2015. 7. 14，国泰君安君易智 CPPI 资产管理计划成立。

2015. 4. 16，主题为“新品种、新机遇、新策略”的 2015 年国泰君安期货春季投资策略报告会顺利开展。

2015. 1. 28，美国芝加哥商品交易所集团（CMEGroup）与国泰君安期货有限公司在上海正式签署了合作备忘录。

【公司荣誉】

2010，第一财经金融价值榜——年度期货公司奖。

2010，证券时报、期货日报第三届中国优秀期货经营机构暨最佳期货分析师评选最佳 IB 服务商。

2013，中国金融期货交易所优秀会员金奖、客户管理奖、功能发挥奖、投资者教育奖、技术管理奖、代理结算奖、产品创新奖、金融期货宣传奖。

2013，最佳期货公司、中国金牌期货研究所、最佳有色金属产业服务奖、最佳金融期货服务奖、最佳期货 IT 系统建设奖、最佳金融量化策略工程师、最佳有色金属期货分析师、最佳建材类期货分析师、最佳能源化工类期货分析师。

2013，证券时报社新财富中国最佳衍生品财富管理机构、中国最佳商品期货资管产品、中国最佳创新期货资管产品。

2013，金融界最佳品牌奖、最具投资者信赖奖、最佳客户服务奖。

2014，中国金融期货交易所优秀会员白金奖、国债期货市场培育奖。

2014，大连商品交易所优秀会员奖、最佳产业拓展奖、最佳机构拓展奖、最佳工业品交易会员奖，十大投研团队。

南华期货股份有限公司

【基本情况】

公司名称：南华期货股份有限公司

注册资本：51 000 万元

公司住所：杭州市西湖大道 193 号定安名都二层、三层

法人代表：罗旭峰

办公地址：杭州市西湖大道 193 号定安名都二层、三层

邮政编码:310002
客服电话:400-888-8910
公司网址:www.nanhua.net
公司电子邮箱:zjb@nawaa.com

【公司概况】

南华期货股份有限公司(以下简称"南华期货")成立于1996年,主要从事商品期货经纪、金融期货经纪、期货投资咨询、资产管理业务,为全牌照类综合性期货公司,是中国金融期货交易所首批全面结算会员单位,是上海期货交易所、郑州商品交易所、大连商品交易所的全权会员单位,是上海证券交易所交易参与人。公司注册资金5.1亿人民币,总资产逾120亿人民币,具有较强的资本实力。公司目前设有上海、北京、宁波、深圳分公司及上海世纪大道、兰州、台州、宁波、嘉兴、大连、北京、郑州、成都、温州、慈溪、哈尔滨、绍兴、深圳、青岛、上海虹桥路、萧山、广州、沈阳、天津、芜湖、重庆、太原、永康、余姚、南通、普宁、厦门、海宁、舟山、齐齐哈尔、南昌、义乌和苏州等34家营业部,期货代理交易额和客户保证金总量在同行中名列前茅,资产管理业务规模位居行业第一。同时,公司下设横华国际期货有限公司(以下简称"横华国际")、浙江南华资本管理有限公司(以下简称"南华资本")两家全资子公司和南华润石投资有限公司控股子公司。

横华国际是2006年3月经中国证监会批准成立的全资子公司,是南华期货开展海外金融服务的重要平台,其主要业务为期货合约交易、就期货合约提供意见。截至2015年3月31日,横华国际旗下已成立横华国际证券有限公司、横华国际金融股份有限公司、横华国际外汇有限公司、横华国际投资顾问有限公司、横华国际资产管理有限公司、横华国际商贸有限公司、横华国际资本有限公司、NANHUAUSALLC,涵盖期货经纪业务、资产管理业务、证券经纪、杠杆式外汇交易、投资咨询业务、大宗商品贸易、清算业务等多个金融领域。南华美国有限公司于2013年在芝加哥成立,并于2015年2月13日正式成为CMEGROUP的无条件活跃清算会员,后期拟充分利用该项业务优势,为国内及东南亚地区的金融机构提供CMEGROUP的清算服务。同时,南华美国于2015年7月6日顺利取得DME清算会员资格,成为DME首个中资清算会员,更好的为国内企业提供DME阿曼原油产品等服务。

南华资本是2013年4月经中国期货业协会备案成立的风险管理子公司,以服务实体经济为宗旨,立足风险管理,深度服务产业客户。作为南华期货开展风险管理服务的运营平台,南华资本主要业务为国内外大宗商品期货、现货结合方面的风险管理服务业务,范围涵盖仓单服务、合作套保、基差交易、定价服务等。

多年来,南华期货始终保持着健康稳定的发展态势,始终保持着良好的市场信誉和形象。根据中期协《2014年期货公司分类评价结果》,南华期货在全部参与评选的154家期货公司中获得AA评级,为当年期货公司的最高监管评级(AA评级公司共19家,当年尚无AAA评级的期货公司)。在2014年45家评级达到A类以上的期货公司中,公司净资本指标排名第5,净利润指标排名第13。

【公司大事记】

2015年7月14日,南华期货子公司南华香港完成名称变更。即:"南华期货(香港)有限公司"更名为"横华国际金融有限公司";"南华证券(香港)有限公司"更名为"横华国际证券有限公司";"南华外汇(香港)有限公司"更名为"横华国际外汇有限公司";"南华投资顾问(香港)有限公司"更名为"横华国际投资顾问有限公司";"南华资产管理(香港)有限公司"更名为"横华国际资产管理有限公司";"南华商贸(香港)有限公司"更名为"横华国际商贸有限公司";"NAWAAFUTURES(HONGKONG)COMPANYLIMITED"更名为"横华国际期货有限公司";"NAWAAFINANCE(HONGKONG)COMPANYLIMITED"更名为"横华国际资本有限公司"。

2015年7月6日,南华美国有限公司获得迪拜商品交易所(DME)清算会员资格。

2015年4月2日下午,浙江省副省长朱从玖、省政府副秘书长陆建强、省金融办主任丁敏哲、浙江证监局副局长蒋潇华等领导一行莅临我司,与公司总经理罗旭峰带领的高管团队开展了座谈。4月2日上午,浙江证监局副局长蒋潇华等领导一行莅临我司,与公司总经理罗旭峰带领的高管团队就公司基本情况、业务发展情况等内容开展了座谈。

2015年3月11日,上城区书记陈瑾等领导一行莅临我司,与公司总经理罗旭峰带领的高管团队就公司基本情况、业务发展情况等内容开展了座谈。

2015年2月6日,中国证监会副主席姜洋、浙江证监局局长吕逸君、中国证监会期货监管部主任宋安平、浙江证监局副局长蒋潇华等领导一行莅临我司,与我司董事长徐文财、总经理罗旭峰带领的高管团队进行了亲切的座谈,就公司场外市场业务、资产管理业务的开展进行了沟通和交流。

2015年1月23日,杭州市副市长范辉等领导一行莅临我司,与公司总经理罗旭峰带领的高管团队就公司基本情况、业务发展情况等内容开展了座谈。

2014年12月,我司正式取得资产管理一对多业务,未来将可以为投资者提供一站式的产品化营销服务,提升公司的整体盈利能力。

2014年,我司信息技术再获突破,开发出了nhtdcffex中金所高速交易系统,具有一定的市场领先性,,并成为我司差异化竞争的重要方式。

2014年,我司首次在期货公司分类评级中获得A类AA级评价。

2014年11月,我司总经理罗旭峰先生荣获"2014中国期货业领袖人物"称号。

2014年,南华证券(香港)有限公司、南华外汇(香港)有限公司正式开业,从而进一步拓宽了我司的经营范围,为打造国际化的金融控股公司夯实了基础。

2014年7月,南华美国有限责任公司正式获得NFA的FCM资格,并于12月取得CMEGROUP的活跃清算会员资格,成为我司国际化发展战略的重要一步。

2014年9月,南华资本衍生品部成功开展第一单场外期权业务,取得了历史性突破。。

舟山营业部成立。

2013年11月,南华期货第三十家营业部——齐齐哈尔营业部成立。

2013年1月,南华期货第二十九家营业部——海宁营业部成立。

2013年1月,公司注册资本金由45 000万元增加至51 000万元。

【公司荣誉】

【新浪】2015年度期货研究服务奖——南华期货

【和讯,第十三届中国财经风云榜】杰出掌门人

【杭州杭马体育运动俱乐部】战略合作伙伴

【期货日报 & 证券时报，第八届中国最佳期货经营机构评选】最佳期货 IT 系统建设奖

【期货日报 & 证券时报，第八届中国最佳期货经营机构评选】最佳期货 IT 系统建设奖（证书）

【期货日报 & 证券时报，第八届中国最佳期货经营机构评选】中国最佳期货公司

【期货日报 & 证券时报，第八届中国最佳期货经营机构评选】中国最佳期货公司（证书）

【期货日报 & 证券时报，第八届中国最佳期货经营机构评选】中国期货公司金牌管理团队

【期货日报 & 证券时报，第八届中国最佳期货经营机构评选】中国期货公司金牌管理团队（证书）

【期货日报 & 证券时报，第八届中国最佳期货经营机构评选】中国金牌期货研究所 - 南华期货研究所

【期货日报 & 证券时报，第八届中国最佳期货经营机构评选】中国金牌期货研究所 - 南华期货研究所（证书）

【第九届全国期货实盘交易大赛】优秀客户服务奖——南华期货

【上期所】产品服务优胜会员

【上期所】交易优胜会员

【上期所】黄金产业服务优胜会员

【证券时报，2015 中国最佳财富管理机构评选】2015 中国最佳期货投资咨询机构

【证券时报，2015 中国最佳财富管理机构评选】2015 中国最佳期货风险管理子公司——浙江南华资本管理有限公司

【第十届商学院戈壁挑战赛】2

【第十届商学院戈壁挑战赛】1

【2015 年度望江街道民生实事项目认领留念】

【浙江省人民政府】2014 年度金融机构支持浙江经济社会发展三等奖

【横店集团】2014 年度优秀企业

【金融界，2014 领航中国年度评选】最佳创新奖

【第二届浙江期货行业“中大杯”羽毛球团体比赛】亚军

2014 年度杰出掌门人——罗旭峰

2014 年度金牌产业研究奖

2014 年度境外业务突出贡献奖

【公司股东概况】

排序	股东名称	持股数量（万股）	持股比例（%）
1	横店集团控股有限公司	42,512.09	83.35
2	东阳市横华投资合伙企业（有限合伙）	2,448.00	4.8
3	北京怡广投资管理有限公司	1,339.91	2.63
4	深圳市建银南山投资有限公司	1,150.00	2.25
5	光大金控（天津）创业投资有限公司	1,000.00	1.96
6	浙江横店进出口有限公司	1,000.00	1.96
7	横店集团东磁股份有限公司	1,000.00	1.96
8	浙江领庆创业投资有限公司	250	0.49
9	上海山恒投资管理有限公司	100	0.2
10	甘肃富祥物资有限公司	100	0.2
11	大徽投资管理有限公司	100	0.2

【企业文化】

南华期货核心价值观

诚信是金融企业的核心，人无信不立；

依法合规经营是获得社会广泛认同的基础；

加强风险管理是期货公司的首要任务；

服务创新是期货公司发展的旗帜；

不断提升服务能力是期货公司的永恒目标；

南华期货人才观

相信蚂蚁雄兵，让有才能的人充分展现能力。

南华期货质量方针

公平诚信，服务优良

南华期货经营目标

持续提升客户满意度

南华期货经营要求

规范自律，诚实信用，持续经营，踏实稳健

南华期货工作作风

扎实、细致、务实、高效

南华期货管理重点

注重研发，打造核心竞争能力；

注重管理规范化、标准化；

注重风险控制与管理制度建设；

注重营业网点布局与建设；

注重创新能力的培养；

注重人才队伍的建设；

注重公司电子化建设

永安期货股份有限公司

【基本情况】

公司名称：永安期货股份有限公司

注册资本：86 000 万元

注册地址：杭州市潮王路 208 号浙江协作大厦 3、5 - 10、22 楼

法人代表：施建军

邮政编码：310005

客服电话：400 - 7007878

公司网址：www.yafco.com

电子邮箱：yaqh@yafco.com

【公司概况】

永安期货股份有限公司（简称：永安期货）是国内同行中规模最大、业务范围最宽、研究实力最强的期货公司之一，现注册资本人民币 8.6 亿元。原名为浙江省永安期货经纪有限公司，经中国证监会、浙江工商管理局批准，2012 年 10 月起正式改制成为股份有限公司。永安期货拥有员工 900 余人，总部设在杭州，在北京、上海、广州、宁波、深圳等 38 个城市设有营业部。永安期货的经营范围包括商品期货经纪、金融期货经纪、期货投资咨询、资产管理。永安期货旗下设有全资子公司——浙江永安资本管理有限公司，主要从事仓单服务、合作套保、定价服务和基差交易等风险管理试点业务。永安期货在港设有控股子公司——中国新永安期货有限公司，主要从事期货交易和咨询，及香港本地和香港证监会（SFC）认可的境外商品、金融期货经纪业务。永安期货参股设立永安国富资产管理有限公司，从事资产管理业务，拥有私募基金管理人牌照。永安期货还参股设立证通股份有限公司、浙江玉皇山南对冲基金投资管理有限公司、浙江中邦实业有限公司。自成立以来，永安期货的经营规模牢固占据浙江省第一，且自 2003 年起，经营规模基本稳定在全国前三，是国内唯一连续十七年跻身全国十强行列的期货公司。

【公司大事记】

2014.4.1,永安期货厦门营业部成立。

2014.4.9,未来期货公司转型发展的四个方向:风险管理机构、财富管理道路、国际化发展和金融衍生品。

2014.7.24,首单铁矿石基差贸易合约签订。

2014.9.17,证监会发布八点意见促进期货经营机构创新发展。

2014.9.25,"生命之光"足球赛落幕,永安期货精彩绽放。

2014.12.2,永安期货 2014 年棉花风险管理报告会 - 山东站。

2014.9.15,永安期货—浙江工商大学"永安新星成长计划"第三期人才订单班招生与基础专业技能培训。

2015.1.7,永安期货—浙江工商大学"永安新星成长计划"第三期人才订单班学员顺利结业。

2015.1.29,杭州市委常委、副市长范辉一行莅临我司考察指导。

2015.2.2,永安期货期权经纪业务资格成功获批。

2015.2.25,永安期货十大骄傲。

2015.4.7,浙江省副省长朱从玖一行莅临我司调研指导。

2015.6.23,祝贺永安期货首家上线 UF2.0。

2015.8.18,永安期货成功发行 6 亿元次级债。

2015.8.21,2015 期货公司分类评级结果出炉——永安期货获评"AA"级。

2015.10.9,永安期货新三板挂牌上市。

2015.10.28,热烈庆祝永安期货正式登陆新三板。

2015.12.18,热烈庆贺永安期货"新三板"敲钟仪式成功举行。

2016.1.19,永安期货荣获郑商所市场发展优秀会员表彰 3 项大奖。

【公司荣誉】

2015 年度

2015 年郑商所市场发展优秀会员、产业服务优秀会员、品种发展优秀会员。

公司有 7 家营业部被评为"品种产业服务优秀营业部"。

在和讯网主办的"第十三届中国财经风云榜"评选中,荣获"2015 年度投资者最满意的期货公司"荣誉称号。

在"第十二届中国财经风云榜"评选中,施建军总经理荣获"2015 年度杰出掌门人"荣誉称号。

在"第届八中国最佳期货经营机构暨最佳期货分析师评选"中分获十余项大奖。

中国最佳期货公司、中国期货公司金牌管理团队、中国金牌期货研究所最佳资本运营发展奖、最佳期货 IT 系统建设奖、最佳资产管理业务奖、最佳金融期货服务奖、最佳商品期货产业服务奖(金属、农产品、能源化工)、最佳期货私募基金孵化奖、年度优秀期货资产管理产品奖等。

在由浙江省人民政府金融办公室、浙江省金融业发展促进会和浙江省金融研究院联合举办的"2015 浙江金融报告会暨 2015 浙江金融创新人物、浙江青年金融才俊颁奖典礼"上,总经理施建军被评为"2015 浙江金融创新人物"。

公司北京研究院周博、李晶、王晓宝设计的研究课题《场外期权服务实体企业研究》荣获 2014 年度浙江省金融学会重点课题三等奖。

公司期权部张嘉成、翁鼎、邵明设计的研究课题《期货公司如何设计面向中小投资者的理财产品》荣获 2014 年度浙江省金融学会重点课题优秀奖。

荣获 2015 中国塑料产业大会钻石赞助单位荣誉称号。

荣获对冲基金人才协会会员单位荣誉称号。

荣获由杭州市人民政府颁发的"2014 年度现代服务业先进企业"荣誉称号。

公司荣获由浙江省人民政府颁发的"2014 年金融机构支持浙江经济社会发展二等奖"。

公司荣获浙江省金融业发展促进会"副会长单位"荣誉称号。

2014 年度

2014 年度上期所优胜会员奖、产业服务优胜会员奖、黄金产业服务会员奖、钢材产业服务会员奖、天然橡胶产业服务会员奖、燃料油产业服务会员奖、沥青产业服务会员奖、白银产业服务会员奖。

2014 年度中金所优秀会员白金奖、国债期货市场培育奖、产品创新奖。

2014 年度郑商所市场发展优秀会员、市场成长优秀会员、产业服务优秀会员、品种发展优秀会员、PTA 品种发展优秀会员。

2014 年度大商所优秀会员奖、最佳产业服务奖、最佳产业拓展奖、最佳机构服务奖、最佳工业品交易会员奖、最佳农产品交易会员奖。

公司荣获 2014 中国过塑料产业大会"钻石赞助单位"称号。

公司荣获新浪财经 2014 年度最佳期货综合实力奖。

公司在由和讯网主办的"第十二届中国财经风云榜"评选中,荣获"2014 年度金牌资产管理奖"和"2014 年度金牌风险管理奖"双料大奖。

【公司高管】

董事长方锦女士,2008.2 - 2012.9 任浙江省永安期货经纪有限公司董事长;2012.10 至今任永安期货股份有限公司董事长。

总经理施建军先生,1994.5 - 1995.4 任浙江省经济协作公司期货部经理;1995.5 - 1997.6 任浙江省金安期货经纪有限公司副总经理;1997.7 - 2012.9 任浙江省永安期货经纪有限公司董事、总经理;2012.10 至今任永安期货股份有限公司董事、总经理。

【公司愿景】

在这个潮起云涌的时代,永安期货继续秉承合法合规、诚信自律的经营理念,抓住中国期货市场飞速发展历史机遇,抓住国家创新业务推出的关键点,以资产管理、金融工程、金融期货、国际化业务为突破口,积跬步而至千里,成为全国性、综合性、开放性,具备现代化金融管理体系的一流期货公司!

主业突出,平台完整,具有跨境服务能力,持续领跑行业。

首批拥有全部创新业务经营资格的综合类期货公司。

在国家政策许可时,成为首批上市公司。

一德期货有限公司

【基本情况】

公司名称:一德期货有限公司

注册资本:1.65 亿元

注册地址:天津市和平区解放北路 188 号信达广场 14 层

法人代表:常志武

邮政编码:300042
客服电话:022－58298788
公司网址:www. futuresonline. com. cn
www. ydqh. com. cn
电子邮箱:chenliang@ ydqh. com. cn

【公司概况】

一德期货有限公司(First Futures Co., Ltd.)成立于1995年7月,是经中国证监会批准,在天津工商局登记注册的,从事商品期货、金融期货和期货投资咨询的专业期货经营机构法人。

一德期货注册资本现为一亿六千五百万元人民币(即将增资至三亿元),股东包括天津市财政投资管理中心、天津一德投资集团有限公司、地天泰集团有限公司、天津市春鹏预应力钢绞线有限公司和天津市恒兴钢业有限公司。

一德期货拥有中国证监会批准的商品期货经纪、金融期货经纪、期货投资咨询和金融期货全面结算业务资格,是中国金融期货交易所的全面结算会员,大连商品交易所、上海期货交易所和郑州商品交易所的全权会员,可代理客户从事国内所有上市品种的期货交易。

一德期货总部位于北方经济中心－天津,下辖北京北三环东路、上海、天津市区、天津滨海新区、大连、郑州、德州、宁波、唐山等九家营业部,初步形成以主要金融中心城市为主轴,逐步覆盖全国的市场推广和客户服务网络。

在期货业蓬勃发展的今天,一德期货将继续以专业、专注为出发点,以专业化升级和技术创新为突破口,强化公司核心竞争力建设,推动"责任一德"、"科技一德"、"专业一德"、"传媒一德"建设,构建以经纪业务为龙头、以增值理财和风险管理业务为两翼、多层次、立体化的期货业务体系,努力成为期货领域最具竞争力、国际化、综合性的金融服务企业。

专业品质　引领未来

深厚的专业积淀

国内成立最早的期货公司之一,期货市场发展的见证者和亲历者。

控股股东天津市财政投资管理中心,代表天津市政府出资。

历史溯源和人员班底源自原天津联合期货交易所。

位列天津市金融改革创新20项重点工作之一。

创造连续十年客户整体盈利的佳绩。

顶尖的业务资质

拥有金融期货全面结算业务资格这一行业顶尖业务资质。

三大商品期货交易所的全权会员、中国金融期货交易所005号全面结算会员。

天津地区唯一具有股指期货开户资格的法人机构。

一流的人才团队

拥有一支胸怀伟略的高管团队,全部是中国第一代期货人,在期货行业从业十年以上。

拥有一批业绩优良的投资专家,有着期货交易所、期货公司、证券公司、现货企业、投资公司和贸易公司等多元化经历,身经百战,成绩斐然。

拥有宏观经济、产业分析、品种分析、策略分析、金融工程等领域的专业研究团队,为您提供全方位、立体化的金融服务。

广纳银行、证券、期货、保险、基金、信托等行业优秀人才加盟,群英汇萃。

稳定、高效、安全的交易平台

通过信息技术分类评级三类标准,达到国内期货公司信息技术评级的最高级,是科技型期货公司的先行者。

业内领先的天津、北京双机房热备份,拥有充分冗余的通讯链路,与四大交易所、五大商业银行并各营业部均采用专线连接,确保客户交易指令准确安全下达。

提供人工电话报单、400自助报单、网上自助交易等多种指令下达方式。

配备金仕达交易系统,满足海量客户交易需求;配备易盛交易系统,实现短线高手便捷、快速下单;配备上期技术综合交易平台,提供更快的交易速度、更稳定可靠的性能。

配备多套程序化交易系统,实现自动/半自动交易;配备账户分析系统,对您的交易能力进行全方位评估,提供个性化操作建议。

优质全面的客户服务

全国统一客服电话4－007－008－365,每周7天,每天8小时,全年365天为您提供贴心服务。

覆盖建行、交行、工行、农行、中行等五大商业银行的全国范围银期转账,为您提供安全、迅捷的资金存取服务。

配备文华财经、澎博、Flash在线行情、财顺行情、一键通、闪电手、交易开拓者、掌上期货、期货小精灵等多套行情资讯分析系统,满足您的个性化需求。

量身打造的高端期货培训、丰富全面的网站资讯、随时随地的短信、邮件、QQ信息提示,完备的增值理财和风险管理服务,帮助您掌握期货投资技巧,准确把握获利避险的良机。

【公司大事记】

2013.1.19,一德期货2013年年会party隆重举行2015.03.09"动力煤期货上市培训会"在天津滨海新区举行。

2013.1.29,一德期货荣获大连商品交易所2012年度"市场服务成就奖"。

2013.2.26,一德期货连续第三年获得"功臣企业"荣誉称号。

2013.3.28,一德期货召开年度"三会"。

2013.3.29,一德期货荣获最佳投资者教育期货公司称号。

2013.4.10,我司陈瑞华同志入选为天津市"131"创新型人才培养工程第一层次人选。

2013.4.12,"煤炭市场分析交流会"隆重举行。

2013.4.28,"环渤海橡胶产业高峰论坛"召开。

2013.5.10,"期货投资培训课程"在北京举行。

2013.5.17,一德期货有限公司在2012年的绩效考评中被评为优秀(AAA)。

2013.5.25,"环渤海地区有色金属期货高级投资报告会"隆重举行。

2013.6.29,首届"鲁西北地区饲料行业分析交流会"隆重举行。

2015.3.9,一德期货与物资学院合作项目成功获得"国家大学生校外实践教育基地"称号。

2015.3.9,研究院院长陈瑞华入选为天津市"131"创新型人才培养工程第一层次人选。

2015.3.9,"环渤海油脂产业高峰论坛"召开。

2015.3.9,"动力煤期货上市培训会"在天津滨海新区举行。

【公司股东概况】

排序	股东名称	持股比例（%）	持股数量（万股）
1	天津市财政投资管理中心	69.70%	132151 万元人民币
2	天津一德投资集团有限公司	12.12%	10480 万元人民币
3	天津市恒兴钢业有限公司	6.06%	21000 万元人民币
4	天津市春鹏预应力钢绞线有限公司	6.06%	5000 万元人民币
5	天津正德汇隆商贸有限公司	4.85%	3000 万元人民币
6	天津尚坤物流有限公司	1.21%	50 万元人民币

【公司文化】

一德企业文化精髓：

以人唯一、锤炼团队、张扬个性、激发合力

解放思想、干事创业、科学发展

诚信铸就品牌，专业创造价值

以客户需求为中心，以客户的长期稳定盈利为目标，与客户资产共成长。

一德核心价值观：

以人唯一，以德为先；注重业绩，推崇协作；勇于开拓，鼓励创新。

一德企业理念：

经营理念：与客户资产共成长

管理理念：以人唯一，以德为先

文化理念：一诺千金，德厚载富

一德企业精神：

诚信、专业、负责、创新

这种精神体现为：

对中国期货事业和公司发展的坚定信心；

以德为先、诚信负责的职业品质；

艰苦创业、战胜困难、开拓创新的职业精神；

以人唯一，个人价值与企业价值共成长的价值理念。

一德宣传用语：

德心德智德见未来

鲁证期货股份有限公司

【基本情况】

法定名称：鲁证期货股份有限公司

注册资本：1 001 90 万元

注册地址：济南市市中区经七路 86 号 15、16 层

法人代表：陈方

邮政编码：250001

客服电话：4006186767

公司网址：www. luzhengqh. com

电子邮箱：bgs@ luzhengqh. com

【公司概况】

鲁证期货股份有限公司——鲁证期货股份有限公司是由中泰证券控股的大型专业期货公司，注册资本 10.019 亿元。公司拥有业内全部业务牌照，并首批设立风险管理子公司，首家设立信息技术子公司。公司连续 7 年获得 A 类评级，是中金所 24 家全面结算会员之一、是唯一一家通过信息技术四类评级的期货公司。公司于 2015 年 7 月在香港联交所主板挂牌上市，成为我国期货行业内首家上市公司、香港联交所首家以期货为主业的上市公司，实现了山东省金融企业境外上市“零”的突破。

【公司大事记】

2015.05.14，公司组织员工参加股指期权高级培训。

2015.5.29，公司成功举办“中国德州第五届资本交易大会——期货及衍生品高峰论坛”。

2015.7.7，鲁证期货股份有限公司在香港联交所（主板）成功上市。

2015.8.19，山东金融改革实施两年鲁证期货交出满意答卷。

2015.9.24，德州营业部成功举办“2015/2016 年度棉花供需分析与投资策略研讨会”。

2015.11.5，公司成功举办“期货服务农林企业研讨会”。

2015.11.23，“鲁证期货—清泉奖学金”正式成立。

2015.11.27，鲁证“2015 中国铝行业发展研讨会”。

2015.12.15，公司成功举办”油脂油料市场分析与风险管理研讨会”。

2015.12.18，为爱行走用行动践行公益热烈祝贺“中国期货—鲁证杯悦动公益健步走”活动圆满成功。

2015.12.18，公司受邀参加第 11 届中国（深圳）国际期货大会场外衍生品分论坛。

【公司荣誉】

2014 年

荣获第七届中国最佳期货经营机构评选“中国最佳期货公司”、“最佳金融创新奖”、“最佳期货 IT 系统建设奖”、“优秀期货资产管理产品奖”、“最佳风险管理子公司服务奖”；

荣获和讯网中国财经风云榜“金牌 IT 服务期货公司奖”；

荣获“中金所杯”大学生金融期货及衍生品知识竞赛“优秀组织奖”。

2013 年

荣获山东省财政厅“AAA 级山东省地方金融企业”称号；

荣获中国金融期货交易所“优秀会员金奖”、“适当性制度落实奖”、“技术管理奖”、“产品创新奖”；

荣获上海期货交易所“优胜会员奖”、“产业服务优胜奖”、“品种类产业服务奖（天然橡胶）”；

荣获大连商品交易所“优秀会员金奖”；

荣获郑州商品交易所“市场发展优秀会员”；

荣获第六届中国最佳期货经营机构评选“中国最佳期货公司”称号、“中国期货公司金牌管理团队”称号；

和讯网 2013 年度第十一届中国财经风云榜评选公司董事长陈方先生荣获“2013 年度期货杰出掌门人”、公司荣获“2013 年度金牌 IT 服务期货公司奖”。

2012 年

荣获山东省财政厅“优秀金融企业奖”；

荣获济南市人民政府“金融业支持实体经济发展贡献奖”；

荣获中国金融期货交易所“优秀会员金奖”、“技术管理奖”、“投资者教育奖”、“产品创新奖”；

荣获上海期货交易所“交易优胜会员”、“产业服务优胜会员”、“天然橡胶产业服务优胜会员”；

荣获大连商品交易所“优秀会员金奖”、十大研发团队评选“农产品期货十佳团队”；

荣获郑州商品交易所“市场发展奖”、“产业客户开发服务奖”；

荣获第五届中国最佳期货经营机构“中国最具成长性期

货公司"、"最佳金融创新奖"；

荣获第十届中国财经风云榜"投资者最满意期货公司"、"金牌 IT 服务期货公司"、"金牌产业服务期货公司"；

荣获期货日报第六届全国期货实盘交易大赛"最佳操作指导奖"；

荣获"金融界"领航中国金融行业年度评选"期货行业最具成长性奖"。

光大期货有限公司

【基本情况】

公司名称：光大期货有限公司

注册资本：10 亿元

注册地址：中国（上海）自由贸易试验区福山路 458 号 303、601 - 602、1104 - 1106、1301 - 1303、1309A、1311 - 1312 室

法人代表：田亚林

办公地址：上海市新闸路 1508 号 2 楼

邮政编码：200040

客服电话：021 - 22169021

公司网址：www.ebfcn.com

电子邮箱：ebf@ebfcn.com.cn

【公司概况】

光大期货有限公司（EBF），是全资控股公司，注册资本达 10 亿元，拥有国内全部期货交易所的会员席位。公司前身南都期货成立于 1993 年，是国内首批专业期货公司之一. 公司自成立以来，经营稳健，管理规范，服务专业，资产优良，在业内享有着良好的声誉。

光大期货有限公司（EBF），总部位于中国金融中心上海市，在上海肇家浜路、北京、大连、福州、宁波、郑州、青岛、长沙、天津、深圳等地开设了 23 家期货营业部，并计划在国内开设多家期货营业部，同时依托光大证券遍布全国的营业网点，全方位拓展金融期货和商品期货经纪业务以及其他创新业务。公司致力于将服务网络覆盖每个地区，成为投资者的最佳选择，无论何时何地，都能提供投资者所需要的服务。

光大期货有限公司（EBF），全力打造一流交易平台，交易结算系统采用上期技术 CTP 交易系统。公司执行严格的保证金封闭管理，开通所有经中国证监会授权银行的银期转帐业务，为投资者提供快捷、安全服务。

光大期货有限公司（EBF），秉承"专业服务，诚信经营，创造价值，追求卓越"的经营理念，依托经验丰富，专业高效的工作团队，始终把投资者的需求放在第一位，真诚为投资者正确做出每一项投资决策提供专业高效的服务。

东海期货有限责任公司

【基本情况】

公司名称：东海期货有限责任公司

注册资本：5 亿元

注册地址：江苏省常州市延陵西路 23、25、27、29 号

法人代表：陈太康

办公地址：江苏省常州市延陵西路 23、25、27、29 号

邮政编码：213003

客服电话：95531、400 - 8888 - 588

公司网址：www.qh168.com.cn/

电子邮箱：bgs@qh168.com.cn

【公司概况】

东海期货有限责任公司成立于 1993 年，注册地江苏常州，注册资本 5 亿元，2014、2015 年度分类监管评级 A 类 A 级，中国期货业协会理事会员、大连商品交易所、郑州商品交易所、上海期货交易所会员，中国金融期货交易所全面结算会员，拥有商品期货经纪、金融期货经纪、期货投资咨询、资产管理、基金销售、股票期权中间介绍业务等资质。在业内以创新、专业著称，下设 27 家营业部、2 家分公司，拥有业内领先的交易、结算等软硬件设施，囊括业内最优秀的行情交易系统。交易系统功能齐全，速度快捷，多条专线直通国内四大交易所。

公司坚持以客户为中心的服务理念，形成涵盖客户开发、产品设计、投资管理、客户服务、风险监控等方面内容的业务体系。拥有稳健精干的管理团队和一流的专业人才队伍，具备持续稳健的经营管理能力和专业创新的市场开拓能力。

【公司大事记】

2015.1.11，东海期货荣获第十二届中国财经风云榜评选"最佳期货行业创新奖"。

2015.2.3，东海期货荣获交易所 2014 年度多项大奖。

2015.4.24，江苏证监局领导莅临东海期货视察指导工作。

2015.4.28，东海期货 2015"新常态下金融期货投资报告会"成功举办。

2015.7.10，东海期货网上开户正式上线。

2015.7.15，东海期货团队户外活动成功举办。

2015.7.16，东海资本管理有限公司增资至 1 亿元。

2015.7.20，东海期货隆重发布"梦想中国"股票指数。

2015.7.24，东海期货在全司范围内组织开展全面合规自查自纠活动。

2015.7.27，东海证券成功登陆"新三板"。

2015.8.10，东海期货召开 2015 年上半年经营工作会议。

2015.8.27，2015 期货公司分类评级结果出炉—东海期货获评"A"级。

2015.9.8，东海期货新官网正式上线。

2015.9.22，东海期货开展营业部合规专题培训。

2015.9.23，第二届中国经济与长三角有色金属产业高峰论坛成功举办。

2015.9.25，签约交行银期开户送红包。

2015.11.2，东海期货基金商城上线。

2015.11.13，东海期货在"第八届最佳期货经营机构暨中国最佳期货分析师评选"上荣获多项大奖。

2015.12.11，东海期货在郑商所"三业"活动项目评选中获奖。

2015.12.17，东海期货在 2015 年领航中国年度评选中获奖。

2015.12.18，东海期货手机开户平台正式上线。

【公司荣誉】

2014 年

中国期货业协会：连续四届当选为中国期货业协会理事单位

中国金融期货交易所：

股指期权仿真交易推广评比活动三等奖（2014）

中金所杯全国高校金融期货及衍生品知识竞赛优秀组织奖（2014）

股指期权投资者教育产品大赛银奖(2014)

年度优秀会员金奖、年度技术管理奖(2014)

郑州商品交易所:

市场发展优秀会员奖、市场成长优秀会员奖、产业服务优秀会员奖(2014)

品种发展优秀会员(菜系)、品种产业服务优秀会员(菜系、PTA)(2014)

大连商品交易所:市场服务奖(2014)

上海证券交易所

ETF 期权交易策略大赛软件类三等奖(唯一一家获奖期货公司)

ETF 期权模拟交易游戏荣获产品类三等奖(2 家获奖期货公司之一)

媒体类大奖:

在《证券时报》主办的 2014 中国金融 IT 创新评选颁奖盛典中,东海期货荣获“中国最佳互联网创新期货公司”大奖。

期货日报“全国期货实盘交易大赛”连续四届获得最佳指导奖

2014 年金融界——领航中国金融行业年度评选“最佳品牌奖”和“最佳客户服务奖”

2013 年

中国金融期货交易所:优秀会员金奖、技术管理奖

郑州商品交易所:市场发展奖、市场成长奖

大连商品交易所:市场服务成就奖

媒体类:

期货日报“全国期货实盘交易大赛”:最佳指导奖

期货日报、证券时报“2013 年中国最佳期货经营机构”评选:最佳金融期货服务奖、最佳金融创新奖、最佳能源化工产业服务奖、最佳棉花分析师、投资者教育杰出营业部(东海期货厦门营业部)

证券时报“2013 年金融 IT 创新暨优秀财经网站”评选:2013 年度中国金融 IT 十大创新案例、最佳期货网站、最佳手机期货

金融界“2013 金融界·领航中国金融行业年度评选”:最佳品牌奖、最佳客户服务奖

浙江期货有限公司

【基本情况】

法定名称:浙江期货有限公司

注册地址:杭州市庆春路 173 号 8-10 层

法人代表:胡军

注册资本:5 亿元

邮政编码:310006

客服电话:400-700-5186

公司网址:www.cnzsqh.com/Index.aspx

【公司概况】

浙商期货有限公司于 1995 年 9 月在浙江杭州正式成立,注册资本 5 亿元,净资本逾 8 亿元,注册地浙江杭州市庆春路 173 号 8-10 层,由浙商证券股份有限公司全资控股。公司连续七年荣获期货公司分类评价 A 类 A 级以上评级,2014、2015 年荣获 AA 类评级。成为集商品期货经纪、金融期货经纪、期货投资咨询、资产管理、境外业务和风险管理业务为一体的综合类期货公司。

经过二十年的发展,公司经营规模持续扩张,目前有营业部 21 家,全资子公司 2 家;营销网络覆盖浙江省内 13 个重点城市以及北京、上海、天津、广州、武汉、大连、济南等全国经济发达地区。行业综合排名长期稳居行业前 20 位,部分指标稳居行业前十位。2015 年期货代理交易规模突破 8 万亿元,客户权益突破 100 亿元,资产管理业务规模突破 50 亿元,各项经营指标均创历史新高。

2013 年 4 月设立的浙江浙期实业有限公司,作为行业首批风险管理子公司,主要从事仓单购销、合作套保、基差交易、定价服务、第三方风险管理等业务。2015 年,浙期实业完成销售收入 8.1 亿元,实现净利润 3 千多万元,在全行业开展风险管理子公司业务的 20 多家期货公司中名列前茅,发挥了商品期货领域的研究优势及现货企业的合作关系;2015 年 4 月,浙商期货在香港特别行政区全资设立浙商期货(香港)有限公司,这将为公司拓展境外市场,提升综合竞争力的国际化战略打下基础。

【公司荣誉】

2015 年度

2015 年度中国期货业创新发展论坛暨第八届中国国最佳期货分析师评选颁奖典礼,公司荣获“中国最佳期货公司”、“最佳风险管理子公司服务奖”、“最佳资产管理业务”、“最佳商品期货产业服务奖”。

最佳宏观策略分析师(戚文举)、最佳工业品分析师(王楠、吴铭、陈之奇)、最佳农产品分析师(胡华挺)

和讯网第 13 届中国财经风云榜评选中,荣获“2015 年度投资者最满意的期货公司”。

总经理胡军女士被评为“2015 年度杰出掌门人”。

2014 年度

浙江省人民政府颁发的 2014 年度金融机构改革创新——优秀单位奖。

第七届中国最佳期货经营机构暨最佳期货分析师评选中,公司荣获“中国最佳期货公司”、“最佳金融期货服务奖”和“最佳风险管理子公司服务奖”称号。《浙商》杂志评选中,荣获“2014 浙商最信赖金融机构证券期货”奖。

“金融界——领航中国金融行业年度”评选中,荣获“最佳品牌奖”。

大连商品交易所:优秀会员奖、最佳产业拓展奖。

郑州商品交易所:市场发展优秀会员、PTA 品种发展优秀会员,玻璃品种发展优秀会员、动力煤品种发展优秀会员。

上海期货交易所:交易优胜会员、产业服务优胜会员;黄金产业服务优胜会员、钢材产业服务优胜会员。

中国金融期货交易所:优秀会员金奖、产品创新奖。

由期货日报和证券时报举办的第七届中国最佳期货经营机构暨最佳期货分析师评选中,公司荣获“中国最佳期货公司”、“最佳金融期货服务奖”和“最佳风险管理子公司服务奖”称号。

中金所股指期权仿真交易推广评比活动二等奖;“股指期权做市商仿真交易大赛”评比活动三等奖;

和讯网第 12 届中国财经风云榜评选中,荣获“2014 年度最佳期货行业创新奖”、“金牌产业研究奖”。

第七届中国最佳期货分析师评选中,公司戚文举荣获“最佳宏观策略分析师”;沈文卓荣获”最佳国债期货分析师”;王琳荣获“最佳贵金属类期货分析师”;童俊杰荣获“最佳黑色产业链期货分析师”;来斌荣获“最佳建材类期货分析师”;胡华挺荣获“最佳农牧类期货分析师”。

总经理胡军荣获和讯网第 12 届中国财经风云榜评选

"杰出掌门人"奖,"2014 中国期货业领袖人物"提名奖。

2013 年度

郑州商品交易所"产业服务优秀会员奖"、"市场发展优秀会员奖"、"菜粕——品种发展优秀会员奖"、"PTA——品种成长优秀会员奖"。

中国金融期货交易所"优秀会员金奖"、"技术管理奖"、"产品创新奖"、"客户管理奖"、"金融期货宣传奖"。

大连商品交易所"优秀会员金奖"。

上海期货交易所"交易优胜会员奖"、"黄金产业服务优胜会员奖"、"钢材产业服务优胜会员奖"、"燃料油、沥青产业服务优胜会员奖"。

由期货日报和证券时报举办的第六届中国最佳期货经营机构暨最佳期货分析师评选中,公司荣获 2013 年度"中国最佳期货公司"和"最佳能源化工产业服务奖"称号。朱金明荣获"最佳菜籽类期货分析师"第二名;徐涛荣获"最佳玻璃期货分析师"第二名;朱磊荣获"最佳豆类期货分析师"第四名;戚文举荣获"最佳宏观策略分析师"第六名。

"和讯网——第十一届财经风云榜"评选中,荣获"投资者最满意期货公司"、"金牌 IT 服务期货公司"。

"金融界——领航中国金融行业年度"评选中,荣获"最佳品牌奖"、"最佳投研团队奖"。

《浙商》杂志评选中,荣获"2013 浙商最信赖金融机构"

2013 年对冲基金风云榜,公司总经理胡军荣获"最受关注期货公司掌门人"。

【公司文化】

公司总体定位是打造国内优秀的期货理财增值服务商。

公司核心理念是以服务为核心,发现需求、创造需求、满足需求。

公司发展架构是:在风险控制管理下,大力开拓公司主营业务建设,逐步推广期货外延建设。

风险控制架构:建立并完善以股东会、董事会、独立董事、职工监事、首席风险官、合规监察部门为主体的风险控制体系。严格按照中国证监会、期货行业协会及其他外部监管机构等法律法规体系,规范发展、合规管理、稳健经营。把防范风险作为公司工作的生命线,"守住不发生系统性、区域性风险"的底线,为公司长远发展奠定基础。

华泰期货有限公司

【基本情况】

公司名称:华泰期货有限公司

注册资本:809 000 000 元

公司住所:广州市越秀区先烈中路 65 号东山广场东楼 5 层、11 层、12 层

法定代表人:张涛

办公地址:广州市越秀区先烈中路 65 号东山广场东楼 5 层、11 层、12 层

邮政编码:510095

客服电话:4006280888

公司网址:www. htgwf. com

电子邮箱:gwf@ htgwf. com

【公司概况】

华泰期货(原长城伟业期货)成立于 1994 年 3 月 28 日,是中国首批成立的期货公司之一,注册资本 8.09 亿元,已在全国 18 个省开设了 31 家营业网点。公司目前拥有上海、大连、郑州交易所会员资格和中国金融期货交易所全面结算会员资格,并首批获得中国证监会颁发的期货投资咨询业务资格、资产管理业务资格。多年来受到社会各界和交易所的广泛好评,连续多年被媒体评为中国最佳期货公司、中国期货风险管理卓越期货公司、最具影响力期货公司,累计获评四大交易所各类奖项一百余项。

公司在多年的实践中凝聚、积累了一支稳定的期货专业团队。公司经营班子成员分别来自期货、证券行业,平均金融行业从业时间 10 年以上;营业部总经理平均期货从业时间 10 年以上;613 名员工中 96% 具有期货从业资格,其中期货从业 5 年以上员工 210 人,10 年以上员工 72 人。

公司研究分设投资咨询部与研究所,共有研究人员 49 人,硕士、博士学位人员占 80%,研究团队多次荣获"中国金牌期货研究所"、全国"十佳期货研究所"荣誉称号。研究范围覆盖所有上市与拟上市交易品种,提供行情分析、套期保值以及各类交易策略等相关报告,对于趋势交易、套利对冲、风险管理以及程序化交易等各领域均配置了高水平的研究力量。在股指期货、有色金属、钢材、白糖、油脂等品种的研究在业内具有一定影响力,连续多年多名成员在各类优秀分析师评选中获奖,受到所服务的企业、机构的肯定。团队多次与交易所合作开展套期保值课题研究,组织开展国际市场研究,得到了期货监管部门与期货行业的持续好评。

【公司大事记】

2012.7.31,东莞财富论坛——宏观经济形势与黄金白银期货研讨会。

2012.12.25,华泰长城期货有限公司年度报告会。

2013.4.3,华泰长城期货程序化之星巡回研讨会。

2013.4.3,宏观经济与金融期货投资报告会。

2013.7.8,华泰长城 2013 宏观经济暨金融期货投资报告会。

2013.7.8,贵金属期货论坛暨广州营业部开业典礼。

2014.3.31,第八届全国期货实盘大赛。

2014.3.31,2014 年宏观经济暨金融期货、期权投资报告会。

2014.4.2 - 2014.4.13,深圳——2014 股指期权投资策略研讨会。

2014.4.2 - 2014.4.12,石家庄——宏观经济暨金融期货期权投资报告会。

2014.7.25,热烈祝贺华泰长城期货获得"中国期货市场最佳公司品牌十强"等多项奖项。

2014.9.16,2014(第三届)中国钢铁技术经济高端论坛在京盛大召开。

【公司荣誉】

2012.6.13,华泰长城期货公司落户杭州。

2012.8.24,8 家上市券商系期货公司上半年业绩亮相华泰长城净利 5244 万居首位。

2012.11.22,首批 18 家期货公司获资管业务牌照。

2014.7.25,上期所首届会员创新项目评选结果揭晓华泰长城期货获评"突出创新项目奖"。

2014.8.5,华泰长城资本率先获经纪商资格。

2014.8.5,华泰长城期货荣获上期所 2013 年度优秀分析师(团队)评选数项奖项。

2014.8.8,上海期货交易所 2013 年度会员突出创新业务——华泰长城一体管理与服务平台。

【公司股东概况】

排序	股东名称	注册资本（万元）	持股比例（%）
1	华泰证券股份有限公司	5600000000	60%
2	华丽家族股份有限公司	1602290000	40%

五矿经易期货有限公司

【基本情况】

公司名称：五矿经易期货有限公司

注册资本：12 亿元

注册地址：深圳市福田区益田路西福中路北新世界商务中心 4801－A、4802－B、4803、4804

法人代表：任珠峰

邮政编码：518026

客服热线：4008885398

联 系 人：姜午君

公司网址：www. wkjyqh. com

电子邮箱：wkqh@ wkqh. cn

【公司概况】

五矿期货有限公司是全球 500 强中国五矿集团的全资子公司，前身为实达期货，成立于 1993 年 4 月，是中国最早成立的期货经营机构之一。公司注册资本 10 亿元，是国内最大注册资本期货公司之一。

雄厚的股东实力

公司股东中国五矿集团是中央管理的 39 家国有重要骨干企业之一，在全球 500 强中位列第 192 位。是中国最大的钢材贸易商、中国最大的综合有色金属集团。

突出的公司地位

中国金融期货交易所全面结算会员

上海期货交易所理事单位

中国期货业协会理事单位

深圳市期货同业公会的副会长单位

中国有色金属工业协会再生金属分会理事

荣获深圳市金融创新奖、最具潜力的知名品牌奖，为深圳市金融直通车企业

荣获上海市“星级诚信企业”奖

卓越的业务能力：五矿期货被誉为“套保专家，套利精英，金属权威，金融新锐”，坚持以服务产业客户、机构客户为重点，在套期保值与套利业务方面，特别是在金属期货品种上具有突出优势。

连续三年荣获上期所颁发的奖项：“交易优胜会员提名”、“产业服务优胜奖”、以及黄金、白银、铝、铅等多个品种的“交易优胜奖”。

连续两年荣获大连商品交易所“最具成长性会员奖”。2014 年还首次荣获中国金融期货交易所的“会员进步奖”。

被各大媒体评为“最佳有色金属产业服务奖”、“最佳产业服务期货公司”、“最具成长性期货公司”、“最佳产品创新期货公司”等。

优质的服务水平：五矿期货为客户提供全方位的优质服务，帮助企业制订套保制度、设计业务流程、培训业务人才，为现货的生产、加工贸易等各类型企业量身定做套期保值方案，为企业提供资讯、交割、物流等全面服务。客户的需求就是五矿期货努力的方向。

研究实力

以研究所为核心的研发力量分布在深圳、上海两地，毕业于北京大学、复旦大学、中科院等众多国内一流院校和英国、新加坡、香港等海外名校。

研究所期权和金融期货团队 2013 年承接的中金所期权课题被评为 3 家一等奖会员项目之一（唯一证券期货项目）。

套期保值服务团队以流程量化管理为基础的全面风险管理系统获 2013 年度深圳市政府金融创新奖。

研究所金属产品团队包揽了 2013 年度上海期货交易所、《证券时报》和《期货日报》，以及中国有色工业协会传媒中心等在内的业内优秀分析师评选的“大满贯”，近年来多人次获得“优秀分析师”、“杰出产业服务奖”、“最佳有色金属期货分析师”等称号。

研究所能源化工产品团队在 2012 年大商所全国十大期货研发团队评选中，荣获第二阶段能源化工产品组十佳团队。

五矿期货有限公司总部设在深圳，设有六个业务部和一个金融事业部。目前已经设立了上海营业部、郑州营业部、北京营业部、深圳营业部、昆明营业部、成都营业部、重庆营业部、天津营业部、广州营业部、杭州营业部。济南营业部正在筹备中。

【公司大事记】

2014. 10. 31，五矿期货成功举办 2014 年北京地区铅锌行业座谈会。

2014. 10. 14，五矿期货成功举办 2014 焦煤焦炭期货套利与交割实务研讨会。

2014. 10. 15，五矿期货股指期权投资系列沙龙——“炼权”之精进篇。

2014. 10. 16，五矿期货成功举办“套保盈”风险管理系统服务企业报告会。

2014. 10. 27，2014 天津钢铁行业期现结合研讨会邀请函。

2014. 10. 31，五矿期货铁矿石行情分析会顺利举行。

2014. 10. 31，五矿期货股指期权投资系列沙龙——“炼权”之精进篇。

2014. 12. 8，远离非法期货，保护自身权益！

2014. 12. 8，2015 年五矿经易期货期现投资策略研讨会暨杭州营业部开业庆典。

2015. 1. 5，热烈祝贺五矿经易期货杭州营业部开业。

2015. 1. 5，五矿期货 2015 钢材行情走势及套保策略研讨会在昆成功召开。

2015. 3. 25，第九届全国期货实盘交易大赛火热报名中。

2015. 4. 23，“妖”镍锡来，共赢有色。

2015. 5. 121，常见自然灾害预防应对手册。

2015. 8. 4，布局轻网点发展新活力——五矿经易期货南通营业部盛大开业。

2015. 8. 10，“公平在身边”投资者保护专项活动。

2015. 8. 27，客户互联网开户流程指引。

2015. 11. 11，“中国期货－鲁证杯悦动公益健步走”活动细则。

2015. 11. 18，了解反洗钱知识，远离洗钱犯罪。

2015. 11. 27，2015“五矿经易期货杯”深圳期货业乒乓球比赛成功举办。

2015. 12. 18，提高反洗钱意识，防范洗钱风险。

2016. 1. 5，指数熔断机制业务问答。

2016. 1. 5，2016 年铜期货市场分析研讨会客户邀请函。

【公司荣誉】

2014 年

1 月 19 日,公司再度荣获大商所 2013 年度最具成长性会员奖。

2 月,首次荣获中国金融交易所 2013 年度会员进步奖。

2 月,公司三度蝉联上期所评优会员奖项,分别是交易优胜会员提名,以及锌、铅、黄金、白银品种的产业服务优胜会员奖。

广发期货有限公司

【基本情况】

公司名称:广发期货有限公司

注册资本:12 亿元

注册地址:广东省广州市天河区体育西路 57 号红盾大厦 9 楼、14 楼、15 楼

法人代表:罗满生

服务电话:95105826

投诉电话:020 - 38456999

公司网址:www. gfqh. com. cn

电子邮箱:zzw@ gf. com. cn

【公司概况】

广发期货有限公司成立于 1993 年 3 月,是国内成立较早、在工商管理机关注册的大型专业期货公司之一,现公司注册资本为 12 亿元人民币,是广发证券股份有限公司的全资子公司。公司总部位于广州,分别在北京、上海、郑州、珠海、青岛、大连、南宁、福州、武汉、西安、佛山、东莞、肇庆、江门、中山、广州、哈尔滨、杭州、无锡、深圳、汕头、成都、贵阳、昆明、宁波、厦门等地设有分支机构。另经监管部门批准,2006 年,公司在香港设立全资子公司。2013 年收购法国外贸银行旗下 Natixis Commodity Markets Limited 100% 股权并更名为广发金融交易(英国)有限公司,该公司是伦敦金属交易所首家中资圈内一级会员,也是伦敦证券交易所首批中资会员之一。2013 年,公司在上海设立全资商贸子公司。现已形成立足珠三角地区,覆盖全国各主要城市,并通过香港和伦敦辐射全球衍生品市场的业务网络。公司的经营范围为商品期货经纪、金融期货经纪、期货投资咨询、资产管理、基金销售。香港子公司及英国子公司可代理香港地区及境外的商品期货和指数、外汇、利率等衍生品业务。

实力雄厚,资信良好

广发期货目前是期货行业中资金充裕,实力雄厚,资产质量和资信条件最好的公司之一。公司是中国期货业协会第二届、第三届理事会副会长单位和第四届理事单位、广东省证券期货业协会副会长单位、中国证监会证券期货业信息化工作专家委员会委员单位、全国金融标准化技术委员会证券分技术委员会委员单位、中国期货业协会第四届理事会申诉委员会及信息技术委员会委员单位、中国金融期货交易所全面结算会员。

经营稳健,管理规范

公司秉承广发证券的企业文化,坚持"以价值创造成就金融报国之梦"的使命,坚持"稳健经营,持续创新,绩效导向,协同高效"的经营管理理念,坚持"知识图强,求实奉献,客户至上,合作共赢"的核心价值观,十分注重健全内部管理体制和风险防范机制,已形成了一套具有自身特色,合乎期货公司规范运作的制度化管理体系。

服务专业,地位领先

公司致力于发展与客户的长期合作关系,拥有一批专业的客户服务队伍,为客户提供优质的投资服务。依托广发证券雄厚的资本实力和金融背景,公司在全国范围内开展期证合作,为投资者提供一站式的金融服务。公司连续六年荣获《期货日报》、《证券时报》评选的"中国最佳期货公司"和"中国金牌研究所",荣获国际期货期权杂志(FOW)评选的 2014 年"最佳中国期货公司"。

技术先进,安全快捷

公司十分重视信息技术在业务和管理中的应用,把信息技术的有效应用视为核心竞争力之一。公司是业内首家采用国家电信枢纽高标准机房的期货公司。信息技术的建设成效明显,并且形成了自己的特色,建立了集规划、开发和运维为一体的组织管理体系,秉承了安全、稳定、高效的原则,为公司各项业务与管理提供了坚实的技术保障。目前建设了广州马场数据中心与上海张江数据中心的 IT 系统"双活"灾备中心,为保障客户交易的高效性与安全性打下了坚实的基础。

精英汇聚,研究先行

公司一贯重视专业人才队伍的建设,长期坚持"知识图强、求实奉献"的核心价值,凝聚和培养了一批行业精英。目前,公司共有员工 450 余人,80% 为本科以上学历,其中博士 8 人,硕士 100 余人,拥有多位从事期货行业多年、经验丰富的专家型人才。公司研究力量雄厚,不但为客户提供各期货品种高水平的研究报告和咨询服务,更在金融期货的前瞻性研究方面积累了丰硕的成果,力求与客户一起创造期市制胜的先机。

展望未来,广发期货公司将致力于发展成为代理投资全球金融衍生品及商品期货交易,为客户提供优质风险管理和咨询服务,同时管理期货基金的世界一流的具期货综合业务的大型集团化金融服务机构。

【公司荣誉】

第八届中国最佳期货经营机构暨最佳期分析师评选。

第八届中国最佳期货经营机构最佳期货分析师评选。

在证券时报和期货日报共同主办的"第八届中国最佳期货经营机构暨最佳期货分析师评选"中获得此奖项。

在 2015 中国最佳财富管理机构评选中,广发期货资产管理部荣获 2015 中国优秀期货资管团队称号。

在 2015 中国最佳财富管理机构评选中,广发期货——广发期智荣获 2015 中国最佳财富管理品牌称号。

在 2015 中国最佳财富管理机构评选中,广发期货——期明君享荣获 2015 中国最佳期货资管产品称号。

广发期货发展研究中心荣获上海期货交易所 2014 年度优秀分析师(团队)评选活动的优秀分析师团队奖。

广发期货有限公司在广州市人民政府关于广州金融创新和金融研究成果先进单位的通报中荣获广州市 2014 年金融研究成果先进单位之优良单位称号。

广发期货有限公司在广州市人民政府关于广州金融创新和金融研究成果先进单位的通报中荣获广州市 2014 年金融创新成果先进单位之优良单位称号。

广发期货有限公司荣获郑州商品交易所 2014 年度市场发展优秀会员的称号。

广发期货有限公司荣获郑州商品交易所 2014 年度市场成长优秀会员的称号。

广发期货有限公司荣获郑州商品交易所 2014 年度甲醇品种产业服务优秀会员的称号。

广发期货有限公司荣获郑州商品交易所2014年度产业服务优秀会员的称号。

广发期货有限公司荣获郑州商品交易所2014年度白糖品种发展优秀会员的称号。

广发期货有限公司荣获郑州商品交易所2014年度白糖品种产业服务优秀会员的称号。

【公司高管】

董事长赵桂萍女士，1995年1月—1997年1月，任广发期货董事长兼总经理；

2007年12月至今，任广发期货董事长。

总经理罗满生先生，1993年3月—1997年6月，任湖南零陵金属材料股份有限公司总经理助理兼期货分公司经理；

1997年6月—1999年3月，任湖南先锋期货部门经理；

2002年1月—2003年9月，任广发期货总经理助理；

2003年9月—2014年3月，任广发期货常务副总经理；

2006年11月—至今，任广发期货(香港)有限公司董事；

2013年4月—至今，任职广发商贸有限公司董事兼法定代表人；

2014年3月—2014年4月，任职广发期货有限公司董事/总经理；

2014年4月—至今，任职广发期货有限公司董事/法定代表人/总经理。

金瑞期货有限公司

【基本情况】

中文名称：金瑞期货股份有限公司

注册地址：广东省深圳市福田区彩田路东方新天地广场A座

法人代表：卢赣平

注册资本：6亿元人民币

邮政编码：518 040

公司网址：www. jrqh. com. cn

电子邮箱：jrqhsw@ jrqh. com. cn

【公司概况】

金瑞期货有限公司成立于1997年7月，由江西铜业集团公司和中粮地产(集团)股份有限公司共同投资兴办，注册资本目前正从人民币1亿元增至2.04亿元。公司总部设在深圳，下辖上海、南昌、北京、大连、郑州、佛山、青岛营业部及香港分公司。

金瑞期货坚持规范运作，稳健经营，始终秉承“一个坚持，两个打造，强化四项竞争”的经营理念，在企业套期保值和套利方面打造出自己的核心竞争力，在经济效益、经营管理、品牌形象等方面领行业之先。

金瑞期货十多年来发展迅猛，业绩卓越，年交易额从42亿元增长到2010年的5.6万亿元；年净利润从不足100万元增长到4 000多万元；股东年回报率从8%增长到34%，综合经济效益在业内名列前茅。

金瑞期货是中国金融期货交易所的全面结算会员，是上海期货交易所理事单位，是上期所、大商所和郑商所均居前列的优秀会员单位，是全国首家获得国际权威机构ISO9001金融服务类认证的期货公司。

荣获深圳市“知名品牌”、“中国最佳期货公司”和“最佳产业服务奖”、“最具影响力期货公司”、“最受投资者喜爱的期货公司”等荣誉称号。

2011年荣获“十大品牌期货公司”、“期货杰出掌门人”、“中国最佳机构服务”、“中国最佳期货公司”和“最佳产业服务奖”，三大交易所年度优秀会员奖。2010年获得了深圳市金融创新三等奖，这是公司首次获得此项荣誉，也是唯一获奖的期货公司。

【公司大事记】

2015年12月12日，“金瑞期货青岛海尔路营业部开业庆典暨大金融大资管下期货创新业务研讨会”在青岛黄海饭店隆重举行。青岛市崂山区金融办公厅主任徐伟先生、青岛股转系统挂牌公司协会秘书长李小军先生、金瑞期货副总经理杨建辉、金瑞期货华北大区总经理马林钰莅临参会。来自青岛地区的10多家企业和30多家证券、银行代表、媒体记者等共计100余人参加了本次活动。

2015年11月8日，金瑞期货宜春营业部开业庆典暨2015金融产业创新业务研讨会在宜春迎宾馆隆重举行。宜春市人民政府金融工作办公室易国民主任、金瑞期货总经理卢赣平莅临参会并致辞。

2015年10月16日，金瑞期货有限公司(以下简称“公司”)出于经营发展需要，经公司股东会协商一致同意，公司由“有限责任公司”变更为“股份有限公司”，公司名称由“金瑞期货有限公司”变更为“金瑞期货股份有限公司”，公司注册资本由人民币5.13亿元变更为人民币6亿元整。

2015年9月19日，由江西铜业集团公司和上海期货交易所共同主办，金瑞期货有限公司承办的“第六届中国有色金属现货期货互动峰会”在深圳五洲宾馆隆重召开。江西省人民政府副省长李贻煌，深圳市人民政府副市长徐安良，江西省人民政府副秘书长张小平，江西铜业董事长、党委书记李保民，江西铜业总经理龙子平，上海期货交易所党委书记、理事长宋安平，中国期货业协会会长刘志超，中国有色金属工业协会副会长尚福山等领导出席会议。

2015年8月18日，金瑞期货股份有限公司创立大会暨第一次股东会议隆重召开。江西铜业董事长、党委书记李保民，总经理龙子平，副总经理吴育能，董事会秘书黄东风等相关领导以及股东代表、董事候选人、监事候选人和相关人员出席了会议

2015年5月20日，公司作为黄金赞助商参加了香港交易所及伦敦金属交易所(LME)举办的2015LME亚洲金属研讨会。

【历史沿革】

金瑞期货股份有限公司(以下简称“本公司”)前身为江西铜业公司深圳期货经纪部，1997年1月在收购华盛期货经纪有限公司的基础上重组设立，公司名称由华盛期货经纪有限公司变更为金瑞期货经纪有限公司，法定代表人为戚怀英，公司注册资本为1 028万元，其中：深圳宝安江铜南方总公司出资1 008万元，深圳宝安宝铜实业公司出资20万元。1999年8月，深圳宝安宝铜实业公司将20万元的股权转让给深圳市宝恒(集团)股份有限公司后，深圳市宝恒(集团)股份有限公司继续追加投资280万元，出资额增至300万元。深圳宝安江铜南方总公司追加投资1 692万元，出资额增至2 700万元，由此公司注册总资本增至3 000万元。公司股权结构为：深圳宝安江铜南方总公司持有90%的股权，深圳市宝恒(集团)股份有限公司持有10%的股权。2003年8月，深圳宝安江铜南方总公司正式更名为深圳江铜南方总公司。2005年中粮地产(集团)股份有限公司已收购深圳市宝恒(集团)股份有限公司，致使中粮地产(集团)股份有限公司持有本公司

10%的股权。2006 年 3 月,两名股东保持原比例增加资本2 000万元,注册资本增至 5 000 万元,2007 年 10 月,两名股东增加资本 5 000 万元,增资后注册资本为壹亿元整。2007 年11 月,深圳江铜南方总公司将持有本公司 46% 的股权转让给江西铜业集团公司,转让后公司的股权结构为:江西铜业集团公司持股 46%,深圳江铜南方总公司持股 44%,中粮地产(集团)股份有限公司持股 10%。2008 年 8 月,公司名称由金瑞期货经纪有限公司变更为金瑞期货有限公司,法定代表人由戚怀英变更为姜昌武。2010 年 7 月,股东江西铜业集团公司增资 23 368.8 万元,其中:人民币 10 400 万元进入注册资本,余额人民币 12 968.8 万元进入资本公积,增资后公司注册资本为 2.04 亿元,公司股权结构为:江西铜业集团公司持股 73.53%,深圳江铜南方总公司持股 21.57%,中粮地产(集团)股份有限公司持股 4.90%;公司法人代表由姜昌武变更为卢赣平。2012 年 12 月,江西铜业集团公司将其持有的本公司 73.53% 股权转让给江西铜业(北京)国际投资有限公司,中粮地产(集团)股份有限公司将其持有的本公司 4.90% 股权转让给深圳江铜南方总公司,转让后公司股权结构为:江西铜业(北京)国际投资有限公司持股 73.53%,深圳江铜南方总公司持股 26.47%。2013 年 5 月 31 日,公司注册资本增至 51300 万元;其中江西铜业(北京)国际投资有限公司出资 37 720.89 万元,持股比例为 73.53%,深圳江铜南方总公司出资 13579.11 万元,持股比例为 26.47%。2015 年 8 月 18 日,金瑞期货股份有限公司召开了创立大会暨第一次股东大会,决议公司组织形式由有限责任公司变更为股份有限公司,公司名称变更为"金瑞期货股份有限公司",注册资本增至陆亿元整,由公司原股东同比例增资。

2013 年 7 月 4 日,本公司设立风险管理子公司,金瑞前海资本管理(深圳)有限公司完成工商注册事宜,注册资本 5 000 万元人民币。2014 年 8 月 12 日,本公司对金瑞前海资本管理(深圳)有限公司进行增资,增资后注册资本为 13 000 万元人民币。

浙江新世纪期货有限公司

【基本情况】

公司名称:浙江新世纪期货有限公司

注册资本:1.5 亿元

注册地址:杭州市体育场路 335 号

法人代表:徐根雪

公司传真:0571 - 85152791

邮政编码:310006

公司网址:www.zjncf.com.cn

电子邮箱:zjncfjob@163.com

客服及投诉电话:400 - 700 - 2828

【公司概况】

浙江新世纪期货有限公司是 1993 年经浙江省人民政府批准、国家工商行政管理总局核准注册成立的国内第一批专业期货公司,也是国内首批获得金融期货结算业务资格及金融期货代理业务资格的期货公司。目前公司注册资本金为 1.5 亿元。截至 2014 年,净资产为 2.56 亿元。

公司由国有大型企业控股,股东实力雄厚。公司总部位于杭州市繁华的武林广场南侧,营业面积达 3 100 多平方米,下设北京、上海、宜昌、浙江萧山、湖州、温州、宁波、东阳、衢州、临安、昆明等 11 家营业部。

公司系上海期货交易所、大连商品交易所、郑州商品交易所、中国金融期货交易所会员单位,从事国内期货和金融期货经纪代理、期货投资咨询。多年来,在董事会的领导和全体员工的共同努力下,公司取得了长足的发展。公司连续多年受到上海期货交易所、大连商品交易所和郑州商品交易所的表彰,多次被上海期货交易所,郑州商品交易所和大连商品交易所评为优秀会员和交易 20 强单位。

公司拥有现代化的交易系统和先进的通讯设备,法人治理结构健全,员工队伍素质良好,运作规范、稳健,管理专业、严谨。多年来,坚持"以人为本,客户至上"的价值观,坚持"诚信、进取、团结、服务"的企业精神,践行"服务客户、创造价值、回报股东、惠泽员工"的企业宗旨,赢得了广大客户的信赖,客户赢利水平居同行前列,在期货行业享有良好声誉。

【公司大事记】

2012 - 2 - 18,宜昌营业部盛大开业暨 2012 年大宗商品走势展望报告会隆重召开。

2012 - 4 - 5,浙江新世纪期货经纪有限公司更名公告。

2012 - 11 - 5,新世纪期货公司荣获第三届"浙商杯"浙期协乒乓球比赛亚军。

2012 - 12 - 24,热烈祝贺浙江新世纪期货荣获大连商品交易所 2012 年度十大期货研发团队评选多项奖项。

2013 - 4 - 22,新世纪期货公司获首届"南华杯"浙期协羽毛球团体比赛第七名。

2013 - 5 - 24,新世纪期货公司获第四届浙期协演讲比赛优秀奖。

2013 - 7 - 2,新世纪期货取得期货投资咨询业务资格。

2013 - 12 - 7,临安营业部盛大开业暨 2013 - 2014 投资报告年会隆重召开。

2014 - 12 - 22,热烈祝贺新世纪期货研究院两队均荣获大连商品交易所 2014 年度十大期货研发团队评选奖项。

【公司荣誉】

2010 年

浙江东阳营业部成立

第一届"永安杯"浙期协乒乓球比赛季军

2011 年,浙江衢州营业部成立

第二届"新华杯"浙期协乒乓球比赛亚军

大连商品交易所 2011 年度"最具成长性会员"

上海期货交易所"优胜会员提名奖

郑州商品交易所 2011 年度产业客户开发服务奖和

郑州商品交易所 2011 年度白糖品种产业服务奖

2012 年

湖北宜昌营业部成立

"浙江新世纪期货经纪有限公司"更名为"浙江新世纪期货有限公司"

第三届"浙商杯"浙期协乒乓球比赛亚军

大连商品交易所"2012 年度十大期货农产品研发团队评比第一名"

农产品领队吴凌获得大连商品交易所"2012 年度农产品最佳研发团队领导人"

第六届全国期货实盘交易大赛荣获最佳客户服务奖

大连商品交易所能源化工研发团队获得"第二阶段十大期货能源化工研发团队"称号

2013 年

首届"南华杯"浙期协羽毛球团体比赛第七名

第四届浙期协演讲比赛优秀奖

取得期货投资咨询业务资格

浙江临安营业部成立

郑州商品交易所 PTA 品种成长优秀会员

大连商品交易所工业品期货研发团队第二阶段工业品组十佳团队

郑州商品交易所玻璃品种成长优秀会员

2014 年

浙期协羽毛球团体比赛第七名

大连商品交易所十大期货投研团队评新世纪选 2 队总成绩第二名，

获“十大投研团队”称号

大连商品交易所十大期货投研团队评新世纪选 1 队总成绩第二十名，获“十大优秀投研团队”称号

投研团队荣获大连商品交易所最具潜力投研团队称号

荣获中国金融期货交易所股指期权仿真交易推广评比活动三等奖

开展资产管理业务

兴证期货有限公司

【基本情况】

公司名称：兴证期货有限公司

注册地址：福州市鼓楼区温泉街道湖东路 268 号 6 层

注册资本：48 000 万元人民币

法人代表：孔祥杰

邮政编码：350001

公司网址：www. xzfutures. com. cn

电子邮箱：wanghui@ xzfutures. com

客户服务及投诉电话：4008888123

客户投诉邮箱：tousu@ xyzq. com. cn

【公司概况】

兴证期货有限公司（简称兴证期货）成立于 1995 年 12 月，注册资本 48,000 万元。经营范围涵盖商品期货经纪，金融期货经纪、基金销售、资产管理，由兴业证券股份有限公司（以下简称兴业证券）投资控股，控股比例为 97.18%。兴证期货拥有上海期货交易所（会员号：0311）、大连商品交易所（会员号：0133）和郑州商品交易所（会员号：0268）的会员资格，拥有中国金融期货交易所（会员号：0102）交易全面结算会员资格，可以为客户提供境内所有已上市的商品期货与金融期货的交易和结算服务，并可以为中金所交易会员提供结算服务。

经过多年的不懈努力和发展，兴证期货 2014、2015 年连续两年被评为 A 类 A 级期货公司，发展成为拥有 13 家营业部，覆盖了东北、华北、华东、西南地区的有一定影响力的期货公司，主要业务和经营指标接近或进入行业前 20 名，公司综合竞争实力、抗风险能力、行业地位和市场影响力不断提升。

展望未来，兴证期货将全力打造良好的公司文化，建立良好的管理制度和激励机制，致力于成为一家“优秀的风险管理服务商”；公司将商品期货和金融期货、场内业务和场外业务并举，培育核心竞争能力、建立高素质的人才队伍、保持持续盈利能力；公司将由单纯的经纪业务逐步向风险管理、财富管理、资产管理、销售交易等多元化业务转变，逐步实现公司的机构化、产品化、专业化，力争到 2020 年主要业务和经营指标进入行业前 10 名。

建信期货有限责任公司

【基本情况】

公司名称：建信期货有限责任公司

注册地址：上海市浦东新区银城路 99 号 502、503 室

注册资本：43 605.98 万元人民币

法人代表：葛文杰

办公地址：上海市浦东新区银城路 99 号建行大厦 5 楼

邮政编码：200120

客服电话：400 - 90 - 95533

公司网址：www. ccbfutures. com

电子邮箱：ccbf@ ccbfutures. com

【公司概况】

建信期货有限责任公司（以下简称“建信期货”）是中国建设银行股份有限公司（以下简称“建设银行”）附属公司。公司成立于 1993 年，于 2014 年 4 月重组更名，注册资本金 43 605.98万元。

建信期货具有商品期货经纪、金融期货经纪业务资格和资产管理业务资格。公司有多年商品期货经纪业务、金融期货经纪业务服务经验，能够为客户提供全期货品种的投资和风险管理服务。资产管理业务可以根据客户委托，提供多层次、多品种财富管理工具。建信期货是上海期货交易所、大连商品交易所、郑州商品交易所会员，是中国金融期货交易所交易结算会员，是郑州商品交易所理事单位和上海期货交易所监察委员会主任委员单位，曾担任第一届中国期货业协会理事单位。公司总部位于上海，在上海、北京、郑州、福清、泉州、宁德、厦门等地拥有 8 家营业部。

公司控股股东建信信托有限责任公司（简称“建信信托”）是经中国银监会批准，由建设银行控股的子公司，注册资本 152 727 万元。建信信托主要开展资金、动产、不动产、有价证券信托，投资基金业务，资产重组、购并及项目融资、公司理财、财务顾问业务，证券承销业务，居间、咨询、资信调查业务，代保管及保管箱业务，自有资金贷款、投资、担保等业务。建信信托 2014 年受托资产规模 6 658 亿元，资产总额 74.87 亿元。

建信期货将依托建设银行集团，坚持以客户为中心、以市场为导向，坚持服务实体经济，加快创新与转型发展，把公司建成业绩优良、产品丰富、服务高效、技术领先、管理规范的国内一流期货公司。

1. 综合化、多功能的金融集团支持

建信期货是建设银行综合化经营的重要组成部分。截至 2014 年末，建设银行市值约 2 079 亿美元。建设银行在国内设有分支机构 14 856 个，服务于 348 万公司客户、3.14 亿个人客户。建设银行已经建成集商业银行、寿险、基金、信托、租赁、期货、投资银行、住房储蓄银行、村镇银行于一体的多功能金融服务体系。建信期货将依托建设银行综合化、多功能优势，积极推进产品创新和业务创新，利用期货及衍生品工具，为广大客户提供专业、优质的期货投资及风险管理服务。

2. 信息技术优势

公司拥有安全、稳定、高速的多套期货行情系统和交易下单系统，在上期、中金、大商所托管机房均有极速交易平台部署，可以为各类投资者提供个性化的系统支持和标准化的开放式接口接入。公司部署了资管系统，支持事前事中事后全面风控，标准化 API 接口，支持分帐户交易。

公司主交易系统 CTP 系统位于速度最快的上海期货交易所张江数据中心机房 VIP 机柜，中心机房配备最先进的服务器与安全高速的网络设备，能够容纳 10 万以上客户在线交易，客户报单最快以微秒级速度上报交易所。公司在张江数迅机房、移动机房搭建中金飞马平台、在大连飞创托管机房搭建大连飞创平台，可以满足低延时交易要求，实现快速报单，满足高频交易客户需求。

公司建设了 8 个交易站点，涵盖所有网络运营商；具有包括上期 CTP、恒生、POBO（澎博财经）、文华、金字塔、TB（Tradeblazer）、达钱、Multicharts 在内的所有主流交易客户端；提供澎博博易大师、文华财经、富远等多套行情分析系统，方便客户根据个性化需求快速接入公司交易网络。

公司在四家交易所有多个交易席位，并租用上证通和深证通的传输平台，可以实现与基金公司等专业投资者的业务对接。

3. 研发优势

公司拥有专业研发服务团队，能针对不同客户需求，实时提供长、中、短期交易指导。

研发主要就宏观经济及已上市期货品种基本面展开研究与行情研判，能够为客户提供信息、综合资讯等标准化线上、线下服务，也能根据客户需要进行行业分析和产业调研，为客户定制趋势性投资、套期保值、套利等投资策略。

公司研发部门在化工品、农产品等品种上储备有优秀的研究团队，多次对趋势性行情做出准确判断。2014 年公司研发部获得“大连商品交易所优秀投研团队”称号。

4. 综合服务优势

公司“客户交易分析系统”能够为客户提供上百个账户交易分析指标和算法，借助统计方法和数据挖掘体系对客户的交易结果和交易行为进行分析，并给出相应的意见建议。

公司可以为高端客户、机构客户量身打造以资产管理、风险管理为核心的综合化服务方案，对产业客户公司可优先推荐建设银行产品。

大宗商品服务团队能够为产业客户提供套利、均价交易、移仓交易等特色服务。

资产管理业务团队在期货组合投资、量化对冲产品设计与投资领域有多年丰富经验，能够利用包括投资期货与衍生品市场在内的多种策略为中高净值客户提供投资理财产品和财富管理工具。

5. 结算和风控优势

公司结算工作人员一半以上具备 5 年以上从业经验，熟练掌握各交易所交割、结算以及风控制度，能为客户提供专业的结算、风控和交割服务。

公司已开通包括建设银行、工商银行、农业银行、中国银行、交通银行五大银行在内的多家商业银行全国集中式银期转账系统。能够为客户提供安全、及时、便利的资金划转服务。

公司拥有满足专业投资机构需求的融航风控软件。可以为机构提供集交易管理、账户结算、费率设置、风险监控等功能于一体的多账户解决方案。拥有金仕达资产管理系统，解决资产管理账户问题。

【公司大事记】

2013.1.24，股东上海良友（集团）有限公司增加注册资本 3 000 万元，公司注册资本达到人民币 1 亿元。

2013.4.26，为庆祝公司成立 20 周年，公司组织了庆祝成立 20 周年庆典活动。

2013.8.21，公司 2013 年第三次股东会作出决议，股东上海市油脂公司将所持有的公司 10% 的股权全额划转给上海良友（集团）有限公司，公司类型相应变成法人独资一人有限责任公司。

2013.9.26，公司召开股东会，建信信托有限责任公司向公司增资，公司注册资本将由人民币 1 亿万元增至人民币 4 亿 3 605.98 万元，增资后公司股东建信信托有限责任公司、上海良友（集团）有限公司分别出资 33 605.98 万元、10 000 万元，占股比例分别为 77.07%、22.93%。

2014.4.9，公司顺利完成重组工作。公司名称由“上海良茂期货经纪有限公司”更名为“建信期货有限责任公司”，公司注册资本由 10 000 万元增至43 605.98万元，建信信托有限责任公司成为公司控股股东。

2014.8.26，公司召开 2014 年第一次股东会、董事会，组建建信期货新一届董事会及董事会下设委员会，选举董事长、聘任公司总裁。

2014.9.4，公司成功举办揭牌仪式。上海市副市长屠光绍、中国建设银行董事长王洪章出席了揭牌仪式并为公司揭牌。

2014.9.8，股东上海良友（集团）有限公司将持有的 2.93% 股权转让给建信信托有限责任公司。转让后，股东建信信托有限责任公司持有公司 80% 股份，上海良友（集团）有限公司持有公司 20% 股份。

2015.1.16，公司获资产管理业务资格，中国期货业协会对公司资产管理业务资格予以登记，公司具备开展资产管理业务资格。

2015.2.6，公司成功完成 CTP 主交易系统切换。

【公司荣誉】

上海金融工委——上海市金融系统主题立功竞赛建功奖。

上海金融工委——上海金融系统五星级优秀服务网点。

上海市期货同业公会——上海期货业五好服务窗口。

大连商品交易所 2014 年十大期货投研团队——2014 年度优秀投研团队。

中国金融期货交易所——股指期权仿真交易推广评比活动二等奖。

和讯网第 12 届中国财经风云榜期货业峰会——2014 年度最佳期货行业创新奖。

中国金融期货交易所——2013 年度优胜会员会员进步奖。

金融界网站第二届‘领航中国’金融行业创新发展高峰论坛——期货业 2013 领航中国金融行业年度评选最具投资者信赖奖。

【公司高管】

董事长程双起先生，1982.01 – 2014.03 中国建行银行历任河北省分行干部、部门经理；张家口分行行长兼党组书记；河北省分行计算机处处长、副行长等；2014.03 至今建信信托有限责任公司副董事长；2014.04 – 2014.08 建信期货有限责任公司筹备组组长；2014.08 至今建信期货有限责任公司董事长；

总裁葛文杰先生，1993.07 – 2014.04 中国建设银行历任上海市浦东分行干部、部门经理助理、科长、副行长；上海市分行部门总经理；部门副总经理；2014.04 – 2014.08 建信期货有限责任公司筹备组副组长；2014.08 – 2014.10 建信期货有限责任公司总裁、董事；2014.10 至今建信期货有限责任公司法定代表人、总裁、董事。

平安期货有限公司

【基本情况】

公司名称:平安期货有限公司

注册资本:30 000 万

注册地址:广东省深圳市福田中心区金田路 4036 号荣超大厦 14 层 01 单元

法人代表:姜学红

邮政编码:518026

客服电话深圳:0755 - 22623300

上海:021 - 68401279

公司网址:futures. pingan. com

电子邮箱:szpaqh@ pingan. com. cn

【公司概况】

平安期货有限公司(以下简称平安期货)是经中国证监会批准,并经国家工商局核准登记注册,获中国证监会《期货经纪业务许可证》的全国性专业化期货公司。公司成立于 1996 年 4 月,总部位于中国改革开放的前沿城市——深圳,在上海设有营业部,注册资本金 1.2 亿元。

平安期货是中国平安保险(集团)股份有限公司(以下简称"中国平安")旗下的子公司,中国平安是中国第一家以保险为核心的,融证券、信托、银行、资产管理、企业年金等多元金融业务为一体的综合金融服务集团。保险、银行、投资是中国平安综合金融集团的三大支柱产业,平安期货是投资产业的重要部分。公司客户除享受专业完善的期货服务外,还可以享有中国平安"VIP 俱乐部"的尊贵礼遇,并通过平安集团网站 PINGAN. COM 等多种渠道获得保险、银行、信托、证券、资产管理、企业年金等综合金融产品的资讯及服务,真正体验一站式金融理财的便捷。

平安期货的控股公司——平安证券有限责任公司是全国性综合类券商(简称平安证券),2006 年,经中国证券业协会评审通过,平安证券成为"创新类"券商之一。在"2007 世界金融实验室年度大奖"评选中,平安证券荣获"中国最值得信赖的十大证券公司"称号。

平安期货现为上海期货交易所、大连商品交易所、郑州商品交易所会员以及拥有中国金融期货交易所交易结算会员资格。平安期货总部下设人事行政部、财务部、信息技术部、运营部、客服结算部、合规审查部、研究所、业务总部 8 个职能部门,其中业务总部下设 3 个业务室,即:营销管理室、IB 及创新室、网络营销室。

作为中国平安集团的专业化子公司之一,平安期货专注于包括股指期货和商品期货在内的金融衍生品领域,努力为投资者营造利用金融衍生品的保值和投资平台。平安期货目前的业务范围包括商品期货经纪和金融期货经纪业务。

平安期货投资 1 300 多万元建立了业界领先的交易结算系统,与中国电信、中国联通、SUNGARD 金仕达共同打造了安全高速的交易通道,与文华财经、澎博资讯等国内一流信息服务商构建了及时丰富的行情资讯系统,并与建设银行、工商银行和交通银行等携手推出了方便高效的银期转账服务。

承接中国平安集团和平安证券长期打造并夯实的业务基础,平安期货享有无比强大的品牌、技术、管理、风险控制、客户资源、销售拓展、财务等全方位的支持。这些支持将为平安期货的发展提供独一无二的竞争优势。

平安期货的目标是向最广泛的客户提供最全面的金融衍生产品和商品期货的交易结算及投资咨询服务,成为中国金融市场上最受尊敬和信赖的大型期货交易服务商,以及具有国际影响力的期货研究机构和金融资产风险管理机构。

格林大华期货有限公司

【基本情况】

公司名称:格林大华期货有限公司

注册资本:580 180 000 元

注册地址:北京市朝阳区光华东里 8 号院 2 号楼 501 内 601 室

法人代表:乔俊峰

办公地址:北京市朝阳区光华东里 8 号中海广场中楼 6 层

客服电话:400 - 653 - 7777

公司网址:www. gldhqh. com. cn

电子邮箱:greendhqh@ greendh. com

【公司概况】

格林大华期货有限公司是经中国证监会批准,由山西证券股份有限公司全资控股的专业期货公司,总部位于北京 CBD,其前身格林期货有限公司成立于 1993 年,是中国最早的期货公司之一。目前,公司注册资本 5.8 亿元,员工约 430 人。公司主营商品期货经纪、金融期货经纪、期货投资咨询业务以及资产管理,拥有国内全部四家期货交易所交易结算会员席位,当选历届中国期货业协会理事单位,中国证券业协会会员单位。在北京、上海、广州、深圳、杭州等大中城市设有 23 家分支机构,同时依托山西证券遍布全国各地的 71 家营业网点,形成了覆盖全国的服务网络。2006 年 3 月,公司获得中国证监会批准在香港设立全资子公司,成为国内首批在香港成立子公司的六家期货公司之一。香港子公司拥有香港证监会(SFC)颁发的期货合约交易牌照(RA2)、证券交易牌照、资产管理牌照,是香港交易所期货交易和结算会员,并与全球各大主要期货交易所保持良好的合作关系,搭建了专业、优质、多元的全球一体化期货交易平台。

【股东背景】

山西证券股份有限公司注册资本 25.187 亿元,最早成立于 1988 年,为全国首批证券公司之一。经过二十多年的发展,山西证券已发展成为作风稳健、经营稳定、管理规范、业绩良好的创新类证券公司。山西证券现有营业网点 71 家,分布在山西各地市、主要县区及北京、上海、天津、深圳、重庆、西安、宁波、大连、济南、福州等地。2007 年 8 月获批创新类券商资格,年底完成股份改制;2008 年 7 月获批期货 IB 资格;2009 年 7 月与德意志银行发起设立了中德证券有限责任公司;2010 年 11 月山西证券在深交所挂牌上市,代码 002500。

山西国信投资集团有限公司是经山西省人民政府批准成立的大型一类企业,是山西省唯一的地方金融控股集团,主要从事信托、证券、银行、基金、期货、担保、产权交易、创投、房地产、酒店、餐饮、旅游、高科技等行业。公司现注册资本 32.719 亿元,在职员工约 3 000 人。截至 2012 年末,集团系统资产总额 208 亿元,净资产 102 亿元,托管及管理资产 2 221 亿元。公司主要控股子公司包括:山西信托有限责任公司、山西证券股份有限公司、山西国际贸易中心有限公司、山西光信实业有限公司、山西省中小企业信用担保有限公司、山西省产权交易中心有限公司、上海万方投资管理有限公司、山西国信文化旅游投资发展有限公司、山西博爱医院、山西国信凯尔生物技术有限公司等。

【公司大事记】

2013 年 5 月 27 日，格林期货有限公司获批成为中国证券业协会会员。

2013 年 7 月 23 日山西证券股份有限公司全资收购格林期货有限公司，由格林期货作为存续公司吸收合并大华期货获中国证监会核准。

2014 年 5 月 22 日，格林大华期货有限公司获中国证券监督管理委员会《关于核准格林大华期货有限公司资产管理业务资格的批复》（证监许可[2014]497 号），正式核准公司资产管理业务资格。公司经营范围随之变更为：商品期货经纪、金融期货经纪、期货投资咨询、资产管理

2014 年 11 月 11 日上午，格林大华资本管理有限公司正式开业。格林大华资本管理有限公司是经中国期货业协会备案通过，国家工商总局名称核准，由格林大华期货有限公司全资控股成立的以风险管理服务为主的业务试点单位。目前格林大华资本管理有限公司主要业务范围为基差交易和仓单服务，后期随着公司业务模式的不断完善发展，公司还将申请开展合作套保、定价服务等其他业务。

【公司荣誉】

2014 年，荣获大连商品交易所"优秀会员奖"、"最佳产业服务奖"、"市场服务成就奖"。

2014 年，荣获郑州商品交易所"市场发展优秀会员"、"棉花优秀会员"、"PTA 优秀会员"、"动力煤优秀会员"、"甲醇优秀会员"、"菜粕优秀会员"。

2014 年，荣获上海期货交易所"交易优胜会员提名奖"、"交易进步会员奖"、"产业服务优胜会员"、"白银产业服务优胜会员"。

2014 年，在由《期货日报》和《证券时报》联合主办的"第七届中国最佳期货经营机构暨最佳期货分析师评选"活动中，荣获"中国最具成长性期货公司奖"、"最佳农产品产业服务奖"、"最佳境外期货业务服务奖"、"中国优秀期货营业部奖"。

2013 年荣获中国金融期货交易所"2012 年度金融期货宣传奖"。

2012 年，荣获上海期货交易所"交易进步会员"，荣获中国金融交易所"投资者教育奖"。

2011 年，在"第四届中国优秀期货公司"评选中荣获"十佳营业部"，"十佳优秀分析师"奖项；荣获《期货日报》《证券时报》"最佳金融服务"奖。

2010 年，在"第三届中国优秀期货公司"评选中荣获"最具区域影响力奖"；荣获《期货日报》《证券时报》"最佳 IB 服务商"奖；荣获《期货日报》《证券时报》"最佳棕榈油分析师"；荣获重庆市人民政府颁发的"2010 年度金融贡献"奖。

国贸期货经纪有限公司

【公司概况】

国贸期货于 1996 年成立，注册资本金伍亿叁仟万元人民币，经营国内期货交易所上市的商品期货、金融期货的经纪、投资咨询和资产管理业务。国贸期货愿以专业、严谨的态度，诚信、务实的理念服务客户，与客户共同成长。

丰富的商品套期保值经验

国贸期货是上市公司厦门国贸（股票代码 600755）的全资子公司，凭借集团三十多年积累的供应链式的管理服务体系，十九年来共计为客户进行实物交割金额 154.87 亿元。公司长期为能源化工、贵金属、有色金属等多个领域的企业提供有关成本控制和销售价格管理的套期保值方案及投资、融资策略。

一站式的财富管理体系

国贸期货营业网点覆盖上海、广州、合肥、九江、烟台及福建省等各区域。并作为证监会批准的首批拥有资产管理业务牌照的期货公司，率先在福建自贸区成立下属子公司"厦门国贸资产管理有限公司"，为广大投资者提供财富管理、资产管理服务；下属风险管理子公司"国贸启润资本管理有限公司"提供基差交易、仓单服务、合作套保、定价服务。公司充分整合市场资源，积累丰富经验为客户量身定制，打造一站式财富管理体系。

多样化的 IT 整合平台

国贸期货在国内首创使用微信平台客户端，为客户提供基于微信应用的网上行情交易下单服务；银期转账系统支持包括四大国有银行在内的 11 家银行，为客户提供安全、高效、快捷的出入金服务；业内领先的多交易中心平台，部署多种直连多家交易所的后台极速通道系统，提供毗邻交易所的服务器托管服务，为不同需求的客户提供灵活多样的接入方式。

完整的快捷策略服务

国贸期货搭载全球知名的程序化编程平台，集合港台优异人才，为客户打造高端交易策略与技巧的培训；更在国内首批采用"一键式期权策略下单平台"，可享高频交易、程序化交易及即将上市的期权交易。

精进的研发实力

国贸期货与厦门大学经济学院、厦门大学王亚楠经济研究院建立战略合作关系，利用"金融工程实验室"平台，开展商品期货、金融期货以及期权的研究；多次在各大交易所举办的全国研发团队评比中取得优异成绩，获得"大商所十大工业品期货研发团队第一名"、"中金所年度优秀会员、期权仿真二等奖"、"郑商所产业服务奖"、"上期所钢材、燃料油、天然橡胶企业服务奖"等佳绩。

【公司荣誉】

2005—2011 年，连续 7 年荣获"守合同重信用"企业称号。

2008—2009 年度、2010—2011 年度，在厦门辖区期货行业中被评为"投资者教育工作先进单位"。

2009 年，福州营业部在福建省第二届金融理财博览会上获得福建省最佳风险控制期货营业部奖。

2010 年，获得郑州商品交易所颁发的 PTA 企业服务奖；上海期货交易所颁发的钢材、燃料油、天然橡胶企业服务奖。

2011 年，漳州营业部被评为 2009—2010 年度福建省证券期货行业优秀营业部。

2013 年，获得中国金融期货交易所颁发的年度优秀会员、会员进步奖；郑州商品交易所颁发的产业服务奖；《海西晨报》社颁发的"海西标杆"金融机构称号；厦门证券期货业协会颁发的"产业服务先锋"称号。

2014 年，获得中国金融期货交易所颁发的会员进步奖，厦门证券期货业协会颁发的产业服务先锋称号，郑州商品交易所颁发的产业服务优秀会员，中国金融期货交易所颁发的中金所股指期权仿真交易推广评比活动二等奖。

2015 年，获得中国人民银行厦门市中心支行颁发的厦门市反洗钱工作先进单位，海西晨报社颁发的市民最信赖企业金融品牌，中国期货业协会颁发的"公平在身边"微信答题活动十佳组织奖。

银河期货有限公司

【基本情况】

公司名称:银河期货有限公司

注册资本:1.2 亿元

注册地址:北京市朝阳区朝外大街 16 号 1 幢 13 层 1302 单元

法人代表:姚广

客服电话:4008867799

邮政编码:100020

公司网址:www. yhqh. com. cn

电子邮箱:yhqh@ chinastock. com. cn

【公司概况】

银河期货有限公司是经中国证券监督管理委员会批准,在国家工商行政管理总局注册,隶属中国银河金融控股有限责任公司旗下,由中国银河证券股份有限公司控股的专业型金融企业,现注册资本金为 12 亿元人民币。

公司总部设在北京,目前已在哈尔滨、长春、沈阳、大连、北京(3)、唐山、济南、青岛、太原、郑州、上海、杭州、南京、宁波、福州、昆明、广州、深圳、佛山、西安、重庆、成都、厦门、武汉、温州 25 个重点城市设立了 27 家营业部。

银河期货拥有上海期货交易所、大连商品交易所、郑州商品交易所、中国金融期货交易所全国四家期货交易所的会员资格,可代理国内所有品种的期货交易。

银河期货是国内第一家中外合资的期货公司,也是国内唯一一家同时具有著名国内投资银行和国际商业银行股东背景的期货公司。中方股东中国银河证券为其提供了强大的业务和网络支持,外方股东苏格兰皇家银行则为其提供了独一无二的全球化资源。

依托强大的股东背景,银河期货将以国际化的服务理念、精英化的团队、高端的技术平台和良好的风险控制能力,提供最专业最细致最个性化的期货交易服务,未来的发展目标是致力于打造国内一流的国际化金融投资服务平台。

北京首创期货有限责任公司

【基本情况】

公司名称:北京首创期货有限责任公司

注册地址:北京市西城区闹市口大街 1 号院长安兴融中心 4 号楼 11 层

注册资本:2 亿元

法人代表:马华轩

办公地址:北京市西城区闹市口大街 1 号院
长安兴融中心 4 号楼 11 层

邮政编码:100031

客服电话:010 - 58379395

公司网址:www. scqh. com. cn

电子邮箱:scqh@ scqh. com. cn

【公司概况】

北京首创期货有限责任公司(Beijing Capital Futures Co. , Ltd)成立于 1996 年 1 月,注册资金 2 亿元人民币,具有商品期货经纪业务、金融期货经纪业务、期货投资咨询、资产管理业务资格,是上海期货交易所、大连商品交易所、郑州商品交易所、中国金融期货交易所的会员单位。

首创期货总部位于北京,在全国设有 21 家营业部,总部设有农产品、金属、煤焦钢、能源化工、金融事业部;公司拥有油脂油料、有色金属、贵金属、股指期货、期权及场外衍生品高端研究人才;公司资产管理风控规范严格,现成功发行 20 只产品,资管规模约 10 亿元;公司特色的 CRM 综合管理平台为客户提供全方位、一站式、管家服务模式。

首创期货具有业内一流的信息技术平台,通过并且长期达到中期协信息技术指引三类标准;核心系统为 CTP 双活版本,全部应用实现热备冗余;快速的二席系统包括中金所飞马系统,CTP 二席自运维系统,恒生 VIP 系统,郑州易盛 9.0 系统及大连 X-speed 系统;交易系统已开通文华赢顺赢智、澎博闪电手、快期、掌上财富、交易开拓者 TB、金字塔、达钱,也可以对接 YesTrader、迅投、超八、策略星等交易客户端软件,能满足了金融市场日益创新的各项需求。

首创期货秉持"规范诚信创新卓越"的经营理念,凭借 20 年的规范运作,树立了良好的品牌形象,受到了各界的肯定与褒奖,获得中金所"优秀会员金奖"、"金融期货宣传奖",上期所"产业服务优胜会员奖"、"交易优胜会员提名",大商所"最具成长性会员"、"市场服务奖",郑商所"产业服务优秀会员"、"市场发展优秀会员奖",期货日报"中国最具成长性期货公司"、"最佳期货 IT 系统建设奖",和讯网"金牌 IT 服务奖"等多个荣誉称号。

首创期货充分利用新技术、新手段,努力通过为客户提供覆盖"期货与现货、场内与场外、国际与国内"全市场的整体解决方案,在创新转型的道路上大跨步前行。

【公司荣誉】

2013 年度荣获

期货日报 & 证券时报"2013 年度最佳诚信自律营业部"——北京北辰东路营业部

期货日报 & 证券时报"2013 年度投资者教育杰出营业部"——昆明营业部

期货日报 & 证券时报"2013 年度最佳农产品产业服务奖"

2013 年度大连商品交易所十大农产品期货研发团队

2013 年度大连商品交易所最具成长性会员奖

2013 年度中国金融期货交易所"金融期货宣传奖"

2013 年度郑州商品交易所"产业服务优秀会员"、"市场发展优秀会员"、"品种发展优秀会员及品种成长优秀会员(白糖、玻璃、菜粕)"

2013 年度上海期货交易所产业服务优胜奖

和讯网 2013 年度期货最佳投资者教育公司

云南省黄金管理局、云南省黄金行业协会 2013 年度最佳集体——昆明营业部

北京市西城区街道总工会 2013 年度"双爱双评"先进企业

中国金融期货交易所期权联合研究课题二等奖

大连商品期货交易所期权仿真交易测试三等奖

上海期货交易所优秀分析师团队奖

2014 年度荣获

中国金融期货交易所"优秀会员金奖"

上海期货交易所"产业服务优胜会员奖"、"交易优胜会员提名"

大连商品交易所市场服务奖

郑州商品交易所市场发展优秀会员奖

中国金融期货交易所股指期权仿真交易大赛三等奖

中国金融期货交易所股指期权投教产品银奖、铜奖

第二届“中金所杯”高校知识竞赛十佳优秀组织奖
期货日报 & 证券时报 2014 年度“最佳期货 IT 系统建设奖”
和讯网 2014 年度期货金牌 IT 服务奖
大连商品交易所“焦煤焦炭优秀研究员”

【企业文化】

规范诚信创新卓越

规范：规范驱动高效。首创以规范为运行之准绳，打造科学模式下的现代企业。

诚信：诚信驱动品质。首创以诚信为立业之本，成就大家风范。

创新：创新驱动进步。从思维到实践，首创力求自主创新，保持发展和领先。

卓越：卓越驱动突破。首创以追求卓越为动力，不断向客户提供高品质的服务。

国信期货有限责任公司

【基本情况】

公司名称：国信期货有限责任公司
注册日期：1995 年 5 月 4 日
注册资本：6 亿元
法人代表：余晓东
注册地址：上海市虹口区东大名路 358 号 20 楼
办公地址：深圳市罗湖区红岭中路 1010 号国际信托大厦 13 层
邮政编码：518001
公司电话：0755 – 25840978
客服电话：4008695536
公司传真：0755 – 82133411
公司网址：www. guosenqh. com. cn
电子邮箱：15100@ guosen. com. cn

【公司概况】

国信期货有限责任公司是国信证券股份有限公司的全资子公司，是一家全国性大型专业化期货公司。公司具备中国金融期货交易所交易结算会员资格和上海期货交易所、大连商品交易所、郑州商品交易所会员资格，秉承“以信为本，点石成金”的服务宗旨，为投资者提供金融期货、商品期货等国内所有上市品种的经纪业务服务和期货投资咨询、资产管理业务服务。

国信期货本着“贴近市场、贴近投资者、贴近业务”的宗旨，努力打造完善的研究体系，为投资者提供专业的期货研究和咨询服务。公司分别在深圳、上海、大连成立了金融期货和化工研究中心、有色金属及黑色金属研究中心、农产品研究中心，建立了以有色金属为特色，同时覆盖黄金、钢材、农产品、能源化工等品种的研究架构。

国信期货致力于为投资者提供优质快捷的行情和交易服务。公司现已拥有金仕达系统、上期技术 CTP 系统、恒生系统、中金所飞马系统、易盛系统等交易系统，同时引入了文华、富远、彭博、通达信等行情软件及金仕达快枪手、闪电手、一键通、通达信、快期等交易软件，是期货业内交易平台最为齐全的公司之一。

国信期货营业网点覆盖了北京、上海、深圳、杭州、大连、广州、武汉、郑州、厦门、海口、济南、洛阳、南阳、合肥等大中城市，同时拥有遍布全国各地的国信证券旗下营业部提供 IB 业务支持。

国信期货将以广博的胸怀和战略的视野建立全能型专业期货公司，以传统经纪业务为基石，创新业务为突破，发挥国信强大的品牌优势，凭借勤勉敬业、务实专业的员工团队和强大的综合服务能力为投资者提供全方位、高附加值的期货服务。

中信建投期货有限公司

【基本情况】

公司名称：中信建投期货有限公司
注册资本：3.9 亿元
注册地址：渝中区中山三路 107 号上站大楼平街 11 – B，名义层 11 – A，8 – B4，9 – B、C
法人代表：彭文德
邮政编码：400014
客服电话：4008877780
公司网址：www. cfc108. com
电子邮箱：chinafutures@ csc. com. cn

【公司概况】

中信建投期货有限公司成立于 1993 年 3 月 16 日，公司注册地为重庆，注册资本为 3.9 亿元人民币，在全国设有 20 家营业网点，并设有风险管理子公司 – 上海方顿投资管理有限公司。经中国证监会批准，专业从事商品期货经纪、金融期货经纪、期货投资咨询、资产管理以及基金销售业务。公司目前拥有国内三大商品期货交易所即上海期货交易所（268 号）、大连商品交易所（71 号）、郑州商品交易所（168 号）交易结算会员资格以及中国金融期货交易所（115 号）全面结算会员资格；同时，公司也为中国期货业协会会、中国证券业协会、中国证券基金业协会以及重庆证券期货业协会理事会会员单位。

中信建投期货有限公司是中信建投证券股份有限公司的全资子公司，不仅凭借自身在北京、上海、济南、长沙、大连、南昌、郑州、廊坊、广州、漳州、重庆、合肥、西安、成都、深圳、杭州、宁波、武汉、南京等地区的二十家营业部，还完美依托股东单位遍布全国 30 个省、自治区、市的 200 余家营业网点为全国各地的广大投资者提供优质高效的金融服务。

自成立以来，中信建投期货各项业务不断发展，在商品期货、金融期货以及投资咨询业务等领域形成了自身特色和核心业务优势，拥有一支业务素养过硬、执行能力强的员工队伍，搭建了信息技术、研究咨询、运营管理、风险控制等高效的全业务支持体系。

公司始终秉承“诚信赢得客户，服务创造价值”的服务理念，倡导“公司兴衰、我的责任”的企业文化，凭借高度的敬业精神与突出的专业能力，致力于打造业内规范化、专业化、多样化的金融服务平台。

从起航到成长这是一场华丽完美的蝶变
从创业到创新这是一支勤奋专业的团队
从合作到共赢这是一个实现梦想的平台

长江期货有限公司

【基本情况】

公司名称：长江期货有限公司
注册地址：湖北省武汉市汉口新华路特 8 号长江证券大厦

注册资本:3.1 亿元
法人代表:谭显荣
投诉电话:027 - 85861133
信访电话:027 - 8586113365799997
邮政编码:430015
公司网址:www. cjfco. com. cn
电子邮箱:cjfco@ cjfco. com. cn

【公司概况】

长江期货有限公司是经中国证券监督管理委员会批准成立的金融机构,是实力雄厚的长江证券股份有限公司的全资子公司,公司目前注册资本 3.1 亿元,长江证券董事会已通过决议增资至 6 亿元。2013 年公司吸收合并湘财祈年期货经纪有限公司后,在北京、上海、广州、深圳、武汉等地拥有 2 家分公司、近 20 家期货营业部。根据中期协《2015 年期货公司分类评价结果》,长江期货在全部参与评选的 150 家期货公司中获得 AA 评级,为当年期货公司的最高监管评级(AA 评级公司共 20 家,尚无 AAA 评级的期货公司),正在筹备新三板挂牌上市事宜。

近年来,公司荣获中国金融期货交易所“优秀会员金奖”、“客户管理奖”,上海期货交易所“2012 年度交易优胜会员提名奖”,郑州商品交易所“产业服务奖”、“企业服务奖”、“行业成长奖”、“市场发展奖”和“产业客户开发服务奖”,大连商品交易所“市场服务成就奖”等奖项。

公司立足于服务产业、服务地方经济发展,先后被湖北省人民政府授予 2009、2010 和 2012 年度“支持湖北经济发展突出贡献单位”、2011 年度“湖北资本市场建设发展先进单位”,是湖北省“十佳优质文明服务金融机构”之一。公司是湖北省期货业协会第一届、第二届会长单位。公司与行业组织、专业媒体保持了良好合作关系,是中国期货业协会第四届理事单位,湖北省棉花协会副会长单位,以及湖北省电线电缆协会、铝业协会、河南省有色金属等协会的理事单位。

公司总裁谭显荣是长江证券股份有限公司副总裁、中国期货业协会会员理事、湖北省青年企业家协会副会长,武汉大学、中南财经政法大学、华中师范大学兼职硕士生导师,湖北省金融业领军人才,武汉市“黄鹤英才”。

长江期货于 2014 年 9 月 19 日设立了风险管理子公司,子公司全称为“武汉长江产业金融服务有限公司”,注册资本人民币 5000 万元,总部设在武汉。主要业务范围包括仓单服务、基差交易、合作套保、定价服务、做市业务及其他与风险管理服务相关的业务。长江产业金融以立足于全产业链研究,源于期货,服务现货,突出为实体经济提供产业金融服务,专注打造风险管理的服务平台,更好的为实体产业发展助力。

长江期货将依托长江证券雄厚的资本实力、遍布全国的营业网点、享誉业内的研究力量以及领先的 IT 技术,立足华中,面向全国,努力打造业内一流的风险管理与金融衍生品的服务商和供应商。

【公司荣誉】

2012 - 3 - 16,公司获得湖北省最受欢迎金融服务品牌称号。

2012 - 3 - 16,长江期货荣获“中国期货行业客户最信赖十大满意品牌”。

2012 - 3 - 21,公司在武汉金博会“十佳”优质文明服务机构评比中喜获丰收。

2012 - 3 - 21,公司获得郑州商品交易所“品种优胜奖”。

2012 - 4 - 17,公司荣获 2010 年度支持湖北经济发展突出贡献奖。

2012 - 4 - 17,公司荣获中国金融期货交易所 2010 年度优秀会员金奖及 2 个单项奖。

2012 - 4 - 17,中国 · 武汉金博会暨理财总评榜颁奖典礼。

2012 - 4 - 17,公司荣获郑州商品交易所“企业服务奖”和“产业服务奖”。

2012 - 4 - 17,公司在 2010 年中国期货业发展高峰论坛暨第三届最佳分析师颁奖典礼中勇夺三奖。

2012 - 4 - 17,公司荣获 2009 年度支持湖北经济发展突出贡献奖。

2012 - 5 - 15,公司荣获“2011 年度湖北资本市场建设发展先进单位”。

2012 - 8 - 3,公司囊括“第五届中国最佳期货经营机构暨最佳期货分析师评选”多项大奖。

2013 - 1 - 15,公司被评为“2012 湖北十佳优质文明服务金融机构”。

2013 - 3 - 7,公司荣获政府部门和各交易所 2012 年度多项荣誉称号。

2013 - 11 - 13,公司在“第六届中国最佳期货经营机构暨最佳期货分析师评选”。

2015 - 3 - 9,公司 2014 年荣获省市政府和交易所多项荣誉。

【公司优势】

长江期货是经中国证监会批准成立的金融机构,是实力雄厚的长江证券的全资子公司,公司注册资本 3.1 亿元。公司是中国金融期货交易所、上海期货交易所、大连商品交易所、郑州商品交易所会员单位。

一、日益凸显的行业影响力

公司致力于为各类投资者提供研究咨询、风险管理和期货产品开发与设计服务。近年来,公司多次荣获中国金融期货交易所“优秀会员金奖”,郑州商品交易所“产业服务奖”、“企业服务奖”、“行业成长奖”和“产业客户开发服务奖”,大连商品交易所“最具成长性会员”等奖项,并被评为“中国最具发展潜力期货公司”和“中国最佳区域影响期货公司”。在 2012 年“第五届中国最佳期货经营机构评选”中,公司再度荣获“最佳金融期货服务奖”和“最佳农产品产业服务奖”两项大奖。

公司先后被湖北省人民政府授予 2009 和 2010 年度“支持湖北经济发展突出贡献单位”、2011 年度“湖北资本市场建设发展先进单位”等荣誉称号,是湖北省“十佳优质文明服务金融机构”之一。

公司法人代表、总裁谭显荣先生先后被聘为中国期货业协会第四届会员理事、中国期货业协会第三届理事会研究发展委员会委员、郑州商品交易所品种委员会委员、大连商品交易所交割委员会委员、上海期货交易所技术委员会委员,是湖北省期货业协会第一届、第二届会长,兼任中共长江证券党委委员、湖北省青年企业家协会副会长,武汉大学兼职教授、中南财经政法大学硕士研究生导师,是湖北省委组织部和发展改革委员会评定的“现代服务业领军人才”,并在 2010 年荣获“湖北省十大优秀青年企业家”称号。

二、基于专业的特色服务模式

公司倡导专业营销和“1231”团队营销理念,致力打造期货行业专业服务团队。2004 年,长江期货从零起步,至 2011 年,公司客户权益年均增长 130.47%,市场份额年平均增长 205.61%,成为行业内少有的成功案例。

在产业服务方面,公司遵循专业主义,先后设立农产品总部、工业品总部、钢材事业部等特色品种部,先后为 200 余家大中型的钢材、棉花、有色金属、粮食、油脂、能源化工等领域的现货企业设计并实施了现货经营避险方案,帮助企业实现现货经营避险目标,并得到相关现货企业的认可和好评。

在机构投资者服务方面,公司积极与公募基金、信托、私募基金、资产管理公司开展合作,在信息交流、产品开发、通道合作、业务对接等多个方面进行探索。

公司机构客户部先后推出基于 ETF 现货的股指期货期现套利、动量组合 Alpha 对冲套利、价值 60 对冲套利、股指趋势程序化交易、商品趋势程序化交易等策略设计,积极引进和建设基于宏汇、交易开拓者、龙软等系统的套利与量化投资技术平台。2012 年初,公司与华润深国投公司共同合作进行的"春雷计划",是公司与机构投资者之间开展深度合作的有力证明。

三、高效稳定快捷的交易平台

公司先后投入 3 000 余万元,配置了一流的硬件设备,系统主机承载量达 10 万客户级次。公司在武汉、上海、天津、哈尔滨、新疆、郑州、成都、深圳等各地建立了托管机房,互联网络的行情和交易服务覆盖全国,拥有金仕达和上期技术 CTP 两套核心交易系统,配置有金仕达、博易大师、文华财经、宏汇套利、澎博闪电手、交易开拓者、澎博手机期货、财顺多账户等各类型行情及委托程序,为客户提供稳定、快速的交易通道。

2012 年,公司将建成武汉光谷数据中心、汉口数据中心双主中心,引进金仕达新一代快速交易系统,届时核心交易系统容量将超过 100 万客户,交易委托处理能力将超过 3 000 笔/秒,客户交易速度将提高 10 倍,公司信息技术系统能力将达到业务领先水平。

四、高水准的研究咨询服务

公司以长江证券研究部(2011 年第九届"新财富"本土最佳研究团队第 8 名)强大的研究实力为支撑,积极整合长江证券旗下的资管、研究、基金、销售渠道等资源,为投资者提供风险管理和金融衍生产品开发与服务的全套解决方案。

公司倾力打造高水准的期货研究团队。公司研究咨询部下设宏观策略、金融衍生品、农产品、有色金属、能源化工等多个研究小组,致力为客户提供个性化、专业化的研究咨询产品和服务。公司多位研究员被上海期货交易所、郑州商品交易所评为"优秀分析师"和"高级分析师"。

2012 年,在期货日报、证券时报联合主办的"新财富"最佳期货分析师评选活动中,公司棉花研究员行业排名第 1,油脂研究员行业排名第 2,橡胶研究员行业排名 3。

五、业内领先的 IB 业务模式

2008 年,中国证监会核准长江证券期货中间介绍业务(IB)资格;2010 年 3 月 18 日长江证券和长江期货同时获得中国证监会出具的"长江证券为长江期货提供中间介绍业务的无异议函",长江期货可以有效的利用长江证券遍布全国的 100 余家营业网点,为投资者提供"安全、稳定、高速"的期货投资平台。

长江期货依托长江证券雄厚的资本实力、遍布全国的营业网点、享誉业内的研究力量以及领先的 IT 技术,立足华中,面向全国,努力打造"期货理财专家、期证银合作专家"的长江期货品牌。

金元期货有限公司

【基本情况】

公司名称:金元期货有限公司

注册地址:海南省海口市南宝路 36 号证券大厦一楼、五楼

注册资本:1.5 亿元

法人代表:王鸿武

邮政编码:570206

客户服务:0898－66676633、0898－66552000

公司网址:www.jyqh.cn

电子邮箱:bgs@jyqh.cn

【公司概况】

金元期货有限公司是经中国证券监督管理委员会批准,由金元证券股份有限公司、中航鑫港担保有限公司共同出资成立,实际控股股东为首都机场集团公司,注册资本为人民币 1.5 亿元。公司总部位于海南省海口市南宝路证券大厦一、五楼。拥有上海期货交易所、大连商品交易所、郑州商品交易所、中国金融期货交易所会员资格。公司目前设有深圳、大连、郑州、上海、西安、海口等七家营业部。

公司确立了以"诚信、和谐、效率、创新"为核心的经营理念,建立了完善的法人治理结构、有效的风险控制体系、科学的投资决策机制、合理的绩效评估激励机制。公司凭借雄厚的股东背景、良好的市场信誉、丰富的管理经验、专业化的人才队伍和先进的技术保障手段,在市场研究、客户服务、信息咨询等方面确立了自身特色。公司经营业绩连续多年增长,综合实力稳居海南省同行业榜首。公司相继获得郑州商品交易所"市场成长奖第三名"和大连商品交易所"市场服务奖"及上海期货交易所"会员进步奖"和"天然橡胶产业服务奖"。此外,在股指期货等金融衍生品领域,公司除了有股东金元证券的支持外,还拥有金元比联基金公司关联合作方,已经形成良好的业务发展平台。

国联期货股份有限公司

【基本情况】

公司名称:国联期货股份有限公司

注册地址:无锡市金融一街 8 号

法人代表:马海疆

注册资本:4.5 亿元

邮政编码:214121

公司电话:0510－82757937

公司传真:0510－82759156

成立日期:1993－04－30

公司网址:www.glqh.com

电子邮箱:glqh@glsc.com.cn

【公司概况】

国联期货股份有限公司成立于 1992 年,1993 年 4 月获得中国证监会颁发的首批期货经营许可证,是在江苏省注册的商品期货经纪、金融期货经纪、期货投资咨询、资产管理的期货公司,公司注册资本 4.5 亿元人民币,是上海期货交易所(0018)、郑州商品交易所(0174)、大连商品交易所(0161)会员,中国金融期货交易所(0118)交易结算会员,是江苏省成立最早、经营规范、稳健的专业期货公司。公司可代理国内所有商品及金融期货品种的交易、结算、交割,可开展投资咨询、

资产管理业务，业务范围覆盖全国主要城市和地区。2015 年 6 月底公司资产总额 28.04 亿元，净资产 6.99 亿元，净资本 3.88 亿元，客户权益 20.41 亿元。

国联期货控股股东是实力雄厚、信誉卓越的大型金融、实业集团无锡市国联发展(集团)有限公司，股东有中海信托股份有限公司、新余铮晟中融投资合伙企业、无锡市国联物资投资有限公司。国联期货拥有务实、高效、勇于开拓创新的领导集体和勤奋、敬业、乐于奉献的高素质员工队伍，拥有一批德才兼备并在行业内有一定知名度的专业人才。公司总部设在江苏无锡，经过十几年的不懈努力，现已在上海、重庆、南宁、大连等地设立了 24 家营业部。由于努力拓展市场，近几年连续获得四大交易所和社会各界的嘉奖。

国联期货致力于成为资本市场的风险控制商和财富管理商，能提供“私人定制”套保服务，能够充分利用股东金融和产业的平台优势，为各类客户提供泛金融多样化服务。未来五年公司的工作中心紧紧围绕提升公司核心竞争力、提升服务水准和全面提升经济效益，工作重心从宽度外延式发展向服务“深度”和行业“高度”两极发展，谋求树立公司品牌和行业地位。国联期货全体员工将为国联期货建成百年老店，为千亿国联目标而持续奋斗。

【总经理致辞】

2002 年，国联正式成为期货大家庭的一员。
我们虚心向各界朋友和优秀公司学习，
十年风雨，十年发展，
国联期货茁壮成长。
今天，我们怀着感恩的心，
秉承“融通社会财富，创造多元价值”的理念，
满怀信心，合规经营，
迎接新挑战、新机遇、新发展，
共同创造行业新繁荣。
凡成事者皆重势。
股指期货的推出翻开了期货历史新篇章。
千帆竞发，百舸争流，
我们迎来了前所未有的行业发展机遇。
国联期货将以“团结、高效、务实、进取”的团队，
致力于打造新型财富管理平台和风险控制平台，
竭诚为广大投资者提供最优质的服务。

华信万达期货股份有限公司

【基本情况】

公司名称：华信万达期货股份有限公司
注册资本：5.06 亿元
注册地址：郑州市郑东新区商务内环路 27 号楼 1 单元 3 层 01 号、2 单元 3 层 02 号
法人代表：张岩
邮政编码：450016
客服电话：4006197666
公司网址：www.wdqh.com
www.wdfco.com
电子邮箱：service@wdqh.com

【公司概况】

万达期货股份有限公司经中国证监会批准，成立于 1993 年 4 月，是全国最早成立的大型期货公司之一。公司主营期货经纪、投资咨询、资产管理、风险管理四项业务，是国内为数不多的全牌照期货金融服务机构，同时也是郑州商品交易所、大连商品交易所、上海期货交易所全权会员，中国金融期货交易所交易结算会员。2015 年初，公司成为国内首批获得参与股票期权业务资格的 10 家期货公司之一。

万达期货秉承以客户为中心的经营理念，把提高客户的收益率作为企业发展的出发点和着眼点，致力于打造一流的管理平台，组建一流的管理团队，搭建一流的研究平台，构建日臻完善，运行高效的服务体系，在不断增强可持续发展能力的同时，将公司规模和服务水平提升到更高层次，努力成长为国内集商品期货代理、金融期货代理、境外期货代理于一身的大型专业化期货公司，成为国内提供期货交易、咨询服务的行业领先者。

和融期货有限责任公司

【基本情况】

公司名称：和融期货有限责任公司
注册资本：0.85 亿元
注册地址：天津市和平区郑州道 18 号港澳大厦 103，201－1，201－2，302－1，302－2
法人代表：李江
邮政编码：300050
客服电话：022－59780722，022－59780725
公司网址：www.hrfuture.com.cn
电子邮箱：hrqhgs@vip.sina.com

【公司概况】

和融期货有限责任公司，是由渤海证券股份有限公司和天津和融资产管理有限公司共同出资组建并经中国证监会颁发期货经纪业务许可证、经由中国工商总局登记注册的大型专业公司。控股股东渤海证券股份有限公司是国内具有较强影响力和实力的大型证券公司。

公司为独立的企业法人，治理结构规范，设有规范的股东会、董事会、监事、独立董事、首席风险官，有规范的制度及议事规则；实行董事会领导下的总经理负责制，自主经营、独立核算、自负盈亏。公司具有专业的研发机构、市场业务部门、异地(郑州)营业部及其他管理和服务部门。

公司经营范围为商品期货经纪和金融期货经纪，为国内四家期货交易所的会员单位，能够为客户提供全部期货交易品种的代理服务，是天津地区规模最大的期货经纪公司之一。

公司座落于天津繁华的商务金融区，交通便利快捷；具有先进的交易系统，开通了建行、工行、农行等银期转帐业务，为投资者安全、便捷地参与商品、金融期货提供了良好的条件。

公司拥有一支业务素质高、服务意识强的员工队伍，公司秉承“稳健、创新、诚信、服务”的经营理念，在所有的环节上均体现出客户利益至上的原则，以最大限度地满足投资者的需求、为众多企业和投资者提供避险保值和投资服务，争创一流的经济效益和社会效益。

中钢期货有限公司

【基本情况】

公司名称：中钢期货有限公司
英文名称：Sinosteel Futures Co., Ltd
注册资本：2.8 亿元
注册地址：北京市海淀区海淀大街 8 号 A 座 19 层

法人代表：吴立军
邮政编码：100080
客服电话：010－62685670/5671，010－62688536
公司网址：www.zgfcc.com
公司邮箱：futures@sinosteel.com

【公司概况】

中钢期货有限公司是经中国证监会批准，在国家工商局注册登记的专业期货公司。中钢期货的前身中钢集团期货贸易部早在1993年就参与了国内期货市场，经历了中国期货行业的发展历程，实现了与中国期货市场的共成长。公司一直以诚实守信、合规运营为宗旨，以领先的技术平台、个性化的服务、系统化的产品解决方案为核心，为客户提供一流服务，为客户创造价值。

中钢期货总部设在北京，在大连商品交易所、上海期货交易所、郑州商品交易所和中国金融交易所拥有交易席位，在北京、上海、大连、武汉、重庆、南京、唐山、济南等地设有营业部。公司全面部署了电子化交易网络，拥有便捷完善的开户、交易、结算系统，使客户在全国各地都能够轻松实现期货交易。

中钢期货拥有专业的管理团队、研发团队和服务团队，人员队伍精干高效，具备良好的职业操守和丰富的实践经验。中钢期货愿为各类机构及个人投资者提供专业、高效的服务，实现与客户的共赢共发展。

【公司荣誉】

2014年

上海期货交易所“2014年度产业服务优胜会员奖”
上海期货交易所“2014年度钢材产业服务优胜会员奖”
上海期货交易所“2014年度黄金产业服务优胜会员奖”
上海期货交易所“2014年度白银产业服务优胜会员奖”
上海期货交易所“2014年度交易优胜会员提名奖”
大连商品交易所“十大期货投研团队”荣誉称号

海航东银期货股份有限公司

【基本情况】

公司名称：海航东银期货股份有限公司
注册地址：深圳市福田区益田路6001号太平金融大厦11层04、05单元
法人代表：程庆芳
注册资本：5亿元
邮政编码：518026
公司电话：0755－83680538
公司传真：0755－83662533
客服电话：0755－83680559
公司网址：www.dyqh.com.cn
电子信箱：topwin_sz@163.com

【公司概况】

海航东银期货股份有限公司（以下简称“海航东银期货”）的前身为东银期货经纪有限公司，始创于1993年，2007年8月13日，经中国证监会证监期货字[2007]115号文批准，由海航集团控股，注册资本金50 000万元。海航东银期货是上海期货交易所（会员号：182），大连商品交易所（会员号：023）和郑州商品交易所（会员号：026）的正式会员，并于2007年11月取得中国金融期货交易所的金融期货经纪业务资格和金融期货交易结算业务资格（会员号：123）。2012年1月31日，公司正式取得期货投资咨询业务资格，2013年9月22日正式取得资产管理业务资格，公司经营范围变为商品期货经纪、金融期货经纪和期货投资咨询业务和资产管理业务。

分支机构

海航东银期货总部位于深圳。下设上海营业部、北京营业部、苏州营业部、郑州营业部、大连营业部、贵阳营业部、厦门营业部、太原营业部、合肥营业部、兰州营业部、哈尔滨营业部、海口营业部、南宁营业部等13家分支机构。

安全优势

海航东银期货目前拥有具有高素质、精专业的管理、研究等精英人才近200名，拥有全国一流的电子化交易机房，为广大客户提供全面高效率的期货交易、结算等业务和优质的期货投资咨询服务。海航东银期货研究所是公司专业从事国内、国际宏观经济研究、金融专业研究及期货品种研究的部门，目前拥有高学历、精专业的研究人员12名，为客户提供专业投资、套期保值、期货投资咨询等专业化服务。

海航东银期货机房设备先做进，具有国内一流的电子化交易设施，建立了国内首家双中心互为灾备机房，并提供文华财经、富远、澎博等三套国内主流的行情软件和金仕达、易盛、恒生等三套国内先进的交易系统。

公司愿景

海航东银期货以成立以来保持了19年客户零投诉的业内领先记录。自2003年以来连续7年交易量和交易额综合排名位居行业前30位内，连续5年获得上海期货交易所优秀会员等奖励。海航东银期货始终坚持“至诚，至善，至精，至美”的服务理念，以“为社会做点事，为他人做点事，人生不留遗憾”的从业精神，致力于为客户提供满意的专业化服务。海航东银期货董事长程庆芳携全体员工诚挚希望与您一起共同创造中国期货市场的美好明天。

华闻期货有限公司

【基本情况】

公司名称：华闻期货有限公司
注册地址：上海市浦东新区浦东大道720号国际航运金融大厦22楼A、B、C、D、M、N、I室
注册资本：3亿元
法人代表：易乐园
邮政编码：200120
客服电话：021－50368698
公司网址：www.hwqh.com.cn
电子邮箱：zhb@hwqh.com.cn

【公司概况】

华闻期货有限公司（以下简称“华闻期货”）是经上海市工商行政管理局登记注册（注册号：310000000092903），取得中国证监会颁发的期货经纪业务许可证（许可证号：30760000）的全国性专业化期货公司。华闻期货成立于1995年，注册资本金3亿元人民币，是上海期货交易所（席位号：0259）、郑州商品交易所（席位号：0275）、大连商品交易所（席位号：0062）的经纪会员，中国金融期货交易所（会员号：125）的交易结算会员。华闻期货总部设在上海浦东陆家嘴金融圈，注册地址为：上海市浦东新区浦东大道720号国际航运金融大厦22楼。目前，在郑州、北京、武汉等地设有营业部。

华闻期货立足于做强期货、服务客户、回报股东。借助良好的股东背景，充分发挥自身优势，在把握市场发展机遇的前提下，致力于成为国内期货行业领先的绩优期货服务商，与投

资者一起分享期货市场高速发展的成果。在为投资者创造价值的同时,也获得自身的长足发展。

【核心竞争力】

(一)研发能力

华闻期货拥有一批实战经验丰富、敬业专业的研究员队伍。他们对宏观经济景气、基本面供需情况、市场博弈力量分析均有深刻认识与独到把握,并能根据不同的风险水平与资产规模设计出有效的投资方案。

目前华闻期货研发中心已为多家上市公司设计过套利套保方案,为华闻众多投资机构设计过趋势性交易方案并受到市场良好验证。此外,研发中心极为重视中小投资者得日常交易,并在实践的基础上为中小客户构建出一套有效的风险控制与交易指导体系。

公司已与其他金融机构及科研院所展开战略合作,这将形成宏观、长远的研发视野,从而更客观地帮助投资者把握市场机会。

(二)服务能力

公司已在开户、划款、咨询、结算各个环节建立了规范高效的流程式服务,争取让投资者更省心、更放心。

公司已开发出自主产权的、安全快捷的网上交易系统,可以使客户在交易手段上更有优势。

公司即将开通银期转帐业务,将使客户的资金划转更为方便快捷。

(三)服务内容

1. 交易结算服务体系;

2. 资金划转服务体系;

3. 风险管理服务体系;

4. 研究咨询服务体系;

5. 办公与市场保障体系。

【公司文化】

华闻期货秉承"诚信、专业、创新"的经营理念,在谋求外部优势环境的同时,更注重团队结构与分工协作,努力打造内部的核心竞争力。争取以高效、专业、细致的服务,帮助投资者规避风险、赢取回报。

诚信立司——以诚信态度构建与股东单位、监管层、合作者、尤其是投资者的关系;

专业治司——以专业管理、专业研究、专业咨询、专业培训的标准经营企业;

创新谋司——以管理创新与业务创新谋求公司长期、稳健、快速发展。

渤海期货股份有限公司

【基本情况】

公司名称:渤海期货股份有限公司

注册资本:5 亿元

注册地址:大连市中山区玉光街 11 号远洋大厦 B 座写字间 1 单元 9 层

法人代表:王石梅

邮政编码:116001

客服电话:0411 - 82690269、0411 - 82690260

公司网址:www. bhfcc. com/

电子邮箱:bhqh2007@ 163. com

【公司概况】

渤海期货股份有限公司(以下简称"公司")成立于 1996 年 1 月,是国内成立较早、经中国证监会批准及辽宁省工商局注册的专业期货公司之一。公司股东为东北证券股份有限公司(股票代码:000686)和吉林省融商投资有限公司,注册地址为辽宁省大连市,注册资本为人民币 5 亿元。公司主要从事商品期货经纪、金融期货经纪,资产管理、期货投资咨询。是中国金融期货交易所交易结算会员单位,是上海期货交易所、郑州商品交易所、大连商品交易所会员单位。

公司自创立以来,秉承"诚信、高效、勤勉、自强"的企业精神,运作规范,管理严格,服务专业,资产优良,在业内享有良好的声誉。公司已在大连设立分公司,在上海、北京、长春、郑州、沈阳、广州、福州、重庆、济南、杭州、厦门、深圳、成都设有 13 家营业部。

公司作为东北地区最大券商背景下的期货公司,依托股东单位雄厚的资本实力、广阔的金融业务平台、深化合作、共享资源,为全国投资者提供全方位的专业化期货服务。

【公司文化】

渤海期货公司自创立以来,秉承"诚信、高效、勤勉、自强"的企业精神,运作规范,管理严格,信誉至上。以广大投资者为中心,为广大投资者提供国内全部期货品种的交易代理、套保交割和其它相关服务。

渤海期货已经培养和建立了一支专业化的管理团队以及一支在业内颇具影响力的营销队伍。

云晨期货有限责任公司

【基本情况】

公司名称:云晨期货有限责任公司

注册资本:1.1 亿元

注册地址:云南省昆明市盘龙区人民东路 111 号

法人代表:曹辉

邮政编码:650051

客服电话:0871 - 63142036、0871 - 63142038

公司网址:www. ycfutures. com

电子邮箱:www. ycfutures@ sina. com

【公司概况】

云晨期货有限责任公司(以下简称"公司")成立于 2002 年 9 月 9 日,是一家主营商品期货经纪和金融期货经纪业务的期货公司,是上海期货交易所、大连商品交易所和郑州商品交易所会员和中国金融期货交易所交易结算会员,可代理客户从事国内所有品种的期货交易。公司注册资本为人民币 1.1 亿元,其中云南铜业(集团)有限公司占总股本的 60%;云南铜业股份有限公司占总股本的 40%。在 2014 年全国期货公司分类评级中,云晨期货被评为 BBB 级。

公司一直本着"规范经营、理性投资、科学管理、客户至上"的经营指导方针,形成了以铜、天胶、白糖为特色的优势期货品种,在蒙自、楚雄、曲靖开设了营业部,不断扩大营业网点、延伸服务范围。公司提出了独特的"价值投资理念",针对企业与投资者的多元化需求,极具针对性地开发了"企业风险管理决策系统"和"客户关系管理系统",可为企业和投资者提供投资交易、套期保值、期现套利、工具设计等多种个性化服务产品和信息咨询服务,还可提供专业培训、驻厂调研和企业保值方案设计等专项服务。公司紧紧围绕"以客户赢利为目标",在激烈的市场竞争中以至善的服务赢得客户,不仅为客户提供交易通道,更为投资者提供卓越的价值投资机会。

【公司文化】

云晨战略

云晨期货坚持走建设专业化期货公司的发展道路，在做好传统经纪业务的基础上，努力拓展新型期货业务，把云晨期货打造成为实体企业服务的金融平台，确保云晨期货在国内期货行业始终做到成长性高、发展速度快、利润增长快、市场空间广、人才储备足、创新能力强、企业形象好，千方百计为国民经济提供一流的金融服务。

云晨期货价值理念

三个有利于——

有利于员工的发展；

有利于业务的增长；

有利于公司的整体持续发展。

"五感"文化

让员工对企业有自豪感；

企业要给予员工安全感；

员工拥有参与企业发展的参与感；

企业为员工建立归属感；

员工对企业拥有责任感。

国金期货有限责任公司

【基本情况】

公司名称：国金期货有限责任公司

注册资金：1.5 亿元

注册地址：成都市锦江区东大街芷泉段 229 号 1 栋 2 单元 28 层

法人代表：李蒲贤

邮政编码：610061

客服电话：400 - 682 - 1188

公司网址：www. gjqh. com. cn

电子邮箱：webmaster@ gjqh. com. cn

【公司概况】

国金期货有限责任公司是国金证券（SH：600109）股份有限公司的控股子公司，注册资本 1.5 亿元人民币，员工近 200 名。公司拥有上海期货交易所、大连商品交易所、郑州商品交易所会员资格和中国金融期货交易所交易结算会员资格，具备商品期货经纪、金融期货经纪和期货投资咨询、期货资产管理等业务资格。公司总部位于成都，并在北京、上海、广州、杭州等经济中心城市设有营业部，同时依托国金证券众多的营业网点，期货业务范围辐射全国。

公司控股股东国金证券，是涌金集团旗下的一家资产质量优良、专业团队精干、创新能力突出、服务特色鲜明的综合类上市证券公司，是沪深 300 指数、上证 180 指数、上证 180 金融股指数、上证中型企业指数和上证公司治理指数成份股，证券公司业务牌照齐全、分类监管 AA 类券商，连续 20 年保持年终税前盈利，是证券行业仅有的 2 家连续盈利的证券公司之一。2010 年，国金证券荣获"中国 20 家最具影响力证券公司奖"。

国金期货秉承"责任、和谐、共赢"的核心价值观，依托涌金集团旗下所拥有的证券、资管、基金、信托等综合金融资源优势，立足商品期货，面向金融期货，放眼综合金融，坚持走平台化、专业化和产品化的业务发展模式，逐步打造以研究为支撑、产品为导向、机构为重点的全国性的综合金融服务平台。

国都期货有限公司

【基本情况】

公司名称：国都期货有限公司

注册资本：2 亿元

注册地址：北京市东城区东直门南大街 3 号国华投资大厦 8 层、10 层

法人代表：叶晓

邮政编码：100007

客服电话：4006508822　010 - 64002523

公司网址：www. guodu. cc

电子邮箱：gdqh@ guodu. cc

【公司概况】

国都期货有限公司是经中国证监会批准，由国都证券股份有限公司和中诚信托有限责任公司共同出资设立的全国性期货公司，公司注册地为北京市。公司注册资本 2 亿元人民币，其中国都证券股份有限公司持有公司 62.31% 的股份，中诚信托有限责任公司持有公司 37.69% 的股份。公司经营范围为商品期货经纪、金融期货经纪、期货投资咨询、资产管理。公司为上海期货交易所、大连商品交易所、郑州商品交易所会员以及中国金融期货交易所交易结算会员，可代理各交易所已上市和即将上市全部期货品种的交易、结算及交割。

公司股东国都证券股份有限公司以其优良的资产质量、健全的内部控制机制和严格的风险控制著称于业内；公司股东中诚信托有限责任公司是中国银监会直接监管的中央级信托投资公司，中国信托业协会首届会员单位。

公司在上海、郑州、合肥设有营业部，营业范围覆盖各大期货交易所所在地。公司各营业部客户保证金实行封闭运行，交易设施先进齐备，资金划转安全便捷，咨询信息及时全面，经营场所优雅舒适，高素质的职业团队，可为客户提供专业化个性化的服务。

公司经营管理始终稳健、审慎经营，合法合规运作，从未发生挪用客户保证金及穿仓等重大风险事件。公司以对客户资产高度负责的态度，在业内树立了诚信、稳健、专业的形象。

申银万国期货有限公司

【基本情况】

法定名称：申银万国期货有限公司

法人代表：李建中

总 经 理：李建中

注册资本：7.76 亿元。

注册地址：上海市东方路 800 号 7、8、10 楼

邮政编码：200122

联系电话：021 - 50588811

公司网址：www. sywgqh. com. cn

www. sywgqh. com（新版）

电子邮箱：sf1000@ sywgqh. com. cn

【公司概况】

申银万国期货有限公司（简称：申银万国期货），成立于 2007 年 12 月 11 日，是申万宏源证券有限公司的控股子公司（持股比例 96.2164%）。

申银万国期货拥有 1 家全资子公司——申银万国智富投资有限公司；在北京、上海、广州、大连、郑州、成都、深圳、杭

州、宁波、武汉、南京、贵阳、重庆、青岛、西安、福州、天津、温州、无锡设有21家营业部；同时，依托申万宏源证券公司遍布全国的150余个营业网点，为投资者提供专业化的风险管理、财富管理服务。除农、工、中、建、交五大银行以外，公司率先增开浦发、民生、中信、招商、光大、兴业6家商业银行开展银行银期转账业务。

申银万国期货注册资本金7.76亿元，经营范围包括：商品期货经纪、金融期货经纪、期货投资咨询、资产管理、基金销售；是中国金融期货交易所全面结算会员和上海期货交易所、大连商品交易所、郑州商品交易所的会员；是中国期货业协会的理事单位、上海市期货同业公会副会长单位、中国证券业协会会员、中国证券投资基金业协会会员、上海市工商业联合会钢铁贸易商会金融与法律委员会副主任单位、上海钢铁服务业协会副会长单位、上海市普陀区白银协会副会长单位、上海市五星级诚信创建企业。

申银万国期货在中国证监会期货公司分类评价中获评A类AA级，并以优异的表现在行业内的各项评选活动中荣获交易所、主流媒体、政府机关等颁发的共计百余个奖项和荣誉：公司自主研发的“程序化高频交易套利系统”在上海市人民政府设立的上海金融创新奖中荣获“金融创新成果二等奖”；“申银万国期货结构化ABCD产品”荣获“金融创新成果奖三等奖”，并连续多年被四大期货交易所、主流媒体评为“年度优秀会员”、“期货公司十强”、“中国最佳期货公司”等重要奖项。

中航期货有限公司

【基本情况】

法定名称：中航期货有限公司

法人代表：周小辉

注册资本：28 000万元人民币

成立时间：1993年4月7日

注册地址：深圳市前海深港合作区前湾一路1号A栋201室

办公地址：深圳市福田区华富路1006号航都大厦21层

公司网站：www. cafco. com. cn

电子邮箱：ltj@ zhqh. cn

联系电话：0755－83248723、83320464、83688531

传真电话：0755－83352428

邮政编码：518031

【公司概况】

中航期货有限公司（原名：中航期货经纪有限公司）控股股东为中航投资控股有限公司。成立于1993年4月7日，由中国航空工业供销总公司独资组建，成立时注册资金1 000万元。1997年按照中国证券监督管理委员会的要求改制为股份制有限责任公司，注册资金增加至3 000万元，股权结构变更为中国航空工业供销总公司持股95%，中航大厦持股5%。2006年12月经中国证券监督管理委员会和2007年2月经国家工商行政管理局核准变更股权结构，由原来的中国航空工业供销总公司持股95%，中航大厦持股5%，变更为：上海欣盛航空工业投资发展有限公司持股49%，中国航空工业供销总公司持股46%，中航大厦持股5%。2007年9月，再次增资扩股，注册资金增加至6500万元，股权结构变更为：中国航空工业第二集团公司持股53.85%（现与中国航空工业第一集团公司合并为中国航空工业集团公司）、上海欣盛航空工业投资发展有限公司持股31.15%、中国航空工业供销有限公司持股15%。2010年3月公司股权结构变更为：中航投资控股有限公司持股53.85%、上海欣盛航空工业投资发展有限公司持股31.15%、中国航空工业供销总公司持股15%。2013年11月公司注册资本增加至2.6亿元，股权结构变更为：中航投资控股有限公司持股88.46%、上海欣盛航空工业投资发展有限公司持股7.79%、中国航空工业供销有限公司持股3.75%。2014年6月9日经深圳市市场监督管理局核准，公司名称变更为“中航期货有限公司”。2014年10月吸收合并江南期货经纪有限公司，注册资本变更为2.8亿元，股权结构变更为：中航投资控股有限公司出资23078.947万元，占比82.42%，上海欣盛航空工业投资发展有限公司出资2 070.677万元，占比7.40%，中航证券有限公司出资1 853.384万元，占比6.62%，中国航空工业供销有限公司出资996.992万元，占比3.56%。

公司是中航投资控股有限公司的成员单位，是以商品期货经纪业务、金融期货经纪业务和资产管理为经营范围的非银行金融机构，公司实行董事会领导下的总经理负责制，设有行政与人力资源部、资产管理部、结算部、研发部、信息技术部、财务部、客服部、风控部、合规部和市场营销部。公司有一支伴随期货业发展而成长起来的管理团队，在多年的发展过程中，逐步锻炼出一批能为客户的投资增值提供强大研发能力的业务精英，形成了“诚信、尊重、敬业、服务、创新”的基本行为准则，作为中航工业集团金融板块的重要组成部分，公司在集团“两融、三新、五化、万亿”的战略指引下，以“创新思维提供有价值金融服务，推进产融结合”为指导思想，以“建设一流的，有特色的金融服务商”为目标，坚持“以人为本，追求创新”的经营理念，严格控制风险，稳健经营，推进管理创新，不断提升服务水平。

公司制度严谨、人员齐整，运作规范稳健。目前在上海、深圳、武汉、汕头、南昌、郑州、东莞设有合规的营业部。

近年来在股东单位的支持和全体员工的共同努力下，中航期货公司取得了长足的发展，在资产质量、交易额、研究水平和客户盈利能力等等各方面都有显著提升。在今后的发展中，公司将在集团和中航投资的支持下，进一步加强与集团内部企业和中航证券、中航信托等中航投资成员单位间的紧密协作，发挥金融服务功能，实现公司跨越式发展，为产融结合做出积极的贡献。

公司全体员工热忱欢迎广大企业、证券金融机构及个人投资者充分利用期货这一投资工具进行保值、套利投机等业务，本公司将以诚实高效的服务获得您的信赖，并期望您在我们公司取得良好的收益。

海通期货有限公司

【基本情况】

公司名称：海通期货有限公司

注册资本：13亿

注册地址：上海市浦东新区世纪大道1589号17楼、6楼01－04单元、25楼、2楼05单元

法人代表：徐凌

邮政编码：200122

客服电话：021－68685562

公司网址：www. htfutures. com

电子邮箱：office@ htfutures. com

【公司概况】

海通期货有限公司是海通证券股份有限公司（600837）控股子公司，注册资本13亿元，首批获得投资咨询业务资格、资产管理业务资格，是国内首家通过ISO9001：2008质量管理体系认证的期货公司。公司拥有上海期货交易所、大连商品交易所、郑州商品交易所全权会员资格，是中国金融期货交易所全面结算会员。公司全面开通工商银行、中国银行、建设银行、农业银行、交通银行全国银期转账业务，为投资者提供专业、优质的期货经纪和风险控制服务。

公司拥有位居前列的市场规模和市场占有率；集聚一批业内有影响力、号召力的行业专家和卓越的员工团队；具备强大的研发能力、持续盈利的财务能力；具有高效的管理平台和海通特色的管理机制；享有较高的品牌价值和社会影响力。

【公司大事记】

2014年大事记

2月，公司由交易结算会员变更为全面结算会员。

3月7日，由公司与清华大学公共管理学院合作组建的"清华大学公共管理学院公共经济、金融与治理研究中心"成立仪式正式启动，徐凌总经理任研究中心理事并在成立仪式上致辞。

3月11日上午，海通证券裴长江副总经理、战略发展部总经理助理苏晓悦一行来公司调研，并与班子成员座谈。

4月25日，徐凌总经理当选上海期货同业公会第四届理事会会长。

7月18日，公司2014年中期工作会议在上海召开。公司领导、各职能部门及业务部门主要负责人共计80余人参加会议，徐凌总经理作工作报告。

7月31日，中国期货业协会刘志超会长在公司召开上海地区期货行业调研座谈会。

7月30日，上海期货交易所开展的2013年度优秀分析师（团队）评选活动落下帷幕，研究所获优秀分析师团队奖等荣誉。

8月14日下午，徐凌总经理在公司6楼多功能会议室为总部及上海地区各部门主管以上人员做了题为"新形势下公司的战略转型与管理者的素质要求"的报告，各地营业部通过连线电话会议系统听取报告。

9月19日，公司聘任李迅雷为公司首席经济学家。

9月28日，海通期货2014年度"期海扬帆"钢产业链秋季投资论坛活动在石家庄顺利召开，与会人数170多人。

10月，公司2014分类评级获得AA。

10月31日，徐凌总经理参与了由期货日报主办的"2014中国期货业领袖年会暨首届衍生品高峰论坛"领袖评选，并从20位提名候选人中脱颖而出，荣膺"2014中国期货业领袖人物"称号。

11月1日，公司联合香港交易所、BloombergRTS在上海举办了"深入了解LME定价机制掌握跨市套利新机遇"有色金属论坛。近百家有色金属产业链投资者、私募对冲投资者和部分个人投资者参会。

11月8日—9日，公司举办了为期两天的素质拓展活动，近三百位海通人欢聚一堂，广才智、比风格、赛水平，提升综合素质，演绎海通豪情。

11月，由信息安全技能竞赛（上海）组委会、上海市信息安全行业协会主办的第六届信息安全技能竞赛圆满结束，公司荣获证券组三等奖，是期货公司中唯一的获奖单位。

12月，由公司主办、中国金融期货交易所承办的"私募基金行政服务及金融期货量化交易应用高峰论坛"在北京成功落幕，60多家机构、80余位嘉宾参加了此次论坛。

2015年大事记

1月，由中金所和中期协联合举办的为期两个月的第二届"中金所杯"高校大学生金融及衍生品知识竞赛圆满结束，公司再度荣获"优秀组织奖"。

1月，第二期上海期货交易所期权讲师培训和评选工作结果出炉，来自公司创新事业群、期权部、投资咨询部的5位员工参与了此次培训，并在多轮竞赛环节中表现抢眼，取得优异成绩。

1月25—26日，公司2015年度工作会议在上海召开。公司领导、各职能部门及业务单位主要负责人共计110余人参加会议，徐凌总经理作工作报告。

1月，公司股票期权经纪业务正式获批。

1月，公司获得大商所2014年度优秀会员奖、最佳产业服务奖、最佳产业拓展奖、最佳机构服务奖、最佳机构拓展奖、最佳农产品交易会员奖、最佳工业品交易会员奖。

2月，公司被郑商所授予2014年度市场优秀发展会员、产业服务优秀会员，棉花、菜系、白糖、PTA、甲醇、玻璃、铁合金品种发展优秀会员，棉花、菜系、白糖、PTA品种产业服务优秀会员。

2月4日，上海期货交易所总经理刘能元一行来司调研，并与公司班子成员座谈。

3月25日，中金所董事长张慎峰一行来司调研，并与公司班子成员座谈。

4月10日，海通证券总经理瞿秋平、董事会秘书黄正红、办公室副主任舒芸芸一行来司调研，研究海通期货的战略定位及发展方向，张建刚董事长、徐凌总经理接待了瞿总一行。

4月16日，上证50和中证500股指期货上市仪式在上海举行，公司徐凌总经理作为唯一市场代表上台致贺。

4月21日，根据总公司党委统一部署，公司党委召开2014年度专题民主生活会。

5月28日至29日，由上海期货交易所、郑州商品交易所、大连商品交易所和中国金融期货交易所联合主办的第十二届上海衍生品市场论坛在上海召开，徐凌总经理出席原油论坛并作主题发言。

6月17日，海南证监局程绪兰副局长、海南证券期货业协会刘红滨副会长带队，海南证监局期货处李毅处长及金元期货、华融期货、中银国际期货等期货公司高管一行来司交流，并与公司班子成员座谈。

6月27日，由公司工会组织的全国徒步行活动圆满落下帷幕。

【公司文化】

海通期货有限公司的标志以中国殷商时期青铜器上的传统水纹图样为造型元素，设计构思以四朵浪花对应构成一个"古铜币"的基本型，较为完整地体现了海通期货"财源茂盛通四海"的内涵和视觉形象。

标志中的浪花图案首尾相连，循环往复，既巧妙地贴合了海通期货名称的涵义，又准确形象地表达了期货公司的行业特性。四朵翻滚的浪花，无论看成阿拉伯数字中的"6"还是"9"，都象征了中华民族吉祥如意的"六六大顺"与"久久安安"，更代表了海通期货的稳步发展和不断壮大，以及为每位投资者带来丰厚回报的美好愿望。

核心价值观勇担责任、矢志创新、追求卓越

三步走战略第一步，扩大市场份额；第二步，夯实管理基础；第三步，提升核心竞争力。

发展的四根支柱人才、研发、风控、IT

经营目标打造一流团队，提供一流服务，树立一流品牌，创造一流效益，争创国内规模大、实力强、服务全的新型期货公司。

冠通期货有限公司

【基本情况】

公司名称：冠通期货有限公司

注册资本：1 亿元

注册地址：北京市朝阳区朝阳门外大街甲 6 号万通中心 4 座 18 层

法人代表：杨冠平

邮政编码：（100020）

客服电话：010－4007007588

公司网址：www. gtfutures. com. cn

电子邮箱：gtqhxxbs@ gtfutures. com. cn

【公司概况】

冠通期货有限公司成立于 1996 年，是国内历史最悠久的期货公司之一，公司法人治理结构完善，在服务能力、研发水平、市场开发、机构管理等方面经验丰富，公司成立至今一直保持连续盈利的经营业绩，在行业监管部门中素来以管理严谨规范著称。

公司总部设在北京，同时在北京、上海、大连、郑州、秦皇岛、贵阳、南通、柳州、青岛、天津、长沙、成都、武汉、深圳等地设有营业部。公司是上海期货交易所、大连商品交易所、郑州商品交易所和中国金融期货交易所国内四家交易所的结算会员。

公司的控股股东是中国中化集团成员企业——中国对外经济贸易信托有限公司。公司一直以来在金融创新方面成果卓著，打造的“信托＋期货”的全新合作模式，更是促进了公司在金融衍生品创新领域表现突出，公司在“信托＋期货”产品的研发方面亦将开创国内金融创新先河。近年来，公司投入大规模人力、物力研究集合资金信托理财产品，广大投资者将可以通过信托基金建立起更多元化的资产配置，与此同时将大幅降低投资者在单独参与期货市场时可能面临的风险，公司将紧随国内金融发展的步伐，适时为广大投资者推出多样化的金融衍生品，为中国金融市场的完善做出贡献。

一、标准典范

公司严格按照证监会信息技术要求，管理总部建立了一套高规格、高冗余、高容量的交易系统，达到二类标准机房建设，并配备高标准的郑州异地机房备份系统，系统容量满足线性增长要求，随时准备随业务规模的巨增，实现系统容量的快速增长。

网络交易畅通——在总部机房内建立电信和联通中心传输，与电信和联通的中心机房百兆光纤直接链接，保证了网络通讯的持续和稳定。

系统选择多样——文华、彭博两套行情系统，金仕达、易盛、CTP 三套交易系统，文华一键通、博易闪电手等嵌套交易端接入，博易掌上财富、文华随身行行情及下单系统提供便利，交易通畅。

资金划转便捷——全面开通工、农、中、建、交、民生、兴业、浦发、招商等结算银行的全国银期转账业务，有效保障资金划转的及时性。

二、增值服务

公司拥有一支充满活力与热情的交易研究团队，融合身经百战的实战专家、资深金融博士、严谨务实的 IT 精英，拥有多市场多品种多策略组合的程序化交易模型、交易投资经理、评估系统等，通过建立专业化、科学化的投资和评估体系，为市场发掘优秀的投资管理人才，为广大投资者提供个性化、专业化的优质投资和咨询服务。

公司研发中心是公司树立品牌优势、开拓专业化市场的核心竞争力。研发中心下设农产品研究组、化工能源研究组、金属研究组、宏观经济研究组、股指期货研究组、金融创新研究组。各小组在各研究领域成绩斐然，为投资者提供了强大的研发保障和支持，其中尤其是金融创新组，该组金融理论知识扎实、全面，在金融工程数量分析、模型构建方面具有丰富的国际工作经验，在国内很多领域的研究还属空缺的情况下推出了系列创新性的研究成果，为投资者在交易策略的具体可操作性、可行性、风险测算、评估等诸多方面提供很好的决策依据，在行业中保持领先水平。

三、创新贡献

（1）公司董事长杨冠平先生参与组织国家重点文化项目《二十四史文白对照》的编译工程；

（2）业内首家独立举办“期货实盘大赛”的期货公司；

（3）业内首创期货交易评估系统（简称 FTES）：期货交易评估系统已经实现面对全国广大期货交易者的自动化交易评估，逐步将行为金融学、交易心理学等前沿学科的学术成果运用到交易评估系统中。期货交易评估系统不仅在国内填补了一项空白，在国际的相应领域也处于相当领先的领域，已经通过国家专利局专利申请，并获得“2011 年证券期货业科学技术奖优胜奖”。

“慎初笃行为冠，逐鹿得人则通”——公司一直以来秉承“诚信、敬业、创新、服务”的企业宗旨，树立“以客户服务为先导，以诚信规范为基石，以开拓创新为手段，以和谐敬业为追求”的全新企业文化，努力在市场开拓、客户服务、风险管理、经济效益方面争创一流。在我国“实物经济”向“虚拟经济”的转型过程中，与中国金融市场共同成长！

【公司愿景】

企业愿景：建立广受尊重的大型优质综合类金融服务企业

企业宗旨：诚信敬业创新服务

经营理念：客户服务为先导

诚信规范为基石

开拓创新为手段

和谐敬业为追求

企业使命：为客户：提供定制化服务提升客户盈利能力

为社会：履行社会义务促进和谐社会建设

为股东：力创最优业绩回报股东长远利益

为员工：创造发展空间实现个人价值

招商期货有限公司

【基本情况】

公司名称：招商期货有限公司

注册资本：6.3 亿元

注册地址：深圳市福田区福华一路免税商务大厦 9 层 9－15 单元、7 层 1－8 单元、7 层 22－26 号单元

法人代表：王志斌
邮政编码：518048
客服电话：0755－95565
公司网址：qh. newone. com. cn
电子邮箱：zsqh@ cmschina. com. cn

【公司概况】

招商期货有限公司是招商证券股份有限公司的全资子公司，注册资本63 000万元，是中国第一家获批的券商全资控股期货公司。公司具备上海期货交易所、大连商品交易所、郑州商品交易所、中国金融期货交易所四大期货交易所的交易结算会员资格，可代理中国期货市场所有期货品种的交易。

2008年中国证监会核准招商证券为招商期货提供中间介绍（IB）业务资格，公司成为国内第一批与券商开展IB业务的期货公司。目前，IB业务已在总部及获得中国证监会期货中间介绍业务开业资格的招商证券营业部全面展开，投资者可在招商证券营业部直接办理招商期货开户手续，并进行期货交易。

恪守招商传统的运营理念——合规稳健，协调发展。以保障客户资金安全和客户交易安全为生命线，斥巨资搭建安全可靠、性能卓越的交易系统。完善的制度流程管理，覆盖所有业务环节的合规、风控、稽查，全面掌控风险。

凭借招商卓越的人才机制——以人为本，任人唯贤。引进期货行业翘楚，自主培养学生精英，形成专业技能精湛、发展潜力巨大的员工队伍，支撑、优化着百年招商的运行管理品牌。

秉承招商独特的研发定位——立足市场，鼓励创新。公司研究所坚持独立客观、前瞻领先、贴近市场的研究方向，已在套利、程序化交易、短线交易等应用性领域取得显著成果，推出“智睿理财”系列产品。

承载招商真诚的服务理念——服务至上，成就价值。95565客服专线无微不至地关爱着客户，一对一高端服务随时随地呵护着客户，详实多样的信息渠道全面精准地引领着客户，各类针对性培训切实真诚地辅导着客户。

“百年招商、一脉相承，励新图强，敦行致远。”我们怀着这份信仰，力争建设中国金融市场上服务一流、能力突出、品牌卓越的专业期货交易服务机构，打造客户信赖、社会尊重、股东满意、员工自豪的优秀企业。

宏源期货有限公司

【基本情况】

法定名称：宏源期货有限公司
注册地址：北京市西城区太平桥大街19号4层4B
邮政编码：100033
成立时间：1995年5月2日
注册资本：5.5亿元
公司电话：010－88085299
公司传真：010－88085501
法人代表：王化栋
公司邮箱：hyqhzp@ swhysc. com
公司网址：www. hongyuanqh. com/

【公司概况】

宏源期货有限公司是经中国证监会批准，从事商品期货经纪、金融期货经纪、期货投资咨询、资产管理的专业化金融服务企业。公司注册地为北京，注册资本5.5亿元人民币，是上海期货交易所、大连商品交易所、郑州商品交易所全权会员，中国金融期货交易所交易结算会员，中国期货业协会理事单位，北京期货商会会长单位。

全资股东申万宏源证券有限公司是国内规模最大、经营业务最齐全、营业网点分布最广泛的大型综合类证券公司之一，在全国设有18家分公司和309家营业部，并设有香港、东京、新加坡、首尔等海外分支机构。

公司在北京、上海、乌鲁木齐、南宁、杭州、大连、郑州、合肥、济南、石家庄、昆明、扬州、天津、重庆、福州、深圳、苏州等地设有多家营业部，依托申万宏源证券三百余家营业网点形成覆盖全国的服务网络。

公司拥有澎博、文华等行情系统，澎博闪电手、文华一键通、金仕达多账户、众期分账户、上海快期、易盛、大连飞创、掌上财富手机行情交易、证券期货套利等交易系统，交易开拓者、MultiCharts、文华等程序化交易软件，满足客户的多样化需求。开通工行、建行、交行、农行、中行等全国银期转账系统，资金划转方便快捷。结合申万宏源证券研究所形成证券期货综合研究力量，为投资者提供及时准确的信息资讯、深度的研究报告和专业的投资咨询服务。

公司以市场为导向，以客户为中心，以专业化技能和高标准的服务，推动公司业绩快速成长，成为国内最具发展潜力的期货公司之一，多次荣获监管部门、交易所、行业协会和媒体奖励。

公司将竭诚为广大投资者提供多元化、标准化、个性化服务，以专业、诚信为投资者创造价值。

通惠期货有限公司

【基本情况】

公司名称：通惠期货有限公司
注册资本：1.25亿元
注册地址：上海市浦东新区陆家嘴西路99号7楼
法人代表：冯立民
邮政编码：200120
客服电话：021－68864915
投诉电话：021－68865320
公司网址：www. thqh. com. cn
电子邮箱：thqh@ thqh. com. cn

【公司概况】

通惠期货有限公司，原上海通联期货有限公司，控股股东为中国万向控股有限公司。股东拥有丰富的现货资源及多业并举的金融服务平台。公司于1999年经中国证监会核准在国家工商局登记注册，从事商品期货经纪、金融期货经纪业务、资产管理业务。公司注册资本1.25亿元，办公地址位于上海浦东陆家嘴金融贸易区，拥有1 481.62平方米的办公场所。公司拥有上海期货交易所、大连商品交易所和郑州商品交易所的全权会员资格，是中国金融期货交易所交易结算会员、中国期货业协会团体会员。

公司拥有专业的研究团队，汇聚了业内研究水平一流、实务操作成绩稳健的研究员作为核心力量，确保为客户提供高质量的专业咨询，提供专业投资报告，帮助客户进行短长期行情分析，制定套期保值、跨期套利方案；协助客户有效规避风险、获得收益。

公司致力于打造期货行业一流的信息技术平台，采用胜科金仕达、易盛、上期技术综合交易平台等交易系统，拥有文华财经、澎博财经资讯等国内优秀的行情系统，为客户提供赢智 WH8、交易开拓者、达钱等程序化操作和策略平台，特色交易软件有快期、文华一键通、澎博闪电手、金仕达多点登录软件等，开通了工行、农行、建行、交行等全国性银期转帐业务，公司特别提供程序化服务器托管服务，提供高速的交易接入，确保程序化交易的速度、稳定及安全性。

公司具有规范而稳健的管理体系，秉持“诚信、沟通、专业、共赢”的经营理念，建立了基础管理、专业管理、综合管理相配套融合的经营管理体系，并逐渐形成了“客户、员工、股东共同成长”核心价值观，倾全体员工之思想创意、执业精神和专业素养，尽客户服务、研发产品、交易通道、后台运营、人才机制之系统资源，达致客户、员工、股东与公司共赢之境界。

中大期货有限公司

【基本情况】

公司名称：中大期货有限公司

注册资本：3.6 亿元

注册地址：浙江省杭州市中山北路 310 号 3 层 12 层东

法人代表：颜亮

邮政编码：310003

客服电话：400 - 8810 - 999

公司网址：www. zdqh. com

电子邮箱：zdfc@ zdqh. com

【公司概况】

中大期货有限公司，成立于 1993 年，是世界 500 强企业——浙江物产集团金融板块的核心成员，上市公司物产中大（股票代码：600704）的控股子公司；是四大期货交易所会员单位，上海期货交易所理事单位。

公司总部位于杭州，在北京、上海、重庆、西安等中心城市设有三十余家营业部。公司拥有高效便捷的交易通道、基础雄厚的研发能力、专业贴心的服务团队，秉承“规范经营、稳步发展”的经营方针，竭诚为客户提供涵盖通道、项目、产品的全方位服务。

经中国证监会核准，2011 年公司首批获得“期货投资咨询业务资格”，2013 年 2 月获得“资产管理业务资格”，2015 年 1 月成为浙江省内首个获得“基金销售业务资格”的期货公司，目前经营范围为：商品期货经纪、金融期货经纪、期货投资咨询、资产管理、基金销售。

【股东背景】

浙江省物产集团公司（简称“浙江物产”，英文简称“ZJMI”）是世界 500 强企业，中国最大的生产资料流通企业和综合性内外贸易及批发零售服务集成商。

浙江物产以生产性服务业、生产资料流通贸易为主业，经营范围涉及国内外贸易、实业加工、物流事业、金融投资等“四大”领域，和钢铁、汽车、能源、化工、商业地产、金融等“六大”业务板块，营销业务遍及全球 70 多个国家和地区。旗下共拥有 2 家上市公司（物产中大 600704、物产中拓 000906），10 家一级成员企业，1 所全日制高等职业技术学院，370 余家成员单位，员工 18 000 余人。

展望未来，浙江物产将牢牢把握服务经济和生产性服务业发展的黄金机遇期，以服务中国经济转型升级和产业结构调整为己任，全面进入生产性服务业，按照“战略升级、提升发展”的战略方针，实施“产业领先，布局全国，国际视野，跨国经营，追求卓越，引领未来”的战略径，以提升发展为核心，产业结构优化升级为主线，深化改革和自主创新为动力，提高综合竞争力和可持续发展能力为目的，力争到 2015 年实现营业收入 2 600 亿元，利润总额 52 亿元，资产总额 1 000 亿元以上，打造成为集现代流通产业、现代流通方式与现代企业制度为一体的供应链服务集成商，和具有国际竞争力的一流现代流通企业集团。

【公司荣誉】

2013 年度

2013 年度浙商最受信赖金融机构

郑商所白糖期权仿真交易竞赛组织奖

温州营业部获得《期货日报》“最佳投资者教育营业部”

金融界“最受投资者信赖期货公司”

大商所农产品研发团队“十大期货研发团队”

和讯年度最佳投资者教育期货公司

中金在线 2013 年度的财经评选“最佳投资咨询期货公司”

2014 年度

第十二届中国财经风云榜最佳期货行业创新奖

荣获中金在线“最佳期货投资咨询有限公司”

2015 年度

荣获第 13 届中国财经风云榜“2015 年度最佳期货行业品牌”

荣获中金在线 2015 年第七届财经排行榜“最佳业务创新期货公司”

2015 年荣获《期货日报》第九届全国期货实盘交易大赛“优秀资管服务奖”

2015 年荣获《期货日报》第八届中国最佳期货经营机构评选“最佳期货私募基金孵化奖”

2015 年度大连商品交易所“最佳机构拓展奖”

2015 年度大连商品交易所“市场服务奖”

2015 年中大期货永康营业部荣获《期货日报》第八届中国最佳期货经营机构最佳期货分析师评选暨“2015 年度最具成长性期货营业部”

华安期货有限责任公司

【基本情况】

公司名称：华安期货有限责任公司

注册资本：2 亿元

注册地址：合肥市庐阳区长江中路 419 号

法人代表：汪泓

邮政编码：230061

客服电话：0551 - 62839073、0551 - 62839083

公司网址：www. haqh. com

电子邮箱：haqhzh@ 126. com

【公司概况】

华安期货有限责任公司（下称“公司”）成立于 1995 年 5 月，由华安证券股份有限公司控股。公司具备从事商品期货和金融期货业务资格、期货投资咨询、资产管理业务资格，注册资本金为人民币 2 亿元，是目前国内综合研究实力较强的期货公司之一。

公司总部位于合肥市长江中路 419 号，营业面积 1 600 平方米，并在上海、青岛、郑州、芜湖、阜阳、马鞍山、安庆、金华设立了营业部。公司的控股股东华安证券是安徽省第一家由中国证监会核准的具备从事期货中间介绍（IB）业务资格的证券公司。华安期货有限责任公司依托华安证券遍布全国的营业网络，可以为全国各地投资者提供最及时的投资资讯服务；并根据投资者需要设计套保、套利和投资理财等多种不同类型的投资方案，适应具有各类风险偏好投资者的需求。

为保障投资者交易的安全、快捷和稳定，公司配备了先进、稳定的网络系统和双路供电系统，拥有多套最新的澎博、文华、富远等资讯行情系统。为满足各类投资者的交易习惯，公司采用了目前交易速度最快、功能最丰富的恒生、易盛交易系统和上海期货信息技术有限公司最新推出的综合交易平台等先进软件，能为投资者提供闪电手、批量委托、一键通、止损、止盈、套利以及各种策略化、程式化交易等丰富多样的交易功能和手段。

公司拥有上海期货交易所、大连商品交易所和郑州商品交易所的全权会员资格，是中国金融期货交易所的交易结算会员，可代理股指期货、黄金、铜、铝、锌、燃料油、天然橡胶、螺纹钢、线材、小麦、PTA、白糖、棉花、玉米、菜籽油、早籼稻、大豆1号、大豆2号、豆粕、豆油、线型低密度聚乙烯（LLPDE）、棕榈油、PVC等等国内所有上市期货品种的交易，目前一直开展沪深300股指期货仿真交易。

华安期货有限责任公司奉行“严谨、活力、协作、创新”的经营理念，立足高起点，塑造投资新文化，致力于构建以塑造品质为核心，在业内具备持续竞争力和持久影响力的期货公司。公司广纳具有共同事业信念的业界精英，确立以专业拓展市场、以产品服务客户的业务战略，按照“产品、沟通、服务、诚信”的业务理念，形成了以股指期货等金融衍生品、以有色金属、天然橡胶、钢材等工业原料和以油脂、棉花等农产品为品种特色的研发方向。公司以客户的需求为导向，以客户资产的增值为目标，致力于提高公司研发水平的专业化和投资理财产品的实用性，依托股东优良的金融投资和现货实业背景，全力为投资者打造全方位投资理财平台，实现客户与公司双赢的企业宗旨。

面对中国金融市场的全面开放，华安期货有限责任公司将弘扬“厚积薄发、自强不息”的传统美德，以振兴中华民族的金融企业为己任，在世界金融市场的大潮中尽展炎黄子孙的金融投资智慧！

上海浙石期货经纪有限公司

【基本情况】

公司名称：上海浙石期货经纪有限公司
注册资本：2亿元
注册地址：上海市浦东新区浦电路438号
法人代表：刘志德
办公地址：上海市浦东新区浦电路438号双鸽大厦10－G
邮政编码：200122
客服电话：0571－87812161
公司网址：www. zsqh. com
电子邮箱：zpfc@ zsqh. com

【公司概况】

上海浙石期货经纪有限公司成立于1995年5月，是经中国证监会批准设立（期货经纪业务许可证号：31530000）和上海工商行政管理局登记注册（企业法人营业执照注册号：310000000036215），经营范围商品期货经纪和金融期货经纪，注册资本人民币2亿元整，法定代表人刘志德，总经理俞国华。公司注册地：上海市浦东新区浦电路438号双鸽大厦10G室，下设杭州、宁波两个营业部。本公司属中国石化集团绝对控股的一家规范合格的期货经纪公司。

上海浙石期货经纪有限公司的前身为原浙江省石油总公司期货部，是国内最早参与期货业务的公司之一。在1993年至1994年间参与原上海、北京等石油交易所的期货交易，积极利用期货市场所具有的规避风险和发现价格的功能，结合自身的经营业务，卓有成效地开展了套期保值业务，曾以交易规范，遵章守纪荣获上海石油交易所交易优秀一等奖。公司自成立以来一直遵循“浙石期货，信誉永恒”的宗旨，秉承母公司资信优秀、管理规范等优势，始终贯彻稳健经营、稳步发展的经营策略，坚持踏实、务实的工作作风，严格遵守中国证监会和各交易所有关期货法规、制度，建立了一整套规范严格的期货经纪业务管理制度，积极为有关企业和投资者开展商品期货交易和投资提供完善周到的服务，在业内树立了“浙石期货”的良好声誉。公司自成立以来，连年保持盈利。

证监会自1998年度实施期货公司年检，我公司每年首批通过年检，按照证监会期货部负责人的解释：每年度第一批通过年检的经纪公司属于在资产质量、抗风险能力、合规经营、内部控制与管理等方面综合考核表现较好，在业内有较好声誉的公司。

目前我司是上海期货交易所（席位号0075），大连商品交易所（席位号0157），郑州商品交易所（席位号0205）的正式会员和中国金融期货交易所（席位号0148）的交易结算会员。可代理客户从事铜、铝、锌、天然橡胶、燃料油、黄金、螺纹钢、线材、大豆、豆粕、玉米、豆油、聚乙烯、棕榈油、小麦、棉花、聚氯乙烯、早籼稻、PTA、糖等国内所有品种的期货交易，并向客户提供与期货相关的信息咨询，人员培训等服务。公司拥有文华财经行情分析系统和博易大师行情分析系统，并开通上海、大连、郑州四家期货交易所的异地同步交易系统，可为客户提供人工报单、自助委托交易、网上交易等多种交易手段。

公司设有交易、风控、财务、结算、信息技术、综合等部门；公司杭州营业部于96年3月经上海市、浙江省、杭州市证管办批准并报证监会。中国证监会期货字2000年30号文正式批准设立上海浙石期货经纪有限公司杭州营业部，是获全国首批颁发的《期货经纪公司营业部经营许可证》的公司之一。2002年经中国证监会批准设立宁波营业部。公司在上海、杭州、宁波三地购置了高端营业办公用房，为投资者创造了长期稳定的交易场所和良好的投资交易环境。公司现有员工40余人，其中8人获得期货公司高级管理人员任职资格证书，90%的工作人员获得期货从业人员资格证书。93年至96年进入本公司（含原浙江省石油总公司期货部）从事期货经纪业务的员工，占公司人员60%。

浙石期货稳步经营已走过十八个年头，如果从浙江省石油总公司期货部93年运作石油期货和石油期货经纪业务算起，已整整二十年。为了顺应国内期货市场的发展，浙石期货还须进一步壮大公司实力，以适应国际、国内石油期货市场发展的需要，逐步朝着建立以石油期货经纪为主的专业综合类期货公司方向发展。

上海浙石期货经纪有限公司真诚为投资者服务，愿与广大客户携手共进，共创中国期货市场的明天。

锦泰期货有限公司

【基本情况】

公司名称:锦泰期货有限公司

注册地址:南京市建邺区江东中路 359 号国瑞大厦

法人代表:单宁

注册资本:50715 万元

成立时间:1995 年 09 月 28 日

客服电话:4008819966

传真号码:025 - 83116169

公司网址:www. jtqh. com. cn

电子邮箱:jtqhzhaopin@ 163. com;

【公司概况】

锦泰期货有限公司(原江苏苏物期货经纪有限公司)是 1995 年 9 月成立的专业期货公司。公司注册资本为 50 715 万元,是江苏省最大的省属企业江苏省国信资产管理集团有限公司旗下的专业期货平台。

公司伴随中国期货行业起伏,逐步成长、壮大。公司秉承“与客户财富共成长”的价值理念和“诚实守信、高效创新、务实稳健”的企业文化,努力打造“最专业的理财顾问”品牌形象。

公司建有先进的机房设施和便捷的信息技术通道,为投资者提供全球实时交易行情和专业信息研究资讯。

公司已设营业部十五家,分别在江苏省内的扬州、常熟、常州、无锡、连云港、徐州、南京及上海、北京、郑州、石家庄、青岛、东莞、深圳、武汉等大中城市。

随着期货行业的蓬勃发展,锦泰期货有限公司将立足江苏,辐射长三角,布局环渤海、珠三角等经济发达区域,专注于产业客户和专业投资者财富的保值增值,为客户提供综合金融服务,为期货行业谱写更辉煌的篇章。

新湖期货有限公司

【基本情况】

法定名称:新湖期货有限公司

注册资本:2.2 亿元

注册地址:上海市裕通路 100 号 36 层

法人代表:马文胜

公司地址:上海市裕通路 100 号 36 层

邮政编码:200070

客服电话:400 - 8888 - 398

公司网址:www. xinhu. cn

电子邮箱:xh@ xhqh. net. cn

【公司概况】

新湖期货有限公司(以下简称“新湖期货”)成立于 1995 年,净资本 6 亿多元。由新湖中宝股份有限公司(证券代码 600208)控股。

新湖期货前身为“天地期货”,2008 年 1 月份正式更名为“新湖期货”,在以董事长马文胜为代表的优秀高管团队的带领下,新湖期货进入快速发展时期。2011 年 1 月,新湖期货从杭州迁址上海,续写快速发展的新篇章。经过几年多的发展,新湖期货取得了突破性的业绩,截止到 2015 年初,员工规模由 2008 年的 50 人扩大至 500 多人;营业部由最初的 4 家(嘉兴、郑州、福州、临海、)变化到 24 家(嘉兴、郑州、福州、台州、青岛、大连、温州、深圳、海口、上海、沈阳、北京、杭州、济南、重庆、长沙、厦门、西安、成都、太原、武汉、宁波、上海自贸区、哈尔滨);为中国期货业协会副会长单位,上海期货同业公会监事长单位,上海期货交易所理事单位,在行业内的影响力日益扩大。

【业务范围】

新湖期货拥有为上海、大连、郑州三家期货交易所会员资格,并于 2008 年 1 月取得中国金融期货交易所交易结算会员资格,2014 年 11 月 7 日变更为全面结算会员。可代理客户从事国内所有品种的期货交易。新湖期货研究所和各营业部、事业部,从事与上市品种相关产业的调研、研究、开发和服务,可为企业、金融机构和投资者提供投资交易、套期保值、套利对冲交易、期现套利、投资产品与工具设计和实物交割等多种个性化服务产品和信息咨询服务,还可提供专业培训、产业调研、驻厂调研和企业保值方案设计等专项服务。2011 年 8 月,新湖期货首批取得期货投资咨询业务资格。2012 年 11 月首批获得资管业务牌照。2013 年 5 月获得设立风险管理子公司资格,进一步拓展了公司的业务范围、提升公司的服务质量。2015 年 1 月 27 日,由上海证券交易所批复新湖期货成为股票期权交易参与人,并开通股票期权经纪业务交易权限。

【公司荣誉】

2014—2015 年度奖项:

期货日报 & 证券时报第六届“中国最佳期货经营机构暨最佳期货分析师评选”

中国期货公司金牌管理团队

最佳能源化工产业服务奖

最佳金融创新奖

中国金牌期货研究所

最具成长性营业部——新湖期货福州营业部

最佳黑色产业链期货分析师——翁鸣晓

最佳有色金属期货分析师——廉正

最佳建材类期货分析师——马静静

最佳农牧类期货分析师——李延冰

和讯 2014 财经风云榜:

投资者最满意的期货公司

2014 郑州商品交易所:

铁合金品种发展优秀会员

铁合金品种产业服务优秀会员

2014 大连商品交易所:

市场服务奖

焦煤焦炭期货优秀研究员——付得玲

铁矿石期货优秀研究员——翁鸣晓

化工期货品种优秀研究员——袁照

化工期货品种优秀研究员——徐春松

化工期货品种优秀研究员——李乾孙

饲料养殖期货品种优秀研究员——詹啸

2014 上海期货交易所:

交易优胜会员

产业服务优胜会员

天然橡胶产业服务优胜会员

东航期货有限责任公司

【基本情况】

公司名称:东航期货有限责任公司

注册资本:4.5 亿元

注册地址：上海市吴中路686弄3号D幢16楼
法人代表：涂殷康
邮政编码：201103
客服电话：4008889889021－64064643
公司网址：www. cesfutures. com
电子邮箱：dhqh@ kiiik. com

【公司概况】

东航期货有限责任公司成立于1995年2月11日，是上世纪首批由中国证监会核准成立的期货公司之一。公司由国资委直属中央企业中国东方航空集团公司及其下属东航金控有限责任公司和东航进出口有限公司三家股东出资成立；2014年4月22日公司完成股权变更，东航金控有限责任公司成为公司唯一股东；2014年5月26日、2015年3月4日公司分别完成增资人民币2亿和1.5亿，目前注册资本为4.5亿元人民币。公司是上海期货交易所、大连商品交易所、郑州商品交易所的全权会员单位和中国金融期货交易所交易结算会员，上海市期货同业公会理事单位。公司经营范围为：商品期货经纪、金融期货经纪、期货投资咨询、资产管理。

东航期货至今已成功发行20余个资管产品，公司还是国内第一家推出移动终端视频开户的期货公司。公司客户累计成交量稳步增加，2014年顺利突破4 800万手，全年成交金额近3.5万亿元。公司2014年分类评价结果为B类BBB级。近年净资产收益率在国内期货公司中排名第十一位。

东航集团强大的央企背景、自身艰苦卓绝的努力和孜孜不倦的探索，让东航期货在这个期货业旌旗林立、群雄割据的年代不断发展壮大。“规范”和“发展”紧密相连，构成象征企业灵魂的“生命之线”；风险管控步步为营，始终遵循现代金融企业的标准；研发群英精确制导，深入剖析各金融投资领域，聚焦未来投资机遇；细致贴心的客户服务、多重的网络化维护渠道，随时随地陪伴左右；资产管理高瞻远瞩，运筹帷幄，量身定制专属投资方案。公司为客户提供即时、多元化的行情、交易和分析系统；同时还为客户提供菜单式增值服务，涵盖资金雷达、交易行为分析、大行报告等，以及各类的投资咨询业务。

公司是中国期货界最富盛名的实盘大赛——“蓝海密剑”唯一国内期货指定交易服务商。大赛具有长周期赛制，多评估指标立体科学评估，专业增值产品服务、奖金丰富等特色，吸引众多期货业精英参与角逐。大赛中脱颖而出的精英选手已在投资领域独当一面，成为优秀的基金经理。一年一度的颁奖典礼更是一场万众瞩目的期货盛宴。

历经多年打造的对冲基金投资队伍，是国内量化投资方面的顶尖团队，先后推出的“种子一号”和“精英一号”基金产品备受投资者青睐。《中国金融安全报告》年度出版，全方位深锐剖析各金融投资领域。《东航金融衍生译丛》，引入国外衍生金融领域最新研究成果，洞察风云变幻。

【公司荣誉】

2011年，东航期货先后获得郑州商品交易所颁发的“行业成长奖”、大连商品交易所颁发的“最具成长性会员奖”。

2012年，公司先后获得上海期货交易所“2012年度燃料油产业服务优胜会员”、中国金融期货交易所“会员进步奖”、大连商品交易所“2012年度市场服务成就奖”。

公司获得“2013年度中国东方航空集团公司先进集体”光荣称号、大商所“2013年度最具成长性会员奖”。

在证券时报社主办的“2014中国互联网金融跨界变革峰会暨第十五届金融IT创新评选”中公司获得“最佳互联网期货公司”大奖；在和讯网“第12届中国财经风云榜”评选中获得“最佳期货行业创新奖”称号；公司还获得大连商品交易所“2014年度最具成长性会员奖”、中国金融期货交易所“2014年度会员进步奖”以及上海期货同业公会“2014年度上海期货行业五好窗口”称号。

海证期货有限公司

【基本情况】

法定名称：海证期货有限公司
法人代表：杨海梁
注册资本：16000万元
成立时间：1995年12月14日
注册地址：上海市临平北路19号三楼
邮政编码：200086
联系电话：021－65218887
客服电话：400－880－8998
投诉电话：400－880－8998
公司网址：www. hicend. com. cn
电子信箱：hzqh@ hicend. com. cn

【公司概况】

海证期货有限公司（以下简称“公司”）成立于1995年，其前身是上海实友期货经纪有限公司。

2008年3月20日，经国家工商行政管理总局核准，上海实友期货经纪有限公司正式更名为“海证期货有限公司”。公司注册资本1.6亿元人民币，主要从事商品期货经纪、金融期货经纪、期货投资咨询和资产管理业务，是上海、大连、郑州商品期货交易所全权会员和中国金融期货交易所交易结算会员。

公司依靠强大的股东背景优势，秉承“诚信、远见、绩效、专业、和谐”的经营理念，坚持合规经营，建立了完善的法人治理结构和完备的风险控制体系。通过规范账户管理，实施银期转账，强化风险预警，完善以净资本为核心的动态监控机制，实现公司经营风险的可控、可测、可承受。

公司拥有一批高素质的研究人才，并与上海证券有限责任公司研究所建立了广泛而深度的合作。目前已形成了集资讯、研究和财富管理为一体的研究服务体系，公司发布了“聚锐”咨询系列产品，可以为客户提供丰富的研究产品和优质的咨询服务。

公司先后在长沙和成都开设了营业部，进一步提升了公司的服务力量。股东上海证券有49家营业部获得了开展中间介绍业务资格，可以为当地期货投资者提供开户，交易等综合服务。截至目前，公司的服务范围已经覆盖上海、深圳、温州、重庆、杭州等多个重点省市。

公司建立了以客户为中心的服务体系，依托雄厚的资本和先进的信息技术实力，开发和不断升级公司网上交易、短信平台和客服热线，令客户能够更安全、更快捷、更方便地获取公司的服务。

公司坚持“至诚至善，共同成长”的社会责任观，坚持善待客户，善待伙伴，善待员工，真诚服务，共享共赢，实现公司利益与客户利益、员工利益、行业利益和社会利益的和谐统一，努力朝着成为国内金融衍生交易服务行业领跑者的目标不断前进。

【公司股东】

2007 年 6 月,上海证券有限责任公司收购公司 100% 股权,成为公司唯一股东。上海证券有限责任公司成立于 2001 年 5 月,是由原上海财政证券公司和上海国际信托有限公司证券总部新设合并成立的全国性综合类证券公司。上海证券有限责任公司注册资本金 26.1 亿元人民币,是首批全国创新类证券公司之一。股东单位为国泰君安证券股份有限公司、上海国际集团有限公司和上海国际信托有限公司。

上海东证期货有限公司

【基本情况】

公司名称:上海东证期货有限公司
注册资本:5 亿元
注册地址:上海市浦东新区浦电路 500 号
上海期货大厦 14 层
法人代表:卢大印
办公地址:上海市浦东新区浦电路 500 号
上海期货大厦 14 层
邮政编码:200122
客服电话:021-68400610
公司网址:www.orientfutures.com
电子邮箱:dzqh@orientfutures.com

【公司概况】

上海东证期货有限公司成立于 2008 年,是一家经中国证券监督管理委员会批准的经营期货业务的综合性公司。东证期货是东方证券股份有限公司全资子公司,现在注册资本金为 5 亿元人民币,员工近 350 人。公司主要从事商品期货经纪、金融期货经纪、期货投资咨询、资产管理、基金销售等业务,拥有上海期货交易所、大连商品交易所、郑州商品交易所会员资格,是中国金融期货交易所全面结算会员。

东证期货以上海为总部所在地,在大连、北京、太原、郑州、青岛、常州、上海、长沙、广州、宁波、深圳、杭州、合肥、西安、成都、厦门、东营、天津、哈尔滨、柳州等地共设有 23 家营业部,并在北京、上海、广州、深圳多个经济发达地区设有 54 个 IB 分支机构,未来东证期货将形成立足上海,辐射全国的经营网络。

自 2008 年成立以来,东证期货秉承“稳健经营、创新发展”的宗旨,以市场化机制思变革、以国际化视野谋发展、以集团化格局求创新、以衍生品为核心、以风险管理为切入口,打造综合财富管理平台的大投行!努力实现市场化、国际化、集团化的一流综合性期货公司!

【公司股东】

东方证券股份有限公司(以下简称“公司”)是一家经中国证券监督管理委员会批准设立的综合类证券公司。其前身是于 1998 年 3 月 9 日开业的东方证券有限责任公司。公司总部设在上海,截至 2014 年底,公司注册资本 42.82 亿元。

经过 17 年的发展,东方证券从一家仅有 586 名员工、36 家营业网点的证券公司,逐渐壮大为一家总资产超过 1 000 亿,净资产超过 200 亿,员工近 3 000 人、在全国 10 多个省(自治区、市)39 个城市设有 97 个分支机构,提供证券、期货、资产管理、理财、投行、投资咨询及证券研究等全方位、一站式专业综合金融服务的证券金融控股集团。公司形成了自营投资,固定收益,证券、期货研究及资产管理等优势业务的业内领先地位。

公司全资持有上海东证期货有限公司、上海东方证券资产管理有限公司、上海东方证券资本投资有限公司、东方金融控股(香港)有限公司、上海东方证券创新投资有限公司,与花旗集团合资设立并控股东方花旗证券有限公司,同时作为第一大股东参股汇添富基金管理股份有限公司。

17 年来,公司秉承“团结进取务实高效”的企业精神,“稳健经营、专业服务、以人为本、开拓创新”的经营理念,致力于创建“具有国内一流核心竞争力、为客户提供综合金融服务的现代投资银行”。

【公司大事记】

2015 年

推进衍生品研究院的筹建工作
继续推进 MOM 系统平台搭建
加强原油期货上市前的筹备工作
北京朝阳门营业部正式开业
进一步提升员工福利水平
公司经营范围完成扩增
公司继续推进营业网点建设
公司成功发行次级债
公司开展 2015 年新员工拓展训练
公司获批基金销售业务资格
公司更换 OA 办公系统
公司荣获集团公司“金融创新立功竞赛”优秀组织奖 2009

华联期货有限公司

【基本情况】

公司名称:华联期货有限公司
注册资本:1 亿元
注册地址:东莞市城区可园南路 1 号金源中心 16 层、17 层
法人代表:甘建明
办公地址:东莞市城区可园南路 1 号金源中心 16 层
邮政编码:523000
客服电话:0769-22213338
公司网址:www.hlqh.com
电子邮箱:hlqhbgs@hlqh.com

【公司概况】

华联期货有限公司,简称“华联期货”,成立于 1993 年 4 月,是国内首批取得期货业务经营许可权的期货公司之一。2007 年 10 月,公司完成股权变更和增资扩股,注册资本增加至人民币 1 亿元,并由东莞证券有限责任公司(以下简称“东莞证券”)、东莞信托有限公司控股。股权变更完成后,凭借着强大的股东实力,公司经营实现了质的飞跃。

公司是上海期货交易所、大连商品交易所、郑州商品交易所、中国金融期货交易所结算会员。2009 年 4 月,经中国证监会核准,东莞证券获准为公司提供中间介绍业务资格。2011 年 8 月 15 日,经中国证监会核准,公司获批取得期货投资咨询业务资格,是首批取得投资咨询业务资格的期货公司之一。2015 年 4 月 10 日,经中国期货业协会备案通过,公司获批取得资产管理业务资格。

公司目前在广州、揭阳、佛山、东莞东城、东莞樟木头(镇)设有 5 家营业部。按照公司长远业务发展规划,公司正以“立足珠三角,渗透区域金融中心”的经营思路稳健扩张;同时将依托控股股东东莞证券全国范围内营业网点为公司

提供中间介绍业务优势大力将 IB 业务推向全国。

公司拥有一支从业经验丰富、专业能力强、爱岗敬业、亲和友善的管理团队和员工队伍，践行为客户提供更新资讯、更快服务、满足个性化需求的服务理念，一直致力和坚持为广大投资者提供专业、优质的服务，并在市场发展中不断提高研发专业水平，致力为客户创造财富、为行业创造价值。

公司一直秉承“客户至上，人才为本”的理念诚信经营，凭借十多年来的规范运作取得了良好的社会效益和经济效益，树立了良好的品牌形象，获得了社会各界和广大投资者的认可。近几年来，公司市场占有率大幅提升，客户权益、成交量、净利润等主要业务指标保持了年均成倍以上的增长，业内排名和影响力也大幅上升，为公司未来发展奠定了良好基础。

展望未来，华联期货将在中国期货市场广阔的发展前景中奋力前行。新的征程中，我们将一如既往，愿与广大投资者携手共进，共创辉煌！

【发展历程】

1993 年 3 月，东莞市华联期货经纪有限公司注册成立。

1994 年 9 月，全面开展国内期货代理业务。

1999 年 9 月，注册资金由 1 000 万元增至 3 000 万元，进一步加强公司的抗风险能力。

1999 年 9 月，取得郑州交易所会员资格会员代号（0133）。

2001 年 2 月，取得大连交易所会员资格会员代号（0113）。

2002 年 1 月，取得上海交易所会员资格会员代号（0276）。

2002 年 11 月，东莞东城营业部成立。

2003 年，成为东莞首家开通网上交易系统的期货公司。

2007 年 9 月，经证监期货字[2007]188 号批复，注册资本增加到 1 亿元，股东变更为东莞证券，东莞信托等。

2007 年 11 月，经广东证监函[2007]793 号批复，住所变更为东莞市可园南路 1 号金源中心 16 层。

2007 年 12 月，中国农业银行银期转账业务正式上线

2008 年 1 月，经证监许可[2008]7 号批复，取得金融期货经纪业务资格。

2008 年 3 月，中国建设银行银期转账业务正式上线。

2008 年 3 月，客户资金账号由 5 位升级为 9 位。

2008 年 4 月，经证监期货字[2008]432 号批复，取得金融期货交易结算业务资格。

2008 年 7 月，中国工商银行银期转账业务正式上线。

2008 年 7 月，取得中国金融期货交易所交易结算会员资格，会员号 0158 号。

2009 年 5 月，中国银行银期转账业务正式上线。

2009 年 12 月，东莞樟木头营业部成立。

2010 年 6 月，更名为：华联期货有限公司，为全国布局奠定品牌基础。

2010 年 9 月，广州营业部成立。

2011 年 9 月，揭阳营业部成立。

2011 年 9 月，取得期货投资咨询业务资格，经营范围变更为：商品期货经纪、金融期货经纪、期货投资咨询。

2012 年 5 月，交通银行银期转账业务正式上线。

2012 年 11 月，佛山营业部成立。

2015 年 4 月，取得资产管理业务资格。

中国国际期货有限公司

【基本情况】

公司名称：中国国际期货有限公司

注册资本：17 亿元

注册地址：北京市朝阳区建国门外光华路 14 号 1 幢 1 层、2 层、9 层、11 层、12 层

法人代表：王兵

邮政编码：100020

客服电话：400 - 8888 - 160/95162

公司网址：www. cifco. net

电子邮箱：cifco - zb@ cifco. net. cn

【公司概况】

中国国际期货有限公司（简称“中国国际期货”）于 1992 年 12 月 28 日在人民大会堂正式成立，主要股东为中期集团、中国中期（股票交易代码：000996）等，主营商品期货、金融期货、期货投资咨询、资产管理业务及基金销售业务，为中国证监会批准参与境外期货经纪业务试点筹备工作企业，是中国持续引领行业发展的期货龙头企业。公司注册资本金已达到 17 亿元，是目前国内注册资本金最高的期货公司，雄厚的资本实力和股东实力进一步增强了公司的竞争能力和抗风险管理能力，为业务创新及规模增长奠定了更为扎实的基础。

公司目前设置直属业务总部和北中国区、东中国一区、东中国二区、南中国一区、南中国二区六个区域分部，管理 50 家营业网点，拥有一支高端的、梯次配置优化的研究服务团队，云集大量具有海外工作和留学背景、名校毕业的高学历专业人才。

2006 年，获中国证监会批准，中国国际期货成为首批赴香港设立分支机构的期货公司之一，同年，获香港证监会批准，中国国际期货（香港）有限公司（简称“香港中期”）正式营业，在香港经营香港及国际期货业务。中期香港开业当年即实现盈利，并一直保持稳健经营。2009 年，中期香港成为实现境外交割的第一家国内期货公司分支机构。2010 年，栉风沐雨 17 年的中国国际期货成功实现“三合一”，公司进入更为稳健的阶段。2011 年，中国国际期货吸收合并珠江期货有限公司，拉开了国内期货行业强强合并的序幕。同年，作为中国曾经从事过境外期货业务代理的唯一一家获得境外三大期货交易所会员资格的期货公司，中国国际期货有限公司被中国证监会确定为参与境外期货业务试点筹备的期货公司。

作为行业的知名品牌，中国国际期货与时俱进，务实拓展，树立了良好的行业形象，多次获得行业内外的好评与表彰。公司先后获得“中国最具影响力企业”、“中国期货业特别贡献大奖”、“中国最佳期货公司”、“十大品牌期货公司”、“深圳知名品牌”、“深圳市政府金融创新奖”、“年度品牌期货公司大奖”、“北京市朝阳区优秀企业”以及期货交易所颁发的“最佳产业服务奖”等多项荣誉。

“始于梦想，止于至善”是中国国际期货一以贯之的核心价值观和行为模式，公司顺应政策导向，深刻把握市场变化和客户需求，励精图治，精耕细作，立足于期货市场基本功能的发挥，专注于期货与金融衍生品领域的广度和深度研究与服务，塑造了以市场化精神为核心的独特中期文化，铸就了享誉中外金融服务业的中期品牌。公司推出了系列化基础分析产品，并自主研发了“快枪手”交易系统、中期数据库、衍生品实

时风险预警与管理系统、策略宝变频程式化策略、中期商品指数等应用型金融产品系列。通过定期举办各种精品产业会议,如“橡胶高峰论坛”、“白糖高峰论坛”、“钢材高峰论坛”、“基金高峰论坛”等,积极为企业搭建交易咨询服务平台。2011 年,中国国际期货峰会的隆重举行也开启了中国国际期货打造行业高端论坛的序幕。2012 年,公司荣聘全球金融期货之父利奥·梅拉梅德先生、中国著名经济学家夏斌先生为公司首席顾问,提升公司专业服务能力。公司还结合市场需求,发起了“中小企业期货市场成长计划”、“走进企业,带专家上门会诊”、“区域产业结构优化助力计划”等创新活动,进一步丰富服务内容,提升服务质量。

多年来,中国国际期货与国内外各界媒体建立了长期、友好互惠的合作关系,通过视频连线、专题、评论、热点等节目制作,提升品牌建设和公众信誉度。中国国际期货不仅与新浪财经频道、和讯网、CCTV 财经网站、新华网、搜狐财经频道等网站媒体深入合作,定期发表研究院的科研成果,还通过 CCTV2、CCTV9、北京卫视、第一财经、东方卫视、深圳卫视等电视媒体机构,每日发布中期商品指数,参与制作一系列专题、评论、热点、连线等财经节目,成为商品期货类财经节目的业界知名品牌。同时公司也与《期货日报》、《证券时报》、《经济观察报》等国内一线财经报刊,进行全面合作,在期货行业内获得广泛好评。

在中国期货市场业务创新发展的新时期,中国国际期货进一步拓展战略发展空间,全新打造“柜台中期”、“网上中期”、“掌上中期”及“95162 语音中期”四位一体的立体式服务体系,竭诚为广大客户提供全方位、高水准、专业化的优质期货顾问式服务,努力实现客户资产的保值、增值,铸就期货行业的民族品牌,打造多元化、全方位的金融服务和风险管理平台。未来,我们将立足国内、面向全球,致力于建立中国最具核心竞争力的 24 小时不间断交易的中国期货及金融衍生品交易中心!

我们相信,一份辛勤、一份收获,未来的中国国际期货有限公司,通过励志图新,整合重组,与资本市场对接,形成覆盖国内外的经营服务网络,培养忠诚于中期发展的人才队伍,中国国际期货有限公司定会拥有更加辉煌的明天!

未来,我们将立足中国,放眼国际,引领期货行业发展,致力于建立最具核心竞争力的 24 小时不间断交易的全球期货及金融衍生品交易中心!

【公司荣誉】

2011—2012 年度奖项

首都文明单位

第五届最佳期货分析师评选——中国期货公司金牌管理团队

第五届最佳期货分析师评选——中国最佳期货公司

2011 年度优秀分析师团队奖

2011 年度中金所优秀会员金奖

2011 年度中金所适当性制度落实奖

国际期货荣获多项企业服务大奖

喜报:中国国际期货荣获 2011 年度朝阳区优秀企业称号

中国国际期货荣获东方财富网“2011 年度最佳期货公司”大奖

2010 年度最具影响力企业:中国国际期货

2010 年度第八届中国财经风云榜十大品牌期货公司:中国国际期货

第五届全国期货实盘大赛最佳服务奖:中国国际期货

第四届中国最佳期货经营机构评选中国最佳期货公司:中国国际期货

第四届中国最佳期货经营机构评选中国十佳期货营业部:中国国际期货上海营业部

中金所 2010 年度优秀会员金奖:中国国际期货

第四届中国最佳期货经营机构评选中国金牌期货研究院:第二名中期研究院

【公司大事记】

2015 年大事记

1 月,中国国际期货北京分公司、上海分公司、广州分公司、深圳分公司、武汉分公司、沈阳分公司、佛山分公司、南宁分公司、厦门分公司、成都分公司、大连分公司、河南分公司、江苏分公司、山东分公司隆重成立。为客户提供更优质的期货、金融衍生品、资管、风险子公司全流程服务!值此之际,推出全新“合伙人计划”,各地分公司董事总经理职位虚位以待,诚邀有识之士做事业合伙人。

1 月,中国国际期货获得“朝阳区人才工作先进单位”荣誉、新浪财经“2014 年度最佳期货综合实力奖”、大连商品交易所“2014 年度优秀会员奖”“最佳产业服务奖”、上海期货交易所“优胜会员奖”“产业服务优胜会员奖”“品种产业服务优胜会员奖”(包含铜、铝、锌、铅、黄金、钢材、天然橡胶、白银多产业)。

1 月 6 日,中国国际期货广州分公司发起公益募捐,将爱心奶粉及婴儿衣服打包寄送山东青州驼山圆觉寺,以供寺内收养的弃婴和病婴使用。

1 月 13 日,因业务发展需要,中国国际期货新增兴业银行期货保证金账户,为客户提供了更多元化的资金存取渠道。

1 月 25 日,中国国际期货广州分公司举办“2015 年国际天然橡胶跨年研讨会”,近 40 家产业链企业共 60 余名代表参加会议并发表了对市场的看法,现场气氛活跃。

1 月 27 日,中国国际期货获得上海证券交易所股票期权交易参与人资格。

1 月 28 日,中国国际期货获得中国证券登记结算有限责任公司结算参与人期权结算业务资格。

1 月 30 日,因业务发展需要,中国国际期货天津营业部营业场所由“天津市和平区大沽北路 2 号 –4202、4203”变更为“天津市和平区南京路 189 号津汇广场写字楼 2 座 14 楼 06 单元”。

2 月,中国国际期货在上海期货交易所 2014 年度颁奖中荣获“优胜会员奖”、“产业服务优胜会员奖”、“品种产业服务优胜会员奖”(包括:铜、铝、锌、铅、黄金、钢材、天然橡胶、白银多产业)

2 月,大商所表彰优秀会员,中国国际期货获多项荣誉:“市场发展优秀会员”、“产业服务优秀会员”、“品种发展优秀会员”、“品种产业服务优秀会员”

2 月,上证 50ETF 期权上市,中国国际期货获上证所股票期权交易参与人资格

2 月,辞旧迎新,公司各地营业部陆续召开年度总结会、举办客户答谢会

3 月 9 日,中国国际期货荣获中金所 2014 年度优秀会员金奖

3 月 10 日,河南、江苏分公司完成变更,领取分公司期货业务经营许可证

3 月 20 日,因公司战略发展需要,中国国际期货温州、洛阳、太原、天津营业部停止运营;各项业务转由杭州营业部、河

南分公司、北京分公司承接,不影响客户的正常交易。

4 月 8 日,中国国际期货广州分公司、东莞市同舟化工有限公司在广州联合举办“2015 中国橡胶论坛(广州)”。

4 月 25 日,中国国际期货广州分公司与大智慧新思维(新加坡)集团、大粤网、Oanda 安达公司共同举办“‘名师面对面’之投资者教育系列活动”。邀请了澳大利亚的全职交易员及基金经理 RayBarros、中期黄超、安达赵寅等三位讲师即席分享,南方分部许来仓先生为活动总结,现场近三百名投资者参与。

4 月,公司荣获 2012 - 2014 年度“首都精神文明单位”称号,这已是我公司连续第二次获此殊荣!

5 月 31 日,因公司战略发展需要,中国国际期货罗湖营业部停止运营;各项业务转由深圳分公司承接,不影响客户的正常交易。

6 月 12 日,因公司战略发展需要,中国国际期货合肥营业部停止运营;各项业务转由北京分公司承接,不影响客户的正常交易。

6 月 15 日,中国国际期货新疆分公司成立并获得期货业务经营许可证,正式营业。

6 月 30 日,因公司战略发展需要,中国国际期货上海遵义路营业部停止运营;各项业务转由上海分公司承接,不影响客户的正常交易。

7 月 6 日,中国国际期货南京营业部变更为南京分公司,经营类别新增新增期货投资咨询、资产管理业务。

7 月 31 日,因公司战略发展需要,中国国际期货长沙营业部停止运营;各项业务转由武汉分公司承接,不影响客户的正常交易。

8 月 14 日,因公司战略发展需要,中国国际期货重庆营业部停止运营;各项业务转由北京分公司承接,不影响客户的正常交易。

11 月 13 日,中国国际期货佛山分公司迁至广东省佛山市南海区桂城南海大道北 61 号第十三层。

10 月 19 日,中国国际期货广州分公司迁至广州天河黄埔大道西 76 号 1201 - 1203 房。

10 月 20 日,中国国际期货江苏分公司变更为江阴分公司。

10 月 31 日,因公司战略发展需要,中国国际期货海口营业部、南宁分公司停止运营;各项业务转由深圳分公司、广州分公司承接,不影响客户的正常交易。

11 月 13 日,中国国际期货在期货日报和证券时报联合主办的第八届中国最佳期货经营机构暨最佳期货分析师评选中获得中国最佳期货公司、最佳期货私募基金孵化奖;中国国际期货北京分公司获得最具成长性期货营业部奖。

11 月 27 日,因公司战略发展需要,中国国际期货石家庄营业部、长春营业部将停止运营;各项业务均转由广州分公司承接,不影响客户的正常交易。

西部期货有限公司

【基本情况】

法定名称:西部期货有限公司

注册资本:3 亿元

成立日期:1993 年 3 月 29 日

注册地址:西安市东新街 232 号陕西信托大厦九层

法人代表:陈杰

负 责 人:田伟

办公地址:西安市东新街 232 号陕西信托大厦九层

邮政编码:710004

公司电话:029 - 87406680

公司传真:029 - 87406644

客服电话:029 - 87406606、87406608、87406629

公司网址:www. westfutu. com

电子邮箱:xbqh@ westfutu. com

【公司概况】

西部期货有限公司(WESTERNFUTURESCO. , LTD.)是西部证券股份有限公司(002673SZ.)的全资子公司,公司注册资本 3 亿元,是中国金融期货交易所交易结算会员,上海、大连、郑州商品期货交易所会员。

公司主要从事期货投资咨询、期货资产管理以及金融期货、商品期货的经纪代理业务。公司以客户需求为导向,以技术创新为核心驱动力,致力于成为专业化资产管理以及风险管理服务提供商,为客户提供全面的资产管理服务以及极速交易的专业 IT 解决方案,不断进取、不断努力,与客户共同成长、共同进步。

经过多年的建设和积累,西部期货建立了一个基于 ITIL 最佳实践的 IT 运维和服务管理团队,有完善的 IT 运维管理、风险管理、系统开发、服务管理和项目管理等相关流程体系。完备的技术管理体系有效保障公司信息系统平稳安全运作,并通过技术创新不断提升系统性能、满足市场需求,为机构客户和程序化交易客户提供个性化专业服务。

西部期货核心交易系统采用专业化的综合交易平台(CTP),性能领先行业水平,同时不断追踪行业内先进技术,建设与全球市场同步的技术服务平台,依托交易所体系建立极速交易通道,可以满足各类专业客户全市场、全时段的交易需求,提供专业化 IT 解决方案。

公司紧跟期货行业发展趋势,结合自身定位和发展战略,致力于不断提升自身核心竞争力,目前已步入转型和创新发展新阶段。

中银国际期货有限责任公司

【基本情况】

中文全称:中银国际期货有限责任公司

注册地址:海南省海口市蓝天路 33 号京航大厦 17 楼

注册资本:3.5 亿元

法人代表:翟增军

办公地址:上海浦东世纪大道 1589 号长泰国际金融大厦 901 室

邮政编码:200122

公司总机:021 - 61088088

公司传真:021 - 61088066

客服电话:4008208899

公司网址:www. bocifco. com

电子邮箱:futures@ bocichina. com

【公司概况】

中银国际期货有限责任公司(以下简称“中银国际期货”)由中银国际证券有限责任公司全资设立,注册资本金为 3.5 亿元人民币。主要从事商品期货经纪、金融期货经纪业务、期货投资咨询、期货资产管理业务。中银国际期货是国内首家既有国有商业银行背景,又有创新类券商背景的期货公司，雄厚的股东实力在国内期货行业独树一帜。

中银国际期货拥有中国主要期货交易所的会员资格，专业代理客户进行期货交易、结算和交割等各项业务。公司由长期从事期货行业、经验丰富的精英组成，部门主管以上人员平均从业年近10年。公司专业的研究团队，汇聚了业内研究水平一流、实务操作成绩稳健的研究员作为核心力量；确保为客户提供高质量的专业咨询。同时，公司致力于为客户提供安全、快捷的网上交易系统、方便的银期转账和专业的交割服务。

中银国际期货依托中国银行打造的多业并举的金融业务平台，借鉴中银国际控股丰富的国际资本市场运作经验，紧密携手中银国际证券，在市场营销、研究发展、风险管理等方面进行全面合作，共同打造全方位金融服务的平台，为客户提供优质、全面及个性化的期货服务。在充满发展机遇的中国期货市场，中银国际期货致力于建成一流期货公司，与客户建立起紧密协作、共同成长的长期伙伴关系，成为客户最值得信赖的期货服务伙伴。

方正中期期货有限公司

【基本情况】

公司名称：方正中期期货有限公司

注册资本：3.4 亿元

注册地址：北京市朝阳区东三环北路38号院1号楼泰康金融大厦22层2201

法人代表：姜志军

邮政编码：100026

公司网址：www.founderfu.com

电子邮箱：wangxin6@foundersc.com

客户服务及投诉电话：4008802277

【公司概况】

方正中期期货有限公司是由方正证券控股90.62%的大型期货公司，注册资本3.4亿元人民币，目前在全国设有北京、天津、上海、广州、深圳、南京、苏州、扬州、常州、宁波、青岛、武汉、西安、包头、保定、邯郸、唐山、长沙、株洲、郴州、岳阳、娄底、常德等27家营业部；同时，方正中期期货依托方正证券200余家营业网点逐步打造覆盖全国的业务网络。

2013年方正证券收购北京中期期货60%股权，同时由北京中期期货吸收合并方正期货，合并后的公司更名为方正中期期货有限公司。原方正期货和原北京中期期货均拥有超过20年的发展历史，具有深厚的市场积淀和专业优势。

方正中期期货是中国期货业协会理事单位（001号会员）、北京期货商会副会长单位，为上海期货交易所、大连商品交易所、郑州商品交易所会员及中国金融期货交易所交易结算会员；公司具有开展商品期货和金融期货经纪业务资格，并陆续取得投资咨询、风险管理、资产管理业务资格，公司综合实力及总体盈利水平得以不断提升。

随着资本规模及经营规模的扩大，合并后的方正中期期货将以传统经纪业务为根基，加快期货金融衍生品、期货资产管理等创新业务的发展步伐，持续推动公司业务转型升级，不断提高期货业务的竞争力和总体盈利水平。

【公司荣誉】

2014 年

大连商品交易所2014年度“优秀会员奖”

大连商品交易所2014年度“最佳产业拓展奖”

郑州商品交易所2014年度“优秀会员奖（市场发展优秀会员）”

郑州商品交易所2014年度“品种发展优秀会员（稻谷）”

郑州商品交易所2014年度“品种产业服务优秀会员（稻谷）”

上海期货交易所2014年度“交易优胜会员”

上海期货交易所2014年度“产业服务优胜会员”

上海期货交易所2014年度“锌、铅产业服务优胜会员”

上海期货交易所2014年度“白银产业服务优胜会员”

中国金融期货交易所2014年度“优秀会员金奖”

第十二届中国财经风云榜“投资者最满意期货公司”

第十二届中国财经风云榜“金牌产业研究奖”

2014年“金貔貅奖”中国金牌收益力期货公司

大连商品交易所2014年度“优秀两板研究员”

大连商品交易所2014年度“优秀饲料养殖研究员”

大连商品交易所2014年度“优秀铁矿石研究员”

大连商品交易所2014年度“优秀油脂油料研究员”

大连商品交易所2014年度“优秀焦煤焦炭研究员”

大连商品交易所2014年度“优秀化工研究员”

上海期货交易所2014年度“优秀宏观分析师奖”

上海期货交易所2014年度“优秀贵金属分析师奖”

上海期货交易所2014年度“优秀铝分析师奖”

上海期货交易所2014年度“优秀分析师新人奖”

上海期货交易所2014年度“优秀有色金属指数讲师奖”

中国金融期货交易所股指期权仿真交易推广评比活动一等奖

上海证券报“最佳金属分析师奖”

ICBC 工银国际

▲2017年3月8日　工银国际拜会香港中国企业协会张夏令总裁

▲2017年2月15日　工银国际拜访香港交易所李小加行政总裁

工银国际控股有限公司（“工银国际”）是中国工商银行股份有限公司（“工商银行”）在香港的全资子公司。

作为一家在香港注册的公司，工银国际依托母行卓越的品牌、雄厚的资金实力、广泛的客户基础以及领先的金融产品，依托内地，立足香港，面向境内、境外资本市场，向广大的海内外融资客户及投资者提供企业融资、投资类业务、销售交易、和资产管理等四大产品线服务，分别是：1、企业融资，提供股票保荐承销、增发配售、企业并购重组、财务顾问服务，债券发行承销等；2、投资类业务，为企业提供股权、债务融资；3、销售交易，覆盖港股、沪港通A股、美股等多个市场的证券销售与经纪、期货/衍生产品及服务；4、资产管理，包括PE基金、公开市场资产管理等第三方资产等。另外，工银国际提供覆盖全球与中国的宏观经济、国际金融市场、环保、医疗

▲2017年3月24日 工银国际与清华五道口在北京成功举办了主题为"应对新变局，开拓新机遇——新形势下全球经济展望与投资机会研判"的春季投资论坛

▲2016年1月19日 工银国际会见天津市政府阎庆民副市长一行政府代表团

▲2016年2月24日 工银国际出席《国际金融评论》颁奖典礼

▲2017年1月5日 工银国际会见英国国际贸易事务大臣Dr. Liam Fox一行

▲2017年2月16日 工银国际陪同工商银行易会满董事长会见香港特区行政长官梁振英先生

▲2016年10月12日 工银国际参加桂港CEPA服务业务合作交流会

▲2016年5月11日 工银国际会见湖南省何报翔副省长一行政府代表团

等热门行业的市场研究服务。

作为工商银行的全资持牌投资银行平台，工银国际拥有高素质的国际化专业人才和管理团队，丰富的国际资本市场运作经验和过往业绩，多元化的产品服务和独特的投资者覆盖，在市场荣获多项荣誉：2012年-2015年，工银国际助力母行多次荣获《国际金融评论》评选的"中国最佳债券承销商"，2015年-2016年，助力母行荣获《财资》杂志评选的"中国最佳债券承销商"。

工银国际控股有限公司

www.icbci.com.hk

地址：香港中环花园道3号中国工商银行大厦37楼

电话：+852-26833888

电邮：info@icbci.com.hk

热线：+852-2683 3888

传真：+852-2683 3900

建银国际
CCB International

建银国际（控股）有限公司（“建银国际”）是中国建设银行股份有限公司（“建设银行”）之投行旗舰，旗下相关子公司业务围绕Pre-IPO、IPO与Post-IPO三大环节形成涵盖众多产品的完整投行产业链，竭诚为全球优质企业提供包括保荐与承销、财务顾问、企业收购兼并及重组、上市公司增发配售及再融资、直接投资、资产管理、证券经纪、市场研究、投资咨询及环球大宗商品交易等全方位的投行服务。

在企业融资和资本市场服务方面，以多种角色为数百家公司在全球资本市场融资，融资金额累计超过2万亿港币；在直接投资业务方面，挖掘与培育了多家行业领先企业，在取得优秀投资回报的同时与回报的同时与客户实现共赢；在资产管理业务方面，成立了多只私募与公募投资基金；在证券与研究方面，拥有雄厚的研究实力，为客户提供专业的研究咨询服务，并通过先进的交易系统为投资者提供高效服务。

全球化布局

不断加快国际化发展，打造国际化平台，以内地为基础，以香港为总部，在纽约、新加坡、伦敦等金融中心设立子公司（分部），依托建行集团全球网络，业务范围覆盖全球主要金融中心。

多功能优势

业务功能丰富，涵盖股票及债券发行、收购兼并、直接投资、资产管理、证券经纪、投资咨询、期货交易等完整的企业融资和资本市场服务产业链。

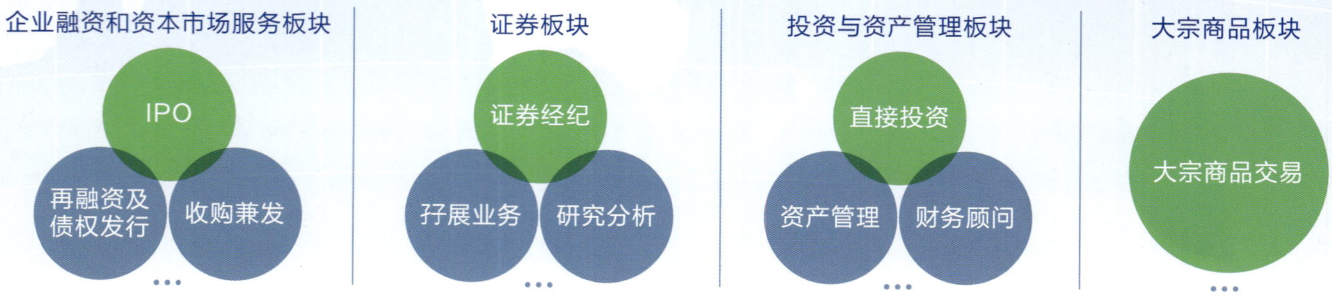

- 收购伦敦金属交易所（LME）九家圈内会员之一，成为LME第一家具有中资银行背景的圈内会员。
- 投资多个平台，涉及租赁、工程造价咨询、票据交易、保险等多个金融板块。

专业化优势

在全球拥有持牌机构6家（其中香港3家）。专业化团队具有丰富从业经验，IPO、发债、并购核心投行业务指标连续多年同业领先，研究能力受到权威认可。

创新性优势

产品创新能力强，与全球主要交易所开展合作，创新优化人民币投资产品，发行欧洲和欧元区第一只以人民币计价和交易的RQFII货币市场ETF，致力打造人民币投资产品全球交易平台。

打造全球创新投资中心，实现对全球创新型企业网络全覆盖，组建专业团队，跟踪硅谷、以色列、新加坡、香港、北京、上海、广东、深圳、苏州、天津、湖北等境内外最具创新力区域。与境内外著名高校、科研院所、平台机构密切合作，联手打造全球科研、产业和资本合作平台。实现对创新型企业资本覆盖，近年来投资了一批优秀的创新型企业。

➤ 协同优势

依托建行集团境内 1 万多网点、境外近 30 家机构网络资源、400 万对公客户和 3 亿多个人客户资源，以及丰富的产品资源，发挥协同优势，为客户合规实现“产业链上下游”、“产业与资本”、“商行与投行”、“境内与境外”四个打通。

➤ 品牌优势

品牌和影响力受到广泛认可，2016 年共获得境内外 30 多个重要奖项，包括：投中－Finacial Times“中国领袖投资人”（Top 3）；《环球金融》（Global Finance）2016 年“香港最佳投资银行”、“亚太区最佳股票行”；《财资》（The Asset）3A 国家奖 2016 年“香港本地最佳投资银行”及“香港最佳券商”。

联系方法

建银国际（控股）有限公司
香港：香港中环干诺道中 3 号中国建设银行大厦 12 楼
电话：852-3911 8000　　传真：852-2530 1496

建银国际（深圳）有限公司
深圳：深圳市福田区益田路 6003 号荣超商务中心 A 座 12 层
电话：0755-2382 7031　传真：0755-2382 8111-7031

建银国际（上海）有限公司
上海：上海市浦东区陆家嘴环路 900 号 37G
电话：021-6849 0169　传真：021-6849 0082

建银国际（中国）有限公司
北京：北京市西城区丰盛胡同 20 号丰铭国际大厦 B 座 9 层
电话：010-5630 2900
传真：010-6656 2760

建银国际财富管理（天津）有限公司
北京：北京市西城区丰盛胡同 20 号丰铭国际大厦 B 座 8 层
电话：010-5630 2701
传真：010-5630 2737
天津：天津经济技术开发区广场东路 20 号滨海金融街 E3-AB-302

E FUND MANAGEMENT (HK) CO., LIMITED
易方達資產管理（香港）有限公司

跨境资管平台，资产配置专家

我们执着于在长跑中胜出

易方达资产管理（香港）有限公司（「易方达香港」）成立于 2008 年，获得香港证监会核准，从事第一类（证券交易）、第四类（就证券提供意见）及第九类（提供资产管理）受规管活动。易方达香港作为易方达基金管理有限公司（「易方达基金」）唯一的国际业务平台，在香港布局多年，为全球投资者提供包括权益、固收及另类投资等类别的双向及跨境资产管理服务，并在香港本地、欧洲及美国布局了多只公募、私募及 ETF 产品。公司旗下产品多次被包括 Morningstar、Lipper、AsianInvestor、Benchmark 在内的权威机构授予殊荣，所获成绩在同行业中遥遥领先。

易方达香港的母公司是易方达基金管理有限公司，成立于 2001 年，总部位于广州，旗下设有北京、广州、上海等分公司和易方达香港、易方达资产管理有限公司等多个子公司。截至 2016 年 12 月 31 日，易方达基金员工 601 人，服务客户 5264 万户，旗下管理的各类资产总规模（含香港和国内子公司）10491 亿元，其中公募基金规模 4283 亿元，排名行业第三，并已连续 12 年排名行业前五，属中国规模最大的综合性资产管理机构之一。易方达基金拥有公募、社保、企业年金、专户、QDII、QFII、RQFII 等中国基金行业全部业务牌照。2014 年 8 月，易方达基金通过了全球投资业绩标准（GIPS）的独立验证，在投资业绩上的评估已达到国际标准，在国际化的道路上又迈出了坚实一步。

除了共享易方达基金的丰富资源外，易方达香港自身亦拥有三支经验丰富的投研团队——RQFII / QFII 投研团队，国际投研团队及另类投资团队。结合易方达基金的全球战略目标，易方达香港致力于运用专业化的管理能力，为境内外投资者在大中华区以及美国 ADR 市场提供优质的资产管理服务；并通过搭建国际资产配置平台，满足国内投资者对全球金融资产配置的投资需求。

一、务实的国际投研团队与专业的产品研发能力

目前，国际投研团队超过 20 人，大多具有国际名校及著名金融机构背景，其中超过一半投研人员从业经验超过 5 年。在产品研发方面，公司完善了三条投研线的布局（权益、债券及另类投资）。从机构投资者境外资产配置的角度，公司着力打造了需求旺盛、市场容量大且可复制性强的核心基金产品。

二、多市场、多币种、多策略、跨时区的运营能力

拥有多国的资产管理资格，能满足在中国大陆、香港、开曼、欧洲、美国等不同国家和地区产品的高效运作。

三、交易品种多、基础工具库齐全

交易品种覆盖美国及大中华区的股票、ETF、债券、可转债、银行资本证券、货币市场工具等权益和固收类品种，以及各类金融衍生品。

四、产品布局均衡，规模行业领先

公司产品布局非常均衡，旗下产品囊括了固定收益基金、权益基金、QDII 产品、专户及另类投资项目等各个种类。

五、自主开发的后台系统

易方达香港实现了业务流程的系统化、前台门户的动态化、监控措施的常态化和办公系统自动化。

六、合规体系完善、风险管理到位

易方达香港秉承全程风控的理念，将风险管理贯穿于业务发展的各个方面和环节。

易方达香港部分奖杯一览

易方达香港中环盈智大厦办公室前台

联系方式

电邮： HK_MS@efunds.com.hk

电话： (852) 3929 0976

地址： 香港中环金融街八号国际金融中心二期三十五楼零一及零二室

地址： 香港中环干诺道中四十一号盈置大厦十一楼

易方达香港微信公众号
EFUNDHK

易方达香港投研服务号
EFUNDHKI

金元顺安宣言：让财富管理更高效更安全

我们的财富管理产品，让包括普通老百姓、机构、第三方服务供应商和其他人士在内的所有参与者，都享有财富增值的机会。

我们相信，无论公司成长到哪个阶段，强大的共同价值观都可以让我们维持一贯的企业文化以及我们的公司的凝聚力。

我们的业务成功和快速增长有赖于我们尊崇企业家精神和风险控制意识，并且始终如一地关注和满足客户的需求，让财富管理更高效更安全。

金元顺安价值观

金元顺安基金致力于让每个人都能享受理财的乐趣，金元顺安运用了在价值投资的框架下形成独特的立体式分析的投资系统，用工匠精神做产品，用创新模式干掉中间环节，致力于让每个人，都能享用来自金元顺安的优质理财产品和最好的服务，凸显金元顺安的特色。

金元顺安基金培养员工战胜自己，热爱本职工作，顾全大局，不计较个人得失；以积极乐观的心态面对日常工作，碰到困难和挫折的时候永不放弃，不断自我激励，努力提升业绩；始终以乐观主义的精神和必胜的信念，影响并带动同事和团队；不断设定更高的目标，今天的最好表现是明天的最低要求。细微点滴之处，培养出了金元顺安独具特色的企业文化。

华宝兴业基金
Fortune SG Fund

董事长郑安国先生

华宝兴业基金管理有限公司成立于 2003 年 3 月 7 日，是国内首批中外合资基金管理公司。宝钢集团（现更名为宝武集团）旗下华宝信托持有公司 51% 股权，法国兴业银行旗下领先资产持有公司 49% 股权，股东背景强大，股权结构简单。公司始终把维护持有人利益放在首位，以“稳见智，信达远”为经营理念，以“基金持有人利益高于股东利益”为宗旨。公司成立至今已超过 13 年，拥有稳定的公司高管团队，现已成为一家向客户提供国内公募基金产品、海外投资基金产品和专户理财服务的综合性资产管理公司。

截至 2016 年末，华宝兴业共管理 49 只开放式基金，管理公募基金资产合计 1168 亿元，行业排名第 19（19/113）。在行业 & 主题基金领域，华宝兴业已布局 19 只公募基金产品，基本覆盖中国经济持续高成长投资主题和细分行业。

社会责任

自 2013 年起，华宝兴业发起了中国人口福利基金会“图书馆计划”小学图书室捐建项目，为福建、四川 8 所偏远贫困小学全体师生捐赠千册适龄读物及书架、桌椅等，共计投入金额 180,000 元。除此之外，还发起了中国人口福利基金会贫困“图书馆计划”小学互动阅读培训项目，帮助培训贫困小学教师阅读互动教学技巧，共计投入 25,000 元。

华宝兴业基金还成立了复旦“萌志训练营 – 华宝兴业”贫困大学生奖学金，奖励扶助优秀贫困大学生，共计投入 80,000 元。2016 年 11 月 19 日，华宝兴业携手萌基金在复旦大学光华楼举办了华宝兴业复旦奖学金颁奖仪式暨明星基金经理校友交流会。华宝兴业基金董事长郑安国先生上台致辞、华宝兴业明星基金经理刘自强先生上台发言。

荣获 2016 年度最佳海外投资基金公司大奖

任志强副总在公募 FOF 会议发言

郑安国董事长在复旦大学为学生颁发奖学金

公司荣誉

- 2017 年 1 月 6 日，东方财富网主办的“东方财富风云榜”揭晓，华宝兴业基金荣获“2016 年度最具创新力基金公司”、“2016 年度最佳海外投资基金公司”两大奖项。
- 2016 年 11 月 23 日，在新浪财经主办的 2016 金麒麟论坛暨中国（首届）波特菲勒奖颁奖典礼中，华宝兴业基金管理有限公司荣获 2016 中国（首届）波特菲勒“最受客户欢迎基金公司”奖。

地址：上海市浦东新区世纪大道 100 号环球金融中心 58 层
电话：021-38505888　　传真：38505777
Email：fsf@fsfund.com　　邮编：200120

截至目前，公司管理多只开放式证券投资基金，公司目前管理产品包括股票型基金、混合型基金、债券型基金、货币型基金、国际(QDII)型基金以及另类投资型基金，其中，股票型 2 只、混合型 25 只、国际(QDII)型 5 只、货币市场型 2 只、指数型 11 只。产品涵盖了从低风险低收益基金产品直至高风险高收益基金产品，可提供一站式不同风险收益产品选择服务。截至 2016 年 12 月 31 日，公司共管理 49 只公募基金，管理规模合计 1167.85 亿元。同业可比 113 家基金公司第 19 位。

截至 2016 年 12 月 31 日，行业基金资产净值 90967.72 亿元，我司管理基金资产净值市场占比市场占比 1.28%；截至 2016 年 12 月 31 日，根据银河证券数据，我司债券投资主动管理能力位居同业可比 82 家基金公司第 20 位，位居同类基金前 1/4 区间；截至 2016 年 12 月 31 日，根据银河证券周报数据，2016 年度我司以下基金业绩优异：华宝资源优选净值增长 16.34%，位居同类可比 372 只基金第 2 位；华宝量化对冲策略 (C 类) 年度净值增长 3.94%，(A 类) 年度净值增长 3.57%，分别位居同类可比 15 只基金第 1 位和第 2 位；华宝油气(人民币)净值增长 45.25%，位居同类可比 41 只基金第 2 位。

华宝兴业认养了陆家嘴中心绿地草坪，共计投入金额 18,000 元，为环保事业尽责，造福公众。

2016 年 11 月 26 日，华宝兴业基金总经理黄小薏女士受邀在雪球嘉年华上做主题演讲，题为“ 冰心一片到灵犀互通：中国资管业网络化重生 ”，分享自己的真知灼见。

2016 年 12 月 9 日，华宝兴业基金承办了由上海市基金同业公会业务发展与创新委员会主办的 FOF 新起点基金业务创新研讨会，吸引了近 30 家基金公司产品设计、机构投研等一线岗位的精英人士以及基金公司总经理、产品部门业务总监资深人士到场倾听、分享经验。

总经理黄小薏女士

华宝兴业国际部总经理周晶领取上海金融办海外金才奖

黄小薏总经理在雪球嘉年华演讲

- 2016 年 5 月 10 日，在《上海证券报》社主办的第十三届中国“ 金基金 ”奖评选活动中，华宝兴业基金管理公司荣获“2015 年度金基金 · TOP 公司奖 ”。

- 2016 年 1 月 13 日，在由瞭望东方周刊、中国董事局主办的“ 首届中国基金业营销创新高峰论坛暨金果奖颁奖典礼 ”中，华宝兴业基金管理有限公司获评“2015 年度中国最具品牌成长力基金公司 ”。

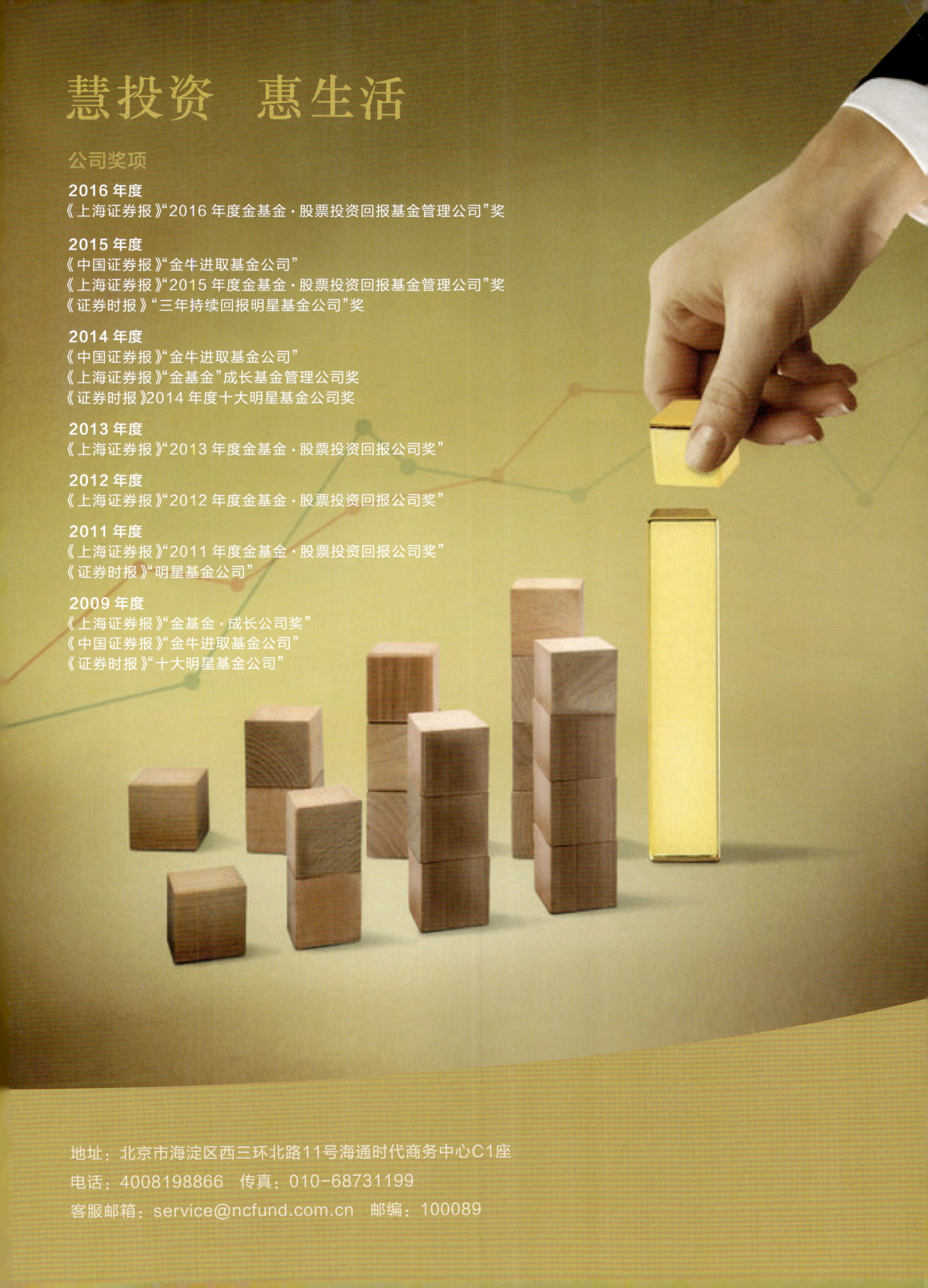

慧投资　惠生活
公司奖项
2016 年度
《上海证券报》"2016 年度金基金·股票投资回报基金管理公司"奖
2015 年度
《中国证券报》"金牛进取基金公司"
《上海证券报》"2015 年度金基金·股票投资回报基金管理公司"奖
《证券时报》"三年持续回报明星基金公司"奖
2014 年度
《中国证券报》"金牛进取基金公司"
《上海证券报》"金基金"成长基金管理公司奖
《证券时报》2014 年度十大明星基金公司奖
2013 年度
《上海证券报》"2013 年度金基金·股票投资回报公司奖"
2012 年度
《上海证券报》"2012 年度金基金·股票投资回报公司奖"
2011 年度
《上海证券报》"2011 年度金基金·股票投资回报公司奖"
《证券时报》"明星基金公司"
2009 年度
《上海证券报》"金基金·成长公司奖"
《中国证券报》"金牛进取基金公司"
《证券时报》"十大明星基金公司"
地址：北京市海淀区西三环北路11号海通时代商务中心C1座
电话：4008198866　传真：010-68731199
客服邮箱：service@ncfund.com.cn　邮编：100089

我们是一支“专业、纪律、协作”的团队
我们有一种“激情、包容、关爱”的文化
交银施罗德基金，致力于专业的投资和研究，策略前瞻，一路引航。

农银汇理基金
ABC–CA FUND MANAGEMENT

农银汇理基金管理有限公司于 2008 年 2 月 25 日获得中国证券监督管理委员会的设立行政许可，2008 年 3 月 18 日正式注册成立，是国内第 60 家基金公司、第 30 家合资基金公司和上海地区的第 30 家基金公司。公司注册资本金为人民币 20000.0001 万元，三方股东分别为中国农业银行、法国东方汇理资产管理公司(Amundi)、中国铝业股份有限公司(2016 年 8 月变更为中铝资本控股)。

经营状况与市场成就

(一) 公募基金产品、规模及业绩情况。

1、产品及规模情况。截至 2016 年底，公司旗下共管理 37 只基金，涵盖了股票型、混合型、指数型、债券型和货币市场基金，资产管理规模(AUM)1130 亿元，排名全行业第 20 位。(中国银河证券基金研究中心；截至 2016/12/31)

2、投资业绩。公司管理的农银中小盘混合基金，凭借一贯优异的投资业绩，荣膺 2015 年度"五年期开放式混合型持续优胜金牛基金奖"；农银区间收益混合基金在过去两年业绩回报率排名同业前 1/10 位 (来源：晨星；截至 2016/11/30)，并获评《上海证券报》"一年期灵活配置型金基金奖"和《证券时报》"2015 年度平衡混合型明星基金"。

产品发行仪式

(二) 专户业务及农银汇理 (上海) 资产管理公司业务情况。

目前，我公司还具有特定客户资产管理业务(通称为"专户业务")牌照，可以向符合条件的客户，以私募的方式募集资金，投资于上市的证券。

农银汇理 (上海) 资产管理有限公司 (以下简称农银汇理资管公司) 系农银汇理基金公司下属的全资子公司，成立于 2013 年 9 月，注册资本 2000 万元。该公司可以通过设立专项资管计划募集资金，投资于"未在证券交易所转让的股权、债权及其他财产权利"等非标准产品。

目前，公司的专户业务分为证券投资、专项资产管理计划和投资顾问服务三类。其中，证券投资类专户业务针对不同风险偏好的客户推出类企业年金产品、债券通系列产品和分级结构化系列产品；专项资产管理计划根据融资标的的不同分为项目融资、票据收益权、两融收益权、股权质押类、过桥通道类、资产证券化类、定向增发类等；投资顾问服务主要依托外方股东的资源优势，为境外客户提供 QFII 投顾业务。截至 2016 年末，资产管理规模(AUM)为 2928.94 亿元，排名全行业第 11 位。

公司荣誉

旗下权益类基金近两年绝对收益净值增长率为 30.32%，排名 29/74 位；近五年绝对收益净值增长率为 100.13%，排名 16/64 位；旗下固定收益类产品最近三年和最近五年的超额收益均排名全行业前十！（海通证券《基金公司权益及固定收益类资产业绩排行榜》、《基金公司权益及固定收益类资产超额收益排行榜》截至 2016/12/31）

公司投资总监付娟女士获评三年期权益类最佳基金经理；投资副总监史向明女士获评三年期纯债型最佳基金经理。（《证券时报》中国基金业英华奖评选；时间 2016 年 4 月 15 日）

农银中小盘基金 2015 年获“五年期开放式混合型持续优胜金牛基金奖”。（《中国证券报社》第十三届中国基金业金牛奖评选）

农银汇理债券投资能力获海通证券“五星”评级。（最高等级）（海通证券；截至 2016/10/28）

社会责任

在履行社会责任方面，农银汇理注重投资者教育、关注员工发展、追求企业与社会的和谐，并积极参与公益事业，回馈社会。日常经营中，农银汇理将公司业务和公益事业相结合。自 2009 年起，公司参与中国妇女发展基金会“大地之爱 · 母亲水窖”公益项目，同时开展电子对账单推广活动，鼓励基金持有人订制电子对账单取消纸质对账单，促进环境保护。

2012 年起，公司与“东昌金联”开展合作，携手华师大附属东昌中学开展“基金大讲堂”、视频讲座等活动，向广大师生传播正确的投资理念。

2016
中國證券業年鑒
CHINA SECURITIES YEAR BOOK

招商銀行
CHINA MERCHANTS BANK
因 您 而 变

信 我 信 未 来
hzbank 杭州银行
BANK OF HANGZHOU

协办单位

下

总第二十四期

图书在版编目(CIP)数据

中国证券业年鉴. 2016/ 中国证券业年鉴编辑委员会 编.
上海:复旦大学出版社, 2017.6
ISBN 978-7-309-13034-8

Ⅰ. 中… Ⅱ. 中… Ⅲ. 证券业—中国—2016—年鉴 Ⅳ. F832.91-54

中国版本图书馆 CIP 数据核字(2017)第 148036 号

中国证券业年鉴(2016・总第二十四期)
中国证券业年鉴编辑委员会 编

责任编辑　岑品杰　方毅超　谢同君　姜作达　王雅楠　戚雅斯
排版设计　上海众证文化传播有限公司
出版发行　复旦大学出版社有限公司出版发行
　　　　　上海市国权路 579 号　　邮编 200433
经　　销　新华书店
印　　刷　上海望新印刷有限公司
开　　本　850mm×1168mm　1/16
印　　张　176
插　　页　230
字　　数　5180 千字
版　　次　2017 年 6 月第 1 版　2017 年 6 月第 1 次印刷

定　　价　人民币 1980 元　港币 2280 元　美元 400 元

编辑说明

《中国证券业年鉴》秉承客观、公正、全面的原则，忠实记录我国证券市场的发展轨迹，向海内外各界人士宣传、展现我国证券市场的发展成就，并给后人查阅、研究我国证券市场历史年度的动态，提供权威资料。做好中国证券业历史的编辑整理工作，保证中国证券业历史记录的有序延续，是我们的历史使命。自1993年创刊以来，《中国证券业年鉴》已经逐渐成长为一个展示公司业绩、总结市场成就、记录中国证券业历史、向海内外各界人士展现和推介中国证券市场形象的权威窗口。《中国证券业年鉴》每年出版一次，分上、中、下三册向国内外公开发行。

《中国证券业年鉴》（2016·总第二十四期）主要反映本年度中国金融、证券、基金、期货市场及企业制度建设和发展方面的情况和最新动态，供海内外有关机关、社团、学校、研究部门、企事业单位及社会各界人士做进一步研究参考使用，为推动中国证券业的规范化和国际化、建设中国特色社会主义市场经济服务。

《中国证券业年鉴（2016）》内容设置专论、中国金融市场、中国证券市场、中国基金市场、中国期货市场、香港地区证券市场、新三板市场、中国证券业人物纪实与访谈、中国证券业年度人物、优秀企业选介等部分，另有彩色图片1200幅。

《中国证券业年鉴（2016）》的资料直接来源于公司的公告和报告，国务院有关部委及各省、自治区、直辖市相关单位提供的材料，保证了年鉴的权威性和准确性。《中国证券业年鉴（2016）》基本保持上一期的内容和体例，同时新增了香港证券市场的详细资料，记录了香港证券市场年度发展动态与市场成就，进一步展示了部分市场参与主体的良好形象。但由于中国证券业仍处于快速发展阶段，加上各地区的发展不平衡以及我们的水平有限，难免出现一些疏漏，敬请读者谅解和指正。

《中国证券业年鉴》由上海证券交易所、深圳证券交易所、香港交易所协助中国证券业年鉴编辑委员会共同编辑出版，在编辑过程中得到了国务院有关部门，中国证券监督管理委员会及各省、自治区、直辖市证监局，上海证券交易所，深圳证券交易所，香港交易所，全国中小企业股份转让系统及证券界有关领导、专家的指导和支持，在此我们表示最诚挚的感谢。

中国证券业年鉴编辑部

中国证券业年鉴理事会

（以下排名不分先后）

许义明	景顺长城基金管理有限公司	总经理
于　进	农银汇理基金管理有限公司	董事长
刘纯亮	国投瑞银基金管理有限公司	总经理
杨光裕	长城基金管理有限公司	董事长
朱治理	万和证券有限责任公司	董事长
范　力	东吴基金管理有限公司	董事长
余　政	民生证券股份有限公司	董事长
陈　重	新华基金管理股份有限公司	董事长
吴　坚	西南证券股份有限公司	总裁
秦斯朝	鹏元资信评估有限公司	副总裁
王文京	用友网络科技股份有限公司	董事长、总裁
杨　超	证通股份有限公司综合管理部	总经理
任开宇	金元顺安基金管理有限公司	董事长
徐建军	北京德恒律师事务所	副主任
张近东	苏宁云商集团股份有限公司	董事长
袁　泽	新疆新鑫矿业股份有限公司	董事局主席
陈　平	马应龙药业集团股份有限公司	董事长
李春宏	江苏连云港港口股份有限公司	董事长
徐　进	安徽口子酒业股份有限公司	董事长、总裁
方同华	黑龙江珍宝岛药业股份有限公司	董事长
倪永培	安徽迎驾贡酒股份有限公司	董事长
高　庆	南方产权联合交易中心有限责任公司	董事长
刘世春	金融街控股股份有限公司	董事长
于九洲	唐山冀东水泥股份有限公司	副董事长、总经理
宁中伟	安徽金种子酒业股份有限公司	董事长
谢长军	龙源电力股份有限公司	总经理
张永年	四川成渝高速公路股份有限公司	董事会秘书
刘　建	泰达宏利基金管理有限公司	总经理
吴晓东	华泰联合证券有限责任公司	董事长

中国证券业年鉴编辑委员会

地 址：上海市浦东新区桃林路 18 号环球广场 B 座 2809 室
邮 编：200135
电 话：021－61990079
传 真：021－68781179
邮 箱：csybook@ vip. 163. com
网 址：www. csybook. com

目　录

第一编　专　论

第二编　中国金融市场

第四编　中国基金市场

第六编　香港地区证券市场

第七编　中国新三板市场

第八编　中国证券业人物纪实与访谈

插页目录

上 册

中 册

下 册

2016 中国证券业年度人物

NEWS PHOTOS 新闻图片

香港证券市场·新闻图片汇展

2016猴年首个交易日，香港交易所主席周松岗(右)与集团行政总裁李小加在开市仪式上派利是。

2016年12月5日，众嘉宾举杯庆祝深港通启动。

2016年9月28日，中国邮政储蓄银行股份有限公司在香港上市，成为当年最大的首次公开招股。

李国华董事长为邮储银行成功上市点赞

邮储银行李国华董事长（左）与吕家进行长（右）共同鸣锣开市

邮储银行【1658.HK】高管团队合影

邮储银行李国华董事长在上市仪式现场接受海内外媒体采访

双向投资通航 沪港通顺利启动

2014年11月17日上午的开市锣声具有不同以往的历史意义。随着锣声响彻上海证券交易所交易大厅，沪港两地证券市场成功实现联通，也标志着中国资本市场的国际化进程进入新纪元。

11月17日，沪港通正式启动，上海证券交易所和香港交易所同时举行了开通仪式。上交所总经理黄红元与港交所行政总裁李小加分别在上海和香港主持仪式。

沪港通首日运行平稳

沪港通启动首日，早盘截至10：00，沪股通买入71.94亿元，卖出0亿元，使用额度约71.94亿元，剩余额度48.06亿元。港股通买入8.54亿元，卖出0.11亿元，使用额度约7.81亿元，剩余额度97.19亿元。

截至16：00，上证综指报2474.01点，下跌0.19%，成交额1992.65亿元。沪港通指数报2152.85点，下跌0.23%。

其中，沪股通买入120.82亿元，卖出0亿元；报进买单未成交但未撤单的占了9.18亿元；合计使用额度130亿元，剩余额度0亿元。触及单日额度限制。

港股通买入22.38亿港元（人民币17.73亿元），卖出1.06亿港元（人民币0.84亿元），使用额度17.673亿元，剩余额度87.327亿元。

沪港通首日运行情况平稳，这为我国资本市场今后继续推动双向开放奠定了良好基础。沪港通的启动是一个起点而不是一个终点，上交所将持续做好运行保障工作，为投资者创造更加规范化、市场化的投资环境，更好地保护好投资者的利益。

01 行政长官梁振英主持沪港通开通仪式

02 香港特区行政长官梁振英（中右）和香港交易所主席周松岗（中左）在香港交易所一起敲锣，宣布沪港通正式开通。

03 香港特区行政长官梁振英（右六）和香港交易所主席周松岗（左六）等嘉宾在开通仪式上祝酒。

香港证券市场·新闻图片汇展

01

02

03

01 2014 年 11 月 17 日，上海与香港两地股票交易互联互通机制试点（沪港通）启动仪式在上海证券交易所和香港交易所同时举行。

02 在香港交易所举行“沪港通”开通仪式上，港交所集团总裁李小加与上海交易所视像对接，介绍两地正式启动“沪港通”。

03 四方协议由香港交易所集团行政总裁李小加、上交所总经理黄红元及中国结算总经理戴文华共同签订。

04 沪港通开通仪式上，香港交易所主席周松岗（右）与上海证券交易所副总经理徐明在开通仪式上交换纪念品。

05 2015 年 11 月 17 日沪港通开通一周年总结暨研讨座谈会在上交所召开。

04

05

沪港通 (2016年1月1日至12月30日)	沪股通	港股通
成交额最高纪录（买盘 + 卖盘）	74亿元人民币（2016年3月18日）	120 亿港元（2016年9月9日）
平均每日成交金额（买盘 + 卖盘）	32.12亿元人民币	36.26亿港元
成交总额（买盘 + 卖盘）	7,450亿元人民币	8,270亿港元
平均每日成交宗数（买盘 + 卖盘）	136,143宗	59,620宗
每日额度最高用量	50亿元人民币（用量39%） 于2016年8月16日	61亿元人民币（用量39%） 于2016年9月9日
交易日数	232日	228日

NEWS PHOTOS

新闻图片

深港通开通 资本开放不停步

2016年12月5日9时30分，随着深圳证券交易所、香港交易所分别敲响开市钟和开市锣，备受关注的深港通正式“通车”。这是沪港通之后我国资本市场对外开放的又一里程碑，由此，沪深港“共同市场”成形，中国资本市场对外开放又迈出重要一步。

12月5日，深港通正式开通。深圳证券交易所和香港交易所同时举行开通仪式，深交所总经理王建军与港交所行政总裁李小加分别在深圳和香港主持仪式。

深港通启动首日 运行顺畅，交易平稳

深港通启动首日，运行顺畅，交易平稳。深证成指收盘10784.33点，下跌128.3点，跌幅1.18%，恒生指数报收于22505.55点，下跌59.27点，跌幅0.26%。

深股通方面，买入26.69亿元，使用额度27.11亿元，当日剩余额度102.89亿元，标的股票中有464只发生交易，其中主板169只、中小板247只、创业板48只，交易金额分别为14.78亿元、9.76亿元、2.15亿元。

港股通方面，买入9.02亿港元(人民币8.23亿元)，卖出0.21亿港元(人民币0.18亿元)，使用额度8.50亿元，当日剩余额度96.50亿元，标的股票中有348只发生交易，其中恒生综合大型股78只、恒生综合中型股151只、恒生综合小型股99只、不在指数内的A+H股20只，交易金额分别为0.43亿港元(人民币0.38亿元)、3.15亿港元(人民币2.79亿元)、5.12亿港元(人民币4.54亿元)、0.52亿港元(人民币0.46亿元)。

据统计，全天深股通成交人民币26.69亿元，港股通成交9.23亿港元。深港通首日交易运行顺畅，交易平稳，沿着开放的道路向前走，中国资本市场的未来值得期待。

01 行政长官梁振英(十二月五日)上午在香港交易所主持深港通开通仪式，并在开通仪式上致辞。

02 香港特区行政长官梁振英(右)和港交所主席周松岗共同鸣锣开市，庆祝深港通正式启动。

03 继沪港通后，深港通亦于今日(十二月五日)正式启动，沪深港形成金融大市场，三地市值高达70万亿。

香港证券市场·新闻图片汇展

01 2016年12月5日，深圳证券交易所举行深港通开通仪式。中共中央政治局委员、广东省委书记胡春华，中国证监会主席刘士余共同为深圳证券交易所交易敲钟开市，深港通正式启动。

02 港交所行政总裁李小加（左）和深交所总经理王建军进行视频互动。

03 四方协议由香港交易所集团行政总裁李小加、深交所总经理王建军及中国结算总经理戴文华共同签订。

04 深港通开通仪式上，香港交易所与深圳证券交易所互赠纪念品。

05 深圳证券交易所举行深港通敲钟开通仪式。

深港通 (2016年12月5日至12月30日)	深股通	港股通
成交额最高纪录（买盘＋卖盘）	36亿元人民币（2016年12月9日）	9.23亿港元（2016年12月5日）
平均每日成交金额（买盘＋卖盘）	15.41亿元人民币	5.09亿港元
成交总额（买盘＋卖盘）	260亿元人民币	92亿港元
平均每日成交宗数（买盘＋卖盘）	65,229宗	14,706宗
每日额度最高用量	27亿元人民币（用量21%）于2016年12月5日	8.50亿元人民币（用量8%）于2016年12月5日
交易日数	17日	18日

NEWS PHOTOS 新闻图片

工银国际控股有限公司 ▼

2016年2月24日，工银国际出席《国际金融评论》颁奖典礼

2016年10月12日，工银国际参加桂港CEPA服务业务合作交流会

2017年3月24日，工银国际与清华五道口在北京成功举办了主题为“应对新变局，开拓新机遇—新形势下全球经济展望与投资机会研判”的春季投资论坛”

2017年1月5日，工银国际会见英国国际贸易事务大臣Dr. Liam Fox一行

交通銀行信托有限公司 ▼

2007年4月25日，广东中华民族文化促进会与交银信託举行《广东文化基金》信託契约签署仪式。

2013年3月28日，由交通银行总行成立之交银资产托管中心(香港)举行成立仪式

交银信托30周年庆典

交银信託上世纪八十年代已开始提供公积金管理服务

香港证券市场·新闻图片汇展

易方達資産管理（香港）有限公司 ▼

易方达香港获《亚洲资产管理》杂志颁发的最佳中资基金公司（香港地区）殊荣

易方达成立十五周年员工大会，香港子公司同事和公司领导合影

易方达香港CEO黄高慧女士为公司年度最佳员工颁奖

易方达香港获得《彭博商业周刊（中文版）》领先基金大奖

富國資産管理(香港)有限公司 ▼

2015年富国香港巴黎路演

2016年富国香港高级管理层出席ETF产品伦敦上市仪式

2016年富国香港迪拜投资论坛

富国香港高级管理层周旭昇、张立新、许汉华

NEWS PHOTOS
新闻图片

股票简称：国泰君安国际　股票代码：01788.HK

国泰君安国际由阎峰主席兼行政总裁带队参加公益金港岛区慈善百万行

国泰君安国际获得亚洲风险杂志“亚洲风险管理大奖 – 2016年最佳券商”

2016年，国泰君安国际与悉尼证券交易所及宝泽金融集团就信息共享、项目合作及金融合作等签订战略合作协议，建立中港澳资本市场互通新平台

国泰君安国际获得中国融资杂志“最佳IPO项目保荐人奖/最具投资价值奖”

股票简称：华虹半导体　股票代码：01347.HK

2017年6月9日，华虹半导体子公司华虹宏力举办2017年度技术论坛

华虹半导体董事会成员和董事会秘书集体合影

华虹半导体二零一七年股东周年大会

2014年10月15日，华虹半导体在香港联合交易所主板上市

香港证券市场·新闻图片汇展

股票简称：创美药业　股票代码：02289.HK

2016年3月20日，创美药业与SAP公司战略合作签约仪式

2016年4月15日，创美药业荣获《药品冷链物流运作规范》国家标准试点企业

2016年2月27日，感恩十五载，携手再前行——创美药业上市客户答谢会

2016年3月24日，2015年全年业绩发布会

股票简称：伟禄集团　股票代码：01196.HK

伟禄集团主席林晓辉博士与广东粤财投资控股有限公司
董事长杨润贵一行就合营成立粤港证券股份有限公司一事交流意见

伟禄集团与广东华兴银行深圳分行签订战略合作框架协议

伟禄集团荣获BIVA最具投资价值上市公司奖

伟禄集团在深圳福田举办“联线深港通投资者分享会”

國泰君安國際
GUOTAI JUNAN INTERNATIONAL
您能把握「AH互通」
带来的机遇吗?
全面金融
服务及产品
强大网上
交易平台
倍受赞誉的
风险管理
创新跨境
金融方案
以中、港两地投资经验，为您创造互通优势
经纪业务 | 企业融资 | 借贷及融资 | 金融产品 | 资产管理
www.gtja.com.hk
查询热线：(852) 2509 7524 / (852) 2509 7548
Wechat ID:GTJA_HK
香港联交所上市股份编号：1788.HK

国泰君安国际

跨境资本桥梁 财富管理专家

无惧市场大幅波动，盈利持续稳定上升
度身定制产品服务，风险管理创造价值

国泰君安国际控股有限公司（“公司”或“国泰君安国际”，股票代码：1788.HK）通过提供一站式全球交易平台，高效的融资支持、专业的投行服务、丰富的资管产品、多元化的创新产品及服务，为内地企业海外融资创造机遇，为内地和海外投资者的跨境投资提供便利。

国泰君安国际在跨境投融资领域一直保持业内领先地位。公司于 1995 年进入香港市场，是首批在香港开展业务的中资券商。2010 年通过 IPO 在香港上市成为在香港交易所主板上市的第一家中资投行。2011 年入选香港恒生综合指数金融成份股，2015 年被纳入为恒生综合大中型股指数成份股。

近年来，国泰君安国际凭借多元化的业务线和产品创新，总资产迅速扩张。受益于借贷及融资、企业融资、固定收益证券、结构性金融产品和做市业务发展迅速，公司逐步由以证券经纪为主的传统型券商演变成为一家以优化客户回报为目标，提供度身定做金融产品和投融资服务的财富管理专家。公司管理层一直秉承审慎稳健的管理风格，在强调以创新求发展的增长模式同时，有效管控市场风险、信用风险、操作风险和合规风险，受到内地和海外客户及公司股东的高度认可及信任。截至 2016 年底，公司客户总数超过 13 万。

2012 至 2016 年间，国泰君安国际股本回报率持续保持在两位数以上，在证券和金融行业首屈一指。在 2016 年上半年股市大幅波动和经济放缓的不利背景下，公司 2016 年实现收益 25 亿港元，较上年增长 11%；年内溢利 10 亿港元，继续保持稳定上升。公司在年内持续多元化发展，金融产品，做市及投资、企业融资、贷款及融资成为公司主要的增长动力，相应收入分别同比增长 135%、62% 及 21%。

展望未来，国泰君安国际充满信心。公司将以稳健经营、突出风控的价值理念，以创新的产品和服务帮助我们的客户实现财富保值增值，保持公司盈利跨市场周期持续稳步上升。

风险管理创造价值

公司通过完善的风控体系、严密的风控制度、明确的风险偏好和指标，有效地将风险管理渗透到各业务线，确保业务收入和盈利表现持续稳定增长，从而为公司创造价值。2016 年国泰君安国际获标普 BBB 级、穆迪评 Baa2 级信用评级，同年更被《亚洲风险杂志》评为 2016 年度最佳券商。

领先的在线交易平台

国泰君安国际拥有强大的在线交易平台，提供一站式全球证券、期货、外汇交易服务，并提供移动应用，支持 8 个市场股票交易、超过 20 个期货及期权市场、8 种主要货币对及 21 种交叉货币对的杠杆式外汇交易。

强大的母公司支持

国泰君安国际是中国证券行业居领先地位的国泰君安证券股份有限公司（股票代码：601211.SH）的主要境外业务平台及国际化发展关键支点。母公司强大的品牌优势、广泛的客户基础和充沛的资本支持，将成为国泰君安国际在未来持续增长再创辉煌的巨大推动力。

总资产、净资产

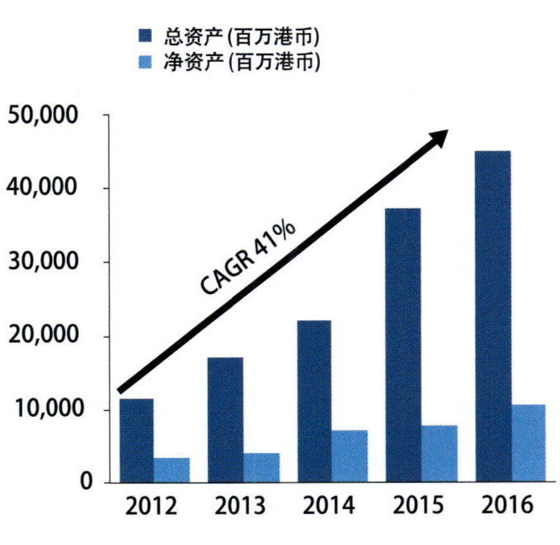

收入、净利润

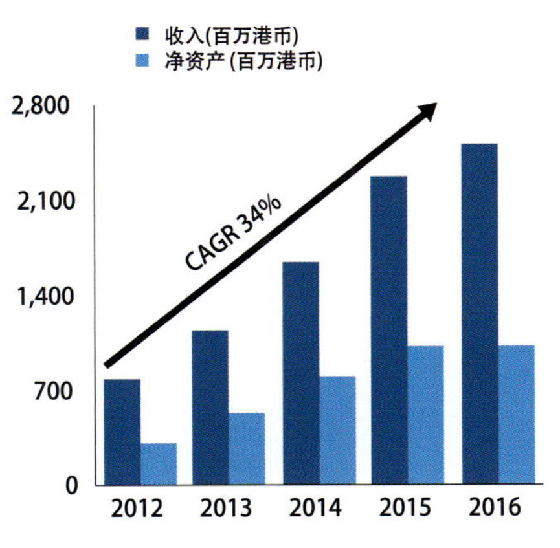

联系方式

投资者关系/公关咨询
电话：+852-25092604
传真：+852-25090030
电邮：lydia.zhong@gtjas.com.hk

國泰君安國際
GUOTAI JUNAN INTERNATIONAL

中国海外发展有限公司
CHINA OVERSEAS LAND & INVESTMENT LTD.

股份代号：0688.HK

稳中求进 品牌经营

500强子公司 同业市值领先

中国海外发展有限公司（下称「中海发展」或「公司」）是世界500强企业中国建筑股份有限公司（下称「中国建筑」；股份代号601668.SH；2016年财富世界500强第27名）旗下房地产业务的骨干平台，于1992年8月在香港联合交易所上市，主要业务包括地产发展、物业投资、规划及建筑设计等。时至今日上市25载，价值创造能力保持行业领先，发展为内房市值最大蓝筹上市公司之一。

资本市场的开拓者和践行者

中海发展业务持续增长，财务稳健。2007年12月10日，公司获纳入为香港恒生指数成份股，并多次获选恒生可持续发展指数（2010至今）及道琼斯可持续发展指数（2012至今），彰显公司在各方面取得卓越成绩。中海发展更于2013年获得标普／穆迪／惠誉国际评级机构给予BBB+/Baa1/BBB+的投资评级，其后于2015年更获惠誉提升投资评级至A-，同时内地评级亦达到最高的AAA（联合资信），反映境内外资本市场对公司在中国房地产市场及财务稳健的高度认可。

公司与中、港两地交易所保持了长期良好的合作关系，通过交易所平台多次成功进行资本运作，2005年分拆中国建筑国际集团有限公司(3311.HK)在港交所上市；2010年收购港交所上市公司蚬壳电器，并更名为中国海外宏洋集团有限公司(81.HK)；2015年分拆中海物业集团有限公司(2669.HK)在港交所上市，中海系上市公司协同发展，日益壮大。同时，公司持续通过中、港交易所平台进行融资。上市后至2008年的多次股权融资；加上2015年以来，通过上海证券交易所平台发行人民币债券；以及多年来在港交所亦发行了多笔外币债券，包括中国房地产企业发行的首笔欧元债。

佛山环宇城

广州中海花湾壹号

北京中海地产大厦

恒生可持续发展指数

中国房地产开发企业品牌价值10强

优质品牌　载誉中港

目前，公司业务遍布港澳、英国伦敦及中国内地多个经济活跃城市，已成功投资开发了众多畅销的精品楼盘，深受消费者欢迎和认可。中海发展定位中高端住宅精品市场，实行精品化的产品策略，以精品项目满足市场和客户的需求，以鲜明的产品特质与专业化的管理驰誉市场，同时建立了全过程、立体化的客户服务网络，为客户提供专业化、个性化的服务。 2016年，中海地产品牌连续十三年荣获「中国房地产行业领导公司品牌」，品牌价值达人民币519.06亿元，蝉联行业第一。未来，公司将透过不断创新，提升独有竞争优势，稳中求进、品牌经营，实现可持续增长，达到公司、股东、合作伙伴、员工、社会等全面持续增值，和谐共赢。

公司网站：www.coli.com.hk

景顺长城，中美合资第一家

—— 为每一个信赖我们的客户持续地创造财富 ——

公司前台

2016年国内经济形势和金融市场跌宕起伏，A股年初即遭遇熔断，股指期货投资与境外业务受限，债券市场信用违约频繁，监管环境也日益趋严，再加上年末债市调整，资金面持续紧张，确实给基金行业带来不少的挑战。在这样的市场环境中，景顺长城基金围绕年初制定的战略目标，努力争取各项业务机会，依然取得了不错的成绩，促使最终公司管理规模接近1,300亿元，较年初增长25%。旗下公募和专户产品数量突破百只，日益丰富的产品线使得景顺长城基金有能力为客户提供投资解决方案而非单个产品。

具体到各个业务线都有自己的亮点。业绩方面，2016年新成立的基金业绩表现优异，截至2016年12月31日，环保优势股票基金成立以来收益为19%，低碳科技混合基金为15.43%。量化投资业绩亮眼，以成熟的模型获得了中长期稳定的超额收益，3只量化基金各时期业绩都处于同类前1/4。沪深300指数增强基金荣获晨星三年期5星评级，成立以来收益在所有12只可比的沪深300增强基金中排名第1。

销售方面，2016年景顺长城基金共发行了10只公募基金，专户业务继续快速发展，规模都实现了增长。客户类型和产品数量都得到进一步拓展，银行理财业务的份额占比继续加大。值得一提的是，景顺长城子公司——景顺长城资产管理（深圳）有限公司在市场上首创“沪港通组合+股指看跌期权”专户产品，受到投资者欢迎。

除此之外，景顺长城基金的中后台业务部门在2016年一如既往的努力和突破。市场服务部继续保持在数字营销和电商业务的竞争力。运营部门进一步提升系统处理速度，完成国债期货产品、财务“营改增”等系统上线，有效地支持了公司业务发展。合规部门确保全年无违规事件发生，为公司各项业务保驾护航。行政人力部门则继续为公司发展提供了稳定的后勤保障和很好的服务。

托管 就是平安

平安银行资产托管事业部总裁：陈正涛先生

平安银行于 2008 年 1 月 4 日经报备深圳市银监局核准，获得运营信托保管业务资格；2008 年 8 月 6 日经中国证监会及银监会核准，获得证券投资基金托管资格；2010 年 1 月 2 日经中国银监会及全国社保基金理事会核准，获得全国社会保障基金托管资格；2013 年 3 月 29 日经中国保监会及银监会核准，获得保险资金托管资格。目前我行已开展涵盖证券投资基金、基金公司(含子公司)客户资产管理、信托财产、商业银行理财产品、私募投资基金、全国社会保障基金、保险资金、跨境资产、其他创新产品等二十余种资产托管产品和服务，与众多基金公司、证券公司、信托公司、商业银行、PE 公司等紧密合作。此外，我行自主开发的“金橙管家”基金服务平台，涵盖销售监督、募集监督及运营管理服务，能更好地服务于广大客户。

平安银行资产托管业务近年发展迅猛，已跻身于股份制银行第二梯队。截至 2017 年 1 月 31 日，平安银行资产托管净值规模超过 5.45 万亿，较上年末增长 39%；同时，截至 2016 年末，平安银行托管规模净值占总托管市场份额为 4.48%，较上年末上升 27BP。

事业部是平安银行基于“以客户为中心”的理念，按照“流程银行”的要求，实行由成本中心向利润中心的转变，对重点行业、重点业务进行嵌入式管理，专业化、集约化经营的重要举措，承担着银行转型发展的重要任务。自 2013 年平安银行全面实施事业部制以来，作为产品事业部的平安资产托管事业部充分发挥事业部灵活机制，实行资源集中管控、试行托管业务经营所有权与经营管理权相分离模式，构建“总分一体、统一布局、前置营销、贴身服务”的一级经营营销体系，实现被动型→主动型、银行内→市场上、操作型→服务型、单一化→多元化、重规模→规模效益、跟随型→创新型、集中运营→分层运营转变，客户基础与盈利能力得到显著提升，竞争优势日趋明显，创出一条有特色的发展之路，为托管业务的跨越发展打下良好基础。

平安银行密切跟踪资产管理行业政策和市场形势变化，及时研究并落地大资管潮流中新的托管业务机会，紧盯互联网机遇，加快推进具有战略意义的新兴托管业务发展。2015 年，平安银行担任业协会“互联网金融资金存管业务课题组”组长单位并积极推进相关课题研究，有效促进互联网金融存管。2017 年 3 月，平安银行正式推出“存管家”网络借贷资金存管业务。在产品和模式创新上，平安银行落地 QDII/QDIE 跨境投资类托管业务、企业资产证券化托管业务等新产品 5 类，开发新模式 24 项，创新设计陆金所网络投融资平台和私募基金销售资金监督模式。

陈正涛总裁接受中国银行业协会托管业务专业委员会第四届主任单位聘书

何之江副行长会见中国银行业协会秘书长黄润中一行

平安银行网络借贷资金存管业务产品正式发布

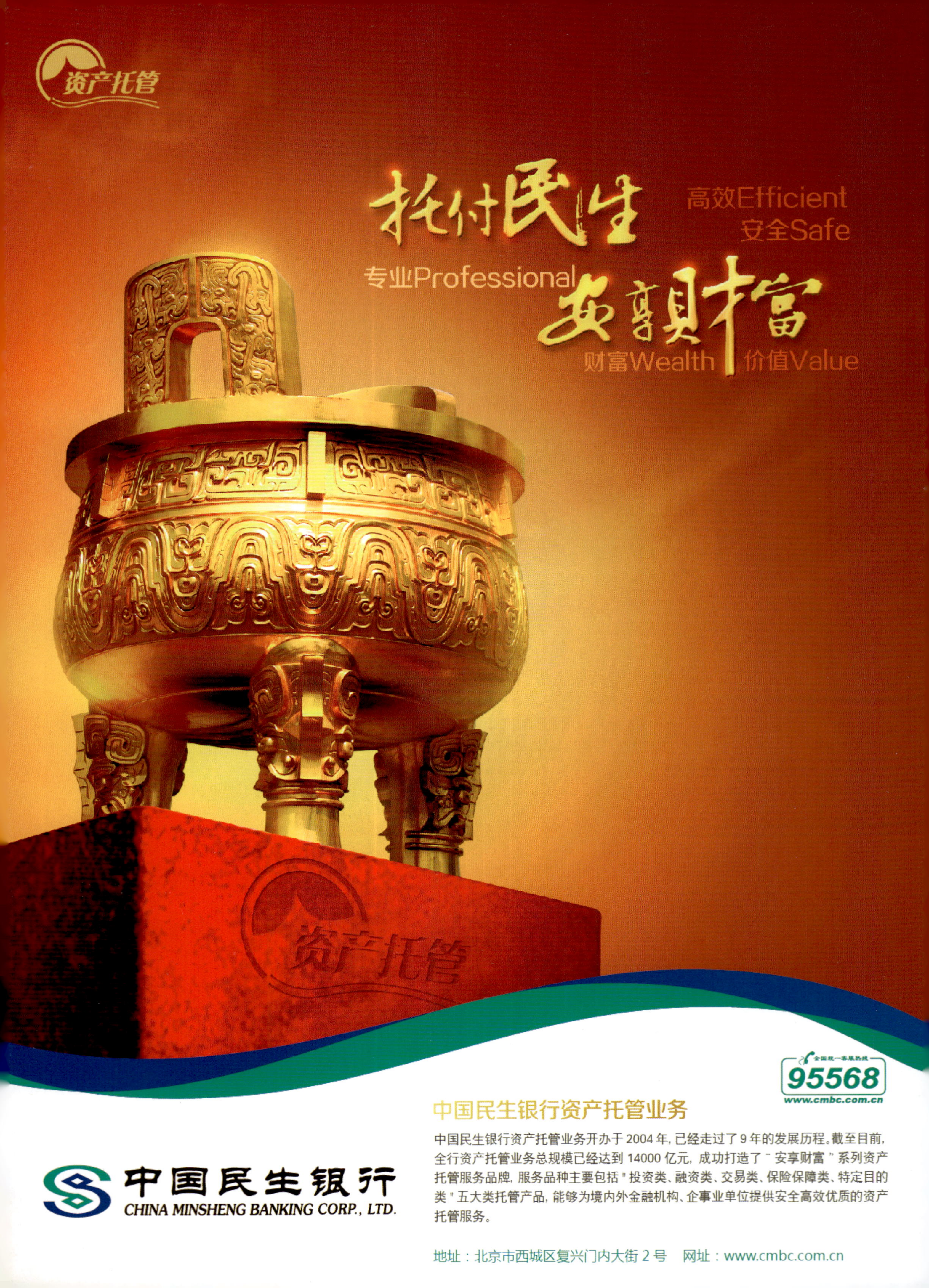
资产托管
托付民生
高效Efficient
安全Safe
专业Professional
安享财富
财富Wealth
价值Value
资产托管
全国统一客服热线
95568
www.cmbc.com.cn
中国民生银行资产托管业务
中国民生银行资产托管业务开办于2004年，已经走过了9年的发展历程。截至目前，全行资产托管业务总规模已经达到14000亿元，成功打造了"安享财富"系列资产托管服务品牌，服务品种主要包括"投资类、融资类、交易类、保险保障类、特定目的类"五大类托管产品，能够为境内外金融机构、企事业单位提供安全高效优质的资产托管服务。
中国民生银行
CHINA MINSHENG BANKING CORP., LTD.
地址：北京市西城区复兴门内大街2号　网址：www.cmbc.com.cn

CDSE 华龙证券

证券简称：华龙证券
证券代码：835337

华龙证券股份有限公司

华龙证券股份有限公司，成立于 2001 年 5 月 18 日，是由甘肃省人民政府组织筹建，经中国证监会批准设立的综合类全牌照证券经营机构。

华龙证券主营业务范围包括证券经纪、证券投资咨询、证券承销与保荐、财务顾问、证券自营、证券资产管理、融资融券、代销金融产品、直接投资、证券投资基金代销、为期货公司提供中间介绍业务等。

经过多年发展，公司已拥有广泛的客户资源、良好的社会形象和品牌影响力，形成了在全国金融中心及重点城市有机构、无缝隙覆盖甘肃全省的网点布局。在北京、上海、深圳、重庆、杭州、无锡、合肥、乌鲁木齐、西安、成都、长沙、武汉、济南等国内主要中心城市及甘肃省内各地市设立了 12 家分公司和 70 多家证券营业部。同时，公司始终坚持多元化发展的理念，积极构建金融控股集团架构，在北京主发起设立的华商基金管理公司，已成为国内知名的资产管理机构。公司控股的华龙期货，成为国内第四家实现新三板挂牌的期货公司。公司全资直投子公司——金城资本管理有限公司，2015 年度基金管理规模在券商中排名前 20 位。公司主发起设立的甘肃股权交易中心，已成为西北地区发展最快的区域股权市场。

公司大力实施人才战略，现有员工中本科以上学历员工超过 90%，其中硕博士以上学历人数达 26%，是国家教育部和科技部批准设立的博士后定点工作站。

公司始终坚持“深耕甘肃，立足西北，放眼全国”的发展战略，遵循“高效务实、勤勉敬业、团结协作、稳健睿智”的经营理念，凭借专业化的优质服务，诚信、务实、高效、敬业的团队精神，取得了显著的经济效益和社会效益。2009 年成功保荐首批创业板企业发行上市，成为首批保荐企业在创业板上市的 17 家证券公司之一，2012 年新三板扩容后，成为首批推荐企业在新三板挂牌的证券公司。自 2008 年起，先后七次荣获“省长金融奖”。公司于 2016 年 1 月在新三板挂牌，成为全国性的公众公司，品牌影响力进一步提升，为甘肃资本市场服务实体经济发挥着重要的桥梁纽带作用。

办公地址：
甘肃省兰州市城关区东岗西路638号兰州财富中心21楼

第六编
香港地区证券市场

第一章　香港证券市场概况

第一节　深港通专题

迎接互联互通 2.0 时代

——写在深港通开通前夕

香港交易所集团行政总裁　李小加

今年的 12 月 5 日注定将是一个特殊的日子，因为我们翘首以盼的深港通在那天就要开通了！如果说两年前开启的沪港通是香港交易所互联互通机制的 1.0 版本，为我们开创了一种全新的资本市场双向开放模式，那么今日的深港通将引领我们进入互联互通 2.0 时代。香港交易所通过与深圳证券交易所、上海证券交易所的互联互通，共同搭建起一个总市值 70 万亿人民币的庞大市场，为内地和海外投资者提供了更多选择。

我衷心感谢各位同仁和朋友们的大力支持，因为你们的辛勤努力，我们的互联互通机制才能不断完善和壮大，迈入 2.0 时代。

与两年前开启的互联互通 1.0 时代相比，互联互通 2.0 时代有哪些优化和升级之处？

第一，交易机制更加便利：总额度限制取消免除了机构投资者的后顾之忧，将鼓励更多机构投资者（尤其是海外机构投资者）参与沪港通和深港通。我们去年推出的特别独立户口（SPSA）服务，允许投资者在卖盘执行后才将卖出的股票转移到经纪商进行交收，大大降低了海外机构投资者通过沪港通和深港通投资 A 股交收过程中的对手方风险，更加方便基金公司的参与。

第二，投资者准入不断扩大：沪港通刚刚推出时，内地基金公司和保险资金还不能使用这一投资渠道。在过去两年中，我们欣喜地看到，中国坚定不移地推进资本市场双向开放：自 2015 年开始，内地基金公司获准使用港股通，如今它们已经成为港股通投资者的重要一员；保险资金也在今年获准参与港股通，香港交易所一直与中国保险资产管理协会和主要的保险资产管理机构保持密切的联系，许多内地保险公司都对港股通表现出了浓厚的兴趣；这些进步显示了内地监管机构对沪港通作为内地资金海外资产配置重要渠道的信心，相信在不久的将来，有更多机构投资者会选用港股通作为海外投资的渠道。

第三，投资标的扩容：深港通下的深股通将为海外投资者开放一个全新的市场——深圳股票市场，作为中国的创新之都，深圳聚集了很多高成长的创新企业，深股通涵盖的大约 880 只深圳市场的股票，将与沪股通投资标的形成良好互补。深港通下的港股通涵盖约 417 只港股，比沪港通下的港股通新增了近 100 只小盘股（包括恒生小盘股指数成份股及深市 A 股对应的 H 股）。投资标的的扩容，可以满足不同类型投资者的投资需求。内地投资者资产配置国际化和多样化的需求巨大，因此，我们对于港股通的未来充满信心。

当然，北上深股通的投资标的扩容较南下港股通更加明显，南下标的扩容带来的增量有限。深港通与沪港通下的港股通分别连通内地两大不同的交易所，是两条平行的通道，并不能互通，自沪港通下港股通渠道买入的港股必须经原路卖出，不能经由深港通卖出。因此，我们预计深港通开通初期，南下的港股通不会迎来很大的增量，短期内可能会远少于北上深股通和来自上海的港股通增量。

第四，未来将会纳入 ETF（交易所买卖基金）：除了现有的股票，互联互通机制还将把 ETF 纳入投资标的。中国投资者投资海外股票的需求越来越多样化，例如他们可能希望投资美国的生物科技股、中东的能源股、德国的制造业股票、南美的矿业股、澳洲的农业股等品种。目前，香港的股票市场还不可能吸引所有的海外公司都来香港上市，但是我们的“货架”上有来自世界各国的 ETF 产品，南下投资者可以通过这些 ETF 来投资世界各地不同类型的股票。

当然，由于两地现有市场结构、银行间资金清算和交易假期安排等方面均存在较大差异，互联互通要纳入 ETF 面临诸多挑战，执行起来并不容易。但因为其战略意义非凡，我们一定会全力以赴，争取尽早纳入 ETF。

互联互通 2.0 时代意味着什么？

对内地投资者而言，坐在家里投世界。互联互通意味着他们足不出户就可以通过本地券商、按自己的交易习惯投资海外市场，进行多元化的资产配置。

对于国际投资者而言，坐在香港投中国。互联互通意味着他们可以坐在家里按照国际惯例、透过国际券商投资内地市场，分享更多中国经济成长的机遇。

沪港通和深港通的交易模式以最小的制度成本，换取了最大的市场成效。两地市场存在巨大差异，而这种差异短期之内不可能消除。沪港通和深港通采用了“本地原则为本，主场规则优先”，这样投资者可以在自己熟悉的环境下交易对方市场的股票，但同时遵循对方市场的一些特殊规则。在互联互通的过程中，投资者、业界和监管机构都就对方市场的运作和文化有了更加深入的接触和认识，双方市场在互动的过程中,会发现有可以相互学习和借鉴的地方。毫无疑问,这将推动两地市场的共同变革和进步。同时,沪深港三地市场因为投资者群体、交易和结算体系等的差异,市场运行的差异会在较长时期记忆体在,这恰恰赋予了广大投资者更多的选择,他们可以充分运用他们的智慧,进行更为多样化的投资。

对于香港而言,互联互通 2.0 也有着十分重要的意义。

从整个中国资本市场开放的进程来看,在不同的发展阶段,香港始终发挥了十分重要的作用;20 多年前,香港把握住了中国改革开放的机遇,为内地企业筹集资金,并成功转型为一个国际金融中心。

20 年后的今天,互联互通的不断延伸为香港资本市场的发展提供新的动力,让香港的国际金融中心地位更加巩固;一方面,海外投资者可以通过香港投资更广阔的中国市场,另一方面,内地投资者也可以通过香港迈出海外投资第一步,令香港市场的财富管理功能将会更加强化。不难预见,香港市场的筹资能力和发展条件也会因此而提升。

换句话说,过去是中国的"货"在香港,世界的钱来香港买中国的"货"。互联互通时代将会带来巨大的变化:今后世界的钱到了香港,经过香港这一跳板买国内的"货",然后中国老百姓的钱到香港买世界的"货"。这意味着香港将来的作用和任务,就是把世界的"货"带到香港来,让中国人在家里投世界。香港将从中国的集资中心,发展成为中国的国民财富国际配置中心,国内外的资金和金融产品都将因此汇聚在香港,这样香港就不可能边缘化。

互联互通是权宜之计,还是具有长久生命力的市场机制?

互联互通最大的生命力在于,它解决了一对似乎不可能解决的矛盾:既要交易便利,又要风险可控。

由于互联互通机制采用本地市场原则,投资者交易对方市场的股票很方便,如同交易本地市场的股票一样自由。但是,结算交收的闭环设计,可以保证买卖对方市场股票的资金最后都原路返回,而不会以其他资产形式留存在对方市场,巧妙地实现了风险的全面监控,赢得了监管机构的信任。

有的朋友也许会问,在中国资本项下完全开放以后,监管机构不再管控资金流动的风险,互联互通机制会不会马上失去生命力?

即便资本项下完全开放,市场仍然是由具有不同风险偏好和投资需求的投资者构成的。无论是北上还是南下的投资者,大致都可以分为三种,我把他们分别比喻作研究生、大学生和中学生:有能力、有资源、有渠道、有意愿并早已自行投资海外的好比"研究生";无论是否开放都对境外市场不感兴趣的投资者好比"中学生";而比"中学生"有较多资金、投资经验、有需要将一部分资产配置在海外、却不敢直接投资海外市场的则好比"大学生"。

互联互通就像是一所大学,一些「大学生」将毕业成为"研究生",但又有一部分"中学生"会成长为"大学生",而沪港通与深港通正好为这些"大学生"提供了一个方便的境外投资渠道。尽管中国资本市场会越来越开放,但不同市场的交易制度和文化的巨大差异不可能一下子完全消失,因此针对大学生群体而设立的互联互通机制将长期存在,并为更多中国投资者提供资产配置的解决方案。

在互联互通 2.0 时代之后还有哪些发展目标?

在互联互通 2.0 时代,我们的"股票通"战略在二级市场层面已基本完成布局。接下来,我们会进一步优化"股票通",并按照既定规划将这一模式延伸到更多资产类别,例如 ETF、新股、商品、债券等等。我相信,在不远的将来,我们将会一起书写互联互通新篇章、迎来互联互通 3.0、4.0、5.0 时代!

深港通正式开通

胡春华、刘士余为首日交易敲钟开市

12 月 5 日,深港通正式启动,深圳证券交易所和香港交易所同时举行开通仪式,在深交所举行的开通仪式上,中共中央政治局委员、广东省委书记胡春华,中国证监会党委书记、主席刘士余共同为深港通首日交易敲钟开市。刘士余和省委副书记、深圳市委书记马兴瑞,深交所理事长吴利军先后致辞。仪式现场,深交所和港交所进行了视频连线。

刘士余指出,在沪港通成功试点基础上开通深港通,是以习近平同志为核心的党中央坚定不移推进金融市场双向开放的重大决策,是 2016 年《政府工作报告》对全国人民的庄严承诺。他表示,中国资本市场发展的经验证明,只有坚定不移地扩大开放才能保持资本市场的市场化、法治化、国际化方向,才能提高资本市场对实体经济的服务能力,才能提升中国资本市场的国际竞争力。沪港通、深港通必将是两条川流不息的河流,汇集内地、香港和全球市场资本、技术、信息、智慧、文化,从而惠及内地、香港和全球的经济发展。两地金融监管机构将进一步密切协作,加强两地市场监管,加大跨境执法力度,严厉打击跨境市场操纵等违法违规行为,保护两地投资者合法权益。

马兴瑞说,深港通将对我国资本市场改革发展产生积极而深远的影响,将有力促进内地和香港特别是粤港金融证券市场的共同发展。广东始终把金融证券业发展摆在更加突出的重要位置,充分发挥证券资本市场对全省创新发展和经济转型升级的推动作用。希望金融监管部门及国内外金融组织和机构,以深港通开通为契机,加快推动金融业与实体经济双轮驱动、良性互动,为区域经济发展注入更多新动能。

吴利军说,深港通正式开通,标志着我国资本市场在国际化方向上又迈出坚实一步,内地与香港将在更大范围、更高层次、更深程度加强合作,共同提升两地市场国际竞争力和服务实体经济的能力。深交所将密切与各方合作,全力保障市场交易平稳运行,充分发挥一线监管职能,共同打击市场操纵、内幕交易等违法违规行为,保护好境内外投资者合法权益。

国家有关部门领导周波、曹宇、姜洋、方上浦,香港证监会执行总裁、国际证监会组织主席欧达礼,省领导邹铭、蓝佛安,深圳市市长许勤,上交所理事长吴清,以及国家有关部委、香港政府部门、证券期货监管系统、深交所会员、上市公司、境内外金融机构和投资者代表、新闻媒体、深港通建设者代表等参加开通仪式,共同见证这一历史性时刻。深交所总经理王建军与港交所行政总裁李小加分别在深圳和香港主持仪式。

刘士余主席在深港通开通仪式上的致辞

尊敬的春华书记、兴瑞书记、许勤市长、尊敬的国务院各部门领导和代表、尊敬的国际证监会组织主席欧达礼先生、朋友们、同事们，各位女士：

大家早上好！今天，我们欢聚一堂，共同见证深港通正式开通，这是两地资本市场进一步协同发展的历史性时刻，我谨代表中国证监会对深港通的开通表示热烈的祝贺！向国务院有关部门和广东省委省政府、深圳市委市政府对深港通各项准备工作的关心和支持表示衷心的感谢！在沪港通成功试点的基础上开通深港通，是以习近平同志为核心的党中央坚定不移推进中国金融对外开放的又一项重大决策，是2016年《政府工作报告》对全国人民的庄严承诺。在党中央、国务院的正确领导下，今天我们金融部门终于兑现了这一承诺。

中国资本市场发展26年来的经验证明，只有坚定不移地扩大开放，才能保持中国资本市场的市场化、法治化、国际化的方向，才能真正提高中国资本市场对实体经济的服务能力，才能真正提升中国资本市场的国际竞争力。

已经成功运行两年的沪港通和今天开通的深港通充分体现了以习近平同志为核心的党中央对巩固提升香港国际金融中心地位的高度重视和亲切关怀。

在国际金融处于不确定、不稳定的状态中，今天开通的深港通，必将为国际、国内金融市场注入正能量、注入信心、注入信任。沪港通、深港通将好比两条川流不息的河流，汇集内地、香港全球市场资本、技术、信息、智慧、文化，从而惠及内地、香港、全球的经济发展。两地金融监管机关将进一步密切协作，加强两地市场监管，加大跨市场执法的协作力度，严厉打击跨境市场操纵等各类违法违规行为，切实保护两地和全球投资者的合法权益。

此时此刻，我还要衷心的感谢两地交易所、结算机构及参与准备工作的有关机构和同事，你们为深港通的顺利开展付出了艰巨的努力，付出了你们的心血，还要特别感谢今天出席开通仪式的各位领导和嘉宾，资本市场的改革发展离不开你们的关心和鼎力支持。最后，衷心祝愿深港通顺利启航，一帆风顺，圆满成功！

马兴瑞书记在深港通开通仪式上的致辞

尊敬的胡春华书记，尊敬的刘士余主席，尊敬的欧达礼总裁，各位领导、各位来宾，女士们、先生们：

今天，非常高兴与大家齐聚中国改革开放的“窗口”深圳，共同见证“深港通”正式启动这一历史时刻。这是继“沪港通”开通后，我国资本市场对外开放的又一件大事，相信必将对我国资本市场改革发展产生积极而深远的影响，必将有力促进内地和香港特别是粤港金融证券市场的共同发展。在此，受胡春华书记和朱小丹省长的委托，我谨代表广东省委、省政府和深圳市委、市政府，向“深港通”的顺利开通表示热烈祝贺！对各位领导和各位嘉宾的到来表示热烈的欢迎！

证券业是现代金融体系的核心组成部分，是经济新常态下推动经济新旧动能转换、迈上中高端的重要力量。广东作为全国金融大省，始终把金融证券业发展摆在更加突出的重要位置，加快金融证券机构布局，加强证券资本市场体系建设，推动省内464家企业境内上市，充分发挥证券资本市场对全省创新发展和经济转型升级的推动作用。深圳按照中央和省的部署，积极推动证券业创新发展，先后打造了深圳证券交易所、前海股权交易中心、港交所前海联合交易中心等一批重大平台，引进和培育了20家证券公司、24家公募基金公司、13家期货公司，以及221家境内上市公司，逐步构建起充满活力、规范有序的多层次资本市场体系。在金融证券市场的有力支持和推动下，广东、深圳经济发展迈上了新的台阶。今年前三季度，广东省GDP增长7.3%，地方一般公共预算收入增长14.0%。深圳GDP增长8.7%，高于全国同期2个百分点；地方一般公共预算收入增长20.1%，在36个省级财政中排名第二。可以说，深圳以良好的发展态势，积极引领经济发展新常态。

当前，我们正认真贯彻落实党的十八届六中全会精神，坚决维护习近平总书记的领导核心地位，以习近平总书记视察广东、深圳的重要指示精神为指引，勇当“四个全面”排头兵、“四个自信”践行者，加快实现“三个定位、两个率先”目标。在这一过程中，既需要大力推进以高新技术产业和高端先进制造业为重点的实体经济，也需要更好发挥多层次资本市场对实体经济的重要支撑作用，加快推动金融业与实体经济双轮驱动、良性互动，进一步增强经济可持续发展后劲。希望中国证监会等国家金融监管部门，以及国内外各个金融组织和机构，以“深港通”开通为重要契机，大力支持更多广东、深圳企业上市融资和并购重组，扶持更多优质企业做强做优做大，为区域经济发展注入更多新动能。同时，我们将继续全力支持中国证监会的工作和在粤、在深金融机构的发展，共同加快建设广东金融强省、深圳国际金融创新中心，努力为全国发展大局作出更大贡献。

最后，祝“深港通”取得圆满成功！

吴利军理事长在深港通开通仪式上的致辞

尊敬的胡春华书记，尊敬的刘士余主席、马兴瑞书记、欧达礼总裁，各位领导，各位嘉宾，女士们，先生们：

欢迎大家莅临深交所，参加深港通开通仪式，共同见证资本市场这一历史性时刻。

在党中央、国务院高度重视和亲切关怀下，在中国证监会统一部署下，深交所与中国结算、港交所、香港结算密切协同，通力合作，共同完成了技术系统开发、业务规则制定、市场组织动员、国际路演和投资者教育等一系列前期准备工作。今天，辛勤耕耘终于结成硕果，我们即将迎来深港通开通这一激动人心的时刻。在此，我谨代表深交所全体干部员工，对中央、国务院有关部委、两地证监会、粤港两地政府、兄弟单位、市场机构、广大投资者、新闻媒体等给予的大力支持，表示衷心的感谢！

四天前，深交所刚刚度过 26 岁生日。26 年来，深交所得到了社会各个方面的关心和支持，各项事业取得了长足的发展。一线监管制度不断完善，核心技术系统不断优化，风险防控能力不断提升，改革创新开放的基础不断夯实。目前，深交所上市公司 1848 家，总市值超过 23 万亿元，主要市场指标位居国际前列。上市公司群体创新创业特征明显，国家高新技术企业占比超过 70%，充分体现了资本市场服务实体经济的积极成果，体现了我国经济结构转型升级的显著成效，体现了我国新经济的巨大活力和潜力。

深港通正式开通，标志着我国资本市场在国际化方向上又迈出了坚实一步，将进一步提升内地与香港市场国际竞争力和服务实体经济的能力。今天既是一个难忘的历史时点，也是一个崭新的历史起点。深港通开通后，我们将密切与各方合作，全力保障市场交易平稳运行，充分发挥一线监管职能，共同打击市场操纵、内幕交易等违法违规行为，保护好境内外投资者合法权益。我们将在新的发展起点，全面加强一线监管，全力推进“规则体系、产品体系、技术体系、管理体系”四个体系建设，为深港合作持续向纵深发展积累经验、奠定基础、创造条件。

各位来宾，随着深港通的开通，内地与香港市场进入了全面互联互通的新时代。深港两地一水之隔，比邻而居。深港的连接，连接的是世界，是希望，是未来。我们坚信，在中国证监会的坚强领导下，两所两司将认真履职尽责，紧密协作，携手共进，共同书写互联互通新篇章。

最后，祝愿深港通顺利开通，扬帆起航！

解读深港通

香港交易所集团行政总裁　李小加

深港通终于要来了！8 月 16 日，国务院正式批准了《深港通实施方案》，中国证监会与香港证监会也发出了深港通联合公告，显示出中国进一步对外开放资本市场的坚定决心，也为香港交易所的互联互通战略迎来了新的里程碑。

在周二晚上的深港通新闻发布会上，我向大家介绍了深港通的主要特点，传媒朋友已经进行了广泛报道。不过，最近几天，仍有不少朋友向我询问深港通的细节，大家关心的问题似乎都差不多，因此，趁周末得空，我把大家常问的一些问题答案整理出来，谨供有兴趣了解深港通的朋友们参考。

1. 作为互联互通机制的升级版，深港通有哪些升级之处？深港通对于香港交易所有何意义？

首先，深港通为投资者带来了更多自由和便利，总额度限制取消是一个重大进步（沪港通的总额度亦已即时取消）。虽然目前总额度还有剩余，但对于机构投资者（尤其是海外机构投资者）来说，总额度限制始终是制约他们投资内地股票市场的一大顾虑，取消总额度限制可以让他们更加放心地投资，从长期来看，一定会鼓励更多海外机构投资者参与深港通和沪港通。

第二，深港通为投资者带来了更多投资机会。深港通下的深股通涵盖了大约 880 只深圳市场的股票，其中包括约 200 只来自深圳创业板的高科技、高成长股票，与沪股通投资标的形成良好互补。深港通下的港股通涵盖约 417 只港股，比沪港通下的港股通新增了近 100 只小盘股（包括恒生小盘股指数成份股及深市 A 股对应的 H 股）。投资标的的扩容，可以满足不同类型投资者的投资需求。

第三，更丰富的交易品种。除了现有的股票，深港通未来还将纳入交易所买卖基金（ETF），为投资者提供更多选择。

需要指出的是，深港通与沪港通采用同样的模式，这一模式最大的特色是以最小的制度成本，换取了最大的市场成效。通过这一模式，两地投资者都可以尽量沿用自身市场的交易习惯投资对方市场，可以最大限度地自由进出对方市场，但跨境资金流动又十分可控，不会引发资金大进大出，实现了最大幅度的中国资本市场双向开放，为两地市场创造了共赢。

对于香港交易所而言，两年前开启的沪港通是我们互联互通战略的第一步，为我们开创了一种全新的资本市场双向开放模式，今日的深港通则以实践证明，这种模式是可复制和可扩容的。深港通的推出将是一个质变，意味着我们的「股票通」战略在二级市场层面已基本完成布局。

2. 既然已经取消了总额度限制，为什么深港通仍然保留了每日额度限制？

深港通下的港股通每日额度为 105 亿元人民币，与沪股通下港股通的每日额度相同。由于内地投资者既可以使用沪港通投资香港股票，也可以通过深港通投资香港股票，深港通的推出实际意味着将现有的港股通每日额度扩容一倍。深港通保留每日额度限制，主要是出于审慎风险管理的考虑。虽然从沪港通目前的运行情况来看，很少有每日额度用罄的情况，设置此限制似乎有些过虑，但在设计这个机制的时候必须从全域考虑，每日额度限制有点像减速器，它的作用主要是在资金流动过于猛烈的时候给市场一个缓冲，稳定一下节奏。

3. 为什么深圳创业板的股票仅开放给机构专业投资者，香港和海外散户投资者如何投资深圳创业板股票？

在深圳创业板上市的股票通常比在深圳主板和中小板上市的股票市值小，波动性往往也更大，可以说是高风险高收益类的股票。所以深圳创业板在内地也不是开放给所有投资者，而是设有一个参与门槛。为了保护中小投资者，中国证监会有一套完整的投资者适当性管理方法，比如内地投资者在开通创业板投资权限时，必须签署风险揭示书，表示已经充分了解创业板的投资风险。香港目前还没有这样的投资者适当性管理体系，因此，目前可通过深股通买卖深圳创业板股票的投资者仅限于香港的机构专业投资者，不包括香港股票市场上的散户。不过，我相信深港通推出后，香港会有基金公司推出更多投资深圳市场的基金产品，如果有兴趣，香港的散户可以通过购买相关的基金来把握深圳创业板的投资机会，而这也会为香港的业界带来新的发展机遇。

另外，据我了解，香港方面也在研究如何在香港推出适当的风险提示程序，帮助散户认知风险等，未来这样的风险提示程序出台之后，香港的散户或许也可以通过深港通投资深圳创业板股票。

4. 深港通的推出会否为香港市场带来增量资金？

这问题可从两方面考虑：一方面，由于深港通下的港股通投资范围较沪港通下的港股通更广，多出近 100 只港股，相信会吸引一些对这些股票感兴趣的内地投资者。另一方面，深交所也会加强对港股通的推广和投资者教育工作，随着内地投资者对于港股市场的了解加深，相信港股通将增添活力。

5. 如何看待 A 股和 H 股价差，深港通的启动是否会缩小甚至消除两地价差？

AH 股价差的根源，是因为两地市场的投资者在风险偏好和投资理念上有很大差距。内地市场的投资者主要由散户构成，比较情绪化，而香港市场则由机构投资者主导，更加理性和注重价值投资。尽管同一个公司的 A 股和 H 股是同股同权，理论上内在价值应该趋同，但由于两边的股票并不能自由流动和互相替代，套利机制不存在，所以 AH 股价差才会长期存在，即使在沪港通推出之后。深港通的推出应该无法消除两地价差，但长期来看，因为两边的投资者都有了更多选择，肯定会有助于缩小两地价差。

6. 深港通是否会增加 MSCI 指数纳入 A 股的概率？

中国已经是世界第二大经济体，中国内地的 A 股将来一定会被纳入国际主要指数，只是早晚的问题。深港通的推出，将为海外投资者开放更多内地股票市场，尤其是总额度的取消将给他们带来更多投资自由和便利，一定有助于推动国际主要指数编制机构未来将 A 股纳入这些主要指数。

7. 你怎么看市场对于深港通公布的反应？

如同我在沪港通开通时所说，沪港通和深港通都是一座天天开放的大桥，而不是一场音乐会，它的价值可能需要两三年或者更长的时间来检验。作为一项创新的互联互通模式，沪港通和深港通着眼于长远和未来，其升级和完善将是循序渐进和持续的。短期市场的波动主要取决于投资者的情绪变化，我们无法也无意预测，但是我坚信，长远来看，互联互通机制一定会给两地市场都将带来十分深远的影响。

8. 深港通未来是否还会延伸和扩容？互联互通下一步还有什么计划？

可延伸和可扩容是深港通模式的一大特色，比如，深港通未来将加入 ETF 这一新的投资品种，我们预计有望在深港通运行一段时间后加入。之所以需要等待一段时间，主要是因为沪深港三个交易所在 ETF 的清算交收和 ETF 与股票的互换上有不同的机制，所以三个交易所和两地监管者需要共同研究相关细节，希望能够尽快推出。

此外，不断完善沪港通和深港通的交易机制也是我们的一项重要工作，未来我们还将继续与两地监管机构和中介机构紧密沟通，尽量优化假期安排和做空机制，减少互联互通机制休市的时间，为广大投资者提供更多便利。

深港通和沪港通都属于股票通，我们相信，在不久的将来，这个模式可以延伸到更多资产类别，比如债券通和货币通，为境内外投资者和两地业界带来更多机遇。

深港通让“双创”更紧密连接国际资本市场

——专访深交所总经理王建军

新华社深圳 12 月 5 日电（记者孙飞、陈宇轩） 没有资本市场的支持，创业创新就没有强劲的动力；不支持创业创新，资本市场就失去了生机和活力。

12 月 5 日，随着深港通的开通，中国创业创新企业，将可以更紧密连接国际资本市场。同时，国际投资者也将获得更便利投资、共享中国创新驱动发展成果的机会。围绕资本市场的热点问题，记者专访了深交所总经理王建军。

创新企业更紧密连接国际资本市场

近年来，随着我国创新驱动发展战略的不断实施，创业创新企业正成为拉动经济增长的重要动能。在深交所的创业板，开板 7 年，市值超 5 万亿元，累计为投资者带来 115% 的正收益。如今，随着深港通的开通，“双创”能量正在与国际资本市场不断融合。

“支持创业创新是深交所的使命。”王建军说，深交所服务的主要对象是创新成长企业和高新技术企业，深交所已有上市公司 1800 多家，高新技术企业占到 70% 以上，创业板的高新技术企业比例更是高达 93%。今年前三季度创业板上市公司营业收入和净利润增速达到 32.4% 和 44.3%，充分展现了中国新经济的巨大活力。

王建军介绍，从 10 月下旬开始，深交所、港交所、中国结算联合开展了全球路演，在北美、欧洲等主要金融中心城市举办路演活动 50 余场，得到了境外投资者的积极响应。“国际投资者普遍看好中国经济前景，看好深港通机制带来的投资机遇。不少投资者对我们讲，看中国创新、看中国新经济，要多看深交所。”

改善投资者结构推进多层次资本市场建设

和内地资本市场不同，香港资本市场机构投资者占比较高。在深港通开通后，两地资本市场的不断融合将为 A 股市场带来积极影响。

王建军认为，深港通将加快深港资本市场制度对接，吸引更多境外长期资金进入A股市场，改善A股市场投资者结构，从而提升深交所多层次资本市场的深度、广度和质量，更好地发挥深交所市场的投融资功能，促进新兴产业发展和经济转型升级。

在深港通带来投资机遇的同时，在不同的交易规则、监管制度下，也带来一定投资风险。王建军介绍，目前深交所已与港交所建立非常紧密的监管合作机制；同时，沪深港三地交易所建立了市场监察的联席会议机制，加强三地信息交通交流，防范利用一地的信息操纵另外两个市场；此外，在监管执法上，将严密监控异常交易行为，重点防控利用深港通进行内幕交易和市场操纵等违法违规行为。

互联互通机制还将会持续优化

不少投资者十分关心，深港通推出后，互联互通机制还将会如何优化，如ETF等产品，互联互通标的会否不断拓展？

王建军说，相关部门将根据“深港通”运行情况，以及市场各方对“沪港通”“深港通”交易机制优化的反馈建议，按照与“沪港通”同步优化的原则，着手推进优化措施。如建立沪股通和深股通投资者统一编码机制，协同上交所、港交所和中国结算，研究将ETF品种纳入标的证券范围，待条件成熟后，将ETF纳入互联互通标的。

与此同时，为服务境内居民跨境投资及企业跨境投融资需求，深交所将继续推进与境外机构在跨境产品、基础设施和服务等方面的合作，如开发跟踪境外核心指数、特色指数跨境基金，开展核心指数交叉挂牌和信息服务，推动境外市场发展以深市指数为跟踪标的的基金产品等。

“深港通的推出，给境外人民币投资国内创新企业提供了新的机会，对人民币国际化形成强有力的支持。”王建军说，“同时深港通在沪港通的基础上将上海、深圳、香港资本市场连接起来，将中国资本市场的力量汇集起来，有利于将中国建设成为全球的金融定价中心和资源配置中心。”

“深港通”开通意味沪、深、港三地共同大市场正式形成

——中国结算董事长周明在深港通交易所论坛上的讲话

尊敬的小加总裁、建军总经理，各位嘉宾：

大家上午好！“深港通”准备工作已万事俱备、箭在弦上。此时此刻，我和大家的心情一样，非常期待！临近开通之际，我非常高兴与各位嘉宾共同探讨“深港通”开通给深港两地市场及我国资本市场国际化发展工作带来的新机遇。作为本次论坛主办方之一，我谨代表中国结算对本次论坛的成功举办表示热烈的祝贺！对各位嘉宾的到来表示热烈的欢迎！

在“深港通”近两年的准备过程中，中国结算与深交所、港交所、香港结算紧密合作，共同推进“深港通”项目各项制度、业务方案设计和技术建设工作，并与在座各位同行所在的证券公司、基金公司、保险机构等市场各方，一道共同推进“深港通”各项业务技术准备工作。大家齐心协力，对“深港通”各项业务技术建设工作提出了许多宝贵的意见、建议，为“深港通”项目开通做了充分准备。在此，我代表中国结算向所有参与“深港通”项目建设的各方表示衷心的感谢！

下面，我就“深港通”项目开通谈三点看法。

一、“深港通”是我国资本市场双向开放道路上的又一个新的里程碑，对我国金融资本市场改革发展工作具有重大的战略意义。内地资本市场双向开放工作一直在积极稳步推进。本世纪以来，先后推出QFII、QDII、RQFII、RQDII及内地与香港市场基金互认等双向开放项目，2014年11月推出的“沪港通”开启了资本市场双向开放工作和境内境外市场互联互通的新模式。“深港通”是继“沪港通”之后，我国资本市场贯彻落实党的十八届三中全会精神、加快资本市场双向开放的又一重大举措，体现了党中央、国务院和中国证监会推进资本市场改革开放工作的坚定不移的态度和决心。

“深港通”是在全面总结“沪港通”成功经验后推出的资本市场改革开放工作的新举措。其重要意义我总结为五个方面：一是“深港通”为内地与香港市场的互联互通增加了一条新通道。开通之后，香港和海外投资者可以投资深圳市场主板、中小板及创业板股票，内地投资者可以投资香港市场主板股票及市值为50亿元以上的股票。“深港通”项目开通为投资者提供了新的投资渠道、投资品种和投资机会。投资渠道、投资品种和投资机会的多元化，将更加有利于深港两地市场融合发展和相互促进，并为内地中小企业、高科技企业、创业创新企业提供新的发展机遇。二是“深港通”开通意味沪、深、港三地共同大市场正式形成，能够有效提升我国资本市场在全球金融资本市场的地位和作用。三是“深港通”开通意味内地市场对外开放的格局已覆盖到多层次股权市场的各主要部分，包括主板、中小板、创业板，下一步还将包括ETF基金。四是“深港通”开通将会进一步促进内地与香港市场在资本市场制度建设、系统性风险防范、投资者合法权益保护和股权文化建设等方面相互促进、相互借鉴、共同发展。五是“深港通”将进一步深化人民币国际化工作，加强香港离岸人民币市场地位，为我国金融市场改革发展提供新的实践经验。

因此，“深港通”项目与“沪港通”项目虽然在业务模式上比较相似，但并不是“沪港通”的简单复制和延伸，也不是简单的数量上的增加，而是双向开放工作在质量上的提升，是立足于我国金融资本市场改革开放大格局下极其重要的一步举措，是我国金融资本市场双向开放道路上的又一个新的里程碑，对深化我国金融资本市场改革发展的工作影响深远。

二、证券登记结算基础设施建设工作在资本市场双向开放中至关重要。大家知道，内地与香港在法律制度上差异比较大，两地市场在证券的登记、持有、清算、结算业务模式上的差异也非常大。“深港通”与“沪港通”项目有效地解决了两地市场在法律制度上以及业务模式上存在的巨大差异。

内地与香港市场互连互通在业务设计上主要包括两大块。一块是“交易通”。即由两地交易所各自归集各自市场投资者的全部交易指令并发送到对方交易所的主机撮合成交。一块是“结算通”。在我看来，“结算通”要远比“交易通”复杂。“结算通”创造性地采用了投资者本地结算以及中国结算与香港结算互为代理人开展跨境结算的两项核心制度安排。也就是说，对投资者而言，不需要办理跨境结算，他们可完全按本地市场制度安排办理清算及结算业务，投资者交易习惯和后台业务处理没有改变。跨境部分则由中国结算和香港结算互为代理人完成，中国结算、香港结算不光要各自负责各自市场投资者交易后的

证券的登记、存管、清算和结算业务，就跨境差异部分，通过中国结算与香港结算互为代理人开展跨境结算这种特殊的制度安排予以转换。一定意义上，内地与香港市场差异解决的转换器主要存在于“结算通”环节。

登记结算基础设施是整个金融市场基础设施极其重要的组成部分。它处于整个市场的后台位置，不被人注意，但它特别重要。十八届三中全会《决定》以及十八届五中全会通过的《十三五规划建议》均对加强金融市场基础设施建设工作提出了明确的要求。安全、高效、低成本的登记结算基础设施为内地市场长期健康稳定发展提供支撑，也为内地市场与境外市场互联互通提供支撑。同时，安全可靠的登记结算基础设施还事关资本市场的整体稳定和系统性风险防范工作。

近年来，在中国证监会的坚强领导下，在市场各方的大力支持下，中国结算在强化登记结算基础设施建设、强化服务能力建设等相关方面做了大量的工作。在“沪港通”、“深港通”项目建设中，中国结算会商两地交易所等相关各方推进实现了内地与香港市场登记结算基础设施互联互通，为两地市场互连互通发挥了桥梁和纽带作用。但应当说，随着资本市场改革开放工作的不断深化，如何着眼于市场整体安全和效率需要，进一步提升登记结算基础设施内在质量，更好服务于资本市场“引进来”和“走出去”战略还有很多工作要做。

三、对大家前期较为关切的几个问题的回应及下一步工作安排。

在“深港通”前期征求意见过程中，有几个问题大家比较关心。我在这里也一并做个回应并介绍一下下一步工作安排。

一是投资者通过沪、深“港股通”买卖港股换汇能否合并成一个净额换汇的问题。对于该问题，有机构建议采用一个净额进行换汇。“深港通”准备过程中，对于沪、深“港股通”分别换汇还是合并换汇，曾进行过详细的论证。论证下来，由于沪、深“港股通”是两条通道，如果将两个净额合并成一个净额换汇，则业务流程过于复杂，系统交互过多，时间窗口有限，操作风险极高。为降低操作风险，满足“深港通”推出时间要求，最终采用了分别换汇的方式。

二是换汇成本问题。“深港通”与“沪港通”换汇汇率形成的机制完全相同，出现换汇汇率差异主要是因为买卖分摊比例差异造成，但差异极小。“沪港通”开通两年来，“港股通”结算总额2万多亿港元，日均结算净额8亿多港元，累计完成近4000亿港元的换汇。净额换汇比投资者个人换汇成本要低。初步估算，“沪港通”开通两年来，净额换汇比投资者个人换汇节约成本数亿元。下一步，中国结算将进一步加强对换汇银行汇率报价考评工作，继续致力于降低换汇成本。

三是“港股通”标的股票退市后提供后续服务的问题。“港股通”标的股票退市后如何处理关系到内地投资者的切身利益。为保护内地投资者权益，“沪港通”准备期间，中国结算经与相关各方多次反复沟通协调，并对“港股通”标的证券退市后如何处理研究提出多种解决方案。经权衡比较，“深港通”及“沪港通”均采用了由中国结算提供名义持有人服务并代为行使权益的方案。这一方案既不改变内地投资者持有港股的习惯，也能够充分保护内地投资者的权益。“港股通”标的退市已发生过1单。目前看，处理还是比较平稳有效。

应当说，“深港通”，包括“沪港通”还有进一步优化提升的空间，包括交易日历安排、汇率机制、实际权益拥有人权益行使、标的股票退市等相关具体事项，“深港通”开通之后，中国结算将与上交所、深交所、港交所、香港结算以及在座各市场机构一道，继续精诚合作，不断优化提升内地与香港市场互连互通机制，商讨具体解决方案，完善业务细节安排，为两地市场提供更为安全、高效、便捷的互连互通服务。

最后，让我们一起衷心地祝愿“深港通”顺利启航！谢谢大家！

从沪港通到深港通：金融市场开放的互联互通路径

中国银行业协会首席经济学家　巴曙松

两年前沪港通的启动，直接引发了全球范围内交易所之间互联互通的热潮。2016年8月，国务院又批准了深港通。根据我们了解到的进展状况，预计各项技术准备本月都能够顺利完成。具体什么时候启动，需要有关部门的最终决定。在这个时点上，我们来讨论沪港通、深港通的制度设计及其影响。

从历史脉络上来说，中国资本市场的开放，分为几个阶段。第一个阶段是1993年到2000年，主要方式是国内企业境外上市，其中绝大部分是在香港上市，筹集国际资金进入中国市场。从1993年到现在，国内企业在香港筹集的资金大概有5万多亿港元。第二个阶段是从2001年到2010年，重要进展是引入合格机构投资者，也就是QFII和QDII。其背景是内地资本市场快速发展，股权分置改革取得突破。目前已经进入了第三个阶段，在人民币国际化的大趋势下扩大开放，典型的事例是一些RQFII从二级市场开始转向直接投资。

深港通即将启动，将开启一个新的时代，可以称之为共同市场时代，由上海、深圳和香港的三个交易所连接而形成的互联互通平台成为一个新的共同市场。深港通的政策框架延续了沪港通交易、结算、监管等方面的基本制度，但又有新的突破，那就是取消了总限额。在沪港通启动初期，对于可能产生的市场冲击还需要观察，所以当时设定了限额，这对市场平稳运行有一定的价值。但是，对于很多进行中长线布局的资金来说，这种限额会影响操作，因为中途可能会遇到额度耗尽的情况，导致策略很难完整实施。深港通取消总额度，再加上互联互通从上海延伸到深圳，把大中华地区的三个交易所联系起来，成为了一个事实上的共同市场。

在沪港通刚刚启动的时候，一部分投资者预期，A股和H股之间的差价会逐渐消失，原来两个不连通的资本市场，通过沪港通连通之后，就像两个水面有高度差的湖面连通之后那样，水面逐步拉平。但有趣的是，沪港通启动之后相当长的一段时间内，A股和H股之间的差价不仅没有缩小，反而扩大了。这让不少投资者和研究者大跌眼镜。为什么会这样？一个重要的原因是沪港通的额度限制，使得海外资金进入上海市场和国内资金进入香港市场在交易中占的比例非常小，远远不能达到改变当地交易习惯、估值水平的程度。估值的差异在连通之后反而扩大，显示两个市场的估值波动周期仍然是决定各自估值水平的关键因素。

现在互联互通将延伸到深圳，而且总的交易限额取消了，三个交易所的连通即将进入一个共同市场时代，估值的差异是会扩大、保持还是缩小呢？现在看来，主流的观点是认为缩小的可能性比较大，一是因为相互进入对方市场的资金占比会上升，二是因为限额取消以及机构投资者入场，例如，保险资金已被允许参与沪港通业务。

从国际经验看，互联互通推动的共同市场建设要成功运行，需要许多条件。最重要的条件之一是，相互连接的市场的投资者要对对方的市场规则、上市公司等都有一定的了解。如果对对方的上市公司不了解，投资者就不敢轻易地投资。交易所互联互通有许多中止的案例，比如新加坡和伦敦的交易所连通（新伦通）运行一段时间后就自动关闭了，其中很重要的一个原因就是投资者对对方的上市公司缺乏了解。而上海、深圳和香港的连通有一个非常大的优势：香港市场一半以上的上市公司都是内地企业，这些上市公司的利润也大部分来自于中国内地。统计数据显示，在香港上市的企业中，内地企业占总数的51%，内地企业的市值占比更是达到64%，日均交易量占比为71%。目前在恒生指数里，50 只成份股里有 24 只是来自于内地。对于研究在香港上市的公司，内地的投资者应当说是有一定的优势。

是什么需求推动沪深港共同市场的发展呢？主要的动力是中国居民的投资需求多样化。目前，中国居民的财富持有结构很突出的一个特点是集中在比较少的金融产品、货币和市场上。中国居民持有最多的资产类别是房地产。10 月的时候，一家外资金融机构做了一个大致估算，城市居民持有的房地产市值为 270 万亿元，而上海、深圳和香港的股票市场加起来也不超过 100 万亿元。中国居民的财富第二大持有形式是银行存款。而且，中国居民的财富过分集中在单一货币。内地投资者一旦启动资产结构转换，只要把房地产财富的 10% 拿来投资于香港金融市场，就会深刻影响香港股市。关键问题是，居民资产结构的调整什么时候能启动，以什么方式来启动？如何转换成其他的金融产品，怎样进行适当的跨境配置？

从企业层面来说，中国企业已经从以吸引国际投资为主，转变为逐步拓展对外投资，中国对外直接投资 2015 年首次超过外商在中国的直接投资。中国企业发展到目前这个阶段，有跨国跨市场多元化配置资产的需要。机构投资者、个人投资者也有同样的诉求，也需要进行国际化的配置。国际化配置的一种形式是将资产配置于多种货币。投资者越来越需要进行多货币、多市场的组合投资，以平衡各种风险，这方面的需求将非常大。这就需要包括沪港通、深港通这样的平台，便利投资者进行国际配置。

同时，中国资本市场开放也意味着，更多的国际资金可能进入中国市场，沪港通、深港通作为资金双向流动的渠道和平台，也为他们提供了便利。从 2015 年到 2016 年，国际资产管理行业一个很重要的特点是，资金从主动型管理的产品大量流向被动型、指数型的产品，越来越多的被动型基金跟踪一些标志性的指数（例如 MSCI），只要中国某个金融市场被纳入到特定的指数里，全球跟踪这个指数的基金就会相应地买入这个市场的金融资产，资金就会流入国内。沪港通、深港通有助于外资顺畅地进出中国市场，因而也会有助于推动中国金融市场加入到有标志性意义的全球金融市场指数中，进而吸引新的国际资本流入。

从中国资本市场开放的现状来评估，双向开放的空间非常大。我们做了一个框算，中国已经批给境外投资者的额度是4750 亿美元，即使境外投资者用完全部额度，藉此流入中国市场的资金也只占到中国资本市场的 3%，何况现在远远没有用完。中国保险资金对海外投资的最大额度可以达到 15%，但现在保险公司对外投资的规模只占总资产的 2% 左右。另外，中国已经是世界第二大经济体，国际贸易额更是世界第一，但在国际资本市场以人民币计价的金融产品还很少。所以，中国资本市场的双向开放具有很大的潜力，投资者迫切需要一个可以进行国际资产布局的高效率平台，沪港通、深港通就是这样的平台。

在中国改革开放的过程中，香港抓住了一个机会，成功转型为一个国际型的金融中心。在此之前，在香港上市的基本上都是本地的一些小型公司。随着内地进行改革开放，内地企业希望筹集资金，而国际投资者想进入中国市场，香港抓住了连接东西市场的机会。国际市场的投资者和中国内地的上市公司，在香港市场进行匹配，香港高效率地完成了匹配的功能，从而成为国际金融中心。

现在，中国的投资者希望把自己的一部分资产配置到海外市场，而海外金融产品需要寻找新的投资者群体，这就构成了一个资金流动的新循环。这个新的需求要求香港金融市场把国际市场的各种金融产品都吸引过来，像一个大型金融产品超市，供国内投资者进行挑选。从趋势看，在这样一个金融大超市里，应当既有股票，也有货币和固定收益产品，还有大宗商品。那么，下一步，香港与内地的连通还需要延伸和拓展，从股票的二级市场延伸到一级市场，从股票市场延伸到货币和固定收益产品，进而延伸到大宗商品。

从全球来看，市值最大的股市还是纽约，以及纳斯达克。上海、深圳和香港都名列前十，但在沪港通、深港通启动之前，三个交易所是相互分隔的，很难形成对全球范围内优秀上市公司的吸引力。通过互联互通，把这三个市场加总起来，其市场深度就会大幅提升，投资群体也更大，流动性更好。如果再把沪港通、深港通的二级市场互联互通延伸到一级市场，就可以不仅在这三个交易所同时进行交易，还可以推动新股同时发行。

目前全球有三个大的国际金融中心——纽约、伦敦、香港。与纽约和伦敦相比，香港资本市场一个很重要的特点是波动比较大，很重要的一个原因是把香港当作主场进行中长期配置的资金规模不够，也就是缺少充足的“主场资金”。目前全球资产管理市场的份额和格局，还是欧美主导。根据 2015 年底的数据，北美的金融机构管理全球 52% 的资产，欧洲的管理全球28% 的资产，也就是说，全球 80% 的资金是由欧美的金融机构管理。如果国内中长期的机构投资者，例如保险公司，利用互联互通的沪深港共同市场进行国际配置，就可能为香港市场培育“主场资金”，有利于资本市场的相对稳定。

香港交易所可以和深圳、上海的交易所一道，共同依托沪港通、深港通互联互通形成的共同市场平台，动员和吸引全世界各个行业最优秀的上市公司到港交所上市。

【本文根据作者在“张培刚发展经济学系列讲座（十九）”上的讲话整理，经作者审核。】

（来源：21 世纪经济报道）

深港通《四方协议》正式签署

10月11日，深圳证券交易所、香港联合交易所有限公司、中国证券登记结算有限责任公司和香港中央结算有限公司，在深圳共同就深港通签署《四方协议》。深交所吴利军理事长、港交所周松岗主席出席仪式并致辞，深交所王建军总经理、港交所李小加行政总裁和中国结算戴文华总经理分别代表各方签署协议。

吴利军理事长表示，深港通是党中央、国务院部署的资本市场改革开放的大事，对充分发挥深港区位优势，进一步扩大内地与香港股票市场互联互通的规模，在更大范围、更高层次、更深程度上加强内地与香港合作，巩固和提升香港作为国际金融中心的地位，加速推动资本市场双向开放和人民币国际化，具有非常重要的意义。深交所将与各方密切协同，共同推进准备工作尽快就绪。同时，也将继续深入落实依法监管、从严监管、全面监管理念，防范跨境炒作风险，打击市场操纵、内幕交易等违法违规行为，为深港通的平稳推出和安全运行营造好环境、奠定好基础，为内地与香港的进一步合作积累经验、开辟道路。深交所将以深港通推出为契机，进一步加快改革创新，更好地服务自主创新国家战略，促进经济转型升级、供给侧结构改革和“一带一路”国家战略。

港交所周松岗主席表示，深港通将两地市场的互联互通提到前所未有的新高度，进一步加强了深港两地的联系。两地三所将会继续通力合作，积极回应市场各界对深港通的高度信心和期盼。

中国结算戴文华总经理表示，四方协议的签署，是各方进一步深化合作新的起点。中国结算作为支持内地与香港股票市场互联互通的重要金融基础设施，将继续优化完善有效的风险管理机制、应急处置机制，为广大投资者、结算参与人提供安全、便捷、高效的登记存管结算服务，全力支持深港通的顺利推出和稳定运行。

深交所王建军总经理接受采访时表示，深股通标的上市公司充分体现深市新兴行业为主的特色，表现出较强的盈利能力和成长性，代表了新经济的方向。《四方协议》是深港通的框架性协议和基础文件，协议中明确了各方权利义务，内容涵盖深港通股票交易、结算、存管、市场监察等各方面主要的业务安排，是四方就深港通交易结算运行机制达成全面共识的重要成果。《四方协议》的签署，标志着深港通筹备工作取得了新的进展。各方共同表示，下一步将在两地监管机构的有力部署和指导下，精心组织，密切协同，圆满完成年内尽快开通深港通的任务。

深交所在港举行深港通全球路演启动仪式

10月13日，深交所与香港交易所在香港举行深港通全球路演启动仪式。深交所吴利军理事长与香港交易所集团行政总裁李小加分别发表讲话，深交所、香港交易所、中国结算代表分别就深圳市场特色、深港通机制设计和结算制度向在场的逾600名投资机构代表作了介绍，并就投资机构和媒体关心的问题回答了提问。

吴利军理事长表示，深港通方案获批，标志着资本市场在国际化、法制化、市场化方向上又迈出了坚实一步，将在更大范围、更高层次、更深程度加强内地与香港合作，提升两地市场的国际竞争力和服务实体经济的能力。深交所的上市公司群体具有鲜明的创新创业特色，为境外投资者提供了独特的资产类别，为创新企业对接国际资本提供了平台。深交所将以深港通为契机，不断完善国际投资者服务体系，提升境外机构投资深圳市场的便捷程度。

李小加总裁表示，深港通的推出将进一步完善内地与香港资本市场的互联互通，强化香港作为离岸人民币资产管理中心的地位。本次路演是推广深港市场整体竞争力和吸引力的重要举措。

深交所王红副总经理随后参加深港交易所联合记者见面会，回答了香港和国际媒体就深港通技术准备情况、投资者保护安排、交易制度和国际路演等方面提问，指出深股通标的公司必须实行网络投票。王红副总经理表示，两地交易所和结算机构已准备就绪，下一步将完成全市场测试，确保深港通顺利平稳推出。香港是深港交易所全球路演的第一站，两家交易所还将赴欧洲和北美继续推介深港通。

深交所代表团此行还与部分在港投资机构举行一对一路演推介会。在此之前，深交所已持续开展路演推介工作，累计举办了十余场针对境外投资机构的深港通路演推介会，参与人数超过200人。深交所将在未来持续开展针对境外投资者的常态化路演推介活动。

深交所联合港交所、中国结算完成深港通全球路演

10月下旬，深交所联合港交所、中国结算开展深港通全球路演，介绍深市特色和深港通交易机制。路演活动覆盖伦敦、巴黎、法兰克福、多伦多、纽约、旧金山等主要金融城市，共举行活动50余场，覆盖100余家当地主要金融机构。

路演活动得到了境外投资者的积极响应。很多机构表示，深交所的上市公司群体具有鲜明的高科技、高成长的特色，充分展现了中国新兴企业的巨大活力，显示出中国经济的新动能正在逐步形成。深港通是继沪港通后中国资本市场对外开放的重要举措，为境外投资者分享中国经济成长成果提供了重要途径。深港通方案获批不仅扩大了可投资标的范围，更传递出中国资本市场坚持改革开放的信心和决心。

在路演过程中，路演团队就境外投资者在投资便利化、产品多元化、机制国际化等方面的意见建议进行了解释和回应。根据路演的反馈情况，深交所将配合深港通的推出，继续推动完善市场机制，进一步健全境外服务体系，鼓励引导上市公司加强境外投资者关系管理，为境外投资者参与深圳市场营造更为便利的环境。

展示风采　拥抱世界

深交所国际部　刘辅忠

2016 年 10 月中下旬，我所分别赴中国香港地区、欧洲、北美进行深港通路演推介，香港交易所集团、中国结算深圳分公司共同派员参与了路演。中金公司、汇丰银行、瑞士信贷、德意志银行、花旗银行、美林证券担任路演合作伙伴。路演团队向境外投资机构介绍了深港通制度设计及深圳市场特色，对境外投资机构关心的重点问题进行了回应。本次路演是我所首次独立开展的大型对外路演活动，也是 2012 年中国证监会组织 QFII 全球路演后我所首次向全球展示反映我国经济转型的股票标的。

路演概况

路演覆盖香港、伦敦、爱丁堡、巴黎、法兰克福、多伦多、纽约、波士顿、旧金山等主要金融中心，共进行了 59 场活动，其中包括 9 场集体路演和 50 场“一对一”路演，覆盖境外投资机构 400 家左右，包括主权基金、保险资金、共同基金、私人银行、对冲基金、中资在外金融机构等各个类型。

为达到路演的最大效果，代表团队制作了英文宣传短片，并将深交所交易规则、产品系列、深港通规则和问答制成英文手册，起到了全方位的宣传效果，从各个角度呈现了深市特色。

《华尔街日报》2016 年 10 月 16 日撰文称“深港通预示着代表中国经济新动力的企业第一次在国际市场亮相”。彭博社 2016 年 10 月 27 日的报道大段引用了我所相关人士的采访内容，原文为“自主创新和其它成长性企业云集的创业板代表了中国‘新经济’和战略转型升级的最前沿。”

功夫在幕后

在国际路演正式启动之前，国际部及相关部门已持续开展路演推介工作，累计举办十余场针对境外投资机构的深港通路演推介会，超过 200 名香港和国际投资者参与。在境外宣传和接待国际投资者来访的过程中，相关同事注意收集境外投资者关注的问题，并积极给予接待。

根据与境外投资者的接触经验，国际部及相关部门有针对性地准备了多份展示宣传资料，并针对常见问题和热点问题准备了 120 页的问题应答方案。路演团队在出访之前做了精心的演练准备，进行了多轮试讲演练及专题培训，充分利用境外中介机构的专业力量，不断试讲完善，并对拟拜访机构的背景材料进行了充分的熟悉了解。

大国际团队

本次路演涵盖范围广，专业性强，因此在路演成员背后还有一个“大国际”团队。大家组成路演支持团队，不辞辛苦、分工各有侧重，相互配合，整合各类信息数据。路演启动前，这些年轻员工常常工作到深夜，核实每一项数据，每一张图标。路演材料的每一页都凝聚着他们的智慧和努力。

从路演效果来看，境外投资者关注的问题基本在我们准备范围之内，我们的答复大多受到他们的认可。在路演过程中，境内支持团队跟踪媒体有关报道，及时向路演团队反馈，并对预期外的问题提供材料支持。在外活动安排紧张有序，展现了深交所的专业水平和敬业精神。

服务精神

在香港的路演中，理事长、王红总、喻华丽总以及唐瑞、傅炳辉等总监赴香港参加了深港通国际路演香港站启动仪式，并亲赴相关在港国际金融机构宣传推介深港通。理事长在会见中表示，上门服务一直是深交所的优良传统，在“深港通”启动过程中更是如此。理事长在走访中，亲自向境外机构投资者介绍了深港通的意义，阐明了“深港通”代表中央政府推动资本市场对外开放的坚定决心。在所领导的带领下，路演团队同事深入细致地回答了境外投资者的问题，消除了他们的疑虑，增强了他们的投资信心。在跨境资本服务中，沟通就是生产力。

王红总不仅在香港路演大会后会见了机构投资者，还在当天深夜接受了华尔街日报两个小时的采访。当采访结束，离开华尔街日报在港办公室，已是午夜时分。华尔街日报刊载了相关报道，向全世界机构投资者传递了深港通启动的消息和分析评论。

“深港通”全球路演成功举办，持续性的路演和服务工作刚刚开始。我所国际投资者服务体系刚刚建立，需要不断充实完善，需要团队同事不断探索，强化服务。“深港通”国际路演活动磨练了队伍，提升了服务水平，为我所进一步国际化发展积蓄了能量。

深港通“四味”

深交所法律部　邓子欣

关于一盒“霆锋四味”的允诺起源于一年半前，抱着有些匆忙的 ATS 申请材料与虎哥、卉晴一道随队拜访香港证监会。席间虎哥念叨着想给媳妇带一罐小熊曲奇，代购有失诚意，后因行程太满未能如愿。暖男的曲奇遗憾，一路兜转成为了我们三枚楞青之间对深港通启动时开一盒“霆锋四味”的约定，一句“说好”的背后是惺惺相惜，是抱团取暖，是努力达成一个共同目标的相互依托。日历从 2015 年 5 月更迭至 2016 年 12 月，个中滋味也是一场人生四味。“苦”，黑巧克力入味、苦中回甘。汇集所内十个业务部门，上百页的 ATS 申请材料，往来修改近十稿，两轮补充反馈，时常眼花，需要依仗搜索功能才能确保前后表述一致；经常电话“骚扰”，为求落到“字眼”的准确；烧尽脑细胞，才有了格局，圆了对符合 ATS 作业准则的说明。八大业务规则、七份协议，逐条逐款，逐字逐句，会议室里一坐就是一天，带着一个释义入梦又伴着一款罚则清醒。害怕疏漏损了制度周延，用“心力交瘁”或不为过。

“辣”，辣椒与车打芝士碰撞、川式鲜咸。进入启动倒计时后，压力形成了层层传导，每位小伙伴在精细到“天”的工作进度面前都扛着一份 mission impossible，焦灼至临界，火药味渐浓，一句话可以点燃一顿脾气，成了出口。

“酸”，柠檬汁调和、自然清新。部门和工作性质差异带来隔阂，协调配合过程中免不了摩擦和不理解。于是委屈有时，碎念有时，吐槽有时，酸楚有时。

“甜”，牛油奶香、浓郁满溢。百味回甘，我们学会了认清自己的能力边界，在尽力之后认怂，与自己握手言和、冰释前嫌。学会了对脾气的控制和消解，深知大家都是在竭尽全力地想要做好手中的工作，坚硬的外壳下谁的内心不是倾注入世的温柔。也学会了碎念后释然放下，换位思考，谁都有自己的立场和难处。我想深港通带给我们比荣誉更重要的，是自己的成长。

曲奇只剩回味，但回忆的好处在于时间像一枚滤镜，会涤去种种浮躁和不快，能想起来的都是全力以赴时的元气满满和遇到的美好。时过境迁后关于深港通琐碎的记忆瞬间，还会绽放鲜艳光彩。谢谢你们这样优秀，值得放心托付。

深港通开通有感

深交所市场监察部　吴志国

2016 年 12 月 5 日深港通开通，对深交所以及我个人而言，具有特别的意义，作为深港通筹备组监察风控小组成员之一，我亲身经历了深港通市场监察筹备工作的点点滴滴。有幸能够参与这个项目，收获很多，感慨也很多。借这个机会，我想谈谈自己的几点感受：

1. 运行有效的机制是确保深港通顺利开展的基础。在所领导的统一协调下，深港通各个业务小组分工明确、步调一致。筹备工作中，从项目分工到时间节点，均制定了详细计划表格。具体工作中，筹备小组每周四下午召开协调会议，所领导主持，各相关小组就进展以及遇到的问题进行交流，及时协调解决，确保了各个业务口工作如期完成。深港通的顺利开通，充分证明了我所运行的高效，也为我所积累了难得的经验。

2. 于细微处见精神。一项大的事情，最终是可以分解成一个个细微之处，也是这个时代倡导的“工匠精神”意义所在。此前，市场对深港通有诸多疑虑，比如跨境市场操纵、中小市值炒作、跨境资金流动等方面。为此，监察风控小组对深港通可能面临的内部风险和外部风险进行了系统评估。此外，我部会同相关部门组成调研组赴港调研，4 天调研时间内，不间断地安排了 8 场调研交流会，与香港证监会、联交所、国际投资机构等 13 家机构进行面对面交流，收集了很多意见、建议。针对评估的主要风险，我们制定了市场监察应对措施，例如在跨境监管方面，与港交所建立了跨境联合监管机制，实现数据交换、调阅账户信息等；与上交所、港交所建立了三方市场监察联席会议制度，每个季度召开一次会议，讨论跨境监管事项。这些具体又细致的工作，体现了我所务实、细致的作风，为深港通的顺利开通以及后续监管工作奠定了坚实基础。

3. 敬业是深交所人的标签。深港通开通前夜，微信上流传一张深交所大楼灯火通明的照片，是对深交所人敬业精神的最好诠释。整个筹备过程中，加班加点是常态，筹备组人员默默奉献、不求回报。给我印象很深的是关于深港通监察系统的开发工作。从需求提交阶段开始，我部与电脑工程部相关同事就开始积极沟通，具体到业务流程、指标设置、计算方法等，逐个细节讨论，一点不含糊。监察系统上线前的测试工作中，双方又频繁开会讨论，紧抓重点，非常高效。一旦发现问题，随时沟通，不论上班还是下班时间。经过一遍遍测试、一遍遍改进，在开通前，监察系统如期上线，为后续深港通交易监控打造了“工具箱”。

深港通的开通，是我所前行中重要的一步，但这仅仅只是个开始，勤勤恳恳的深交所人，将继续以务实的作风、踏实的工作和乐于奉献的精神，开创更大的事业。

我眼中的深港通

深交所系统运行部　王　佳

98 周工作周报

2016 年 11 月 11 日，深港通技术上线。

截至这一周，不知不觉，我已写了 98 周深港通技术准备周报。每周各个系统负责人的周报都要发给我。这里面有进展顺利的，有不顺的，也有需要各方争分夺秒解决问题的，然后由我汇总整个技术准备工作的进展情况，发给项目组的每一个人。

写这篇文章时，我又仔细回看了每一封自己发出的周报，清晰地看到深港通项目从立项、规划、设计方案、需求确认，到系统实施、测试验收上线，每项工作都进行得有条不紊。

我简单统计了一下：

2015 年 2 月 4 日开始深股通在对外独测上测试，截至 12 月 2 日，累计已测 425 个交易日；

2015 年 12 月 21 日，开始港股通第一轮仿真测试，累计 29 个交易日；

2016 年 4 月 11 日，开始港股通第二轮仿真测试，累计 44 个交易日；

2015 年 5 月 9 日，开始深股通在生产系统测试，累计进行 26 场周末测试；

2016 年 10 月 8 日，开始港股通在生产系统测试，累计进行 13 场周末测试。

此外还有各种内部测试、网络连通测试、性能测试、六方联测等，数不胜数。这 98 周周报的背后，酸甜苦辣，五味杂陈，相信每一位参与深港通项目的同事都深有感触。

每天下午 5 点，本该是结束一天工作、陪伴家人的时候，但对于深业的这群人来说，加班到晚上 10 点再正常不过了。每每到周五晚上，本该轻松过周末，却因为测试程序上线，项目组的同事又要加班到凌晨。

2016 年的 52 周，35 个周末有测试。67% 的周六，项目组的同事在加班。深业的同事在午夜游荡，新楼的同事也同样神出鬼没。有一次夜里 11 点还有人在跑步。问之，回答说：出点汗，来点精神，还可以换换脑子休息一下，一生能参与几次这样有影响的大项目，所以一定要尽力。

深深感动，为项目熬得外表形象全无，而内心却无比坚强。同时我也在感慨，吸引 IT 码农的不是工资和奖金，而是一种人生追求。像深港通这样的历史性项目，人生中能有幸参与一次就已无憾。

深港通启用日

12 月 5 日，深港通业务启用。8 楼热闹非凡，而此时 7 楼的 ECC 却很安静。

各子系统技术负责人、主要参与同事 6 点 30 分都到达 ECC；7 点整，系统完成启动，通信前端已完成和港交所的接入，一些同事在专注地检查各自的程序运行，一些同事在密切监控着系统各项性能指标；9 点整，监控出现港股通委托；9 点 15 分监控出现深股通委托；9 点 25 分出现成交，第一笔深股通和港股通成交显示在大屏幕上；9 点 30 分，两地委托成交数据在监控画面不断显示更新，成交金额在不断增加。

整个过程中，没有欢呼雀跃，偶有一两句交谈，但更多的是技术人严肃认真的神情。

可谓上线前激情澎湃，上线后平静如水。业务启用只是个开始。启用后每天的深港通运行正式开始。收市后给香港发送闭市行情，同时接收并处理港方传来的汇率文件、日历文件、标的清单等。开市时要监控委托时延、处理系统错误，长假后要重新加载数据并完成数据发布，非深港通交易日要关闭交易单元权限等等日常工作，这些会恒久考验我所技术系统的运维能力。

而 2017 年 5 月港交所接入从四版转到五版，又一轮新的周末安排也已经在悄然准备。

运维需要更多的细心、耐心和责任心。深港通业务启用只是刚刚开始。

“林冒烟”的由来

最后讲一个故事吧。“林冒烟”，以前人称“小圆子”。新一代交易系统冒烟测试流程负责人，也即深港通冒烟测试流程负责人。所谓冒烟测试，就是在每天完成所有系统变更操作后，运维人员会对第二天的生产环境进行可用性测试。在单独的环境启动系统、加载业务参数、委托灌盘，看系统有无问题。这样可提前发现潜在问题，有备无患。

林冒烟又一次勇挑重担，自己孤独地测试了很多次，测了改，改了测。就这样经过了两周的摧残，大功告成，某日正式通知晚上开始冒烟测试了。

晚上 9 点多，生产系统完成所有变更后，数据顺利地推到冒烟环境。于是大家欣喜地觉得那晚 10 点半下班有戏。领导知道后，也亲自到现场观摩盛况。林冒烟出马，果然非同凡响，50 多个步骤，每一步都进展顺利，马上就到关键的启系统步骤了。一个个组件从红变绿，大家的神情也从紧张期待到轻松，一顿猛夸林冒烟神勇无敌。

等等，还有一个模块没启动。怎么回事，再等等。过了一会，怎么还没起来，不会出问题了吧？领导在，不敢看错误日志哎。

再等等，好像其他人发现了。“哎哎哎有个模块没起来，林冒烟”，不知是谁先开口了。好吧，林冒烟开始看错误日志了：“没有报错啊，真的没有呀。等等，有报错！”“什么原因，赶紧查。”“22 点半了，查出来没?”23 点，“查到了，刚刚太激动，忘记先启运维组件了。”好吧，所有人从神采奕奕一下子到瘪茄子。眼看大家的眼睛都累得快睁不开了，却仍然坚持着。于是所有步骤重新来，1 个小时后，自责又生气的林冒烟脸绿了，头顶也紧张得冒出白烟（科学解释：头顶发热出汗，遇空调冷气而产生白色雾气。“林冒烟”一绰号由此而来）。因为要做完才能走，所以大家只能一起安慰他，别着急，重新做吧。这次大家认真看着每一个步骤，生怕有错漏。

这件事后，林冒烟因为冒烟环境测试头顶冒烟儿而出名。但此后，他进步很多，虽说后来冒烟测试还有不少问题，但再大的事情他也能从容处理，并迅速成长为流程专家，我组栋梁之材。

缅怀那段一起奋斗的岁月！

一桥飞架南北

——记深港通网络二三事

深交所通信公司　吴　凡

网络像桥梁，作用在沟通。带宽是桥梁的车道，可用性是桥梁的坚固性，时延是桥梁的顺畅程度。这次深港通网络建设，我们就像建了一道飞架南北的宏伟桥梁。

“桥梁”设计

2015 年初，我加入了深港通项目组，负责网络系统的规划和搭建。领到这个任务，我既觉自豪，也有压力：一方面，自己的工作能力得到了一定的认可；另一方面，这么意义重大的项目，对我提出了新的挑战。

在项目初期的会议上，所领导指示，港股通要做就要做到最好，一方面，业务设计要更灵活多样；另一方面，网络时延要更小。这对我们网络设计提出了更高的要求。为规划网络方案，我阅读了港交所提供的接入文档，并通过邮件、电话、会谈等方式频繁与港交所同仁展开交流。最终，为了节省一个毫秒的时延，我们设计了托管在港交所 HSN 机房的方案；为了提高可用性，我们设计了主用、备用、灾备三路并发而又相互独立的方案。2015 年 2 月，项目方案顺利在两所高层会议上得到批准。

让我印象深刻的是，初期深股通方案中，港交所并不打算将设备托管在深圳机房，而准备采用长途直连的方式。这种方式也是我们提供给四版交易用户的主流方式。但听到发生故障时，应用层引导的自动切换要 30 秒才能完成，港交所高层领导直言不讳地说："30 秒，我都要下课了。"最终项目方案改为双方相互托管，深股通故障切换通过网络层收敛而不是应用层引导，实现秒级切换。这次事件让我意识到，我们要建设的不光是一座桥梁，还是一座具有国际性意义的桥梁，一座对外展示我们深交所水平的桥梁。我们应该用更高的标准来要求自己。

"桥梁"建设

由于有高标准的设计，进入到施工层面，我们也对运营商提出了很高的要求。

跨境专线招标书中，时延要求不超过 6ms。中标的运营商移动、联通非常重视这个项目。拿移动来说，移动省公司领导直接关注，为了提供高可用低时延的服务，专门布设了一个 OSN3500 设备；其客户经理也积极沟通，努力推进，最终，一直在施工时间方面存在短板的移动，只用了 33 个工作日就完成了这条跨境专线的建设，完工时间还领先于同时开工的联通。而且终验时，两家运营商时延都控制得非常好，端到端网络时延不超过 4ms。

在设备选型方面，由于所里与 Juniper 有框架协议，我们选用了 JuniperSRX650 设备。这款设备既有路由器模式，也有防火墙模式；我们将香港的设备设置为防火墙模式，在做双向地址转换的同时，承担了部分安全功能；深圳的设备设置为路由器模式，主要进行路由转发。这款设备的表现也比较给力，从 2015 年 8 月上线至今，未发生任何故障。

设备上线，专线调通；剩下就是我们网络人员的拿手活了。地址规划、协议选择、路由发布、冗余设计等等……"桥梁"的建设有条不紊地推进。由于应用需求的区别，深股通网络在 2015 年 4 月就已完工，并进入业务测试阶段；港股通网络在 2015 年 10 月完工。

特别感恩的是，在建设过程中，港交所同仁给予了我们很大的便利和帮助。例如托管机房的施工，港交所有着严格的审批制度，有时运营商在香港的本地合作方与我们沟通不到位，预先授权时漏了某个同事，港交所会与我们积极沟通，并额外给予许可，申请后补；有时运营商到港交所的灾备机房施工，港交所会额外安排同事加班。同时，我们在深股通网络的建设中也给予了最大配合。这个项目就在双方的友好合作中尽快推进，顺利完工了。

"桥梁"扩容

桥梁通车前面临着各种检测，网络亦然。冗余切换测试、业务测试、压力测试等等……周末一轮一轮的加班开始了。

2016 年 7 月 30 日，在压力测试时，发现港股通网络的带宽不足以承担我们的设计峰值流量。这一突发状况令我非常焦急和自责！前期进行网络规划时，由于没有业务的输入，带宽是根据我们的经验值以及与港交所、上交所的交流定下的；如今实测带宽不足，全网业务测试迫在眉睫，扩容时间非常紧迫！

为了保障 10 月中旬开始的全网测试，所领导提出要求，专线扩容必须在 10 月 15 日前完工。我马上拟了扩容方案，在 PMO 会议通过后，扩容又遇到新的问题：作为主线运营商，移动称跨境 MSTP 专线的扩容不像国内长途的扩容，不能平滑进行，而相当于新装。新装一条跨境专线，这么短的时间能否完工？这是一个巨大的挑战，考验的是我们与运营商的配合。

此时两家运营商都给予了高度配合，在还未收到所里的商务订单时，就启动了前期的资源勘查等工作；在收到合同通知书后，各个部门都精诚合作，高速推进。最终，移动的主线在 9 月 29 日升级完工，从 8 月 19 日开完 PMO 会议算起，正好 30 个工作日；从 9 月 6 日所里商务同事发送商务条款和合同通知书算起，更是只有短短 18 个工作日。联通的两条专线也分别在 9 月 22 日（利旧扩容）、10 月 5 日升级完工。专线扩容的提前完成，保障了全网测试的顺利开展，我终于松了一口气。

这段时间与运营商的沟通，也让我发现了移动互联网时代的专线推进模式：将运营商相关各部门、各职能、方方面面的同事请到一个微信群里，包括集团公司领导、集团政企公司领导、国际公司同事、深圳公司客响部、深圳公司政企部、深圳公司罗湖分公司同事等，大家在一个群里，每天问下专线建设进度；看看目前哪个停在哪个点，归口哪个部门处理，如何来解决等。在后面的排障及特保中，这个"深港通维护讨论群"也让我们和运营商的沟通更顺畅。

"桥梁"通车

2016 年 12 月 5 日，深港通正式启航。我有如释重负的轻松感，又有目标达成的满足感。跟进近两年的项目终于成功上线了，飞架南北的桥梁终于正式通车了。我们近两年来付出的汗水和努力终于得到了回报。

衷心希望这座"桥梁"能高效稳定，为深港资本市场的互联互通发挥重要的作用！

开通仪式筹备"交响曲"

深交所办公室　赵亚媛

2016 年 12 月 5 日上午，期盼已久的深港通开通仪式在我所八楼上市大厅举行。伴随着开市的钟声，深港通正式扬帆起航。和所有为深港通付出努力的业务部门同事一样，我们每一个开通仪式幕后工作人员的心情是既激动又自豪，仿佛几个月来压在胸口的一块大石头得以稳稳落地，大家终于松了一口气。

深港通是 2016 年资本市场的一件大事，受到了国内外投资者的关注。除了业界嘉宾到场观礼，还有近百名媒体记者前来采访，仪式通过央视、第一财经、广东卫视等主流媒体现场直播。这看似简短的仪式背后，凝聚了办公室、行政公司（营运公司）、系统运行部、会员部等各部室同事的共同努力。

比起深港通业务规则制定、技术系统准备、市场组织和投教路演，深港通开通仪式是锦上添花的一笔，也是必不可少的标志性环节。虽然只有短短 30 分钟，仪式流程也相对简单；然而，从前期场地优化、创意策划、视觉设计、直播连线机构确认、宣传片制作、行情数据系统对接的准备，到嘉宾邀请、深港两地仪式彩排、屏幕软硬件设备升级、场地布置就绪，再到最后现场的仪式流程衔接与连线直播，包含策划、采购、接待、落实等各个方面，可谓是步步为营，环环相扣。就像是组成交响曲的乐章，只有每个段落精彩表现，才能最终呈现出最恢弘的音乐效果，打动人心。

为了达到良好的呈现效果，在仪式流程、视觉设计和宣传片制作等重要事项决策中，取舍之间，大家反复讨论，几易其稿。还记得征集仪式创意时，办公室专门召开“头脑风暴”会议。各个部门热心的小伙伴聚在一起，献计献策，提供了不少创意十足的“脑洞”，包括无人机撒礼花、舞狮文化表演和声光电效果游戏提升嘉宾参与度等等。鉴于开通仪式的风格最后定为“简朴而隆重”，我们只能采纳个别建议，用于宣传片制作。

在场地视觉设置上，我们没有做过多的装饰。仪式现场屏幕上的主视觉图案源自立交桥，取“四通八达”之意，直观地表达深港通的重要意义。辅助屏幕上的图案则通过深圳湾大桥寓意深港两座城市地缘上的“亲密”关系，亦取“连通”之意。上市大厅两侧的展板，展示出我所在支持创业创新和推动国际化发展方面取得的成就，既体现深市特色，又点出深港通是推动内地资本市场国际化的又一突破。

仪式流程上，一开始的宣传片带大家回顾短短四个月内深港通从宣布到就绪的筹备历程。接下来的领导讲话，充分体现了上级单位、政府部门对深港通的殷切期望。与港交所连线互动环节，则表达两所精诚合作是深港通顺利推进的基石。赠的礼物也蕴含着“双牛齐奔”的巧思。最后，两所同时敲钟/敲锣开市，以交易所特有的开市特色将仪式推向高潮。

西方有句谚语：魔鬼在细节中。意思是无论做什么，要仔细考虑所有的细节，否则不知哪里就会出麻烦。幸运的是，我们每位工作人员似乎都是“强迫症患者”，细致认真，追求完美。负责设计的三位同事，整体把握仪式现场的视觉风格，连对现场展板的灯光效果、座位名签的纸张克数和颜色等大家注意不到的地方都要求做到尽善尽美。行政公司礼仪同事一遍又一遍练习走位，请专业人士提升礼仪知识，熟悉整体流程。礼仪姑娘们微笑的面庞和热心的服务，成为开通仪式上亮丽的风景线。系统运行部的同事经过多次沟通协调，让两地行情数据顺利显示，他们还负责配合仪式流程，高效地切换大屏的各种模式。办公室及行政公司负责接待的同事经验丰富，交通、住宿、餐饮等一系列安排配合默契，让远道而来的客人们印象深刻、宾至如归。负责新闻宣传的同事，在场地有限的情况下，满足三十多家电视媒体的采访拍摄需求，为央视、央视财经等主流媒体的报道提供特别保障，给深港通开通营造了良好的舆论氛围。这样的例子不胜枚举，更不用说周末连续加班，开通前一天不少人在所里过夜。

在开通仪式筹备的这幕“交响曲”中，同事们各司其职，演奏属于自己的“乐器”，并与连线机构、设计机构等外部人员相互磨合，最终擦出令人满意的火花，奏出和谐的乐章。

我想，若干年后，在书写证券市场历史时，或许没有人会记得幕后的我们为了一场开通仪式所做出的努力，但只要他们能从这场仪式的影像中感受那个重要的历史时刻，这就够了。

深港通：一个全新的深市打开方式

深交所投资者教育中心

深港通已于 12 月 5 日正式启动，内地与香港金融市场互联互通的道路变得更为宽阔，深港通这座大桥合龙，深港区位优势凸显，内地与香港金融合作进一步得到深化。在沪港通的基础上，深港通进一步扩大内地与香港股票市场互联互通的投资标的范围，满足投资者的多样化跨境投资以及风险管理需求，有利于投资者更好地共享两地经济发展成果。在此我们简要介绍深股通标的股票相关特点，希望为投资者参与深股通、分享深市活力提供参考。

一、深股通标的股票范围

深股通股票范围是市值在 60 亿元人民币以上的深证成份指数和深证中小创新指数的成份股，以及 A + H 股上市公司在深圳证券交易所（以下简称“深交所”）上市的 A 股，但不包括被深交所实施风险警示、被暂停上市或进入退市整理期的股票。深股通标的股票涵盖了部分主板、中小板和创业板上市公司，凸显了新兴行业集中、成长特征鲜明的市场特色，充分体现了深交所多层次资本市场特点。

具体而言深股通标的股票规定如下：

深股通

包括：

（1）深证成份指数及深证中小创新指数的成份股，且定期调整考察截止日前六个月 A 股日均市值不低于人民币 60 亿元

（2）A + H 股上市公司在深交所上市的 A 股

不包括：

（1）被深交所实施风险警示的股票

（2）被深交所暂停上市的股票

（3）退市整理期股票

（4）以外币报价交易的股票（即 B 股）

（5）深交所认定的其他特殊情形

二、深股通标的股票覆盖七成深市 A 股市值

从覆盖面看，深股通标的股票共有 881 只，截至 2016 年 11 月底，标的股票 A 股总市值为 16.52 万亿元，平均市值为187.46 亿元，占深市 A 股总市值比例为 70.45%；今年 1 月至 11 月，标的股票 A 股日均交易金额为 2102.06 亿元，累计成交金额占深市 A 股比例为 65.02%。

从总体结构上看，深股通标的股票中符合条件的“深证成份指数”成份股有 499 只，只数占比 56.64%，市值占比 75.13%；“中小创新指数”成份股有 377 只，只数占比 42.79%，市值占比 24.66%；深港 A + H 股共 17 只，其中 5 只不是深证、中小创新指数成份股。

从板块分布上看，深股通标的股票包含主板 267 只，占标的市值比例为 37.19%；中小板 411 只，占标的市值比例为 43.21%；创业板 203 只，占标的市值比例为 19.60%。

三、深股通标的公司凸显创业创新特色

与深交所支持创新、培育实体经济的特点一脉相承，深股通标的股票凸显出鲜明的创业创新特色。标的股票聚集了信息技术、可选消费、医药卫生和电信业务等新兴行业，以巨潮上市公司行业分类标准进行统计，新兴行业的市值权重达 58.85%。其中，信息技术行业上市公司有 190 家纳入了深股通标的，占到标的股票总市值的 21.30%，是深股通第一大行业；可选消费行业有 140 家纳入深股通标的，占到标的股票总市值的 17.77%，包含了众多文化传媒、旅游休闲、时尚创意、智能家居等代表中国消费升级方向的公司。

在这片由众多民营企业、科技企业和战略新兴企业支撑起的中国新经济聚集地，以科大讯飞（002230）、美的集团

(000333)、比亚迪(002594)、云南白药(000538)、光线传媒(300251)等行业翘楚为代表的深市上市公司正勾勒出中国经济增长的新动力。根据相关公司2016年第三季度报告数据，纳入深股通标的股票的上市公司该季度营业收入同比增长率平均为13.37%，净利润同比增长率平均为16.13%，高成长性公司使深市A股市场整体呈现出勃勃生机。

深交所是支持创新中国建设的重要力量，深港通的开通为境外投资者提供独特的资产类别，为各国投资者参与中国经济提供新的机会，同时也为创业创新企业对接国际资本提供了广阔平台。

四、深股通标的股票的调入调出及适当性安排

对于深股通标的股票，因相关指数实施成份股调整等原因，导致部分股票符合纳入深股通股票范围的，则调入深股通股票。深股通股票因实施指数成份股调整等原因，导致不再符合标的股票范围的则调出。关于深港通标的股票的调入调出，有三点需要提示投资者注意：

一是市值标准的执行时点。为防范中小市值股票炒作和操纵风险，深港通标的引入了市值标准。避免因市值波动频繁调整标的范围，给市场投资操作带来不必要的影响，市值标准仅在相关指数成份股定期调整时执行，相关股票在定期调整实施日调入或者调出深股通股票。

二是A+H股公司调入深股通标的时点安排。香港联合交易所有限公司(以下简称“联交所”)H股上市公司在深交所上市A股，或者深交所A股上市公司在联交所上市H股，或者公司同日在深交所和联交所上市A股和H股的，其A股在上市满10个交易日且相应H股价格稳定期结束后调入深股通股票。

三是标的调出对投资者交易权限的影响。某股票调出深股通标的股票后，投资者不得通过深股通股票买入，但可以卖出。调入或调出深股通标的股票的生效时间，以联交所证券交易服务公司公布的时间为准。

另外，提醒投资者注意的是深股通创业板市场投资者适当性具有特别规定。根据相关规定，深股通投资者参与创业板交易遵守适用香港股票市场的投资者适当性监管规定及业务规则，并且深股通开通初期，参与创业板交易的投资者仅限于香港相关规则所界定的机构专业投资者。

(免责声明：本栏目的信息不构成任何投资建议，投资者不应以该等信息取代其独立判断或仅根据该等信息做出决策。供稿人力求本栏目文章所涉信息准确可靠，但并不对其准确性、完整性和及时性做出任何保证，亦不对因使用本栏目信息引发的损失承担责任。)

深港通国际路演工作团队部分成员感言

魏梦　中小板公司管理部

非常荣幸能够参加我所深港通欧洲线路的国际路演。近十天的活动下来，我既感受到中国作为世界第二大经济体，资本市场的影响力和吸引力越来越大，也直接感受到境外大型投资机构分析和判断问题的视角，比如英国等国家的投资者非常关注上市公司业绩增长的基础、驱动力和可持续性等。作为信息披露一线监管机构，我们可以进一步引导上市公司强化信息披露深度，吸引更多的境外投资机构加大对中国资本市场的投资。

马维杰　创业板公司管理部

创业板：中国新经济和战略转型升级的最前沿

首先，创业板是中国经济的未来。我此次北美路演的重要任务之一就是宣传、推介创业板。值得欣喜的是，境外机构对创业板表现出极大兴趣，对通过深港通参与创业板投资充满期待。创业板近年成长性好，机构投资者认同度不断升高，目前机构投资者已持有板块流通市值的34%。我们在彭博社接受了记者专访。彭博社认为，创业板代表着中国新经济和战略转型升级的最前沿。中国希望从依赖投资、制造业和金融地产的“旧经济”向科技、消费和服务业拉动的“新经济”转型。境外投资者非常认同创业创新为主且活跃度高的深圳创业板市场，IOSCO评价“中国创业板是因地制宜的制度创新”，WFE指出“中国创业板同样定位于中小企业，但更注重服务创业创新企业”，WALLSTREETDAILY指出“看中国未来主要看深市创业板”。另外，境外机构也非常关心创业板的估值水平，2016年10月26日创业板指数平均市盈率达78.85倍，彭博社根据已报业绩测算的纳斯达克综合指数平均市盈率则为76.18倍，两者相差不多，这体现出国际投资者对创新板块普遍给予高于传统产业的估值。中国创业板已经成为全球第二大支持创新创业的市场。

其次，中国经济发展的成就令世界所瞩目。我们访问了纽约，真正感受到了DEVELOPED与DEVELOPING的巨大差异。纽约全球金融中心地位依然，但城市整体略显陈旧；深圳作为后起之秀，其创新活力、现代化都市的氛围已经不输纽约，硬件水平在一些方面甚至更高(但空气、水等自然资源和软环境方面还有很大差距)。这是改革开放给中国带来的巨大变化。作为创业板的建设者，我们更应坚定信心、下定决心，为建设更好的资本市场而努力工作。

李然　国际部

“台上一分钟，台下十年功”，多少个挑灯夜战，多少次打磨锤炼，国际部的一群强迫症患者，对每一个宣传页面、每一个行程细节精雕细琢，力争“深港通”国际首秀尽善尽美。3条线路，9个城市，10场集体宣介，49场“一对一”，超过400家境外机构……一路走来，我们收获了境外投资者的赞许和认可，也收集了许多宝贵意见。首战告捷，但国际路演工作并未停止。为我们这支配合默契、具有全方位作战能力的国际队伍深感骄傲！期待着再次出发，我们一定会做得更好！

裴慧奇　国际部

随着中国经济转型进程的加快与对外开放程度的提高，境外投资者对中国创业创新、对深圳市场的关注度正在显著提升。通过此次路演，我们深感我所市场服务和市场建设方面仍然需要做很多基础性工作，才能更好地发挥深港通的积极作用，推进深市的国际化进程。从个人的角度，深港通路演及近两年面向境外投资者的推介工作使我认识到，每一次对外推介活动既是对外介绍我们市场的过程，也是学习境外实践、了解境外投资者需求的过程，这两方面都需要持续学习，不断更新，也对境外推广人员的能力和素质提出了很高的要求。我将继续向领导前辈请教学习，巩固自身专业水平，争取早日成为一名我所优秀的国际化人才。

李卉晴　国际部

非常荣幸能参加深港通路演香港首站以及后期的新加坡路演。在国际部工作已满5年，也一直倍感幸运能在一个精益求精、默契配合的团队里得到历练与成长。深港通的启动既是一项丰硕成果，更是一个崭新开端！路演团队经历了近两年紧锣密鼓的充足准备，才胸有成竹、一气呵成地完成贯彻一个月的全球路演。面对国际投资者，我时而自信，时而忐忑，但总体来说是享受的，感觉自己搭上了一趟极速前进的跑车。这个不断学习、不断充实自我的过程始终充满着动力与乐趣——“世界上没有立竿见影的努力，没有全然无用的经历，待你全副武装，转身梦想就在身旁。”

路演才刚开始，好戏还在后头！

张涵　会员管理部

有幸能参与深港通欧洲路演，于我来说是难得的一次学习和锻炼机会。走出国门，以推广者的角度与全世界的投资者交流，在惊叹欧洲资产管理行业底蕴之深厚的同时，也认识到自己的各种不足，以后要更努力，争取能有多一点机会和交易所一起走出去。

周婷　公司管理部

“深港通”开通是2016年我国资本市场最引人瞩目的事件之一。能够参与“深港通”相关准备工作，并从中学到很多知识、认识很多好朋友，真的非常开心。至今，在开通仪式现场见证历史性时刻的激动心情还难以忘怀。祝愿深交所在未来的岁月中蒸蒸日上！

陈大伟　创业板公司管理部

在与国际部合作筹备路演的过程中，还有很多精彩的经历，比如接待香港证券及投资协会，甚至也有了出境与香港金融管理局、汇丰环球投资管理(香港)有限公司等机构投资者交流的机会。每次“走出去”再回来写总结报告时，自己都觉得有数不尽的收获。一方面，透过外资机构投资者关心的问题，总能让我们更加仔细地了解所处的国内市场和板块，也对相关政策法规有了进一步认识。另一方面，在筹备小组工作的这段经历，我也从共事的领导和同事身上学到了踏实肯干的工作精神，得到了专业能力的提升。

刘未泱　上市推广部

作为推广部的一员，我有幸能够参与深港通路演的前期材料准备和香港机构预路演工作，用IPO、拟上市等相关专业知识和工作经验为深港通的路演材料贡献自身和部门的力量，同时也借由这次机会，从向境外投资者展示深交所现在与未来的角度去思考，对自己工作的价值、全所推广的战略意义有了全新的认识。深港通的启动，是我所继往开来的重大里程碑，就像刘主席说的，“沪港通、深港通必将是两条川流不息的河流”，大河滔滔，远非终点。

深港通信号：中国资本市场持续开放

新华社北京12月5日电　5日上午9时30分，深圳证券交易所8楼上市大厅内，伴随着开市钟声，深港通正式开通，与此同时，香港交易所也鸣锣开市。深圳、上海、香港三地市场互通，内地与香港资本市场互联互通又向前迈出一步。

比沪港通拥有更多可投资标的，文化理念更相近的深港两地市场联通，使中国资本市场开放向前再迈一步。这将对两地市场带来什么影响，中国资本市场的开放未来又会是怎样的图景？

回眸：从沪港通到深港通

当日开盘后，深港通双向首单成交迅即出现。两只股票分别是深股通的深康佳A，成交100股、成交金额481元；港股通的汇丰控股，成交400股，成交金额2.45万元。至此，深港通在交易层面落地。

时光回溯，自2014年4月沪港通获批，深港通便成为市场内外的期待。然而，2015年股市异常波动，原本计划推出的深港通一再推迟，市场开始担忧中国资本市场是否能够继续走开放之路，直到深港通的开通。

沪港通试点至今平稳运行。据上海证券交易所统计，截至今年11月16日，沪港通累计交易金额3.48万亿元人民币，其中，沪股通累计交易金额2.26万亿元人民币，净买入1325亿元人民币；港股通累计交易金额1.22万亿元人民币，净买入2947亿元人民币。

正当沪港通走好，人们对深港通的期待越来越强时，一场股市异常波动让深港通的未来变得难以描述。一段时间里，中国证监会在多次例行新闻发布会上被问及深港通时间表时，使用的都是“适时开展‘深港通’”等说法，无法给出明确的时间表。

但我们仍能从一些事件中发现，中国资本市场仍然期待着开放。2016年年中，明晟公司(MSCI)暂时未将A股纳入全球基准指数，引发市场广泛关注。人们期待，A股能更加融入全球市场；一直以来，或将不同于沪港通和深港通交易模式的“沪伦通”也在研究中。

终于，12月5日，深港通开通。中国证监会主席刘士余出席当日的开通仪式时表示，深港通开通是两地资本市场进一步协同发展的历史性时刻，开通深港通必将为国际、国内金融市场注入正能量、信心和信任。

深港通今开通　资本开放不停步

12月5日，深港通正式开通。

与香港一水之隔，深圳市深南大道2012号深交所敲响的钟声，预示着中国资本市场开放继续加速。深港通将进一步提升我国资本市场对外开放水平，与在全球市场的竞争力和影响力。

两地互联机制对国内金融市场开放有何积极作用？如何通过两地规则的搭建，顺利实现交易市场的互通、提高市场效率？

加速我国资本市场与国际接轨

与沪港通不同，深港通一开通就取消了总额度，仅保留每日额度，同时扩大了投资标的范围。深交所总经理王建军告诉记者，这具有非常重大的意义，充分体现了我国资本市场和金融体系对外开放的信心和决心，增加了吸引外资的新的、更高级的渠道，对人民币国际化也是重要支持。

港交所主席周松岗此前接受采访时也表示，深港通将两地市场的互联互通提到前所未有的新高度，进一步加强了深港两地的联系。

两地互联机制对国内金融市场开放有何积极作用？深交所有关专家分析，一是有利于满足国际机构投资者在境内的资产配置需求，助力A股早日纳入MSCI（摩根士丹利资本国际公司）国际基准指数；二是有利于人民币国际化进程稳步推进，进一步确立人民币国际结算地位、促进资本项目可兑换，推动人民币国际化；三是有利于促进深港金融市场一体化，实现两地技术、人才、资金、管理的深度融合，促进我国资本市场与国际市场逐步接轨。

当然，深港通对改善A股市场投资者结构、满足两地投资者多样化的跨境投资及风险管理需求也意义重大。将吸引更多境外长期资金进入A股市场，促进经济转型升级；使两地投资者更好地共享内地与香港经济发展成果。

据了解，未来，两地互联互通投资标的将进一步丰富，两地证监会表示，为进一步丰富交易品种，为境内外投资者提供更多的投资便利和机会，已就ETF交易型开放式基金（交易所买卖基金）纳入互联互通的投资标的达成共识，待深港通运行一段时间，相关条件具备后推出实施。

搭建规则确保两地互联互通、运行高效

王建军说，深港通让深交所第一次有机会面向全球投资者，这意味着上市公司融资的空间和平台扩大了许多，有机会向全球投资者募集资金。"公司的股东结构也会发生很大变化，对于上市公司治理及规范发展都会带来很大变化。"

深港两地通过规则的搭建，顺利实现了两地市场互联互通，运行高效。一是保持与沪港通基本规则体系不变，减少市场成本；二是保持沪港通确定的法律法规属地适用原则不变，遵守交易结算发生地市场的规定，上市公司仍继续接受上市地上市规则的监管等。

据了解，深港通交易系统基于新一代交易系统技术（即"第五代交易系统"）架构实现，深市市场参与者通过当前单点接入即可同时参与港股通业务和深市现有各项业务，无需额外接入。深港通技术平台具备高扩展性，为将来可能的其他市场互联做好了技术准备。

在监管制度对接方面，改进停复牌机制，出台规定规范A股上市公司停复牌行为。统计数据显示，从今年6月底到9月底，深市全天停牌公司数量占全市场的平均比例为10.08%，与港交所同期7.24%的数据较为接近。

与香港市场信息披露制度逐步对接，深交所试行了早间信息披露制度。9月底发布《关于深港通业务中上市公司信息披露及相关事项的通知》，要求深股通上市公司进一步规范信息披露，加强投资者关系管理。要求深市A+H股公司及其相关信息披露义务人应当遵循披露内容从多不从少、披露要求从严不从宽原则。

深交所同时优化"互动易"和"分析易"功能。增加"互动易"英文翻译界面，便利境外投资者了解深股通上市公司相关问题。开辟"分析易"港股通专区，提供港股通标的股票财务数据的可视化展示与分析，方便内地投资者了解。

修订规则，明确香港结算作为名义持有人，参与深交所上市公司股东大会网络投票的权利与义务。

标的企业代表新经济的方向

无论是机构投资者还是个人投资者，都十分关注深股通的标的范围。

王建军告诉记者，深股通标的上市公司充分体现深市新兴行业为主的特色，表现出较强的盈利能力和成长性，代表了新经济的方向。

深港通下的深股通股票范围是市值60亿元人民币以上深证成份指数和中小创新指数的成份股，以及深圳市场上市的A+H股。这些标的有什么特点？

记者了解到，标的选取遵循"突出深市多层次、多品种市场特色"的原则，成份股占了99.43%。截至2016年10月底，包括符合条件的"深证成份指数"（499只，数量占比56.64%，市值占比74.89%）和"中小创新指数"（377只，数量占比42.79%，市值占比24.89%）的成份股，及深港A+H股（共17只，其中5只不是深证、中小创新指数成份股）。

标的公司带着深圳市场深深的烙印，突出了深圳市场新兴行业为主的特色。据了解，标的中消费、信息技术、医药卫生和电信业务等新兴行业市值权重占了58.92%，金融地产、能源、公用事业、工业及原材料等传统产业的权重合计41.08%。

对照沪股通，截至10月底，深股通标的市值覆盖率71.25%，比沪股通标的的82.60%低一些，交易金额占比66.31%，与沪股通标的66.97%的水平接近。

深股通标的上市公司经营业绩和成长性较好。依据上市公司2016年三季报，标的平均营业收入同比增长率为13.37%，平均净利润同比增长率达16.13%，而沪深两市2974家A股上市公司平均营业收入同比增长率为3.17%，平均净利润同比增长率为1.68%。

深港通开通，深交所下一步在国际化方面的战略打算是什么？王建军谈道，深交所正跟其他的主要交易所进行产品互挂、信息交换，包括人员互相培训，"我们希望能够从沪港通、深港通，最后实现全球通"。

据了解，截至11月30日收市，深交所上市公司1847家，占沪深交易所总数的61.40%；总市值23.54万亿元，占沪深两市44.34%。截至10月，在全球主要交易所中，深交所按市价总值、上市公司家数、本年成交金额分别排名第六、第十一、第四。

（来源：人民日报　记者邓圩）

第二节　沪深港通市场

2016 沪深港通市场研究报告

摘要

沪港股票市场交易互联互通机制试点(沪港通)于2014年11月17日正式推出,是中国内地与香港之间破天荒的市场互联互通计划,为海外投资者投资内地股票市场及内地投资者投资香港股票市场提供崭新的正式渠道。此渠道实现全程封闭兼有序的人民币跨境资金流,减低对内地市场的潜在金融风险。深港股票市场交易互联互通机制(深港通)亦已于2016年12月5日推出,为沪港通的延伸篇章,进一步扩充合资格股票范围。沪深港之间的"共同市场"模式已然基本形成。中国内地与香港之间的共同市场模式是中国内地资本账开放进程中极具象征意义的突破,为内地投资者开启越来越多的环球投资机会,同时也为全球投资者打开更多的内地投资机会。

沪港通的经验显示,内地投资者对于透过港股通投资港股的需求正与日俱增。他们的投资不止于大型蓝筹股,亦涉及不同行业的中小型股。沪股通的交投显示全球投资者对内地多元化行业的中小型股亦兴趣日浓。深港通涵盖更多小型股,以迎合内地及全球投资者的需要。两地监管机构已就交易所买卖基金纳入互联互通标的达成共识,具体时间将另行公告。若获监管机构批准,日后亦可能纳入债券及其它证券、商品及衍生产品。透过"共同市场"模式下的南向交易,内地投资者面向全球资产配置的机遇,或许能获得更佳的潜在回报,以及利用较内地市场更为多元化的投资及风险管理工具。在国际市场的交易经验亦有助内地投资者(特别是散户投资者)趋向成熟。

随着跨境投资活动日增,可能有越来越大的需求将人民币股票衍生产品、人民币利率及货币衍生产品等相关跨境组合对冲工具纳入共同市场模式中。

1. 股票市场交易互联互通机制试点——破天荒连通内地股票市场,迈向"共同市场"

股票市场交易互联互通机制试点于2014年11月推出首项计划——沪港股票市场交易互联互通机制试点(沪港通)。尽管交易范围有限制,这是接通内地证券市场与海外市场股票交易的破天荒机制。此前,境外人士参与内地证券市场的渠道只限于合格境外机构投资者(QFII)计划及人民币合格境外机构投资者(RQFII)计划,境外散户投资者只可透过QFII及RQFII提供的投资基金参与内地股市①。反向地,合格境内机构投资者(QDII)计划及人民币合格境内机构投资者(RQDII)计划是内地参与海外证券市场的唯一全国性正式渠道②。继沪港通顺利开通后,深港股票市场交易互联互通机制(深港通)亦于2016年8月宣布将会启动,并已于同年12月推出。沪港通与深港通于下文合称"互联互通"机制。

互联互通机制是中国内地资本账开放的重要里程碑。在实施每日额度及跨境资金流全程封闭下,跨境资金投资活动可在受密切监控下进行及有序发展,减低对内地股票市场的潜在金融风险。此机制日后可因应内地市场的开放进程,在规模、范围及市场领域等方面扩容,目标是为内地及全球投资者建立中国内地与香港的"共同市场"。

以下分节简介两项股票市场交易互联互通计划。第2节载列互联互通自推出后的表现。第3节则探讨"共同市场"模式可提供的机遇。

1.1　沪港通

中国证券监督管理委员会(中国证监会)与香港证券及期货事务监察委员会(香港证监会)于2014年4月发出联合公告,宣布开展中国内地与香港的股票市场交易互联互通机制试点——沪港通。香港交易所全资附属公司香港联合交易所有限公司(联交所)与上海证券交易所(上交所)联手建立跨境买卖盘传递及相关技术基础设施(交易通)。香港交易所另一全资附属公司香港中央结算有限公司(香港结算)与中国内地的证券结算所中国证券登记结算有限责任公司(中国结算)则共同建立结算及交收基础设施(结算通)。经过多月的市场准备及系统测试后,沪港通于2014年11月17日正式开通。机制旨在于设定的合资格范围内,容许香港及海外投资者在内地市场买卖上交所上市股票("沪股通"或"沪港通北向交易")及内地投资者在香港市场买卖联交所上市股票("沪港通下的港股通"或"沪港通南向交易")。

在初期阶段,沪股通合资格证券包括以下在上交所上市的A股("沪股通股票"):

- 上证180指数及上证380指数的成份股;以及
- 有H股同时在联交所上市的上交所上市A股;但不包括不以人民币交易的沪股及被实施风险警示的沪股③。

沪港通下的港股通合资格证券包括以下在联交所主板上市的股票("港股通股票"):

- 恒生综合大型股指数(HSLI)成份股;
- 恒生综合中型股指数(HSMI)成份股;以及
- 有相关A股在上交所上市的H股;但不包括不以港币交易的港股及其相应A股被实施风险警示的H股。

在沪股通股票中,上证180指数成份股是上交所最具市场代表性的180只A股,而上证380指数则是由380家规模中型的公司组成,综合反映上交所在上证180指数以外一批新兴蓝筹公司的表现④。因此,上证180指数的沪股通股票视为对应于港股通HSLI股票的"大型"股,而上证380指数的沪股通股票则为与港股通HSMI股票相应的"中型"股。

---

① 在1992年于上海及深圳交易所推出的B股市场(以外币交易,与A股市场分开),为内地首次尝试将股票市场对外国投资者开放,但在市场开放的新浪潮下,B股市场交易并不活跃。

② 地区政府有推出特殊计划,如上海的"合格境内有限合伙人"(QDLP)计划和深圳的"合格境内投资者境外投资试点"(QDIE)。但这些计划只限主要服务机构投资者及高端个人客户的私募基金或投资工具,并不如QDII产品开放给一般投资者。

③ 指相关股份被上交所实施"风险警示",包括ST公司及＊ST公司的股份以及须根据上交所规则进行除牌程序的股份。

④ 资料来源:上交所网站。

于 2017 年 2 月底，合资格证券范围中共有 715 只上交所上市沪股通股票（包括 139 只仅合资格出售的股票①）及 317 只联交所上市港股通股票②。

投资者资格方面，所有香港及海外投资者均可参与沪股通交易，但只有内地机构投资者及拥有证券账户及资金账户余额合计不低于人民币 50 万元的个人投资者方可参与港股通。

沪股通（北向）交易方面，在香港的投资者透过香港经纪进行买卖，交易则在上交所平台执行。港股通（南向）交易方面，内地投资者透过内地经纪进行买卖，交易则在联交所平台执行。沪股通及港股通跟随交易执行平台各自的市场规则。具体而言，内地 A 股市场不可进行即日回转交易，但香港市场则容许。沪股通股票仅以人民币进行买卖及交收，港股通股票则以港元进行买卖，内地投资者再与中国结算或其结算参与人以人民币进行交收。

沪港通下的交易受制于投资额度，最初设有跨境投资价值上限的总额度及每日额度。沪股通及港股通的总额度分别为人民币 3 000 亿元及人民币 2 500 亿元。其后在宣布建立深港通当日（2016 年 8 月 16 日）已取消总额度之设。每日额度现时仍然适用，按“净买盘”计算的沪股通股票每日上限为人民币 130 亿元，港股通股票则为人民币 105 亿元（于 2016 年底折合约 117 亿港元）。

自 2014 年 11 月沪港通推出后，投资者对沪股通及港股通的兴趣时有不同。推出后大部分时间均见沪股通交易较港股通交易更为活跃，但自 2015 年后期以来则见港股通交易额日渐增长并有见超越沪股通。2016 年 12 月深港通推出，该月的北向交易显着提升，数据显示有近三成归功于深股通。（详见第 2 节）

1.2　深港通

中国证监会与香港证监会于 2016 年 8 月 16 日联合宣布建立深港股票市场交易互联互通机制（深港通），是基于沪港通推出以来平稳运行的基础而建立的股票市场交易互联互通机制试点的延伸项目。深圳证券交易所（深交所）、联交所、中国结算及香港结算按类似沪港通的形式建立深港通，其后于 2016 年 12 月 5 日开通。含深港通的互联互通机制现包括以下交易通：

股票市场交易互联互通机制

交易类别	沪港通	深港通
北向	沪股交易通	深股交易通
南向	沪港通下的港股交易通	深港通下的港股交易通

深股通合资格证券包括：

• 深证成份指数和深证中小创新指数成份股中所有市值不少于人民币 60 亿元的成份股；以及

• 有相关 H 股在联交所上市的所有深交所上市 A 股；但不包括不以人民币交易的深股及被实施风险警示的深股③。除沪港通下的港股通合资格证券外，深港通下的港股通合资格证券范围扩展至包括：

• 所有市值 50 亿港元或以上的恒生综合小型股指数（HSSI）成份股；以及

• 所有联交所上市公司中同时有 A 股在深交所上市的 H 股；但不包括不以港币交易的港股及其相应 A 股被实施风险警示的 H 股。

深港通下的港股通合资格内地投资者与沪港通相同，但透过深港通买卖深交所创业板上市股票的合资格投资者初期只限于相关香港规则及规例所界定的机构专业投资者④。

深港通亦沿用沪港通的每日额度，同时不设总额度。

下表 1 概述沪港通及深港通的主要异同。

表 1　沪港通及深港通主要特点

特　点	沪港通	深港通
沪/深股通合资格证券	• 上证 180 指数的成份股及上证 380 指数的成份股 • 有 H 股同时在联交所上市的上交所上市 A 股	• 深证成份指数和深证中小创新指数成份股中市值在人民币 60 亿元或以上的成份股 • 有相关 H 股在联交所上市的深交所上市 A 股
	• 不包括被实施风险警示的 A 股及不以人民币交易的 A 股	
	• 合资格可买可卖的股票共 576 只（于 2017 年 2 月 28 日）	• 合资格可买可卖的股票共 904 只（于 2017 年 2 月 28 日）

① 原为合资格沪股，但根据预设规定其后不再合资格者。

② 资料来源：香港交易所及上交所网站 2017 年 2 月 28 日资料。

③ 指相关股份被深交所实施“风险警示”，包括 ST 公司及＊ST 公司的股份以及须根据深交所规则进行除牌程序的股份。

④ 有关“机构专业投资者”的定义见《证券及期货条例》下的《证券及期货（专业投资者）规则》。

特　点	沪港通	深港通
港股通合资格证券	• 恒生综合大型股指数(HSLI)成份股 • 恒生综合中型股指数(HSMI)成份股	
	• 有相关 A 股在上交所上市的 H 股	• 市值 50 亿港元或以上的恒生综合小型股指数(HSSI)的成份股 • 有 A 股在上交所或深交所上市的 H 股
	• 不包括其相应 A 股被实施风险警示的 H 股及不以港币交易的港股	
	• 317 只股票(于 2017 年 2 月 28 日)	• 417 只股票(较沪港通下的港股通股票多出 100 只)(于 2017 年 2 月 28 日)
沪/深股通合资格投资者	• 所有香港及海外投资者(个人及机构)	• 创业板合资格股票:初期仅限于机构专业投资者 • 其他合资格股票:所有香港及海外投资者(个人及机构)
港股通合资格投资者	• 内地机构投资者及拥有证券账户及资金账户余额合计≥人民币 50 万元的个人投资者	
每日额度	• 北向:人民币 130 亿元 • 南向:人民币 105 亿元	
总额度	• 没有	
北向交易、结算及交收	• 按照上交所及中国结算在上海市场的惯例	• 按照深交所及中国结算在深圳市场的惯例
南向交易、结算及交收	• 按照联交所及香港结算的市场惯例	

2. 互联互通迄今的表现(截至 2016 年底)

2.1　北向及南向交易的整体表现

北向及南向交易的成交量随着市场气氛的转变而时有不同。然而,北向交易的日均成交额占内地 A 股市场总体日均成交额一直维持在 1% 至 2% 相对窄幅的水平。反观南向交易,在沪港通推出后首九个月,南向交易成交量涨跌互现,但自 2015 年第四季,南向交易额在联交所主板市场总成交的占比出现强劲上升趋势,从 2015 年 9 月占主板日均成交额的 2.1% 升至 2016 年 9 月的 10.8%;纵使其后有所回落,但上升势头持续。南向交易日均成交额于 2016 年 6 月再度超过北向交易,是 2015 年 4 月来的首次,其后月度亦屡次超过。(见下图 1 及 2)

值得注意的是,在 2016 年 12 月 5 日深港通开通日起至 2016 年底的 17 个北向交易日中,深港通北向交易占互联互通北向交易总成交额的 27%,占北向买盘总额的 40%,显示国际投资者对深股有相当兴趣。

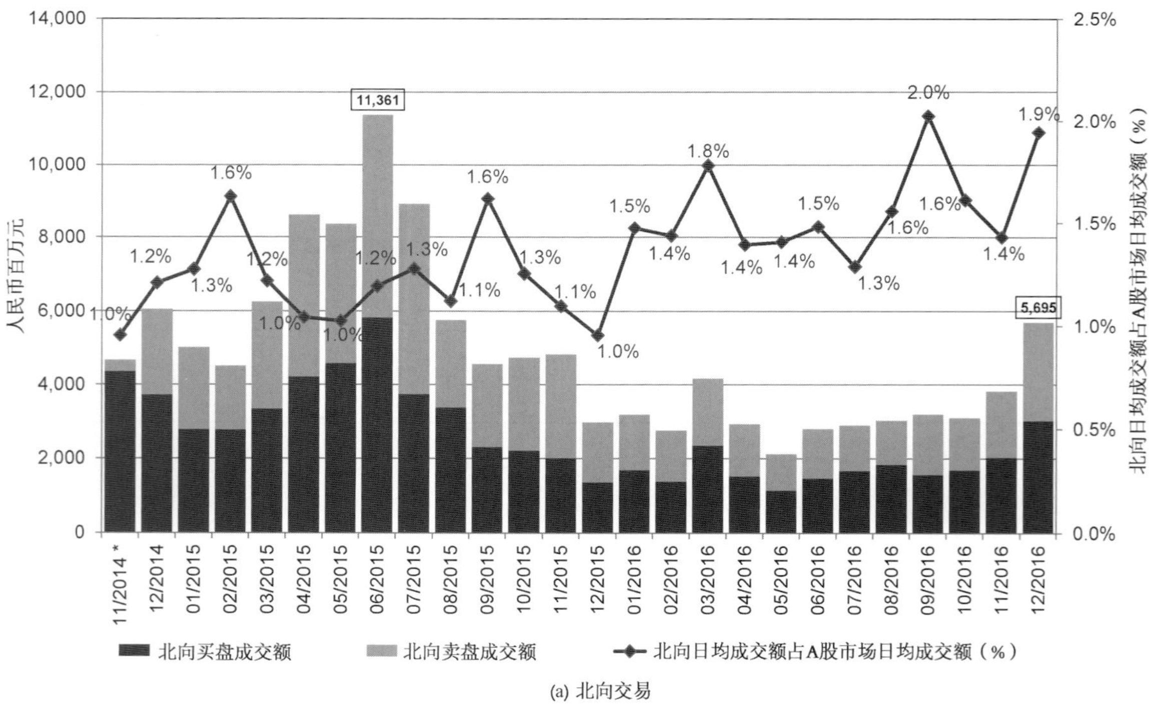

(a) 北向交易

* 自 2014 年 11 月 17 日沪港通开通之日起计。

注:自 2016 年 12 月 5 日起包括于当日推出的深港通数据;作为基础比较的 A 股市场数据自该日起包括深交所 A 股市场。

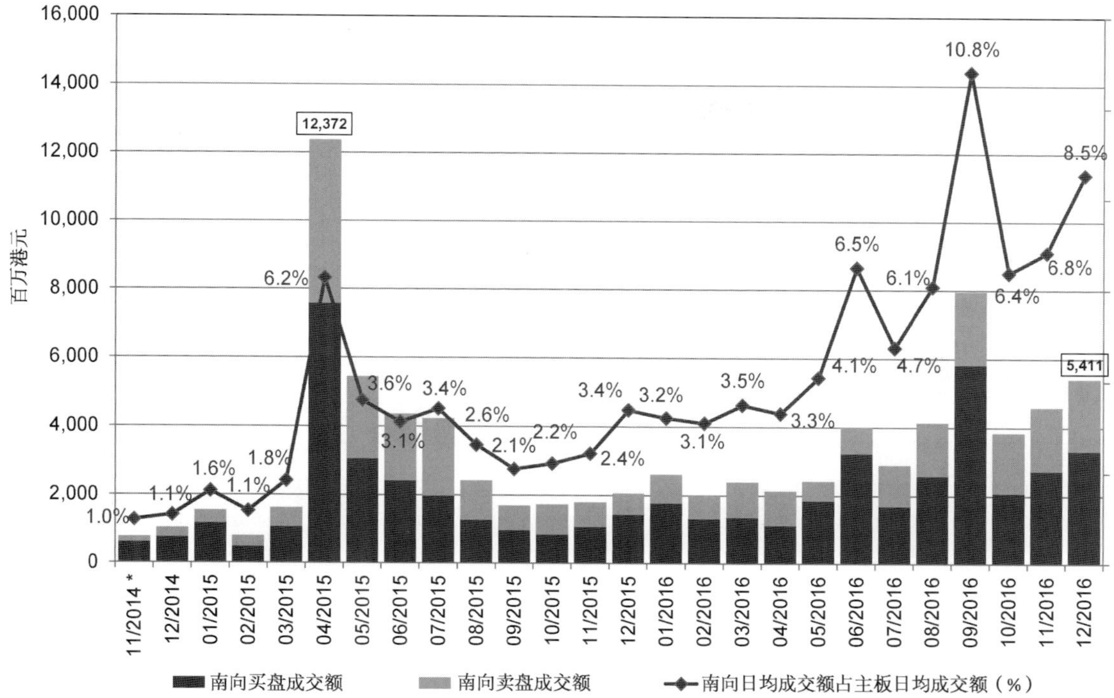

(b) 南向交易

＊自 2014 年 11 月 17 日沪港通开通之日起计。

注：在计算占市场日均成交总额的百分比时，北向交易/南向交易的交易额为双边成交额（买盘及卖盘分别计算在内），而市场总成交额为单边成交额（买盘及卖盘以单一交易额计算）。自 2016 年 12 月 5 日起包括于当日推出的深港通数据。

资料来源：香港交易所。

图 1　互联互通平均每日成交额（2014 年 11 月—2016 年 12 月）

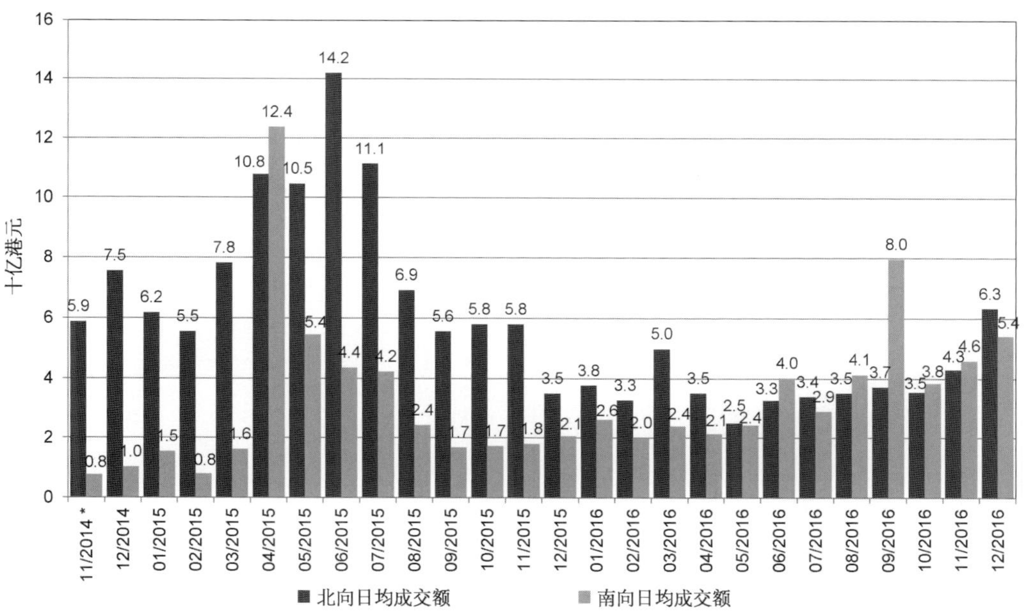

＊自 2014 年 11 月 17 日沪港通开通之日起计。

注：北向交易成交额按月末汇率（来自香港金融管理局网站）转换为港元。自 2016 年 12 月 5 日起包括于当日推出的深港通数据。

资料来源：香港交易所。

图 2　互联互通下的南向交易与北向交易日均成交总额（买盘及卖盘）对比（2014 年 11 月－2016 年 12 月）

此外，自 2015 年后期开始，南向交易的平均每日买盘净额均远高于北向交易。自互联互通推出至 2016 年底，南向交易只有两个月录得净卖盘，相比之下北向交易则曾录得六个月的净卖盘（见图 3）。其间 485 个南向交易日中，有 86% 的时间出现净买盘，相对于 494 个北向交易日中有 56% 的日子出现净买盘。然而，北向交易及南向交易两者按净买盘基础计算的每日额度使用量一直不高——沪港通下仅有 18% 的北向交易日及 20% 的南向交易日的每日额度用量曾超过 10%，以及有 6% 的北向交易日及 6% 的南向交易日的每日额度用量曾超过 20%①。在深港通下，17 个交易日中有 4 日（即 24%）的北向交易日的每日额度用量超过 10% 及只有 1 日（即 6%）超过 20%，而南向交易额度则从未超过 10%。（见下图 4 及表 2）

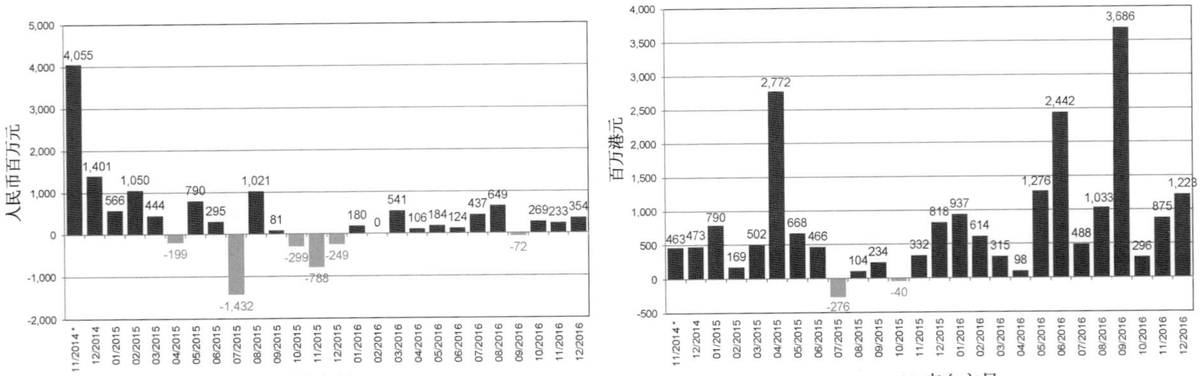

(a) 北向交易　　(b) 南向交易

* 自 2014 年 11 月 17 日沪港通开通之日起计。

注：自 2016 年 12 月 5 日起包括于当日推出的深港通数据。

资料来源：香港交易所。

图 3　互联互通下的北向交易与南向交易日均净买盘/卖盘成交额（2014 年 11 月 - 2016 年 12 月）

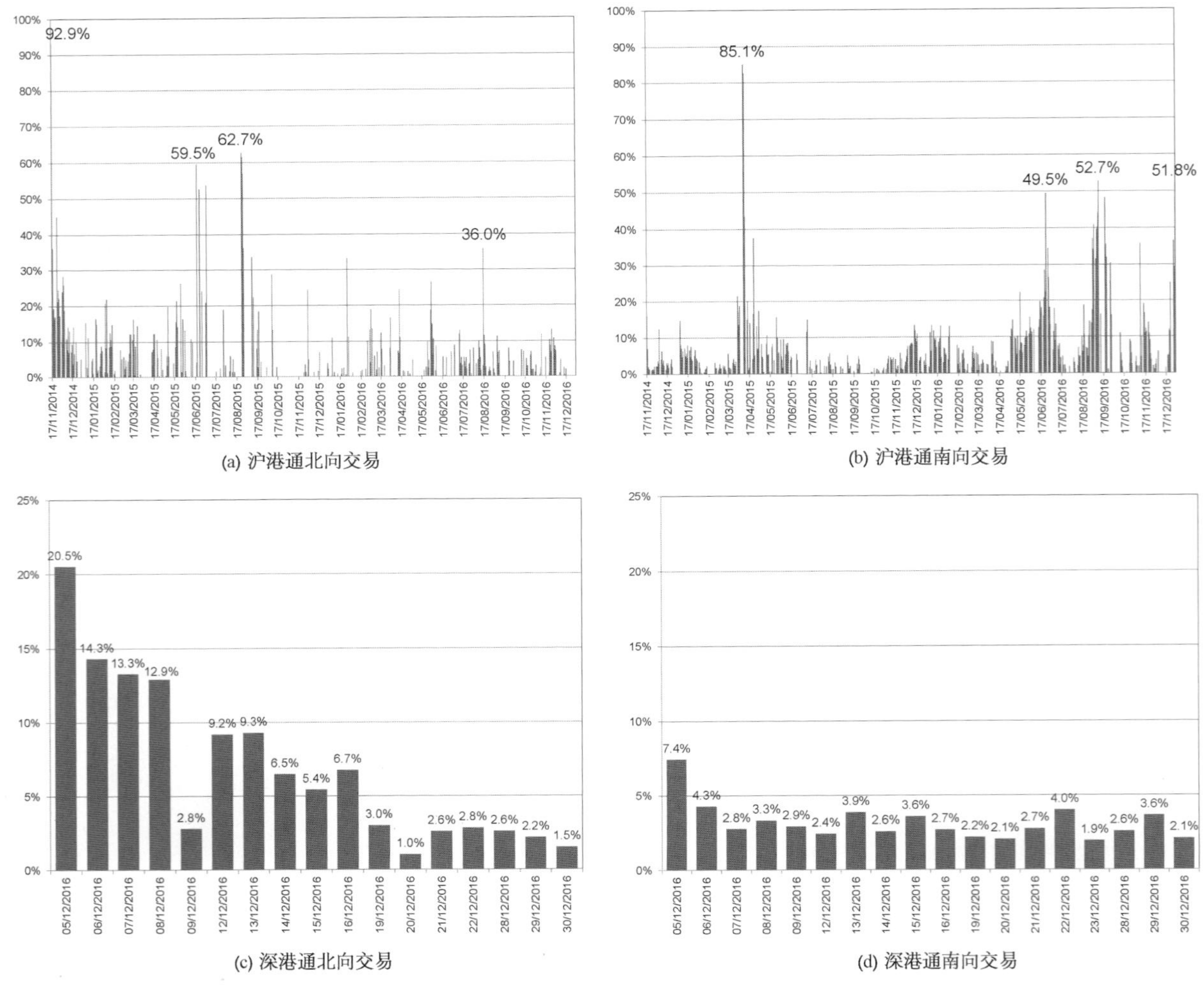

(a) 沪港通北向交易　　(b) 沪港通南向交易

(c) 深港通北向交易　　(d) 深港通南向交易

① 就北向交易而言，每日额度用量超过 10% 意指净买盘超过北向交易每日额度人民币 130 亿元的 10%，即净买盘超过人民币 13 亿元。南向交易方面亦同理，只是以南向交易净买盘每日额度人民币 105 亿元为计算基准，货币转换按汤森路透每日人民币兑港币的汇率计算。

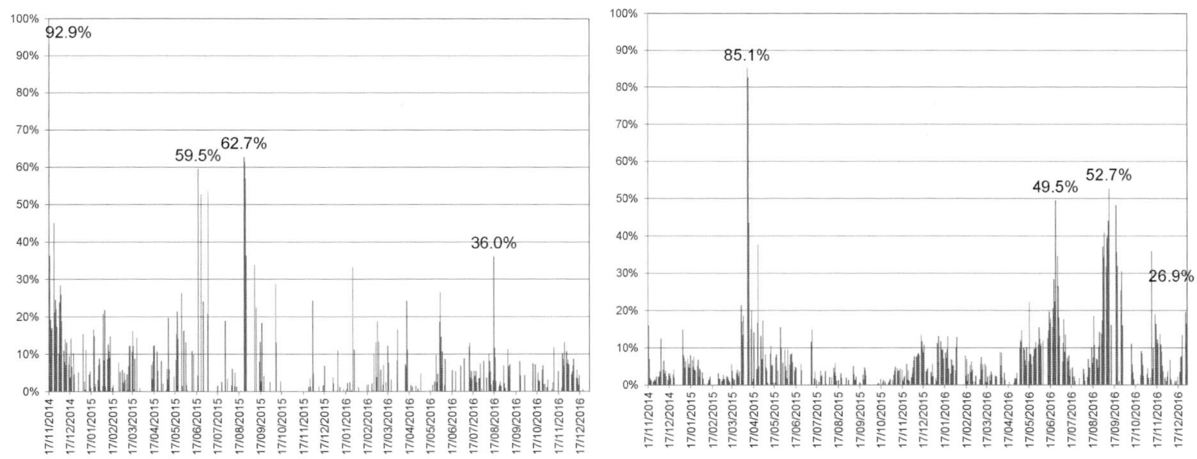

(e) 互联互通总北向交易　　(f) 互联互通总南向交易

注：自 2016 年 12 月 5 日起，互联互通总北向交易及总南向交易的每日总额度是沪股通与深股通之和。
资料来源：香港交易所；用以计算南向额度用量的每日成交额按汤森路透的每日汇率转换为人民币。

图 4　互联互通每日净买盘额度用量（2014 年 11 月 17 日—2016 年 12 月 31 日）

表 2　互联互通每日额度使用量（2014 年 11 月 17 日—2016 年 12 月 31 日）

	沪港通		深港通	
	北向交易	南向交易	北向交易	南向交易
交易日总数	494	485	17	18
录得净买盘日数占比	55%	85%	100%	100%
每日额度使用量范围	北向交易（日数/相对总日数占比）	南向交易（日数/相对总日数占比）	北向交易（日数/相对日数占比）	南向交易（日数/相对总日数占比）
>0% -10%	186/37.7%	317/65.4%	13/76.5%	18/100%
>10% -20%	58/11.7%	66/13.6%	3/17.6%	0/0%
>20% -30%	17/3.4%	10/2.1%	1/5.9%	0/0%
>30% -40%	5/1.0%	11/2.3%	0/0%	0/0%
>40% -50%	1/0.2%	6/1.2%	0/0%	0/0%
>50% -60%	4/0.8%	2/0.4%	0/0%	0/0%
>60% -70%	2/0.4%	0/0%	0/0%	0/0%
>70% -80%	0/0%	0/0%	0/0%	0/0%
>80% -90%	0/0%	2/0.4%	0/0%	0/0%
>90% -100%	1/0.2%	0/0%	0/0%	0/0%

互联互通总和	北向交易	南向交易
交易日总数	494	485
录得净买盘日数占比	56%	86%
每日额度使用量范围	北向交易	南向交易
>0% -10%	191/38.7%	324/66.8%
>10% -20%	58/11.7%	67/13.8%
>20% -30%	17/3.4%	9/1.9%
>30% -40%	5/1.0%	10/2.1%
>40% -50%	1/0.2%	6/1.2%
>50% -60%	4/0.8%	1/0.2%
>60% -70%	2/0.4%	0/0%
>70% -80%	0/0%	0/0%
>80% -90%	0/0%	2/0.4%
>90% -100%	1/0.2%	0/0%

2.2 环球投资者对互联互通北向股票的兴趣

在沪港通推出初期，环球投资者北向买卖及持有沪股通股票主要涉及市值庞大的上证 180 指数成份股（占 2014 年成交金额的 94% 及 2014 年底持股金额的 96%）。北向交易中，买卖中型的上证 380 指数成份股的比例由 2014 年占 6% 逐渐增至 2016 年的 23%。经沪股通持有此等中型股的比例曾于 2015 年年底升至 22%，又于 2016 年底回落至 17%，但仍远高于 2014 年底的 4%。不过，环球投资者对沪股通股票的兴趣始终以内地大型蓝筹股为主。

2016 年 12 月 5 日推出的深港通方面，环球投资者北向买卖及持有的股票亦主要是深证成份指数的蓝筹股——占 2016 年交易金额的 90% 及年底持股金额的 93%。

沪股通下环球投资者对内地消费板块（非必需性消费品及必需性消费品）股票的兴趣保持平稳，自沪港通推出以来，该板块股票占北向交易金额略增至 2016 年的 20%，持股占比亦有所上升。深股通下的消费板块占更重要的比重——2016 年交易金额的 47% 及年底持股金额的 58%。沪股通与深股通合计，环球投资者于 2016 年底持有的内地消费板块高达 38%。

沪股通下的内地工业板块股票亦颇具吸引力——该板块股票占 2016 年北向交易金额及期末持股金额达 17%。沪股通下的金融板块股票（均为市值大的上证 180 指数成份股）的较大占比则渐降——由 2014 年分别占北向交易金额及期末持股金额的 51% 及 43% 降至 2016 年底的 31% 及 20%。深股通下的信息科技股票对环球投资者亦相当吸引，2016 年其交易额占 16% 及年底持股额占 15%。深股通的推出促使内地信息科技股在互联互通下的北向交易占比的进一步提升。

在涉及大型的上证 180 指数股份的北向交易中，金融股的占比最大，而涉及中型的上证 380 指数股份的北向交易中，工业板块股票占相当高比重。消费板块股票亦占大型上证 180 指数股份北向交易的相当大比重，而消费及信息科技板块股票占中型上证 380 指数股份北向交易的比重呈显着上升趋势。诚然，纵使中型上证 380 指数股份中没有金融类股票，其成份股中的信息科技、原材料及医药卫生板块的股票较大型上证 180 指数股份更能吸引多元化的投资。

至于深股通方面，属蓝筹股指数的深证成份指数的北向交易中，消费板块股票的交易及持股金额占比相当高，信息科技股的占比亦颇高；而涉及深证中小创新指数股份的北向交易中，工业、信息科技以及原材料板块股票均有相当大的比重，非必需性消费品板块股票则在持股比重方面占优。

2.3 内地投资者对港股通股票的兴趣

与北向的沪股通投资相较之下，南向的港股通交易及持股金额在 2014 年互联互通推出之时多集中于恒生综合中型股指数成份股。到 2016 年期间，某程度上已转为以恒生综合大型股指数成份股为主。尽管如此，恒生综合中型股指数股份仍占港股通 2016 年全年的交易金额及期末持股金额的相当大比重（40%）。

除了恒生综合大型股指数及中型股指数成份股外，在深港通下的合资格南向交易股票还包括恒生综合小型股指数成份股，后者所占深港通 2016 年 18 个交易日的南向交易的比重相当高，与中型股的比重同为 42%，小型股在深港通下的持股比重较中型股更高（46% 对比 42%）。然而互联互通总体南向持股分布方面，恒生综合小型股的比重因其低资产价值定义的内在性质关系仍相对甚低（4%）。

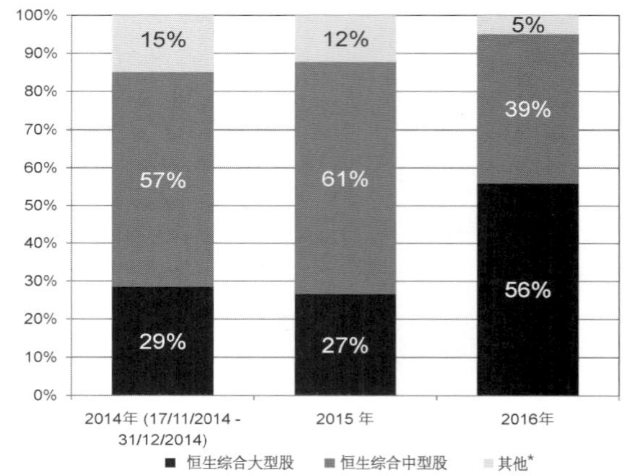

(a) 沪港通南向交易金额

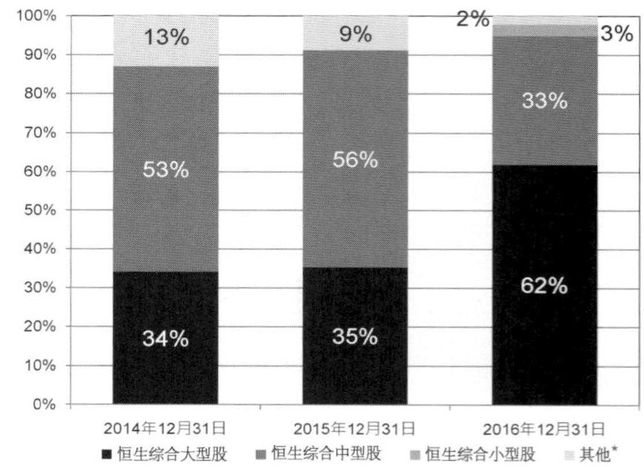

(b) 沪港通南向持股金额

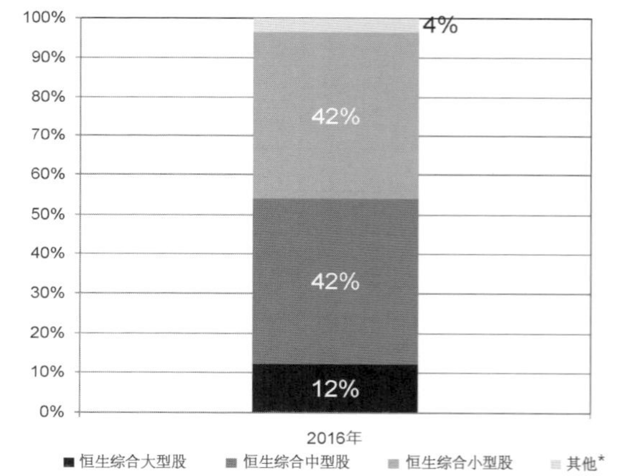

(c) 深港通南向交易金额

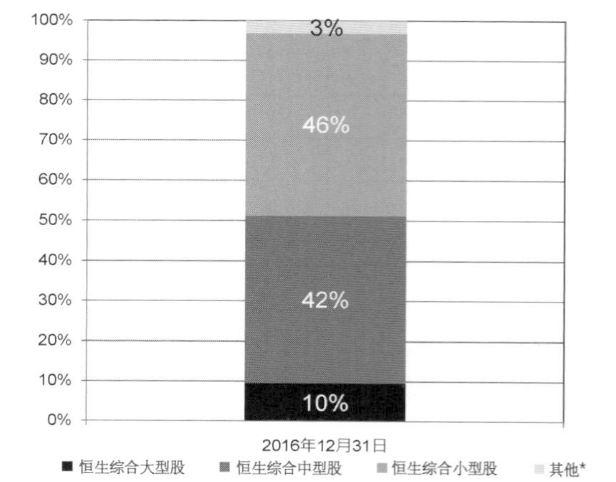

(d) 深港通南向持股金额

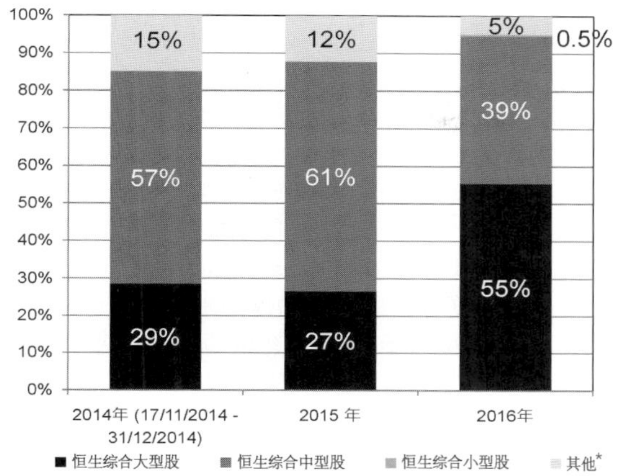

(e) 互联互通总南向交易金额

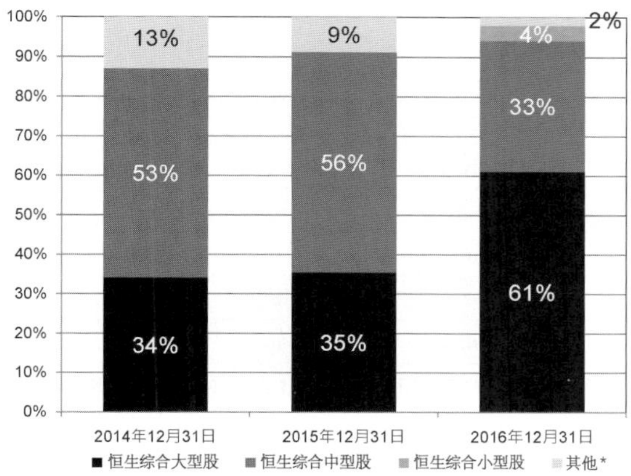

(f) 互联互通总南向持股金额

*“其它”包括非为合资格指数成份股但有A股同时在上交所或深交所(2016年12月5日起计)上市的H股以及期内从合资格股票名单中剔除的股票(只供卖出)。

注:深港通数据是由2016年12月5日深港通推出之日起计算。持股类别为期末之状态,交易期间之股票类别可能有变;因股票类别变更,沪港通下于期末会持有恒生综合小型股,但其买卖则计算入“其它”类别。

因四舍五入关系,百分比的总和或不等于100%。

资料来源:交易数据来自香港交易所;持股数据来自Webb-site Who's Who数据库。股份分类采用恒生指数有限公司的分类。

图5　互联互通—南向交易金额及投资者持股金额按股票类别的分布(2014年11月–2016年12月)

从行业来看,投资者对金融股的兴趣日浓,互联互通下的金融股于2016年独占鳌头,成为交易及持股最多的行业。其它较受欢迎的行业还有消费品制造业及地产建筑业。深港通下的南向交易和持股则并未集中于金融股,而有相当比重分布于消费品类、地产建筑、信息科技及工业类股票。

但是,南向的港股通投资以金融股为主的情况主要见于恒生综合大型股指数股份方面。在恒生综合中型股指数股份方面,内地投资者经港股通买卖及持有的行业类别更为多元化。2016年,南向交易及持有的恒生综合中型股指数成份股中有相当大的比例是消费品制造业股份(约25%–27%,若计及消费品服务业更超过30%)及地产建筑业股份(约16%–18%)。金融股只列位第三,与其于恒生综合大型股指数成份股的港股通交易及持股中的主力地位显然有别。在深港通下恒生综合大型及中型股指数成份股的南向交易金额及持股金额按行业类别的分布同样有相若的显着分别。而深港通下的恒生综合小型股指数成份股中的信息科技股明显能吸引颇高的交易与持股比重。

换言之,在互联互通机制下,内地投资者对多种不同类型行业的中型港股通股票有相当大兴趣。相对大型股中金融股占比相当重的情况,较小型的股份反为内地投资者提供更多元的股份行业投资选择。

3.“共同市场”模式——给予内地及全球投资者的机遇

在深港通推出后,纵使在指定合资格股票范围内运作,沪深港三地的“共同市场”模式会基本形成。由于股票市场交易互联互通机制可以扩容,这无形中打开了一个潜在的内地与香港股票共同市场,其股份总值105140亿美元(2016年底)、日均股份成交约843亿美元(2016年),于全球交易所中按市值计排名第二(仅次于纽约证券交易所)、按股份成交额计排名第二①。“共同市场”模式更可扩展至股票以外的多个范畴。按中国证监会与香港证监会于2016年8月16日原则上批准建立就深港通的联合公告所披露,两家监管机构已就将交易所买卖基金纳入机制内合资格股票达成共识,将于深港通运行一段时间及满足相关条件后再宣布推出日期。此外,中国证监会与香港证监会将共同研究及推出其它金融产品,便利及迎合内地与环球投资者对于管理对方股票市场的价格风险的需要。

在“共同市场”模式下,可以向内地投资者提供各式各样的海外产品,亦可以向全球投资者提供不同的内地产品。南向交易为内地投资者(个人及机构)打开投资海外资产的规范化渠道。此渠道全程封闭、每日额度的使用受审慎监控,而又在无总额度下提供相当的灵活度。在无总额度限制下,投资者可较以往更自由地配置跨境资产组合投资,这等同为内地投资者提供了全球资产配置机会。按此机制操作,资金全程封闭:在机制下人民币先转成港元用于购买海外资产,他日出售海外资产时再转换成人民币汇回中国内地,实质上完全避免长远的资金外流问题。这样的模式等同扩展了内地投资者可投资资产的种类。在此环境下,互联互通渠道补足了内地可投资资产相对短缺的问题,内地资金可以投资于海外,或者能获得较内地市场更佳的潜在回报。有见及此,中国保险监督管理委员会于2016年9月初发出政策文件②,容许保险资金参与沪港通下的港股通交易。深港通的合资格内地投资者与沪港通相同,“共同市场”在深港通扩阔投资范围下会为这些内地投资者提供更为多元化的南向投资选择。

此外,港股通对内地投资者而言实际上是投资外币(与美元挂钩的港元)。在人民币贬值预期下,南向投资提供了从币值角度看的另类投资选择。

基于“共同市场”模式的合资格工具可予扩充,相信向内地投资者提供的投资工具范围将会日趋多元化,尽管短期内或只能提供现货市场证券,包括股票及有可能的交易所买卖基金。深港通推出后,港股通的合资格股票除了HSLI及HSMI成份股外,还包括市值50亿港元或以上的HSSI成份股,以及有A股在内地市场上市的所有H股(不

---

① 国际证券交易所联会(WFE)数据(WFE网站2017年1月20日市值资料及2017年3月1日成交资料)。日均成交额按WFE 2016年数据的合并成交额以及内地市场交易日总数244日计算。排名按2016年截至12月的合并成交额计算。

② 《关于保险资金参与沪港通试点的监管口径》,2016年9月9日。

只限于上交所上市A股)。HSLI及HSMI已涵盖恒生综合指数(HSCI)总市值95%,占香港市场总市值95%①。故此,合资格股票名单添加了100多只股票。更重要的是,扩充后的股票范围将加入许多不同行业,包括新经济行业如信息科技和消费品及服务。

再者,香港市场的主要参与者为国际专业机构投资者,这样的国际证券市场所给予的交易经验对内地投资者(特别是散户投资者)而言具一定价值。成熟市场的专业投资策略一般基于股票的基本面以及经济及行业因素,这有助于平衡内地部份投资者的短期投机交易行为。因此港股通的交易经验预期将有助内地投资者基础日趋成熟。

除二级市场的交易外,共同市场的模式下亦可推出集资市场/一级市场(即首次公开招股市场)的互联互通(新股通)(须获监管机构批准),让两边市场的投资者可认购对方市场的首次公开招股的股份。模式下所涵盖的产品日后(须获监管机构批准)还可以延伸至债券、商品及风险管理工具,包括股票衍生产品、人民币利率及货币衍生产品。事实上,鉴于股票市场交易互联互通计划已顺利实施,如何切合投资者对冲其跨境股票组合的需要会是当前急切的问题:现在内地投资者可买卖港股,但却没有香港指数/股票期货及期权作为对冲,同样地香港亦欠缺A股指数期货期权等A股对冲工具。相关的衍生产品日后或会被纳入共同市场模式。

"共同市场"模式实际上是中国内地资本账开放进程中极具象征意义的突破,在内地资本市场可能作全面开放前,这是个可长线提供极为多元化的投资及风险管理工具配套的市场模式。按此,内地投资者可受惠于更佳的资产配置及投资组合管理,全球投资者亦获得开放渠道,能在有相关风险管理工具可用的情况下捕捉更多内地投资机会。

2016年度互联互通市场概况

名称	香港交易所(30/12/2016)		上海证券交易所(30/12/2016)		深圳证券交易所(30/12/2016)	
	主板	创业板	A股	B股	A股	B股
上市公司总数(家)	1,713	260	1,175	51	1,859	49
上市H股总数(只)	218	23	n. a.	n. a.	n. a.	n. a.
上市红筹股总数(只)	147	6	n. a.	n. a.	n. a.	n. a.
上市证券总数(只)	8,330	261	n. a.	n. a.	n. a.	n. a.
总市值(亿元)	HKD 244,504	HKD 3,109	RMB 283,555	RMB 1,053	RMB 222,218	RMB 861
总流通市值(亿元)	n. a.	n. a.	RMB 238,954	RMB 1,053	RMB 152,545	RMB 850
平均市盈率(倍)	10.53	71.31	15.91	28.03	41.62	11.15
总成交股数(百万股)	129,733	1,419	13,506	22	13,085	17
总成交金额(百万元)	HKD 53,775	HKD 582	RMB 153,002	RMB 156	RMB 193,984	RMB 131
市场总成交金额(百万元)	HKD 54,357		RMB 153,237		RMB 194,114	

资料来源:香港交易所网站。

2016年度沪港通十大活跃成交股统计(沪股通)

代码	名称	上榜次数	买入金额(万元)	卖出金额(万元)	净买入额(万元)	证监会行业(2012)
600519.SH	贵州茅台	222	2216491.27	1933100.96	283390.31	制造业
601318.SH	中国平安	220	1866893.65	1745890.35	121003.31	金融业
600016.SH	民生银行	136	695350.08	758639.74	-63289.65	金融业
600030.SH	中信证券	135	1012678.65	874221.94	138456.71	金融业
601166.SH	兴业银行	122	644654.27	590379.59	54274.68	金融业
600887.SH	伊利股份	102	673968.45	568835.78	105132.67	制造业
600276.SH	恒瑞医药	88	532729.20	287868.92	244860.28	制造业
600036.SH	招商银行	84	439470.07	416892.30	22577.77	金融业
600585.SH	海螺水泥	83	517506.10	235713.88	281792.22	制造业
600104.SH	上汽集团	74	459436.60	398330.56	61106.05	制造业

数据来源:东方财富Choice数据。

① HSCI所涉及的香港市场整体包含所有在联交所作主要上市的股票及房地产投资信托基金(REIT),不包括第二上市的证券、境外公司、优先股、债务证券、互惠基金及其它衍生产品。(资料来源:恒生指数有限公司网站)

2016 年度沪港通十大活跃成交股统计(港股通)

代码	名称	上榜次数	买入金额(万元)	卖出金额(万元)	净买入额(万元)	港交所行业
00700.HK	腾讯控股	153	1729541.83	1050256.41	679285.42	电子商贸及互联网服务
01398.HK	工商银行	148	2949599.94	929216.85	2020383.09	银行
00939.HK	建设银行	134	5644239.57	762608.71	4881630.86	银行
00005.HK	汇丰控股	126	3864417.68	1675253.66	2189164.02	银行
00998.HK	中信银行	106	521496.84	265123.20	256373.64	银行
01288.HK	农业银行	91	774345.75	289301.30	485044.45	银行
03988.HK	中国银行	85	1135399.29	325689.39	809709.90	银行
02318.HK	中国平安	84	938875.77	832628.40	106247.36	保险
00175.HK	吉利汽车	69	587302.50	269044.70	318257.80	汽车
03968.HK	招商银行	69	656284.70	142624.78	513659.92	银行

数据来源:东方财富 Choice 数据。

2016 年度深港通十大活跃成交股统计(深股通)

代码	名称	上榜次数	买入金额(元)	卖出金额(元)	买入及卖出金额(元)	深股通－证监会行业(2012)
000651.SZ	格力电器	17	3962079649.00	283354795.00	4245434444.00	制造业
000333.SZ	美的集团	16	1975757960.00	445656235.00	2421414195.00	制造业
002415.SZ	海康威视	12	669856317.00	78613478.00	748469795.00	制造业
000338.SZ	潍柴动力	9	323421098.00	84057649.00	407478747.00	制造业
000725.SZ	京东方 A	1	73478232.00	0.00	73478232.00	制造业
000001.SZ	平安银行	8	211373072.00	179382961.00	390756033.00	金融业
000858.SZ	五粮液	13	1123839289.00	115999142.00	1239838431.00	制造业
000060.SZ	中金岭南	4	124675474.00	28534189.00	153209663.00	制造业
002304.SZ	洋河股份	14	802849839.00	58684638.00	861534477.00	制造业
000503.SZ	海虹控股	2	67073436.00	0.00	67073436.00	信息传输、软件和信息技术服务业

数据来源:东方财富 Choice 数据。

2016 年度深港通十大活跃成交股统计(深港股通)

代码	名称	上榜次数	买入金额(元)	卖出金额(元)	买入及卖出金额(元)	深港股通－GICS 行业
01211.HK	比亚迪股份	15	369575275.00	32742675.00	402317950.00	非日常生活消费品
00354.HK	中国软件国际	11	263520200.00	23082780.00	286602980.00	信息技术
02208.HK	金风科技	14	263342192.00	12112068.00	275454260.00	工业
01315.HK	允升国际	7	127037120.00	12728440.00	139765560.00	工业
01812.HK	晨鸣纸业	5	59708600.00	6580275.00	66288875.00	原材料
00763.HK	中兴通讯	8	276411420.00	11188052.00	287599472.00	信息技术
03933.HK	联邦制药	7	97431720.00	8917080.00	106348800.00	医疗保健
00175.HK	吉利汽车	4	69254600.00	6051300.00	75305900.00	非日常生活消费品
00816.HK	华电福新	3	55051880.00	876880.00	55928760.00	公用事业
02666.HK	环球医疗	2	27982435.00	10210235.00	38192670.00	金融

数据来源:东方财富 Choice 数据。

沪港股通标的股票

代码	名称	来源	总市值（亿元）	市盈率	市净率	港交所行业	证券类型
00001.HK	长和	恒生综合大型股	3857.68	11.70	0.98	综合企业	非H股
00002.HK	中电控股	恒生综合大型股	2126.01	16.73	2.17	电力	非H股
00003.HK	香港中华煤气	恒生综合大型股	2098.15	26.00	3.54	燃气供应	非H股
00004.HK	九龙仓集团	恒生综合大型股	2109.89	9.84	0.67	地产投资	非H股
00005.HK	汇丰控股	恒生综合大型股	13977.65	107.19	7.74	银行	非H股
00006.HK	电能实业	恒生综合大型股	1503.59	23.41	1.27	电力	非H股
00008.HK	电讯盈科	恒生综合中型股	342.75	16.59	2.85	电讯服务	非H股
00010.HK	恒隆集团	—	460.23	12.38	0.61	地产投资	非H股
00011.HK	恒生银行	恒生综合大型股	3133.51	19.75	2.23	银行	非H股
00012.HK	恒基地产	恒生综合大型股	1840.53	7.63	0.63	地产发展商	非H股
00014.HK	希慎兴业	恒生综合中型股	397.27	32.67	0.59	地产投资	非H股
00016.HK	新鸿基地产	恒生综合大型股	3518.80	8.51	0.74	地产投资	非H股
00017.HK	新世界发展	恒生综合大型股	1048.90	11.63	0.58	地产发展商	非H股
00019.HK	太古股份公司A	恒生综合大型股	715.11	12.32	0.32	综合企业	非H股
00020.HK	会德丰	恒生综合大型股	1290.72	7.90	0.60	地产发展商	非H股
00023.HK	东亚银行	恒生综合大型股	920.61	27.93	1.16	银行	非H股
00027.HK	银河娱乐	恒生综合大型股	2015.00	32.22	4.34	赌场及博彩	非H股
00038.HK	第一拖拉机股份	A+H股	16.40	15.77	0.83	重机械	H股
00041.HK	鹰君	恒生综合中型股	268.84	9.66	0.48	地产投资	非H股
00066.HK	港铁公司	恒生综合大型股	2607.70	25.34	1.74	公共运输	非H股
00069.HK	香格里拉(亚洲)	恒生综合大型股	456.81	429.63	7.63	酒店及度假村	非H股
00083.HK	信和置业	恒生综合大型股	857.66	15.43	0.69	地产发展商	非H股
00101.HK	恒隆地产	恒生综合大型股	951.24	15.33	0.75	地产投资	非H股
00107.HK	四川成渝高速公路	A+H股	29.72	9.12	0.75	铁路及公路	H股
00119.HK	保利置业集团	恒生综合中型股	122.30	151.13	0.50	地产发展商	红筹股
00123.HK	越秀地产	恒生综合中型股	168.66	10.95	0.55	地产发展商	红筹股
00135.HK	昆仑能源	恒生综合大型股	538.43	81.74	1.32	气油生产商	红筹股
00142.HK	第一太平	恒生综合中型股	254.42	244.40	8.10	包装食品	非H股
00144.HK	招商局港口	恒生综合大型股	575.04	12.47	0.87	航运及港口	红筹股
00148.HK	建滔化工	恒生综合中型股	304.77	6.02	0.81	工业零件及器材	非H股
00151.HK	中国旺旺	恒生综合大型股	718.31	20.72	5.86	包装食品	非H股
00152.HK	深圳国际	恒生综合中型股	271.77	21.69	2.09	铁路及公路	红筹股
00165.HK	中国光大控股	恒生综合中型股	302.67	7.43	0.81	投资及资产管理	红筹股
00168.HK	青岛啤酒股份	恒生综合中型股、A+H股	237.79	21.15	2.90	酒精饮料	H股
00173.HK	嘉华国际	恒生综合中型股	153.08	4.82	0.60	地产发展商	非H股
00175.HK	吉利汽车	恒生综合中型股	1381.59	27.00	5.63	汽车	非H股
00177.HK	江苏宁沪高速公路	恒生综合中型股、A+H股	137.60	16.14	2.46	铁路及公路	H股
00178.HK	莎莎国际	恒生综合中型股	105.70	53.48	4.30	美容及个人护理	非H股
00179.HK	德昌电机控股	恒生综合中型股	243.00	102.75	12.20	汽车零件	非H股
00200.HK	新濠国际发展	恒生综合中型股	310.55	2.99	1.39	赌场及博彩	非H股
00215.HK	和记电讯香港	恒生综合中型股	120.47	17.18	1.04	电讯服务	非H股
00220.HK	统一企业中国	恒生综合中型股	250.52	41.25	2.08	非酒精饮料	非H股
00241.HK	阿里健康	—	327.71	-157.48	27.82	系统开发及信息科技顾问	非H股

代码	名称	来源	总市值（亿元）	市盈率	市净率	港交所行业	证券类型
00242.HK	信德集团	恒生综合中型股	97.97	-16.68	0.38	综合企业	非H股
00245.HK	中国民生金融	—	143.20	380.77	2.72	特殊化工用品	非H股
00257.HK	中国光大国际	恒生综合中型股	433.93	15.58	2.50	非传统/可再生能源	红筹股
00267.HK	中信股份	恒生综合大型股	3647.92	8.47	0.76	综合企业	红筹股
00270.HK	粤海投资	恒生综合大型股	720.47	16.40	2.06	水务	红筹股
00272.HK	瑞安房地产	恒生综合中型股	150.10	13.36	0.40	地产发展商	非H股
00285.HK	比亚迪电子	—	396.56	18.33	3.37	电讯设备	非H股
00288.HK	万洲国际	恒生综合大型股	1078.32	115.72	16.23	禽畜肉类	非H股
00291.HK	华润啤酒	恒生综合大型股	673.17	94.32	3.82	酒精饮料	红筹股
00293.HK	国泰航空	恒生综合大型股	496.45	-86.44	0.90	航空服务	非H股
00297.HK	中化化肥	恒生综合中型股	70.24	-1.52	1.07	化肥及农用化合物	红筹股
00303.HK	VTECH HOLDINGS	恒生综合中型股	317.24	177.14	54.26	电讯设备	非H股
00308.HK	香港中旅	恒生综合中型股	121.47	34.74	0.83	旅游及观光	红筹股
00315.HK	数码通电讯	恒生综合中型股	115.23	14.31	2.55	电讯服务	非H股
00316.HK	东方海外国际	恒生综合中型股	303.20	-138.43	6.71	航运及港口	非H股
00317.HK	中船防务	A+H股	85.85	278.85	1.98	商业用车及货车	H股
00322.HK	康师傅控股	恒生综合大型股	535.26	30.89	2.87	包装食品	非H股
00323.HK	马鞍山钢铁股份	A+H股	48.35	5.81	1.04	钢铁	H股
00330.HK	思捷环球	恒生综合中型股	106.74	91.50	0.95	服装	非H股
00336.HK	华宝国际	恒生综合中型股	135.82	12.17	1.26	食品添加剂	非H股
00338.HK	上海石油化工股份	A+H股	150.29	6.04	1.74	特殊化工用品	H股
00341.HK	大家乐集团	—	152.77	32.56	4.67	餐饮	非H股
00345.HK	VITASOY INT'L	—	170.79	18.64	7.20	非酒精饮料	非H股
00358.HK	江西铜业股份	恒生综合中型股、A+H股	164.56	18.53	0.87	铜	H股
00363.HK	上海实业控股	恒生综合中型股	261.47	9.11	0.71	综合企业	红筹股
00371.HK	北控水务集团	恒生综合中型股	523.66	16.49	3.17	水务	红筹股
00384.HK	中国燃气	恒生综合大型股	626.03	18.29	3.36	燃气供应	非H股
00386.HK	中国石油化工股份	恒生综合大型股、A+H股	1643.07	11.34	1.07	气油生产商	H股
00388.HK	香港交易所	恒生综合大型股	2529.70	36.68	7.38	其他金融	非H股
00390.HK	中国中铁	恒生综合中型股、A+H股	267.17	14.84	1.01	重型基建	H股
00392.HK	北京控股	恒生综合大型股	476.46	7.67	0.83	燃气供应	红筹股
00400.HK	科通芯城	—	68.01	13.30	1.91	电子商贸及互联网服务	非H股
00410.HK	SOHO中国	恒生综合中型股	196.02	21.54	0.57	地产投资	非H股
00425.HK	敏实集团	恒生综合中型股	367.22	21.32	3.45	汽车零件	非H股
00439.HK	光启科学	—	168.02	26.12	6.80	卫星及无线通讯	非H股
00440.HK	大新金融	恒生综合中型股	211.43	11.19	0.97	银行	非H股
00460.HK	四环医药	恒生综合中型股	311.60	19.58	2.90	药品	非H股
00489.HK	东风集团股份	恒生综合中型股	269.01	6.08	0.84	汽车	H股
00493.HK	国美电器	恒生综合中型股	216.58	62.50	0.98	家庭电器	非H股
00494.HK	利丰	恒生综合大型股	251.62	112.83	10.82	服装	非H股
00506.HK	中国食品	恒生综合中型股	88.67	17.74	1.62	非酒精饮料	红筹股
00511.HK	电视广播	恒生综合中型股	123.74	24.78	1.75	广播	非H股
00522.HK	ASM PACIFIC	恒生综合中型股	485.81	22.54	5.38	半导体	非H股
00525.HK	广深铁路股份	A+H股	59.69	26.06	1.04	公共运输	H股
00548.HK	深圳高速公路股份	A+H股	53.97	11.28	1.21	铁路及公路	H股
00551.HK	裕元集团	恒生综合大型股	522.71	97.78	11.02	鞋类	非H股

代码	名称	来源	总市值（亿元）	市盈率	市净率	港交所行业	证券类型
00552. HK	中国通信服务	恒生综合中型股	110.24	12.60	1.20	电讯设备	H股
00553. HK	南京熊猫电子股份	A+H股	11.40	100.64	1.29	电讯设备	H股
00564. HK	郑煤机	A+H股	9.36	24.06	0.63	重机械	H股
00570. HK	中国中药	—	201.63	20.94	1.74	药品	红筹股
00576. HK	浙江沪杭甬	—	144.25	13.78	2.29	铁路及公路	H股
00586. HK	海螺创业	恒生综合中型股	270.71	13.64	1.53	环保工程	非H股
00588. HK	北京北辰实业股份	A+H股	23.26	9.14	0.93	地产发展商	H股
00590. HK	六福集团	恒生综合中型股	160.87	18.77	1.85	珠宝钟表	非H股
00604. HK	深圳控股	恒生综合中型股	289.92	8.95	0.88	地产发展商	红筹股
00606. HK	中国粮油控股	恒生综合中型股	174.82	12.32	0.67	农产品	红筹股
00607. HK	丰盛控股	—	617.52	16.34	2.74	地产发展商	非H股
00636. HK	嘉里物流	恒生综合中型股	194.32	10.32	1.17	航空货运及物流	非H股
00656. HK	复星国际	恒生综合大型股	1102.35	10.79	1.20	综合企业	非H股
00658. HK	中国高速传动	—	130.99	11.81	1.19	环保工程	非H股
00659. HK	新创建集团	恒生综合大型股	595.82	11.28	1.29	综合企业	非H股
00665. HK	海通国际	—	246.58	14.82	1.10	证券及经纪	非H股
00669. HK	创科实业	恒生综合中型股	665.43	163.22	27.74	家庭电器	非H股
00670. HK	中国东方航空股份	恒生综合中型股、A+H股	217.58	6.14	1.35	航空服务	H股
00680. HK	南海控股	—	178.48	13.13	4.41	影视娱乐	非H股
00683. HK	嘉里建设	恒生综合大型股	399.79	6.11	0.48	地产发展商	非H股
00688. HK	中国海外发展	恒生综合大型股	2596.62	6.51	1.17	地产发展商	红筹股
00694. HK	北京首都机场股份	—	207.48	26.93	2.47	航空服务	H股
00696. HK	中国民航信息网络	—	213.56	27.59	4.86	系统开发及信息科技顾问	H股
00699. HK	神州租车	恒生综合中型股	154.87	18.90	1.91	旅游及观光	非H股
00700. HK	腾讯控股	恒生综合大型股	26292.06	45.57	13.53	电子商贸及互联网服务	非H股
00728. HK	中国电信	恒生综合大型股	523.18	17.14	0.95	电讯服务	H股
00732. HK	信利国际	恒生综合中型股	77.91	31.90	1.16	计算机及周边器材	非H股
00737. HK	合和公路基建	恒生综合中型股	137.14	25.63	2.52	铁路及公路	非H股
00751. HK	创维数码	恒生综合中型股	139.66	8.07	0.89	消费电子产品	非H股
00753. HK	中国国航	恒生综合中型股、A+H股	364.10	18.14	1.42	航空服务	H股
00762. HK	中国联通	恒生综合大型股	2710.81	377.33	1.19	电讯服务	红筹股
00777. HK	网龙	—	104.37	-51.31	2.70	软件开发	非H股
00787. HK	利标品牌	恒生综合中型股	97.93	5750.00	3.96	服装	非H股
00806. HK	惠理集团	—	140.36	102.43	3.80	投资及资产管理	非H股
00811. HK	新华文轩	A+H股	29.26	11.03	0.97	出版	H股
00813. HK	世茂房地产	恒生综合大型股	468.76	38.44	2.34	地产发展商	非H股
00817. HK	中国金茂	恒生综合中型股	260.40	11.60	0.82	地产发展商	红筹股
00836. HK	华润电力	恒生综合大型股	747.54	9.65	1.08	电力	红筹股
00857. HK	中国石油股份	恒生综合大型股、A+H股	1071.82	42.33	0.78	气油生产商	H股
00861. HK	神州控股	恒生综合中型股	82.12	17.62	1.05	系统开发及信息科技顾问	非H股
00867. HK	康哲药业	恒生综合中型股	344.73	25.05	5.55	药品	非H股
00868. HK	信义玻璃	恒生综合中型股	306.66	9.45	2.26	工业零件及器材	非H股
00874. HK	白云山	A+H股	49.26	18.79	2.04	药品	H股
00880. HK	澳博控股	恒生综合大型股	451.46	19.42	1.82	赌场及博彩	非H股
00881. HK	中升控股	恒生综合中型股	284.63	15.60	2.33	汽车	非H股
00883. HK	中国海洋石油	恒生综合大型股	3866.47	866.00	1.01	气油生产商	红筹股

代码	名称	来源	总市值（亿元）	市盈率	市净率	港交所行业	证券类型
00884.HK	旭辉控股集团	—	205.81	7.19	1.36	地产发展商	非H股
00902.HK	华能国际电力股份	恒生综合中型股、A+H股	274.97	36.56	1.20	电力	H股
00914.HK	安徽海螺水泥股份	恒生综合中型股、A+H股	343.09	16.10	1.77	建筑材料	H股
00916.HK	龙源电力	恒生综合中型股	198.06	13.95	1.17	非传统/可再生能源	H股
00931.HK	中国天然气	—	89.09	98.75	10.43	投资及资产管理	非H股
00933.HK	光汇石油	—	219.79	26.54	1.93	气油生产商	非H股
00934.HK	中石化冠德	恒生综合中型股	102.93	10.24	1.08	气油生产商	红筹股
00939.HK	建设银行	恒生综合大型股、A+H股	15530.96	5.77	0.99	银行	H股
00941.HK	中国移动	恒生综合大型股	17199.41	15.82	1.76	电讯服务	红筹股
00958.HK	华能新能源	—	125.78	9.15	1.21	非传统/可再生能源	H股
00960.HK	龙湖地产	恒生综合大型股	882.02	9.57	1.42	地产发展商	非H股
00966.HK	中国太平	恒生综合中型股	731.38	16.18	1.09	保险	红筹股
00968.HK	信义光能	—	177.43	8.12	2.60	新能源物料	非H股
00981.HK	中芯国际	恒生综合中型股	366.41	197.00	7.89	半导体	红筹股
00991.HK	大唐发电	恒生综合中型股、A+H股	84.88	13.50	0.84	电力	H股
00992.HK	联想集团	恒生综合大型股	570.98	105.76	17.71	计算机及周边器材	红筹股
00995.HK	安徽皖通高速公路	A+H股	28.79	8.25	1.08	铁路及公路	H股
00996.HK	嘉年华国际	—	120.24	98.59	1.68	地产投资	非H股
00998.HK	中信银行	恒生综合大型股、A+H股	714.34	5.22	0.61	银行	H股
01033.HK	中石化油服	A+H股	26.67	-3.34	2.50	气油设备与服务	H股
01038.HK	长江基建集团	恒生综合大型股	1756.07	17.34	1.82	电力	非H股
01044.HK	恒安国际	恒生综合大型股	650.64	18.20	4.42	美容及个人护理	非H股
01055.HK	中国南方航空股份	A+H股	178.60	9.98	1.40	航空服务	H股
01060.HK	阿里影业	—	317.96	-33.16	1.88	影视娱乐	非H股
01065.HK	天津创业环保股份	A+H股	16.59	14.52	1.47	水务	H股
01066.HK	威高股份	恒生综合中型股	116.79	24.80	2.36	医疗保健设备	H股
01071.HK	华电国际电力股份	A+H股	59.93	872.50	0.81	电力	H股
01072.HK	东方电气	A+H股	24.14	25.36	0.78	环保工程	H股
01083.HK	港华燃气	恒生综合中型股	129.07	13.13	0.96	燃气供应	非H股
01088.HK	中国神华	恒生综合大型股、A+H股	662.72	7.50	1.18	煤炭	H股
01093.HK	石药集团	恒生综合中型股	716.80	28.08	7.09	药品	非H股
01099.HK	国药控股	恒生综合中型股	423.45	19.72	2.96	药品	H股
01108.HK	洛阳玻璃股份	A+H股	12.05	547.73	4.84	工业零件及器材	H股
01109.HK	华润置地	恒生综合大型股	1594.12	8.17	1.37	地产发展商	红筹股
01112.HK	H&H国际控股	恒生综合中型股	132.88	14.00	4.19	包装食品	非H股
01113.HK	长实地产	—	2272.11	12.09	0.86	地产发展商	非H股
01114.HK	BRILLIANCE CHI	恒生综合大型股	756.79	20.55	3.19	汽车	红筹股
01117.HK	现代牧业	恒生综合中型股	93.20	-10.86	1.15	乳制品	非H股
01128.HK	永利澳门	恒生综合大型股	923.76	63.50	37.66	赌场及博彩	非H股
01136.HK	台泥国际集团	—	173.52	113.23	0.94	建筑材料	非H股
01138.HK	中远海能	A+H股	57.54	7.95	0.64	航运及港口	H股
01169.HK	海尔电器	恒生综合大型股	573.97	20.77	3.27	家庭电器	非H股
01171.HK	兖州煤业股份	恒生综合中型股、A+H股	116.93	4.21	0.64	煤炭	H股
01177.HK	中国生物制药	恒生综合中型股	530.71	22.92	6.29	药品	非H股
01186.HK	中国铁建	恒生综合中型股、A+H股	214.69	12.73	1.05	重型基建	H股
01193.HK	华润燃气	恒生综合大型股	527.09	15.70	2.97	燃气供应	红筹股

代码	名称	来源	总市值（亿元）	市盈率	市净率	港交所行业	证券类型
01199.HK	中远海运港口	恒生综合中型股	270.24	179.20	6.01	航运及港口	红筹股
01208.HK	五矿资源	恒生综合中型股	208.22	-104.80	20.17	其他金属及矿物	红筹股
01230.HK	雅士利国际	恒生综合中型股	71.18	-22.39	1.25	乳制品	红筹股
01282.HK	中国金洋	—	119.60	25.12	2.54	计算机及周边器材	非H股
01288.HK	农业银行	恒生综合大型股、A+H股	1103.52	6.53	0.86	银行	H股
01293.HK	广汇宝信	恒生综合中型股	90.78	22.19	1.82	汽车	非H股
01299.HK	友邦保险	恒生综合大型股	6797.69	160.86	19.22	保险	非H股
01308.HK	海丰国际	—	147.79	119.62	16.67	航运及港口	非H股
01313.HK	华润水泥控股	恒生综合大型股	265.24	10.91	0.99	建筑材料	红筹股
01315.HK	允升国际	—	47.40	493.75	14.93	楼宇建造	非H股
01316.HK	耐世特	—	305.33	101.67	28.82	汽车零件	红筹股
01333.HK	中国忠旺	恒生综合中型股	181.47	8.12	0.65	铝	非H股
01336.HK	新华保险	恒生综合中型股、A+H股	437.43	17.92	2.14	保险	H股
01339.HK	中国人民保险集团	恒生综合中型股	287.97	9.71	0.82	保险	H股
01347.HK	华虹半导体	—	111.66	90.00	7.29	半导体	红筹股
01357.HK	美图公司	—	388.56	-3.02	6.43	电子商贸及互联网服务	非H股
01359.HK	中国信达	恒生综合大型股	405.67	6.95	0.82	投资及资产管理	H股
01363.HK	中滔环保	—	82.12	16.25	2.55	水务	非H股
01375.HK	中州证券	A+H股	47.50	31.67	1.40	证券及经纪	H股
01378.HK	中国宏桥	恒生综合中型股	511.81	7.66	1.25	铝	非H股
01382.HK	互太纺织	恒生综合中型股	128.44	14.32	4.06	纺织品及布料	非H股
01387.HK	人和商业	恒生综合中型股	84.41	-0.58	1.21	地产投资	非H股
01398.HK	工商银行	恒生综合大型股、A+H股	4530.65	6.21	0.92	银行	H股
01432.HK	中国圣牧	恒生综合中型股	106.75	15.85	2.00	乳制品	非H股
01458.HK	周黑鸭	—	186.12	21.11	5.18	包装食品	非H股
01508.HK	中国再保险	—	116.89	14.58	1.03	保险	H股
01530.HK	三生制药	—	276.53	39.00	4.24	药品	非H股
01618.HK	中国中冶	A+H股	74.07	9.21	0.70	重型基建	H股
01635.HK	大众公用	A+H股	19.69	21.55	1.45	燃气供应	H股
01658.HK	邮储银行	—	905.44	6.71	1.03	银行	H股
01668.HK	华南城	恒生综合中型股	116.89	6.82	0.45	地产投资	非H股
01680.HK	澳门励骏	恒生综合中型股	94.01	-34.09	1.40	赌场及博彩	非H股
01766.HK	中国中车	恒生综合中型股、A+H股	317.78	45.44	1.77	商业用车及货车	H股
01788.HK	国泰君安国际	—	174.06	17.91	1.65	证券及经纪	红筹股
01800.HK	中国交通建设	恒生综合中型股、A+H股	447.18	13.29	1.00	重型基建	H股
01813.HK	合景泰富	恒生综合中型股	166.43	4.74	0.69	地产发展商	非H股
01816.HK	中广核电力	—	252.30	14.13	1.82	电力	H股
01880.HK	百丽国际	恒生综合大型股	513.64	21.37	1.94	鞋类	非H股
01882.HK	海天国际	恒生综合中型股	330.37	21.34	3.62	工业零件及器材	非H股
01888.HK	建滔积层板	恒生综合中型股	274.21	6.14	1.85	工业零件及器材	非H股
01898.HK	中煤能源	恒生综合中型股、A+H股	140.04	9.69	0.52	煤炭	H股
01918.HK	融创中国	恒生综合中型股	529.53	19.15	2.25	地产发展商	非H股
01919.HK	中远海控	恒生综合中型股、A+H股	88.26	28.50	1.86	航运及港口	H股
01928.HK	金沙中国有限公司	恒生综合大型股	2914.25	208.91	58.19	赌场及博彩	非H股
01929.HK	周大福	恒生综合大型股	897.00	29.31	2.82	珠宝钟表	非H股
01958.HK	北京汽车	—	163.43	9.26	1.42	汽车	H股

代码	名称	来源	总市值（亿元）	市盈率	市净率	港交所行业	证券类型
01970.HK	IMAX CHINA	—	114.11	320.00	60.32	影视娱乐	非H股
01972.HK	太古地产	恒生综合大型股	1550.25	10.31	0.69	地产投资	非H股
01988.HK	民生银行	恒生综合大型股、A+H股	541.51	5.01	0.80	银行	H股
01999.HK	敏华控股	恒生综合中型股	251.51	14.43	4.98	家具	非H股
02007.HK	碧桂园	恒生综合大型股	2023.09	18.19	2.92	地产发展商	非H股
02009.HK	金隅股份	A+H股	94.95	25.38	0.97	建筑材料	H股
02018.HK	瑞声科技	恒生综合大型股	1221.86	28.77	8.61	计算机及周边器材	非H股
02020.HK	安踏体育	恒生综合中型股	623.89	24.43	6.09	鞋类	非H股
02038.HK	富智康集团	恒生综合中型股	191.65	137.14	5.38	电讯设备	非H股
02128.HK	中国联塑	恒生综合中型股	188.32	9.79	1.68	建筑材料	非H股
02186.HK	绿叶制药	恒生综合中型股	151.11	16.95	2.35	药品	非H股
02196.HK	复星医药	A+H股	158.97	26.49	3.48	药品	H股
02199.HK	维珍妮	—	68.93	148.16	2.66	服装	非H股
02238.HK	广汽集团	恒生综合中型股、A+H股	308.09	6.00	1.88	汽车	H股
02282.HK	美高梅中国	恒生综合大型股	623.97	20.53	8.65	赌场及博彩	非H股
02298.HK	都市丽人	—	68.04	24.96	2.24	服装	非H股
02313.HK	申洲国际	恒生综合中型股	775.07	25.84	4.84	服装	非H股
02314.HK	理文造纸	恒生综合中型股	308.94	10.92	1.85	纸及纸制品	非H股
02318.HK	中国平安	恒生综合大型股、A+H股	3876.46	10.09	1.84	保险	H股
02319.HK	蒙牛乳业	恒生综合大型股	621.88	-82.07	2.98	乳制品	红筹股
02328.HK	中国财险	恒生综合中型股	587.82	10.52	1.54	保险	H股
02329.HK	国瑞置业	—	109.18	7.02	1.15	地产发展商	非H股
02333.HK	长城汽车	恒生综合中型股、A+H股	281.44	10.81	1.68	汽车	H股
02356.HK	大新银行集团	恒生综合中型股	231.58	10.78	1.01	银行	非H股
02357.HK	中航科工	—	110.99	25.05	2.10	航空航天与国防	H股
02380.HK	中国电力	恒生综合中型股	208.15	8.84	0.76	电力	红筹股
02382.HK	舜宇光学科技	—	721.83	56.39	14.75	工业零件及器材	非H股
02386.HK	中石化炼化工程	恒生综合中型股	110.00	19.82	1.32	气油设备与服务	H股
02388.HK	中银香港	恒生综合大型股	3716.33	6.70	1.65	银行	红筹股
02588.HK	中银航空租赁	—	273.79	61.64	8.10	航空服务	红筹股
02600.HK	中国铝业	恒生综合中型股、A+H股	145.14	38.33	1.43	铝	H股
02601.HK	中国太保	恒生综合大型股、A+H股	863.12	35.34	2.08	保险	H股
02607.HK	上海医药	恒生综合中型股、A+H股	174.24	15.30	1.87	药品	H股
02611.HK	国泰君安	A+H股	189.50	12.36	1.21	证券及经纪	H股
02628.HK	中国人寿	恒生综合大型股、A+H股	1893.78	30.30	2.30	保险	H股
02688.HK	新奥能源	恒生综合大型股	450.54	22.88	3.01	燃气供应	非H股
02689.HK	玖龙纸业	恒生综合中型股	446.39	11.65	1.62	纸及纸制品	非H股
02727.HK	上海电气	恒生综合中型股、A+H股	104.94	24.38	1.04	环保工程	H股
02777.HK	富力地产	恒生综合中型股	127.92	52.50	0.88	地产发展商	H股
02866.HK	中远海发	A+H股	63.77	14.31	1.45	航运及港口	H股
02877.HK	神威药业	恒生综合中型股	66.99	11.41	1.19	药品	非H股
02880.HK	大连港	A+H股	70.16	28.33	0.98	航运及港口	H股
02883.HK	中海油田服务	恒生综合中型股、A+H股	120.98	-15.18	0.92	气油设备与服务	H股

代码	名称	来源	总市值（亿元）	市盈率	市净率	港交所行业	证券类型
02888.HK	渣打集团	—	2517.62	-527.59	5.20	银行	非H股
02899.HK	紫金矿业	恒生综合中型股、A+H股	147.44	13.67	1.90	黄金及贵金属	H股
03308.HK	金鹰商贸集团	恒生综合中型股	191.64	47.08	3.81	百货商城	非H股
03311.HK	中国建筑国际	恒生综合大型股	578.97	10.77	2.28	重型基建	红筹股
03320.HK	华润医药	—	575.03	16.05	1.53	药品	红筹股
03323.HK	中国建材	恒生综合中型股	131.58	22.85	0.45	建筑材料	H股
03328.HK	交通银行	恒生综合大型股、A+H股	2055.20	5.64	0.67	银行	H股
03331.HK	维达国际	—	182.70	25.63	2.57	美容及个人护理	非H股
03333.HK	中国恒大	恒生综合大型股	2177.88	45.46	5.15	地产发展商	非H股
03360.HK	远东宏信	恒生综合中型股	270.64	9.26	1.18	信贷	红筹股
03377.HK	远洋集团	恒生综合中型股	282.57	7.63	0.64	地产发展商	非H股
03380.HK	龙光地产	恒生综合中型股	278.11	6.26	1.43	地产发展商	非H股
03383.HK	雅居乐集团	恒生综合中型股	280.85	12.19	0.80	地产发展商	非H股
03396.HK	联想控股	—	86.21	10.68	0.99	综合企业	H股
03606.HK	福耀玻璃	A+H股	159.27	28.13	4.22	汽车零件	H股
03618.HK	重庆农村商业银行	恒生综合中型股	131.20	5.02	0.88	银行	H股
03698.HK	徽商银行	—	116.70	5.95	0.79	银行	H股
03799.HK	达利食品	—	625.82	19.87	4.51	包装食品	非H股
03800.HK	保利协鑫能源	恒生综合中型股	141.27	6.89	0.68	新能源物料	非H股
03808.HK	中国重汽	恒生综合中型股	136.95	26.11	0.69	商业用车及货车	红筹股
03823.HK	德普科技	—	10.51	-3.24	1.29	工业零件及器材	非H股
03886.HK	康健国际医疗	—	72.25	118.52	1.70	医疗及医学美容服务	非H股
03888.HK	金山软件	恒生综合中型股	280.11	29.72	3.42	软件开发	非H股
03898.HK	中车时代电气	恒生综合中型股	223.31	24.88	2.95	商业用车及货车	H股
03899.HK	中集安瑞科	恒生综合中型股	96.92	-10.42	1.88	气油设备与服务	红筹股
03900.HK	绿城中国	恒生综合中型股	184.32	12.17	0.75	地产发展商	非H股
03908.HK	中金公司	—	168.74	14.61	1.39	证券及经纪	H股
03958.HK	东方证券	A+H股	76.83	13.36	1.13	证券及经纪	H股
03968.HK	招商银行	恒生综合大型股、A+H股	1046.73	7.22	1.37	银行	H股
03969.HK	中国通号	—	118.13	17.14	2.44	系统开发及信息科技顾问	H股
03988.HK	中国银行	恒生综合大型股、A+H股	3244.54	6.47	0.79	银行	H股
03993.HK	洛阳钼业	A+H股	97.55	15.50	2.17	其他金属及矿物	H股
06030.HK	中信证券	恒生综合中型股、A+H股	370.91	21.42	1.35	证券及经纪	H股
06099.HK	招商证券	A+H股	119.81	14.55	1.16	证券及经纪	H股
06178.HK	光大证券	A+H股	78.72	21.94	1.07	证券及经纪	H股
06808.HK	高鑫零售	恒生综合大型股	686.86	16.36	3.15	超市及便利店	非H股
06818.HK	中国光大银行	恒生综合中型股、A+H股	248.65	5.03	0.64	银行	H股
06837.HK	海通证券	恒生综合中型股、A+H股	442.56	17.08	1.33	证券及经纪	H股
06881.HK	中国银河	A+H股	265.38	16.34	1.15	证券及经纪	H股
06886.HK	HTSC	A+H股	259.58	20.33	1.25	证券及经纪	H股

交易日期：2017-6-9。

数据来源：东方财富 Choice 数据。

深港股通标的股票

代码	名称	来源	总市值（亿元）	市盈率	市净率	港交所行业	证券类型
00001.HK	长和	恒生综合大型股指数	385767850000.00	10.94	1.07	综合企业	非H股
00002.HK	中电控股	恒生综合大型股指数	212600815465.50	35.08	2.43	电力	非H股
00003.HK	香港中华煤气	恒生综合大型股指数	209814697245.00	30.61	4.21	燃气供应	非H股
00004.HK	九龙仓集团	恒生综合大型股指数	210988780592.85	7.18	0.77	地产投资	非H股
00005.HK	汇丰控股	恒生综合大型股指数	1397764744370.40	11.12	0.99	银行	非H股
00006.HK	电能实业	恒生综合大型股指数	150358733524.30	13.47	2.17	电力	非H股
00008.HK	电讯盈科	恒生综合中型股指数	34275193825.56	18.18	3.73	电讯服务	非H股
00010.HK	恒隆集团	恒生综合大型股指数	46022696579.60	10.10	0.65	地产投资	非H股
00011.HK	恒生银行	恒生综合大型股指数	313351024430.40	11.75	2.91	银行	非H股
00012.HK	恒基地产	恒生综合大型股指数	184052729064.00	11.54	0.82	地产发展商	非H股
00014.HK	希慎兴业	恒生综合中型股指数	39727273242.00	6.45	0.63	地产投资	非H股
00016.HK	新鸿基地产	恒生综合大型股指数	351879585291.00	10.50	0.85	地产投资	非H股
00017.HK	新世界发展	恒生综合大型股指数	104889809547.30	10.79	0.66	地产发展商	非H股
00019.HK	太古股份公司A	恒生综合大型股指数	71511274000.00	5.38	0.32	综合企业	非H股
00020.HK	会德丰	恒生综合大型股指数	129071819867.10	7.61	0.77	地产发展商	非H股
00023.HK	东亚银行	恒生综合大型股指数	92061422876.80	13.92	1.45	银行	非H股
00027.HK	银河娱乐	恒生综合大型股指数	201499694329.50	20.05	6.21	赌场及博彩	非H股
00035.HK	远东发展	恒生综合小型股指数	9387153304.23	10.27	1.07	地产发展商	非H股
00038.HK	第一拖拉机股份	A+H股	4063272000.00	14.39	0.71	重机械	H股
00041.HK	鹰君	恒生综合中型股指数	26884364982.50	11.20	0.54	地产投资	非H股
00042.HK	东北电气	A+H股	2008751000.00	159.74	5.65	工业零件及器材	H股
00066.HK	港铁公司	恒生综合大型股指数	260769939916.50	20.02	1.71	公共运输	非H股
00069.HK	香格里拉(亚洲)	恒生综合大型股指数	45681106954.56	15.02	0.93	酒店及度假村	非H股
00081.HK	中国海外宏洋集团	恒生综合小型股指数	10475481113.46	3.34	0.93	地产发展商	红筹股
00083.HK	信和置业	恒生综合大型股指数	85765505390.18	9.61	0.77	地产发展商	非H股
00095.HK	绿景中国地产	恒生综合小型股指数	9340229756.08	-633.71	9.60	地产发展商	非H股
00101.HK	恒隆地产	恒生综合大型股指数	95123725420.50	13.19	0.76	地产投资	非H股
00107.HK	四川成渝高速公路	A+H股	10152759200.00	7.86	0.73	铁路及公路	H股
00116.HK	周生生	恒生综合小型股指数	13010402400.00	10.68	1.64	珠宝钟表	非H股
00119.HK	保利置业集团	恒生综合中型股指数	12229533733.64	4.50	0.41	地产发展商	红筹股
00123.HK	越秀地产	恒生综合中型股指数	16865777018.16	4.60	0.55	地产发展商	红筹股
00135.HK	昆仑能源	恒生综合大型股指数	53842843321.01	7.86	1.07	气油生产商	红筹股
00142.HK	第一太平	恒生综合中型股指数	25455870025.29	13.95	0.94	包装食品	非H股
00144.HK	招商局港口	恒生综合大型股指数	57503860811.10	13.65	1.18	航运及港口	红筹股
00148.HK	建滔化工	恒生综合中型股指数	30477046926.60	10.29	0.89	工业零件及器材	非H股
00151.HK	中国旺旺	恒生综合大型股指数	71831072534.90	13.48	4.77	包装食品	非H股
00152.HK	深圳国际	恒生综合中型股指数	27176891678.32	16.56	1.94	铁路及公路	红筹股
00163.HK	英皇国际	恒生综合小型股指数	9157088710.83	4.93	0.37	地产投资	非H股
00165.HK	中国光大控股	恒生综合中型股指数	30267156667.52	22.48	1.05	投资及资产管理	红筹股
00168.HK	青岛啤酒股份	恒生综合中型股指数,A+H股	49040675458.50	19.54	2.75	酒精饮料	H股
00173.HK	嘉华国际	恒生综合中型股指数	15307587277.51	9.30	0.55	地产发展商	非H股
00175.HK	吉利汽车	恒生综合大型股指数	138158869039.20	40.79	6.76	汽车	非H股
00177.HK	江苏宁沪高速公路	恒生综合中型股指数,A+H股	56725036850.00	16.47	2.28	铁路及公路	H股

代码	名称	来源	总市值（亿元）	市盈率	市净率	港交所行业	证券类型
00178. HK	莎莎国际	恒生综合中型股指数	10570378036. 10	11. 30	4. 55	美容及个人护理	非 H 股
00179. HK	德昌电机控股	恒生综合中型股指数	24300053328. 25	15. 07	1. 81	汽车零件	非 H 股
00200. HK	新濠国际发展	恒生综合中型股指数	31055146315. 50	19. 45	2. 66	赌场及博彩	非 H 股
00215. HK	和记电讯香港	恒生综合中型股指数	12047240520. 00	13. 15	1. 09	电讯服务	非 H 股
00220. HK	统一企业中国	恒生综合中型股指数	25052137200. 00	21. 49	2. 42	非酒精饮料	非 H 股
00241. HK	阿里健康	恒生综合大型股指数	32770947672. 00	-5063. 50	72. 09	系统开发及信息科技顾问	非 H 股
00242. HK	信德集团	恒生综合中型股指数	9796739827. 70	6. 97	0. 46	综合企业	非 H 股
00245. HK	中国民生金融	恒生综合中型股指数	14319716028. 75	-8150. 09	55. 51	特殊化工用品	非 H 股
00256. HK	冠城钟表珠宝	恒生综合小型股指数	7482538714. 32	13. 23	1. 73	珠宝钟表	非 H 股
00257. HK	中国光大国际	恒生综合大型股指数	43392649256. 00	32. 76	3. 24	非传统/可再生能源	红筹股
00267. HK	中信股份	恒生综合大型股指数	364791893380. 20	48. 07	3. 58	综合企业	红筹股
00268. HK	金蝶国际	恒生综合小型股指数	9055169365. 31	56. 32	4. 07	软件开发	非 H 股
00270. HK	粤海投资	恒生综合大型股指数	72046792268. 80	16. 28	2. 64	水务	红筹股
00272. HK	瑞安房地产	恒生综合中型股指数	15009798453. 43	5. 55	0. 33	地产发展商	非 H 股
00279. HK	民众金融科技	恒生综合小型股指数	7735034142. 00	16. 20	2. 41	证券及经纪	非 H 股
00285. HK	比亚迪电子	恒生综合中型股指数	39656399200. 00	48. 09	3. 53	电讯设备	非 H 股
00288. HK	万洲国际	恒生综合大型股指数	107831953296. 96	-52. 87	6. 11	禽畜肉类	非 H 股
00291. HK	华润啤酒	恒生综合大型股指数	67316670778. 75	35. 28	1. 53	酒精饮料	红筹股
00293. HK	国泰航空	恒生综合大型股指数	49645118498. 64	18. 95	0. 79	航空服务	非 H 股
00297. HK	中化化肥	恒生综合中型股指数	7024455733. 00	-11. 59	0. 42	化肥及农用化合物	红筹股
00303. HK	VTECH HOLDINGS	恒生综合中型股指数	31724303397. 90	20. 12	7. 10	电讯设备	非 H 股
00308. HK	香港中旅	恒生综合中型股指数	12146791100. 75	10. 55	0. 84	旅游及观光	红筹股
00315. HK	数码通电讯	恒生综合中型股指数	11522565760. 26	21. 45	3. 61	电讯服务	非 H 股
00316. HK	东方海外国际	恒生综合中型股指数	30319685239. 65	83. 13	0. 87	航运及港口	非 H 股
00317. HK	中船防务	恒生综合中型股指数，A+H 股	20495842481. 00	1184. 91	4. 13	商业用车及货车	H 股
00321. HK	德永佳集团	恒生综合小型股指数	5899842364. 08	8. 83	0. 99	纺织品及布料	非 H 股
00322. HK	康师傅控股	恒生综合大型股指数	53526043988. 00	16. 90	2. 40	包装食品	非 H 股
00323. HK	马鞍山钢铁股份	恒生综合小型股指数，A+H 股	21484900508. 94	107. 44	0. 73	钢铁	H 股
00327. HK	百富环球	恒生综合小型股指数	5398990900. 00	23. 83	2. 59	电子商贸及互联网服务	非 H 股
00330. HK	思捷环球	恒生综合中型股指数	10673518345. 38	50. 83	0. 63	服装	非 H 股
00336. HK	华宝国际	恒生综合中型股指数	13581797768. 12	6. 87	1. 56	食品添加剂	非 H 股
00337. HK	绿地香港	恒生综合小型股指数	7961978546. 55	181. 38	1. 11	地产发展商	红筹股
00338. HK	上海石油化工股份	恒生综合中型股指数，A+H 股	46440000000. 00	17. 76	2. 06	特殊化工用品	H 股
00341. HK	大家乐集团	恒生综合中型股指数	15277270461. 30	26. 29	4. 10	餐饮	非 H 股
00345. HK	VITASOY INT'L	恒生综合中型股指数	17078808450. 00	55. 69	9. 76	非酒精饮料	非 H 股
00347. HK	鞍钢股份	恒生综合小型股指数，A+H 股	37476304647. 46	38. 27	0. 63	钢铁	H 股
00354. HK	中国软件国际	恒生综合小型股指数	10523696509. 68	55. 79	3. 65	系统开发及信息科技顾问	非 H 股
00358. HK	江西铜业股份	恒生综合中型股指数，A+H 股	41067970743. 30	9. 08	0. 73	铜	H 股
00363. HK	上海实业控股	恒生综合中型股指数	26147438980. 00	9. 68	0. 75	综合企业	红筹股
00368. HK	中外运航运	恒生综合小型股指数	7385385000. 00	220. 61	0. 44	航运及港口	红筹股
00371. HK	北控水务集团	恒生综合大型股指数	52365599392. 08	48. 30	3. 94	水务	红筹股
00378. HK	五龙动力	恒生综合小型股指数	6779053848. 60	-304. 96	5. 07	投资及资产管理	非 H 股
00384. HK	中国燃气	恒生综合大型股指数	62603346607. 20	24. 31	3. 97	燃气供应	非 H 股
00386. HK	中国石油化工股份	恒生综合大型股指数，A+H 股	779698590120. 24	9. 27	1. 08	气油生产商	H 股
00388. HK	香港交易所	恒生综合大型股指数	252970193460. 40	55. 57	12. 40	其他金融	非 H 股
00390. HK	中国中铁	恒生综合中型股指数，A+H 股	145061314798. 05	12. 17	1. 32	重型基建	H 股

代码	名称	来源	总市值（亿元）	市盈率	市净率	港交所行业	证券类型
00392.HK	北京控股	恒生综合大型股指数	47646285867.00	11.39	0.88	燃气供应	红筹股
00400.HK	科通芯城	恒生综合中型股指数	6800639159.88	65.13	16.45	电子商贸及互联网服务	非H股
00410.HK	SOHO中国	恒生综合中型股指数	19602205596.87	2.09	0.41	地产投资	非H股
00419.HK	华谊腾讯娱乐	恒生综合小型股指数	4724337301.95	-28.51	2.63	医疗及医学美容服务	非H股
00425.HK	敏实集团	恒生综合中型股指数	36722202690.00	29.72	3.87	汽车零件	非H股
00439.HK	光启科学	恒生综合中型股指数	16802355630.50	-443.24	100.51	卫星及无线通讯	非H股
00440.HK	大新金融	恒生综合中型股指数	21143238810.00	14.11	1.27	银行	非H股
00451.HK	协鑫新能源	恒生综合小型股指数	7248011867.58	-39.93	26.97	工业零件及器材	非H股
00460.HK	四环医药	恒生综合中型股指数	31159860457.74	18.80	3.11	药品	非H股
00468.HK	纷美包装	恒生综合小型股指数	6711835380.00	16.63	2.52	印刷及包装	非H股
00489.HK	东风集团股份	恒生综合中型股指数	81163850400.00	6.06	1.01	汽车	H股
00493.HK	国美电器	恒生综合中型股指数	21657627422.00	19.08	1.07	家庭电器	非H股
00494.HK	利丰	恒生综合大型股指数	25162187444.94	4.47	0.64	服装	非H股
00506.HK	中国食品	恒生综合中型股指数	8867198165.32	-9.97	1.44	非酒精饮料	红筹股
00511.HK	电视广播	恒生综合中型股指数	12373500000.00	7.12	1.49	广播	非H股
00522.HK	ASM PACIFIC	恒生综合中型股指数	48581004227.00	86.97	6.86	半导体	非H股
00525.HK	广深铁路股份	恒生综合小型股指数,A+H股	29538349290.00	18.23	0.87	公共运输	H股
00546.HK	阜丰集团	恒生综合小型股指数	11078293060.95	17.21	1.81	食品添加剂	非H股
00547.HK	数字王国	恒生综合小型股指数	6949795671.96	-36.16	31.85	影视娱乐	非H股
00548.HK	深圳高速公路股份	恒生综合小型股指数,A+H股	15745161753.72	17.20	1.24	铁路及公路	H股
00551.HK	裕元集团	恒生综合大型股指数	52271033006.20	15.50	1.55	鞋类	非H股
00552.HK	中国通信服务	恒生综合中型股指数	31928944824.00	11.22	1.15	电讯设备	H股
00553.HK	南京熊猫电子股份	A+H股	4304179471.59	18.51	1.08	电讯设备	H股
00563.HK	上实城市开发	恒生综合小型股指数	8323502616.97	58.02	0.66	地产发展商	红筹股
00564.HK	郑煤机	A+H股	6670014774.50	6.05	0.55	重机械	H股
00570.HK	中国中药	恒生综合中型股指数	20163350616.50	79.88	5.74	药品	红筹股
00576.HK	浙江沪杭甬	恒生综合中型股指数	43691731870.00	18.01	2.15	铁路及公路	H股
00579.HK	京能清洁能源	恒生综合小型股指数	16557720524.14	11.36	1.22	电力	H股
00586.HK	海螺创业	恒生综合中型股指数	27071250000.00	11.59	1.66	环保工程	非H股
00588.HK	北京北辰实业股份	A+H股	11077495800.00	10.89	0.56	地产发展商	H股
00590.HK	六福集团	恒生综合中型股指数	16086755090.00	8.63	2.11	珠宝钟表	非H股
00598.HK	中国外运	恒生综合小型股指数	17734960320.00	16.51	1.28	航运及港口	H股
00604.HK	深圳控股	恒生综合中型股指数	29052116359.82	10.61	1.15	地产发展商	红筹股
00606.HK	中国粮油控股	恒生综合中型股指数	17482103024.04	11.49	0.60	农产品	红筹股
00607.HK	丰盛控股	恒生综合大型股指数	61751963218.03	-200.84	-218.14	地产发展商	非H股
00636.HK	嘉里物流	恒生综合中型股指数	19432156013.52	10.59	1.45	航空货运及物流	非H股
00639.HK	首钢资源	恒生综合小型股指数	6786352437.76	6.09	0.34	煤炭	红筹股
00656.HK	复星国际	恒生综合大型股指数	110319679416.96	15.72	2.19	综合企业	非H股
00658.HK	中国高速传动	恒生综合中型股指数	13098685363.56	159.49	1.21	环保工程	非H股
00659.HK	新创建集团	恒生综合大型股指数	59581942563.52	13.78	1.41	综合企业	非H股
00665.HK	海通国际	恒生综合中型股指数	24657910116.84	46.60	5.01	证券及经纪	非H股
00669.HK	创科实业	恒生综合大型股指数	66544867458.30	34.29	4.93	家庭电器	非H股
00670.HK	中国东方航空股份	恒生综合中型股指数,A+H股	67563625134.94	22.39	1.97	航空服务	H股
00680.HK	南海控股	恒生综合中型股指数	17847839306.44	20.63	4.49	影视娱乐	非H股
00683.HK	嘉里建设	恒生综合大型股指数	39978654565.60	3.04	0.53	地产发展商	非H股
00688.HK	中国海外发展	恒生综合大型股指数	259661976379.50	11.27	2.36	地产发展商	红筹股

代码	名称	来源	总市值（亿元）	市盈率	市净率	港交所行业	证券类型
00694. HK	北京首都机场股份	恒生综合中型股指数	47813025600.00	28.29	2.32	航空服务	H股
00696. HK	中国民航信息网络	恒生综合中型股指数	67010199588.10	43.70	5.80	系统开发及信息科技顾问	H股
00698. HK	通达集团	恒生综合小型股指数	13628434383.19	37.85	5.55	电讯设备	非H股
00699. HK	神州租车	恒生综合中型股指数	15487034671.07	-54.51	166.94	旅游及观光	非H股
00700. HK	腾讯控股	恒生综合大型股指数	2629206062375.20	133.35	35.67	电子商贸及互联网服务	非H股
00709. HK	佐丹奴国际	恒生综合小型股指数	6368408397.90	9.61	2.06	服装	非H股
00719. HK	山东新华制药股份	A+H股	3077715345.90	67.72	1.37	药品	H股
00721. HK	中国金融国际	恒生综合小型股指数	3401206549.30	-15.98	4.14	投资及资产管理	非H股
00728. HK	中国电信	恒生综合大型股指数	305115028570.17	13.67	0.86	电讯服务	H股
00729. HK	五龙电动车	恒生综合小型股指数	7615482216.72	-8.40	4.39	新能源物料	非H股
00732. HK	信利国际	恒生综合中型股指数	7791026386.64	4.81	1.13	计算机及周边器材	非H股
00735. HK	中国电力新能源	恒生综合小型股指数	5921300755.82	18.09	0.64	非传统/可再生能源	红筹股
00737. HK	合和公路基建	恒生综合中型股指数	13713521759.35	19.69	1.50	铁路及公路	非H股
00751. HK	创维数码	恒生综合中型股指数	13965678148.95	11.14	1.29	消费电子产品	非H股
00753. HK	中国国航	恒生综合中型股指数,A+H股	115908025176.30	27.92	1.70	航空服务	H股
00762. HK	中国联通	恒生综合大型股指数	271080957859.56	20.48	0.97	电讯服务	红筹股
00763. HK	中兴通讯	恒生综合中型股指数,A+H股	72301309604.14	41.87	2.52	电讯设备	H股
00775. HK	长江生命科技	恒生综合小型股指数	6439418508.00	28.12	1.29	药品	非H股
00777. HK	网龙	恒生综合中型股指数	10437132615.00	1.34	1.78	软件开发	非H股
00787. HK	利标品牌	恒生综合中型股指数	9793201805.55	11.12	0.53	服装	非H股
00799. HK	IGG	恒生综合小型股指数	16322897633.94	302.95	15.50	软件开发	非H股
00806. HK	惠理集团	恒生综合中型股指数	14035998418.98	36.52	5.11	投资及资产管理	非H股
00811. HK	新华文轩	A+H股	8168027420.00	10.30	1.22	出版	H股
00813. HK	世茂房地产	恒生综合大型股指数	46876390901.76	4.99	0.88	地产发展商	非H股
00817. HK	中国金茂	恒生综合中型股指数	26040467165.96	6.16	0.78	地产发展商	红筹股
00819. HK	天能动力	恒生综合小型股指数	7277490390.00	42.29	1.91	新能源物料	非H股
00836. HK	华润电力	恒生综合大型股指数	74754295719.60	6.79	1.15	电力	红筹股
00853. HK	微创医疗	恒生综合小型股指数	8983611966.70	47.55	2.99	医疗保健设备	非H股
00855. HK	中国水务	恒生综合小型股指数	7097066494.35	25.23	2.01	水务	非H股
00857. HK	中国石油股份	恒生综合大型股指数,A+H股	929746567315.44	5.64	0.65	气油生产商	H股
00861. HK	神州控股	恒生综合中型股指数	8211874635.72	97.64	1.06	系统开发及信息科技顾问	非H股
00867. HK	康哲药业	恒生综合中型股指数	34473250516.32	43.23	8.52	药品	非H股
00868. HK	信义玻璃	恒生综合中型股指数	30666160612.49	8.71	2.51	工业零件及器材	非H股
00874. HK	白云山	恒生综合小型股指数,A+H股	36417717257.60	29.22	4.19	药品	H股
00880. HK	澳博控股	恒生综合大型股指数	45145886758.14	5.86	1.93	赌场及博彩	非H股
00881. HK	中升控股	恒生综合中型股指数	28462682249.82	22.16	2.66	汽车	非H股
00883. HK	中国海洋石油	恒生综合大型股指数	386646968821.44	5.38	0.89	气油生产商	红筹股
00884. HK	旭辉控股集团	恒生综合中型股指数	20580565040.72	8.54	1.88	地产发展商	非H股
00885. HK	仁天科技控股	恒生综合小型股指数	4059356212.00	-37.59	4.39	软件开发	非H股
00895. HK	东江环保	A+H股	11462005157.84	43.27	4.02	环保工程	H股
00902. HK	华能国际电力股份	恒生综合中型股指数,A+H股	88922243124.00	6.71	1.12	电力	H股
00914. HK	安徽海螺水泥股份	恒生综合中型股指数,A+H股	139901588085.60	11.71	1.97	建筑材料	H股
00916. HK	龙源电力	恒生综合中型股指数	47655786770.00	18.28	1.21	非传统/可再生能源	H股
00921. HK	海信科龙	A+H股	17524648258.20	11.12	5.01	家庭电器	H股
00931. HK	中国天然气	恒生综合中型股指数	8909157203.46	432.48	34.94	投资及资产管理	非H股
00933. HK	光汇石油	恒生综合中型股指数	21978652263.84	36.67	2.91	气油生产商	非H股

代码	名称	来源	总市值（亿元）	市盈率	市净率	港交所行业	证券类型
00934.HK	中石化冠德	恒生综合中型股指数	10292702400.00	20.95	1.05	气油生产商	红筹股
00939.HK	建设银行	恒生综合大型股指数,A+H股	1615070914559.56	5.92	1.19	银行	H股
00941.HK	中国移动	恒生综合大型股指数	1719940563348.00	11.11	1.71	电讯服务	红筹股
00951.HK	超威动力	恒生综合小型股指数	5207186301.30	13.20	1.76	新能源物料	非H股
00958.HK	华能新能源	恒生综合中型股指数	26416330480.00	23.40	1.50	非传统/可再生能源	H股
00960.HK	龙湖地产	恒生综合大型股指数	88201677217.10	8.63	1.88	地产发展商	非H股
00966.HK	中国太平	恒生综合大型股指数	73138277248.30	47.80	3.69	保险	红筹股
00968.HK	信义光能	恒生综合中型股指数	17742595200.00	58.40	7.68	新能源物料	非H股
00976.HK	齐合天地	恒生综合小型股指数	5842790739.24	-15.26	3.29	铜	非H股
00978.HK	招商局置地	恒生综合小型股指数	7603149683.00	13.03	1.15	地产发展商	红筹股
00981.HK	中芯国际	恒生综合中型股指数	36641334896.48	27.28	1.90	半导体	红筹股
00991.HK	大唐发电	恒生综合中型股指数,A+H股	34073696199.68	7.59	0.61	电力	H股
00992.HK	联想集团	恒生综合大型股指数	57098485281.36	9.01	2.45	计算机及周边器材	红筹股
00995.HK	安徽皖通高速公路	A+H股	9686282400.00	9.08	1.07	铁路及公路	H股
00996.HK	嘉年华国际	恒生综合中型股指数	12024409927.60	-8.09	3.44	地产投资	非H股
00998.HK	中信银行	恒生综合大型股指数,A+H股	234887023550.40	4.71	0.82	银行	H股
01030.HK	新城发展控股	恒生综合小型股指数	16464780000.00	13.19	1.93	地产发展商	非H股
01033.HK	中石化油服	恒生综合小型股指数,A+H股	17961179463.65	-9.74	2.00	气油设备与服务	H股
01038.HK	长江基建集团	恒生综合大型股指数	175607287782.50	15.09	2.50	电力	非H股
01044.HK	恒安国际	恒生综合大型股指数	65063963934.00	17.49	3.94	美容及个人护理	非H股
01052.HK	越秀交通基建	恒生综合小型股指数	9570488327.40	13.57	0.91	铁路及公路	红筹股
01055.HK	中国南方航空股份	恒生综合中型股指数,A+H股	62734253130.00	24.84	1.44	航空服务	H股
01057.HK	浙江世宝	A+H股	2409995433.65	38.81	2.55	汽车零件	H股
01060.HK	阿里影业	恒生综合大型股指数	31795547376.60	154.33	17.41	影视娱乐	非H股
01065.HK	天津创业环保股份	A+H股	6964874738.40	19.43	1.38	水务	H股
01066.HK	威高股份	恒生综合中型股指数	28038460408.80	56.82	2.44	医疗保健设备	H股
01070.HK	TCL多媒体	恒生综合小型股指数	6676267353.60	-138.87	1.53	消费电子产品	红筹股
01071.HK	华电国际电力股份	恒生综合小型股指数,A+H股	34421788518.97	6.61	1.18	电力	H股
01072.HK	东方电气	A+H股	16591992612.80	5.55	0.74	环保工程	H股
01083.HK	港华燃气	恒生综合中型股指数	12907224391.88	11.67	1.03	燃气供应	非H股
01088.HK	中国神华	恒生综合大型股指数,A+H股	387847598872.50	6.76	1.10	煤炭	H股
01093.HK	石药集团	恒生综合大型股指数	71679577891.52	73.69	9.62	药品	非H股
01099.HK	国药控股	恒生综合中型股指数	98231875659.50	34.33	3.54	药品	H股
01108.HK	洛阳玻璃股份	A+H股	2539016337.50	-20.17	59.94	工业零件及器材	H股
01109.HK	华润置地	恒生综合大型股指数	159411610317.00	10.85	1.88	地产发展商	红筹股
01112.HK	H&H国际控股	恒生综合中型股指数	13287868020.00	12.73	4.15	包装食品	非H股
01113.HK	长实地产	恒生综合大型股指数	227210609175.00	16.06	2.64	地产发展商	非H股
01114.HK	BRILLIANCE CHI	恒生综合大型股指数	75679040820.00	17.63	4.57	汽车	红筹股
01115.HK	西藏水资源	恒生综合小型股指数	8040635090.00	14.33	2.53	非酒精饮料	非H股
01117.HK	现代牧业	恒生综合中型股指数	9319738193.12	15.23	1.28	乳制品	非H股
01128.HK	永利澳门	恒生综合大型股指数	92376434500.00	12.00	10.03	赌场及博彩	非H股
01136.HK	台泥国际集团	恒生综合中型股指数	17351561627.01	10.36	1.00	建筑材料	非H股
01138.HK	中远海能	恒生综合小型股指数,A+H股	17902225902.84	-6.30	0.66	航运及港口	H股
01157.HK	中联重科	恒生综合小型股指数,A+H股	27284310810.00	5.58	0.52	重机械	H股
01169.HK	海尔电器	恒生综合大型股指数	57396700082.40	22.15	5.84	家庭电器	非H股
01171.HK	兖州煤业股份	恒生综合中型股指数,A+H股	29422975840.00	29.76	0.57	煤炭	H股

代码	名称	来源	总市值（亿元）	市盈率	市净率	港交所行业	证券类型
01177. HK	中国生物制药	恒生综合大型股指数	53071296216.44	51.19	9.67	药品	非 H 股
01186. HK	中国铁建	恒生综合中型股指数,A+H 股	140412459110.00	10.67	1.36	重型基建	H 股
01193. HK	华润燃气	恒生综合大型股指数	52709105042.70	24.39	3.72	燃气供应	红筹股
01196. HK	伟禄集团	恒生综合小型股指数	4818505857.62	-387.22	9.92	汽车零件	非 H 股
01199. HK	中远海运港口	恒生综合中型股指数	27023526906.88	4.96	0.77	航运及港口	红筹股
01205. HK	中信资源	恒生综合小型股指数	7543418063.04	-5.15	0.65	其他金属及矿物	红筹股
01208. HK	五矿资源	恒生综合中型股指数	20822150138.38	25.99	1.66	其他金属及矿物	红筹股
01211. HK	比亚迪股份	恒生综合中型股指数,A+H 股	127813492756.75	181.70	4.63	汽车	H 股
01230. HK	雅士利国际	恒生综合中型股指数	7118340444.00	12.79	1.80	乳制品	红筹股
01234. HK	中国利郎	恒生综合小型股指数	6310321857.18	9.61	1.97	服装	非 H 股
01238. HK	宝龙地产	恒生综合小型股指数	12791369600.00	7.17	0.59	地产发展商	非 H 股
01282. HK	中国金洋	恒生综合中型股指数	11960242974.00	92.96	9.94	计算机及周边器材	非 H 股
01288. HK	农业银行	恒生综合大型股指数,A+H 股	1166010880030.00	5.51	1.09	银行	H 股
01293. HK	广汇宝信	恒生综合中型股指数	9078455572.95	7.09	1.53	汽车	非 H 股
01299. HK	友邦保险	恒生综合大型股指数	679769020179.60	31.07	3.55	保险	非 H 股
01302. HK	先健科技	恒生综合小型股指数	8475006288.00	-101.47	28.78	医疗保健设备	非 H 股
01308. HK	海丰国际	恒生综合中型股指数	14779219620.00	16.95	2.56	航运及港口	非 H 股
01310. HK	香港宽频	恒生综合小型股指数	8357089994.46	-60.12	5.26	电讯服务	非 H 股
01313. HK	华润水泥控股	恒生综合中型股指数	26523727537.02	7.95	1.07	建筑材料	红筹股
01315. HK	允升国际	恒生综合中型股指数	4740000000.00	-98.10	32.74	楼宇建造	非 H 股
01316. HK	耐世特	恒生综合中型股指数	30533230640.60	36.06	6.94	汽车零件	红筹股
01317. HK	枫叶教育	恒生综合小型股指数	9780565694.36	234.53	18.63	支援服务	非 H 股
01333. HK	中国忠旺	恒生综合中型股指数	18146745556.20	6.71	0.73	铝	非 H 股
01336. HK	新华保险	恒生综合中型股指数,A+H 股	131956821180.00	23.46	2.64	保险	H 股
01339. HK	中国人民保险集团	恒生综合中型股指数	139999168923.90	13.55	1.54	保险	H 股
01347. HK	华虹半导体	恒生综合中型股指数	11165813884.80	23.28	1.36	半导体	红筹股
01357. HK	美图公司	恒生综合中型股指数	38855681332.50	-1183.49	-862.83	电子商贸及互联网服务	非 H 股
01359. HK	中国信达	恒生综合大型股指数	114111960089.53	9.94	1.18	投资及资产管理	H 股
01361. HK	361 度	恒生综合小型股指数	5065624900.00	18.85	0.85	鞋类	非 H 股
01363. HK	中滔环保	恒生综合中型股指数	8211829386.80	36.59	7.30	水务	非 H 股
01368. HK	特步国际	恒生综合小型股指数	6460738350.00	8.38	1.13	服装	非 H 股
01375. HK	中州证券	恒生综合小型股指数,A+H 股	14910191860.00	46.35	2.87	证券及经纪	H 股
01378. HK	中国宏桥	恒生综合大型股指数	51181350462.15	7.20	1.51	铝	非 H 股
01381. HK	粤丰环保	恒生综合小型股指数	10238735144.73	78.18	15.15	非传统/可再生能源	非 H 股
01382. HK	互太纺织	恒生综合中型股指数	12844236240.00	11.50	3.26	纺织品及布料	非 H 股
01387. HK	人和商业	恒生综合中型股指数	8441491284.29	-3.91	0.33	地产投资	非 H 股
01398. HK	工商银行	恒生综合大型股指数,A+H 股	1860440662004.58	5.57	1.15	银行	H 股
01432. HK	中国圣牧	恒生综合中型股指数	10675392000.00	25.64	5.62	乳制品	非 H 股
01448. HK	福寿园	恒生综合小型股指数	10506065807.84	49.39	5.23	支援服务	非 H 股
01458. HK	周黑鸭	恒生综合中型股指数	18612327305.00	56.30	25.25	包装食品	非 H 股
01508. HK	中国再保险	恒生综合中型股指数	74339664148.75	17.33	1.29	保险	H 股
01513. HK	丽珠医药	恒生综合小型股指数,A+H 股	22960950165.40	37.03	5.40	药品	H 股
01515. HK	华润凤凰医疗	恒生综合小型股指数	13641036948.32	119.18	6.63	医疗及医学美容服务	非 H 股
01528. HK	红星美凯龙	恒生综合小型股指数	30803294823.00	8.04	0.79	地产投资	H 股
01530. HK	三生制药	恒生综合中型股指数	27652864184.40	226.73	20.31	药品	非 H 股
01606. HK	国银租赁	恒生综合小型股指数	23514826800.00	9.80	1.52	信贷	H 股

代码	名称	来源	总市值（亿元）	市盈率	市净率	港交所行业	证券类型
01608. HK	伟能集团	恒生综合小型股指数	12697600000.00	1364.01	114.47	电力	非H股
01610. HK	中粮肉食	恒生综合小型股指数	5931037450.96	-19.29	12.00	禽畜肉类	红筹股
01618. HK	中国中冶	恒生综合小型股指数，A+H股	53466937458.60	14.10	0.94	重型基建	H股
01628. HK	禹洲地产	恒生综合小型股指数	16018623751.02	8.56	1.71	地产发展商	非H股
01635. HK	大众公用	A+H股	10894483950.75	30.69	2.21	燃气供应	H股
01636. HK	中国金属利用	恒生综合小型股指数	7154552416.05	22.91	9.18	铜	非H股
01658. HK	邮储银行	恒生综合大型股指数	369499417440.00	9.79	2.06	银行	H股
01666. HK	同仁堂科技	恒生综合小型股指数	16445266560.00	33.15	3.97	药品	H股
01668. HK	华南城	恒生综合中型股指数	11689230118.54	3.35	0.59	地产投资	非H股
01680. HK	澳门励骏	恒生综合中型股指数	9401364180.00	18.44	1.68	赌场及博彩	非H股
01728. HK	正通汽车	恒生综合小型股指数	10697370129.60	10.04	1.11	汽车	非H股
01766. HK	中国中车	恒生综合中型股指数，A+H股	208640741919.76	39.62	4.49	商业用车及货车	H股
01776. HK	广发证券	恒生综合中型股指数，A+H股	119193811064.96	33.32	2.71	证券及经纪	H股
01777. HK	花样年控股	恒生综合小型股指数	6626325557.60	4.29	0.71	地产发展商	非H股
01778. HK	彩生活	恒生综合小型股指数	4626059870.00	81.98	20.33	支援服务	非H股
01788. HK	国泰君安国际	恒生综合中型股指数	17405586259.65	32.45	4.42	证券及经纪	红筹股
01800. HK	中国交通建设	恒生综合大型股指数，A+H股	163364827792.50	10.22	1.35	重型基建	H股
01811. HK	中广核新能源	恒生综合小型股指数	4934447600.00	11.40	0.82	非传统/可再生能源	红筹股
01812. HK	晨鸣纸业	A+H股	18395851936.50	20.35	1.03	纸及纸制品	H股
01813. HK	合景泰富	恒生综合中型股指数	16643219526.60	4.76	0.73	地产发展商	非H股
01816. HK	中广核电力	恒生综合中型股指数	102714175000.00	19.25	3.50	电力	H股
01818. HK	招金矿业	恒生综合小型股指数	21224387925.05	22.73	1.98	黄金及贵金属	H股
01828. HK	大昌行集团	恒生综合小型股指数	6559036140.00	7.28	0.73	汽车	红筹股
01848. HK	中国飞机租赁	恒生综合小型股指数	6196593744.00	35.92	6.60	航空服务	红筹股
01880. HK	百丽国际	恒生综合大型股指数	51364478970.00	8.99	1.58	鞋类	非H股
01882. HK	海天国际	恒生综合中型股指数	33037200000.00	21.53	4.21	工业零件及器材	非H股
01883. HK	中信国际电讯	恒生综合小型股指数	8569437265.18	8.03	1.39	电讯服务	红筹股
01886. HK	汇源果汁	恒生综合小型股指数	6946470424.40	23.91	0.52	非酒精饮料	非H股
01888. HK	建滔积层板	恒生综合中型股指数	27420900000.00	22.71	2.12	工业零件及器材	非H股
01898. HK	中煤能源	恒生综合中型股指数，A+H股	45212042194.00	9.34	0.40	煤炭	H股
01918. HK	融创中国	恒生综合中型股指数	52952541813.60	13.10	3.06	地产发展商	非H股
01919. HK	中远海控	恒生综合中型股指数，A+H股	34939658300.94	116.66	1.13	航运及港口	H股
01928. HK	金沙中国有限公司	恒生综合大型股指数	291425178137.60	16.97	5.83	赌场及博彩	非H股
01929. HK	周大福	恒生综合大型股指数	89700000000.00	12.33	2.41	珠宝钟表	非H股
01958. HK	北京汽车	恒生综合中型股指数	59091731055.96	16.73	2.03	汽车	H股
01963. HK	重庆银行	恒生综合小型股指数	20013150752.00	6.76	1.17	银行	H股
01966. HK	中骏置业	恒生综合小型股指数	10408473600.00	9.22	1.43	地产发展商	非H股
01970. HK	IMAX CHINA	恒生综合中型股指数	11410995232.00	84.30	468.19	影视娱乐	非H股
01972. HK	太古地产	恒生综合大型股指数	155025000000.00	12.38	0.77	地产投资	非H股
01980. HK	天鸽互动	恒生综合小型股指数	8022807882.90	-68.12	-71.23	软件开发	非H股
01988. HK	民生银行	恒生综合大型股指数，A+H股	284950573753.12	5.30	1.13	银行	H股
01999. HK	敏华控股	恒生综合中型股指数	25150599168.00	25.74	5.65	家具	非H股
02005. HK	石四药集团	恒生综合小型股指数	8803861693.50	21.38	3.07	药品	非H股
02007. HK	碧桂园	恒生综合大型股指数	202309094493.36	18.68	3.62	地产发展商	非H股
02009. HK	金隅股份	恒生综合小型股指数，A+H股	43351750804.04	10.60	1.30	建筑材料	H股
02018. HK	瑞声科技	恒生综合大型股指数	122186000000.00	37.27	12.20	计算机及周边器材	非H股

代码	名称	来源	总市值（亿元）	市盈率	市净率	港交所行业	证券类型
02020. HK	安踏体育	恒生综合大型股指数	62389017450.00	37.31	6.86	鞋类	非 H 股
02038. HK	富智康集团	恒生综合中型股指数	19164611258.40	31.80	0.67	电讯设备	非 H 股
02039. HK	中集集团	恒生综合中型股指数,A+H 股	39268030515.48	14.16	1.49	商业用车及货车	H 股
02111. HK	超盈国际控股	恒生综合小型股指数	7278634080.00	33.92	10.03	纺织品及布料	非 H 股
02128. HK	中国联塑	恒生综合中型股指数	18831679688.00	10.22	2.05	建筑材料	非 H 股
02168. HK	盈德气体	恒生综合小型股指数	11362346735.00	9.84	1.46	特殊化工用品	非 H 股
02186. HK	绿叶制药	恒生综合中型股指数	15110885985.65	38.26	6.72	药品	非 H 股
02196. HK	复星医药	恒生综合小型股指数,A+H 股	81965054828.25	31.79	4.22	药品	H 股
02199. HK	维珍妮	恒生综合中型股指数	6892527500.00	41.29	6.71	服装	非 H 股
02202. HK	万科企业	恒生综合中型股指数,A+H 股	234030022421.20	12.17	2.39	地产发展商	H 股
02208. HK	金风科技	恒生综合小型股指数,A+H 股	31732275600.00	58.34	1.87	环保工程	H 股
02233. HK	西部水泥	恒生综合小型股指数	6560871462.20	13.63	1.02	建筑材料	非 H 股
02238. HK	广汽集团	恒生综合中型股指数,A+H 股	90476741091.36	26.81	2.14	汽车	H 股
02282. HK	美高梅中国	恒生综合大型股指数	62396903116.42	11.70	9.59	赌场及博彩	非 H 股
02298. HK	都市丽人	恒生综合中型股指数	6804268690.00	19.42	7.78	服装	非 H 股
02313. HK	申洲国际	恒生综合大型股指数	77579639217.00	33.83	5.91	服装	非 H 股
02314. HK	理文造纸	恒生综合中型股指数	30893817600.00	15.86	1.89	纸及纸制品	非 H 股
02318. HK	中国平安	恒生综合大型股指数,A+H 股	951486565390.50	26.57	4.09	保险	H 股
02319. HK	蒙牛乳业	恒生综合大型股指数	62187693226.56	29.98	3.18	乳制品	红筹股
02328. HK	中国财险	恒生综合大型股指数	189508360381.56	14.11	2.59	保险	H 股
02329. HK	国瑞置业	恒生综合中型股指数	10917552114.90	3.84	1.79	地产发展商	非 H 股
02331. HK	李宁	恒生综合小型股指数	12687463948.72	-25.48	3.72	服装	非 H 股
02333. HK	长城汽车	恒生综合中型股指数,A+H 股	82875602520.00	7.92	2.33	汽车	H 股
02338. HK	潍柴动力	恒生综合中型股指数,A+H 股	48223348492.68	10.62	1.37	商业用车及货车	H 股
02356. HK	大新银行集团	恒生综合中型股指数	23158239192.00	13.18	1.36	银行	非 H 股
02357. HK	中航科工	恒生综合中型股指数	28100433847.56	31.00	2.18	航空航天与国防	H 股
02369. HK	酷派集团	恒生综合小型股指数	3624053385.60	10.40	1.31	电讯设备	非 H 股
02380. HK	中国电力	恒生综合中型股指数	20815116217.03	7.15	0.89	电力	红筹股
02382. HK	舜宇光学科技	恒生综合中型股指数	72182600000.00	128.84	19.91	工业零件及器材	非 H 股
02386. HK	中石化炼化工程	恒生综合中型股指数	33342840000.00	7.17	1.25	气油设备与服务	H 股
02388. HK	中银香港	恒生综合大型股指数	371633226349.90	16.70	2.34	银行	红筹股
02588. HK	中银航空租赁	恒生综合中型股指数	27378707676.30	12.74	1.83	航空服务	红筹股
02600. HK	中国铝业	恒生综合中型股指数,A+H 股	54845977508.48	44.22	0.97	铝	H 股
02601. HK	中国太保	恒生综合大型股指数,A+H 股	281828200000.00	23.93	2.24	保险	H 股
02607. HK	上海医药	恒生综合中型股指数,A+H 股	61172714739.50	21.44	1.85	药品	H 股
02611. HK	国泰君安	A+H 股	137854432716.00	—	—	证券及经纪	H 股
02628. HK	中国人寿	恒生综合大型股指数,A+H 股	719336742250.00	22.84	2.57	保险	H 股
02666. HK	环球医疗	恒生综合小型股指数	11327610228.00	28.48	7.62	信贷	红筹股
02678. HK	天虹纺织	恒生综合小型股指数	8564400000.00	5.98	1.99	纺织品及布料	非 H 股
02688. HK	新奥能源	恒生综合大型股指数	45053946085.05	28.29	3.71	燃气供应	非 H 股
02689. HK	玖龙纸业	恒生综合中型股指数	44638808745.05	20.19	1.47	纸及纸制品	非 H 股
02727. HK	上海电气	恒生综合中型股指数,A+H 股	47411988495.42	15.58	1.16	环保工程	H 股
02768. HK	佳源国际控股	恒生综合小型股指数	7264575000.00	21.99	4.09	地产发展商	非 H 股
02777. HK	富力地产	恒生综合中型股指数	40601828534.40	4.18	0.96	地产发展商	H 股
02866. HK	中远海发	恒生综合小型股指数,A+H 股	19861312500.00	-5.98	0.66	航运及港口	H 股
02869. HK	绿城服务	恒生综合小型股指数	11583325920.00	114.68	51.04	支援服务	非 H 股

代码	名称	来源	总市值（亿元）	市盈率	市净率	港交所行业	证券类型
02877.HK	神威药业	恒生综合中型股指数	6698700000.00	7.70	1.19	药品	非H股
02880.HK	大连港	恒生综合小型股指数,A+H股	17536568960.00	20.20	1.03	航运及港口	H股
02883.HK	中海油田服务	恒生综合中型股指数,A+H股	31874234560.00	3.73	0.67	气油设备与服务	H股
02888.HK	渣打集团	恒生综合大型股指数	251761895734.50	7.94	0.70	银行	非H股
02899.HK	紫金矿业	恒生综合中型股指数,A+H股	59190232549.87	21.90	1.69	黄金及贵金属	H股
02969.HK	星美控股	—	9520146706.00	84.27	3.48	影视娱乐	非H股
03301.HK	融信中国	恒生综合小型股指数	9858616920.00	14.97	5.08	地产发展商	非H股
03308.HK	金鹰商贸集团	恒生综合中型股指数	19163818960.00	12.20	2.87	百货商城	非H股
03311.HK	中国建筑国际	恒生综合大型股指数	57896996466.90	20.89	3.58	重型基建	红筹股
03320.HK	华润医药	恒生综合大型股指数	57503234118.15	21.79	3.20	药品	红筹股
03323.HK	中国建材	恒生综合中型股指数	24673550017.34	3.37	0.55	建筑材料	H股
03328.HK	交通银行	恒生综合大型股指数,A+H股	435922205406.15	5.50	0.82	银行	H股
03331.HK	维达国际	恒生综合中型股指数	18270225306.90	33.65	3.93	美容及个人护理	非H股
03333.HK	中国恒大	恒生综合大型股指数	217788411776.00	13.58	3.52	地产发展商	非H股
03339.HK	中国龙工	恒生综合小型股指数	10143837000.00	16.61	1.17	重机械	非H股
03360.HK	远东宏信	恒生综合中型股指数	27063574696.45	11.12	1.51	信贷	红筹股
03377.HK	远洋集团	恒生综合中型股指数	28257349990.32	5.45	0.55	地产发展商	非H股
03380.HK	龙光地产	恒生综合中型股指数	27811389320.00	10.80	2.98	地产发展商	非H股
03382.HK	天津港发展	恒生综合小型股指数	8128560000.00	10.02	0.71	航运及港口	红筹股
03383.HK	雅居乐集团	恒生综合中型股指数	28085230575.00	4.57	0.75	地产发展商	非H股
03396.HK	联想控股	恒生综合中型股指数	51837079800.00	8.42	1.51	综合企业	H股
03606.HK	福耀玻璃	恒生综合小型股指数,A+H股	79021452258.00	32.41	7.91	汽车零件	H股
03618.HK	重庆农村商业银行	恒生综合中型股指数	48546000000.00	6.37	1.05	银行	H股
03698.HK	徽商银行	恒生综合中型股指数	40773833154.27	6.51	1.01	银行	H股
03799.HK	达利食品	恒生综合大型股指数	62582116975.00	41.32	12.20	包装食品	非H股
03800.HK	保利协鑫能源	恒生综合中型股指数	14126549187.96	-21.27	0.87	新能源物料	非H股
03808.HK	中国重汽	恒生综合中型股指数	13694526961.44	39.67	0.57	商业用车及货车	红筹股
03813.HK	宝胜国际	恒生综合小型股指数	8006922922.50	-26.70	1.17	鞋类	非H股
03818.HK	中国动向	恒生综合小型股指数	7806325410.00	29.19	0.71	服装	非H股
03823.HK	德普科技	恒生综合中型股指数	1051127093.90	-3.37	1.29	工业零件及器材	非H股
03836.HK	和谐汽车	恒生综合小型股指数	5294354274.72	10.30	1.87	汽车	非H股
03886.HK	康健国际医疗	恒生综合中型股指数	7225089073.92	145.57	5.98	医疗及医学美容服务	非H股
03888.HK	金山软件	恒生综合中型股指数	28011003281.80	32.83	6.52	软件开发	非H股
03898.HK	中车时代电气	恒生综合中型股指数	47959446789.60	25.70	4.18	商业用车及货车	H股
03899.HK	中集安瑞科	恒生综合中型股指数	9691970440.00	7.84	1.53	气油设备与服务	红筹股
03900.HK	绿城中国	恒生综合中型股指数	18431598778.80	2.97	0.58	地产发展商	非H股
03908.HK	中金公司	恒生综合中型股指数	44234951979.90	93.97	5.06	证券及经纪	H股
03933.HK	联邦制药	恒生综合小型股指数	8427212500.00	175.43	1.30	药品	非H股
03958.HK	东方证券	恒生综合小型股指数,A+H股	46491581042.28	36.28	2.35	证券及经纪	H股
03968.HK	招商银行	恒生综合大型股指数,A+H股	575012479702.80	8.74	1.70	银行	H股
03969.HK	中国通号	恒生综合中型股指数	52738914000.00	32.90	4.15	系统开发及信息科技顾问	H股
03988.HK	中国银行	恒生综合大型股指数,A+H股	1142224630015.08	5.72	0.97	银行	H股
03993.HK	洛阳钼业	恒生综合小型股指数,A+H股	41880252773.52	28.04	2.70	其他金属及矿物	H股
03998.HK	波司登	恒生综合小型股指数	6302710627.15	7.19	0.70	服装	非H股
06030.HK	中信证券	恒生综合中型股指数,A+H股	197263268752.00	29.58	1.77	证券及经纪	H股
06066.HK	中信建投证券	恒生综合小型股指数	51376871337.42	22.60	3.09	证券及经纪	H股

代码	名称	来源	总市值（亿元）	市盈率	市净率	港交所行业	证券类型
06099. HK	招商证券	恒生综合中型股指数,A+H股	81866782000.38	28.84	2.37	证券及经纪	H股
06178. HK	光大证券	恒生综合小型股指数,A+H股	51548605804.02	196.90	1.77	证券及经纪	H股
06808. HK	高鑫零售	恒生综合大型股指数	68685873840.00	19.46	2.88	超市及便利店	非H股
06818. HK	中国光大银行	恒生综合中型股指数,A+H股	168978323900.00	4.97	0.87	银行	H股
06837. HK	海通证券	恒生综合大型股指数,A+H股	149292066000.00	29.09	1.91	证券及经纪	H股
06881. HK	中国银河	恒生综合中型股指数,A+H股	72886890462.83	26.84	2.28	证券及经纪	H股
06886. HK	HTSC	恒生综合中型股指数,A+H股	108157808880.00	38.31	2.35	证券及经纪	H股

交易日期:2017-6-9。
数据来源:东方财富 Choice 数据。

深股通标的股票

代码	名称	来源	总市值（亿元）	市盈率（TTM）	市净率	证监会行业（2012）
000001. SZ	平安银行	深圳成指	157109263998.90	6.91	0.86	金融业
000002. SZ	万科A	深圳成指,A+H股	230387102260.87	11.03	2.03	房地产业
000005. SZ	世纪星源	中小创新指数	5610245262.60	53.27	4.37	水利、环境和公共设施管理业
000006. SZ	深振业A	深圳成指	12311954819.52	14.77	2.46	房地产业
000008. SZ	神州高铁	深圳成指	20506271436.70	39.46	3.35	制造业
000009. SZ	中国宝安	深圳成指	16313528329.89	68.92	3.65	综合
000012. SZ	南玻A	深圳成指	19155347218.80	25.10	2.45	制造业
000018. SZ	神州长城	中小创新指数	13365188236.57	26.94	7.52	建筑业
000021. SZ	深科技	深圳成指	12549842366.39	69.67	2.39	制造业
000027. SZ	深圳能源	深圳成指	27275702187.36	21.73	1.26	电力、热力、燃气及水生产和供应业
000028. SZ	国药一致	深圳成指	33051403087.60	27.42	3.94	批发和零售业
000029. SZ	深深房A	中小创新指数	11300242200.00	35.87	4.27	房地产业
000030. SZ	富奥股份	中小创新指数	11186625544.20	15.10	2.16	制造业
000031. SZ	中粮地产	深圳成指	13584849654.04	19.96	2.31	房地产业
000034. SZ	神州数码	深圳成指	15992022111.30	32.31	6.04	批发和零售业
000035. SZ	中国天楹	中小创新指数	8521277264.96	42.96	4.13	水利、环境和公共设施管理业
000036. SZ	华联控股	中小创新指数	10376123302.08	5.15	3.07	房地产业
000039. SZ	中集集团	深圳成指,A+H股	50410855563.12	78.90	1.85	制造业
000042. SZ	中洲控股	中小创新指数	11887180765.32	49.20	2.02	房地产业
000046. SZ	泛海控股	深圳成指	43803971530.08	13.04	2.39	房地产业
000049. SZ	德赛电池	深圳成指	10744509684.30	37.64	9.30	制造业
000050. SZ	深天马A	深圳成指	25065656530.16	35.63	1.82	制造业
000055. SZ	方大集团	中小创新指数	8747116257.06	11.76	3.70	制造业
000058. SZ	深赛格	中小创新指数	9823467179.55	205.32	6.35	租赁和商务服务业
000059. SZ	华锦股份	深圳成指	16330308302.77	9.12	1.53	制造业
000060. SZ	中金岭南	深圳成指	22126279380.00	37.19	2.88	制造业
000061. SZ	农产品	深圳成指	15408434309.48	172.48	3.18	租赁和商务服务业
000062. SZ	深圳华强	深圳成指	20629659736.40	46.31	5.18	租赁和商务服务业
000063. SZ	中兴通讯	深圳成指,A+H股	87884210631.22	-41.98	3.33	制造业
000065. SZ	北方国际	中小创新指数	12784049886.44	26.51	4.01	建筑业
000066. SZ	中国长城	深圳成指	25142353179.86	185.74	9.08	制造业
000068. SZ	华控赛格	中小创新指数	7137300679.76	864.94	11.43	制造业

代码	名称	来源	总市值（亿元）	市盈率（TTM）	市净率	证监会行业(2012)
000069.SZ	华侨城A	深圳成指	76394893973.65	10.84	1.75	水利、环境和公共设施管理业
000070.SZ	特发信息	中小创新指数	7686955585.96	37.55	4.42	制造业
000078.SZ	海王生物	深圳成指	15889264542.00	33.74	2.96	批发和零售业
000088.SZ	盐田港	深圳成指	21034026000.00	59.00	3.58	交通运输、仓储和邮政业
000089.SZ	深圳机场	深圳成指	19400279555.14	33.85	1.82	交通运输、仓储和邮政业
000090.SZ	天健集团	深圳成指	13511020834.80	20.52	2.15	建筑业
000096.SZ	广聚能源	中小创新指数	8009760000.00	24.86	3.51	批发和零售业
000099.SZ	中信海直	深圳成指	6824352929.20	83.51	2.40	交通运输、仓储和邮政业
000100.SZ	TCL集团	深圳成指	41892928375.06	23.41	1.84	制造业
000150.SZ	宜华健康	中小创新指数	11410068265.96	-66.84	4.72	卫生和社会工作
000156.SZ	华数传媒	深圳成指	21184941111.56	35.05	2.10	文化、体育和娱乐业
000157.SZ	中联重科	深圳成指,A+H股	34182029835.00	-181.04	0.93	制造业
000158.SZ	常山股份	深圳成指	19923500496.26	54.66	3.47	制造业
000166.SZ	申万宏源	深圳成指	114723784706.96	21.51	2.19	金融业
000333.SZ	美的集团	深圳成指	261088875685.30	17.26	4.27	制造业
000338.SZ	潍柴动力	深圳成指,A+H股	46343997432.02	14.65	1.46	制造业
000400.SZ	许继电气	深圳成指	17191980618.45	19.48	2.44	制造业
000402.SZ	金融街	深圳成指	36464944865.40	14.23	1.31	房地产业
000413.SZ	东旭光电	深圳成指	49399289830.00	38.44	2.22	制造业
000415.SZ	渤海金控	深圳成指	40508614397.10	16.45	1.30	租赁和商务服务业
000417.SZ	合肥百货	中小创新指数	6379452756.00	21.31	1.79	批发和零售业
000418.SZ	小天鹅A	中小创新指数	31516865280.12	25.11	5.27	制造业
000423.SZ	东阿阿胶	深圳成指	45245209929.66	23.66	5.41	制造业
000425.SZ	徐工机械	深圳成指	24807355898.70	62.04	1.21	制造业
000426.SZ	兴业矿业	深圳成指	14667729372.45	78.03	3.02	采矿业
000428.SZ	华天酒店	中小创新指数	5186333340.00	-17.56	1.79	住宿和餐饮业
000488.SZ	晨鸣纸业	深圳成指,A+H股	23837151298.77	10.08	1.57	制造业
000498.SZ	山东路桥	中小创新指数	7896980394.15	17.22	2.28	建筑业
000501.SZ	鄂武商A	中小创新指数	13464231917.50	13.18	2.22	批发和零售业
000503.SZ	海虹控股	深圳成指	22407637545.72	1435.05	15.76	信息传输、软件和信息技术服务业
000506.SZ	中润资源	中小创新指数	8128905408.75	-179.19	5.50	采矿业
000513.SZ	丽珠集团	深圳成指,A+H股	27710611033.72	33.42	4.26	制造业
000514.SZ	渝开发	中小创新指数	6252342850.65	43.51	2.14	房地产业
000516.SZ	国际医学	深圳成指	11195560035.36	52.33	3.21	批发和零售业
000517.SZ	荣安地产	中小创新指数	14677882655.85	29.64	3.99	房地产业
000518.SZ	四环生物	深圳成指	7381918111.74	457.55	12.08	制造业
000519.SZ	中兵红箭	深圳成指	17220474371.88	148.48	2.34	制造业
000525.SZ	红太阳	中小创新指数	9913792942.11	38.65	2.08	制造业
000528.SZ	柳工	中小创新指数	9125713722.96	63.94	1.03	制造业
000531.SZ	穗恒运A	中小创新指数	6645303354.00	12.02	1.69	电力、热力、燃气及水生产和供应业
000533.SZ	万家乐	中小创新指数	7053231360.00	35.23	4.46	制造业
000536.SZ	华映科技	中小创新指数	16070650585.43	41.18	1.24	制造业
000538.SZ	云南白药	深圳成指	97693707545.58	32.32	6.21	制造业
000539.SZ	粤电力A	深圳成指	28246527844.68	39.72	1.21	电力、热力、燃气及水生产和供应业
000540.SZ	中天金融	深圳成指	30594210048.36	10.61	2.05	房地产业
000541.SZ	佛山照明	深圳成指	11665458399.56	10.76	2.34	制造业

代码	名称	来源	总市值（亿元）	市盈率（TTM）	市净率	证监会行业(2012)
000543.SZ	皖能电力	深圳成指	10187353114.82	20.28	0.92	电力、热力、燃气及水生产和供应业
000547.SZ	航天发展	深圳成指	14339177836.91	55.89	2.76	制造业
000550.SZ	江铃汽车	中小创新指数	18472779600.00	16.30	1.49	制造业
000552.SZ	靖远煤电	中小创新指数	7798571280.50	27.29	1.24	采矿业
000555.SZ	神州信息	深圳成指	15752101313.55	63.61	3.42	信息传输、软件和信息技术服务业
000558.SZ	莱茵体育	深圳成指	10636097579.25	599.78	8.19	房地产业
000559.SZ	万向钱潮	深圳成指	26044888434.84	31.13	5.99	制造业
000561.SZ	烽火电子	中小创新指数	5880987198.87	79.10	5.15	制造业
000563.SZ	陕国投A	深圳成指	15019789817.52	30.74	1.94	金融业
000564.SZ	供销大集	中小创新指数	39891979453.84	70.32	1.43	批发和零售业
000566.SZ	海南海药	深圳成指	17594846906.88	102.43	3.24	制造业
000568.SZ	泸州老窖	深圳成指	69902285928.60	32.78	6.34	制造业
000572.SZ	海马汽车	中小创新指数	8486323958.16	43.07	1.13	制造业
000576.SZ	广东甘化	中小创新指数	7741215943.52	74.99	5.95	制造业
000581.SZ	威孚高科	深圳成指	23115057558.70	12.09	1.79	制造业
000582.SZ	北部湾港	中小创新指数	14188567947.84	30.64	2.24	交通运输、仓储和邮政业
000584.SZ	友利控股	中小创新指数	7562289099.87	-18.89	4.99	制造业
000585.SZ	东北电气	A+H股	5467296200.00	-49.53	26.96	制造业
000587.SZ	金洲慈航	深圳成指	16013069948.20	16.13	1.90	制造业
000591.SZ	太阳能	中小创新指数	16839748979.20	24.08	1.49	电力、热力、燃气及水生产和供应业
000592.SZ	平潭发展	深圳成指	10199803109.76	1617.78	3.23	农、林、牧、渔业
000596.SZ	古井贡酒	中小创新指数	25527484000.00	28.57	4.56	制造业
000598.SZ	兴蓉环境	深圳成指	16752686357.22	19.73	1.87	电力、热力、燃气及水生产和供应业
000600.SZ	建投能源	深圳成指	23721133218.24	23.16	2.11	电力、热力、燃气及水生产和供应业
000601.SZ	韶能股份	深圳成指	7574667199.69	18.78	1.79	电力、热力、燃气及水生产和供应业
000603.SZ	盛达矿业	中小创新指数	9061720296.42	46.58	3.60	采矿业
000607.SZ	华媒控股	中小创新指数	7897339661.60	35.72	4.47	文化、体育和娱乐业
000612.SZ	焦作万方	中小创新指数	9227623309.56	57.74	2.04	制造业
000616.SZ	海航投资	中小创新指数	6393147879.75	-16.64	1.61	房地产业
000620.SZ	新华联	深圳成指	13959641491.20	26.62	2.26	房地产业
000623.SZ	吉林敖东	深圳成指	26376989389.17	15.32	1.42	制造业
000625.SZ	长安汽车	深圳成指	67573264549.77	6.75	1.55	制造业
000627.SZ	天茂集团	深圳成指	30836568657.84	28.16	2.23	金融业
000630.SZ	铜陵有色	深圳成指	28737435930.84	69.83	1.73	制造业
000631.SZ	顺发恒业	中小创新指数	10654433955.84	27.72	1.91	房地产业
000636.SZ	风华高科	中小创新指数	7161864888.00	52.74	1.59	制造业
000650.SZ	仁和药业	深圳成指	7306206448.40	21.00	2.66	制造业
000651.SZ	格力电器	深圳成指	216806940843.12	13.32	4.03	制造业
000656.SZ	金科股份	深圳成指	34945628786.64	27.82	2.04	房地产业
000657.SZ	中钨高新	中小创新指数	7732452367.20	119.67	2.60	制造业
000661.SZ	长春高新	深圳成指	20564871715.85	40.65	5.27	制造业
000665.SZ	湖北广电	中小创新指数	7647333724.96	26.10	1.37	文化、体育和娱乐业
000666.SZ	经纬纺机	中小创新指数	14645904000.00	19.19	2.18	制造业
000667.SZ	美好置业	深圳成指	8728209852.12	13.53	1.35	房地产业
000669.SZ	金鸿能源	中小创新指数	7659459035.84	40.07	1.95	电力、热力、燃气及水生产和供应业
000671.SZ	阳光城	深圳成指	23652428159.60	17.96	1.79	房地产业

代码	名称	来源	总市值（亿元）	市盈率（TTM）	市净率	证监会行业(2012)
000673.SZ	当代东方	中小创新指数	10733822252.34	59.94	4.64	文化、体育和娱乐业
000676.SZ	智度股份	中小创新指数	14823660503.70	33.27	3.22	制造业
000681.SZ	视觉中国	深圳成指	11335342914.48	51.94	4.94	文化、体育和娱乐业
000683.SZ	远兴能源	中小创新指数	10337048428.80	-27.35	1.27	制造业
000685.SZ	中山公用	深圳成指	16093464839.41	16.06	1.42	电力、热力、燃气及水生产和供应业
000686.SZ	东北证券	深圳成指	22913034037.85	20.68	1.47	金融业
000687.SZ	华讯方舟	深圳成指	11701342737.90	91.77	8.72	制造业
000688.SZ	建新矿业	中小创新指数	8097571115.68	26.03	4.63	采矿业
000690.SZ	宝新能源	深圳成指	12685426235.46	23.47	1.54	电力、热力、燃气及水生产和供应业
000697.SZ	炼石有色	深圳成指	11814845834.39	-236.10	8.29	采矿业
000700.SZ	模塑科技	中小创新指数	4927218286.74	28.16	1.59	制造业
000701.SZ	厦门信达	中小创新指数	5017605111.04	33.09	1.55	批发和零售业
000703.SZ	恒逸石化	中小创新指数	21333745347.54	18.90	1.95	制造业
000709.SZ	河钢股份	深圳成指	46297130234.72	22.17	1.03	制造业
000712.SZ	锦龙股份	深圳成指	13968640000.00	38.46	3.82	金融业
000718.SZ	苏宁环球	深圳成指	18238164667.84	16.71	2.42	房地产业
000719.SZ	大地传媒	中小创新指数	10487838427.25	15.72	1.58	文化、体育和娱乐业
000722.SZ	湖南发展	中小创新指数	5750921113.98	43.34	2.12	电力、热力、燃气及水生产和供应业
000725.SZ	京东方A	深圳成指	142369924359.15	34.00	1.81	制造业
000726.SZ	鲁泰A	中小创新指数	11403364563.96	14.02	1.64	制造业
000727.SZ	华东科技	深圳成指	12909265893.00	-63.55	1.20	制造业
000728.SZ	国元证券	深圳成指	36502798500.00	25.47	1.76	金融业
000729.SZ	燕京啤酒	深圳成指	18940584371.52	59.45	1.48	制造业
000732.SZ	泰禾集团	深圳成指	20545881387.20	12.71	1.44	房地产业
000733.SZ	振华科技	深圳成指	7448460999.66	37.35	1.87	制造业
000735.SZ	罗牛山	中小创新指数	7219990134.06	44.87	2.10	农、林、牧、渔业
000738.SZ	航发控制	深圳成指	21927594559.86	102.76	4.44	制造业
000739.SZ	普洛药业	中小创新指数	8785018914.60	32.10	3.36	制造业
000750.SZ	国海证券	深圳成指	22679615809.36	25.07	1.65	金融业
000751.SZ	锌业股份	深圳成指	6541793454.56	41.27	3.03	制造业
000756.SZ	新华制药	A+H股	6237747001.20	40.63	3.14	制造业
000758.SZ	中色股份	深圳成指	13116060303.84	40.74	2.58	采矿业
000761.SZ	本钢板材	中小创新指数	14990080000.00	14.37	1.18	制造业
000762.SZ	西藏矿业	深圳成指	7103974433.60	-287.71	3.35	采矿业
000766.SZ	通化金马	深圳成指	16807342954.73	75.61	4.08	制造业
000767.SZ	漳泽电力	中小创新指数	10584681233.36	265.53	1.20	电力、热力、燃气及水生产和供应业
000768.SZ	中航飞机	深圳成指	49669492573.74	129.02	3.23	制造业
000776.SZ	广发证券	深圳成指,A+H股	127958061878.56	15.30	1.63	金融业
000777.SZ	中核科技	深圳成指	7936744175.10	99.47	6.22	制造业
000778.SZ	新兴铸管	深圳成指	28255431646.08	44.73	1.62	制造业
000783.SZ	长江证券	深圳成指	51534638758.96	24.12	2.02	金融业
000786.SZ	北新建材	深圳成指	25684004736.12	21.05	2.48	制造业
000792.SZ	盐湖股份	深圳成指	26523582521.52	-395.53	1.15	制造业
000793.SZ	华闻传媒	深圳成指	20294701607.90	28.08	2.14	文化、体育和娱乐业
000795.SZ	英洛华	深圳成指	6870125664.18	209.86	3.49	制造业
000796.SZ	凯撒旅游	中小创新指数	9459343039.24	43.07	5.05	租赁和商务服务业

代码	名称	来源	总市值（亿元）	市盈率（TTM）	市净率	证监会行业(2012)
000797.SZ	中国武夷	中小创新指数	8966377375.80	33.75	4.00	房地产业
000799.SZ	酒鬼酒	中小创新指数	6043679028.00	51.50	3.24	制造业
000800.SZ	一汽轿车	深圳成指	15900675000.00	-43.04	2.07	制造业
000801.SZ	四川九洲	深圳成指	7967663772.34	45.19	3.39	制造业
000802.SZ	北京文化	中小创新指数	10458003672.00	18.93	2.37	文化、体育和娱乐业
000806.SZ	银河生物	深圳成指	13935882024.54	1133.57	6.85	制造业
000807.SZ	云铝股份	深圳成指	16970520568.47	62.99	1.84	制造业
000810.SZ	创维数字	深圳成指	11566361570.40	31.35	4.35	制造业
000815.SZ	美利云	中小创新指数	9650250925.80	579.83	4.91	制造业
000816.SZ	智慧农业	中小创新指数	10641024885.00	-74.50	3.18	制造业
000819.SZ	岳阳兴长	中小创新指数	4308849028.00	143.83	6.15	制造业
000821.SZ	京山轻机	中小创新指数	7758378008.64	80.10	4.46	制造业
000825.SZ	太钢不锈	深圳成指	23354615963.60	11.61	1.04	制造业
000826.SZ	启迪桑德	深圳成指	29370750800.40	26.79	4.06	水利、环境和公共设施管理业
000828.SZ	东莞控股	中小创新指数	12869220360.96	15.03	2.52	交通运输、仓储和邮政业
000829.SZ	天音控股	深圳成指	10081503516.00	45.72	4.57	批发和零售业
000830.SZ	鲁西化工	中小创新指数	9126082646.94	19.13	1.54	制造业
000838.SZ	财信发展	中小创新指数	7252045700.30	72.90	4.45	房地产业
000839.SZ	中信国安	深圳成指	35592023276.16	177.68	5.45	信息传输、软件和信息技术服务业
000848.SZ	承德露露	深圳成指	10128124234.80	25.06	5.13	制造业
000851.SZ	高鸿股份	深圳成指	5600450548.08	61.71	1.82	批发和零售业
000858.SZ	五粮液	深圳成指	198035583782.40	26.49	4.21	制造业
000860.SZ	顺鑫农业	深圳成指	11086563544.56	26.07	1.93	制造业
000861.SZ	海印股份	中小创新指数	8392028039.37	40.45	2.93	租赁和商务服务业
000863.SZ	三湘印象	中小创新指数	10524529137.06	28.00	1.66	房地产业
000869.SZ	张裕A	深圳成指	24806942160.00	25.94	3.02	制造业
000875.SZ	吉电股份	深圳成指	11225222115.40	-247.40	1.47	电力、热力、燃气及水生产和供应业
000876.SZ	新希望	深圳成指	33559479471.64	13.71	1.64	制造业
000878.SZ	云南铜业	深圳成指	16755997804.00	47.08	2.99	制造业
000881.SZ	中广核技	中小创新指数	21428639136.10	70.94	4.19	综合
000882.SZ	华联股份	深圳成指	9382561280.82	87.16	1.51	租赁和商务服务业
000883.SZ	湖北能源	深圳成指	31365906522.52	16.07	1.32	电力、热力、燃气及水生产和供应业
000887.SZ	中鼎股份	深圳成指	27392225708.05	27.99	4.24	制造业
000888.SZ	峨眉山A	中小创新指数	6370379403.18	33.23	3.11	水利、环境和公共设施管理业
000889.SZ	茂业通信	中小创新指数	10390725594.06	47.80	4.23	信息传输、软件和信息技术服务业
000893.SZ	东凌国际	中小创新指数	7228426247.60	592.70	1.68	制造业
000895.SZ	双汇发展	深圳成指	75196933292.36	17.86	5.29	制造业
000897.SZ	津滨发展	中小创新指数	8248088393.40	193.72	6.35	房地产业
000898.SZ	鞍钢股份	深圳成指,A+H股	37910393118.28	11.49	0.84	制造业
000900.SZ	现代投资	中小创新指数	8985543737.28	10.26	1.16	交通运输、仓储和邮政业
000901.SZ	航天科技	深圳成指	10457620633.66	99.58	2.98	制造业
000902.SZ	新洋丰	深圳成指	12045558376.40	21.13	2.32	制造业
000903.SZ	云内动力	中小创新指数	7733163407.20	29.20	1.73	制造业
000908.SZ	景峰医药	中小创新指数	7143767730.12	21.46	2.99	制造业
000910.SZ	大亚圣象	中小创新指数	12441248800.00	22.52	4.28	制造业
000915.SZ	山大华特	中小创新指数	8882965857.92	37.27	6.92	制造业

代码	名称	来源	总市值（亿元）	市盈率（TTM）	市净率	证监会行业(2012)
000917.SZ	电广传媒	深圳成指	15904982112.36	51.93	1.45	信息传输、软件和信息技术服务业
000919.SZ	金陵药业	中小创新指数	5382720000.00	30.69	2.12	制造业
000920.SZ	南方汇通	中小创新指数	5566180000.00	54.65	7.10	制造业
000921.SZ	海信科龙	A+H股	21054106966.50	17.58	4.33	制造业
000925.SZ	众合科技	中小创新指数	6886963033.00	-66.38	6.15	制造业
000926.SZ	福星股份	深圳成指	11562747733.32	19.28	1.19	房地产业
000928.SZ	中钢国际	中小创新指数	11406196551.87	22.28	2.72	建筑业
000930.SZ	中粮生化	深圳成指	10155249040.95	43.85	6.51	制造业
000936.SZ	华西股份	中小创新指数	6264111111.09	10.17	1.29	制造业
000937.SZ	冀中能源	深圳成指	21095274694.50	40.20	1.14	采矿业
000938.SZ	紫光股份	深圳成指	55638142787.56	50.99	2.34	制造业
000939.SZ	凯迪生态	深圳成指	20630376343.50	59.93	1.74	电力、热力、燃气及水生产和供应业
000957.SZ	中通客车	深圳成指	6409291548.16	12.94	2.48	制造业
000958.SZ	东方能源	中小创新指数	10207050072.76	57.58	3.93	电力、热力、燃气及水生产和供应业
000959.SZ	首钢股份	深圳成指	36232318760.00	23.18	1.49	制造业
000960.SZ	锡业股份	深圳成指	16913912731.32	57.26	2.15	制造业
000961.SZ	中南建设	深圳成指	24781389163.96	60.49	1.83	建筑业
000963.SZ	华东医药	深圳成指	48440561009.28	31.14	6.66	批发和零售业
000965.SZ	天保基建	中小创新指数	9524366960.32	24.54	2.03	房地产业
000966.SZ	长源电力	中小创新指数	5519254718.40	35.53	1.59	电力、热力、燃气及水生产和供应业
000969.SZ	安泰科技	深圳成指	8690288581.59	115.34	1.91	制造业
000970.SZ	中科三环	深圳成指	13794340000.00	42.22	3.35	制造业
000971.SZ	高升控股	中小创新指数	8574059412.36	73.93	2.44	信息传输、软件和信息技术服务业
000973.SZ	佛塑科技	深圳成指	7110560306.85	54.30	3.32	制造业
000975.SZ	银泰资源	深圳成指	13466120071.50	61.81	3.56	采矿业
000977.SZ	浪潮信息	深圳成指	17627347074.96	73.89	4.47	制造业
000979.SZ	中弘股份	深圳成指	15822276547.44	99.95	1.61	房地产业
000983.SZ	西山煤电	深圳成指	24138192000.00	28.39	1.47	采矿业
000987.SZ	越秀金控	深圳成指	26241198873.40	35.42	2.10	批发和零售业
000988.SZ	华工科技	深圳成指	12493455180.64	52.09	3.94	制造业
000989.SZ	九芝堂	中小创新指数	16448182145.12	25.16	3.98	制造业
000990.SZ	诚志股份	中小创新指数	19033251049.61	57.11	1.25	制造业
000997.SZ	新大陆	深圳成指	19049510215.40	32.29	7.80	信息传输、软件和信息技术服务业
000998.SZ	隆平高科	深圳成指	27020747437.74	46.91	4.79	农、林、牧、渔业
000999.SZ	华润三九	深圳成指	30267588000.00	24.02	3.51	制造业
001696.SZ	宗申动力	深圳成指	8427398131.20	30.18	2.39	制造业
001979.SZ	招商蛇口	深圳成指	166934438288.64	15.31	2.96	房地产业
002001.SZ	新和成	深圳成指	19469871720.00	15.23	2.41	制造业
002002.SZ	鸿达兴业	深圳成指	17961424757.22	17.72	4.70	制造业
002004.SZ	华邦健康	深圳成指	16482104248.50	30.54	1.71	制造业
002005.SZ	德豪润达	深圳成指	6758576000.00	200.15	1.26	制造业
002007.SZ	华兰生物	深圳成指	34190023116.80	40.55	8.11	制造业
002008.SZ	大族激光	深圳成指	34743644377.20	43.95	6.55	制造业
002010.SZ	传化智联	深圳成指	51603784499.52	88.36	4.64	制造业
002011.SZ	盾安环境	中小创新指数	11400947397.40	123.71	2.56	制造业
002013.SZ	中航机电	深圳成指	24851454903.81	40.65	3.31	制造业

代码	名称	来源	总市值（亿元）	市盈率（TTM）	市净率	证监会行业(2012)
002016. SZ	世荣兆业	中小创新指数	7492225552. 32	54. 27	4. 19	房地产业
002018. SZ	华信国际	深圳成指	15238665453. 18	35. 03	4. 82	制造业
002019. SZ	亿帆医药	深圳成指	16710115264. 26	21. 77	4. 74	制造业
002020. SZ	京新药业	中小创新指数	7190728717. 50	31. 95	3. 02	制造业
002022. SZ	科华生物	深圳成指	9159611478. 91	41. 58	4. 97	制造业
002023. SZ	海特高新	深圳成指	7613317490. 18	243. 50	2. 09	制造业
002024. SZ	苏宁云商	深圳成指	99710524705. 05	92. 43	1. 52	批发和零售业
002025. SZ	航天电器	深圳成指	10810800000. 00	39. 71	5. 02	制造业
002027. SZ	分众传媒	深圳成指	130965134165. 00	26. 68	16. 39	租赁和商务服务业
002028. SZ	思源电气	中小创新指数	13067997557. 58	40. 88	3. 11	制造业
002029. SZ	七匹狼	中小创新指数	7375339200. 00	26. 97	1. 42	制造业
002030. SZ	达安基因	深圳成指	14447665006. 96	135. 13	8. 98	制造业
002031. SZ	巨轮智能	深圳成指	6906102403. 80	231. 35	2. 34	制造业
002032. SZ	苏泊尔	中小创新指数	33007549045. 90	28. 24	7. 27	制造业
002035. SZ	华帝股份	中小创新指数	13776126125. 44	38. 62	7. 93	制造业
002036. SZ	联创电子	深圳成指	9062404552. 88	42. 72	5. 64	制造业
002038. SZ	双鹭药业	深圳成指	18615582000. 00	43. 28	4. 78	制造业
002041. SZ	登海种业	深圳成指	11176000000. 00	30. 44	4. 16	农、林、牧、渔业
002042. SZ	华孚色纺	中小创新指数	10627215840. 35	19. 55	2. 66	制造业
002043. SZ	兔宝宝	深圳成指	13045069377. 75	45. 60	8. 25	制造业
002044. SZ	美年健康	深圳成指	38622649160. 70	106. 64	11. 66	卫生和社会工作
002047. SZ	宝鹰股份	深圳成指	11330019871. 95	32. 49	4. 19	建筑业
002048. SZ	宁波华翔	深圳成指	10940173176. 00	13. 75	2. 11	制造业
002049. SZ	紫光国芯	深圳成指	18738538851. 84	57. 35	5. 87	制造业
002050. SZ	三花智控	深圳成指	25689049756. 40	28. 62	4. 83	制造业
002051. SZ	中工国际	深圳成指	23512914958. 08	17. 89	3. 29	建筑业
002052. SZ	同洲电子	深圳成指	4856197607. 94	-8. 10	5. 30	制造业
002055. SZ	得润电子	深圳成指	9104849136. 80	186. 28	5. 25	制造业
002056. SZ	横店东磁	深圳成指	11176480000. 00	27. 39	2. 82	制造业
002063. SZ	远光软件	深圳成指	6361603658. 20	48. 36	3. 55	信息传输、软件和信息技术服务业
002064. SZ	华峰氨纶	中小创新指数	8098944000. 00	-35. 36	2. 69	制造业
002065. SZ	东华软件	深圳成指	33501533265. 20	28. 09	3. 81	信息传输、软件和信息技术服务业
002067. SZ	景兴纸业	深圳成指	6279278740. 00	21. 94	1. 91	制造业
002071. SZ	长城影视	中小创新指数	5501250822. 66	21. 81	6. 59	文化、体育和娱乐业
002073. SZ	软控股份	深圳成指	7706453393. 54	-10. 68	1. 68	制造业
002074. SZ	国轩高科	深圳成指	24844856000. 00	26. 81	6. 31	制造业
002075. SZ	沙钢股份	深圳成指	35573160964. 64	110. 28	12. 99	制造业
002078. SZ	太阳纸业	深圳成指	17776345218. 38	13. 12	2. 23	制造业
002079. SZ	苏州固锝	中小创新指数	5306912140. 23	44. 58	3. 62	制造业
002080. SZ	中材科技	中小创新指数	14522223330. 00	31. 35	1. 82	制造业
002081. SZ	金螳螂	深圳成指	27781174321. 39	16. 36	2. 79	建筑业
002085. SZ	万丰奥威	深圳成指	33043751934. 58	33. 40	6. 23	制造业
002086. SZ	东方海洋	中小创新指数	8768175000. 00	113. 48	3. 07	农、林、牧、渔业
002089. SZ	新海宜	深圳成指	8371737961. 44	161. 72	4. 41	制造业
002090. SZ	金智科技	中小创新指数	5319650962. 48	43. 52	4. 48	制造业
002091. SZ	江苏国泰	中小创新指数	14812146605. 22	24. 24	3. 94	批发和零售业

代码	名称	来源	总市值（亿元）	市盈率（TTM）	市净率	证监会行业(2012)
002092.SZ	中泰化学	深圳成指	23975842009.66	9.64	1.62	制造业
002093.SZ	国脉科技	中小创新指数	8735025000.00	95.19	3.07	信息传输、软件和信息技术服务业
002094.SZ	青岛金王	中小创新指数	7903287652.30	40.49	4.49	制造业
002095.SZ	生意宝	深圳成指	8501500800.00	645.34	10.35	信息传输、软件和信息技术服务业
002097.SZ	山河智能	中小创新指数	6397602750.00	51.48	2.59	制造业
002099.SZ	海翔药业	深圳成指	10710263869.80	51.39	2.25	制造业
002100.SZ	天康生物	中小创新指数	7581836864.96	18.80	2.88	制造业
002104.SZ	恒宝股份	深圳成指	6751110080.00	52.29	4.13	制造业
002106.SZ	莱宝高科	深圳成指	7114626892.80	29.58	1.95	制造业
002108.SZ	沧州明珠	深圳成指	14462826838.98	27.76	5.33	制造业
002111.SZ	威海广泰	中小创新指数	6750710270.72	40.05	2.55	制造业
002114.SZ	罗平锌电	中小创新指数	6011918013.53	53.48	6.68	制造业
002117.SZ	东港股份	中小创新指数	9250864724.02	43.09	6.08	制造业
002118.SZ	紫鑫药业	中小创新指数	8491437646.38	45.21	2.27	制造业
002121.SZ	科陆电子	深圳成指	12328730469.48	39.84	4.65	制造业
002122.SZ	天马股份	中小创新指数	12236400000.00	-49.45	2.74	制造业
002123.SZ	梦网荣信	深圳成指	10011734190.50	44.56	1.95	信息传输、软件和信息技术服务业
002126.SZ	银轮股份	中小创新指数	6806995200.00	24.38	2.99	制造业
002127.SZ	南极电商	中小创新指数	18966740029.56	61.05	12.36	租赁和商务服务业
002128.SZ	露天煤业	深圳成指	14709406257.00	11.50	1.55	采矿业
002129.SZ	中环股份	深圳成指	21867835573.82	54.23	2.07	制造业
002130.SZ	沃尔核材	深圳成指	8178557674.86	81.48	3.12	制造业
002131.SZ	利欧股份	深圳成指	21196823962.86	36.09	2.87	信息传输、软件和信息技术服务业
002135.SZ	东南网架	中小创新指数	7049890650.00	112.89	2.91	建筑业
002137.SZ	麦达数字	中小创新指数	5250841085.87	35.50	3.26	制造业
002138.SZ	顺络电子	深圳成指	13613656148.28	39.09	5.10	制造业
002139.SZ	拓邦股份	中小创新指数	6734049082.20	41.40	3.93	制造业
002140.SZ	东华科技	中小创新指数	6712819736.70	78.75	3.29	建筑业
002142.SZ	宁波银行	深圳成指	70469279043.67	8.66	1.55	金融业
002143.SZ	印纪传媒	深圳成指	27576228879.45	37.04	12.10	租赁和商务服务业
002145.SZ	中核钛白	深圳成指	8977873688.64	36.05	3.50	制造业
002146.SZ	荣盛发展	深圳成指	45612238796.99	10.67	1.93	房地产业
002151.SZ	北斗星通	深圳成指	14454723428.25	217.03	3.35	制造业
002152.SZ	广电运通	深圳成指	19560626372.00	21.04	2.34	制造业
002153.SZ	石基信息	深圳成指	21858501548.97	55.52	4.43	信息传输、软件和信息技术服务业
002155.SZ	湖南黄金	深圳成指	11215028292.42	51.70	2.60	采矿业
002156.SZ	通富微电	深圳成指	9162175673.88	49.32	2.34	制造业
002157.SZ	正邦科技	深圳成指	10102239132.93	10.73	1.74	制造业
002161.SZ	远望谷	深圳成指	5844083460.00	250.80	3.63	制造业
002168.SZ	深圳惠程	深圳成指	13941820158.32	159.49	10.29	制造业
002169.SZ	智光电气	中小创新指数	6262946352.30	56.07	2.30	制造业
002170.SZ	芭田股份	中小创新指数	6550749577.92	85.03	3.18	制造业
002171.SZ	楚江新材	中小创新指数	7634145519.84	30.89	2.40	制造业
002172.SZ	澳洋科技	中小创新指数	5633237468.16	19.72	4.73	制造业
002174.SZ	游族网络	深圳成指	27131423917.50	39.70	10.01	信息传输、软件和信息技术服务业
002175.SZ	东方网络	中小创新指数	12346887112.56	137.60	8.45	信息传输、软件和信息技术服务业

代码	名称	来源	总市值（亿元）	市盈率（TTM）	市净率	证监会行业(2012)
002176.SZ	江特电机	深圳成指	12634966163.20	61.35	3.39	制造业
002177.SZ	御银股份	中小创新指数	4308342724.04	635.79	2.57	制造业
002178.SZ	延华智能	中小创新指数	7652205467.64	672.54	6.59	科学研究和技术服务业
002179.SZ	中航光电	深圳成指	23208342222.06	30.87	5.65	制造业
002180.SZ	纳思达	深圳成指	25047594693.00	-27.32	14.09	制造业
002182.SZ	云海金属	中小创新指数	5145523402.48	24.54	3.61	制造业
002183.SZ	怡亚通	深圳成指	18117502155.00	33.51	3.30	租赁和商务服务业
002185.SZ	华天科技	深圳成指	14534190278.08	33.95	2.96	制造业
002190.SZ	成飞集成	深圳成指	8836822579.20	67.22	4.91	制造业
002191.SZ	劲嘉股份	深圳成指	12368266984.00	24.32	2.75	制造业
002192.SZ	融捷股份	中小创新指数	6265480048.39	1269.11	8.54	制造业
002194.SZ	武汉凡谷	中小创新指数	5178021350.74	-16.97	2.59	制造业
002195.SZ	二三四五	深圳成指	20304057812.64	27.04	3.06	信息传输、软件和信息技术服务业
002197.SZ	证通电子	深圳成指	6563541576.84	117.73	2.40	制造业
002202.SZ	金风科技	深圳成指,A+H股	42182042220.00	14.99	2.28	制造业
002203.SZ	海亮股份	中小创新指数	13130828796.88	21.22	3.05	制造业
002204.SZ	大连重工	中小创新指数	7822048629.60	326.21	1.19	制造业
002206.SZ	海利得	中小创新指数	8697045825.30	32.73	3.13	制造业
002210.SZ	飞马国际	中小创新指数	16859379937.20	10.99	4.27	租赁和商务服务业
002212.SZ	南洋股份	中小创新指数	15494648249.15	564.59	2.80	制造业
002215.SZ	诺普信	中小创新指数	7056669684.48	-29.51	4.35	制造业
002216.SZ	三全食品	中小创新指数	6941090060.64	147.72	3.63	制造业
002217.SZ	合力泰	深圳成指	28749175112.44	28.46	3.20	制造业
002221.SZ	东华能源	深圳成指	17560397012.16	28.53	2.65	批发和零售业
002222.SZ	福晶科技	中小创新指数	6502275000.00	74.18	9.61	制造业
002223.SZ	鱼跃医疗	深圳成指	23257464752.80	42.79	4.74	制造业
002224.SZ	三力士	深圳成指	6916270485.98	29.61	4.34	制造业
002226.SZ	江南化工	中小创新指数	6214922725.44	90.01	1.69	制造业
002227.SZ	奥特迅	中小创新指数	3906779954.00	358.53	4.92	制造业
002229.SZ	鸿博股份	深圳成指	5449833988.92	487.59	3.31	制造业
002230.SZ	科大讯飞	深圳成指	43535545237.80	89.26	6.17	信息传输、软件和信息技术服务业
002233.SZ	塔牌集团	中小创新指数	11371077365.99	20.16	2.43	制造业
002236.SZ	大华股份	深圳成指	65526697753.00	34.55	7.96	制造业
002237.SZ	恒邦股份	深圳成指	9286080000.00	38.94	2.43	制造业
002238.SZ	天威视讯	中小创新指数	7488494316.00	26.65	2.78	信息传输、软件和信息技术服务业
002239.SZ	奥特佳	中小创新指数	13755614582.70	30.69	2.81	制造业
002241.SZ	歌尔股份	深圳成指	61654250904.00	35.16	5.91	制造业
002242.SZ	九阳股份	深圳成指	15059978460.00	21.47	4.37	制造业
002244.SZ	滨江集团	深圳成指	22495739324.70	15.56	1.76	房地产业
002245.SZ	澳洋顺昌	深圳成指	8599226916.80	37.30	4.65	交通运输、仓储和邮政业
002249.SZ	大洋电机	深圳成指	15520524819.70	32.02	1.81	制造业
002250.SZ	联化科技	深圳成指	13147809195.20	54.84	3.02	制造业
002251.SZ	步步高	中小创新指数	10893828822.11	68.24	1.77	批发和零售业
002252.SZ	上海莱士	深圳成指	100746742421.92	66.15	8.60	制造业
002253.SZ	川大智胜	中小创新指数	5022436874.70	128.44	3.91	信息传输、软件和信息技术服务业
002254.SZ	泰和新材	中小创新指数	7965270144.00	118.08	3.99	制造业

代码	名称	来源	总市值（亿元）	市盈率（TTM）	市净率	证监会行业(2012)
002256.SZ	兆新股份	中小创新指数	8273621718.08	68.45	3.73	制造业
002260.SZ	德奥通航	中小创新指数	6126120000.00	-820.48	18.03	制造业
002261.SZ	拓维信息	深圳成指	13289347254.56	62.41	3.51	信息传输、软件和信息技术服务业
002262.SZ	恩华药业	中小创新指数	13734490819.71	42.29	6.55	制造业
002263.SZ	大东南	中小创新指数	6161021128.00	-34.75	2.25	制造业
002266.SZ	浙富控股	深圳成指	9636365664.63	123.87	3.28	制造业
002267.SZ	陕天然气	中小创新指数	9775143161.55	25.24	1.84	电力、热力、燃气及水生产和供应业
002268.SZ	卫士通	深圳成指	14503213284.40	150.00	9.74	信息传输、软件和信息技术服务业
002269.SZ	美邦服饰	中小创新指数	9648000000.00	703.20	3.07	制造业
002271.SZ	东方雨虹	深圳成指	31485439868.16	29.94	6.33	制造业
002273.SZ	水晶光电	深圳成指	13364429379.84	47.98	4.61	制造业
002274.SZ	华昌化工	中小创新指数	4641190374.84	60.61	1.68	制造业
002275.SZ	桂林三金	中小创新指数	10546874000.00	26.51	4.35	制造业
002276.SZ	万马股份	深圳成指	9278757421.44	59.31	3.02	制造业
002277.SZ	友阿股份	中小创新指数	8896280656.00	26.49	1.81	批发和零售业
002279.SZ	久其软件	中小创新指数	8816786637.33	38.17	4.07	信息传输、软件和信息技术服务业
002280.SZ	联络互动	深圳成指	28324717271.75	86.50	4.58	信息传输、软件和信息技术服务业
002281.SZ	光迅科技	深圳成指	13301758504.80	43.26	4.69	制造业
002283.SZ	天润曲轴	中小创新指数	7457834914.14	32.62	2.10	制造业
002284.SZ	亚太股份	深圳成指	7965604800.00	54.88	3.00	制造业
002285.SZ	世联行	深圳成指	16196155446.24	20.80	3.87	房地产业
002287.SZ	奇正藏药	中小创新指数	16097900000.00	54.72	9.28	制造业
002288.SZ	超华科技	中小创新指数	6251329522.24	-105.68	3.73	制造业
002292.SZ	奥飞娱乐	深圳成指	20416157889.19	44.02	4.26	制造业
002293.SZ	罗莱生活	中小创新指数	7895424375.00	24.27	2.88	制造业
002294.SZ	信立泰	深圳成指	34978775040.00	24.72	6.53	制造业
002296.SZ	辉煌科技	中小创新指数	3826829227.20	44.55	2.48	制造业
002298.SZ	中电鑫龙	深圳成指	7630933554.40	51.31	1.84	信息传输、软件和信息技术服务业
002299.SZ	圣农发展	深圳成指	16074723000.00	25.26	2.72	农、林、牧、渔业
002301.SZ	齐心集团	中小创新指数	9768212468.04	77.53	7.92	制造业
002302.SZ	西部建设	中小创新指数	16474455438.00	74.49	3.85	制造业
002303.SZ	美盈森	深圳成指	11983855032.45	49.98	3.03	制造业
002304.SZ	洋河股份	深圳成指	134001372960.00	21.92	5.14	制造业
002305.SZ	南国置业	中小创新指数	11497850555.10	257.84	2.53	房地产业
002308.SZ	威创股份	深圳成指	10634337378.00	56.84	4.54	制造业
002309.SZ	中利集团	中小创新指数	8004747728.64	-42.62	1.41	制造业
002310.SZ	东方园林	深圳成指	44926107612.68	33.85	4.89	建筑业
002311.SZ	海大集团	深圳成指	27033157748.86	30.92	4.78	制造业
002314.SZ	南山控股	中小创新指数	12767205856.40	73.87	2.26	房地产业
002315.SZ	焦点科技	中小创新指数	5898500000.00	43.92	3.03	信息传输、软件和信息技术服务业
002317.SZ	众生药业	中小创新指数	10038620296.32	23.22	2.96	制造业
002318.SZ	久立特材	深圳成指	7001329354.24	41.56	2.68	制造业
002320.SZ	海峡股份	中小创新指数	6990340889.60	37.34	2.97	交通运输、仓储和邮政业
002322.SZ	理工环科	中小创新指数	9234258518.16	48.78	3.11	制造业
002324.SZ	普利特	中小创新指数	6990300000.00	27.59	3.29	制造业
002325.SZ	洪涛股份	深圳成指	8686637878.12	87.66	2.57	建筑业

代码	名称	来源	总市值（亿元）	市盈率（TTM）	市净率	证监会行业(2012)
002326.SZ	永太科技	深圳成指	11089308567.98	27.51	5.30	制造业
002327.SZ	富安娜	中小创新指数	7457481937.62	17.35	2.80	制造业
002329.SZ	皇氏集团	深圳成指	8359647549.30	28.72	3.05	制造业
002332.SZ	仙琚制药	中小创新指数	7366345814.64	49.49	3.31	制造业
002334.SZ	英威腾	中小创新指数	5229030467.72	72.52	3.17	制造业
002335.SZ	科华恒盛	中小创新指数	9414980736.00	53.62	3.08	制造业
002338.SZ	奥普光电	中小创新指数	4080000000.00	76.97	5.36	制造业
002339.SZ	积成电子	中小创新指数	6850439680.00	110.06	4.48	制造业
002340.SZ	格林美	深圳成指	19842733762.80	66.29	2.88	制造业
002341.SZ	新纶科技	中小创新指数	8660355827.32	165.26	2.67	制造业
002343.SZ	慈文传媒	深圳成指	12388548900.00	41.55	9.21	文化、体育和娱乐业
002344.SZ	海宁皮城	中小创新指数	10787885836.86	21.78	1.52	租赁和商务服务业
002345.SZ	潮宏基	中小创新指数	8696194248.00	35.32	3.23	制造业
002348.SZ	高乐股份	中小创新指数	6639872000.00	160.07	5.35	制造业
002349.SZ	精华制药	中小创新指数	7733424890.40	49.84	3.60	制造业
002352.SZ	顺丰控股	中小创新指数	221944129199.65	51.93	10.82	交通运输、仓储和邮政业
002353.SZ	杰瑞股份	深圳成指	15229878472.80	176.96	1.94	制造业
002354.SZ	天神娱乐	深圳成指	19075500280.26	28.28	3.34	信息传输、软件和信息技术服务业
002355.SZ	兴民智通	中小创新指数	5065082493.00	84.89	2.50	制造业
002358.SZ	森源电气	深圳成指	15908141876.47	46.10	3.51	制造业
002364.SZ	中恒电气	中小创新指数	7484142668.80	50.76	3.21	制造业
002366.SZ	台海核电	深圳成指	18221210210.25	41.23	10.23	制造业
002367.SZ	康力电梯	中小创新指数	9244794642.33	20.43	2.65	制造业
002368.SZ	太极股份	深圳成指	11748933607.29	38.90	4.87	信息传输、软件和信息技术服务业
002371.SZ	北方华创	深圳成指	11862313234.80	117.97	3.72	制造业
002372.SZ	伟星新材	中小创新指数	17949622563.60	26.27	6.53	制造业
002373.SZ	千方科技	深圳成指	15715276627.36	45.98	4.84	信息传输、软件和信息技术服务业
002375.SZ	亚厦股份	深圳成指	12046568517.02	41.77	1.68	建筑业
002376.SZ	新北洋	中小创新指数	8291464881.70	32.04	3.45	制造业
002378.SZ	章源钨业	中小创新指数	8123431762.44	111.80	4.17	制造业
002383.SZ	合众思壮	中小创新指数	10088117856.00	85.38	2.88	制造业
002384.SZ	东山精密	深圳成指	26947575680.88	182.86	9.86	制造业
002385.SZ	大北农	深圳成指	25465155247.62	27.17	2.75	制造业
002387.SZ	黑牛食品	中小创新指数	7746081057.00	762.94	10.28	制造业
002389.SZ	南洋科技	中小创新指数	15027554280.00	126.94	4.37	制造业
002390.SZ	信邦制药	深圳成指	15804383954.76	62.02	2.49	制造业
002392.SZ	北京利尔	中小创新指数	7910492264.40	49.97	2.63	制造业
002393.SZ	力生制药	中小创新指数	6329363672.48	55.70	2.10	制造业
002396.SZ	星网锐捷	深圳成指	9644699958.37	31.01	3.35	制造业
002399.SZ	海普瑞	深圳成指	25542690897.92	135.20	3.20	制造业
002400.SZ	省广股份	深圳成指	13789796682.48	23.49	2.66	租赁和商务服务业
002402.SZ	和而泰	中小创新指数	7274786500.80	55.15	6.82	制造业
002405.SZ	四维图新	深圳成指	22958808732.70	132.26	8.22	信息传输、软件和信息技术服务业
002407.SZ	多氟多	深圳成指	12021937107.18	27.66	4.61	制造业
002408.SZ	齐翔腾达	中小创新指数	17627827882.29	26.67	2.99	制造业
002410.SZ	广联达	深圳成指	19779125462.13	45.47	6.68	信息传输、软件和信息技术服务业

代码	名称	来源	总市值（亿元）	市盈率（TTM）	市净率	证监会行业(2012)
002411.SZ	必康股份	深圳成指	43516863015.60	49.07	5.24	制造业
002413.SZ	雷科防务	深圳成指	11270676871.54	102.29	3.26	制造业
002414.SZ	高德红外	深圳成指	11111757351.80	132.41	3.52	制造业
002415.SZ	海康威视	深圳成指	288125168859.08	37.13	11.86	制造业
002416.SZ	爱施德	深圳成指	10637168841.70	48.80	2.02	批发和零售业
002418.SZ	康盛股份	中小创新指数	10579884000.00	57.30	5.10	制造业
002419.SZ	天虹股份	中小创新指数	10746686000.00	19.08	1.92	批发和零售业
002421.SZ	达实智能	深圳成指	10847487512.88	38.33	3.86	信息传输、软件和信息技术服务业
002422.SZ	科伦药业	深圳成指	22680000000.00	39.85	2.00	制造业
002424.SZ	贵州百灵	深圳成指	24075072000.00	47.48	7.97	制造业
002425.SZ	凯撒文化	中小创新指数	7372524553.92	41.27	2.15	制造业
002426.SZ	胜利精密	深圳成指	26275392529.92	69.36	3.13	制造业
002427.SZ	尤夫股份	中小创新指数	10005626555.54	53.00	4.54	制造业
002428.SZ	云南锗业	深圳成指	6589980800.00	-72.08	4.47	制造业
002429.SZ	兆驰股份	深圳成指	14486209942.40	35.09	1.88	制造业
002431.SZ	棕榈股份	深圳成指	16702967545.00	114.96	3.91	建筑业
002432.SZ	九安医疗	深圳成指	4998908387.55	386.70	3.24	制造业
002433.SZ	太安堂	中小创新指数	7028470272.00	27.51	1.51	制造业
002434.SZ	万里扬	中小创新指数	19156500000.00	39.98	3.43	制造业
002436.SZ	兴森科技	中小创新指数	9582124325.76	45.62	4.08	制造业
002437.SZ	誉衡药业	深圳成指	15058288897.50	22.38	3.80	制造业
002439.SZ	启明星辰	深圳成指	17135795337.57	64.97	7.70	信息传输、软件和信息技术服务业
002440.SZ	闰土股份	深圳成指	11612380000.00	15.24	1.84	制造业
002441.SZ	众业达	中小创新指数	5870372011.74	30.50	1.72	批发和零售业
002443.SZ	金洲管道	中小创新指数	4981524926.40	87.42	2.51	制造业
002444.SZ	巨星科技	深圳成指	16150220454.00	26.01	2.87	制造业
002445.SZ	中南文化	深圳成指	10090279186.32	40.97	2.74	制造业
002446.SZ	盛路通信	中小创新指数	9053869888.80	54.84	3.70	制造业
002447.SZ	壹桥股份	中小创新指数	8572068000.00	28.26	3.22	农、林、牧、渔业
002448.SZ	中原内配	中小创新指数	5904547142.20	27.04	2.71	制造业
002449.SZ	国星光电	中小创新指数	7459786169.92	36.10	2.58	制造业
002450.SZ	康得新	深圳成指	72710429026.20	34.77	4.67	制造业
002454.SZ	松芝股份	中小创新指数	5371988712.00	21.40	1.93	制造业
002456.SZ	欧菲光	深圳成指	45623188380.00	58.14	5.67	制造业
002458.SZ	益生股份	中小创新指数	6609248752.59	13.75	4.49	农、林、牧、渔业
002460.SZ	赣锋锂业	深圳成指	29746527187.52	60.29	11.95	制造业
002461.SZ	珠江啤酒	中小创新指数	12737705402.40	110.58	3.61	制造业
002462.SZ	嘉事堂	中小创新指数	9545052601.50	39.82	4.82	批发和零售业
002463.SZ	沪电股份	深圳成指	7383044554.83	45.43	2.19	制造业
002464.SZ	金利科技	中小创新指数	10046871442.12	44.48	8.60	信息传输、软件和信息技术服务业
002465.SZ	海格通信	深圳成指	23023915247.42	44.13	3.45	制造业
002466.SZ	天齐锂业	深圳成指	45256154322.00	27.70	9.86	制造业
002467.SZ	二六三	深圳成指	6687804648.00	-15.36	3.73	信息传输、软件和信息技术服务业
002468.SZ	申通快递	中小创新指数	37764889435.22	28.14	6.94	制造业
002470.SZ	金正大	深圳成指	22995212765.80	22.38	2.57	制造业
002471.SZ	中超控股	深圳成指	6023000000.00	54.55	3.32	制造业

代码	名称	来源	总市值（亿元）	市盈率（TTM）	市净率	证监会行业（2012）
002474. SZ	榕基软件	深圳成指	6663762000.00	229.05	4.75	信息传输、软件和信息技术服务业
002475. SZ	立讯精密	深圳成指	60739679806.80	48.26	5.40	制造业
002477. SZ	雏鹰农牧	深圳成指	14390382701.70	16.44	2.80	农、林、牧、渔业
002479. SZ	富春环保	中小创新指数	9277477500.00	32.92	3.25	电力、热力、燃气及水生产和供应业
002480. SZ	新筑股份	中小创新指数	5266205083.20	251.95	2.26	制造业
002481. SZ	双塔食品	深圳成指	8894265600.00	255.12	3.40	制造业
002482. SZ	广田集团	深圳成指	14402934113.53	34.83	2.36	建筑业
002484. SZ	江海股份	中小创新指数	7523884720.43	47.75	2.53	制造业
002488. SZ	金固股份	深圳成指	7806580633.88	-53.08	5.54	制造业
002489. SZ	浙江永强	深圳成指	14120529904.47	105.97	4.33	制造业
002491. SZ	通鼎互联	深圳成指	16591475243.60	30.71	5.66	制造业
002493. SZ	荣盛石化	深圳成指	35450640000.00	14.83	2.80	制造业
002496. SZ	辉丰股份	中小创新指数	7130370405.51	26.09	2.07	制造业
002497. SZ	雅化集团	中小创新指数	8256000000.00	57.33	3.46	制造业
002498. SZ	汉缆股份	深圳成指	12076269480.00	27.81	2.72	制造业
002500. SZ	山西证券	深圳成指	26590016438.20	47.73	2.17	金融业
002501. SZ	利源精制	深圳成指	13666900275.00	24.51	2.99	制造业
002502. SZ	骅威文化	中小创新指数	8331741789.06	22.97	2.64	文化、体育和娱乐业
002503. SZ	搜于特	中小创新指数	22150520542.64	51.84	4.33	制造业
002505. SZ	大康农业	深圳成指	19198802700.00	158.59	3.41	农、林、牧、渔业
002508. SZ	老板电器	深圳成指	42896283690.00	33.12	10.39	制造业
002509. SZ	天广中茂	中小创新指数	22930932803.20	55.86	5.11	制造业
002510. SZ	天汽模	中小创新指数	5090923636.68	33.69	2.52	制造业
002512. SZ	达华智能	深圳成指	16595099899.80	126.50	5.94	制造业
002516. SZ	旷达科技	中小创新指数	7983122244.12	24.61	2.20	制造业
002517. SZ	恺英网络	深圳成指	24947679378.06	31.74	7.36	信息传输、软件和信息技术服务业
002518. SZ	科士达	中小创新指数	8151162539.52	27.37	4.14	制造业
002519. SZ	银河电子	中小创新指数	8875071645.51	31.78	2.43	制造业
002522. SZ	浙江众成	深圳成指	15443538548.35	151.05	10.65	制造业
002527. SZ	新时达	中小创新指数	6524201171.28	37.35	2.40	制造业
002528. SZ	英飞拓	中小创新指数	5963245180.50	-14.82	2.07	制造业
002531. SZ	天顺风能	中小创新指数	12204070662.42	29.27	2.66	制造业
002533. SZ	金杯电工	中小创新指数	4148409600.00	24.93	1.86	制造业
002538. SZ	司尔特	中小创新指数	6570800589.45	28.49	2.06	制造业
002539. SZ	云图控股	中小创新指数	8181810000.00	50.07	2.69	制造业
002540. SZ	亚太科技	中小创新指数	7207200000.00	22.56	2.44	制造业
002542. SZ	中化岩土	中小创新指数	23814000000.00	94.47	7.32	建筑业
002544. SZ	杰赛科技	深圳成指	11558181600.00	107.41	8.73	信息传输、软件和信息技术服务业
002546. SZ	新联电子	中小创新指数	4870846720.64	57.43	1.78	制造业
002547. SZ	春兴精工	中小创新指数	12284542559.52	83.27	6.09	制造业
002550. SZ	千红制药	深圳成指	7705600000.00	34.30	3.21	制造业
002551. SZ	尚荣医疗	中小创新指数	7224969732.06	60.10	4.10	制造业
002554. SZ	惠博普	中小创新指数	6585481500.00	42.63	3.06	采矿业
002555. SZ	三七互娱	深圳成指	54225512435.88	41.97	11.99	信息传输、软件和信息技术服务业
002556. SZ	辉隆股份	中小创新指数	5073432000.00	43.20	2.30	批发和零售业
002557. SZ	洽洽食品	中小创新指数	7098000000.00	21.03	2.41	制造业

代码	名称	来源	总市值（亿元）	市盈率（TTM）	市净率	证监会行业(2012)
002563.SZ	森马服饰	深圳成指	23328559486.40	16.27	2.33	制造业
002567.SZ	唐人神	中小创新指数	7778283142.00	33.45	3.08	制造业
002568.SZ	百润股份	深圳成指	15903188000.00	-252.73	9.94	制造业
002570.SZ	贝因美	深圳成指	14376631200.00	-17.33	4.99	制造业
002572.SZ	索菲亚	深圳成指	37278720134.70	54.14	9.59	制造业
002573.SZ	清新环境	深圳成指	20143900182.00	26.71	5.55	水利、环境和公共设施管理业
002574.SZ	明牌珠宝	中小创新指数	4524960000.00	123.20	1.47	制造业
002577.SZ	雷柏科技	深圳成指	5896571768.00	320.67	5.06	制造业
002581.SZ	未名医药	中小创新指数	14369041063.08	34.49	5.82	制造业
002583.SZ	海能达	深圳成指	26484069785.19	83.69	5.57	制造业
002586.SZ	围海股份	中小创新指数	10284309663.81	116.98	6.22	建筑业
002588.SZ	史丹利	深圳成指	8899390920.00	20.19	2.21	制造业
002589.SZ	瑞康医药	深圳成指	22555609960.29	28.29	3.28	批发和零售业
002590.SZ	万安科技	中小创新指数	6451251154.70	46.36	3.75	制造业
002594.SZ	比亚迪	深圳成指，A+H股	137061897035.20	28.51	2.89	制造业
002595.SZ	豪迈科技	深圳成指	17544000000.00	24.04	4.97	制造业
002596.SZ	海南瑞泽	中小创新指数	8087136719.82	79.60	3.77	制造业
002600.SZ	江粉磁材	深圳成指	13490848225.02	47.41	2.57	制造业
002601.SZ	龙蟒佰利	中小创新指数	30929547327.58	30.60	2.51	制造业
002602.SZ	世纪华通	深圳成指	36256349012.00	71.50	8.27	制造业
002603.SZ	以岭药业	深圳成指	20049167146.95	34.63	3.77	制造业
002604.SZ	龙力生物	中小创新指数	5366074547.90	38.66	1.76	制造业
002605.SZ	姚记扑克	中小创新指数	5389585867.59	56.78	3.59	制造业
002609.SZ	捷顺科技	中小创新指数	10131669401.22	54.84	4.86	信息传输、软件和信息技术服务业
002610.SZ	爱康科技	深圳成指	10957702304.00	77.04	1.94	制造业
002612.SZ	朗姿股份	中小创新指数	5452000000.00	31.68	2.21	制造业
002614.SZ	奥佳华	中小创新指数	9057523440.00	33.82	3.59	制造业
002618.SZ	丹邦科技	中小创新指数	6312038400.00	243.13	3.78	制造业
002619.SZ	巨龙管业	深圳成指	9173041665.06	38.11	2.68	制造业
002622.SZ	融钰集团	中小创新指数	10332000000.00	568.35	8.83	制造业
002624.SZ	完美世界	深圳成指	47223144786.16	36.54	6.55	信息传输、软件和信息技术服务业
002625.SZ	龙生股份	深圳成指	46086726393.72	613.91	76.47	制造业
002626.SZ	金达威	中小创新指数	7927957581.22	24.93	3.66	制造业
002630.SZ	华西能源	深圳成指	8723160000.00	46.34	2.83	制造业
002631.SZ	德尔未来	深圳成指	8566821600.00	43.47	5.84	制造业
002635.SZ	安洁科技	深圳成指	20719484071.65	52.97	8.00	制造业
002636.SZ	金安国纪	中小创新指数	11152960000.00	24.60	6.44	制造业
002638.SZ	勤上股份	中小创新指数	12362100572.36	-29.77	2.43	制造业
002640.SZ	跨境通	深圳成指	27771301197.40	59.65	6.60	批发和零售业
002642.SZ	荣之联	深圳成指	15932384371.68	66.95	4.17	信息传输、软件和信息技术服务业
002643.SZ	万润股份	深圳成指	13227888278.25	40.27	3.44	制造业
002646.SZ	青青稞酒	中小创新指数	7861500000.00	45.39	3.17	制造业
002649.SZ	博彦科技	中小创新指数	6275038980.00	51.05	3.37	信息传输、软件和信息技术服务业
002650.SZ	加加食品	中小创新指数	6773760000.00	43.91	3.47	制造业
002651.SZ	利君股份	中小创新指数	9052575000.00	85.76	4.76	制造业
002653.SZ	海思科	深圳成指	13773442500.00	30.27	6.08	制造业

代码	名称	来源	总市值（亿元）	市盈率（TTM）	市净率	证监会行业(2012)
002654.SZ	万润科技	中小创新指数	7681863452.80	47.60	3.54	制造业
002657.SZ	中科金财	深圳成指	9762717759.12	51.94	3.52	信息传输、软件和信息技术服务业
002658.SZ	雪迪龙	中小创新指数	11783068633.60	60.43	6.87	制造业
002662.SZ	京威股份	中小创新指数	10785000000.00	16.63	2.26	制造业
002663.SZ	普邦股份	深圳成指	10505959144.20	101.91	2.39	建筑业
002664.SZ	信质电机	中小创新指数	10156507800.00	42.35	5.99	制造业
002665.SZ	首航节能	深圳成指	15236834018.78	142.48	5.26	制造业
002668.SZ	奥马电器	深圳成指	12938173781.00	42.50	6.31	制造业
002670.SZ	国盛金控	中小创新指数	22422131868.00	42.63	1.94	金融业
002672.SZ	东江环保	深圳成指，A+H股	15294502238.48	27.65	4.65	制造业
002673.SZ	西部证券	深圳成指	47835131258.20	46.44	3.86	金融业
002675.SZ	东诚药业	中小创新指数	10061523400.50	69.18	3.64	制造业
002678.SZ	珠江钢琴	中小创新指数	11950000000.00	76.39	5.96	制造业
002681.SZ	奋达科技	深圳成指	15595624026.00	41.41	5.50	制造业
002685.SZ	华东重机	中小创新指数	5343182141.75	169.76	4.09	制造业
002690.SZ	美亚光电	深圳成指	13080600000.00	41.78	6.43	制造业
002695.SZ	煌上煌	深圳成指	8534268174.96	81.67	5.38	制造业
002697.SZ	红旗连锁	中小创新指数	8581600000.00	63.31	3.94	批发和零售业
002698.SZ	博实股份	中小创新指数	8493982000.00	74.59	4.66	制造业
002699.SZ	美盛文化	深圳成指	12824975422.50	61.87	3.74	文化、体育和娱乐业
002701.SZ	奥瑞金	深圳成指	15615145728.00	15.50	3.06	制造业
002703.SZ	浙江世宝	深圳成指，A+H股	7605857148.40	117.72	5.16	制造业
002707.SZ	众信旅游	中小创新指数	9962082450.20	43.60	5.53	租赁和商务服务业
002709.SZ	天赐材料	深圳成指	12241055546.30	31.44	7.52	制造业
002711.SZ	欧浦智网	中小创新指数	12270217960.00	55.96	7.97	交通运输、仓储和邮政业
002714.SZ	牧原股份	深圳成指	29645079864.63	11.25	5.24	农、林、牧、渔业
002716.SZ	金贵银业	深圳成指	8700802448.80	54.31	4.14	制造业
002717.SZ	岭南园林	深圳成指	10897477001.60	38.89	4.10	建筑业
002721.SZ	金一文化	深圳成指	10180645560.00	57.34	4.61	制造业
002722.SZ	金轮股份	中小创新指数	5044663082.50	39.66	3.03	制造业
002727.SZ	一心堂	中小创新指数	9266680000.00	26.87	3.71	批发和零售业
002736.SZ	国信证券	深圳成指	107338000000.00	22.58	2.48	金融业
002737.SZ	葵花药业	中小创新指数	9016960000.00	29.57	3.42	制造业
002739.SZ	万达电影	深圳成指	68907629074.32	50.04	6.63	文化、体育和娱乐业
002741.SZ	光华科技	中小创新指数	5389200000.00	81.92	6.80	制造业
002745.SZ	木林森	中小创新指数	17033292076.32	30.66	3.24	制造业
002751.SZ	易尚展示	深圳成指	5293286400.00	313.06	11.95	制造业
002752.SZ	昇兴股份	中小创新指数	10556397175.73	60.25	6.83	制造业
002766.SZ	索菱股份	中小创新指数	6996899092.26	85.47	6.89	制造业
002769.SZ	普路通	中小创新指数	5948152528.30	34.94	5.01	租赁和商务服务业
002773.SZ	康弘药业	深圳成指	31034387678.80	56.80	10.68	制造业
002782.SZ	可立克	深圳成指	7987500000.00	143.30	9.77	制造业
002786.SZ	银宝山新	中小创新指数	5215363200.00	65.68	4.98	制造业
002791.SZ	坚朗五金	中小创新指数	7787698800.00	30.27	3.14	制造业
002792.SZ	通宇通讯	中小创新指数	7523322800.00	41.16	4.06	制造业
002797.SZ	第一创业	深圳成指	33272800000.00	62.72	3.86	金融业

代码	名称	来源	总市值（亿元）	市盈率（TTM）	市净率	证监会行业(2012)
002801.SZ	微光股份	中小创新指数	5017753600.00	48.47	6.72	制造业
002802.SZ	洪汇新材	中小创新指数	3756240000.00	70.03	6.86	制造业
300001.SZ	特锐德	深圳成指	16689347354.75	64.93	6.16	制造业
300002.SZ	神州泰岳	深圳成指	16433950825.92	32.16	3.27	信息传输、软件和信息技术服务业
300003.SZ	乐普医疗	深圳成指	36488251822.08	49.69	6.59	制造业
300004.SZ	南风股份	中小创新指数	6136088082.40	108.57	1.98	制造业
300005.SZ	探路者	中小创新指数	7011512044.80	48.68	2.53	制造业
300006.SZ	莱美药业	中小创新指数	4938426526.40	514.03	3.04	制造业
300007.SZ	汉威电子	中小创新指数	5382828946.22	56.49	4.16	制造业
300009.SZ	安科生物	深圳成指	11326035937.80	54.12	8.33	制造业
300010.SZ	立思辰	深圳成指	11469242717.70	39.29	2.13	信息传输、软件和信息技术服务业
300011.SZ	鼎汉技术	深圳成指	8502133890.61	71.24	3.93	制造业
300012.SZ	华测检测	深圳成指	8548631566.91	75.38	3.56	科学研究和技术服务业
300014.SZ	亿纬锂能	深圳成指	13096579572.90	48.88	6.74	制造业
300015.SZ	爱尔眼科	深圳成指	33045283931.72	55.59	11.88	卫生和社会工作
300016.SZ	北陆药业	中小创新指数	4951837482.69	222.22	5.49	制造业
300017.SZ	网宿科技	深圳成指	27540631747.20	22.85	3.76	信息传输、软件和信息技术服务业
300020.SZ	银江股份	深圳成指	9167931422.28	61.18	3.07	信息传输、软件和信息技术服务业
300024.SZ	机器人	深圳成指	29597745534.49	71.39	5.32	制造业
300026.SZ	红日药业	深圳成指	13519636020.57	20.30	2.28	制造业
300027.SZ	华谊兄弟	深圳成指	22619773519.28	47.40	2.50	文化、体育和娱乐业
300031.SZ	宝通科技	中小创新指数	7637781805.50	48.81	2.99	信息传输、软件和信息技术服务业
300032.SZ	金龙机电	深圳成指	11763187750.20	173.80	2.51	制造业
300033.SZ	同花顺	深圳成指	33449472000.00	28.58	11.33	信息传输、软件和信息技术服务业
300034.SZ	钢研高纳	中小创新指数	6548642272.53	69.44	5.04	制造业
300036.SZ	超图软件	深圳成指	7373095058.80	55.29	4.56	信息传输、软件和信息技术服务业
300037.SZ	新宙邦	深圳成指	7750356336.64	28.66	3.56	制造业
300039.SZ	上海凯宝	中小创新指数	7886194368.00	27.18	3.58	制造业
300043.SZ	星辉娱乐	深圳成指	10376614664.34	29.26	4.40	制造业
300045.SZ	华力创通	中小创新指数	5900199802.88	114.06	5.92	制造业
300047.SZ	天源迪科	中小创新指数	4654112600.82	36.38	2.35	信息传输、软件和信息技术服务业
300048.SZ	合康新能	中小创新指数	6361276406.72	48.80	2.57	制造业
300049.SZ	福瑞股份	中小创新指数	4577850061.58	37.68	3.13	制造业
300051.SZ	三五互联	中小创新指数	4321624547.10	73.68	4.71	信息传输、软件和信息技术服务业
300053.SZ	欧比特	深圳成指	9067270600.50	94.30	4.63	制造业
300054.SZ	鼎龙股份	中小创新指数	9716963660.22	35.75	4.22	制造业
300055.SZ	万邦达	深圳成指	16689415081.35	56.77	3.04	建筑业
300056.SZ	三维丝	中小创新指数	5223395502.65	27.19	3.50	制造业
300057.SZ	万顺股份	中小创新指数	6511435406.61	99.14	2.80	制造业
300058.SZ	蓝色光标	深圳成指	17309022597.36	28.28	3.19	租赁和商务服务业
300059.SZ	东方财富	深圳成指	53309531894.74	76.46	4.16	信息传输、软件和信息技术服务业
300064.SZ	豫金刚石	中小创新指数	12344080332.80	76.31	1.86	制造业
300065.SZ	海兰信	中小创新指数	9304916160.96	102.35	7.38	制造业
300066.SZ	三川智慧	中小创新指数	5844986932.44	45.88	4.00	制造业
300068.SZ	南都电源	深圳成指	13623115090.00	40.69	2.31	制造业
300070.SZ	碧水源	深圳成指	60605502170.48	29.70	3.90	水利、环境和公共设施管理业

代码	名称	来源	总市值（亿元）	市盈率（TTM）	市净率	证监会行业(2012)
300071. SZ	华谊嘉信	中小创新指数	5141440408. 83	38. 82	4. 29	租赁和商务服务业
300072. SZ	三聚环保	深圳成指	64653858523. 50	34. 93	10. 30	制造业
300073. SZ	当升科技	深圳成指	6988238883. 60	67. 73	5. 21	制造业
300075. SZ	数字政通	深圳成指	8316971949. 30	62. 03	5. 95	信息传输、软件和信息技术服务业
300077. SZ	国民技术	深圳成指	7800777600. 00	80. 70	2. 63	制造业
300078. SZ	思创医惠	深圳成指	8402007473. 60	43. 11	4. 12	制造业
300079. SZ	数码视讯	深圳成指	8060094092. 70	34. 82	2. 31	制造业
300081. SZ	恒信东方	中小创新指数	6195878827. 04	484. 98	5. 46	批发和零售业
300083. SZ	劲胜精密	深圳成指	12330773340. 48	49. 19	2. 41	制造业
300085. SZ	银之杰	深圳成指	11956560682. 12	146. 49	12. 35	信息传输、软件和信息技术服务业
300088. SZ	长信科技	深圳成指	18103678535. 25	44. 35	4. 83	制造业
300090. SZ	盛运环保	深圳成指	12658348521. 98	106. 12	2. 45	制造业
300096. SZ	易联众	深圳成指	6075900000. 00	-622. 21	8. 54	信息传输、软件和信息技术服务业
300097. SZ	智云股份	中小创新指数	7078759657. 20	78. 82	5. 27	制造业
300098. SZ	高新兴	深圳成指	13533565993. 33	41. 95	3. 60	信息传输、软件和信息技术服务业
300100. SZ	双林股份	中小创新指数	10330814346. 16	30. 56	4. 08	制造业
300101. SZ	振芯科技	深圳成指	7422600000. 00	244. 59	8. 89	制造业
300104. SZ	乐视网	深圳成指	61198012545. 28	108. 35	5. 98	信息传输、软件和信息技术服务业
300109. SZ	新开源	中小创新指数	7920613326. 12	94. 65	6. 46	制造业
300110. SZ	华仁药业	中小创新指数	8421337869. 98	327. 57	5. 75	制造业
300113. SZ	顺网科技	深圳成指	18884594385. 50	33. 71	7. 67	信息传输、软件和信息技术服务业
300115. SZ	长盈精密	深圳成指	25485194635. 74	34. 13	6. 40	制造业
300116. SZ	坚瑞沃能	深圳成指	25055003009. 20	36. 94	3. 20	制造业
300118. SZ	东方日升	深圳成指	12637498665. 77	30. 59	3. 33	制造业
300122. SZ	智飞生物	深圳成指	31360000000. 00	932. 24	12. 44	制造业
300124. SZ	汇川技术	深圳成指	38980270304. 71	40. 41	8. 27	制造业
300128. SZ	锦富技术	中小创新指数	6438448386. 00	118. 18	3. 27	制造业
300131. SZ	英唐智控	中小创新指数	8877069335. 80	53. 65	4. 74	批发和零售业
300133. SZ	华策影视	深圳成指	20173524767. 55	39. 90	3. 16	文化、体育和娱乐业
300134. SZ	大富科技	深圳成指	17928753420. 16	227. 90	3. 07	制造业
300136. SZ	信维通信	深圳成指	37111835930. 88	56. 00	19. 30	制造业
300142. SZ	沃森生物	深圳成指	18756731204. 80	225. 40	5. 85	制造业
300144. SZ	宋城演艺	深圳成指	31768532586. 00	33. 32	4. 96	文化、体育和娱乐业
300145. SZ	中金环境	中小创新指数	18921821073. 16	33. 56	4. 67	制造业
300146. SZ	汤臣倍健	深圳成指	17452720715. 60	29. 40	3. 73	制造业
300147. SZ	香雪制药	深圳成指	6700755273. 55	117. 50	1. 97	制造业
300148. SZ	天舟文化	中小创新指数	13187476856. 46	45. 17	3. 04	文化、体育和娱乐业
300151. SZ	昌红科技	中小创新指数	5793825000. 00	201. 01	7. 09	制造业
300153. SZ	科泰电源	中小创新指数	3830400000. 00	78. 79	3. 95	制造业
300155. SZ	安居宝	中小创新指数	4944672478. 20	296. 16	4. 35	制造业
300156. SZ	神雾环保	深圳成指	31229954911. 80	44. 05	12. 39	制造业
300157. SZ	恒泰艾普	中小创新指数	7591022652. 00	84. 20	2. 02	采矿业
300159. SZ	新研股份	深圳成指	21282343684. 56	85. 09	3. 66	制造业
300160. SZ	秀强股份	中小创新指数	5409728000. 00	37. 09	4. 41	制造业
300166. SZ	东方国信	深圳成指	13715606942. 40	39. 94	3. 47	信息传输、软件和信息技术服务业
300168. SZ	万达信息	深圳成指	16291105743. 60	68. 53	7. 16	信息传输、软件和信息技术服务业

代码	名称	来源	总市值（亿元）	市盈率（TTM）	市净率	证监会行业(2012)
300170.SZ	汉得信息	深圳成指	8724719627.73	35.35	4.23	信息传输、软件和信息技术服务业
300171.SZ	东富龙	中小创新指数	7451103217.00	37.21	2.55	制造业
300177.SZ	中海达	中小创新指数	5280745882.02	184.55	3.33	制造业
300178.SZ	腾邦国际	深圳成指	7148121414.00	38.57	4.47	租赁和商务服务业
300182.SZ	捷成股份	深圳成指	25226217493.65	25.98	2.81	信息传输、软件和信息技术服务业
300183.SZ	东软载波	中小创新指数	9813184154.05	28.37	3.88	信息传输、软件和信息技术服务业
300185.SZ	通裕重工	深圳成指	8822908605.60	51.67	1.77	制造业
300187.SZ	永清环保	中小创新指数	7341498666.20	48.79	4.96	水利、环境和公共设施管理业
300188.SZ	美亚柏科	深圳成指	8447715412.12	45.68	4.53	信息传输、软件和信息技术服务业
300191.SZ	潜能恒信	深圳成指	8435200000.00	-3114.30	7.17	采矿业
300197.SZ	铁汉生态	深圳成指	18995670187.50	36.36	3.71	建筑业
300199.SZ	翰宇药业	深圳成指	14050640862.00	45.07	3.90	制造业
300202.SZ	聚龙股份	深圳成指	9413003520.00	29.76	5.08	制造业
300203.SZ	聚光科技	深圳成指	12823303080.00	31.50	4.68	制造业
300204.SZ	舒泰神	中小创新指数	7312593086.88	27.04	3.84	制造业
300205.SZ	天喻信息	中小创新指数	4472582400.00	235.65	4.03	制造业
300207.SZ	欣旺达	深圳成指	15231648375.00	31.78	6.69	制造业
300212.SZ	易华录	深圳成指	9555274296.88	64.83	3.75	信息传输、软件和信息技术服务业
300215.SZ	电科院	中小创新指数	8038218362.20	107.07	4.24	科学研究和技术服务业
300216.SZ	千山药机	深圳成指	9140689126.80	43.59	7.72	制造业
300221.SZ	银禧科技	深圳成指	6634632726.40	43.11	7.34	制造业
300222.SZ	科大智能	深圳成指	14620721004.48	50.40	4.00	制造业
300223.SZ	北京君正	中小创新指数	3961133912.40	318.17	3.61	制造业
300224.SZ	正海磁材	中小创新指数	7031787114.62	42.80	3.11	制造业
300226.SZ	上海钢联	深圳成指	6426925625.00	268.33	12.88	信息传输、软件和信息技术服务业
300228.SZ	富瑞特装	深圳成指	5061306382.56	-19.91	2.93	制造业
300229.SZ	拓尔思	中小创新指数	5810574566.72	44.69	3.54	信息传输、软件和信息技术服务业
300231.SZ	银信科技	中小创新指数	4586202874.50	38.52	7.43	信息传输、软件和信息技术服务业
300236.SZ	上海新阳	中小创新指数	5814915979.44	103.36	4.68	制造业
300238.SZ	冠昊生物	深圳成指	6891396668.99	100.16	4.96	制造业
300244.SZ	迪安诊断	深圳成指	16839460083.68	60.34	8.07	卫生和社会工作
300247.SZ	乐金健康	中小创新指数	5383431713.97	57.37	2.31	制造业
300248.SZ	新开普	中小创新指数	4859625785.97	59.15	4.05	信息传输、软件和信息技术服务业
300251.SZ	光线传媒	深圳成指	24436958238.56	34.26	3.47	文化、体育和娱乐业
300252.SZ	金信诺	中小创新指数	9622656165.20	48.47	4.42	制造业
300253.SZ	卫宁健康	深圳成指	12360624358.66	23.61	5.28	信息传输、软件和信息技术服务业
300255.SZ	常山药业	中小创新指数	9480564142.92	50.01	4.25	制造业
300256.SZ	星星科技	中小创新指数	6610711208.40	45.05	2.00	制造业
300257.SZ	开山股份	深圳成指	16138980000.00	161.77	4.66	制造业
300262.SZ	巴安水务	中小创新指数	7276468637.24	48.39	3.64	建筑业
300263.SZ	隆华节能	中小创新指数	6227479886.24	274.86	2.58	制造业
300266.SZ	兴源环境	深圳成指	25428008000.00	103.18	8.81	水利、环境和公共设施管理业
300267.SZ	尔康制药	深圳成指	23678703907.60	21.98	4.57	制造业
300269.SZ	联建光电	中小创新指数	12500832932.07	29.81	2.33	租赁和商务服务业
300271.SZ	华宇软件	深圳成指	10912535959.72	38.81	6.07	信息传输、软件和信息技术服务业
300273.SZ	和佳股份	深圳成指	10422905910.48	132.08	4.48	制造业

代码	名称	来源	总市值（亿元）	市盈率（TTM）	市净率	证监会行业(2012)
300274.SZ	阳光电源	深圳成指	15331105224.00	27.30	2.58	制造业
300276.SZ	三丰智能	中小创新指数	5653440000.00	364.59	9.36	制造业
300284.SZ	苏交科	中小创新指数	10079877957.00	26.44	3.34	科学研究和技术服务业
300285.SZ	国瓷材料	中小创新指数	10841216693.04	67.89	6.42	制造业
300287.SZ	飞利信	深圳成指	13778628556.80	38.38	2.52	信息传输、软件和信息技术服务业
300288.SZ	朗玛信息	中小创新指数	9418426873.74	30.29	8.33	信息传输、软件和信息技术服务业
300291.SZ	华录百纳	深圳成指	16265472743.52	40.42	2.55	文化、体育和娱乐业
300292.SZ	吴通控股	深圳成指	8465007160.64	48.58	3.33	制造业
300294.SZ	博雅生物	深圳成指	16740962369.74	55.63	8.00	制造业
300295.SZ	三六五网	中小创新指数	3662584200.00	35.61	3.57	信息传输、软件和信息技术服务业
300296.SZ	利亚德	深圳成指	30786411285.00	40.54	6.91	制造业
300297.SZ	蓝盾股份	中小创新指数	12659660086.08	35.20	3.54	信息传输、软件和信息技术服务业
300298.SZ	三诺生物	中小创新指数	6606051447.86	56.83	5.18	制造业
300300.SZ	汉鼎宇佑	中小创新指数	7359487330.32	218.31	3.38	信息传输、软件和信息技术服务业
300302.SZ	同有科技	中小创新指数	7368012964.62	55.52	10.23	信息传输、软件和信息技术服务业
300303.SZ	聚飞光电	中小创新指数	5496372406.80	33.46	3.01	制造业
300307.SZ	慈星股份	中小创新指数	8084160000.00	54.72	2.07	制造业
300310.SZ	宜通世纪	深圳成指	10480346525.00	58.49	4.45	信息传输、软件和信息技术服务业
300311.SZ	任子行	中小创新指数	6599178344.16	59.43	5.33	信息传输、软件和信息技术服务业
300314.SZ	戴维医疗	中小创新指数	4608000000.00	71.71	6.16	制造业
300315.SZ	掌趣科技	深圳成指	24494533709.36	54.54	2.91	信息传输、软件和信息技术服务业
300316.SZ	晶盛机电	中小创新指数	12017921100.00	50.32	3.66	制造业
300317.SZ	珈伟股份	中小创新指数	11689387098.48	31.96	2.58	制造业
300322.SZ	硕贝德	中小创新指数	6948162292.50	128.53	11.79	制造业
300324.SZ	旋极信息	深圳成指	20779998405.60	47.88	4.30	信息传输、软件和信息技术服务业
300327.SZ	中颖电子	中小创新指数	6658078459.77	55.65	9.56	制造业
300332.SZ	天壕环境	中小创新指数	10197119343.84	258.55	3.06	电力、热力、燃气及水生产和供应业
300333.SZ	兆日科技	中小创新指数	4146240000.00	214.87	4.87	信息传输、软件和信息技术服务业
300336.SZ	新文化	深圳成指	8407251814.80	30.45	2.98	文化、体育和娱乐业
300337.SZ	银邦股份	中小创新指数	7331526400.00	196.33	4.78	制造业
300339.SZ	润和软件	深圳成指	9322531101.00	29.57	2.65	信息传输、软件和信息技术服务业
300343.SZ	联创互联	中小创新指数	11548081016.40	54.64	2.87	信息传输、软件和信息技术服务业
300347.SZ	泰格医药	深圳成指	11994233357.26	83.39	7.37	卫生和社会工作
300348.SZ	长亮科技	中小创新指数	5795897018.56	62.66	7.13	信息传输、软件和信息技术服务业
300351.SZ	永贵电器	中小创新指数	6957529993.08	43.02	2.61	制造业
300352.SZ	北信源	深圳成指	7988530719.37	98.89	3.73	信息传输、软件和信息技术服务业
300353.SZ	东土科技	中小创新指数	6916632580.80	54.46	3.34	制造业
300355.SZ	蒙草生态	深圳成指	14388046169.35	38.80	5.11	水利、环境和公共设施管理业
300359.SZ	全通教育	深圳成指	8549590714.73	102.45	4.24	信息传输、软件和信息技术服务业
300363.SZ	博腾股份	中小创新指数	6799314608.00	37.36	5.30	制造业
300364.SZ	中文在线	深圳成指	10615576070.56	261.21	4.18	文化、体育和娱乐业
300367.SZ	东方网力	深圳成指	17108903440.00	48.29	4.97	制造业
300368.SZ	汇金股份	深圳成指	8197305010.18	192.10	7.54	制造业
300369.SZ	绿盟科技	深圳成指	9686316772.48	48.56	5.05	信息传输、软件和信息技术服务业
300373.SZ	扬杰科技	中小创新指数	8963151291.71	41.33	4.43	制造业
300376.SZ	易事特	中小创新指数	19213980197.04	38.76	5.24	制造业

代码	名称	来源	总市值（亿元）	市盈率（TTM）	市净率	证监会行业(2012)
300377.SZ	赢时胜	深圳成指	9691545023.16	72.16	3.77	信息传输、软件和信息技术服务业
300378.SZ	鼎捷软件	中小创新指数	4404498486.96	114.50	3.77	信息传输、软件和信息技术服务业
300379.SZ	东方通	中小创新指数	5460294964.68	49.11	3.08	信息传输、软件和信息技术服务业
300383.SZ	光环新网	深圳成指	18238491002.68	50.54	3.01	信息传输、软件和信息技术服务业
300386.SZ	飞天诚信	深圳成指	7524792000.00	61.66	4.79	信息传输、软件和信息技术服务业
300392.SZ	腾信股份	中小创新指数	5821440000.00	-18.85	9.52	信息传输、软件和信息技术服务业
300406.SZ	九强生物	中小创新指数	8479028350.37	32.72	6.11	制造业
300408.SZ	三环集团	深圳成指	36286958862.00	34.02	7.10	制造业
300409.SZ	道氏技术	中小创新指数	6892900000.00	63.43	5.89	制造业
300413.SZ	快乐购	深圳成指	8136290000.00	128.14	5.02	批发和零售业
300418.SZ	昆仑万维	深圳成指	27343737117.97	43.65	8.67	信息传输、软件和信息技术服务业
300431.SZ	暴风集团	深圳成指	7671221016.21	232.90	8.46	信息传输、软件和信息技术服务业
300432.SZ	富临精工	深圳成指	11775673140.75	45.21	3.38	制造业
300433.SZ	蓝思科技	深圳成指	80501142274.50	63.93	5.75	制造业
300438.SZ	鹏辉能源	中小创新指数	7225603136.10	48.82	7.60	制造业
300439.SZ	美康生物	中小创新指数	7360517250.00	40.27	5.08	制造业
300443.SZ	金雷风电	中小创新指数	5158690899.34	24.70	3.41	制造业
300451.SZ	创业软件	中小创新指数	7616459395.05	91.78	10.51	信息传输、软件和信息技术服务业
300458.SZ	全志科技	深圳成指	9431340786.00	92.18	4.60	制造业
300459.SZ	金科娱乐	中小创新指数	17678496336.54	60.69	3.56	制造业
300463.SZ	迈克生物	中小创新指数	13754700000.00	42.46	6.13	制造业
300465.SZ	高伟达	中小创新指数	4393873572.90	663.93	4.21	信息传输、软件和信息技术服务业
300467.SZ	迅游科技	中小创新指数	7774296640.00	208.91	14.44	信息传输、软件和信息技术服务业
300474.SZ	景嘉微	深圳成指	8944500000.00	93.89	10.29	制造业
300476.SZ	胜宏科技	中小创新指数	8242905000.00	34.65	5.69	制造业
300481.SZ	濮阳惠成	中小创新指数	5411200000.00	82.36	11.83	制造业
300484.SZ	蓝海华腾	中小创新指数	6346080000.00	38.68	10.41	制造业
300485.SZ	赛升药业	中小创新指数	7975200000.00	32.57	3.80	制造业
300494.SZ	盛天网络	中小创新指数	5364000000.00	42.18	5.92	信息传输、软件和信息技术服务业
300495.SZ	美尚生态	中小创新指数	9438957718.60	50.81	3.62	建筑业
300496.SZ	中科创达	深圳成指	12106774122.90	106.12	10.98	信息传输、软件和信息技术服务业
300498.SZ	温氏股份	深圳成指	122469557085.42	12.04	4.02	农、林、牧、渔业
300502.SZ	新易盛	中小创新指数	6024864000.00	53.00	6.05	制造业
300503.SZ	昊志机电	中小创新指数	4605757360.00	67.19	6.71	制造业
300506.SZ	名家汇	深圳成指	7554000000.00	68.19	12.78	建筑业
300507.SZ	苏奥传感	中小创新指数	5292264600.00	51.37	6.73	制造业
300508.SZ	维宏股份	中小创新指数	3892738200.00	82.59	8.88	信息传输、软件和信息技术服务业
300511.SZ	雪榕生物	中小创新指数	4486500000.00	44.46	3.50	农、林、牧、渔业
300512.SZ	中亚股份	深圳成指	5610600000.00	33.78	4.19	制造业
300516.SZ	久之洋	深圳成指	7558800000.00	52.89	6.48	制造业
300518.SZ	盛讯达	中小创新指数	10575422000.00	104.78	10.09	信息传输、软件和信息技术服务业

交易日期：2017-6-9。

数据来源：东方财富 Choice 数据。

沪股通标的股票

代码	名称	来源	总市值（亿元）	市盈率（TTM）	市净率	证监会行业(2012)
600000. SH	浦发银行	上证 180	3633.82	5.21	0.80	金融业
600004. SH	白云机场	上证 380	258.59	14.41	1.93	交通运输、仓储和邮政业
600006. SH	东风汽车	上证 380	113.00	67.32	1.72	制造业
600007. SH	中国国贸	上证 380	209.62	31.35	3.33	房地产业
600008. SH	首创股份	上证 380	336.00	54.21	4.22	电力、热力、燃气及水生产和供应业
600009. SH	上海机场	上证 180	749.78	25.36	3.25	交通运输、仓储和邮政业
600010. SH	包钢股份	上证 180	989.20	84.81	1.49	制造业
600011. SH	华能国际	A + H 股	1212.99	27.19	1.64	电力、热力、燃气及水生产和供应业
600012. SH	皖通高速	上证 380、A + H 股	210.31	21.62	2.34	交通运输、仓储和邮政业
600015. SH	华夏银行	上证 180	1167.93	5.92	0.86	金融业
600016. SH	民生银行	上证 180、A + H 股	2962.61	6.13	0.85	金融业
600017. SH	日照港	上证 380	134.41	65.89	1.29	交通运输、仓储和邮政业
600018. SH	上港集团	上证 180	1434.45	20.91	2.25	交通运输、仓储和邮政业
600019. SH	宝钢股份	上证 180	1434.46	12.82	0.93	制造业
600020. SH	中原高速	上证 380	110.80	10.67	1.18	交通运输、仓储和邮政业
600021. SH	上海电力	上证 180	274.10	41.76	2.66	电力、热力、燃气及水生产和供应业
600023. SH	浙能电力	上证 180	773.88	13.48	1.30	电力、热力、燃气及水生产和供应业
600026. SH	中远海能	上证 380、A + H 股	255.23	13.16	0.91	交通运输、仓储和邮政业
600027. SH	华电国际	上证 380、A + H 股	493.15	32.08	1.16	电力、热力、燃气及水生产和供应业
600028. SH	中国石化	上证 180、A + H 股	7397.45	13.01	1.02	采矿业
600029. SH	南方航空	上证 180、A + H 股	885.54	22.64	1.98	交通运输、仓储和邮政业
600030. SH	中信证券	上证 180、A + H 股	2007.77	18.21	1.38	金融业
600031. SH	三一重工	上证 180	559.03	65.08	2.41	制造业
600033. SH	福建高速	上证 380	106.76	14.94	1.23	交通运输、仓储和邮政业
600036. SH	招商银行	上证 180、A + H 股	5777.87	9.07	1.37	金融业
600037. SH	歌华有线	上证 180	199.86	27.84	1.56	信息传输、软件和信息技术服务业
600038. SH	中直股份	上证 380	249.64	54.92	3.60	制造业
600039. SH	四川路桥	上证 380	124.11	12.11	1.29	建筑业
600048. SH	保利地产	上证 180	1147.90	8.86	1.26	房地产业
600050. SH	中国联通	上证 180	1583.39	560.14	2.03	信息传输、软件和信息技术服务业
600053. SH	九鼎投资	上证 180	147.45	22.59	7.45	房地产业
600054. SH	黄山旅游	上证 380	133.02	39.00	3.23	水利、环境和公共设施管理业
600056. SH	中国医药	上证 380	274.39	26.84	3.80	制造业
600060. SH	海信电器	上证 180	191.04	12.78	1.42	制造业
600061. SH	国投安信	上证 180	554.49	23.96	2.09	金融业
600062. SH	华润双鹤	上证 380	193.43	25.23	2.79	制造业
600063. SH	皖维高新	上证 380	78.96	60.88	1.82	制造业
600064. SH	南京高科	上证 180	117.49	15.48	1.13	房地产业
600066. SH	宇通客车	上证 180	479.76	12.05	3.45	制造业
600068. SH	葛洲坝	上证 180	514.35	14.71	2.22	建筑业
600073. SH	上海梅林	上证 380	85.61	27.34	2.50	制造业
600074. SH	保千里	上证 180	294.01	35.33	6.46	制造业
600077. SH	宋都股份	上证 380	53.20	-31.63	1.49	房地产业

代码	名称	来源	总市值（亿元）	市盈率（TTM）	市净率	证监会行业(2012)
600079.SH	人福医药	上证180	245.64	27.88	2.81	制造业
600081.SH	东风科技	上证380	37.72	30.50	3.18	制造业
600085.SH	同仁堂	上证180	454.23	47.09	5.62	制造业
600086.SH	东方金钰	上证380	146.61	54.49	4.67	制造业
600089.SH	特变电工	上证180	370.75	14.34	1.39	制造业
600093.SH	易见股份	上证380	144.12	20.57	2.27	租赁和商务服务业
600094.SH	大名城	上证180	191.10	19.66	1.77	房地产业
600098.SH	广州发展	上证380	207.74	38.90	1.37	电力、热力、燃气及水生产和供应业
600100.SH	同方股份	上证180	418.50	-35.80	1.96	制造业
600101.SH	明星电力	上证380	31.22	40.24	1.56	电力、热力、燃气及水生产和供应业
600104.SH	上汽集团	上证180	3614.86	11.18	1.68	制造业
600105.SH	永鼎股份	上证380	78.06	29.91	3.02	制造业
600109.SH	国金证券	上证180	352.94	27.85	1.98	金融业
600111.SH	北方稀土	上证180	401.82	253.29	4.80	制造业
600113.SH	浙江东日	上证380	44.57	48.67	7.63	租赁和商务服务业
600114.SH	东睦股份	上证380	68.86	34.53	2.94	制造业
600115.SH	东方航空	上证180、A+H股	992.48	21.01	1.98	交通运输、仓储和邮政业
600116.SH	三峡水利	上证380	104.86	44.93	4.19	电力、热力、燃气及水生产和供应业
600118.SH	中国卫星	上证180	322.35	80.73	6.52	制造业
600119.SH	长江投资	上证380	46.60	36.00	4.80	交通运输、仓储和邮政业
600120.SH	浙江东方	上证180	129.55	17.38	2.05	批发和零售业
600122.SH	宏图高科	上证380	129.04	25.98	1.60	批发和零售业
600123.SH	兰花科创	上证380	82.71	-29.17	0.93	采矿业
600125.SH	铁龙物流	上证380	111.49	40.34	2.19	交通运输、仓储和邮政业
600135.SH	乐凯胶片	上证380	64.86	121.44	3.89	制造业
600138.SH	中青旅	上证380	146.94	29.92	2.83	租赁和商务服务业
600141.SH	兴发集团	上证380	61.52	51.91	1.25	制造业
600143.SH	金发科技	上证380	154.59	25.11	1.58	制造业
600150.SH	中国船舶	上证180	314.90	-11.27	2.12	制造业
600153.SH	建发股份	上证180	331.72	11.21	1.51	批发和零售业
600157.SH	永泰能源	上证180	438.63	60.48	1.85	采矿业
600158.SH	中体产业	上证180	131.71	220.55	8.35	房地产业
600160.SH	巨化股份	上证180	238.41	64.49	2.25	制造业
600161.SH	天坛生物	上证380	249.02	68.78	10.90	制造业
600162.SH	香江控股	上证380	120.38	17.70	1.66	房地产业
600166.SH	福田汽车	上证380	190.10	32.79	1.00	制造业
600169.SH	太原重工	上证380	95.64	-5.64	2.34	制造业
600170.SH	上海建工	上证380	325.01	13.00	1.19	建筑业
600171.SH	上海贝岭	上证380	67.99	161.40	3.65	制造业
600172.SH	黄河旋风	上证380	116.10	17.03	1.30	制造业
600173.SH	卧龙地产	上证380	52.72	56.95	3.09	房地产业
600175.SH	美都能源	上证380	148.78	53.63	1.36	综合
600176.SH	中国巨石	上证380	314.62	16.07	2.29	制造业
600177.SH	雅戈尔	上证180	363.88	10.40	1.13	房地产业
600180.SH	瑞茂通	上证380	128.58	19.58	2.63	批发和零售业
600183.SH	生益科技	上证380	167.41	18.92	3.12	制造业

代码	名称	来源	总市值（亿元）	市盈率（TTM）	市净率	证监会行业(2012)
600185. SH	格力地产	上证 380	141.52	19.99	1.93	房地产业
600188. SH	兖州煤业	上证 380、A+H 股	537.87	15.08	1.38	采矿业
600195. SH	中牧股份	上证 380	78.22	23.88	2.28	制造业
600196. SH	复星医药	上证 180、A+H 股	824.89	27.44	3.50	制造业
600197. SH	伊力特	上证 380	83.83	27.92	4.12	制造业
600200. SH	江苏吴中	上证 380	95.36	89.37	3.20	综合
600201. SH	生物股份	上证 380	209.88	29.19	5.23	制造业
600206. SH	有研新材	上证 380	73.31	134.44	2.60	制造业
600208. SH	新湖中宝	上证 180	418.79	6.86	1.42	房地产业
600210. SH	紫江企业	上证 380	86.61	13.82	2.00	制造业
600216. SH	浙江医药	上证 380	91.86	22.44	1.31	制造业
600219. SH	南山铝业	上证 180	296.96	21.48	0.93	制造业
600221. SH	海南航空	上证 180	547.88	21.64	1.06	交通运输、仓储和邮政业
600226. SH	升华拜克	上证 380	160.21	61.77	3.93	制造业
600236. SH	桂冠电力	上证 380	348.04	15.92	2.58	电力、热力、燃气及水生产和供应业
600239. SH	云南城投	上证 380	79.16	19.38	1.17	房地产业
600240. SH	华业资本	上证 180	135.02	11.69	2.33	房地产业
600251. SH	冠农股份	上证 380	55.96	64.99	2.88	制造业
600252. SH	中恒集团	上证 180	140.39	28.32	2.59	制造业
600255. SH	鑫科材料	上证 380	73.79	30.06	2.21	制造业
600256. SH	广汇能源	上证 380	216.17	103.43	1.93	采矿业
600257. SH	大湖股份	上证 380	34.70	517.75	2.69	农、林、牧、渔业
600260. SH	凯乐科技	上证 380	159.55	71.62	5.21	制造业
600261. SH	阳光照明	上证 380	93.08	19.89	2.84	制造业
600266. SH	北京城建	上证 180	229.10	16.69	1.18	房地产业
600267. SH	海正药业	上证 380	106.98	-114.21	1.58	制造业
600269. SH	赣粤高速	上证 380	119.81	9.32	0.85	交通运输、仓储和邮政业
600270. SH	外运发展	上证 380	166.07	15.97	2.15	交通运输、仓储和邮政业
600271. SH	航天信息	上证 180	353.57	22.62	3.77	制造业
600273. SH	嘉化能源	上证 380	121.35	15.35	2.88	制造业
600276. SH	恒瑞医药	上证 180	1440.59	44.19	9.09	制造业
600277. SH	亿利洁能	上证 380	214.46	69.96	1.55	制造业
600278. SH	东方创业	上证 380	67.06	43.25	1.87	批发和零售业
600280. SH	中央商场	上证 380	85.78	69.92	4.75	批发和零售业
600282. SH	南钢股份	上证 380	127.58	14.31	1.79	制造业
600284. SH	浦东建设	上证 380	74.78	20.33	1.43	建筑业
600285. SH	羚锐制药	上证 380	63.85	17.52	2.95	制造业
600289. SH	亿阳信通	上证 380	69.42	53.32	2.14	信息传输、软件和信息技术服务业
600292. SH	远达环保	上证 380	90.97	80.61	1.86	水利、环境和公共设施管理业
600295. SH	鄂尔多斯	上证 380	94.63	33.02	1.28	制造业
600297. SH	广汇汽车	上证 180	529.85	13.42	1.66	批发和零售业
600298. SH	安琪酵母	上证 380	203.71	32.05	5.86	制造业
600299. SH	安迪苏	上证 380	326.66	20.15	2.62	制造业
600300. SH	维维股份	上证 380	96.31	74.30	3.50	制造业
600305. SH	恒顺醋业	上证 380	59.25	33.17	3.67	制造业
600309. SH	万华化学	上证 380	677.49	10.40	2.90	制造业

代码	名称	来源	总市值（亿元）	市盈率（TTM）	市净率	证监会行业(2012)
600310.SH	桂东电力	上证380	57.28	50.31	2.33	电力、热力、燃气及水生产和供应业
600312.SH	平高电气	上证380	183.86	15.08	2.01	制造业
600315.SH	上海家化	上证180	192.06	97.56	3.57	制造业
600318.SH	新力金融	上证380	51.93	24.90	2.01	金融业
600323.SH	瀚蓝环境	上证380	110.73	20.73	2.23	电力、热力、燃气及水生产和供应业
600325.SH	华发股份	上证180	181.33	6.81	0.77	房地产业
600326.SH	西藏天路	上证380	70.76	24.23	2.91	建筑业
600327.SH	大东方	上证380	46.34	21.30	1.55	批发和零售业
600329.SH	中新药业	上证380	129.48	29.66	3.03	制造业
600332.SH	白云山	上证180、A+H股	469.37	29.64	2.63	制造业
600335.SH	国机汽车	上证380	118.93	20.11	1.66	批发和零售业
600337.SH	美克家居	上证380	79.21	10.27	1.06	批发和零售业
600340.SH	华夏幸福	上证180	1061.71	15.28	4.07	房地产业
600343.SH	航天动力	上证380	107.28	359.71	4.88	制造业
600348.SH	阳泉煤业	上证380	154.88	18.38	1.10	采矿业
600350.SH	山东高速	上证380	306.47	9.75	1.20	交通运输、仓储和邮政业
600351.SH	亚宝药业	上证380	58.08	-882.51	2.18	制造业
600352.SH	浙江龙盛	上证180	301.26	13.56	1.86	制造业
600362.SH	江西铜业	上证180、A+H股	539.15	47.82	1.14	制造业
600363.SH	联创光电	上证380	60.45	34.65	2.87	制造业
600366.SH	宁波韵升	上证380	94.94	38.20	2.08	制造业
600369.SH	西南证券	上证180	312.17	52.23	1.63	金融业
600372.SH	中航电子	上证180	267.74	69.70	4.46	制造业
600373.SH	中文传媒	上证380	288.95	20.83	2.53	文化、体育和娱乐业
600376.SH	首开股份	上证180	295.36	19.71	1.42	房地产业
600377.SH	宁沪高速	上证380、A+H股	482.11	13.97	2.09	交通运输、仓储和邮政业
600380.SH	健康元	上证380	140.67	29.07	2.44	制造业
600383.SH	金地集团	上证180	500.56	7.32	1.31	房地产业
600386.SH	北巴传媒	上证380	53.67	48.15	3.02	批发和零售业
600387.SH	海越股份	上证380	69.27	62.03	5.69	批发和零售业
600388.SH	龙净环保	上证380	158.54	23.61	3.88	制造业
600391.SH	航发科技	上证380	87.75	220.57	5.05	制造业
600395.SH	盘江股份	上证380	113.54	20.05	1.75	采矿业
600396.SH	金山股份	上证380	56.99	-33.68	1.60	电力、热力、燃气及水生产和供应业
600397.SH	安源煤业	上证380	39.50	-2.00	2.77	采矿业
600398.SH	海澜之家	上证380	421.42	13.27	3.81	制造业
600399.SH	抚顺特钢	上证380	77.74	82.97	3.86	制造业
600400.SH	红豆股份	上证380	126.30	70.64	2.78	制造业
600405.SH	动力源	上证380	43.66	126.20	4.08	制造业
600406.SH	国电南瑞	上证180	433.33	29.85	4.89	信息传输、软件和信息技术服务业
600409.SH	三友化工	上证380	160.24	13.99	2.14	制造业
600410.SH	华胜天成	上证380	97.31	453.00	2.03	信息传输、软件和信息技术服务业
600415.SH	小商品城	上证180	403.34	26.37	3.73	租赁和商务服务业
600416.SH	湘电股份	上证380	120.88	125.18	1.89	制造业
600418.SH	江淮汽车	上证380	191.04	16.53	1.36	制造业
600420.SH	现代制药	上证380	177.90	16.67	1.52	制造业

代码	名称	来源	总市值（亿元）	市盈率（TTM）	市净率	证监会行业(2012)
600422.SH	昆药集团	上证 380	88.89	21.35	2.43	制造业
600426.SH	华鲁恒升	上证 380	184.73	14.68	1.68	制造业
600428.SH	中远海特	上证 380	129.66	214.67	1.38	交通运输、仓储和邮政业
600433.SH	冠豪高新	上证 380	69.92	61.48	2.75	制造业
600435.SH	北方导航	上证 180	211.78	510.91	10.18	制造业
600436.SH	片仔癀	上证 380	341.30	55.42	9.17	制造业
600438.SH	通威股份	上证 380	212.75	18.47	1.78	制造业
600439.SH	瑞贝卡	上证 380	67.58	31.68	2.37	制造业
600446.SH	金证股份	上证 180	144.29	79.99	10.08	信息传输、软件和信息技术服务业
600458.SH	时代新材	上证 380	88.47	45.47	1.82	制造业
600459.SH	贵研铂业	上证 380	51.91	54.47	2.76	制造业
600460.SH	士兰微	上证 380	75.70	59.78	3.01	制造业
600466.SH	蓝光发展	上证 180	181.28	16.33	1.93	房地产业
600468.SH	百利电气	上证 380	52.88	88.91	2.99	制造业
600477.SH	杭萧钢构	上证 380	141.66	26.59	6.15	建筑业
600481.SH	双良节能	上证 380	88.80	79.03	4.22	制造业
600482.SH	中国动力	上证 180	462.45	42.59	1.80	制造业
600483.SH	福能股份	上证 380	168.06	15.75	1.65	电力、热力、燃气及水生产和供应业
600485.SH	信威集团	上证 180	426.87	54.36	3.70	制造业
600486.SH	扬农化工	上证 380	116.99	24.68	3.27	制造业
600487.SH	亨通光电	上证 380	311.81	21.08	5.05	制造业
600489.SH	中金黄金	上证 180	346.15	88.73	2.59	采矿业
600490.SH	鹏欣资源	上证 380	148.82	140.08	2.67	制造业
600491.SH	龙元建设	上证 380	124.44	31.19	2.31	建筑业
600495.SH	晋西车轴	上证 380	80.71	665.52	2.61	制造业
600496.SH	精工钢构	上证 380	75.67	77.52	2.00	建筑业
600497.SH	驰宏锌锗	上证 180	251.70	-19.26	2.76	采矿业
600498.SH	烽火通信	上证 380	245.14	31.43	3.31	制造业
600499.SH	科达洁能	上证 380	107.98	31.38	2.56	制造业
600500.SH	中化国际	上证 380	201.84	87.27	1.75	制造业
600501.SH	航天晨光	上证 380	55.36	173.55	2.51	制造业
600502.SH	安徽水利	上证 380	65.20	21.72	2.25	建筑业
600503.SH	华丽家族	上证 180	96.78	47.13	2.73	房地产业
600507.SH	方大特钢	上证 380	96.80	10.89	3.30	制造业
600511.SH	国药股份	上证 380	269.73	29.74	4.60	批发和零售业
600516.SH	方大炭素	上证 180	185.50	142.76	3.14	制造业
600517.SH	置信电气	上证 380	108.63	24.82	3.06	制造业
600518.SH	康美药业	上证 180	1074.93	31.44	3.96	制造业
600519.SH	贵州茅台	上证 180	5850.62	32.59	7.40	制造业
600521.SH	华海药业	上证 380	209.35	40.33	4.62	制造业
600522.SH	中天科技	上证 180	355.05	20.67	2.14	制造业
600525.SH	长园集团	上证 380	180.08	30.97	2.47	制造业
600526.SH	菲达环保	上证 380	56.98	139.41	2.23	制造业
600527.SH	江南高纤	上证 380	39.62	98.43	2.42	制造业
600528.SH	中铁工业	上证 180	322.13	205.41	2.35	制造业
600531.SH	豫光金铅	上证 380	78.28	40.22	2.54	制造业

代码	名称	来源	总市值（亿元）	市盈率（TTM）	市净率	证监会行业(2012)
600535. SH	天士力	上证 180	434.46	35.68	5.25	制造业
600536. SH	中国软件	上证 380	94.26	163.94	4.77	信息传输、软件和信息技术服务业
600537. SH	亿晶光电	上证 380	62.70	22.79	2.06	制造业
600547. SH	山东黄金	上证 180	538.01	38.00	3.39	采矿业
600548. SH	深高速	上证 380、A + H 股	188.85	14.91	1.45	交通运输、仓储和邮政业
600549. SH	厦门钨业	上证 180	211.02	81.94	3.19	制造业
600551. SH	时代出版	上证 380	79.82	19.68	1.55	文化、体育和娱乐业
600552. SH	凯盛科技	上证 380	60.71	78.65	2.59	制造业
600557. SH	康缘药业	上证 380	95.18	25.17	2.95	制造业
600559. SH	老白干酒	上证 380	99.40	81.73	6.02	制造业
600562. SH	国睿科技	上证 380	126.15	55.23	7.37	制造业
600563. SH	法拉电子	上证 380	102.29	26.42	4.69	制造业
600565. SH	迪马股份	上证 180	133.77	16.97	1.94	房地产业
600566. SH	济川药业	上证 380	305.80	30.10	7.84	制造业
600567. SH	山鹰纸业	上证 380	154.74	21.34	1.76	制造业
600568. SH	中珠医疗	上证 380	136.37	41.75	2.30	制造业
600570. SH	恒生电子	上证 180	260.71	-2336.21	10.53	信息传输、软件和信息技术服务业
600571. SH	信雅达	上证 380	65.34	53.06	5.58	信息传输、软件和信息技术服务业
600572. SH	康恩贝	上证 380	171.48	35.96	3.82	制造业
600577. SH	精达股份	上证 380	92.29	37.85	3.09	制造业
600578. SH	京能电力	上证 380	292.13	21.08	1.25	电力、热力、燃气及水生产和供应业
600580. SH	卧龙电气	上证 380	88.16	40.74	1.71	制造业
600582. SH	天地科技	上证 380	176.72	19.17	1.26	制造业
600583. SH	海油工程	上证 380	287.83	44.48	1.25	采矿业
600584. SH	长电科技	上证 380	163.16	140.08	3.53	制造业
600585. SH	海螺水泥	上证 180、A + H 股	1166.38	12.24	1.48	制造业
600586. SH	金晶科技	上证 380	66.09	85.20	1.63	制造业
600587. SH	新华医疗	上证 380	70.07	195.52	2.13	制造业
600588. SH	用友网络	上证 180	225.34	91.21	4.07	信息传输、软件和信息技术服务业
600594. SH	益佰制药	上证 380	122.27	30.32	3.03	制造业
600596. SH	新安股份	上证 380	51.55	27.53	1.26	制造业
600597. SH	光明乳业	上证 380	151.74	24.00	2.93	制造业
600600. SH	青岛啤酒	上证 380、A + H 股	475.14	43.63	2.81	制造业
600604. SH	市北高新	上证 180	142.93	61.98	1.26	房地产业
600606. SH	绿地控股	上证 180	999.01	13.09	1.75	房地产业
600611. SH	大众交通	上证 380	131.21	20.14	1.41	交通运输、仓储和邮政业
600612. SH	老凤祥	上证 380	236.97	21.03	4.42	制造业
600613. SH	神奇制药	上证 380	57.25	34.55	2.42	制造业
600614. SH	鹏起科技	上证 380	197.19	160.57	4.20	制造业
600617. SH	国新能源	上证 380	112.91	40.24	2.97	电力、热力、燃气及水生产和供应业
600623. SH	华谊集团	上证 380	224.87	43.22	1.36	制造业
600624. SH	复旦复华	上证 380	46.83	116.20	4.26	综合
600626. SH	申达股份	上证 380	67.97	38.44	2.71	批发和零售业
600633. SH	浙数文化	上证 380	235.91	13.87	3.06	文化、体育和娱乐业
600634. SH	富控互动	上证 380	103.80	51.85	3.56	信息传输、软件和信息技术服务业
600635. SH	大众公用	上证 380、A + H 股	168.29	31.63	2.24	电力、热力、燃气及水生产和供应业

代码	名称	来源	总市值（亿元）	市盈率（TTM）	市净率	证监会行业(2012)
600637.SH	东方明珠	上证180	549.48	18.20	2.04	信息传输、软件和信息技术服务业
600639.SH	浦东金桥	上证180	201.59	28.05	2.31	房地产业
600640.SH	号百控股	上证380	125.16	313.56	2.95	租赁和商务服务业
600641.SH	万业企业	上证380	90.77	11.83	2.02	房地产业
600642.SH	申能股份	上证380	282.23	11.84	1.10	电力、热力、燃气及水生产和供应业
600643.SH	爱建集团	上证180	215.28	33.97	3.30	金融业
600645.SH	中源协和	上证180	82.55	115.09	5.40	科学研究和技术服务业
600648.SH	外高桥	上证380	197.44	25.04	2.08	批发和零售业
600649.SH	城投控股	上证180	277.49	14.01	1.53	房地产业
600650.SH	锦江投资	上证380	96.70	36.97	2.92	交通运输、仓储和邮政业
600651.SH	飞乐音响	上证380	82.72	30.37	2.34	制造业
600655.SH	豫园商城	上证380	162.70	25.38	1.50	批发和零售业
600657.SH	信达地产	上证380	89.63	10.00	1.01	房地产业
600660.SH	福耀玻璃	上证380、A+H股	654.75	20.12	3.49	制造业
600661.SH	新南洋	上证380	55.42	29.94	5.84	教育
600662.SH	强生控股	上证380	86.48	51.70	2.64	交通运输、仓储和邮政业
600663.SH	陆家嘴	上证180	781.96	28.48	5.56	房地产业
600664.SH	哈药股份	上证380	148.41	20.13	2.24	制造业
600666.SH	奥瑞德	上证380	213.55	27.69	5.08	制造业
600667.SH	太极实业	上证380	154.17	68.17	2.60	制造业
600668.SH	尖峰集团	上证380	57.60	15.49	2.35	制造业
600673.SH	东阳光科	上证380	179.98	131.00	4.87	制造业
600674.SH	川投能源	上证180	424.81	12.48	1.99	电力、热力、燃气及水生产和供应业
600676.SH	交运股份	上证380	75.49	23.99	1.40	交通运输、仓储和邮政业
600682.SH	南京新百	上证380	406.71	80.50	6.11	批发和零售业
600684.SH	珠江实业	上证380	62.80	15.26	2.33	房地产业
600685.SH	中船防务	上证380、A+H股	369.91	417.52	3.57	制造业
600686.SH	金龙汽车	上证380	72.93	-8.81	2.42	制造业
600687.SH	刚泰控股	上证380	186.24	46.86	3.26	制造业
600688.SH	上海石化	上证180、A+H股	707.40	10.50	2.65	制造业
600690.SH	青岛海尔	上证180	915.25	17.67	3.23	制造业
600694.SH	大商股份	上证380	115.05	15.59	1.60	批发和零售业
600697.SH	欧亚集团	上证380	44.67	13.64	2.06	批发和零售业
600699.SH	均胜电子	上证180	286.50	52.97	2.22	制造业
600703.SH	三安光电	上证180	827.10	34.46	4.55	制造业
600704.SH	物产中大	上证180	303.19	8.92	1.22	批发和零售业
600705.SH	中航资本	上证180	506.26	21.95	2.23	金融业
600708.SH	光明地产	上证380	111.83	11.02	1.26	房地产业
600711.SH	盛屯矿业	上证380	93.87	33.90	2.29	采矿业
600717.SH	天津港	上证380	222.58	17.71	1.42	交通运输、仓储和邮政业
600718.SH	东软集团	上证380	184.86	9.98	2.35	信息传输、软件和信息技术服务业
600720.SH	祁连山	上证380	60.16	25.23	1.26	制造业
600729.SH	重庆百货	上证380	105.29	22.71	2.10	批发和零售业
600730.SH	中国高科	上证380	46.23	8.09	2.38	房地产业
600736.SH	苏州高新	上证380	83.12	25.09	1.49	房地产业
600737.SH	中粮糖业	上证180	183.64	25.40	2.68	制造业

代码	名称	来源	总市值（亿元）	市盈率（TTM）	市净率	证监会行业(2012)
600739.SH	辽宁成大	上证 180	270.45	20.02	1.39	批发和零售业
600741.SH	华域汽车	上证 180	723.23	11.71	1.83	制造业
600742.SH	一汽富维	上证 380	78.90	15.69	1.78	制造业
600743.SH	华远地产	上证 380	100.41	12.80	1.48	房地产业
600748.SH	上实发展	上证 380	132.07	21.66	1.43	房地产业
600750.SH	江中药业	上证 380	104.73	27.46	3.84	制造业
600754.SH	锦江股份	上证 180	258.93	35.52	2.00	住宿和餐饮业
600755.SH	厦门国贸	上证 380	143.98	13.17	1.59	批发和零售业
600756.SH	浪潮软件	上证 380	68.94	57.04	3.33	信息传输、软件和信息技术服务业
600757.SH	长江传媒	上证 380	88.60	14.94	1.56	文化、体育和娱乐业
600761.SH	安徽合力	上证 380	77.53	19.08	1.76	制造业
600763.SH	通策医疗	上证 380	75.45	52.72	8.77	卫生和社会工作
600765.SH	中航重机	上证 380	106.90	43.62	3.00	制造业
600770.SH	综艺股份	上证 180	97.50	224.22	2.88	综合
600773.SH	西藏城投	上证 180	77.52	102.15	3.01	房地产业
600775.SH	南京熊猫	上证 380、A+H 股	92.30	100.25	2.77	制造业
600776.SH	东方通信	上证 380	85.91	91.87	2.87	制造业
600783.SH	鲁信创投	上证 180	125.13	35.91	3.35	综合
600787.SH	中储股份	上证 380	170.48	30.02	1.82	交通运输、仓储和邮政业
600795.SH	国电电力	上证 180	707.41	18.18	1.40	电力、热力、燃气及水生产和供应业
600803.SH	新奥股份	上证 380	142.94	21.79	3.04	制造业
600804.SH	鹏博士	上证 180	240.39	31.92	3.68	信息传输、软件和信息技术服务业
600807.SH	天业股份	上证 180	81.30	54.84	4.08	房地产业
600808.SH	马钢股份	A+H 股	253.35	10.22	1.23	制造业
600809.SH	山西汾酒	上证 380	296.90	38.16	5.68	制造业
600811.SH	东方集团	上证 380	184.87	29.96	0.95	批发和零售业
600814.SH	杭州解百	上证 380	67.28	37.67	2.96	批发和零售业
600816.SH	安信信托	上证 180	500.88	14.54	3.71	金融业
600818.SH	中路股份	上证 380	69.11	62.36	10.98	制造业
600820.SH	隧道股份	上证 180	312.21	18.51	1.72	建筑业
600823.SH	世茂股份	上证 380	183.81	6.19	0.65	房地产业
600824.SH	益民集团	上证 380	61.24	39.66	2.92	批发和零售业
600825.SH	新华传媒	上证 380	74.19	158.55	2.86	文化、体育和娱乐业
600826.SH	兰生股份	上证 380	80.22	40.74	2.15	批发和零售业
600827.SH	百联股份	上证 180	271.91	31.81	1.62	批发和零售业
600828.SH	茂业商业	上证 380	124.36	21.05	3.02	批发和零售业
600829.SH	人民同泰	上证 380	72.31	31.89	5.08	批发和零售业
600830.SH	香溢融通	上证 380	40.57	37.71	2.00	租赁和商务服务业
600831.SH	广电网络	上证 380	58.56	48.91	2.06	信息传输、软件和信息技术服务业
600835.SH	上海机电	上证 380	206.90	14.09	2.19	制造业
600837.SH	海通证券	上证 180、A+H 股	1720.65	20.17	1.53	金融业
600839.SH	四川长虹	上证 180	160.18	43.12	1.26	制造业
600845.SH	宝信软件	上证 380	123.60	36.13	2.99	信息传输、软件和信息技术服务业
600846.SH	同济科技	上证 380	50.61	27.21	2.61	建筑业
600850.SH	华东电脑	上证 380	91.10	31.57	4.67	信息传输、软件和信息技术服务业
600856.SH	中天能源	上证 380	121.83	23.20	4.98	电力、热力、燃气及水生产和供应业

代码	名称	来源	总市值（亿元）	市盈率（TTM）	市净率	证监会行业(2012)
600859.SH	王府井	上证 380	120.86	20.92	1.13	批发和零售业
600862.SH	中航高科	上证 380	137.91	91.91	3.97	制造业
600863.SH	内蒙华电	上证 380	174.81	107.16	1.73	电力、热力、燃气及水生产和供应业
600864.SH	哈投股份	上证 380	174.16	46.66	1.27	电力、热力、燃气及水生产和供应业
600867.SH	通化东宝	上证 380	287.86	34.78	5.79	制造业
600869.SH	智慧能源	上证 380	155.35	73.31	2.76	制造业
600871.SH	石化油服	A+H 股	509.14	-3.23	7.10	采矿业
600872.SH	中炬高新	上证 380	140.69	34.19	4.83	制造业
600873.SH	梅花生物	上证 180	171.88	14.80	1.83	制造业
600874.SH	创业环保	上证 380、A+H 股	259.18	55.56	5.48	电力、热力、燃气及水生产和供应业
600875.SH	东方电气	A+H 股	222.01	-13.57	1.04	制造业
600876.SH	洛阳玻璃	A+H 股	98.51	804.96	18.78	制造业
600879.SH	航天电子	上证 380	212.10	42.20	1.94	制造业
600881.SH	亚泰集团	上证 380	140.14	122.74	1.25	制造业
600884.SH	杉杉股份	上证 380	159.32	43.08	1.89	制造业
600885.SH	宏发股份	上证 380	198.85	32.42	5.58	制造业
600886.SH	国投电力	上证 180	543.56	15.08	1.84	电力、热力、燃气及水生产和供应业
600887.SH	伊利股份	上证 180	1241.94	21.26	5.01	制造业
600888.SH	新疆众和	上证 380	59.76	94.08	1.81	制造业
600891.SH	秋林集团	上证 380	48.05	29.52	1.62	制造业
600893.SH	航发动力	上证 180	522.84	57.96	3.27	制造业
600894.SH	广日股份	上证 380	103.19	9.79	1.49	制造业
600895.SH	张江高科	上证 180	257.08	34.81	3.04	综合
600897.SH	厦门空港	上证 380	74.78	18.77	2.20	交通运输、仓储和邮政业
600900.SH	长江电力	上证 180	3273.60	15.37	2.50	电力、热力、燃气及水生产和供应业
600917.SH	重庆燃气	上证 380	148.29	39.93	3.97	电力、热力、燃气及水生产和供应业
600958.SH	东方证券	上证 180、A+H 股	862.08	31.52	2.10	金融业
600959.SH	江苏有线	上证 180	417.59	48.78	3.17	信息传输、软件和信息技术服务业
600965.SH	福成股份	上证 380	89.48	53.03	5.03	农、林、牧、渔业
600967.SH	内蒙一机	上证 380	214.08	42.37	2.92	制造业
600970.SH	中材国际	上证 380	164.55	30.93	2.35	制造业
600973.SH	宝胜股份	上证 380	67.09	19.31	1.37	制造业
600975.SH	新五丰	上证 380	39.75	22.57	3.16	农、林、牧、渔业
600978.SH	宜华生活	上证 180	149.77	20.31	1.98	制造业
600981.SH	汇鸿集团	上证 380	163.92	22.27	2.08	批发和零售业
600986.SH	科达股份	上证 380	134.79	24.27	2.82	信息传输、软件和信息技术服务业
600987.SH	航民股份	上证 380	79.86	14.66	2.47	制造业
600988.SH	赤峰黄金	上证 380	85.87	27.43	3.46	采矿业
600990.SH	四创电子	上证 380	98.69	65.50	7.43	制造业
600993.SH	马应龙	上证 380	88.41	34.44	4.36	批发和零售业
600999.SH	招商证券	上证 180、A+H 股	1132.20	19.63	1.85	金融业
601000.SH	唐山港	上证 380	253.90	18.36	1.83	交通运输、仓储和邮政业
601001.SH	大同煤业	上证 380	85.53	-36.45	1.69	采矿业
601002.SH	晋亿实业	上证 380	67.38	70.76	2.88	制造业
601006.SH	大秦铁路	上证 180	1244.35	15.04	1.34	交通运输、仓储和邮政业
601009.SH	南京银行	上证 180	667.07	7.76	1.24	金融业

代码	名称	来源	总市值（亿元）	市盈率（TTM）	市净率	证监会行业(2012)
601010.SH	文峰股份	上证 380	77.43	26.71	1.83	批发和零售业
601012.SH	隆基股份	上证 380	312.36	18.16	2.96	制造业
601015.SH	陕西黑猫	上证 380	61.10	25.99	2.21	制造业
601016.SH	节能风电	上证 380	161.65	37.24	1.27	电力、热力、燃气及水生产和供应业
601018.SH	宁波港	上证 180	746.90	32.20	2.12	交通运输、仓储和邮政业
601020.SH	华钰矿业	上证 380	113.81	53.18	7.31	采矿业
601021.SH	春秋航空	上证 380	261.07	29.43	3.42	交通运输、仓储和邮政业
601038.SH	一拖股份	上证 380、A + H 股	88.34	45.32	1.81	制造业
601058.SH	赛轮金宇	上证 380	75.93	35.09	1.69	制造业
601069.SH	西部黄金	上证 380	167.01	116.37	9.50	采矿业
601088.SH	中国神华	上证 180、A + H 股	4433.40	14.61	1.36	采矿业
601098.SH	中南传媒	上证 380	321.66	17.60	2.46	文化、体育和娱乐业
601099.SH	太平洋	上证 180	274.70	48.56	2.34	金融业
601107.SH	四川成渝	上证 380、A + H 股	143.12	14.53	1.05	交通运输、仓储和邮政业
601111.SH	中国国航	上证 180、A + H 股	1496.06	25.59	1.84	交通运输、仓储和邮政业
601118.SH	海南橡胶	上证 180	216.61	133.46	2.69	农、林、牧、渔业
601126.SH	四方股份	上证 380	79.69	29.87	2.08	制造业
601127.SH	小康股份	上证 180	158.95	26.62	3.92	制造业
601139.SH	深圳燃气	上证 380	190.87	24.34	2.40	电力、热力、燃气及水生产和供应业
601155.SH	新城控股	上证 180	419.17	12.88	2.81	房地产业
601158.SH	重庆水务	上证 380	348.00	26.31	2.48	电力、热力、燃气及水生产和供应业
601166.SH	兴业银行	上证 180	3452.67	5.76	0.94	金融业
601168.SH	西部矿业	上证 380	165.86	69.62	1.44	采矿业
601169.SH	北京银行	上证 180	1357.96	7.56	1.05	金融业
601186.SH	中国铁建	上证 180、A + H 股	1664.85	11.64	1.33	建筑业
601198.SH	东兴证券	上证 180	469.40	34.10	2.51	金融业
601199.SH	江南水务	上证 380	64.72	19.78	2.49	电力、热力、燃气及水生产和供应业
601208.SH	东材科技	上证 380	43.05	58.06	1.85	制造业
601211.SH	国泰君安	上证 180、A + H 股	1677.43	14.63	1.64	金融业
601216.SH	君正集团	上证 180	412.62	22.54	2.90	制造业
601218.SH	吉鑫科技	上证 380	43.84	41.42	1.71	制造业
601222.SH	林洋能源	上证 380	130.72	25.95	1.57	制造业
601231.SH	环旭电子	上证 380	315.73	31.33	4.00	制造业
601233.SH	桐昆股份	上证 380	147.71	11.39	1.31	制造业
601238.SH	广汽集团	上证 380、A + H 股	1767.94	21.48	3.70	制造业
601288.SH	农业银行	上证 180、A + H 股	11367.79	6.15	0.89	金融业
601311.SH	骆驼股份	上证 380	117.93	22.95	2.30	制造业
601313.SH	江南嘉捷	上证 380	34.91	25.25	2.07	制造业
601318.SH	中国平安	上证 180、A + H 股	8800.11	13.59	2.14	金融业
601328.SH	交通银行	上证 180、A + H 股	4544.88	6.74	0.77	金融业
601333.SH	广深铁路	A + H 股	313.09	28.10	1.10	交通运输、仓储和邮政业
601336.SH	新华保险	上证 180、A + H 股	1645.56	34.39	2.67	金融业
601368.SH	绿城水务	上证 380	72.62	25.12	2.54	电力、热力、燃气及水生产和供应业
601375.SH	中原证券	A + H 股	397.47	57.45	3.73	金融业
601377.SH	兴业证券	上证 180	490.87	22.07	1.51	金融业
601390.SH	中国中铁	上证 180、A + H 股	2062.84	16.04	1.56	建筑业

代码	名称	来源	总市值（亿元）	市盈率（TTM）	市净率	证监会行业(2012)
601398.SH	工商银行	上证180、A+H股	18390.56	6.59	0.95	金融业
601515.SH	东风股份	上证380	120.87	21.31	3.28	制造业
601555.SH	东吴证券	上证180	327.60	22.34	1.60	金融业
601567.SH	三星医疗	上证380	149.12	18.10	2.14	制造业
601588.SH	北辰实业	A+H股	214.82	30.05	1.80	房地产业
601600.SH	中国铝业	上证180、A+H股	636.39	82.09	1.75	制造业
601601.SH	中国太保	上证180、A+H股	2908.00	24.52	2.19	金融业
601607.SH	上海医药	上证180、A+H股	717.13	21.69	2.19	批发和零售业
601608.SH	中信重工	上证180	240.40	-15.11	3.38	制造业
601611.SH	中国核建	上证180	310.80	37.99	4.22	建筑业
601618.SH	中国中冶	上证180、A+H股	1040.33	19.08	1.67	建筑业
601628.SH	中国人寿	上证180、A+H股	8044.14	40.17	2.67	金融业
601633.SH	长城汽车	上证180、A+H股	1163.73	11.51	2.36	制造业
601636.SH	旗滨集团	上证380	115.16	10.68	1.77	制造业
601666.SH	平煤股份	上证380	117.11	10.98	1.03	采矿业
601668.SH	中国建筑	上证180	2958.00	9.68	1.64	建筑业
601669.SH	中国电建	上证180	1240.75	16.26	1.94	建筑业
601678.SH	滨化股份	上证380	78.41	16.26	1.55	制造业
601688.SH	华泰证券	上证180、A+H股	1247.04	19.63	1.44	金融业
601689.SH	拓普集团	上证380	227.66	30.65	5.73	制造业
601699.SH	潞安环能	上证180	214.18	15.92	1.12	采矿业
601700.SH	风范股份	上证380	69.47	31.68	2.21	制造业
601717.SH	郑煤机	A+H股	134.96	115.68	1.28	制造业
601718.SH	际华集团	上证180	373.29	25.21	2.30	制造业
601727.SH	上海电气	上证180、A+H股	914.66	44.82	2.00	制造业
601766.SH	中国中车	上证180、A+H股	2895.72	27.68	2.45	制造业
601777.SH	力帆股份	上证380	101.01	364.91	1.49	制造业
601788.SH	光大证券	上证180、A+H股	698.07	23.24	1.46	金融业
601789.SH	宁波建工	上证380	47.93	24.42	1.92	建筑业
601799.SH	星宇股份	上证380	120.93	32.34	3.14	制造业
601800.SH	中国交建	上证180、A+H股	2618.69	14.90	1.81	建筑业
601801.SH	皖新传媒	上证380	259.39	18.03	2.83	文化、体育和娱乐业
601808.SH	中海油服	上证380、A+H股	545.39	-4.92	1.57	采矿业
601811.SH	新华文轩	A+H股	201.61	30.50	2.39	文化、体育和娱乐业
601818.SH	光大银行	上证180、A+H股	1862.50	6.11	0.80	金融业
601857.SH	中国石油	上证180、A+H股	14147.52	51.66	1.18	采矿业
601866.SH	中远海发	A+H股	414.75	26.32	3.04	交通运输、仓储和邮政业
601872.SH	招商轮船	上证180	273.45	16.96	1.69	交通运输、仓储和邮政业
601877.SH	正泰电器	上证380	409.82	18.46	2.26	制造业
601880.SH	大连港	上证380、A+H股	381.68	67.67	2.13	交通运输、仓储和邮政业
601881.SH	中国银河	A+H股	1211.40	23.03	1.92	金融业
601886.SH	江河集团	上证380	134.10	37.72	2.00	建筑业
601888.SH	中国国旅	上证380	579.69	31.68	4.36	租赁和商务服务业
601890.SH	亚星锚链	上证380	82.03	188.25	2.78	制造业
601898.SH	中煤能源	A+H股	731.88	21.40	0.84	采矿业
601899.SH	紫金矿业	上证180、A+H股	760.03	25.55	2.44	采矿业

代码	名称	来源	总市值（亿元）	市盈率（TTM）	市净率	证监会行业(2012)
601901.SH	方正证券	上证180	738.42	34.73	2.06	金融业
601908.SH	京运通	上证380	95.25	59.92	1.52	制造业
601919.SH	中远海控	上证180、A+H股	546.57	-10.56	2.91	交通运输、仓储和邮政业
601928.SH	凤凰传媒	上证180	246.35	20.32	2.07	文化、体育和娱乐业
601933.SH	永辉超市	上证180	668.02	44.13	3.35	批发和零售业
601939.SH	建设银行	上证180、A+H股	15525.68	6.65	0.95	金融业
601958.SH	金钼股份	上证380	221.67	158.70	1.74	采矿业
601968.SH	宝钢包装	上证380	61.25	861.92	3.08	制造业
601985.SH	中国核电	上证180	1231.23	26.23	2.94	电力、热力、燃气及水生产和供应业
601988.SH	中国银行	上证180、A+H股	10774.59	6.55	0.80	金融业
601989.SH	中国重工	上证180	1184.86	149.29	2.01	制造业
601991.SH	大唐发电	A+H股	632.23	-23.63	1.57	电力、热力、燃气及水生产和供应业
601992.SH	金隅股份	上证380、A+H股	733.56	24.64	1.85	制造业
601998.SH	中信银行	上证180、A+H股	3019.28	7.22	0.86	金融业
603000.SH	人民网	上证380	146.73	665.26	5.43	信息传输、软件和信息技术服务业
603008.SH	喜临门	上证380	65.29	29.88	2.55	制造业
603019.SH	中科曙光	上证380	185.32	87.04	6.34	制造业
603025.SH	大豪科技	上证380	114.66	46.74	8.33	制造业
603077.SH	和邦生物	上证380	199.51	45.74	1.88	制造业
603108.SH	润达医疗	上证380	88.44	36.71	2.28	批发和零售业
603111.SH	康尼机电	上证380	85.36	36.72	6.25	制造业
603116.SH	红蜻蜓	上证380	74.89	25.67	2.28	制造业
603118.SH	共进股份	上证380	108.20	13.92	1.12	制造业
603126.SH	中材节能	上证380	106.17	83.90	7.02	科学研究和技术服务业
603128.SH	华贸物流	上证380	85.43	33.18	2.38	交通运输、仓储和邮政业
603168.SH	莎普爱思	上证380	60.32	15.75	2.62	制造业
603169.SH	兰石重装	上证380	141.92	-492.90	4.84	制造业
603188.SH	亚邦股份	上证380	97.80	14.33	2.69	制造业
603198.SH	迎驾贡酒	上证380	150.16	20.97	3.56	制造业
603288.SH	海天味业	上证380	1135.81	37.73	10.33	制造业
603306.SH	华懋科技	上证380	64.32	24.17	4.68	制造业
603308.SH	应流股份	上证380	60.90	94.95	2.18	制造业
603328.SH	依顿电子	上证380	151.84	25.79	3.12	制造业
603338.SH	浙江鼎力	上证380	99.84	46.85	8.66	制造业
603339.SH	四方冷链	上证380	54.64	39.36	3.98	制造业
603355.SH	莱克电气	上证380	232.26	43.21	7.44	制造业
603368.SH	柳州医药	上证380	103.81	23.43	2.44	批发和零售业
603369.SH	今世缘	上证380	157.44	18.90	3.15	制造业
603508.SH	思维列控	上证380	86.56	47.72	3.48	制造业
603528.SH	多伦科技	上证380	100.57	14.12	2.42	制造业
603567.SH	珍宝岛	上证380	140.54	25.10	3.18	制造业
603568.SH	伟明环保	上证380	143.83	38.89	6.78	水利、环境和公共设施管理业
603588.SH	高能环境	上证380	102.33	29.75	2.58	水利、环境和公共设施管理业
603589.SH	口子窖	上证180	219.72	26.16	4.81	制造业

代码	名称	来源	总市值（亿元）	市盈率（TTM）	市净率	证监会行业(2012)
603599. SH	广信股份	上证 380	56.13	28.36	2.26	制造业
603600. SH	永艺股份	上证 380	37.70	12.95	2.33	制造业
603609. SH	禾丰牧业	上证 380	78.55	18.31	2.55	制造业
603618. SH	杭电股份	上证 380	61.27	45.49	2.71	制造业
603669. SH	灵康药业	上证 380	58.58	37.59	4.89	制造业
603686. SH	龙马环卫	上证 380	91.10	40.28	7.21	制造业
603698. SH	航天工程	上证 380	99.36	51.81	4.18	科学研究和技术服务业
603699. SH	纽威股份	上证 380	116.33	56.85	4.61	制造业
603737. SH	三棵树	上证 380	64.66	48.04	6.71	制造业
603766. SH	隆鑫通用	上证 380	150.86	6.71	0.96	制造业
603798. SH	康普顿	上证 380	59.75	45.97	7.27	制造业
603806. SH	福斯特	上证 380	130.13	16.51	2.63	制造业
603818. SH	曲美家居	上证 380	77.60	39.96	5.52	制造业
603861. SH	白云电器	上证 380	78.38	48.76	4.07	制造业
603866. SH	桃李面包	上证 180	162.36	38.28	7.63	制造业
603868. SH	飞科电器	上证 380	261.14	39.05	11.81	制造业
603883. SH	老百姓	上证 380	122.02	36.85	6.21	批发和零售业
603885. SH	吉祥航空	上证 380	290.35	23.89	3.61	交通运输、仓储和邮政业
603898. SH	好莱客	上证 380	102.72	38.89	8.64	制造业
603899. SH	晨光文具	上证 380	154.56	30.12	5.95	制造业
603939. SH	益丰药房	上证 380	111.86	46.42	3.69	批发和零售业
603979. SH	金诚信	上证 380	78.08	43.44	2.09	采矿业
603989. SH	艾华集团	上证 380	112.86	39.46	6.07	制造业
603993. SH	洛阳钼业	上证 180、A + H 股	709.26	48.77	3.67	采矿业
603997. SH	继峰股份	上证 380	95.51	24.14	3.97	制造业

交易日期:2017 - 6 - 9。
数据来源:东方财富 Choice 数据。

沪深股通业务资格券商

公司名称	英文名称	电话	网址	办公地址
Optiver Trading Hong Kong Limited	—	852 - 36078700	www. optiver. com. au	香港湾仔港湾道 18 号中环广场 52 楼 5202A 室
Susquehanna Hong Kong Limited	—	852 - 35755200	www. sig. com	香港中环花园道 3 号万国宝通中心 2506 - 9 室
Citadel Securities (Hong Kong) Limited	—	00852 - 36675500	www. citadelsecurities. com	香港干诺道中 8 号遮打大厦 1801 及 1806 - 1810 室
农银国际证券有限公司	ABCI Securities Company Limited	00852 - 28682183	www. cafsec-abchina. com. hk www. sec. abci. com. hk	香港中环红棉路 8 号东昌大厦 13 楼 1302B 室
阿仕特朗资本管理有限公司	Astrum Capital Management Limited	00852 - 36658111	www. astrum-capital. com	Room 2103 Harcourt House 39 Gloucester Road Wanchai Hong Kong
法国巴黎证券(亚洲)有限公司	BNP Paribas Securities (Asia) Limited	00852 - 29098888	—	香港中环金融街 8 号国际金融中心 2 期 59 至 63 楼

公司名称	英文名称	电话	网址	办公地址
中银国际证券有限公司	BOC International (China) Limited	021 - 20328000, 20328807, 400 - 6208 - 888	www.bocichina.com	上海市浦东新区银城中路200号中银大厦39、40、41层
交银国际证券有限公司	BOCOM International Securities Limited	00852 - 37989382	www.bocomgroup.com	香港中环德辅道中68号万宜大厦15楼
百达利证券有限公司	Bali Securities Co. Limited	00852 - 36185900	www.bali-securities.com	香港数码港数码港道100号数码港1座8楼803室
巴克莱亚洲有限公司	Barclays Capital Asia Limited	00852 - 29032000	www.barcap.com www.barclays.com	香港中环花园道3号花旗银行广场花旗银行大厦42楼
兆丰证券(香港)有限公司	Beevest Securities Limited	00852 - 28022022	www.megasec.com.hk	香港九龙尖沙咀海港城6座港威大厦11楼1110 - 11室
耀才证券国际(香港)有限公司	Bright Smart Securities International (H.K.) Limited	00852 - 25327888	www.bsgroup.com.hk	香港中环德辅道中71号永安集团大厦10楼
建银国际证券有限公司	CCB International Securities Limited	00852 - 39118000	www.ccbintl.com	Suites 3408 34/F Two Pacific Place 88 Queensway Hong Kong
联昌证券有限公司	CIMB Securities Limited	00852 - 28680380	www.cimb.com	香港柯士甸道西1号环球贸易广场77楼1A、5B及6 - 8室
中信证券经纪(香港)有限公司	CITIC Securities Brokerage (HK) Limited	—	—	—
中信里昂证券有限公司	CLSA Limited	00852 - 26008888	www.clsa.com	香港金钟道88号太古广场1期18楼及19楼
招银国际证券有限公司	CMB International Securities Limited	00852 - 37618888, 39000888	www.cmbi.com.hk	香港中环夏悫道12号美国银行中心18楼1803 - 4室
中国北方证券集团有限公司	CNI Securities Group Limited	852 - 21531666	www.cnigroup.com.hk	香港德辅道中232号嘉华银行中心21楼
群益证券(香港)有限公司	CSC Securities (HK) Limited	852 - 21051125, 25309966	www.e-capital.com.hk	香港皇后大道中183号中远大厦32楼3204 - 07室
财通国际证券有限公司	Caitong International Securities Co., Limited	00852 - 37132901	www.ctsec.com.hk	香港皇后大道中183号中远大厦48楼4811室
国泰证券(香港)有限公司	Cathay Securities (Hong Kong) Co., LTD	00852 - 25878801	www.honsec.com.hk	香港上环文咸东街40 - 44号泰基商业大厦20楼
时富证券有限公司	Celestial Securities Limited	00852 - 22878788	www.cashon-line.com	香港皇后大道中99号中环中心21楼
长江证券经纪(香港)有限公司	Changjiang Securities Brokerage (HK) Limited	00852 - 28230333	www.cjsc.com.hk	香港皇后大道中183号中远大厦19楼1908室
致富证券有限公司	Chief Securities Limited	00852 - 25009228	www.chiefgroup.com	香港德辅道中68号万宜大厦14楼
中国光大证券(香港)有限公司	China Everbright Securities (HK) Limited	00852 - 25376689	www.ebscn.hk	香港夏悫道16号远东金融中心36楼
中国银河国际证券(香港)有限公司	China Galaxy International Securities (Hong Kong) Co., Limited	00852 - 36986888	www.chinastock.com.hk	香港皇后大道中183号永乐街33号新纪元广场(中远大厦)高座35楼3501 - 7, 3513 - 14室
中国国际金融香港证券有限公司	China International Capital Corporation Hong Kong Securities Limited	28722000	www.cicc.com.cn	—
中投证券国际经纪有限公司	China Investment Securities International Brokerage Limited	00852 - 39830888	www.china-invs.hk	香港花园道1号中银大厦63楼
招商证券(香港)有限公司	China Merchants Securities (HK) Co., Limited	00852 - 31896888 00852 - 31896189	www.newone.com.hk	香港中环交易广场1期48楼

公司名称	英文名称	电话	网址	办公地址
中信建投(国际)证券有限公司	China Securities (International) Brokerage Company Limited	00852－34655666	www. csci. hk	香港中环康乐广场8号交易广场二期1301－1305室
创兴证券有限公司	Chong Hing Securities Limited	00852－37689888	www. chsec. com. hk	香港皇后大道中16－18号新世界大厦第2座5楼
周生生证券有限公司	Chow Sang Sang Securities Limited	00852－25818888	www. 338. net	香港康山道1号康怡商业中心1705－1710室
恒丰证券有限公司	Christfund Securities Limited	00852－21479898	www. christfund. com	香港中环金融街8号国际金融中心2期1907－1909室
信达国际证券有限公司	Cinda International Securities Limited	00852－22357888	www. cinda. com. hk	—
花旗环球金融亚洲有限公司	Citigroup Global Markets Asia Limited	852－25012000	www. citi. com	香港中环花园道3号花旗广场花旗银行大厦50楼
京华山一证券(香港)有限公司	Core Pacific-Yamaichi Securities (H. K.) Limited	00852－28260700	www. cpy. com. hk	香港中环皇后大道中183号新纪元广场中远大厦36楼
君盈证券有限公司	Core Securities Company Limited	00852－36538888, 00852－36678899	www. noblesec. com	香港湾仔皇后大道东43－59东美中心12楼7室
瑞士信贷证券(香港)有限公司	Credit Suisse Securities (Hong Kong) Limited	00852－21016000	www. credit-suisse. com	香港九龙柯士甸道西1号环球贸易广场88楼
高诚证券有限公司	Crosby Securities Co., Ltd.	—	—	—
星展唯高达香港有限公司	DBS Vickers (Hong Kong) Limited	00852－28204888	—	香港中环德辅道中68号万宜大厦18楼及19楼
大宇证券(香港)有限公司	Daewoo Securities (Hong Kong) Limited	00852－28456332	—	香港中环金融街8街国际金融中心2期2005－2012室
大新证券有限公司	Dah Sing Securities Limited	00852－28287026	www. dahsing. com	香港北角英皇道510号港运大厦17楼1701室
德意志证券亚洲有限公司	Deutsche Securities Asia Limited	00852－22038888	www. db. com/index_e. htm	香港皇后大道中2号长江集团中心45楼
东亚证券有限公司	East Asia Securities Company Limited	00852－25262891	www. easecurities. com. hk	香港中环德辅道中10号东亚银行大厦9楼
英皇证券(香港)有限公司	Emperor Securities Limited	00852－29192919	www. emperorcapital. com	香港湾仔轩尼诗道288号英皇集团中心23楼及24楼
安信国际证券(香港)有限公司	Essence International Securities (Hong Kong) Limited	00852－22131000	www. eif. com. hk	香港中环交易广场1座39楼
长雄证券有限公司	Ever-Long Securities Company Limited	00852－28153522	www. everlong. com	香港中环德辅道中99－105号大新人寿大厦18楼
第一上海证券有限公司	First Shanghai Securities Ltd	(852)25321580	www. mystockhk. com	香港中环德辅道中71号永安集团大厦19楼
财华证券有限公司	Finet Securities Limited	00852－21690088	www. finet365. com	Unit 3607 36/F The Center 99 Quee's Road Central Hong Kong
第一金和升证券有限公司	First Worldsec Securities Limited	00852－28677288	www. firstworldsec. com. hk	香港中环夏慤道10号和记大厦1108室
复星恒利证券有限公司	Fosun Hani Securities Limited	00852－28691318	www. haninet. com	香港中环德辅道中71号永安集团大厦402室
方正证券(香港)有限公司	Founder Securities (Hong Kong) Limited	00852－25229222	—	—

公司名称	英文名称	电话	网址	办公地址
富邦证券(香港)有限公司	Fubon Securities (Hong Kong) Limited	00852－28814500	—	香港中环皇后大道中39号丰盛创建大厦5楼502室
富昌证券有限公司	Fulbright Securities Limited	00852－21218333	www.fulbright.com.hk	香港中环港景街1号国际金融中心1期3212－3216室
广发证券(香港)经纪有限公司	GF Securities (Hong Kong) Brokerage Limited	00852－37191111	www.gfgroup.com.hk	香港皇后大道中183号中远大厦2301至2305室及2313室
结好证券有限公司	Get Nice Securities Limited	00852－25267738	www.getnice.com.hk	香港皇后大道中183号新纪元广场中远大厦10楼
高盛(亚洲)证券有限公司	Goldman Sachs (Asia) Securities Limited	00852－29781000	www.gs.com	香港皇后大道中2号长江集团中心68楼
宏大证券有限公司	Grand Cartel Securities Company Limited	00852－28513691	—	香港上环永乐街205－211号协基商业大厦8楼C室
国金证券(香港)有限公司	Guangdong Securities Ltd	00852－25812882	www.gds.com.hk	香港皇后大道中181号新纪元广场低座25楼2505至2506室
国都证券(香港)有限公司	Guodu Securities (Hong Kong) Limited	00852－34180188	www.guodu.com.hk	Room 1307 13/F Bank of America Tower 12 Harcourt Road Central Hong Kong Mr Lee Kin Lam
国信证券(香港)经纪有限公司	Guosen Securities (HK) Brokerage Company, Limited	00852－28998300	www.guosen.com.hk	香港中环德辅道中189号李宝桩大厦8楼
国泰君安证券(香港)有限公司	Guotai Junan Securities (Hong Kong) Limited	00852－25099118	www.gtja.com.hk	香港中环皇后大道中181号新纪元广场27字楼
国元证券经纪(香港)有限公司	Guoyuan Securities Brokerage (Hong Kong) Limited	00852－37696888	www.gyzq.com.hk	香港德辅道中189号李宝椿大厦18楼
横华国际证券有限公司	HGNH International Securities Co., Limited	00852－28052658	hk.nanhua.net	—
汇丰金融证券(香港)有限公司	HSBC Broking Securities (Hong Kong) Limited	00852－25211661	www.broking.hsbc.com.hk	香港中环夏慤道10号和记大厦3楼
汇丰证券经纪(亚洲)有限公司	HSBC Securities Brokers (Asia) Limited	00852－39410094	—	香港中环皇后大道中1号香港上海汇丰银行总行大厦
海通国际证券有限公司	Haitong International Securities Group Limited	00852－35833388	www.htisec.com	香港德辅道中189号李宝椿大厦22楼
恒生证券有限公司	Hang Seng Securities Limited	00852－21473147	www.hangseng.com/hsb/chi/per/invs/hsss/home/index.	香港德辅道中83号恒生银行总行12楼
香港国际证券有限公司	Hong Kong International Securities Limited	00852－28538000, 25411848	www.hnahki.com	香港皇后大道西2－12号联发商业中心23楼
华泰金融控股(香港)有限公司	Huatai Financial Holdings (Hong Kong) Limited	852－36586000	www.htsc.com.hk	香港中环皇后大道中99号中环中心5808－12室
一通投资者有限公司	I-Access Investors Limited	00852－39070182	www.i-access.com	香港中环德辅道中68号万宜大厦12楼1203室
工银国际证券有限公司	ICBC International Securities Limited	000852－26833888	www.icbci.com.hk	香港中环花园道3号中国工商银行大厦37楼
兴证国际证券有限公司	Industrial Securities (Hong Kong) Brokerage Limited	00852－35095999	www.xyzq.com.hk	香港上环德辅道中199号无限极广场3201－04室
极讯亚太有限公司	Instinet Pacific Limited	00852－25850600	www.instinet.com	Room 4201 42/F the Center 99 Queen's Road Central Hong Kong
盈透证券香港有限公司	Interactive Brokers Hong Kong Limited	00852－21567979	www.interactivebrokers.com.hk	香港金钟道88号太古广场2期1512室

公司名称	英文名称	电话	网址	办公地址
摩根大通金融(香港)有限公司	J. P. Morgan Broking (Hong Kong) Limited	00852 - 28001000	—	香港中环干诺道中8号遮打大厦19,20,22-29楼
金唐国际证券有限公司	JTI Securities Limited	00852 - 25889088	www. jtisec. com. hk	香港湾仔告士打道88号11楼1101室
富瑞金融集团香港有限公司	Jefferies Hong Kong Limited	00852 - 37438000	www. jefferies. com	香港中环皇后大道中2号长江集团中心22楼2201室
凯基证券(香港)有限公司	KGI Securities (Hong Kong) Limited	00852 - 28786961, 00852 - 28786888	www. kgieworld. com	41/F Central Plaza 18 Harbour Road Wan Cahai Hong Kong
金英证券(香港)有限公司	Kim Eng Securities (Hong Kong) Limited	00852 - 22680800	www. kimeng. com. hk	香港皇后大道东1号太古广场第3座30楼
金利丰证券有限公司	Kingston Securities Limited	00852 - 22986222, 22986200	www. kingston. com. hk	香港中环港景街一号国际金融中心一期28楼2801室
昆泰证券(金银)有限公司	Kuentai Securities (Kam Ngan) Company Limited	00852 - 25255407, 00852 - 25248433	—	香港中环夏悫道12号美国银行中心2202室
六福证券(香港)有限公司	Luk Fook Securities (HK) Limited	00852 - 29800888	www. lukfookfinancial. com www. lff. com. hk	香港皇后大道中181号新纪元广场低座5楼505-6室
麦格理资本股份有限公司	Macquarie Capital Securities Limited	00852 - 39221888	www. macquarie. com	香港中环港景街1号国际金融中心1期18-19楼,2001-02室,2015-16室,22-23楼
万利丰证券有限公司	Malahon Securities Limited	00852 - 25368888	www. malahon. com	香港中环士丹利街10-12号万利丰中心5楼,6楼,17楼及21楼
元富证券(香港)有限公司	Masterlink Securities (Hong Kong) Corporation Limited	00852 - 22953228	www. i-masterlink. com	香港皇后大道中99号中环中心26楼2603室
美林远东有限公司	Merrill Lynch Far East Limited	00852 - 35083888	www. ml. com	香港中环花园道3号中国工商银行大厦17楼
未来资产财富管理(香港)有限公司	Mirae Asset Securities (HK) Limited	00852 - 22950100	www. securities. miraeasset. hk	香港中环港景街1号国际金融中心1期6楼615室
摩根士丹利香港证券有限公司	Morgan Stanley Hong Kong Securities Limited	00852 - 28485200	www. morganstanley. com	香港九龙柯士甸道西1号环球贸易广场3,8-9,20,25,27,30-32,35-42及45-47楼
中润证券有限公司	National Resources Securities Limited	00852 - 29441700	www. stocks. com. hk	香港湾仔骆克道88号2楼
华侨永亨证券有限公司	OCBC Wing Hang Shares Brokerage Co. Limited	00852 - 28541155 00852 - 28525484	www. ocbcwhsb. com	香港中环永和街23-29号俊和商业中心1楼及2楼
东方证券(香港)有限公司	Orient Securities (Hong Kong) Limited	00852 - 35191188	www. dfzq. com. hk	香港中环德辅道中68号万宜大厦2404至2407年室
宝生期货有限公司	Po Sang Securities and Futures Limited	00852 - 28051078	www. posangfutures. com	香港中环德辅道中71号永安集团大厦1楼
辉立证券(香港)有限公司	Phillip Securities (Hong Kong) Limited	00852 - 22776555	www. poems. com. hk	香港金钟道95号统一中心11楼、12楼C及D室
统一证券(香港)有限公司	President Securities (Hong Kong) Limited	00852 - 29563330	www. pshk. com. hk	香港中环德辅道中199号无限极广场26楼2603-6室
信诚证券有限公司	Prudential Brokerage Limited	00852 - 21433800	www. pru. hk	香港中环德辅道中19号环球大厦901-4室
华富嘉洛证券有限公司	Quam Securities Company Limited	00852 - 28472222	www. quamsecurities. com	香港中环皇后大道中29号怡安华人行18-19楼

公司名称	英文名称	电话	网址	办公地址
兴业金融证券有限公司	RHB OSK Securities Hong Kong Limited	00852－25251118	www.osk188.com.hk	香港中环德辅道中19号环球大厦12楼
汇信理财有限公司	Realink Financial Trade Limited	00852－23728888	www.iex.hk	香港九龙官塘鸿图道1号22楼
瑞东资本市场有限公司	Reorient Capital Markets Limited	00852－28431488	www.reorientgroup.com	—
法国兴业证券(香港)有限公司	SG Securities (HK) Limited	00852－21664988	www.sgcib.com www.warrants.com	香港皇后大道东1号太古广场3座38楼
盛博香港有限公司	Sanford C. Bernstein (Hong Kong) Limited	00852－29185700	www.bernsteinresearch.com	香港中环港景街1号国际金融中心第1期3206－3211室
上银证券有限公司	Shacom Securities Limited	00852－22072388	www.shacombank.com.hk	1/F 666 Nathan Road Mongkok Kowloon MR P C China
申万宏源证券(香港)有限公司	Shenyin Wanguo Securities (H.K.) Ltd	00852－25098333	www.sywg.com.hk	香港花园道3号花旗银行广场花旗银行大厦28楼
华诚证券有限公司	Sino Grade Securities Limited	00852－26537830	www.sinogradesec.com	新界大埔广福道152－172号大埔商业中心604室
永丰金证券(亚洲)有限公司	SinoPac Securities (Asia) Limited	00852－25868288	www.sinopacasia.com	—
南华证券投资有限公司	South China Securities Limited	852－28206333	www.sctrade.com	香港中环花园道1号中银大厦28楼
西证(香港)证券经纪有限公司	Southwest Securities (HK) Brokerage Limited	00852－28028838	www.tanrich.com www.tanrich-group.com	香港湾仔港湾道18号中环广场1601－2室
渣打证券(香港)有限公司	Standard Chartered Securities (HK) Limited	00852－25264211	www.cazenove.com	香港中环康乐广场8号交易广场第一座5001室
新鸿基投资服务有限公司	Sun Hung Kai Investment Services Limited	00852－39202888	www.shkf.com	香港金钟道88号太古广场1期11楼及12楼
太平证券(香港)有限公司	TAIPING SECURITIES (HK) CO LTD	00852－37168388	pda.tpsec.com.hk	香港德辅道中141号中保集团大厦29字楼
大辉证券有限公司	Taifair Securities Limited	00852－25265991	www.taifair.com.hk	香港中环都爹利街11号律敦治中心帝纳大厦701室
东洋证券亚洲有限公司	Toyo Securities Asia Limited	00852－22355530 00852－25916030	—	香港皇后大道中5号衡怡大厦5楼502室
东盛证券(经纪)有限公司	Tung Shing Securities (Brokers) Limited	00852－36096666	www.tsbrokers.com	香港湾仔轩尼诗道139号中国海外大厦22,23及25楼
东泰证券有限公司	Tung Tai Securities Company Limited	00852－28773638	www.etungtai.com	香港中环康乐广场8号交易广场第2座508室
瑞银证券(香港)有限公司	UBS Securities Hong Kong Limited	00852－29718888	www.ubs.com	香港中环金融街8号国际金融中心2期46至52楼
大华继显(香港)有限公司	UOB Kay Hian (Hong Kong) Limited	00852－25218787	www.uobkayhian.com.hk	香港皇后大道中29号技术怡安华人行15楼及202,704,901,902,1202室
美建证券有限公司	Upbest Securities Company Limited	00852－25453298 00852－25442270	www.upbest.com	香港德辅道中302号华杰商业中心2楼及7B室
胜利证券有限公司	Victory Securities Company Limited	00852－25252437	www.victorysec.com.hk	香港皇后大道中138号威享大厦6楼602室
立桥证券有限公司	Well Link Securities Limited	00852－31507888	www.hb-financial.com	香港皇后大道中88号励精中心6楼01－03室
万赢证券有限公司	Win Wind Securities Limited	00852－31980622	www.enerchine.com.hk	26/F China United Center 28 Marble Road North Point Hong Kong

公司名称	英文名称	电话	网址	办公地址
宏高证券有限公司	Wocom Securities Limited	00852－28530111	www. wocom. com. hk	香港中环干诺道中 111 号永安中心 1002 室
中民证券(香港)有限公司	YGD Securities (HK) Limited	00852－31930000	—	—
元大证券(香港)有限公司	Yuanta Securities (Hong Kong) Company Limited	00852－35557888	www. yuanta. com. hk	香港中环德辅道中 189 号李宝椿大厦 23 楼
越秀证券有限公司	Yue Xiu Securities Company Limited	00852－39259888	www. yxs. com. hk	香港湾仔骆克道 160－174 号越秀大厦 24 楼
中泰国际证券有限公司	Zhongtai International Securities Limited	00852－39792888	www. qlzq. com. hk	香港德辅道中 189 号李宝椿大厦 7 楼

数据来源:东方财富 Choice 数据。

港股通业务资格券商

公司名称	英文名称	注册资本（亿元）	成立日期	创新/规范	网址	办公地址
爱建证券有限责任公司	Aj Securities Co., Ltd.	11.0000	2002－09－05	—	www. ajzq. com/common/index. jsp	上海市浦东新区世纪大道 1600 号 32 楼(陆家嘴商务广场)
安信证券股份有限公司	Essence Securities Co., Ltd.	35.2513	2006－08－22	—	www. essence. com. cn	广东省深圳市福田区金田路 4018 号安联大厦 35 层
渤海证券股份有限公司	Bohai Securities Co., Ltd.	80.3719	2008－07－23	规范	www. bhzq. com www. ewww. com. cn	天津市南开区宾水西道 8 号
财达证券股份有限公司	Caida Securities Co., Ltd.	27.4500	2002－04－25	规范	www. s10000. com	河北省石家庄市桥西区自强路 35 号庄家金融大厦 24 层
财富证券有限责任公司	Fortune Securities Co., Ltd.	29.8273	2002－08－23	规范	www. cfzq. com	湖南省长沙市芙蓉中路二段 80 号顺天国际财富中心 26 层
财通证券股份有限公司	Caitong Securities CO., LTD.	32.3000	2003－06－11	规范	www. ctsec. com	浙江省杭州市杭大路 15 号嘉华国际商务中心 201,501,502,1103,1601－1615,1701－1716 室
长城国瑞证券有限公司	Great Wall Glory Securities Co., Ltd.	17.5000	1988－07－16	—	www. xmzq. com. cn	福建省厦门市思明区莲前西路 2 号莲富大厦 17 楼
长城证券股份有限公司	China Greatwall Securities CO.,LTD.	27.9306	1996－05－02	规范	www. cgws. com	广东省深圳市福田区深南大道 6008 号特区报业大厦 16、17 层
长江证券股份有限公司	Changjiang Securities Company Limited	55.2947	1997－07－24	创新	www. cjsc. com	湖北省武汉市江汉区新华路特 8 号
大通证券股份有限公司	Daton Securities Co., Ltd.	33.0000	1991－04－04	规范	www. estock. com. cn	辽宁省大连市沙河口区会展路 129 号大连国际金融中心 A 座－大连期货大厦 38、39 层
德邦证券股份有限公司	Tebon Securities Co., Ltd.	39.4122	2003－05－15	规范	www. tebon. com. cn	上海市浦东新区福山路 500 号城建国际中心 26 楼
第一创业证券股份有限公司	First Capital Securities Co., Ltd.	35.0240	1998－01－12	规范	www. firstcapital. com. cn	广东省深圳市福田区福华一路 115 号投行大厦 16－20 楼
东北证券股份有限公司	Northeast Securities Co.,Ltd	23.4045	1992－07－17	规范	www. nesc. cn	吉林省长春市生态大街 6666 号
东方证券股份有限公司	Orient Securities Company Limited	62.1545	1997－12－10	规范	www. dfzq. com. cn	上海市黄浦区中山南路 318 号 2 号楼 13 层、21 层－23 层、25－29 层、32 层、36 层、39 层、40 层
东海证券股份有限公司	Donghai Securities Company Limited	16.7000	1993－01－16	创新	www. longone. com. cn	江苏省常州市延陵西路 23 号投资广场 18 层

公司名称	英文名称	注册资本（亿元）	成立日期	创新/规范	网址	办公地址
东莞证券股份有限公司	Dongguan Securities Co., Ltd.	15.0000	1997-06-09	规范	www.dgzq.com.cn	广东省东莞市莞城区可园南路1号金源中心30楼
东吴证券股份有限公司	Soochow Securities Co., Ltd.	30.0000	1993-04-10	规范	www.dwzq.com.cn	江苏省苏州工业园区星阳街5号
东兴证券股份有限公司	Dongxing Securities Co., Ltd.	27.5796	2008-05-28	—	www.dxzq.net	北京市西城区金融大街5号（新盛大厦）12、15层
方正证券股份有限公司	Founder Securities CO., Ltd.	82.3210	1994-10-26	—	www.foundersc.com	湖南省长沙市芙蓉区芙蓉中路二段华侨国际大厦22-24层
光大证券股份有限公司	Everbright Securities Company Limited	46.1079	1996-04-23	创新	www.ebscn.com	上海市静安区新闸路1508号
广发证券股份有限公司	GF Securities Co., Ltd.	76.2109	1994-01-21	创新	www.gf.com.cn	广东省广州市天河区天河北路183-187号大都会广场5楼、7楼、18楼、19楼、36楼、38楼、39楼、41楼、42楼、43楼和44楼
广州证券股份有限公司	Guangzhou Securities Co.,ltd.	53.6046	1988-03-26	规范	www.gzs.com.cn	广东省广州市天河区珠江西路5号广州国际金融中心主塔19层、20层
国都证券股份有限公司	Guodu Securities Co., Ltd.	53.0000	2001-12-28	创新	www.guodu.com	北京市东城区东直门南大街3号国华投资大厦9层10层
国海证券股份有限公司	Sealand Securities Co.,Ltd.	42.1554	1993-06-28	规范	www.ghzq.com.cn	广西壮族自治区南宁市滨湖路46号国海大厦
国金证券股份有限公司	Sinolink Securities Co.,Ltd.	30.2436	1988-07-20	规范	www.gjzq.com.cn	四川省成都市青羊区东城根上街95号成证大厦16楼
国联证券股份有限公司	Guolian Securities Co., Ltd.	19.0240	1999-01-08	规范	www.glsc.com.cn	江苏省无锡市金融一街8号，香港湾仔皇后大道东28号金钟汇中心18楼
国融证券股份有限公司	Rising Securities Co., Ltd.	14.5651	2002-04-24	规范	www.rxzq.com.cn	内蒙古自治区呼和浩特市锡林南路18号
国盛证券有限责任公司	Golden Sun Securities Co., Ltd.	38.0333	2002-12-26	规范	www.gsstock.com	江西省南昌市北京西路88号江信国际金融大厦
国泰君安证券股份有限公司	Guotai Junan Securities Co., Ltd.	87.1393	1999-08-18	创新	www.gtja.com	上海市浦东新区银城中路168号
国信证券股份有限公司	Guosen Securities Co., Ltd.	82.0000	1994-06-30	创新	www.guosen.com.cn	广东省深圳市红岭中路1012号国信证券大厦
国元证券股份有限公司	Guoyuan Securities Company Limited	29.4615	1997-06-06	创新	www.gyzq.com.cn	安徽省合肥市梅山路18号安徽国际金融中心A座国元证券
海通证券股份有限公司	Haitong Securities Company Limited	115.0170	1993-02-02	创新	www.htsec.com	上海市广东路689号海通证券大厦，香港中环德辅道中189号李宝椿大厦21楼
恒泰证券股份有限公司	Hengtai Securities Co., Ltd.	26.0457	1998-12-28	规范	www.cnht.com.cn	香港湾仔皇后大道东28号金钟汇中心18楼
红塔证券股份有限公司	Hongta Securities Co., Ltd.	32.6941	2002-01-31	创新	www.hongtazq.com	云南省昆明市北京路155号附1号红塔大厦7-11楼
宏信证券有限责任公司	China Hongxin Securities CO.,LTD.	10.0000	2001-07-10	—	www.hxzq.cn	四川省成都市人民南路二段十八号川信大厦10楼
华安证券股份有限公司	Huaan Securities Co., Ltd.	36.2100	2001-01-08	规范	www.hazq.com	安徽省合肥市政务文化新区天鹅湖路198号
华宝证券有限责任公司	Hwabao Securities Co., Ltd.	40.0000	2002-03-04	规范	www.cnhbstock.com	上海市浦东新区世纪大道100号环球金融中心57层
华福证券有限责任公司	Huafu Securities Co., Ltd.	33.0000	1988-06-09	规范	www.hfzq.com.cn	福建省福州市鼓楼区温泉街道五四路157号7-8层

公司名称	英文名称	注册资本（亿元）	成立日期	创新/规范	网址	办公地址
华林证券股份有限公司	ChinaLin Securities Co., Ltd.	24.3000	1997－06－18	—	www.chinalin.com	广东省深圳市福田区民田路178号华融大厦5、6楼
华龙证券股份有限公司	China dragon Securities Co., Ltd.	63.2655	2001－04－30	规范	www.hlzqgs.com	甘肃省兰州市城关区东岗西路638号兰州财富中心21楼
华融证券股份有限公司	Huarong Securities Co., Ltd.	46.7446	2007－09－07	—	www.hrsec.com.cn	北京市朝阳区朝阳门北大街18号中国人保寿险大厦11至18层
华泰证券股份有限公司	HUATAI SECURITIES CO., LTD.	71.6277	1991－04－09	创新	www.htsc.com.cn	江苏省南京市江东中路228号，香港皇后大道中99号中环中心42楼4201室
华西证券股份有限公司	Huaxi Securities Co., Ltd.	21.0000	2000－07－13	—	www.hx168.com.cn	四川省成都市高新区天府二街198号
华鑫证券有限责任公司	China Fortune Securities Inc.	16.0000	2001－03－06	—	www.cfsc.com.cn	广东省深圳市福田区金田路4018号安联大厦28层A01、B01(b)单元
江海证券有限公司	Jianghai Securities Co., Ltd.	67.6699	2003－12－15	—	www.jhzq.com.cn	黑龙江省哈尔滨市香坊区赣水路56号
金元证券股份有限公司	Goldstate Securities Co., Ltd.	32.1084	2002－08－16	规范	www.jyzq.cn	广东省深圳市福田区深南大道4001号时代金融中心大厦17层
九州证券股份有限公司	—	61.9490	2002－12－10	—	www.tyzq.com.cn	青海省西宁市城中区西大街11号工商银行3楼
联讯证券股份有限公司	Lianxun Securities Co.,Ltd.	31.2617	1988－06－23	—	www.lxsec.com	广东省惠州市惠城区江北东江三路55号惠州广播电视新闻中心西面一层大堂和三、四层
民生证券股份有限公司	Minsheng Securities Co., Ltd.	45.8061	1997－01－09	规范	www.mszq.com	北京市东城区建国门内大街28号民生金融中心A座18层
南京证券股份有限公司	Nanjing Securities Co., Ltd.	24.7400	1990－11－23	规范	www.njzq.com.cn	江苏省南京市江东中路389号
平安证券股份有限公司	Ping An Securities Company Linited	138.0000	1996－07－18	创新	www.stock.pingan.com	广东省深圳市福田中心区金田路荣超大厦4036号16－20
瑞银证券有限责任公司	UBS Securities Company Limited	14.9000	2006－12－11	—	www.ubssecurities.com	北京市西城区金融大街7号英蓝国际金融中心12层、15层
山西证券股份有限公司	Shanxi Securities CO., LTD.	28.2873	1988－07－28	创新	www.sxzq.com	山西省太原市府西街69号山西国际贸易中心东塔楼
上海证券有限责任公司	Shanghai Securities Company Limited	26.1000	2001－04－27	创新	www.962518.com，www.shzq.com	上海市黄浦区四川中路213号久事商务大厦7楼
申万宏源集团股份有限公司	Shenwan Hongyuan Group CO., LTD	200.5661	1996－09－16	创新	www.swhygh.com	新疆维吾尔自治区乌鲁木齐市高新区北京南路358号大成国际大厦20楼，北京市西城区太平桥大街19号
世纪证券有限责任公司	Century Securities Co., Ltd.	7.0000	1990－12－28	—	www.csco.com.cn	广东省深圳市福田区深南大道招商银行大厦40－42层
首创证券有限责任公司	Capital Securities Co., Ltd.	6.5000	2000－02－03	规范	www.sczq.com.cn	北京市西城区德胜门外大街115号德胜尚城E座
太平洋证券股份有限公司	The Pacific Securities Co., Ltd.	68.1632	2004－01－06	规范	www.tpyzq.com	云南省昆明市北京路926号同德广场写字楼31楼
天风证券股份有限公司	Tianfeng Securities CO., LTD.	46.6200	2000－03－29	—	www.tfzq.com	湖北省武汉市武昌区中南路99号保利广场A座37楼
万和证券股份有限公司	Vanho Securities Co., Ltd.	10.0000	2002－01－18	规范	www.wanhesec.com.cn	海南省海口市南沙路49号通讯广场2楼

公司名称	英文名称	注册资本（亿元）	成立日期	创新/规范	网址	办公地址
万联证券股份有限公司	Wanlian Securities Co., Ltd.	42.8759	2001－08－23	规范	www.wlzq.com.cn	广东省广州市天河区珠江东路11号18、19楼全层
网信证券有限责任公司	Wangxin Securities Co., Ltd.	5.0000	1995－04－18	规范	www.chstock.com	辽宁省沈阳市沈河区热闹路51号恒信大厦C座
五矿证券有限公司	Minmetals Securities Co., Ltd.	72.9168	2000－08－04	规范	www.wkzq.com.cn	广东省深圳市福田区金田路4028号荣超经贸中心大厦47、48、49层
西部证券股份有限公司	Western Securities Co., Ltd.	35.0184	2001－01－09	创新	www.westsecu.com	陕西省西安市新城区东新街232号信托大厦16－17层
西藏东方财富证券股份有限公司	—	46.0000	2005－11－27	—	www.xzsec.com	上海市闸北区永和路118弄24号
西南证券股份有限公司	Southwest Securities Co., Ltd.	56.4511	1993－12－30	规范	www.swsc.com.cn	重庆市江北区桥北苑8号西南证券大厦
湘财证券股份有限公司	Xiangcai Securities CO., LTD.	31.9726	1996－08－02	—	www.xcsc.com	湖南省长沙市天心区湘府中路198号新南城商务中心A栋11楼
新时代证券股份有限公司	New Times Securities Co., Ltd.	29.1000	2003－06－26	规范	www.xsdzq.cn www.xsdzq.com.cn	北京市海淀区北三环西路99号西海国际中心1号楼15层
信达证券股份有限公司	CINDA Securities CO., Ltd.	25.6870	2007－09－04	—	www.cindasc.com	北京市西城区闹市口大街9号院1号楼信达金融中心
兴业证券股份有限公司	Industrial Securities Co., Ltd.	66.9667	2000－05－19	规范	www.xyzq.com.cn	福建省福州市湖东路268号
银泰证券有限责任公司	Yintai Securities Company Ltd.	14.0000	2006－09－05	规范	www.ytzq.net	广东省深圳市福田区竹子林四路紫竹七道18号光大银行大厦18楼
英大证券有限责任公司	Yinda Securities Co., Ltd.	27.0000	1996－04－15	—	www.ydsc.com.cn	广东省深圳市深南中路华能大厦30楼
招商证券股份有限公司	China Merchants Securities CO., LTD.	66.9941	1993－08－01	创新	www.newone.com.cn	广东省深圳市福田区益田路江苏大厦A座38－45层，香港中环康乐广场8号交易广场一期48楼
浙商证券股份有限公司	Zheshang Securities Co., Ltd.	30.0000	2002－05－09	—	www.stocke.com.cn	浙江省杭州市杭大路1号黄龙世纪广场A区6/7楼
中国国际金融股份有限公司	China International Capital Corporation Limited	23.0667	1995－07－31	创新	www.cicc.com	香港中环港景街1号国际金融中心第1期29楼，中国北京市朝阳区建国门外大街1号国贸大厦2座27、28层
中国民族证券有限责任公司	China Minzu Securities Co., Ltd.	44.8655	2002－04－29	—	www.e5618.com	北京市朝阳区北四环中路27号盘古大观A座40层－43层
中国银河证券股份有限公司	China Galaxy Securities Co., Ltd.	101.3726	2007－01－26	—	www.chinastock.com.cn	北京市西城区金融大街35号国际企业大厦C座2至6层，香港上环皇后大道中183号中远大厦35楼3501－07及3513－14室
中国中投证券有限责任公司	China Investment Securities Company Limited	50.0000	2005－09－28	创新	www.china-invs.cn	广东省深圳市福田区益田路与福中路交界处荣超商务中心A栋第18－21层及第04层01.02.03.05.11.12.13.15.16.18.19.20.21.22.23单元
中航证券有限公司	AVIC Securities Co., Ltd.	19.8522	2002－10－18	—	www.avicsec.com	江西省南昌市红谷滩新区红谷中大道1619号南昌国际金融大厦A栋41层
中山证券有限责任公司	Zhongshan Securities Co., Ltd.	13.5500	1992－11－06	—	www.zszq.com.cn	广东省深圳市南山区科技一路华强高新发展大厦7－8楼

公司名称	英文名称	注册资本（亿元）	成立日期	创新/规范	网址	办公地址
中泰证券股份有限公司	Zhongtai Securities Co., Ltd.	62.7176	2001-05-15	规范	www.zts.com.cn	山东省济南市市中区经七路86号
中天证券股份有限公司	Zhongtian Securities Co., Ltd.	22.2500	1991-02-20	—	www.stockren.com	辽宁省沈阳市和平区光荣街23甲
中信建投证券股份有限公司	CSC Financial Co., Ltd.	72.4639	2005-11-02	—	www.csc108.com	北京市东城区朝内大街188号，香港中环交易广场二期18楼
中信证券股份有限公司	Citic Securities Company Limited	121.1691	1995-10-25	创新	www.cs.ecitic.com	广东省深圳市福田区中心3路8号中信证券大厦，北京市朝阳区亮马桥路48号中信证券大厦，香港中环添美道1号中信大厦26层
中信证券（山东）有限责任公司	Citic Securities (Shandong) Co., Ltd.	25.0000	1988-06-02	规范	www.zxwt.com.cn	山东省青岛市崂山区深圳路222号青岛国际金融广场1号楼第20层
中银国际证券有限责任公司	BOC International (China) Limited	25.0000	2002-02-28	创新	www.bocichina.com	上海市浦东新区银城中路200号中银大厦39、40、41层
中原证券股份有限公司	Central China Securities Co., Ltd.	39.2373	2002-11-08	规范	www.ccnew.com	—

数据来源：东方财富Choice数据。

2016年度港股通标的基金持有统计(100名)

序号	代码	名称	来源	截止日期	持有基金数	持股总量（万股）	持股占流通股比(%)	持股总市值（万元）
1	00700.HK	腾讯控股	恒生综合大型股	2016-12-31	39	1,375.28	0.15	233,376.68
2	01398.HK	工商银行	恒生综合大型股、A+H股	2016-12-31	11	45,584.86	0.53	189,612.32
3	00939.HK	建设银行	恒生综合大型股、A+H股	2016-12-31	11	32,887.88	0.14	175,628.64
4	03988.HK	中国银行	恒生综合大型股、A+H股	2016-12-31	12	46,098.62	0.55	141,852.53
5	02318.HK	中国平安	恒生综合大型股、A+H股	2016-12-31	19	3,964.57	0.53	137,599.21
6	02628.HK	中国人寿	恒生综合大型股、A+H股	2016-12-31	14	5,013.29	0.67	90,585.85
7	00941.HK	中国移动	恒生综合大型股	2016-12-31	20	1,212.57	0.06	89,160.65
8	00386.HK	中国石油化工股份	恒生综合大型股、A+H股	2016-12-31	21	17,955.10	0.7	88,335.79
9	00857.HK	中国石油股份	恒生综合大型股、A+H股	2016-12-31	12	14,549.64	0.69	75,225.67
10	01299.HK	友邦保险	恒生综合大型股	2016-12-31	10	1,629.69	0.14	63,778.94
11	00005.HK	汇丰控股	恒生综合大型股	2016-12-31	8	1,047.16	0.05	58,309.74
12	00883.HK	中国海洋石油	恒生综合大型股	2016-12-31	21	6,127.42	0.14	53,168.10
13	03968.HK	招商银行	恒生综合大型股、A+H股	2016-12-31	12	3,258.34	0.71	52,987.85
14	03328.HK	交通银行	恒生综合大型股、A+H股	2016-12-31	10	6,914.69	0.2	34,699.32
15	02601.HK	中国太保	恒生综合大型股、A+H股	2016-12-31	6	1,372.85	0.49	33,218.11
16	02328.HK	中国财险	恒生综合中型股	2016-12-31	8	2,946.22	0.64	31,835.92
17	06837.HK	海通证券	恒生综合中型股、A+H股	2016-12-31	6	3,356.99	0.98	31,071.71
18	00998.HK	中信银行	恒生综合大型股、A+H股	2016-12-31	5	7,017.00	0.47	30,944.51
19	01288.HK	农业银行	恒生综合大型股、A+H股	2016-12-31	4	10,384.40	0.34	29,538.86
20	00388.HK	香港交易所	恒生综合大型股	2016-12-31	14	176.67	0.14	28,951.91

序号	代码	名称	来源	截止日期	持有基金数	持股总量（万股）	持股占流通股比(%)	持股总市值（万元）
21	01088.HK	中国神华	恒生综合大型股、A+H股	2016-12-31	12	2,187.37	0.64	28,566.90
22	06030.HK	中信证券	恒生综合中型股、A+H股	2016-12-31	10	1,969.44	0.86	27,764.20
23	01800.HK	中国交通建设	恒生综合中型股、A+H股	2016-12-31	7	3,327.70	0.75	26,551.84
24	01988.HK	民生银行	恒生综合大型股、A+H股	2016-12-31	3	3,558.75	0.51	26,389.91
25	00728.HK	中国电信	恒生综合大型股	2016-12-31	10	7,844.43	0.57	25,120.60
26	06881.HK	中国银河	A+H股	2016-12-31	7	3,680.75	1	23,014.35
27	01099.HK	国药控股	恒生综合中型股	2016-12-31	10	739.64	0.62	21,138.62
28	00688.HK	中国海外发展	恒生综合大型股	2016-12-31	11	1,137.94	0.1	20,917.74
29	03898.HK	中车时代电气	恒生综合中型股	2016-12-31	10	590.65	1.08	20,790.61
30	00001.HK	长和	恒生综合大型股	2016-12-31	5	247.38	0.06	19,451.05
31	02388.HK	中银香港	恒生综合大型股	2016-12-31	9	637.69	0.06	15,829.47
32	01336.HK	新华保险	恒生综合中型股、A+H股	2016-12-31	8	488.84	0.47	15,566.93
33	01113.HK	长实地产	—	2016-12-31	5	363.53	0.1	15,462.16
34	02382.HK	舜宇光学科技	—	2016-12-31	16	498.67	0.45	15,144.59
35	06886.HK	HTSC	A+H股	2016-12-31	7	1,125.18	0.65	14,896.08
36	01359.HK	中国信达	恒生综合大型股	2016-12-31	6	5,765.54	0.42	14,492.11
37	00175.HK	吉利汽车	恒生综合中型股	2016-12-31	14	2,133.00	0.24	14,138.71
38	00916.HK	龙源电力	恒生综合中型股	2016-12-31	11	2,377.10	0.71	12,885.92
39	00390.HK	中国中铁	恒生综合中型股、A+H股	2016-12-31	5	2,219.50	0.53	12,666.77
40	00762.HK	中国联通	恒生综合大型股	2016-12-31	9	1,558.18	0.07	12,586.88
41	00751.HK	创维数码	恒生综合中型股	2016-12-31	4	3,084.40	1.03	12,194.90
42	01766.HK	中国中车	恒生综合中型股、A+H股	2016-12-31	3	1,925.86	0.44	11,990.08
43	01618.HK	中国中冶	A+H股	2016-12-31	1	4,417.30	1.54	11,932.98
44	01186.HK	中国铁建	恒生综合中型股、A+H股	2016-12-31	6	1,315.75	0.63	11,746.06
45	00489.HK	东风集团股份	恒生综合中型股	2016-12-31	5	1,733.20	0.61	11,736.26
46	00267.HK	中信股份	恒生综合大型股	2016-12-31	8	1,173.05	0.04	11,647.29
47	00371.HK	北控水务集团	恒生综合中型股	2016-12-31	10	2,497.20	0.29	11,526.49
48	01339.HK	中国人民保险集团	恒生综合中型股	2016-12-31	5	4,121.90	0.47	11,282.47
49	00525.HK	广深铁路股份	A+H股	2016-12-31	8	2,689.00	1.88	11,257.12
50	02883.HK	中海油田服务	恒生综合中型股、A+H股	2016-12-31	6	1,733.03	0.96	11,161.51
51	00914.HK	安徽海螺水泥股份	恒生综合中型股、A+H股	2016-12-31	4	582.5	0.45	10,994.39
52	02238.HK	广汽集团	恒生综合中型股、A+H股	2016-12-31	12	1,307.20	0.59	10,968.83
53	02018.HK	瑞声科技	恒生综合大型股	2016-12-31	14	170.59	0.14	10,750.66
54	02333.HK	长城汽车	恒生综合中型股、A+H股	2016-12-31	3	1,558.80	0.5	10,095.18
55	00902.HK	华能国际电力股份	恒生综合中型股、A+H股	2016-12-31	4	2,160.40	0.46	9,933.05
56	01816.HK	中广核电力	—	2016-12-31	4	5,128.50	0.46	9,771.36
57	00002.HK	中电控股	恒生综合大型股	2016-12-31	4	138.73	0.05	8,841.83
58	01109.HK	华润置地	恒生综合大型股	2016-12-31	11	562.19	0.08	8,770.29

序号	代码	名称	来源	截止日期	持有基金数	持股总量（万股）	持股占流通股比（%）	持股总市值（万元）
59	00016.HK	新鸿基地产	恒生综合大型股	2016-12-31	4	96.91	0.03	8,495.48
60	01928.HK	金沙中国有限公司	恒生综合大型股	2016-12-31	9	274.58	0.03	8,277.35
61	03311.HK	中国建筑国际	恒生综合大型股	2016-12-31	9	766.6	0.17	7,954.57
62	00966.HK	中国太平	恒生综合中型股	2016-12-31	6	548.24	0.15	7,846.58
63	00027.HK	银河娱乐	恒生综合大型股	2016-12-31	9	255.58	0.06	7,727.46
64	00817.HK	中国金茂	恒生综合中型股	2016-12-31	1	4,092.80	0.38	7,651.60
65	02319.HK	蒙牛乳业	恒生综合大型股	2016-12-31	11	554.75	0.14	7,413.69
66	00011.HK	恒生银行	恒生综合大型股	2016-12-31	4	55.99	0.03	7,226.86
67	03606.HK	福耀玻璃	A+H股	2016-12-31	7	326.74	0.65	7,029.18
68	00363.HK	上海实业控股	恒生综合中型股	2016-12-31	4	371.3	0.34	6,974.76
69	00958.HK	华能新能源	—	2016-12-31	10	3,082.20	0.74	6,947.94
70	00003.HK	香港中华煤气	恒生综合大型股	2016-12-31	4	559.15	0.04	6,872.28
71	02282.HK	美高梅中国	恒生综合大型股	2016-12-31	4	461.81	0.12	6,642.64
72	00425.HK	敏实集团	恒生综合中型股	2016-12-31	7	298.6	0.26	6,450.72
73	00506.HK	中国食品	恒生综合中型股	2016-12-31	3	2,165.00	0.77	6,371.46
74	00006.HK	电能实业	恒生综合大型股	2016-12-31	4	102.26	0.05	6,252.15
75	02314.HK	理文造纸	恒生综合中型股	2016-12-31	9	1,128.50	0.25	6,076.95
76	03618.HK	重庆农村商业银行	恒生综合中型股	2016-12-31	4	1,420.50	0.57	5,781.46
77	02009.HK	金隅股份	A+H股	2016-12-31	4	2,409.20	1.03	5,775.61
78	00696.HK	中国民航信息网络	—	2016-12-31	13	392.8	0.42	5,727.23
79	02313.HK	申洲国际	恒生综合中型股	2016-12-31	6	124.5	0.09	5,462.75
80	01208.HK	五矿资源	恒生综合中型股	2016-12-31	3	3,025.20	0.38	5,385.08
81	03908.HK	中金公司	—	2016-12-31	4	539.12	0.35	5,295.09
82	00285.HK	比亚迪电子	—	2016-12-31	4	936.75	0.42	5,111.39
83	00753.HK	中国国航	恒生综合中型股、A+H股	2016-12-31	5	1,077.00	0.24	4,768.77
84	00165.HK	中国光大控股	恒生综合中型股	2016-12-31	2	360.2	0.21	4,755.71
85	00144.HK	招商局港口	恒生综合大型股	2016-12-31	3	269.61	0.1	4,640.14
86	00168.HK	青岛啤酒股份	恒生综合中型股、A+H股	2016-12-31	3	175.4	0.27	4,597.08
87	03958.HK	东方证券	A+H股	2016-12-31	1	650	0.63	4,477.02
88	00656.HK	复星国际	恒生综合大型股	2016-12-31	6	397.92	0.05	4,474.55
89	01093.HK	石药集团	恒生综合中型股	2016-12-31	7	601.17	0.1	4,452.96
90	00493.HK	国美电器	恒生综合中型股	2016-12-31	1	5,235.60	0.24	4,402.30
91	00004.HK	九龙仓集团	恒生综合大型股	2016-12-31	4	95.25	0.03	4,392.27
92	00400.HK	科通芯城	—	2016-12-31	10	418.1	0.28	4,376.12
93	00960.HK	龙湖地产	恒生综合大型股	2016-12-31	3	430.7	0.07	3,791.10
94	00066.HK	港铁公司	恒生综合大型股	2016-12-31	4	108.44	0.02	3,656.80
95	01788.HK	国泰君安国际	—	2016-12-31	3	1,707.50	0.25	3,650.43
96	01177.HK	中国生物制药	恒生综合中型股	2016-12-31	6	736.43	0.1	3,596.75

序号	代码	名称	来源	截止日期	持有基金数	持股总量（万股）	持股占流通股比(%)	持股总市值（万元）
97	03969.HK	中国通号	—	2016－12－31	5	704.6	0.36	3,523.25
98	01114.HK	BRILLIANCE CHI	恒生综合大型股	2016－12－31	5	362.1	0.07	3,459.31
99	02600.HK	中国铝业	恒生综合中型股、A＋H股	2016－12－31	4	1,207.00	0.31	3,454.98
100	00867.HK	康哲药业	恒生综合中型股	2016－12－31	6	291.5	0.12	3,202.01

2016年沪深股通标的基金配置净值排名前50名

序号	代码	名称	截止日期	基金净值总额(万元)	股票投资市值(万元)	标的合计市值(万元)	标的占净值比例(%)	成立日期	投资类型	管理公司
1	001769.OF	易方达瑞惠混合发起式	2016－12－31	4,949,134.85	1,027,213.51	972,697.59	19.65	2015－7－31	偏股混合型基金	易方达基金管理有限公司
2	001774.OF	招商丰庆混合C	2016－12－31	4,680,848.45	810,014.75	786,485.00	16.8	2015－7－31	偏股混合型基金	招商基金管理有限公司
3	001773.OF	招商丰庆混合A	2016－12－31	4,680,848.45	810,014.75	786,485.00	16.8	2015－7－31	偏股混合型基金	招商基金管理有限公司
4	001772.OF	南方消费活力	2016－12－31	4,426,822.84	1,933,753.48	1,806,453.94	40.81	2015－7－31	偏股混合型基金	南方基金管理有限公司
5	001620.OF	嘉实新机遇混合发起式	2016－12－31	3,954,668.74	2,086,724.52	1,989,917.48	50.32	2015－7－13	偏股混合型基金	嘉实基金管理有限公司
6	001683.OF	华夏新经济混合	2016－12－31	3,874,125.67	2,815,456.28	2,697,265.31	69.62	2015－7－13	偏股混合型基金	华夏基金管理有限公司
7	510050.SH	华夏上证50ETF	2016－12－31	2,930,819.68	2,885,065.24	2,885,064.43	98.44	2004－12－30	被动指数型基金	华夏基金管理有限公司
8	510300.SH	华泰柏瑞沪深300ETF	2016－12－31	1,789,006.73	1,785,548.52	1,761,623.52	98.47	2012－5－4	被动指数型基金	华泰柏瑞基金管理有限公司
9	159919.SZ	嘉实沪深300ETF	2016－12－31	1,736,909.71	1,728,905.56	1,705,555.94	98.19	2012－5－7	被动指数型基金	嘉实基金管理有限公司
10	510180.SH	华安上证180ETF	2016－12－31	1,713,360.33	1,709,368.63	1,673,484.64	97.67	2006－4－13	被动指数型基金	华安基金管理有限公司
11	510500.SH	南方中证500ETF	2016－12－31	1,672,843.71	1,601,242.92	1,443,768.85	86.31	2013－2－6	被动指数型基金	南方基金管理有限公司
12	161024.OF	富国中证军工指数分级	2016－12－31	1,663,095.22	1,550,647.41	1,318,431.77	79.28	2014－4－4	被动指数型基金	富国基金管理有限公司
13	150182.SZ	富国中证军工指数分级B	2016－12－31	1,663,095.22	1,550,647.41	1,318,431.77	79.28	2014－4－4	封闭式	富国基金管理有限公司
14	150181.SZ	富国中证军工指数分级A	2016－12－31	1,663,095.22	1,550,647.41	1,318,431.77	79.28	2014－4－4	封闭式	富国基金管理有限公司
15	150205.SZ	鹏华中证国防指数分级A	2016－12－31	1,660,990.59	1,577,517.83	1,387,285.20	83.52	2014－11－13	封闭式	鹏华基金管理有限公司
16	160630.OF	鹏华中证国防指数分级	2016－12－31	1,660,990.59	1,577,517.83	1,387,285.20	83.52	2014－11－13	被动指数型基金	鹏华基金管理有限公司
17	150206.SZ	鹏华中证国防指数分级B	2016－12－31	1,660,990.59	1,577,517.83	1,387,285.20	83.52	2014－11－13	封闭式	鹏华基金管理有限公司
18	510330.SH	华夏沪深300ETF	2016－12－31	1,614,491.61	1,474,692.54	1,454,717.71	90.1	2012－12－25	被动指数型基金	华夏基金管理有限公司
19	150201.SZ	招商中证全指证券公司指数分级B	2016－12－31	1,579,202.20	1,484,011.06	1,483,741.54	93.96	2014－11－13	封闭式	招商基金管理有限公司
20	150200.SZ	招商中证全指证券公司指数分级A	2016－12－31	1,579,202.20	1,484,011.06	1,483,741.54	93.96	2014－11－13	封闭式	招商基金管理有限公司
21	161720.OF	招商中证全指证券公司指数分级	2016－12－31	1,579,202.20	1,484,011.06	1,483,741.54	93.96	2014－11－13	被动指数型基金	招商基金管理有限公司
22	160706.SZ	嘉实沪深300ETF联接(LOF)	2016－12－31	1,553,925.49	1,083.60	1,006.05	0.06	2005－8－29	被动指数型基金	嘉实基金管理有限公司
23	001417.OF	汇添富医疗服务混合	2016－12－31	1,512,435.40	1,086,581.42	901,042.19	59.58	2015－6－18	偏股混合型基金	汇添富基金管理股份有限公司
24	510810.SH	汇添富中证上海国企ETF	2016－12－31	1,496,105.14	1,480,637.04	1,366,426.08	91.33	2016－7－28	被动指数型基金	汇添富基金管理股份有限公司
25	485111.OF	工银瑞信双利债券A	2016－12－31	1,458,369.14	175,051.70	169,622.38	11.63	2010－8－16	混合债券型基金(二级)	工银瑞信基金管理有限公司
26	485011.OF	工银瑞信双利债券B	2016－12－31	1,458,369.14	175,051.70	169,622.38	11.63	2010－8－16	混合债券型基金(二级)	工银瑞信基金管理有限公司
27	161026.OF	富国中证国有企业改革指数分级	2016－12－31	1,400,111.55	1,297,722.44	1,229,723.04	87.83	2014－12－17	被动指数型基金	富国基金管理有限公司
28	150210.SZ	富国中证国有企业改革指数分级B	2016－12－31	1,400,111.55	1,297,722.44	1,229,723.04	87.83	2014－12－17	封闭式	富国基金管理有限公司
29	150209.SZ	富国中证国有企业改革指数分级A	2016－12－31	1,400,111.55	1,297,722.44	1,229,723.04	87.83	2014－12－17	封闭式	富国基金管理有限公司
30	001373.OF	易方达新丝路灵活配置混合	2016－12－31	1,202,399.21	971,756.84	841,443.01	69.98	2015－5－27	偏股混合型基金	易方达基金管理有限公司

序号	代码	名称	截止日期	基金净值总额(万元)	股票投资市值(万元)	标的合计市值(万元)	标的占净值比例(%)	成立日期	投资类型	管理公司
31	150007.SZ	长盛同庆B	2011-12-31	1,186,078.01	828,059.44	763,086.11	64.34	2009-5-12	封闭式	长盛基金管理有限公司
32	150006.SZ	长盛同庆A	2011-12-31	1,186,078.01	828,059.44	763,086.11	64.34	2009-5-12	封闭式	长盛基金管理有限公司
33	002011.OF	华夏红利混合	2016-12-31	1,108,145.97	849,039.35	707,847.31	63.88	2005-6-30	偏股混合型基金	华夏基金管理有限公司
34	519983.OF	长信量化先锋混合A	2016-12-31	1,094,407.53	925,957.42	76,881.05	7.02	2010-11-18	偏股混合型基金	长信基金管理有限责任公司
35	121099.OF	瑞福分级	2015-8-13	1,057,633.35	604,217.06	582,181.68	55.05	2007-7-17	被动指数型基金	国投瑞银基金管理有限公司
36	150001.SZ	瑞福进取	2015-8-13	1,057,633.35	604,217.06	582,181.68	55.05	2007-7-17	被动指数型基金	国投瑞银基金管理有限公司
37	121007.OF	瑞福优先	2015-8-13	1,057,633.35	604,217.06	582,181.68	55.05	2007-7-17	被动指数型基金	国投瑞银基金管理有限公司
38	000051.OF	华夏沪深300ETF联接	2016-12-31	1,025,409.74	8,761.81	8,556.89	0.83	2009-7-10	被动指数型基金	华夏基金管理有限公司
39	110008.OF	易方达稳健收益债券B	2016-12-31	1,016,914.46	179,848.37	173,573.97	17.07	2005-9-19	混合债券型基金(二级)	易方达基金管理有限公司
40	110007.OF	易方达稳健收益债券A	2016-12-31	1,016,914.46	179,848.37	173,573.97	17.07	2005-9-19	混合债券型基金(二级)	易方达基金管理有限公司
41	161022.OF	富国创业板指数分级	2016-12-31	979,969.45	911,864.48	911,849.26	93.05	2013-9-12	被动指数型基金	富国基金管理有限公司
42	150153.SZ	富国创业板指数分级B	2016-12-31	979,969.45	911,864.48	911,849.26	93.05	2013-9-12	封闭式	富国基金管理有限公司
43	150152.SZ	富国创业板指数分级A	2016-12-31	979,969.45	911,864.48	911,849.26	93.05	2013-9-12	封闭式	富国基金管理有限公司
44	001416.OF	嘉实事件驱动股票	2016-12-31	933,736.93	770,513.71	448,650.30	48.05	2015-6-9	普通股票型基金	嘉实基金管理有限公司
45	164402.OF	前海开源中航军工	2016-12-31	911,630.44	856,966.26	759,176.31	83.28	2015-3-30	被动指数型基金	前海开源基金管理有限公司
46	150222.SZ	前海开源中航军工B	2016-12-31	911,630.44	856,966.26	759,176.31	83.28	2015-3-30	封闭式	前海开源基金管理有限公司
47	150221.SZ	前海开源中航军工A	2016-12-31	911,630.44	856,966.26	759,176.31	83.28	2015-3-30	封闭式	前海开源基金管理有限公司
48	110003.OF	易方达上证50指数A	2016-12-31	887,238.06	839,098.90	828,426.87	93.37	2004-3-22	增强指数型基金	易方达基金管理有限公司
49	150228.SZ	鹏华银行分级B	2016-12-31	873,052.11	829,402.32	829,340.70	94.99	2015-4-17	封闭式	鹏华基金管理有限公司
50	150227.SZ	鹏华银行分级A	2016-12-31	873,052.11	829,402.32	829,340.70	94.99	2015-4-17	封闭式	鹏华基金管理有限公司

2016 年港股通标的基金配置净值排名

代码	名称	截止日期	基金净值总额(万元)	股票投资市值(万元)	标的合计市值(万元)	标的占净值比例(%)	成立日期	投资类型	管理公司
510900.SH	易方达恒生国企ETF(QDII)	2016-12-31	950181.72	934514.55	934514.55	98.35	2012-08-09	QDII	易方达基金管理有限公司
161831.SZ	银华恒生国企指数分级(QDII)	2016-12-31	760071.72	687409.94	22004.79	2.90	2014-04-09	QDII	银华基金管理股份有限公司
150176.SZ	银华恒生国企指数分级(QDII)B	2016-12-31	760071.72	687409.94	22004.79	2.90	2014-04-09	封闭式	银华基金管理股份有限公司
150175.SZ	银华恒生国企指数分级(QDII)A	2016-12-31	760071.72	687409.94	22004.79	2.90	2014-04-09	封闭式	银华基金管理股份有限公司
070012.OF	嘉实海外中国股票混合(QDII)	2016-12-31	539683.72	431333.89	385778.70	71.48	2007-10-12	QDII	嘉实基金管理有限公司
000041.OF	华夏全球股票(QDII)	2016-12-31	483389.38	362342.26	160393.12	33.18	2007-10-09	QDII	华夏基金管理有限公司
202801.OF	南方全球精选配置(QDII-FOF)	2016-12-31	465951.64	77060.42	56549.30	12.14	2007-09-19	QDII	南方基金管理有限公司
377016.OF	上投摩根亚太优势混合(QDII)	2016-12-31	461277.13	378332.80	120883.28	26.21	2007-10-22	QDII	上投摩根基金管理有限公司
000990.OF	嘉实全球互联网股票(QDII)美元现钞	2016-12-31	231590.99	176325.77	20059.95	8.66	2015-04-15	QDII	嘉实基金管理有限公司
000989.OF	嘉实全球互联网股票(QDII)美元现汇	2016-12-31	231590.99	176325.77	20059.95	8.66	2015-04-15	QDII	嘉实基金管理有限公司
000988.OF	嘉实全球互联网股票(QDII)人民币	2016-12-31	231590.99	176325.77	20059.95	8.66	2015-04-15	QDII	嘉实基金管理有限公司
160717.SZ	嘉实恒生中国企业(QDII-LOF)	2016-12-31	202474.83	191833.49	152718.89	75.43	2010-09-30	QDII	嘉实基金管理有限公司
513660.SH	华夏沪港通恒生ETF(QDII)	2016-12-31	199552.03	193592.08	193592.08	97.01	2014-12-23	QDII	华夏基金管理有限公司
000948.OF	华夏沪港通恒生ETF联接(QDII)	2016-12-31	197939.68	0.52	0.52	0.00	2015-01-13	QDII	华夏基金管理有限公司

代码	名称	截止日期	基金净值总额(万元)	股票投资市值(万元)	标的合计市值(万元)	标的占净值比例(%)	成立日期	投资类型	管理公司
100061.OF	富国中国中小盘混合(QDII)	2016-12-31	184913.02	158150.14	72972.55	39.46	2012-09-04	QDII	富国基金管理有限公司
159920.SZ	华夏恒生ETF(QDII)	2016-12-31	164402.62	155866.79	154960.40	94.26	2012-08-09	QDII	华夏基金管理有限公司
001691.OF	南方香港成长(QDII)	2016-12-31	151736.12	95392.08	89042.75	58.68	2015-09-30	QDII	南方基金管理有限公司
164705.SZ	汇添富恒生指数分级(QDII)	2016-12-31	146085.54	111186.10	103549.93	70.88	2014-03-06	QDII	汇添富基金管理股份有限公司
150170.SZ	汇添富恒生指数分级B(QDII)	2016-12-31	146085.54	111186.10	103549.93	70.88	2014-03-06	QDII	汇添富基金管理股份有限公司
150169.SZ	汇添富恒生指数分级A(QDII)	2016-12-31	146085.54	111186.10	103549.93	70.88	2014-03-06	QDII	汇添富基金管理股份有限公司
040018.OF	华安香港精选股票(QDII)	2016-12-31	113758.83	100905.79	68556.26	60.26	2010-09-19	QDII	华安基金管理有限公司
000906.OF	广发全球精选股票美元现汇(QDII)	2016-12-31	97299.59	79701.31	58653.90	60.28	2015-01-16	QDII	广发基金管理有限公司
270023.OF	广发全球精选股票(QDII)	2016-12-31	97299.59	79701.31	58653.90	60.28	2010-08-18	QDII	广发基金管理有限公司
501021.SH	华宝兴业香港中国中小盘(QDII-LOF)	2016-12-31	91798.78	88711.75	76324.63	83.14	2016-06-24	QDII	华宝兴业基金管理有限公司
118001.OF	易方达亚洲精选股票(QDII)	2016-12-31	60934.85	50715.17	26624.75	43.69	2010-01-21	QDII	易方达基金管理有限公司
160416.SZ	华安标普全球石油指数(QDII-LOF)	2016-12-31	53639.09	44413.63	2050.34	3.82	2012-03-29	QDII	华安基金管理有限公司
160125.SZ	南方香港优选股票(QDII-LOF)	2016-12-31	45051.94	38204.61	31059.55	68.94	2011-09-26	QDII	南方基金管理有限公司
164906.SZ	交银中证海外中国互联网指数(QDII-LOF)	2016-12-31	41261.94	9945.84	6652.74	16.12	2015-05-27	QDII	交银施罗德基金管理有限公司
457001.OF	国富亚洲机会股票(QDII)	2016-12-31	32708.82	21694.29	13249.25	40.51	2012-02-22	QDII	国海富兰克林基金管理有限公司
486001.OF	工银全球股票(QDII)	2016-12-31	31541.06	26455.09	12863.79	40.78	2008-02-14	QDII	工银瑞信基金管理有限公司
161116.SZ	易方达黄金主题(QDII-LOF-FOF)	2014-12-31	30726.90	914.17	449.66	1.46	2011-05-06	QDII	易方达基金管理有限公司
040021.OF	华安大中华升级股票(QDII)	2016-12-31	26332.24	24610.57	14863.54	56.45	2011-05-17	QDII	华安基金管理有限公司
002380.OF	工银香港中小盘(QDII)美元	2016-12-31	24460.91	17461.20	16140.05	65.98	2016-03-09	QDII	工银瑞信基金管理有限公司
002379.OF	工银香港中小盘(QDII)人民币	2016-12-31	24460.91	17461.20	16140.05	65.98	2016-03-09	QDII	工银瑞信基金管理有限公司
470888.OF	汇添富香港优势精选混合(QDII)	2016-12-31	24171.36	20380.70	15616.88	64.61	2010-06-25	QDII	汇添富基金管理股份有限公司
002230.OF	华夏大中华混合(QDII)	2016-12-31	21484.61	18872.88	5727.21	26.66	2016-01-20	QDII	华夏基金管理有限公司
050015.OF	博时大中华亚太精选股票(QDII)	2016-06-30	19660.87	14100.89	6974.89	35.48	2010-07-27	QDII	博时基金管理有限公司
000927.OF	博时大中华亚太精选股票美元现汇(QDII)	2016-06-30	19660.87	14100.89	6974.89	35.48	2014-12-03	QDII	博时基金管理有限公司
050020.OF	博时抗通胀增强回报(QDII-FOF)	2014-12-31	18471.86	6042.63	4845.21	26.23	2011-04-25	QDII	博时基金管理有限公司
519601.OF	海富通中国海外混合(QDII)	2016-12-31	16477.09	11529.32	10921.85	66.29	2008-06-27	QDII	海富通基金管理有限公司
161229.SZ	国投瑞银中国价值发现股票(QDII-LOF)	2016-12-31	16118.78	11780.18	9205.27	57.11	2015-12-21	QDII	国投瑞银基金管理有限公司
262001.OF	景顺长城大中华混合(QDII)	2016-12-31	15049.81	10291.35	6284.61	41.76	2011-09-22	QDII	景顺长城基金管理有限公司
486002.OF	工银全球精选股票(QDII)	2016-12-31	14538.66	12900.52	739.29	5.09	2010-05-25	QDII	工银瑞信基金管理有限公司
241001.OF	华宝海外中国混合(QDII)	2016-12-31	13382.85	9248.95	8362.05	62.48	2008-05-07	QDII	华宝兴业基金管理有限公司
519696.OF	交银环球精选混合(QDII)	2016-12-31	10079.40	8450.54	1618.34	16.06	2008-08-22	QDII	交银施罗德基金管理有限公司
160121.OF	南方金砖四国指数(QDII)	2016-12-31	8658.45	5055.94	5032.98	58.13	2010-12-09	QDII	南方基金管理有限公司
000934.OF	国富大中华精选混合(QDII)	2016-12-31	8605.11	6131.70	4901.25	56.96	2015-02-03	QDII	国海富兰克林基金管理有限公司
000885.OF	广发全球农业指数美元现汇(QDII)	2016-12-31	8238.11	7460.31	211.45	2.57	2015-01-16	QDII	广发基金管理有限公司
270027.OF	广发全球农业指数(QDII)	2016-12-31	8238.11	7460.31	211.45	2.57	2011-06-28	QDII	广发基金管理有限公司
539002.OF	建信新兴市场混合(QDII)	2016-12-31	6572.65	4856.38	1909.60	29.05	2011-06-21	QDII	建信基金管理有限责任公司
080006.OF	长盛环球行业混合(QDII)	2015-06-30	6410.09	5230.98	2272.43	35.45	2010-05-26	QDII	长盛基金管理有限公司
183001.OF	银华全球优选(QDII-FOF)	2016-12-31	6233.33	961.47	961.47	15.42	2008-05-26	QDII	银华基金管理股份有限公司

代码	名称	截止日期	基金净值总额(万元)	股票投资市值(万元)	标的合计市值(万元)	标的占净值比例(%)	成立日期	投资类型	管理公司
519602.OF	海富通大中华混合(QDII)	2016-12-31	6000.20	4310.04	3791.74	63.19	2011-01-27	QDII	海富通基金管理有限公司
163813.OF	中银全球策略(QDII-FOF)	2016-12-31	5914.41	439.84	81.49	1.38	2011-03-03	QDII	中银基金管理有限公司
513600.SH	南方恒指 ETF	2016-12-31	5433.96	5345.56	5055.33	93.03	2014-12-23	QDII	南方基金管理有限公司
161210.SZ	国投瑞银新兴市场股票(QDII-LOF)	2016-12-31	5143.90	3788.15	2867.03	55.74	2010-06-10	QDII	国投瑞银基金管理有限公司
000049.OF	中银标普全球资源等权重指数(QDII)	2016-12-31	4644.51	3253.43	241.03	5.19	2013-03-19	QDII	中银基金管理有限公司
378006.OF	上投摩根全球新兴市场混合(QDII)	2016-12-31	4325.20	3151.85	1290.62	29.84	2011-01-30	QDII	上投摩根基金管理有限公司
161714.SZ	招商标普金砖四国指数(QDII-LOF)	2016-12-31	4122.80	2106.19	1398.07	33.91	2011-02-11	QDII	招商基金管理有限公司
001768.OF	华宝中国互联股票美元(QDII)	2016-12-31	4028.98	2882.98	925.01	22.96	2015-09-23	QDII	华宝兴业基金管理有限公司
001767.OF	华宝中国互联股票人民币(QDII)	2016-12-31	4028.98	2882.98	925.01	22.96	2015-09-23	QDII	华宝兴业基金管理有限公司
519709.OF	交银全球资源混合(QDII)	2016-12-31	3933.59	2664.14	2535.31	64.45	2012-05-22	QDII	交银施罗德基金管理有限公司
217015.OF	招商全球资源股票(QDII)	2016-06-30	3842.47	2592.94	71.82	1.87	2010-03-25	QDII	招商基金管理有限公司
229001.OF	泰达宏利全球新格局(QDII-FOF)	2013-12-31	3719.01	105.01	105.01	2.82	2011-07-20	QDII	泰达宏利基金管理有限公司
161620.OF	融通丰利四分法(QDII-FOF)	2015-06-30	3470.31	797.98	755.23	21.76	2013-02-05	QDII	融通基金管理有限公司
378546.OF	上投摩根全球天然资源混合(QDII)	2013-12-31	3275.64	2891.77	66.89	2.04	2012-03-26	QDII	上投摩根基金管理有限公司
164815.SZ	工银国际原油人民币(QDII-LOF-FOF)	2016-06-30	3215.34	2776.39	33.35	1.04	2013-05-28	QDII	工银瑞信基金管理有限公司
539003.OF	建信全球资源混合(QDII)	2016-12-31	2785.86	1453.11	128.50	4.61	2012-06-26	QDII	建信基金管理有限责任公司
539001.OF	建信全球机遇混合(QDII)	2016-12-31	2615.45	2212.45	692.20	26.47	2010-09-14	QDII	建信基金管理有限责任公司
460010.OF	华泰柏瑞亚洲领导企业混合(QDII)	2016-12-31	2430.80	1746.99	1135.11	46.70	2010-12-02	QDII	华泰柏瑞基金管理有限公司
118002.OF	易方达标普消费品指数增强(QDII)	2016-12-31	2257.90	2019.33	250.77	11.11	2012-06-04	QDII	易方达基金管理有限公司
000593.OF	易方达标普消费品指数增强美元现汇(QDII)	2016-12-31	2257.90	2019.33	250.77	11.11	2014-03-28	QDII	易方达基金管理有限公司
165510.SZ	信诚四国配置(QDII-FOF-LOF)	2016-12-31	1718.11	498.40	226.99	13.21	2010-12-17	QDII	信诚基金管理有限公司
165513.SZ	信诚全球商品主题(QDII-FOF-LOF)	2014-12-31	1618.34	43.31	16.61	1.03	2011-12-20	QDII	信诚基金管理有限公司
100055.OF	富国全球顶级消费品混合(QDII)	2016-12-31	1526.42	1170.79	24.15	1.58	2011-07-13	QDII	富国基金管理有限公司

数据来源:东方财富 Choice 数据。

沪深股通标的可转换债

代码	名称	发行额(亿元)	期限(年)	票面利率(%)	正股代码	正股名称	转换开始日期	转换截止日期	初始转换价格(元)	评级机构	评级结果	证监会行业
128009.SZ	歌尔转债	25	2.55	0.5	002241.SZ	歌尔股份	2015-6-19	2017-6-30	26.43	联合信用评级有限公司	AA+	计算机、通信和其他电子设备制造业
110030.SH	格力转债	9.8	5	0.6	600185.SH	格力地产	2015-6-30	2019-12-24	20.9	联合信用评级有限公司	AA	房地产业
113008.SH	电气转债	60	6	0.2	601727.SH	上海电气	2015-8-3	2021-2-1	10.72	上海新世纪资信评估投资服务有限公司	AAA	通用设备制造业
110031.SH	航信转债	24	6	0.2	600271.SH	航天信息	2015-12-14	2021-6-11	86.61	联合信用评级有限公司	AAA	计算机、通信和其他电子设备制造业
123001.SZ	蓝标转债	14	6	0.5	300058.SZ	蓝色光标	2016-6-27	2021-12-17	15.3	中诚信证券评估有限公司	AA	商务服务业
110032.SH	三一转债	45	6	0.2	600031.SH	三一重工	2016-7-4	2022-1-3	7.5	联合信用评级有限公司	AA+	专用设备制造业
110033.SH	国贸转债	28	6	0.3	600755.SH	厦门国贸	2016-7-5	2022-1-4	9.03	上海新世纪资信评估投资服务有限公司	AA+	批发业
110034.SH	九州转债	15	6	0.2	600998.SH	九州通	2016-7-21	2022-1-14	18.78	中诚信证券评估有限公司	AA+	批发业
128010.SZ	顺昌转债	5.1	6	0.5	002245.SZ	澳洋顺昌	2016-7-29	2022-1-21	9.44	鹏元资信评估有限公司	AA	装卸搬运和运输代理业
113009.SH	广汽转债	41.06	6	0.2	601238.SH	广汽集团	2016-7-22	2022-1-21	21.99	联合信用评级有限公司	AAA	汽车制造业

代码	名称	发行额(亿元)	期限(年)	票面利率(%)	正股代码	正股名称	转换开始日期	转换截止日期	初始转换价格(元)	评级机构	评级结果	证监会行业
128011.SZ	汽模转债	4.2	6	0.5	002510.SZ	天汽模	2016-9-9	2022-3-2	11.63	联合信用评级有限公司	AA	汽车制造业
113010.SH	江南转债	7.6	6	0.3	601199.SH	江南水务	2016-9-26	2022-3-17	19	联合信用评级有限公司	AA	水的生产和供应业
128012.SZ	辉丰转债	8.45	6	0.5	002496.SZ	辉丰股份	2016-10-28	2022-4-21	29.7	鹏元资信评估有限公司	AA	化学原料及化学制品制造业
127003.SZ	海印转债	11.11	6	0.5	000861.SZ	海印股份	2016-12-16	2022-6-7	5.26	—	—	商务服务业
128013.SZ	洪涛转债	12	6	0.4	002325.SZ	洪涛股份	2017-2-6	2022-7-28	10.28	上海新世纪资信评估投资服务有限公司	AA	建筑装饰和其他建筑业
113011.SH	光大转债	300	6	0.2	601818.SH	光大银行	2017-9-18	2023-3-16	4.36	中诚信证券评估有限公司	AAA	货币金融服务
113012.SH	骆驼转债	7.17	6	0.3	601311.SH	骆驼股份	2017-10-9	2023-3-23	16.78	鹏元资信评估有限公司	AA	电气机械和器材制造业
128014.SZ	永东转债	3.4	6	0.5	002753.SZ	永东股份	2017-10-23	2023-4-16	30.77	联合信用评级有限公司	AA-	化学原料及化学制品制造业
127004.SZ	模塑转债	8.14	6	0.5	000700.SZ	模塑科技	2017-12-4	2023-6-1	8	中诚信证券评估有限公司	AA	汽车制造业
128015.SZ	久其转债	7.8	6	0.3	002279.SZ	久其软件	2017-12-15	2023-6-7	12.97	联合信用评级有限公司	AA	软件和信息技术服务业

数据来源:Choice 数据。

第三节　香港证券市场

2016 年香港证券市场运行情况综述

一、发展历程

香港的证券交易最早见于 19 世纪中叶。到 1891 年香港经纪协会成立时，香港始有正式的证券交易市场。该会于 1914 年易名为香港经纪商会。香港第二间交易所——香港股份商会于 1921 年注册成立。两所于 1947 年合并成为香港证券交易所，并合力重建二次大战后的香港股市。此后，香港经济快速发展，促成另外三家交易所的成立——1969 年的远东交易所、1971 年的金银证券交易所以及 1972 年的九龙证券交易所。

在加强市场监管和合并四所的压力下，四所时代于 1986 年 3 月 27 日画上历史句号，香港联合交易所有限公司（联交所）在 1980 年注册成立并于 1986 年 4 月 2 日开始运作。联交所与香港期货交易所（期交所）于 2000 年前实行股份化，于 2000 年 3 月 6 日与香港中央结算有限公司（香港结算）合并于单一控股公司香港交易及结算所有限公司（香港交易所）旗下，并在同年 6 月 27 日以介绍方式在联交所上市，成为世界首批上市的交易所集团之一。

香港交易所集团经营证券和衍生产品以及相关的交易及结算服务，上市证券品种丰富，包括现货、期货和期权交易等市场，也是香港上市公司的前线监管机构。集团的全资子公司还包括全资控股的国际性金属交易所——伦敦金属交易所（London Metal Exchange，LME）。

二、市场概况

香港证券市场是全球重要的证券市场之一。截至 2016 年 12 月 30 日，香港共有 1,973 家上市公司（主板：1,713 家，创业板：260 家），总市值达 247,613 亿港元。香港交易所旗下证券化衍生产品（衍生权证及牛熊证）的成交金额连续 10 年全球夺冠，2016 年，香港衍生权证成交额高达 27,270 亿港元，牛熊证成交额高达 13,716 亿港元。

表 1：2016 年香港证券市场表现（主板及创业板）

截至 2016 年底

项目	数值
市值（亿港元）	247,613
上市公司数目	1,973
新上市公司数目	126
股份集资总额（百万港元）	486,708.2
—首次公开招股集资额	194,796.7
—上市后集资额	291,911.5
平均每日成交金额（百万港元）	66,924

其中，在香港上市的中国内地企业 1002 家（包括 153 家红筹公司、241 家 H 股公司及 608 家民营企业），上市公司总数占比达到 51%，总市值及成交金额约占整体市场的 70%。

·红筹公司：一般指在海外注册，经国资委/发改委批准注入国有资产的上市公司。

·H 股公司：指在中华人民共和国境内注册成立并获得中国证券监督管理委员会批准到港上市的公司。

·民营企业：泛指境内民营企业。很多通过股东在境外注册离岸公司，该离岸公司以现金收购或换股方式取得境内企业原股东持有的全部股权，以境外公司作为上市公司主体在香港实现上市。

香港联交所证券市场有主板和创业板两个交易平台，为不同类型的公司提供集资市场。截至 2016 年 12 月 30 日，在香港联交所证券市场主板居于主导地位。主板中，金融行业的市值占比高达 30%，为市值占比最高的行业；消费类公司数量约 36%，为数量最多的行业。油气服务、金融业特色公司（如交易所、资产管理公司等）、可选消费（如电影与娱乐、专卖店、博彩、餐饮等）、电信和科技（电信公司、互联网与软件）等行业也占比较大。

·主板：为业务基础较稳健而又符合盈利或其他财务要求的公司而设的市场。在主板上市的公司包括大型公司及银行以及公营机构及地产发展商。

·创业板：第二板和通往主板的踏脚石，为不符合或未符合主板上市要求的公司而设。

香港交易所统计数据显示，证券市场方面，年内香港共有 126 家新上市公司，首次公开招股集资总额达 251 亿美元，连续两年位居全球集资中心之首。其中，2016 年 9 月 28 日上市的中国邮政储蓄银行股份有限公司集资 566.27 亿港元，成为 2016 年全球集资额最大的首次公开招股。

表 2：首次公开招股集资额（2016 年 1 月至 12 月）

截至 2016 年底

排名	交易所	集资额
1	香港交易所	25,135
2	上海证券交易所	16,292
3	纽约证券交易所	14,693
4	纳斯达克，美国全国证券交易商协会	10,892
5	日本交易所集团	10,663
6	伦敦证券交易所	8,856
7	深圳证券交易所	7,775
8	哥本哈根（纳斯达克 OMX 集团北欧）	5,890
9	德意志交易所	5,787
10	韩国交易所	5,593

资料来源：香港交易所及彭博

2016 年 12 月 5 日，深港通顺利开通，沪港通继续平稳畅顺运作。截至 2016 年 12 月 30 日，南向港股通成交总额为 8,362亿港元，北向沪股通及深股通成交总额为人民币 7,710 亿元。

沪港通(2016年1月1日至12月30日)

	沪股通	港股通
成交额最高纪录（买盘＋卖盘）	74亿元人民币（2016年3月18日）	120 亿港元（2016年9月9日）
平均每日成交金额（买盘＋卖盘）	32.12亿元人民币	36.26亿港元
成交总额（买盘＋卖盘）	7,450亿元人民币	8,270亿港元
平均每日成交宗数（买盘＋卖盘）	136,143宗	59,620宗
每日额度最高用量	50亿元人民币（用量39%） 于2016年8月16日	61亿元人民币（用量39%） 于2016年9月9日
交易日数	232日	228日

深港通(2016年12月5日至12月30日)

	深股通	港股通
成交额最高纪录（买盘＋卖盘）	36亿元人民币（2016年12月9日）	9.23 亿港元（2016年12月5日）
平均每日成交金额（买盘＋卖盘）	15.41亿元人民币	5.09亿港元
成交总额（买盘＋卖盘）	260亿元人民币	92亿港元
平均每日成交宗数（买盘＋卖盘）	65,229宗	14,706宗
每日额度最高用量	27亿元人民币（用量21%） 于2016年12月5日	8.50亿元人民币（用量8%） 于2016年12月5日
交易日数	17日	18日

资料来源:香港交易所及彭博

图 1　沪港通及深港通成交统计数据

除了证券产品外,香港交易所还提供品种丰富的衍生产品,帮助投资者管理市场风险。2016 年香港全年期货总成交量达 84,100,129 张合约,较 2015 年全年所创纪录的 73,462,212张合约增长 14%。年内多种期权合约的成交张数、各类产品未平仓合约张数以及收市后期货交易的成交量均创新高。

2016 年,恒生指数期货成交量达 32,313,994 张合约,较之前纪录(2011 年)增加 40%。H 股指数期权成交量达 19,475,726张合约,较之前纪录(2015 年)增加 27%。收市后期货(即期货夜市)交易时段的成交量为 9,212,328 张合约,较之前纪录(2015 年)增加 75%。

衍生产品

成交量	计至2016年12月30日 (合约张数)		2016年之前最高纪录 (合约张数)	
所有期货	84,100,129		73,462,212	(2015年)
恒生指数期货	32,313,994		23,085,833	(2011年)
小型恒生指数期货	12,477,552		10,294,537	(2011年)
恒生国企股息点指数期货	589,188		240,572	(2014年)
人民币货币期货 - 美元兑人民币(香港)期货	538,594		262,433	(2015年)
小型恒生指数期权	1,424,379		1,230,997	(2012年)
H股指数期权	19,475,726		15,304,245	(2015年)
收市后期货交易时段	9,212,328		5,255,464	(2015年)
未平仓合约				
恒生国企股息点指数期货	184,626	(2016年12月13日)	101,430	(2015年12月30日)
人民币货币期货 - 美元兑人民币(香港)期货	45,635	(2016年12月30日)	23,887	(2014年2月14日)
H股指数期权	3,276,956	(2016年12月28日)	2,618,350	(2015年9月25日)

图 2　2016 年香港衍生产品市场创新纪录

香港交易所旗下的美元兑人民币（香港）期货是全球交易所最活跃的人民币期货品种，2016 年，美元兑人民币（香港）期货成交量达 538,594 张合约，较 2015 年成交量超出一倍多。2016 年 12 月 30 日，美元兑人民币（香港）期货未平仓合约达 45,635 张合约，刷新历史最高纪录。

2016 年 12 月 28 日，H 股指数期权未平仓合约达 3,276,956张合约，之前最高纪录为 2015 年 9 月 25 日的 2,618,350张合约。

三、市场特点

截至 2016 年 9 月 30 日，香港上市公司来源于全球 26 个不同的国家和地区，国际化程度较高。和 A 股市场相比，香港股市有着自己鲜明的特点：

1. 适合各类风险偏好的投资者：低风险偏好者可以选择认购新股、高息债券和高分红率的蓝筹股等；而高风险偏好者可以选择买卖期货、期权等；

2. 高度市场化，国际化：香港市场是 T + 0 交易，无涨跌幅限制，可融资交易和股票做空，打新可提供高倍杠杆融资，部分供股权可以上市交易等等；

3. 投资和投机并存：香港市场由机构投资者为主导，若公司业绩低于市场预期，其股价可能会在相当长的时间内持续疲软；但另一方面，部分仙股可能在持续放量的基础上短期涨幅巨大；

4、股票估值较低：与全球主要证券市场相比，港股平均市盈率最低。但是，当有重组或者基本面改观的基础上，股价会有非常大的上涨幅度，且持续时间较长。

四、内地居民港股投资主要途径

目前，内地投资者配置港股资产主要有四种途径：

1. 内地居民亲赴香港：可在香港的任何一家证券公司或者银行开设港股账户，只需备齐证件护照，或是通行证加身份证，附带一张能够证明户主常驻地的居住地址证明；

2. 通过内地在香港有子公司的境内券商的港股代办处：提供身份证和居住证明即可直接在内地办理开户。投资者在证券公司香港子公司的职员的见证下填写个人基本信息资料，经审核合格后证券公司香港子公司会为投资者开设港股股票交易账户和当地银行的专用信托帐户；

3. 港股通：如果已开通了 A 股账户，只要证券账户及资金账户余额合计不低于人民币 50 万元，即可申请港股通权限。此种开户方式最为方便快捷，但对资金要求较高；

4. 购买港股 ETF 和 QDII，相比港股通的 50 万人民币的准入门槛，以及开设港股账户的繁琐，直接在 A 股账户中购买跟踪港股指数的 ETF 和 QDII 产品也是不错的选择。

此外，香港证监会于今年 10 月下旬发出通函，允许券商在为客户进行初次非面对面开户时，使用内地及香港官方认可的电子签名来核实客户身份及签立客户协议。但具体操作仍有待监管部门发布进一步指引。

标准普尔/香港交易所大型股指数 - 每日走势（2016）

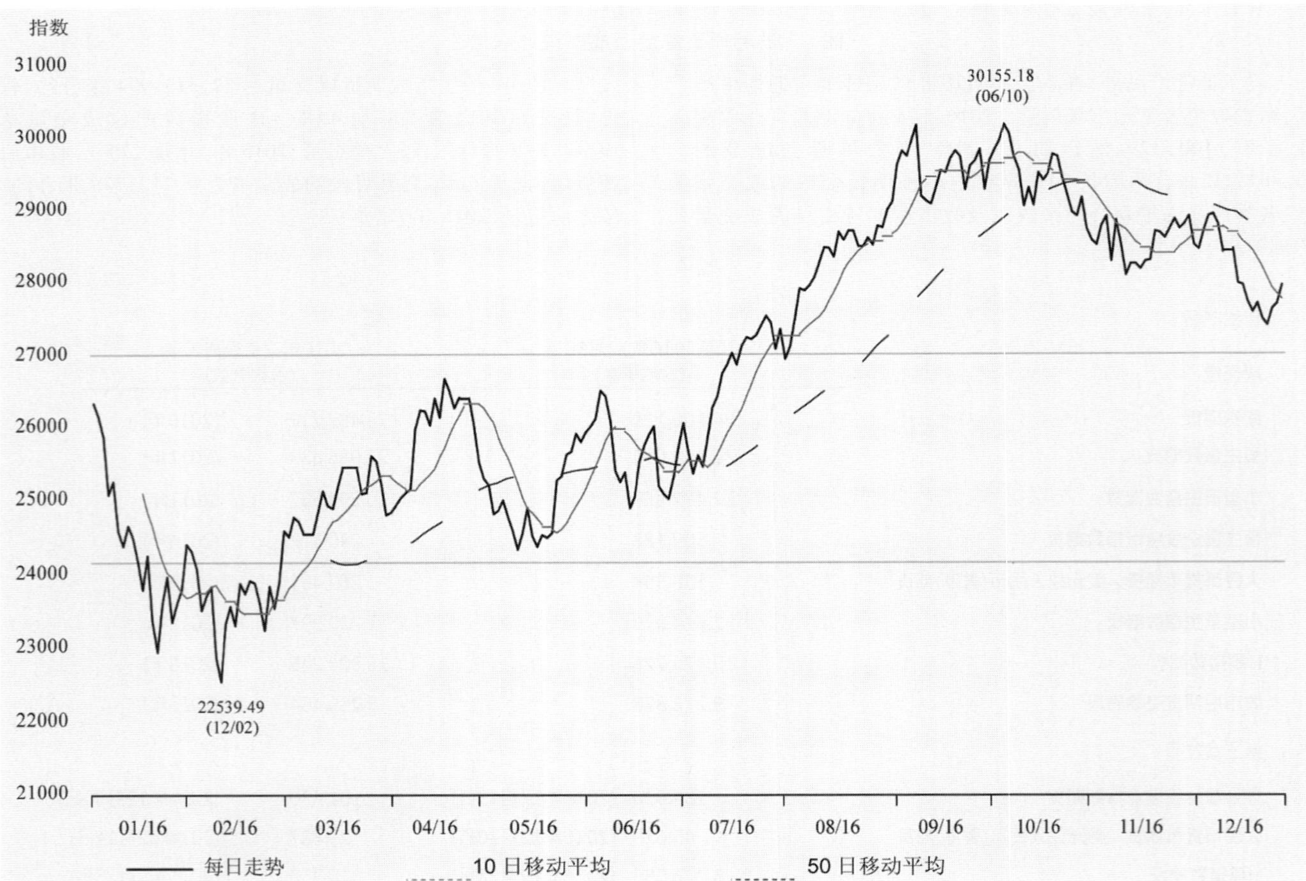

恒生指数－每日走势（2016）

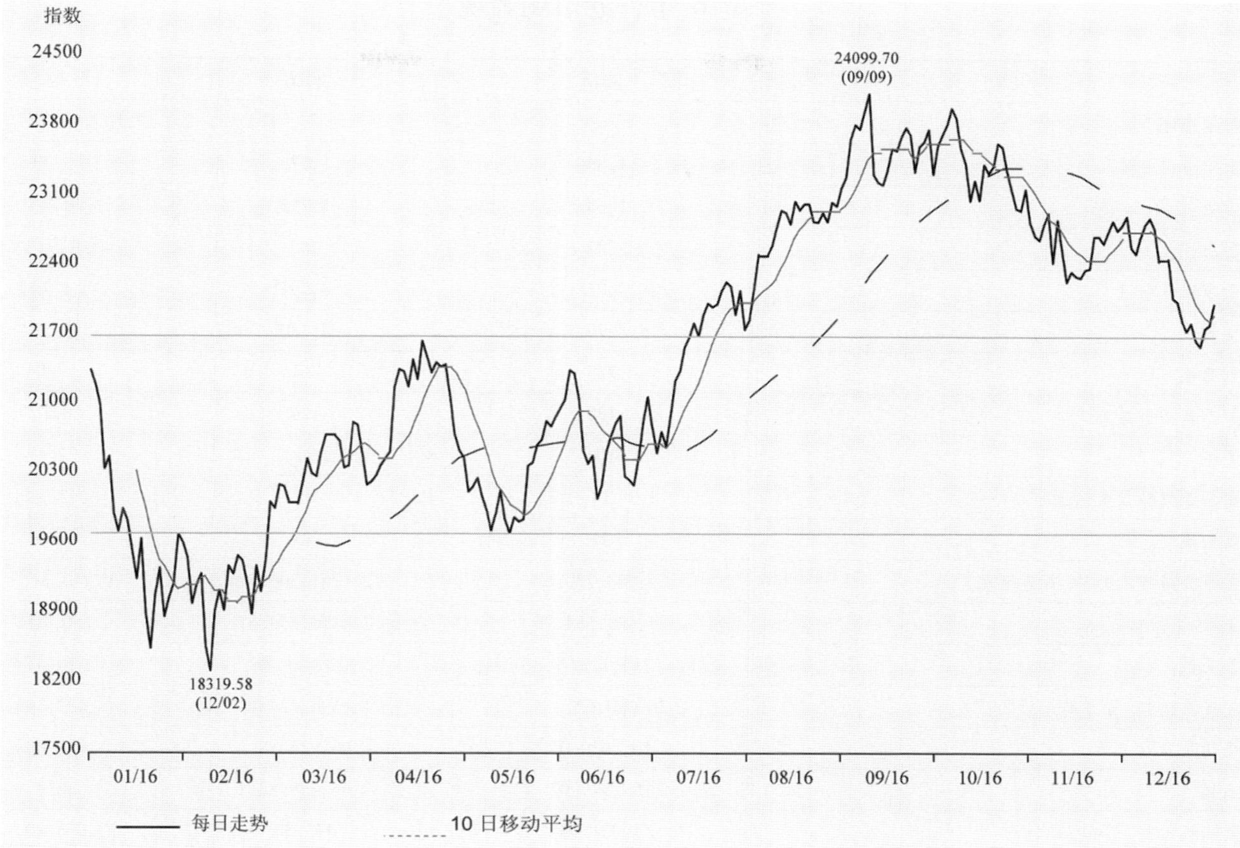

标准普尔/香港交易所创业板指数－每日走势（2016）

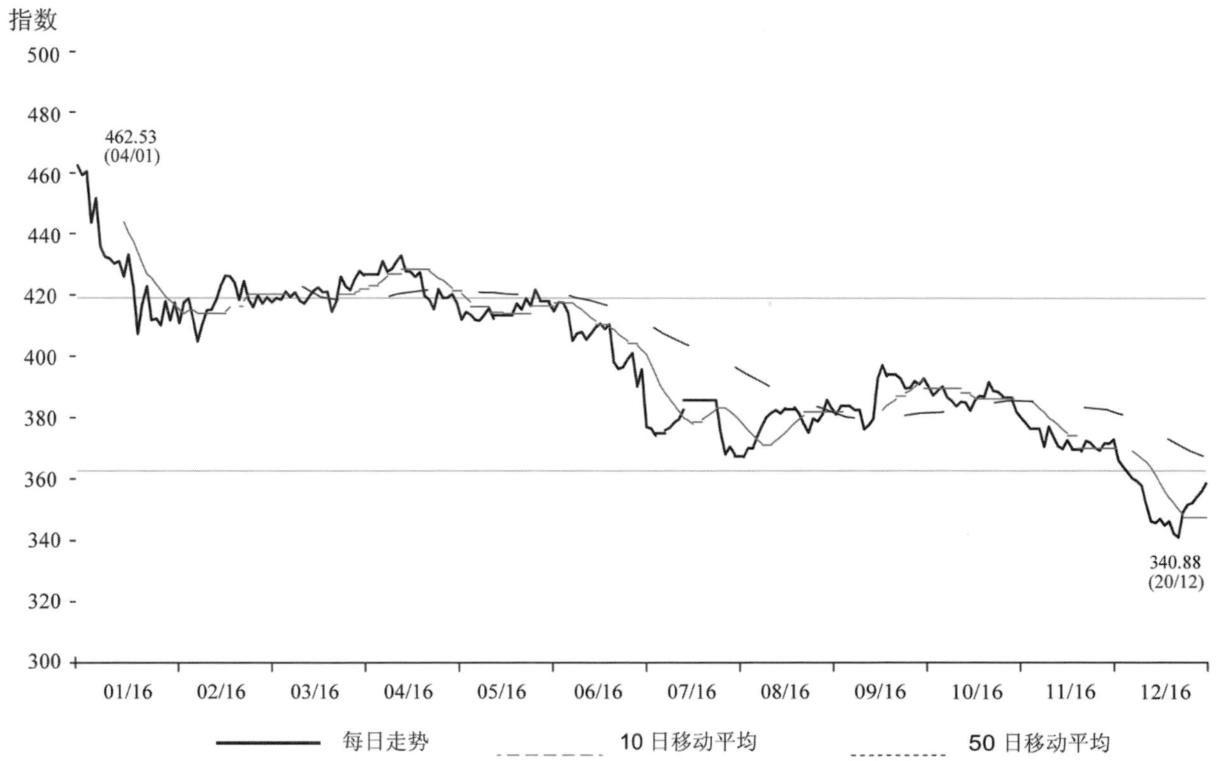

2016 年香港市场表现

	2015	2016	% 增/减
股票市场			
上市公司数目	1,866	1,973	5.73
主板	1,644	1,713	4.20
创业板	222	260	17.12
上市证券数目	9,015	8,591	(4.70)
主板	8,792	8,330	(5.25)
创业板	223	261	17.04
新上市公司数目[(1)]	138	126	(8.70)
主板	104	81	(22.12)
由创业板转往主板上市	14	6	(57.14)
创业板	34	45	32.35
上市公司市价总值(百万港元)	24,683,730.69	24,761,306.37	0.31
主板	24,425,554.96	24,450,434.51	0.10
创业板	258,175.74	310,871.86	20.41
总成交金额(百万港元)[(2)]	26,090,621.55	16,396,424.97	(37.16)
平均每日成交量	105,630.05	66,924.18	(36.64)
主板	104,599.02	66,448.88	(36.47)
创业板	1,031.03	475.30	(53.90)
最高	293,910.76(09/04)	117,309.69(09/09)	
最低	38,316.02(29/12)	44,177.04(23/05)	
集资总额(十亿港元)	1,115.64	490.05	(56.07)
首次公开招股集资总额	263.09	195.32	(25.76)
主板	260.35	190.72	(26.74)
创业板	2.74	4.59	67.49
上市后集资总额	852.55	294.74	(65.43)
主板	833.20	280.45	(66.34)
创业板	19.35	14.29	(26.14)
内地企业			
内地企业数目	951	1,002	5.36
主板	875	920	5.14
H 股	206	218	5.83
红筹股	140	147	5.00
内地民营企业	529	555	4.91
创业板	76	82	7.89
H 股	23	23	0.00
红筹股	5	6	20.00
内地民营企业	48	53	10.42
新上市 H 股数目	31	15	(51.61)
主板	30	15	(50.00)
由创业板转往主板上市	0	0	–

	2015	2016	%增/减
创业板	1	0	(100.00)
市价总值(百万港元)(占市场总市值百分比)	15,319,823.11(62.06%)	15,663,894.95(63.26%)	2.25
主板	15,226,315.23(62.34%)	15,574,322.38(63.70%)	2.29
H股	5,157,109.86	5,316,159.06	3.08
红筹股	5,137,712.98	4,898,947.36	(4.65)
内地民营企业	4,931,492.39	5,359,215.97	8.67
创业板	93,507.89(36.22%)	89,572.57(28.81%)	(4.21)
H股	7,529.51	6,963.00	(7.52)
红筹股	12,987.59	13,400.09	3.18
内地民营企业	72,990.78	69,209.47	(5.18)
总成交金额(百万港元)(占股份总成交金额百分比)	12,705,531.95(72.68%)	7,886,802.27(70.59%)	(37.93)
股价指数			
恒生指数(1964年7月31日=100)	21914.40	22000.56	0.39
恒生金融分类指数	30576.03	30308.31	(0.88)
恒生公用事业分类指数	51113.56	50037.47	(2.11)
恒生地产分类指数	29907.17	28991.74	(3.06)
恒生工商业分类指数	12522.23	12884.63	2.89
恒生中国企业指数(2000年1月3日=2000)	9661.03	9394.87	(2.75)
恒生香港中资企业指数(2000年1月3日=2000)	4052.12	3587.99	(11.45)
标准普尔/香港交易所大型股指数(2003年2月8日=10000)	27007.12	27926.13	3.40
标准普尔/香港交易所创业板指数(2003年2月8日=1000)	476.79	358.53	(24.80)
股本权证			
新发行数目	8	6	(25.00)
主板	7	5	(28.57)
创业板	1	1	-
股本权证新发行溢价总额(百万港元)	0.00	0.00	-
主板	0.00	0.00	-
创业板	0.00	0.00	-
股本权证数目	13	9	(30.77)
主板	12	8	(33.33)
创业板	1	1	-
总成交金额(百万港元)	3,981.79	354.12	(91.11)
主板	3,936.11	311.39	(92.09)
创业板	46	42.73	(6.47)
债务证券			
债务证券数目	762	892	17.06
人民币债券	155	135	(12.90)
总成交金额(百万港元)	9,380.57	21,278.25	126.83
新上市债务证券数目	177	211	19.21
人民币债券	24	12	(50.00)
集资总额(十亿港元)	750.76	774.61	3.18

	2015	2016	% 增/减
新上市人民币债券本金总额(十亿人民币)	44.85	29.00	(35.34)
抗通胀零售债券成交金额(百万港元)(占债务证券总成交金额百分比)	9,362.14(99.80%)	10,408.75(48.92%)	11.18
单位信托基金及互惠基金			
单位信托基金及互惠基金数目	145	157	8.28
交易所买卖基金	133	133	0.00
杠杆及反向产品	–	12	–
房地产投资信托基金	11	11	0.00
总成交金额(百万港元)(占主板总成交金额百分比)	2,254,090.52(8.72%)	1,103,113.77(6.78%)	(51.06)
交易所买卖基金	2,170,959.42	1,011,412.89	(53.41)
杠杆及反向产品	–	505.32	–
房地产投资信托基金	82,027.60	91,086.25	11.04
平均每日成交额(百万港元)	9,125.87	4,502.51	(50.66)
交易所买卖基金	8,789.31	4,128.22	(53.03)
杠杆及反向产品	–	2.06	–
房地产投资信托基金	332.10	371.78	11.95
新上市单位信托基金及互惠基金	14	34	142.86
交易所买卖基金	14	22	57.14
多柜台交易所买卖基金	7	10	42.86
人民币成交金额			
占多柜台交易所买卖基金的总成交金额百分比	3.74	2.20	
A 股交易所买卖基金总成交金额(十亿港元)(占 ETFs 百分比)	1,479.59(68.15%)	398.84(39.43%)	(73.04)
结构性产品			
衍生权证			
衍生权证数目	4,590	3,705	(19.28)
新上市衍生权证	6,336	4,875	(23.06)
新上市衍生权证总名义发行金额(十亿港元)	182.37	105.84	(41.97)
总成交金额(百万港元)(占主板总成交金额百分比)	4,504,078.89(17.43%)	2,726,995.81(16.75%)	(39.45)
牛熊证			
牛熊证数目	1,630	1,844	13.13
新上市牛熊证	11,213	8,896	(20.66)
新上市牛熊证总名义发行金额(十亿港元)	483.53	363.74	(24.77)
总成交金额(百万港元)(占主板总成交金额百分比)	1,836,853.88(7.11%)	1,371,572.74(8.42%)	(25.33)
人民币交易的证券产品			
人民币交易的证券产品数目	189	179	(5.29)
股本证券	2	2	0.00
债务证券	155	135	(12.90)
衍生权证	2	0	(100.00)
交易所买卖基金	29	41	41.38
房地产投资信托基金	1	1	0.00
多柜台证券数目	29	41	41.38
股本证券	1	1	0.00

	2015	2016	%增/减
交易所买卖基金	28	40	42.86
总成交金额(百万元人民币)	35,929.65	11,883.00	(66.93)
股本证券(占百分比)	100.02(0.28%)	59.07(0.50%)	(40.94)
衍生权证(占百分比)	4.37(0.01%)	0.00(0.00%)	(100.00)
交易所买卖基金(占百分比)	33,865.08(94.25%)	9,139.66(76.91%)	(73.01)
房地产投资信托基金(占百分比)	1,945.09(5.41%)	2,331.38(19.62%)	19.86
债务证券(占百分比)	15.10(0.04%)	352.89(2.97%)	2,237.66
非上市可交易市场			
交易所买卖基金数目	2	2	0.00
纳斯达克市场上市的股票数目	6	6	0.00
总成交金额(百万港元)	0.79	0.47	(40.79)
沪港通			
港股通			
合资格股份数目	310	316	
总成交金额(百万港元)	777,700.82	826,775.84	6.31
平均每日成交金额	3,396.07	3,626.21	6.78
沪股通			
合资格股份数目	659	574	
可买可卖股份	569	434	
仅可卖出股份	90	140	
可进行孖展买卖股份	390	408	
总成交金额(百万人民币)	1,471,063.99	745,272.91	(49.34)
平均每日成交金额	6,368.24	3,212.38	(49.56)
深港通			
港股通			
合资格股份数目	-	417	
总成交金额(百万港元)	-	9,164.38	-
平均每日成交金额	-	509.13	-
深股通			
合资格股份数目	-	881	
可买可卖股份	-	881	
仅可卖出股份	-	-	
可进行孖展买卖股份	-	391	
总成交金额(百万人民币)	-	26,190.43	-
平均每日成交金额	-	1,540.61	-
衍生产品市场			
股票期货数目(截至年底)	74	74	-
股票期权数目(截至年底)	84	84	-
总成交合约	189,824,363	188,150,672	(0.88)
平均每日成交量	768,520	761,744	(0.88)
所有期货产品	73,462,212	84,100,129	14.48
所有权货产品	116,362,151	104,050,543	(10.58)

	2015	2016	%增/减
期货市场首三位最高成交量产品			
H股指数期货			
成交合约(占期货总成交合约百分比)	33,379,310(45.44%)	33,031,130(39.28%)	(1.04)
未平仓合约	384,767	322,024	(16.31)
恒生指数期货			
成交合约(占期货总成交合约百分比)	21,239,775(28.91%)	32,313,994(38.42%)	52.14
未平仓合约	97,118	123,004	26.65
小型恒生指数期货			
成交合约(占期货总成交合约百分比)	10,046,556(13.68%)	12,477,552(14.84%)	24.20
未平仓合约	7,556	9,572	26.68
其他重要指数期权产品			
H股指数期权			
成交合约(占期权总成交合约百分比)	15,304,245(13.15%)	19,475,726(18.72%)	27.26
未平仓合约	1,625,661	2,066,340	27.11
恒生指数期权			
成交合约(占期权总成交合约百分比)	7,515,466(6.46%)	9,353,749(8.99%)	24.46
未平仓合约	172,564	249,699	44.70
小型恒生指数期权			
成交合约(占期权总成交合约百分比)	1,033,813(0.89%)	1,424,379(1.37%)	37.78
未平仓合约	4,945	11,917	140.99
商品市场			
LME 期货及期权成交合约	169,557,846	156,512,730	(7.69)
金额(万亿美元)	11.9	10.3	(13.45)
金属材料(十亿吨)	3.8	3.5	(7.89)
平均每日成交量	670,189	618,627	(7.69)

注:
(1)数字已包括由创业板转往主板上市公司。
(2)成交金额已调整延迟呈报及驳回的交易。

2016 年港交所主板市场概况

	2014 年	2015 年	2016 年
上市证券(年底数字)			
上市公司数目	1,548	1,644	1,713
上市证券数目	8,856	8,792	8,330
新上市公司数目[(1)]	103	104	81
新上市公司	96	90	75
创业板转板上市公司	7	14	6
市价总值(百万港元)	24,892,419.04	24,425,554.96	24,450,434.51
集资总额(百万港元)	929,399.28	1,093,551.48	471,171.95
交投情况			
总交易日数	247	247	245
总成交金额(百万港元)[(2)]			
全年	16,990,272.08	25,835,958.29	16,279,975.48

	2014 年	2015 年	2016 年
平均每日	68,786.53	104,599.02	66,448.88
总成交股数(百万股)			
全年	33,929,018.76	53,091,013.41	45,177,508.51
平均每日	137,364.45	214,943.37	184,397.99
总成交宗数(宗数)			
全年	258,091,086	349,425,144	261,400,789
平均每日	1,044,903	1,414,677	1,066,942
股价指数			
标普香港大型股指数(2003 年 2 月 28 日 = 10000)			
最高	30786.74	34685.39	30155.18
最低	25657.64	25245.78	22539.49
年底指数	28711.00	27007.12	27926.13
恒生指数(1964 年 7 月 31 日 = 100)			
最高	25317.95	28442.75	24099.70
最低	21182.16	20556.60	18319.58
年底指数	23605.04	21914.40	22000.56
市场比率(3)			
平均周息率(%)	3.44	3.46	3.24
平均市盈率(倍)	10.94	9.90	10.53
平均账面值比率(倍)	1.38	1.23	1.19
流通比率(%)	50.10	70.53	45.22
交易所参与者数目	540	550	592

注：
(1)包括由创业板到主板上市之公司。
(2)市场成交金额已就迟报及反驳交易作出调整。
(3)根据所有上市的普通股股份年底数字计算。

2016 年港交所创业板市场概况

	2014 年	2015 年	2016 年
上市证券(年底数字)			
上市公司数目	204	222	260
上市证券数目	204	223	261
新上市公司数目	19	34	45
市价总值(百万港元)	179,409.87	258,175.74	310,871.86
集资总额(百万港元)	13,317.35	22,091.25	18,882.06
交投情况			
总交易日数	247	247	245
总成交金额(百万港元)(1)			
全年	165,458.24	254,663.27	116,449.49
平均每日	669.87	1,031.03	475.30
总成交股数(百万股)			
全年	357,646.58	602,894.91	434,388.56
平均每日	1,447.96	2,440.87	1,773.01

	2014 年	2015 年	2016 年
总成交宗数(宗数)			
全年	4,346,364	6,324,001	3,449,127
平均每日	17,597	25,603	14,078
股价指数			
标普香港创业板指数(2003 年 2 月 28 日 =1000)			
最高	581.16	822.36	462.53
最低	459.90	422.09	340.88
年底指数	477.72	476.79	358.53
市場比率(2)			
平均周息率(%)	0.65	0.30	0.25
平均市盈率(倍)	11.59	76.93	71.31
平均账面值比率(倍)	3.01	4.24	4.32
流通比率(%)	92.22	98.62	37.45

注:
(1)市场成交金额已就迟报及反驳交易作出调整。
(2)根据创业板股份之年底数字计算。

2016 年港交所衍生产品市场概况

	2014 年	2015 年	2016 年
所有期货及期权产品(股票期权除外)			
交易日数	247	247	247
约成交量	67,895,178	97,360,884	114,568,558
股市指数产品	67,253,695	96,313,589	113,768,466
股票产品	427,609	729,013	225,978
利率产品	35	96	52
人民币货币期货	205,049	262,433	544,891
黄金期货#	0	0	
–伦敦金属期货小型合约*	8,790	55,753	29,171
平均每日	274,879	394,174	463,840
年底未平仓合约	1,640,259	2,439,302	2,968,607
股市指数产品	1,613,541	2,395,818	2,915,908
股票产品	14,916	20,088	5,365
利率产品	5	0	40
人民币货币期货	9,747	23,046	47,241
黄金期货#	0	–	
–伦敦金属期货小型合约*	2,050	350	53
#黄金期货由 2015 年 5 月 27 日停止买卖 *伦敦金属期货小型合约由 2014 年 12 月 01 日开始买卖			
股票期权			
年底股票期权类别数目	80	84	84
年底股票期权系列数目	23,440	29,876	31,080
新开办期权类别数目	10	5	0
交易日数	247	247	247

	2014 年	2015 年	2016 年
合约成交量			
全年总数	74,543,861	92,463,479	73,582,114
平均每日	301,797	374,346	297,903
合约期权金(百万港元)			
全年总数	52,328	80,303	38,700
平均每日	212	325	157
成交宗数			
全年总数	3,062,284	3,980,695	2,948,718
平均每日	12,398	16,116	11,938
年底未平仓合约	6,320,147	4,827,678	6,327,503
已行使合约总数	8,636,583	10,993,293	7,465,188
每张合约平均期权金(港元)	702	868	526
每宗交易平均合约数目(合约数目)	24	23	25
庄家数目	30	31	31
认沽数量/认购数量	0.96	0.93	0.99
平均每日合约成交量/未平仓合约	4.8%	7.8%	4.7%
所有期货及期权产品			
合约成交量	142,439,039	189,824,363	188,150,672
年底未平仓合约	7,960,406	7,266,980	9,296,110

#黄金期货由2015年5月27日停止买卖
*伦敦金属小型期货由2014年12月01日开始买卖

2016年香港市场结算及交收概况

	2014 年	2015 年	2016 年
中央结算系统营运资料			
经中央结算系统处理之联交所交易(每日平均数)			
-交易宗数	1,060,636	1,397,853	1,081,017
-交易金额(十亿港元)	69.4	102.8	66.9
-涉及股数(十亿股)	138.8	216.8	186.2
经中央结算系统处理的交收指示(每日平均数)			
-交收指示数目	88,791	101,029	83,194
-交收指示涉及金额(十亿港元)	205.6	254.7	181.9
-涉及股数(十亿股)	55.0	55.9	46.8
经中央结算系统处理的投资者交收指示(每日平均数)			
-交收指示数目	394	443	277
-交收指示涉及金额(百万港元)	226.5	199.8	136.5
-涉及股数(百万股)	268.1	134.4	87.3
以“持续净额交收”的股份数额于到期交收日(T+2)的交收效率	99.90	99.91	99.91
(每日平均数)(%)			
以“持续净额交收”的股份数额于到期交收翌日(T+3)的交收效率	99.99	99.99	99.99
(每日平均数)(%)			

	2014 年	2015 年	2016 年
在 T+3 日进行补购(每日平均数)			
-涉及经纪数目	4	5	3
-补购宗数	5	5	3
-补购涉及金额(百万港元)	4.0	3.7	2.3
存放于中央结算系统证券存管处的股份			
-股数(十亿股)	4,450.1	5,467.2	5,878.9
-获纳入系统的证券占已发行股本总数的百分比	71.29	74.50	74.27
-股份价值(十亿港元)	14,911.9	15,071.2	15,381.5
-获纳入系统的证券占市价总值的百分比	54.09	56.58	56.60
衍生产品结算及交收系统营运资料	2014	2015	2016
年末未平仓合约			
-股市指数期货	421,177	573,542	572,757
-股票期货	14,916	20,088	5,365
-黄金期货#	0	-	-
-利率期货	5	0	40
-人民币货币期货	9,747	23,046	47,241
-伦敦金属小型期货*	2,050	350	53
-股市指数期权	1,192,364	1,822,276	2,343,151
-股票期权	6,320,147	4,827,678	6,327,503
累积行使股票期权			
-涉及股数(百万股)	10,411	13,272	7,984
-涉及金额(十亿港元)	176	235	129

#黄金期货由 2015 年 5 月 27 日停止买卖
*伦敦金属小型期货由 2014 年 12 月 01 日开始买卖

2016 年度港交所创业板新上市公司总览

(截至 2016 年 12 月 30 日)

上市日期(年/月/日)	股份代号	公司	发售价(港元)	认购倍数[1]	集资金额(港元)	上市时已发行股本(股)	上市时市值[2](港元)	行业分类*	注册地点	上市方法	保荐人	申报会计师
2016-1-7	8113	扬宇科技控股有限公司	0.310	n. a.	46,500,000	600,000,000	186,000,000	工业-工业工程	开曼群岛	发售以供配售	同人融资有限公司	德勤·关黄陈方会计师行
2016-1-13	8282	智傲控股有限公司	1.250	n. a.	50,000,000	160,000,000	200,000,000	信息科技业-软件服务	开曼群岛	发售以供配售	中国光大融资有限公司	香港立信德豪会计师事务所有限公司
2016-2-18	8345	火岩控股有限公司	1.280	n. a.	51,200,000	160,000,000	204,800,000	信息科技业-软件服务	开曼群岛	发售以供配售	中国光大融资有限公司	香港立信德豪会计师事务所有限公司
2016-2-24	8070	侨洋国际控股有限公司	0.550	n. a.	33,000,000	200,000,000	110,000,000	工业-工业工程	开曼群岛	发售以供配售	络绎资本有限公司	德勤·关黄陈方会计师行
2016-3-29	8318	正利控股有限公司	0.283	n. a.	84,900,000	1,000,000,000	283,000,000	地产建筑业-建筑	开曼群岛	发售现有证券 发售以供配售	滙富融资有限公司	香港立信德豪会计师事务所有限公司
2016-3-30	8262	宏强控股有限公司	0.330	n. a.	79,200,000	800,000,000	264,000,000	地产建筑业-建筑	开曼群岛	发售现有证券 发售以供配售	创陞融资有限公司	德勤·关黄陈方会计师行
2016-4-11	8359	HypebeastLtd.	0.130	n. a.	65,000,000	2,000,000,000	260,000,000	信息科技业-软件服务	开曼群岛	发售现有证券 发售以供配售	华富嘉洛企业融资有限公司	德勤·关黄陈方会计师行
2016-4-12	8319	思博系统控股有限公司	0.250	n. a.	50,000,000	800,000,000	200,000,000	信息科技业-软件服务	开曼群岛	发售以供配售	上银国际有限公司	香港立信德豪会计师事务所有限公司

上市日期（年/月/日）	股份代号	公司	发售价（港元）	认购倍数[1]	集资金额（港元）	上市时已发行股本（股）	上市时市值[2]（港元）	行业分类*	注册地点	上市方法	保荐人	申报会计师
2016-4-12	8217	联旺集团控股有限公司	0.260	n.a.	81,120,000	1,248,000,000	324,480,000	地产建筑业－建筑	开曼群岛	发售现有证券 发售以供配售	天财资本亚洲有限公司	致同（香港）会计师事务所有限公司
2016-4-19	8251	优越集团控股有限公司	0.300	n.a.	30,000,000	400,000,000	120,000,000	工业－工用支援	开曼群岛	发售以供配售	浩德融资有限公司	信永中和（香港）会计师事务所有限公司
2016-5-18	8346	创新电子控股有限公司	0.530	n.a.	79,500,000	600,000,000	318,000,000	工业－工业工程	开曼群岛	发售以供配售	兴业金融融资有限公司	德勤·关黄陈方会计师行
2016-5-30	8187	永骏国际控股有限公司	0.500	n.a.	60,000,000	480,000,000	240,000,000	消费品制造业－纺织、服饰及个人护理	开曼群岛	发售以供配售	金利丰财务顾问有限公司	德勤·关黄陈方会计师行
2016-5-31	8161	医汇集团有限公司	0.270	n.a.	70,200,000	1,040,000,000	280,800,000	消费品制造业－医疗保健	开曼群岛	发售以供配售	大有融资有限公司	德勤·关黄陈方会计师行
2016-6-27	8280	中国数字视频控股有限公司	1.900	2.84	294,500,000	620,000,000	1,178,000,000	消费者服务业－媒体及娱乐	开曼群岛	发售以供认购 发售以供配售	富瑞金融集团香港有限公司	致同（香港）会计师事务所有限公司
2016-6-30	8102	利宝阁集团有限公司	0.355	n.a.	71,000,000	800,000,000	284,000,000	消费者服务业－酒店、餐饮、赌场及消闲设施	开曼群岛	发售以供配售	丰盛融资有限公司	丁何关陈会计师事务所有限公司
2016-7-6	8292	盛良物流有限公司	0.350	n.a.	70,000,000	800,000,000	280,000,000	工业－工用运输	开曼群岛	发售以供配售	丰盛融资有限公司	香港立信德豪会计师事务所有限公司
2016-7-8	8281	中国金典集团有限公司	0.430	n.a.	107,500,000	1,000,000,000	430,000,000	消费品制造业－纺织、服饰及个人护理	开曼群岛	发售以供配售	第一上海融资有限公司	信永中和（香港）会计师事务所有限公司
2016-7-8	8229	Future Data GroupLtd.	0.580	n.a.	58,000,000	400,000,000	232,000,000	信息科技业－软件服务	开曼群岛	发售以供配售	申万宏源融资（香港）有限公司	香港立信德豪会计师事务所有限公司
2016-7-11	8232	Classified Group (Holdings) Ltd.	0.550	n.a.	77,000,000	400,000,000	220,000,000	消费者服务业－酒店、餐饮、赌场及消闲设施	开曼群岛	发售现有证券 发售以供配售	国泰君安融资有限公司	德勤·关黄陈方会计师行
2016-7-11	8328	信义汽车玻璃香港企业有限公司	0.700	7.49	38,500,000	540,112,212	378,078,548	消费品制造业－汽车	开曼群岛	发售以供认购	兴业金融融资有限公司	罗兵咸永道会计师事务所
2016-7-12	8360	利骏集团（香港）有限公司	0.640	16.29	76,800,000	480,000,000	307,200,000	地产建筑业－建筑	开曼群岛	发售以供认购 发售以供配售	建泉融资有限公司	罗兵咸永道会计师事务所
2016-7-14	8333	阿仕特朗金融控股有限公司	0.600	17.30	120,000,000	800,000,000	480,000,000	金融业－其他金融	开曼群岛	发售以供认购 发售现有证券 发售以供配售	大有融资有限公司	国卫会计师事务所有限公司
2016-7-15	8293	星亚控股有限公司	1.000	5.31	62,500,000	250,000,000	250,000,000	消费者服务业－支援服务	开曼群岛	发售以供认购 发售现有证券 发售以供配售	大唐域高融资有限公司	安永会计师事务所
2016-8-5	8056	饮食概念控股有限公司	0.450	n.a.	90,000,000	800,000,000	360,000,000	消费者服务业－酒店、餐饮、赌场及消闲设施	开曼群岛	发售现有证券 发售以供配售	华富嘉洛企业融资有限公司	德勤·关黄陈方会计师行
2016-8-8	8300	皇玺餐饮集团控股有限公司	0.150	n.a.	75,000,000	2,000,000,000	300,000,000	消费者服务业－酒店、餐饮、赌场及消闲设施	开曼群岛	发售以供配售	RaffAelloCapitalLtd.	国卫会计师事务所有限公司
2016-10-7	8231	节能元件有限公司	0.200	n.a.	83,449,935	1,600,000,000	320,000,000	信息科技业－半导体	开曼群岛	发售现有证券 发售以供配售	大有融资有限公司	香港立信德豪会计师事务所有限公司
2016-10-7	8035	骏高控股有限公司	0.410	n.a.	61,500,000	600,000,000	246,000,000	工业－工用运输	开曼群岛	发售以供配售	力高企业融资有限公司	德勤·关黄陈方会计师行
2016-10-13	8240	展程控股有限公司	0.225	n.a.	72,000,000	1,280,000,000	288,000,000	消费品制造业－农业产品	开曼群岛	发售以供配售	富比资本有限公司	罗兵咸永道会计师事务所
2016-10-13	8023	邝文记集团有限公司	0.430	15.76	64,500,000	600,000,000	258,000,000	地产建筑业－建筑	开曼群岛	发售以供认购 发售以供配售	同人融资有限公司	罗兵咸永道会计师事务所
2016-10-17	8320	沛然环保顾问有限公司	0.280	n.a.	57,120,000	1,200,000,000	336,000,000	消费者服务业－支援服务	开曼群岛	发售以供配售	国泰君安融资有限公司	毕马威会计师事务所
2016-10-17	8149	浩德控股有限公司	0.425	n.a.	85,000,000	800,000,000	340,000,000	金融业－其他金融	开曼群岛	发售以供配售	新源资本有限公司 浩德融资有限公司	信永中和（香港）会计师事务所有限公司
2016-10-20	8407	兴证国际金融集团有限公司	1.330	2.73	1,330,000,000	4,000,000,000	5,320,000,000	金融业－其他金融	开曼群岛	发售以供认购 发售以供配售	兴证国际融资有限公司 海通国际资本有限公司	德勤·关黄陈方会计师行

上市日期（年/月/日）	股份代号	公司	发售价（港元）	认购倍数[1]	集资金额（港元）	上市时已发行股本（股）	上市时市值[2]（港元）	行业分类*	注册地点	上市方法	保荐人	申报会计师
2016-10-28	8321	泰锦控股有限公司	0.350	n. a.	70,000,000	800,000,000	280,000,000	地产建筑业-建筑	开曼群岛	发售以供配售	德健融资有限公司	致同（香港）会计师事务所有限公司
2016-11-8	8283	正力控股有限公司	0.400	n. a.	50,000,000	500,000,000	200,000,000	消费者服务业-支援服务	开曼群岛	发售以供配售	大有融资有限公司	安永会计师事务所
2016-11-11	8052	陆庆娱乐集团控股有限公司	0.210	n. a.	94,500,000	1,800,000,000	378,000,000	消费者服务业-酒店、餐饮、赌场及消闲设施	开曼群岛	发售以供配售	中国光大融资有限公司	国卫会计师事务所有限公司
2016-12-2	8278	CMONLtd.	0.230	n. a.	74,290,000	1,806,000,000	415,380,000	消费品制造业-家庭电器及用品	开曼群岛	发售现有证券 发售以供配售	中国银河国际证券（香港）有限公司	罗兵咸永道会计师事务所
2016-12-2	8160	金汇教育集团有限公司	0.205	704.30	35,362,500	522,500,000	107,112,500	消费者服务业-支援服务	开曼群岛	发售以供认购 发售以供配售	滙富融资有限公司	大华马施云会计师事务所有限公司
2016-12-8	8411	KW NelsonInteriorArchitect GroupLtd.	0.200	n. a.	50,000,000	1,000,000,000	200,000,000	地产建筑业-建筑	开曼群岛	发售以供配售	惠丰资本控股有限公司	毕马威会计师事务所
2016-12-9	8308	古兜控股有限公司	0.600	n. a.	156,000,000	980,000,000	588,000,000	消费者服务业-酒店、餐饮、赌场及消闲设施	开曼群岛	发售现有证券 发售以供配售	时富融资有限公司	罗兵咸永道会计师事务所
2016-12-12	8039	KNK HoldingsLtd.	0.325	n. a.	44,850,000	418,000,000	135,850,000	地产建筑业-建筑	开曼群岛	发售以供配售	丰盛融资有限公司	国富浩华（香港）会计师事务所有限公司
2016-12-15	8062	俊盟国际控股有限公司	0.560	1277.00	67,200,000	480,000,000	268,800,000	信息科技业-软件服务	开曼群岛	发售以供认购 发售现有证券 发售以供配售	力高企业融资有限公司	德勤·关黄陈方会计师行
2016-12-15	8342	飞思达科技控股有限公司	0.740	n. a.	76,072,000	486,745,000	360,191,300	信息科技业-软件服务	开曼群岛	发售以供配售	凯基金融亚洲有限公司	安永会计师事务所
2016-12-16	8352	成安控股有限公司	0.360	n. a.	60,480,000	672,000,000	241,920,000	地产建筑业-建筑	开曼群岛	发售以供配售	丰盛融资有限公司	国卫会计师事务所有限公司
2016-12-16	8353	安科系统有限公司	0.740	n. a.	74,000,000	399,158,496	295,377,287	信息科技业-软件服务	新加坡	发售以供配售	凯基金融亚洲有限公司	香港立信德豪会计师事务所有限公司
2016-12-30	8343	宏光照明控股有限公司	0.630	n. a.	63,000,000	400,000,000	252,000,000	工业-工业工程	开曼群岛	发售以供配售	力高企业融资有限公司	香港立信德豪会计师事务所有限公司

1. 以白色及黄色申请表格申购之发售新股股份总数之认购倍数。
2. 上市时市值是上市时已发行股本以每股按所列发售价计算的总值。
* 行业分类由恒生指数有限公司提供

2016 年场外结算公司累计结算金额

利率衍生产品合约				外汇衍生产品合约	
利率掉期		交叉货币掉期			
月份	名义金额（美金）*	月份	名义金额（美金）*	月份	名义金额（美金）*
2016 年 12 月	5,373,600,000	2016 年 12 月	756,000,000	2016 年 12 月	66,000,000
2016 年 11 月	5,161,400,000	2016 年 11 月	646,000,000	2016 年 11 月	66,000,000
2016 年 10 月	4,877,300,000	2016 年 10 月	406,000,000	2016 年 10 月	66,000,000
2016 年 9 月	4,371,100,000	2016 年 9 月	296,000,000	2016 年 9 月	66,000,000
2016 年 8 月	4,266,500,000	2016 年 8 月	150,000,000	2016 年 8 月	66,000,000
2016 年 7 月	4,104,100,000			2016 年 7 月	66,000,000
2016 年 6 月	3,853,800,000			2016 年 6 月	66,000,000
2016 年 5 月	3,424,700,000			2016 年 5 月	66,000,000
2016 年 4 月	3,275,400,000			2016 年 4 月	66,000,000
2016 年 3 月	3,139,300,000			2016 年 3 月	66,000,000
2016 年 2 月	2,871,700,000			2016 年 2 月	66,000,000
2016 年 1 月	2,407,500,000			2016 年 1 月	66,000,000

* 四舍五入至美金十万位

2016年恒生指数股份统计

截止2016年底

分类	股份代号	股份名称	成交金额（百万港元）	占股份总值及房地产投资信托基金总值（%）	市价总值（百万港元）	占股份总值（%）	收市价（港元）	变幅*（%）	市盈率（倍）
金融(12)									
	00939	建设银行	375,034.32	3.36	1,435,291.40	5.87	5.970	12.43	5.49
	00005	汇丰控股	392,937.93	3.52	1,256,890.04	5.14	62.250	0.57	12.28
	01299	友邦保险	278,312.82	2.50	527,469.73	2.16	43.750	-6.12	24.95
	01398	工商银行	291,057.84	2.61	403,592.31	1.65	4.650	-0.64	5.06
	02388	中银香港	73,374.04	0.66	293,394.65	1.20	27.750	20.02	10.95
	02318	中国平安	313,452.28	2.81	288,965.98	1.18	38.800	-9.77	10.90
	03988	中国银行	229,903.94	2.06	287,660.63	1.18	3.440	-0.58	5.11
	00011	恒生银行	50,573.21	0.45	275,878.91	1.13	144.300	0.01	10.15
	00388	香港交易所	248,642.87	2.23	224,295.90	0.92	183.200	-7.71	27.33
	03328	交通银行	42,814.82	0.38	196,416.55	0.80	5.610	2.75	5.25
	02628	中国人寿	249,434.05	2.24	150,311.74	0.61	20.200	-19.36	13.77
	00023	东亚银行	19,639.52	0.18	80,271.42	0.33	29.700	2.95	15.23
公用事业(5)									
	00002	中电控股	58,743.02	0.53	180,009.60	0.74	71.250	8.20	11.49
	00003	香港中华煤气	37,393.77	0.34	174,732.16	0.71	13.740	-0.56	23.93
	01038	长江基建集团	46,817.01	0.42	163,546.71	0.67	61.700	-14.07	13.89
	00006	电能实业	61,758.20	0.55	145,876.78	0.60	68.350	-4.14	18.87
	00836	华润电力	23,375.23	0.21	59,230.41	0.24	12.320	-18.30	5.86
地产(11)									
	00001	长和	148,662.11	1.33	339,089.94	1.39	87.900	-15.97	2.38
	00016	新鸿基地产	124,017.16	1.11	283,754.81	1.16	98.000	4.70	8.66
	00688	中国海外发展	132,504.98	1.19	225,149.94	0.92	20.550	-24.45	5.69
	01113	长实地产	78,778.48	0.71	181,831.18	0.74	47.550	-5.65	10.72
	00004	九龙仓集团	58,732.51	0.53	156,306.16	0.64	51.550	19.88	9.75
	00012	恒基地产	36,659.34	0.33	150,042.99	0.61	41.250	-4.47	7.03
	01109	华润置地	64,671.39	0.58	120,875.59	0.49	17.440	-22.83	6.73
	00017	新世界发展	34,115.67	0.31	77,035.32	0.32	8.200	7.05	8.65
	00101	恒隆地产	22,629.27	0.20	73,940.14	0.30	16.440	-6.80	14.49
	00083	信和置业	17,124.66	0.15	72,752.99	0.30	11.620	2.29	10.02
	00823	领汇房产基金	70,010.42	0.63	n. a.	n. a.	50.400	8.62	n. a.
工商业(22)									
	00700	腾讯控股	730,948.90	6.65	1,797,761.25	7.35	189.700	24.39	51.48
	00941	中国移动	318,350.98	2.86	1,683,084.69	6.88	82.200	-6.06	13.03
	00883	中国海洋石油	153,554.78	1.38	433,080.32	1.77	9.700	20.20	17.94
	00267	中信股份	32,989.32	0.30	322,901.92	1.32	11.100	-19.10	7.04
	01928	金沙中国有限公司	131,807.25	1.18	271,988.13	1.11	33.700	26.93	23.88
	00066	港铁公司	37,184.50	0.33	222,612.09	0.91	37.700	4.03	16.95
	00762	中国联通	97,078.81	0.87	216,242.14	0.88	9.030	-4.44	17.18
	00027	银河娱乐	112,327.05	1.01	144,369.22	0.59	33.800	39.86	34.57
	00386	中国石油化工股份	116,716.06	1.05	140,323.91	0.57	5.500	17.52	17.19
	00857	中国石油股份	122,536.82	1.10	121,951.64	0.50	5.780	14.30	24.92

分类	股份代号	股份名称	成交金额（百万港元）	占股份总值及房地产投资信托基金总值(%)	市价总值（百万港元）	占股份总值(%)	收市价（港元）	变幅*（%）	市盈率（倍）
	02018	瑞声科技	64,289.48	0.58	86,512.60	0.35	70.450	39.37	23.30
	01044	恒安国际	46,504.50	0.42	68,618.38	0.28	56.950	-22.20	17.19
	00019	太古股份公司A	27,894.70	0.25	67,030.50	0.27	74.050	-15.08	8.30
	00151	中国旺旺	26,511.75	0.24	62,388.54	0.26	4.970	-13.86	15.39
	02319	蒙牛乳业	34,495.90	0.31	58,632.17	0.24	14.940	18.20	20.52
	00992	联想集团	76,300.19	0.68	52,210.68	0.21	4.700	-40.28	-
	00144	招商局港口	19,780.58	0.18	50,516.95	0.21	19.240	-21.95	12.41
	01088	中国神华	74,276.73	0.67	49,619.30	0.20	14.600	19.87	13.80
	00135	昆仑能源	17,376.95	0.16	46,819.86	0.19	5.800	-15.94	341.18
	00293	国泰航空	14,789.88	0.13	40,125.21	0.16	10.200	-23.99	6.69
	01880	百丽国际	21,092.21	0.19	36,773.26	0.15	4.360	-25.09	10.26
	00494	利丰	21,269.62	0.19	28,696.68	0.12	3.410	-35.29	8.67
总值(50)			5,879,247.81	52.74	13,826,873.43	56.55			
总值**			11,147,789.78	100.00	24,450,434.51	100.00			

注：
*与去年收市价比较。
** 成交金额总值是股份及房地产投资信托基金成交金额总和；而市价总值祇包含股份市值。
( ) 指数成份股份数目。

2016 恒生中国企业指数股份统计

截止 2016 年底

股份代号	股份名称	成交金额（百万港元）	占股份总值(%)	市价总值（百万港元）	占股份总值(%)	收市价（港元）	变幅*（%）	市盈率（倍）
00939	建设银行	375,034.32	3.39	1,435,291.40	5.87	5.970	12.43	5.49
01398	工商银行	291,057.84	2.63	403,592.31	1.65	4.650	-0.64	5.06
02318	中国平安	313,452.28	2.83	288,965.98	1.18	38.800	-9.77	10.90
03988	中国银行	229,903.94	2.08	287,660.63	1.18	3.440	-0.58	5.11
03328	交通银行	42,814.82	0.39	196,416.55	0.80	5.610	2.75	5.25
02628	中国人寿	249,434.05	2.26	150,311.74	0.61	20.200	-19.36	13.77
00386	中国石油化工股份	116,716.06	1.06	140,323.91	0.57	5.500	17.52	17.19
00857	中国石油股份	122,536.82	1.11	121,951.64	0.50	5.780	14.30	24.92
01288	农业银行	85,633.58	0.77	97,749.46	0.40	3.180	0.32	4.83
03968	招商银行	85,094.83	0.77	83,462.58	0.34	18.180	-0.66	6.67
02601	中国太保	63,420.43	0.57	75,071.87	0.31	27.050	-15.20	11.60
00998	中信银行	46,433.49	0.42	73,369.06	0.30	4.930	-1.79	4.69
01988	民生银行	54,580.95	0.49	57,479.37	0.24	8.290	7.94	5.35
02328	中国财险	91,651.04	0.83	55,562.31	0.23	12.080	-21.66	6.88
00728	中国电信	48,457.78	0.44	49,681.13	0.20	3.580	-1.65	12.09
01088	中国神华	74,276.73	0.67	49,619.30	0.20	14.600	19.87	13.80
06837	海通证券	52,649.33	0.48	45,347.27	0.19	13.300	-2.92	7.54
01800	中国交通建设	55,853.70	0.51	39,493.30	0.16	8.920	12.63	7.79
01099	国药控股	33,484.82	0.30	38,110.30	0.16	31.950	2.73	19.72
01211	比亚迪股份	59,629.10	0.54	37,377.75	0.15	40.850	-4.22	30.49

股份代号	股份名称	成交金额（百万港元）	占股份总值(%)	市价总值（百万港元）	占股份总值(%)	收市价（港元）	变幅*(%)	市盈率（倍）
01336	新华保险	33,442.90	0.30	36,814.22	0.15	35.600	9.37	10.83
06030	中信証券	47,732.05	0.43	35,906.44	0.15	15.760	-13.02	7.72
01359	中国信达	28,053.21	0.25	32,763.92	0.13	2.810	-2.09	6.09
01766	中国中车	41,814.72	0.38	30,422.62	0.12	6.960	-27.35	13.48
01776	广发証券	20,168.85	0.18	27,535.06	0.11	16.180	-16.86	7.32
00914	安徽海螺水泥股份	60,581.28	0.55	27,421.56	0.11	21.100	1.20	12.41
00390	中国中铁	29,495.13	0.27	26,843.15	0.11	6.380	8.32	10.10
01339	中国人民保险集团	19,741.84	0.18	26,702.28	0.11	3.060	-19.47	5.57
06881	中国银河	45,110.58	0.41	25,799.98	0.11	6.990	-1.55	5.28
06886	HTSC	25,768.73	0.23	25,441.88	0.10	14.800	-18.14	7.55
00902	华能国际电力股份	47,601.63	0.43	24,159.97	0.10	5.140	-23.17	4.56
01816	中广核电力	24,244.32	0.22	23,778.52	0.10	2.130	-26.55	12.29
02202	万科企业	57,583.23	0.52	23,274.71	0.10	17.700	-22.71	9.04
00753	中国国航	17,438.05	0.16	22,585.28	0.09	4.950	-18.99	7.23
02333	长城汽车	65,468.02	0.59	22,440.67	0.09	7.240	-19.82	6.88
00489	东风集团股份	36,673.41	0.33	21,617.89	0.09	7.570	-26.93	4.74
03898	中车时代电气	32,767.09	0.30	21,537.41	0.09	39.350	-12.65	13.11
01186	中国铁建	33,132.73	0.30	20,721.43	0.08	9.980	3.85	8.51
00916	龙源电力	21,358.69	0.19	20,240.58	0.08	6.060	3.59	14.14
00168	青岛啤酒股份	13,239.03	0.12	19,193.53	0.08	29.300	-16.52	19.38
股份总值		3,193,531.36	28.88	4,242,038.97	17.35			
		11,056,703.53	100.00	24,450,434.51	100.00			

* 与去年收市价比较。

2016恒生香港中资企业指数股份统计

截止2016年底

股份代号	股份名称	成交金额（百万港元）	占股份总值(%)	市价总值（百万港元）	占股份总值(%)	收市价（港元）	变幅*(%)	市盈率（倍）
00941	中国移动	318,350.98	2.88	1,683,084.69	6.88	82.200	-6.06	13.03
00883	中国海洋石油	153,554.78	1.39	433,080.32	1.77	9.700	20.20	17.94
00267	中信股份	32,989.32	0.30	322,901.92	1.32	11.100	-19.10	7.04
00688	中国海外发展	132,504.98	1.20	225,149.94	0.92	20.550	-24.45	5.69
00762	中国联通	97,078.81	0.88	216,242.14	0.88	9.030	-4.44	17.18
01109	华润置地	64,671.39	0.58	120,875.59	0.49	17.440	-22.83	6.73
00270	粤海投资	18,281.25	0.17	64,152.90	0.26	10.240	-6.74	16.40
00836	华润电力	23,375.23	0.21	59,230.41	0.24	12.320	-18.30	5.86
02319	蒙牛乳业	34,495.90	0.31	58,632.17	0.24	14.940	18.20	20.52
00966	中国太平	31,860.87	0.29	57,504.30	0.24	16.000	-33.33	8.97
01114	BRILLIANCECHI	31,741.16	0.29	53,825.81	0.22	10.680	9.54	12.88
00992	联想集团	76,300.19	0.69	52,210.68	0.21	4.700	-40.28	-
00144	招商局港口	19,780.58	0.18	50,516.95	0.21	19.240	-21.95	12.41
00291	华润啤酒	25,291.30	0.23	49,960.32	0.20	15.400	1.21	-

股份代号	股份名称	成交金额（百万港元）	占股份总值（%）	市价总值（百万港元）	占股份总值（%）	收市价（港元）	变幅 *（%）	市盈率（倍）
01193	华润燃气	17,773.65	0.16	48,483.48	0.20	21.800	-5.83	16.71
00135	昆仑能源	17,376.95	0.16	46,819.86	0.19	5.800	-15.94	341.18
00392	北京控股	21,665.13	0.20	46,257.92	0.19	36.650	-21.94	8.30
00371	北控水务集团	26,712.62	0.24	45,084.76	0.18	5.160	-4.97	18.32
00257	中国光大国际	22,402.85	0.20	39,403.04	0.16	8.790	-11.75	18.90
00165	中国光大控股	14,397.14	0.13	24,874.34	0.10	14.760	-17.17	4.84
01199	中远海运港口	8,734.14	0.08	23,494.79	0.10	7.790	-0.57	7.71
00363	上海实业控股	7,792.96	0.07	22,817.88	0.09	21.000	3.67	8.23
00817	中国金茂	4,167.96	0.04	22,304.08	0.09	2.090	-21.13	5.48
00152	深圳国际	7,889.28	0.07	22,121.89	0.09	11.300	-21.20	9.74
02380	中国电力	14,915.00	0.13	20,668.01	0.08	2.810	-37.28	4.08
		1,224,104.42	11.07	3,809,698.18	15.58			
股份总值		11,056,703.53	100.00	24,450,434.51	100.00			

* 与去年收市价比较。

2016 年度香港市场集资统计

日期	股份集资总额(百万元,HKD)			债券(百万元,HKD)			衍生认股权证-发行价(百万元,HKD)			可收回牛熊证-发行价(百万元,HKD)		
	主板	创业板	合计	主板	创业板	合计	主板	创业板	合计	主板	创业板	合计
2016-12	59397.48	1879.23	61276.71	68506.57	—	68506.57	9781.58	—	9781.58	25269.44	—	25269.44
2016-11	39223.63	794.07	40017.70	97613.84	—	97613.84	8572.69	—	8572.69	30425.05	—	30425.05
2016-10	67591.65	2116.47	69708.12	—	—	—	—	—	—	—	—	—
2016-09	104001.81	280.70	104282.51	76705.18	0.00	76705.18	10861.12	—	10861.12	34299.26	—	34299.26
2016-08	27858.58	3634.00	31492.58	48350.64	0.00	48350.64	10237.53	—	10237.53	33238.34	—	33238.34
2016-07	31536.06	1257.66	32793.72	66189.67	0.00	66189.67	7380.71	—	7380.71	37852.81	—	37852.81
2016-06	25143.61	1438.58	26582.19	121406.38	0.00	121406.38	6108.52	—	6108.52	30279.68	—	30279.68
2016-05	11570.74	1814.95	13385.69	94282.68	—	94282.68	6662.61	—	6662.61	24265.70	—	24265.70
2016-04	12591.29	1377.24	13968.53	37982.79	—	37982.79	8880.93	—	8880.93	30066.46	—	30066.46
2016-03	57676.61	1703.31	59379.92	42797.82	—	42797.82	6256.21	—	6256.21	24275.30	—	24275.30
2016-02	13915.74	1562.92	15478.66	16742.20	—	16742.20	7457.31	—	7457.31	26608.02	—	26608.02
2016-01	15367.59	816.96	16184.55	30456.60	—	30456.60	18176.95	—	18176.95	43872.28	—	43872.28

数据来源:东方财富 Choice 数据

2016 年度香港市场交易统计

日期	总成交金额(百万元,HKD)			总成交股数(百万股)			总成交宗数(宗数)		
	主板	创业板	合计	主板	创业板	合计	主板	创业板	合计
2016-12	1269332.00	8445.00	1277777.00	3209719.00	32920.00	3242639.00	20123750.00	240038.00	20363788.00
2016-11	1479540.00	9352.00	1488892.00	3439602.00	34961.00	3474563.00	24137165.00	256118.00	24393283.00
2016-10	1148206.00	8812.00	1157018.00	2970758.00	33956.00	3004714.00	19233588.00	273830.00	19507418.00
2016-09	1549399.00	9602.00	1559001.00	3304145.00	30461.00	3334606.00	23028079.00	274640.00	23302719.00
2016-08	1497529.00	11730.00	1509259.00	3776037.00	45654.00	3821691.00	22567622.00	390301.00	22957923.00
2016-07	1223654.00	11291.00	1234945.00	3781668.00	59952.00	3841620.00	19418510.00	363521.00	19782031.00
2016-06	1301005.00	10271.00	1311276.00	3696546.00	35875.00	3732421.00	20825314.00	292785.00	21118099.00

日期	总成交金额(百万元,HKD)			总成交股数(百万股)			总成交宗数(宗数)		
	主板	创业板	合计	主板	创业板	合计	主板	创业板	合计
2016-05	1251529.00	9622.00	1261151.00	4074893.00	37355.00	4112248.00	20508323.00	309250.00	20817573.00
2016-04	1297378.00	11654.00	1309032.00	3965974.00	37595.00	4003569.00	21645773.00	317367.00	21963140.00
2016-03	1452265.00	9937.00	1462202.00	4149245.00	37398.00	4186643.00	24679876.00	297859.00	24977735.00
2016-02	1174242.00	7005.00	1181247.00	3681493.00	24070.00	3705563.00	19871358.00	199269.00	20070627.00
2016-01	1635898.00	8727.00	1644625.00	5127428.00	24192.00	5151620.00	25361431.00	234149.00	25595580.00

数据来源:东方财富 Choice 数据

2016 年度港交所新股首发集资统计

日期	新上市公司集资总额(百万元,HKD)			发售以供认购(百万元,HKD)			发售现有证券(百万元,HKD)			发售以供配售(百万元,HKD)		
	主板	创业板	合计	主板	创业板	合计	主板	创业板	合计	主板	创业板	合计
2016-12	15754.88	701.25	16456.13	1526.47	48.98	1575.45	586.18	35.35	621.53	13642.23	616.93	14259.16
2016-11	10802.21	144.50	10946.71	782.73	—	782.73	80.50	—	80.50	9938.98	144.50	10083.48
2016-10	29640.24	—	29640.24	—	—	—	—	—	—	27437.17	—	27437.17
2016-09	58909.13	0.00	58909.13	3190.36	—	3190.36	26.00	—	26.00	55692.77	—	55692.77
2016-08	8927.85	165.00	9092.85	862.24	—	862.24	—	26.55	26.55	8065.61	138.45	8204.06
2016-07	22144.03	610.30	22754.33	1253.86	103.79	1357.65	993.14	81.50	1074.64	19897.03	425.01	20322.04
2016-06	8997.53	365.50	9363.03	1421.69	29.45	1451.14	4442.66	0.00	4442.66	3133.18	336.05	3469.23
2016-05	1352.56	209.70	1562.26	140.94	—	140.94	51.60	—	51.60	1160.02	209.70	1369.72
2016-04	2139.25	226.12	2365.37	292.27	—	292.27	—	40.04	40.04	1846.98	186.08	2033.06
2016-03	25445.01	164.10	25609.11	759.70	—	759.70	2064.19	54.70	2118.89	22621.12	109.40	22730.52
2016-02	—	84.20	84.20	—	—	—	—	—	—	—	84.20	84.20
2016-01	4471.67	96.50	4568.17	151.63	—	151.63	—	—	—	4320.04	96.50	4416.54

数据来源:东方财富 Choice 数据

2016 年度港交所新股上市后集资统计

日期	上市后集资总额(百万元,HKD)			配售(百万元,HKD)			供股(百万元,HKD)			公开发售(百万元,HKD)			代价发行(百万元,HKD)			行使认股权证(百万元,HKD)			股份认购权计划(百万元,HKD)		
	主板	创业板	合计	主板	创业板	合计	主板	创业板	合计	主板	创业板	合计	主板	创业板	合计	主板	创业板	合计	主板	创业板	合计
2016-12	43642.59	1177.98	44820.57	35050.28	561.03	35611.31	5365.31	309.09	5674.40	460.23	—	460.23	2328.71	306.91	2635.62	231.45	0.00	231.45	206.61	0.95	207.56
2016-11	28421.40	649.57	29070.97	13458.43	59.92	13518.35	4885.88	—	4885.88	71.87	—	71.87	9044.51	581.52	9626.03	102.73	0.01	102.74	857.98	8.12	866.10
2016-10	37951.42	292.90	38244.32	31292.83	—	31292.83	—	—	—	—	—	—	5928.95	—	5928.95	39.69	0.01	39.70	603.07	48.47	651.54
2016-09	45092.67	280.70	45373.37	10852.44	216.43	11068.87	1045.26	—	1045.26	374.67	—	374.67	32473.44	11.57	32485.01	106.23	1.64	107.87	240.63	52.70	293.33
2016-08	18930.73	3469.00	22399.73	3662.91	2060.50	5723.41	10302.38	394.34	10696.72	3239.15	425.87	3665.02	389.03	500.00	889.03	42.79	—	42.79	1294.47	88.29	1382.76
2016-07	9392.02	647.36	10039.38	4315.43	317.08	4632.51	2516.36	0.00	2516.36	26.54	0.00	26.54	2077.85	302.08	2379.93	2.74	0.90	3.64	453.10	27.30	480.40
2016-06	16146.09	1073.08	17219.17	11129.33	409.61	11538.94	1682.14	0.00	1682.14	570.99	0.00	570.99	2361.55	619.34	2980.89	11.71	22.48	34.19	390.37	21.64	412.01
2016-05	10218.18	1605.25	11823.43	6996.21	673.51	7669.72	460.83	839.56	1300.39	499.44	60.48	559.92	1343.90	15.00	1358.90	163.46	0.15	163.61	754.34	16.54	770.88
2016-04	10452.04	1151.12	11603.16	4348.30	493.05	4841.35	2185.29	—	2185.29	224.89	122.44	347.33	2701.73	531.85	3233.58	451.58	0.71	452.29	540.25	3.07	543.32
2016-03	32231.60	1539.21	33770.81	14897.26	273.94	15171.20	5292.26	944.98	6237.24	449.05	—	449.05	10947.73	204.70	11152.43	10.63	—	10.63	634.67	115.60	750.27
2016-02	13915.74	1478.72	15394.46	8326.72	1047.83	9374.55	5112.16	398.23	5510.39	251.17	—	251.17	77.05	23.80	100.85	7.75	—	7.75	140.89	8.86	149.75
2016-01	10895.94	720.46	11616.40	1615.82	588.29	2204.11	7015.62	—	7015.62	522.46	—	522.46	1266.55	77.25	1343.80	84.23	—	84.23	391.26	54.92	446.18

数据来源:东方财富 Choice 数据。

2016 年度香港中资股交易统计

日期	成交量(百万元,HKD)					成交量占比(%)				
	主板 H 股	主板红筹股	创业板 H 股	创业板红筹股	合计	主板 H 股	主板红筹股	创业板 H 股	创业板红筹股	合计
2016 - 12	3983132.61	1564516.57	5715.78	1620.98	5554985.94	36.02	14.15	4.91	1.39	56.47
2016 - 11	3646215.07	1447054.67	5475.10	1500.11	5100244.95	36.01	14.29	5.07	1.39	56.76
2016 - 10	3254083.28	1298046.86	4797.10	1367.94	4558295.18	36.08	14.39	4.86	1.39	56.72
2016 - 09	2976378.40	1162941.62	3620.28	1206.82	4144147.12	36.32	14.19	4.03	1.34	55.88
2016 - 08	2560461.08	1006573.26	3175.36	1042.71	3571252.41	36.29	14.27	3.96	1.30	55.82
2016 - 07	2165996.08	855882.82	2923.61	825.84	3025628.35	36.02	14.23	4.27	1.21	55.73
2016 - 06	1869946.13	733295.27	2719.74	699.60	2606660.74	35.94	14.09	4.76	1.22	56.01
2016 - 05	1555791.91	611839.68	2491.72	487.98	2170611.29	36.02	14.17	5.31	1.04	56.54
2016 - 04	1257786.76	502270.18	2064.16	377.29	1762498.39	35.95	14.35	5.53	1.01	56.84
2016 - 03	948335.06	378842.87	1703.67	245.43	1329127.03	35.93	14.36	6.64	0.96	57.89
2016 - 02	617289.68	235258.81	1175.46	153.08	853877.03	36.72	13.99	7.47	0.97	59.15
2016 - 01	380368.08	137202.91	582.26	97.79	518251.04	38.40	13.85	6.67	1.12	60.04

数据来源:东方财富 Choice 数据。

2016 年度香港中资股集资统计

日期	集资(百万元,HKD)					首次招股集资(百万元,HKD)					上市后集资(百万元,HKD)				
	主板 H 股	主板红筹股	创业板 H 股	创业板红筹股	合计	主板 H 股	主板红筹股	创业板 H 股	创业板红筹股	合计	主板 H 股	主板红筹股	创业板 H 股	创业板红筹股	合计
2016 - 12	150603.70	82566.95	202.71	97.44	233470.80	130807.96	25756.97	—	—	156564.93	19795.73	56809.98	202.71	97.44	76905.86
2016 - 11	125986.92	77431.79	166.51	97.44	203682.66	119907.56	25756.97	—	—	145664.53	6079.36	51674.82	166.51	97.44	58018.13
2016 - 10	122696.96	73420.41	166.51	97.44	196381.32	116617.60	22787.11	—	—	139404.71	6079.36	50633.29	166.51	97.44	56976.60
2016 - 09	110478.54	58854.25	166.51	97.44	169596.74	104399.18	8744.53	—	—	113143.71	6079.36	50109.72	166.51	97.44	56453.03
2016 - 08	52243.33	26426.07	126.35	97.44	78893.19	46163.97	8744.53	—	—	54908.50	6079.36	17681.54	126.35	97.44	23984.69
2016 - 07	42965.02	16054.51	126.35	97.44	59243.32	36885.66	8744.53	—	—	45630.19	6079.36	7309.98	126.35	97.44	13613.13
2016 - 06	28965.47	16007.34	30.36	97.44	45100.61	22886.11	8744.53	—	—	31630.64	6079.36	7262.81	30.36	97.44	13469.97
2016 - 05	28965.47	2424.27	30.36	97.44	31517.54	22886.11	—	—	—	22886.11	6079.36	2424.27	30.36	97.44	8631.43
2016 - 04	28965.47	112.92	30.36	—	29108.75	22886.11	—	—	—	22886.11	6079.36	112.92	30.36	—	6222.64
2016 - 03	26684.14	70.39	—	—	26754.53	20604.78	—	—	—	20604.78	6079.36	70.39	—	—	6149.75
2016 - 02	5831.88	54.98	—	—	5886.86	180.04	—	—	—	180.04	5651.84	54.98	—	—	5706.82
2016 - 01	180.04	31.07	—	—	211.11	180.04	—	—	—	180.04	—	31.07	—	—	31.07

数据来源:东方财富 Choice 数据。

2016 年香港市场规模统计

年份	上市公司(家)			上市证券(只)			上市公司市值总值(百万港元)			平均市盈率(倍)		平均股息率(%)	
	主板	创业板	合计	主板	创业板	合计	主板	创业板	合计	主板	创业板	主板	创业板
2016	1,713	260	1,973	8,330	261	8,591	24,450,435.00	310,872.00	24,761,307.00	10.53	71.31	3.24	0.25
2015	1,644	222	1,866	8,792	223	9,015	24,425,555.00	258,176.00	24,683,731.00	9.9	76.93	3.46	0.30
2014	1,548	204	1,752	8,856	204	9,060	24,892,419.00	179,410.00	25,071,829.00	10.94	11.59	3.44	0.65
2013	1,451	192	1,643	8,330	192	8,522	23,908,804.00	134,002.00	24,042,806.00	11.24	49.25	2.99	0.52

年份	上市公司(家)			上市证券(只)			上市公司市值总值(百万港元)			平均市盈率(倍)		平均股息率(%)	
	主板	创业板	合计	主板	创业板	合计	主板	创业板	合计	主板	创业板	主板	创业板
2012	1,368	179	1,547	6,723	180	6,903	21,871,730.00	78,399.00	21,950,129.00	10.5	18.38	2.81	0.88
2011	1,326	170	1,496	6,551	172	6,723	17,452,667.00	84,589.00	17,537,256.00	9.68	22.16	3.31	0.52
2010	1,244	169	1,413	7,730	170	7,900	20,942,284.00	134,674.00	21,076,958.00	16.67	31.1	2.31	0.95
2009	1,145	174	1,319	6,441	175	6,616	17,769,271.00	105,036.00	17,874,307.00	18.13	38.98	2.33	0.77
2008	1,087	174	1,261	5,654	177	5,831	10,253,589.00	45,164.00	10,298,753.00	7.26	8.01	5.38	2.76
2007	1,048	193	1,241	5,896	196	6,092	20,536,463.00	161,081.00	20,697,544.00	22.47	44.91	2.21	0.68
2006	975	198	1,173	3,184	199	3,383	13,248,821.00	88,885.00	13,337,706.00	17.37	21.86	2.19	2.17

数据来源:Wind 资讯。

2016 年末香港市场行业规模统计

行业名称	上市公司(家)	总市值(百万港元)	市值总值占比(%)	平均市盈率(倍)	平均股息率(%)
地产建筑业	291	3,420,399.56	13.99	8.26	3.78
电讯业	15	2,124,893.20	8.69	13.59	3.27
工业	210	879,441.65	3.6	13.89	2.81
公用事业	59	1,356,818.08	5.55	13.1	3.46
金融业	159	7,229,788.27	29.57	7.58	4.44
能源业	72	991,645.57	4.06	20.74	2.6
消费品制造业	434	2,744,318.81	11.22	17.95	2.34
消费者服务业	196	1,729,378.86	7.07	16.84	3.12
原材料业	134	504,699.55	2.06	16.75	1.76
资讯科技业	128	2,488,198.39	10.18	36.41	0.71
综合企业	15	980,852.56	4.01	4.26	3.14
所有股份	1,713	24,450,434.51	100	10.53	3.24

数据来源:Wind 资讯。

2016 年主板市价总值最大的五十家上市公司

2016 年底

顺次	股份代号	公司	发行股本(股数)	收市价(港元)	市价总值(百万港元)	占股份总值(%)
1	00700	腾讯控股有限公司	9,476,864,794	189.700	1,797,761.25	7.35
2	00941	中国移动有限公司	20,475,482,897	82.200	1,683,084.69	6.88
3	00939	中国建设银行股份有限公司 - H 股	240,417,319,880	5.970	1,435,291.40	5.87
4	00005	汇丰控股有限公司	20,191,004,701	62.250	1,256,890.04	5.14
5	01299	友邦保险控股有限公司	12,056,451,026	43.750	527,469.73	2.16
6	00883	中国海洋石油有限公司	44,647,455,984	9.700	433,080.32	1.77
7	01398	中国工商银行股份有限公司 - H 股	86,794,044,550	4.650	403,592.31	1.65
8	02378	英国保诚有限公司*	2,581,061,573	153.500	396,192.95	N.A.
9	00805	Glencore plc*	13,263,405,466	26.150	346,838.05	N.A.
10	00001	长江和记实业有限公司	3,857,678,500	87.900	339,089.94	1.39
11	00267	中国中信股份有限公司	29,090,262,630	11.100	322,901.92	1.32
12	02388	中银香港(控股)有限公司	10,572,780,266	27.750	293,394.65	1.20
13	02318	中国平安保险(集团)股份有限公司 - H 股	7,447,576,912	38.800	288,965.98	1.18
14	03988	中国银行股份有限公司 - H 股	83,622,276,395	3.440	287,660.63	1.18
15	00016	新鸿基地产发展有限公司	2,895,457,274	98.000	283,754.81	1.16

顺次	股份代号	公司	发行股本（股数）	收市价（港元）	市价总值（百万港元）	占股份总值（%）
16	00011	恒生银行有限公司	1,911,842,736	144.300	275,878.91	1.13
17	00945	Manulife Financial Corporation *	1,974,256,927	137.900	272,250.03	N. A.
18	01928	金沙中国有限公司	8,070,864,245	33.700	271,988.13	1.11
19	00688	中国海外发展有限公司	10,956,201,535	20.550	225,149.94	0.92
20	00388	香港交易及结算所有限公司	1,224,322,572	183.200	224,295.90	0.92
21	00066	香港铁路有限公司	5,904,830,065	37.700	222,612.09	0.91
22	00762	中国联合网络通信(香港)股份有限公司	23,947,081,083	9.030	216,242.14	0.88
23	02888	渣打集团有限公司	3,284,006,800	62.300	204,593.62	0.84
24	03328	交通银行股份有限公司 – H 股	35,011,862,630	5.610	196,416.55	0.80
25	01113	长江实业地产有限公司	3,823,999,500	47.550	181,831.18	0.74
26	00002	中电控股有限公司	2,526,450,570	71.250	180,009.60	0.74
27	00003	香港中华煤气有限公司	12,717,042,258	13.740	174,732.16	0.71
28	01038	长江基建集团有限公司	2,650,676,042	61.700	163,546.71	0.67
29	00004	九龙仓集团有限公司	3,032,127,327	51.550	156,306.16	0.64
30	02628	中国人寿保险股份有限公司 – H 股	7,441,175,000	20.200	150,311.74	0.61
31	00012	恒基兆业地产有限公司	3,637,405,713	41.250	150,042.99	0.61
32	00006	电能实业有限公司	2,134,261,654	68.350	145,876.78	0.60
33	00027	银河娱乐集团有限公司	4,271,278,616	33.800	144,369.22	0.59
34	00386	中国石油化工股份有限公司 – H 股	25,513,438,600	5.500	140,323.91	0.57
35	01972	太古地产有限公司	5,850,000,000	21.400	125,190.00	0.51
36	00857	中国石油天然气股份有限公司 – H 股	21,098,900,000	5.780	121,951.64	0.50
37	01109	华润置地有限公司	6,930,939,579	17.440	120,875.59	0.49
38	00019	太古股份有限公司"A" 太古股份有限公司"B"	905,206,000"A" 2,995,220,000"B"	74.050 13.340	106,986.74	0.44
39	01288	中国农业银行股份有限公司 – H 股	30,738,823,096	3.180	97,749.46	0.40
40	00656	复星国际有限公司	8,603,280,644	10.980	94,464.02	0.39
41	02007	碧桂园控股有限公司	21,606,742,782	4.340	93,773.26	0.38
42	00288	万洲国际有限公司	14,650,809,111	6.270	91,860.57	0.38
43	00020	会德丰有限公司	2,034,699,287	43.650	88,814.62	0.36
44	02018	瑞声科技控股有限公司	1,228,000,000	70.450	86,512.60	0.35
45	03968	招商银行股份有限公司 – H 股	4,590,901,172	18.180	83,462.58	0.34
46	01658	中国邮政储蓄银行股份有限公司 – H 股	19,856,167,000	4.190	83,197.34	0.34
47	00023	东亚银行有限公司	2,702,741,329	29.700	80,271.42	0.33
48	00017	新世界发展有限公司	9,394,551,478	8.200	77,035.32	0.32
49	02601	中国太平洋保险(集团)股份有限公司 – H 股	2,775,300,000	27.050	75,071.87	0.31
50	00101	恒隆地产有限公司	4,497,575,670	16.440	73,940.14	0.30
总　额					14,278,622.59	58.40
股份总值					24,450,434.51	100.00

* 该数据不包括在总额内

2016 年主板成交股数最多的二十种股份

顺次	股份代号	股份名称	成交股数(百万股)	占股份总数(%)
1	00261	中建置地	178,836.60	5.46
2	00911	前海健康	138,309.52	4.23
3	00939	建设银行	70,886.75	2.17

顺次	股份代号	股份名称	成交股数(百万股)	占股份总数(%)
4	03988	中国银行	70,466.78	2.15
5	01398	工商银行	65,713.16	2.01
6	00981	中芯国际	50,472.58	1.54
7	00364	坪山茶业	36,092.79	1.10
8	03823	德普科技	34,481.62	1.05
9	00061	北亚资源	31,458.60	0.96
10	01288	农业银行	28,865.45	0.88
11	00619	南华金融	27,756.51	0.85
12	00397	君阳金融	27,208.91	0.83
13	01246	毅信控股	25,641.67	0.78
14	00555	御泰中彩控股	24,033.91	0.73
15	01076	博华太平洋	23,381.76	0.71
16	00857	中国石油股份	23,296.97	0.71
17	00386	中国石油化工股份	22,471.98	0.69
18	00136	恒腾网络	22,356.20	0.68
19	00493	国美电器	20,724.48	0.63
20	00648	中国华仁医疗	18,232.54	0.56
总　数			940,688.80	28.74
股份总数			3,272,653.34	100.00

2016年主板成交金额最大的二十种股份

顺次	股份代号	股份名称	成交金额(百万港元)	占股份总数(%)
1	00700	腾讯控股	730,948.90	6.61
2	00005	汇丰控股	392,937.93	3.55
3	00939	建设银行	375,034.32	3.39
4	00941	中国移动	318,350.98	2.88
5	02318	中国平安	313,452.28	2.84
6	01398	工商银行	291,057.84	2.63
7	01299	友邦保险	278,312.82	2.52
8	02628	中国人寿	249,434.05	2.26
9	00388	香港交易所	248,642.87	2.25
10	03988	中国银行	229,903.94	2.08
11	00883	中国海洋石油	153,554.78	1.39
12	00001	长和	148,662.11	1.34
13	00688	中国海外发展	132,504.98	1.20
14	01928	金沙中国有限公司	131,807.25	1.19
15	00016	新鸿基地产	124,017.16	1.12
16	00857	中国石油股份	122,536.82	1.11
17	00386	中国石油化工股份	116,716.06	1.06
18	00027	银河娱乐	112,327.05	1.02
19	00762	中国联通	97,078.81	0.88
20	02328	中国财险	91,651.04	0.83
总　额			4,658,931.97	42.14
股份总额			11,056,703.53	100.00

2016 年主板收市价跌幅最大的二十种股份

收市价(港元)

顺次	股份代号	股份名称	2015	2016	跌幅(%)
1	00911	前海健康	2.800A	0.145	94.82
2	00928	野马国际	2.000	0.154	92.30
3	03823	德普科技	1.770	0.184	89.60
4	00997	普汇中金国际	0.292A	0.032	89.04
5	00362	中国天化工	0.606A	0.068	88.78
6	01143	华夏健康产业	0.995A	0.112	88.74
7	02211	大健康国际	3.000	0.355	88.17
8	00943	意科控股	0.750	0.093	87.60
9	01831	十方控股	2.360	0.360	84.75
10	01380	中国金石	1.500A	0.250	83.33
11	00431	大中华金融	1.400	0.238	83.00
12	01421	工盖有限公司	1.900	0.350	81.58
13	00530	高银金融	15.240	2.990	80.38
14	01190	航标控股	1.960	0.395	79.85
15	01321	中国新城市	9.740	2.000	79.47
16	00204	中国投资开发	0.148	0.032	78.38
17	01685	博耳电力	13.622A	3.090	77.32
18	00897	位元堂	1.647A	0.380	76.93
19	00871	中国疏浚环保	1.500	0.350	76.67
20	00444	SINCEREWATCHHK	0.820	0.200	75.61

注:(A)经调整。

2016 年主板收市价升幅最大的二十种股份

收市价(港元)

顺次	股份代号	股份名称	2015	2016	升幅(%)
1	00583	南潮控股	0.176A	2.230	1,167.05
2	01462	金诚控股	0.249A	1.720	590.76
3	03708	日成控股	0.800	3.960	395.00
4	01367	恒宝企业控股	0.640	3.140	390.63
5	01483	誉宴集团	0.460	1.920	317.39
6	03966	中国宝丰国际	1.450	5.990	313.10
7	00565	锦艺集团控股	0.215A	0.870	304.65
8	00572	未来世界金融	0.186	0.630	238.71
9	01269	首控集团	3.490	11.620	232.95
10	00149	中国农产品交易	0.380	1.260	231.58
11	00847	哈萨克矿业 - S	10.980	35.500	223.32
12	01263	栢能集团	0.680	2.190	222.06
13	02323	至卓国际	0.980	3.120	218.37
14	00860	奥立仕控股	0.240	0.740	208.33
15	02098	卓尔集团	1.980	6.000	203.03
16	00311	联泰控股	1.10	3.270	197.27
17	00557	CITYE - SOLUTION	1.630	4.800	194.48
18	01561	万辉化工	0.920	2.650	188.04

顺次	股份代号	股份名称	2015	2016	升幅(%)
19	01548	金斯瑞生物科技	1.320	3.700	180.30
20	00290	中国富强金融	0.119	0.320	168.91

注:(A)经调整。

2016年创业板市价总值最大的五十家上市公司

顺次	股份代号	公司名称	市值(百万港元)	占市场总值(%)
1	8217	联旺集团控股有限公司	27,955.20	8.99
2	8207	中国信贷科技控股有限公司	20,016.78	6.44
3	8279	亚博科技控股有限公司	14,895.03	4.79
4	8127	云裳衣控股有限公司	13,460.00	4.33
5	8138	北京同仁堂国药有限公司	8,772.81	2.82
6	8057	麦迪森酒业控股有限公司	8,480.00	2.73
7	8321	泰锦控股有限公司	7,920.00	2.55
8	8008	新意网集团有限公司	7,710.28	2.48
9	8032	非凡中国控股有限公司	6,573.27	2.11
10	8265	宏峰太平洋集团有限公司	6,481.82	2.09
11	8411	K W Nelson Interior Architect Group Ltd.	5,550.00	1.79
12	8407	兴证国际金融集团有限公司	5,280.00	1.7
13	8137	洪桥集团有限公司	5,110.18	1.64
14	8158	中国再生医学国际有限公司	4,484.38	1.44
15	8176	航空互联集团有限公司	4,279.06	1.38
16	8078	HMV 数码中国集团有限公司	4,205.53	1.35
17	8167	中国新电信集团有限公司	4,049.76	1.3
18	8237	华星控股有限公司	4,013.50	1.29
19	8083	中国创新支付集团有限公司	3,537.60	1.14
20	8052	陆庆娱乐集团控股有限公司	3,240.00	1.04
21	8193	汉华专业服务有限公司	3,109.10	1
22	8352	成安控股有限公司	3,057.60	0.98
23	8021	汇隆控股有限公司	2,936.43	0.94
24	8102	利宝阁集团有限公司	2,880.00	0.93
25	8005	裕兴科技投资控股有限公司	2,632.51	0.85
26	8283	正力控股有限公司	2,625.00	0.84
27	8361	中国育儿网络控股有限公司	2,576.52	0.83
28	8261	海天能源国际有限公司	2,512.40	0.81
29	8325	中国支付通集团控股有限公司	2,455.64	0.79
30	8295	中植资本国际有限公司	2,307.82	0.74
31	8326	同景新能源集团控股有限公司	2,028.64	0.65
32	8245	安悦国际控股有限公司	1,843.20	0.59
33	8172	拉近网娱集团有限公司	1,829.62	0.59
34	8233	中国基建港口有限公司	1,811.32	0.58
35	8030	汇联金融服务控股有限公司	1,783.38	0.57
36	8090	中国融保金融集团有限公司	1,759.22	0.57
37	8058	山东罗欣药业集团股份有限公司 – H股	1,741.04	0.56
38	8196	建禹集团控股有限公司	1,728.00	0.56
39	8215	第一信用金融集团有限公司	1,687.39	0.54
40	8027	吉辉控股有限公司	1,632.00	0.52

顺次	股份代号	公司名称	市值(百万港元)	占市场总值(%)
41	8097	鼎石资本有限公司	1,571.20	0.51
42	8262	宏强控股有限公司	1,544.00	0.5
43	8029	太阳国际资源有限公司	1,502.71	0.48
44	8336	电讯数码控股有限公司	1,466.09	0.47
45	8260	银合控股有限公司	1,461.57	0.47
46	8310	大丰港和顺科技股份有限公司	1,455.44	0.47
47	8125	中持基业控股有限公司	1,379.40	0.44
48	8246	北方新能源控股有限公司	1,373.31	0.44
49	8133	铸能控股有限公司	1,347.50	0.43
50	8016	长虹佳华控股有限公司	1,338.28	0.43
总　值			225,391.54	72.5
市场总值			310,871.86	100

2016 年创业板成交股数最多的二十种股份

顺次	代号	股份名称	成交股数	占股份总额(%)
1	8195	L&A INTL HOLD	7,857,376,000	23.88
2	8315	冠辉集团控股	2,977,424,590	9.05
3	8171	中国趋势	2,026,792,000	6.16
4	8278	CMON	995,647,001	3.03
5	8081	互娱中国	944,251,280	2.87
6	8173	万亚企业控股	902,917,937	2.74
7	8207	中国信贷	895,167,151	2.72
8	8133	铸能控股	800,340,000	2.43
9	8231	节能元件	709,270,000	2.16
10	8160	GOLDWAY EDU	597,204,000	1.82
11	8011	百田石油	576,508,875	1.75
12	8047	中国海洋捕捞	522,338,400	1.59
13	8021	汇隆控股	491,090,000	1.49
14	8182	中国糖果	435,590,000	1.32
15	8086	DX. COM 控股	416,077,760	1.26
16	8101	家梦控股	413,760,000	1.26
17	8062	俊盟国际	392,995,000	1.19
18	8186	同仁资源	359,201,496	1.09
19	8272	华人饮食集团	333,138,267	1.01
20	8072	罗马集团	293,630,535	0.89
总　额			22,940,720,292	69.73
股份总额			32,899,721,482	100

2016 年创业板成交金额最多的二十种股份

顺次	代号	股份名称	成交金额（港元）	占股份总额(%)
1	8207	中国信贷	773,786,853	9.16
2	8278	CMON	327,766,848	3.88
3	8133	铸能控股	315,780,300	3.74
4	8062	俊盟国际	249,615,975	2.96
5	8102	利宝阁集团	238,345,540	2.82

顺次	代号	股份名称	成交金额（港元）	占股份总额(%)
6	8160	GOLDWAY EDU	228,393,444	2.7
7	8231	节能元件	209,806,940	2.48
8	8011	百田石油	203,868,429	2.41
9	8237	华星控股	196,500,660	2.33
10	8078	HMV 数码中国	189,098,258	2.24
11	8315	冠辉集团控股	186,881,370	2.21
12	8321	泰锦控股	168,137,825	1.99
13	8293	星亚控股	144,573,914	1.71
14	8083	中国创新支付	139,550,350	1.65
15	8047	中国海洋捕捞	133,486,960	1.58
16	8021	汇隆控股	112,115,020	1.33
17	8022	永耀集团控股	111,966,529	1.33
18	8039	KNK HOLDINGS	109,317,240	1.29
19	8095	北大青鸟环宇	108,670,950	1.29
20	8331	飞尚非金属	101,901,700	1.21
总　额			4,249,565,105	50.31
股份总额			8,445,037,508	100

2016 年创业板跌幅最大的二十种股份

顺次	代号	股份名称	月终收市价		跌幅（%）
			11 月(港元)	12 月(港元)	
1	8231	节能元件	0.54	0.2	62.96
2	8173	万亚企业控股	0.035	0.014	60
3	8066	品创控股	0.06	0.033	45
4	8153	科地农业	1.71	1.03	39.77
5	8315	冠辉集团控股	0.068	0.044	35.29
6	8272	华人饮食集团	0.139	0.095	31.65
7	8356	中国新华电视	0.24	0.169	29.58
8	8027	吉辉控股	0.72	0.51	29.17
9	8269	富誉控股	0.246A	0.178	27.64
10	8020	宏海控股集团	0.35	0.26	25.71
11	8201	宝联控股	0.105	0.08	23.81
12	8111	中科光电	0.185	0.142	23.24
13	8046	恒芯中国	0.058	0.046	20.69
14	8005	裕兴科技	1.84	1.46	20.65
15	8095	北大青鸟环宇	2.24	1.78	20.54
16	8320	沛然环保	0.27	0.215	20.37
17	8261	海天能源	0.345	0.275	20.29
18	8026	长达健康	0.285	0.228	20
19	8051	讯智海	0.7	0.56	20
20	8059	朝威控股	0.48	0.385	19.79

A = 经调整(如适用)。

2016 年创业板升幅最大的二十种股份

顺次	代号	股份名称	月终收市价		升幅（%）
			11 月(港元)	12 月(港元)	
1	8321	泰锦控股	2.05	9.9	382.93
2	8093	爱特丽皮革	0.51	1.01	98.04
3	8293	星亚控股	2.48	4.2	69.35
4	8271	环球数码创意	0.235	0.33	40.43
5	8052	陆庆娱乐	1.3	1.8	38.46
6	8331	飞尚非金属	0.75	1.03	37.33
7	8237	华星控股	0.84	1.15	36.9
8	8037	锐康药业	0.265	0.36	35.85
9	8125	中持基业	2.82	3.8	34.75
10	8176	航空互联	7.1	9.4	32.39
11	8361	中国育儿网络	1.9	2.51	32.11
12	8047	中国海洋捕捞	0.225	0.295	31.11
13	8102	利宝阁集团	2.79	3.6	29.03
14	8172	拉近网娱	0.52	0.65	25
15	8106	浙大兰德	0.51	0.59	15.69
16	8048	御德国际控股	0.129	0.149	15.5
17	8156	众彩股份	0.285	0.325	14.04
18	8082	仁智国际集团	0.174	0.197	13.22
19	8191	鸿伟亚洲	0.39	0.44	12.82
20	8163	万德金融	0.094	0.106	12.77

A＝经调整(如适用)。

相关中国股份之成交量（主板及创业板）

主板

年份	H 股		红筹股		合计	
	成交量(百万港元)	占股份成交(%)	成交量(百万港元)	占股份成交(%)	成交量(百万港元)	占股份成交(%)
1993	33,037.82	3.01%	88,290.28	8.05%	121,328.09	11.07%
1994	34,208.97	3.32%	57,515.41	5.59%	91,724.38	8.91%
1995	17,291.65	2.27%	45,856.63	6.02%	63,148.28	8.29%
1996	24,890.36	1.93%	135,359.18	10.52%	160,249.54	12.45%
1997	297,769.58	8.48%	1,043,672.51	29.71%	1,341,442.09	38.19%
1998	73,538.68	4.61%	369,386.79	23.13%	442,925.47	27.74%
1999	102,788.51	5.80%	354,818.00	20.01%	457,606.51	25.81%
2000	164,309.62	5.74%	674,856.93	23.60%	839,166.55	29.34%
2001	245,201.03	13.47%	497,246.00	27.31%	742,447.03	40.77%
2002	139,711.41	9.50%	309,354.25	21.04%	449,065.66	30.54%
2003	501,496.87	22.12%	493,945.47	21.79%	995,442.34	43.92%
2004	933,860.83	27.49%	614,727.35	18.10%	1,548,588.19	45.58%
2005	949,155.23	26.46%	603,820.77	16.83%	1,552,976.00	43.29%
2006	2,521,764.08	39.26%	1,100,508.90	17.13%	3,622,272.98	56.39%
2007	7,748,899.57	46.93%	2,725,604.54	16.51%	10,474,504.11	63.44%
2008	6,130,592.75	48.53%	2,283,227.61	18.08%	8,413,820.36	66.61%
2009	5,152,805.63	44.56%	1,936,589.39	16.75%	7,089,395.02	61.30%

年份	H股		红筹股		合计	
	成交量(百万港元)	占股份成交(%)	成交量(百万港元)	占股份成交(%)	成交量(百万港元)	占股份成交(%)
2010	4,700,842.42	38.29%	1,928,712.11	15.71%	6,629,554.53	54.00%
2011	4,662,787.32	38.84%	1,699,518.79	14.16%	6,362,306.11	52.99%
2012	3,681,421.40	38.77%	1,459,847.85	15.37%	5,141,269.24	54.14%
2013	4,217,366.31	37.85%	1,704,419.16	15.30%	5,921,785.47	53.14%
2014	4,398,535.08	35.27%	1,897,810.54	15.22%	6,296,345.61	50.49%
2015	6,882,112.86	39.95%	2,415,551.02	14.02%	9,297,663.88	53.97%
2016	3,983,132.61	36.02%	1,564,516.57	14.15%	5,547,649.18	50.17%
2017*	1,495,917.66	35.61%	564,871.39	13.45%	2,060,789.04	49.06%

创业板

年份	H股		红筹股		合计	
	成交量(百万港元)	占股份成交(%)	成交量(百万港元)	占股份成交(%)	成交量(百万港元)	占股份成交(%)
1999	—	—	652.20	18.09%	652.20	18.09%
2000	6868.59	8.15%	864.14	1.03%	7,732.73	9.17%
2001	6,155.01	15.62%	509.42	1.29%	6,664.43	16.91%
2002	3,897.80	8.86%	328.89	0.75%	4,226.69	9.61%
2003	4,652.71	12.20%	387.65	0.0102	5,040.36	13.22%
2004	7,195.46	27.93%	28.43	0.11%	7,223.89	28.04%
2005	4,154.00	18.60%	242.67	1.09%	4,396.67	19.68%
2006	14,860.02	34.02%	634.64	1.45%	15,494.65	35.48%
2007	23,632.65	14.84%	10,839.99	6.81%	34,472.65	21.65%
2008	7,861.73	15.09%	1845.01	3.54%	9,706.73	18.64%
2009	15,501.38	20.46%	1,456.88	1.92%	16,958.26	22.38%
2010	16,933.86	12.67%	2,320.16	1.74%	19,254.02	14.41%
2011	4,072.46	6.47%	629.06	1.00%	4,701.52	7.47%
2012	775.12	2.31%	447.80	1.34%	1,222.92	3.65%
2013	4,195.13	5.32%	7,158.66	9.08%	11,353.79	14.40%
2014	3,454.43	2.09%	4,423.64	2.67%	7,878.07	4.76%
2015	8,570.80	3.37%	4,852.06	1.91%	13,422.85	5.27%
2016	5,715.78	4.91%	1,620.98	1.39%	7,336.76	6.30%
2017*	1,700.77	4.36%	649.83	1.67%	2,350.60	6.03%

*截至2017年4月底。

相关中国股份之市价总值（主板及创业板）

主板

年份	H股		红筹股		合计	
	市价总值(百万港元)	占股份总市值(%)	市价总值(百万港元)	占股份总市值(%)	市价总值(百万港元)	占股份总市值(%)
1993	18,228.70	0.61%	124,129.51	4.17%	142,358.21	4.78%
1994	19,981.32	0.96%	84,279.33	4.04%	104,260.65	5.00%
1995	16,463.77	0.70%	110,701.97	4.71%	127,165.74	5.42%
1996	31,530.63	0.91%	263,330.90	7.58%	294,861.53	8.48%
1997	48,622.01	1.52%	472,970.42	14.77%	521,592.43	16.29%
1998	33,532.66	1.26%	334,966.21	12.58%	368,498.87	13.84%
1999	41,888.78	0.89%	956,942.33	20.24%	998,831.11	21.13%
2000	85,139.58	1.78%	1,203,551.95	25.10%	1,288,691.53	26.87%
2001	99,813.09	2.57%	908,854.82	23.39%	31,771.67	25.96%

年份	H股		红筹股		合计	
	市价总值(百万港元)	占股份总市值(%)	市价总值(百万港元)	占股份总市值(%)	市价总值(百万港元)	占股份总市值(%)
2002	129,248.37	3.63%	806,407.41	22.66%	935,655.78	26.29%
2003	403,116.50	7.36%	1,197,770.75	21.87%	1,600,887.25	29.23%
2004	455,151.75	6.87%	1,409,357.12	21.26%	1,864,508.88	28.13%
2005	1,280,495.01	15.78%	1,709,960.75	21.08%	2,990,455.76	36.86%
2006	3,363,788.46	25.39%	2,951,581.05	22.28%	6,315,369.51	47.67%
2007	5,056,820.09	24.62%	5,514,059.49	26.85%	10,570,879.58	51.47%
2008	2,720,188.76	26.53%	2,874,906.69	28.04%	5,595,095.45	54.57%
2009	4,686,418.75	26.37%	3,862,143.29	21.73%	8,548,562.04	48.11%
2010	5,210,324.73	24.88%	4,380,687.29	20.92%	9,591,012.02	45.80%
2011	4,096,659.80	23.47%	3,999,091.91	22.91%	8,095,751.71	46.39%
2012	4,890,925.94	22.36%	4,835,257.67	22.11%	9,726,183.61	44.47%
2013	4,906,583.21	20.52%	4,815,316.86	20.14%	9,721,900.07	40.66%
2014	5,723,993.53	22.99%	5,214,967.56	20.95%	10,938,961.09	43.94%
2015	5,157,109.86	21.11%	5,137,712.98	21.03%	10,294,822.84	42.15%
2016	5,316,159.06	21.74%	4,898,947.36	20.04%	10,215,106.42	41.78%
2017*	5,802,103.02	21.23%	5,215,601.25	19.08%	11,017,704.27	40.30%

创业板

年份	H股		红筹股		合计	
	市价总值(百万港元)	占股份总市值(%)	市价总值(百万港元)	占股份总市值(%)	市价总值(百万港元)	占股份总市值(%)
1999	—	—	1,255.50	17.35%	1,255.50	17.35%
2000	991.69	1.47%	806	1.20%	1,797.69	2.67%
2001	1,888.75	3.10%	1,010.60	1.66%	2,899.35	4.76%
2002	2,393.01	4.58%	830.8	1.59%	3,223.81	6.17%
2003	5,063.25	7.21%	—	—	5,063.25	7.21%
2004	6,376.35	9.56%	727.56	1.09%	7,103.92	10.65%
2005	6,420.65	9.64%	836.23	1.26%	7,256.88	10.90%
2006	14,952.03	16.82%	790.31	0.89%	15,742.35	17.71%
2007	22,695.38	14.09%	10,378.89	6.44%	33,074.28	20.53%
2008	11,550.65	25.57%	988.62	2.19%	12,539.27	27.76%
2009	27,059.82	25.76%	6,551.60	6.24%	33,611.41	32.00%
2010	20,154.24	14.97%	5,285.11	3.92%	25,439.35	18.89%
2011	4,611.67	5.45%	3,432.64	4.06%	8,044.31	9.51%
2012	5,074.68	6.47%	3,800.19	4.85%	8,874.87	11.32%
2013	5,953.03	4.44%	13,083.47	9.76%	19,036.50	14.21%
2014	5,664.53	3.16%	13,053.20	7.28%	18,717.73	10.43%
2015	7,529.51	2.92%	12,987.59	5.03%	20,517.11	7.95%
2016	6,963.00	2.24%	13,400.09	4.31%	20,363.09	6.55%
2017*	8,540.34	2.60%	14,141.00	4.30%	22,681.34	6.89%

*截至2017年4月底

相关中国股份之股份集资（主板及创业板）

主板

（百万港元）

年份	H股			红筹股		
	首次招股集资	上市后集资	总集资额	首次招股集资	上市后集资	总集资额
1993	8,141.52	—	8,141.52	950.52	14,128.71	15,079.23

年份	H股			红筹股		
	首次招股集资	上市后集资	总集资额	首次招股集资	上市后集资	总集资额
1994	9,879.81	—	9,879.81	1,541.37	11,685.17	13,226.54
1995	2,011.35	980	2,991.35	1,569.75	5,103.86	6,673.61
1996	6,834.16	1,037.50	7,871.66	3,427.30	15,581.81	19,009.11
1997	32,037.52	1,046.70	33,084.23	39,394.82	41,589.99	80,984.81
1998	2,072.36	1,480.16	3,552.52	142.38	17,232.47	17,374.85
1999	4,263.69	—	4,263.69	1,985.53	53,191.82	55,177.35
2000	51,750.69	—	51,750.69	44,096.46	249,562.21	293,658.67
2001	5,570.84	497.25	6,068.09	12,060.08	7,021.19	19,081.27
2002	16,873.60	—	16,873.60	20,950.56	31,771.67	52,722.23
2003	46,252.59	592.04	46,844.63	2,962.40	1,930.15	4,892.55
2004	40,016.78	19,229.95	59,246.73	14,548.60	11,816.68	26,365.28
2005	137,184.78	21,493.17	158,677.95	1,037.45	21,352.85	22,390.30
2006	290,026.72	13,796.28	303,823.01	2,763.76	48,004.16	50,767.91
2007	74,773.29	10,952.42	85,725.71	49,592.21	65,381.97	114,974.19
2008	29,488.36	4,618.98	34,107.34	—	223,800.56	223,800.56
2009	114,176.43	7,551.15	121,727.58	8,015.83	69,993.11	78,008.94
2010	138,456.06	152,420.79	290,876.85	6,291.22	49,124.79	55,416.01
2011	51,901.25	37,286.47	89,187.72	5,902.54	54,874.98	60,777.52
2012	63,823.11	59,848.89	123,672.00	1,955.88	38,058.17	40,014.05
2013	89,698.52	45,923.34	135,621.86	3,179.07	63,138.20	66,317.27
2014	119,597.60	73,840.28	193,437.88	8,187.33	356,709.64	364,896.98
2015	209,372.93	121,013.13	330,386.06	3,654.32	141,134.96	144,789.29
2016	130,807.96	19,795.73	150,603.70	25,756.97	56,809.98	82,566.95
2017*	21,756.17	1,211.84	22,968.02	—	3,972.34	3,972.34

创业板　　（百万港元）

年份	H股			红筹股		
	首次招股集资	上市后集资	总集资额	首次招股集资	上市后集资	总集资额
1999	—	—	—	404.24	—	404.24
2000	644.18	—	644.18	—	—	—
2001	763.99	—	763.99	—	—	—
2002	1,059.60	113	1,172.60	—	—	—
2003	1,217.91	204	1,421.91	—	0.68	0.68
2004	693.6	459.33	1,152.93	92	—	92
2005	175.48	272.9	448.37	—	39.53	39.53
2006	1,769.21	594.25	2,363.46	—	6.9	6.9
2007	—	1,400.04	1,400.04	—	1,049.61	1,049.61
2008	176.84	1,770.67	1,947.51	—	220.22	220.22
2009	—	223.21	223.21	—	—	—
2010	—	638.72	638.72	—	0.03	0.03
2011	—	—	—	—	86.05	86.05
2012	—	—	—	—	53.82	53.82
2013	—	241.4	241.4	699.2	138.56	837.76
2014	—	—	—	—	525.05	525.05
2015	77.6	255.09	332.69	—	161.33	161.33
2016	—	202.71	202.71	—	97.44	97.44

年份	H股			红筹股		
	首次招股集资	上市后集资	总集资额	首次招股集资	上市后集资	总集资额
2017*	—	298.65	298.65	—	—	—

*截至2017年4月底暂定数字。

中国企业H股公司名单（主板）

上市日期	股份代号	公司名称	市价总值(港元)
2005－10－27	939	中国建设银行股份有限公司	1,519,437,461,642
2006－10－27	1398	中国工商银行股份有限公司	440,913,746,314
2004－6－24	2318	中国平安保险(集团)股份有限公司	326,203,868,746
2006－6－1	3988	中国银行股份有限公司	315,255,982,009
2005－6－23	3328	交通银行股份有限公司	209,721,057,154
2003－12－18	2628	中国人寿保险股份有限公司	175,983,788,750
2000－10－19	386	中国石油化工股份有限公司	160,734,663,180
2000－4－7	857	中国石油天然气股份有限公司	115,621,972,000
2010－7－16	1288	中国农业银行股份有限公司	110,352,374,915
2016－9－28	1658	中国邮政储蓄银行股份有限公司	100,472,205,020
2006－9－22	3968	招商银行股份有限公司	92,736,203,674
2015－10－30	2799	中国华融资产管理股份有限公司	82,143,837,571
2009－12－23	2601	中国太平洋保险(集团)股份有限公司	79,789,875,000
2007－4－27	998	中信银行股份有限公司	73,369,063,477
2005－6－15	1088	中国神华能源股份有限公司	61,650,286,550
2003－11－6	2328	中国人民财产保险股份有限公司	57,586,105,859
2009－11－26	1988	中国民生银行股份有限公司	53,111,218,265
2002－11－15	728	中国电信股份有限公司	52,734,158,000
2006－12－15	1800	中国交通建设股份有限公司	47,374,250,000
2012－4－27	6837	海通证券股份有限公司	43,778,863,649
2002－7－31	1211	比亚迪股份有限公司	41,952,750,000
2009－9－23	1099	国药控股股份有限公司	41,629,094,826
2013－12－12	1359	中国信达资产管理股份有限公司	40,160,104,380
2011－12－15	1336	新华人寿保险股份有限公司	39,761,424,147
2011－10－6	6030	中信证券股份有限公司	37,182,308,064
1997－10－21	914	安徽海螺水泥股份有限公司	35,414,100,000
2008－8－21	1766	中国中车股份有限公司	33,176,391,244
2004－12－15	753	中国国际航空股份有限公司	31,436,888,378
2012－12－7	1339	中国人民保险集团股份有限公司	28,011,211,140
2007－12－7	390	中国中铁股份有限公司	27,768,774,000
2015－4－10	1776	广发证券股份有限公司	27,398,918,820
2010－8－30	2238	广州汽车集团股份有限公司	26,780,932,638
2014－12－10	1816	中国广核电力股份有限公司	26,234,518,750
2013－5－22	6881	中国银河证券股份有限公司	26,205,990,894
2003－12－15	2333	长城汽车股份有限公司	26,160,117,600
2014－6－25	2202	万科企业股份有限公司	25,957,220,938
2015－6－1	6886	华泰证券股份有限公司	25,923,208,854
1998－1－21	902	华能国际电力股份有限公司	25,241,059,073
2013－12－20	6818	中国光大银行股份有限公司	25,070,884,575
2005－12－7	489	东风汽车集团股份有限公司	23,359,887,760

上市日期	股份代号	公司名称	市价总值(港元)
2012－12－19	2039	中国国际海运集装箱(集团)股份有限公司	23,002,126,561
1993－7－15	168	青岛啤酒股份有限公司	22,927,421,230
2015－12－7	416	锦州银行股份有限公司	22,706,226,400
2008－3－13	1186	中国铁建股份有限公司	22,590,100,480
2006－12－20	3898	株洲中车时代电气股份有限公司	21,920,542,470
2000－2－1	694	北京首都国际机场股份有限公司	20,635,416,720
2009－12－10	916	龙源电力集团股份有限公司	20,006,773,710
2001－2－7	696	中国民航信息网络股份有限公司	19,117,521,000
1997－2－5	670	中国东方航空股份有限公司	19,009,128,000
2017－4－11	2611	国泰君安证券股份有限公司	18,120,960,000
2015－11－9	3908	中国国际金融股份有限公司	17,482,039,744
1997－6－12	358	江西铜业股份有限公司	16,844,031,480
2016－3－30	2016	浙商银行股份有限公司	15,976,950,000
2011－5－20	2607	上海医药集团股份有限公司	15,777,414,752
2003－12－23	2899	紫金矿业集团股份有限公司	15,776,585,000
2014－12－19	1958	北京汽车股份有限公司	15,734,173,208
2006－12－19	1898	中国中煤能源股份有限公司	15,523,186,140
1993－7－26	338	中国石化上海石油化工股份有限公司	15,203,250,000
2001－12－12	2600	中国铝业股份有限公司	15,105,389,657
2006－3－23	3323	中国建材股份有限公司	14,914,110,421
1997－7－31	1055	中国南方航空股份有限公司	14,477,670,060
1997－6－27	177	江苏宁沪高速公路股份有限公司	14,028,560,000
2015－3－31	3606	福耀玻璃工业集团股份有限公司	13,904,858,000
1997－5－15	576	浙江沪杭甬高速公路股份有限公司	13,879,711,560
2010－12－16	3618	重庆农村商业银行股份有限公司	13,446,347,819
2015－12－10	3996	中国能源建设股份有限公司	13,430,532,200
2005－7－14	2777	广州富力地产股份有限公司	13,299,885,040
1998－4－1	1171	兖州煤业股份有限公司	13,137,067,680
2002－11－20	2883	中海油田服务股份有限公司	13,003,870,320
2015－12－3	3866	青岛银行股份有限公司	12,323,614,510
2004－3－11	2338	潍柴动力股份有限公司	12,260,582,400
2003－10－30	2357	中国航空科技工业股份有限公司	12,229,891,951
2015－8－7	3969	中国铁路通信信号股份有限公司	11,970,310,080
2015－10－26	1508	中国再保险(集团)股份有限公司	11,956,155,893
2012－10－30	2196	上海复星医药(集团)股份有限公司	11,836,385,400
2013－11－12	3698	徽商银行股份有限公司	11,638,000,000
2016－10－7	6099	招商证券股份有限公司	11,627,557,995
2011－6－10	958	华能新能源股份有限公司	11,404,103,178
2004－12－9	763	中兴通讯股份有限公司	11,332,538,010
2013－5－23	2386	中石化炼化工程(集团)股份有限公司	11,102,080,000
2005－4－28	2727	上海电气集团股份有限公司	10,910,587,040
2004－2－27	1066	山东威高集团医用高分子制品股份有限公司	10,680,762,277
2006－12－8	552	中国通信服务股份有限公司	10,593,991,663
2014－12－29	2066	盛京银行股份有限公司	10,322,974,750
2013－11－6	1963	重庆银行股份有限公司	10,247,845,070
2009－7－29	2009	北京金隅股份有限公司	9,752,649,508
2016－3－30	1578	天津银行股份有限公司	9,687,648,856

上市日期	股份代号	公司名称	市价总值(港元)
2007-4-26	3993	洛阳栾川钼业集团股份有限公司	9,322,319,160
1993-8-6	317	中船海洋与防务装备股份有限公司	9,188,944,977
2016-12-9	6066	中信建投证券股份有限公司	9,117,201,799
2015-6-29	3396	联想控股股份有限公司	9,091,012,568
2015-6-26	1528	红星美凯龙家居集团股份有限公司	8,842,604,734
2005-6-30	1919	中远海运控股股份有限公司	8,774,040,000
2009-9-24	1618	中国冶金科工股份有限公司	8,268,480,000
2000-10-31	1666	北京同仁堂科技发展股份有限公司	8,236,022,400
2016-8-18	6178	光大证券股份有限公司	8,111,102,976
2016-7-8	3958	东方证券股份有限公司	7,785,266,400
2015-12-23	6196	郑州银行股份有限公司	7,756,980,000
1997-3-21	991	大唐国际发电股份有限公司	7,692,371,981
2003-2-13	598	中国外运股份有限公司	7,507,104,500
2014-1-16	1513	丽珠医药集团股份有限公司	7,148,535,776
2006-4-28	2880	大连港股份有限公司	7,119,028,080
2006-12-8	1818	招金矿业股份有限公司	7,092,693,400
2014-3-31	6138	哈尔滨银行股份有限公司	6,954,211,000
2016-7-11	1606	国银金融租赁股份有限公司	6,947,802,180
2004-6-16	2866	中远海运发展股份有限公司	6,339,190,000
1996-5-14	525	广深铁路股份有限公司	6,040,086,000
2014-12-10	6869	长飞光纤光缆股份有限公司	5,716,476,070
1997-7-24	347	鞍钢股份有限公司	5,678,734,000
2010-10-8	2208	新疆金风科技股份有限公司	5,670,530,712
1999-6-30	1071	华电国际电力股份有限公司	5,632,526,208
2011-12-22	579	北京京能清洁能源电力股份有限公司	5,565,031,040
1994-11-11	1138	中远海运能源运输股份有限公司	5,508,000,000
1997-3-12	548	深圳高速公路股份有限公司	5,299,775,000
2012-12-21	1829	中国机械设备工程股份有限公司	5,267,966,000
2014-6-25	1375	中原证券股份有限公司	5,162,619,770
2010-12-23	1157	中联重科股份有限公司	5,122,484,147
1996-7-23	921	海信科龙电器股份有限公司	5,000,337,111
1997-10-30	874	广州白云山医药集团股份有限公司	4,892,775,000
2013-12-20	1819	富贵鸟股份有限公司	4,715,259,240
2012-6-28	816	华电福新能源股份有限公司	4,626,401,616
1993-11-3	323	马鞍山钢铁股份有限公司	4,557,605,900
2005-7-13	1103	上海大生农业金融科技股份有限公司	4,068,741,455
2017-1-12	6122	吉林九台农村商业银行股份有限公司	3,977,160,000
2006-9-29	3983	中海石油化学股份有限公司	3,949,330,000
2003-6-19	2868	首创置业股份有限公司	3,858,457,680
2015-12-29	1558	宜昌东阳光长江药业股份有限公司	3,825,439,079
2014-6-6	6198	青岛港国际股份有限公司	3,543,943,500
1994-12-16	1133	哈尔滨电气股份有限公司	3,215,717,960
1994-8-17	1122	庆铃汽车股份有限公司	3,183,335,293
2007-12-20	1893	中国中材股份有限公司	3,178,124,354
2006-12-15	2006	上海锦江国际酒店(集团)股份有限公司	3,158,705,000
2008-6-18	1812	山东晨鸣纸业集团股份有限公司	3,152,221,325
2007-5-30	811	新华文轩出版传媒股份有限公司	3,053,785,361

上市日期	股份代号	公司名称	市价总值(港元)
1997-10-7	107	四川成渝高速公路股份有限公司	3,053,041,200
1996-11-13	995	安徽皖通高速公路股份有限公司	3,041,871,700
2010-10-13	956	新天绿色能源股份有限公司	3,034,357,253
1994-3-29	1033	中石化石油工程技术服务股份有限公司	2,856,000,000
2003-1-29	895	东江环保股份有限公司	2,577,771,000
2012-7-12	3948	内蒙古伊泰煤炭股份有限公司	2,363,550,750
1994-6-6	1072	东方电气股份有限公司	2,332,400,000
2003-9-24	2698	魏桥纺织股份有限公司	2,307,994,020
2015-12-30	1799	新特能源股份有限公司	2,272,698,318
2014-10-9	6116	上海拉夏贝尔服饰股份有限公司	2,169,376,980
2002-8-13	1349	上海复旦张江生物医药股份有限公司	2,145,400,000
1997-5-14	588	北京北辰实业股份有限公司	2,128,130,200
2016-11-15	1272	大唐环境产业集团股份有限公司	2,110,121,156
2010-12-17	1798	中国大唐集团新能源股份有限公司	1,975,846,169
2015-12-16	1786	中国铁建高新装备股份有限公司	1,968,030,000
2013-12-12	3369	秦皇岛港股份有限公司	1,950,154,550
2016-12-5	1635	上海大众公用事业(集团)股份有限公司	1,899,769,080
2015-7-6	1456	国联证券股份有限公司	1,863,514,400
2014-7-8	1599	北京城建设计发展集团股份有限公司	1,838,821,380
2014-3-6	3636	保利文化集团股份有限公司	1,838,148,180
2014-6-19	1330	绿色动力环保集团股份有限公司	1,815,575,466
2002-10-7	2488	深圳市元征科技股份有限公司	1,805,760,000
1994-5-17	1065	天津创业环保集团股份有限公司	1,798,600,000
2015-4-30	6826	上海昊海生物科技股份有限公司	1,717,943,370
1997-6-23	38	第一拖拉机股份有限公司	1,688,358,000
2005-12-19	3378	厦门国际港务股份有限公司	1,529,385,000
2002-11-18	357	海航基础股份有限公司	1,474,934,500
2000-8-4	1385	上海复旦微电子集团股份有限公司	1,434,593,600
2015-10-15	1476	恒泰证券股份有限公司	1,424,673,360
2003-6-30	2355	宝业集团股份有限公司	1,415,862,840
1996-5-2	553	南京熊猫电子股份有限公司	1,398,760,000
2015-5-27	6839	云南水务投资股份有限公司	1,374,838,542
1997-9-29	161	中航国际控股股份有限公司	1,372,734,556
2017-4-6	3768	昆明滇池水务股份有限公司	1,303,411,200
1994-7-8	1108	洛阳玻璃股份有限公司	1,275,000,000
2003-6-27	980	联华超市股份有限公司	1,248,210,000
2004-6-9	1708	南京三宝科技股份有限公司	1,220,940,000
2012-12-5	564	郑州煤矿机械集团股份有限公司	1,179,685,879
2005-10-26	3399	广东粤运交通股份有限公司	1,161,270,000
2006-4-27	2345	上海集优机械股份有限公司	1,139,565,000
2008-6-13	2722	重庆机电股份有限公司	1,122,191,219
1996-12-31	719	山东新华制药股份有限公司	1,030,500,000
2006-4-7	3355	上海先进半导体制造股份有限公司	984,260,121
2016-11-8	3689	广东康华医疗股份有限公司	973,906,760
2012-7-6	2068	中铝国际工程股份有限公司	950,752,880
2016-12-21	1596	河北翼辰实业集团股份有限公司	909,063,000
2014-6-19	3903	瀚华金控股份有限公司	842,400,000

上市日期	股份代号	公司名称	市价总值(港元)
2014－7－8	6188	北京迪信通商贸股份有限公司	802,679,480
2015－11－26	6865	福莱特玻璃集团股份有限公司	765,000,000
2015－11－20	2120	温州康宁医院股份有限公司	757,988,000
2007－10－12	3833	新疆新鑫矿业股份有限公司	721,050,000
2011－12－30	1296	国电科技环保集团股份有限公司	694,178,100
1997－10－17	1053	重庆钢铁股份有限公司	667,277,728
2006－5－16	1057	浙江世宝股份有限公司	642,550,740
2014－6－26	1588	畅捷通信息技术股份有限公司	610,500,000
2006－1－12	3330	灵宝黄金股份有限公司	579,684,300
1995－7－6	42	东北电气发展股份有限公司	539,115,500
2001－12－21	1075	首都信息发展股份有限公司	511,168,680
2003－4－22	2218	烟台北方安德利果汁股份有限公司	503,920,560
2015－7－7	1461	鲁证期货股份有限公司	468,282,100
2004－12－20	438	彩虹集团新能源股份有限公司	447,925,794
2015－12－30	3678	弘业期货股份有限公司	436,975,000
2008－2－26	814	北京京客隆商业集团股份有限公司	426,254,400
2017－3－31	2281	泸州市兴泸水务(集团)股份有限公司	416,983,600
2015－12－23	1543	广东中盈盛达融资担保投资股份有限公司	416,533,334
2014－1－15	3332	南京中生联合股份有限公司	370,558,656
2003－10－10	2308	研祥智能科技股份有限公司	363,855,360
1993－12－7	300	沈机集团昆明机床股份有限公司	350,828,082
2007－2－7	568	山东墨龙石油机械股份有限公司	348,331,904
2004－1－9	1265	天津津燃公用事业股份有限公司	340,040,800
2006－2－23	1292	重庆长安民生物流股份有限公司	326,150,000
2016－9－30	1577	泉州汇鑫小额贷款股份有限公司	316,800,000
1999－12－16	747	沈阳公用发展股份有限公司	302,688,000
2015－1－13	6866	佐力科创小额贷款股份有限公司	291,000,000
1993－8－6	187	北京京城机电股份有限公司	282,000,000
2006－6－21	549	吉林奇峰化纤股份有限公司	275,467,500
2016－11－25	6189	广东爱得威建设(集团)股份有限公司	270,674,190
2015－10－12	1527	浙江天洁环境科技股份有限公司	259,000,000
2015－3－11	1858	北京市春立正达医疗器械股份有限公司	248,448,384
2015－12－14	2289	创美药业股份有限公司	226,800,000
1994－12－13	1202	成都普天电缆股份有限公司	222,400,000
2004－12－22	1000	北青传媒股份有限公司	210,270,830
2002－6－28	954	常茂生物化学工程股份有限公司	189,211,000
2015－10－15	1533	兰州庄园牧场股份有限公司	188,648,100
2016－1－12	1459	巨匠建设集团股份有限公司	173,368,000
2008－1－24	840	新疆天业节水灌溉股份有限公司	143,704,000
2014－11－11	1289	无锡盛力达科技股份有限公司	101,760,000
2014－1－9	1353	福建诺奇股份有限公司#	—
总　数	222	总　值	5,802,103,020,583

注:#暂停交易超逾1年之股份,其市值不作发表。

中国企业H股公司名单（创业板）

上市日期	股份代号	公司名称	市价总值(港元)
2005-12-9	8058	山东罗欣药业集团股份有限公司	2,725,113,600
2000-7-27	8095	北京北大青鸟环宇科技股份有限公司	1,554,268,800
2003-11-5	8227	西安海天天线控股股份有限公司	1,110,715,294
2002-6-18	8189	天津泰达生物医学工程股份有限公司	588,525,000
2001-5-24	8049	吉林省辉南长龙生化药业股份有限公司	345,000,000
2002-2-28	8197	东北虎药业股份有限公司	245,916,000
2002-12-12	8236	宝德科技集团股份有限公司	209,587,500
2005-9-12	8329	深圳市海王英特龙生物技术股份有限公司	198,090,000
2004-7-7	8301	深圳市明华澳汉科技股份有限公司	196,196,000
2006-2-27	8247	中生北控生物科技股份有限公司	187,715,538
2002-11-8	8211	浙江永隆实业股份有限公司	159,292,500
2008-4-30	8348	天津滨海泰达物流集团股份有限公司	133,610,752
2002-5-3	8106	浙江浙大网新兰德科技股份有限公司	131,062,500
2001-4-24	8045	江苏南大苏富特科技股份有限公司	122,090,000
2003-7-3	8258	陕西西北新技术实业股份有限公司	117,505,000
2003-11-13	8243	大贺传媒股份有限公司	105,000,000
2002-12-12	8235	赛迪顾问股份有限公司	77,330,000
2002-7-31	8205	上海交大慧谷信息产业股份有限公司	67,320,000
2004-5-18	8286	山西长城微光器材股份有限公司	60,500,000
2003-11-14	8249	浙江瑞远智控科技股份有限公司	59,800,000
2004-6-30	8115	上海青浦消防器材股份有限公司	55,560,000
2004-2-18	8273	浙江展望股份有限公司	50,140,000
2015-1-16	8139	浙江长安仁恒科技股份有限公司	40,000,000
总　数	23	总　值	8,540,338,484

注:#暂停交易超逾1年之股份,其市值不作发表。

中资红筹股公司名单（主板）

上市日期	股份代号	公司名称	市价总值(港元)
1997-10-23	941	中国移动有限公司	1,698,441,306,306
2001-2-28	883	中国海洋石油有限公司	404,952,425,775
2002-7-25	2388	中银香港(控股)有限公司	338,328,968,512
1986-2-26	267	中国中信股份有限公司	328,138,162,466
1992-8-20	688	中国海外发展有限公司	247,610,154,691
2000-6-22	762	中国联合网络通信(香港)股份有限公司	240,428,694,073
1996-11-8	1109	华润置地有限公司	149,708,294,906
	270	粤海投资有限公司	78,715,370,138
2000-6-29	966	中国太平保险控股有限公司	69,723,959,637
2003-11-12	836	华润电力控股有限公司	67,442,421,235
1999-10-22	1114	华晨中国汽车控股有限公司	65,719,896,820
2005-7-8	3311	中国建筑国际集团有限公司	63,372,526,365
	291	华润啤酒(控股)有限公司	60,730,991,662
2004-6-10	2319	中国蒙牛乳业有限公司	59,110,909,421
1992-7-15	144	招商局港口控股有限公司	58,422,616,255

上市日期	股份代号	公司名称	市价总值(港元)
1994-11-7	1193	华润燃气控股有限公司	58,380,337,864
2016-10-28	3320	华润医药集团有限公司	57,566,079,183
1973-3-13	135	昆仑能源有限公司	56,748,903,830
1994-2-14	992	联想集团有限公司	55,321,100,526
1993-4-19	371	北控水务集团有限公司	52,089,250,888
1997-5-29	392	北京控股有限公司	47,961,824,184
	257	中国光大国际有限公司	47,158,127,084
2004-3-18	981	中芯国际集成电路制造有限公司	45,840,836,255
2013-10-7	1316	耐世特汽车系统集团有限公司	30,328,756,797
1973-2-26	165	中国光大控股有限公司	29,997,516,074
2016-6-1	2588	中银航空租赁有限公司	28,801,428,861
2011-3-30	3360	远东宏信有限公司	28,287,898,530
2009-10-6	1313	华润水泥控股有限公司	27,830,315,100
1997-3-7	604	深圳控股有限公司	27,001,550,537
2007-8-17	817	中国金茂控股集团有限公司	26,894,252,975
1996-5-30	363	上海实业控股有限公司	26,729,513,760
1994-12-19	1199	中远海运港口有限公司	25,696,478,711
1972-9-25	152	深圳国际控股有限公司	25,567,422,441
2004-10-15	2380	中国电力国际发展有限公司	21,329,977,749
1994-12-15	1208	五矿资源有限公司	21,137,665,493
2007-3-21	606	中国粮油控股有限公司	20,212,041,034
1993-4-7	570	中国中药控股有限公司	20,207,665,673
1973-3-6	207	大悦城地产有限公司	17,361,972,327
2010-7-8	1788	国泰君安国际控股有限公司	17,035,582,367
1992-12-15	123	越秀地产股份有限公司	16,369,724,753
2007-11-28	3808	中国重汽(香港)有限公司	14,936,973,964
1992-11-11	308	香港中旅国际投资有限公司	12,255,505,931
2011-5-18	2299	百宏实业控股有限公司	11,714,213,120
1973-8-30	119	保利置业集团有限公司	11,680,303,177
2014-10-15	1347	华虹半导体有限公司	11,413,943,082
2015-7-8	2666	环球医疗金融与技术咨询服务有限公司	11,413,425,457
1994-7-11	1111	创兴银行有限公司	10,988,100,000
2013-7-5	1250	北控清洁能源集团有限公司	10,456,616,576
1997-1-30	1052	越秀交通基建有限公司	10,038,973,770
1999-6-25	934	中石化冠德控股有限公司	9,870,055,200
1984-4-26	81	中国海外宏洋集团有限公司	9,106,137,177
2006-7-20	3899	中集安瑞科控股有限公司	8,797,730,440
1994-2-16	993	华融国际金融控股有限公司	8,755,857,067
2007-4-3	1883	中信国际电讯集团有限公司	8,495,418,072
2006-5-24	3382	天津港发展控股有限公司	8,436,460,000
1988-10-7	506	中国食品有限公司	8,391,670,188
2014-7-2	6139	金茂酒店与金茂(中国)酒店投资管理有限公司-SS	8,180,000,000
1993-9-10	563	上海实业城市开发集团有限公司	8,082,938,958
1990-10-2	639	首钢福山资源集团有限公司	7,581,628,114
1997-9-8	1205	中信资源控股有限公司	7,386,263,520
1996-9-30	297	中化化肥控股有限公司	7,305,433,962
1997-10-16	978	招商局置地有限公司	7,112,623,897

上市日期	股份代号	公司名称	市价总值(港元)
2006-10-10	337	绿地香港控股有限公司	7,012,128,474
2007-11-23	368	中外运航运有限公司	6,986,175,000
1999-11-26	1070	TCL 多媒体科技控股有限公司	6,691,152,191
2016-11-1	1610	中粮肉食控股有限公司	6,594,377,166
2010-11-1	1230	雅士利国际控股有限公司	6,453,962,003
2014-7-11	1848	中国飞机租赁集团控股有限公司	6,252,148,163
2007-10-17	1828	大昌行集团有限公司	6,155,966,880
2014-3-28	798	中电光谷联合控股有限公司	5,840,000,000
1999-11-4	735	中国电力新能源发展有限公司	5,636,508,736
2010-12-1	2099	中国黄金国际资源有限公司	5,288,159,465
1997-12-10	882	天津发展控股有限公司	5,245,845,911
1992-2-11	517	中远海运国际(香港)有限公司	5,120,071,133
2009-11-16	906	中粮包装控股有限公司	5,074,099,200
1999-10-8	903	冠捷科技有限公司	4,972,748,615
2014-10-3	1811	中国广核新能源控股有限公司	4,934,447,600
2012-6-29	1258	中国有色矿业有限公司	4,500,856,440
2003-8-4	1164	中广核矿业有限公司	4,488,464,199
2015-10-23	2669	中海物业集团有限公司	4,437,261,621
1991-3-26	687	香港国际建设投资管理集团有限公司	4,094,338,910
1996-12-18	1045	亚太卫星控股有限公司	3,928,011,870
2003-10-27	2362	金川集团国际资源有限公司	3,872,170,215
1996-6-19	1135	亚洲卫星控股有限公司	3,696,797,475
1997-8-11	1185	中国航天万源国际(集团)有限公司	3,451,506,578
1981-8-25	31	中国航天国际控股有限公司	3,331,823,633
2006-7-13	3989	首创环境控股有限公司	3,273,493,895
2012-5-16	1522	中国城市轨道交通科技控股有限公司	3,225,813,332
1991-12-20	230	五矿地产有限公司	3,177,215,502
1988-12-23	521	海航实业集团股份有限公司	3,134,998,928
1997-8-8	124	粤海置地控股有限公司	3,012,304,856
1997-7-25	85	中国电子集团控股有限公司	2,963,613,120
1982-6-28	222	闽信集团有限公司	2,880,617,673
	217	中国诚通发展集团有限公司	2,817,236,366
2012-1-18	1312	同方康泰产业集团有限公司	2,772,000,000
	171	银建国际实业有限公司	2,765,819,533
1998-1-15	925	北京建设(控股)有限公司	2,740,468,079
1997-6-18	334	华显光电技术控股有限公司	2,722,655,952
1991-7-1	710	精电国际有限公司	2,712,353,703
2000-10-16	365	紫光科技(控股)有限公司	2,619,000,000
2008-7-14	982	卓智控股有限公司	2,576,000,000
1999-12-17	1236	国农控股有限公司	2,526,678,767
1991-12-12	232	中国航空工业国际控股(香港)有限公司	2,401,022,085
	218	申万宏源(香港)有限公司	2,388,416,067
2011-10-27	1206	同方泰德国际科技有限公司	2,383,364,558
2010-3-30	830	远东环球集团有限公司	2,371,099,500
2012-4-2	1329	首创钜大有限公司	2,326,923,078
1991-4-30	697	首长国际企业有限公司	2,212,600,368
2001-4-19	346	延长石油国际有限公司	2,210,494,295

上市日期	股份代号	公司名称	市价总值(港元)
	154	北京控股环境集团有限公司	2,190,525,819
1990-10-12	641	恒天立信工业有限公司	2,167,426,643
1997-5-23	560	珠江船务企业(股份)有限公司	2,160,000,000
2006-12-15	1868	同方友友控股有限公司	2,115,347,417
2000-3-16	2886	滨海投资有限公司	2,090,341,131
1990-11-21	661	中国大冶有色金属矿业有限公司	2,040,096,086
2005-11-2	3366	华侨城(亚洲)控股有限公司	2,028,858,260
2012-12-14	1908	建发国际投资集团有限公司	1,831,840,000
1991-10-7	618	北大资源(控股)有限公司	1,766,533,358
1992-10-27	755	上海证大房地产有限公司	1,755,763,479
1993-7-22	133	招商局中国基金有限公司	1,745,736,329
1998-5-26	908	珠海控股投资集团有限公司	1,727,634,581
1973-1-23	281	川河集团有限公司	1,721,640,697
2003-1-6	2302	中核国际有限公司	1,663,172,247
2013-3-13	1148	新晨中国动力控股有限公司	1,615,586,860
2002-9-30	445	中国消防企业集团有限公司	1,590,642,858
2004-4-29	596	浪潮国际有限公司	1,451,473,493
2010-11-18	1091	中信大锰控股有限公司	1,405,668,190
2010-6-21	2228	中国节能海东青新材料集团有限公司	1,397,559,600
1993-2-12	611	中国核能科技集团有限公司	1,337,051,147
2012-6-18	3663	协众国际控股有限公司	1,272,000,000
1988-4-20	420	福田实业(集团)有限公司	1,241,177,769
2013-8-15	1249	通力电子控股有限公司	1,238,480,259
1992-11-23	305	五菱汽车集团控股有限公司	1,230,000,633
2004-8-18	1639	安捷利实业有限公司	1,160,277,250
1973-5-18	132	中国兴业控股有限公司	1,130,137,234
1994-12-9	1203	广南(集团)有限公司	1,034,656,345
2001-3-16	809	大成生化科技集团有限公司	991,844,746
2003-10-10	2339	京西重工国际有限公司	913,199,118
2001-11-29	629	悦达矿业控股有限公司	841,411,092
1994-5-10	1062	国开国际投资有限公司	827,131,378
	260	幸福控股(香港)有限公司	760,799,455
2002-1-30	812	西证国际证券股份有限公司	720,160,021
1995-12-21	418	方正控股有限公司	719,848,196
1996-12-16	1058	粤海制革有限公司	677,903,940
1991-8-8	730	首长四方(集团)有限公司	662,703,732
2000-8-1	111	信达国际控股有限公司	628,381,488
1992-4-9	103	首长宝佳集团有限公司	509,568,647
2004-12-17	1175	鲜驰达控股集团有限公司	505,060,196
2000-2-2	969	华联国际(控股)有限公司	503,971,400
1988-7-22	499	青岛控股国际有限公司	429,377,945
1973-2-22	181	闽港控股有限公司	423,852,020
2005-1-26	828	王朝酒业集团有限公司#	—
总　数	152	总　值	5,215,601,245,124

注:#暂停交易超逾1年之股份,其市值不作发表。

中资红筹股公司名单（创业板）

上市日期	股份代号	公司名称	市价总值(港元)
2013－5－7	8138	北京同仁堂国药有限公司	9,291,810,000
2000－1－24	8016	长虹佳华控股有限公司	1,629,210,240
2013－8－22	8310	大丰港和顺科技股份有限公司	1,584,240,000
2003－8－4	8271	环球数码创意控股有限公司	569,345,828
2010－8－30	8356	中国新华电视控股有限公司	551,527,593
2001－11－30	8128	中国地能产业集团有限公司	514,871,146
总　数	6	总　值	14,141,004,807

2016年香港市场交易所参与者统计

联交所

		交易权持有人数目	交易所参与者—开业	交易所参与者—非开业	非交易所参与者
2015	第4季	566(975)	515(915)	35(44)	16(16)
2016	第1季	575(981)	526(925)	33(40)	16(16)
	第2季	582(985)	530(924)	36(45)	16(16)
	第3季	599(1002)	547(941)	36(45)	16(16)
	第4季	608(1011)	556(950)	36(45)	16(16)

(　)交易权数目。

期交所

		交易权持有人数目	交易所参与者—开业	交易所参与者—非开业	非交易所参与者
2015	第4季	232(256)	179(201)	—	53(55)
2016	第1季	230(253)	177(198)	—	53(55)
	第2季	229(252)	176(197)	—	53(55)
	第3季	231(254)	178(199)	—	53(55)
	第4季	233(256)	180(201)	—	53(55)

注:(1)括号内的数字为持有之交易权总数。

(2)交易所参与者是指有权在或经交易所进行买卖及已根据《证券及期货条例》获发牌经营证券/期货/期权交易活动之公司。

2016年香港市场结算所参与者统计

期货结算所参与者

年份	季度	结算参与者	全面结算参与者
2015	第4季	151	9
2016	第1季	148	10
	第2季	148	9
	第3季	150	9
	第4季	152	9

联交所期权结算所参与者

年份	季度	直接结算参与者	全面结算参与者
2015	第4季	69	9
2016	第1季	66	10
	第2季	66	9
	第3季	65	9
	第4季	65	9

中央结算所参与者

年份	季度	直接结算参与者	全面结算参与者	非经纪参与者(*)
2015	第4季	492	10	43
2016	第1季	503	9	43
	第2季	507	9	43
	第3季	525	9	43
	第4季	533	9	42

*非经纪参与者包括结算机构参与者、托管商参与者及股份承押人参与者。

2016 年度香港市场大事件

2016 年年初,在 A 股的拖累下,港股也经历了一场腥风血雨,恒生国企指数在 1 月份更是迈向四年多来表现最差的一个月。好在受下半年深港通推出预期影响,港股下半年表现远超上半年。

1 月 A 股暂停熔断机制,其后市场担心人民币贬值,兼且商品下挫,恒指于 2 月 12 日曾低见 18278 点,2 月下旬 G20 达成共识避免货币竞争性贬值,商品价格回稳,中国首季新增贷款创新高,恒指 3 月按月大升 8.7%,至 4 月再收复部分失地。6 月下旬,英国公投脱欧,令欧洲资金明显流入包括亚洲等新兴市场,恒指于 7 月至 9 月逐步发力,并于 9 月初一度高见 24 364 点,而第三季按季回升逾 11%。至 11 月,特朗普当选美国总统,令港股波动,资金回流美元区,恒指 10 月及 11 月呈整固。值得留意的是,纵然港股今年看似表现波动,但指数波幅并不较往年特别地大。恒指全年仅累计上升 86 点涨 0.39%;国指累计下挫 266 点跌 2.75%。

综合篇

蝉联全球新股上市集资额王座

安永于 12 月 12 日发表《全球 IPO 市场调研报告》,指出 2016 年香港市场共有 117 家公司首发上市,共集资 1 961 亿港元,约为 253 亿美元,集资额蝉联全球冠军。报告指出,由于政治和经济不确定因素影响,投资者信心不足,今年全球 IPO 宗数下降 16% 至 1 055 宗;集资额下降 33% 至 1 325 亿美元。港股市场 IPO 宗数及集资额也分别下降 3% 及 25%。

深港通开通

12 月 5 日,深交所和港交所同时举行开通仪式,备受期待的深港通启动。至此,沪深港三地证券市场成功实现互联互通,中国资本市场对外开放又迈出重要一步。但自开通以来,在市场气氛、宏观经济数据及各种技术限制因素影响下,境内境外许多主要机构投资者仍静而观之,市场反应并未像设想的那样热烈。

人民币贬值

人民币进入贬值周期,从年初的 6.2 到目前已经贬值到 6.95,一年内贬值超过 10%。央行并无采取干预措施,表明人民币定价机制已经高度市场化。由于港元与美元挂钩,在人民币贬值压力下,配置海外资产是未来资产配置的趋势,而港股无疑是最便捷的方式。

港交所上市监管改革争议

2016 年 6 月 17 日,港交所及香港证监会公布的上市监管架构联合咨询文件显示,在新的上市规管架构下,港交所仍保留上市职能,但将设立两个新的委员会,分别为上市政策委员会及上市监管委员会,香港证监会与港交所在两个委员会中将有同等数量的代表。同时,上市监管委员会及上市委员会均为 IPO 申请个案的最终决策者,前者负责决定涉及合适性问题或具有广泛政策影响的个案,这意味着香港证监会对特殊个案是否能成功上市具有更大话语权。咨询文件对香港证监会在上市审批过程中角色定位的改变,引发市场轩然大波。

港府加辣　印花税增至 15%

由于内地资金涌入香港购买资产避险,热钱流入,令本港楼市在年中再次升温,不少成交更创楼价新高。港府决定加辣防范楼市泡沫恶化。11 月 5 日起,把楼宇买卖印花税划一调高至 15%,将适用于所有个人及公司买家,但首次置业买家可获豁免,沿用旧制。以一个 400 万元的单位为例,购买第 2 个住宅的本地客缴税由 18 万元升至 60 万元。措施令换楼成本大增,二手楼自 11 月起开始淡静,业主纷纷封盘,在市场盘源紧绌的情况下,楼价继续上升,距 2015 年高位不足 1%。

行业篇

TMT 电子股迎来牛市瑞声科技入选蓝筹股

说到港股的电子产业股,2016 年最让人难忘的应该就是舜宇光学(02382.HK),凭借双摄的爆发和国产的爆发,股价从 15 涨到了 40 块,让人侧目。同时期的港股电子股,瑞声科技(02018.HK),也以翻倍的涨幅,顺利跻身于恒生指数成份股。

澳门赌收止跌回升　濠赌股守得云开见月明

受中央大力打击贪腐及内地经济增长放缓影响,澳门去年赌收按年大跌 34% 为五年来最差,今年 6 月赌收降至 158.8亿澳门元创近六年最低,今年 7 月赌收环比增至 177 亿澳门元,按年计连跌第 26 个月;但随着内地经济回稳,访澳门旅客回升,澳门 8 月博彩收益转为按年升 1.1% 至 188 亿澳门元,市场预期行业"雨过天青"可重拾升轨,濠赌股今年以来股价亦一洗过去两年颓势。

公司篇

腾讯市值破两万亿　登顶港股市场

腾讯控股(00700.HK)今年上半年股价累升 15.5%;踏入 6 月至 9 月更持续攀升,至 9 月下旬曾升至 220.8 元历史新高,市值高达 20 903 亿元,超越中国移动(00941.HK)及在美国上市的阿里巴巴,成为市值最高的亚洲上市公司。

邮储银行创两年内全球最大 IPO

2016 年 9 月 27 日,邮储银行(01658.HK)宣布 H 股全球发售股份结果,以每股 4.76 港元全球发售 121.07 亿股,所得款项净额估计约为566.27亿港元，成为最近两年全球最大IPO。作为最后一家上市的国有大型商业银行，邮储银行掀起的这场资本盛宴搅动了市场。尽管后续仍将有多家内地股份制银行、城商行和农商行赴港上市，但像邮储银行这般规模的大型国有银行将不再重现。

美图上市　开港交所主板亏损上市先河

12月15日，美图公司(01357.HK)于香港联合交易所主板正式挂牌交易，作为深港通开通后最大一笔在港IPO，该公司发行价为接近招股区间下限的8.50港元/股，发行5.74亿股，所得款项净额约46.88亿港元，成为近10年来香港股市最大规模的科技企业IPO。即便如此，美图公司至今仍然亏损并据称将继续亏损，是第一家以亏损状态上市港股的主板公司。港交所行政总裁李小加表示，以后像美图这样互联网公司来香港上市会越来越多，亏损公司上市相关机制正在研究。港交所包容性和敢为天下先的勇气令人耳目一新。

汇丰回购

汇丰控股(00005.HK)管理层8月初宣布今年下半年斥25亿美元回购股份，过程须于伦交所进行，所购股份将以库存方式持有，结果汇控8月全月股价按月大幅回升13.7%。股份回购计划是汇控史上首次，亦令市场感到意外，市场认为汇控回购展示其强劲资本，能稳定投资者对汇控维持股息分派信心。除汇控外，长和(00001.HK)亦出手回购，在11月17日及18日共回购200万股，涉资约1.88亿元，为重组后首次。

神州控股争夺战

6月1日，神州控股(00861.HK)的一纸公告，让一桩堪比"宝万之争"的股权暗战浮出了水面。此次股权纷争的起点，始于广电运通的增持。3月23日，广电运通(002152)一则公告引爆了市场：该公司通过沪港通自有账户购买神州控股股权，截至3月15日收盘，共持有5.52%股份。这是A股公司首次通过沪港通举牌港股公司，意义非凡，今后可能会有更多的A股公司强势进入港股市场。从这个意义上说，郭为们对抗的不是广电运通，而是国内产业资本以自己熟悉并擅长的方式，开始改变并主导香港金融市场的必然趋势。

人物篇

郑裕彤去世

新世界发展名誉主席郑裕彤先生于9月30日病逝，终年91岁。郑裕彤人称"彤叔"，为新世界发展创办人。1971年，新世界发展以1.3亿港元从太古洋行手中购入九龙尖沙咀"蓝烟囱"旧址，并于1972年在香港联合交易所挂牌上市。这家公司与李嘉诚创办的长地、李兆基恒基地产，以及郭氏家族的新鸿基地产，被为香港四大地产公司，久负盛名的香港四大家族由此肇基。2015福布斯香港富豪榜，郑裕彤以150亿美元的财富，排行第三。

曹仁超去世

2月21日，有香港"股神"之称的信报首席顾问曹志明(曹仁超)去世，享年68岁。1969年，曹仁超用自己辛苦打工赚来的5 000港元买股票，开始了投资生涯，40年后已拥有42亿元的资产，创造了"40年增值4万倍"的神话。公开资料显示，自1973年林山木创办《信报》之时，曹仁超即加入撰写投资专栏，之后入股《信报》5%，多年来撰写专栏《投资者日记》，笔名"曹仁超"寓意"超人曹"。在香港，曹仁超被誉为"股神"，不仅因为投资有道，而且胖胖的形象常被指是财神模样，加上他的专栏文风轻松易读，又绝不肤浅，对经济、股市、楼市都有自己的一套见解，受到不少投资者追捧。而他的很多观念，例如"炒股不炒市"，对不少投资者影响重大。

（来源：金融界网站）

第二章　香港上市企业推介

【00688.HK】中国海外发展有限公司

【企业概况】

中国海外发展有限公司（下称“中海发展”；股份代号：00688.HK）于1992年8月在香港联合交易所上市，首开中资企业以香港本地业务资产直接上市之先河。2007年12月10日，公司获纳入为香港恒生指数成份股。核心业务为房地产开发和销售，以住宅发展为主、商业地产发展为辅。目前，公司业务遍布港澳、英国伦敦及内地多个经济活跃城市，已成功投资开发了众多畅销的精品楼盘，深受消费者欢迎。

中海发展定位中高端住宅精品市场，实行精品化的产品策略，以精品项目满足市场和客户的需求，以鲜明的产品特质与专业化的管理驰誉市场，同时建立了全过程、立体化的客户服务网络，为客户提供专业化、个性化的服务。

中海发展分别获得标普/穆迪/惠誉国际评级机构给予BBB+/Baa1/A-的投资评级，反映资本市场对公司在中国房地产市场及财务稳健的高度认可。2016，中海发展于上海证券交易所平台成功发行10年期60亿人民币债券，票息率3.10%。2015及2016两年内公司合共在国内发行140亿元人民币债券。境外方面，公司成功在2015年合共发行10亿欧元债券。债券获国际投资者积极认购，开创了中国房地产企业发行欧元债的先河。

2016年，中海地产品牌连续十三年荣获“中国房地产行业领导公司品牌”，品牌价值达人民币519.06亿元，蝉联行业第一。同时，公司再次获选恒生可持续发展指数（2010至今）及道琼斯可持续发展指数（2012至今），彰显公司在各方面取得卓越成绩。

【联络方式】

投资者查询：企业传讯部

电话：(852) 2823 7888

传真：(852) 2529 9211

邮箱：coli.ir@cohl.com

地址：香港皇后大道东一号太古广场三座十楼

【02289.HK】创美药业股份有限公司

【公司概况】

创美药业股份有限公司（股份代号：02289.HK）创立于2000年，是华南地区领先的医药分销商之一，拥有全面的分销网络覆盖华南地区及福建省等周边地区。创美药业主要业务包括向医药分销商、零售药店、医院、诊所及卫生站等分销多元化的医药产品及提供咨询服务，绝大部分收益来自医药分销业务。创美药业拥有各类的产品组合包括：西药、中成药、保健产品、中药药材及中药饮片、医疗器械及化妆品。

创美药业在汕头与佛山拥有两个大型医药物流配送中心，以及专业的运输团队和现代化信息系统，高效运营机制，涵盖整个医药分销供应链，包括采购、销售、仓储、运输及交付等。业务范围全面覆盖广东地区，辐射到闽、浙、桂、琼、湘等周边省区，合作伙伴遍及全国。

2015年12月14日，创美药业在香港联合交易所主板挂牌上市。根据2015年药品流通行业运行统计分析报告，本公司在2015年全国批发企业主营业务收入前100位排序中排第36位。

在医药电商和互联网大健康服务的新背景下，创美药业于2015年6月开始运营自建的B2B电子商务平台“创美e药”，供客户在线下达采购订单。2016年3月，创美药业携手全球应用软件解决方案提供商SAP公司构建覆盖采购、物流、仓储、销售、客户关系管理等在内的全渠道、一体化信息平台，于2016年11月1日正式上线。

【企业文化】

企业愿景：成为中国医药健康产业最具市场竞争力服务商

跨越广东，面向全国，是创美药业未来发展战略方向。坚持以市场为导向，以客户为中心，以保障医药健康产品质量安全为根本，建成标准化服务体系，企业立志打造成为医药健康产业最具市场竞争力的服务商。

企业使命：创造健康美好生活

广大民众对健康美好生活的向往，是创美事业发展的不竭动力。我们一直用心去创造，让您的生活变得更健康、更美好、更幸福！

核心价值观：责任、专业、纪律、真实、进取。

企业精神：实干进取、快乐奋斗。

实干进取：自强不息，永不满足，积极主动推进我们的事业。

快乐奋斗：积极向上、乐观豁达的健康情趣去追逐梦想。

经营理念：诚信经营、利他利众、合作共赢。

诚信经营：让消费者放心、让客户安心、让政府省心。

利他利众：创美经营利益的源泉来自于能为客户创造价值的服务能力，以及良好的企业形象奠定的软实力基础。

合作共赢：同客户建立牢固的合作关系，共同成长进步，在愉快的合作过程中实现共赢。

服务理念：真诚服务、真心付出。

以真诚的服务态度、标准的服务技能、优质的服务质量，满足服务对象的需求。

员工理念：尊重、关爱、善待、培育。

尊重：尊重和重视，让员工获得对企业的认同感和归属感。

关爱：对员工尊重的具体细化，体现企业的人文关怀。

善待：让员工的工作条件不断改善，生活环境更加舒适，社会保障充分落实。

培育：让员工的发展获取更广阔的事业发展空间。

工作理念：坚韧、负责、合作、高效。

坚韧：做事务实，有恒心有定力，能坚持而不放弃。

负责：全力把职责范围内的事情做实做好，敢于担当。

合作：只有良好的合作，才能形成最强的合力。

高效：以主动负责的态度，用正确的方式快速行动，达成或超越预定目标。

我们的形象：活力、真诚、效率、以真理为中心。

【经营状况与市场成就】

创美药业于2016年的营业额为人民币3 668.93百万元，较上年度增加8.00%。毛利率为4.91%，较上年度增加0.06个百分点。总费用率为3.06%，较上年度减少0.73个百分点。净利润为人民币59.35百万元，较上年度增加125.15%。净利润率为1.62%，较上年度增加0.84个百分点。整体盈利能力较上年度同比明显提升。董事会建议就截至2016年12月31日止年度派发末期股息每股人民币0.20元。

2012－2016年，我们分销网络的数量持续增长。于2016年12月31日，我们的分销网络覆盖5 674名客户，其中783名为分销商，3 496名为零售药店，1 395名为医院、诊所、卫生站及其他。

我们拥有稳定的供应商基础。于2016年12月31日，我们共有供货商1 019名，其中医药生产商673家及分销供货商346家。

我们拥有丰富的产品组合。截至2016年12月31日，我们分销6 069种产品，较2015年度增加508种产品。

我们于2015年12月全面运行B2B电子商务平台（“电商平台”）“创美e药”（http://www.cmyynet.com/），截至2016年12月31日，我们的B2B电子商务平台有4 759位注册客户，主要为零售药店。2016年我们透过B2B电商平台进行电子商务交易所贡献的营业额共计约人民币177.48百万元。2016年，我们使用部分上市募集资金将我们原有的B2B电商平台改造升级为SAP Hybris电商管理平台，于2016年11月1日正式上线。在2017年度，我们将全面推进电商平台PC端、WAP移动端、微信公众号的升级迭代，以优化客户使用体验，更有效宣传推广企业品牌，透过电商平台提高运营效率，降低交易成本。

信息系统改造，携手IBM打造SAP系统

本集团于2016年3月20日正式启动信息化建设项目，依托SAP S/4HANA全新商务套件，融入Hybris电商平台、SAP客户关系管理（SAP CRM）、移动应用、SAP商务智能（SAP BO）等解决方案，并借助IBM POWER8服务器帮助本集团部署SAP HANA on Power内存计算，构建覆盖采购、物流、仓储、销售、客户关系管理等在内的全渠道、一体化信息服务平台。信息化建设（一期）项目于2016年11月1日正式上线。

购置冷藏运输车辆，扩大分销覆盖范围

于2016年，本集团已为两个物流配送中心购置冷藏运输用车共23辆，比原有普通送货车辆能够更好地保证产品良好的状态，优化了物流配送质量，扩大分销覆盖范围、增加向客户供应产品及提供优质运输服务。

成立专业电商团队，全面规划与推广电商平台

本集团于2016年成立电商运营中心，对本集团电商平台进行全面规划、工具搭建与应用、日常活动推广与运营实施。具体包括电商平台的功能开发与优化、网站的设计与策划、效果数据整理与分析、日常运营与推广、产品维护与测试及部门沟通协调六个方面。更好地推进“创美e药”B2B电商平台的运营，将现有终端药店客户向在线引流，为终端客户提供优质的在线下单体验，同时提高营销团队的工作效率。

【未来展望】

持续扩充产品种类，增强产品组合

本集团将持续引进新的优质产品，包括保健产品、化妆品、器械及中药饮片等。同时，本集团将淘汰部分毛利率及周转率过低的产品。我们将丰富产品种类，增强产品组合，以满足客户的多样化采购需求及提高客户粘度与忠诚度，进一步提高本集团盈利能力，进而增强我们的竞争地位。

2017年3月，公司与汕头市粤东药业有限公司签订合作协议，计划引进中药饮片资源，拓展中药饮片业务，丰富公司产品线，预期增加品规1 200个左右。

持续推进收购业务进展，提高华南地区终端市场覆盖率

于2017年，本集团将加速于深圳等华南地区城市收购成熟医药分销公司，从多项因素考虑，包括地理位置、产品组合、营业额、客户群等，以协助本集团新物流配送中心的建设，拓宽自身分销网络，提高本集团在华南地区终端市场的覆盖率，提高药品配送能力及规模，提高服务效率，形成更具竞争力的医药配送网络。

于2017年3月13日，本公司与珠海市恒祥医药有限公司（“珠海恒祥医药”）的拥有人签订增资扩股协议，以代价人民币18百万元增加本公司于珠海恒祥医药的注册资本至其股权的70%并成为其控股股东（“投资事项”）。此为本集团深入布局珠海地区，全面覆盖珠海市终端市场及邻近的江门和中山终端市场的重要举措。有助于拓宽本集团的销售网络，扩大客户基础及提升营业额。该投资事项已经于2017年3月30日在珠海市工商行政管理局香洲分局完成变更登记，并更名为“珠海创美恒祥医药有限公司”，预期将增加本集团下游客户数约1 100家，增加经营品规数约1 400个，其中包括中药饮片1 065个，有助于增加本集团中药饮片、保健产品等产品比例，以及有利于本集团扩充产品种类，增强产品组合，从而满足客户多样化需求以提升客户忠诚度。

启动信息化（二期）项目建设，促进企业战略发展

2017年，本集团将启动信息化（二期）项目建设，投入SAP EWM，SAP TM，SAP HR三个模块的实施。目标将达成：（1）建设并提升仓库管理系统和运输系统，结合供应链协同平台，实现仓配可视化管理；（2）建立物流一体化网络运作模式，打破物流配送中心之间的业务独立运作模式，实现仓库间协助；实现物流配送标准化运作，建立可复制的运作模板；以及（3）建立本集团HR三支柱管理模型（人力资源专家中心、人力资源平台、人力资源业务伙伴）以及共享服务和HRBP，实现“资源共享、团队共享、能力共享、信息共享”，为各部门提供一站式HR解决方案，提高团队的工作效率，更好地为企业战略服务。

全面升级B2B电商平台，优化客户使用体验

本集团将全面推进电商平台PC端、WAP移动端、微信公众号的升级迭代，以优化客户使用体验。将利用Hybris开箱即用的解决方案、社交媒体和移动营销等工具，帮助本集团落地B2B营销策略，将现有终端药店客户向在线引流，打通在线电子商务平台与线下实体店的渠道，本集团力求在2018年全面实现对于1万家以上中小药店的在线销售，为终端客户提供不同以往的分销体验。

【企业荣誉】

2016年度获得荣誉奖项

1.创美药业股份有限公司荣誉奖项

（1）中国药品流通行业“十二五”最佳服务创新奖

（2）药品冷链物流运作规范》国家标准达标企业与国家

标准试点企业

(3)2014—2015 年度国家工商行政管理总局——守合同重信用企业(2010—2015 连续五年)

(4)2016 年广东省医药行业特殊贡献奖

(5)广东省民营企业 100 强

(6)广东省服务业 100 强

(7)广东省企业 500 强

(8)广东省企业诚信建设促进会会员单位

(9)广东省最佳雇主

(10)广东省诚信示范企业(2011—2015 连续五年)

(11)2016 年度批零大户

(12)2016 年度纳税大户

2. 创美药业股份有限公司子公司佛山创美药业有限公司荣誉奖项

(1)中国药品流通行业"十二五"最佳管理创新奖

(2)《药品冷链物流运作规范》国家标准达标企业与国家标准试点企业

(3)2016 禅城区销售龙头企业

【社会责任与大事记】

1."情系福利院,爱心送清凉"活动

2016 年 7 月 1 日,为汕头市福利院送上莲花峰等清凉解暑物资,打扫福利院卫生,为老人、小孩创造整洁、卫生的家园。

2. 八一拥军活动

2016 年 7 月 31 日,创美药业组队前往汕头龙湖消防二中队,向消防部队官兵送上节日的祝福和慰问,为消防官兵提供价值约 7000 元的便药和消暑物资。

3."一人有难,众人帮扶"

2016 年 8 月 22 日,得知信息部员工生病住院,急需大额资金动手术,为助家人渡过难关,人资牵头发起募捐,在 8 月 29 日,共筹集款项约 10 万元,由公司代表转交员工家属手中,手术得以顺利进行。

4. 中秋节社区老人活动中心慰问活动

2016 年中秋节前夕,创美药业职工代表带着潮式月饼和水果、为社区老人活动中心带去了节日的问候。同时,为了村里的老人家能开展更多的休闲活动,公司代表还为老人活动中心送上节日慰问金。

5. 感恩十五载,携手再前行——创美药业上市客户答谢会

2016 年 2 月 27 日,"感恩十五载·携手再前行"创美药业上市客户答谢会盛大举行,感恩过往客户信任、支持和帮助。

6. 携手 SAP 公司启动信息化建设,构造全渠道、一体化信息服务平台

2016 年 3 月 17 日,创美药业携手全球最大的 ERP 软件提供商 SAP 公司以及高端 ERP 咨询商上海汉得信息技术股份有限公司,基于 IBM POWER8 部署 SAP 新一代 S/4HANA 商务套件,共同实施以 SAP 为核心的覆盖采购、物流、仓储、销售、客户关系管理等在内的全渠道、一体化信息服务平台,助力创美药业加速实现数字化转型、实现智慧医药分销的工匠精神。

7. 创美药业携手粤东药业拓展中药饮片业务(2017 年 3 月)

创美药业股份有限公司("创美药业")与汕头市粤东药业有限公司("粤东药业")于汕头市金海湾大酒店举行战略合作签约仪式。此次与粤东药业的战略合作,是创美药业扩充产品种类、增强产品组合的业务战略的落地执行,预期将给创美药业增加中药饮片品规 1200 个左右。通过此次战略合作,将有助于创美药业确保中药饮片高毛利品种的稳定供应,拓展中药饮片领域业务,丰富产品组合,满足客户多样化需求以加强客户基础,进而进一步提高盈利能力,增强竞争地位。

8. 创美药业控股珠海恒祥医药深入布局珠海市场(2017 年 3 月)

2017 年 3 月 13 日上午,创美药业股份有限公司("创美药业")与珠海市恒祥医药有限公司("珠海恒祥医药")投资签约仪式于汕头市金海湾大酒店举行。此次投资控股珠海恒祥医药,是创美药业深入布局珠海地区,全面覆盖珠海终端市场并辐射江门和中山终端市场的重要举措。有助于拓宽本集团的销售网络,扩大客户基础及提升营业额,通过分担营运成本及共享分销网络与本集团产生协同效应。

【高管介绍】

主席及执行董事

姚创龙先生,47 岁,我们的主席、执行董事兼首席执行官,负责本集团整体管理、战略策划及决策,并制定本集团年度业务计划。

姚先生于 2004 年 3 月取得中国政法大学民商法专业研究生进修班结业证书,亦于 2004 年 3 月完成中山大学中外管理研究中心的在职工商管理项士(EMBA)精选课程研修班的课程,于 2007 年 10 月完成浙江大学医药商业领导力发展高级研修班的兼读课程,于 2008 年 7 月完成清华大学高级工商管理总裁研修班的课程,于 2013 年 9 月完成北京大学特劳特战略定位总裁班的课程,及于 2015 年 11 月完成上海交通大学海外教育学院互联网 + 与电子商务创新总裁班的课程。

姚先生于 2000 年 3 月加入本集团担任本公司总经理,监督本公司日常运作及制订本公司战略发展,2011 年 7 月起兼任佛山创美药业有限公司的总经理。姚先生亦自 2015 年 5 月起担任本公司主席。

执行董事

郑玉燕女士,42 岁,是我们的副总裁、执行董事兼首席营销官。郑女士于 2003 年 9 月加入本集团,曾于本集团担任不同职位,包括采购主管、采购总监及销售总监,于 2015 年 8 月升为本集团副总裁。彼自 2015 年 5 月 25 日起获委任为我们的董事。郑女士主要负责本集团的营销及产品管理,布局及维护本集团的销售网络,规划及指导本集团经营商品的管理。

郑女士于 2008 年 12 月取得中国人民大学研究生院的工商管理硕士学位,于 2013 年 8 月完成中山大学岭南学院 EMBA 课程总裁研修班的课程,于 2013 年 11 月完成北京大学特劳特战略定位总裁班的课程,及于 2015 年 11 月完成上海交通大学海外教育学院互联网 + 与电子商务创新总裁班的课程。

范剑波先生,41 岁,我们的副总裁、执行董事兼首席技术官,负责开发本集团信息系统、物流配送中心及信息技术管理,于 2011 年 3 月加入本集团担任首席技术官,负责我们物流配送中心的规划及建造。范先生于 2015 年 8 月升任为本集团副总裁。

范先生于 2004 年 2 月自云南大学毕业,主修国际贸易,并于 2013 年 9 月取得香港大学专业进修学院"信息战略与企业转型"研究生文凭。彼于 2013 年 11 月完成北京大学特劳特战略定位总裁班的课程,于 2014 年 8 月至 2016 年 8 月获中国仓储协会授予仓储专家名号,及于 2015 年 11 月完成上

海交通大学海外教育学院互联网＋与电子商务创新总裁班的课程。

范先生于2007年2月至2007年7月曾担任云南腾俊国际物流有限公司（从事运送、物流及仓储管理及出入口服务的公司）的物流经理，负责制订标准运作程序及优化物流系统，2007年7月至2010年12月曾担任云南鸿翔一心堂（集团）药业股份有限公司（于深圳证券交易所上市的公司（股份代号：002727），从事药品生产及销售）物流经理，负责规划建设及管理物流配送中心及应用企业资源计划软件。

林志雄先生，47岁，我们的执行董事、联席公司秘书兼首席财务官，负责本集团的财务管理，于2010年3月加入本集团担任本集团的财务总监。

林先生于1992年7月毕业于湖南财经学院，主修金融计划统计学，取得经济学学士学位，再于2013年11月完成北京大学的特劳特战略定位总裁班的课程，于2015年5月自香港大学专业进修学院取得“企业财务及投资管理”研究生文凭。林先生于1997年5月获中国财政部认可为会计师。

加入本集团前，林先生于1992年7月至2001年12月在从事融资及投资活动的汕头国际信托投资公司担任计财部经理，负责财务管理与会计、税务计划及融资。2002年1月至2010年3月，彼曾于从事烟草辅料生产与销售的广东德明投资集团公司（现称汕头市德明包装实业集团有限公司）担任财务总监，负责财务管理与会计、税务计划、融资及投资管理。

【联络方式】

地址：广东省汕头市龙湖区嵩山北路235号
电话：（0754）8810 9272
邮箱：liyuqin@ chmyy. com
联络人：李于勤

【01347. HK】华虹半导体有限公司

【企业概况】

华虹半导体有限公司（股份代号：01347. HK）是全球领先的200 mm纯晶圆代工厂，主要专注于研发及制造专业应用的200 mm晶圆半导体，尤其是嵌入式非易失性存储器及功率器件。公司的技术组合还包括RF CMOS、模拟及混合信号、电源管理及MEMS等先进工艺技术。根据IHS的资料，按2016年销售收入总额计算，公司是全球第二大200 mm纯晶圆代工厂。公司生产的半导体广泛应用于不同市场（包括电子消费品、通讯、计算机、工业及汽车）的各种产品中。

通过华虹半导体的全资子公司华虹宏力，我们在上海营运三座200 mm晶圆厂，月产能总计约16万片；其200 mm晶圆制造能力在中国名列前茅。我们拥有广泛、深入的制造工艺平台，涵盖1.0微米至90纳米技术节点，且战略性地专注于0.13微米、0.11微米和90纳米的先进技术节点。

2016年，公司销售收入和净利润均创历史新高，销售收入达到了7.21亿美元，比2015年增长了11%；毛利率达30.5%；净利润为1.29亿美元，比2015年增长了14.5%。2017年第一季度业务继续保持强劲势头，销售收入达1.83亿美元，同比增长11.4%；净利润为3 410万美元，同比上升56.2%；公司已连续25个季度保持盈利。

华虹半导体坚持自主创新，在嵌入式非易失性存储器（eNVM）、功率器件、射频、模拟及混合信号、电源管理IC等多领域持续加大研发力度，取得了科技成果和专利授权的双丰收。2016年，我们与客户共同研发生产的银行卡安全芯片先后斩获国际EMVCo芯片安全认证、CC EAL5＋认证和万事达CQM认证。我们还成功跻身中国大陆企业发明专利授权量前十，是唯一上榜的集成电路制造企业。

凭借丰富的工艺技术组合、强大的设计服务和出色的客户服务能力，公司广获好评，蝉联了2016和2017年《电子工程专辑》“大中华IC设计成就奖之最受认可晶圆代工企业”，是晶圆代工领域唯一获奖企业，扩大了品牌影响力。

我们加速布局，在金融IC卡、微控制器（MCU）、LED照明、新能源汽车和物联网等领域重点突进。2016年初，90 nm嵌入式闪存工艺平台成功量产，基于该平台制造的芯片以其尺寸小、功耗低、性能高的特点，可为智能卡、安全芯片产品（例如SIM卡、USB密匙、银行卡及社保卡）及MCU提供高性价比的技术解决方案。经努力，MCU已成为我们最大的业务分支。我们拥有高端MCU所用的先进eFlash/eEEPROM（嵌入式电可擦除可编程只读内存）处理平台，以及入门级MCU所用的高性价比OTP/MTP（一次编程/多次编程）处理平台。而作为中国出货量最大的LED驱动IC代工厂，华虹半导体已引入全面的电源管理IC解决方案；2016年，我们的超高压700 V BCD技术平台出货量约20亿颗，在LED照明市场占领先地位。我们拥有10多年的功率器件产品稳定量产经验，还是业内首个拥有深沟槽超级结和场截止型IGBT工艺平台的200 mm代工厂。目前，我们分立器件平台的累计出货量已超过500万片晶圆。

在《中国制造2025》和“互联网＋”时代大背景下，中国半导体产业步入黄金发展期，为华虹半导体的发展提供了更为广阔的空间和机遇。展望未来，我们将继续扩大产能，以满足各类产品的需求，尤其是日益增长的MCU领域。随着90 nm嵌入式NVM技术的成功开发，我们可提供具竞争力的存储尺寸及卓越的可靠性能，越来越多的智能卡产品将于2017年持续导入90 nm，这将进一步增强我们在智能卡市场的实力。应对智能手机的付运量持续增长以及未来5G通信的发展，公司将继续开发包括射频SOI器件在内的射频相关技术。我们将致力于进一步减小存储单元及IP模块尺寸，优化我们具有优势的差异化技术，为不同客户提供高效及高性价比的增值解决方案。

机会属于有准备的领跑者。作为中国半导体产业的主力军，我们将坚定信心，聚力创“芯”，坚持立足于差异化的先进工艺技术的持续创新，继续保持在嵌入式非易失性存储器技术、功率器件以及电源管理技术等领域的世界领先地位，并着力在市场开拓、精益管理、降本增效、安全生产及节能减排上下功夫，全面提升产品、服务、质量、供应链与生产运营的各个环节，巩固并持续扩大中国市场的占有率。同时，我们亦将在保持既有业务强劲增长的基础上，着眼于全球化的市场布局，以高技术、高成长、高利润作为企业发展定位，深度探寻并积极实践规模化、多元化的成长路径，全面推动公司发展再上新的台阶。

行路方能致远，砥砺更助前行。我们坚信更加精彩的时刻还在前方。

【企业文化】

我们的愿景：持续创新，为全球客户制造“芯”梦想

我们的使命：通过协作、创新和优秀的企业公民性，为股东、客户和员工创造价值

我们的企业精神：革新，自信，进取，团结

秉承我们的企业文化，为股东创造“新”利润；为客户创

造“芯”梦想;为员工实现“心”价值;为社会构建“欣”生态。

【联络方式】

地址:上海市张江高科技园区哈雷路288号
邮编:201203
电话:(021) 3882 9909
传真:(021) 5080 9999
邮箱:IR@ hhgrace. com
网址:www. huahonggrace. com
注册办公地址:香港中环夏悫道12号美国银行中心22楼2212室
电话:(852) 2111 9526
传真:(852) 2111 9527
邮箱:IR@ hhgrace. com

【00165. HK】中国光大控股有限公司

【企业概况】

中国光大控股有限公司(“光大控股”,股份代号:00165. HK)于1997年在香港成立,公司秉持“大资产管理”战略,专注发展“跨境资产管理及投资”业务。过去多年,光大控股通过国际化的管理平台及所设立的多个私募基金、创投基金、产业基金、夹层基金、对冲基金和自有资金,与海外投资者共同发掘和培育了众多具高增长潜力的中国企业,同时也为中国内地客户寻求海外投资机会提供了多元化的金融服务。

光大控股母公司为中国光大集团,公司同时也是光大证券(股份代号:601788. SH、6178. HK)的第二大股东和光大银行(股份代号:601818. SH、6818. HK)的策略性股东、在香港上市的中国飞机租赁集团控股有限公司(股份代号:1848. HK)的控股股东、上海嘉宝实业(集团)股份有限公司(股份代号:600622. SH)的第一大股东,以及在新加坡上市的英利国际置业股份有限公司(股份代号:5DM. SGX)的第二大股东。

2014年4月10日沪港股票市场互联互通机制(简称“沪港通”)启动后,光大控股成为可供交易的首批港股通股票之一。

光大控股秉持“简单成就价值”的理念,凭借自身雄厚实力,以及母公司和联营公司在中国金融业的地位和影响力,已成功在香港和内地建立了庞大的人际和业务网络,树立了良好的市场品牌形象。

【企业文化】

透过实现“伙伴”、“务实”及“创新”这三个服务信念,我们致力为客户提供简便、专业、实用及量身订做的解决方案,轻松创造财富与价值。

【联络方式】

香港(总部)
地址:香港夏悫道16号远东金融中心46楼
电话:(852) 2528 9882
传真:(852) 2529 0177
上海地址:上海市浦东新区世纪大道210号21世纪中心大厦25楼
邮编:200120
电话:(021) 2089 0888
传真:(021) 2089 0999
北京地址:北京市西城区平安里西大街28号中海国际中心16楼1600室
邮编:100034
电话:010 - 8800 9000
传真:010 - 8800 9299
青岛地址:山东省青岛市市南区燕儿岛路10号凯悦中心22楼
邮编:266071
电话:(0532) 8293 0999
传真:(0532) 8289 9222
深圳地址:广东省深圳市福田区深南大道4013号兴业银行大厦8楼
邮编:518048
电话:(0755) 8302 4432
传真:(0755) 8302 6751

【01558. HK】宜昌东阳光长江药业股份有限公司

【基本概况】

宜昌东阳光长江药业股份有限公司(简称:东阳光药;代码:HK. 01558)是一家专注于在抗病毒、内分泌、心血管、抗肿瘤等疾病治疗领域进行产品研发、生产及销售的制药企业,是东阳光集团旗下的国内制药品台。

【企业文化】

东阳光药自2001年成立以来,即定位于成为国际领先的医药企业,并始终秉承“用更高标准服务中国人”的制药理念,坚持实施专业化、品牌化、差异化的发展战略,致力于营销团队的专业性打造、稳健创新的市场运作、战略性的资源整合,在行业内创造东阳光独有的品牌特色和核心竞争力。

【经营状况与市场成就】

截至目前,东阳光药已有16年经营历史。历时多年奋斗,公司目前已在抗病毒、内分泌及代谢性疾病、心血管疾病等领域取得长足发展与进步,在药品销售业绩以及研发能力方面已逐渐成长为行业顶尖。公司核心产品可威于2006年获得罗氏公司授权,连续四年列于中国磷酸奥司他韦产品类别第一,并于2014年起跻身中国抗流感病毒产品市场制药企业第四,且是中国唯一磷酸奥司他韦颗粒剂生产商。

公司于2015年12月29日于香港联交所上市,作为在香港主板上市不久的医药公司,公司高层一直秉承对股东和投资者负责的态度来经营上市公司。从过去几年的业绩来看,公司销售收入及利润均保持大幅增长,增幅远高于行业平均水平,2015年销售收入增长57%,2016年销售额增长了36%,年复合增长率高达46%。

公司高层在保持业绩强劲增长的同时,公司股价也走出坚挺的表现,在2016年全年低迷不振的情况下,股价表现好于同类上市公司。

同时,东阳光药积极与诸多国内外知名药企建立战略合作关系,寻求战略资源整合。如在胰岛素药物及市场开发方面,与美国Lannett公司(LCI. NY)就共同开发胰岛素仿制药并进入美国市场达成战略协议;在丙肝治疗领域,与台湾太景医药研发控股公司(4157. TWO)共同设立合营公司,就合作开发磷酸依米他韦与伏拉瑞韦联合用药达成合作协议;在分销网络的建设方面,与国药集团一致药业股份有限公司(000028. SZ)达成战略合作伙伴关系。

【市场荣誉】

凭借着自身优秀的业绩及市场前景,仅上市一年以来东阳光药即取得了市场的普遍认可。

2016年6月，荣获中国医药保健品进出口商会评选的2015年度医药国际化百强企业称号；

2016年11月，荣获《彭博商业周刊/中文版》评选的“2016年上市企业大奖”；

2016年11月，公司可威颗粒（磷酸奥司他韦颗粒）荣获“2016中国化学制药行业优秀产品品牌”、“2016中国化学制药行业儿童用药优秀产品品牌”荣誉称号；

2016年12月，荣获“金港股”评选活动中“最具价值医药股公司”奖项；

2016年12月，荣获“2016中国融资上市公司大奖”中“最具投资价值奖”奖项。

【社会责任与大事记】

一直以来，公司积极参与社会公益事业，旨在倾情回报社会，助推社会和谐。

2016年度，公司向宜都市政府捐赠人民币200万元，用以支持宜都市教育以及医疗相关事业发展。公司工会设立“爱心基金会”，对处境艰难职工及家庭主动援助。2016年“爱心基金会”基于了处境艰难职工资助共人民币20 000元，展示了企业的责任感和对员工的关怀。此外，自2012年开始，本公司董监高通过宜都市教育局对宜都市6名品学兼优但家庭贫困的中学生进行“点对点”帮扶，每年捐助助学金18 000元，以及在学习上、生活上基于贫困中学生帮助。

展望未来，东阳光药将借助医药行业广阔市场前景，依靠东阳光集团强大研发能力及自身优秀营运管理能力，在实现公司自身发展的同时，以优质的产品造福各类患者。（更详尽的资料可参考公司于4月21日发布的2016年度报告）

【联络方式】

地址：广东省东莞市长安镇振安中路368号东阳光科技园

传真：(0769)8176 8866

联络邮箱：wuzhuoqian@ dyg-hec. com

公司邮箱：changjiangpharm@ dyg-hec. com

【00700. HK】腾讯控股有限公司

【企业概况】

腾讯成立于1998年11月，是目前中国领先的互联网增值服务提供商之一。成立10多年以来，腾讯一直秉承“一切以用户价值为依归”的经营理念，为亿级海量用户提供稳定优质的各类服务，始终处于稳健发展的状态。2004年6月16日，腾讯控股有限公司在香港联交所主板公开上市（股票代号00700. HK）。

通过互联网服务提升人类生活品质是腾讯的使命。目前，腾讯把“连接一切”作为战略目标，提供社交平台与数字内容两项核心服务。通过即时通信工具QQ、移动社交和通信服务微信和WeChat、门户网站腾讯网（QQ. com）、腾讯游戏、社交网络平台QQ空间等中国领先的网络平台，满足互联网用户沟通、资讯、娱乐和金融等方面的需求。截至2016年第二季度，QQ的月活跃账户数达到8.99亿，最高同时在线账户数达到2.47亿；微信和WeChat的合并月活跃账户数达8.06亿。腾讯的发展深刻地影响和改变了数以亿计网民的沟通方式和生活习惯，并为中国互联网行业开创了更加广阔的应用前景。

面向未来，坚持自主创新，树立民族品牌是腾讯的长远发展规划。目前，腾讯50%以上员工为研发人员，拥有完善的自主研发体系，在存储技术、数据挖掘、多媒体、中文处理、分布式网络、无线技术六大方向都拥有了相当数量的专利，在全球互联网企业中专利申请和授权总量均位居前列。

成为最受尊敬的互联网企业是腾讯的远景目标。腾讯一直积极参与公益事业、努力承担企业社会责任、推动网络文明。2006年，腾讯成立了中国互联网首家慈善公益基金会——腾讯慈善公益基金会，并建立了腾讯公益网（gongyi. qq. com）。秉承“致力公益慈善事业，关爱青少年成长，倡导企业公民责任，推动社会和谐进步”的宗旨，腾讯的每一项产品与业务都拥抱公益，开放互联，并倡导所有企业一起行动，通过互联网领域的技术、传播优势，缔造“人人可公益，民众齐参与”的互联网公益新生态。

【企业文化】

愿景：最受尊敬的互联网企业。

使命：通过互联网服务提升人类生活品质。

管理理念：关心员工成长。

经营理念：一切以用户价值为依归。

价值观：正直 + 进取 + 合作 + 创新。

【联络方式】

腾讯深圳总部：

地址：广东省深圳市南山区高新科技园中区一路腾讯大厦

网址：www. tencent. com

个人投资者查询

电话：(0755) 8601 3388 转 72000

邮箱：cosec@ tencent. com

机构投资者、分析师、财经媒体查询

电话：(0755) 8601 3388 转 66184

邮箱：ir@ tencent. com

【03396. HK】联想控股股份有限公司

【企业概况】

联想控股股份有限公司（以下简称“联想控股”）于1984年由中国科学院计算技术研究所投资，柳传志等11名科研人员创办。从单一IT行业起步，联想控股经过30多年的发展，现已成为中国领先的大型多元化投资集团，构建起了“战略投资 + 财务投资”双轮业务协同驱动的创新商业模式，打造价值不断成长的投资组合。战略投资业务分布于IT、金融服务、创新消费与服务、现代农业与食品以及化工与能源材料五大板块；财务投资业务主要包括天使投资、风险投资及私募股权投资，覆盖企业成长的所有阶段。

在以创始人、董事长柳传志，总裁朱立南带领的管理团队的领导下，联想控股基于对经济与企业的深刻理解，总结并形成了颇具特色的投资理念与管理体系；通过前瞻性布局、灵活的投资策略以及持续的增值服务，联想控股在若干领域打造了一批有影响力的优秀企业，促动业务之间的协同，并持续优化自身投资组合，以实现公司价值的持续增长，目前公司的战略投资更加聚焦于金融服务、创新消费与服务、现代农业与食品以及化工与能源材料等四大领域，并持续关注海外资产的投资；同时，联想控股高度重视并充分发挥人的作用，在多个行业发现并培养领军人物，为员工创造事业舞台，激发企业的发展活力。

公司于2015年6月29日在香港交易所主板上市。截至2016年12月31日，联想控股综合营业额约3 070亿元，综合总资产约 3 223 亿元。

【企业文化】

公司愿景:以产业报国为己任,致力于成为一家值得信赖并受人尊重,在多个行业拥有领先企业,在世界范围内具有影响力的国际化投资控股公司。

【联络方式】

地址:北京市中关村科学院南路 2 号融科资讯中心 B 座 17 层

邮编:100190

电话:(010) 6250 9999

传真:(010) 6256 1056

邮箱:legendir@ legendholdings. com. cn

网址:www. legendholdings. com. cn

【00144. HK】招商局港口控股有限公司

【企业概况】

招商局港口控股有限公司(简称“招商局港口”)以其悠久的历史传承和远见卓识,在中国和全球港口业中地位显赫。我们是中国最早及最负盛名的航运公司——招商局集团的旗舰公司。招商局的港口及物流业务早在 19 世纪就已遍布中国。

招商局港口现已成为中国最大、世界领先的港口开发、投资和营运商,于中国沿海主要枢纽港建立了较为完善的港口网络群,所投资或投资并拥有管理权的码头遍及香港、深圳、宁波、上海、青岛、天津、大连、厦门湾及湛江等集装箱枢纽港,并成功布局南亚、非洲等地港口。截至 2015 年底,招商局国际共投资参股的港口 27 个、集装箱泊位 170 个,完成集装箱吞吐量近 8 366 万标准箱,中国大陆市场占有率超过 29%。

招商局港口凭借多年的专业管理经验,自主研发、全球领先的码头操作系统与进出口综合物流管理平台,完善的海运物流支持体系与全方位的现代综合物流解决方案,高品质的工程管理,以及卓越可靠的服务享誉业界。

招商局港口的愿景是成为世界一流的港口综合服务商。通过实施国内战略、海外战略和创新战略三大举措,公司未来将在全球港口集装箱输送量、市场占有率、港口综合开发业务收益、经营管理水准、资源利用效率、劳动生产率、品牌等方面持续提升至世界一流。

【企业文化】

世界经济迈向全球化,招商局港口亦致力经历世界经贸发展推动者重要角色。我們抱有三大愿景:

一、积极拓展海外项目,在中国以外地区发展港口及相关业务,服务于当地与世界经济;

二、进一步巩固、完善和提升我们在中国的港口网络及运营能力;

三、维持世界集装箱码头业领先者地位,培养创新文化,建立创新机制,孕育创新业务,满足不断提升的行业标准和客户需求,矢志为世界各地客户提供最优质的服务。

【联络方式】

公司总部:

招商局港口控股有限公司

地址:香港干诺道中 168 - 200 号信德中心招商局大厦 38 楼

总机:(852)2102 8888

传真:(852)2851 2173

邮箱:relation@ cmhk. com

网页:www. cmport. com. hk

深圳办公室

地址:广东省深圳市蛇口太子路 1 号新时代广场 26 楼

邮编:518067

总机:(0755) 2682 8888

传真:(0755) 2688 6666

网页:www. cmport. com. hk

【03320. HK】华润医药集团有限公司

【企业概况】

华润医药集团有限公司(香港联合交易所股份代码:03320. HK)是中国领先的综合医药公司,从事研发、制造、分销、零售种类繁多的医药及其他营养保健品。

华润医药集团有限公司是中国第二大医药制造商、第二大医药分销商。旗下拥有华润医药商业集团有限公司、华润三九医药股份有限公司(000999. SZ)、华润双鹤药业股份有限公司(600062. SH)、东阿阿胶股份有限公司(000423. SZ)、华润紫竹药业有限公司、中国医药研究开发中心有限公司等企业。

2016 年,华润医药集团营业收入 1 567 亿元港币,实现经营利润 90 亿港币。

华润医药集团有限公司是中国拥有最全面的医药产品组合之一的医药制造商,也是中国第一大非处方药制造商。制药业务涵盖化学药品、中药、生物制剂及营养保健品,产品组合覆盖心血管系统、感冒止咳、抗感染、生殖健康、消化道及新陈代谢、皮肤及儿科等一系列具有良好增长潜力的治疗领域。我们生产和营销 505 种医药产品,若干生产线已通过美国 cGMP 标准、欧盟 GMP 标准或世界卫生组织 PQ 供货商认证。999、双鹤、赛科、紫竹、东阿阿胶、天和等众多著名品牌为消费者所熟知。品牌优势加上质量保证使我们的产品得到广泛的市场认同。

华润医药集团有限公司是中国领先的医药供应链解决方案提供商,在中国拥有全国性网络覆盖的领先医药分销和零售平台,为近万家上游供货商及近七万家下游客户提供高度专业化且高效的医药商品物流配送、营销推广以及其他创新增值服务。医院物流智能一体化增值服务(HLI——Hospital Logistics Intelligence)将专业化的医药物流管理体系延伸到医院,提供一个更高效、便捷、低成本的管理解决方案。依托中国第九大零售药店网络,及“华润堂”等多个全国性及地区性知名零售品牌,高值药品直送服务模式(DTP——Direct To Patient)使知名跨国医药公司的高端特药产品直接服务于消费者。

华润医药集团有限公司一直把研究与开发列为首要领域而不断加大力度。旗下有 2 个国家级工程技术研究中心,2 个国家级企业技术中心及 15 个省市级研究中心,并与国内外领先的医药研究机构和大学建立了合作关系,包括中国科学院生物物理研究所、国家纳米科学中心,以及美、日、韩等国的机构。我们拥有 1000 余项中国专利,先后获得多项国家科学技术进步奖二等奖,并有 20 个研究项目被国家卫计委列入“十一五规划”和“十二五规划”“重大新药创制”专项。

华润医药集团有限公司以“守护人类健康提升生命质量”为崇高使命,立足中国医药健康产业发展和变革机遇,积极布局产业链的核心领域和核心环节,坚持创新发展,充分发挥一体化业务布局的协同效应，优化资源配置，加强国际合作，推动转型升级，持续提升核心竞争力，致力于成为中国医药健康产业的引领者。

【企业文化】

华润使命——引领商业进步，共创美好生活；

华润愿景——成为大众信赖和喜爱的全球化企业；

华润价值观——诚实守信，业绩导向，以人为本，创新发展；

华润发展理念——做实、做强、做大、做好、做长（5M 原则）；

华润企业精神——务实、专业、协同、奉献。

【联络方式】

地址：香港湾仔港湾道 26 号华润大厦 41 楼 4105 室

电话：（852） 2593 8991

传真：（852） 2593 8992

地址：北京市朝阳区曙光西里甲 5 号凤凰置地广场 A 座写字楼 27 层

电话：(010)5798 5000

传真：(010)5798 5200

网址：www. crpharm. com

邮箱：pub@ crpharm. com

【00267. HK】中国中信股份有限公司

【企业概况】

中信股份（SEHK：00267）是中国最大的综合性企业集团，也是恒生指数成份股公司之一。公司的业务主要涵盖金融、资源能源、制造、工程承包及房地产等。

中信成立于中国改革开放初期，随着经济的不断发展，中信一直秉承与时俱进、改革创新的企业精神。我们积极融合世界先进技术，以国际最佳标准的企业管理为标杆，以公司的可持续发展为目标，致力成为一家经久不衰的企业。

中信独特的平台、多元化的业务组合以及协同规模，能让我们更好地把握中国及世界经济发展带来的机遇，为股东创造长期价值。

截至 2015 年 12 月 31 日，中信股份的总资产达港币 68 033亿元，归属于普通股东的权益为港币 4 791 亿元。

【企业文化】

核心价值理念：诚信、创新、凝聚、融合、奉献、卓越。

发展理念：为客户提供最好服务、为员工搭建施展才能的平台、为股东创造最大价值、为国家做出最大贡献。

目标愿景：成为综合优势明显、若干领域领先，具有核心竞争力的国际一流大型企业集团。

【联络方式】

香港地址：香港中环添美道 1 号中信大厦 32 楼

电话：(852) 2820 2111

北京地址：北京市朝阳区新源南路 6 号京城大厦

电话：010 - 5966 8789

邮箱：contact@ citic. com

【01196. HK】伟禄集团控股有限公司

【企业概况】

伟禄集团控股有限公司（下称“伟禄集团”或“集团”，股票代号：01196. HK）是一家在香港上市的综合企业，业务涵盖汽车零件销售、证券经纪、融资租赁、物业投资、再生物资回收、商业财经印刷及签条生产等。

集团于 2005 年在深圳创立，最初主要从事研究、开发生产和销售电脑显示器、液晶电视、手机等电子消费产品，以及在信息产业领域方面的发展。历经多年的不懈努力与积淀，集团已经成长为“国家高新技术企业”、“深圳市高新技术企业”和“深圳市重点文化单位”，并确立了“全面创新、资源整合、优势互补、互利共赢”的企业发展宗旨。2014 年初，集团迅速进军资本市场，收购了从事商业和财经印刷的昌明投资有限公司，正式成为了香港上市的控股集团，并藉此注入房地产、金融服务、汽车零件、环保产业等多方面的业务，致力为股东和投资者缔造长远的价值。

凭借创新的多元化业务布局，集团先后获纳入 MSCI 香港小型股指数、富时罗素全球指数、STOXX 系列指数、恒生指数系列指数（包括恒生环球综合指数、恒生综合指数、恒生消费品制造及服务业指数、恒生综合小型股指数、恒生综合中小型股指数和恒生港股通指数）及深港通港股通成份股。

【联络方式】

公司总部

地址：香港中环康乐广场 1 号怡和大厦 24 楼 2403 – 10 室

电话：(852) 3959 2888

传真：(852) 3959 2889

网页：http://www. realord. com. hk

邮箱：enquiry@ realord. com. hk / ir@ realord. com. hk

深圳办公室

地址：广东省深圳市福田保税区市花路花样年福年广场 B 栋 309、311、313 室

电话：(0755) 8826 3888

传真：(0755) 8826 3999

邮箱：realord@ realord. com

网页：www. realord. com

【02100. HK】百奥家庭互动有限公司

【企业概况】

百奥家庭互动有限公司（港交所编号：02100）是中国儿童网页游戏及手机游戏领先的开发商之一。

我们的网站 100bt. com（“百田网”）是一个专注于 6 至 14 岁儿童专属内容的一体化平台，以令这个年龄层的儿童探索虚拟世界，购买虚拟货币，与其他用户进行互动，访问线上学习及卡通社区，以及参与各种各样的其他活动。该平台用户可以注册一个个人账户，以访问我们的全部产品及服务。

自开始运营以来，我们已开发、上线且现时经营以下八个网络平台虚拟世界：奥比岛、奥拉星、龙斗士、奥雅之光、奥奇传说、奥奇战记、魔王快打、及超凡巴迪龙。我们的虚拟世界可令儿童在探索各虚拟世界及故事情节时畅玩多种游戏及参与趣味学习，并与其他用户互动。我们每周就各虚拟世界发布包含新游戏、活动以及故事情节更新的新剧集，为用户提供持久而富吸引力的体验。因此，我们的虚拟世界曾获得多个行业奖项，在中国儿童中赢得强大品牌知名度和忠诚度。

为拓阔我们的知识产权（“IP”）组合以实现长期增长，我们已创立新的漫画平台，目前经营各种 IP 网络漫画系列，例如“造物法则”漫画和“西行纪”。造物法则为以僵尸为主题的科幻网络漫画系列，获领先网络漫画网站评级为“S”或“A+”，且自其于 2015 年 8 月上线以来，累计超过 11 亿点击量

及超过 74 万收藏量，而“西行纪”是从中国经典文学改编而来的玄幻历险故事，自其于 2016 年 4 月上线以来已累计超过 27 亿点击量及超过 100 万收藏量。

【企业文化】

在 2009 年，几位身为父亲的公司创办人在广州创立了公司，矢志为中国的小孩、青少年提供安全、快乐的内容，伴随他们成长。直到今天，我们的信念依然不变。我们的目标用户是三至十六岁的儿童和青少年，我们期望通过满足他们在快乐陪伴、绿色娱乐、健康社交的需求，成就身心健康、独立人格的青少年。而作为一家领先的互联网企业，我们的优势是打造一系列青少年儿童喜爱的 IP，以 IP 为中心、利用寓教于乐的方式，创造一些列游戏、漫画、社交、绘本、玩具、动画片、电影等内容，建构一个青少年生活、娱乐、学习的公共空间，我们期望以 IP 为核心，使百奥成为植根中国的百年企业。

【投资者关系联络】

汇思讯中国有限公司

电话：(852) 2117 0861

传真：(852) 2117 0869

邮箱：Baioo@ ChristensenIR. com

【00217. HK】中国诚通发展集团有限公司

中国诚通发展集团有限公司（以下简称“中国诚通”或“本公司”，连同其附属公司，统称“本集团”）是在香港联合交易所有限公司（“联交所”）主板挂牌交易的红筹上市公司（股票代码：00217. HK）。本公司是控股股东中国诚通控股集团有限公司（“诚通控股”）唯一的海外上市公司和资产证券化平台。诚通控股是国务院国有资产监督管理委员会监管的大型企业集团，是国资委首批中央企业建设规范董事会企业、服务中央企业布局结构调整和战略重组的重要资产经营平台，2016 年 2 月，经国务院国有企业改革领导小组研究决定，诚通控股正式成为国有资本运营企业试点，为仅有的两家国有资本运营公司之一。

本集团目前主要从事酒店和海上旅游服务、物业发展、物业投资、融资租赁和大宗商品贸易。于 2016 年度，本集团共录得营业额约港币 7.1656 亿元，除税前溢利约港币 9,928 万元。在酒店和海上旅游服务方面，本集团于中国海南省主要从事海上旅游、酒店经营及旅行社业务，同时本集团正推进该业务在联交所创业板独立分拆上市；在物业发展及物业投资方面，本集团主要于中国山东省诸城市及江苏省大丰市从事物业投资及发展项目；在融资租赁方面，近年本集团围绕政府基础设施及公用事业等业务领域在国内多个地区开展了融资租赁及项目咨询业务，实现了在重点城市的合理网络，贡献了本集团主要的利润；大宗商品贸易项下之煤炭贸易方面，本集团煤炭贸易业务主体已于 2016 年 7 月份成为广东省第二批获得售电资格的企业（售电资质代码为 SD50），拟于 2017 年正式启动售电业务。

本集团一直保持着良好稳定的业务发展，公司内部运营规范，并连续两年于《中国融资上市公司大奖》评选中荣膺“最具投资价值奖”。此大赛由著名财经杂志《中国融资》举办，评审委员会由其专业编辑团队及商界领导组成。

展望未来，面对全球经济和资本市场波动加大，本集团将密切关注国内外经济形势变化，继续推进内部结构调整和业务优化，同时加强战略引领，开拓新业务领域，推进“现有业务”和“新开拓业务”共同发展：一方面继续推进本集团旅游业务独立分拆上市工作、融资租赁、酒店和海上旅游、大宗商品贸易等现有业务融合发展；另一方面，本集团作为控股股东唯一海外上市公司平台，将充分发挥其资源优势，依托和整合控股股东的资源优势，探索开拓海外投资并购及跨境资产管理等相关业务领域，提升国际化经营水平，开辟新的利润增长点，为股东创造更高价值。董事会对本集团之未来发展充满信心。

【联络方式】

公司总部：香港湾仔告士打道 38 号美国万通大厦 13 楼 1302 室

电话：(852) 2160 1600

传真：(852) 2160 1608

邮箱：public@ hk217. com

网址：www. hk217. com

【01109. HK】华润置地有限公司

【企业概况】

华润置地有限公司（公司简称：华润置地，股票代码 HK01109）是财富 500 强企业华润集团旗下的地产业务旗舰，是中国内地最具实力的综合型地产发展商之一，主营业务包括房地产开发、商业地产开发及运营、物业服务等。截至 2016 年底，公司在职员工 3 万多人，总资产为 4 270 亿港元，土地储备面积达 4 485 万平米，进驻全国 57 个城市，开发项目超 150 个。

1994 年，华润置地于北京成立，1996 年在香港联交所上市。2010 年，香港恒生指数有限公司把华润置地纳入恒生指数成份股，华润置地成为香港 50 家、蓝筹股之一。

华润置地秉承“品质给城市更多改变”的品牌理念，坚持高品质战略，注重专业能力培育，积极探索创新，持续关注和提升产品与服务品质，始终保持行业内客户满意度的领先水准，推动城市发展，引领商业进步。

“十三五”期间，华润置地确立了“销售物业 + 投资物业 + ×”的商业模式，即在继续坚持销售物业及投资物业两大主营业务基础上，积极拓宽购物中心 + 互联网生态体系建设、物业服务、老年地产、海外地产等其他业务发展模式。

在销售物业方面，住宅开发已形成包括万象高端系列、城市高端系列、郊区高端系列、城市品质系列、城郊品质系列、城市改善系列、郊区改善系列、旅游度假系列的八大产品线。2016 年，华润置地销售物业签约额人民币 1 080 亿元，实现签约面积 776 万平方米。

在投资物业方面，华润置地致力成为中国商业地产领导者，发展了城市综合体万象城、区域商业中心万象汇/五彩城和体验式时尚潮人生活馆 1234SPACE 三种模式。截至 2016 年年底，华润置地在营购物中心 24 个，已进入中国内地 19 个城市，总在营面积达 555 万平方米，合作商家超 1 000 个，合作品牌近 2 500 个，会员人数超过 120 万，包括酒店经营在内的投资物业实现营业额港币 72.5 亿元。

未来，华润置地将通过“精准投资、卓越运营、变革创新”的战略举措，培育新的价值增长点，致力于成为行业领先的综合性房地产企业。

【企业文化】

企业价值观：诚实守信、业绩导向、以人为本、创新发展。

企业精神：务实、专业、协同、奉献。

企业使命：引领商业进步，共创美好生活。

企业愿景：成为大众信赖和喜爱的全球化企业。

企业发展理念：做实、做强、做大、做好、做长。

【联络方式】

地址：香港湾仔港湾道26号华润大厦46层

电话：(852) 2877 2330

传真：(852) 2877 9068

网址：www.crland.com.hk

【03903.HK】瀚华金控股份有限公司

【企业概况】

瀚华金控股份有限公司（以下简称"瀚华"）创立于2004年，2014年在香港联交所上市，是中国领先的普惠金融集团。瀚华13年来专注向中小微企业及个人提供一站式综合金融服务，拥有业内首屈一指的全牌照平台、丰富经验、专业团队、卓越产品创新能力和成熟风控体系，迄今已经累计服务超过百万客户，业务发生额超过2 000亿元。

瀚华企业金融服务涵盖民营银行、融资担保、小额信贷、私募股权、融资租赁、金融保理、票据及金融资产交易，目前已在28个省市地区设有分支机构，业务遍及全国。瀚华以资本为纽带，以信贷为基础，与数十家产业龙头企业建立战略合作关系，重点针对供应链、建筑工程行业、政府平台以及上市公司提供量身定制的综合金融解决方案。其构建的股权、债权、交易"三大平台"和产融生态圈模式，可以灵活实现"投、贷、债、担"联动，向各类型企业提供一站式、全周期、生态化的优质金融服务。

瀚华个人金融服务包括经营信贷、消费信贷、财富管理和互联网保险。除了通过互联网和线下渠道向个人客户提供简单、快捷、便利的全场景金融产品外，瀚华也已开放旗下金融科技平台，与领先消费平台、专业渠道伙伴合作提供个人消费信贷服务。

瀚华是中西部第一家民营银行——重庆富民银行的主发起人兼第一大股东。重庆富民银行秉承"扶微助创、富民兴渝"使命，以互联网创新思维为中小微企业、三农生态和创新创业企业提供普惠金融服务。

【企业文化】

公司以"打造世界普惠金融的中国样本"为愿景，以"提供卓越金融服务，与客户共同成长"为使命，以"开放、合作、共享"为理念，以"伙伴金融、平台金融、生态金融"为战略指引，通过打通"股权、债权、交易"三大平台构建产融深度合作的综合性生态系统，带动大中小及微型企业共同发展，助推经济生态、社会生态与自然生态的同步升级。

【经营优势】

一是瀚华拥有民营银行、担保、小额信贷、租赁、保理、保险经纪、基金、交易、资产管理等共计九类金融牌照，可以向各类型客户提供全产业链、全生命周期的一站式金融服务。

二是集股权、债权和交易三大平台于一体的"平台金融"模式，通过股、贷、债、担等金融工具联动，打通资金资产交易，最大限度与中小微企业经营周期相匹配，有效解决企业短期流动性和中长期发展资金需求。

三是瀚华拥有高等级的国家信用和市场信用，成熟的风控体系、专业的普惠金融团队，卓越的创新能力，广泛的产融联盟和覆盖全国的服务能力。

四是资本运作能力，瀚华正在推动回归A股，通过股权融资、发行债券以及引进政府资金、整合社会资本进一步壮大公司自身资本实力、发展能力和信用能力。

【联络方式】

重庆地址：重庆市渝北区洪湖东路11号2幢6－9

电话：(023) 8966 6600

北京地址：北京市朝阳区东三环中路1号环球金融中心东塔13层

电话：(010) 5776 6666

邮箱：ir@hanhua.com

网址：www.hanhua.com

【01368.HK】特步国际控股有限公司

【公司概况】

特步国际控股有限公司于2008年6月3日在香港交易所主板上市，旗下之特步品牌是中国领先的专业体育时尚品牌。集团主要从事鞋履、服装及配饰等体育产品的设计、开发、制造、销售及市场推广及品牌管理。多年来，集团致力发展以跑步为重点关注项目的体育营销策略。集团拥有覆盖全中国的庞大的分销网络。特步为MSCI中国小型股指数、恒生综合指数系列及沪港通的成分股。

【企业文化】

特步一直以中国跑步运动领导者为使命。自2007年起，特步先后携手北京、上海、香港、台北、厦门、广州、武汉等二十多个城市的马拉松，成为大中华区赞助马拉松赛事最多的品牌。"爱跑步，爱特步"的口号深入人心。同时，作为中国青少年足球运动发展与普及的推动者，特步通过赞助全国性的校园联赛，如全国大学生足球联赛、全国大学生五人制足球联赛、全国高中校园足球联赛等赛事，助力中国足球蓬勃发展。此外，特步连续三届赞助全国运动会，在全国最高级别运动会上一展风姿，并于2015年又成为第一届中华人民共和国青年运动会体育用品合作伙伴。

2015年，特步回归运动，聚焦跑步，提出以消费者体验为核心的"3＋"战略。"产品＋"，让产品升级换代；"体育＋"，将产品及服务融为一体；"互联网＋"，因应生活方式趋势，线上线下充分互动。特步秉持"体育＋娱乐"双轨制营销策略，集中投放于体育营销，专注跑步。2016年，特步正式成为中国田径协会认可的"中国马拉松官方合作伙伴"；举办了首个全国跑者盛会——321跑步节，冠名赞助北京奥林匹克森林公园特步跑道；签约新的体育代言人，包括中国队里约奥运会4×100米接力队队员——谢震业，现乌克兰国家队总教练、前欧洲足球先生——安德烈·舍普琴科。同时，集团决定长线发展足球，2016年4月发布全面足球战略——"锋芒计划"，目标在5年内服务全国5百万青少年足球人口。特步自2010年起赞助足球赛事，服务逾70 000名小学至大学的足球联赛参赛者。

【经营状况与市场成就】

集团已成功将特步重新定位并加强品牌形象至专注于跑步的体育时尚品牌。2016年，特步蝉联中国赞助最多马拉松赛事的体育用品赞助商，赞助了24场重要马拉松，全年共赞助44场跑步赛事及活动。同时，特步蝉联天猫及京东销量最高的运动鞋品牌，电子商贸预计将继续为主要的增长动力之一，电子商贸的收入于2016年占集团整体收入的高双位数。2016年，集团毛利率连续4年录得增长至43.2%（2015年：42.2%）；成功改进及扁平化分销渠道，提升经营效率，存货周转天数继续改善至51天；保持强劲的现金流，银行定期存款及银行结余总额为人民币 42.453 亿元，经营活动的现金为人民币 6.477 亿元(除税项及其他费用)。自集团于 2008 年上市起，一直维持约 60% 的高派息比率。

【企业荣誉】

本集团致力与股东、研究分析师、投资业界及公众保持透明、准确、及时的沟通。本集团上市至今以来，于投资者关系所获奖项累计 87 个，其中包括 2017 年最新荣获的 2016 年度"金港股"最具价值消费股公司及最佳股东回报上市公司；去年荣获 2016 年《亚洲货币》企业管治票选亚洲最佳整体企业管治公司，香港最佳整体企业管治，香港最佳资讯披露及透明度，香港最佳投资者关系，香港最佳企业社会责任，香港最佳股东权益及公平待遇，香港最佳管理层及董事会责任；2016 年度香港公司管治卓越奖主板公司—恒生综合指数成分股公司；香港投资者关系大奖最佳投资者关系公司—小型股类别等。

本集团于品牌及领导才能、雇员及人力资源方面亦获奖颇丰，荣获"2015 年度十大运动品牌"称号，获颁 2016 中国连锁品牌影响力 50 强，连锁品牌质量 50 强；当选 2016 年度重点企业，中国最佳雇主职业经理人宜居企业，晋江十大企业文化先锋及 2016 年度泉州人才高地等。

【社会责任及大事记】

为支持我们的长期战略，集团于持续增长扩大的同时已经履行对环境、产品、雇员及社会等方面的承诺及责任。就环境责任而言，本集团已建立完善及有效的环境管理体系，严格要求所有运营点(包括外包供货商)遵守国家及本地环保法律及法规，以降低排放废气、有害废物及污水的影响。就产品责任而言，本集团实施严格的质量管理系统并要求供货商采用相同的标准及原材料，以确保质量一致。我们追踪客户体验、忠诚度及满意度，以审视及对应修改我们的业务及品牌策略。我们亦落实完善客户投诉管理及产品召回机制，以建立最好的客户关系。此外，本集团努力通过技术突破及创新为客户带来更安全、健康、智能及环保的产品。就雇员责任而言，我们为工厂员工提供相比同业更具竞争力的薪酬、更好的福利，以及平等、多元及无歧视的工作环境。最后，就对股东的责任而言，本集团致力与股东进行透明、准确和及时的沟通，并通过高派息比率回馈股东对本集团的长期支持。

【联络方式】

地址：香港湾仔港湾道 6－8 号瑞安中心 24 楼 2401－02 室

电话：(852) 2152 0333

传真：(852) 2153 0330

邮箱：ir@ xtep. com. hk

网址：www. xtep. com. hk

【01628. HK】禹洲地产股份有限公司

【公司概况】

大禹治水，荒漠成洲

禹洲地产成立于 1994 年，总部位于厦门。2009 年 11 月，禹洲地产在香港联交所成功上市(股票代码:01628. HK)。砥砺耕耘 20 余载，秉承"大禹治水，荒漠成洲"的先贤精神，禹洲已发展成为集房地产开发、商业投资运营、酒店运营、物业管理为一体的多元化的综合性集团，具有房地产开发和物业管理双一级资质，连续十年蝉联中国房地产百强企业(自 2011 起连年跻身中国房地产 50 强，2014 年跻身中国房地产 40 强，位列海西区域首位)，为中国房地产业协会副会长单位。目前，公司在厦门、上海、北京、天津、南京、福州、泉州、龙岩、漳州、合肥、蚌埠、香港、新加坡等地均设有分支机构，现已拥有近 70 家子公司。2016 年，禹洲更将公司总部搬迁至上海，迈出了从区域性龙头企业向全国性领先企业重要一步。今后，禹洲地产将以"区域深耕，全国领先"为战略愿景，在上海持续深耕，以时代的眼光布局城市未来高地，与上海分享时代发展的价值。

2017 年 5 月 8 日禹洲地产集团已获纳入刚刚推出的"恒生港股通高股息低波动指数"的成份股之一，其比重更是位列该指数中地产建筑业股及所有成份股中的的第一位。

立足海西，建树中国

1994 年，禹洲创立并开始专注于房地产开发和管理业务，秉承"以诚建城、以爱筑家"的经营理念，持续为中国城市居民打造高品质的生活、工作和休闲空间。2004 年，历经十年沉淀，已成为厦门房地产领军企业的禹洲厚积薄发，迅速启动了全国扩展战略，先后成功布局福州、上海市场，并于 2006 年以造城之势顺利开拓合肥市场。2009 年上市后，禹洲持续深耕以厦门和福州两大核心城市为中心的海西区域，先后进入泉州、龙岩、漳州市场，并于 2010 年成功开拓了环渤海区域，在北京设立了项目公司，并进入天津市场。2013 年，进入蚌埠市场，扩充了在长三角区域的土地储备。2014 年首次进入南京市场，进一步拓展长三角区域战略布局。

目前，禹洲已成功布局海峡西岸经济区、长三角经济区与环渤海经济区，在"立足海西、建树中国"的战略指导下，将持续聚焦区域深耕，以核心城市带动区域，稳步扩张，形成城市蜂窝群的强效规模。

禹洲至今开发管理各类地产项目近 50 个，土地储备总建筑面积近 1 000 万平方米。项目覆盖的城市包括厦门、福州、泉州、龙岩、上海、南京、合肥、蚌埠、天津、漳州及香港等城市，产品覆盖了公寓、别墅、写字楼、酒店、综合商业和大型城市综合体等多种业态，并且每一种业态都拥有城市标杆性的代表作品。

以诚建城，以爱筑家

创立之初，禹洲地产就注重住宅所承载的人与环境的和谐互融，首个项目就提出了"推窗一片绿，我家在禹洲"绿色产品定位。20 多年来，禹洲以高标准为城市打造精品项目的同时，积极践行企业公民的社会责任。禹洲致力于教育、环保公益事业以及各类慈善活动，捐赠总额近亿元，先后荣膺"中国房地产上市公司社会价值典范"、"中国责任地产"TOP50 等殊荣。2014 年，禹洲公益基金会成立，以"支持公益慈善，践行社会责任，促进和谐发展"为宗旨，倡导身体力行，传播公益正能量。

禹洲地产将始终以"创造城市未来新价值"为愿景，秉持"稳健经营，创造价值"的经营理念，为客户，筑造温馨家园；为员工，打造成长平台；为股东，创造理想收益；为社会，奉献至诚爱心。

【企业文化】

文化理念：

禹洲拥有高度的社会责任感，用诚心和诚信奉献精致诚品，以爱维系社会关系，用专业和敬业开启造城时代。

禹洲始终秉承"大禹治水，荒漠成洲"的先贤精神，为客户，筑造温馨家园；为员工，打造优势成长；为股东，创造理想收益；为社会，奉献至诚爱心。我们希望，为城市带来更多建筑精品；我们希望，构建居者与建筑之间的和谐信赖；我们更希望，站在未来城市的时代坐标上，以开拓者和建设者的姿态诠释城市生活的理想和价值。

企业愿景：成为中国城市发展价值创造者。

秉持“稳健经营，创造价值”的理念，禹洲致力于为中国城市发展创造更多价值，并致力于成为中国房地产行业“稳健价值创造者”的代表企业

企业使命：中国房地产行业的稳健价值创造者。

企业价值观：稳健发展，创造价值。

禹洲秉持“稳健发展，创造价值”的品牌核心价值观，致力于为中国城市发展创造更多价值。

从人居生活价值的创造，到积极参与新型城镇化城市产业可持续发展价值的创造，禹洲不断强化自身核心竞争能力的同时，积极为资本市场的投资者，创造更多稳健投资价值回报；为行业同业实现共赢价值的回报；为企业人才提供更多自我价值实现平台回馈社会，创造未来。

禹洲在实现以上价值创造的同时，积极提升企业自身品牌核心竞争力，秉持“稳健经营、创造价值”的品牌核心价值观，制定可持续发展的战略规划，提升企业战略管理能力，致力于成为中国房地产行业“稳健价值创造者”的代表企业！

【社会责任】

禹洲的发展取之于社会，献之于社会；作为上市公司，应该与社会息息相关，禹洲应该是把好的作品献给客户的企业，是对社会有贡献的企业……

禹洲作为社会公民，多年来一直秉承并践行“取之于社会，献之于社会”的理念：

对客户

禹洲把“为客户制造最优质的产品”作为企业使命；把“满足客户的需求”作为企业营销的最终目标；用实际行动践行着“给爱一个家”的承诺。

在研发阶段，禹洲不断创新以追求最优质产品；

在建设阶段，禹洲严格把控产品的质量；

在售后阶段，禹洲认真做好物业服务。

禹洲对产品和服务品质的高追求就是对客户负责的切实表现。

对股东

禹洲积极发挥香港联交所上市公司的身份，积极与股东及其他投资者沟通交流，公正、透明、及时地发布公司信息，维护公司股价平稳上升，确保投资者在二级市场上获得较高的回报。

对社会

禹洲努力维系企业与社会的和谐关系，积极参与社会公益事业和活动，坚持履行着企业作为社会公民的职责和义务。

禹洲积极投身于关爱贫困地区儿童的教育事业中；

禹洲时刻关注灾区人民的家园重建问题；

禹洲关注企业的绿色发展，倡导节能环保的可持续性发展。

对员工

禹洲将员工的发展作为企业发展的关键因素，重视对员工的关怀，关注员工的发展。

量身定制的培训活动：禹洲针对不同岗位不同职能的员工量身定制培训计划，在提升其专业技能的同时，也加强其职业素养。禹洲为员工提供的培训包括：管理培训、商务礼仪培训、办公软件培训、各种专业技能和知识的培训等，此外还不定期进行拓展训练以加强员工抗压能力和团队凝聚力。

对政府

禹洲坚持履行社会公民的职责和义务，维系与政府之间的良好关系，遵纪守法，依法纳税。

对媒体

禹洲保持与媒体之间的良好关系，及时透明地提供企业发展的相关信息，并对媒体信息发布进行监督和审查。

对合作商

禹洲维系与供应商及承包商及代理机构的良好关系，依法履约、承担责任和义务。

【公司荣誉】

2017 纳入“恒生港股通高股息低波动指数”的成份股之一，其比重更是位列该指数中地产建筑业股及所有成份股中的第一位。

荣膺由香港财华社和腾讯合办的“港股 100 强”，“杰出地产奖”；

2016 最具投资价值奖；

获选为“最具投资潜力港股上市企业”；

2015 中国房地产百强企业；

中国驰名商标建设银行；

中国房地产百强企业；

中国国家级守合同重信用企业；

香港联交所上市企业(股票代码:01628. HK)；

中国服务业 500 强企业；

中国建设银行总行级重点客户；

中国银行总行级重点客户；

福建省房地产龙头企业；

厦门超亿元纳税特大户；

捐赠地震灾区 500 万元，荣获北川中学特殊贡献奖。

【联络方式】

公司总部：

地址：香港中环皇后大道中 99 号中环中心 49 楼 4905－06 单元

电话：(852) 2508 1718

地址：福建省厦门市湖滨南路 55 号禹洲广场 38 层

电话：(0592) 2505 200

各分公司：

厦门公司

地址：福建省厦门市湖滨南路 55 号禹洲广场 37 层

邮编：361004

电话：(0592) 2505 214

福州公司

地址：福建省福州市晋安区长乐中路 195 号大名城 13 层 03 单元

邮编：350001

电话：(0591)8350 8233

合肥公司

地址：安徽省合肥市包河区九华山路 1 号世纪阳光大厦 26 层

邮编：230000

电话：(0551) 5553 311

上海公司

地址：上海市浦东新区金港路 333 号禹洲国际大厦

邮编：201206

电话：(021) 5133 0001

泉州公司

地址：福建省泉州市惠安县螺城镇世纪大道电信大厦 11 层

邮编：362100

电话:(0595) 2739 9686
天津公司
地址:天津市静海县津德路16号新宇大厦1101
邮编:301600
电话:(022) 6869 5423
龙岩公司
地址:福建省龙岩市新罗区登高西路153号富山国际中心2001单元
邮编:364000
电话:(0597) 2656 699
物业公司
地址:福建省厦门市湖滨西路39号
邮编:361003
电话:(0592) 2385 918
商业公司
地址:福建省厦门市厦禾路878－888号禹洲·世贸商城
邮编:361000
电话:(0592)5855 492
投资者和媒体关系
地址:香港中环皇后大道中99号中环中心49楼4905－06单元
电话:(852) 2508 1718
地址:福建省厦门市湖滨南路55号禹洲广场38层
电话:(0592) 2505 200

【00363 .HK】上海实业控股有限公司

【企业概况】

上海实业控股有限公司(简称“上实控股”,香港联交所股票编号“363”)成立于1996年1月,同年5月30日在香港联合交易所上市。上实控股目前为摩根士丹利资本国际(MSCI)中国指数及恒生综合指数成份股,同时也是沪港通合资格港股通股票。

上实控股的控股股东上海实业(集团)有限公司(简称“上实集团”)是上海市人民政府在海外最大的综合性企业集团,现持有上实控股股权约58%。上实控股作为上实集团的旗舰企业,获母公司全力支持,得以把握上海市最佳的投资机会,体现上实控股的上海优势。

过去20年,上实控股在核心业务领域通过并购等资本运作取得优质资产。现在已成为一家以基建设施、房地产和消费品三大核心业务为主的红筹公司,并致力为股东创造更大价值。2016年上半年股东应占溢利为15.06亿港元,总资产值达1 393亿港元。

基建设施范围涵盖收费公路、水务和新边疆业务等。(1)收费公路:上实控股现时在上海市全资拥有三条主要收费公路,包括京沪高速公路(上海段)、沪昆高速公路(上海段)及沪渝高速公路(上海段),分别为上海市西北、西南、正西方向主要进出通道。三条收费公路总长度约120公里,通行费收入约占上海市全部路费收入逾30%,为上实控股提供稳定收益和经常性现金流。(2)水务设施:上实控股目前有两个水务业务平台,分别是在新加坡上市的上实环境(BHK SGX)和国内水务公司中环水务。目前水务业务日处理总量已超逾1 400万吨。(3)新边疆业务:上实控股通过新边疆业务的投入,将逐步加大光伏发电等清洁能源板块的资产规模,创造盈利新增长点。

房地产业务涵盖物业开发和物业投资,兼具住宅及商用物业的特色。目前旗下资产包括:(1)香港上市的上海实业城市开发集团有限公司(“上实城开”,563 HKSE)及(2)上海上市的上海实业发展股份有限公司(“上实发展”,600748 SSE),分别在上海、东部沿海、长江沿岸、长三角、环渤海等地区,以及中西部二、三线城市拥有优质的土地资源。凭着较低的土地成本和优秀管理和运营团队的优势,上实控股的房地产业务显示出优厚的增值和盈利潜力。

消费品业务包括两家企业——南洋烟草和永发印务——均属行业龙头,历史悠久,品牌卓著,业务范围包括烟草,印刷及纸品。(1)南洋烟草主要生产及销售多种不同牌子的香烟,其生产厂房设于香港,主要市场除了中国,还包括海外市场;(2)永发印务是香港历史最悠久的大型印务企业之一,主要从事纸类包装印刷,纸类包装物料供应及其它相关配套业务。永发印务总部设于香港,业务分布于中国香港及内地多个省份,重点发展香烟包装,酒类包装和药品包装等精细印刷业务。消费品业务一直为上实控股提供稳定的盈利和现金流,支持公司业务的长远发展。

【企业文化】

稳中求进,创造价值。

【联络方式】

地址:香港湾仔告士打道39号夏悫大厦26楼
电话:(852) 2529 5652
传真:(852) 2529 5067
邮箱:enquiry@ sihl. com. hk

【00941. HK】中国移动有限公司

【企业概况】

中国移动有限公司(“本公司”,包括子公司合称为“本集团”)于1997年9月3日在香港成立,并于1997年10月22日和23日分别在纽约证券交易所(“纽约交易所”)和香港联合交易所有限公司(“香港交易所”)上市。公司股票在1998年1月27日成为香港恒生指数成份股。

中国移动有限公司在中国内地所有三十一个省、自治区、直辖市以及香港特别行政区提供全业务通信服务,业务主要涵盖移动话音和数据、有线宽带,以及其他通信信息服务,是中国内地最大的通信服务供应商,拥有全球最多的移动客户和全球最大规模的移动通信网络。于2016年12月31日,本集团的员工总数达460 647人,拥有8.49亿移动客户及7 762万有线宽带客户,年收入超过人民币7 000亿元。

中国移动有限公司的最终控股股东是中国移动通信集团公司。于2016年12月31日,该集团公司间接持有本公司约72.72%的已发行总股数,余下约27.28%由公众人士持有。

2016年,本公司再次被《福布斯》选入其“全球2 000领先企业榜”,并再次入选道·琼斯可持续发展新兴市场指数。目前,本公司的债信评级等同于中国国家主权评级,为标准普尔评级AA－/前景负面和穆迪评级Aa3/前景负面。

【企业文化】

企业价值观:正德厚生　臻于至善。
企业使命:创无限通信世界,做信息社会栋梁。
中国移动的愿景:成为卓越品质的创造者。

【联络方式】

地址:香港中环皇后大道中99号中环中心60楼

电话:(852) 3121 8888
传真:(852) 2511 9092
邮箱:ir@ chinamobilehk. com

【00392. HK】北京控股有限公司

【企业概况】

北京控股有限公司成立于1997年,由北京市八家优质资产组合而成。凭借自身的实力及强大的背景支持,北京控股始终获得资本市场的关注及支持。1997年5月29日上市当天,便创下首次上市募集资金数量第一,市盈率倍数第一,超额认购倍数等多项港股记录。

经历了上市,重组,转型,资源整合等等一系列改革,北京控股现已成功蜕变为综合性公用事业公司,主营业务涵盖城市燃气、城市水务及固废处理等公用事业板块,其中燃气业务覆盖超过2 000 万用户及8 万公里管线,水务资产设计规模超过2 000 万吨/日,境内外固废生活垃圾处理规模达到26 680 吨/日,同时拥有以国内最大啤酒企业集团之一和亚洲最大啤酒生产商燕京啤酒为主的消费品业务等价值投资业务。作为中国企业"走出去"国际化经营战略的积极实践者,北京控股在海外拥有丰富的优质资产,其中水务业务在马来西亚、葡萄牙等国拥有多个技术领先的水务项目,固废业务在德国、卢森堡及荷兰亦运营欧洲领先的废物能源利用公司,北京控股现已成为公用事业领域境内外多渠道的资本市场投融资平台。

多年以来,北京控股充分发挥北京和香港资本市场双重资源优势,贯彻积极稳健和审慎专注的发展策略,成为香港资本市场上颇具代表性的红筹企业,为首都经济发展开拓了新的领域和融资渠道,也为市属企业成功走向国际资本市场起到了积极的示范作用。

北京控股将继续发挥京港两地资源及背景优势,努力把握国内公用事业市场化进程、首都经济高速发展与城市建设带来的巨大商机,优化资源配置,同时引进海外的先进管理专业知识及技术,从而提升中国环保行业的管理及营运水平。"长风破浪会有时,直挂云帆济沧海"。北京控股定将一如既往,贯彻股东利益最大化的发展宗旨和聚焦主营业务的发展原则,坚持"立足北京、繁荣香港"的宗旨,在提升企业价值的同时,努力对社会发展和环境建设发挥积极影响,实现互利共赢。

【企业文化】

北京控股始终十分关注企业文化建设、团队精神的培育以及员工成长,致力培育以"诚信、创新、务实、包容"为核心的企业精神,融合京港两地企业文化特色,创建以人为本、健康向上、和谐宽松的企业文化,努力使企业发展成果惠及广大员工,实现员工价值与企业价值的同步提升。

【联络方式】

地址:香港湾仔港湾道18 号中环广场66 楼
电话:(852) 2915 2898
传真:(852) 2857 5084
邮箱:mailbox@ behl. com. hk

【00883. HK】中国海洋石油有限公司

【企业概况】

中国海洋石油有限公司(简称"本公司"、"公司"或"中海油",与其附属公司合称"本集团"或"我们")于1999 年8 月在香港特别行政区("香港")注册成立,并于2001 年2 月27 日和28 日分别在纽约证券交易所(股票代号:CEO)和香港联合交易所(股票代号:00883)挂牌上市。2001 年7 月,本公司股票入选恒生指数成份股。2013 年9 月18 日,公司的美国存托凭证(ADRs)在多伦多证券交易所(股票代号:CNU)挂牌交易。

本集团为中国最大之海上原油及天然气生产商,亦为全球最大之独立油气勘探及生产集团之一,主要业务为勘探、开发、生产及销售原油和天然气。

目前,本集团以中国海域的渤海、南海西部、南海东部和东海为核心区域,资产分布遍及亚洲、非洲、北美洲、南美洲、大洋洲和欧洲。

截至2015 年12 月31 日,本集团拥有净证实储量约43.2 亿桶油当量,全年平均日净产量达1"358 022 桶油当量(除另有说明外,本报告中储量和产量数字均含权益法核算的储量和产量)。本集团共有总资产约人民币6 644亿元。

【企业文化】

企业理念:可持续能源供应的推动力量、清洁健康绿色发展模式的主导力量、与各利益相关方和社会共同进步的促进力量。

【联络我们】

北京办事处
地址:北京市朝阳门北大街25 号
邮编:100010
电话:(010) 8452 2973
传真:(010) 8452 1441
邮箱:IR@ cnooc. com. cn
网址:www. cnoocltd. com
注册办事处
地址:香港花园道1 号中银大厦65 层
电话:(852) 2213 2500
传真:(852) 2525 9322

【00297. HK】中化化肥控股有限公司

【企业概况】

中化化肥控股有限公司(简称"中化化肥",前身为"中化香港控股有限公司")是中国最大的化肥供应商和分销服务商,涵盖资源、研发、生产、分销、农化服务全产业链。本公司于2005 年7 月成功收购China Fertilizer (Holdings) Company Limited 及其附属公司("化肥集团")后在香港联合交易所挂牌上市(股票代码:00297),是中国化肥行业首家在香港上市的企业。

中化化肥在国际化肥市场上具有重要影响力,是国际肥料工业协会(IFA)会员单位、国际植物营养研究所(IPNI)全球17 家理事单位之一。

中化化肥是中国最大的化肥进口商,拥有逾60 年的化肥国际贸易经验和国际贸易关系网络实力,是中国进口化肥的主渠道,为保障国内紧缺化肥资源供应、调剂余缺发挥骨干和建设性作用。

中化化肥是中国最大的化肥生产商之一,拥有最齐全的大量元素、中微量元素肥料以及专用肥、缓控释肥、生物肥等新型肥料的研发、生产能力。

中化化肥在中国主要的农业省、农业县拥有自己建设的、国内最大的分销服务网络,覆盖了中国95% 的耕地面积,是中国最大的化肥分销服务商。

中化化肥积极推进全球视野的资源获取战略，拥有磷矿资源位列国内前十。

【企业文化】

企业使命：使命是立足于中国，从全球市场配置优质资源，为中国粮食安全和农业生产服务。公司基于全球视野，发展资源、生产、技术、营销和服务；运用科学技术服务社会，引领行业标准，推动行业发展；围绕以化肥为核心，为农民服务为宗旨的上下游相关行业发展；面向农民，成为农化服务的行业推动者。

【联络方式】

北京地址：北京市复兴门内大街28号凯晨世贸中心中座10层

邮编：100031

电话：(010) 5956 9601

传真：(010) 5956 9627

香港地址：香港湾仔港湾道1号会展广场办公大楼46楼4601－4610室

电话：(852) 3656 1588

传真：(852) 2850 7229

网址：www. sinofert. com

【01169. HK】海尔电器集团有限公司

【企业概况】

海尔电器集团有限公司（股份代号：01169）（“本公司”）为青岛海尔集团旗下一家在香港联合交易所有限公司主板上市之附属公司。本公司及其附属公司目前主要从事研究、开发、生产及销售以“海尔”为品牌名称之洗衣机及热水器。本公司由2010年第二季开始发展渠道综合服务业务，通过日日顺与全国第三四级市场建立渠道分销网点，成为中国三四级市场领先渠道综合服务商。海尔电器于2011年12月30日获纳入MSCI全球标准指数（MSCI中国指数），充分显示投资者对公司作为中国白色家电制造及渠道综合服务行业领先企业的认同。

海尔集团于1984年创办，其总部位于中国山东省青岛市，现时为全球白色家电制造商龙头之一。其产品销售予全球超过100个国家。2009年10月，在《财富》杂志发布的年度“中国最受尊敬企业”排行榜中，海尔位居榜首。

本公司之控股股东青岛海尔有限公司（股份代号：600690. SH）于上海证券交易所上市。

【企业文化】

海尔核心价值观：

是非观——以用户为是，以自己为非。

发展观——创业精神和创新精神。

利益观——人单合一双赢。

海尔愿景和使命：致力于成为行业主导，用户首选的第一竞争力的美好住居生活解决方案服务商。

【联络方式】

香港办事处及主要营业地点：

地址：香港皇后大道中99号中环中心35楼3513室

中国营业地点：

地址：山东省青岛市海尔路1号海尔工业园

投资者关系查询：

地址：香港湾仔港湾道6－8号瑞安中心20楼2009－2018室

电话：(852) 3150 6788

传真：(852) 3150 6728

邮箱：haier-elec@ pordahavas. com

客户服务热线：

电话：(852) 3690 8008

邮箱：service@ haierhk. com

【01164. HK】中广核矿业有限公司

【企业概况】

“中广核矿业有限公司”（以下简称“本公司”），注册地为英国开曼群岛，是一家香港主板上市公司，股票代码HK1164。本公司目前的主要业务为核能企业使用的天然铀资源的开发与贸易。

于2011年8月，中国广核集团有限公司（以下简称“中广核”）通过其间接持有的全资下属公司中国铀业发展有限公司收购原维奥集团控股有限公司50.11%股权，成为本公司控股股东。中广核为根据中国法律于1994年9月29日成立的国有全资公司。获国务院根据中国公司法及其他行政法规授权，国资委于中广核拥有投资者权利及责任。

本公司定位为中广核海外铀资源开发与贸易的唯一平台。本公司目前持有哈萨克斯坦谢米兹拜伊铀公司49%的权益和产品包销权及加拿大铀矿勘探公司Fission Uranium Corp. 19.99%的股权。未来公司将挖掘有潜力的投资项目，不断壮大，力争成为行业的领先者。

【企业文化】

企业使命：发展清洁能源造福人类社会。

企业愿景：成为国际一流清洁能源企业。

核心价值观：一次把事情做好。

【联络方式】

地址：香港湾仔湾道26号华润大厦19楼1903室

电话：(852) 3423 8700

传真：(852) 2116 4031

邮箱：ir. cgnmc@ cgnpc. com. cn

网址：www. cgnmc. com

【00570. HK】中国中药控股有限公司

【企业概况】

中国中药控股有限公司（以下简称中药控股）是中国医药集团总公司于2013年通过其二级公司——中国中药公司控股的大型国有控股、现代化制药企业；公司在香港注册并在香港联合交易所主板上市，属红筹上市公司，集医药科研、制造、销售为一体，产品资源丰富，拥有八大全国独家基药品种，900多个成药品规（其中140多个品规入选2012版《国家基本药物目录》），700多个单味中药配方颗粒品种，600多个出口的经典复方颗粒品种，产品已涵盖中成药、饮片、配方颗粒、化学药和生物药几大领域。公司股票代码：00570. HK。

中国中药控股有限公司融合了“原盈天医药”、“贵州同济堂”、“天江药业”三个企业集群；上市公司总部在香港，内地临时总部在广东顺德，新的“中国中药”内地总部位于广东省佛山市禅城区，正在建设。截至2016年12月31日，公司员工总数10 021人，总资产RMB206.74亿元，年销售收入约RMB66.92亿元，上市公司市值159.09亿（港币）。

中国中药汇集传统中药精髓，跨越400多年历史，传承了自明代以来开创的“梁仲弘腊丸馆”、“冯了性”、“同济堂”、“源吉林”等祖铺老号，拥有“冯了性”、“德众”、“同济堂”3个中华老字号，“仙灵”、“同济堂”、“仙灵骨葆”、“德众”“天江药业”5个中国驰名商标，“同济堂中药文化”、“冯了性风湿跌打药酒”、“少林跌打止痛膏”、“源吉林甘和茶”4个非物质文化遗产以及“仙灵骨葆胶囊”、“颈舒颗粒”、“风湿骨痛胶囊”、“七厘胶囊”、“润燥止痒胶囊”、“枣仁安神胶囊”、“玉屏风颗粒”、“鼻炎康片”8大全国独家基本药物。

展望未来，公司承载重任，在国药集团和中国中药公司支持下，以“承中药之文化，扬国药之精髓，铸人类之健康”为使命，以“百亿中药”为目标，继续致力于现代中药、中药饮片与配方颗粒、中医药健康产业等板块的发展，与各界携手打造百亿中药平台，成为中药行业的领导者。

【企业文化】

公司理念：关爱生命，呵护健康。

公司使命：承中药之文化，扬国药之精髓，铸人类之健康。

公司愿景：打造百亿中药平台，成为中药行业的领导者；让员工过上富裕、健康、有尊严的幸福生活。

公司精神：和谐、奋进、快乐。

公司核心价值观：诚信做人，用心做事，锲而不舍，追求卓越。

公司管理理念：实事求是，数据说话；优化流程，效率为准。

【联络方式】

香港地址：香港湾仔轩尼诗道288号英皇集团中心1601室

电话：(852) 2854 3393

传真：(852) 2544 1269

内地地址：广东省佛山市顺德区容桂高新技术园科苑横四路1号

电话：(0757) 8833 3933

传真：(0757) 8833 8508

【00836.HK】华润电力控股有限公司

【企业概况】

2015年，是“十二五”收官之年，也是充满挑战的一年。面对全社会用电需求低速增长、电力发展步入新常态的新形势，华润电力紧扣国家能源政策和战略，坚持以提高发展质量和经济效益为中心，进一步调整产业布局，优化发展模式，加强风险管控，深化精益管理，提升管理运营效率，经营业绩实现稳健增长：总资产达2 080.86亿港元，发电运营权益装机3 473.1万千瓦，营业收入714.36亿港元，净利润100.25亿港元，向国家纳税99.13亿港元，并连续第九年入选“普氏能源资讯全球能源企业250强”和《福布斯》全球企业2 000强。

在致力于国有资产保值增值和股东价值最大化的同时，我们高度重视履行社会责任，把社会责任切实融入公司战略、商业计划、业务发展、工程建设、生产运营、节能减排、安全管理、关爱员工、企业文化、社会公益等每一项具体工作中，纳入各级单位和经理人的绩效考核，层层分解落实。我们的社会责任工作和成效也赢得了社会各界广泛肯定，2015年先后获中国社会责任发展指数五星级企业、第一财经·中国企业社会责任榜优秀实践奖、香港企业可持续发展指数首20名恒指公司、香港绿色环保大奖等荣誉。

坚持绿色低碳环保发展之路。2015年，我们加快实施燃煤机组节能减排改造工作，火电运营机组全部完成脱硫、脱硝、除尘改造，其中有25台机组实现了超低排放，主要能耗和排放指标进一步改善，供电煤耗同比下降3.55克/千瓦时，氮氧化物、二氧化硫、烟尘排放率较2014年分别下降0.24克、0.12克、0.03克/千瓦时。相比2010年末，五年内我们旗下运营电厂的供电煤耗下降22.72克/千瓦时，氮氧化物、二氧化硫、烟尘排放总量分别下降了76%、60%和87%，超低排放机组容量占比达到40%，大幅超过行业15%的平均水平。同时，继续加大可再生能源项目投资开发力度，公司清洁及可再生能源运营权益装机容量同比增长17.9%。新建项目全部执行环境和社会影响评估，最大程度降低建设项目对于环境的不良影响。

携手各利益相关方实现共同发展。“积力之所举，则无不胜也；众智之所为，则无不成也”，公司的快速高质量成长得益于一直以来国家与社会各界的关注和支持，得益于一路风雨兼程各利益相关方的信任和协作。我们坚守诚信价值观，努力提升公司管治水平，持续为股东创造价值；响应国家政策，合规经营，依法纳税，促进就业；坚持客户至上，为社会大众提供安全、稳定、环保、优质的电能和热能；重视战略合作，维护公平竞争，推动价值链伙伴履责，实现共赢；关注员工价值提升和精神文化需求，积极构建充满竞争又和谐快乐的工作环境；感恩回报社会，2015年在扶贫、助学、赈灾、支持地方发展等方面投入约1 182万元人民币。

加强与公众及各相关方沟通交流。我们认为这对于增进彼此间的理解互信、促进公司健康成长至关重要。2015年，我们除了通过各种专题会议、报告、网站、邮箱等方式加强与各方沟通，还通过绿色发展媒体行、公众开放日等活动，主动邀请政府、媒体、NGO组织、学生、社区群众、基金经理、分析师等代表团走进旗下电厂，实地零距离了解和感受华润电力在绿色环保、社会责任方面的理念、做法和绩效，全年公司各级单位举办“开放日”60余次。此外，我们积极适应新媒体时代的传播环境，开设了官方微信，旗下多家企业也先后开通了微信公众号，拓展了信息披露渠道，主动接受社会监督。

为了提高报告质量，我们学习借鉴国内外优秀报告及参照国内外最新标准，改进报告编制工作，使报告主题更加鲜明，内容更符合行业特点。为了扩大责任传播和丰富传播形式，2015年7月，我们首度召开了社会责任报告新闻发布会，并创新设计发布了新媒体版报告。为了进一步创新和提升报告编写水平，今年我们召开了全公司范围的报告编写启动会，并邀请了中国企业社会责任权威机构的专家对公司各级单位的社会责任工作负责人和参与报告编写人员进行了专题培训，以期能够更加生动有效地报告我们一年来的履责工作。为了进一步提高信息披露的透明度以及识别工作可改进的方面，今年我们邀请了独立第三方对公司主要污染物排放指标开展了数据鉴证工作。

2016年是国家“十三五”开局之年，也是华润电力谋篇布局、实现可持续发展的关键之年。践行责任，任重道远，但我们深信“日日行，不怕千万里；常常做，不怕千万事”，我们期盼继续携手各相关方，努力践行“绿色能源，润泽生活”的责任追求，向着实现华润电力“卓越的可持续发展的国际化能源公司”的宏伟目标笃定前行，书写绿色发展的新篇章！

【企业文化】

文化传承：华润电力秉承华润集团的企业文化，努力营造和发展“守正出新,风清气正”的组织氛围,推行以业绩为导向的企业文化,施行以价值增加为本的管理,致力于股东价值和员工价值的最大化,追求员工与公司一同成长,实现与您携手、改变生活。

企业愿景:世界一流企业,最受尊敬企业,最佳雇主企业

企业使命:股东价值最大化,员工价值最大化。

企业价值观:诚实守信,业绩导向,以人为本,创新发展。

企业发展理念:做实、做强、做大、做好、做长(5M 原则)。

企业精神:务实、专业、协同、奉献;守正出新,正道致远;立品如山,行道如水;与您携手,改变生活;取予有道,润泽中华。

【联络方式】

香港华润大厦

地址:香港湾仔港湾道 26 号华润大厦 20 楼 2001 至 2002 室

电话:(852) 2593 7530

传真:(852) 2593 7531　2593 7551

投资者专线:(852) 2593 7550

深圳华润大厦

地址:广东省深圳市深南东路 5001 号华润大厦 22 楼

邮政编码:518001

电话:(0755) 8269 1666

传真:(0755) 8269 1500

【00960. HK】龙湖地产有限公司

【企业概况】

龙湖地产 1993 年创建于重庆,发展于全国,是一家专注产品和服务品质的专业地产公司,业务涉及地产开发、商业运营和物业服务三大领域。

2009 年,龙湖地产有限公司(股份代码:960)于香港联交所主板上市。截至目前,集团拥有雇员 17 000 余人,业务遍布中国长三角、西部、环渤海、华南和华中 27 个城市,累计已开发项目超过 160 个,已开发面积 6 636 万平方米,待开发土地储备约 4 147 万平方米,2016 年销售额突破 881 亿元人民币,经营规模和综合实力居中国房地产行业前列。

秉承“善待你一生”的经营理念,龙湖以优质的产品和服务赢得了股东、客户、合作伙伴、业内同行的尊重和赞誉,集团先后获得“中国房地产开发企业综合实力十强”、于 2012、2013 年入选“福布斯亚太区最佳上市公司 50 强”。2015 年获同等规模民营房地产企业最佳信用评级,2016 年成为国内外全投资级民营房企。

自 1997 年开发首个住宅项目重庆龙湖花园南苑以来,龙湖逐渐形成了高周转、复合性地产开发能力,累计已销售别墅、洋房、高层、公寓、写字楼、商铺等各业态产品超 20 万套,发展出了“香醍”、“原著”、“滟澜”等经典产品品牌。龙湖本着“品质第一、管理精细”的理念,致力于打造客户心中的好产品,在国内外屡获业界殊荣:先后有 5 个项目荣获中国房地产综合开发行业最高奖项“广厦奖”,12 个项目荣获中国土木工程最高奖项“詹天佑奖”;顶级别墅颐和原著项目荣获全美住宅建筑商协会(NAHB)“最佳国际建筑设计奖”,春森彼岸项目荣获美国建筑师学会(AIA)“优秀城市设计大奖”。

作为中国最早的购物中心开发商之一,龙湖从事商业地产运营已超过 16 年,先后发展出都市型购物中心“天街”、社区型购物中心“星悦荟”和中高端家居生活购物中心“家悦荟”三个业态品牌。目前集团已开业商场达 21 个,开业建筑面积约 194 万平方米,建立合作的商户品牌超过 3 700 家,开业商场年客流量达 2.4 亿人次。龙湖将地产开发“精细化”的基因移植于商业运营,致力于打造家和办公室外的好去处。龙湖首个商业项目北城天街购物中心被公认为“重庆八大新地标”之一,龙湖商业团队也屡次荣获“中国购物中心产业推动奖”等荣誉。龙湖未来将稳步增持商业,并计划用 5 – 10 年的时间,使商业成为集团新的业务增长极。

成立于 1997 年的龙湖物业拥有物业管理企业国家一级资质,并通过香港品质保障局 ISO9001 认证,业务涉及社区管理、公用设施养护、家政服务、绿化石材养护、房地产经纪等领域。2016 年,龙湖物业营业收入约 14.5 亿元,目前管理位于 26 个城市的 174 个物业项目,服务面积达 4 066 万平方米。龙湖物业秉承“满意 + 惊喜”的服务理念,致力于打造客户心中的好服务,业主满意度连续八年保持在 90% 以上,3 次取得中国质量协会“全国住宅用户满意度指数测评”评分第一,并被国务院发展研究中心等机构评定为“中国优秀物业服务企业服务质量十强”、“中国物业行业十大品牌”。

龙湖不仅向客户提供优质的产品和服务,还坚持以优秀企业公民角色自觉承担社会责任,长期致力于住房保障、扶贫救灾、生态环保、公民教育、就业促进、和谐社区等公益事业。作为房地产行业一份子,龙湖积极参与保障性住房建设,目前已累计建成各类保障房约 15 000 套,建筑面积约 150 万平方米。此外,集团已形成“龙湖年货”等特色公益品牌,每年持续开展扶贫济困活动。龙湖通过与政府合作、提供职业培训以及商业基金,迄今已累计帮助 3 万余人解决了就业问题,龙湖物业培训学校免费向社会输送了超过 7 000 名专业技能人才。截至目前,龙湖慈善公益事业投入已累计超过 3 亿元人民币。

在“追求卓越”、“人文精神”、“研究精神”、“信任/共赢”、“企业家精神”这五项核心价值观的支撑下,龙湖形成了“志存高远、坚韧踏实”的独特气质,并建立起具有行业标杆地位、全面职业经理人化的现代企业管理制度。配合公司的快速成长,龙湖通过提供完善的个人发展计划、具有竞争力的薪酬激励和企业文化吸引来自各行业的优秀人才,充实管理团队,目前已形成“仕官生”、“绽放”、“点将”、“商业 CS”等多层次人才招聘和发展体系,为行业培养了大批具有企业家精神的职业经理人。

从 2005 年起,龙湖秉承“区域聚焦、多业态”战略,开启全国化发展——由西向东、由北向南,从核心经济圈的中心城市辐射到周边城市,利用业态和区域的双重平衡来实现可持续的发展。自 2011 年以来,集团开始了以“优土储、强运营、控成本、持商业、精团队”为关键词的战略转型,标志着全国化发展迈入新阶段。未来,龙湖将坚持以成为中国房地产行业最受尊崇和信赖的全国市场领导者为愿景,继续致力于为客户提供优质的产品和服务并影响他们的行为,在此过程中,成为卓越的企业并创造机会。

【企业文化】

企业使命:为客户提供优质的产品和服务并影响他们的行为,在此过程中,成为卓越的企业并创造机会。

【联络方式】

地址:北京市朝阳区惠新东街 4 号富盛大厦 2 座 7 层

邮编:100029

电话:(010) 8466 1818

传真:(010) 8466 3636

【00371.HK】北控水务集团有限公司

【企业概况】

北控水务集团有限公司（“北控水务集团”）是香港联合交易所主板上市公司（股份代号:0371），是国内具有核心竞争力的大型水务集团。北控水务集团以“领先的水务环境综合服务商”为战略定位，以市场为基础，以资本为依托，以技术为先导，以管理为核心，专注于水务环保行业。

北控水务集团凭借其工程咨询、工程设计、环保设施运营等甲级资质，以及核心工艺、技术研发、战略联盟、项目管理及融资渠道等多重优势，先后以股权收购、TOT、BOT、委托运营等模式，有效拓展市场。截至目前，在全国范围内及马来西亚、葡萄牙等国拥有多个水务项目，水处理规划规模超过千万吨/日，实现了全国性的战略布局，并成功进军海外市场。

经过多年发展，北控水务获得了“中国水务新锐企业”、“中国知名水务企业”等荣誉称号，并于2010年、2011年、2012年、2013年连续四年荣登“中国水业十大影响力企业”榜首。

北控水务集团是香港主板上市的北京控股有限公司（股份代号:0392）旗下水务旗舰企业。北京控股1997年5月于香港联合交易所上市，是一间具有北京市政府背景的、以城市燃气和基础设施为核心业务的综合性公用事业红筹公司，位列中国500强公用事业、公共设施经营和管理类企业第1名。

【联络方式】

地址:香港湾仔港湾道18号中环广场67楼6706－07室
电话:(852) 2105 0800
传真:(852) 2796 9972
邮箱:mailbox@ bewg. com. hk

【01979.HK】天宝集团控股有限公司

【企业概况】

背景地位:始创于1979年，是一家制造消费品开关电源及用作工业用途的智能充电器及控制器的厂商;凭借逾30年行业经验，天宝已成为中国的主要生产厂商之一。

两大产品线:主要产品包括消费品的开关电源及用作工业用途的智能充电器及控制器。我们的开关电源适用于多个行业界别的消费品，包括:(1)电讯设备;(2)媒体及娱乐设备（如影音及电脑）;(3)电子烟;(4)家庭电器;(5)其他产品（如LED灯及保健产品）;此外，我们生产的用作工业用途的智能充电器及控制器主要适用于电动工具。

两个生产基地:分别位于广东省惠州市及陕西省汉中市，设有超过110条生产线，配套先进的生产技术和自动化的设备;为达致持续发展的目标，集团生产规模将不断扩大，提升自动化水平。

未来，为了持续升级及巩固行业领导地位，天宝集团坚守其业务发展策略，提升核心竞争力，为客户、企业、业界和社会的共同发展增添更大驱动力。

【企业文化】

公司使命:尊重自然和社会，持续为客户提供有竞争力的电源解决方案与服务。

核心价值观:感动客户、恪守诚信、永恒创新、勇挑责任。

企业愿景:成为国际领先并拥有一流品牌的创新型电源集团;成为员工突破自我、创造价值的幸福家园;成为客户、供应商和社会各界喜爱并尊重的企业。

敬业与家:“以厂为家”的天宝独有文化能植根于员工的生活与工作中，以求双赢。

【联络方式】

香港办公室
地址:香港九龙观塘海滨道151－153号广生行中心6楼10－12室
电话:(852) 2790 5566
传真:(852) 2342 0146
邮箱:mkt@ tenpao. com
惠州办公室
地址:广东省惠州市惠城区水口街道办东江工业区
电话:(0752) 2312 888
传真:(0752) 2313 888
邮箱:mkt@ tenpao. com

【02020.HK】安踏体育用品有限公司

【企业概况】

1991年，安踏（福建）鞋业有限公司在福建省晋江市成立，安踏品牌应运而生。经过20多年的发展，安踏已经成为国内体育用品品牌的领跑者。2014年，安踏逆势上扬，零售转型大获成功，全年营收近90个亿。2015年，安踏打破国内体育用品品牌从未到达过的100亿大关，全年营收达111.2亿。2009年5月9日时任国务院总理温家宝在视察安踏时给予高度评价——安踏已经成功从“劳动密集型”企业转型为“技术密集型”企业，安踏为“中国制造”升级到“中国创造”探索出一条具备自身特色的道路。

安踏是中国体育用品品牌建设的先行者。1999年，安踏重金邀请中国乒乓球运动员孔令辉做品牌形象代言人，并在央视等各大电视台投放广告，孔令辉“我选择，我喜欢”口号响彻大江南北，让安踏的品牌知名度迅速提升，销售额急剧增长！安踏独创的“明星＋广告“的品牌营销模式得到同行其他品牌的认可和效仿。此后，安踏又先后与王皓、刘诗雯、张继科、邹市明、陈盆滨、郑智等多位知名运动员签约，大大提升安踏在国内的品牌知名度和美誉度！此外，安踏还不断提升品牌在国际市场的影响力，积极与NBA合作，签约斯科拉、加内特、隆多、帕森斯、汤普森等NBA巨星，在逐步拓展海外市场的同时，也把NBA资源引入国内市场，进一步夯实安踏品牌的美誉度！

安踏是中国体育用品销售专卖体系的实践者。2001年，安踏由生产单一运动鞋过渡到生产多类体育用品，同时打造终端新模式——体育用品专卖店，安踏发展进入一个新阶段。从2001年在北京开设的第一家安踏专卖店，到2015年全国8 400多家专卖店，安踏的零售终端覆盖了全国31个省、自治区、直辖市。先后获得过、“中国名牌产品”、“中国品质免检产品”等荣誉称号，成为中国体育用品行业的真正领导者。在海外市场的开拓上，安踏稳扎稳打，步步为营，逐步进入东南亚、美洲、非洲等市场，产品销往全球200多个国家和地区。2009年，安踏成功收购国际服装品牌Fila，迈出了国际化进程的重要一步。

安踏是中国体育事业发展的支持者。1998年安踏创办了安踏极限运动精英赛。2004年，安踏斥巨资连续赞助中国篮球职业联赛，成为CBA职业联赛运动装备合作伙伴。2005年

2 月,安踏还与中国乒乓球协会正式签约,独家赞助中国乒乓球俱乐部超级联赛 2005 – 2008 年连续四个赛季的运动装备。安踏常年赞助中国男子篮球职业联赛(CBA)、全国排球联赛、全国大学生篮球联赛(CUBA)等,被誉为"中国联赛发动机"。

2009 年和 2013 年,安踏连续两次成为中国奥委会合作伙伴,助力中国体育事业不断发展。为了传播奥林匹克精神,安踏每年还会在全国各大城市举行声势浩大的"奥跑日"。于此同时,安踏签约冬季运动管理中心、国家水上中心、国家跆拳中心、体操运动中心、举摔柔运动中心等五大中心共 24 支国家队,积极支持中国体育项目发展。2014 年 10 月,安踏签约 NBA,成为 NBA 中国市场合作伙伴。2014 年 10 月,安踏携手广州恒大足球学校,全面推动中国青少年足球运动健康发展。

安踏是中国运动科技创新的开拓者。历年来,安踏就非常注重在研发方面的投入,研发设计费用从 91 年的 200 万,到现在每年不低于年收入 5% 的 4 个亿,增长了近 200 倍!2005 年安踏斥资 3 000 多万元,率先在国内成立了第一间运动科学实验室,依据运动员的身体数据进行运动科技和功能设计的开发。2009 年 12 月,安踏运动科学实验室被国家发展和改革委员会认定为"国家级企业技术中心",时至今日,实验室申请了 130 多项专利。

安踏是中国体育用品企业文化建设的领先者。安踏十分重视企业文化的建设和传承,安踏发扬了闽商爱拼敢赢的精神,并提炼出"爱拼、会拼、敢赢"为安踏品牌个性,将超越自我的体育精神融入每个人的生活,遵循"品牌至上、创新求变、专业务实、诚信感恩"的核心价值观,立志成为中国市场品牌美誉度和市场份额双第一,受人尊重、并可持续发展的世界级体育用品公司。企业文化不仅需要建设,需要沉淀,更需要创造和创新。正当这两年安踏实施"零售转型"的战略之时,安踏在秉承原有文化的基础之上,提出"零售转型,文化先行"的思路,创新零售文化,积极支持零售转型的战略,并取得良好的效果!

安踏是社会公益事业的倡导者。安踏在经营品牌的同时,也不遗余力地关注和践行社会公益事业的发展,安踏希望让每个中国人都能买得起运动鞋,能够穿着安踏的运动鞋奔驰在篮球场和水泥地。多年来,安踏通过"安踏星 100 公益计划"等活动致力于公益事业。特别是在 2008 年汶川大地震和 2013 年的雅安地震两次事件中,安踏捐款、捐物均超过 1 000万元。截至目前,安踏向社会捐赠总额超过 3 亿元,安踏被中国民政部授予了"中华慈善奖"的至高荣誉。2013 年,安踏携手中国奥委会、冠军基金、萨马兰奇体育发展基金会联合发起的"奥林匹克公益合作联盟"正式启动,联盟将进一步推广奥林匹克精神,推动全民健身运动的开展。

安踏是中国体育用品零售转型的领导者。2013 年初,安踏高瞻远瞩,审时度势,在国内体育用品行业发展放缓的环境下,加快自身变革,就整个集团实施大刀阔斧的改革,实施零售转型战略,即从原来的品牌批发模式转型升级为品牌零售模式。经过两年的实践,安踏探索出一套完整的、符合安踏发展的零售管理系统和零售文化系统。安踏零售转型初具成效,率先走出体育品牌行业低谷,得到业界同行的肯定和学习。

【企业文化】

企业使命:将超越自我的体育精神融入到每个人的生活。

企业愿景:成为中国市场品牌美誉度和市场份额双第一,受人尊重、并可持续发展的世界级体育用品公司。

核心价值观:品牌至上、创新求变、专注务实、诚信感恩。

【联络方式】

晋江总部地址:福建省晋江市池店镇东山工业区安踏总部大厦

邮编:362212

电话:(0595) 8592 9999

传真:(0595) 8592 8989

客服电话:400 – 885 – 6000

厦门营运中心地址:福建省厦门市思明区观音山嘉义路 99 号安踏运营中心

邮编:361009

电话:(0592) 3518 989

传真:(0592) 6305 678

香港办事处地址:香港九龙九龙湾宏泰道 23 号 Manhattan Place 16 楼

电话:(852) 2116 1660

传真:(852) 2116 1590

【02382. HK】舜宇光学科技(集团)有限公司

【企业概况】

公司是中国领先的综合光学产品制造商和光学影像系统解决方案提供商。于 2007 年在香港联交所主板上市(HK2382)。

公司具有较强的研发实力、制造能力和信誉良好的全球客户基础,产品销往 40 个国家及地区,已成为多家国内外著名品牌客户的重要供应商。其中手机镜头、车载镜头、手机摄像模组等主导产品的全球市占率居行业前列。

公司在国内长三角、珠三角、环渤海湾、中原地区建立了五个生产基地,并在美国、日本、韩国、新加坡、中国台湾等国家和地区设有多个海外研发及客户支持中心。

公司是国内少数能将光、机、电、算技术综合应用于产品开发和大规模生产的光学企业,在特种镀膜技术、光学非球面技术、自动对焦/变焦技术、硫系玻璃材料开发应用技术、嵌入式软件技术、3D 扫描成像技术、三维超精密振动测量技术、微量元素分析检测技术、超高像素模组制程技术等核心光电技术的研究和应用上处于国内行业领先水平。

公司将立足于光电产业,坚持实施名配角战略,坚持高科技、高价值、高效益三大目标,坚持生产方式、赢利模式和经营方式的转型升级,打造具有品牌优势、系统优势和价值优势的先进光电制造业基地。

【企业文化】

战略目标:坚定不移实施名配角战略,打造驰誉全球的光电企业。

核心价值观:共同创造。

【联络方式】

地址:香港新界荃湾西楼角路 1 – 17 号新领域广场 6 楼 603 室

电话:(852) 3568 7038

邮箱:ir@ sunnyoptical. com

地址:浙江省余姚市舜科路 27 – 29 号

电话:(0574) 6253 8080

传真:(0574) 6253 8111

邮箱:office@ sunnyoptical. com

网址:www. sunnyoptical. com

【02313.HK】申洲国际集团控股有限公司

【企业概况】

申洲国际集团控股有限公司（“申洲国际”，证券代码：02313.HK）及其附属公司（“本集团”）为中国最具规模的纵向一体化针织制造商，集织布、染整、印绣花、裁剪与缝制四个完整的工序于一身，产品涵盖了所有的针织服装，包括运动服、休闲服、内衣等。本集团的出口金额连续多年位列中国针织服装出口企业排名第一位，也在中国出口至日本市场的针织服装制造商中列第一位。

本集团的主要生产基地位于宁波市经济技术开发区，另外，在安徽省安庆市和浙江省衢州市均建有制衣工厂，并策略性地在柬埔寨金边市设有制衣工厂，在上海、香港、大阪均设有销售办事处或代表处。2012 年集团生产各类针织服装逾 20 000 万件，面料产量约 8 万吨。

申洲国际与国内外客户建立了稳固的合作伙伴关系，包括国际知名的运动品牌及休闲品牌客户。产品市场也从日本市场逐步拓展至亚太区及欧美市场。产品、客户及市场的多元化发展，有效降低了公司的经营风险，提升了整体竞争能力。

申洲国际拥有专业的面料研发队伍，并建有国内一流的建筑面积逾 6 000 平方米的面料实验室。凭借严谨的全过程质量控制体系、高效的管理模式、勤勉的员工队伍，申洲国际赢得了国际知名客户的良好信誉。

为实现针织服装代工全球最具竞争力企业目标，走向国际化，申洲国际于 2005 年 11 月成功在香港主板上市，证券代码:02313HK，募集资金逾港币 9 亿元。

申洲国际取得的显著绩效得到了客户、行业以及资本市场的肯定。多家国际知名客户将申洲国际评选为“最佳供应商”；中国针织工业协会于 2011 年 10 月授予申洲国际“中国针织行业领军企业”之荣誉；2012 年申洲国际入选为“港股 100 强”企业，并于 2013 年 6 月 1 日起纳入 MSCI 明晟指数。

在发展企业的同时，申洲国际十分注重社会公益事业，扶持经济欠发达地区，建立扶贫基金；出资扶助新农村建设；向地震受灾地区捐赠财物；出资建立希望小学、幼儿园、敬老院、公园等公益项目，累计公益性捐赠逾 9 800 万元。董事长马建荣先生亦被评为宁波市慈善楷模。

申洲国际，致力成为全球最具竞争力的针织服装制造商！

【企业文化】

企业使命：创建绿色企业，成就舒适生活。

企业愿景：致力于成为全球最佳服饰运营商。

核心价值观：诚信、责任、学习、效率。

【联络方式】

总部地址：浙江省宁波市经济技术开发区甬江路 18 号

电话：(0574) 8698 0888

传真：(0574) 8698 1001

网址：www.shenzhouintl.com

【02202】万科企业股份有限公司

【企业概况】

1988 年进入房地产行业，经过三十余年的发展，成为国内领先的房地产公司，目前主营业务包括房地产开发和物业服务。公司聚焦城市圈带的发展战略，截至 2015 年底，公司进入中国大陆 66 个城市，分布在以珠三角为核心的广深区域、以长三角为核心的上海区域、以环渤海为核心的北京区域，以及由中西部中心城市组成的中西部区域。此外，公司自 2013 年起开始尝试境外投资，目前已经进入中国香港、新加坡、旧金山、纽约、伦敦等 5 个境外城市，参与数十个房地产开发项目。2015 年公司实现销售面积 2 067.1 万平米，销售金额2 614.7亿元同比分别增长 14.3% 和 20.7%，在全国的市场占有率上升至 3.00%。公司物业服务业务以万科物业发展有限公司（“万科物业”）为主体展开。万科物业始终以提供一流水准的物业服务、做好建筑打理作为企业立命之本，积极开展市场化，为更多客户提供优质的居住服务。截至 2015 年底，公司物业服务覆盖中国大陆 64 个大中城市，服务项目近千个，合同管理面积 2.1 亿平方米。

【企业文化】

企业愿景：成为中国房地产行业持续领跑者。

企业宗旨：建筑无限生活。

核心价值观：创造健康丰盛的人生。

经营理念：人才是万科的资本。

【联络方式】

总部地址：广东省深圳市盐田区大梅沙环梅路 33 号万科中心

邮编：518083 电话：(0755) 2560 6666

传真：(0755) 25531696

邮箱：webmaster@ vanke.com

网址：www.vanke.com

【01044.HK】恒安国际集团有限公司

【企业概况】

福建恒安集团有限公司创立于 1985 年，是最早进入中国卫生巾市场的企业之一，是目前国内最大的生活用纸和妇幼卫生用品制造商，在全国拥有 40 余家独立法人公司，拥有固定资产 200 多亿元，生产和销售网络遍布全国：三大主导产品—七度空间、安尔乐、安乐卫生巾，安儿乐婴儿纸尿裤，心相印纸品其市场占有率连年居全国同行前茅。

公司依靠创新实现企业快速健康发展，2002 年以来，先后两次引进世界级管理顾问公司进驻企业推进管理变革，此后十年间实现了经营业绩十几倍的增长。

恒安国际集团有限公司于 1998 年 12 月 8 日在香港联合交易所成功上市。2011 年 6 月 7 日，恒安国际正式入编香港恒生指数成分股。

【企业文化】

恒安愿景：通过持续的创新与优质的产品和服务，成为中国顶级的生活用品企业。

企业精神：诚信、拼搏、创新、奉献。

经营理念：追求健康，你我一起成长。

【联络方式】

恒安集团安海总部

地址：福建省晋江市安海镇恒安工业城

邮编：362261

电话：(0595)85708888

(800) 8585 222（固定电话拨打）

(400) 1808 855（手机用户拨打）

【00606.HK】中国粮油控股有限公司

【企业概况】

中国粮油控股有限公司(中粮控股,香港上市代号:606)是中粮集团成员企业,于2006年11月在香港注册成立,2007年3月21日在香港交易所主板上市。

中国粮油控股有限公司致力于成为农产品加工行业、生物质能源和生物化工产业的领导者,成为中国快速增长的食品行业的一站式原料提供商。本公司主要的经营、生产设施和营运资产均在中国内地,作为中国领先的综合农产品及食品加工企业,从事油籽、生化及生物燃料、大米、小麦及啤酒原料的加工及销售业务,为客户提供安全、营养、健康的优质产品。品种丰富,结构齐全,主要包括植物油、燃料乙醇、淀粉、甜味剂、大米、面粉、面条和面包、啤酒麦芽及动物饲料等,大部分产品通过遍及中国的销售网络在国内市场出售。

中国粮油控股有限公司的业务规模、经营业绩、行业地位以及良好的可持续发展管理受到各方的认同,获纳入多个重要的基准指数,包括恒生综合指数、恒生综合行业指数—消费品制造业、恒生综合中型股指数、恒生香港中资企业指数、恒生中国内地100及恒生可持续发展企业指数及富时亚洲食品业及饮料业指数。

【企业文化】

文化理念:

自然是人类的源泉,自然资源是我们生存和生长的根基。我们崇尚自然,致力于用自然的力量塑造一个人、一个企业、甚至一个社会。我们尊重自然,力求创造人与自然的和谐,以自然之源塑造更美好的生活。

我们奉行诚信、团队、专业、创新的企业精神,倡导“高境界做人,专业化做事”的理念,努力营造阳光、协作、包容的文化氛围。

诚信是我们的道德准则,也是为人处事的原则,是我们倡导简单透明、坦率真诚、处以公心、与人为善的阳光文化。

团队是我们在共同的使命和愿景下团结奋斗的精神,是我们前进的基石。我们崇尚人人平等、相互协同、相互分享、相互欣赏和相互包容的团队文化。

专业是我们对事业的永恒追求,是中粮控股全体员工的基本素质,其中蕴含着我们对业务精益求精的钻研和不断提升的专业水准。

创新是我们前行的不竭动力。我们鼓励思考、鼓励创造、包容失误、不畏挫折,为所有追求梦想、有创造力的人才提供广阔的舞台和发展机会。

【联络方式】

地址:北京市朝阳区朝阳门南大街8号中粮福临门大厦

电话:(852) 2833 0606

传真:(852) 2833 0319

网址:www.chinaagri.com

投资者关系:ir@cofco.com

【00586.HK】中国海螺创业控股有限公司

【企业概况】

中国海螺创业控股有限公司(简称:“海螺创业”或“公司”)于2013年在开曼群岛注册成立,并于同年12月19日在香港联合交易所主板上市(股票代码:00586.HK)。海螺创业是一家提供节能环保“一揽子”解决方案的大型企业集团,拥有世界领先的垃圾处理、余热利用、装备制造等技术,目前产业涉及余热发电、高效节能立磨、城市生活垃圾处理、新型绿色建材、港口贸易等行业。公司目前拥有21家附属公司,共有员工近1 000人,总资产达172.1亿元。

公司还是安徽海螺集团有限责任公司(简称:海螺集团)的第二大股东。海螺集团是国家120家试点企业集团之一,经营产业涉及水泥、化学建材、物流贸易、酒店餐饮、塑料编制等几大产业板块,总资产已达1 085亿元,已连续9年跻身中国企业500强,充分保证了海螺创业稳定的投资收益。

海螺创业前身安徽海螺创业投资有限责任公司(简称“海创公司”)成立于2002年11月,是根据安徽省委、省政府的要求,为完成安徽海螺集团改制而设立的。海创公司成立以来,经过多年的创业和发展,已形成集节能环保、装备制造、国际贸易、现代物流、酒店餐饮、房地产开发、医疗服务为一体的大型企业集团。

2013年,为使海创公司进一步做大做强,通过国际资本市场募集海创公司发展所需资金,完善管控体系,海创公司决定将部分优良资产剥离出来,成立海螺创业,并于2013年12月19日在香港联合交易所有限公司主板上市,成功发行3.0475亿股,募集资金41.3亿港币,挂牌交易当天,以15.4港元开盘,最高股价达17.66港元,当日成交量达9883万股、涉资16亿港元,名列2013年香港新股赚钱王第二位。

海螺创业主营业务由节能、环保、新材料三大板块组成,具有丰富的余热发电行业经验;并与日本川崎重工集团合作开发研制了创新垃圾焚烧解决方案,该技术为世界首创,能有效解决传统垃圾焚烧过程中所产生的两大次级污染来源——二恶英和重金属问题。此外,公司还引进欧洲先进技术,在安徽芜湖和亳州两地投资建设生产基地,生产及销售纤维水泥板(CCA板)等新型节能环保墙体建材。

节能业务稳步增长。公司是中国水泥低温余热发电技术的原创者,拥有13项专利技术。该技术直接对水泥窑在熟料煅烧过程中窑头窑尾排放的余热废气进行回收,通过余热锅炉产生蒸汽带动发电机进行发电,被中国国家发改委列为国家十大重点节能工程之一。截至2014年12月31日,公司已累计推广210套水泥余热发电机组、5套钢铁余热发电、1套风力发电及4个燃煤发电项目。

节能立磨产品亦凭借其高效稳定的技术优势被广泛应用于水泥、钢铁等行业,目前产品已走向系列化、标准化生产。用作原料磨(生料磨)时可配套2000t/d－12000t/d等不同规格生产线,用作水泥、煤粉、矿渣、钢渣、粉煤灰等细粉、超细粉粉磨时可满足不同粉磨生产线产能要求。

环保业务发展迅速。公司目前的环保业务主要技术有:利用水泥窑协同处置生活垃圾、炉排炉垃圾发电、利用水泥窑处置工业固废。

水泥窑协同处理垃圾技术是公司创新研发的用以处理城市生活垃圾的技术,能彻底解决城市垃圾填埋大量占用土地、污染环境的难题。该技术为世界首创,处理垃圾无需分拣,能充分降解二恶英,处理过程中无异味扩散,可固化重金属、同步消化污水。

炉排炉垃圾焚烧发电技术是公司针对无水泥厂地区研发的垃圾焚烧发电技术。该技术能彻底降解二恶英,全程封闭处理、无臭气扩散,垃圾无需分拣,无需添加燃料,发电量高,投资省、运营成本低,选址无特殊要求。

利用水泥窑处置城市工业固废技术是公司研发的能有

效处理工业固废的技术，旨在解决因工业固废量迅速激增导致的社会民生问题。

2013 年，国务院颁布了国发〔2013〕41 号文，支持利用水泥窑无害化协同处置城市生活垃圾和产业废弃物，协同处理生产线数量比重不低于 10%，预计到未来可达到 200 条以上。在相关产业政策的推动下，公司的环保业务未来将呈现爆发式增长。

截止目前，公司已累计签约项目 20 个（13 个 BOT 项目、6 个 EPC 项目），其中在建项目 15 个，报批待建项目 3 个；在谈并有签约意向项目 10 个。

新型建材前景可观。为响应安徽省委、省政府"振兴皖北"、"实施芜湖跨江发展"等战略的号召，应芜湖市委、市政府，亳州市委、市政府多次邀请，公司在芜湖市江北集中区和亳州市亳芜现代产业园分别投资成立安徽海创新型节能建筑材料有限责任公司、亳州海创新型节能建筑材料有限责任公司，建设新型节能材料产业园，开展纤维水泥板（CCA 板）等新型绿色建材产品等产业的制造和销售。

CCA 板是以进口原生纸浆纤维、水泥、石英砂、添加剂及水等物质，经先进设备工艺精确配料、抄取成型、加压致密（高密度板）、蒸压养护、等处理而成的绿色节能新型建材，100% 不含石棉。

目前，新材料亳州项目、芜湖项目已分别于 2014 年 10 月份、12 月份正式投产运行，现已形成年产 3 200 万平方米的产能，成为中国最大的生产 CCA 板的制造厂商。

港口业务收入稳定。公司经营位于江苏扬州市长江沿线的海昌港。拥有 3 个可停靠 5 万吨级货船的泊位，为长江向上游最后一个可以停泊 5 万吨级货船的港口。海昌港设计年吞吐量为 2 000 万吨，2014 年通过投资增加设备设施扩大到2 400万吨，提供煤、水泥、矿石的海运和内河转运服务，为电厂、水泥厂和钢铁厂提供资源。

面对新的机遇与挑战，公司将坚定发展信心、迎难而上，不断的巩固节能产业发展成果，积极稳步推进环保产业的发展脚步。继续做好芜湖、亳州两地新型建材项目的准备工作，投产后，公司纤维水泥板年产能将达到 3 200 万平方米，在成为中国最大规模生产及供应纤维水泥板公司的同时，也会为公司带来更多收益；我们同时也会根据市场销售情况，适时在中国内地其它地区规划新项目。在做好主营业务的同时，公司会选择性寻求并购机会和新业务，以全球化视野，向世界级大企业目标迈进，旨在为股东带来更加优秀的业绩。

【企业文化】

科技让生活更美好。

【联络方式】

地址：香港中环康乐广场 1 号怡和大厦 40 楼 4018 室
安徽省芜湖市九华山南路 1011 号海螺国际会议中心

电话：(0553) 8399 050

传真：(0553) 8399 135

邮箱：shumao@ conch. cn

网址：www. conchventure. com

【00425. HK】敏实集团有限公司

【企业概况】

1992 年，宁波敏孚机械有限公司在宁波市小港工业开发区成立，然而正是这家简陋的小公司却掀开了敏实集团发展的序幕。1997 年，公司整合其多个分公司成为集团公司，同时进入中国汽车外饰件的新领域。2005 年 12 月 1 日，敏实集团在香港证券交易所上市（股票代码：0425）。目前敏实已成为中国乘用车零部件市场中车身结构件，饰条及汽车装饰件的优秀供货商。

敏实为许多世界知名的国际汽车制造商提供产品。敏实根据客户分布而设立工厂，以此可以为客户提供及时的服务，并能够在第一时间了解客户的需求并满足。在国内，敏实分别在华东、华南、西南、华北以及华中地区设立了 30 余家生产工厂，拥有完善的生产网络。

随着在国内市场战略布局的完成和成熟，敏实已经稳步踏入国际市场。凭借一个由 600 名专家组成的研发团队，敏实集团的全球出口销售也在持续增长。敏实也在东京、慕尼黑、底特律建立了销售和设计中心，并在美国、泰国和墨西哥设立了生产基地。展望未来，敏实将目光放在在新兴市场，像印度、巴西、俄罗斯。

敏实引进了大量先进的生产线及生产工艺，包括纯押、复押、滚压成型、弯曲、冲压、注塑、表面处理（包括塑件及金属涂装）、电镀、镀铬、阳极氧化等。敏实与众多世界知名的汽车生产商建立了战略同盟关系，通过充分利用其综合成本及技术优势，致力于不断改善成为最佳，从而跟上行业的快速发展步伐。

【企业文化】

正直诚信：承担责任，行为道德，在所有场合展示诚实和公平。

相互信任：员工基于对他人的信心和相互尊重而在一起工作。

团队合作：以协作的方式一起工作，发挥多样性的优势并展现每个个体的视角。用各自的想法和技巧取长补短来达成我们的业务目标。

引领变革：我们总是积极主动地引领变革，并视改变为提升组织能力、更好满足客户需求的机会。没有变革就没有改善和提升。

环境之美：我们用心营造整洁、秩序化的环，和谐温馨的请给你氛围，真诚宣誓企业对社会责任的承担意识，努力让世界更美。

员工之美：激情梦想，谦虚自信，锐意探索，以务实的态度、执着的精神，追求成就卓越的最有方法与最高效率。

产品之美：敏实以车作为"流动"载体，给车穿上"美"的外衣，让车更"美"。

设计之美：敏实为车提供"美的整体解决方案"，将"美"、"环保"和"安全"带到世界。

【联络方式】

地址：浙江省宁波经济技术开发区大港工业城大港六路 8 号

电话：(0574) 8685 6322

传真：(0574) 8685 6330

邮箱：IR@ minthgroup. com

【00656. HK】复星国际有限公司

【企业概况】

复星国际有限公司（简称"复星国际"，股份代码：00656）是 2007 年在香港联交所主板整体上市的大型综合类民营企业，业务包括医药、房地产开发、钢铁、矿业、零售、服务业及战略投资领域，公司连续稳居中国企业 100 强。是中国多元化经营的民营企业集团之一。

旗下上海复星高科技（集团）有限公司创建于 1992 年。公司业务覆盖医药、房地产开发、钢铁、矿业、零售、服务业及战略投资领域，各主要业务均长期受益于中国巨大的人口带来的消费需求、投资需求，及持续的城市化、服务全球的制造业等中国动力，业绩逐年稳步增长，各业务板块在细分行业内进入国内前 10 强。公司已连续数年稳居中国企业前 100 强。

【企业文化】

修身、齐家、立业、助天下。

基于对“个人、企业、社会、环境的良性互动和可持续发展”的系统思考和规划，从创办之初，复星就确立了以“修身、齐家、立业、助天下”作为企业核心价值观。

【联络方式】

地址：香港中环花园道 3 号中国工商银行大厦 808 室
　　　上海市复兴东路 2 号复星国际董事会秘书办公室
电话：(021) 2315 6666
网址：www. fosun. com
邮箱：IR@ fosun. com

【03301. HK】融信中国控股有限公司

【企业概况】

融信集团创立于 2003 年，是一家于香港联交所上市（简称融信中国，股票代码：03301. HK）的拥有房地产开发、城市运营、金融产业等综合业务的大型现代化企业集团。地产开发拥有国家一级开发资质，位列中国房地产企业 28 强。2016 年初，融信集团将总部搬迁至上海，开启了全国化的战略征途。

从创立之初至迈向全国，企业立足本职，为理想人居的实现孜孜不倦。融信集团坚持深耕一二线城市核心区域和高端精品的发展战略，迄今，在上海、杭州、福州、厦门等地拥有众多项目，产品涵盖高端公寓、别墅、服务式公寓、写字楼、商业综合体等多种物业类型，总投资额超 2 000 亿元。

融信以品质入手，尊重城市文化肌理，坚持以品质影响城市，集国际一流建筑师、设计师智慧，联合知名承建商倾力打造符合当地市场需求的标杆产品，并推出既符合目前人居生活和时尚潮流，又能够引导未来生活方式的顶级公馆系，在追求品质同时，创造更多多元化的品位人居生活，将企业打造成为中国房地产业品质和品位的方向标。

以“企业公民”为社会责任感，实践着“绿色、环保、低碳”的公民行为准则。全国首创和美社区、举办融信邻里节、运营融信公益基金会、成立融信国学堂等等，融信强调责任地产、企业公民，践行诚信，关注传统文化传承及企业社会责任和公益事项，为创建美好城市竭尽全力，助力城市永续发展。

【企业文化】

核心价值观：让生命更有价值。

企业精神：敢为天下先，不断创新，不懈进取。

企业使命：成为中国最具社会责任感企业

企业愿景：树百年融信，造有情房，永续经营。

经营理念：为客户创造价值、以服务赢得市场，员工、企业、社会三者共赢；群策群力，追求卓越。

【联络方式】

地址：福建省福州市台江区广达路 108 号世茂国际中心 17 层
邮编：350004
电话：(0591) 8320 1222
传真：(0591) 8333 5235

【02669. HK】中海物业集团有限公司

【企业概况】

中海物业集团有限公司（以下简称“中海物业”或“公司”）隶属于中国建筑工程总公司旗下中国海外集团，是中国首批一级资质物业管理企业。凭著先进的物业管理知识及经验，中海物业在 1986 年于香港注册成立；1991 年，在中国内地开展物业管理业务。多年的卓越成果，中海物业于 2015 年在香港联交所主板上市，股份代号：02669。

于 2016 年，中海物业入选为恒生指数系列成份股，实为对公司业务表现的肯定。除此之外，公司亦荣获低碳想创坊颁发的“低碳关怀 ESG 标签”，表扬中海物业对环保措施及关键指标建立良好基础，不但是符合香港联交所上市规则要求的重要步骤，并为进一步提升未来汇报水平而制定可信计划的企业。

目前，中海物业已进入全国 52 座主要城市，跨越中国内地、香港及澳门，在管项目 470 个，服务面积达 93. 5 百万平方米，所管理的物业类型包括中、高端住宅、甲级写字楼、商业综合体、酒店及政府物业等多种业态。

中海物业秉持“追求卓越，成为中国物业界的标杆企业”的企业愿景，践行“物有所依，业有所托”的服务承诺，发扬“精细、专业、诚信、和谐”的企业精神，历经三十年的管理实践和品牌积累，在物业管理专业化、精细化道路上砥砺前行，以高品质服务为客户创造完美的人居享受，通过完善的资产管理和运营实现客户资产的保值增值，成功构建了集全国性战略布局、国际化管理视野于一体的行业领导品牌。

公司一向秉持提供优质服务的宗旨，分别就质量管理、客户满意度、环境管理及职业健康与安全管理获 ISO 9001：2008、ISO 10002：2004、ISO 14001：2004 及职业健康安全管理体系 OHSAS 18001：2007 标准认证。

【企业文化】

企业愿景：追求卓越，成为中国物业界的标杆企业。

企业使命：为员工提供持续的职业发展空间；

以高品质服务为客户创造完美的人居享受；

以卓越表现持续引领行业发展；

以公益、低碳、环保为己任。

【联络方式】

地址：香港轩尼诗道 139 号及骆克道 138 号中国海外大厦 19 楼
电话：(852) 2823 7088
传真：(852) 3102 0683
投资者查询
电话：(852) 2988 0600
传真：(852) 2988 0606
邮箱：copl. ir@ cohl. com
传媒查询
电话：(852) 2988 0600
传真：(852) 2988 0606
邮箱：copl. pr@ cohl. com
网站查询
地址：广东省深圳市南山区高新技术产业园南区科技南八道豪威科技大厦 7A

姓名：秦琳女士
电话：(0755) 8289 1108
传真：(0755) 8289 1991
邮箱：qinlin@ copm. com. cn

【02688. HK】新奥能源控股有限公司

【企业概况】

新奥能源控股有限公司(原新奥燃气，股票代码 02688. HK)于 1992 年开始从事城市管道燃气业务，是国内规模最大的清洁能源分销商之一。

公司以“倡导清洁能源，改善生存环境；提升系统能效，创造客户价值”为使命，以满足客户需求为导向，依托长期积累的清洁能源储运资源，通过系统能效技术平台，为国内外用能客户量身定制最优用能解决方案。

同时，通过全面信息化、市场与战略绩效机制等先进管理手段，持续优化运营机制，不断提高卓越运营能力，努力成为受人尊敬的国际能源分销商。

【企业文化】

企业使命：倡导清洁能源、改善生存环境、提升系统能效、创造客户价值。

企业愿景：成为互联网能源平台运营商。

核心价值观：以人为本、事求卓越、和谐共生。

【联络方式】

地址：河北省廊坊市经济技术开发区新源东道
电话：(0316) 2598 100
传真：(0316) 2598 585
网址：www. 95158. com

【02588. HK】中银航空租赁有限公司

【企业概况】

中银航空租赁是一家顶级的全球飞机经营性租赁公司，财务指标行业领先。

中银航空租赁的业务模式受益于航空业强劲的全球趋势。我们的飞机属于可移动的，可以在世界各地重新调动，而且拥有较长的经济寿命。我们亦受惠于从向我们租赁飞机的全球多样化航空公司客户群流入的以美元计价的长期现金流，以及持有以美元计价的资产。我们相信我们的业务规模及投资级信贷评级使我们对于飞机制造商以及航空公司客户而言均为具有吸引力的对手方，这进一步增强了我们的竞争力。

中银航空租赁拥有的航空业专门知识，与航空公司客户、飞机制造商以及其他主要航空业参与者建立的关系，以及我们的高级管理团队及其他关键雇员累积的长期经验及出众才华，使我们得以横跨多个行业周期取得优异的营运及财务业绩。尤其是，我们连续 23 年录得盈利。

中银航空租赁的核心业务模式着重于按具有竞争力的价格从飞机制造商直接购买新、节能及市场确需的新机队，以高效的方式就购买飞机进行融资，向全球范围内多元化的客户群提供飞机长期经营性租赁以及出售飞机以维持低龄机队、降低飞机组合的风险及从中赚取收益，并将销售收益重新投资于新飞机投资。

中银航空租赁自有机队按账面净值加权计的平均机龄少于 4 年，使我们的机队成为飞机经营性租赁行业内平均机龄最低的机队之一。我们拥有长期合约现金流，我们自有机队按账面净值加权计的平均剩余租期多于 7 年。

中银航空租赁受惠予较低的平均资金成本，稳健的信用评级(标准普尔及惠誉均给予 A - 评级)以及多样化的融资渠道。我们亦受益于中国银行(我们的控股股东)提供的强大而坚定的支持。

中银航空租赁在香港联交所上市(股票代码：02588)，总部设在新加坡，并在都柏林、伦敦和天津设有办事处。

【企业文化】

企业信念：一个公司的企业文化由其企业愿景及公司员工共同塑造。在中银航空租赁，我们相信发展的眼光，专业高效的工作作风，并不断鼓励团队精神，这些将有助于我公司在行业中脱颖而出。

【联络方式】

新加坡
地址：新加坡珊顿大道 8 号 18 楼 01 室 068811 邮区
电话：(65) 6323 5559
传真：(65) 6323 6962
邮箱：information@ bocaviation. com
都柏林
The Crescent Building
Northwood, Santry
Dublin 9
D09 C6X8
Republic of Ireland
电话：(353) 1893 4173
邮箱：information@ bocaviation. com
伦敦
1 Lothbury
London EC2R 7DB
United Kingdom
邮箱：information@ bocaviation. com
天津
地址：天津市开发区第三大街 51 号
　　滨海金融街西区 5 号楼 AB 座
邮箱：information@ bocaviation. com

【01610. HK】中粮肉食控股有限公司

【企业概况】

中粮肉食投资有限公司(中粮肉食控股有限公司的间接全资附属公司)成立于 2009 年，作为中国猪肉市场最重要的运营商之一，垂直整合的业务模式覆盖了中国整个猪肉行业价值链，业务包括饲料生产、生猪养殖、屠宰、生鲜猪肉及肉制品生产、经销与销售及冷冻肉类产品进口及销售。

中粮肉食继承了中粮集团“引领行业安全标准、保障国民肉食品安全”的社会责任，快速发展成为大规模和高质量的猪肉生产商。根据弗若斯特沙利文的行业数据，按照 2015 年的育肥猪产量，目前全国生猪养殖市场排名第四。

旗下拥有两个核心品牌“家佳康”和“万威客”主要销售生鲜猪肉和肉制品，以高标准的食品安全作为其核心价值。定位于中产阶级城镇家庭。家佳康以“守护安全五道关”为品牌标语，自 2005 年起连续多年被评为湖北省名牌产品；万威客则以“卓越的肉品专家”为品牌标语，体现了在中国 22 年的肉制品专业生产及销售经验。按照弗若斯特沙利文的行业资料，2015 年按进口量计，我们在中国肉类进口市场中排名第二,使我们可以有效利用规模优势,为客户提供更具价格优势的产品。

【企业文化】

品牌理念:“家佳康”以成为中国肉食行业的引领者为目标,带领消费者远离食品安全问题,为每个家庭奉献高品质产品。

“家佳康”在实现规模化养殖的同时,也最大化地保留天然品质,让产品值得信赖。

“家佳康”标志中,绿色与金色的结合象征着土地与大自然的结合,同时动感的造型,仿佛一张享受的嘴,表达出快乐满足的情绪。

【联络方式】

地址:香港铜锣湾告士打道 262 号中粮大厦 33 楼 33/F
北京市朝阳区朝阳门南大街 8 号中粮福临门大厦 812 室

电话:(010) 8500 5367

传真:(010) 8562 3500

邮箱:ircofcomeat@ cofco. com

【02678. HK】天虹纺织集团有限公司

【企业概况】

天虹纺织集团创立于 1997 年,创始人洪天祝先生。本集团是全球最大的包芯棉纺织品供应商之一,专门致力于高附加值时尚棉纺织品的制造与销售,目前已成为中国棉纺织行业竞争力前 10 强企业。是香港联交所主板上市公司,股票代码:02678。

天虹纺织集团树立了清晰的核心价值观,以“成为全球领先的棉纺织企业,创意精彩生活;致力于发展高附加值产品,全面提供增值服务;为员工、客户和股东创造最大价值,真诚回馈和服务社会”为企业愿景使命。弘扬“专业、创新”的企业精神,确立“专业化、国际化、精益化、差异化”的发展战略,恪守“诚实合作、创新卓越、客户导向”的行动纲领。借助多元化的融资结构,依托优秀的人力资源团队,充分发挥集团拥有的创新和快速应变核心能力,利用购并重组、产业整合与管理的专业经验,将企业做大、做强。

天虹纺织集团销售总部位于上海,产业布局以国际化思维及全球化视野进行延伸发展。目前已在上海浦东新区、江苏徐州、常州、泰州、南通、山东济宁、浙江浦江以及越南同奈省和广宁省拥有多个产业基地,拥有 216 万纱锭及 572 台喷气织机的生产能力,投资总规模超过 80 亿人民币;土耳其、乌拉圭等地也是发展中的产业基地。集团雇佣员工超过 20 000 名。拥有中国市场及全球主要市场全覆盖的销售办事处,逾千名国内外客户,客户基础雄厚,年销售额超过 100 亿人民币。

天虹纺织集团从创立之初至今,一直致力于打造差异化产品并不断的推陈出新,在棉纺织领域推动产业升级及变革,目前已在行业中享有较高的声望,吸引了诸多国际知名纤维供应商的关注与合作。天虹多年来采用美国英威达发明并拥有专利的莱卡氨纶系列,出品的弹力纱线已广泛应用于知名高档品牌服装的面料。同时与奥地利兰精公司合作,使用其生产的天丝纤维、莫代尔纤维及粘胶制造高档机织纱、牛仔纱和高档针织用纱。此外,天虹也开始应用具有环保概念的涤纶生产与其他纤维的混纺纱线,并强化与日本东丽公司的合作,开发腈纶保暖针织用纱。

天虹纺织集团所研发的高档纱线,亦同步应用于本集团坯布及面料的生产。借助长期累积与高端客户的合作经验,目前已具备准确预测国际面料发展趋势的能力;对新型面料的应用,亦能紧密的与纱线研发结合,快速实现产业升级。

【企业文化】

企业愿景:成为全球领先的棉纺织企业,创意精彩生活。

企业使命:致力于发展高附加值产品,全面提供增值服务,为员工、客户和股东创造最大价值,真诚回馈和服务于社会。

企业精神:专业、创新。

发展策略:专业化、国际化、精益化、差异化。

【联络方式】

香港总部:香港鲗鱼涌英皇道 979 号太古坊多盛大厦 31 楼 9 室

电话:(852) 2877 0225

传真:(852) 2877 0227

网址:www. texhong. com

【03366. HK】华侨城(亚洲)控股有限公司

【企业概况】

华侨城(亚洲)控股有限公司(以下简称“华侨城(亚洲)”)于 2005 年 11 月 2 日在香港联交所主板上市(股份代码:03366. HK),其前身为华力控股(集团)有限公司。华侨城(亚洲)拥有三十年发展经验的纸包装业务,2007 年启动战略转型,致力于成为“优秀的商业综合区的开发与运营商”。

作为国务院国资委直属的华侨城集团旗下唯一的境外上市公司,华侨城(亚洲)承母公司之重托,专注于商业综合区的开发与持续经营,积极发展具有区域辐射能力的特色商业综合项目,打造独具华侨城风格的“城市中心”。2007 年以来,华侨城(亚洲)先后获得母公司注入成都华侨城、西安华侨城及上海苏河湾项目,并在母公司支持下取得北京臻园和重庆置地等优质项目。

华侨城(亚洲)旗下的“华力”系企业,主要为客户设计、制造高品质的瓦楞纸板、纸箱、彩盒等产品,提供一体化包装方案,下属第一家工厂深圳华力于 1985 年成立。目前,华侨城(亚洲)分别在上海、中山、安徽、惠州及苏州等地投资建设了生产基地,实现了全国性战略布局,客户网络覆盖珠三角、长三角等重要区域。三十多年来,“华力”系企业纸包装业务的销售额及利润始终保持稳定增长,在市场上建立了良好的声誉和稳固的地位。

未来,在集团支持华侨城(亚洲)做强做大的战略下,借助母公司在成片综合开发领域的品牌、资源和经验优势,持续增加在中国一、二线城市的优质土地资源储备,继续做强做优纸包装业务,积极探索纸包装业务创新发展的新方向,积极创新盈利模式,不断提升市场影响力,力争为股东创造理想的投资回报。

【企业文化】

使命:通过独特的创想文化,致力提升中国人的生活品质。

愿景:成为中国最具创想文化和影响力的企业。

品牌个性:人本、创造、坚定、卓越。

品牌定位:优质生活的创想家。

品牌承诺:切合中国人日益增长的品质需求,依托优秀团队的无限想象力,我们敢为人先地创造,以坚定的意志,不断追求卓越,为人们提供更具个性化的生活体验。

【联络方式】

香港地址：香港九龙尖沙嘴广东道 9 号港威大厦 6 期 3204 室
电话：(852) 2393 7799
传真：(852) 2380 9066
邮箱：info. asia@ chinaoct. com
深圳地址：广东省深圳市南山区白石路欢乐海岸蓝楹国际商务中心 3F
电话：(0755) 2693 6198
传真：(0755) 8690 6606

【01589. HK】中国物流资产控股有限公司

【企业概况】

中国物流资产控股有限公司(英文简称：CNLP)是国内领先甲级物流设施供应商，我们自 2008 年起一直与世界著名的财务投资者(如 Equity International、凯雷及 RRJ Capital)组成合作关系，以确保我们的可持续快速增长。中国物流资产已与众多国内外顶级租户建立起牢固的关系，包括京东，聚美优品及本来生活等领先的电子商务公司，顺丰速运，利丰及中国外运等领先的第三方物流服务供应商及小米，博世及格力电器等大型零售商，制造商及其他商家。

在公司创始人、董事长兼总裁李士发先生的带领下，中国物流资产是首批进入中国物流设施市场的专业公司之一，并于 2003 年开始开发，营运及管理甲级物流设施，凭借长达十年的经验积累，我们已发展了一种高效，回报驱动的业务模式。截至 2016 年 12 月 31 日，我们已构建一个全国性甲级物流设施组合，包括十二个省份或直辖市运营中的总建筑面积1 000 000百万平方米，发展中面积 1 200 000 平方米，以及主要物流枢纽的土地储备 4 500 000 平方米；我们网络的广阔地域覆盖面及我们甲级物流设施的质量营造出强大的“网络效应”，可令我们的租户因应其业务增长不断在我们的物流设施乃至我们的整套物流设施网络内扩充。

为了发展业务，我们自 2008 年起一直与世界著名的财务投资者(如 Equity International、凯雷及 RRJ Capital)组成合作关系，以确保我们的可持续快速增长。

为支持我们在中国的快速扩张计划，凭借长三角经济区、渤海经济区及珠三角经济区及经选定省会城市作为我们的主要目标市场，我们已积累约 4 500 000 平方米的规模土地储备且在持续收购土地方面发展了适合物流园开发的强大实力。根据我们的扩张计划，我们相信该等规模的土地储备将足以支持我们未来三至五年的快速扩张。我们高水平的设计及建造标准、较新的物流设施及巨大的规模对现有及潜在租户而言具有特别的吸引力。

【企业文化】

核心价值观：拼搏、高校、开放、创新、共赢。

发展愿景：卓越的物流供应链一体化解决方案提供商与服务商。

企业精神：自强不息、厚德待人、学习创新、求实合作。

【联络方式】

上海总部：上海市嘉定区谢春路 1000 号
邮编：201804
电话：(021) 6627 7577
传真：(021) 6627 7717
邮箱：marketing@ yupeigroup. com
网址：www. yupeigroup. com

【01378. HK】中国宏桥集团有限公司

【企业概况】

中国宏桥集团有限公司(“中国宏桥”或“本集团”；股份编号：01378)是一家中国领先的铝产品制造商。位于中国山东省的中国宏桥主要从事液态铝合金、铝合金锭、铝合金铸轧产品及铝母线的生产和销售。本集团凭借其庞大的规模及先进的技术、具竞争力的成本结构、具前瞻性的产业链拓展战略及经验丰富的管理团队，成功进一步巩固行业领先地位，保持业务增长及独特竞争优势。

2014 年，集团海外业务取得显著进展，本集团于印度尼西亚成立的合资氧化铝生产公司，第一期设计年产能为 100 万吨的氧化铝生产厂于 2015 年年底建成投产，届时将进一步提升氧化铝自给率；此外，本集团在澳大利亚联邦、印度共和国及马来西亚联邦等地开拓了铝矾土供应渠道，保证了本集团于未来数年内将继续以稳定的价格和货源获得铝矾土供应；同时，本集团将继续推进非洲几内亚铝矾土矿项目，本集团在保障原材料稳定供应方面优势得到进一步巩固。

随着海外原材料供应渠道的日趋稳定，本集团已在逐步消化原有的铝矾土库存。凭借本集团在海外的精心布局，稳定的原材料供应极大降低了原材料价格大幅波动及供需波动所导致的潜在风险，为本集团长远稳健发展奠定了稳固的基石。

此外，本公司连续两年被《福布斯亚洲》杂志评为亚太区最佳上市企业 50 强，亦获选纳入恒生高股息率指数；2014 年 10 月 28 日，山东省人民政府办公厅发布《山东有色金属产业转型升级实施方案》，明确提出重点支持本公司全资子公司山东魏桥铝电有限公司(“铝电”)发展成为具有完整铝产业链的大型企业集团，显示本集团获得资本市场和当地政府的双重肯定与支持。

展望未来，本集团将依托优势，进一步巩固“铝电网一体化”和“上下游一体化”的产业模式，加快推进产业集群发展，提升成本优势与规模效应，巩固本集团于中国铝行业的领先地位。同时，本集团将继续提升科技研发和技术的投入，力争在发展清洁生产和循环经济等方面寻求进步与突破，全面引领中国铝行业发展的先进方向。作为具备突出成本优势和独特产业集群发展模式的优势企业，本集团将在铝行业整合升级的进程中持续受益。董事会对于自身的未来发展亦充满信心。

面对机遇与挑战并存的市场环境，本集团将坚持自身的核心竞争力，密切关注政策导向，努力把握市场机遇，积极应对未来挑战，保持稳健的前进步伐，为股东创造丰厚回报和长远价值。

【企业文化】

以科技为动力、以质量求生存；

打造最佳产品和服务；

有品质才有市场；

诚信立足、创新致远。

【联络方式】

地址：山东省邹平县邹平经济开发区会仙一路
邮箱：christine@ hongqiaochina. com
网址：www. hongqiaochina. com

【03808. HK】中国重汽(香港)有限公司

【企业概况】

中国重汽(香港)有限公司总部及主要生产基地位于中国山东省省会济南市。母公司的一家前身公司是国内第一家重型卡车制造商,于1960年生产制造了中国第一辆重型卡车。经过多年的努力,本公司拥有了较为明显的市场网络优势、产品优势、技术优势和成本优势,建立了独具特色的企业文化理念。公司产品以"中国重汽"及英文名称"SINOTRUK"作为销售品牌,2006年8月,被国家发改委和商务部确定为国家汽车整车出口基地企业,同年10月,本公司品牌被世界生产力科学院推选为中国十大年度品牌。本公司的目标是成为全球知名的重卡企业,竭诚为用户提供更清洁、更节能、更安全、更舒适的运输产品。

【企业文化】

企业价值观:用人品打造精品,用精品奉献社会。

【联络方式】

电话:(852) 3102 3810

传真:(852) 3102 3812

邮箱:securities@ sinotrukhk. com

网址:www. sinotruk. com

【00750. HK】中国兴业太阳能技术控股有限公司

【企业概况】

中国兴业太阳能技术控股有限公司(简称"兴业太阳能",港股代码:00750)是一家致力于节能环保、新能源和新材料事业的高新技术企业集团。

自2009年在香港成功上市以来,兴业太阳能已先后建成广东珠海研发出口基地、湖南湘潭生产制造基地及广东阳江光伏综合利用示范基地。兴业太阳能的营销网络已覆盖大中华各个地区,并在东南亚、中东、澳洲、欧洲及北美等世界各地建立了办事处和销售机构,产品、工程及服务已走向全球。

"以人为本、科技兴业"是兴业太阳能的立身之本、发展之源。兴业太阳能创建了以绿色建筑技术为研发方向的绿色建筑工程中心、以太阳能分布式发电为主导的新能源工程中心及以功能性膜材料技术为基础的新材料研发中心,为集团的不断创新和持续发展提供不竭动力。

"和谐兴业、共同发展"是兴业太阳能的凝心之根、聚力之魂。我们将一如既往不断开拓进取、用产业发展回报社会,让兴业人共享企业成长硕果,让社会更加和谐、文明、进步!

【企业文化】

文化理念:和谐兴业、共同发展。

【联络方式】

总部地址:广东省珠海市金鼎镇高新区科技创新海岸金珠路9号

电话:(0756) 6916 666

邮箱:business@ zhsye. com

珠海办事处

地址:广东省珠海市南屏科技园虹达路8号

香港办事处

地址:香港上环信德中心招商局大厦31楼3108室

电话:(852) 2548 8231

邮箱:ir_sye@ zhsye. com

【02666. HK】环球医疗金融与技术咨询服务有限公司

【企业概况】

环球医疗金融与技术咨询服务有限公司(简称"环球医疗或本公司")是目前中国领先的综合医疗服务供应商,2015年7月于香港联交所上市,股票代码:02666。

环球医疗的股东为中国通用技术(集团)控股有限责任公司(简称"通用技术集团"),通用技术集团为《财富》世界500强企业,且是由中央直接管理的国有重要骨干企业之一。

环球医疗专注于高速发展的中国医疗服务行业,以自身丰富的全球医疗资源和雄厚的资金实力,为医院客户提供医疗金融、医院投资管理、医疗技术及医疗信息化等为一体的综合医疗解决方案。

未来,环球医疗将在国家政策的引导和支持下,以全球资源触角,立足国内实践,潜心打造"以患者利益为中心,以医疗团队为基础,以高科技手段为主导,以高效率管理为核心,以高水平医疗护理为支撑"的医疗服务体系。全力打造具有国际先进水平的医疗服务机构网络,推动医疗养老融合发展,为"健康中国"贡献力量!

【企业文化】

核心价值观:诚信、敬业、高效、创新。

使命:以优质的医疗服务,推动人类健康事业不断进步

愿景:聚焦医疗健康事业,打造国际一流的综合医疗服务提供商。

【联络方式】

地址:香港中环红棉路8号东昌大厦702室

北京市西城区阜成门外大街1号四川大厦西楼9层、10层

电话:(010) 6899 1179

传真:(010) 6899 1179

第三章　香港金融机构推介

【00388.HK】香港交易及结算所有限公司

【发展历程】

香港的证券交易最早见于19世纪中叶。到1891年香港经纪协会成立时，香港始有正式的证券交易市场。该会于1914年易名为香港经纪商会。香港第二间交易所——香港股份商会于1921年注册成立。两所于1947年合并成为香港证券交易所，并合力重建二次大战后的香港股市。此后，香港经济快速发展，促成另外三家交易所的成立——1969年的远东交易所、1971年的金银证券交易所以及1972年的九龙证券交易所。

在加强市场监管和合并四所的压力下，四所时代于1986年3月27日画上历史句号，香港联合交易所有限公司（联交所）在1980年注册成立并于1986年4月2日开始运作。联交所与香港期货交易所（期交所）于2000年前实行股份化，于2000年3月6日与香港中央结算有限公司（香港结算）合并于单一控股公司香港交易及结算所有限公司（香港交易所）旗下，并在同年6月27日以介绍方式在联交所上市，成为世界首批上市的交易所集团之一。

香港交易所集团经营证券和衍生产品以及相关的交易及结算服务，上市证券品种丰富，包括现货、期货和期权交易等市场，也是香港上市公司的前线监管机构。集团的全资子公司还包括全资控股的国际性金属交易所——伦敦金属交易所（London Metal Exchange，LME）。

【市场概况】

2016年，香港交易所各项业务蓬勃发展，为迈向一家充满活力的全资产类别交易所打下了坚实基础：深港通顺利推出，互联互通进入2.0时代；IPO全球继续称冠，衍生产品市场创多项新纪录；以杠杆及反向产品和人民币货币指数为代表的创新产品面世；收市竞价交易时段和市场波动调节机制顺利推出平稳运行。

香港交易所统计数据显示，证券市场方面，年内香港共有126家新上市公司，首次公开招股集资总额达251亿美元，连续两年位居全球集资中心之首。其中，2016年9月28日上市的中国邮政储蓄银行股份有限公司集资566.27亿港元，成为2016年全球集资额最大的首次公开招股。

首次公开招股集资额（2016年1月至12月）

排名	交易所	首次公开招股集资额（百万美元）
1	香港交易所	25,135
2	上海证券交易所	16,292
3	纽约证券交易所	14,693
4	纳斯达克，美国全国证券交易商协会	10,892
5	日本交易所集团	10,663
6	伦敦证券交易所	8,856
7	深圳证券交易所	7,775
8	哥本哈根（纳斯达克OMX集团北欧）	5,890
9	德意志交易所	5,787
10	韩国交易所	5,593

截至2016年12月30日，香港共有1,973家上市公司（主板：1,713家，创业板：260家），总市值达247,613亿港元。香港交易所旗下证券化衍生产品（衍生权证及牛熊证）的成交金额连续10年全球夺冠，2016年，香港衍生权证成交额高达27,270亿港元，牛熊证成交额高达13,716亿港元。

2016年12月5日，深港通顺利开通，沪港通继续平稳畅顺运作。截至2016年12月30日，南向港股通成交总额为8,362亿港元，北向沪股通及深股通成交总额为人民币7,710亿元。

除了证券产品外，香港交易所还提供品种丰富的衍生产品，帮助投资者管理市场风险。2016年香港全年期货总成交量达84,100,129张合约，较2015年全年所创纪录的73,462,212张合约增长14%。年内多种期权合约的成交张数、各类产品未平仓合约张数以及收市后期货交易的成交量均创新高。

2016年，恒生指数期货成交量达32,313,994张合约，较之前纪录（2011年）增加40%。H股指数期权成交量达19,475,726张合约，较之前纪录（2015年）增加27%。收市后期货（即期货夜市）交易时段的成交量为9,212,328张合约，较之前纪录（2015年）增加75%。

香港交易所旗下的美元兑人民币（香港）期货是全球交易所最活跃的人民币期货品种，2016年，美元兑人民币（香港）期货成交量达538,594张合约，较2015年成交量超出一倍多。2016年12月30日，美元兑人民币（香港）期货未平仓合约达45,635张合约，刷新历史最高纪录。2016年12月28日，H股指数期权未平仓合约达3,276,956张合约，之前最高纪录为2015年9月25日的2,618,350张合约。

【联络方式】

香港

地址：香港中环港景街一号国际金融中心一期12楼

电话：(852)25221122

传真：(852)22953106

邮箱：info@ hkex. com. hk

北京代表处

地址：北京市东城区东长安街1号东方广场东方经贸城西二办公楼10楼02单元

电话：(010)85190288

传真：(010)85183288

邮箱:bjo@ hkex. com. hk
上海特派代表
地址:上海市浦东新区世纪大道 1198 号世纪汇广场第一座第 18 层 1807 - 08 号单元
电话:(021)60586130
传真:(021)60875762
广州特派代表
地址:广东省广州市天河区林和中路 8 号海航大厦写字楼 25 楼 2503 单元
电话:(020)87181000
传真:(020)85501035
伦敦金属交易(地址仅提供英文)
伦敦
地址:10 Finsbury Square, London, EC2A 1AJ
电话: +44(0)2071138888
新加坡
地址:30 Raffles Place #19 - 03, Chevron House, Singapore, 048622
电话: +65(0)65355035

【01658. HK】中国邮政储蓄银行股份有限公司

【企业概况】

中国邮政储蓄银行(以下简称"邮储银行")是中国领先的大型零售银行,定位于服务社区、服务中小企业、服务"三农",致力于为中国经济转型中最具活力的客户群体提供服务。同时,邮储银行积极服务于大型客户并参与重大项目建设,为中国经济发展作出了重要贡献。

邮储银行拥有营业网点超过 4 万个,服务个人客户超过 5 亿人,拥有优异的资产质量和显著的成长潜力。目前,邮储银行打造了包括网上银行、手机银行、自助银行、电话银行、电视银行、"微银行"等在内的全方位电子银行体系,形成了电子渠道与实体网络互连互通,线下实体银行与线上虚拟银行齐头并进的金融服务格局。2015 年,邮储银行引入十家境内外战略投资者,进一步提升了综合实力。2016 年,邮储银行在香港联交所主板成功上市,圆满完成"股改—引战—上市"三步走改革路线图,正式登陆国际资本市场。在"2016 年全球银行 1000 强排名"中,邮储银行总资产位居第 22 位。

在中国经济转型升级、金融改革纵深推进、信息技术蓬勃发展的大背景下,邮储银行将紧抓战略新机遇,充分发挥自身优势,不断丰富业务品种、拓宽服务渠道、提升服务能力,为广大客户提供更加全面、便捷的金融服务,致力于成为最受信赖、最具价值的一流大型零售银行。

【经营优势】

邮储银行的主要经营优势包括:

·本行是中国网点和客户数量最多的领先零售银行;
·本行服务于中国经济转型中最具活力的客户群体;
·本行的资产质量优异,始终坚持审慎的风险管理;
·本行拥有雄厚的存款基础与强大的资金实力;
·本行先进的信息科技能力为业务发展提供全面支持;
·本行拥有强大的股东支持以及与战略投资者开展全方位的合作;
·本行拥有经验丰富的管理团队与朝气蓬勃的员工队伍。

【联络方式】

地址:北京市西城区金融大街 3 号
邮编:100808
电话:(852)95580
网址:www. psbc. com

工银国际控股有限公司

【公司概况】

工银国际控股有限公司("工银国际")是中国工商银行股份有限公司("工商银行")在香港的全资子公司。作为一家在香港注册的公司,工银国际依托母行卓越的品牌、雄厚的资金实力、广泛的客户基础以及领先的金融产品,依托内地,立足香港,面向境内、境外资本市场,向广大的海内外融资客户及投资者提供企业融资、投资类业务、销售交易、和资产管理等四大产品线服务,分别是:(1)企业融资,提供股票保荐承销、增发配售、企业并购重组、财务顾问服务,债券发行承销等;(2)投资类业务,为企业提供股权、债务融资;(3)销售交易,覆盖港股、沪港通 A 股、美股等多个市场的证券销售与经纪、期货/衍生产品及服务;(4)资产管理,包括 PE 基金、公开市场资产管理等第三方资产等。另外,工银国际提供覆盖全球与中国的宏观经济、国际金融市场、环保、医疗等热门行业的市场研究服务。

作为工商银行的全资持牌投资银行平台,工银国际拥有高素质的国际化专业人才和管理团队,丰富的国际资本市场运作经验和过往业绩,多元化的产品服务和独特的投资者覆盖,在市场荣获多项荣誉:2012 年 - 2015 年,工银国际助力母行多次荣获《国际金融评论》评选的"中国最佳债券承销商",2015 年 - 2016 年,助力母行荣获《财资》杂志评选的"中国最佳债券承销商"。

【联络方式】

地址:香港中环花园道 3 号中国工商银行大厦 37 楼
邮箱:info@ icbci. com. hk
热线:(852)26833888
传真:(852)26833900
电话:(852)26833888
网址:www. icbci. com. hk

易方达资产管理(香港)有限公司

【公司概况】

易方达资产管理(香港)有限公司("易方达香港")成立于 2008 年,获得香港证监会核准,从事第一类(证券交易)、第四类(就证券提供意见)及第九类(提供资产管理)受规管活动。

易方达香港作为易方达基金管理有限公司("易方达基金")唯一的国际业务平台,在香港布局多年,为全球投资者提供包括权益、固收及另类投资等类别的双向及跨境资产管理服务,并在香港本地、欧洲及美国布局了多只公募、私募及 ETF 产品。

公司旗下产品多次被包括 Morningstar、Lipper、AsianInvestor、Benchmark 在内的权威机构授予殊荣,所获成绩在同行业中遥遥领先。

易方达香港的母公司是易方达基金管理有限公司,成立于 2001 年,总部位于广州,旗下设有北京、广州、上海等分公司和易方达香港、易方达资产管理有限公司等多个子公司。截至2016年12月31日，易方达基金员工601人，服务客户5264万户，旗下管理的各类资产总规模（含香港和国内子公司）10491亿元，其中公募基金规模4283亿元，排名行业第三，并已连续12年排名行业前五，属中国规模最大的综合性资产管理机构之一。易方达基金拥有公募、社保、企业年金、专户、QDII、QFII、RQFII等中国基金行业全部业务牌照。2014年8月，易方达基金通过了全球投资业绩标准（GIPS）的独立验证，在投资业绩上的评估已达到国际标准，在国际化的道路上又迈出了坚实一步。

【各项业务发展】

自2008年易方达香港设立之日起，易方达基金就全力支持易方达香港公司的各项业务发展，在战略规划、企业文化、治理结构、产品研发、投资研究、运作管理和人力资源等多方面给予支持。

1. 作为2008年首批在香港设立子公司的境内基金公司之一，易方达基金为易方达香港制定了清晰明确的战略目标和业务定位，即积极服务和满足国际投资者对中国资产的配置要求，同时探索研究中国投资者对海外资产的配置要求。这一目标和定位确保了易方达香港在成立之后各项业务发展始终保持在既定的方向上，不走弯路，并不断取得突破性的成绩。

2. 企业文化是企业的灵魂与核心竞争力，是企业信奉并付诸于实践的价值理念，它包括企业的经营观念、

行为准则、知识成果、精神风貌、职工心态、舆论环境等内容。易方达基金充分认识到企业文化的重要性，并积极推动易方达香港的企业文化建设，使其与易方达基金保持高度一致，双方共同践行“持信、抱朴、存谐、笃进”的企业文化理念。“持信”是指树立并保持信念，有做好事业的信心，强化受托责任意识，讲究诚信，树立信誉；“抱朴”是尊重规律，实事求是，朴素简单，谦逊务实；“存谐”指在理念和价值取向上追求志同道合；在人际关系上提倡简单、坦诚，相互信任、相互理解和相互尊重；在责权机制上鼓励分享担当、协同精进；“笃进”指潜下心来，以平和扎实的态度终身学习思考，不断修炼提高自己的综合素质的同时，保持开放的心态，积极进取，勇于创新，鼓励创造性开展工作。

3. 健全的公司治理是公司长期稳健发展的坚实基础。基于这一认识，自易方达香港子公司设立以来，易方达基金不断致力于协助健全香港子公司的治理结构，严格按照法律法规和监管部门的规定和要求，建立规范、有效、合理的治理结构，保持易方达香港规范运作。在治理结构上，易方达香港的董事长由易方达基金总裁刘晓艳博士兼任，董事会成员均由易方达基金高管兼任，易方达香港CEO黄高慧女士由易方达基金派驻。这样的安排确保了易方达香港团队的稳定性、业务的连贯性和文化的一致性。

4. 人力资源是公司发展的核心，境外子公司在设立之初，易方达基金协助易方达香港公司进行核心人才的招聘、设计公司的组织框架，并协助其建立人力资源管理体系、薪酬福利体系等多类人力资源管理系统。易方达香港在运营过程中，易方达基金也会针对考核机制的优化、薪酬福利的调整、优秀人才的保留等多方面为易方达香港提供咨询或指导，确保易方达香港的人力资源管理保持稳定和高效。

5. 在产品研发方面，易方达基金在产品线规划、产品设计、产品发行等多方面协助易方达香港子公司，并与子公司通力合作，不断推出市场需求高、业绩表现好的投资产品。2012年2月，易方达香港推出旗下首只RQFII基金——易方达人民币固定收益基金，该基金三年和四年业绩均获晨星最高的5星评级，在首批21只RQFII产品中持续保持业绩排名第一，同时获得了Lipper、AsianInvestor、Benchmark在内的多个权威的各项大奖。2014年5月，易方达香港推出欧洲首只追踪MSCI中国A股指数的ETF，ETFS – E Fund MSCI China A GO UCITS ETF，在伦敦证券交易所、德国证券交易所、纽约泛欧阿姆斯特丹交易所和意大利证券交易所挂牌上市。2014年12月，易方达香港在纽约证券交易所挂牌上市金瑞易方达中国短融ETF，这是一只境外可直接投资于中国银行间票据市场的RQFII债券ETF。该产品自成立以来得到境外投资者的认可，已成为目前美国市场上最大的RQFII债券ETF之一。2015年易方达香港获得QDIE和QFLP资格，同时在易方达基金的支持下，分别成立了国际投资部、另类投资部及美国公司。

2016年国际投资部推出的主动管理型高派息股票基金策略及大中华优选20股票基金策略，均大幅跑赢同类指数。多年来，易方达香港从境内外机构投资者资产配置的角度出发，着力推出了多只需求旺盛、市场容量大且可复制性强的核心基金产品。

6. 在投资研究方面，易方达基金与易方达香港共享投研经验，并给予其有力的业务支持。首先，易方达基金与易方达香港分享投研经验、业务流程、投资管理系统和风控体系，帮助香港子公司建立有效的投研流程、提高投资效率；其次，易方达基金全权管理易方达香港公司募集的投资于中国市场的海外资金，使得易方达香港能够专注于管理中国境内投资于海外市场的资金。这些年来，易方达基金对易方达香港在投研领域的支持取得了丰硕成果。例如，作为香港地区首批试点的RQFII机构，易方达香港在2012年2月份成立了“易方达人民币固定收益基金”，该产品由易方达基金派出经验丰富的基金经理管理，其投资业绩自成立以来就一直保持在同行的领先水平，截至2017年3月31日，累计收益率为A类34.0%；I类37.3%，其表现始终优于同类产品。

7. 在运作管理方面，易方达基金向易方达香港提供核心运作管理系统，例如投资管理系统、风险管理系统等，并与易方达香港一起不断培养运营团队。通过五年多的努力，易方达香港打造了一支强大的跨境运营团队，实现了跨市场、跨时区、多币种、多资产的基金运营目标，能够同时满足注册在香港、开曼、欧洲和美国等不同国家和地区产品的高效运作。

在易方达基金的全力扶持下，易方达香港经过多年积累，已经形成了三个不同方向的成熟产品线，分别是：大中华区固定收类产品系列（包括通过QFII，RQFII投资于中国内地债券市场的产品，和投资于海外中资债券的产品）；大中华区权益类产品系列（包括QDII产品）以及另类投资产品（包括一级及一级半市场的产品，如私募股权及IPO项目）系列。截至2016年底，易方达香港管理资产约400亿人民币。展望未来，结合易方达基金“以资产管理业务为核心的世界级金融企业”的战略愿景，易方达香港致力于运用专业化的投研和管理能力，为国内及全球投资者打造一个双向及跨境全方位资产配置平台，在中国资产管理公司不断国际化的征程中继续担当领导者的作用。

【联络方式】

地址：香港中环金融街八号国际金融中心二期
35楼01及02室

电话:(852)39290960
传真:(852)31949166
邮箱:clientservice@ efunds. com. hk

富国资产管理(香港)有限公司

【公司概况】

富国资产管理(香港)有限公司(下称"富国香港")为富国基金管理有限公司(下称"富国基金")全资子公司。根据中国证监会《关于核准富国基金管理有限公司在香港设立富国资产管理(香港)有限公司的批复》(证监许可〔2012〕668 号),富国基金在香港特别行政区成立富国香港(Fullgoal Asset Management (HK) Limited)。富国香港已于2012 年 9 月 24 日获得香港证券及期货事务监察委员会颁发的第 4 类(就证券提供意见)和第 9 类(提供资产管理)牌照,其后在 2014 年 3 月 12 日,获得香港证券及期货事务监察委员会颁发的第 1 类(证券交易)牌照,并于 2012 年 12 月 17 日经中国证监会批准获得人民币合格境外机构投资者资格(RQFII),2015 年 4 月 8 日获得合格境外机构投资者资格(QFII)。

富国基金成立于 1999 年,是国内首批设立的十家公募基金管理公司之一。公司注册资本为 1.8 亿元人民币,总部设于上海,在北京、广州、成都设有分公司,在香港设有资产管理子公司。

2003 年,加拿大历史最悠久的银行——加拿大蒙特利尔银行参股富国基金,为富国基金带来了先进的国际理念和管理技术,并使富国基金更快的融入到金融全球化浪潮中,为广域的投资者提供专业的基金投资理财服务。

【市场成就】

过去 2 年富国香港有多类型产品和服务推出市场包括 2015 年 5 月发行私募对冲基金 Fullgoal China Opportunities Fund。2016 年富国香港与全球指数供应商富时合作,于 6 月在卢森堡发行 Fullgoal FTSE China Onshore Sovereign and Policy Bank Bond 1 - 10Year Index ETF。此产品获得授权追踪富时中国在岸政府和政策性银行债券 1 - 10 年指数,为中国在岸债券市场国际化发展的先驱。2016 年 9 月在卢森堡发行 Fullgoal China Small - Mid Cap Growth Fund。

2016 年底富国香港引进一全球顶尖主权基金投资中国市场,为海外投资者开拓新的投资机遇。除此以外,富国香港的成就亦获得行业认可。Fullgoal China Growth Fund Segregated Portfolio 在 2015 年彭博离岸中国基金奖颁奖典礼中获得 Best Total Return - Greater China Equity Award,标志着富国香港一直致力于为投资者创造价值,共同建立互相信任的长期合作伙伴关系。

目前,富国基金的主要产品和服务包括 QDII 在内的共同基金管理、特定客户资产管理、企业年金基金管理、全国社保基金管理和 QFII 投资顾问业务等。截至 2016 年底,富国基金共管理运作 78 隻公募基金、175 个特定客户资产管理计划及企业年金基金专户,管理资产规模超过 4,228 亿元,其中公募基金总资产规模 2,092.22 亿元,长期基金资产规模位列行业前十位,成立以来累计实现基金分红超过 291 亿元。

依托母公司投资实力,富国香港定位于具备优势的细分投资领域,致力于成为"多策略投资专家":投资聚焦于业务主要在中国的公司,在"自下而上"对公司详细调研分析的基础上,通过成长股票类、固定收益类和量化投资类三大领域,建立多市场多策略的投资之道。

【联络方式】

地址:香港中环德辅道中 68 号万宜大厦 24 楼 2404 - 2405 室
电话:(852)37133000
传真:(852)37133023
邮箱:info@ fullgoal. com. hk
网址:www. fullgoal. com. hk

【01788.HK】国泰君安国际控股有限公司

【企业概况】

国泰君安国际控股有限公司("公司"或"国泰君安国际",股票代码:01788.HK)通过提供一站式全球交易平台,高效的融资支持、专业的投行服务、丰富的资管产品、多元化的创新产品及服务,为内地企业海外融资创造机遇,为内地和海外投资者的跨境投资提供便利。

国泰君安国际在跨境投融资领域一直保持业内领先地位。公司于 1995 年进入香港市场,是首批在香港开展业务的中资券商。2010 年通过 IPO 在香港上市成为在香港交易所主板上市的第一家中资投行。2011 年入选香港恒生综合指数金融成份股,2015 年被纳入为恒生综合大中型股指数成份股。近年来,国泰君安国际凭借多元化的业务线和产品创新,总资产迅速扩张。

受益于借贷及融资、企业融资、固定收益证券、结构性金融产品和做市业务发展迅速,公司逐步由以证券经纪为主的传统型券商演变成为一家以优化客户回报为目标,提供度身定做金融产品和投融资服务的财富管理专家。公司管理层一直秉承审慎稳健的管理风格,在强调以创新求发展的增长模式同时,有效管控市场风险、信用风险、操作风险和合规风险,受到内地和海外客户及公司股东的高度认可及信任。截至 2016 年底,公司客户总数超过 13 万。

【市场成就】

2012 至 2016 年间,国泰君安国际股本回报率持续保持在两位数以上,在证券和金融行业首屈一指。在 2016 年上半年股市大幅波动和经济放缓的不利背景下,公司 2016 年实现收益 25 亿港元,较上年增长 11%;年内溢利 10 亿港元,继续保持稳定上升。公司在年内持续多元化发展,金融产品,做市及投资、企业融资、贷款及融资成为公司主要的增长动力,相应收入分别同比增长 135%、62% 及 21%。

展望未来,国泰君安国际充满信心。公司将以稳健经营、突出风控的价值理念,以创新的产品和服务帮帮助我们的客户实现财富保值增值,保持公司盈利跨市场周期持续稳步上升。

【公司优势】

风险管理创造价值

公司通过完善的风控体系、严密的风控制度、明确的风险偏好和指标,有效地将风险管理渗透到各业务线,确保业务收入和盈利表现持续稳定增长,从而为公司创造价值。2016 年国泰君安国际获标普 BBB 级、穆迪评 Baa2 级信用评级,同年更被《亚洲风险杂志》评为 2016 年度最佳券商。

领先在线交易平台

国泰君安国际拥有强大的在线交易平台,提供一站式全球证券、期货、外汇交易服务,并提供移动应用,支持 8 个市场股票交易、超过20个期货及期权市场、8种主要货币对及21种交叉货币对的杠杆式外汇交易。

强大的母公司支持

国泰君安国际是中国证券行业居领先地位的国泰君安证券股份有限公司(股票代码:601211. SH)的主要境外业务平台及国际化发展关键支点。母公司强大的品牌优势、广泛的客户基础和充沛的资本支持,将成为国泰君安国际在未来持续增长再创辉煌的巨大推动力。

【联络方式】

投资者关系/公关咨询

电话:(852)25092604

传真:(852)25090030

邮箱:lydia. zhong@ gtjas. com. hk

【02388. HK】中银香港(控股)有限公司

【企业概况】

中国银行于1917年在香港设立机构,经过百年发展,从当年不到10名员工的简陋分号至现时拥有香港最大分行网络的主流金融集团,不仅在香港经济发展中发挥举足轻重的作用,也为香港社会繁荣稳定作出了重要贡献。

中国银行(香港)有限公司(“中国银行(香港)”或“中银香港”)是一家在香港注册的持牌银行。2001年,中银集团重组其在香港的机构,合并了原中银集团香港十二行中十家银行的业务,并同时持有香港注册的南洋商业银行(“南商”)、集友银行(“集友”)和中银信用卡(国际)有限公司的股份权益,使之成为中银香港的附属机构。为配合中国银行股份有限公司(“中国银行”)及中银香港在东盟及香港地区的战略布局,中银香港分别于2016年5月及2017年3月完成出售其持有的南商及集友的全部股权,同时积极推进东南亚区域的业务整合。

2016年10月,完成对中银马来西亚的收购;中银香港第一家海外自建机构文莱分行于2016年12月顺利开业,实现了中国银行对东盟十国金融服务的全覆盖;我们亦于2017年1月完成收购中银泰国,于2017年2月与母行就收购印尼业务和柬埔寨业务分别签订收购协定,区域化发展取得重大进展,逐步实现向区域性银行的转型。

中银香港在各主要业务市场位居前列,并在香港拥有最庞大的分行网络及多元化的服务渠道,包括197家分行,以及1 000多部自助设备、网上银行及手机银行等高效电子渠道,为个人、各类企业及机构客户提供多元化的金融及投资理财服务。中银香港是香港三家发钞银行之一,亦为香港人民币业务的清算行。凭借在人民币业务的优势,我们的人民币服务成为客户的当然选择。透过与母行中国银行的紧密联动,我们为跨国公司、跨境客户、内地「走出去」企业,以及各地央行和超主权机构客户提供全方位及优质的跨境服务。

中银香港的控股公司中银香港(控股)有限公司(“本公司”)于2001年9月12日在香港注册成立,并于2002年7月25日开始在香港联合交易所主板上市,是香港最大上市公司及商业银行集团之一,股份代号“2388”,美国预托证券场外交易代码“BHKLY”。

十家银行包括中国银行香港分行,七家内地成立银行(广东省银行、新华银行、中南银行、金城银行、国华商业银行、浙江兴业银行和盐业银行)的香港分行,以及香港注册的华侨商业银行和宝生银行。

【企业文化】

我们的愿景是:您的最佳选择

我们的使命是:服务客户、优质专业、激励员工、尽展所长、回报股东、增创价值。

我们的核心价值观是:以人为本——我们珍惜每个人

团结协作——我们共同协作,迈向成功

讲求绩效——我们按成就给予奖赏及报酬

进取创新——我们鼓励创意

恪守诚信——我们诚实可靠,坚守商业道德和操守

关爱社会——我们关心社会并致力回馈社群

【联络方式】

地址:香港干诺道西68号中银信用卡中心20楼

电话:(852)28538888

传真:(852)25415415

网址:www. boci. com. hk

邮箱:inquiry@ boci. com. hk

【00218. HK】申万宏源(香港)有限公司

【公司概况】

申万宏源(香港)有限公司(以下简称“申万宏源香港”)是申万宏源证券有限公司境外业务的旗舰机构,也是最早到香港发展业务的中资证券机构之一,目前在香港联交所主板上市(代码00218)。

经过多年的发展,申万宏源香港已经成为拥有20多亿净资产、近400名员工的中等规模证券公司,业务领域涵盖投资银行、证券经纪、证券和商品期货、资产管理、投资咨询及股票质押贷款,具备香港主板市场和创业板市场主保荐人资格。申万宏源香港总部设立在香港轩尼诗道28号19楼,另设四家分行,分别位于金钟、上水、元朗和荃湾商业区。申万宏源香港先后在东京、首尔、伦敦设立代表处,在新加坡设立子公司并持有证券交易、资产管理牌照,在巩固亚太地区业务的同时,为进入欧美市场做好准备。

申万宏源香港建立综合交易平台,除香港交易所上市产品之外,亦提供美国、日本、澳大利亚、英国等股票市场网上交易服务,并连通全球主要金融和商品期货交易所,交易品种包括指数、利率、外汇、能源、金属、农产品等50余种金融和商品期货及期权合约。

申万宏源香港大力发展跨境资产管理业务,2012年成为香港市场第一批获得RQFII资格的中资证券公司,持有RQFII、QFII、QFLP业务牌照,提供多种跨境投资管道。

【市场成就】

申万宏源香港积极帮助内地和境外企业来香港上市、收购和融资,先后担任27家企业主板和创业板上市保荐人,参与了超过250家企业上市的包销业务。

申万宏源香港将依托母公司的竞争优势和区位优势,聚焦“一带一路”跨境金融业务,积极实施“多元化、平台化和国际化”公司发展战略,为各类机构、企业和零售客户提供更加全面、周到、专业的金融服务。

【联络方式】

地址:香港轩尼诗道28号19楼

总机:(852)25098333

传真:(852)35258451

邮箱:enquiry@ swhyhk. com

网址:www. swhyhk. com

【03328.HK】交通银行股份有限公司

【公司概况】

交通银行始建于1908年（清光绪三十四年），是中国历史最悠久的银行之一，也是近代中国的发钞行之一。交通银行成立后，经办轮、路、邮、电等交通四政存款，还受政府委托分理国家金库、办理国外款项、发行兑换券、经办国内外汇兑及一般银行业务。新中国成立前，交通银行与中央银行、中国银行、中国农民银行并列为中国四大银行，在近代中国金融史上占有重要地位。1958年，交通银行内地业务分别并入当地人民银行以及在交行基础上成立的中国人民建设银行，交行香港分行则持续营业。

1986年，国务院批准重新组建交通银行。1987年4月1日，重新组建后的交通银行正式对外营业，成为中国第一家全国性的国有股份制商业银行，总行设在上海。重新组建后的交通银行，身兼双重历史使命，既是百年民族金融品牌的继承者，又是中国金融体制改革的先行者，实现了六个“第一”：第一家资本来源和产权形式实行股份制；第一家按市场原则和成本—效益原则设置机构；第一家打破金融行业业务范围垄断，将竞争机制引入金融领域；第一家引进资产负债比例管理，并以此规范业务运作，防范经营风险；第一家建立双向选择的新型银企关系；第一家可以从事银行、保险、证券业务的综合性商业银行。

2004年，国务院批准《交通银行深化股份制改革整体方案》。根据改革方案，交通银行2004年完成以增资扩股和集中处置不良贷款为核心内容的财务重组，在国有五大银行中第一家完成财务重组；2004年成功引进汇丰银行作为境外战略投资者，在国有五大银行中第一家成功引进外资；2005年成功发行H股并在香港联交所主板挂牌上市，成为中国境内第一家赴境外发行上市的商业银行；2007年成功发行A股并在上海证券交易所挂牌上市。

交通银行是中国主要金融服务供应商之一，业务范围涵盖商业银行、证券、信托、金融租赁、基金管理、保险、离岸金融服务等。截至2016年末，交通银行境内分行机构232家，其中省分行30家、直属分行7家、省辖行195家，在全国236个地级和地级以上城市、167个县或县级市共设有3,285个营业网点；旗下全资子公司包括交银国际、交银保险和交银租赁，控股子公司包括交银基金、交银国信、交银人寿及大邑交银兴民村镇银行、浙江安吉交银村镇银行、新疆石河子交银村镇银行、青岛崂山交银村镇银行。此外，交行还是江苏常熟农商行的第一大股东、西藏银行的并列第一大股东，并战略入股海南银行。

目前，交通银行已在16个国家和地区设立了20家分（子）行及代表处，分别是香港分行、纽约分行、东京分行、新加坡分行、首尔分行、法兰克福分行、澳门分行、胡志明市分行、旧金山分行、悉尼分行、台北分行、伦敦分行/英国子行、卢森堡子行/卢森堡分行、布里斯班分行、交银（卢森堡）巴黎分行、交银（卢森堡）罗马分行、巴西BBM银行（交银BBM）和多伦多代表处，境外营业网点共65个（不含代表处）。

2015年，国务院批准《交通银行深化改革方案》。围绕探索大型商业银行公司治理机制、实施内部经营机制改革、推进经营模式转型创新三大重点，交通银行稳步推动深化改革项目落地实施。一年多来，交行深化改革工作取得阶段性成果，改革红利逐步释放，转型动力有效激发，核心发展指标不断提升。截至2017年一季度末，交通银行集团资产总额达人民币87,337亿元，一季度实现净利润人民币193.23亿元。2016年，交通银行已连续八年跻身《财富》（FORTUNE）世界500强，营业收入排名第153位；位列《银行家》（The Banker）杂志全球1000家大银行一级资本排名第13位，连续三年跻身全球银行20强。

交通银行作为一家历史悠久、战略清晰、治理规范、经营稳健、服务优质的国有大型银行集团，将始终紧紧围绕落实国家战略和服务实体经济，不断推进深化改革、转型发展、从严治党，努力为广大客户提供更好服务，为股东创造更多价值，为社会做出更大贡献！

【企业文化】

企业发展战略：走国际化、综合化道路，建设以财富管理为特色的一流公众持股银行集团（简称“两化一行”战略）；

企业愿景：建设中国最佳财富管理银行；

企业精神：拼搏进取、责任立业、创新超越；

企业使命：创造共同价值；

经营理念：一个交行、一个客户；

广告语：百年交行——您的财富管理银行。

【联络方式】

地址：上海市浦东新区银城中路188号

邮编：200120

电话：021－58766688

传真：021－58798398

邮箱：investor@bankcomm.com

网址：www.bankcomm.com

【00023.HK】东亚银行有限公司

【公司概况】

东亚银行有限公司（“东亚银行”）于1918年在香港成立，一直致力为香港、中国内地，以及世界其他主要市场的客户，提供全面的企业银行、个人银行、财富管理和投资服务。

东亚银行是香港最大的独立本地银行，于2016年12月31日的综合资产总额达港币7 657亿元（987亿美元）。东亚银行于香港联合交易所上市，为恒生指数成份股之一，现于香港设有78间分行、55间显卓理财中心和10间i－理财中心，网络为全港最大之一。

在中国内地，东亚银行早于1920年已在上海开设分行为客户服务。目前，东亚银行集团为内地网络最庞大的外资银行之一，网点遍布内地44个城市。

多年来，东亚银行在内地市场声誉卓着，在多方面均屡创先河，为内地客户提供创新和增值的银行服务。其主要卓越成就包括：成立东亚银行（中国）有限公司，是首批获中国银行业监督管理委员会批准在内地注册成立的全资附属外资法人银行之一（2007年），为广泛客户群——包括内地居民及企业——提供全面的银行和金融服务；

首家在内地发行人民币借记卡及信用卡的外资银行（2008年）；及首家在香港发行人民币零售债券的外资银行（2009年）。

在海外地区，东亚银行在东南亚、英国和美国设有据点。现时，集团在全球——包括香港及大中华其他地区，共设有逾210个网点，并聘用超过10,000名员工。

东亚银行以周全的企业及个人银行、金融和保险服务称着，竭诚照顾广大客户群的需要。本行分设企业银行、个人银行、财富管理、保险及退休福利、资金市场、中国业务总部及国际业务等分处，无论批发及零售银行服务，式式俱备。

产品和服务范围涵盖银团贷款、贸易融资、存款、外币储蓄、汇款、按揭贷款、私人贷款、信用卡、电子网络银行服务、零售投资和财富管理、私人银行、人民币服务、外汇孖展交易、经纪服务、强制性公积金服务、以及一般保险和人寿保险。

除了上述主要产品和服务外，东亚银行集团还透过附属公司进一步扩展个人和企业服务。东亚人寿保险有限公司及蓝十字（亚太）保险有限公司为集团拓展保险业务，分别承保人寿保险和一般保险产品。

【企业文化】

企业使命：东亚银行竭力提供最卓越的金融服务，遵行最高之专业和

诚信准则。我们承诺提高服务质素，致力满足客户之需要，并以与客户、股东、员工与时并进为目标。

【联络方式】

地址：香港德辅道中 10 号

电话：(852)36083608

邮箱：info@ hkbea. com

网址：www. hkbea. com

【00111. HK】天成国际集团控股有限公司

【公司概况】

天成国际集团控股有限公司（“本集团”或“天成国际”，香港股份代号：0109. HK）是一个新型的国际性产业金融投资平台，致力于帮助中国资本“走出去”，进行跨境资源和海外技术整合，旨在成就新兴产业崛起。天成国际的前身为金威资源，于 1998 年在香港联合交易所上市，2015 上半年，集团进行重组，6 月 29 日，金沙江创投创始合伙人及董事总经理伍伸俊先生获委任为公司董事会主席，同时集团改组完成。天成国际作为新兴产业金融投资平台，放眼全球，不断寻找拥有核心技术、能引起颠覆性改变行业生态的高增长型龙头企业，主要投资方向包括清洁能源、互联网金融、生物医药、以及金融投资、大宗商品、文化产业等几大新兴板块。本集团的金融平台通过产业融资，股权投资、基金管理、企业兼并及投后管理，充分发挥杠杆效益，将中国的资源和市场与全球的核心技术相结合，通过杠杆，实现跨境套利、技术套利。

在全球并购市场交易活跃的时代背景下，天成国际拥有的独特优势使得本公司能够把握这个浩浩荡荡的历史潮流，为中国资金走出去提供一个专业的、全球化的产业金融平台，具体来说：本公司已经获得了部分中国具实力的中国金融机构的信托，并购基金拥有强大的募资能力；管理团队成员拥有多年产业和投资经验，对中国以至全球业务拥有深厚认知及了解；能够发起及促成地区间 10 亿美金至 100 亿美金规模的重大交易；为首个公开上市的一般合伙人结构，拥有独特灵活性及融资渠道。

【企业文化】

企业愿景和目标：放眼全球，世界经济总体下行正为人民币跨境投资创造着不可多得的良机，国家整体战略亦在为中国资本“走出去”提供一个专业平台。天成国际通过重组转型，顺应中国产业金融的庞大需求，通过独到及富前瞻性的眼光，整合国际最前沿的科技资源以及稀缺资源，实现跨境套利、科技套利；并与国内的市场及产能进行资源整合，提升资产价值，助力中国推进产业结构调整的同时，获取丰厚利润，达至双赢，致力于将本公司打造成为香港资本市场值得信赖的金融投资管理公司、对世界产业金融有影响力的高效投资平台。

【联络方式】

地址：香港上环干诺道中 168 至 200 号信德中心西座 33 楼

电话：(852)25878368

传真：(852)25878369

邮箱：IR－PR@ HKEX109. HK

网址：www. hkex109. hk

【00111. HK】信达国际控股有限公司

【公司概况】

信达国际控股有限公司（“信达国际”，香港交易所股份代号：00111）为一家金融服务机构，由中国信达资产管理股份有限公司（“中国信达”）透过全资附属公司中国信达（香港）控股有限公司控股。

中国信达前身“中国信达资产管理公司”成立于 1999 年 4 月，是经国务院批准，为有效化解金融风险、维护金融体

系稳定、推动国有银行和企业改革发展而成立的首家金融资产管理公司。于 2010 年 6 月，中国信达资产管理公司整体改制为中国信达资产管理股份有限公司，并于 2012 年 4 月，引进全国社会保障基金理事会、UBSAG、中信资本控股有限公司及渣打银行四家战略投资者，并于 2013 年 12 月，在香港联合交易所主板以“H”股挂牌上市，成为首家登陆国际资本市场的中国金融资产管理公司。中国信达的分支机构遍布于全国 30 个省市，附属公司包括中国信达（香港）控股有限公司、信达投资有限公司、中润经济发展有限责任公司、信达澳银基金管理有限公司、信达证券股份有限公司、信达期货有限公司、幸福人寿保险股份有限公司、信达财产保险股份有限公司、中国金谷国际信托有限责任公司、信达金融租赁有限公司及信达地产股份有限公司等。

信达国际在中国信达迈向综合化及国际化的发展历程中担当重要角色，凭借母公司的支持，有助于优化综合金融服务和提升市场地位，积极发挥与母公司的协同效应，将为信达国际拓展新的发展空间。

信达国际旗下业务涵盖企业融资、企业财务顾问、证券交易、商品及期货交易、资产管理及财富管理等，全方位照顾个人、工商企业及机构客户的需要。信达国际业务以资产管理、投行及经纪业务为核心，经过过去数年的发展，管理多个不同类型的基金及投融资项目；投行业务亦主导及参与过多个上市保荐项目如龙源电力、北京金隅、大唐新能源、金宝宝、中信证券、青蛙王子、中国普甜、巨大国际、天马娱乐、迅捷环球及蔼华押业等，并有多个财务顾问及独立财务顾问项目；经纪业务方面，信达国际持有香港证监会经营证券、期货交易的牌照及中国证监会 B 股交易牌照，经营范围包括世界主要证券及期货市场。

信达国际为香港中国企业协会、香港中资证券业协会、香港证券专业学会、香港雇主联合会、香港上市公司商会、香港证券经纪业协会、独立理财顾问协会及香港保险顾问联会会员。2008 至 2015 年连续八年获颁环境保护运动委员会及环境保护署等主办的“香港环境卓越大奖”服务及贸易业界别优异奖，并于 2016 年获香港社会服务联会颁发 10 年 Plus“商界展关怀”标志的商业机构。

【企业文化】

企业公民：作为一家良好的企业公民，信达国际除了为顾客提供优质的产品和服务外，多年来亦积极实践企业公民责任。集团与旗下员工一直热心公益，活跃于各类慈善及募捐活动，造福弱势社群。集团更成立义工队，鼓励员工积极参与义务工作，回馈社会。信达国际参与的社会责任活动涵盖文化教育、环境保护及公益慈善筹款活动等。

“商界展关怀”及社责计划：信达国际在过去持之以恒，积极筹办及参与各项公益活动，关心社群、致力实践企业公民责任，其表现广受社会认同。集团于2016年获香港社会服务联会颁发“10年 Plus 环境保护商界展关怀”标志嘉许，以表扬集团于三大范畴——关怀社区、关怀员工及爱护环境工作上的表现，实践了良好企业公民精神。

环境保护：信达国际致力推动环保并鼓励员工实践低碳生活。信达国际除了积极推行相关的环保政策及办公室环保方案外，还安排/参加不同类形的绿色活动，包括“地球一小时”、“世界环境日”、“理光世界环保行动日”、“公益绿识日”、安排不同类型的环保工作坊等。

而自2011年10月起，信达国际便成为世界自然基金会香港分会纯银会员，信达国际希望借着会员计划，支持保育及教育工作。在集团不断的努力下，集团已连续八年获颁由环境保护运动委员会联同环境保护署及其他九个机构合办的“香港环境卓越大奖”（前称香港环保卓越计划）的界别卓越奬（服务及贸易业界别）优异奬，以表扬集团一直以来对环境保护工作的努力，及赞扬集团于环保管理工作上的卓越表现。

此外，集团在2016年首次获颁“汇丰营商新动力2015绿色成就奖（杰出奖）及雇员关怀奖（优异奖）”，该奖旨在嘉许中小企的可持续发展计划，在中小企业务营运中实践社会及环境负责任的可持续营商手法，以提高竞争和生产力。此奖项让集团在持续发展方面的工作再次获得肯定。

【联络方式】

地址：香港皇后大道中183号中远大厦45楼
网址：www. cinda. com. hk
电话：(852)22357888
传真：(852)22357878
邮箱：cs@ cinda. com. hk

【00133. HK】招商局中国基金有限公司

【公司概况】

招商局中国基金是在香港联合交易所上市的投资公司，首期资本总额为1亿美元。本公司的主要业务是在中国进行投资，其投资方式是直接参股中国高素质的投资项目，主要对象为非上市企业。本公司亦可投资于高科技项目，包括首次公开招股及上市前配股，但累计投资额将不超过1,000万美元；亦可投资不多于其资产净值10%于中国概念股，“H”股，“B”股，及在香港特别行政区上市的公司之股票，该等公司之主要业务及收入必须是来自中华人民共和国（包括香港特别行政区）。

本公司于1993年开始投资业务，至今投资组合中之项目分布于金融服务业、文化传媒及消费、制造、能源及资源、资讯科技、医药、教育等行业。

在拥有丰富中国投资经验的著名国家驻港大型企业集团——招商局集团的支持下，本公司在中国项目来源及项目管理上拥有较大优势。

【企业文化】

我们的愿景：建设具有国际竞争力的世界一流企业
我们的使命：以商业成功推动时代进步
我们的价值观：与祖国共命运，同时代共发展
我们的理念：崇商、创新、均衡、共赢
我们的精神：爱国、自强、开拓、诚信

【联络方式】

地址：香港皇后大道东1号太古广场3期1609室
电话：(852)28589089
传真：(852)28588455
邮箱：info@ cmcdi. com. hk

【00172. HK】金榜集团控股有限公司

【公司概况】

金榜集团控股有限公司是一家于香港注册成立之投资控股公司，其股份于香港联合交易所有限公司上市（香港联合交易所上市编号：00172）。本公司及其附属公司是一家综合性金融服务提供者，在中华人民共和国境内提供创新的一站式融资方案给中小型企业；以及作为一个私募股权房地产基金管理公司，专注于投资于不同地区的发达经济体。

【企业文化】

愿景：成为中国一个主要的非银行金融服务供应商，通过作为私募股权房地产基金管理公司（49%股权）和通过房地产基金在不同地区的发达经济体房地产投资的商机，以多元化的溢利来源。

使命：支持中小型企业在中国的业务增长，并通过基金管理和房地产投资更加多元化的全球溢利来源，以创造可持续的价值给我们的股东。

【联络方式】

地址：香港金钟道89号力宝中心第1座39楼3901室
电话：(852)21115666
传真：(852)28269289
邮箱：contact@ goldbondgroup. com

【00188. HK】新华汇富金融控股有限公司

【公司概况】

新华汇富金融控股有限公司总部位于香港，并于北京、上海、深圳及多伦多均设有办事处。本公司自1990年成立以来一直稳步发展，同时悉心构建一个植根亚洲，同时面向世界且稳健的营商网络。新华汇富借此成为香港本地最佳经纪公司之一，拥有傲视同侪的分销网络，我们放眼世界之愿景，亦令我们在同侪中广受推崇。自2000年起，本公司于香港联交所上市，股份代号：00188。

透过获证监会发牌的附属公司，新华汇富致力配合客户之金融及理财目标，为客户提供股票/衍生产品经纪、股票资本市场集资、企业融资及资产管理的优质服务。凭借我们于资本市场的卓越往绩记录，本着热情和诚信服务客户，本公司曾在亚洲货币（Asian Money）杂志的“香港最佳证券商”选举中连续五年处于三甲位置。

新华汇富为多元化客户群提供全方位的服务及产品，我们的客户包括企业、上市公司、基金经理和个别投资者。我们除作为香港联合交易所参与者外，本公司同时拥有牌照，可于

上海证券交易所及深圳证券交易所买卖 B 股。新华汇富为新华集团之附属公司，新华集团为知名的亚洲及国际性企业集团。

【企业文化】

使命：新华汇富力臻至善。我们不断努力在香港中型金融服务供应商中成为客户的首选，并加强发展国际业务，坚持以客为先和严谨的商业操守。

结合远瞻、创新及集团之核心价值，我们于市场上持守稳建位置，并同时以更高灵活性探索新机会及应对多变的经济环境。

核心价值：新华汇富实践诚信、团队精神、尊重、责任感及力臻至善的价值。我们相信成功的公司乃建基于该等核心价值，在每个业务范围内引导我们的想法及行为。

【联络方式】

地址：香港金钟道 89 号力宝中心一座 7 楼

电话：(852)22837000

邮箱：hongkong@ sunwahkingsway. com

网址：www. sunwahkingsway. com

【00273. HK】民信金控有限公司

【公司概况】

透过多间集团附属公司，民信金控提供经纪业务、资本市场、企业融资、基金及资产管理、并购融资、楼宇按揭、研究及财富管理解决方案。同时，民信金控亦提供母婴童产品、RHA 和 DNA 分析及辅助生殖等高端医疗服务。

民信金控亦致力发展其于中国内地的业务。于 2016 年 3 月，民信金控与多间金融机构合资于中国(上海)自由贸易试验区注册成立申港证券股份有限公司(“申港证券”)，注册资本为 35 亿人民币。申港证券是首家在《内地与香港关于建立更紧密经贸关系的安排》(“CEPA”)补充协议框架下，被批准以多牌照经营的两地合资证券公司，并将于公司设立一年后申请成为全牌照经营。申港证券的成立是民信金控拓展中国内地业务的重要里程碑，民信金控于申港证券的总投资额为 5. 25 亿人民币，持股 15%，是该公司的最大股东之一。

民信金控未来将会继续拓展其健康及财富管理业务。除继续积极推动并优化现有的服务外，民信金控亦准备提供更多元化的健康及财富管理解决方案，矢志成为一个多元化的健康及财富管理服务平台，立足香港，面向国际。

【企业文化】

民信金控致力为本公司维持高水平之企业管治及诚实公正，确保高透明度及有充足的披露。

【联络方式】

地址：香港中环皇后大道中 99 号中环中心 47 楼 4708 – 10 室

电话：(852)22182828

传真：(852)22182992

邮箱：info@ masonhk. com

网址：www. masonhk. com

【00290. HK】中国富强金融集团有限公司

【公司概况】

中国富强金融集团有限公司为一家于香港联合交易所挂牌上市的投资控股公司，股份编号为：00290；主要专注金融服务行业。透过旗下主要附属公司富强金融(控股)有限公司，集团持有富强证券有限公司、富强财富管理有限公司、富强资产管理有限公司、富强金融资本有限公司；富强财务有限公司及设于深圳、北京的代表办事处。

我们的主要业务包括证券及保险之经纪服务、孖展融资、财富管理、资产管理、企业融资以及财经传讯服务。

作为经纪行业的市场领导者之一，董事局不时保持策略性部署，确保集团于中国金融市场的高速发展中，可获充分发挥。我们的目标是成为大中华地区金融服务业之主要领导者，特别为中小型规模资本市场上的客户，提供全面的金融服务。董事局的策略为巩固现存的证券及融资业务，继续透过自我增长及收购合并，寻求拓展良机。

【企业文化】

作为有承担的管理层，我们将专注于我们的优势，瞄准目标及整合资源，确保集团之领导地位。我们将投放资源加强公司的管理体系、专业人才和知识，配合未来发展之需要。

【联络方式】

地址：香港湾仔港湾道 1 号会展广场办公大楼 35 楼

电话：(852)31051863

传真：(852)31051862

邮箱：info@ 290. com. hk

网址：www. 290. com. hk

【00376. HK】云锋金融集团有限公司

【公司概况】

云锋金融(前身为瑞东集团有限公司)成立于 1982 年，并于 1987 年 7 月 17 日登录港交所主板上市，股票代码为 00376. HK，是香港较早上市的证券公司之一。为配合业务发展，集团旗下子公司是中华通交易所参与者(即沪港通许可券商)，并持有香港证监会授予的各类金融证券牌照。

中国的资本和金融市场越来越多的加入国际舞台，中国投资者正在成为国际市场上的一支重要力量，在这个过程中，我们看好香港的独特位置，坚持“立足香港，架起东西方桥梁”的战略布局，以香港为总部，并在北京、深圳设有子公司，同时也认识到智能科技带给市场的变革，适时推出“有鱼”系列移动终端，为客户提供便捷的金融服务。

云锋金融汇聚金融和互联网两大行业的顶尖人才，他们分别来自行业领先企业，经验卓越。金融团队的核心成员均累积多年海外投资经验，并对金融产品的甄别和投资项目的风险管控经验丰富。技术团队在软件系统开发方面经验丰富，均来自于大数据、云计算、交互、智能、移动应用技术等专业领域。

【企业文化】

我们的愿景：立足香港，连接中外，打造国际投资首选平台。

我们的使命：从客户需求出发，提供专业便捷的金融服务。

我们的价值观：创新进取、坚持创新、锐意进取；专业专注、专业服务、专注市场；价值为先、挖掘价值、积累财富、共同成长、携手用户、共赢未来。

【联络方式】

地址：香港中环康乐广场 8 号交易广场 1 座 3201 – 3204 室

电话：(852)28459036

传真：(852)31029022

邮箱：ir@ yff. com

网址：www. yff. com

【00412. HK】中国新金融集团有限公司

【公司概况】

站在中国金融发展的风口上，中国新金融集团有限公司(股份代号：00412. HK)传承过往的宝贵经验，积极以多元化的创新业务为社会各方创造价值，致力于打造全方位全牌照的综合性金融平台。中国新金融追求有效汇聚集团资源，高瞻远瞩掌握市场脉搏，灵活拓展新的发展空间。中国新金融的出色表现获资本市场广泛认同，2016 年 11 月，荣获颁发第六届中国证券金紫荆奖"沪港通最佳上市公司奖"。

【企业文化】

企业项目发展策略

短期：扩大新金融服务产业面，并于中国地区全面布局。

中期：将体系内的新金融服务产业相互间产生策略性协同效应，并将企业带入增长期。

长期：打造成一家知名的，有影响力的全面及全方位非银行类金融机构。

【联络方式】

地址：香港湾仔港湾道 26 号华润大厦 14 楼 1405 - 10 室

电话：(852)39030988

邮箱：ir@ cifg. com. hk

网址：www. cifg. com. hk

【00440. HK】大新金融集团有限公司

【公司概况】

大新集团为香港一家具规模的金融服务集团，主要在香港、澳门地区及内地提供银行、保险、金融及其他相关服务。大新集团包括两家上市公司，为分别于 1987 年及 2004 年在香港联合交易所上市的大新金融集团有限公司("大新金融")及大新银行集团有限公司("大新银行集团")，而大新金融集团为大新银行集团主要股东。

大新金融为集团人寿及一般保险业务的控股公司，经由香港之大新人寿保险与大新保险(1976)及澳门之澳门保险与澳门人寿保险营运保险业务，在该两个市场提供多元化之人寿保险及一般保险服务。

大新银行集团持有三间银行附属机构(大新银行、澳门商业银行及大新银行(中国)有限公司)，透过分布于香港、澳门地区及内地合共约 70 间分行之分行网络提供银行及金融服务，及一所证券交易公司。

【企业文化】

愿景：以人为本的本地银行，与香港、珠三角至更广泛地区的客户共同成长。

使命：提供优质产品，竭诚为客户服务；大家同心并肩，一起与员工成长；维持稳建回报，努力为股东增值。

【联络方式】

地址：香港告士打道一零八号大新金融中心三十六楼

电话：(085)28288168

传真：(085)28288060

网址：www. dahsing. com

【00510. HK】时富金融服务集团有限公司

【公司概况】

时富金融服务集团("时富金融"；股份编号：00510)是香港以全牌照运营，并具有领导地位的金融服务集团之一。自 1972 年创办以来，时富金融竭诚为客户提供全面的金融产品和优质投资服务，以迎合客户全方位的投资及理财需要；产品及服务范围包括移动及尊尚交易服务、投资银行及企业融资咨询、财富及资产管理、金融科技(Fin Tech)平台等。

时富金融作为以科技领先市场的金融服务集团，结合我们专业优秀的人才，致力提供力臻完美的互联网金融交易平台和优质服务，以满足客户无远弗届的投资需要。时富金融于 1998 年，开发及推出本港首个网上互联网金融交易平台，印证我们的创新能力及致力将科技融合于日常生活中。随着科技进步，时富金融亦致力不断提升客户的交易体验。我们积极发展移动交易服务，推出多个可供 iPhone、iPad 及 Android 下载的股票及期货交易应用程式，为机构、企业或个人等投资者提供"随时随地、极速无界"的投资理财服务。

我们秉承集团致力成为"全面关怀企业"的使命，矢志为持分者创造价值，提供优越的股东回报，并照顾员工的福祉，成为客户可堪信赖的伙伴，以及所属社群及环境中一个负责的企业公民。

凭借我们先进的电子交易平台，时富金融进一步将营运网络拓展至中国的机构投资者、企业及独立客户。除了我们位于香港的总部外，我们亦于上海设立国内总办事处，及策略性地于其他省市开设办事处。

我们广为人知的创意及优质服务，于业界获得广泛的认同。2008 年，我们在"无任何不符合项目"的情况下成为首家香港机构，荣获 ISO9001：2008 认证；其他奖项包括，香港品牌发展局颁发的"香港服务名牌"；互联网专业协会的互联网金融大奖铜奖；香港管理专业协会的"杰出推销员奖"；香港生产力促进局的"香港工业奖：科技成就优异奖"；香港厂商会的"2008 香港工商业奖—创意优异奖"；"香港环保卓越计划"减废标志；香港生产力促进局的"品牌企业优异奖"等。

【企业文化】

以人为本——尊重及致力满足个人需要；

以客为先——为顾客提供贴心服务，满足他们的期望；

质素承诺——时刻本着「我可以」的精神，追求卓越；

群策群力——求同存异，互相信任；

与时并进——洞悉先机，不断探索新的发展机遇。

【联络方式】

地址：香港中环皇后大道中 181 号新纪元广场低座 9 楼

电话：(852)22878788

传真：(852)22878700

邮箱：hotline@ cashon - line. com

网址：www. cashon - line. com

【00605. HK】中国金融投资管理有限公司

【公司概况】

中国金融投资管理有限公司("中金投"或"公司"，连同其附属公司，统称"集团")是具有香港主板上市背景的多元化金融服务集团，股票代码 HK00605。自上市以来的二十余年间，中金投集团致力为中国内地及香港地区为中小企业提供定制化金融解决方案。集团资产总额约 50 亿港元，旗下拥有小额贷款公司、典当行、融资性担保公司、资产管理公司、基金管理公司等综合金融服务企业，全年放款总额近百亿。

我们一直秉承"诚信务实勤奋进取创新发展合作共赢"的企业原则，在业务运营、公司治理及客户服务方面始终恪守"专业、稳健、创新、务实"的企业理念。多年以来，我们已帮助逾万名中小企业客户进行资源整合和优化！此外，随着对海外金融市场的不断拓展，中金投集团将携手境内外的投资人及合作伙伴对优秀项目和资本进行多元化的配置和管理，从而逐步实现投融资渠道的互联互通和境内外业务的无缝连接。

我们将凭借在金融服务方面的卓越实力和丰富经验，继续把握未来的市场机遇，不断强化我们的核心竞争力，打造国际金融服务一流品牌！

【企业文化】

企业理念："专业、稳健、创新、务实"

【联络方式】

北京总部

地址：北京市海淀区紫竹院路 31 号华澳中心二层

电话：010 - 52723268

传真：010 - 52723269

网址：www. cfsh. com. hk

香港分公司

地址：香港湾仔港湾道 18 号中环广场 56 楼 5606 室

电话：(852)25986183

传真：(852)25988305

上海分公司

地址：上海市浦东新区杨高南路 428 号由由世纪广场 2 号楼 10A

电话：021 - 60753011

传真：021 - 60753021

投资者关系

电话：010 - 52723268 - 8304

邮箱：0605IR@ cfsh. com. hk

【00619. HK】南华金融控股有限公司

【公司概况】

南华金融控股有限公司(股份代号：00619)，于 1988 年由三位资深金融专家创立，并于 1993 年 7 月在香港联合交易所上市。南华金融控股有限公司主要透过传统及网上交易平台提供全面的金融服务，包括股票、外汇、金银、金融期货与环球期货合约经纪及买卖。此外，公司亦提供企业融资、资产管理、公司财务顾问及证券包销等。南华金融控股以其优质的管理，迅速赢得了客户信任，业务范围已扩展至中国台湾、东南亚及英国等地。

南华金融控股有限公司由一支强大而有活力的管理队伍所管理，它由各行各业的资深人仕所组成的。这队伍会以他们的经验去克服未来各种各样的挑战，以及把握每一个发展机会，令公司在瞬息万变的因特网世界中处于领导地位。

为促使快速的发展及业务扩充至不同市场，南华金融控股有限公司正积极寻找国际化的公司、供应商作为策略性伙伴及联盟。南华金融控股有限公司将会与有能力领导市场的科技公司合作以互补不足，为客户提供最高质素之服务。

【联络方式】

地址：香港中环花园道一号中银大厦二十八楼

电话：(852)21112222

传真：(852)31019200

邮箱：hotline@ sctrade. com

网址：www. sctrade. com

【00665. HK】海通国际证券集团有限公司

【公司概况】

海通国际证券集团有限公司("海通国际"，股份代号：00665. HK)是一家立足香港，面向全球的国际金融机构，致力于成为连接中国与海外资本市场的桥梁。母公司为海通证券股份有限公司(股份代号：600837. SH，6837. HK)。

海通国际致力为近 20 万全球及本地企业、机构及零售客户提供包括企业融资、经纪业务、资产管理、固定收益/外汇及商品、股本业务等全面金融产品及服务。海通国际拥有完善及国际标准的风险管理体系，为恒生综合大中型股指数成份股，并为首家获得标准普尔给予 BBB 长期信用评级的在港中资金融机构。2016 年 12 月完成收购海通银行旗下印度业务(海通印度)，构建了涵盖香港、新加坡、纽约、伦敦、东京及孟买等全球主要资本市场的金融服务网路，矢志成为亚太区顶尖精品投行。

【企业文化】

务实、开拓、稳健、卓越。

【联络方式】

地址：香港德辅道中 189 号李宝椿大厦 22 楼

电话：(852)28484333

传真：(852)28450537

邮箱：group@ htisec. com

网址：www. htisec. com

【00717. HK】英皇证券集团有限公司

【公司概况】

英皇证券集团有限公司("英皇证券集团"；股份代号：00717)于 1993 年成立，并于 2007 年 4 月在香港联交所上市，由经验丰富的专业团队为客户提供全面、贴身的金融服务；包括提供于中国香港、美国、日本及英国交易所买卖之证券、期货及期权之经纪服务，以及财富管理及资产管理服务；提供孖展及首次公开招股融资以及贷款及垫款，例如个人借贷及二按物业贷款；配售及包销服务；及企业融资顾问服务。

为加强竞争力，英皇证券集团不断革新，发展及优化各种金融服务，包括 24 小时网上交易平台、投资移民服务等，助客户掌握投资良机、获取理想回报。展望未来，英皇证券集团将致力开拓新市场，使发展更上一层楼。

英皇证券集团连续多年荣获国际及香港专业机构之认可，包括《亚洲货币》、《资本杂志》、《盛世》及《东周刊》等评为本地服务卓越证券商，优质产品及服务获得业界认同。

【联络方式】

地址：香港湾仔轩尼诗道 288 号英皇集团中心 28 楼

电话：(852)28356699

传真：(852)28935327

邮箱：ir717@ emperorgroup. com

网址：www. emperorcapital. com

【00812. HK】西证国际证券股份有限公司

【公司概况】

西证国际证券股份有限公司（股份代号:00812）（“西证国际证券”）植根香港逾25年，是西南证券股份有限公司（股份代号:600369）（“西南证券”）在香港的附属公司，致力打造一个综合投资平台，为客户提供各类跨境金融服务。

西证国际证券于2002年1月在香港联合交易所主板上市，多年来紧贴市场趋势，不断拓展新市场及业务。公司发挥西南证券在地缘、品牌和业务等方面的诸多优势，竭诚为个人及企业客户提供创新及增值的服务。

西证国际证券是区内具领导地位的金融机构之一，并获得ISO9001及ISO10002两项国际品质管制认证，代表了公司无论在产品服务或是销售後的客户服务方面，都已经建立了具国际水准的品质管制系统。

【联络方式】

地址：香港铜锣湾希慎道33号利园一期40楼

电话：(852)28028838

传真：(852)25879115

邮箱：enquiry@ swsc. hk

网址：www. swsc. hk

【00952. HK】华富国际控股有限公司

【公司概况】

华富国际控股有限公司于1997年在香港联合交易所有限公司上市（股份代号:00952），是一家以香港为基地的金融服务机构。集团自2001年起完成一系列的策略性收购后，现时业务包括华富嘉洛证券、华富嘉洛企业融资、华富嘉洛资产管理、华富嘉洛财富管理及华富财经网站。华富国际致力成为香港及中国企业与个人投资者的理想金融服务伙伴，并凭藉丰富的网上财经资讯及多年经验，为客户提供卓越的一站式财经服务。此外，华富国际透过中国深圳、上海、沈阳、宁波、大连、北京、成都、杭州及厦门的代表处或全资拥有的外资企业，以及于日本、泰国、阿联酋、美国、英国、印尼、约旦及澳洲的环球联盟伙伴网络，为客户提供资本市场服务。

【企业文化】

凝聚力量、全心为你。

【联络方式】

地址：香港中环皇后大道中29号华人行18楼

电话：(852)22172888

传真：(852)26248207

邮箱：quamlimited@ quamgroup. com

网址：www. quamlimited. com

【00993. HK】华融国际金融控股有限公司

【公司概况】

华融国际金融控股有限公司（股份代码:00993. HK，以下简称“华融金控”）是中国资产规模最大的国有金融资产管理公司——中国华融资产管理股份有限公司（股份代码:2799. HK，以下简称“中国华融”）旗下首家境外上市的全牌照金融控股平台。公司前身可追溯至成立于1973年的一家香港本地券商，2015年10月正式更名为华融金控。华融金控下设华融国际证券有限公司、华融国际融资有限公司、华融国际资产管理有限公司，拥有香港证监会颁发的1、2、4、6、9类证券牌照，业务领域涵盖证券交易、机构销售、孖展业务、企业上市、并购融资、基金投资、资产管理等。

华融金控可以充分发挥中国华融在资产管理和金融服务领域的专业优势，与中国华融各金融业务板块产生协同效应，为客户提供一站式的高质量跨境综合金融产品和服务。公司以“专业的资产经营管理者，优秀的综合金融服务商”为发展方向，依托中国华融的综合优势，以持有的1、2、4、6、9类牌照为基础，运用投融资业务与牌照业务的两手互动，大力拓展证券、投行、资管三大业务平台，推动金融牌照下的九类业务发展，突出证券交易、发展业务、企业融资、投资业务、资管业务五大板块，不断增强公司的核心竞争力和综合盈利能力，致力于打造“管控能力强，投资回报高，业务品种全，品牌形象好”的国际化、专业化、多元化的金融控股公司。

【企业文化】

华融金控、同行建明天。

【联络方式】

地址：香港金钟道88号太古广场一座29楼

电话：(852)39653965

传真：(852)39653705

网址：www. hrif. com. hk

邮箱：cs@ simsen. com

【01019. HK】康宏环球控股有限公司

【公司概况】

康宏环球控股有限公司（股份编号:01019. HK）为香港领先的上市独立理财顾问公司，在香港、澳门地区及中国内地的营运地区提供财务策划、保险服务、企业融资、资产管理、证券交易、强制性公积金、借贷服务、风险管理、海外房地产、投资移民咨询及按揭转介。透过拓展产品种类和营运地区，我们致力帮助客户实现其财务目标，矢志成为亚洲领先金融集团。

康宏于1993年成立，由一间十人小公司，迅速发展至今日一间拥有1 600个专业理财顾问的企业，并于2010年于香港联合交易所上市。透过提供超过1,000多种金融及保险产品，我们为客户提供广泛的产品组合及全面的金融服务。

展望未来，我们将继续实行多元化业务发展策略，扩大产品种类及拓展亚洲的经营地区，帮助客户实现其人生目标，达至成为亚洲领先的金融服务集团愿景。

【企业文化】

企业理念：尽情工作，尽情玩乐。

【联络方式】

地址：香港北角电气道169号康宏汇39楼

传真：(852)23111300

邮箱：info@ convoy. com. hk

网址：www. convoy. com. hk

查询热线：(852)36013601

【01062. HK】国开国际投资有限公司

【公司概况】

国开国际投资有限公司（“国开国际投资”），于开曼群岛注册，是一所按上市规则第二十一章以有限制基金形式，在香港联合交易所有限公司（“联交所”）上市的公司。

国开金融有限责任公司（"国开金融"）为国家开发银行股份有限公司（"国家开发银行"）的全资附属公司，为国家开发银行中指定进行寻找及落实海外投资机会以及整合及管理国家开发银行现有海外资产投资的主要公司。国开金融打算利用国开国际投资作为海外投资平台。

国开国际投资将充分依托国家开发银行以万亿人民币资产形成的客户资源，以及中国最大的外汇贷款银行的地位，发掘优质投资机会，与国际一流投资机构紧密合作，为相关企业提供股本资金支持，并协助其获得国家开发银行的贷款资金支持。

【联络方式】

地址：香港中环金融街 8 号国际金融中心二期 4506 – 4509 室

电话：(852)39791500

传真：(852)39791599

网址：www. cdb – intl. com

邮箱：info@ cdb – intl. com

【01140. HK】东英金融投资有限公司

【公司概况】

东英金融投资有限公司（"东英金融""本集团"）为一家投资公司，运用自有资金及合作投资者架构的建立，通过量身订造的综合投资解决方案，来捕捉潜力优厚的投资机会。本集团在开曼群岛注册成立，是受豁免从事投资的有限公司。东英金融为香港交易所主板上市公司（股份代号：01140）。

作为 1993 年创立的东英金融集团的组成部份，东英金融拥有全球投资伙伴及行业领先者的强健网络，以及亚洲区的颇具意义的政府关系。根植香港的东英金融定位独特，为国际投资者提供中国解决方案，为中国机构投资者提供并助实施国际投资解决方案。

【企业文化】

企业精神：众志成城

【联络方式】

地址：香港中环交易广场二期二十七楼

电话：(852)28425888

传真：(852)28425833

邮箱：ir@ oriental – patron. com. hk

网址：www. opfin. com. hk

【01336. HK】新华人寿保险股份有限公司

【公司概况】

新华人寿保险股份有限公司（以下简称"新华保险"或"公司"）成立于 1996 年 9 月，总部位于北京市，是一家全国性的大型寿险企业，目前拥有新华资产管理股份有限公司、新华家园养老企业管理（北京）有限公司等子公司。2011 年，新华保险在香港联合交易所和上海证券交易所同步上市，A 股代码为 601336，H 股代码为 01336。

新华保险拥有强大的寿险销售人员队伍及约 5. 25 万名正式员工，建立了几乎覆盖全国各省、自治区、直辖市的机构网络和多元化的销售渠道，全国各级分支机构约 1700 家，为约 2770. 3 万名个人寿险客户和约 6 万名机构客户提供各类便捷、优质的人寿保险、健康保险、人身意外伤害保险及养老保险服务。

公司拥有良好的股权结构，主要股东包括中央汇金投资有限责任公司、宝钢集团有限公司等大型企业。

2015 年，公司实现保险业务收入人民币 1118. 59 亿元，公司总资产规模达到 6605. 6 亿元，保费收入连续六年保持行业三甲地位；2016 年前三季度，公司实现保险业务收入人民币 934. 18 亿元，公司总资产规模达到 6890. 96 亿元。

公司继 2014 年首次入围福布斯世界 500 强企业后，2015 年、2016 年再次强势登榜，2016 年名列全球第 297 位；在《财富》（中文版）发布的 2016 年中国 500 强排行榜中，公司名列第 35 位。

【企业文化】

战略与文化

愿景：中国最优秀的以全方位寿险业务为核心的金融服务集团。

战略：以客户为中心，坚持现有业务持续稳定增长，坚持变革创新，坚持价值和回归保险本原，抓住城镇化和老龄化历史机遇。

使命：为客户提供幸福生活的保障；为股东贡献稳定持续的回报；为员工创造成就自我的机会；为社会增添和谐安宁的力量。

价值观：诚信责任公平创新进取

经营理念：创造价值稳健持续

工作原则：简单客观协作责任

【联络方式】

地址：北京市朝阳区建国门外大街甲 12 号新华保险大厦

邮编：100022

传真：(010)85213219

投资者关系热线：(010)85213233

投资者关系邮箱：ir@ newchinalife. com

【01428. HK】耀才证券金融集团有限公司

【公司概况】

耀才证券于 1995 年创立，2010 年于联交所主板上市（耀才证券金融集团有限公司，香港股份代号：01428），透过旗下全资附属公司耀才证券国际（香港）有限公司及耀才期货及商品有限公司，为客户提供全面而专业的经纪服务，业务涵盖港股、美股、上海 A 股、日股、台股、新加坡股、港期、恒生指数期权、港股期权、道指期货、A50 期货、外汇期货、期金、期油及期铜、新股认购以及孖展融资等。凭藉高效稳定的网上交易平台、多元化的落盘渠道以及特低佣金收费，本公司发展迅速，分行遍布香港、九龙及新界，拥有超过 200 名员工。

本公司宗旨为"以客为先、服务第一"，致力提供"茶餐厅收费，六星级服务"的证券及期货交易服务。自 2003 年香港政府取消"最低佣金制度"后，本公司随即率先由原来 0. 25% 的佣金收费大幅调低至 0. 05%，此后客户人数迅速增长，于 2006 年晋身联交所 B 组参与者（按市场成交额计排名第 15 至 65 位之经纪行），市场佔有率亦一直保持增长，至今客户人数已超过 19 万人。

本公司贯彻低佣金收费，为客户大量节省交易成本。现时，本公司的网上证券交易服务佣金收费低至 0. 01%，稳占"平佣一哥"地位。本公司投放大量资源发展网上交易系统，设有多重后备线路确保稳定性及安全性，以配合庞大的交易量。我们的客户服务团队拥有逾百名客户主任接听热线电话，迅速处理客户交易指示及查询，让客户安心投资。

耀才证券的分行网络覆盖香港核心区域，当中大部份更实施七天营业，打破业界传统，致力提升客户服务，为客户带来便利。分行经常开办各类型投资讲座，免费向客户提供最新投资资讯，为客户增值。2010 年，本公司推出网上直播频道《耀才财经台》(www.bschannel.com)，节目由一众分析员主持，透过网站及分行的电视屏直播财经最新资讯及分析，并解答观众投资疑难，使观众深入掌握市场动态，投资更得心应手。

耀才证券的长远目标是发展成为一家服务全球之领先金融机构，我们将继续积极扩充业务及客户群，同时致力增加多元化、国际化的服务及投资产品，为本公司未来发展创新高峰。本公司目前正物色开拓国内市场的机会，亦正在筹备开展资产管理及贵金属业务。

【联络方式】

地址：中环德辅道中 71 号永安集团大厦 10 楼全层及 23 楼全层

电话：(852)25371371

传真：(852)25378031

普通话服务专线：(852)25301788

【02356.HK】大新银行集团有限公司

【公司概况】

大新集团为香港一家具规模的金融服务集团，主要在香港、澳门地区及中国内地提供银行、保险、金融及其他相关服务。大新集团包括两家上市公司，为分别于 1987 年及 2004 年在香港联合交易所上市的大新金融集团有限公司（“大新金融”）及大新银行集团有限公司（“大新银行集团”），而大新金融集团为大新银行集团主要股东。

大新金融为集团人寿及一般保险业务的控股公司，经由香港之大新人寿保险与大新保险(1976)及澳门之澳门保险与澳门人寿保险营运保险业务，在该两个市场提供多元化之人寿保险及一般保险服务。

大新银行集团持有三间银行附属机构（大新银行、澳门商业银行及大新银行（中国）有限公司），透过分布于香港、澳门地区及中国内地合共约 70 间分行之分行网络提供银行及金融服务，及一所证券交易公司。

【企业文化】

大新银行集团的愿景及使命：

愿景：以人为本的本地银行，与香港、珠三角至更广泛地区的客户共同成长

使命：提供优质产品，竭诚为客户服务；大家同心并肩，一起与员工成长；维持稳建回报，努力为股东增值。

【联络方式】

地址：香港告士打道 108 号大新金融中心 36 楼

电话：(852)25078866

传真：(852)25985052

网址：www.dahsing.com

【02799.HK】中国华融资产管理股份有限公司

【公司概况】

中国华融资产管理股份有限公司（股份代号：02799.HK，以下简称“中国华融”）成立于 2012 年 9 月 28 日，是经国务院批准，由财政部控股的国有大型非银行金融企业。公司前身为成立于 1999 年 11 月 1 日的中国华融资产管理公司，是中国四大金融资产管理公司之一。2015 年 10 月 30 日，中国华融在香港联合交易所主板上市。

截至 2016 年末，中国华融总资产达人民币 14,119.7 亿元，较上年末增长 62.9%，继续保持中国最大资产管理公司地位；净资产达人民币 1500.8 亿元，较上年末增长 26.3%，实现国有资产大幅保值增值；2016 年实现净利润人民币 231.1 亿元，较上年增长 36.3%，继续处于同业领先水平；平均股权回报率 18.4%，平均资产回报率 2.0%，为股东创造了良好价值回报。

目前，中国华融服务网络遍及全国 30 个省、自治区、直辖市和香港、澳门特别行政区，设有 33 家分公司（营业部）和 30 家控股子公司，旗下拥有华融证券股份有限公司、华融金融租赁股份有限公司、华融湘江银行股份有限公司、华融国际信托有限责任公司、华融期货有限责任公司、华融融德资产管理有限公司、华融置业有限责任公司、中国华融国际控股有限公司、华融消费金融股份有限公司等多家平台公司，已发展成为中国“资产规模最大、盈利能力最强、实现利润最多、股权回报最好、总市值最高、金融牌照齐全、品牌价值响亮”的国有大型金融资产管理公司。可以打业务“组合拳”，对外提供不良资产经营、资产经营管理、银行、证券、信托、租赁、投资、期货、置业等全牌照、多功能、一揽子综合金融服务。

展望未来，中国华融将坚持“稳中求进、紧中求活、提质控险、协同发展”的发展主基调，紧紧围绕“调结构、促转型、补短板、防风险、提质量”五大中心任务，保持中国华融市值稳健增长，不断增强公司核心竞争力和国际影响力，继续做强做优做大，努力打造“治理科学、管控有序、主业突出、综合经营、业绩优良”的一流资产管理公司，有效支持实体经济发展，为国家、社会、股东、客户、企业、员工创造可持续增长的更大价值。

【企业文化】

企业愿景：建设“有尊严、有价值、有内涵、有实力、有责任”的“五有”现代金融企业。有尊严的企业拥有声誉，有价值的企业拥有市场，有内涵的企业拥有品质，有实力的企业拥有现在，有责任的企业拥有未来。

核心文化：稳健、创新、和谐、发展。

企业价值观：为国家、社会、股东、客户、企业、员工创造可持续增长价值。

品牌理念：华英成秀，融通致远。

企业定位：专业的资产经营管理者，优秀的综合金融服务商。

【联络方式】

地址：北京市西城区金融大街 8 号

总机：(010)59618888

传真：(010)59618000

网址：www.chamc.com.cn

【03908.HK】中国国际金融股份有限公司

【公司概况】

中国国际金融股份有限公司（中金，03908.HK）是由国内外著名金融机构和公司基于战略合作关系共同投资组建的中国第一家中外合资投资银行。

自 1995 年成立以来，中金一直致力于为客户提供高质量金融增值服务，建立了以研究为基础，投资银行、股票业务、固

定收益、财富管理和投资管理全方位发展的业务结构。凭借深厚的经济、行业、法律法规等专业知识和优质的客户服务，中金在海内外媒体评选中屡获"中国最佳投资银行""最佳销售服务团队""最具影响力研究机构"等殊荣。

中金一直以高标准开展业务，并始终坚守以下核心价值：以人为本，以国为怀，勤奋专业，积极进取，客户至上，至诚至信，植根中国，融通世界。

中金总部设在北京，在境内设有多家子公司，在上海和深圳设有分公司，在北京、上海、深圳等 19 个城市设有 21 家证券营业部。公司亦积极开拓境外市场，在中国香港、纽约、伦敦、新加坡四个国际金融中心设有子公司。凭借广泛的业务网络及杰出的跨境能力，中金能够为客户提供全方位的金融服务。

2015 年，中金在香港联交所主板成功挂牌上市。秉承"植根中国，融通世界"的理念，通过境内外业务的无缝对接，中金将持续为客户提供一流的金融服务，协助客户实现其战略发展目标。

【企业文化】

以人为本，以国为怀；勤奋专业、积极进取；客户至上、至诚至信；

植根中国、融通世界；

【联络方式】

地址：北京市建国门外大街 1 号国贸写字楼 2 座 28 层

电话：010－65051166

传真：010－65051156

邮箱：info@ cicc. com. cn

网址：www. cicc. com

【04607. HK】中国信达资产管理股份有限公司

【公司概况】

中国信达资产管理股份有限公司的前身中国信达资产管理公司成立于 1999 年 4 月，是经国务院批准，为有效化解金融风险、维护金融体系稳定、推动国有银行和企业改革发展而成立的首家金融资产管理公司。2010 年 6 月，中国信达资产管理公司整体改制为中国信达资产管理股份有限公司。2012 年 4 月，本公司引进全国社会保障基金理事会、UBSAG、中信资本控股有限公司和渣打银行四家战略投资者。2013 年 12 月 12 日，本公司在香港联合交易所主板挂牌上市，成为首家登陆国际资本市场的中国金融资产管理公司。

中国信达资产管理股份有限公司注册资本为 362. 57 亿元人民币。主要业务包括：不良资产经营业务、投资及资产管理业务和金融服务业务，其中不良资产经营是本公司核心业务。本公司在中国内地的 30 个省、自治区、直辖市设有 33 家分公司，在内地和香港拥有 9 家从事资产管理和金融服务业务的全资或控股一级子公司，集团员工约 2 万余人。

中国信达资产管理股份有限公司的战略是进一步巩固并扩大在不良资产经营领域的领先优势，大力发展资产管理业务，并通过协同多元化业务平台，不断发展和完善差异化的盈利模式，为股东提供持续且具有竞争力的回报。

中国信达资产管理股份有限公司性质为非银行金融机构。经核准，中国信达资产管理股份有限公司的经营范围为：

1. 收购、受托经营金融机构和非金融机构不良资产，对不良资产进行管理、投资和处置；

2. 债权转股权，对股权资产进行管理、投资和处置；

3. 破产管理；

4. 对外投资；

5. 买卖有价证券；

6. 发行金融债券、同业拆借和向其他金融机构进行商业融资；

7. 经批准的资产证券化业务、金融机构托管和关闭清算业务；

8. 财务、投资、法律及风险管理咨询和顾问；

9. 资产及项目评估；

10. 国务院银行业监督管理机构批准的其他业务。

【企业文化】

始于信、达于行。

【联络方式】

地址：北京市西城区闹市口大街九号院 1 号楼

邮编：100031

电话：010－63080000

传真：010－83329210

邮箱：ir@ cinda. com. cn

网址：www. cinda. com. cn

【08001. HK】东方汇财证券国际控股有限公司

【公司概况】

东方汇财证券有限公司立足于亚洲主要国际金融中枢——香港，自 2000 年成立自今，借着这个亚太区首屈一指的金融交易平台，不断积极发掘新商机、扩展业务及服务范围，在 2014 年成功以证券交易为核心业务于香港交易所上市。

在香港，证券市场发展非常成熟稳健，不但交易品种丰富，还可以投资各种金融衍生产品，如期指、期权、外汇高杠杆交易、认股证、股票挂钓票据等，同时，为保障投资者的利益，监管机构对交易参与者的监管十分严谨，与纽约、伦敦两大金融中心齐名。

本集团成立初期，以证券交易代理人及贴心的服务为大众服务。期后随着证券市场迅速发展，内地的企业如雨后春笋纷纷在港上市集资，本集团开始发展包销及配售服务。最近，本集团开立全资拥有的附属公司东方汇财财务有限公司，新设贷款业务和信贷咨询服务，以促进内地与香港及国际的投资机遇，面向更广阔的客户群。

展望将来，本集团将透过多个新机遇，包括沪港通计划及将会开通的深港通计划，继续巩固根基及集中资源发展现有业务，包括经纪服务、包销及配售服务、融资服务及财务服务，以成为香港金融业的佼佼者。

与此同时，本集团会审慎管理风险，切合投资者的利益，将所面对的信贷风险减至最低。一如既往，为最大化股东的长期回报，本集团会一直寻求及制订新的更稳建业务策略。

【企业文化】

诚信天下、以客为先。

【联络方式】

地址：香港干诺道中 168－200 号信德中心招商局大厦
31 楼 3101 室及 3117－3118 室

电话：(852)21809292

传真：(852)21809288

网址：www. orientsec. com. hk

邮箱：info@ orientsec. com. hk

第四章　法律法规

内地与香港股票市场交易互联互通机制若干规定

第一条　为了规范内地与香港股票市场交易互联互通机制相关活动，保护投资者合法权益，维护证券市场秩序，根据《证券法》和其他相关法律、行政法规，制定本规定。

第二条　本规定所称内地与香港股票市场交易互联互通机制，是指上海证券交易所、深圳证券交易所分别和香港联合交易所有限公司（以下简称香港联合交易所）建立技术连接，使内地和香港投资者可以通过当地证券公司或经纪商买卖规定范围内的对方交易所上市的股票。内地与香港股票市场交易互联互通机制包括沪港股票市场交易互联互通机制（以下简称沪港通）和深港股票市场交易互联互通机制（以下简称深港通）。

沪港通包括沪股通和沪港通下的港股通。沪股通，是指投资者委托香港经纪商，经由香港联合交易所在上海设立的证券交易服务公司，向上海证券交易所进行申报（买卖盘传递），买卖沪港通规定范围内的上海证券交易所上市的股票。沪港通下的港股通，是指投资者委托内地证券公司，经由上海证券交易所在香港设立的证券交易服务公司，向香港联合交易所进行申报（买卖盘传递），买卖沪港通规定范围内的香港联合交易所上市的股票。深港通包括深股通和深港通下的港股通。深股通，是指投资者委托香港经纪商，经由香港联合交易所在深圳设立的证券交易服务公司，向深圳证券交易所进行申报（买卖盘传递），买卖深港通规定范围内的深圳证券交易所上市的股票。深港通下的港股通，是指投资者委托内地证券公司，经由深圳证券交易所在香港设立的证券交易服务公司，向香港联合交易所进行申报（买卖盘传递），买卖深港通规定范围内的香港联合交易所上市的股票。沪港通下的港股通和深港通下的港股通统称港股通。

第三条　内地与香港股票市场交易互联互通机制遵循两地市场现行的交易结算法律法规。相关交易结算活动遵守交易结算发生地的监管规定及业务规则，上市公司遵守上市地的监管规定及业务规则，证券公司或经纪商遵守所在地的监管规定及业务规则，投资者遵守其委托的证券公司或经纪商所在地的投资者适当性监管规定及业务规则，本规定另有规定的除外。

第四条　中国证券监督管理委员会（以下简称中国证监会）对内地与香港股票市场交易互联互通机制相关业务进行监督管理，并通过监管合作安排与香港证券及期货事务监察委员会和其他有关国家或地区的证券监督管理机构，按照公平、公正、对等的原则，维护投资者跨境投资的合法权益。

第五条　上海证券交易所、深圳证券交易所和香港联合交易所开展内地与香港股票市场交易互联互通机制相关业务，应当履行下列职责：

（一）提供必要的场所和设施；

（二）上海证券交易所、深圳证券交易所分别在香港设立证券交易服务公司，香港联合交易所分别在上海和深圳设立证券交易服务公司；对证券交易服务公司业务活动进行管理，督促并协助其履行本规定所赋予的职责；

（三）制定相关业务规则，对市场主体的相关交易及其他活动进行自律管理，并开展跨市场监管合作；

（四）制定证券交易服务公司开展相关业务的技术标准；

（五）对相关交易进行实时监控，并建立相应的信息交换制度和联合监控制度，共同监控跨境的不正当交易行为，防范市场风险；

（六）管理和发布相关市场信息；

（七）中国证监会规定的其他职责。上海证券交易所、深圳证券交易所应当按照有关监管要求，分别制定港股通投资者适当性管理的具体标准和实施指引，并报中国证监会备案。

上海证券交易所、深圳证券交易所应当制定相关业务规则，要求香港联合交易所及其证券交易服务公司提供有关交易申报涉及的投资者信息。

第六条　证券交易服务公司应当按照证券交易所的相关业务规则或通过证券交易所的相关业务安排履行下列职责：

（一）上海证券交易所证券交易服务公司提供沪港通下的港股通相关服务，深圳证券交易所证券交易服务公司提供深港通下的港股通相关服务；香港联合交易所在上海设立的证券交易服务公司提供沪股通相关服务；香港联合交易所在深圳设立的证券交易服务公司提供深股通相关服务；

（二）提供必要的设施和技术服务；

（三）履行沪股通、深股通或港股通额度管理相关职责；

（四）制定沪股通、深股通或港股通业务的操作流程和风险控制措施，加强内部控制，防范风险；

（五）上海证券交易所、深圳证券交易所设立的证券交易服务公司应当分别制定内地证券公司开展港股通业务的技术标准，并对拟开展业务公司的技术系统进行测试评估；香港联合交易所在上海和深圳设立的证券交易服务公司应当分别制定香港经纪商开展沪股通、深股通业务的技术标准，并对拟开展业务公司的技术系统进行测试评估；

（六）为证券公司或经纪商提供技术服务，并对其接入沪股通、深股通或港股通的技术系统运行情况进行监控；

（七）中国证监会规定的其他职责。

第七条　中国证券登记结算有限责任公司（以下简称中国证券登记结算公司）、香港中央结算有限公司（以下简称香港中央结算公司）开展内地与香港股票市场交易互联互通机制相关业务，应当履行下列职责：

（一）提供必要的场所和设施；

（二）提供登记、存管、结算服务；

（三）制定相关业务规则；

（四）依法提供名义持有人服务；

（五）对登记结算参与机构的相关活动进行自律管理；

（六）中国证监会规定的其他职责。

第八条　内地证券公司开展港股通业务，应当遵守法律、行政法规、本规定、中国证监会其他规定及相关业务规则的要求，加强内部控制，防范和控制风险，并根据中国证监会及上海证券交易所、深圳证券交易所投资者适当性管理有关规定，制定相应的实施方案，切实维护客户权益。

第九条　因交易异常情况严重影响内地与香港股票市场交易互联互通机制部分或全部交易正常进行的，上海证券交易所、深圳证券交易所和香港联合交易所可以按照业务规则和合同约定，暂停部分或者全部相关业务活动并予以公告。

第十条　上海证券交易所、深圳证券交易所和香港联合交易所开展内地与香港股票市场交易互联互通机制相关业务，限于规定范围内的股票交易业务和中国证监会认可的其他业务。

第十一条　证券交易服务公司和证券公司或经纪商不得自行撮合投资者通过内地与香港股票市场交易互联互通机制买卖股票的订单成交，不得以其他任何形式在证券交易所以外的场所对通过内地与香港股票市场交易互联互通机制买卖的股票提供转让服务，中国证监会另有规定的除外。

第十二条　境外投资者的境内股票投资，应当遵循下列持股比例限制：

（一）单个境外投资者对单个上市公司的持股比例，不得超过该上市公司股份总数的 10%；

（二）所有境外投资者对单个上市公司 A 股的持股比例总和，不得超过该上市公司股份总数的 30%。境外投资者依法对上市公司战略投资的，其战略投资的持股不受上述比例限制。

境内有关法律法规和其他有关监管规则对持股比例的最高限额有更严格规定的，从其规定。

第十三条　投资者依法享有通过内地与香港股票市场交易互联互通机制买入的股票的权益。投资者通过港股通买入的股票应当记录在中国证券登记结算公司在香港中央结算公司开立的证券账户。中国证券登记结算公司应当以自己的名义，通过香港中央结算公司行使对该股票发行人的权利。中国证券登记结算公司行使对该股票发行人的权利，应当通过内地证券公司、托管银行等机构事先征求投资者的意见，并按照其意见办理。

中国证券登记结算公司出具的股票持有记录，是港股通投资者享有该股票权益的合法证明。投资者不能要求提取纸面股票，中国证监会另有规定的除外。

投资者通过沪股通、深股通买入的股票应当登记在香港中央结算公司名下。投资者通过沪股通、深股通买卖股票达到信息披露要求的，应当依法履行报告和信息披露义务。

第十四条　对于通过港股通达成的交易，由中国证券登记结算公司承担股票和资金的清算交收责任。对于通过沪股通、深股通达成的交易，由香港中央结算公司承担股票和资金的清算交收责任。中国证券登记结算公司及香港中央结算公司，应当按照两地市场结算风险相对隔离、互不传递的原则，互不参加对方市场互保性质的风险基金安排；其他相关风险管理安排应当遵守交易结算发生地的交易结算风险管理有关规定。

第十五条　投资者通过内地与香港股票市场交易互联互通机制买卖股票，应当以人民币与证券公司或经纪商进行交收。使用其他币种进行交收的，以中国人民银行规定为准。

第十六条　对违反法律法规、本规定以及中国证监会其他有关规定的，中国证监会依法采取监督管理措施；依法应予行政处罚的，依照《证券法》《行政处罚法》等法律法规进行处罚；涉嫌犯罪的，依法移送司法机关，追究刑事责任。

中国证监会与香港证券及期货事务监察委员会和其他有关国家或地区的证券监督管理机构，通过跨境监管合作机制，依法查处内地与香港股票市场交易互联互通机制相关跨境违法违规活动。

第十七条　上海证券交易所、深圳证券交易所和中国证券登记结算公司依照本规定的有关要求，分别制定内地与香港股票市场交易互联互通机制相关业务规则，报中国证监会批准后实施。

第十八条　证券交易所、证券交易服务公司及结算机构应当妥善保存履行本规定所规定的职责形成的各类文件、资料，保存期限不少于 20 年。

第十九条　本规定自公布之日起施行。《沪港股票市场交易互联互通机制试点若干规定》（证监会令第 101 号）同时废止。

内地与香港股票市场交易互联互通机制登记、存管、结算业务实施细则

第一章　总　则

第一条　为规范内地与香港股票市场交易互联互通机制（包含沪港股票市场交易互联互通机制与深港股票市场交易互联互通机制，以下简称“沪港通”与“深港通”）登记、存管、结算业务，根据《中华人民共和国证券法》、《证券登记结算管理办法》、《内地与香港股票市场交易互联互通机制若干规定》等法律法规、部门规章和《中国证券监督管理委员会、香港证券及期货事务监察委员会联合公告》，以及中国证券登记结算有限责任公司（以下简称“本公司”）有关业务规则，制定本细则。

第二条　沪股通与深股通业务涉及的登记、存管、结算相关业务，适用本细则；本细则未规定的，适用本公司相关业务规则。

港股通（本细则中的“港股通”包含沪港通下的港股通业务及深港通下的港股通业务）业务涉及的账户管理、存管、结算相关业务适用本细则；本细则未作规定的，参照本公司其他业务规则办理。

第三条　香港中央结算有限公司（以下简称“香港结算”）与本公司签订协议。双方按照协议及各自业务规则，办理沪港通与深港通相关登记、存管、结算业务。

第四条　本公司在沪港通与深港通业务中实行行业自律管理。

第二章　沪股通与深股通业务

第五条　香港结算参与沪股通业务，应当申请获得本公

司结算参与人资格，向本公司提交以下书面申请材料：

（一）中国证券监督管理委员会（以下简称“中国证监会”）关于香港结算参与沪港通业务的批复；

（二）《结算参与人资格申请表》；

（三）经过中国法律服务（香港）有限公司公证的公司注册证书和商业登记证明文件；

（四）董事会关于同意香港结算申请成为本公司结算参与人的表决议案；

（五）香港地区律师行出具的关于香港结算申请成为本公司结算参与人的法律意见书；

（六）香港结算业务运作概览，包括但不限于公司概况、组织架构、管理团队、业务运作流程等；

（七）最近两年的相关财务审计资料；

（八）董事会或董事授权委托书以及授权人的有效身份证明文件；

（九）经办人有效身份证明文件及复印件；

（十）已签署的证券资金结算协议；

（十一）公司最新组织章程及公证书；

（十二）香港证券及期货事务监察委员会（以下简称“香港证监会”）认可香港结算进行沪港通准备的文件；

（十三）公司内部结算风险控制制度说明，至少应包含下列内容：结算技术设施和结算部门人员配备情况；结算业务相关风险的防范和监控措施；异常情况下的应急处理预案；主要的风险控制制度；

（十四）本公司要求的其他材料。香港结算参与深股通业务，需向本公司提交关于开展深股通业务的书面申请，并提交适用于深股通业务的上述第（一）、（八）、（九）、（十）、（十二）、（十四）项书面申请材料。

第六条 香港结算以“香港中央结算有限公司”名称在本公司上海、深圳分公司分别开立沪市人民币普通股票账户与深市人民币普通股票账户，作为名义持有人持有境外投资者通过沪股通与深股通取得的证券。

香港结算申请开立沪市人民币普通股票账户或深市人民币普通股票账户，需向本公司提交下列文件：

（一）《证券账户开立申请表（适用于机构）》；

（二）经办人有效身份证明文件及复印件；

（三）董事会或董事授权委托书以及授权人的有效身份证明文件。

第七条 香港结算作为名义持有人持有的沪股通与深股通投资者取得的证券，以香港结算的名义存管在本公司，分别登记在上海证券交易所（以下简称“上交所”）与深圳证券交易所（以下简称“深交所”）上市公司的股东名册。

第八条 沪股通与深股通投资者因分立、吸收合并、要约收购等业务取得上交所或者深交所上市的非沪股通或非深股通证券的，可以卖出，但不得买入；取得非上交所或者非深交所上市证券的，结合具体情况做现金结算等安排。

第九条 香港结算及其参与人不得办理除继承、离婚、法人资格丧失、向基金会捐赠、协助执行以外的沪股通与深股通证券的非交易过户业务，经上交所或者深交所确认的除外。

第十条 香港结算开展沪股通与深股通业务，需分别向本公司上海、深圳分公司缴纳客户证券结算保证金，用于弥补香港结算发生交收违约时的损失及流动性垫付。客户证券结算保证金计算公式中的权益类处置价差比例、处置成本按照双方相关协议的约定执行。

按照“两地市场结算风险相对隔离、互不传递”的原则，香港结算无需缴纳证券结算风险基金以及具有互保功能的证券结算保证金，不分担境内结算参与人发生违约可能产生的损失。

第十一条 香港结算应当就境外投资者达成的沪股通和深股通交易对本公司履行交收责任。

香港结算发生资金交收违约的，应当按要求分别向本公司上海、深圳分公司指定相当于违约金额的证券或提交其他担保品。

香港结算未指定或指定不足的，不足部分本公司按照香港结算证券账户资金交收违约对应的交易日买入证券成交的先后顺序，自后向前依次扣券，或采取其他有效方式进行扣券处理。

第十二条 香港结算发生资金交收违约的，本公司可根据相关业务规则对其采取计收违约金和违约资金的利息、提高最低结算备付金比例、提高证券结算保证金缴纳额度、报告监管部门、提请上交所或者深交所暂停其证券账户买入交易等其他措施。

第十三条 香港结算发生资金交收违约后下一交收日仍不能补足违约本金、利息及违约金的，本公司有权卖出所扣证券，以卖出款项抵补上述金额，剩余部分返还香港结算，不足部分，本公司有权继续向香港结算追索。

第十四条 香港结算应当妥善保存履行本细则规定职责所形成的登记、存管、结算原始凭证及各类相关文件、资料，保存期限不少于二十年。

第三章 港股通业务

第一节 账户设络

第十五条 本公司作为名义持有人持有港股通投资者取得的证券。本公司上海、深圳分公司分别在香港结算开立证券账户，并用于与香港结算进行证券交收。

第十六条 港股通投资者应当通过沪市人民币普通股票账户或者深市人民币普通股票账户进行港股通交易。

第二节 存管和托管

第十七条 港股通投资者参与港股通交易，应当与境内证券公司签订港股交易及托管协议，将取得的证券托管于境内证券公司，由其承担相应的证券托管责任。

境内证券公司应当将自身或其客户通过港股通取得的证券交由本公司存管。

第十八条 本公司出具的证券持有记录，是港股通投资者享有该证券权益的合法证明。

港股通投资者不能要求存入或提取纸面股票，中国证监会另有规定的除外。

第十九条 本公司作为名义持有人，将港股通投资者取得的证券以本公司名义存管在香港结算，通过香港结算行使对证券发行人的权利。

港股通投资者以本公司名义持有的证券，以香港中央结算（代理人）有限公司的名义登记于香港联合交易所有限公司（下称“联交所”）上市公司的股东名册。

第二十条 本公司根据港股通交易的交收结果办理相应证券的交易过户。

第二十一条 港股通投资者因继承、离婚、法人资格丧失、向基金会捐赠及经国家有权机关批准等情形涉及的非交易过户业务、质押业务以及协助执行，参照本公司相关业务规则办理。

第三节　名义持有人服务

第二十二条　本公司作为名义持有人，通过境内结算参与人为港股通投资者提供名义持有人服务。

第二十三条　本公司提供的名义持有人服务包括现金红利派发、以股息权益选择认购股份、送股、额度内供股、额度内公开配售、股份分拆及合并、投票、公司收购及出具持有证明等。

本公司暂不提供新股发行认购、超额供股和超额公开配售等服务。

第二十四条　港股通投资者因港股通股票权益分派、转换、公司收购等情形取得联交所上市非港股通证券的，可以卖出，但不得买入。

港股通投资者因港股通股票权益分派、转换等情形取得的联交所上市股票的认购权利在联交所上市的，可以通过港股通卖出，但不得行权。

港股通投资者因港股通股票权益分派、转换、公司收购等情形取得非联交所上市证券的，可以享有相关权益，但不得通过港股通买入或卖出，具体安排由本公司商香港结算确定。

第二十五条　本公司办理现金红利派发业务，在收到香港结算或上市公司派发的外币红利资金后三个港股通交易日内，进行换汇、清算、发放等业务处理。

第二十六条　本公司办理送股、以股息权益选择认购股份等业务，根据香港结算派发权益证券到账时间，在收到权益证券当日或次日进行业务处理，相应权益证券于处理日下一港股通交易日上市交易，港股通投资者权益证券可卖首日均较香港市场晚一港股通交易日。

本公司办理供股、公开配售等业务，根据香港结算供股、公开配售股份到账时间，在收到权益证券当日进行业务处理，相应权益证券于处理日下一港股通交易日上市交易。

本公司对港股通投资者账户中小于1股的零碎权益证券进行舍尾处理。本公司从香港结算获得的权益证券总数大于港股通投资者账户舍尾取整后的总数的，按照精确算法分配差额部分。

第二十七条　本公司办理股份分拆及合并业务，将根据联交所和香港结算的业务规则，结合上交所或者深交所的交易安排，进行股份代码转换处理，调整账户持有数量。

港股通投资者账户中因股份分拆及合并业务产生的零碎股，按第二十六条第三款处理。

第二十八条　本公司办理投票业务，汇总申报期内港股通投资者投票意愿后，向香港结算提交。港股通投资者可根据联交所上市公司的安排对同一项议案投赞成票、反对票或弃权票。港股通投资者各类票数总额超过投票登记日或者香港结算投票截止日有效投票总数的，本公司以实际有效投票总数按比例分配。

第二十九条　本公司办理强制性公司收购业务，根据香港结算指令，对港股通投资者的相应股份作注销处理。

本公司办理有条件和无条件的非强制性公司收购业务，根据申报期内港股通投资者申报意愿，对相应股份作注销处理。有条件的非强制性收购被取消的，本公司根据香港结算的指令退回相应股份。

本公司在收到香港结算支付的收购资金或股份后三个港股通交易日内，完成资金或股份的相应处理。

第三十条　标的证券因被收购等原因退市的，本公司可以根据中国证监会相关规定和与香港结算协议的约定，继续为港股通投资者提供名义持有人服务。

第四节　清算交收

第三十一条　本公司作为香港结算的结算机构参与者，按照其业务规则，根据其提供的清算数据，接受上交所证券交易服务公司与深交所证券交易服务公司的指定，与香港结算完成证券和资金的交收，向其承担交收责任。

第三十二条　港股通交易的境内结算由本公司组织完成。本公司作为境内结算参与人的共同对手方，为港股通交易提供多边净额结算服务。

因香港结算出现违约或发生破产等原因，而导致其未全部履行对本公司交收义务的，本公司将已从香港结算收到的证券和资金按比例分配给境内结算参与人；对于未收到的证券和资金，本公司的责任仅限于依据香港相关法律程序，协助境内结算参与人向香港结算追索，追回的证券和资金按比例分配给受损失的境内结算参与人。

第三十三条　证券和资金结算实行分级结算原则。本公司负责办理与境内结算参与人之间证券和资金的清算交收，境内结算参与人应当就交易达成时确定由其承担的交收义务对本公司履行最终交收责任。

境内结算参与人负责办理与港股通投资者之间证券和资金的清算交收。境内结算参与人与港股通投资者之间的证券划付，应当委托本公司办理。

第三十四条　除风险管理业务以人民币为结算货币外，本公司与香港结算之间的其他业务以香港结算确定的币种为结算货币。

本公司与境内结算参与人之间以人民币作为结算货币；有关主管部门有特殊规定的，可以其他货币作为结算货币。第三十五条境内结算参与人应当向本公司上海、深圳分公司分别申请开立客户和自营港股通结算备付金账户，用于港股通业务的资金结算。境内结算参与人的客户和自营港股通结算备付金账户无需缴纳最低结算备付金。

第三十六条　本公司从结算银行和香港结算收到利息后，对各境内结算参与人港股通相应资金账户计息周期内的积数进行利息分派。

第三十七条　港股通交易日（“T日”）日终，本公司上海、深圳分公司分别根据上交所证券交易服务公司、深交所证券交易服务公司提供的成交结果、各境内结算参与人上传及本公司按业务规则产生的非交易数据，进行证券与资金的清算。

香港结算调整T日清算结果的，本公司于T+1日收到香港结算的调整数据后，日终将调整部分的数据并入当日清算数据。

第三十八条　资金清算遵循“先外币清算后人民币清算”的原则。

资金清算包括交易资金、风险管理资金、公司行为资金、证券组合费等相关税费及其他非交易资金的清算。

其中，证券组合费根据各证券账户各自然日日终证券持有市值进行计算。

第三十九条　港股通交易日开市前，本公司收到港股通结算银行提供的当日港币对人民币买入参考价和卖出参考价后，及时通过上交所与深交所向市场公布。港股通交易日闭市后，本公司上海、深圳分公司分别根据港股通应交收金额与港股通结算银行换汇，相应换汇成本按沪、深成交金额分别分摊至每笔交易。

本公司对公司行为产生的红利款和公司收购款等资金，按与港股通结算银行商定的汇率换汇。

第四十条 境内结算参与人各类资金的交收期和交收时点分别为：

（一）公司行为资金、风险管理资金的交收期为 T+1，交收时点为 10:30；

（二）证券组合费的交收期为 T+1，交收时点为 18:00；

（三）交易净应付资金的交收期为 T+2，交收时点为 10:30；

（四）交易净应收资金的交收期为 T+2，交收时点为 18:00。本公司保留根据需要调整上述交收时点安排的权利。

第四十一条 本公司根据清算结果于 T+2 日进行证券交收。

香港结算因无法交付证券对本公司实施现金结算的，本公司参照香港结算的处理原则进行相应业务处理。

第四十二条 港股通业务的交收日历安排，由本公司结合香港结算的交收日历和上交所与深交所的港股通交易日历，以及资金汇划、风险管理等因素确定并提前公布。香港结算因风球、黑色暴雨天气等原因，临时作出特殊交收安排的，本公司视情况进行处理并及时通知境内结算参与人。

因内地台风、地震等自然灾害或其他原因导致本公司港股通业务无法正常开展的，本公司与香港结算的清算交收安排将按照本公司与香港结算的协议约定进行处理；本公司与境内结算参与人之间的清算交收安排，参照 A 股相关清算交收安排处理。

第五节 风险管理

第四十三条 按照“两地市场结算风险相对隔离、互不传递”的原则，境内结算参与人无需缴纳香港结算具有互保功能的保证基金，不分担香港结算的参与人在联交所市场发生违约可能产生的损失。

第四十四条 境内结算参与人应当依据本细则的规定，制订完善的风险控制制度。

对存在未了结业务的证券账户，在沪港通业务中境内证券公司应当限制其撤销指定交易，深港通业务中转托管业务参照 A 股相关规定办理。

第四十五条 境内结算参与人应当向本公司上海、深圳分公司分别申请开立客户和自营港股通风控资金账户，用于存放应缴纳的港股通风险管理资金。

第四十六条 基于香港结算的风险管理要求，本公司上海、深圳分公司分别根据境内结算参与人的未完成交收头寸，向境内结算参与人收取差额缴款和按金。

香港结算对本公司上海、深圳分公司分别收取集中抵押金的，本公司上海、深圳分公司分别根据境内结算参与人相关高风险证券净买入金额的占比分摊收取。

第四十七条 T 日日终，本公司上海、深圳分公司分别根据境内结算参与人对应不同交收日的未完成交收头寸的净成交金额与 T 日最新市值的差额，结合相关计收原则，计算境内结算参与人应缴纳的差额缴款，于 T+1 日交收。

第四十八条 T 日日终，本公司上海、深圳分公司分别根据境内结算参与人未完成交收头寸的净成交金额与 T 日最新市值、证券持有情况，计算其按金持仓后，根据按金率、按金乘数等计算该结算参与人应缴纳的按金，于 T+1 日交收。

第四十九条 本公司上海、深圳分公司分别可以依照香港结算相关业务规则，向其提交本公司名义持有人账户中的证券，作为未交收净卖出证券的交收担保品。

第五十条 参与港股通业务的境内结算参与人应当以结算参与人为单位，向本公司上海、深圳分公司分别缴纳人民币 20 万元结算保证金，按结算保证金管理要求纳入互保范围。

第五十一条 境内结算参与人未能于交收时点完成资金交收的，构成资金交收违约，本公司有权采取以下措施：

（一）计收违约金和垫息：违约金 = max［日间交收违约金额，日终交收违约金额］× 千分之一 × 违约天数垫息 = 日终交收违约金额 × 与结算银行商定的境内人民币账户利率 × 违约天数/360。

（二）境内结算参与人应当于违约当日指定暂不交付的港股通证券，未指定或指定不足的，本公司有权以违约金额为限扣划该结算参与人的自营证券。

（三）交收违约下一港股通交易日起，本公司有权处臵相应扣收证券及其权益，处臵所得用于弥补违约金额，剩余部分退还境内结算参与人，不足部分，本公司有权继续追索。具体处臵方式和程序由本公司另行规定。

第五十二条 境内结算参与人发生重大违法违规情形的，本公司有权暂停其港股通全部或部分结算业务资格，并提请上交所或者深交所限制其港股通部分或全部买入交易。

第六节 结算银行管理

第五十三条 结算银行申请开展港股通资金跨境结算业务的，应当具备以下条件：

（一）已根据《结算银行证券资金结算业务管理办法》要求取得本公司结算银行资格，且可为本公司所有结算参与人提供结算服务；

（二）在上海、深圳和香港均设有符合当地监管要求的分支机构；

（三）具有人民币和外汇相关的所有业务资格，且经营时间不少于五年；

（四）总资产不低于 5 万亿元人民币、净资产不低于 4 千亿元人民币；

（五）作为指定开户银行的，应已成为香港结算在香港地区的指定银行，有为香港结算的参与人完成资金交收的资格和经验；

（六）拥有沪港间和深港间的实时汇划系统，资金的汇划可实时到账；

（七）向本公司上海、深圳分公司分别提供最低 200 亿元人民币或等值港币的免费日间授信额度，提供最低 120 亿元人民币或等值港币的隔夜授信额度；

（八）已制定健全的跨境资金结算业务风险管理制度和应急处理预案；

（九）遵守本公司制定的业务规则、业务指南等相关业务规定，并与本公司签订结算及换汇业务协议；

（十）本公司要求的其他条件。

第五十四条 结算银行申请开展港股通资金跨境结算业务的，需向本公司提交以下书面文件：

（一）申请报告，包括基本情况、资格条件等；

（二）申请表；

（三）向本公司提供授信额度的承诺函；

（四）港股通资金结算业务风险管理制度和应急预案；

（五）本公司要求提供的其他文件。

第五十五条 本公司同意上述申请的，结算银行的上海（深圳）和香港分支机构应当按照结算银行总行与本公司签订的证券交易结算资金管理业务协议，分别与本公司上海

(深圳)分公司就港股通资金结算业务涉及的日常业务流程、技术系统对接、应急处理等内容,签订补充协议或业务备忘录。

第五十六条　本细则对结算银行港股通资金结算业务未作规定的,按照本公司结算银行管理相关规定执行。

第四章　附　则

第五十七条　本细则下列用语的含义是:供股,是指联交所上市公司向现有证券持有人作出供股要约,使其可按持有证券的比例认购证券。供股权可通过二级市场进行转让。可超额认购,超额认购部分可获配数量取决于中签率。

公开配售,是指联交所上市公司向现有证券持有人作出要约,使其可认购证券。除相关权益不可通过二级市场进行转让外,其余安排基本同供股。

以股息权益选择认购股份,是指在联交所上市公司派发含股利选择权红利时,投资者选择接受股票而非现金的行为。

精确算法,是指在对投资者账户获得的证券舍尾取整后,对其不足1股/份的部分,按照小数点后尾数由大到小排序(尾数相同的,由电子结算系统随机排列),依次登记为1股/份,直至本公司从香港结算获得的证券数量等于投资者账户获得的证券数量之和。

T日,是指港股通交易日。

T+N日,是指港股通交易日后第N个港股通交收日。证券组合费,是指香港结算根据中国结算名义持有账户每自然日日终港股持有市值,按逐级递减的费率标准,所计收的存管和公司行为服务费用。本公司依据相同标准,对每个持有港股的境内证券账户进行收取。

差额缴款,是指每日收市后,本公司对结算参与人各备付金账户名下各证券品种对应不同交收日的未完成交收头寸,根据其最新市值和对应成交金额的差值情况,结合相关计收原则,计算参与人需要缴纳的款项。

未完成交收头寸,是指各证券账户在各交易日发生交易但尚未完成交收的各证券品种的应收付数量,一般包括上日交易未完成交收头寸和当日交易未完成交收头寸。在遇特殊交收期安排时,还包括之前交易日所形成的,本应于当日完成交收但被推迟至下一日交收的头寸。

按金,是指每日收市后,本公司上海、深圳分公司分别对境内结算参与人各备付金账户的按金持仓,结合按金率和按金参数计算其需要缴纳的款项。

按金持仓,是指每日收市后,本公司上海、深圳分公司分别根据境内结算参与人各备付金账户未完成交收的净买入交易头寸和净卖出交易头寸最新市值,分别扣减该备付金账户可作为合资格空头头寸的担保证券价值,两者取大后,所确定的计算按金的基础价值。

按金率,是指香港结算基于恒生指数历史两日最大波幅的统计所设定的比率。

按金乘数,是指本公司上海、深圳分公司分别根据境内结算参与人的风险情况调整其按金收取比例的参数。

集中抵押金,是指当结算参与者名下未交收高风险证券多头头寸价值大于其两倍速动资金及超过香港结算不时决定的基准集中价值的,香港结算对其收取的一类风控资金。高风险证券,是指上日收盘价较再上日收盘价,上涨或下跌幅度超过10%的证券。

第五十八条　对沪港通与深港通业务,本公司不提供跨境转存管服务。

第五十九条　沪港通与深港通相关税收安排按照国家税务机关规定执行。

第六十条　本细则报中国证监会批准后生效,修改时亦同。

第六十一条　本细则由本公司负责修订和解释。

第六十二条　本细则自二〇一六年九月三十日起施行。原《沪港股票市场交易互联互通机制试点登记、存管、结算业务实施细则》(中国结算发字〔2014〕109号)同时废止。

沪港通与深港通登记结算收费安排及标准

一、沪股通与深股通业务,本公司按照现行收费标准收取交易过户费。收费标准如下:

收费项目	收费标准	收费对象	收取单位
交易过户费(登记过户费)	按成交金额的0.02‰元人民币计收(双向收取)。	买卖双方投资者	中国结算

二、港股通业务,本公司代香港结算按其收费标准收取股份交收费和证券组合费;对于港股通非交易过户和质押登记业务,本公司收取非交易过户费和质押登记费。收费标准如下:

收费项目	收费标准	收费对象	收取单位
股份交收费	按成交金额(港币)的0.002%收取,最低及最高收费分别为2元港元及100元港元(双向收取)。	算参与人	香港结算
证券组合费	按每个自然日日终证券持有市值(港币)分段收取,费率如下: 低于500(含)亿元　年费率0.008% 500至2500(含)亿元　年费率0.007% 2500至5000(含)亿元　年费率0.006% 5000至7500(含)亿元　年费率0.005% 7500至10000(含)亿元　年费率0.004% 10000亿元以上　年费率0.003%	结算参与人	香港结算
非交易过户费	按转让股份市值(港币)的1‰收取,最高上限10万元人民币(双向收取)。	转让双方投资者	中国结算

收费项目	收费标准	收费对象	收取单位
质押登记费	500 万港元市值以下(含)部分按该部分市值(港币)的1‰收取,超500 万港元市值的部分按该部分市值(港币)的0.1‰收取。	质押登记申请人	中国结算

注:1.港股通以上收费项目以港币计算,按适用汇率折算成人民币收取;

2.港股通其他收费项目如转托管费和查询费等,详见《中国结算上海分公司港股通存管结算业务指南》和《中国结算深圳分公司港股通存管结算业务指南》。

港股通股票的报价规则和定价机制

一、报价规则

跟港股市场的所有交易一样,深港通之下的港股通及沪港通之下的港股通(合称"港股通")每个交易日首个输入交易系统的买盘或卖盘,是受一套开市报价规则所监管。按此规则,在持续交易时段,首个挂盘若为买盘,其价格必须高于或等于上个交易日收市价之下24 个价位的价格;而首个挂盘若为卖盘,其价格则必须低于或等于上个交易日收市价之上24 个价位的价格。首个挂盘(无论是买盘或卖盘)在任何情况下不得偏离上个交易日收市价九倍或以上,也不得低于九分之一或以下。

至于非开市买卖盘的报价,则受另一套报价规则和价位表所规限,其中包括买盘或卖盘的价格不得偏离按盘价九倍或以上及少于九分之一或以下。

上述报价规则一般并不适用于竞价限价盘,但竞价限价买盘或竞价限价卖盘的价格亦不得偏离按盘价九倍或以上,也不得低于按盘价九分之一或以下。

二、开市价

在开市前时段(上午9:00 至9:30),买卖盘以买卖盘类别、价格及时间等优先次序,按"最终参考平衡价"顺序对盘,"最终参考平衡价"即为开市价。若开市前时段未产生对盘价格的,以当日第一笔成交价格作为开市价。

开市前时段	时间	交易规则
输入买卖盘时段	9:00 –9:15 AM	只接受竞价盘及竞价限价盘输入。 (注:港股通投资者只可以输入竞价限价盘,并且 期间仅能撤销订单而不可以修改订单。)
对盘前时段	9:15 –9:20 AM	只接受竞价盘,投资者不得在交易系统内更改及取消买卖盘。 (注:港股通投资者不能输入"竞价盘",因此,不 可以在9:15 –9:20 之间输入、修改及取消订单。)
对盘时段	9:20 –9:28 AM	1、投资者不得在交易系统内输入、更改及取消 买卖盘; 2、已经存在的买卖盘会以买卖盘类别(以竞价盘 为先)、价格及时间等优先次序对盘; 3、在此时段确定每一只证券的最终参考平衡价格(即开盘价)。
暂停时段	9:28 –9:30 AM	至早上9:30 持续交易时段开始前,不能将买卖盘传递至联交所的交易系统。

·竞价盘:没有指定价格的买卖盘,按最终参考平衡价格进行对盘。竞价盘享有

较竞价限价盘优先的对盘次序及根据时间先后次序按最终参考平衡价格顺序对盘。在开市前时段结束后,任何未完成的竞价盘会于持续交易时段开始前自动取消。

·竞价限价盘:有指定价格的买卖盘。根据价格及时间先后次序按最终参考平衡价格顺序对盘。不会以差于最终参考平衡价格的价格对盘。在开市前时段结束后,任何未完成而输入价不偏离按盘价九倍或以上,也不低于按盘价九分之一或以下的竞价限价盘,将自动转至持续交易时段,并一概视为限价盘存于所输入价格的轮候队伍中。

一般而言,参考平衡价格必须是介乎最高买盘价及最低卖盘价之间(包括该两个价格)的其中一个买盘价或卖盘价,并达致最多的配对股数。

例子:以下表格列出在对盘时段开始时在买卖盘记录的所有买卖盘,按配对的优先次序排列。

买盘				卖盘			
交易商	时间	股数	价格(港元)	价格(港元)	股数	时间	交易商
A	09:05	2,000	竞价盘	31.90	2,000	09:01	P
B	09:00	1,000	32.00	31.90	8,000	09:10	Q
C	09:11	8,000	32.00	32.00	10,000	09:05	M
D	09:02	6,000	31.90	32.00	4,000	09:13	N
E	09:10	3,000	31.90	32.00	2,000	09:14	O
F	09:14	2,000	31.90	32.10	6,000	09:12	K

买盘				卖盘			
G	09:13	2,000	31.80	32.10	2,000	09:13	L
				32.20	4,000	09:01	H
				32.20	2,000	09:08	I
				32.20	1,000	09:12	J

参考平衡价格	累积买盘股数	累积卖盘股数	配对股数
32.00	11,000	26,000	11,000

三、成交规则

每个全日交易日的上午9:30至中午12:00以及下午13:00至16:00是联交所的持续交易时段。

在持续交易时段,一方面,交易系统会按照价格优先、时间优先的原则成交;另一方面,交易系统只接受"限价盘"、"增强限价盘"及"特别限价盘"。(注:港股通投资者在持续交易时段内只可输入"增强限价盘"。)

在此时段,输入交易系统的买卖盘价格不可大于按盘价(最近参考价)九倍或以上

及小于九分之一或以下。同时,每个买卖盘的数量不得超过3,000手股份。

·限价盘:只可以指定价格配对,卖盘的输入价格不可低于最佳买入价(如有),而买盘的输入价格不可高于最佳沽出价(如有)。任何未完成的限价盘,将存于所输入价格的轮候队伍中。

·增强限价盘:最多可同时与十条轮候队伍进行配对(即最佳价格队伍至距离9个价位的第10条轮候队伍),只要成交的价格不差于输入价格。卖盘的输入价格不可低于最佳买入价10个价位(或以外),而买盘的输入价格不可高于最佳沽出价10个价位(或以外)。任何未完成的增强限价盘,将一概视为限价盘,存于所输入价格的轮候队伍中。

·特别限价盘:最多可同时与十条轮候队伍进行配对(即最佳价格队伍至距离9个价位的第10条轮候队伍),只要成交的价格不差于输入价格。特别限价盘是没有输入价格的限制,只要卖盘的价格是等于或低于最佳买入价,又或者买盘的价格是等于或高于最佳沽出价。任何未完成的特别限价盘将会被取消。

四、收市价

(一)收市竞价证券收市竞价证券涵盖所有恒生综合大型股及中型股指数的成份股、有相应A股在中国

内地交易所上市的H股及所有交易所买卖基金。收市竞价证券收市价由收市竞价交易时段(具体时段安排参见下表)决定,在随机收市时段过后,所有收市竞价证券会按最终参考平衡价格配对买卖盘。

参考平衡价格是介乎最高买盘价与最低卖盘价之间,用以配对时可以达成最高交易股的价格。在决定最高交易股数时,竞价盘及竞价限价盘的交易股数均会被考虑在内。

倘若收市竞价交易时段没有确立最终参考平衡价格,参考价将当作最终参考平衡价格用以配对买卖盘,并将成为收市竞价证券的收市价。买卖盘会以买卖盘类别、价格及时间等优先次序对盘(竞价盘享有较优先的对盘次序)。

<table>
<tr><th>收市竞价交易时段</th><th>时间</th><th colspan="3">交易规则</th></tr>
<tr><td>参考价定价时段(1 分钟)</td><td>16:00-16:01</td><td colspan="3">计算及公布参考价(注:参考价按持续交易时段 最后一分钟录取的五个按盘价的中位数而定);不得输入、取消及更改买卖盘;系统自动带入符合价格限制的买卖盘。</td></tr>
<tr><td>输入买卖盘时段(5 分钟)</td><td>16:01-16:06</td><td>价格限制:参 考价的+/-5%</td><td rowspan="3">准的买卖盘 类别:
A. 竞价盘(港股通投资者不适用);
B. 竞价限价盘</td><td>可输入、取消及更改买卖盘。</td></tr>
<tr><td>不可取消时段(2 分钟)</td><td>16:06-16:08</td><td rowspan="2">格限制:最 低卖盘价与最 高买盘价之间</td><td rowspan="2">可输入,但不能取消及更改买卖盘。</td></tr>
<tr><td>随机收市时段(2 分钟)</td><td>16:08-16:10</td></tr>
</table>

(二)非收市竞价证券

对非收市竞价证券,港股收市价按照持续交易时段最后一分钟内5个按盘价的中位数计算,系统由15:59:00开始每隔15秒录取股份按盘价一次,共摄取五个按盘价,然后取其中位数,确定为收市价。

(本文资料来源:港股通投资者指南、香港交易及结算所有限公司网站。)

(免责声明:本栏目的信息不构成任何投资建议,投资者不应以该等信息取代其独立判断或仅根据该等信息做出决策。供稿人力求本栏目文章所涉信息准确可靠,但并不对其准确性、完整性和及时性做出任何保证,亦不对因使用本栏目信息引发的损失承担责任。)

■沪港通业务规则

上海证券交易所沪港通业务实施办法

（2014 年 9 月 26 日实施　2016 年 7 月 18 日第一次修订
2016 年 9 月 30 日第二次修订）

第一章　总　则

第一条　为了规范沪港通业务开展，防范风险，保护投资者合法权益，根据中国证监会《内地与香港股票市场交易互联互通机制若干规定》（以下简称《若干规定》）、《上海证券交易所交易规则》（以下简称《交易规则》）、《上海证券交易所会员管理规则》（以下简称《会员管理规则》）及上海证券交易所（以下简称本所）其他相关业务规则，制定本办法。

第二条　投资者、本所会员、香港联合交易所有限公司（以下简称联交所）在上海设立的证券交易服务公司（以下简称联交所证券交易服务公司）、本所设立的证券交易服务公司（以下简称本所证券交易服务公司）及其他市场主体参与沪港通交易及相关活动，应当遵守本办法。

沪股通交易事项（投资者证券买卖委托事项除外）和港股通交易的委托、本所会员客户管理等事项，本办法未规定的，适用《交易规则》《会员管理规则》和本所其他相关业务规则。

第三条　本所对沪港通交易及相关活动实施自律管理。

第二章　沪股通交易

第一节　联交所证券交易服务公司参与沪股通业务

第四条　联交所证券交易服务公司参与沪股通业务，应当申请成为本所交易参与人并取得参与者交易业务单元，遵守本所对交易参与人的相关规定。

联交所证券交易服务公司不是本所会员，不享有法律、行政法规、部门规章、规范性文件和《上海证券交易所章程》《会员管理规则》等规定的本所会员权利。

第五条　联交所证券交易服务公司申请成为本所交易参与人，应当提交下列文件：

（一）申请书、承诺书；

（二）中国证监会、香港证券及期货事务监察委员会相关批准文件；

（三）企业法人营业执照；

（四）公司章程；

（五）沪股通业务管理制度、技术安排，以及委托联交所承担沪股通业务相关职责的安排；

（六）董事、监事、高级管理人员的个人资料；

（七）联交所参与者参与沪股通业务的承诺书文本、技术标准及其他要求；

（八）联交所证券交易服务公司与香港中央结算有限公司（以下简称香港结算）的沪股通结算协议；

（九）拟开展沪股通业务的联交所参与者名单，以及上述联交所参与者符合技术标准及其他要求的情况说明；

（十）与沪股通有关的费用收取方式和标准；

（十一）本所要求的其他文件。

第六条　联交所证券交易服务公司将联交所参与者根据投资者委托进行沪股通交易的订单向本所申报，并承担相应的交易责任。

沪股通交易申报在本所达成交易后，联交所证券交易服务公司应当承认交易结果，接受成交回报并发送给相关联交所参与者和香港结算。

联交所证券交易服务公司应当对联交所参与者的沪股通交易行为进行管理，并根据本所要求对沪股通违规交易行为采取必要的措施。

第七条　联交所证券交易服务公司可以委托联交所代为履行本办法规定的相关职责，但仍应承担相关职责未充分、适当履行的责任。

第八条　联交所证券交易服务公司应当建立沪股通业务风险控制措施，加强内部控制，防范业务风险。

第九条　联交所证券交易服务公司应当制定联交所参与者参与沪股通业务的技术标准及其他要求，并对拟开展沪股通业务的联交所参与者的技术系统进行测试评估。

第十条　联交所证券交易服务公司应当要求符合条件的联交所参与者签署沪股通业务承诺书，承诺书应当包括但不限于以下内容：遵守内地和香港相关法律、行政法规、部门规章、规范性文件和业务规则；认可并执行联交所证券交易服务公司基于前述规定和双方约定对其提出的相关要求，以及通过合同或者其他安排要求其客户认可并执行相关要求；认可并通过合同或者其他安排要求其客户认可本办法及本所其他业务规则关于本所责任豁免的相关规定。

第十一条　联交所证券交易服务公司应当为沪股通投资者、联交所参与者了解相关法律、行政法规、部门规章、规范性文件和业务规则、业务流程、费用收取方式及标准等信息，提供必要的便利和指引。

第十二条　联交所证券交易服务公司应当遵守内地相关法律、行政法规、部门规章、规范性文件和业务规则。

联交所证券交易服务公司应当采取适当方式，督促联交所参与者并要求联交所参与者督促其客户遵守内地相关法律、行政法规、部门规章、规范性文件和本所业务规则的规定，并要求联交所参与者向客户充分揭示沪股通交易风险以及因违反前述规定承担违法或违规责任的风险。

第十三条　联交所证券交易服务公司按照本办法第五条向本所提交的材料内容发生变化的，应当在变更发生后 3 个沪股通交易日内向本所提交更新材料。

联交所证券交易服务公司应当按照本所要求提供沪股通业务运行相关情况的报告。

第十四条　联交所证券交易服务公司发生影响或者可能影响其业务运行的重大事件时，应当立即向本所报告，说明事件的起因、目前的状态、可能产生的后果和应对措施。

第十五条　联交所证券交易服务公司应当妥善保存履行本办法规定职责形成的各类文件、资料，并采取适当方式要求联交所参与者妥善保存沪股通客户资料及其委托和申报记录等资料，保存期限不少于 20 年。

第二节　沪股通股票

第十六条　沪股通股票包括以下范围内的股票：

（一）上证 180 指数成份股；

（二）上证 380 指数成份股；

（三）A + H 股上市公司的本所上市 A 股。

在本所上市公司股票风险警示板交易的股票（即 ST、* ST股票和退市整理股票）、暂停上市的股票、以外币报价交易的股票（即 B 股）和具有本所认定的其他特殊情形的股票，不纳入沪股通股票。

经监管机构批准，本所可以调整沪股通股票的范围。

第十七条　沪股通股票之外的本所上市股票因相关指

数实施成份股调整等原因，导致属于本办法第十六条第一款规定范围且不属于第十六条第二款规定范围的，调入沪股通股票。

H股上市公司在本所上市A股，或者A股在本所上市的公司在联交所上市H股，或者公司同日在本所和联交所上市A股和H股的，其A股在上市满10个交易日且相应H股价格稳定期结束后调入沪股通股票。

第十八条　沪股通股票因相关指数实施成份股调整等原因，导致不再属于本办法第十六条第一款规定范围或者属于第十六条第二款规定范围的，调出沪股通股票。

第十九条　联交所证券交易服务公司通过其指定网站公布沪股通股票名单，相关股票调入或者调出沪股通股票的生效时间以联交所证券交易服务公司公布的时间为准。

第三节　交易特别事项

第二十条　沪股通股票以人民币报价和交易。

第二十一条　沪股通交易日和交易时间由联交所证券交易服务公司在其指定网站公布。

第二十二条　沪股通交易采用竞价交易方式，本所另有规定的除外。

第二十三条　沪股通交易申报采用限价申报，本所另有规定的除外。

沪股通限价申报指令应当包括证券账号、经纪商代码、证券代码、买卖方向、数量、价格等内容。

本所根据监管需要，可以要求联交所证券交易服务公司提供其交易申报涉及的投资者信息。

第二十四条　根据本办法第十八条被调出沪股通股票且仍属于本所上市股票的，不得通过沪股通买入，但可以卖出。

第二十五条　沪股通股票保证金交易和担保卖空的标的股票，应当属于本所市场融资融券交易的标的证券范围。

第二十六条　联交所证券交易服务公司应当对属于沪股通股票担保卖空的交易申报予以特别标识。

担保卖空的申报价格不得低于该股票的最新成交价；当天没有成交的，申报价格不得低于其前收盘价。

联交所证券交易服务公司应当促使联交所参与者要求其客户，在未归还为担保卖空而借入的股票前卖出相同股票的委托价格应当符合前款要求，但超出未归还股票数量的部分除外。

第二十七条　单个沪股通交易日的单只沪股通股票担保卖空比例不得超过1%；连续10个沪股通交易日的单只沪股通股票担保卖空比例累计不得超过5%。联交所证券交易服务公司应当根据前述比例要求进行前端控制。

联交所证券交易服务公司应当于每一沪股通交易日日终，通过其指定网站披露沪股通股票担保卖空比例。

本所可以根据市场情况，调整本条第一款规定的担保卖空比例限制，或者暂停接受沪股通股票担保卖空申报。

第二十八条　属于沪股通股票的单只股票，在本所市场进行融资交易的融资监控指标达到规定比例而被本所暂停融资买入的，本所可以要求联交所证券交易服务公司暂停提交该沪股通股票保证金交易申报。该股票的融资监控指标降低至规定比例而被本所恢复融资买入的，本所可以通知联交所证券交易服务公司恢复提交该沪股通股票保证金交易申报。

属于沪股通股票的单只股票，在本所市场的融券余量达到规定比例而被本所暂停融券卖出的，本所可以要求联交所证券交易服务公司暂停提交该沪股通股票担保卖空交易申报。该股票的融券余量降低至规定比例而被本所恢复融券卖出的，本所可以通知联交所证券交易服务公司恢复提交该沪股通股票担保卖空交易申报。

第二十九条　除下列情形外，不得进行沪股通股票非交易过户：

（一）为担保卖空而进行的期限不超过一个月的沪股通股票借贷；

（二）在自身持券范围内为满足持券检查要求而进行的为期一日且不得展期的沪股通股票借贷；

（三）为处理错误交易而在联交所参与者与其交易客户之间进行的沪股通股票过户；

（四）基金管理人通过统一账户买入沪股通股票后，分配至其管理的各基金账户；

（五）本所和中国证券登记结算有限责任公司（以下简称中国结算）规定的其他情形。

第三十条　联交所证券交易服务公司应当采取适当方式，要求联交所参与者接受客户沪股通卖出委托时须确保客户账户内有足额的证券，不得接受客户无足额证券而直接在市场上卖出证券的委托。

第三十一条　通过沪股通买入的股票，在交收前不得卖出。

第三十二条　联交所证券交易服务公司和联交所参与者不得自行撮合投资者买卖沪股通股票的订单，不得以其他任何形式在本所以外的场所提供沪股通股票转让服务，中国证监会另有规定的除外。

第三十三条　通过联交所证券交易服务公司进行的沪股通交易，证券交易公开信息中公布的名称为“沪股通专用”。

第三十四条　联交所证券交易服务公司未经本所同意，不得将本所许可其使用的交易信息提供给联交所参与者及其交易客户之外的其他机构和个人使用或者予以传播，也不得用于开发指数或者其他产品。

联交所证券交易服务公司应当采取适当方式，要求联交所参与者并促使联交所参与者要求其客户遵守前款规定。

第三十五条　联交所证券交易服务公司应当按照本所市场收费标准交纳沪股通交易经手费等相关费用。

联交所证券交易服务公司应当与香港结算签订协议，委托香港结算就沪股通交易进行清算交收、交纳交易经手费及其他相关费用。

第三十六条　因沪股通股票权益分派、转换、上市公司被收购等情形或者异常情况，所取得的沪股通股票以外的本所上市证券，可以通过沪股通卖出，但不得买入，本所另有规定的除外。

因沪股通股票权益分派、转换或者上市公司被收购等所取得的非本所上市证券，不得通过沪股通买入或者卖出。

第三十七条　本所可以根据市场需要，调整沪股通的交易方式、订单类型、申报内容及方式、业务范围、交易限制等规定。

第四节　额度控制

第三十八条　联交所证券交易服务公司对沪股通交易每日额度的使用情况进行实时监控，并在其指定网站公布额度使用情况。

第三十九条　沪股通交易当日额度余额的计算公式为：当日额度余额 = 每日额度 - 买入申报金额 + 卖出成交金额

+被撤销和被本所拒绝接受的买入申报金额+买入成交价低于申报价的差额。

第四十条 当日额度在本所开盘集合竞价阶段使用完毕的，联交所证券交易服务公司暂停接受该时段后续的买入申报，但仍然接受卖出申报。此后在本所连续竞价阶段开始前，因买入申报被撤销、被本所拒绝接受或者卖出申报成交等情形，导致当日额度余额大于零的，联交所证券交易服务公司恢复接受后续的买入申报。

当日额度在本所连续竞价阶段使用完毕的，联交所证券交易服务公司停止接受当日后续的买入申报，但仍然接受卖出申报。在上述时段停止接受买入申报的，当日不再恢复，本所另有规定的除外。

第四十一条 联交所证券交易服务公司应当采取适当方式，要求联交所参与者并促使联交所参与者要求其客户在参与沪股通交易时，不得通过低价大额买入申报等方式恶意占用额度，影响额度控制。

第五节 持股比例限制

第四十二条 投资者参与沪股通交易，应当遵守《若干规定》中的持股比例限制。

第四十三条 联交所证券交易服务公司应当采取适当方式，要求联交所参与者在投资者买卖沪股通股票违反有关持股比例限制时拒绝接受其交易委托、实施平仓或者采取其他制止和纠正措施。

第四十四条 投资者根据相关规定履行信息披露义务时，其通过沪股通交易与通过其他方式持有的同一上市公司的境内、外上市股份应当合并计算。

第四十五条 当日交易结束后，单个境外投资者通过沪股通与其他方式持有同一上市公司股票合并计算超过限定比例的，应当在5个沪股通交易日内对超出部分予以平仓，并按照有关规定及时履行信息披露义务。

第四十六条 当日交易结束后，所有境外投资者通过沪股通与其他方式持有同一上市公司股票合并计算超过限定比例的，本所将按照后买先卖的原则，向联交所证券交易服务公司及其他境外投资者发出平仓通知。联交所证券交易服务公司应当及时通知联交所参与者，并要求其通知投资者。投资者应当自接到通知之日起的5个沪股通交易日内，对超出部分予以平仓。

其他境外投资者在5个沪股通交易日内自行减持导致上述持股总数降至限定比例以下的，联交所证券交易服务公司可以主动或者根据被通知减持的沪股通投资者通过联交所参与者向其提出的请求，向本所申请由原持有人继续持有原股份。

第四十七条 沪股通投资者未按规定对超过限定比例的股份进行处理的，联交所证券交易服务公司应当要求相关联交所参与者实施平仓。

第三章 港股通交易

第一节 本所会员参与港股通业务

第四十八条 本所会员参与港股通业务，应当符合本所证券交易服务公司规定的技术标准及其他要求。

第四十九条 本所会员参与港股通业务，应当与本所证券交易服务公司签订港股通服务合同，约定双方的权利和义务。

第五十条 本所会员参与港股通业务，适用本所有关会员对客户交易行为管理的规定。

第五十一条 本所会员应当向客户充分揭示港股通投资风险，督促客户遵守内地和香港相关法律、行政法规、部门规章、规范性文件和业务规则，接受本所监管。

第五十二条 本所会员可以按照约定与本所证券交易服务公司终止港股通服务合同，但应当对其客户作出妥善安排。

第五十三条 本所证券交易服务公司可以与本所会员约定，发生下列情形之一的，本所证券交易服务公司有权暂停提供港股通服务或者终止港股通服务合同：

（一）会员违反相关法律、行政法规、部门规章、规范性文件和业务规则；

（二）会员不配合本所对港股通交易行为的检查、调查、取证和其他监管行为；

（三）会员相关业务、技术系统出现重大故障，无法为客户提供港股通交易服务；

（四）合同约定的其他情形。

第五十四条 本所证券交易服务公司可以委托本所代为履行本办法规定的相关职责，但仍应承担相关职责未充分、适当履行的责任。

第二节 港股通股票

第五十五条 港股通股票包括以下范围内的股票：

（一）恒生综合大型股指数的成份股；

（二）恒生综合中型股指数的成份股；

（三）A+H股上市公司的H股。

本所上市A股为风险警示板股票或者暂停上市股票的A+H股上市公司的相应H股、同时有股票在本所以外的内地证券交易所上市的发行人的股票、在联交所以港币以外货币报价交易的股票和具有本所认定的其他特殊情形的股票，不纳入港股通股票。

经监管机构批准，本所可以调整港股通股票的范围。

第五十六条 港股通股票之外的股票因相关指数实施成份股调整等原因，导致属于本办法第五十五条第一款规定范围且不属于第五十五条第二款规定范围的，调入港股通股票。

A股在本所上市的公司在联交所上市H股，或者H股上市公司在本所上市A股，或者公司同日在本所和联交所上市A股和H股的，其H股在价格稳定期结束且相应A股上市满10个交易日后调入港股通股票。

第五十七条 港股通股票因相关指数实施成份股调整等原因，导致不再属于本办法第五十五条第一款规定范围或者属于第五十五条第二款规定范围的，调出港股通股票。

第五十八条 本所证券交易服务公司通过其指定网站公布港股通股票名单，相关股票调入或者调出港股通股票的生效时间以本所证券交易服务公司公布的时间为准。

第三节 交易特别事项

第五十九条 投资者应当通过沪市人民币普通股票账户进行港股通交易。

第六十条 港股通交易以港币报价，投资者以人民币交收。

第六十一条 港股通交易日和交易时间由本所证券交易服务公司在其指定网站公布。每个港股通交易日的交易时间包括开市前时段、持续交易时段和收市竞价交易时段，具体按联交所的规定执行。

发生本所证券交易服务公司认定的特殊情形，导致或者可能导致港股通交易无法正常进行的，本所证券交易服务公司可以调整港股通交易日、交易时间并向市场公布。

第六十二条 港股通交易通过联交所自动对盘系统进

行，但投资者持有的碎股只能通过联交所半自动对盘碎股交易系统卖出。

投资者参与联交所自动对盘系统交易，在联交所开市前时段和收市竞价交易时段应当采用竞价限价盘委托，在联交所持续交易时段应当采用增强限价盘委托。

第六十三条 港股通交易申报的申报数量按照联交所的规定执行。

第六十四条 根据本办法第五十七条规定被调出港股通股票且仍属于联交所上市股票的，不得通过港股通买入，但可以卖出。

第六十五条 投资者当日买入的港股通股票，经确认成交后，在交收前即可卖出。

第六十六条 港股通实行全面指定交易制度，适用本所关于指定交易的相关规定。

投资者新办理或者变更指定交易的，自下一港股通交易日起方可进行港股通交易。

第六十七条 港股通实行客户交易结算资金第三方存管制度，参照A股交易相关规定执行。

第六十八条 会员接受客户港股通交易委托，应当确保客户有足额可用的人民币资金或者证券。会员不得接受客户无足额可用的资金、证券而直接在市场上买入、卖出证券的委托。

第六十九条 本所证券交易服务公司和本所会员不得自行撮合投资者买卖港股通股票的订单，不得以其他任何形式在联交所以外的场所提供港股通股票转让服务，中国证监会另有规定的除外。

第七十条 港股通订单已经申报的，不得更改申报价格或者申报数量，但在联交所允许撤销申报的时段内，未成交申报可以撤销。

第七十一条 会员参与港股通业务，应当通过本所证券交易服务公司向联交所提交申报指令。

本所证券交易服务公司接收联交所发送的交易结果及其他交易记录后发送给会员，并由会员发送给其客户。

第七十二条 港股通业务中股票的即时行情等信息，由联交所发布。

会员及本所认可的其他机构未经联交所同意，不得将联交所许可其使用的交易信息提供给其客户之外的其他机构和个人使用或者予以传播，也不得用于开发指数或者其他产品。

第七十三条 会员应当按照有关规定妥善保存委托和申报记录等资料。

第七十四条 投资者进行港股通交易，应当按规定向其委托的会员交纳佣金，并按照联交所市场的有关规定交纳相关费用。

第七十五条 因港股通股票权益分派、转换、上市公司被收购等情形或者异常情况，所取得的港股通股票以外的联交所上市证券，可以通过港股通卖出，但不得买入，本所另有规定的除外。

因港股通股票发行人供股、港股通股票权益分派或者转换等所取得的联交所上市股票的认购权利凭证在联交所上市的，可以通过港股通卖出，但不得买入，其行权等事宜按照中国证监会、中国结算的相关规定处理。

因港股通股票权益分派、转换或者上市公司被收购等所取得的非联交所上市证券，不得通过港股通买入或者卖出。

第七十六条 本所可以根据市场需要，调整港股通的交易方式、订单类型、业务范围、交易限制等规定。

第四节 额度控制

第七十七条 本所证券交易服务公司对港股通交易每日额度的使用情况进行实时监控，并在其指定网站公布额度使用情况。

第七十八条 港股通交易当日额度余额的计算公式为：

当日额度余额 = 每日额度 - 买入申报金额 + 卖出成交金额 + 被撤销和被联交所拒绝接受的买入申报金额 + 买入成交价低于申报价的差额。前款规定的买入申报金额、卖出成交金额、被撤销和被联交所拒绝接受的买入申报金额、买入成交价低于申报价的差额，按照中国结算每日交易开始前提供的当日交易参考汇率，由港币转换为人民币计算。

第七十九条 当日额度在联交所开市前时段使用完毕的，本所证券交易服务公司暂停接受该时段后续的买入申报，且在该时段结束前不再恢复，但仍然接受卖出申报。因买入申报被撤销、被联交所拒绝接受或者卖出申报成交等情形，导致当日额度余额大于零的，本所证券交易服务公司在联交所持续交易时段开始时恢复接受后续的买入申报。

当日额度在联交所持续交易时段或者收市竞价交易时段使用完毕的，本所证券交易服务公司停止接受当日后续的买入申报，但仍然接受卖出申报。在上述时段停止接受买入申报的，当日不再恢复，本所另有规定的除外。

第八十条 投资者参与港股通交易，不得通过低价大额买入申报等方式恶意占用额度，影响额度控制。

第五节 投资者适当性管理

第八十一条 机构投资者参与港股通交易，应当符合法律、行政法规、部门规章、规范性文件及业务规则的规定。

第八十二条 个人投资者参与港股通交易，至少应当符合下列条件：

（一）证券账户及资金账户资产合计不低于人民币50万元；

（二）不存在严重不良诚信记录；

（三）不存在法律、行政法规、部门规章、规范性文件和业务规则规定的禁止或者限制参与港股通交易的情形。

本所可以根据市场情况，调整前款规定的条件。

第八十三条 投资者进行港股通交易，应当熟悉香港证券市场相关规定，了解港股通交易的业务规则与流程，结合自身风险偏好确定投资目标，客观评估自身风险承受能力。

第八十四条 本所会员应当制定港股通业务投资者适当性管理的标准、程序、方法以及执行投资者适当性制度的保障措施。会员制定的投资者适当性管理标准应当包括投资者的资产状况、知识水平、风险承受能力等方面。

第八十五条 本所会员应当向客户全面客观介绍香港证券市场法律法规、市场特点和港股通业务规则、流程。

第八十六条 本所会员应当与参与港股通交易的客户签订委托协议，约定双方的权利和义务。

会员与客户签订委托协议前，应当向客户充分揭示港股通交易风险，并要求客户签署风险揭示书。

委托协议、风险揭示书的必备条款，由本所另行规定。

第四章 交易异常情况处理

第八十七条 发生本所认定的交易异常情况，导致或者可能导致部分或者全部沪股通交易不能正常进行的，本所可以决定采取对相关沪股通股票停牌、暂停接受部分或者全部沪股通交易申报、对本所市场临时停市等措施，并予以公告。

发生本所证券交易服务公司认定的交易异常情况，导致或者可能导致部分或者全部港股通交易不能正常进行的，本所证券交易服务公司可以决定暂停提供部分或者全部港股通服务并予以公告。

本所停牌、临时停市及本所证券交易服务公司暂停提供港股通服务的原因消失后，本所可以决定恢复相关沪股通交易、本所市场交易并予以公告，本所证券交易服务公司可以决定恢复港股通服务并予以公告。

第八十八条 沪股通交易短时间内买入或者卖出超过一定金额，构成本所业务规则规定的交易异常情况的，本所可以按照规定采取相应处置措施。

第八十九条 发生联交所认定的交易异常情况，导致或者可能导致部分或者全部港股通交易不能正常进行的，联交所决定对联交所市场临时停市及后续恢复交易或者采取其他措施的，本所将在接到联交所通知后对其相关公告予以转发。

发生联交所证券交易服务公司认定的交易异常情况，导致或者可能导致部分或者沪股通交易不能正常进行的，联交所证券交易服务公司可以决定暂停提供沪股通服务并予以公告。相关交易异常情况消失后，联交所证券交易服务公司可以决定恢复沪股通服务并予以公告。

第九十条 因交易异常情况及本所、本所证券交易服务公司采取的相应措施造成的损失，本所、本所证券交易服务公司不承担责任。

第五章 自律管理

第九十一条 本所与联交所通过跨境监管合作加强对沪港通交易及相关信息披露行为的监督管理。

第九十二条 本所根据《交易规则》等业务规则的规定，对沪股通交易中的异常交易行为予以重点监控。

第九十三条 联交所证券交易服务公司发现沪股通交易中存在或者可能存在本所《交易规则》等业务规则规定的异常交易行为之一的，应当及时报告本所，提醒联交所参与者并要求联交所参与者提醒其客户，并视情况采取拒绝为联交所参与者提供沪股通服务等措施。

联交所证券交易服务公司应当采取适当方式，要求联交所参与者对于在沪股通交易中存在或者可能存在本所《交易规则》等业务规则规定的异常交易行为的客户予以提醒，并视情况拒绝接受其后续的沪股通交易委托。

第九十四条 沪股通交易中出现违反本办法或者本所其他相关规定的行为，或者沪股通投资者违反或可能违反《上海证券交易所股票上市规则》等业务规则规定的信息披露等要求的，本所可以进行调查，要求联交所证券交易服务公司提供相关资料；本所还可以提请联交所对相关联交所参与者采取适当的调查措施。

第九十五条 沪股通交易中出现违反本办法或者本所其他相关规定的行为，情节严重的，本所可以提请联交所对其参与者实施相关监管措施、纪律处分，或者提请联交所要求其参与者对投资者进行口头警示、书面警示、拒绝接受其沪股通交易委托。

第九十六条 沪股通交易中出现异常交易行为，严重扰乱本所市场秩序的，本所可以暂停或者限制联交所证券交易服务公司交易权限，或者不予接受联交所证券交易服务公司提交的涉及相关投资者的交易申报。

异常交易行为影响消除后，本所可以决定恢复联交所证券交易服务公司交易权限或者恢复接受相关交易申报。

第九十七条 沪股通投资者买卖沪股通股票，违反《上海证券交易所股票上市规则》等业务规则规定的信息披露要求的，本所可以根据相关规则对其实施监管措施或者纪律处分。

第九十八条 港股通投资者、本所会员参与港股通交易，不得违反本办法的规定，不得从事市场失当行为。

第九十九条 本所会员发现投资者的港股通交易存在或者可能存在市场失当行为，应当予以提醒，并可以拒绝接受其委托。会员应当将相关情况及时向本所报告。

第一〇〇条 应联交所提请或者在本所认为必要时，本所可以对会员及其客户在港股通交易中出现的市场失当行为或者其他违规行为采取非现场调查和现场调查措施，要求相关会员及其客户提供相关资料，并可向联交所提供相关信息。

第一〇一条 本所会员及其客户在港股通交易中出现市场失当行为，情节严重的，本所应联交所提请，可以实施相应的监管措施或者纪律处分，包括要求本所相关会员拒绝接受其客户的港股通交易委托。

第一〇二条 本所可以根据需要，对联交所证券交易服务公司的风险管理措施、技术系统的安全运行状况及对本所相关业务规则的执行情况等进行检查。

第一〇三条 联交所证券交易服务公司违反本办法和本所其他相关规定的，本所可以实施口头警示、书面警示、监管谈话、通报批评、公开谴责等监管措施或者纪律处分。

第一〇四条 本所会员及其客户违反本办法和本所其他相关规定的，本所可以实施口头警示、书面警示、监管谈话、通报批评、公开谴责等监管措施或者纪律处分。

第一〇五条 沪股通投资者、港股通投资者、联交所证券交易服务公司、本所会员参与沪港通交易，违反相关法律、行政法规、部门规章、规范性文件及业务规则的规定，情节严重的，本所可以报中国证监会查处。

第一〇六条 根据法律、行政法规、部门规章、规范性文件、业务规则的规定或者监管机构的要求，本所可以暂停全部或者部分沪港通交易。

第一〇七条 因本所制定、修改业务规则或者根据业务规则履行自律监管职责等造成的损失，本所不承担责任。

本所会员、港股通投资者应当知晓并认可联交所业务规则中关于联交所责任豁免的相关规定。

第六章 附 则

第一〇八条 本办法下列用语含义：

（一）沪港通：即沪港股票市场交易互联互通机制，指两地投资者委托本所会员或者联交所参与者，通过本所或者联交所在对方所在地设立的证券交易服务公司，买卖规定范围内的对方交易所上市股票。沪港通包括沪股通和港股通两部分。

（二）沪股通：指投资者委托联交所参与者，通过联交所证券交易服务公司，向本所进行申报，买卖规定范围内的本所上市股票。

（三）港股通：指沪港通下的港股通，即投资者委托本所会员，通过本所证券交易服务公司，向联交所进行申报，买卖规定范围内的联交所上市股票。

（四）沪股通股票：指投资者可以通过沪股通买卖的规定范围内的在本所上市的股票。

（五）港股通股票：指投资者可以通过港股通买卖的规定范围内的在联交所上市的股票。

（六）沪股通投资者：指委托联交所参与者或者直接通过沪股通买卖沪股通股票的投资者。

（七）港股通投资者：指委托本所会员或者直接通过港股通买卖港股通股票的投资者。

（八）交易日：指本所市场的交易日。

（九）沪股通交易日：指联交所证券交易服务公司公布的沪股通交易日。

（十）港股通交易日：指本所证券交易服务公司公布的港股通交易日。

（十一）会员：指取得本所普通会员资格的证券公司。

（十二）联交所参与者：指符合联交所《交易所规则》定义的交易所参与者。

（十三）A股：指在本所上市的人民币普通股票。

（十四）H股：指境内注册的公司发行并在联交所上市的股票。

（十五）A+H股上市公司：指在境内注册、其股票同时在本所和联交所上市的公司。

（十六）退市整理股票：指被本所作出终止上市决定但处于退市整理期尚未摘牌的股票。

（十七）竞价限价盘委托：指委托本所会员申报符合联交所规则规定的竞价限价盘的港股通交易委托。

（十八）增强限价盘委托：指委托本所会员申报符合联交所规则规定的增强限价盘的港股通交易委托。

（十九）碎股：指不足一个买卖单位的证券。

（二十）价格稳定期：指在招股文件中载明的适用于该股票的稳定价格期间。

（二十一）沪股通股票保证金交易：指沪股通投资者在香港市场通过证券保证金融资获得资金买入沪股通股票。

（二十二）沪股通股票担保卖空：指沪股通投资者在香港市场通过股票借贷借入沪股通股票后，通过沪股通将其卖出。

（二十三）沪股通股票借贷：指在香港市场，联交所参与者向其交易客户或者其他联交所参与者出借沪股通股票，或者符合条件的机构向联交所参与者出借沪股通股票的行为。

（二十四）沪股通股票担保卖空比例：指单个沪股通交易日单只沪股通股票的担保卖空量，占前一沪股通交易日香港结算作为名义持有人持有的该只沪股通股票总量的比例。

（二十五）沪股通股票非交易过户：指在本所市场交易之外，对沪股通股票的实际权益拥有人进行变更。

（二十六）供股：指联交所上市公司向现有股票持有人作出供股要约，使其可以按持有股票的比例认购该公司股票，且认购权利凭证可以通过二级市场进行转让。

（二十七）公开配售：指联交所上市公司向现有股票持有人作出要约，使其可以认购该公司股票，但公开配售权益不能转让。

（二十八）市场失当行为：指香港地区法律及香港证券及期货事务监察委员会、联交所等规定的内幕交易、虚假交易、操控价格、披露关于受禁交易的资料、披露虚假或具误导性的资料以诱使进行交易、操纵证券市场及其他市场失当行为。

第一〇九条　向本所会员租用本所参与者交易业务单元的机构参与港股通交易，应当与本所证券交易服务公司签订港股通服务合同，并适用本所会员参与港股通业务的相关规定，但涉及本所会员经纪业务的规定除外。

会员自营、资产管理等非经纪业务参与港股通交易，以及前款规定的机构参与港股通交易，应当符合相关监管机构的规定。

第一一〇条　沪股通股票、港股通股票发行人及相关信息披露义务人的信息披露等行为监管，由股票上市地的证券交易所负责监管，适用股票上市地的法律、行政法规、部门规章、规范性文件和证券交易所业务规则。

第一一一条　香港结算作为名义持有人持有的沪股通股票变动达到上市公司股份权益变动标准的，不适用本所有关上市公司股份权益变动信息披露的规定。

第一一二条　沪股通投资者可以通过本所网站以及中国证监会指定的其他信息披露媒体，查询沪股通股票发行人及相关信息披露义务人披露的信息。

第一一三条　港股通投资者可以通过联交所“披露易”网站和相关发行人网站，查询港股通股票发行人及相关信息披露义务人披露的信息。

第一一四条　香港结算应当以自己的名义，按照沪股通投资者的意见行使对沪股通股票发行人的权利。

香港结算作为名义持有人参与本所上市公司股东大会网络投票的具体事项，由本所另行规定。

第一一五条　本所上市公司经监管机构批准向沪股通投资者进行配股的，由香港结算作为名义持有人参与认购，具体事宜适用本所有关股份发行认购的规定。

联交所上市公司经监管机构批准向港股通投资者进行供股、公开配售的，港股通投资者参与认购的具体事宜按照中国证监会、中国结算的相关规定执行。

第一一六条　本所会员为港股通交易提供融资融券服务的相关事宜，由本所另行规定。

第一一七条　有关监管机构对沪港通交收货币另有规定的，从其规定。

第一一八条　根据本办法只能通过沪港通卖出而不能买入的证券，其交易、持股比例限制、股东权益行使、信息披露等事项参照适用本办法关于沪股通股票、港股通股票的规定。

第一一九条　本办法所称“超过”、“大于”、“低于”、“少于”、“不足”不含本数，“达到”、“以下”含本数。

第一二〇条　本办法经本所理事会通过，报中国证监会批准，修改时亦同。

第一二一条　本办法由本所负责解释。

第一二二条　本办法自2014年9月26日起施行。

上海证券交易所
港股通投资者适当性管理指引

（2014年9月26日实施　2016年9月30日第一次修订）

第一条　为了规范沪港通下的港股通（以下简称港股通）投资者适当性管理工作，保护投资者合法权益，根据中国证监会《内地与香港股票市场交易互联互通机制若干规定》《上海证券交易所沪港通业务实施办法》（以下简称《实施办法》）及其他相关规定，制定本指引。

第二条　会员对委托其参与港股通交易的投资者进行适当性管理，适用本指引。

第三条　投资者应当根据港股通投资者适当性条件及自身的风险承受能力，审慎决定是否参与港股通交易。

投资者应当遵循买者自负原则，不得以不符合投资者适当性条件为由拒绝承担港股通交易及交收责任。

第四条　会员应当根据《实施办法》、本指引及上海证券交易所（以下简称本所）其他相关规定，制定港股通投资者适当性管理的操作指引和相关工作制度，包括标准、程序、方法以及执行投资者适当性制度的保障措施等内容，并报送本所。

第五条 个人投资者参与港股通交易，应当符合《实施办法》和本指引规定的投资者适当性条件。

会员与个人投资者签署港股通交易委托协议前，应当对个人投资者是否符合投资者适当性条件进行核查，对个人投资者的资产状况、知识水平、风险承受能力和诚信状况等进行综合评估。

投资者应当配合提供有关评估的证明材料，并对其真实性、合法性负责。

第六条 会员对个人投资者资产状况进行评估时，应当确认以该投资者名义开立的证券账户及资金账户内的资产不低于人民币50万元，其中不包括该投资者通过融资融券交易融入的资金和证券。

第七条 会员应当评估个人投资者是否了解港股通交易的业务规则与流程，以及是否充分知晓港股通投资风险。

第八条 会员应当通过评估问卷等方式，对个人投资者的风险承受能力进行评估，并向个人投资者明确告知评估结果、留存评估记录。

第九条 会员接受个人投资者港股通交易委托，应当确认其不存在严重不良诚信记录，也不存在法律、行政法规、部门规章、规范性文件、业务规则等规定的禁止或限制从事港股通交易的情形。

会员接受机构投资者港股通交易委托，应当确认其不存在法律、行政法规、部门规章、规范性文件、业务规则等规定的禁止或限制从事港股通交易的情形。

第十条 会员应当向投资者充分告知参与港股通交易的主要风险，提示其审慎参与港股通交易，并要求其签署港股通交易风险揭示书。风险揭示书应当包括本所规定的必备条款。

第十一条 会员应当妥善保存投资者提供的证明文件及相关材料、风险承受能力评估材料以及风险揭示书等资料。

第十二条 会员应当动态跟踪和持续了解个人投资者交易情况，至少每两年进行一次风险承受能力的后续评估，并对评估结果予以记录留存。

第十三条 会员应当建立港股通投资者教育工作制度，根据投资者的不同需求和特点，对港股通业务投资者教育工作的形式和内容作出具体安排。

第十四条 会员应当通过公司网站及营业部现场投资者教育专栏等方式，向投资者全面介绍香港证券市场法律法规、市场特点和港股通相关业务规则，充分揭示港股通交易风险，并提示投资者关注香港联合交易所有限公司发布的与港股通投资相关的市场通知、风险提示等重要信息。

第十五条 会员应当为投资者提供合理的投诉渠道，告知投资者投诉的方法和程序，妥善处理纠纷，引导其依法维护自身权益。

第十六条 会员应当督促投资者遵守与港股通交易相关的法律、行政法规、部门规章、规范性文件及本所、证券登记结算机构的业务规则，切实加强对港股通投资者交易、结算行为的合法合规管理。

第十七条 本所可以对会员落实港股通投资者适当性管理相关要求的情况进行监督检查。会员应当予以配合，根据要求如实提供投资者开户材料、资金账户情况等资料，不得隐瞒、阻碍或拒绝。

第十八条 本指引由本所负责解释。

第十九条 本指引自发布之日起施行。

上海证券交易所港股通委托协议必备条款

（2014年9月26日实施　2016年9月30日第一次修订）

证券公司应当在与客户签订的《上海证券交易所港股通委托协议》中载明必备条款所要求的内容，并不得擅自修改或删除必备条款所要求的内容。证券公司可以根据具体情况，在与客户签订的《上海证券交易所港股通委托协议》中约定必备条款要求载明以外的、适合本公司实际需要的其他内容，也可以在不改变必备条款规定含义的前提下，对必备条款作文字和条文顺序的变动。

第一条 证券公司开展沪港通下的港股通（以下简称港股通）业务，应当由其分支机构与客户签订《上海证券交易所港股通委托协议》（以下简称委托协议）。委托协议应当载明当事人相关信息。

甲方：（投资者或证券投资产品的管理人）

乙方：（证券公司或其分支机构）

第二条 委托协议应当载明订立委托协议的目的和依据，并明确委托协议所指港股通为沪港通下的港股通。

甲方签署本协议仅可委托乙方通过沪港通下的港股通买卖港股通股票。甲方通过沪港通下的港股通买入的证券，暂不能通过深港通下的港股通卖出；甲方通过深港通下的港股通买入的证券，暂不能通过沪港通下的港股通卖出。

第三条 委托协议应当载明甲方的声明与保证，包括但不限于：

（一）甲方已阅读并充分理解中国证监会《内地与香港股票市场交易互联互通机制若干规定》、上海证券交易所（以下简称上交所）及中国证券登记结算有限责任公司（以下简称中国结算）关于港股通的业务规则以及乙方向其提供的《上海证券交易所港股通交易风险揭示书》等相关文件，甲方具有合法的港股通交易资格，不存在相关法律、行政法规、部门规章、规范性文件以及业务规则等规定的禁止、限制或不适于参与港股通交易的情形；

（二）甲方保证在其与乙方委托关系存续期内向乙方提供的所有证件、资料均真实、准确、完整、合法，且用于港股通交易的资金来源合法，并保证遵守国家反洗钱的相关规定；

（三）甲方已清楚认识并愿意承担从事港股通交易的相关风险，并已详细阅读本协议所有条款和准确理解其含义，特别是其中有关乙方的免责条款；

（四）甲方承诺遵守港股通交易的内地与香港相关法律、行政法规、部门规章、规范性文件、业务规则等规定，并承诺按照乙方的相关业务流程办理业务；

（五）甲方承诺，同意由中国结算代甲方名义持有通过港股通取得的证券；

（六）甲方承诺，将遵循买者自负原则，不以不符合投资者适当性条件为由，拒绝承担港股通交易及交收责任；

（七）甲方保证上述声明与承诺的内容皆为本人真实意愿，并自愿承担虚假陈述的一切后果。

第四条 委托协议应当载明乙方的声明与保证，包括但不限于：

（一）乙方或乙方所属证券公司是依照内地法律设立且有效存续的证券经营机构，具有相应的证券经纪业务资格，已开通了港股通业务交易权限；

（二）乙方承诺遵守本协议，按本协议的约定为甲方提供港股通交易相关服务。

第五条　委托协议应当载明，乙方接受甲方委托为其提供以下服务：

（一）接受并执行甲方依照本协议约定的方式下达的合法有效的委托指令；

（二）进行资金、证券的清算、交收；

（三）托管甲方买入或其他方式取得的有价证券；

（四）证券登记结算机构通过乙方向甲方提供的红利分派等名义持有人服务；

（五）接受甲方对其委托、成交及账户内的资产及变化情况的查询，并应甲方的要求提供相应的清单；

（六）相关法律、行政法规、部门规章、规范性文件、业务规则规定的甲方可以委托乙方进行的其他活动以及双方依法约定的其他委托事项。

第六条　委托协议应当载明，甲方在参与港股通交易前，应先依照法律法规、相关业务规则开立账户用于证券交易、清算交收和计付利息等。乙方代理中国结算开立证券账户，应遵循中国结算的有关规定。

甲方可以使用其已经开立的沪市A股证券账户（沪市人民币普通股证券账户）进行港股通交易。

第七条　委托协议应当载明，甲方新办理或者变更指定交易的，自下一港股通交易日起方可进行港股通交易。

第八条　委托协议应当载明，甲方存在当日有交易行为、当日有申报、有交易未完成交收或者上交所、中国结算业务规则规定的其他情形的，甲方不得撤销指定交易。

第九条　委托协议应当载明，甲方知晓并认可：其获得的香港证券市场免费一档行情，与付费方式获得的行情相比，在刷新频率、档位显示等方面存在差异；甲方应仅作为最终用户使用上述行情信息，未经香港联合交易所有限公司（以下简称联交所）同意不得将其提供给任何机构或个人，也不得用于开发指数或其他产品；联交所及其控股公司、该控股公司的附属公司等行情信息提供方，将尽力保证所提供上述行情信息的准确和可靠度，但不能确保其绝对准确和可靠，亦不对因信息不准确或遗漏而导致的任何损失或损害承担责任。

第十条　委托协议应当约定乙方接受甲方下达委托指令的方式。

第十一条　委托协议应当载明，甲方委托乙方进行港股通交易而发出的委托及撤销委托等指令的内容和方式应当符合相关证券交易所的规定。

第十二条　委托协议应当约定无效委托导致的后果、风险和损失承担方式。

第十三条　委托协议应当约定乙方为甲方提供查询、打印交易明细等服务的方式和内容。

第十四条　委托协议应当载明，甲方知晓并认可中国结算按照香港中央结算有限公司（以下简称香港结算）的业务规则，与香港结算完成港股通交易的证券和资金的交收。港股通交易的境内结算由中国结算根据相关业务规则组织完成。

第十五条　委托协议应当载明，甲方通过港股通取得的证券以中国结算名义存管在香港结算，并以香港中央结算（代理人）有限公司的名义登记于联交所上市公司的股东名册。

委托协议应当载明，甲方不能要求存入或提取纸面股票，中国证监会另有规定的除外。

第十六条　委托协议应当载明，甲方知晓并认可香港结算因无法交付证券对中国结算实施现金结算的，中国结算参照香港结算的处理原则进行相应业务处理；香港结算因风球、黑色暴雨天气等原因，临时作出特殊交收安排的，中国结算参照香港结算的处理原则进行相应业务处理。甲方同意乙方按照中国结算的业务规则进行业务处理。香港结算发生破产而导致其未全部履行对中国结算的交收义务的，中国结算协助向香港结算追索，但不承担由此产生的相关损失。

第十七条　委托协议应当载明，甲方同意，对于甲方的港股通交易，由乙方或乙方所属证券公司以自己的名义与中国结算完成集中结算，并由乙方或乙方所属证券公司办理与甲方之间的港股通交易的结算，甲方不与中国结算发生结算关系。

甲乙双方、甲方与乙方所属证券公司发生的纠纷，不影响中国结算依照业务规则正在进行或已经进行的清算交收处理及违约处理。

第十八条　委托协议应当载明，乙方或乙方所属证券公司在交收日集中交收前，向甲方收取其应付的证券和资金。乙方或乙方所属证券公司应当向正常履行交收义务的甲方交付其应收的证券和资金。

第十九条　委托协议应当载明，在确保客户资金账户不出现透支的前提下，港股通交易应收资金可用于内地证券市场买入交易的时间，应不早于相关港股通交易应收资金的对应交收日。

第二十条　委托协议应当载明，在清算交收处理过程中，由乙方或乙方所属证券公司委托中国结算办理甲方与乙方或乙方所属证券公司之间的证券划付。

第二十一条　委托协议应当载明，甲方出现资金交收违约并造成乙方或乙方所属证券公司对中国结算违约的，乙方或乙方所属证券公司有权将甲方相当于交收违约金额的应收证券指定为暂不交付证券并由中国结算按其业务规则进行处置。由此造成的风险、损失和责任，由甲方承担。

第二十二条　委托协议应当载明，甲方出现证券交收违约的，乙方及乙方所属证券公司有权将相当于证券交收违约金额的资金暂不划付给甲方。

第二十三条　委托协议应当载明，发生下列情形之一的，甲方有权向乙方主张权利，乙方应承担相应责任并负责赔偿损失：

（一）乙方或乙方所属证券公司未完成与中国结算的集中交收，导致甲方应收资金或证券被暂不交付或处置的；

（二）乙方或乙方所属证券公司对甲方出现交收违约导致甲方未能取得应收证券或资金的；

（三）乙方或乙方所属证券公司发送的有关甲方的证券划付指令有误的；

（四）其他因乙方或乙方所属证券公司未遵守相关业务规则导致甲方利益受到损害的。

第二十四条　委托协议应当载明，甲方知晓并认可，出于降低全市场资金成本的原因，中国结算可以依照香港结算相关业务规则，将甲方每日净卖出证券向香港结算提交作为交收担保品。

第二十五条　委托协议应当载明，甲方委托乙方买卖证券时应保证其账户中有足额的可用资金或证券，并同意按乙方规定标准在账户中预留部分资金或按乙方规定比例在委托申报时冻结交易资金，以保证根据成交结果承担相应的清算交收责任，否则乙方有权拒绝甲方的委托指令。

第二十六条　委托协议应当约定发生甲方资金透支情

况的处理方式。

第二十七条 委托协议应当载明，甲方须向乙方支付其未指定交易期间所应承担的证券组合费。

第二十八条 委托协议应当约定违约处理方式、违约责任、适用的法律和争议处理方式。

第二十九条 委托协议应当约定，甲方知晓并认可，因上交所、中国结算制定、修改业务规则、根据业务规则履行自律监管职责等造成的损失，上交所和中国结算不承担责任；因交易异常情况或者上交所、上交所证券交易服务公司采取的相关措施造成的损失，上交所、上交所证券交易服务公司不承担责任。甲方不得基于上述原因向上交所、上交所证券交易服务公司或中国结算主张赔偿或者其他责任。

第三十条 委托协议应当载明，如出现涉及甲方财产继承或财产归属的事宜或纠纷，乙方依据中国结算发布的相关业务规则办理。

第三十一条 采用纸质方式签署的，委托协议应当载明甲方为个人的，委托协议由甲方本人签字；甲方为机构的，委托协议由甲方法定代表人或授权代表签字，并加盖公章。证券投资产品的管理人实施投资管理的，应作为甲方签署委托协议。

采用电子方式签署的，委托协议应当载明电子合同和纸质合同具有同等法律效力。

第三十二条 委托协议应当约定协议成立与生效条件、协议份数等事项。

上海证券交易所港股通交易风险揭示书必备条款

（2014 年 9 月 26 日实施　2016 年 7 月 22 日第一次修订
2016 年 9 月 30 日第二次修订）

为了充分揭示沪港通下的港股通（以下简称港股通）业务相关风险，开展港股通业务的证券公司应当针对港股通投资者（以下简称投资者）制定《上海证券交易所港股通交易风险揭示书》，该风险揭示书至少应当包括下列内容：

一、提示投资者注意，香港证券市场与内地证券市场存在诸多差异，投资者参与港股通交易需遵守内地与香港相关法律、行政法规、部门规章、规范性文件和业务规则，对香港证券市场有所了解；通过港股通参与香港证券市场交易与通过其他方式参与香港证券市场交易，也存在一定的差异。

二、提示投资者注意，投资者可以通过港股通买卖的股票存在一定的范围限制，且港股通股票名单会动态调整。投资者应当关注最新的港股通股票名单。对于被调出的港股通股票，自调整之日起，投资者将不得再行买入。

三、提示投资者注意，港股通股票可能出现因公司基本面变化、第三方研究分析报告的观点、异常交易情形、做空机制等原因而引起股价较大波动的情形，尤其是考虑到香港联合交易所有限公司（以下简称联交所）市场交易不设置涨跌幅限制，投资者应关注可能产生的风险。

四、提示投资者注意，部分港股通股票可能存在大比例折价供股或配股、频繁分拆合并股份的行为，投资者持有的股份数量、股票面值可能发生大幅变化，投资者应关注可能产生的风险。

五、提示投资者注意，与内地证券市场相比，联交所市场股票停牌制度存在一定差异，港股通股票可能出现长时间停牌现象，投资者应关注可能产生的风险。

六、提示投资者注意，与内地证券市场相比，联交所市场股票交易没有退市风险警示、退市整理等安排，相关股票存在直接退市的风险。港股通股票一旦从联交所市场退市，投资者将面临无法继续通过港股通买卖相关股票的风险。

七、提示投资者注意，港股通股票退市后，中国证券登记结算有限责任公司（以下简称中国结算）通过香港中央结算有限公司（以下简称香港结算）继续为投资者提供的退市股票名义持有人服务可能会受限，投资者应当关注可能产生的风险。

八、提示投资者注意，港股通业务实施每日额度限制。在联交所开市前时段，当日额度使用完毕的，新增的买单申报将面临失败的风险；在联交所持续交易时段、收市竞价交易时段，当日额度使用完毕的，当日投资者将面临不能通过港股通进行买入交易的风险。

九、提示投资者注意，只有沪港两地均为交易日且能够满足结算安排的交易日才为港股通交易日，具体以上海证券交易所（以下简称上交所）证券交易服务公司在其指定网站公布的日期为准。

十、提示投资者注意，每个港股通交易日的交易时间包括开市前时段、持续交易时段和收市竞价交易时段，具体按联交所的规定执行。

圣诞前夕（12 月 24 日）、元旦前夕（12 月 31 日）或除夕日为港股通交易日的，港股通仅有半天交易，且当日为非交收日。

十一、提示投资者注意，香港出现台风、黑色暴雨或者联交所规定的其他情形时，联交所将可能停市，投资者将面临在停市期间无法进行港股通交易的风险；出现上交所证券交易服务公司认定的交易异常情况时，上交所证券交易服务公司将可能暂停提供部分或者全部港股通服务，投资者将面临在暂停服务期间无法进行港股通交易的风险。上交所证券交易服务公司及上交所对于发生交易异常情况及采取相应处置措施造成的损失，不承担责任。

十二、提示投资者注意，投资者在交易时间内提交订单依据的港币买入参考汇率和卖出参考汇率，并不等于最终结算汇率。港股通交易日日终，中国结算上海分公司进行净额换汇，将换汇成本按成交金额分摊至每笔交易，确定交易实际适用的结算汇率。

十三、提示投资者注意，投资者参与联交所自动对盘系统交易，在联交所开市前时段和收市竞价交易时段应当采用竞价限价盘委托，在联交所持续交易时段应当采用增强限价盘委托。

十四、提示投资者注意，投资者持有的碎股只能通过联交所半自动对盘碎股交易系统卖出。

十五、提示投资者注意，港股通股票实施股份分拆合并期间，港股通投资者持有的该股票只在临时代码单柜交易末日、临时代码与新代码并行交易末日由临时代码转换为新代码。由于临时代码与原代码交易单位不同而可能产生碎股，投资者应关注可能产生的风险。

十六、提示投资者注意，港股通股票变更交易单位时，在实施原代码和临时代码并行交易期间，根据有关港股通股票在境内的登记结算安排，港股通业务仅提供原代码的交易服务，暂不提供临时代码交易服务。由于临时代码与原代码交易单位不同而可能产生碎股，投资者应关注可能产生的风险。

十七、提示投资者注意，投资者当日买入的港股通股票，经确认成交后，在交收前即可卖出，投资者应当关注因此可能产生的风险。

十八、提示投资者注意，与内地证券市场相比，联交所在订单申报的最小交易价差、每手股数、申报最大限制等方面存在一定的差异，投资者应当关注因此可能产生的风险。

十九、提示投资者注意，港股通交易中若联交所与上交所证券交易服务公司之间的报盘系统或者通信链路出现故障，可能导致15分钟以上不能申报和撤销申报，投资者应当关注因此可能产生的风险。

二十、提示投资者注意，港股通股票交易不设置涨跌幅限制，但根据联交所业务规则，适用市场波动调节机制的港股通股票的买卖申报可能受到价格限制，投资者应当关注因此可能产生的风险。

二十一、提示投资者注意，对于适用收市竞价交易的港股通股票，根据联交所业务规则，收市竞价交易时段的买卖申报将受到价格限制，投资者应当关注因此可能产生的风险。

二十二、提示投资者注意，投资者通过港股通业务获得的香港证券市场免费一档行情，与付费方式获得的行情相比，在刷新频率、档位显示等方面存在差异，投资者应当关注依此进行投资决策的风险。

二十三、提示投资者注意，在香港证券市场，股票价格上涨时，股票报价屏幕上显示的颜色为绿色，下跌时则为红色，与内地证券市场存在差异。但是，不同的行情软件商提供的行情走势颜色可以重新设定，投资者在使用行情软件的时候，应当仔细检查软件的参数设置，避免惯性思维带来的风险。

二十四、提示投资者注意，投资者因港股通股票权益分派、转换、上市公司被收购等情形或者异常情况，所取得的港股通股票以外的联交所上市证券，只能通过港股通卖出，但不得买入，上交所另有规定的除外；因港股通股票权益分派或者转换等情形取得的联交所上市股票的认购权利在联交所上市的，可以通过港股通卖出，但不得买入，也不得行权；因港股通股票权益分派、转换或者上市公司被收购等所取得的非联交所上市证券，可以享有相关权益，但不得通过港股通买入或卖出。

二十五、提示投资者注意，香港证券市场与内地证券市场在证券资金的交收期安排上存在差异，港股通交易的交收期为T+2日。若投资者卖出证券，在交收完成前仍享有该证券的权益。若投资者买入证券，在交收完成后才享有该证券的权益。

同时，港股通交易的交收可能因香港出现台风或黑色暴雨等发生延迟交收。

二十六、提示投资者注意，投资者通过港股通业务暂不能参与新股发行认购、超额供股和超额公开配售。

二十七、提示投资者注意，对于在联交所上市公司派发的现金红利，由于中国结算需要在收到香港结算派发的外币红利资金后进行换汇、清算、发放等业务处理，投资者通过港股通业务获得的现金红利将会较香港市场有所延后。

二十八、提示投资者注意，对于在联交所上市公司派发的红股，中国结算在收到香港结算派发红股到账当日或次日进行业务处理，相应红股可于处理日下一港股通交易日上市交易。投资者红股可卖首日均较香港市场晚一个港股通交易日。

二十九、提示投资者注意，由于中国结算是在汇总投资者意愿后再向香港结算提交投票意愿，中国结算对投资者设定的意愿征集期比香港结算的征集期稍早结束；投票没有权益登记日的，以投票截止日的持有作为计算基准；投票数量超出持有数量的，按照比例分配持有基数。

三十、提示投资者注意，对于在联交所上市公司派发的红股以及股份分拆及合并业务产生的零碎股，中国结算对投资者账户中小于1股的零碎股进行舍尾处理。当香港结算发放的红股总数或分拆、合并股票数额大于投资者账户舍尾取整后的总数的，中国结算按照精确算法分配差额部分。

三十一、提示投资者注意，由于香港市场的费用收取或汇率的大幅波动等原因，可能会引起投资者账户的透支，投资者应当对账户内的余额进行关注。

三十二、提示投资者注意，香港结算因极端情况下无法交付证券对中国结算实施现金结算的，中国结算将参照香港结算的处理原则进行相应业务处理。

三十三、提示投资者注意，港股通境内结算实施分级结算原则。投资者可能面临以下风险：（一）因结算参与人未完成与中国结算的集中交收，导致投资者应收资金或证券被暂不交付或处置；（二）结算参与人对投资者出现交收违约导致投资者未能取得应收证券或资金；（三）结算参与人向中国结算发送的有关投资者的证券划付指令有误的导致投资者权益受损；（四）其他因结算参与人未遵守相关业务规则导致投资者利益受到损害的情况。

三十四、提示投资者注意，香港市场收费标准与内地市场收费标准不同，香港地区与内地在税收安排方面也存在差异，投资者买卖港股通股票，应当按照香港市场有关规定交纳相关费用，并按照香港地区相关规定缴纳税款。

三十五、提示投资者注意，对于因上交所、中国结算制定、修改业务规则，或者根据业务规则履行自律监管职责等造成的损失，上交所和中国结算不承担责任；投资者还应当充分知晓并认可联交所在其规则中规定的相关责任豁免条款，包括但不限于对因制定、修改业务规则、根据业务规则履行自律监管职责、发生或处置交易异常情况等导致的损失不承担责任的规定。

三十六、除上述风险提示外，各证券公司还可以根据具体情况在本公司制定的《上海证券交易所港股通交易风险揭示书》中对港股通交易存在的风险做进一步列举。

风险揭示书应以醒目的文字载明：

本《上海证券交易所港股通交易风险揭示书》的揭示事项仅为列举性质，未能详尽列明港股通交易的所有风险因素，投资者在参与港股通交易前，还应认真阅读相关业务规则和协议条款，对港股通交易特有的规则必须有所了解和掌握，并确信自己已做好足够的风险评估与财务安排，避免因参与港股通交易而遭受难以承受的损失。

各证券公司应要求每个投资者在《上海证券交易所港股通交易风险揭示书》上签字，确认已知晓并理解《上海证券交易所港股通交易风险揭示书》的全部内容，愿意承担港股通交易的风险和损失。

公开募集证券投资基金参与沪港通交易指引

第一条　为规范公开募集证券投资基金（以下简称基金）参与沪港通交易的行为，防范投资风险，保护基金份额 持有人的合法权益，根据《证券投资基金法》、《公开募集证 券投资基金运作管理办法》（证监会令第104号）等法律法 规，制定本指引。

第二条 本指引所称沪港通交易，是指根据中国证监会发布的《沪港股票市场交易互联互通机制试点若干规定》进行的跨境股票投资活动。

第三条 基金参与沪港通交易，应当遵守法律法规和基金合同的有关约定，并按照有关业务规则执行。

第四条 基金管理人申请募集基金，可以通过沪港通机制，全部或部分投资于香港市场特定股票，不需具备合格境内机构投资者（QDII）资格。基金合同等法律文件应当约定相关股票的投资比例和策略，并充分揭示风险。

第五条 本指引施行前已经获得中国证监会核准或准予注册的基金，基金合同明确约定可以投资香港股票的，可以通过原有机制或者沪港通机制投资香港股票。两种机制应 当分别遵守相关法律法规及业务规则，股票投资比例合计应 当符合法律法规和基金合同的约定。

第六条 本指引施行前已经获得中国证监会核准或准予注册的基金，基金合同没有明确约定可以投资香港股票的，如要参与沪港通，需召开基金份额持有人大会，决定投 资港股的种类、比例及策略等，依法履行修改基金合同的程 序后，方可参与沪港通。

第七条 基金应当在季度报告、半年度报告、年度报告等定期报告和招募说明书（更新）等文件中披露参与沪港通交易的相关情况。

第八条 基金管理人应当针对沪港通交易制定严格的授权管理制度和投资决策流程，强化内部控制制度，完善风险管理体系，配备具有境外投资管理相关经验的人员，做好制度、业务流程、技术系统等方面准备工作。

第九条 基金管理人和托管人应当根据相关法律法规和业务规则，确定基金参与沪港通的交易结算模式，明确交易执行、资金划拨、资金清算、会计核算等业务中的权利和 义务，建立资金安全保障机制。基金托管人应当加强对基金 参与沪港通交易的监督、核查和风险控制，切实保护基金份 额持有人的合法权益。

第十条 本指引自公布之日起施行。

关于加强沪港通业务中上海证券交易所上市公司信息披露工作及相关事项的通知

上证发〔2014〕70 号

各相关上市公司：

根据《上海证券交易所沪港通试点办法》的规定，上证180 指数成份股、上证 380 指数成份股，以及沪港两地同时上市公司（以下简称“A + H 公司”）发行的在上海证券交易所（以下简称“本所”）上市的 A 股，除 ST 及 * ST 股票、退市整理股票和 B 股等股票外，原则上将成为沪股通股票。为保障沪港通业务顺利实施，保护境内外投资者合法权益，现就沪股通股票发行人（以下简称“沪股通公司”）信息披露工作相关事项通知如下：

一、沪股通公司应当关注沪港通业务开通所带来的变化和影响。沪港通业务开通后，境外投资者将通过依法交易沪股通股票成为公司股东。公司股东结构发生相应变化后，公司的信息披露方式和要求、股东大会的召开和股东权利的行使、投资者关系管理等将面临新的环境。沪股通公司应当重视并适应外部环境的变化，进一步规范信息披露，加强投资者关系管理。

二、沪股通公司和相关信息披露义务人应当同时向境内外所有投资者公开披露重大信息，确保所有投资者可以平等地获取同一信息，不得向单个或部分投资者透露或泄漏。

三、沪股通公司应当按照《公司法》等相关法律法规的规定和《公司章程》的约定，充分保障境内外股东的决策参与、利润分配等股东权利。

四、沪股通公司召开股东大会，应当考虑境内外股东现场出席的便利性，在召开现场会议的同时为境内外股东提供网络投票，并明确股东参与网络投票的方式及其他相关事项。

五、沪股通公司应当实时关注境内外媒体关于公司的相关报道，及时核实情况，严格按照相关法律法规、部门规章和本所《股票上市规则》的规定，履行信息披露义务，确保信息披露的真实性、准确性、完整性、及时性及公平性。

六、沪股通公司应当重视投资者关系管理，充分考虑境外投资者地域的特殊性，积极利用本所“e 互动”平台、股东大会、分析师会议、投资者说明会、业绩说明会等多种渠道与投资者进行交流，并及时回复投资者关注事项。

七、经中国证监会指定，本所外部网站（www. sse. com. cn）已经成为沪股通公司指定信息披露网站。沪港通业务开通后，沪股通公司在本所外部网站进行信息披露的同时，应当继续按照现行规定在信息披露指定媒体及其网站披露相关信息。其中的信息披露日以在指定媒体的披露日为准，按照本通知第八条进行的信息披露除外。

八、沪港通业务开通后，沪股通公司可以在交易日上午开盘前、上午收市后至下午开盘前，通过本所信息披露直通车提交需要及时向市场公布的临时公告，并在本所外部网站和信息披露指定媒体的网站予以披露。该类临时公告的范围、信息披露具体时间及要求等事项，由本所另行规定。

九、沪股通公司应当关注本所网站沪港通专栏，及时了解沪股通股票调整等相关情况。

十、沪股通公司中的 A + H 公司在交易时间内发生重大事件且无法及时披露的，可以向本所申请停牌；本所也可以视情况直接采取停牌措施，上市公司应及时配合发布相关公告。

出现上述停牌情形的，本所与 H 股上市地交易所将对公司股票及其衍生品种同步采取停牌措施。

十一、本通知自沪港通试点启动之日起施行。

上海证券交易所

二〇一四年十一月十日

香港中央结算有限公司参与沪股通上市公司网络投票实施指引

（2015 年修订）

第一条 为了规范沪股通中香港中央结算有限公司（以下简称“香港结算”）作为股票名义持有人参与沪股通上市公司股东大会网络投票的行为，保护投资者合法权益，根据《上市公司股东大会规则》、《上海证券交易所股票上市规则》、《上海证券交易所沪港通试点办法》、《上海证券交易所上市公司股东大会网络投票实施细则》等相关规定，制定本指引。

第二条 香港结算作为股票名义持有人参加沪股通上市公司股东大会网络投票的，应当遵守《上海证券交易所上市公司股东大会网络投票实施细则》、本指引及上海证券交易所(以下简称“本所”)其他相关业务规则的规定。

第三条　香港结算按照本指引参加沪股通上市公司股东大会网络投票的,应当征集沪股通投资者的意见,并按照所征集的沪股通投资者对每一议案的不同意见逐一进行投票。

第四条　根据《上市公司股东大会规则》、《上海证券交易所上市公司现金分红指引》等有关规定,相关议案需要单独披露中小投资者表决情况的,香港结算应当同时提供沪股通中小投资者的投票数据。

前款所称沪股通中小投资者,是指实际持有股份比例低于上市公司总股本5%的沪股通投资者。

第五条　香港结算按照本指引规定,对股东大会部分议案进行网络投票的,其参与投票的表决权数纳入出席本次股东大会所持表决权数计算。未进行投票表决或者投票申报不符合《上市公司股东大会规则》、《上海证券交易所上市公司股东大会网络投票实施细则》或者本指引要求的,按照弃权处理。

第六条　香港结算可以按照本指引规定,通过本所交易系统投票平台或者本所互联网投票平台,参加沪股通上市公司股东大会网络投票。

第七条　香港结算作为股票名义持有人参加沪股通上市公司网络投票的操作,应当符合本指引附件《香港结算参与沪股通网络投票操作流程》的规定和要求。

第八条　本指引由本所负责解释。

第九条　本指引自2015年1月26日起施行。

香港结算参与沪股通网络投票操作流程

一、网络投票的投票代码和投票简称

上市公司股东大会网络投票的投票代码和投票简称,与上市公司在上海证券交易所(以下简称“本所”)上市交易的证券代码和证券简称相同。

二、网络投票的操作流程

香港结算作为名义持有人行使股东权利,参与沪股通上市公司股东大会投票,通过本所交易系统投票平台或本所互联网投票平台进行网络投票,具体操作流程如下:

(一)通过交易系统投票平台的投票说明

1. 香港结算作为沪股通股票名义持有人参加本所上市公司股东大会网络投票的,应当按照所征集的沪股通投资者对每一议案的不同意见逐一进行投票。

2. 在“总股份数量”中填入投票股东所代表的股份数。

3. “投票产品代码(证券代码)”在通过结构化议案文件投票时无需输入,通过应急手工录入界面投票时为必填项。

4. 若有议案组,用含两位小数的编号代表该议案组下的各个议案。如,2.01代表议案组2的第1个议案,2.02代表议案组2的第2个议案;小数点后可以到2位,即可输入2.01和2.02代表议案组2的第1个议案和议案组2的第2个议案。所有需表决的议题需逐一报送投票意见。

“议案编号”在通过结构化议案文件投票时无需输入,通过应急手工录入界面投票时为必填项。

5. “投票意向”代表表决意见,香港结算需要对同意、反对及弃权意见分别通过“代表股份数量”中填入投票股东所代表的股份数进行申报。

“投票意向”(非累积投票)可在界面进行选择。通过结构化议案文件投票时,“代表股份数量”应在紧跟投票意向的输入框中填写。

6. 股东大会有多个待表决的议案的,必须逐笔申报,但申报不能撤单,若未按本指引申报的,视为香港结算作为名义持有人放弃表决权利,其所代表股份数的表决结果应计为“弃权”。

7. 完成所有单项议案表决后,应当通过议案88提交参与股东大会股份数(记为“T”)。若该股份数大于单个议案已表决的同意、反对和弃权股份数之和,则剩余股份数计为“弃权”;若该股份数小于已表决的同意、反对和弃权股份数之和,该议案按“弃权、反对、同意”的顺序依次扣除直至股份数T止,计为投票意见。通过议案88提交股东大会股份数时需通过应急手工录入界面进行操作。

8. “股东大会编码”在通过结构化议案文件投票时无需输入,通过应急手工录入界面投票时为必填项。

9. “证券账户”、“交易单元”、“营业部代码”需在投票界面按相应规定填写。

10. 对采用累积投票制的议案,按照相关规定进行操作。累积投票的“投票票数”应填写港结算方面对该议案(子议案)进行投票的合计票数。

11. 对于《香港中央结算有限公司参与沪股通上市公司网络投票实施指引》第4条中所提的分段统计情形,香港结算应在投票界面的“分段统计段号”中输入该议案的各持股区段(A－E)或中小投资者单独计票统计持股区段(Z),以及对应所代表的股份数。其中,持股区段对应代码为:$A<1\%$、$1\%\leq B<5\%$、$C\geq 5\%$,以及$D<1\%$且持股市值<50万人民币、$E<1\%$且持股市值≥50万人民币,$Z<5\%$。

香港结算应当保证其所申报的区段持股值满足:$A+B+C=T$,$D+E=A$,$A+B=Z$勾稽关系。如不满足前述关系,则由上市公司确定分段统计处理方式。

12. 涉及投票意见结果统计时,香港结算作为沪股通股票名义持有人参加本所上市公司股东大会网络投票的,香港结算作为出席人计出席人数为1。

(二)通过本所互联网投票平台投票的操作说明

1. 香港结算需事先向本所指定的CnSCA中心申请投票专用EKey,并开通互联网投票平台报送权限。

2. 香港结算应当按照本所要求的数据文件报送格式,使用投票专用EKey通过本所指定的互联网投票平台进行投票。

3. 香港结算通过互联网投票平台报送时,须合并当日所有上市公司的投票数据后一次提交,不能分次报送。

4. 香港结算上传的投票数据文件中至少须包括:公司代码、股东大会议案编号、对议案投票意见(同意/反对/弃权)及所代表股份数、征集到的参与该上市公司股东大会股份数(记为T)、分段持股区间对应的投票意见汇总及所代表股份数等数据信息。其中,持股区段对应标识:$A<1\%$、$1\%\leq B<5\%$、$C\geq 5\%$,以及$D<1\%$且持股市值<50万人民币、$E<1\%$且持股市值≥50万人民币,$Z<5\%$。

5. 香港结算上传的投票数据文件须通过互联网投票平台的前端校验,前端校验通过后才允许上传。主要包括:

(1)议案编号应当与上市公司网络投票公告相一致。

(2)同一家上市公司所有普通议案同意、反对、弃权意见股份数总和必须等于香港结算征集到的参与该上市公司股东大会的股份数T。

(3)对采用累积投票制的议案,符合相关规定要求。累计议案的总票数不大于普通议案的T×应选人数。

(4)应当保证其所申报的区段持股值满足$A+B+C=T$,

D + E = A，A + B = Z 勾稽关系。

（三）关于香港结算选择本所交易系统投票平台与本所互联网投票平台报送作为投票通道的说明

1. 香港结算可以选择本所交易系统投票平台或本所互联网投票平台作为投票报送通道，但对每次股东大会只能选择一个通道。

2. 香港结算以本所交易系统投票平台为默认网络投票通道，若要使用互联网投票平台通道则须在投票前事先联系确认。

上海证券交易所交易规则

（2015 年修订）

第一章 总则

1.1 为规范证券市场交易行为，维护证券市场秩序，保护投资者合法权益，根据《中华人民共和国证券法》等法律、行政法规、部门规章以及《上海证券交易所章程》，制定本规则。

1.2 在上海证券交易所（以下简称"本所"）上市的证券及其衍生品种（以下统称"证券"）的交易，适用本规则。本规则未作规定的，适用本所其他有关规定。

1.3 证券交易遵循公开、公平、公正的原则。

1.4 证券交易应当遵守法律、行政法规和部门规章及本所相关业务规则，遵循自愿、有偿、诚实信用原则。

1.5 证券交易采用无纸化的集中交易或经中国证券监督管理委员会（以下简称"证监会"）批准的其他方式。

第二章 交易市场

第一节 交易场所

2.1.1 本所为证券交易提供交易场所及设施。交易场所及设施由交易主机、交易大厅、参与者交易业务单元、报盘系统及相关的通信系统等组成。

2.1.2 本所设置交易大厅。本所会员（以下简称"会员"）可以通过其派驻交易大厅的交易员进行申报。

除经本所特许外，仅限下列人员进入交易大厅：

（一）登记在册交易员；

（二）场内监管人员。

第二节 交易参与人与交易权

2.2.1 会员及本所认可的机构进入本所市场进行证券交易的，须向本所申请取得交易权，成为本所交易参与人。

交易参与人应当通过在本所开设的参与者交易业务单元进行证券交易，并遵守本规则以及本所其他业务规则关于证券交易业务的相关规定。

2.2.2 参与者交易业务单元，是指交易参与人据此可以参与本所证券交易，享有及行使相关交易权利，并接受本所相关交易业务管理的基本单位。

2.2.3 参与者交易业务单元和交易权限等管理细则由本所另行规定，报证监会批准后生效。

第三节 交易品种

2.3 下列证券可以在本所市场挂牌交易：

（一）股票；

（二）基金；

（三）债券；

（四）债券回购；

（五）权证；

（六）经证监会批准的其他交易品种。

第四节 交易时间

2.4.1 本所交易日为每周一至周五。

国家法定假日和本所公告的休市日，本所市场休市。

2.4.2 采用竞价交易方式的，每个交易日的 9:15 至 9:25 为开盘集合竞价时间，9:30 至 11:30、13:00 至 15:00 为连续竞价时间，开市期间停牌并复牌的证券除外。

根据市场发展需要，经证监会批准，本所可以调整交易时间。

2.4.3 交易时间内因故停市，交易时间不作顺延。

第三章 证券买卖

第一节 一般规定

3.1.1 会员接受投资者的买卖委托后，应当按照委托的内容向本所申报，并承担相应的交易、交收责任。

会员接受投资者买卖委托达成交易的，投资者应当向会员交付其委托会员卖出的证券或其委托会员买入证券的款项，会员应当向投资者交付卖出证券所得款项或买入的证券。

3.1.2 交易参与人通过其相关的报盘系统、参与者交易业务单元和报送渠道向本所交易主机发送买卖申报指令，并按本规则达成交易，交易结果及其他交易记录由本所发送至交易参与人。

3.1.3 交易参与人应当按照有关规定妥善保管委托和申报记录。

3.1.4 投资者买入的证券，在交收前不得卖出，但实行回转交易的除外。

证券的回转交易是指投资者买入的证券，经确认成交后，在交收前全部或部分卖出。

3.1.5 下列品种实行当日回转交易：

（一）债券；

（二）债券交易型开放式指数基金；

（三）交易型货币市场基金；

（四）黄金交易型开放式证券投资基金；

（五）跨境交易型开放式指数基金；

（六）跨境上市开放式基金；

（七）权证；

（八）经证监会同意的其他品种。

前款所述的跨境交易型开放式指数基金和跨境上市开放式基金仅限于所跟踪指数成份证券或投资标的实施当日回转交易的开放式基金。

B 股实行次交易日起回转交易。

3.1.6 根据市场需要，本所可以实行一级交易商制度，具体办法由本所另行规定，报证监会批准后生效。

第二节 指定交易

3.2.1 本所市场证券交易实行全面指定交易制度，境外投资者从事 B 股交易除外。

3.2.2 全面指定交易是指参与本所市场证券买卖的投资者必须事先指定一家会员作为其买卖证券的受托人，通过该会员参与本所市场证券买卖。

3.2.3 投资者应当与指定交易的会员签订指定交易协议，明确双方的权利、义务和责任。指定交易协议一经签订，会员即可根据投资者的申请向本所交易主机申报办理指定交易手续。

3.2.4 本所在开市期间接受指定交易申报指令，该指令被交易主机接受后即刻生效。

3.2.5 投资者变更指定交易的，应当向已指定的会员提出撤销申请，由该会员申报撤销指令。对于符合撤销指定条件的，会员不得限制、阻挠或拖延其办理撤销指定手续。

3.2.6　指定交易撤销后即可重新申办指定交易。

3.2.7　指定交易的其他事项按照本所的有关规定执行。

第三节　委　托

3.3.1　投资者买卖证券，应当开立证券账户和资金账户，并与会员签订证券交易委托协议。协议生效后，投资者即成为该会员经纪业务的客户（以下简称“客户”）。

投资者开立证券账户，按本所指定登记结算机构的规定办理。

3.3.2　客户可以通过书面或电话、自助终端、互联网等自助委托方式委托会员买卖证券。电话、自助终端、互联网等自助委托应当按相关规定操作。

3.3.3　客户通过自助委托方式参与证券买卖的，会员应当与其签订自助委托协议。

3.3.4　除本所另有规定外，客户的委托指令应当包括下列内容：

（一）证券账户号码；

（二）证券代码；

（三）买卖方向；

（四）委托数量；

（五）委托价格；

（六）本所及会员要求的其他内容。

3.3.5　客户可以采用限价委托或市价委托的方式委托会员买卖证券。

限价委托是指客户委托会员按其限定的价格买卖证券，会员必须按限定的价格或低于限定的价格申报买入证券；按限定的价格或高于限定的价格申报卖出证券。

市价委托是指客户委托会员按市场价格买卖证券。

3.3.6　客户可以撤销委托的未成交部分。

3.3.7　被撤销和失效的委托，会员应当在确认后及时向客户返还相应的资金或证券。

3.3.8　会员向客户买卖证券提供融资融券服务的，应当按照有关规定办理。

第四节　申　报

3.4.1　本所接受交易参与人竞价交易申报的时间为每个交易日9:15至9:25、9:30至11:30、13:00至15:00。

每个交易日9:20至9:25的开盘集合竞价阶段，本所交易主机不接受撤单申报；其他接受交易申报的时间内，未成交申报可以撤销。撤销指令经本所交易主机确认方为有效。

本所认为必要时，可以调整接受申报时间。

3.4.2　会员应当按照客户委托的时间先后顺序及时向本所申报。

3.4.3　本所接受交易参与人的限价申报和市价申报。

3.4.4　根据市场需要，本所可以接受下列方式的市价申报：

（一）最优五档即时成交剩余撤销申报，即该申报在对手方实时最优五个价位内以对手方价格为成交价逐次成交，剩余未成交部分自动撤销。

（二）最优五档即时成交剩余转限价申报，即该申报在对手方实时五个最优价位内以对手方价格为成交价逐次成交，剩余未成交部分按本方申报最新成交价转为限价申报；如该申报无成交的，按本方最优报价转为限价申报；如无本方申报的，该申报撤销。

（三）本所规定的其他方式。

3.4.5　市价申报只适用于有价格涨跌幅限制证券连续竞价期间的交易，本所另有规定的除外。

3.4.6　限价申报指令应当包括证券账号、营业部代码、证券代码、买卖方向、数量、价格等内容。

市价申报指令应当包括申报类型、证券账号、营业部代码、证券代码、买卖方向、数量等内容。

申报指令按本所规定的格式传送。本所认为必要时，可以调整申报的内容及方式。

3.4.7　通过竞价交易买入股票、基金、权证的，申报数量应当为100股（份）或其整数倍。

卖出股票、基金、权证时，余额不足100股（份）的部分，应当一次性申报卖出。

3.4.8　竞价交易中，债券交易的申报数量应当为1手或其整数倍，债券质押式回购交易的申报数量应当为100手或其整数倍，债券买断式回购交易的申报数量应当为1 000手或其整数倍。

债券交易和债券买断式回购交易以人民币1 000元面值债券为1手，债券质押式回购交易以人民币1 000元标准券为1手。但本所另有规定的除外。

3.4.9　股票、基金、权证交易单笔申报最大数量应当不超过100万股（份），债券交易和债券质押式回购交易单笔申报最大数量应当不超过10万手，债券买断式回购交易单笔申报最大数量应当不超过5万手。

根据市场需要，本所可以调整证券的单笔申报最大数量。

3.4.10　不同证券的交易采用不同的计价单位。股票为“每股价格”，基金为“每份基金价格”，权证为“每份权证价格”，债券为“每百元面值债券的价格”，债券质押式回购为“每百元资金到期年收益”，债券买断式回购为“每百元面值债券的到期购回价格”。但本所另有规定的除外。

3.4.11　A股、债券交易和债券买断式回购交易的申报价格最小变动单位为0.01元人民币，基金、权证交易为0.001元人民币，B股交易为0.001美元，债券质押式回购交易为0.005元。

3.4.12　根据市场需要，本所可以调整各类证券单笔买卖申报数量和申报价格的最小变动单位。

3.4.13　本所对股票、基金交易实行价格涨跌幅限制，涨跌幅比例为10%。

股票、基金涨跌幅价格的计算公式为：涨跌幅价格 = 前收盘价 ×（1 ± 涨跌幅比例）。

计算结果按照四舍五入原则取至价格最小变动单位。

属于下列情形之一的，首个交易日无价格涨跌幅限制：

（一）首次公开发行上市的股票和封闭式基金；

（二）增发上市的股票；

（三）暂停上市后恢复上市的股票；

（四）退市后重新上市的股票；

（五）本所认定的其他情形。

经证监会批准，本所可以调整证券的涨跌幅比例。

3.4.14　买卖有价格涨跌幅限制的证券，在价格涨跌幅限制以内的申报为有效申报，超过价格涨跌幅限制的申报为无效申报。

3.4.15　买卖无价格涨跌幅限制的证券，集合竞价阶段的有效申报价格应符合下列规定：

（一）股票交易申报价格不高于前收盘价格的200%，并且不低于前收盘价格的50%；

（二）基金、债券交易申报价格最高不高于前收盘价格的150%，并且不低于前收盘价格的70%。

集合竞价阶段的债券回购交易申报无价格限制。

3.4.16 买卖无价格涨跌幅限制的证券，连续竞价阶段的有效申报价格应符合下列规定：

（一）申报价格不高于即时揭示的最低卖出价格的110%且不低于即时揭示的最高买入价格的90%；同时不高于上述最高申报价与最低申报价平均数的130%且不低于该平均数的70%；

（二）即时揭示中无买入申报价格的，即时揭示的最低卖出价格、最新成交价格中较低者视为前项最高买入价格；

（三）即时揭示中无卖出申报价格的，即时揭示的最高买入价格、最新成交价格中较高者视为前项最低卖出价格。

当日无交易的，前收盘价格视为最新成交价格。

根据市场需要，本所可以调整申报价格限制的规定。

3.4.17 申报当日有效。每笔参与竞价交易的申报不能一次全部成交时，未成交的部分继续参加当日竞价，本规则另有规定的除外。

第五节 竞 价

3.5.1 证券竞价交易采用集合竞价和连续竞价两种方式。

集合竞价是指在规定时间内接受的买卖申报一次性集中撮合的竞价方式。

连续竞价是指对买卖申报逐笔连续撮合的竞价方式。

3.5.2 集合竞价期间未成交的买卖申报，自动进入连续竞价。

第六节 成 交

3.6.1 证券竞价交易按价格优先、时间优先的原则撮合成交。

成交时价格优先的原则为：较高价格买入申报优先于较低价格买入申报，较低价格卖出申报优先于较高价格卖出申报。

成交时时间优先的原则为：买卖方向、价格相同的，先申报者优先于后申报者。先后顺序按交易主机接受申报的时间确定。

3.6.2 集合竞价时，成交价格的确定原则为：

（一）可实现最大成交量的价格；

（二）高于该价格的买入申报与低于该价格的卖出申报全部成交的价格；

（三）与该价格相同的买方或卖方至少有一方全部成交的价格。

两个以上申报价格符合上述条件的，使未成交量最小的申报价格为成交价格；仍有两个以上使未成交量最小的申报价格符合上述条件的，其中间价为成交价格。

集合竞价的所有交易以同一价格成交。

3.6.3 连续竞价时，成交价格的确定原则为：

（一）最高买入申报价格与最低卖出申报价格相同，以该价格为成交价格；

（二）买入申报价格高于即时揭示的最低卖出申报价格的，以即时揭示的最低卖出申报价格为成交价格；

（三）卖出申报价格低于即时揭示的最高买入申报价格的，以即时揭示的最高买入申报价格为成交价格。

3.6.4 按成交原则达成的价格不在最小价格变动单位范围内的，按照四舍五入原则取至相应的最小价格变动单位。

3.6.5 买卖申报经交易主机撮合成交后，交易即告成立。符合本规则各项规定达成的交易于成立时生效，买卖双方必须承认交易结果，履行清算交收义务。

因不可抗力、意外事件、交易系统被非法侵入等原因造成严重后果的交易，本所可以采取适当措施或认定无效。

对显失公平的交易，经本所认定并经本所理事会同意，可以采取适当措施，并向证监会报告。

违反本规则，严重破坏证券市场正常运行的交易，本所有权宣布取消，由此造成的损失由违规交易者承担。

3.6.6 依照本规则达成的交易，其成交结果以本所交易主机记录的成交数据为准。

3.6.7 证券交易的清算交收业务，应当按照本所指定的登记结算机构的规定办理。

第七节 大宗交易

3.7.1 在本所进行的证券买卖符合以下条件的，可以采用大宗交易方式：

（一）A股单笔买卖申报数量应当不低于30万股，或者交易金额不低于200万元人民币；

（二）B股单笔买卖申报数量应当不低于30万股，或者交易金额不低于20万元美元；

（三）基金大宗交易的单笔买卖申报数量应当不低于200万份，或者交易金额不低于200万元；

（四）债券及债券回购大宗交易的单笔买卖申报数量应当不低于1000手，或者交易金额不低于100万元；

本所可以根据市场情况调整大宗交易的最低限额。

3.7.2 本所接受下列大宗交易申报：

（一）意向申报；

（二）成交申报；

（三）固定价格申报；

（四）本所认可的其他大宗交易申报。

3.7.3 本所每个交易日接受大宗交易申报的时间分别为：

（一）9:30至11:30、13:00至15:30接受意向申报；

（二）9:30至11:30、13:00至15:30、16:00至17:00接受成交申报；

（三）15:00至15:30接受固定价格申报。

交易日的15:00仍处于停牌状态的证券，本所当日不再接受其大宗交易的申报。

3.7.4 每个交易日9:30至15:30时段确认的成交，于当日进行清算交收。

每个交易日16:00至17:00时段确认的成交，于次一交易日进行清算交收。

3.7.5 意向申报指令应当包括证券账号、证券代码、买卖方向等。

意向申报应当真实有效。申报方价格不明确的，视为至少愿以规定的最低价格买入或最高价格卖出；数量不明确的，视为至少愿以大宗交易单笔买卖最低申报数量成交。

3.7.6 当意向申报被会员接受（包括其他会员报出比意向申报更优的价格）时，申报方应当至少与一个接受意向申报的会员进行成交申报。

3.7.7 买卖双方就大宗交易达成一致后，应当委托会员通过交易业务单元向本所交易系统提出成交申报，申报指令应当包括以下内容：

（一）证券代码；

（二）证券账号；

（三）买卖方向；

（四）成交价格；

（五）成交数量；

（六）本所规定的其他内容。

成交申报的证券代码、成交价格和成交数量必须一致。

3.7.8　买卖双方达成协议后，向本所交易系统提出成交申报，申报的交易价格和数量必须一致。

除本所另有规定外，大宗交易的成交申报、成交结果一经本所确认，不得撤销或变更。买卖双方必须承认交易结果、履行清算交收义务。

3.7.9　提出固定价格申报的，买卖双方可按当日竞价交易市场收盘价格或者当日全天成交量加权平均价格进行申报。

固定价格申报指令应当包括证券账号、证券代码、买卖方向、交易类型、交易数量等。

在接受固定价格申报期间内，固定价格申报可以撤销；申报时间结束后，本所根据时间优先的原则对固定价格申报进行匹配成交。未成交部分自动撤销。

3.7.10　有价格涨跌幅证券的成交申报价格，由买方和卖方在当日价格涨跌幅限制范围内确定。

无价格涨跌幅限制证券的成交申报价格，由买卖双方在前收盘价格的上下30%或当日已成交的最高、最低价格之间自行协商确定。

每个交易日16:00至17:00接受的申报，适用于当日其他交易时段接受的涨跌幅价格。

3.7.11　会员应当保证大宗交易参与者实际拥有与其申报相对应的证券或者资金。

持有或者租用本所交易业务单元的机构参与大宗交易，应当通过持有或者租用的交易业务单元提出申报，并确保拥有与申报相对应的证券或者资金。

3.7.12　本所债券大宗交易实行一级交易商制度。

经本所认可的会员，可以担任一级交易商，通过本所大宗交易系统进行债券双边报价业务。

3.7.13　大宗交易不纳入本所即时行情和指数的计算，成交量在大宗交易结束后计入该证券成交总量。

3.7.14　本所在每个交易日结束后通过本交易所网站公布以下交易信息：

（一）股票和基金的成交申报大宗交易，内容包括：证券代码、证券简称、成交量、成交价格以及买卖双方所在会员证券营业部的名称；

（二）债券和债券回购的成交申报大宗交易，内容包括：证券名称、成交价和成交量；

（三）单只证券的固定价格申报的成交量、成交金额，及该证券当日买入、卖出金额最大五家会员证券营业部的名称和各自的买入、卖出金额。

3.7.15　大宗交易涉及法定信息披露要求的，买卖双方应依照有关法律法规履行信息披露义务。

第八节　债券回购交易

3.8.1　债券回购交易包括债券买断式回购交易和债券质押式回购交易等。

3.8.2　债券买断式回购交易是指债券持有人将债券卖给购买方的同时，交易双方约定在未来某一日期，卖方再以约定价格从买方购回相等数量同种债券的交易。

债券质押式回购交易是指债券持有人在将债券质押的同时，将相应债券以标准券折算比率计算出的标准券数量为融资额度而进行的质押融资，交易双方约定在回购期满后返还资金和解除质押的交易。

3.8.3　债券回购交易的期限按日历时间计算。如到期日为非交易日，顺延至下一个交易日结算。

第四章　其他交易事项

第一节　开盘价与收盘价

4.1.1　证券的开盘价为当日该证券的第一笔成交价格。

4.1.2　证券的开盘价通过集合竞价方式产生，不能产生开盘价的，以连续竞价方式产生。

4.1.3　证券的收盘价为当日该证券最后一笔交易前一分钟所有交易的成交量加权平均价（含最后一笔交易）。当日无成交的，以前收盘价为当日收盘价。

第二节　挂牌、摘牌、停牌与复牌

4.2.1　本所对上市证券实行挂牌交易。

4.2.2　证券上市期届满或依法不再具备上市条件的，本所终止其上市交易，并予以摘牌。

4.2.3　本所可以对涉嫌违法违规交易的证券实施特别停牌并予以公告，相关当事人应按照本所的要求提交书面报告。

特别停牌及复牌的时间和方式由本所决定。

4.2.4　证券停牌时，本所发布的行情中包括该证券的信息；证券摘牌后，行情中无该证券的信息。

4.2.5　证券开市期间停牌的，停牌前的申报参加当日该证券复牌后的交易；停牌期间，可以继续申报，也可以撤销申报；复牌时对已接受的申报实行集合竞价，集合竞价期间不揭示虚拟开盘参考价格、虚拟匹配量、虚拟未匹配量。

4.2.6　证券挂牌、摘牌、停牌与复牌的，本所予以公告。

4.2.7　证券挂牌、摘牌、停牌与复牌的其他规定，按照本所上市规则或其他有关规定执行。

第三节　除权与除息

4.3.1　上市证券发生权益分派、公积金转增股本、配股等情况，本所在权益登记日（B股为最后交易日）次一交易日对该证券作除权除息处理，本所另有规定的除外。

4.3.2　除权（息）参考价格的计算公式为：

除权（息）参考价格＝[（前收盘价格－现金红利）＋配（新）股价格×流通股份变动比例]÷（1＋流通股份变动比例）。

证券发行人认为有必要调整上述计算公式的，可向本所提出调整申请并说明理由。本所可以根据申请决定调整除权（息）参考价格计算公式，并予以公布。

除权（息）日即时行情中显示的该证券的前收盘价为除权（息）参考价。

4.3.3　除权（息）日证券买卖，按除权（息）参考价格作为计算涨跌幅度的基准，本所另有规定的除外。

第四节　债券分期偿还

4.4.1　债券分期偿还采取减少面值的方式办理。

本所可根据市场情况采取减少持仓或者其他方式办理。

4.4.2　采取减少面值方式的，按照以下规定办理：

（一）债券持仓数量保持不变，债券面值根据已偿还比例相应减少。面值计算公式为：减少后的面值＝发行面值×未偿还比例。

（二）债券计价单位为“减少后的面值所对应债券的价格”，债券质押式回购为“每百元资金到期年收益”，债券买断式回购为“减少后的面值所对应债券的到期购回价格”。

（三）债券交易单位为手，申报数量为1手或其整数倍。1手债券对应的面值计算公式为：1手债券面值＝1000元×未偿还比例。

（四）本所在权益登记日次一交易日作除权处理。除权

参考价格的计算公式为：除权参考价格 = 前收盘价格 − 100元 × 本次偿还比例。

4.4.3　采取减少持仓方式的，债券面值保持不变，债券持仓数量根据已偿还比例相应减少。由此产生的不足 1 手债券，应当予以全部偿还。

4.4.4　以其他方式办理债券分期偿还的，具体事项由本所另行规定。

4.4.5　本节未做规定的交易事项按照本规则其他规定办理。

第五节　指数熔断

4.5.1　沪深 300 指数出现下列情形的，本所可以对股票等相关品种的竞价交易按照下列规定予以暂停（以下简称"指数熔断"），并向市场公告：

（一）沪深 300 指数较前一交易日收盘首次上涨、下跌达到或超过 5% 的，指数熔断 15 分钟，熔断时间届满后恢复交易；11:30前未完成的指数熔断，延续至 13:00 后的交易时段继续进行，直至届满。14:45 至 15:00 期间，沪深 300 指数较前一交易日首次上涨、下跌达到或超过 5% 的，指数熔断至当日 15:00，当日不再恢复交易。

（二）沪深 300 指数较前一交易日收盘上涨、下跌达到或超过 7% 的，指数熔断至 15:00，当日不再恢复交易。

开盘集合竞价出现上述情形的，于 9:30 开始实施指数熔断。

指数熔断的具体实施时间以本所公告为准。

4.5.2　本所实施指数熔断的品种包括股票、基金、可转换公司债券、可交换公司债券以及本所认定的其他证券品种，具体以本所公告为准。

下列品种的基金不实施指数熔断：

（一）黄金交易型开放式证券投资基金；

（二）交易型货币市场基金；

（三）债券交易型开放式指数基金。

4.5.3　本所交易日为股指期货合约交割日的，当日指数熔断时间跨越 11:30 的，于当日 13:00 起恢复交易；当日 13:00至 15:00 期间，本所不实施指数熔断。

本规则所称股指期货合约交割日，是指在中国金融期货交易所上市交易的上证 50 指数期货、沪深 300 指数期货、中证 500 指数期货以及本所规定的其他股指期货合约的交割日。

4.5.4　指数熔断于 15:00 前结束的，熔断期间可以继续申报，也可以撤销申报。

指数熔断持续至 15:00 结束的，熔断期间本所交易主机仅接受撤销申报，不接受其他申报。

4.5.5　指数熔断于 15:00 前结束的，本所交易主机对已接受的申报进行集合竞价撮合成交，此后进入连续竞价交易阶段。指数熔断持续至 15:00 结束的，当日不再进行集中竞价撮合成交。

指数熔断期间和熔断结束后的集合竞价期间不揭示虚拟参考价格、虚拟匹配量、虚拟未匹配量。

4.5.6　证券复牌遇本所实施指数熔断的，延续至指数熔断结束后复牌，但不属于指数熔断实施范围的证券品种除外。

4.5.7　指数熔断至 15:00 的，相应证券品种当日不进行大宗交易。

第五章　交易信息

第一节　一般规定

5.1.1　本所每个交易日发布证券交易即时行情、证券指数、证券交易公开信息等交易信息。

5.1.2　本所及时编制反映市场成交情况的各类日报表、周报表、月报表和年报表，并予以发布。

5.1.3　本所市场产生的交易信息归本所所有。未经本所许可，任何机构和个人不得使用和传播。

经本所许可使用交易信息的机构和个人，未经本所同意，不得将本所交易信息提供给其他机构和个人使用或予以传播。

5.1.4　证券交易信息的管理办法由本所另行规定。

第二节　即时行情

5.2.1　每个交易日 9:15 至 9:25 开盘集合竞价期间，即时行情内容包括：证券代码、证券简称、前收盘价格、虚拟开盘参考价格、虚拟匹配量和虚拟未匹配量。

5.2.2　连续竞价期间，即时行情内容包括：证券代码、证券简称、前收盘价格、最新成交价格、当日最高成交价格、当日最低成交价格、当日累计成交数量、当日累计成交金额、实时最高五个买入申报价格和数量、实时最低五个卖出申报价格和数量。

5.2.3　首次上市证券上市首日，其即时行情显示的前收盘价格为其发行价，本所另有规定的除外。

5.2.4　即时行情通过通信系统传输至各交易参与人，交易参与人应在本所许可的范围内使用。

5.2.5　根据市场发展需要，本所可以调整即时行情发布的方式和内容。

第三节　证券指数

5.3.1　本所编制综合指数、成份指数、分类指数等证券指数，以反映证券交易总体价格或某类证券价格的变动和走势，随即时行情发布。

5.3.2　证券指数的编制遵循公开透明的原则。

5.3.3　证券指数设置和编制的具体方法由本所另行规定。

第四节　证券交易公开信息

5.4.1　有价格涨跌幅限制的股票、封闭式基金竞价交易出现下列情形之一的，本所公布当日买入、卖出金额最大的 5 家会员营业部的名称及其买入、卖出金额：

（一）日收盘价格涨跌幅偏离值达到 ±7% 的各前 3 只股票（基金）；

收盘价格涨跌幅偏离值的计算公式为：收盘价格涨跌幅偏离值 = 单只股票（基金）涨跌幅 − 对应分类指数涨跌幅。

（二）日价格振幅达到 15% 的前 3 只股票（基金）；

价格振幅的计算公式为：价格振幅 =（当日最高价格 − 当日最低价格）/ 当日最低价格 × 100%。

（三）日换手率达到 20% 的前 3 只股票（基金）；

换手率的计算公式为：换手率 = 成交股数（份额）/ 流通股数（份额）× 100%。

收盘价格涨跌幅偏离值、价格振幅或换手率相同的，依次按成交金额和成交量选取。

对应分类指数包括本所编制的上证 A 股指数、上证 B 股指数和上证基金指数等。

对第 3.4.13 条规定的无价格涨跌幅限制的股票、封闭式基金，本所公布当日买入、卖出金额最大的 5 家会员营业部的名称及其买入、卖出金额。

5.4.2　股票、封闭式基金竞价交易出现下列情形之一的，属于异常波动，本所分别公告该股票、封闭式基金交易异常波动期间累计买入、卖出金额最大 5 家会员营业部的名称及其买入、卖出金额：

（一）连续3个交易日内日收盘价格涨跌幅偏离值累计达到±20%的；

（二）连续3个交易日内日均换手率与前5个交易日的日均换手率的比值达到30倍，并且该股票、封闭式基金连续3个交易日内的累计换手率达到20%的；

（三）本所或证监会认定属于异常波动的其他情形。

异常波动指标自公告之日起重新计算。

对第3.4.13条规定的无价格涨跌幅限制的股票、封闭式基金不纳入异常波动指标的计算。

经证监会批准，本所可以调整涨跌幅偏离值的累计比例。

5.4.3　本所根据第4.2.3条对证券实施特别停牌的，根据需要可以公布以下信息：

（一）成交金额最大的五家会员营业部的名称及其买入、卖出数量和买入、卖出金额；

（二）股份统计信息；

（三）本所认为应披露的其他信息。

5.4.4　证券交易公开信息涉及机构的，公布名称为“机构专用”。

5.4.5　根据市场发展需要，本所可以调整证券交易公开信息的内容。

第六章　交易行为监督

6.1　本所对下列可能影响证券交易价格或者证券交易量的异常交易行为予以重点监控：

（一）可能对证券交易价格产生重大影响的信息披露前，大量买入或者卖出相关证券；

（二）以同一身份证明文件、营业执照或其他有效证明文件开立的证券账户之间，大量或者频繁进行互为对手方的交易；

（三）委托、授权给同一机构或者同一个人代为从事交易的证券账户之间，大量或者频繁进行互为对手方的交易；

（四）两个或两个以上固定的或涉嫌关联的证券账户之间，大量或者频繁进行互为对手方的交易；

（五）大笔申报、连续申报或者密集申报，以影响证券交易价格；

（六）频繁申报或频繁撤销申报，以影响证券交易价格或其他投资者的投资决定；

（七）巨额申报，且申报价格明显偏离申报时的证券市场成交价格；

（八）一段时期内进行大量且连续的交易；

（九）在同一价位或者相近价位大量或者频繁进行回转交易；

（十）大量或者频繁进行高买低卖交易；

（十一）进行与自身公开发布的投资分析、预测或建议相背离的证券交易；

（十二）在大宗交易中进行虚假或其他扰乱市场秩序的申报；

（十三）本所认为需要重点监控的其他异常交易。

6.2　会员及其营业部发现投资者的证券交易出现第6.1条所列异常交易行为之一，且可能严重影响证券交易秩序的，应当予以提醒，并及时向本所报告。

6.3　出现第6.1条所列异常交易行为之一，且对证券交易价格或者交易量产生重大影响的，本所可采取非现场调查和现场调查措施，要求相关会员及其营业部提供投资者开户资料、授权委托书、资金存取凭证、资金账户情况、相关交易情况等资料；如异常交易涉及投资者的，本所可以直接要求其提供有关材料。

6.4　会员及其营业部、其他交易参与人以及投资者应当配合本所进行相关调查，及时、真实、准确、完整地提供有关文件和资料。

6.5　对情节严重的异常交易行为，本所可以视情况采取下列措施：

（一）口头或书面警示；

（二）约见谈话；

（三）要求相关投资者提交书面承诺；

（四）限制相关证券账户交易；

（五）报请证监会冻结相关证券账户或资金账户；

（六）上报证监会查处。

如对第（四）项措施有异议的，可以向本所提出复核申请。复核期间不停止相关措施的执行。

第七章　交易异常情况处理

7.1　发生下列交易异常情况之一，导致部分或全部交易不能进行的，本所可以决定技术性停牌或临时停市：

（一）不可抗力；

（二）意外事件；

（三）技术故障；

（四）本所认定的其他异常情况。

7.2　出现行情传输中断或无法申报的会员营业部数量超过营业部总数10%以上的交易异常情况，本所可以实行临时停市。

7.3　本所认为可能发生第7.1条、第7.2条规定的交易异常情况，并会严重影响交易正常进行的，可以决定技术性停牌或临时停市。

7.4　本所对技术性停牌或临时停市决定予以公告。

7.5　技术性停牌或临时停市原因消除后，本所可以决定恢复交易。

7.6　除本所认定的特殊情况外，技术性停牌或临时停市后当日恢复交易的，技术性停牌或临时停市前交易主机已经接受的申报有效。交易主机在技术性停牌或临时停市期间继续接受申报，在恢复交易时对已接受的申报实行集合竞价交易。

7.7　因交易异常情况及本所采取的相应措施造成的损失，本所不承担责任。

第八章　交易纠纷

8.1　会员之间、会员与客户之间发生交易纠纷，相关会员应当记录有关情况，以备本所查阅。交易纠纷影响正常交易的，会员应当及时向本所报告。

8.2　交易参与人之间、会员与客户之间发生交易纠纷，本所可以按有关规定提供必要的交易数据。

8.3　客户对交易有疑义的，会员应当协调处理。

第九章　交易费用

9.1　投资者买卖证券成交的，应当按规定向代其进行证券买卖的会员交纳佣金。

9.2　交易参与人应当按规定向本所交纳交易经手费及其他费用；会员还应当按规定向本所交纳会员费。

9.3　证券交易的收费项目、收费标准和管理办法按照有关规定执行。

第十章　纪律处分

10.1　会员、其他交易参与人违反本规则的，本所责令其改正，并视情节轻重单处或并处：

（一）通报批评；

（二）公开谴责；

（三）暂停或者限制交易权限；

（四）取消交易参与人资格；

（五）取消会员资格。

10.2　会员、其他交易参与人对前条（二）、（三）、（四）、（五）项处分有异议的，可以自接到处分通知之日起 15 日内向本所理事会申请复核。复核期间不停止相关处分的执行。

第十一章　附　则

11.1　交易型开放式指数基金、债券、债券回购、权证等品种、风险警示股票、退市整理股票的其他交易事项，由本所另行规定。

11.2　本规则中所述时间，以本所交易主机的时间为准。

11.3　本所有关股票、基金交易异常波动的规定与本规则不一致的，按本规则执行。

11.4　本规则下列用语含义：

（一）市场：指本所设立的证券交易市场。

（二）上市交易：指证券在本所挂牌交易。

（三）委托：指投资者向会员进行具体授权买卖证券的行为。

（四）申报：指会员向本所交易主机发送证券买卖指令的行为。

（五）标准券：指由不同债券品按相应折算率折算形成的，用以确定可利用质押式回购交易进行融资的额度。

（六）最优价：指集中申报簿中买方的最高价或卖方的最低价。集中申报簿指交易主机中某一时点按买卖方向以及价格优先、时间优先顺序排列的所有未成交申报队列。

（七）虚拟开盘参考价格：指特定时点的所有有效申报按照集合竞价规则虚拟成交并予以即时揭示的价格。

（八）虚拟匹配量：指特定时点按照虚拟开盘参考价格虚拟成交并予以即时揭示的申报数量。

（九）虚拟未匹配量：指特定时点不能按照虚拟开盘参考价格虚拟成交并予以即时揭示的买方或卖方剩余申报数量。

（十）风险警示股票：指按照《上海证券交易所股票上市规则》被实施风险警示的股票。

（十一）退市整理股票：指被本所作出终止上市决定但处于退市整理期尚未摘牌的股票。

11.5　本规则经本所理事会通过，报证监会批准后生效，修改时亦同。

11.6　本规则由本所负责解释。

11.7　本规则自 2016 年 1 月 1 日起施行。

■深港通业务规则

深圳证券交易所深港通业务实施办法

第一章　总则

第一条　为规范深港通业务开展，防范风险，保护投资者合法权益，根据中国证监会《内地与香港股票市场交易互联互通机制若干规定》（以下简称“《互联互通规定》”）、《深圳证券交易所交易规则》（以下简称“《交易规则》”）、《深圳证券交易所会员管理规则》（以下简称“《会员管理规则》”）及深圳证券交易所（以下简称“本所”）其他相关业务规则，制定本办法。

第二条　投资者、本所会员、香港联合交易所有限公司（以下简称“联交所”）在深圳设立的证券交易服务公司（以下简称联交所证券交易服务公司”）、本所设立的证券交易服务公司（以下简称“本所证券交易服务公司”）及其他市场主体参与深港通交易及相关活动，应当遵守本办法。

深股通交易事项（投资者证券买卖委托事项除外）和港股通交易的委托、本所会员客户管理等事项，本办法未规定的，适用《交易规则》、《会员管理规则》和本所其他相关业务规则。

第三条　本所对深港通交易及相关活动实施自律管理。

第二章　深股通交易

第一节　联交所证券交易服务公司参与深股通业务

第四条　联交所证券交易服务公司参与深股通业务，应当申请成为本所交易参与人并取得交易单元，遵守本所对交易参与人的相关规定。

联交所证券交易服务公司不是本所会员，不享有法律、行政法规、部门规章、规范性文件和《深圳证券交易所章程》、《会员管理规则》等规定的本所会员权利。

第五条　联交所证券交易服务公司申请成为本所交易参与人，应当提交下列文件：

（一）申请书、承诺书；

（二）中国证监会、香港证券及期货事务监察委员会相关批准文件；

（三）企业法人营业执照；

（四）公司章程；

（五）深股通业务管理制度、技术安排，以及委托联交所承担深股通业务相关职责的安排；

（六）董事、监事、高级管理人员的个人资料；

（七）联交所参与者参与深股通业务的承诺书文本、技术标准及其他要求；

（八）联交所证券交易服务公司与香港中央结算有限公司（以下简称“香港结算”）的深股通结算协议；

（九）拟开展深股通业务的联交所参与者名单，以及上述联交所参与者符合技术标准及其他要求的情况说明；

（十）与深股通有关的费用收取方式和标准；

（十一）本所要求的其他文件。

第六条　联交所证券交易服务公司将联交所参与者根据投资者委托进行深股通交易的订单向本所申报，并承担相应的交易责任。

深股通交易申报在本所达成交易后，联交所证券交易服务公司应当承认交易结果，接受成交回报并发送给相关联交所参与者和香港结算。

联交所证券交易服务公司应当对联交所参与者的深股通交易行为进行管理，并根据本所要求对深股通违规交易行为采取必要的措施。

第七条　联交所证券交易服务公司可以委托联交所代为履行本办法规定的相关职责，但仍应承担相关职责未充分、适当履行的责任。

第八条　联交所证券交易服务公司应当建立深股通业务风险控制措施，加强内部控制，防范业务风险。

第九条　联交所证券交易服务公司应当制定联交所参与者参与深股通业务的技术标准及其他要求，并对拟开展深股通业务的联交所参与者的技术系统进行测试评估。

第十条　联交所证券交易服务公司应当要求符合条件的联交所参与者签署深股通业务承诺书，承诺书应当包括但不限于以下内容：遵守内地和香港相关法律、行政法规、部门规章、规范性文件和业务规则；认可并执行联交所证券交易服务公司基于前述规定和双方约定对其提出的相关要求，以及通过合同或者其他安排要求其客户认可并执行相关要求；认可并通过合同或者其他安排要求其客户认可本办法及本所其他业务规则关于本所责任豁免的相关规定。

第十一条　联交所证券交易服务公司应当为深股通投资者、联交所参与者了解相关法律、行政法规、部门规章、规范性文件和业务规则、业务流程、费用收取方式及标准等信息，提供必要的便利和指引。

第十二条　联交所证券交易服务公司应当遵守内地相关法律、行政法规、部门规章、规范性文件和业务规则。

联交所证券交易服务公司应当采取适当方式，督促联交所参与者并要求联交所参与者督促其客户遵守内地相关法律、行政法规、部门规章、规范性文件和本所业务规则的规定，并要求联交所参与者向客户充分揭示深股通交易风险以及因违反前述规定承担违法或违规责任的风险。

第十三条　联交所证券交易服务公司按照本办法第五条向本所提交的材料内容发生变化的，应当在变更发生后3个深股通交易日内向本所提交更新材料。

联交所证券交易服务公司应当按照本所要求提供深股通业务运行相关情况的报告。

第十四条　联交所证券交易服务公司发生影响或者可能影响其业务运行的重大事件时，应当立即向本所报告，说明事件的起因、目前的状态、可能产生的后果和应对措施。

第十五条　联交所证券交易服务公司应当妥善保存履行本办法规定职责形成的各类文件、资料，并采取适当方式要求联交所参与者妥善保存深股通客户资料及其委托和申报记录等资料，保存期限不少于20年。

第二节　深股通股票

第十六条　深股通股票包括以下范围内的股票：

(一)深证成份指数及深证中小创新指数的成份股，且成份股定期调整考察截止日前六个月A股日均市值不低于人民币60亿元，上市时间不足六个月的按实际上市时间计算市值；

(二)A+H股上市公司在本所上市的A股。

前款第(一)、第(二)项规定范围内的股票存在下列情形之一的，不纳入深股通股票：

(一)被本所实施风险警示的股票(即ST、*ST等股票)；

(二)被本所暂停上市的股票；

(三)退市整理期股票；

(四)以外市报价交易的股票(即B股)；

(五)本所认定的其他特殊情形。

经监管机构批准，本所可以调整深股通股票的范围。

第十七条　深股通股票之外的本所上市A股因相关指数实施成份股调整等原因，导致属于本办法第十六条第一款第(一)、第(二)项规定范围且不属于第十六条第二款第(一)至第(五)项规定范围的，调入深股通股票。

联交所H股上市公司在本所上市A股，或者本所A股上市公司在联交所主板上市H股，或者公司同日在本所和联交所主板上市A股和H股的，其A股在上市满10个交易日且相应H股价格稳定期结束后调入深股通股票。

第十八条　深股通股票因相关指数实施成份股调整等原因，导致不再属于本办法第十六条第一款第(一)、第(二)项规定范围或者属于第十六条第二款第(一)至第(五)项规定范围的，调出深股通股票。

第十九条　本办法第十六条第一款第(一)项中的A股日均市值标准仅在相关指数成份股定期调整时执行，相关股票在定期调整实施日调入或者调出深股通股票。

符合市值标准的成份股由本所确定。

第二十条　联交所证券交易服务公司通过其指定网站公布深股通股票名单，相关股票调入或者调出深股通股票的生效时间以联交所证券交易服务公司公布的时间为准。

第三节　交易特别事项

第二十一条　深股通股票以人民币报价和交易。

第二十二条　深股通交易日和交易时间由联交所证券交易服务公司在其指定网站公布。

第二十三条　深股通交易采用竞价交易方式，本所另有规定的除外。

第二十四条　深股通交易申报采用限价申报，本所另有规定的除外。

深股通限价申报指令应当包括证券账号、经纪商代码、证券代码、买卖方向、数量、价格等内容。

本所根据监管需要，可以要求联交所证券交易服务公司提供其交易申报涉及的投资者信息。

第二十五条　根据本办法第十八条被调出深股通股票且仍属于本所上市股票的，不得通过深股通买入，但可以卖出。

第二十六条　深股通股票保证金交易和担保卖空的标的股票，应当属于本所融资融券标的证券范围。

第二十七条　联交所证券交易服务公司应当对属于深股通股票担保卖空的交易申报予以特别标识。

担保卖空的申报价格不得低于该股票的最新成交价；当天没有成交的，申报价格不得低于其前收盘价。

联交所证券交易服务公司应当促使联交所参与者要求其客户，在未归还为担保卖空而借入的股票前卖出相同股票的委托价格应当符合前款要求，但超出未归还股票数量的部分除外。

第二十八条　单个深股通交易日的单只深股通股票担保卖空比例不得超过1%；连续10个深股通交易日的单只深股通股票担保卖空比例累计不得超过5%。联交所证券交易服务公司应当根据前述比例要求进行前端控制。

联交所证券交易服务公司应当于每一深股通交易日日终，通过其指定网站披露深股通股票担保卖空比例。

本所可以根据市场情况，调整本条第一款规定的担保卖空比例限制，或者暂停接受深股通股票担保卖空申报。

第二十九条　属于深股通股票的单只股票，在本所市场进行融资交易的融资监控指标达到规定比例而被本所暂停融资买入的，本所可以要求联交所证券交易服务公司暂停提交该深股通股票保证金交易申报。该股票的融资监控指标降低至规定比例而被本所恢复融资买入的，本所可以通知联交所证券交易服务公司恢复提交该深股通股票保证金交易申报。

属于深股通股票的单只股票，在本所市场的融券余量达到规定比例而被本所暂停融券卖出的，本所可以要求联交所证券交易服务公司停提交该深股通股票担保卖空交易申报。该股票的融券余量降低至规定比例而被本所恢复融券卖出的，本所可以通知联交所证券交易服务公司恢复提交该深股通股票担保卖空交易申报。

第三十条 除下列情形外，不得进行深股通股票非交易过户：

（一）为担保卖空而进行的期限不超过一个月的深股通股票借贷；

（二）在自身持券范围内为满足持券检查要求而进行的为期一日且不得展期的深股通股票借贷；

（三）为处理错误交易而在联交所参与者与其交易客户之间进行的深股通股票过户；

（四）基金管理人通过统一账户买入深股通股票后，分配至其管理的各基金账户；

（五）本所和中国证券登记结算有限责任公司（以下简称“中国结算”）规定的其他情形。

第三十一条 联交所证券交易服务公司应当来取适当方式，要求联交所参与者接受客户深股通卖出委托时须确保客户账户内有足额的证券，不得接受客户无足额证券而直接在市场上卖出证券的委托。

第三十二条 通过深股通买入的股票，在交收前不得卖出。

第三十三条 联交所证券交易服务公司和联交所参与者不得自行撮合投资者买卖深股通股票的订单，不得以其他任何形式在本所以外的场所提供深股通股票转让服务，中国证监会另有规定的除外。

第三十四条 通过联交所证券交易服务公司进行的深股通交易，证券交易公开信息中公布的名称为“深股通专用”。

第三十五条 联交所证券交易服务公司未经本所同意，不得将本所许可其使用的交易信息提供给联交所参与者及其交易客户之外的其他机构和个人使用或者予以传播，也不得用于开发指数或者其他产品。

联交所证券交易服务公司应当采取适当方式，要求关交所参与者并促使联交所参与者要求其客户遵守前款规定。

第三十六条 联交所证券交易服务公司应当按照本所市场收费标准交纳深股通交易经手费等相关费用。

联交所证券交易服务公司应当与香港结算签订协议，委托香港结算就深股通交易进行清算交收、交纳交易经手费及其他相关费用。

第三十七条 因深股通股票权益分派、转换、上市公司被收购等情形或者异常情况，所取得的深股通股票以外的本所上市证券，可以通过深股通卖出，但不得买入，本所另有规定的除外。

因深股通股票权益分派、转换或者上市公司被收购等所取得的非本所上市证券，不得通过深股通买入或者卖出。

第三十八条 本所可以根据市场需要，调整深股通的交易方式、订单类型、申报内容及方式、业务范围、交易限制等规定。

第四节 额度控制

第三十九条 联交所证券交易服务公司对深股通每日额度的使用情况进行实时监控，并在指定网站公布额度使用情况。

第四十条 深股通当日额度余额的计算公式为：当日额度余额 = 每日额度 − 买入申报金额 + 卖出成交金额 + 被報销和被本所拒绝接受的买入申报金额 + 买入成交价低于申报价的差额。

第四十一条 当日额度在本所开盘集合竞价阶段使用完毕的，联交所证券交易服务公司暂停接受该时段后续的买入申报，但仍然接受卖出申报。此后在本所连续竞价阶段开始前，因买入申报被报销、被本所拒绝接受或者卖出申报成交等情形，导致当日额度余额大于零的，联交所证券交易服务公司恢复接受后续的买入申报。

当日额度在本所连续竞价阶段或者收盘集合竞价阶段使用完毕的，联关交所证券交易服务公司停止接受当日后续的买入申报，但仍然接受卖出申报。在上述时段停止接受买入申报的，当日不再恢复，本所另有规定的除外。

第四十二条 联交所证券交易服务公司应当采取适当方式，要求联交所参与者并促使联交所参与者要求其客户在参与深股通交易时，不得通过低价大额买入申报等方式恶意占用额度，影响额度控制。

第五节 持股比例限制

第四十三条 投资者参与深股通交易，应当遵守《互联互通规定》中的持股比例限制。

第四十四条 联交所证券交易服务公司应当采取适当方式，要求联交所参与者在投资者买卖深股通股票违反有关持股比例限制时拒绝接受其交易委托、实施平仓或者采取其他制止和纠正措施。

第四十五条 投资者根据相关规定履行信息披露义务时，其通过深股通交易与通过其他方式持有的同一上市公司的境内、外上市股份应当合并计算。

第四十六条 当日交易结束后，单个境外投资者通过深股通与其他方式持有同一上市公司股票合并计算超过限定比例的，应当在5个深股通交易日内对超出部分予以平仓，并接照有关规定及时履行信息披露义务。

第四十七条 当日交易结束后，所有境外投资者通过深股通与其他方式持有同一上市公司股票合并计算超过限定比例的，本所将按照后买先卖的原则，向联交所证券交易服务公司及其他境外投资者发出平仓通知。联交所证券交易服务公司应当及时通知联交所参与者，并要求其通知投资者。投资者应当自接到通知之日起的5个深股通交易日内，对超出部分予以平仓。

其他境外投资者在5个深股通交易日内自行减持导致上述持股总数降至限定比例以下的，联交所证券交易服务公司可以主动或者根据被通知减持的深股通投资者通过联交所参与者向其提出的请求，向本所申请由原持有人继续持有原股份。

第四十八条 深股通投资者未按规定对超过限定比例的股份进行处理的，联交所证券交易服务公司应当要求相关联交所参与者实施平仓。

第三章 港股通交易

第一节 本所会员参与港股通业务

第四十九条 本所会员参与港股通业务，应当符合本所证券交易服务公司规定的技未标准及其他要求。

第五十条 本所会员参与港股通业务，应当与本所证券交易服务公司签订港股通服务合同，约定双方的权利和义务。

第五十一条 本所会员参与港股通业务，适用本所有关会员对客户交易行为管理的规定。

第五十二条 本所会员应当向客户充分揭示港股通投资风险，督促客户遵守内地和香港相关法律、行政法规、部门规章、规范性文件和业务规则，接受本所监管。

第五十三条 本所会员可以按照约定与本所证券交易服务公司终止港股通服务合同，但应当对其客户作出妥善安排。

第五十四条　本所证券交易服务公司可以与本所会员约定，发生下列情形之一的，本所证券交易服务公司有权暂停提供港股通服务或者终止港股通服务合同：

（一）会员违反相关法律、行政法规、部门规章、规范性文件和业务规则；

（二）会员不配合本所对港股通交易行为的检查、调查和其他监管行为；

（三）会员相关业务、技术系统出现重大故障，无法为客户提供港股通交易服务；

（四）合同约定的其他情形。

第五十五条　本所证券交易服务公司可以委托本所代为履行本办法规定的相关职责，但仍应承担相关职责未充分、适当履行的责任。

第二节　港股通股票

第五十六条　港股通股票包括以下范围内的股票：

（一）恒生综合大型股指数成份股；

（二）恒生综合中型股指数成份股；

（三）恒生综合小型股指数成份股，且成份股定期调整考察截止日前十二个月港股平均月末市值不低于港币50亿元，上市时间不足十二个月的按实际上市时间计算市值；

（四）A＋H股上市公司在联交所主板上市的H股。

前款第（一）至第（四）项规定范围内的股票存在下列情形之一的，不纳入港股通股票：

（一）在本所上市的A股被实施风险警示、被本所暂停上市或者进入退市整理期的A＋H股上市公司的相应H股；

（二）A股在上海证券交易所（以下简称“上交所”）风险警示板交易或者被上交所暂停上市的A＋H股上市公司的相应H股；

（三）在联交所以港币以外货币报价交易的股票；

（四）本所认定的其他特殊情形。

经监管机构批准，本所可以调整港股通股票的范围。

第五十七条　港股通股票之外的股票因相关指数实施成份股调整等原因，导致属于本办法第五十六条第一款第（一）至第（四）项规定范围且不属于第五十六第二款第（一）至第（四）项规定范围的，调入港股通股票。

本所或上交所A股上市公司在联交所主板上市H股，或者联交所主板H股上市公司在本所或者上交所上市A股，或者公司同日上市A股和联交所H股的，其H股在价格稳定期结束且相应A股上市满10个交易日后调入港股通股票。

第五十八条　港股通股票因相关指数实施成份股调整等原因，导致不再属于本办法第五十六条第一款第（一）至第（四）项规定范围或者属于第五十六条第二款第（一）至第（四）项规定范围的，调出港股通股票。

第五十九条　本办法第五十六条第一款第（三）项中的港股市值标准仅在但生综合小型股指数成份股定期调整时执行，相关股票在定期调整实施日调入或者调出港股通股票。

符合市值标准的成份股由联交所确定。

第六十条　本所证券交易服务公司通过其指定网站公布港股通股票名单，相关股票调入或者调出港股通股票的生效时间以本所证券交易服务公司公布的时间为准。

第三节　交易特别事项

第六十一条　投资者应当通过深市人民币普通股票成户进行港股通交易。

第六十二条　港股通交易以港币报价，投资者以人民币交收。

第六十三条　港股通交易日和交易时间由本所证券交易服务公司在其指定网站公布。每个港股通交易日的交易时段包括开市前时段、持续交易时段和收市竞价交易时段，具体按联交所的规定执行。

发生本所证券交易服务公司认定的特殊情形，导致或者可能导致港股通交易无法正常进行的，本所证券交易服务公司可以调整港股通交易日、交易时间并向市场公布。

第六十四条　港股通交易通过联交所自动对盘系统进行，但投资者持有的碎股只能通过联交所半自动对盘碎股交易系统卖出。

投资者参与联交所自动对盘系统交易，在联交所开市前时段和收市竞价交易时段应当来用竞价限价盘委托，在联交所持续交易时段应当采用增强限价盘委托。

第六十五条　港股通交易申报的申报数量按照联交所的规定执行

第六十六条　根据本办法第五十八条规定被调出港股通股票且仍属于联交所上市股票的，不得通过港股通买入，但可以卖出。

第六十七条　投资者当日买入的港股通股票，经确认成交后，在交收前即可卖出。

第六十八条　港股通实行客户交易结算资金第三方存管制度，参照A股交易相关规定执行。

第六十九条　会员接受客户港股通交易委托，应当确保客户有足额可用的人民币资金或者证券。会员不得接受客户无足额可用的资金、证券而直接在市场上买入、卖出证券的委托。

第七十条　本所证券交易服务公司和本所会员不得自行撮合投资者买卖港股通股票的订单，不得以其他任何形式在联交所以外的场所提供港股通股票转让服务，中国证生会另有规定的除外。

第七十一条　港股通订单已经申报的，不得更改申报价格或者申报数量，但在联交所允许报销申报的时段内，未成交申报可以撤销。

第七十二条　会员参与港股通业务，应当通过本所证券交易服务公司向联交所提交申报指令。

本所证券交易服务公司接收联交所发送的交易结果及其他交易记录后发送给会员，并由会员发送给其客户。

第七十三条　港股通业务中股票的即时行情等信息，由联交所发布。

会员及本所认可的其他机构未经联交所同意，不得将联交所许可其使用的交易信息提供给其客户之外的其他机构和个人使用或者予以传播，也不得用于开发指数或者其他产品。

第七十四条　会员应当按照有关规定妥善保存委托和申报记录等资料。

第七十五条　投资者进行港股通交易，应当按规定向其委托的会员交纳佣金，并按照联交所市场的有关规定交纳相关费用。

第七十六条　因港股通股票权益分派、转换、上市公司被收购等情形或者异常情况，所取得的港股通股票以外的联交所上市证券，可以通过港股通卖出，但不得买入，本所另有规定的除外。

因港股通股票发行人供股、港股通股票权益分派或者转换等所取得的联交所上市股票的认购权利凭证在联交所上市的，可以通过港股通卖出，但不得买入，其行权等事宜按照中国证监会、中国结算的相关规定处理。

因港股通股票权益分派、转换或者上市公司被收购等所取得的非联交所上市证券，不得通过港股通买入或者卖出。

第七十七条 本所可以根据市场需要，调整港股通的交易方式、订单类型、业务范围、交易限制等规定。

第四节 额度控制

第七十八条 本所证券交易服务公司对港股通每日额度的使用情况进行实时监控，并在指定网站公布额度使用情况。

第七十九条 港股通当日额度余额的计算公式为：当日额度余额 = 港股通每日额度 - 买入申报金额 + 卖出成交金额 + 被撤销和被联交所拒绝接受的买入申报金额 + 买入成交价低于申报价的差额。

前款规定的买入申报金额、卖出成交金额、被撤销和被联交所拒绝接受的买入申报金额、买入成交价低于申报价的差额，按照中国结算每日交易开始前提供的当日交易参考汇率，由港币转换为人民币计算。

第八十条 当日额度在联交所开市前时段使用完毕的，本所证券交易服务公司暂停接受相应时段后续的买入申报，在该时段结束前不再恢复，但仍然接受卖出申报。因买入申报被撤销、被联交所拒绝接受或者卖出申报成交等情形，导致当日额度余额大于零的，本所证券交易服务公司在联交所持续交易时段开始时恢复接受后续的买入申报。

当日额度在联交所持续交易时段或者收市竞价交易时段使用完毕的，本所证券交易服务公司停止接受当日后续的买入申报，但仍然接受卖出申报。在上述时段停止接受买入申报的，当日不再恢复，本所另有规定的除外。

第八十一条 投资者参与港股通交易，不得通过低价大额买入申报等方式恶意占用额度，影响额度控制。

第五节 投资者适当性管理

第八十二条 机构投资者参与港股通交易，应当符合法律、行政法规、部门规章、规范性文件及业务规则的规定。

第八十三条 个人投资者参与港股通交易，应当至少符合下列条件：

（一）证券账户及资金账户资产合计不低于人民币 50 万元；

（二）不存在严重不良诚信记录；

（三）不存在法律、行政法规、部门规章、规范性文件和业务规则规定的禁止或者限制参与港股通交易的情形。

本所可以根据市场情况，调整前款规定的条件。

第八十四条 投资者进行港股通交易，应当熟悉香港证券市场相关规定，了解港股通交易的业务规则与流程，结合自身风险偏好确定投资目标，客观评估自身风险承受能力。

第八十五条 本所会员应当制定港股通业务投资者适当性管理的标准、程序、方法以及执行投资者适当性制度的保障措施。会员制定的投资者适当性管理标准应当包括投资者的资产状况、知识水平、风险承受能力等方面。

第八十六条 本所会员应当向客户全面客观介绍香港证券市场法律法规、市场特点和港股通业务规则、流程。

第八十七条 本所会员应当与参与港股通交易的客户签订委托协议，约定双方的权利和义务。

会员与客户签订委托协议前，应当向客户充分揭示港股通交易风险，并要求客户签署风险揭示书。

委托协议、风险揭示书的必备条款，由本所另行规定。

第四章 交易异常情况处理

第八十八条 发生本所认定的交易异常情况，导致或者可能导致部分或者全部深股通交易不能正常进行的，本所可以决定采取对相关深股通股票停牌、暂停接受部分或者全部深股通交易申报、对本所市场临时停市等措施，并予以公告。

发生本所证券交易服务公司认定的交易异常情况，导致或者可能导致部分或者全部港股通交易不能正常进行的，本所证券交易服务公司可以决定暂停提供部分或者全部港股通服务并予以公告。

本所停牌、临时停市及本所证券交易服务公司暂停提供港股通服务的原因消除后，本所可以决定恢复相关深股通交易、本所市场交易并予以公告，本所证券交易服务公司可以决定恢复港股通服务并予以公告。

第八十九条 深股通交易出现短时间内买入或者卖出超过一定金额，构成本所业务规则的交易异常情况的，本所可以按照规定采取相应处置措施。

第九十条 发生联交所认定的交易异常情况，导致或者可能导致部分或者全部港股通交易不能正常进行的，联交所决定对联交所市场临时停市及后续恢复交易或者采取其他措施的，本所将在接到联交所通知后对其相关公告予以转发。

发生联交所证券交易服务公司认定的交易异常情况，导致或者可能导致部分或者深股通交易不能正常进行的，联交所证券交易服务公司可以决定暂停提供深股通服务并予以公告。相关交易异常情况消失后，联交所证券交易服务公司可以决定恢复深股通服务并予以公告。

第九十一条 因交易异常情况及本所、本所证券交易服务公司采取的相应措施造成的损失，本所、本所证券交易服务公司不承担责任。

第五章 自律管理

第九十二条 本所与联交所通过跨境监管合作加强对深港通交易及相关信息披露行为的监督管理。

第九十三条 本所根据《交易规则》等业务规则的规定，对深股通交易中的异常交易行为或情形予以重点监控。

第九十四条 联交所证券交易服务公司发现深股通交易中存在或者可能存在本所《交易规则》等业务规则规定的异常交易行为或情形之一的，应当及时报告本所，提醒联交所参与者并要求联交所参与者提醒其客户，并视情况采取拒绝为联交所参与者提供深股通服务等措施。

联交所证券交易服务公司应当采取适当方式，要求联交所参与者对于在深股通交易中存在或者可能存在本所《交易规则》等业务规则规定的异常交易行为的客户予以提醒，并视情况拒绝接受其后续的深股通交易委托。

第九十五条 深股通交易中出现违反本办法或者本所其他相关规定的行为，或者深股通投资者违反或可能违反《深圳证券交易所股票上市规则》、《深圳证券交易所创业板股票上市规则》等业务规则规定的信息披露等要求的，本所可以进行调查，要求联交所证券交易服务公司提供相关资料；本所还可以提请联交所对相关联交所参与者采取适当的调查措施。

第九十六条 深股通交易中出现违反本办法或者本所其他相关规定的行为，情节严重的，本所可以提请联交所对其参与者实施相关监管措施、纪律处分，或者提请联交所要求其参与者对投资者进行口头警示、书面警示、拒绝接受其深股通交易委托。

第九十七条　深股通交易中出现异常交易行为或情形，严重扰乱本所市场秩序的，本所可以暂停或者限制联交所证券交易服务公司交易权限，或者不予接受联交所证券交易服务公司提交的涉及相关投资者的交易申报。

异常交易行为或情形影响消除后，本所可以决定恢复联交所证券交易服务公司交易权限或者恢复接受相关交易申报。

第九十八条　深股通投资者买卖深股通股票，违反《深圳证券交易所股票上市规则》、《深圳证券交易所创业板股票上市规则》等业务规则规定的信息披露要求的，本所可以根据相关规则对其实施监管措施或者纪律处分。

第九十九条　港股通投资者、本所会员参与港股通交易，不得违反本办法的规定，不得从事市场失当行为。

第一〇〇条　本所会员发现投资者的港股通交易存在或者可能存在市场失当行为，应当予以提醒，并可以拒绝接受其委托。会员应当将相关情况及时向本所报告。

第一〇一条　应联交所提请或者在本所认为必要时，本所可以对会员及其客户在港股通交易中出现的市场失当行为或者其他违规行为采取非现场调查和现场调查措施，要求相关会员及其客户提供相关资料，并可向联交所提供相关信息。

第一〇二条　本所会员及其客户在港股通交易中出现市场失当行为，情节严重的，本所应联交所提请，可以实施相应的监管措施或者纪律处分，包括要求本所相关会员拒绝接受其客户的港股通交易委托。

第一〇三条　本所可以根据需要，对联交所证券交易服务公司的风险管理措施、技术系统的安全运行状况及对本所相关业务规则的执行情况等进行检查。

第一〇四条　联交所证券交易服务公司违反本办法和本所其他相关规定的，本所可以实施口头警示、书面警示、约见谈话、通报批评、公开谴责等管理措施或者纪律处分。

第一〇五条　本所会员及其客户违反本办法和本所其他相关规定的，本所可以实施口头警示、书面警示、约见谈话、通报批评、公开谴责等监管措施或者纪律处分。

第一〇六条　深股通投资者、港股通投资者、联交所证券交易服务公司、本所会员参与深港通交易，违反相关法律、行政法规、部门规章、规范性文件及本所业务规则的规定，情节严重的，本所可以报中国证监会查处。

第一〇七条　根据法律、行政法规、部门规章、规范性文件、业务规则的规定或者监管机构的要求，本所可以暂停全部或者部分深港通交易。

第一〇八条　因本所制定、修改业务规则或者根据业务规则履行自律监管职责等造成的损失，本所不承担责任。

本所会员、港股通投资者应当知晓并认可联交所业务规则中关于联交所责任豁免的相关规定。

第六章　附　则

第一〇九条　本办法下列用语含义：

（一）深港通：即深港股票市场交易互联互通机制，指两地投资者委托本所会员或者联交所参与者，通过本所或者联交所在对方所在地设立的证券交易服务公司，买卖规定范围内的对方交易所上市股票。深港通包括深股通和港股通两部分。

（二）深股通：指投资者委托联交所参与者，通过联交所证券交易服务公司，向本所进行申报，买卖规定范围内的本所上市股票。

（三）港股通：即深港通下的港股通，指投资者委托本所会员，通过本所证券交易服务公司，向联交所进行申报，买卖规定范围内的联交所上市股票。

（四）深股通股票：指投资者可以通过深股通买卖的规定范围内的在本所上市的股票。

（五）港股通股票：指投资者可以通过港股通买卖的规定范围内的在联交所上市的股票。

（六）深股通投资者：指委联交所参与者或者直接通过深股通买卖深股通股票的投资者。

（七）港股通投资者：指委托本所会员或者直接通过港股通买卖港股通股票的投资者。

（八）交易日：指本所市场的交易日。

（九）深股通交易日：指联交所证券交易服务公司公布的深股通交易日。

（十）港股通交易日：指本所证券交易服务公司公布的港股通交易日。

（十一）会员：指取得深交所普通会员资格的证券经营机构。

（十二）联交所参与者：指符合联交所《交易所规则》定义的交易所参与者。

（十三）定期调整考察裁截止日：对于深股通股票，是指深证成份指数、深证中小创新指数编制方案中，定期调整所使用的考察截止日；对于港股通股票，是指恒生综合指数编算细则中，定期检讨所使用的数据截止日。

（十四）A 股：指在本所或者上交所上市的人民币普通股票。

（十五）H 股：指境内注册的公司发行并在联交所上市的股票。

（十六）A + H 股上市公司：指在境内注册，其股票同时在本所和联交所或者同时在上交所和联交所上市的公司。

（十七）上交所风险警示板：指上交所设立的上市公司股票风险警示板。

（十八）竞价限价盘委托：指委托本所会员申报符合联交所规则规定的增强限价盘的港股通交易委托。

（十九）增强限价盘委托：指委托本所会员申报符合联交所规则规定的增强限价盘的港股通交易委托。

（二十）碎股：指不足一个买卖单位的证券。

（二十一）价格稳定期：指在招股文件中载明的适用于该股票的稳定价格期间

（二十二）深股通股票保证金交易：指深股通投资者在香港市场通过证券保证金融资获得资金买入深股通股票。

（二十三）深股通股票担保卖空：指深股通投资者在香港市场通过股票借贷借入深股通股票后，通过深股通将其卖出。

（二十四）深股通股票借贷：指在香港市场，联交所参与者向其交易客户或者其他联交所参与者出借深股通股票，或者符合条件的机构向联交所参与者出借深股通股票的行为。

（二十五）深股通股票担保卖空比例：指单个深股通交易日单只深股通股票的担保卖空量，占前一深股通交易日香港结算作为名义持有人持有的该只深股通股票总量的比例。

（二十六）深股通股票非交易过户：指在本所市场交易之外，对深股通股票的实际权益拥有人进行变更。

（二十七）供股：指联交所上市公司向现有股票持有人作出供股要约，使其可以按持有股票的比例认购该公司股票，且认购权利凭证可以通过二级市场进行转让。

(二十八)公开配售:指联交所上市公司向现有股票持有人作出要约,使其可以认购该公司股票,但公开配售权益不能转让。

(二十九)市场失当行为:指香港地区法律及香港证券及期货事务监察委员会、联交所等规定的内幕交易、虚假交易、操控价格、披露关于受禁交易的资料、披露虚假或具误导性的资料以诱使进行交易、操纵证券市场及其他市场失当行为。

第一一〇条 向本所会员租用本所交易单元的机构参与港股通交易,应当与本所证券交易服务公司签订港股通服务合同,并适用本所会员参与港股通业务的相关规定,但涉及本所会员经纪业务的规定除外。

会员自营、资产管理等非经纪业务参与港股通交易,以及前款规定的机构参与港股通交易,应当符合相关监管机构的规定。

第一一一条 深股通股票、港股通股票发行人及相关信息披露义务人的信息披露等行为监管,由股票上市地的证券交易所负责监管,适用股票上市地的法律、行政法规、部门规章、规范性文件和证券交易所业务规则。

第一一二条 香港结算作为名义持有人持有的深股通股票变动达到上市公司股份权益变动标准的,不适用本所有关上市公司股份权益变动信息披露的规定。

第一一三条 深股通投资者可以通过本所网站以及中国证监会指定的其他信息披露媒体,查询深股通股票发行人及相关信息披露义务人披露的信息。

第一一四条 港股通投资者可以通过联交所"披露易"网站和相关发行人网站,查询港股通股票发行人及相关信息披露义务人披露的信息。

第一一五条 香港结算应当以自已的名义,接照深股通投资者的意见行使对深股通股票发行人的权利。

香港结算作为名义持有人参与本所上市公司股本大会网络投票的具体事项,由本所另行规定。

第一一六条 本所上市公司经监管机构批准向深股通投资者进行配股的,由香港结算作为名义持有人参与认购,具体事宜适用本所有关股份发行认购的规定。

联交所上市公司经监管机构批准向港股通投资者进行供股、公开配售的,港股通投资者参与认购的具体事宜接照中国证监会、中国结算的相关规定执行。

第一一七条 投资者通过深股通参与本所市场包括创业板市场交易的,遵守适用香港股票市场的投资者适当性监管规定及业务规则。

第一一八条 投资者买入的港股通股票可以进行转托管。具体事宜按照中国结算的相关规定执行。

第一一九条 本所会员为港股通交易提供融资融券服务的相关事宜,由本所另行规定。

第一二〇条 有关监管机构对深港通交收货币另有规定的,从其规定。

第一二一条 根据本办法只能通过深港通卖出而不能买入的证券,其交易、持股比例限制、股东权益行使、信息披露等事项参照适用本办法关子深股通股票、港股通股票的规定。

第一二二条 本办法所称"超过"、"大于"、"低于"、"少于"、"不足"不合本数,"达到"、"以下"合本数。

第一二三条 本办法经本所理事会通过,报中国证监会批准,修改时亦同。

第一二四条 本办法由本所负责解释。

第一二五条 本办法自 2016 年 9 月 30 日起施行。

深圳证券交易所港股通委托协议必备条款

深证会〔2016〕294 号

证券公司应当在其与客户签订的深圳证券交易所港股通(以下简称"港股通")委托协议中载明必备条款所要求的内容,并不得擅自修改或删除必备条款所要求的内容。证券公司可以根据具体情况,在其与客户签订的港股通委托协议中约定必备条款要求载明以外的、适合本公司实际需要的其他内容,也可以在不改变必备条款规定含义的前提下,对必备条款作文字和条文顺序的变动。

第一条 证券公司开展港股通业务,应当与客户签订《深圳证券交易所港股通委托协议》(以下简称"委托协议")。委托协议应当载明当事人相关信息。

甲方:(投资者或证券投资产品的管理人)

乙方:(证券公司或分支机构)

第二条 委托协议应当载明订立委托协议的目的和依据,并明确委托协议所指港股通为深港通下的港股通。

甲方签署本协议仅可委托乙方通过深港通下的港股通买卖港股通股票。甲方通过深港通下的港股通买入的证券,暂不能通过沪港通下的港股通卖出;甲方通过沪港通下的港股通买入的证券,暂不能通过深港通下的港股通卖出。

第三条 委托协议应当载明甲方的声明与保证,包括但不限于:

(一)甲方已阅读并充分理解中国证监会《内地与香港股票市场交易互联互通机制若干规定》、深圳证券交易所(以下简称"深交所")及中国证券登记结算有限责任公司(以下简称"中国结算")关于港股通的业务规则以及乙方向其提供的《深圳证券交易所港股通交易风险揭示书》等相关文件,甲方具有合法的港股通交易资格,不存在相关法律、行政法规、部门规章、规范性文件以及业务规则等规定的禁止、限制或不适于参与港股通交易的情形;

(二)甲方保证在其与乙方委托关系存续期内向乙方提供的所有证件、资料均真实、准确、完整、舍法,且用于港股通交易的资金来源合法,并保证遵守国家反洗钱的相关规定;

(三)甲方已清楚认识并愿意承担从事港股通交易的相关风险,并已详细阅读本协议所有条款和准确理解其含义,特别是其中有关乙方的免责条款;

(四)甲方承诺遵守港股通交易的内地与香港相关法律、行政法规、部门规章、规范性文件、业务规则等规定,并承诺按照乙方的相关业务流程办理业务;

(五)甲方承诺,同意由中国结算代甲方名义持有通过港股通取得的证券;

(六)甲方承诺,将遵循买者自负原则,不以不符合投资者适当性条件为由,拒绝承担港股通交易及交收责任;

(七)甲方保证上述声明与承诺的内容皆为本人真实意愿,并自愿承担虚假陈述的一切后果。

第四条 委托协议应当载明乙方的声明与保证,包括但不限于:

(一)乙方或乙方所属证券公司是依照内地法律设立且有效存续的证券经营机构,具有相应的证券经纪业务资格,已开通了港股通业务交易权限;

(二)乙方承诺遵守本协议,按本协议的约定为甲方提供港股通交易相关服务。

第五条 委托协议应当载明,乙方接受甲方委托为其提供以下服务：

（一）接受并执行甲方依照本协议约定的方式下达的合法有效的委托指令；

（二）进行资金、证券的清算、交收；

（三）托管甲方买入或其他方式取得的有价证券；

（四）证券登记结算机构通过乙方向甲方提供的红利分派等名义持有人服务；

（五）接受甲方对其委托、成交及账户内的资产及变化情况的查询，并应甲方的要求提供相应的清单；

（六）相关法律、行政法规、部门规章、规范性文件、业务规则规定的甲方可以委托乙方进行的其他活动以及双方依法约定的其他委托事项。

第六条　委托协议应当载明，甲方在参与港股通交易前，应先依照法律法规、相关业务规则开立账户用于证券交易、清算交收和计付利息等。乙方代理中国结算开立证券账户，应遵循中国结算的有关规定。

甲方可使用已经开立深市A股证券账户（深市人民币普通股证券账户）进行港股通交易。

第七条　委托协议应当载明，甲方存在当日有交易行为、当日有申报、有交易未完成交收或者深交所、中国结算业务规则规定的其他情形的，甲方不得注销证券账户。

第八条　委托协议应当载明，甲方新开证券账户的，自下一港股通交易日起方可进行港股通交易；客户转托管股份，自下一港股通交易日方可卖出。

第九条　委托协议应当载明，甲方知晓并认可：其获得的香港证券市场免费一档行情，与付费方式获得的行情相比，在刷新频率、档位显示等方面存在差异；甲方应仅作为最终用户使用上述行情信息，未经香港联合交易所有限公司（以下简称“联交所”）同意不得将其提供给任何机构或个人，也不得用于开发指数或其他产品；联交所及其控股公司、该控股公司的附属公司等行情信息提供方，将尽力保证所提供上述行情信息的准确和可靠度，但不能确保其绝对准确和可靠，亦不对因信息不准确或遗漏而导致的任何损失或损害承担责任。

第十条　委托协议应当约定乙方接受甲方下达委托指令的方式。

第十一条　委托协议应当载明，甲方委托乙方进行港股通交易而发出的委托及撤销委托等指令的内容和方式应当符合相关证券交易所的规定。

第十二条　委托协议应当约定无效委托导致的后果、风险和损失承担方式。

委托协议还应当约定，甲方申请办理托管单元变更（整体转托管除外）时，乙方应提醒甲方，对于持股基准日晚于转托管申报日的投票、境内申报截止曰晚于转托管申报日的股利选择权申报及供配股认购申报，转出股份相应的投票和申报指令将作无效处理，甲方需在新托管单元重新申报。

甲方申请办理证券转托管时，乙方应检查其是否享有权益，如有，应提醒其是否需要将权益一并转出，申报选择股利经确认的红利权、收购权除外。

甲方申请办理证券转托管时，乙方应提醒甲方，以下情形不允许转托管：未完成交收的证券（当日日终交收到账的除外），冻结的证券、权益，分拆及合并业务临时代码额度换算期间的原股票代码，申报选择股利经确认的红利权，收购权，股利选择权申报、供配股认购申报、投票等委托类指令。

第十三条　委托协议应当约定乙方为甲方提供查询、打印交易明细等服夸的方式和内容。

第十四条　委托协议应当载明，甲方知晓并认可中国结算按照香港中央结算有限公司（以下简称“香港结算”）的业务规则，与香港结算完成港股通交易的证券和资金的交收。港股通交易的境内结算由中国结算根据相关业务规则组织完成。

第十五条　委托协议应当载明，甲方通过港股通取得的证券以中国结算名义存管在香港结算，并以“香港中央结算（代理人）有限公司”的名义登记于联交所上市公司的股东名册。

委托协议应当载明，甲方不能要求存入或提取纸面股票，中国证监会另有规定的除外。

第十六条　委托协议应当载明，甲方知晓并认可香港结算因无法交付证券对中国结算实施现金结算的，中国结算参照香港结算的处理原则进行相应业务处理；香港结算因风球、黑色暴雨天气等原因，临时作出特殊交收安排的，中国结算参照香港结算的处理原则进行相应业务处理。甲方同意乙方按照中国结算的业务规则进行业务处理。香港结算发生破产而导致其未全部履行对中国结算的交收义务的，中国结算协助向香港结算追索，但不承担由此产生的相关损失。

第十七条　委托协议应当载明，甲方同意，对于甲方的港股通交易，由乙方或乙方所属证券公司以自己的名义与中国结算完成集中结算，并由乙方或乙方所属证券公司办理与甲方之间的港股通交易的结算，甲方不与中国结算发生结算关系。

甲乙双方、甲方与乙方所属证券公司发生的纠纷，不影响中国结算依照业务规则正在进行或已经进行的清算交收处理及违约处理。

第十八条　委托协议应当载明，甲方委托乙方买卖证券时应保证其账户中有足额的可用资金或证券，并同意按乙方规定标准在账户中预留部分资金或按乙方规定比例在委托申报时冻结交易资金，以保证根据成交结果承担相应的清算交收责任，否则乙方有权拒绝甲方的委托指令。

第十九条　委托协议应当载明，乙方或乙方所属证券公司在交收日集中交收前，向甲方收取其应付的证券和资金。乙方或乙方所属证券公司应当向正常履行交收义务的甲方交付其应收的证券和资金。

第二十条　委托协议应当载明，在确保客户资金账户不出现透支的前提下，投资者卖出（T日）香港股票的资金在T+2日境内交易时可以使用，但因香港市场延迟交收导致客户资金不能按时交收等特殊情形除外。

第二十一条　委托协议应当载明，在清算交收处理过程中，由乙方或乙方所属证券公司委托中国结算办理甲方与乙方或乙方所属证券公司之间的证券划付。

第二十二条　委托协议应当载明，甲方出现资金交收违约并造成乙方或乙方所属证券公司对中国结算违约的，乙方或乙方所属证券公司有权将甲方相当于交收违约金额的应收证券指定为暂不交付证券并由中国结算按其业务规则进行处置。由此造成的风险、损失和责任，由甲方承担。

第二十三条　委托协议应当载明，甲方出现证券交收违约的，乙方及乙方所属证券公司有权将相当于证券交收违约金额的资金暂不划付给甲方。

第二十四条　委托协议应当载明，发生下列情形之一的，甲方有权向乙方主张权利，乙方应承担相应责任并负责赔偿损失：

（一）乙方或乙方所属证券公司未完成与中国结算的集中交收，导致甲方应收资金或证券被暂不交付或处置的；

（二）乙方或乙方所属证券公司对甲方出现交收违约导致甲方未能取得应收证券或资金的；

（三）乙方或乙方所属证券公司发送的有关甲方的证券划付指令有误的；

（四）其他因乙方或乙方所属证券公司未遵守相关业务规则导致甲方利益受到损害的。

第二十五条 委托协议应当载明，甲方知晓并认可，出于降低全市场资金成本的原因，中国结算可以依照香港结算相关业务规则，将甲方每日净卖出证券向香港结算提交作为交收担保品。

第二十六条 委托协议应当约定发生甲方资金透支情况的处理方式。

第二十七条 委托协议应当载明，甲方若发生转托管，甲方应支付其在乙方托管期间发生的证券组合费。

第二十八条 委托协议应当约定违约处理方式、违约责任、适用的法律和争议处理方式。

第二十九条 委托协议应当约定，甲方知晓并认可，因深交所、中国结算制定、修改业务规则、根据业务规则履行自律监管职责等造成的损失，深交所和中国结算不承担责任；因交易异常情况或者深交所、深交所证券交易服务公司采取的相关措施造成的损失，深交所、深交所证券交易服务公司不承担责任。甲方不得基于上述原因向深交所、深交所证券交易服务公司或中国结算主张赔偿或者其他责任。

第三十条 委托协议应当载明，如出现涉及甲方财产继承或财产归属的事宜或纠纷，乙方依据中国结算发布的相关业务规则办理。

第三十一条 采用纸质方式签署的，委托协议应当载明甲方为个人的，委托协议由甲方本人签字；甲方为机构的，委托协议由甲方法定代表人或授权代表签字，并加盖公章。

采用电子方式签署的，委托协议应当载明电子合同和纸质合同具有同等法律效力。

第三十二条 委托协议应当约定协议成立与生效条件、协议份数等事项。

深圳证券交易所港股通投资者适当性管理指引

深证会〔2016〕293 号

第一条 为规范深港通下的港股通（以下简杯"港股通"）投资者适当性管理工作，保护投资者合法权益，根据中国证监会《内地与香港股票市场交易互联互通机制若干规定》、《深圳证券交易所会员管理规则》（以下简称：《会员管理规则》"）、《深圳证券交易所深港通业务实施办法》（以下简称"《业务实施办法》"）及其他相关规定，制定本指引。

第二条 会员对委托其参与港股通交易的投资者进行适当性管理，适用本指引。

第三条 投资者应当根据港股通挝责者适当性条件及自身的风险承受能力，审慎决定是否参与港股通交易。

投资者应当遵循买者自负原则，不得以不符合投资者适当性条件为由拒绝承担港股通交易及交收责任。

第四条 会员应当根据《会员管理规则》、《业务实施办法》、本指引及深圳证券交易所（以下简称"本所"）其他相关规定，制定港股通投资者适当性管理的操作指引和相关工作制度，包括标准、程序、方法以及执行投资者适当性制度的保障措施等内容，并报送本所。

第五条 个人投资者参与港股通交易，应当符合《业务实施办法》和本指引规定的投资者适当性条件。

会员与个人投资者签署港股通委托协议前，应当对个人投资者是否符合投资者适当性条件进行核查，对个人投资者的资产状况、知识水平、风险承受能力和诚信状况等进行综合评估。

投资者应当配合提供有关评估的证明材料，并对其真实性、合法性负责。

第六条 会员对个人投资者资产状况进行评估时，应当确认以该投资者名义开立的证券账户及资金账户内的资产不低于人民币 50 万元，其中不包括该投资者通过融资融券交易融入的资金和证券。

第七条 会员应当评估个人投资者是否了解港股通交易的业务规则与流程，以及是否充分知晓港股通投资风险。

第八条 会员应当通过评估问卷等方式，对个人投资者的风险承受能力进行评估，并向个人投资者明确告知评估结果、留存评估记录。

第九条 会员接受个人投资者港股通交易委托，应当确认其不存在严重不良诚信记录，也不存在法律、行政法规、部门规章、规范性文件、业务规则等规定的禁止或限制从事港股通交易的情形。

会员接受机构投资者港股通交易委托，应当确认其不存在法律、行政法规、部门规章、规范性文件、业务规则等规定的禁止或限制从事港股通交易的情形。

第十条 会员应当向投资者充分告知参与港股通交易的主要风险，提示其审慎参与港股通交易，并要求其签署港股通交易风险揭示书。风险揭示书应当包括本所规定的必备条款。

第十一条 会员应当妥善保存投资者提供的证明文件及相关材料、风险承受能力评估材料以及风险揭示书等资料。

第十二条 会员应当动态跟踪和持续了解个人投资者交易情况，至少每两年进行一次风险承受能力的后续评估，并对评估结果予以记录留存。

第十三条 会员应当建立港股通投资者教育工作制度，根据投资者的不同需求和特点，对港股通业务投资者教育工作的形式和内容作出具体安排。

第十四条 会员应当通过公司网站及营业部现场投资者教育专栏等方式，向投资者全面介绍香港证券市场法律法规、市场特点和港股通相关业务规则，充分揭示港股通交易风险，并提示投资者关注香港联合交易所有限公司发布的与港股通投资相关的市场通知、风险提示等重要信息。

第十五条 会员应当为投资者提供合理的投诉渠道，告知投资者投诉的方法和程序，妥善处理纠纷，引导其依法维护自身权益。

第十六条 会员应当督促投资者遵守与港股通交易相关的法律、行政法规、部门规章、规范性文件及本所、证券登记结算机构的业务规则，切实加强对港股通投资者交易、结算行为的合法合规管理。

第十七条 本所可以对会员落实港股通投资者适当性管理相关要求的情况进行监督检查。会员应当予以配合，根据要求如实提供投资者开户材料、资金账户情况等资料，不得隐瞒、阻碍或拒绝。

第十八条 本指引由本所负责解释。

第十九条 本指引自发布之日起施行。

深圳证券交易所港股通交易风险揭示书必备条款

深证会〔2016〕294 号

为了使参与深港通下的港股通（以下简称“港股通”）投资者充分了解港股通业务相关风险，开展港股通业务的证券公司应当针对港股通投资者（以下简称“投资者”）制定《深圳证券交易所港股通交易风险揭示书》，该风险揭示书至少应当包括下列内容：

一、提示投资者注意，香港证券市场与内地证券市场存在诸多差异，投资者参与港股通交易需遵守内地与香港相关法律、行政法规、部门规章、规范性文件和业务规则，对香港证券市场有所了解；通过港股通参与香港证券市场交易与通过其他方式参与香港证券市场交易，也存在一定的差异。

二、提示投资者注意，投资者可以通过港股通买卖的股票存在一定的范围限制，且港股通股票名单会动态调整。投资者应当关注最新的港股通股票名单。对于被调出的港股通股票，自调整之日起，投资者将不得再行买入。

三、提示投资者注意，港股通股票可能出现因公司基本面变化、第三方研究分析报告的观点、异常交易情形、做空机制等原因而引起股价较大波动的情形，尤其是考虑到香港联合交易所有限公司（以下简称“联交所”）市场交易不设置涨跌幅限制，投资者应关注可能产生的风险。

四、提示投资者注意，部分港股通上市公司基本面变化大，股票价格低，可能存在大比例折价供股或配股、频繁分拆合并股份的行为，投资者持有的股份数量、股票面值可能发生大幅变化，投资者应当关注可能产生的风险。

五、提示投资者注意，与内地证券市场相比，香港市场股票停牌制度存在一定差异，港股通股票可能出现长时间停牌现象，投资者应当关注可能产生的风险。

六、提示投资者注意，与内地证券市场相比，联交所市场股票交易没有退市风险警示、退市整理等安排，相关股票可能存在直接退市的风险。港股通股票一旦从联交所市场退市，投资者将面临无法继续通过港股通买卖相关股票的风险。

七、提示投资者注意，港股通股票退市后，中国证券登记结算有限责任公司（以下简称“中国结算”）通过香港结算继续为投资者提供的退市股票名义持有人服务可能会受限，投资者应当关注可能产生的风险。

八、提示投资者注意，港股通业务实施每日额度限制。在联交所开市前时段，当日额度使用完毕的，新增的买单申报将面临失败的风险；在联交所持续交易时段或收市竞价交易时段，港股通当日额度使用完毕的，当日投资者将面临不能通过港股通进行买入交易的风险。

九、提示投资者注意，只有深港两地均为交易日且能够满足结算安排的交易日才为港股通交易日，具体以深交所证券交易服务公司在其指定网站公布的日期为准。

十、提示投资者注意，每个港股通交易日的交易时间包括开市前时段、持续交易时段和收市竞价交易时段，具体按联交所的规定执行。

圣诞前夕（12 月 24 日）、元旦前夕（12 月 31 日）或除夕日为港股通交易日的，港股通仅有半天交易，且当日为非交收日。

十一、提示投资者注意，香港出现台风、黑色暴雨或者联交所规定的其他情形时，联交所将可能停市，投资者将面临在停市期间无法进行港股通交易的风险；出现深交所证券交易服务公司认定的交易异常情况时，深交所证券交易服务公司将可能暂停提供部分或者全部港股通服务，投资者将面临在暂停服务期间无法进行港股通交易的风险。深交所证券交易服务公司及深交所对于发生交易异常情况及采取相应处置措施造成的损失，不承担责任。

十二、提示投资者注意，投资者在交易时间内提交订单依据的港币买入参考汇率和卖出参考汇率，并不等于最终结算汇率。港股通交易日日终，中国结算深圳分公司进行净额换汇，将换汇成本按成交金额分摊至每笔交易，确定交易实际适用的结算汇率。

十三、提示投资者注意，投资者参与联交所自动对盘系统交易，在联交所开市前时段和收市竞价交易时段应当采用竞价限价盘委托，在联交所持续交易时段应当采用增强限价盘委托。

十四、提示投资者注意，投资者持有的碎股只能通过联交所半自动对盘碎股交易系统卖出。

十五、提示投资者注意，港股通股票实施股份分拆合并期间，港股通投资者持有的该股票只在临时代码单柜交易末日、临时代码与新代码并行交易末日由临时代码转换为新代码。由于临时代码与原代码交易单位不同而可能产生碎股，投资者应关注可能产生的风险。

十六、提示投资者注意，投资者当日买入的港股通股票，经确认成交后，在交收前即可卖出，投资者应当关注因此可能产生的风险。

十七、提示投资者注意，与内地证券市场相比，联交所在订单申报的最小交易价差、每手股数、申报最大限制等方面存在一定的差异，投资者应当关注因此可能产生的风险。

十八、提示投资者注意，港股通交易中若联交所与深交所证券交易服务公司之间的报盘系统或者通信链路出现故障，可能导致 15 分钟以上不能申报和撤销申报，投资者应当关注因此可能产生的风险。

十九、提示投资者注意，港股通股票交易不设置涨跌幅限制，但根据联交所业务规则，适用市场波动调节机制的港股通股票的买卖申报可能受到价格限制，投资者应当关注因此可能产生的风险。

二十、提示投资者注意，对于适用收市竞价交易的港股通股票，根据联交所业务规则，收市竞价交易时段的买卖申报将受到价格限制，投资者应当关注因此可能产生的风险。

二十一、提示投资者注意，投资者通过港股通业务获得的香港证券市场免费一档行情，与付费方式获得的行情相比，在刷新频率、档位显示等方面存在差异，投资者应当关注依此进行投资决策的风险。

二十二、提示投资者注意，在香港证券市场，股票价格上涨时，股票报价屏幕上显示的颜色为绿色，下跌时则为红色，与内地证券市场存在差异。但是，不同的行情软件商提供的行情走势颜色可以重新设定，投资者在使用行情软件的时候，应当仔细检查软件的参数设置，避免惯性思维带来的风险。

二十三、提示投资者注意，投资者因港股通股票权益分派、转换、上市公司被收购等情形或者异常情况，所取得的港股通股票以外的联交所上市证券，只能通过港股通卖出，但不得买入，深交所另有规定的除外；因港股通股票权益分派或者转换等情形取得的联交所上市股票的认购权利在联交所上市的，可以通过港股通卖出，但不得买入，也不得行权；因港股通股票权益分派、转换或者上市公司被收购等所取得的非联交所上市证券，可以享有相关权益，但不得通过港股通买入或卖出。

二十四、提示投资者注意，香港证券市场与内地证券市场在证券资金的交收期安排上存在差异，港股通交易的交收期为T+2日。若投资者卖出证券，在交收完成前仍享有该证券的权益。若投资者买入证券，在交收完成后才享有该证券的权益。

同时，港股通交易的交收可能因香港出现台风或黑色暴雨等发生延迟交收。

二十五、提示投资者注意，投资者通过港股通业务暂不能参与新股发行认购、超额供股和超额公开配售。

二十六、提示投资者注意，对于在联交所上市公司派发的现金红利，由于中国结算需要在收到香港中央结算有限公司（以下

简称“香港结算”）派发的外币红利资金后进行换汇、清算、发放等业务处理，投资者通过港股通业务获得的现金红利将会较香港市场有所延后。

二十七、提示投资者注意，对于在联交所上市公司派发的红股，中国结算在收到香港结算派发红股到账当日或次日进行业务处理，相应红股可于处理日下一港股通交易日上市交易。投资者红股可卖首日均较香港市场晚一个港股通交易日。

二十八、提示投资者注意，由于中国结算是在汇总投资者意愿后再向香港结算提交投票意愿，中国结算对投资者设定的意愿征集期比香港结算的征集期稍早结束；投票没有权益登记日的，以投票截止日的持有作为计算基准；投票数量超出持有数量的，按照比例分配持有基数。

二十九、提示投资者注意，对于在联交所上市公司派发的红股以及股份分拆及合并业务产生的零碎股，中国结算对投资者账户中小于1股的零碎股进行舍尾处理。当香港结算发放的红股总数或分拆、舍并股票数额大于投资者账户舍尾取整后的总数的，中国结算按照精确算法分配差额部分。

三十、提示投资者注意，由于香港市场的费用收取或汇率的大幅波动等原因，可能会引起投资者账户的透支，投资者应当对账户内的余额进行关注。

三十一、提示投资者注意，香港结算因极端情况下无法交付证券对中国结算实施现金结算的，中国结算将参照香港结算的处理原则进行相应业务处理。

三十二、提示投资者注意，港股通境内结算实施分级结算原则。投资者可能面临以下风险：（一）因结算参与人未完成与中

国结算的集中交收，导致投资者应收资金或证券被暂不交付或处置；（二）结算参与人对投资者出现交收违约导致投资者未能取得应收证券或资金；（三）结算参与人向中国结算发送的有关投资者的证券划付指令有误的导致投资者权益受损；（四）其他因结算参与人未遵守相关业务规则导致投资者利益受到损害的情况。

三十三、提示投资者注意，香港市场收费标准与内地市场收费标准不同，香港地区与内地在税收安排方面也存在差异，投资者买卖港股通股票，应当按照香港市场有关规定交纳相关费用，并按照香港地区相关规定缴纳税款。

三十四、提示投资者注意，对于因深交所、中国结算制定修改业务规则，或者根据业务规则履行自律监管职责等造成的损

失，深交所和中国结算不承担责任；投资者还应当充分知晓并认可联交所在其规则中规定的相关责任豁免条款，包括但不限于对因制定、修改业务规则、根据业务规则履行自律监管职责、发生或处置交易异常情况等导致的损失不承担责任的规定。

三十五、除上述风险提示外，各证券公司还可以根据具体情况在本公司制定的《深圳证券交易所港股通交易风险揭示书》中对港股通交易存在的风险做进一步列举。

风险揭示书应以醒目的文字载明：本《深圳证券交易所港股通交易风险揭示书》的揭示事项仅为列举性质，未能详尽列明港股通交易的所有风险因素，投资者在参与港股通交易前，还应认真阅读相关业务规则和协议条款，对港股通交易特有的规则必须有所了解和掌握，并确信自己已做好足够的风险评估与财务安排，避免因参与港股通交易而遭受难以承受的损失。

各证券公司应要求每个投资者在《深圳证券交易所港股通交易风险揭示书》上签字，确认已知晓并理解《深圳证券交易所港股通交易风险揭示书》的全部内容，愿意承担港股通交易的风险和损失。

香港中央结算有限公司参与深股通上市公司网络投票实施指引

深证上〔2016〕683号

第一条 为了规范深股通中香港中央结算有限公司（以下简称“香港结算”）作为名义持有人参与深股通上市公司股东大会网络投票的行为，保护投资者合法权益，根据中国证监会《上市公司股东大会规则》、《深圳证券交易所深港通业务实施办法》、《深圳证券交易所上市公司股东大会网络投票实施细则》（以下简称“《网络投票实施细则》“）等相关规定，制定本指引。

第二条 香港结算作为名义持有人参与深股通上市公司股东大会网络投票的，适用本指引。

本指引未作规定的，适用《网络投票实施细则》及深圳证券交易所（以下简称“本所”）其他相关业务规则的规定。

第三条 香港结算按照本指引参与深股通上市公司股东大会网络投票的，应当征求深股通投资者的意见，并按照所征求的深股通投资者对每一议案的不同意见逐一进行投票。

第四条 根据《上市公司股东大会规则》、本所主板、中小板、创业板《上市公司规范运作指引》等有关规定，相关议案需要单独披露中小投资者表决情况的，香港结算应当同时提供深股通中小投资者的投票数据。

前款所称深股通中小投资者，是指除公司董事、监事、高级管理人员以及单 j 虫或合计持有公司5%以上股份的股东以外的其他深股通投资者。

第五条 香港结算通过互联网投票系统，对股东大会议案中一项或多项议案进行网络投票的，其参与投票的表决权数纳入出席本次股东大会所持表决权数计算，其中未进行投票表决或者投票申报不符合中国证监会《上市公司股东大会规则》、《网络投票实施细则》或者本指引要求的，按照弃权处理。香港结算通过交易系统投票的，不视为有效投票，不计入出席本次股东大会所持表决权总数。

第六条 香港结算按照本指引规定参与深股通上市公司股东大会网络投票，应当通过本所互联网投票系统下的互联网投票通道或者本所内网文件传输通道进行。

第七条 香港结算作为名义持有人参与深股通上市公

司网络投票的操作，应当符合《香港结算参与深股通网络投票操作指南》（见附件）以及《深股通网络投票数据接口》的规定和要求。

第八条　本指引由本所负责解释。

第九条　本指引自2016年9月30日起施行。

香港结算参与深股通网络投票操作指南

一、网络投票的投票代码和投票简称

本所对股东大会网络投票设置专门的投票代码及投票简称：

（一）主板、中小企业板的投票代码为“36＋股票代码的后四位”；

（二）创业板的投票代码从“365000”起，按股票代码后四位顺序号编制，如股票代码为“300001”，则投票代码为“365001”；股票代码为“301001”，则投票代码为“366001”；

（三）投票简称为“XX投票”，投票简称由深股通上市公司根据其证券简称设置。

二、网络投票的操作指南

香港结算作为名义持有人行使股东权利，参与深服通上市公司股东大会投票，通过本所互联网投票通道（下称“互联网通道”）或本所内网文件传输通道（下称“内网通道”）报送投票数据，进行网络投票，具体操作要求说明如下：

（一）投票数据报送整体说明

1. 香港结算应当按照本所《深股通网络投票数据接口》要求的数据文件格式报送网络投票数据。

2. 香港结算报送网络投票数据时，应当合并当日所有深股通上市公司的投票数据后一次性报送，不能分次报送。投票数据报送成功后不得修改或重新报送。多次报送的，本所以当日第一次成功报送为准。

因特殊业务需要，股东大会投票时间超过一日的，香港结算应先征求投资者意见，并在最后一个投票日报送该股东大会的投票数据。

3. 香港结算应当于本所交易日9:15、15:00报送当日的网络投票数据。

4. 如果当日没有网络投票数据，无需报送。

5. 香港结算报送的投票数据文件中，至少应包括以下内容：股东大会编码、基础证券代码、投票代码、股东大会议案编号、对议案投票意见（同意/反对/弃权）及所相应代表股份数、征求到的参与该深股通上市公司股东大会股东所持表决权总数（下称为“T”）。

6. 本所按照以下投票数据校验规则对接收到的投票数据进行校验：

（1）议案编号应当与深股通上市公司网络投票公告相一致。

（2）同一股东大会的同一议案不得重复表决。

（3）同一股东大会每一个普通议案同意、反对、弃权意见股份数总和须等于香港结算征求到的参与该深股通上市公司股东大会股东所持表决权总数T。

（4）对采用累积投票制的议案，应符合相关规定要求。累积议案的总票数不大于参与股东大会股东所持表决权总数T×应选人数。

（5）参与股东大会股东所持表决权总数（T）应当等于或少于香港结算在股权登记日所持的股份数量。

（二）通过互联网通道报送投票数据的说明

1. 香港结算最迟应于深港通业务开通前一周向本所证券数字认证中心申请投票专用EKey，并开通网站投票系统报送权限。

2. 香港结算使用投票专用EKey登陆本所指定的互联网通道进行投票数据报送。

3. 香港结算提交的投票数据文件须通过互联网通道的前端校验后才允许上传。

前端校验的内容包括：接口文件名中的文件名前缀、扩展名须与命名规则一致；文件名中的日期须与股东大会召开当日日期一致。

4. 本所接收到香港结算上传的投票数据文件后，立即按照投票数据校验规则对数据进行校验。校验通过后，当日投票数据报送成功；校验不通过，本所立即通过互联网通道反馈报送失败信息。

5. 香港结算可以实时查看报送结果，包括报送成功或者报送失败及其原因。

（三）通过内网通道报送投票数据的说明

1. 香港结算最迟应于深港通业务开通前一周向深圳证券通信有限公司申请文件证书或者EKey，并开通香港结算与本所之间的通信权限。

2. 香港结算负责将投票数据传送到内网通道香港结算文件网关。

3. 本所接收到香港结算传送的投票数据文件后，按照投票数据校验规则对数据进行校验。

4. 香港结算可以通过内网通道查看报送结果，包括报送成功或者报送失败及其原因。

（四）关于选择投票数据报送通道的说明

1. 互联网通道为报送网络投票数据的主通道，内网通道为备份通道。

2. 香港结算应以互联网通道为默认的网络投票数据报送通道，非该通道出现问题且经事先联系确认，不得使用内网通道。

3. 当日的网络投票数据通过任一通道报送成功后，不得通过另一通道再次报送。

（五）关于本所发送股东大会信息的说明

1. 本所于每个交易日18:00之前通过互联网通道及内网通道同时向香港结算发送下一交易日的股东大会信息文件及校验文件。正常情况下，该文件每个交易日只发送一次。如果出现异常情况，本所或香港结算应当及时通知对方，并妥善处理。

因特殊业务需要，股东大会投票时间超过一日的，本所将于每个投票日18:00之前发送下一交易日该上市公司的股东大会信息文件及校验文件。

2. 本所向香港结算发送的股东大会信息包括但不限于：股东大会编码、基础证券代码、投票代码、投票简称、投票时间、议案编号、议案类型、议案标题等。

关于深港通业务中上市公司信息披露及相关事项的通知

各上市公司及相关信息披露义务人：

根据《深圳证券交易所深港通业务实施办法》（以下简称：“《深港通实施办法》”）的规定，在定期调整考察截止日前六个月A股日均市值不低于人民币60亿元（上市不足六个月的按实际上市时间计算市值）的深证成份指数及深证中小创新指数成份股，以及深港两地同时上市公司（H股在联交

所主板上市，以下简称“A + H 股公司”）发行的在深圳证券交易所（以下简称“本所”）上市的 A 股，除 ST 及 * ST 股票、退市整理股票和 B 股等股票外，原则上将成为深股通股票。为保障深港通业务顺利实施，保护境内外投资者合法权益，现就深股通股票发行人（以下简称“深股通公司”）信息披露工作相关事项通知如下：

一、深港通遵循“不改变两地现行的监管框架、不改变投资者的交易习惯”总体原则，深股通公司仍应遵循境内原有规则体系，按照《上市公司信息披露管理办法》、本所《股票上市规则》、《创业板股票上市规则》等规定履行信息披露义务。

二、经中国证监会指定，本所官方网站（www. szse. cn）及巨潮资讯网（www. cninfo. com. cn）为深股通公司指定信息披露网站。深港通业务开通后，深股通公司在本所官方网站及巨潮资讯网进行信息披露的同时，应当继续按照现行规定在信息披露指定媒体披露相关信息；相关信息披露具体操作方式仍按现行规定执行。

三、深股通公司应当关注深港通业务开通所带来的变化和影响。深港通业务开通后，境外投资者将通过依法交易深股通股票成为公司股东。公司股东结构发生相应变化后，公司的信息披露方式和要求、股东大会的召开和股东权利的行使、投资者关系管理等将面临新的环境。深股通公司应当重视并适应外部环境的变化，进一步规范信息披露，加强投资者关系管理。

四、深股通公司及其相关信息披露义务人应当同时向境内外所有投资者公开披露重大信息，确保所有投资者可以平等地获取同一信息，不得向单个或部分投资者透露或泄漏。

五、深股通公司应当按照《公司法》等相关法律法规和公司章程的规定，充分保障境内外股东的决策参与、利润分配等股东权利。其中，在深港通架构下，境外投资者作为实际权益拥有人应当根据相关法律法规规定，通过相关名义持有人行使股东权利，包括请求召开股东大会、向股东大会提案、在股东大会上投票表决、获得分红或其他投资权益等。

六、深股通公司召开股东大会，应当考虑境内外股东现场出席的便利性，在召开现场会议之外，还应为境内外股东提供网络投票，并明确股东参与网络投票的方式及其他相关事项。

七、深股通公司应当实时关注境内外媒体关于公司的相关报道，及时核实情况，严格按照相关法律法规、部门规章和本所《股票上市规则》的规定，履行信息披露义务，确保信息披露的真实、准确、完整、及时和公平。

八、深股通公司应当做好投资者关系管理，充分考虑境外投资者地域的特殊性，积极利用本所“互动易”平台、股东大会、分析师会议、投资者说明会、业绩说明会、媒体说明会等多种渠道进行沟通交流，并及时回复境内外投资者关注事项。

九、根据《公开发行证券的公司信息披露内容与格式准则第 2 号——年度报告的内容与格式》的规定，年报中应当披露报告期末股东总数、持有 5% 以上股份的股东名称等，若持股 5% 以上股东少于 10 人，则应列出至少前 10 名股东的持股情况。深股通公司应依照登记结算机构提供的股东名册确认股东身份，即应以名义持有人披露定期报告中前十大股东信息。

十、境外投资者应当密切关注其对单个上市公司的持股比例是否符合《内地与香港股票市场交易互联互通机制若干规定》的相关规定，如发生不符合相关规定的情形，投资者应当严格按照《深港通实施办法》第二章第五节相关规定，在 5 个深股通交易日内对超出部分予以平仓，并按照有关规定及时履行信息披露义务。

单个境外投资者对单个上市公司的持股比例不得超过该上市公司股份总数的 10%，所有境外投资者对单个上市公司的持股比例不得超过该上市公司股份总数的 30%。

十一、投资者及其一致行动人根据相关规定计算持股比例和履行信息披露义务时，其通过深股通交易与通过其他方式持有的同一上市公司的境内、境外上市股份应当合并计算，同一 QFII 管理的不同产品的持股情况也应当合并计算。

十二、深股通公司中的 A + H 股公司在交易时间内发生重大事件且无法及时披露的，可以向本所申请停牌；本所也可以视情况直接采取停牌措施，上市公司应及时配合发布相关公告。

出现上述停牌情形的，上市公司应当向本所与 H 股上市地交易所申请公司股票及其衍生品种同步停牌。上市公司应当切实维护投资者交易权和知情权，采取必要措施尽可能实现两地同步复牌。

十三、深股通公司中的 A + H 股公司及其相关信息披露义务人就同一事件履行报告和公告义务时，若仅触及境内外一方相关信息披露义务的，应当同步履行信息披露义务。若境内外相关规定存在差异的，应当遵循披露内容从多不从少、披露要求从严不从宽原则履行信息披露义务。

十四、深股通公司应当关注本所网站深港通专栏，及时了解深股通股票调整等相关情况。

十五、本通知自深港通启动之日起施行。

深圳证券交易所

2016 年 9 月 30 日

深圳证券交易所上市公司股东大会网络投票实施细则

（2016 年 9 月修订）

深证上〔2016〕682 号

第一章 总 则

第一条 为规范上市公司股东大会网络投票业务，保护投资者的合法权益，根据有关法律、行政法规、部门规章、规范性文件和深圳证券交易所（以下简称“本所”）业务规则，制定本细则。

第二条 本细则适用于上市公司利用本所股东大会网络投票系统向其股东提供股东大会网络投票服务。

第三条 本细则所称上市公司股东大会网络投票系统（以下简称“网络投票系统”）是指本所利用网络与通信技术，为上市公司股东行使股东大会表决权提供服务的信息技术系统。

网络投票系统包括本所交易系统、互联网投票系统（网址：http://wltp. cninfo. com. cn）。

上市公司可以选择使用现场投票辅助系统收集汇总现场投票数据，并委托深圳证券信息有限公司（以下简称“信息公司”）合并统计网络投票和现场投票数据。

第四条 上市公司召开股东大会，除现场会议投票外，应当向股东提供股东大会网络投票服务。

上市公司股东大会现场会议应当在本所交易日召开。

第五条 股东大会股权登记日登记在册的所有股东，均有权通过网络投票系统行使表决权。

第六条　本所授权信息公司接受上市公司委托，提供股东大会网络投票服务。上市公司通过本所网络投票系统为股东提供网络投票服务的，应当与信息公司签订服务协议。

第二章　网络投票的准备工作

第七条　上市公司在股东大会通知中，应当对网络投票的投票代码、投票简称、投票时间、投票议案、议案类型等有关事项作出明确说明。

第八条　上市公司应当在网络投票开始日的二个交易日前提供股权登记日登记在册的全部股东资料的电子数据，包括股东名称、股东账号、股份数量等内容。

上市公司股东大会股权登记日和网络投票开始日之间应当至少间隔二个交易日。

第九条　上市公司应当在股东大会网络投票前一个交易日核对并确认投票代码、投票简称、投票时间、投票议案、议案类型等投票信息的准确和完整。

第三章　通过交易系统投票

第十条　本所交易系统网络投票时间为股东大会召开日的本所交易时间。

第十一条　本所交易系统对股东大会网络投票设置专门的投票代码及投票简称：

（一）主板、中小企业板的投票代码为“36 + 股票代码的后四位”；

（二）创业板的投票代码从“365000”起，按股票代码后四位顺序号编制，如股票代码为“300001”，则投票代码为“365001”；股票代码为“301001”，则投票代码为“366001”；

（三）投票简称为“XX 投票”，投票简称由上市公司根据其证券简称设置；

（四）优先股网络投票代码区间为 369601 ~ 369899，其中，主板优先股投票代码区间为 369601 ~ 369699，中小企业板优先股投票代码区间为 369701 ~ 369799，创业板优先股投票代码区间为 369801 ~ 369899，网络投票的简称为“XX 优投”；

第十二条　上市公司股东通过本所交易系统投票的，可以登录证券公司交易客户端，参加网络投票。

第四章　通过互联网投票系统投票

第十三条　互联网投票系统开始投票的时间为股东大会召开前一日下午 3:00，结束时间为现场股东大会结束当日下午 3:00。

第十四条　股东通过互联网投票系统进行网络投票，应当按照《深圳证券交易所投资者网络服务身份认证业务指引（2016 年修订）》的规定办理身份认证，取得“深圳证券交易所数字证书”或者“深圳证券交易所投资者服务密码”。

第十五条　股东登录互联网投票系统，经过身份认证后，方可通过互联网投票系统投票。

第十六条　根据相关规则的规定，需要在行使表决权前征求委托人或实际持有人投票意见的下列集合类账户持有人或名义持有人，应当在征求意见后通过互联网系统投票，不得通过交易系统投票：

（一）持有融资融券客户信用交易担保证券账户的证券公司；

（二）持有约定回购式交易专用证券账户的证券公司；

（三）持有转融通担保证券账户的中国证券金融股份有限公司；

（四）合格境外机构投资者（QFII）；

（五）B 股境外代理人；

（六）持有深股通股票的香港中央结算有限公司（以下简称“香港结算公司”）；

（七）中国证券监督管理委员会或本所指定的其他集合类账户持有人或名义持有人。

香港结算公司参加深股通上市公司股东大会网络投票的相关事项，由本所另行规定。

第五章　股东大会表决及计票规则

第十七条　股东应当通过其股东账户参加网络投票，A 股股东应当通过 A 股股东账户投票；B 股股东应当通过 B 股股东账户投票；优先股股东应当通过 A 股股东账户单独投票。股东行使的表决权数量是其名下股东账户所持相同类别（股份按 A 股、B 股、优先股分类）股份数量总和。

股东通过多个股东账户持有上市公司相同类别股份的，应当使用持有该上市公司相同类别股份的任一股东账户参加网络投票，且投票后视为该股东拥有的所有股东账户下的相同类别股份均已投出与上述投票相同意见的表决票。股东通过多个股东账户分别投票的，以第一次有效投票结果为准。

确认多个股东账户为同一股东持有的原则为，注册资料的“账户持有人名称”、“有效身份证明文件号码”均相同，股东账户注册资料以股权登记日为准。

第十八条　股东通过网络投票系统对股东大会任一议案进行一次以上有效投票的，视为该股东出席股东大会，按该股东所持相同类别股份数量计入出席股东大会股东所持表决权总数。对于该股东未表决或不符合本细则要求投票的，该股东所持表决权数按照弃权计算。

合格境外机构投资者（QFII）、证券公司客户信用交易担保证券账户、中国证券金融股份有限公司转融通担保证券账户、约定购回式交易专用证券账户、B 股境外代理人、香港结算公司等集合类账户持有人或名义持有人，通过互联网投票系统填报的受托股份数量计入出席股东大会股东所持表决权总数；通过交易系统的投票，不视为有效投票，不计入出席股东大会股东所持表决权总数。

第十九条　对于非累积投票议案，股东应当明确发表同意、反对或者弃权意见。

本细则第十六条第一款规定的集合类账户持有人或名义持有人，应当根据所征求到的投票意见汇总填报受托股份数量，同时对每一议案汇总填报委托人或实际持有人对各类表决对应的股份数量。

第二十条　对于累积投票议案，股东每持有一股即拥有与每个议案组下应选董事或者监事人数相同的选举票数。股东拥有的选举票数，可以集中投给一名候选人，也可以投给数名候选人。股东应当以每个议案组的选举票数为限进行投票，股东所投选举票数超过其拥有选举票数的，或者在差额选举中投票超过应选人数的，其对该议案组所投的选举票不视为有效投票。

股东通过多个股东账户持有上市公司相同类别股份的，其所拥有的选举票数，按照该股东拥有的所有股东账户下的相同类别股份数量合并计算。股东使用持有该上市公司相同类别股份的任一股东账户投票时，应当以其拥有的所有股东账户下全部相同类别股份对应的选举票数为限进行投票。股东通过多个股东账户分别投票的，以第一次有效投票结果记录的选举票数为准。

第二十一条　对于上市公司为方便股东投票设置总议

案的,股东对总议案进行投票,视为对除累积投票议案外的其他所有议案表达相同意见。

在股东对同一议案出现总议案与分议案重复投票时,以第一次有效投票为准。如股东先对分议案投票表决,再对总议案投票表决,则以已投票表决的分议案的表决意见为准,其他未表决的议案以总议案的表决意见为准;如先对总议案投票表决,再对分议案投票表决,则以总议案的表决意见为准。

第二十二条 上市公司通过本所交易系统和互联网投票系统为股东提供网络投票服务的,网络投票系统对本所交易系统和互联网投票系统的网络投票数据予以合并计算;上市公司选择采用现场投票辅助系统的,信息公司对现场投票和网络投票数据予以合并计算。

同一股东通过本所交易系统、互联网投票系统和现场投票辅助系统中任意两种以上方式重复投票的,以第一次有效投票结果为准。

第二十三条 需回避表决或者承诺放弃表决权的股东通过网络投票系统参与投票的,网络投票系统向上市公司提供全部投票记录,由上市公司在计算表决结果时剔除上述股东的投票。

上市公司选择使用现场投票辅助系统的,应当在现场投票辅助系统中针对议案进行回避设置并录入回避股东信息,信息公司在合并计算现场投票数据与网络投票数据时剔除上述股东的投票。

第二十四条 对同一事项有不同议案的,网络投票系统向上市公司提供全部投票记录,由上市公司根据有关规定及公司章程统计股东大会表决结果。

第二十五条 对于优先股股东的投票情况,网络投票系统仅对原始投票数据进行计票。对于恢复表决权的优先股股东,其表决结果由上市公司在原始计票数据的基础上进行比例折算。

第二十六条 上市公司股东大会审议影响中小投资者利益的重大事项时,对中小投资者的投票结果应当单独统计并披露。

前款所称中小投资者,是指除公司懂事、监事、高级管理人员以及单独或者合计持有上市公司5%以上股份的股东以外的其他股东。

第二十七条 上市公司在现场股东大会投票结束后,通过互联网系统取得网络投票数据。

上市公司选择使用现场投票辅助系统并委托信息公司进行现场投票与网络投票合并计算的,信息公司在现场股东大会投票结束后向上市公司发送网络投票数据、现场投票数据、合并计票数据及其明细。

第二十八条 上市公司及其律师应当对投票数据进行合规性确认,并最终形成股东大会表决结果,对投票数据有异议的,应当及时向本所及信息公司提出。上市公司应当按照有关规定披露律师出具的法律意见书以及股东大会表决结果。

第二十九条 股东大会结束后次一交易日,通过交易系统投票的股东可以通过证券公司交易客户端查询其投票结果。

股东可以通过互联网投票系统网站查询最近一年内的网络投票结果。

对总议案的表决意见,网络投票查询结果回报显示为对各项议案的表决结果。

第六章 附 则

第三十条 本所会员应当维护相关技术系统,确保网上交易、电话委托等多种委托方式支持上市公司股东大会网络投票。如其中一种委托方式存在故障,导致投资者无法完成投票的,会员应当及时向投资者提供其他有效的委托方式。

第三十一条 本所会员应当参照有关法律、行政法规、部门规章、规范性文件和《深圳证券交易所交易规则》等相关规定妥善保管股东投票记录,不得盗用或者假借股东名义进行投票,不得擅自篡改股东投票记录,不得非法影响股东的表决意见。会员应当按照投资者的投票意愿,真实、准确、完整地相本所报送投票数据。

第三十二条 本所会员通过本所交易系统报送的网络投票数据量不计入计收交易单元管理年费申报量的范围,本所会员应当按要求为投资者提供相关交易系统网络投票结果的查询服务。

第三十三条 基金、债券等其他产品持有人的网络投票,参照本细则执行。

基金持有人网络投票代码区间为369001~369499,简称为"××基投";债券等固定收益产品持有人的网络投票代码区间为369501~369599,简称为"XX债投"。

第三十四条 因不可抗力、意外事故、技术故障以及其他本所或者信息公司不能控制的异常情况导致网络投票系统不能正常运行,以及本所或者信息公司采取相应措施造成投资者不能正常投票的,本所及信息公司不承担责任。

第三十五条 本细则所称"以上"含本数。

第三十六条 本细则由本所负责解释。

第三十七条 本细则自2016年9月30日起施行。本所2016年4月28日发布的《深圳证券交易所上市公司股东大会网络投票实施细则(2016修订)》(深证上〔2016〕251号)同时废止。

第五章　大事记

2016年香港证券及衍生产品市场大事纪要

1月

1月21日，香港交易所公布其《战略规划2016－2018》，勾划出香港交易所及香港金融市场未来的发展蓝图。战略目标进一步提升香港交易所连接中国与世界的价值定位，当中涉及在香港构建一个最有效的跨市场互联互通平台，以及发展一个植根于香港、汇集中外产品的本地市场。香港交易所并同日推出新企业形象，彰显集团矢志成为连接中国与世界的金融市场先行者的宏愿。

2月

2月2日，联交所刊发"简化股本证券新上市申请上市文件编制指引"，鼓励市场制作简洁易明、投资者容易理解的上市文件，并于2016年3月举办三场简介会，协助保荐人及市场人士加深了解指引及其应用。

2月5日，香港金融管理局（金管局）与证券及期货事务监察委员会（证监会）就先前为第二阶段的场外衍生工具监管制度引入强制性结算及扩大强制性汇报的建议而进行的联合咨询发表咨询总结。其后，经考虑市场回应和意见，金管局与证监会于2016年7月15日刊发进一步的咨询总结，载列上述监管制度在下一阶段中多个技术范畴的经修订建议。

2月5日，证监会发出有关杠杆及反向产品的通函予产品发行人，载列证监会认可采用交易所买卖基金的结构及在香港向公众销售的杠杆及反向产品时所依据的规定。杠杆及反向产品被视为衍生产品，不应称为"交易所买卖基金"。

2月24日，证监会就有关扩大淡仓申报范围及对《证券及期货（淡仓申报）规则》作相应修订的咨询发表咨询总结。修订的计划生效日期为2017年3月15日，唯须待通过有关的立法程序后方可作实。

3月

3月1日，证监会发表有关建议修订《监管自动化交易服务的指引》的咨询总结。指引已于2016年9月1日（实施场外衍生工具交易强制结算之日）生效。

3月4日，联交所更新香港交易所网站的环境、社会及管治网页，当中载列实用步骤、工具及汇报指引，协助发行人根据经修订的《环境、社会及管治报告指引》展开环境、社会及管治滙报工作。月内亦举行了12场有关环境、社会及管治报告的发行人培训研讨会。

4月

4月8日，联交所发出指引信，载列其经修订后将会如何处理遭受涉及诈骗、严重会计或企业失当的市场评论或传闻影响而可能须停牌的发行人。修订后的监管方针符合联交所对停牌的取向，即尽量减少停牌的需要。

4月13日，联交所刊发两份上市决策，冀提高透明度以助市场了解联交所如何诠释及应用《上市规则》中有关新上市资格及是否适合上市的规定，以及如何决定是否退回新上市申请。

4月18日，联交所进一步提升中央结算系统服务，优化沪港通的特别独立户口模式，吸引了更多资产管理公司参与沪港通。

4月18日，中华证券交易服务有限公司推出中华交易服务博彩业指数，追踪10只于香港上市的龙头博彩股的表现。

4月25日，香港交易所推出前端监控风险管理系统，以配合旗下衍生产品市场参与者的内部风险监控措施，协助参与者切合其前端监控需要。

4月27日，联交所就上市公司发行红股发出指引信，提醒上市公司妥为安排发行红股计划，防止交易秩序紊乱。

5月

5月9日，香港交易所推出七个行业股票指数期货合约，包括中华交易服务博彩业指数、恒生中国内地石油及天然气指数、恒生中国内地银行指数、恒生中国内地医疗保健指数、恒生中国内地地产指数、恒生信息科技器材指数及恒生软件服务指数。

5月12日，南方东英资产管理的南方东英WTI原油年度滚动十二月期货ERETF于联交所上市，是香港首只原油期货交易所买卖基金。

5月30日，香港交易所推出四只以现金结算的人民币货币期货，分别为：欧元兑人民币、日圆兑人民币、澳元兑人民币及人民币兑美元期货。人民币兑美元期货以美元计价，其余三只期货则以人民币计价。

6月

6月3日，联交所就具"壳股"特征的公司是否适合上市发出指引信。

6月13日，香港首批杠杆及反向产品上市，包括三星KOSPI 200每日杠杆(2x)产品、三星KOSPI 200每日反向(－1x)产品、三星东证每日杠杆(2x)产品及三星东证每日反向(－1x)产品。

6月17日，证监会及香港交易所联合发表《建议改善香港联合交易所有限公司的上市监管决策及管治架构》谘询文件。咨询期经延长两个月后于2016年11月18日结束。

6月23日，贝莱德于香港交易所推出六只可用港元、人民币或美元进行交易的国际股权交易所买卖基金，包括香港首批以美元买卖的交易所买卖基金。

6月23日，香港交易所与汤森路透推出一系列人民币指数，反映人民币兑中国内地最重要及相关贸易伙伴货币汇率的单日表现。

7月

7月4日，香港交易所修订可卖空的指定证券名单的选取准则：12个月期内所需成交比率由50%提高至60%；至于上市不多过60个交易日的股份，公众人士持股量由100亿港元提高至200亿港元，而该段时间内的总成交额由2亿港元提高至5亿港元。

7月18日，香港交易所进一步提升中央结算系统服务，提高中央结算系统参与者进行沪港通交易的结算及抵押品效率。

7 月 18 日，香港期货结算有限公司（期货结算公司）开始为美元/人民币（香港）货币期货与人民币（香港）/美元货币期货提供按金对销，结算参与者在这两种产品若有可对销的持仓，其按金费用将可下调。

7 月 25 日，香港交易所在旗下证券市场推出收市竞价交易时段，使市场可用收市价执行交易。香港交易所市场有部分收市时间因此而延长。

8 月

8 月 15 日，香港交易所附属公司香港场外结算有限公司（场外结算公司）推出交叉货币掉期结算服务，为美元兑离岸人民币货币掉期提供结算服务。

8 月 16 日，中国证券监督管理委员会与证监会宣布原则上批准深圳与香港建立股票市场交易互联互通机制（“深港通”）。

8 月 22 日，香港交易所在旗下证券市场推出市场波动调节机制（市调机制）。市调机制的作用在防止因重大交易错误或其他异常事件而引发极端价格波动，维护市场的正常秩序。

8 月 31 日，证监会就若干场外衍生工具交易的强制性结算责任指定了四名中央对手方，包括一名本地中央对手方（香港场外结算有限公司）及三名主要海外中央对手方（芝加哥商品交易所有限公司、株式会社日本证券结算及伦敦结算网有限公司）。

9 月

9 月 5 日，香港交易所推出小型恒生中国企业指数期权（又称小型 H 股指数期权），合约价值为 H 股指数期权合约的五分一，能满足个人投资者的需要，并给予市场参与者更大灵活性。

9 月 6 日，香港交易所与深圳市前海深港现代服务业合作区管理局签订合作备忘录，探索双方在金融服务及金融创新领域的合作。

9 月 20 日，证监会就改进持仓限额制度的建议展开咨询，希望扩大该制度的涵盖范围，以便能更灵活地应对金融市场的发展。有关改进建议均为针对市场参与者的业务需要而提出，并鼓励他们在交易所市场进行其衍生工具活动。

9 月 26 日，期货结算公司放宽现金抵押品政策，让结算参与者可用任何可接纳的现金及/或非现金抵押品支付其人民币按金要求，以人民币 10 亿元为限。是项放宽政策有助降低投资者在买卖以人民币计价的衍生产品时的资金成本。

9 月 27 日，华夏基金两只以纳斯达克 100 指数为基础的杠杆及反向产品于香港交易所上市，是首两只以美国股票为相关资产的杠杆及反向产品。

11 月

11 月 1 日，香港交易所推出措施提高股票指数期权市场价格的能见度，包括：恒生指数期权（恒指期权）及 H 股指数期权推行主要庄家计划；以及恒指期权及 H 股指数期权的持续报价庄家的指定期权系列数目由 24 个系列增加至 50 个系列，小型恒指期权及小型 H 股指数期权的则由 12 个系列增加至 25 个系列。

11 月 1 日，香港交易所为恒指期权及 H 股指数期权新增第四个月份合约，让市场有最少三个月到期的期权合约以供选择。

11 月 1 日，联交所进一步提升股票期权市场，包括将持续报价庄家的指定期权系列数目由 24 个系列增加至 50 个系列，又为庄家提供更多的技术支持，并豁免溢价不高于 0.01 港元或人民币 0.01 元的期权的交易征费。

12 月

12 月 5 日，深港通启动。

12 月 9 日，联交所及证监会联合刊发新闻稿，表明关注到某些个案的供股及公开发售没有让所有股东得到公平及平等对待。联交所同日并刊发两份上市决策，利便市场了解联交所如何诠释及应用有关具高度摊薄效应的要约及股份合并/分拆的《上市规则》条文。

12 月 23 日，证监会宣布进一步扩阔在香港上市之杠杆及反向产品的合资格指数范围，将涵盖香港股票指数和其他非股票指数。

资料来源：香港交易所市场资料 2016。

第七编
中国新三板市场

全国中小企业股份转让系统
NATIONAL EQUITIES EXCHANGE AND QUOTATIONS

自律　高效　包容　创新

栏目协办

第一章　新三板市场概况

2016年新三板市场业绩概述

截至2017年5月1日，新三板挂牌公司共11 113家，其中协议转让9 533家，做市转让1 580家。共10 554家公司披露年报，占挂牌总数的94.96%；559家公司未能及时披露年报，占挂牌总数的5.04%。公司未及时披露年报的原因主要包括：公司刚挂牌，年度审计工作开展时间较晚，来不及完成年报编制工作；财报审核要求趋严，审计机构工作量随着新三板挂牌数量增加而激增，导致公司无法按照预定日期披露；公司因拟IPO或者其他原因准备终止挂牌，直接不披露年报等。

2016年新三板已发布年报的企业中共有8 431家实现盈利，占已发布年报企业总数的79.9%，较2015年的83.1%有所下降。新三板各企业平均总资产、总营收、归母净利润同比继续增长，但增速放缓。特别是归母净利润同比增长率由2015年的56.54%下降至2016年的3.56%。做市企业与协议企业业绩各有千秋，做市企业的总资产增长率和营收增长率均高于协议企业，但净利润增长率低于协议企业且为负值。新三板的整体盈利能力小幅下降，期间费用率减速放缓；整体现金流量水平大幅下降，状况堪忧。

新三板创新层营收持续快速增长，盈利性和成长能力继续突显。2016年新三板创新层平均净利润3 947万元，基础层840万元，而创业板为15 235万元，创新层的净利润远高于基础层，但仍远低于创业板。2016年创新层共有678家实现营收同比增加，占比72.05%，高于整体水平；平均营收达9.83亿，约为创业板平均营业总收入（12.96亿）的四分之三。

2016年新三板市场整体ROE为12.10%，相比2015年小幅下降，而创新层ROE同比上升至15.21%。现金流方面，新三板挂牌企业还仍处于扩张和成长阶段，投资现金流的支出在逐年递增且经营性现金流净额仍相对较低。

2016年新三板各行业中，房地产业与居民服务、修理和其他服务业在营收和净利润方面表现突出；房地产业和金融业在投资回报率方面表现良好。制造业与信息传输、软件和信息技术服务业占据新三板企业数量的70%，其中，汽车制造业投资回报率最高，互联网和相关服务营收增长最快。总体来看，相比于2015年，新三板各行业的整体业绩有所下降，投资回报率几乎均有所下滑，其中，住宿和餐饮业营业收入下降幅度最大；采矿业净利润下降幅度最大；卫生和社会工作投资回报率下降最大。

（文章来源：东吴证券研究所）

2016年新三板市场主要统计指标概览

	2016年	2015年	2014年	2013年
挂牌规模				
挂牌公司家数	10163	5129	1572	356
总股本（亿股）	5851.55	2,959.51	658.35	97.17
总市值（亿元）	40558.11	24584.42	4591.42	553.06
股票发行				
发行次数	2940	2565	329	60
发行股数（亿股）	294.61	230.79	26.52	2.92
融资金额（亿元）	1390.89	1216.17	132.09	10.02
优先股发行				
发行次数	3			
融资金额（亿元）	20.20			
股票转让				
成交金额（亿元）	1912.29	1910.62	130.36	8.14
成交数量（亿股）	363.63	278.91	22.82	2.02
换手率（%）	20.74	53.88	19.67	4.47
市盈率（倍）	28.71	47.23	35.27	21.44
投资者账户数量				
机构投资者（户）	38,499	22,717	4,695	1,088
个人投资者（户）	295,723	198,625	43,980	7,436

2016 年新三板市场概况统计表

日期	总股本	挂牌公司股本(亿股)		总市值(亿元)	股票平均市盈率(倍)	挂牌公司家数	
		无限售条件股份	有限售条件股份			本月新增家数	月末家数
201601	3260.39	1144.35	2116.04	25013.47	37.9	494	5623
201602	3386.2	1195.57	2190.63	25712.04	37.45	203	5826
201603	3738.04	1337.41	2400.64	28936.12	39.63	523	6349
201604	4035.91	1426.79	2609.12	30599.84	39.12	596	6945
201605	4433.01	1602.92	2830.09	30376.42	26.4	491	7436
201606	4634.93	1696.17	2938.75	31081.9	26.54	249	7685
201607	4773.13	1791.82	2981.3	31673	26.51	232	7917
201608	5115.81	1893.68	3222.13	33899.61	26.57	978	8895
201609	5251.19	2026.97	3224.22	35430.21	26.86	227	9122
201610	5389.71	2124.8	3264.9	36131.18	26.97	202	9324
201611	5569.31	2250.26	3319.05	37451.18	27.59	440	9764
201612	5851.55	2386.81	3464.74	40558.11	28.71	399	10163
环比变动	5.07%	6.07%	4.39%	8.30%	4.06%	-9.32%	4.09%

数据来源:全国股份转让系统

2016 年度新三板市场股票成交统计

(一)历年股票成交情况统计

年度	成交数量(亿股)	成交金额(亿元)	成交笔数	换手率(%)
2006	0.16	0.83	251	-
2007	0.44	2.32	521	-
2008	0.54	2.95	484	-
2009	1.07	4.83	878	-
2010	0.70	4.19	644	-
2011	0.96	5.62	832	5.57
2012	1.15	5.84	638	4.47
2013	2.02	8.14	989	4.47
2014	22.82	130.36	9.27 万	19.67
2015	278.91	1910.62	282.13 万	53.88
2016	363.63	1912.29	308.81 万	20.74

(二)2016 年股票成交月度统计

月份	成交数量(亿股)	成交金额(亿元)	成交笔数(万笔)	换手率(%)
2016.01	36.35	197.48	29.41	2.84
2016.02	16.96	87.34	19.41	1.18
2016.03	29.74	168.79	31.14	2.19
2016.04	31.28	162.23	29.84	1.96
2016.05	25.88	135.84	25.73	1.59
2016.06	29.51	122.29	23.99	1.39
2016.07	23.25	114.38	22.24	1.26

月份	成交数量(亿股)	成交金额(亿元)	成交笔数(万笔)	换手率(%)
2016.08	25.69	139.37	24.51	1.47
2016.09	29.96	155.90	24.91	1.53
2016.10	27.28	143.20	18.79	1.32
2016.11	37.25	206.93	26.66	1.80
2016.12	50.48	278.52	32.20	2.21
2016 年合计	363.63	1912.29	308.81	20.74

2016 年新三板挂牌公司股票发行统计

(一)历年股票发行情况统计

年度	发行次数	发行金额(万元)	发行股数(万股)
2007	3	11,874.92	4,542.00
2008	5	24,564.55	5,620.00
2009	2	5,639.28	956.00
2010	8	35,835.91	6,867.00
2011	10	64,818.45	8,007.00
2012	24	85,886.00	19,292.00
2013	60	100,236.43	29,193.87
2014	329	1,320,858.20	265,197.50
2015	2565	12,161,718.99	2,307,945.26
2016	2940	13,908,875.88	2,946,054.63
合计	5946	27,720,308.61	5,593,675.26

(二)股票发行行业分布情况

行业门类	2016 年		2015 年	
	金额(万元)	次数	金额(万元)	次数
制造业	4,947,388.31	1368	3,594,596.92	1306
信息传输、软件和信息技术服务业	3,155,307.66	689	1,838,546.68	584
金融业	1,696,201.78	20	3,906,753.67	42
租赁和商务服务业	911,092.08	143	701,539.71	100
文化、体育和娱乐业	767,526.10	85	241,273.81	48
批发和零售业	655,588.61	139	224,028.90	87
建筑业	358,216.18	108	347,655.94	99
科学研究和技术服务业	348,966.79	121	244,175.70	102
水利、环境和公共设施管理业	274,248.27	60	114,802.90	37
农、林、牧、渔业	268,455.38	69	287,373.49	65
电力、热力、燃气及水生产和供应业	140,592.35	28	86,344.70	19
教育	132,488.06	20	25,923.47	6
卫生和社会工作	78,929.97	20	37,041.86	18
交通运输、仓储和邮政业	76,646.31	32	430,886.18	30
房地产业	63,384.46	19	38,114.00	8
居民服务、修理和其他服务业	17,622.17	10	10,179.72	4
住宿和餐饮业	8,742.50	5	7,972.08	1

行业门类	2016 年		2015 年	
	金额(万元)	次数	金额(万元)	次数
采矿业	7,478.90	4	24,509.25	9
合计	13,908,875.88	2940	12,161,718.99	2565

(三)股票发行地域统计

省份	2016 年		2015 年	
	金额(万元)	次数	金额(万元)	次数
北京	3,430,643.09	511	3,312,345.61	436
湖北	228,510.33	86	264,204.11	101
上海	1,258,354.68	281	1,035,628.92	259
天津	120,608.96	36	95,441.56	36
贵州	55,135.73	13	72,449.44	14
安徽	512,300.91	93	206,927.15	86
广东	1,848,844.77	507	2,936,337.72	382
河南	229,586.13	79	383,160.87	112
山东	463,172.22	156	611,947.76	170
陕西	241,997.37	37	97,481.00	33
江西	91,932.44	34	85,547.85	30
江苏	900,905.73	302	1,053,395.45	259
浙江	1,451,066.09	260	484,386.95	160
湖南	197,857.89	47	133,998.83	59
黑龙江	63,665.55	22	85,693.95	25
辽宁	107,149.38	44	116,442.66	46
福建	278,879.35	107	212,345.43	88
四川	194,719.40	87	123,350.22	63
重庆	78,818.56	32	78,050.69	22
广西	88,568.98	14	225,211.65	20
新疆	45,785.80	19	95,898.58	19
云南	84,097.58	24	39,615.01	24
山西	35,118.86	14	47,335.14	15
宁夏	76,071.42	20	96,947.33	23
海南	438,990.55	10	57,599.14	12
河北	166,542.16	50	129,794.21	43
甘肃	1,098,534.53	9	34,293.45	11
吉林	39,602.93	22	33,761.10	12
内蒙古	75,544.49	21	9,127.18	4
西藏	5,870.00	3	3,000.00	1
合计	13,908,875.88	2940	12,161,718.99	2565

2016 年新三板市场并购重组情况统计

月份	重大资产重组次数	重组交易金额(万元)	收购次数	收购交易金额(万元)
2015 年	106	2,926,732.24	107	551,445.39

月份	重大资产重组次数	重组交易金额(万元)	收购次数	收购交易金额(万元)
2016.01	9	44,828.10	22	102,337.75
2016.02	10	183,707.42	15	33,761.02
2016.03	7	137,010.94	10	52,115.60
2016.04	8	84,007.89	17	99,020.96
2016.05	12	234,568.70	11	41,494.33
2016.06	12	141,436.11	22	320,661.67
2016.07	4	43,683.00	14	165,204.73
2016.08	6	83,171.24	26	2,063,537.95
2016.09	7	55,625.61	27	418,888.80
2016.10	4	39,715.46	14	163,466.74
2016.11	14	140,564.88	31	399,240.22
2016.12	6	32,737.00	30	264,717.95
2016年合计	99	1,221,056.36	239	4,124,447.71

2016年挂牌公司规模月度统计(月末数据)

月份	挂牌公司家数	总股本(亿股)	流通股本(亿股)	总市值(亿元)	市盈率(倍)
2015.12	5129	2,959.51	1,023.63	24,584.42	47.23
2016.01	5623	3260.39	1144.35	25013.47	37.90
2016.02	5826	3386.20	1195.57	25712.04	37.45
2016.03	6349	3738.04	1337.41	28936.12	39.63
2016.04	6945	4035.91	1426.79	30599.84	39.12
2016.05	7436	4433.01	1602.92	30376.42	26.40
2016.06	7685	4634.93	1696.17	31081.90	26.54
2016.07	7917	4773.13	1791.82	31673.00	26.51
2016.08	8895	5115.81	1893.68	33899.61	26.57
2016.09	9122	5251.19	2026.97	35430.21	26.86
2016.10	9324	5389.71	2124.80	36131.18	26.97
2016.11	9764	5569.31	2250.26	37451.18	27.59
2016.12	10163	5851.55	2386.81	40558.11	28.71

2016年挂牌公司行业分布情况

行业分类	2016年末		2015年末	
	公司家数	占比	公司家数	占比
制造业	5153	50.70%	2744	53.50%
信息传输、软件和信息技术服务业	2003	19.71%	1015	19.79%
租赁和商务服务业	507	4.99%	210	4.09%
科学研究和技术服务业	459	4.52%	219	4.27%
批发和零售业	436	4.29%	169	3.29%
建筑业	330	3.25%	157	3.06%
文化、体育和娱乐业	228	2.24%	104	2.03%
水利、环境和公共设施管理业	199	1.96%	78	1.52%

行业分类	2016 年末		2015 年末	
	公司家数	占比	公司家数	占比
农、林、牧、渔业	173	1.70%	119	2.32%
交通运输、仓储和邮政业	163	1.60%	59	1.15%
金融业	126	1.24%	105	2.05%
电力、热力、燃气及水生产和供应业	101	0.99%	33	0.64%
教育	72	0.71%	19	0.37%
房地产业	67	0.66%	26	0.51%
卫生和社会工作	47	0.46%	24	0.47%
居民服务、修理和其他服务业	40	0.39%	13	0.25%
采矿业	30	0.30%	24	0.47%
住宿和餐饮业	29	0.29%	11	0.21%
合计	10163	100.00%	5129	100.00%

2016 年挂牌公司地域分布情况

股本(万股)	2016 年末		2015 年末	
	公司家数	占比	公司家数	占比
500 以下	71	0.70%	25	0.49%
500 - 1000	808	7.95%	447	8.72%
1000 - 3000	3777	37.16%	1822	35.52%
3000 - 5000	2171	21.36%	1094	21.33%
5000 - 10000	2275	22.39%	1209	23.57%
10000 以上(含 10000)	1061	10.44%	532	10.37%
合计	10163	100.00%	5129	100.00%

注:采用上组限不在内原则,如 500 - 1000 区间中不包含 1000

2016 年挂牌公司股本分布情况

省份	2016 年末		2015 年末	
	公司家数	占比	公司家数	占比
广东	1586	15.61%	684	13.34%
北京	1477	14.53%	763	14.88%
江苏	1246	12.26%	651	12.69%
浙江	901	8.87%	410	7.99%
上海	890	8.76%	440	8.58%
山东	570	5.61%	336	6.55%
湖北	348	3.42%	204	3.98%
河南	342	3.37%	195	3.80%
福建	332	3.27%	139	2.71%
安徽	302	2.97%	162	3.16%
四川	294	2.89%	137	2.67%
辽宁	205	2.02%	114	2.22%
湖南	205	2.02%	110	2.14%

省份	2016 年末		2015 年末	
	公司家数	占比	公司家数	占比
河北	195	1.92%	98	1.91%
天津	171	1.68%	92	1.79%
陕西	141	1.39%	64	1.25%
江西	135	1.33%	62	1.21%
重庆	116	1.14%	59	1.15%
新疆	97	0.95%	63	1.23%
黑龙江	90	0.89%	51	0.99%
吉林	78	0.77%	41	0.80%
云南	76	0.75%	55	1.07%
山西	65	0.64%	32	0.62%
广西	60	0.59%	31	0.60%
内蒙古	60	0.59%	26	0.51%
宁夏	54	0.53%	36	0.70%
贵州	51	0.50%	36	0.70%
甘肃	31	0.31%	17	0.33%
海南	30	0.30%	16	0.31%
西藏	11	0.11%	2	0.04%
青海	4	0.04%	3	0.06%
合计	10163	100%	5129	100.00%

2016 年挂牌公司股东人数分布情况

股东人数	2016 年末		2015 年末	
	挂牌公司数	占比	挂牌公司数	占比
2	711	7.00%	397	7.74%
3－10	3921	38.58%	1741	33.94%
10－50	4001	39.37%	2056	40.09%
50－100	788	7.75%	453	8.83%
100－200	423	4.16%	275	5.36%
200 以上	319	3.14%	207	4.04%
合计	10163	100.00%	5129	100.00%

注：采用上组限不在内原则，如 100－200 区间中不包含 200

2016 年三板指数月度统计

月份	三板成指收盘点(899001)	月涨跌幅	三板做市收盘点(899002)	月涨跌幅
2016.01	1302.09	－12.29%	1242.41	－13.60%
2016.02	1295.06	－0.54%	1213.59	－2.32%
2016.03	1315.59	1.59%	1244.90	2.58%
2016.04	1273.50	－3.20%	1242.51	－0.19%
2016.05	1247.22	－2.06%	1194.96	－3.83%
2016.06	1214.18	－2.65%	1144.89	－4.19%

月份	三板成指收盘点(899001)	月涨跌幅	三板做市收盘点(899002)	月涨跌幅
2016.07	1162.62	-4.25%	1105.28	-3.46%
2016.08	1156.61	-0.52%	1079.48	-2.33%
2016.09	1162.90	0.54%	1093.77	1.32%
2016.10	1161.02	-0.16%	1086.88	-0.63%
2016.11	1180.35	1.66%	1091.56	0.43%
2016.12	1243.61	5.36%	1112.11	1.88%

2016 年新三板企业业绩排行榜 TOP20

一、新三板 2016 年营业总收入排名 TOP20，钢银电商 410.96 亿元高居榜首

在营业总收入前二十名中，14 家为基础层企业。钢银电商(835092)和金田铜业(834178)分别以 410.96 亿、333.70 亿位列第一、二。前四家企业营业总收入均高于 100 亿元，除钢银电商外均为基础层企业。

新三板 2016 年营业总收入排名 TOP20，钢银电商 410.96 亿元高居榜首

排序	证券代码	所属分层	证券简称	2016 年营业收入(亿元)	2016 年营业收入增长率(%)
1	835092	创新层	钢银电商	410.96	93.87
2	834178	基础层	金田铜业	333.70	6.15
3	838583	基础层	南通三建	202.78	8.18
4	835281	基础层	翰林汇	167.10	5.29
5	834082	创新层	中建信息	83.01	33.56
6	834090	基础层	兴达泡塑	78.78	-1.24
7	835776	基础层	招金励福	69.95	31.44
8	836686	创新层	超能国际	68.70	94.17
9	833840	创新层	永安期货	68.03	56.00
10	430719	基础层	九鼎集团	64.64	281.37
11	870012	基础层	大运汽车	61.78	82.01
12	834414	基础层	源耀生物	61.58	24.38
13	838006	基础层	神州优车	58.45	235.23
14	830865	基础层	南菱汽车	57.47	9.98
15	834223	基础层	永诚保险	54.62	-15.87
16	832666	创新层	齐鲁银行	51.43	21.53
17	870453	基础层	亿兆华盛	49.87	35.83
18	871224	基础层	兆方石油	45.86	-18.09
19	833819	创新层	颖泰生物	45.58	17.20
20	839843	基础层	孩子王	44.55	61.39

资料来源：choice，广证恒生

二、新三板 2016 年营业总收入增长率排名 TOP20，中琛源 2335.84% 位列第一

为避免上一期数据过小导致同比增长率过大，该榜单仅对 2015 年年报营业总收入超过 1000 万元的新三板企业进行了统计。在营业总收入同比增长率前二十名中两家为创新层企业。中琛源(832887)以 2335.84% 的营业总收入同比增长率位列第一。在营业收入增长率 Top20 中，除易点天下(430270)和海航冷链(831900)为创新层企业外，其余的均为基础层企业。

新三板2016年营业总收入增长率排名TOP20(2015年营业收入大于1000万元),中琛源2335.84%位列第一

排名	证券代码	所属分层	名称	2016年营业总收入增长率(%)	2016年营业总收入(万元)
1	839294	基础层	中琛源	2,335.84	61,540.99
2	834104	基础层	海航期货	2,273.58	368,015.60
3	832924	基础层	明石创新	1,730.72	57,327.92
4	430202	基础层	星河科技	1,567.11	26,285.05
5	839211	基础层	海高通信	1,345.03	31,996.02
6	833732	基础层	合晟资产	1,189.94	36,828.81
7	430270	创新层	易点天下	1,164.44	161,141.40
8	835496	基础层	德林荣泽	1,100.87	71,796.14
9	430052	基础层	斯福泰克	971.89	25,685.41
10	830986	基础层	九星娱乐	882.17	10,716.47
11	837883	基础层	聚通达	855.24	13,316.93
12	430087	基础层	富电绿能	852.70	49,587.80
13	835055	基础层	乐享方登	824.10	16,667.77
14	430136	基础层	国顺投资	799.33	26,979.94
15	832031	基础层	嘉银金科	782.87	66,690.35
16	430127	基础层	英雄互娱	773.18	93,599.09
17	831644	基础层	透平高科	764.50	10,645.75
18	871187	基础层	纵思网络	763.91	15,758.06
19	831900	创新层	海航冷链	757.91	140,641.63
20	837839	基础层	尚通科技	683.74	60,449.68

资料来源:wind,广证恒生

三、新三板2016年归母净利润排名TOP20,九鼎集团荣获桂冠,新三板归母净利润前10强可列创业板TOP30

在新三板企业归母净利润最高的前20家中,创新层企业和基础层企业各占一半。九鼎集团(430719)、齐鲁银行(832666)位列华强方特(834793)分别位列归母净利润榜的前三甲,其归母净利润分别为20.47亿元、16.42亿元和7.11亿元,其中仅九鼎集团为基础层企业,其余两家均为创新层企业。

新三板2016年归母净利润排名TOP20,九鼎集团荣获桂冠

排名	证券代码	所属分层	证券简称	2016年归母净利润(亿元)	2016年归母净利润增长率(%)
1	430719	基础层	九鼎集团	20.47	252.46
2	832666	创新层	齐鲁银行	16.42	38.33
3	834793	创新层	华强方特	7.11	8.71
4	833979	基础层	天图投资	7.11	56.27
5	838583	基础层	南通三建	7.03	-4.55
6	870488	基础层	国都证券	6.80	-45.61
7	833840	创新层	永安期货	6.09	27.15
8	832924	基础层	明石创新	6.02	49.40
9	834777	基础层	中投保	5.99	-0.70
10	833858	基础层	信中利	5.86	8.83
11	430127	基础层	英雄互娱	5.32	2587.59
12	834237	基础层	皖江金租	5.06	29.48
13	833868	创新层	南京证券	4.94	-65.07

排名	证券代码	所属分层	证券简称	2016 年归母净利润(亿元)	2016 年归母净利润增长率(%)
14	830881	创新层	圣泉集团	4.85	25.48
15	834393	创新层	爱柯迪	4.83	38.99
16	831550	创新层	成大生物	4.57	-0.14
17	830838	创新层	新产业	4.52	81.32
18	832970	创新层	东海证券	4.48	-75.49
19	835337	基础层	华龙证券	4.42	-56.58
20	832159	创新层	合全药业	4.36	32.01

资料来源:choice,广证恒生

为进一步对比创业板与新三板龙头企业的盈利能力,我们将上文提到的新三板企业归母净利润前 10 名与创业板前 30 名进行混合排序,可以看到,基础层企业九鼎集团(430719)以 20.47 亿元高居混合排行榜的第二位,创新层齐鲁银行(832666)则以 16.42 亿元位列混合排行榜的第四位。但是混合排行 Top10 中新三板挂牌企业仅有两家,新三板企业主要集中于混合排名中的第 25 名至第 30 名;而在 2015 年年报的分析中新三板企业有 6 家进入混合排名的 Top10,且大部分企业位居前 40 名。

新三板归母净利润前 10 强可列创业板 TOP30

排名	代码	所属分层	证券简称	2016 年归母净利润(亿元)	2016 年归母净利润增长率(%)	创业板排名
1	300498.SZ		温氏股份	117.90	89.99	1
2	430719	基础层	九鼎集团	20.47	252.46	
3	300070.SZ		碧水源	18.46	35.55	2
4	832666	创新层	齐鲁银行	16.42	38.33	
5	300072.SZ		三聚环保	16.17	97.07	3
6	300017.SZ		网宿科技	12.50	50.41	4
7	300033.SZ		同花顺	12.12	26.57	5
8	300433.SZ		蓝思科技	12.04	-21.98	6
9	300408.SZ		三环集团	10.59	21.24	7
10	300267.SZ		尔康制药	10.26	69.78	8
11	300182.SZ		捷成股份	9.61	80.38	9
12	300124.SZ		汇川技术	9.32	15.14	10
13	300144.SZ		宋城演艺	9.02	43.10	11
14	300027.SZ		华谊兄弟	8.08	-17.21	12
15	300251.SZ		光线传媒	7.41	84.27	13
16	300059.SZ		东方财富	7.14	-61.39	14
17	834793	创新层	华强方特	7.11	8.71	
18	833979	基础层	天图投资	7.11	56.27	
19	300156.SZ		神雾环保	7.06	289.47	15
20	838583	基础层	南通三建	7.03	-4.55	
21	300118.SZ		东方日升	6.89	113.67	16
22	300115.SZ		长盈精密	6.84	52.02	17
23	870488	基础层	国都证券	6.80	-45.61	
24	300003.SZ		乐普医疗	6.79	30.40	18
25	300296.SZ		利亚德	6.69	102.19	19
26	300026.SZ		红日药业	6.59	23.11	20
27	300058.SZ		蓝色光标	6.40	844.84	21

排名	代码	所属分层	证券简称	2016 年归母净利润(亿元)	2016 年归母净利润增长率(%)	创业板排名
28	833840	创新层	永安期货	6.09	27.15	
29	832924	基础层	明石创新	6.02	49.40	
30	834777	基础层	中投保	5.99	-0.70	
31	833858	基础层	信中利	5.86	8.83	
32	300015.SZ		爱尔眼科	5.57	30.24	22
33	300104.SZ		乐视网	5.55	-3.19	23
34	300274.SZ		阳光电源	5.54	30.14	24
35	300146.SZ		汤臣倍健	5.35	-15.78	25
36	300136.SZ		信维通信	5.32	140.13	26
37	300418.SZ		昆仑万维	5.31	31.14	27
38	300197.SZ		铁汉生态	5.22	70.59	28
39	300113.SZ		顺网科技	5.21	82.43	29
40	300253.SZ		卫宁健康	5.19	240.07	30

资料来源:choice,广证恒生

四、新三板 2016 年归母净利润增长率排名 TOP20,海通发展 3897.15% 增长率独占鳌头

同样为避免上一期数据过小导致同比增长率过大,该榜单仅对 2015 年年报报归母净利润超过 100 万元的新三板企业进行了统计。在归母净利润同比增长率前二十名中 18 家为基础层企业。海通发展(833362)以高达 3879.18% 的同比增长率位增长率榜单第一名,除此之外创新层企业中还有游戏多(834054)以 1255.58% 的增长率位列排行榜第 15 位。

新三板 2016 年归母净利润增长率排名 TOP20(2015 年归母净利润大于 100 万元),海通发展 3897.15% 增长率独占鳌头

排名	证券代码	所属分层	证券简称	2016 年归母净利润同比增长率(%)	2016 年归母净利润(万元)
1	833362	创新层	海通发展	3897.15	4121.24
2	837358	基础层	容汇锂业	3299.65	13796.82
3	839395	基础层	云建钢构	2914.77	5221.61
4	430127	基础层	英雄互娱	2587.59	53201.81
5	839611	基础层	久诺股份	2537.10	4121.05
6	837029	基础层	汇创达	2137.32	2516.14
7	838966	基础层	柠檬微趣	1877.37	6091.48
8	838748	基础层	江苏中基	1681.85	6672.36
9	870932	基础层	辰奕智能	1629.91	2004.44
10	835008	基础层	卓越钒业	1518.03	2311.83
11	833732	基础层	合晟资产	1419.28	21790.91
12	833180	基础层	瀚丰矿业	1344.73	2135.14
13	835577	基础层	庞森商业	1287.22	4201.01
14	838326	基础层	新高股份	1255.93	1485.71
15	834054	创新层	游戏多	1255.58	1644.71
16	831693	基础层	亚茂光电	1251.55	1470.11
17	871028	基础层	天华信息	1224.17	1522.14
18	837514	基础层	童创童欣	1193.93	1330.73
19	834263	基础层	黔中泉	1181.17	3841.50
20	870089	基础层	爱普新媒	1102.32	2492.01

资料来源:wind,广证恒生

五、新三板 2016 年净资产收益率排名 TOP20，正栩影视 733.12% 增长率排名第一

新三板企业净资产收益率最高的前 20 家均为基础层企业，并且前 20 名的净资产收益率大于 100%。正栩影视(870149)、幸福家(871199)、宜搜科技(870926)以超过 200% 的净资产收益率占据净资产收益率排行榜的前三甲。其中正栩影视(870149)的净资产收益率更是高达 733.13%。

新三板 2016 年净资产收益率排名 TOP20，正栩影视 733.12% 排名第一

排名	证券代码	所属分层	证券简称	净资产收益率(%)
1	870149	基础层	正栩影视	733.13
2	871199	基础层	幸福家	253.92
3	870926	基础层	宜搜科技	235.20
4	870089	基础层	爱普新媒	187.95
5	833732	基础层	合晟资产	164.54
6	871283	基础层	康宏科技	149.32
7	839211	基础层	海高通信	136.21
8	832983	基础层	泡宝网	135.97
9	871187	基础层	纵思网络	135.66
10	838477	基础层	顺路工程	131.51
11	837279	基础层	华硕精瓷	130.35
12	835260	基础层	票管家	130.17
13	871159	基础层	少数派	128.07
14	839909	基础层	粤嵌科技	127.91
15	870471	基础层	金籁科技	127.80
16	839473	基础层	海翼股份	120.75
17	871061	基础层	蕾奥规划	119.06
18	430267	基础层	盛世光明	116.72
19	836801	基础层	睦合达	116.26
20	838657	基础层	尚诚同力	112.23

资料来源：choice，广证恒生

2016 年新三板整体年报分析

（东吴证券研究所证券分析师　黄　琳）

一、盈利企业数量占比小幅下滑，业绩分化加剧

2016 年新三板挂牌企业中共有 8 431 家盈利，占挂牌总数(已发布年报)的 79.9%，较 2015 年的 83.1% 有所下降。其中，做市企业 1 273 家盈利，占比 84.5%，相对于 2015 年的 91.1% 下降幅度较大；协议企业 7 158 家盈利，占比 79.1%，相对于 2015 年的 80.9% 小幅下滑。

表 1　新三板盈利企业数量及其占比

	2016 年盈利企业数量	数量占比	2015 年盈利企业占比
新三板整体	8431	79.9%	83.1%
做市企业	1273	84.5%	91.1%
协议企业	7158	79.1%	80.9%

资料来源：Choice，东吴证券研究所

盈利企业中，归母净利润处于 100 万 - 500 万元的公司数最多，为 2 326 家，占盈利企业总数的 27.6%；处于 100 万元以下的有 910 家，占比 10.8%；处于 5 000 万元以上的有 451 家，占比 5.3%；其余均处于 500 万 - 5 000 万元区间，共有 4 744 家，占比 56.3%。

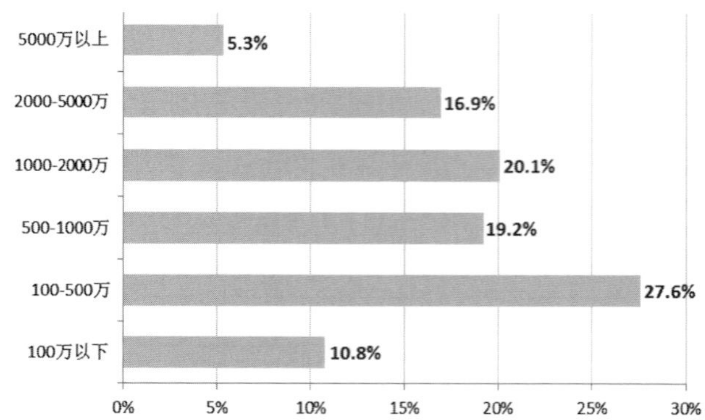

资料来源：Choice，东吴证券研究所。

2016 年新三板盈利企业盈利规模分布

2016 年新三板挂牌企业中，归母净利润最高的是九鼎集团(主营私募股权投资)，归母净利润达到 20.47 亿元，同比增长 252.5%。其次是齐鲁银行，归母净利润为 16.42 亿元,同比增长38.3%。排名第十的是信中利(主营VC、PE、直投),归母净利润为5.86亿元,同比增长8.8%。在归母净利润排名前十的企业中,仅九鼎集团和华强方特为做市转让,其余八家均为协议转让,二者比例近似于新三板整体的做市与协议企业数量之比,说明企业的高盈利性与其所选择的股票转让方式关系不大。

表2 2016年新三板归母净利润排名前十企业

证券名称	2016年归母净利润(万元)	归母净利润同比增长率	2016年营业总收入(万元)	2016年总资产(万元)	转让方式	所属行业
九鼎集团	204729	252.5%	1030898	8156746	做市	金融业
齐鲁银行	164193	38.3%	514281	20716787	协议	金融业
华强方特	71084	8.7%	335988	1673582	做市	文化、体育和娱乐业
天图投资	71075	56.3%	78188	752424	协议	金融业
南通三建	70314	-4.5%	2027788	2307942	协议	建筑业
国都证券	68047	-45.6%	156498	3371144	协议	金融业
永安期货	60854	27.1%	680343	3139758	协议	金融业
明石创新	60200	49.4%	57328	745330	协议	金融业
中投保	59914	-0.7%	140183	1304706	协议	租赁和商务服务业
信中利	58589	8.8%	134854	708721	协议	金融业

资料来源:Choice,东吴证券研究所。

在这十家企业中,文化娱乐、建筑业、租赁服务业各一家,其余七家均为金融业,表明金融行业盈利能力较为突出。

2016年新三板挂牌企业中共有2 122家盈利,占挂牌总数(已发布年报)的20.1%,较2015年的16.9%有所上升。其中,归母净利润处于负100万-500万元的公司数最多,为809家,占亏损企业总数的38.1%;处于负100万元以内的有368家,占比17.3%;处于负5 000万元以上的有70家,占比3.3%;处于负500万-5 000万元的共有875家,占比41.2%。

2016年新三板挂牌企业中,亏损(归母净利润)最多的是神州优车(主营互联网专车业务),亏损达到3 580亿元。其次是恒大淘宝,亏损8.12亿元。排名第十的是孩子王(主营母婴童商品零售),亏损1.44亿元。在亏损排名前十的企业中,做市转让和协议转让企业各5家,这说明严重亏损企业的股票也可以进行做市转让。而在这十家企业中,制造业企业有4家,占比最多,基本符合新三板整体的行业分布。

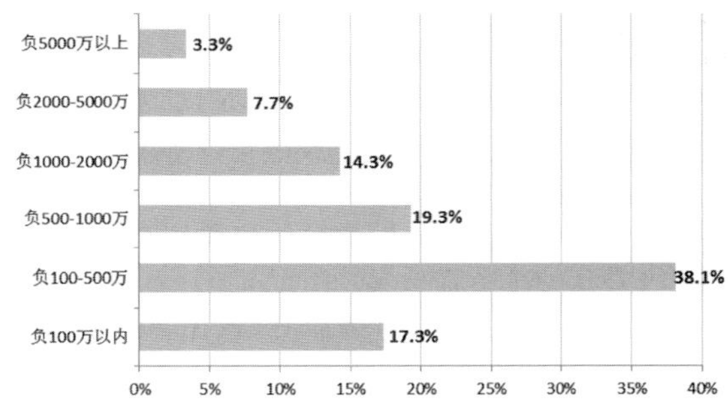

资料来源:Choice,东吴证券研究所。

2016年新三板亏损企业亏损规模分布

表3 2016年新三板亏损(归母净利润)排名前十企业

证券名称	2016年归母净利润(万元)	归母净利润同比增长率	2016年营业总收入(万元)	2016年总资产(万元)	转让方式	所属行业
神州优车	-358000	-118182%	584548	677999	做市	信息传输、软件和信息技术服务业
恒大淘宝	-81183	-14.8%	56094	127295	协议	文化、体育和娱乐业
黑金时代	-58506	—	397437	686887	协议	采矿业
云南路桥	-49021	-1224.5%	363144	705261	协议	建筑业
现代农装	-36385	20.4%	141425	156860	协议	制造业
恒神股份	-22709	53.6%	19485	415815	做市	制造业
银丰棉花	-21780	-1248.2%	232274	296898	做市	农、林、牧、渔业
中海阳	-19533	-739.1%	46207	166179	做市	制造业
大力神	-17659	22.1%	33791	244347	协议	制造业
孩子王	-14376	3.8%	445484	226664	做市	批发和零售业

资料来源:Choice,东吴证券研究所。

根据2016年新三板各企业营收总额排序发现,2016年有六家企业全年几乎无任何收入,其中澳通电讯因审计调减,营收总额甚至为负50.84万元,其余五家营收总额均为零。分析这六家企业的主营业务可知,除了英极股份主营软件外包服务，其余五家均涉及新药等产品的研发。在营收总额最低的前 15 家企业中，有 12 家企业主营业务大量涉及包括软件开发在内的产品研发，说明以产品研发为单一业务的企业产生营收的周期较长，风险较大。

表 4　2016 年新三板营收额最低十五家企业

证券名称	2016 年营业总收入（元）	2016 年归母净利润（万元）	2016 年总资产（万元）	所属证监会行业（新）	主营业务
澳通电讯	-508351.12	-3167.71	2445.92	制造业	网络通信产品研产销
ST 北安	0.00	-1410.03	17529.33	电力等生产和供应业	通信设备研产销
英极股份	0.00	-44.62	16102.40	信息传输、软件和信息技术服务业	软件外包服务
苏州沪云	0.00	-805.31	2207.27	制造业	新药研发
康倍得	0.00	-1327.21	4669.14	制造业	透皮贴剂等研产销
中海康	0.00	-1861.76	11261.63	制造业	新药研产销
兴致体育	656	-642.6	7584	文化、体育和娱乐业	青少年培训、体育赛事服务等
佳源木屋	4,897	-236.0	2046	制造业	木屋制品及构件研产销
中奥汇成	13,264	-1146.1	10118	科学研究和技术服务业	纳米镀膜研产销
盛齐安	18868	-616.6	7387	科学研究和技术服务业	肿瘤囊泡技术研发与应用
滨会生物	29126	-271.5	4987	制造业	抗瘤药物研产销
乐升股份	43771	-5965.2	4305	信息传输、软件和信息技术服务业	互联网页面游戏的开发
杰西医药	101163	-204.9	1392	制造业	自然来源药物研发
三和生物	134680	-195.4	1805	批发和零售业	便携式胰岛素静脉注药泵研产销
否玖伍	156309	-559.5	1688	信息传输、软件和信息技术服务业	交通建设信息化服务

资料来源：Choice，东吴证券研究所。

二、业绩增长企业占比减少，净利润等指标增速放缓

2016 年，新三板披露年报的挂牌企业中，净利润同比上涨的企业共有 6 010 家，占比 56.83%，相较于 2015 年的 69.46% 大幅下降 12.63 个百分点。营收同比上涨的企业共有 7 营收同比上涨企业占比 466 家企业，占比 70.74%，较 2015 年的 74.90% 降低 4.16 个百分点。2016 年业绩增长企业数量占比出现一定程度减少。

表 5　2015 年、2016 年新三板企业净利润与营收上涨数量占比

	2016 年	2015 年
净利润同比上涨企业占比	56.83%	69.46%
营收同比上涨企业占比	70.74%	74.90%

资料来源：Choice，东吴证券研究所。

2016 年，新三板挂牌企业的平均总资产（注：由于 2016 年新三板挂牌企业数量翻番，因而分析各直接指标绝对值总额的同比增长情况意义甚微，故本文对各直接指标的分析均取新三板挂牌企业的均值）为 26 786.2 万元，2015 年为 23 037.4 万元，同比增长 16.27%。新三板挂牌企业的平均营业总收入为 16 572.3 万元，2015 年为 14 252.3 万元，同比增长 16.28%。新三板挂牌企业的平均归属母公司净利润为 1 086.1 万元，2015 年为 1 048.8 万元，同比增长 3.56%。

从整体来看，相比于 2015 年，2016 年新三板挂牌企业的总资产、总营收、归母净利润（均值，下同）绝对值均有所增加，但增幅有限。2016 年新三板上述三个指标的同比增长率均出现不同程度的下降，其中，营业总收入同比增长率下降幅度最小，由 2015 年的 19.08% 下降至 2016 年的 16.28%；归母净利润同比增长率下降幅度最大，由 2015 年的 56.54% 下降至 2016 年的 3.56%。

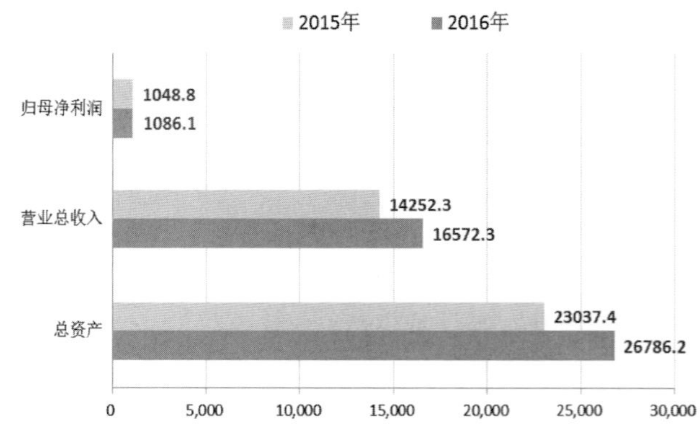

资料来源：Choice，东吴证券研究所。

2015、2016 年新三板挂牌企业主要指标（整体均值）比较（万元）

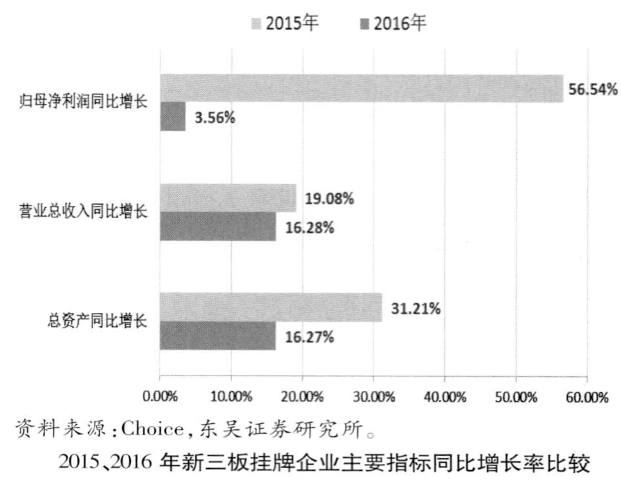

资料来源：Choice，东吴证券研究所。

2015、2016 年新三板挂牌企业主要指标同比增长率比较

新三板业绩增长率同比下降的原因包含多个方面。其一,2016 年我国 GDP 增速下滑至 6.7%,创近年来新低,宏观经济的不景气必然会影响新三板企业的快速发展。其二,新三板监管趋严,而财务问题是监管层的核查重点,且创新层企业的审核标准已经跟 A 股看齐。2016 年年报披露前期,全国股转系统已对多家审计机构涉及的新三板违规行为实施了处罚。在高压监管下,一些企业的财务数据水分被挤出,特别是之前由于冲击创新层等原因调节了利润数据的企业,2016 年的财务数据必然变动较大。其三,2016 年新三板市场持续低迷,2016 年新三板的挂牌总数约为 2015 年的 2 倍,然而其融资总额仅同比增长 15.8%,新三板企业融资增长乏力,进而在一定程度上导致业绩增长乏力。

三、做市企业与协议企业业绩各有千秋

2016 年,新三板做市企业平均总资产为 43 843.98 万元,同比增长 25.64%;协议企业平均总资产仅是做市企业的一半,为 23 953.64 万元,同比增长 14.49%。做市企业平均实现营业收入 29 386.18 万元,同比增长 21.68%;协议转让公司实现营业收入也仅是做市企业的一半,为 14 444.49 万元,同比增长 15.65%。做市企业平均实现归属母公司净利润 1 589.53万元,同比减少 12.70%;协议企业平均实现归属母公司净利润 1 002.49 万元,同比增长 10.00%。

表 6 2016 年新三板做市企业与协议企业主要指标比较(均值)

	做市企业	协议企业
总资产(万元)	43843.98	23953.64
总资产同比增长(%)	25.64%	14.49%
营业总收入(万元)	29386.18	14444.49
营收同比增长(%)	21.68%	15.65%
归母净利润(万元)	1589.53	1002.49
归母净利润同比增长	-12.70%	10.00%

资料来源:Choice,东吴证券研究所。

通过 2016 年做市企业与协议企业上述业绩指标的比较可知,2016 年做市企业的平均总资产与总营收规模均约为协议企业的 2 倍,且其同比增长率也均高于协议企业。但是 2016 年做市企业的平均归母净利润相比于协议企业,并没有表现出类似于前两个指标的差距规模,相反,做市企业的平均归母净利润同比下降 12.70%,而协议企业同比上升 10.00%。其原因可能是,随着 2016 年我国宏观经济的下滑,体量相对较大的做市企业难以灵活应对相关变动,从而导致虽然总营收增加,但净利润下跌;做市企业较多追求规模的快速扩张,导致总营收和总成本的快速增加,进而影响净利润的增长。

四、整体盈利能力小幅下降,期间费用率减速趋缓

2016 年新三板挂牌企业整体盈利能力相比于 2015 年小幅降低。2016 年,新三板整体销售毛利率(为避免极端值的影响,按照各公司营业收入加权平均计算整体毛利率,其余两个指标类似)为 23.54%,2015 年为 24.81%,同比下降1.27 个百分点。新三板整体扣除非经常性损益后的加权净资产收益率 ROE 为 12.09%,2015 年为 15.18%,同比下降 3.09 个百分点,2016 年新三板企业净利润增速同比大幅下滑是 ROE 下滑的主要原因。新三板整体销售期间费用率((销售费用 + 管理费用 + 财务费用)/营业收入 * 100%)为 18.27%,2015 年为 19.17%,同比下降 0.90 个百分点,但从下图销售期间费用率历年变化情况可知,其减速显著放缓。

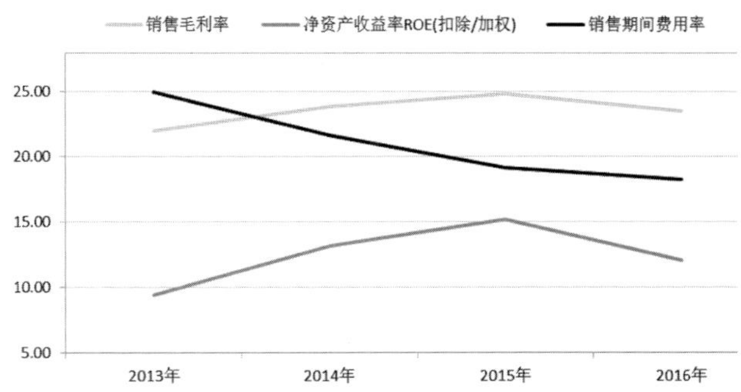

资料来源:Choice,东吴证券研究所。

新三板整体历年销售毛利率等指标变化

五、整体现金流量水平大幅下降,状况堪忧

2016 年新三板挂牌企业整体现金流水平相比于 2015 年大幅下滑,状况堪忧。2016 年新三板挂牌企业的平均经营性现金流净额为 522.83 万元,占营业收入的 3.16%。2015 年新三板挂牌企业的平均经营性现金流净额为 947.29 万元,占营业收入的 6.57%。2016 年经营性现金流净额及其与营收总额之比均呈现出拦腰折断式的下降,特别是其与营收总额之比远低于 2014 年的 7.57%,说明新三板整体的现金流状况在恶化,需引起注意。

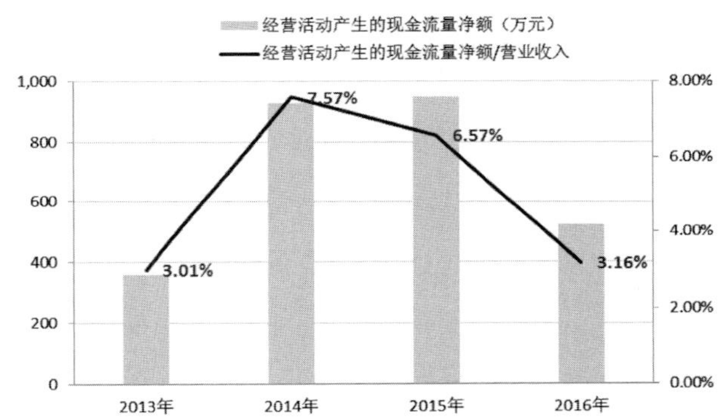

资料来源:Choice,东吴证券研究所。

新三板挂牌企业整体历年现金流水平变动

2016 年新三板主办券商执业情况统计

(一)主办券商推荐家数(前 10 名)

按全部挂牌家数排名:

序号	主办券商	推荐挂牌家数
1	申万宏源	642
2	安信证券	534
3	中泰证券	446
4	中信建投	344
5	国信证券	314
6	招商证券	309
7	广发证券	308
8	东吴证券	306
9	长江证券	295
10	东北证券	289

按 2016 年新挂牌家数排名：

序号	主办券商	推荐挂牌家数
1	安信证券	322
2	申万宏源	249
3	中泰证券	200
4	兴业证券	172
5	东吴证券	159
6	西南证券	156
7	中信建投	156
8	招商证券	145
9	东北证券	144
10	东莞证券	135

（二）主办券商参与发行情况（前 10 名）

按发行金额排名：

序号	主办券商	股票发行金额及占比		发行次数
		金额（万元）	占比	
1	中信证券	1,416,309.23	10.18%	61
2	中信建投	969,637.62	6.97%	143
3	国泰君安	739,917.18	5.32%	79
4	申万宏源	720,442.40	5.18%	189
5	西南证券	653,511.14	4.70%	63
6	中泰证券	610,270.91	4.39%	120
7	招商证券	556,583.77	4.00%	102
8	国信证券	541,382.33	3.89%	111
9	广发证券	540,798.69	3.89%	99
10	银河证券	501,566.50	3.61%	21
合计		7,250,419.77	52.13%	988

按发行次数排名：

序号	主办券商	股票发行金额及占比		发行次数
		金额（万元）	占比	
1	申万宏源	720,442.40	5.18%	189
2	中信建投	969,637.62	6.97%	143
3	安信证券	269,655.75	1.94%	131
4	中泰证券	610,270.91	4.39%	120
5	国信证券	541,382.33	3.89%	111
6	招商证券	556,583.77	4.00%	102
7	广发证券	540,798.69	3.89%	99
8	东北证券	283,006.17	2.03%	86
9	长江证券	449,581.19	3.23%	82
10	国泰君安	739,917.18	5.32%	79
合计		5,681,276.01	40.84%	1,142

2016 年券商新三板业务综合排名总览

2016 年，不少券商努力拼搏，业务取得较大进步。从投行业务排位变动看，中信建投证券去年在证券公司主承销额（含股票和债券等，下同）和债券承销金额两大投行业务指标中高居榜首；而九州证券、开源证券等中小型券商在 2016 年的业务排位中有了很大提升。

从新三板业务排位看，2016 年推荐挂牌业务最勤奋的券商为安信证券；而在做市业务方面，九州证券、联讯证券最积极，在去年新增做市股票数量排名中，位居榜首。

一、主承销额：开源、九州名次提升最多

Wind 数据显示，2016 年排名第一的是中信建投证券，主承销金额合计达 5647.68 亿元，位居榜首；紧随其后的为中信证券和国泰君安，两家的主承销金额分别为 4930.09 亿元和 4270.5 亿元。

其他进入前 10 的还有招商证券、广发证券、海通证券、中金公司、国信证券、华泰联合证券以及光大证券。其中，华泰证券由 2015 年的第 13 位提升至 2016 年的第 9 位；而光大证券由 2015 年的第 11 位提升至第 10。

此外，排名大幅提升的还有以下券商：德邦证券 2016 年主承销金额为 1188.96 亿元，排名由 2015 年的 34 名上升至 2016 年的 14 名，名次提升 20 位；广州证券 2016 年主承销金额达 798.99 亿元，由 40 名上升至 24 名；华福证券、财富证券 2016 年名次相比较 2015 年都提升了 20 位；华创证券、长江证券，名次各提升 14 位；华金证券名次提升 27 位。

值得注意的是，名次提升幅度最大的券商是开源证券和九州证券这两家中小型券商，其中，开源证券主承销金额排名由 2015 年的第 78 位提升至 2016 年的第 47 位，名次提升 31 位；九州证券由 2015 年的第 85 位提升至 2016 年的第 52 位，名次提升 33 位，为进步最快的券商。

二、债券承销：中信建投居首

在 2016 年券商债券承销中，中信建投证券以 4993.15 亿元的总承销额位居榜首，占据将近十分之一的市场份额。紧随其后的为：中信证券总承销金额达到 3795.54 亿元，国泰君安总承销金额 3518.31 亿元，招商证券总承销金额达到 2760.62亿元，海通证券总承销金额达到 2242.8 亿元。值得注意的是，排在前 5 的券商，每家总承销金额都超过 2000 亿元，而这 5 家合计市场份额占到三分之一。

除了这 5 家券商，债券总承销金额位列前 10 的券商还有广发证券、光大证券、中金公司、华泰证券和平安证券。其中广发、华泰和平安这 3 家券商是 2016 年新跻身前 10。

但如果放眼债券承销金额排名前 50 的券商，可以发现一些券商名次上升飞快。比如德邦证券，2016 年完成债券承销总金额达 1123.36 亿元，名次从 2015 年的第 26 位上升至第 14 位。另外，中泰证券和天风证券债券总承销排名分别位列第 27、28 名，分别比 2015 年上升了 11 个名次，华福证券和中投证券债券总承销额排名 31 和 32 名，相比 2015 年分别提升了 17 和 13 个名次。

在债券总承销额排名前 50 的券商中，名次提升最多的当属开源证券和九州证券，开源证券从 2015 年的 67 名上升至 2016 年的第 40 名，上升了 27 个；九州证券 2016 年债券总承销额排位第 43 名，比 2015 年提升了 32 名。

三、新三板业务：安信证券推荐挂牌增量最多

新三板市场 2016 年成交萎靡，部分券商甚至放弃了新三板做市业务。不过这一年仍有不少券商很拼，在市场低迷时，没有减慢前进脚步，在推荐挂牌业务和做市业务方面都涌现出了不少“劳模”券商。

据统计，2016 年，新三板主办券商合计完成 6402 家企业的推荐挂牌业务，这也是新三板挂牌数量“爆发”的一年。其中，推荐挂牌家数最多的 10 家主办券商分别是安信证券、申万宏源证券、中泰证券、兴业证券、中信建投证券、东吴证券、西南证券、东北证券、东莞证券和招商证券。其中安信证券最“勤奋”，2016 年全年完成 411 家新三板企业的推荐挂牌业务，增量遥遥领先，紧随其后的申万宏源、中泰证券分别推荐挂牌企业家数为 297 家和 243 家。

在做市业务方面，2016 年新增做市股票数量最多的 10 家券商分别为九州证券、联讯证券、申万宏源证券、兴业证券、中山证券、长江证券、天风证券、东莞证券、国海证券和中投证券。其中，九州证券因为 2016 年做市业务迅猛发力，累计做市股票数量达到 236 家，排在第 8 位。

2016 年末主办做市券商统计

券商	主办		做市		主办兼做市股票数量	首批做市股票数量	定增承销股票数量
	股票数量	占市场比例(%)	股票数量	占市场比例(%)			
申万宏源证券	661	5.86	250	3.09	113	231	1429
安信证券	601	5.33	152	1.88	41	121	828
中泰证券	477	4.23	278	3.44	89	204	909
中信建投证券	381	3.38	81	1	35	55	863
招商证券	352	3.12	157	1.94	28	105	522
东吴证券	351	3.11	160	1.98	34	97	435
东北证券	331	2.93	158	1.95	34	72	541
长江证券	329	2.92	214	2.65	43	143	695
国信证券	325	2.88	129	1.59	59	113	883
兴业证券	323	2.86	282	3.49	54	192	444
广发证券	316	2.80	194	2.40	63	162	832
西南证券	267	2.37	55	0.68	23	51	297
光大证券	253	2.24	202	2.50	37	91	532
东莞证券	243	2.15	153	1.89	36	120	424
国泰君安	232	2.06	223	2.76	29	90	498
西部证券	224	1.99	108	1.33	19	65	299
方正证券	213	1.89	59	0.73	20	54	245
国融证券	213	1.89	14	0.17	4	9	69
财通证券	207	1.84	77	0.95	17	58	288
国金证券	177	1.57	33	0.41	15	28	402
东兴证券	166	1.47	91	1.12	11	50	289
中信证券	163	1.45	180	2.22	23	105	367
海通证券	150	1.33	165	2.04	27	100	322
国海证券	148	1.31	143	1.77	17	95	256
天风证券	142	1.26	225	2.78	22	121	231
新时代证券	142	1.26	28	0.35	8	19	144
太平洋	139	1.23	82	1.01	18	65	181
中原证券	130	1.15	128	1.58	17	117	375

券商	主办		做市		主办兼做市股票数量	首批做市股票数量	定增承销股票数量
	股票数量	占市场比例(%)	股票数量	占市场比例(%)			
国元证券	125	1.11	41	0.51	15	27	237
浙商证券	122	1.08	87	1.08	8	67	180
国联证券	122	1.08	62	0.77	12	50	150
广州证券	117	1.04	266	3.29	11	130	287
华创证券	110	0.98	14	0.17	7	13	120
中银国际证券	103	0.91	72	0.89	11	56	181
恒泰证券	97	0.86	96	1.19	2	64	50
中国银河	93	0.82	63	0.78	13	46	142
首创证券	92	0.82	69	0.85	16	48	228
华龙证券	92	0.82	29	0.36	5	17	173
山西证券	90	0.80	79	0.98	16	70	158
中山证券	89	0.79	216	2.67	19	144	266
财达证券	89	0.79	51	0.63	16	41	137
长城证券	89	0.79	20	0.25	7	16	119
上海证券	87	0.77	238	2.94	21	139	149
中投证券	86	0.76	135	1.67	5	85	137
开源证券	86	0.76	127	1.57	0	65	21
民生证券	85	0.75	76	0.94	7	38	148
金元证券	85	0.75	57	0.70	4	41	225
华融证券	84	0.74	136	1.68	25	88	165
万联证券	78	0.69	150	1.85	12	118	90
平安证券	77	0.68	46	0.57	15	43	191
湘财证券	77	0.68	16	0.20	2	14	119
东海证券	76	0.67	23	0.28	7	22	108
华安证券	71	0.63	143	1.77	11	98	74
南京证券	71	0.63	75	0.93	10	60	178
江海证券	71	0.63	35	0.43	2	24	81
华泰联合证券	70	0.62	0	0	0	0	34
华林证券	69	0.61	36	0.44	5	21	140
东方花旗证券	69	0.61	0	0	0	0	245
国盛证券	63	0.56	16	0.20	4	16	94
大通证券	60	0.53	8	0.10	8	8	158
华福证券	59	0.52	88	1.09	6	79	82
财富证券	57	0.51	93	1.15	6	68	80
国都证券	57	0.51	45	0.56	6	40	102
联讯证券	55	0.49	195	2.41	3	114	26
华西证券	52	0.46	4	0.05	1	0	133
德邦证券	47	0.42	34	0.42	6	22	52
民族证券	47	0.42	13	0.16	4	12	60

券商	主办		做市		主办兼做市股票数量	首批做市股票数量	定增承销股票数量
	股票数量	占市场比例(%)	股票数量	占市场比例(%)			
渤海证券	46	0.41	38	0.47	1	16	44
信达证券	42	0.37	90	1.11	7	58	141
东方财富证券	40	0.35	19	0.23	8	11	81
华鑫证券	38	0.34	42	0.52	4	32	58
五矿证券	36	0.32	27	0.33	3	18	36
英大证券	35	0.31	13	0.16	1	8	38
中航证券	24	0.21	5	0.06	3	5	28
九州证券	22	0.20	244	3.02	1	91	11
第一创业	21	0.19	108	1.33	0	31	19
爱建证券	18	0.16	13	0.16	2	8	91
中金公司	17	0.15	26	0.32	6	19	86
川财证券	15	0.13	17	0.21	1	14	3
红塔证券	14	0.12	43	0.53	3	33	18
世纪证券	13	0.12	92	1.14	0	84	20
海际证券	12	0.11	0	0	0	0	1
网信证券	9	0.08	8	0.10	0	5	0
华金证券	8	0.07	32	0.40	1	20	8
上海华信证券	8	0.07	24	0.30	0	3	3
国开证券	8	0.07	23	0.28	3	13	8
申港证券	8	0.07	1	0.01	0	0	3
长城国瑞证券	6	0.05	2	0.02	0	1	0
联储证券	4	0.04	6	0.07	0	0	0
大同证券	4	0.04	1	0.01	0	0	3
宏信证券	3	0.03	3	0.04	0	1	5
万和证券	2	0.02	46	0.57	0	34	1
中邮证券	1	0.01	0	0	0	0	0
东方证券	0	0.00	119	1.47	0	82	5
华泰证券	0	0.00	67	0.83	0	57	156
银泰证券	0	0.00	6	0.07	0	0	0
长江承销保荐	0	0.00	0	0.00	0	0	4

数据来源：东方财富 Choice 数据

2016 年末做市商统计

做市商	做市股票数量	占总量比(%)	参与首批做市数	首次做市日期	总股本(万股)	总市值(亿元)	流通股本(万股)	流通市值(亿元)	主办新三板股票数量
九州证券	145	4.24	62	2015-05-22	2325076.47	1344.05	1387677.11	754.11	22
联讯证券	123	3.60	67	2015-04-30	2084304.58	998.67	1149743.69	488.52	55
申万宏源证券	121	3.54	105	2014-08-25	1800081.27	1435.42	1033552.00	790.52	661
兴业证券	119	3.48	68	2014-08-25	1590715.64	1199.84	957930.83	628.08	323

做市商	做市股票数量	占总量比（%）	参与首批做市数	首次做市日期	总股本（万股）	总市值（亿元）	流通股本（万股）	流通市值（亿元）	主办新三板股票数量
中山证券	103	3.01	64	2014－08－25	1424150.83	772.38	872071.49	438.06	89
长江证券	91	2.66	61	2014－08－25	1150557.54	726.70	701423.69	419.51	329
天风证券	90	2.63	57	2014－08－25	1110430.20	1040.11	604283.08	498.38	142
国海证券	86	2.52	62	2014－08－25	1219352.76	735.42	654083.73	385.23	148
东莞证券	85	2.49	59	2014－08－25	1131582.84	788.02	580736.92	423.62	243
中信证券	81	2.37	51	2014－08－25	1212250.44	1429.48	763204.49	864.12	163
东吴证券	80	2.34	29	2014－08－25	1743678.57	1702.81	1032768.49	987.83	351
广发证券	80	2.34	63	2014－08－25	1198375.06	1344.22	696189.72	778.35	316
国泰君安	79	2.31	21	2014－08－25	1517938.90	967.81	935405.31	635.78	232
招商证券	76	2.22	58	2014－08－25	1030049.93	817.65	608167.81	505.07	352
中投证券	71	2.08	42	2014－08－25	983128.39	703.35	638510.85	435.58	86
开源证券	71	2.08	45	2015－07－10	609927.38	390.79	330291.86	207.05	86
中泰证券	70	2.05	59	2014－08－25	859383.70	661.87	513116.53	373.21	477
万联证券	63	1.84	48	2014－08－25	895588.53	528.44	551106.72	271.16	78
第一创业	62	1.81	30	2015－12－15	718186.84	716.58	432015.12	416.50	21
华融证券	59	1.73	38	2014－08－25	839855.22	680.42	426909.34	293.64	84
东北证券	58	1.70	29	2014－12－23	1087642.82	861.23	664315.08	514.14	331
华安证券	57	1.67	26	2014－12－02	722789.84	430.50	478265.50	273.64	71
广州证券	57	1.67	38	2014－08－25	720741.82	392.24	471126.44	249.03	117
海通证券	56	1.64	36	2014－08－25	798747.71	611.72	534930.21	375.82	150
上海证券	55	1.61	41	2014－08－25	807202.90	325.44	525311.00	173.42	87
浙商证券	55	1.61	38	2014－12－30	597672.55	487.96	376670.04	296.78	122
信达证券	51	1.49	35	2014－12－30	736802.71	648.31	397073.03	277.37	42
中原证券	50	1.46	45	2014－08－25	518500.41	314.98	276821.22	125.05	130
民生证券	49	1.43	21	2015－02－12	988372.88	456.93	622651.31	264.28	85
西部证券	49	1.43	24	2014－08－25	756853.29	559.40	476003.12	326.51	224
东方证券	49	1.43	39	2014－08－25	506272.98	663.63	285955.72	364.06	0
安信证券	49	1.43	37	2014－12－08	367255.59	294.53	181959.59	122.66	601
财通证券	45	1.32	31	2015－05－08	1027630.23	387.29	699330.66	264.25	207
东兴证券	40	1.17	29	2015－02－04	670900.69	630.31	386788.71	349.38	166
恒泰证券	40	1.17	32	2014－08－25	504856.69	419.38	253591.06	209.78	97
财富证券	40	1.17	29	2014－08－25	433632.75	355.44	257107.51	199.59	57
光大证券	38	1.11	21	2014－08－25	627926.49	317.80	452760.74	201.76	253
万和证券	37	1.08	27	2016－01－18	651793.96	278.10	385519.76	173.52	2
首创证券	35	1.02	27	2014－11－12	641801.20	285.49	308299.86	124.20	92
西南证券	31	0.91	28	2014－08－25	575269.57	375.48	253113.44	191.08	267
太平洋	31	0.91	25	2014－11－25	384351.50	363.55	204552.97	177.94	139
南京证券	31	0.91	19	2014－08－25	332539.25	205.52	226127.16	130.68	71

做市商	做市股票数量	占总量比（%）	参与首批做市数	首次做市日期	总股本（万股）	总市值（亿元）	流通股本（万股）	流通市值（亿元）	主办新三板股票数量
中信建投证券	29	0.85	15	2014－08－25	974578.40	631.71	591084.06	313.01	381
国联证券	29	0.85	25	2014－12－30	660042.85	418.18	387070.78	237.09	122
国信证券	29	0.85	27	2014－08－25	622107.32	535.65	407318.94	326.01	325
中国银河	28	0.82	18	2014－08－25	634953.85	302.37	373703.76	170.46	93
华泰证券	28	0.82	23	2014－08－25	388000.49	425.37	217579.77	254.64	0
方正证券	27	0.79	23	2014－12－26	282472.27	127.28	171651.30	66.43	213
华林证券	24	0.70	11	2015－07－07	228268.94	193.15	135855.56	118.20	69
华金证券	24	0.70	15	2015－12－31	138997.93	125.69	68111.95	58.66	8
德邦证券	23	0.67	12	2015－04－07	378546.94	244.22	227711.35	157.21	47
红塔证券	23	0.67	17	2014－08－25	265766.63	276.78	147601.11	151.10	14
平安证券	22	0.64	19	2014－12－31	180946.75	181.85	113167.87	108.04	77
渤海证券	20	0.59	11	2015－05－19	662359.26	336.95	367840.47	208.12	46
财达证券	20	0.59	17	2014－09－09	575381.86	604.04	246508.58	325.99	89
中银国际证券	20	0.59	17	2014－08－25	165228.34	131.68	79438.45	64.18	103
金元证券	18	0.53	10	2014－10－22	281553.78	159.63	191249.21	92.57	85
新时代证券	18	0.53	11	2014－11－04	280434.38	176.42	93359.55	78.21	142
华福证券	18	0.53	12	2014－12－22	152662.59	90.71	91515.52	53.97	59
国金证券	18	0.53	14	2014－12－26	107135.44	91.21	47835.59	39.77	177
国都证券	17	0.50	14	2014－08－25	316130.26	293.72	131625.89	132.99	57
华鑫证券	16	0.47	12	2014－08－25	433888.85	350.83	236928.95	213.11	38
五矿证券	16	0.47	14	2016－01－13	119397.75	101.30	55197.66	53.46	36
国开证券	15	0.44	10	2015－12－03	256356.94	160.26	148441.31	77.97	8
华龙证券	15	0.44	11	2014－08－25	129006.95	93.59	55375.43	37.80	92
中金公司	14	0.41	10	2014－11－12	517319.11	860.41	272224.15	463.92	17
江海证券	14	0.41	5	2014－12－18	190753.99	253.17	108231.77	144.45	71
国元证券	14	0.41	8	2015－02－04	174556.10	88.00	93174.42	47.60	125
湘财证券	12	0.35	12	2015－10－22	176969.80	112.32	62522.79	38.32	77
东方财富证券	12	0.35	7	2015－12－24	174182.13	153.88	113663.31	97.57	40
上海华信证券	11	0.32	——	2016－11－16	364978.34	172.01	289592.30	137.98	8
世纪证券	10	0.29	8	2014－10－22	420774.98	297.59	230866.32	148.56	13
川财证券	9	0.26	7	2015－07－27	71149.43	46.44	31674.68	18.24	15
长城证券	8	0.23	6	2014－08－25	149766.10	216.33	95632.21	130.67	89
国融证券	8	0.23	3	2014－08－25	95320.48	58.27	49885.78	31.25	213
山西证券	8	0.23	8	2014－08－25	49490.33	53.62	25593.58	26.79	90
民族证券	7	0.20	6	2015－06－18	61554.57	43.79	34872.96	23.15	47
英大证券	6	0.18	3	2015－06－04	138334.27	213.58	79971.85	126.46	35
华创证券	6	0.18	5	2015－05－27	92740.57	48.60	53157.34	26.90	110
爱建证券	6	0.18	3	2015－03－31	38900.60	20.44	20017.87	10.00	18

做市商	做市股票数量	占总量比(%)	参与首批做市数	首次做市日期	总股本(万股)	总市值(亿元)	流通股本(万股)	流通市值(亿元)	主办新三板股票数量
东海证券	4	0.12	4	2014-08-25	9885.05	5.89	3566.69	1.94	76
中航证券	3	0.09	3	2015-06-30	29970.00	19.26	19160.42	13.08	24
网信证券	2	0.06	1	2016-11-25	42480.00	62.92	37862.11	58.68	9
宏信证券	2	0.06	——	2015-11-05	17748.75	6.91	7534.33	2.71	3
国盛证券	2	0.06	2	2015-03-30	12065.00	9.08	5862.17	4.33	63
大通证券	2	0.06	2	2015-03-11	7893.62	1.06	5340.72	0.72	60
华西证券	1	0.03	——	2016-01-29	8151.00	6.36	3954.27	3.08	52
长城国瑞证券	1	0.03	1	2016-08-18	4464.00	1.71	1535.15	0.59	6

数据来源:东方财富 Choice 数据

2016 年新三板券商挂牌、定增、做市业务排行

【导语】

2016 年新三板挂牌总数超万家,截至 2016 年 12 月 31 日,新三板挂牌企业达 10163 家,做市企业达 1654 家,共有 88 家券商在新三板上为企业服务。在 2016 年里,哪些券商忙着扩充自己的业务?目前券商竞争格局有无变化?各主办券商执业质量如何?

一、主办券商推荐挂牌业务排行榜

根据 Choice 数据库,2016 年新三板挂牌企业总数超万家,截止 2016 年 12 月 31 日,挂牌企业达 10163 家。2016 年共有 86 家券商为企业提供推荐挂牌业务,合计挂牌企业 5091 家,相比于 2015 年增加 1532 家。

2016 年就推荐挂牌企业家数来看,安信证券、申万宏源、中泰证券延续领先地位,仍是推荐挂牌业务前三甲,其中安信证券以新增推荐 321 家公司挂牌居第一,相比 2015 年业务排名上升,申万宏源和中泰证券,分别推荐 258、201 家。总体来看推荐挂牌前三甲排名基本格局未变,但是三家之间就其推荐挂牌数量而言相比 2015 年差距逐渐拉开。

安信证券推荐挂牌企业数量增长最大,由 2015 的 154 家增至 2016 年的 321 家;此外,还有 87.21% 的券商推荐挂牌数量增加,从推荐挂牌企业数量增长的券商占比来看,由于整个新三板挂牌企业仍在高速增长,2016 年各券商的推荐挂牌业务呈发展上升态势。

从排名变化上看,兴业证券相比 2015 年的排名有大的增长,从 2015 年的第 17 名跃居为

2016 的第 4 名;广州证券、国融证券、恒泰证券、华福证券和联讯证券的排名也有较大幅度的增长,业务发展迅速,有 44.19% 的券商排名上升,从排名上升的券商占比来看,各家券商之间的竞争激烈。

2016 年新三板市场挂牌企业保持持续增长,但随着分层政策和股转系统进一步明确企业挂牌准入要求,主办券商挑选挂牌企业的标准会相应提高,2017 年挂牌企业将会经历由量到质的一个变化,挂牌总量出现拐点成为必然趋势,新三板将从市场建设初期“规模化发展”阶段走向“优化管理”阶段的关键时期。

在新三板业务环节中,推荐挂牌仅仅是一个开始,企业挂牌后的持续督导、做市以及定增等环节都离不开券商的参与。对于券商自身而言,承揽企业挂牌业务有利于券商后续新三板相关业务的开展;对于企业而言,好的主办券商不仅是企业与资本市场之间的一个中介机构,更是陪伴企业成长、帮助企业发展的合作伙伴。因此,挑选优质标的的能力与对于新三板挂牌、融资、并购、做市、研究等全产业链条资源整合的能力将成为主办券商竞争力的关键所在,而除金融服务之外若能提供经营、推荐人才等方面的增值服务,对企业来说也是具有特色的吸引点。

随着新三板市场进一步规范挂牌标准,企业挂牌标准提高,挂牌企业数量面临拐点;推荐挂牌业务作为企业和券商合作的起点,2017 年也势必会面临更大的竞争。同时也应该明确,推荐挂牌企业数量仅仅是衡量券商推荐挂牌业务的一个维度,能够切实履行推荐挂牌之后持续督导义务的券商无疑会保持更加持久长远的竞争力。

数据口径:推荐挂牌业务的主办券商定义为企业挂牌新三板时的主办券商,由于股转系统上的数据对于变更主办券商的企业将其重新归纳到新的主办券商且包含老三板企业,本文选取 Choice 上主办券商推荐挂牌统计数据(包含已挂牌、已摘牌企业),数据为每年增量数据。

表 1 2016 年主办券商推荐挂牌业务排行榜

主办券商	2016 年新增推荐企业挂牌数	2016 年排名	2015 年新增推荐企业挂牌数	2015 年排名
安信证券	321	1	154	3
申万宏源	258	2	251	1
中泰证券	201	3	156	2
兴业证券	172	4	65	17
东吴证券	161	5	102	9
西南证券	158	6	78	15
中信建投	157	7	134	4
招商证券	143	8	114	7
东北证券	143	9	93	11
东莞证券	130	10	47	24

主办券商	2016 年新增推荐企业挂牌数	2016 年排名	2015 年新增推荐企业挂牌数	2015 年排名
国信证券	127	11	127	6
长江证券	126	12	93	10
方正证券	114	13	48	22
广发证券	111	14	127	5
西部证券	107	15	61	19
财通证券	99	16	79	13
国融证券	96	17	15	63
国泰君安	91	18	112	8
光大证券	88	19	86	12
中信证券	86	20	71	16
东兴证券	77	21	63	18
国海证券	74	22	44	29
广州证券	70	23	28	45
新时代证券	69	24	36	32
太平洋	68	25	44	27
国金证券	66	26	78	14
国联证券	66	27	30	42
华创证券	62	28	30	43
浙商证券	62	29	44	28
海通证券	57	30	61	20
天风证券	53	31	56	21
国元证券	51	32	36	31
恒泰证券	50	33	13	67
长城证券	49	34	30	41
中银国际	49	35	45	26
中原证券	45	36	32	36
中国银河	44	37	29	44
民生证券	43	38	32	38
万联证券	43	39	18	56
华龙证券	42	40	25	50
中山证券	40	41	41	30
平安证券	38	42	32	37
首创证券	37	43	31	39
金元证券	37	44	26	49
中投证券	37	45	28	46
华福证券	36	46	14	66
联讯证券	36	47	5	76
大通证券	36	48	48	23
东海证券	35	49	34	34
江海证券	35	50	12	68
华融证券	35	51	35	33
湘财证券	33	52	30	40
上海证券	33	53	23	52
山西证券	32	54	24	51
国盛证券	31	55	18	55
华泰证券	30	56	45	25
开源证券	30	57		
华林证券	29	58	22	53
国都证券	29	59	17	59
财达证券	28	60	33	35
华西证券	26	61	16	60
德邦证券	26	62	18	57
财富证券	25	63	17	58
渤海证券	25	64	8	70
华安证券	23	65	14	65
南京证券	22	66	19	54
民族证券	22	67	15	64
五矿证券	21	68	9	69
东方花旗	21	69	27	48
英大证券	20	70	16	62
东方财富	20	71	8	71
华鑫证券	17	72	16	61
第一创业	14	73	5	75
信达证券	14	74	28	47
中航证券	12	75	8	73
川财证券	10	76	2	80
九州证券	10	77	2	81
爱建证券	9	78	1	82
红塔证券	8	79	5	74
世纪证券	8	80	3	78
中金公司	8	81	8	72
华金证券	6	82	1	84
长城国瑞	5	83		
宏信证券	5	84	1	83
国开证券	4	85	3	79
华信证券	4	86	4	77

资料来源：Choice，广证恒生（注：日信证券更名为国融证券，同信证券改名为东方财富证券）

二、定增融资业务排行榜

根据股转系统 2016 年的发行统计数据，2016 年累计募资金额 1390.87 亿元，定增总额同比增长 14.36%。2016 年尽管新三板市场整体遇冷，但定增市场仍呈现增长态势。

从融资金额来看，中信证券以 141.13 亿元的发行总金额拔得头筹，中信建投以96.1亿元的金额位列第二，申万宏源以71.39亿元的金额获得第三，中信证券和中信建投相比各自2015年的业务能力均有上升，中信证券2016年募集金额相比2015年增长228.82%，中信建投2016年募集金额相比2015年增长33.34%。其中，中信证券作为华龙证券百亿融资的主办券商，完成了2016年新三板最大定增案。除此之外，西南证券业务增长迅速，融资达64.31亿；中泰证券排名稳步上升，募集金额也突破了60亿。总体来看，2016年各家券商募集金额有升有降，其中69.05%的券商募集资金金额相比2015年有增加。

新三板作为中国资本市场的重要一环，长期来看未来的战略发展趋势是确定的。从定增金额月度变化上来看，由于新三板流动性困境，市场对于投资新三板企业的三个退出渠道（企业IPO上市，被并购和在二级市场中转让）的通畅情况存在顾虑，2016年5月至8月，每月定增融资金额呈下降态势，但9月后定增市场逐步回暖，也反映了投资者对新三板的态度在发生改变。

对于券商2017年定增业务的发展，从历史数据来看，2016年中信证券凭借华龙证券百亿定增案拔得定增业务头筹、2015年西部证券凭借承销九鼎集团百亿定增获得榜眼，承销大额定增案对券商业务排名提升有重要助力作用，但也意味着定增业务中各券商排位具有更多不确定性；从定增业务核心竞争力来看，2017年新三板券商定增市场中，可以充分挖掘企业优势、在资本运作以及资源对接上能够为企业提供一系列增值服务的券商会更受企业追捧，也将占据更大的新三板市场份额。

数据口径：根据全国股转系统官网上公布的2016年1月至12月挂牌公司股票发行相关情况求和统计。

表2　2016年券商定增融资业务排行榜

主承销商	2016募集资金合计（亿元）	2016年券商业务排名	2015募集资金合计（亿元）	2015年券商业务排名
中信证券	141.13	1	42.92	7
中信建投	96.10	2	72.07	4
申万宏源	71.39	3	83.58	3
西南证券	64.31	4	10.11	26
中泰证券	60.83	5	38.98	8
招商证券	55.66	6	34.2	10
国信证券	54.14	7	47.54	5
广发证券	54.08	8	43.12	6
银河证券	50.43	9	10.71	25
长江证券	44.37	10	25.34	13
国泰君安	42.03	11	35.68	9
海通证券	40.65	12	32.85	12
华福证券	36.39	13	1.67	64
国元证券	31.99	14	7.11	35
东北证券	28.30	15	17.48	20
安信证券	27.73	16	20.09	16
光大证券	25.78	17	147.06	1
华泰证券	24.79	18	6.35	42
东吴证券	23.59	19	13.96	22
国金证券	22.92	20	17.79	19
东方花旗	19.87	21	18.1	17
天风证券	18.32	22	7.31	33
浙商证券	15.92	23	9.57	28
华融证券	15.30	24	6.92	39
国海证券	15.03	25	7.48	32
华林证券	14.73	26	16.91	21
兴业证券	13.90	27	22.82	14
平安证券	13.30	28	7.5	31
华龙证券	13.04	29	3.98	57
东莞证券	12.64	30	5.46	48
财通证券	10.97	31	9.76	27
西部证券	10.91	32	111.6	2
新时代证券	10.32	33	4.84	52
爱建证券	10.00	34	5.27	50
中银国际	9.85	35	6.31	43
中山证券	9.53	36	5.47	47
首创证券	8.79	37	8.58	30
国联证券	8.43	38	1.32	67
太平洋证券	8.13	39	6.41	41
广州证券	8.09	40	12.18	23
长城证券	7.91	41	18.09	18
财达证券	7.15	42	33.53	11
信达证券	7.13	43	4.09	56
方正证券	7.02	44	8.68	29
民族证券	6.93	45	1.39	66
中原证券	6.80	46	11.29	24
中金公司	6.26	47	7.08	38
国都证券	6.17	48	4.88	51
湘财证券	5.44	49	5.39	49
大通证券	5.34	50	7.27	34
东兴证券	5.26	51	22.36	15
南京证券	5.07	52	4.79	53
金元证券	4.82	53	5.6	46
东海证券	4.77	54	2.44	62
民生证券	4.73	55	7.11	37
万联证券	4.06	56	1.52	65
华创证券	4.05	57	6.06	45
华西证券	3.96	58	6.26	44
渤海证券	3.66	59	0.61	73

主承销商	2016 募集资金合计（亿元）	2016 年券商业务排名	2015 募集资金合计（亿元）	2015 年券商业务排名
财富证券	3.65	60	3.31	60
华安证券	3.62	61	1.83	63
德邦证券	3.54	62	3.14	61
山西证券	3.42	63	7.11	36
中投证券	2.77	64	6.58	40
上海证券	2.74	65	4.52	55
东方财富	2.62	66	0.72	72
江海证券	2.33	67	3.67	59
恒泰证券	2.00	68	3.82	58
联讯证券	1.92	69	0.29	78
中航证券	1.75	70	0.38	77
英大证券	1.46	71	0.18	79
国盛证券	1.46	72	4.58	54
国融证券	1.22	73	1.15	69
五矿证券	1.21	74	0.43	76
红塔证券	1.19	75	0.5	74
华鑫证券	1.03	76	0.75	71
九州证券	1.01	77		
世纪证券	0.77	78	1.17	68
国开证券	0.48	79	0.86	70
宏信证券	0.45	80		
川财证券	0.36	81		
华金证券	0.26	82		
华信证券	0.22	83	0.48	75
第一创业证券	0.05	84		

资料来源：全国股转系统官网，广证恒生（注：日信证券更名为国融证券，同信证券改名为东方财富证券）

三、做市数量排行榜

根据 Choice 数据库，2016 年共有 88 家券商为企业提供做市业务，相比于 2015 年增加 6 家；2016 年年初做市企业占比 23%，截至 2016 年 12 月 31 日，新三板挂牌企业 10163 家中做市企业达 1654 家，占比 16.27%，做市企业占比下降。

广州证券以 304 家的做市数量继 2015 年后再次成为 2016 年为企业提供做市业务最多的券商，紧随其后的榜眼仍是中泰证券，兴业证券排名上升夺得探花。做市业务前十强的格局相比于 2015 年基本未发生变化，值得一提的是九州证券做市企业数量增长最大，相比于 2015 年增长 171 家，增速 280.33%，排名也从 2015 年的 28 位上升至第 8 位，进军十强之列。此外，联讯证券、第一创业证券和华金证券的排名也有较大幅度的增长，后起之秀的表现相对老牌券商亮眼。

从总量增长上来看，各券商做市业务稳步发展；但按照增量来看，2016 年新增做市转让企业数量呈现下降趋势，做市标的占比也走下降趋势，挂牌企业转做市的热度较 2015 年有所降温。广证恒生认为做市遇冷的原因一是部分新三板企业有被并购需求，做市转让方式有可能导致挂牌企业股东人数相应增加，加大未来挂牌企业再融资与被并购时的项目实施难度；二是做市转让方式下企业大宗交易价格对二级市场价格影响较大，不利于大宗交易成交，在新三板大宗交易制度推出之前，这在一定程度上会迫使有大额转让需求的企业由做市转让变更为协议转让方式。

2017 年在市场做市热度下降、私募参与做市、监管进一步趋严的情况下，做市业务合规性强、风险控制优秀的券商将有望在竞争中脱颖而出：

（1）2016 年 12 月私募机构做市业务试点专业评审顺利结束，深创投等 10 家私募机构进入下一阶段的现场验收环节，私募机构参与做市业务试点将进入实质性操作阶段，将有助于改善流动性，缓解做市机构供需不均衡的情况。在私募机构参与做市的情况下，预计 2017 年券商做市业务将面临更大的竞争与挑战。

（2）2016 年 4 月股转系统开始月度公布主办券商执业质量评分数据，券商在做市业务方面信息披露不规范、报价不及时等问题不断暴露，监管不断趋严，券商做市业务将会更加规范化。

数据口径：本部分的数据为累计做市股票数。2016 年数据是于 2017 年 1 月 12 日在 Choice 数据库做市券商统计中按照开始日期 2014 年 8 月 25 日（做市制度实施首日）、截止日期 2016 年 12 月 31 日提取的。2015 年数据是在 Choice 数据库做市券商统计中按照开始日期于 2014 年 8 月 25 日、截止日期 2015 年 12 月 31 日提取的。Choice 数据库中券商做市股票数根据企业转让方式动态变化，数据根据统计时间不同会有差异。

表 3　2016 年券商做市股票数量排行榜

做市商	2016 做市股票数量	2016 券商业务排名	2015 做市股票数量	2015 券商业务排名
广州证券	304	1	241	1
中泰证券	291	2	214	2
兴业证券	285	3	157	5
申万宏源	266	4	129	7
上海证券	254	5	194	3
光大证券	241	6	193	4
天风证券	236	7	127	8
九州证券	232	8	61	28
长江证券	230	9	116	9
国泰君安	219	10	130	6
中山证券	207	11	93	14
广发证券	205	12	113	11
联讯证券	188	13	47	35
中信证券	186	14	95	13
招商证券	181	15	93	15
中投证券	179	16	83	19
东莞证券	176	17	74	26
海通证券	175	18	110	12
万联证券	166	19	90	17

做市商	2016 做市股票数量	2016 券商业务排名	2015 做市股票数量	2015 券商业务排名
东吴证券	164	20	78	21
国海证券	155	21	54	29
国信证券	148	22	115	10
华融证券	147	23	74	25
安信证券	146	24	91	16
东方证券	138	25	73	27
华安证券	137	26	77	22
中原证券	131	27	76	24
开源证券	130	28	50	33
东北证券	116	29	50	32
西部证券	103	30	46	36
浙商证券	101	31	38	40
恒泰证券	100	32	53	30
华福证券	97	33	77	23
世纪证券	96	34	85	18
山西证券	89	35	79	20
东兴证券	87	36	35	42
太平洋	86	37	51	31
财富证券	81	38	40	39
中信建投	79	39	46	37
第一创业	77	40	4	76
财通证券	76	41	31	47
南京证券	75	42	40	38
信达证券	75	43	17	58
中银国际	74	44	50	34
民生证券	71	45	19	56
中国银河	66	46	35	43
华泰证券	66	47	34	44
方正证券	64	48	34	45
西南证券	63	49	24	50
首创证券	62	50	24	49
国联证券	58	51	24	53
金元证券	57	52	36	41
国都证券	54	53	31	46
财达证券	49	54	26	48
平安证券	46	55	24	52
德邦证券	42	56	11	64
华鑫证券	41	57	22	54
华林证券	41	58	14	61
万和证券	39	59		
红塔证券	38	60	12	63
新时代证券	37	61	13	62
国元证券	36	62	22	55
国金证券	35	63	15	59
江海证券	31	64	17	57
东海证券	28	65	24	51
中金公司	26	66	10	67
华金证券	26	67	1	80
渤海证券	25	68	3	77
华龙证券	21	69	4	75
长城证券	19	70	11	65
湘财证券	18	71	5	72
川财证券	18	72	7	69
国开证券	18	73	2	78
华创证券	18	74	11	66
英大证券	17	75	8	68
五矿证券	17	76		
国盛证券	16	77	14	60
东方财富	16	78	1	81
国融证券	13	79	5	74
民族证券	13	80	5	73
爱建证券	13	81	6	71
华信证券	11	82		
大通证券	9	83	7	70
中航证券	5	84	2	79
宏信证券	3	85	1	82
华西证券	3	86		
网信证券	2	87		
长城国瑞证券	1	88		

资料来源：Choice，广证恒生（注：日信证券更名为国融证券，同信证券改名为东方财富证券）

2016 年末新三板会计师事务所服务家数前 40 名

序号	公司名称	服务家数
1	立信会计师事务所（特殊普通合伙）	966
2	瑞华会计师事务所（特殊普通合伙）	954
3	中兴财光华会计师事务所（特殊普通合伙）	861
4	大华会计师事务所（特殊普通合伙）	763
5	天健会计师事务所（特殊普通合伙）	704
6	北京兴华会计师事务所（特殊普通合伙）	689
7	大信会计师事务所（特殊普通合伙）	670
8	亚太（集团）会计师事务所（特殊普通合伙）	499

序号	公司名称	服务家数
9	天职国际会计师事务所(特殊普通合伙)	445
10	致同会计师事务所(特殊普通合伙)	354
11	中兴华会计师事务所(特殊普通合伙)	348
12	中汇会计师事务所(特殊普通合伙)	310
13	信永中和会计师事务所(特殊普通合伙)	289
14	中审众环会计师事务所(特殊普通合伙)	257
15	中审亚太会计师事务所(特殊普通合伙)	248
16	中审华会计师事务所(特殊普通合伙)	246
17	华普天健会计师事务所(特殊普通合伙)	227
18	中喜会计师事务所(特殊普通合伙)	217
19	北京永拓会计师事务所(特殊普通合伙)	187
20	广东正中珠江会计师事务所(特殊普通合伙)	181
21	上会会计师事务所(特殊普通合伙)	175
22	众华会计师事务所(特殊普通合伙)	149
23	中准会计师事务所(特殊普通合伙)	146
24	中天运会计师事务所(特殊普通合伙)	144
25	江苏苏亚金诚会计师事务所(特殊普通合伙)	143
26	江苏公证天业会计师事务所(特殊普通合伙)	136
27	天衡会计师事务所(特殊普通合伙)	136
28	利安达会计师事务所(特殊普通合伙)	132
29	山东和信会计师事务所(特殊普通合伙)	119
30	中勤万信会计师事务所(特殊普通合伙)	115
31	立信中联会计师事务所(特殊普通合伙)	108
32	希格玛会计师事务所(特殊普通合伙)	91
33	福建华兴会计师事务所(特殊普通合伙)	59
34	北京中证天通会计师事务所(特殊普通合伙)	55
35	北京天圆全会计师事务所(特殊普通合伙)	39
36	四川华信(集团)会计师事务所(特殊普通合伙)	35
37	安永华明会计师事务所(特殊普通合伙)	28
38	德勤华永会计师事务所(特殊普通合伙)	11
39	普华永道中天会计师事务所(特殊普通合伙)	9
40	毕马威华振会计师事务所(特殊普通合伙)	4

数据来源:东方财富 Choice 数据

2016 年末新三板律师事务所服务家数前 100 名

序号	公司名称	服务家数
1	上海锦天城律师事务所	423
2	北京市中银律师事务所	277
3	北京德恒律师事务所	276
4	北京国枫律师事务所	216
5	国浩律师(上海)事务所	211
6	广东华商律师事务所	195
7	北京大成律师事务所	184
8	北京市中伦律师事务所	150
9	广东信达律师事务所	148
10	北京市天元律师事务所	138
11	北京大成(上海)律师事务所	137
12	北京市康达律师事务所	134
13	北京市金杜律师事务所	130
14	北京市大成(深圳)律师事务所	119
15	北京市盈科律师事务所	113
16	上海市海华永泰律师事务所	103
17	安徽天禾律师事务所	100
18	德恒上海律师事务所	99
19	北京盈科(上海)律师事务所	93
20	北京市海润律师事务所	91
21	北京市竞天公诚律师事务所	87
22	北京市中银(深圳)律师事务所	86
23	浙江天册律师事务所	86
24	北京市君致律师事务所	86
25	湖南启元律师事务所	81
26	国浩律师(北京)事务所	80
27	北京金诚同达(上海)律师事务所	79
28	上海市广发律师事务所	77
29	国浩律师(杭州)事务所	77
30	北京市君泽君律师事务所	73
31	北京大成(广州)律师事务所	71
32	江苏世纪同仁律师事务所	70
33	北京君嘉律师事务所	70
34	北京大成(武汉)律师事务所	67
35	北京市国联律师事务所	66
36	北京市德恒律师事务所杭州分所	64
37	北京市东易律师事务所	61
38	国浩律师(深圳)事务所	60
39	北京市德恒(深圳)律师事务所	59
40	北京大成(杭州)律师事务所	58
41	浙江儒毅律师事务所	58
42	北京市中银(上海)律师事务所	58
43	北京市中伦(广州)律师事务所	56
44	北京市中伦文德律师事务所	54
45	北京市京师律师事务所	52
46	北京市炜衡律师事务所	52
47	北京市浩天信和律师事务所	52
48	北京市中伦(深圳)律师事务所	52

序号	公司名称	服务家数
49	北京市盈科（深圳）律师事务所	50
50	国浩律师（南京）事务所	49
51	国信信扬律师事务所	48
52	广信君达律师事务所	45
53	北京市盈科（苏州）律师事务所	45
54	上海市锦天城（深圳）律师事务所	44
55	江苏永衡昭辉律师事务所	43
56	福建天衡联合（福州）律师事务所	42
57	浙江六和律师事务所	42
58	北京市中伦（上海）律师事务所	42
59	北京德恒（武汉）律师事务所	41
60	北京金诚同达律师事务所	41
61	北京中伦（武汉）律师事务所	41
62	北京市通商律师事务所	40
63	北京市天银律师事务所	39
64	北京市宝盈律师事务所	39
65	北京市远东律师事务所	38
66	北京康达（杭州）律师事务所	38
67	北京市中银（济南）律师事务所	36
68	北京市时代九和律师事务所	35
69	北京大成（厦门）律师事务所	35
70	北京华沛德权律师事务所	34
71	万商天勤（上海）律师事务所	34
72	北京德和衡律师事务所	33
73	山东德衡律师事务所	33
74	北京市隆安律师事务所	33
75	福建君立律师事务所	32
76	北京市君合律师事务所	31
77	北京市嘉源律师事务所	31
78	上海创远律师事务所	30
79	北京中银（杭州）律师事务所	28
80	广东莞泰律师事务所	28
81	北京市京银律师事务所	27
82	北京市竞天公诚律师事务所上海分所	27
83	江苏益友天元律师事务所	27
84	北京德恒（重庆）律师事务所	27
85	国浩律师（广州）事务所	26
86	江苏泰和律师事务所	26
87	上海市通力律师事务所	26
88	北京市观韬（广州）律师事务所	25
89	北京市观韬律师事务所	25
90	上海天衍禾律师事务所	25
91	北京伯彦律师事务所	24
92	北京市德恒（济南）律师事务所	24
93	北京市凯泰律师事务所	24
94	北京重光（天津）律师事务所	23
95	湖南金州律师事务所	23
96	广东正平天成律师事务所	23
97	文康律师事务所	22
98	北京市隆安（深圳）律师事务所	22
99	上海市锦天城（厦门）律师事务所	21
100	北京芝兰律师事务所	21

数据来源：东方财富 Choice 数据

2016 年新三板大事记

2016 年，新三板市场喜忧参半。一方面，企业挂牌热情有增无减，挂牌家数于 12 月 19 日首次突破 1 万家大关。另一方面，刚刚全面扩容第三年的新三板还非常年轻，他还面临着诸多"成长中的烦恼"，比如备受诟病的流动性缺失，再比如不断涌现的"花样违规"。

今年以来股转系统监管趋严，多项新规及监管制度接连出台，而备受关注的退市制度也箭在弦上……

一、主办券商执业质量评价制度

1 月 29 日，股转系统发布《全国中小企业股份转让系统主办券商执业质量评价办法（试行）》，自 2016 年 4 月 1 日开始正式执行主办券商执业质量评价制度。

主办券商的评价周期分为月度和年度。其中，月度公示于每月 10 日前披露；年度公示于每年 8 月 31 日前披露，评价期为上一年度 5 月 1 日至本年度 4 月 30 日。

官方唯一转让意向平台建立：

3 月 18 日，新三板转让意向平台正式上线运行。该平台适用于新三板所有挂牌证券品种，为注册用户提供转让意向信息的发布和查询服务。不过，该平台不具有成交功能，买卖双方达成成交协议后，仍需通过新三板交易主机完成交易。

转让意向平台是新三板为完善市场服务，降低投资者转让意向信息的搜寻成本而设立的信息交流平台。通过该平台，投资者可以更低成本、更大范围的寻找交易对手方，提升市场整体价格发现水平。

二、规范券商内核：推荐挂牌重量更重质

4 月 6 日，股转系统发布《全国中小企业股份转让系统主办券商内核工作指引（试行）（征求意见稿）.6 月 8 日，《全国中小企业股份转让系统主办券商内核工作指引（试行）》正式发布，《指引》明确了主办券商向全国股转公司报送挂牌项目申请文件前，应当按照该指引先履行内核程序，内核人员应当对申请文件进行独立判断，全国股转公司可对内核成员进行自律监管，该办法自 10 月 1 日起实施。

三、金融类企业新规：类金融被叫停

5 月 27 日，全国股转系统发布《关于金融类企业挂牌融资有关事项的通知》，明确表示小贷、担保、融资租赁、商业保理、典当等其他具有金融属性企业暂不受理新的挂牌申请，已受理企业终止审查。

《通知》要求，已挂牌的类金融企业不得采用做市转让方式，但本方案发布前已采用做市转让方式的除外。已挂牌其它具有金融属性企业应当披露季度报告。不属于其它具有金融属性企业的挂牌公司，其募集资金不得用于参股或控股其它具有金融属性的企业。

早在今年1月19日，多家券商就曾接到股转系统通知，要求暂停类金融项目挂牌，无论该项目处在哪种状态。

四、新三板分层落地:953家企业进入创新层

5月27日，股转系统发布《全国中小企业股份转让系统挂牌公司分层管理办法(试行)》的公告。

6月24日，创新层企业正式名单公布。在当时全国7600多家挂牌企业中，满足创新层标准的挂牌公司共计953家。与初选名单相比，正式创新层名单调进39家公司，调出6家企业，其中3家为自愿退出，分别为九鼎集团、新疆火炬和日懋园林。

自6月27日起，全国股转系统正式对挂牌公司实施分层管理，并分别揭示创新层和基础层挂牌公司的证券转让行情和信息披露文件。

五、融资新规:股票发行常见问题解答(三)

继2015年10月末《解答(二)—连续发行》后，《挂牌公司股票发行常见问题解答(三)》于8月8日发布，主要针对募集资金管理、认购协议中特殊条款、特殊类型挂牌公司融资等问题，这是股转系统首次针对包括对赌协议在内的特殊条款做出明文规定。

六、挂牌地冠军易主:广东超过北京

根据东方财富Choice数据统计，广东省2016年挂牌明显提速，新三板挂牌企业总数于今年8月末首次超过北京，截至12月26日，广东省累计挂牌家数为1581家，较2015年年末的681家，骤增900家；与此同时，北京退居次位，年内累计新增挂牌家数为708家，至1468家。

七、私募做市业务试点:10家机构入围

9月14日，《私募机构全国股转系统做市业务试点专业评审方案》发布。方案指出，按照稳起步、择优确定试点机构的原则，全国股转公司通过专业评审的方式，遴选出不超过10家私募机构进行做市业务试点。

12月13日，全国股转系统公布首批参与做市业务试点的私募机构名单，共计10家私募机构入围，分别为深圳市创新投资集团有限公司、山东省高新技术创业投资有限公司、广东中科招商创业投资管理有限责任公司、上海复星创富投资管理股份有限公司、敦和资产管理有限公司、江苏毅达股权投资基金管理有限公司、盛世景资产管理集团股份有限公司、朱雀股权投资管理股份有限公司、浙商创投股份有限公司、深圳同创伟业资产管理股份有限公司。

八、退市制度箭在弦上:终止挂牌意见稿出炉

10月21日，全国股转系统发布《全国中小企业股份转让系统挂牌公司股票终止挂牌实施细则(征求意见稿)》，这意味着新三板即将走入强制退市时代，常态化、市场化的退出机制有望建立，投资者的合法权益将得到进一步的保护。

《细则》明确了两种终止挂牌情形:主动终止挂牌和强制终止挂牌，而在市场更加关注的强制终止挂牌方面，又明确了会导致这一结果的十一种情形。

九、新三板投资者门槛有望调整

12月16日，证监会发布投资者适当性管理办法，将原专业投资者认定条件中"证券类资产500万元以上"改为"金融资产不低于500万元或最近3年个人年均收入不低于50万元"。即资产类别由证券类资产扩展到金融类资产。

随后股转系统称，新的投资者适当性管理框架的确定，可能为新三板投资者适当性管理提供指引和参考。

十、两家挂牌企业成功转板

12月6日，作为扩容后首家IPO过会的企业，江苏中旗正式在创业板进行申购，股票简称中旗股份，代码300575. 12月20日，中旗股份在深交所创业板成功挂牌上市，成为南京化工园区第一家创业板上市企业。该企业从预披露到首发申请通过，历时仅一年半左右。

12月23日，拓斯达IPO申请获通过，其将成为继江苏中旗后，年内第二家IPO成功的新三板企业。据悉，拓斯达于2015年7月3日首次预披露招股说明书，这意味着拓斯达从预披露到过会仅用538天，比江苏中旗还快半个月。

(来源:东方财富网)

第二章　证券服务机构

第一节　主办券商

申万宏源证券有限公司

一、公司简介及概况

<table>
<tr><td rowspan="10">公司简介</td><td>公司名称</td><td colspan="5">申万宏源证券有限公司</td></tr>
<tr><td>成立日期</td><td>2015 - 01 - 16</td><td>法定代表人</td><td>李梅</td><td>总经理</td><td>李梅</td></tr>
<tr><td>注册资本（万元）</td><td>1,485,674</td><td>净资产 *（万元）</td><td>3,711,934</td><td>净资本 *（万元）</td><td>3,587,285</td></tr>
<tr><td>注册地址</td><td colspan="3">上海</td><td>营业部家数</td><td>263</td></tr>
<tr><td>办公地址</td><td colspan="3">上海市徐汇区长乐路 989 号世纪商贸广场 45 层</td><td>邮编</td><td>200031</td></tr>
<tr><td>公司网址</td><td>www.swhysc.com</td><td>电子邮箱</td><td>swhysc@swhysc.com</td><td>经营证券业务许可证编码</td><td>1072000</td></tr>
<tr><td colspan="6">注：* 经审计的最近年度净资产和净资本</td></tr>
<tr><td colspan="3">证监会批准从事的证券业务</td><td colspan="3">证券经纪、证券投资咨询、融资融券、代销金融产品业务、证券投资基金代销、为期货公司提供中间介绍业务（以上各项业务限新疆、甘肃、陕西、宁夏、青海、西藏以外区域），证券资产管理，证券承销与保荐（限国债、非金融企业债务融资工具、政策性银行金融债、企业债承销），证券自营（除服务新疆、甘肃、陕西、宁夏、青海、西藏区域证券经纪业务客户的证券自营外）。</td></tr>
<tr><td colspan="3">在全国股份转让系统从事的业务种类</td><td colspan="3">经纪业务，推荐业务，做市业务</td></tr>
<tr><td>公司概况</td><td colspan="6">申银万国证券股份有限公司（以下简称“申银万国”或“公司”），由原上海申银证券公司和原上海万国证券公司于 1996 年 7 月 16 日合并组建而成，是国内最早的一家股份制证券公司。申银万国注册资本 67.1576 亿元，系大型综合类证券公司。公司拥有控股子公司——上海申银万国证券研究所有限公司、申银万国期货有限公司、申银万国投资有限公司和申万菱信基金管理有限公司，并在香港特别行政区设有申银万国（香港）集团公司和控股的上市公司——申银万国（香港）有限公司。公司还参股富国基金管理有限公司。公司经营范围包括：证券经纪；证券投资咨询；与证券交易、证券投资活动有关的财务顾问；证券自营；证券承销与保荐；证券资产管理；证券投资基金代销；为期货公司提供中间介绍业务；融资融券业务；国家有关管理机关批准的其他业务。</td></tr>
</table>

二、业务动态

推荐挂牌情况				
序号	股份代码	公司名称	挂牌日期	公司状态
1	430001	世纪瑞尔	2006 - 01 - 23	已上市
2	430002	中科软	2006 - 01 - 23	挂牌
3	430007	久其软件	2006 - 09 - 07	已上市
4	430010	现代农装	2006 - 12 - 08	挂牌
5	430011	指南针	2007 - 01 - 23	挂牌
6	430015	盖特佳	2007 - 06 - 18	挂牌
7	430016	胜龙科技	2007 - 07 - 26	挂牌

8	430018	合纵科技	2007－09－19	挂牌
9	430019	新松佳和	2007－09－28	挂牌
10	430020	建工华创	2007－09－28	挂牌
11	430023	佳讯飞鸿	2007－10－26	已上市
12	430026	金豪制药	2008－02－18	挂牌
13	430028	京鹏科技	2008－04－30	挂牌
14	430031	林克曼	2008－09－01	挂牌
15	430037	联飞翔	2008－12－05	挂牌
16	430044	东宝亿通	2009－01－12	挂牌
17	430045	东土科技	2009－02－18	已上市
18	430054	超毅网络	2009－04－16	挂牌
19	430065	中海阳	2010－03－19	挂牌
20	430066	南北天地	2010－04－22	挂牌
21	430069	天助畅运	2010－06－23	挂牌
22	430072	亿创科技	2010－08－31	挂牌
23	430073	兆信股份	2010－09－10	挂牌
24	430075	中讯四方	2010－11－18	挂牌
25	430083	中科联众	2011－03－28	挂牌
26	430085	新锐英诚	2011－04－01	挂牌
27	430092	易生创新	2011－06－21	挂牌
28	430095	航星股份	2011－08－19	挂牌
29	430097	赛德丽	2011－10－19	挂牌
30	430098	大津股份	2011－11－02	挂牌
31	430120	金润科技	2012－04－27	挂牌
32	430131	伟利讯	2012－07－18	挂牌
33	430135	三益能环	2012－09－05	挂牌
34	430147	中矿龙科	2012－09－21	挂牌
35	430151	亿鑫通	2012－10－12	挂牌
36	430150	创和通讯	2012－10－12	挂牌
37	430163	三众能源	2012－11－16	挂牌
38	430185	普瑞物联	2012－12－28	挂牌
39	430202	星河科技	2012－12－31	挂牌
40	430203	兴和鹏	2012－12－31	挂牌
41	430225	伊禾农品	2013－07－05	挂牌
42	430226	奥凯立	2013－07－05	挂牌
43	430263	蓝天环保	2013－07－22	挂牌
44	430260	布雷尔利	2013－07－22	挂牌
45	430266	联动设计	2013－07－23	挂牌
46	430253	兴竹信息	2013－07－23	挂牌
47	430254	中卉生态	2013－07－23	挂牌
48	430269	新网程	2013－07－23	挂牌
49	430252	联宇技术	2013－07－23	挂牌
50	430259	华宿电气	2013－07－23	挂牌
51	430251	光电高斯	2013－07－24	挂牌
52	430258	易同科技	2013－07－25	挂牌

53	430270	高曼重工	2013-08-08	挂牌
54	430285	锐创信通	2013-08-08	挂牌
55	430284	科胜石油	2013-08-08	挂牌
56	430278	连能环保	2013-08-08	挂牌
57	430274	重钢机械	2013-08-08	挂牌
58	430286	东岩股份	2013-08-08	挂牌
59	430327	元工国际	2013-10-16	挂牌
60	430321	博德石油	2013-10-16	挂牌
61	430331	中环系统	2013-10-16	挂牌
62	430328	北京希电	2013-10-16	挂牌
63	430334	科洋科技	2013-11-06	挂牌
64	430340	伟钊科技	2013-11-06	挂牌
65	430344	鼎晖科技	2013-11-15	挂牌
66	430356	雷腾软件	2013-12-10	挂牌
67	430363	上海上电	2013-12-23	挂牌
68	430538	中大科技	2014-01-24	挂牌
69	430593	华尔美特	2014-01-24	挂牌
70	430540	五龙制动	2014-01-24	挂牌
71	430539	扬子地板	2014-01-24	挂牌
72	430537	恒通股份	2014-01-24	挂牌
73	430468	锦棉种业	2014-01-24	挂牌
74	430596	新达通	2014-01-24	挂牌
75	430416	地林伟业	2014-01-24	挂牌
76	430461	视威科技	2014-01-24	挂牌
77	430407	长合信息	2014-01-24	挂牌
78	430427	飞田通信	2014-01-24	挂牌
79	430615	华工创新	2014-01-24	挂牌
80	430439	亚杜股份	2014-01-24	挂牌
81	430524	量天科技	2014-01-24	挂牌
82	430520	世安科技	2014-01-24	挂牌
83	430515	麟龙股份	2014-01-24	挂牌
84	430513	中科三耐	2014-01-24	挂牌
85	430493	新成新材	2014-01-24	挂牌
86	430612	雅威特	2014-01-24	挂牌
87	430518	嘉达早教	2014-01-24	挂牌
88	430631	早康枸杞	2014-01-24	挂牌
89	430390	中科网络	2014-01-24	挂牌
90	430460	太湖股份	2014-01-24	挂牌
91	430485	南京旭建	2014-01-24	挂牌
92	430525	英诺尔	2014-01-24	挂牌
93	430526	丝普兰	2014-01-24	挂牌
94	430435	数聚软件	2014-01-24	挂牌
95	430648	群雁信息	2014-02-14	挂牌
96	430644	紫贝龙	2014-02-18	挂牌
97	430651	金豹实业	2014-02-18	挂牌

98	430650	莱博股份	2014－02－18	挂牌
99	430636	法普罗	2014－02－18	挂牌
100	430663	大陆机电	2014－03－13	挂牌
101	430668	笃诚科技	2014－03－31	挂牌
102	430674	巴兰仕	2014－04－10	挂牌
103	430696	金银花	2014－04－10	挂牌
104	430683	新中德	2014－04－10	挂牌
105	430691	麦稻之星	2014－04－18	挂牌
106	430706	海芯华夏	2014－04－23	挂牌
107	430721	瑞杰塑料	2014－04－30	挂牌
108	430714	奇才股份	2014－04－30	挂牌
109	430739	银花股份	2014－04－30	挂牌
110	430746	七星科技	2014－05－05	挂牌
111	430741	格林绿化	2014－05－05	挂牌
112	430747	长江机电	2014－05－05	挂牌
113	430761	升禾环保	2014－05－30	挂牌
114	830786	华源股份	2014－06－04	挂牌
115	830780	永鹏科技	2014－06－09	挂牌
116	830817	鼎炬科技	2014－06－20	挂牌
117	830831	华泰集团	2014－06－26	挂牌
118	830843	沃迪装备	2014－07－09	挂牌
119	430735	智达康	2014－07－11	挂牌
120	830861	金诺科技	2014－07－14	挂牌
121	830853	天加新材	2014－07－14	挂牌
122	830873	奥测世纪	2014－07－16	挂牌
123	830896	旺成科技	2014－08－01	挂牌
124	830900	维福特	2014－08－04	挂牌
125	830934	玻尔科技	2014－08－07	挂牌
126	830919	飞达股份	2014－08－07	挂牌
127	830918	银发环保	2014－08－11	挂牌
128	830988	兴和股份	2014－08－12	挂牌
129	830950	华隆股份	2014－08－13	挂牌
130	830945	麟龙新材	2014－08－13	挂牌
131	830990	鹏盾石油	2014－08－13	挂牌
132	830994	金友电缆	2014－08－13	挂牌
133	830998	大铭新材	2014－08－13	挂牌
134	831001	英特罗	2014－08－15	挂牌
135	831119	蓝钻生物	2014－08－15	挂牌
136	831034	红光股份	2014－08－15	挂牌
137	831021	华雁信息	2014－08－15	挂牌
138	831089	金东唐	2014－08－15	挂牌
139	831083	东润环能	2014－08－15	挂牌
140	831075	宏海科技	2014－08－15	挂牌
141	831002	飞鱼星	2014－08－15	挂牌
142	831112	哥伦布	2014－08－15	挂牌

143	831106	埃林哲	2014 - 08 - 15	挂牌
144	831044	家喻新材	2014 - 08 - 18	挂牌
145	831019	博硕光电	2014 - 08 - 18	挂牌
146	831080	立思股份	2014 - 08 - 18	挂牌
147	831006	久易农业	2014 - 08 - 19	挂牌
148	831096	物润船联	2014 - 08 - 21	挂牌
149	831076	展博股份	2014 - 08 - 21	挂牌
150	831055	三优光电	2014 - 08 - 29	挂牌
151	831029	银丰棉花	2014 - 08 - 29	挂牌
152	831145	阿路美格	2014 - 09 - 17	挂牌
153	831134	爱特科技	2014 - 09 - 17	挂牌
154	831151	全胜物流	2014 - 09 - 23	挂牌
155	831159	安达物流	2014 - 09 - 24	挂牌
156	831152	昆工恒达	2014 - 09 - 24	挂牌
157	831162	天河股份	2014 - 09 - 26	挂牌
158	831177	深冷能源	2014 - 10 - 14	挂牌
159	831196	恒扬科技	2014 - 10 - 14	挂牌
160	831230	双申医疗	2014 - 10 - 23	挂牌
161	831227	宜运股份	2014 - 10 - 27	挂牌
162	831243	晓鸣农牧	2014 - 10 - 30	挂牌
163	831256	新疆银丰	2014 - 10 - 31	挂牌
164	831235	谋士人才	2014 - 11 - 03	挂牌
165	831257	赛德盛	2014 - 11 - 03	挂牌
166	831275	睿力物流	2014 - 11 - 04	挂牌
167	831284	迈科智能	2014 - 11 - 06	挂牌
168	831281	天悦实业	2014 - 11 - 06	挂牌
169	831320	路骋国旅	2014 - 11 - 10	挂牌
170	831340	金童股份	2014 - 11 - 11	挂牌
171	831352	健力股份	2014 - 11 - 13	挂牌
172	831342	大元广盛	2014 - 11 - 13	挂牌
173	831353	海盐力源	2014 - 11 - 13	挂牌
174	831310	航嘉电子	2014 - 11 - 13	挂牌
175	831348	碧松照明	2014 - 11 - 13	挂牌
176	831370	新安洁	2014 - 11 - 25	挂牌
177	831376	金洪股份	2014 - 11 - 26	挂牌
178	831402	帝联科技	2014 - 12 - 02	挂牌
179	831403	庆功林	2014 - 12 - 02	挂牌
180	831391	三达奥克	2014 - 12 - 04	挂牌
181	831429	创力股份	2014 - 12 - 05	挂牌
182	831435	行健智能	2014 - 12 - 11	挂牌
183	831479	湘联股份	2014 - 12 - 12	挂牌
184	831511	水治理	2014 - 12 - 17	挂牌
185	831468	威顿晶磷	2014 - 12 - 24	挂牌
186	831542	贝斯塔德	2014 - 12 - 26	挂牌
187	831573	佳盈物流	2014 - 12 - 30	挂牌

188	831717	首信材料	2014－12－31	挂牌
189	831668	天元小贷	2014－12－31	挂牌
190	831589	吉福新材	2015－01－06	挂牌
191	831569	华牧天元	2015－01－06	挂牌
192	831595	科致电气	2015－01－06	挂牌
193	831632	安之文化	2015－01－06	挂牌
194	831620	宝信平台	2015－01－08	挂牌
195	831666	亿丰洁净	2015－01－12	挂牌
196	831787	高和机电	2015－01－13	挂牌
197	831678	利德浆料	2015－01－19	挂牌
198	831693	亚茂光电	2015－01－19	挂牌
199	831710	昊方机电	2015－01－19	挂牌
200	831831	天津彩板	2015－01－19	挂牌
201	831651	保通食品	2015－01－19	挂牌
202	831824	东方滤袋	2015－01－19	挂牌
203	831712	创泽信息	2015－01－20	挂牌
204	831754	康能生物	2015－01－20	挂牌
205	831715	瀚特信息	2015－01－20	挂牌
206	831830	和创化学	2015－01－20	挂牌
207	831711	青浦资产	2015－01－20	挂牌
208	831700	华信精工	2015－01－21	挂牌
209	831748	雅格股份	2015－01－21	挂牌
210	831767	知音文化	2015－01－21	挂牌
211	831631	北邮国安	2015－01－23	挂牌
212	831883	嘉翼精机	2015－01－27	挂牌
213	831791	雪银矿业	2015－01－28	挂牌
214	831919	科菲科技	2015－01－28	挂牌
215	831927	瑞奥物联	2015－01－28	挂牌
216	831900	海航华日	2015－01－29	挂牌
217	831866	蔚林股份	2015－02－02	挂牌
218	831951	美麟文化	2015－02－10	挂牌
219	831987	煌盛管件	2015－02－10	挂牌
220	831956	汇森能源	2015－02－16	挂牌
221	831972	北泰实业	2015－03－03	挂牌
222	831952	华图股份	2015－03－05	挂牌
223	832048	三艾广告	2015－03－05	挂牌
224	832032	青晨科技	2015－03－06	挂牌
225	832037	华能橡胶	2015－03－06	挂牌
226	832047	联洋新材	2015－03－06	挂牌
227	832121	六晶科技	2015－03－10	挂牌
228	832094	金昌蓝宇	2015－03－11	挂牌
229	832108	亨达科技	2015－03－11	挂牌
230	832105	宇宏新科	2015－03－11	挂牌
231	832120	永辉股份	2015－03－12	挂牌
232	832124	东南股份	2015－03－13	挂牌

233	832153	新邦股份	2015－03－16	挂牌
234	832061	贵材铝业	2015－03－17	挂牌
235	832132	民正农牧	2015－03－18	挂牌
236	832136	蓝天园林	2015－03－24	挂牌
237	832189	科瑞达	2015－03－30	挂牌
238	832187	运控电子	2015－03－31	挂牌
239	832254	万安环境	2015－04－07	挂牌
240	832200	宝威纺织	2015－04－07	挂牌
241	832216	善营股份	2015－04－08	挂牌
242	832251	众深股份	2015－04－13	挂牌
243	832228	广信担保	2015－04－13	挂牌
244	832238	康泰股份	2015－04－15	挂牌
245	832208	尔格科技	2015－04－16	挂牌
246	832319	华仁物业	2015－04－16	挂牌
247	832300	宏源车轮	2015－04－16	挂牌
248	832276	翔宇药业	2015－04－17	挂牌
249	832326	华清安泰	2015－04－17	挂牌
250	832305	东利机械	2015－04－17	挂牌
251	832315	君和环保	2015－04－17	挂牌
252	832183	郑州远见	2015－04－20	挂牌
253	832301	三信科技	2015－04－20	挂牌
254	832259	鸿发有色	2015－04－20	挂牌
255	832288	三人行	2015－04－21	挂牌
256	832309	凯翔科技	2015－04－21	挂牌
257	832364	兴宇包装	2015－04－23	挂牌
258	832391	润达光伏	2015－05－05	挂牌
259	832409	希雅图	2015－05－05	挂牌
260	832402	辉文生物	2015－05－06	挂牌
261	832389	睿思凯	2015－05－06	挂牌
262	832403	德尔智能	2015－05－08	挂牌
263	832476	柯立沃特	2015－05－18	挂牌
264	832496	首创博桑	2015－05－18	挂牌
265	832471	美邦科技	2015－05－18	挂牌
266	832480	商会网络	2015－05－19	挂牌
267	832507	晶宇环境	2015－05－22	挂牌
268	832421	恐龙谷	2015－05－22	挂牌
269	832509	华光胶囊	2015－05－22	挂牌
270	832515	易瑞来	2015－05－27	挂牌
271	832503	华鼎科技	2015－05－28	挂牌
272	832613	资博股份	2015－06－10	挂牌
273	832599	皓业彩瓷	2015－06－11	挂牌
274	832602	泰通科技	2015－06－18	挂牌
275	832647	北国传媒	2015－06－18	挂牌
276	832691	路博石英	2015－07－01	挂牌
277	832694	维冠机电	2015－07－01	挂牌

278	832703	佳德联益	2015－07－02	挂牌
279	832635	中捷四方	2015－07－02	挂牌
280	832693	东鼎股份	2015－07－02	挂牌
281	832683	湖北祥锦	2015－07－08	挂牌
282	832798	吉星吉达	2015－07－10	挂牌
283	832811	思明堂	2015－07－10	挂牌
284	832763	中天科盛	2015－07－10	挂牌
285	832721	思达新能	2015－07－10	挂牌
286	832753	杰易森	2015－07－14	挂牌
287	832968	东软股份	2015－07－24	挂牌
288	833072	大江传媒	2015－07－24	挂牌
289	832891	广陆科技	2015－07－24	挂牌
290	832861	奇致激光	2015－07－24	挂牌
291	833084	赛奇股份	2015－07－27	挂牌
292	833067	中德宏泰	2015－07－29	挂牌
293	833079	金桥水科	2015－07－29	挂牌
294	833070	三耐环保	2015－07－29	挂牌
295	833153	剧星传媒	2015－07－29	挂牌
296	833146	双喜电器	2015－07－29	挂牌
297	833033	誉德股份	2015－07－30	挂牌
298	833006	银联通莞	2015－07－30	挂牌
299	832960	望变电气	2015－07－30	挂牌
300	833137	通宝光电	2015－07－30	挂牌
301	832996	民生科技	2015－07－30	挂牌
302	832977	伊斯曼	2015－07－30	挂牌
303	833107	鸣利来	2015－07－31	挂牌
304	832957	矽瑞股份	2015－07－31	挂牌
305	833159	力好科技	2015－07－31	挂牌
306	833049	绿洲园林	2015－08－05	挂牌
307	833145	天智科技	2015－08－07	挂牌
308	833219	软汇科技	2015－08－10	挂牌
309	833243	龙辰科技	2015－08－10	挂牌
310	833221	艾为电子	2015－08－10	挂牌
311	833201	仁盈科技	2015－08－10	挂牌
312	833226	达美程	2015－08－11	挂牌
313	833166	华证联	2015－08－11	挂牌
314	833162	港力环保	2015－08－11	挂牌
315	833312	行动者	2015－08－13	挂牌
316	833112	海宏电力	2015－08－13	挂牌
317	833113	珍吾堂	2015－08－13	挂牌
318	833284	灵鸽科技	2015－08－17	挂牌
319	833343	东文高压	2015－08－17	挂牌
320	833200	宏业农装	2015－08－17	挂牌
321	833244	骏环昇旺	2015－08－17	挂牌
322	833190	华生科技	2015－08－17	挂牌

323	833252	帜讯信息	2015-08-18	挂牌
324	833234	美创医疗	2015-08-18	挂牌
325	833313	方胜有成	2015-08-18	挂牌
326	833247	军一物联	2015-08-18	挂牌
327	833230	欧康医药	2015-08-18	挂牌
328	833088	泰金精锻	2015-08-18	挂牌
329	833346	威贸电子	2015-08-19	挂牌
330	833297	德宏种业	2015-08-19	挂牌
331	833248	中景橙石	2015-08-19	挂牌
332	833192	佑康股份	2015-08-20	挂牌
333	833285	环球矿产	2015-08-20	挂牌
334	833362	海通发展	2015-08-20	挂牌
335	833278	北旺农牧	2015-08-20	挂牌
336	833191	博世德	2015-08-21	挂牌
337	833061	美轲股份	2015-08-24	挂牌
338	833214	汇乐环保	2015-08-25	挂牌
339	833270	沃福百瑞	2015-08-25	挂牌
340	833176	桂林五洲	2015-08-26	挂牌
341	833440	新鸿运	2015-09-01	挂牌
342	833409	泉源堂	2015-09-09	挂牌
343	833522	喜丰节水	2015-09-09	挂牌
344	833450	奥立思特	2015-09-10	挂牌
345	833413	宾肯股份	2015-09-11	挂牌
346	833485	硕达科技	2015-09-11	挂牌
347	833532	福慧达	2015-09-21	挂牌
348	833519	泉欣新材	2015-09-22	挂牌
349	833555	华南信息	2015-09-23	挂牌
350	833502	联创永宣	2015-09-23	挂牌
351	833457	云朵网络	2015-09-24	挂牌
352	833686	顺昊生物	2015-09-28	挂牌
353	833758	瑞雪海洋	2015-10-09	挂牌
目前已推荐挂牌公司家数		353		
撤回材料及申请被否公司家数		0		
正在挂牌公司家数		349		
已上市公司家数		4		
已被终止挂牌公司家数		0		
推荐定向发行情况				
序号	股份代码	公司名称	发行日期	公司状态
1	430002	中科软	2007-1-15	发行成功
2	430015	盖特佳	2007-12-21	发行成功
3	430011	指南针	2008-1-9	发行成功
4	430010	现代农装	2008-3-28	发行成功
5	430018	合纵科技	2008-4-16	发行成功
6	430001	世纪瑞尔	2010-1-12	发行成功
7	430037	联飞翔	2010-3-18	发行成功

8	430065	中海阳	2010－7－22	发行成功
9	430020	建工华创	2011－1－10	发行成功
10	430037	联飞翔	2011－1－10	发行成功
11	430065	中海阳	2011－3－9	发行成功
12	430010	现代农装	2011－8－30	发行成功
13	430075	中讯四方	2011－11－2	发行成功
14	430028	京鹏科技	2012－6－8	发行成功
15	430002	中科软	2012－6－13	发行成功
16	430083	中科联众	2012－10－23	发行成功
17	430095	航星股份	2012－12－19	发行成功
18	430085	新锐英诚	2013－3－14	发行成功
19	430147	中矿龙科	2013－7－17	发行成功
20	430263	蓝天环保	2013－7－17	发行成功
21	430120	金润科技	2013－8－6	发行成功
22	430037	联飞翔	2013－9－6	发行成功
23	430098	大津股份	2013－9－9	发行成功
24	430202	星河科技	2013－9－11	发行成功
25	430065	中海阳	2013－10－24	发行成功
26	430075	中讯四方	2013－10－29	发行成功
27	430254	中卉生态	2013－12－19	发行成功
28	430461	视威科技	2014－1－22	发行成功
29	430010	现代农装	2014－1－23	发行成功
30	430648	群雁信息	2014－1－28	发行成功
31	430185	普瑞物联	2014－3－11	发行成功
32	430691	麦稻之星	2014－3－31	发行成功
33	430714	奇才股份	2014－4－23	发行成功
34	430284	科胜石油	2014－5－27	发行成功
35	430260	布雷尔利	2014－6－17	发行成功
36	430593	华尔美特	2014－6－27	发行成功
37	430344	鼎晖科技	2014－6－27	发行成功
38	830843	沃迪装备	2014－7－2	发行成功
39	430085	新锐英诚	2014－8－4	发行成功
40	430075	中讯四方	2014－8－4	发行成功
41	430356	雷腾软件	2014－8－5	发行成功
42	430015	盖特佳	2014－8－8	发行成功
43	430253	兴竹信息	2014－8－13	发行成功
44	430020	建工华创	2014－8－26	发行成功
45	430092	易生创新	2014－9－15	发行成功
46	430331	中环系统	2014－10－8	发行成功
47	430596	新达通	2014－10－20	发行成功
48	430135	三益能环	2014－10－24	发行成功
49	430416	地林伟业	2014－10－28	发行成功
50	430260	布雷尔利	2014－10－28	发行成功
51	430260	布雷尔利	2014－10－28	发行成功
52	430266	联动设计	2014－10－30	发行成功

53	831235	点米科技	2014－10－31	发行成功
54	831235	谋士人才	2014－10－31	发行成功
55	831376	金洪股份	2014－11－14	发行成功
56	430065	中海阳	2014－11－14	发行成功
57	430518	嘉达早教	2014－11－17	发行成功
58	430225	伊禾农品	2014－11－18	发行成功
59	430540	五龙制动	2014－11－18	发行成功
60	831145	阿路美格	2014－11－28	发行成功
61	831511	水治理	2014－12－16	发行成功
62	430644	紫贝龙	2014－12－19	发行成功
63	430721	瑞杰塑料	2014－12－19	发行成功
64	430075	中讯四方	2014－12－25	发行成功
65	430714	奇才股份	2014－12－25	发行成功
66	831119	蓝钻生物	2015－1－20	发行成功
67	430334	科洋科技	2015－1－20	发行成功
68	831700	华信精工	2015－1－20	发行成功
69	430540	五龙制动	2015－1－23	发行成功
70	430761	升禾环保	2015－2－4	发行成功
71	430539	扬子地板	2015－2－6	发行成功
72	831096	物润船联	2015－2－9	发行成功
73	831353	海盐力源	2015－2－9	发行成功
74	831230	双申医疗	2015－2－9	发行成功
75	831370	新安洁	2015－2－11	发行成功
76	831083	东润环能	2015－2－26	发行成功
77	431505	麟龙股份	2015－3－3	发行成功
78	430435	数聚软件	2015－3－4	发行成功
79	430092	金刚游戏	2015－3－4	发行成功
80	430163	三众能源	2015－3－10	发行成功
81	831177	深冷能源	2015－3－11	发行成功
82	430259	华宿电气	2015－3－13	发行成功
83	430075	中讯四方	2015－3－17	发行成功
84	430260	布雷尔利	2015－3－20	发行成功
85	430226	奥凯立	2015－3－24	发行成功
86	832251	众深股份	2015－3－30	发行成功
87	831340	金童股份	2015－4－3	发行成功
88	831284	迈科智能	2015－4－15	发行成功
89	430253	兴竹信息	2015－4－20	发行成功
90	430518	嘉达早教	2015－4－21	发行成功
91	430263	蓝天环保	2015－4－22	发行成功
92	831320	路骋国旅	2015－4－22	发行成功
93	831767	知音文化	2015－5－11	发行成功
94	832471	美邦科技	2015－5－15	发行成功
95	831055	三优光电	2015－5－19	发行成功
96	430135	三益能环	2015－5－22	发行成功
97	430356	雷腾软件	2015－5－25	发行成功

98	832136	蓝天园林	2015－5－27	发行成功
99	832132	民正农牧	2015－5－27	发行成功
100	430596	新达通	2015－5－29	发行成功
101	831159	安达物流	2015－6－1	发行成功
102	831353	海盐力源	2015－6－1	发行成功
103	831866	蔚林股份	2015－6－4	发行成功
104	831883	嘉翼精机	2015－6－8	发行成功
105	831235	谋士人才	2015－6－9	发行成功
106	831370	新安洁	2015－6－9	发行成功
107	830990	鹏盾石油	2015－6－9	发行成功
108	831235	点米科技	2015－6－9	发行成功
109	430259	华宿电气	2015－6－11	发行成功
110	831678	利德浆料	2015－6－18	发行成功
111	831089	金东唐	2015－6－26	发行成功
112	831256	新疆银丰	2015－6－29	发行成功
113	831162	天河股份	2015－6－29	发行成功
114	430260	布雷尔利	2015－6－30	发行成功
115	831177	深冷能源	2015－7－1	发行成功
116	430037	联飞翔	2015－7－2	发行成功
117	831710	昊方机电	2015－7－2	发行成功
118	832047	联洋新材	2015－7－2	发行成功
119	430644	紫贝龙	2015－7－3	发行成功
120	832048	三艾广告	2015－7－3	发行成功
121	831666	亿丰洁净	2015－7－3	发行成功
122	831353	海盐力源	2015－7－3	发行成功
123	831243	晓鸣农牧	2015－7－6	发行成功
124	830853	天加新材	2015－7－6	发行成功
125	830780	永鹏科技	2015－7－6	发行成功
126	430593	华尔美特	2015－7－7	发行成功
127	831620	宝信平台	2015－7－9	发行成功
128	430085	新锐英诚	2015－7－9	发行成功
129	831021	华雁信息	2015－7－9	发行成功
130	831112	哥伦布	2015－7－9	发行成功
131	831402	帝联科技	2015－7－9	发行成功
132	830988	兴和股份	2015－7－12	发行成功
133	830918	银发环保	2015－7－13	发行成功
134	430269	新网程	2015－7－16	发行成功
135	832960	望变电气	2015－7－17	发行成功
136	831900	海航华日	2015－7－17	发行成功
137	831275	睿力物流	2015－7－21	发行成功
138	831376	金洪股份	2015－7－21	发行成功
139	831284	迈科智能	2015－7－21	发行成功
140	832132	民正农牧	2015－7－24	发行成功
141	430284	科胜石油	2015－7－24	发行成功
142	831034	红光股份	2015－7－27	发行成功

143	430663	大陆机电	2015－7－30	发行成功
144	430163	三众能源	2015－7－30	发行成功
145	831402	帝联科技	2015－7－31	发行成功
146	833191	博世德	2015－7－31	发行成功
147	831162	天河股份	2015－7－31	发行成功
148	831754	康能生物	2015－8－3	发行成功
149	831479	湘联股份	2015－8－3	发行成功
150	831651	保通食品	2015－8－5	发行成功
151	831235	点米科技	2015－8－6	发行成功
152	832288	三人行	2015－8－6	发行成功
153	430150	创和通讯	2015－8－7	发行成功
154	430356	雷腾软件	2015－8－7	发行成功
155	831196	恒扬科技	2015－8－10	发行成功
156	830988	兴和股份	2015－8－10	发行成功
157	430363	上海上电	2015－8－12	发行成功
158	831320	路骋国旅	2015－8－12	发行成功
159	831029	银丰棉花	2015－8－13	发行成功
160	830990	鹏盾石油	2015－8－17	发行成功
161	831230	双申医疗	2015－8－19	发行成功
162	430668	笃诚科技	2015－8－19	发行成功
163	832208	尔格科技	2015－8－19	发行成功
164	833362	海通发展	2015－8－19	发行成功
165	831055	三优光电	2015－8－20	发行成功
166	430746	七星科技	2015－8－25	发行成功
167	430416	地林伟业	2015－8－25	发行成功
168	831511	水治理	2015－8－26	发行成功
169	833409	泉源堂	2015－8－26	发行成功
170	831152	昆工恒达	2015－8－26	发行成功
171	830994	金友电缆	2015－8－28	发行成功
172	832305	东利机械	2015－9－1	发行成功
173	832300	宏源车轮	2015－9－7	发行成功
174	830918	银发环保	2015－9－8	发行成功
175	830934	玻尔科技	2015－9－9	发行成功
176	430596	新达通	2015－9－9	发行成功
177	831712	创泽信息	2015－9－9	发行成功
178	831284	迈科智能	2015－9－10	发行成功
179	833413	宾肯股份	2015－9－10	发行成功
180	831353	海盐力源	2015－9－11	发行成功
181	832124	东南股份	2015－9－14	发行成功
182	430258	易同科技	2015－9－14	发行成功
183	832402	辉文生物	2015－9－14	发行成功
184	430515	麟龙股份	2015－9－16	发行成功
185	430538	中大科技	2015－9－16	发行成功
186	831083	东润环能	2015－9－17	发行成功
187	430493	新成新材	2015－9－17	发行成功

推荐定向发行次数		187
推荐定向发行成功次数		187
推荐定向发行失败次数		0
推荐原代办股份转让系统的两网公司及退市公司挂牌情况		
序号	股份代码	公司名称
推荐原代办股份转让系统的两网公司及退市公司家数：		0

三、部门设置

经纪业务				
人员	姓名	固定电话	传真	Email
经纪业务联络人	唐广荣	021－33389664		tanggr@ swhysc. com
经纪业务联络人	孔志华	021－33389653		kongzhh@ swhysc. com
推荐业务				
人员	姓名	固定电话	传真	Email
推荐业务联络人	蒋曙云	021－33389858	021－54043534	jiangshy@ swhysc. com
推荐业务联络人	徐业伟	021－33389860	021－54043534	xuyw@ swhysc. com

国泰君安证券股份有限公司

一、公司简介及概况

公司简介	公司名称	国泰君安证券股份有限公司				
	成立日期	1999－8－18	法定代表人	杨德红	总经理	王松
	注册资本（万元）	762,500	净资产*（万元）	3,698,768	净资本*（万元）	2,882,198
	注册地址	上海自由贸易试验区商城路618号			营业部家数	273
	办公地址	上海浦东新区银城中路168号29楼			邮编	200120
	公司网址	www. gtja. com	电子邮箱	office@ gtjas. com	经营证券业务许可证编码	Z29131000
	注：*经审计的最近年度净资产和净资本					
	证监会批准从事的证券业务			证券经纪、证券承销与保荐、融资融券业务、证券自营、证券投资咨询、与证券交易、证券投资活动有关的财务顾问、为期货公司提供中间介绍业务、证券投资基金代销、代销金融产品业务、中国证监会批准的其他业务。		
	在全国股份转让系统从事的业务种类			经纪业务，推荐业务，做市业务		
公司概况	国泰君安证券股份有限公司是国内最大证券公司之一。1999年8月18日，原国泰证券有限公司和原君安证券有限责任公司，通过新设合并、增资扩股组建成立国泰君安证券，目前注册资本61亿元。自成立之日起，国泰君安秉持以客户为中心的服务理念，扎根于国内资本市场，是国内规模最大、经营范围最广、机构分布最广、服务客户最多的证券公司之一，旗下设国泰君安金融控股有限公司（注册地香港）、国泰君安期货有限公司、上海国泰君安证券资产管理有限公司、国泰君安创新投资有限公司、国联安基金管理有限公司、上海国翔置业有限公司6家子公司，在全国30个省、市、自治区设有30家分公司、196个证券营业部。 国泰君安于2001年首批获得由中国证监会和中国证券业协会认定的代办股份转让业务资格，并于2013年3月首批取得全国中小企业股份转让系统有限公司授予的经纪业务和挂牌业务资格。 国泰君安已成功推荐北京时代（430003）、鼎普科技（430036）、中海纪元（430059）等二十六家企业挂牌股份报价转让系统，有着丰富的项目经验。国泰君安是代办股份转让系统上首家帮助企业成功完成定向增资的券商，也是唯一帮助企业完成三次增资的券商。					

二、业务动态

推荐挂牌情况				
序号	股份代码	公司名称	挂牌日期	公司状态
1	430003	北京时代	2006－03－31	挂牌
2	430036	鼎普科技	2008－10－28	挂牌
3	430059	中海纪元	2009－08－18	挂牌
4	430107	朗铭科技	2012－03－09	挂牌
5	430125	都市鼎点	2012－06－08	挂牌
6	430132	国铁科林	2012－07－18	挂牌
7	430175	科新生物	2012－12－26	挂牌
8	430197	ST 津伦	2012－12－26	挂牌
9	430297	金硕信息	2013－08－08	挂牌
10	430296	平安力合	2013－08－08	挂牌
11	430338	银音科技	2013－11－08	挂牌
12	430350	万德智新	2013－11－15	挂牌
13	430359	同济医药	2013－12－20	挂牌
14	430595	唐人通服	2014－01－24	挂牌
15	430635	展唐科技	2014－02－19	挂牌
16	430711	泓源光电	2014－04－24	挂牌
17	430722	鸿图建筑	2014－05－06	挂牌
18	430755	华曦达	2014－05－30	挂牌
19	830784	威尔凯	2014－06－10	挂牌
20	830871	天元晟业	2014－07－17	挂牌
21	830923	上元堂	2014－07－31	挂牌
22	830964	润农节水	2014－08－08	挂牌
23	831132	临风股份	2014－09－01	挂牌
24	831148	长宏科技	2014－09－19	挂牌
25	831191	彩通科技	2014－10－09	挂牌
26	831193	新健康成	2014－10－13	挂牌
27	831286	竹林伟业	2014－11－05	挂牌
28	831271	燎原药业	2014－11－06	挂牌
29	831301	零动数码	2014－11－11	挂牌
30	831415	城兴股份	2014－12－04	挂牌
31	831395	智通建设	2014－12－04	挂牌
32	831430	天易股份	2014－12－08	挂牌
33	831408	大美游轮	2014－12－09	挂牌
34	831446	亨利技术	2014－12－09	挂牌
35	831489	天衡股份	2014－12－11	挂牌
36	831534	艾倍科	2014－12－18	挂牌
37	831504	中晟光电	2014－12－31	挂牌
38	831661	金马科技	2015－01－12	挂牌
39	831815	山源科技	2015－01－20	挂牌
40	831804	绿宝石	2015－01－20	挂牌
41	831810	本益科技	2015－01－22	挂牌
42	831739	艾斯克	2015－01－26	挂牌
43	831725	凌志股份	2015－01－27	挂牌

44	831662	搜才人力	2015－01－28	挂牌
45	831871	万隆精铸	2015－01－28	挂牌
46	831838	福康药业	2015－02－03	挂牌
47	831659	远东钨业	2015－02－03	挂牌
48	831930	和君商学	2015－02－05	挂牌
49	831991	莱比德	2015－02－13	挂牌
50	832112	网智天元	2015－03－10	挂牌
51	832059	欧密格	2015－03－11	挂牌
52	832127	谊熙加	2015－03－13	挂牌
53	832184	陆特能源	2015－03－30	挂牌
54	832175	东方碳素	2015－04－02	挂牌
55	832220	海德尔	2015－04－03	挂牌
56	832371	国环莱茵	2015－04－22	挂牌
57	832422	福昕软件	2015－05－12	挂牌
58	832427	天羚绒业	2015－05－12	挂牌
59	832439	马可正嘉	2015－05－14	挂牌
60	832434	三星股份	2015－05－19	挂牌
61	832494	首航直升	2015－05－22	挂牌
62	832531	元丰科技	2015－05－28	挂牌
63	832522	纳科诺尔	2015－05－28	挂牌
64	832611	凯迪网络	2015－06－11	挂牌
65	832502	圆融科技	2015－06－16	挂牌
66	832696	铂宝集团	2015－07－01	挂牌
67	832704	安美科	2015－07－06	挂牌
68	832729	图南股份	2015－07－10	挂牌
69	832740	芝星炭业	2015－07－13	挂牌
70	832742	博聪股份	2015－07－13	挂牌
71	832757	景安网络	2015－07－16	挂牌
72	832979	弘天生物	2015－07－23	挂牌
73	832956	光阳游乐	2015－07－23	挂牌
74	832878	宝利祥	2015－07－27	挂牌
75	832994	慈惠健康	2015－07－28	挂牌
76	832980	怡林实业	2015－07－29	挂牌
77	832910	伊赛牛肉	2015－07－29	挂牌
78	833101	禾元生物	2015－07－29	挂牌
79	833174	沃德传动	2015－08－05	挂牌
80	833242	领航传媒	2015－08－10	挂牌
81	833365	民基生态	2015－08－31	挂牌
82	833460	博得世纪	2015－09－10	挂牌
83	833432	国瑞环保	2015－09－10	挂牌
84	833452	星辰热能	2015－09－11	挂牌
85	833445	海王星	2015－09－14	挂牌
86	833525	利驰租赁	2015－09－22	挂牌
87	833582	华特信息	2015－09－25	挂牌
88	833605	龙视星	2015－09－25	挂牌
89	833592	丰汇银佳	2015－09－25	挂牌

90	833648	得轩堂	2015－09－29	挂牌
91	833528	宁波中药	2015－09－30	挂牌
92	833576	金尚互联	2015－09－30	挂牌
93	833670	易康盛世	2015－09－30	挂牌
94	833667	长联科技	2015－10－12	挂牌
95	833723	三江并流	2015－10－13	挂牌
96	833770	宏伟供应	2015－10－15	挂牌
97	833733	贡嘎雪	2015－10－20	挂牌
98	833928	火谷网络	2015－10－21	挂牌
99	833821	浦江股份	2015－10－22	挂牌
100	833798	金福泰	2015－10－26	挂牌
101	833909	三维天下	2015－10－26	挂牌
102	833890	华富食品	2015－10－27	挂牌
103	833609	乐通通信	2015－10－28	挂牌
104	833939	御康医疗	2015－10－30	挂牌
105	833769	中泰环保	2015－11－02	挂牌
106	833879	中环海陆	2015－11－03	挂牌
107	834338	恒大淘宝	2015－11－06	挂牌
108	834110	灵信视觉	2015－11－09	挂牌
109	834143	三人咨询	2015－11－10	挂牌
110	834146	时代电影	2015－11－13	挂牌
111	834333	国是经纬	2015－11－16	挂牌
112	834120	朵云清	2015－11－18	挂牌
113	834073	隆和节能	2015－11－18	挂牌
114	834201	柳鑫股份	2015－11－19	挂牌
115	834072	德隆股份	2015－11－20	挂牌
116	834417	环宇橡塑	2015－11－23	挂牌
117	834065	合凯电气	2015－11－24	挂牌
118	834204	日联科技	2015－11－24	挂牌
119	834494	维拓环境	2015－11－25	挂牌
120	834163	蓝狮子	2015－11－26	挂牌
121	834200	天子股份	2015－11－27	挂牌
122	834516	智恒医药	2015－11－30	挂牌
123	834178	金田铜业	2015－12－01	挂牌
124	834614	百合传媒	2015－12－03	挂牌
125	834847	睿安特	2015－12－07	挂牌
126	834439	华腾科技	2015－12－07	挂牌
127	834657	名传股份	2015－12－08	挂牌
128	834784	中祥和	2015－12－08	挂牌
129	834472	盛世园林	2015－12－08	挂牌
130	834705	联力股份	2015－12－09	挂牌
131	834921	善好生物	2015－12－10	挂牌
132	834706	士诺健康	2015－12－11	挂牌
133	834109	德御坊	2015－12－14	挂牌
134	834777	中投保	2015－12－15	挂牌
135	834939	盈放科技	2015－12－15	挂牌

136	834857	清水爱派	2015－12－15	挂牌
137	834807	鸿翼股份	2015－12－15	挂牌
138	834745	康德药业	2015－12－15	挂牌
139	834741	三棱股份	2015－12－15	挂牌
140	834656	勃达微波	2015－12－15	挂牌
141	835023	融兴担保	2015－12－16	挂牌
142	834749	日普升	2015－12－16	挂牌
143	834933	正弦电气	2015－12－17	挂牌
144	834953	金朋健康	2015－12－17	挂牌
145	834743	迈新科技	2015－12－17	挂牌
146	834443	华路时代	2015－12－27	挂牌
目前已推荐挂牌公司家数		146		
撤回材料及申请被否公司家数		0		
正在挂牌公司家数		146		
已上市公司家数		0		
已被终止挂牌公司家数		0		
推荐定向发行情况				
序号	股份代码	公司名称	发行日期	公司状态
1	430003	北京时代	2006－12－29	发行成功
2	430003	北京时代	2009－2－2	发行成功
3	430003	北京时代	2010－12－31	发行成功
4	430036	鼎普科技	2012－2－27	发行成功
5	430059	中海纪元	2012－3－2	发行成功
6	430132	国铁科林	2013－8－26	发行成功
7	430107	朗铭海川	2014－2－24	发行成功
8	430175	科新生物	2014－4－21	发行成功
9	430350	万德智新	2014－9－4	发行成功
10	830923	上元堂	2014－10－28	发行成功
11	830964	润农节水	2014－12－22	发行成功
12	830964	润农节水	2015－2－27	发行成功
13	430175	科新生物	2015－3－6	发行成功
14	430711	泓源光电	2015－3－19	发行成功
15	831271	燎原药业	2015－4－10	发行成功
16	832422	福昕软件	2015－5－1	发行成功
17	430296	平安力合	2015－5－3	发行成功
18	831395	智通建设	2015－5－14	发行成功
19	830923	上元堂	2015－5－25	发行成功
20	831286	竹林伟业	2015－5－27	发行成功
21	430338	银音科技	2015－6－1	发行成功
22	831930	和君商学	2015－6－2	发行成功
23	832502	圆融科技	2015－6－15	发行成功
24	830881	圣泉集团	2015－6－23	发行成功
25	831132	临风股份	2015－6－30	发行成功
26	430595	唐人通服	2015－6－30	发行成功
27	831489	天衡股份	2015－7－1	发行成功

28	831193	新健康成	2015－7－3	发行成功
29	832112	网智天元	2015－7－3	发行成功
30	832184	陆特能源	2015－7－3	发行成功
31	832740	芝星炭业	2015－7－10	发行成功
32	831504	中晟光电	2015－8－4	发行成功
33	832220	海德尔	2015－8－5	发行成功
34	831430	天易股份	2015－8－6	发行成功
35	831193	新健康成	2015－8－7	发行成功
36	430175	科新生物	2015－8－7	发行成功
37	430175	科新生物	2015－8－7	发行成功
38	831810	本益科技	2015－8－20	发行成功
39	831415	城兴股份	2015－8－21	发行成功
40	430107	朗铭科技	2015－8－24	发行成功
41	831489	天衡股份	2015－8－24	发行成功
42	830923	上元堂	2015－8－25	发行成功
43	830923	上元堂	2015－9－29	发行成功
44	830784	威尔凯	2015－9－29	发行成功
45	430350	万德智新	2015－10－16	发行成功
46	832175	东方碳素	2015－10－16	发行成功
47	831504	中晟光电	2015－10－27	发行成功
48	832979	弘天生物	2015－10－29	发行成功
49	831446	亨利技术	2015－11－2	发行成功
50	832729	图南股份	2015－11－4	发行成功
51	430755	华曦达	2015－11－4	发行成功
52	832611	凯迪网络	2015－11－4	发行成功
53	832127	谊熙加	2015－11－6	发行成功
54	831838	福康药业	2015－11－13	发行成功
55	430197	ST 津伦	2015－11－19	发行成功
56	832439	马可正嘉	2015－11－23	发行成功
57	833174	沃德传动	2015－11－23	发行成功
推荐定向发行次数		57		
推荐定向发行成功次数		57		
推荐定向发行失败次数		0		

推荐原代办股份转让系统的两网公司及退市公司挂牌情况		
序号	股份代码	公司名称
1	400007	海南华凯实业股份有限公司
2	400010	北京鹫峰科技开发股份有限公司
3	400013	山东港岳航电集团股份有限公司
4	400027	湖北江湖生态农业股份有限公司
5	400033	长春高斯达生物科技集团股份有限公司
6	400038	武汉华信高新技术股份有限公司股份
7	400042	浙江信联股份有限公司
8	400052	中油龙昌股份有限公司
推荐原代办股份转让系统的两网公司及退市公司家数：		8

三、部门设置

经纪业务				
人员	姓名	固定电话	传真	Email
经纪业务联络人	巴宇芳	021－38676563	021－38676666	bayf1@ gtjas. com
推荐业务				
人员	姓名	固定电话	传真	Email
推荐业务联络人	赵娜	010－59312951	010－59312813	zhaona011685@ gtjas. com
推荐业务联络人	刘丹妮	010－59312995	010－59312813	liudanni012472@ gtjas. com

国信证券股份有限公司

一、公司简介及概况

公司简介	公司名称	国信证券股份有限公司				
	成立日期	1994－6－30	法定代表人	何　如	总经理	陈鸿桥
	注册资本（万元）	820,000	净资产＊（万元）	3,278,321	净资本＊（万元）	2,235,700
	注册地址	深圳市罗湖区红岭中路1012号国信证券大厦16－26层			营业部家数	134
	办公地址	深圳市罗湖区红岭中路1012号国信证券大厦16－26层			邮编	518001
	公司网址	www. guosen. com. cn	电子邮箱	jjglmail@ guosen. com. cn	经营证券业务许可证编号	Z27074000
	注：＊经审计的最近年度净资产和净资本					
	证监会批准从事的证券业务			证券经纪；证券投资咨询；与证券交易、证券投资活动有关的财务顾问；证券承销与保荐；证券自营；证券资产管理；融资融券；证券投资基金代销；为期货公司提供中间介绍业务；金融产品代销。证券投资基金托管；股票期权做市。		
	在全国股份转让系统从事的业务种类			经纪业务，推荐业务，做市业务		
公司概况	国信证券股份有限公司（简称“国信证券”）源起于中国证券市场最早的三家营业部之一深圳国投证券业务部，1994年成立公司。国信证券是全国性大型综合类证券公司，注册资本70亿元，总部设在深圳，目前在全国57个城市设有36家分公司、134家营业网点，同时拥有三家的全资子公司：国信期货有限责任公司、国信弘盛公司、国信香港公司，并参股鹏华基金管理有限公司、前海股权交易中心、厦门两岸股权交易中心、青岛蓝海股权交易中心。公司拥有齐全的证券业务牌照，业务体系覆盖场内、场外市场，可为广大投资者和客户提供综合金融服务。					

二、业务动态

推荐挂牌情况				
序号	股份代码	公司名称	挂牌日期	公司状态
1	430008	紫光华宇	2006－08－30	已上市
2	430012	博晖创新	2007－02－16	已上市
3	430022	五岳鑫	2007－10－18	挂牌
4	430035	中兴通	2008－10－28	挂牌
5	430041	中机非晶	2008－12－25	挂牌
6	430043	世纪东方	2009－01－19	已被终止挂牌
7	430051	九恒星	2009－02－18	挂牌
8	430063	工控网	2010－02－08	挂牌
9	430074	德鑫物联	2010－10－08	挂牌
10	430078	君德同创	2011－01－18	挂牌
11	430105	合力思腾	2012－02－03	挂牌

12	430146	亚泰都会	2012－09－21	挂牌
13	430206	尚远环保	2012－12－28	挂牌
14	430200	时代地智	2012－12－31	挂牌
15	430229	绿岸股份	2013－07－05	挂牌
16	430287	环宇畜牧	2013－08－07	挂牌
17	430289	华索科技	2013－08－08	挂牌
18	430306	永铭医学	2013－08－09	挂牌
19	430317	日升天信	2013－10－15	挂牌
20	430349	安威士	2013－11－13	挂牌
21	430348	瑞斯福	2013－11－15	挂牌
22	430455	德联科技	2014－01－24	挂牌
23	430453	恒锐科技	2014－01－24	挂牌
24	430454	百大能源	2014－01－24	挂牌
25	430457	三网科技	2014－01－24	挂牌
26	430476	海能仪器	2014－01－24	挂牌
27	430466	新疆华油	2014－01－24	挂牌
28	430472	安泰得	2014－01－24	挂牌
29	430458	陆海科技	2014－01－24	挂牌
30	430487	佳信捷	2014－01－24	挂牌
31	430488	东创科技	2014－01－24	挂牌
32	430491	蓝斯股份	2014－01－24	挂牌
33	430581	八亿时空	2014－01－24	挂牌
34	430473	网动股份	2014－01－24	挂牌
35	430471	豪威尔	2014－01－24	挂牌
36	430467	深圳行健	2014－01－24	挂牌
37	430464	方迪科技	2014－01－24	挂牌
38	430603	回水科技	2014－01－24	挂牌
39	430456	和氏股份	2014－01－24	挂牌
40	430656	财安金融	2014－02－17	挂牌
41	430759	凯路仕	2014－05－30	挂牌
42	430751	赛格微	2014－05－30	挂牌
43	830791	佳晓股份	2014－06－10	挂牌
44	830770	牛商股份	2014－06－10	挂牌
45	830851	骏华农牧	2014－07－08	挂牌
46	830841	长牛股份	2014－07－08	挂牌
47	830845	芯邦科技	2014－07－14	挂牌
48	830840	永力科技	2014－07－15	挂牌
49	830978	先临三维	2014－08－08	挂牌
50	830909	同成股份	2014－08－08	挂牌
51	830917	网波股份	2014－08－12	挂牌
52	831003	金大股份	2014－08－19	挂牌
53	831100	玉宇环保	2014－08－19	挂牌
54	831277	钢钢网	2014－11－04	挂牌
55	831282	欧亚股份	2014－11－05	挂牌
56	831330	普适导航	2014－11－10	挂牌
57	831315	安畅网络	2014－11－11	挂牌

58	831373	电科电源	2014－11－21	挂牌
59	831448	贝欧特	2014－12－09	挂牌
60	831499	立元通信	2014－12－09	挂牌
61	831459	伟诚科技	2014－12－09	挂牌
62	831530	才府玻璃	2014－12－18	挂牌
63	831560	盈建科	2014－12－25	挂牌
64	831596	高欣耐磨	2014－12－31	挂牌
65	831637	银朵兰	2014－12－31	挂牌
66	831645	三星新材	2015－01－07	挂牌
67	831547	唯益股份	2015－01－08	挂牌
68	831616	博达软件	2015－01－09	挂牌
69	831723	恒晟农贷	2015－01－12	挂牌
70	831636	三叶新材	2015－01－19	挂牌
71	831751	虎符通信	2015－01－22	挂牌
72	831860	驰翔精密	2015－01－26	挂牌
73	832028	汇元科技	2015－02－12	挂牌
74	832070	磁谷科技	2015－02－13	挂牌
75	831994	中冀联合	2015－02－16	挂牌
76	832102	宏田股份	2015－03－09	挂牌
77	832033	九通衢	2015－03－10	挂牌
78	832115	喜宝动力	2015－03－10	挂牌
79	832024	时代华影	2015－03－10	挂牌
80	832106	中设正泰	2015－03－11	挂牌
81	832142	新为科技	2015－03－12	挂牌
82	832219	建装业	2015－04－01	挂牌
83	832212	汇茂科技	2015－04－01	挂牌
84	831977	通宇电子	2015－04－09	挂牌
85	832256	大乘科技	2015－04－10	挂牌
86	832320	大富装饰	2015－04－17	挂牌
87	832367	慧图科技	2015－04－22	挂牌
88	832353	益泰药业	2015－04－22	挂牌
89	832410	科神股份	2015－05－11	挂牌
90	832377	创一佳	2015－05－12	挂牌
91	832465	众益科技	2015－05－19	挂牌
92	832493	珠海港信	2015－05－19	挂牌
93	832492	金蓝络	2015－05－25	挂牌
94	832478	建东科技	2015－05－25	挂牌
95	832456	恒坤股份	2015－05－25	挂牌
96	832443	江隆股份	2015－06－01	挂牌
97	832538	远方装备	2015－06－02	挂牌
98	832637	华源磁业	2015－06－26	挂牌
99	832778	多邦科技	2015－07－16	挂牌
100	832896	道有道	2015－07－21	挂牌
101	832887	八记食品	2015－07－21	挂牌
102	833016	希尔传媒	2015－07－27	挂牌
103	833091	恒达科技	2015－07－27	挂牌

104	832944	银信农贷	2015－07－27	挂牌
105	832959	立冒环境	2015－07－27	挂牌
106	833028	精英天成	2015－07－27	挂牌
107	833029	鹏信科技	2015－07－27	挂牌
108	833029	鹏信科技	2015－07－27	挂牌
109	833028	精英天成	2015－07－27	挂牌
110	832959	立冒环境	2015－07－27	挂牌
111	833090	杰曼科技	2015－07－28	挂牌
112	833015	瑞朗净化	2015－07－28	挂牌
113	833015	瑞朗净化	2015－07－28	挂牌
114	833097	众益制药	2015－07－29	挂牌
115	833151	同方健康	2015－07－31	挂牌
116	833118	棒杰小贷	2015－07－31	挂牌
目前已推荐挂牌公司家数		116		
撤回材料及申请被否公司家数		0		
正在挂牌公司家数		113		
已上市公司家数		2		
已被终止挂牌公司家数		1		
推荐定向发行情况				
序号	股份代码	公司名称	发行日期	公司状态
1	430008	紫光华宇	2008－12－5	发行成功
2	430051	九恒星	2010－11－17	发行成功
3	430051	九恒星	2011－7－29	发行成功
4	430063	工控网	2011－11－30	发行成功
5	430078	君德同创	2012－7－18	发行成功
6	430206	尚远环保	2013－8－19	发行失败
7	430348	瑞斯福	2013－8－20	发行成功
8	430348	瑞斯福	2013－9－18	发行成功
9	430206	尚远环保	2014－4－23	发行失败
10	430074	德鑫物联	2014－7－2	发行成功
11	430471	豪威尔	2014－7－21	发行成功
12	430457	三网科技	2014－7－31	发行成功
13	430759	凯路仕	2014－9－24	发行成功
14	430229	绿岸网络	2014－9－30	发行成功
15	430471	豪威尔	2014－10－16	发行成功
16	430051	九恒星	2014－10－23	发行成功
17	430759	凯路仕	2014－11－20	发行成功
18	430074	德鑫物联	2014－12－9	发行成功
19	430051	九恒星	2015－1－21	发行成功
20	430759	凯路仕	2015－1－23	发行成功
21	830851	骏华农牧	2015－2－6	发行成功
22	831330	普适导航	2015－2－9	发行成功
23	832028	汇元科技	2015－2－12	发行成功
24	832142	新为股份	2015－3－2	发行成功
25	430229	绿岸网络	2015－3－6	发行成功
26	430476	海能仪器	2015－3－9	发行成功

27	430289	华索科技	2015－3－10	发行成功
28	831860	驰翔精密	2015－4－3	发行失败
29	831977	通宇电子	2015－4－9	发行成功
30	832353	益泰药业	2015－4－22	发行成功
31	430488	东创科技	2015－5－4	发行成功
32	832320	大富装饰	2015－5－4	发行成功
33	830978	先临三维	2015－5－5	发行成功
34	430349	安威士	2015－5－6	发行成功
35	831003	金大股份	2015－5－11	发行成功
36	830845	芯邦科技	2015－5－12	发行成功
37	831860	驰翔精密	2015－5－18	发行失败
38	830851	骏华农牧	2015－5－18	发行成功
39	831373	电科电源	2015－5－22	发行失败
40	831373	电科电源	2015－5－22	发行成功
41	430289	华索科技	2015－5－22	发行成功
42	831860	驰翔精密	2015－5－27	发行成功
43	831003	金大股份	2015－5－29	发行成功
44	430454	百大能源	2015－6－10	发行成功
45	831448	贝欧特	2015－6－10	发行成功
46	831330	普适导航	2015－6－16	发行成功
47	430471	豪威尔	2015－6－19	发行成功
48	831560	盈建科	2015－6－24	发行成功
49	832106	中设正泰	2015－6－24	发行成功
50	430074	德鑫物联	2015－6－25	发行成功
51	832637	华源磁业	2015－6－26	发行成功
52	430488	东创科技	2015－6－30	发行成功
53	831723	恒晟农贷	2015－7－1	发行成功
54	832219	建装业	2015－7－3	发行成功
55	832074	慧景科技	2015－7－7	发行成功
56	831860	驰翔精密	2015－7－7	发行成功
57	832149	列尔达	2015－7－7	发行成功
58	832070	磁谷科技	2015－7－8	发行成功
59	430472	安泰得	2015－7－10	发行成功
60	831003	金大股份	2015－7－10	发行成功
61	831751	虎符通信	2015－7－13	发行成功
62	831459	伟诚科技	2015－7－13	发行成功
63	832432	科列技术	2015－7－15	发行成功
64	831330	普适导航	2015－7－17	发行成功
65	830841	长牛股份	2015－7－17	发行成功
66	430491	蓝斯通信	2015－7－21	发行成功
67	831530	才府玻璃	2015－7－31	发行成功
68	831277	钢钢网	2015－8－4	发行成功
69	833115	畅尔装备	2015－8－10	发行成功
推荐定向发行次数		69		
推荐定向发行成功次数		64		
推荐定向发行失败次数		5		
推荐原代办股份转让系统的两网公司及退市公司挂牌情况				

序号	股份代码	公司名称
推荐原代办股份转让系统的两网公司及退市公司家数:		0

三、部门设置

经纪业务				
人员	姓名	固定电话	传真	Email
经纪业务联络人	庄新华	0755－22940054	0755－82133186	10283@ guosen. com. cn
经纪业务联络人	唐立	0755－22940399	0755－82133186	10191@ guosen. com. cn
推荐业务				
人员	姓名	固定电话	传真	Email
推荐业务联络人	唐立	0755－82130634	0755－82133186	10191@ guosen. com. cn
推荐业务联络人	乐露	0755－82130634	0755－82133186	10127@ guosen. com. cn

长江证券股份有限公司

一、公司简介及概况

<table>
<tr><td rowspan="9">公司简介</td><td>公司名称</td><td colspan="5">长江证券股份有限公司</td></tr>
<tr><td>成立日期</td><td>1991－03－18</td><td>法定代表人</td><td>杨泽柱</td><td>总经理</td><td>邓晖</td></tr>
<tr><td>注册资本（万元）</td><td>474,246.77</td><td>净资产＊（万元）</td><td>1,377,129.5</td><td>净资本＊（万元）</td><td>960,834.95</td></tr>
<tr><td>注册地址</td><td colspan="3">湖北省武汉市江汉区新华路特8号</td><td>营业部家数</td><td>147</td></tr>
<tr><td>办公地址</td><td colspan="3">湖北省武汉市江汉区新华路特8号</td><td>邮编</td><td>430015</td></tr>
<tr><td>公司网址</td><td>www. cjsc. com</td><td>电子邮箱</td><td>inf@ cjsc. com. cn</td><td>经营证券业务许可证编码</td><td>Z24935000</td></tr>
<tr><td colspan="6">注:＊经审计的最近年度净资产和净资本</td></tr>
<tr><td colspan="3">证监会批准从事的证券业务</td><td colspan="3">证券经纪;证券投资咨询;证券(不含股票、上市公司发行的公司债券)承销;证券自营;融资融券业务;证券投资基金代销;为期货公司提供中间介绍业务;代销金融产品;股票期权做市业务;中国证监会批准的其他业务。</td></tr>
<tr><td colspan="3">在全国股份转让系统从事的业务种类</td><td colspan="3">推荐业务,经纪业务,做市业务</td></tr>
<tr><td>公司概况</td><td colspan="6">长江证券股份有限公司是总部设在武汉的全国性综合类上市证券公司,股票代码为000783。公司秉承以“追求卓越”为核心价值观的企业文化,致力于成为提供全面理财和融资服务的一流金融企业。公司资产质量优良,资产规模在业内的排名始终保持较前位置。
公司已经取得全国中小企业股份转让系统(以下简称“NEEQ”)主办券商业务资格。公司高度重视全国中小企业股份转让系统业务,设有专门从事该业务的一级部门—新三板业务总部。
公司新三板业务总部现有专业人员80多人,其中包括多年投行经验的执业律师、注册会计师、行业分析师等专业人员。业务范围覆盖全国,在北京、武汉两地分别设有业务部,专职开展全国中小企业股份转让系统业务,通过整合公司资源,为中小企业融资发展提供资本市场全方位优质服务。
公司新三板业务总部服务内容包括:企业股份制改造、企业挂牌NEEQ的承揽和承做、挂牌企业在NEEQ的再融资、挂牌企业在NEEQ的信息披露、NEEQ挂牌企业上市到主板、中小板和创业板的前期辅导、全国中小企业股份转让系统未来开放的各项创新业务等。
公司作为主办券商已成功推荐科若思(430102)、国电武仪(430138)、中科通达(430154)、迈达科技(430220)、璟泓科技(430222)、亿童文教(430223)、颂大教育(430244)、易维科技(430261)、新冠亿碳(430275)、捷安高科(430373)、大禹电气(430386)、康普常青(430698)、芳笛环保(430724)、索泰能源(430752)、武汉蓝电(830779)等百余家企业在NEEQ挂牌。
公司新三板业务总部项目经验丰富,确立了“公司改制——推荐挂牌——定向增资——做市——推进上市”业务链体系,能够为企业带来显著的增值服务。</td></tr>
</table>

二、业务动态

推荐挂牌情况				
序号	股份代码	公司名称	挂牌日期	公司状态
1	430102	科若思	2011－12－27	挂牌
2	430127	赛尔瑟斯	2012－06－21	挂牌
3	430138	国电武仪	2012－09－07	挂牌
4	430154	中科通达	2012－10－25	挂牌
5	430170	金易通	2012－12－12	挂牌
6	430207	威明德	2012－12－28	挂牌
7	430204	石竹科技	2012－12－28	挂牌
8	430244	颂大教育	2013－07－02	挂牌
9	430221	风帆电镀	2013－07－02	挂牌
10	430222	璟泓科技	2013－07－02	挂牌
11	430223	亿童文教	2013－07－02	挂牌
12	430220	迈达科技	2013－07－02	挂牌
13	430241	威林科技	2013－07－02	挂牌
14	430261	易维科技	2013－07－22	挂牌
15	430265	国威机床	2013－07－22	挂牌
16	430275	新冠亿碳	2013－08－08	已被终止挂牌
17	430283	景弘环保	2013－08－08	挂牌
18	430303	百文宝	2013－08－09	挂牌
19	430320	江扬环境	2013－10－16	挂牌
20	430322	智合新天	2013－10－16	挂牌
21	430332	安华智能	2013－10－22	挂牌
22	430389	意普万	2014－01－24	挂牌
23	430386	大禹电气	2014－01－24	挂牌
24	430385	中一检测	2014－01－24	挂牌
25	430373	捷安高科	2014－01－24	挂牌
26	430599	艾艾精工	2014－01－24	挂牌
27	430577	力龙信息	2014－01－24	挂牌
28	430402	吉事达	2014－01－24	挂牌
29	430380	成明节能	2014－01－24	挂牌
30	430686	华盛控股	2014－04－08	挂牌
31	430698	康普常青	2014－04－18	挂牌
32	430703	高山水	2014－04－23	挂牌
33	430724	芳笛环保	2014－05－05	挂牌
34	430745	诺文科技	2014－05－05	挂牌
35	430752	索泰能源	2014－05－30	挂牌
36	830779	武汉蓝电	2014－05－30	挂牌
37	830833	九生堂	2014－07－04	挂牌
38	830867	全华光电	2014－07－15	挂牌
39	830878	智信股份	2014－07－16	挂牌
40	830875	千草生物	2014－07－17	挂牌
41	830859	金旭农发	2014－07－21	挂牌
42	830925	鄂信钻石	2014－08－01	挂牌
43	830943	济南科明	2014－08－05	挂牌

44	830915	味群食品	2014-08-06	挂牌
45	831050	天喻软件	2014-08-20	挂牌
46	831017	星月股份	2014-08-21	挂牌
47	831058	天颖环境	2014-08-21	挂牌
48	831142	易讯通	2014-09-11	挂牌
49	831141	金铠建科	2014-09-15	挂牌
50	831155	振源电气	2014-09-19	挂牌
51	831179	奥杰科技	2014-10-08	挂牌
52	831183	可视化	2014-10-08	挂牌
53	831229	木兰花	2014-10-24	挂牌
54	831242	特辰科技	2014-10-30	挂牌
55	831265	宏源药业	2014-11-04	挂牌
56	831295	川东环能	2014-11-06	挂牌
57	831309	雷迪特	2014-11-07	挂牌
58	831343	益通建设	2014-11-11	挂牌
59	831326	三利达	2014-11-12	挂牌
60	831357	黄国粮业	2014-11-12	挂牌
61	831324	凯洋海鲜	2014-11-12	挂牌
62	831347	大禹阀门	2014-11-13	挂牌
63	831383	楼市通网	2014-12-02	挂牌
64	831392	天迈科技	2014-12-02	挂牌
65	831432	优尼科	2014-12-04	挂牌
66	831393	中碧环保	2014-12-04	挂牌
67	831461	百年巧匠	2014-12-09	挂牌
68	831451	亿海股份	2014-12-10	挂牌
69	831452	宝特龙	2014-12-10	挂牌
70	831420	北信得实	2014-12-22	挂牌
71	831537	莱恩股份	2015-01-05	挂牌
72	831708	吉华勘测	2015-01-15	挂牌
73	831559	天高股份	2015-01-16	挂牌
74	831741	信音电子	2015-01-22	挂牌
75	831731	硅海电子	2015-01-22	挂牌
76	831676	景川诊断	2015-01-22	挂牌
77	831826	华菱医疗	2015-01-23	挂牌
78	832021	安谱实验	2015-02-11	挂牌
79	832045	红星药业	2015-02-16	挂牌
80	832093	科伦股份	2015-03-05	挂牌
81	832072	紫晶股份	2015-03-05	挂牌
82	832204	易科势腾	2015-03-31	挂牌
83	832192	博晟安全	2015-03-31	挂牌
84	832197	丹江电力	2015-04-03	挂牌
85	832243	力合节能	2015-04-07	挂牌
86	832242	现代精工	2015-04-10	挂牌
87	832261	鑫鹰科技	2015-04-13	挂牌
88	832318	广通股份	2015-04-14	挂牌
89	832233	阿法贝	2015-04-16	挂牌

90	832370	博柯莱	2015－04－22	挂牌
91	832361	众智同辉	2015－04－22	挂牌
92	832349	武新电气	2015－04－23	挂牌
93	832304	纽威科技	2015－04－27	挂牌
94	832383	大通物流	2015－05－05	挂牌
95	832431	兴亿海洋	2015－05－15	挂牌
96	832521	合一康	2015－05－26	挂牌
97	832570	蓝海科技	2015－06－12	挂牌
98	832641	天蓝地绿	2015－06－16	挂牌
99	832638	瓦力科技	2015－06－16	挂牌
100	832601	天鸿新材	2015－06－19	挂牌
101	832658	特别传媒	2015－06－19	挂牌
102	832676	先路医药	2015－06－26	挂牌
103	832713	华莱士	2015－07－07	挂牌
104	832667	竹林松大	2015－07－14	挂牌
105	832774	森泰环保	2015－07－17	挂牌
106	832826	东方信息	2015－07－22	挂牌
107	832948	金牌电工	2015－07－23	挂牌
108	832889	深捷科技	2015－07－23	挂牌
109	832932	永恒股份	2015－07－23	挂牌
110	833046	上层传媒	2015－07－27	挂牌
111	832978	开特股份	2015－07－27	挂牌
112	833005	仁众实业	2015－07－29	挂牌
113	833142	佳一教育	2015－07－29	挂牌
114	833011	江奥光电	2015－07－31	挂牌
115	833182	万星面业	2015－07－31	挂牌
116	833144	毅康股份	2015－08－04	挂牌
117	833239	晨科农牧	2015－08－07	挂牌
118	833468	双剑股份	2015－08－31	挂牌
119	833417	起点人力	2015－09－01	挂牌
120	833387	湖北展鹏	2015－09－01	挂牌
121	833561	新科谷	2015－09－10	挂牌
122	833490	佳讯创新	2015－09－14	挂牌
123	833484	万邦工具	2015－09－16	挂牌
124	833549	湾流股份	2015－09－16	挂牌
125	833710	风雷网络	2015－09－30	挂牌
126	833601	路德环境	2015－10－08	挂牌
127	833741	山水股份	2015－10－09	挂牌
128	833712	观堂设计	2015－10－13	挂牌
129	833716	天工科技	2015－10－13	挂牌
130	833705	中孚达	2015－10－16	挂牌
131	833874	泰祥实业	2015－10－19	挂牌
132	833940	蜀塔实业	2015－10－20	挂牌
133	833917	富燃科技	2015－10－23	挂牌
目前已推荐挂牌公司家数		133		
撤回材料及申请被否公司家数		0		

正在挂牌公司家数		132		
已上市公司家数		0		
已被终止挂牌公司家数		1		
推荐定向发行情况				
序号	股份代码	公司名称	发行日期	公司状态
1	430170	金易通	2013－8－15	发行成功
2	430170	金易通	2013－8－15	发行成功
3	430170	金易通	2013－8－15	发行成功
4	430206	尚远环保	2013－8－19	发行成功
5	430206	尚远环保	2013－8－19	发行成功
6	430283	景弘环保	2014－1－24	发行成功
7	430283	景弘环保	2014－1－24	发行成功
8	430303	百文宝	2014－2－20	发行成功
9	430303	百文宝	2014－2－20	发行成功
10	430698	康普常青	2014－4－14	发行成功
11	430698	康普常青	2014－4－14	发行成功
12	430206	尚远环保	2014－4－22	发行成功
13	430206	尚远环保	2014－4－22	发行成功
14	430154	中科通达	2014－4－22	发行成功
15	430154	中科通达	2014－4－22	发行成功
16	430222	璟泓科技	2014－5－6	发行成功
17	430222	璟泓科技	2014－5－6	发行成功
18	830878	智信股份	2014－7－11	发行成功
19	830878	智信股份	2014－7－11	发行成功
20	430170	金易通	2014－7－18	发行成功
21	430170	金易通	2014－7－18	发行成功
22	430244	颂大教育	2014－8－15	发行成功
23	430244	颂大教育	2014－8－15	发行成功
24	430222	璟泓科技	2014－10－15	发行成功
25	430222	璟泓科技	2014－10－15	发行成功
26	831392	天迈科技	2014－11－25	发行成功
27	831392	天迈科技	2014－11－25	发行成功
28	831461	百年巧匠	2014－11－28	发行成功
29	831461	百年巧匠	2014－11－28	发行成功
30	830875	千草生物	2014－12－4	发行成功
31	830875	千草生物	2014－12－4	发行成功
32	430261	易维科技	2014－12－16	发行成功
33	430261	易维科技	2014－12－16	发行成功
34	430752	索泰能源	2014－12－18	发行成功
35	430752	索泰能源	2014－12－18	发行成功
36	830925	鄂信钻石	2014－12－29	发行成功
37	830925	鄂信钻石	2014－12－29	发行成功
38	430402	吉事达	2014－12－30	发行成功
39	430402	吉事达	2014－12－30	发行成功
40	830943	济南科明	2015－1－9	发行成功
41	430943	济南科明	2015－1－9	发行成功

42	430241	威林科技	2015－1－10	发行成功
43	430241	威林科技	2015－1－10	发行成功
44	831265	宏源药业	2015－2－16	发行成功
45	831265	宏源药业	2015－2－16	发行成功
46	430686	华盛控股	2015－3－9	发行成功
47	430686	华盛控股	2015－3－9	发行成功
48	831392	天迈科技	2015－3－18	发行成功
49	430222	璟泓科技	2015－3－20	发行成功
50	430222	璟泓科技	2015－3－20	发行成功
51	831452	宝特龙	2015－3－23	发行成功
52	832204	易科势腾	2015－3－24	发行成功
53	831242	特辰科技	2015－4－1	发行成功
54	830878	智信股份	2015－4－7	发行成功
55	430322	智合新天	2015－4－10	发行成功
56	830859	金旭农发	2015－4－16	发行成功
57	831383	楼市通网	2015－4－20	发行成功
58	831265	宏源药业	2015－4－21	发行成功
59	830915	味群食品	2015－5－13	发行成功
60	831383	楼市通网	2015－5－21	发行成功
61	830867	全华光电	2015－5－25	发行成功
62	430724	芳笛环保	2015－5－29	发行成功
63	832021	安谱实验	2015－5－29	发行成功
64	831343	益通建设	2015－5－29	发行成功
65	831392	天迈科技	2015－6－1	发行成功
66	831392	天迈科技	2015－6－1	发行成功
67	831392	天迈科技	2015－6－1	发行成功
68	430244	颂大教育	2015－6－5	发行成功
69	830949	中窑股份	2015－6－8	发行成功
70	831559	天高股份	2015－6－10	发行成功
71	831309	雷迪特	2015－6－11	发行成功
72	832570	蓝海科技	2015－6－15	发行成功
73	831826	华菱医疗	2015－6－19	发行成功
74	430402	吉事达	2015－6－19	发行成功
75	831676	景川诊断	2015－6－19	发行成功
76	832667	竹林松大	2015－6－24	发行成功
77	832601	天鸿新材	2015－6－25	发行成功
78	430752	索泰能源	2015－6－26	发行成功
79	430752	索泰能源	2015－6－26	发行成功
80	430385	中一检测	2015－6－29	发行成功
81	831383	楼市通网	2015－6－30	发行成功
82	831142	易讯通	2015－7－1	发行成功
83	831357	黄国粮业	2015－7－3	发行成功
84	430703	高山水	2015－7－6	发行成功
85	831708	吉华勘测	2015－7－13	发行成功
86	831343	益通建设	2015－7－14	发行成功
87	831537	莱恩股份	2015－7－15	发行成功

88	831141	金铠建科	2015-7-16	发行成功
89	831383	楼市通网	2015-7-16	发行成功
90	832243	力合节能	2015-7-21	发行成功
91	430577	力龙信息	2015-7-24	发行成功
92	831242	特辰科技	2015-8-7	发行成功
93	430320	江扬环境	2015-8-7	发行成功
94	831452	宝特龙	2015-8-11	发行成功
95	831708	吉华勘测	2015-8-12	发行成功
96	430283	景弘环保	2015-8-12	发行成功
97	430332	安华智能	2015-8-12	发行成功
98	831809	雷迪特	2015-8-14	发行成功
99	831826	华菱医疗	2015-8-17	发行成功
100	832570	蓝海科技	2015-8-24	发行成功
101	430373	捷安高科	2015-8-24	发行成功
102	430241	威林科技	2015-8-26	发行成功
103	430380	成明节能	2015-8-26	发行成功
104	832304	纽威科技	2015-8-27	发行成功
105	832072	紫晶股份	2015-8-28	发行成功
106	430332	安华智能	2015-9-2	发行成功
107	430127	赛尔瑟斯	2015-9-7	发行成功
108	430222	璟泓科技	2015-9-7	发行成功
109	430385	中一检测	2015-9-8	发行成功
110	831183	可视化	2015-9-9	发行成功
111	831155	振源电气	2015-9-9	发行成功
112	430244	颂大教育	2015-9-9	发行成功
113	830875	千草生物	2015-9-10	发行成功
114	430386	大禹电气	2015-9-14	发行成功
115	831731	硅海电子	2015-9-16	发行成功
116	430698	康普常青	2015-9-17	发行成功
117	832093	科伦股份	2015-9-29	发行成功
118	832521	合一康	2015-9-29	发行成功
推荐定向发行次数		118		
推荐定向发行成功次数		118		
推荐定向发行失败次数		0		
推荐原代办股份转让系统的两网公司及退市公司挂牌情况				
序号	股份代码	公司名称		
1	400022	厦门海洋实业（集团）股份有限公司		
2	420063	武汉锅炉股份有限公司		
推荐原代办股份转让系统的两网公司及退市公司家数		2		

三、部门设置

经纪业务				
人员	姓名	固定电话	传真	Email
经纪业务联络人	陈昂	027-65799835	027-85481811	chengang1@cjsc.com.cn
经纪业务联络人	代华	027-65799964	027-85481811	daihua@cjsc.com.cm

推荐业务				
人员	姓名	固定电话	传真	Email
推荐业务联络人	李一科	027－65799819	027－85481890	liyk@ cjsc. com. cn
推荐业务联络人	俞佳	010－66290614	010－66220637	yujia@ cjsc. com. cn

中国银河证券股份有限公司

一、公司简介及概况

<table>
<tr><td rowspan="9">公司简介</td><td>公司名称</td><td colspan="5">中国银河证券股份有限公司</td></tr>
<tr><td>成立日期</td><td>2007－1－26</td><td>法定代表人</td><td>陈有安</td><td>总经理</td><td>顾伟国</td></tr>
<tr><td>注册资本（万元）</td><td>753,725.88</td><td>净资产*（万元）</td><td>2,879,489.22</td><td>净资本*（万元）</td><td>2,546,231.3</td></tr>
<tr><td>注册地址</td><td colspan="3">北京市西城区金融大街35号2－6层</td><td>营业部家数</td><td>330</td></tr>
<tr><td>办公地址</td><td colspan="3">北京市西城区金融大街35号国际企业大厦</td><td>邮编</td><td>100033</td></tr>
<tr><td>公司网址</td><td>www. chinastock. com. cn</td><td>电子邮箱</td><td>webmaster@ chinastock. com. cn</td><td>经营证券业务许可证编号</td><td>Z10111000</td></tr>
<tr><td colspan="6">注：*经审计的最近年度净资产和净资本</td></tr>
<tr><td colspan="3">证监会批准从事的证券业务</td><td colspan="3">证券经纪；证券投资咨询；与证券交易、证券投资活动有关的财务顾问；证券承销与保荐；证券自营；融资融券；证券投资基金代销；为期货公司提供中间介绍业务；代销金融产品。</td></tr>
<tr><td colspan="3">在全国股份转让系统从事的业务种类</td><td colspan="3">经纪业务，推荐业务，做市业务</td></tr>
<tr><td>公司概况</td><td colspan="6">中国银河证券股份有限公司（以下简称“公司”，股票代码：06881. HK）是中国证券行业领先的综合性金融服务提供商，提供经纪、销售和交易、投资银行等综合证券服务。
2007年1月26日，公司经中国证监会批准，由中国银河金融控股有限责任公司作为主发起人，联合4家国内机构投资者共同发起正式成立。中央汇金投资有限责任公司为公司实际控制人。公司本部设在北京，注册资本为人民币75.37亿元。截至2013年12月底，公司共有员工6900余人。公司的经营宗旨是：根据国家法律法规、方针政策及国际惯例，致力开拓证券业务，秉承“忠诚、包容、创新、卓越”的企业精神和“客户至上、员工为本”的经营理念，坚持“创造价值、增长财富”的企业使命，倾力打造“一流服务、最佳投行”，实现股东长期利益和公司价值的最大化，促进、支持国民经济和证券市场的发展。
公司的经营范围为：证券经纪；证券投资咨询；与证券交易、证券投资活动有关的财务顾问；证券承销与保荐；证券自营；融资融券；证券投资基金代销；为期货公司提供中间介绍业务；代销金融产品业务。公司于2013年5月22日在香港联合交易所上市，控股股东为中国银河金融控股有限责任公司。</td></tr>
</table>

二、业务动态

推荐挂牌情况				
序号	股份代码	公司名称	挂牌日期	公司状态
1	430100	九尊能源	2011－12－02	挂牌
2	430191	波尔通信	2012－12－26	挂牌
3	430243	铜牛信息	2013－07－05	挂牌
4	430308	泽天盛海	2013－08－08	已被终止挂牌
5	430341	呈创科技	2013－11－06	挂牌
6	430361	般固科技	2013－12－24	挂牌
7	430559	新华通	2014－01－24	挂牌
8	430558	均信担保	2014－01－24	挂牌
9	430383	红豆杉	2014－01－24	挂牌
10	430557	希芳阁	2014－01－24	挂牌
11	430424	联合创业	2014－01－24	挂牌

12	430554	金正方	2014－01－24	挂牌
13	430750	欣易晨	2014－05－29	挂牌
14	830912	科汇电自	2014－08－04	挂牌
15	831022	三和视讯	2014－08－21	挂牌
16	831028	华丽包装	2014－08－29	挂牌
17	831186	金鸿药业	2014－10－08	挂牌
18	831608	易建科技	2014－12－31	挂牌
19	831588	山川秀美	2014－12－31	挂牌
20	831993	欧克精化	2015－02－12	挂牌
21	831955	海益宝	2015－02－12	挂牌
22	832035	天晴股份	2015－02－25	挂牌
23	831979	林格贝	2015－02－25	挂牌
24	832053	富得利	2015－03－06	挂牌
25	832110	雷特科技	2015－03－09	挂牌
26	832103	齐畅物流	2015－03－20	挂牌
27	832333	渤商大百	2015－04－15	挂牌
28	832297	新生飞翔	2015－04－22	挂牌
29	832380	鲁冀股份	2015－04－30	挂牌
30	832506	美通筑机	2015－05－26	挂牌
31	832560	立泰复合	2015－06－09	挂牌
32	832657	光合园林	2015－06－18	挂牌
33	832700	卡松科技	2015－07－07	挂牌
34	832702	九通水务	2015－07－07	挂牌
35	832739	辰午节能	2015－07－09	挂牌
36	832752	环峰能源	2015－07－10	挂牌
37	832899	景津环保	2015－07－17	挂牌
38	832724	江苏三鑫	2015－07－17	挂牌
39	833227	博元电力	2015－08－07	挂牌
目前已推荐挂牌公司家数		39		
撤回材料及申请被否公司家数		0		
正在挂牌公司家数		38		
已上市公司家数		0		
已被终止挂牌公司家数		1		
推荐定向发行情况				
序号	股份代码	公司名称	发行日期	公司状态
1	430100	九尊能源	2013－7－18	发行成功
2	430341	呈创科技	2014－5－8	发行成功
3	430558	均信担保	2014－5－29	发行成功
4	430100	九尊能源	2014－6－11	发行成功
5	430100	九尊能源	2014－9－2	发行成功
6	430557	希芳阁	2014－11－12	发行成功
7	430554	金正方	2014－12－12	发行成功
8	430243	铜牛信息	2014－12－25	发行成功
9	831186	金鸿药业	2015－3－12	发行成功
10	831022	三和视讯	2015－3－18	发行成功
11	430191	波尔通信	2015－4－3	发行成功
12	832297	新生飞翔	2015－4－22	发行成功

13	830912	科汇电自	2015－4－23	发行成功
14	830912	科汇电自	2015－4－23	发行成功
15	831028	华丽包装	2015－4－30	发行成功
16	430557	希芳阁	2015－6－8	发行成功
17	832560	立泰复合	2015－6－9	发行成功
18	831979	林格贝	2015－7－17	发行成功
19	830912	科汇电自	2015－7－24	发行成功
20	430191	波尔通信	2015－7－31	发行成功
21	831608	易建科技	2015－8－4	发行成功
推荐定向发行次数		21		
推荐定向发行成功次数		21		
推荐定向发行失败次数		0		
推荐原代办股份转让系统的两网公司及退市公司挂牌情况				
序号	股份代码	公司名称		
1	400026	深圳市中侨发展股份有限公司		
2	400060	江苏炎黄在线物流股份有限公司		
推荐原代办股份转让系统的两网公司及退市公司家数		2		

三、部门设置

经纪业务				
人员	姓名	固定电话	传真	Email
经纪业务联络人	陈利锋	010－66568457	010－83574076	chenlifeng@ chinastock. com. cn
经纪业务联络人	丛源博	010－83574503	010－83574076	congyuanbo@ chinastock. com. cn
推荐业务				
人员	姓名	固定电话	传真	Email
推荐业务联络人	邹大伟	010－66568973	010－66568390	zoudawei@ chinastock. com. cn
推荐业务联络人	龚仙蓝	010－83571496	010－66568390	gongxianlan@ chinastock. com. cn

渤海证券股份有限公司

一、公司简介及概况

公司简介	公司名称	渤海证券股份有限公司				
	成立日期	1988－3－1	法定代表人	王春峰	总经理	周立
	注册资本（万元）	403,719.45	净资产＊（万元）	573,344.45	净资本＊（万元）	422,551.63
	注册地址	天津经济技术开发区第二大街42号写字楼101室			营业部家数	48
	办公地址	天津市南开区宾水西道8号			邮编	300381
	公司网址	www. bhzq. com	电子邮箱	email@ bhzq. com	经营证券业务许可证编号	Z20412000
	注：＊经审计的最近年度净资产和净资本					
	证监会批准从事的证券业务			证券经纪；证券投资咨询；与证券交易、证券投资活动有关财务顾问；证券承销与保荐；证券自营；证券资产管理；证券投资基金代销；为期货公司提供中间介绍业务；证监会批准的其他业务；融资融券业务；代销金融产品业务。		
	在全国股份转让系统从事的业务种类			经纪业务，推荐业务，做市业务		

<table>
<tr><td>公司概况</td><td>渤海证券股份有限公司的前身渤海证券有限责任公司是在原天津证券有限责任公司与原天津市国际信托投资公司、天津信托投资公司、天津北方国际信托投资公司、天津滨海信托投资有限公司等 4 家信托机构证券营业部合并重组基础上，集合了国内多家有影响、有实力的国有企业、上市公司、民营企业共同出资组建。
2001 年 4 月，证监会出具《关于同意渤海证券有限责任公司开业的批复》（证监机构字〔2001〕65 号），同意渤海证券有限责任公司开业，注册资本为23.17 亿元。2001 年 3 月 25 日召开第一次股东会暨公司成立大会，5 月 16 日完成工商登记，6 月 8 日正式开业。
2006 年 9 月，经中国证监会核准，渤海证券有限责任公司减资并增资扩股，先将注册资本由 231,716.63 万元核减至 92,686.652 万元，在此基础上再由现有股东和新增股东向公司增资 13 亿元，上述增资完成后渤海有限注册资本增至 222,686.652万元。
2008 年 5 月，经中国证监会核准，渤海证券有限责任公司整体改制变更为股份有限公司，变更后公司名称为渤海证券股份有限公司，注册资本为人民币2,226,866,520元。公司于 2008 年 7 月 23 日完成工商变更登记。
2011 年 1 月，经中国证监会核准，渤海证券股份有限公司变更注册资本，注册资本由 2,226,866,520 元变更为 3,226,866,520元。
2012 年 12 月，经中国证监会核准，渤海证券股份有限公司变更注册资本，注册资本由 3,226,866,520 元变更为 4,037,194,486元。</td></tr>
</table>

二、业务动态

<table>
<tr><th colspan="5">推荐挂牌情况</th></tr>
<tr><td>序号</td><td>股份代码</td><td>公司名称</td><td>挂牌日期</td><td>公司状态</td></tr>
<tr><td>1</td><td>430142</td><td>锐新昌</td><td>2012 - 09 - 07</td><td>挂牌</td></tr>
<tr><td>2</td><td>430141</td><td>久日化学</td><td>2012 - 09 - 07</td><td>挂牌</td></tr>
<tr><td>3</td><td>430645</td><td>中瑞药业</td><td>2014 - 02 - 18</td><td>挂牌</td></tr>
<tr><td>4</td><td>430649</td><td>绿清科技</td><td>2014 - 02 - 18</td><td>挂牌</td></tr>
<tr><td>5</td><td>831372</td><td>宝成股份</td><td>2014 - 11 - 21</td><td>挂牌</td></tr>
<tr><td>6</td><td>831543</td><td>松炀股份</td><td>2014 - 12 - 22</td><td>挂牌</td></tr>
<tr><td>7</td><td>831729</td><td>维钛克</td><td>2015 - 01 - 27</td><td>挂牌</td></tr>
<tr><td>8</td><td>831948</td><td>世纪天源</td><td>2015 - 02 - 09</td><td>挂牌</td></tr>
<tr><td>9</td><td>832011</td><td>天众合金</td><td>2015 - 02 - 17</td><td>挂牌</td></tr>
<tr><td>10</td><td>832191</td><td>欣绿茶花</td><td>2015 - 04 - 01</td><td>挂牌</td></tr>
<tr><td>11</td><td>832392</td><td>百控股份</td><td>2015 - 05 - 05</td><td>挂牌</td></tr>
<tr><td colspan="2">目前已推荐挂牌公司家数</td><td colspan="3">11</td></tr>
<tr><td colspan="2">撤回材料及申请被否公司家数</td><td colspan="3">0</td></tr>
<tr><td colspan="2">正在挂牌公司家数</td><td colspan="3">11</td></tr>
<tr><td colspan="2">已上市公司家数</td><td colspan="3">0</td></tr>
<tr><td colspan="2">已被终止挂牌公司家数</td><td colspan="3">0</td></tr>
<tr><th colspan="5">推荐定向发行情况</th></tr>
<tr><td>序号</td><td>股份代码</td><td>公司名称</td><td>发行日期</td><td>公司状态</td></tr>
<tr><td>1</td><td>430645</td><td>中瑞药业</td><td>2014 - 11 - 17</td><td>发行失败</td></tr>
<tr><td>2</td><td>430645</td><td>中瑞药业</td><td></td><td>发行成功</td></tr>
<tr><td>3</td><td>430141</td><td>久日化学</td><td></td><td>发行成功</td></tr>
<tr><td colspan="2">推荐定向发行次数</td><td colspan="3">3</td></tr>
<tr><td colspan="2">推荐定向发行成功次数</td><td colspan="3">2</td></tr>
<tr><td colspan="2">推荐定向发行失败次数</td><td colspan="3">1</td></tr>
<tr><th colspan="5">推荐原代办股份转让系统的两网公司及退市公司挂牌情况</th></tr>
<tr><td>序号</td><td>股份代码</td><td colspan="3">公司名称</td></tr>
<tr><td>1</td><td>400048</td><td colspan="3">黑龙江省科利华网络股份有限公司</td></tr>
<tr><td colspan="2">推荐原代办股份转让系统的两网公司及退市公司家数</td><td colspan="3">1</td></tr>
</table>

三、部门设置

经纪业务				
人员	姓名	固定电话	传真	Email
经纪业务联络人	史文瑞	022－28451829	022－28451892	shiwr@ bhzq. com
推荐业务				
人员	姓名	固定电话	传真	Email
推荐业务联络人	陈士莉	022－28451823	022－28451637	bohai905@ 126. com

海通证券股份有限公司

一、公司简介及概况

公司简介	公司名称	海通证券股份有限公司				
	成立日期	1988－8－15	法定代表人	王开国	总经理	瞿秋平
	注册资本（万元）	958,472.12	净资产*（万元）	6,410,515.89	净资本*（万元）	3,904,141.83
	注册地址	上海市广东路689号海通证券大厦			营业部家数	271
	办公地址	上海市广东路689号海通证券大厦			邮编	200001
	公司网址	www. htsec. com	电子邮箱	haitong@ htsec. com	经营证券业务许可证编号	Z22531000
	注：*经审计的最近年度净资产和净资本					
	证监会批准从事的证券业务			证券经纪；证券自营；证券承销与保荐；证券投资咨询；与证券交易、证券投资活动有关的财务顾问；直接投资业务；证券投资基金代销；为期货公司提供中间介绍业务；融资融券业务、代销金融产品、中国证监会批准的其他业务，公司可以对外投资设立子公司从事金融产品等投资业务。		
	在全国股份转让系统从事的业务种类			经纪业务，推荐业务		
公司概况	海通证券是国内成立最早、综合实力最强的证券公司之一，拥有一体化的业务平台、庞大的营销网络以及雄厚的客户基础，经纪、投行和资产管理等传统业务位居行业前茅，融资融券、股指期货和PE投资等创新业务领先行业。海通证券成立于1988年，是国内二十世纪八十年代成立的证券公司中唯一一家至今仍在营运并且未更名、未接受政府注资的大型证券公司。海通证券A股于2007年在上海证券交易所挂牌上市并完成定向增发，H股于2012年4月在香港联合交易所挂牌上市，公司总资产和净资产居国内证券行业第二位。 公司拥有遍布境内外近240家营业部，拥有460万零售客户和超过1.2万个机构客户及高端客户，客户资产规模近万亿元。公司创新业务位居行业领先地位，融资融券市场排名始终保持第一位；公司股指期货业务位居行业第一；公司首批获得约定购回式证券交易资格、债券质押式报价回购资格、转融通业务资格；公司目前控股海富产业、海通开元、海通吉禾、海通创新资本和海通创意资本等五家PE投资子公司；公司QFII客户数和资产规模位于市场前列，QFII交易金额位居行业前三；公司成功收购了香港本地老牌券商大福证券，更名为海通国际，其始终在香港人民币产品领域保持领先地位；公司通过收购恒信租赁收购，进一步完善了海通证券综合金融服务平台的业务板块。					

二、业务动态

推荐挂牌情况				
序号	股份代码	公司名称	挂牌日期	公司状态
1	430017	星昊医药	2007－08－16	挂牌
2	430130	卡联科技	2012－07－12	挂牌
3	430157	腾龙电子	2012－10－29	挂牌
4	430193	紫新科技	2012－12－26	挂牌
5	430205	亿房信息	2012－12－31	挂牌

6	430216	风格信息	2013－05－17	挂牌
7	430300	辰光医疗	2013－08－15	挂牌
8	430324	上海致远	2013－10－18	挂牌
9	430358	基美影业	2013－12－10	挂牌
10	430588	天松医疗	2014－01－24	挂牌
11	430465	东方科技	2014－01－24	挂牌
12	430441	英极股份	2014－01－24	挂牌
13	430573	山水节能	2014－01－24	挂牌
14	430673	天佑铁道	2014－04－11	挂牌
15	830932	博扬超声	2014－08－11	挂牌
16	830939	君山股份	2014－08－12	挂牌
17	830992	磐合科仪	2014－08－13	挂牌
18	831039	国义招标	2014－08－19	挂牌
19	831063	安泰股份	2014－08－29	挂牌
20	831131	宏泰矿业	2014－09－02	挂牌
21	831139	江西广蓝	2014－09－09	挂牌
22	831068	凌志环保	2014－09－12	挂牌
23	831144	欣影科技	2014－09－23	挂牌
24	831208	洁昊环保	2014－10－21	挂牌
25	831203	瑞纽机械	2014－10－24	挂牌
26	831245	扬开电力	2014－10－31	挂牌
27	831261	天海科技	2014－11－03	挂牌
28	831292	汇智光华	2014－11－06	挂牌
29	831290	金达照明	2014－11－10	挂牌
30	831331	华奥科技	2014－11－14	挂牌
31	831351	浙达精益	2014－11－14	挂牌
32	831426	拂尘龙	2014－12－05	挂牌
33	831496	华燕房盟	2014－12－12	挂牌
34	831516	金科环保	2014－12－16	挂牌
35	831529	能龙教育	2014－12－19	挂牌
36	831694	黔驰信息	2015－01－09	挂牌
37	831764	拓美传媒	2015－01－12	挂牌
38	831695	创想科技	2015－01－12	挂牌
39	831761	中惠地热	2015－01－12	挂牌
40	833205	博采网络	2015－08－07	挂牌
目前已推荐挂牌公司家数		40		
撤回材料及申请被否公司家数		0		
正在挂牌公司家数		40		
已上市公司家数		0		
已被终止挂牌公司家数		0		
推荐定向发行情况				
序号	股份代码	公司名称	发行日期	公司状态
1	430017	星昊医药	2012－10－30	发行成功
2	430300	辰光医疗	2013－8－12	发行成功

3	430300	辰光医疗	2013－8－12	发行成功
4	430358	基美影业	2013－12－19	发行成功
5	430465	东方科技	2014－8－27	发行成功
6	430157	腾龙电子	2014－9－26	发行成功
7	430673	天佑铁道	2014－10－20	发行成功
8	830992	磐合科仪	2014－11－19	发行成功
9	831496	华燕房盟	2015－3－2	发行成功
10	831496	华燕房盟	2015－4－14	发行成功
11	430358	基美影业	2015－5－21	发行成功
12	830992	磐合科仪	2015－6－10	发行成功
13	831697	海优新材	2015－6－16	发行成功
14	430300	辰光医疗	2015－6－19	发行成功
15	430358	基美影业	2015－6－24	发行成功
16	831516	金科环保	2015－7－13	发行成功
17	831697	海优新材	2015－7－31	发行成功
18	832446	三瑞高材	2015－8－12	发行成功
19	831208	洁昊环保	2015－9－16	发行成功
20	830992	磐合科仪	2015－9－18	发行成功
21	831697	海优新材	2015－10－26	发行成功
22	832533	利美康	2015－10－28	发行成功
23	832328	安泰生物	2015－11－2	发行成功
24	430358	基美影业	2015－12－14	发行成功
25	832688	福慧科技	2015－12－18	发行成功
推荐定向发行次数		25		
推荐定向发行成功次数		25		
推荐定向发行失败次数		0		
推荐原代办股份转让系统的两网公司及退市公司挂牌情况				
序号	股份代码	公司名称		
1	400025	汕头宏业(集团)股份有限公司		
2	400036	沈阳特种环保设备制造股份有限公司		
3	400057	大庆联谊石化股份有限公司		
推荐原代办股份转让系统的两网公司及退市公司家数		3		

三、部门设置

经纪业务				
人员	姓名	固定电话	传真	Email
经纪业务联络人	魏威	021－23219296	021－63410456	weiwei@ htsec. com
经纪业务联络人	陈晴	021－23219283	021－63410456	chenq@ htsec. com
推荐业务				
人员	姓名	固定电话	传真	Email
推荐业务联络人	郭新		010－58067901	guox@ htsec. com
推荐业务联络人	方琴	010－58067907	010－58067901	fq7004@ htsec. com

广发证券股份有限公司

一、公司简介及概况

<table>
<tr><td rowspan="9">公司简介</td><td>公司名称</td><td colspan="5">广发证券股份有限公司</td></tr>
<tr><td>成立日期</td><td>1994－1－21</td><td>法定代表人</td><td>孙树明</td><td>总经理</td><td>林治海</td></tr>
<tr><td>注册资本（万元）</td><td>762,108.77</td><td>净资产*（万元）</td><td>3,766,838.64</td><td>净资本*（万元）</td><td>3,266,412.42</td></tr>
<tr><td>注册地址</td><td colspan="3">广东省广州市天河区天河北路183－187号大都会广场43楼（4301－4316房）</td><td>营业部家数</td><td>249</td></tr>
<tr><td>办公地址</td><td colspan="3">广州市天河区天河北路183－187号大都会广场5、7、8、16、18、19、36、38、39、40－44楼</td><td>邮编</td><td>510075</td></tr>
<tr><td>公司网址</td><td>www.gf.com.cn</td><td>电子邮箱</td><td>dshb@gf.com.cn</td><td>经营证券业务许可证编号</td><td>Z25644000</td></tr>
<tr><td colspan="6">注：*经审计的最近年度净资产和净资本</td></tr>
<tr><td colspan="3">证监会批准从事的证券业务格</td><td colspan="3">证券经纪；证券投资咨询；与证券交易、证券投资活动有关的财务顾问；证券承销与保荐；证券自营；融资融券；证券投资基金代销；代销金融产品；证券投资基金托管；股票期权做市。</td></tr>
<tr><td colspan="3">在全国股份转让系统从事的业务种类</td><td colspan="3">经纪业务，推荐业务，做市业务</td></tr>
<tr><td>公司概况</td><td colspan="6">广发证券股份有限公司前身是1991年成立的广东发展银行证券部，1993年末成立公司，2010年在深交所上市，股票代码：000776.sz。近四年连续被中国证监会评为A类AA级证券公司。
目前公司注册资本59.19亿元，截至2014年12月31日，公司总资产达2401亿元，2014年经审计的合并报表实现营业收入133.95亿元，利润总额66.49亿元，净利润50.23亿元。资本实力及盈利能力在行业持续领先，总市值居国内上市证券公司前列。公司现有证券营业部数量位列全国前三。公司旗下拥有广发期货有限公司、广发控股（香港）有限公司、广发乾和投资有限公司、广发信德投资管理有限公司、广发证券资产管理（广东）有限公司五家全资子公司，并控股广发基金管理有限公司，参股易方达基金管理有限公司、广东金融高新区股权交易中心有限公司和证通股份有限公司，初步形成了以证券业务为核心的金融控股集团架构。</td></tr>
</table>

二、业务动态

推荐挂牌情况

序号	股份代码	公司名称	挂牌日期	公司状态
1	430004	绿创设备	2006－06－07	挂牌
2	430005	原子高科	2006－07－28	挂牌
3	430006	北陆药业	2006－08－28	已上市
4	430009	华环电子	2006－11－28	挂牌
5	430013	中农羊业	2007－03－21	已被终止挂牌
6	430021	海鑫科金	2007－09－28	挂牌
7	430025	石晶光电	2008－01－16	挂牌
8	430104	全三维	2012－01－18	挂牌
9	430161	光谷信息	2012－11－06	挂牌
10	430179	宇昂科技	2012－12－20	挂牌
11	430183	天友设计	2012－12－26	挂牌
12	430224	网动科技	2013－07－03	挂牌
13	430238	普华科技	2013－07－04	挂牌
14	430237	大汉三通	2013－07－04	挂牌
15	430257	成科机电	2013－07－23	挂牌
16	430279	华安股份	2013－08－05	挂牌
17	430276	晟矽微电	2013－08－08	挂牌

18	430315	众联信息	2013－08－14	挂牌
19	430329	百林通信	2013－10－15	挂牌
20	430325	精英智通	2013－10－16	挂牌
21	430437	食安科技	2014－01－24	挂牌
22	430440	松本绿色	2014－01－24	挂牌
23	430450	正佰电气	2014－01－24	挂牌
24	430442	华昊电器	2014－01－24	挂牌
25	430436	万洲电气	2014－01－24	挂牌
26	430369	威门药业	2014－01－24	挂牌
27	430462	树业环保	2014－01－24	挂牌
28	430445	仙宜岱	2014－01－24	挂牌
29	430482	河源富马	2014－01－24	挂牌
30	430490	旭龙物联	2014－01－24	挂牌
31	430470	哲达科技	2014－01－24	挂牌
32	430469	必控科技	2014－01－24	挂牌
33	430483	森鹰窗业	2014－01－24	挂牌
34	430653	同望科技	2014－02－14	挂牌
35	430637	菱博电子	2014－02－19	挂牌
36	430660	益佰广通	2014－03－07	挂牌
37	430689	摩登百货	2014－04－15	挂牌
38	830788	运通四方	2014－06－09	挂牌
39	830795	骏汇股份	2014－06－13	挂牌
40	830865	南菱汽车	2014－07－16	挂牌
41	830880	火凤凰	2014－07－18	挂牌
42	830863	瑞华天健	2014－07－22	挂牌
43	830908	普诺威	2014－07－25	挂牌
44	830947	金柏园林	2014－08－06	挂牌
45	830977	婴儿乐	2014－08－07	挂牌
46	830911	标榜新材	2014－08－08	挂牌
47	830973	双强塑胶	2014－08－08	挂牌
48	830942	众志和达	2014－08－11	挂牌
49	830993	壹玖壹玖	2014－08－13	挂牌
50	831000	吉芬设计	2014－08－13	挂牌
51	830924	星龙科技	2014－08－13	挂牌
52	831049	赛莱拉	2014－08－14	挂牌
53	831079	瑞琦科技	2014－08－14	挂牌
54	831015	小白龙	2014－08－14	挂牌
55	831025	万兴隆	2014－08－14	挂牌
56	831052	金开利	2014－08－14	挂牌
57	831110	荣腾科技	2014－08－14	挂牌
58	831059	霍斯通	2014－08－15	挂牌
59	831173	泰恩康	2014－10－08	挂牌
60	831171	海纳川	2014－10－08	挂牌
61	831194	派拉软件	2014－10－14	挂牌
62	831236	华东修船	2014－10－24	挂牌
63	831199	海博小贷	2014－10－24	挂牌
64	831253	东进农牧	2014－11－03	挂牌
65	831280	兴恒隆	2014－11－04	挂牌

66	831285	常欣科技	2014－11－05	挂牌
67	831317	海典软件	2014－11－10	挂牌
68	831397	康泽药业	2014－12－02	挂牌
69	831427	信通电子	2014－12－05	挂牌
70	831471	北方园林	2014－12－12	挂牌
71	831526	凯华材料	2014－12－19	挂牌
72	831394	南麟电子	2014－12－25	挂牌
73	831606	方硕科技	2014－12－30	挂牌
74	831582	井利电子	2014－12－30	挂牌
75	831583	未来宽带	2014－12－31	挂牌
76	831714	福航环保	2015－01－08	挂牌
77	831698	工大软件	2015－01－12	挂牌
78	831680	麒润文化	2015－01－15	挂牌
79	831828	利特尔	2015－01－21	挂牌
80	831846	飞驰环保	2015－01－21	挂牌
81	831709	瑞特爱	2015－01－21	挂牌
82	831818	鑫辉精密	2015－01－22	挂牌
83	831957	晨宇电气	2015－01－27	挂牌
84	831914	瑞柯科技	2015－01－29	挂牌
85	831855	浙江大农	2015－02－03	挂牌
86	831920	车头制药	2015－02－04	挂牌
87	831958	健博通	2015－02－13	挂牌
88	832071	晶华光学	2015－03－05	挂牌
89	832096	南铸科技	2015－03－09	挂牌
90	832138	中衡公估	2015－03－13	挂牌
91	832122	泽辉股份	2015－03－17	挂牌
92	832245	慧翰股份	2015－04－03	挂牌
93	832229	孚尔姆	2015－04－07	挂牌
94	832274	佳时达	2015－04－10	挂牌
95	832289	沧运集团	2015－04－10	挂牌
96	832201	澄星航模	2015－04－13	挂牌
97	832287	金凯光电	2015－04－14	挂牌
98	832182	欧好光电	2015－04－14	挂牌
99	832295	富泰股份	2015－04－16	挂牌
100	832281	和氏技术	2015－04－20	挂牌
101	832424	科海股份	2015－05－11	挂牌
102	832440	九天高科	2015－05－13	挂牌
103	832447	森馥科技	2015－05－18	挂牌
104	832453	恒福茶业	2015－05－18	挂牌
105	832463	月旭科技	2015－05－18	挂牌
106	832546	科富股份	2015－06－01	挂牌
107	832584	观想科技	2015－06－10	挂牌
108	832614	旺大集团	2015－06－11	挂牌
109	832651	天罡股份	2015－06－24	挂牌
110	832562	盈嘉科技	2015－07－01	挂牌
111	832705	达瑞生物	2015－07－09	挂牌
112	832728	全宝科技	2015－07－10	挂牌
113	832699	南华工业	2015－07－15	挂牌

114	832787	银科金典	2015－07－15	挂牌
115	832793	同创伟业	2015－07－15	挂牌
116	832794	万斯达	2015－07－16	挂牌
117	832796	逸舒制药	2015－07－16	挂牌
118	832797	泰士特	2015－07－16	挂牌
119	832828	凡科股份	2015－07－21	挂牌
120	832769	汕樟轻工	2015－07－22	挂牌
121	832780	科瑞生物	2015－07－23	挂牌
122	832788	环球渔场	2015－07－23	挂牌
123	832802	保丽洁	2015－07－24	挂牌
124	832730	蓝贝股份	2015－07－27	挂牌
125	832862	惠柏新材	2015－07－30	挂牌
126	832831	邦得利	2015－07－30	挂牌
127	832975	新凌嘉	2015－07－31	挂牌
128	833008	舜富压铸	2015－07－31	挂牌
129	832954	龙创设计	2015－08－04	挂牌
130	832989	鑫博技术	2015－08－04	挂牌
131	832912	西科种业	2015－08－06	挂牌
132	833149	卓锦环保	2015－08－07	挂牌
133	833043	新光镭射	2015－08－10	挂牌
134	832731	精通科技	2015－08－11	挂牌
135	833321	科密汽电	2015－08－12	挂牌
136	833324	迪赛环保	2015－08－13	挂牌
137	833183	超凡股份	2015－08－13	挂牌
138	833165	智科股份	2015－08－13	挂牌
139	832967	利达发展	2015－08－14	挂牌
140	832708	三力制药	2015－08－17	挂牌
141	832949	皇家壹号	2015－08－17	挂牌
142	833355	崇德动漫	2015－08－19	挂牌
143	832898	天地壹号	2015－08－20	挂牌
144	833371	蓝天燃气	2015－08－21	挂牌
145	833041	网信机电	2015－08－25	挂牌
146	833375	手付通	2015－08－27	挂牌
147	833455	汇隆活塞	2015－09－07	挂牌
148	833269	华美牙科	2015－09－09	挂牌
149	833367	宝德利	2015－09－10	挂牌
150	833208	良品电商	2015－09－24	挂牌
151	833672	赛沃斯	2015－09－28	挂牌
152	833681	辰泰科技	2015－09－29	挂牌
153	833640	广州中崎	2015－09－30	挂牌
154	833692	托普云农	2015－10－08	挂牌
155	833664	威特龙	2015－10－09	挂牌
156	833737	望湘园	2015－10－16	挂牌
157	833680	一览网络	2015－10－16	挂牌
158	833604	南广影视	2015－10－19	挂牌
159	833878	帕斯菲克	2015－10－20	挂牌
160	833888	华普永明	2015－10－20	挂牌
161	833859	国能新材	2015－10－21	挂牌

162	833855	三楷深发	2015－10－23	挂牌
163	833919	酒仙网	2015－10－29	挂牌
164	833897	心动网络	2015－11－04	挂牌
165	833815	嘉友互联	2015－11－06	挂牌
166	834093	盛成网络	2015－11－09	挂牌
167	834295	虎彩印艺	2015－11－25	挂牌
目前已推荐挂牌公司家数		167		
撤回材料及申请被否公司家数		0		
正在挂牌公司家数		165		
已上市公司家数		1		
已被终止挂牌公司家数		1		
推荐定向发行情况				
序号	股份代码	公司名称	发行日期	公司状态
1	430006	北陆药业	2008－7－3	发行成功
2	430021	海鑫科金	2012－2－24	发行成功
3	430104	全三维	2013－1－16	发行成功
4	430276	晟矽微电	2013－7－29	发行成功
5	430179	宇昂科技	2013－8－30	发行成功
6	430279	华安股份	2013－11－26	发行成功
7	430238	普华科技	2014－1－13	发行成功
8	430329	百林通信	2014－2－25	发行成功
9	430325	精英智通	2014－6－14	发行成功
10	430442	华昊电器	2014－7－18	发行成功
11	830863	瑞华天健	2014－7－22	发行成功
12	430660	益佰广通	2014－8－6	发行成功
13	430637	菱博电子	2014－8－12	发行成功
14	830924	星龙科技	2014－8－13	发行成功
15	831110	荣腾科技	2014－8－14	发行成功
16	831052	金开利	2014－8－14	发行成功
17	430369	威门药业	2014－8－14	发行成功
18	831015	小白龙	2014－8－14	发行成功
19	831059	霍斯通	2014－8－15	发行成功
20	430004	绿创设备	2014－8－22	发行成功
21	430238	普华科技	2014－9－10	发行成功
22	831194	派拉软件	2014－9－24	发行成功
23	430237	大汉三通	2014－11－5	发行成功
24	430276	晟矽微电	2014－12－19	发行成功
25	831394	南麟电子	2014－12－24	发行成功
26	831582	井利电子	2014－12－30	发行成功
27	831680	麒润文化	2015－1－15	发行成功
28	832122	泽辉股份	2015－1－16	发行成功
29	831957	晨宇电气	2015－1－27	发行成功
30	430238	普华科技	2015－3－3	发行成功
31	430276	晟矽微电	2015－3－6	发行成功
32	832245	慧翰股份	2015－3－17	发行成功
33	430238	普华科技	2015－3－18	发行成功
34	430237	大汉三通	2015－3－19	发行成功
35	430437	食安科技	2015－3－19	发行成功

36	832182	欧好光电	2015－3－20	发行成功
37	430161	光谷信息	2015－3－27	发行成功
38	832201	澄星航模	2015－4－13	发行成功
39	832281	和氏技术	2015－4－20	发行成功
40	430179	宇昂科技	2015－5－8	发行成功
41	832463	月旭科技	2015－5－18	发行成功
42	832453	恒福茶业	2015－5－18	发行成功
43	832546	科富股份	2015－5－20	发行成功
44	430179	宇昂科技	2015－5－22	发行成功
45	832731	精通科技	2015－6－10	发行成功
46	832788	环球渔场	2015－6－15	发行成功
47	430653	同望科技	2015－6－17	发行成功
48	430482	河源富马	2015－6－19	发行成功
49	833269	华美牙科	2015－6－25	发行成功
50	832562	盈嘉科技	2015－7－1	发行成功
51	832793	同创伟业	2015－7－2	发行成功
52	430490	旭龙物联	2015－7－3	发行成功
53	832229	孚尔姆	2015－7－6	发行成功
54	832954	龙创设计	2015－7－8	发行成功
55	832862	惠柏新材	2015－7－8	发行成功
56	832705	达瑞生物	2015－7－9	发行成功
57	832699	南华工业	2015－7－15	发行成功
58	832794	万斯达	2015－7－16	发行成功
59	833897	心动网络	2015－7－16	发行成功
60	832828	凡科股份	2015－7－21	发行成功
61	831052	金开利	2015－7－22	发行成功
62	832802	保丽洁	2015－7－24	发行成功
63	832730	蓝贝股份	2015－7－27	发行成功
64	832831	邦得利	2015－7－30	发行成功
65	833008	舜富压铸	2015－7－31	发行成功
66	832975	新凌嘉	2015－7－31	发行成功
67	831052	金开利	2015－8－5	发行成功
68	833897	心动网络	2015－8－7	发行成功
69	832967	利达发展	2015－8－14	发行成功
70	832949	皇家壹号	2015－8－17	发行成功
71	832708	三力制药	2015－8－17	发行成功
72	833208	良品电商	2015－8－24	发行成功
73	833041	网信机电	2015－8－25	发行成功
74	831000	吉芬设计	2015－8－31	发行成功
75	833640	广州中崎	2015－9－30	发行成功
76	833692	托普云农	2015－10－8	发行成功
77	833604	南广影视	2015－10－19	发行成功
推荐定向发行次数		77		
推荐定向发行成功次数		77		
推荐定向发行失败次数		0		
推荐原代办股份转让系统的两网公司及退市公司挂牌情况				
序号	股份代码	公司名称		

1	400028	珠海鑫光集团股份有限公司
2	400053	佳木斯金地造纸股份有限公司
推荐原代办股份转让系统的两网公司及退市公司家数		2

三、部门设置

经纪业务				
人员	姓名	固定电话	传真	Email
经纪业务联络人	卓文	020－87555232	020－87555417	zw5@gf.com.cn
经纪业务联络人	廖奕炯	020－87555888－8239	020－87555417	lyj5@gf.com.cn
推荐业务				
人员	姓名	固定电话	传真	Email
推荐业务联络人	陶红鉴	020－87555888	020－87555303	thj@gf.com.cn
推荐业务联络人	向伟	010－56571628	010－56571688	gfxw@163.com

招商证券股份有限公司

一、公司简介及概况

公司简介	公司名称	招商证券股份有限公司				
	成立日期	1993－8－1	法定代表人	宫少林	总经理	王岩
	注册资本（万元）	466,109.98	净资产＊（万元）	2,718,438.05	净资本＊（万元）	1,404,132.24
	注册地址	广东省深圳市福田区益田路江苏大厦A座38－45层			营业部家数	146
	办公地址	广东省深圳市福田区益田路江苏大厦A座38－45层			邮编	518026
	公司网址	www.newone.com.cn	电子邮箱	sbox@cmschina.com.cn	经营证券业务许可证编号	Z27174000
	注：＊经审计的最近年度净资产和净资本					
	证监会批准从事的证券业务			证券经纪；证券投资咨询；与证券交易、证券投资活动有关的财务顾问；证券承销与保荐；证券自营；证券资产管理；融资融券；证券投资基金代销；为期货公司提供中间介绍业务；代销金融产品业务；保险兼业代理业务。		
	在全国股份转让系统从事的业务种类			推荐业务，经纪业务，做市业务		
公司概况	招商证券股份有限公司是一家主要从事包括证券经纪；证券投资咨询；与证券交易、证券投资活动有关的财务顾问等的公司.公司是百年招商局控股兼具海外业务平台的国内创新试点券商，综合实力进入国内十强.为投资者提供证券代理买卖、证券发行与承销、收购兼并、资产重组、财务顾问、资产管理、投资咨询等证券投、融资全方位服务，是我国证券交易所第一批会员、第一批经核准的综合类券商、第一批主承销商、全国银行间同业拆借市场第一批成员以及第一批具有自营、网上交易和客户资产管理业务资格的券商，拥有国内首个多媒体客户服务中心和国内第一个专业证券交易网站。公司具有稳定的持续盈利能力，自2004年到2008年持续盈利，是行业中仅有的三家连续五年盈利的证券公司之一。					

二、业务动态

推荐挂牌情况				
序号	股份代码	公司名称	挂牌日期	公司状态
1	430039	华高世纪	2008－12－10	挂牌
2	430314	新橡科技	2013－08－08	挂牌
3	430312	伟力盛世	2013－08－08	挂牌
4	430553	海红技术	2014－01－24	挂牌

5	430608	奇维科技	2014－01－24	挂牌
6	430534	天涌科技	2014－01－24	挂牌
7	430535	柳爱科技	2014－01－24	挂牌
8	430552	亚成微	2014－01－24	挂牌
9	430611	长信股份	2014－01－24	挂牌
10	430620	益善生物	2014－01－24	挂牌
11	430655	今泰科技	2014－02－18	挂牌
12	430671	一卡易	2014－04－02	挂牌
13	430702	昊福文化	2014－05－06	挂牌
14	830835	南源电力	2014－07－08	挂牌
15	830870	松宝智能	2014－07－21	挂牌
16	830858	华图宏阳	2014－07－24	挂牌
17	830838	新产业	2014－07－25	挂牌
18	830887	吉美思	2014－07－28	挂牌
19	830894	紫竹桩基	2014－08－01	挂牌
20	830940	科宏生物	2014－08－05	挂牌
21	831085	博冠光电	2014－08－19	挂牌
22	831124	中标节能	2014－09－02	挂牌
23	831180	华苏科技	2014－10－14	挂牌
24	831176	天鸿股份	2014－10－16	挂牌
25	831211	尊马管件	2014－10－21	挂牌
26	831202	摩德娜	2014－10－27	挂牌
27	831359	恒光股份	2014－11－18	挂牌
28	831356	中电智能	2014－11－20	挂牌
29	831401	信立方	2014－12－04	挂牌
30	831467	世窗信息	2014－12－09	挂牌
31	831493	赛特传媒	2014－12－10	挂牌
32	831456	森瑞新材	2014－12－10	挂牌
33	831450	金宏气体	2014－12－15	挂牌
34	831502	东都节能	2014－12－16	挂牌
35	831509	中科英泰	2014－12－16	挂牌
36	831544	北超伺服	2014－12－19	挂牌
37	831522	汇波材料	2014－12－21	挂牌
38	831584	雷博司	2014－12－30	挂牌
39	831570	鸿益达	2014－12－30	挂牌
40	831550	成大生物	2014－12－31	挂牌
41	831553	陕中科	2014－12－31	挂牌
42	831675	一拓通信	2015－01－05	挂牌
43	831650	盛华德	2015－01－13	挂牌
44	831699	泰力松	2015－01－13	挂牌
45	831653	科利尔	2015－01－13	挂牌
46	831732	爱车屋	2015－01－15	挂牌
47	831598	热像科技	2015－01－16	挂牌
48	831724	信而泰	2015－01－16	挂牌
49	831760	玉如意	2015－01－22	挂牌
50	831809	锡南铸机	2015－01－22	挂牌
51	831811	中普防雷	2015－01－23	挂牌
52	831834	三维股份	2015－01－26	挂牌
53	831917	中电红石	2015－01－28	挂牌
54	831865	凯瑞电气	2015－02－03	挂牌

55	831854	曼克斯	2015－02－05	挂牌
56	831870	欧森纳	2015－02－11	挂牌
57	831942	天一生物	2015－02－16	挂牌
58	832050	百富餐饮	2015－02－16	挂牌
59	831857	增立钢管	2015－02－16	挂牌
60	831863	焦作泰利	2015－02－18	挂牌
61	831931	云能威士	2015－03－05	挂牌
62	832005	永盛新材	2015－03－09	挂牌
63	832156	强田液压	2015－03－19	挂牌
64	832080	七色珠光	2015－03－19	挂牌
65	831929	惠尔明	2015－03－19	挂牌
66	832084	深川股份	2015－03－23	挂牌
67	832157	龙华薄膜	2015－03－25	挂牌
68	832222	鼎实科技	2015－04－10	挂牌
69	832202	沪鸽口腔	2015－04－10	挂牌
70	832337	环渤海	2015－05－12	挂牌
目前已推荐挂牌公司家数		70		
撤回材料及申请被否公司家数		0		
正在挂牌公司家数		70		
已上市公司家数		0		
已被终止挂牌公司家数		0		
推荐定向发行情况				
序号	股份代码	公司名称	发行日期	公司状态
1	430608	奇维科技	2014－5－6	发行成功
2	430611	长信股份	2014－5－23	发行失败
3	430611	长信股份	2014－7－7	发行成功
4	430312	伟力盛世	2014－7－17	发行成功
5	831180	华苏科技	2014－12－24	发行成功
6	831180	华苏科技	2015－2－27	发行成功
7	831450	金宏气体	2015－2－27	发行成功
8	831085	博冠股份	2015－4－29	发行成功
9	831854	曼克斯	2015－5－14	发行成功
推荐定向发行次数		9		
推荐定向发行成功次数		8		
推荐定向发行失败次数		1		
推荐原代办股份转让系统的两网公司及退市公司挂牌情况				
序号	股份代码	公司名称		
推荐原代办股份转让系统的两网公司及退市公司家数		0		

三、部门设置

经纪业务				
人员	姓名	固定电话	传真	Email
经纪业务联络人	龙劲松	0755－82960248	0755－83074086	longjs@cmschina.com.cn
经纪业务联络人	黎姗姗	0755－82852935	0755－83074086	lishanshan1@cmschina.com.cn
推荐业务				
人员	姓名	固定电话	传真	Email

推荐业务联络人	毕敬	82852967	82943121	bij@ cmschina. com. cn
推荐业务联络人	秦杰	010 - 57601886	010 - 65663463	qinjie@ cmschina. com. cn

光大证券股份有限公司

一、公司简介及概况

公司简介	公司名称	光大证券股份有限公司				
	成立日期	1996 - 4 - 23	法定代表人	薛峰	总经理	薛峰
	注册资本（万元）	390,700	净资产*（万元）	2,494,223.65	净资本*（万元）	1,690,276.62
	注册地址	上海市静安区新闸路1508号			营业部家数	151
	办公地址	上海市静安区新闸路1508号			邮编	200040
	公司网址	www. ebscn. com	电子邮箱	ebs@ ebscn. com	经营证券业务许可证编号	Z22831000
	注：*经审计的最近年度净资产和净资本					
	证监会批准从事的证券业务			证券经纪；证券投资咨询；与证券交易、证券投资活动有关的财务顾问；证券承销与保荐；证券自营；为期货公司提供中间介绍业务；证券投资基金代销；融资融券业务；代销金融产品；股票期权做市业务；中国证监会批准的其他业务。		
	在全国股份转让系统从事的业务种类			经纪业务，推荐业务，做市业务		
公司概况	光大证券股份有限公司创建于1996年，系由中国光大（集团）总公司投资控股的全国性综合类大型证券公司。公司于2009年8月18日在上海证券交易所成功挂牌上市交易（股票简称"光大证券"，股票代码"601788"）。公司是首批创新试点类券商之一，拥有齐备的证券业务牌照和资质，全资拥有光大富尊投资有限公司、光大资本投资有限公司、光大期货有限公司、上海光大证券资产管理有限公司、光大证券金融控股有限公司，控股光大保德信基金管理有限公司，参股大成基金管理有限公司。 公司成立以来，秉承"塑造公司品牌，提升客户价值，造就员工未来"的核心价值观和"诚信、专业、卓越、共享"的经营理念，积极投身于国内资本市场，各项业务迅速发展，在巩固证券承销、证券经纪、资产管理、证券投资、基金管理、财务顾问、投资咨询等传统业务优势的同时，全方位抢跑集合理财、权证、资产证券化、直接投资、融资融券、股指期货等创新业务，业务规模及主要营业指标居国内证券公司前列。公司强化内控管理，严防各类风险，以净资本为核心的各项风险监控和流动性指标继续保持业内良好水平。					

二、业务动态

推荐挂牌情况				
序号	股份代码	公司名称	挂牌日期	公司状态
1	430062	中科国信	2010 - 01 - 12	挂牌
2	430176	中教股份	2012 - 10 - 18	挂牌
3	430156	科曼股份	2012 - 10 - 26	挂牌
4	430174	沃捷传媒	2012 - 12 - 18	挂牌
5	430217	申石软件	2013 - 05 - 17	挂牌
6	430234	翼捷股份	2013 - 07 - 02	挂牌
7	430256	卓繁信息	2013 - 07 - 19	挂牌
8	430293	奉天电子	2013 - 08 - 08	挂牌
9	430319	欧萨咨询	2013 - 10 - 16	挂牌
10	430601	吉玛基因	2014 - 01 - 24	挂牌
11	430368	明波通信	2014 - 01 - 24	挂牌
12	430425	乐创技术	2014 - 01 - 24	挂牌

13	430426	长城软件	2014－01－24	挂牌
14	430433	中瑞电子	2014－01－24	挂牌
15	430480	辰维科技	2014－01－24	挂牌
16	430597	博安通	2014－01－24	挂牌
17	430626	胜达科技	2014－01－24	挂牌
18	430634	南安机电	2014－02－14	挂牌
19	430633	卡姆医疗	2014－02－14	挂牌
20	430642	映翰通	2014－02－18	挂牌
21	430654	聚科照明	2014－02－20	挂牌
22	430646	上海底特	2014－02－21	挂牌
23	430661	派尔科	2014－03－07	挂牌
24	430726	津宇嘉信	2014－05－06	挂牌
25	830799	艾融软件	2014－06－03	挂牌
26	830805	德马科技	2014－06－04	挂牌
27	830898	华人天地	2014－08－01	挂牌
28	831041	兆鋆新材	2014－08－21	挂牌
29	831069	瑞明节能	2014－08－21	挂牌
30	831056	千叶药包	2014－08－21	挂牌
31	831045	科慧科技	2014－08－22	挂牌
32	831213	博汇股份	2014－10－21	挂牌
33	831276	松科快换	2014－11－04	挂牌
34	831294	中德科技	2014－11－06	挂牌
35	831374	吉人高新	2014－11－24	挂牌
36	831388	福来喜得	2014－12－05	挂牌
37	831379	融信租赁	2014－12－05	挂牌
38	831439	中喜生态	2014－12－08	挂牌
39	831521	汉龙科技	2014－12－16	挂牌
40	831574	富翊装饰	2014－12－31	挂牌
41	831614	合富科技	2015－01－06	挂牌
42	831726	朱老六	2015－01－12	挂牌
43	831656	中港股份	2015－01－15	挂牌
44	831738	振野智能	2015－01－21	挂牌
45	831868	新农股份	2015－01－27	挂牌
46	831953	天圣科技	2015－02－10	挂牌
47	832012	博玺电气	2015－02－11	挂牌
48	831938	上海亿格	2015－02－25	挂牌
49	832168	中科招商	2015－03－20	挂牌
50	832196	秦森园林	2015－04－01	挂牌
51	832231	恒盛环保	2015－04－09	挂牌
52	832270	骏驰科技	2015－04－13	挂牌
53	832381	国汇小贷	2015－04－30	挂牌
54	832423	德卡科技	2015－05－07	挂牌
55	832448	佳业股份	2015－05－13	挂牌
56	832462	广电计量	2015－05－13	挂牌
57	832468	向明轴承	2015－05－14	挂牌
58	832525	德业变频	2015－05－29	挂牌
59	832588	葫芦堡	2015－06－08	挂牌
60	832586	圣兆药物	2015－06－26	挂牌

61	832701	银采天	2015－07－02	挂牌
62	832732	亚夫农业	2015－07－10	挂牌
63	832760	上海君屹	2015－07－13	挂牌
64	832833	易霸科技	2015－07－21	挂牌
65	833173	赢鼎科技	2015－07－31	挂牌
66	833155	东工股份	2015－07－31	挂牌
67	833171	福建国航	2015－08－04	挂牌
68	832973	思亮信息	2015－08－06	挂牌
69	833342	滨江小贷	2015－08－17	挂牌
70	833291	森合高科	2015－08－17	挂牌
71	833336	德生防水	2015－08－19	挂牌
72	833441	斯派力	2015－09－01	挂牌
73	833439	领先环保	2015－09－07	挂牌
74	833499	中国康富	2015－09－09	挂牌
75	833554	新翔科技	2015－09－15	挂牌
76	833767	五轮电子	2015－10－14	挂牌
77	833683	吉联新软	2015－10－15	挂牌
78	833777	棠棣信息	2015－10－15	挂牌
79	833794	优诺股份	2015－10－15	挂牌
80	833834	绩丰物联	2015－10－19	挂牌
81	833768	上海寰创	2015－10－19	挂牌
82	833936	百味佳	2015－10－26	挂牌
83	833882	汉印股份	2015－10－27	挂牌
84	834017	方心健康	2015－11－03	挂牌
85	833998	久银控股	2015－11－07	挂牌
86	834088	恒通液压	2015－11－09	挂牌
87	834064	技美科技	2015－11－10	挂牌
88	834367	美康基因	2015－11－17	挂牌
89	834347	天畅环保	2015－11－19	挂牌
90	834313	杰艾人力	2015－11－20	挂牌
91	834427	弘大能源	2015－11－23	挂牌
92	834381	方圆现代	2015－11－23	挂牌
93	834395	博信资产	2015－11－23	挂牌
94	834277	天风期货	2015－11－24	挂牌
95	834428	蓝孚高能	2015－11－24	挂牌
96	834654	银利电气	2015－11－27	挂牌
97	834526	新视文化	2015－11－27	挂牌
98	834510	宇鑫货币	2015－11－30	挂牌
99	834461	华工股份	2015－12－03	挂牌
100	834640	达普电子	2015－12－04	挂牌
101	834559	河马动画	2015－12－08	挂牌
102	834651	飞扬旅游	2015－12－08	挂牌
103	834725	联通纪元	2015－12－09	挂牌
104	834086	德泓国际	2015－12－15	挂牌
105	834882	谢馥春	2015－12－15	挂牌
106	834907	梧斯源	2015－12－15	挂牌
107	834695	郑设股份	2015－12－15	挂牌
108	834950	迅安科技	2015－12－16	挂牌

109	835020	山东北辰	2015 – 12 – 16	挂牌
110	835043	洁澳思	2015 – 12 – 22	挂牌
111	834903	全现代	2015 – 12 – 23	挂牌
112	834223	永诚保险	2015 – 12 – 28	挂牌
目前已推荐挂牌公司家数		112		
撤回材料及申请被否公司家数		0		
正在挂牌公司家数		112		
已上市公司家数		0		
已被终止挂牌公司家数		0		
推荐定向发行情况				
序号	股份代码	公司名称	发行日期	公司状态
1	430062	中科国信	2012 – 11 – 20	发行成功
2	430176	中教股份	2013 – 9 – 4	发行成功
3	430597	博安通	2014 – 7 – 9	发行成功
4	430642	映翰通	2014 – 8 – 7	发行成功
5	430234	翼捷股份	2014 – 8 – 8	发行成功
6	831045	科慧科技	2014 – 8 – 15	
7	430174	沃捷传媒	2014 – 8 – 18	发行成功
8	831056	千叶药包	2014 – 9 – 2	发行成功
9	430174	沃捷传媒	2014 – 9 – 13	发行成功
10	430726	津宇嘉信	2014 – 9 – 30	发行成功
11	830805	德马科技	2014 – 11 – 5	发行成功
12	430726	津宇嘉信	2014 – 11 – 5	发行成功
13	430633	卡姆医疗	2014 – 12 – 2	发行成功
14	430062	中科国信	2014 – 12 – 9	发行成功
15	430480	辰维科技	2014 – 12 – 19	发行成功
16	831041	兆鋆新材	2014 – 12 – 24	发行成功
17	830799	艾融软件	2014 – 12 – 31	发行成功
18	430256	卓繁信息	2015 – 2 – 4	发行成功
19	430062	中科国信	2015 – 2 – 5	发行成功
20	430426	长城软件	2015 – 3 – 10	发行成功
21	832168	中科招商	2015 – 3 – 20	发行成功
22	832168	中科招商	2015 – 3 – 20	发行成功
23	830799	艾融软件	2015 – 3 – 27	发行成功
24	831439	中喜生态	2015 – 3 – 31	发行成功
25	832231	恒盛环保	2015 – 4 – 9	发行成功
26	831276	松科快换	2015 – 4 – 15	发行成功
27	831041	兆鋆新材	2015 – 4 – 27	
28	831294	中德科技	2015 – 4 – 28	发行成功
29	430368	明波通信	2015 – 4 – 29	发行成功
30	830898	华人天地	2015 – 4 – 29	发行成功
31	430256	卓繁信息	2015 – 4 – 29	
32	832168	中科招商	2015 – 5 – 14	
33	830898	华人天地	2015 – 5 – 26	
34	831521	汉龙科技	2015 – 6 – 9	
35	831069	瑞明节能	2015 – 6 – 10	
36	831614	合富科技	2015 – 6 – 30	
37	832196	秦森园林	2015 – 7 – 2	发行失败

38	430646	上海底特	2015－7－2	发行失败
39	832270	骏驰科技	2015－7－3	
40	430368	明波通信	2015－7－3	
41	831938	上海亿格	2015－7－3	
42	831294	中德科技	2015－7－3	
43	831574	富翊装饰	2015－7－6	
44	430176	中教股份	2015－7－7	
45	430426	长城软件	2015－7－13	
46	831041	兆鋆新材	2015－7－15	
47	430174	沃捷传媒	2015－7－24	
48	833171	福建国航	2015－8－3	
49	832168	中科招商	2015－8－4	
50	430156	科曼股份	2015－8－6	
51	430726	津宇嘉信	2015－8－15	
52	831045	科慧科技	2015－8－20	
53	832423	德卡科技	2015－8－21	
54	832586	圣兆药物	2015－8－28	
55	833499	中国康富	2015－9－8	
56	430642	映翰通	2015－9－11	
57	430633	卡姆医疗	2015－9－17	
58	831069	瑞明节能	2015－9－17	
59	831041	兆鋆新材	2015－9－29	
60	831574	富翊装饰	2015－10－15	
61	832760	上海君屹	2015－10－20	
62	833291	森合高科	2015－10－22	
63	430480	辰维科技	2015－11－4	
64	833998	久银控股	2015－11－16	
65	830805	德马科技	2015－11－23	
66	832462	广电计量	2015－11－30	
67	831045	科慧科技	2015－12－1	
68	833336	德生防水	2015－12－1	
69	832973	思亮信息	2015－12－4	
70	833768	上海寰创	2015－12－28	
71	832525	德业变频	2015－12－29	
72	830898	华人天地		
推荐定向发行次数		72		
推荐定向发行成功次数		28		
推荐定向发行失败次数		2		
推荐原代办股份转让系统的两网公司及退市公司挂牌情况				
序号	股份代码	公司名称		
推荐原代办股份转让系统的两网公司及退市公司家数		0		

三、部门设置

经纪业务				
人员	姓名	固定电话	传真	Email
经纪业务联络人	韩成	021－22167079	021－22169884	hancheng@ebscn.com
经纪业务联络人	李旭东	021－22169261	021－22169884	lixudong@ebscn.com

推荐业务				
人员	姓名	固定电话	传真	Email
推荐业务联络人	李海军	021 - 22169188	021 - 22167184	lihaijun@ ebscn. com
推荐业务联络人	于洁	021 - 22167134	021 - 22167184	yujie@ ebscn. com

华泰证券股份有限公司

一、公司简介及概况

公司简介	公司名称	华泰证券股份有限公司				
	成立日期	1991 - 4 - 9	法定代表人	周易	总经理	周易
	注册资本（万元）	716,276.88	净资产＊（万元）	3,708,578.46	净资本＊（万元）	1,972,780.9
	注册地址	南京市江东中路 228 号			营业部家数	245
	办公地址	南京市江东中路 228 号			邮编	210019
	公司网址	www. htsc. com. cn	电子邮箱	95597@ htsc. com	经营证券业务许可证编号	320000000000192
	注：＊经审计的 2012 年度净资产和净资本					
	证监会批准从事的证券业务			证券经纪业务，证券自营，证券承销业务（限承销国债、非金融企业债务融资工具、金融债（含政策性金融债）），证券投资咨询，为期货公司提供中间介绍业务，融资融券业务，代销金融产品业务，证券投资基金代销，证券投资基金托管，黄金等贵金属现货合约代理和黄金现货合约自营业务，股票期权做市业务，中国证监会批准的其他业务。（依法须经批准的项目，经相关部门批准后方可开展经营活动）		
	在全国股份转让系统从事的业务种类			经纪业务，推荐业务，做市业务		
公司概况	华泰证券股份有限公司于 1991 年 4 月 9 日成立，是中国证监会首批批准的综合类券商，是全国最早获得创新试点资格的券商之一，于 2010 年 2 月 26 日在上海证券交易所成功挂牌上市交易，股票代码 601688。公司旗下控股华泰联合证券有限责任公司、华泰期货有限公司、江苏股权交易中心有限责任公司；全资设立华泰金融控股（香港）有限公司、华泰紫金投资有限责任公司、华泰证券（上海）资产管理有限公司、华泰创新投资有限公司；参股南方基金管理有限公司、华泰柏瑞基金管理有限公司、江苏银行股份有限公司、金浦产业投资基金管理有限公司等。已基本形成集证券、基金、期货、直接投资和海外业务等为一体的、国际化的证券控股集团架构。					

二、业务动态

推荐挂牌情况				
序号	股份代码	公司名称	挂牌日期	公司状态
1	430076	国基科技	2010 - 12 - 08	挂牌
2	430077	道隆软件	2010 - 12 - 29	挂牌
3	430294	七环电气	2013 - 08 - 05	挂牌
4	430299	天津宝恒	2013 - 08 - 05	挂牌
5	430607	大树智能	2014 - 01 - 24	挂牌
6	430756	科电瑞通	2014 - 05 - 30	挂牌
7	830868	建策科技	2014 - 07 - 16	挂牌
8	830906	万事达	2014 - 07 - 30	挂牌
9	830966	苏北花卉	2014 - 08 - 08	挂牌
10	830965	大力电工	2014 - 08 - 13	挂牌
11	830984	德邦工程	2014 - 08 - 13	挂牌

12	831057	多普泰	2014－08－19	挂牌
13	831518	波长光电	2014－12－16	挂牌
14	831488	华宏医药	2014－12－16	挂牌
15	831671	东方传动	2015－01－22	挂牌
16	831771	天邦涂料	2015－01－22	挂牌
17	832020	恩施商贸	2015－02－16	挂牌
18	832068	苏变电气	2015－03－16	挂牌
19	832217	丰禾支承	2015－04－21	挂牌
20	832625	巴口香	2015－06－17	挂牌
21	832624	全智教育	2015－06－17	挂牌
22	832643	广东华联	2015－06－24	挂牌
23	832659	盛航海运	2015－06－26	挂牌
24	832673	中香农科	2015－07－08	挂牌
25	832735	德源药业	2015－07－14	挂牌
26	832707	国豪股份	2015－07－21	挂牌
27	832784	好样传媒	2015－07－30	挂牌
28	832858	中信科技	2015－07－30	挂牌
29	832853	电旗股份	2015－07－30	挂牌
30	832895	浩瀚股份	2015－07－31	挂牌
31	833179	南京试剂	2015－08－06	挂牌
32	833260	万辰生物	2015－08－18	挂牌
33	833353	南京天梯	2015－08－21	挂牌
34	833296	三希科技	2015－08－21	挂牌
35	833299	久康云	2015－08－21	挂牌
36	833287	海拜科技	2015－08－26	挂牌
37	833401	鸿合智能	2015－08－27	挂牌
38	833040	中凌高科	2015－09－07	挂牌
39	833654	能拓股份	2015－09－29	挂牌
40	833418	中兰环保	2015－09－29	挂牌
41	833560	东南电梯	2015－10－09	挂牌
42	833656	硝成硅化	2015－10－12	挂牌
43	833544	绿岩生态	2015－10－14	挂牌
44	833942	祥源新材	2015－11－04	挂牌
45	834290	培诺教育	2015－11－17	挂牌
46	834164	双江股份	2015－11－23	挂牌
47	834406	迪威普	2015－11－25	挂牌
48	834462	欧佩股份	2015－11－27	挂牌
49	834418	好买财富	2015－11－27	挂牌
50	834546	鸿冠信息	2015－12－02	挂牌
51	834542	维欧艾	2015－12－08	挂牌
52	834836	一鸣生物	2015－12－09	挂牌
53	834513	新海生物	2015－12－11	挂牌
54	834702	伊贝股份	2015－12－15	挂牌
55	834987	清睿教育	2015－12－16	挂牌
56	834869	智臻智能	2015－12－17	挂牌
57	835188	景域文化	2015－12－22	挂牌

58	835005	曼茶罗	2015－12－24	挂牌
59	835125	商络电子	2015－12－31	挂牌
60	835374	联帮医疗	2016－01－12	挂牌
61	835272	凯基生物	2016－01－13	挂牌
62	835433	商之都	2016－01－14	挂牌
63	835190	美中双和	2016－01－15	挂牌
目前已推荐挂牌公司家数		63		
撤回材料及申请被否公司家数		0		
正在挂牌公司家数		63		
已上市公司家数		0		
已被终止挂牌公司家数		0		
推荐定向发行情况				
序号	股份代码	公司名称	发行日期	公司状态
1	430077	道隆软件	2012－8－24	发行成功
2	430607	大树智能	2014－8－27	发行成功
3	831488	华宏医药	2015－2－11	发行成功
4	832068	苏变电气	2015－2－11	发行成功
5	830984	德邦工程	2015－4－21	发行成功
6	831488	华宏医药	2015－6－3	发行成功
7	831518	波长光电	2015－6－5	发行成功
8	832735	德源药业	2015－6－30	发行成功
9	833260	万辰生物	2015－8－17	发行成功
10	430076	国基科技	2015－8－19	发行成功
11	833544	绿岩生态	2015－8－31	发行成功
12	833418	中兰环保	2015－9－14	发行成功
13	833418	中兰环保	2015－9－14	发行成功
14	830984	德邦工程	2015－9－25	发行成功
15	430076	国基科技	2015－9－30	发行成功
16	831057	多普泰	2015－10－12	发行成功
17	831488	华宏医药	2015－10－12	发行成功
18	831488	华宏医药	2015－10－12	发行成功
19	430077	道隆软件	2015－10－23	发行成功
20	430077	道隆软件	2015－10－23	发行成功
21	831057	多普泰	2015－11－12	发行成功
22	832659	盛航海运	2015－12－10	发行成功
23	833179	南京试剂	2015－12－10	发行成功
24	833260	万辰生物	2015－12－10	发行成功
25	832853	电旗股份	2015－12－22	发行成功
26	832784	好样传媒	2015－12－24	发行成功
27	831488	华宏医药	2015－12－25	发行成功
28	831518	波长光电	2016－1－19	发行成功
推荐定向发行次数		28		
推荐定向发行成功次数		28		
推荐定向发行失败次数		0		
推荐原代办股份转让系统的两网公司及退市公司挂牌情况				
序号	股份代码	公司名称		
推荐原代办股份转让系统的两网公司及退市公司家数		0		

三、部门设置

经纪业务				
人员	姓名	固定电话	传真	Email
经纪业务联络人	臧民	025－83387004	025－83387337	zangmin@ htsc. com
经纪业务联络人	姚亮	025－83387003	025－83387337	yaoliang@ htsc. com
推荐业务				
人员	姓名	固定电话	传真	Email
推荐业务联络人	张宁	025－83387655	025－83387872	zhangning@ htsc. com
推荐业务联络人	陈胜安	025－83387663	025－83387872	chenshengan@ htsc. com

中信证券股份有限公司

一、公司简介及概况

公司简介	公司名称	中信证券股份有限公司				
	成立日期	1995－10－25	法定代表人	张佑君	总经理	程博明
	注册资本（万元）	1,101,690.84	净资产＊（万元）	8,940,209	净资本＊（万元）	3,479,649
	注册地址	深圳市福田区中心三路8号卓越时代广场（二期）北座			营业部家数	
	办公地址	北京市朝阳区亮马桥路48号中信证券大厦			邮编	100126
	公司网址	www. cs. ecitic. com	电子邮箱	ir@ citics. com	经营证券业务许可证编号	Z20374000
	注：＊经审计的最近年度净资产和净资本					
	证监会批准从事的证券业务			证券经纪；证券投资咨询；与证券交易、证券投资活动有关的财务顾问；证券承销与保荐；证券自营；证券资产管理；融资融券；证券投资基金代销；为期货公司提供中间介绍业务；代销金融产品。		
	在全国股份转让系统从事的业务种类			经纪业务，推荐业务，做市业务		
公司概况	中信证券股份有限公司于1995年10月25日在北京成立。2002年12月13日，经中国证监会核准，中信证券向社会公开发行4亿股普通A股股票，2003年1月6日在上海证券交易所挂牌上市交易，股票简称“中信证券”，股票代码“600030”。2011年10月6日在香港联合交易所上市交易，股票代码为“6030”。2012年6月6日，公司的注册资本正式变更为11,016,908,400.00元。 经中国证监会批准，中信证券开展的业务包括：证券经纪（限山东省、河南省、浙江省、福建省、江西省以外区域）；证券投资咨询；与证券交易、证券投资活动有关的财务顾问；证券承销与保荐；证券自营；证券资产管理；融资融券；证券投资基金代销；为期货公司提供中间介绍业务；代销金融产品。 2013年，中信证券各项主营业务排名继续位居中国证券行业前列。经纪业务合并市场份额6.18%，保持市场第一。投行业务完成股票主承销项目16单，主承销金额人民币543亿元，市场份额10.95%，排名市场第二；完成债券主承销项目141单，主承销金额人民币1595亿元，市场份额4.02%，排名同业第一；完成并购交易项目30单，位居全球财务顾问涉及中国企业参与的交易排行榜单数和金额第一名。资产管理业务管理资产规模人民币5049亿元，排名同业第一。固定收益业务在银行间债券市场的现券交易量继续保持同业第一。融资融券合并业务余额人民币331亿元，市场份额9.64%，排名市场第一。 QFII客户增至110家，客户交易量排名市场第一。约定式购回和股票质押式回购业务规模分别为人民币31亿元和人民币79亿元，均排名第一。2013年3月21日经全国中小企业股份转让系统有限公司核准，中信证券获得了从事全国中小企业股份转让系统推荐业务和经纪业务的资格。						

二、业务动态

推荐挂牌情况				
序号	股份代码	公司名称	挂牌日期	公司状态
1	430071	首都在线	2010－08－02	挂牌

2	430326	希文科技	2013－10－22	挂牌
3	430336	皇冠幕墙	2013－11－06	挂牌
4	430337	朗威视讯	2013－11－08	挂牌
5	430555	英派瑞	2014－01－24	挂牌
6	430412	晓沃环保	2014－01－24	挂牌
7	430638	景格科技	2014－02－18	挂牌
8	430748	恒均科技	2014－04－30	挂牌
9	830793	阿拉丁	2014－06－12	挂牌
10	830844	鸿远电气	2014－07－18	挂牌
11	830895	玉成精机	2014－07－25	挂牌
12	830956	润佳股份	2014－08－08	挂牌
13	830987	四平包装	2014－08－12	挂牌
14	830982	中易腾达	2014－08－12	挂牌
15	830991	康盛伟业	2014－08－13	挂牌
16	831091	精冶源	2014－08－18	挂牌
17	831024	中一石科	2014－08－22	挂牌
18	831170	熵能新材	2014－10－09	挂牌
19	831198	博华科技	2014－10－09	挂牌
20	831206	尚恩科技	2014－10－22	挂牌
21	831268	惠丰润滑	2014－11－05	挂牌
22	831269	博凡动力	2014－11－05	挂牌
23	831305	海希通讯	2014－11－11	挂牌
24	831325	迈奇化学	2014－11－12	挂牌
25	831350	展浩电气	2014－11－14	挂牌
26	831607	邦鑫勘测	2015－01－05	挂牌
27	831601	威科姆	2015－01－12	挂牌
28	831788	金龙科技	2015－01－14	挂牌
29	831672	莲池医院	2015－01－16	挂牌
30	831747	中景股份	2015－01－19	挂牌
31	831689	克莱特	2015－01－19	挂牌
32	831701	万龙电气	2015－01－27	挂牌
33	831928	开泰石化	2015－02－03	挂牌
34	831906	舜宇模具	2015－02－04	挂牌
35	831980	正拓能源	2015－02－09	挂牌
36	831946	名洋会展	2015－02－09	挂牌
37	831981	中浩紫云	2015－02－09	挂牌
38	831971	开元物业	2015－02－10	挂牌
39	831969	埃蒙迪	2015－02－11	挂牌
40	831949	捷阳节能	2015－02－17	挂牌
41	831978	金康精工	2015－02－17	挂牌
42	832076	泰鹏环保	2015－03－03	挂牌
43	832062	爱科赛	2015－03－06	挂牌
44	832101	浩亚股份	2015－03－10	挂牌
45	832133	天涌影视	2015－03－10	挂牌
46	832248	安正科技	2015－04－10	挂牌
47	832343	天秦小贷	2015－04－20	挂牌
48	832341	常荣声学	2015－04－20	挂牌
49	832464	科大科技	2015－05－18	挂牌

50	832481	鸿盛科技	2015－05－19	挂牌
51	832547	利策科技	2015－06－02	挂牌
52	832626	预言软件	2015－06－23	挂牌
53	832727	景心科技	2015－07－09	挂牌
54	832715	华信股份	2015－07－15	挂牌
55	832897	回头客	2015－07－22	挂牌
56	832871	地球村	2015－07－24	挂牌
57	833078	捷玛信息	2015－07－30	挂牌
58	833034	兰庆新材	2015－07－31	挂牌
59	833331	爱夫卡	2015－08－13	挂牌
60	833340	奥美森	2015－08－14	挂牌
61	833361	银农科技	2015－08－25	挂牌
62	833425	高华科技	2015－08－28	挂牌
63	833480	红旗民爆	2015－09－01	挂牌
64	833454	同心传动	2015－09－02	挂牌
65	833511	裕田霸力	2015－09－11	挂牌
66	833736	中塑在线	2015－10－08	挂牌
67	833614	翼码科技	2015－10－08	挂牌
68	833639	顺泰农贷	2015－10－09	挂牌
69	833709	和信科贷	2015－10－14	挂牌
70	833800	泰安科技	2015－10－21	挂牌
71	833851	景云祥	2015－10－26	挂牌
72	833960	华发教育	2015－10－27	挂牌
73	833836	盛祥电子	2015－10－27	挂牌
74	833840	永安期货	2015－10－28	挂牌
75	833835	天鸿设计	2015－10－29	挂牌
76	833868	南京证券	2015－10－30	挂牌
77	834049	建科股份	2015－10－30	挂牌
78	834074	锐风科技	2015－11－06	挂牌
79	834097	兆胜科技	2015－11－09	挂牌
80	834156	优蜜移动	2015－11－10	挂牌
81	834069	金通科技	2015－11－10	挂牌
82	834070	盛全物业	2015－11－10	挂牌
83	834356	金雅豪	2015－11－20	挂牌
84	834329	博洋股份	2015－11－24	挂牌
85	833804	康威通信	2015－11－26	挂牌
86	834556	神州商龙	2015－11－30	挂牌
87	834662	赛耐比	2015－12－07	挂牌
88	834823	帝隆科技	2015－12－09	挂牌
89	834864	万马科技	2015－12－09	挂牌
90	834878	华尊科技	2015－12－10	挂牌
91	834948	晨泰科技	2015－12－11	挂牌
92	834860	广大航服	2015－12－14	挂牌
93	834968	玄武科技	2015－12－17	挂牌
94	834917	苏立电热	2015－12－21	挂牌
95	834492	凯莱特	2015－12－22	挂牌
96	834850	AEM 科技	2015－12－22	挂牌
97	835067	墨麟股份	2015－12－23	挂牌

98	835090	上富股份	2015 – 12 – 23	挂牌
99	835281	翰林汇	2015 – 12 – 29	挂牌
100	835146	同欣机械	2015 – 12 – 29	挂牌
101	835533	国信股份	2016 – 01 – 12	挂牌
102	835490	易司拓	2016 – 01 – 15	挂牌
103	835319	康安租赁	2016 – 01 – 19	挂牌
104	835603	嵩湖环保	2016 – 01 – 19	挂牌
105	835337	华龙证券	2016 – 01 – 21	挂牌
106	835687	西普数据	2016 – 01 – 22	挂牌
107	835713	天阳科技	2016 – 01 – 25	挂牌
108	835680	西部宝德	2016 – 01 – 28	挂牌
109	835778	安明斯	2016 – 01 – 29	挂牌
目前已推荐挂牌公司家数		109		
撤回材料及申请被否公司家数		0		
正在挂牌公司家数		109		
已上市公司家数		0		
已被终止挂牌公司家数		0		
推荐定向发行情况				
序号	股份代码	公司名称	发行日期	公司状态
1	430071	首都在线	2011 – 9 – 1	发行成功
2	430071	首都在线	2012 – 11 – 1	发行成功
3	430071	首都在线	2013 – 9 – 5	发行成功
4	430555	英派瑞	2014 – 1 – 24	发行成功
5	430336	皇冠幕墙	2014 – 3 – 28	发行成功
6	430071	首都在线	2014 – 4 – 18	发行成功
7	430336	皇冠幕墙	2014 – 7 – 25	发行成功
8	430412	晓沃环保	2014 – 8 – 11	发行成功
9	430748	恒均科技	2014 – 8 – 14	发行成功
10	430071	首都在线	2014 – 11 – 20	发行成功
11	430748	恒均科技	2015 – 1 – 22	发行成功
12	830793	阿拉丁	2015 – 1 – 26	发行成功
13	430011	指南针	2015 – 3 – 17	发行成功
14	831091	精冶源	2015 – 4 – 16	发行成功
15	830844	鸿远电气	2015 – 4 – 23	发行成功
16	831672	莲池医院	2015 – 4 – 30	发行成功
17	831170	熵能新材	2015 – 5 – 14	发行成功
18	832464	科大科技	2015 – 5 – 18	发行成功
19	831672	莲池医院	2015 – 5 – 19	发行成功
20	831672	莲池医院	2015 – 5 – 19	发行成功
21	430555	英派瑞	2015 – 5 – 28	发行成功
22	830793	阿拉丁	2015 – 5 – 28	发行成功
23	830793	阿拉丁	2015 – 5 – 28	发行成功
24	430555	英派瑞	2015 – 6 – 18	发行成功
25	831981	中浩紫云	2015 – 6 – 24	发行成功
26	430555	英派瑞	2015 – 7 – 9	发行成功
27	832062	爱科赛	2015 – 8 – 11	发行成功
28	832101	浩亚股份	2015 – 8 – 14	发行成功

29	832076	泰鹏环保	2015-8-14	发行成功
30	831969	埃蒙迪	2015-8-14	发行成功
31	832248	安正科技	2015-8-19	发行成功
32	830982	中易腾达	2015-8-26	发行成功
33	832133	天涌影视	2015-9-1	发行成功
34	831601	威科姆	2015-9-2	发行成功
35	430555	英派瑞	2015-9-8	发行成功
36	831969	埃蒙迪	2015-9-8	发行成功
37	831949	捷阳节能	2015-9-16	发行成功
38	430071	首都在线	2015-10-21	发行成功
39	833800	泰安科技	2015-10-21	发行成功
40	833868	南京证券	2015-10-30	发行成功
41	831906	舜宇模具	2015-11-3	发行成功
42	831701	万龙电气	2015-11-5	发行成功
43	832248	安正科技	2015-11-6	发行成功
44	834156	优蜜移动	2015-11-10	发行成功
45	831971	开元物业	2015-12-18	发行成功
46	834850	AEM 科技	2015-12-22	发行成功
47	830793	阿拉丁	2015-12-22	发行成功
48	430638	景格科技	2015-12-22	发行成功
49	831672	莲池医院	2015-12-24	发行成功
50	833454	同心传动	2015-12-28	发行成功
51	430011	指南针	2015-12-31	发行成功
52	831928	开泰石化	2016-1-11	发行成功
53	833840	永安期货	2016-1-13	发行成功
54	832464	科大科技	2016-1-18	发行成功
55	833361	银农科技	2016-1-19	发行成功
56	835713	天阳科技	2016-1-20	发行成功
57	831906	舜宇模具	2016-2-1	发行成功
推荐定向发行次数		57		
推荐定向发行成功次数		57		
推荐定向发行失败次数		0		
推荐原代办股份转让系统的两网公司及退市公司挂牌情况				
序号	股份代码	公司名称		
1	400061	中国长江航运集团南京油运股份有限公司		
推荐原代办股份转让系统的两网公司及退市公司家数		1		

三、部门设置

经纪业务				
人员	姓名	固定电话	传真	Email
经纪业务联络人	凌福博	010-60833784	010-60833739	lingfubo@ citics. com
经纪业务联络人	刘维峰	010-60833712	010-60833739	liuwf@ citics. com
推荐业务				
人员	姓名	固定电话	传真	Email
推荐业务联络人	王洋	010-60838051		wangyang@ citics. com

东海证券股份有限公司

一、公司简介及概况

<table>
<tr><td rowspan="10">公司简介</td><td>公司名称</td><td colspan="5">东海证券股份有限公司</td></tr>
<tr><td>成立日期</td><td>1993 - 1 - 16</td><td>法定代表人</td><td>朱科敏</td><td>总经理</td><td>刘化军</td></tr>
<tr><td>注册资本
（万元）</td><td>167,000.00</td><td>净资产*
（万元）</td><td>640,973.99</td><td>净资本*
（万元）</td><td>356,624.45</td></tr>
<tr><td>注册地址</td><td colspan="3">江苏省常州市延陵西路23号投资广场18层</td><td>营业部家数</td><td>63</td></tr>
<tr><td>办公地址</td><td colspan="3">江苏省常州市延陵西路23号投资广场18层</td><td>邮编</td><td>213003</td></tr>
<tr><td>公司网址</td><td>www.longone.com.cn</td><td>电子邮箱</td><td>jinj@longone.com.cn</td><td>经营证券业务许可证编号</td><td>Z23432000</td></tr>
<tr><td colspan="6">注：*经审计的2012年度净资产和净资本</td></tr>
<tr><td colspan="3">证监会批准从事的证券业务</td><td colspan="3">证券经纪；证券投资咨询；与证券交易、证券投资活动有关的财务顾问；证券承销与保荐；证券自营；证券资产管理；证券投资基金代销；为期货公司提供中间介绍业务；融资融券业务；代销金融产品业务。</td></tr>
<tr><td colspan="3">在全国股份转让系统从事的业务种类</td><td colspan="3">经纪业务，推荐业务，做市业务</td></tr>
<tr><td>公司概况</td><td colspan="6">东海证券有限责任公司的前身为常州市证券公司，系经中国人民银行银复〔1992〕362号文批准，于1993年1月16日成立，成立时注册资本为人民币3,000万元。1998年，经中国证监会证监机字〔1998〕36号文批准，原常州市证券公司注册资本增加至8,000万元，同时更名为“常州证券有限责任公司”。2003年，经中国证监会证监机构字〔2003〕65号文批准，原常州证券有限责任公司注册资本从8,000万元增至101,000万元，同时更名为“东海证券有限责任公司”，并于2003年5月19日完成了工商变更登记。2008年，经中国证监会证监许可〔2008〕866号文批准，公司注册资本由101,000万元变更为167,000万元，并于2008年9月12日完成了工商变更登记。2013年，经中国证监会《关于核准东海证券有限责任公司变更为股份有限公司的批复》（证监许可〔2013〕622号），公司变更为股份有限公司。</td></tr>
</table>

二、业务动态

推荐挂牌情况

序号	股份代码	公司名称	挂牌日期	公司状态
1	430048	建设数字	2009 - 02 - 18	挂牌
2	430082	博雅英杰	2011 - 03 - 18	挂牌
3	430305	维珍创意	2013 - 08 - 16	挂牌
4	430313	国创富盛	2013 - 08 - 16	挂牌
5	430438	星弧涂层	2014 - 01 - 24	挂牌
6	430659	江苏铁发	2014 - 03 - 28	挂牌
7	430740	中天超硬	2014 - 05 - 06	挂牌
8	830857	金冠科技	2014 - 07 - 11	挂牌
9	831122	永信科技	2014 - 08 - 29	挂牌
10	831549	高新凯特	2014 - 12 - 30	挂牌
11	831677	有福科技	2015 - 01 - 08	挂牌
12	831737	地浦科技	2015 - 01 - 13	挂牌
13	831872	宏微科技	2015 - 01 - 27	挂牌
14	831869	东南药业	2015 - 01 - 27	挂牌
15	831941	兴荣高科	2015 - 02 - 16	挂牌
16	832041	中兴通科	2015 - 02 - 27	挂牌
17	832194	蔚联股份	2015 - 03 - 31	挂牌
18	832429	朗恩斯	2015 - 05 - 06	挂牌
19	832484	金晋农牧	2015 - 05 - 18	挂牌

20	832487	汉得利	2015－05－19	挂牌
21	833395	帕卓管路	2015－08－26	挂牌
22	833501	新虹伟	2015－09－07	挂牌
23	833542	达菲特	2015－09－14	挂牌
24	833583	华盛科技	2015－09－15	挂牌
25	833958	顶固家居	2015－10－21	挂牌
26	833931	华通股份	2015－10－26	挂牌
27	833996	花集网	2015－10－29	挂牌
28	834279	科威环保	2015－11－12	挂牌
29	834228	田缘网络	2015－11－12	挂牌
30	834450	兴农环保	2015－11－23	挂牌
31	834597	颗豆互动	2015－11－30	挂牌
32	834558	口岸旅游	2015－11－30	挂牌
33	834641	中广影视	2015－12－02	挂牌
34	834685	先锋机械	2015－12－04	挂牌
35	834775	华成保险	2015－12－04	挂牌
36	834738	民祥医药	2015－12－09	挂牌
37	834842	光彩传媒	2015－12－11	挂牌
38	834589	洁特生物	2015－12－14	挂牌
39	834910	游酷网络	2015－12－15	挂牌
40	835096	英多智能	2015－12－22	挂牌
41	835018	中天股份	2015－12－23	挂牌
42	834684	聚合科技	2015－12－24	挂牌
43	835310	洁利康	2015－12－30	挂牌
44	835345	泓升股份	2016－01－05	挂牌
45	835375	华福环境	2016－01－06	挂牌
目前已推荐挂牌公司家数		45		
撤回材料及申请被否公司家数		0		
正在挂牌公司家数		45		
已上市公司家数		0		
已被终止挂牌公司家数		0		
推荐定向发行情况				
序号	股份代码	公司名称	发行日期	公司状态
1	430305	维珍创意	2014－8－20	发行成功
2	430740	中天超硬	2014－12－12	发行成功
3	430305	维珍创意	2015－2－16	发行成功
4	430305	维珍创意	2015－2－16	发行成功
5	430082	博雅英杰	2015－5－20	发行成功
6	831737	地浦科技	2015－6－16	发行成功
7	831677	有福科技	2015－6－30	发行成功
8	831122	永信科技	2015－8－21	发行成功
9	430740	中天超硬	2015－8－21	发行成功
10	832041	中兴通科	2015－8－31	发行成功
11	831737	地浦科技	2015－9－11	发行成功
12	831677	有福科技	2015－11－27	发行成功
13	831869	东南药业	2015－11－30	发行成功
14	430016	胜龙科技	2015－12－7	发行成功
推荐定向发行次数		14		
推荐定向发行成功次数		14		

<table>
<tr><td colspan="2">推荐定向发行失败次数</td><td>0</td></tr>
<tr><td colspan="3">推荐原代办股份转让系统的两网公司及退市公司挂牌情况</td></tr>
<tr><td>序号</td><td>股份代码</td><td>公司名称</td></tr>
<tr><td>1</td><td>400056</td><td>衡阳市金荔科技农业股份有限公司</td></tr>
<tr><td colspan="2">推荐原代办股份转让系统的两网公司及退市公司家数</td><td>1</td></tr>
</table>

三、部门设置

<table>
<tr><td colspan="5">经纪业务</td></tr>
<tr><td>人员</td><td>姓名</td><td>固定电话</td><td>传真</td><td>Email</td></tr>
<tr><td>经纪业务联络人</td><td>郭晓楚</td><td>021 -20333365</td><td>021 -58202343</td><td>gxc@ longone. com. cn</td></tr>
<tr><td>经纪业务联络人</td><td>罗增</td><td>021 -20333367</td><td>021 -58202343</td><td>luoz@ longone. com. cn</td></tr>
<tr><td colspan="5">推荐业务</td></tr>
<tr><td>人员</td><td>姓名</td><td>固定电话</td><td>传真</td><td>Email</td></tr>
<tr><td>推荐业务联络人</td><td>蒋鸣</td><td>021 -20333401</td><td>021 -58202343</td><td>jming@ longone. com. cn</td></tr>
<tr><td>推荐业务联络人</td><td>赵妍敏</td><td>021 -20333744</td><td>021 -58202343</td><td>zhaoyanmin@ longone. com. cn</td></tr>
</table>

国元证券股份有限公司

一、公司简介及概况

<table>
<tr><td rowspan="9">公司简介</td><td>公司名称</td><td colspan="5">国元证券股份有限公司</td></tr>
<tr><td>成立日期</td><td>1997 -6 -6</td><td>法定代表人</td><td>蔡咏</td><td>总经理</td><td>俞仕新</td></tr>
<tr><td>注册资本（万元）</td><td>196,410</td><td>净资产*（万元）</td><td>1,745,978.25</td><td>净资本*（万元）</td><td>926,525.11</td></tr>
<tr><td>注册地址</td><td colspan="3">安徽省合肥市梅山路 18 号</td><td>营业部家数</td><td>93</td></tr>
<tr><td>办公地址</td><td colspan="3">安徽省合肥市梅山路 18 号</td><td>邮编</td><td>230022</td></tr>
<tr><td>公司网址</td><td>www. gyzq. com. cn</td><td>电子邮箱</td><td>dshbgs@ gyzq. com. cn</td><td>经营证券业务许可证编号</td><td>Z23834000</td></tr>
<tr><td colspan="6">注：*经审计的最近年度净资产和净资本</td></tr>
<tr><td colspan="3">证监会批准从事的证券业务</td><td colspan="3">证券经纪；证券投资咨询；与证券交易、证券投资活动有关的财务顾问；证券承销与保荐；证券自营；证券资产管理；证券投资基金代销；融资融券；为期货公司提供中间介绍业务；代销金融产品；保险兼业代理业务。</td></tr>
<tr><td colspan="3">在全国股份转让系统从事的业务种类</td><td colspan="3">经纪业务，推荐业务，做市业务</td></tr>
<tr><td>公司概况</td><td colspan="6">国元证券股份有限公司是 2001 年 10 月经中国证监会批准成立的综合类证券公司，注册资本 19.641 亿元。2007 年在深交所成功上市，成为国内第五家上市证券公司，股票代码 000728。2009 年 10 月，公司成功增发 5 亿 A 股，募集资金 99 亿元，2013 年 7 月，公司成功发行 50 亿元公司债券，极大地增强了资本实力，公司净资本、净资产实力居行业前列。
公司拥有证券经纪、证券承销与保荐、证券自营、证券资产管理、证券投资咨询、证券投资基金代销、融资融券、为期货公司提供中间介绍等业务资格。同时，公司具备全国银行间债券市场和同业拆借市场成员资格、短期融资券承销业务资格、全国中小企业股份转让系统主办券商业务资格等。公司先后获得融资融券、质押式报价回购、转融通、新三板做市商、沪港通、柜台市场试点、互联网证券、客户资金消费支付服务、个股期权、私募基金综合托管等多项业务资格，基本涵盖市场上现有的所有创新业务种类。
截至 2015 年 7 月末，国元证券拥有 107 家证券、期货经营网点（包括在建营业部），下设北京、上海、深圳、青岛、重庆、芜湖、武汉（筹）、郑州（筹）八家区域分公司。公司全资拥有国元证券（香港）有限公司、国元期货有限公司、国元股权投资有限公司和国元创新投资有限公司，控股长盛基金管理有限公司、安徽安元投资基金有限公司和安徽安元投资基金管理有限公司，参股安徽省股权托管交易中心、中证资本市场发展监测中心公司、证通股份公司和徽商银行。其中，徽商银行已于 2013 年 11 月在香港联交所主板成功上市。</td></tr>
</table>

公司概况	公司是一家业务资质全面、资产质量优良、综合实力较强的上市证券服务商，在国内具有较强品牌和市场影响力。在发展过程中，公司获得安徽省政府、监管机构和社会各界的奖项累计达百余项。 公司始终遵循“法制、监管、自律、规范”的八字方针，弘扬“团结、敬业、求实、创新”的企业精神，秉承“诚信为本、规范运作、客户至上、优质高效”的经营理念，按照现代金融企业“资本充足、业务完备、内控严密、运营安全、管理高效、服务优质完美、创新能力强”的基本要求，切实提高核心竞争力和持续发展能力，致力为客户投融资提供综合金融服务，坚持服务地方经济建设和发展，努力将公司打造成具有综合竞争实力和服务能力的金融服务机构，打造成让投资者放心的上市证券公司。

二、业务动态

推荐挂牌情况				
序号	股份代码	公司名称	挂牌日期	公司状态
1	430236	美兰股份	2013－07－02	挂牌
2	430600	徽电科技	2014－01－24	挂牌
3	430478	禾益化学	2014－01－24	挂牌
4	430625	联创种业	2014－01－24	挂牌
5	430459	华艺园林	2014－01－24	挂牌
6	430370	谢裕大	2014－01－24	挂牌
7	430477	盛力科技	2014－01－24	挂牌
8	430489	佳先股份	2014－02－17	挂牌
9	430670	东芯通信	2014－03－28	挂牌
10	830807	恒瑞能源	2014－06－18	挂牌
11	831204	汇通控股	2014－10－20	挂牌
12	831219	詹氏食品	2014－10－21	挂牌
13	831228	夏阳检测	2014－10－23	挂牌
14	831260	东方碾磨	2014－11－04	挂牌
15	831457	祥龙钻探	2014－12－09	挂牌
16	831654	嘉智信诺	2015－01－06	挂牌
17	831719	菱湖漆	2015－01－14	挂牌
18	831856	浩淼科技	2015－01－27	挂牌
19	831875	岳塑股份	2015－01－29	挂牌
20	831945	安泽电工	2015－02－27	挂牌
21	832000	安徽凤凰	2015－03－06	挂牌
22	832250	铜都流体	2015－04－07	挂牌
23	832180	绿洲森工	2015－04－08	挂牌
24	832263	淮河化工	2015－04－08	挂牌
25	832388	龙磁科技	2015－05－05	挂牌
26	832475	欣欣饲料	2015－05－22	挂牌
27	832554	晨光精工	2015－06－05	挂牌
28	832582	众源新材	2015－06－11	挂牌
29	832622	天鹅家纺	2015－06－19	挂牌
30	830821	雪郎生物	2015－06－23	挂牌
31	832865	天膜科技	2015－07－21	挂牌
32	830904	博思特	2015－07－29	挂牌
33	833185	富煌科技	2015－08－06	挂牌
34	833337	利德包装	2015－08－19	挂牌
35	833380	起航股份	2015－08－25	挂牌
36	833816	志成股份	2015－10－14	挂牌
37	833761	科顺防水	2015－10－15	挂牌
38	833843	正新农贷	2015－10－20	挂牌
目前已推荐挂牌公司家数		38		

撤回材料及申请被否公司家数		0		
正在挂牌公司家数		38		
已上市公司家数		0		
已被终止挂牌公司家数		0		
推荐定向发行情况				
序号	股份代码	公司名称	发行日期	公司状态
1	430489	佳先股份	2014 - 2 - 17	发行成功
2	430489	佳先股份	2014 - 2 - 17	发行成功
3	430670	东芯通信	2014 - 6 - 26	发行成功
4	430670	东芯通信	2014 - 7 - 25	发行成功
5	830807	恒瑞能源	2014 - 10 - 27	发行成功
6	830821	雪郎生物	2014 - 12 - 18	发行成功
7	830821	雪郎生物	2014 - 12 - 18	发行成功
8	430236	美兰股份	2015 - 2 - 11	发行成功
9	430236	美兰股份	2015 - 2 - 11	发行成功
10	430625	联创种业	2015 - 3 - 20	发行成功
11	430670	东芯通信	2015 - 4 - 21	发行成功
12	430600	徽电科技	2015 - 4 - 28	发行成功
13	430600	徽电科技	2015 - 4 - 28	发行成功
14	430236	美兰股份	2015 - 4 - 29	发行成功
15	430236	美兰股份	2015 - 4 - 29	发行成功
16	430478	禾益化学	2015 - 5 - 6	发行成功
17	430459	华艺园林	2015 - 5 - 8	发行成功
18	831945	安泽电工	2015 - 5 - 8	发行成功
19	430459	华艺园林	2015 - 5 - 13	发行成功
20	430670	东芯通信	2015 - 5 - 19	发行成功
21	830807	恒瑞能源	2015 - 5 - 21	发行成功
22	832180	绿洲森工	2015 - 5 - 25	发行成功
23	430670	东芯通信	2015 - 5 - 25	发行成功
24	430625	联创种业	2015 - 5 - 29	发行成功
25	831204	汇通控股	2015 - 6 - 2	发行成功
26	831228	夏阳检测	2015 - 6 - 2	发行成功
27	831228	夏阳检测	2015 - 6 - 2	发行成功
28	831204	汇通控股	2015 - 6 - 2	发行成功
29	830807	恒瑞能源	2015 - 6 - 5	发行成功
30	430478	禾益化学	2015 - 6 - 12	发行成功
31	430236	美兰股份	2015 - 6 - 15	发行成功
32	430236	美兰股份	2015 - 6 - 15	发行成功
33	832000	安徽凤凰	2015 - 6 - 16	发行成功
34	831945	安泽电工	2015 - 6 - 23	发行成功
35	430478	禾益化学	2015 - 6 - 26	发行成功
36	831260	东方碾磨	2015 - 7 - 3	发行成功
37	831260	东方碾磨	2015 - 7 - 3	发行成功
38	832180	绿洲森工	2015 - 7 - 6	发行成功
39	430670	东芯通信	2015 - 7 - 7	发行成功
40	831856	浩淼科技	2015 - 7 - 15	发行成功
41	831945	安泽电工	2015 - 7 - 20	发行成功
42	830821	雪郎生物	2015 - 8 - 18	发行成功
43	832582	众源新材	2015 - 9 - 7	发行成功
44	831260	东方碾磨	2015 - 9 - 17	发行成功

45	831228	夏阳检测	2015－9－18	发行成功
46	831654	嘉智信诺	2015－9－28	发行成功
47	430600	徽电科技	2015－9－30	发行成功
48	830904	博思特	2015－10－13	发行成功
49	831719	菱湖漆	2015－10－20	发行成功
推荐定向发行次数		49		
推荐定向发行成功次数		49		
推荐定向发行失败次数		0		
推荐原代办股份转让系统的两网公司及退市公司挂牌情况				
序号	股份代码	公司名称		
推荐原代办股份转让系统的两网公司及退市公司家数		0		

三、部门设置

经纪业务				
人员	姓名	固定电话	传真	Email
经纪业务联络人	汪鹏飞	0551－68167250	0551－62207217	wangpengfei@ gyzq. com. cn
经纪业务联络人	郑伟	0551－68167364	0551－62207217	zhengwei@ gyzq. com. cn
推荐业务				
人员	姓名	固定电话	传真	Email
推荐业务联络人	吴道稳	0551－68167375	0551－62696512	wudaowen@ gyzq. com. cn
推荐业务联络人	潘洁	0551－62207930	0551－62696512	panjie@ gyzq. com. cn

东方证券股份有限公司

一、公司简介及概况

公司简介	公司名称	东方证券股份有限公司				
	成立日期	1998－3－9	法定代表人	潘鑫军	总经理	金文忠
	注册资本（万元）	428,174.29	净资产*（万元）	1,549,259.38	净资本*（万元）	1,118,816.89
	注册地址	上海市中山南路318号2号楼22层、23层、25层—29层			营业部家数	68
	办公地址	上海市中山南路318号2号楼21层、22层、23层、25层—29层、32层、36层、39层、40层			邮编	200010
	公司网址	www. dfzq. com. cn	电子邮箱	dfzq@ orientsec. com. cn	经营证券业务许可证编号	10160000
	注：*经审计的最近年度净资产和净资本					
	证监会批准从事的证券业务			证券经纪；证券投资咨询；与证券交易、证券投资活动有关的财务顾问；证券承销（限国债、政策性银行金融债、短期融资券及中期票据）；证券自营；融资融券；证券投资基金代销；为期货公司提供中间介绍业务；代销金融产品。		
	在全国股份转让系统从事的业务种类			经纪业务，做市业务		
公司概况	公司是一家经中国证券监督管理委员会批准的综合类证券公司，前身是成立于1998年3月的东方证券有限责任公司，公司现有注册资本金为42.82亿元人民币。公司业务范围齐全，涵盖了证券承销、自营买卖、交易代理、投资咨询、财务顾问、企业并购、股权直投、基金管理、资产管理、期货交易和融资融券等众多领域。 公司以上海为总部所在地，截至2013年末，在上海、北京、天津等20多个城市设有68家分支机构，形成了依托上海、立足中心城市、辐射全国的大型证券公司的经营网络。公司拥有上海东证期货有限公司、上海东方证券资本投资有限公司、东方金融控股（香港）有限公司、上海东方证券资产管理有限公司、上海东方证券创新投资有限公司、东方花旗证券有限公司等6家全资及控股子公司。					

二、业务动态

推荐挂牌情况				
序号	股份代码	公司名称	挂牌日期	公司状态
目前已推荐挂牌公司家数		0		
撤回材料及申请被否公司家数		0		
正在挂牌公司家数		0		
已上市公司家数		0		
已被终止挂牌公司家数		0		
推荐定向发行情况				
序号	股份代码	公司名称	发行日期	公司状态
推荐定向发行次数		0		
推荐定向发行成功次数		0		
推荐定向发行失败次数		0		
推荐原代办股份转让系统的两网公司及退市公司挂牌情况				
序号	股份代码	公司名称		
推荐原代办股份转让系统的两网公司及退市公司家数		0		

三、部门设置

经纪业务				
人员	姓名	固定电话	传真	Email
经纪业务联络人	丛梦宇	63326283		congmengyu@ orientsec. com. cn
推荐业务				
人员	姓名	固定电话	传真	Email
推荐业务联络人	陈则奚	021－23153775		

平安证券有限责任公司

一、公司简介及概况

公司简介	公司名称	平安证券有限责任公司				
	成立日期	1996－7－1	法定代表人	谢永林	总经理	
	注册资本（万元）	550,000	净资产*（万元）	863,243	净资本*（万元）	606,088
	注册地址	广东省深圳市福田中心区金田路4036号荣超大厦16－20层			营业部家数	44
	办公地址	广东省深圳市福田中心区金田路4036号荣超大厦17层			邮编	518048
	公司网址	www. stock. pingan. com	电子邮箱	pazq@ pingan. com. cn	经营证券业务许可证编号	Z27574000
	注：*经审计的最近年度净资产和净资本					
	证监会批准从事的证券业务			证券经纪；证券投资咨询；与证券交易、证券投资活动有关的财务顾问；证券承销与保荐；证券自营；证券资产管理；证券投资基金代销；为期货公司提供中间介绍业务；融资融券业务；代销金融产品。		
	在全国股份转让系统从事的业务种类			经纪业务，推荐业务		

<table>
<tr><td>公司概况</td><td>平安证券有限责任公司是中国平安(保险)集团股份有限公司旗下重要成员,前身为1991年8月创立的平安保险证券业务部,目前拥有平安财智投资管理有限公司,平安期货有限公司、中国平安证券(香港)有限公司,平安磐海资本有限责任公司共四家子公司。凭借平安集团雄厚的资金、品牌和客户优势,秉承"稳中思变,务实创新"的经营理念,公司建立了完善的合规和风险控制体系,各项业务均保持稳健增长,成为全国综合性主流券商之一。
截至2012年12月31日,公司净资产85.5亿元,总资产323.3亿元。2013年4月,公司注册资本增加到55亿元。公司拥有齐全的证券业务牌照,经营范围涵盖:证券经纪;证券投资咨询;与证券交易、证券投资活动有关的财务顾问;证券承销与保荐;证券自营;证券资产管理;证券投资基金代销;为期货公司提供中间介绍业务;融资融券业务;代销金融产品。</td></tr>
</table>

二、业务动态

推荐挂牌情况				
序号	股份代码	公司名称	挂牌日期	公司状态
1	430014	恒业世纪	2007-06-15	挂牌
2	430605	阿科力	2014-01-24	挂牌
3	430760	奥新科技	2014-05-30	挂牌
4	830771	华灿电讯	2014-06-03	挂牌
5	830778	博思堂	2014-06-04	挂牌
6	430762	荣昌育种	2014-07-17	挂牌
7	830928	康定电子	2014-08-05	挂牌
8	830980	日懋园林	2014-08-12	挂牌
目前已推荐挂牌公司家数		8		
撤回材料及申请被否公司家数		0		
正在挂牌公司家数		8		
已上市公司家数		0		
已被终止挂牌公司家数		0		
推荐定向发行情况				
序号	股份代码	公司名称	发行日期	公司状态
1	430014	恒业世纪	2008-8-21	发行成功
2	430014	恒业世纪	2008-8-21	发行失败
推荐定向发行次数		2		
推荐定向发行成功次数		1		
推荐定向发行失败次数		1		
推荐原代办股份转让系统的两网公司及退市公司挂牌情况				
序号	股份代码	公司名称		
推荐原代办股份转让系统的两网公司及退市公司家数		0		

三、部门设置

经纪业务				
人员	姓名	固定电话	传真	Email
经纪业务联络人	林文斌	0755-22626697	0755-82400862	Linwenbin940@pingan.com.cn
经纪业务联络人	房师杰	0755-22627791	0755-82400862	Fangshijie002@pingan.com.cn
推荐业务				
人员	姓名	固定电话	传真	Email
推荐业务联络人	杨家聪	0755-22621321	0755-82400862	YANGJIACONG001@pingan.com.cn
推荐业务联络人	白杰	010-59734911	0755-82400862	baijie778@pingan.com.cn

中银国际证券有限责任公司

一、公司简介及概况

<table>
<tr><td rowspan="8">公司简介</td><td>公司名称</td><td colspan="5">中银国际证券有限责任公司</td></tr>
<tr><td>成立日期</td><td>2002－2－28</td><td>法定代表人</td><td>钱卫</td><td>总经理</td><td>宁敏</td></tr>
<tr><td>注册资本（万元）</td><td>250,000</td><td>净资产＊（万元）</td><td>742,134.24</td><td>净资本＊（万元）</td><td>742,134.24</td></tr>
<tr><td>注册地址</td><td colspan="3">上海市浦东银城中路200号中银大厦39层</td><td>营业部家数</td><td>54</td></tr>
<tr><td>办公地址</td><td colspan="3">上海市浦东新区银城中路200号中银大厦39、40、41层</td><td>邮编</td><td>200120</td></tr>
<tr><td>公司网址</td><td>www.bocichina.com</td><td>电子邮箱</td><td>AdminDiv.China@bocichina.com</td><td>经营证券业务许可证编号</td><td>13190000</td></tr>
<tr><td colspan="6">注：＊经审计的最近年度净资产和净资本</td></tr>
<tr><td colspan="3">证监会批准从事的证券业务</td><td colspan="3">证券经纪；证券投资咨询；与证券交易；证券投资活动有关的财务顾问；证券承销与保荐；证券自营；证券资产管理；证券投资基金代销；融资融券；代销金融产品。</td></tr>
<tr><td></td><td colspan="3">在全国股份转让系统从事的业务种类</td><td colspan="3">经纪业务，推荐业务，做市业务</td></tr>
<tr><td>公司概况</td><td colspan="6">中银国际证券有限责任公司经中国证监会于2002年2月28日在上海成立，注册资本19.79亿元人民币。中银国际证券由中银国际控股有限公司、中国石油天然气集团公司、上海金融发展投资基金（有限合伙）、北京联想科技投资有限公司、云南省投资控股集团有限公司、江西铜业股份有限公司等12家公司共同投资。
中银国际证券的经营范围包括：证券经纪、证券投资咨询、与证券交易、证券投资活动有关的财务顾问、证券承销与保荐、证券自营、证券资产管理、证券投资基金代销、融资融券、代销金融产品。中银国际证券还通过全资子公司中银国际期货有限责任公司和中银国际投资有限责任公司分别从事期货业务和直接投资业务。</td></tr>
</table>

二、业务动态

推荐挂牌情况				
序号	股份代码	公司名称	挂牌日期	公司状态
1	430272	世富环保	2013－08－08	挂牌
2	830819	致生联发	2014－06－24	挂牌
3	831047	深远石油	2014－08－19	挂牌
4	831094	光大灵曦	2014－08－19	挂牌
5	831082	汇鑫嘉德	2014－09－19	挂牌
6	831417	峻岭能源	2014－12－04	挂牌
7	832090	时代装饰	2015－03－17	挂牌
8	832170	德毅科技	2015－03－19	挂牌
9	832284	贝达化工	2015－04－14	挂牌
10	832473	欧泰科	2015－05－15	挂牌
11	832406	众力德邦	2015－05－21	挂牌
12	832516	罗曼新材	2015－05－27	挂牌
13	832499	天海流体	2015－05－27	挂牌
14	832958	艾芬达	2015－07－28	挂牌
15	832988	力软科技	2015－07－28	挂牌
16	833045	禾健股份	2015－07－29	挂牌
17	833019	天下书盟	2015－07－29	挂牌
18	833018	海清源	2015－07－30	挂牌
19	832961	铜官府	2015－07－30	挂牌
20	833163	齐顺科技	2015－08－06	挂牌
目前已推荐挂牌公司家数		20		

撤回材料及申请被否公司家数		0		
正在挂牌公司家数		20		
已上市公司家数		0		
已被终止挂牌公司家数		0		
推荐定向发行情况				
序号	股份代码	公司名称	发行日期	公司状态
1	430272	世富环保	2014－5－9	发行成功
2	830819	致生联发	2014－6－24	发行成功
3	831047	深远石油	2015－6－4	发行成功
4	830819	致生联发	2015－6－12	发行成功
5	831094	光大灵曦	2015－6－16	发行成功
6	832090	时代装饰	2015－7－13	发行成功
7	832090	时代装饰	2015－8－7	发行成功
8	832090	时代装饰	2015－8－7	发行成功
推荐定向发行次数		8		
推荐定向发行成功次数		8		
推荐定向发行失败次数		0		
推荐原代办股份转让系统的两网公司及退市公司挂牌情况				
序号	股份代码	公司名称		
推荐原代办股份转让系统的两网公司及退市公司家数		0		

三、部门设置

经纪业务				
人员	姓名	固定电话	传真	Email
经纪业务联络人	陆咏梅	021－20328312	021－50372474	yongmei. lu@ bocichina. com
推荐业务				
人员	姓名	固定电话	传真	Email
推荐业务联络人	狄旻	021－20328722	021－50372721	min. di@ bocichina. com
推荐业务联络人	杨娇	021－20328670	021－50372721	jiao. yang@ bocichina. com

上海证券有限责任公司

一、公司简介及概况

公司简介	公司名称	上海证券有限责任公司				
	成立日期	2001－4－27	法定代表人	李俊杰	总经理	李俊杰
	注册资本（万元）	261,000	净资产*（万元）	498,340.52	净资本*（万元）	461,851.92
	注册地址	海市黄浦区四川中路213号7楼			营业部家数	56
	办公地址	海市黄浦区四川中路213号7楼			邮编	200001
	公司网址	www. shzq. com	电子邮箱	Shzq@ shzq. com	经营证券业务许可证编号	Z22931000
	注：*经审计的最近年度净资产和净资本					
	证监会批准从事的证券业务			证券经纪；证券投资咨询；与证券交易、证券投资活动有关的财务顾问；证券（不含股票、上市公司发行的公司债券）承销；证券自营；证券资产管理；证券投资基金代销；为期货公司提供中间介绍业务；融资融券业务；代销金融产品业务。		
	在全国股份转让系统从事的业务种类			经纪业务，推荐业务，做市业务		

公司概况	上海证券有限责任公司(以下简称"公司")成立于2001年5月,注册资本金26.1亿元人民币,股东单位为国泰君安证券股份有限公司、上海国际集团有限公司和上海国际信托有限公司。公司是首批全国创新类证券公司之一。 公司现拥有各类专业人员1000余人,营业网点56家,已形成以上海为中心,北京、深圳、重庆、温州、南京、杭州等发达城市为主体的经营网络。公司资产质量优良,业务资格齐备。公司下属现有海际证券有限责任公司和海证期货有限公司两家子公司。 公司于2007年正式受让中富证券有限责任公司证券类资产,实现了公司业务在地域和规模上的快速扩张,进一步推动了公司的战略发展。公司成立以来,秉承"诚信、专业"的核心价值观,以诚信经营为根本,以专业服务为中心;规范运作、稳健务实、开拓进取、和谐创新;立足上海,服务全国,在市场上树立了良好的企业形象。公司将致力于打造自身经营品牌,走现代金融企业的可持续发展道路,不断做强做大,努力成为国内一流的券商。

二、业务动态

推荐挂牌情况				
序号	股份代码	公司名称	挂牌日期	公司状态
1	430027	北科光大	2008-02-18	挂牌
2	430029	金泰得	2008-06-20	挂牌
3	430030	安控科技	2008-08-20	已上市
4	430033	彩讯科技	2008-10-28	挂牌
5	430064	金山顶尖	2010-03-17	挂牌
6	430094	确安科技	2011-07-18	挂牌
7	430139	华岭股份	2012-09-07	挂牌
8	430168	博维仕	2012-12-06	挂牌
9	430214	建中医疗	2013-05-17	挂牌
10	430360	竹邦能源	2013-12-25	挂牌
11	430517	新吉纳	2014-01-24	挂牌
12	430519	博控科技	2014-01-24	挂牌
13	430511	远大股份	2014-01-24	挂牌
14	430512	芯朋微	2014-01-24	挂牌
15	430695	浩海科技	2014-04-11	挂牌
16	430704	同智伟业	2014-04-22	挂牌
17	830874	金田元丰	2014-07-21	挂牌
18	830883	联桥新材	2014-07-28	挂牌
19	831040	优波科	2014-08-20	挂牌
20	831146	建科节能	2014-09-19	挂牌
21	831303	澳凯富汇	2014-11-10	挂牌
22	831341	必由学	2014-11-10	挂牌
23	831283	蛙视通信	2014-11-11	挂牌
24	831414	大洋义天	2014-12-05	挂牌
25	831684	瑞珑科技	2015-01-16	挂牌
26	832437	三泰新材	2015-05-27	挂牌
27	832690	百固科技	2015-06-29	挂牌
28	832886	依特诺	2015-07-20	挂牌
29	832984	埃森普特	2015-07-24	挂牌
30	833050	欣威视通	2015-07-30	挂牌
31	833057	新世傲	2015-07-30	挂牌
32	833326	金盾软件	2015-08-17	挂牌
33	833306	六行君通	2015-08-18	挂牌
34	833586	雷诺尔	2015-09-22	挂牌
35	833600	红人股份	2015-09-25	挂牌
36	833617	元本检测	2015-09-29	挂牌
37	833752	广申股份	2015-10-14	挂牌

38	833236	江亚消防	2015 - 11 - 03	挂牌
39	834587	鼎端装备	2015 - 11 - 30	挂牌
40	834672	瑞邦药业	2015 - 12 - 11	挂牌
目前已推荐挂牌公司家数		40		
撤回材料及申请被否公司家数		0		
正在挂牌公司家数		39		
已上市公司家数		1		
已被终止挂牌公司家数		0		
推荐定向发行情况				
序号	股份代码	公司名称	发行日期	公司状态
1	430029	金泰得	2010 - 7 - 5	发行成功
2	430033	彩讯科技	2010 - 11 - 26	发行成功
3	430027	北科光大	2011 - 10 - 13	发行成功
4	430064	金山顶尖	2012 - 2 - 15	发行成功
5	430214	建中医疗	2014 - 2 - 19	发行成功
6	430139	华岭股份	2014 - 6 - 25	发行成功
7	430360	竹邦能源	2014 - 8 - 5	发行成功
8	430511	远大股份	2014 - 8 - 8	发行成功
9	430029	金泰得	2014 - 9 - 11	发行成功
10	430704	同智伟业	2014 - 10 - 15	发行成功
11	430033	彩讯科技	2014 - 10 - 15	发行成功
12	831040	优波科	2014 - 11 - 17	发行成功
13	430360	竹邦能源	2015 - 1 - 6	发行成功
14	430704	同智伟业	2015 - 4 - 2	发行成功
15	830883	联桥新材	2015 - 4 - 3	发行成功
16	430695	浩海科技	2015 - 4 - 30	发行成功
17	831303	澳凯富汇	2015 - 5 - 28	发行成功
18	830874	金田元丰	2015 - 6 - 2	发行成功
19	831341	必由学	2015 - 6 - 11	发行成功
20	430027	北科光大	2015 - 7 - 1	发行成功
21	430517	新吉纳	2015 - 8 - 5	发行成功
22	831684	瑞珑科技	2015 - 9 - 11	发行成功
23	831303	澳凯富汇	2015 - 9 - 17	发行成功
24	430214	建中医疗	2015 - 10 - 27	发行成功
25	832984	埃森普特	2015 - 12 - 4	发行成功
26	430517	新吉纳	2015 - 12 - 23	发行成功
27	430168	博维仕	2015 - 12 - 31	发行成功
28	430695	浩海科技	2016 - 1 - 6	发行成功
推荐定向发行次数		28		
推荐定向发行成功次数		28		
推荐定向发行失败次数		0		
推荐原代办股份转让系统的两网公司及退市公司挂牌情况				
序号	股份代码	公司名称		
推荐原代办股份转让系统的两网公司及退市公司家数		0		

三、部门设置

经纪业务				
人员	姓名	固定电话	传真	Email
经纪业务联络人	薛忠良	021 - 53686219	021 - 53686100	xuezhongliang2@ shzq. com

经纪业务联络人	陈为	021－53686216	021－53686100	chenwei@ shzq. com
推荐业务				
人员	姓名	固定电话	传真	Email
推荐业务联络人	王国春	021－53686507	021－53686100	15821662548@ 139. com
推荐业务联络人	王世宏	010－63134882	010－63134881	Wangshihong777@ sina. com

西部证券股份有限公司

一、公司简介及概况

<table>
<tr><td rowspan="9">公司简介</td><td>公司名称</td><td colspan="5">西部证券股份有限公司</td></tr>
<tr><td>成立日期</td><td>2001－1－9</td><td>法定代表人</td><td>刘建武</td><td>总经理</td><td>祝　健</td></tr>
<tr><td>注册资本
（万元）</td><td>120,000</td><td>净资产＊
（万元）</td><td>536,847</td><td>净资本＊
（万元）</td><td>419,577</td></tr>
<tr><td>注册地址</td><td colspan="3">西安市新城区东新街232号信托大厦</td><td>营业部家数</td><td>77</td></tr>
<tr><td>办公地址</td><td colspan="3">西安市新城区东新街232号信托大厦</td><td>邮编</td><td>710004</td></tr>
<tr><td>公司网址</td><td>www. westsecu. com</td><td>电子邮箱</td><td>wangbh@ xbmail. com. cn</td><td>经营证券业务
许可证编号</td><td>10870000</td></tr>
<tr><td colspan="6">注：＊经审计的最近年度净资产和净资本</td></tr>
<tr><td colspan="3">证监会批准从事的证券业务</td><td colspan="3">证券经纪；证券投资咨询；与证券交易、证券投资活动有关的财务顾问；证券承销与保荐；证券自营；证券资产管理；融资融券；证券投资基金代销；为期货公司提供中间介绍业务；代销金融产品业务。</td></tr>
<tr><td colspan="3">在全国股份转让系统从事的业务种类</td><td colspan="3">推荐业务，经纪业务，做市业务</td></tr>
<tr><td>公司概况</td><td colspan="6">西部证券股份有限公司是经中国证券监督管理委员会批准设立，于2001年元月正式注册开业的证券经营机构。公司在陕西、北京、上海、深圳、山东、江苏、河南、河北、广西、甘肃、宁夏、成都共设有72家证券营业部，在上海设有从事自营业务、客户资产管理业务的第一、二分公司和研究发展中心，在北京设有从事推荐业务的北京第一分公司。西部期货有限公司和西部优势资本投资有限公司作为公司全资子公司与公司主营业务协同运作，独立经营。公司与上海利得财富资产管理有限公司合资设立的西部利得基金管理有限公司在公募和私募基金管理业务领域为客户提供服务。在2001至2005年市场持续低迷的环境中，公司取得了连续5年盈利的经营业绩。在此期间，公司的投资业务形成了与价值投资、长线投资理念相匹配的管理体制、运营模式和操作手法。公司曾作为全国第一批规范类证券公司和第二批创新类证券公司。2006年以来，公司在扩大经纪业务规模、提升投资业务管理能力的同时，加大对投资银行业务的培植力度，在经营效率方面保持了良好的业绩，开始形成各项业务适应市场竞争环境要求的良性运行格局，使公司始终沿着最具盈利价值和最具增值潜力券商的轨道前行。2007年公司全面导入ISO9000质量管理体系。2012年5月公司在深圳证券交易所正式挂牌上市，成为我国第19家上市证券公司。</td></tr>
</table>

二、业务动态

推荐挂牌情况				
序号	股份代码	公司名称	挂牌日期	公司状态
1	430038	信维科技	2008－12－16	挂牌
2	430040	康斯特	2008－12－26	已被终止挂牌
3	430042	科瑞讯	2009－01－15	挂牌
4	430046	圣博润	2009－02－18	挂牌
5	430052	斯福泰克	2009－03－19	挂牌
6	430053	国学时代	2009－03－31	挂牌
7	430061	富机达能	2009－11－09	挂牌
8	430067	维信通	2010－04－29	挂牌
9	430084	星和众工	2011－03－28	挂牌

10	430093	掌上通	2011－07－08	挂牌
11	430143	武大科技	2012－09－07	挂牌
12	430219	拓川股份	2013－05－17	挂牌
13	430347	地大信息	2013－11－13	挂牌
14	430543	锐源仪器	2014－01－24	挂牌
15	430529	恒成工具	2014－01－24	挂牌
16	430528	欧丽信大	2014－01－24	挂牌
17	430570	蓝星科技	2014－01－24	挂牌
18	430619	格纳斯	2014－01－24	挂牌
19	430542	利雅得	2014－01－24	挂牌
20	430549	天弘激光	2014－01－24	挂牌
21	430616	鸿盛数码	2014－01－24	挂牌
22	430548	大方软件	2014－01－24	挂牌
23	430531	瑞翼信息	2014－01－24	已被终止挂牌
24	430530	云铜科技	2014－01－24	挂牌
25	430666	绿伞化学	2014－03－20	挂牌
26	430719	九鼎投资	2014－04－29	挂牌
27	430725	九五智驾	2014－05－06	挂牌
28	430763	爱科迪	2014－05－30	挂牌
29	830889	深拓智能	2014－08－05	挂牌
30	830944	景尚旅业	2014－08－11	挂牌
31	831086	星城石墨	2014－08－22	挂牌
32	831108	茶乾坤	2014－08－29	挂牌
33	831133	科润智能	2014－09－17	挂牌
34	831223	江苏中旗	2014－10－28	挂牌
35	831297	数字认证	2014－11－12	挂牌
36	831400	优博创	2014－12－08	挂牌
37	831483	汇通华城	2014－12－16	挂牌
38	831670	捷福装备	2015－01－15	挂牌
39	831890	中润油	2015－02－10	挂牌
40	832099	新疆火炬	2015－03－11	挂牌
41	832155	卫东化工	2015－03－17	挂牌
42	832275	敦华石油	2015－04－14	挂牌
43	832335	科立森	2015－04－17	挂牌
44	832340	国联股份	2015－04－23	挂牌
45	832589	比特利	2015－06－11	挂牌
46	832669	华电股份	2015－06－24	挂牌
47	832771	佳境科技	2015－07－16	挂牌
48	832836	银钢一通	2015－07－24	挂牌
49	832986	瑞诺医疗	2015－07－24	挂牌
50	832933	九典制药	2015－07－24	挂牌
51	833054	未来电器	2015－08－04	挂牌
52	833184	润环科技	2015－08－04	挂牌
53	833177	时代股份	2015－08－05	挂牌
54	833104	融汇管通	2015－08－05	挂牌

55	833280	万享科技	2015－08－13	挂牌
56	833207	中科生物	2015－08－17	挂牌
57	833364	森东电力	2015－08－20	挂牌
58	833215	红星美羚	2015－08－20	挂牌
59	833574	爱知之星	2015－09－18	挂牌
60	833562	金粮股份	2015－09－29	挂牌
61	833572	励福环保	2015－10－09	挂牌
62	833749	每通测控	2015－10－14	挂牌
63	833799	嘉禾生物	2015－10－20	挂牌
64	833852	清软创新	2015－10－21	挂牌
65	834173	融聚财顾	2015－11－09	挂牌
66	833760	天然谷	2015－11－10	挂牌
67	833970	广盛小贷	2015－11－11	挂牌
目前已推荐挂牌公司家数		67		
撤回材料及申请被否公司家数		0		
正在挂牌公司家数		65		
已上市公司家数		0		
已被终止挂牌公司家数		2		
推荐定向发行情况				
序号	股份代码	公司名称	发行日期	公司状态
1	430053	国学时代	2012－9－13	发行成功
2	430143	武大科技	2013－10－24	发行成功
3	430093	掌上通	2013－10－24	发行成功
4	430084	星和众工	2014－1－2	发行成功
5	430529	恒成工具	2014－7－25	发行成功
6	830944	景尚旅业	2014－7－25	发行成功
7	430719	九鼎投资	2014－8－7	发行成功
8	430619	格纳斯	2014－8－25	发行成功
9	430619	格纳斯	2014－8－25	发行成功
10	430219	拓川股份	2014－12－17	发行成功
11	830889	深拓智能	2015－3－27	发行成功
12	430725	九五智驾	2015－5－22	发行成功
13	430725	九五智驾	2015－5－22	发行成功
14	830944	景尚旅业	2015－6－9	发行成功
15	430038	信维科技	2015－6－19	发行成功
16	430038	信维科技	2015－6－19	发行成功
17	430570	蓝星科技	2015－7－1	发行成功
18	430570	蓝星科技	2015－7－1	发行成功
19	430570	蓝星科技	2015－7－1	发行成功
20	831670	捷福装备	2015－7－9	发行成功
21	831400	优博创	2015－7－13	发行成功
22	430042	科瑞讯	2015－7－22	发行成功
23	830944	景尚旅业	2015－8－7	发行成功
24	430046	圣博润	2015－8－11	发行成功
25	430549	天弘激光	2015－8－25	发行成功
26	831086	星城石墨	2015－9－1	发行成功
27	831108	茶乾坤	2015－9－2	发行成功

28	430528	欧丽信大	2015－10－16	发行失败
29	830889	深拓智能	2015－10－29	发行失败
30	430619	格纳斯	2015－10－29	发行失败
31	430046	圣博润	2015－10－29	发行失败
32	430529	恒成工具	2015－11－2	发行失败
33	430067	维信通	2015－11－4	发行失败
34	430719	九鼎投资	2015－11－5	发行失败
推荐定向发行次数		34		
推荐定向发行成功次数		27		
推荐定向发行失败次数		7		
推荐原代办股份转让系统的两网公司及退市公司挂牌情况				
序号	股份代码	公司名称		
推荐原代办股份转让系统的两网公司及退市公司家数		0		

三、部门设置

经纪业务				
人员	姓名	固定电话	传真	Email
经纪业务联络人	李冰	029－87406311	029－87406387	libing@ xbmail. com. cn
经纪业务联络人	刘锐	029－87406418	029－87406387	liurui@ xbmail. com. cn
推荐业务				
人员	姓名	固定电话	传真	Email
推荐业务联络人	葛爽	010－68945225	010－68946615	13810879850@ 163. com
推荐业务联络人	刘斌	010－68947975	010－68946615	13810253721@ 126. com

中国中投证券有限责任公司

一、公司简介及概况

公司简介	公司名称	中国中投证券有限责任公司				
	成立日期	2005－9－28	法定代表人	高涛	总经理	胡长生
	注册资本（万元）	500,000	净资产＊（万元）	874,440.02	净资本＊（万元）	585,741.67
	注册地址	深圳市福田区益田路与福中路交界处荣超商务中心A栋第18—21层及第4层			营业部家数	112
	办公地址	深圳市福田区益田路与福中路交界处荣超商务中心A栋第18—21层及第4层			邮编	518026
	公司网址	www. china－invs. cn	电子邮箱	cjis@ china－invs. cn	经营证券业务许可证编号	Z16874000
	注：＊经审计的最近年度净资产和净资本					
	证监会批准从事的证券业务			证券经纪、证券自营、证券承销与保荐、证券资产管理、证券投资咨询、与证券交易、证券投资活动有关的财务顾问、证券投资基金代销、为期货公司提供中间介绍业务、融资融券。		
	在全国股份转让系统从事的业务种类			经纪业务，推荐业务，做市业务		
公司概况	中国中投证券有限责任公司（简称“中投证券”）于2005年9月28日在深圳注册成立，是一家全国性综合类的证券公司，由中央汇金投资有限责任公司全资控股，注册资本金50亿人民币。目前设有北京分公司、上海分公司，在全国拥有110家营业网点，控股天琪期货公司、瑞石投资公司、中投证券（香港）金融控股有限公司。					

公司概况	公司成立以来，经纪业务市场份额稳步上升，2009年托管资产总规模一举突破万亿元，列同业第四名。企业融资业务已累计完成债权主承销金额698.61亿元，完成股权主承销金额376.56亿元，被深圳交易所评为2009年度最佳保荐机构。资产管理业务已成功发行四只理财产品，净值排名稳居行业前茅。证券投资业务在证券业协会统计的2008年证券公司自营业务实现收益率排名中位于第二名。创新业务、结构融资业务、金融衍生品业务、期货IB业务等创新业务均取得可喜成绩。新一代集中交易系统、多银行存管系统、“一柜通”前台营业管理系统等多个金融创新项目获得行业协会和政府颁发的多重奖项。秉承“以专业精神和卓越服务，提升客户价值”的理念，以“服务、人本、创新”为核心价值观，规范运作、稳健经营，公司致力于成为最具竞争力最具价值创造力的一流现代投资银行。

二、业务动态

推荐挂牌情况				
序号	股份代码	公司名称	挂牌日期	公司状态
1	430024	金和软件	2007-12-27	挂牌
2	430672	东安液压	2014-01-24	挂牌
3	430627	页游科技	2014-01-24	挂牌
4	430567	无锡海航	2014-01-24	挂牌
5	830787	唐朝股份	2014-06-04	挂牌
6	830801	盈富通	2014-06-06	挂牌
7	830842	长天思源	2014-07-11	挂牌
8	830864	诚思科技	2014-07-17	挂牌
9	830901	隆玛科技	2014-07-25	挂牌
10	831098	通利农贷	2014-08-15	挂牌
11	831136	颍元股份	2014-09-30	挂牌
12	831318	信易科技	2014-11-10	挂牌
13	831473	江苏科幸	2014-12-12	挂牌
14	831491	佳音王	2014-12-12	挂牌
15	831752	蓝图新材	2015-01-20	挂牌
16	831571	大洋股份	2015-01-21	挂牌
17	831845	新马精密	2015-01-22	挂牌
18	831829	同方软银	2015-01-22	挂牌
19	831794	正大富通	2015-02-03	挂牌
20	831986	东方基业	2015-02-17	挂牌
21	832031	复仁科技	2015-03-09	挂牌
22	832272	龙图信息	2015-03-27	挂牌
23	832258	太阳传媒	2015-04-13	挂牌
24	832067	翱翔科技	2015-04-14	挂牌
25	832225	利通液压	2015-04-16	挂牌
26	832350	汇知康	2015-04-23	挂牌
27	832504	科威股份	2015-06-02	挂牌
28	832529	裕农科技	2015-06-04	挂牌
29	832682	像素数据	2015-06-29	挂牌
30	832697	振源电器	2015-07-10	挂牌
31	832827	百逸达	2015-07-20	挂牌
32	832882	金沙数控	2015-07-23	挂牌
33	833100	爱已爱牧	2015-07-30	挂牌
34	832941	信鸿医疗	2015-08-03	挂牌
35	833464	苏州沪云	2015-09-07	挂牌
36	833744	世纪本原	2015-09-30	挂牌
37	833657	创力新能	2015-10-16	挂牌
38	834221	华畅科技	2015-11-23	挂牌
39	834198	展芯微	2015-11-23	挂牌

40	834257	科旭网络	2015－11－23	挂牌
41	834881	雅迪力特	2015－12－18	挂牌
42	835317	广博机电	2015－12－31	挂牌
43	835270	华软新元	2016－01－05	挂牌
44	835322	华创股份	2016－01－11	挂牌
目前已推荐挂牌公司家数		44		
撤回材料及申请被否公司家数		0		
正在挂牌公司家数		44		
已上市公司家数		0		
已被终止挂牌公司家数		0		
推荐定向发行情况				
序号	股份代码	公司名称	发行日期	公司状态
1	831136	颖元股份	2014－9－1	发行成功
2	831571	大洋股份	2014－11－12	发行成功
推荐定向发行次数		2		
推荐定向发行成功次数		2		
推荐定向发行失败次数		0		
推荐原代办股份转让系统的两网公司及退市公司挂牌情况				
序号	股份代码	公司名称		
推荐原代办股份转让系统的两网公司及退市公司家数		0		

三、部门设置

经纪业务				
人员	姓名	固定电话	传真	Email
经纪业务联络人	叶夏斌	0755－82026975	0755－82026517	yexiabin@ china－invs. cn
经纪业务联络人	陈秀芳	0755－82026753	0755－82026889	chenxiufang@ china－invs. cn
推荐业务				
人员	姓名	固定电话	传真	Email
推荐业务联络人	于玫	010－63222977	010－63222809	yumei@ china－invs. cn
推荐业务联络人	石彦琛	0755－82026560	0755－82026568	shiyanchen@ china－invs. cn

南京证券股份有限公司

一、公司简介及概况

公司简介	公司名称	南京证券股份有限公司				
	成立日期	1990－11－23	法定代表人	步国旬	总经理	李剑锋
	注册资本（万元）	190,000	净资产＊（万元）	403,998	净资本＊（万元）	301,104
	注册地址	江苏省南京市玄武区大钟亭8号			营业部家数	76
	办公地址	江苏省南京市玄武区大钟亭8号			邮编	210008
	公司网址	www. njzq. com. cn	电子邮箱	office@ njzq. com. cn	经营证券业务许可证编号	Z2313200039
	注：＊经审计的最近年度净资产和净资本					
	证监会批准从事的证券业务			证券经纪；证券投资咨询；与证券交易、证券投资活动有关的财务顾问；证券承销与保荐；证券自营；融资融券；证券资产管理；证券投资基金代销；代销金融产品；为期货公司提供中间介绍业务。		
	在全国股份转让系统从事的业务种类			经纪业务，推荐业务，做市业务		

<table>
<tr><td>公司概况</td><td>南京证券是1990年10月经中国人民银行批准设立的江苏省第一家专业证券机构，全国创新类证券公司。截止2014年12月，注册资本19亿元，总资产216.8亿元，净资产45.8亿元（未经审计），控股南证期货有限责任公司、富安达基金管理有限公司和南京巨石创业投资有限公司。
南京证券业务范围涵盖证券经纪、证券承销、证券自营、融资融券、客户资产管理、财务顾问等诸多领域，设有24个职能管理和业务部门，在全国设有89家分支机构，可以为广大企业和投资者投融资提供全方位服务。
南京证券历经24年的风雨洗礼和岁月磨炼，基础管理和改革、业务经营和规模、行业地位和影响均取得了长足进步和发展，取得了自成立24年来从未亏损、持续盈利、稳定回报的优良业绩。
南京证券2011年荣获"全国文明单位"称号，2013年荣获"全国五一劳动奖状"，是证券行业第一家荣获此两项殊荣的证券公司；2010年荣获"江苏省文明单位标兵"称号；并连续15年荣获"南京市文明单位"、连续14年荣获"江苏省文明单位"；先后6次荣获"建设新南京有功单位"；先后荣获"中国企业文化优秀奖"、"中国证监会为圆满完成证券公司风险处置做出积极贡献荣誉证书"、江苏省和南京市"国有企业创建'四好'领导班子先进集体"、江苏省和南京市"先进基层党组织"、全国首批"国家级征信企业"、"中国100最具影响力企业"、"南京市劳动关系和谐企业"、江苏省和南京市"五四红旗团委"称号，35家分支机构分别荣获国家、省、市级"青年文明号"，其中国家级青年文明号4家。</td></tr>
</table>

二、业务动态

推荐挂牌情况

序号	股份代码	公司名称	挂牌日期	公司状态
1	430034	大地股份	2008－10－28	挂牌
2	430057	清畅电力	2009－07－14	挂牌
3	430079	环拓科技	2011－01－21	挂牌
4	430086	爱迪科森	2011－04－08	挂牌
5	430116	中矿华沃	2012－04－18	挂牌
6	430117	航天理想	2012－04－18	挂牌
7	430113	中交远洲	2012－04－18	挂牌
8	430126	马氏兄弟	2012－06－27	挂牌
9	430159	创世生态	2012－11－09	挂牌
10	430186	国承瑞泰	2012－12－20	挂牌
11	430208	优炫软件	2013－01－29	挂牌
12	430505	上陵牧业	2014－01－24	挂牌
13	430504	众智科技	2014－01－24	挂牌
14	430500	亚奥科技	2014－01－24	挂牌
15	430443	易丰股份	2014－01－24	挂牌
16	430506	云飞扬	2014－01－24	挂牌
17	430624	中天金谷	2014－01－24	挂牌
18	430693	恒力液压	2014－04－10	挂牌
19	430681	芒冠股份	2014－04－10	挂牌
20	430729	万里智能	2014－05－05	挂牌
21	830765	协盛科技	2014－05－30	挂牌
22	830773	正扬冶金	2014－05－30	挂牌
23	830794	奥派股份	2014－06－11	挂牌
24	830852	中科仪	2014－07－16	挂牌
25	830876	黄河软轴	2014－07－21	挂牌
26	831164	腾楷网络	2014－09－29	挂牌
27	831322	朗悦科技	2014－11－11	挂牌
28	831520	东来办公	2014－12－18	挂牌
29	831555	天乐橡塑	2014－12－19	挂牌
30	831599	龙虎网	2014－12－26	挂牌
31	831590	百川建科	2014－12－29	挂牌
32	832450	中兴农贷	2015－05－13	挂牌

33	832534	东宝股份	2015－05－29	挂牌
34	832646	讯众股份	2015－06－16	挂牌
35	832687	京东农业	2015－06－29	挂牌
36	832748	豫新股份	2015－07－15	挂牌
37	833038	欧开股份	2015－08－03	挂牌
38	833444	华恒股份	2015－08－25	挂牌
39	833411	宏景股份	2015－08－25	挂牌
40	833382	长江绿海	2015－08－28	挂牌
目前已推荐挂牌公司家数		40		
撤回材料及申请被否公司家数		0		
正在挂牌公司家数		40		
已上市公司家数		0		
已被终止挂牌公司家数		0		
推荐定向发行情况				
序号	股份代码	公司名称	发行日期	公司状态
1	430057	清畅电力	2010－4－29	发行成功
2	430057	清畅电力	2011－10－13	发行成功
3	430208	优炫软件	2013－8－2	发行成功
4	430208	优炫软件	2014－3－6	发行成功
5	430186	国承瑞泰	2014－6－30	发行成功
6	430159	创世生态	2014－7－8	发行成功
7	430729	万里智能	2014－11－28	发行成功
8	430505	上陵牧业	2014－12－31	发行成功
9	430681	芒冠股份	2015－5－13	发行成功
10	830794	奥派股份	2015－5－14	发行成功
11	430159	创世生态	2015－6－23	发行成功
12	832687	京东农业	2015－6－29	发行成功
13	430624	中天金谷	2015－7－3	发行成功
14	430500	亚奥科技	2015－7－15	发行成功
15	830794	奥派股份	2015－7－31	发行成功
16	833038	欧开股份	2015－8－3	发行成功
17	831076	展博股份	2015－8－27	发行成功
18	833382	长江绿海	2015－8－28	发行成功
19	430681	芒冠股份	2015－9－25	发行成功
20	830765	协盛科技	2015－9－30	发行成功
推荐定向发行次数		20		
推荐定向发行成功次数		20		
推荐定向发行失败次数		0		
推荐原代办股份转让系统的两网公司及退市公司挂牌情况				
序号	股份代码	公司名称		
推荐原代办股份转让系统的两网公司及退市公司家数		0		

三、部门设置

经纪业务				
人员	姓名	固定电话	传真	Email
经纪业务联络人	孙秀玉	025－83367888	83320066	xysun@ njzq. com. cn

推荐业务				
人员	姓名	固定电话	传真	Email
推荐业务联络人	吕晓璐	025－57710519	025－57710532	115974960@ qq. com
推荐业务联络人	李晶晶	025－57710519	025－57710532	273204167@ qq. com

中泰证券股份有限公司

一、公司简介及概况

公司简介	公司名称	南京证券股份有限公司				
	成立日期	2001－5－15	法定代表人	李玮	总经理	毕玉国
	注册资本（万元）	627,176.32	净资产＊（万元）	1,453,134.97	净资本＊（万元）	850,131.96
	注册地址	山东省济南市经七路 86 号			营业部家数	205
	办公地址	山东省济南市经七路 86 号			邮编	250001
	公司网址	www. zts. com. cn	电子邮箱	bgs@ zts. com. cn	经营证券业务许可证编码	z19037000
	注：＊经审计的最近年度净资产和净资本					
	证监会批准从事的证券业务		证券经纪；证券投资咨询；与证券交易、证券投资活动有关的财务顾问；证券承销与保荐；证券自营；证券资产管理；融资融券；证券投资基金代销；为期货公司提供中间介绍业务。			
	在全国股份转让系统从事的业务种类		经纪业务，推荐业务，做市业务			
公司概况	中泰证券股份有限公司是全国大型综合类券商，注册资本 627176.32 万元，员工 6000 余人，在全国 27 个省、市、自治区设有 205 家证券营业部、15 家证券分公司，控股鲁证期货股份有限公司、万家基金管理有限公司、鲁证创业投资有限公司、中泰国际控股有限公司，形成了集证券、基金、期货、直投为一体的综合性证券控股集团。截至 2014 年 12 月底，公司总资产 843 亿元，净资产 145 亿元。场外市场业务，公司组建并形成一支综合素质较高、专业能力较强、敬业程度较好、200 余人的新三板业务团队。目前拥有 4 名准保荐代表人，96 名注册会计师、50 名律师，其中硕士、博士学历人员占 70% 以上，他们均具备良好的专业素质和丰富的股份制改制、资本运作、财务顾问经验，并充分依托公司 200 多家营业部为所在地中小微企业提供优质高效的资本市场融资、并购、股权投资、财务顾问等各类服务。目前，中泰证券股份有限公司在新三板市场成功推荐挂牌 190 余家，业内排名第二位，在中关村园区推荐的挂牌公司诺思兰德成为业内经典案例。中泰证券股份有限公司被多个地区授予“改制上市工作优秀中介机构”，并于 2014 年、2015 年连续两年荣获中国区股转系统最佳主办券商荣誉称号，2015 年 5 月荣获“金融资”新三板做市企业奖，2015 年 8 月荣获第八届新财富“新三板业务最佳投行（挂牌）”。					

二、业务动态

推荐挂牌情况				
序号	股份代码	公司名称	挂牌日期	公司状态
1	430032	凯英信业	2008－10－28	挂牌
2	430047	诺思兰德	2009－02－18	挂牌
3	430080	尚水股份	2011－03－01	挂牌
4	430110	百拓科技	2012－04－10	挂牌
5	430118	中钰控股	2012－04－10	挂牌
6	430111	北京航峰	2012－04－10	挂牌
7	430115	阿姆斯	2012－04－10	已被终止挂牌
8	430145	智立医学	2012－09－17	挂牌
9	430160	三泰晟驰	2012－11－07	挂牌
10	430177	点点客	2012－12－18	挂牌
11	430218	长虹立川	2013－05－16	挂牌
12	430215	必可测	2013－05－16	挂牌

13	430233	星原丰泰	2013－07－04	挂牌
14	430282	优睿传媒	2013－08－07	挂牌
15	430280	京西创业	2013－08－08	挂牌
16	430291	中试电力	2013－08－09	挂牌
17	430309	易所试	2013－08－13	挂牌
18	430323	天阶生物	2013－10－16	挂牌
19	430318	四维传媒	2013－10－16	挂牌
20	430371	科传股份	2014－01－24	挂牌
21	430502	万隆电气	2014－01－24	挂牌
22	430384	宜达胜	2014－01－24	挂牌
23	430594	盈光科技	2014－01－24	挂牌
24	430533	同立高科	2014－01－24	挂牌
25	430609	中磁视讯	2014－01－24	挂牌
26	430604	三炬生物	2014－01－24	挂牌
27	430497	威硬工具	2014－01－24	挂牌
28	430496	大正医疗	2014－01－24	挂牌
29	430495	奥远电子	2014－01－24	挂牌
30	430492	老来寿	2014－01－24	挂牌
31	430501	超宇环保	2014－01－24	挂牌
32	430498	嘉网股份	2014－01－24	挂牌
33	430662	罗曼股份	2014－03－05	挂牌
34	430679	嘉宝华	2014－04－10	已被终止挂牌
35	430728	五岳钻具	2014－04－30	挂牌
36	430732	威马股份	2014－04－30	挂牌
37	430731	凯地钻探	2014－04－30	挂牌
38	430744	嘉瑶信息	2014－05－05	挂牌
39	430734	源渤科技	2014－05－07	挂牌
40	430720	东方炫辰	2014－05－07	挂牌
41	830783	广源精密	2014－05－28	挂牌
42	430764	美诺福	2014－05－30	挂牌
43	830768	耀通科技	2014－05－30	挂牌
44	830772	远航科技	2014－06－03	挂牌
45	830806	亚锦科技	2014－06－06	挂牌
46	830808	中智华体	2014－06－26	挂牌
47	830826	泰瑞机械	2014－07－08	挂牌
48	830834	信达化工	2014－07－09	挂牌
49	830832	齐鲁华信	2014－07－09	挂牌
50	830848	鑫森海	2014－07－14	挂牌
51	830839	万通液压	2014－07－14	挂牌
52	830846	格林检测	2014－07－14	挂牌
53	830884	华盛供水	2014－07－22	挂牌
54	830886	太尔科技	2014－07－23	挂牌
55	830907	瑞丽洗涤	2014－07－25	挂牌
56	830881	圣泉集团	2014－07－28	挂牌
57	830933	纳晶科技	2014－08－05	挂牌
58	830926	迪浩股份	2014－08－08	挂牌
59	830979	泰宝生物	2014－08－08	挂牌
60	831042	芜起股份	2014－08－14	挂牌
61	831109	金牌股份	2014－08－14	挂牌
62	831111	智明恒	2014－08－14	挂牌

63	831009	合锐赛尔	2014－08－14	挂牌
64	831121	力久电机	2014－08－14	挂牌
65	831137	泰和股份	2014－09－16	挂牌
66	831149	奥美环境	2014－09－18	挂牌
67	831153	全通服	2014－09－19	挂牌
68	831192	海明威	2014－10－08	挂牌
69	831278	泰德股份	2014－11－04	挂牌
70	831264	柏康科技	2014－11－04	挂牌
71	831338	山东信和	2014－11－10	挂牌
72	831316	连连化学	2014－11－10	挂牌
73	831304	迪尔化工	2014－11－10	挂牌
74	831369	帜扬信通	2014－11－20	挂牌
75	831411	三重股份	2014－12－02	挂牌
76	831387	华特磁电	2014－12－02	挂牌
77	831424	薪泽奇	2014－12－08	挂牌
78	831458	联科股份	2014－12－08	挂牌
79	831492	安信种苗	2014－12－09	挂牌
80	831505	朗顿教育	2014－12－09	挂牌
81	831433	川东磁电	2014－12－09	挂牌
82	831413	中创股份	2014－12－09	挂牌
83	831480	福生佳信	2014－12－09	挂牌
84	831440	友旭科技	2014－12－09	挂牌
85	831519	百正新材	2014－12－16	挂牌
86	831517	凯伦建材	2014－12－16	挂牌
87	831541	中节环	2014－12－19	挂牌
88	831567	南达农业	2014－12－26	挂牌
89	831593	朗昇电气	2014－12－29	挂牌
90	831600	润迪环保	2014－12－30	挂牌
91	831579	三信股份	2014－12－30	挂牌
92	831716	金新股份	2014－12－31	挂牌
93	831664	点众股份	2015－01－09	挂牌
94	831613	雷帕得	2015－01－12	挂牌
95	831792	海思堡	2015－01－16	挂牌
96	831778	鸿森重工	2015－01－16	挂牌
97	831785	恒远利废	2015－01－16	挂牌
98	831779	卓越信通	2015－01－16	挂牌
99	831727	中钢网	2015－01－16	挂牌
100	831827	宝来利来	2015－01－19	挂牌
101	831851	绿健神农	2015－01－26	挂牌
102	831718	青鸟软通	2015－01－26	挂牌
103	831850	分豆教育	2015－01－26	挂牌
104	831835	苏柯汉	2015－01－26	挂牌
105	831923	三金科技	2015－01－30	挂牌
106	831884	成达兴	2015－01－30	挂牌
107	831892	新玻电力	2015－02－04	挂牌
108	831899	山东再担	2015－02－04	挂牌
109	831975	温迪数字	2015－02－13	挂牌
110	832019	中棉种业	2015－02－16	挂牌
111	831745	考迈托	2015－02－17	挂牌
112	831950	亚太能源	2015－02－26	挂牌

113	831898	冬虫夏草	2015－02－27	挂牌
114	832118	华网智能	2015－03－10	挂牌
115	832083	奥默医药	2015－03－10	挂牌
116	832109	新港模板	2015－03－11	挂牌
117	832082	聚祥股份	2015－03－11	挂牌
118	832125	乐克科技	2015－03－11	挂牌
119	832135	云宏信息	2015－03－12	挂牌
120	832146	德平科技	2015－03－12	挂牌
121	832150	和佐股份	2015－03－12	挂牌
122	832119	路通精密	2015－03－19	挂牌
123	832169	世阳德尔	2015－03－19	挂牌
124	832207	永拓咨询	2015－04－02	挂牌
125	832236	丰源股份	2015－04－02	挂牌
126	832267	诺君安	2015－04－08	挂牌
127	832329	吉成园林	2015－04－15	挂牌
128	832286	凯翔生物	2015－04－15	挂牌
129	832303	广安车联	2015－04－15	挂牌
130	832316	添正医药	2015－04－15	挂牌
131	832308	旺盛园林	2015－04－17	挂牌
132	832325	捷尚股份	2015－04－17	挂牌
133	832312	领耀科技	2015－04－17	挂牌
134	832268	鑫秋农业	2015－04－20	挂牌
135	832327	海颐软件	2015－04－20	挂牌
136	832342	思普润	2015－04－20	挂牌
137	832363	索科股份	2015－04－23	挂牌
138	832398	索力得	2015－05－04	挂牌
139	832394	佳龙科技	2015－05－04	挂牌
140	832390	金海股份	2015－05－04	挂牌
141	832444	蓝海骆驼	2015－05－08	挂牌
142	832416	华美精陶	2015－05－08	挂牌
143	832442	思必拓	2015－05－08	挂牌
144	832488	奔腾股份	2015－05－11	挂牌
145	832466	山东众和	2015－05－11	挂牌
146	832556	宏力能源	2015－06－05	挂牌
147	832603	懿姿股份	2015－06－05	挂牌
148	832564	富特股份	2015－06－05	挂牌
149	832607	安华生物	2015－06－08	挂牌
150	832573	地瑞科森	2015－06－08	挂牌
151	832596	迈达医疗	2015－06－08	挂牌
152	832597	中移能	2015－06－08	挂牌
153	832621	三维钢构	2015－06－09	挂牌
154	832600	金鸿新材	2015－06－09	挂牌
155	832642	确信信息	2015－06－16	挂牌
156	832634	赛特电工	2015－06－16	挂牌
157	832671	冠宇科技	2015－07－01	挂牌
158	832674	泓利股份	2015－07－04	挂牌
159	832818	正海合泰	2015－07－14	挂牌
160	832819	啸创股份	2015－07－14	挂牌
161	832782	依科曼	2015－07－14	挂牌
162	832892	捷昕精密	2015－07－22	挂牌

163	832955	七丹药业	2015－07－23	挂牌
164	832964	凯瑞环保	2015－07－24	挂牌
165	832901	山东孔圣	2015－07－24	挂牌
166	832857	宏景电子	2015－07－28	挂牌
167	833052	迪玛卫浴	2015－07－30	挂牌
168	833178	中美福源	2015－07－30	挂牌
169	833066	亿联科技	2015－07－30	挂牌
170	833086	明药堂	2015－07－30	挂牌
171	833170	亿能达	2015－07－30	挂牌
172	833169	鼎泰盛	2015－07－30	挂牌
173	833152	新风光	2015－07－30	挂牌
174	833157	京冶轴承	2015－07－30	挂牌
175	833128	金正印务	2015－07－30	挂牌
176	833068	山河园林	2015－07－30	挂牌
177	833203	威尔克	2015－08－05	挂牌
178	833254	中惠生物	2015－08－12	挂牌
179	833292	泰然科技	2015－08－14	挂牌
180	833339	胜软科技	2015－08－14	挂牌
181	833283	盛瑞传动	2015－08－18	挂牌
182	833420	集趣股份	2015－08－31	挂牌
183	833465	特力惠	2015－09－11	挂牌
184	833408	伊森新材	2015－09－14	挂牌
185	833475	深蓝机器	2015－09－14	挂牌
186	833611	镭之源	2015－09－30	挂牌
187	833636	邦瑞达	2015－09－30	挂牌
188	833644	瀚高股份	2015－10－08	挂牌
189	833685	天元信息	2015－10－09	挂牌
190	833731	默锐环境	2015－10－13	挂牌
191	833805	森诺特	2015－10－15	挂牌
192	833806	光合文创	2015－10－17	挂牌
193	833847	狂龙数字	2015－10－17	挂牌
194	833766	龙福环能	2015－10－23	挂牌
195	833933	诸葛天下	2015－10－28	挂牌
196	833934	震宇科技	2015－10－30	挂牌
197	834138	盛瑞科技	2015－11－09	挂牌
198	834117	山东绿霸	2015－11－10	挂牌
199	834083	盛华霖	2015－11－10	挂牌
200	834159	海盈科技	2015－11－10	挂牌
201	834002	易构软件	2015－11－11	挂牌
202	834151	恒基股份	2015－11－13	挂牌
203	834284	嘉盛光电	2015－11－17	挂牌
204	834289	西麦科技	2015－11－18	挂牌
205	834268	金控数据	2015－11－18	挂牌
206	834137	汇锋传动	2015－11－20	挂牌
207	834310	华夏飞机	2015－11－23	挂牌
208	834403	信大捷安	2015－11－24	挂牌
209	834265	冠中生态	2015－11－24	挂牌
210	834266	英谷教育	2015－11－24	挂牌
211	834389	富景农业	2015－11－25	挂牌
212	834447	格林生物	2015－11－27	挂牌

213	834421	易通科技	2015－11－30	挂牌
214	834631	海药股份	2015－12－04	挂牌
215	834626	弗尔赛	2015－12－04	挂牌
216	834732	雄汇装饰	2015－12－07	挂牌
217	834817	爱知网络	2015－12－07	挂牌
218	834608	星光影视	2015－12－08	挂牌
219	834561	磊鑫园林	2015－12－08	挂牌
220	834602	宜家清洁	2015－12－09	挂牌
221	834567	华多科技	2015－12－09	挂牌
222	834698	国舜股份	2015－12－10	挂牌
223	834727	天茂新材	2015－12－11	挂牌
224	834729	朗朗教育	2015－12－14	挂牌
225	834717	天天美尚	2015－12－15	挂牌
226	834991	新瀚新材	2015－12－17	挂牌
227	834724	国图信息	2015－12－17	挂牌
228	835066	垠艺生物	2015－12－18	挂牌
229	835007	战诚电子	2015－12－18	挂牌
230	835077	博宁福田	2015－12－21	挂牌
231	834920	人合机电	2015－12－21	挂牌
232	834835	海力威	2015－12－21	挂牌
233	835117	捷世通	2015－12－22	挂牌
234	835105	索特来	2015－12－22	挂牌
235	834880	泰华智慧	2015－12－22	挂牌
236	834580	天线宝宝	2015－12－23	挂牌
237	835166	综艺联创	2015－12－25	挂牌
238	835135	启光智造	2015－12－25	挂牌
239	835136	报春电商	2015－12－25	挂牌
240	835145	南自股份	2015－12－28	挂牌
241	834957	上海凯鑫	2015－12－28	挂牌
242	835167	福座母婴	2015－12－29	挂牌
243	835153	琥崧智能	2015－12－29	挂牌
244	835195	金正动画	2015－12－30	挂牌
245	835144	金马扬名	2015－12－30	挂牌
246	835063	旺翔传媒	2015－12－31	挂牌
247	835147	恒达新材	2015－12－31	挂牌
248	835198	松竹铝业	2016－01－13	挂牌
249	835154	昌盛日电	2016－01－19	挂牌
250	835194	铭赛科技	2016－01－27	挂牌
目前已推荐挂牌公司家数		250		
撤回材料及申请被否公司家数		0		
正在挂牌公司家数		248		
已上市公司家数		0		
已被终止挂牌公司家数		2		
推荐定向发行情况				
序号	股份代码	公司名称	发行日期	公司状态
1	430047	诺思兰德	2011－2－21	发行成功
2	430032	凯英信业	2012－1－11	发行成功
3	430080	尚水股份	2013－9－18	发行成功
4	430533	同立高科	2014－6－9	发行成功
5	830783	广源精密	2014－8－6	发行成功

6	430594	盈光科技	2014－8－12	发行成功
7	430502	万隆电气	2014－9－17	发行成功
8	430177	点点客	2014－9－17	发行成功
9	430604	三炬生物	2014－10－27	发行成功
10	830834	信达化工	2014－10－28	发行成功
11	430177	点点客	2014－11－3	发行成功
12	430280	京西创业	2014－11－4	发行成功
13	430609	中磁视讯	2014－11－17	发行成功
14	831111	智明恒	2014－11－24	发行成功
15	830886	太尔科技	2014－11－26	发行成功
16	830884	华盛供水	2014－12－3	发行成功
17	430609	中磁视讯	2014－12－17	发行成功
18	430309	易所试	2014－12－22	发行成功
19	430609	中磁视讯	2015－1－22	发行成功
20	430609	中磁视讯	2015－1－22	发行成功
21	830933	纳晶科技	2015－1－23	发行成功
22	831541	中节环	2015－2－13	发行成功
23	430110	百拓科技	2015－2－13	发行成功
24	830808	中智华体	2015－2－16	发行成功
25	830768	耀通科技	2015－3－12	发行成功
26	430318	四维传媒	2015－3－12	发行成功
27	830933	纳晶科技	2015－3－31	发行成功
28	430118	中钰控股	2015－3－31	发行成功
29	831492	安信种苗	2015－4－7	发行成功
30	830886	太尔科技	2015－4－9	发行成功
31	430501	超宇环保	2015－4－15	发行成功
32	831975	温迪数字	2015－4－16	发行成功
33	430323	天阶生物	2015－4－18	发行成功
34	831111	智明恒	2015－4－20	发行成功
35	831850	分豆教育	2015－4－22	发行成功
36	830783	广源精密	2015－4－24	发行成功
37	430720	东方炫辰	2015－4－24	发行成功
38	831111	智明恒	2015－5－15	发行成功
39	430309	易所试	2015－5－15	发行成功
40	430533	同立高科	2015－5－19	发行成功
41	430497	威硬工具	2015－5－19	发行成功
42	831411	三重股份	2015－5－25	发行成功
43	831387	华特磁电	2015－5－28	发行成功
44	831835	苏柯汉	2015－5－28	发行成功
45	831567	南达农业	2015－5－29	发行成功
46	831480	福生佳信	2015－6－1	发行成功
47	831851	绿健神农	2015－6－5	发行成功
48	430492	老来寿	2015－6－8	发行成功
49	430732	威马股份	2015－6－11	发行成功
50	831950	亚太能源	2015－6－12	发行成功
51	830772	远航科技	2015－6－16	发行成功
52	430145	智立医学	2015－6－23	发行成功
53	832308	旺盛园林	2015－6－24	发行成功
54	831492	安信种苗	2015－6－29	发行成功
55	832325	捷尚股份	2015－6－29	发行成功

56	430594	盈光科技	2015－6－30	发行成功
57	831505	朗顿教育	2015－6－30	发行成功
58	831517	凯伦建材	2015－6－30	发行成功
59	832267	诺君安	2015－7－6	发行成功
60	832312	领耀科技	2015－7－6	发行成功
61	831827	宝来利来	2015－7－7	发行成功
62	831827	宝来利来	2015－7－7	发行成功
63	831278	泰德股份	2015－7－8	发行成功
64	832268	鑫秋农业	2015－7－8	发行成功
65	831950	亚太能源	2015－7－9	发行成功
66	832125	乐克科技	2015－7－14	发行成功
67	832135	云宏信息	2015－7－15	发行成功
68	831149	奥美环境	2015－7－16	发行成功
69	832444	蓝海骆驼	2015－7－17	发行成功
70	831792	海思堡	2015－7－17	发行成功
71	831009	合锐赛尔	2015－7－24	发行成功
72	832316	添正医药	2015－7－24	发行成功
73	831778	鸿森重工	2015－7－30	发行成功
74	830808	中智华体	2015－7－31	发行成功
75	830846	格林检测	2015－8－4	发行成功
76	430177	点点客	2015－8－5	发行成功
77	831458	联科股份	2015－8－5	发行成功
78	831338	山东信和	2015－8－5	发行成功
79	831851	绿健神农	2015－8－7	发行成功
80	830884	华盛供水	2015－8－11	发行成功
81	832416	华美精陶	2015－8－11	发行成功
82	831600	润迪环保	2015－8－12	发行成功
83	832329	吉成园林	2015－8－12	发行成功
84	831785	恒远利废	2015－8－13	发行成功
85	832308	旺盛园林	2015－8－13	发行成功
86	831850	分豆教育	2015－8－14	发行成功
87	831613	雷帕得	2015－8－19	发行成功
88	430492	老来寿	2015－8－20	发行成功
89	830907	瑞丽洗涤	2015－8－21	发行成功
90	831121	力久电机	2015－8－21	发行成功
91	430032	凯英信业	2015－8－25	发行成功
92	832327	海颐软件	2015－8－27	发行成功
93	831369	帜扬信通	2015－8－28	发行成功
94	832329	吉成园林	2015－9－8	发行成功
95	831718	青鸟软通	2015－9－8	发行成功
96	830768	耀通科技	2015－9－9	发行成功
97	831316	连连化学	2015－9－14	发行成功
98	430609	中磁视讯	2015－9－15	发行成功
99	831779	卓越信通	2015－9－15	发行成功
100	430497	威硬工具	2015－9－16	发行成功
101	832556	宏力能源	2015－9－16	发行成功
102	832169	世阳德尔	2015－9－17	发行成功
103	830979	泰宝生物	2015－9－18	发行成功
104	831111	智明恒	2015－9－24	发行成功
105	831424	薪泽奇	2015－9－29	发行成功

106	831884	成达兴	2015 - 9 - 30	发行成功
107	832782	依科曼	2015 - 9 - 30	发行成功
108	430495	奥远电子	2015 - 9 - 30	发行成功
109	831411	三重股份	2015 - 10 - 19	发行成功
110	832416	华美精陶	2015 - 10 - 20	发行成功
111	430032	凯英信业	2015 - 10 - 22	发行成功
112	832488	奔腾股份	2015 - 10 - 26	发行成功
113	832394	佳龙科技	2015 - 10 - 26	发行成功
114	831727	中钢网	2015 - 10 - 27	发行成功
115	833933	诸葛天下	2015 - 10 - 28	发行成功
116	831785	恒远利废	2015 - 10 - 28	发行成功
117	430282	优睿传媒	2015 - 11 - 2	发行成功
118	832236	丰源股份	2015 - 11 - 6	发行成功
119	430080	尚水股份	2015 - 11 - 6	发行成功
120	834002	易构软件	2015 - 11 - 11	发行成功
121	831009	合锐赛尔	2015 - 11 - 17	发行成功
122	832286	凯翔生物	2015 - 11 - 17	发行成功
123	832642	确信信息	2015 - 11 - 18	发行成功
124	832342	思普润	2015 - 11 - 19	发行成功
125	430731	凯地钻探	2015 - 11 - 23	发行成功
126	832671	冠宇科技	2015 - 11 - 24	发行成功
127	830957	佳成科技	2015 - 11 - 27	发行成功
128	830957	佳成科技	2015 - 11 - 27	发行成功
129	832329	吉成园林	2015 - 11 - 30	发行成功
130	430111	北京航峰	2015 - 11 - 30	发行成功
131	430309	易所试	2015 - 11 - 30	发行成功
132	832444	蓝海骆驼	2015 - 12 - 2	发行成功
133	832118	华网智能	2015 - 12 - 10	发行成功
134	832597	中移能	2015 - 12 - 11	发行成功
135	831745	考迈托	2015 - 12 - 11	发行成功
136	834729	朗朗教育	2015 - 12 - 14	发行成功
137	834727	天茂新材	2015 - 12 - 15	发行成功
138	835007	战诚电子	2015 - 12 - 18	发行成功
139	835077	博宁福田	2015 - 12 - 21	发行成功
140	834880	泰华智慧	2015 - 12 - 22	发行成功
141	834580	天线宝宝	2015 - 12 - 23	发行成功
142	831440	友旭科技	2015 - 12 - 23	发行成功
143	834957	上海凯鑫	2015 - 12 - 28	发行成功
144	834957	上海凯鑫	2015 - 12 - 28	发行成功
145	832564	富特股份	2015 - 12 - 29	发行成功
146	831579	三信股份	2015 - 12 - 29	发行成功
147	832444	蓝海骆驼	2016 - 1 - 5	发行成功
148	832607	安华生物	2016 - 1 - 6	发行成功
149	831892	新玻电力	2016 - 1 - 6	发行成功
150	831923	三金科技	2016 - 1 - 6	发行成功
151	832442	思必拓	2016 - 1 - 6	发行成功
152	430728	五岳钻具	2016 - 1 - 7	发行成功
153	430498	嘉网股份	2016 - 1 - 8	发行成功
154	832150	和佐股份	2016 - 1 - 8	发行成功

155	430110	百拓科技	2016－1－8	发行成功
156	832818	正海合泰	2016－1－12	发行成功
157	430291	中试电力	2016－1－14	发行成功
158	831153	全通服	2016－1－18	发行成功
159	831975	温迪数字	2016－1－18	发行成功
160	832303	广安车联	2016－1－21	发行成功
161	832303	广安车联	2016－1－21	发行成功
162	831519	百正新材	2016－1－22	发行成功
163	833292	泰然科技	2016－1－26	发行成功
164	832955	七丹药业	2016－1－26	发行成功
165	831770	同智科技	2016－1－29	发行成功
166	430215	必可测	2016－1－29	发行成功
推荐定向发行次数		166		
推荐定向发行成功次数		166		
推荐定向发行失败次数		0		
推荐原代办股份转让系统的两网公司及退市公司挂牌情况				
序号	股份代码	公司名称		
推荐原代办股份转让系统的两网公司及退市公司家数		0		

三、部门设置

经纪业务				
人员	姓名	固定电话	传真	Email
经纪业务联络人	王海涛	0531－68889169	0531－68889185	wht5582@163.com
推荐业务				
人员	姓名	固定电话	传真	Email
推荐业务联络人	沈剑欣	010－59013888	010－59013777	654410588@qq.com
推荐业务联络人	魏蔚	0531－68889910	0531－68889883	ww060623@sina.com

山西证券股份有限公司

一、公司简介及概况

公司简介	公司名称	山西证券股份有限公司				
	成立日期	1988－7－28	法定代表人	侯巍	总经理	侯巍
	注册资本（万元）	251,872.52	净资产＊（万元）	732,588.32	净资本＊（万元）	397,974.95
	注册地址	山西省太原市府西街69号山西国际贸易中心东塔楼			营业部家数	78
	办公地址	山西省太原市府西街69号山西国际贸易中心东塔楼			邮编	030002
	公司网址	www.sxzq.net	电子邮箱	sxzq@i618.com.cn	经营证券业务许可证编号	10680000
	注：＊经审计的最近年度净资产和净资本					
	证监会批准从事的证券业务			证券经纪；证券自营；证券资产管理；证券投资咨询；与证券交易、证券投资活动有关的财务顾问；证券投资基金代销；为期货公司提供中间介绍业务；融资融券；代销金融产品；公开募集证券投资基金管理业务。		
	在全国股份转让系统从事的业务种类			经纪业务，推荐业务，做市业务		

公司概况	山西证券股份有限公司成立于1988年7月,是全国首批证券公司之一。2010年11月15日正式在深圳证券交易所挂牌上市,股票代码002500。公司注册资本25.1872亿元。设有分公司14家(管辖63家证券营业部)、总部直辖营业部15家,期货营业网点26家,分别分布在山西各地市、主要县区及北京、上海、天津、深圳、重庆、西安、宁波、大连、济南、福州等地,形成了以国内主要城市为前沿,重点城市为中心,覆盖山西、面向全国的业务发展框架,为八十多万客户提供全面、优质的专业服务。公司与全球知名投资银行——德意志银行合资设立中德证券有限责任公司,其从事的主要业务为股票(包括人民币普通股、外资股)和债券(包括政府债券、公司债券)的承销与保荐;公司全资控股格林大华期货有限公司,其从事的主要业务为商品期货经纪与金融期货经纪,2015年7月成立格林大华资产管理(香港)有限公司及格林大华证券(香港)有限公司;公司设立直投业务子公司—龙华启富投资有限责任公司,其主要从事的业务为投资管理、项目投资、财务顾问、经济信息咨询等。未来的山西证券将继续秉承诚信为本、以义制利、专业服务的经营理念,坚持让投资更明白的服务理念,持续丰富公司发展历程中专业化、规模化、品牌化、集团化和国际化的内涵,努力把公司建设成为有特色、有品牌、有竞争力的一流券商。

二、业务动态

推荐挂牌情况				
序号	股份代码	公司名称	挂牌日期	公司状态
1	430060	永邦科技	2009-08-26	挂牌
2	430087	富电绿能	2011-05-31	挂牌
3	430096	航天宏达	2011-08-30	挂牌
4	430103	天大清源	2012-01-18	挂牌
5	430133	赛孚制药	2012-08-01	挂牌
6	430523	泰谷生物	2014-01-24	挂牌
7	430602	腾旋科技	2014-01-24	挂牌
8	430522	超弦科技	2014-01-24	挂牌
9	430697	宝石金卡	2014-04-11	挂牌
10	830913	中北通磁	2014-08-08	挂牌
11	830914	海赛电装	2014-08-11	挂牌
12	831102	湘佳牧业	2014-08-21	挂牌
13	831107	金科信息	2014-08-22	挂牌
14	831032	景睿策划	2014-08-29	挂牌
15	831129	领信股份	2014-09-01	挂牌
16	831174	全密封	2014-10-13	挂牌
17	831319	绿蔓生物	2014-11-07	挂牌
18	831296	奥拓福	2014-12-04	挂牌
19	831418	三合盛	2014-12-05	挂牌
20	831487	山大合盛	2014-12-10	挂牌
21	831090	锡成矿业	2014-12-10	挂牌
22	831814	富岛科技	2015-01-27	挂牌
23	831989	晋桦豹	2015-02-16	挂牌
24	832306	崇峻股份	2015-04-22	挂牌
25	832347	太矿电气	2015-05-07	挂牌
26	832382	阳光小贷	2015-05-11	挂牌
27	832585	精英科技	2015-06-24	挂牌
28	832773	寰烁股份	2015-07-24	挂牌
29	833262	奥神新材	2015-08-17	挂牌
30	833303	恒光科技	2015-08-17	挂牌
31	833332	多尔晋泽	2015-08-18	挂牌
32	833349	鼎隆智装	2015-08-26	挂牌
33	833302	羌山农牧	2015-09-02	挂牌
34	833381	宏安翔	2015-09-10	挂牌

35	833479	朗德金燕	2015－10－16	挂牌
36	833688	天赐钙业	2015－10－19	挂牌
37	833704	千里马	2015－10－20	挂牌
38	834045	泰和鑫	2015－10－30	挂牌
39	833965	科创股份	2015－11－04	挂牌
40	834486	德佑电气	2015－11－30	挂牌
41	834481	普峰旅行	2015－12－04	挂牌
42	834767	爱富希	2015－12－11	挂牌
43	834916	成功通航	2015－12－11	挂牌
44	835036	众联能创	2015－12－23	挂牌
45	835181	中阳股份	2015－12－28	挂牌
46	835309	凯成股份	2016－01－04	挂牌
47	835377	常乐铜业	2016－01－07	挂牌
48	835342	鑫众科技	2016－01－15	挂牌
目前已推荐挂牌公司家数		48		
撤回材料及申请被否公司家数		0		
正在挂牌公司家数		48		
已上市公司家数		0		
已被终止挂牌公司家数		0		
推荐定向发行情况				
序号	股份代码	公司名称	发行日期	公司状态
1	430133	天大清源	2013－9－4	发行成功
2	430523	泰谷生物	2015－2－13	发行成功
3	430522	超弦科技	2015－3－30	发行成功
4	831129	领信股份	2015－3－31	发行成功
5	831296	奥拓福	2015－4－9	发行成功
6	831319	绿蔓生物	2015－5－25	发行成功
7	830914	海赛电装	2015－8－26	发行成功
8	831487	山大合盛	2015－8－27	发行成功
9	832347	太矿电气	2015－8－27	发行成功
10	430087	富电绿能	2015－8－27	发行成功
11	831418	三合盛	2015－8－27	发行成功
12	831174	全密封	2015－9－11	发行成功
13	430060	永邦科技	2015－9－28	发行成功
14	430087	富电绿能	2015－12－14	
推荐定向发行次数		14		
推荐定向发行成功次数		13		
推荐定向发行失败次数		0		
推荐原代办股份转让系统的两网公司及退市公司挂牌情况				
序号	股份代码	公司名称		
推荐原代办股份转让系统的两网公司及退市公司家数		0		

三、部门设置

经纪业务				
人员	姓名	固定电话	传真	Email
经纪业务联络人	任祥海	0351－8686817	0351－8686889	renxianghai@ sxzq. com
经纪业务联络人	李并	0351－8686890	0351－8686889	libing@ sxzq. com

推荐业务				
人员	姓名	固定电话	传真	Email
推荐业务联络人	李莉	010－82190311	010－82190374	lili3@ sxzq. com
推荐业务联络人	乔丽	010－82190369	010－82190374	qiaoli@ sxzq. com

东北证券股份有限公司

一、公司简介及概况

公司简介	公司名称	东北证券股份有限公司				
	成立日期	1992－7－12	法定代表人	李福春	总经理	何俊岩
	注册资本（万元）	97,858.30	净资产＊（万元）	754,153.39	净资本＊（万元）	410,896.92
	注册地址	长春市自由大路1138号			营业部家数	83
	办公地址	长春市自由大路1138号			邮编	130021
	公司网址	www. nesc. cn	电子邮箱	dbzq@ nesc. cn	经营证券业务许可证编号	Z21622000
	注：＊经审计的最近年度净资产和净资本					
	证监会批准从事的证券业务			证券经纪；证券投资咨询；与证券交易、证券投资活动有关的财务顾问；证券承销与保荐；证券自营；证券资产管理；融资融券；证券投资基金代销；为期货公司提供中间介绍业务。		
	在全国股份转让系统从事的业务种类			经纪业务，推荐业务，做市业务		
公司概况	东北证券股份有限公司（以下简称“公司”）前身为吉林省证券有限责任公司。2000年6月经中国证监会批准，经过增资扩股成立东北证券有限责任公司。2007年8月，东北证券有限责任公司与上市公司锦州经济技术开发区六陆实业股份有限公司重组，并更名为“东北证券股份有限公司”。2007年8月27日，公司在深圳证券交易所挂牌上市，股票简称为“东北证券”，股票代码为000686。 公司开展全面证券业务，包括证券经纪业务、证券承销与保荐业务（含代办股份转让业务）、证券自营业务、证券资产管理业务，证券投资咨询（含财务顾问）、IB业务资格、直投业务等业务。公司内设16个部门，4个分公司，2个代表处，现有员工3000多人。公司设立全资直投子公司东证融通投资管理有限公司，控股渤海期货有限公司，参股东方基金管理有限责任公司和银华基金管理有限公司。2011年公司被中国证监会评为A类证券公司。 2007年11月东北证券入选“深证100指数样本股”；2008年6月，东北证券入选“沪深300指数样本股”、“沪深300行业指数样本股”、“沪深300成长指数样本股”。公司肩负“关爱资本、富足社会”的使命，坚持“一切以客户收益为重，一切以股东权益为重，一切以员工利益为重，一切以社会效益为重”的理念，在竞争中成长、在创新中收获、在服务中共赢。公司致力于建立和谐的经营管理团队，通过充分调动全体员工的积极性，从根本上提高公司的创利能力，回报股东，回报社会。					

二、业务动态

推荐挂牌情况				
序号	股份代码	公司名称	挂牌日期	公司状态
1	430049	双杰电气	2009－02－18	已上市
2	430088	七维航测	2011－05－31	挂牌
3	430137	润天股份	2012－09－28	挂牌
4	430148	科能腾达	2012－09－28	挂牌
5	430290	和隆优化	2013－08－05	挂牌
6	430351	爱科凯能	2013－11－15	挂牌
7	430346	哇棒传媒	2013－12－04	挂牌
8	430417	良才股份	2014－01－24	挂牌
9	430398	励图科技	2014－01－24	挂牌

10	430381	阿兰德	2014－01－24	挂牌
11	430409	天泉鑫膜	2014－01－24	挂牌
12	430408	帝信通信	2014－01－24	挂牌
13	430415	钟舟电气	2014－01－24	挂牌
14	430587	福格森	2014－01－24	已被终止挂牌
15	430578	差旅天下	2014－01－24	挂牌
16	430527	正武股份	2014－01－24	挂牌
17	430474	恒裕灯饰	2014－01－24	挂牌
18	430652	三联泵业	2014－02－21	挂牌
19	830790	希迈气象	2014－06－10	挂牌
20	830986	伊科耐	2014－08－11	挂牌
21	830976	电通微电	2014－08－13	挂牌
22	831117	维恩贝特	2014－08－21	挂牌
23	831072	瑞聚股份	2014－08－21	挂牌
24	831123	大成空间	2014－08－21	挂牌
25	831010	天佳科技	2014－08－21	挂牌
26	831116	腾远食品	2014－08－22	挂牌
27	831073	瑞恒科技	2014－08－22	挂牌
28	831070	威尔圣	2014－08－22	挂牌
29	831020	华阳密封	2014－08－22	挂牌
30	831078	斯科电气	2014－08－29	挂牌
31	831077	中鼎科技	2014－08－29	挂牌
32	831061	中瀛鑫	2014－08－29	挂牌
33	831158	金鲵生物	2014－09－25	挂牌
34	831218	成丰股份	2014－10－17	挂牌
35	831266	一铭软件	2014－11－06	挂牌
36	831313	中超新材	2014－11－07	挂牌
37	831328	科耐特	2014－11－11	挂牌
38	831327	飞翼股份	2014－11－12	挂牌
39	831336	苏丝股份	2014－11－19	挂牌
40	831377	有友食品	2014－11－20	挂牌
41	831409	华油科技	2014－12－03	挂牌
42	831431	东南光电	2014－12－03	挂牌
43	831470	创通信息	2014－12－08	挂牌
44	831476	硕源科技	2014－12－11	挂牌
45	831552	庆东农科	2014－12－26	挂牌
46	831604	世纪网通	2015－01－08	挂牌
47	831674	奥特多	2015－01－09	挂牌
48	831679	易点科技	2015－01－12	挂牌
49	831704	九如环境	2015－01－12	挂牌
50	831759	天河化纤	2015－01－15	挂牌
51	831812	宇寿医疗	2015－01－19	已被终止挂牌
52	831805	微企信息	2015－01－20	挂牌
53	831842	名冠股份	2015－01－22	挂牌
54	831770	同智科技	2015－01－22	挂牌
55	831874	畅想软件	2015－01－23	挂牌
56	831735	国瑞升	2015－01－23	挂牌
57	831867	延利饰件	2015－01－23	挂牌
58	831901	隆科兴	2015－01－28	挂牌

59	831862	致力科技	2015 - 01 - 30	挂牌
60	831910	梦地自控	2015 - 02 - 03	挂牌
61	831944	卓耐普	2015 - 03 - 17	挂牌
62	832128	喜之家	2015 - 03 - 17	挂牌
63	832247	晶品新材	2015 - 04 - 09	挂牌
64	832339	远大宏略	2015 - 04 - 16	挂牌
65	832354	益运股份	2015 - 04 - 21	挂牌
66	832451	神州电子	2015 - 05 - 12	挂牌
67	832505	运维电力	2015 - 05 - 28	挂牌
68	832508	白马数控	2015 - 05 - 29	挂牌
69	832558	爽口源	2015 - 06 - 11	挂牌
70	832559	熊猫乳业	2015 - 06 - 16	挂牌
71	832568	阿波罗	2015 - 06 - 17	挂牌
72	832644	固泰新材	2015 - 06 - 19	挂牌
73	832661	蓝太平洋	2015 - 06 - 19	挂牌
74	832630	诺之股份	2015 - 06 - 23	挂牌
75	832649	医模科技	2015 - 07 - 01	挂牌
76	832744	瑞风协同	2015 - 07 - 15	挂牌
77	832928	曼氏生物	2015 - 07 - 21	挂牌
78	832854	紫光新能	2015 - 07 - 21	挂牌
79	832850	大泽电极	2015 - 07 - 22	挂牌
80	832962	汉尧环保	2015 - 07 - 23	挂牌
81	832962	悦居智能	2015 - 07 - 23	挂牌
82	832930	徕兹科技	2015 - 07 - 29	挂牌
83	833025	天佳生物	2015 - 07 - 30	挂牌
84	833058	触动时代	2015 - 07 - 30	挂牌
85	833150	安宁创新	2015 - 07 - 30	挂牌
86	833154	希尔股份	2015 - 08 - 03	挂牌
87	833120	瑞铁股份	2015 - 08 - 05	挂牌
88	833188	画店文化	2015 - 08 - 07	挂牌
89	833167	乐邦科技	2015 - 08 - 11	挂牌
90	833168	海润传播	2015 - 08 - 11	挂牌
91	833195	天强制药	2015 - 08 - 17	挂牌
92	833350	海印环保	2015 - 08 - 17	挂牌
93	833147	华江环保	2015 - 08 - 18	挂牌
94	833333	科雷斯普	2015 - 08 - 18	挂牌
95	833384	新在线·	2015 - 08 - 26	挂牌
96	833427	同济设计	2015 - 08 - 27	挂牌
97	833536	香堤湾	2015 - 09 - 16	挂牌
98	833813	中超环保	2015 - 10 - 19	挂牌
99	833956	三和生物	2015 - 10 - 28	挂牌
100	833937	嘉诚信息	2015 - 10 - 28	挂牌
101	833893	亿民照明	2015 - 10 - 28	挂牌
102	833585	千叶珠宝	2015 - 10 - 29	挂牌
103	833896	海诺尔	2015 - 11 - 02	挂牌
104	832992	神戎电子	2015 - 11 - 04	挂牌
105	834202	纵横六合	2015 - 11 - 06	挂牌
106	833935	明游天下	2015 - 11 - 06	挂牌
107	834025	赛思信安	2015 - 11 - 10	挂牌

108	834118	爱尔发	2015－11－13	挂牌
109	834149	动信通	2015－11－13	挂牌
110	834091	平安租赁	2015－11－16	挂牌
111	834192	中钜铖	2015－11－17	挂牌
112	834020	东霖食品	2015－11－20	挂牌
113	834188	华立材料	2015－11－23	挂牌
114	834285	艾维普思	2015－11－30	挂牌
115	834276	澳冠智能	2015－11－30	挂牌
116	834752	蓬莱海洋	2015－12－04	挂牌
117	834795	鑫玉龙	2015－12－07	挂牌
118	834638	宝利明威	2015－12－07	挂牌
119	834723	春腾网络	2015－12－11	挂牌
120	834611	老肯医疗	2015－12－14	挂牌
121	835002	维冠视界	2015－12－14	挂牌
122	834696	海通基业	2015－12－15	挂牌
123	835000	锐讯股份	2015－12－15	挂牌
124	834999	上游文旅	2015－12－16	挂牌
125	834819	玛诺生物	2015－12－17	挂牌
126	835065	竹远科创	2015－12－18	挂牌
127	834930	奥视股份	2015－12－21	挂牌
128	835017	中研高塑	2015－12－21	挂牌
129	835110	泛远国际	2015－12－28	挂牌
130	835290	正旭科技	2015－12－29	挂牌
131	835048	龙云旅游	2015－12－30	挂牌
132	835262	佳乐股份	2015－12－30	挂牌
133	834716	至臻传媒	2015－12－30	挂牌
134	835282	梅珑体育	2015－12－31	挂牌
135	835203	亚微软件	2015－12－31	挂牌
136	835366	泰鑫小贷	2016－01－05	挂牌
137	835352	量邦科技	2016－01－06	挂牌
138	835460	尊宝智控	2016－01－07	挂牌
139	835359	百通能源	2016－01－07	挂牌
140	835500	百丞税务	2016－01－11	挂牌
141	835419	哟哈股份	2016－01－11	挂牌
142	835586	景典传媒	2016－01－12	挂牌
143	835597	防护科技	2016－01－12	挂牌
目前已推荐挂牌公司家数		143		
撤回材料及申请被否公司家数		0		
正在挂牌公司家数		140		
已上市公司家数		1		
已被终止挂牌公司家数		2		
推荐定向发行情况				
序号	股份代码	公司名称	发行日期	公司状态
1	430049	双杰电气	2012－3－1	发行成功
2	430088	七维航测	2012－10－31	发行成功
3	430148	科能腾达	2013－8－21	发行成功
4	430415	钟舟电气	2014－1－22	发行成功
5	430346	哇棒传媒	2014－1－27	发行成功
6	831123	大成空间	2014－6－29	发行成功

7	430088	七维航测	2014－7－7	发行成功
8	430148	科能腾达	2014－8－21	发行成功
9	430415	钟舟电气	2014－8－22	发行成功
10	430474	恒裕灯饰	2014－9－12	发行成功
11	430351	爱科凯能	2014－11－11	发行成功
12	430346	哇棒传媒	2014－11－13	发行成功
13	831116	腾远食品	2014－12－9	发行成功
14	831476	硕源科技	2014－12－11	发行成功
15	430346	哇棒传媒	2015－1－8	发行成功
16	430409	天泉鑫膜	2015－1－21	发行成功
17	430088	七维航测	2015－2－4	发行成功
18	430578	差旅天下	2015－3－18	发行成功
19	831117	维恩贝特	2015－4－3	发行成功
20	831117	维恩贝特	2015－4－3	发行成功
21	831604	世纪网通	2015－4－4	发行成功
22	832339	远大宏略	2015－4－16	发行成功
23	831266	一铭软件	2015－4－24	发行成功
24	831061	中瀛鑫	2015－5－14	发行成功
25	831061	中瀛鑫	2015－5－14	发行成功
26	831020	华阳密封	2015－6－5	发行成功
27	832644	固泰新材	2015－6－9	发行成功
28	832744	瑞风协同	2015－6－11	发行成功
29	832559	熊猫乳业	2015－6－16	发行成功
30	831010	天佳科技	2015－6－24	发行成功
31	832568	阿波罗	2015－6－24	发行成功
32	831476	硕源科技	2015－7－3	发行成功
33	831072	瑞聚股份	2015－7－7	发行成功
34	831072	瑞聚股份	2015－7－7	发行成功
35	831266	一铭软件	2015－7－8	发行成功
36	831805	微企信息	2015－7－11	发行成功
37	830976	电通微电	2015－7－31	发行成功
38	833120	瑞铁股份	2015－8－5	发行成功
39	430148	科能腾达	2015－8－7	发行成功
40	831604	世纪网通	2015－8－12	发行成功
41	831874	畅想软件	2015－8－14	发行成功
42	833147	华江环保	2015－8－18	发行成功
43	430290	和隆优化	2015－8－21	发行成功
44	833384	新在线·	2015－8－26	发行成功
45	832247	晶品新材	2015－8－26	发行成功
46	831117	维恩贝特	2015－9－1	发行成功
47	832354	益运股份	2015－9－3	发行成功
48	832505	运维电力	2015－9－10	发行成功
49	831266	一铭软件	2015－9－10	发行成功
50	430409	天泉鑫膜	2015－9－15	发行成功
51	430346	哇棒传媒	2015－9－15	发行成功
52	831073	瑞恒科技	2015－9－16	发行成功
53	831073	瑞恒科技	2015－9－16	发行成功
54	832558	爽口源	2015－9－17	发行成功
55	830976	电通微电	2015－9－22	发行成功

56	834192	中钜铖	2015-11-17	发行成功
57	835048	龙云旅游	2015-12-30	发行成功
58	835419	哟哈股份	2016-1-11	发行成功
推荐定向发行次数		58		
推荐定向发行成功次数		58		
推荐定向发行失败次数		0		
推荐原代办股份转让系统的两网公司及退市公司挂牌情况				
序号	股份代码	公司名称		
推荐原代办股份转让系统的两网公司及退市公司家数		0		

三、部门设置

经纪业务				
人员	姓名	固定电话	传真	Email
经纪业务联络人	隋莹	0431-8509729	0431-85096534	suiy@ nesc. cn
经纪业务联络人	季莹	0431-85096827	0431-85096534	jiy@ nesc. cn
推荐业务				
人员	姓名	固定电话	传真	Email
推荐业务联络人	李博文	010-63210675	010-63210701	bowen16@ foxmail. com
推荐业务联络人	何宇	010-63210648	010-63210701	466968998@ qq. com

国海证券股份有限公司

一、公司简介及概况

公司简介	公司名称	国海证券股份有限公司				
	成立日期	1993-6-28	法定代表人	何春梅	总经理	何春梅
	注册资本（万元）	231,036.13	净资产*（万元）	656,845.63	净资本*（万元）	475,377.06
	注册地址	广西壮族自治区桂林市辅星路13号			营业部家数	84
	办公地址	广西壮族自治区南宁市滨湖路46号国海大厦			邮编	530028
	公司网址	www. ghzq. com. cn	电子邮箱	zcbgs@ ghzq. com. cn	经营证券业务许可证编号	10240000
	注：*经审计的最近年度净资产和净资本					
	证监会批准从事的证券业务			证券经纪；证券投资咨询；与证券交易、证券投资活动有关的财务顾问；证券承销与保荐；证券自营；证券资产管理；融资融券；证券投资基金代销；为期货公司提供中间介绍业务；代销金融产品。		
	在全国股份转让系统从事的业务种类			经纪业务，推荐业务，做市业务		
公司概况	国海证券股份有限公司前身为广西证券公司，1988年经中国人民银行批准正式设立，是国内首批设立并在广西区内注册的唯一一家全国性证券公司。2001年，公司增资扩股并更名为国海证券有限责任公司。2011年8月，公司借壳桂林集琦药业股份有限公司在国内A股市场上市，更名为国海证券股份有限公司（股票代码：000750），成为国内第16家上市券商。2015年2月13日，公司完成非公开发行2015年次级债券（第一期）的发行工作，募集资金总额40亿元，使公司净资本规模得到提升，为公司的创新发展提供了资本保障。截至2014年末，公司总股本23.10亿元，净资本47.54亿元，合并总资产264.20亿元，合并净资产65.68亿元。公司拥有6家分公司、71家营业部，营业网点覆盖全国14个省级区域，并控股国海富兰克林基金管理有限公司和国海良时期货有限公司，全资设立国海创新资本投资管理有限公司，融证券、基金、期货、直投等多元业务为一体的金融服务企业。目前，公司是广西唯一一家入选“深证100指数”的上市公司，并成功跻身有证券市场整体走势“晴雨表”之称的“沪深300”指数。					

二、业务动态

推荐挂牌情况				
序号	股份代码	公司名称	挂牌日期	公司状态
1	430050	博朗环境	2009－02－18	挂牌
2	430124	汉唐自远	2012－06－08	挂牌
3	430352	慧网通达	2013－11－15	挂牌
4	430452	汇龙科技	2014－01－24	挂牌
5	430463	春茂股份	2014－01－24	挂牌
6	430463	汽牛股份	2014－01－24	挂牌
7	830782	泰安众诚	2014－06－04	挂牌
8	830951	西安同大	2014－08－01	挂牌
9	831067	根力多	2014－08－20	挂牌
10	831030	卓华信息	2014－08－20	挂牌
11	831163	艾新材料	2014－09－25	挂牌
12	831300	同创股份	2014－11－07	挂牌
13	831437	天劲股份	2014－11－28	挂牌
14	831531	康雅股份	2014－12－12	挂牌
15	831609	壹加壹	2014－12－31	挂牌
16	832077	合成药业	2015－03－04	挂牌
17	832079	华邦股份	2015－03－06	挂牌
18	832246	润天智	2015－04－09	挂牌
19	832269	耶萨智能	2015－04－15	挂牌
20	832366	英伦信息	2015－04－21	挂牌
21	832438	润港林业	2015－05－11	挂牌
22	832458	红枫种苗	2015－05－18	挂牌
23	832470	万里运业	2015－05－20	挂牌
24	832549	苏船动力	2015－05－22	挂牌
25	832823	柳州电机	2015－07－06	挂牌
26	832761	煜鹏通讯	2015－07－15	挂牌
27	832829	汉术化学	2015－07－16	挂牌
28	832758	鑫甬生物	2015－07－20	挂牌
29	832751	金秋科技	2015－07－22	挂牌
30	832936	万达重工	2015－07－23	挂牌
31	832832	禹鼎电子	2015－07－24	挂牌
32	833081	顺博合金	2015－07－28	挂牌
33	833138	长江材料	2015－07－30	挂牌
34	833108	博冠科技	2015－07－31	挂牌
35	833209	苏州园林	2015－08－06	挂牌
36	833181	泰久信息	2015－08－17	挂牌
37	833265	润杰农科	2015－08－18	挂牌
38	833407	亚华智库	2015－08－26	挂牌
39	833486	前程人力	2015－09－08	挂牌
40	833515	禾美农业	2015－09－09	挂牌
41	833404	飞日科技	2015－09－18	挂牌
42	833724	威尔弗	2015－10－07	挂牌
43	833682	福特科	2015－10－09	挂牌
44	833782	天锐医药	2015－10－19	挂牌
45	833924	华讯投资	2015－10－29	挂牌
46	834245	易普森	2015－11－10	挂牌

47	834251	兴源仪表	2015－11－10	挂牌
48	834283	好百年	2015－11－16	挂牌
49	834364	固尔邦	2015－11－17	挂牌
50	834051	汇隆精密	2015－11－20	挂牌
51	834341	杰西医药	2015－11－24	挂牌
52	834362	润和天泽	2015－11－27	挂牌
53	834537	中焯股份	2015－12－02	挂牌
54	834875	喷施宝	2015－12－09	挂牌
55	834499	喜相逢	2015－12－11	挂牌
56	834635	航宇科技	2015－12－15	挂牌
57	835059	桂牛乳业	2015－12－21	挂牌
58	834591	华富储能	2016－01－05	挂牌
59	835525	福建佳乐	2016－01－15	挂牌
60	833588	九州方园	2016－09－17	挂牌
61	833870	创想天空	2016－10－16	挂牌
目前已推荐挂牌公司家数		61		
撤回材料及申请被否公司家数		0		
正在挂牌公司家数		61		
已上市公司家数		0		
已被终止挂牌公司家数		0		
推荐定向发行情况				
序号	股份代码	公司名称	发行日期	公司状态
1	430050	博朗环境	2013－11－11	发行成功
2	831163	艾新材料	2014－9－22	发行成功
3	830782	泰安众诚	2014－10－28	发行成功
4	831030	卓华信息	2015－1－16	发行成功
5	831030	卓华信息	2015－2－5	发行成功
6	831609	壹加壹	2015－2－28	发行成功
7	831437	天劲股份	2015－4－27	发行成功
8	430452	汇龙科技	2015－4－27	发行成功
9	831030	卓华信息	2015－5－7	发行成功
10	831437	天劲股份	2015－5－12	发行成功
11	831030	卓华信息	2015－5－22	发行成功
12	831437	天劲股份	2015－6－4	发行成功
13	430124	汉唐自远	2015－6－18	发行成功
14	430124	汉唐自远	2015－6－19	发行成功
15	832079	华邦股份	2015－6－24	发行成功
16	832936	万达重工	2015－8－7	发行成功
17	832936	万达重工	2015－8－10	发行成功
18	832077	合成药业	2015－8－12	发行成功
19	833407	亚华智库	2015－8－12	发行成功
20	830951	西安同大	2015－8－14	发行成功
21	833181	泰久信息	2015－8－17	发行成功
22	832438	润港林业	2015－8－27	发行成功
23	832458	红枫种苗	2015－9－1	发行成功
24	832246	润天智	2015－9－18	发行成功
25	834537	中焯股份	2015－10－29	发行成功
26	832470	万里运业	2015－11－24	发行成功
27	430463	春茂股份	2015－12－1	发行成功

28	430124	汉唐自远	2015－12－4	发行成功
29	833682	福特科	2015－12－8	发行成功
30	832438	润港林业	2015－12－24	发行成功
31	833138	长江材料	2015－12－31	发行成功
32	831067	根力多	2016－1－16	发行成功
33	833486	前程人力	2016－1－28	发行成功
34	832366	英伦信息	2016－10－13	发行成功
推荐定向发行次数		34		
推荐定向发行成功次数		34		
推荐定向发行失败次数		0		
推荐原代办股份转让系统的两网公司及退市公司挂牌情况				
序号	股份代码	公司名称		
推荐原代办股份转让系统的两网公司及退市公司家数		0		

三、部门设置

经纪业务				
人员	姓名	固定电话	传真	Email
经纪业务联络人	毛思宇	0771－5567392	0771－5539578	maosy@ ghzq. com. cn
经纪业务联络人	韦点湛	0771－5551619	0771－5539578	weidz@ ghzq. com. cn
推荐业务				
人员	姓名	固定电话	传真	Email
推荐业务联络人	孙艺萌	0755－88608101	0755－83716971	sunym@ ghzq. com. cn
推荐业务联络人	唐新	0755－83716757	0755－83716971	tangx01@ ghzq. com. cn

东吴证券股份有限公司

一、公司简介及概况

公司简介	公司名称	东吴证券股份有限公司				
	成立日期	1993－4－10	法定代表人	范力	总经理	范力
	注册资本（万元）	270,000	净资产*（万元）	1,380,782.18	净资本*（万元）	872,326.63
	注册地址	江苏省苏州工业园区星阳街5号			营业部家数	101
	办公地址	江苏省苏州工业园区星阳街5号			邮编	215021
	公司网址	www. dwzq. com. cn	电子邮箱	dwzqdb@ gsjq. com. cn	经营证券业务许可证编号	Z23232000
	注：*经审计的最近年度净资产和净资本					
	证监会批准从事的证券业务			证券经纪；证券投资咨询；与证券交易、证券投资活动有关的财务顾问；证券承销与保荐；证券自营；证券资产管理；证券投资基金代销；为期货公司提供中间介绍业务；融资融券业务；代销金融产品业务。		
	在全国股份转让系统从事的业务种类			经纪业务，推荐业务，做市业务		
公司概况	东吴证券股份有限公司（以下简称“东吴证券”或“公司”），前身为成立于1993年的苏州证券。2010年5月28日，东吴证券有限责任公司改制并更名为东吴证券股份有限公司。2011年11月23日，经中国证券监督管理委员会核准，东吴证券向社会公开发行5亿股普通A股股票，并于2011年12月12日在上海证券交易所挂牌上市交易，股票简称“东吴证券”，股票代码“601555”。通过登陆资本市场，东吴证券进一步完善了公司治理机构，实现了新的飞跃。公司总部及注册地在苏州，注册资本金27亿元。					

公司概况	目前公司下属北京、上海、深圳、南京、昆山、常熟、张家港、吴江、太仓、无锡、常州等16个分公司(含筹建)，拥有101家(含筹建)证券营业网点，并控股东吴基金管理有限公司，东吴期货有限公司，下设全资子公司东吴创业投资有限公司，东吴创新资本管理有限责任公司。 作为总部在苏州的唯一一家综合性证券公司，东吴证券依托的苏州市场综合经济实力、人均GDP、人均存款等均居于全国前列，且近十年保持快速发展势头，使得公司业务具有良好的客户基础。一直以外，东吴证券以苏州为根据地，深耕细作，走出了一条区域性券商的独特发展道路。

二、业务动态

推荐挂牌情况				
序号	股份代码	公司名称	挂牌日期	公司状态
1	430055	达通通信	2009-04-28	挂牌
2	430058	意诚信通	2009-08-05	挂牌
3	430144	煦联得	2012-09-07	挂牌
4	430162	聚利科技	2012-11-02	挂牌
5	430178	白虹软件	2012-12-25	挂牌
6	430246	佳星慧盟	2013-07-23	挂牌
7	430277	福乐维	2013-08-08	挂牌
8	430579	龙源科技	2014-01-24	挂牌
9	430432	方林科技	2014-01-24	挂牌
10	430418	苏轴股份	2014-01-24	挂牌
11	430414	三光科技	2014-01-24	挂牌
12	430405	星火环境	2014-01-24	挂牌
13	430404	瑞腾科技	2014-01-24	挂牌
14	430401	声威电声	2014-01-24	挂牌
15	430393	三景科技	2014-01-24	挂牌
16	430388	苏大明世	2014-01-24	挂牌
17	430589	银河激光	2014-01-24	挂牌
18	430434	万泉河	2014-01-24	挂牌
19	430430	普滤得	2014-01-24	挂牌
20	430583	国贸酝领	2014-01-24	挂牌
21	430586	兴港包装	2014-01-24	挂牌
22	430585	中矿微星	2014-01-24	挂牌
23	830818	巨峰股份	2014-06-30	挂牌
24	830971	科特环保	2014-08-08	挂牌
25	830968	华电电气	2014-08-08	挂牌
26	830952	方兰德	2014-08-08	挂牌
27	830958	鑫庄农贷	2014-08-08	挂牌
28	830963	伽力森	2014-08-13	挂牌
29	831048	天成股份	2014-08-22	挂牌
30	831095	中网科技	2014-08-22	挂牌
31	831166	纳地股份	2014-09-25	挂牌
32	831221	聚阳环保	2014-10-17	挂牌
33	831214	中晶股份	2014-10-21	挂牌
34	831237	飞宇科技	2014-10-28	挂牌
35	831375	三强股份	2014-11-21	挂牌
36	831334	竞天科技	2014-11-27	挂牌
37	831410	天和科技	2014-12-03	挂牌
38	831485	科达建材	2014-12-10	挂牌
39	831506	昌信农贷	2014-12-10	挂牌
40	831447	明烁节能	2014-12-12	挂牌

41	831561	威孚热能	2014 - 12 - 18	挂牌
42	831558	阳光四季	2014 - 12 - 18	挂牌
43	831554	智博联	2014 - 12 - 18	挂牌
44	831532	君悦科技	2014 - 12 - 18	挂牌
45	831626	胜禹股份	2015 - 01 - 05	挂牌
46	831624	嘉成股份	2015 - 01 - 08	挂牌
47	831612	维艾普	2015 - 01 - 08	挂牌
48	831634	盛世股份	2015 - 01 - 12	挂牌
49	831641	格利尔	2015 - 01 - 13	挂牌
50	831763	康爱特	2015 - 01 - 15	挂牌
51	831808	神元生物	2015 - 01 - 16	挂牌
52	831832	科达自控	2015 - 01 - 27	挂牌
53	831934	宇迪光学	2015 - 02 - 16	挂牌
54	832117	腾冉电气	2015 - 03 - 09	挂牌
55	832064	同里印刷	2015 - 03 - 09	挂牌
56	832141	燎原环保	2015 - 03 - 13	挂牌
57	832152	华富股份	2015 - 03 - 16	挂牌
58	832151	听牧肉牛	2015 - 03 - 16	挂牌
59	832139	沃田农业	2015 - 03 - 16	挂牌
60	832179	达胜股份	2015 - 03 - 27	挂牌
61	832226	新阳升	2015 - 04 - 07	挂牌
62	832253	万琦威	2015 - 04 - 07	挂牌
63	832277	金泉股份	2015 - 04 - 08	挂牌
64	832264	普克科技	2015 - 04 - 08	挂牌
65	832311	兆科电子	2015 - 04 - 14	挂牌
66	832356	金华机械	2015 - 04 - 20	挂牌
67	832334	金呢股份	2015 - 04 - 20	挂牌
68	832369	江苏神农	2015 - 04 - 22	挂牌
69	832203	华燃油气	2015 - 04 - 30	挂牌
70	832400	微缔软件	2015 - 05 - 05	挂牌
71	832517	联邦化工	2015 - 05 - 27	挂牌
72	832627	锦达保税	2015 - 06 - 10	挂牌
73	832628	爱源股份	2015 - 06 - 12	挂牌
74	832633	伏泰科技	2015 - 06 - 16	挂牌
75	832670	数亮科技	2015 - 06 - 25	挂牌
76	832455	传视影视	2015 - 06 - 30	挂牌
77	832718	玖隆再生	2015 - 07 - 09	挂牌
78	832720	兴渝股份	2015 - 07 - 09	挂牌
79	832822	保正物流	2015 - 07 - 15	挂牌
80	832842	柯瑞工程	2015 - 07 - 20	挂牌
81	832838	华绿生物	2015 - 07 - 21	挂牌
82	832776	雨来科技	2015 - 07 - 21	挂牌
83	832887	克里爱	2015 - 07 - 23	挂牌
84	832990	创达新材	2015 - 07 - 24	挂牌
85	832970	东海证券	2015 - 07 - 27	挂牌
86	832904	高登威	2015 - 07 - 27	挂牌
87	832945	金长城	2015 - 07 - 27	挂牌
88	832997	宝丽洁	2015 - 07 - 29	挂牌
89	833027	阳光金服	2015 - 07 - 30	挂牌
90	833143	贝特创意	2015 - 07 - 30	挂牌

91	832890	超伟股份	2015－08－04	挂牌
92	833039	昶昱黄金	2015－08－04	挂牌
93	833117	润泰股份	2015－08－04	挂牌
94	833222	基业园林	2015－08－10	挂牌
95	833213	翼迈科技	2015－08－10	挂牌
96	833199	灵岩医疗	2015－08－11	挂牌
97	833231	天准科技	2015－08－11	挂牌
98	833281	派诺生物	2015－08－13	挂牌
99	833189	达诺尔	2015－08－17	挂牌
100	833345	中标科技	2015－08－25	挂牌
101	833429	康比特	2015－08－28	挂牌
102	833419	东仪核电	2015－08－31	挂牌
103	833388	大源股份	2015－09－01	挂牌
104	833436	奥杰股份	2015－09－01	挂牌
105	833540	建龙微纳	2015－09－17	挂牌
106	833626	捷程检测	2015－09－30	挂牌
107	833599	营财保安	2015－10－08	挂牌
108	833589	多维度	2015－10－09	挂牌
109	833750	长宁钻石	2015－10－19	挂牌
110	833703	瑞光科技	2015－10－20	挂牌
111	833634	辉达股份	2015－10－23	挂牌
112	833885	蝶讯网	2015－10－26	挂牌
113	833923	华辰净化	2015－10－27	挂牌
114	833952	宝优际	2015－10－27	挂牌
115	833803	勃朗科技	2015－10－29	挂牌
116	833883	春宇电子	2015－10－30	挂牌
117	833953	唯思软件	2015－10－30	挂牌
118	833948	康泰环保	2015－11－06	挂牌
119	834213	物管股份	2015－11－10	挂牌
120	834261	一诺威	2015－11－12	挂牌
121	834305	荣程股份	2015－11－13	挂牌
目前已推荐挂牌公司家数		121		
撤回材料及申请被否公司家数		0		
正在挂牌公司家数		121		
已上市公司家数		0		
已被终止挂牌公司家数		0		
推荐定向发行情况				
序号	股份代码	公司名称	发行日期	公司状态
1	430055	达通通信	2012－1－31	发行成功
2	430144	煦联得	2013－10－22	发行成功
3	430434	万泉河	2014－1－24	发行成功
4	430585	中矿微星	2014－1－24	发行成功
5	430393	三景科技	2014－6－24	发行成功
6	430405	星火环境	2014－6－27	发行成功
7	430583	国贸酝领	2014－8－6	发行成功
8	831048	天成股份	2014－8－22	发行成功
9	430430	普滤得	2014－10－28	发行成功
10	430430	普滤得	2015－1－29	发行成功
11	831214	中晶股份	2015－1－29	发行成功
12	430162	聚利科技	2015－2－3	发行成功

13	430393	三景科技	2015 - 3 - 11	发行成功
14	830971	科特环保	2015 - 3 - 18	发行成功
15	430434	万泉河	2015 - 3 - 24	发行成功
16	430162	聚利科技	2015 - 3 - 31	发行成功
17	430393	三景科技	2015 - 5 - 5	发行成功
18	831166	纳地股份	2015 - 5 - 6	发行成功
19	832139	沃田农业	2015 - 5 - 6	发行成功
20	430055	达通通信	2015 - 5 - 8	发行成功
21	831612	维艾普	2015 - 5 - 27	发行成功
22	832633	伏泰科技	2015 - 6 - 16	发行成功
23	831237	飞宇科技	2015 - 6 - 23	发行成功
24	832670	数亮科技	2015 - 6 - 25	发行成功
25	832455	传视影视	2015 - 6 - 30	发行成功
26	430144	煦联得	2015 - 7 - 10	发行成功
27	832151	听牧肉牛	2015 - 7 - 17	发行成功
28	831626	胜禹股份	2015 - 7 - 21	发行成功
29	831626	胜禹股份	2015 - 7 - 21	发行成功
30	831375	三强股份	2015 - 7 - 22	发行成功
31	430432	方林科技	2015 - 7 - 24	发行成功
32	430178	白虹软件	2015 - 7 - 28	发行成功
33	832064	同里印刷	2015 - 7 - 28	发行成功
34	833231	天准科技	2015 - 8 - 11	发行成功
35	833281	派诺生物	2015 - 8 - 13	发行成功
36	830818	巨峰股份	2015 - 8 - 24	发行成功
37	430430	普滤得	2015 - 9 - 2	发行成功
38	430393	三景科技	2015 - 9 - 3	发行成功
39	832117	腾冉电气	2015 - 9 - 21	发行成功
40	830958	鑫庄农贷	2015 - 9 - 25	发行成功
41	831634	盛世股份	2015 - 9 - 28	发行成功
42	832455	传视影视	2015 - 9 - 29	发行成功
43	831221	聚阳环保	2015 - 10 - 8	发行成功
44	831221	聚阳环保	2015 - 10 - 8	发行成功
45	430586	兴港包装	2015 - 10 - 13	发行成功
46	430586	兴港包装	2015 - 10 - 13	发行成功
47	832277	金泉股份	2015 - 10 - 16	发行成功
48	430589	银河激光	2015 - 10 - 16	发行成功
49	430589	银河激光	2015 - 10 - 16	发行成功
50	832277	金泉股份	2015 - 10 - 16	发行成功
51	831558	阳光四季	2015 - 10 - 20	发行成功
52	831558	阳光四季	2015 - 10 - 20	发行成功
53	831532	君悦科技	2015 - 10 - 21	发行成功
54	831532	君悦科技	2015 - 10 - 21	发行成功
55	833027	阳光金服	2015 - 10 - 22	发行成功
56	833027	阳光金服	2015 - 10 - 22	发行成功
57	832226	新阳升	2015 - 10 - 27	发行成功
58	832226	新阳升	2015 - 10 - 27	发行成功
59	832141	燎原环保	2015 - 10 - 28	发行成功
60	832141	燎原环保	2015 - 10 - 28	发行成功
61	832152	华富股份	2015 - 10 - 30	发行成功
62	832152	华富股份	2015 - 10 - 30	发行成功

63	831561	威孚热能	2015 - 11 - 11	发行成功
64	831561	威孚热能	2015 - 11 - 11	发行成功
65	831485	科达建材	2015 - 11 - 12	发行成功
66	833039	昶昱黄金	2015 - 11 - 12	发行成功
67	831485	科达建材	2015 - 11 - 12	发行成功
68	833039	昶昱黄金	2015 - 11 - 12	发行成功
推荐定向发行次数		68		
推荐定向发行成功次数		68		
推荐定向发行失败次数		0		
推荐原代办股份转让系统的两网公司及退市公司挂牌情况				
序号	股份代码	公司名称		
推荐原代办股份转让系统的两网公司及退市公司家数		0		

三、部门设置

经纪业务				
人员	姓名	固定电话	传真	Email
经纪业务联络人	马军征	0512 - 62938777	0512 - 62938777	sxl_majzh@ gsjq. com. cn
推荐业务				
人员	姓名	固定电话	传真	Email
推荐业务联络人	周翰	0512 - 62938571	0512 - 62938561	zhouhan@ gsjq. com. cn
推荐业务联络人	顾利峰	0512 - 62938573	0512 - 62938561	gulifeng@ gsjq. com. cn

中信建投证券股份有限公司

一、公司简介及概况

公司简介	公司名称	中信建投证券股份有限公司				
	成立日期	2005 - 11 - 2	法定代表人	王常青	总经理	齐　亮
	注册资本（万元）	610,000	净资产＊（万元）	1,193,500	净资本＊（万元）	950,900
	注册地址	北京市朝阳区安立路 66 号 4 号楼			营业部家数	175
	办公地址	北京市东城区朝内大街 188 号			邮编	100010
	公司网址	www. csc108. com	电子邮箱	csc@ csc. com. cn	经营证券业务许可证编码	Z32911001
	注：＊经审计的最近年度净资产和净资本					
	证监会批准从事的证券业务			证券经纪、证券承销与保荐、与证券交易和证券投资活动有关的财务顾问、证券投资咨询、证券自营、证券资产管理、证券投资基金代销、融资融券、为期货公司提供中间介绍业务以及中国证监会批准的其它业务，还通过设立全资子公司，开展期货业务、直接投资业务以及境外投资银行、资产管理等业务。		
	在全国股份转让系统从事的业务种类			经纪业务，推荐业务，做市业务		
公司概况	中信建投证券是经中国证监会批准设立的全国性大型综合证券公司。2011 年 9 月 28 日，公司变更为股份有限公司，公司注册地为北京，注册资本为 61 亿元，在全国 29 个省、市、自治区设有 145 家证券营业部，并设有中信建投资本管理有限公司、中信建投期货经纪有限公司、中信建投（国际）金融控股有限公司等全资子公司。公司拥有近 350 万客户，客户资产规模达 3000 多亿元。在为政府、企业、机构和个人投资者提供优质专业的金融服务过程中，公司建立了良好的声誉，成为目前行业最高级别的 A 类 AA 级证券公司。					

公司概况	中信建投证券拥有实力强大的股东背景，北京国有资本经营管理中心、中央汇金投资有限责任公司、世纪金源投资集团有限公司与中信证券股份有限公司分别持有公司45%、40%、8%和7%的股份，它们均为拥有雄厚资本实力、成熟资本运作经验与较高社会知名度的大型企业。自成立以来，中信建投证券各项业务不断发展，在企业融资、固定收益、收购兼并、经纪业务、基金业务和资产管理业务等领域形成了自身特色和核心业务优势，并搭建了研究咨询、信息技术、运营管理、风险控制、合规管理等高效的业务支持体系。凭借高度的敬业精神与突出的专业能力，中信建投证券主要经营指标一直稳居行业前列。。

二、业务动态

推荐挂牌情况				
序号	股份代码	公司名称	挂牌日期	公司状态
1	430056	中航新材	2009-07-01	挂牌
2	430119	鸿仪四方	2012-04-18	挂牌
3	430129	极品无限	2012-06-28	挂牌
4	430140	新眼光	2012-09-07	挂牌
5	430171	电信易通	2012-12-05	挂牌
6	430173	鼎讯互动	2012-12-06	挂牌
7	430182	全网数商	2012-12-21	挂牌
8	430190	新瑞理想	2012-12-21	挂牌
9	430196	宣爱智能	2012-12-26	挂牌
10	430195	欧泰克	2012-12-26	挂牌
11	430210	舜能润滑	2013-01-24	挂牌
12	430208	优炫软件	2013-01-29	挂牌
13	430249	慧峰仁和	2013-07-22	挂牌
14	430247	金日创	2013-07-22	挂牌
15	430248	奥尔斯	2013-07-22	挂牌
16	430245	奥特美克	2013-07-23	挂牌
17	430271	瑞灵石油	2013-08-06	挂牌
18	430339	中搜网络	2013-11-08	挂牌
19	430343	优网科技	2013-11-08	挂牌
20	430354	华敏测控	2013-11-18	挂牌
21	430560	西部泰力	2014-01-24	挂牌
22	430556	雅达股份	2014-01-24	挂牌
23	430562	安运科技	2014-01-24	挂牌
24	430564	天润科技	2014-01-24	挂牌
25	430551	林产科技	2014-01-24	挂牌
26	430365	赫宸环境	2014-01-24	挂牌
27	430621	固安信通	2014-01-24	挂牌
28	430617	欧讯体育	2014-01-24	挂牌
29	430568	光菁电子	2014-01-24	挂牌
30	430566	虹越花卉	2014-01-24	挂牌
31	430563	华宇股份	2014-01-24	挂牌
32	430561	齐普光电	2014-01-24	挂牌
33	430639	派芬自控	2014-02-20	挂牌
34	430688	鹏远光电	2014-04-10	挂牌
35	430687	华瑞核安	2014-04-14	挂牌
36	430731	御食园	2014-05-06	挂牌
37	430757	天翔昌运	2014-05-30	挂牌
38	830767	网虫股份	2014-05-30	挂牌
39	830800	天开园林	2014-06-10	挂牌

40	830798	中外名人	2014-06-13	挂牌
41	830825	和泰塑胶	2014-06-27	挂牌
42	830849	平原非标	2014-07-11	挂牌
43	830931	仁会生物	2014-08-11	挂牌
44	830996	汇能精电	2014-08-13	挂牌
45	831051	春秋鸿	2014-08-21	挂牌
46	831114	易销科技	2014-08-22	挂牌
47	831012	岳能科技	2014-08-22	挂牌
48	831209	鑫安利	2014-10-22	挂牌
49	831225	宏景软件	2014-10-22	挂牌
50	831222	金龙腾	2014-10-23	挂牌
51	831226	聚宝网络	2014-10-24	挂牌
52	831205	圣博华康	2014-10-28	挂牌
53	831239	云南文化	2014-11-03	挂牌
54	831274	瑞可达	2014-11-04	挂牌
55	831354	话机世界	2014-11-11	挂牌
56	831311	博安智能	2014-11-11	挂牌
57	831337	雷力生物	2014-11-13	挂牌
58	831306	丽明股份	2014-11-13	挂牌
59	831390	宜都运机	2014-12-03	挂牌
60	831472	激动网	2014-12-08	挂牌
61	831453	远泉股份	2014-12-17	挂牌
62	831527	约顿气膜	2014-12-19	挂牌
63	831546	美林数据	2014-12-22	挂牌
64	831577	安阳机床	2014-12-31	挂牌
65	831575	光辉互动	2014-12-31	挂牌
66	831618	文广农贷	2014-12-31	挂牌
67	831628	西部超导	2014-12-31	挂牌
68	831566	盛世大联	2014-12-31	挂牌
69	831635	金鹏信息	2015-01-08	挂牌
70	831696	赤诚生物	2015-01-12	挂牌
71	831691	三高股份	2015-01-13	挂牌
72	831660	富深协通	2015-01-14	挂牌
73	831755	邦正科技	2015-01-20	挂牌
74	831646	汉能碳	2015-01-23	挂牌
75	831895	爱威科技	2015-02-05	挂牌
76	831999	仟亿达	2015-02-13	挂牌
77	832092	安洁医疗	2015-03-10	挂牌
78	832091	清科股份	2015-03-12	挂牌
79	832129	新兴药业	2015-03-17	挂牌
80	831961	创远仪器	2015-03-17	挂牌
81	832154	文灿股份	2015-03-18	挂牌
82	832178	递家股份	2015-04-07	挂牌
83	832265	芍花堂	2015-04-14	挂牌
84	832317	观典航空	2015-04-15	挂牌
85	832234	鸿通管材	2015-04-16	挂牌
86	832291	中泊防爆	2015-04-17	挂牌
87	832282	智途科技	2015-04-21	挂牌
88	832360	智达光电	2015-05-04	挂牌

89	832397	恒神股份	2015－05－06	挂牌
90	832495	精铟海工	2015－05－14	挂牌
91	832513	汇群股份	2015－05－26	挂牌
92	832543	鸿大股份	2015－06－01	挂牌
93	832581	安道设计	2015－06－08	挂牌
94	832595	海宝生物	2015－06－10	挂牌
95	832606	日立信	2015－06－10	挂牌
96	832623	铱迅信息	2015－06－12	挂牌
97	832580	中绿环保	2015－06－15	挂牌
98	832004	海林节能	2015－06－17	挂牌
99	832698	青雨传媒	2015－07－03	挂牌
100	832654	天宜机械	2015－07－06	挂牌
101	832737	恒信玺利	2015－07－10	挂牌
102	832767	墨药股份	2015－07－14	挂牌
103	832814	昌耀新材	2015－07－15	挂牌
104	832777	兰州华冶	2015－07－16	挂牌
105	832791	普思生物	2015－07－17	挂牌
106	832804	浩明科技	2015－07－17	挂牌
107	832976	富雷实业	2015－07－22	挂牌
108	832726	艾瑞斯	2015－07－22	挂牌
109	832927	顶峰影业	2015－07－23	挂牌
110	832908	西恩科技	2015－07－23	挂牌
111	832848	昆自股份	2015－07－24	挂牌
112	832909	兴海绿化	2015－07－29	挂牌
113	833010	盛景网联	2015－07－29	挂牌
114	833030	立方控股	2015－07－29	挂牌
115	833044	硅谷天堂	2015－07－30	挂牌
116	832867	瑞捷股份	2015－07－30	挂牌
117	833132	企源科技	2015－08－12	挂牌
118	833237	国路安	2015－08－13	挂牌
119	833289	超洋股份	2015－08－14	挂牌
120	833351	中奥汇成	2015－08－19	挂牌
121	832765	唐邦科技	2015－08－20	挂牌
122	833311	万容科技	2015－08－20	挂牌
目前已推荐挂牌公司家数		122		
撤回材料及申请被否公司家数		0		
正在挂牌公司家数		122		
已上市公司家数		0		
已被终止挂牌公司家数		0		
推荐定向发行情况				
序号	股份代码	公司名称	发行日期	公司状态
1	430056	中航新材	2012－8－29	发行成功
2	430056	百慕新材	2012－8－30	发行成功
3	430210	舜能润滑	2013－8－30	发行成功
4	430210	舜能润滑	2013－8－30	发行成功
5	430196	宣爱智能	2013－9－6	发行成功
6	430196	宣爱智能	2013－9－6	发行成功
7	430182	全网数商	2013－10－21	发行成功
8	430182	全网数商	2013－10－21	发行成功

9	430208	优炫软件	2014－3－4	发行成功
10	430339	中搜网络	2014－6－4	发行成功
11	430339	中搜网络	2014－6－4	发行成功
12	430140	新眼光	2014－6－13	发行成功
13	430140	新眼光	2014－6－13	发行成功
14	430129	极品无限	2014－6－17	发行成功
15	430129	极品无限	2014－6－17	发行成功
16	430556	雅达股份	2014－7－9	发行成功
17	430556	雅达股份	2014－7－9	发行成功
18	430196	宣爱智能	2014－7－10	发行成功
19	430196	宣爱智能	2014－7－10	发行成功
20	430208	优炫软件	2014－7－28	发行成功
21	430560	西部泰力	2014－8－7	发行成功
22	430560	西部泰力	2014－8－7	发行成功
23	830767	网虫股份	2014－8－18	发行成功
24	830767	网虫股份	2014－8－18	发行成功
25	831012	岳能科技	2014－8－21	发行成功
26	831012	岳能科技	2014－8－21	发行成功
27	430182	全网数商	2014－9－20	发行成功
28	430182	全网数商	2014－9－22	发行成功
29	830931	仁会生物	2014－9－22	发行成功
30	830931	仁会生物	2014－9－22	发行成功
31	430140	新眼光	2014－10－14	发行成功
32	430140	新眼光	2014－10－14	发行成功
33	430621	固安信通	2014－10－15	发行成功
34	430621	固安信通	2014－10－15	发行成功
35	430339	中搜网络	2014－12－10	发行成功
36	430339	中搜网络	2014－12－10	发行成功
37	831566	盛世大联	2014－12－31	发行成功
38	831114	易销科技	2015－1－5	发行成功
39	831114	易销科技	2015－1－5	发行成功
40	430560	西部泰力	2015－1－8	发行成功
41	430560	西部泰力	2015－1－8	发行成功
42	831696	赤诚生物	2015－1－9	发行成功
43	831696	赤诚生物	2015－1－9	发行成功
44	430556	雅达股份	2015－1－13	发行成功
45	430556	雅达股份	2015－1－13	发行成功
46	430556	雅达股份	2015－1－13	发行成功
47	430556	雅达股份	2015－1－13	发行成功
48	430208	优炫软件	2015－1－21	发行成功
49	831646	汉能碳	2015－1－22	发行成功
50	831646	汉能碳	2015－1－22	发行成功
51	831051	春秋鸿	2015－1－28	发行成功
52	831051	春秋鸿	2015－1－28	发行成功
53	830931	仁会生物	2015－2－4	发行成功
54	830931	仁会生物	2015－2－4	发行成功
55	830931	仁会生物	2015－2－4	发行成功
56	830931	仁会生物	2015－2－4	发行成功
57	831114	易销科技	2015－2－11	发行成功

58	831114	易销科技	2015－2－11	发行成功
推荐定向发行次数		58		
推荐定向发行成功次数		58		
推荐定向发行失败次数		0		
推荐原代办股份转让系统的两网公司及退市公司挂牌情况				
序号	股份代码	公司名称		
推荐原代办股份转让系统的两网公司及退市公司家数		0		

三、部门设置

经纪业务				
人员	姓名	固定电话	传真	Email
经纪业务联络人	白静	010－85130583	010－85130514	baijing@ csc. com. cn
推荐业务				
人员	姓名	固定电话	传真	Email
推荐业务联络人	黄华明	010－85156409	010－65608451	huanghuaming@ csc. com. cn
推荐业务联络人	陈翔	010－85156409	010－65608451	chenxiangzgs@ csc. com. cn

中原证券股份有限公司

一、公司简介及概况

公司简介	公司名称	中原证券股份有限公司				
	成立日期	2002－11－8	法定代表人	菅明军	总经理	周小全
	注册资本（万元）	322,373.47	净资产＊（万元）	582,355.4	净资本＊（万元）	400,104.1
	注册地址	河南省郑州市郑东新区商务外环路10号			营业部家数	77
	办公地址	河南省郑州市郑东新区商务外环路10号			邮编	450018
	公司网址	www. ccnew. com	电子邮箱	ccsc@ ccnew. com	经营证券业务许可证编号	Z30574000
	注：＊经审计的最近年度净资产和净资本					
公司概况	证监会批准从事的证券业务			证券经纪；证券投资咨询；与证券交易、证券投资活动有关的财务顾问；证券承销与保荐；证券自营；证券资产管理；证券投资基金代销；为期货公司提供中间介绍业务；融资融券业务。		
	在全国股份转让系统从事的业务种类			经纪业务，推荐业务，做市业务		
公司概况	中原证券股份有限公司是河南省内和中原经济区内注册的唯一法人证券公司，注册资本32.24亿元。2014年6月25日在中国香港成功上市，是中国内地125家证券公司中的第4家、省域证券公司中的首家在港上市的证券公司，也是河南省第一家上市的金融企业。公司总部位于郑东新区，在北京、上海等全国各大城市和省内各省辖市及经济发达的县级城市，设有80多家证券、期货经营机构。公司控股有中原期货公司、中原股权交易中心、中原英石基金公司、中鼎开源创投公司，全资拥有中州蓝海另类投资子公司，与洛阳市政府合资成立中证开元创投公司。目前公司香港子公司中州国际已获证券交易牌照，即将正式开业。公司现有员工2000多人，其中，包括上市保荐代表人、投资分析师、投资顾问和海外留学人员等在内的高端人才500余人。近年来，公司连年被河南省政府评为责任目标完成先进单位和优秀单位，省委、省政府领导多次对公司的工作做出重要批示。2014年公司被评为中国证券金紫荆奖“最具投资价值上市公司”和“中原十大最受尊敬企业”。公司成立十三年来，已初步形成自己的企业文化核心理念，即“朴实善良、诚信厚道、严谨执着、务求实效”。我们正秉持该理念，努力使公司成为香港精品上市公司，形成“1＋4”和“双千亿”的发展格局：即母公司中原证券在香港和内地两地上市）带动四个小上市公司（控股的期货公司、直投公司和中原股权交易中心分别先在国内新三板挂牌上市，香港子公司在香港主板上市）的格局；公司股票市值和经营发展资金将分别增加到1000亿港元和1000亿元以上，跨入证券行业第一方阵。					

二、业务动态

推荐挂牌情况				
序号	股份代码	公司名称	挂牌日期	公司状态
1	430068	纬纶环保	2010－06－08	挂牌
2	430106	爱特泰克	2012－02－10	挂牌
3	430112	弘祥隆	2012－03－28	挂牌
4	430114	永瀚星港	2012－04－10	挂牌
5	430122	中控智联	2012－05－18	挂牌
6	430152	思创银联	2012－10－18	挂牌
7	430172	瑞达恩	2012－12－07	挂牌
8	430180	东方瑞威	2012－12－21	挂牌
9	430189	七彩亮点	2012－12－24	挂牌
10	430201	腾实信	2012－12－28	挂牌
11	430213	乐升股份	2013－05－17	挂牌
12	430228	天房科技	2013－07－01	挂牌
13	430242	蓝贝望	2013－07－05	挂牌
14	430546	乐彩科技	2014－01－24	挂牌
15	430565	莱力柏	2014－01－24	挂牌
16	430547	畅想高科	2014－01－24	挂牌
17	430641	天健创新	2014－02－18	挂牌
18	430657	楼兰股份	2014－02－21	挂牌
19	430667	三多堂	2014－03－20	挂牌
20	430705	天锐科技	2014－04－23	挂牌
21	430715	春泉节能	2014－04－30	挂牌
22	830803	新松医疗	2014－06－10	挂牌
23	830813	熔金股份	2014－06－18	挂牌
24	830941	明硕股份	2014－08－01	挂牌
25	831023	北展股份	2014－08－14	挂牌
26	831087	秋乐种业	2014－08－18	挂牌
27	831011	三友创美	2014－08－19	挂牌
28	831014	海联捷讯	2014－08－19	挂牌
29	831130	环宇装备	2014－09－02	挂牌
30	831195	三祥科技	2014－10－16	挂牌
31	831291	恒博科技	2014－11－06	挂牌
32	831298	美基食品	2014－11－10	挂牌
33	831361	胜龙股份	2014－11－13	挂牌
34	831378	富耐克	2014－11－28	挂牌
35	831389	万和过滤	2014－12－02	挂牌
36	831463	凯雪冷链	2014－12－08	挂牌
37	831442	枫林食品	2014－12－09	挂牌
38	831503	广安生物	2014－12－15	挂牌
39	831551	世纪合辉	2014－12－19	挂牌
40	831793	利洋水产	2015－01－19	挂牌
41	831775	河南巨龙	2015－01－20	挂牌
42	831843	汇能科技	2015－01－22	挂牌
43	831841	中扬科技	2015－01－22	挂牌

44	831909	百川锁业	2015-01-30	挂牌
45	831995	贝特智联	2015-02-11	挂牌
46	832013	博涛股份	2015-03-11	挂牌
47	832006	郑州水务	2015-03-13	挂牌
48	832185	双建管桩	2015-03-27	挂牌
49	832467	帝益生态	2015-05-19	挂牌
50	832066	和道股份	2015-06-09	挂牌
51	832511	科益气体	2015-06-09	挂牌
52	832695	华航科技	2015-07-03	挂牌
53	832764	德胜科技	2015-07-15	挂牌
54	832801	思坦仪器	2015-07-17	挂牌
55	832982	锦波生物	2015-07-24	挂牌
56	832940	东方化工	2015-07-27	挂牌
57	833089	索福特	2015-07-27	挂牌
58	832808	中帅医药	2015-08-06	挂牌
59	833494	世纪金政	2015-08-18	挂牌
60	833461	金凤股份	2015-08-28	挂牌
61	833482	能量传播	2015-09-01	挂牌
62	833082	龙凤山	2015-09-02	挂牌
目前已推荐挂牌公司家数		62		
撤回材料及申请被否公司家数		0		
正在挂牌公司家数		62		
已上市公司家数		0		
已被终止挂牌公司家数		0		
推荐定向发行情况				
序号	股份代码	公司名称	发行日期	公司状态
1	430112	弘祥隆	2013-6-24	发行成功
2	430152	思创银联	2013-7-3	发行成功
3	430152	思创银联	2013-9-12	发行成功
4	430213	乐升股份	2013-12-5	发行成功
5	430657	楼兰股份	2014-7-4	发行成功
6	430657	楼兰股份	2014-7-4	发行成功
7	430657	楼兰股份	2014-7-4	发行成功
8	830941	明硕股份	2014-8-1	发行成功
9	430657	楼兰股份	2014-8-6	发行成功
10	430657	楼兰股份	2014-11-24	发行成功
11	831130	环宇装备	2015-1-13	发行成功
12	430715	春泉节能	2015-2-10	发行成功
13	831503	广安生物	2015-4-8	发行成功
14	430657	楼兰股份	2015-4-10	发行成功
15	430657	楼兰股份	2015-4-10	发行成功
16	831463	凯雪冷链	2015-4-28	发行成功
17	831361	胜龙股份	2015-5-13	发行成功
18	430657	楼兰股份	2015-5-14	发行成功
19	430657	楼兰股份	2015-5-14	发行成功
20	430657	楼兰股份	2015-5-14	发行成功

21	831291	恒博科技	2015-5-22	发行成功
22	430547	畅想高科	2015-5-28	发行成功
23	430547	畅想高科	2015-5-28	发行成功
24	430547	畅想高科	2015-5-28	发行成功
25	830813	熔金股份	2015-6-3	发行成功
26	831378	富耐克	2015-6-5	发行成功
27	430657	楼兰股份	2015-6-10	发行成功
28	831503	广安生物	2015-6-19	发行成功
29	831195	三祥科技	2015-6-24	发行成功
30	831841	中扬科技	2015-7-6	发行成功
31	430180	东方瑞威	2015-7-9	发行成功
32	430122	中控智联	2015-7-10	发行成功
33	430114	永瀚星港	2015-7-27	发行成功
34	831389	万和过滤	2015-8-4	发行成功
35	832185	双建管桩	2015-8-5	发行成功
36	831463	凯雪冷链	2015-8-6	发行成功
37	430201	腾实信	2015-8-10	发行成功
38	831023	北展股份	2015-8-11	发行成功
39	831551	世纪合辉	2015-8-13	发行成功
40	430068	纬纶环保	2015-8-13	发行成功
41	430547	畅想高科	2015-8-13	发行成功
42	430152	思创银联	2015-8-19	发行成功
43	430546	乐彩科技	2015-8-25	发行成功
44	831011	三友创美	2015-9-29	发行成功
45	830813	熔金股份	2015-10-14	发行成功
46	832764	德胜科技	2015-10-19	发行成功
47	832982	锦波生物	2015-10-23	发行成功
推荐定向发行次数		47		
推荐定向发行成功次数		47		
推荐定向发行失败次数		0		
推荐原代办股份转让系统的两网公司及退市公司挂牌情况				
序号	股份代码	公司名称		
推荐原代办股份转让系统的两网公司及退市公司家数		0		

三、部门设置

经纪业务				
人员	姓名	固定电话	传真	Email
经纪业务联络人	王晶	0371-68599296	0371-65585665	Wangjing0102@ccnew.com
经纪业务联络人	张翼	0371-65585662	0371-65585665	zhangyi@ccnew.com
推荐业务				
人员	姓名	固定电话	传真	Email
推荐业务联络人	王秦龙	010-83067320	010-63388723	halowang@126.com
推荐业务联络人	关伟	010-83067390	010-63388723	gw800@sina.com

金元证券股份有限公司

一、公司简介及概况

<table>
<tr><td rowspan="9">公司简介</td><td>公司名称</td><td colspan="5">金元证券股份有限公司</td></tr>
<tr><td>成立日期</td><td>2002－8－15</td><td>法定代表人</td><td>陆　涛</td><td>总经理</td><td>陆　涛</td></tr>
<tr><td>注册资本（万元）</td><td>317,434.07</td><td>净资产*（万元）</td><td>433,676.97</td><td>净资本*（万元）</td><td>362,517.83</td></tr>
<tr><td>注册地址</td><td colspan="3">海口市南宝路36号证券大厦4楼</td><td>营业部家数</td><td>40</td></tr>
<tr><td>办公地址</td><td colspan="3">深圳市福田区深南大道4001号时代金融中心17层</td><td>邮编</td><td>518048</td></tr>
<tr><td>公司网址</td><td>www.jyzq.cn</td><td>电子邮箱</td><td>jyzq@jyzq.cn</td><td>经营证券业务许可证编号</td><td>230446000</td></tr>
<tr><td colspan="6">注：*经审计的最近年度净资产和净资本</td></tr>
<tr><td colspan="3">证监会批准从事的证券业务</td><td colspan="3">证券经纪；证券投资咨询；与证券交易、证券投资活动有关的财务顾问；证券承销与保荐；证券自营；证券资产管理；证券投资基金代销；为期货公司提供中间介绍业务；融资融券业务。</td></tr>
<tr><td colspan="3">在全国股份转让系统从事的业务种类</td><td colspan="3">经纪业务，推荐业务，做市业务</td></tr>
<tr><td>公司概况</td><td colspan="6">金元证券股份有限公司（以下简称"金元证券"、"公司"）成立于2002年8月，是经中国证监会批准，由首都机场集团公司作为核心股东联合其它股东共同出资设立的综合类证券公司。公司注册地址为海南省海口市南宝路36号证券大厦4楼，注册资本31.74亿元人民币。截至2014年底，公司经审计的净资产为433676万元，总资产为1288480.57万元，净资本为362517.83万元，净资本/净资产比率为83.59%。目前金元证券已形成了经纪业务、自营业务、投资银行、固定收益、信用业务、研究发展、资产管理等业务门类协调发展的业务体系，建立健全了较为完善的风险管理控制体系以及职责明确、高效运作的内部管理体系，是一家规模中上、资产质量优良的专业证券公司。</td></tr>
</table>

二、业务动态

推荐挂牌情况				
序号	股份代码	公司名称	挂牌日期	公司状态
1	430070	赛亿科技	2010－07－21	挂牌
2	430099	理想固网	2011－11－08	挂牌
3	430158	北方科诚	2012－11－08	挂牌
4	430192	东展科博	2012－12－26	挂牌
5	430194	锐风行	2012－12－31	挂牌
6	430239	信诺达	2013－07－03	挂牌
7	430227	东软慧聚	2013－07－03	挂牌
8	430301	倚天凌云	2013－08－08	挂牌
9	430288	威达宇电	2013－08－08	挂牌
10	430508	中视文化	2014－01－24	挂牌
11	430509	中山银利	2014－01－24	挂牌
12	430516	文达通	2014－01－24	挂牌
13	430507	信达胶脂	2014－01－24	挂牌
14	430521	康捷医疗	2014－01－24	挂牌
15	430692	杰纳瑞	2014－04－09	挂牌
16	430700	飞尼课斯	2014－04－22	挂牌
17	430753	琼中农信	2014－05－29	挂牌
18	830897	志向科研	2014－07－29	挂牌
19	830948	捷昌驱动	2014－08－08	挂牌
20	831168	华尔康	2014－09－30	挂牌
21	831210	圣海林	2014－10－17	挂牌

22	831247	盛帮股份	2014－10－29	挂牌
23	831333	世航国际	2014－11－14	挂牌
24	831381	中持检测	2014－11－28	挂牌
25	831513	爱迪新能	2014－12－17	挂牌
26	831540	京源环保	2014－12－19	挂牌
27	831783	丽洋新材	2015－01－20	挂牌
28	831864	华夏未来	2015－01－27	挂牌
29	831807	维克液压	2015－01－27	挂牌
30	832113	中康国际	2015－03－09	挂牌
31	832292	曙光电缆	2015－04－22	挂牌
32	832539	新广联	2015－05－27	挂牌
33	832681	宇邦新材	2015－06－26	挂牌
34	832660	恒成股份	2015－06－26	挂牌
35	832685	华洋科技	2015－07－02	挂牌
36	832900	紫荆股份	2015－07－22	挂牌
37	832905	信源小贷	2015－07－24	挂牌
38	832888	天地人	2015－07－27	挂牌
39	833055	旭域股份	2015－08－05	挂牌
40	833322	广通软件	2015－08－12	挂牌
41	833348	亿阳值通	2015－08－17	挂牌
目前已推荐挂牌公司家数		41		
撤回材料及申请被否公司家数		0		
正在挂牌公司家数		41		
已上市公司家数		0		
已被终止挂牌公司家数		0		
推荐定向发行情况				
序号	股份代码	公司名称	发行日期	公司状态
1	430070	赛亿科技	2012－9－13	发行成功
2	430099	理想固网	2013－7－31	发行成功
3	430192	东展科博	2013－9－9	发行成功
4	430194	锐风行	2013－9－17	发行成功
5	430194	锐风行	2014－2－20	发行成功
6	430239	信诺达	2014－2－26	发行成功
7	831247	盛帮股份	2015－3－10	发行成功
8	832681	宇邦新材	2015－5－13	发行成功
9	831864	华夏未来	2015－6－9	发行成功
10	832113	中康国际	2015－6－26	发行成功
11	832905	信源小贷	2015－7－16	发行成功
12	832888	天地人	2015－7－21	发行成功
推荐定向发行次数		12		
推荐定向发行成功次数		12		
推荐定向发行失败次数		0		
推荐原代办股份转让系统的两网公司及退市公司挂牌情况				
序号	股份代码	公司名称		
推荐原代办股份转让系统的两网公司及退市公司家数		0		

三、部门设置

经纪业务

人员	姓名	固定电话	传真	Email
经纪业务联络人	林华	0755 – 83025676	0755 – 83025662	linhua@ jyzq. cn
经纪业务联络人	周娴玲	0755 – 21515589	0755 – 83025625	zhouxianling@ jyzq. cn
推荐业务				
人员	姓名	固定电话	传真	Email
推荐业务联络人	逄小溪	010 – 83958907	010 – 83958890	pangxx@ jyzq. cn
推荐业务联络人	高磊晨子	010 – 83958905	010 – 83958890	gaoleicz@ jyzq. cn

华西证券股份有限公司

一、公司简介及概况

<table>
<tr><td rowspan="6">公司简介</td><td>公司名称</td><td colspan="5">华西证券股份有限公司</td></tr>
<tr><td>成立日期</td><td>2000 – 07 – 13</td><td>法定代表人</td><td>杨炯洋</td><td>总经理</td><td>杨炯洋</td></tr>
<tr><td>注册资本（万元）</td><td>210,000</td><td>净资产＊（万元）</td><td>704,548.38</td><td>净资本＊（万元）</td><td>447,524.89</td></tr>
<tr><td>注册地址</td><td colspan="3">成都市高新区天府二街 198 号</td><td>营业部家数</td><td>68</td></tr>
<tr><td>办公地址</td><td colspan="3">成都市高新区天府二街 198 号</td><td>邮编</td><td>610041</td></tr>
<tr><td>公司网址</td><td>www. hx168. com. cn</td><td>电子邮箱</td><td>zcb@ mail. hx168. com. cn</td><td>经营证券业务许可证编号</td><td>Z27951000</td></tr>
<tr><td rowspan="3">公司简介</td><td colspan="6">注：＊经审计的最近年度净资产和净资本</td></tr>
<tr><td colspan="3">证监会批准从事的证券业务</td><td colspan="3">证券经纪；证券投资咨询；与证券交易、证券投资活动有关的财务顾问；证券承销与保荐；证券自营；证券资产管理；融资融券；证券投资基金代销；代销金融产品。</td></tr>
<tr><td colspan="3">在全国股份转让系统从事的业务种类</td><td colspan="3">经纪业务，推荐业务</td></tr>
<tr><td>公司概况</td><td colspan="6">一、公司概况华西证券股份有限公司于 2000 年 6 月 26 日经中国证券监督管理委员会证监机构字〔2000〕133 号文批准，由原四川省证券股份有限公司与原四川证券交易中心合并重组、增资扩股成立，注册资本 21 亿元，注册地为四川省成都市，泸州老窖为第一大股东。公司已经形成了以成都为总部，北京、深圳、上海 3 个业务分部，3 家全资子公司、6 家分公司、68 家营业部的组织架构。公司拥有全资期货子公司 1 家、直投子公司 1 家、另类投资子公司 1 家；自营业务分公司 1 家、经纪业务分公司 4 家、承销保荐分公司 1 家；公司证券营业部遍布四川、北京、上海、天津、重庆、广州、深圳、大连和杭州等地；公司员工近 3000 人，服务客户总资产近 2000 亿元。公司倡导“助你成功，共享成果”的核心价值观，以“成就价值梦想”为使命，致力于成为最具活力和特色的证券金融服务商。多年来，无论市场变幻如何起伏跌宕，华西证券凭着其强大的市场适应能力，一直保持强劲盈利发展势头，是全国少有的连续 10 年持续盈利的证券公司，也是中西部唯一连续四年获得行业最高评价 AA 级的证券公司。
二、公司业务华西证券经营范围涵盖证券经纪业务，证券投资咨询，与证券交易、证券投资活动有关的财务顾问，证券承销与保荐，证券自营，证券资产管理，证券投资基金代销，融资融券，代销金融产品，为期货公司提供中间介绍业务以及中国证监会批准的其他业务。公司的管理团队市场化程度高，专业能力强，以“敦行敏动、精细高效”的企业作风，秉承“创新、协同、诚信、超越”的企业精神，全面稳妥推进各项业务的持续发展。
三、人才资源公司现有员工近 3000 名，总部员工具有本科以上学历的人才超过 90%，很大一批是来自国家 211 重点院校和国外知名学府金融类硕士及以上学历的专业人才。近年来，随着各项业务的飞速发展，保持了 15% – 20% 的团队增长速度。根据“唯德唯才，有为有位”的人才理念，公司的人才结构不断优化，已经汇聚了众多高素质、高水平的专业人才。与此同时，公司还与国内多所知名高等院校建立了战略联盟关系，从而保证了各项业务快速发展对各类人才的旺盛需求。</td></tr>
</table>

二、业务动态

推荐挂牌情况				
序号	股份代码	公司名称	挂牌日期	公司状态
1	430212	六合伟业	2013 – 01 – 31	挂牌
2	430255	三意时代	2013 – 07 – 18	挂牌

3	430374	英富森	2014－01－24	挂牌
4	430479	网阔信息	2014－01－24	挂牌
5	430569	安尔发	2014－01－24	挂牌
6	831312	赛卓药业	2014－11－03	挂牌
7	831299	北教传媒	2014－11－06	挂牌
8	831289	丰泽股份	2014－11－07	挂牌
9	831346	木联能	2014－11－11	挂牌
10	831495	中联信通	2014－12－10	挂牌
11	831490	成电光信	2014－12－10	挂牌
12	831507	博广热能	2014－12－15	挂牌
13	831633	那然生命	2015－01－07	挂牌
14	832283	天丰电源	2015－04－09	挂牌
15	832412	同益物流	2015－05－13	挂牌
16	833051	澳沙科技	2015－07－30	挂牌
17	833915	建云科技	2015－10－28	挂牌
目前已推荐挂牌公司家数		17		
撤回材料及申请被否公司家数		0		
正在挂牌公司家数		17		
已上市公司家数		0		
已被终止挂牌公司家数		0		
荐定向发行情况				
序号	股份代码	公司名称	发行日期	公司状态
1	430212	六合伟业	2013－8－19	发行成功
2	430212	六合伟业	2013－9－27	发行成功
3	831490	成电光信	2014－12－10	发行失败
4	430569	安尔发	2014－12－17	发行失败
推荐定向发行次数		4		
推荐定向发行成功次数		2		
推荐定向发行失败次数		2		
推荐原代办股份转让系统的两网公司及退市公司挂牌情况				
序号	股份代码	公司名称		
推荐原代办股份转让系统的两网公司及退市公司家数		0		

三、部门设置

经纪业务				
人员	姓名	固定电话	传真	Email
经纪业务联络人	黄珊珊	028－86150209	028－86150615	huangss@ hx168. com. cn
经纪业务联络人	陈农	028－81701825	028－86150615	chennong@ hx168. com. cn
推荐业务				
人员	姓名	固定电话	传真	Email
推荐业务联络人	黄慧	010－51662928	010－66226708	huanghui@ hx168. com. cn
推荐业务联络人	齐云	010－51662928	010－66226708	qiyun@ hx168. com. cn

西南证券股份有限公司

一、公司简介及概况

<table>
<tr><td rowspan="9">公司简介</td><td>公司名称</td><td colspan="5">西南证券股份有限公司</td></tr>
<tr><td>成立日期</td><td>1999－12－28</td><td>法定代表人</td><td>余维佳</td><td>总经理</td><td>余维佳</td></tr>
<tr><td>注册资本（万元）</td><td>282,255.46</td><td>净资产＊（万元）</td><td>1,721,999.64</td><td>净资本＊（万元）</td><td>1,323,302.93</td></tr>
<tr><td>注册地址</td><td colspan="3">重庆市江北区桥北苑8号西南证券大厦</td><td>营业部家数</td><td>109</td></tr>
<tr><td>办公地址</td><td colspan="3">重庆市江北区桥北苑8号西南证券大厦</td><td>邮编</td><td>400023</td></tr>
<tr><td>公司网址</td><td>www.swsc.com.cn</td><td>电子邮箱</td><td>dshb@swsc.com.cn</td><td>经营证券业务许可证编号</td><td>Z28175000</td></tr>
<tr><td colspan="6">注：＊经审计的最近年度净资产和净资本</td></tr>
<tr><td colspan="3">证监会批准从事的证券业务</td><td colspan="3">证券经纪，证券投资咨询，与证券交易、证券投资活动有关的财务顾问，证券承销与保荐，证券自营，证券资产管理，融资融券，证券投资基金代销，为期货公司提供中间介绍业务。</td></tr>
<tr><td colspan="3">在全国股份转让系统从事的业务种类</td><td colspan="3">经纪业务，推荐业务，做市业务</td></tr>
<tr><td>公司概况</td><td colspan="6">西南证券成立于1999年，目前公司注册资本28.23亿元人民币，是唯一一家注册地在重庆的全国综合性证券公司，也是中国第九家上市证券公司和重庆第一家上市金融机构。公司现有员工逾2000名，在全国28个省份获批设立119家证券营业部，拥有17个投行业务部门。近年来，西南证券坚持走改革创新、综合经营和市场化发展道路，先后完成改革重组、借壳上市、增发融资、收购兼并等战略性举措，有效激发了内生动力和外生动力，核心竞争力和综合实力显著提高，取得了发展质量和发展效益的“双丰收”，并在2014年证券公司分类评价中获评A类AA级，达到行业最高水平，呈现出跨越式发展的良好态势。公司拥有西证股权投资有限公司、西证创新投资有限公司、西证国际投资有限公司、西南期货有限公司等四家全资子公司，并拥有重庆西证渝富股权投资基金管理有限公司、重庆西证电子商务有限责任公司、重庆西证小额贷款有限公司等下属企业，可从事直接股权投资业务、另类投资业务、跨境业务、商品期货、金融期货经纪、小额贷款等业务。公司持有重庆股份转让中心有限责任公司53%的股权，是全国首家控股地方股权交易中心的券商；持有香港上市券商——西证国际证券股份有限公司73.79%的股权，成为重庆唯一一家境外上市券商；持有全国排名前10的银华基金管理有限公司49%的股权，成为其第一大股东。</td></tr>
</table>

二、业务动态

推荐挂牌情况				
序号	股份代码	公司名称	挂牌日期	公司状态
1	430614	星通联华	2014－01－24	挂牌
2	430541	翼兴节能	2014－01－24	挂牌
3	430536	万通新材	2014－01－24	挂牌
4	430399	湘财证券	2014－01－24	挂牌
5	831008	百华悦邦	2014－08－29	挂牌
6	831272	同力天合	2014－11－05	挂牌
7	831339	新思路	2014－11－13	挂牌
8	831508	拓新股份	2014－12－17	挂牌
9	831556	文正制衣	2014－12－26	挂牌
10	831622	攀特电陶	2015－01－08	挂牌
11	831657	贝克福尔	2015－01－08	挂牌
12	831642	蜀虹装备	2015－01－09	挂牌
13	831681	智洋电气	2015－01－12	挂牌
14	831683	全航股份	2015－01－15	挂牌
15	831798	博益气动	2015－01－23	挂牌

16	831853	世游科技	2015－01－23	挂牌
17	831964	储翰科技	2015－02－11	挂牌
18	831960	佳音在线	2015－02－12	挂牌
19	832193	宏晶科技	2015－04－01	挂牌
20	832198	中晶技术	2015－04－07	挂牌
21	832240	亚森实业	2015－04－09	挂牌
22	832262	德惠商业	2015－04－10	挂牌
23	832355	动脉智能	2015－05－08	挂牌
24	832563	帮豪种业	2015－06－08	挂牌
25	832598	大野景观	2015－06－10	挂牌
26	832652	杭州目乐	2015－06－30	挂牌
27	832883	德润能源	2015－07－10	挂牌
28	832825	海明科技	2015－07－15	挂牌
29	832766	沃格光电	2015－07－20	挂牌
30	832792	鹿城银行	2015－07－21	挂牌
31	832951	华进科技	2015－07－22	挂牌
32	832985	必然传媒	2015－07－23	挂牌
33	832922	浙皖中药	2015－07－23	挂牌
34	832914	锐嘉工业	2015－07－23	挂牌
35	832983	泡宝网	2015－07－28	挂牌
36	833080	百事特	2015－07－29	挂牌
37	833013	泛湾物流	2015－07－29	挂牌
38	833130	司珈尔	2015－07－29	挂牌
39	833123	瑞丰股份	2015－07－30	挂牌
40	833124	中盈科技	2015－07－31	挂牌
41	833119	得普达	2015－07－31	挂牌
42	833161	神州英才	2015－08－07	挂牌
43	833114	商汇小贷	2015－08－10	挂牌
44	833060	顺治科技	2015－08－10	挂牌
45	833310	仁新科技	2015－08－12	挂牌
46	833268	北亚时代	2015－08－14	挂牌
47	833442	江苏铁科	2015－08－25	挂牌
48	833410	百味斋	2015－08－25	挂牌
49	833506	勤劳农夫	2015－09－09	挂牌
50	833518	人福药辅	2015－09－15	挂牌
51	833539	大方生态	2015－09－21	挂牌
52	833678	南方阀门	2015－09－30	挂牌
53	833646	百汇环保	2015－10－08	挂牌
54	833687	中拓石油	2015－10－09	挂牌
55	833810	睿博光电	2015－10－19	挂牌
56	833819	颖泰生物	2015－10－20	挂牌
57	833844	智德安全	2015－10－22	挂牌
58	833918	融安特	2015－10－23	挂牌
59	833977	悠派科技	2015－10－26	挂牌
目前已推荐挂牌公司家数		59		

撤回材料及申请被否公司家数		0		
正在挂牌公司家数		59		
已上市公司家数		0		
已被终止挂牌公司家数		0		
推荐定向发行情况				
序号	股份代码	公司名称	发行日期	公司状态
1	430536	万通新材	2014－3－19	发行成功
2	830908	普诺威	2014－11－14	发行成功
3	831657	贝克福尔	2015－3－23	发行成功
4	832262	德惠商业	2015－3－30	发行成功
5	831008	百华悦邦	2015－4－3	发行成功
6	831008	百华悦邦	2015－4－3	发行成功
7	831008	百华悦邦	2015－4－3	发行成功
8	832355	动脉智能	2015－4－27	发行成功
9	832139	沃田农业	2015－4－30	发行成功
10	832563	帮豪种业	2015－5－28	发行成功
11	830800	天开园林	2015－7－2	发行成功
12	831556	文正制衣	2015－7－3	发行成功
13	832883	德润能源	2015－7－7	发行成功
14	831622	攀特电陶	2015－7－8	发行成功
15	831642	蜀虹装备	2015－7－14	发行成功
16	833119	得普达	2015－7－30	发行成功
17	830908	普诺威	2015－7－30	发行成功
18	832193	宏晶科技	2015－7－31	发行成功
19	833060	顺治科技	2015－8－7	发行成功
20	831964	储翰科技	2015－8－10	发行成功
21	831657	贝克福尔	2015－8－14	发行成功
22	430541	翼兴节能	2015－8－19	发行成功
23	832193	宏晶科技	2015－8－20	发行成功
24	832355	动脉智能	2015－8－21	发行成功
25	430614	星通联华	2015－8－26	发行成功
26	832563	帮豪种业	2015－9－2	发行成功
27	832262	德惠商业	2015－9－8	发行成功
28	831508	拓新股份	2015－9－28	发行成功
29	831853	世游科技	2015－9－28	发行成功
30	833123	瑞丰股份	2015－9－29	发行成功
31	832139	沃田农业	2015－10－22	发行成功
32	832766	沃格光电	2015－10－26	发行成功
推荐定向发行次数		32		
推荐定向发行成功次数		32		
推荐定向发行失败次数		0		
推荐原代办股份转让系统的两网公司及退市公司挂牌情况				
序号	股份代码	公司名称		
推荐原代办股份转让系统的两网公司及退市公司家数		0		

三、部门设置

经纪业务				
人员	姓名	固定电话	传真	Email
经纪业务联络人	程旭东	023－63786541	023－63786312	cxd@ swsc. com. cn
经纪业务联络人	李晓渝	023－63786302	023－63786312	lixy@ swsc. com. cn
推荐业务				
人员	姓名	固定电话	传真	Email
推荐业务联络人	刘玉莹	023－67953656	010－88092028	lyyin@ swsc. com. cn
推荐业务联络人	田青	010－57631268	010－88092028	tq@ swsc. com. cn

长城证券有限责任公司

一、公司简介及概况

公司简介	公司名称	长城证券有限责任公司				
	成立日期	1996－5－2	法定代表人	黄耀华	总经理	何　伟
	注册资本（万元）	206,700.00	净资产*（万元）	620,631.11	净资本*（万元）	405,064.86
	注册地址	深圳市福田区深南大道 6008 号特区报业大厦 16－17 层			营业部家数	85
	办公地址	深圳市福田区深南大道 6008 号特区报业大厦 16－17 层			邮编	518034
	公司网址	www. cgws. com	电子邮箱	chyj@ cgws. com	经营证券业务许可证编号	Z27474000
	注：*经审计的最近年度净资产和净资本					
	证监会批准从事的证券业务			证券经纪；证券投资咨询；与证券交易、证券投资活动有关的财务顾问；证券承销与保荐；证券自营；证券资产管理；融资融券；证券投资基金代销；为期货公司提供中间介绍业务；代销金融产品。		
	在全国股份转让系统从事的业务种类			经纪业务，推荐业务，做市业务		
公司概况	长城证券有限责任公司（以下简称“长城证券”）是 1995 年 11 月经中国人民银行总行批准、在原深圳长城证券部和海南汇通国际信托投资公司所属证券机构合并基础上，设立的一家全国性专业证券公司，是我国最早成立的证券公司之一。长城证券的战略定位是“专长于以资源为核心的基础产业领域的国内一流投资银行”。长城证券凭借规范稳健的经营作风，已经成长为一家资质齐全、业务覆盖全国的综合类证券公司。长城证券不断完善金融产业平台，目前控参股长城基金管理有限公司、景顺长城基金管理有限公司、宝城期货有限责任公司、长城长富投资管理有限公司，为客户提供全方位金融服务。近几年来，在各股东单位及社会各界的大力支持下，公司广大干部员工奋发努力，紧紧抓住市场机遇，实现了快速发展。2005 年至 2013 年，公司连续 9 年实现盈利，各项业务蒸蒸日上，企业面貌焕然一新。长城证券将继续秉承“资源整合、团队作战、为客户提供综合性增值服务”的经营理念，以证券为核心，通过完善的金融多功能协调发展的业务体系，以深厚的专业背景、勤奋的敬业精神、全面的专家解决方案、个性化的产品和综合性服务，为我们的客户创造价值。					

二、业务动态

推荐挂牌情况				
序号	股份代码	公司名称	挂牌日期	公司状态
1	430089	天一众合	2011－05－31	挂牌
2	430155	康辰亚奥	2012－10－15	挂牌
3	430281	能为科技	2013－08－07	挂牌
4	430330	捷世智通	2013－10－16	挂牌
5	430575	迈科网络	2014－01－24	挂牌
6	430410	微纳颗粒	2014－01－24	挂牌

7	430387	旌旗电子	2014 - 01 - 24	挂牌
8	430422	永继电气	2014 - 01 - 24	挂牌
9	430397	金帆股份	2014 - 01 - 24	挂牌
10	430444	昆拓热控	2014 - 01 - 24	挂牌
11	430658	舜网传媒	2014 - 02 - 14	挂牌
12	430685	新芝生物	2014 - 04 - 09	挂牌
13	830774	百博生物	2014 - 05 - 30	挂牌
14	830920	聚融集团	2014 - 08 - 06	挂牌
15	830957	佳成科技	2014 - 08 - 12	挂牌
16	831053	美佳新材	2014 - 08 - 20	挂牌
17	831157	信合节能	2014 - 09 - 19	挂牌
18	831434	巨创计量	2014 - 12 - 30	挂牌
19	831576	汉博商业	2015 - 01 - 05	挂牌
20	831796	汉镒资产	2015 - 01 - 21	挂牌
目前已推荐挂牌公司家数		20		
撤回材料及申请被否公司家数		0		
正在挂牌公司家数		20		
已上市公司家数		0		
已被终止挂牌公司家数		0		
推荐定向发行情况				
序号	股份代码	公司名称	发行日期	公司状态
1	430089	天一众合	2012 - 7 - 20	发行成功
2	830774	百博生物	2014 - 5 - 30	发行成功
3	830957	佳成科技	2014 - 8 - 12	发行成功
4	430685	新芝生物	2014 - 11 - 24	发行成功
推荐定向发行次数		4		
推荐定向发行成功次数		4		
推荐定向发行失败次数		0		
推荐原代办股份转让系统的两网公司及退市公司挂牌情况				
序号	股份代码	公司名称		
推荐原代办股份转让系统的两网公司及退市公司家数		0		

三、部门设置

经纪业务				
人员	姓名	固定电话	传真	Email
经纪业务联络人	柴黎明	0755 - 83515581	0755 - 83516199	chailm@ cgws. com
经纪业务联络人	李　锋	0755 - 83515475	0755 - 83516199	lifeng@ cgws. com
推荐业务				
人员	姓名	固定电话	传真	Email
推荐业务联络人	陈轶瑾	010 - 88366060	010 - 88366650	chyj@ cgws. com
推荐业务联络人	胡　婕	010 - 88366060	010 - 88366650	hujie@ cgws. com

浙商证券股份有限公司

一、公司简介及概况

<table>
<tr><td rowspan="9">公司简介</td><td>公司名称</td><td colspan="5">浙商证券股份有限公司</td></tr>
<tr><td>成立日期</td><td>2002－5－9</td><td>法定代表人</td><td>吴承根</td><td>总经理</td><td>吴承根</td></tr>
<tr><td>注册资本（万元）</td><td>300,000</td><td>净资产＊（万元）</td><td>575,385</td><td>净资本＊（万元）</td><td>387,937</td></tr>
<tr><td>注册地址</td><td colspan="3">浙江省杭州市杭大路1号黄龙世纪广场A区6－7层</td><td>营业部家数</td><td>93</td></tr>
<tr><td>办公地址</td><td colspan="3">浙江省杭州市杭大路1号黄龙世纪广场A区6－7层</td><td>邮编</td><td>310007</td></tr>
<tr><td>公司网址</td><td>www.stocke.com.cn</td><td>电子邮箱</td><td></td><td>经营证券业务许可证编号</td><td>z39833000</td></tr>
<tr><td colspan="6">注：＊经审计的最近年度净资产和净资本</td></tr>
<tr><td colspan="3">证监会批准从事的证券业务</td><td colspan="3">证券经纪；证券投资咨询；与证券交易、证券投资活动有关的财务顾问；证券承销与保荐；证券自营；融资融券；证券投资基金代销；为期货公司提交供中间介绍中业务；代销金融产品。</td></tr>
<tr><td colspan="3">在全国股份转让系统从事的业务种类</td><td colspan="3">经纪业务，推荐业务，做市业务</td></tr>
<tr><td>公司概况</td><td colspan="6">浙商证券股份有限公司（Zheshang Securities Co.，Ltd.）是中国证监会批准成立的综合性证券公司，成立于2002年5月9日，2012年9月12日整体变更为股份公司。总部位于浙江省杭州市，注册资本30亿元人民币。现有股东15家，实际控制人为浙江省交通投资集团。公司已形成“证券＋期货＋基金＋资管＋创投”的金融产业布局，全资控股浙商期货有限公司、浙商资本管理有限公司和浙江浙商证券资产管理有限公司，主发起设立浙商基金管理有限公司，为广大客户提供综合性投融资服务。
公司主要业务包括证券经纪、投资银行、资产管理、财务顾问、投资咨询、证券自营、期货IB、直接投资、融资融券等。截至2014年3月底，公司在全国范围内设有87家证券营业部，服务覆盖中国三大经济区——珠三角、长三角和黄渤海地区，在全国16个最具动力的省市打下了综合性投融资服务的基石，形成全国性财富管理网络布局。近年来，公司综合实力显著提升，服务能力不断加强，赢得市场良好口碑，先后获得优秀证券中介机构、最佳设计与创新证券公司、中国最具发展潜力证券公司、中国最佳资产管理证券公司、中国最具成长性投行、中国最具成长性经纪券商等荣誉。浙商证券以“同创同享同成长”为核心企业文化，努力打造最具浙商特色的财富增值服务商，致力于撮合投融资需求，管理居民财富，积极服务于实体经济发展。</td></tr>
</table>

二、业务动态

<table>
<tr><td colspan="5">推荐挂牌情况</td></tr>
<tr><td>序号</td><td>股份代码</td><td>公司名称</td><td>挂牌日期</td><td>公司状态</td></tr>
<tr><td>1</td><td>430235</td><td>典雅天地</td><td>2013－07－03</td><td>挂牌</td></tr>
<tr><td>2</td><td>430342</td><td>天润康隆</td><td>2013－10－29</td><td>挂牌</td></tr>
<tr><td>3</td><td>430622</td><td>顺达智能</td><td>2014－01－24</td><td>挂牌</td></tr>
<tr><td colspan="2">目前已推荐挂牌公司家数</td><td colspan="3">3</td></tr>
<tr><td colspan="2">撤回材料及申请被否公司家数</td><td colspan="3">0</td></tr>
<tr><td colspan="2">正在挂牌公司家数</td><td colspan="3">3</td></tr>
<tr><td colspan="2">已上市公司家数</td><td colspan="3">0</td></tr>
<tr><td colspan="2">已被终止挂牌公司家数</td><td colspan="3">0</td></tr>
<tr><td colspan="5">推荐定向发行情况</td></tr>
<tr><td>序号</td><td>股份代码</td><td>公司名称</td><td>发行日期</td><td>公司状态</td></tr>
<tr><td>1</td><td>430235</td><td>典雅天地</td><td>2013－9－23</td><td>发行成功</td></tr>
<tr><td>2</td><td>430235</td><td>典雅天地</td><td>2013－12－12</td><td></td></tr>
<tr><td colspan="2">推荐定向发行次数</td><td colspan="3">2</td></tr>
<tr><td colspan="2">推荐定向发行成功次数</td><td colspan="3">1</td></tr>
<tr><td colspan="2">推荐定向发行失败次数</td><td colspan="3">0</td></tr>
</table>

推荐原代办股份转让系统的两网公司及退市公司挂牌情况		
序号	股份代码	公司名称
推荐原代办股份转让系统的两网公司及退市公司家数		0

三、部门设置

经纪业务				
人员	姓名	固定电话	传真	Email
经纪业务联络人	时捷	0571－87901932	0571－87901945	shijie@ stocke. con. cm
经纪业务联络人	黄星	0571－87902556	0571－87901946	huangxing@ stocke. com. cn
推荐业务				
人员	姓名	固定电话	传真	Email
推荐业务联络人	刘虹	0571－87901908	0571－87903990	liuhong@ stocke. com. cn
推荐业务联络人	卢一泓	0571－87901910	0571－87902161	luyihong@ stocke. com. cn

大通证券股份有限公司

一、公司简介及概况

<table>
<tr><td rowspan="8">公司简介</td><td>公司名称</td><td colspan="5">大通证券股份有限公司</td></tr>
<tr><td>成立日期</td><td>2001－7－28</td><td>法定代表人</td><td>李红光</td><td>总经理</td><td>李红光</td></tr>
<tr><td>注册资本（万元）</td><td>330,000</td><td>净资产＊（万元）</td><td>354,742.36</td><td>净资本＊（万元）</td><td>261,770</td></tr>
<tr><td>注册地址</td><td colspan="3">大连市沙河口区会展路129号大连国际金融中心A座－大连期货大厦38、39层</td><td>营业部家数</td><td>51</td></tr>
<tr><td>办公地址</td><td colspan="3">大连市沙河口区会展路129号大连国际金融中心A座－大连期货大厦38、39层</td><td>邮编</td><td>116023</td></tr>
<tr><td>公司网址</td><td>www. daton. com. cn</td><td>电子邮箱</td><td>admin@ daton. com. cn</td><td>经营证券业务许可证编号</td><td>11100000</td></tr>
<tr><td colspan="6">注：＊经审计的最近年度净资产和净资本</td></tr>
<tr><td colspan="3">证监会批准从事的证券业务</td><td colspan="3">证券经纪；证券投资咨询；与证券交易、证券投资活动有关的财务顾问；证券承销与保荐；证券自营；证券资产管理；融资融券为期货公司提供中间介绍业务；证券投资基金代销；代销金融产品。</td></tr>
<tr><td></td><td colspan="3">在全国股份转让系统从事的业务种类</td><td colspan="3">经纪业务，推荐业务，做市业务</td></tr>
<tr><td>公司概况</td><td colspan="6">大通证券股份有限公司是唯一一家总部设在大连的证券公司，注册资本33亿元，经营范围包括：证券经纪；证券投资咨询；与证券交易、证券投资活动有关的财务顾问；证券承销与保荐；证券自营；证券资产管理；为期货公司提供中间介绍业务；证券投资基金销售业务；融资融券业务；代销金融产品业务；中国证监会批准的其他业务。公司目前在大连、上海、北京、天津、广州、深圳等全国30余个城市拥有51家营业部和1家分公司。2007年8月，公司通过中国证券业协会组织的规范类证券公司评审，取得规范类证券公司资格。</td></tr>
</table>

二、业务动态

推荐挂牌情况				
序号	股份代码	公司名称	挂牌日期	公司状态
1	430149	江仪股份	2012－10－12	挂牌
2	430167	四利通	2012－11－26	挂牌
3	430449	蓝泰源	2014－01－24	挂牌
4	430582	华菱西厨	2014－01－24	挂牌

5	430448	和航科技	2014－01－24	挂牌
6	430484	求实智能	2014－01－24	挂牌
7	430640	摩威环境	2014－02－21	挂牌
8	831143	焕鑫新材	2014－09－19	挂牌
9	831185	众智软件	2014－10－09	挂牌
10	831422	奥根科技	2014－12－03	挂牌
11	831464	创高安防	2014－12－10	挂牌
12	831643	仙剑文化	2015－01－12	挂牌
13	831766	三木科技	2015－01－14	挂牌
14	831772	海洋风	2015－01－16	挂牌
15	831722	阿迪克	2015－01－27	挂牌
16	831908	古麒羽绒	2015－01－28	挂牌
17	832029	金正食品	2015－02－11	挂牌
18	832213	双森股份	2015－04－02	挂牌
19	832221	聚元食品	2015－04－07	挂牌
20	832273	华鹰玻璃	2015－04－08	挂牌
21	832190	河之阳	2015－04－08	挂牌
22	832257	正和药业	2015－04－15	挂牌
23	832298	菲缆股份	2015－04－15	挂牌
24	832405	圣峰物联	2015－04－30	挂牌
25	832425	国农基业	2015－05－13	挂牌
26	832650	奔腾集团	2015－06－24	挂牌
27	832632	德安股份	2015－06－30	挂牌
28	832920	去吧看看	2015－07－27	挂牌
29	832937	宏达印业	2015－07－28	挂牌
30	832903	永强农业	2015－07－28	挂牌
31	833024	欣智恒	2015－07－29	挂牌
32	833196	荣邦医疗	2015－07－31	挂牌
33	833253	大建桥梁	2015－08－07	挂牌
34	833121	伊索股份	2015－08－10	挂牌
35	833271	永畅兴	2015－08－10	挂牌
36	833250	瑞科际	2015－08－13	挂牌
37	833433	天保股份	2015－08－28	挂牌
38	833559	亚太天能	2015－09－09	挂牌
39	833558	亚东无纺	2015－09－09	挂牌
40	833651	正大股份	2015－09－22	挂牌
41	833718	宏运达	2015－09－29	挂牌
42	833814	德润达	2015－10－16	挂牌
43	833881	一森园林	2015－10－20	挂牌
44	833987	碧城环保	2015－10－26	挂牌
45	833886	万达业	2015－10－27	挂牌
46	833961	通发传媒	2015－10－29	挂牌
47	834034	元道通信	2015－10－30	挂牌
48	833991	趋势传媒	2015－11－02	挂牌
49	834112	兴塑股份	2015－11－09	挂牌
50	834011	捷胜海洋	2015－11－12	挂牌
51	834250	福岛精密	2015－11－12	挂牌
52	834517	瓜尔润	2015－12－01	挂牌
53	834530	鑫鑫龙鑫	2015－12－04	挂牌

54	834853	延边创业	2015 - 12 - 11	挂牌
55	834861	同福碗粥	2015 - 12 - 16	挂牌
56	834894	宝亮股份	2015 - 12 - 16	挂牌
57	834872	五米常香	2015 - 12 - 21	挂牌
58	834936	康莱米	2015 - 12 - 24	挂牌
59	835162	菲利特	2015 - 12 - 28	挂牌
60	835224	物华股份	2016 - 01 - 08	挂牌
61	835551	精研科洁	2016 - 01 - 11	挂牌
62	835458	元丰小贷	2016 - 01 - 11	挂牌
63	835133	双龙电机	2016 - 01 - 13	挂牌
64	835431	非凡传媒	2016 - 01 - 13	挂牌
65	835641	众信易诚	2016 - 01 - 15	挂牌
66	835611	鸿志兴	2016 - 01 - 21	挂牌
67	835654	万源生态	2016 - 01 - 22	挂牌
68	835688	平安环保	2016 - 01 - 26	挂牌
69	835845	汇晨股份	2016 - 02 - 05	挂牌
70	835850	凯欣股份	2016 - 02 - 16	挂牌
71	835913	虎符科技	2016 - 02 - 19	挂牌
目前已推荐挂牌公司家数		71		
撤回材料及申请被否公司家数		0		
正在挂牌公司家数		71		
已上市公司家数		0		
已被终止挂牌公司家数		0		
推荐定向发行情况				
序号	股份代码	公司名称	发行日期	公司状态
1	430640	摩威环境	2014 - 2 - 17	发行成功
2	430484	求实智能	2014 - 9 - 26	发行成功
3	831143	焕鑫新材	2014 - 12 - 16	发行成功
4	831643	仙剑文化	2015 - 1 - 8	发行成功
5	430484	求实智能	2015 - 1 - 16	发行成功
6	430449	蓝泰源	2015 - 3 - 5	发行成功
7	831722	阿迪克	2015 - 6 - 4	发行成功
8	831143	焕鑫新材	2015 - 6 - 4	发行成功
9	831422	奥根科技	2015 - 6 - 8	发行成功
10	430582	华菱西厨	2015 - 6 - 9	发行成功
11	831464	创高安防	2015 - 6 - 12	发行成功
12	831143	焕鑫新材	2015 - 7 - 1	发行成功
13	430640	摩威环境	2015 - 7 - 17	发行成功
14	832920	去吧看看	2015 - 7 - 24	发行成功
15	831422	奥根科技	2015 - 8 - 4	发行成功
16	832029	金正食品	2015 - 8 - 14	发行成功
17	832190	河之阳	2015 - 8 - 17	发行成功
18	831908	古麒羽绒	2015 - 8 - 25	发行成功
19	831185	众智软件	2015 - 8 - 25	发行成功
20	831643	仙剑文化	2015 - 9 - 8	发行成功
21	831722	阿迪克	2015 - 9 - 10	发行成功
22	832257	正和药业	2015 - 9 - 14	发行成功
23	832298	菲缆股份	2015 - 10 - 30	发行成功
24	830798	中外名人	2015 - 11 - 2	发行成功

25	832221	聚元食品	2015-11-5	发行成功
26	430167	四利通	2015-11-16	发行成功
27	430484	求实智能	2015-11-16	发行成功
28	833024	欣智恒	2015-11-16	发行成功
29	833196	荣邦医疗	2015-11-19	发行成功
30	831908	古麒羽绒	2015-11-20	发行成功
31	832650	奔腾集团	2015-11-27	发行成功
32	832632	德安股份	2015-12-7	发行成功
33	830798	中外名人	2016-1-11	发行成功
34	832213	双森股份	2016-1-22	发行成功
35	834034	元道通信	2016-1-26	发行成功
推荐定向发行次数		35		
推荐定向发行成功次数		35		
推荐定向发行失败次数		0		
推荐原代办股份转让系统的两网公司及退市公司挂牌情况				
序号	股份代码	公司名称		
推荐原代办股份转让系统的两网公司及退市公司家数		0		

三、部门设置

经纪业务				
人员	姓名	固定电话	传真	Email
经纪业务联络人	张翔宇	0411-39673383	0411-39673214	zhangxiangyu@ daton. com. cn
经纪业务联络人	刘洋	0411-39658345	0411-39673214	liuyang@ daton. com. cn
推荐业务				
人员	姓名	固定电话	传真	Email
推荐业务联络人	高超	010-58208733	010-58205433	gaochao@ daton. com. cn
推荐业务联络人	蒋永军	010-56120105	010-58205433	jiangyongjun@ daton. com. cn

民生证券股份有限公司

一、公司简介及概况

公司简介	公司名称	民生证券股份有限公司				
	成立日期	1986-11-30	法定代表人	余　政	总经理	苏　刚
	注册资本（万元）	217,730.63	净资产*（万元）	365,519.80	净资本*（万元）	295,327.40
	注册地址	北京市东城区建国门内大街28号民生金融中心A座16层-18层			营业部家数	48
	办公地址	北京市东城区建国门内大街28号民生金融中心A座16层-20层			邮编	100005
	公司网址	www. mszq. com	电子邮箱	mszq@ mszq. com	经营证券业务许可证编号	10470000
	注：*经审计的最近年度净资产和净资本					
	证监会批准从事的证券业务			证券经纪；证券投资咨询；与证券交易、证券投资活动有关的财务顾问；证券承销与保荐；证券自营；证券资产管理；证券投资基金代销；为期货公司提供中间介绍业务；融资融券业务；代销金融产品业务（有效期至2017年11月02日）。（依法须经批准的项目，经相关部门批准后方可开展经营活动）		
	在全国股份转让系统从事的业务种类			经纪业务，推荐业务，做市业务		

公司概况	民生证券股份有限公司成立于1986年,注册资本为21.77亿元,注册地为北京。公司具备中国证监会批准的证券经纪;证券投资咨询;与证券交易、证券投资活动有关的财务顾问;证券承销与保荐;证券自营;证券资产管理;证券投资基金代销;代销金融产品业务;IB业务;全国中小企业股份转让系统主办券商;实施证券经纪人制度;融资融券业务;中小企业私募债券承销等各项业务资格。公司及其控股的民生期货有限公司设有63家营业部,在上海、广州、深圳、南京、济南和郑州设有7家分公司。同时拥有从事直投业务和另类投资业务的两家全资子公司:民生通海投资有限公司、民生证券投资有限公司。公司坚持"民生在勤,守正出新"的基本理念,坚持社会目标、企业目标、个人目标相统一,社会责任、企业责任、个人责任相统一,企业利益、社会利益、个人利益相统一,以诚信为根,责任为本,创新为源,不断通过业务和产品创新、管理和机制创新,为客户提供各种优质、规范、高效的投融资工具和专业化、个性化的金融服务。公司以完善的法人治理结构和科学的管理体系,高效的决策执行机制、有力的激励约束机制和严谨的合规内控机制以及完备的风险控制支持系统确保各项业务的健康发展。公司坚持以人为本,着力打造一支以事业经理人和职业经理人为主体的富有激情的战斗团队,努力为客户创造最大财富,为公司创造最大价值。

二、业务动态

推荐挂牌情况				
序号	股份代码	公司名称	挂牌日期	公司状态
1	430081	莱富特佰	2011-03-03	挂牌
2	831084	绿网天下	2014-08-21	挂牌
3	831215	新天药业	2014-10-23	挂牌
4	831234	天辰股份	2014-10-28	挂牌
5	831244	星展测控	2014-10-30	挂牌
6	831251	库马克	2014-10-31	挂牌
7	831255	佳和电气	2014-10-31	挂牌
8	831421	天富电气	2014-12-08	挂牌
9	831592	北方嘉科	2015-01-06	挂牌
10	831617	巨力重工	2015-01-08	挂牌
11	831688	山大地纬	2015-01-29	挂牌
12	831905	欧华达	2015-02-05	挂牌
13	831894	高捷联	2015-02-05	挂牌
14	832143	海昌华	2015-03-10	挂牌
15	832097	浩辰软件	2015-03-17	挂牌
16	832186	惠尔顿	2015-04-01	挂牌
17	832310	威奥科技	2015-04-21	挂牌
18	832384	格瑞光电	2015-04-30	挂牌
19	832414	精湛光电	2015-05-19	挂牌
20	832537	洁华控股	2015-06-03	挂牌
21	832710	志能祥赢	2015-07-10	挂牌
22	832884	瑞晟智能	2015-07-30	挂牌
23	832942	名品彩叶	2015-07-30	挂牌
24	833507	美安普	2015-09-07	挂牌
25	833550	路维光电	2015-09-15	挂牌
26	833534	神玥软件	2015-09-18	挂牌
27	833526	北林科技	2015-09-23	挂牌
28	833531	博亚精工	2015-09-25	挂牌
29	833674	佰焰科技	2015-09-28	挂牌
30	833756	恩鹏健康	2015-09-30	挂牌
31	833580	科创新材	2015-10-13	挂牌
32	833641	小西牛	2015-10-19	挂牌
33	833926	安集协康	2015-10-23	挂牌
34	834075	云传媒	2015-11-06	挂牌
35	834294	捷信医药	2015-11-18	挂牌

36	833907	测聘网	2015－11－19	挂牌
37	834760	华凯科技	2015－12－07	挂牌
38	834768	邦业科技	2015－12－10	挂牌
39	834935	祥云信息	2015－12－15	挂牌
40	834663	华语传媒	2015－12－15	挂牌
41	835160	上海共创	2015－12－22	挂牌
42	835094	晓进机械	2016－01－04	挂牌
43	835389	道拓医药	2016－01－06	挂牌
44	835338	赛孚股份	2016－01－06	挂牌
目前已推荐挂牌公司家数		44		
撤回材料及申请被否公司家数		0		
正在挂牌公司家数		44		
已上市公司家数		0		
已被终止挂牌公司家数		0		
推荐定向发行情况				
序号	股份代码	公司名称	发行日期	公司状态
1	831421	天富电气	2014－12－8	发行成功
2	831084	绿网天下	2015－2－4	发行成功
3	831244	星展测控	2015－3－25	发行成功
4	831255	佳和电气	2015－5－14	发行成功
5	831234	天辰股份	2015－6－29	发行成功
6	831234	天辰股份	2015－6－29	发行成功
7	832186	惠尔顿	2015－7－2	发行成功
8	832710	志能祥赢	2015－7－10	发行成功
9	831084	绿网天下	2015－7－30	发行成功
10	831421	天富电气	2015－8－5	发行成功
11	832186	惠尔顿	2015－8－11	发行成功
12	832384	格瑞光电	2015－8－18	发行成功
13	831592	北方嘉科	2015－9－24	发行成功
14	831592	北方嘉科	2015－10－16	发行成功
15	831234	天辰股份	2015－10－27	发行成功
16	831688	山大地纬	2015－10－27	发行成功
17	833907	测聘网	2015－11－19	发行成功
18	430081	莱富特佰	2015－11－27	发行成功
19	835389	道拓医药	2016－1－6	发行成功
推荐定向发行次数		19		
推荐定向发行成功次数		19		
推荐定向发行失败次数		0		
推荐原代办股份转让系统的两网公司及退市公司挂牌情况				
序号	股份代码	公司名称		
推荐原代办股份转让系统的两网公司及退市公司家数		0		

三、部门设置

经纪业务				
人员	姓名	固定电话	传真	Email
经纪业务联络人	吴若吟	010－85127927	010－85127917	wuruoyin@ mszq. com
推荐业务				

人员	姓名	固定电话	传真	Email
推荐业务联络人	皇甫丽娜	010 - 85127732	010 - 85127940	huangfuln@ mszq. com
推荐业务联络人	苏欣	010 - 85127547	010 - 85127940	suxin@ mszq. com

国都证券有限责任公司

一、公司简介及概况

<table>
<tr><td rowspan="9">公司简介</td><td>公司名称</td><td colspan="5">国都证券有限责任公司</td></tr>
<tr><td>成立日期</td><td>2001 - 12 - 28</td><td>法定代表人</td><td>王少华</td><td>总经理</td><td>常 喆</td></tr>
<tr><td>注册资本（万元）</td><td>530,000</td><td>净资产*（万元）</td><td>691,979.23</td><td>净资本*（万元）</td><td>490,165.64</td></tr>
<tr><td>注册地址</td><td colspan="3">北京市东城区东直门南大街3号国华投资大厦9层、10层</td><td>营业部家数</td><td>58</td></tr>
<tr><td>办公地址</td><td colspan="3">北京市东城区东直门南大街3号国华投资大厦9层、10层</td><td>邮编</td><td>100007</td></tr>
<tr><td>公司网址</td><td>www. guodu. com</td><td>电子邮箱</td><td>gdzq@ guodu. com</td><td>经营证券业务许可证编号</td><td>Z29874000</td></tr>
<tr><td colspan="6">注：*经审计的最近年度净资产和净资本</td></tr>
<tr><td colspan="3">证监会批准从事的证券业务</td><td colspan="3">证券经纪；证券投资咨询；与证券交易、证券投资活动有关的财务顾问；证券承销与保荐；证券自营；证券资产管理；证券投资基金代销；为期货公司提供中间介绍业务；融资融券业务；代销金融产品业务；公开募集证券投资基金管理业务。</td></tr>
<tr><td colspan="3">在全国股份转让系统从事的业务种类</td><td colspan="3">经纪业务，推荐业务，做市业务</td></tr>
<tr><td>公司简介</td><td colspan="6">国都证券股份有限公司是经中国证监会批准，于2001年12月28日在中诚信托有限责任公司和北京国际信托有限公司原有证券业务整合的基础上，吸收其他股东出资成立的综合性证券公司。公司注册地在北京。2005年公司经中国证券业协会评审取得创新试点证券公司资格。2013年公司在中国证监会组织的证券公司分类评级中再次取得A类A级的评级。国都证券成立以来，始终秉承“关注客户需求，与客户共成长”的服务理念，在坚持合规经营的基础上，努力为客户提供便捷、多样化、个性化的金融服务，深得客户认可与信赖，并在业内赢得了良好的声誉。为拓展业务发展空间，公司通过设立另类子公司、香港子公司、控股期货公司、参股基金公司，整合股东、银行等金融机构的资源，搭建起一个多元化的金融服务平台。
公司发展至今，已形成了门类齐全、服务模式多样化的业务体系，可针对客户的个性化需求，提供一揽子金融解决方案。在管理方面，公司构建了完善的法人治理结构、科学严密的内部控制机制和风险管理体系，形成了以人为本、和谐发展的企业文化，打造了一支独具特色、精诚团结、锐意进取的经营团队，为公司健康稳步的发展奠定了坚实的基础。</td></tr>
</table>

二、业务动态

推荐挂牌情况

序号	股份代码	公司名称	挂牌日期	公司状态
1	430108	精耕天下	2012 - 03 - 12	挂牌
2	430164	思倍驰	2012 - 11 - 06	挂牌
3	430298	淘礼网	2013 - 08 - 08	挂牌
4	430754	波智高远	2014 - 05 - 30	挂牌
5	830812	约伴传媒	2014 - 06 - 20	挂牌
6	831138	光影侠	2014 - 09 - 12	挂牌
7	831232	红旗种业	2014 - 10 - 30	挂牌
8	831797	爱乐祺	2015 - 01 - 13	挂牌
9	831706	领航科技	2015 - 01 - 14	挂牌
10	832134	宇都股份	2015 - 03 - 20	挂牌
11	832230	新伟电子	2015 - 04 - 01	挂牌

12	832211	鸿源科技	2015－04－01	挂牌
13	832345	海泰斯	2015－04－17	挂牌
14	832612	女娲珠宝	2015－06－10	挂牌
15	832952	坤七药业	2015－07－21	挂牌
16	833435	国润新材	2015－09－01	挂牌
17	833496	华安新材	2015－09－02	挂牌
18	833512	金尚新能	2015－09－07	挂牌
19	833717	华彦邦	2015－09－28	挂牌
20	833677	芯能科技	2015－09－30	挂牌
21	833872	卓信智恒	2015－10－16	挂牌
22	834023	金投金融	2015－10－30	挂牌
23	834184	秦皇旅游	2015－11－09	挂牌
24	834254	鼎润投资	2015－11－12	挂牌
目前已推荐挂牌公司家数		24		
撤回材料及申请被否公司家数		0		
正在挂牌公司家数		24		
已上市公司家数		0		
已被终止挂牌公司家数		0		
推荐定向发行情况				
序号	股份代码	公司名称	发行日期	公司状态
1	830812	约伴传媒	2015－1－28	发行成功
2	430164	思倍驰	2015－6－19	发行成功
3	831706	领航科技	2015－6－23	发行成功
4	430108	精耕天下	2015－6－30	发行成功
5	430108	精耕天下	2015－6－30	发行成功
6	831791	爱乐祺	2015－7－3	发行成功
7	831797	爱乐祺	2015－9－18	发行成功
8	832134	宇都股份	2015－10－9	发行成功
9	832211	鸿源科技	2015－11－17	发行成功
推荐定向发行次数		9		
推荐定向发行成功次数		9		
推荐定向发行失败次数		0		
推荐原代办股份转让系统的两网公司及退市公司挂牌情况				
序号	股份代码	公司名称		
推荐原代办股份转让系统的两网公司及退市公司家数		0		

三、部门设置

经纪业务				
人员	姓名	固定电话	传真	Email
经纪业务联络人	刘姣	010－84183171	010－84183311	liujiao@ guodu. com
经纪业务联络人	曹向华	010－84183260	010－84183311	caoxianghua@ guodu. com
推荐业务				
人员	姓名	固定电话	传真	Email
推荐业务联络人	孙伟红	010－84183318	010－84183265	sunweihong@ guodu. com
推荐业务联络人	仝颖超	010－84183185	010－84183265	tongyingchao@ guodu. com

信达证券股份有限公司

一、公司简介及概况

<table>
<tr><td rowspan="9">公司简介</td><td>公司名称</td><td colspan="5">信达证券股份有限公司</td></tr>
<tr><td>成立日期</td><td>2007－9－4</td><td>法定代表人</td><td>张志刚</td><td>总经理</td><td>于帆</td></tr>
<tr><td>注册资本（万元）</td><td>256,870.00</td><td>净资产*（万元）</td><td>564,660.29</td><td>净资本*（万元）</td><td>440,684.09</td></tr>
<tr><td>注册地址</td><td colspan="3">北京市西城区闹市口大街9号院1号楼</td><td>营业部家数</td><td>82</td></tr>
<tr><td>办公地址</td><td colspan="3">北京市西城区闹市口大街9号院1号楼</td><td>邮编</td><td>100031</td></tr>
<tr><td>公司网址</td><td>www. cindasc. com</td><td>电子邮箱</td><td>zjb@ cindasc. com</td><td>经营证券业务许可证编号</td><td>Z39711000</td></tr>
<tr><td colspan="6">注：*经审计的最近年度净资产和净资本</td></tr>
<tr><td colspan="3">证监会批准从事的证券业务</td><td colspan="3">证券经纪；证券投资咨询；与证券交易、证券投资活动有关的财务顾问；证券承销与保荐；证券自营；证券资产管理；融资融券。</td></tr>
<tr><td colspan="3">在全国股份转让系统从事的业务种类</td><td colspan="3">经纪业务，推荐业务，做市业务</td></tr>
<tr><td>公司概况</td><td colspan="6">信达证券股份有限公司（以下简称“信达证券”）是经中国证监会批准，在收购原汉唐证券、辽宁证券的证券类资产基础上，由中国信达资产管理股份有限公司、中海信托股份有限公司、中国中材集团公司作为发起人，于2007年9月设立的证券公司。公司注册地在北京市，现注册资本为25.687亿元人民币，拥有82家营业部，全资控股信达期货有限公司。信达证券在2012年证券公司分类评价获评A类券商，并且荣获同行业多项荣誉。
信达证券具有雄厚的金融集团背景。公司的主要出资人及控股股东中国信达资产管理股份有限公司是经国务院和人民银行批准，由财政部出资于1999年4月设立的国有独资非银行金融机构，注册资本金251亿人民币。在完成不良资产处置的同时，信达资产管理股份有限公司依据国家相关政策积极探索商业化转型之路，陆续搭建了证券、基金、保险、信托等金融服务平台，综合服务金融集团的框架初步形成。信达证券拥有现代企业组织架构及日趋完善的网点布局。信达证券按照现代企业制度建设的要求，建立了完善的组织架构和精简高效、权责明晰的组织管理体系，在北京、上海、深圳、广州、沈阳、成都等30个城市设立了证券服务机构，有得天独厚的优势及雄厚的资源基础。</td></tr>
</table>

二、业务动态

推荐挂牌情况				
序号	股份代码	公司名称	挂牌日期	公司状态
1	430169	融智通	2012－11－30	挂牌
2	430353	上海百傲	2013－11－13	挂牌
3	830936	约克股份	2014－08－12	挂牌
4	831093	鑫航科技	2014－08－25	挂牌
5	831092	乾元泽孚	2014－08－25	挂牌
6	831610	中成新星	2015－01－19	挂牌
7	831852	东研科技	2015－01－26	挂牌
8	831902	万绿园林	2015－01－30	挂牌
9	831912	金三元	2015－01－30	挂牌
10	831970	四川永强	2015－02－10	挂牌
11	831940	网高科技	2015－02－10	挂牌
12	832241	亚泰科技	2015－04－06	挂牌
13	832279	三川能源	2015－04－09	挂牌
14	832313	汉能华	2015－04－16	挂牌
15	832332	巨鹏食品	2015－04－28	挂牌

16	832426	灵佑药业	2015－05－07	挂牌
17	832415	联合普肯	2015－05－08	挂牌
18	832483	普罗米新	2015－05－18	挂牌
19	832610	合海股份	2015－06－15	挂牌
20	832615	双发股份	2015－06－17	挂牌
21	832844	赛浪股份	2015－07－16	挂牌
22	832966	道尔智控	2015－07－29	挂牌
23	833180	瀚丰矿业	2015－08－04	挂牌
24	833001	三江股份	2015－08－07	挂牌
25	833083	爱林至善	2015－08－07	挂牌
26	833659	浩丰股份	2015－09－25	挂牌
27	833329	利达股份	2015－10－15	挂牌
28	833825	神州锐达	2015－10－16	挂牌
29	834082	中建信息	2015－11－05	挂牌
30	834123	辽宁天丰	2015－11－05	挂牌
31	834387	肇庆动力	2015－12－02	挂牌
32	834801	淳中科技	2015－12－08	挂牌
目前已推荐挂牌公司家数		32		
撤回材料及申请被否公司家数		0		
正在挂牌公司家数		32		
已上市公司家数		0		
已被终止挂牌公司家数		0		
推荐定向发行情况				
序号	股份代码	公司名称	发行日期	公司状态
1	430091	东方生态	2012－2－28	发行成功
2	430091	东方生态	2012－8－28	发行成功
3	430169	融智通	2013－9－21	发行成功
4	430169	融智通	2013－11－14	发行成功
5	430169	融智通	2013－12－18	发行成功
6	430169	融智通	2014－1－23	发行成功
7	430091	东方生态	2014－6－30	发行成功
8	430353	上海百傲	2014－7－4	发行成功
9	430353	上海百傲	2014－8－6	发行成功
10	832332	巨鹏食品	2014－12－26	发行失败
11	832615	双发股份	2015－5－5	发行失败
12	833329	利达股份	2015－10－15	发行失败
13	834123	辽宁天丰	2015－11－5	
推荐定向发行次数		13		
推荐定向发行成功次数		9		
推荐定向发行失败次数		3		
推荐原代办股份转让系统的两网公司及退市公司挂牌情况				
序号	股份代码	公司名称		
推荐原代办股份转让系统的两网公司及退市公司家数		0		

三、部门设置

经纪业务				
人员	姓名	固定电话	传真	Email
经纪业务联络人	陈仕春	010－63081019	63080978	chenshichun@ cindasc. com
经纪业务联络人	李敏	010－63081003	63080978	limin@ cindasc. com
推荐业务				
人员	姓 s 名	固定电话	传真	Email
推荐业务联络人	刘孝俊	010－63081476	010－63081198	liuxiaojun@ cindasc. com
推荐业务联络人	华海峰	010－63081139	010－63081198	huahaifeng@ cindasc. com

国盛证券有限责任公司

一、公司简介及概况

公司简介	公司名称	国盛证券有限责任公司				
	成立日期	2002－12－26	法定代表人	曾小普	总经理	曾小普
	注册资本（万元）	203,457.75	净资产*（万元）	299,364.37	净资本*（万元）	265,692.67
	注册地址	江西省南昌市北京西路88号江信国际大厦15层			营业部家数	195
	办公地址	江西省南昌市北京西路88号江信国际大厦15层			邮编	330046
	公司网址	www. gsstock. com	电子邮箱	gs_xzgl@ gszq. com	经营证券业务许可证编号	Z30936000
	注：*经审计的最近年度净资产和净资本					
	证监会批准从事的证券业务			证券经纪；证券投资咨询；与证券交易、证券投资活动有关的财务顾问；证券承销与保荐；证券自营；证券资产管理；融资融券；证券投资基金销售；代销金融产品。		
	在全国股份转让系统从事的业务种类			经纪业务，推荐业务，做市业务		
公司概况	国盛证券有限责任公司是2002年12月经江西省人民政府和中国证监会批准设立的综合类证券公司。公司注册地为江西省南昌市。注册资本1,272,436,375.97元。2007年2月2日，经中国证券业协会评审通过，公司成为规范发展类证券公司，2013年为BBB级。公司是中国证监会注册的保荐机构，曾首批获准参与股权分置改革试点。是全国银行间和交易所间同业拆借及债券市场成员单位，中国证券业协会监事单位。公司目前拥有证券经纪、证券自营、证券主承销与保荐、证券资产管理、证券投资咨询、财务顾问、融资融券、代办系统主办券商，中小企业私募债，约定购回式证券交易、代销金融产品、开放式证券投资基金销售等多牌照业务资格。作为具有证券主承销与保荐资格的券商，近年来，公司成功保荐发行了珠海恒基达鑫、银邦股份IPO项目以及黑猫股份、联创光电等公司再融资项目；成功为洪城水业、泰豪集团、南昌城投、抚州城投等企业发行企业债及公司债。截至目前，公司控股了江信国盛期货有限责任公司，发起设立了江信基金管理有限公司。公司设置了12个业务部门及7个综合管理部门，在北京拥有一家分公司，共有155家营业网点，分布于北京、上海、深圳、天津、杭州等国内中心城市及江西省各地市。					

二、业务动态

推荐挂牌情况				
序号	股份代码	公司名称	挂牌日期	公司状态
1	430411	中电方大	2014－01－24	挂牌
2	430446	三灵科技	2014－01－24	挂牌
3	830827	世优电气	2014－06－26	挂牌
4	830953	惠当家	2014－08－08	挂牌
5	830955	大盛微电	2014－08－08	挂牌
6	831241	博峰新业	2014－10－30	挂牌

7	831273	金视和	2014－11－03	挂牌
8	831469	金磊建材	2014－12－10	挂牌
9	831597	苍源种植	2014－12－30	挂牌
10	831615	烟台禹成	2015－01－06	挂牌
11	831721	盛天彩	2015－01－20	挂牌
12	832002	赛文节能	2015－02－16	挂牌
13	832358	一保通	2015－04－22	挂牌
14	832469	富恒新材	2015－05－20	挂牌
15	832618	中能兴科	2015－06－30	挂牌
16	832686	育星达	2015－07－02	挂牌
17	832775	永升嘉轩	2015－07－16	挂牌
18	832911	正方股份	2015－07－27	挂牌
19	833552	威尔数据	2015－09－10	挂牌
20	833553	天立坤鑫	2015－09－15	挂牌
21	833556	施勒智能	2015－09－16	挂牌
22	833569	蓝擎股份	2015－09－17	挂牌
目前已推荐挂牌公司家数		22		
撤回材料及申请被否公司家数		0		
正在挂牌公司家数		22		
已上市公司家数		0		
已被终止挂牌公司家数		0		
推荐定向发行情况				
序号	股份代码	公司名称	发行日期	公司状态
1	830827	世优电气	2015－2－6	发行成功
2	830827	世优电气	2015－3－12	发行成功
3	830827	世优电气	2015－7－6	发行成功
4	830827	世优电气	2015－8－7	发行成功
推荐定向发行次数		4		
推荐定向发行成功次数		4		
推荐定向发行失败次数		0		
推荐原代办股份转让系统的两网公司及退市公司挂牌情况				
序号	股份代码	公司名称		
推荐原代办股份转让系统的两网公司及退市公司家数		0		

三、部门设置

经纪业务				
人员	姓名	固定电话	传真	Email
经纪业务联络人	温荣山	0791－86287965	0791－86288690	wrs@ gszq. com
经纪业务联络人	过海	0791－86276269	0791－86288690	guohai@ gszq. com
推荐业务				
人员	姓名	固定电话	传真	Email
推荐业务联络人	李晓芸	0791－86283637	0791－86282210	517106977@ qq. com
推荐业务联络人	周晴	0791－86281973	0791－86282210	59222527@ qq. com

安信证券股份有限公司

一、公司简介及概况

<table>
<tr><td rowspan="9">公司简介</td><td>公司名称</td><td colspan="5">安信证券股份有限公司</td></tr>
<tr><td>成立日期</td><td>2006-8-22</td><td>法定代表人</td><td>牛冠兴</td><td>总经理</td><td>王连志</td></tr>
<tr><td>注册资本（万元）</td><td>319,999.31</td><td>净资产*（万元）</td><td>971,018.6</td><td>净资本*（万元）</td><td>616,899.84</td></tr>
<tr><td>注册地址</td><td colspan="3">广东省深圳市福田区金田路4018号安联大厦35层、28层A02</td><td>营业部家数</td><td>151</td></tr>
<tr><td>办公地址</td><td colspan="3">广东省深圳市福田区金田路4018号安联大厦35层</td><td>邮编</td><td>518026</td></tr>
<tr><td>公司网址</td><td>www.essence.com.cn</td><td>电子邮箱</td><td>axzq@essence.com.cn</td><td>经营证券业务许可证编号</td><td>Z15874000</td></tr>
<tr><td colspan="6">注：*经审计的最近年度净资产和净资本</td></tr>
<tr><td colspan="3">证监会批准从事的证券业务</td><td colspan="3">证券经纪；证券投资咨询；与证券交易、证券投资活动有关的财务顾问；证券承销与保荐；证券自营；证券资产管理；融资融券；代销金融产品；证券投资基金销售；为期货公司提供中间介绍业务；中国证监会批准的其他证券业务。</td></tr>
<tr><td colspan="3">在全国股份转让系统从事的业务种类</td><td colspan="3">经纪业务，推荐业务，做市业务</td></tr>
<tr><td>公司概况</td><td colspan="6">安信证券股份有限公司（以下简称“安信证券”）成立于2006年8月18日。目前股东为国家开发投资公司、中国证券投资者保护基金有限公司、深圳市远致投资有限公司等14家，注册资本为31.99亿元。安信证券总部设于深圳，下辖5家分公司，在25个省级行政区设有168家证券营业部，并全资拥有安信国际金融控股有限公司、安信期货有限责任公司、安信乾宏投资有限公司，控股安信基金管理有限责任公司，构建起综合金融理财服务平台。安信证券现可为广大投资者提供证券代理买卖、证券承销与保荐、证券资产管理、证券投资咨询、融资融券、基金代销、股指期货中间介绍以及与证券交易、证券投资活动有关的财务顾问等业务。</td></tr>
</table>

二、业务动态

推荐挂牌情况

序号	股份代码	公司名称	挂牌日期	公司状态
1	430101	泰诚信	2011-12-02	挂牌
2	430250	智网科技	2013-07-18	挂牌
3	430377	海格物流	2014-01-24	挂牌
4	430378	山本光电	2014-01-24	挂牌
5	430391	万特电气	2014-01-24	挂牌
6	430395	奥盖克	2014-01-24	挂牌
7	430475	陆道股份	2014-01-24	挂牌
8	430584	弘陆物流	2014-01-24	挂牌
9	430606	金鹏源康	2014-01-24	挂牌
10	430375	星立方	2014-01-24	挂牌
11	430576	泰信电子	2014-01-24	挂牌
12	430382	元亨光电	2014-01-24	挂牌
13	430420	易城股份	2014-01-24	挂牌
14	430723	金源科技	2014-04-29	挂牌
15	430737	无锡斯达	2014-04-29	挂牌
16	830775	吉华材料	2014-05-30	挂牌
17	830820	大族冠华	2014-06-27	挂牌
18	830828	万绿生物	2014-07-03	挂牌
19	830997	领意信息	2014-08-13	挂牌
20	831118	兰亭科技	2014-08-19	挂牌

21	831066	圣维科技	2014－08－19	挂牌
22	831018	大族能源	2014－08－20	挂牌
23	831005	华维电瓷	2014－08－20	挂牌
24	831046	雷克利达	2014－08－20	挂牌
25	831026	熙浪股份	2014－08－20	挂牌
26	831156	浩祯股份	2014－09－22	挂牌
27	831156	浩祯股份	2014－09－22	挂牌
28	831167	鑫汇科	2014－09－30	挂牌
29	831190	第六元素	2014－10－15	挂牌
30	831217	书网教育	2014－10－16	挂牌
31	831262	广建装饰	2014－11－04	挂牌
32	831314	深科达	2014－11－11	挂牌
33	831358	新华环保	2014－11－18	挂牌
34	831382	智创联合	2014－11－28	挂牌
35	831404	宝丽兴源	2014－12－08	挂牌
36	831462	友泰电气	2014－12－08	挂牌
37	831423	快易名商	2014－12－08	挂牌
38	831494	美居客	2014－12－11	挂牌
39	831449	赛格立诺	2014－12－11	挂牌
40	831536	太能电气	2014－12－17	挂牌
41	831466	软通股份	2014－12－17	挂牌
42	831545	达一农林	2014－12－22	挂牌
43	831562	山水园林	2014－12－22	挂牌
44	831538	筑园景观	2014－12－23	挂牌
45	831535	拓斯达	2014－12－24	挂牌
46	831578	路嘉路桥	2014－12－30	挂牌
47	831605	奔速电梯	2014－12－30	挂牌
48	831548	光大百纳	2014－12－31	挂牌
49	831753	艾博德	2015－01－15	挂牌
50	831768	拾比佰	2015－01－15	挂牌
51	831789	英诺迅	2015－01－20	挂牌
52	831769	中马园林	2015－01－20	挂牌
53	831891	行动教育	2015－01－28	挂牌
54	832131	斯盛能源	2015－03－13	挂牌
55	832123	环球石材	2015－03－26	挂牌
56	832244	佳瑞高科	2015－04－07	挂牌
57	832362	佩蒂股份	2015－04－23	挂牌
58	832577	优美特	2015－06－10	挂牌
59	832619	天创环境	2015－06－12	挂牌
目前已推荐挂牌公司家数		59		
撤回材料及申请被否公司家数		0		
正在挂牌公司家数		59		
已上市公司家数		0		
已被终止挂牌公司家数		0		
推荐定向发行情况				
序号	股份代码	公司名称	发行日期	公司状态
1	430250	智网科技	2013－12－24	发行成功
2	430378	山本光电	2014－6－24	发行成功
3	430377	海格物流	2014－9－12	发行成功

4	831026	熙浪股份	2014－9－24	发行成功
5	430395	奥盖克	2014－11－12	发行成功
6	830828	万绿生物	2014－12－1	发行成功
7	831535	拓斯达	2014－12－2	发行成功
推荐定向发行次数		7		
推荐定向发行成功次数		7		
推荐定向发行失败次数		0		
推荐原代办股份转让系统的两网公司及退市公司挂牌情况				
序号	股份代码	公司名称		
推荐原代办股份转让系统的两网公司及退市公司家数		0		

三、部门设置

经纪业务				
人员	姓名	固定电话	传真	Email
经纪业务联络人	翁楚源	0755－82558112	0755－82558355	wengcy@ essence. com. cn
经纪业务联络人	周晶	0755－82558316	0755－82558355	zhoujing@ essence. com. cn
推荐业务				
人员	姓名	固定电话	传真	Email
推荐业务联络人	孟庆亮	010－66581780	010－66581525	mengql@ essence. com. cn
推荐业务联络人	申婷	010－66581554	010－66581525	shenting@ essence. com. cn

东兴证券股份有限公司

一、公司简介及概况

公司简介	公司名称	东兴证券股份有限公司				
	成立日期	2008－5－28	法定代表人	魏庆华	总经理	魏庆华
	注册资本（万元）	200,400	净资产＊（万元）	605,260.27	净资本＊（万元）	468,795.56
	注册地址	北京市西城区金融大街5号新盛大厦B座12、15层			营业部家数	58
	办公地址	北京市西城区金融大街5号新盛大厦B座6、12、15、16层			邮编	100033
	公司网址	http://www. dxzq. net/	电子邮箱	fanxt@ dxzq. net. cn	经营证券业务许可证编号	Z39511000
	注：＊经审计的最近年度净资产和净资本					
	证监会批准从事的证券业务			证券经纪；证券投资咨询；与证券交易、证券投资活动有关的财务顾问；证券承销与保荐；证券投资基金销售业务；证券自营和证券资产管理业务；为期货公司提供中间介绍业务、融资融券业务。		
	在全国股份转让系统从事的业务种类			推荐业务，经纪业务，做市业务		
公司概况	东兴证券股份有限公司是经国务院和中国证监会批准，由中国东方资产管理公司、中国铝业股份有限公司和上海大盛资产有限公司发起设立的全国性综合类证券公司，注册地为北京市，注册资本20.04亿元。作为股份制证券公司，东兴证券股东实力雄厚。大股东中国东方资产管理公司是经国务院批准成立的国有大型金融企业，注册资本100亿元人民币，在全国各地均设有分支机构；股东中国铝业股份有限公司是国有大型上市公司；股东上海大盛资产有限公司是上海市政府下属的国有独资综合性投资控股公司。公司拥有证券营业部57家，营业网点遍布在北京、上海、天津、深圳、福州、武汉、杭州、成都、南京、南昌、南宁等中心城市。公司经营范围涵盖证券经纪业务，证券投资咨询，证券承销与保荐，证券自营，证券资产管理，证券投资基金代销以及中国证监会批准的其他业务等。					

二、业务动态

推荐挂牌情况				
序号	股份代码	公司名称	挂牌日期	公司状态
1	430166	一正启源	2012－11－27	挂牌
2	430267	盛世光明	2013－07－18	挂牌
3	430333	普康迪	2013－10－23	挂牌
4	430664	联合永道	2014－03－07	挂牌
5	830769	华财会计	2014－06－04	挂牌
6	830781	精鹰传媒	2014－06－04	挂牌
7	830916	公准食品	2014－08－07	挂牌
8	831113	杰盛通信	2014－08－18	挂牌
9	831027	兴致科技	2014－08－22	挂牌
10	831197	雅洁源	2014－10－15	挂牌
11	831335	时空客	2014－11－13	挂牌
12	831477	菲达阀门	2014－12－12	挂牌
13	831512	环创科技	2014－12－16	挂牌
14	831484	久盛建材	2014－12－16	挂牌
15	831501	远方动力	2014－12－22	挂牌
16	831682	金田科技	2015－01－12	挂牌
17	831786	威思顿	2015－01－15	挂牌
18	831749	大和恒	2015－01－21	挂牌
19	831903	汇川科技	2015－01－28	挂牌
20	831889	天信投资	2015－01－28	挂牌
21	831983	春盛中药	2015－02－09	挂牌
22	831984	大道信通	2015－02－17	挂牌
23	832055	军工智能	2015－03－02	挂牌
24	832160	红鹰能源	2015－03－12	挂牌
25	832166	晶都农贷	2015－03－13	挂牌
26	831682	川娇农牧	2015－03－17	挂牌
27	832199	九方天和	2015－04－01	挂牌
28	832224	积硕科技	2015－04－02	挂牌
29	832299	石大科技	2015－04－16	挂牌
30	832352	瑞格股份	2015－04－27	挂牌
31	832452	兴华股份	2015－05－11	挂牌
32	832523	天山黑蜂	2015－05－28	挂牌
33	832578	建科机械	2015－06－10	挂牌
34	832747	吉诺股份	2015－07－14	挂牌
35	832795	南京欣网	2015－07－16	挂牌
36	832474	卓越鸿昌	2015－07－21	挂牌
37	832750	合璟环保	2015－07－21	挂牌
38	832830	汉哲咨询	2015－07－21	挂牌
39	832800	赛特斯	2015－07－22	挂牌
40	832845	木村树	2015－07－28	挂牌
41	832950	益盟股份	2015－07－29	挂牌
42	833037	中技能源	2015－07－30	挂牌
43	833036	山屿海	2015－07－31	挂牌
44	833009	开拓明天	2015－08－04	挂牌
45	833022	欧迈机械	2015－08－04	挂牌

46	833064	绿色空间	2015-08-04	挂牌
目前已推荐挂牌公司家数		46		
撤回材料及申请被否公司家数		0		
正在挂牌公司家数		46		
已上市公司家数		0		
已被终止挂牌公司家数		0		
推荐定向发行情况				
1	430664	联合永道	2014-8-14	发行成功
2	430664	联合永道	2014-8-18	发行成功
3	831027	兴致科技	2014-11-19	发行成功
4	831027	兴致科技	2014-12-17	发行成功
5	830781	精鹰传媒	2014-12-17	发行成功
6	830781	精鹰传媒	2015-1-12	发行失败
7	830781	精鹰传媒	2015-4-1	发行成功
8	831335	时空客	2015-4-22	发行成功
9	831512	环创科技	2015-4-28	发行成功
10	831889	天信投资	2015-5-13	发行成功
11	831903	汇川科技	2015-5-13	发行成功
12	430267	盛世光明	2015-6-5	发行成功
13	430664	联合永道	2015-6-5	发行成功
14	830781	精鹰传媒	2015-6-8	发行成功
15	430333	普康迪	2015-6-8	发行成功
16	831889	天信投资	2015-6-24	发行成功
17	832950	益盟股份	2015-7-9	发行成功
18	831983	春盛中药	2015-7-10	发行成功
19	832160	红鹰能源	2015-7-20	发行成功
20	832800	赛特斯	2015-7-22	发行成功
21	831501	远方动力	2015-7-23	发行成功
22	832352	瑞格股份		发行失败
推荐定向发行次数		22		
推荐定向发行成功次数		20		
推荐定向发行失败次数		2		
推荐原代办股份转让系统的两网公司及退市公司挂牌情况				
序号	股份代码	公司名称		
推荐原代办股份转让系统的两网公司及退市公司家数		0		

三、部门设置

经纪业务				
人员	姓名	固定电话	传真	Email
经纪业务联络人	王松	010-66554194	010-66555246	xumr@dxzq.net.cn
经纪业务联络人	王倩	010-66555925	010-66555246	wang-qian@dxzq.net.cn
推荐业务				
人员	姓名	固定电话	传真	Email
推荐业务联络人	陈平	010-66555749	010-66555103	chen-ping@dxzq.net.cn
推荐业务联络人	蒋博星	010-66555648	010-66555103	jiangbx@dxzq.net.cn

万联证券有限责任公司

一、公司简介及概况

<table>
<tr><td rowspan="9">公司简介</td><td>公司名称</td><td colspan="5">万联证券有限责任公司</td></tr>
<tr><td>成立日期</td><td>2001－8－23</td><td>法定代表人</td><td>张建军</td><td>总经理</td><td>张建军</td></tr>
<tr><td>注册资本（万元）</td><td>428,759</td><td>净资产＊（万元）</td><td>709,426</td><td>净资本＊（万元）</td><td>584,819</td></tr>
<tr><td>注册地址</td><td colspan="3">广东省广州市天河区珠江东路11号18、19全层</td><td>营业部家数</td><td>45</td></tr>
<tr><td>办公地址</td><td colspan="3">广东省广州市天河区珠江东路11号18、19全层</td><td>邮编</td><td>510623</td></tr>
<tr><td>公司网址</td><td>www. wlzq. com. cn</td><td>电子邮箱</td><td>Wl－office@ wlzq. com. cn</td><td>经营证券业务许可证编号</td><td>Z18944000</td></tr>
<tr><td colspan="6">注：＊经审计的最近年度净资产和净资本</td></tr>
<tr><td colspan="3">证监会批准从事的证券业务</td><td colspan="3">证券经纪；证券投资咨询；与证券交易、证券投资活动有关的财务顾问；证券承销与保荐；证券自营；证券资产管理；融资融券；证券投资基金代销；为期货公司提供中间介绍业务；代销金融产品。</td></tr>
<tr><td colspan="3">在全国股份转让系统从事的业务种类</td><td colspan="3">推荐业务，经纪业务</td></tr>
<tr><td>公司概况</td><td colspan="6">万联证券有限责任公司于2001年8月23日经中国证监会证监机构字〔2001〕148号文批准设立，是由实力雄厚的国有资产经营公司和投资公司出资组建的全资国有企业，是广东省首家规范类证券公司。
公司经营范围包括：证券经纪；证券投资咨询；与证券交易、证券投资活动有关的财务顾问；证券承销与保荐；证券自营；证券资产管理；证券投资基金代销；为期货公司提供中间介绍业务；融资融券；代销金融产品（有效期至2016年2月21日）。公司总部设在广州市，在广州、北京、上海、湖南、湖北、四川、浙江等省市设立了35家营业网点，形成了以华南为中心、辐射全国的营业网点布局。
自成立以来，公司秉承“诚信、务实、创新、高效”的经营理念，以人为本，稳健进取，深入研究客户需求，致力于将客户利益放在第一位，以高超的专业技能和至诚的服务精神赢得客户信任；深入推进业务的开拓创新，在产品设计、项目运作上追求高质量、低风险；奉行以严格的风险控制为前提、以合理的投资收益为目标的稳健投资策略，建立科学、严谨、高效的业务流程和风险管控体系，追求稳步增长的经营效益。公司坚持合规、守法经营，构建稳健的业务组合，促使自己长期健康、稳定持续地发展。现已逐步发展成为运作规范、资产优质、抗风险能力强的全国性综合类证券公司。</td></tr>
</table>

二、业务动态

<table>
<tr><td colspan="5">推荐挂牌情况</td></tr>
<tr><td>序号</td><td>股份代码</td><td>公司名称</td><td>挂牌日期</td><td>公司状态</td></tr>
<tr><td>1</td><td>430514</td><td>速升装备</td><td>2014－01－24</td><td>挂牌</td></tr>
<tr><td>2</td><td>430403</td><td>英思科技</td><td>2014－01－24</td><td>挂牌</td></tr>
<tr><td>3</td><td>430665</td><td>高衡力</td><td>2014－03－13</td><td>挂牌</td></tr>
<tr><td>4</td><td>430749</td><td>金化高容</td><td>2014－05－06</td><td>挂牌</td></tr>
<tr><td>5</td><td>831004</td><td>宝泰股份</td><td>2014－08－22</td><td>挂牌</td></tr>
<tr><td>6</td><td>831062</td><td>远古信息</td><td>2014－08－29</td><td>挂牌</td></tr>
<tr><td>7</td><td>831154</td><td>益方田园</td><td>2014－09－19</td><td>挂牌</td></tr>
<tr><td>8</td><td>831887</td><td>长潮股份</td><td>2015－01－29</td><td>挂牌</td></tr>
<tr><td>9</td><td>832779</td><td>东方明康</td><td>2015－07－16</td><td>挂牌</td></tr>
<tr><td>10</td><td>832762</td><td>大洋信息</td><td>2015－07－16</td><td>挂牌</td></tr>
<tr><td>11</td><td>833202</td><td>佳科风机</td><td>2015－08－06</td><td>挂牌</td></tr>
<tr><td>12</td><td>832953</td><td>创识科技</td><td>2015－08－06</td><td>挂牌</td></tr>
<tr><td>13</td><td>832987</td><td>牡丹联友</td><td>2015－08－12</td><td>挂牌</td></tr>
<tr><td>14</td><td>833504</td><td>骐俊股份</td><td>2015－09－01</td><td>挂牌</td></tr>
<tr><td>15</td><td>833546</td><td>盛世华诚</td><td>2015－09－14</td><td>挂牌</td></tr>
<tr><td colspan="2">目前已推荐挂牌公司家数</td><td colspan="3">15</td></tr>
</table>

撤回材料及申请被否公司家数		0		
正在挂牌公司家数		15		
已上市公司家数		0		
已被终止挂牌公司家数		0		
推荐定向发行情况				
序号	股份代码	公司名称	发行日期	公司状态
1	430749	金化高容	2014－5－5	发行成功
2	831887	长潮股份	2015－5－15	发行成功
3	831887	长潮股份	2015－5－15	发行成功
4	831004	宝泰股份	2015－5－29	发行成功
5	430403	英思科技	2015－6－12	发行成功
6	832762	大洋信息	2015－7－16	发行成功
7	832762	大洋信息	2015－7－16	发行成功
8	430665	高衡力	2015－7－23	发行成功
9	832987	牡丹联友	2015－8－12	发行成功
10	832987	牡丹联友	2015－8－12	发行成功
11	430514	速升装备	2015－9－23	发行成功
推荐定向发行次数		11		
推荐定向发行成功次数		11		
推荐定向发行失败次数		0		
推荐原代办股份转让系统的两网公司及退市公司挂牌情况				
序号	股份代码	公司名称		
推荐原代办股份转让系统的两网公司及退市公司家数		0		

三、部门设置

经纪业务				
人员	姓名	固定电话	传真	Email
经纪业务联络人	仇穗群	020－38286639	020－22373718	qiusq@ wlzq. com. cn
经纪业务联络人	冯国文	020－38286800	020－22373718	fenggw@ wlzq. com. cn
推荐业务				
人员	姓名	固定电话	传真	Email
推荐业务联络人	谭咏	020－38286926	020－38286922	tanyong@ wlzq. com. cn
推荐业务联络人	韩萍	021－60883460	021－60883470	hanping@ wlzq. com. cn

国联证券股份有限公司

一、公司简介及概况

公司简介	公司名称	国联证券股份有限公司				
	成立日期	1992－11－19	法定代表人	姚志勇	总经理	雷建辉
	注册资本（万元）	150,000	净资产＊（万元）	434,865	净资本＊（万元）	457,978
	注册地址	江苏省无锡市金融一街8号			营业部家数	55
	办公地址	无锡市金融一街8号7－9层			邮编	214121
	公司网址	www. glsc. com. cn	电子邮箱	service@ glsc. com. cn	经营证券业务许可证编号	Z23332000
	注：＊经审计的最近年度净资产和净资本					

<table>
<tr><td rowspan="2">公司简介</td><td>证监会批准从事的证券业务</td><td>证券经纪，投资咨询与交易、投资活动有关的财务顾问，证券自营，证券资产管理，证券投资基金代销融业务为期货公司提供中间介绍业务，代销金融产品业务。</td></tr>
<tr><td>在全国股份转让系统从事的业务种类</td><td>经纪业务，推荐业务，做市业务</td></tr>
<tr><td>公司概况</td><td colspan="2">国联证券股份有限公司创立于1992年9月，前身为无锡市证券公司，2008年5月通过改制更名为国联证券股份有限公司，注册资本15亿元人民币。作为一家国有控股的现代金融服务企业，公司多年来秉承“诚信、稳健、开放、创新”的经营理念，现控股国联期货有限责任公司和华英证券有限责任公司、参股中海基金管理有限公司，设立国联通宝资本投资有限责任公司，证券金融控股集团构架初具。
作为综合类、创新类券商，国联证券现已形成包括经纪业务、资产管理、证券投资、融资融券业务、代办股份转让和股份报价等在内较为完善的业务体系。在江苏、上海、北京、浙江、广东、广西、重庆、山东、江西和湖南等省（市）重要区域拥有证券营业部38家。在行业内较早推出全国呼叫中心95570，净资本收益率和成本管理能力等指标位表现突出。</td></tr>
</table>

二、业务动态

<table>
<tr><td colspan="5">推荐挂牌情况</td></tr>
<tr><td>序号</td><td>股份代码</td><td>公司名称</td><td>挂牌日期</td><td>公司状态</td></tr>
<tr><td>1</td><td>430292</td><td>威控科技</td><td>2013-08-02</td><td>挂牌</td></tr>
<tr><td>2</td><td>430758</td><td>四联智能</td><td>2014-05-30</td><td>挂牌</td></tr>
<tr><td>3</td><td>831101</td><td>北京奥维</td><td>2014-08-18</td><td>挂牌</td></tr>
<tr><td>4</td><td>831007</td><td>汉咏股份</td><td>2014-08-19</td><td>挂牌</td></tr>
<tr><td>5</td><td>831345</td><td>海特股份</td><td>2014-11-13</td><td>挂牌</td></tr>
<tr><td>6</td><td>831784</td><td>贝尔机械</td><td>2015-01-05</td><td>挂牌</td></tr>
<tr><td>7</td><td>831602</td><td>昊华传动</td><td>2015-01-05</td><td>挂牌</td></tr>
<tr><td>8</td><td>832046</td><td>天安智联</td><td>2015-01-30</td><td>挂牌</td></tr>
<tr><td>9</td><td>832417</td><td>报业延嘉</td><td>2015-05-08</td><td>挂牌</td></tr>
<tr><td>10</td><td>832399</td><td>宁波公运</td><td>2015-05-21</td><td>挂牌</td></tr>
<tr><td>11</td><td>832512</td><td>万舜保险</td><td>2015-05-25</td><td>挂牌</td></tr>
<tr><td>12</td><td>832662</td><td>方盛股份</td><td>2015-06-23</td><td>挂牌</td></tr>
<tr><td>13</td><td>832736</td><td>华鼎股份</td><td>2015-07-10</td><td>挂牌</td></tr>
<tr><td>14</td><td>832846</td><td>山东开泰</td><td>2015-07-24</td><td>挂牌</td></tr>
<tr><td>15</td><td>833204</td><td>百事达</td><td>2015-08-11</td><td>挂牌</td></tr>
<tr><td>16</td><td>833295</td><td>国佳新材</td><td>2015-08-12</td><td>挂牌</td></tr>
<tr><td>17</td><td>833368</td><td>江苏新能</td><td>2015-08-20</td><td>挂牌</td></tr>
<tr><td>18</td><td>833597</td><td>雷格讯</td><td>2015-09-17</td><td>挂牌</td></tr>
<tr><td>19</td><td>833643</td><td>必得科技</td><td>2015-10-15</td><td>挂牌</td></tr>
<tr><td>20</td><td>833596</td><td>润康牧业</td><td>2015-10-16</td><td>挂牌</td></tr>
<tr><td>21</td><td>834090</td><td>兴达泡塑</td><td>2015-11-10</td><td>挂牌</td></tr>
<tr><td>22</td><td>834243</td><td>紫竹慧</td><td>2015-11-11</td><td>挂牌</td></tr>
<tr><td>23</td><td>834324</td><td>安碧捷</td><td>2015-11-17</td><td>挂牌</td></tr>
<tr><td>24</td><td>834327</td><td>车讯互联</td><td>2015-11-24</td><td>挂牌</td></tr>
<tr><td>25</td><td>834967</td><td>国信同科</td><td>2015-12-18</td><td>挂牌</td></tr>
<tr><td colspan="2">目前已推荐挂牌公司家数</td><td colspan="3">25</td></tr>
<tr><td colspan="2">撤回材料及申请被否公司家数</td><td colspan="3">0</td></tr>
<tr><td colspan="2">正在挂牌公司家数</td><td colspan="3">25</td></tr>
<tr><td colspan="2">已上市公司家数</td><td colspan="3">0</td></tr>
<tr><td colspan="2">已被终止挂牌公司家数</td><td colspan="3">0</td></tr>
<tr><td colspan="5">推荐定向发行情况</td></tr>
<tr><td>序号</td><td>股份代码</td><td>公司名称</td><td>发行日期</td><td>公司状态</td></tr>
<tr><td colspan="2">推荐定向发行次数</td><td colspan="3">0</td></tr>
</table>

推荐定向发行成功次数		0
推荐定向发行失败次数		0
推荐原代办股份转让系统的两网公司及退市公司挂牌情况		
序号	股份代码	公司名称
推荐原代办股份转让系统的两网公司及退市公司家数		0

三、部门设置

经纪业务				
人员	姓名	固定电话	传真	Email
经纪业务联络人	于冬	82832010	82830156	yud@ glsc. com. cn
经纪业务联络人	强系璧	82831589	82830156	qiangxb@ glsc. com. cn
推荐业务				
人员	姓名	固定电话	传真	Email
推荐业务联络人	舒婷婷	82790313	82733627	sttshutingting@ hotmail. com
推荐业务联络人	张亮	82790313	82733627	7798334@ qq. com

广州证券股份有限公司

一、公司简介及概况

公司简介	公司名称	广州证券股份有限公司				
	成立日期	1988－3－26	法定代表人	邱三发	总经理	邱三发
	注册资本（万元）	333,000	净资产＊（万元）	509,347	净资本＊（万元）	392,484
	注册地址	广东省广州市天河区珠江西路5号广州国际金融中心主塔19层、20层			营业部家数	36
	办公地址	广东省广州市天河区珠江西路5号广州国际金融中心主塔19层、20层			邮编	510623
	公司网址	www. gzs. com. cn	电子邮箱	zcb@ gzs. com. cn	经营证券业务许可证编号	Z25744000
	注：＊经审计的最近年度净资产和净资本					
	证监会批准从事的证券业务			证券经纪；证券投资咨询（仅限于证券投资顾问）；与证券交易、证券投资活动有关的财务顾问；证券承销与保荐；证券自营；证券资产管理；融资融券；证券投资基金代销；代销金融产品（《经营证券业务许可证》有效期至2015年9月26日）。		
	在全国股份转让系统从事的业务种类			经纪业务，推荐业务，做市业务		
公司概况	广州证券股份有限公司是1988年经中国人民银行批准成立，全国最早设立的证券公司之一，2001年经核准成为全国性综合类券商，目前注册资本达33.3亿元，员工人数约1200人。公司现在由广州越秀金融控股集团有限公司控股，其为越秀集团的三大支柱产业之一，广州证券为越秀金控的核心主体。越秀金控集团成立于2012年1月18日，注册资本30.5亿元，是越秀集团三大核心产业之一。目前，拥有18个境内外金融业务平台，涵盖银行、证券、租赁、保险、信托等11项金融业务牌照，业务网点分布于港澳及内地19个省份、31个城市，全面形成了跨境经营、全国布局、金融控股的发展格局。广州证券以"打造国内一流的证券企业集团"为自身愿景，业务范围涵盖证券经纪、证券投资咨询、与证券交易、证券投资活动有关的财务顾问、证券承销与保荐、证券自营、证券资产管理、融资融券业务、以及中国证监会批准的其他业务等所有综合性业务。广州证券立足广东，走向全国。在广东、北京、杭州等地设立了共36个证券营业部；先后担任了21家股票发行主承销商，26家股票发行副主承销商，2013年IPO主承销家数及全额排名居行业前二十；担任全国各地超40家债券发行的主承销和副主承销商，2012年主承销债券家数居行业前十；投资管理业务三年加权平均收益率约为15%，居行业领先水平，投资收益行业排名前二十。广州证券旗下拥有全资子公司广州期货有限公司和直投子公司广州证券创新投资管理有限公司，控股金鹰基金管理有限公司和广州广证恒生证券研究所有限公司，其中广证恒生为CEPA框架协议下国内首家合资证券投资咨询公司。					

二、业务动态

推荐挂牌情况				
序号	股份代码	公司名称	挂牌日期	公司状态
1	430141	久日化学	2012-09-07	挂牌
2	430187	全有时代	2012-12-31	挂牌
3	430486	普金科技	2014-01-24	挂牌
4	430451	万人调查	2014-01-24	挂牌
5	430694	华印机电	2014-04-09	挂牌
6	430743	尚思传媒	2014-05-06	挂牌
7	830776	帕特尔	2014-06-09	挂牌
8	830862	丰海科技	2014-07-15	挂牌
9	830891	轩辕网络	2014-07-30	挂牌
10	830983	保得威尔	2014-08-08	挂牌
11	830961	圣华农科	2014-08-12	挂牌
12	831097	思为同飞	2014-08-29	挂牌
13	831125	欧安电气	2014-08-29	挂牌
14	831187	创尔生物	2014-10-08	挂牌
15	831233	恒丰科技	2014-10-29	挂牌
16	831246	欧力配网	2014-11-07	挂牌
17	831307	佛罗伦萨	2014-11-07	挂牌
18	831371	美涂士	2014-11-27	挂牌
19	831405	赞普科技	2014-12-03	挂牌
20	831523	亚成生物	2014-12-17	挂牌
21	831594	赛力克	2014-12-31	挂牌
22	831572	疆能股份	2015-01-05	挂牌
23	831619	五舟科技	2015-01-09	挂牌
24	831776	中云创	2015-01-13	挂牌
25	831750	华明泰	2015-01-13	挂牌
26	831621	中镁控股	2015-01-13	挂牌
27	831922	长宝科技	2015-01-29	挂牌
28	831992	嘉得力	2015-02-05	挂牌
29	832018	固特超声	2015-02-16	挂牌
30	832116	天岳科技	2015-03-06	挂牌
31	832114	中爆数字	2015-03-09	挂牌
32	832164	尚柳园林	2015-03-17	挂牌
33	832379	鑫融基	2015-04-30	挂牌
34	832545	三川田	2015-06-04	挂牌
35	832593	森宝电器	2015-06-12	挂牌
36	833026	中邦园林	2015-07-28	挂牌
37	833136	世创科技	2015-07-31	挂牌
38	833492	奇石缘	2015-09-10	挂牌
39	833619	佰聆数据	2015-09-24	挂牌
40	833753	超音速	2015-10-13	挂牌
41	833903	杭真能源	2015-11-09	挂牌
42	834345	房谱网	2015-11-24	挂牌
43	834412	美合科技	2015-11-26	挂牌
44	834578	锐正股份	2015-12-02	挂牌
45	834598	天沐温泉	2015-12-04	挂牌
46	834498	易简广告	2015-12-07	挂牌
47	834416	丰兆新材	2015-12-16	挂牌

48	834803	鑫昌龙	2015－12－18	挂牌
49	834912	三好教育	2015－12－21	挂牌
50	835113	爱美互动	2015－12－23	挂牌
51	835103	骏伯网络	2015－12－24	挂牌
52	835235	翌成创意	2016－01－08	挂牌
53	835292	拓谷科技	2016－01－12	挂牌
54	835320	诺斯贝尔	2016－01－13	挂牌
55	835534	七洲科技	2016－01－13	挂牌
56	835484	分子态	2016－01－18	挂牌
57	835575	奥咨达	2016－01－18	挂牌
58	835325	搜搜电商	2016－01－20	挂牌
目前已推荐挂牌公司家数		58		
撤回材料及申请被否公司家数		0		
正在挂牌公司家数		58		
已上市公司家数		0		
已被终止挂牌公司家数		0		
推荐定向发行情况				
序号	股份代码	公司名称	发行日期	公司状态
1	430141	久日化学	2013－07－25	发行成功
2	430141	久日化学	2014－06－16	发行成功
3	830862	丰海科技	2015－01－07	发行成功
4	830891	轩辕网络	2015－02－09	发行成功
5	831405	赞普科技	2015－03－03	发行成功
6	830891	轩辕网络	2015－04－21	发行成功
7	430141	久日化学	2015－04－23	发行成功
8	831187	创尔生物	2015－05－15	发行成功
9	831187	创尔生物	2015－05－15	发行成功
10	430141	久日化学	2015－05－26	发行成功
11	831776	中云创	2015－06－09	发行成功
12	831922	长宝科技	2015－06－10	发行成功
13	430486	普金科技	2015－06－23	发行成功
14	430486	普金科技	2015－06－23	发行成功
15	430451	万人调查	2015－07－07	发行成功
16	430486	普金科技	2015－07－09	发行成功
17	831594	赛力克	2015－07－13	发行成功
18	830862	丰海科技	2015－07－21	发行成功
19	831246	欧力配网	2015－07－21	发行成功
20	830862	丰海科技	2015－07－21	发行成功
21	830983	保得威尔	2015－07－23	发行成功
22	831621	中镁控股	2015－07－23	发行成功
23	831619	五舟科技	2015－07－27	发行成功
24	830891	轩辕网络	2015－08－10	发行成功
25	832018	固特超声	2015－08－14	发行成功
26	832379	鑫融基	2015－08－19	发行成功
27	430743	尚思传媒	2015－08－21	发行成功
28	832114	中爆数字	2015－08－24	发行成功
29	832164	尚柳园林	2015－09－11	发行成功
30	831572	疆能股份	2015－09－22	发行成功
31	830776	帕特尔	2015－09－30	发行成功

32	831572	疆能股份	2015－10－09	发行成功
33	831922	长宝科技	2015－10－13	发行成功
34	831619	五舟科技	2015－10－26	发行成功
35	831523	亚成生物	2015－10－30	发行成功
36	832379	鑫融基	2015－11－03	发行成功
37	830983	保得威尔	2015－11－06	发行成功
38	831097	思为同飞	2015－11－24	发行成功
39	833315	石头造	2015－12－15	发行成功
40	834416	丰兆新材	2015－12－16	发行成功
41	830862	丰海科技	2015－12－24	发行成功
42	830983	保得威尔	2015－12－25	发行成功
43	430486	普金科技	2015－12－28	发行成功
推荐定向发行次数		43		
推荐定向发行成功次数		43		
推荐定向发行失败次数		0		
推荐原代办股份转让系统的两网公司及退市公司挂牌情况				
序号	股份代码	公司名称		
推荐原代办股份转让系统的两网公司及退市公司家数		0		

三、部门设置

经纪业务				
人员	姓名	固定电话	传真	Email
经纪业务联络人	文建钟	020－88836651	020－88836654	wenjz@ gzs. com. cn
经纪业务联络人	赖瑞麟	020－88836999	020－88836654	lairl@ gzs. com. cn
推荐业务				
人员	姓名	固定电话	传真	Email
推荐业务联络人	李梦珏	020－88836999	020－88836624	limj@ gzs. com. cn

兴业证券股份有限公司

一、公司简介及概况

公司简介	公司名称	兴业证券股份有限公司				
	成立日期	2000－5－19	法定代表人	兰　荣	总裁	刘志辉
	注册资本（万元）	520,000	净资产＊（万元）	1,522,573	净资本＊（万元）	1,357,074
	注册地址	福建省福州市湖东路268号			营业部家数	70
	办公地址	福建省福州市湖东路268号			邮编	350003
	公司网址	www. xyzq. com. cn	电子邮箱	xyzqdmc@ xyzq. com. cn	经营证券业务许可证编号	Z24035000
	注：＊经审计的最近年度净资产和净资本					
	证监会批准从事的证券业务			证券经纪；证券投资咨询；与证券交易、证券投资活动有关的财务顾问；证券承销与保荐；证券自营；证券资产管理；融资融券；证券投资基金代销；为期货公司提供中间介绍业务；代销金融产品。		
	在全国股份转让系统从事的业务种类			经纪业务，推荐业务，做市业务		

公司概况	兴业证券股份有限公司是中国证监会核准的全国创新类证券公司和A类AA级1证券公司，注册地设在福建省福州市，注册资本52亿元，2010年10月公司在上海证券交易所上市。目前公司设有21个总部部门、13家分公司、63家证券营业部、控股4家控股证券金融类子公司，形成了涵盖证券、基金、期货、直接投资和跨境业务等专业领域的证券金融控股集团，经营范围涵盖证券经纪；证券投资咨询；与证券交易、证券投资活动有关的财务顾问；证券承销与保荐；证券自营；证券资产管理；融资融券；证券投资基金代销；为期货公司提供中间介绍业务；代销金融产品等。 注：文中所有关于分类评级的表述仅限用于业界交流，非用于广告、宣传、营销等商业目的。

二、业务动态

推荐挂牌情况				
序号	股份代码	公司名称	挂牌日期	公司状态
1	832723	五角阻尼	1900－01－08	挂牌
2	430121	英福美	2012－05－16	挂牌
3	430128	广厦网络	2012－07－05	挂牌
4	430165	光宝联合	2012－11－13	挂牌
5	430302	保华石化	2013－08－15	挂牌
6	430307	扬讯科技	2013－08－20	挂牌
7	430544	闽保股份	2014－01－24	挂牌
8	430712	索天科技	2014－04－24	挂牌
9	830797	易之景和	2014－06－18	挂牌
10	830824	华虹科技	2014－06－24	挂牌
11	830802	金象传动	2014－07－09	挂牌
12	830888	世纪工场	2014－07－30	挂牌
13	830890	海魄科技	2014－07－31	挂牌
14	830935	伊帕尔汗	2014－08－05	挂牌
15	831065	鑫干线	2014－08－29	挂牌
16	831224	沈氏节能	2014－10－23	挂牌
17	831254	平方科技	2014－10－31	挂牌
18	831308	华博教育	2014－11－12	挂牌
19	831407	万泰中联	2014－12－03	挂牌
20	831412	天际航	2014－12－04	挂牌
21	831454	皇品文化	2014－12－08	挂牌
22	831425	致善生物	2014－12－09	挂牌
23	831652	康华远景	2015－01－22	挂牌
24	831921	泰可电气	2015－02－02	挂牌
25	832088	鑫鑫农贷	2015－02－16	挂牌
26	832022	珈诚生物	2015－02－25	挂牌
27	832069	科飞新材	2015－03－03	挂牌
28	832095	爱芯环保	2015－03－10	挂牌
29	831973	善为影业	2015－04－10	挂牌
30	832331	高士达	2015－04－14	挂牌
31	832368	佳创科技	2015－04－21	挂牌
32	832336	广顺小贷	2015－04－22	挂牌
33	832395	闽东电机	2015－04－24	挂牌
34	832449	恒宝通	2015－04－30	挂牌
35	832519	中通电气	2015－05－22	挂牌
36	832567	伟志股份	2015－05－29	挂牌
37	832629	易信达	2015－06－01	挂牌
38	832664	未名信息	2015－06－24	挂牌

39	832692	文鑫莲业	2015－06－25	挂牌
40	832719	诺伊曼	2015－07－08	挂牌
41	832734	洁利来	2015－07－08	挂牌
42	832738	天润基业	2015－07－08	挂牌
43	832741	禾泰股份	2015－07－09	挂牌
44	832756	中科君浩	2015－07－13	挂牌
45	832859	晨越建管	2015－07－17	挂牌
46	832733	威格科技	2015－07－20	挂牌
47	832855	博远欣绿	2015－07－21	挂牌
48	833160	鲁班药业	2015－08－04	挂牌
49	833261	中瑞影视	2015－08－05	挂牌
目前已推荐挂牌公司家数		49		
撤回材料及申请被否公司家数		0		
正在挂牌公司家数		49		
已上市公司家数		0		
已被终止挂牌公司家数		0		
推荐定向发行情况				
1	430165	光宝联合	2015－1－22	发行成功
2	430165	光宝联合	2015－1－22	发行成功
3	430121	英福美	2015－2－10	发行成功
4	430297	金硕信息	2015－3－18	发行成功
5	430518	嘉达早教	2015－4－21	发行成功
6	430165	光宝联合	2015－4－24	发行成功
7	430165	光宝联合	2015－4－24	发行成功
8	430128	广厦网络	2015－4－27	发行成功
9	430297	金硕信息	2015－5－20	发行成功
10	831639	达仁资管	2015－6－3	发行成功
11	830816	卡特股份	2015－6－4	发行成功
12	830890	海魄科技	2015－6－8	发行成功
13	830843	沃迪装备	2015－6－16	发行成功
14	831454	皇品文化	2015－6－16	发行成功
15	830797	易之景和	2015－6－24	发行成功
16	831973	善为影业	2015－6－24	发行成功
17	831973	善为影业	2015－6－24	发行成功
18	831254	平方科技	2015－6－26	发行成功
19	831224	沈氏节能	2015－6－30	发行成功
20	831308	华博教育	2015－7－9	发行成功
21	831254	平方科技	2015－7－20	发行成功
22	831425	致善生物	2015－7－28	发行成功
23	831973	善为影业	2015－7－28	发行成功
推荐定向发行次数		23		
推荐定向发行成功次数		23		
推荐定向发行失败次数		0		
推荐原代办股份转让系统的两网公司及退市公司挂牌情况				
序号	股份代码	公司名称		
1	400019	福建九州集团股份有限公司		
2	400041	陕西煤航数码测绘(集团)股份有限公司		
推荐原代办股份转让系统的两网公司及退市公司家数		2		

三、部门设置

经纪业务				
人员	姓名	固定电话	传真	Email
经纪业务联络人	吴传蓉	021－38565478	021－38565478	wucr@ xyzq. com. cn
经纪业务联络人	王小东	0591－38281973	0591－38507575	wangxiaodong@ xyzq. com. cn
推荐业务				
人员	姓名	固定电话	传真	Email
推荐业务联络人	林威	0591－38281729	0591－38507766	linwth@ xyzq. com. cn
推荐业务联络人	方晓明	0591－38281956	0591－38507766	fangxm@ xyzq. com. cn

方正证券股份有限公司

一、公司简介及概况

公司简介	公司名称	方正证券股份有限公司				
	成立日期	1994－10－26	法定代表人	何其聪	总经理	何其聪
	注册资本（万元）	823,210	净资产*（万元）	2,997,733	净资本*（万元）	1,314,049
	注册地址	湖南省长沙市天心区芙蓉中路二段200号华侨国际大厦22－24层			营业部家数	230
	办公地址	湖南省长沙市天心区芙蓉中路二段200号华侨国际大厦22－24层			邮编	410015
	公司网址	www. foundersc. com	电子邮箱	pub@ foundersc. com	经营证券业务许可证编号	Z23543000
	注：*经审计的最近年度净资产和净资本					
	证监会批准从事的证券业务			证券经纪；证券自营；证券投资咨询；与证券交易、证券投资活动有关的财务顾问；证券资产管理；为期货公司提供中介服务。		
	在全国股份转让系统从事的业务种类			经纪业务，推荐业务，做市业务		
公司概况	公司系由方正证券有限责任公司整体变更设立，方正证券有限责任公司前身为浙江省证券公司。1988年6月6日，浙江省证券公司成立，注册资金为1,000万元，注册地为浙江省杭州市。1992年4月，经中国人民银行浙江省分行和浙江省工商局核准，浙江省证券公司注册资本由1,000万元增加至5,100万元。1994年10月26日，浙江省证券公司按有限责任公司形式进行改造，名称变更为“浙江证券有限责任公司”，注册资本增加至4.5亿元。2002年8月29日，北大方正集团有限公司受让浙江证券有限责任公司全体股东所持51%的股权，依法办理了有关工商变更登记手续。2003年8月13日，经中国证监会同意，浙江证券有限责任公司名称变更为“方正证券有限责任公司”，并完成了工商变更登记手续。2008年3月，经中国证监会批准，公司住所迁至“湖南省长沙市芙蓉中路二段华侨国际大厦22－24层”。2008年7月，经中国证监会批准，方正证券有限责任公司吸收合并了泰阳证券有限责任公司，合并后的注册资本为1,653,879,170.34元。2010年9月，经中国证监会批准，方正证券有限责任公司整体变更为方正证券股份有限公司，变更后的注册资本为46亿元。2011年8月，经中国证监会批准，公司首次公开发行人民币普通股（A股）15亿股，共募集资金净额5,648,175,312.34元，并于2011年8月10日在上海证券交易所上市。2012年2月14日，公司在湖南省工商行政管理局办理了注册资本工商变更登记手续，注册资本增加至61亿元。					

二、业务动态

推荐挂牌情况				
序号	股份代码	公司名称	挂牌日期	公司状态
1	430231	赛诺达	2013－07－03	挂牌
2	430264	中舟环保	2013－07－17	挂牌
3	430310	博易股份	2013－08－27	挂牌
4	430572	奥普节能	2014－01－22	挂牌
5	430400	日望电子	2014－01－22	挂牌
6	430423	宁变科技	2014－01－22	挂牌
7	430392	斯派克	2014－01－22	挂牌
8	430413	沄辉科技	2014－01－22	挂牌

9	430690	酷买网	2014－04－09	挂牌
10	430675	天跃科技	2014－04－14	挂牌
11	430699	海欣医药	2014－04－30	挂牌
12	830766	博锐尚格	2014－05－29	挂牌
13	830823	拓天节能	2014－07－01	挂牌
14	830877	康莱宝	2014－07－18	挂牌
15	830903	复展科技	2014－07－28	挂牌
16	830893	亚泽股份	2014－07－28	挂牌
17	830905	成聪软件	2014－07－28	挂牌
18	830927	兆久成	2014－08－07	挂牌
19	830921	海阳保安	2014－08－08	挂牌
20	830972	道一信息	2014－08－11	挂牌
21	830974	凯大催化	2014－08－12	挂牌
22	830959	爱珂照明	2014－08－13	挂牌
23	831054	巴陵节能	2014－08－14	挂牌
24	831172	华尔达	2014－09－29	挂牌
25	831364	丰汇医学	2014－11－18	挂牌
26	831385	大地和	2014－12－05	挂牌
27	831481	瑞铃企管	2015－01－07	挂牌
28	831774	凯实股份	2015－01－22	挂牌
29	831882	众益传媒	2015－01－29	挂牌
30	831916	商中在线	2015－01－29	挂牌
31	831907	佳友科技	2015－01－29	挂牌
32	831876	华辰股份	2015－02－05	挂牌
33	831996	永裕竹业	2015－02－13	挂牌
34	831880	春旺环保	2015－02－16	挂牌
35	831730	河北亚诺	2015－02－16	挂牌
36	831997	海斯迪	2015－02－16	挂牌
37	832008	金天铝业	2015－03－05	挂牌
38	832104	诺晟股份	2015－03－26	挂牌
39	832293	日高股份	2015－04－22	挂牌
40	832393	舒茨股份	2015－05－20	挂牌
41	832420	优生活	2015－05－29	挂牌
42	832454	新涛科技	2015－06－01	挂牌
43	832716	跃通科技	2015－07－17	挂牌
44	832849	华宽通	2015－07－24	挂牌
45	832816	索克物业	2015－07－24	挂牌
46	833003	缔奇智能	2015－07－29	挂牌
47	832906	指安科技	2015－07－30	挂牌
48	833062	立翔科技	2015－07－30	挂牌
49	832939	杨利石化	2015－07－30	挂牌
50	833240	弛达科技	2015－08－17	挂牌
51	833316	宏商科技	2015－08－21	挂牌
52	833400	东惠通	2015－08－26	挂牌
53	833125	华益精机	2015－09－02	挂牌
54	833698	中喜传媒	2015－10－15	挂牌
55	833944	现代环科	2015－10－21	挂牌
56	833789	贵之步	2015－10－23	挂牌

57	833841	夜光明	2015－10－23	挂牌
58	833941	伊悦尼	2015－10－23	挂牌
目前已推荐挂牌公司家数		58		
撤回材料及申请被否公司家数		0		
正在挂牌公司家数		58		
已上市公司家数		0		
已被终止挂牌公司家数		0		
推荐定向发行情况				
序号	股份代码	公司名称	发行日期	公司状态
1	430310	博易股份	2013－8－30	发行成功
2	430231	赛诺达	2013－11－5	发行成功
3	430231	赛诺达	2013－11－27	发行成功
4	430310	博易股份	2014－7－31	发行失败
5	430310	博易股份	2014－7－31	发行成功
6	830905	成聪软件	2014－8－26	发行成功
7	430413	泓辉科技	2014－10－20	发行成功
8	831916	商中在线	2015－4－13	发行成功
9	831730	河北亚诺	2015－4－15	发行成功
推荐定向发行次数		9		
推荐定向发行成功次数		8		
推荐定向发行失败次数		1		
推荐原代办股份转让系统的两网公司及退市公司挂牌情况				
序号	股份代码	公司名称		
推荐原代办股份转让系统的两网公司及退市公司家数		0		

三、部门设置

经纪业务				
人员	姓名	固定电话	传真	Email
经纪业务联络人	陆帆	0731－85832337	0731－85832337	lufan@ foundersc. com
推荐业务				
人员	姓名	固定电话	传真	Email
推荐业务联络人	易勇	0731－85832210	0731－85832241	yiyong@ foundersc. com
推荐业务联络人	严苹	0731－85832462	0731－85832241	yanping@ foundersc. com

财富证券有限责任公司

一、公司简介及概况

公司简介	公司名称	财富证券有限责任公司				
	成立日期	2002－8－23	法定代表人	蔡一兵	总经理	蔡一兵
	注册资本（万元）	213,573	净资产＊（万元）	317,183	净资本＊（万元）	234,145
	注册地址	湖南省长沙市芙蓉中路二段 80 号顺天国际财富中心 26 楼			营业部家数	38
	办公地址	湖南省长沙市芙蓉中路二段 80 号顺天国际财富中心 26 楼			邮编	410005
	公司网址	http://www. cfzq. com	电子邮箱	cfzq@ cfzq. com	经营证券业务许可证编号	Z30843000
	注：＊经审计的最近年度净资产和净资本					

<table>
<tr><td rowspan="2">公司简介</td><td>证监会批准从事的证券业务</td><td>证券投资咨询业务;证券经纪;与证券交易、证券投资活动有关的财务顾问;证券承销与保荐;证券自营;证券资产管理;证券投资基金代销;融资融券业务;代销金融产品。</td></tr>
<tr><td>在全国股份转让系统从事的业务种类</td><td>经纪业务,推荐业务,做市业务</td></tr>
<tr><td>公司概况</td><td colspan="2">财富证券有限责任公司(以下简称"财富证券")是湖南省内注册的法人证券公司,注册资本21.36亿元,总部位于湖南省长沙市芙蓉中路二段80号顺天国际财富中心26层,在深圳设有分公司,在北京设有办事处,公司控股德盛期货公司和深圳惠和投资有限公司,形成综合性的证券业务平台,全方位满足企业与投资者的金融服务需求。公司现有35家证券营业部,其中湖南省内29家,分布在省内各地级市及部分经济发达的县级市;湖南省外6家,分布在北京、深圳、天津和温州,服务客户数量40多万户,管理着400多亿元的客户资产,市场占有率稳步提升。
公司拥有一支年轻化、专业化、综合素质高的员工团队,公司现有员工1145人,其中高级管理人员10人,且拥有包括投资分析师、投资顾问和海外留学人员等在内的各种高端人才。公司业务范围包括:证券投资咨询;证券经纪;与证券交易、证券投资活动有关的财务顾问;证券承销;证券自营;证券资产管理;证券投资基金代销;融资融券业务;代销金融产品。公司致力于打造全国一流证券公司,始终秉承"忠诚、担当、求是、图强"的经营理念,在省委省政府、证券监管部门和各有关方面的大力指导和支持下,快速发展壮大,架构体系逐步健全,制度体系逐步完善,业务范围不断拓宽,形成了包括经纪业务、投资银行、证券投资、固定收益、资产管理、融资融券、场外业务、期货业务等在内的多元化、系统化业务发展格局。截至2014年6月末,公司总资产规模达113.45亿元、净资产29.03亿元,净资本23.49亿元。资本实力和抗风险能力极大增强,行业排名不断上升,核心竞争力持续增强。</td></tr>
</table>

二、业务动态

<table>
<tr><td colspan="5">推荐挂牌情况</td></tr>
<tr><td>序号</td><td>股份代码</td><td>公司名称</td><td>挂牌日期</td><td>公司状态</td></tr>
<tr><td>1</td><td>430211</td><td>丰电科技</td><td>2013－01－30</td><td>挂牌</td></tr>
<tr><td>2</td><td>430630</td><td>合胜科技</td><td>2014－01－24</td><td>挂牌</td></tr>
<tr><td>3</td><td>430447</td><td>广信科技</td><td>2014－01－24</td><td>挂牌</td></tr>
<tr><td>4</td><td>430592</td><td>凯德自控</td><td>2014－01－24</td><td>挂牌</td></tr>
<tr><td>5</td><td>830872</td><td>长信畅中</td><td>2014－07－23</td><td>挂牌</td></tr>
<tr><td>6</td><td>830937</td><td>信达电梯</td><td>2014－08－04</td><td>挂牌</td></tr>
<tr><td>7</td><td>830872</td><td>翔维科技</td><td>2014－08－21</td><td>挂牌</td></tr>
<tr><td>8</td><td>831943</td><td>西格码</td><td>2015－02－17</td><td>挂牌</td></tr>
<tr><td>9</td><td>832324</td><td>金瀚高新</td><td>2015－04－14</td><td>挂牌</td></tr>
<tr><td>10</td><td>832411</td><td>海龙国际</td><td>2015－05－08</td><td>挂牌</td></tr>
<tr><td>11</td><td>832385</td><td>快乐传媒</td><td>2015－05－20</td><td>挂牌</td></tr>
<tr><td>12</td><td>832557</td><td>智多星</td><td>2015－06－05</td><td>挂牌</td></tr>
<tr><td>13</td><td>832530</td><td>麦融高科</td><td>2015－06－11</td><td>挂牌</td></tr>
<tr><td>14</td><td>832672</td><td>浏阳河</td><td>2015－06－30</td><td>挂牌</td></tr>
<tr><td>15</td><td>833245</td><td>华望科技</td><td>2015－08－19</td><td>挂牌</td></tr>
<tr><td>16</td><td>833615</td><td>博雅智能</td><td>2015－09－28</td><td>挂牌</td></tr>
<tr><td colspan="2">目前已推荐挂牌公司家数</td><td colspan="3">16</td></tr>
<tr><td colspan="2">撤回材料及申请被否公司家数</td><td colspan="3">0</td></tr>
<tr><td colspan="2">正在挂牌公司家数</td><td colspan="3">16</td></tr>
<tr><td colspan="2">已上市公司家数</td><td colspan="3">0</td></tr>
<tr><td colspan="2">已被终止挂牌公司家数</td><td colspan="3">0</td></tr>
<tr><td colspan="5">推荐定向发行情况</td></tr>
<tr><td>序号</td><td>股份代码</td><td>公司名称</td><td>发行日期</td><td>公司状态</td></tr>
<tr><td>1</td><td>430592</td><td>凯德自控</td><td>2014－1－24</td><td>发行成功</td></tr>
<tr><td>2</td><td>430592</td><td>凯德自控</td><td>2014－10－16</td><td>发行成功</td></tr>
<tr><td>3</td><td>830937</td><td>信达电梯</td><td>2015－1－21</td><td>发行成功</td></tr>
<tr><td>4</td><td>830872</td><td>长信畅中</td><td>2015－2－11</td><td>发行成功</td></tr>
<tr><td>5</td><td>830937</td><td>信达智能</td><td>2015－3－27</td><td>发行成功</td></tr>
<tr><td>6</td><td>831327</td><td>飞翼股份</td><td>2015－5－13</td><td>发行成功</td></tr>
</table>

7	832385	快乐传媒	2015－5－20	发行成功
8	430211	丰电科技	2015－7－3	发行成功
9	430319	欧萨咨询	2015－7－14	发行成功
10	430447	广信科技	2015－7－31	发行成功
11	830937	信达智能	2015－8－14	发行成功
12	832324	金翰高新	2015－10－9	发行成功
推荐定向发行次数		12		
推荐定向发行成功次数		12		
推荐定向发行失败次数		0		
推荐原代办股份转让系统的两网公司及退市公司挂牌情况				
序号	股份代码	公司名称		
推荐原代办股份转让系统的两网公司及退市公司家数		0		

三、部门设置

经纪业务				
人员	姓名	固定电话	传真	Email
经纪业务联络人	刘明辉	0731－84403427	0731－84403439	liumh@ cfzq. com
经纪业务联络人	贺红	0731－84403497	0731－84403439	hehong@ cfzq. com
推荐业务				
人员	姓名	固定电话	传真	Email
推荐业务联络人	黄志程	0731－84403447	0731－84779508	huangzc1@ cfzq. com
推荐业务联络人	向丽	0731－84403312	0731－84779508	xiangli@ cfzq. com

东莞证券股份有限公司

一、公司简介及概况

<table>
<tr><td rowspan="9">公司简介</td><td>公司名称</td><td colspan="5">东莞证券股份有限公司</td></tr>
<tr><td>成立日期</td><td>1988－6－11</td><td>法定代表人</td><td>张运勇</td><td>总经理</td><td>陈照星</td></tr>
<tr><td>注册资本（万元）</td><td>150,000</td><td>净资产*（万元）</td><td>317,266.93</td><td>净资本*（万元）</td><td>241,809.89</td></tr>
<tr><td>注册地址</td><td colspan="3">广东省东莞市莞城区可园南路一号</td><td>营业部家数</td><td>58</td></tr>
<tr><td>办公地址</td><td colspan="3">广东省东莞市莞城区可园南路一号金源中心30楼</td><td>邮编</td><td>523000</td></tr>
<tr><td>公司网址</td><td>www. dgzq. com. cn</td><td>电子邮箱</td><td>dgzq@ sina. cn</td><td>经营证券业务许可证编号</td><td>10170000</td></tr>
<tr><td colspan="6">注：*经审计的最近年度净资产和净资本</td></tr>
<tr><td colspan="3">证监会批准从事的证券业务</td><td colspan="3">公司经营范围：证券经纪；证券投资咨询；与证券交易、证券投资活动有关的财务顾问；证券承销与保荐；证券自营；证券资产管理；融资融券；证券投资基金代销；为期货公司提供中间介绍业务；代销金融产品。公司还具有其他经批准的业务资格：见证开户；网上开户；参与股指期货、国债期货交易；港股通业务；收益凭证业务；转融通业务；转融通证券出借交易权限；股票质押式回购业务；债券质押式报价回购业务；约定购回式证券交易业务；直接投资业务；主办券商业务（推荐业务、经纪业务、做市商业务）；中小企业私募债承销业务；银行间债券交易；银行间同业拆借市场同业拆借。</td></tr>
<tr><td colspan="3">在全国股份转让系统从事的业务种类</td><td colspan="3">经纪业务，推荐业务，做市业务</td></tr>
</table>

公司概况	东莞证券成立于1988年6月,注册资本15亿元,是国有控股的全国性综合类证券公司,也是全国首批承销保荐机构之一。公司业务范围涵盖了经纪、投资咨询、财务顾问、承销与保荐、证券自营、资产管理、基金代销、期货IB、直接投资、融资融券、做市、股票期权经纪业务等领域。截至2014年底,公司有分支机构57家(其中营业网点54家,上海分公司1家,深圳分公司1家,北京办事处1家),营业网点遍布珠三角、长三角及环渤海经济圈,"立足东莞、面向华南、走向全国"的格局基本形成。公司全资拥有东证锦信投资管理有限公司,并参股华联期货有限公司。公司紧跟国家政策和行业发展动态,不断丰富公司业务品种,大力优化收入来源结构。当前,公司以经纪、资管、投行三大业务为核心,积极发展两融、直投、债融、新三板和投资咨询等业务,实现了从收入来源单一型券商向收入来源多元化型券商的转型。

二、业务动态

推荐挂牌情况				
序号	股份代码	公司名称	挂牌日期	公司状态
1	430394	伯朗特	2014-01-24	挂牌
2	430406	奥美格	2014-01-24	挂牌
3	430419	三凯股份	2014-01-24	挂牌
4	430571	科硕科技	2014-01-24	挂牌
5	430632	希奥股份	2014-02-14	挂牌
6	830804	日新传导	2014-06-12	已被终止挂牌
7	830830	新昶虹	2014-07-07	挂牌
8	830969	智通人才	2014-08-13	挂牌
9	831060	天香苑	2014-08-29	挂牌
10	831250	维涅斯	2014-10-29	挂牌
11	831329	海源达	2014-11-12	挂牌
12	831386	风华环保	2014-12-02	挂牌
13	831455	粤林股份	2014-12-12	挂牌
14	831647	联瑞新材	2015-01-15	挂牌
15	831603	金润和	2015-01-16	挂牌
16	831627	力王股份	2015-01-16	挂牌
17	831667	永晟科技	2015-01-16	挂牌
18	831816	兴锐科技	2015-01-29	挂牌
19	831881	鑫聚光电	2015-01-29	挂牌
20	832039	科雷特	2015-03-11	挂牌
21	832158	金森源	2015-03-17	挂牌
22	832239	恒鑫智能	2015-04-07	挂牌
23	832209	新比克斯	2015-04-09	挂牌
24	832172	倍通股份	2015-04-10	挂牌
25	832321	福华股份	2015-04-16	挂牌
26	832472	裕丰食品	2015-05-21	挂牌
27	832501	中星科技	2015-05-28	挂牌
28	832856	一滕股份	2015-07-22	挂牌
29	832907	宏华股份	2015-07-24	挂牌
30	832913	西奥科技	2015-07-24	挂牌
31	833012	和凡医药	2015-07-28	挂牌
32	833127	晶品压塑	2015-07-30	挂牌
33	833103	兆舜科技	2015-07-30	挂牌
34	833023	速普得	2015-07-31	挂牌
35	833282	康达新能	2015-08-14	挂牌
36	833447	凯力船艇	2015-08-31	挂牌
37	833476	点动股份	2015-09-02	挂牌

38	833488	伟旺达	2015-09-02	挂牌
39	833474	利扬芯片	2015-09-07	挂牌
40	833535	新青年	2015-09-10	挂牌
41	833706	博远高科	2015-10-09	挂牌
42	833738	大象股份	2015-10-16	挂牌
43	833921	文胜生物	2015-10-28	挂牌
44	834125	林中宝	2015-11-05	挂牌
45	834244	星美灿	2015-11-16	挂牌
目前已推荐挂牌公司家数		45		
撤回材料及申请被否公司家数		0		
正在挂牌公司家数		44		
已上市公司家数		0		
已被终止挂牌公司家数		1		
推荐定向发行情况				
序号	股份代码	公司名称	发行日期	公司状态
1	430632	希奥股份	2014-02-13	发行成功
2	430394	伯朗特	2014-06-30	发行成功
3	430394	伯朗特	2014-10-20	发行成功
4	430394	伯朗特	2015-03-06	发行成功
5	430394	伯朗特	2015-03-06	发行成功
6	430394	伯朗特	2015-03-06	发行成功
7	831060	天香苑	2015-04-02	发行成功
8	830830	新昶虹	2015-04-03	发行成功
9	430406	奥美格	2015-04-03	发行成功
10	832209	新比克斯	2015-04-09	发行成功
11	430406	奥美格	2015-04-16	发行成功
12	831647	联瑞新材	2015-05-21	发行成功
13	831386	风华环保	2015-06-05	发行成功
14	831386	风华环保	2015-06-05	发行成功
15	831603	金润和	2015-06-15	发行成功
16	831816	兴锐科技	2015-06-24	发行成功
17	831627	力王股份	2015-06-26	发行成功
18	831669	永晟科技	2015-07-01	发行成功
19	831060	天香苑	2015-07-03	发行成功
20	430632	希奥股份	2015-07-15	发行成功
21	832172	倍通股份	2015-07-20	发行成功
22	832209	新比克斯	2015-07-28	发行成功
23	832209	新比克斯	2015-07-28	发行成功
24	833103	兆舜科技	2015-07-30	发行成功
25	833127	晶品压塑	2015-07-30	发行成功
26	832872	飞新达	2015-08-20	发行成功
27	833476	点动股份	2015-09-02	发行成功
28	833476	点动股份	2015-09-02	发行成功
29	832209	新比克斯	2015-09-09	发行成功
30	831699	永晟科技	2015-10-10	发行成功
31	831455	粤林股份	2015-10-20	发行成功
32	831627	力王股份	2015-11-05	发行成功
推荐定向发行次数		32		
推荐定向发行成功次数		32		

推荐定向发行失败次数		0
推荐原代办股份转让系统的两网公司及退市公司挂牌情况		
序号	股份代码	公司名称
推荐原代办股份转让系统的两网公司及退市公司家数		0

三、部门设置

经纪业务				
人员	姓名	固定电话	传真	Email
经纪业务联络人	汪雪亮	0769－22112151	0769－22119426	wangxueliang@ dgzq. com. cn
经纪业务联络人	何柱枢	0769－22119351	0769－22119426	hzs@ dgzq. com. cn
推荐业务				
人员	姓名	固定电话	传真	Email
推荐业务联络人	谢丽轩	0769－22116087	0769－22118607	xlxhime@ foxmail. com
推荐业务联络人	罗安琪	0769－22116087	0769－22118607	luoanqi0129@ foxmail. com

华安证券股份有限公司

一、公司简介及概况

公司简介	公司名称	华安证券股份有限公司				
	成立日期	2001－1－8	法定代表人	李　工	总经理	章宏韬
	注册资本（万元）	282,100	净资产*（万元）	490,016	净资本*（万元）	278,471
	注册地址	安徽省合肥市政务文化新区天鹅湖路198号			营业部家数	104
	办公地址	安徽省合肥市政务文化新区天鹅湖路198号			邮编	230081
	公司网址	www. hazq. com	电子邮箱	bgs@ hazq. com	经营证券业务许可证编号	Z23734000
	注：*经审计的最近年度净资产和净资本					
	证监会批准从事的证券业务			证券经纪；证券投资咨询；与证券交易、证券投资活动有关的财务顾问；证券承销与保荐；证券自营；证券资产管理；融资融券；代销金融产品；证券投资基金代销；为期货公司提供中间介绍业务。		
	在全国股份转让系统从事的业务种类			经纪业务，推荐业务，做市业务		
公司概况	华安证券股份有限公司前身为安徽省证券公司，是经中国证监会证监许可〔2012〕1409号文核准，由安徽省最早设立的综合类证券公司——华安证券有限责任公司整体变更设立的股份有限公司，注册资本28.21亿元。公司是华富基金管理有限公司的主发起人和第一大股东，控股华安期货有限责任公司，参股安徽省股权托管交易中心有限责任公司，全资拥有华富嘉业投资管理有限公司和安徽华安新兴证券投资咨询有限责任公司，已初步建立起集团化发展框架。2013年，公司实现净利润2.44亿，截至2013年末，公司净资产43.58亿元，净资本27.85亿元。2014年4月，中国证监会在网站预披露公司招股说明书，公司拟登陆上交所。公司业务范围涵盖证券经纪，证券投资咨询，与证券交易、证券投资活动有关的财务顾问，证券承销与保荐，证券自营，证券资产管理，融资融券，代销金融产品，证券投资基金代销，为期货公司提供中间介绍等，为广大客户提供专业高效的投资和融资服务。公司现有股东16家，主要股东均为国有大型企业集团和上市公司，具有较强的综合实力，为公司的持续发展提供了有力支撑。历经二十多年风雨洗礼，公司建立了完善的现代企业制度和规范的法人治理结构，并形成了稳健务实的经营风格。按照“专业分工、精简高效、风险隔离”原则，设置有17个职能管理和业务部门。公司现有营业网点104家，遍布全国各大中心城市及安徽全省，网点数量在全国100多家证券公司中位居前列。公司各项业务秉承“客户价值优先”的原则，坚持把满足客户需求、提升客户价值作为经营管理工作的出发点和落脚点。华安证券长期以来坚持“法制、监管、自律、规范”的方针，以改革创新为动力，以集约经营为途径，以强化管理为基础，以防范风险为保障，坚持“诚信、稳健、专业、和谐”的经营理念，坚持“惠及员工、回报股东、奉献社会”的企业使命，努力推进“规范化、集团化、国际化”的发展战略，不断增强公司核心竞争力，力争将公司建设成为规模适度、服务专业、风控严密、机制灵活、管理有效的综合性证券服务平台。						

二、业务动态

推荐挂牌情况				
序号	股份代码	公司名称	挂牌日期	公司状态
1	430494	华博胜讯	2014－01－10	挂牌
2	430499	中科股份	2014－01－24	挂牌
3	430503	昌盛股份	2014－01－24	挂牌
4	430718	合肥高科	2014－05－05	挂牌
5	831088	华恒生物	2014－08－22	挂牌
6	831035	中天利	2014－08－22	挂牌
7	831220	新宁股份	2014－10－21	挂牌
8	831240	祺景光电	2014－10－31	挂牌
9	831525	学府信息	2014－12－19	挂牌
10	831565	润成科技	2014－12－31	挂牌
11	831690	恒升机床	2015－01－13	挂牌
12	832645	高德信	2015－06－23	挂牌
13	832785	国通亿创	2015－07－16	挂牌
14	832837	莱姆佳	2015－07－16	挂牌
15	832917	惠洲院	2015－07－28	挂牌
16	832875	富仕德	2015－07－29	挂牌
17	833571	锁龙消防	2015－09－18	挂牌
18	833992	普菲特	2015－10－21	挂牌
19	834180	鸿立光电	2015－11－06	挂牌
20	834323	韩华建材	2015－11－17	挂牌
目前已推荐挂牌公司家数		20		
撤回材料及申请被否公司家数		0		
正在挂牌公司家数		20		
已上市公司家数		0		
已被终止挂牌公司家数		0		
推荐定向发行情况				
序号	股份代码	公司名称	发行日期	公司状态
1	430503	昌盛股份	2014－7－8	发行成功
2	831088	华恒生物	2014－12－22	发行成功
3	831088	华恒生物	2015－3－4	发行成功
4	831088	华恒生物	2015－6－26	发行成功
5	831220	新宁股份	2015－7－6	发行成功
6	832917	惠洲院	2015－7－8	发行成功
7	831035	中天利	2015－8－24	发行成功
8	834323	韩华建材	2015－9－9	发行成功
9	832645	高德信	2015－9－11	发行成功
推荐定向发行次数		9		
推荐定向发行成功次数		9		
推荐定向发行失败次数		0		
推荐原代办股份转让系统的两网公司及退市公司挂牌情况				
序号	股份代码	公司名称		
推荐原代办股份转让系统的两网公司及退市公司家数		0		

三、部门设置

经纪业务				
人员	姓名	固定电话	传真	Email
经纪业务联络人	汲扬	0551－65161688	0551－65161672	874421937@qq.com
经纪业务联络人	张景智	0551－65161829	0551－65161672	zhangjingzhi127@outlook.com
推荐业务				
人员	姓名	固定电话	传真	Email
推荐业务联络人	林玉珑	0551－65161650－8016	0551－65161659	hazqneeq@126.com
推荐业务联络人	李坤阳	0551－65161650－8027	0551－65161659	2192366753@qq.com

华龙证券股份有限公司

一、公司简介及概况

公司简介	公司名称	华龙证券有限责任公司				
	成立日期	2001－4－30	法定代表人	李晓安	总经理	韩　鹏
	注册资本（万元）	220,000	净资产＊（万元）	350,814	净资本＊（万元）	192,804
	注册地址	甘肃省兰州市城关区东岗西路638号兰州财富中心21楼			营业部家数	43
	办公地址	甘肃省兰州市城关区东岗西路638号兰州财富中心21楼			邮编	730000
	公司网址	www.hlzqgs.com	电子邮箱	hlzq@hlzqgs.com	经营证券业务许可证编号	Z10662000
	注：＊经审计的最近年度净资产和净资本					
	证监会批准从事的证券业务			证券经纪；证券投资咨询；与证券交易、证券投资活动有关的财务顾问；证券承销与保荐；证券自营；证券资产管理；融资融券。		
	在全国股份转让系统从事的业务种类			推荐业务，经纪业务，做市业务		
公司概况	华龙证券股份有限公司是由甘肃省人民政府组织筹建，于2001年4月30日成立的综合类证券经营机构。2011年，公司成功实施了新一轮增资扩股，注册资本达到215,339万元。主要股东有甘肃省人民政府国有资产监督管理委员会、兰州银行股份有限公司、江苏阳光集团、晶龙实业集团、江苏三房巷创业投资有限公司、江阴澄星实业集团有限公司等。公司目前各项证券业务资质齐全。能够为客户提供证券经纪、保荐承销、投资咨询、债券发行、资产管理、股权投资、股转系统业务等与证券交易、证券投资活动有关的综合性一揽子金融服务。公司在北京、上海、深圳、重庆、杭州、无锡、乌鲁木齐、合肥、西安和兰州等主要城市设有近40家经营机构，在北京设立了投资银行专业分公司。 公司还发起设立了华商基金管理公司，控股子公司甘肃陇达期货公司，全资子司金城资本管理公司，公司已成长为专业财富资本管理机构、现代金融服务集团、国有大型投资机构。公司拥有广泛的客户资源和良好的社会形象，先后成功保荐一汽集团启明信息、北大荒、浙江龙盛、祁连山等十多家大型企业的上市与融资。经国家科技部、教育部批准，公司设有博士后流动工作站，拥有一大批高学历、高素质的专业人才。公司坚持“借力西部，放眼全国”的发展战略，凭借专业化的优质服务，诚信、务实、高效、敬业的团队精神，在竞争激烈的中国证券服务业中稳步提升份额。2009年成功保荐首批创业板上市企业发行上市，成为首批保荐企业在创业板上市的全国17家证券公司之一。公司财务稳健，资产优良，各项财务风险监管指标持续符合中国证监会监管要求，营业收入和利润稳定增长，具有较强的竞争优势和良好的发展潜力。						

二、业务动态

推荐挂牌情况				
序号	股份代码	公司名称	挂牌日期	公司状态
1	430136	安普能	2012－09－07	挂牌
2	430209	康孚科技	2013－01－22	挂牌
3	430431	枫盛阳	2014－01－24	挂牌
4	430682	中天羊业	2014－04－11	挂牌
5	430736	中江种业	2014－05－05	挂牌
6	430727	金格科技	2014－05－06	挂牌

7	830815	蓝山科技	2014 - 06 - 20	挂牌
8	831533	绩优股份	2014 - 12 - 18	挂牌
9	832040	神木药业	2015 - 03 - 09	挂牌
10	832100	泰利思诺	2015 - 03 - 09	挂牌
11	832215	瀚盛建工	2015 - 04 - 02	挂牌
12	832561	天奇科技	2015 - 06 - 12	挂牌
13	832608	天禹星	2015 - 06 - 17	挂牌
14	832663	金苹果	2015 - 06 - 30	挂牌
15	832755	施泰信息	2015 - 07 - 15	挂牌
16	832870	博浪股份	2015 - 07 - 23	挂牌
17	832946	白茶股份	2015 - 07 - 24	挂牌
18	833074	优万科技	2015 - 07 - 30	挂牌
19	833335	天水风动	2015 - 08 - 14	挂牌
20	833317	粤珍小厨	2015 - 08 - 14	挂牌
21	833298	悦高软件	2015 - 08 - 17	挂牌
22	833462	华瑞农业	2015 - 09 - 01	挂牌
23	833570	万全物流	2015 - 09 - 16	挂牌
24	833774	创建达一	2015 - 10 - 20	挂牌
目前已推荐挂牌公司家数		24		
撤回材料及申请被否公司家数		0		
正在挂牌公司家数		24		
已上市公司家数		0		
已被终止挂牌公司家数		0		
推荐定向发行情况				
序号	股份代码	公司名称	发行日期	公司状态
1	430431	枫盛阳	2014 - 5 - 26	发行成功
2	830815	蓝山科技	2014 - 8 - 19	发行成功
3	430682	中天羊业	2015 - 2 - 6	发行成功
4	830815	蓝山科技	2015 - 3 - 9	发行成功
5	830815	蓝山科技	2015 - 3 - 9	发行成功
6	830815	蓝山科技	2015 - 3 - 9	发行成功
7	430727	金格科技	2015 - 3 - 24	发行成功
8	430209	康孚科技	2015 - 4 - 3	发行成功
9	430431	枫盛阳	2015 - 5 - 13	发行成功
10	831533	绩优股份	2015 - 6 - 5	发行成功
11	430209	康孚科技	2015 - 7 - 16	发行成功
12	430736	中江种业	2015 - 7 - 21	发行成功
13	430682	中天羊业	2015 - 8 - 3	发行成功
14	430136	安普能	2015 - 8 - 14	发行成功
15	832040	神木药业	2015 - 8 - 21	发行成功
16	832040	神木药业	2015 - 8 - 21	发行成功
17	832040	神木药业	2015 - 8 - 21	发行成功
18	832040	神木药业	2015 - 8 - 21	发行成功
19	430431	枫盛阳	2015 - 9 - 22	发行成功
20	831533	绩优股份	2015 - 9 - 24	发行成功
推荐定向发行次数		20		
推荐定向发行成功次数		20		
推荐定向发行失败次数		0		

推荐原代办股份转让系统的两网公司及退市公司挂牌情况		
序号	股份代码	公司名称
推荐原代办股份转让系统的两网公司及退市公司家数		0

三、部门设置

经纪业务				
人员	姓名	固定电话	传真	Email
经纪业务联络人	武芳	0931－4890100	0931－4890118	Hlzqwf@163.com
推荐业务				
人员	姓名	固定电话	传真	Email
推荐业务联络人	赵炜	010－88086668	010－88087880	vivia_zhao@aliyun.com

首创证券有限责任公司

一、公司简介及概况

公司简介	公司名称	首创证券有限责任公司				
	成立日期	2000－2－3	法定代表人	吴　涛	总经理	毕劲松
	注册资本（万元）	65,000	净资产*（万元）	256,661.7	净资本*（万元）	151,355.99
	注册地址	北京市西城区德胜门外大街115号德胜尚城E座			营业部家数	41
	办公地址	北京市西城区德胜门外大街115号德胜尚城E座			邮编	100088
	公司网址	www.sczq.com.cn	电子邮箱	sczq@sczq.com.cn	经营证券业务许可证编号	10760000
	注：*经审计的最近年度净资产和净资本					
	证监会批准从事的证券业务			证券经纪；证券投资咨询；与证券交易、证券投资活动有关的财务顾问；证券承销与保荐；证券自营；证券投资基金销售；证券资产管理；融资融券；代销金融产品。		
	在全国股份转让系统从事的业务种类			推荐业务，经纪业务，做市业务		
公司概况	首创证券有限责任公司于2000年在北京成立，是北京市国资委所属首创集团控股的综合类证券公司。公司注册资本65,000万元人民币，现有股东包括北京首都创业集团有限公司、北京能源投资（集团）有限公司、中国石化财务有限责任公司等多家大型企业。经过十多年快速发展，首创证券由成立时仅一家营业部的证券经纪公司逐步发展成为业务种类基本齐全、下辖41家营业部的综合类证券公司，并先后参股中邮创业基金管理有限公司，控股京都期货有限公司。公司经营范围涵盖证券经纪、承销、自营、投资咨询、资产管理、融资融券等多项金融业务，可为客户提供多元化金融服务。首创证券一直坚持“稳健经营、规范管理”的经营原则，高度重视健全内部管理体制和完善风险防范机制，逐步形成了一套具有自身特色、符合证券业规范运作要求的制度化管理体系。根据证券市场发展趋势，公司不断优化自身业务结构，逐渐形成了以证券经纪业务为基础，投资银行、固定收益业务等中高端中介业务为重点的业务架构。近年来，随着证券市场金融创新趋势日益加快，公司加大了创新业务研究力量与投入力度，为资产管理、融资融券、股份挂牌转让、中小企业私募债券等创新业务搭建起良好的发展平台。					

二、业务动态

推荐挂牌情况				
序号	股份代码	公司名称	挂牌日期	公司状态
1	430268	恒信启华	2013－07－23	挂牌
2	430362	东电创新	2013－12－26	挂牌
3	430610	瀚远科技	2014－01－24	挂牌
4	430366	金天地	2014－01－24	挂牌

5	430680	联兴科技	2014－04－10	挂牌
6	430701	立德股份	2014－04－24	挂牌
7	830882	佳龙股份	2014－07－24	挂牌
8	830999	银橙传媒	2014－08－13	挂牌
9	831074	佳力科技	2014－08－20	挂牌
10	831127	祺龙股份	2014－08－20	已被终止挂牌
11	831181	莱特九州	2014－10－09	挂牌
12	831259	津福斯特	2014－11－04	挂牌
13	831497	事成股份	2014－12－15	挂牌
14	831564	欧伏电气	2014－12－26	挂牌
15	831702	源怡股份	2015－01－14	挂牌
16	831833	红冠庄	2015－01－21	挂牌
17	831878	先锋科技	2015－01－27	挂牌
18	832038	宁夏新龙	2015－02－25	挂牌
19	832177	晶鑫股份	2015－03－30	挂牌
20	832252	荣进睿达	2015－04－07	挂牌
21	832571	点击网络	2015－06－08	挂牌
22	832714	思晗科技	2015－07－14	挂牌
23	832820	慧通股份	2015－07－16	挂牌
24	832971	卡司通	2015－08－06	挂牌
25	833456	世纪天鸿	2015－09－15	挂牌
26	833320	图卫科技	2015－09－16	挂牌
27	833344	巨网科技	2015－09－24	挂牌
28	833726	蜂派科技	2015－09－30	挂牌
29	833466	盛盈汇	2015－10－14	挂牌
30	833497	小田冷链	2015－10－14	挂牌
31	833962	方富资本	2015－10－20	挂牌
目前已推荐挂牌公司家数		31		
撤回材料及申请被否公司家数		0		
正在挂牌公司家数		30		
已上市公司家数		0		
已被终止挂牌公司家数		1		
推荐定向发行情况				
序号	股份代码	公司名称	发行日期	公司状态
1	430362	东电创新	2013－12－26	发行成功
2	430366	金天地	2014－4－4	发行成功
3	430362	东电创新	2014－6－10	发行成功
4	830999	银橙传媒	2014－8－13	发行成功
5	430701	立德股份	2014－9－10	发行成功
6	831259	津福斯特	2014－11－4	发行成功
7	831833	红冠庄	2015－1－21	发行成功
8	832571	点击网络	2015－3－17	发行成功
9	832571	点击网络	2015－4－23	发行成功
10	832971	卡司通	2015－5－18	发行成功
11	832714	思晗科技	2015－5－28	发行成功
12	832971	卡司通	2015－5－29	发行成功
13	833466	盛盈汇	2015－7－6	发行成功
14	833344	巨网科技	2015－8－28	发行成功

15	833344	巨网科技	2015－8－28	发行成功
推荐定向发行次数		15		
推荐定向发行成功次数		15		
推荐定向发行失败次数		0		
推荐原代办股份转让系统的两网公司及退市公司挂牌情况				
序号	股份代码	公司名称		
推荐原代办股份转让系统的两网公司及退市公司家数		0		

三、部门设置

经纪业务				
人员	姓名	固定电话	传真	Email
经纪业务联络人	刘宇	010－59366070	010－59366055	liuyu@ sczq. com. cn
经纪业务联络人	黄萌	010－59366064	010－59366055	huangmeng@ sczq. com. cn
推荐业务				
人员	姓名	固定电话	传真	Email
推荐业务联络人	郝建玲	010－59366155	010－59366161	haojianling@ sina. com
推荐业务联络人	唐洪广	010－59366172	010－59366161	tanghongguang@ sczq. com. cn

爱建证券有限责任公司

一、公司简介及概况

公司简介	公司名称	爱建证券有限责任公司				
	成立日期	2002－9－5	法定代表人	钱华	总经理	钱华
	注册资本（万元）	110,000.00	净资产＊（万元）	128,775.04	净资本＊（万元）	112,214.43
	注册地址	上海市世纪大道1600号32楼			营业部家数	20家
	办公地址	上海市世纪大道1600号32楼			邮编	200122
	公司网址	www. ajzq. com	电子邮箱	ajzq@ ajzq. com	经营证券业务许可证编号	Z31831000
	注：＊经审计的最近年度净资产和净资本					
	证监会批准从事的证券业务			证券经纪；证券投资咨询；与证券交易、证券投资活动有关的财务顾问；证券承销与保荐；证券自营；证券资产管理；证券投资基金代销；融资融券；代销金融产品。		
	在全国股份转让系统从事的业务种类			经纪业务，推荐业务，做市业务		
公司概况	爱建证券有限责任公司于2002年经中国证券监督管理委员会批准成立，公司总部所在地为上海市，设有18家证券营业部，员工总数500余人。公司形成了包括证券经纪、投资银行、证券投资、资产管理、固定收益等业务体系以及风险管理、研究咨询、信息技术等业务支持体系。2009年，上海陆家嘴金融发展有限公司入股公司，成为公司的控股股东。“诚信、稳健、开拓”是公司经营管理的核心理念。公司推行全面风险控制，倡导和推进合规文化建设，在实施严格管理、稳健经营和规范运作基础上，积极稳步开展各项业务的开拓与创新，不断做优做强，实现跨越式发展。公司已具备一支专业素质良好的员工队伍，力求以良好的专业技能和高度的敬业精神，为客户提供专业化、多元化、个性化的服务。公司倡导“以人为本、以德为先、人为为人”和“实事求是”为基础的企业文化管理，强调德为才帅、德才兼备的人才观，注重建设长期稳定的学习型组织。公司借助成功重组契机，以优秀的企业文化为导向，以崭新的企业机制为动力，以“服务客户、公益社会”为使命，致力于打造企业的核心竞争力，实现企业的持续健康发展，实现企业与社会的和谐发展。					

二、业务动态

推荐挂牌情况

序号	股份代码	公司名称	挂牌日期	公司状态
1	830855	盈谷股份	2014－07－04	挂牌
2	831135	永冠股份	2014－09－15	挂牌
3	831200	巨正源	2014－10－17	挂牌
4	831263	科华控股	2014－11－03	挂牌
5	831355	地源科技	2014－11－13	挂牌
6	831782	唯尔福	2015－01－26	挂牌
目前已推荐挂牌公司家数		6		
撤回材料及申请被否公司家数		0		
正在挂牌公司家数		6		
已上市公司家数		0		
已被终止挂牌公司家数		0		
推荐定向发行情况				
序号	股份代码	公司名称	发行日期	公司状态
1	830855	盈谷股份	2015－2－25	发行成功
2	831263	科华控股	2015－5－19	发行成功
3	831355	地源科技	2015－6－3	发行成功
4	831355	地源科技	2015－7－31	发行成功
5	831200	巨正源	2015－8－10	发行成功
推荐定向发行次数		5		
推荐定向发行成功次数		5		
推荐定向发行失败次数		0		
推荐原代办股份转让系统的两网公司及退市公司挂牌情况				
序号	股份代码	公司名称		
推荐原代办股份转让系统的两网公司及退市公司家数		0		

三、部门设置

经纪业务				
人员	姓名	固定电话	传真	Email
经纪业务联络人	胡燕华	021－32229888	021－68728703	huyanhua@ ajzq. com
推荐业务				
人员	姓名	固定电话	传真	Email
推荐业务联络人	俞婷	021－32229888	021－68728909	yuting@ ajzq. com
推荐业务联络人	吴克勤	021－68728910	021－68728909	wukeqin@ gmail. com

中国民族证券有限责任公司

一、公司简介及概况

公司简介	公司名称	中国民族证券有限责任公司				
	成立日期	2002－4－29	法定代表人	赵大建	总经理	徐子兵
	注册资本（万元）	448,655.31	净资产＊（万元）	688,137.48	净资本＊（万元）	622,764.53
	注册地址	北京市朝阳区北四环中路27号院5号楼			营业部家数	51
	办公地址	北京市朝阳区北四环中路27号盘古大观A座40－43层			邮编	100101
	公司网址	www. e5618. com	电子邮箱	tousu@ chinans. com. cn	经营证券业务许可证编号	Z10011000

<table>
<tr><td rowspan="3">公司简介</td><td colspan="2">注：* 经审计的最近年度净资产和净资本</td></tr>
<tr><td>证监会批准从事的证券业务</td><td>证券经纪；证券投资咨询；与证券交易、证券投资活动有关的财务顾问；证券承销与保荐；证券自营；证券资产管理；融资融券；证券投资基金代销；代销金融产品；保险兼业代理；为期货公司提供中间介绍业务等。</td></tr>
<tr><td>在全国股份转让系统从事的业务种类</td><td>经纪业务，推荐业务，做市业务</td></tr>
<tr><td>公司概况</td><td colspan="2">中国民族证券有限责任公司成立于2002年4月，是经中国证监会批准设立的综合类证券公司，注册地北京市，现注册资本44.86亿元人民币。总部位于北京市朝阳区北四环中路27号盘古大观A座40－43层，是上海证券交易所、深圳证券交易所的会员单位，拥有上交所席位30个、深交所席位19个。公司始终坚持依法稳健的经营理念，内部管理严格，运作规范，业务资质齐全，目前已取得的业务资格有：证券经纪；证券投资咨询；与证券交易、证券投资活动有关的财务顾问；证券承销与保荐；证券自营；证券资产管理；融资融券；证券投资基金代销；网上证券委托业务；证券业务外汇经营许可证；保险兼业代理；银行间债券市场成员；交易所债券市场成员；企业债券主承销商资格；IPO询价对象资格；LOF基金申购赎回代理销售业务资格；上证基金通业务资格；全国股份转让系统主办券商业务资格；中小企业私募债券承销业务资格等。公司坚持合规经营，近年来公司整体实力显著增强，各项业务排名逐年上升。截至2013年末，公司资产总额140.18亿元，净资本62.82亿元，未分配利润6.08亿元。全年累计实现营业收入10.40亿元，营业支出8.35亿元，净利润1.54亿元，连续八年盈利。公司坚持推进品牌建设，树立公司良好形象。随着公司法人治理结构的逐步完善，逐渐培育和形成了以"诚信、和谐、进取、规范"为核心的中国民族证券企业文化，各项业务发展呈现良好态势，在部分领域取得了新的突破，得到了监管部门和业内的好评，先后有22个单位和部门、42人次获得省部级以上"五一劳动奖状"、"工人先锋号"、"青年文明号"等荣誉称号73个，其中获得全国级先进集体有11个，先进个人6个。</td></tr>
</table>

二、业务动态

<table>
<tr><td colspan="5">推荐挂牌情况</td></tr>
<tr><td>序号</td><td>股份代码</td><td>公司名称</td><td>挂牌日期</td><td>公司状态</td></tr>
<tr><td>1</td><td>430184</td><td>北方跃龙</td><td>2012－12－26</td><td>挂牌</td></tr>
<tr><td>2</td><td>430375</td><td>星立方</td><td>2014－01－24</td><td>挂牌</td></tr>
<tr><td>3</td><td>430643</td><td>蓝科泰达</td><td>2014－02－20</td><td>挂牌</td></tr>
<tr><td>4</td><td>430716</td><td>爱力浦</td><td>2014－04－30</td><td>挂牌</td></tr>
<tr><td>5</td><td>830856</td><td>合矿股份</td><td>2014－07－15</td><td>挂牌</td></tr>
<tr><td>6</td><td>830989</td><td>北方空间</td><td>2014－08－12</td><td>挂牌</td></tr>
<tr><td>7</td><td>831802</td><td>智华信</td><td>2015－01－15</td><td>挂牌</td></tr>
<tr><td>8</td><td>831568</td><td>张铁军</td><td>2015－01－15</td><td>挂牌</td></tr>
<tr><td>9</td><td>831746</td><td>弘奥生物</td><td>2015－01－15</td><td>挂牌</td></tr>
<tr><td>10</td><td>832058</td><td>东联科技</td><td>2015－03－04</td><td>挂牌</td></tr>
<tr><td>11</td><td>832145</td><td>恒合股份</td><td>2015－03－12</td><td>挂牌</td></tr>
<tr><td>12</td><td>832260</td><td>瑞特科技</td><td>2015－04－20</td><td>挂牌</td></tr>
<tr><td colspan="2">目前已推荐挂牌公司家数</td><td colspan="3">12</td></tr>
<tr><td colspan="2">撤回材料及申请被否公司家数</td><td colspan="3">0</td></tr>
<tr><td colspan="2">正在挂牌公司家数</td><td colspan="3">12</td></tr>
<tr><td colspan="2">已上市公司家数</td><td colspan="3">0</td></tr>
<tr><td colspan="2">已被终止挂牌公司家数</td><td colspan="3">0</td></tr>
<tr><td colspan="5">推荐定向发行情况</td></tr>
<tr><td>序号</td><td>股份代码</td><td>公司名称</td><td>发行日期</td><td>公司状态</td></tr>
<tr><td>1</td><td>430184</td><td>北方跃龙</td><td>2013－6－3</td><td>发行成功</td></tr>
<tr><td colspan="2">推荐定向发行次数</td><td colspan="3">1</td></tr>
<tr><td colspan="2">推荐定向发行成功次数</td><td colspan="3">1</td></tr>
<tr><td colspan="2">推荐定向发行失败次数</td><td colspan="3">0</td></tr>
<tr><td colspan="5">推荐原代办股份转让系统的两网公司及退市公司挂牌情况</td></tr>
<tr><td>序号</td><td>股份代码</td><td colspan="3">公司名称</td></tr>
<tr><td colspan="2">推荐原代办股份转让系统的两网公司及退市公司家数</td><td colspan="3">0</td></tr>
</table>

三、部门设置

经纪业务				
人员	姓名	固定电话	传真	Email
经纪业务联络人	尹俊	010 – 59355545	010 – 56437012	yinj@ chinans. com. cn
经纪业务联络人	赵亮	010 – 59355951	010 – 56437012	jgzhaol@ chinans. com. cn
推荐业务				
人员	姓名	固定电话	传真	Email
推荐业务联络人	王晓光	010 – 59355905	010 – 56437019	wangxiaoguang@ chinans. com. cn
推荐业务联络人	王梦茜	010 – 59355725	010 – 56437019	wangmx@ chinans. com. cn

国金证券股份有限公司

一、公司简介及概况

公司简介	公司名称	国金证券股份有限公司				
	成立日期	1996 – 12 – 20	法定代表人	冉云	总经理	金鹏
	注册资本（万元）	302,435.93	净资产*（万元）	982,192.97	净资本*（万元）	803,451.59
	注册地址	成都市青羊区东城根上街95号			营业部家数	40
	办公地址	成都市青羊区东城根上街95号成证大厦16楼			邮编	610015
	公司网址	www. gjzq. com. cn	电子邮箱	bgs@ gjzq. com. cn	经营证券业务许可证编码	Z28051000
	注：*经审计的最近年度净资产和净资本					
	证监会批准从事的证券业务			证券经纪；证券投资咨询；与证券交易、证券投资活动有关的财务顾问；证券承销与保荐；证券自营；融资融券；证券资产管理；证券投资基金代销；为期货公司提供中间介绍业务。		
	在全国股份转让系统从事的业务种类			经纪业务，推荐业务，做市业务		
公司概况	国金证券股份有限公司（以下简称"国金证券"）是一家资产质量优良、专业团队精干、创新能力突出、服务特色鲜明的上市证券公司，是沪深300指数、上证180指数、上证180金融股指数和上证中型企业指数成份股。2010年5月29日，在中国证券报、上海证券报、证券时报、证券日报联合主办的"1990 – 2010：走向资本强国——中国证券市场20年回顾与展望暨第四届中国上市公司市值管理高峰论坛"活动中，国金证券荣获"中国20家最具影响力证券公司奖"。国金证券尊崇"责任、共赢、和谐"的企业精神，秉承"规范管理、稳健经营、深化服务、科学创新"的经营理念及"专业创造价值，诚信铸就未来"的服务理念，打造了一只专业化、高素质的职业人才团队，连续保持20年年终税前盈利。国金证券坚持"以研究咨询为驱动，以经纪业务为基础，以投资银行业务为重点突破，以自营投资业务和创新业务为重要补充"的业务模式，通过实施差异化增值服务商的竞争战略，不断提升核心竞争力。国金证券将牢牢把握"合规经营、风险可控"的基础不动摇，坚持"差异化增值服务商"的战略发展定位，争取实现业务资格的"全牌照"，着力打造集证券、期货、基金管理为一体的综合业务平台，为中国资本市场的繁荣发展贡献自己的力量。					

二、业务动态

推荐挂牌情况				
序号	股份代码	公司名称	挂牌日期	公司状态
1	430232	桦清股份	2013 – 07 – 04	挂牌
2	430295	捷虹股份	2013 – 08 – 06	已被终止挂牌
3	430357	行悦信息	2013 – 12 – 13	挂牌
4	430429	星业科技	2014 – 01 – 22	挂牌
5	430428	陕西瑞科	2014 – 01 – 24	挂牌
6	430684	杰通股份	2014 – 04 – 08	挂牌
7	430676	恒立数控	2014 – 04 – 11	挂牌

8	430707	欧神诺	2014－04－25	挂牌
9	430713	昌润钻石	2014－04－30	挂牌
10	830792	创新科技	2014－05－28	挂牌
11	830822	海容冷链	2014－07－01	挂牌
12	830829	华精新材	2014－07－01	挂牌
13	830970	艾录股份	2014－08－13	挂牌
14	831033	朗星照明	2014－08－22	挂牌
15	831128	大汉印邦	2014－09－10	挂牌
16	831189	乔顿服饰	2014－10－10	挂牌
17	831207	南方制药	2014－10－21	挂牌
18	831436	白水农夫	2014－12－09	挂牌
19	831399	参仙源	2014－12－09	挂牌
20	831486	索尔科技	2014－12－09	挂牌
21	831445	龙泰竹业	2014－12－10	挂牌
22	831475	春晖智控	2014－12－16	挂牌
23	831524	康耀电子	2014－12－19	挂牌
24	831630	博安达	2015－01－09	挂牌
25	831639	达仁资管	2015－01－12	挂牌
26	831839	成都广达	2015－01－15	挂牌
27	831822	米奥会展	2015－01－27	挂牌
28	831885	鱼鳞图	2015－01－29	挂牌
29	831877	小羽佳	2015－02－04	挂牌
30	831954	协昌科技	2015－02－06	挂牌
31	831998	合迪科技	2015－02－13	挂牌
32	832054	永强岩土	2015－03－03	挂牌
33	832098	同健股份	2015－03－12	挂牌
34	832130	圣迪乐村	2015－03－23	挂牌
35	832163	巨潮科技	2015－03－26	挂牌
36	832206	华科飞扬	2015－04－01	挂牌
37	832174	益立胶囊	2015－04－03	挂牌
38	832375	宝达汽车	2015－04－30	挂牌
39	832374	丽岛新材	2015－05－13	挂牌
40	832461	西域旅游	2015－05－18	挂牌
41	832460	成光兴	2015－05－21	挂牌
42	832510	星月科技	2015－05－25	挂牌
43	832552	华隆电力	2015－06－02	挂牌
44	832553	新财智	2015－06－03	挂牌
45	832572	上海青禾	2015－06－08	挂牌
46	832575	云迅通	2015－06－11	挂牌
47	832677	贵仁科技	2015－06－29	挂牌
48	832839	共同管业	2015－07－16	挂牌
49	832815	金瀚科技	2015－07－16	挂牌
50	832843	惠通创意	2015－07－22	挂牌
51	832821	金丹科技	2015－07－22	挂牌
52	832722	百胜软件	2015－07－23	挂牌
53	833004	博阅科技	2015－07－28	挂牌
54	833148	乐卓股份	2015－07－29	挂牌

55	833122	中仪股份	2015-07-31	挂牌
目前已推荐挂牌公司家数		55		
撤回材料及申请被否公司家数		0		
正在挂牌公司家数		54		
已上市公司家数		0		
已被终止挂牌公司家数		1		
推荐定向发行情况				
序号	股份代码	公司名称	发行日期	公司状态
1	832130	圣迪乐村	2015-6-24	发行成功
2	831630	博安达	2015-6-24	发行成功
推荐定向发行次数		2		
推荐定向发行成功次数		2		
推荐定向发行失败次数		0		
推荐原代办股份转让系统的两网公司及退市公司挂牌情况				
序号	股份代码	公司名称		
推荐原代办股份转让系统的两网公司及退市公司家数		0		

三、部门设置

经纪业务				
人员	姓名	固定电话	传真	Email
经纪业务联络人	孙肖	028-86690207	028-86690126	sunx@ gjzq. com. cn
经纪业务联络人	张梦华	028-86690323	028-86690126	zhangmh@ gjzq. com. cn
推荐业务				
人员	姓名	固定电话	传真	Email
推荐业务联络人	夏洪彬	010-66574698	010-66574790	xiahb@ gjzq. com. cn
推荐业务联络人	沙威	010-66574698	010-66574790	shawei@ gjzq. com. cn

恒泰证券股份有限公司

一、公司简介及概况

公司简介	公司名称	恒泰证券股份有限公司				
	成立日期	1998-12-28	法定代表人	庞介民	总经理	牛壮
	注册资本（万元）	219,470.74	净资产*（万元）	524,583.84	净资本*（万元）	507,367.24
	注册地址	内蒙古呼和浩特市赛罕区敕勒川大街东方君座D座光大银行办公楼14-18楼			营业部家数	114
	办公地址	内蒙古呼和浩特市赛罕区敕勒川大街东方君座D座光大银行办公楼14-18楼			邮编	010010
	公司网址	www. cnht. com. cn	电子邮箱	zcbgs@ cnht. com. cn	经营证券业务许可证编号	13310000
	注：*经审计的最近年度净资产和净资本					
	证监会批准从事的证券业务			证券经纪；证券投资咨询；与证券交易、证券投资活动有关的财务顾问；证券自营；证券资产管理；证券投资基金代销；融资融券；代销金融产品。		
	在全国股份转让系统从事的业务种类			推荐业务，经纪业务，做市业务		

公司概况	恒泰证券股份有限公司(以下简称“公司”)前身为内蒙古自治区证券公司,成立于1992年;1998年11月经中国证券监督管理委员会批准,改制组建为有限责任公司。2002年7月,经中国证监会批准,公司进行了增资扩股,注册资本由9400万元增至6.56亿元。2002年9月25日经国家工商局核准,公司名称变更为恒泰证券有限责任公司。2008年9月,经中国证监会批准,公司整体变更为股份有限公司;注册资本由变更为20.06亿元。2009年3月,经中国证监会批准,公司收购长财证券经纪有限公司;收购完成后公司注册资本增至21.95亿元,长财证券成为公司全资子公司。2009年5月,经中国证监会批准,公司收购上海永大期货公司,收购完成后永大期货成为公司全资子公司,2010年8月,永大期货更名为恒泰期货经纪有限公司,2011年5月,再次更名为恒泰期货有限公司。公司注册地为呼和浩特市,在自治区及北京、上海、深圳等国内主要城市设有42家证券营业部,其中在自治区内设有31家证券营业部。2009年,经中国证监会批准,公司在北京和深圳分别设立了投行和自营分公司。公司自成立以来,始终秉承"稳健、诚信、务实、创新"的经营理念和"全心全意为客户服务"的经营宗旨,依法经营、规范运作、科学管理、锐意进取,各项事业都取得了长足发展,逐步形成了以证券经纪、投资银行、证券投资、固定收益、资产管理、融资融券等为主的架构完善的业务体系,研究咨询、信息技术、风险管理等强有力的支持体系,资产优良,内控严密,成为国内具有一定业务规模和竞争优势的综合性证券公司。

二、业务动态

推荐挂牌情况				
序号	股份代码	公司名称	挂牌日期	公司状态
1	430311	达美盛	2013－08－12	挂牌
2	831398	东联动漫	2014－12－05	挂牌
3	832536	京成科技	2015－05－26	挂牌
4	832893	宏源农牧	2015－07－24	挂牌
5	833129	苏美材料	2015－07－31	挂牌
6	833471	江苏天龙	2015－09－02	挂牌
7	833748	奥图股份	2015－10－15	挂牌
8	833809	白山国旅	2015－10－20	挂牌
9	834037	龙盛世纪	2015－10－29	挂牌
10	834126	联益科技	2015－11－11	挂牌
11	834350	博圣云峰	2015－11－27	挂牌
12	835026	金运电气	2015－12－16	挂牌
13	834977	新亚自控	2015－12－18	挂牌
14	834972	英冠陶瓷	2015－12－18	挂牌
15	835398	泰通农业	2015－12－21	挂牌
16	834965	伊珠股份	2015－12－29	挂牌
17	835347	世纪微熵	2016－01－05	挂牌
18	835417	锐捷安全	2016－01－08	挂牌
19	835538	额尔敦	2016－01－11	挂牌
20	835473	彦林科技	2016－01－18	挂牌
21	835630	中鼎恒信	2016－01－19	挂牌
目前已推荐挂牌公司家数		21		
撤回材料及申请被否公司家数		0		
正在挂牌公司家数		21		
已上市公司家数		0		
已被终止挂牌公司家数		0		
推荐定向发行情况				
序号	股份代码	公司名称	发行日期	公司状态
1	430311	达美盛	2014－12－19	发行成功
2	430311	达美盛	2015－5－15	发行成功
3	831398	东联动漫	2015－7－2	发行成功
4	834037	龙盛世纪	2016－1－15	发行成功
推荐定向发行次数		4		

推荐定向发行成功次数		4
推荐定向发行失败次数		0
推荐原代办股份转让系统的两网公司及退市公司挂牌情况		
序号	股份代码	公司名称
推荐原代办股份转让系统的两网公司及退市公司家数		0

三、部门设置

经纪业务				
人员	姓名	固定电话	传真	Email
经纪业务联络人	郝旭	0471 – 4971515	0471 – 4969470	haoxu@ cnht. com. cn
推荐业务				
人员	姓名	固定电话	传真	Email
推荐业务联络人	石延安	010 – 56673770	010 – 56673767	shiyanan@ cnht. com. cn
推荐业务联络人	谢远东	010 – 56673769	010 – 56673767	xieyuandong@ cnht. com. cn

财通证券股份有限公司

一、公司简介及概况

公司简介	公司名称	财通证券股份有限公司				
	成立日期	2003 – 06 – 11	法定代表人	沈继宁	总经理	沈继宁
	注册资本（万元）	180,000	净资产＊（万元）	428,000	净资本＊（万元）	306,400
	注册地址	杭州杭大路 15 号嘉华国际商务中心 201,501,502,1601 – 1615,1701 – 1716 室			营业部家数	72
	办公地址	杭州杭大路 15 号嘉华国际商务中心 201,501,502,1601 – 1615,1701 – 1716 室			邮编	310007
	公司网址	www. ctsec. com	电子邮箱	96336@ ctsec. com	经营证券业务许可证编号	13410000
	注：＊经审计的最近年度净资产和净资本					
	证监会批准从事的证券业务			证券投资咨询；证券自营；证券承销与保荐；证券资产管理；融资融券；证券投资基金代销；为期货公司提供中间介绍业务；代销金融产品以及中国证监会核准的其他业务。		
	在全国股份转让系统从事的业务种类			经纪业务，推荐业务		
公司概况	财通证券股份有限公司（以下简称“公司”）前身是成立于 1993 年 5 月的浙江财政证券公司。2003 年 6 月，以浙江财政证券公司为主体，联合省内部分市县国债服务中介机构转制设立财通证券经纪有限责任公司。2006 年 10 月，公司吸收合并天和证券经纪有限公司。2007 年 6 月，浙江省委、省政府明确公司为省直属国有企业，由省政府授权省国资委监管。2009 年 3 月，经中国证监会核准，公司更名为财通证券有限责任公司。2011 年 1 月，公司由浙江省政府授权浙江省财政厅监管。2013 年 10 月，公司整体变更设立股份有限公司。 公司注册资本 18 亿元人民币，现有营业网点 72 家（分布在北京、上海、深圳、福州、青岛、大连、南京、无锡、重庆等城市及浙江省内各市县），员工 2000 余人。公司控股永安期货股份有限公司、财通基金管理有限公司和财通证券（香港）有限公司，参股浙江股权交易中心有限公司。公司将恪守“规范经营、务实创新、差异发展、追求卓越”的经营理念，优化股权结构，提升服务质量，培养一流的员工和理性、成熟的投资者队伍，力争将公司打造成具有区域竞争优势、明显经营特色和富有社会责任感的现代证券企业。					

二、业务动态

推荐挂牌情况

序号	股份代码	公司名称	挂牌日期	公司状态
1	430109	中航讯	2012－03－16	挂牌
2	430199	了望股份	2012－12－31	挂牌
3	430580	云天软件	2014－01－24	挂牌
4	830860	奥特股份	2014－07－14	挂牌
5	831043	锦旺农业	2014－08－18	挂牌
目前已推荐挂牌公司家数		5		
撤回材料及申请被否公司家数		0		
正在挂牌公司家数		5		
已上市公司家数		0		
已被终止挂牌公司家数		0		
推荐定向发行情况				
序号	股份代码	公司名称	发行日期	公司状态
1	430109	中航讯	2013－8－20	发行成功
2	430199	了望股份	2014－4－4	发行成功
推荐定向发行次数		2		
推荐定向发行成功次数		2		
推荐定向发行失败次数		0		
推荐原代办股份转让系统的两网公司及退市公司挂牌情况				
序号	股份代码	公司名称		
推荐原代办股份转让系统的两网公司及退市公司家数		0		

三、部门设置

经纪业务				
人员	姓名	固定电话	传真	Email
经纪业务联络人	徐一楠	0571－87821384	0571－87828140	xuyn@ ctsec. com
经纪业务联络人	黄旭蔚	0571－87821399	0571－87828140	huangxw@ ctsec. com
推荐业务				
人员	姓名	固定电话	传真	Email
推荐业务联络人	潘峰	0571－87828163	0571－87828141	pf@ ctsec. com
推荐业务联络人	杨震宇	0571－87821381	0571－87828141	yangzy@ ctsec. com

第一创业证券股份有限公司

一、公司简介及概况

公司简介	公司名称	第一创业证券股份有限公司				
	成立日期	1993－4－16	法定代表人	刘学民	总经理	钱龙海
	注册资本（万元）	197,000	净资产＊（万元）	481,900	净资本＊（万元）	368,100
	注册地址	深圳市福田区福华一路115号投行大厦20楼			营业部家数	32
	办公地址	深圳市福田区福华一路115号投行大厦20楼			邮编	518028
	公司网址	www. firstcapital. com	电子邮箱	zhuyahui@ fcsc. com	经营证券业务许可证编号	10180000
	注：＊经审计的最近年度净资产和净资本					

公司简介	证监会批准从事的证券业务	证券经纪;证券投资咨询;与证券交易、证券投资活动有关的财务顾问;证券(不含股票、中小企业私募债券以外的公司债券)承销;证券自营;证券资产管理;证券投资基金代销;为期货公司提供中间介绍业务;融资融券;代销金融产品。
	在全国股份转让系统从事的业务种类	经纪业务,推荐业务,做市业务
公司概况	第一创业证券股份有限公司前身佛山证券有限责任公司,是经中国人民银行银复〔1992〕608 号文批准,于 1993 年 4 月 26 日成立,原注册资本金 1000 万元。1997 年 12 月 9 日,在“银证脱钩”中,经中国人民银行非银证〔1997〕160 号文批准,同意公司增资扩股,并在原佛山证券公司基础上改制为佛山证券有限责任公司,公司注册资本金增至 8000 万元。2002 年 4 月 19 日中国证监会以证监机构字〔2002〕101 号文批准佛山证券有限责任公司增资扩股、更名、迁址方案。2002 年 7 月 26 日,公司依法完成了增资扩股的程序,注册资本金由 8000 万元增加至 7.47 亿元,注册地迁至广东省深圳市,更名为第一创业证券有限责任公司。2008 年 8 月 28 日,中国证监会以证监机构字〔2008〕1072 号文批准第一创业证券有限责任公司增资扩股;2008 年 9 月 10 日,公司注册资本金由 7.47 亿元增加至 15.9 亿元。2011 年 8 月 3 日,中国证监会下发证监许可〔2011〕1230 号,核准第一创业证券有限责任公司变更注册资本,由 15.9 亿元变更为 19.7 亿元。经中国证监会核准,深圳市工商局同意,公司由“第一创业证券有限责任公司”改制并更名为“第一创业证券股份有限公司”,于 2012 年 3 月 22 日取得更名后的企业法人营业执照。	

二、业务动态

推荐挂牌情况				
序号	股份代码	公司名称	挂牌日期	公司状态
1	831384	华创网安	2014 - 12 - 02	挂牌
2	832205	全宇制药	2015 - 04 - 01	挂牌
3	833347	三元环境	2015 - 08 - 11	挂牌
4	833430	八达科技	2015 - 08 - 25	挂牌
5	833866	紫翔生物	2015 - 10 - 20	挂牌
6	834304	黑蜘蛛	2015 - 11 - 18	挂牌
目前已推荐挂牌公司家数		6		
撤回材料及申请被否公司家数		0		
正在挂牌公司家数		6		
已上市公司家数		0		
已被终止挂牌公司家数		0		

推荐定向发行情况				
序号	股份代码	公司名称	发行日期	公司状态
推荐定向发行次数		0		
推荐定向发行成功次数		0		
推荐定向发行失败次数		0		

推荐原代办股份转让系统的两网公司及退市公司挂牌情况		
序号	股份代码	公司名称
推荐原代办股份转让系统的两网公司及退市公司家数		0

三、部门设置

经纪业务				
人员	姓名	固定电话	传真	Email
经纪业务联络人	李琳	0755 - 23838717	0755 - 23838701	lilin@ fcsc. com
经纪业务联络人	肖雅芬	0755 - 23838733	0755 - 23838701	xiaoyafen@ fcsc. com

推荐业务				
人员	姓名	固定电话	传真	Email
荐业务联络人	刘晓平	0755 - 23838382	0755 - 23838999	liuxiaoping@ fcsc. com
业务联络人	刘洪俊	0755 - 82485057	0755 - 25832460	liuhongjun@ fcsc. com

红塔证券股份有限公司

一、公司简介及概况

<table>
<tr><td rowspan="9">公司简介</td><td>公司名称</td><td colspan="5">红塔证券股份有限公司</td></tr>
<tr><td>成立日期</td><td>2002-01-31</td><td>法定代表人</td><td>况雨林</td><td>总经理</td><td>况雨林</td></tr>
<tr><td>注册资本（万元）</td><td>205,765.14</td><td>净资产*（万元）</td><td>582,414.1</td><td>净资本*（万元）</td><td>472,913.48</td></tr>
<tr><td>注册地址</td><td colspan="3">云南省昆明市北京路155号附1号</td><td>营业部家数</td><td>32</td></tr>
<tr><td>办公地址</td><td colspan="3">云南省昆明市北京路155号附1号红塔大厦9楼</td><td>邮编</td><td>650011</td></tr>
<tr><td>公司网址</td><td>www.hongtastock.com</td><td>电子邮箱</td><td>cwsc@hongtastock.com</td><td>经营证券业务许可证编号</td><td>Z30153000</td></tr>
<tr><td colspan="6">注：*经审计的最近年度净资产和净资本</td></tr>
<tr><td colspan="3">证监会批准从事的证券业务</td><td colspan="3">证券经纪、证券自营、证券承销与保荐；证券投资咨询；与证券交易、证券投资活动有关的财务顾问；证券资产管理；融资融券；证券投资基金代销；为期货公司提供中间介绍业务。</td></tr>
<tr><td colspan="3">在全国股份转让系统从事的业务种类</td><td colspan="3">推荐业务，经纪业务，做市业务</td></tr>
<tr><td>公司概况</td><td colspan="6">红塔证券股份有限公司是在对云南省三家信托投资公司（云南省国际信托投资公司、云南金旅信托投资有限公司、昆明国际信托投资公司）以及两家证券经营机构（云南证券交易中心、云南证券登记有限责任公司）证券业务重组的基础上，由红塔集团等13家国内知名企业共同发起，并经中国证监会批准设立的比照综合类证券公司。注册资本为人民币138,651.04万元，注册地为云南省昆明市。2002年1月31日，公司在云南省工商行政管理局领取了《企业法人营业执照》。2002年3月23日，公司正式开业。公司成立以来，秉承“稳健·创新·多元”的经营理念，在规范运作的基础上，不断开拓进取，成为西南地区第一家创新试点类证券公司，也是业内屈指可数的连续十二年实现盈利的券商之一。经过十年的发展壮大，公司现有1家分公司和25家证券营业部，设有2家全资子公司和1家控股子公司，业务资格涵盖各业务门类23项，员工人数950余人，逐渐成为股东背景强大、治理结构完善、业务门类齐全、风险管理严密、资产质量优良、盈利能力较强的特色证券经营机构。</td></tr>
</table>

二、业务动态

<table>
<tr><td colspan="5">推荐挂牌情况</td></tr>
<tr><td>序号</td><td>股份代码</td><td>公司名称</td><td>挂牌日期</td><td>公司状态</td></tr>
<tr><td>1</td><td>430376</td><td>东亚装饰</td><td>2014-01-24</td><td>挂牌</td></tr>
<tr><td>2</td><td>831184</td><td>强盛股份</td><td>2014-10-08</td><td>挂牌</td></tr>
<tr><td>3</td><td>831474</td><td>科特新材</td><td>2014-12-09</td><td>挂牌</td></tr>
<tr><td colspan="2">目前已推荐挂牌公司家数</td><td colspan="3">3</td></tr>
<tr><td colspan="2">撤回材料及申请被否公司家数</td><td colspan="3">0</td></tr>
<tr><td colspan="2">正在挂牌公司家数</td><td colspan="3">3</td></tr>
<tr><td colspan="2">已上市公司家数</td><td colspan="3">0</td></tr>
<tr><td colspan="2">已被终止挂牌公司家数</td><td colspan="3">0</td></tr>
<tr><td colspan="5">推荐定向发行情况</td></tr>
<tr><td>序号</td><td>股份代码</td><td>公司名称</td><td>发行日期</td><td>公司状态</td></tr>
<tr><td>1</td><td>430376</td><td>东亚装饰</td><td>2014-8-18</td><td>发行成功</td></tr>
<tr><td colspan="2">推荐定向发行次数</td><td colspan="3">1</td></tr>
<tr><td colspan="2">推荐定向发行成功次数</td><td colspan="3">1</td></tr>
<tr><td colspan="2">推荐定向发行失败次数</td><td colspan="3">0</td></tr>
<tr><td colspan="5">推荐原代办股份转让系统的两网公司及退市公司挂牌情况</td></tr>
<tr><td>序号</td><td>股份代码</td><td colspan="3">公司名称</td></tr>
<tr><td colspan="2">推荐原代办股份转让系统的两网公司及退市公司家数</td><td colspan="3">0</td></tr>
</table>

三、部门设置

经纪业务				
人员	姓名	固定电话	传真	Email
经纪业务联络人	李军	0871－63577078	0871－6357882	lijun@ hongtastock. com
经纪业务联络人	刘晓明	0871－63577946	0871－6357882	liuxm@ hongtastock. com
推荐业务				
人员	姓名	固定电话	传真	Email
推荐业务联络人	姚晨航	0755－82520306	0755－82520321	yaoch@ sina. cn

中国国际金融股份有限公司

一、公司简介及概况

<table>
<tr><td rowspan="9">公司简介</td><td>公司名称</td><td colspan="5">中国国际金融股份有限公司</td></tr>
<tr><td>成立日期</td><td>1995－07－31</td><td>法定代表人</td><td>丁学东</td><td>总经理</td><td>毕明建</td></tr>
<tr><td>注册资本（万元）</td><td>166,747.3</td><td>净资产＊（万元）</td><td>799,224.57</td><td>净资本＊（万元）</td><td>454,058.7</td></tr>
<tr><td>注册地址</td><td colspan="3">北京市建国门外大街1号国贸大厦2座27层及28层</td><td>营业部家数</td><td>20</td></tr>
<tr><td>办公地址</td><td colspan="3">北京市建国门外大街1号国贸大厦2座27层及28层</td><td>邮编</td><td>100004</td></tr>
<tr><td>公司网址</td><td>www. cicc. com. cn</td><td>电子邮箱</td><td>info@ cicc. com. cn</td><td>经营证券业务许可证编号</td><td>Y00111000</td></tr>
<tr><td colspan="6">注：＊经审计的最近年度净资产和净资本</td></tr>
<tr><td colspan="3">证监会批准从事的证券业务</td><td colspan="3">人民币普通股票、人民币特种股票、境外发行股票、境内外政府债券、公司债券和企业债券的经纪业务；人民币普通股票、人民币特种股票、境外发行股票、境内外政府债券、公司债券和企业债券的自营业务；人民币普通股票、人民币特种股票、境外发行股票、境内外政府债券、公司债券和企业债券的承销业务；基金的发起和管理；企业重组、收购与合并顾问；项目融资顾问；投资顾问及其他顾问业务；外汇买卖；境外企业、境内外商投资企业的外汇资产管理；同业拆借；客户资产管理业务；网上证券委托业务；融资融券业务。</td></tr>
<tr><td colspan="3">在全国股份转让系统从事的业务种类</td><td colspan="3">经纪业务，推荐业务，做市业务</td></tr>
<tr><td>公司概况</td><td colspan="6">作为中国第一家中外合资投资银行，中国国际金融有限公司（“中金公司”）致力于为国内外机构及个人客户提供高品质的投资银行服务，业务范围覆盖证券研究、股本与债务发行与承销、兼并收购财务顾问、证券销售交易、固定收益、资产管理、个人财富管理、直接投资等诸多领域。中金公司成立于1995年7月，是由国内外著名金融机构和公司基于战略合作关系共同投资组建的中国第一家中外合资投资银行，注册资本2.25亿美元。中金公司总部设在中国北京，在中国内地上海和深圳设有分公司，在北京、上海、深圳等16个城市设有证券营业部。随着业务范围的不断拓展，中金公司亦积极开拓境外市场，在中国香港、纽约、伦敦和新加坡设有子公司，初步建立了全球化的业务平台。</td></tr>
</table>

二、业务动态

推荐挂牌情况				
序号	股份代码	公司名称	挂牌日期	公司状态
1	430678	蓝波绿建	2014－04－09	挂牌
2	430629	国科海博	2014－04－11	挂牌
3	832015	基调网络	2015－02－11	挂牌
4	832159	合全药业	2015－04－03	挂牌
5	832498	明源软件	2015－06－19	挂牌
6	833633	联众科技	2015－10－19	挂牌

7	834024	华夏科创	2015－10－29	挂牌
8	833714	安世亚太	2015－10－29	挂牌
9	834754	八马茶业	2015－12－08	挂牌
10	834689	小拇指	2015－12－09	挂牌
目前已推荐挂牌公司家数		10		
撤回材料及申请被否公司家数		0		
正在挂牌公司家数		10		
已上市公司家数		0		
已被终止挂牌公司家数		0		
推荐定向发行情况				
序号	股份代码	公司名称	发行日期	公司状态
1	430629	国科海博	2014－1－13	发行成功
2	832015	基调网络	2015－9－2	发行成功
3	832159	合全药业	2015－9－28	发行成功
4	832159	合全药业	2015－10－20	发行成功
5	833714	安世亚太	2015－10－29	发行成功
6	833714	安世亚太	2015－12－11	发行成功
推荐定向发行次数		6		
推荐定向发行成功次数		6		
推荐定向发行失败次数		0		
推荐原代办股份转让系统的两网公司及退市公司挂牌情况				
序号	股份代码	公司名称		
推荐原代办股份转让系统的两网公司及退市公司家数		0		

三、部门设置

经纪业务				
人员	姓名	固定电话	传真	Email
经纪业务联络人	康晨	010－65058130	010－65058065	kangchen@ cicc. com. cn
经纪业务联络人	李頵	010－85679888	010－85679285	lijun@ cicc. com. cn
推荐业务				
人员	姓名	固定电话	传真	Email
推荐业务联络人	和路	010－65051166	010－65051156	lu. he@ cicc. com. cn
推荐业务联络人	黄弋	010－65051166	010－65051156	yi. huang@ cicc. com. cn

世纪证券有限责任公司

一、公司简介及概况

公司简介	公司名称	世纪证券有限责任公司				
	成立日期	1990－12－28	法定代表人	姜昧军	总经理	许建明
	注册资本（万元）	70,000	净资产＊（万元）	95,524	净资本＊（万元）	108,334
	注册地址	深圳市深南大道7088号招商银行大厦40－42层			营业部家数	33
	办公地址	深圳市深南大道7088号招商银行大厦40－42层			邮编	518040
	公司网址	www. csco. com. cn	电子邮箱	sjsc@ csco. com. cn	经营证券业务许可证编号	10510000

<table>
<tr><td rowspan="3">公司简介</td><td colspan="2">注：* 经审计的最近年度净资产和净资本</td></tr>
<tr><td>证监会批准从事的证券业务</td><td>证券经纪；证券投资咨询；与证券交易、证券投资活动有关的财务顾问；证券承销与保荐；证券自营；证券资产管理；融资融券；证券投资基金代销；代销金融产品。</td></tr>
<tr><td>在全国股份转让系统从事的业务种类</td><td>经纪业务，推荐业务，做市业务</td></tr>
<tr><td>公司概况</td><td colspan="2">世纪证券有限责任公司前身为成立于1990年的江西省证券公司。2001年7月，经中国证监会批准，公司增资扩股并更名为“世纪证券有限责任公司”，注册地址迁至广东省深圳市。多年来，公司逐步发展成为以深圳为总部，业务网络覆盖全国的综合型证券公司，目前注册资本为7亿元人民币，在全国所有省会城市及部分大中城市设立了分支机构，拥有19家分公司、33家证券营业部。公司的经营范围包括：证券经纪；证券投资咨询；与证券交易、证券投资活动有关的财务顾问；证券承销与保荐；证券自营；证券资产管理；融资融券；证券投资基金代销；代销金融产品。
公司以雄厚的资金实力、一流的人才队伍、丰富的专业经验、稳健的经营作风为广大投资者和机构客户提供全方位的专业证券服务。历经多年的发展，公司培养和造就了一支高素质的骨干员工队伍，公司现有员工1000余人。面对全球化背景下资本市场的机遇与挑战，公司将继续坚持“合规经营、稳健发展”的经营思想，进一步完善战略布局，不断改革创新，努力提升公司的核心竞争力，为建设和谐社会、促进证券市场健康发展贡献新的力量。</td></tr>
</table>

二、业务动态

<table>
<tr><td colspan="5">推荐挂牌情况</td></tr>
<tr><td>序号</td><td>股份代码</td><td>公司名称</td><td>挂牌日期</td><td>公司状态</td></tr>
<tr><td>1</td><td>430262</td><td>神州云动</td><td>2013-07-18</td><td>挂牌</td></tr>
<tr><td>2</td><td>430367</td><td>力码科</td><td>2014-01-24</td><td>挂牌</td></tr>
<tr><td>3</td><td>430647</td><td>青鹰股份</td><td>2014-02-19</td><td>挂牌</td></tr>
<tr><td colspan="2">目前已推荐挂牌公司家数</td><td colspan="3">3</td></tr>
<tr><td colspan="2">撤回材料及申请被否公司家数</td><td colspan="3">0</td></tr>
<tr><td colspan="2">正在挂牌公司家数</td><td colspan="3">3</td></tr>
<tr><td colspan="2">已上市公司家数</td><td colspan="3">0</td></tr>
<tr><td colspan="2">已被终止挂牌公司家数</td><td colspan="3">0</td></tr>
<tr><td colspan="5">推荐定向发行情况</td></tr>
<tr><td>序号</td><td>股份代码</td><td>公司名称</td><td>发行日期</td><td>公司状态</td></tr>
<tr><td>1</td><td>430367</td><td>力码科</td><td>2013-12-27</td><td>发行成功</td></tr>
<tr><td colspan="2">推荐定向发行次数</td><td colspan="3">1</td></tr>
<tr><td colspan="2">推荐定向发行成功次数</td><td colspan="3">1</td></tr>
<tr><td colspan="2">推荐定向发行失败次数</td><td colspan="3">0</td></tr>
<tr><td colspan="5">推荐原代办股份转让系统的两网公司及退市公司挂牌情况</td></tr>
<tr><td>序号</td><td>股份代码</td><td colspan="3">公司名称</td></tr>
<tr><td colspan="2">推荐原代办股份转让系统的两网公司及退市公司家数</td><td colspan="3">0</td></tr>
</table>

三、部门设置

<table>
<tr><td colspan="5">经纪业务</td></tr>
<tr><td>人员</td><td>姓名</td><td>固定电话</td><td>传真</td><td>Email</td></tr>
<tr><td>经纪业务联络人</td><td>张雷</td><td>0755-83199599-8105</td><td>0755-83199545</td><td>zhanglei1@csco.com.cn</td></tr>
<tr><td>经纪业务联络人</td><td>彭艳秋</td><td>0755-83199524</td><td>0755-83199545</td><td>pengyq@csco.com.cn</td></tr>
<tr><td colspan="5">推荐业务</td></tr>
<tr><td>人员</td><td>姓名</td><td>固定电话</td><td>传真</td><td>Email</td></tr>
<tr><td>推荐业务联络人</td><td>柴锐</td><td>0755-83199599-8237</td><td>0755-83199502</td><td>chairui@csco.com.cn</td></tr>
<tr><td>推荐业务联络人</td><td>于雪曼</td><td>010-57379857</td><td>010-57379899</td><td>yuxm@csco.com.cn</td></tr>
</table>

湘财证券股份有限公司

一、公司简介及概况

公司简介	公司名称	湘财证券股份有限公司				
	成立日期	1996－8－2	法定代表人	林俊波	总经理	徐　燕
	注册资本（万元）	319,725.59	净资产*（万元）	354,719.63	净资本*（万元）	276,316.32
	注册地址	湖南省长沙市天心区湘府中路198号新南城商务中心A栋11楼			营业部家数	53
公司概况	办公地址	湖南省长沙市天心区湘府中路198号新南城商务中心A栋11楼			邮编	410004
	公司网址	www.xcsc.com	电子邮箱	kfzx@xcsc.com	经营证券业务许可证编号	10910000
	注：*经审计的最近年度净资产和净资本					
	证监会批准从事的证券业务			证券经纪；证券投资咨询；与证券交易、证券投资活动有关的财务顾问；证券承销与保荐；证券自营；证券资产管理；证券投资基金代销；融资融券业务；代销金融产品业务。		
	在全国股份转让系统从事的业务种类			经纪业务，推荐业务，做市业务		
公司概况	湘财证券成立于1996年，1999年成为我国首家综合类证券公司。目前，公司注册资本31.97亿元人民币，设有北京、华中、华东、华南、西南、西北等六个客户中心架构下的地区总部，在全国32个大中城市设有52家证券营业部。 自2008年新湖控股有限公司成为控股股东以来，湘财证券积极完善治理结构，稳健扩展经营业务，持续丰富发展历程中专业化、规模化、品牌化、集团化和国际化的内涵，努力把公司建设成为有特色、有品牌、有竞争力的一流券商，目前已经形成成熟完善的治理结构和布局合理的分支机构。 在继承和发扬湘财文化的同时，公司始终坚持以人为本的管理思想，着力打造职业化团队，提升职业化水准，持续创新从简单到极致的客户服务能力，积极适应客户的多种需求和市场形势的变化，全面发展经纪、自营、承销与保荐、资产管理、收购兼并、投资咨询、基金代销等多类证券业务，已形成了较完善的业务运作流程和管理模式。公司目前的股权结构和治理结构为未来的可持续发展奠定了扎实稳固的根基，湘财证券全体同仁将以使命感、事业心和专业精神为客户提供优质、高效的全方位服务，并努力为繁荣发展中国证券市场和推动中国资本市场建设进程贡献力量！					

二、业务动态

推荐挂牌情况				
序号	股份代码	公司名称	挂牌日期	公司状态
1	430545	星科智能	2014－01－24	挂牌
2	830811	安凯达	2014－06－23	挂牌
3	830847	晟嘉电气	2014－07－11	挂牌
4	830836	荆楚网	2014－07－11	挂牌
5	830902	长仪股份	2014－07－31	挂牌
6	830995	九洲光电	2014－08－13	挂牌
7	831120	达海智能	2014－08－18	挂牌
8	831081	西驰电气	2014－08－18	挂牌
9	831105	盟云移软	2014－08－18	挂牌
10	831036	裕国股份	2014－08－19	挂牌
11	831013	兴艺景	2014－08－21	挂牌
12	000000	迪菲特	2014－08－26	撤回状态
13	831344	中际联合	2014－11－20	挂牌
14	831428	数据堂	2014－12－10	挂牌
15	831707	绿岛园林	2015－01－15	挂牌
16	831720	诚赢股份	2015－01－20	挂牌
17	000000	博创机械	2015－01－23	撤回状态

18	831780	中道糖业	2015－01－23	挂牌
19	831858	海誉科技	2015－01－29	挂牌
20	000000	宁夏皇达	2015－02－03	撤回状态
21	832052	紫罗兰	2015－02－17	挂牌
22	832173	凯林科技	2015－03－26	挂牌
23	832290	双猫股份	2015－04－15	挂牌
24	832232	正全股份	2015－04－16	挂牌
25	832524	尚洋信息	2015－06－03	挂牌
26	832803	皓月股份	2015－07－15	挂牌
27	832746	长明机械	2015－07－17	挂牌
28	832864	协力仪控	2015－07－29	挂牌
29	833217	九叶科技	2015－08－14	挂牌
30	833272	金塔股份	2015－08－18	挂牌
31	833396	昱卓股份	2015－08－24	挂牌
32	833443	皇达科技	2015－08－27	挂牌
33	833630	嘉利股份	2015－10－15	挂牌
34	833846	中正股份	2015－10－20	挂牌
35	833830	蓝宝股份	2015－10－21	挂牌
36	833985	三方股份	2015－10－26	挂牌
37	833989	太时股份	2015－10－30	挂牌
38	834010	亚兴科技	2015－11－02	挂牌
39	834135	龙盛股份	2015－11－10	挂牌
目前已推荐挂牌公司家数		39		
撤回材料及申请被否公司家数		3		
正在挂牌公司家数		36		
已上市公司家数		0		
已被终止挂牌公司家数		0		
推荐定向发行情况				
序号	股份代码	公司名称	发行日期	公司状态
1	831858	海誉科技	2014－10－15	发行成功
2	830902	长仪股份	2014－10－16	发行成功
3	830847	晟嘉电气	2015－3－20	发行成功
4	830902	长仪股份	2015－5－5	发行成功
5	831036	裕国股份	2015－5－18	发行成功
6	831428	数据堂	2015－6－9	发行成功
7	831105	盟云移软	2015－7－7	发行成功
8	831344	中际联合	2015－7－27	发行成功
推荐定向发行次数		8		
推荐定向发行成功次数		8		
推荐定向发行失败次数		0		
推荐原代办股份转让系统的两网公司及退市公司挂牌情况				
序号	股份代码	公司名称		
推荐原代办股份转让系统的两网公司及退市公司家数		0		

三、部门设置

经纪业务

人员	姓名	固定电话	传真	Email
经纪业务联络人	王照湘	021－68634510	021－68865680	wzx2542@ xcsc. com
经纪业务联络人	李娟	021－68634510	021－68865680	lijuan3@ xcsc. com
推荐业务				
人员	姓名	固定电话	传真	Email
推荐业务联络人	于海	010－56510980	010－56510790	yuhai@ xcsc. com
推荐业务联络人	宋洪军	010－56510979	010－56510790	songhj@ xcsc. com

新时代证券股份有限公司

一、公司简介及概况

公司简介	公司名称	新时代证券有限责任公司				
	成立日期	2003－6－26	法定代表人	田德军	总经理	田德军
	注册资本（万元）	169,305.14	净资产＊（万元）	457,417.03	净资本＊（万元）	212,127.2
	注册地址	北京市海淀区北三环西路99号院1号楼15层1501			营业部家数	56
	办公地址	北京市海淀区北三环西路99号院1号楼15层1501			邮编	100086
	公司网址	www. xsdzq. cn	电子邮箱	dshbgs@ xsdzq. cn	经营证券业务许可证编号	13420000
	注：＊经审计的最近年度净资产和净资本					
	证监会批准从事的证券业务			证券经纪；证券投资咨询；与证券交易、证券投资活动有关的财务顾问；证券承销与保荐；证券自营；证券投资基金代销；证券资产管理；融资融券；代销金融产品。		
	在全国股份转让系统从事的业务种类			经纪业务，推荐业务，做市业务		
公司概况	新时代证券股份有限公司是一家专业化、全国性的综合类证券公司。公司由资产质量优良、资金实力雄厚的股东出资而成。注册地为北京市，注册资本金为人民币16.9亿元。公司下属4家分公司、56家证券营业部，遍及北京、上海、天津、重庆、内蒙古、河南、河北、山东、江苏、浙江、湖南、湖北、福建、四川、广东等全国15个省、自治区和直辖市，形成辐射全国、布局合理的客户服务和经营网络。经过多年运作，公司秉承稳健与创新相结合、个人绩效与团队精神相统一的宗旨，以先进的组织结构、完备的治理模式、一流的人才队伍、丰富的业务经验，构建了崭新的组织体系、业务运行模式和内控机制，促使各项业务不断取得经营佳绩。					

二、业务动态

推荐挂牌情况				
序号	股份代码	公司名称	挂牌日期	公司状态
1	430550	沃克斯	2014－01－24	挂牌
2	430613	腾晖科技	2014－01－24	挂牌
3	830930	天行健	2014－08－13	挂牌
4	831126	元鼎科技	2014－08－21	挂牌
5	831038	宇建科技	2014－08－22	挂牌
6	831819	宜瓷龙	2015－01－14	挂牌
7	831687	亨达股份	2015－01－15	挂牌
8	831756	德高化成	2015－01－22	挂牌
9	831773	金巴赫	2015－01－23	挂牌
10	832051	经证投资	2015－02－12	挂牌
11	832026	海龙核科	2015－03－06	挂牌
12	831947	丹田股份	2015－03－11	挂牌

13	832126	康乐药业	2015－03－16	挂牌
14	832081	金利股份	2015－03－26	挂牌
15	832330	中天管桩	2015－04－16	挂牌
16	832576	振新生物	2015－06－10	挂牌
17	832678	众鑫科技	2015－07－02	挂牌
18	833002	星汉股份	2015－07－10	挂牌
19	833437	亿邦制药	2015－08－10	挂牌
20	833017	力诺特玻	2015－08－12	挂牌
21	833491	沧海核装	2015－08－17	挂牌
22	833623	胜高股份	2015－09－09	挂牌
23	833662	大地生物	2015－09－10	挂牌
24	833869	海普安全	2015－09－25	挂牌
25	834030	黔昌农林	2015－10－16	挂牌
26	834068	蓝氧科技	2015－10－19	挂牌
27	834062	科润电力	2015－10－19	挂牌
28	834107	华强电子	2015－10－20	挂牌
29	834096	江川金融	2015－10－20	挂牌
30	834095	精雷电器	2015－10－20	挂牌
31	834114	明尚德	2015－10－20	挂牌
32	834092	惠和股份	2015－10－20	挂牌
33	834136	掌智通	2015－10－22	挂牌
34	834306	神州科技	2015－11－02	挂牌
35	834328	鸽德新材	2015－11－02	挂牌
目前已推荐挂牌公司家数		35		
撤回材料及申请被否公司家数		0		
正在挂牌公司家数		35		
已上市公司家数		0		
已被终止挂牌公司家数		0		
推荐定向发行情况				
序号	股份代码	公司名称	发行日期	公司状态
1	832026	海龙核科	2015－6－9	发行成功
2	831687	亨达股份	2015－6－11	发行成功
3	430613	腾晖科技	2015－6－29	发行成功
4	831756	德高化成	2015－7－10	发行成功
5	833017	力诺特玻	2015－7－28	发行成功
6	831126	元鼎科技	2015－8－27	发行成功
7	832081	金利股份	2015－9－14	发行成功
8	833491	沧海核装	2015－9－29	发行成功
9	832051	经证投资	2015－10－23	发行成功
10	831947	丹田股份	2015－11－9	发行成功
推荐定向发行次数		10		
推荐定向发行成功次数		10		
推荐定向发行失败次数		0		
推荐原代办股份转让系统的两网公司及退市公司挂牌情况				
序号	股份代码	公司名称		
推荐原代办股份转让系统的两网公司及退市公司家数		0		

三、部门设置

经纪业务				
人员	姓名	固定电话	传真	Email
经纪业务联络人	郭强	010－83561166	010－83561164	guoqiang@ xsdzq. cn
推荐业务				
人员	姓名	固定电话	传真	Email
推荐业务联络人	柏梦琦	010－83561023	010－83561001	baimengqi@ xsdzq. cn
推荐业务联络人	胡小燕	010－83561180	010－83561001	huxiaoyan@ xsdzq. cn

江海证券有限公司

一、公司简介及概况

公司简介	公司名称	江海证券有限公司				
	成立日期	2003－12－15	法定代表人	孙名扬	总经理	董力臣
	注册资本（万元）	178,574.37	净资产＊（万元）	320,963.97	净资本＊（万元）	307,662.37
	注册地址	黑龙江省哈尔滨市香坊区赣水路56号			营业部家数	43
	办公地址	黑龙江省哈尔滨市香坊区赣水路56号			邮编	150036
	公司网址	www. jhzq. com. cn	电子邮箱	guolifen@ jhzq. com. cn	经营证券业务许可证编号	J21923000
公司简介	注：＊经审计的最近年度净资产和净资本					
	证监会批准从事的证券业务		证券经纪业务，证券自营业务，证券投资基金代销业务，证券投资咨询业务，证券承销与保 荐业务，证券资产管理业务，融资融券业务，为汇鑫期货经纪有限公司提供中间介绍业务。			
	在全国股份转让系统从事的业务种类		推荐业务，经纪业务，做市业务			
公司概况	江海证券有限公司是黑龙江省辖区内唯一一家国有控股券商。公司目前注册资本17.86亿元，股东10家，主要股东均为国有资产背景的大型企业集团，前三家股东哈尔滨投资集团有限责任公司、黑龙江省大正投资集团有限责任公司及中国华融资产管理公司，出资比例合计97%。 公司建立了涵盖证券经纪、证券投资咨询、证券自营、证券承销与保荐、证券资产管理、证券投资基金代销、为期货公司提供中间介绍等业务在内的综合业务体系；设有营业网点43家，遍布北京、上海、深圳、厦门、济南、大连、沈阳及黑龙江省内各主要城市，形成了“覆盖龙江、辐射沿海、布局全国”的网络格局；出资控股江海汇鑫期货有限公司，确立了证券－期货协同发展的经纪业务架构。 公司积极为地方经济建设及社会发展服务，被黑龙江省政府评为“金融机构促进经济社会发展先进单位”，被共青团中央授予“青年就业创业见习基地”。目前，江海证券集聚了一批年轻化、专业化的优秀人才，拥有一支具备博士、硕士学历和丰富实践经验的管理团队。凭借专业的人才技术优势，江海证券成为哈尔滨市政府的金融顾问，精心打造的江海系列产品，更赢得了广大投资者的认可与信赖，在业内树立了良好的信誉和品牌。					

二、业务动态

推荐挂牌情况				
序号	股份代码	公司名称	挂牌日期	公司状态
1	830910	安证通	2014－07－25	挂牌
2	830938	可恩口腔	2014－08－12	挂牌
3	830975	东和股份	2014－08－13	挂牌
4	831016	帝测科技	2014－08－21	挂牌
5	831270	宇虹颜料	2014－11－06	挂牌
6	831332	申高制药	2014－11－12	挂牌

7	831293	征宙机械	2014－11－12	挂牌
8	831362	和平股份	2014－11－17	挂牌
目前已推荐挂牌公司家数		8		
撤回材料及申请被否公司家数		0		
正在挂牌公司家数		8		
已上市公司家数		0		
已被终止挂牌公司家数		0		
推荐定向发行情况				
序号	股份代码	公司名称	发行日期	公司状态
推荐定向发行次数		0		
推荐定向发行成功次数		0		
推荐定向发行失败次数		0		
推荐原代办股份转让系统的两网公司及退市公司挂牌情况				
序号	股份代码	公司名称		
推荐原代办股份转让系统的两网公司及退市公司家数		0		

三、部门设置

经纪业务				
人员	姓名	固定电话	传真	Email
经纪业务联络人	郭峰	0451－85863724	0451－82337279	gf0451@163.com
经纪业务联络人	吕薇	0451－85863722	0451－82337279	75634419@qq.com
推荐业务				
人员	姓名	固定电话	传真	Email
推荐业务联络人	郭立芬	010－56187937	010－58670448	422083786@qq.com
推荐业务联络人	张微	010－56187938	010－58674685	345181321@qq.com

中航证券有限公司

一、公司简介及概况

公司简介	公司名称	中航证券有限公司				
	成立日期	2002－10－18	法定代表人	王宜四	总经理	王宜四
	注册资本（万元）	198,522.10	净资产（万元）	140,204.50	净资本（万元）	168,526.79
	注册地址	江西省南昌市红谷滩新区红谷中大道 1619			营业部家数	50
	办公地址	江西省南昌市红谷滩新区红谷中大道 1619			邮编	330008
	公司网址	www.avicsec.com	电子邮箱	office@avicsec.com	经营证券业务许可证编号	Z31936000
	注：* 经审计的最近年度净资产和净资本					
	证监会批准从事的证券业务			证券经纪、证券投资咨询、与证券交易证券投资活动有关的财务顾问、证券承销与保荐、证券自营、证券资产管理、证券投资基金代销、融资融券业务、代办股份转让、约定购回式证券交易、中小企业私募债、代销金融产品。		
	在全国股份转让系统从事的业务种类			推荐业务，经纪业务		

公司概况	中航证券有限公司(以下简称"公司"、"中航证券")是经中国证券监督管理委员会批准设立的全国性综合类证券公司,前身是江南证券有限责任公司,于2002年10月18日在江西南昌成立。2010年5月6日,公司正式更名为中航证券有限公司。中航投资控股有限公司为中航证券第一大股东,实际控制人为中国航空工业集团公司。公司注册资本198,522.1万元人民币。中航证券主营业务范围为:证券经纪;证券投资咨询;与证券交易、证券投资活动有关的财务顾问;证券承销与保荐;证券自营;证券资产管理;证券投资基金代销;融资融券业务。 公司设立了证券承销与保荐分公司及资产管理分公司,并在京、津、沪、渝、粤、闽、浙、桂、苏、甘、辽、赣、陕、豫、鲁、鄂、滇等全国主要省区市设有32家证券营业部中航证券股权结构:截至2013年11月31日止,公司有5家股东,分别为:中航投资控股有限公司持有142,358.80万元股权,占出资比例71.71%;中国航空技术深圳有限责任公司持有33,146.89万元股权,占出资比例16.70%;中国航空技术国际控股有限责任公司持有14,372.49万元股权,占出资比例7.24%;中国贵州航空工业(集团)有限责任公司持有8,207.17万元,占出资比例4.13%;江西洪都航空工业集团有限责任公司持有436.75万元股权,占出资比例0.22%。

二、业务动态

推荐挂牌情况				
序号	股份代码	公司名称	挂牌日期	公司状态
1	830785	冰洋科技	2014-06-05	挂牌
2	831406	森达电气	2014-12-03	挂牌
3	831629	安恒利通	2015-01-19	挂牌
4	831840	东光股份	2015-01-22	挂牌
5	832023	田野股份	2015-02-12	挂牌
6	831965	固瑞股份	2015-02-13	挂牌
目前已推荐挂牌公司家数		6		
撤回材料及申请被否公司家数		0		
正在挂牌公司家数		6		
已上市公司家数		0		
已被终止挂牌公司家数		0		
推荐定向发行情况				
序号	股份代码	公司名称	发行日期	公司状态
推荐定向发行次数		0		
推荐定向发行成功次数		0		
推荐定向发行失败次数		0		
推荐原代办股份转让系统的两网公司及退市公司挂牌情况				
序号	股份代码	公司名称		
推荐原代办股份转让系统的两网公司及退市公司家数		0		

三、部门设置

经纪业务				
人员	姓名	固定电话	传真	Email
经纪业务联络人	聂磊	0791-86702143	0791-86789414	119570554@qq.com
经纪业务联络人	余雅娜	0791-86768763	0791-86789414	81054761@qq.com
推荐业务				
人员	姓名	固定电话	传真	Email
推荐业务联络人	王晨光	010-64818362	010-64818501	wangchenguang73@163.com
推荐业务联络人	柳晨希	010-64818499	010-64818501	158646626@qq.com

华融证券股份有限公司

一、公司简介及概况

<table>
<tr><td rowspan="8">公司简介</td><td>公司名称</td><td colspan="5">华融证券股份有限公司</td></tr>
<tr><td>成立日期</td><td>2007-9-7</td><td>法定代表人</td><td>祝献忠</td><td>总经理</td><td>罗农平</td></tr>
<tr><td>注册资本（万元）</td><td>317,753.65</td><td>净资产*（万元）</td><td>537,155</td><td>净资本*（万元）</td><td>515,603</td></tr>
<tr><td>注册地址</td><td colspan="3">北京市西城区金融大街8号</td><td>营业部家数</td><td>37</td></tr>
<tr><td>办公地址</td><td colspan="3">北京市西城区金融大街8号</td><td>邮编</td><td>100033</td></tr>
<tr><td>公司网址</td><td>www.hrsec.com.cn</td><td>电子邮箱</td><td>yuhaishen@hrsec.com.cn</td><td>经营证券业务许可证编号</td><td>13720000</td></tr>
<tr><td colspan="6">注：*经审计的最近年度净资产和净资本</td></tr>
<tr><td colspan="3">证监会批准从事的证券业务</td><td colspan="3">证券经纪，证券投资咨询：与证券交易、证券投资活动有关的财务顾问：证券承销与保荐，证券自营业务：证券资产管理，融资融券：代销金融产品业务：公开募集投资基金管理业务（有效期至2016年11月19日）。</td></tr>
<tr><td></td><td colspan="3">在全国股份转让系统从事的业务种类</td><td colspan="3">推荐业务，做市业务，经纪业务</td></tr>
<tr><td>公司概况</td><td colspan="6">华融证券股份有限公司（以下简称“公司”），是经中国证监会批准，由中国华融资产管理公司（以下简称“中国华融”）作为主发起人，联合中国葛洲坝集团公司共同发起设立的全国性证券公司。2007年9月，公司在北京正式挂牌成立。目前，公司注册资本31.78亿元，其中：中国华融出资25.31亿元，中国葛洲坝集团公司等11家股东共出资6.47亿元。
公司大股东中国华融资产管理股份有限公司，是经国务院批准，由财政部、中国人寿保险（集团）公司共同发起设立的国有大型非银行金融企业。目前，中国华融总资产超过4000亿元，服务网络遍及全国30个省、自治区、直辖市和香港特别行政区，在全国设有32家分公司（营业部），拥有华融湘江银行、华融租赁、华融信托、华融证券、华融期货、华融融德、华融渝富、华融（香港）国际、华融置业、华融致远、华融汇通等11家平台公司，对外提供资产经营管理、银行、证券、信托、租赁、投资、基金、期货、置业等全牌照、多功能、一揽子综合金融服务，已初步建设成为国有大型金融控股集团。自成立之日起，公司坚持以市场为导向，以客户为中心，以诚信、专业、稳健、共赢为经营宗旨，努力打造一家有尊严、有价值、有内涵、有实力、有责任的"五有"现代一流投资银行。公司2011－2014年连续四年被中国证监会评为A类A级券商，2009年、2011年两次获评为"首都文明单位"。截至2014年6月底，公司旗下设华融期货有限责任公司和华融天泽投资有限公司2家子公司，在全国22个省、自治区、直辖市设有6家分公司、37家营业部。公司紧紧依托中国华融在资产管理、银行、信托和金融租赁等方面的综合优势，竭诚为客户提供证券承销与保荐、资产管理、全国股份转让系统推荐挂牌及做市商业务、证券经纪、融资融券、财务顾问、财富管理等多种服务。</td></tr>
</table>

二、业务动态

<table>
<tr><td colspan="5">推荐挂牌情况</td></tr>
<tr><td>序号</td><td>股份代码</td><td>公司名称</td><td>挂牌日期</td><td>公司状态</td></tr>
<tr><td>1</td><td>430618</td><td>凯立德</td><td>2014-01-24</td><td>挂牌</td></tr>
<tr><td>2</td><td>430730</td><td>先大药业</td><td>2014-05-06</td><td>挂牌</td></tr>
<tr><td>3</td><td>831323</td><td>长先新材</td><td>2014-11-10</td><td>挂牌</td></tr>
<tr><td>4</td><td>831396</td><td>许继智能</td><td>2014-12-03</td><td>挂牌</td></tr>
<tr><td>5</td><td>831460</td><td>光和光学</td><td>2014-12-22</td><td>挂牌</td></tr>
<tr><td>6</td><td>831888</td><td>垦丰种业</td><td>2015-01-27</td><td>挂牌</td></tr>
<tr><td>7</td><td>831873</td><td>环宇建工</td><td>2015-01-29</td><td>挂牌</td></tr>
<tr><td>8</td><td>831924</td><td>海天物联</td><td>2015-02-06</td><td>挂牌</td></tr>
<tr><td>9</td><td>832087</td><td>凯伯特</td><td>2015-03-09</td><td>挂牌</td></tr>
<tr><td>10</td><td>832086</td><td>现在支付</td><td>2015-03-09</td><td>挂牌</td></tr>
<tr><td>11</td><td>832148</td><td>云媒股份</td><td>2015-03-16</td><td>挂牌</td></tr>
<tr><td>12</td><td>832176</td><td>三扬股份</td><td>2015-03-30</td><td>挂牌</td></tr>
<tr><td colspan="2">目前已推荐挂牌公司家数</td><td colspan="3">12</td></tr>
</table>

撤回材料及申请被否公司家数		0		
正在挂牌公司家数		12		
已上市公司家数		0		
已被终止挂牌公司家数		0		
推荐定向发行情况				
序号	股份代码	公司名称	发行日期	公司状态
1	430618	凯立德	2014－10－11	发行成功
2	430618	凯立德	2014－10－17	发行成功
3	430618	凯立德	2014－11－11	发行成功
4	430618	凯立德	2014－12－10	发行成功
推荐定向发行次数		4		
推荐定向发行成功次数		4		
推荐定向发行失败次数		0		
推荐原代办股份转让系统的两网公司及退市公司挂牌情况				
序号	股份代码	公司名称		
推荐原代办股份转让系统的两网公司及退市公司家数		0		

三、部门设置

经纪业务				
人员	姓名	固定电话	传真	Email
经纪业务联络人	魏玮	010－58568062	010－58568062	weiwei@ hrsec. com. cn
推荐业务				
人员	姓名	固定电话	传真	Email
推荐业务联络人	陈珅	010－58568293	010－58315249	chenshen@ hrsec. com. cn
推荐业务联络人	梁立群		010－58315249	liangliqun@ hrsec. com. cn

太平洋证券股份有限公司

一、公司简介及概况

公司简介	公司名称	太平洋证券股份有限公司				
	成立日期	2004－1－6	法定代表人	李长伟	总经理	李长伟
	注册资本（万元）	353,046.7	净资产＊（万元）	639,243.45	净资本＊（万元）	546,383.1
	注册地址	云南省昆明市青年路389号志远大厦18层			营业部家数	68
	办公地址	云南省昆明市青年路389号志远大厦18层			邮编	650021
	公司网址	www. tpyzq. com	电子邮箱	tpy@ tpyzq. com. cn	经营证券业务许可证编号	Z32253000
	注：＊经审计的最近年度净资产和净资本					
	证监会批准从事的证券业务			证券经纪；证券投资咨询；与证券交易、证券投资活动有关的财务顾问；证券自营；证券承销与保荐；证券资产管理；证券投资基金销售；中国证监会批准的其他业务。（以上经营范围中涉及国家法律、行政法规规定的专项审批，按审批的项目和时限开展经营活动）		
	在全国股份转让系统从事的业务种类			经纪业务，推荐业务，做市业务		

<table>
<tr><td>公司概况</td><td>太平洋证券股份有限公司是一家全国性综合类证券公司,2004 年在云南昆明注册成立。2007 年,公司整体变更为股份有限公司,增资扩股至 15.03 亿元,并获得规范类券商资格。同年,太平洋证券 A 股(601099)在上海证券交易所成功上市,成为证券行业第七家上市的证券公司。
公司以"守正、出奇"为行为准则,追求"宁静、致远"的精神境界,以客户需求为导向,追求股东和社会价值的最大化;以经济效益为中心,追求公司与员工的共同成长。站在新的历史起点,面对证券行业的创新发展,公司正迎来转型发展的历史机遇。公司在保持传统业务稳定增长的基础上,将以组织创新、机制创新和业务创新为基础,优化公司盈利模式、进一步培育核心竞争力,力争成为资产质量良好、收入结构合理,在某些细分市场具有自身特色的证券公司。</td></tr>
</table>

二、业务动态

推荐挂牌情况				
序号	股份代码	公司名称	挂牌日期	公司状态
1	430709	武汉深蓝	2014-04-24	挂牌
2	430738	白兔湖	2014-04-30	挂牌
3	830777	金达莱	2014-06-05	挂牌
4	830796	云南路桥	2014-06-06	挂牌
5	830929	幸美股份	2014-07-24	挂牌
6	831212	耐磨科技	2014-10-22	挂牌
7	831363	佰蒂生物	2014-11-14	挂牌
8	831663	云叶股份	2015-01-12	挂牌
9	831800	高科中天	2015-01-19	挂牌
10	831861	柏承科技	2015-02-06	挂牌
11	832003	同信通信	2015-02-11	挂牌
12	832171	志晟信息	2015-03-23	挂牌
13	832195	名家智能	2015-04-02	挂牌
14	832433	亚克股份	2015-05-12	挂牌
15	832479	长荣农科	2015-05-12	挂牌
16	832477	航凯电力	2015-05-12	挂牌
17	832485	中钰科技	2015-05-13	挂牌
18	832592	群龙股份	2015-06-09	挂牌
19	832684	天运股份	2015-07-02	挂牌
20	832866	博杰科技	2015-07-16	挂牌
21	833014	中标集团	2015-07-30	挂牌
22	832929	原点股份	2015-08-04	挂牌
23	833273	蓝思种业	2015-08-11	挂牌
24	833211	海欣药业	2015-08-13	挂牌
25	833325	德迈斯	2015-08-19	挂牌
26	833352	东尚信息	2015-08-25	挂牌
27	833373	锐融科技	2015-08-26	挂牌
28	833394	民士达	2015-09-09	挂牌
29	833403	华通能源	2015-09-21	挂牌
30	833602	洪昌科技	2015-10-09	挂牌
31	833594	中斗科技	2015-10-15	挂牌
32	833729	恩济和	2015-10-20	挂牌
33	833660	腾瑞明	2015-10-22	挂牌
34	833910	绿茵天地	2015-10-23	挂牌
目前已推荐挂牌公司家数		34		
撤回材料及申请被否公司家数		0		
正在挂牌公司家数		34		

已上市公司家数		0		
已被终止挂牌公司家数		0		
推荐定向发行情况				
序号	股份代码	公司名称	发行日期	公司状态
1	830777	金达莱	2014－11－6	发行成功
2	830929	幸美股份	2015－2－11	发行成功
3	832171	志晟信息	2015－3－19	发行成功
4	832003	同信通信	2015－6－15	发行成功
5	430738	白兔湖	2015－7－15	发行成功
6	831800	高科中天	2015－7－16	发行成功
7	831212	耐磨科技	2015－7－30	发行成功
8	833014	中标集团	2015－7－30	发行成功
9	830929	幸美股份	2015－8－20	发行成功
10	831663	云叶股份	2015－9－30	发行成功
11	833660	腾瑞明	2015－10－13	发行成功
12	832479	长荣农科	2015－10－23	发行成功
推荐定向发行次数		12		
推荐定向发行成功次数		12		
推荐定向发行失败次数		0		
推荐原代办股份转让系统的两网公司及退市公司挂牌情况				
序号	股份代码	公司名称		
推荐原代办股份转让系统的两网公司及退市公司家数		0		

三、部门设置

经纪业务				
人员	姓名	固定电话	传真	Email
经纪业务联络人	白敏	0871－68885858－8171	0871－68898151	baim@ tpyzq. com. cn
经纪业务联络人	孟京	010－88321877	010－88321763	mengj@ tpyzq. com. cn
推荐业务				
人员	姓名	固定电话	传真	Email
推荐业务联络人	赵小元	010－88321917	010－88321522	zhaoxy@ tpyzq. com
推荐业务联络人	王娟	010－88321836	010－88321912	494594487@ qq. com

中山证券有限责任公司

一、公司简介及概况

公司简介	公司名称	中山证券有限责任公司				
	成立日期	1993－4－20	法定代表人	黄扬录	总裁	徐鹏
	注册资本（万元）	135,500	净资产＊（万元）	273,316	净资本＊（万元）	138,682
	注册地址	深圳市南山区科技中一路西华强高新发展大楼7层、8层			营业部家数	19
	办公地址	深圳市南山区科技中一路西华强高新发展大楼7层、8层			邮编	518057
	公司网址	www. zszq. com	电子邮箱	office@ zszq. com	经营证券业务许可证编号	11010000
	注：＊经审计的最近年度净资产和净资本					

<table>
<tr><td rowspan="2">公司概况</td><td>证监会批准从事的证券业务</td><td>证券经纪;证券投资咨询;与证券交易、证券投资活动有关的财务顾问;证券承销与保荐;证券自营;证券资产管理;融资融券;证券投资基金代销;为期货公司提供中间介绍业务;代销金融产品。</td></tr>
<tr><td>在全国股份转让系统从事的业务种类</td><td>推荐业务,经纪业务,做市业务</td></tr>
<tr><td>公司概况</td><td colspan="2">中山证券有限责任公司(以下简称:中山证券)是经中国人民银行批准成立的我国早期的证券公司之一。受益于中国经济的崛起,中山证券与中国证券市场共同发展,现已成为一家具有一定影响力的证券公司。公司现有员工约900人,注册资本由最初的3000万元人民币增至13.55亿元人民币。
在二十年的发展历程中,中山证券一贯秉承"诚信、稳健、创新、和谐"的经营理念,坚持为客户提供完善、有效、优质的服务。中山证券经营范围包括:证券经纪;证券投资咨询;与证券交易、证券投资活动有关的财务顾问;证券承销与保荐;证券自营;证券资产管理;融资融券;证券投资基金代销;为期货公司提供中间介绍业务;代销金融产品。中山证券总部设在深圳,毗邻香港,位居经济活跃、资讯荟萃的金融核心区。公司现有证券营业部19家,分布在从东北到华南的东部沿海经济发达地区,充分发挥中央振兴东北的政策优势,依托环渤海经济圈、长江三角洲与珠江三角洲等经济发达地区,拥有广泛的、具有雄厚经济基础的客户群体。</td></tr>
</table>

二、业务动态

推荐挂牌情况

序号	股份代码	公司名称	挂牌日期	公司状态
1	430532	北鼎晶辉	2014-01-24	挂牌
2	430708	铂亚信息	2014-04-24	已被终止挂牌
3	830789	博富科技	2014-06-06	挂牌
4	830810	广东羚光	2014-06-19	挂牌
5	830850	万企达	2014-07-14	挂牌
6	830922	裕荣光电	2014-08-08	挂牌
7	831201	润华股份	2014-10-24	挂牌
8	831231	佳保安全	2014-10-30	挂牌
9	831349	德运塑业	2014-11-12	挂牌
10	831368	阳光电通	2014-11-26	挂牌
11	831500	西部蓝天	2014-12-15	挂牌
12	831539	国网自控	2015-01-06	挂牌
13	831692	杰科股份	2015-01-14	挂牌
14	831757	振华股份	2015-01-15	挂牌
15	831790	凯德科技	2015-01-22	挂牌
16	831859	祁药股份	2015-01-27	挂牌
17	831795	晚安家纺	2015-01-30	挂牌
18	832025	川盛科技	2015-02-10	挂牌
19	831937	建研信息	2015-02-13	挂牌
20	832063	鸿辉光通	2015-03-05	挂牌
21	832161	金力股份	2015-03-12	挂牌
22	832030	皆悦传媒	2015-03-13	挂牌
23	832322	凯润精密	2015-04-13	挂牌
24	832351	美力新	2015-04-23	挂牌
25	832486	苏州久美	2015-05-19	挂牌
26	832540	康沃动力	2015-06-03	挂牌
27	832648	万峰电力	2015-06-19	挂牌
28	832679	尚洋文化	2015-07-07	挂牌
29	832974	鲜美种苗	2015-07-24	挂牌
30	832995	杰创智能	2015-07-24	挂牌
31	832786	骑士乳业	2015-07-28	挂牌

32	833035	大唐融合	2015 - 07 - 30	挂牌
33	833319	比酷股份	2015 - 08 - 11	挂牌
34	833258	尚洋科技	2015 - 08 - 12	挂牌
35	833307	优格花园	2015 - 08 - 14	挂牌
36	833389	金钱猫	2015 - 08 - 25	挂牌
37	833414	凡拓创意	2015 - 09 - 01	挂牌
38	833593	健来福	2015 - 09 - 17	挂牌
39	833416	掌上纵横	2015 - 10 - 09	挂牌
40	833684	联赢激光	2015 - 10 - 14	挂牌
41	833757	天力锂能	2015 - 10 - 16	挂牌
42	834085	春秋园林	2015 - 11 - 17	挂牌
43	834171	阿拉科技	2015 - 11 - 20	挂牌
44	834368	华新能源	2015 - 11 - 24	挂牌
45	834128	新中合	2015 - 11 - 26	挂牌
46	834483	元和药业	2015 - 12 - 02	挂牌
47	834084	聚能鼎力	2015 - 12 - 03	挂牌
48	834976	互普股份	2015 - 12 - 11	挂牌
49	834622	通铭教育	2015 - 12 - 17	挂牌
50	835080	蓝川环保	2015 - 12 - 21	挂牌
目前已推荐挂牌公司家数		50		
撤回材料及申请被否公司家数		0		
正在挂牌公司家数		49		
已上市公司家数		0		
已被终止挂牌公司家数		1		
推荐定向发行情况				
序号	股份代码	公司名称	发行日期	公司状态
1	430708	铂亚信息	2014 - 6 - 10	发行成功
2	830850	万企达	2014 - 7 - 21	发行成功
3	831368	阳光电通	2014 - 9 - 25	发行成功
4	830789	博富科技	2014 - 12 - 13	发行成功
5	830850	万企达	2014 - 12 - 16	发行成功
6	830810	广东羚光	2015 - 1 - 21	发行成功
7	831859	祁药股份	2015 - 4 - 20	发行成功
8	830922	裕荣光电	2015 - 5 - 7	发行成功
9	832540	康沃动力	2015 - 5 - 12	发行成功
10	830789	博富科技	2015 - 5 - 15	发行成功
11	832063	鸿辉光通	2015 - 5 - 15	发行成功
12	832974	鲜美种苗	2015 - 5 - 18	发行成功
13	430532	北鼎晶辉	2015 - 6 - 10	发行成功
14	831757	振华股份	2015 - 6 - 19	发行成功
15	831539	国网自控	2015 - 7 - 15	发行成功
16	832786	骑士乳业	2015 - 7 - 28	发行成功
17	832025	川盛科技	2015 - 8 - 4	发行成功
18	833389	金钱猫	2015 - 8 - 25	发行成功
19	832030	皆悦传媒	2015 - 9 - 7	发行成功
20	831937	建研信息	2015 - 9 - 9	发行成功
21	831790	凯德科技	2015 - 9 - 10	发行成功
22	832322	凯润精密	2015 - 9 - 18	发行成功

23	833416	掌上纵横	2015－10－9	发行成功
24	831692	杰科股份	2015－10－23	发行成功
25	831692	杰科股份	2015－10－23	发行成功
26	832540	康沃动力	2015－10－28	发行成功
27	833414	凡拓创意	2015－11－4	发行成功
28	831539	国网自控	2015－11－6	发行成功
29	832278	鹿得医疗	2015－11－20	发行成功
30	834084	聚能鼎力	2015－12－3	发行成功
31	834622	通铭教育	2015－12－17	发行成功
32	834622	通铭教育	2015－12－17	发行成功
推荐定向发行次数		32		
推荐定向发行成功次数		32		
推荐定向发行失败次数		0		
推荐原代办股份转让系统的两网公司及退市公司挂牌情况				
序号	股份代码	公司名称		
推荐原代办股份转让系统的两网公司及退市公司家数		0		

三、部门设置

经纪业务				
人员	姓名	固定电话	传真	Email
经纪业务联络人	邱俊翔	0755－23982830	0755－86134113	qiujx@ zszq. com
经纪业务联络人	张帆	0755－82960582	0755－86134113	zhangfan@ zszq. com
推荐业务				
人员	姓名	固定电话	传真	Email
推荐业务联络人	胡映璐	0755－82783767	0755－23982961	huyl@ zszq. com
推荐业务联络人	邹玲	0755－83168696	0755－23982961	zoul@ zszq. com

华鑫证券有限责任公司

一、公司简介及概况

公司简介	公司名称	华鑫证券有限责任公司				
	成立日期	2001－03－06	法定代表人	俞洋	总经理	俞洋
	注册资本（万元）	160,000	净资产*（万元）	234,109.53	净资本*（万元）	288,686.60
	注册地址	深圳市福田区金田路4018号安联大厦28层A01、B01(b)单元			营业部家数	55
	办公地址	深圳市福田区金田路4018号安联大厦28层A01、B01(b)单元			邮编	518026
	公司网址	www. cfsc. com. cn	电子邮箱	Huaxin_zhengquan@ vip. 163. com	经营证券业务许可证编号	Z28574000
	注：*经审计的最近年度净资产和净资本					
	证监会批准从事的证券业务			证券经纪；证券投资咨询；与证券交易、证券投资活动有关的财务顾问；证券自营（不含债券自营）；证券资产管理；证券投资基金代销；为期货公司提供中间介绍业务；融资融券业务；代销金融产品。		
	在全国股份转让系统从事的业务种类			经纪业务，推荐业务，做市业务		

<table>
<tr><td>公司概况</td><td>华鑫证券有限责任公司(以下简称“华鑫证券”或“公司”)是经中国证券监督管理委员会批准的全国性综合类证券经营机构。公司前身是原西安证券有限责任公司和中国农业银行上海市信托投资公司。华鑫证券于2001年3月在深圳经济特区注册成立,公司目前注册资本人民币16亿元。华鑫证券下设3家分公司,分别为上海分公司、自营分公司、西安分公司,并在北京、上海、西安、深圳、常州等地拥有55家证券营业部。华鑫证券经过十余年发展,已经成为横跨证券、基金、期货三大领域的金融控股集团公司。公司是华鑫期货有限公司的全资控股股东、摩根士丹利华鑫证券有限责任公司(以下简称“大摩华鑫证券”)的控股股东,是摩根士丹利华鑫基金管理有限公司的第一大股东。
华鑫证券经营范围涵盖证券经纪、证券投资咨询、证券资产管理、融资融券、代销金融产品、与证券交易、证券投资活动有关的财务顾问、股指期货中间介绍业务、证券投资基金代销、证券自营业务(不含债券自营)等综合性业务领域。公司同时拥有沪深证券交易所大宗交易业务资格、上证50ETF一级交易商业务资格、华泰柏瑞沪深300ETF一级交易商业务资格等重要业务资格,并致力于为广大投资者提供优质的一揽子金融服务。</td></tr>
</table>

二、业务动态

推荐挂牌情况				
序号	股份代码	公司名称	挂牌日期	公司状态
1	430379	昂盛智能	2014－01－24	挂牌
2	830954	华宝石	2014－08－12	挂牌
3	831140	力阳科技	2014－09－16	挂牌
4	831803	炫泰文化	2015－01－15	挂牌
5	832214	太川股份	2015－04－02	挂牌
6	832344	罗美特	2015－04－17	挂牌
7	832307	中航蜂窝	2015－04－17	挂牌
8	832550	双盛锌业	2015－05－28	挂牌
9	832874	益家食品	2015－07－24	挂牌
10	832863	军芃科技	2015－07－30	挂牌
11	833288	天元重工	2015－08－14	挂牌
12	833773	山美股份	2015－10－27	挂牌
13	834005	松湖股份	2015－11－02	挂牌
14	834252	中藻生物	2015－11－12	挂牌
15	834375	富友昌	2015－11－16	挂牌
16	834373	晶森材料	2015－11－17	挂牌
17	834394	常峰股份	2015－11－20	挂牌
18	834442	中泰传媒	2015－11－27	挂牌
19	834496	赛乐奇	2015－12－02	挂牌
20	835365	国友股份	2016－01－13	挂牌
目前已推荐挂牌公司家数		20		
撤回材料及申请被否公司家数		0		
正在挂牌公司家数		20		
已上市公司家数		0		
已被终止挂牌公司家数		0		
推荐定向发行情况				
序号	股份代码	公司名称	发行日期	公司状态
1	430379	昂盛智能	2014－1－22	发行成功
2	430379	昂盛智能	2014－9－10	发行成功
3	832550	双盛锌业	2015－5－28	发行成功
4	430379	昂盛智能	2015－7－31	发行成功
5	832214	太川股份	2015－8－7	发行成功
6	833288	天元重工	2015－8－14	发行成功

7	831140	力阳科技	2015-8-28	发行成功
8	832550	双盛锌业	2015-10-15	发行成功
9	831803	炫泰文化	2015-10-23	发行成功
推荐定向发行次数		9		
推荐定向发行成功次数		9		
推荐定向发行失败次数		0		
推荐原代办股份转让系统的两网公司及退市公司挂牌情况				
序号	股份代码	公司名称		
推荐原代办股份转让系统的两网公司及退市公司家数		0		

三、部门设置

经纪业务				
人员	姓名	固定电话	传真	Email
经纪业务联络人	朱元超	021-64336359	021-54967232	zhuyc@cfsc.com.cn
经纪业务联络人	徐素萍	021-64377335	021-54967216	xusp@cfsc.com.cn
推荐业务				
人员	姓名	固定电话	传真	Email
推荐业务联络人	杜玉强	021-51793730	021-51793730	duyuqiang86@163.com
推荐业务联络人	秦发亮	021-51793731	021-51793731	qinfl0726@163.com

华林证券有限责任公司

一、公司简介及概况

公司简介	公司名称	华林证券有限责任公司				
	成立日期	1988-4-15	法定代表人	陈永健	总经理	陈永健
	注册资本（万元）	80,700	净资产*（万元）	118,045.67	净资本*（万元）	93,902.29
	注册地址	西藏自治区拉萨市柳梧新区察古大道1-1号君泰国际B栋一层3号			营业部家数	61
	办公地址	深圳市福田区民田路178号华融大厦6楼			邮编	518048
	公司网址	www.chinalions.com	电子邮箱	bgswy@chinalions.cn	经营证券业务许可证编号	10500000
	注：*经审计的最近年度净资产和净资本					
	证监会批准从事的证券业务			证券经纪；证券投资咨询；与证券交易、证券投资活动有关的财务顾问；证券承销与保荐；证券自营；证券资产管理；融资融券；证券投资基金代销；代销金融产品。		
	在全国股份转让系统从事的业务种类			经纪业务，推荐业务，做市业务		
公司概况	华林证券成立于1988年，是国内首批综合类证券公司之一，总部设于深圳，现在京沪穗等地设有分支机构，业务辐射全国。经营范围涵盖证券经纪，证券投资咨询，与证券交易、证券投资活动有关的财务顾问，证券承销与保荐，证券自营，证券投资基金代销，证券资产管理等，拥有全国股份转让系统推荐和经纪业务资格。公司拥有300多人的投行专业团队，项目经验丰富，融资品种齐全。公司承销企业债数目和规模均居前列。固收团队以其高效、专业的服务，在09-11年连续被评为“中国区债券最佳投行”，11年更是勇夺企业债承销家数的桂冠。公司为经纪业务客户提供安全高效的交易平台，并依靠理论扎实、实战见长的财富管理团队，为高净值客户和机构投资者提供包括市值管理在内的全面的资本市场解决方案。公司始终坚持以客户为中心，以客户需求为导向，以“协作、创造、服务中国成长”为使命，坚持“进取、信义、专业、责任”的核心价值观，持续专注服务于中国资本市场、实体经济、具有成长性的企业和个人投资者，为客户提供优质的综合金融服务，致力于打造成中国最具特色的一流证券公司。					

二、业务动态

推荐挂牌情况				
序号	股份代码	公司名称	挂牌日期	公司状态
1	430316	巨灵信息	2013－08－29	挂牌
2	430335	华韩整形	2013－11－06	挂牌
3	430372	泰达新材	2014－01－24	挂牌
4	430598	众合医药	2014－01－24	挂牌
5	430717	源通机械	2014－04－30	挂牌
6	000000	三木科技	2014－06－13	撤回状态
7	830854	族兴新材	2014－07－11	挂牌
8	831175	派诺科技	2014－10－14	挂牌
9	831510	特思达	2014－12－22	挂牌
10	831913	东方誉源	2015－02－05	挂牌
11	831963	明利仓储	2015－02－16	挂牌
12	832014	绿之彩	2015－02－25	挂牌
13	832089	禾昌聚合	2015－03－13	挂牌
14	832144	软智科技	2015－03－13	挂牌
15	832418	旭海科技	2015－05－07	挂牌
16	833020	宁冠鸿	2015－07－29	挂牌
17	833330	君实生物	2015－08－13	挂牌
18	833412	帝瀚环保	2015－08－26	挂牌
19	833451	壁合科技	2015－08－31	挂牌
20	833620	无锡煤机	2015－09－28	挂牌
21	833720	网信联动	2015－10－08	挂牌
22	833695	富士莱	2015－10－09	挂牌
23	833887	庞泰环保	2015－10－20	挂牌
24	834043	杭科光电	2015－11－02	挂牌
目前已推荐挂牌公司家数		24		
撤回材料及申请被否公司家数		1		
正在挂牌公司家数		23		
已上市公司家数		0		
已被终止挂牌公司家数		0		
推荐定向发行情况				
序号	股份代码	公司名称	发行日期	公司状态
1	430598	众合医药	2014－6－9	发行成功
2	831963	明利仓储	2015－4－21	发行成功
3	831510	特思达	2015－5－7	发行成功
4	831175	派诺科技	2015－5－28	发行成功
5	831963	明利仓储	2015－6－25	发行成功
6	832014	绿之彩	2015－6－30	发行成功
7	430316	巨灵信息	2015－7－6	发行成功
8	832144	软智科技	2015－7－14	发行失败
9	832144	软智科技	2015－7－14	发行成功
10	430335	华韩整形	2015－8－20	发行成功
11	833451	壁合科技	2015－8－31	发行成功
推荐定向发行次数		11		
推荐定向发行成功次数		10		
推荐定向发行失败次数		1		

推荐原代办股份转让系统的两网公司及退市公司挂牌情况		
序号	股份代码	公司名称
推荐原代办股份转让系统的两网公司及退市公司家数		0

三、部门设置

经纪业务				
人员	姓名	固定电话	传真	Email
经纪业务联络人	姬洪涛	0755－82707835	0755－82707993	jiht@ chinalions. cn
经纪业务联络人	陈永健	0755－82707801	0755－82707801	cyj@ chinalions. cn
推荐业务				
人员	姓名	固定电话	传真	Email
推荐业务联络人	郭静	010－88091560	010－88091625	guo789jing@ 263. net
推荐业务联络人	张学彦	021－20281102	021－20281101	yann0910@ 126. com

东方花旗证券有限公司

一、公司简介及概况

公司简介	公司名称	东方花旗证券有限公司				
	成立日期	2012－6－4	法定代表人	马骥	总经理	马骥
	注册资本（万元）	80,000	净资产＊（万元）	72,103.67	净资本＊（万元）	69,092.96
	注册地址	上海市黄浦区中山南路318号24层			营业部家数	0
	办公地址	上海市黄浦区中山南路318号24层			邮编	200010
	公司网址	www. citiorient. com	电子邮箱	dong. lin@ citiorient. com	经营证券业务许可证编号	Z40631000
	注：＊经审计的最近年度净资产和净资本					
	证监会批准从事的证券业务			证券承销与保荐业务。		
	在全国股份转让系统从事的业务种类			推荐业务		
公司概况	东方花旗证券有限公司（以下简称“东方花旗”或“公司”）是一家由东方证券与花旗环球金融（亚洲）有限公司基于战略投资合作关系共同投资组建的中外合资证券公司。公司成立于2012年6月，东方花旗证券总部位于上海，并于北京、深圳、新疆等地设立办公机构。东方花旗注册资本为8亿人民币，员工人数约200名。公司业务范围为证券承销与保荐，具体包括首次公开发行并上市、上市公司公开/非公开发行、配股、可转债、可分离交易可转债的发行等股权融资业务，公司债、企业债发行等债券融资业务，以及企业重组、兼并收购等财务顾问业务。					

二、业务动态

推荐挂牌情况				
序号	股份代码	公司名称	挂牌日期	公司状态
1	430090	同辉佳视	2011－06－17	挂牌
2	430123	速原中天	2012－06－08	挂牌
3	430134	可来博	2012－09－10	挂牌
4	430188	奥贝克	2012－12－25	挂牌
5	430181	道从科技	2012－12－28	挂牌
6	430198	微创光电	2012－12－31	挂牌
7	430240	随视传媒	2013－07－04	挂牌

8	430230	银都传媒	2013－07－05	挂牌
9	430273	永天科技	2013－08－08	挂牌
10	430304	每日视界	2013－08－09	挂牌
11	430345	天呈医流	2013－12－09	挂牌
12	430355	沃特能源	2013－12－09	挂牌
13	430481	吉瑞祥	2014－01－24	挂牌
14	430364	屹通信息	2014－01－24	已被终止挂牌
15	430590	晶宝股份	2014－01－24	挂牌
16	430421	华之邦	2014－01－24	挂牌
17	430669	现代环境	2014－04－02	挂牌
18	430742	光维通信	2014－05－06	挂牌
19	830869	英康科技	2014－07－18	挂牌
20	830879	基康仪器	2014－07－23	挂牌
21	830985	浙江力诺	2014－08－08	挂牌
22	831064	浩驰科技	2014－08－21	挂牌
23	831115	福克油品	2014－08－22	挂牌
24	831099	维泰股份	2014－08－29	挂牌
25	831279	和乔科技	2014－11－04	挂牌
26	831288	安美勤	2014－11－07	挂牌
27	831820	容大股份	2015－01－06	挂牌
28	831836	澳坤生物	2015－01－22	挂牌
29	831967	坦博尔	2015－01－30	挂牌
30	832365	开勒环境	2015－04－21	挂牌
31	832459	华澳能源	2015－05－26	挂牌
32	832749	德信燃气	2015－07－13	挂牌
33	832806	易兰设计	2015－07－15	挂牌
34	832799	陆海石油	2015－07－16	挂牌
35	832834	林江股份	2015－07－20	挂牌
36	832998	雅昌管业	2015－07－28	挂牌
37	833164	琥珀股份	2015－08－07	挂牌
目前已推荐挂牌公司家数		37		
撤回材料及申请被否公司家数		0		
正在挂牌公司家数		36		
已上市公司家数		0		
已被终止挂牌公司家数		1		
推荐定向发行情况				
序号	股份代码	公司名称	发行日期	公司状态
1	430090	同辉佳视	2012－5－31	发行成功
2	430198	微创光电	2013－7－23	发行成功
3	430123	速原中天	2013－8－2	发行成功
4	430123	速原中天	2013－8－2	发行成功
5	430090	同辉佳视	2014－2－20	发行成功
6	430230	银都传媒	2014－3－7	发行成功
7	830879	基康仪器	2014－8－18	发行失败
8	830879	基康仪器	2015－1－28	发行成功
9	430421	华之邦	2015－1－28	发行成功
10	430273	永天科技	2015－1－28	发行成功

11	831099	维泰股份	2015－3－18	发行成功
12	430273	永天科技	2015－3－24	发行成功
13	430355	沃特能源	2015－5－28	发行成功
14	430198	微创光电	2015－6－15	发行成功
15	430345	天呈医流	2015－6－23	发行成功
16	831836	澳坤生物	2015－7－3	发行成功
17	831836	澳坤生物	2015－7－3	发行成功
18	430090	同辉佳视	2015－7－10	发行成功
19	430355	沃特能源	2015－7－15	发行成功
20	832799	陆海石油	2015－7－16	发行成功
21	430273	永天科技	2015－7－20	发行成功
22	430090	同辉佳视	2015－7－23	发行成功
推荐定向发行次数		22		
推荐定向发行成功次数		21		
推荐定向发行失败次数		1		
推荐原代办股份转让系统的两网公司及退市公司挂牌情况				
序号	股份代码	公司名称		
推荐原代办股份转让系统的两网公司及退市公司家数		0		

三、部门设置

经纪业务				
人员	姓名	固定电话	传真	Email
经纪业务联络人	–			
推荐业务				
人员	姓名	固定电话	传真	Email
推荐业务联络人	唐一欣	021－23153471	021－23153500	yixin. tang@ citiorient. com
推荐业务联络人	许洪语	021－23153552	021－23153500	hongyu. xu@ citiorient. com

华创证券有限责任公司

一、公司简介及概况

公司简介	公司名称	华创证券有限责任公司				
	成立日期	2002－1－22	法定代表人	陶永泽	总经理	吴亚秋
	注册资本（万元）	157,878.89	净资产*（万元）	327,028.23	净资本*（万元）	271,368.94
	注册地址	贵州省贵阳市云岩区中华北路216号华创大厦			营业部家数	42
	办公地址	贵州省贵阳市云岩区中华北路216号华创大厦			邮编	550004
	公司网址	www. hczq. com	电子邮箱	hcbgs@ hczq. com	经营证券业务许可证编号	J18552000
	注：*经审计的最近年度净资产和净资本					
	证监会批准从事的证券业务			证券经纪；证券投资咨询；与证券交易、证券投资活动有关的财务顾问；证券承销与保荐；证券自营；证券资产管理；证券投资基金销售业务；为期货公司提供中间介绍业务；融资融券业务；代销金融产品业务。		
	在全国股份转让系统从事的业务种类			经纪业务，推荐业务，做市业务		

<table>
<tr><td>公司概况</td><td>华创证券有限责任公司于2002年1月经中国证监会证监机构字〔2002〕6号文批准成立，注册资本15亿元，经营范围为证券经纪；证券投资咨询；证券投资基金销售；证券自营；与证券交易、证券投资活动有关的财务顾问；证券资产管理；证券承销与保荐；为期货公司提供中间介绍业务；融资融券；金融产品销售；全国中小企业股份转让系统推荐业务与经纪业务。
公司成立以来，抓住机遇低成本扩张，业务规模和机构数量快速增长，现有全资直投业务子公司1家，控股期货子公司1家，并在北京、上海、贵州各设有1家分公司，营业网点立足贵州，分布北京、上海、深圳、江苏、浙江、四川、重庆等地。公司不断强化基础管理，严格规范经营，资产质量和财务状况良好，继往开来，公司将坚持以客户为中心、市场为导向，不断提高投融资服务能力和风险管理能力，走差异化发展道路，以更高的服务质量、更好的服务设施、更新的服务理念、更丰富的服务品种为广大客户提供更及时、高效、专业的服务。</td></tr>
</table>

二、业务动态

<table>
<tr><td colspan="5">推荐挂牌情况</td></tr>
<tr><td>序号</td><td>股份代码</td><td>公司名称</td><td>挂牌日期</td><td>公司状态</td></tr>
<tr><td>1</td><td>430628</td><td>易世达</td><td>2014－01－24</td><td>已被终止挂牌</td></tr>
<tr><td>2</td><td>830809</td><td>安达科技</td><td>2014－06－18</td><td>挂牌</td></tr>
<tr><td>3</td><td>831037</td><td>华力兴</td><td>2014－08－29</td><td>挂牌</td></tr>
<tr><td>4</td><td>831182</td><td>堃琦鑫华</td><td>2014－10－09</td><td>挂牌</td></tr>
<tr><td>5</td><td>831188</td><td>正兴玉</td><td>2014－10－14</td><td>挂牌</td></tr>
<tr><td>6</td><td>831258</td><td>龙蛙农业</td><td>2014－11－03</td><td>挂牌</td></tr>
<tr><td>7</td><td>831365</td><td>华意隆</td><td>2014－11－21</td><td>挂牌</td></tr>
<tr><td>8</td><td>831733</td><td>宏图物流</td><td>2015－01－09</td><td>挂牌</td></tr>
<tr><td>9</td><td>831611</td><td>圣才教育</td><td>2015－01－09</td><td>挂牌</td></tr>
<tr><td>10</td><td>831837</td><td>硕泉园林</td><td>2015－01－16</td><td>挂牌</td></tr>
<tr><td>11</td><td>831781</td><td>力思特</td><td>2015－01－26</td><td>挂牌</td></tr>
<tr><td>12</td><td>831966</td><td>业际光电</td><td>2015－02－11</td><td>已被终止挂牌</td></tr>
<tr><td>13</td><td>832001</td><td>黑碳节能</td><td>2015－02－12</td><td>挂牌</td></tr>
<tr><td>14</td><td>832016</td><td>奥伦德</td><td>2015－02－12</td><td>挂牌</td></tr>
<tr><td>15</td><td>832162</td><td>地矿股份</td><td>2015－03－10</td><td>挂牌</td></tr>
<tr><td>16</td><td>832162</td><td>超思维</td><td>2015－03－13</td><td>挂牌</td></tr>
<tr><td>17</td><td>832587</td><td>金杉粮油</td><td>2015－06－08</td><td>挂牌</td></tr>
<tr><td>18</td><td>832636</td><td>大运科技</td><td>2015－06－17</td><td>挂牌</td></tr>
<tr><td>19</td><td>832847</td><td>三水能源</td><td>2015－07－20</td><td>挂牌</td></tr>
<tr><td>20</td><td>833318</td><td>图敏视频</td><td>2015－08－25</td><td>挂牌</td></tr>
<tr><td>21</td><td>833415</td><td>广艺园林</td><td>2015－09－01</td><td>挂牌</td></tr>
<tr><td>22</td><td>833495</td><td>微瑞思创</td><td>2015－09－09</td><td>挂牌</td></tr>
<tr><td>23</td><td>833438</td><td>鑫时空</td><td>2015－09－10</td><td>挂牌</td></tr>
<tr><td>24</td><td>833523</td><td>德瑞锂电</td><td>2015－09－16</td><td>挂牌</td></tr>
<tr><td>25</td><td>833524</td><td>光晟电器</td><td>2015－09－23</td><td>挂牌</td></tr>
<tr><td>26</td><td>834220</td><td>三一智能</td><td>2015－11－13</td><td>挂牌</td></tr>
<tr><td colspan="2">目前已推荐挂牌公司家数</td><td colspan="3">26</td></tr>
<tr><td colspan="2">撤回材料及申请被否公司家数</td><td colspan="3">0</td></tr>
<tr><td colspan="2">正在挂牌公司家数</td><td colspan="3">24</td></tr>
<tr><td colspan="2">已上市公司家数</td><td colspan="3">0</td></tr>
<tr><td colspan="2">已被终止挂牌公司家数</td><td colspan="3">2</td></tr>
<tr><td colspan="5">推荐定向发行情况</td></tr>
<tr><td>序号</td><td>股份代码</td><td>公司名称</td><td>发行日期</td><td>公司状态</td></tr>
<tr><td>1</td><td>830809</td><td>安达科技</td><td>2014－11－10</td><td>发行成功</td></tr>
</table>

2	830809	安达科技	2014－11－10	发行失败
3	831037	华力兴	2015－3－31	发行失败
4	832001	黑碳节能	2015－5－28	发行失败
5	832001	黑碳节能	2015－5－28	发行成功
6	831258	龙蛙农业	2015－6－9	发行成功
7	831258	龙蛙农业	2015－6－9	发行失败
8	831837	硕泉园林	2015－6－15	发行失败
9	831837	硕泉园林	2015－6－15	发行成功
10	831037	华力兴	2015－6－18	发行成功
11	831365	华意隆	2015－6－23	发行失败
12	831037	华力兴	2015－7－1	发行失败
13	830809	安达科技	2015－7－23	发行成功
14	830809	安达科技	2015－7－23	发行失败
15	832016	奥伦德	2015－8－24	发行成功
16	832016	奥伦德	2015－8－24	发行失败
17	832162	超思维	2015－8－25	发行失败
18	832162	超思维	2015－8－25	发行成功
19	831837	硕泉园林	2015－8－26	发行失败
20	831837	硕泉园林	2015－8－26	发行成功
21	831365	华意隆	2015－8－27	发行成功
22	831188	正兴玉	2015－8－31	发行失败
23	831188	正兴玉	2015－8－31	发行成功
24	833318	图敏视频	2015－9－17	
25	831837	硕泉园林	2015－10－8	发行成功
26	831837	硕泉园林	2015－10－8	发行失败
27	831037	华力兴	2015－10－9	发行成功
28	831258	龙蛙农业	2015－10－28	发行失败
推荐定向发行次数		28		
推荐定向发行成功次数		13		
推荐定向发行失败次数		14		
推荐原代办股份转让系统的两网公司及退市公司挂牌情况				
序号	股份代码	公司名称		
推荐原代办股份转让系统的两网公司及退市公司家数		0		

三、部门设置

经纪业务				
人员	姓名	固定电话	传真	Email
经纪业务联络人	陈强	0857－4889911	0851－6850539	5433948@qq.com
经纪业务联络人	卫丽	0851－8652694	0851－6828271	weili@hczq.com
推荐业务				
人员	姓名	固定电话	传真	Email
推荐业务联络人	王丹			imvivi@163.com
推荐业务联络人	闫政			962843494@qq.com

天风证券股份有限公司

一、公司简介及概况

<table>
<tr><td rowspan="9">公司简介</td><td>公司名称</td><td colspan="5">天风证券股份有限公司</td></tr>
<tr><td>成立日期</td><td>2000－3－29</td><td>法定代表人</td><td>余　磊</td><td>总经理</td><td>张　军</td></tr>
<tr><td>注册资本（万元）</td><td>466,200</td><td>净资产*（万元）</td><td>374,792.82</td><td>净资本*（万元）</td><td>191,194.29</td></tr>
<tr><td>注册地址</td><td colspan="3">湖北省武汉市东湖新技术开发区关东园路2号高科大厦四楼</td><td>营业部家数</td><td>29</td></tr>
<tr><td>办公地址</td><td colspan="3">湖北省武汉市武昌区中南路99号保利广场A座</td><td>邮编</td><td>430071</td></tr>
<tr><td>公司网址</td><td>www.tfzq.com</td><td>电子邮箱</td><td>zxqyjrb@tfzq.com</td><td>经营证券业务许可证编号</td><td>10780000</td></tr>
<tr><td colspan="6">注：*经审计的最近年度净资产和净资本</td></tr>
<tr><td colspan="3">证监会批准从事的证券业务</td><td colspan="3">证券经纪业务、证券承销保荐业务、证券自营 业务、证券投资咨询业务、与证券交易、证券 投资活动有关的财务顾问业务、证券投资基金 代销业务、证券资产管理业务、融资融券业务、代销金融产品、为期货公司提供中间介绍业务。</td></tr>
<tr><td colspan="3">在全国股份转让系统从事的业务种类</td><td colspan="3">经纪业务,推荐业务,做市业务</td></tr>
<tr><td>公司概况</td><td colspan="6">天风证券股份有限公司（以下简称“天风证券”或“公司”）成立于2000年3月，是一家总部位于武汉的全国性综合型全牌照证券公司，亦是武汉市两家法人级券商之一。公司自成立以来，始终坚持“诚信、稳健、创新、效率”的经营理念，倡导“勤奋、团结、真诚、坚毅、平等、开放”的企业文化，坚持与客户共生共荣的价值观和客户利益至上的原则，积极探索客户、员工、社会、公司协调发展模式，努力为投资者提供全面的财富管理与增值服务，并着力于构建一体化综合金融体系、打造互联网金融平台，力争成为具有核心竞争力和国际化视野的跨界金融服务专家。天风证券现有注册资本46.62亿元，分类评级BBB级。在全国设有29家证券营业部、3家子公司及5家分公司。公司股东类型多元，包括但不限于国有企业类、集团化公司类、金融机构类、基金投资类、上市公司类。近年来，公司业务范围不断拓宽，从最初的单一证券经纪牌照券商发展为当下涵盖证券承销与保荐、证券自营、证券资产管理、新三板主办券商等多种业务形态的全牌照券商。</td></tr>
</table>

二、业务动态

<table>
<tr><td colspan="5">推荐挂牌情况</td></tr>
<tr><td>序号</td><td>股份代码</td><td>公司名称</td><td>挂牌日期</td><td>公司状态</td></tr>
<tr><td>1</td><td>430591</td><td>明德生物</td><td>2014－01－24</td><td>挂牌</td></tr>
<tr><td>2</td><td>430677</td><td>升华感应</td><td>2014－04－10</td><td>挂牌</td></tr>
<tr><td>3</td><td>830866</td><td>凌志软件</td><td>2014－07－30</td><td>挂牌</td></tr>
<tr><td>4</td><td>831165</td><td>远洲股份</td><td>2014－09－26</td><td>挂牌</td></tr>
<tr><td>5</td><td>831238</td><td>旭业新材</td><td>2014－10－27</td><td>挂牌</td></tr>
<tr><td>6</td><td>831252</td><td>博润通</td><td>2014－10－31</td><td>挂牌</td></tr>
<tr><td>7</td><td>831515</td><td>威和光电</td><td>2014－12－16</td><td>挂牌</td></tr>
<tr><td>8</td><td>831585</td><td>鸿业科技</td><td>2014－12－30</td><td>挂牌</td></tr>
<tr><td>9</td><td>831581</td><td>八佳电气</td><td>2014－12－30</td><td>挂牌</td></tr>
<tr><td>10</td><td>831623</td><td>金汇膜</td><td>2015－01－05</td><td>挂牌</td></tr>
<tr><td>11</td><td>831713</td><td>天源环保</td><td>2015－01－14</td><td>挂牌</td></tr>
<tr><td>12</td><td>831777</td><td>丽晶光电</td><td>2015－01－14</td><td>挂牌</td></tr>
<tr><td>13</td><td>831648</td><td>盛景科技</td><td>2015－01－14</td><td>挂牌</td></tr>
<tr><td>14</td><td>831933</td><td>百杰瑞</td><td>2015－02－16</td><td>挂牌</td></tr>
<tr><td colspan="2">目前已推荐挂牌公司家数</td><td colspan="3">14</td></tr>
<tr><td colspan="2">撤回材料及申请被否公司家数</td><td colspan="3">0</td></tr>
<tr><td colspan="2">正在挂牌公司家数</td><td colspan="3">14</td></tr>
<tr><td colspan="2">已上市公司家数</td><td colspan="3">0</td></tr>
<tr><td colspan="2">已被终止挂牌公司家数</td><td colspan="3">0</td></tr>
</table>

推荐定向发行情况				
序号	股份代码	公司名称	发行日期	公司状态
1	430591	明德生物	2014－7－1	发行成功
2	830866	凌志软件	2014－11－19	发行成功
推荐定向发行次数		2		
推荐定向发行成功次数		2		
推荐定向发行失败次数		0		
推荐原代办股份转让系统的两网公司及退市公司挂牌情况				
序号	股份代码	公司名称		
推荐原代办股份转让系统的两网公司及退市公司家数		0		

三、部门设置

经纪业务				
人员	姓名	固定电话	传真	Email
经纪业务联络人	李世奎	028－86712334	028－86711382	lishikui@ tfzq. com
经纪业务联络人	庄桦	028－86712334	028－86711382	zhuanghua@ tfzq. com
推荐业务				
人员	姓名	固定电话	传真	Email
推荐业务联络人	邢丹丹	027－87610876	027－87618863	xingdandan@ tfzq. com
推荐业务联络人	张玉玺	010－59833113	010－59833110	zhangyuxi@ tfzq. com

国开证券有限责任公司

一、公司简介及概况

公司简介	公司名称	国开证券有限责任公司				
	成立日期	2003－12－29	法定代表人	侯绍泽	总经理	侯绍泽
	注册资本（万元）	737,000	净资产＊（万元）	797,218	净资本＊（万元）	726,809.05
	注册地址	北京市朝阳区安华里外馆斜街甲1号泰利明苑A座二区4层			营业部家数	8
	办公地址	北京市西城区阜成门外大街29号			邮编	100037
	公司网址	www. gkzq. com. cn	电子邮箱	zhangxunmin@ gkzq. com. cn	经营证券业务许可证编号	Z32111000
	注：＊经审计的最近年度净资产和净资本					
	证监会批准从事的证券业务			证券经纪；证券投资咨询；与证券交易、证券投资活动有关的财务顾问；证券承销与保荐；证券自营；证券资产管理；经证监会批准的其他业务。		
	在全国股份转让系统从事的业务种类			经纪业务，推荐业务，做市业务		
公司概况	国开证券有限责任公司是国家开发银行全资拥有的投资银行，是中国内地唯一由银行全资控股的证券公司，由国家开发银行在收购原航空证券全部股份的基础上增资设立而成。2010年8月25日，国开证券正式成立，以崭新的形象登上中国资本市场舞台。国开证券总部位于北京，在北京、上海、深圳、天津、河北等省市设立了营业部。公司总部共设有19个部门，并在全国设立了8家营业部，6家分公司，并设有控股子公司国开泰富基金管理有限责任公司。国开证券成立四年来，综合实力得到极大提升，注册资本由5.2亿元增至73.7亿元，业务范围持续扩大，服务能力显著增强。2014年，国开证券实现营业收入15.26亿元，实现净利润7.20亿元。截至2014年末，国开证券总资产达到285.77亿元，净资产92.78亿元。公司的主要业务包括证券保荐类业务（含IPO、上市再融资、财务顾问业务等）、债券承销与自营业务（包括企业债、公司债、中小企业私募债等）、证券投资咨询业务、证券经纪业务、资产管理业务、融资融券业务、“新三板”业务及创新业务等。					

二、业务动态

推荐挂牌情况				
序号	股份代码	公司名称	挂牌日期	公司状态
1	831925	政通股份	2015-01-13	挂牌
2	832743	福能租赁	2015-07-03	挂牌
前已推荐挂牌公司家数		2		
撤回材料及申请被否公司家数		0		
正在挂牌公司家数		2		
已上市公司家数		0		
已被终止挂牌公司家数		0		
推荐定向发行情况				
序号	股份代码	公司名称	发行日期	公司状态
1	831925	政通股份	2015-8-4	发行成功
推荐定向发行次数		1		
推荐定向发行成功次数		1		
推荐定向发行失败次数		0		
推荐原代办股份转让系统的两网公司及退市公司挂牌情况				
序号	股份代码	公司名称		
推荐原代办股份转让系统的两网公司及退市公司家数		0		

三、部门设置

经纪业务				
人员	姓名	固定电话	传真	Email
经纪业务联络人	胡晓岚	010-52825366	010-52825701	huxiaolan@gkzq.com.cn
经纪业务联络人	孔静	010-52825388	010-52825701	kongjing@gkzq.com.cn
推荐业务				
人员	姓名	固定电话	传真	Email
推荐业务联络人	张宇	021-68598062	021-68598098	zhangyu@gkzq.com.cn
推荐业务联络人	张勋民	010-51789002	010-51789053	zhangxunmin@gkzq.com.cn

华福证券有限责任公司

一、公司简介及概况

公司简介	公司名称	华福证券有限责任公司				
	成立日期	1988-6-9	法定代表人	黄金琳	总经理	黄德良
	注册资本（万元）	55,000	净资产*（万元）	234,960.73	净资本*（万元）	206,148.13
	注册地址	福建省福州市鼓楼区温泉街道五四路157号7-8层			营业部家数	77
	办公地址	福建省福州市鼓楼区温泉街道五四路157号7-8层			邮编	350003
	公司网址	www.hfzq.com.cn	电子邮箱	hfzq@hfzq.com.cn	经营证券业务许可证编号	Z23935000
	注：*经审计的最近年度净资产和净资本					
	证监会批准从事的证券业务			证券经纪；证券投资咨询；与证券交易、证券投资活动有关的财务顾问；证券承销与保荐；证券自营；证券资产管理；融资融券；证券投资基金代销；为期货公司提供中间介绍服务；代销金融产品。		
	在全国股份转让系统从事的业务种类			经纪业务，推荐业务，做市业务		

<table>
<tr><td>公司概况</td><td>华福证券前身为福建省华福证券公司,成立于1988年6月,是我国首批成立的证券公司之一。2003年4月,引进广发证券为控股股东,经中国证监会批准,增资改制并更名为广发华福证券有限责任公司。2010年12月,广发证券将其所持公司股权,依法转让给福建省能源集团有限责任公司、福建省交通运输集团有限责任公司和联华国际信托有限公司(现更名为兴业国际信托有限公司)。2011年8月,经批准更名为华福证券有限责任公司,为省属全资国有金融机构。现公司注册资本5.5亿元人民币,总部在福建省福州市。公司目前拥有华福资本投资有限公司和兴银投资有限公司2家全资子公司;控股1家子公司华福基金管理有限责任公司,在福州、厦门、泉州、北京和上海等地设有19家分公司。
公司自成立以来,始终秉承"诚信专业,创造价值"的经营宗旨,坚持"规范经营,稳健发展"的经营理念,在各级政府、各股东和广大投资者大力支持下,盈利能力逐步增强,经营业绩持续提升,公司财务合规稳健,从成立至今每年均取得"标准无保留"的审计评价。2014年4月,福建省国税局、福建省地税局联合举办福建省2013年度纳税百强企业颁奖大会,公司再次被授予"福建省2013年度纳税百强企业",这已是连续第四年获得该荣誉称号,树立了良好的社会形象。当前公司正充分利用行业创新机遇,谋划各项业务发展,打造全牌照全国性优秀券商!</td></tr>
</table>

二、业务动态

<table>
<tr><td colspan="5">推荐挂牌情况</td></tr>
<tr><td>序号</td><td>股份代码</td><td>公司名称</td><td>挂牌日期</td><td>公司状态</td></tr>
<tr><td>1</td><td>430623</td><td>箭鹿股份</td><td>2014－01－24</td><td>挂牌</td></tr>
<tr><td>2</td><td>830981</td><td>世纪钨材</td><td>2014－08－08</td><td>挂牌</td></tr>
<tr><td>3</td><td>831071</td><td>北塔软件</td><td>2014－08－18</td><td>挂牌</td></tr>
<tr><td>4</td><td>831478</td><td>天际数字</td><td>2014－12－12</td><td>挂牌</td></tr>
<tr><td>5</td><td>831587</td><td>万事兴</td><td>2014－12－31</td><td>挂牌</td></tr>
<tr><td>6</td><td>831586</td><td>高奇电子</td><td>2014－12－31</td><td>挂牌</td></tr>
<tr><td>7</td><td>832043</td><td>卫东实业</td><td>2015－02－25</td><td>挂牌</td></tr>
<tr><td>8</td><td>832237</td><td>无锡绿力</td><td>2015－04－15</td><td>挂牌</td></tr>
<tr><td>9</td><td>832323</td><td>聚丰股份</td><td>2015－04－16</td><td>挂牌</td></tr>
<tr><td>10</td><td>832348</td><td>双色港</td><td>2015－04－29</td><td>挂牌</td></tr>
<tr><td colspan="2">目前已推荐挂牌公司家数</td><td colspan="3">10</td></tr>
<tr><td colspan="2">撤回材料及申请被否公司家数</td><td colspan="3">0</td></tr>
<tr><td colspan="2">正在挂牌公司家数</td><td colspan="3">10</td></tr>
<tr><td colspan="2">已上市公司家数</td><td colspan="3">0</td></tr>
<tr><td colspan="2">已被终止挂牌公司家数</td><td colspan="3">0</td></tr>
<tr><td colspan="5">推荐定向发行情况</td></tr>
<tr><td>序号</td><td>股份代码</td><td>公司名称</td><td>发行日期</td><td>公司状态</td></tr>
<tr><td>1</td><td>831478</td><td>天际数字</td><td>2015－2－11</td><td>发行成功</td></tr>
<tr><td colspan="2">推荐定向发行次数</td><td colspan="3">1</td></tr>
<tr><td colspan="2">推荐定向发行成功次数</td><td colspan="3">1</td></tr>
<tr><td colspan="2">推荐定向发行失败次数</td><td colspan="3">0</td></tr>
<tr><td colspan="5">推荐原代办股份转让系统的两网公司及退市公司挂牌情况</td></tr>
<tr><td>序号</td><td>股份代码</td><td colspan="3">公司名称</td></tr>
<tr><td colspan="2">推荐原代办股份转让系统的两网公司及退市公司家数</td><td colspan="3">0</td></tr>
</table>

三、部门设置

<table>
<tr><td colspan="5">经纪业务</td></tr>
<tr><td>人员</td><td>姓名</td><td>固定电话</td><td>传真</td><td>Email</td></tr>
<tr><td>经纪业务联络人</td><td>林丽</td><td>0591－87383607</td><td>0591－87383610</td><td>ll@ hfzq. com. cn</td></tr>
<tr><td>经纪业务联络人</td><td>岳洪涛</td><td>0591－87383620</td><td>0591－87383610</td><td>yht@ hfzq. com. cn</td></tr>
<tr><td colspan="5">推荐业务</td></tr>
<tr><td>人员</td><td>姓名</td><td>固定电话</td><td>传真</td><td>Email</td></tr>
<tr><td>推荐业务联络人</td><td>曹珍</td><td>021－51917685</td><td>021－20655300</td><td>cao_zhen@ sina. com</td></tr>
<tr><td>推荐业务联络人</td><td>吴晓露</td><td>021－51917672</td><td>021－20655300</td><td>wxlu07@ 163. com</td></tr>
</table>

日信证券有限责任公司

一、公司简介及概况

<table>
<tr><td rowspan="9">公司简介</td><td>公司名称</td><td colspan="5">日信证券有限责任公司</td></tr>
<tr><td>成立日期</td><td>2002－4－24</td><td>法定代表人</td><td>孔佑杰</td><td>总经理</td><td>孔佑杰(代)</td></tr>
<tr><td>注册资本（万元）</td><td>121,200</td><td>净资产＊（万元）</td><td>152,870.83</td><td>净资本＊（万元）</td><td>114,527.07</td></tr>
<tr><td>注册地址</td><td colspan="3">内蒙古呼和浩特市锡林南路18号</td><td>营业部家数</td><td>41</td></tr>
<tr><td>办公地址</td><td colspan="3">北京市西城区闹市口大街1号长安兴融中心西楼11层</td><td>邮编</td><td>100031</td></tr>
<tr><td>公司网址</td><td>www.rxzq.com.cn</td><td>电子邮箱</td><td>thsyb@rxzq.com.cn</td><td>经营证券业务许可证编号</td><td>Z36815000</td></tr>
<tr><td colspan="6">注：＊经审计的最近年度净资产和净资本</td></tr>
<tr><td colspan="3">证监会批准从事的证券业务</td><td colspan="3">证券经纪；证券投资咨询；与证券交易、证券投资活动有关的财务顾问；证券承销与保荐；证券自营；证券资产管理；融资融券；证券投资基金代销；代销金融产品等综合业务。</td></tr>
<tr><td colspan="3">在全国股份转让系统从事的业务种类</td><td colspan="3">推荐业务，经纪业务，做市业务</td></tr>
<tr><td>公司概况</td><td colspan="6">日信证券有限责任公司（简称“日信证券”）是经中国证监会核准并在国家工商行政部门注册登记的综合性证券公司。公司成立于2002年4月，注册资本为9亿元人民币。公司的股东包括“北京长安投资集团有限公司”、“北京华联集团投资控股有限公司”、“内蒙古日信担保投资（集团）有限公司”等国内知名大中型企业。公司秉承“合规经营、稳健发展”的经营理念，自成立以来，资产质量一直保持优良，经营业绩稳步提高，公司的经营管理能力得到了监管部门的肯定，在广大证券投资者中拥有较高的美誉度。公司经营业务主要包括：证券经纪；证券投资咨询；与证券交易、证券投资活动有关的财务顾问；证券承销与保荐；证券自营；证券资产管理；融资融券；证券投资基金代销；代销金融产品等综合业务。公司下设北京分公司，在全国已拥有三十一家证券营业部，控股了首创期货公司有限责任公司，在深圳前海全资设立了日信资本投资有限公司。</td></tr>
</table>

二、业务动态

推荐挂牌情况

序号	股份代码	公司名称	挂牌日期	公司状态
1	430510	丰光精密	2014－01－24	挂牌
2	830814	浩博新材	2014－06－26	挂牌
3	830892	海迈科技	2014－08－08	挂牌
4	831514	艾迪尔	2014－12－16	挂牌
5	831591	云涛生物	2015－01－06	挂牌
6	832034	正阳生物	2015－02－12	挂牌
7	832057	雅安茶厂	2015－03－10	挂牌
8	832314	四砂泰益	2015－03－26	挂牌
9	832435	俪德照明	2015－04－23	挂牌
10	832926	恒屹农牧	2015－07－24	挂牌
11	833732	合晟资产	2015－10－09	挂牌
12	833867	泓坤股份	2015－10－16	挂牌
13	833905	普瑞特	2015－10－21	挂牌
14	833858	信中利	2015－10－23	挂牌
15	834066	大统体育	2015－11－05	挂牌
16	834532	萨纳斯	2015－12－02	挂牌
17	835008	卓越钒业	2015－12－17	挂牌
18	835151	中科星冠	2015－12－25	挂牌

19	835334	迈德科技	2016－01－06	挂牌
20	835547	东田时尚	2016－01－29	挂牌
目前已推荐挂牌公司家数		20		
撤回材料及申请被否公司家数		0		
正在挂牌公司家数		20		
已上市公司家数		0		
已被终止挂牌公司家数		0		
推荐定向发行情况				
序号	股份代码	公司名称	发行日期	公司状态
1	832314	四砂泰益	2015－5－8	发行成功
2	830814	浩博新材	2015－6－10	发行成功
3	832057	雅安茶厂	2015－6－11	发行成功
4	832435	俪德照明	2015－6－24	发行成功
5	832034	正阳生物	2015－7－3	发行成功
6	833858	信中利	2015－10－23	发行成功
推荐定向发行次数		6		
推荐定向发行成功次数		6		
推荐定向发行失败次数		0		
推荐原代办股份转让系统的两网公司及退市公司挂牌情况				
序号	股份代码	公司名称		
推荐原代办股份转让系统的两网公司及退市公司家数		0		

三、部门设置

经纪业务				
人员	姓名	固定电话	传真	Email
经纪业务联络人	陈文彬	010－83991716	010－88086637	Chenwb@ rxzq. com. cn
经纪业务联络人	郭佳	010－83991729	010－66412537	guojia@ rxzq. com. cn
推荐业务				
人员	姓名	固定电话	传真	Email
推荐业务联络人	郑媛	010－83991868	010－88086637	zhengyuan@ rxzq. com. cn
推荐业务联络人	潘陆	010－83991895	010－88086637	panlu@ rxzq. com. cn

德邦证券有限责任公司

一、公司简介及概况

公司简介	公司名称	德邦证券有限责任公司				
	成立日期	2003－5－18	法定代表人	姚文平	总经理	武晓春
	注册资本（万元）	230,000	净资产*（万元）	256,872	净资本*（万元）	203,859
	注册地址	海市普陀区曹杨路510号南半幢9楼			营业部家数	21
	办公地址	上海市福山路500号城建国际中心26楼			邮编	200122
	公司网址	www. tebon. com. cn	电子邮箱	webmaster@ tebon. com. cn	经营证券业务许可证编号	Z31221000
	注：*经审计的最近年度净资产和净资本					

公司简介	证监会批准从事的证券业务	约定购回式证券交易资格、自营业务开展股指期货交易资格、网上交易、证券经纪、证券承销与保荐、保险兼业代理业务资格、与证券交易、证券投资活动有关的财务顾问、证券资产管理、融资融券、中国证券登记结算公司乙类结算参与人、证券业务外汇经营许可证(外币有价证券经纪业务、外币有价证券承销业务、受托外汇资产管理业务)、资产管理业务、开展股指期货交易资格、证券投资咨询、证券自营、代销金融产品、转融通业务试点资格、银行间市场利率互换、全国银行间拆借市场成员、证券投资基金代销、中小企业私募债券承销业务、为期货公司提供中间介绍业务、受托理财、权证交易、代办股份转让。
	在全国股份转让系统从事的业务种类	经纪业务,推荐业务,做市业务
公司概况	德邦证券有限责任公司成立于2003年5月,是经中国证监会批准设立的具有承销保荐、经纪业务等资格的全国性综合类证券公司。公司旗下拥有德邦基金管理有限公司及中州期货有限公司。公司拥有投资银行、固定收益、资产管理、量化投资、证券经纪与财富管理为基本架构的专业证券服务体系,以及研究咨询、信息技术和风险管理等强有力的服务支持体系,秉承"心连心、手拉手"的服务理念,为广大客户提供投资、融资等全面、专业的金融服务。凭借专业化服务理念和差异化竞争策略,德邦证券在业内异军突起,被业内誉为最具活力、最具成长性的证券公司之一。德邦证券与多家公募基金、私募基金紧密合作,投行业务发展迅速,成绩斐然,2008年5月起先后获得了"2008年中国区最具潜力投行"、"2010年度中国最佳创新证券公司奖"、"2011中国区优秀投行——最具创新奖"等多项荣誉;公司在大力发展传统经纪业务的同时,创立了"财富玖功管理中心",倡导客户风险承受能力、专业化水平与自身预期收益相匹配的理性投资理念,秉承"策略先行、重点投资、持续跟踪"的核心服务策略,采取量身定制的方式,为每位客户提供最适合的投资咨询服务。	

二、业务动态

推荐挂牌情况				
序号	股份代码	公司名称	挂牌日期	公司状态
1	830946	森萱股份	2014－08－06	挂牌
2	831287	启奥科技	2014－11－07	挂牌
3	831638	天物生态	2015－01－13	挂牌
4	831959	香塘担保	2015－02－11	挂牌
5	832218	德长环保	2015－04－13	挂牌
6	832266	首帆动力	2015－04－17	挂牌
7	832357	益通股份	2015－04－22	挂牌
8	832430	中凯股份	2015－05－21	挂牌
9	832541	镇江固废	2015－06－10	挂牌
10	832712	创侨股份	2015－07－24	挂牌
目前已推荐挂牌公司家数		10		
撤回材料及申请被否公司家数		0		
正在挂牌公司家数		10		
已上市公司家数		0		
已被终止挂牌公司家数		0		
推荐定向发行情况				
序号	股份代码	公司名称	发行日期	公司状态
1	831287	启奥科技	2015－5－26	发行成功
2	832357	益通股份	2015－7－8	发行成功
推荐定向发行次数		2		
推荐定向发行成功次数		2		
推荐定向发行失败次数		0		
推荐原代办股份转让系统的两网公司及退市公司挂牌情况				
序号	股份代码	公司名称		
推荐原代办股份转让系统的两网公司及退市公司家数		0		

三、部门设置

经纪业务				
人员	姓名	固定电话	传真	Email
经纪业务联络人	顾凌瑛	021 - 68761616 - 8089	021 - 68767981	guly@ tebon. com. cn
推荐业务				
人员	姓名	固定电话	传真	Email
推荐业务联络人	姚旺	010 - 85715486	010 - 85715470	yaowang@ tebon. com. cn
推荐业务联络人	冉晓宇	010 - 38769688	010 - 68767880	ranxiaoyu@ tebon. com. cn

财达证券有限责任公司

一、公司简介及概况

公司简介	公司名称	财达证券有限责任公司				
	成立日期	2002 - 4 - 25	法定代表人	翟建强	总经理	张明
	注册资本（万元）	274,500	净资产 *（万元）	705,918	净资本 *（万元）	599,110
	注册地址	河北省石家庄市自强路 35 号			营业部家数	107
	办公地址	河北省石家庄市自强路 35 号			邮编	050000
	公司网址	www. s10000. com	电子邮箱	wangzhibei@ cdzq. com	经营证券业务许可证编号	13140000
	注：* 经审计的最近年度净资产和净资本					
	证监会批准从事的证券业务			证券经纪；证券投资咨询；证券承销与保荐；证券自营；证券资产管理；融资融券；证券投资基金代销；与证券交易、证券投资活动有关的财务顾问；代销金融产品；为期货公司提供中间介绍业务。		
	在全国股份转让系统从事的业务种类			经纪业务，推荐业务，做市业务		
公司概况	财达证券有限责任公司（以下简称“财达证券”）成立于 2002 年 4 月，目前第一大股东为唐山钢铁集团有限责任公司，实际控制人为河北省国资委。财达证券拥有齐全的证券业务牌照，经营范围涵盖：证券经纪；证券投资咨询；证券承销与保荐；证券自营；证券资产管理；融资融券；证券投资基金代销；与证券交易、证券投资活动有关的财务顾问、代销金融产品和为期货公司提供中间介绍业务。 财达证券始终恪守“诚实守信、规范发展”的经营理念，强化内控管理，严防各类风险，积极投身于国内资本市场，各项业务保持了稳步发展的态势，在激烈的市场竞争中树立了守法、合规和信誉至上的良好形象。财达证券凭借规范严谨的公司治理和内控管理，在 2010 年、2011 年、2012 年连续三年获评 A 类券商，2013 年获评 BBB 类券商。					

二、业务动态

推荐挂牌情况				
序号	股份代码	公司名称	挂牌日期	公司状态
1	430574	星奥股份	2014 - 01 - 24	挂牌
2	430396	亿汇达	2014 - 01 - 24	挂牌
3	830837	古城香业	2014 - 07 - 08	挂牌
4	830899	联讯证券	2014 - 08 - 01	挂牌
5	830962	科德威	2014 - 08 - 08	挂牌
6	831150	金越交通	2014 - 09 - 22	挂牌
7	831267	法福来	2014 - 11 - 03	挂牌
8	831367	红山河	2014 - 11 - 19	挂牌
9	831482	和信基业	2014 - 12 - 09	挂牌
10	831528	尚真新材	2014 - 12 - 18	挂牌

11	831625	蓝天精化	2015－01－06	挂牌
12	831736	利源捷能	2015－01－13	挂牌
13	831743	立高科技	2015－01－13	挂牌
14	832017	中兴机械	2015－01－28	挂牌
15	831844	会友线缆	2015－02－03	挂牌
16	831939	博琳包装	2015－02－17	挂牌
17	832338	博克森	2015－04－15	挂牌
18	832235	中环技术	2015－04－15	挂牌
19	832294	鑫乐医疗	2015－04－16	挂牌
20	832396	开源证券	2015－04－30	挂牌
21	832376	天原药业	2015－05－06	挂牌
22	832555	金宇农牧	2015－06－03	挂牌
23	832583	浙江至信	2015－06－09	挂牌
目前已推荐挂牌公司家数		23		
撤回材料及申请被否公司家数		0		
正在挂牌公司家数		23		
已上市公司家数		0		
已被终止挂牌公司家数		0		
推荐定向发行情况				
序号	股份代码	公司名称	发行日期	公司状态
1	830899	联讯证券	2014－10－21	发行成功
2	430396	亿汇达	2014－10－28	发行成功
3	430574	星奥股份	2015－1－9	发行成功
4	830899	联讯证券	2015－4－13	发行成功
5	832555	金宇农牧	2015－4－22	发行成功
6	832555	金宇农牧	2015－4－23	发行成功
7	830899	联讯证券	2015－4－25	发行成功
8	832294	鑫乐医疗	2015－5－27	发行成功
推荐定向发行次数		8		
推荐定向发行成功次数		8		
推荐定向发行失败次数		0		
推荐原代办股份转让系统的两网公司及退市公司挂牌情况				
序号	股份代码	公司名称		
推荐原代办股份转让系统的两网公司及退市公司家数		0		

三、部门设置

经纪业务				
人员	姓名	固定电话	传真	Email
经纪业务联络人	陈丽君	0311－66006315	0311－66006201	clj@ cdzq. com
经纪业务联络人	杨丽娅	0311－66006410	0311－66006201	yangliya2@ cdzq. com
推荐业务				
人员	姓名	固定电话	传真	Email
推荐业务联络人	时娴	0311－66006429	0311－66006204	shixian@ cdzq. com
推荐业务联络人	张艺韬	0311－66006346	0311－66006204	zhangyitao@ cdzq. com

长城国瑞证券有限公司

一、公司简介及概况

<table>
<tr><td rowspan="9">公司简介</td><td>公司名称</td><td colspan="5">长城国瑞证券有限公司</td></tr>
<tr><td>成立日期</td><td>1988－7－16</td><td>法定代表人</td><td>王勇</td><td>总经理</td><td>王勇</td></tr>
<tr><td>注册资本（万元）</td><td>175,000</td><td>净资产*（万元）</td><td>187,845</td><td>净资本*（万元）</td><td>178,722</td></tr>
<tr><td>注册地址</td><td colspan="3">厦门市思明区莲前西路2号莲富大厦17楼</td><td>营业部家数</td><td>20</td></tr>
<tr><td>办公地址</td><td colspan="3">厦门市思明区莲前西路2号莲富大厦17楼</td><td>邮编</td><td>361009</td></tr>
<tr><td>公司网址</td><td>www.gwgsc.com.cn</td><td>电子邮箱</td><td>xmzqzb@xmzq.com.cn</td><td>经营证券业务许可证编码</td><td>10900000</td></tr>
<tr><td colspan="6">注：*经审计的最近年度净资产和净资本</td></tr>
<tr><td colspan="3">证监会批准从事的证券业务</td><td colspan="3">证券经纪；证券资产管理；证券投资咨询；与证券交易、证券投资活动有关的财务顾问；证券投资基金代销；代销金融产品；证券自营；融资融券。</td></tr>
<tr><td colspan="3">在全国股份转让系统从事的业务种类</td><td colspan="3">经纪业务</td></tr>
<tr><td>公司概况</td><td colspan="6">长城国瑞证券有限公司（原“厦门证券有限公司”，以下简称“公司”）成立于1988年，是经中国人民银行福建省分行批准，中国最早设立的证券公司之一。公司目前在北京、上海、广州、厦门等大中城市拥有多家证券营业部，经营范围包括证券经纪、证券资产管理、证券投资咨询、与证券交易及证券投资活动有关的财务顾问、证券投资基金代销、代销金融产品、证券自营、融资融券。2014年11月，经财政部、中国银监会同意，并经中国证监会厦门监管局核准，中国长城资产管理公司成功入主长城国瑞证券，成为公司新的控股股东。公司将秉承控股股东中国长城资产管理公司“以人为本、效益优先、诚信至上、奉献社会”的价值理念，“团结、拼搏、求实、创新”的精神，以集团协同业务为核心竞争力，以创新发展为推动力，积极参与国内资本市场的发展，以至诚的服务精神为社会各界提供全方位的综合金融服务。</td></tr>
</table>

二、业务动态

<table>
<tr><td colspan="5">推荐挂牌情况</td></tr>
<tr><td>序号</td><td>股份代码</td><td>公司名称</td><td>挂牌日期</td><td>公司状态</td></tr>
<tr><td colspan="2">目前已推荐挂牌公司家数</td><td colspan="3">0</td></tr>
<tr><td colspan="2">撤回材料及申请被否公司家数</td><td colspan="3">0</td></tr>
<tr><td colspan="2">正在挂牌公司家数</td><td colspan="3">0</td></tr>
<tr><td colspan="2">已上市公司家数</td><td colspan="3">0</td></tr>
<tr><td colspan="2">已被终止挂牌公司家数</td><td colspan="3">0</td></tr>
<tr><td colspan="5">推荐定向发行情况</td></tr>
<tr><td>序号</td><td>股份代码</td><td>公司名称</td><td>发行日期</td><td>公司状态</td></tr>
<tr><td colspan="2">推荐定向发行次数</td><td colspan="3">0</td></tr>
<tr><td colspan="2">推荐定向发行成功次数</td><td colspan="3">0</td></tr>
<tr><td colspan="2">推荐定向发行失败次数</td><td colspan="3">0</td></tr>
<tr><td colspan="5">推荐原代办股份转让系统的两网公司及退市公司挂牌情况</td></tr>
<tr><td>序号</td><td>股份代码</td><td colspan="3">公司名称</td></tr>
<tr><td colspan="2">推荐原代办股份转让系统的两网公司及退市公司家数</td><td colspan="3">0</td></tr>
</table>

三、部门设置

<table>
<tr><td colspan="5">经纪业务</td></tr>
<tr><td>人员</td><td>姓名</td><td>固定电话</td><td>传真</td><td>Email</td></tr>
<tr><td>经纪业务联络人</td><td>陈颖</td><td>0592－5169077</td><td>0592－5161763</td><td>chenying@xmzq.com.cn</td></tr>
<tr><td>经纪业务联络人</td><td>陈月月</td><td>0592－5821763</td><td>0592－5161763</td><td>chenyueyue@xmzq.com.cn</td></tr>
</table>

推荐业务				
人员	姓名	固定电话	传真	Email
推荐业务联络人	无			

银泰证券有限责任公司

一、公司简介及概况

<table>
<tr><td rowspan="10">公司简介</td><td>公司名称</td><td colspan="5">银泰证券有限责任公司</td></tr>
<tr><td>成立日期</td><td>2006－9－5</td><td>法定代表人</td><td>黄冰</td><td>总经理</td><td>黄冰</td></tr>
<tr><td>注册资本
（万元）</td><td>140,000</td><td>净资产＊
（万元）</td><td>175,091</td><td>净资本＊
（万元）</td><td>159,412</td></tr>
<tr><td>注册地址</td><td colspan="3">深圳市福田区竹子林四路紫竹七道18号光大银行18楼</td><td>营业部家数</td><td>27</td></tr>
<tr><td>办公地址</td><td colspan="3">深圳市福田区竹子林四路紫竹七道18号光大银行18楼</td><td>邮编</td><td>518040</td></tr>
<tr><td>公司网址</td><td>www. ytzq. com</td><td>电子邮箱</td><td>ytzq@ ytzq. net</td><td>经营证券业务
许可证编号</td><td>13640000</td></tr>
<tr><td colspan="6">注：＊经审计的最近年度净资产和净资本</td></tr>
<tr><td colspan="3">证监会批准从事的证券业务</td><td colspan="3">证券经纪；证券投资咨询；与证券交易、证券投资活动有关的财务顾问；证券承销；证券自营；证券资产管理；融资融券；证券投资基金代销；代销金融产品。</td></tr>
<tr><td colspan="3">在全国股份转让系统从事的业务种类</td><td colspan="3">经纪业务</td></tr>
<tr><td colspan="6"></td></tr>
<tr><td>公司概况</td><td colspan="6">银泰证券有限责任公司于2006年7月经中国证监会批准成立，是证券行业综合治理期间首家批准设立的证券公司。公司注册地为深圳市，注册资本12亿元，主要股东为北京嘉鑫世纪投资有限公司、国银金融租赁有限公司和武汉致远投资有限公司。公司经营范围涵盖证券经纪；证券投资咨询；与证券交易、证券投资活动有关的财务顾问；证券承销；证券自营；证券资产管理；融资融券；证券投资基金代销；代销金融产品。
公司现有27家证券营业部，主要分布在珠三角、长三角、环渤海经济圈、江浙地区及中西部南方地区等25个中心城市。公司成立时注册资本1.2亿元，为拓展经营规模，扩大业务范围，2008年7月，经中国证监会核准，公司完成了第一次增资扩股，注册资本金增加至5亿元；2009年3月，经中国证监会核准，公司名称由“银泰证券经纪有限责任公司”变更为“银泰证券有限责任公司”；2010年6月，经中国证监会核准，公司完成了第二次增资扩股，注册资本金增加至10亿元；2013年9月，公司收到深圳证监局出具的《关于接收银泰证券有限责任公司增资扩股备案材料的回执》，完成了第三次增资扩股，注册资本金增加至12亿元。</td></tr>
</table>

二、业务动态

<table>
<tr><td colspan="5">推荐挂牌情况</td></tr>
<tr><td>序号</td><td>股份代码</td><td>公司名称</td><td>挂牌日期</td><td>公司状态</td></tr>
<tr><td colspan="2">目前已推荐挂牌公司家数</td><td colspan="3">0</td></tr>
<tr><td colspan="2">撤回材料及申请被否公司家数</td><td colspan="3">0</td></tr>
<tr><td colspan="2">正在挂牌公司家数</td><td colspan="3">0</td></tr>
<tr><td colspan="2">已上市公司家数</td><td colspan="3">0</td></tr>
<tr><td colspan="2">已被终止挂牌公司家数</td><td colspan="3">0</td></tr>
<tr><td colspan="5">推荐定向发行情况</td></tr>
<tr><td>序号</td><td>股份代码</td><td>公司名称</td><td>发行日期</td><td>公司状态</td></tr>
<tr><td colspan="2">推荐定向发行次数</td><td colspan="3">0</td></tr>
<tr><td colspan="2">推荐定向发行成功次数</td><td colspan="3">0</td></tr>
<tr><td colspan="2">推荐定向发行失败次数</td><td colspan="3">0</td></tr>
<tr><td colspan="5">推荐原代办股份转让系统的两网公司及退市公司挂牌情况</td></tr>
<tr><td>序号</td><td>股份代码</td><td colspan="3">公司名称</td></tr>
<tr><td colspan="2">推荐原代办股份转让系统的两网公司及退市公司家数</td><td colspan="3">0</td></tr>
</table>

三、部门设置

经纪业务				
人员	姓名	固定电话	传真	Email
经纪业务联络人	刘翠玲	0755－83021504	0755－83703200	liucl@ ytzq. com
经纪业务联络人	李雁波	0755－83701479	0755－83703200	liyb@ ytzq. com
推荐业务				
人员	姓名	固定电话	传真	Email
推荐业务联络人	无			

英大证券有限责任公司

一、公司简介及概况

<table>
<tr><td rowspan="9">公司简介</td><td>公司名称</td><td colspan="5">英大证券有限责任公司</td></tr>
<tr><td>成立日期</td><td>1996.4.15</td><td>法定代表人</td><td>吴骏</td><td>总经理</td><td>孔旺</td></tr>
<tr><td>注册资本
（万元）</td><td>220,000</td><td>净资产＊
（万元）</td><td>222,607</td><td>净资本＊
（万元）</td><td>180,663</td></tr>
<tr><td>注册地址</td><td colspan="3">深圳市福田区深南中路华能大厦三十、三十一层</td><td>营业部家数</td><td>16</td></tr>
<tr><td>办公地址</td><td colspan="3">深圳市福田区深南中路华能大厦十一、二十九、三十、三十一层超力通大厦三层</td><td>邮编</td><td>518031</td></tr>
<tr><td>公司网址</td><td>www. ydsc. com. cn</td><td>电子邮箱</td><td>ydzq@ ydzq. sgcc. com. cn</td><td>经营证券业务许可证编号</td><td>10830000</td></tr>
<tr><td colspan="6">注：＊经审计的最近年度净资产和净资本</td></tr>
<tr><td colspan="3">证监会批准从事的证券业务</td><td colspan="3">证券经纪；证券投资咨询；与证券交易、证券投资活动有关的财务顾问；证券自营；证券承销与保荐；证券资产管理；融资融券；证券投资基金代销；为期货公司提供中间介绍；约定购回式证券交易；中小企业私募债；股票质押式回购交易；全国中小企业股份转让系统。</td></tr>
<tr><td colspan="3">在全国股份转让系统从事的业务种类</td><td colspan="3">经纪业务，推荐业务，做市业务</td></tr>
<tr><td>公司概况</td><td colspan="6">英大证券有限责任公司（简称“英大证券”）是一家全国性的证券经营机构，成立于1996年，注册资本22亿元，注册地在深圳。公司拥有一批金融、经济、法律、财务和计算机等专业的高素质人才，业务范围涵盖证券经纪、证券投资咨询、证券自营、证券承销与保荐、证券资产管理、证券投资基金代销、财务顾问、融资融券、期货IB等领域。英大证券股东实力雄厚，控股股东国网英大国际控股集团有限公司是在原国网资产管理有限公司基础上组建，是涵盖7家控股金融单位、19家参股金融机构的金融控股集团。英大证券实际控制人为国家电网公司。英大证券坚持向国内外投资者提供一流专业服务、努力推动中国资本市场繁荣发展为己任，秉承“客户至上、回报股东、奉献社会”的企业宗旨，发扬“努力超越、追求卓越”的企业精神，信守“以人为本、诚信立业、合规经营、创新发展”的经营理念，将建设成为富有英大经营特色、"一强三优"、国际化经营的现代上市金融企业。</td></tr>
</table>

二、业务动态

推荐挂牌情况				
序号	股份代码	公司名称	挂牌日期	公司状态
1	831644	透平高科	2015－01－07	挂牌
2	831649	金宏泰	2015－01－13	挂牌
3	831897	远大信息	2015－01－28	挂牌
4	832140	戈兰迪	2015－03－20	挂牌
5	832302	世昌股份	2015－04－15	挂牌
6	832386	深凯瑞德	2015－05－04	挂牌
7	832565	松德资源	2015－06－12	挂牌

8	832868	金亿帝	2015－07－27	挂牌
9	833357	斯贝尔	2015－08－28	挂牌
10	833424	羿明信息	2015－09－09	挂牌
11	833577	欧林生物	2015－09－15	挂牌
12	833590	长庚新材	2015－09－25	挂牌
13	833829	鹏飞股份	2015－10－16	挂牌
14	834465	国科股份	2015－11－23	挂牌
15	834420	云田股份	2015－12－10	挂牌
目前已推荐挂牌公司家数		15		
撤回材料及申请被否公司家数		0		
正在挂牌公司家数		15		
已上市公司家数		0		
已被终止挂牌公司家数		0		
推荐定向发行情况				
序号	股份代码	公司名称	发行日期	公司状态
1	832386	深凯瑞德	2015－6－30	发行成功
推荐定向发行次数		1		
推荐定向发行成功次数		1		
推荐定向发行失败次数		0		
推荐原代办股份转让系统的两网公司及退市公司挂牌情况				
序号	股份代码	公司名称		
推荐原代办股份转让系统的两网公司及退市公司家数		0		

三、部门设置

经纪业务				
人员	姓名	固定电话	传真	Email
经纪业务联络人	章海鸣	0755－83007331	0755－83007034	zhanghm@ ydzq. sgcc. com. cn
经纪业务联络人	黄昆	0755－83007328	0755－83007034	huangkun@ ydzq. sgcc. com. cn
推荐业务				
人员	姓名	固定电话	传真	Email
推荐业务联络人	修瑞雪	010－58381547	010－58381550	hexagonalx@ 126. com
推荐业务联络人	洪磊一	0755－83007366	0755－83007150	Hongleiyi110@ 126. com

西藏同信证券股份有限公司

一、公司简介及概况

公司简介	公司名称	西藏同信证券股份有限公司				
	成立日期	2000－2－13	法定代表人	贾绍君	总经理	贾绍君
	注册资本（万元）	60,000	净资产＊（万元）	94,541.90	净资本＊（万元）	79,783
	注册地址	拉萨市北京中路101号			营业部家数	30
	办公地址	上海市永和路118弄24号楼			邮编	200072
	公司网址	www. xzsec. com	电子邮箱	KFZX@ mail. xzsec. com	经营证券业务许可证编码	10880000
	注：＊经审计的最近年度净资产和净资本					

<table>
<tr><td rowspan="2">公司简介</td><td>证监会批准从事的证券业务</td><td>证券经纪;证券投资咨询;与证券交易、证券投资活动有关的财务顾问;证券承销与保荐;证券自营;证券资产管理;融资融券;证券基金代销;代销金融产品。</td></tr>
<tr><td>在全国股份转让系统从事的业务种类</td><td>推荐业务</td></tr>
<tr><td>公司概况</td><td colspan="2">西藏同信证券股份有限公司原名西藏证券经纪有限责任公司,前身为西藏自治区信托投资公司(以下简称“西藏信托”)证券部。2000 年 3 月,根据国务院关于信托与证券分业经营管理的要求,公司经中国证监会核准成立,注册资本人民币 6000 万元,由西藏信托全资控股,实际控制人为西藏自治区财政厅。2006 年底,公司进行改制并通过增资扩股引入郑州宇通集团成为公司第一大股东,注册资本增至人民币 2 亿元。
2010 年,西藏自治区投资有限公司(以下简称“西藏投资”)承接公司原股东西藏信托的全部股权划转,至此宇通集团持有公司 70% 股权,西藏投资持有 30% 股权。公司改制后规模及综合实力实现了跨越式发展,经纪业务的市场占有率逐年提升,复合增长率位居行业前茅;2012 年 2 月,经过中国证监会的批准,公司完成了新一轮增资扩股,注册资本由人民币 2 亿元增加到人民币 6 亿元,资本实力得到进一步提升;2012 年 3 月,公司收购了上海久恒期货经纪有限公司 95.5% 股权,为进一步拓展业务范围奠定了基础。
2014 年 1 月,公司改制完成,更名为西藏同信证券股份有限公司。截至 2015 年 7 月,营业网点由 2007 年的 5 家营业部发展到遍及全国 14 个省、1 个自治区、2 个直辖市的 30 家营业部和 5 个分公司;公司的业务资格由原来单一的经纪业务发展为包括经纪业务、证券投资基金代销、证券自营、财务顾问、证券投资咨询、证券资产管理、证券承销、代销金融产品、融资融券、证券保荐、做市商等综合业务类型。</td></tr>
</table>

二、业务动态

<table>
<tr><td colspan="5">推荐挂牌情况</td></tr>
<tr><td>序号</td><td>股份代码</td><td>公司名称</td><td>挂牌日期</td><td>公司状态</td></tr>
<tr><td>1</td><td>830967</td><td>山东巨环</td><td>2014 - 08 - 13</td><td>挂牌</td></tr>
<tr><td>2</td><td>831161</td><td>伊菲股份</td><td>2014 - 09 - 25</td><td>挂牌</td></tr>
<tr><td>3</td><td>831728</td><td>阿尼股份</td><td>2015 - 01 - 13</td><td>挂牌</td></tr>
<tr><td>4</td><td>831886</td><td>云智科技</td><td>2015 - 02 - 06</td><td>挂牌</td></tr>
<tr><td>5</td><td>832372</td><td>西藏能源</td><td>2015 - 04 - 14</td><td>挂牌</td></tr>
<tr><td>6</td><td>833099</td><td>乐旅股份</td><td>2015 - 07 - 31</td><td>挂牌</td></tr>
<tr><td>7</td><td>833206</td><td>影达传媒</td><td>2015 - 08 - 13</td><td>挂牌</td></tr>
<tr><td>8</td><td>833370</td><td>运鹏股份</td><td>2015 - 08 - 20</td><td>挂牌</td></tr>
<tr><td colspan="2">目前已推荐挂牌公司家数</td><td colspan="3">8</td></tr>
<tr><td colspan="2">撤回材料及申请被否公司家数</td><td colspan="3">0</td></tr>
<tr><td colspan="2">正在挂牌公司家数</td><td colspan="3">8</td></tr>
<tr><td colspan="2">已上市公司家数</td><td colspan="3">0</td></tr>
<tr><td colspan="2">已被终止挂牌公司家数</td><td colspan="3">0</td></tr>
<tr><td colspan="5">推荐定向发行情况</td></tr>
<tr><td>序号</td><td>股份代码</td><td>公司名称</td><td>发行日期</td><td>公司状态</td></tr>
<tr><td>1</td><td>831728</td><td>阿尼股份</td><td>2015 - 7 - 10</td><td>发行成功</td></tr>
<tr><td>2</td><td>831161</td><td>伊菲股份</td><td>2015 - 7 - 14</td><td>发行成功</td></tr>
<tr><td>3</td><td>833206</td><td>影达传媒</td><td>2015 - 8 - 13</td><td>发行成功</td></tr>
<tr><td colspan="2">推荐定向发行次数</td><td colspan="3">3</td></tr>
<tr><td colspan="2">推荐定向发行成功次数</td><td colspan="3">3</td></tr>
<tr><td colspan="2">推荐定向发行失败次数</td><td colspan="3">0</td></tr>
<tr><td colspan="5">推荐原代办股份转让系统的两网公司及退市公司挂牌情况</td></tr>
<tr><td>序号</td><td>股份代码</td><td colspan="3">公司名称</td></tr>
<tr><td colspan="2">推荐原代办股份转让系统的两网公司及退市公司家数</td><td colspan="3">0</td></tr>
</table>

三、部门设置

经纪业务				
人员	姓名	固定电话	传真	Email
经纪业务联络人	羊洋	021－36533669	021－36535011	yangy@ mail. xzsec. com
经纪业务联络人	吴婧	021－36531803	021－36535011	wujing@ mail. xzsec. com
推荐业务				
人员	姓名	固定电话	传真	Email
推荐业务联络人	苗毅	010－82206338	021－60893228	mikeyvoire@ gmail. com
推荐业务联络人	陈晨	021－60893235	021－60893228	122430216@ qq. com

川财证券有限责任公司

一、公司简介及概况

公司简介	公司名称	川财证券有限责任公司				
	成立日期	1997－9－23	法定代表人	孟建军	总经理	孟建军
	注册资本（万元）	65,000	净资产*（万元）	121,541.81	净资本*（万元）	110,395.4
	注册地址	四川省成都市高新区交子大道177号中海国际中心B座17楼			营业部家数	6
	办公地址	四川省成都市高新区交子大道177号中海国际中心B座17楼			邮编	610041
	公司网址	www. cczq. com	电子邮箱	cczq@ cczq. com	经营证券业务许可证编码	11080000
	注：*经审计的最近年度净资产和净资本					
公司简介	证监会批准从事的证券业务			证券经纪；证券投资咨询；证券承销与保荐；证券自营；证券资产管理；证券投资基金销售；与证券交易、证券投资活动有关的财务顾问业务、融资融券业务。		
	在全国股份转让系统从事的业务种类			经纪业务，推荐业务，做市业务		
公司概况	川财证券有限责任公司（简称“川财证券”）是经中国证监会核准并在国家工商行政部门注册登记的综合性证券公司。公司成立于1997年9月，注册资本为6.5亿元人民币。公司的股东包括“中国华电集团资本控股有限公司”、“四川省水电投资经营集团有限公司两大新股东”、“四川省国有资产经营投资管理有限责任公司”等国内知名大中型企业。 公司自成立以来，资产质量一直保持优良，经营业绩稳步提高，公司的经营管理能力得到了监管部门的肯定。川财证券依托控股股东华电资本拥有全方位的金融服务平台，涵盖证券、信托、基金、保险等，具有强大的调动产业资源和金融资本资源的能力。公司经营业务主要包括：证券经纪；证券投资咨询；证券承销与保荐；证券自营；证券资产管理；证券投资基金销售；与证券交易、证券投资活动有关的财务顾问。公司下设北京办事处、上海办事处和深圳办事处，在全国拥有六家证券营业部。					

二、业务动态

推荐挂牌情况				
序号	股份代码	公司名称	挂牌日期	公司状态
1	832285	瑞恩电气	2015－04－10	挂牌
2	833141	耀华医疗	2015－08－04	挂牌
目前已推荐挂牌公司家数		2		
撤回材料及申请被否公司家数		0		
正在挂牌公司家数		2		
已上市公司家数		0		
已被终止挂牌公司家数		0		

推荐定向发行情况				
序号	股份代码	公司名称	发行日期	公司状态
推荐定向发行次数		0		
推荐定向发行成功次数		0		
推荐定向发行失败次数		0		
推荐原代办股份转让系统的两网公司及退市公司挂牌情况				
序号	股份代码	公司名称		
推荐原代办股份转让系统的两网公司及退市公司家数		0		

三、部门设置

经纪业务				
人员	姓名	固定电话	传真	Email
经纪业务联络人	张莉	028 – 86583080	028 – 86583002	zhangli@ cczq. com
经纪业务联络人	雷涛	028 – 86583035	028 – 86583035	leitao@ cczq. com
推荐业务				
人员	姓名	固定电话	传真	Email
推荐业务联络人	田静	0755 – 25332856	0755 – 25332856	tianjing@ cczq. com
推荐业务联络人	伏勇	021 – 68416988 – 225	021 – 68416988	fuyong@ cczq. com

五矿证券有限公司

一、公司简介及概况

公司简介	公司名称	五矿证券有限公司				
	成立日期	2000 – 8 – 4	法定代表人	赵立功	总经理	赵立功
	注册资本（万元）	135,725	净资产（万元）	89,190.82	净资本（万元）	71,941.88
	注册地址	深圳市福田区金田路 4028 号荣超经贸中心办公楼 47 层 01 单元			营业部家数	32
	办公地址	深圳市福田区金田路 4028 号荣超经贸中心办公楼 47 层 – 49 层			邮编	518035
	公司网址	www. wkzq. com. cn	电子邮箱	sanban@ wkzq. com. cn	经营证券业务许可证编码	10730000
	注：* 经审计的最近年度净资产和净资本					
	证监会批准从事的证券业务			证券经纪；证券投资咨询；与证券交易、证券投资活动有关的财务顾问业务；证券自营；证券资产管理；融资融券；证券投资基金销售；为期货公司提供中间介绍业务；代销金融产品；证券承销与保荐。		
	在全国股份转让系统从事的业务种类			经纪业务、推荐业务、做市业务		
公司概况	五矿证券有限公司成立于 2000 年，总部位于中国改革开放的前沿城市深圳，是一家全牌照综合券商，也是深圳首批荣获规范类券商资格的证券公司。公司在北京、上海、广州、深圳、杭州等金融产业核心城市均设有营业网点，在国内遍布 32 家营业部。五矿证券的控股股东中国五矿集团公司是中央管理的 44 家国有重要骨干企业之一，位列世界 500 强第 133 位。在强大股东支持下，五矿证券迅速壮大，注册资本增至 13.5725 亿，并将进一步引入战略投资者，使公司持续发展能力、核心竞争能力以及抗风险能力均得到显著提升，为今后发展奠定基础。五矿证券始终秉承“规范运作、稳健经营、务实创新”的经营宗旨，在规范中保生存，在稳健中谋进步，在创新中求发展，经营范围涵盖证券经纪、证券自营、投资咨询、财务顾问、基金销售、资产管理、融资融券、承销与保荐、金融产品代销等业务，并为期货公司提供中间介绍业务，连续多年在全国证券公司代理买卖证券业务净收入增长率排行榜中名列前茅，并多年被评为“中国最具成长性券商”。未来，五矿证券将继续秉承“珍惜有限、创造无限”的价值理念，依托股东优势，力争将公司打造成规模适中、业务牌照齐全、经营特色明显、合规文化突出的市场化专业化券商。					

二、业务动态

推荐挂牌情况				
序号	股份代码	公司名称	挂牌日期	公司状态
1	832049	广德环保	2015－03－05	挂牌
2	833448	灵动微电	2015－08－31	挂牌
3	833728	诚正稀土	2015－10－08	挂牌
4	833563	力天钨业	2015－10－15	挂牌
5	833930	通海线业	2015－10－27	挂牌
6	833999	昆机器人	2015－11－05	挂牌
7	834077	新智视讯	2015－11－05	挂牌
8	834579	残友软件	2015－12－09	挂牌
9	834646	泓源科技	2015－12－15	挂牌
10	835576	数字硅谷	2016－01－26	挂牌
目前已推荐挂牌公司家数		10		
撤回材料及申请被否公司家数		0		
正在挂牌公司家数		10		
已上市公司家数		0		
已被终止挂牌公司家数		0		
推荐定向发行情况				
序号	股份代码	公司名称	发行日期	公司状态
1	832049	广德环保	2015－6－19	发行成功
2	833448	灵动微电	2015－10－12	发行成功
3	833563	力天钨业	2015－10－15	发行成功
4	833448	灵动微电	2016－1－5	发行成功
推荐定向发行次数		4		
推荐定向发行成功次数		4		
推荐定向发行失败次数		0		
推荐原代办股份转让系统的两网公司及退市公司挂牌情况				
序号	股份代码	公司名称		
推荐原代办股份转让系统的两网公司及退市公司家数		0		

三、部门设置

经纪业务				
人员	姓名	固定电话	传真	Email
经纪业务联络人	苏楠敏	0755－82545659	0755－82545500	sunanmin@ wkzq. com. cn
经纪业务联络人	李莹	0755－82802802	0755－82545500	liying@ wkzq. com. cn
推荐业务				
人员	姓名	固定电话	传真	Email
推荐业务联络人	卫薇	0755－82555214	0755－23937232	weiwei@ wkzq. com. cn
推荐业务联络人	钱育兰	010－63259295	010－63366033	qianyulan@ wkzq. com. cn

联讯证券股份有限公司

一、公司简介及概况

<table>
<tr><td rowspan="9">公司简介</td><td>公司名称</td><td colspan="5">联讯证券股份有限公司</td></tr>
<tr><td>成立日期</td><td>1988.6.1</td><td>法定代表人</td><td>徐刚</td><td>总经理</td><td>李翊</td></tr>
<tr><td>注册资本（万元）</td><td>312,617.45</td><td>净资产（万元）</td><td>479,534.95</td><td>净资本（万元）</td><td>440,664.39</td></tr>
<tr><td>注册地址</td><td colspan="3">广东省惠州市惠城区江北东江三路55号惠州广播电视新闻中心西面一层大堂和三、四层</td><td>营业部家数</td><td>42</td></tr>
<tr><td>办公地址</td><td colspan="3">广东省惠州市惠城区江北东江三路55号惠州广播电视新闻中心西面一层大堂和三、四层</td><td>邮编</td><td>516003</td></tr>
<tr><td>公司网址</td><td>lxzq.com.cn</td><td>电子邮箱</td><td>lxzq@lxzq.com.cn</td><td>经营证券业务许可证编码</td><td>10480000</td></tr>
<tr><td colspan="6">注：*经审计的最近年度净资产和净资本</td></tr>
<tr><td colspan="3">证监会批准从事的证券业务</td><td colspan="3">证券经纪；证券投资基金代销；证券投资咨询；与证券交易、证券投资活动有关的财务顾问；证券资产管理；证券自营；代销金融产品；证券承销；融资融券。</td></tr>
<tr><td colspan="3">在全国股份转让系统从事的业务种类</td><td colspan="3">经纪业务，推荐业务，做市业务</td></tr>
<tr><td>公司概况</td><td colspan="6">联讯证券股份有限公司（以下简称“公司”）成立于1988年6月，总股本31.26亿元。目前三大股东为海口美兰国际机场有限责任公司、昆山中联综合开发有限公司、北京银都新天地科技有限公司。2014年8月1日在全国中小企业股份转让系统（下称“新三板”）挂牌，证券代码830899。公司经营范围：证券经纪、证券投资咨询、与证券交易、证券投资活动有关的财务顾问、证券投资基金代销、证券资产管理、证券自营、代销金融产品、证券承销与保荐、融资融券、股票质押式回购交易业务、全国中小企业股份转让系统主办券商业务。公司定位于为中小企业和中小投资者提供投融资服务，向现代投资银行转型，网点规模和业务范围不断扩大，成为一家业务资质齐全的券商，形成了以广东惠州为管理运维总部，北京、上海分公司为经营业务中心的格局。公司现设立37家分支机构，分布在北京、上海、辽宁、江苏、浙江、四川、广东省的主要城市，共同构建起综合金融理财服务平台。
公司秉承“财富联讯，服务贴心”的经营理念，致力于在传统业务中创新，成为传统业务某些领域中的领先者。公司率先在行业内推出经纪人制度，多年净资产收益率在行业领先。联讯证券的经营特色，以客户利益为中心的服务模式在业内和监管机构均受佳评，经营管理经验和体会在《证券时报》、《证券日报》、《中国证券报》、《上海证券报》、《中国证券》等媒体均有报道和转载。2014年起，公司抓住机遇，创新发展，率先在行业内开拓新三板的融资渠道，短短半年时间，实施两轮融资38亿元，公司注册资本从5亿元增至31.26亿元，净资产从6.5亿元增至46.26亿元，完成联讯的跨跃式发展。新业务发展迅速，固定收益业务的2014年现券交易量在券商中排名第10位，金融产品代销业绩斐然，多次产品代销券商端渠道排名第一。公司成功的发展经验受到监管部门和业内认同，并得到广大投资者的认可，荣获“华新奖”最受投资机构欢迎奖。公司坚持“诚信、规范、创新、和谐”企业文化，坚守“四个诚信：公司对客户的诚信；公司对员工的诚信；公司对股东的诚信；员工对公司的诚信”。联讯证券将以登陆新三板为新起点，以客户价值为中心，以人为本，广揽英才，用心服务客户，全力打造集证券、期货、基金、直投、海外业务等为一体，具备投资融资、销售交易、资产管理、支付结算和风险管理等功能的集团性现代投资银行，跻身中国市场最具影响力的上市证券公司之一。</td></tr>
</table>

二、业务动态

<table>
<tr><td colspan="5">推荐挂牌情况</td></tr>
<tr><td>序号</td><td>股份代码</td><td>公司名称</td><td>挂牌日期</td><td>公司状态</td></tr>
<tr><td>1</td><td>834325</td><td>天行股份</td><td>2015-11-17</td><td>挂牌</td></tr>
<tr><td>2</td><td>834401</td><td>激创投资</td><td>2015-11-20</td><td>挂牌</td></tr>
<tr><td>3</td><td>834466</td><td>赛融信</td><td>2015-11-24</td><td>挂牌</td></tr>
<tr><td>4</td><td>834890</td><td>大陆农牧</td><td>2015-12-15</td><td>挂牌</td></tr>
<tr><td>5</td><td>834585</td><td>否玖伍</td><td>2015-12-25</td><td>挂牌</td></tr>
<tr><td>6</td><td>835303</td><td>昆腾微</td><td>2016-01-12</td><td>挂牌</td></tr>
<tr><td colspan="2">目前已推荐挂牌公司家数</td><td colspan="3">6</td></tr>
<tr><td colspan="2">撤回材料及申请被否公司家数</td><td colspan="3">0</td></tr>
</table>

正在挂牌公司家数		6		
已上市公司家数		0		
已被终止挂牌公司家数		0		
推荐定向发行情况				
序号	股份代码	公司名称	发行日期	公司状态
1	834401	激创投资	2015－11－20	发行成功
2	834585	否玖伍	2015－12－25	发行成功
推荐定向发行次数		2		
推荐定向发行成功次数		2		
推荐定向发行失败次数		0		
推荐原代办股份转让系统的两网公司及退市公司挂牌情况				
序号	股份代码	公司名称		
推荐原代办股份转让系统的两网公司及退市公司家数		0		

三、部门设置

经纪业务				
人员	姓名	固定电话	传真	Email
经纪业务联络人	李晶龙	0752－2119706		lijinglong@ lxsec. com
经纪业务联络人	王永霞	0752－2119706		wangyongxia@ lxsec. com
推荐业务				
人员	姓名	固定电话	传真	Email
推荐业务联络人	段丽云	010－64408234		duanliyun@ lxsec. com
推荐业务联络人	佟彦	010－64408234		tongyan@ lxsec. com

九州证券有限公司

一、公司简介及概况

公司简介	公司名称	九州证券有限公司				
	成立日期	2002－12－10	法定代表人	曲国辉	总经理	曲国辉
	注册资本（万元）	109,527.4	净资产＊（万元）	28,238.49	净资本＊（万元）	23,126.65
	注册地址	青海省西宁市南川工业园区创业路108号			营业部家数	1
	办公地址	北京市朝阳区安立路30号仰山公园东一门2号楼			邮编	100033
	公司网址	www. jzsec. com	电子邮箱	jiuzhou@ jzsec. com	经营证券业务许可证编码	916300007
	注：＊经审计的最近年度净资产和净资本					
	证监会批准从事的证券业务			证券经纪；证券投资咨询；与证券交易、证券投资活动有关的财务顾问；证券投资基金代销；证券自营；证券承销与保荐；证券资产管理。		
	在全国股份转让系统从事的业务种类			经纪业务，做市业务，推荐业务		
公司概况	九州证券有限公司（以下简称“九州证券”）是经中国证监会批准，由国内顶尖PE机构九鼎投资控股的中国首家PE系证券公司。九州证券致力于打造综合证券服务提供商，目前已具备证券经纪、证券自营、证券投资咨询、证券承销、证券资产管理、新三板经纪及做市等多项业务资质，迅速跻身综合型券商阵营。以北京为营运总部，以覆盖全国各省区市的三十余家分支机构（14家已开业，另有21家已批准筹建）为依托，九州证券形成辐射全国、经纬交织的强大业务开发体系和营销服务体系。作为九鼎投资打造现代投资银行的重要金融平台，九州证券将依靠规范的治理结构、敏锐的反应机制、富有竞争力的激励体系和高效先进的管理理念，力争三到五年内，打造国内领先的、极具特色的一流证券服务提供商。					

二、业务动态

推荐挂牌情况				
序号	股份代码	公司名称	挂牌日期	公司状态
目前已推荐挂牌公司家数		0		
撤回材料及申请被否公司家数		0		
正在挂牌公司家数		0		
已上市公司家数		0		
已被终止挂牌公司家数		0		
推荐定向发行情况				
序号	股份代码	公司名称	发行日期	公司状态
推荐定向发行次数		0		
推荐定向发行成功次数		0		
推荐定向发行失败次数		0		
推荐原代办股份转让系统的两网公司及退市公司挂牌情况				
序号	股份代码	公司名称		
推荐原代办股份转让系统的两网公司及退市公司家数		0		

三、部门设置

经纪业务				
人员	姓名	固定电话	传真	Email
经纪业务联络人	刘强	010－63889326－8044	010－63889326	liuqiang@ jzsec. com
推荐业务				
人员	姓名	固定电话	传真	Email
推荐业务联络人	胡冰薇	010－63889326	010－63889326	hubw@ jzsec. com

开源证券股份有限公司

一、公司简介及概况

公司简介	公司名称	开源证券股份有限公司				
	成立日期	1994－02－21	法定代表人	李刚	总经理	陶娟
	注册资本（万元）	130,000	净资产*（万元）	164,874.93	净资本*（万元）	122,284.06
	注册地址	西安市锦业路1号都市之门B座5层			营业部家数	32
	办公地址	西安市锦业路1号都市之门B座5层			邮编	710065
	公司网址	www. kysec. cn	电子邮箱	kyzq@ kysec. cn	经营证券业务许可证编码	11300000
	注：*经审计的最近年度净资产和净资本					
	证监会批准从事的证券业务			证券经纪；证券投资咨询；与证券交易、证券投资活动有关的财务顾问；证券承销；证券自营；证券资产管理；融资融券；证券投资基金销售；为期货公司提供中间介绍业务；代销金融产品业务。		
	在全国股份转让系统从事的业务种类			经纪业务，做市业务		
公司概况	开源证券股份有限公司是经中国证监会批准设立的证券经营机构，注册资本13亿元。公司于2015年4月30日在全国中小企业股份转让系统正式挂牌（证券简称：开源证券，证券代码：832396）。公司通过不断提高自身投资能力、经营能力和服务能力，以实力超越自身，以业绩回馈广大投资者。					

二、业务动态

推荐挂牌情况				
序号	股份代码	公司名称	挂牌日期	公司状态
目前已推荐挂牌公司家数		0		
撤回材料及申请被否公司家数		0		
正在挂牌公司家数		0		
已上市公司家数		0		
已被终止挂牌公司家数		0		
推荐定向发行情况				
序号	股份代码	公司名称	发行日期	公司状态
推荐定向发行次数		0		
推荐定向发行成功次数		0		
推荐定向发行失败次数		0		
推荐原代办股份转让系统的两网公司及退市公司挂牌情况				
序号	股份代码	公司名称		
推荐原代办股份转让系统的两网公司及退市公司家数		0		

三、部门设置

经纪业务				
人员	姓名	固定电话	传真	Email
经纪业务联络人	付琦	029－81887063	029－88447611	fuqi@ kysec. cn
经纪业务联络人	张鲲	029－88365809	029－88447611	zhangkun@ kysec. cn
推荐业务				
人员	姓名	固定电话	传真	Email
推荐业务联络人	张欢			

宏信证券有限责任公司

一、公司简介及概况

公司简介	公司名称	宏信证券有限责任公司				
	成立日期	2001－8－8	法定代表人	吴玉明	总经理	宋成
	注册资本（万元）	100,000	净资产*（万元）	173,211.12	净资本*（万元）	131,531.46
	注册地址	成都市锦江区人民南路二段十八号川信大厦10楼			营业部家数	49
	办公地址	成都市锦江区人民南路二段十八号川信大厦10楼			邮编	610016
	公司网址	www. hxzq. cn	电子邮箱	hxzq@ hxzb. cn	经营证券业务许可证编码	11200000
	注：*经审计的最近年度净资产和净资本					
	证监会批准从事的证券业务			证券经纪；证券投资咨询；证券承销与保荐；证券自营；证券资产管理；融资融券；证券投资基金销售；与证券交易、证券投资活动有关的财务顾问；代销金融产品。		
	在全国股份转让系统从事的业务种类			经纪业务，推荐业务，做市业务		

公司概况	宏信证券有限责任公司前身为和兴证券经纪有限责任公司，于2001年8月经中国证监会批准由四川省的6家信托投资机构剥离证券资产合并成立。2012年11月，经四川省工商行政管理局核准，公司名称更名为宏信证券有限责任公司。公司现有股东12家。 公司前三大股东分别为：四川信托有限公司（占总股本的60.376%）、凉山州国有投资发展有限责任公司（占9.589%）、南充市国有资产投资经营有限责任公司（占6.705%）。公司第一大股东四川信托的资产规模和盈利能力短期内已在行业具有较为领先地位。宏信证券与四川信托积极开展信证合作，形成跨业强强联合的业务态势。公司营业网点分布在全国一、二线城市及四川省内其他市州。公司所属证券营业部大部分系西南地区证券业先驱，从1988年起作为信托机构的证券营业部就为四川省股份制改造和证券市场的发展做出积极的贡献，公司现已成为西南地区历史悠久、发展稳定、占重要地位的综合类券商。 公司法人治理结构健全，经营管理规范，资产质量优良，经营业绩良好，自2006年以来实现连续盈利，各项经营指标持续符合中国证监会风险监控的要求，在2014年监管分类评级中获评B类BBB级。公司总体战略定位为“财富增值服务商”。宏信证券作为西南地区的资深券商，在中国市场经济转型、行业深化改革创新发展中，将继续秉承“专业、高效、务实、创新”的经营理念，“以客户为中心、以市场为导向”，竭诚为广大客户提供规范化、个性化、多元化的优质服务，全面推进公司战略发展规划，实现“与客户一起成长，为股东创造价值，携员工共享未来”的公司愿景。

二、业务动态

推荐挂牌情况				
序号	股份代码	公司名称	挂牌日期	公司状态
1	834249	神鹰城讯	2015－11－13	挂牌
目前已推荐挂牌公司家数		1		
撤回材料及申请被否公司家数		0		
正在挂牌公司家数		1		
已上市公司家数		0		
已被终止挂牌公司家数		0		
推荐定向发行情况				
序号	股份代码	公司名称	发行日期	公司状态
推荐定向发行次数		0		
推荐定向发行成功次数		0		
推荐定向发行失败次数		0		
推荐原代办股份转让系统的两网公司及退市公司挂牌情况				
序号	股份代码	公司名称		
推荐原代办股份转让系统的两网公司及退市公司家数		0		

三、部门设置

经纪业务				
人员	姓名	固定电话	传真	Email
经纪业务联络人	翁建	028－86199421	028－86199382	wengj@ hxzb. cn
经纪业务联络人	高睿	010－64083601	010－64083777	gaor@ hxzb. cn
推荐业务				
人员	姓名	固定电话	传真	Email
推荐业务联络人	朱先军	010－64083618	010－64083777	zhuxj@ hxzb. cn
推荐业务联络人	姜兆玮	0531－55708871	0531－55708878	jiangzw@ hxzb. cn

华金证券有限责任公司

一、公司简介及概况

<table>
<tr><td rowspan="10">公司简介</td><td>公司名称</td><td colspan="5">华金证券有限责任公司</td></tr>
<tr><td>成立日期</td><td>2000-09-11</td><td>法定代表人</td><td>宋卫东</td><td>总经理</td><td>宋卫东</td></tr>
<tr><td>注册资本（万元）</td><td>128,000</td><td>净资产*（万元）</td><td>124,905</td><td>净资本*（万元）</td><td>108,783</td></tr>
<tr><td>注册地址</td><td colspan="3">上海市浦东新区杨高南路759号30层</td><td>营业部家数</td><td>23</td></tr>
<tr><td>办公地址</td><td colspan="3">上海市浦东新区杨高南路759号30层、31层</td><td>邮编</td><td>200127</td></tr>
<tr><td>公司网址</td><td>www.huajinsc.cn</td><td>电子邮箱</td><td>hjzq@huajinsc.cn</td><td>经营证券业务许可证编码</td><td>10700000</td></tr>
<tr><td colspan="6">注：*经审计的最近年度净资产和净资本</td></tr>
<tr><td colspan="3">证监会批准从事的证券业务</td><td colspan="3">证券经纪；证券投资咨询；证券自营；证券承销和保荐；与证券交易、证券投资活动有关的财务顾问；代销金融产品；证券资产管理；融资融券；证券投资基金销售。</td></tr>
<tr><td colspan="3">在全国股份转让系统从事的业务种类</td><td colspan="3">经纪业务，推荐业务，做市业务</td></tr>
<tr><td>公司概况</td><td colspan="6">公司前身是设立于2000年9月的上海久联证券经纪有限责任公司；2005年3月，由中国航天科工集团公司等股东实施重组并更名为航天证券有限责任公司；2014年3月，公司顺利完成增资扩股工作，注册资本增至12.8亿元，公司成为珠海金融投资控股集团旗下的重要成员企业。2014年12月，公司更名为“华金证券有限责任公司”。</td></tr>
</table>

二、业务动态

<table>
<tr><td colspan="5">推荐挂牌情况</td></tr>
<tr><td>序号</td><td>股份代码</td><td>公司名称</td><td>挂牌日期</td><td>公司状态</td></tr>
<tr><td>1</td><td>834703</td><td>飓风股份</td><td>2015-12-08</td><td>挂牌</td></tr>
<tr><td colspan="2">目前已推荐挂牌公司家数</td><td colspan="3">1</td></tr>
<tr><td colspan="2">撤回材料及申请被否公司家数</td><td colspan="3">0</td></tr>
<tr><td colspan="2">正在挂牌公司家数</td><td colspan="3">1</td></tr>
<tr><td colspan="2">已上市公司家数</td><td colspan="3">0</td></tr>
<tr><td colspan="2">已被终止挂牌公司家数</td><td colspan="3">0</td></tr>
<tr><td colspan="5">推荐定向发行情况</td></tr>
<tr><td>序号</td><td>股份代码</td><td>公司名称</td><td>发行日期</td><td>公司状态</td></tr>
<tr><td colspan="2">推荐定向发行次数</td><td colspan="3">0</td></tr>
<tr><td colspan="2">推荐定向发行成功次数</td><td colspan="3">0</td></tr>
<tr><td colspan="2">推荐定向发行失败次数</td><td colspan="3">0</td></tr>
<tr><td colspan="5">推荐原代办股份转让系统的两网公司及退市公司挂牌情况</td></tr>
<tr><td>序号</td><td>股份代码</td><td colspan="3">公司名称</td></tr>
<tr><td colspan="2">推荐原代办股份转让系统的两网公司及退市公司家数</td><td colspan="3">0</td></tr>
</table>

三、部门设置

<table>
<tr><td colspan="5">经纪业务</td></tr>
<tr><td>人员</td><td>姓名</td><td>固定电话</td><td>传真</td><td>Email</td></tr>
<tr><td>经纪业务联络人</td><td>邱隽慧</td><td>021-20655576</td><td>021-20655577</td><td>qiujunhui@huajinsc.cn</td></tr>
<tr><td>经纪业务联络人</td><td>曹静</td><td>021-20655561</td><td>021-20655577</td><td>caojing@huajinsc.cn</td></tr>
<tr><td colspan="5">推荐业务</td></tr>
</table>

人员	姓名	固定电话	传真	Email
推荐业务联络人	于昊	021－20655603	021－20655555	yuhao@ huajinsc. cn
推荐业务联络人	张南	021－20655500	021－20655555	zhangnan@ huajinsc. cn

上海华信证券有限责任公司

一、公司简介及概况

<table>
<tr><td rowspan="9">公司简介</td><td>公司名称</td><td colspan="5">上海华信证券有限责任公司</td></tr>
<tr><td>成立日期</td><td>2003－04－10</td><td>法定代表人</td><td>陈海平</td><td>总经理</td><td>劳宏华</td></tr>
<tr><td>注册资本（万元）</td><td>50,000</td><td>净资产＊（万元）</td><td>48,762.82</td><td>净资本＊（万元）</td><td>45,594.39</td></tr>
<tr><td>注册地址</td><td colspan="3">上海市浦东新区世纪大道100号环球金融中心9楼</td><td>营业部家数</td><td>1</td></tr>
<tr><td>办公地址</td><td colspan="3">上海市浦东新区世纪大道100号环球金融中心9楼</td><td>邮编</td><td>200120</td></tr>
<tr><td>公司网址</td><td>www. shhxzq. com</td><td>电子邮箱</td><td>laohonghua@ shhxzq. com</td><td>经营证券业务许可证编码</td><td>13680000</td></tr>
<tr><td colspan="6">注：＊经审计的最近年度净资产和净资本</td></tr>
<tr><td colspan="3">证监会批准从事的证券业务</td><td colspan="3">证券经纪；证券投资咨询；证券承销与保荐。</td></tr>
<tr><td colspan="3">在全国股份转让系统从事的业务种类</td><td colspan="3">推荐业务</td></tr>
<tr><td>公司概况</td><td colspan="6">上海华信证券有限责任公司（简称“上海华信证券”）是由上海华信国际集团全资控股的多牌照综合性证券公司，总部位于上海，注册资本金人民币5亿元，经营范围包括投资银行业务、证券经纪业务和投资咨询业务。</td></tr>
</table>

二、业务动态

<table>
<tr><td colspan="5">推荐挂牌情况</td></tr>
<tr><td>序号</td><td>股份代码</td><td>公司名称</td><td>挂牌日期</td><td>公司状态</td></tr>
<tr><td>1</td><td>833241</td><td>和成显示</td><td>2015－08－18</td><td>挂牌</td></tr>
<tr><td>2</td><td>833929</td><td>康大医疗</td><td>2015－10－28</td><td>挂牌</td></tr>
<tr><td>3</td><td>833676</td><td>宇方工业</td><td>2015－10－30</td><td>挂牌</td></tr>
<tr><td>4</td><td>834606</td><td>拥湾资产</td><td>2015－12－14</td><td>挂牌</td></tr>
<tr><td>5</td><td>835623</td><td>中航时尚</td><td>2016－01－19</td><td>挂牌</td></tr>
<tr><td>6</td><td>835355</td><td>纽恩特</td><td>2016－01－21</td><td>挂牌</td></tr>
<tr><td colspan="2">目前已推荐挂牌公司家数</td><td colspan="3">6</td></tr>
<tr><td colspan="2">撤回材料及申请被否公司家数</td><td colspan="3">0</td></tr>
<tr><td colspan="2">正在挂牌公司家数</td><td colspan="3">6</td></tr>
<tr><td colspan="2">已上市公司家数</td><td colspan="3">0</td></tr>
<tr><td colspan="2">已被终止挂牌公司家数</td><td colspan="3">0</td></tr>
<tr><td colspan="5">推荐定向发行情况</td></tr>
<tr><td>序号</td><td>股份代码</td><td>公司名称</td><td>发行日期</td><td>公司状态</td></tr>
<tr><td>1</td><td>834606</td><td>拥湾资产</td><td>2015－12－14</td><td>发行成功</td></tr>
<tr><td>2</td><td>835623</td><td>中航时尚</td><td>2016－1－19</td><td>发行成功</td></tr>
<tr><td colspan="2">推荐定向发行次数</td><td colspan="3">2</td></tr>
<tr><td colspan="2">推荐定向发行成功次数</td><td colspan="3">2</td></tr>
</table>

推荐定向发行失败次数		0
推荐原代办股份转让系统的两网公司及退市公司挂牌情况		
序号	股份代码	公司名称
推荐原代办股份转让系统的两网公司及退市公司家数		0

三、部门设置

经纪业务				
人员	姓名	固定电话	传真	Email
经纪业务联络人	无			
推荐业务				
人员	姓名	固定电话	传真	Email
推荐业务联络人	冷海飞	021－38784818－8247	021－50818281	lenghaifei@ shhxzq. com
推荐业务联络人	卢菁	021－38784818－8260	021－50818281	lujing@ shhxzq. com

华宝证券有限责任公司

一、公司简介及概况

公司简介	公司名称	华宝证券有限责任公司				
	成立日期	2002－3－4	法定代表人	陈林	总经理	刘加海
	注册资本（万元）	400,000	净资产*（万元）	437,015.53	净资本*（万元）	415,134.99
	注册地址	上海市浦东新区世纪大道100号57层			营业部家数	15
	办公地址	上海市浦东新区世纪大道100号57层			邮编	200120
	公司网址	www. cnhbstock. com	电子邮箱	hbzq@ cnhbstock. com	经营证券业务许可证编码	13080000
	注：*经审计的最近年度净资产和净资本					
	证监会批准从事的证券业务			证券经纪；证券投资咨询；证券自营；证券资产管理；融资融券；证券投资基金代销；代销金融产品；为期货公司提供中间介绍业务；证券承销；与证券交易、证券投资活动有关的财务顾问等。		
	在全国股份转让系统从事的业务种类			经纪业务		
公司概况	华宝证券有限责任公司是经中国证监会批准，依法注册登记，具有独立法人资格，实行自主经营，独立核算，自负盈亏的有限责任公司。公司成立于2007年2月，注册地上海，注册资本金人民币40亿元。公司股东为：华宝投资有限公司和华宝信托有限责任公司。公司目前经营范围：证券经纪；证券投资咨询；证券自营；证券资产管理；融资融券；证券投资基金代销；代销金融产品；为期货公司提供中间介绍业务；证券承销；与证券交易、证券投资活动有关的财务顾问等。公司在上海、北京、杭州、舟山、福州、深圳、成都、武汉等地设有营业部。					

二、业务动态

推荐挂牌情况				
序号	股份代码	公司名称	挂牌日期	公司状态
目前已推荐挂牌公司家数		0		
撤回材料及申请被否公司家数		0		
正在挂牌公司家数		0		
已上市公司家数		0		
已被终止挂牌公司家数		0		

推荐定向发行情况				
序号	股份代码	公司名称	发行日期	公司状态
推荐定向发行次数		0		
推荐定向发行成功次数		0		
推荐定向发行失败次数		0		
推荐原代办股份转让系统的两网公司及退市公司挂牌情况				
序号	股份代码	公司名称		
推荐原代办股份转让系统的两网公司及退市公司家数		0		

三、部门设置

经纪业务				
人员	姓名	固定电话	传真	Email
经纪业务联络人	汤园园	021-68777875	021-68777992	tangyuanyuan@ cnhbstock. com
经纪业务联络人	毕海洋	021-68778020	021-68777992	bihaiyang@ cnhbstock. com
推荐业务				
人员	姓名	固定电话	传真	Email

中信证券(山东)有限责任公司

一、公司简介及概况

公司简介	公司名称	中信证券(山东)有限责任公司				
	成立日期	1988-6-2	法定代表人	杨宝林	总经理	姜晓林
	注册资本(万元)	80,000	净资产(万元)	354,291.43	净资本(万元)	289,238.74
	注册地址	山东省青岛市崂山区深圳路222号1号楼2001			营业部家数	63
	办公地址	山东省青岛市崂山区深圳路222号			邮编	266061
	公司网址	www. zxwt. com. cn	电子邮箱	sdzhb@ citics. com	经营证券业务许可证编码	10820000
	注:*经审计的最近年度净资产和净资本					
	证监会批准从事的证券业务			证券经纪(限山东省、河南省);证券投资咨询(限山东省、河南省的证券投资顾问业务);融资融券;证券投资基金代销;为期货公司提供中间介绍业务;代销金融产品(限山东省、河南省)。		
	在全国股份转让系统从事的业务种类			经纪业务		
公司概况	中信证券(山东)有限责任公司是中信证券股份有限公司的全资子公司。公司的前身是1988年设立的青岛证券公司。1992年改制为有限责任公司,更名为青岛万通证券有限公司。2000年增资扩股后更名为万通证券有限责任公司。2004年4月完成由中信证券股份有限公司出资控股的增资重组并更名为中信万通证券有限责任公司,公司注册资本8亿元。截止2013年9月16日,中信证券股份有限公司的持股比例为100%。2014年4月15日,公司更名为中信证券(山东)有限责任公司。公司是山东地区两家法人证券公司之一,注册地为青岛市崂山区。公司为山东省、青岛市政府命名的"山东省服务业先进单位"、"山东省纳税先进单位"、"青岛市文明单位"和"青岛市金融发展突出贡献单位"。连续五年入围青岛市企业100强,连续六年入围青岛市服务业50强。在2011-2013年度证券公司分类评级中,连续三年被评为A类AA级证券公司。					

二、业务动态

推荐挂牌情况				
序号	股份代码	公司名称	挂牌日期	公司状态
目前已推荐挂牌公司家数		0		

撤回材料及申请被否公司家数		0		
正在挂牌公司家数		0		
已上市公司家数		0		
已被终止挂牌公司家数		0		
推荐定向发行情况				
序号	股份代码	公司名称	发行日期	公司状态
推荐定向发行次数		0		
推荐定向发行成功次数		0		
推荐定向发行失败次数		0		
推荐原代办股份转让系统的两网公司及退市公司挂牌情况				
序号	股份代码	公司名称		
推荐原代办股份转让系统的两网公司及退市公司家数		0		

三、部门设置

经纪业务				
人员	姓名	固定电话	传真	Email
经纪业务联络人	荆夕军	0532 - 85022500	85022511	jing@ citics. com
经纪业务联络人	于斐	0532 - 85022322	85022511	yufei@ citics. com
推荐业务				
人员	姓名	固定电话	传真	Email

万和证券有限责任公司

一、公司简介及概况

公司简介	公司名称	万和证券有限责任公司				
	成立日期	2002 - 1 - 18	法定代表人	朱治理	总经理	王华光
	注册资本（万元）	100,000	净资产*（万元）	155,940	净资本*（万元）	186,208
	注册地址	海口市南沙路49号通信广场二楼			营业部家数	13
	办公地址	广东省深圳市福田区深南大道7028号时代科技大厦20层西厅			邮编	570100
	公司网址	www. vanho. cn	电子邮箱	office@ wanhesec. com	经营证券业务许可证编码	13170000
	注：*经审计的最近年度净资产和净资本					
	证监会批准从事的证券业务			证券经纪、证券投资咨询、证券自营、融资融券、证券资产管理、证券投资基金销售、证券承销、代销金融产品。		
	在全国股份转让系统从事的业务种类			经纪业务，做市业务		
公司概况	万和证券有限责任公司成立于2002年，是经中国证券会批准设立的证券公司。公司注册地海口，注册资本5亿元人民币。公司现有股东分别是国资委下属的深圳市远致投资有限公司、深业集团有限公司、成都投资控股集团有限公司和海口市财政办公用品服务公司。为切实推进"一体两翼"战略，深圳市国资委资本运作平台公司——深圳市远致投资有限公司对万和证券成功实施了增资扩股，使万和证券具备了取得证券业务全牌照的资格，涵盖了证券经纪、证券自营、证券投资咨询、证券投资基金代销、为期货公司提供中间介绍业务、约定购回式交易、股权质押、融资融券、资产管理等。随着深圳市国资产业布局的不断优化与提升，万和证券将得到更大的投入与支持。本着"万众瞩目、和行天下"的企业精神，万和证券将以市场化为导向，采取积极有效的市场化措施，实现公司快速发展。					

二、业务动态

推荐挂牌情况				
序号	股份代码	公司名称	挂牌日期	公司状态
目前已推荐挂牌公司家数		0		
撤回材料及申请被否公司家数		0		
正在挂牌公司家数		0		
已上市公司家数		0		
已被终止挂牌公司家数		0		
推荐定向发行情况				
序号	股份代码	公司名称	发行日期	公司状态
推荐定向发行次数		0		
推荐定向发行成功次数		0		
推荐定向发行失败次数		0		
推荐原代办股份转让系统的两网公司及退市公司挂牌情况				
序号	股份代码	公司名称		
推荐原代办股份转让系统的两网公司及退市公司家数		0		

三、部门设置

经纪业务				
人员	姓名	固定电话	传真	Email
经纪业务联络人	曾雪平	0755－82830333－816	0755－25170807	zengxp@ wanhesec. com
经纪业务联络人	刘嘉颖	0755－82830333－819	0755－25170807	liujy@ wanhesec. com
推荐业务				
人员	姓名	固定电话	传真	Email

第二节　优秀律师事务所选介

大成律师事务所

2015 年 11 月 10 日，大成律师事务所和 Dentons 律师事务所正式启动合并。经过此前两家律所的合伙人对合并进行投票表决，双方曾于 2015 年 1 月确立合并时间表，预定于今年年底合并正式生效。

新律所的中文名称为"大成"，除中文外，律所在英文和其他语言中将使用"Dentons"的名称。律所的标识则将中英文合二为一，设计为"大成 Dentons"字样。

新律所拥有逾 6,600 名律师，服务于 50 多个国家，业务遍及加拿大、美国、欧洲、英国、中东和非洲以及整个亚太地区。新律所可以为客户提供丰富的本土经验，帮助他们在各个地区开展业务或解决争议。

与律所在全球范围开展业务的策略一致，此次合并将最佳业务实践整合为一个全球性的业务组合，在体现律所多元化地域覆盖的同时，加强业务能力和扩大业务领域，使自身业务版图在深度和广度上均处于行业领先地位。

律所在其全球网站 www. dentons. com 上推出一个全新的中文版本网站。为方便客户以及其他想要了解大成在华业务能力的人士，旧版网站 www. dachenglaw. com 将继续使用，之后会完全过渡到新的全球网站 www. dentons. com。

大成是世界上第一家全球多中心的律师事务所，坚持超越自我，以客户需求为中心，始终如一地提供专业、全面、及时、高效便捷的服务，荣膺"Acritas2015 全球顶尖 20 家精英品牌律所"称号。

我们知道，深谙本地文化对于达成交易、解决纠纷以及化解商业风险都至关重要，这促使我们深入客户业务所在的各个地区，让客户保持竞争优势。

作为全球最大的律师事务所，大成的全球服务团队现在更加灵活，在遍及全球 50 多个国家超过 125 个地区，为个人及公共客户提供量身定制的解决方案，满足客户在本地、本国及全球的法律服务需要。

北京德恒律师事务所

德恒创立于 1993 年 1 月，原为司法部下属的中国律师事务中心，与中国改革开放同步发展至今，已成为中国领先的大规模综合性律所，拥有 32 个国内外分支机构和包括一百多家合作机构在内的全球服务网络。

2016 年，德恒实现了高质量的快速增长。其表现包括：

在人员方面，德恒在合伙人和律师队伍上保持了一定速度的增长，全所的 Fee – earners 超过 2000 人，其中合伙人超过 400 名。

在分支机构方面，德恒今年新设了芝加哥办公室，与原来的纽约办公室一起形成了更有效的北美服务网络；并在原来迪拜办公室的基础上，将其扩张为中东办公室，提升了在中东北非一带的全面法律服务能力。2017 年 1 月，德恒无锡办公室开业，华东地区服务网络得到进一步强化。在 2017 年，德恒将继续强化全球服务网络。

在营收方面，德恒的收入增长速度明显高于人员增长速度，其关键原因在于德恒已经超越了规模化发展的阶段，通过提升内部管理，强化信息建设，推动专业化和一体化，进入内涵式增长阶段。

1. 在专业化方面，德恒更新了专业委员会的设置并将其实体化，明确专业分工，提升专业服务水平。

以证券专委会为例，作为德恒内部最大的专委会之一，其成员超过 400，遍布所有办公室，专委会在内核风控、业务培训、知识管理等方面，做了卓有成效的工作，明显提升了德恒在证券领域的服务水平和综合竞争力。汤森路透发布的 2016 年度资本市场统计数据表明，德恒在中国 A 股股权及股权相关、中国 A 股首次公开发行、中国公司境外股权及股权相关发行、亚太地区 G3 债券等几乎所有领域全面进入前列。

2. 在一体化方面，德恒设立了分支机构管理中心，加强全所在业务管理、财务管理、人员管理、作业标准等领域的统一，已取得明显成效。在继续提升全国一体化水平的基础上，德恒还将积极推动国际一体化进程。

3. 在信息化方面，德恒继续加大 IT 投入，建设了新的网站、邮箱系统和 OA 系统。在今后的两三年内，德恒将构建一个律师集成办公系统，把所有的信息集成在一个平台上面，实现全移动的办公，让每个律师都能非常方便地得到数据和文件的支持，提高效率和规范化、降低风险。

正是这一系列的改进完善，使德恒作为一个老牌大所，重获澎湃增长动力。2016 年度，德恒在主要法律服务领域，如资本市场、并购、银行金融、跨境、国际工程、PPP、破产重整、劳动法、反垄断、反倾销以及诉讼等诸多领域皆取得骄人业绩。如德恒承办的联盛集团破产案是迄今为止国内第一大破产重整案件，该案涉及债权数百亿，涉及员工约 1.8 万人；在诉讼领域，德恒承办了奚晓明案、周本顺案、天津"8.12 爆炸案"、徐翔等人操纵证券市场案等一批在社会上有重大影响力的案件；在 A 股和 H 股市场，德恒都取得了优秀业绩，增长势头明显；去年德恒在并购方面仅公开披露的交易金额就超过了 2600 亿的规模；德恒服务了包括 360 退市在内的多个高科技企业美国退市收购项目，以及国开行与俄罗斯外经银行金额为 80 亿美元的框架协议；德恒有律师一年内服务的 PPP 项目金额近 800 亿元；德恒还服务了一带一路上的诸多重大的标杆性项目，等等。2016 年，德恒屡获"年度并购律所大奖"、"年度最佳股票市场交易大奖"等各大法律媒体和评级机构的专业奖项。由于优秀的业务表现，德恒各主要办公室保持了 40% 以上的收入增长。

未来，德恒将继续砥砺前行，不断提升服务质量和客户体验，成长为一家专业领先的国际化律师事务所。

地址：中国北京西城区金融街 19 号富凯大厦 B 座 12 层
邮编：100033
电话：8010 – 52682888
传真：010 – 52682999
网址：DeHengLaw. com

北京国枫律师事务所

国枫律师事务所创立于 1994 年。经过二十余年的稳健发展，现已成为中国领先的具有高度专业性的大型律师事务所。国枫总部位于北京，在上海、深圳、成都和西安设有分所，香港分所正在筹建中，目前拥有律师和专业人员 300 余人。

国枫具有高度的专业特色，在围绕着首次公开发行与上市、上市公司再融资、境内外并购重组、资产证券化、员工持股计划及员工股权激励等资本市场领域独树一帜。作为证券法律服务的专业所，国枫多次受中国证监会委托，参与若干涉及发行上市及监管规则的征求意见及修订工作。

国枫始终以客户需求为第一位，致力于客户愿景的达成，精益求精为中外客户提供全方位、多层次的法律解决方案。国枫广泛的客户群体既包括世界 500 强企业，也包括众多大中型国企、外商投资企业和民营企业，以及各级政府机构和部门、各类协会、学会和非政府组织；所涉业务领域涵盖了包括传统产业及新兴行业的全领域，国枫以高度专业化的精细服务获得了市场及客户的一致认可。

2016 年国枫部分荣誉：

· 2016 年度杰出交易（商法，2016）

· 资本市场国内发行领域领先律所（Chambers and Patners，2016）

· 亚洲股权及股权相关发行商法律顾问 10 强（汤森路透，2016）

· 2016 年（VC/PE 支持）中国企业境内上市法律顾问机构 10 强（清科集团，2016）

· 年度最佳证券与资本市场：国内发行律师事务所（LEGALBAND，2016）

· 卓越律所大奖——资本市场领域（商法，2015）

· 中国 A 股首次公开发行发行商法律顾问第四位（汤森路透，2015）

· 中国 A 股股权及股权相关发行商法律顾问第四位（汤森路透，2015）

· 亚洲股权及股权相关发行商法律顾问第九位（汤森路透，2015）

· 资本市场国内发行领域领先律所（Chambers，2015）

· 中国律所品牌 50 强（LEGALBAND，2015）

· 亚太律师事务所 100 强（The Lawyer，2015）

· 2015 年（VC/PE 支持）中国企业新三板挂牌法律顾问机构 10 强（中国创业投资暨私募股权投资年度排名，2015）

· 2015 年（VC/PE 支持）中国企业境内上市法律顾问机构 10 强（中国创业投资暨私募股权投资年度排名，2015）

· IPO 项目优秀律师事务所：深圳创业板五强、深圳中小板十强、上海主板十强（商法，2015）

· 年度最佳证券与资本市场国内发行律师事务所（LEGALBAND，2015）

北京金诚同达律师事务所

北京金诚同达律师事务所最早创立于 1992 年年底。今天，金诚同达已发展成为中国境内规模最大、最富活力的律师事务所之一，拥有 240 多位优秀专业律师。2000 年金诚同达被司法部命名为“部级文明律师事务所”，2005 年被中华全国律师协会评为“全国优秀律师事务所”，2006 年被《亚洲法律事务》杂志（ALB）评选为“亚洲地区蓬勃发展中的 30 家律所”，成为中国大陆获得这一荣誉的 12 家律所之一。

金诚同达在诸多业务领域，都已成为行业里的领先者。各地区的分所与北京总所紧密合作，形成覆盖全国的网络，为客户提供广泛的法律服务，从公司、证券、金融、房地产、项目融资、基础建设、资产管理、保险、并购、税务、知识产权、反垄断，到外商投资、国际贸易、WTO 争端解决、商事仲裁诉讼等等。金诚同达的客户包括政府部门、大型跨国公司、中央企业、国内外金融机构、保险公司、对冲基金、私募基金、风险投资基金、房地产企业、基础设施开发商、制造商、IT 公司、高新技术产业、传媒娱乐业等。

金诚同达以其在中国各类的法律事务中的每个领域内能够提供客户化的、综合战略性的和专业性的法律咨询服务而赢得客户的赞誉。金诚同达集萃了众多跨领域的专家，绝大部分律师拥有中国知名法学院的教育背景，有些还有美国或者欧洲、日本等知名法学院的教育背景，和曾经在美国、英国、德国、日本和香港的律师事务所里从事国际法律业务的工作经验。金诚同达秉承“守信金诚，励志同达”的理念和“同心合力，事业腾达”的目标，倡导“法理精神、一品服务”和“服务创造价值”，其制胜法宝就是运用资深的专业技术和丰富的实践经验竭诚为每位客户提供最为专业和完备的法律服务。金诚同达律师能够切实地从每位客户的立场和观点出发，同时坚持结合具体情况，在每个业务层面提供高水准的优质服务。金诚同达以学者型的严谨态度、专家型的服务水平、团队型的合作模式和国际化的质量标准严格要求自己。金诚同达正在成为客户最信赖的重要资源。

金诚同达还拥有国际化的业务网络，与美国、欧洲、日本、加拿大、澳大利亚、新加坡、印度等国家、地区和港澳台的相关同行保持着广泛而深入的业务合作关系，力求在全球范围内实现最优化的资源共享和业务互动。随着日益扩展的客户群，金诚同达不仅志在成为中国专业法律服务的领先者，还希望跻身一流国际律师事务所的行列。

金诚同达亦是中国公共法律服务的推动者和热衷实践者。金诚同达律师经常受邀在政府机构、专业协会、民间团体主办的会议上发表演讲，参与人大和政协提案的草拟，参与中央与地方的立法或者修法，参与相关司法解释的讨论，担任政府法律顾问，进行法律实施的调研，积极投身于中国的法制化建设进程。

一、并购与重组业务

金诚同达能在中国并购交易业务中涉及投资者投资的所有环节为客户提供建议。在进入阶段，通过并购已有的中国公司，外国投资者能尽快进入市场，比如，获得大量有经验的员工，或获得已有的销售渠道。对已经在中国成立的公司，可以通过多种形式的并购来重组，扩展或重新调整现有的业务。最后，并购交易也可以是外国投资者退出策略的一个非常有用的方式，包括非公开销售给在中国或国外的中资或外资第三方。

我们的客户包括主要国际性公司、机构投资者、私募和风险投资公司、中资民营企业和国有企业。本所也代理中小企业进行并购交易，包括收购和处置资产、业务和附属公司，买卖合作合资企业股权以及进行战略投资。

金诚同达以其在尽职调查发面的杰出能力而在并购领域享有声誉。鉴于有效、彻底和深入的尽职调查在每一并购交易中的极端重要性，本所一直致力于发展中国一流的尽职调查业务。金城同达专业的尽职调查队伍由 150 多名熟悉各大法律领域的律师组成，能为任何并购交易项目提供重要的法律和事实依据。我们非常熟悉影响任何并购交易的疑难极富挑战性的事务——包括员工和管理安排，账外或潜在负债，社会保险义务，原有非常惯例或安排，行业合规事务——我们在处理这些事务方面具有独特的能力，并为我们的客户提供其作出最明智业务决定所需要的事实信息以及法律分析。

鉴于大部分并购交易的复杂以及多学科的特性，需要一种交叉学科的方法，以保证给客户提供全面的法律服务。金城同达注重交叉学科的方法，将我们税务、金融、反垄断、知识产权，IT，诉讼和劳动法领域的律师整合在一起，为任何需要这些建议的并购交易提供服务。我们对政府监管部门的监管方面也有丰富的经验，包括中国证监会、商务部、文化部、中国新闻出版总署和国家广电总局。金城同达与负责并购法律法规的政府部委和机关建立了良好的关系，这使本所能更好地满足客户的要求。

金诚同达律师的服务涉及并购事务的所有方面，包括：

· 预期目标的前期准备
· 资产买卖
· 企业治理建议
· 一般企业咨询
· 合资合作
· 私募
· 资本结构调整
· 拆分
· 股票交易

多数领域的广泛业务实践使我们可以在众多法律领域为客户提供综合法律建议。一宗并购交易通常需要众多领域的专家提供法律建议，包括：

· 反垄断
· 银行与金融
· 外资所有权规范
· 董事职责
· 劳动法和员工福利
· 知识产权
· 国际贸易
· 劳务和工作仲裁
· 房地产
· 重组与破产重组
· 证券
· 税务
· 电信

二、承办过的并购交易

代理德国电信2007年两家在中国的全资子公司的合并。这一合并涉及资产和债务转移以及员工和商业合同。本所为此交易设计出最佳税务结构，并在交易的过程中赢得了各级政府部门的称赞。

代表中国乐凯集团在2003年进行了里程碑式的收购业务，美国柯达集团以2亿美元的价格购买其20%的股权。这一前所未有的交易独特之处在于柯达与中国乐凯之间的广泛的技术合作。金城同达的法律服务团队包括其并购、证券、企业、IP、外商投资、反垄断和税务领域的律师以及本所国有资产的专家。

三、风险投资和私募

金诚同达擅长于私募（PE）和风险投资，代理过众多客户，包括独立的PE公司，私募股权公司发起人以及融资机构。我们的私募业务具有全球性，代理来自世界各地的私募发起人以及其他交易参与者。我们曾积极参与过许多中国风险投资和私募项目，投资者包括美国国际数据集团、CDH风险投资基金、Intel、Carlyle、国际财务公司（IFC）、红杉、新加坡Vertex和新加坡OWW。本所同时也与风险资本和私募投资的中国政府监管部门建立了良好的关系。

作为Och－Ziff的中国顾问代理其2008年对某BVI控股公司的1500万美元的投资，以期在中国进行具体私募投资；

代表SUNAC中国控股有限公司（SUNAC集团）2006年雷曼兄弟和CDH投资基金管理公司（CDH投资）对其2.5亿美元的投资。这是自中国政府在2006年严控外商投资房地产以来最大的单笔私人融资。SUNAC集团是一家内资综合房地产发展公司，在北京、重庆、无锡和苏州和中国其他城市已有项目。雷曼兄弟是一家国际闻名的美国投资银行。CDH投资是一家国际私募基金，在中国有多次成功投资记录。

作为中国顾问代理中国金融界（www.jrj.com）从IDG和Vertex的风险资本融资以及2004年的纳斯达克上市。金融界是中国领先得财经信息和证券投资软件服务商；

作为ATA.Inc.的中国顾问代理其从国内私营和国有投资者已记海外投资者如SAIF进行的风险投资融资以及其2008年在纳斯达克上市。ATA.Inc.是中国领先的计算机测试服务商。

· 重组与资本结构调整

金诚同达代理众多客户进行了多种类型的重组和资本结构调整。金诚同达一直致力于企业内部结构重组，包括剥离和拆分以及其他价值重新定位的技术。我们在此领域获得了丰富的经验，并能运用本所在财税、员工福利、银行和金融方面以及其他对此类交易至关重要的实践领域的知识。我们精通公司清算和解散，擅长为金融客户在涉及债务人公司重组的项目中为金融客户提供建设性建议。

金诚同达是首批获许代理客户进行国有资产交易的中国律师事务所。我们已经在国有资产交易和国有企业公司重组、资本结构调整、改造和并购方面的法律事务中形成切实可行的有见地的创造性的方法。

· 不良资产

金诚同达在代理客户收购财务问题公司或其业务或资产方面也卓有成效。这些交易可在国有资产重组框架内外进行。我们融合并购方面的实践和在改组、破产和重组方面的技术，这对此类交易至关重要。

四、银行与金融

金融事务是金诚同达的主要业务领域之一。金诚同达拥有一支对于大型复杂金融交易有着丰富经验的金融专业律师团队，长期担任了银行等金融机构的法律顾问，处理过各类与银行业务相关的交易纠纷，已开拓出信贷评审、担保方案设计、债权清收、金融债务重组与清算、不良资产处置、文件起草、信用证欺诈、中间业务论证、衍生产品开发、债务性融资工具发行等方面在内的一条龙式金融法律服务体系。

金诚同达在银行和金融业务方面的代表性客户包括国家开发银行、中国建设银行、中国农业银行、中国银行、中国民生银行、华夏银行、交通银行等境内大型银行等金融机构。

金诚同达参与的银行和金融业务涵盖以下各领域：

· 商业贷款
· 银团贷款
· 并购贷款

· 债权清收和债务重组
· 担保方案设计
· 项目融资
· 贸易融资
· 融资租赁
· 资产证券化
· 金融衍生产品
· 金融知识产权保护
· 委托理财
· 债务性融资工具发行
· 银行及其他金融机构的设立
· 银行与金融标准文件的提供
· 银行中间业务论证

五、证券业务

金诚同达是最早拥有证券法律业务从业资格的律师事务所之一，自中国证券市场创立阶段即开始从事相关法律服务，多年来累积了丰富的专业知识和实务经验，深谙公司及证券类法律、法规和监管规则，熟悉公司及证券类业务的运作与流程，与相关部门与中介机构建立了良好稳定的沟通与合作关系。

金诚同达曾经办理第一家上市公司采用托管方式进行业务整合并解决同业竞争问题，第一家上市公司通过国家股全部回购进行股权重组并实现国有公司民营化，第一家上市公司最大金额商标转让并解决遗留问题，第一家持续赢利上市公司全额资产置换彻底改变主营业务，第一家国有控股上市公司公开实行股权激励制度，第一家上市公司国有大股东通过实施破产进行债务重组和股权重组，第一家由律师组成清算工作组全面接管清算证券公司，第一家股权分置改革后全流通概念下上市公司，第一家突破既往规则通过定向转增进行股权分置改革，第一家信托公司通过吸收合并方式借壳上市，第一批中小企业板上市公司，第一批财务公司发行金融债券。

金诚同达可提供的法律服务包括：

为拟上市公司提供股份制改造、在境内外发行股票(IPO)、上市(包括在国内外主板、中小企业板、创业板、三板以及其他类别的证券市场上市)提供法律服务；

就上市及非上市公司的私募、增发、配股、股权转让、重组(包括借壳上市等)、改制(包括国有企业改制等)、股权收购与反收购、重大资产收购、重大投资(包括独资、合资、合作、联营及其他类型的投资等)、发行优先股、债券(包括可转债、分离交易可转债、企业债券、公司债券、金融债券、短期融资券等)、权证、股权或期权激励(奖励)等提供法律服务；

· 为证券公司、期货公司、各类基金与投资公司提供相关法律服务

· 为公司提供常年法律顾问服务

· 为公司提供其他法律服务(如诉讼、仲裁、清算、破产等)

荣誉奖项

· 2016－2－18，金诚同达多个业务领域及多名律师获钱伯斯亚太重点推荐

· 2015－10－19，北京律协微信公众号评选，金诚同达四个公号获奖

· 2015－2－13，金诚同达多个业务领域和个人列入钱伯斯2015排名

· 2015－1－26，金诚同达荣获2014商法卓越律所国际贸易大奖

· 2015－1－22，原伟律师获评北京律协执业纪律与执业调处委员会优秀委员

· 2015－1－14，上海分所赵平律师被聘为上海市人民政府行政复议委员会委员

· 2015－1－8，喜讯：刘红宇律师获得朝阳区突出贡献人才奖

· 2014－10－10，金诚同达合伙人梁枫获《北京律师》杂志专题报道

· 2014－7－4，金诚同达荣获朝阳区律协党委庆“七一”多项表彰

· 2014－7－2，刘红宇律师被聘为十二届全国政协信息特邀委员——党中央全面了解社情民意的“直通车”

· 2014－6－18，刘红宇律师荣膺西南政法大学“十佳律师校友”

· 2014－4－22，梁枫律师承办的案件获北京晚报“名律铁案”栏目整版报道

· 2014－3－21，西安分所被陕西省律协授予“宣传信息工作先进事务所”光荣称号

· 2014－3－21，北京金诚同达律师事务所西安分所荣获“科技金融创新企业”奖

· 2014－1－29，刘红宇律师获得“首都精神文明建设奖”

· 2014－1－24，刘红宇律师荣获朝阳区工商联优秀征文二等奖

· 2014－1－23，梁枫律师当选北京市“十佳劳动法专业律师”

· 2013－12－27，原伟律师获北京律协表彰

· 2013－11－27，金诚同达所被钱伯斯提名为中国年度律所

· 2013－11－27，西安分所方燕律师当选陕西省儿童福利会第五届理事会副会长

锦天城律师事务所

锦天城律师事务所(“锦天城”)是一家提供全方位法律服务的、全国领先的中国律师事务所，是一家总部设在上海的全国性律师事务所。锦天城在中国大陆十五大城市(北京、深圳、杭州、苏州、南京、成都、重庆、太原、青岛、厦门、天津、济南、合肥、郑州、福州)及在香港开设分所，并在香港、深圳前海与史蒂文生黄律师事务所联营，史蒂文生黄律师事务所在广州也设有办公室。锦天城致力于在瞬息万变的商业环境中为境内外客户制定法律解决方案并提供法律服务。

锦天城坚持优质、高效的服务理念和团队合作的方式，对客户的每一个项目和案件提供细致的法律分析和切实可行的法律建议，积极进取地解决法律问题。

一、我们的荣誉

锦天城多次被中国司法部、地方司法局、律师协会以及国际知名法律媒体和权威评级机构列为中国最顶尖的法律服务提供者之一，位居全国十大品牌律师事务所前列。

锦天城多次获得中华全国律师协会颁发的“全国优秀律师事务所”荣誉称号、上海市律师协会颁发的“上海市优秀律师事务所”、上海市司法局授予的“上海市司法行政系统先进集体”等荣誉。锦天城多位合伙人曾获得“上海领军人才”、

"全国优秀律师"等法律界个人荣誉称号。

钱伯斯法律评级机构(Chambers and Partners)近期连续三年授予锦天城"领先的中国律师事务所"证书,并在多个领域(公司商事、收购兼并、私募基金/风险投资、资本市场、银行与金融、国际贸易、争议解决、知识产权及税务等各主要领域)均给予本所各领域相关律师个人优良的评级。

《法律500强》(Legal 500)在《中国商业律师事务所指南》中评价锦天城是一家在外商直接投资、公司和商业法律领域顶尖的上海律师事务所,是"其他律师事务所希望成为的公司和商业律师事务所"。2015年度锦天城被评选为Legal500 Asia Pacific中国银行及金融、资本市场、公司商事及兼并收购、争议解决和税务领域杰出律所之一。

《国际金融法1000强杂志/亚洲领先律师年鉴》(IFLR 1000/AsiaLaw Profile)多年来多次在多个主要领域(收购兼并、私募基金/风险投资、资本市场、以及银行金融等)给予锦天城"第一流"(1st Tier)等优良评级。锦天城许多合伙人在该杂志与年鉴中被列为相关领域的领先律师。

《亚洲法律事务》(ALB)在其每年举办的"中国法律年度大奖"中多次授予锦天城重大奖项和提名。近几年来,锦天城所获奖项和提名包括"中国律师事务所大奖"、"上海律师事务所大奖"、"年度最佳中国公司法务"、"年度最佳兼并与收购律师事务所"、"年度最佳争端解决律师事务所"、"年度最佳银行业律师事务所"等综合性奖项和各主要业务领域奖项。此外,锦天城曾获得多次"中国律师事务所最佳雇主"称号。

《中国商法杂志》事务所获中国商法杂志2015年度上海最佳律师事务所、最佳海商海事律师事务所、最佳银行金融律师事务所、最佳国际贸易律师事务所。

二、我们的团队

锦天城有执业律师1339名,其中合伙人(含高级国际法律顾问)367位。除以中文(普通话、上海话、粤语、闽南语)为日常工作语言之外,我们的许多律师还精通英文、日文、德文、法文等主要语种,并拥有美国多州、英国、法国及日本等地的执业资格。

锦天城的合伙人、高级国际法律顾问及律师专业精通、资历丰富。我们有许多商业律师曾在国际顶尖律师事务所和/或领先跨国企业工作多年。我们的许多诉讼律师曾任职于最高人民法院、高级人民法院和各级人民检察院,也有多位合伙人目前担任着各地仲裁机构的仲裁员。另外,我们还有多位合伙人和律师曾就职于各级政府部门和立法机构。因此,我们对法律法规的适用、政府审批与监管要求以及各种复杂的法律程序有深刻理解,并能为客户提供行之有效的解决方案。

锦天城多位合伙人和律师曾应邀参与了多部重要法律法规的起草和制定工作,其中多数法律法规直至今日仍频繁应用于日常法律事务中。我们的合伙人和高级国际法律顾问也在多部国际投资、贸易和其他国际经济合作条约的起草工作中发挥了重要作用。

我们的专业团队通过紧密的合作,帮助大量企业客户完成诸多复杂、高端的商业交易,并成功代理了多个具有里程碑意义的案件。

三、我们的客户

锦天城的客户遍及全国和全球。我们的客户包括国有大中型国有企业、事业单位、跨国集团、外商投资企业、民营企业、新兴成长企业、投资银行、商业银行、非银行金融机构、私募基金、产业投资基金等等,行业分布广泛。许多客户已成为锦天城良好合作伙伴。

四、我们的全球视野

为适应世界经济一体化和法律服务国际化的需求,锦天城同全球众多不同司法领域的律师事务所建立了稳定的合作关系,在争议解决、商业投资、跨境并购和贸易的交易和案件中开展广泛的合作。锦天城每年参与国际律师培训项目,这一培训项目为锦天城培养了很多具有国际视野的专业律师。

锦天城于2013年在香港设立分所,并与香港史蒂文生黄律师事务所联营,在香港为本地和国际客户复杂而高标准的商业、投资活动竭尽所能地提供周全的解决方案。2015年1月经广东省司法厅核准,事务所和香港史蒂文生黄事务所合作设立了锦天城史蒂文生黄(前海)联营律师事务所,为前海深港合作现代服务区的建设提供全方位、高效率的法律服务。

此外,为进一步完善全国服务网络,我们还与全国多个地区的优秀律师事务所共同发起成立了中世律所联盟(SGLA),这也是中国大陆地区第一个国际性的律师事务所合作网络,十四家成员律师事务所直接覆盖中国十多个最主要城市和地区,为当地客户提供法律服务。

协力律师事务所

一、基本概况

协力律师事务所是一家兼具国际视野和本地智慧的综合性专业法律服务机构,致力于为客户提供专业的法律服务。我们秉持"服务创造价值"的理念,通过专业服务在为客户创造价值的同时实现自身价值与社会价值。

协力律师事务所成立于1998年,2011年改制为上海首家特殊的普通合伙制律师事务所,总部设在上海陆家嘴,在中国北京、苏州、长沙、南通、无锡、郑州设有分所,并在日本大阪、意大利米兰设有办公室。

我们坚持"兼容并蓄、海纳百川、百舸争流、百花齐放"的发展战略,逐步形成了团队年轻化、文化多元化、业务专业化的特色,先后成立了日本国投资贸易法律事务中心、知识产权法律事务中心、建筑房地产法律事务中心、并购金融证券法律事务中心、海商海事法律事务中心。

协力律师事务所现有执业律师及其他专业人员两百余名,工作语言有中文(包括普通话、上海话)、英文、日文、意大利文等,我们的律师来自于司法系统、政府部门、世界知名律所及专业研究机构,能够为国内外客户提供极具效率的专业法律支持。

二、律所文化

目标:做中国最专业的规模律师事务所

理念:服务创造价值

特色:团队年轻化、文化多元化、业务专业化

宗旨:专注、专研、专业

发展战略:兼容并蓄、海纳百川、百舸争流、百花齐放

治所方略:个人价值与组织发展的融合
理论研究与司法实务的融合
客户需求与效益追求的融合
社会责任与律所文化的融合

三、律所荣誉

· 2014亚太律所150强|TheLawyer2014年

· 2013年度陆家嘴社区"十佳"精神文明共建单位|陆家

嘴社区

·入围年度上海律师事务所大奖|ALB2014 年

·亚太年度“公司、商法和知识产权领域领先律所”重点推荐

·亚太地区知识产权推荐律所|Legal5002014 年

·最值得推荐的中国工程法律 10 家专业律师事务所|ENR/建筑时

·上海商事法领先律师事务所|钱伯斯 2014 年

·知识产权领先律师事务所|钱伯斯 2014 年

·上海商事法领先律师事务所|钱伯斯 2013 年

·知识产权领先律师事务所|钱伯斯 2013 年

四、业务领域

经过多年对专业化道路的坚持和积累，并购金融法律事务中心的律师团队在实务操作上累积了广泛经验：

在基金领域，中心经常代表发起人和投资者，协助投资基金的设立，包括证券投资基金、产业投资基金、房地产基金等，并协助基金发行或基金投资。我们的服务涵盖了根据基金的目标而设计合适的组织和管理结构、收益结构；协调基金管理人和投资者以及基金托管人的法律关系；解决基金管理者和参与者所面临的各类中国法律法规项下的合规问题。代理过数十只基金的设立，其范围涉及房地产投资、矿业投资，一般股权投资基金、医疗行业投资等。同时，金融并购法律事务中心还多次代表被投资企业，处理基金投资过程中被投资方的各项法律事务。针对以在中国境内上市为目标的结构重组，中心的律师团队就如何在中国法律既有的框架下尽可能有效地实现通常基金投资在境外法律所能获得的保护做了许多突破性的探索和实践。因此，并购金融法律事务中心熟悉基金投资和被投资各方的利益，善于保护各方利益。

在地产项目领域，中心尤其具备多年的法律服务经验，这为中心在房地产基金领域的服务夯实了基础。能够在基金运营过程中提供优质的房地产项目法律风险评估、土地权属关系调查以及土地使用权取得、在建工程收购等各类服务。为房地产基金的安全运营提供保障。

在信托融资方面，中心专长于房地产项目信托、煤矿、金矿等矿业权信托、集合及单一资金信托计划、股权信托、收益权信托、信托夹层计划设计及信托公司固有业务等方面，多次设计并为股权收益权、应收账款收益权、直接贷款等多种信托产品提供全程法律服务，包括尽职调查、出具尽职调查报告、参与商务谈判、起草合同文本包括设计信托计划的法律架构、合同条款以及其他担保协议、出具法律意见书等。

凭借在金融法律服务领域的经验，并购金融法律事务中心在为客户服务的过程中充分考虑法律及商业风险，并在现有法律框架下设计行之有效的融资结构，最大限度地保护客户利益。早在数年前，并购金融法律事务中心曾服务过的某一煤矿项目信托计划中，当时夹层信托等手段尚未成熟及普遍采用，由于煤矿项目风险集中，我们对核心风险，如产能、采矿权证、采矿权评估、探矿权、安全生产、技改矿等问题进行风险防控，同时，在信托计划对信托受益权进行分层，采取“优先级/次优先级/劣后级”结构，以保证信托公司的成功退出，为客户提供最充分的保护。

并购金融法律事务中心在资产管理和不良资产处置等方面同样拥有丰富的经验，长期为银行、信托、典当、担保、小额贷款公司等机构提供资产管理及资产处置的诉讼及非诉讼法律服务。中心曾在为某大型银行和资信评级公司服务的过程中，成功进行对企业债务重组和不良资产再融资等操作。相信金融并购法律事务中心在此方面的专长能为信托公司处理不良贷款提供法律保障。

我们的专业律师致力于提供金融创新产品研发的法律服务。根据客户需求，在金融创新产品设计的过程中，联合高等院校、知名研究机构以及司法机关进行专业性的研讨和论证，为客户提供具有前瞻性的法律研究及全方位的法律服务。

并购金融法律事务中心为境内外客户的国内及跨国并购项目提供全程性、综合性的法律服务，主要包括针对目标公司的法律尽职调查，设计、优化交易架构，制作全套交易文件，进行税务筹划、人力资源安排、债权债务重组、营业资源整合，应对反垄断审查/外资并购安全审查，参与商务谈判，并就相关政府手续提供专业法律意见与服务。

·银行

为银行、各类金融机构的存贷款等传统业务，以及银团贷款、涉外借款/担保、金融衍生产品交易等创新性业务提供法律服务。主要包括方案设计与优化，制作相关法律文件，出具综合性的法律意见等。

·信托

为信托公司各种信托产品的设计、发行、终止提供法律服务，主要包括对信托项目/产品进行法律尽职调查、制作相关法律文件，出具综合性的法律意见等。涉及类型主要包括股权、收益权、房地产以及采矿权、林权、抗风险贵金属等创新信托项目。

·基金

为私募股权基金、创业投资基金等各类基金提供设立、投资、管理、退出的全程法律服务，主要包括设计、优化基金结构，构建内部管理体系，审查基金运作合规性，制作相关法律文件，拟定股权激励方案，办理政府手续等。对于基金的被投资人，我们也提供优质的法律服务。

·融资租赁

为客户提供融资租赁业务相关的法律服务，主要包括设计、优化融资租赁方案，制作相关法律文件，融资租赁流程管理等。涉及的主要项目是汽车、大中型机械设备、船舶、飞机等。

·资产处置

为客户提供不良资产处置、债务追索、担保实现、破产清算等资产处置法律服务，主要包括设计、优化资产处置方案，资产处置的法律尽职调查，制作相关法律文件，出具综合性法律意见，发起或应对行政和司法程序等。

地址：上海市陆家嘴环路 958 号华能联合大厦 35 层

电话：021－68866151

传真：021－58871151

上海序伦律师事务所

上海序伦律师事务所是一家具有财经视角的专业法律服务机构，自成立以来，序伦所秉持立信财经事业创始人、“中国现代会计之父”潘序伦博士“信以立志、信以处事、信以待人”的执业理念，致力于为国内外客户提供专业、及时、高效的法律服务。

序伦所已发展成为长三角区域具有显著专业特色的综合性合伙制律师事务所，目前拥有优秀专业律师及助理人员二十余名，均毕业于国内和国际知名的法学院校，相当数量的律师还具备国际贸易、金融、建筑工程、工商管理、会计、税务等多学科专业背景，更聘请国内高等院校的学者教授担任特约顾问，服务领域涉及企业改制与上市、公司治理

辅导、资产与股权并购、经营税务筹划、债权回收、知识产权保护、不动产交易法律服务、台商投资、私募股权基金、劳资关系协调等多个领域，擅长以财经视角为客户提供法律解决方案。

序伦所众多律师历经“风险代理”的锤炼，投入经验、时间与专业技能之后，“客户赢，我才有。”这已经成为我们的律所文化，这也是信的集中体现。

在服务规范治理要求最严格的上市公司的过程中，以及对服务品质有严格要求的众多台资高科技企业提供法律服务的过程中，接受了市场的检验，赢得了客户的赞誉。

为了适应全球经济一体化、法律服务国际化的需求，序伦所还与中国台湾、中国香港、美国、欧洲、澳大利亚等地的相关法律服务机构保持着良好的业务合作关系，与 Horwath International、Fortis Intertrust 建立了积极的战略合作伙伴关系，致力于以国际化标准为本土客户提供具前瞻性的法律服务。

序伦所对聘用律师给予前期资助和全方位的辅导，加之以不断的专业历练培养成具有独立市场地位的优秀律师。序伦所崇尚“共有、共享、共同进步”的律所文化，持续发展的律所携手心智健康的同仁与我们的卓越客户共享丰富而健全的人生体验。

一、常年法律顾问服务

序伦律师以扎实的法律基础，常年为境内外众多客户提供常年法律顾问服务。并在常年法律顾问服务的框架下提供全方位的法律服务。

二、收购兼并及尽职调查

为客户提供并购前的尽职调查服务，并出具管理建议书，起草相关合同，关注战略投资者的退出机制、参与并购中的合同谈判，从法律层面对委托人的利益进行制度安排。

三、境内外上市

1. 多名律师有上市公司从业经历，在企业改制、辅导上市过程中进行法律尽职调查，根据上市条件协助企业进行改制、出具上市发行法律工作报告、法律意见书。

2. 序伦律师有能力结合中国证监会上市相关规定及其他法律、法规、规章以及发审委审查上市审报材料的审核规则，从主体资格、信息披露规则、避免同业竞争、发起人股份锁定、重组业绩连续计算等方面，为客户提供良好的上市前规划法律服务，并有能力配合客户解决申报过程中出现的可能造成上市障碍的法律问题。

四、上市公司服务

多名律师具有上市公司服务经历，对于中国证监会关于上市公司内部控制要求、上市公司相关披露要求十分了解。

五、税收筹划

1. 序伦的税收筹划团队，由多名兼具注册会计师、注册税务师、注册资产评估师资格的资深律师组成，以合法税负为目标筹划交易结构及付款安排。

2. 序伦律师熟悉企业经营中的增值税、营业税、企业所得税等相关税种综合节税筹划流程，并较好地掌握了会计利润与税务利润的区别及界线，对于法律、财务、税务事项的综合运用有独到见解。

3. 我们曾经为境内外企业提供过综合税收筹划服务，并出具了相关税收测算模型。

4. 我们为上市公司期权激励制度设计、上市公司处置不动产提供过专项税务咨询。

六、劳动关系保护

我们为多家大型公司提供专项的劳动人事法律培训及服务，包括劳动争议的仲裁、诉讼服务，参与公司的制度建设，为公司的日常劳动人事管理提供专业法律咨询意见。

七、国有企事业单位改制、重组及产权交易

序伦律师熟识国有产权改制、重组过程中必不可少的各环节。对于在此环节中的可行性研究、职工安置、清产核资、资产评估、产权交易挂牌程序等拥有丰富实务经验，并多次为相关客户出具过专项法律意见书。同时，对于国有产权交易中同时涉及外资、上市公司股份变动的特别处理亦有独到经验。

八、国际投资和国际贸易

由精通国际惯例并能熟练运用外国语言的律师团队组成，擅长的专业领域包括：国际投资，国际股权和债权融资，国际贸易，跨国并购，国际税收筹划，境外设备引进。

九、债权回收

序伦律师以财务视角挖掘被执行人的财产线索，有效破解债权回收难题，建立起了良好的业务记录。

十、房地产

为房地产公司组建、国有土地使用权出让与转让、土地征用、拆迁补偿、工程招投标、工程建设管理与监督、房地产项目融资、商品房预售与销售、产权纠纷、物业管理、房地产开发与经营过程中出现的纠纷提供法律服务，并以财经视角提供房地产信托产品的设计。

序伦律师并与相关证券公司合作，致力于不动产项目的资产证券化项目，为客户争取了除股票上市之外多种融资渠道。

十一、知识产权保护

序伦律师帮助企业建立知识产权保护体系，多名律师具有工程师背景，擅长对专利侵权案件的法律分析。在辅导国内企业通过跨国公司全球供应商认证方面有丰富经验。

序伦律师多次代理域名、商标、不正当竞争案件，并保持了良好的胜诉纪录。

地址：上海市肇嘉浜路 333 号亚太企业大楼 11 层

邮编：200032

电话：86 - 21 - 64224886

传真：86 - 21 - 64224900

邮箱：shulun@ shulunlaw. com

上正律师事务所

上正律师事务所创立于中国经济最活跃的地区——上海浦东陆家嘴金融贸易区，是以办理公司、证券、外商投资、金融及房地产等经济法律事务为主的专业化律师事务所。凭借从业至今的良好业务记录及社会信誉，上正律师事务所已奠定了“服务专业”、“技术领先”的行业地位。

上正律师事务所高学历、高层次人才密集。执业律师均毕业于中国或境外著名的法学院校，接受过系统、严格的法学教育和法律专业培训，其中法学博士 4 名，其余律师多具有法学硕士学位。多名律师拥有在投资银行法律业务领域的资深经历，部分律师拥有在加拿大、日本、香港或新加坡知名律师事务所的执业经验，并有律师在欧盟及世界贸易组织总部接受过全面培训，被上海市政府确定为“上海 WTO 事务专业高级人才”。

上正律师事务所在公司法及与公司运行有关的合同、工商、税务、外汇、知识产权、劳动关系等法律领域具有较强的研究能力，时刻关注最新的立法动态和司法实践，并积累了丰富的执业经验。在法律服务中不仅能够妥善地为客户处理日常的法律事务，而且在面对复杂、疑难、急迫的重大法律事务时，亦有足够的控制能力和操作技巧。

上正律师事务所为中国境内较早被政府授予证券从业资格的法律服务机构之一，在首发、再融资、重大资产重组、上市公司收购、国有及集体企业改制、MBO、信托融资、风险融资及公司境外上市等资本市场法律服务领域拥有大量成功案例，具有丰富的经验和良好的业绩，赢得广大客户的认可和肯定。

上正律师事务所多名具有境外工作背景的律师不仅熟悉欧、美、日等西方主要国家或地区的法律制度，而且了解WTO规则及国际惯例，能够为客户提供涉及反倾销、反补贴、国际知识产权保护等国际贸易方面的法律服务。

上正律师事务所为上海证券业协会指定的"为会员提供法律服务的律师事务所"；自1998年以来，一直担任上海证券交易所的常年法律顾问，2007年开始担任中国金融期货交易所的常年法律顾问；上正律师事务所多次应邀参加由全国人大法工委、国务院法制局、中国证监会等部门组织的《公司法》、《证券法》、《上市公司收购管理办法》、《上市公司股东持股变动信息披露管理办法》等法律法规或规范性文件草案的讨论和征求意见。自成立以来，先后为数十家企业集团、上市公司，以及证券公司和投资机构提供常年法律顾问或改制、上市、收购、重组等专项法律顾问服务。

上正律师事务所一贯坚持"客户至上、诚信为本"的执业理念，注重与客户形成长期、稳定的合作伙伴关系，以务实、高效的法律服务为广大客户实现商业目标提供鼎力支持。

执业领域：

·企业经常事务(常年)法律顾问

为公司经营、管理提供法律咨询；

参与公司资产重组、企业并购等重大专项事务的方案设计、论证和谈判；

对公司重大经营事项进行法律论证，审查、修改公司重大法律文件；

协助公司制定规范化管理章程和业务规则，完善公司内部治理机制；

协助公司对员工进行法律培训和法制教育；

代理公司的诉讼、仲裁及其它专项法律事务。

·公司法律事务

公司的设立、改制与重组法律事务

公司股权转让、公司收购与反收购法律事务

公司增资、减资、合并、分立法律事务

公司对外投资、设立分支机构法律事务

公司治理法律事务

公司破产与清算法律事务

·投资银行及证券法律业务

股份有限公司设立、股票发行及上市法律事务

公司债券发行、上市法律事务

股份转让、上市公司收购及重大资产重组法律事务

公司境外发行股票、上市法律事务

暂停上市公司恢复上市法律事务

证券公司、证券投资基金法律事务

·银行、信托、融资法律事务

信贷、票据、信用卡、信用证法律事务

资信调查法律事务

信托设立、信托财产运用及信托的变更、终止法律事务

项目融资、公司融资、股权融资法律事务

杠杆融资、风险融资法律事务

国际商业贷款(包括辛迪加贷款)法律事务

·外商投资法律业务

外商投资企业(包括中外合资、外商独资、外商投资股份有限公司、外国公司在华代表处)设立法律事务

外资收购、兼并内资企业法律事务

外商投资企业劳动关系法律事务

外商投资企业解散与清算法律事务

·建筑、房地产法律事务

工程委托管理、设计、监理法律事务

工程总承包、分包法律事务

工程融资法律事务

房地产开发项目全程(立项、规划、设计、施工、竣工验收等)法律事务

房地产开发项目转让、联建、参建法律事务

商品房预售、销售、预租、出租法律事务

·知识产权法律事务

专利权申请、转让和保护法律事务

商标权申请、转让和保护法律事务

商业秘密保护、反不正当竞争法律事务

著作权、计算机软件保护法律事务

·民商事诉讼和仲裁

民商事纠纷诉讼

民商事纠纷国内外仲裁

国际贸易争端解决

民商事生效法律文书的执行

地址：上海市浦东南路528号上海证券大厦北塔2301室

邮编：200120

电话：021－6881－6261　6267/6726

传真：021－6881－6005

重庆志和智律师事务所

重庆志和智律师事务所(以下简称："志和智")成立于1998年，拥有一支40余人的专职律师队伍。其中部分律师在获得工程、管理、财务、外语等学历后，继续法律专业深造，开始律师执业生涯，积累了处理各专业领域内法律事务的丰富经验，特别是在金融、证券、保险、房地产、建筑工程、劳动合同管理、疑难民商案件、公司治理、电子商务等法律领域。

"志和智"拥有一个由法律专家组成的顾问班子。其中，有的是国内外名牌大学的教授、博士，有的担任过法官、仲裁员、企业高管和政府官员。

一、执业情况及行业内评价

·"志和智"律师以"自律之师"为座右铭，以"先做人后做事"为律令，秉承忠于事实和法律、诚实守信、快捷高效的执业理念，取得了良好的社会效益和经济效益，受到社会各界的广泛赞誉。

·"志和智"两次荣获重庆市司法局授予的"重庆市优秀服务律师事务所"称号，获重庆市律师协会授予的"最佳成长律师事务所"，先后获得重庆市司法局授予的"人民满意的律师事务所"及渝中区委、区府授予的"优秀中介服务机构"及"重点中介服务机构"等荣誉称号。此外，"志和智"部分律师还荣获重庆市司法局、重庆市律师协会授予的"诚信百优律师"、"重庆市优秀律师"及"重庆市十佳女律

师”称号。

·“志和智”自创办以来始终坚守行业规范及职业道德，并热心公益活动。在行业内有着较高的认可度。荣获重庆新闻广播、重庆市律师协会青年律师工作委员会颁发的“重庆新闻广播《身边说法》栏目优秀嘉宾律师事务所”，荣获重庆市律师协会、重庆广播电视集团（总台）、重庆新闻广播（或重庆之声）颁发的“《身边说法》栏目2013、2014年度优秀嘉宾律师事务所”。

二、我所在证券、投融资、金融、保险领域的主要业绩、案例及经验

“志和智”证券领域的主要业绩及案例

为重庆聚融建设（集团）股份有限公司（已挂牌）、重庆四平塑料包装有限公司（已挂牌）、重庆巨创计量设备股份有限公司（已挂牌）、重庆博浪塑胶股份有限公司（已挂牌）、重庆理思装饰股份有限公司、重庆皇华种业股份有限公司、重庆市三峡生态渔业发展有限公司、重庆金泰航空工业有限公司、重庆安仁工业服务有限公司等十余家公司在“新三板”挂牌报价转让进行尽职调查及股份制改造，并对公司的合法合规性、独立性、重大债权债务、内部控制情况等出具《法律意见书》。

与重庆上平实业有限公司合作，采用创新商业模式，对拟挂牌新三板企业给予零首付和零租金扶持，在重庆江北寸滩保税港区创建西部第一个“新三板孵化园”总部基地（建筑面积20万平方）。

集合几十家中介机构、新三板挂牌和拟挂牌企业发起设立了重庆“新三板商会”社团组织，帮助、引导更多中小企业挂牌新三板。

“志和智”投融资领域的主要业绩及案例

为中国建设银行股份有限公司对多家水电公司以其电站收益权作抵押贷款进行尽职调查并对电站收益权是否合法、清洁、无争议等事项出具《法律意见书》。

为北京国维科技有限公司收购重庆旅发集团股权进行尽职调查，并对被收购公司的各子公司、分公司、关联公司的相关债权债务、内部控制情况等进行法律分析，并出具《法律意见书》。

为中国四联仪器仪表集团有限公司发行短期融资券提供专项法律服务；为重庆西部现代物流园资产经营管理有限责任公司发行中小企业私募债券提供专项法律服务；为重庆高速公路股份有限公司、武隆喀斯特旅游集团公司发行中期票据提供专项法律服务并出具《法律意见书》。

“志和智”金融领域的主要业绩及案例

为中国建设银行股份有限公司重庆分行、重庆长城资产管理有限公司重庆办事处、重庆金合信用担保有限公司、重庆中色投资信用担保有限公司等金融机构贷款追偿、资产包处理、担保、追偿等案件提供法律服务；

为设立重庆市北部新区小康小额贷款有限公司、重庆忠商投资股份有限公司提供法律服务；为多家银行、担保公司、投资公司提供常年法律服务，并为其提供借贷、担保事务日常管理、风险控制服务；

为多家房地产公司提供常年法律顾问服务，为其项目开发、融资借贷提供专项法律服务；

“志和智”保险领域的主要业绩及案例

为利宝保险有限公司、富邦财产保险有限公司重庆分公司、信达财产保险股份有限公司重庆分公司等保险公司提供常年法律顾问服务，并为其处理追偿、保险理赔等案件。

辽宁恒信律师事务所

辽宁恒信律师事务所成立于1994年12月，是大连市第一批合伙制律师事务所之一，并于2001年在沈阳成立了分所、2014年1月在上海成立了分所。本律师事务所现有执业律师、律师助理及其他辅助人员80余人，其中合伙人12人。我们坚信丰富的专业知识和经验是律师优质服务的基础，因此我们注重人才的吸纳和培养。我们的律师多数来自从事多年司法、教学和实务工作的资深人士以及海外留学归国专业人员，具有丰富的处理各类法律事务的经验，并具备出色的语言能力。部分律师先后兼任中华全国律师协会专业委员会委员、辽宁省律师协会专业委员会委员、中国国际经济贸易仲裁委员会仲裁员及大连仲裁委员会仲裁员等职务。

为给国内外客户提供优质的法律服务，我们根据专业的不同内部划分为六个业务部门：公司商事部、房地产与建筑工程部、海事海商部、银行与金融部、知识产权部、争议解决部，向客户提供专业化、特色化的解决方案。各个部门之间以及各律师之间既有具体的分工，又保持协调和配合，坚持法律服务的团队化，确保任何一项具体法律服务都是由主办律师、协作律师和辅助人员组成的团队工作成果的体现，从制度上更好地保障客户利益。因此，我们的服务既是专业的，又是全方位的。

本所成立以来，先后取得多项荣誉，1998年至2003连续六年被大连市司法局授予“文明律师事务所”称号，2001年至2003年评为“省级文明律师事务所”，2004年末被辽宁省司法厅授予“辽宁省AAA诚信律师事务所”，2005年6月被中华全国律师协会评为“首届全国优秀律师事务所”，2006年被辽宁省司法厅评为“辽宁省先进律师事务所”，2007年被大连市司法局评为“优质法律服务年”先进单位，2008年被大连市司法局评为“大连市AAA律师事务所”，

2012年被大连市司法局评为“大连市优秀律师事务所。自2013年起的钱伯斯中国律所排名中，本所公司/商事领域业务位列东北地区第一名，2015年度LEGALBAND中国客户指南发布，本所凭借公司商事业务的突出表现，位列该指南区域排名第一梯队。

本所具有多年为新三板挂牌公开转让、企业上市、再融资、并购等项目提供法律服务的经验，主要业绩包括：大连恒锐科技股份有限公司新三板项目（公司代码:430453）、大连翼兴节能科技股份有限公司新三板项目（公司代码:430541）、大连北方国际展览股份有限公司新三板项目（公司代码:831023）、大连必由学教育网络股份有限公司新三板项目（公司代码:831341）、辽宁成大生物股份有限公司新三板项目（公司代码:831550）、大连同方软银科技股份有限公司新三板项目（公司代码:831829）、大连汇隆活塞股份有限公司新三板项目（公司代码:833455），上述公司均已成功挂牌，其中，大连恒锐科技股份有限公司、大连翼兴节能科技股份有限公司、大连北方国际展览股份有限公司、大连同方软银科技股份有限公司均已成功完成股票发行（增发）；辽宁成大生物股份有限公司等企业目前也正积极运行股票增发项目，预计增发额度为人民币数亿元，均达到良好的融资效果。

除此之外，本所亦持续为大连数家企业提供新三板项目专项法律服务（挂牌前）、股票增发专项法律服务、证券日常

顾问法律服务(挂牌后)等,部分企业目前已完成申报或将陆续进行申报并完成挂牌及股票增发。

江苏东晟律师事务所

一、关于东晟

江苏东晟律师事务所位于常州市劳动西路怀德桥南华景大厦1210室,成立于2003年11月,为合伙制律师事务所,现有执业律师21名。均具有本科以上学历,其中硕士研究生6名,是目前常州学历层次较高,知识结构较为完善的律师事务所,在常州律师业界享有较高的影响和地位。

东晟的业务范围除传统的诉讼业务外,近年已成功向公司法律事务融资并购等非诉业务转型。本所律师现担任数百家企事业单位的法律顾问,为众多国内外著名公司、知名企业提供融资、收购、改制、重组、银行不良资产处置、债券发行等综合法律业务。

东晟律师现担任数家上市公司的法律顾问和独立董事,是常州市最早开展新三板挂牌业务的律师事务所,助推了常州首家在"新三板"成功挂牌企业——常州瑞杰塑料股份有限公司的挂牌。

二、东晟新三板挂牌业务

(一)新三板简介

·国务院批复设立

·证监会统一监管

·全国中小企业股份转让系统有限责任公司("北交所")直接管理

·为创新、创业型中小企业提供股份转让、融资服务全国性股份交易系统

(二)新三板市场定位

不同的企业根据其自身规模、领域在资本市场中应有不同定位:

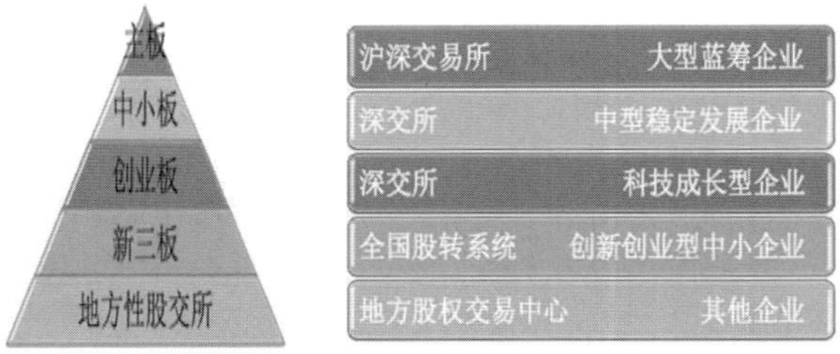

(三)新三板挂牌对企业的作用

企业不能为了追求在新三板挂牌而挂牌,必须了解在新三板挂牌后,企业能得到什么:

(四)挂牌条件

根据《全国中小企业股份转让系统业务规则(试行)》第2.1条之规定,股份有限公司申请股票在全国股份转让系统(以下简称为新三板)挂牌条件为:

1. 依法设立且存续满两年。有限责任公司按原帐面净资产值折股整体变更为股份有限公司的,存续时间可以从有限责任公司成立之日起计算;

2. 业务明确,具有持续经营能力;

3. 公司治理机制健全,合法规范经营;

4. 股权明晰,股票发行和转让行为合法合规;

5. 主办券商推荐并持续督导;

6. 全国股份转让系统公司要求的其他条件。

《国务院关于全国中小企业股份转让系统有关问题的决定》:业务明确、产权清晰、依法规范经营、公司治理健全,可以尚未盈利。

(五)本所新三板挂牌法律服务范围

1. 拟挂牌企业和其他中介机构法律咨询

2. 拟挂牌企业新三板法律体系培训

3. 拟挂牌企业公司规范经营及资本运作

4. 协助拟挂牌企业设计股改方案、实施改制方案

5. 尽职调查,起草尽职调查报告、调查工作底稿,制作备案文件,发现法律瑕疵,提供解决方案

6. 出具法律意见书、核查意见、鉴证意见等挂牌报送材料

7. 挂牌后督促企业以公众公司标准规范经营、根据法律法规规定对企业之信息披露进行辅导

8. 挂牌后代表企业与潜在投资对象进行谈判

9. 挂牌后协助企业融资、转板、直通IPO

(六)业务流程

本所新三板挂牌法律服务的基本流程如下:

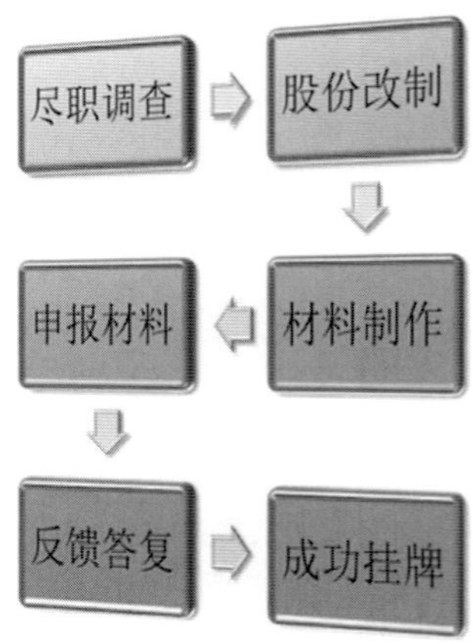

(七)本所助推企业成功挂牌的案例

1. 2014年4月30日,常州瑞杰塑料股份有限公司成功挂牌,(瑞杰塑料:430721),是常州市首家在"新三板"成功挂牌的企业。

2014年4月24日,常州日报以:我市第一家——瑞杰塑料登陆"新三板"为题,发表报道,为常州第一家新三板挂牌企业报喜。

2. 2014年6月4日,江苏华源建筑设计研究院股份有限公司成功挂牌,(华源股份:830786),是常州市新北区第二家在"新三板"成功挂牌的企业。

3. 2014年9月17日,常州爱特科技股份有限公司股票成功挂牌,(爱特科技:831134),是常州市钟楼区第二家在"新三板"成功挂牌的企业。

4.2015年12月21日，江苏永葆环保科技股份有限公司成功挂牌，(永葆环保:834457)

5.2015年12月25日，常州万联网络数据信息安全股份有限公司成功挂牌，(万联网络:835111)

(八)新三板挂牌项目签约公司

本所已经与十余家企业签订"新三板"专项法律顾问协议，推动企业在新三板挂牌，下为签约公司：

·江苏宏达数控科技股份有限公司

·江苏卡龙动画影视传媒股份有限公司

·江苏中科机器人科技有限公司

·常州市科沛达超声工程设备有限公司

·常州融商智投文化科技股份有限公司

·常州瀚森科技股份有限公司

·常州中汽商用汽车有限公司

·常州欧瑞电气有限公司

·江苏先锋干燥工程有限公司

·常州阿拉丁照明科技股份有限公司

安徽天禾律师事务所

安徽天禾律师事务所，成立于1987年，原系安徽国办省直律师事务所。1998年整所转制为省内第一家合伙制律师事务所。自成立以来，天禾人以"诚信勤勉"为执业信条，伴随安徽经济的崛起走过了二十八个春秋。二十多年来，天禾所规划不断发展壮大，业务上不断取得突破，制度建设不断完善，人文天禾的氛围基本形成，发展为安徽及至中部地区规模大所。

事务所现有执业律师和律师助理80余名，拥有两千多平方米的办公场所，现代办公设备一应俱全，设立了档案室、资料室、会议室、党员活动室以及多个独立的接待室，并配有专业文秘人员。

事务所业务涵盖证券、金融、投资融资、并购重组、公司事务及劳动、破产、房地产、知识产权等各类非诉讼和诉讼领域，并在诸多法律服务领域取得了良好的业绩和声誉。

证券业务方面。本所已先后为省内外三十余家上市公司的公开发行股票和上市提供专项的法律服务，参与公司股票发行、上市、配股、增发、可转换公司债券及股改等工作，现还担任省内外五十多家拟在主板、中小企业板和创业板上市的企业专项法律顾问，为企业改制及发行股票并上市提供全过程法律服务，成为中西部地区从事证券业务业绩最突出的律师事务所之一。

本所律师先后参与了合肥－安庆高速公路项目、合巢芜高速公路回购项目、庐江－铜陵高速公路项目收购并建设项目、合肥新机场高速公路建设项目、琅琊山蓄能抽水电站、淮沪煤电有限公司田集电厂/丁集煤矿银团贷款项目以及部分省内重点建设工程项目中的有关法律事务，为组建项目法人、设计融资方案、缮制有关法律文件提供了卓有成效的法律服务。本所律师先后为我省第一个利用奥地利政府出口信贷及商业贷款建设的滁州抽水蓄能电站项目提供全过程法律服务，参与了安徽省发展史上最大工业项目"皖北煤化－盐化一体化"建设项目的法律服务。

并购重组活动法律服务方面。本所为青岛海尔集团兼并黄山电子有限公司、安徽江淮汽车集团兼并皖东机械厂、安徽金种子集团兼并含山啤酒厂及庐江啤酒厂、安徽安科生物工程股份有限公司兼并安庆余良卿药业公司、亳州市国资委转让亳州古井集团国有股权、美菱集团股权转让、四川长虹股权转让、荣事达集团与法国ELCOBRANDTS. A. 及美的集团股权转让、黄山金马股份与浙江铁牛集团股权转让、安徽长江农业装备股份与浙江精工钢构集团股权转让、淮南矿业集团十亿元信托持股计划、安徽国风集团有限责任公司产权转让项目等省内外多宗企业并购案设计重组方案，出具法律意见，参与考察、谈判，拟定并购协议，为上述企业顺利实现资产重组提供了有力的法律服务保障。

劳动人事法律方面。本所律师先后为合肥荣事达三洋电器有限公司、合肥市美菱股份有限公司、安徽叉车集团有限责任公司、中国科学技术大学、安徽省国家税务局等十家国家机关、企事业单位起草、修订劳动合同管理制度、考勤管理制度、薪酬管理制度、招聘管理制度、培训制度、员工手册等规章制度。

本所还为循环经济环保事业方面提供法律服务。自2004年开始，在从事联合国清洁发展机制(CDM)法律事务方面，本所先后为北京环卫集团垃圾填埋气利用项目、安徽皖北矿务局瓦斯发电项目、安徽淮南矿务局煤层气利用项目、天津泰达集团垃圾焚烧发电项目、江苏丰城矿务局煤层气发电项目、新疆天风公司风力发电项目、广州珠江天然气公司燃气(LNG)联合循环发电项目、杭州天远环境技术公司南昌填埋气收集利用项目及北京华晨风环保科技公司填埋气利用项目提供了CDM项目的专业法律服务。

天禾人在业务方面取得一定成绩的同时，更加注重社会责任的承担，积极参加社会公益活动，参与社会救助，参政议政，真情回馈社会，受到社会各界的良好评价。2008年5月20日，天禾所全体同仁向汶川地震灾区捐款设立希望学校款共计95600元；5月26日，本所党员律师交纳特殊党费12000元。2009年参与"爱心圆梦大学"活动，本所党员捐款10000元资助贫困大学生圆梦大学。本所律师先后被授予"全国司法行政系统劳动模范"、"全国优秀律师"、安徽省"十佳律师"、"安徽省十大杰出青年"、"中国律师业特殊贡献奖"、"首届安徽省十位优秀中青年法学法律专家之法律专家称号"等光荣称号；本所先后获得了"全国优秀律师事务所"、"全国优秀青少年维权岗"、"安徽省司法行政系统先进集体"、"安徽省优秀品牌律师事务所"、"安徽省文明律师事务所"、"安徽省律师事务所综合实力十强"、"安徽省优秀律师事务所"等光荣称号；本所党支部先后获得了中共安徽省直工委"效能建设红旗党支部"、安徽省司法行政系统"优秀党支部"等光荣称号。

天禾所积极投身安徽经济腾飞的大潮中，向规模化、规范化进一步发展，力争成为中部地区的最强所之一。

一、金融证券法律事务

1993年，经司法部和中国证券监督管理委员会确认，本所成为安徽省首批具有从事证券法律业务资格的律师事务所，曾有9名律师获得了证券律师资格。本所相继为安徽省内、外三十余家公司的股票成功发行并上市提供了专项的法律顾问。目前，本所还担任省内外三十余家拟在主板或中小企业板上市的企业的专项法律顾问，为企业改制及发行股票并上市提供全过程法律服务。

1994年以来，我所律师开始涉足大型建设项目的法律服务业务。先后参与了上海中达广场项目、合肥－安庆高速公路项目、庐江－铜陵高速公路项目收购并建设项目、宣广高速公路股权收购项目、蚌埠新城区开发建设项目、合肥新火车站储运中心开发建设项目、合肥周谷堆市场开发建设项目以及部分省内重点建设工程项目中的有关法律事务，为组建项目法人、设计融资方案、缮制有关法律文件提供了卓有成效的法律服务1998 年，又选派律师参加了国家计委、司法部举办的首期全国律师招投标法律业务培训，取得了从事这项法律服务业务的从业资格，从而为今后更多地从事这方面的法律服务创造了有利的条件。2000 年 10 月，本所指派三名律师组成工作小组，为我省第一个利用奥地利政府出口信贷及商业贷款建设的滁州抽水蓄能电站项目提供全过程法律服务，参与了该项目的设备采购招标以及商务和融资合同谈判，为该项目的顺利进行提供了法律保障。2001 年以来，本所指派律师为我省多条高速公路建设或收购项目提供了全过程的法律服务，获得了项目业主的良好评价。

近年来，本所律师曾参与企业资产重组活动，为青岛海尔集团兼并黄山电子有限公司、安徽芳草集团收购合肥芙乐尔香料有限公司破产财产、黄山金马集团兼并芜湖仪表厂、安徽江淮汽车集团兼并皖东机械厂、安徽全柴集团兼并安徽拖拉机厂、安徽金种子集团兼并含山啤酒厂及庐江啤酒厂、安徽安科生物工程股份有限公司兼并安庆余良卿药业公司等省内外多宗企业并购案设计重组方案，出具法律意见，参与考察、谈判，拟定并购协议，为上述企业顺利实现资产重组提供了有力的法律服务保障。

二、服务范围

参与大型投资项目的前期可行性研究，就投资方案制定、投资形式选择和项目可能涉及的重大法律问题提供专业法律支持。

1. 就项目公司组建中涉及的股权分配、各方投资人的合作方式和权利义务关系，项目筹备阶段的法律问题提供法律咨询，起草相关法律文件；

2. 承担与项目涉及的公司、资产和债权债务有关的尽职调查；

3. 协助客户进行项目谈判，就项目谈判和签约中涉及的投资结构、项目各方责任、融资保险、资产购置、工程招标、环保和技术转让等法律问题提供律师建议；

4. 协助客户起草、修改项目合同和各类法律文件，包括政府报批文件、特许权协议、购买协议、融资协议和担保文件等；

5. 协助客户完成招标文件制作、投标主体资格审查、投标问题解答、开标和评标等与项目招投标有关的各项法律工作；

6. 对项目合同实施过程中出现的各项法律问题进行分析、处理，提供可供选择的法律解决方案；

7. 就项目验收和质量保证期内的各种法律问题提供律师服务。

北京德和恒律师事务所

一、基本概况

北京德和恒律师事务所源自于 1993 年 12 月，现有律师人员近 300 名，在北京、上海、济南、青岛、南京、河北、太原、郑州设有办公机构。它是中国目前最具规模的律师事务所之一。

律所是中国司法部命名的“部级文明律师事务所”（2000年）、中华全国律师协会授予的“全国优秀律师事务所”（2005年）。先后被《亚洲法律事务》杂志（ALB）评选为“亚太地区发展最快和最具活力的三十家律师事务所”之一（2006 年）、“中国内地十大律师事务所”之一（2007 年）、“发展最迅速的十家中国律师事务所”之一（2008 年）和企业公民律师事务所大奖（2011 年、2012 年）、全国律所规模二十强（2011 年、2012 年），并连获“中国东北部律师事务所大奖”（2008 年、2009 年、2010 年、2011 年、2012）和“最佳雇主奖”（2009 年、2010 年、2011 年、2012），《中国法律商务》杂志（CLP）“年度地区律所”大奖（2010 年度、2011 年度），2011 年《钱伯斯亚太法律指南》（*Chambers Asia Pacific*2011）排名“商事法 - 华东区第一等律师事务所”等荣誉，它是中国最具盛名的律师事务所之一。

律所以满足客户需求为核心，以“专业专心”为品质，坚持专业分工、团队协作与质量第一。执业以来成功经办过 20000 余件（起）各类法律事务，尤其在公司、证券、金融、不动产、跨国投资、知识产权和争议解决等法律服务领域业绩显赫。它是中国最具综合业务优势的律师事务所之一。

律所在行业内素以管理规范著称，其规范化快速发展的集团管理经验曾获省级“管理创新及优秀应用成果二等奖”。它是中国最具国际律所管理水准的律师事务所之一。

律所始终与政府部门、司法机关、法学教研机构和新闻媒体等社会各界保持友好联系，善于同中外律师同行广泛合作。它在香港、台湾、韩国首尔、德国柏林、美国华盛顿（D. C.）派驻业务代表，并发起参加“德和精品律所联盟（ECLA）”、“山东律师（德衡）联盟”。它是中国最具合作精神的律师事务所之一。

律所由资深美国执业律师担任国际业务总监，知名台湾律师担任亚太法律顾问。拥有 4 位“全国优秀律师”、5 位“省级优秀律师”和 16 位“市级优秀律师”，若干位律师具有海外留学或外国律所工作、培训经历。它是中国优秀律师人才最密集的律师事务所之一。

律所致力综合商事法律服务，它坚持人员的持续培训和专业水准的持续提升。现拥有数十位具有会计师、税务师、评估师、专利师、经济师和工程师等专业技术职称或资格的复合型优秀人才。它是国内较早取得证券从业、破产管理、商标专利代理资格的律师事务所之一。

律所根据中国政府管理部门的规定，结合律师业务特点和国际惯例，以为客户创造新价值为导向，灵活提供计时、计件与协商三种服务收费模式供客户选择，并在内部设立公平收费监督机制。它是中国律师收费最合理的律师事务所之一。

律所下设有北京德和衡律师事务所、山东德衡律师事务所、北京德和衡知识产权代理有限公司、香港德衡专业服务（顾问）有限公司、青岛德衡法律培训学校等法律服务机构。

二、业务领域

金融业务，是其业务历史最长、业务量最大、优势明显的拳头品种业务。金融业务团队十多年来办理了金融法律事务 2000 余件，诉讼标的额数十亿元。在最高人民法院为数亿资产案代理胜诉。服务客户包括山东和青岛地区的工行、中行、建行、农行、交行光大、中信、华夏、民生、浦东发展、深发展、青岛商业银行、农村信用联社、青岛国际银行、香港汇丰银行、韩国企业银行、山口银行等国内外银行，以及四家国有资产管理公司（东方、长城、信达、华融）和中保、太保、平保保险公司，以及中信万通证券、鲁能金穗期货等金融机构。

三、金融业务服务领域

· 项目和基础设施融资

大型房地产项目、大桥隧道开发项目、水处理厂融资项目

· 银行业务

银行贷款的贷前调查审查与诉讼

票据、消费信贷、信用证

网上银行业务服务

银团贷款

· 金融资产管理公司

为金融资产管理公司尽职调查、打包出售

· 证券信托基金

信托基金

· 期货代理

期货经纪代理合同纠纷

期货经纪公司法律顾问

· 保险

保险公司法律顾问

财产保险纠纷

北京君嘉律师事务所

一、基本概况

北京君嘉律师事务所（下称“本所”）是一家专业从事证券法律业务（包括公司改制、发行股票并上市、新三板挂牌等业务）的专业性律师事务所，于 2011 年经北京市司法局批准成立，执业证号：21101201110356924。

成立之初即制定了高水准的法律服务标准和具有良好质量控制的实务操作规范，并将以高素质、专业化、复合型律师队伍为客户提供优质的法律服务。

律所以“忠人之事，立己之信，以诚为本，信誉至上”为服务宗旨，以“诚信、勤勉、敬业、优质、高效”为服务理念，以自己优质的法律服务赢得了客户的良好评价。

律所是一积极进取、团结向上的律师团队，可根据客户或业务的需要，以客户委托的法律事务为中心，实行层级配置，以追求最充分地实现客户目标。科学的资源配置使得本所有足够的实力办理复杂、疑难的法律事务。

根据全国中小企业股份转让系统有限责任公司提供的信息，本所 2014 年度共推荐 22 家企业在新三板挂牌，在全国三百多家律师事务所中位列第十位，被评为 2014 年最值得推荐的律师事务所。

二、业务领域

· 重组改制阶段的服务

协助公司全面清查现状，制订改制方案；

协助聘请审计机构和资产评估机构对财务状况进行审计和评估；

协助公司及相关的中介机构制定改制后公司的法人治理结构；

对改制过程中企业产权界定、资产剥离、债务剥离、或有负债等事务出具专项法律咨询意见，并协助公司办理企业产权确认或变更手续；

为企业改制中出现的资产重组（资产转让、资产转换）、人员重组、债务重组、业务重组出具法律意见，并协助公司制订重组合同；

对改制过程中所涉及的关联交易、同业竞争等问题提出法律意见和处置方案；

为新股东的加入设计合适的方案；

协助制订改制后企业股东间的《发起人协议》、《公司章程》等法律文件，并协助办理改制企业工商变更登记手续；

应请求列席公司召开的股东会并就相关法律问题提供咨询；

依据法律有关规定，出具设立股份有限公司需要的律师法律意见书。

· 新三板挂牌阶段

解答公司提出的关于新三板挂牌并转让的实质条件和申报程序等方面的法律咨询；

对公司及其下属子公司进行尽职调查和规范工作；

起草、审查或者修改公司各种专项协议，并提出法律建议或者处置措施；

对土地使用权、房屋、知识产权、税务、债权债务确认等事项进行规范并提出法律建议或者处置措施；

对关联交易、同业竞争一项进行规范并提出法律建议或者处置措施；

对资产重组、收购兼并事项进行规范并提出法律建议或者处置措施；

应对公司请求，列席参加公司的股东大会和董事会并就相关法律问题提供法律意见；

审核公司提供的申请文件及相关材料，并依法提出法律建议或处置措施；

审阅股份报价转让说明书、推荐报告等备案文件；

审核全部申请文件和相关材料的真实性和合法性，为公司进入全国中小企业股份转让系统挂牌并公开转让出具法律意见书；

其他与公司在全国中小企业股份转让系统挂牌相关的法律事务。

地址：北京市丰台区马家堡西路 30 号院 5 号楼
　　3 单元 701 室

电话：01087593501

传真：01059472289

邮编：100068

网址：www.junjia.org

康达律师事务所

一、基本概况

康达律师事务所成立于 1988 年，是国内最早的大型综合性律师事务所。经过 20 多年的不懈努力，康达已经建立起了完善的服务网络，在全国设立了 11 个分支机构，执业律师共计四百余名，各分支机构及律师在康达总部的整体管理和协调下进行工作，为客户提供服务。康达建所以来始终致力于建立专业的服务团队和提供优质尽责的服务，并在此基础上不断拓展新的服务领域，从而使康达始终处于社会经济法律发展的前沿，力争在第一时间为客户提供优质的法律服务。

团队精神与服务精神是康达一直遵循的“康达文化”的精髓。康达向客户提供法律服务，所依托的就是经验丰富的律师团队。为了向客户提供专业的法律服务，康达会根据客户的自身业务特点以及客户的具体要求，提供专门的法律服务。这种以客户为中心的服务精神，使康达能够想客户之所想，急客户之所急，真正做到为客户提供多样化全方位的服务。

人才是律师事务所最宝贵的财富，康达在发展中坚持以人为本的人才战略，逐步形成了由专业律师人才、管理人才组成的人才队伍，保障了律师事务所整体战略目标的实现，律所大多数律师来自国内外知名大学和研究机构、立法机关、司法机构及政府部门，并具有法律、理工、医疗、金融、计算机、国际贸易等专业背景，律所拥有一支理论基础好，专业水准高，服务态度一流的律师团队，业务范围涵盖诉讼与仲裁法律事务、银行融资保险法律事务、公司证券兼并收购法律事务、外商投资、知识产权、国际贸易、海事海商、项目与房地产、反倾销反补贴、劳动、环境保护等领域。同时,康达充分利用其覆盖全球的网络服务体系,通过不同专业律师之间的合作最大程度满足客户在各个法律领域,全球大多数国家和地区的法律需求。目前康达已聘请多位国内外专家、教授担任康达律师事务所顾问,为康达的发展提供全面智力支持。

客户是律师事务所发展的源动力,康达坚持以客户为中心的服务理念,始终以客户的需求为关注的焦点,以顾客满意为工作目标,充分倾听客户的声音,理解客户的需求,贯彻市场本土化服务全球化的法律服务模式,充分发挥康达全球化法律服务体系的优势,通过不同专业、不同地域律师的合作,为客户提供综合性法律解决方案,为客户创造价值,帮助客户获得成功,为解决客户发展中遇到的法律问题。优质的服务获得了客户的信赖,康达适应经济全球化发展的需要,积极构建全球化法律服务体系,坚持完善和发展律师事务所多语种法律服务能力,引进和培养国际化的律师人才,全面提升律师事务所国际法律业务的专业服务能力,通过康达与国际律师事务所的合作,为客户提供全球专业法律服务。

康达自身发展的同时不忘承担社会责任,开展了捐资助学、法律援助、社区法律等多项公益活动回报社会。面对律师行业的发展的新形势,康达集结了各界专家共谋发展良策。

孜孜不倦的追求,矗立了康达二十几年的辉煌,在全体康达人的努力下,康达律师事务所也收获了累累硕果,曾先后荣获 2008 年全国优秀律师事务所、2010、2011 年度十佳 IPO 业务律师事务所、2011 年社会公益法律服务先进集体,同时康达党支部也获得了 2010 - 2011 年度北京市律师行业五好党支部等多项荣誉。

二、证券

康达是首批取得司法部和中国证监会授予的《从事证券法律业务资格证书》的律师事务所之一,汇集了国内一批知识层次高、理论功底扎实、实践经验丰富的证券律师。

康达证券律师的服务种类包括设立境内外公司及其他组织机构、公司改制、收购兼并、境内外公开发行、私募、境内外上市及再融资、债券发行及上市、"新三板"、基金设立及基金产品发行、债务融资工具发行、股权激励等多种类型。服务领域涉及工业、农业、商业、金融、能源、房地产、医药、健康、媒体、交通、通讯、互联网、生物技术、公用事业、环保、消防、文化、旅游、军工等多种行业。

截至 2015 年 10 月底,康达证券律师已经成功地协助国内外一百余家企业完成了 A 股、B 股、H 股、中国概念股、红筹股、上市工作以及近百家上市公司的新股发行工作;并正在为一百余家拟上市公司或上市公司发行新股、可转换公司债券的发行工作担任特聘专项法律顾问。

截至 2015 年 10 月底,康达证券律师已经成功地协助八十余家企业完成了"新三板"的挂牌,并正在为二百余家拟挂牌公司担任特聘专项法律顾问。

康达证券律师在注重传统公开发行上市相关业务的同时,努力拓展新的业务领域,包括上市公司及非上市公众公司境内外兼并收购、资产重组、资产证券化、基金公司设立、证券公司设立或增资扩股以及管理层收购等。特别是在上市公司并购及资产重组等领域积累了丰富的经验,已经为六十余家上市公司发行股份购买资产或国有股权划转提供了专项法律服务。

三、银行与融资业务

(一)银行与融资业务

康达作为最早涉足银行和融资领域的中国律师事务所之一,为国内外众多客户提供广泛而深入的银行与金融相关的法律服务,积累了丰富的专业实践经验,树立了良好的口碑。

康达的客户主要包括银行、其他金融机构、公司借款人和担保提供者。中国及国际上具有影响力的银行及金融机构、跨国公司和本土企业等提供融资法律服务。

康达的服务包括日常合规性审查和建议、尽职调查、融资交易结构及担保结构设计、交易文件的起草、审查及参与谈判等。康达的的团队具有高水准的专业能力能提供跨境融资交易及各种复杂的结构性融资法律服务。

(二)金融衍生品业务

金融衍生品专项法律服务:

1. 为交易所提供金融衍生品专项法律服务

(1)设计金融衍生品合约,为合约上市进行尽职调查、出具法律意见;

(2)设计金融衍生品交易规则、拟定交易管理规范;

(3)统筹金融衍生品市场的各类风险,整合交易所现有的风险内控资源,编排风险识别、风险计量、风险监测和风险报告的程序;

(4)协助设立风险监管部门,制定监管制度,从而使交易所对交易人员的交易进行有效的记录、确认、市值试算,评价、度量,以防范在金融衍生品交易过程中面临的各种风险,并逐步采用最新的市场风险管理技术和与之相适应的监管制度模型,持续监控风险;

(5)为交易人员提供相关法律培训。

2. 为中介机构提供金融衍生品专项法律服务

(1)为中介机构人员提供相关法律业务培训;

(2)对中介活动中签订合同、委托书等法律文书提供调研、谈判,起草和修订文书,出具法律意见书等;

(3)通过调研、谈判、发律师函、出具法律意见和解决方案等形式,处理客户与交易所、交易者、监管机构的法律问题。

3. 为交易者提供金融衍生品专项法律服务

(1)投资方向的尽职调查、投资风险的评估和度量、投资模型的设定;

(2)评估开户、下单和结算的法律风险,制定法律风险管理的框架和实施方案;

(3)审定交易中抵押、保证、信用证、交付保证金等信用保障措施的合法性、有效性和可行性,为信用保障措施正常运行和争议的完满解决提供非诉讼法律服务;

(4)审定金融衍生品合约的合法性、合规性和有效性,避免因法律风险而产生的损失。

4. 为结算机构提供金融衍生品专项法律服务

(1)控制和解决结算、交割业务中的法律风险,降低因交易者的信用风险产生的损失;

(2)金融衍生品结算、交割相关法律的培训。

5. 为监管机构提供金融衍生品专项法律服务

(1)立法调研、拟定立法草案;

(2)为监管活动及金融领域的国际协调与合作提供法律服务;

(3)监管法律培训。

(三)保险业务

康达的保险服务范围涵盖了保险业所有的领域,业务团队由精通多种语言且经验丰富的中国律师和外国律师、律师助理、专职翻译和行政人员组成。许多律师曾在大型保险公司或其他金融机构供职，部分律师曾在立法和监管机构工作，在资源配备和执业经验上有着其他律师事务所无法比拟的优势。在为客户服务的过程中，我们孕育了中国律师事务所中独一无二的保险文化，取得了业界的认可和客户的信任。

在具体项目中，康达的保险业务团队的随时可以得到公司、银行、证券、诉讼、知识产权、房地产和税收各个专业业务团队中具有丰富经验的律师的支持，从而能全方位、多层面地分析相关法律问题，就客户的具体问题量体裁衣地提供富有创造性的法律意见。康达的保险业务团队立足于金杜在中国境内的十二家分所和境外的多家合作所，专业的分工和地域上的广泛分布使我们已成为客户在寻求能同时处理中国境内和跨国境的、复杂的、多层次的项目律师事务所时的首选。

（四）信托业务

康达是中国著名的按照国际化标准运作的特大型律师机构，其信托法律业务由一批具有丰富实践经验和扎实业务功底的专业律师组成，具有一流的规模及一流的服务产品设计能力和服务质量。信托法律律师团队本着最大诚信原则和客户利益至上原则，为客户提供最专业最优质的信托法律服务。

北京市国联律师事务所

国联律师事务所坐落于中关村核心商务区，是经北京市司法局批准成立的合伙制律师事务所。自 1998 年 9 月创立以来，国联秉承“捍卫客户利益、弘扬法治精神”的执业宗旨，始终致力于向中外客户提供高水准的法律服务，已经形成以金融、知识产权和证券与资本市场法律服务为主的业务特色，并已发展成为一家具有相当影响力和美誉度的专业型律师事务所。凭借海纳百川的宽广胸襟和精益求精的执业作风，国联律师事务所在竞争日趋激烈的法律服务市场中占据一席之地。

国联律师事务所现共有人员超过百人，其中注册执业律师 60 余人，律师助理 30 余人，大多毕业于中国人民大学、北京大学、中国政法大学、对外经贸大学等著名学府的法学院。80% 以上拥有法学专业硕士以上学历，合伙人从事法律工作均超过十年。部分律师曾在英国、加拿大、美国、法国、韩国等国家的著名法学院校深造并具有在国际著名律师事务所的工作经验，工作语言包括中文、英文、德文、法文等。

国联律师杰出的业务能力体现在国联专业领域法律服务上，无论在银行、保险、期货、证券、房地产、公司事务、刑事法律、行政法律、婚姻家庭、医疗纠纷等传统领域，还是在知识产权、劳动保护、不良资产处置、金融衍生产品、招投标等新兴业务领域，国联律师均拥有业内领先的专业水准。在代表北京市律师最高业务水平的北京市律协 61 个专业委员会中，国联律师在其中 8 个专业委员会中担任主任、副主任和秘书长，在所有律师事务所中名列前茅。

国联律师事务所建有一支以中国人民大学常务副校长王利明教授为首席顾问的高水平的专家团队，专家顾问团成员还包括：中国人民大学法学院民商事法律科学研究中心主任杨立新教授、中央财经大学法学院副院长李轩副教授、中国人民大学法学院国际法教研室主任韩立余教授、中国人民大学法学院民商事法律科学研究中心副主任姚欢庆副教授等。

国联律师事务所秉承团队协作、高效务实的工作作风，恪守国际公认的律师执业准则，依据“以人为本”的原则进行管理，系统整合每位律师的经验和资源，从而将国联建成一个紧密合作、团结统一的律师事务所。

国联律师事务所重视社会责任，热心公益事业，如设立国联律师奖学金，与多个社区合作定期普法、免费进行法律咨询，为和谐社会做出了应有的贡献。

国联律师事务所取得的业绩已在国内外客户和同行中赢得了良好的声誉，多次被评选为“北京市优秀律师事务所”和“北京市法律服务先进集体”。

一、律所荣誉

国联律师事务所自成立以来，多次荣获“北京市优秀律师事务所”、“北京市司法行政系统先进集体”、“北京市法律援助模范集体”、“北京市海淀区优秀律师事务所”等称号。与此同时，国联律师事务所还具有商标代理业务资格、证券法律业务资格和房屋按揭资格等多项业务资质，能够为客户在各领域提供专业且高品质的法律服务。

二、专业领域

金融：

国联律师事务所自成立以来，即以金融法律服务为专业特色。国联有一支训练有素且对各种大型和复杂的金融交易有着丰富经验的专业律师队伍，并在诸如资产证券化、不良资产处置、金融衍生产品、融资性担保等新兴领域保持着领先地位。

国联担任多个商业银行及非银行金融机构的常年法律顾问，在金融纠纷处理方面亦有丰富的实践经验，为各类金融机构处理过逾百亿元的金融纠纷。同时，在多类金融项目中，国联律师分别代理过贷方和借方，向其提供全面的法律服务。国联开创性地为中央财政预算内专项资金（国债）、中央级基本建设经营性基金提供专业法律服务，取得良好效果。国联擅长期货法律业务，是国内为数不多的能够提供专业法律服务的律师事务所之一。国联擅长保险法律业务，为保险公司、投保客户提供法律咨询、保险纠纷处理、保险产品法律风险评估等专项法律服务。国联是北京融资性担保业务领域最权威的律师事务所之一，能够为在京融资性担保公司提供最专业的法律服务。

该领域法律服务项目：

· 信贷、项目融资、银团贷款、资金拆借

· 金融担保、审查及登记

· 信用证、票据纠纷

· 金融信托

· 基金设立、发行、管理

· 外汇法律服务

· 融资租赁

· 国债发行、托管交易、回购

· 各种金融案件的诉讼代理

· 期货交易规则的制定及完善

· 为期货公司股权变更、增加注册资本、增加经营项目等事项出具法律意见书

· 培训期货从业人员

· 期货交易纠纷代理

· 保险公司设立

· 保险公司内部风险控制及管理制度完善

· 保险产品法律风险评估

·保险公司合法、合规性审查
·保险纠纷代理
·融资担保公司的设立、变更
·融资担保业务经营许可的申请
·融资担保业务法律风险评估与规避
典型案例：
·办理中国工商银行及下属各支行借贷、担保、票据、拆借、信用证等大量案件
·办理中国光大银行等银团贷款项目并为众多商业银行审查房地产融资项目
·办理中国进出口银行出口卖方信贷借款合同纠纷，外国政府转贷、黑字还流等案件多起
·办理民生银行、中信银行、兴业银行等多家商业银行法律事务
·办理中国长城资产管理公司、重庆国际信托投资公司信托贷款、证券保证金合同纠纷等多起
·办理多家外国银行法律事务
·办理中国节能投资公司中央财政预算内专项资金、中央级基本建设经营型基金项目
·代理中国糖业酒类集团公司诉金鹏期货经纪有限公司期货交易纠纷等期货案件
·代理航天金卡电子工程有限公司诉平安保险股份有限公司保险理赔纠纷等保险案件
·为北京十余家担保公司成功申领五年期融资性担保业务经营许可证
·为多家融资性担保公司开展日常业务提供法律服务

三、证券与资本市场

证券与资本市场法律服务是国联律师事务所的一项重要业务，基于证券事务团队工作的特点，国联成立有证券事务部。该部已先后承办了近百家涉及企业改制、重组、并购及股份公司发行与上市A股、B股、H股、香港创业板、境外上市、全国中小企业股份转让系统挂牌（俗称“新三板”）、区域性场外股权交易市场企业挂牌、发行可转换公司债、债转股、企业短期融资债券、私募股权投资的法律业务，在业内享有盛誉，能为客户提供一流的专业化法律服务。

国联证券事务部是全国最早介入新三板市场业务的律师团队，在业内具有一定的影响力，2009年获“中关村20周年有突出贡献单位”荣誉。

国联证券事务部律师因长期和专业从事公司、证券法律业务，与中国证监会、各地证监局以及相关政府主管部门如发改委、国资委、财政部（厅）、科技部、各地高新园区、金融局等保持着良好的联系，能及时把握企业改制上市、重组、国有资产管理、债券发行、场外市场建设等相关事务的法律和政策的最新动向。

同时，国联证券事务部律师与国内证券执业机构具有广泛而密切的合作，与境外券商、律师、会计师等其他中介机构也有过多次合作。

国联证券事务部律师从事公司证券法律服务时始终坚持严肃认真、一丝不苟的工作态度，本所制作的法律文件受到有关各方的普遍肯定和高度好评。

该领域法律服务项目：
·公司、企业的私募股权投资、改制、并购及重组
·公司的设立及法人治理结构的建立
·风险投资、战略投资尽职调查及方案设计
·公司在境内发行内资股股票并上市
·公司在境外发行股票并上市
·在中国拥有投资权益的境外公司在境外上市
·上市公司再融资，包括公开或定向发行股票、发行公司债、发行可转换公司债券或短期融资券等
·上市公司收购、兼并、换股、重大资产重组
·公司在全国中小企业股份转让系统及区域性股权交易市场挂牌交易
·大型国有企业发行企业债券
·公司的合并、解散与清算
·上市公司、挂牌公司及其他企业常年法律顾问
典型案例：
·金晶科技（600586）定向增发、发行短期融资债券及中期票据融资
·龙建路桥（600853）股权转让与资产置换及恢复上市
·邯钢股份（600001）发行可转换公司债
·东软软件（600718）A股增发
·苏福马（600290）股权转让及资产重组
·常林股份（600710）定向增发
·银星能源（000853）重大资产重组与定向增发
·小商品城（600145）定向增发
·唐钢股份（000709）吸收合并邯郸钢铁（600001）、承德钒钛（600357）
·南京斯迈柯特种金属装备股份有限公司改制及创业板首次公开发行申请
·江西世龙实业股份有限公司中小板首次公开发行申请及资产并购重组
·北京世纪东方国铁科技股份有限公司创业板首次公开发行上市申请
·国华绥中发电有限责任公司发行短期融资债券
·武汉金凰珠宝有限公司改制及A股上市申请
·武汉金凰珠宝有限公司境外上市
·中福马集团股权转让
·安信证券股份有限公司资产重组专项法律顾问
·南京大江国际信托投资有限责任公司重组并购法律服务
·万联证券有限责任公司重组并购项目
·南瑞航天（北京）电气控制技术有限公司股权激励方案
·北京便宜坊集团公司企业改制
·协助Arjowiggins与晨鸣纸业在山东的特种纸合资企业的重组
·参与山东晨鸣纸业等境内企业通过红筹方式在香港联交所的股票发行和首次股票上市
·担任北京秋银投资管理有限公司常年法律顾问，并就该公司拟投资收购项目进行法律尽职调查

地址：北京市海淀区知春路113号银网中心B座11层
邮编：100086
电话：010－62532156　51660506
传真：010－62536183

北京市浩天信和律师事务所

一、基本概况

浩天信和律师事务所由北京市浩天律师事务所和北京李文律师事务所，于2007年新设合并组建而成。两家前身事

务所均创立于上世纪90年代,并在各自执业领域成绩斐然。

浩天信和总部位于北京,同时在上海、南京、广州、杭州、温州、沈阳及香港设有分所,并通过加入TerraLex联盟在全球100多个国家和地区拥有150多家合作律师事务所,能够为遍布全球的客户提供全方位的专业服务。

二、专业团队

浩天信和现有60余名合伙人和300余名执业律师、律师助理及其他专业法务人员,全部毕业于著名法学院,并能用普通话、广东话、英语、法语、德语、意大利语或日语进行工作。他们特别重视团队合作精神,努力以全所共同的力量为每一位客户提供优质、高效的法律服务。这支专业团队中的律师,不仅是各个领域的法律专家,而且熟悉中国的投资环境和各个行业的不同商业惯例,具有丰富的实务经验,能够针对客户的具体需要,为其提供量身定做的法律解决方案。

三、执业领域

作为中国居领先地位的综合性律师事务所之一,浩天信和力求满足客户全方位多层次的法律服务需求,获得业内外广泛认可和高度赞誉。主要业务领域包括:

· 知识产权
· 娱乐传媒
· 争议解决
· 反垄断
· 国际贸易
· 资本市场和金融业务
· 能源、矿业和基础设施
· 房地产
· 公司与投资
· 劳动法律事务
· 财富传承

四、从业经验

浩天信和旨在通过诚信、高效,以及最专业、最全面的法律服务,与客户共同成长。经过多年的努力,在司法部门及行政机关树立了良好的工作形象,并在与证券公司、投资银行、会计师事务所、评估机构的合作中,获得了卓越的口碑与信誉。

五、金融投资业务

(一)概况

随着中国市场经济的进一步发展,金融银行法律服务已成为浩天信和的主营业务之一,并占据越来越重要的地位。

浩天信和集合了一批优秀的专业律师,致力于为各金融机构和包括海外投资银行在内的各类金融银行机构提供全方位的金融银行法律服务。多年以来,他们为诸多大型商业银行、投资银行、信托公司、风险投资基金等融投资机构和大型企业,办理了涉及电力、房地产、冶金、钢铁、铸造、家电、石油、航运、零售、贸易、软件、广告、通讯、电信、互联网等不同行业的投融资和银行法律业务;承办了多起重大、疑难金融案件;为多家金融机构提供了大量非诉讼法律服务,在银行和金融法律服务领域,积累了丰富的执业经验。

在长期的金融银行法律服务过程中,浩天信和律师与包括商务部、国家发改委、国家外汇管理局在内的中国有关政府主管部门建立了良好的工作关系;同时,利用在房地产、公司证券、知识产权、诉讼仲裁等其他领域的专长,浩天信和能够为客户提供更加全面的法律服务。

浩天信和金融银行部律师以其高效优质的专业服务,赢得了众多客户的信任和青睐,其中,李文律师曾因赴英办理某特大信用证票据诉讼案取得胜诉,获中国国务院的表彰。

(二)服务范围

在金融法律业务方面,浩天信和提供的法律服务主要包括:

1. 代理金融争议案件;
2. 担任金融机构常年或专项事务法律顾问;
3. 国际金融法律服务;
4. 按揭贷款法律服务;
5. 不良资产处置法律服务;
6. 信托计划发行法律服务;
7. 金融债券、票据发行法律服务。

(三)业绩

浩天信和在金融银行领域的主要客户包括中国华融资产管理公司、美林(亚太)有限公司、摩根大通、龙星基金、中国银行、中国建设银行、美林证券、通用电气投资公司、美国信安集团、日本新生银行、澳大利亚麦格里银行、微软中国公司、中信信托等。通过多年的不懈努力,浩天信和在金融银行领域赢得了客户尊重和认可。

六、公司证券业务

(一)概况

公司证券业务是浩天信和的核心业务之一。

浩天信和公司证券部律师,均是具备多年从事上市、重组、并购及资本运营、公司业务经验,且谙熟相关法律、法规的资深律师,对公司、证券业务有较强的驾驭和处理能力,并具有严格的执业操守及严谨的工作作风。在长期的工作中,他们与国资委、发改委、商务部、证监会、国家工商局等政府主管机关,证券交易所、各大证券公司、投资公司及其他中介机构均建立了良好的协作关系,并保持着密切联系。

浩天信和公司证券部律师致力于为客户的公司证券事务及其相关的商业、税务事务提供高效、专业的法律服务,业务涵盖公司设立、公司兼并及收购、股权重组、资产重组、企业公司制或股份制改造及证券发行上市交易。

浩天信和公司证券部律师在证券业务领域保持着骄人的业绩,我们曾为数百家境内外企业的改制、上市、重组及并购等业务提供过法律服务,积累了丰富的实践经验,具有良好的事业基础及稳定的客户群,在业界享有较高的声誉。

(二)服务范围

浩天信和公司证券部能够为中外各类公司、企业提供全面的公司证券法律服务,主要包括:

1. 设立境内公司、离岸公司的法律安排、策划及咨询;
2. 国有企业及民营企业改制;
3. 公司合并、分立、破产与清算;
4. 公司境内外融资,包括首次发行A股、B股、H股、N股、S股;上市公司配股、增发新股;发行债券及可转换债券;发行ADR(美国存托凭证)及其他证券;资产证券化及企业私募、定向增发、配售;
5. 公司股权转让、债权股权转换;
6. 公司收购、兼并及反收购;
7. 公司资产租赁、股权及资产托管;
8. 公司长期股权激励机制设置,包括MBO(管理层收购)、EBO(职工持股计划)及MEBO(管理层员工融资收购)方案的设计及相关事宜的法律安排;
9. 公司战略投资及风险投资;
10. 公司法人治理结构设置;
11. 境外上市公司的境内法律业务;

12. 投资基金的设立、募集及增资；

13. 公司产权界定；

14. 证券欺诈、侵权的仲裁与诉讼。

（三）业绩

浩天信和公司证券部律师曾为多家企业提供公司设立、资产收购、公司收购及股票发行上市交易等法律服务，主要包括：

1. 担任下列公司改制及 A 股股票发行上市的法律顾问：

· 北京城乡贸易中心股份有限公司（A 股）

· 北京市旅行车股份有限公司（A 股）

· 内蒙古蒙电华能热电股份有限公司（A 股）

· 黑龙江电力股份有限公司（A 股）

· 内蒙古伊利实业股份有限公司（A 股）

· 北京中燕股份有限公司（A 股）

· 大连渤海饭店（集团）股份有限公司（A 股）

· 贵州力源液压股份有限公司（A 股）

· 厦门海洋实业（集团）股份有限公司（A 股）

· 大连东北热电发展股份有限公司（A 股）

· 内蒙古包钢稀土高科技股份有限公司（A 股）

· 内蒙古宁城老窖股份有限公司（A 股）

· 北汽福田汽车股份有限公司（A 股）

· 内蒙古金宇集团股份有限公司（A 股）

· 上海复星实业高科技股份有限公司（A 股）

· 有研半导体材料股份有限公司（A 股）

· 云南铝业股份有限公司（A 股）

· 海南宝华实业股份有限公司（A 股）

· 黑龙江阿继电器股份有限公司（A 股）

· 浙江浙大海纳科技股份有限公司（A 股）

· 云南红河光明股份有限公司（A 股）

· 中化国际贸易股份有限公司（A 股）

· 内蒙古兰太实业股份有限公司（A 股）

· 江苏恒瑞医药股份有限公司（A 股）

· 上海大屯能源股份有限公司（A 股）

· 青海华鼎实业股份有限公司（A 股）

· 大唐国际发电股份有限公司（A 股）

· 大连神迅信息股份有限公司（A 股）

· 宁波康强电子股份有限公司（A 股）

· 安徽江南化工股份有限公司（A 股）

· 天津瑞普生物技术股份有限公司（A 股）

2. 担任下列上市公司配股、增发（A 股）、可转换债券、融资券的法律顾问：

· 内蒙古伊利实业股份有限公司 1996 年度配股

· 内蒙古蒙电华能热电股份有限公司 1996 年度配股

· 内蒙古蒙电华能热电股份有限公司 1998 年度超比例配股

· 黑龙江电力股份有限公司 1998 年度配股

· 内蒙古伊利实业股份有限公司 1998 年度配股

· 上海爱建股份有限公司 1998 年度配股

· 山西通宝能源股份有限公司 1999 年度配股

· 重庆啤酒股份有限公司 1999 年度配股

· 甘肃亚盛实业（集团）股份有限公司 1999 年度配股

· 上海方正科技股份有限公司 1999 年度配股

· 北汽福田汽车股份有限公司 2000 年度配股

· 国电电力股份有限公司 2000 年度超比例配股

· 内蒙古蒙电华能热电股份有限公司 2001 年度配股

· 山西焦化股份有限公司 2004 年配股

· 黑龙江电力股份有限公司 2000 年度增发

· 山东晨鸣纸业集团股份有限公司 2000 年度增发

· 内蒙古伊利实业股份有限公司 2002 年度增发

· 山西通宝能源股份有限公司 2002 年度增发

· 黑龙江电力股份有限公司 2003 年度可转换公司债券发行

· 营口港务股份有限公司 2004 年度可转换公司债券发行

· 山东晨鸣纸业集团股份有限公司 2004 年度可转换公司债券发行

· 山东南山实业股份有限公司 2004 年度可转换公司债券发行

· 北京首创股份有限公司 2005 年度可转换公司债券发行

· 国电电力发展股份有限公司 2005 年度可转换公司债券发行

· 山东晨鸣纸业集团股份有限公司 2006 年度融资券

· 国电电力发展股份有限公司 2006 年度融资券

· 大唐国际发电股份有限公司 2006 年度、2007 年度融资券

· 大唐国际发电股份有限公司 2008 年度中期票据

· 大唐国际发电股份有限公司 2009 年度公司债

· 大唐国际发电股份有限公司 2011 年度公司债

· 大唐国际发电股份有限公司 2009 年非公开发行 A 股股票

· 大唐国际发电股份有限公司 2010 年非公开发行 A 股股票

· 内蒙古大唐国际托克托发电有限责任公司 2011 年短期融资券发行

3. 担任下列公司境内上市外资股（B 股）及境外上市项目的中国法律顾问：

· 黑龙江电力股份有限公司 B 股上市

· 黑龙江电力股份有限公司 1997 年 B 股增发

· 山东晨鸣纸业集团股份有限公司非上市外资股（广华基金）流通

· 大唐国际发电股份有限公司（H 股、A 股及 ADR）常年法律顾问

· 北京珠穆朗玛电子商务网络服务有限公司外资股东美国 NASDAQ 股票发行及上市

· 香港恒丰珠宝首饰有限公司香港联交所股票发行上市

· 中华药业有限公司香港联交所创业板发行上市

· 太平协和（香港上市）全面收购协和建设（香港上市）的境内法律顾问

· 山东墨龙石油机械股份有限公司与香港创业板首发及增发

· 香港正辉国际以红筹方式在香港主板首发上市

· 江苏宝业公司在香港主板首发上市

· 香港先施表业有限公司香港主板首发上市

· 牡丹汽车股份有限公司香港联交所创业板股票上市的法律顾问

· 吉林东北虎股份有限公司香港联交所创业板股票上市的法律顾问

· 东江环保股份有限公司香港联交所创业板股票上市的法律顾问

· 山西三元煤业香港联交所创业板股票上市的法律顾问

· 益安国际（香港上市）收购中国药材集团下属子公司

的法律顾问

·TOM. COM(香港上市)收购中国大陆系列户外广告公司的法律顾问

·＋＋纸业集团股份有限公司香港主板首发上市

4. 担任下列上市公司资产重组或股权转让的法律顾问：

·北京市旅行车股份有限公司股权重组

·黑龙江华源电力(集团)股份有限公司与黑龙江电力股份有限公司合并

·重庆东源钢业股份有限公司股权重组及资产置换

·国家电力公司股权重组大连东北热电发展股份有限公司

·黑龙江电力股份有限公司国有法人股划转

·沈阳北方商用技术设备股份有限公司资产置换

·天津百货大楼股份有限公司股权划转及资产置换

·重庆三峡水利电力(集团)股份有限公司控股股权转让

·大连盛道集团股份有限公司资产置换

·上海凌云幕墙科技股份有限公司(B 股)控股股权转让及资产重组

·内蒙古宁城老窖生物科技股份有限公司控股股权转让

·微软及朗讯公司在华公司的业务资产的重组项目的法律顾问

·四川迪康药业集团有限公司收购四川成商集团股份有限公司项目

·兰太实业集团公司股权重组及资产重组项目

·新疆啤酒花股份有限公司收购及重大资产重组项目

·晨鸣纸业集团股份有限公司资产收购吉林纸业股份有限公司项目

·河北宣工机械股份有限公司控股股权转让及资产重组

·广东威达集团股份有限公司收购与重组项目

·北京首都创业集团多项收购、资产重组和投资项目

·美国协和集团在华投资项目整体收购项目

·中联建设装备股份有限公司收购与重组项目

·山东控股投资有限公司设立及收购、重组项目

·青海贤成矿业股份有限公司股份收购项目

·吉林亚泰(集团)股份有限公司对海南兰海集团投资控股有限公司增资项目

5. 担任下列公司股份制改制及资产业务重组项目的法律顾问：

·山东登海种业股份有限公司

·山东德棉股份有限公司

·山东民和牧业股份有限公司

·北京华胜天成股份有限公司

·北京红惠医药股份有限公司

·河南森源电气股份有限公司

·福建七匹狼实业股份有限公司

·中冶赛迪工程技术股份有限公司

·山东福田重工股份有限公司

·广东金曼集团股份有限公司

·渝能(集团)有限责任公司

6. 担任下列上市公司股权分置改革的法律顾问：

·山东晨鸣纸业集团股份有限公司

·北汽福田汽车股份有限公司

·国电电力发展股份有限公司

·北京华胜天成科技股份有限公司

·北京兆维科技股份有限公司

·华电能源股份有限公司

7. 担任下列企业债转股项目的法律顾问：

·灵武矿务局债转股项目

·双鸭山矿务局债转股项目

·黑龙江七台河矿业精煤(集团)有限责任公司债转股项目

·中国龙江森林工业(集团)总公司债转股项目

·鹤岗矿务局债转股项目等

新大洲摩托车、大东海股份等股票发行、配售；黄河旋风、大连大显等股份有限公司配股；湖南投资集团股份有限公司增发新股；深业集团重组和境外上市交易；浙江尖峰集团股份有限公司配股及上市；中信医药股份有限公司改制及股票发行上市；石家庄劝业场股份有限公司股份制规范化重组及上市；美国某著名证券公司中国境内证券承销；北京王府井大酒店、北京亚太大厦股权收购与公司收购。

北京：

地址：北京市朝阳区东三环中路 5 号财富金融中心 12 层

邮编：100020

电话：010－65028888

传真：010－65028866　65028877

上海：

地址：上海市静安区北京西路 1028 号兴业银行大厦 18 层

邮编：200041

电话：021－52569939

传真：021－52569930

南京：

地址：江苏省南京市长宁路 188 号德基大厦 9 楼 E 座

邮编：210018

电话：025－86827100

传真：025－86827103

广州：

地址：广东省广州市天河区华夏路 28 号富力盈信大厦 1803 室

邮编：510623

电话：020－38061168

传真：020－38061328

杭州：

地址：浙江省杭州市西湖区天目山路 7 号东海创意中心 19 楼 B 区

邮编：310007

电话：0571－89986988

传真：0571－89986990

温州：

地址：浙江省温州市鹿城区车站大道 789 号智慧谷第 I 幢后侧四层

邮编：325000

电话：0577－88800182

传真：0577－88676158

沈阳：

地址：辽宁省沈阳市沈河区市府大路 262 号甲新华科技大厦 1011 室

邮编：110003

电话：0242－2720192

传真：0242－2720193

香港：
地址：香港中环花园道 1 号中银大厦 64B
电话：00852 － 25210880 传真：00852 － 25210266

北京市嘉源律师事务所

一、基本概况

嘉源专长于证券、金融、企业产权、公司治理以及投资、工程、国际商事等领域，是中国金融市场尤其是资本市场居于领先地位的合伙制律师事务所。十余年来，我们协助数百家境内外企业进行了重组改制、境内外股票发行上市和投资、收购兼并、工程承包等工作。

嘉源律师团队熟通中国及境外法律，既洞察中国金融市场发展变化，又谙悉国际资本市场运作规则，以卓越的专业服务使嘉源成为每个客户最值得信赖的伙伴。

二、专业团队

嘉源专门从事资本市场法律业务的律师近七十位。我们的业务骨干在加入嘉源之前，曾服务于国内外知名律师事务所、证券、投资机构及科研院校，积累了丰富的业务经验。

今天，中国企业与海外资本市场的联系日趋紧密，这对证券律师的素质提出了更高的要求。嘉源的多位律师毕业于英、美著名法学院，并有国际知名律师事务所的工作经历。除了对中国及境外法律精深的理解，他们还谙熟于国际资本市场的运作规则。

三、业务资格

经司法部和证监会批准，嘉源具有从事证券法律业务资格。

经证监会和司法部批准，嘉源具有从事涉及境内权益的境外公司相关法律业务资格。

经司法部和财政部批准，嘉源具有从事国有资产产权法律事务的资格。

四、业务领域

嘉源的主要业务领域包括企业改制上市与再融资，上市公司收购与重组，产业整合与并购，国企改制与产权交易，外商直接投资与境外投资，私募股权投资与风险投资，银行与金融，项目融资，国际工程承包，国际采购与招投标，反垄断与国家安全审查，知识产权，破产、重整与清算，争议解决等。内部按照专业化分工设立专业部门，如融资部、并购部、国际业务部、金融部等。能够为国内外客户提供全方位、多层次的专业法律服务。

五、企业改制上市与再融资

企业改制上市与再融资是嘉源的一项核心业务。作为发行人律师或承销商律师，嘉源已经为数百家企业的境内外首次公开发行上市项目及再融资项目提供了法律服务，其中不乏重大、复杂、具有里程碑意义的项目，尤其在大型、特大型项目方面久负盛名。

六、主要服务内容

·法律尽职调查

·改制与重组方案设计

·起草重组协议、发起人协议、关联交易协议、公司章程以及其他相关法律文件

·协助建立并完善法人治理结构

·特别法律问题处理

·出具法律意见书和律师工作报告

·协助起草招股说明书等信息披露文件

七、债券发行

嘉源在债券发行方面拥有较为全面的业务资格和丰富的业务经验，除了公司债券、金融债、企业债券和中期票据、短期融资券、超级短期融资券等常见的债券和非金融企业债务融资工具发行业务之外，嘉源还曾协助客户在境内和境外成功发行了认股权和债券分离交易的可转换公司债券、美元债券等。

八、主要服务内容

·协助设计发行方案

·法律尽职调查

·起草相关法律文件

·出具法律意见书和律师工作报告

·解答发行过程中的法律问题

九、上市公司收购与重组

嘉源在上市公司收购与重组方面具有丰富的经验，尤其擅长解决交易中的复杂问题，曾代理了在资本市场具有创新意义和深远影响的攀钢集团整体上市项目。可以为客户设计符合公司利益并可成功实现的交易结构，并就交易中的法律问题提供切实可行的解决方案和开创性的意见。

·上市公司重大资产重组

·上市公司合并与分立

·借壳上市

·上市公司收购与反收购

·上市公司股份回购

十、产业整合与并购

嘉源参与了大量的在国内外有较大影响力的并购项目，其中仅建材行业的并购项目就已超过 500 个。嘉源能够在综合考虑法律、财务、税务等各方面因素后设计最佳的并购方案，并擅长帮助客户规避并购中的风险和在变动而复杂的法律和监管环境下解决问题，促成交易。嘉源因此而获得客户高度赞誉。

十一、主要服务内容

·进行法律尽职调查

·设计、优化交易架构

·起草、修改收购协议及其他相关交易文件并协助与交易对方进行谈判

·就政府审批、备案、登记事宜提供咨询意见，并协助办理相关法定程序与手续

·协助办理交割事宜

·公司日常经营的合规性审查和监督

·公司重组、解散与清算的各项法律事务

北京：
地址：北京市西城区复兴门内大街 158 号远洋大厦
F407 － 408
邮编：100031
电话：010 － 66413377
传真：010 － 66412855
邮箱：eoffice@ jiayuan － law. com
上海：
地址：上海市黄浦区西藏中路 18 号港陆广场
27 楼 2703、2704 室
邮编：200001
电话：021 － 60452660
传真：021 － 61701189
邮箱：sh － eoffice@ jiayuan － law. com

深圳：
地址：深圳市福田区金田路4028号荣超经贸中心2511
邮编：518026
电话：0755－82789766
传真：0755－82789577
邮箱：sz－eoffice@jiayuan－law.com
香港：
地址：香港湾仔港湾道1号会展广场办公大楼2611室
邮编：955077
电话：00852－25206166
传真：00852－25275788
邮箱：hk－eoffice@jiayuan－law.com

北京市金杜律师事务所

一、基本概况

金杜是一家新型的律师事务所，根植本土，业务范围覆盖全球，致力于为客户提供独到的商业见解和与众不同的客户体验。每天有超过30多个国际办公机构，2700多名律师为客户保驾护航，在日趋复杂的各地区环境中把握商机并降低风险。得益于全球化网络，金杜为客户提供优质的商业解决方案，并改变着传统的法律服务模式。

如何做到这一点？我们不止步于满足客户所需，而更关注实现目标的过程。通过紧密合作，并凭借我们在业界领先的专业经验、深入的法律见解以及根植本地的联系，金杜利用其全球平台与客户建立起无间的合作关系。

作为世界上唯一一家在中国内地、中国香港、澳大利亚、英国、美国和欧洲重要法域拥有执业能力的律师事务所，我们面向全球，为客户锁定机遇，助力其在亚洲世纪释放全部发展潜能。我们能够为客户创造机遇，以提供领先市场的专业服务为宗旨，不断超越创新——致力于让亚洲走向世界，让世界联通亚洲。

二、银行与融资

在中国的银行与融资领域，我们拥有超过三十年的执业经验。

从引领和参与监管变化，到为市场上最复杂而尖端的交易提供创新融资解决方案，金杜的银行与融资法律团队屡获殊荣，处于这一高度发展市场的最前沿。

我们团队的规模与我们专业知识的深度与广度相结合，使我们在中国银行与融资领域中成为行业领先者。

我们拥有在大中华地区处理银行与融资交易最大、最全面的团队之一。因此，您将从我们涵盖金融产品各个方面的法律意见中获益，包括：

· 收购及杠杆融资
· 资产及飞机融资
· 企业贷款
· 债务资本市场
· 衍生工具及结构性融资
· 项目融资
· 房地产融资
· 破产重组
· 银行及金融市场监管

三、证券

我们经验丰富的证券律师为您提供关于资本市场交易的最前沿的法律意见。

通过我们领先的证券律师全球网络，我们为您提供通向“新世界”资本的机会。凭借根植亚洲地区无可比拟的优势，并且作为唯一一家具有中国法执业资格的国际律师事务所，我们正在帮助我们各区域的客户获取全球资本，并帮助我们的全球客户获取亚洲资本。

我们身处中国这个世界上增长最快的资本市场，拥有得天独厚的优势。国际大公司、金融机构以及中国发行人依靠我们为他们的A股、H股和红筹发行提供法律协助。我们将技术和商业专业知识与深度市场联系相结合的能力成就了我们在这一领域的领先地位与荣誉。

在中国，我们就债券资本市场和证券化提供法律意见，包括首次公开发行和再融资、发行企业债券、上市公司的并购、私募股权融资和其他相关证券交易。

四、二十年的证券创新

在过去的二十年里，我们就数以千计的国内和跨境证券交易为发行人和承销商提供法律意见，并在股权和债券市场上持续走在中国资本市场创新的最前沿。

我们经常代表中国发行人和承销商，参与他们在上海证券交易所、深圳证券交易所、新加坡证券交易所、纳斯达克和法兰克福证券交易所的首次公开发行（IPOs），包括其中最大最复杂的交易。我们的团队最近在美国资本市场历史上规模最大的IPO项目，阿里巴巴上市项目中，为六名主承销商提供法律意见。

五、在中国和全球范围内进行真正的交易

我们一流的公司、并购与商业事务团队，为世界最引人注目的交易提供服务。我们与世界最大的公司、投行、私募股权机构和投资者合作，提供涵盖公司法、并购、私募股权、公司治理和商业事务的全方位服务。

作为唯一一家总部设在亚洲的国际律师事务所，我们为客户提供独特的见解，助您驾驭在亚洲开展业务时在文化和监管方面遇到的复杂局面。因此我们经常能比同地区的其他律所处理更多的交易自然不足为奇。我们拥有较强的跨境（特别是在亚洲内外）业务能力也并不令人意外。

我们的公司、并购（M&A）、私募股权和商业法律业务是顶级的——不仅在中国，并且遍布亚洲的每一个重要区域。我们的境外并购业务也在快速增长。

六、广泛的客户

在如下方面，我们为跨国公司、国有企业、中国及海外私人公司、房地产开发商、金融投资者（包括私募股权基金）和承包商提供法律意见：

· 并购
· 公司咨询
· 商业合同及外包
· 跨境投资
· 劳动及就业
· 反贿赂与反腐败
· 私募股权

北京市京都律师事务所

一、基本概况

北京市京都律师事务所（以下简称：京都律师事务所）成立于1995年，是国内较早设立的合伙制律师事务所之一。目前，京都已建设成为一家提供包括非诉业务、民商诉讼、刑事诉讼等全面法律服务的综合性律师事务所。其中，京都在刑

事诉讼领域居于全国领先地位。

京都律师事务所总部位于北京 CBD 中央商务区，另在上海、深圳、大连和天津设有分支机构。京都目前拥有 300 余名执业律师及专业人员，国内外著名法律学府的教育背景以及金融、知识产权、国际贸易等行业企业、行业协会、大学、国外知名律师事务所和政府部门的工作经历使得京都律师在各自业务领域能够为客户提供高标准的法律服务，包括刑事诉讼、民商诉讼、企业风险防控、金融、证券、房地产与基础设施、公司、破产重整、知识产权、能源与环保、信息技术、国际、海商海事等十三个业务领域。同时，京都律师事务所的先进管理理念还使得京都律师具有高度的团队合作精神，不同领域的律师相互配合为客户提供全方位的综合法律服务。

”强化责任观念，修炼气质风度，树立精品意识，提供系统服务“是京都一直推崇和坚持的执业理念。我们将秉承这一宗旨，持续提升自身素质，不断超越自我，依法维护海内外客户的最大合法权益；同时，京都律师事务所积极参与国家的法治建设，通过参政议政、普及法律知识、办理法律援助案件以及各种公益活动等最大限度地履行社会责任。

京都律师事务所不断开拓，积极引进先进的管理理念和人才，致力于成为中国最优秀的专业化、团队化、国际化的综合性律师事务所。

二、律所荣誉

京都律师事务所荣获“最具公信力律师事务所”大奖。

京都律师事务所入选中国工业节能服务产业联盟。

汤森路透 ALB 评选 2015 年亚洲最大 50 家律所，京都排名第 20 位。

京都律所荣膺“中国优秀股权和创业投资最佳法律服务机构”。

京都律师事务所荣获“中国法学会团体会员单位“称号。

入围英国《律师》杂志 2013 年度亚太地区 50 强律师事务所。

入围《亚洲法律杂志》(ALB)2012 年度企业公民律师事务所大奖。

入围《亚洲法律杂志》(ALB)2012 年度诉讼律师事务所大奖。

京都律所被评为北京市律师行业创先争优先进集体。

2009 - 2011 年度北京市优秀律师事务所。

京都律所大连分所荣获“辽宁省优秀律师事务所”。

2011 年“最值得推荐的 30 家中国工程法律律师事务所”(《建筑时报》和美国《工程新闻纪录》授予京都大连分所)。

2010 - 2011 年度北京市律师事务所五好党支部。

2010 年度上海市静安区文明单位称号(上海市静安区人民政府授予京都上海分所)。

2009 - 2010 年度朝阳区优秀党支部。

三、社会责任

作为在中国具有较大影响力的优秀律师事务所，京都始终奉行“源于社会，回报社会”的宗旨，积极投身各项社会公益事业，践行社会责任，采取了一系列积极的行动回馈社会：进行法律援助、推进法治建设、普及法律知识、参与公益慈善等。

进行法律援助：京都律师每年通过北京市法律援助中心和朝阳区法律援助中心代理大量的法律援助案件，免费为被援助人提供京都专业优良的法律服务，维护被援助人的合法权益。

推进法治建设：我所律师多次以律师身份参与刑法、刑诉法、证据法、律师法的立法研讨活动，提出了很多有价值的建议。我所主任田文昌律师主持起草并出版了我国第一部以律师协会名义起草出版的《刑事诉讼法修改律师建议稿》，这是中国律师界第一次以律师名义向立法机关正式提交的建议稿。

普及法律知识：我所与中央电视台、北京广播电台、法制晚报、北京晚报等多家媒体进行合作，提供法律讲堂、义务咨询、专家点评等法律宣传服务。并应北京大学、清华大学、中国人民大学、中国政法大学、国家法官学院、国际关系学院等多所学校邀请，进行免费法律课程的讲座。我们还积极参加各种形式的普法活动，现场为群众解答各种法律问题。

参与公益慈善：在汶川地震、西南旱灾等重大自然灾害发生时，京都人都积极伸出援手，踊跃向灾区捐款捐物，奉献自己的一片爱心。2012 年 6 月，京都泉计划方案正式启动，旨在为困难家庭的学生提供物质和精神上的帮助。

未来，京都人也将继续努力，恪尽社会职责，以诚信实践承诺，为推动社会的和谐进步贡献更大力量。

四、律所合作

京都律师事务所成立于 1995 年，系全国大型综合化律师事务所，2005 年被评为北京市优秀律师事务所。随着京都律师事务所不断发展与壮大，京都所国际业务也日益走向成熟，所里有多位精通英语、日语、德语、法语、韩语的律师。京都律师事务所的国际业务在各界的大力支持下正在稳步上升。为了进一步推动京都所的国际业务，加强京都所与各国司法界及律师界的业务交流，京都热烈欢迎各国司法机构及律师事务所来我所访问交流，并建立战略伙伴关系。

目前京都律师事务所已同英国、美国、加拿大和日本等国家的相关政府部门、专业机构以及律师事务所都有良好的、较为频繁的学术交流和项目协作，有的还建立了长期的业务合作关系。

五、业务领域

· 资本市场

资本市场部是京都较早成立的部门之一，该部门律师平均具有十年以上的证券法律业务经验，该部门律师注重从实务中总结理论，并用于指导实际操作，注重在理论和实际操作经验方面平衡发展。京都为该业务部聘请了一批包括学术机构和实务部门的一流专家作为业务顾问，协助为客户解决疑难问题。

部分律师具有在公、检、法等国家机关从事司法工作的丰富经验，擅长刑民结合，既有利于做好刑事风险防控，又有利于运用刑民结合的方法处理问题。另外，资本市场部以京都诉讼特长为依托，将非诉与诉讼相结合。

京都所曾经或正在合作的专项、常年法律顾问类客户多为国内外十分活跃的重要企业、公司及机构，主要包括：中国人民银行总行、中国工商银行总行、中国光大银行总行、中国银行总行、华夏银行总行、民生银行总行、交通银行、中国国际信托投资公司、中国建设银行北京分行、中国农业银行北京分行、中国银行香港分行、北京银行等；中国银河证券有限责任公司、光大证券有限责任公司、中信证券有限责任公司、北京证券有限责任公司等；中国华融资产管理公司、中国东方资产管理公司、中国信达资产管理公司等；商务部、文化部、中国证监会、财政部国家农业综合开发评审中心、北京创业投资协会、中关村技术产权交易所等；

· 金融业务

京都金融部拥有专业的金融业务研发团队与律师服务

团队，可以为金融机构、大中型企业提供投融资法律架构方案设计及法律风险管理服务，为企业家提供境内外财富管理及传承法律服务，为参与国家“一带一路”战略的企业提供海外投资及并购法律服务。京都的金融律师团队由2名正教授，4名博士（后），10名硕士组成，这些律师都具有国内外名校毕业的金融、管理与法律的复合专业背景，能够熟练运用英语从事法律服务。金融部逐步在产业与并购基金、家族信托业务、国际金融与海外投资业务、银行与保险业务、证券市场创新业务、刑事金融与金融诉讼等领域形成了核心律师团队、服务产品与经典案例，具备了国内较高水平的法律服务能力。

地址：北京市朝阳区景华南街5号远洋光华国际C座23层

电话：010－57096000

传真：010－85251268

邮箱：info@ king－capital. com

北京市竞天公诚律师事务所

一、基本概况

北京市竞天公诚律师事务所于九十年代初设立，是中国第一批获准设立的合伙制律师事务所之一。发展至今，竞天公诚已成为中国最具规模和最具强劲实力的综合性律师事务所之一，在资本市场、兼并收购、海外投资、争议解决、私募股权投资等诸多专业领域处于国内领先地位。竞天公诚总部设于北京，并战略性地选择在上海、深圳、成都和香港设立分所，其中香港分所与孖士打律师行（Mayer Brown JSM）联营，以便本所更好的在境内外为我们的客户提供全方位的法律服务。

竞天公诚的律师均拥有良好的专业知识背景，很多律师曾在有关政府部门、国内外律师事务所和企业从事法律服务，在相关专业领域积累了丰富的执业经验。竞天公诚还通过不间断的业务学习和培训，持续地提高其律师团队的专业服务水平。细致的专业分工和一体化的管理制度，则进一步确保了竞天公诚能够长久地为客户提供富有深度的、全方位的法律服务。

二、证券与资本市场

竞天公诚是在中国境内承办证券法律业务历史最久、数量最多、业务类型最全面的中国律师事务所之一。在中国大陆、美国、香港和新加坡等境内外证券市场上市和融资领域，有关权威机构和媒体一直将竞天公诚列为“最佳中国律师事务所”和“最活跃的法律顾问机构”之一。在这一领域，竞天公诚为发行人（上市公司）或保荐人/承销商提供全方位的专业法律服务：

·境内外首次公开发行股票并上市，包括境外红筹上市和境外直接上市

·境内外借壳上市（反向收购）

·上市公司收购与重组

·上市公司再融资，包括增发、发行公司债券和可转换债券等

·上市公司持续的合规监管，如协助上市公司履行信息披露义务、股东大会见证、上市公司股权激励计划等；

·证券公司、证券投资基金管理公司及其分支机构的设立、变更、解散、终止；证券公司集合资产管理计划、证券投资基金的设立、募集

三、银行和融资

竞天公诚在银行和融资领域拥有一支经验丰富的队伍，为银行、其他金融机构和其他客户提供精细、专业的法律服务，主要包括以下方面：

·银团贷款和商业贷款

·项目融资（如基础设施项目、房地产项目等）和贸易融资

·融资租赁

·资产证券化

·不良资产处置

·发行企业债券、短期融资券和中期票据

·金融衍生产品

四、兼并与收购

兼并与收购（外国投资者并购境内企业、上市公司收购与重大资产重组及其他类型的企业间兼并与收购）是竞天公诚的核心业务之一。竞天公诚在这一领域的客户包括国有企业、民营企业、上市公司、境外投资者，涉及各行各业，如房地产、电信、媒体与娱乐、商业零售、高科技、能源和自然资源、制造业等。竞天公诚的主要服务包括：

·交易结构设计和优化

·法律尽职调查

·起草交易文件，如股权转让协议、资产转让协议、分立协议、合并协议以及有关附属文件等

·参与谈判

·协助完成交割

·就有关交易涉及的其他方面及政府审批、备案、登记等事宜提供专项咨询意见，并协助办理有关手续

五、私募投资和风险资本

在私募股权投资和风险投资领域，竞天公诚协助国内外私募股权基金、战略投资者、风险投资机构和国内创业者，在不同行业领域完成了大量涉及中国境内权益的私募股权投资和风险投资项目。在多年的实践中，竞天公诚特别注重为客户提供具有创造性的、切实有效的解决方案。

六、获得荣誉

《商法》杂志2014年度奖项；

2015－2－12，竞天公诚在多个服务领域获得钱伯斯2014年度评级和推荐；

2015－2－12，竞天公诚多位律师被钱伯斯评选为杰出律师；

2015－1－29，《商法》杂志2014年度杰出交易奖项；

2015－1－29，竞天公诚在多个领域获得Legal500的评级和推荐；

2014－9－18，CLP《中国法律商务》2014年度奖项；

2014－9－15，本所合伙人徐邦炜律师荣获“2011－2013年度北京市朝阳区优秀律师”；

2014－5－30，竞天公诚荣获《金融月刊》2014年度全球大奖；

2014－4－24，ALB《亚洲法律杂志》2014年度奖项；

2014－4－24，《商法》杂志2013年度奖项；

2014－3－31，本所合伙人徐邦炜律师荣获ALB《亚洲法律杂志》2014年度“中国15佳诉讼律师”；

2014－2－18，竞天公诚在多个服务领域获得钱伯斯2013年度评级和推荐；

2014－2－18，竞天公诚多位律师被钱伯斯评选为杰出律师；

2014－1－21,《商法》杂志 2013 年度杰出交易奖项；

2013－11－30,本所合伙人荣列“2013ENR/建筑时报：最值得推荐的 60 位中国工程法律专业律师”；

2013－11－7,本所合伙人帅天龙律师荣获 ALB2013 年度“客户之选：最受青睐的 20 位中国顶级律师”；

2013－11－4,竞天公诚在多个领域获得 Legal500 的评级和推荐；

2013－9－12,竞天公诚荣获《中国法律商务》2013 年度“中国争议解决律师事务所”和“杰出交易”奖；

2013－5－31,《商法》杂志 2013 年度奖项；

2013－3－29,ALB《亚洲法律杂志》2013 年度奖项；

2013－3－1,IFLR《国际金融法律评论》2013 年度中国律师事务所大奖；

2013－2－28,钱伯斯 2013 年度奖项；

2013－1－4,竞天公诚在多个服务领域获得钱伯斯 2012 年度评级和推荐；

2012－12－5,《商法》杂志 2012 年度杰出交易奖项；

2012－9－13,CLP《中国法律商务》2012 年度奖项。

君泽君律师事务所

一、基本概况

君泽君律师事务所（“君泽君”）于 1995 年创立,总部位于北京,是国内最早也是最大的合伙制律师事务所之一。

君泽君在全国 8 个城市设有办公室,现有 50 多名合伙人及 300 多名执业律师,他们来自民商事法律的代表性专业领域、具有宽广的视野、丰富的经验、突出的执业专长以及超群的专业优势;他们绝大多数都毕业于国内外著名的学校,拥有良好的教育背景;许多律师还具有立法机构、司法机关、行政部门以及金融、证券、信托、股权投资、企业和高等院校、研究机构等工作阅历;多名律师曾参与国家重要法律、法规、部门规章以及行业、领域行业规则的论证、起草和修订工作。

君泽君拥有一大批对金融、资本市场、各类产业投资、基础设施及公用事业、税收、房地产与建筑工程、知识产权、国际投资和贸易及争议解决等领域有深刻理解和丰富实践经验的律师团队。

君泽君多年来始终专注于中国金融及资本市场的制度创新、业务创新、产品创新。君泽君的精英律师团队在金融机构设立、改组和重组,结构性融资,金融产品创新特别是信托产品、金融衍生品及其他创新金融产品的研发设计方面处于中国市场的最领先地位;君泽君律师在证券发行和上市、私募股权投资、产业整合及并购、外商直接投资和并购、基础设施及公用事业、保险资产管理及运营、不良资产处理、医疗健康产业整合、房地产等领域的法律服务中居于国内领先地位。在上述领域,君泽君曾经或正在承办众多创新、领先或代表性的案例。

君泽君一贯倡导及践行以服务客户为核心,深化专业分工,优化及灵活配置法律服务资源,使君泽君能够为来自不同文化和产业领域的客户提供高品质、个性化和增值型的法律服务。君泽君拥有广泛及稳固的客户群体,其中既包括百余家境内外主要金融机构、数十家世界五百强公司,也包括众多拥有良好声誉和业绩的大型国有企业、上市公司和树立了竞争优势或具有高成长性的民营企业。君泽君同时也为国内外政府机构、国际组织、政府间组织、商会、行业协会等提供中国法律服务。

君泽君律师长期积极参与国家立法机关和金融监管机构的诸多立法或修法活动。君泽君在学术、专业领域的持续深度研究能力和良好声誉赢得了监管机构、业界、客户的广泛肯定和尊重。除日常法律研究工作外,君泽君还编辑出版《金融创新与法律》,《君泽君资讯》,与人民大学合办信托与基金研究所,出版《信托与基金研究》。君泽君可以针对行业特征、客户及其业务的个性需求,提供专业法律报告等延伸法律服务,力求为客户提供更多层面的增值服务。

此外,君泽君积极投身法律服务相关的公益事业,参与公益诉讼,践行着律师的社会责任和执业良知。

得益于中国市场经济的稳健增长以及商业法律环境的日益成熟,经过近 20 年的辛勤耕耘及对执业品质的不懈追求,且秉承为客户提供高质量服务、为社会创造价值的宗旨,君泽君在中国民商事法律的多个领域始终保持着领先地位和专业优势,是中国国内具有领先地位及最优秀的律师事务所之一。

二、金融市场

金融市场部是君泽君的核心业务部门之一。君泽君金融市场部聚集了有着高水平和丰富实践经验的律师团队,有多名律师取得金融法和公司法专业的法学博士、硕士学位,并有在国外深造或国内及境外金融机构、金融监管部门、司法部门从业的经历,广受尊重。

在过去的数年中,君泽君曾为多家国内及国际的顶级商业银行、投资银行、保险公司、信托公司、私募股权基金和对冲基金提供法律服务,并在多个具有标志性意义的金融交易中提供过全方位的法律服务。君泽君在金融领域的广泛的经验使君泽君具有能为客户在复杂法律规范的框架内提供高质量服务的不寻常的能力。

君泽君律师专注于为金融机构客户和金融市场提供金融产品的创新设计服务,帮助金融机构客户完善内部治理结构、业务操作规程和风险控制制度等。君泽君律师同时长期致力于金融法律问题的研究,君泽君曾经为包括世界银行在内的许多金融机构提供有关中国金融资本市场的法律和监管环境的研究报告。

君泽君律师还积极参与中国金融交易市场的相关制度设计、产品创设、标准文本的拟制及市场培训活动。

君泽君律师事务所还是国内最早成为国际掉期及衍生产品工具协会的会员的律所,君泽君及相关律师及团队在信托、资产证券化和金融衍生品等多个方面被多次授予“最佳律师事务所和最佳律师”的荣誉。

君泽君在金融领域提供的法律服务包括方面：

· 金融机构的设立、增资、变更登记

· 金融机构的改制、并购、业务整合

· 金融机构的重组、整顿、解散和破产清算

· 外资金融机构境内投资、设立合资金融机构（包括银行、证券公司、保险公司、信托公司、基金管理公司、期货经纪公司、金融租赁公司等）和下属分子机构

· 金融机构合规和监管,内控设计

· 各类借贷（包括银团贷款、跨境借贷、出口信贷）、项目融资、贸易融资、金融租赁、并融资、结构性融资及各类理财产品

· 各类债券（企业债券、短期融资券、中期票据、超短期融资券、定向非公开发行非金融企业融资工具、金融机构次级债、金融债、公司债券、定向非公开发行公司债券、高收益债等）发行和承销

·信托产品

·金融衍生品、商品衍生品及各类结构性融资产品和风险控制工具

·资产证券化

·金融资产买卖及不良资产处置

·信贷、外汇、担保、资产管理、QFII、QDII、人民币境外业务

·REITS 房地产投资信托基金

·金融机构日常事务咨询服务

·其他创新性交易结构和安排的设计。

三、证券和公开资本市场

君泽君是公开资本市场领域的领先及活跃的律师执业机构。在众多境内外主要公开资本市场的证券及证券衍生品发行、上市公司持续融资、上市公司收购、上市公司重大资产重组等领域的代表性案例中，均有君泽君证券和资本市场团队律师的身影。

君泽君已经为超过200家境内外企业提供境内外公开资本市场法律服务，这些企业所在行业涵盖信托、证券、保险、商业银行、基础设施及公用事业、房地产、医药卫生、医疗健康、资源开发、有色金属冶炼、信息、农业、汽车及机械、军工、电子、装备制造、船舶、食品、餐饮、化工、商业特许经营、交通运输及物流、文化、教育、商业流通、旅游、轻纺成衣、服务业等。

君泽君的证券业务团队经过多年的积累，已经与相关的政府部门、监管机构、各证交所以及国内外知名中介机构建立了稳固、广泛的工作联系、项目协作关系。本所多位律师及本所承办的多个项目曾赢得资本市场、研究机构及主流媒体授予的多项奖项及荣誉。

1. 在境内公开资本市场方面，君泽君证券与资本市场团队致力于承办：

·在主板、中小板、创业板市场首次公开发行股票并上市

·为上市目的实施的国有企业股份制改制、事业单位转制、有限责任公司整体变更为股份有限公司

·上市公司持续融资（股票配售、公开发行股票、非公开发行股票、权证、可转换债券、结构性融资产品）

·上市公司收购

·上市公司敌意收购及防御

·上市公司重大资产重组

·上市公司非公开发行股票购买资产

·上市公司股权激励

·上市公司管理层收购

·上市公司退市、破产重整

·红筹结构境内上市

·融资融券业务

·流通股大宗交易业务

·上市公司股份质押业务

·上市公司国有股份处分业务

·上市公司治理结构设计等业务

·股指期货及期货衍生品种业务

·柜台交易市场（如三板市场）股权或股权凭证挂牌交易业务

·各类债券融资证券发行业务（包括公司债券、企业债券、金融债券、非金融企业融资工具、可交换债等）

2. 在境外公开资本市场方面，君泽君证券与资本市场团队致力于承办：

·中国境内企业在香港联合交易所主板或创业板直接发行股票（H股）以及在纽约证券交易所、纳斯达克证券交易所、多伦多证券交易所、美国证券交易所、香港联合交易所主板和创业板、新加坡证券交易所、台湾证券交易所、东京证券交易所、澳大利亚证券交易所、伦敦证券交易所、AIMS市场、泛欧证券交易所承办涉及境内权益的境外公司在境外首次公开发行股票/配售股票/发行股权存托凭证及上市（“红筹股上市”或“红筹存托凭证上市”）

·境外上市公司反向并购、杠杆并购、重组、借壳

·境外上市公司持续融资（增发上架股份、定向增发新股、可转债发行等）

·境外上市公司并购境内或境外资产

北京市隆安律师事务所

一、基本概况

隆安律师事务所成立于1992年，是中国最早的合伙制律师事务所之一。经过近二十多年的发展，隆安已成为一个拥有执业律师600余人，在中国北京设有总所，在上海、深圳、沈阳、广州、南京、天津、苏州、济南、南通、株洲、大连、香港、太原、杭州、武汉等地设有分所，在美国和欧洲国家拥有战略合作联盟的大型综合性律师事务所，并且隆安仍在不断发展壮大之中，以适应全球化发展的需要。

隆安隆安的律师大多毕业于国内外著名法学院，具备扎实的法学基础和卓越的法律素养。隆安拥有多位业内权威专家级律师，部分律师曾在中国最高人民法院、最高人民检察院长期工作，具有极高社会影响和权威司法经验，部分律师曾在美国、英国、日本等国执业多年，兼具国内和国外双重职业资格的律师。隆安同时拥有一批具有开拓创新和积极进取精神的杰出青年律师，他们勤恳敬业，并为隆安不断注入活力与朝气，保证法律业务与社会最新进程的完美结合。隆安还聘请了港澳台和国际专业人士担任隆安的专业顾问，为客户提供国际水准的法律服务。隆安的全体律师与专家顾问共同组成了一个团结奋进的团队，共同致力于为隆安的客户提供最专业、最优质、最高效的全方位法律服务。

隆安在过去的二十多年时间里，隆安为包括世界500强在内的众多大中型企业提供了知识产权、资本市场及金融、公司、大型项目、诉讼和仲裁等领域的专业优质法律服务，多次被全国律师管理机构评为中国最优秀的律师事务所之一、被《亚洲法律业务》列入中国最优秀的律师队伍，被《亚洲律师》等评选机构认定为中国最好的律师事务所之一，在《亚太法律500强》亦榜上有名。隆安也是中国国际贸易促进会/中国国际商会向海外推荐的最佳律师事务所之一。鉴于隆安近年来的整体实力，隆安被亚洲法律杂志ALB评为2011年度全国律所规模二十强并位列第六名。

2014年，在英国著名法律杂志《The lawyer》公布的“2014亚太地区律所150强”排行榜中，隆安律师事务所荣获发展最快的十大律师事务所之一，增长率为21.84%，排名第七位。

2015年英国《The lawyer》杂志发布的亚太地区律所之律师人数排行榜中，名列第15位，在中国位列第9位。

二、业务领域

·资本市场及金融业务

·新三板

·证券发行和上市

·债券发行

·非上市公司融资

· 上市公司兼并收购
· 创业投资及私募股权
· 证券化和金融衍生工具
· 期货与期货交易
· 境外投资
· 融资租赁
· 信托和基金
· 进出口信贷及其他贸易融资
· 债务重组和不良资产处置
· 银行业法律事务
· 保险业法律事务

三、隆安致词

我谨代表隆安律师事务所全体人员向社会各界朋友们致意。

隆安二十多年前，隆安律师事务所在律师机构改革的潮流中应运而生，在二十多年的成长历程中，北京市隆安律师事务所相继在上海、深圳、沈阳、广州、南京、天津、苏州、济南、南通、大连、株洲、杭州、太原、武汉、乌拉巴托、香港等地建立了分所，并与五大洲多家律师事务所建立了战略合作伙伴关系，出现了一支由国内外博士、硕士及相关专业法律人才组成的庞大律师团队。隆安律师事务所在不断进取中壮大了律师的队伍，丰富了律师业务内容，提高了律师专业化程度。二十多年的艰苦务实的创业，我们高速成长，成绩卓越。

隆安这一切，不光归功于隆安律师事务所这一支充满激情、热爱律师事业并极富进取心与责任感的阳光队伍，更重要的是因为您——广大忠诚的客户给予了我们极大的信任与支持！

隆安我们倡导务实、协作、高效、创新的团队风格，我们提倡共享知识、共担责任、互相尊重、分享成果和共同发展的理念文化。我们秉承律师"以事实为根据，以法律为准绳"的服务宗旨，对用户，我们胸怀诚信。

隆安诚信，是一种约定、一种契约，是一种强烈的责任感，是黄金般沉重而珍贵的信任。

隆安我们一直相信：诚信服务，服务好客户、服务好社会，律师事业才能兴旺，国家才能昌盛。勇担社会责任、勇担国家责任，才能成就美好事业。

隆安我所已走过二十多载春秋，回顾艰辛的创业历程，我们为取得的一个又一个成绩感到欣慰，又为自己所经受的艰难挫折而感慨，但我们更为自己炼就了坚韧不拔的意志而骄傲和自豪。

隆安荣誉和成就将在岁月中慢慢沉淀，我们更加注重美好的明天。经营中，我们力争作到"一流的管理、一流的形象、一流的品质、一流的服务、一流的环境"，在竞争和合作中快速发展壮大。在上个世纪里我们率先通过 ISO9002 质量体系认证，我所获得了诸多的殊荣和奖励。我们应像鹰，翱翔于天空，不仅具有敏锐的眼光，而且具有冲向蓝天的雄才大略；我们应像海，要把所有的法律人团结在一起，迸发出海一样的力量；我们应像大地，敞开博大的胸怀，广揽五湖四海有才之士；我们应像空气，不显山不露水，年复一年默默地做着无尽奉献，日复一日为您的需要服务。

隆安放眼未来，隆安律师事务所作为中国律师行业的主要力量之一，将不断创新服务领域，完善服务方式，以多元化的专业领域和精湛的专业技能为客户提供更方便快捷、安全高效，更具人性化的法律服务。

隆安我们最看重的，是您的满意与肯定，这才是对我们一切努力的最高嘉奖。

隆安律师事务所创始合伙人
徐家力隆安律师所

北京：
地址：北京市建国门外大街 21 号北京国际俱乐部
188、238 室
电话：010 – 65325588
传真：010 – 65323768
邮箱：beijing@ longanlaw. com

上海：
地址：上海市徐汇区漕溪北路 333 号中金国际大厦
B 座 20 层
电话：021 – 60857666
传真：021 – 60857655
邮箱：shanghai@ longanlaw. com

广州：
地址：广州市天河区珠江新城华强路 3 号富力盈力大厦
北塔 1206 室
电话：020 – 38039983
传真：020 – 38039923
邮箱：guangzhou@ longanlaw. com

深圳：
地址：深圳市福田区益田路 6009 号新世界中心
802 – 805 室
电话：0755 – 23982682
传真：0755 – 23982723
邮箱：shenzhen@ longanlaw. com

沈阳：
地址：沈阳市沈河区青年大街 109 号凯宾斯基酒店 16 楼
电话：024 – 22941166
传真：024 – 22940573
邮箱：shenyang@ longanlaw. com

南京：
地址：南京市长江路 99 号长江贸易大厦 21 楼
电话：025 – 86990069 – 666
传真：025 – 84798829
邮箱：nanjing@ longanlaw. com

天津：
地址：天津市河西区南京路 18 号金皇大厦 3508 室
电话：022 – 23302010
传真：022 – 23302010
邮箱：tianjin@ longanlaw. com

苏州：
地址：苏州工业园区苏惠路 88 号环球财富广场
1 幢 1209 室
电话：0512 – 87661578
传真：0512 – 87661579
邮箱：suzhou@ longanlaw. com

济南：
地址：济南市历下区解放东路 34 号现代逸城 5 号楼 2 层
电话：0531 – 82377177　82377178
传真：0531 – 82377166
邮箱：jinan@ longanlaw. com

南通：
地址：南通工农路 111 号华辰大厦 B 座 22 层

电话:0513 - 80109700
传真:0513 - 80109768
邮箱:nantong@ longanlaw. com
株洲:
地址:株洲市天元区韶山路 612 号华尔兹 1410 - 1413 室
电话:0731 - 28781717
传真:0731 - 28789418 转 8015
邮箱:zhuzhou@ longanlaw. com
大连:
地址:辽宁省大连市沙河口区中山路 572 号
　　星海旺座 1803 室
电话:0411 - 84804466　84804467
传真:0411 - 84801488
邮箱:dalian@ longanlaw. com
太原:
地址:山西省太原市万柏林区长风街 50 号
　　晋联国际中心 1809 室
电话:0351 - 6836499
传真:0351 - 6836499
邮箱:taiyuan@ longanlaw. com
杭州:
地址:浙江省杭州市莫干山路 785 号美都广场 C 座四楼
电话:0571 - 87759171
传真:0571 - 87759171
邮箱:hangzhou@ longanlaw. com
武汉:
地址:湖北省武汉市汉阳区龙阳大道九州通大厦
　　B 座 1611
电话:027 - 84898188
传真:027 - 84898188
邮箱:wuhan@ longanlaw. com
香港:
地址:香港特别行政区中西区中环皇后大道中 99 号
　　中环中心 1505 - 06 室
电话:00852 - 22760188(香港)　13401194488(内地)
传真:00852 - 22760188
邮箱:hongkong@ longanlaw. com

北京市通商律师事务所

一、基本概况

通商律师事务所(下称“通商”)经北京市司法局批准于 1992 年 5 月 16 日在北京正式成立,并分别在深圳和上海设立了分所。

通商共有职员 235 人,其中合伙人 68 人,律师及律师助理 152 人。通商的律师均为年富力强、经验丰富的中青年专业律师,在金融、公司、投资、证券、税务、贸易、房地产、诉讼与仲裁等领域有着数年的律师执业经验。他们分别具有在英国、美国、加拿大、德国、日本或香港的律师事务所实习或工作的经历,其中多位律师在英国、美国、德国及加拿大等著名的法学院取得博士、硕士学位。所有律师均毕业于国内一流的大学,绝大多数律师获得了法学硕士以上的学位。

本着“一切为了客户的利益”的宗旨,通商以为客户提供高质量、高效率的专业化服务为己任。通商在力求充分发挥每位律师专长的基础上,注重以整体的服务水平和人员素质,竭诚满足客户的各种具体要求。

遵循“严谨、效率、责任”的原则,通商建立了严格的业务管理制度,每位律师均配备专职秘书和专用电脑,每位客户的文件与资料均存入电脑系统,以保证为客户提供及时、有效、连贯、准确的服务。通商设有专门的资料室和专职资料员,及时收集各种法律、经济、金融、证券、商业等方面的最新信息。

通商律师在涉外法律服务方面的丰富经历,使得通商在短时期内与美国、英国、中国香港、澳大利亚和西欧的许多国际性律师事务所建立了广泛密切的合作联系。通商的客户可以通过这种联系迅速获得第一流的国际化、专业化服务。

通商鼓励每位律师在金融与商务方面掌握广泛而深入的专业知识和实践经验,培养对各种法律规范的深刻理解,以及对社会环境的充分认识。通商依靠全体律师整体的经验、专业知识和能力,以及所有律师及工作人员的协调配合,在充分理解客户的具体需要的基础上,以迅速有效的方式为客户的各种要求提供具体可行的安排。

二、业务领域

金融与银行:

·国际商业贷款,包括长、短期贷款、出口信贷、银团贷款和项目融资

·国内贷款合同及有关文件的准备,包括工商贷款、外资企业贷款、外汇贷款、技术改造贷款

和抵押贷款:

·租赁,包括国际租赁、国内租赁、融资租赁和飞机租赁
·信托投资
·投资基金

公司:

·企业改组及公司设立(股份有限公司或有限责任公司)
·公司的合并及分立
·公司收购
·股份的转让、赠与、继承和抵押
·公司清盘、清算、破产以及债务的强制执行
·公司融资安排

证券:

·国内金融机构境外发行债券
·国内企业债券发行
·国内企业股票异地上市和境外上市

房地产建筑工程业务:

·国有土地使用权的协议出让与招标、拍卖、挂牌出让
·国有土地使用权转让
·土地一级开发
·土地征收、征用和拆迁补偿安置
·房地产开发企业的设立与股权转让
·房地产项目的融资
·房屋和土地使用权抵押
·建设工程施工、设计、勘察、监理的招标投标
·建设工程施工总包和分包合同
·建筑工程款结算
·房屋的买卖和租赁
·物业管理
·争议解决

基础设施建设及项目融资:

·火力、水力和天然气发电项目的投资兴建
·隧道、桥梁、铁路、机场、码头和公路项目的投资兴建
·煤炭、石油和天然气资源的勘探、开采和运输和销售

合同

· 项目结构的设计

· 项目公司的设立

· 项目招投标

· 项目融资(包括国际金融机构贷款、银团贷款)和担保

· 项目的成套设备供应包括国际性采购

· 外商投资和 BOT 运营

· 环境保护

· 项目转让和税务安排

· 争议解决

外商投资:

· 合资、合作及外商独资企业的组建

· 关于投资环境和投资方式的法律咨询

· 海洋石油开发

· 外国公司在北京设立代表机构

税务

· 国内外投资税务计划与安排

· 公司税务

· 外商投资企业的税务问题

· 融资交易和融资租赁的税务

· 房地产开发的税务问题

贸易、商务及其他:

· 各类贸易合同及法律文件

· 国际贸易

· 有关进出口贸易的融资及银行业务,包括信用证及流通票据的法律事宜

· 国际国内招标与投标

· 海商法事务

· 酒店管理的法律事务

· 管理服务合同

诉讼与仲裁:

· 各类商业及财务纠纷

· 知识产权纠纷

· 在中国进行涉外仲裁的案件代理

· 为国外仲裁提供有关中国法律的意见

· 法院判决与仲裁裁决的执行

知识产权:

· 专利、商标和版权的许可转让

· 专利、商标和版权的侵权调查与诉讼

· 计算机软件保护

· 技术引进与出口

北京总部:

地址:北京市朝阳区建国门外大街甲 12 号
新华保险大厦 6 层

邮编:100022

电话:010 - 65693399

传真:65693838、65693836、65693837

邮箱:Beijing@ tongshang. com

深圳分所:

地址:深圳市深南大道 6008 号深圳特区报业大厦 27C

邮编:518034

电话:0755 - 83517570

传真:0755 - 83515502

邮箱:Shenzhenfs@ tongshang. com

上海分所:

地址:上海市南京西路 1515 号静安嘉里中心办公楼 1 座
1506 室

邮编:200040

电话:021 - 52986877

传真:021 - 52986878

电子邮件:Shanghaifs@ tongshang. com

北京市万商天勤律师事务所

一、基本概况

万商天勤律师事务所是一家能够提供全面法律服务的综合性律师事务所,总部设在北京,在北京、深圳、上海、成都、重庆等地设有办公室,拥有律师和专业人员三百余人。

万商天勤汇集了活跃于公司、证券、金融、保险、城市基础设施、建筑、房地产、环境、能源、政府法律事务等各个专业领域的优秀律师。基于对客户业务领域的深入了解,万商天勤凭借卓越的专业能力和高效的解决方案,成为客户长久信赖的合作伙伴。

秉承专业、务实、高效、优质的服务理念,万商天勤在持续巩固自身优势业务的同时,稳健拓展国际化、多元化的新领域,充分满足客户不断发展的新需求。

万商天勤律师事务所位于北京 CBD 商圈,自购办公物业近 3000 平方米,为客户及律师提供舒适、宽敞的工作环境。北京所现有合伙人 30 人,律师及专业人员百余人。万商天勤全面推行项目负责制的团队服务模式,实行严格的质量控制机制,总分所之间有效的资源整合与调配,确保客户享受高效快速的法律服务。

截至目前,北京所先后为超过一百家的企业境内外首次公开发行、再融资、收购、兼并和重大资产重组等项目提供法律服务;为多家政策性银行、商业银行、资产管理公司、私募股权基金及财政金融主管部门提供全方位的金融法律服务;并参与了若干涉及上市公司监管的部门规章和规范性文件的起草、修订工作。

在基础设施和建筑地产领域,北京所居于业内领先地位,先后为多个城市的高速公路、地铁、轻轨、桥梁、港口、码头、体育场馆、水厂、污水处理厂、危险废物处置等基础设施特许经营项目提供有效法律服务;为上百个商业地产、工业地产、住宅地产等各类地产形态项目特别是地标性的地产项目提供开发、建设、经营、并购全过程法律服务。

此外,北京所在环境保护、资源与能源、保险、跨境投资、医药法律服务等方面都取得了卓越的业绩,成为客户长久信赖的合作伙伴。

二、业务领域

· 证券和资本市场

业务概述:

万商天勤是最早获得中国证监会和司法部批准的“从事证券法律业务”及“从事涉及境内权益的境外公司相关业务”的律师事务所之一,先后为超过一百家的企业境内外首次公开发行、再融资、收购、兼并和重大资产重组等项目提供法律服务。

万商天勤汇集了一批在境内外股票发行上市、收购兼并、资产重组、上市公司再融资、基金投资、证券交易、上市公司法人治理等领域具有丰富经验的专业人才,多位合伙人受聘担任中国证监会发行审核委员会委员及上海证券交易所、深圳证券交易所上市委员会委员。

万商天勤在行业内较早设立了“资本市场业务发展与指导委员会”，对证券业务实行收案审核、专业支持及内核等管理机制，在事务所证券及资本市场业务发展指引、质量控制、风险控制等方面发挥着重要作用。

此外，万商天勤曾受中国证监会委托，参与了多个上市公司监管的部门规章和规范性文件的起草和修订工作，包括《关于在上市公司建立独立董事制度的指导意见》、《上市公司治理准则》、《关于进一步加强股份有限公司公开募集资金管理的通知》、《上市公司章程指引》、《上市公司股东大会规范意见》等。

万商天勤凭借在证券业务领域的卓越业绩，赢得了行业监管机构和业界的认可：

·2009 年，根据中国证监会发布的 2008 年全国律师事务所从事证券法律业务综合统计结果，本所综合排名第 6；其中，股票首次公开发行法律服务排名第 7，再融资法律服务排名第 5，境外发行法律业务排名第 5

·2008 年入选彭博杂志（Bloomberg）发布的中国境内 IPO 发行人法律顾问 15 强

·2009 年入选彭博杂志（Bloomberg）发布的中国境内 IPO 发行人法律顾问 10 强

·2010 年入选彭博杂志（Bloomberg）发布的中国境内 IPO 发行人法律顾问 10 强

·2011 年入围中国上市公司与城市发展论坛“中国上市公司最信赖律师事务所”

·2011 年入选商法（China Business Law Journal）“中国证券市场优秀律师事务所名录”

·2011 年荣获 Lawyer Monthly“中国最佳资本市场法律顾问”

北京：
地址：北京市朝阳区东四环中路 39 号华业国际中心 A 座 3 层
邮编：100025
电话：010－82255588
传真：010－82255600
投诉：010－82255588 转 8136

深圳：
地址：深圳市深南大道 4013 号兴业银行大厦 21 楼
邮编：518048
电话：0755－83026386　83026389
传真：0755－83026828　83026990
投诉：0755－83026385

上海：
地址：上海市浦东新区银城中路 488 号太平金融大厦 15 楼
邮编：200120
电话：021－50819091
传真：021－50819591
投诉：021－50819590

成都：
地址：成都市高新区天晖中街 56 号曙光国际大厦 1028 室
邮编：610041
电话：028－85973458　028－86026256
传真：028－86026825

重庆
地址：重庆市南岸区江南大道 8 号万达广场 2 栋 2509 号
邮编：400060
电话：023－62515572
传真：023－62515572

北京市炜衡律师事务所

一、基本概况

北京市炜衡律师事务所简称炜衡律师事务所，炜衡律师事务所是以司法部原“中国法律事务中心”部分骨干律师为核心，于 1995 年初组建的合伙制律师事务所。目前炜衡律师事务所已成为中国著名的大型综合性律师事务所。连续多次被评为“北京市司法行政系统先进集体”、“北京市优秀律师事务所”，2005 年 6 月、2011 年 12 月和 2013 年被中华全国律师协会授予“全国优秀律师事务所”的荣誉称号。

炜衡律师事务所总部位于中国的高新科技区——北京中关村核心地段，并已分别在上海、广州、深圳、广西、西安、天津、厦门、宁波、南通、长沙、烟台、成都、石家庄、澳大利亚悉尼、美国硅谷成功设立办公机构，广州、杭州、香港、台湾以及加拿大、德国、日本等办公机构正在筹建当中。同时，为能够更加便捷地向国内外客户提供优质的法律服务，炜衡律师事务所还与美国、加拿大、法国、日本、韩国、新加坡、中国香港等国家或地区的法律服务机构建立了密切的业务协作关系。

炜衡律师事务所现有律师及辅助人员中 70% 以上具有硕士学位，15% 以上具有博士学位，10% 以上系留学归国人员，同时还聘请了在国内外法学理论与实务领域享有盛誉和崇高威望的多名法学专家担任本所顾问。具备广博的文化知识、精湛的专业技能、丰富的实践经验和勤勉尽责的职业道德是炜衡律师事务所对炜衡律师的执业要求。炜衡律师事务所定期出版专业所刊，方便炜衡律师进行学习交流，保证炜衡律师能够迅速提升自己的业务水准和服务质量。

炜衡律师事务所于 1997 年在北京总部建立党支部，现拥有党员人数 71 人，炜衡律师事务所在不断提高炜衡律师业务素质的同时，始终积极地开展炜衡律师爱国主义教育活动，在党建工作方面取得了出色的成绩。2006 年，中共北京市委授予炜衡律师事务所“思想政治工作优秀单位”荣誉称号。2010 年，中共中央政治局委员、中央书记处书记，中央组织部部长李源潮同志听取了炜衡律师事务所党支部关于开展党建工作经验的专题汇报，并发表重要讲话。司法部党组书记、部长、律师事务所学习实践活动指导小组组长吴爱英，司法部党组成员、政治部主任、律师事务所学习实践活动指导小组副组长尹晋华、司法局局长吴玉华一行到炜衡律师事务所就开展深入学习实践科学发展观活动进行专题调研。

炜衡律师事务所设有诉讼仲裁部、婚姻家庭部、破产与重组部、劳动与社保部、环保与低碳经济部、涉外业务部、并购与投融资部、房地产与建筑工程部、文化传媒与体育部、知识产权部、证券与资本市场部、刑事辩护部、法律顾问与风险管理部、金融保险与信托部、公司法律事务部、矿产能源与基建项目部、反垄断与不正当竞争部和海事海商部。十八个业务部门法律服务范围涵盖银行、证券、保险、信托、电信、建筑、建材、房地产、机械制造、交通运输、汽车制造、航天航空、能源、化工、生物医药、广告、文化传媒、出版印刷、信息网络、旅游、酒店、科研、服务、教育、文化体育、基础设施建设、节能减排（CDM）、环境保护等领域。业务涉及国际贸易、外商投资、境外投资、境外上市、企业收购与兼并、风险投资、资产重组、产权界定、股份制改造、股票债券发行与上市、知识产权、高新技术、电信、房地产、金融、信托、招标与投标、破产重整、清算、商业连锁、特许经营、体育赛事管理、移民、婚姻家庭、反不正当竞争、反垄断、海事海商、保险、人力资源、反倾销等诸多方面。为最大限度保护客户利益，确保服务质量，炜衡律师事务所建立了一套行之有效的办案质量管理监控制度。

优秀的律师团队、良好的知识结构、丰富的执业经验、高度的责任心，炜衡律师事务所有信心、有能力为广大客户提供规模化、专业化、多元化、深层次的专业法律服务。

二、炜衡宗旨

·炜衡释义

“炜”者，盛大之火也；“衡”者，公平之器也。

“炜衡”两字寓意了全体炜衡人：“追求理想光明之火，匡扶人间正义之衡”的职业追求和服务理念。

人们选择律师职业可能有很多不同的原因，而炜衡律师更愿意用自己专业的知识、职业的精神和高尚的品格去肩负律师职业的责任，用满腔的热情和坚定的信念去维护正义与自由的崇高原则！

·炜衡目标：百年大所

法律是一门专业，律师正是运用法律武器去维护公平和正义的伟大职业。律师服务应该是建立在深厚的专业知识、广泛的实践经验基础上，根据客户需求提供有效的解决方案。因此炜衡所将洞察事实、沟通心灵、解决问题，维护客户的权益。

炜衡人的奋斗目标是用智慧、勤奋、技能和良心去构建“百年大所”，这也将是每个炜衡人坚持不懈、勇往直前的原动力。“百年大所”不仅仅是规模上的大所，更是一种用责任、良知支撑的能够经得起历史考验的品牌。

·炜衡服务之道

洞察、沟通、解决、良知。

洞察：洞察是见微知著、敏锐的感受力。洞察力是律师必须具备的重要素质。不能洞察事物的本质，就无法了解事实背后的深层次原因，也就很难对事物进行准确判断；不能及时发现事物的微小变化，就谈不上对事物的全局把握，更无法预测事物未来的发展趋势。炜衡人重视用逻辑分析和追根求源的精神来探求事物的真谛，更注重把握和分析每一个细微变化，准确把握事物的趋势，防微杜渐。

沟通：沟通意为使两方相连通，疏通彼此的意见。沟通是律师最基本的职业技能。律师的沟通帮助帮助两方当事人建立互信，降低交易成本；律师的沟通撇清旁支末节，使主体明确；律师的沟通加强了律师间智慧、技能和资源的综合，使客户享受到一个专业团队的服务。炜衡人运用良好的沟通技巧，沟通心灵、沟通情感，化解矛盾和障碍！

解决：解决即处理事务并使之有结果。律师是律师工作的责任和成果。律师正是通过运用法律工具来帮助当事人解决纠纷、调和矛盾、防止风险和降低损失。炜衡人尽心竭力以律师应有的职业精神和职业道德解决客户的难题，并为寻求最佳解决方案而孜孜不倦。

良知：良心是人内心的正义感、是一种责任感。是人对自己行为的一种完美追求。法律不是万能的，而律师的良知是追求公平和正义的最后防线。律师的良知要求律师用用不懈怠的勤勉去探求真相、维护正义。炜衡人恪守诚实守信、尽心负责的品格和德行，完成客户交办的每件事，以内心的正义感和责任感为客户负责。

三、业务领域

·劳动与社会保障部

·婚姻家庭部

·涉外业务部

·土地开发与流转部

·公司法律事务部

·诉讼仲裁部

·破产与重组部

·刑事辩护部

·并购与投融资部

·法律顾问与风险管理部

·证券与资本市场部

·环保与低碳经济部

·职务犯罪辩护部

·金融保险与信托部

·矿产能源基建项目部

·文化传媒与体育部

·房地产与建设工程部

·房地产与建设工程部

·展开

·知识产权部

四、创建炜衡

1995 年 6 月，张小炜律师和其他两位同仁合伙，以十万元起家，创办了炜衡律师事务所。“炜衡”之名的寓意简而言之既是：“以光明磊落衡情度理”。这正是炜衡人依法执业、伸张正义的写照。办所伊始，炜衡所选址于北京市朝阳区的三星级涉外饭店——华都饭店。

五、第一次迁址

1996 年 6 月，炜衡管委会经过考察后，与京城有名的四星级写字楼——保利大厦签订了承租 160 平方米办公场所的协议，七月中旬正式入驻。在保利期间，孟利峰、唐波、李肖霖、尹正友等一批骨干律师先后加入炜衡，在炜衡的发展历史上，写下了浓墨重彩的一笔。

六、第二次迁址

1998 年 5 月，保利的办公空间已难以安排纷至沓来的应聘者，为了使炜衡再上一个新台阶，在稳健发展的基础上扩大规模，经合伙人会议决定，将坐落于北三环中路的福尼特大厦（现商房大厦）450 平米的办公区域承租下来。迁入新址后，王冰、韩立红、王保华等一批骨干律师先后加入炜衡。在福尼特大厦的两年，本所队伍继续扩大，业务收入和其他各项事业的发展都上了一个大台阶，年创收入也达到了历史最高水平。

七、第三次迁址

2000 年 5 月，炜衡所迁址至北京市海淀区中关村南大街 1 号四星级的友谊宾馆迎宾楼，办公面积一千余平米。友谊宾馆，中外驰名，建筑古朴雄浑，环境优雅。迁至友谊宾馆后的炜衡所办公条件全面现代化，面面都提升了一个档次，这些变化在炜衡历史上具有里程碑般的意义。

八、第四次迁址

2007 年 9 月，炜衡律师事务所搬进了拥有自主产权的第三极大厦（现中国技术交易所大厦）。第三极大厦位于中国的高新科技中心——北京中关村核心区，舒适的办公环境，先进的管理制度，良好的口碑和形象，吸引了大量的优秀律师加盟炜衡。如今，炜衡律师事务所已分别在上海、深圳、广西、西安、天津、厦门、宁波、南通、悉尼（澳大利亚）、硅谷（美国）设立办公机构；另外，广州、石家庄、成都、烟台、长沙和加拿大的办公机构也正在筹建中。

九、主席致辞

尊敬的客户，您好！炜衡律师事务所作为一家规模化、专业化、国际化、品牌化的大型综合性的全国优秀律师事务所，一直致力于为全球客户提供法律最优质的法律服务。炜衡在国内外十一个个不同城市设立了办公机构，拥有600余名职业律师和200余名辅助人员。炜衡多次被中华律师协会评选为全国优秀律师事务所，连续多年被世界知名法律评级机构钱伯斯和法律界“福布斯”ALB《亚洲法律杂志》评为优秀律师事务所。

炜衡律师可以在最高人民法院及各地法院的法庭上尽责维护您的合法权益；炜衡律师可以为您的企业公司防范风险创造价值；炜衡律师竭诚推动依法治国和依法行政；炜衡律师也一直在参与公益事业为弱势群体提供法律援助。

将炜衡建设成为“百年大所”是全体炜衡人的使命。为此，尊重和重视每一位客户，客户的合法权益至上，将每一个案件做成精品业务，是每一位炜衡律师矢志不渝的追求。炜衡全体律师在开展法律服务中，坚持诚信敬业品质，勤勉尽责，精益求精，始终秉承“洞察、沟通、解决、良知”的原则为客户提供高效、优质的服务。

炜衡愿意与您一起携手共赢，您对炜衡品牌的信任是对我们最大的褒奖！

炜衡合伙人会议主席

集团管理委员会主席　张小炜

全国免费法律咨询电话：400－650－6567

北京：

法律咨询电话：010－82483082　010－82483083

前台咨询电话：010－62684688

传真：010－62684288

上海：

电话：021－22257666

传真：021－22257667

成都：

电话：028－87524881

传真：028－87528202

南宁：

电话：0771－5595283

传真：0771－5595293

西安：

电话：029－88353391

传真：029－88353391－8010

天津：

电话：022－58780718

传真：022－58780716

厦门：

电话：0592－5519263

传真：0592－5519265

深圳：

电话：0755－82984198

传真：0755－82984599

宁波：

电话：0574－89017399

传真：0574－87066991

南通：

电话：0513－85518087

传真：0513－85119084

悉尼：

电话：6102－9267－4888

传真：6102－9267－0988

硅谷：

电话：650－949－0418

传真：650－949－0518

北京市盈科律师事务所

北京市盈科律师事务所简称盈科律师事务所，是一家全球化法律服务机构，总部设在中国北京，盈科律师事务北京总部所近1000名员工，致力于为客户提供全球商务法律服务，为客户创造价值。

盈科在发展中坚持“以人为本”的人才战略，逐步形成了由专业律师人才、专业市场人才、专业管理人才组成的人才队伍，保障了律师事务所整体战略目标的实现。业务范围涵盖国际贸易、海外投资、公司、资本证券、两岸事务、私募、投融资与并购、知识产权、房地产、环境保护、海商海事等专业领域。此外，盈科还聘请了在国内外法学理论及实务领域享有声誉的法学专家担任专家顾问。

为客户提供满意的法律服务是我们矢志不渝的目标，盈科坚持“以客户为导向”，专门成立“客户服务中心”和“投融资中心”，始终以客户的需求为关注焦点，以顾客满意为工作目标，充分发挥盈科全球化法律服务体系的优势，整合全球各地办公室、各专业部门和全体律师的资源，不仅为客户解决法律问题，还为客户提供商业机会、促进客户合作，为客户提供专业化、综合性的法律服务。

“流水之为物也，不盈科不行；君子之志于道也，不成章不达”。盈科律师事务所将努力发挥自身优势，整合全球资源为客户提供优质、高效的法律服务，让客户满意。

地址：北京市朝阳区东四环中路76号大成国际中心

C座6层

邮编：100124

电话：010－59626911

传真：010－59626918

北京市远东律师事务所

一、基本概况

远东律师事务所成立于1995年，是在适应国家改革开放和建设社会主义法治国家的大背景及律师管理体制改革、律师队伍不断壮大、法律服务市场逐渐完善的环境下建立起来并由北京市司法局主管的高层次、综合性、合伙性质的律师事务所。自成立以来，我所致力于为国内外客户提供综合性的法律解决方案，凭借我所为客户提供的高水平、深层次的法律服务，为客户或规避了重大法律风险或挽回了重大经济损失，赢得了众多客户的信任，其中的部分客户已与我所建立起了长期、稳定的法律服务关系。目前，我所已成为国家开发银行、中国进出口银行、中国南方电网有限责任公司、中国工商银行股份有限公司、中国农业银行股份有限公司、中国五矿集团公司、中国电信、中诚信托投资有限公司等国有大型企业律师库中的备选律师事务所。

二、服务宗旨

运用高级法律人才的智慧、才干和经验，通过办理法律事务，以事实为根据，以法律为准绳，全面地维护当事人的合法权益，为国际、国内客户提供高质量、高效率、高度负责的法律服务。

三、远东荣誉

2012 年度，我所党支部被中共北京市朝阳区律师协会委员会评为“先进党支部”；

连金英同志在 2012 年被中共北京市朝阳区律师协会委员会评为“优秀共产党员”；

赵振同志在 2012 年被中共北京市朝阳区律师协会委员会评为“优秀党务工作者”；

于丹同志在 2012 年被中共北京市朝阳区律师协会委员会评为“优秀党务工作者”；

2011 年度，我所被北京市司法局党委授予 2010 – 2011 年度北京市律师事务所“五好党支部”称号；

2010 年度，我所获北京市朝阳区社会公益法律服务工作先进单位称号；

2010 年度，我所被评为北京市司法局市律协律师警示教育工作优秀律师事务所；

2010 年度，我所被北京市朝阳区司法局授予“法律服务进社区先进集体”称号；

乔冬生同志被评为 2010 年度市司法局市律协律师队伍警示教育活动优秀律师事务所主任；

赵振同志被评为 2010 年度市司法局市律协律师队伍警示教育活动优秀律师；

于丹同志被评为 2010 年度朝阳律师党委优秀党员；

赵振同志被评为 2009 年度朝阳律师党委优秀党员；

赵振同志被评为 2008 年度朝阳律师党委优秀党员；

赵振同志被评为 2006 年度朝阳律师党委优秀党员。

四、远东承诺

充分运用专业知识，完成客户委托事项，最大限度地维护客户的利益。

积极选择有助于客户目标顺利实现的妥善方法。

严格按照法律规定的期间、时效以及与客户约定的时间办理委托事项。

建立客户业务档案，保存完整的业务工作记录。

谨慎保管客户提供的证据和其它法律文件，并严格保守客户的工作秘密。

及时向客户通报有关工作情况，尽快答复客户了解工作进展的要求。

在授权范围内从事法律服务工作。如需特别授权，应事先取得客户的书面确认。

在代理客户有关诉讼、仲裁、复议、听证或调解活动的过程中，与客户以外的当事人达成任何和解协议，均事先征得客户的同意。

谨慎、诚实、客观地告知客户交办事项可能出现的法律风险，及时、客观地报告工作中出现的不可克服的困难和风险。

五、业务领域

经过 10 多年的发展，律所已发展为以诉讼业务为主的综合型律师事务所，我所业务范围涵盖了所有重要法律事务领域，尤其在公司法律事务、金融证券、知识产权、刑事辩护、房地产等诉讼及非诉讼法律服务领域积累了丰富经验和资源，形成了在这些服务领域的业务优势，赢得了很高的声誉。在办理诉讼业务的过程中我所与各地、各级法院保持了良好的工作关系。根据业务专长，我所设有金融法律事务部、公司法律事务部、知识产权法律事务部等部门。

律所具有为国家机关、国家大型企业集团服务的丰富经验，这些大型企业集团分别处于金融保险、经济贸易、建筑交通房地产、文化出版行业、涉外公司等多个领域。

六、业务部门

公司上市法律业务部；

金融法律业务部；

知识产权法律业务部；

商事法律业务部。

地址：北京市朝阳区南湖西园 222 楼 6 层

邮编：100102

电话：010 – 82259771 – 4

传真：010 – 82252183

邮箱：yuandonglawyer@ 126. com

北京市中伦文德律师事务所

一、基本概况

中伦文德律师事务所（中伦文德）起源于 1992 年，是司法部最早批准设立的第一批合伙制律师事务所。经过多年的发展，现已成为一家扎根于中国并面向国际化发展的大型综合性律师事务所，也是中国第一家在英国伦敦和沙特利雅得设立分所的律师事务所。中伦文德总部位于北京，并在上海、成都、石家庄、天津、太原、武汉、广州、济南、深圳等内地城市设有分所，中伦文德除在香港设有机构外，还将业务服务机构开设到伦敦、利雅得、巴黎、里昂等欧洲和中东地区的主要城市。

北京市中伦文德律师事务所（中伦文德）起源于 1992 年，是司法部最早批准设立的第一批合伙制律师事务所。经过多年的发展，现已成为一家扎根于中国并面向国际化发展的大型综合性律师事务所，也是中国第一家在英国伦敦和沙特利雅得设立分所的律师事务所。中伦文德总部位于北京，并在上海、成都、石家庄、天津、太原、武汉、广州、济南、广州、深圳等内地城市设有分所，中伦文德除在香港设有机构外，还将业务服务机构开设到伦敦、利雅得、巴黎、里昂等欧洲和中东地区的主要城市。

中伦文德拥有大批高素质的理论与实践经验相结合的专业律师，现有执业律师及专业人员 500 余名，可为中外客户提供全面、优质、高效的专业法律服务。优秀的律师团队和国际化的地域分布使中伦文德律师事务所能在全球范围内的法律业务领域为客户提供一流的法律解决方案。我们能用中文、英文、法文、韩文、日文和阿拉伯文等多种语言为客户提供法律服务。服务法系涵盖了大陆法系、英美法系、伊斯兰法系等，在国内处于领先地位。

中伦文德秉承“中大至正，伦理求是，文以载道，德信为本”的理念，崇尚团队精神，坚持专家化的发展特色，其专业领域除在传统领域能够保持优势外，在新型及热点领域，如私募股权基金（PE）投资和不动产资产证券化（REITs）等法律业务的研究实践中也一直处于业内的前沿。中伦文德多年以来的出色业绩不仅赢得了境内外客户的认可，同时也得到有关政府管理当局的高度肯定：参与多部法律的起草工作，在“南水北调”、“2008 奥运工程”、“川气东送”、“中亚管道工程”等国家级重点项目和国家六十周年庆典重大活动中都相继被委以重任。

二、业务领域/专业团队

中伦文德的业务领域包括：公司与证券、金融、房地产与建设工程、知识产权和信息技术、国际业务、税务、外商投资与并购、保险资金运用、信托与资产证券化、海外上市、PE、海事海商、能源环保、劳动人事、医药、诉讼与仲裁等法律业务，并根据业务领域，组建了近20个专业委员会，开展专业研讨与业务合作，定期出版专业刊物，为客户提供优质法律服务。

三、近年主要荣誉

·中伦文德被首都国庆60周年北京市筹备委员会联欢晚会指挥部授予“突出贡献奖”，展示了本所综合实力，受到了各界好评。

·中伦文德被北京市律师协会评为“北京市律师行业奥运工作先进集体”。

·中伦文德屡登ALB(Asia Legal& Business)“年度中国律师事务所规模20强”排行榜，并保持前10名。

·中伦文德是国际律师组织INTERLAW和Integrated Advisory Group(IAG)的加盟成员。

·中伦文德以其卓越和突出的业绩跻身于“世界律师五百强”(Legal 500)所推介的律师事务所。

·中伦文德获得了由China Law & Practice颁发的证券化和结构融资(Deal of the Year)最佳交易奖。

·中伦文德多次获得亚洲法律与实务(Asia Law & Practice)、钱伯斯(Chambers & Partners)等极具影响力的法律媒体推介。

四、公司与证券专业委员会

中伦文德在公司与证券法律业务领域有着丰富的经验与良好的声誉，立足于新兴市场中国的政治经济文化中心北京和国际金融中心上海。我们凭借对中国法律、法规、政策和市场形势的精准把握与理解，为客户提供最优的交易方案和问题解决方案。

我们为客户提供全方位的法律服务，包括交易结构设计、法律尽职调查、交易谈判与文件制作、出具法律意见书、安排与协调项目进程、就项目中涉及的产业政策、外资准入、反垄断审查、审批手续、税务、外汇、进出口业务、知识产权、土地使用权、劳资等问题提供法律咨询意见以及与相关政府部门进行沟通协调等。众多上市公司、非上市公司、拟上市公司、私募股权基金、风险投资基金和创业者受益于我们不断更新的丰富经验、专业水准和创新能力。

中伦文德在公司与证券领域提供的专业服务主要包括

·证券及债券的发行和上市

·兼并与收购

·私募股权投资与风险投资

·外商直接投资

·破产、重整与清算

·反垄断与反不正当竞争

·公司、基金、三资企业的设立

·劳动法律事务及公司常年法律顾问

·交易结构设计

·交易谈判与文件制作

·项目进程安排与协调

·法律尽职调查

·出具法律意见书

·与相关政府部门进行沟通协调

·项目相关产业政策、审批手续咨询

·税务、外汇及进出口相关问题咨询

·知识产权、土地、房产及劳工等相关问题咨询

中伦文德在公司及证券领域的主要业绩包括：

境外上市项目：

香港联合证券交易所上市项目：

·第一拖拉机股份有限公司(主板上市、H股)

·重庆钢铁股份有限公司(主板上市、H股)

·深圳高速公路发展股份有限公司(主板上市，H股)

·成都电缆股份有限公司(主板上市，H股)

·攀枝花钢铁股份有限公司(主板上市，H股)

·天津钢管股份有限公司(主板上市，H股)

·山西经纬纺机股份有限公司(主板上市，H股)

·皖通高速公路股份有限公司(主板上市，H股)

·赛迪顾问股份有限公司配股(创业板上市，H股)

·北京京客隆商业集团股份有限公司(创业板上市，H股)

·安卓思通信技术发展有限公司(主板上市，红筹)

·浪拜迪电气有限公司(主板上市，红筹)

·蓝帆科技控股有限公司(创业版上市，红筹)

·玖源生态农业科技(集团)有限公司(创业板上市，红筹)

·圣农实业有限公司(主板上市，红筹)

·天工国际有限公司(主板上市，红筹)

美国纽约证券交易所上市项目：

·华晨中国汽车控股有限公司

·文思信息技术有限公司(红筹)

·中华数字电视控股公司(红筹)

·美国纳斯达克证券交易市场上市项目

·美国商务网有限公司

·China.com(美国纳斯达克上市及增资扩股)

·畅游有限公司

·完美时空有限公司

其他证券交易市场上市项目：

·鹰牌控股有限公司(新加坡主板上市)

境内上市项目：

上海证券交易所主板上市项目：

·辽宁大金重工股份有限公司(A股)

·北京首都开发股份有限公司(A股)

·广东肇庆星湖生物科技股份有限公司(A股)

·山东鲁抗医药股份有限公司(A股)

·北京城乡贸易中心股份有限公司(A股)

·河北石家庄劝业场股份有限公司(A股)

·浙江信联股份有限公司(A股)

·博汇纸业股份有限公司发行与上市(A股)

·平顶山天安煤业股份有限公司发行与上市(A股)

·浪潮齐鲁软件股份有限公司发行与上市(A股)

·山东铝业股份有限公司(A股)

·长春一东离合器股份有限公司(A股)

·南京化纤股份有限公司(A股)

·河北威远生物化工股份有限公司(A股)

·内蒙古金宇集团股份有限公司(A股)

·北京中创信测科技股份有限公司(A股)

·山东黄金矿业股份有限公司(A股)

·天津港股份有限公司(A股)

·浙江康恩贝制药股份有限公司(A股)

·武汉祥龙电力股份有限公司(A股)

·郑州煤电股份有限公司(A股)

·沧州化学工业股份有限公司(A股)

· 吉林华微电子股份有限公司(A 股)
· 秦皇岛耀华玻璃股份有限公司(A 股)
· 河北沧州大化股份有限公司(A 股)
· 哈尔滨亿阳集团股份有限公司(A 股)
· 上海天地源股份有限公司(A 股)
· 郑州宇通客车股份有限公司(A 股)
· 上海沪昌特殊钢股份有限公司(A 股)
· 首都旅游股份有限公司(A 股)
· 黄山旅游股份有限公司(A 股)
· 北京天桥百货股份有限公司(A 股)
· 甘肃民百股份有限公司(A 股)
· 沈阳商业城股份有限公司(A 股)
· 济南百货股份有限公司(A 股)
· 贵州长征电器股份有限公司(A 股)
· 湖北多佳股份有限公司(A 股)
· 海南海盛船务股份有限公司(A 股)
· 广东中山火炬高科技股份有限公司(A 股)
· 广东梅雁实业股份有限公司(A 股)
· 甘肃荣华实业(集团)股份有限公司(A 股)
· 湖南华银电力股份有限公司(A 股)
· 洛阳玻璃股份有限公司(A 股)
· 云南红河光明股份有限公司(A 股)
· 柳州两面针股份有限公司(A 股)
· 山东农药股份有限公司(A 股)
· 无锡庆丰股份有限公司(A 股)
· 保定天威股份有限公司(A 股)
· 大恒新纪元科技股份有限公司(A 股)

深圳证券交易所主板或中小板上市项目:

· 康佳集团股份有限公司(A 股)
· 云南白药实业股份有限公司(A 股)
· 中国保安集团股份有限公司(A 股)
· 吉林轻工股份有限公司(A 股)
· 深圳房地产股份有限公司(A 股)
· 广东风华高新科技股份有限公司(A 股)
· 湖北双环碱业股份有限公司(A 股)
· 浪潮电子信息产业股份有限公司发行与上市(A 股)
· 延边公路建设股份有限公司(A 股)
· 蛇口招商港务股份有限公司(A 股)
· 冀东水泥股份有限公司(A 股)
· 山西神州煤电焦化股份有限公司(A 股)
· 丹东化纤股份有限公司(A 股)
· 长春高新技术股份有限公司(A 股)
· 四川沪天化股份有限公司(A 股)
· 海口农工贸(罗牛山)股份有限公司(A 股)
· 吉林通化金马药业股份有限公司(A 股)
· 中兴－沈阳商业大厦(集团)股份有限公司(A 股)
· 锦化化工集团氯碱股份有限公司(A 股)
· 河北金牛能源股份有限公司(A 股)
· 中成进出口股份有限公司(A 股)
· 浙江震元股份有限公司(A 股)
· 深圳华侨城股份有限公司(A 股)
· 湖南涟源钢铁股份有限公司(A 股)
· 北京京西风光旅游开发股份有限公司(A 股)
· 洛阳春都食品股份有限公司(A 股)
· 山东小鸭电器股份有限公司(A 股)
· 深圳物业集团股份有限公司(A 股)
· 海南大东海旅游中心股份有限公司(A 股)
· 桂林旅游股份有限公司(A 股)
· TCL 通讯设备股份有限公司(A 股)
· 桂林集琦药业股份有限公司(A 股)
· 海南金盘实业股份有限公司(A 股)
· 广东华立高科技股份有限公司(A 股)
· 广西柳工股份有限公司(A 股)
· 重庆三爱海陵股份有限公司(A 股)
· 徐州工程机械股份有限公司(A 股)
· 江西九江化纤股份有限公司(A 股)
· 湖北双环碱业股份有限公司(A 股)
· 石家庄常山纺织股份有限公司(A 股)
· 甘肃皇台实业股份有限公司(A 股)
· 吉林吉诺尔股份有限公司(A 股)
· 北海新力实业股份有限公司(A 股)
· 湖南张家界旅游股份有限公司(A 股)
· 安徽皖能股份有限公司(A 股)
· 承德露露股份有限公司(A 股)
· 河北宣化工程机械股份有限公司(A 股)
· 广东开平涤纶企业集团股份有限公司(A 股)
· 霍林河露天煤业股份有限公司发行与上市(A 股)

上市公司收购及重大资产重组项目:

· 湖北红安钧宇纸业等三家纸业公司重组设立股份公司
· 江苏宇特光电有限公司重组收购乐清市国亿电子科技有限公司
· 无锡某医疗器械公司私募、改制重组、上市提供一揽子法律服务
· 湖北红安钧宇纸业等三家纸业公司重组设立股份公司
· 江苏宇特光电有限公司重组收购乐清市国亿电子科技有限公司
· 山东省商业集团总公司收购渤海集团股份有限公司(ST 渤海)及 ST 渤海重大资产重组并恢复上市项目
· 中国电子集团公司收购甘肃三星石化(集团)股份有限公司项目
· 中国重型汽车集团有限公司收购山东小鸭电器股份有限公司,并进行重大资产置换项目
· 中国电子集团公司收购甘肃三星石化(集团)股份有限公司项目
· 中国重型汽车集团有限公司收购山东小鸭电器股份有限公司,并进行重大资产置换项目
· 北京科技园置业股份有限公司收购重庆万里蓄电池股份有限公司项目
· 赛尔网络有限公司收购武汉道博股份有限公司项目
· 贵州神奇投资有限公司收购上海永生数据科技股份有限公司(永生数据)及永生数据重大资产重组项目
· 芜湖东泰实业有限公司收购四川峨嵋集团股份有限公司项目
· 北京兆维集团收购北京天龙股份有限公司项目
· 潍柴动力收购湘火炬项目
· 上海复星医药集团股份有限公司投资颈复康药业集团股份公司项目
· 中航油物流有限公司股权收购重庆泽胜船务(集团)有限公司项目
· Haldex AB 资产收购山东润光液压科技股份有限公司

项目

·天颐科技股份有限公司(现已更名“三安光电”)

股权分置改革暨重大资产重组项目:

·山西天凯集团有限公司资产重组项目

·山西正邦煤业集团有限公司煤炭资源整合项目

·山西经华炭素有限公司资产重组项目

·山西康源堂生物科技有限公司并购重组项目

·山西汇诚电冶有限公司并购重组项目

·山西天成电冶有限公司并购重组项目

·山西和顺正邦煤业集团有限公司煤炭资源整合重组项目

·山西经华碳素有限公司重组项目

风险投资、私募股权投(融)资及并购项目:

·代表承德颈复康药业集团有限公司私募融资1.2亿人民币

·信达投资有限公司收购北京天桥北大青鸟科技股份有限公司项目

·江西钨业集团有限公司收购上饶市华丰铜业有限公司项目

·美国华平投资集团投资中科宇能项目

·英国3i集团投资山东福田药业有限公司项目

·红杉资本先后投资北京网秦天下科技有限公司及北京贝海网络科技有限公司项目

·赛富基金投资天津汽车模具股份有限公司项目

·启明创投投资世纪佳缘网站项目

·在联创策源投资凡客诚品项目

·高德创投对江阴吉鑫机械公司私募投资项目

·巨一科技公司向泛资生创投私募融资及股权激励项目

·北京御食园食品有限公司私募项目

·秦皇岛冶金机械公司重组改制、私募融资项目

·一德期货私募融资及改制项目

·上海庞源建筑机械租赁公司融资及收购项目

·3.5GHz神州无线宽带数据网融资项目

·中国数字电视投资发展有限公司多个投资项目

·鼎晖投资泰达建设项目

·中信信托乾景基金多个投资项目

·北京信托地产投资基金募集设立及多个投资项目

·财富投资集团多个投资项目

·软银亚洲投资基金投资Capital Edge Holding Limited项目

·德丰杰龙脉、吉富等投资高拓迅达项目

·海纳、启明、名力等基金多轮投资奥泰医疗系统有限公司项目

·澳洲电讯收购Sharp Point Group Limited及Beauty Sunshine Investments Limited项目

·台湾大哥大股份有限公司收购Hurray! Times Communication (Beijing) Ltd项目

·西安高新技术产业开发区房地产开发公司收购上海沪昌特殊钢股份有限公司项目

·港珠澳大桥建设项目私募融资项目

·美国电力投资北京三吉利能源股份有限公司项目

·雷曼兄弟投资吉鑫机械制造有限公司项目

·美国运通投资北京红帆通讯有限公司项目

·日本NEC投资吉通通信有限公司私募项目

·transcosmos Inc先后投资北京六间房科技有限公司、厦门中资源网络服务有限公司、北京腾信互动广告有限责任公司、北京太公网科技发展有限公司、上海镛耀广告有限公司与上海时格商贸有限公司项目

·指南基金(香港)有限公司金融投资白马传媒项目

·承德颈复康药业集团有限公司收购赤峰丹龙药业有限公司项目

·新闻集团金融投资网易项目

·长江实业收购中国金融网有限公司项目

·中银国际直接投资管理有限公司投资8848. netInc项目

·中银国际直接投资管理有限公司投资北京东方红叶信息网络技术有限公司项目

·新加坡TWINWOOD公司资产收购上海汉得信息技术有限公司项目

·粤海企业有限公司收购东深供水工程权益项目

·两湖绿谷物流股份有限公司私募股权融资及股权转让项目

·山西信托中景泰房地产股权投资项目

·新时代信托山西煤化工程项目

·山西省煤炭资产经营有限责任公司之丰泰公司收购山西省闻喜县汇源铜业有限公司项目

·山西环宇矿业有限公司股权转让项目

企业改制和重组项目

·太原服装城整合改制项目

五、金融专业委员会

中伦文德始终致力于开拓一流的金融领域法律服务业务,倡导“服务于金融机构,服务于金融业务,以法律手段维护金融机构利益,促进金融业务发展”的理念,以高起点、高水准、全方位、大踏步的发展,迅速完善并深化了律师在银行、证券、基金、保险、信托、债券、融资租赁以及相关业务中的法律服务,使之成为中伦文德律师事务所的专业特色。

中伦文德在金融领域提供的法律专业服务主要包括:

·银行、保险公司、证券公司等金融机构的组建与设立、境外金融机构分支机构的设立

·证券投资基金的设立与运作

·基金的发行与上市

·国内银行商业贷款、银团贷款、信用贷款和抵押贷款

·国际商业贷款及政策性贷款服务

·金融信托和资产证券化

·担保与保函业务

·金融机构资产的保全与债务重整

·金融机构投资、收购、重组、上市

·国际间金融机构合作法律咨询

·保险公司保险资金投向法律咨询与保险资金投资全过程法律服务

·企业短期融资券与中期票据

·企业债券发行

·进出口信贷及其他贸易融资

·债务重组和不良资产处置

·金融租赁和融资租赁

·金融期货、期权及其他衍生产品交易

·金融、证券业务相关纠纷的调处及相关诉讼、仲裁行为的代理

中伦文德在金融法律业务领域的主要业绩包括:

1. 常年法律顾问：
·国家开发银行股份有限公司及其分行
·中国进出口银行
·中国人寿保险股份有限公司
·中国人寿保险股份有限公司山西省分公司
·中国银行股份有限公司山西省分行
·中国建设银行山西省分行
·中信银行股份有限公司
·中信银行股份有限公司杭州分行
·中国光大银行股份有限公司
·中国光大银行股份有限公司太原分行
·华夏银行股份有限公司
·中国邮政储蓄银行北京分行
·中国农业银行股份有限公司
·渤海银行
·美国花旗银行
·泰国盘谷银行
·中国化工财务有限公司
·信达金融租赁有限公司
·国开金融有限公司
·中信富通融资租赁有限公司
·三菱东京日联银行(中国有限公司)上海分行
·三菱东京日联银行(中国有限公司)无锡分行
·三菱东京日联银行(中国有限公司)成都分行
·瑞穗实业银行(中国)有限公司上海分行
·瑞穗实业银行(中国)有限公司无锡分行
·名古屋银行南通分行
·日本信金中央金库有限公司上海代表处
·日本肥后银行股份有限公司上海代表处
·中国东方资产管理公司太原办事处；
·山西国泰银丰投资有限公司
·中国华融资产管理公司太原办事处
·中国建银投资有限责任公司等

国内外项目融资：
·哈萨克斯坦马伊纳克水电站建设出口信贷项目
·中钢集团海外收购和买方信贷项目
·中国工商银行与法国政府组织的我国企业技改(卖方信贷)政府混合贷款项目
·乌兹别克斯坦穆巴列克天然气加工厂项目
·山西省某综合生态治理工程项目3亿元融资项目
·新欣信息技术有限公司中小贷款公司融资项目
·国家开发银行四川省分行汉龙公司澳大利亚项目
·国家开发银行辽宁省分行拉脱维亚土地抵押银行合作框架协议项目
·国家开发银行辽宁省分行乌克兰进出口银行合作框架协议项目
·国家开发银行宁波市分行“中远希腊比雷埃夫斯集装箱码头特许经营权”项目
·国家开发银行新疆分行“美国明尼苏达州奥克风场有限责任公司4.5MW”项目
·国家开发银行新疆分行哈萨克斯坦马伊纳克水电站贷款项目
·国家开发银行新疆分行吉尔吉斯斯坦“资源换项目”-伊士坦贝尔德金矿和中吉乌公路项目等

2. 银团贷款
·国家开发银行南水北调东中线(一期)主体工程系列银团贷款项目
·中国电力国际有限公司下属电站系列银团贷款项目
·中国化工集团海外收购系列国际银团贷款项目等
·国家开发银行为中信集团澳大利亚铁矿石开采加工项目12亿美元银团贷款增贷项目
·国家开发银行为科瑞集团澳大利亚锂矿项目一亿美元银团贷款项目
·国家开发银行为鞍钢集团澳大利亚铁矿石开采加工项目14亿美元银团贷款项目
·国家开发银行新疆分行哈萨克斯坦萨姆鲁克能源公司收购BAK公司50%股权国际银团贷款项目
·国家开发银行新疆分行哈萨克斯坦商业银行银团贷款项目
·国家开发银行福建省分行福建乙烯炼油银团贷款项目等

国际并购贷款及一般商业贷款项目：
·国家开发银行深圳分行北京中哈铀资源投资有限公司收购哈萨克斯坦谢米兹拜伊铀公司49%股权项目
·中国蓝星(集团)总公司海外收购法国罗地亚公司有机硅业务2.95亿欧元贷款项目
·国家开发银行蓝星纤维有限公司收购英国FIBERS WORLDWIDE LIMITED贷款项目
·中国蓝星(集团)总公司海外收购Drakkar控股有限公司3.4亿欧元贷款项目
·国家开发银行新疆分行美国风能Shady Oaks项目；
·国家开发银行新疆分行乌兹别克斯坦工业建设银行贷款项目
·国家开发银行新疆分行哈萨克斯坦开发银行授信项目
·国家开发银行新疆分行乌兹别克斯坦飞机项目
·国家开发银行辽宁省分行德国希斯项目
·国家开发银行新疆分行乌兹别克斯坦国家对外经济合作银行授信协议变更项目
·国家开发银行新疆分行土库曼斯坦石油换贷款项目授信协议变更项目
·国家开发银行北京市分行巴西项目
·国家开发银行黑龙江省分行“俄罗斯对外经济与开发银行LSR Group公司列宁格勒州斯朗茨市5000t/d新型干法水泥熟料生产线”项目
·国家开发银行黑龙江省分行“俄罗斯对外经济与开发银行综合授信”项目
·国家开发银行新疆分行“萨姆鲁克—卡泽纳国家主权福利基金授信”项目
·SUMITOMO MITSUI BANKING CORPORATION, NEW YOKR银行国际循环贷款项目
·国家开发银行新疆分行乌兹别克斯坦(NBU)商业银行授信项目
·国家开发银行新疆分行乌兹别克斯坦费尔干纳化工厂贷款项目
·丰田汽车金融(中国)有限公司汽车经销商贷款项目等

3,融资租赁
·北京藏医院医疗设备融资租赁项目
·中国邮政储蓄银行ATM设备融资租赁项目
·中国国际包装租赁有限公司融资租赁项目

·担任中信富通融资租赁有限公司常年法律顾问

·担任信达金融租赁有限公司常年法律顾问

·担任光大融资租赁有限公司常年法律顾问等

发行债券和非金融企业债务融资工具：

·中国石油化工集团公司债券和非金融企业债务融资工具发行项目

·中国石油化工股份有限公司债券和非金融企业债务融资工具发行项目

中国化工集团公司债券和非金融企业债务融资工具发行项目

·国家开发银行债券和非金融企业债务融资工具发行项目

·中国有色矿业集团等诸多大型公司债券和非金融企业债务融资工具发行项目等

4. 基金、信托与资产证券化

·中国银监会、中国人民银行和中国证监会不动产投资信托基金（REITs）研发项目

·某知名证券公司研发中国第一个在证券交易所上市的不动产投资信托基金（REITs）项目

·国家开发银行信贷资产证券化项目

·某银行实施的基础设施贷款债权、土地储备贷款债权和融资租赁债权流动化安排项目

·北美某银行广州分行开发离岸证券化产品项目

·汽车制造商、出租汽车业者、相关金融机构以及交通行政主管部门汽车贷款流动化项目等

·山西国电置业有限公司青山湖别墅项目

·新时代信托山西煤化工程项目

·山西信托中景泰房地产股权投资项目

·中信信托基于主信托模式的信托型产业投资基金创新项目

·国民信托、国投信托、北京国际信托、联华信托等众多信托公司的信托计划项目

·新疆信托投资公司、海南信托投资公司、三亚中亚信托投资公司发行特种金融债券项目

·天津领先集团收购中国国际旅游信托投资公司项目

·国泰国际企业集团处理珠江路桥隧道公司债务重组信托项目

·国家开发银行信贷资产证券化项目

·国家开发银行与中原信托、陕西国际信托、上海国际信托等公司合作开发的信贷资产、不动产、融资租赁信托项目

·中诚信托、金谷信托、金信信托、重庆新华信托、苏州信托、湖南信托等众多信托公司有关股权信托、房地产信托、广告收费权信托等重大项目

金融资产处置：

·国家开发银行信贷资产证券化项目

·华夏银行信贷资产转让项目

·某银行不良信贷资产信托计划项目等

保险资金运用：

·京沪高铁股权投资计划等多个保险资金投资基础设施项目

金融产品创新：

·中央国债登记结算有限责任公司的国债银行柜台交易项目

·国家开发银行在境外发行外币债券项目

·某银行普通选择权债券与次级债项目、间接银团贷款、不良资产信托计划、信贷资产证券化等新产品项目

·作为中国银监会信托业务创新课题组唯一律师事务所成员，负责创新产品模拟和业务指引的起草工作，相关创新业务包括资产证券化（ABS）、不动产投资信托（REITs）、私募股权基金（PE）

金融、证券业务相关纠纷诉讼和仲裁：

·成功代理了众多金融机构和企业的数百起金融案件的诉讼、仲裁和执行工作

·涉及的领域包括存款、贷款、担保、融资租赁、票据、保险、信用证与国际结算、国债现券交易与回购等

·有些案件被最高人民法院作为典型案例刊登于《中国民商审判》、《最高人民法院公告》和有关案例汇编中，作为各级人民法院办案的指导

信托与资产证券化专业委员会

中伦文德是中国最早开展信托与资产证券化法律服务的律师事务所之一。中伦文德拥有一支优秀的信托与资产证券化律师业务团队。中伦文德与发行相关金融产品的金融机构、为相关金融产品提供服务的专业服务机构以及作为融资主体的各类型企业建立了密切的合作关系，为投融资双方提供优质高效的法律服务。

中伦文德在信托领域提供的专业服务主要包括：

·为信托公司开展的信托业务提供法律服务

·信托公司独立开展的各类商业信托业务

·银行理财计划与信托合作业务

·各级政府在基础设施、民生工程等领域与信托合作业务

·集合资金信托计划参与私募股权投资基金业务

·公益信托

·证券公司客户（定向、集合、特定目的专项）资产管理业务

·基金管理公司多客户特定资产管理业务

·保险资产管理公司资产（含第三方资产）管理产品业务、基础设施投资计划业务、非基础设施不动产投资计划业务

·证券、基金、信托、保险机构企业年金基金投资管理业务

中伦文德在资产证券化领域提供的专业服务主要包括：

·为金融机构开展的信贷资产证券化业务提供法律服务

·国家开发银行、国有商业银行、股份制商业银行和城市商业银行信贷资产证券化业务

·国家开发银行证券化理念构建新型信用结构产品业务

·商业银行及金融资产管理公司重整资产证券化业务

·金融租赁公司租赁资产证券化业务

·汽车金融公司个人汽车抵押贷款证券化业务

·为非金融企业资产证券化业务提供法律服务

·资产支持票据业务（企业作为发起人，由商业银行或证券公司在全国银行间债券市场发行）

·资产支持受益凭证业务（企业作为发起人，由证券公司通过设立专项资产管理计划，在证券交易所发行）

中伦文德在房地产投资信托基金（REITs）领域提供的专业服务主要包括：

·为全国银行间债券市场发行房地产受益券提供法律服务

·为房地产信托基金在证券交易所上市提供法律服务

北京市重光律师事务所

一、基本概况

2001 年 1 月，经中华人民共和国司法部特别批准——北京市重光律师事务所诞生了。

2001－2013 年，重光律所同仁已经携手同心走过了十二个年头。从无到有、从小到大、从泛到专，重光律所"十年磨一剑"，逐步成长为以证券和资本市场、金融、企业重组并购、企业法律风险管理为主要发展领域和发展方向的精专型律师事务所。

十二年一个轮回；

我们用十二年的时间积累沉淀；

我们用十二年的时间完成一场蜕变；

我们将用多长的时间铸就重光的辉煌。

重光的诞生——2001 年 1 月，经中华人民共和国司法部批准——北京市重光律师事务所诞生了。

重光的发展——重光律所总部设在北京金融街，目前共有专职律师、兼职律师、律师助理及行政人员 70 余人，我所律师大多有多年的国家最高司法机关、国家行政机关或者大型公司的工作经历，均毕业于北京大学、中国人民大学、中国政法大学、西南政法大学、天津大学等中国最知名的法学院。2011 年随着天津分所的正式成立，重光在人员配置、业务领域及社会资源等各方面实现了进一步的优化和整合。

重光的业务领域——公司法律事务、资本市场法律事务、金融法律事务、重组并购与反垄断、企业法律风险管理、矿业能源重要客户及合作伙伴：国家开发银行（法律事务律师库成员）、中国农业银行股份有限公司（法律事务律师库成员）、中国建设银行股份有限公司北京分行（法律事务律师库成员）、北京农商银行（法律事务律师库成员）、北京银行、中国电力投资集团公司（法律事务律师库成员）、中国建银投资有限责任公司（法律事务律师库成员）、中国信达资产管理股份有限公司（法律事务律师库成员）、中国华融资产管理股份有限公司（法律事务律师库成员）、太平人寿保险公司、中银保险公司（法律事务律师库成员）、中信证券、中信建投证券、华泰汇通基金、鼎信长城基金、北京未来科技城、新西兰恒天然公司、壳牌石油公司、斯伦贝谢中国公司、河北建投能源投资股份有限公司、凌源钢铁股份有限公司、蓝色光标股份有限公司、北京市商务委员会（常年法律顾问）、北京市应急保障中心（常年法律顾问）、北京市信息咨询中心（常年法律顾问）、北京市口岸办（常年法律顾问）、北京市粮食局（常年法律顾问）。

二、重光律师

重光律师事务所拥有一支风华正茂的高素质律师队伍，现有律师、律师助理和行政人员七十余人，形成了相互之间各有分工，协调有序的律师工作机制。

重光的合伙人和多数律师均有十余年的最高司法机关、国家行政机关和律师执业的经历和丰富经验，他们绝大多数拥有着中国最知名法学院的硕士、博士学位和国外法学院学习的背景。

此外，为了不断更新知识结构，提高服务水准，律师所特别注重后备力量的培养及专才的吸纳，每年都从国外著名的法学院校和相关单位引进优秀人才加盟团队，为事务所的发展注入新的活力。

高素质负责任的律师队伍、完备而体制化的团队知识和能力结构、科学规范的管理机制和优秀高效的服务方式使北京市重光律师事务所拥有广泛的客户基础。

三、重光特色

1. 志同道合的高素质团队

"法律知识与业务能力并重，职业道德与从业理念共进。"重光律师事务所的选材标准近乎严苛。重光律师大多有多年的国家最高司法机关、国家行政机关或者大型公司的工作经历，他们均毕业于北京大学、中国人民大学、中国政法大学等中国最知名的法学院，并获得硕士或者博士学位，不少律师有着国外法学院学习、工作的背景。

2. 严密的案件质量控制体系

《重光律师事务所业务管理办法》是每一位律师办案的基本准则，另外，我们还建立了一系列制度，如：《顾问单位业务管理办法》、《顾问单位联系人制度细则》、《顾问单位业务收费暂行办法》、《案卷归档及保管制度》、《案件集体讨论制度》、《案件督办制度》、《案件当事人评议制度》、《利益冲突审查制度》、《法律风险提示制度》、《客户信息保密制度》、《律师业务培训制度》以及《律师出国考察管理办法》等等。这些案件质量控制体系和完善的服务质量管理体系为向顾问单位提供优质法律服务提供了保障。

3. 广泛的业内合作关系

除与国内其余直辖市、多数省会城市和计划单列市的龙头律师事务所保持友好业务合作和支持关系之外，北京市重光律师事务所还同世界排名前列的国外知名律师事务所有着密切的合作。

4. 务实的业际合作关系

除与作为同行的律师事务所保持业务合作和业务支持关系之外，为了更及时高效地为当事人解决实际问题，我们还与其他专业的精英机构建立了广泛的合作关系，包括国际或者国内知名的会计师事务所、审计师事务所、资产评估机构、券商、投资咨询服务机构、财务咨询服务机构、招投标代理服务机构、招投标技术咨询服务机构、融资担保公司等等。

5. 骄人的业绩

律师事务所的创收数额在一定程度上反映了客户的认可度。鉴于我们准确的市场定位和高标准的自我要求，北京市重光律师事务所自创立即保持着非常好的业务基础和高起点姿态，年业务量和业务收入呈逐年上升的趋势，人均创收一直位居北京市前列。

6. 强大的专家顾问团

我所聘请了国内外知名专家作咨询顾问，组成了强大阵容的专家顾问团。

四、业务领域

资本市场法律事务。

股权融资部分：

· 境内股票发行

· 新三板挂牌

· 上市公司再融资

· 新三板挂牌企业再融资

债权融资部分：

· 公司债发行

· 债券发行，包括短期融资券、中期票据、企业债券、金融债券及其他债券的发行

· 资产证券化

· 基金法律服务

· 协助投资基金的设立，包括证券投资基金、产业投

资基金、房地产基金、有限合伙基金等，并协助基金发行或基金投资.

・金融法律事务

银行：

・银行及非银行金融机构的贷款项目评审

・银团贷款

・不良资产处置

保险：

・保险资金债权投资计划

・保险资金不动产投资计划

地址：北京市西城区金融大街广宁伯2号金泽大厦东区7层

电话：010－52601070

传真：010－52601075

邮箱：chongguang@ chongguanglawfirm. com

网址：www. chongguanglawfirm. com

北京市天元律师事务所

一、基本概况

北京市天元律师事务所创立于1992年，是中国成立时间最早和规模最大的合伙制律师事务所之一。天元的总部位于北京，并在上海、深圳、成都设有分所。天元拥有优秀的律师团队。天元目前有执业律师及其他专业人士共400多名。天元的绝大多数律师获有国内外著名法学院校的硕士、博士学位，其中，很多律师拥有在国际知名律师事务所或公司法律部门多年的工作或学习经历。天元律师能够以普通话、英语、法语、日语、韩国语提供法律服务。

天元一直秉持专业、敬业、勤业的理念，致力于为客户提供高质量、高效率、全方位的法律服务。天元作为国内大型综合性律师事务所之一，其业务涵盖了公司并购与重组、证券与资本市场、外商直接投资、境外投资与反向收购、金融和银行、知识产权、房地产、基础设施建设、项目融资、政府采购与招投标、信息产业、资讯与媒体服务、娱乐与传媒、矿产和自然资源、国际贸易、海商与海事、诉讼与仲裁（按业务领域的顺序排序）等多个法律服务领域。同时，天元还不断开发和拓展新的律师业务，或者新的法律服务模式。天元在中国律师业发展过程中创造了多项第一，例如，天元是第一家代表中国企业（如中建总公司、中冶集团、国航等）处理因第一次海湾战争遭受损失向联合国索赔委员会进行国际索赔的律师事务所；天元是中国律师界第一个代表中国企业与国际奥委会谈判申请成为奥运全球战略合作伙伴（TOP项目）的中国律师事务所，等等。

十几年来，天元的法律服务获得了客户的认可和信赖。1998年，天元成为司法部授予的全国首届20家部级“文明律师事务所”之一。2005年，中华全国律师协会授予天元“全国优秀律师事务所”荣誉称号。2008年，天元再次被中华全国律师协会授予“全国优秀律师事务所”荣誉称号。2011年，天元再次被中华全国律师协会评为“2008—2010年度全国优秀律师事务所”。

二、资产证券化

资产证券化法律服务除涉及资产证券化的基础资产所在领域（基础设施与能源、非上市公司股权、不动产、银行等）的相关规定外，还涉及不同的监督管理机构的相关监管要求。因此，资产证券化法律服务系涉及多个领域的综合性法律服务。天元在基础设施、能源、资本市场、房地产、银行等多个法律服务领域均具有较强的实力，在中国的法律市场处于领先的地位。基于上述优势和深厚的法律功底，天元律师事务所能够为为信托公司、资产管理公司、证券公司、基金公司、基金公司子公司等进行信贷资产证券化、资产支持票据（ABN）、租赁资产证券化、应收账款证券化、房地产资产证券化等各种形式的资产证券化项目等提供全面的法律服务。

天元律师在资产证券化法律服务领域提供法律服务的范围主要包括：

・提供与各种资产证券化项目相关的尽职调查服务，尽职调查的范围包括相关的交易主体、基础资产等

・为各种资产证券化项目所涉SPV（信托计划、房地产投资信托、专项资产管理计划、项目资产支持计划等）的设立提供法律服务

・协助客户进行各种资产证券化项目的交易结构设计与可行性研究论证

・出具各种资产证券化项目的法律意见书

・起草、审核各种资产证券化项目相关的法律文件

・就各种资产证券化项目所涉法律问题提供咨询意见、出具备忘录

・协助交易相关各方主体进行谈判、协商

・为各种资产证券化产品的发行和交易提供法律服务

・为各种资产证券化产品的终止与清算提供法律服务

三、收购与兼并

公司收购与兼并业务是天元的核心业务之一。天元为一系列国内和涉外的标志性并购项目提供了法律服务（包括境外的反向收购），并经常在一些大型的、涉及多方的并购交易中担任牵头律师，负责协调代表交易各方的律师们的总体工作安排，以保证交易项目进程能够顺利和高效率的完成。天元代理的境内及跨国并购项目覆盖了金融、房地产、高科技、教育、基础设施、电子、医药、矿业、化工等不同行业。天元律师对有关收购和兼并的行业管理、国有资产管理、外汇、税务、知识产权、证券监管等法律法规有着充分的研究，熟悉收购兼并的各种交易方式和有关市场惯例，并积累了极其丰富的实践经验。天元为客户公司并购项目提供的法律服务主要包括：

・并购项目的整体方案及融资结构设计

・法律尽职调查并出具调查报告，起草相关的披露文件

・起草项目的相关法律文件，包括股权或资产转让或收购协议、公司分拆（立）协议、合并协议，以及关于项目可能涉及

・其他问题的协议或合同，例如土地使用问题、环境保护、知识产权和员工安排等问题

・参与项目谈判

・就政府审批、备案、登记、豁免等事宜提供咨询意见，并协助办理相关法定程序与手续

・为并购交易出具法律意见书

・协助客户完成交易的交割

四、证券与资本市场

天元是中国国内最早取得从事证券业务资格的律师事务所之一。天元为客户在中国、香港、新加坡和美国的股票、债券等证券发行和上市提供法律服务（包括境外反向收购上市项目），也为中国的国有企业改制，民营企业重组融资，上市公司相关的注资、并购和资产重组，证券机构的设立、融资和重组，证券产品创新以及中国境内证券交易提供法律服务。

我们在证券与资本市场领域提供的法律服务还包括:

· 企业的股份制改革及资产重组的方案设计

· 法律尽职调查

· 起草项目法律文件,包括重组协议、股东发起人协议、关联交易协议、公司章程以及其它相关法律文件

· 公司证券的首次公开发行上市、后续发行以及配股融资中的法律服务

· 上市公司并购及资产置换、重组相关的法律服务

· 参与项目谈判

· 高管人员期权方案的设计

· 协助建立及完善公司治理结构

· 证券交易相关的争议解决

五、金融与银行

天元律师担任着许多金融机构的长期法律顾问,有些律师还具有在金融业的从业经历,因而在金融和银行领域具有丰富的经验和广泛的客户基础。我们在金融和银行领域提供的法律服务主要包括:

· 金融机构的日常业务

· 重大贷款项目的法律服务,包括信贷安排、出口信贷及一般贸易信贷、担保交易的项目设计、谈判及相应法律文件的准备

· 国际融资项目,包括项目融资、船舶和航空器及其它资产融资、银团贷款

· 出具与跨境贷款或融资活动相关的外汇管制咨询意见,及协助办理相关外汇登记手续

· 资产证券化(ABS)

· 融资租赁

· 信用证、信用卡、电子货币事宜

· 商业票据问题

· 住房抵押贷款和汽车贷款等消费信贷

· 债务重组和不良资产处置

· 期货、期权及其它金融衍生产品

· 债券发行

六、天元荣誉

· 天元在清科 2015 中国股权投资年度排名中取得优异成绩

· 天元荣获"2015 年度 LEGALBAND 中国最佳法律雇主"奖项

· 天元与中国劳动关系学院签约成为该校实践基地

· 天元荣获"2012 年 - 2014 年度北京市优秀律师事务所"称号

· 天元荣获 LEGALBAND 2015 年度最受客户青睐律师事务所称号

· 天元多名合伙人在 LEGALBAND 律师排名中名列前茅

· 北京市天元律师事务所荣获北京市司法行政系统先进集体称号

· 本所合伙人杨科律师入选 ALB China 2013 中国十五佳律师新星

· 本所合伙人殷雄律师、柴杰律师参加第七届中国企业国际融资洽谈会

· 本所合伙人王立华律师受聘为北京市人民政府行政复议委员会委员

· 本所荣获专业法律评级机构钱伯斯提名

· 本所合伙人黄伟律师作为中国反垄断律师界代表,出席由国家发改委召集的《反垄断法》立法研讨会

· 本所与汤森路透合作举办"企业如何快速、有效地应对中国的反垄断政府调查"暨"并购和合营企业的反垄断申报和审查"主题研讨会

· 本所所刊《天元律师》在 2013 年度北京市律师事务所所刊评选中荣获"综合类铜奖"

· 本所合伙人郭威律师受聘为北京市西城区人民检察院首届民事检察监督咨询员

东易律师事务所

一、基本概况

东易律师事务所(以下简称"东易")创建于 2002 年 2 月,是中华人民共和国司法部批准建立的高层次、全球化、合伙制律师事务所。现有人员 100 余人,总部位于北京市西城区五栋大楼,办公面积 1100 平米。在长春、合肥设有分所及办事机构。凭借高效的管理、多国语言优势和丰富的执业经验,本所已跻身于国内领先律师事务所的行列,成为中国律师界业务能力强、服务范围广,能够为客户提供优质、高效法律服务的现代化综合性律师事务所。是北京市高院选定的企业破产案件社会中介机构管理人;北京市总工会劳动仲裁调解委员会成员单位;中央电视台、北京电视台合作单位;是中国银行间市场交易商协会、天津股权交易中心、重庆产权交易中心会员。

东易拥有一支年青优秀的律师队伍,他们大多数毕业于国内外著名的法学院校,部分律师曾在国际知名律师事务所执业,许多律师拥有在中国立法、司法、行政管理部门工作以及法学教育工作的经历。

东易律师恪守作为法律专业人员的职业道德、行为准则,具备处理涉及多个领域复杂法律事务的能力,并参照国际模式,结合中国经验,制定了具有国际职业水准的法律服务标准和具有良好质量控制的实务操作规范,成功完成了一系列具有深远影响的非诉讼法律业务。在融资、保险,股票、债券的发行、承销、上市,企业分拆、购并,公司改制,资产重组,破产清算,有形与无形产权交易,知识产权,中国企业海外融资、投资,海外投资者对中国投资,国际招投标,信息通讯,电子商务,房地产开发经营等方面业绩斐然。

东易律师具有丰富的诉讼、仲裁、辩护经验,在全国各级法院、各类仲裁机构均有大量的成功案例。业务涉及民事、经济、刑事、行政、国家赔偿等方面,并办理大量涉外诉讼、仲裁案件。

随着社会对律师服务质量的要求不断提高,东易律师日益注重服务范围的扩大和专业水平的提高,已经培养出多支专业理论素养高、实务操作经验丰富、职业操守良好的专业项目组,能为广大客户提供优质、快速、高效、满意的法律服务,我们将成为您在国内和涉外业务中取得成功的得力助手。

二、东易活动

为丰富员工的文娱生活,增进员工之间的沟通交流。东易律师事务所在为国内外客户提供最高质量法律服务的同时,积极开展公司内部活动,增强团队凝聚力。多年来,东易始终坚持"以人为本"的科学发展观,把提高职工的生活质量和健康需求作为工作的出发点和落脚点,高度重视职工的文体活动工作,通过各种有效的文体活动载体,着力增强职工的自觉参与意识和团队凝聚意识。大力推进职工文体活动的广泛开展,引导职工积极、自觉、持续地参加各项文体活动。根据不同人群、不同爱好、不同年龄、不同性

别，明确活动主题，因地制宜，广泛开展丰富多彩的文体活动。我们相信，只有我们每个人积极参与，对于我们的企业文化有着重大的意义。

三、专业领域

公司于证券业务。

北京市东易律师事务所（以下简称"东易律所"）长期从事包括股票、债券等各项资本工具在内的公司法与证券法业务，特别是近几年来，东易律所在该领域十分活跃，协助众多中国企业在资本市场发行股票及债券等。东易律所在中国资本市场法律服务领域居领先地位，成功为数十家企业的境内外首次公开发行上市、股权资本市场、上市公司再融资、新三板挂牌、债券发行、股权激励、资产证券化等项目提供了优质法律服务，在证券法律服务领域的辉煌业绩得到了广大客户及业界的肯定和赞许。

该领域的主要服务包括：

·北境内外首次公开发行上市

·股权资本市场

·上市公司再融资

·上市公司收购、合并、分立、重大资产重组、退市及恢复上市

·上市公司治理结构

·新三板挂牌

·股权激励

·债券发行

·资产证券化

·金融资产业务

曾经或现在服务的客户有：

中国华融资产管理股份有限公司、中国信达资产管理股份有限公司、中国长城资产管理公司、国家开发银行股份有限公司、中融信托、国投信托、华融信托、华融证券、银河证券等。

业务专长：

·代理银行、信托、基金、资产管理公司等金融机构处置不良资产方面的诉讼业务，根据不同企业的特点有针对性地制定切实可行的诉讼方案、重组方案、处置方案

·代理银行、信托、基金、资产管理公司等金融机构处置不良资产方面的执行业务：具有强制执行效力的债权文书类执行，申请实现担保物权及执行，对涉及地方保护主义执行案件的协调、执行程序的纠正、暂缓执行等

·代理银行、信托、基金、资产管理公司等金融机构处置不良资产方面的再审业务：通过再审对生效错误判决的纠正、暂缓执行、对错误执行案件的纠正等方面见长

·代理或处理各类金融专项法律事务，包括：

·代理信托、基金、有限合伙、资管等形式整套的融资服务

·代理股权托管、整体公司改造、重大项目融资等服务

·代理信用证、托收、票据、保理、福费廷等结算类法律事务

·代理资产证券化及金融创新类法律事务

·代理银行与非银行金融机构交叉融合类法律事务

·代理收购资产管理公司的资产包法律事务

·代理融资租赁法律事务

·代理基金信托、财产信托、受托经营、投资基金信托、公司理财、项目融资信托、信托贷款与存款、房地产信托投资等信托类法律事务

·代理保险机构的设立、股权转让、并购、融资、保险公司资本运营及保险资金运用、保险条款、单证等保险法律文书的翻译与审核、保险产品的法律风险分析和合规审查、再保险等保险类法律事务

地址：北京西城区车公庄大街 9 号五栋大楼 C 座 13 层

电话：010－88393823

传真：010－88393837

邮编：100044

邮箱：xz@ dongyilaw. cn

观韬律师事务所

一、基本概况

观韬律师事务所成立于 1994 年 2 月，是总部设于中国北京的专业化、综合性大型律师事务所。经过数年不断的开拓、创新和发展，观韬律师事务所在法律服务、专业建设和律师团队等方面已成为中国优秀律师事务所之一。坚持追求卓越，诚信勤勉，高效优质是观韬律师事务所的理念，委托人利益高于一切是观韬律师事务所的价值观。

2000 年 11 月，国家司法部授予本所为《中华人民共和国司法部部级文明所》。2005 年、2008 年和 2011 年，中华全国律师协会连续三次授予本所为《全国优秀律师事务所》。自 2005 年至今，观韬律师事务所因在资本市场、银行与金融、公司与并购、国际贸易、工程基建与能源资源、重组与破产、房地产、争议解决等业务领域具有良好的业绩和声誉，多次入选《钱伯斯亚洲》、《钱伯斯全球》、《亚太法律 500 强》、《国际金融法律评论 1000》、《亚洲法律评论》等国际知名法律评级机构的排名领域，并有数名律师入选排名律师。在"亚洲法律杂志中国法律大奖"历年的评选中，观韬律师事务所均获得包括"年度最佳北京律师事务所"和"年度最佳中国律师事务所"等多项奖项提名，并于 2008 年荣获"年度最佳能源和资源交易大奖"、于 2009 年和 2011 年两次荣获"年度破产清算和重组律师事务所"大奖，在 2012 年"亚洲法律杂志中国法律大奖"评选中获得多达 9 个年度奖项的提名。

观韬律师事务所的法律服务范围涵盖了银行、证券、保险、电信、大型基本建设、房地产、机械制造、交通、能源和自然资源、电力工程、环境保护、旅游、化工、医药、科研和服务业等领域。法律服务业务涉及国际投资、国际贸易、反倾销、反垄断、收购与兼并、私募/风险投资、资产重组、银行和非银行金融机构风险处置和破产清算、产权界定、股份制改造、股票和债券的发行、知识产权、高新技术、金融、招标与投标、国际税法，以及反洗钱、行政法业务等诸多方面。同时，在传统的商业诉讼与仲裁法律事务方面亦具有良好业绩。

观韬律师事务所除北京总部以外，在上海、深圳、大连、西安、成都、济南、厦门、香港、天津、广州等地设有分所，以便为不同地区的委托人提供更加有效、及时的法律服务。观韬律师事务所在相关专业方面还与境外和港、澳地区的律师行具有良好的业务合作关系。观韬与亚司特（Ashurst）国际律师行建立了联盟关系。亚司特是一间总部位于英国的国际律师行。通过与亚司特律师行的紧密合作，使我们可以在全球的平台上、持之以恒地为我们的国内及国际客户提供有价值的、全方位的法律服务。

观韬律师事务所拥有一支理论深厚、经验丰富、勤勉尽责、服务诚信、业绩良好、追求卓越的律师工作团队，并拥有多名相关专业的法律专家，能够为不同行业、不同客户提供全过

程的综合性法律服务。

二、观韬荣誉

2014 年 11 月，观韬律师事务所在银行与金融、资本市场、收购与兼并、投资基金、私募、竞争法、能源与基建等业务领域获得国际金融法律评论（IFLR1000）2015 年中国金融律所较高排名。此外，观韬以下九位合伙人也在各自业务领域被评价为杰出律师。崔利国：资本市场、收购与兼并孙东莹：私募、投资基金、收购与兼并萧红明：私募；行业：能源、矿产姜玮：能源与基建：项目开发；行业：石油和天然气、电力吕立秋：银行与金融闫芃芃：资本市场、收购与兼并；行业：医疗、电信科技孙韶松：竞争法李岩：收购与兼并；行业：保险、电力、电信科技王阳：资本市场、投资基金；行业：石油和天然气、电力。国际金融法律评论是一部关于全球领先的金融和公司业务律师事务所的年度指引，于 1990 年开始发行，目前对全球超过 120 个法域的律师事务所进行调研和排名。国际金融法律评论（IFLR1000）是专注于国际金融行业的媒体——欧洲货币法律传媒集团的组成部分。

2014 年 10 月，汤森路透（Thomson Reuters）的投资银行交易数据团队对外公布了 2014 年前三季度的并购法律顾问回顾报告，本篇报告还包含专为中国市场设计的中国海外并购报告，观韬因协助澳大利亚 Transpacific Industries Group 向北京首创集团出售新西兰废品处理公司股权项目，在中国海外并购法律顾问排名中位列中国律所第六位。该项目曾在 2014 年第一季度的并购法律顾问报告中入选中国海外并购十大交易。

2014 年 3 月 13 日，《钱伯斯全球 2014》发布最新律所排名结果，观韬在资本市场（境内发行）、公司与并购、争议解决（北京）、能源与自然资源、工程与基建等五大业务领域获得较高排名（其中，能源与自然资源、工程与基建两个领域均排名第二等级），并有 7 位律师入选排名律师（刘榕、姜玮、付三中、萧红明、徐玲、闫芃芃、洪宇昊，其中刘榕和姜玮分别在资本市场和工程领域排名为第二等级律师）。

2014 年 2 月 18 日，《钱伯斯亚太 2014》发布最新律所排名结果，观韬在资本市场（境内发行）、公司与并购、争议解决（北京）、能源与自然资源、工程与基建、房地产、重组与破产等七大业务领域获得较高排名（其中，能源与自然资源、工程与基建两个领域均排名第二等级），并有 10 位律师入选排名律师（杨光、刘榕、甘为民、姜玮、孙韶松、付三中、萧红明、徐玲、闫芃芃、洪宇昊，其中杨光、刘榕、甘为民、姜玮分别在重组与破产、资本市场、公司商事、工程领域排名为第二等级律师）。

2014 年 2 月，本所在重组及破产领域，获得 2013 商法卓越律所大奖。

2014 年 1 月，本所在 Corporate INTL 杂志 2014 年全球评选中，获得“中国年度全方位法律服务律师事务所”大奖

三、业务领域

资本市场业务。

资本市场业务是观韬律师事务所主要核心业务。曾为电力、钢铁、金融、建材、化工、机械、制药、生物、房地产、有色金属、交通、能源、环境保护、食品、旅游和高科技等行业的企业担任发行人律师或主承销商律师，在股票发行与上市方面具有丰富的执业经验，并对境内外证券发行、交易所规则和监管事项具有广泛的专业研究。主要业务包括但不限于：

· A 股的发行与上市
· B 股的发行与上市
· H 股的发行与上市
· 配股、增发新股
· 股份回购、分拆上市、整体上市
· 上市公司的改组与重组
· 公司债券的发行与上市
· 上市公司的收购与兼并
· 企业债券的发行与上市
· 可转换公司债券的发行与上市
· 基金的发行与上市
· 境内企业直接或间接境外上市
· 境内企业到香港、美国等地创业板发行股票与上市
· 涉及境内权益的境外公司在境外发行股票
· 拟上市企业的股份制改造
· 私募与风投

北京总部：
地址：北京市西城区金融大街 28 号盈泰中心 2 号楼 17 层
邮编：100140
电话：010－66578066
传真：010－66578016
邮箱：guantao@ guantao. com

上海分所：
地址：上海市长宁区遵义南路 88 号协泰中心 9 层
邮编：200336
电话：021－50585488
传真：021－58303697
邮箱：guantaosh@ guantao. com

西安分所：
地址：西安市高新路 51 号尚中心 713 室
邮编：710075
电话：029－88422608
传真：029－88420929
邮箱：guantaoxa@ guantao. com

成都分所：
地址：成都市人民南路四段 19 号威斯顿联邦大厦 7 楼 702 室
邮编：610041
电话：028－68299886
传真：028－68299899
邮箱：guantaocd@ guantao. com

大连分所：
地址：大连市中山区人民路 26 号人寿大厦 1109 室
邮编：116001
电话：0411－82829601
传真：0411－82829901
邮箱：guantaodl@ guantao. com

深圳分所：
地址：深圳市深南东路 4003 号世界金融中心 A 座 15B
邮编：518008
电话：0755－25980899
传真：0755－25980259
邮箱：guantaosz@ guantao. com

济南分所：
地址：山东省济南市文化西路 13 号山东招标大厦七层 703 室
邮编：250014

电话:0531－67885556
传真:0531－67887166
邮箱:guantaojn@ guantao. com
厦门分所:
地址:厦门市厦禾路189号银行中心2505室
邮编:361003
电话:0592－3188699
传真:0592－3188007
邮箱:guantaoxm@ guantao. com
香港分所:
地址:香港中环花园道3号中国工商银行大厦
16楼1604－6室
電話:00852－28781130
傳真:00852－28781360
邮箱:guantaohk@ guantao. com
天津分所:
地址:天津市和平区解放北路188号信达广场
26层2603－2605
邮编:300042
电话:022－58299677/58299678
传真:022－58299679
邮箱:guantaotj@ guantao. com
广州分所:
地址:广州市天河区珠江新城华夏路28号富力盈信大厦
1703－04房
邮编:510623
电话:020－38398787
传真:020－38398331
邮箱:guantaogz@ guantao. com
观韬律师事务所投诉电话:(86－10)66578066

广东华商律师事务所

一、基本概况

广东华商律师事务所创立于1993年,是中国第一批获准设立的合伙制律师事务所之一。历经二十年不懈地努力,华商已成为国内最具规模的综合性律师事务所之一,截至2015年12月,华所有各类专业人员430人,其中合伙人律师92人,执业律师289人,业务总收入超2亿元,比同年增长93.14%(不含括分所业绩)。华商总部设在深圳,位于深圳市福田区深南大道4011号香港中旅大厦22、23楼整层,地理位置优越,交通联络便捷。2014年1月,华商的组织形式由普通合伙律师事务所变更为特殊普通合伙律师事务所。在国外,华商已在澳大利亚的悉尼设立了分所;在国内,华商在深圳前海成立了全国第一家内地与香港合伙型联营律师事务所——华商林李黎(前海)联营律师事务所,在深圳龙岗以及湖南长沙分别设立了广东华商(龙岗)律师事务所、广东华商(长沙)律师事务所,其他主要城市的分所也在筹办之中。

华商拥有广泛的客户群体,其中既包括世界五百强的大型跨国公司,也包括各类大、中型国有企业和成长型民营企业;既包括传统的制造型企业,也包括国内外知名的银行、金融保险企业、投资基金、通讯、信息技术、房地产等各类型机构或企业;同时也为政府、行业协会、事业单位以及广大公民提供法律服务。

华商的核心竞争优势体现在为客户提供具有本土优势、行业优势和国际视野的法律服务。华商扎根深圳近二十年,与深圳市以及珠三角的政府部门、司法部门、企业界建立了密切和稳定的业务联系,树立了良好的华商口碑;华商也与中国证监会、沪深交易所、国资委等监管机构建立了良好的工作联系;华商与各证券服务机构联系密切、关系融洽;经由华商参与发起成立的“中世律所联盟(SGLA)”,华商法律服务的地理范围可以覆盖到国内十几个大中城市并延伸至境外。

多年来,华商稳健发展,在专业法律服务领域取得了一系列成绩,具有良好的行业影响力和卓越的品牌形象。华商是“全国优秀律师事务所”,也是深圳唯一荣获“深圳知名品牌”的律师事务所;华商不仅是证监会、全国律协评定的全国证券业务综合排名前15名的律师事务所,也是《亚太法律500强》评选出的在公司法和商业法等领域领先的中国律师事务所之一;作为创始成员所,华商和全球排名前列的霍金路伟国际律师所以及中国10大城市的优秀律所共同成立了中世律所联盟;华商还是深圳市公安局维护公安民警正当执法权益法律援助的唯一合作伙伴。

展望未来,华商渴望更大的发展,成就百年华商的梦想。华商将积极探索科学的管理模式,以“法律维护正义、法律创造价值”为己任,恪守高度自我奉献精神及对社会的责任心,不断创新法律服务产品,尽心竭力为客户提供专业、精细、高效的法律服务,用五到十年的时间发展成为我国法律服务业的领导性品牌。

二、资本市场和证券

资本市场领域是华商的核心业务。华商是中国最早从事证券业务的律师事务所之一。在近十几年来,华商先后累计为上百家公司提供了中国境内外股票发行上市的法律服务,包括A股、B股、H股、红筹股、权益股等,所涉证券交易所包括上海、深圳、香港、纽约、NASDAQ、美国证券交易所、多伦多、新加坡、东京和伦敦等,业务范围十分广泛。华商律师也被中国证监会选聘担任发审委委员。

在多年的实务中,华商与证券监管部门、证券交易所、境内外著名投资银行、审计评估机构,以及上市公司建立了密切而良好的合作关系,从而可以确保为客户提供最佳的法律服务。

股权资本市场:

·上市前改制、重组
·上市前私募融资
·境内及跨境首次公开发行
·上市公司再融资(包括股票、可转换债券、债券存托凭证、REITs等融资工具)
·境内外买壳上市
·上市公司收购、合并、分离、重大资产重组、退市及恢复上市
·上市公司股份分拆、回购上市公司治理结构
·管理层激励计划及员工持股计划的设计
·上市后持续信息披露
·上市公司
·证券投资基金的设立及资产管理

债券资本市场:

·公司债券
·企业债券
·金融债券
·短期融资券

三、银行信托保险

· 商业银行日常法律事务
· 国际商业信贷、项目融资、银团贷款等资产类法律事务
· 各类融资担保法律事务
· 信用证、托收、票据、保理、福费廷等结算类法律事务
· 银行卡类法律事务
· 理财产品等产品类法律事务
· 金融机构不良资产法律事务
· 金融创新类法律事务
· 资产证券化法律事务
· 银行与非银行金融机构交叉融合类法律事务
· 收购资产管理公司的资产包法律事务
· 融资租赁法律事务
· 各类信托法律事务
· 基金信托
· 财产信托
· 受托经营、投资基金信托
· 公司理财、项目融资信托
· 代保管信托
· 信托贷款与存款
· 养老金信托
· 有价证券信托投资
· 养老金投资基金信托
· 房地产信托投资
· 各类保险法律事务
· 保险公司日常法律事务
· 保险机构的设立、股权转让、并购、融资
· 保险公司资本运营及保险资金运用
· 保险条款、单证等保险法律文书的翻译与审核
· 保险产品的法律风险分析和合规审查
· 再保险
· 保险经纪、保险代理和保险公估
· 保险理赔、保险代位求偿

四、荣誉奖项

弹指间，华商已成立二十周年。回顾这二十年的发展历程，华商一直本着以“法律创造价值”的服务理念、不断创新的专业服务模式及勇于承担社会责任，向社会各界展示华商的专业风采。这二十年来，华商人风雨兼程，用逐梦点燃激情，用汗水铸造辉煌，一路稳健发展到至今。在专业法律服务领域取得了一系列成绩，具有良好的行业影响力和卓越的品牌形象。

这些年，华商多次被司法部，市司法局、市律师协会，以及国际知名法律媒体和权威机构评为中国顶尖的法律服务机构。曾先后荣膺“全国优秀律师事务所”、“民营领军骨干企业”、“纳税百佳民营企业”等系列荣誉称号。华商也是深圳连续两次荣获“深圳知名品牌”的律师事务所，不仅是证监会、全国律协评定的全国证券业务综合排名前 15 名的律师事务所，也是《亚太法律 500 强》评选出的在公司法和商业法等领域领先的中国律师事务所之一；作为创始成员所，华商和全球排名前列的霍金路伟国际律师所以及中国 10 大城市的优秀律所共同成立了中世律所联盟；华商还是深圳市公安局维护公安民警正当执法权益法律援助的唯一合作伙伴。这都是社会、政府、客户对华商二十年发展历史和品牌形象的高度评价、信任与肯定。

每一次获奖，对于我们华商人来说都是一次莫大的鼓励，也更加鞭策着我们要戒骄戒躁，恪守高度自我奉献精神及对社会的责任心，不断创新法律服务产品，尽心竭力为客户提供专业、精细、高效的法律服务。

荣耀历程：

2004 年，华商律师事务所受中国司法部和广东省司法厅委托对《中华人民共和国律师法》核心部分“律师业务和权利、义务”进行调研和修改起草工作，部分修改意见被立法机关采纳。

2005 年出版的 The Asia Pacific Legal 500（《亚太法律 500 强》）杂志将华商所列为推荐的中国律师行之一，并在公司业务、外商投资、项目融资等方面将华商列为推荐的中国律师所。同时，华商所还获得 2004 - 2005 年度法律商业奖（2004 - 2005 Annual Legal Business Award）的提名。

2005 年始，华商党支部多次被中共广东省律师协会评为全省律师行先进党组织。

2005 年 6 月，华商律师事务所被深圳市福田区人民政府评为“福田区纳税百佳民营企业”。

2006 年 3 月，华商被深圳市司法局评为律师事务所规范化建设达标单位。

2008 年 1 月，在深圳市司法行政系统法律服务工作中被深圳市司法局评选为“先进集体”单位。

2008 年，华商律师事务所被评为“2007 年度福田区民营领军骨干企业”被司法部全国律协评为“全国优秀律师事务所”。

2008 年 6 月，华商律师事务所被深圳市福田区人民政府评为“民营领军骨干企业”。

2008 年 9 月，华商律师事务所被评为“2005—2007 年度全国优秀律师事务所”，深圳仅两家律师事务所获此殊荣。

2008 年 8 月，华商在中华全国律师协会综合排名中位列证券业务全国前十五名。

2010 年 4 月，华商律师事务所获第七届“深圳知名品牌”律师事务所荣誉称号，这是截至目前，深圳唯一一家获此殊荣的律师事务所。

2012 年 3 月，华商被深圳司法局评为“深圳市优秀律师事务所”。

2012 年 7 月，华商荣获深圳市中小企业发展促进会常任理事单位称号。

2013 年 5 月，华商参加第十届深圳知名品牌颁奖典礼暨十年品牌建设高端论坛，并再一次获得“深圳知名品牌”称号。

广东信达律师事务所

一、基本概况

广东信达律师事务所，曾用名“深圳信达律师事务所”、“信达律师事务所”，于一九九三年在深圳设立，是深圳市最早获得批准设立的合伙制律师事务所，也是我国最早设立的合伙制律师事务所之一。经过二十年的发展，信达已成为以公司、证券发行、投资业务为强项，银行、房地产和商事纠纷解决、知识产权等法律业务齐全的综合性律师事务所，是深圳市目前规模最大、从业时间最久的律师事务所之一，并在全国证券法律领域享有盛名。

设立于经济特区的信达，伴随中国经济的发展逐步壮大，从引进外资、股份制改造、房地产开发、银企融资，发展到现阶段以权益类证券发行为主要特征的企业融资，信达律师始终

站在市场经济实践的前沿迎接挑战。凭借深厚的法律功底、良好的外语水平、得天独厚的区域优势、真诚的服务意识、灵敏的职业悟性以及长期的艰苦努力，信达律师在证券发行、投资业务、收购兼并、外商投资、银行贷款、破产清算、资产债务重组以及企业日常经营管理和运作等法律业务领域积累了相当丰富的经验，在对手如林的证券法律业务中确立了强有力的竞争优势。

信达拥有一批既有丰富经验，又有深厚理论功底的律师。信达的高级合伙人大多毕业于国内外著名法律学府，已在其相关专业领域执业十年以上，取得了良好的业绩。信达的律师在进入信达之前，均需接受严格的遴选，并在进入信达后通过持续而专业的培训以提高执业水平。信达还建立了严格的内部审核及信息共享制度，在不断提高业务质量的基础上保证最新法律、法规、政策及案例的及时学习和运用。

信达长期活跃于资本市场，积累了广泛的客户群体，其中既包括如万科、平安等国际知名公司，也包括业绩良好的众多成长型企业；既包括传统的制造业企业，也包括银行、保险公司、私募基金、通讯、信息技术、文化创意、教育培训、旅游等各类服务型企业；信达同时也为政府机构、国际组织等提供中国法律服务。

二、证券、投资、公司

信达早在九十年代就具有中国司法部和中国证券监督管理委员会联合授予的从事证券法律业务资格，是我国从事证券法律业务最早、最多的律师事务所之一。信达的一些律师担任了证券交易所的上市委员会委员、中国证监会创业板首届以及第二届发行审核委员会委员以及企业改制上市培训专家等，并经常参与证券监管部门或其他政府部门组织的证券类法律、法规、规章的起草、修订和研讨工作。凭借着丰富的国内证券和涉外从业经验，信达已先后累计为上百家公司提供了中国境内外股票发行上市的法律服务，协助境内外数百家企业完成股份制改组，在深圳和上海证券交易所发行A股或B股，在香港联交所发行H股或红筹模式上市，并参与了几十家中国企业在美国、香港地区、新加坡、韩国等地发行股票上市、上市公司重大重组、收购兼并、增资发行股票、债券发行及国外资本收购境内股权或资产等法律业务，范围十分广泛。目前已经形成专业从事证券发行以及公司购并事务的律师团队，为国有大中型企业、境内外跨国公司、各类投资基金、各类上市和拟上市公司以及有意涉足资本市场的各类企业提供高效、专业并具个性化的法律服务。

三、银行、金融及不良资产

信达向客户提供有关中国金融机构、金融法律、法规及政策的法律咨询，并与国内外众多银行和金融机构保持密切的合作伙伴关系，主要业务涉及银团贷款协议、国际银团贷款协议、政府贷款、普通商业贷款协议以及租赁合约等多方面。信达还先后为国家开发银行、汇丰银行、恒生银行、中国建设银行、中国民生银行多家商业银行和非银行金融机构担任常年法律顾问或提供专项法律事务服务，在一般信贷、双边货款、银团贷款、有担保和无担保贷款方面具有丰富的实践经验。

在不良资产的处置领域，信达律师参与不良资产的投资及买卖交易，包括为不良资产的买方以及卖方进行例如交易甄别、估价、谈判、资产池管理等方面的全方位服务，为国内外投资者提供广泛的服务和支持。此外，对于与不良资产相关的房地产或者其他不动产项目，还同时提供房地产的投融资咨询和交易服务。

信达已与国内四大资产管理公司以及国际投行、风险投资基金等机构建立了密切的合作以及业务关系。

四、信达荣誉

· 入选香港《商法》杂志“外资境内并购中国律师所前15强”（基于2012年7月1日至2013年6月17日期间公布的交易累计 项目金额）

· 入选香港《商法》杂志“2013年度香港联交所中国公司IPO项目”（2012年3月至2013年4月）优秀律师事务所

· 分别入选香港《商法》杂志“深交所中小板IPO项目”、“深交所创业板IPO项目”（2011年3月至2012年4月）优秀律师事务所

· 入选由《投资者报》研究部根据参与证券业务律师事务所在A股IPO市场的表现（包括过会的IPO项目数量和项目过会率）、综合评选出的2010年中国十佳IPO律师事务所

· 2011年，被证券时报主办的中国最具竞争力创投机构（CCVC/PE）评选为2010年度最佳中介机构——“年度最佳律师事务所”

· 2009年，荣获《亚洲法律杂志》（ALB）主办的“ALB China Law Award 2009深圳律师事务所”年度大奖

· 是Legal500及亚洲法学在中国推荐的律师事务所之一

地址：深圳市福田区益田路6001号太平金融大厦
12楼整层
邮编：518017
电话：0755－88265288　88260902
传真：0755－88265537
邮件：info@ shujin. cn

广发律师事务所

一、基本概述

上海市广发律师事务所是一家致力于提供证券金融法律服务的专业机构，专业化的特色使我们在证券金融法律服务领域更具有竞争优势。

根据中国证监会统计IPO排名规则，上海市广发律师事务所近三年均位列全国前十、上海前三，是国内证券业务专业化程度最高的律师事务所。

二、组织

我们相信，管理模式是一个律师事务所能否可持续发展的关键。广发是实行统一公司制管理的律师事务所。事务所由一名首席管理合伙人领导，并由不同业务组别的协调人和区域管理合伙人协助其工作。部门之间相互协助、相互配合，旨在就某些特别复杂的法律专业及受法规高度监管的行业提供跨部门的服务。

公司制的管理模式有利于最大可能的利用广发的各种资源优势；

公司制的管理模式有别于大多数律所的松散型管理，为项目作业提供强有力的后勤保障和支持，同时也加强了对项目质量的监控。广发对各项目采取团队化作业模式，其优点在于能发挥团队律师的各自优势，便于项目的整体衔接与充分沟通；

公司制的管理模式有利于广发与包括同行在内的各类中外中介机构建立良好的合作关系；

公司制的管理模式有利于广发与各级地方政府、行业监督管理部门及其他部门建立良好的沟通能力。

三、处事方式

我们坚持与客户沟通。公司制的管理、团队化的服务方式确保客户与我们的联系畅通无阻；规范、亲切并具有效率，以最好最快的服务帮助客户达到目标。我们的专业能力保证我们异常敏锐地洞察客户的目标，充分理解我们所处理的问题的实质及客户的忧虑。我们认为，无限的沟通有助于为客户提供更全面的解决方案，提升我们的服务价值。

四、法律费用

费用、效率和价值始终是我们与客户共同关注的事项。

我们相信管理模式是提供有效法律服务的关键，而公司制的管理能保证法律费用的一致性。虽然我们可以就事务所之间的费率和执业作比较，但是，客户最关心的是解决问题的能力和效率，我们的管理模式确保以事务所的资源和能力提供客户最合理的方案并最有效率的解决问题，在此基础上，从而最有效的控制成本。

鉴于我们在执业管理中的利益，以及我们不断努力提高的办事效率，我们仍然沿用了国际上通行的传统收费惯例，即根据完成工作所花的时间按小时向客户收费。然而，我们也认识到许多客户愿意采用其他非计时方法收费；所以，我们在多种情况下与客户共同做出了适宜于特定情况的既公平又有效的其它收费安排。

在有些情况下，审慎地为客户做出特定的收费安排能促进客户与事务所的关系，也有助于双方达到更远大的目标。

五、人员配备

广发的一位合伙人专职监管事务所与每一位客户之间的关系。该合伙人深受客户信赖。客户委托的事项均由对该领域最富有经验、驻于适当地点的律师负责承办。我们提供团队化服务，每一个客户由一支由数名律师组成的核心队伍提供服务，其成员都谙熟客户的特殊需求和目标，包括业务、人事、办事程序，以及该客户与事务所之间的整体关系。

我们相信这种安排能为客户提供法律服务上的连贯性，节省延续法律咨询的费用，并且使客户能获得精通其业务和所涉行业的律师提供法律服务。我们承诺，保证每位客户对我们的人员调配安排都感到满意。

六、技术

广发承诺以创新的、符合成本效益的方式应用技术，以期更好地满足客户的需要。事务所内部以及事务所与客户之间的合作联系可以通过先进的通讯网络、网站和通行的应用软件进行。

现有技术和及时的更新，确保我们能在第一时间获得大量专业信息和行业信息，以应对不断提升的客户要求。

我们关心技术的进步，任何有助于提升法律服务价值的技术在力所能及的前提下我们都愿意尝试，我们深刻理解技术对于法律服务水准和客户层次提升所带来的巨大影响。

七、基本价值观

对每项客户委托的事务提交一份最出色的答卷，这就是广发至高无上的价值观。每位律师均可望在各种机会展示指导本事务所客户服务的基本价值观。

广发强调事务所整体的价值和资源，注重发展事务所的品牌。我们相信，客户对事务所品牌的认同会远远超越对律师个人名望的期望。我们摒弃完全以个人方式服务客户的价值观。

对于客户，在提供法律服务获取相应经济价值的同时，我们同样重视赢得客户的友谊与尊重；对于对手和同行，我们从不诋毁；对于同事，我们精诚合作，求大同存小异；我们知道，专业能力在完成客户委托时极为重要，但并不是解决所有问题的全部，我们同时注重利用事务所的一切资源提升综合解决问题的能力。即使在受到诱惑或威胁的情况下，我们也勇于代表处于逆境中的客户。

八、证券与资本市场

专业化发展模式使广发律师事务所在金融证券领域颇有建树，是为数不多的、拥有广泛声誉的中国金融证券业律师事务所。已成功为国内数十家公司提供与证券发行上市相关的法律服务，范围涵盖国内 A、B 股、新加坡红筹、香港 H 股和红筹(创业板或主板)、纳斯达克、纽约交易所上市等，赢得了客户广泛赞许。

九、专业领域

在融资业务领域，广发提供的法律服务包括但不限于：

· 法律审慎调查

· 公司治理结构的建立

· 公司改制及重组

· 公司证券的发行、增发及上市

包括：国内上交所主板和深圳中小企业板的股票首次发行上市，公司股票配售及增发；

红筹股的发行与上市；

境内外优先股发行上市

认股权证发行与上市；

国内企业债券的发行与上市。

· 私募

· 股权或资产置换

· 信息披露

· 上市公司日常法律服务

· 基金

地址：上海市浦东新区世纪大道 1090 号斯米克大厦 19 楼

电话：021 - 58358013 - 14 - 15

信箱：gf@ gffirm. com

国浩律师事务所

一、基本概况

国浩律师集团事务所成立于 1998 年 6 月，由北京市张涌涛律师事务所、上海市万国律师事务所、深圳市唐人律师事务所基于合并而共同发起设立，并在中华人民共和国司法部登记注册。前述三家事务所业已于 1992 年及 1993 年间组建，至今已有逾二十年的历史。

2011 年 3 月，国浩律师集团事务所更名为国浩律师事务所。

国浩律师事务所是中国最大的跨地域合伙制律师事务所之一，在北京、上海、深圳、杭州、广州、昆明、天津、成都、宁波、福州、西安、南京、南宁、济南、重庆、苏州、香港、巴黎、马德里、硅谷等二十地设有分支机构。

国浩律师事务所现有 260 余名合伙人，90% 以上的合伙人具有硕士、博士学位和高级职称，其中多名合伙人为我国某一法律领域及相关专业之著名专家和学者。国浩律师事务所拥有执业律师、律师助理、律师秘书及支持保障人员近 2000 人。

二、机构布局

国浩律师事务所是中国最大的跨地域合伙制律师事务所之一，在北京、上海、深圳、杭州、广州、昆明、天津、成都、宁波、福州、西安、南京、南宁、济南、重庆、香港、巴黎、马德里、硅谷等地设有执业机构。

三、香港联营

在《内地与香港关于建立更紧密经贸关系的安排》(CEPA)公布后,经中国司法部批准,国浩律师事务所与在香港享有相当声誉和规模的胡关李罗律师行在二00四年八月签署联营协议并实施联营。这是内地与香港两地大型律师机构的首次联营。

四、人力资源

国浩律师事务所现有260余名合伙人,90%以上的合伙人具有硕士、博士学位和高级职称,其中多名合伙人为我国某一法律领域及相关专业之著名专家和学者。国浩律师事务所拥有执业律师、律师助理、律师秘书及支持保障人员近2000人。

五、客户关系

国浩律师事务所律师与客户合作无间,真实、彻底地了解每一位客户的业务特点和法律需求,并提出准确、精深的专业意见,提供富于创新的法律服务。国浩律师事务所的业务范围业已覆盖整个中国及世界多个国家和地区。

六、专业资格

国浩律师事务所经中国司法部、中国证券监督管理委员会审核,具有从事证券业务之专业资格。

本所经中国司法部、国家科委、原国家国有资产管理局审核,具有从事产权界定之专业资格。

本所经中国司法部、原国家计委审核,具有从事国家基本建设大中型项目招投标业务之专业资格。本所经中国司法部、原经贸部审核,具有从事外贸企业股份制改造职工持股业务之专业资格。本所系香港联合交易所、美国纽约证券交易所、美国NASDAQ证券交易市场、澳大利亚证券交易所、新加坡证券交易所等境外证券交易机构认可的可为证券发行上市及公司并购项目出具法律意见的中国律师事务所。

七、专业成果

国浩律师事务所出版的内部刊物《国浩法律研究·公司证券版》受到广大客户的关注,已成为与客户联系的桥梁,宣传财经法律的论坛。此外,本集团推出"国浩法律文库"与"国浩财经文库",先后出版了《企业投资融资筹划与运作》、《企业上市审核标准实证解析》、《中国创业板发行上市法律指引》、《资本运作税法实务》、《现代商事律师实务》、《金融证券律师实务》、《中国产业律师实务》、《中国新型城镇化的法治思维》、《私募股权基金的筹备、运营与管理:操作细节与核心范本》、《知识产权权利冲突:理论与判例分析》、《证券法律:投资银行律师实务》、《金融律师咨询精粹》、《证券市场若干法律问题研究》、《证券法析义与证券规范操作》、《网络与电子商务》等多本专著。

地址:北京市西城区武定侯街2号泰康国际大厦
10层1005单元
邮编:100033
电话:010-66216823
传真:010-66218093
邮箱:grandallgroup@ grandall. com. cn

海华永泰律师事务所

一、基本概况

成立于1995年,总部位于上海浦东陆家嘴金融区,北京设有分所,是上海市综合实力名列前茅的大型法律服务机构。执业律师超过一百五十名。设立至今为近千家知名企业提供了优质的法律服务,服务范围包括房地产与建设工程、金融证券、国际贸易与海关业务、公司业务、新型法律服务(不良资产和应收账款清收与处置、娱乐传媒、环保新能源等)、知识产权、争端解决等方面。

"专业赢得尊重、携手成就理想"是海华永泰的核心价值观。事务所的各项重点工作都围绕核心价值观的实现展开。团队强大复合背景与实务经验保证我们法律服务专业的品质;业务的团队化操作保证我们对所承接的项目提供精准及时的服务;协助客户实现商业目标成为我们追求的不变理想。

二、核心业务

金融证券业务是海华永泰的另一个传统核心业务领域。海华永泰参与了众多境内机构首次公开发行、再融资、借壳上市等项目,积累了丰富经验且业绩优异。特别在境外上市领域,海华永泰已经成为业内提供境外上市法律服务最多的机构之一,上市地包括:美国、英国、新加坡、香港、马来西亚等。

另一方面,海华永泰还是私募基金法律服务的领跑者,为大量私募基金提供设立、投资退出等全程法律服务。我们不但在传统私募股权投资基金和风险投资基金领域有卓越的表现,我们还是私募房地产基金法律服务的创新者和开拓者。

海华永泰作为在金融与证券法律服务领域颇有建树的律师事务所,已经为众多国内外客户提供过广泛而深入的相关法律服务。我们的客户包括:银行(建行、交行、招商银行、平安银行等)、证券公司(国泰君安、海通、申银万国、长江等)、信托公司(上国投、杭工信、华宝、交银信托等)、保险公司、基金管理公司及其他众多拟上市及通过其他方式融资的企业或机构。

海华永泰在境内外上市和私募基金方面拥有大量经典案例和成功经验,包括:华丽家族境内借壳上市项目、重庆民生轮船主板上市项目、力星钢球境内创业板上市项目、心连心化肥香港、新加坡双重上市项目、Z-OBEE控股有限公司香港、新加坡双重上市项目、黑石基金中国首个人民币私募股权投资基金项目、平安资本投资滨地钾肥项目、复地集团私募房地产投资基金项目等。

服务范围:

· 私募基金
· 私募基金设立方案设计
· 私募基金设立相关法律文件起草、修改及审核
· 基金投资项目法律尽职调查
· 基金投资项目投资结构安排与方案设计、修改及审核
· 为私募基金退出设计方案等提供相应法律服务
· 为基金投资出具专项法律意见/设计方案等
· 资本市场
· 上市改制与重组方案设计
· 境内外首次公开发行法律服务
· 上市公司再融资
· 境内外借壳上市法律服务
· 上市公司兼并、重组及股权分拆、回购法律服务
· 上市公司治理结构法律服务
· 管理层/员工股权激励计划设计
· 协助上市公司信息披露
· 银行与保险
· 银团贷款法律服务
· 并购贷款法律服务
· 融资租赁法律服务
· 保险法律服务

·信用卡法律服务
·债务重组与不良资产处置法律服务
·债券发行法律服务
·金融衍生品法律服务
·信托业务
·为信托项目的框架方案提供合法合规性、可行性分析和建议
·出具律师尽职调查报告
·审核尽职调查材料
·参加、列席相关谈判、会议
·出具法律意见书
·相关法律文件及其他文件资料拟订、审查、修改
·信托项目跟踪法律顾问服务
·与信托项目有关的法律纠纷

三、律所荣誉

·2013 -2014 年度上海市文明单位
·2014 -2015 年度优秀连锁服务商
·上海市科学技术协会法律咨询委员会律师团成员
·第十二届华东律师论坛论文三等奖
·首届“长宁区百姓英雄”
·上海市五星级社会组织党组织
·长宁区第三届领军人才
·2013 年度“长宁区五四红旗团支部”
·2013 年度长宁区法律服务业先进行政人员
·2013 年度长宁区法律服务业拔尖专业团队
·2013 年度长宁区先进诉讼业务律师
·荣获“第五届上海市优秀青年律师提名奖”
·荣获“第一届上海律师学术大赛辩护词一等奖”
·荣获“第一届上海律师学术大赛代理词优秀奖”
·荣获“第一届上海律师学术大赛论文和调研课题报告优秀奖”
·荣获“长久相伴守护奖”(中国平安银行)
·荣获“2013 年度经济发展贡献奖”
·荣获“上海市专业服务贸易重点单位(法律服务类)”称号
·荣获“2013 年度招商银行信用卡中心风险管理部最佳合作律所”称号
·荣获亚洲公司/商业领先律师事务所称号
·荣获长宁区平安单位称号
·荣获浦东新区劳动关系和谐企业
·荣获“上海市中小企业发展服务志愿者”称号
·荣获长宁区司法系统“党的十八大报告和新党章”知识竞赛二等奖
·荣获 2013 年中小企业法律服务机构
·荣获 2011 -2012 年度上海市文明单位
·荣获 2011 -2012 年度长宁区文明单位
·荣获 2009 -2012 年长宁区优秀律师称号
·荣获上海市“两新”组织创先争优先进基层党组织
·荣获长宁区创先争优先进基层党组织
·荣获长宁区“两新”组织五星级党组织
·荣获“上海市十佳房地产律师事务所”称号
·荣获“上海市十佳律师事务所”称号
·荣获“服务世博先进律师事务所”
·荣获“服务世博先进律师”
·荣获“迎接建党 88 周年,走进上海世博会”长宁区律师党员知识竞赛二等奖
·颜学海律师获第十五届“上海十大杰出青年”称号
·上海交通大学凯原法学院教学实习基地
·荣获 2006 年度上海市司法行政系统先进集体
·海华永泰提交的《关于律师独立性的思考》一文荣获纪念律师制度恢复 25 周年“律师本质属性”优秀论文奖
·2003 -2004 年度上海市长宁区文明单位
·颜学海律师获第二届“东方大律师”称号
·颜学海律师获“上海市优秀律师”称号
·徐珊珊律师获第四届“上海市优秀青年律师”称号
·马靖云律师获第四届“上海市优秀女律师”称号
·颜学海律师获“上海市青联年度突出贡献奖”称号
·颜学海律师荣获“司法部律师行业党员律师标兵”
·冯加庆律师获“我看信托这十年”征文活动二等奖
·朱剑锋律师获“我看信托这十年”征文活动优秀奖

四、专业资质

海华永泰律师事务所及其律师具有资格包括:

1. 证券期货律师资格及证券期货从业资格
2. 涉外投资代理资格
3. 仲裁员资格
4. 重大工程招标投标服务资格
5. 国有资产界定律师资格
6. 国家工商行政管理总局代理人专业资格
7. 注册会计师资格
8. 集体科技企业产权界定资格
9. 外经贸部内部职工持股主协调律师资格
10. 上海股权托管交易中心会员资格
11. 国家工商总局商标局备案代理机构许可等

五、业务支持

高素质的律师团队是我们提供优质高效服务的坚强基石,科学规范的业务流程管理、积极严格的研习制度是我们提供优质高效服务的制度保证。

为保证向客户提供优质高效的法律服务,本所对其各项法律服务业务均制定有完善的业务流程规范。承办律师将按其业务操作规范,结合各客户的不同特点和要求,为客户提供优质高效的法律服务,并与本所各部门紧密配合开展工作。

另外,为不断提高我们的服务能力,拓展我们的服务领域,本所制定有严密的研习计划,定期进行业务学习研讨,及时掌握新的理论知识和实务经验,把握业界最新动向,并对前沿领域中的实务问题和立法完善进行积极地开拓探索。

六、我们承诺

我们致力于提供一流的严谨的专业法律服务。

我们承诺对在工作中接触、了解到的客户的商业秘密及技术资料予以保密。

七、业务领域

金融证券业务是海华永泰的另一个传统核心业务领域。海华永泰参与了众多境内机构首次公开发行、再融资、借壳上市等项目,积累了丰富经验且业绩优异。特别在境外上市领域,海华永泰已经成为业内提供境外上市法律服务最多的机构之一,上市地包括:美国、英国、新加坡、中国香港、马来西亚等。

另一方面,海华永泰还是私募基金法律服务的领跑者,为大量私募基金提供设立、投资退出等全程法律服务。我们不但在传统私募股权投资基金和风险投资基金领域有卓越的表现,我们还是私募房地产基金法律服务的创新者和

开拓者。

海华永泰作为在金融与证券法律服务领域颇有建树的律师事务所，已经为众多国内外客户提供过广泛而深入的相关法律服务。我们的客户包括：银行（建行、交行、招商银行、平安银行等）、证券公司（国泰君安、海通、申银万国、长江等）、信托公司（上国投、杭工信、华宝、交银信托等）、保险公司、基金管理公司及其他众多拟上市及通过其他方式融资的企业或机构。

海华永泰在境内外上市和私募基金方面拥有大量经典案例和成功经验，包括：华丽家族境内借壳上市项目、重庆民生轮船主板上市项目、力星钢球境内创业板上市项目、心连心化肥香港、新加坡双重上市项目、Z－OBEE 控股有限公司香港、新加坡双重上市项目、黑石基金中国首个人民币私募股权投资基金项目、平安资本投资滨地钾肥项目、复地集团私募房地产投资基金项目等。

服务范围：

·私募基金

·私募基金设立方案设计

·私募基金设立相关法律文件起草、修改及审核

·基金投资项目法律尽职调查

·基金投资项目投资结构安排与方案设计、修改及审核

·为私募基金退出设计方案等提供相应法律服务

·为基金投资出具专项法律意见/设计方案等

·资本市场

·上市改制与重组方案设计

·境内外首次公开发行法律服务

·上市公司再融资

·境内外借壳上市法律服务

·上市公司兼并、重组及股权分拆、回购法律服务

·上市公司治理结构法律服务

·管理层/员工股权激励计划设计

·协助上市公司信息披露

·银行与保险

·银团贷款法律服务

·并购贷款法律服务

·融资租赁法律服务

·保险法律服务

·信用卡法律服务

·债务重组与不良资产处置法律服务

·债券发行法律服务

·金融衍生品法律服务

·信托业务

·为信托项目的框架方案提供合法合规性、可行性分析和建议

·出具律师尽职调查报告

·审核尽职调查材料

·参加、列席相关谈判、会议

·出具法律意见书

·相关法律文件及其他文件资料拟订、审查、修改

·信托项目跟踪法律顾问服务

·与信托项目有关的法律纠纷

地址：浦东新区东方路 69 号裕景国际商务广场 A 座 15 楼

电话：021－58773177

传真：021－58773268

邮编：200120

江苏世纪同仁律师事务所

一、基本概况

江苏世纪同仁律师事务所是中华人民共和国（大陆地区）最早设立的律师事务所之一。数十年来，世纪同仁致力于为中外客户提供一流的商业与诉讼法律服务，以勤勉、专业、高端的运作理念臻至江苏律师界领先地位，部分业务居全国律师界之前列。

二、同仁历史

1984 年，经国家司法部批准，世纪同仁的前身“江苏对外经济律师事务所”创立，它作为江苏第一家以“律师事务所”命名的律师事务所直接隶属于江苏省司法厅，由时任江苏省律师协会秘书长、江苏省政协社会法制委员会主任、全国人大代表汪洋先生担任主任。汪洋先生的继任者是江苏省律师协会原副会长、“全国首届十佳律师”、现博士生导师张国平先生。

1997 年，世纪同仁由“江苏对外经济律师事务所”更名为“江苏同仁律师事务所”。2000 年，同仁所改制为一家合伙制律师事务所，同时更为现名。目前，中华全国律师协会原副会长、现江苏省律师协会会长王凡先生担任世纪同仁的主任。

三、同仁荣誉

2015 年，被江苏省律师协会省直分会评为（2014－2015 年度）省直优秀律师事务所。

2014 年，被江苏省律师协会省直分会评为（2013 年度）先进集体。

2011 年，本所荣获第一届《新财富》最佳发行人律师奖。

2009 年，被江苏省司法厅评为先进党支部。

2008 年，被中华全国律师协会评为"2005 年－2007 年度全国优秀律师事务所"称号。

2005 年，被中华全国律师协会评选为全国优秀律师事务所。

2004 年，被江苏省律师协会省直分会评为（2003 年度）先进集体。

2003 年，被江苏省律师协会省直分会评为（2002 年度）先进集体。

2002 年，被江苏省律师协会省直分会评为（2001 年度）优秀律师事务所。

2001 年，被江苏省司法厅、江苏省律师协会评为江苏省直律师事务所 2000 年度先进集体。

1999 年，被江苏省精神文明建设指导委员会授予江苏省文明单位（1997 年、1998 年）荣誉称号。

1999 年，被江苏省司法厅授予“三优三满意”先进集体。

1998 年，被江苏省司法厅授予集体二等功。

1998 年，被江苏省司法厅评为厅机关三优三满意文明单位。

1998 年，被司法部授予部级文明律师事务所称号。

1996 年，被司法部评为全国法律服务行业文明服务窗口。

四、业务领域

·金融证券法律事务

参与股份制改组、企业重组、在境内外公开发行股票、债券的法律事务并制作有关法律文件；参与国际信贷法律事务；为国际信贷项目出具法律意见书；参与各类与贷款有关的抵押、担保的法律事务和制作法律文书；参与国际融资租赁和转

租赁的法律事务并制作法律文件。

·公司及投资法律事务

参与内资企业、三资企业及境外投资的项目投资可行性研究，编制、审查法律文件，代办设立公司的注册等法律事务；参与股权转让、资产并购、合并、设立、分立、清算、破产的法律事务并制作有关法律文件。

·诉讼及仲裁法律事务

代理各项涉外和国内的投资、贸易、信贷、行政、房地产、知识产权、金融证券、海事、海商等纠纷的调解、仲裁和诉讼。

·诉讼及仲裁法律事务

代理各项涉外和国内的投资、贸易、信贷、行政、房地产、知识产权、金融证券、海事、海商等纠纷的调解、仲裁和诉讼。

·知识产权法律事务

参与专利、商标等各类知识产权的法律事务并制作有关法律文件。

·贸易法律事务

参与商品贸易、服务贸易等各类内、外贸易法律事务并制作有关法律文件。

五、同仁团队

世纪同仁期望保持在中国律师界的领先地位，并争取更大的荣誉。世纪同仁相信不断选拔高素质的专业人才能让我们如愿以偿。世纪同仁的律师大部分毕业于中国一流的法学院。我们重视普遍的国际化趋势，世纪同仁曾委派十多人赴美、英、德、新加坡、香港等国家和地区学习、工作，他们中很多人获得英、美著名法学院硕士以上学位。

多名世纪同仁的律师在中国最权威的律师行业组织中任职。除主任合伙人王凡律师外，世纪同仁的律师先后担任着江苏省律师协会及其直属分会多个专业委员会的领导职务，他们同时也享有“全国十佳律师”、“江苏省知名律师”和“江苏省省直十佳律师”等荣誉，成为江苏法律界具有开拓性的专业人士。世纪同仁的朱增进律师因他在证券法律专业的资深地位，于2009年成为中国证监会第一届创业板发行审核委员会专职委员。

六、同仁业务

尽管世纪同仁的前身是一家专业、高端的商务法律服务机构，但经过数十年的发展，我们已成为一家具有商务特色的综合性律师事务所。我们以同样优良的品质为客户提供诉讼和非诉讼法律服务。

七、同仁特色

诉讼及非诉讼、金融证券法律业务为世纪同仁的特色。

在诉讼领域，世纪同仁具有多名经验丰富的律师，承办了数十起在江苏乃至全国都有重大影响的诉讼和仲裁案件。

非诉讼业务领域，是世纪同仁日常工作中广泛参与并从事工作，为诸多内、外资企业办理了涉及公司法律业务、银行法律业务、房地产法律业务、内/外贸法律业务、知识产权法律业务、海/商事等方面的法律业务，赢得客户高度肯定，法律顾问单位的数量及质量逐年增加。

在金融证券法律业务领域，世纪同仁拥有如下资质：

1993年3月，世纪同仁经国家司法部和中国证监会联合批准，成为全国首批23家具有从事证券法律服务资格的律师事务所之一。

2000年11月，世纪同仁经中国证监会核准，成为全国59家具有从事涉及境内权益的境外公司相关业务资格（境外上市）的律师事务所之一。

世纪同仁荣幸的成为中国银行间交易商协会会员，为众多客户提供融资债券发行等金融法律服务。世纪同仁办理了大量银团贷款、企业债券、中期票据及信托等金融类业务。

截至2009年12月，世纪同仁先后为中国大陆100多家企业股份制改造、资产重组和境内外发行、上市股票提供了法律服务。我们已为上市公司提供了多达99次的融资服务（包括IPO、上市公司再融资、重大资产重组和公司债券发行等），涉及63家企业，其中，包括中国电器连锁第一品牌“苏宁电器”、中国城市商业银行上市第一股“南京银行”和中国中西部最大直辖市“重庆银行IPO申报项目”等。

世纪同仁已成功办理完毕的证券业务数量在江苏律师界中一直保持较大优势的领先地位，在中国律师界也位居前列，2008年度更有幸成为全国十大证券律师事务所之一（全国排名第七）。

八、同仁愿景

世纪同仁伴随着伟大祖国改革开放和民主法制的进程，走过了近三十年的荣耀历程。根植于中国第二经济大省，荣居于大国崛起的时代，未来，我们无限期待；未来，我们任重道远。

我们的愿景：做具有专业特色的中国一流商务律师事务所。

地址：江苏省南京市中山东路532－2号金蝶科技园D栋五楼

邮编：210016

电话：025－86633108　83304480

传真：025－83329335

江苏永衡昭辉律师事务所

一、基本概况

永衡昭辉律师事务所是一家以商事法律服务为主，长期致力于金融证券、国际投资、知识产权等领域并提供全方位法律服务的律师事务所。

律所由黎民等五位合伙人于1997年10月创立，当时名称为南京永和律师事务所。2001年5月更名为江苏南京永衡律师事务所，2002年7月更名为江苏法德永衡律师事务所。2009年5月，经江苏省司法厅批准，江苏法德永衡律师事务所分立变更为江苏永衡昭辉律师事务所和江苏法德永衡律师事务所。

律所现有注册执业律师六十余名，其中三名一级律师、十余名二级律师，以及南京师范大学法学院七位教授（其中博士生导师六位）、八位副教授。本所多数律师拥有硕士学位，十六位拥有博士学位。本所既有众多具有二十年以上从业经验、精通中国法律实务的律师，也有一批拥有英、美、欧盟、香港等国家和地区学习培训经历、深谙国际商事法律和惯例的律师，并成为中国东部地区具有领先地位的律师事务所之一。

得益于中国著名的南京师范大学法学院的强力支持，本所在法律理论和实务的结合方面具有超卓的能力，不仅在前沿业务领域，而且在刑事、民事、行政诉讼等传统业务方面具有专业优势。同时，本所也是南京师范大学法学院的教育实践基地。

律所律师的法律服务赢得了客户的广泛赞誉，并获得了多项荣誉称号：2006年，本所获得《亚洲法律》杂志颁发的“年度最佳融资项目奖”；2007年，本所被《亚洲法律》杂志评选为“江苏省年度最佳律师事务所”；2013年，本所被《亚洲法律》杂志评选为“中国十大发展最快的律师事务所”；2008年，司法部授予本所“全国优秀律师事务所”荣誉称号。本所律师中有十余人曾被评为“全国十佳律师”、“江苏省十佳律师”、“江苏省知名律师”和“南京市十佳律师”，三人被评为江苏省首届十大杰出中青年法学家，一人获得全国十大杰出青年法学家提名；2011 年 11 月，南京市司法局授予本所“2008 - 2010 年度全市司法行政系统优秀律师事务所”荣誉称号；2012 年 2 月，南京市民营经济工作领导小组授予本所“2011 年度全市民营经济发展先进服务机构”荣誉称号；2012 年 3 月，江苏省司法厅授予本所”全省“双促双助”法律服务活动先进集体荣誉称号。

律所始终秉持“专业筹划、勤勉服务、团队智慧、成就价值”的理念，为客户提供大量优质高效的法律服务。

二、专业领域

证券与资本市场

证券法律服务一直是永衡昭辉的核心和优势业务之一。永衡昭辉的证券法律服务团队是经中国司法部及中国证监会批准，最早一批取得从事证券业务资格的专业律师。多年来，永衡昭辉的专业证券业务团队，已成功为多家海内外公司的股票首次公开发行及增发业务提供了全面法律服务。

提供的证券法律服务侧重于帮助客户达到公司证券发行、上市和公司治理的法规遵从性以及充分发挥公司的价值。

提供服务的项目：

·企业改制、重组

·股票境内外首次公开发行并上市（IPO）

·上市公司公开发行新股并上市、上市公司非公开发行股票并上市、配股

·公司债、可转换公司债券和可分离交易公司债券

·证券投资基金、产业投资基金

·企业债

在这一领域内的服务包括以下方面：

·法律尽职调查

·设计改制、重组方案

·起草、审查和修改发起人协议、章程、决议等相关法律文件

·协助建立和完善公司治理结构

·为证券发行出具律师工作报告和法律意见书

·协助拟定招股说明书等相关信息披露法律文件

银行和金融

永衡昭辉在银行和金融业务的法律服务方面处于业内领先地位。永衡昭辉的专业金融律师团队处理了大量的银行、信托、保险等金融业务，在银团贷款、信托计划、资产证券化等大型融资交易项目的法律服务方面具有丰富的专业知识，积累了大量的经验，并曾获得《亚洲法律》杂志颁发的“年度最佳融资项目”大奖。

提供的银行和金融服务的优势在于所提供服务的专业性。

提供服务的项目：

·银团贷款

·担保交易

·信用或抵押商业贷款

·票据

·资产证券化

·融资租赁

·保险

·资金信托、资产信托、股权信托

·债务重组和不良资产处置

·进出口信贷及其他贸易融资

·金融期货、期权及其他衍生产品交易

我们在这一领域内的服务包括以下方面：

·融资交易结构的设计

·法律尽职调查

·参与项目谈判

·起草、审查和修改融资法律文件

·出具法律意见书

电话：025 - 83193322

传真：025 - 83191022

君合律师事务所

一、基本概况

君合律师事务所成立于一九八九年四月十五日，是中国最早设立的合伙制律师事务所之一。自其成立以来，君合即致力于提供一流的商业与诉讼法律服务，其在中国律师业重建和发展过程中的先锋作用为业内所共知。历经二十几年的发展，君合现已成为一家提供全方位法律服务、在许多法律服务专业领域占据领先地位的律师事务所，并将继续努力不断提高其专业服务水平。

君合总部设于北京，在上海、深圳、广州、大连、海口、香港、纽约和硅谷设有分支机构。君合现有执业律师及其他专业人员五百多名，工作语言有中文（包括普通话、上海话、粤语）、英文、日文等。全所范围内一体化的计算机管理系统及一流的通讯设施，更从硬件上保证了君合可及时向客户提供高质量的法律服务。

君合在以其卓越的服务水准和出色的工作业绩获得客户高度赞誉的同时，还获得了国内外专业机构的认可和奖励。

君合是两大国际律师组织 MULTILAW 及 LEX MUNDI 中唯一的中国律师事务所代表。

二、丰富的业务经验

与大多数中国律师事务所不同，君合经受住了时间的考验并在经济变革及社会变迁的浪潮中坚持不懈。在中国改革开放之初，社会对成熟法律体制的需求日渐明显。君合的创始人迎合了这样的需求，并成为中国最早设立的私人律师事务所之一。

君合创业之初颇为不易。我们没有其他律师事务所的先例可以参考；君合本身就是一个先例。君合将私有化律师执业从例外变成了常规。如今，二十多年过去了，君合已经成为一家卓越的、全方位服务的律师事务所，在世界各地均设有分支机构。

管理及团队要成为一名出色的律师不仅仅需要积累经验。这同样需要正直、创新的思考能力以及团队合作的精神和素质。君合在聘用律师时十分看重这些素质和能力。从第一天始，君合的创始人坚信，君合事务所的大门永远向有潜力的律师开放。

君合依赖于这些有无限潜力的律师，以在所内建立一个良好的内部管理系统。团队合作是交易成功的基础。君合参与的国际商业交易往往十分复杂并涉及多个领域的法律问题。每一个交易都要求很多君合律师发挥其特长，也正是通过这样的合作，我们能够全面有效地为我们的客户提供服务。

三、尽职勤勉

仅仅看到自身需求的律师事务所是无法成为一个好

的律师事务所的。君合设立的宗旨永远是将客户的利益放在第一位，我们也因为坚守这一宗旨而知名于这个行业。九十年代，君合引入利益冲突检索规则，而这一做法后来为中国律师协会所采纳。律师与客户之间的忠诚往往是双向的，对客户持续的忠诚意味着客户对律师事务所持续的忠诚。君合每年获得的无数奖项见证了我们对这一原则的承诺。

四、创新的思考能力

君合许多律师海外的学习或工作经历，并将他们国际化的视角融入到中国法律体系中。数十年前，君合为新的商业交易建立了当时法律中并无先例的法律架构。

如今，君合超过90%的合伙人毕业于国外法学院或曾在国外生活、工作。我们对国外法律行业和国外商业模式有着很深的理解和认知。将来没有人能预测二十年后的君合会是如何，但我们拥有一个良好的基础继续保持君合领先律师事务所的地位。我们并非要成为最大的律师事务所；我们希望基于客户的需求去发展，而无损我们服务的质量。中国正发展为一个全球商业枢纽，君合愿为未来法律和商业发展开拓新的道路。

五、价值观和文化

君合的律师是一批热爱法律、相信法律价值的人。我们因为共同的梦想和追求而在共同建设一个共同的平台。

君子之合是君合创始人的理念，也是合伙人共同的理念。

我们相互了解、相互支持、团队协作，努力发挥出每个人特有的能力，共同创造一个令人舒适的、让人有高度荣誉感的文化环境。我们坚信，人是君合最宝贵的财富。所以，我们关心和注重每一个君合人的价值，渴望每一个人能在君合平台上发挥出他（她）的潜质和能力，实现自我的价值，也给客户和社会创造价值。

在这里，我们相互跟随，"群龙无首"，共同创造新的价值。同时，我们建构的是一个开放的文化，我们的大门一直向有共同梦想的法律人开放。君子之道，素履之往。

地址：建国门北大街8号华润大厦20层

电话：010－85191300

传真：010－85191350

信箱：junhebj@ junhe. com

邮编：100005

通力律师事务所

一、基本概况

通力律师事务所是一家定位于商业领域法律服务的中国领先律师事务所，在业界以坚持"优质服务"、"专业创新"、"专业分工、团队合作"和"注重青年律师培养"著称。其业务水准、专业性一直处于全国前列，历年来一直被境内外法律评级机构评为中国领先的律师事务所，并被中华全国律师协会评为全国优秀律师事务所，被誉为一家提供高质量法律业务、具有创新精神的精品律师事务所，在境内外享有良好的声誉。

二、理念

1. 服务于客户，实现交易

我们的宗旨是帮助客户实现其商业目的，我们的工作不仅是帮助客户避免风险，而且是解决问题，促使交易成功。客户的成功就是衡量我们成功的标准。我们富有实践经验且具有商业意识的律师团队正是通力与客户共同成功的最大保证。

2. 国际性的眼光与当地经验的结合

我们的合伙人和业务律师中许多人均具有在境外（美国、英国、法国、日本、香港、澳大利亚、韩国）从业、执业或接受教育和职业培训的经历。这些背景使得我们对于法律服务具有国际性的眼光并对跨国商业活动拥有更多、更深的理解。同时，作为中国这个新兴法律服务市场的参与者，我们在中国市场的执业实践，在本土市场上的扎根发展以及我们对中国市场和文化的了解和专业优势则是我们的立身之本。

3. 与市场同步发展

我们敏锐的市场意识和与政府机构良好的合作关系使得我们能充分关注活跃发展的市场动向，并始终透析最前沿的法律变革。我们始终坚持让客户了解最新的市场发展动态，以使得我们的客户能够清晰明确地把握随时涌现的商机。

三、特色

向客户提供优质服务的目标要求我们不断地增强律师个人专业素质和团队合作能力。为使我们的律师能持续地拥有最高标准的法律专业知识和实践经验，我们建立了具有明确针对性的、互动性的培训机制。同时，我们也聘请国际性的专业机构负责合伙人、业务律师和秘书的部分培训项目。我们坚信，我们的竞争力并不仅仅依赖于合伙人的能力，而是取决于事务所的每位成员。

我们先进的高科技设施和通讯设备创造性地改进了我们与客户协同工作的方式。通过不断地提高我们的效率和反应能力及以法律简报、专题报告、研讨会和集中培训等方式与员工和客户共享法律信息，我们始终保持着对客户商业需求的高度关注，从而不断提高我们的竞争力。

1. 一体化的合伙

我们的成长依赖于全体合伙人、业务律师和辅助人员的倾力奉献和通力合作。我们依赖并重视事务所的每一成员。怀着这样的信念，我们坚定不移地走事务所一体化的道路，为客户提供一体化的服务。

2. 一体化的执业模式

执业水准的一致性、人员的稳定性以及视野、经验、专业诀窍和资源的共享一直是通力努力的方向。我们所有的客户均能不受时空限制而与我们的律师取得联系并获得服务。我们在一个办公地点的律师经常与其它办公地点的各个领域的律师通力合作，使我们的客户均能在不同的地方获得同样质量的法律服务。

3. 跨专业服务方式

为满足不断提高的处理复杂和专业交易的要求，我们建立了覆盖银行金融、资本市场、公司以及诉讼仲裁等领域的专业部门。与此同时，客户的需求也使我们比以往任何时候更加注重专业部门之间的合作。例如，我们一些银行金融的律师正与收购兼并的律师合作一些金融机构的并购交易。

4. 充满活力的事务所文化

人才是我们最有价值的财富。我们致力于建设培育精英、彰显才华、团队合作和忠诚守信的事务所文化。由于我们执业领域的多样性，我们十分重视培养年青业务律师在广泛执业领域的实践经验。我们的每一位业务律师均能与多位合伙人进行合作，从而有机会接触并学习多样化的业务知识、执业技巧和风格，获得迅速的成长。事务所因而保持不断的活力。

四、服务

1. 服务无界限

随着我们在全国范围内业务参与的不断增加和处理重

大复杂交易能力的声誉的逐渐增强，通力经常性地成为客户全国性业务活动中的首选中国律师事务所。由此，我们的执业范围绝不仅限于我们已设有或将设有办公地点的城市。通力可在客户需要我们出现的任何地区提供法律服务。通力植根于上海和北京，但我们清楚地意识到，通力的未来植根在每一个客户需要我们法律服务的地区。

2. 文化和语言

当我们代表在中国投资的国际客户或在海外投资的国内客户进行跨境交易时，除了提供法律服务，我们还经常为处于不同的法律和商业背景的交易各方沟通起到了桥梁作用。我们拥有精通英语、法语、日语和韩语的律师和一支训练有素的翻译队伍辅助律师的工作。

3. 国际协作

作为一家拥有众多国际客户并经常参与跨国交易的律师事务所，我们与在纽约、伦敦、巴黎、东京、香港、新加坡和首尔等国际金融中心及其它世界主要城市的国际性律师事务所建立了长期、良好、紧密的合作关系。在跨国交易中，我们可根据客户的要求，利用上述广泛的国际协作关系，为我们的客户提供最可信赖的法律服务。

4. 收费政策

我们充分意识到收费政策对于客户的重要性并充分关切客户的利益，基于此，我们总能为客户提供灵活而创新的价格政策和收费模式。同时，我们力求通过建设一流的专业数据库、建立合理的团队合作及分工机制和加强与客户有效的交流降低我们的服务成本。

5. 通力业绩

我们对市场的理解以及自身的创造力使得我们能够最大程度地实现客户的要求，同时也缔造了一系列开创性的交易：

· 第一个外资银行与中资商业银行战略合作项目

· 第一个合资汽车金融公司项目

· 第一只开放式基金、第一只指数基金、第一只货币市场基金

· 第一批海外 QDII 基金、第一批中外合资基金管理公司

· 第一个民营商业银行上市项目

· 第一个汽车行业海外整车购并项目

· 第一批分离交易可转换公司债券项目

· 第一个真正实现销售的资产证券化项目

· 第一个 06 新规后通过反垄断调查程序的外资并购中国上市公司项目

· 第一家消费金融公司设立项目

五、社会责任

作为一所具有高度社会责任感的律师事务所，我们始终以各种不同方式积极投身于社会公益事业。同时我们也一直大力支持本所律师参与各种公益活动。

我们经常为各种慈善机构和非政府组织提供公益法律服务，同时也积极走进社区，为广大市民提供免费的法律咨询、参与社区法制宣传、举办法律讲座、协助调解民间纠纷、提供法律援助。

多年来我们也积极参与文明路口值勤及义务献血工作从无间断，踊跃报名为社会公益事业多做一份贡献。

我们也拨出专门经费，用于切实担负起社会责任，“学习雷锋、奉献爱心”，积极参与支援贫困家庭学生，主动捐款援助灾区困难群众。

我们长期以来一直致力于服务社会，这来源于我们对自己多重职业使命的坚信。

六、专业领域

1. 银行与金融

银行与金融业务是通力从事的核心业务领域之一。通力所代表的客户包括中外资银行、其他金融机构、借款人、项目发起人和出口信贷机构等。我们的服务包括尽职调查，起草交易文件，参与谈判，协助客户办理必要的批准、登记、备案以及出具法律意见书。我们曾与所有类型的当事人合作，因此我们更加全面地理解此领域涉及的各类交易。

通力与中国银行业监督管理委员会、中国人民银行、国家外汇管理局等相关政府机构建立了紧密的工作关系，这种工作关系有益于所有业务领域的客户，尤其是银行金融客户。我们经常代表客户处理与这些机构的事务，同时协助客户遵守中国金融服务业的各种监管规定。与政府机构建立的紧密关系有助于我们为客户提出建议，提请客户关注最新的监管动态及其对客户开展业务的影响。

通力对中国法律和国际上通行的项目融资操作惯例都有深入了解。我们经常性地处理跨境多币种的交易。在介入复杂交易时，我们重视交易管理的重要性，所以总是力求为交易寻求快捷和满意的解决方案。

通力代表金融机构在重组、收购兼并等方面也累积了丰富的经验。

通力起草并制作的中英文文件既能符合当中国法律的规定及监管部门的要求，也符合国际上的标准。

通力在该领域的主要业务包括：

· 收购融资

· 公司借贷

· 衍生品和结构性产品

· 出口信贷

· 一般银行业务

· 收购兼并

· 项目融资

· 私人银行业务/零售银行业务

· 重组

· 结构性融资

· 贸易融资

2. 资本市场/公司融资

通力律师事务所在中国资本市场业务领域居于领先地位。作为境内外发行人或国际和国内承销商的法律顾问，本所律师为诸多首次公开发行股票、上市公司再融资、公司债券以及可转换债券发行等境内外证券发行项目提供高质量的法律服务。作为境内外上市公司或行业领先企业的法律顾问，本所承办了众多在市场中具有深远影响和知名度的上市公司收购、重大资产重组、借壳上市等项目。除此之外，我们还帮助客户顺利完成了多项非金融企业债务融资工具的发行、在全国中小企业股份转让系统挂牌并公开转让等涉及资本市场的项目。我们的经验以及创造力使得我们能够最大程度地实现客户的要求，同时也缔造了一系列创新性的交易，例如，? 代表国际炊具巨头法国 SEB 集团(法国上市公司)以要约、非公开发行以及协议入股方式战略收购苏泊尔(A 股上市公司)项目，该项目创造了中国证券市场多项第一。

我们和中国证券监督管理委员会、商务部以及其他中央及地方的政府部门建立良好工作关系。本所的合伙人曾经担任或正在担任中国证券监督管理委员会主板股票发行审核委员会委员、中国证券监督管理委员会创业板股票发行审核委员会

委员、中国证券监督管理委员会上市公司并购重组审核委员会委员、上海证券交易所上市咨询委员会委员、深圳证券交易所上市委员会委员、中国银行间市场交易商协会债务融资工具注册专家以及中国银行间市场交易商协会第一届信用评级委员会委员。这些紧密的合作关系使我们能够理解这些部门在监管中国不断变化的资本市场时所逐渐形成的标准，也使得我们能够预见其变化并迅速解决监管或执行上的问题。

通力在该领域的主要业务包括：

·首次公开发行股票

·上市公司公开发行股票（包括向原股东配售股份、发行可转换公司债券等）

·上市公司非公开发行股票

·上市公司重大资产重组

·上市公司权益变动、收购及反收购、要约豁免

·非金融企业债务融资工具发行

·股票在在全国中小企业股份转让系统挂牌并公开转让

·其他涉及证券发行和资本市场之交易

上海：

地址：上海市银城中路 68 号时代金融中心 19 楼

邮编：200120

电话：021 – 31358666

传真：021 – 31358600

邮箱：master@ llinkslaw. com

北京：

地址：北京市建国门北大街 8 号华润大厦 401 单元

邮编：100005

电话：010 – 85192266

传真：010 – 85192929

邮箱：master@ linksaw. com

香港：

地址：香港中环花园道 3 号中國工商银行大厦 1503 – 04 室

电话：00852 – 29695300

传真：00852 – 29973385

邮箱：master@ llinkslaw. com

天衡联合律师事务所

一、基本概况

天衡联合律师事务所是一家立足于海峡西岸的高端商事律师事务所，在福建厦门、上海浦东、福建福州、福建泉州、福建龙岩设立五个大型办公室，办公面积近 7000 平方米，拥有员工近 300 名，拥有执业律师近 200 人，2014 年名列 ALB 中国律所规模排名第 23 位。天衡的业务年收入自 2001 年起在业内一直稳居福建省首位，2014 年度实现业绩破亿，成为福建地区唯一的亿元所。

二、天衡的服务能力

天衡律师长期致力于为客户提供高效、专业、务实的综合解决方案，在资本市场与金融、并购重组、房地产与建筑工程、政府法律顾问、劳动及 HR、互联网、家族财富传承、海事海商、海外投资、知识产权、刑事等领域的法律服务水平处于地区领先地位。

三、天衡的国际业务协作体系

天衡与全国各省领先的律师事务所及国际律师事务所建立了中世律所联盟（SGLA），为客户提供境内外跨区域的高质量法律服务。此外，天衡还与中国香港、中国澳门、中国台湾、新加坡、欧盟、美国、加拿大、澳大利亚等国家和地区的律师事务所建立了广泛的合作关系。

四、天衡的业绩

天衡业绩自 2001 年起至今稳居福建省首位，并且在客户的信任与支持下，以年均超过 20% 的增速快速发展，在 2014 年成为福建首家亿元所。国际权威评级机构《亚洲法律杂志》（ALB）多次将天衡评为："中国十佳成长律所"，并跻身"中国最大律所前 30 名"。

五、天衡的服务理念

"管理风险，创造价值"是天衡的服务理念。重大项目往往投资数额大、周期长、涉及主体众多、流程较为复杂，法律风险多样且非常复杂，法律意识及合同管理水平都可能埋下难以预测的法律风险。法律风险带来的损失不仅是财产损失，也同时在时间成本、精力投入、企业及个人声誉方面带来难以估量的负担。

天衡律师团队具有丰富的项目风险管理经验和相关资源，在快速反应能力及预防风险发生等方面都有无法比拟的优势，能有效的防范及减低法律风险并在法律风险发生后尽快争取到有利的解决结果，实际上就在为客户创造有形和无形的价值。

六、专业领域

·资本市场与金融

资本市场与金融是天衡的一项核心业务，在资本市场方面，天衡不仅在 IPO、新三板业务中表现突出，而且在重大资产重组及上市公司证券服务方面拥有全国领先水平的专家团队。2015 年度，天衡位居福建省新三板服务推荐挂牌律所第一名。天衡汇集了一批理论功底扎实、实践经验丰富的证券与金融律师，组成专业服务团队。天衡还是两岸资本市场服务联盟的发起单位之一，与合作伙伴一起促进两岸资本市场服务市场的发展。

天衡在金融领域的主要服务对象为：银行、保险公司、信托公司和广大金融投资者。本所从事金融业务的律师均具有较高的法学理论素养和丰富的律师执业经验，此外还配备了具有专业外语水平的执业律师，能熟练运用英语为中外客户提供中、英文法律服务，并可令您随时了解有关中国和国际银行业和金融投资的最新法律动态。天衡专业金融律师团队谙熟中国公司法、证券法等相关证券法律法规和政策，从整体方案设计到具体法律障碍的排除均有一套独到的经验。

天衡在此领域提供的专业服务主要包括：

·改制与重组方案设计

·法律审慎调查

·协助拟订重组协议、股东发起人协议、关联交易协议、公司章程以及其他相关法律文件

·协助建立并完善公司法人治理结构

·协助拟订招股说明书等信息披露文件

·出具法律意见书

·债务重组和不良资产处置

·资产证券化和融资租赁

·金融期货、期权及其他衍生产品交易

·公司境内股票发行及上市或挂牌（主板、中小板、创业板、新三板）

·境外股票发行及上市

·公司地方场外交易市场公司挂牌融资

·公司境内外债券发行及上市

·公司融资（风险投资、PE 投资、战略投资）

·私募股权基金的发起设立

·上市公司常年法律顾问(公司治理、信息披露、关联交易、股东大会见证)

·税务筹划及财富管理

·商业贷款、银团贷款、信用贷款和抵押贷款

·债券发行

·进出口信贷及其他贸易融资。票据和信用证法律服务

·飞机、船舶和大型通用机器设备租赁融资

·能源和基础设施项目融资

·金融资产管理和债务重组

·金融衍生产品交易法律服务

·金融诉讼及银行不良债权清收。

厦门:

地址:厦门市思明区厦禾路666号海翼大厦A栋16、17层

邮箱:361004

电话:0592－5883666

传真:0592－5881668

邮箱:public@ tenetlaw. com

泉州:

地址:泉州市浦西万达广场写字楼甲B41层

邮箱:362000

电话:0595－2218260

传真:0595－22182703

邮箱:public@ tenetlaw. com

福州:

地址:福州市广达路108号世茂国际中心10楼

邮箱:350000

电话:0591－83810300

传真:0591－83810301

邮箱:public@ tenetlaw. com

龙岩:

地址:龙岩市新罗区华莲路55号紫金大厦13层

邮箱:364000

电话:0597－2297688

传真:0597－2230266

邮箱:public@ tenetlaw. com

上海:

地址:上海市浦东新区浙桥路277号3幢1519室

邮箱:200122

电话:021－58364666

传真:021－58364666

邮箱:public@ tenetlaw. com

六和律师事务所

二、基本概况

六和律师事务所成立于1998年11月,是大型合伙制律师事务所,系全国优秀律师事务所,全省唯一一家被浙江省人民政府评为"浙江省服务业重点企业"的律师事务所。总所位于杭州,并在舟山、义乌设有分所。

六和律师事务所具备从事证券法律业务资格、中国银行间市场交易商协会会员资格。连续多年被亚洲法律界权威的法律杂志ALB提名为"浙江律师事务所年度大奖";曾入选ALB年度"中国发展最迅速的十家律师事务所"以及ALB年度"中国最大的二十家律师事务所";2011年荣获ALB年度江浙两省唯一一家"长江三角洲地区律师事务所大奖";曾荣获ALB"中国银行业律师事务所"提名奖。被浙江省律师协会评为"浙江省服务经济建设突出贡献律师事务所";被浙江省金融办评为"优秀证券中介机构";被杭州市委、市政府评为杭州市"社会责任建设先进企业";被杭州市人民政府评为"杭州市中介服务业示范企业(机构)";入选"杭州市最大规模服务业企业百强榜";被共青团中央、司法部评为"青少年维权岗"等等。在全省一千多家律师事务所中,无论是业务总量、人员规模、律师素质,还是综合考评、社会知名度等,六和律师事务所均名列前茅。

六和律师事务所现有执业律师、律师助理等200余名,分别来自全国20多个省市,其中半数以上具有研究生学历,部分律师拥有注册会计师、税务师、工程师、经济师、专利代理人等专业资格。六和律师事务所内设:公司法律业务部、证券法律业务部、金融与保险法律业务部、基础设施与建筑房地产法律业务部、国际法律业务部、知识产权法律业务部、刑事法律业务部、民商事法律业务部、行政法律业务部、劳动人事法律业务部、能源法律业务部、互联网与电子商务法律业务部、政府法律顾问业务部、法律体检中心等十四个业务部门(中心),以及研究室(信息与宣传中心)、客户部、行政办公室等业务支持部门。

六和律师事务所以"依法执业、规范治所、质量立所、品牌兴所"为治所方略,以"高层次、规模化、国际化"为发展目标,以"专业分工、团队合作、优质高效"为服务特色,以提供常年法律顾问服务为基础,以非诉讼法律业务为重点,以学者型的严谨态度、专家型的服务水平、团队型的服务方式,为客户提供个性化、专业化的法律解决方案,让律师成为客户"经营的参谋,法律的顾问"。

迄今为止,六和律师事务所已与金融机构、企事业单位、政府机关、社会团体等系统的1000多家客户建立了稳定的法律服务关系,并力争为更多的客户提供优质、高效、规范的法律服务。

二、荣誉成绩

2014年,荣获ALB(《亚洲法律事务杂志》)2014年度"长三角律师事务所"提名奖;

2014年,再次作为全省唯一一家律师事务所被浙江省人民政府列为浙江省服务业重点企业;

2014年,荣获2013年度中国连锁金麒麟奖"最佳服务商"奖;

2014年,被共青团中央、司法部评为"青少年维权岗";

2014年,被杭州市司法局评为"杭州市律师事务所2013年度考核先进单位";

2014年,荣获2012－2013年杭州市统计诚信单位;

2014年,被浙江股权交易中心评为"2014年度最佳专业服务商会员"、"2014年度优秀会员";

2012年,本所总分所分别被省司法厅评为"浙江省服务中小企业优秀律师事务所";

2012年,荣获ALB(《亚洲法律事务杂志》)年度"长江三角洲地区律师事务所大奖"

和"中国银行业律师事务所"两项提名奖;

2011年,荣获ALB(《亚洲法律事务杂志》)年度"长江三角洲地区律师事务所大奖";

2010年,作为全省唯一一家律师事务所被浙江省人民政府列为浙江省服务业重点企业;

2010年,入选《亚洲法律事务杂志》(ALB)评出的"2010

年度中国发展最迅速的十家律师事务所”

和“2010 年度中国最大的二十家律师事务所”；

2008－2010 年连续三度荣获《亚洲法律事务杂志》（ALB）“浙江律师事务所年度大奖”提名；

2010 年，被浙江省律师协会评为“浙江省服务经济建设突出贡献律师事务所”；

2010 年，被中共杭州下城区委、区政府授予“杭州市下城区行业龙头企业”称号；

2010 年，被厅直属机关党委授予“先进基层党组织”荣誉称号；

2010 年，舟山分所被舟山市司法局评为“舟山市司法行政系统先进集体”；

2010 年，义乌分所被义乌市司法局、义乌市律师协会评为“2009 年度优秀律师事务所”；

2009 年，被中共杭州市委、市政府评为杭州市“社会责任建设先进企业”；

2009 年，被杭州市人民政府评为“二○○八年度杭州市中介服务业示范企业（机构）”；

2009 年，入选“2009 年杭州市最大规模服务业企业百强榜”；

2008 年，再次被中华全国律协评为“全国优秀律师事务所”；

2006－2008 年连续三度被浙江省金融办评为“优秀证券中介机构”；

2008 年，被中共杭州下城区委、区政府授予“杭州市下城区骨干企业”称号；

2005 年，被中华全国律协评为“全国优秀律师事务所”。

三、六和业务

六和律师事务所于 2001 年取得从事证券法律业务资格，并连续多年被浙江省金融办评为“优秀证券中介机构”。六和所公司与证券法律业务部则由熟悉公司、证券法律，具有丰富实务经验的律师组成，目前共有律师和助理近 90 人。

公司与证券法律业务之内容介绍

公司与证券法律业务部主要为客户的如下事项提供法律服务：

1. 股票发行与上市

包括但不限于：

企业股票的境内发行与上市，配股、增发新股；

企业债券及短期融资券、中期票据等非金融企业债务融资工具的发行与上市；

公司债券的发行与上市，可转换公司债券的发行与上市；

境内企业到境外交易所发行和上市股票；

涉及境内权益相关的境外公司在境外发行股票。

2. 公司的设立及治理结构的完善

有限责任公司、股份有限公司的设立：

参与方案设计，参加公司组建谈判，制作公司发起人协议、章程，办理公司注册登记手续等。

公司股东大会见证；

规划公司股权结构、法人治理结构、认股权制度设计；

担任公司法律顾问，协助公司规范公司治理结构，审查、修改上市公司信息批露的法律文件等；

为公司设计股份期权、管理层收购（MBO）、职工持股计划等方案。

3. 公司股份制改制

参与改制方案设计，参加公司改制的相关洽谈，制作公司发起人协议、章程，办理公司注册登记手续等。

调查、规范、调整公司债权债务、知识产权、税收、环保、独立性、业务、财产、关联交易、同业竞争、高级管理人员、组织机构等方面的情况。

4. 兼并、收购与资产重组

参与公司兼并、分立、资本调整及其它重组交易、战略投资等：

参与公司收购与资产收购的方案设计，就兼并与收购所涉及的任何财产权利、债权债务等问题进行谨慎调查；

就收购和兼并涉及的投资、证券、资产评估、外汇、税务及诉讼等提供法律咨询，出具法律意见书；

参加相应谈判，制作协议、合同等法律文件；

协助客户申请和取得政府部门对有关兼并和收购交易的审批和登记手续等。

5. 公司股权转让、质押和收购

参与公司股权转让、质押方案设计，参加谈判，制作股权转让、质押文件，办理相应的登记手续等。

为公司的股份回购、分拆上市、股权委托经营、股权信托等提供法律服务；

为公司的股权转让、国有股划转等提供法律服务，出具法律意见书、协助起草有关法律文件；

在反并购业务中协助客户强化预防策略，制定反兼并收购策略。

6. 债务重组、破产和清算

向债权人提供有关破产的法律咨询；

参加债权人和债务人之间的谈判；

制作相关法律文件，包括重组协议、债务协议、和解协议、破产申请、同意函、弃权书、董事会决议、授权书及公司治理文件等；

对债务人破产财产的清算、评估、处理、分配过程中的有关问题提出法律意见；

参加诉讼或仲裁以及执行程序等。

7. 产权界定

为产权界定、产权重组、产权交易等提供法律服务，出具法律意见书等。

8. 配套法律服务

配套向客户提供关于知识产权、劳动人事等相关方面的法律服务。

9. 其他公司与证券法律业务

公司与证券法律业务之优势

六和所在开展股份制改制、股票发行上市等的证券法律业务过程中，形成了自己鲜明的特点和风格：

1. 广泛的社会资源

六和所结合全国优秀律师事务所和一百多名律师所拥有的整体公共关系，倾力服务证券法律业务项目，保持着与相关政府管理部门之间通畅、良好的关系。因此，六和律师服务的股票发行项目至今保持着全部获得核准的记录。

六和是浙江省内知名综合性律师事务所，在公司、证券、银行与保险、诉讼仲裁、知识产权及国际贸易与政府事务等各项主要律师业务中均居于领先地位。六和所以一个大型律师事务所的整体资源服务于客户，能够确保在法律服务过程中人员的统筹安排、资源的有机整合、经验的充分共享。

2. 卓有成效的合作机构

在长期从事证券法律业务的过程中，与众多的保荐机构、会计师事务所、资产评估机构等中介机构共事，积累了丰富的与中介机构合作的经验。这一优势能够确保我们在项目过程中迅速进入角色，与各中介机构建立起分工明确、各司其职、各负其责同时又相互配合、相互支持、相互理解、充分沟通的业务关系，保证整个项目在融洽、和谐的氛围中富有效率地推进，实现客户利益的最大化。

3. 战略投资者的增值服务

同时，六和所能在客户需要时提供富有实力和特点的战略投资者，诸如中外知名投资基金、产业基金、投资公司等。他们的参与，不仅可使贵公司获得一定数量的投资资金，而且可以优化股权结构、改善财务结构、提升公司形象、借鉴产业经验等。

4. 资深、专业的服务律师

六和所安排了专业、资深的律师从事证券法律业务，并为每个证券项目提供团队式的法律服务，充分确保每个项目的法律服务时间，有效地控制了上市风险，提升上市成功概率。

5. 丰富的涉外工作经验

六和所设立有国际法律业务部，并开展了大量的涉外法律服务项目，积累了丰富的涉外工作经验，并与英国、法国、美国、欧盟等的各类中介机构保持有良好的合作关系。六和律师将为公司提供涉外法律事项或者为境外上市提供专业的法律服务。

公司与证券法律业务之主要业绩介绍

六和在承办企业上市法律业务领域中颇有建树，曾先后承担了浙江华峰氨纶股份有限公司（为温州第一家民企上市公司）、晋亿实业股份有限公司（当时募集资金省内第一）、浙江网盛科技股份有限公司（为第一网络股）、浙江天马轴承股份有限公司（为深交所发行第一高价股）、浙江方正电机股份有限公司、浙江万里扬变速器股份有限公司、南京中电联环保股份有限公司、浙江道明光学股份有限公司等公司首次公开发行股票并在深圳证券交易所中小板（创业板）上市的法律服务，并正在参与众多中小型企业改制和上市的法律服务，在中小企业上市法律服务方面具有丰富的经验。

六和律师近几年来积极拓展公司证券等法律服务领域，另外经办了包括但不限于如下证券发行及资产重组项目：

·浙江某药业有限公司改制上市项目

·铜陵某水泥股份有限公司改制上市项目

·南京某电力集团有限公司改制上市项目

·浙江某集团有限公司改制上市项目

·浙江某缝纫机股份有限公司改制上市项目

·浙江某滤清器有限公司改制上市项目

·浙江某反光材料有限公司改制上市项目

·杭州某机械有限公司改制上市项目

·某阀门有限公司改制上市项目

·浙江某无油润滑轴承有限公司改制上市项目

·浙江某化工有限公司改制上市项目

·浙江某阀门集团公司改制上市项目

·某稀有金属新材料股份公司改制上市项目

·某电气公司亚洲水电设备公司重组项目

·某石化公司浙江重组项目

·上海某公司改制上市项目

·某控股有限公司香港上市项目

·某公司在英国伦敦 AIM 市场上市融资项目

·重庆某股份有限公司公司在香港上市项目

·美国某上市公司境内整体收购项目（四个）

·浙江某集团公司收购上市公司四川某国家股权项目（第一大股东）

·浙江某集团公司收购四川某股份国家股股权项目（第一大股东）

·浙江省某风险投资公司出让上市公司国有股项目

·浙江省某风险投资公司出让某证券公司国有股项目

·浙江省某风险投资公司参股某上市公司股份并改制上市项目

·浙江某信息技术股份有限公司的发起设立项目

·浙江省某信托投资股份公司重新登记出具法律意见书项目

·浙江某城市信用社股改项目及改制为商业银行项目

·东阳某集团公司股改项目

·浙江某药业集团公司股改项目及与 Apotex 合资并购项目

·海南某植物园（事业单位）股改项目

·浙江某石化公司的改制项目

·某市电力实业总公司改制项目

地址：杭州市求是路 8 号公元大厦北楼 20 楼

邮编：310013

电话：0571－85055613　87206788

传真：0571－85055877　87206789

邮箱：liuhe@ liuhelaw. com

网址：www. liuhelaw. com

邮箱：http://mail. icoremail. net

投诉电话：0571－87206700

天册律师事务所

一、基本概况

天册律师事务所（“天册”）始创于 1986 年，总部位于杭州，是中国成立最早的合伙制律师事务所之一。经过多年发展，天册已成为国内著名的大型律师事务所，在长三角地区处于领先地位，综合实力在浙江居于首位。天册同时获有中国律所的两项最高荣誉—中国司法部授予的“部级文明律师事务所”称号和中华全国律师协会授予的“全国优秀律师事务所”称号。

天册现有 170 余名专业人员，组成专业型和复合型的法律服务团队。天册律师大多数毕于国内外著名法学院，其中近二分之一的律师具有硕士以上学历或国际教育背景。天册有诸多律师还受过法律以外的专业教育；除律师资格以外，有 50 余名律师拥有其他专业资质如专利/商标代理、招投标、注册会计师、注册税务师等。目前天册有 25 名律师被聘为中国国际经济贸易仲裁委员会、上海国际仲裁中心、深圳国际仲裁院、杭州仲裁委员会及宁波仲裁委员会仲裁员。天册有多名律师担任省政府及地方人大立法专家和省高院咨询专家。

天册以市场经济主体为主要服务对象，核心服务领域为公司业务、金融证券、外商投资、国际贸易、房地产、知识产权及民商事诉讼和仲裁。天册与国际律师行以及国内各中心城市的优秀律所组建了业务协作和联营组织（即“中世律所联盟（SGLA）”），可以为客户开展境内外商务活动提供宽领域、高质素和跨地域的法律服务。

经过长期累积和磨合，天册形成了独特、深厚的文化，“和谐、专业、大气、进取”已成为天册的文化核心和价值理念。天册也将始终如一地以我们的专业和诚信服务于客户，在中国这一伟大的变革时代与客户共同成长，共创辉煌。

二、证券融资

天册是中国第一批获得证券业务资格的律师事务所之一。证券融资业务是天册的一项核心业务。我们已向众多的大中型企业提供证券融资法律服务，其中包括多项重大的和具有历史意义的企业股本融资项目；天册也成为在国内证券融资法律服务领域具有重要影响力的知名律所，并在浙江保持领先地位。

天册能为客户就各种证券融资业务提供专业的法律服务，并具有非常出色的实践经验，包括为A股、H股及红筹模式的发行上市、借壳上市、上市公司再融资、债券、可转换债券和存托凭证等各类证券融资项目担任发行人或承销商律师。

天册在证券融资领域的主要服务内容包括：

· 境内外股票发行和上市

· 境内外债券发行和上市

· 上市公司改制及重组

· 上市公司合规及公司治理

1. 并购

并购是天册的核心业务之一。我们在该领域具有深入而又全面的经验和技巧、非常出色的实践和显著的优势，并在浙江处于领先地位。

基于我们在各业务领域的专业经验，天册能深刻理解并购各方的商业目的和动机，并能从法律、商业、财务、税务、融资和企业战略等综合角度提供富有价值的意见或建议，同时结合我们在各领域的知识专长提供全面深入的专业服务，并帮助客户解决在并购中涉及到的各类法律问题和政府许可问题。天册代理的并购项目所覆盖的行业领域包括TMT、制造业、房地产、石化、教育、医药、服务等。

具体的并购类型包括如下各种形式的组合：

· 针对国有企业和私人企业的收购

· 对上市公司和非上市公司的收购

· 股权收购和资产收购

· 通过拍卖等公开程序进行的收购

· 外资并购

· 管理层收购

· 战略投资

2. 银行金融

银行金融是天册的一项重要业务领域。我们在该领域有着丰富的法律服务经验和专业的服务团队，并在浙江处于领先地位。天册不仅为银行等金融机构提供全面、综合、深入的法律服务，同时也为企业客户提供包括项目融资、国际商业贷款、贸易融资、对外担保等涉及各项银行业务的专业法律服务。

天册在银行金融领域的主要服务范围为：

· 一般性借贷

· 项目融资

· 银团贷款

· 国际商业贷款

· 债务重组

· 不良资产处置

· 国际贸易融资

· 票据及票据融资

· 外汇/外债

· 担保

· 私人银行业务

3. 私募股权投/融资

天册高度重视在该领域的法律服务，并已取得了丰富的实践经验和显著的服务优势。我们基于在并购、融资、上市和税务等方面的广泛而又深入的专业知识和经验，能充分理解各方的商业动机和价值目标，并充分考量各方的利益关系，从而能为客户提供创造性、灵活性和全面性的法律服务和建议。我们不仅为投资基金或机构提供法律服务，同时也为融资方提供服务；代理的私募股权投融资的项目涉及早期创业投资、成长企业投资、上市前融资等各个阶段。

天册在私募股权投融资领域的主要服务内容包括：

· 基金和基金管理公司的设立

· 基金对外投资和投资项目退出

· 基金和基金管理公司内部治理

· 企业私募融资

4. 信托

天册在信托领域处于领先地位，拥有非常丰富的实物经验和专业的服务团队。天册已成为多家大中型信托公司的法律服务合作伙伴，已为该等信托公司的数百个信托产品的发行和交易提供了专项法律服务，所涉投资包括房地产、证券、能源、股权收益权、大宗商品贸易、基础设施建设、文化产业等。天册在信托、基金的架构设计、法律文件的起草、税务筹划安排、投资机制的设计等方面能提供全面、深入、专业的法律服务。

具体的服务范围包括：

· 参与设计交易结构

· 法律尽职调查

· 起草交易文件

· 协助客户进行商业谈判

5. 保险

天册在保险领域的法律服务方面具有丰富的经验，为省里多家保险公司提供法律服务。

具体服务包括：

· 保险产品设计或与保险有关的融资产品的设计

· 合规审核

· 保险投诉

· 保险基金投资

· 保险公司收购兼并

· 保险公司及代表处设立

三、公司业务

1. 公司与商业

公司业务是天册的一项日常核心业务领域。在公司法律服务方面天册有非常广泛和深入的经验。我们为不同类型的，不同所有制和不同成长阶段的企业所涉及的各类公司业务提供全面和专业的服务。

天册在公司业务领域的主要服务范围及内容包括：

· 不同类型的公司、合伙企业、个人独资企业的设立方案

· 公司/企业设立登记服务

· 公司改制、重组

· 国有企业整体改制

· 公司治理

· 委托/信托持股安排

· 期权计划

· 劳动关系

· 公司的合并与分立

· 为企业日常运营、产权结构调整、重要规章制度建立、法律风险防范等方面提供持续性法律服务

・公司解散、破产重组及时清算金

2. 破产重整清算业务

天册作为第一批具有省级破产管理人资格的法律服务机构，在企业危机拯救与重整清算领域具有领先优势，已经承办了多个规模巨大且非常复杂的破产重组及清算项目。

天册的企业破产重整清算业务包括：

・受法院指定担任公司破产企业管理人

・协助破产企业维持其经营及营运价值，合并破产，制订重整、清算计划

・担任破产企业法律顾问

・代表债务人提出破产申请，制订重整、和解、自行经营等方案，为债务人在重整过程中的权益维护提供优质法律服务

・接收债权人委托参与破产程序

・接收战略投资者的委托，为其收购、重组破产企业提供法律服务

・为危机企业设计并执行企业自行重整的危机化解方案

四、天册荣誉

获中华全国律师协会 2005 - 2008 年度“全国优秀律师事务所”奖；

中华人民共和国司法部“部级文明律师事务所”（2000 年）；

获《亚洲法律事务杂志》（ALB）2012、2013 及 2014 年度长三角地区律师事务所年度大奖；

入选钱伯斯亚太地区领先商事律所客户指南；

获浙江省人民政府金融工作办公室“2007 - 2012 年度优秀证券中介机构”奖；

获浙江省工商行政管理局法律服务类“浙江省著名商标”；

获中共杭州市委、杭州市政府“2010、2011 及 2012 年度杭州市服务业企业 100 强”；

获中共杭州市委、杭州市政府“2006 年度杭州市现代服务业先进单位”；

获杭州市人民政府“2011 年度杭州市中介服务业示范企业（机构）”；

2004 年中国最具影响力的律师行业十佳品牌（世界著名企业联盟、美中经贸投资商会、全球华人品牌网评选）。

杭州

地址：杭州市杭大路 1 号黄龙世纪广场 A 座 8 楼、11 楼

电话：0571 - 87901110　87901111

传真：0571 - 87901500

邮编：310007

电邮：tchz@ tclawfirm. com

上海

地址：上海陆家嘴环路 958 号华能大厦 15 楼

电话：021 - 68866600

传真：021 - 68865466

邮编：200120

电邮：tcsh@ tclawfirm. com

中伦律师事务所

一、基本概况

中伦律师事务所创立于 1993 年，是中国司法部最早批准设立的合伙制律师事务所之一。经过数年快速、稳健的发展壮大，中伦已成为中国规模最大的综合性律师事务所之一。中伦目前在北京、上海、深圳、广州、武汉、成都、重庆、青岛、东京、香港、伦敦和纽约设有办公室。

中伦是一家综合性律师事务所，旨在为客户的商业活动提供全面的法律支持。中伦拥有 220 多名合伙人和 1000 名多专业人员。各合伙人分别专精于特定的专业领域。通过合理的专业分工和紧密的团队合作，中伦有能力在各个领域为客户提供高质量的中国法律服务。在长期执业过程中，中伦并与多家境外知名律师事务所建立起了良好的合作关系，通过与其密切的合作，中伦有能力为客户在中国境外的投资及商务活动提供有力的法律支持。

中伦拥有一批既有丰富经验，又有深厚理论基础的律师。中伦的合伙人大多毕业于国内外著名法学院，不少合伙人并在国际著名律师行工作多年。在成为中伦的合伙人之前，均已在其相关专业领域执业多年，并已经取得良好的业绩。中伦的律师及助理律师在加入中伦前，均需接受严格的遴选，且均为遴选中的佼佼者。中伦并通过各种各样的培训以提高助理律师的服务水平。

中伦拥有广泛的客户群体，其中既包括世界五百强这样的大型跨国公司，也包括业绩良好的大型国有企业和成长型企业；既包括传统的制造业企业，也包括国内外著名的投资银行、保险公司、私募基金、地产商、通讯、信息技术、旅游等服务型企业；中伦同时也为政府机构、国际组织、外国驻华使（领）馆、商会等提供中国法律服务。

二、资本市场/证券

中伦是境内外证券业务综合实力最强的律所之一。

根据中国证监会历年发布的《中国资本市场法制发展报告》，在境内律师事务所从事证券法律业务量排名中，中伦在境内主板及创业板首次公开发行、上市公司再融资、上市公司并购重组及境外发行证券等法律业务方面皆名列前茅。

资本市场/证券领域是中伦的核心业务。中伦也是中国最早从事证券业务的律师事务所之一。在近二十年来，中伦先后累计为数百家公司提供了中国境内外股票发行上市和其他证券业务的法律服务，包括 A 股、B 股、H 股、红筹股、权益股等，所涉证券交易所包括上海、深圳、香港、纽约、纳斯达克、美证、多伦多、新加坡、东京、伦敦、台湾、澳大利亚、韩国和法兰克福等，业务范围十分广泛。中伦荣获《中国法律与实务》“年度最佳资本市场律师团队”，并被《钱伯斯亚太》、《国际金融法律评论》和《法律 500》等国际著名刊物重点推荐。

在多年的实务中，中伦与诸多国家和地区的证券监管部门、证券交易所、境内外著名投资银行、审计评估机构，以及上市公司建立了密切而良好的合作关系，从而可以确保为客户提供最佳的法律服务。

股权资本市场：

・上市前改制、重组

・上市前私募融资

・境内及跨境首次公开发行

・上市公司再融资（包括股票、可转换债券、债券存托凭证、REITs 等融资工具）

・境内外买壳上市

・上市公司收购、合并、分离、重大资产重组、退市及恢复上市

・上市公司股份分拆、回购

・上市公司治理结构

・管理层激励计划及员工持股计划的设计

・上市后持续信息披露

· 上市公司
· 证券投资基金的设立及资产管理

债券资本市场：

· 公司债券
· 企业债券
· 金融债券
· 短期融资券
· 中期票据

三、私募股权与投资基金

中伦的私募股权与投资基金业务连续多年受到钱伯斯的重点推荐，持续位于中国区域第一级别。

中伦是最早提供全面的私募股权和投资基金法律服务的中国事务所之一，业务贯穿基金的设立募集、投资、项目管理和退出四个方面，并在此领域中持续处于领跑位置。

长期以来，中伦在众多境内外私募基金的设立及募集环节为客户提供法律支持，中伦以严谨、创新的法律工作陪伴和见证了诸多私募基金及基金管理机构发展壮大。同时，中伦所经办的为数众多的私募投资项目，类型涵盖初创、成长、扩张和并购各阶段，业务内容更侧重于结合中国境内和境外法律的跨境服务，并涉及股权、债权和夹层融资等各种形态。在不少交易中，中伦的律师团队作为主导律师协调和负责跨数个法域的法律服务，体现了国际水准，深受客户的好评。同时，针对以在中国境内上市为目标的结构重组，中伦的律师团队在中国法律既有的框架下做了许多突破性的探索和实践，尽可能有效地实现通常基金投资在境外法律所能获得的保护，在业内处于领先地位。

中伦在众多私募基金的设立及募集过程中主要为基金发起人、管理人提供综合性法律服务，亦作为基金投资人投资的法律顾问为客户提供法律支持。在私募投资中，中伦的律师主要代表诸多国内外知名机构投资者为其提供全方位的法律服务，同时也协助不少募资企业从初创发展壮大直至上市。钱伯斯亚太认可中伦为为数有限的几家能够独立处理相关业务的中国律师事务所，并称赞中伦“具有极强的商业意识和把握市场发展前沿的能力”，为此《钱伯斯亚太》自其为中国律所设立“私募基金”和“投资基金”类别评选以来连续将本所名列第一级别。本所亦被其他主要国内外刊物和机构评选为在此领域中国最佳律师事务所之一。

中伦的私募股权与投资基金业务主要包括以下方面：

· 各类私募基金（私募股权和创业投资基金、母基金以及其他私募投资平台等）的设立和资金募集

· 政府引导基金、母基金及其他出资者投资于各类私募基金

· 各类私募基金对目标公司的各种形式的投资

· 为各类私募基金对其投资组合公司进行投资管理

· 各类私募基金实现其投资的退出，包括整体出售、转让和赎回等

· 募资公司在不同阶段吸收各类私募基金的投资

· 募资公司并购、重组及境内外上市

· 各类私募基金的清算

四、收购兼并

中伦的公司/收购兼并业务连续多年受到钱伯斯的重点推荐，持续位于中国区域第一级别。

钱伯斯亚太如此评价中伦的并购团队：

（中伦）是众多跨国公司因公司扩张或收缩、公司资产出售或收购、合资等公司事务需要起草、谈判协议或进行尽职调查时的首选。

公司收购兼并是中伦的核心业务。中伦在该业务领域处于领先地位。在最近的几年里，中伦代表众多知名的国内外客户参与了一系列复杂的交易，包括许多大型企业和上市公司的重组和并购以及众多跨境收购。在多数并购、重组交易中，中伦律师以丰富的经验、对中国法律适用和监管环境的深刻理解以及对税务、财务知识的融会贯通，起着主导的作用。

在长期执业过程中，中伦该领域的律师与相关监管机构建立起了良好的沟通。中伦受邀参与了多项并购立法调研。中伦亦与众多的境内外投资银行、会计师事务所、评估机构及其他中介机构建立起了良好的工作关系。

在兼并收购交易中，中伦的法律服务范围包括：

· 产业准入政策咨询
· 交易结构设计
· 税务筹划
· 尽职调查
· 合同、文件起草、谈判
· 就交易需履行的授权、审批程序提供意见
· 根据客户或监管机构的要求出具法律意见
· 协助申请政府部门的批准或者办理登记
· 跟踪交易合同的履行
· 交易后整合相关法律服务
· 反垄断申诉

中银律师事务所

一、基本概况

中银律师事务所成立于 1993 年 1 月，是经司法部门批准的我国最早的合伙制律师事务所之一，也是我国最早从事证券法律业务的律师事务所，是以金融证券和法律风险管理为主业的大型专业化律师事务所，在律师界和金融证券界已经牢固树立了“中银律师”的品牌。中银现有律师和工作人员约 1800 人，大部分律师获得国内及国外著名学府的硕士和博士学位，且多数律师具有在政府、企业、知名律师事务所工作或执业的经历，在法律和商业领域具备了丰富的实务经验。

2010 年 1 月 23 日，中银律师事务所在 2010 年度品牌颁奖盛典暨大型系列论坛活动中，荣获“中国金融证券领域最佳律师事务所”。2012 年，中银律师事务所荣获“钱伯思中国法律卓越奖”。2012 年，在《亚洲法律杂志》评选的 2010 年中国成长最快的律师事务所中，中银律师事务所被评为“中国发展最迅速的十家律师事务所之一”，这是中银律师事务所连续四年摘得该项荣誉。中银律师入选《法律互联》评选的 2009 年中国律师事务所 300 强，位列第 7 名；中银律师连续 3 年入选《亚洲法律事务》（ALB）杂志评选的中国律师事务所规模二十强，均名列前十。2013 年，中银律师事务所再次荣获钱伯斯“资产证券化与金融省衍生产品”领域“年度最佳律师所”、“国际贸易和 WTO”领域国内“领先律师事务所”称号，同时被《钱伯斯亚洲 2013》The Chambers Asia 2013）评为国内领先律师事务所，入选《亚洲法律事务》（ALB）杂志评选的“2013 年亚洲律师事务所规模 50 强”“2013 年中国律所规模 20 强”，均位列第三名。2014 年，中银律师事务所荣获《商法》杂志评选的“资产证券化及结构化融资大奖”，连续两年获得《亚洲法律事务》（ALB）杂志评选的“2014 年中国最大 25 家律所”第 3 名，“2014 年中国发展最迅速的十家律师事

务所之一"。2015 年，中银律师事务所荣获 LEGAL500 评选的"2015 年度亚太地区国际贸易和 WTO 领域的领先律师事务所"。

中银律师总部设有十一个法律业务中心，即：金融证券法律服务中心、法律风险管理法律服务中心、公司业务法律服务中心、房地产与建筑工程法律服务中心、知识产权法律服务中心、国际业务法律服务中心、贸易救济与 WTO 法律服务中心、争议解决法律服务中心、刑事法律服务中心、不良资产法律服务中心和大宗商品交易及商品金融法律服务中心，根据业务管理的需要，各业务中心下设以若干不同的业务部门。

二、金融证券保险法律服务中心

中银律师在我国最早从事金融证券业务，迄今是全国最有影响力的金融证券专业律师事务所之一。20 年来，中银律师为 300 余家上市公司提供了各类专业法律服务。在证券、融资、银行、保险、信托和基金等金融证券法律服务领域具有丰富经验，多年来参与了化工、煤矿、石油、保险、银行等四十多个重要行业的大型国有企业的融资、证券、保险等项目，曾为国内外 3000 余家企业提供法律服务。特别是在中央银行、外资银行、各类商业银行、政策性银行、合作银行、股份制银行、信托投资公司、资产管理公司、保险公司以及其他相关主体的法律服务方面，均取得了不俗的业绩。

三、公司业务法律服务中心

公司业务是中银律师事务所的核心业务领域之一。中银律师凭借多年来的丰富执业经验，为国内外著名企业、大中型国有企业、民营企业及政府部门等众多客户提供有关并购、外商直接投资、企业风险管理、破产重组、招投标、常年法律顾问、税务、劳动等方面的综合法律服务。中银律师不仅活跃在众多行业领先、结构复杂的国际及国内交易中，中银律师事务所的并购、企业风险管理、常年法律顾问、招投标等领域的资深专家还为客户提供长期持续的法律服务。

四、大宗商品交易及商品金融法律服务中心

中银律师事务所大宗商品交易及商品金融法律服务中心成立于 2015 年初，是全国首个大宗商品交易及商品金融法律服务机构，也是目前唯一专门从事大宗商品交易及商品金融的法律服务机构。大宗商品交易及金融既包括矿产品商品投资、黑色金属商品投资、有色金属商品投资、贵金属商品投资、农产品商品投资、水产品商品投资、畜产品商品投资以及林产品商品投资等关系到国计民生的领域，又具有与股权投资、产业投资等投资领域不同的特征。但与大宗商品在国家经济发展中的重要地位相比，目前大宗商品的交易及金融在中国却处在一个低能级的水平。未来大宗商品领域发展是全球发展的关键领域之一，也是国家产业规划的关键领域之一。目前中国大宗商品处在转型、升级的阶段，缺乏大宗商品投资的管理体系和管理团队，缺乏大宗商品交易及金融的法律服务体系和服务团队。

该中心成立后，与国内大宗商品领域著名的学者、专家合作，重构中国大宗商品交易及金融法律规则体系，提升了大宗商品交易及金融法律服务领域的能级。该中心团队核心成员均毕业于一流法学、金融院校，专业基础扎实，执业经验丰富，具备较高的理论创新能力。目前，该中心已与各大商业银行、保险公司、质检机构、大型港口、大型农产品及矿产品交易平台等建立了全方位、一体化的合作关系，为大宗商品的仓储管理、仓单管理、金融票据管理、大宗商品交易等提供法律服务，为大宗商品贸易商、投资商、交易所、商业银行、保险公司及相关机构防范、控制大宗商品交易中的法律风险。

五、中银荣誉

2015 年 11 月，中银律所被 LEGAL500 评选为 2016 年度亚太地区 WTO 和国际贸易领域的领先律师事务所；

2015 年 11 月，中银律所入选《亚洲法律事务》(ALB)"2015 年亚洲最大 50 家律所"，位列第三名；

2015 年 07 月，中银律所被 LEGAL500 评选为 2015 年度亚太地区国际贸易和 WTO 领域的领先律师事务所；

2015 年 07 月，中银律所荣获"2013 - 2015 年度北京市律师行业先进党组织"；

2015 年 05 月，中银律所被 LEGALBAND 评选为 2015 年度中国地区"资产证券化 & 衍生产品"领域的领先律师事务所；

2015 年 02 月，中银律所连续三年被钱伯斯评选为 2015 年度亚太地区国际贸易和 WTO 领域的领先律师事务所；

2014 年 12 月，中银律所入选《亚洲法律事务》(ALB)"2014 年中国最大 25 家律所"，位列第三名；

2015 年 02 月，中银律所被 LEGALBAND 评选为 2015 年度亚太地区国际贸易和 WTO 领域的领先律师事务所；

2015 年 02 月，中银律所被《商法》评选为 2014 年度破产及重组、结构融资及资产证券化领域卓越律所大奖；

2014 年 09 月，中银律所荣获"2011——2013 年度优秀律师事务所"；

2014 年 07 月，中银律所获得了"五好"党支部的荣誉称号。我所刘克滥、田润苏、王成磊、曹梅燕、高圆、胡古等律师获得优秀共产党员称号；李延龙律师获得优秀党务工作者称号；秦丽萍律师获得党建之友称号；

2014 年 03 月，中银律所被 ALB 评选为 2014 年中国发展最迅速的十家律师事务所之一；

2014 年 02 月，中银律所被《商法》评选为 2013 年度结构性融资及资产证券化领域卓越律所；

2014 年 03 月，中银律所被钱伯斯评选为 2014 年度亚太地区国际贸易和 WTO 领域的领先律师事务所。

第三节 优秀会计师事务所选介

北京兴华会计师事务所(特殊普通合伙)

北京兴华会计师事务所(特殊普通合伙)目前是中国前20强会计师事务所之一。自1992年成立以来,北京兴华在社会各界大力支持下,经过全体同仁的不懈努力,在股票发行与上市、企业重组、公司改制、国企审计及财务咨询等专业服务方面具有极强的实力和出色的业绩,目前已有上市公司客户近40余家。

北京兴华一直保持高速增长,2014年业务收入为8.1亿元,全国行业排名第15位,北京地区排名第9位。

北京兴华总部设在北京,现有高级合伙人11位,合伙人103位,在职员工2000余名,注册会计师500余名。经财政部门批准,北京兴华相继在贵州、广东、湖北、黑龙江、湖南、安徽、福建、山东、河北、吉林、四川、上海、深圳、西安、云南、天津、杭州、辽宁、江西、山西、河南、江苏、宁夏、大连、重庆等地设立了26家分所,已成为国内颇具影响力的知名会计师事务所之一。

北京兴华一直秉承以客户为本的执业服务理念,正确处理服务与监督的关系,赢得了监管机构和客户的好评。

北京兴华及下属机构业务涉及审计、评估、工程造价、税务咨询等各个领域。北京兴华拥有证券期货审计资质、金融业务审计资质、军工涉密业务咨询等各类资质。同时所属机构拥有证券业评估资质、甲级工程造价咨询资质、税务审计资质等。

北京兴华于2000年经财政部批准,正式成为马施云国际成员所并自此跨入国际审计市场,为近十家企业境外上市提供了审计服务。

北京兴华一贯坚持专业化机制与制度的建设,建立了一套完整的事务所管理制度及执业规程。同时事务所在各个方面,不断建设创新力强、凝聚力强、竞争力强、事业心强的核心团队,创造一流的品牌文化,将北京兴华会计师事务所塑造成“中国审计专业的领军品牌”。

诚信铸就品牌,专业提升价值,北京兴华将一直秉承“独立、客观、公正”的原则,坚守职业道德,为客户提供最优质的服务!

北京永拓会计师事务所(特殊普通合伙)

北京永拓会计师事务所(特殊普通合伙)(以下简称:永拓会计师事务所)创立于1993年。2013年底,永拓会计师事务所由有限责任公司转制为特殊普通合伙制,目前注册资金1605万元。是全国具有证券期货相关业务执业资格40家会计师事务所之一。在香港地区设立了永拓(香港)会计师事务所。2002年起至今,连续被中注协评为全国百强会计师事务所,通过了ISO9001:2008国际质量管理体系认证。总部位于北京CBD(国安大厦)。

二十多年来,永拓始终坚持“一元化领导,专业化管理,多元化服务”的发展战略,坚持“以服务国家建设为主题,以诚信建设为主线”企业理念,依靠严谨的专业团队、先进的信息化技术手段和良好的沟通能力,竭诚为党和国家机关、大型国有民营企业、银行保险、上市公司提供审计、税务、咨询等优质服务,受到客户和行业协会的好评。目前,在全国省市设立了分所19家,员工人数1200人,现有合伙人85人;高级职称人员60人,中级职称人员380人;注册会计师528人,注册税务师50人;还有国际注册内部审计师、国际IT审计师,美国、英国、澳大利亚和香港注册会计师人几十人。有多名管理合伙人分别担任证监会发审委委员,中注协理事,北注协常务理事,北注协专家委员会、IPO审计委员会、注册管理委员会、惩戒委员会和教育委员会委员;地方注协理事,还有一些省市的合伙人分别担任地方人大、政协、工商联民主党派的委员和支委等。还有多名领军人才。

多年来,永拓已成功为数千家客户提供长期服务,成为国内最具实力的会计师事务所之一,永拓全力服务国家经济建设,打造民族咨询品牌。

大华会计师事务所

大华会计师事务所创立于1985年,是国内最具规模的四大会计师事务所之一,是国内首批获准从事H股上市审计资质的事务所,财政部大型会计师事务所集团化发展试点事务所。2013年,大华业务收入超过12亿元人民币,排名居中国行业第八,本土第四。大华是全球排名第十的马施云国际会计公司在华的唯一协调和联络机构。

大华会计师事务所总部设在北京,在上海、深圳、呼和浩特、广州、武汉、长春、沈阳、珠海、南昌、西安、合肥、杭州、大连、郑州、长沙、太原、南京、昆明、济南、青岛、成都、海口、苏州等国内重要城市设立了分支机构,并在香港、新加坡等地设有多家联系机构。

大华会计师事务所出资额1200万元,现有从业人员4000余名,拥有中国注册会计师资格者1000余人,具有美国、英国和澳大利亚等国外发达国家注册会计师资格、能够提供国际业务服务的专业人员约100人;获得“中国注册会计师行业领军后备人才”称号的专家有14人,中国注册会计师协会资深会员21人;另外还有业内外知名的各类杰出业务专家,这些专家在财务会计、审计、税务、公司治理和战略管理咨询、内部控制、风险管理、全面预算管理、企业购并重组、IT审计和国际化业务等方面具有业内领先的水平。

大华会计师事务所经PCAOB认可具有美国上市公司审计业务执业资格,2010年取得H股上市公司审计业务资质,大华不仅能够从事国内上市公司审计、大型中央和地方国有企业审计、大型金融保险企业审计,而且可以为开拓海外市场的中国企业及进入中国市场的外资企业提供全球化的审计和咨询等专业服务。大华会计师事务所的业务范围包括审计鉴证、管理咨询、资产评估、工程咨询、税务服务等,服务对象主要为上市公司、大型国有企业、金融保险企业、外商投资企业等，常年审计客户8000余家，其中上市公司179家、中央企业20家、省级企业集团300余家、外资企业500余家，涉及航空航天、金融保险、能源矿产、石油化工、电子科技、公共服务、房地产、交通运输、加工制造、仪表设备、快速消费品、酒店餐饮、商业百货、电子商务、农产品制造、旅游、医药、电信等多个行业领域，并多次接受政府部门和国际组织委托承担其他特殊目的的专项审计。

大华坚持按照新起点规划未来、高标准开展工作、高水平科学发展的企业宗旨，坚持“以人为本、精益求精”的内部管控理念，构建“规范、协调、高效”的一体化管理机制，以维护公众利益为目标，建立有效的内部管理制度体系，全面提升执业水平，着力打造业内公认、社会信赖、管理规范、服务一流的品牌事务所，竭诚为社会提供优质、高效的专业服务，再造民族会计品牌的辉煌。

持专业化、多元化、国际化之道，专注为客户提供品质服务。

地址：北京海淀区西四环中路16号院7号楼12层
电话：010－58350011
传真：010－58350006
邮编：100039
邮箱：dahua@ dahua－cpa. com
招聘邮箱：zhaopin@ dahua－cpa. com

大信会计师事务所（特殊普通合伙）

大信会计师事务所（以下简称大信）系由我国现代会计先行者吴英豪先生创建于1945年。由其学子——武汉大学兼职教授吴益格先生重建于1985年，是我国注册会计师行业恢复重建后成立的第一家合伙会计师事务所。

目前大信总部（注册地）设在北京，在武汉、山东、上海、深圳、江西、吉林等地设有七个区域性业务总部，分辖24个直属审计业务部及江苏、重庆、广东、辽宁、广州、四川、云南、青岛、河南、广西、天津、湖南、山西、陕西、青海、厦门等分所，还在香港地区设立大信梁学濂（香港）会计师事务所。常年客户达3000余家，包括中央企业30家，省属大型国企86家，H股、B股、A股上市公司近百家，拟上市公司近百家。遍布全国近三十个省、市、自治区。

2012年全所员工达到4021人，其中CPA1056人，不包括英国皇家特许CPA及香港CPA。2012年实现业务收入过13亿元，居中国注册会计师协会2012年“百强所”综合排名第七位（本土所第三位）；上市公司客户量连续十二年居中国证监会排名前十位；国家审计署备选中介机构综合排名第六位。被媒体誉为“一家受上市公司欢迎的会计师事务所”、“注册会计师行业一个知名品牌”。

大信的专业力量在发展中壮大成长。现已形成一支以“三师”（注册会计师、注册税务师、注册造价师）为核心的专业团队。并以其规模和实力，获得会计中介机构各种执业资格，包括H股企业审计资质；财政部、中国证监会颁发的证券、期货相关业务审计；建设部批准颁发的工程造价咨询（甲级）资质；国土资源部颁发的土地咨询A级资质；国务院国资委授予的中央企业审计资质。

大信在不断发展壮大的过程中，逐步建立健全了内部治理结构和质量控制标准，同时形成了“三大”服务专长：即上市公司审计与股份制改制服务，金融审计及其他法定审计服务，企业管理咨询服务。

大信常年服务的客户主要有中国华能集团、中国电子信息产业集团、中国兵器装备集团、中国出版集团、国家开发投资公司、中国化工集团、武汉钢铁（集团）公司、中国核工业集团、中国船舶工业集团等大型、特大型企业。

大信文化

大信所成立二十年来，已经形成了以“尽CPA职责，爱我大信所”为基本内涵的、指导大信人行为准则的大信企业文化。为此，他们热爱党，2011年成立了中国共产党大信会计师事务有限公司委员会；他们热爱祖国，支持公益事业，为抗震、抗旱、抗洪救灾及助学办教踊跃捐款；他们热爱本职工作，全心全意为公众利益服务；他们热爱生活，与人相互关爱，和睦相处。

大信所训：诚实做人　诚信执业
大信理念：大诚于人　信通天下
大信精神：团结　诚信　勤奋　开拓
大信执业宗旨：依法执业　热诚服务
质量第一　信誉至上
大信发展目标：立足中国　走进世界，
创一流国际会计师事务所

地址：北京市海淀区知春路1号学院国际大厦15层
电话：010－82330558　82330559
传真：010－82332287

广东正中珠江会计师事务所

一、基本情况

广东正中珠江会计师事务所（以下简称本所）于2000年8月设立，该所前身为广东正中和广州珠江两所，分别于1981年和1985年成立，是全国成立较早的事务所之一。本着“以质量求信誉，以信誉求发展”的宗旨，本所为客户提供了全面而高效率的服务，以客观公正的态度，依据有关法规及审计准则，从事专业工作以昭社会公信。

本所具有证券期货相关业务执业资格、从事金融相关审计业务等资格，主要从事审计、会计、税务、管理咨询、金融业审计；基建咨询、资产评估咨询等多方面服务，涉及行业包括：金融业、制造业、交通业、高科技业、电力业、商业、饮食业、房地产业和综合业等。

本所广泛汇集优秀人才，拥有一批既有专业知识又有丰富实践经验的专业人员队伍。现有员工300人，其中执业注册会计师占43%、注册税务师占20%；员工中具有本科学历以上人员占85%，专业分布于会计、审计、评估、法律、财税、建筑、冶金、管理咨询、工商管理、国际金融、计算机和机械设备等领域；50%以上人员具有中级及以上专业技术职称，近40%以上人员具有注册会计师、注册评估师、注册税务师等多种复合执业资格。

本所成立以来始终保持发展的态势，业务量适度增长，连年保持业务上升势头，是广州地区本土最大的会计师事务所，名列广东省前三甲。2011年位列全国行业39强之列。上年业务收入近亿元，近三年上交国家税金上千万元，为广东省和广州市经济建设作出了积极贡献，历年政府和行业进行的工作检查均受到肯定。

二、内部管理

本所一直奉行“以质量求信誉，以信誉求发展”的宗旨，恪守独立、客观、公正的执业操守贯，彻国家政策法规，增强风险意识，培养职业道德，完善内部控制管理，提高服务水平。

按照《中华人民共和国注册会计师法》、中注协发布的事务所内部规范指南以及自身运作的实际情况，制定了较为完善的内部控制制度，保证了本所业务活动和管理活动的正常、有序的运行。本所的内部控制制度主要分为业务管理制度、人力资源管理制度和行政管理制度。

三、本所业绩

本所业务客户发展至今有2000余家，其中上市公司（含中小企业板块）52家，上市公司（中小企业板块）业务增长量2010年度列居全国证券期货资格会计师事务所前10位，上市公司数量占广东省市场份额50%以上（除深圳市），仅上年协助上市公司募集资金达150亿。

经本所审计的上市公司（含中小企业板块）分别为：佛山电器照明、生益科技、宜华木业、南海发展、广东冠豪、康美药业、榕泰实业、广钢股份、韶钢松山、白云国际机场、天伦置业、梅雁股份、创兴科技、东莞宏远、中山公用、明珠集团、佛山塑料、广州友谊、威华股份、路翔股份、韶能集团、东方锆业、万力达、智光电器、达意隆股份、南洋电缆、精益金属股份、奥飞动漫、海大集团、东凌粮油、宏图科技、潮宏基、浩宁达仪表、南方风机、星辉车模、新太科技、高新兴通信、太安堂药业、长城集团、众业达电气、中顺洁柔纸业、骅威玩具、量子高科、汤臣倍健、中海达卫星、杰赛科技、铁汉生态、大华农、明家科技、广东高速、东材科技、岭南园林等。

经本所审计的国有大中型企业有：广东省交通集团、广东省公路建设有限公司、广州地铁、广东省丝绸（集团）、广东省机械进出口集团、广东移动通信等。

四、专业培训

本所十分注重从业人员的专业知识培训，认真组织后续教育，鼓励员工职业发展；多渠道选送优秀专业人员境内、外进修学习；聘请财政部、清华大学、厦门大学、中南财经政法大学等单位资深教授到所进行培训；积极在员工队伍中选拔培养后续教育老师，对新进人员施行一对一的指导老师传帮带方法。本所资深的执业人员受聘于广东省财政厅、广东省国资委等政府部门及广东省、市注册会计师协会、广东省资产评估协会担任后续教育和执业培训的讲师，还是中山大学、暨南大学等大学的客座教授，反响甚佳。到目前为止，本所已拥有中国注册会计师资深执业会员和全国注册会计师行业领军人才数人。

为了提高员工专业水平，本所还创办了以员工为投稿主体的期刊《正中珠江》刊物，为宣传、辅导国家政策法规，交流工作经验体会，研究探讨新课题等搭建了一个学习平台，增强了员工之间学习探讨的氛围，员工一些高质量稿件还被《中国证券报》、《中国财经报》、《中国注册会计师》等国家政府报纸刊物登载。《正中珠江》刊物同时还派发到上级相关部门、学校及客户，得到广泛赞赏，收到良好社会效益。

五、企业文化

本所始终推崇“以人为本”理念，自组建以来员工队伍稳定，人心向上，团队协调，专业骨干力量得到保持和发展。党团组织、工会组织健全，党组织积极开展创先争优活动，党员人数占从业人员26%，2011年7月党支部被中国注册会计师协会党委授予全国优秀基层党支部荣誉称号。长期以来，员工人尽其才，本所及员工获得多项荣誉：2000年和2007年本所获得第二、第三届全国会计知识大赛广东省总决赛赛区一等奖和综合评价团体第一名；注册会计师宁宇妮、励孝红二人在第三届全国会计知识大赛广东省总决赛中获得一等奖；2004年本所被区政府评选为优秀民营企业；2005年部门经理安霞经中国注册资产评估师协会评选荣获全国十佳优秀资产评估师荣誉称号；副主任杨文蔚、高级经理何国铨分别取得中国注册会计师协会行业领军人才资格；2009年和2010年经广东省统战部等五部委评选本所主任蒋洪峰、副主任王韶华分别获得省第二、第三届优秀中国特色社会主义事业建设者荣誉称号。

为更好的发展注册会计师事业，加强事务所全面建设，适应社会发展需要，本所诚邀有志于注册会计师事业的专业人士加入我们队伍，共同为国民经济发展做出努力和贡献

地址：广州市东风东路555号粤海集团大厦10楼

邮编：510050

电话：020－83939698

传真：020－83800977　83800722

华普天健会计师事务所（特殊普通合伙）

华普天健会计师事务所（特殊普通合伙）（以下简称“华普天健”或“本所”）系2008年由原安徽华普会计师事务所与辽宁天健会计师事务所有限公司合并成立，合并双方均为在二十世纪八十年代取得证券资格并以证券业务为主要业务的事务所。华普天健2013年底完成有限公司转为特殊普通合伙的转制工作，经过多年的一体化管理，已经发展成为一家专业化、制度化、国际化的大型会计师事务所。

华普天健总部设在北京，在上海、合肥、辽宁、山东、芜湖、四川设有六个分所，并在香港地区设立华普天健会计师事务所（香港）有限公司。截至目前，本所先后共为境内81家A股上市公司、200余家拟上市公司、90余家发行企业债券企业及300余家其他企业常年提供专业服务，业务区域遍及全国二十七个省市自治区，在华东、华北、东北、华南等区域形成了庞大的客户群体，客户领域涉及金融、证券、能源、交通运输、通讯、机械、建筑、新材料、房地产、电子、生物工程、医药、化工、家电、商业、纺织、旅游、食品、农业、林业等各行业。合理的网络布局和贯通各行各业的业务分布使我们积累了丰富的市场经验，也打造了由多个领域的专业人员组成的专家队伍。

华普天健在中国注册会计师公布的“2013年会计师事务所百强所”综合排名位列第二十五位，连续多年入围国务院国有资产监督管理委员会“审计项目会计师事务所”。

华普天健领取的由中华人民共和国财政部、中国证券监督管理委员会联合颁发的“会计师事务所证券、期货相关业务许可证”证书序号为000146。本所工作业绩等相关内容具体介绍如下：

一、社会声誉

建所20多年来，多次接受过证券监管部门、财政部门、审计部门、行业监管部门等单位的相关检查，我们的执业质量得到了中国证监会及其他相关监管部门的广泛认同和充分肯定，在业内享有良好的社会声誉。

二、合作伙伴

在多年来的工作实践中，我们积累了广泛的社会资源和丰富的信息资源，不仅与证券监管机构、财税部门、审计部门、国有资产管理等部门或机构建立了良好的沟通渠道，同时，还与华林证券、国元证券、国信证券、广发证券、国金证券、光大证券、中信证券、兴业证券、海通证券、华泰证券等众多的发行保荐机构、国浩、天银、承义、天禾、安泰达等律师事务所以及其他中介机构建立良好的工作关系。

三、风险控制

根据《中国注册会计师独立审计准则》、《中国注册会计师质量控制基本准则》的要求，华普天健多年来建立了“四个层次、三级复核”的质量控制组织机构，建立了一系列严格的内部质量控制制度，形成了一整套完整有效的质量保证体系。对于IPO项目，本所要求在报送申报资料前必须经过风险控制委员会审核，对于上市公司项目，要求质量控制部独立复核人员在第一时间将复核意见报送主任会计师、各分所所长及分管项目的副主任会计师，众多IPO及上市公司质量控制复核意见的汇报、交流与沟通，使本所高层管理人员对IPO及上市公司业务的风险控制有较好的把握，对IPO项目上市过程中各种问题的处理富有经验。

四、制度体系

本所根据中国注册会计师执业准则及《会计师事务所所质量控制准则第5101号——业务质量控制》的有关要求，修订完善了本所的《业务质量控制制度》，制定了相关十一项配套文件，并在原安徽华普60余项业务管理指令、业务操作指南及技术提示的基础上，修订下发了多项业务操作指南，其中与IPO密切相关的业务操作指南有：《业务操作指南第1号——年度报表审计》、《业务操作指南第7号——上市公司与关联方往来专项说明》、《业务操作指南第8号——内部控制鉴证》、《业务操作指南第10号——非经常性损益审核》、《业务操作指南第11号——原始财务报表与申报财务报表差异情况审阅》、《业务操作指南第12号——主要税种纳税情况及税收优惠情况审核》、《业务操作指南第13号——会后重大财务事项审核》、《业务操作指南第14号——验资》、《业务操作指南第15号——盈利预测审核》等等。

五、业务创新

华普天健在激烈竞争的IPO市场上，敢为天下先，由于极强的技术创新能力，创造了一个又一个行业第一。华普天健承办的IPO项目中，阳光电源股份有限公司(300274)成为中国新能源电源行业第一家上市公司，上海延华智能科技股份有限公司(002178)成为中国专门从事楼宇智能化业务的首家上市公司，罗莱家纺股份有限公司(002293)成为全国家纺行业第一家上市公司，苏州金螳螂建筑装饰股份有限公司(002081)成为中国建筑装饰行业上市公司第一股，安徽科大讯飞信息科技股份有限公司(002230)成为语音产业第一股，合肥荣事达三洋电器股份有限公司(600983)作为中国第一家外资家电企业成功上市，安徽雷鸣科化股份有限公司(600985)成为中国民爆行业上市公司第一股，铜陵三佳科技股份有限公司(600520)成为中国模具行业第一家上市公司，铜陵有色金属集团股份有限公司(000630)成为中国铜业境内首家上市公司，安徽桑乐金股份有限公司(300247)成为中国专业桑拿设备制造商境内首家上市公司，洽洽食品股份有限公司(002557)成为中国炒货行业境内首家上市公司，江苏恒立高压油缸有限公司(601100)成为生产挖掘机专用油缸和重型装备非标高压油缸境内首家上市公司，松辽汽车股份有限公司(600715)成为国内军企第一家上市公司，沈阳新松机器人股份有限公司(30024)是东北地区第一家创业板上市公司。

六、理论研究

华普天健非常注重新制度新政策的学习和执业经验的总结。先后在中国财政经济出版社出版《IPO项目改制上市程序及审核要点》、《上市公司重大置换资产若干财务税收问题》、《上市公司关联方交易政策沿革及其审计问题》、《首次执行企业会计准则探析》、《资产负债表债务法下所得税会计应用释例》等专著专刊，与北京注册会计师协会合作协办《北京注册会计师》(2006第5期)，并参与了中国注册会计师协会《财务报表审计工作底稿编制指南》、《中小企业财务报表审计工作底稿编制指南》等课题研究。华普天健员工在《中国证券报》、《财会研究》、《税收科技》、《安徽财会》、《注册会计师视野》等杂志、网站上发表了数篇专业论文。

七、增值服务

华普天健每年均举办客户培训班，邀请中国证监会、财政部、证券交易所等部门或机构的专家及知名人士，就当前证券市场的热点问题、IPO审核、上市公司监管及最新会计理论与实务等进行专题讲座，不仅为客户提供了业务指导，更重要的是加强了与证券监管等部门及客户的沟通与交流，扩大了对外影响，收到了良好的效果，得到了客户的一致好评。

本所秉承“以质量求信誉、以信誉求发展”的经营理念，恪守“独立、客观、公正”的执业原则，以国际化的视野、专业化的精神，不断探寻和谐发展之道，锐意进取，开拓未来。

地址：中国·北京市西城区阜成门外大街22号1幢
外经贸大厦901－22至901－26
电话：010－66001391
传真：010－66001392
邮编：100037
邮箱：bj@ hptjcpa. com. cn

江苏公证天业会计师事务所(特殊普通合伙)

江苏公证天业会计师事务所(特殊普通合伙)前身为无锡公证会计师事务所，成立于1982年，经过1998年底的脱钩改制和2000年、2008年的二次合并重组，更名为江苏公证天业会计师事务所有限公司，2013年底转制为江苏公证天业会计师事务所(特殊普通合伙)。1993年，经中华人民共和国财政部和中国证券监督管理委员会批准，成为中国首批取得从事证券、期货相关业务许可证的会计师事务所之一。

江苏公证天业会计师事务所(特殊普通合伙)经过三十多年的发展，已成为一家具有综合服务功能的大型专业服务机构，是江苏省行业内获得“江苏名牌”荣誉的会计师事务所。事务所崇尚“诚信创造价值、专业成就事业”的核心价值观，凭籍“质量立所、服务兴所”的经营理念，依赖全体同仁良好的职业操守、严谨的工作作风和较高的专业水平，赢得了广大客户和同行的信赖与支持，在社会经济活动中特别是国内资本市场上取得了较大的成绩，在业内和社会上获得了“低调、务实、专业”的良好口碑。

江苏苏亚金诚会计师事务所(特殊普通合伙)

江苏苏亚金诚会计师事务所(特殊普通合伙)，原为江苏苏亚审计事务所，成立于1996年5月(原隶属于江苏省审计厅)，在江苏省工商行政管理局登记注册。2013年11月经江苏省财政厅批准转制为特殊普通合伙企业，注册资本1410万元。事务所从事《注册会计师法》规定的法定审计业务，并承办会计咨询和会计服务业务，具有财政部和中国证监会批准的执行证券、期货相关业务资格，司法鉴定资格等，是中国银行间市场交易商协会会员、中国证券业协会会员。目前，有从业人员1000余人，其中注册会计师256人(资深注册会计师5人)，注册造价师78人，注册资产评估师87人，注册咨询专家(工程师)19 人,具有各类高级职称人员 90 余人,拥有注册会计师行业领军人才 9 名,ACCA、ACA 及澳洲 CPA 等国际资质人才 9 名。

事务所内设审计业务一部、审计业务二部、审计业务三部、审计业务四部(工程财务审计部)、审计业务五部、审计业务六部、质量控制部、技术支持部、业务培训部、业务发展部和办公室,下设北京、连云港、扬州、常州、镇江、苏州、无锡、安徽、盐城等 9 个分支机构。

事务所自 2003 年以来连续名列中国注册会计师协会公布的全国百家会计师事务所综合评价排名前 30 位,其中 2016 年全国百家会计师事务所综合评价排名第 22 位。

自 2004 年以来,事务所一直被江苏省注册会计师协会授予"江苏省先进会计师事务所"和"先进党支部"荣誉称号;2011 年 6 月被中国注册会计师行业党委表彰为"全国先进会计师事务所党组织";2012 年以来连年被江苏省注册会计师协会评为 AAAAA 级会计师事务所。

事务所 1998 年 11 月被英国特许公认会计师公会指定为 ACCA 学员实践基地;2000 年 4 月被南京大学指定为会计专业实验基地;2008 年 4 月被英格兰及威尔士特许会计师协会指定为 ICAEW 培训机构;2011 年 5 月,被南京理工大学指定为研究生和经济管理学院实习基地;2012 年 6 月,被共青团江苏省委、江苏省注协指定为青年就业创业见习基地;2012 年 3 月,被 ACCA 协会评为"金牌雇主";2012 年 7 月,被南京大学指定为会计专业硕士实习基地 ;2012 年 8 月,被江苏省教育厅指定为江苏省企业研究生工作站。

近年来,事务所先后入围国家审计署、财政部投资评审中心、财政部国家农业综合开发办公室、财政部民口科技重大专项财务验收、工业和信息化部、卫生部、国家体育总局、中国人民银行、北京市人民政府国有资产监督管理委员会、北京市人力资源与社会保障局、北京市政府采购中心、江苏省财政厅、江苏省交通运输厅、江苏省审计厅等政府部门的审计机构库。另外,还是中国国电集团公司、国家电力投资集团公司、中国大唐集团公司、中国铁路总公司、中国烟草总公司、中国电信集团公司、中国移动通信集团公司等中央企业的审计机构库成员。

事务所业务涉及财务审计、司法鉴定、管理咨询等财经服务领域,其中财务审计包括上市公司财务报表审计和 IPO 审计。服务客户涉及大型制造企业、商业连锁及高端零售企业、证券金融类企业、文化传媒企业、医药化工企业、航空及交通运输企业、采矿业企业及电力生产企业等,业务服务范围遍及全国 25 个省级行政区。

事务所在市场竞争中始终坚持以信誉求生存、以质量求发展的经营理念,严格执行《中国注册会计师执业准则》和中注协《中国注册会计师职业道德守则》,建立和完善内部质量控制制度,恪守独立、客观、公正的执业原则,坚持诚信为本、质量为重、遵循规范、服务至上的宗旨。在发展过程中,事务所注重培养员工的敬业精神和团队精神,着力提高员工专业胜任能力,积累了解决各种问题的专业经验,树立了良好的执业形象,赢得了社会的信赖。

地址:江苏省南京市中山北路 105 - 6 号
　　中环国际广场 22 - 23 层
邮编:210009
电话:025 - 83231630
邮箱:js. suya@ 163. com
传真:025 - 83235046

立信会计师事务所

立信会计师事务所(以下简称"立信")由中国会计泰斗潘序伦先生于 1927 年在上海创建,是中国建立最早和最有影响的会计师事务所之一。1986 年复办,2000 年成立上海立信长江会计师事务所有限公司,2007 年更名为立信会计师事务所有限公司。立信依法独立承办注册会计师业务,具有证券期货相关业务从业资格。2010 年,立信获得首批 H 股审计执业资格。2010 年 12 月改制成为国内第一家特殊普通合伙会计师事务所。经过八十余年的长足发展,立信在业务规模、执业质量和社会形象方面都取得了国内领先的地位。2001 年起,立信在全国会计师事务所签发国内上市公司审计报告数量排行榜上一直保持第一。

经中注协全国前百家会计师事务所综合评价排名统计:

2002 - 2006 年度连续五年立信排名均列第五位(前四家均为国际"四大"),2007—2011 年立信排名位列第六位。

2012 年立信实现业务收入 17.74 亿元,在 2012 - 2013 年中国注册会计师协会公布的全国百家会计师事务所综合评价排名第五位。

2000 年立信加入国际网络提前实现了专业服务与国际接轨,并扎实培养了一批国际化人才。

2009 年立信加入全球第五大国际会计网络——BDO 国际,通过与境外成员所的交流,锻炼、巩固和发展了立信跨境业务的经验与优势。

2000 年至 2013 年间,经由中华人民共和国财政部批准,立信又相继在北京、深圳等地设立了 29 家分所,立信在打造本土最具核心竞争优势的专业服务机构的同时,逐步完善和实现战略布局,为顺应国际资本市场一体化发展趋势,立信人正以诚信和专业铸就着民族品牌。

立信现有从业人员 6000 余名,其中执业注册会计师 1600 余名。总部设在上海,有七个专业委员会,以及审计业务部、国际业务部、银行业务部及审计风险管理部、信息技术部、教育培训部、管理咨询部、税务部、资产评估部、工程造价咨询部、信息鉴证部、公司清算部、市场与品牌推广部、会计政策研究中心、产学研基地等与业务相关的部门。现有客户遍布全国各地,其中上市公司 300 余家,IPO 公司 300 余家,外商投资企业 2000 余家,并为大型央企、国有集团、银行、证券公司、期货经纪公司、保险公司、信托公司、基金公司等提供审计及相关业务。

一、组织机构

2006 年 10 月,立信旗舰扬帆,立信会计师事务所管理有限公司成立,设立七个专业委员会。管理公司作为立信的管理总部,是"立信"的品牌经营中心、质量控制的指挥中心、素质培训的组织中心、信息资源的交换中心,将整体负责立信的经营管理、专业发展及对外协调和宣传,包括制订统一的执业标准、统一的内部管理制度、统一的人员培训制度并组织实施。我所均已制定了全面质量控制政策及程序,对所有审计项目执行严格的内部分级督导与三级复核制度。专业委员会目前已建立并实施的制度如《审计质量管理制度》、《审计项目质量控制分级复核与报告签发制度》、《审计规范第 1 号 - 风险分类与管理》等。我所成为管理公司上海总部,下设有三十个审计业务部,还有资产评估部、工程造价咨询部、管理咨询部、税务咨询部、技术标准部、国际业务部、法律服务部以及行政部等。立信拥有多名资深、经验丰富、并在会计界有影响的会计专家。

二、我们的优势

立信拥有专业知识及技术支援，为客户提供顶尖的专业服务。

不论客户身处何处，立信与其他 BDO 国际网络成员均能透过综合的会计软件及技术，确保客户得到一致的高品质服务。

BDO 国际网络世界各地成员所于当地均拥有悠久历史，享有领导地位。

我们的专业团队经验丰富，对各行各业有深厚的认识，并掌握商业社会的最新动态，时刻与客户保持紧密沟通。

我们从客户的角度出发，细心聆听，明白客户需要，从而提供客户的专业意见。

我们不断检讨我们自己的服务素质，以求保持优质的专业服务。

立信多年来赢得客户的信赖，不仅因为我们对本地市场了解透澈，恪守高水平的专业准则，更因为我们拥有坚持为客户提供切合需要的服务决心。

地址：上海市南京东路 61 号 4 楼

邮编：200002

电话：23280000

利安达会计师事务所(特殊普通合伙)

REANDA，中文简称利安达，注册名称为利安达会计师事务所(特殊普通合伙)。利安达注册资本为 1591 万元人民币，累计提取的职业风险金 2300 多万元人民币，职业责任保险累计赔偿限额达到一亿元人民币。利安达目前具有财政部和中国证监会批准的执行证券、期货相关业务审计资格、财政部和中国人民银行批准的从事金融审计相关业务资格、中国注册会计师协会和国务院国资委核准的承担大型及特大型国有企业审计资格、中国银行间市场交易商协会会员资格、北京市司法局批准的司法鉴定资格及在美国 PCAOB 和加拿大 CPAB 注册，具有为在美国和加拿大等北美国家证券市场上市的公司提供专业服务的资格。

利安达自 1993 年成立以来，经过 20 余年的长足发展，先后在北京、珠海、哈尔滨、沈阳、长春、天津、济南、深圳、长沙、杭州、郑州、成都、上海、秦皇岛、大连、厦门、武汉、兰州、合肥、西安、石家庄、湘潭、青岛、太原、嘉兴、南京等境内主要城市设有近 30 家分支机构，系具有相当规模的国内会计集团网络之一，拥有了一大批在国内外享有很高知名度的客户网络。

利安达本着守法自律、客观公正、薄利重义、优质高效的宗旨，不断加快规模化、规范化、国际化发展的步伐，努力与国际会计师行业接轨，培养了一批熟悉国内外会计、审计准则的注册会计师队伍。目前利安达已经具备了在审计、资产评估、金融、会计、工程造价、税务、财务、投融资及管理咨询等领域，特别是便利地为客户进入国际资本市场提供全方位、全球性专业服务的能力，同时利安达通过与中威正信资产评估有限公司(证券、期货相关业务评估资格)、利安达富邦(北京)工程顾问有限公司(甲级资质)、北京利安达税务师事务所有限责任公司、北京利安达管理顾问有限公司等各专业公司达成了战略联盟，实现了资源优势互补，联手打造大平台概念，力争为客户提供全方位的服务。

利安达自创业伊始，力求全方位地满足客户的需要，服务领域不断拓宽，执业资格不断完善。经过十多年的努力，利安达除保持成立之初具有的经财政部批准的审计、验资、会计、税务服务、咨询培训等服务资格外，现已具备了政府有关部门授予的多种特殊执业资格。

利安达的主要执业资格有：

1. 执业证书。

2. 财政部和中国证监会批准的执行证券、期货相关业务资格。

3. 财政部和中国人民银行批准的首批获准从事金融审计相关业务资格。

4. 国务院国资委审计项目会计师事务所入围资格。

5. 中国注册会计师协会核准的承担大型及特大型国有企业审计资格。

6. 中国银行间市场交易商协会会员资格。

7. 在美国公众公司会计监督管理委员会注册(PCAOB)，具备为在美国各证券交易所融资上市企业提供专业服务的资格。

8. 在加拿大公众公司会计监督理事会注册(CPAB)，具备为在加拿大各证券交易所融资上市企业提供专业服务的资格。

9. 澳洲会计师公会金牌雇主资格。

10. 财政部投资评审社会中介机构资格。

11. 北京市司法局批准的司法鉴定资格。

12. 北京中关村企业信用促进会会员证书。

13. 上海股权托管交易中心会员资格。

一、执业队伍

利安达自成立以来，一直坚持以人为本的原则，广纳贤才，经过 20 余年的发展已经拥有一批能吃苦、会战斗、年富力强的专业人才队伍，专业领域涉及审计、评估、金融、税务、会计、管理咨询、投融资和工程造价等多个方面。利安达现有从业人员 2000 余人，平均年龄 35 岁，其中注册会计师 500 余人。员工中，有很多人具有在境外工作或学习的背景，从事国际业务的员工中有三分之一具有 ACCA、CPAAustralia、CGA 等国际专业资格，拥有丰富的跨国(境)执业经验。100 余位的高级会计师、高级工程师等高级专业人才，30 多位行业领军人才及资深注册会计师，20 多位来自于利安达国际网络的咨询和国际会计准则专家，与利安达注册会计师队伍共同构成了利安达“健康、稳定、和谐、持续发展”的人才保障，使我们的执业队伍能顺利地服务于不同的行业和领域。

随着事业的发展，利安达在实现规模化、规范化、国际化的过程中，将不断地吸纳国内外的优秀人才，逐步实行人才的国际化，并且引进和安排国内外先进的员工培训项目，注重培养员工的敬业精神和团队精神，有计划地提高员工技术水平和客户沟通能力，形成一支奉行“质量第一、客户至上”执业原则、具备会计、审计、财务、税务、金融等多方面知识和经验的专业执业队伍。

保持与社会各界的良好关系是利安达发展完善自己的重要途径。事务所成立以来，利安达先后与国家计委、财政部、外经贸部、国家经贸委、中国人民银行、中国证监会、国家税务总局、中国注册会计师协会、北京注册会计师协会、全国及北京市工商业联合会、新华社、人民日报、国际金融报、中国财经报等政府部门、行业组织、社会媒体建立了良好的、稳定的关系，在注重发挥中介机构作用、积极提供信息咨询服务的同时，还积极协助政府部门举办各种政策法规专题研讨会，先后成功地主办、协办了中国注册会计师法颁布一周年座谈会、外贸体制改革一周年座谈会、市场经济与中介机构经济学家座谈会、“社会中介机构在构建和谐社会中的作用”先进性教育活动专题研讨会等大型活动，获得了社会各界的好评。

近几年来，利安达会计师事务所及董事长兼主任会计师黄锦辉同志不仅积极参加各项社会活动，而且积极投身于希望工程和光彩事业等慈善事业，尽力安排各种下岗、待业和失业的人员，努力回报社会。2002 年积极参加中国儿童少年基金会开展的“长城做证、爱心永存、关注未来、救助孩子”慈善捐助活动，共计捐款 6570 元。响应中国注册会计师协会的倡议，向内蒙古受灾居民捐献物品件数累计近百件。在事务所内部积极开展“献爱心、救助贫困员工”的活动，为发生意外事故、家庭困难的职工家属支付 10 万元的资助。利安达会计师事务所先后在湖北省洪湖市成立了洪湖市利安达希望小学、在小汤山经贸子弟学校建立了教师奖励基金，向湖北洪湖利安达希望小学捐赠奖学金、学习用具、电脑等物品，价值约 5 万多元。2003 年初发生的突如其来“非典”事件中，利安达积极参与北京市非公有经济人士联谊会倡议的“抗击非典、奉献爱心”的捐助活动。主任会计师黄锦辉同志积极参加北京市红十字会活动资助北京地区贫困儿童 2 人。2005 年 1 月，董事长兼主任会计师黄锦辉同志个人捐资 1 万元，通过中央统战部和陕西省统战部为陕西渭南华县华夏英才希望小学助学捐款，黄锦辉同志被聘为希望小学的名誉校长。黄锦辉同志作为全国工商联执委，作为中介机构的代表参加了红丝带基金的活动，并且被基金会聘为“红丝带基金财务顾问”，接受了由全国政协副主席、全国工商联主席黄孟复同志颁发的聘书，无偿为红丝带基金提供财务咨询，出具财务年度审计报告。这些充分体现了利安达强烈的社会责任感，并树立起利安达优良的社会公众形象。

二、企业文化

利安达的办所宗旨：

守法自律、薄利重义、客观公正、优质高效

利安达企业精神：

利安达是一所学校，是 CPA 成功的摇篮

利安达是一座基地，是 CPA 奠基的场所

利安达是一根蜡烛，是 CPA 成熟的明灯

利安达是一个家庭，是 CPA 事业的归宿

利安达的经营理念：

健康、稳定、和谐、持续发展

管理理念：

创新是制胜之道

团队建设理念：

能吃苦，会战斗，热爱生活、享受生活

利安达“做强做大”的指导方针：

以吸收合伙人和适当建立分支机构为主，以联合兼并为辅

利安达国际网络

利安达国际投资（北京）有限公司

北京管理总部：

地址：北京市朝阳区慈云寺北里 210 号远洋国际中心 E 座 12 层

邮编：100025

电话：+86 - 10 - 85886680

传真：+86 - 10 - 85886690

网址：www. reanda - international. com

邮箱：bjhq@ reanda - international. com

香港海外管理总部：

利安达国际网络有限公司

地址：香港湾仔庄士敦道 181 号大有大厦 21 层

电话：+852 - 31014822

传真：+852 - 31014811

邮箱：enquiry@ reanda - international. com

瑞华会计师事务所（特殊普通合伙）

瑞华会计师事务所（特殊普通合伙）是一家专业化、规模化、国际化的大型会计师事务所，具有二十多年的发展历史；是我国第一批被授予 A + H 股企业审计资格、第一批完成特殊普通合伙转制的民族品牌专业服务机构，系美国 PCAOB（公众公司会计监督委员会）登记机构，业务涉及股票发行与上市、公司改制、企业重组、资本运作、财务咨询、管理咨询、税务咨询等领域。

瑞华所总部设在中国北京，执业网络遍及全国，具有雄厚的专业技术力量，凝聚了一大批具备深厚专业素养、丰富实践经验、良好沟通能力及团队精神的行业精英。事务所现有从业人员 9000 多名、注册会计师 2600 名、合伙人 330 多名、全国会计领军人才 20 名，多人担任财政部、证监会、国资委、中国注册会计师协会等机构的专家委员。

瑞华所拥有丰富的战略伙伴资源，包括国家电网、航天科工、中远集团、东风汽车、国旅集团、国家核电等 40 多家国务院国资委直属中央企业，中船重工、华谊兄弟、海信电器等 340 余家上市公司，鞍钢股份、大唐国际、中新药业、哈动力、东北电气等多家 A + H 股、A + S 股企业，客户遍布制造、采掘、电力、水利、交通、航运、房地产、建筑、农林、教育、医药、信息、新闻出版、文化娱乐、银行保险等行业，具有丰富的执业经验。

瑞华所秉持“诚信、专业、责任、创新”的精神，以高起点谋划全局、高标准开展工作、高水平推动发展、高要求砥砺精神，专业报国、服务社会、成就员工，推进制度创新，拓展多元业务，培育高端人才，强化风险管控，深化信息建设，倡导技术引领，构建合伙文化，擦亮专业品牌，为中国注册会计师行业提供专业领跑的力量。

瑞华会计师事务所机构包括：合伙人会议；合伙人管理委员会；专门（业）委员会；综合管理部门；分支机构。

一、合伙人会议

合伙人会议是瑞华会计师事务所的最高权力机构，由全体合伙人组成。合伙人会议分为定期会议和临时会议。合伙人会议由执行事务合伙人负责召集和主持。合伙人会议按照合伙人“一人一票”方式行使表决权。

二、合伙人管理委员会

合伙人管理委员会是瑞华会计师事务所的决策和管理机构，由 13 名委员组成。合伙人管理委员会委员由合伙人会议选举产生，根据合伙人管理委员会授权履行职责。

三、专门（业）委员会

专门（业）委员会是瑞华会计师事务所合伙人管理委员会的议事和参谋机构，由战略委员会、市场委员会、技术委员会、风险控制委员会、信息化建设委员会、人力资源与薪酬委员会、财务与预算委员会、合伙行为监督委员会组成。

四、综合管理部门

综合管理部门是瑞华会计师事务所合伙人管理委员会的执行和办事机构，由办公室、业务发展部、技术与标准部、质

量监管部、培训部、信息技术部、国际联络部、合伙事务部、人力资源部、财务部、专业服务集团办公室、党委办公室组成。

五、综合管理部门职责

（一）办公室

办公室是瑞华会计师事务所主管文秘和行政事务的综合职能部门。具体职责是：

1. 协助相关专门（业）委员会拟订综合管理、行政管理方面的制度和规定；

2. 组织本所综合性会议，并形成除合伙人会议、合伙人管理委员会以外的记录或纪要；

3. 办理公文的收发、运转、审核，管理行政档案；

4. 督办有关文件及领导批示涉及的事项；

5. 管理本所证照、印信、执业资质（如：工商营业执照、执业证书、证券期货许可证等）和业务资质（如：军工保密资质、司法会计鉴定资质等）等；

6. 牵头负责年度报备、行业排名相关资料的申报工作；维护证监会会计师事务所监管系统、中国注册会计师协会管理系统、会计行业管理网等的公共数据；

7. 负责办公用品、固定资产的购置、维护与管理；

8. 负责来宾接待、物业保洁、安全保卫等后勤保障工作；负责办公场所日常工作秩序、工作纪律的维护；

9. 负责维护相关的公共关系；

10. 交办的其他工作。

（二）业务发展部

业务发展部是瑞华会计师事务所主管市场管理、项目管理、品牌管理和文化宣传的综合职能部门。具体职责是：

1. 协助市场委员会拟订业务开发、市场协调相关的制度和规定，承办市场委员会相关工作；

2. 制订年度经营目标、收入计划并负责分解下达和统计管理；

3. 组织落实业务发展和品牌建设规划，拟订年度业务发展和品牌推广计划；

4. 负责市场管理工作、协调市场开发；

5. 组织协调各类项目招投标工作，建立市场信息数据库；

6. 负责项目立项、备案管理工作；组织协调和调配本所重大项目，认定公共项目的项目负责人；

7. 联络和维护本所重要客户，开展客户公共关系相关活动；

8. 负责项目合同管理；

9. 收集、整理、分析和发布市场及行业信息；

10. 负责本所 VI 体系的建立及实施，组织各类品牌推广活动；

11. 负责品牌与文化工作，编辑出版杂志，更新官方微博信息；

12. 交办的其他工作。

（三）技术与标准部

技术与标准部是瑞华会计师事务所主管专业标准、专业技术支持和专业技术咨询的综合职能部门。具体职责是：

1. 协助技术委员会拟订与技术标准相关的管理制度和规定，承办技术委员会相关工作；

2. 负责技术支持系统规划和技术标准建设计划的具体实施，起草与专业标准、专业技术支持和专业技术咨询相关的规定和办法；

3. 制定会计、审计（含审阅、审核和其他鉴证业务）领域的专业标准（包括各类专业报告模版、底稿模版、审计指引等）；

4. 组织行业前沿业务技术研究、专业技术课题研究，开展专业技术研讨活动，整理、推广专业研究成果；积极参与国际财务报告准则、国际审计准则以及国内会计准则、审计准则等相关法律法规的制定和修订；

5. 组织建立专家库，做好外部顾问（专家）的选聘和内部资深专家的选拔，提供内外部咨询；组织或参与和专业标准、专业技术支持、专业技术咨询相关的内外部交流，维护相关的公共关系；

6. 搜集国内外相关法律、法规、规章及专业标准信息，建立专业标准、专业技术支持、专业技术咨询的信息数据库并定期发布和更新；

7. 负责为本所业务项目提供专业技术支持，解决执业中的重大技术难题，草拟重大的、具有一定普遍意义的技术问题的全所统一技术立场文件，制定和发布一般技术问题的技术提示；

8. 组织会计、审计（含审阅、审核和其他鉴证业务）等各项执业规程和技术指南的制订、宣导、修改和解释，收集、整理和发布与会计、审计相关的典型案例和技术模型；

9. 协助培训部开展涉及会计、审计技术问题的培训工作；

10. 交办的其他工作。

（四）质量监管部

质量监管部是瑞华会计师事务所主管风险管理和质量控制的综合职能部门。具体职责是：

1. 协助风险控制委员会拟订职业道德规范、质量控制制度和规定，承办风险控制委员会相关工作；

2. 负责风险管理和质量控制制度及其办法、职业道德规范及其配套办法的督导、落实；

3. 对合伙人及员工遵守风险管理和质量控制制度、职业道德规范、专业技术标准情况进行考核与评价；

4. 组织内部执业质量检查并提出处理意见；配合财政、证券监督部门、行业协会等外部监管机构对本所进行的质量检查；

5. 负责执业人员内部资质认定、考核和分类管理工作；

6. 收集职业道德建设、质量控制管理、质量控制检查、内部资质认定等相关信息，建立相应信息数据库；

7. 组织开展风险管理和质量控制、职业道德建设相关的课题研究，促进相关制度与程序的改进和完善；

8. 协助培训部开展风险管理和质量控制制度及其办法、职业道德规范及其配套办法的培训；

9. 负责质量控制、职业道德方面的内外部学术交流；

10. 负责业务档案管理和与审计鉴证业务相关的信息报备工作；

11. 负责维护相关的公共关系；

12. 交办的其他工作。

（五）培训部

培训部是瑞华会计师事务所主管注册会计师继续教育、合伙人和员工培训、客户培训的综合职能部门。具体职责是：

1. 协助相关专门（业）委员会拟订注册会计师继续教育、合伙人和员工培养方面的管理制度和规定；

2. 负责组织实施新员工岗前、内部资格、执业技能、继续教育等培训；

3. 建立、维护、更新、报备员工培训档案，形成相应信息数据库；

4. 负责行业领军人才、高端人才培养的组织、推荐和跟踪管理；

5. 负责外聘师资、内聘师资、联合培训院校的选聘、考评工作；

6. 负责本所培训教材的编制，建立内部网络培训平台；

7. 本所内部培训资格的申报工作；

8. 注册会计师培训信息管理及培训学时确认工作；

9. 配合业务发展，组织对重要客户的培训；

10. 负责维护相关的公共关系；

11. 交办的其他工作。

（六）信息技术部

信息技术部是瑞华会计师事务所主管信息技术、信息化建设与管理的综合职能部门。具体职责是：

1. 协助信息化建设委员会拟订事务所信息化建设相关的管理制度和规定，承办信息化建设委员会相关工作；

2. 拟订信息化建设中长期规划，制订信息化建设年度计划；

3. 负责事务所信息化管理系统的规划、组织、设计、实施及运维；

4. 负责相关信息系统（邮件、网站、法规库、审计软件等）及其他专业软件的技术支持；

5. 负责组织信息化建设相关项目的招标、验收和实施；

6. 负责网络架构体系的规划、设计、部署及运行，信息化相关软硬件的维护和管理；

7. 负责信息安全架构体系的规划、建设和实施；

8. 面向决策支持，做好相关信息系统开发和数据分析工作；

9. 负责信息系统使用手册的编制，组织信息系统实施的相关培训；

10. 负责维护相关的公共关系；

11. 交办的其他工作。

（七）国际联络部

国际联络部是瑞华会计师事务所主管国际联络、外事接待的综合职能部门。具体职责是：

1. 协助相关专门（业）委员会拟订本所国际化方面的管理制度和规定；

2. 负责本所与 RSM 国际及其成员所、国富浩华国际及其成员所的联络；

3. 促进本所与 RSM 国际及其成员所、国富浩华国际及其成员所的业务合作，协调国际业务在本所各分支机构之间的承接、承办；统筹本所国际业务的对外输出工作；

4. 开展与 RSM 国际及其成员所、国富浩华国际及其成员所之间的人员互换、交流及培训；

5. 负责本所外事工作，包括外事接待、出国人员安排等；

6. 负责跟踪国际行业组织动态，加强与国际行业组织的交流；

7. 开展全球经济政策研究，为本所国际化发展提供服务；

8. 负责维护相关的公共关系；

9. 交办的其他工作。

（八）合伙事务部

合伙事务部是瑞华会计师事务所主管合伙事务、分所事务、法律事务管理工作的综合职能部门。具体职责是：

1. 协助战略委员会、合伙行为监督委员会拟订本所发展战略、合伙人提名、合伙行为监督方面的制度和规定，承办战略委员会、合伙行为监督委员会相关工作；

2. 研究拟订本所中长期发展规划、参与拟订年度经营计划，组织事务所合并重组和团队加盟的尽职调查；

3. 研究拟订合伙行为监督实施办法，负责合伙行为监督的日常管理；

4. 负责合伙人会议、合伙人管理委员会会议的筹办，处理合伙人会议、合伙人管理委员会闭会期间日常事务，督办合伙人会议、合伙人管理委员会决议的执行落实；

5. 负责办理合伙人提名、新增合伙人的考察和选拔的相关事宜；退伙合伙人的风险评估；协调合伙人关系，处理合伙人意见分歧；参与合伙人绩效考核；组织开展合伙人意见和提案的征集工作；

6. 负责办理合伙人入伙、退伙内外部法定手续，管理合伙人出资事宜、拟定合伙财产分配方案；

7. 负责本所分立和解散、分支机构设立和撤销的可行性研究，管理分支机构内外部登记，组织分支机构综合检查，参与分支机构综合管理考核；

8. 负责处理各类法律文书，审核重要经济合同，提供内部法律咨询，处理涉外法律事务（包括涉讼、质疑、登记报备、授权许可等事项）；组织员工普法培训，提供合伙人行为监督与惩戒法律意见，督办合伙人惩戒措施落实；

9. 负责维护相关的公共关系；

10. 交办的其他工作。

（九）人力资源部

人力资源部是瑞华会计师事务所主管人才培养、人力资源管理工作的综合职能部门。主要职责是：

1. 协助人力资源与薪酬委员会拟订人力资源管理、员工考核晋升、合伙人业绩考核与收益分配方面的制度和规定，承办人力资源与薪酬委员会相关工作；

2. 负责合伙人的考核；

3. 负责拟订人力资源规划、员工职业发展规划、人才培养规划并组织实施；

4. 负责员工招聘、试用、转正定级、续聘、解聘、退休、内部调动、劳动合同等劳动关系管理；

5. 负责员工薪酬管理，建立员工薪酬福利体系，办理员工各项社会统筹及商业保险；

6. 负责员工绩效考核和晋升管理，组织岗位测评，建立岗位价值评估体系和员工胜任能力测评体系；

7. 负责员工个人资格管理、人事档案管理；

8. 处理劳动纠纷，协助处理因劳动人事纠纷产生的法律事务；

9. 负责瑞华品牌的校园推广与建设，组织实施各类校园活动；

10. 负责办理与人事相关的各类员工证件、证明；

11. 负责收集、整理相关管理信息，建立人力资源管理信息数据库，积极推进人力资源信息化管理；

12. 负责维护相关的公共关系；

13. 交办的其他工作。

（十）财务部

财务部是瑞华会计师事务所主管财务预算、会计核算、收支管理、内部审计工作的综合职能部门。主要职责是：

1. 协助财务与预算委员会拟订财务、会计、审计方面的制度和规定，承办财务与预算委员会相关工作；

2. 拟订年度财务预算及分配方案，执行财务收支及预算，编制年度财务决算，组织外聘审计机构出具审计报告，定期向合伙人提供财务报表和审计报告；

3. 组织会计核算，包括会计记帐、资金解缴、纳税筹划、资产管理、会计档案管理等；开展理财服务，提高资金使用效益；

4. 建立财务信息数据库；

5. 负责统计报表的编制和申报；

6. 负责督导分所财务、税务、统计等工作，组织财务预算、会计核算、资金调配、数据统计相关的内、外部交流；

7. 负责按照合伙人考核结果进行收益分配；

8. 维护相关公共关系，接受行业及主管部门组织的财务、税务、统计外部检查；

9. 交办的其他工作。

（十一）专业服务集团办

专业服务集团办的具体职责是：

1. 研究拟订专业公司发展相关的管理制度和规定；

2. 组织专业服务集团及专业公司会议，并形成记录或纪要；

3. 协调专业公司之间、专业公司与事务所之间的关系；

4. 负责专业服务集团、相关专业公司的文秘和行政事务管理工作；

5. 负责维护相关的公共关系；

6. 交办的其他工作。

（十二）党办

党委办公室是负责处理党委会日常事务，协调群团组织和统一战线建设，统一管理对外宣传的综合职能部门。主要职责如下：

1. 拟订事务所党的思想、组织、作风和制度建设等相关制度和考核评价办法；

2. 协助党委负责人处理党委会日常管理事务；

3. 负责党组织建设日常管理，包括做好党组织设置、党员发展、党费收缴、三会一课、评优表彰等，党委会议组织与记录，党支部负责人考察与党员合伙人任职推荐等；

4. 负责对外宣传统一管理，做好网站更新、所志编纂等工作；

5. 负责党的纪律检查日常管理，包括做好党员干部、党员合伙人遵章守纪、廉洁自律检查，定期向合伙人管理委员会通报党员合伙人遵章守纪、廉洁自律情况等；

6. 负责群团组织和统一战线建设日常联系与协调，包括做好共青团、工会、妇女等群众组织，民主党派和无党派知名人士等日常联系与协调；

7. 建立党建、群建、统战工作数据库；

8. 密切党组织上下之间、党组织之间、党组织与党员之间、党委会与合伙人管理委员会之间的沟通与协调关系，做好党组织建设、对外宣传、群团建设、统战工作等相关公共关系建设；

9. 交办的其他工作。

六、分支机构

分支机构是瑞华会计师事务所设在各地的执业机构，由天津分所、河北分所、秦皇岛分所、山西分所、内蒙古分所、辽宁分所、大连分所、吉林分所、长春分所、黑龙江分所、上海分所、江苏分所、苏州分所、南通分所、浙江分所、宁波分所、安徽分所、福建分所、厦门分所、江西分所、山东分所、青岛分所、潍坊分所、河南分所、湖北分所、宜昌分所、湖南分所、广东分所、佛山分所、珠海分所、深圳分所、广西分所、重庆分所、四川分所、云南分所、贵州分所、陕西分所、甘肃分所、青海分所、新疆分所等40家分所，以及北京执业中心、金融业务部、国际业务部和中瑞岳华（香港）、中瑞岳华（新加坡）、国富浩华（香港）组成。

地址：北京市海淀区西四环中路16号院2号楼3－4层
邮编：100039
电话：010－88219191
传真：010－88210558

山东和信会计师事务所（特殊普通合伙）

山东和信会计师事务所（特殊普通合伙）是2013年4月，经财政部批准，由山东正源和信会计师事务所联合山东汇德会计师事务所总部有关业务部及其烟台分所，山东天恒信会计师事务所济宁分所、济南分所转制设立的。

总部设在山东省济南市历下区，注册资本5019万元。总部设有质量技术委员会、办公室、财务部、质量技术部、标准培训部、审计业务一部、审计业务二部等部门，下设济南分所、青岛分所、潍坊分所、烟台分所、烟台芝罘分所、济宁分所、临沂分所、湖南分所等分支机构，杭州分所、河南分所正在设立中。

合并后的事务所拥有职工600余人，其中注册会计师245人。具有中、高级职称的各类专业人员占总人数的70%，具有本科学历以上从业人员占总人数的85%左右，其中：研究生学历的60余人。我们的员工队伍中：全国行业领军人才6人、山东省高端人才8人，中国注册会计师协会资深会员8人，2012年度优秀注册会计师8人、优秀主任会计师6人。中注协常务理事1人，理事4人，省注协常务理事4人，理事9人。

建所以来，我所始终坚持“诚信执业、精诚服务”的办所宗旨，树立“以人为本、人才至上”的发展理念，恪守“独立、客观、公正”的执业原则，凭借严谨的治所理念，良好的人文环境，高素质的专业团队，以优质高效的服务，赢得了社会各界的广泛认可，树立了良好的社会信誉。合并后，我们的人员规模、人员素质、业务能力、业务收入跃居山东省首位，各项业务已辐射全国。2015年业务收入1.2亿元。

为超过40家上市公司担任常年审计师

常年为监管机构提供近50家国有大中型企业集团的绩效考核与授权经营考核审计

山东省“先进会计师事务所”

连续多年入围《年度会计师事务所综合评价前百家信息》的会计师事务所，2015年度排名第46位。

被山东省国资委授予“企业清产核资十佳中介机构”荣誉称号

被山东省工商局评为“山东省重合同守信用单位”、山东省工商免检企业

被济南市政府授予“金融相关企业文明诚信单位”

2013年被山东省诚信文化促进会授予“山东省诚信示范企业”

2015年度齐鲁股权交易中心优秀会员

业务范围：

审查企业会计报表，出具审计报告；

验证企业资本，出具验资报告；

办理企业合并、分立、清算事宜中的审计业务，出具有关报告；

基本建设年度财务决算审计；

代理记帐；会计咨询、税务咨询、管理咨询、会计培训；

法律、法规规定的其他业务

地址：山东省济南市经十路13777号中润世纪广场18号1211室

电话:0531 - 81666288
传真:0531 - 81666227
Email:hexinllp@ 163. com

上海上会会计师事务所

上海上会会计师事务所(原名上海会计事务所)成立于1981 年1 月,是为适应改革开放的新形势,由财政部试点成立的全国第一家会计师事务所。经财政部、中国证券监督管理委员会批准,我所是具有上市公司查证的会计师事务所之一。1998 年底按财政部、中国证券监督管理委员会的要求,我所已正式改制为由注册会计师个人出资经营的负有限责任的会计事务所。

我所建所20 多年来,由于讲究业务质量和服务质量,崇尚职业道德,业务不断扩展,深得客户信赖。我所与国际著名的会计师行有着良好的业务合作关系,目前全所员工有近300 人,其中注册会计师100 余人,所有注册会计师都具有大专以上学历,定期参加国内培训和后续教育,有的还派赴香港或国外进行培训、实习,具有良好的事业心和实践经验,可以说,我所是一家颇具规模、历史最长、信誉良好的会计师事务所。

·经营理念

我所自成立以来,坚持了“独立、客观、公正”的原则。奉行“信誉第一、服务第一、效率第一”的宗旨。在不断深化改革的形势下,我所将积极开拓,不断进取,提高专业服务水准,以新的姿态热忱为新老客户提供我们的专业服务。

地址:上海市威海路755 号文新报业大厦20 楼
电话:021 - 52920000
传真:021 - 52921369
邮编:200041
邮箱:scpa@ public6. sta. net. cn
contact@ scpa. com. cn

天衡会计师事务所

江苏天衡会计师事务所的前身是江苏会计师事务所,由江苏省财政厅于1985 年10 月创建。1999 年1 月6 日,江苏会计师事务所整体改制为天衡会计师事务所有限公司。

1993 年,经中华人民共和国财政部和中国证券监督管理委员会批准,成为中国首批取得从事证券、期货相关业务财务审计许可证的会计师事务所。1993 年,经国家国有资产管理局和中国证券监督管理委员会批准,成为中国首批取得从事证券、期货相关业务资产评估许可证的会计师事务所。2000 年,经中华人民共和国财政部和中国人民银行批准,成为中国首批取得金融机构财务审计资格的会计师事务所。

2002 年5 月22 日,社会培训业务单独成立天衡会计师事务所培训中心。

2005 年3 月15 日,工程造价咨询业务从事务所分立,成立江苏天衡工程造价咨询有限公司。

2008 年6 月6 日,资产评估业务从事务所分立,成立天健兴业江苏分公司

2009 年2 月9 日,天衡取得中华人民共和国财政部和中国证监会新换发的证券、期货相关业务许可证。

天衡现有十四家分所,分别为北京分所、深圳分所、苏州分所、无锡分所、常州分所、徐州分所、连云港分所、扬州分所、江阴分所、苏州安信分所、苏州中惠分所、苏州勤业分所、宜兴分所、镇江分所。

专业服务:

1. 公开发行股票上市(IPO)审计

天衡是中国第一批获得证券、期货相关业务财务审计特许资格的会计师事务所,从1992 年至今,作为公司上市申报的注册会计师,已帮助40 余家公司成功上市。

天衡时刻关注IPO 监管和会计准则最新动态,深谙IPO过程中复杂会计问题的处理和信息披露要求,与各大主承销商及保荐人建立了很好的沟通和合作关系,在长期从事公司股份制改制、资产重组方案策划及股票发行及上市审计服务过程中,积累了丰富的经验。

IPO 审计服务内容主要有:

企业上市前的可行性研究及咨询;

协助和辅导企业完成上市前的规范工作,包括为IPO 方案提供专业意见;

担任企业股份制改制与上市中的审计、验资、内部控制鉴证及其他专项报告的审核工作。

2. 财务报表审计

定期报告的审计是我们的基本服务内容。在审计准则的指引下,天衡已形成完整规范的审计技术流程、标准和体系,训练有素的专业审计人员随时为您提供及时、高效的审计服务。同时我们的审计服务已不再满足于停留在简单的审计技术层面,而是更专注于帮助客户解决问题、提出管理建议、提供解决方案。

财务报表审计类型包括:

中期财务报表审计;

年度财务报表审计。

3. 专项鉴证服务

天衡汇集了一批具有国内资深专业背景和丰富实务经验的人员,能够提供符合国内业务规范的各种专项服务,包括:

验资;

清产核资审计;

债券发行审计;

企业内控制度调查及评价;

企业收购、兼并、重组审计;

财务调查;

任期经济责任审计;

其他专项鉴证。

4. 管理咨询

天衡拥有一批有多年实务经验的、高素质的专业人员,能为满足企业的发展需求提供广泛的管理咨询服务。精心设计的方案、严谨的专业技术确保了高品质的服务,长久以来,深受客户的信赖与肯定。主要包括:

设计企业内部控制制度;

独立财务顾问报告;

项目可行性研究或项目评价;

为企业合并、分立、重组、投资、清算等提供专业意见;

担任会计顾问,提供管理咨询;

设计会计制度;

其他管理咨询。

地址:苏州市滨河路1156 号金狮大厦7 楼A 座
电话:0512 - 68252382

传真：0512－68252698
邮编：215011
网址：www. jscpa. com. cn

天健会计师事务所

天健会计师事务所成立于1983年12月，是由我国一批资深注册会计师创办的首批具有A＋H股审计资格的全国性大型会计审计专业服务机构，综合实力位列全国第七，全球排名第十九位。

天健是荣誉品牌。天健30多年来获得多项殊荣，2012年，被中共中央组织部授予“全国创先争优先进基层党组织”称号；2010年，被浙江省人民政府认定为“浙江省服务业重点企业”；2012年，“天健”被浙江省工商行政管理局确认为“浙江省著名商标”；2013年，“天健”被浙江省名牌战略推进委员会认定为“浙江服务名牌”。

天健是民族品牌。天健是行业全国十强中纯中华民族品牌的事务所。总部设在杭州，在北京、上海、重庆、深圳等15个省市设有分支机构，并在香港、台湾、美国、德国、比利时等地设有成员所或联系所。

天健是专业品牌。天健拥有30多年的丰富执业经验和雄厚的专业服务能力。天健是中国会计准则委员会、中国审计准则委员会、中国证监会股票发行审核委员会、上海证券交易所上市委员会、深圳证券交易所上市委员会成员单位。现有4600余名从业人员中，有博士、硕士学位和会计、审计、经济、工程技术等高级专业职称的500余名，注册会计师1600余名，注册会计师行业领军人才30名（占全国行业总数的8%），教授级高级会计师14名（占浙江省总数的17.9%），60余名从业人员拥有境外执业会计师资格。

天健是服务品牌。天健恪守“专业报国、服务社会”的宗旨，奉行“为客户创造价值、与企业共同发展”的服务理念。截至2015年12月底，拥有包括A股、B股、H股上市公司、大型国企、外商投资企业等在内的固定客户5000余家，其中上市公司客户300余家、新三板客户近400家，位居全国前茅。天健在中山大学、湖南大学、中南财大、西南财大、杭州电子科大、宁波大学、浙江工商大学、北京工商大学、浙江财大等十三所院校设立天健奖学金。

“天行健，君子以自强不息”。天健人始终奉行“规范执业、稳健经营”的理念，践行“诚信、公正、务实、专业”的核心价值观，与时俱进，奋发有为，向着信息化管理、规范化执业、专业化发展、国际化服务的中华民族一流强所目标挺进！

一、合伙人团队

天健拥有一支专业、敬业、团结、活力的合伙人团队。目前共有合伙人170余名，涵盖审计、审阅、税务和咨询等各个领域。其中有13名教授级高级会计师（占浙江省总数的20%）；先后有10名合伙人担任中国证监会主板发行审核委员会、创业板发行审核委员会和中国注册会计师协会专职访问研究员；现有一名合伙人担任中共中国注册会计师行业委员会委员、中国会计准则委员会委员；一名合伙人担任中国审计准则委员会委员；一名合伙人曾任全国政协委员，三名合伙人担任省政协委员。

他们具有丰富的专业经验、深厚的专业知识、精湛的职业素养、出色的管理能力、敏锐的洞察力。他们重视客户需求，坚守质量导向，注重以人为本和团结协作，全面高效地为客户提供各种优质专业的服务。

二、天健的员工

拥有优秀的员工和成熟的团队是天健能够为企业提供专业服务的坚实基础。天健拥有从业人员近4000名，其中拥有博士、硕士学位和会计、审计、经济、工程技术等高级专业职称的人员500余名，注册会计师1400余名，注册会计师行业领军人才28名（占全国行业总数的8%），有60余位从业人员拥有境外执业会计师资格。员工平均年龄27岁。

良好教育背景和较深专业造诣的后起之秀与经验丰富的资深专家共同组成了一支整体业务素质较高、职业道德优良、年龄结构合理的执业队伍。自强不息、厚德载物是天健的精神追求；勤勉敬业、勇于开拓、吃苦耐劳、团结奋进，始终是天健的精神风尚。

天健在长期的执业过程中，积累了丰富的执业经验，获得了各级政府部门的肯定和市场的认可。拥有的主要执业资格包括：

注册会计师法定业务
证券期货相关审计业务
H股企业审计业务
美国公众公司会计监督委员会（PCAOB）注册事务所
中央企业审计入围机构
金融相关审计业务
从事特大型国有企业审计资格
军工涉密业务咨询服务
IT审计业务
税务代理
工程造价咨询（甲级）
工程预结算审价（一级）
国家建设项目工程预决算审计验证（A级）
工程咨询（甲级）
招投标代理资格
司法会计鉴定
破产管理人资格
浙江股权交易中心会员

天健在长期的执业过程中，积累深厚的文化底蕴：

三、天健文化建设纲要

中华一流　世界著名的愿景
专业报国　服务社会的宗旨
立足本土　面向国际的视野
规范执业　稳健经营的理念
一业为主　多元发展的战略
质量导向　信誉至上的方针
诚信客观　公正独立的原则
以人为本　和谐团结的风尚
专注专业　崇尚学习的氛围
自强不息　厚德载物的精神

四、文化精髓

天行健　君子以自强不息
地势坤　君子以厚德载物

五、核心价值观

诚信　公正　务实　专业

地址：杭州市西溪路128号新湖商务大厦
邮编：310007
电话：0571－88216888
传真：0571－88216999

天职国际会计师事务所(特殊普通合伙)

天职国际会计师事务所(特殊普通合伙)简称天职国际,创立于1988年12月,总部北京,是一家专注于审计鉴证、管理咨询、资本市场服务、税务服务、法务与清算、信息技术咨询、工程咨询的特大型综合性咨询机构。2014年度,天职国际实现业务收入12.2亿元,在2015年公布的中国注册会计师百强事务所排行中位列第9位,本土所名列第5位,正式步入中国会计师事务所十强。

天职国际内部治理机制完善,实行一体化管理模式,在人力资源政策、会计核算与财务管理、项目承接与执行、执业标准与质量控制、信息系统方面对各分支机构进行统一管理。天职国际国内网络布局合理,在中国大陆及香港特别行政区设有20余家分支机构。同时,天职国际是Baker Tilly International(全球第八大会计网络)在中国地区的唯一成员所,在全球拥有广泛的服务网络资源。天职国际致力打造专家型的人才团队。截至2014年,天职国际共拥有专业人员3000余人,其中,注册会计师800余人,拥有ACCA、ACA、CGA、HKCPA及其他境外执业资格的员工百余人,注册会计师行业领军人才近30人。

发展路上二十多年,天职国际已为不同行业的上万家客户提供了专业服务,客户类型涵盖中央及地方企业集团、上市公司及拟上市公司、金融机构、大型工程业主公司、政府经济主管(监督)部门等,涉及能源、制造、商品流通、建材、房地产、交通、医药、金融、TMT等多个行业。

"天道酬勤　职守笃行"是天职国际长期以来坚守的办所理念,随着中国全球化的进程加快,天职国际必将凭借科学的内部治理机制、合理的机构设置、精细的专业分工、卓越的服务品质以及高效的团队合作,为广大客户提供更为细致、更为科学的专业化服务。

天职国际愿与您携手,共创卓越!

业务总收入12.2亿元。

中注协百强排名第9位,本土第5位。

在中国大陆及香港特别行政区拥有20余家分支机构。

专业人员3000余人900余位注册会计师28位注会领军人才。

第八大国际会计网络BTI中国地区唯一成员所。

13家央企主审14家参审市场占有率领先主审央企排名第三位。

承担数千个国家及地方大型基建类工程造价咨询项目涉及工程投资超万亿元。

90家上市公司包括6家H股3家B股。

140余家新三板挂牌客户。

30余家IPO客户。

一、管理团队

天职国际合伙人管理委员会是天职国际最高的管理组织,目前由6名委员组成,代表全体合伙人负责天职国际各总、分支机构的经营管理工作。合伙人管理委员会6名委员均具有资深的行业经历、深厚的研究能力、丰富的管理经验,长期致力于为客户提供专家型的定制咨询服务。

二、文化理念

我们的核心理念:

天道酬勤　职守笃行

我们的行动口号:

开诚立信　务实求真　廉洁协作　勤奋严谨

我们的价值观:

社会、员工、客户、合伙人四方和谐

我们的发展战略:

规范化　集团化　国际化

我们的愿景:

团队一流　专业一流　服务一流　社会尊敬

我们倡导的团队氛围:

简单透明平和宽容

我们倡导的个人信条:

坚守诚信;己所不欲,勿施于人;未听取正反双方意见,不妄下断语;保护不在场的人;高调做事,低调做人;外柔内刚,诚恳但立场坚定;态度积极,保持幽默;别怕犯错误,怕的是不能吸取教训;协助属下成功;多请教别人;计划好明天;生活与工作有条不紊;爱自己、爱家人、爱生活、爱工作。

地址:中国北京海淀区车公庄西路19号
　　外文文化创意园12号楼

电话:010-88827799

传真:010-88018737

邮编:100048

网址:www.tzcpa.com

信永中和会计师事务所

信永中和会计师事务所是中国大陆成立时间最长,最具声望、最具规模的综合性会计师事务所之一,也是大陆唯一一家与国际知名会计公司有着长达七年合资经历的会计师事务所。信永中和不断提炼与升华所承袭的具有国际水平的质量体系与管理体系,在会计师事务所的执业、管理与建设上,走出了一条国际标准与国内实践相结合,先进理念与民族文化相融通的坦途,跻身于中国注册会计师行业的领军行列。

我们的总部设在北京,目前在新加坡、澳大利亚、中国香港、上海、深圳、成都、西安、天津、青岛、长沙、长春、银川、昆明、大连、济南、广州、福州均设有分所,已形成了华北、华东、华南、西北和西南各大区域以及香港和东南亚地区均有分布的格局。截至2009年底,拥有员工总数已超过2200人,中国注册会计师1000余人。

成立至今,我们的专业服务领域不断向纵深发展,并逐步扩大,形成了审计业务、管理咨询业务、工程造价咨询业务、税务及会计服务业务四大板块和五类专业服务,不但能够为国内企业提供符合中国会计准则的高品质服务,而且也具备了为在香港联交所上市的H股公司以及走向国外资本市场的中国企业提供符合国际标准的专业服务能力。

信永中和拥有执业水平精良、职业素养优秀的专业服务团队,事务所为我们的团队提供良好的工作氛围、持续的专业培训和职业发展空间。我们的成功源于专业品质,我们的发展来自优秀人才的加盟。为了配合事务所的业务扩展,我们真诚聘请有抱负、有才能的专业人士加入,与我们共同见证:因你的努力,信永中和发展;因你的成长,信永中和壮大。

地址:北京市东城区朝阳门北大街8号富华大厦A座9层

邮编:100027

电话:86-10-65542288(总机)

传真:86-10-65547190

邮箱:swhr_bj@shinewing.com

网址:www.shinewing.com

亚太(集团)会计师事务所

亚太(集团)会计师事务所(以下简称亚太)前身是成立于1984年的河南首家会计师事务所——河南省会计师事务所。1993年更名为亚太会计师事务所,1994年取得了执行证券、期货相关业务资格,1998年11月,经国家财政部财协字(1998)22号文批准,在跨地区吸收了深圳亚太会计事务所、河南亚太会计师事务所等中介机构的基础上,组建了亚太集团会计师事务所,2001年按照国务院关于经济鉴证类社会中介机构与政府部门实行脱钩改制的要求,由专业人员出资设立的改制为亚太(集团)会计师事务所有限公司。2009年10月,为了更好的发展,亚太集团把注册地和总部迁往北京市。2013年11月,根据财政部财会〔2010〕12号《关于印发<财政部、工商总局关于推动大中型会计师事务所采用特殊普通合伙组织形式的暂行规定>的通知》的规定,经北京市财政局京财会许可〔2013〕0052号《关于同意设立亚太(集团)会计师事务所(特殊普通合伙)的批复》批准,亚太(集团)会计师事务所有限公司整体更名为为亚太(集团)会计师事务所(特殊普通合伙)。亚太是伴随我国经济体制改革大潮,在服务我国市场经济建设的宗旨下跨省区组建的全国性、综合性大型会计中介集团。目前,具有财政部、中国证监会批准的执行证券期货相关业务的审计资格,财政部、中国人民银行批准的金融相关业务审计资格,财政部、原国家经贸委确认的国有大中型企业债转股审计评估资格;以及建设部门批准的甲级工程造价咨询资格和司法部门确认的司法会计、评估、计算机、工程造价鉴定资格。2001年,亚太与摩斯伦国际会计组织达成协议,成为其成员所,在专业标准、执业规范方面初步与国际接轨。2011年,亚太加入了国际组织——国际会计师事务所联盟(CPAAI),在其框架下,共享资源,共同发展。

一、执业资质

亚太的经营范围:审计、资产评估、验资;财务会计咨询服务、信息服务、技术服务、财务软件开发、工程造价咨询。业务领域涵盖审计、资产评估、内部控制体系建设、税务咨询、工程咨询、司法鉴定等,服务对象涉及石油石化、商业、贸易、金融、证券、保险、能源、化工、钢铁、机电、电子等多个行业,业务分布于北京、深圳、河南、贵州、广东、江西、四川、上海、辽宁、重庆、山东等二十多个省市。目前已完成几十家上市和拟上市公司的审计、评估、法律、咨询等业务。亚太在长期的执业实践中,逐步探索形成了辐射全国的服务网络和成龙配套的执业优势,恪守独立、客观、公正的执业准则,先后高质量地完成安钢股份、安彩股份、平煤天安、神火股份、神马实业、平高电气、银鸽投资、焦作鑫安、莲花味精、风神股份、新野棉纺、天方药业等A股上市30多家上市公司的审计业务;为安阳钢铁、焦作万方、洛阳一拖、洛阳春都、冰熊股份、太太药业、河南新闻出版集团、河南粮油进出口公司等40多家企业改制提供审计和评估业务,帮助企业募集了大量社会资金;积极配合并完成了中原传媒大地股份公司借壳上市工作,以及川国际和渝汰白的资产置换;与摩斯伦国际合作,承办了跨国公司鼎新国际在国内的审计业务;接受信达、华融资产管理公司等国家四大资产管理公司委托,先后承做了西南铝加工厂(中国第一大铝加工企业)、大同矿务局(中国第一大矿务局)、洛阳铜加工集团、甘肃金昌化工集团、大连大化、长城铝业公司等数十家大型企业债转股项目的评估和审计业务;受河南省政府委托,多次承办关系到全省经济发展的重大经济活动,参与了三星集团、北原公司、新世纪公司等重大经济案件的财产清查和财务审计工作,为安阳钢铁集团公司等数十家大型企业建立现代企业制度提供优质服务等等;同时完成了多家金融企业的审计、评估业务,如河南省郑州、洛阳等6市城市商业银行的组建,河南全省十家信托投资公司的改制重组,河南证券公司、中原证券公司、省财政证券及吉林省证券公司、重庆新华信托投资公司的重组改制等,有力的促进了产权制度的改革,赢得了各地政府和企业的好评;开展了一系列专项财务检查,严肃了财经纪律,维护了市场经济秩序,在全国市场经济建设中担当重任,为维护社会公众利益、服务企业改制上市、改善投资环境、促进资本市场发育成熟、推动市场经济和社会发展做出了应有的贡献。目前,亚太在继续做好金博士种业、许昌瑞泰、大通物产、科迪乳业、灵宝金源、校信通公司、三晖电器、河南银利达彩印、河南大程粮油集团、新乡华鑫能源材料、省农科院种子公司等拟上市公司业务,同时,又先后开拓了科瑞森、山东国强五金、石家庄沃德思源、武陟江河纸业、天津工业气、大地农化等10多家拟上市公司业务。

在执业中,亚太结合行业颁布的各项执业规则,并在长期的实践中积累了一定的执业经验和管理经验,制定出了内部业务操作规范和多项管理制度,如《审计执业操作规范》、《小企业审计模板》、《高新技术认定专项审计指引》、《员工职业道德规范》、《业务质量管理与控制制度(试行)》、《业务委派暂行办法》、《档案管理制度》、《员工职业后续教育制度》、《办公制度》、《劳动制度》、《员工薪资和晋升考核办法》、《员工及部门岗位职责(暂行)》等。上述基本制度形成了具有"亚太"特色的执业规范体系和管理制度框架,在实施过程中,我们还根据业务发展和管理需要,对上述制度及时进行修改、补充和完善,并以会议纪要、文件及其他形式下发,适应了不断变化的新形势。亚太一直把执业质量放在首位,把风险控制作为执业的前提并贯穿执业的全过程。主要的质量控制措施为:一是在全体执业人员中树立牢固的质量意识、风险意识和法律意识,把质量看作是事务所的生命线和自己的职业生命;二是强化职业道德教育,塑造诚实守信、勤勉尽责的职业品德,保持应有的独立性,客观公正执业,防范道德风险;三是完善专业标准和操作规范,建立全面的质量控制制度,在项目实施、项目审核、报告签发、业务档案、业务考核等环节严格质量控制;四是认真落实三级复核制度,对重大问题提交质量控制委员会研究;五是通过风险评估部、业务监管部、专业标准部,协同业务部门贯彻实施集团所质量控制职能;六是重视和强化职业后续教育,加大培训投入,不断提高从业人员的专业胜任能力。七是及时修改了分所管理办法,加强对分所的质量控制和管理。

二、主要业绩

自1993年设立至今,亚太以管理科学、监管严格、质量优良著称并赢得社会的赞誉,十多年来,共完成审计、评估、验资、工程咨询等项目约9700多项,涉及资产额达88900多亿元,在维护市场经济秩序和社会公众利益,服务市场经济建设等方面发挥了重要作用,并与数百家客户建立了良好的关系。并以优质高效的服务、优良的质量、严格的监管著称,赢得了各地政府企业的好评和广泛的社会赞誉。1995年,荣获财政部授予的"全国先进财会工作集体"荣誉称号。1998年,被评为郑州市文明单位。1999年,被评为郑州市文明标兵单位。2005年,亚太员工荣获"河南省十大杰出会计工作者"荣誉称号。近三年的业务收入分别为:2012年:

11400 万元；在中注协发布的全国会计师事务所综合评价百强中位居第 41 名。2013 年：17850 万元；在中注协发布的全国会计师事务所综合评价百强中位居第 40 名。2014 年：26718 万元；预计在中注协发布的全国会计师事务所综合评价百强中位居 30 名以内。

三、发展规划

当前，在财政部、中注协做大做强战略的指引下，我们面对新的形势，结合亚太的自身实际，积极采取各项措施，努力把事务所做大、做强、做优。为此，首先制定了事务所中长期发展战略目标，确定了"巩固中原、立足北京、面向全国"的发展战略，进一步巩固在河南省的龙头地位，同时，实行"走出河南"战略，充分发挥北京、深圳、上海、广州等地机构的优势，面向全国发展，不断壮大规模和实力。其次，要坚持亚太品牌优势和做大做强相结合，不断提高亚太品牌的知名度和核心竞争力。经过 10 多年的努力奋斗，亚太在全国会计中介行业领域形成了自身的执业优势，拥有一批优秀的专业人才，一套比较完备的执业质量体系，积累了丰富的改制上市审计经验，从而形成了我们亚太这一知名品牌和良好的社会声誉。因此，我们要充分发挥自身的品牌优势，继续保持在同行中的领先地位，实现强者愈强，大者恒大的发展目标，为全国资本市场提供更好的服务。第三，要始终坚持规范执业、稳健经营的办所宗旨，把执业质量视为事务所的生命线，建立健全内部决策和管理机制，不断完善质量控制体系，加强风险管理和职业道德教育，全面提高执业质量，进一步提高整体执业实力。第四，要做好人才培养战略，注重各类人才的选择和培养，建立人才培养的激励机制，形成大力吸收人才、精心培育人才、注重留住人才的良好环境，坚持以人为本，兼顾事务所"人合"和"资合"的发展理念，建设一支高素质的专家型执业队伍，为我们亚太的持续稳健发展奠定基础。亚太注册地迁址北京，成为全国性会计中介机构后，为下一步发展提供了广阔的平台。目前，全体员工在首席合伙人王子龙的带领下，团结一致，奋力拼搏，开拓进取，科学发展，努力把亚太办成国内一流的大型权威性中介机构，在加强内部治理、做好分所管理和规范发展，重点抓好业务质量和市场开拓、搞好人才队伍建设等方面形成新的思路，采取新的措施，不断壮大规模和实力，持续做优、做大、做强，争取用 3 年左右的时间，业务收入达到 3 亿元以上，注册会计师 350 人以上，跻身全国同行 30 强的目标，从而实现亚太新的跨越，新的崛起。

地址：北京市车公庄大街 9 号 B2 座 301 室

电话：010－88312386　88312356

邮箱：apagcpa@126.com

致同会计师事务所

致同是中国最早的会计师事务所之一，成立于 1981 年。致同总部设于北京，是（Grant Thornton International LtdGTIL）致同国际在中国唯一的成员所，英文名称为 Grant Thornton。包括香港特别行政区在内，致同在全国拥有 23 个分支机构，近 200 名合伙人，逾 4,000 名员工。其中，注册会计师近 1,000 人。通过与致同国际世界各地的成员所紧密合作，致同积累了丰富的全球资源和业务经验，将为不同区域的客户提供包括审计、税务、和咨询等全方位专业服务。

一、我们的服务网络

总部位于北京，我们在长春、成都、大连、福州、广州、哈尔滨、海口、香港、昆明、洛阳、南京、南宁、宁波、青岛、上海、深圳、苏州、太原、温州、武汉、厦门和西安等全国所有重要经济中心都有坚实的根基，并将继续努力扩展我们在全国的服务网络。"我们一直致力于提供国际水平的审计、税务及咨询服务，这为我们赢得了良好的声誉。我们立于注册会计师行业前沿，致力于将本土知识、专业技能、全球能力与国际资源相融合。我们的合伙人和员工竭诚为客户提供一流的专业服务，期待与您共达优秀，共悦成功。"

二、我们的优势

致同是首批获得从事证券期货相关业务资格、首批获准从事特大型国有企业审计业务资格及首批取得金融审计资格的会计师事务所之一；同时也是首批获得 H 股企业审计资格的内地事务所之一，并在美国 PCAOB 注册。我们的客户致同的客户群十分广泛，包括 160 余家上市公司，3,000 多家大型国有、外资及民营企业。

三、我们的荣誉

·2014 中国服务贸易（行业）十大最具影响力品牌（第三届京交会，2014 年）

·中国 2014 年最佳雇主 100 强（优信咨询）

·2014 中国企业海外上市审计机构五强（清科集团）

四、我们的运营方式

致同在全国主要城市拥有丰富的人才资源，并与致同国际在世界各地的成员所有着紧密的合作关系。通过致同国际设在中国的"国际商业中心"，我们可以与国际网络内的业务专家一起配合，为不同区域的企业提供专业意见及服务。

五、我们提供的服务

1. 审计

·中国大陆及香港法定年度财务报表审计

·国际财务报告准则审计

·美国公认会计准则审计

·上市审计

·并购业务专项审计

·盈利预测审核

·年度（任期）绩效评价审计

·商定程序审计

·验证投入资本。

2. 税务

·企业商业税务解决方案

·个人税务解决方案

·涉税鉴证

·交易支持税务服务

·转让定价

·税务会计和风险咨询服务

·税务争议协调服务

·国际税务服务

·财务外包

3. 咨询

·企业风险服务

·商业顾问服务

·并购交易支持服务

·法证调查服务

4. 其他服务

·资产评估

·工程造价

·工程造价咨询服务

·工程项目管理咨询服务（全过程跟踪审计）

六、我们的国际组织

Grant Thornton(致同)是一个国际性组织,由全球各地独立提供审计、税务及咨询服务的成员所组成,国际地位斐然。各成员所为充满活力的企业提供切实可行的有效建议,助其释放增长潜能。各成员所的合伙人非常注重与客户的紧密的联系。由他们带领的团队,凭卓见、经验及直觉,积极主动地为私营企业、上市公司和公共事业客户提供解决方案。遍及全球超过130个国家的逾40,000名致同员工致力于为客户、同行及社会的发展而不断努力,改变现状,并成就未来。

徐华

首席合伙人

北京朝阳区建国门外大街22号

赛特大厦1层

T+010-85665978

Exuhua@cn.gt.com

谭昕

中国区国际商业中心负责人

广东省广州市天河区

珠江新城珠江东路32号

利通广场10楼

T+862038963311

Eshannon.tan@cn.gt.com

www.grantthornton.cn

中汇会计师事务所

中汇经过近20年的探索和积累,成为具有财政部、证监会批准的从事证券、期货相关业务许可证资格,以及具有国家税务总局批准的从事税务鉴证、税务服务资格的大型综合性专业服务机构,由中汇会计师事务所(特殊普通合伙)、中汇税务师事务所有限公司、中汇工程咨询有限公司、中汇管理咨询有限公司等组成。

中汇在全国近20个重要商业城市均设有分支机构,拥有跨领域专业人才超过1500人,能为国内外各行业客户提供资本市场财务鉴证、审计、税务、评估、工程咨询、内部控制与风险咨询、IT审计与IT咨询、人力资源咨询、会计服务、专业培训、国际业务等全方面的专业服务。

多年来,中汇遵循"正直诚信、专注品质、团队协作"的核心价值观,践行"创造员工成长空间,协助客户提升价值"的使命,在发展的道路上积极探索不断进取。如今,中汇更加成熟稳健,竭诚为客户提供最优质的专业服务。

一、资质

·财政部证监会证券期货业务审计资格

·国务院国资委中央企业审计资格

·国家税务总局5A级税务师事务所资格

·建设部工程造价咨询甲级资格

二、荣誉与奖项

中汇致力于通过自身的努力,对客户、市场和社会产生积极的影响。许多外部组织和公众对我们的努力给予了认可,我们也因此获得了一些荣誉:

·2013年度全国百强会计师事务所排名中,名列第14位

·2011年度全国百强税务师事务所排名中,名列第1位

·浙江省优秀证券中介机构

三、最佳雇主企业

·中介服务行业示范企业

·首批行业质量服务诚信领先示范单位

·工程审价诚信满意双优单位

·公众满意诚信单位

·社会责任建设先进企业

四、专业团队

中汇的专业领先性与影响力来源于优秀的专业团队。1500多名具有不同专业背景和行业经验的员工,能够帮助客户解决不同领域的问题。我们的服务经验涉及多个行业,了解不同客户的独特需求,从而为客户提供多元化而强有力的专业支持。

其中包括:

·财政部注册会计师行业全国领军人才12名

·中国证监会第12、13届主板发行审核委员会专职委员1名

·中国证监会第3、4、5届创业板发行审核委员会专职委员1名

·国家税务总局行政复议委员会委员1名

·中国特级注册税务师14名

·中国注册会计师超过410名

·中国注册税务师超过350名

·中国注册造价工程师超过60名

除此之外,中汇还有多位注册咨询工程师、高级系统工程师、高级会计师、高级工程师、高级经济师,以及多位具有美国、英国、澳大利亚的ACCA、CGA、CA、RICS等海外职业资格的专业人员,并拥有中税协专业委员会委员、中税协理事、统战部"建设小康社会先进个人"的全国注册税务师行业唯一代表,优秀注册会计师,浙江省重大工程评标专家委员会成员等专家智囊团。

不管是哪个专业服务条线,中汇的专业团队始终坚持着共同的价值观和目标。我们恪守职业道德,勤勉尽职,不让客户利益受到侵害;我们在帮助客户解决目前问题的同时,更要协助客户预见到未来的可能性并提前作好准备;我们专注于服务品质,以追求卓越的精神保持专业领先性;我们注重团队协作,对客户的每一次服务都集合了中汇团队的整体智慧。

中汇的使命是"创造员工成长空间,协助客户提升价值",我们希望通过培训和职业规划,促进员工的不断成长和发展。我们致力于吸引、培养和激励优秀的人才,不断提高专业团队的能力,更好地帮助客户创造价值。

五、价值观与文化

愿景:

·愿景是我们战略制定和实施的生命航标

·我们的愿景是:成为中国最具品牌影响力的综合性专业服务机构

使命:

·使命是我们生存的灵魂

·我们的使命是:创造员工成长空间,协助客户提升价值

核心价值观:

·价值观我们持续发展的基石,是我们所倡导文化的本质和精髓

·我们的核心价值观是:

·正直远见我们恪守职业道德,力求长远发展

·专注品质我们追求专业品牌,注重服务质量

·团队协作我们倡导团队精神,凝聚集体智慧

地址:杭州市钱江新城新业路 8 号 UDC 时代大厦 A 座 12 层
电话:+8657188879660/88879661
传真:+8657188879993－9660

中审华寅五洲会计师事务所(特殊普通合伙)

中审华寅五洲会计师事务所(特殊普通合伙)是中国颇具规模的专业服务机构,系浩信国际(HLB)会计网络之中国成员机构。其前身五洲松德联合会计师事务所与华寅会计师事务所有限责任公司均为具有证券期货审计资质的大型会计师事务所,2011 年 12 月,为进一步扩大事务所规模,提升核心竞争力,双方实现机构合并,合并后机构名称变更为华寅五洲会计师事务所(特殊普通合伙)。

中审华寅五洲发展目标。坚持内涵发展与外延扩张并举的发展战略,依托事务所的资源优势及区位优势,推动事务所母体规模提速发展,同时运用兼并重组等现代运营手段,不断扩大事务所的规模及影响力,并以事务所为基础,整合资产评估、工程造价、税务、管理咨询等专业机构,实施集团化、多元化经营,拓展事务所的服务边界,助力事务所做大做强,并且通过机制创新和制度再造,优化事务所内部治理结构,塑造并保持先进的合伙文化,不断提高专业队伍的整体素质,持续提升事务所的核心竞争力,在合作共赢的前提下,借助知名国际会计网络逐步深化国际化经营,力争用三至五年时间,将事务所打造成为位列中国注册会计师行业品牌及信誉卓著的中国本土大型会计师事务所。

中审华寅五洲专业团队。华寅五洲拥有一支年轻的高素质的专业团队,目前员工总数 1200 余人,绝大多数具有大学本科以上学历,其中,中国注册会计师 500 余名,并拥有中国注册会计师行业领军人才 4 名。华寅五洲专业团队凭借其丰富的专业知识和行业阅历,可以帮助客户有效地考虑到可能遇到的问题并提出前瞻的、可执行的专业建议,并随时跟进行业准则,以保证在任何时候都能满足客户的专业性要求。

华寅五洲服务领域华寅五洲有审计、资产评估、管理咨询、税务服务、工程造价咨询等业务板块,并拥有:证券期货业务审计资格、证券期货业务资产评估资格、国有大型企业审计资格、金融业务审计资格、工程造价甲级资格、司法鉴定资格等。华寅五洲所拥有的资质条件能够有力地支撑我们为客户提供高品质、全方位的一站式专业化服务。

中审华寅五洲经营网络。华寅五洲管理总部设在北京,机构注册地为天津,并在北京、上海、深圳、广州、新疆、广西、湖南、甘肃、河南设立分所。在国际化经营方面,华寅五洲依托 HLB 的全球网络和经验,可以为跨国经营的中国企业和在华投资的国际跨国公司提供更为优质的审计咨询等专业化服务。

中审华寅五洲经营业绩。近年来,华寅五洲业务收入和人员规模持续提升,连续两年在中国注册会计师行业综合评价中居于前 20 位之列,2011 年业务规模达到 3.3 亿元。随着机构整体发展战略的实施,华寅五洲的核心竞争力将不断增强,服务领域和服务范围将不断扩大,华寅五洲也将会取得跨越式发展。

中审华寅五洲主要客户。多年来,华寅五洲为众多国内、国际知名客户提供专业服务,并与客户建立了恒久稳定的合作关系。

中国经济快速发展以及经济全球化进程的加快,使中介服务行业面临前所未有的机遇和挑战,华寅五洲将审时度势,把握契机,直面挑战,秉承持续超越自我、追求卓越品质的经营理念,向更高层次、更高标准、更高水平的规模化经营目标迈进。

地址:天津市和平区解放路 188 号信达大厦 35 层

中喜会计师事务所(特殊普通合伙)

中喜会计师事务所(特殊普通合伙)于 2013 年 11 月 8 日经北京市财政局(京财会许可〔2013〕0071)号文批准,由中喜会计师事务所有限责任公司转制设立。中喜会计师事务所有限责任公司于 1999 年 9 月由财政部批准设立。

中喜会计师事务所(特殊普通合伙)总部位于北京市东城区崇文门外大街 11 号新成文化大厦 A 座 11 层,设有合伙人办公室、行政事务部、人力资源部、业务发展部、质量控制部。总部直属业务部门 11 个,目前下设石家庄、邯郸、山西、深圳、广东、山东、上海、河南、天津、安徽、大连、四川等 12 个分所,目前筹建湖南、湖北、无锡分所。现有从业人员 600 多名,注册会计师 260 多名,执业范围遍及全国。

中喜会计师事务所拥有一支专业素养深、实践经验丰富、沟通能力良好的精英团队。多年来为客户提供股票发行与上市、公司改制、企业重组、资本运作、财务咨询、管理咨询、税务咨询等专业服务。涉及的行业包括证券公司、银行和金融保险企业、房地产企业、外经商贸企业、电信邮政企业、民航及服务企业、烟草企业、电力企业、工业制造企业、建筑业、行政事业单位等,为客户提供了优质的年度会计报表审计、经济责任审计、专项审计、管理咨询等服务。

中喜秉承"至诚、至精、至公"的执业理念,恪守"独立、容观、公正"的执业原则,建立和完善了经营管理机制和业务质量管理制度,视优秀专业人才为发展之本,并以持续的专业培训为后盾,使员 T 具备良好的执业操守。注重与国内同行、国际著名的会计机构交流与合作,学习国际先进经验,不断提高服务质量与执业水平。

中喜会计师事务所愿与社会各界精诚合作,共同发展。

地址:北京市东城区崇文门外大街 11 号新成文化大厦 A 座 11 层
电话:010－67092482
传真:010－67084147
邮编:100062

中兴财光华会计师事务所(特殊普通合伙)

中兴财光华会计师事务所(特殊普通合伙)是具有证券期货相关业务资格的专业服务机构。在财政部、证监会、中注协的领导下和广大客户的积极支持下,业务发展迅速,形成了鉴证和咨询两大业务核心,以北京总部为中心,与国内知名投行、券商、基金公司建立了战略合作关系,是国内资本证券化运作平台。公司在全国各地主要城市均设有分支机构,并与中联资产评估集团有限公司、中联造价咨询有限公司、中联税务师事务所联合组成中联光华集团,为企业提供审计、税务、工程造价咨询,资产评估等综合服务,是国内具有核心竞争力的优秀中介服务机构。

中兴财光华会计师事务所现有从业人员 1438 名,注册会计师 609 名、国际注册管理咨询师 10 名;资深教授、副教授、高级会计师、高级工程师、高级税务师、高级管理咨询师 158

名；荟萃了会计、审计、证券期货、资产评估、税务、金融、工程、经济管理等各类专业人才，是一支专业技术过硬、团结和谐、充满朝气和活力的执业队伍。2014 年审计业务收入 4.37 亿元，业务总收入 11.94 亿元，是全国 20 强会计师事务所之一，已入围国务院国资委审计项目、财政部重点审计项目、工信部、卫计委、科技部审计项目、南水北调水利项目、国家烟草、兵装集团、国电集团等央企。

中兴财光华会计师事务所服务范围遍及金融、证券期货、电信、钢铁、石油、煤炭、外贸、纺织、物产、电力、水利、新闻出版、科技、交通运输、制药、农牧业、房地产等行业。为企业提供上市前辅导、规范运作及上市前、后审计服务；为大中型企业提供内控设计、企业策划、投资项目可行性研究服务；为企业改制、资产重组、投资等经济活动提供财务、税务、经济评价和可行性研究；为工程项目提供预算、决算服务；为企事业单位提供资产评估（包括上市评估、无形资产评估）、价格评估等。公司拥有完善的管理体系、先进文化理念，在社会上树立了良好的职业形象，得到了社会各界的广泛赞誉。

2015 年荣获"新三板上市十大最值得信赖的会计师事务所"；"2015 中国品牌文化影响 500 强"；"2015 中国品牌文化影响力（行业）十大用户满意品牌"；入选"中国成长企业 5020 工程律师/会计师专项工作组成员单位"；2014 年荣获"中国服务贸易（行业）十大最具影响力品牌"称号；2011 年荣获中国注册会计师行业委员会颁发的"全国先进会计师事务所党组织"等。

中兴财光华会计师事务所以做优、做大、做强、上规模、上档次、上水平为发展战略目标，坚持"以质量求信誉，以信誉促发展"的经营理念，奉行"高效优质、为客户创造价值、为社会创造效益"的服务宗旨，追求稳健务实，与国际接轨的长远发展目标。全体员工精诚团结、锐意进取、竭诚为社会各界提供优质高效服务，为我国经济发展做出积极的贡献。

北京总部

地址：北京市西城区阜外大街 2 号万通大厦 A 座 24 层

邮编：100037

电话：010 - 52805600

传真：010 - 52805601

地址：北京市西城区复兴门内大街 28 号 5 层 F4 层
东座 929 室

邮编：100031

电话：010 - 88000211

传真：010 - 88000003

网址：www. zxcgh. net

邮箱：zxcghcpa@ 126. com

中兴华会计师事务所（特殊普通合伙）

中兴华会计师事务所（特殊普通合伙）是经中华人民共和国财政部批准，由国家工商行政管理局登记注册成立的，具有独立法人资格的全国性的会计、资产评估、财税和工程咨询等专业服务机构。

中兴华会计师事务所前身是成立于 1993 年的中法会计师事务所。2000 年由国家工商管理总局核准，改制为"中兴华会计师事务所有限责任公司"，2009 年吸收合并江苏富华会计师事务所，更名为"中兴华富华会计师事务所有限责任公司"。

2013 年公司进行合伙制转制，转制后的事务所名称经工商行政管理局核准为"中兴华会计师事务所（特殊普通合伙）"。已设有江苏分所、镇江分所、南通分所、扬州分所、苏州分所、山东分所、潍坊分所、威海分所、济南分所、东营分所、河南分所、河北分所、广东分所、辽宁分所、四川分所、福建分所、湖南分所、深圳分所、江西分所、上海分所共计 20 个分子机构。

本所出资额 2821 万，从业人员近千人，现有注册会计师 480（其中北京总所 158 人），其中具有证券、期货相关业务资格的注册会计师 52 人。注册评估师 87 人，注册税务师 56 人。工程师、律师等资格的 42 人。

一、企业价值观

诚信、专业、团队精神

创新、热诚、追求卓越

在执业服务中，我们坚持以专业立所，服务社会的宗旨，注册会计师执业团队以丰富的专业知识、尽职守责、勤勉敬业的精神，为广大客户提供专业服务，与企业共同发展。

我们在以审计服务主业突出的基础上、发展资产评估、工程造价、税收筹划、管理咨询多元经营，以专业优异、经营创新、超越自我的理念开拓进取，帮助客户在全球一体化发展和改革的大环境中，应对和解决复杂多变的专业难题，以实现客户价值的最大化。

我们始终坚持诚信客观、公正独立的原则，奉行规范执业、多元经营的理念，秉承立足本土、面向国际的视野，与时俱进，指导我们的行动，影响我们与他人的工作方式，以及我们服务客户和与社会各界人士相处的方式。

北京中兴华税务师事务所有限责任公司（以下简称"中兴华税务"）成立于 2008 年，目前有注册税务师 56 人。中兴华税务依托于中兴华会计师事务所的优良平台，吸收了国际国内税务咨询机构的专业人员，形成了独特的优势。我们在税务架构设计、税务筹划、业务模式及研发业务规划、税务内控管理、并购重组等方面具有丰富的经验，致力于最大程度地降低企业的税务风险，提高企业的税务管理效益。

二、我们的优势

我们更专业

我们秉承国际会计师事务所的工作作风，严谨、细致、全面、深入。

我们更专注

我们对每一个项目都给予足够有效的服务时间，确保项目质量。

三、我们的服务

常年税务顾问税务内控管理

基础咨询式制定税务管理制度

监督辅导式税务和业务对接

内控管理式税务信息化设计

专项税务咨询税务审计

税务架构设计税务健康检查

业务模式重组税务尽职调查

并购重组方案设计税务鉴证审计

研发业务规划税务抗辩/行政复议

外包服务减免税税务代理

营改增业务应对

股权转让分析

电话：010 - 68364878 - 158

手机：18901305601

邮箱：zncpa@ 163. com

中准会计师事务所(特殊普通合伙)

一、公司基本情况及组织架构

中准会计师事务所(特殊普通合伙)原名中准会计师事务所有限公司,1996 年 3 月由财政部批准设立,于 2013 年 10 月 11 日经北京市财政局京财会许可〔2013〕0062 号文件批准转制为中准会计师事务所(特殊普通合伙),注册资本为 1120 万元人民币,首席合伙人为田雍。总部设在北京市海淀区首体南路 22 号楼 4 层。并在吉林长春、辽宁沈阳、辽宁大连、青海西宁、湖南长沙、山东济南、广东广州、四川成都、安徽合肥、黑龙江哈尔滨、江西南昌、上海、广东深圳、河南郑州设有 14 个分所。

中准会计师事务所(特殊普通合伙)具有财政部、证监会批准的证券、期货相关业务审计资格;工程造价甲级资质、税务审计和咨询、司法鉴定资格及中国银行间市场交易商协会会计师事务所会员、北京金融资产交易所(北金所)会员、中关村企业信用促进会会员、天津股权交易所会员、浙江股权交易中心会员;北京市信用企业;第一批第三方节能量审核机构、北京市第一批碳排放权交易核查机构唯一入围会计师事务所。业务范围涵盖注册会计师法规定的全部业务。

中准会计师事务所(特殊普通合伙)一直位居全国百强会计师事务所内,2014 年度中注协全国百强事务所综合排名中列第 31 位。在国务院国有资产监督管理委员会 2014 - 2015 年度审计招标入围名单中综合排名第 22 位。2012 年度实现收入总额 1.53 亿元公司,2013 年度实现收入总额 1.80 亿元,2014 年度实现收入总额 1.83 亿元。

本公司实行主任会计师负责制,设发展战略委员会、风险管理和质量控制委员会、专业技术委员会、薪酬与考核委员会、专家咨询委员会;公司机构设置有综合管理部、质量控制部、业务部门 6 个和分所 14 个分所。本公司现有职工总数 1002 人,注册会计师 395 人,其中 40 岁以下 283 人、40 - 60 岁 90 人、60 岁以上 22 人,博士 15 人、硕士 65 人、本科及以下 315 人,是一支知识化、专业化、年轻化的队伍。

二、公司人员构成

公司团队中高级专业人员和研究生以上学历人员占 32%,中级专业人员和本科以上学历人员占 60%,执业人员平均年龄 35 岁,是一支具有知识化、专业化、年轻化的队伍。现有注册会计师 395 人,职工总数 1002 人。

公司具有一支由会计领军人才和优秀注册会计师为核心组成的审计专业队伍。公司注册会计师被选为中国证券监督管理委员会第十届、第十一届发行审核委员会委员 1 人;现有中国注册会计师协会理事 2 人;地方注册会计师协会副会长、常务理事、理事 9 人;全国会计领军人才 3 人;多人被评为地方行业领军人才。

三、行业经验

公司近三年来,承办了国务院国资委、北京市国资委多次年度会计报表审计、工程竣工财务决算审计和专项审计业务;承接了 60 多家上市公司的年度财务报表审计业务;承接 24 家金融企业的年度财务报表审计业务。公司具有丰富的中央企业和国有企业、上市公司、金融企业审计经验,公司的客户涉及制造、商品流通、邮电通信、金融、医药、房地产、电力等行业。

地址:北京市海淀区首体南路 22 号国兴大厦四层
电话:010 - 88356126
传真:010 - 88354837
邮箱:zhongzhuncpa@ 126. com

众华会计师事务所

众华会计师事务所长期以来,始终坚持专业创造价值,诚信实现共赢的发展战略,坚持市场化的发展方向,以专业和服务获得了客户的信任和支持,以诚信和敬业赢得了市场的认可和声誉。

众华会计师事务所汇集了一大批优秀的专业人才,积累了大量的优质客户,在国内外市场上享有很高的声誉。

众华会计师事务所为客提供全面优质的服务,包括审计、咨询、会计、税务、企业融资、企业重组等。

在全球经济一体化背景下,众华会计师事务所除提供中国市场服务外,借助国际网络,为客户提供全球化的优质服务

执业资质

1985 年 11 月,经外经贸部批准,取得涉外业务执业资格;

1993 年 7 月,经家财政部与中国证券监督管理委员会批准,取得证券期货相关业务执业资格;

2000 年,经财政部和中国人民银行批准,取得金融相关审计业务资格;

2000 年,经上海市财政局的批准,取得大型国有集团企业的审计业务资格;

2001 年 2 月,经财政部批准,取得了 B 股、H 股及其他境外投资的审计资格;

2001 年起,经上海市司法局和上海市最高人民法院授权,取得司法审计业务资格;

2004 年 8 月,经美国公众上市公司会计监督委员会的备案,取得美国上市公司的审计资格;

2009 年 2 月,经财政部与中国证券监督管理委员会审查,获批新一批证券期货相关业务资格。

地址:中国上海市黄浦区中山南路 100 号金外滩国际广场 6 楼
电话:021 - 63525500
传真:021 - 63525566
邮箱:info@ zhonghuacpa. com

第三章 法律法规

第一节 部门规章

关于《非上市公众公司监管问答——定向发行(二)》适用有关问题的通知

各市场参与人:

近日,中国证监会非上市公众公司监管部对外发布了《非上市公众公司监管问答——定向发行(二)》(以下简称《定向发行(二)》),为进一步明确《定向发行(二)》的具体监管要求,指导挂牌公司股票发行行为,现就有关问题进一步明确如下:

1. 发行后股东人数不超过200人的股票发行,发行对象涉及持股平台(单纯以认购股份为目的而设立的公司法人、合伙企业等持股平台,不具有实际经营业务)的,如果在《定向发行(二)》发布前发行方案已经过股东大会审议通过的,可继续按照原有的规定发行,但发行方案中没有确定发行对象的,则发行对象不应当为持股平台;如果在《定向发行(二)》发布前发行方案尚未经过股东大会审议通过的,应当按照《定向发行(二)》的规定发行。

2. 在《定向发行(二)》发布前已经存在的持股平台,不得再参与挂牌公司的股票发行。

3. 主办券商和律师事务所应当分别在"主办券商关于股票发行合法合规性意见"和"股票发行法律意见书"中就本次发行对象是否存在持股平台发表明确意见。

4. 发行股份购买资产构成重大资产重组且发行后股东人数不超过200人,发行对象涉及持股平台的,如果在《定向发行(二)》发布前已完成首次信息披露,可继续按照原有的规定进行重组;如果在《定向发行(二)》发布前发行方案尚未完成首次信息披露的,应当按照《定向发行(二)》的规定进行重组。

独立财务顾问和律师事务所应当分别在中介机构专项意见中就本次重组涉及的发行对象是否存在持股平台发表明确意见。

5. 通过设立员工持股计划参与挂牌公司股票发行的,挂牌公司应当履行法定的决策程序和信息披露义务。

特此通知。

全国中小企业股份转让系统有限责任公司
2015年12月17日

非上市公众公司监管问答——定向发行(一)

问:申报材料中"申请人最近2年及1期的财务报告及其审计报告"的具体要求?

答:根据《非上市公众公司信息披露内容与格式准则第4号——定向发行申请文件》,申请定向发行行政许可需要提交挂牌公司最近两年及一期财务报告及其审计报告,其中年度财务报告应当经过具有证券期货相关业务资格的会计师事务所审计。财务报告在最近一期截止日后6个月内有效,特殊情况下,可以申请延长,但延长期至多不超过一个月。申请行政许可提交的财务报告应当是公开披露的定期报告。

为满足挂牌公司的融资需求,防止年度报告、半年度报告披露前因财务报告有效期问题影响融资安排,鼓励有持续融资安排的挂牌公司自愿披露季度报告。

非上市公众公司监管问答——定向发行(二)

问:非上市公众公司是否可以向持股平台、员工持股计划定向发行股份,有何具体要求?

答:根据《非上市公众公司监督管理办法》相关规定,为保障股权清晰、防范融资风险,单纯以认购股份为目的而设立的公司法人、合伙企业等持股平台,不具有实际经营业务的,不符合投资者适当性管理要求,不得参与非上市公众公司的股份发行。

全国中小企业股份转让系统挂牌公司设立的员工持股计划,认购私募股权基金、资产管理计划等接受证监会监管的金融产品,已经完成核准、备案程序并充分披露信息的,可以参与非上市公众公司定向发行。其中金融企业还应当符合《关于规范金融企业内部职工持股的通知》(财金〔2010〕97号)有关员工持股监管的规定。

公司债券发行与交易管理办法

第一章 总则

第一条 为了规范公司债券的发行、交易或转让行为,保护投资者的合法权益和社会公共利益,根据《证券法》、《公司法》和其他相关法律法规,制定本办法。

第二条 在中华人民共和国境内,公开发行公司债券并在证券交易所、全国中小企业股份转让系统交易或转让,非公开发行公司债券并按照本办法规定承销或自行销售、或在证券交易所、全国中小企业股份转让系统、机构间私募产品报价与服务系统、证券公司柜台转让的,适用本办法。法律法规和中国证券监督管理委员会(以下简称中国证监会)另有规定的,从其规定。本办法所称公司债券,是指公司依照法定程序发行、约定在一定期限还本付息的有价证券。

第三条 公司债券可以公开发行,也可以非公开发行。

第四条 发行人及其他信息披露义务人应当及时、公平地履行披露义务,所披露或者报送的信息必须真实、准确、完整,不得有虚假记载、误导性陈述或者重大遗漏。

第五条 发行人及其控股股东、实际控制人应当诚实守信,发行人的董事、监事、高级管理人员应当勤勉尽责,维护债券持有人享有的法定权利和债券募集说明书约定的权利。

第六条 债券募集说明书及其他信息披露文件所引用的审计报告、资产评估报告、评级报告,应当由具有从事证券服务业务资格的机构出具。债券募集说明书所引用的法律意见书,应当由律师事务所出具,并由两名执业律师和所在律师事务所负责人签署。

第七条 为公司债券发行提供服务的承销机构、资信评级机构、受托管理人、会计师事务所、资产评估机构、律师事务所等专业机构和人员应当勤勉尽责,严格遵守执业规范和监管规则,按规定和约定履行义务。

第八条 发行人、承销机构及其相关工作人员在发行定价和配售过程中,不得有违反公平竞争、进行利益输送、直接或间接谋取不正当利益以及其他破坏市场秩序的行为。

第九条 中国证监会对公司债券发行的核准或者中国证券业协会按照本办法对公司债券发行的备案,不表明其对发行人的经营风险、偿债风险、诉讼风险以及公司债券的投资风险或收益等作出判断或者保证。公司债券的投资风险,由投资者自行承担。

第十条 中国证监会依法对公司债券的公开发行、非公开发行及其交易或转让活动进行监督管理。证券自律组织可依照相关规定对公司债券的上市交易或转让、非公开发行及转让、承销、尽职调查、信用评级、受托管理及增信等进行自律管理。

证券自律组织应当制定相关业务规则,明确公司债券承销、备案、上市交易或转让、信息披露、投资者适当性管理、持有人会议及受托管理等具体规定,报中国证监会批准。

第二章 发行和交易转让

第一节 一般规定

第十一条 发行公司债券,发行人应当依照《公司法》或者公司章程相关规定对以下事项作出决议:

(一)发行债券的数量;

(二)发行方式;

(三)债券期限;

(四)募集资金的用途;

(五)决议的有效期;

(六)其他按照法律法规及公司章程规定需要明确的事项。发行公司债券,如果对增信机制、偿债保障措施作出安排的,也应当在决议事项中载明。

第十二条 上市公司、股票公开转让的非上市公众公司发行的公司债券,可以附认股权、可转换成相关股票等条款。上市公司、股票公开转让的非上市公众公司股东可以发行附可交换成上市公司或非上市公众公司股票条款的公司债券。商业银行等金融机构可以按照有关规定发行附减记条款的公司债券。上市公司发行附认股权、可转换成股票条款的公司债券,应当符合《上市公司证券发行管理办法》、《创业板上市公司证券发行管理暂行办法》的相关规定。股票公开转让的非上市公众公司发行附认股权、可转换成股票条款的公司债券,由中国证监会另行规定。

第十三条 发行人全体董事、监事、高级管理人员应当在债券募集说明书上签字,承诺不存在虚假记载、误导性陈述或者重大遗漏,并承担相应的法律责任,但是能够证明自己没有过错的除外。

第十四条 本办法所称合格投资者,应当具备相应的风险识别和承担能力,知悉并自行承担公司债券的投资风险,并符合下列资质条件:

(一)经有关金融监管部门批准设立的金融机构,包括证券公司、基金管理公司及其子公司、期货公司、商业银行、保险公司和信托公司等,以及经中国证券投资基金业协会(以下简称基金业协会)登记的私募基金管理人;

(二)上述金融机构面向投资者发行的理财产品,包括但不限于证券公司资产管理产品、基金及基金子公司产品、期货公司资产管理产品、银行理财产品、保险产品、信托产品以及经基金业协会备案的私募基金;

(三)净资产不低于人民币一千万元的企事业单位法人、合伙企业;

(四)合格境外机构投资者(QFII)、人民币合格境外机构投资者(RQFII);

(五)社会保障基金、企业年金等养老基金,慈善基金等社会公益基金;

(六)名下金融资产不低于人民币三百万元的个人投资者;

(七)经中国证监会认可的其他合格投资者。

前款所称金融资产包括银行存款、股票、债券、基金份额、资产管理计划、银行理财产品、信托计划、保险产品、期货权益等;理财产品、合伙企业拟将主要资产投向单一债券,需要穿透核查最终投资者是否为合格投资者并合并计算投资者人数,具体标准由基金业协会规定。

证券自律组织可以在本办法规定的基础上,设定更为严格的合格投资者资质条件。

第十五条 公开发行公司债券,募集资金应当用于核准的用途;非公开发行公司债券,募集资金应当用于约定的用途。除金融类企业外,募集资金不得转借他人。发行人应当指定专项账户,用于公司债券募集资金的接收、存储、划转与本息偿付。

第二节 公开发行及交易

第十六条 公开发行公司债券,应当符合《证券法》、《公司法》的相关规定,经中国证监会核准。

第十七条 存在下列情形之一的,不得公开发行公司债券:

(一)最近三十六个月内公司财务会计文件存在虚假记载,或公司存在其他重大违法行为;

(二)本次发行申请文件存在虚假记载、误导性陈述或者重大遗漏;

(三)对已发行的公司债券或者其他债务有违约或者迟延支付本息的事实,仍处于继续状态;

(四)严重损害投资者合法权益和社会公共利益的其他情形。

第十八条 资信状况符合以下标准的公司债券可以向公众投资者公开发行,也可以自主选择仅面向合格投资者公开发行:

(一)发行人最近三年无债务违约或者迟延支付本息的事实;

(二)发行人最近三个会计年度实现的年均可分配利润不少于债券一年利息的1.5倍;

(三)债券信用评级达到AAA级;

(四)中国证监会根据投资者保护的需要规定的其他条

件。未达到前款规定标准的公司债券公开发行应当面向合格投资者；仅面向合格投资者公开发行的，中国证监会简化核准程序。

第十九条　公开发行公司债券，应当委托具有从事证业务资格的资信评级机构进行信用评级。

第二十条　发行人应当按照中国证监会信息披露内容与格式的有关规定编制和报送公开发行公司债券的申请文件。

第二十一条　中国证监会受理申请文件后，依法审核公开发行公司债券的申请，自受理发行申请文件之日起三个月内，作出是否核准的决定，并出具相关文件。发行申请核准后，公司债券发行结束前，发行人发生重大事项，导致可能不再符合发行条件的，应当暂缓或者暂停发行，并及时报告中国证监会。影响发行条件的，应当重新履行核准程序。承销机构应当勤勉履行核查义务，发现发行人存在前款规定情形的，应当立即停止承销，并督促发行人及时履行报告义务。

第二十二条　公开发行公司债券，可以申请一次核准，分期发行。自中国证监会核准发行之日起，发行人应当在十二个月内完成首期发行，剩余数量应当在二十四个月内发行完毕。公开发行公司债券的募集说明书自最后签署之日起六个月内有效。采用分期发行方式的，发行人应当在后续发行中及时披露更新后的债券募集说明书，并在每期发行完成后五个工作日内报中国证监会备案。

第二十三条　公开发行的公司债券，应当在依法设立的证券交易所上市交易，或在全国中小企业股份转让系统或者国务院批准的其他证券交易场所转让。

第二十四条　证券交易所、全国中小企业股份转让系对公开发行公司债券的上市交易或转让实施分类管理，实行差异化的交易机制，建立相应的投资者适当性管理制度，健全风险控制机制。证券交易所、全国中小企业股份转让系统应当根据债券资信状况的变化及时调整交易机制和投资者适当性安排。

第二十五条　公开发行公司债券申请上市交易或转让的，应当在发行前根据证券交易所、全国中小企业股份转让系统的相关规则，明确交易机制和交易环节投资者适当性安排。发行环节和交易环节的投资者适当性要求应当保持一致。

第三节　非公开发行及转让

第二十六条　非公开发行的公司债券应当向合格投资者发行，不得采用广告、公开劝诱和变相公开方式，每次发行对象不得超过二百人。第二十七条　发行人、承销机构应当按照中国证监会、证券自律组织规定的投资者适当性制度，了解和评估投资者对非公开发行公司债券的风险识别和承担能力，确认参与非公开发行公司债券认购的投资者为合格投资者，并充分揭示风险。

第二十八条　非公开发行公司债券是否进行信用评级由发行人确定，并在债券募集说明书中披露。

第二十九条　非公开发行公司债券，承销机构或依照本办法第三十三条规定自行销售的发行人应当在每次发行完成后五个工作日内向中国证券业协会备案。

中国证券业协会在材料齐备时应当及时予以备案。备案不代表中国证券业协会实行合规性审查，不构成市场准入，也不豁免相关主体的违规责任。

第三十条　非公开发行公司债券，可以申请在证券交易所、全国中小企业股份转让系统、机构间私募产品报价与服务系统、证券公司柜台转让。

第三十一条　非公开发行的公司债券仅限于合格投资者范围内转让。转让后，持有同次发行债券的合格投资者合计不得超过二百人。

第三十二条　发行人的董事、监事、高级管理人员及持股比例超过百分之五的股东，可以参与本公司非公开发行公司债券的认购与转让，不受本办法第十四条关于合格投资者资质条件的限制。

第四节　发行与承销管理

第三十三条　发行公司债券应当由具有证券承销业务资格的证券公司承销。

取得证券承销业务资格的证券公司、中国证券金融股份有限公司及中国证监会认可的其他机构非公开发行公司销售。

第三十四条　承销机构承销公司债券，应当依据本办法以及中国证监会、中国证券业协会有关尽职调查、风险控制和内部控制等相关规定，制定严格的风险管理制度和内部控制制度，加强定价和配售过程管理。

第三十五条　承销机构承销公司债券，应当依照《证券法》相关规定采用包销或者代销方式。

第三十六条　发行人和主承销商应当签订承销协议，在承销协议中界定双方的权利义务关系，约定明确的承销基数。采用包销方式的，应当明确包销责任。公开发行公司债券，依照法律、行政法规的规定应由承销团承销的，组成承销团的承销机构应当签订承销团协议，由主承销商负责组织承销工作。公司债券发行由两家以上承销机构联合主承销的，所有担任主承销商的承销机构应当共同承担主承销责任，履行相关义务。承销团由三家以上承销机构组成的，可以设副主承销商，协助主承销商组织承销活动。承销团成员应当按照承销团协议及承销协议的约定进行承销活动，不得进行虚假承销。

第三十七条　公司债券公开发行的价格或利率以询价或公开招标等市场化方式确定。发行人和主承销商应当协商确定公开发行的定价与配售方案并予公告，明确价格或利率确定原则、发行定价流程和配售规则等内容。

第三十八条　发行人和承销机构不得操纵发行定价、暗箱操作；不得以代持、信托等方式谋取不正当利益或向其他相关利益主体输送利益；不得直接或通过其利益相关方向参与认购的投资者提供财务资助；不得有其他违反公平竞争、破坏市场秩序等行为。

第三十九条　公开发行公司债券的，发行人和主承销商应当聘请律师事务所对发行过程、配售行为、参与认购的投资者资质条件、资金划拨等事项进行见证，并出具专项法律意见书。公开发行的公司债券上市后十个工作日内，主承销商应当将专项法律意见随同承销总结报告等文件一并报中国证监会。

第四十条　发行人和承销机构在推介过程中不得夸大宣传，或以虚假广告等不正当手段诱导、误导投资者，不得披露除债券募集说明书等信息以外的发行人其他信息。承销机构应当保留推介、定价、配售等承销过程中的相关资料，并按相关法律法规规定存档备查，包括推介宣传材料、路演现场录音等，如实、全面反映询价、定价和配售过程。相关推介、定价、配售等的备查资料应当按中国证券业协会的规定制作并妥善保管。

第四十一条　中国证券业协会应当制定非公开发行公司债券承销业务的风险控制管理规定，根据市场风险状况对承销业务范围进行限制并动态调整。

第三章　信息披露

第四十二条　发行人及其他信息披露义务人应当按照中国证监会及证券自律组织的相关规定履行信息披露义务。

第四十三条　公开发行公司债券的发行人应当按照规定及时披露债券募集说明书，并在债券存续期内披露中期报告和经具有从事证券服务业务资格的会计师事务所审计的年度报告。非公开发行公司债券的发行人信息披露的时点、内容，应当按照募集说明书的约定履行，相关信息披露文件应当由受托管理人向中国证券业协会备案。

第四十四条　公司债券募集资金的用途应当在债券募集说明书中披露。发行人应当在定期报告中披露公开发行公司债券募集资金的使用情况。非公开发行公司债券的，应当在债券募集说明书中约定募集资金使用情况的披露事宜。

第四十五条　公开发行公司债券的发行人应当及时披露债券存续期内发生可能影响其偿债能力或债券价格的重大事项。重大事项包括：

(一)发行人经营方针、经营范围或生产经营外部条件等发生重大变化；

(二)债券信用评级发生变化；

(三)发行人主要资产被查封、扣押、冻结；

(四)发行人发生未能清偿到期债务的违约情况；

(五)发行人当年累计新增借款或对外提供担保超过上年末净资产的百分之二十；

(六)发行人放弃债权或财产，超过上年末净资产的百分之十；

(七)发行人发生超过上年末净资产百分之十的重大损失；

(八)发行人作出减资、合并、分立、解散及申请破产的决定；

(九)发行人涉及重大诉讼、仲裁事项或受到重大行政处罚；

(十)保证人、担保物或者其他偿债保障措施发生重大变化；

(十一)发行人情况发生重大变化导致可能不符合公司债券上市条件；

(十二)发行人涉嫌犯罪被司法机关立案调查，发行人董事、监事、高级管理人员涉嫌犯罪被司法机关采取强制措施；

(十三)其他对投资者作出投资决策有重大影响的事项。

第四十六条　资信评级机构为公开发行公司债券进行信用评级，应当符合以下规定：

(一)按照规定或约定将评级信息告知发行人，并及时向市场公布首次评级报告、定期和不定期跟踪评级报告；

(二)在债券有效存续期间，应当每年至少向市场公布一次定期跟踪评级报告；

(三)应充分关注可能影响评级对象信用等级的所有重大因素，及时向市场公布信用等级调整及其他与评级相关的信息变动情况，并向证券交易所或其他证券交易场所报告。

第四十七条　公开发行公司债券的发行人及其他信息披露义务人应当将披露的信息刊登在其债券交易场所的互联网网站，同时将披露的信息或信息摘要刊登在至少一种中国证监会指定的报刊，供公众查阅。

第四章　债券持有人权益保护

第四十八条　发行公司债券的，发行人应当为债券持有人聘请债券受托管理人，并订立债券受托管理协议；在债券存续期限内，由债券受托管理人按照规定或协议的约定维护债券持有人的利益。

发行人应当在债券募集说明书中约定，投资者认购或持有本期公司债券视作同意债券受托管理协议、债券持有人会议规则及债券募集说明书中其他有关发行人、债券持有人权利义务的相关约定。

第四十九条　债券受托管理人由本次发行的承销机构或其他经中国证监会认可的机构担任。债券受托管理人应当为中国证券业协会会员。为本次发行提供担保的机构不得担任本次债券发行的受托管理人。债券受托管理人应当勤勉尽责，公正履行受托管理职责，不得损害债券持有人利益。对于债券受托管理人在履行受托管理职责时可能存在的利益冲突情形及相关风险防范、解决机制，发行人应当在债券募集说明书及债券存续期间的信息披露文件中予以充分披露，并同时在债券受托管理协议中载明。

第五十条　公开发行公司债券的受托管理人应当履行下列职责：

(一)持续关注发行人和保证人的资信状况、担保物状况、增信措施及偿债保障措施的实施情况，出现可能影响债券持有人重大权益的事项时，召集债券持有人会议；

(二)在债券存续期内监督发行人募集资金的使用情况；

(三)对发行人的偿债能力和增信措施的有效性进行全面调查和持续关注，并至少每年向市场公告一次受托管理事务报告；

(四)在债券存续期内持续督导发行人履行信息披露义务；

(五)预计发行人不能偿还债务时，要求发行人追加担保，并可以依法申请法定机关采取财产保全措施；

(六)在债券存续期内勤勉处理债券持有人与发行人之间的谈判或者诉讼事务；

(七)发行人为债券设定担保的，债券受托管理协议可以约定担保财产为信托财产，债券受托管理人应在债券发行前或债券募集说明书约定的时间内取得担保的权利证明或其他有关文件，并在担保期间妥善保管；

(八)发行人不能偿还债务时，可以接受全部或部分债券持有人的委托，以自己名义代表债券持有人提起民事诉讼、参与重组或者破产的法律程序。

第五十一条　受托管理人因涉嫌债券承销活动中违法违规正在接受中国证监会调查或出现中国证监会认定的其他不再适合担任受托管理人情形的，在依据本办法第五十五条第(三)项变更受托管理人之前，中国证监会可以临时指定中证中小投资者服务中心有限责任公司承担受托管理职责，直至债券持有人会议选任出新的受托管理人为止。

第五十二条　非公开发行公司债券的，债券受托管理人应当按照债券受托管理协议的约定履行职责。

第五十三条　受托管理人为履行受托管理职责，有权代表债券持有人查询债券持有人名册及相关登记信息、专项账户中募集资金的存储与划转情况。证券登记结算机构应当予以配合。

第五十四条　发行公司债券，应当在债券募集说明书中约定债券持有人会议规则。

债券持有人会议规则应当公平、合理。债券持有人会议规则应当明确债券持有人通过债券持有人会议行使权利的范围，债券持有人会议的召集、通知、决策机制和其他重要事项。

债券持有人会议按照本办法的规定及会议规则的程序要求所形成的决议对全体债券持有人有约束力。

第五十五条　存在下列情形的，债券受托管理人应当召集债券持有人会议：

（一）拟变更债券募集说明书的约定；

（二）拟修改债券持有人会议规则；

（三）拟变更债券受托管理人或受托管理协议的主要内容；

（四）发行人不能按期支付本息；

（五）发行人减资、合并、分立、解散或者申请破产；

（六）保证人、担保物或者其他偿债保障措施发生重大变化；

（七）发行人、单独或合计持有本期债券总额百分之十以上的债券持有人书面提议召开；

（八）发行人管理层不能正常履行职责，导致发行人债务清偿能力面临严重不确定性，需要依法采取行动的；

（九）发行人提出债务重组方案的；

（十）发生其他对债券持有人权益有重大影响的事项。在债券受托管理人应当召集而未召集债券持有人会议时，单独或合计持有本期债券总额百分之十以上的债券持有人有权自行召集债券持有人会议。

第五十六条　发行人可采取内外部增信机制、偿债保障措施，提高偿债能力，控制公司债券风险。内外部增信机制、偿债保障措施包括但不限于下列方式：

（一）第三方担保；

（二）商业保险；

（三）资产抵押、质押担保；

（四）限制发行人债务及对外担保规模；

（五）限制发行人对外投资规模；

（六）限制发行人向第三方出售或抵押主要资产；

（七）设置债券回售条款。公司债券增信机构可以成为中国证券业协会会员。

第五十七条　发行人应当在债券募集说明书中约定构成债券违约的情形、违约责任及其承担方式以及公司债券发生违约后的诉讼、仲裁或其他争议解决机制。

第五章　监督管理和法律责任

第五十八条　对违反法律法规及本办法规定的机构和人员，中国证监会可采取责令改正、监管谈话、出具警示函、责令公开说明、责令参加培训、责令定期报告、认定为不适当人选、暂不受理与行政许可有关的文件等相关监管措施；依法应予行政处罚的，依照《证券法》、《行政处罚法》等法律法规和中国证监会的有关规定进行处罚；涉嫌犯罪的，依法移送司法机关，追究其刑事责任。

第五十九条　发行人、承销机构向不符合规定条件的投资者发行公司债券的，中国证监会可以对发行人、承销机构及其直接负责的主管人员和其他直接责任人员采取本办法第五十八条规定的相关监管措施；情节严重的，处以警告、罚款。

第六十条　非公开发行公司债券，发行人违反本办法第十五条规定的，中国证监会可以对发行人及其直接负责的主管人员和其他直接责任人员采取本办法第五十八条规定的相关监管措施；情节严重的，处以警告、罚款。

第六十一条　承销机构承销未经核准擅自公开发行的公司债券的，中国证监会可以采取十二至三十六个月暂不受理其证券承销业务有关文件等监管措施；对其直接负责的主管人员和其他直接责任人员，可以采取本办法第五十八条规定的相关监管措施。

第六十二条　除中国证监会另有规定外，承销或自行销售非公开发行公司债券未按规定进行备案的，中国证监会可以对承销机构及其直接负责的主管人员和其他直接责任人员采取本办法第五十八条规定的相关监管措施；情节严重的，处以警告、罚款。

第六十三条　承销机构在承销公司债券过程中，有下列行为之一的，中国证监会可以对承销机构及其直接负责的主管人员和其他直接责任人员采取本办法第五十八条规定的相关监管措施；情节严重的，可以对承销机构采取三至十二个月暂不受理其证券承销业务有关文件的监管措施：

（一）以不正当竞争手段招揽承销业务；

（二）从事本办法第三十八条规定禁止的行为；

（三）从事本办法第四十条规定禁止的行为；

（四）未按本办法及相关规定要求披露有关文件；

（五）未按照事先披露的原则和方式配售公司债券，或其他未依照披露文件实施的行为；

（六）未按照本办法及相关规定要求保留推介、定价、配售等承销过程中相关资料；

（七）其他违反承销业务规定的行为。

第六十四条　发行人有下列行为之一的，中国证监会可以对发行人及其直接负责的主管人员和其他直接责任人员采取本办法第五十八条规定的相关监管措施：

（一）从事本办法第三十八条规定禁止的行为；

（二）从事本办法第四十条规定禁止的行为；

（三）其他违反承销业务规定的行为。

第六十五条　非公开发行公司债券，发行人及其他信息披露义务人未按规定披露信息，或者所披露的信息存在虚假记载、误导性陈述或者重大遗漏的，依照《证券法》和中国证监会有关规定处理，对发行人、其他信息披露义务人及其直接负责的主管人员和其他直接责任人员可以采取本办法第五十八条规定的相关监管措施；情节严重的，处以警告、罚款。

第六十六条　发行人、债券受托管理人等违反本办法规定，损害债券持有人权益的，中国证监会可以对发行人、受托管理人及其直接负责的主管人员和其他直接责任人员采取本办法第五十八条规定的相关监管措施；情节严重的，处以警告、罚款。

第六十七条　发行人的控股股东滥用公司法人独立东有限责任，损害债券持有人利益的，应当依法对公司债务承担连带责任。

第六章　附则

第六十八条　公开发行公司债券，应当由中国证券登记结算有限责任公司统一登记。公开发行公司债券的结算业务及非公开发行公司债券的登记结算业务，应当由中国证券登记结算有限责任公司或中国证监会认可的其他机构办理。其他机构办理公司债券登记结算业务的，应当将登记、结算数据报送中国证券登记结算有限责任公司。

第六十九条　本办法规定的发行人不包括地方政府融资平台公司。

第七十条　证券公司和其他金融机构次级债券的发行、交易或转让，适用本办法。境外注册公司在中国证监会监管的债券交易场所的债券发行、交易或转让，参照适用本办法。

第七十一条　本办法所称证券自律组织包括证券交易所、全国中小企业股份转让系统、中国证券业协会以及中国证监会认定的其他自律组织。

第七十二条　在区域性股权交易市场非公开发行与转让公司债券的管理办法，由中国证监会另行规定。

第七十三条　本办法自公布之日起施行。《证券公司债券管理暂行办法》（证监会令第15号）、《关于修订〈证券公司债券管理暂行办法〉的决定》（证监会令第25号）、《关于发布〈证券公司债券管理暂行办法〉五个配套文件的通知》（证监发行字〔2003〕106号）、《公司债券发行试点办法》（证监会令第49号）、《关于实施〈公司债券发行试点办法〉有关事项的通知》（证监发〔2007〕112号）、《关于创业板上市公司非公开发行债券有关事项的公告》（证监会公告〔2011〕29号）同时废止。

关于上市公司股息红利差别化个人所得税政策有关问题的通知

财税〔2015〕101号

各省、自治区、直辖市、计划单列市财政厅（局）、国家税务局、地方税务局，新疆生产建设兵团财务局，上海、深圳证券交易所，全国中小企业股份转让系统有限责任公司，中国证券登记结算公司：

经国务院批准，现就上市公司股息红利差别化个人所得税政策等有关问题通知如下：

一、个人从公开发行和转让市场取得的上市公司股票，持股期限超过1年的，股息红利所得暂免征收个人所得税。

个人从公开发行和转让市场取得的上市公司股票，持股期限在1个月以内（含1个月）的，其股息红利所得全额计入应纳税所得额；持股期限在1个月以上至1年（含1年）的，暂减按50%计入应纳税所得额；上述所得统一适用20%的税率计征个人所得税。

二、上市公司派发股息红利时，对个人持股1年以内（含1年）的，上市公司暂不扣缴个人所得税；待个人转让股票时，证券登记结算公司根据其持股期限计算应纳税额，由证券公司等股份托管机构从个人资金账户中扣收并划付证券登记结算公司，证券登记结算公司应于次月5个工作日内划付上市公司，上市公司在收到税款当月的法定申报期内向主管税务机关申报缴纳。

三、上市公司股息红利差别化个人所得税政策其他有关操作事项，按照《财政部 国家税务总局 证监会关于实施上市公司股息红利差别化个人所得税政策有关问题的通知》（财税〔2012〕85号）的相关规定执行。

四、全国中小企业股份转让系统挂牌公司股息红利差别化个人所得税政策，按照本通知规定执行。其他有关操作事项，按照《财政部国家税务总局 证监会关于实施全国中小企业股份转让系统挂牌公司股息红利差别化个人所得税政策有关问题的通知》（财税〔2014〕48号）的相关规定执行。

五、本通知自2015年9月8日起施行。

上市公司派发股息红利，股权登记日在2015年9月8日之后的，股息红利所得按照本通知的规定执行。本通知实施之日个人投资者证券账户已持有的上市公司股票，其持股时间自取得之日起计算。

财政部 国家税务总局 证监会

2015年9月7日

关于加强非上市公众公司监管工作的指导意见

加强非上市公众公司监管，对于贯彻党的十八大和十八届三中、四中全会精神，落实《国务院关于进一步促进资本市场健康发展的若干意见》要求，推动资本市场改革和监管转型，鼓励大众创业、万众创新，支持中小微企业发展，促进我国经济提质增效升级具有重要意义。根据《证券法》、《公司法》、《国务院关于全国中小企业股份转让系统有关问题的决定》（以下简称《国务院决定》）以及《非上市公众公司监督管理办法》（以下简称《管理办法》），现就加强非上市公众公司监管工作，进一步规范各类市场主体行为提出如下指导意见。

一、总体要求

（一）总体思路。按照资本市场改革和监管转型的要求，坚持市场化、法治化方向，以信息披露为本，以公司自治和市场约束为基础，强化对市场主体规范要求，增强自律组织权责，明确监管系统内部分工，构建职责明确、分工清晰、信息共享、协同高效的非上市公众公司监管体系，保护投资者合法权益，提升资本市场服务实体经济的能力。

（二）基本原则。一是依法明确行政监管与自律监管的内容与边界，两者不得相互替代、不得缺位越位。二是发挥市场作用，建立健全自律监管、中介督导、社会监督为一体的市场约束机制，能够通过自律、市场、公司自治解决的事项，行政力量原则上不介入。三是建立健全事中事后监管机制，强化行政执法，坚决查处欺诈、虚假披露、内幕交易、操纵市场等违法违规行为。

二、规范市场主体行为，强化合规意识和法律责任

（一）非上市公众公司及相关信息披露义务人应当遵守《公司法》、《证券法》、《管理办法》等法律法规，诚实守信，切实履行公众公司的各项义务，接受监督管理。非上市公众公司是信息披露第一责任人，要严格履行信息披露义务，不得有虚假记载、误导性陈述或重大遗漏，并对信息披露违法违规行为承担法律责任。要完善法人治理及内控体系，规范股东大会、董事会、监事会的运作。充分发挥公司章程在公司治理、纠纷解决中的作用，规范股东间的权利义务，确保所有股东，特别是中小股东充分行使权利。依法进行股票转让、定向发行、资产重组等活动。

未在全国中小企业股份转让系统（以下简称全国股转系统）挂牌的非上市公众公司（以下简称不挂牌公司），包括自愿纳入监管的历史遗留股东人数超过200人的股份公司（以下简称200人公司），以及经中国证监会核准通过定向发行或转让导致股东累计超过200人的股份公司，除按照《管理办法》履行公众公司信息披露等义务外，还应当遵守以下规定：明确信息披露方式，选择在非上市公众公司信息披露网站、公司网站及其他公众媒体披露股份变更、定期报告等信息，同时报中国证监会派出机构（以下简称派出机构）存档；选择在中国证券登记结算公司、证券公司或者符合规定的区域性股权市场或托管机构登记托管股份；不得采用公开方式向社会公众转让股份，也不得在未经国务院批准的证券交易场所转让股份，未经批准不得擅自发行股票。

（二）主办券商、证券服务机构等中介机构应当勤勉尽责、诚实守信，严格履行法定职责，遵守法律法规和行业规范，对所出具文件的真实性、准确性、完整性负责，对虚假记载、误导性陈述或者重大遗漏承担法律责任；要强化合规及风控管理，规范各项业务流程，建立与全国股转系统业务模式相适应的管理架构。主办券商要严格依规开展尽职调查、履行内核程序，对其他中介机构出具的专业意见进行必要的核查；持续督导挂牌公司履行信息披露义务、完善公司治理；严格执行全国股转系统投资者适当性管理制度，加强投资者教育、保护和风险揭示。证券服务机构应当按照相关法律法规、执业准则的要求，依照内部控制制度和程序，核查和验证非上市公众公司的信息披露内容，出具专业意见。

（三）全国股转系统要按照法律法规和自律规则，严格履行自律监管职责，并接受中国证监会监管；制定完善挂牌公司、中介机构的自律监管规则并组织实施；完善内部管理制度，规范工作流程，防范利益冲突；提高自律监管的透明度，定期披露自律监管信息；对于法律法规和行政规章未作规定的事项，可组织制定会员公约或自律规则，确保市场健康发展。

三、明确监管分工，加强对全国股转系统挂牌公司的监管

行政监管机构和自律组织要归位尽责，依法对全国股转系统挂牌公司履行行政执法和自律监管职责，对挂牌公司等各类市场主体进行持续监管。

（一）中国证监会按照证券集中统一监管体制的要求，履行牵头抓总职能，指导、协调、督促、检查派出机构、全国股转系统的监管工作。主要包括：建立健全非上市公众公司监管制度体系，统筹监管制度与自律规则之间的衔接，评估监管制度实施效果并适时修订完善；规范派出机构监管执法的程序、标准和要求；指导全国股转系统根据挂牌公司特点制定差异化的信息披露标准；依据《全国中小企业股份转让系统有限责任公司管理暂行办法》（以下简称《暂行办法》），对全国股转系统履行挂牌公司自律监管情况进行监督检查；完善挂牌公司并购重组中股票交易核查、立案即暂停的工作机制，防控内幕交易；组织协调挂牌公司重大监管行动、重大风险处置等工作；实现非上市公众公司行政许可的程序与内容全公开；统筹确定非上市公众公司、中介机构的培训政策和要求。

（二）派出机构的监管职责主要为：对辖区挂牌公司进行日常非现场监管，依托中央监管信息系统、全国股转系统信息系统、诚信数据库、工商部门企业信息公示系统等平台，掌握辖区挂牌公司的基本情况和监管信息；对辖区挂牌公司不作例行现场检查，以问题和风险为导向，根据发现的涉嫌违法违规线索，启动现场检查；检查中发现挂牌公司存在重大风险或涉嫌欺诈、虚假披露、内幕交易、操纵市场等违法违规行为的，采取监管措施或立案调查，实施行政处罚；检查中发现主办券商等中介机构涉嫌违法违规行为的，进行延伸检查，采取监管措施；检查中发现涉及自律监管范畴的问题，转全国股转系统处理；处理对辖区挂牌公司的投诉举报，属于违法违规线索的，启动行政执法程序。

（三）全国股转系统按照法律法规及《国务院决定》、《暂行办法》履行对挂牌公司的自律监管职责，主要包括：制定完善自律监管业务规则；审查挂牌公司申请事项；监督挂牌公司及其他信息披露义务人完整、准确、及时地披露信息；执行挂牌公司申请文件申报即披露、即担责的制度，发现申报不实的，采取自律监管措施或提请中国证监会查处；监督挂牌公司股票转让及相关活动；加强对“两网公司”（原 STAQ、NET 系统挂牌公司）和退市公司的自律监管；制定挂牌公司治理规则，建立完善挂牌公司监管档案，完善市场主体诚信管理机制；处理与挂牌公司相关的属于自律监管范畴的媒体质疑、投诉举报；建立健全调处争议纠纷及投资者补偿、赔偿制度；牵头组织实施对挂牌公司、中介机构的培训工作。规范挂牌公司和中介机构的行为，发现违反法律法规及业务规则的，采取自律监管措施；依法应当由中国证监会查处的，及时移交。

四、对不挂牌公司的监管

中国证监会依据《证券法》、《管理办法》履行对不挂牌公司股份管理、信息披露等行为的监管职责。

（一）派出机构负责不挂牌公司监管，监管内容以股份管理以及基本的信息披露为主。主要包括：依托中央监管信息系统、诚信数据库、工商部门企业信息公示系统等平台，掌握辖区不挂牌公司基本情况和监管信息；督促不挂牌公司遵守监管要求；处理对不挂牌公司的投诉举报；依法查处不挂牌公司违法违规行为；对未纳入监管的 200 人公司加强监测了解；加强与地方政府相关部门的协作，引导公司妥善解决存在的问题，经规范后支持其进入资本市场；配合地方政府，打击不挂牌公司和 200 人公司擅自发行股票的行为。

（二）中国证监会负责指导、监督派出机构对不挂牌公司实施监管。主要包括：制定完善不挂牌公司的监管制度安排；组织协调不挂牌公司重大监管行动、重大风险处置等工作；引导主动规范、自愿申请且符合条件的 200 人公司，通过证券交易所上市、全国股转系统挂牌、并购重组等方式进入资本市场。

五、加强协调，提高监管的系统性和协同性

（一）建立监管信息共享和公开机制。建立非上市公众公司监管信息子系统，并利用诚信数据库、工商部门企业信息公示系统等，实现监管过程记录留痕、监管信息互联互通。派出机构、全国股转系统按照各自职责，及时记录并更新相关监管信息。在监管信息系统正式运行前，建立中国证监会、派出机构、全国股转系统之间的监管信息通报制度，全国股转系统将挂牌公司基础信息、自律监管信息等通报派出机构。派出机构将挂牌公司现场检查、重大风险情况通报中国证监会、全国股转系统。中国证监会牵头建立完善非上市公众公司行政许可、重大监管措施、行政处罚等信息公开公示制度，提升监管透明度；组织开展监管工作交流与培训。

（二）建立监管协作机制以及重大事项会商处置机制

建立完善监管协作事项的对接机制。全国股转系统可以就需要监管系统相关单位协助的事项提出请求，相关单位应当予以支持；监管系统相关单位需要全国股转系统协助的事项，全国股转系统应当予以配合。

建立完善重大风险和突发事件应急处置机制。非上市公众公司发生突发事件或重大风险，派出机构、全国股转系统按照各自职责第一时间采取应对措施，并及时报告中国证监会和地方政府。

（三）加强非上市公众公司日常监管与稽查执法的协调。中国证监会制定有关非上市公众公司立案稽查、处罚认定的标准，明确线索移送、稽查介入、信息反馈等流程，建立相关监管措施、立案、调查、审理、行政处罚的通报机制，做好行政监管机构与自律监管组织之间的工作衔接。

（四）做好非上市公众公司监管与中介机构监管的衔接。中国证监会对参与全国股转系统相关业务的中介机构实施监管，通过检查、考核、诚信管理等制度安排，落实中介机构法律责任。全国股转系统会同中国证券业协会等单位，监督主办券商从事全国股转系统相关业务的执业行为，发现主办券商涉嫌违反法律法规和自律规则的，采取自律管理措施，并报告中国证监会；建立完善对中介机构从事相关业务的自律管理及执业评价制度；做好对主办券商的培训工作。

（五）中国证监会及派出机构要依法履行行政监管职责，做到“法无授权不可为”、“法定职责必须为”。派出机构要按照中国证监会统一部署，做好非上市公众公司监管执法工作，对各类违法违规行为及时制止、及时查处。要支持全国股转系统和相关自律组织对非上市公众公司的自律监管，与行政监管形成合力。

优先股试点管理办法

第一章 总则

第一条 为规范优先股发行和交易行为，保护投资者合法权益，根据《公司法》、《证券法》、《国务院关于开展优先股试点的指导意见》及相关法律法规，制定本办法。

第二条 本办法所称优先股是指依照《公司法》，在一般规定的普通种类股份之外，另行规定的其他种类股份，其股份持有人优先于普通股股东分配公司利润和剩余财产，但参与公司决策管理等权利受到限制。

第三条 上市公司可以发行优先股，非上市公众公司可以非公开发行优先股。

第四条 优先股试点应当符合《公司法》、《证券法》、《国务院关于开展优先股试点的指导意见》和本办法的相关规定，并遵循公开、公平、公正的原则，禁止欺诈、内幕交易和操纵市场的行为。

第五条 证券公司及其他证券服务机构参与优先股试点，应当遵守法律法规及中国证券监督管理委员会（以下简称中国证监会）相关规定，遵循行业公认的业务标准和行为规范，诚实守信、勤勉尽责。

第六条 试点期间不允许发行在股息分配和剩余财产分配上具有不同优先顺序的优先股，但允许发行在其他条款上具有不同设置的优先股。

同一公司既发行强制分红优先股，又发行不含强制分红条款优先股的，不属于发行在股息分配上具有不同优先顺序的优先股。

第七条 相同条款的优先股应当具有同等权利。同次发行的相同条款优先股，每股发行的条件、价格和票面股息率应当相同；任何单位或者个人认购的股份，每股应当支付相同价额。

第二章 优先股股东权利的行使

第八条 发行优先股的公司除按《国务院关于开展优先股试点的指导意见》制定章程有关条款外，还应当按本办法在章程中明确优先股股东的有关权利和义务。

第九条 优先股股东按照约定的股息率分配股息后，有权同普通股股东一起参加剩余利润分配的，公司章程应明确优先股股东参与剩余利润分配的比例、条件等事项。

第十条 出现以下情况之一的，公司召开股东大会会议应通知优先股股东，并遵循《公司法》及公司章程通知普通股股东的规定程序。优先股股东有权出席股东大会会议，就以下事项与普通股股东分类表决，其所持每一优先股有一表决权，但公司持有的本公司优先股没有表决权：

（一）修改公司章程中与优先股相关的内容；

（二）一次或累计减少公司注册资本超过百分之十；

（三）公司合并、分立、解散或变更公司形式；

（四）发行优先股；

（五）公司章程规定的其他情形。

上述事项的决议，除须经出席会议的普通股股东（含表决权恢复的优先股股东）所持表决权的三分之二以上通过之外，还须经出席会议的优先股股东（不含表决权恢复的优先股股东）所持表决权的三分之二以上通过。

第十一条 公司股东大会可授权公司董事会按公司章程的约定向优先股支付股息。公司累计三个会计年度或连续两个会计年度未按约定支付优先股股息的，股东大会批准当年不按约定分配利润的方案次日起，优先股股东有权出席股东大会与普通股股东共同表决，每股优先股股份享有公司章程规定的一定比例表决权。

对于股息可累积到下一会计年度的优先股，表决权恢复直至公司全额支付所欠股息。对于股息不可累积的优先股，表决权恢复直至公司全额支付当年股息。公司章程可规定优先股表决权恢复的其他情形。

第十二条 优先股股东有权查阅公司章程、股东名册、公司债券存根、股东大会会议记录、董事会会议决议、监事会会议决议、财务会计报告。

第十三条 发行人回购优先股包括发行人要求赎回优先股和投资者要求回售优先股两种情况，并应在公司章程和招股文件中规定其具体条件。发行人要求赎回优先股的，必须完全支付所欠股息，但商业银行发行优先股补充资本的除外。优先股回购后相应减记发行在外的优先股股份总数。

第十四条 公司董事、监事、高级管理人员应当向公司申报所持有的本公司优先股及其变动情况，在任职期间每年转让的股份不得超过其所持本公司优先股股份总数的百分之二十五。公司章程可以对公司董事、监事、高级管理人员转让其所持有的本公司优先股股份作出其他限制性规定。

第十五条 除《国务院关于开展优先股试点的指导意见》规定的事项外，计算股东人数和持股比例时应分别计算普通股和优先股。

第十六条 公司章程中规定优先股采用固定股息率的，可以在优先股存续期内采取相同的固定股息率，或明确每年的固定股息率，各年度的股息率可以不同；公司章程中规定优先股采用浮动股息率的，应当明确优先股存续期内票面股息率的计算方法。

第三章 上市公司发行优先股

第一节 一般规定

第十七条 上市公司应当与控股股东或实际控制人的人员、资产、财务分开，机构、业务独立。

第十八条 上市公司内部控制制度健全，能够有效保证公司运行效率、合法合规和财务报告的可靠性，内部控制的有效性应当不存在重大缺陷。

第十九条 上市公司发行优先股，最近三个会计年度实现的年均可分配利润应当不少于优先股一年的股息。

第二十条 上市公司最近三年现金分红情况应当符合公司章程及中国证监会的有关监管规定。

第二十一条 上市公司报告期不存在重大会计违规事项。公开发行优先股，最近三年财务报表被注册会计师出具的审计报告应当为标准审计报告或带强调事项段的无保留意见的审计报告；非公开发行优先股，最近一年财务报表被注册会计师出具的审计报告为非标准审计报告的，所涉及事项对公司无重大不利影响或者在发行前重大不利影响已经消除。

第二十二条　上市公司发行优先股募集资金应有明确用途，与公司业务范围、经营规模相匹配，募集资金用途符合国家产业政策和有关环境保护、土地管理等法律和行政法规的规定。

除金融类企业外，本次募集资金使用项目不得为持有交易性金融资产和可供出售的金融资产、借予他人等财务性投资，不得直接或间接投资于以买卖有价证券为主要业务的公司。

第二十三条　上市公司已发行的优先股不得超过公司普通股股份总数的百分之五十，且筹资金额不得超过发行前净资产的百分之五十，已回购、转换的优先股不纳入计算。

第二十四条　上市公司同一次发行的优先股，条款应当相同。每次优先股发行完毕前，不得再次发行优先股。

第二十五条　上市公司存在下列情形之一的，不得发行优先股：

（一）本次发行申请文件有虚假记载、误导性陈述或重大遗漏；

（二）最近十二个月内受到过中国证监会的行政处罚；

（三）因涉嫌犯罪正被司法机关立案侦查或涉嫌违法违规正被中国证监会立案调查；

（四）上市公司的权益被控股股东或实际控制人严重损害且尚未消除；

（五）上市公司及其附属公司违规对外提供担保且尚未解除；

（六）存在可能严重影响公司持续经营的担保、诉讼、仲裁、市场重大质疑或其他重大事项；

（七）其董事和高级管理人员不符合法律、行政法规和规章规定的任职资格；

（八）严重损害投资者合法权益和社会公共利益的其他情形。

第二节　公开发行的特别规定

第二十六条　上市公司公开发行优先股，应当符合以下情形之一：

（一）其普通股为上证50指数成份股；

（二）以公开发行优先股作为支付手段收购或吸收合并其他上市公司；

（三）以减少注册资本为目的回购普通股的，可以公开发行优先股作为支付手段，或者在回购方案实施完毕后，可公开发行不超过回购减资总额的优先股。

中国证监会核准公开发行优先股后不再符合本条第（一）项情形的，上市公司仍可实施本次发行。

第二十七条　上市公司最近三个会计年度应当连续盈利。扣除非经常性损益后的净利润与扣除前的净利润相比，以孰低者作为计算依据。

第二十八条　上市公司公开发行优先股应当在公司章程中规定以下事项：

（一）采取固定股息率；

（二）在有可分配税后利润的情况下必须向优先股股东分配股息；

（三）未向优先股股东足额派发股息的差额部分应当累积到下一会计年度；

（四）优先股股东按照约定的股息率分配股息后，不再同普通股股东一起参加剩余利润分配。

商业银行发行优先股补充资本的，可就第（二）项和第（三）项事项另行约定。

第二十九条　上市公司公开发行优先股的，可以向原股东优先配售。

第三十条　除本办法第二十五条的规定外，上市公司最近三十六个月内因违反工商、税收、土地、环保、海关法律、行政法规或规章，受到行政处罚且情节严重的，不得公开发行优先股。

第三十一条　上市公司公开发行优先股，公司及其控股股东或实际控制人最近十二个月内应当不存在违反向投资者作出的公开承诺的行为。

第三节　其他规定

第三十二条　优先股每股票面金额为一百元。

优先股发行价格和票面股息率应当公允、合理，不得损害股东或其他利益相关方的合法利益，发行价格不得低于优先股票面金额。

公开发行优先股的价格或票面股息率以市场询价或证监会认可的其他公开方式确定。非公开发行优先股的票面股息率不得高于最近两个会计年度的年均加权平均净资产收益率。

第三十三条　上市公司不得发行可转换为普通股的优先股。但商业银行可根据商业银行资本监管规定，非公开发行触发事件发生时强制转换为普通股的优先股，并遵守有关规定。

第三十四条　上市公司非公开发行优先股仅向本办法规定的合格投资者发行，每次发行对象不得超过二百人，且相同条款优先股的发行对象累计不得超过二百人。

发行对象为境外战略投资者的，还应当符合国务院相关部门的规定。

第四节　发行程序

第三十五条　上市公司申请发行优先股，董事会应当按照中国证监会有关信息披露规定，公开披露本次优先股发行预案，并依法就以下事项作出决议，提请股东大会批准。

（一）本次优先股的发行方案；

（二）非公开发行优先股且发行对象确定的，上市公司与相应发行对象签订的附条件生效的优先股认购合同。认购合同应当载明发行对象拟认购优先股的数量、认购价格或定价原则、票面股息率或其确定原则，以及其他必要条款。认购合同应当约定发行对象不得以竞价方式参与认购，且本次发行一经上市公司董事会、股东大会批准并经中国证监会核准，该合同即应生效；

（三）非公开发行优先股且发行对象尚未确定的，决议应包括发行对象的范围和资格、定价原则、发行数量或数量区间。

上市公司的控股股东、实际控制人或其控制的关联人参与认购本次非公开发行优先股的，按照前款第（二）项执行。

第三十六条　上市公司独立董事应当就上市公司本次发行对公司各类股东权益的影响发表专项意见，并与董事会决议一同披露。

第三十七条　上市公司股东大会就发行优先股进行审议，应当就下列事项逐项进行表决：

（一）本次发行优先股的种类和数量；

（二）发行方式、发行对象及向原股东配售的安排；

（三）票面金额、发行价格或其确定原则；

（四）优先股股东参与分配利润的方式，包括：票面股息率或其确定原则、股息发放的条件、股息支付方式、股息是否累积、是否可以参与剩余利润分配等；

（五）回购条款，包括回购的条件、期间、价格及其确定原则、回购选择权的行使主体等（如有）；

（六）募集资金用途；

（七）公司与发行对象签订的附条件生效的优先股认购合同（如有）；

（八）决议的有效期；

（九）公司章程关于优先股股东和普通股股东利润分配、剩余财产分配、优先股表决权恢复等相关政策条款的修订方案；

（十）对董事会办理本次发行具体事宜的授权；

（十一）其他事项。

上述决议，须经出席会议的普通股股东（含表决权恢复的优先股股东）所持表决权的三分之二以上通过。已发行优先股的，还须经出席会议的优先股股东（不含表决权恢复的优先股股东）所持表决权的三分之二以上通过。上市公司向公司特定股东及其关联人发行优先股的，股东大会就发行方案进行表决时，关联股东应当回避。

第三十八条　上市公司就发行优先股事项召开股东大会，应当提供网络投票，还可以通过中国证监会认可的其他方式为股东参加股东大会提供便利。

第三十九条　上市公司申请发行优先股应当由保荐人保荐并向中国证监会申报，其申请、审核、核准、发行等相关程序参照《上市公司证券发行管理办法》和《证券发行与承销管理办法》的规定。发审委会议按照《中国证券监督管理委员会发行审核委员会办法》规定的特别程序，审核发行申请。

第四十条　上市公司发行优先股，可以申请一次核准，分次发行，不同次发行的优先股除票面股息率外，其他条款应当相同。自中国证监会核准发行之日起，公司应在六个月内实施首次发行，剩余数量应当在二十四个月内发行完毕。超过核准文件时限的，须申请中国证监会重新核准。首次发行数量应当不少于总发行数量的百分之五十，剩余各次发行的数量由公司自行确定，每次发行完毕后五个工作日内报中国证监会备案。

第四章　非上市公众公司非公开发行优先股

第四十一条　非上市公众公司非公开发行优先股应符合下列条件：

（一）合法规范经营；

（二）公司治理机制健全；

（三）依法履行信息披露义务。

第四十二条　非上市公众公司非公开发行优先股应当遵守本办法第二十三条、第二十四条、第二十五条、第三十二条、第三十三条的规定。

第四十三条　非上市公众公司非公开发行优先股仅向本办法规定的合格投资者发行，每次发行对象不得超过二百人，且相同条款优先股的发行对象累计不得超过二百人。

第四十四条　非上市公众公司拟发行优先股的，董事会应依法就具体方案、本次发行对公司各类股东权益的影响、发行优先股的目的、募集资金的用途及其他必须明确的事项作出决议，并提请股东大会批准。

董事会决议确定具体发行对象的，董事会决议应当确定具体的发行对象名称及其认购价格或定价原则、认购数量或数量区间等；同时应在召开董事会前与相应发行对象签订附条件生效的股份认购合同。董事会决议未确定具体发行对象的，董事会决议应当明确发行对象的范围和资格、定价原则等。

第四十五条　非上市公众公司股东大会就发行优先股进行审议，表决事项参照本办法第三十七条执行。发行优先股决议，须经出席会议的普通股股东（含表决权恢复的优先股股东）所持表决权的三分之二以上通过。已发行优先股的，还须经出席会议的优先股股东（不含表决权恢复的优先股股东）所持表决权的三分之二以上通过。非上市公众公司向公司特定股东及其关联人发行优先股的，股东大会就发行方案进行表决时，关联股东应当回避，公司普通股股东（不含表决权恢复的优先股股东）人数少于二百人的除外。

第四十六条　非上市公众公司发行优先股的申请、审核（豁免）、发行等相关程序应当按照《非上市公众公司监督管理办法》等相关规定办理。

第五章　交易转让及登记结算

第四十七条　优先股发行后可以申请上市交易或转让，不设限售期。

公开发行的优先股可以在证券交易所上市交易。上市公司非公开发行的优先股可以在证券交易所转让，非上市公众公司非公开发行的优先股可以在全国中小企业股份转让系统转让，转让范围仅限合格投资者。交易或转让的具体办法由证券交易所或全国中小企业股份转让系统另行制定。

第四十八条　优先股交易或转让环节的投资者适当性标准应当与发行环节保持一致；非公开发行的相同条款优先股经交易或转让后，投资者不得超过二百人。

第四十九条　中国证券登记结算公司为优先股提供登记、存管、清算、交收等服务。

第六章　信息披露

第五十条　公司应当按照中国证监会有关信息披露规则编制募集优先股说明书或其他信息披露文件，依法履行信息披露义务。上市公司相关信息披露程序和要求参照《上市公司证券发行管理办法》和《上市公司非公开发行股票实施细则》及有关监管指引的规定。非上市公众公司非公开发行优先股的信息披露程序和要求参照《非上市公众公司监督管理办法》及有关监管指引的规定。

第五十一条　发行优先股的公司披露定期报告时，应当以专门章节披露已发行优先股情况、持有公司优先股股份最多的前十名股东的名单和持股数额、优先股股东的利润分配情况、优先股的回购情况、优先股股东表决权恢复及行使情况、优先股会计处理情况及其他与优先股有关的情况，具体内容与格式由中国证监会规定。

第五十二条　发行优先股的上市公司，发生表决权恢复、回购普通股等事项，以及其他可能对其普通股或优先股交易或转让价格产生较大影响事项的，上市公司应当按照《证券法》第六十七条以及中国证监会的相关规定，履行临时报告、公告等信息披露义务。

第五十三条　发行优先股的非上市公众公司按照《非上市公众公司监督管理办法》及有关监管指引的规定履行日常信息披露义务。

第七章　回购与并购重组

第五十四条　上市公司可以非公开发行优先股作为支付手段，向公司特定股东回购普通股。上市公司回购普通股的价格应当公允、合理，不得损害股东或其他利益相关方的合法利益。

第五十五条　上市公司以减少注册资本为目的回购普通

股公开发行优先股的，以及以非公开发行优先股为支付手段向公司特定股东回购普通股的，除应当符合优先股发行条件和程序，还应符合以下规定：

（一）上市公司回购普通股应当由董事会依法作出决议并提交股东大会批准；

（二）上市公司股东大会就回购普通股作出的决议，应当包括下列事项：回购普通股的价格区间，回购普通股的数量和比例，回购普通股的期限，决议的有效期，对董事会办理本次回购股份事宜的具体授权，其他相关事项。以发行优先股作为支付手段的，应当包括拟用于支付的优先股总金额以及支付比例；回购方案实施完毕之日起一年内公开发行优先股的，应当包括回购的资金总额以及资金来源；

（三）上市公司股东大会就回购普通股作出决议，必须经出席会议的普通股股东（含表决权恢复的优先股股东）所持表决权的三分之二以上通过；

（四）上市公司应当在股东大会作出回购普通股决议后的次日公告该决议；

（五）依法通知债权人；

本办法未做规定的应当符合中国证监会有关上市公司回购的其他规定。

第五十六条　上市公司收购要约适用于被收购公司的所有股东，但可以针对优先股股东和普通股股东提出不同的收购条件。

第五十七条　上市公司可以按照《上市公司重大资产重组管理办法》规定的条件发行优先股购买资产，同时应当遵守本办法第三十三条，以及第三十五条至第三十八条的规定，依法披露有关信息、履行相应程序。

第五十八条　上市公司发行优先股作为支付手段购买资产的，可以同时募集配套资金。

第五十九条　非上市公众公司发行优先股的方案涉及重大资产重组的，应当符合中国证监会有关重大资产重组的规定。

第八章　监管措施和法律责任

第六十条　公司及其控股股东或实际控制人，公司董事、监事、高级管理人员以及其他直接责任人员，相关市场中介机构及责任人员，以及优先股试点的其他市场参与者违反本办法规定的，依照《公司法》、《证券法》和中国证监会的有关规定处理；涉嫌犯罪的，依法移送司法机关，追究其刑事责任。

第六十一条　上市公司、非上市公众公司违反本办法规定，存在未按规定制定有关章程条款、不按照约定召集股东大会恢复优先股股东表决权等损害优先股股东和中小股东权益等行为的，中国证监会应当责令改正，对上市公司、非上市公众公司和其直接负责的主管人员和其他直接责任人员，可以采取相应的行政监管措施以及警告、三万元以下罚款等行政处罚。

第六十二条　上市公司违反本办法第二十二条第二款规定的，中国证监会可以责令改正，并在三十六个月内不受理该公司的公开发行证券申请。

第六十三条　上市公司、非上市公众公司向本办法规定的合格投资者以外的投资者非公开发行优先股，中国证监会应当责令改正，并可以自确认之日起在三十六个月内不受理该公司的发行优先股申请。

第六十四条　承销机构在承销非公开发行的优先股时，将优先股配售给不符合本办法合格投资者规定的对象的，中国证监会可以责令改正，并在三十六个月内不接受其参与证券承销。

第九章　附则

第六十五条　本办法所称合格投资者包括：

（一）经有关金融监管部门批准设立的金融机构，包括商业银行、证券公司、基金管理公司、信托公司和保险公司等；

（二）上述金融机构面向投资者发行的理财产品，包括但不限于银行理财产品、信托产品、投连险产品、基金产品、证券公司资产管理产品等；

（三）实收资本或实收股本总额不低于人民币五百万元的企业法人；

（四）实缴出资总额不低于人民币五百万元的合伙企业；

（五）合格境外机构投资者（QFII）、人民币合格境外机构投资者（RQFII）、符合国务院相关部门规定的境外战略投资者；

（六）除发行人董事、高级管理人员及其配偶以外的，名下各类证券账户、资金账户、资产管理账户的资产总额不低于人民币五百万元的个人投资者；

（七）经中国证监会认可的其他合格投资者。

第六十六条　非上市公众公司首次公开发行普通股并同时非公开发行优先股的，其优先股的发行与信息披露应符合本办法中关于上市公司非公开发行优先股的有关规定。

第六十七条　注册在境内的境外上市公司在境外发行优先股，应当符合境外募集股份及上市的有关规定。

注册在境内的境外上市公司在境内发行优先股，参照执行本办法关于非上市公众公司发行优先股的规定，以及《非上市公众公司监督管理办法》等相关规定，其优先股可以在全国中小企业股份转让系统进行转让。

第六十八条　本办法下列用语含义如下：

（一）强制分红：公司在有可分配税后利润的情况下必须向优先股股东分配股息；

（二）可分配税后利润：发行人股东依法享有的未分配利润；

（三）加权平均净资产收益率：按照《公开发行证券的公司信息披露编报规则第 9 号——净资产收益率和每股收益的计算及披露》计算的加权平均净资产收益率；

（四）上证 50 指数：中证指数有限公司发布的上证 50 指数。

第六十九条　本办法中计算合格投资者人数时，同一资产管理机构以其管理的两只以上产品认购或受让优先股的，视为一人。

第七十条　本办法自公布之日起施行。

非上市公众公司收购管理办法

第一章　总则

第一条　为了规范非上市公众公司（以下简称公众公司）的收购及相关股份权益变动活动，保护公众公司和投资者的合法权益，维护证券市场秩序和社会公共利益，促进证券市场资源的优化配置，根据《证券法》、《公司法》、《国务院关于全国中小企业股份转让系统有关问题的决定》、《国务院关于进一步优化企业兼并重组市场环境的意见》及其他相关法律、行政法规,制定本办法。

第二条　股票在全国中小企业股份转让系统(以下简称全国股份转让系统)公开转让的公众公司,其收购及相关股份权益变动活动应当遵守本办法的规定。

第三条　公众公司的收购及相关股份权益变动活动,必须遵守法律、行政法规及中国证券监督管理委员会(以下简称中国证监会)的规定,遵循公开、公平、公正的原则。当事人应当诚实守信,遵守社会公德、商业道德,自觉维护证券市场秩序,接受政府、社会公众的监督。

第四条　公众公司的收购及相关股份权益变动活动涉及国家产业政策、行业准入、国有股份转让、外商投资等事项,需要取得国家相关部门批准的,应当在取得批准后进行。

第五条　收购人可以通过取得股份的方式成为公众公司的控股股东,可以通过投资关系、协议、其他安排的途径成为公众公司的实际控制人,也可以同时采取上述方式和途径取得公众公司控制权。

收购人包括投资者及其一致行动人。

第六条　进行公众公司收购,收购人及其实际控制人应当具有良好的诚信记录,收购人及其实际控制人为法人的,应当具有健全的公司治理机制。任何人不得利用公众公司收购损害被收购公司及其股东的合法权益。

有下列情形之一的,不得收购公众公司:

(一)收购人负有数额较大债务,到期未清偿,且处于持续状态;

(二)收购人最近2年有重大违法行为或者涉嫌有重大违法行为;

(三)收购人最近2年有严重的证券市场失信行为;

(四)收购人为自然人的,存在《公司法》第一百四十六条规定的情形;

(五)法律、行政法规规定以及中国证监会认定的不得收购公众公司的其他情形。

第七条　被收购公司的控股股东或者实际控制人不得滥用股东权利损害被收购公司或者其他股东的合法权益。

被收购公司的控股股东、实际控制人及其关联方有损害被收购公司及其他股东合法权益的,上述控股股东、实际控制人在转让被收购公司控制权之前,应当主动消除损害;未能消除损害的,应当就其出让相关股份所得收入用于消除全部损害做出安排,对不足以消除损害的部分应当提供充分有效的履约担保或安排,并提交被收购公司股东大会审议通过,被收购公司的控股股东、实际控制人及其关联方应当回避表决。

第八条　被收购公司的董事、监事、高级管理人员对公司负有忠实义务和勤勉义务,应当公平对待收购本公司的所有收购人。

被收购公司董事会针对收购所做出的决策及采取的措施,应当有利于维护公司及其股东的利益,不得滥用职权对收购设置不适当的障碍,不得利用公司资源向收购人提供任何形式的财务资助。

第九条　收购人按照本办法第三章、第四章的规定进行公众公司收购的,应当聘请具有财务顾问业务资格的专业机构担任财务顾问,但通过国有股行政划转或者变更、因继承取得股份、股份在同一实际控制人控制的不同主体之间进行转让、取得公众公司向其发行的新股、司法判决导致收购人成为或拟成为公众公司第一大股东或者实际控制人的情形除外。

收购人聘请的财务顾问应当勤勉尽责,遵守行业规范和职业道德,保持独立性,对收购人进行辅导,帮助收购人全面评估被收购公司的财务和经营状况;对收购人的相关情况进行尽职调查,对收购人披露的文件进行充分核查和验证;对收购事项客观、公正地发表专业意见,并保证其所制作、出具文件的真实性、准确性和完整性。在收购人公告被收购公司收购报告书至收购完成后12个月内,财务顾问应当持续督导收购人遵守法律、行政法规、中国证监会的规定、全国股份转让系统相关规则以及公司章程,依法行使股东权利,切实履行承诺或者相关约定。

财务顾问认为收购人利用收购损害被收购公司及其股东合法权益的,应当拒绝为收购人提供财务顾问服务。

第十条　公众公司的收购及相关股份权益变动活动中的信息披露义务人,应当依法严格履行信息披露和其他法定义务,并保证所披露的信息及时、真实、准确、完整,不得有虚假记载、误导性陈述或者重大遗漏。

信息披露义务人应当在全国股份转让系统指定的信息披露平台(以下简称指定网站)依法披露信息;在其他媒体上进行披露的,披露内容应当一致,披露时间不得早于指定网站的披露时间。在相关信息披露前,信息披露义务人及知悉相关信息的人员负有保密义务,禁止利用该信息进行内幕交易和从事证券市场操纵行为。

信息披露义务人依法披露前,相关信息已在媒体上传播或者公司股票转让出现异常的,公众公司应当立即向当事人进行查询,当事人应当及时予以书面答复,公众公司应当及时披露。

第十一条　中国证监会依法对公众公司的收购及相关股份权益变动活动进行监督管理。

全国股份转让系统应当制定业务规则,为公众公司的收购及相关股份权益变动活动提供服务,对相关证券转让活动进行实时监控,监督公众公司的收购及相关股份权益变动活动的信息披露义务人切实履行信息披露义务。

中国证券登记结算有限责任公司应当制定业务规则,为公众公司的收购及相关股份权益变动活动所涉及的证券登记、存管、结算等事宜提供服务。

第二章　权益披露

第十二条　投资者在公众公司中拥有的权益,包括登记在其名下的股份和虽未登记在其名下但该投资者可以实际支配表决权的股份。投资者及其一致行动人在公众公司中拥有的权益应当合并计算。

第十三条　有下列情形之一的,投资者及其一致行动人应当在该事实发生之日起2日内编制并披露权益变动报告书,报送全国股份转让系统,同时通知该公众公司;自该事实发生之日起至披露后2日内,不得再行买卖该公众公司的股票。

(一)通过全国股份转让系统的做市方式、竞价方式进行证券转让,投资者及其一致行动人拥有权益的股份达到公众公司已发行股份的10%;

(二)通过协议方式,投资者及其一致行动人在公众公司中拥有权益的股份拟达到或者超过公众公司已发行股份的10%。

投资者及其一致行动人拥有权益的股份达到公众公司已发行股份的10%后,其拥有权益的股份占该公众公司已发行股份的比例每增加或者减少5%(即其拥有权益的股份每达到5%的整数倍时),应当依照前款规定进行披露。自该事实发生之日起至披露后2日内,不得再行买卖该公众公司的股票。

第十四条　投资者及其一致行动人通过行政划转或者变更、执行法院裁定、继承、赠与等方式导致其直接拥有权益的股份变动达到前条规定比例的，应当按照前条规定履行披露义务。

投资者虽不是公众公司的股东，但通过投资关系、协议、其他安排等方式进行收购导致其间接拥有权益的股份变动达到前条规定比例的，应当按照前条规定履行披露义务。

第十五条　因公众公司向其他投资者发行股份、减少股本导致投资者及其一致行动人拥有权益的股份变动出现本章规定情形的，投资者及其一致行动人免于履行披露义务。公众公司应当自完成增加股本、减少股本的变更登记之日起2日内，就因此导致的公司股东拥有权益的股份变动情况进行披露。

第三章　控制权变动披露

第十六条　通过全国股份转让系统的证券转让，投资者及其一致行动人拥有权益的股份变动导致其成为公众公司第一大股东或者实际控制人，或者通过投资关系、协议转让、行政划转或者变更、执行法院裁定、继承、赠与、其他安排等方式拥有权益的股份变动导致其成为或拟成为公众公司第一大股东或者实际控制人且拥有权益的股份超过公众公司已发行股份10%的，应当在该事实发生之日起2日内编制收购报告书，连同财务顾问专业意见和律师出具的法律意见书一并披露，报送全国股份转让系统，同时通知该公众公司。

收购公众公司股份需要取得国家相关部门批准的，收购人应当在收购报告书中进行明确说明，并持续披露批准程序进展情况。

第十七条　以协议方式进行公众公司收购的，自签订收购协议起至相关股份完成过户的期间为公众公司收购过渡期（以下简称过渡期）。在过渡期内，收购人不得通过控股股东提议改选公众公司董事会，确有充分理由改选董事会的，来自收购人的董事不得超过董事会成员总数的1/3；被收购公司不得为收购人及其关联方提供担保；被收购公司不得发行股份募集资金。

在过渡期内，被收购公司除继续从事正常的经营活动或者执行股东大会已经作出的决议外，被收购公司董事会提出拟处置公司资产、调整公司主要业务、担保、贷款等议案，可能对公司的资产、负债、权益或者经营成果造成重大影响的，应当提交股东大会审议通过。

第十八条　按照本办法进行公众公司收购后，收购人成为公司第一大股东或者实际控制人的，收购人持有的被收购公司股份，在收购完成后12个月内不得转让。

收购人在被收购公司中拥有权益的股份在同一实际控制人控制的不同主体之间进行转让不受前述12个月的限制。

第十九条　在公众公司收购中，收购人做出公开承诺事项的，应同时提出所承诺事项未能履行时的约束措施，并公开披露。

全国股份转让系统应当对收购人履行公开承诺行为进行监督和约束，对未能履行承诺的收购人及时采取自律监管措施。

第二十条　公众公司控股股东、实际控制人向收购人协议转让其所持有的公众公司股份的，应当对收购人的主体资格、诚信情况及收购意图进行调查，并在其权益变动报告书中披露有关调查情况。

被收购公司控股股东、实际控制人及其关联方未清偿其对公司的负债，未解除公司为其负债提供的担保，或者存在损害公司利益的其他情形的，被收购公司董事会应当对前述情形及时披露，并采取有效措施维护公司利益。

第四章　要约收购

第二十一条　投资者自愿选择以要约方式收购公众公司股份的，可以向被收购公司所有股东发出收购其所持有的全部股份的要约（以下简称全面要约），也可以向被收购公司所有股东发出收购其所持有的部分股份的要约（以下简称部分要约）。

第二十二条　收购人自愿以要约方式收购公众公司股份的，其预定收购的股份比例不得低于该公众公司已发行股份的5%。

第二十三条　公众公司应当在公司章程中约定在公司被收购时收购人是否需要向公司全体股东发出全面要约收购，并明确全面要约收购的触发条件以及相应制度安排。

收购人根据被收购公司章程规定需要向公司全体股东发出全面要约收购的，对同一种类股票的要约价格，不得低于要约收购报告书披露日前6个月内取得该种股票所支付的最高价格。

第二十四条　以要约方式进行公众公司收购的，收购人应当公平对待被收购公司的所有股东。

第二十五条　以要约方式收购公众公司股份的，收购人应当聘请财务顾问，并编制要约收购报告书，连同财务顾问专业意见和律师出具的法律意见书一并披露，报送全国股份转让系统，同时通知该公众公司。

要约收购需要取得国家相关部门批准的，收购人应当在要约收购报告书中进行明确说明，并持续披露批准程序进展情况。

第二十六条　收购人可以采用现金、证券、现金与证券相结合等合法方式支付收购公众公司的价款。收购人聘请的财务顾问应当说明收购人具备要约收购的能力。收购人应当在披露要约收购报告书的同时，提供以下至少一项安排保证其具备履约能力：

（一）将不少于收购价款总额的20%作为履约保证金存入中国证券登记结算有限责任公司指定的银行等金融机构；收购人以在中国证券登记结算有限责任公司登记的证券支付收购价款的，在披露要约收购报告书的同时，将用于支付的全部证券向中国证券登记结算有限责任公司申请办理权属变更或锁定；

（二）银行等金融机构对于要约收购所需价款出具的保函；

（三）财务顾问出具承担连带担保责任的书面承诺。如要约期满，收购人不支付收购价款，财务顾问应当承担连带责任，并进行支付。

收购人以证券支付收购价款的，应当披露该证券的发行人最近2年经审计的财务会计报表、证券估值报告，并配合被收购公司或其聘请的独立财务顾问的尽职调查工作。收购人以未在中国证券登记结算有限责任公司登记的证券支付收购价款的，必须同时提供现金方式供被收购公司的股东选择，并详细披露相关证券的保管、送达被收购公司股东的方式和程序安排。

第二十七条　被收购公司董事会应当对收购人的主体资格、资信情况及收购意图进行调查，对要约条件进行分析，对股东是否接受要约提出建议，并可以根据自身情况选择是否聘请独立财务顾问提供专业意见。

被收购公司决定聘请独立财务顾问的，可以聘请为其提供督导服务的主办券商为独立财务顾问，但存在影响独立性、财务顾问业务受到限制等不宜担任独立财务顾问情形的除外。被收购公司也可以同时聘请其他机构为其提供顾问服务。

第二十八条　收购要约约定的收购期限不得少于30日，并不得超过60日；但是出现竞争要约的除外。

收购期限自要约收购报告书披露之日起开始计算。要约收购需要取得国家相关部门批准的，收购人应将取得的本次收购的批准情况连同律师出具的专项核查意见一并在取得全部批准后2日内披露，收购期限自披露之日起开始计算。

在收购要约约定的承诺期限内，收购人不得撤销其收购要约。

第二十九条　采取要约收购方式的，收购人披露后至收购期限届满前，不得卖出被收购公司的股票，也不得采取要约规定以外的形式和超出要约的条件买入被收购公司的股票。

第三十条　收购人需要变更收购要约的，应当重新编制并披露要约收购报告书，报送全国股份转让系统，同时通知被收购公司。变更后的要约收购价格不得低于变更前的要约收购价格。

收购要约期限届满前15日内，收购人不得变更收购要约；但是出现竞争要约的除外。

出现竞争要约时，发出初始要约的收购人变更收购要约距初始要约收购期限届满不足15日的，应当延长收购期限，延长后的要约期应当不少于15日，不得超过最后一个竞争要约的期满日，并按规定比例追加履约保证能力。

发出竞争要约的收购人最迟不得晚于初始要约收购期限届满前15日披露要约收购报告书，并应当根据本办法的规定履行披露义务。

第三十一条　在要约收购期间，被收购公司董事不得辞职。

第三十二条　同意接受收购要约的股东（以下简称预受股东），应当委托证券公司办理预受要约的相关手续。

在要约收购期限届满前2日内，预受股东不得撤回其对要约的接受。在要约收购期限内，收购人应当每日披露已预受收购要约的股份数量。

在要约收购期限届满后2日内，收购人应当披露本次要约收购的结果。

第三十三条　收购期限届满，发出部分要约的收购人应当按照收购要约约定的条件购买被收购公司股东预受的股份，预受要约股份的数量超过预定收购数量时，收购人应当按照同等比例收购预受要约的股份；发出全面要约的收购人应当购买被收购公司股东预受的全部股份。

第五章　监管措施与法律责任

第三十四条　公众公司董事未履行忠实勤勉义务，利用收购谋取不当利益的，中国证监会采取监管谈话、出具警示函等监管措施，情节严重的，有权认定其为不适当人选。涉嫌犯罪的，依法移交司法机关追究其刑事责任。

第三十五条　收购人在收购要约期限届满时，不按照约定支付收购价款或者购买预受股份的，自该事实发生之日起2年内不得收购公众公司；涉嫌操纵证券市场的，中国证监会对收购人进行调查，依法追究其法律责任。

前款规定的收购人聘请的财务顾问没有充分证据表明其勤勉尽责的，中国证监会视情节轻重，自确认之日起采取3个月至12个月内不接受该机构出具的相关专项文件、12个月至36个月内不接受相关签字人员出具的专项文件的监管措施，并依法追究其法律责任。

第三十六条　公众公司控股股东和实际控制人在转让其对公司的控制权时，未清偿其对公司的负债，未解除公司为其提供的担保，或者未对其损害公司利益的其他情形作出纠正的，且被收购公司董事会未对前述情形及时披露并采取有效措施维护公司利益的，中国证监会责令改正，在改正前收购人应当暂停收购活动。

被收购公司董事会未能依法采取有效措施促使公司控股股东、实际控制人予以纠正，或者在收购完成后未能促使收购人履行承诺、安排或者保证的，中国证监会有权认定相关董事为不适当人选。

第三十七条　公众公司的收购及相关股份权益变动活动中的信息披露义务人，未按照本办法的规定履行信息披露以及其他相关义务，或者信息披露文件中有虚假记载、误导性陈述或者重大遗漏的，中国证监会采取责令改正、监管谈话、出具警示函、责令暂停或者终止收购等监管措施；情节严重的，比照《证券法》第一百九十三条、第二百一十三条进行行政处罚，并可以采取市场禁入的措施；涉嫌犯罪的，依法移送司法机关追究刑事责任。

第三十八条　投资者及其一致行动人规避法定程序和义务，变相进行公众公司收购，或者外国投资者规避管辖的，中国证监会采取责令改正、出具警示函、责令暂停或者停止收购等监管措施；情节严重的，进行行政处罚，并可以采取市场禁入的措施；涉嫌犯罪的，依法移交司法机关追究其刑事责任。

第三十九条　为公众公司收购出具审计报告、法律意见书和财务顾问报告的证券服务机构或者证券公司及其专业人员，未依法履行职责的，中国证监会采取责令改正、监管谈话、出具警示函等监管措施；情节严重的，比照《证券法》第二百二十三条进行行政处罚，并可以采取市场禁入的措施；涉嫌犯罪的，依法移送司法机关追究刑事责任。

第四十条　任何知悉收购信息的人员在相关信息依法披露前，泄露该信息、买卖或者建议他人买卖相关公司股票的，比照《证券法》第二百零二条予以处罚；涉嫌犯罪的，依法移送司法机关追究刑事责任。

第四十一条　编造、传播虚假收购信息，操纵证券市场或者进行欺诈活动的，比照《证券法》第二百零三条、二百零七条予以处罚；涉嫌犯罪的，依法移送司法机关追究刑事责任。

第四十二条　中国证监会将公众公司的收购及相关股份权益变动活动中的当事人的违法行为和整改情况记入诚信档案。

第六章　附则

第四十三条　本办法所称一致行动人、公众公司控制权及持股比例计算等参照《上市公司收购管理办法》的相关规定。

第四十四条　为公众公司收购提供服务的财务顾问的业务许可、业务规则和法律责任等，按照《上市公司并购重组财务顾问业务管理办法》的相关规定执行。

第四十五条　做市商持有公众公司股份相关权益变动信息的披露，由中国证监会另行规定。

第四十六条　股票不在全国股份转让系统公开转让的公

众公司收购及相关股份权益变动的信息披露内容比照本办法的相关规定执行。

第四十七条　本办法自2014年7月23日起施行。

全国中小企业股份转让系统有限责任公司管理暂行办法

第一章　总则

第一条　为加强对全国中小企业股份转让系统有限责任公司(以下简称全国股份转让系统公司)的管理,明确其职权与责任,维护股票挂牌转让及相关活动的正常秩序,根据《公司法》、《证券法》等法律、行政法规,制定本办法。

第二条　全国中小企业股份转让系统(以下简称全国股份转让系统)是经国务院批准设立的全国性证券交易场所。

第三条　股票在全国股份转让系统挂牌的公司(以下简称挂牌公司)为非上市公众公司,股东人数可以超过200人,接受中国证券监督管理委员会(以下简称中国证监会)的统一监督管理。

第四条　全国股份转让系统公司负责组织和监督挂牌公司的股票转让及相关活动,实行自律管理。

第五条　全国股份转让系统公司应当坚持公益优先的原则,维护公开、公平、公正的市场环境,保证全国股份转让系统的正常运行,为全国股份转让系统各参与人提供优质、高效、低成本的金融服务。

第六条　全国股份转让系统的股票挂牌转让及相关活动,必须遵守法律、行政法规和各项规章规定,禁止欺诈、内幕交易、操纵市场等违法违规行为。

第七条　中国证监会依法对全国股份转让系统公司、全国股份转让系统的各项业务活动及各参与人实行统一监督管理,维护全国股份转让系统运行秩序,依法查处违法违规行为。

第二章　全国股份转让系统公司的职能

第八条　全国股份转让系统公司的职能包括:

(一)建立、维护和完善股票转让相关技术系统和设施;

(二)制定和修改全国股份转让系统业务规则;

(三)接受并审查股票挂牌及其他相关业务申请,安排符合条件的公司股票挂牌;

(四)组织、监督股票转让及相关活动;

(五)对主办券商等全国股份转让系统参与人进行监管;

(六)对挂牌公司及其他信息披露义务人进行监管;

(七)管理和公布全国股份转让系统相关信息;

(八)中国证监会批准的其他职能。

第九条　全国股份转让系统公司应当就股票挂牌、股票转让、主办券商管理、挂牌公司管理、投资者适当性管理等依法制定基本业务规则。

全国股份转让系统公司制定与修改基本业务规则,应当经中国证监会批准。制定与修改其他业务规则,应当报中国证监会备案。

第十条　全国股份转让系统挂牌新的证券品种或采用新的转让方式,应当报中国证监会批准。

第十一条　全国股份转让系统公司应当为组织公平的股票转让提供保障,公布股票转让即时行情。未经全国股份转让系统公司许可,任何单位和个人不得发布、使用或传播股票转让即时行情。

第十二条　全国股份转让系统公司收取的资金和费用应当符合有关主管部门的规定,并优先用于维护和完善相关技术系统和设施。

全国股份转让系统公司应当制定专项财务管理规则,并报中国证监会备案。

第十三条　全国股份转让系统公司应当从其收取的费用中提取一定比例的金额设立风险基金。风险基金提取和使用的具体办法,由中国证监会另行制定。

第十四条　全国股份转让系统的登记结算业务由中国证券登记结算有限责任公司负责。全国股份转让系统公司应当与其签订业务协议,并报中国证监会备案。

第三章　全国股份转让系统公司的组织结构

第十五条　全国股份转让系统公司应当按照《公司法》等法律、行政法规和中国证监会的规定,制定公司章程,明确股东会、董事会、监事会和经理层之间的职责划分,建立健全内部组织机构,完善公司治理。

全国股份转让系统公司章程的制定和修改,应当经中国证监会批准。

第十六条　全国股份转让系统公司的股东应当具备法律、行政法规和中国证监会规定的资格条件,股东持股比例应当符合中国证监会的有关规定。

全国股份转让系统公司新增股东或原股东转让所持股份的,应当报中国证监会批准。

第十七条　全国股份转让系统公司董事会、监事会的组成及议事规则应当符合有关法律、行政法规和中国证监会的规定,并报中国证监会备案。

第十八条　全国股份转让系统公司董事长、副董事长、监事会主席及高级管理人员由中国证监会提名,任免程序和任期遵守《公司法》和全国股份转让系统公司章程的有关规定。

前款所述高级管理人员的范围,由全国股份转让系统公司章程规定。

第十九条　全国股份转让系统公司应当根据需要设立专门委员会。各专门委员会的组成及议事规则报中国证监会备案。

第四章　全国股份转让系统公司的自律监管

第二十条　全国股份转让系统实行主办券商制度。在全国股份转让系统从事主办券商业务的证券公司称为主办券商。

主办券商业务包括推荐股份公司股票挂牌,对挂牌公司进行持续督导,代理投资者买卖挂牌公司股票,为股票转让提供做市服务及其他全国股份转让系统公司规定的业务。

第二十一条　全国股份转让系统公司依法对股份公司股票挂牌、定向发行等申请及主办券商推荐文件进行审查,出具审查意见。

全国股份转让系统公司应当与符合条件的股份公司签署挂牌协议,确定双方的权利义务关系。

第二十二条　全国股份转让系统公司应当督促申请股票挂牌的股份公司、挂牌公司及其他信息披露义务人,依法履行信息披露义务,真实、准确、完整、及时地披露信息,不得有虚假记载、误导性陈述或者重大遗漏。

第二十三条　挂牌公司应当符合全国股份转让系统持续

挂牌条件，不符合持续挂牌条件的，全国股份转让系统公司应当及时作出股票暂停或终止挂牌的决定，及时公告，并报中国证监会备案。

第二十四条　挂牌股票转让可以采取做市方式、协议方式、竞价方式或证监会批准的其他转让方式。

第二十五条　全国股份转让系统实行投资者适当性管理制度。参与股票转让的投资者应当具备一定的证券投资经验和相应的风险识别和承担能力，了解熟悉相关业务规则。

第二十六条　因突发性事件而影响股票转让的正常进行时，全国股份转让系统公司可以采取技术性停牌措施；因不可抗力的突发性事件或者为维护股票转让的正常秩序，可以决定临时停市。

全国股份转让系统公司采取技术性停牌或者决定临时停市，应当及时报告中国证监会。

第二十七条　全国股份转让系统公司应当建立市场监控制度及相应技术系统，配备专门市场监察人员，依法对股票转让实行监控，及时发现、及时制止内幕交易、市场操纵等异常转让行为。

对违反法律法规及业务规则的，全国股份转让系统公司应当及时采取自律监管措施，并视情节轻重或根据监管要求，及时向中国证监会报告。

第二十八条　全国股份转让系统公司应当督促主办券商、律师事务所、会计师事务所等为挂牌转让等相关业务提供服务的证券服务机构和人员，诚实守信、勤勉尽责，严格履行法定职责，遵守法律法规和行业规范，并对出具文件的真实性、准确性、完整性负责。

第二十九条　全国股份转让系统公司发现相关当事人违反法律法规及业务规则的，可以依法采取自律监管措施，并报中国证监会备案。依法应当由中国证监会进行查处的，全国股份转让系统公司应当向中国证监会提出查处建议。

第五章　监督管理

第三十条　全国股份转让系统公司应当向中国证监会报告股东会、董事会、监事会、总经理办公会议和其他重要会议的会议纪要，全国股份转让系统运行情况，全国股份转让系统公司自律监管职责履行情况、日常工作动态以及中国证监会要求报告的其他信息。

全国股份转让系统公司的其他报告义务，比照执行证券交易所管理有关规定。

第三十一条　中国证监会有权要求全国股份转让系统公司对其章程和业务规则进行修改。

第三十二条　中国证监会依法对全国股份转让系统公司进行监管，开展定期、不定期的现场检查，并对其履职和运营情况进行评估和考核。

全国股份转让系统公司及相关人员违反本办法规定，在监管工作中不履行职责，或者不履行本办法规定的有关义务，中国证监会比照证券交易所管理有关规定进行查处。

第六章　附则

第三十三条　全国股份转让系统公司为其他证券品种提供挂牌转让服务的，比照本办法执行。

第三十四条　在证券公司代办股份转让系统的原STAQ、NET系统挂牌公司和退市公司及其股份转让相关活动，由全国股份转让系统公司负责监督管理。

第三十五条　本办法公布之日起施行。

关于修改《非上市公众公司监督管理办法》的决定

一、第二条修改为："本办法所称非上市公众公司（以下简称公众公司）是指有下列情形之一且其股票未在证券交易所上市交易的股份有限公司：

"（一）股票向特定对象发行或者转让导致股东累计超过200人；

"（二）股票公开转让。"

二、第四条修改为："公众公司公开转让股票应当在全国中小企业股份转让系统进行，公开转让的公众公司股票应当在中国证券登记结算公司集中登记存管。"

三、增加一条，作为第五条："公众公司可以依法进行股权融资、债权融资、资产重组等。

"公众公司发行优先股等证券品种，应当遵守法律、行政法规和中国证券监督管理委员会（以下简称中国证监会）的相关规定。"

四、第二十一条改为第二十二条，修改为："股票公开转让与定向发行的公众公司应当披露半年度报告、年度报告。年度报告中的财务会计报告应当经具有证券期货相关业务资格的会计师事务所审计。

"股票向特定对象转让导致股东累计超过200人的公众公司，应当披露年度报告。年度报告中的财务会计报告应当经会计师事务所审计。"

五、第三十三条改为第三十四条，修改为："股东人数超过200人的公司申请其股票公开转让，应当按照中国证监会有关规定制作公开转让的申请文件，申请文件应当包括但不限于：公开转让说明书、律师事务所出具的法律意见书、具有证券期货相关业务资格的会计师事务所出具的审计报告、证券公司出具的推荐文件。公司持申请文件向中国证监会申请核准。

"公开转让说明书应当在公开转让前披露。"

六、第三十四条改为第三十五条，修改为："中国证监会受理申请文件后，依法对公司治理和信息披露进行审核，在20个工作日内作出核准、中止审核、终止审核、不予核准的决定。"

七、增加一条，作为第三十六条："股东人数未超过200人的公司申请其股票公开转让，中国证监会豁免核准，由全国中小企业股份转让系统进行审查。"

八、增加一条，作为第三十八条："本办法施行前股东人数超过200人的股份有限公司，符合条件的，可以申请在全国中小企业股份转让系统挂牌公开转让股票、首次公开发行并在证券交易所上市。"

九、第四十条改为第四十三条，修改为："中国证监会受理申请文件后，依法对公司治理和信息披露以及发行对象情况进行审核，在20个工作日内作出核准、中止审核、终止审核、不予核准的决定。"

十、第四十二条改为第四十五条，修改为："在全国中小企业股份转让系统挂牌公开转让股票的公众公司向特定对象发行股票后股东累计不超过200人的，中国证监会豁免核准，由全国中小企业股份转让系统自律管理，但发行对象应当符合本办法第三十九条的规定。"

十一、增加一条，作为第五十一条："全国中小企业股份转让系统应当发挥自律管理作用，对在全国中小企业股份转让系统公开转让股票的公众公司及相关信息披露义务人披露信息进行监督，督促其依法及时、准确地披露信息。发现公开转让股票的公众公司及相关信息披露义务人有违反法律、行政法规和中国证监会相关规定的行为，应当向中国证监会报告，并采取自律管理措施。”

十二、第六十一条改为第六十五条，修改为：“本办法施行前股东人数超过200人的股份有限公司，不在全国中小企业股份转让系统挂牌公开转让股票或证券交易所上市的，应当按相关要求规范后申请纳入非上市公众公司监管。”

十三、将修改后的第三十二条、第三十三条、第三十四条、第三十六条中“股票向社会公众公开转让”的表述修改为“股票公开转让”。

本决定自公布之日起施行。

《非上市公众公司监督管理办法》根据本决定作相应的修改并对条文顺序作相应调整，重新公布。

非上市公众公司监督管理办法

（2012年9月28日中国证券监督管理委员会第17次主席办公会议审议通过，根据2013年12月26日中国证券监督管理委员会《关于修改<非上市公众公司监督管理办法>的决定》修订）

第一章　总则

第一条　为了规范非上市公众公司股票转让和发行行为，保护投资者合法权益，维护社会公共利益，根据《证券法》、《公司法》及相关法律法规的规定，制定本办法。

第二条　本办法所称非上市公众公司（以下简称公众公司）是指有下列情形之一且其股票未在证券交易所上市交易的股份有限公司：

（一）股票向特定对象发行或者转让导致股东累计超过200人；

（二）股票公开转让。

第三条　公众公司应当按照法律、行政法规、本办法和公司章程的规定，做到股权明晰，合法规范经营，公司治理机制健全，履行信息披露义务。

第四条　公众公司公开转让股票应当在全国中小企业股份转让系统进行，公开转让的公众公司股票应当在中国证券登记结算公司集中登记存管。

第五条　公众公司可以依法进行股权融资、债权融资、资产重组等。

公众公司发行优先股等证券品种，应当遵守法律、行政法规和中国证券监督管理委员会（以下简称中国证监会）的相关规定。

第六条　为公司出具专项文件的证券公司、律师事务所、会计师事务所及其他证券服务机构，应当勤勉尽责、诚实守信，认真履行审慎核查义务，按照依法制定的业务规则、行业执业规范和职业道德准则发表专业意见，保证所出具文件的真实性、准确性和完整性，并接受中国证监会的监管。

第二章　公司治理

第七条　公众公司应当依法制定公司章程。

中国证监会依法对公众公司章程必备条款作出具体规定，规范公司章程的制定和修改。

第八条　公众公司应当建立兼顾公司特点和公司治理机制基本要求的股东大会、董事会、监事会制度，明晰职责和议事规则。

第九条　公众公司的治理结构应当确保所有股东，特别是中小股东充分行使法律、行政法规和公司章程规定的合法权利。

股东对法律、行政法规和公司章程规定的公司重大事项，享有知情权和参与权。

公众公司应当建立健全投资者关系管理，保护投资者的合法权益。

第十条　公众公司股东大会、董事会、监事会的召集、提案审议、通知时间、召开程序、授权委托、表决和决议等应当符合法律、行政法规和公司章程的规定；会议记录应当完整并安全保存。

股东大会的提案审议应当符合程序，保障股东的知情权、参与权、质询权和表决权；董事会应当在职权范围和股东大会授权范围内对审议事项作出决议，不得代替股东大会对超出董事会职权范围和授权范围的事项进行决议。

第十一条　公众公司董事会应当对公司的治理机制是否给所有的股东提供合适的保护和平等权利等情况进行充分讨论、评估。

第十二条　公众公司应当强化内部管理，按照相关规定建立会计核算体系、财务管理和风险控制等制度，确保公司财务报告真实可靠及行为合法合规。

第十三条　公众公司进行关联交易应当遵循平等、自愿、等价、有偿的原则，保证交易公平、公允，维护公司的合法权益，根据法律、行政法规、中国证监会的规定和公司章程，履行相应的审议程序。

第十四条　公众公司应当采取有效措施防止股东及其关联方以各种形式占用或者转移公司的资金、资产及其他资源。

第十五条　公众公司实施并购重组行为，应当按照法律、行政法规、中国证监会的规定和公司章程，履行相应的决策程序并聘请证券公司和相关证券服务机构出具专业意见。

任何单位和个人不得利用并购重组损害公众公司及其股东的合法权益。

第十六条　进行公众公司收购，收购人或者其实际控制人应当具有健全的公司治理机制和良好的诚信记录。收购人不得以任何形式从被收购公司获得财务资助，不得利用收购活动损害被收购公司及其股东的合法权益。

在公众公司收购中，收购人持有的被收购公司的股份，在收购完成后12个月内不得转让。

第十七条　公众公司实施重大资产重组，重组的相关资产应当权属清晰、定价公允，重组后的公众公司治理机制健全，不得损害公众公司和股东的合法权益。

第十八条　公众公司应当按照法律的规定，同时结合公司的实际情况在章程中约定建立表决权回避制度。

第十九条　公众公司应当在章程中约定纠纷解决机制。股东有权按照法律、行政法规和公司章程的规定，通过仲裁、民事诉讼或者其他法律手段保护其合法权益。

第三章　信息披露

第二十条　公司及其他信息披露义务人应当按照法律、行政法规和中国证监会的规定，真实、准确、完整、及时地披露信息，不得有虚假记载、误导性陈述或者重大遗漏。公司及其他信息披露义务人应当向所有投资者同时公开披露信息。

公司的董事、监事、高级管理人员应当忠实、勤勉地履行职责，保证公司披露信息的真实、准确、完整、及时。

第二十一条　信息披露文件主要包括公开转让说明书、

定向转让说明书、定向发行说明书、发行情况报告书、定期报告和临时报告等。具体的内容与格式、编制规则及披露要求，由中国证监会另行制定。

第二十二条　股票公开转让与定向发行的公众公司应当披露半年度报告、年度报告。年度报告中的财务会计报告应当经具有证券期货相关业务资格的会计师事务所审计。

股票向特定对象转让导致股东累计超过200人的公众公司，应当披露年度报告。年度报告中的财务会计报告应当经会计师事务所审计。

第二十三条　公众公司董事、高级管理人员应当对定期报告签署书面确认意见；对报告内容有异议的，应当单独陈述理由，并与定期报告同时披露。公众公司不得以董事、高级管理人员对定期报告内容有异议为由不按时披露定期报告。

公众公司监事会应当对董事会编制的定期报告进行审核并提出书面审核意见，说明董事会对定期报告的编制和审核程序是否符合法律、行政法规、中国证监会的规定和公司章程，报告的内容是否能够真实、准确、完整地反映公司实际情况。

第二十四条　证券公司、律师事务所、会计师事务所及其他证券服务机构出具的文件和其他有关的重要文件应当作为备查文件，予以披露。

第二十五条　发生可能对股票价格产生较大影响的重大事件，投资者尚未得知时，公众公司应当立即将有关该重大事件的情况报送临时报告，并予以公告，说明事件的起因、目前的状态和可能产生的后果。

第二十六条　公众公司实施并购重组的，相关信息披露义务人应当依法严格履行公告义务，并及时准确地向公众公司通报有关信息，配合公众公司及时、准确、完整地进行披露。

参与并购重组的相关单位和人员，在并购重组的信息依法披露前负有保密义务，禁止利用该信息进行内幕交易。

第二十七条　公众公司应当制定信息披露事务管理制度并指定具有相关专业知识的人员负责信息披露事务。

第二十八条　除监事会公告外，公众公司披露的信息应当以董事会公告的形式发布。董事、监事、高级管理人员非经董事会书面授权，不得对外发布未披露的信息。

第二十九条　公司及其他信息披露义务人依法披露的信息，应当在中国证监会指定的信息披露平台公布。公司及其他信息披露义务人可在公司网站或者其他公众媒体上刊登依本办法必须披露的信息，但披露的内容应当完全一致，且不得早于在中国证监会指定的信息披露平台披露的时间。

股票向特定对象转让导致股东累计超过200人的公众公司可以在公司章程中约定其他信息披露方式；在中国证监会指定的信息披露平台披露相关信息的，应当符合本条第一款的要求。

第三十条　公司及其他信息披露义务人应当将信息披露公告文稿和相关备查文件置备于公司住所供社会公众查阅。

第三十一条　公司应当配合为其提供服务的证券公司及律师事务所、会计师事务所等证券服务机构的工作，按要求提供所需资料，不得要求证券公司、证券服务机构出具与客观事实不符的文件或者阻碍其工作。

第四章　股票转让

第三十二条　股票向特定对象转让导致股东累计超过200人的股份有限公司，应当自上述行为发生之日起3个月内，按照中国证监会有关规定制作申请文件，申请文件应当包括但不限于：定向转让说明书、律师事务所出具的法律意见书、会计师事务所出具的审计报告。股份有限公司持申请文件向中国证监会申请核准。在提交申请文件前，股份有限公司应当将相关情况通知所有股东。

在3个月内股东人数降至200人以内的，可以不提出申请。

股票向特定对象转让应当以非公开方式协议转让。申请股票公开转让的，按照本办法第三十三条、第三十四条的规定办理。

第三十三条　公司申请其股票公开转让的，董事会应当依法就股票公开转让的具体方案作出决议，并提请股东大会批准，股东大会决议必须经出席会议的股东所持表决权的2/3以上通过。

董事会和股东大会决议中还应当包括以下内容：

（一）按照中国证监会的相关规定修改公司章程；

（二）按照法律、行政法规和公司章程的规定建立健全公司治理机制；

（三）履行信息披露义务，按照相关规定披露公开转让说明书、年度报告、半年度报告及其他信息披露内容。

第三十四条　股东人数超过200人的公司申请其股票公开转让，应当按照中国证监会有关规定制作公开转让的申请文件，申请文件应当包括但不限于：公开转让说明书、律师事务所出具的法律意见书、具有证券期货相关业务资格的会计师事务所出具的审计报告、证券公司出具的推荐文件。公司持申请文件向中国证监会申请核准。

公开转让说明书应当在公开转让前披露。

第三十五条　中国证监会受理申请文件后，依法对公司治理和信息披露进行审核，在20个工作日内作出核准、中止审核、终止审核、不予核准的决定。

第三十六条　股东人数未超过200人的公司申请其股票公开转让，中国证监会豁免核准，由全国中小企业股份转让系统进行审查。

第三十七条　公司及其董事、监事、高级管理人员，应当对公开转让说明书、定向转让说明书签署书面确认意见，保证所披露的信息真实、准确、完整。

第三十八条　本办法施行前股东人数超过200人的股份有限公司，符合条件的，可以申请在全国中小企业股份转让系统挂牌公开转让股票、首次公开发行并在证券交易所上市。

第五章　定向发行

第三十九条　本办法所称定向发行包括向特定对象发行股票导致股东累计超过200人，以及股东人数超过200人的公众公司向特定对象发行股票两种情形。

前款所称特定对象的范围包括下列机构或者自然人：

（一）公司股东；

（二）公司的董事、监事、高级管理人员、核心员工；

（三）符合投资者适当性管理规定的自然人投资者、法人投资者及其他经济组织。

公司确定发行对象时，符合本条第二款第（二）项、第（三）项规定的投资者合计不得超过35名。

核心员工的认定，应当由公司董事会提名，并向全体员工公示和征求意见，由监事会发表明确意见后，经股东大会审议批准。

投资者适当性管理规定由中国证监会另行制定。

第四十条　公司应当对发行对象的身份进行确认，有充分理由确信发行对象符合本办法和公司的相关规定。

公司应当与发行对象签订包含风险揭示条款的认购协议。

第四十一条　公司董事会应当依法就本次股票发行的具

体方案作出决议，并提请股东大会批准，股东大会决议必须经出席会议的股东所持表决权的2/3以上通过。

申请向特定对象发行股票导致股东累计超过200人的股份有限公司，董事会和股东大会决议中还应当包括以下内容：

（一）按照中国证监会的相关规定修改公司章程；

（二）按照法律、行政法规和公司章程的规定建立健全公司治理机制；

（三）履行信息披露义务，按照相关规定披露定向发行说明书、发行情况报告书、年度报告、半年度报告及其他信息披露内容。

第四十二条　公司应当按照中国证监会有关规定制作定向发行的申请文件，申请文件应当包括但不限于：定向发行说明书、律师事务所出具的法律意见书、具有证券期货相关业务资格的会计师事务所出具的审计报告、证券公司出具的推荐文件。公司持申请文件向中国证监会申请核准。

第四十三条　中国证监会受理申请文件后，依法对公司治理和信息披露以及发行对象情况进行审核，在20个工作日内作出核准、中止审核、终止审核、不予核准的决定。

第四十四条　公司申请定向发行股票，可申请一次核准，分期发行。自中国证监会予以核准之日起，公司应当在3个月内首期发行，剩余数量应当在12个月内发行完毕。超过核准文件限定的有效期未发行的，须重新经中国证监会核准后方可发行。首期发行数量应当不少于总发行数量的50%，剩余各期发行的数量由公司自行确定，每期发行后5个工作日内将发行情况报中国证监会备案。

第四十五条　在全国中小企业股份转让系统挂牌公开转让股票的公众公司向特定对象发行股票后股东累计不超过200人的，中国证监会豁免核准，由全国中小企业股份转让系统自律管理，但发行对象应当符合本办法第三十九条的规定。

第四十六条　股票发行结束后，公众公司应当按照中国证监会的有关要求编制并披露发行情况报告书。申请分期发行的公众公司应在每期发行后按照中国证监会的有关要求进行披露，并在全部发行结束或者超过核准文件有效期后按照中国证监会的有关要求编制并披露发行情况报告书。

豁免向中国证监会申请核准定向发行的公众公司，应当在发行结束后按照中国证监会的有关要求编制并披露发行情况报告书。

第四十七条　公司及其董事、监事、高级管理人员，应当对定向发行说明书、发行情况报告书签署书面确认意见，保证所披露的信息真实、准确、完整。

第四十八条　公众公司定向发行股份购买资产的，按照本章有关规定办理。

第六章　监督管理

第四十九条　中国证监会会同国务院有关部门、地方人民政府，依照法律法规和国务院有关规定，各司其职，分工协作，对公众公司进行持续监管，防范风险，维护证券市场秩序。

第五十条　中国证监会依法履行对公司股票转让、定向发行、信息披露的监管职责，有权对公司、证券公司、证券服务机构采取《证券法》第一百八十条规定的措施。

第五十一条　全国中小企业股份转让系统应当发挥自律管理作用，对在全国中小企业股份转让系统公开转让股票的公众公司及相关信息披露义务人披露信息进行监督，督促其依法及时、准确地披露信息。发现公开转让股票的公众公司及相关信息披露义务人有违反法律、行政法规和中国证监会相关规定的行为，应当向中国证监会报告，并采取自律管理措施。

第五十二条　中国证券业协会应当发挥自律管理作用，对从事公司股票转让和定向发行业务的证券公司进行监督，督促其勤勉尽责地履行尽职调查和督导职责。发现证券公司有违反法律、行政法规和中国证监会相关规定的行为，应当向中国证监会报告，并采取自律管理措施。

第五十三条　中国证监会可以要求公司及其他信息披露义务人或者其董事、监事、高级管理人员对有关信息披露问题作出解释、说明或者提供相关资料，并要求公司提供证券公司或者证券服务机构的专业意见。

中国证监会对证券公司和证券服务机构出具文件的真实性、准确性、完整性有疑义的，可以要求相关机构作出解释、补充，并调阅其工作底稿。

第五十四条　证券公司在从事股票转让、定向发行等业务活动中，应当按照中国证监会的有关规定勤勉尽责地进行尽职调查，规范履行内核程序，认真编制相关文件，并持续督导所推荐公司及时履行信息披露义务、完善公司治理。

第五十五条　证券服务机构为公司的股票转让、定向发行等活动出具审计报告、资产评估报告或者法律意见书等文件的，应当严格履行法定职责，遵循勤勉尽责和诚实信用原则，对公司的主体资格、股本情况、规范运作、财务状况、公司治理、信息披露等内容的真实性、准确性、完整性进行充分的核查和验证，并保证其出具的文件不存在虚假记载、误导性陈述或者重大遗漏。

第五十六条　中国证监会依法对公司进行监督检查或者调查，公司有义务提供相关文件资料。对于发现问题的公司，中国证监会可以采取责令改正、监管谈话、责令公开说明、出具警示函等监管措施，并记入诚信档案；涉嫌违法、犯罪的，应当立案调查或者移送司法机关。

第七章　法律责任

第五十七条　公司以欺骗手段骗取核准的，公司报送的报告有虚假记载、误导性陈述或者重大遗漏的，除依照《证券法》有关规定进行处罚外，中国证监会可以采取终止审核并自确认之日起在36个月内不受理公司的股票转让和定向发行申请的监管措施。

第五十八条　公司未按照本办法第三十二条、第三十四条、第四十二条规定，擅自转让或者发行股票的，按照《证券法》第一百八十八条的规定进行处罚。

第五十九条　证券公司、证券服务机构出具的文件有虚假记载、误导性陈述或者重大遗漏的，除依照《证券法》及相关法律法规的规定处罚外，中国证监会可视情节轻重，自确认之日起采取3个月至12个月内不接受该机构出具的相关专项文件，36个月内不接受相关签字人员出具的专项文件的监管措施。

第六十条　公司及其他信息披露义务人未按照规定披露信息，或者所披露的信息有虚假记载、误导性陈述或者重大遗漏的，依照《证券法》第一百九十三条的规定进行处罚。

第六十一条　公司向不符合本办法规定条件的投资者发行股票的，中国证监会可以责令改正，并可以自确认之日起在36个月内不受理其申请。

第六十二条　信息披露义务人及其董事、监事、高级管理人员，公司控股股东、实际控制人，为信息披露义务人出具专项文件的证券公司、证券服务机构及其工作人员，违反《证券法》、行政法规和中国证监会相关规定的，中国证监会可以采取责令改正、监管谈话、出具警示函、认定为不适当人选等监管措施，并记入诚信档案；情节严重的，中国证监会可以对有关责任人员采取证券市场禁入的措施。

第六十三条　公众公司内幕信息知情人或非法获取内幕信息的人，在对公众公司股票价格有重大影响的信息公开前，泄露该信息、买卖或者建议他人买卖该股票的，依照《证券法》第二百零二条的规定进行处罚。

第八章　附则

第六十四条　公众公司向不特定对象公开发行股票的，应当遵守《证券法》和中国证监会的相关规定。

公众公司申请在证券交易所上市的，应当遵守中国证监会和证券交易所的相关规定。

第六十五条　本办法施行前股东人数超过 200 人的股份有限公司，不在全国中小企业股份转让系统挂牌公开转让股票或证券交易所上市的，应当按相关要求规范后申请纳入非上市公众公司监管。

第六十六条　本办法所称股份有限公司是指首次申请股票转让或定向发行的股份有限公司；所称公司包括非上市公众公司和首次申请股票转让或定向发行的股份有限公司。

第六十七条　本办法自 2013 年 1 月 1 日起施行。

非上市公众公司监管指引第 1 号——信息披露

为了规范非上市公众公司信息披露行为，根据《公司法》、《证券法》和《非上市公众公司监督管理办法》的有关规定，现明确监管要求如下：

一、信息披露的内容。股票公开转让、股票向特定对象发行或者转让导致股东累计超过 200 人的公司，应当在公开转让说明书、定向发行说明书或者定向转让说明书中披露以下内容：

（一）公司基本信息、股本和股东情况、公司治理情况；

（二）公司主要业务、产品或者服务及公司所属行业；

（三）报告期内的财务报表、审计报告。

定向发行说明书还应当披露发行对象或者范围、发行价格或者区间、发行数量。

非上市公众公司也可以根据自身实际情况以及投资者的需求，更加详细地披露公司的其他情况。

二、信息披露的基本要求。非上市公众公司及其董事、监事、高级管理人员应当保证披露的信息真实、准确、完整，不存在虚假记载、误导性陈述或者重大遗漏，并对其真实性、准确性、完整性承担相应的法律责任。

非上市公众公司应当建立与股东沟通的有效渠道，对股东或者市场质疑的事项应当及时、客观地进行澄清或者说明。

三、信息披露平台。非上市公众公司应当本着股东能及时、便捷获得公司信息的原则，并结合自身实际情况，自主选择一种或者多种信息披露平台，如非上市公众公司信息披露网站（nlpc. csrc. gov. cn）、公共媒体或者公司网站，也可以选择公司章程约定的方式或者股东认可的其他方式。无论采取何种信息披露方式，均应当经股东大会审议通过。

股票在依法设立的证券交易场所公开转让的非上市公众公司，应当通过证券交易场所要求的平台披露信息。

四、依法设立的证券交易场所可以在本指引的基础上，对股票公开转让的非上市公众公司制定更详尽、更严格的信息披露标准；公司应当按照从高从严的标准遵守证券交易场所的相关规定。

五、非上市公众公司年度报告、半年度报告按照本指引进行披露。

非上市公众公司监管指引第 2 号——申请文件

为了规范非上市公众公司股票公开转让、定向转让及定向发行申请文件的内容与格式，根据《证券法》和《非上市公众公司监督管理办法》的有关规定，现明确监管要求如下：

一、股票公开转让、股票向特定对象发行或者转让导致股东累计超过 200 人的公司，在向中国证监会申请核准时，应当按本指引的要求制作和报送下列申请文件：

（一）申请报告；

（二）公开转让说明书/定向转让说明书/定向发行说明书；

（三）公司章程（草案）；

（四）企业法人营业执照；

（五）股东大会及董事会相关决议；

（六）财务报表及审计报告；

（七）法律意见书；

（八）证券公司关于公开转让/定向发行的推荐工作报告；

（九）中国证监会规定的其他文件。

二、公司应当保证申请文件内容真实、准确、完整，不存在虚假记载、误导性陈述或者重大遗漏。证券公司、证券服务机构及人员应当做到勤勉尽责、诚实守信，并对其出具的相关文件及申请文件中引用内容的真实性、准确性、完整性承担相应的法律责任。

三、公司编制申请文件时，应当尽量使用事实描述性语言；

申请文件所有需要签名处，均应为签名人亲笔签名，不得以名章、签名章等代替；公司初次报送申请文件，应当提交原件 1 份、复印件 2 份；每次报送书面申请文件的同时，还应当报送 1 份相应的标准电子文件（标准 . doc 或者. rtf 格式文件）。申请文件一经受理，未经中国证监会同意，不得增加、撤回或者更换。

四、依法设立的证券交易场所可以要求股票公开转让的非上市公众公司报送除上述文件之外的其他文件；公司应当遵守证券交易场所的相关规定。

非上市公众公司监管指引第 3 号——章程必备条款

第一条　公司章程应当符合本指引的相关规定。

第二条　章程总则应当载明章程的法律效力，规定章程自生效之日起，即成为规范公司的组织和行为、公司与股东、股东与股东之间权利义务关系的具有约束力的法律文件，对公司、股东、董事、监事、高级管理人员具有法律约束力。

第三条　章程应当载明公司股票采用记名方式，并明确公司股票的登记存管机构以及股东名册的管理规定。

第四条　章程应当载明保障股东享有知情权、参与权、质询权和表决权的具体安排。

第五条　章程应当载明公司为防止股东及其关联方占用或者转移公司资金、资产及其他资源的具体安排。

第六条　章程应当载明公司控股股东和实际控制人的诚

信义务。明确规定控股股东及实际控制人不得利用各种方式损害公司和其他股东的合法权益；控股股东及实际控制人违反相关法律、法规及章程规定，给公司及其他股东造成损失的，应承担赔偿责任。

第七条　章程应当载明须提交股东大会审议的重大事项的范围。

章程应当载明须经股东大会特别决议通过的重大事项的范围。

公司还应当在章程中载明重大担保事项的范围。

第八条　章程应当载明董事会须对公司治理机制是否给所有的股东提供合适的保护和平等权利，以及公司治理结构是否合理、有效等情况，进行讨论、评估。

第九条　章程应当载明公司依法披露定期报告和临时报告。

第十条　章程应当载明公司信息披露负责机构及负责人。如公司设置董事会秘书的，则应当由董事会秘书负责信息披露事务。

第十一条　章程应当载明公司的利润分配制度。章程可以就现金分红的具体条件和比例、未分配利润的使用原则等政策作出具体规定。

第十二条　章程应当载明公司关于投资者关系管理工作的内容和方式。

第十三条　股票不在依法设立的证券交易场所公开转让的公司应当在章程中规定，公司股东应当以非公开方式协议转让股份，不得采取公开方式向社会公众转让股份，并明确股东协议转让股份后，应当及时告知公司，同时在登记存管机构办理登记过户。

第十四条　公司章程应当载明公司、股东、董事、监事、高级管理人员之间涉及章程规定的纠纷，应当先行通过协商解决。协商不成的，通过仲裁或诉讼等方式解决。如选择仲裁方式的，应当指定明确具体的仲裁机构进行仲裁。

第十五条　公司股东大会选举董事、监事，如实行累积投票制的，应当在章程中对相关具体安排作出明确规定。

公司如建立独立董事制度的，应当在章程中明确独立董事的权利义务、职责及履职程序。

公司如实施关联股东、董事回避制度，应当在章程中列明需要回避的事项。

非上市公众公司监管指引第4号——股东人数超过200人的未上市股份有限公司申请行政许可有关问题的审核指引

《证券法》第十条明确规定“向特定对象发行证券累计超过二百人的”属于公开发行，需依法报经中国证监会核准。对于股东人数已经超过200人的未上市股份有限公司（以下简称200人公司），符合本指引规定的，可申请公开发行并在证券交易所上市、在全国中小企业股份转让系统（以下简称全国股份转让系统）挂牌公开转让等行政许可。对200人公司合规性的审核纳入行政许可过程中一并审核，不再单独审核。现将200人公司的审核标准、申请文件、股份代持及间接持股处理等事项的监管要求明确如下：

一、审核标准

200人公司申请行政许可的合规性应当符合本指引规定的下列要求：

（一）公司依法设立且合法存续

200人公司的设立、增资等行为不违反当时法律明确的禁止性规定，目前处于合法存续状态。城市商业银行、农村商业银行等银行业股份公司应当符合《关于规范金融企业内部职工持股的通知》（财金〔2010〕97号）。

200人公司的设立、历次增资依法需要批准的，应当经过有权部门的批准。存在不规范情形的，应当经过规范整改，并经当地省级人民政府确认。

200人公司在股份形成及转让过程中不存在虚假陈述、出资不实、股权管理混乱等情形，不存在重大诉讼、纠纷以及重大风险隐患。

（二）股权清晰

200人公司的股权清晰，是指股权形成真实、有效，权属清晰及股权结构清晰。具体要求包括：

1. 股权权属明确。200人公司应当设置股东名册并进行有序管理，股东、公司及相关方对股份归属、股份数量及持股比例无异议。股权结构中存在工会或职工持股会代持、委托持股、信托持股、以及通过“持股平台”间接持股等情形的，应当按照本指引的相关规定进行规范。

本指引所称“持股平台”是指单纯以持股为目的的合伙企业、公司等持股主体。

2. 股东与公司之间、股东之间、股东与第三方之间不存在重大股份权属争议、纠纷或潜在纠纷。

3. 股东出资行为真实，不存在重大法律瑕疵，或者相关行为已经得到有效规范，不存在风险隐患。

申请行政许可的200人公司应当对股份进行确权，通过公证、律师见证等方式明确股份的权属。申请公开发行并在证券交易所上市的，经过确权的股份数量应当达到股份总数的90%以上（含90%）；申请在全国股份转让系统挂牌公开转让的，经过确权的股份数量应当达到股份总数的80%以上（含80%）。未确权的部分应当设立股份托管账户，专户管理，并明确披露有关责任的承担主体。

（三）经营规范

200人公司持续规范经营，不存在资不抵债或者明显缺乏清偿能力等破产风险的情形。

（四）公司治理与信息披露制度健全

200人公司按照中国证监会的相关规定，已经建立健全了公司治理机制和履行信息披露义务的各项制度。

二、申请文件

（一）200人公司申请行政许可，应当提交下列文件：

1. 企业法人营业执照

2. 公司关于股权形成过程的专项说明；

3. 设立、历次增资的批准文件；

4. 证券公司出具的专项核查报告；

5. 律师事务所出具的专项法律意见书，或者在提交行政许可的法律意见书中出具专项法律意见。

以上各项文件如已在申请公开发行并在证券交易所上市或者在全国股份转让系统挂牌公开转让的申请文件中提交，可不重复提交。

（二）存在下列情形之一的，应当报送省级人民政府出具的确认函：

1. 1994年7月1日《公司法》实施前，经过体改部门批准设立，但存在内部职工股超范围或超比例发行、法人股向社会个人发行等不规范情形的定向募集公司。

2. 1994年7月1日《公司法》实施前，依法批准向社会公开发行股票的公司。

3. 按照《国务院办公厅转发证监会关于清理整顿场外非法股票交易方案的通知》(国办发〔1998〕10 号),清理整顿证券交易场所后"下柜"形成的股东超过 200 人的公司。

4. 中国证监会认为需要省级人民政府出具确认函的其他情形。

省级人民政府出具的确认函应当说明公司股份形成、规范的过程以及存在的问题,并明确承担相应责任。

(三)股份已经委托股份托管机构进行集中托管的,应当由股份托管机构出具股份托管情况的证明。股份未进行集中托管的,应当按照前款规定提供省级人民政府的确认函。

(四)属于 200 人公司的城市商业银行、农村商业银行等银行业股份公司应当提供中国银行业监督管理机构出具的监管意见。

三、关于股份代持及间接持股的处理

(一)一般规定

股份公司股权结构中存在工会代持、职工持股会代持、委托持股或信托持股等股份代持关系,或者存在通过"持股平台"间接持股的安排以致实际股东超过 200 人的,在依据本指引申请行政许可时,应当已经将代持股份还原至实际股东、将间接持股转为直接持股,并依法履行了相应的法律程序。

(二)特别规定

以私募股权基金、资产管理计划以及其他金融计划进行持股的,如果该金融计划是依据相关法律法规设立并规范运作,且已经接受证券监督管理机构监管的,可不进行股份还原或转为直接持股。

四、相关各方的责任

(一)公司及其相关人员的责任

在申请文件制作及申报过程中,公司及其控股股东、实际控制人、董事、监事及高级管理人员应当在申请文件中签名保证内容真实、准确、完整。

公司控股股东、实际控制人、董事、监事及高级管理人员应当积极配合相关证券公司、律师事务所、会计师事务所开展尽职调查。

(二)中介机构的职责

证券公司、律师事务所应当勤勉尽责,对公司股份形成、经营情况、公司治理及信息披露等方面进行充分核查验证,确保所出具的文件无虚假记载、误导性陈述或者重大遗漏。

五、附则

(一)申请行政许可的 200 人公司的控股股东、实际控制人或者重要控股子公司也属于 200 人公司的,应当依照本指引的要求进行规范。

(二)2006 年 1 月 1 日《证券法》修订实施后,未上市股份有限公司股东人数超过 200 人的,应当符合《证券法》和《非上市公众公司监督管理办法》的有关规定。国家另有规定的,从其规定。

(三)本指引自公布之日起施行。

非上市公众公司信息披露内容与格式准则第 1 号——公开转让说明书

第一章 总则

第一条 为规范公开转让股票的非上市股份有限公司的信息披露行为,保护投资者合法权益,根据《公司法》、《证券法》和《非上市公众公司监督管理办法》(证监会令第 85 号)的规定,制定本准则。

第二条 股东人数超过 200 人的股份有限公司(以下简称申请人)申请股票在全国中小企业股份转让系统(以下简称全国股份转让系统)公开转让,应按本准则编制公开转让说明书,作为向中国证券监督管理委员会(以下简称中国证监会)申请公开转让股票的必备法律文件,并按本准则的规定进行披露。

第三条 本准则的规定是对公开转让说明书信息披露的最低要求。不论本准则是否有明确规定,凡对投资者投资决策有重大影响的信息,均应披露。

申请人根据自身及所属行业或业态特征,可在本准则基础上增加有利于投资者判断和信息披露完整性的相关内容。本准则某些具体要求对申请人不适用的,申请人可根据实际情况,在不影响内容完整性的前提下作适当调整,但应在申报时作书面说明。

第四条 申请人在公开转让说明书中披露的所有信息应真实、准确、完整,不得有虚假记载、误导性陈述或重大遗漏。

第五条 申请人应在中国证监会指定网站披露公开转让说明书及其附件,并作公开转让股票提示性公告:"本公司公开转让股票申请已经中国证监会核准,本公司的股票将在全国中小企业股份转让系统公开转让,公开转让说明书及附件披露于中国证监会指定网站(nlpc. csrc. gov. cn)和全国股份转让系统公司指定信息披露平台(www. neeq. com. cn 或 www. neeq. cc),供投资者查阅"。

第六条 公开转让说明书扉页应载有如下声明:

"本公司及全体董事、监事、高级管理人员承诺公开转让说明书不存在虚假记载、误导性陈述或重大遗漏,并对其真实性、准确性、完整性承担个别和连带的法律责任。"

"本公司负责人和主管会计工作的负责人、会计机构负责人保证公开转让说明书中财务会计资料真实、完整。"

"中国证监会对本公司股票公开转让所作的任何决定或意见,均不表明其对本公司股票的价值或投资者的收益作出实质性判断或者保证。任何与之相反的声明均属虚假不实陈述。"

"根据《证券法》的规定,本公司经营与收益的变化,由本公司自行负责,由此变化引致的投资风险,由投资者自行承担。"

第二章 公开转让说明书

第一节 基本情况

第七条 申请人应简要披露下列情况:公司名称、法定代表人、设立日期、注册资本、住所、邮编、信息披露事务负责人、所属行业、经营范围、组织机构代码等。

第八条 申请人应披露公司股票种类,股票总量,每股面值,股东所持股份的限售安排及股东对所持股份自愿锁定的承诺。

第九条 申请人应披露公司股权结构图,并详细披露控股股东、实际控制人、前十名股东及其他持有 5% 以上股份的股东的名称、持股数量及比例、股东性质、股东之间的关联关系。

控股股东和实际控制人直接或间接持股存在质押或其他争议的,应披露具体情况。

第十条 申请人应简述公司历史沿革,主要包括:设立方式、发起人及其关联关系、设立以来股本形成及其变化情况、设立以来重大资产重组情况以及最近 2 年内实际控制人变化情况。

第十一条 申请人应披露董事、监事、高级管理人员的简要情况，主要包括：姓名、国籍及境外居留权、性别、年龄、学历、职称、现任职务及任期、职业经历。

第十二条　申请人应简要披露其控股子公司的情况，主要包括注册资本、主营业务、股东构成及持股比例、最近1年及1期末的总资产、净资产、最近1年及1期的净利润，并标明有关财务数据是否经过审计及审计机构名称。

第十三条　申请人应披露下列机构的名称、法定代表人、住所、联系电话、传真，同时应披露有关经办人员的姓名：

（一）主办券商；

（二）律师事务所；

（三）会计师事务所；

（四）资产评估机构；

（五）股票登记机构；

（六）其他与公开转让有关的机构。

第二节　公司业务

第十四条　申请人应披露主要业务、主要产品或服务及其用途。

第十五条　申请人应简要披露其业务模式，说明如何使用产品或服务及关键资源要素获取收入、利润及现金流。

第十六条　申请人应披露其所处行业。申请人能够获取所处行业相关信息的，可以结合自身实际介绍行业的基本情况。

第十七条　申请人应披露与主要业务相关的情况，主要包括：

（一）报告期内各期主要产品或服务的规模、销售收入，报告期内各期向前五名客户的销售额合计占当期销售总额的百分比；

（二）报告期内主要产品或服务的原材料、能源，报告期内各期向前五名供应商的采购额合计占当期采购总额的百分比；

（三）报告期内对持续经营有重大影响的业务合同及履行情况。

第十八条　申请人应遵循重要性原则披露与其业务相关的资源要素，主要包括：

（一）产品或服务所使用的主要技术；

（二）主要生产设备、房屋建筑物的取得和使用情况、成新率或尚可使用年限等；

（三）主要无形资产的取得方式和时间、使用情况、使用期限或保护期、最近1期期末账面价值；

（四）申请人所从事的业务需要取得许可资格或资质的，应当披露当前许可资格或资质的情况；

（五）特许经营权的取得、期限、费用标准；

（六）申请人员工的简要情况，其中核心业务和技术人员应披露姓名、年龄、主要业务经历及职务、现任职务及任期以及持有申请人股份情况；

（七）其他体现所属行业或业态特征的资源要素。

第十九条　申请人可以遵循重要性原则，有针对性和差异化、个性化地披露特殊风险以及生产经营中的不确定因素。

第三节　公司治理

第二十条　申请人应披露最近2年内股东大会、董事会、监事会的建立健全及运行情况，说明上述机构和人员履行职责的情况。

第二十一条　申请人应披露最近2年内是否存在违法违规及受处罚的情况。

第二十二条　申请人应披露是否存在与控股股东、实际控制人及其控制的其他企业从事相同、相似业务的情况。对存在相同、相似业务的，申请人应对是否存在同业竞争作出合理解释。

申请人应披露控股股东、实际控制人为避免同业竞争采取的措施及作出的承诺。

第二十三条　申请人应披露最近2年内是否存在资金被控股股东、实际控制人及其控制的其他企业占用，或者为控股股东、实际控制人及其控制的其他企业提供担保。

申请人应说明为防止发生资金占用行为所采取的措施和相应的制度安排。

第二十四条　申请人应披露会计核算、财务管理、风险控制、重大事项决策等内部管理制度的建立健全情况。

第二十五条　申请人应披露公司董事、监事及高级管理人员的薪酬和激励政策，包括但不限于基本年薪、绩效奖金、福利待遇、长期激励（包括股权激励）、是否从申请人关联企业领取报酬及其他情况。

申请人董事、监事、高级管理人员存在下列情形的，应披露具体情况：

（一）本人及其近亲属以任何方式直接或间接持有申请人股份的；

（二）相互之间存在亲属关系的；

（三）与申请人签定重要协议或作出重要承诺的；

（四）在其他单位兼职的；

（五）对外投资与申请人存在利益冲突的；

（六）在最近2年内发生变动的。

第二十六条　申请人应披露投资者关系管理的相关制度安排，说明公司是否具有完善的投资者信息沟通渠道，及时解决投资者投诉问题，以及为保证公司及其股东、董事、监事、高级管理人员通过仲裁、诉讼等方式解决相互之间的矛盾纠纷所采取的措施。

第二十七条　除上述事项外，申请人可以披露便利股东尤其是中小股东参与公司治理的其他内部制度。

第四节　公司财务

第二十八条　申请人应按照《企业会计准则》的规定编制并披露最近2年及1期的财务报表。申请人编制合并财务报表的，应同时披露合并财务报表和母公司财务报表。

申请人应披露财务报表的编制基础、合并财务报表范围及变化情况。

财务报表在其最近1期截止日后6个月内有效。

第二十九条　申请人应披露会计师事务所的审计意见类型。财务报表被出具非标准无保留审计意见的，应全文披露审计报告正文以及董事会、监事会和注册会计师对相关事项的详细说明。

第三十条　申请人应列表披露最近2年及1期的主要财务数据指标，并对其进行逐年比较。主要包括毛利率、净资产收益率、基本每股收益、稀释每股收益、归属于申请人股东的每股净资产、每股经营活动产生的现金流量净额、资产负债率、应收账款周转率和存货周转率。除特别指出外，上述财务指标应以合并财务报表的数据为基础进行计算。相关指标的计算应执行中国证监会的有关规定。

第三十一条　申请人应根据《公司法》和《企业会计准则》的相关规定披露关联方、关联关系、关联交易，并说明相应的决策权限、决策程序、定价机制等。

申请人应根据交易的性质和频率，按照经常性和偶发性分类披露关联交易及关联交易对其财务状况和经营成果的影响。

第三十二条　申请人应简要披露财务报表附注中的资产负债表日后事项、或有事项及其他重要事项。

申请人应简要披露对财务状况、经营成果、声誉、业务活动、未来前景等可能产生较大影响的诉讼或仲裁事项。

申请人存在对外担保的,应披露对外担保的情况;不存在对外担保的,应予说明。

第三十三条　申请人在报告期内进行对财务报表有影响的资产评估的,应扼要披露资产评估的主要情况。

第三十四条　申请人应披露最近 2 年股利分配政策、实际股利分配情况以及公开转让后的股利分配政策。

第五节　有关声明

第三十五条　申请人全体董事、监事、高级管理人员应在公开转让说明书正文的尾页声明:

"本公司全体董事、监事、高级管理人员承诺本公开转让说明书不存在虚假记载、误导性陈述或重大遗漏,并对其真实性、准确性、完整性承担个别和连带的法律责任。"

声明应由全体董事、监事、高级管理人员签名,并由申请人加盖公章。

第三十六条　主办券商应对公开转让说明书的真实性、准确性、完整性进行核查,并在公开转让说明书正文后声明:

"本公司已对公开转让说明书进行了核查,确认不存在虚假记载、误导性陈述或重大遗漏,并对其真实性、准确性和完整性承担相应的法律责任。"

声明应由主办券商法定代表人、项目负责人签名,并加盖主办券商公章。

第三十七条　为申请人股票公开转让提供服务的证券服务机构应在公开转让说明书正文后声明:

"本机构及经办人员(经办律师、签字注册会计师、签字注册资产评估师)已阅读公开转让说明书,确认公开转让说明书与本机构出具的专业报告(法律意见书、审计报告、资产评估报告)无矛盾之处。本机构及经办人员对申请人在公开转让说明书中引用的专业报告的内容无异议,确认公开转让说明书不致因上述内容而出现虚假记载、误导性陈述或重大遗漏,并对其真实性、准确性和完整性承担相应的法律责任。"

声明应由经办人员及所在机构负责人签名,并加盖机构公章。

第六节　附件

第三十八条　公开转让说明书结尾应列明附件,并在中国证监会指定网站披露。附件应包括下列文件:

(一)主办券商推荐报告;

(二)财务报表及审计报告;

(三)法律意见书;

(四)评估报告;

(五)公司章程;

(六)中国证监会核准公开转让的文件;

(七)其他与公开转让有关的重要文件。

第三章　附则

第三十九条　本准则自公布之日起施行。

非上市公众公司信息披露内容与格式准则第 2 号——公开转让股票申请文件

第一条　为规范股份有限公司公开转让股票申请文件的内容和格式,根据《证券法》和《非上市公众公司监督管理办法》(证监会令第 85 号)的规定,制定本准则。

第二条　股东人数超过 200 人的股份有限公司(以下简称申请人)申请股票在全国中小企业股份转让系统公开转让,应按本准则的要求制作和报送申请文件。

第三条　本准则附录规定的申请文件目录是对公开转让申请文件的最低要求。根据审核需要,中国证券监督管理委员会(以下简称中国证监会)可以要求申请人和相关证券服务机构补充文件。如果某些文件对申请人不适用,可不提供,但应向中国证监会作出书面说明。

第四条　申请文件一经受理,未经中国证监会同意,不得增加、撤回或更换。

第五条　申请人报送申请文件,初次报送应提交原件一份、复印件二份。

申请人不能提供有关文件的原件的,应由申请人律师提供鉴证意见,或由出文单位盖章,以保证与原件一致。如原出文单位不再存续,由承继其职权的单位或作出撤销决定的单位出文证明文件的真实性。

第六条　申请文件所有需要签名处,均应由签名人亲笔签名,不得以名章、签名章等代替。

申请文件中需要由申请人律师鉴证的文件,申请人律师应在该文件首页注明"以下第 × × 页至第 × × 页与原件一致",并签名和签署鉴证日期,律师事务所应在该文件首页加盖公章,并在第 × × 页至第 × × 页侧面以公章加盖骑缝章。

第七条　申请人应根据中国证监会对申请文件的反馈意见提供补充材料。相关证券服务机构应对反馈意见相关问题进行核查或补充出具专业意见。

第八条　申请文件的封面和侧面应标明"× × 公司公开转让股票申请文件"字样。

第九条　申请文件的扉页应标明申请人信息披露事务负责人和相关证券服务机构项目负责人的姓名、电话、传真及其他方便的联系方式。

第十条　申请文件章与章之间、节与节之间应有明显的分隔标识。

第十一条　申请人在每次报送书面申请文件的同时,应报送一份相应的标准电子文件(标准. doc 或. rtf 格式文件)。

第十二条　未按本准则的要求制作和报送申请文件的,中国证监会按照有关规定不予受理。

第十三条　本准则自公布之日起施行。

非上市公众公司信息披露内容与格式准则第 3 号——定向发行说明书和发行情况报告书

第一章　总则

第一条　为了规范非上市公众公司向特定对象发行股票(以下简称定向发行)的信息披露行为,根据《公司法》、《证券法》和《非上市公众公司监督管理办法》(证监会令第 85 号,以下简称《管理办法》)的规定,制定本准则。

第二条　非上市公众公司进行定向发行导致股东人数累计超过 200 人以及股东人数超过 200 人的非上市公众公司(以下简称申请人)进行定向发行,应按照本准则编制定向发行说明书,作为向中国证券监督管理委员会(以下简称中国证监会)申请定向发行的必备法律文件,并按本准则的规定进行披露。

第三条　申请人定向发行结束后,应按照本准则的要求编制并披露发行情况报告书。

第四条　在不影响信息披露的完整并保证阅读方便的前提下，对于曾在定期报告、临时公告或者其他信息披露文件中披露过的信息，如事实未发生变化，申请人可以采用索引的方法进行披露。

第五条　本准则某些具体要求对本次定向发行确实不适用或者需要豁免适用的，申请人可以根据实际情况调整，但应在提交申请文件时作出专项说明。

第六条　申请人应在中国证监会指定网站（nlpc. csrc. gov. cn）和全国中小企业股份转让系统公司指定的信息披露平台（www. neeq. com. cn 或 www. neeq. cc）披露定向发行说明书及其备查文件、发行情况报告书和中国证监会要求披露的其他文件，供投资者查阅。

第二章　定向发行说明书

第七条　定向发行说明书扉页应载有如下声明：

“本公司及全体董事、监事、高级管理人员承诺定向发行说明书不存在虚假记载、误导性陈述或重大遗漏，并对其真实性、准确性、完整性承担个别和连带的法律责任。

“本公司负责人和主管会计工作的负责人、会计机构负责人保证公开转让说明书中财务会计资料真实、完整。

“中国证监会对本公司股票定向发行所作的任何决定或意见，均不表明其对本公司股票的价值或投资者的收益作出实质性判断或者保证。任何与之相反的声明均属虚假不实陈述。

“根据《证券法》的规定，本公司经营与收益的变化，由本公司自行负责，由此变化引致的投资风险，由投资者自行负责。”

第八条　申请人应披露以下内容：

（一）本次定向发行的目的；

（二）发行对象及公司现有股东优先认购安排。如董事会未确定具体发行对象的，应披露股票发行对象的范围和确定方法；

（三）发行价格和定价原则。如董事会未确定具体发行价格的，应披露价格区间；

（四）股票发行数量或数量上限；

（五）发行对象关于持有本次定向发行股票的限售安排及自愿锁定的承诺。如无限售安排，应说明；

（六）募集资金投向；

（七）本次定向发行涉及的主管部门审批、核准或备案事项情况。

除上述内容外，申请人还应披露本准则第十二条规定的附生效条件的股票认购合同的内容摘要。

第九条　有以资产认购本次定向发行股份的，申请人还应按照本准则第十条、第十一条的规定披露相关内容，同时披露本准则第十二条规定的附生效条件的资产转让合同的内容摘要。

第十条　以资产认购本次定向发行股份、其资产为非股权资产的，申请人应披露相关资产的下列基本情况：

（一）资产名称、类别以及所有者和经营管理者的基本情况；

（二）资产权属是否清晰、是否存在权利受限、权属争议或者妨碍权属转移的其他情况；

（三）资产独立运营和核算的，披露最近 1 年及 1 期经具有证券期货相关业务资格会计师事务所审计的财务信息摘要；

（四）资产的交易价格及定价依据。披露相关资产经审计的账面值；交易价格以资产评估结果作为依据的，应披露资产评估方法和资产评估结果。

第十一条　以资产认购本次定向发行股份、其资产为股权的，申请人应披露相关股权的下列基本情况：

（一）股权所投资的公司的名称、企业性质、注册地、主要办公地点、法定代表人、注册资本；股权及控制关系，包括公司的主要股东及其持股比例、最近 2 年控股股东或实际控制人的变化情况、股东出资协议及公司章程中可能对本次交易产生影响的主要内容、原高管人员的安排；

（二）股权所投资的公司主要资产的权属状况及对外担保和主要负债情况；

（三）股权所投资的公司最近 1 年及 1 期的业务发展情况和经具有证券期货相关业务资格会计师事务所审计的财务信息摘要；

（四）股权的资产评估价值（如有）、交易价格及定价依据。

第十二条　附生效条件的股票认购合同的内容摘要应包括：

（一）合同主体、签订时间；

（二）认购方式、支付方式；

（三）合同的生效条件和生效时间；

（四）合同附带的任何保留条款、前置条件；

（五）相关股票限售安排；

（六）违约责任条款。

附生效条件的资产转让合同的内容摘要除前款内容外，至少还应包括：

（一）目标资产及其价格或定价依据；

（二）资产交付或过户时间安排；

（三）资产自评估截止日至资产交付日所产生收益的归属；

（四）与资产相关的人员安排。

第十三条　本次定向发行对申请人的影响。申请人应披露以下内容：

（一）本次定向发行对申请人经营管理的影响；

（二）本次定向发行后申请人财务状况、盈利能力及现金流量的变动情况；

（三）申请人与控股股东及其关联人之间的业务关系、管理关系、关联交易及同业竞争等变化情况；

（四）申请人以资产认购股票的行为是否导致增加本公司的债务或者或有负债；

（五）本次定向发行对其他股东的权益的影响；

（六）本次定向发行相关特有风险的说明。申请人应有针对性、差异化的披露属于本公司或者本行业的特有风险以及经营过程中的不确定性因素。

第十四条　申请人应披露下列机构的名称、法定代表人、住所、联系电话、传真，同时应披露有关经办人员的姓名：

（一）主办券商；

（二）律师事务所；

（三）会计师事务所；

（四）资产评估机构（如有）；

（五）股票登记机构；

（六）其他与定向发行有关的机构。

第十五条　申请人全体董事、监事、高级管理人员应在定向发行说明书正文的尾页声明：

“本公司全体董事、监事、高级管理人员承诺本定向发行说明书不存在虚假记载、误导性陈述或重大遗漏，并对其真实性、准确性、完整性承担个别和连带的法律责任。”

声明应由全体董事、监事、高级管理人员签名，并由申请人加盖公章。

第十六条　主办券商应对申请人定向发行说明书的真实性、准确性、完整性进行核查，并在定向发行说明书正文后声明：

“本公司已对定向发行说明书进行了核查，确认不存在虚假记载、误导性陈述或重大遗漏，并对其真实性、准确性和完整性承担相应的法律责任。”

声明应由法定代表人、项目负责人签名，并由主办券商加盖公章。

第十七条　为申请人定向发行提供服务的证券服务机构应在定向发行说明书正文后声明：

“本机构及经办人员（经办律师、签字注册会计师、签字注册资产评估师）已阅读定向发行说明书，确认定向发行说明书与本机构出具的专业报告（法律意见书、审计报告、资产评估报告等）无矛盾之处。本机构及经办人员对申请人在定向发行说明书中引用的专业报告的内容无异议，确认定向发行说明书不致因上述内容而出现虚假记载、误导性陈述或重大遗漏，并对其真实性、准确性和完整性承担相应的法律责任。”

声明应由经办人员及所在机构负责人签名，并由机构加盖公章。

第十八条　定向发行说明书结尾应列明备查文件，备查文件应包括：

（一）定向发行推荐工作报告；

（二）法律意见书；

（三）中国证监会核准本次定向发行的文件（核准后提供）；

（四）其他与本次定向发行有关的重要文件。

如有下列文件，也应作为备查文件披露：

（一）资信评级报告；

（二）担保合同和担保函；

（三）申请人董事会关于非标准无保留意见审计报告涉及事项处理情况的说明；

（四）会计师事务所及注册会计师关于非标准无保留意见审计报告的补充意见；

（五）通过本次定向发行拟进入资产的资产评估报告及有关审核文件。

第三章　发行情况报告书

第十九条　申请人应在发行情况报告书中披露本次定向发行股票的数量、发行价格、认购人、认购股票数量及相关股票限售安排。

第二十条　本次定向发行前后相关情况对比。申请人应披露以下内容：

（一）本次定向发行前后前十名股东持股数量、持股比例及股票限售等比较情况；

（二）本次定向发行前后股本结构、股东人数、资产结构、业务结构、公司控制权、董事、监事和高级管理人员持股的变动情况。

第二十一条　申请人应在发行情况报告书中披露主办券商关于本次定向发行过程、结果和发行对象合规性的结论意见。内容至少包括：

（一）关于本次定向发行过程、定价方法及结果的合法、合规性的说明；

（二）关于本次发行对象是否符合《管理办法》的规定，是否符合公司及其全体股东的利益的说明；

（三）主办券商认为需要说明的其他事项。

第二十二条　申请人应在发行情况报告书中披露律师关于本次定向发行过程、结果和发行对象合规性的结论意见。内容至少包括：

（一）关于发行对象资格的合规性的说明；

（二）关于本次定向发行过程及结果合法、合规性的说明；

（三）关于本次定向发行相关合同等法律文件的合规性的说明；

（四）本次定向发行涉及资产转让或者其他后续事项的，应陈述办理资产过户或者其他后续事项的程序、期限，并进行因资产瑕疵导致不能过户的法律风险评估。

（五）律师认为需要说明的其他事项。

第二十三条　由于情况发生变化，导致董事会决议中关于本次定向发行的有关事项需要修正或者补充说明的，申请人应在发行情况报告书中作出专门说明。

第二十四条　申请人全体董事、监事、高级管理人员应在发行情况报告书的首页声明：

“公司全体董事、监事、高级管理人员承诺本发行情况报告书不存在虚假记载、误导性陈述或重大遗漏，并对其真实性、准确性、完整性承担个别和连带的法律责任。”

声明应由全体董事、监事、高级管理人员签名，并由申请人加盖公章。

第四章　附则

第二十五条　本准则由中国证监会负责解释。

第二十六条　本准则自公布之日起施行。

非上市公众公司信息披露内容与格式准则第 4 号——定向发行申请文件

第一条　为了规范非上市公众公司向特定对象发行股票（以下简称定向发行）申请文件的内容和格式，根据《证券法》和《非上市公众公司监督管理办法》（证监会令第 85 号）的规定，制定本准则。

第二条　非上市公众公司进行定向发行导致股东人数累计超过 200 人以及股东人数超过 200 人的非上市公众公司（以下简称申请人）进行定向发行，应按本准则要求制作和报送申请文件。

第三条　本准则规定的申请文件目录（见附件）是定向发行申请文件的最低要求。根据审核需要，中国证券监督管理委员会（以下简称中国证监会）可以要求申请人和相关证券服务机构补充文件。如果某些文件对申请人不适用，可不提供，但应向中国证监会作出书面说明。

第四条　申请文件一经受理，未经中国证监会同意，不得增加、撤回或者更换。

第五条　申请人报送申请文件，初次报送应提交原件一份，复印件二份。

申请人不能提供有关文件原件的，应由申请人律师提供鉴证意见，或由出文单位盖章，以保证与原件一致。如原出文单位不再存续，由承继其职权的单位或作出撤销决定的单位出文证明文件的真实性。

第六条　申请文件所有需要签名处，均应为签名人亲笔签名，不得以名章、签名章等代替。

申请文件中需要由申请人律师鉴证的文件，申请人律师应在该文件首页注明“以下第××页至第××页与原件一致”，并签名和签署鉴证日期，律师事务所应在该文件首页加盖公章，并在第××页至第××页侧面以公章加盖骑缝章。

第七条　申请人应根据中国证监会对申请文件的反馈意见提供补充材料。相关证券服务机构应对反馈意见相关问题进行核查或补充出具专业意见。

第八条　申请文件的封面和侧面应标明“××公司向特定对象发行股票申请文件”字样。

第九条　申请文件的扉页应标明申请人信息披露事务负责人及相关证券服务机构项目负责人的姓名、电话、传真及其他方便的联系方式。

第十条　申请文件的各章、各节之间应有明显的分隔标识。

第十一条　申请人在报送书面申请文件、材料的同时，应报送一份相应的电子文件（doc 或 rtf 格式文件）。

第十二条　未按本准则的要求制作和报送申请文件的，中国证监会按照有关规定不予受理。

第十三条　本准则自公布之日起施行。

非上市公众公司信息披露内容与格式准则第5号——权益变动报告书、收购报告书和要约收购报告书

第一章　总则

第一条　为了规范非上市公众公司（以下简称公众公司）的收购及相关股份权益变动活动，根据《公司法》、《证券法》、《非上市公众公司收购管理办法》（证监会令第102号，以下简称《收购办法》）及其他相关法律、行政法规及部门规章的规定，制定本准则。

第二条　公众公司的收购及相关股份权益变动活动中的信息披露义务人，应当按照本准则的要求编制和披露权益变动报告书、收购报告书或者要约收购报告书。

第三条　信息披露义务人是多人的，可以书面形式约定由其中一人作为指定代表以共同名义负责统一编制和报送权益变动报告书、收购报告书或者要约收购报告书，依照《收购办法》及本准则的规定披露相关信息，并同意授权指定代表在信息披露文件上签字、盖章。

各信息披露义务人应当对信息披露文件中涉及其自身的信息承担责任；对信息披露文件中涉及的与多个信息披露义务人相关的信息，各信息披露义务人对相关部分承担连带责任。

第四条　本准则的规定是对公众公司收购及相关股份权益变动信息披露的最低要求。不论本准则中是否有明确规定，凡对投资者做出投资决策有重大影响的信息，信息披露义务人均应当予以披露。

第五条　本准则某些具体要求对信息披露义务人确实不适用的，信息披露义务人可以针对实际情况，在不影响披露内容完整性的前提下作适当修改，但应在报送时作书面说明。信息披露义务人认为无本准则要求披露的情况，必须明确注明“无此类情形”的字样。

第六条　信息披露义务人如在权益变动报告书、收购报告书、要约收购报告书中援引财务顾问、律师等专业机构出具的专业报告或意见的内容，应当说明相关专业机构已书面同意上述援引。

第七条　信息披露义务人董事会及其董事或者主要负责人，应当保证权益变动报告书、收购报告书、要约收购报告书内容的真实性、准确性、完整性，承诺其中不存在虚假记载、误导性陈述或者重大遗漏，并就其保证承担个别和连带的法律责任。

第八条　信息披露义务人应在全国中小企业股份转让系统（以下简称全国股份转让系统）指定的信息披露平台（www.neeq.com.cn 或 www.neeq.cc）披露权益变动报告书、收购报告书或者要约收购报告书及中国证监会要求披露的其他文件，并列示备查文件目录，供投资者查阅。

信息披露义务人应告知投资者备查文件的备置地点。备查文件上网的，应披露网址。

第二章　基本情况

第九条　信息披露义务人应当按照如下要求披露其基本情况：

（一）信息披露义务人为法人或者其他经济组织的，应当披露公司名称、法定代表人、设立日期、注册资本、住所、邮编、所属行业、主要业务、组织机构代码等；

（二）信息披露义务人为自然人的，应当披露姓名、国籍、身份证号码、住所（公民身份号码、住所可以不公开披露）、是否拥有永久境外居留权、最近五年内的工作单位、职务、所任职单位主要业务及注册地、以及是否与所任职单位存在产权关系。

第十条　信息披露义务人为多人的，除应当分别按照本准则第九条披露各信息披露义务人的情况外，还应当披露：

（一）各信息披露义务人之间在股权、资产、业务、高级管理人员等方面的关系，并以方框图的形式加以说明；

（二）信息披露义务人为一致行动人的，应当说明一致行动的目的、达成一致行动协议或者意向的时间、一致行动协议或者意向的内容。

第十一条　信息披露义务人在披露之日前6个月内，因拥有权益的股份变动已经披露过权益变动报告书的，可以仅就与前次报告书不同的部分作出披露。自前次披露之日起超过6个月的，信息披露义务人应当按照《收购办法》和本准则的规定编制并披露权益变动报告书。

第十二条　公众公司收购及相关股份权益变动活动需要取得国家相关部门批准的，收购人应当披露须履行的批准程序及相关批准程序进展情况。

第三章　权益变动报告书

第十三条　信息披露义务人应当按照《收购办法》及本准则的规定计算并披露其持有、控制公众公司股份的详细名称、种类、数量、占公众公司已发行股份的比例、所持股份性质及性质变动情况，股东持股变动达到规定比例的日期及权益变动方式。

信息披露义务人应披露权益变动涉及的相关协议、行政划转或变更、法院裁定等文件的主要内容。

信息披露义务人为多人的，还应当分别披露各信息披露义务人在公众公司中拥有权益的股份详细名称、种类、数量、

占公众公司已发行股份的比例。

信息披露义务人持有表决权未恢复的优先股的，还应当披露持有数量和比例。

第十四条　收购人为法人或者其他组织的，还应当披露其做出本次收购决定所履行的相关程序及具体时间。

第十五条　信息披露义务人为公众公司第一大股东或者实际控制人，存在《收购办法》第十三条、第十四条所规定的情形的，应当按照《收购办法》及本准则的规定编制并披露权益变动报告书。

第十六条　公众公司控股股东向收购人协议转让其所持有的公司股份，导致其丧失控股股东地位的，应当在其权益变动报告书中披露对收购人的主体资格、诚信情况及收购意图的调查情况。

公众公司的控股股东、实际控制人及其关联方未清偿其对公司的负债，未解除公司为其负债提供的担保，或者存在损害公司利益的其他情形的，公众公司的控股股东、实际控制人应当披露前述情形及消除损害的情况；未能消除损害的，应当披露其出让相关股份所得收入用于消除全部损害的安排。

第四章　收购报告书

第十七条　收购人为法人或者其他组织的，应当披露其控股股东、实际控制人的有关情况，并以方框图或者其他有效方式，全面披露与控股股东、实际控制人之间的股权控制关系，实际控制人原则上应披露到自然人、国有资产管理部门或者股东之间达成某种协议或安排的其他机构；控股股东、实际控制人所控制的核心企业和核心业务情况；收购人最近2年受到行政处罚（与证券市场明显无关的除外）、刑事处罚、或者涉及与经济纠纷有关的重大民事诉讼或者仲裁；收购人董事、监事、高级管理人员（或者主要负责人）的姓名、最近2年受到行政处罚（与证券市场明显无关的除外）、刑事处罚、或者涉及与经济纠纷有关的重大民事诉讼或者仲裁。

收购人是自然人的，应当披露其所控制的核心企业和核心业务、关联企业及主要业务的情况说明；最近2年受到行政处罚（与证券市场明显无关的除外）、刑事处罚、或者涉及与经济纠纷有关的重大民事诉讼或者仲裁。

第十八条　收购人应披露是否具备收购人资格且不存在《收购办法》第六条规定的情形，并作出相应的承诺。

第十九条　收购报告书应当披露本准则第十三条、第十四条规定的内容。

第二十条　收购人应当披露其为持有、控制公众公司股份所支付的资金总额、资金来源及支付方式等情况。

第二十一条　收购人应当披露各成员以及各自的董事、监事、高级管理人员（或者主要负责人）在收购事实发生之日起前6个月内买卖该公众公司股票的情况。

第二十二条　收购人应当披露各成员及其关联方以及各自的董事、监事、高级管理人员（或者主要负责人）在报告日前24个月内，与该公众公司发生的交易。

第二十三条　收购人为法人或者其他组织的，收购人应当披露其最近2年的财务会计报表，注明是否经审计及审计意见的主要内容；其中，最近1个会计年度财务会计报表应经具有证券、期货相关业务资格的会计师事务所审计，并注明审计意见的主要内容；会计师应当说明公司前2年所采用的会计制度及主要会计政策与最近1年是否一致，如不一致，应做出相应的调整。

如果该法人或其他组织成立不足1年或者是专为本次公众公司收购而设立的，则应当比照前述规定披露其实际控制人或者控股公司的财务资料。

收购人是上市公司或者公众公司的，可以免于披露最近2年的财务会计报表，但应当说明刊登其年度报告的网站地址及时间。

第二十四条　收购人应当披露本次收购的目的、后续计划，包括未来12个月内有无对公众公司主要业务、管理层、组织结构等方面的调整、公司章程修改、资产处置或员工聘用等方面的计划。

收购人应充分披露收购完成后对公众公司的影响和风险，并披露收购人及其关联方是否与公众公司从事相同、相似业务的情况。对存在相同、相似业务的，收购人应对是否存在同业竞争作出合理解释。

第二十五条　收购人应当披露所作公开承诺事项及未能履行承诺事项时的约束措施。

第二十六条　收购人应当列明参与本次收购的各专业机构名称，说明各专业机构与收购人、被收购公司以及本次收购行为之间是否存在关联关系及其具体情况。

第二十七条　收购人聘请的财务顾问就本次收购出具的财务顾问报告，应当对以下事项进行说明和分析，并逐项发表明确意见：

（一）收购人编制的收购报告书所披露的内容是否真实、准确、完整；

（二）本次收购的目的；

（三）收购人是否提供所有必备证明文件，根据核查情况，说明收购人是否具备主体资格，是否具备收购的经济实力，是否具备规范运作公众公司的管理能力，是否需要承担其他附加义务及是否具备履行相关义务的能力，是否存在不良诚信记录；

（四）对收购人进行证券市场规范化运作辅导的情况，其董事、监事和高级管理人员是否已经熟悉有关法律、行政法规和中国证监会的规定，充分了解应承担的义务和责任，督促其依法履行信息披露和其他法定义务的情况；

（五）收购人的股权控制结构及其控股股东、实际控制人支配收购人的方式；

（六）收购人的收购资金来源及其合法性，是否存在利用本次收购的股份向银行等金融机构质押取得融资的情形；

（七）涉及收购人以证券支付收购价款的，应当说明有关该证券发行人的信息披露是否真实、准确、完整以及该证券交易的便捷性等情况；

（八）收购人是否已经履行了必要的授权和批准程序；

（九）是否已对收购过渡期内保持公众公司稳定经营作出安排，该安排是否符合有关规定；

（十）对收购人提出的后续计划进行分析，说明本次收购对公众公司经营和持续发展可能产生的影响；

（十一）在收购标的上是否设定其他权利，是否在收购价款之外还作出其他补偿安排；

（十二）收购人及其关联方与被收购公司之间是否存在业务往来，收购人与被收购公司的董事、监事、高级管理人员是否就其未来任职安排达成某种协议或者默契；

（十三）公众公司原控股股东、实际控制人及其关联方是否存在未清偿对公司的负债、未解除公司为其负债提供的担保或者损害公司利益的其他情形；存在上述情形的，是否已提出切实可行的解决方案。

财务顾问及其法定代表人或授权代表人、财务顾问主办人应当在收购报告书上签字、盖章、签注日期，并载明以下声明：

“本人及本人所代表的机构已履行勤勉尽责义务，对收购报告书的内容进行了核查和验证，未发现虚假记载、误导性陈述或者重大遗漏，并对此承担相应的责任。”

第二十八条　公众公司聘请的律师应当按照本准则及有关业务准则的规定出具法律意见书，并对照中国证监会的各项规定，在充分核查验证的基础上，就公众公司收购的法律问题和事项发表明确的结论性意见。

收购人聘请的律师及其所就职的律师事务所应当在收购报告书上签字、盖章、签注日期，并载明以下声明：

“本人及本人所代表的机构已按照执业规则规定的工作程序履行勤勉尽责义务，对收购报告书的内容进行核查和验证，未发现虚假记载、误导性陈述或者重大遗漏，并对此承担相应的责任。”

第五章　要约收购报告书

第二十九条　采取要约收购方式的，收购人应当详细披露要约收购的方案，包括：

（一）被收购公司名称、收购股份的种类、预定收购的股份数量及其占被收购公司已发行股份的比例；涉及多人收购的，还应当注明每个成员预定收购股份的种类、数量及其占被收购公司已发行股份的比例；

（二）要约价格及其计算基础；

（三）要约收购报告书披露日前 6 个月内收购人取得该种股票所支付的最高价格；

（四）收购资金总额、资金来源及资金保证、其他支付安排及支付方式；

（五）要约收购的约定条件；

（六）要约收购期限；

（七）受要约人预受要约的方式和程序；

（八）受要约人撤回预受要约的方式和程序；

（九）受要约人委托办理要约收购中相关股份预受、撤回、结算、过户登记等事宜的证券公司名称及其通讯方式。

第三十条　要约收购报告书应当披露本准则第十七条、第二十一条、第二十二条、第二十三条、第二十四条、第二十五条、第二十六条规定的内容。

第三十一条　要约收购人聘请的财务顾问就本次要约收购按照本准则第二十七条第一款的规定发表专业意见。

财务顾问及其法定代表人、财务顾问主办人应当在本报告上签字、盖章、签注日期，并载明以下声明：

“本人及本人所代表的机构已按照执业规则规定的工作程序履行尽职调查义务，经过审慎调查，本人及本人所代表的机构确认收购人有能力按照收购要约所列条件实际履行收购要约，并对此承担相应的法律责任。”

第三十二条　要约收购人聘请的律师就本次要约收购按照本准则第二十八条的规定发表专业意见，并作出声明。

第六章　其他重大事项

第三十三条　各信息披露义务人（如为法人或者其他组织）的董事会及其董事（或者主要负责人）或者自然人（如信息披露义务人为自然人）应当在权益变动报告书、收购报告书或者要约收购报告书上签字、盖章、签注日期，并载明以下声明：

“本人（以及本人所代表的机构）承诺本报告不存在虚假记载、误导性陈述或重大遗漏，并对其真实性、准确性、完整性承担个别和连带的法律责任。”

第三十四条　信息披露义务人在报送权益变动报告书、收购报告书、要约收购报告书的同时，应当提交有关备查文件。该备查文件应当为原件或有法律效力的复印件。信息披露义务人应当将备查文件报送全国股份转让系统及公众公司，并告知投资者披露方式。备查文件包括：

（一）信息披露义务人为法人或其他组织的，提供营业执照和税务登记证；信息披露义务人为自然人的，提供身份证明文件；

（二）信息披露义务人就收购或者要约收购作出的相关决定；

（三）涉及收购资金来源的协议（如适用）；

（四）收购人将履约保证金存入并冻结于指定银行等金融机构的存单、收购人将用以支付的全部证券委托中国证券登记结算有限责任公司保管的证明文件、银行对于要约收购所需价款出具的保函或者财务顾问出具承担连带担保责任的书面承诺（要约收购适用）；

（五）任何与本次收购及相关股份权益活动有关的合同、协议和其他安排的文件；

（六）收购人不存在《收购办法》第六条规定情形的说明及承诺；

（七）按照本准则第二十三条要求提供的收购人的财务资料；

（八）财务顾问报告（如适用）；

（九）法律意见书（如适用）；

（十）中国证监会或者全国股份转让系统依法要求的其他备查文件。

第七章　附则

第三十五条　本准则由中国证监会负责解释。

第三十六条　本准则所称拥有权益的股份，包括表决权恢复的优先股，不包括表决权未恢复的优先股。

信息披露义务人涉及计算其持股比例的，应当将其所持有的公众公司已发行的可转换为公司股票的证券中有权转换部分与其所持有的同一公众公司的股份合并计算，并将其持股比例与合并计算非股权类证券转为股份后的比例相比，以二者中的较高者为准；行权期限届满未行权的，或者行权条件不再具备的，无需合并计算。

前款所述二者中的较高者，应当按下列公式计算：

（一）投资者持有的股份数量/公众公司已发行股份总数

（二）（投资者持有的股份数量 + 投资者持有的可转换为公司股票的非股权类证券所对应的股份数量）/（公众公司已发行股份总数 + 公众公司发行的可转换为公司股票的非股权类证券所对应的股份总数）

第三十七条　本准则自 2014 年 7 月 23 日起施行。

非上市公众公司信息披露内容与格式准则第 6 号——重大资产重组报告书

第一章　总则

第一条　为规范非上市公众公司（以下简称公众公司）重大资产重组的信息披露行为，根据《公司法》、《证券法》、

《非上市公众公司重大资产重组管理办法》（证监会令第103号，以下简称《重组办法》）及其他相关法律、行政法规及部门规章的规定，制定本准则。

第二条　公众公司实施重大资产重组应当按照本准则的要求编制并披露重大资产重组报告书（以下简称重组报告书）及其他相关信息披露文件。公众公司披露的所有信息应真实、准确、完整，不得有虚假记载、误导性陈述或重大遗漏。

第三条　本准则的规定是对重组报告书及其他相关信息披露文件的最低要求。不论本准则是否有明确规定，凡对投资者投资决策有重大影响的信息，均应披露。

公众公司根据自身及所属行业或业态特征，可在本准则基础上增加有利于投资者判断和信息披露完整性的相关内容。本准则某些具体要求对公众公司不适用的，公众公司可根据实际情况，在不影响内容完整性的前提下作适当调整，但应在披露时作出相应说明。

第四条　公众公司披露的重组报告书中引用的经审计的最近1期财务资料在财务会计报表截止日后6个月内有效；特别情况下可申请适当延长，但延长时间至多不超过1个月。

截至重组报告书披露之日，交易标的资产的财务状况和经营成果发生重大变动的，应当补充披露最近1期相关财务资料。

第五条　重组报告书扉页应当载有如下声明："本公司及全体董事、监事、高级管理人员承诺重大资产重组报告书不存在虚假记载、误导性陈述或重大遗漏，并对其真实性、准确性、完整性承担个别和连带的法律责任。"

第六条　公众公司应在全国中小企业股份转让系统（以下简称全国股份转让系统）指定的信息披露平台（www.neeq.com.cn 或 www.neeq.cc）披露重组报告书及其备查文件、中国证监会要求披露的其他文件，供投资者查阅。

第二章　重组预案和重组报告书

第七条　公众公司披露重大资产重组预案的（以下简称重组预案），应当至少包括以下内容：

（一）公众公司基本情况、交易对方基本情况、本次交易的背景和目的、本次交易的具体方案、交易标的基本情况；

（二）本次交易对公众公司的影响以及交易过程中对保护投资者合法权益的相关安排；

（三）本次交易行为涉及有关报批事项的，应当详细说明已向有关主管部门报批的进展情况和尚需呈报批准的程序，并对可能无法获得批准的风险作出特别提示；

（四）独立财务顾问、律师事务所、会计师事务所等证券服务机构的结论性意见；证券服务机构尚未出具意见的，应当作出关于"证券服务机构意见将在重大资产重组报告书中予以披露"的特别提示；

（五）退市公司应当对本次交易完成后是否申请重新上市以及其中的不确定性风险作出特别提示。

第八条　公众公司披露重组报告书的，应当至少包括以下内容：

（一）交易概述

简要介绍本次重组的基本情况，包括交易对方名称、交易双方实施本次交易的背景和目的、决策过程、交易标的的名称、交易价格、是否构成关联交易、按照《重组办法》规定计算的相关指标、董事会和股东大会表决情况、中小股东单独计票结果等。

退市公司还应当对本次交易完成后是否申请重新上市、对申请重新上市相关事宜的后续计划及其中的不确定性风险进行说明并披露。

（二）公众公司基本情况，包括公司设立情况及曾用名称，最近2年的控股权变动情况、主要业务发展情况和主要财务指标，以及控股股东、实际控制人概况。

（三）交易对方基本情况及与公众公司之间是否存在关联关系及其情况说明、交易对方及其主要管理人员最近2年内是否存在违法违规情形及其情况说明（与证券市场明显无关的除外）。

（四）交易标的

1. 交易标的的基本情况

（1）交易标的为完整经营性资产的（包括股权或其他构成可独立核算会计主体的经营性资产），应当披露：

a. 该经营性资产的名称、企业性质、注册地、主要办公地点、法定代表人、注册资本、成立日期、税务登记证号码、组织机构代码、历史沿革；

b. 该经营性资产的产权或控制关系，包括其主要股东或权益持有人及持有股权或权益的比例、公司章程中可能对本次交易产生影响的主要内容或相关投资协议、原高管人员的安排、是否存在影响该资产独立性的协议或其他安排（如让渡经营管理权、收益权等）；

c. 主要资产的权属状况、对外担保情况及主要负债情况；

d. 交易标的为有限责任公司股权的，应当披露是否已取得该公司其他股东的同意或者符合公司章程规定的股权转让前置条件；

e. 该经营性资产的权益最近2年曾进行资产评估、交易、增资或改制的，应当披露相关的评估价值、交易价格、交易对方和增资改制的情况。

（2）交易标的不构成完整经营性资产的，应当披露：

a. 相关资产的名称、类别及最近2年的运营情况；

b. 相关资产的权属状况，包括产权是否清晰，是否存在抵押、质押等权利限制，是否涉及诉讼、仲裁、司法强制执行等重大争议；

c. 相关资产在最近2年曾进行资产评估或者交易的，应当披露评估价值、交易价格、交易对方等情况。

2. 资产交易根据资产评估结果定价的，应当披露资产评估方法和资产评估结果（包括各类资产的评估值、增减值额及增减值率，以及主要的增减值原因等）。

3. 资产交易涉及重大资产购买的，公众公司应当根据重要性原则披露拟购买资产主要业务的具体情况，包括：

（1）主要业务、主要产品或服务及其用途；

（2）业务模式或商业模式；

（3）与主要业务相关的情况，主要包括：

a. 报告期内各期主要产品或服务的规模、销售收入，产品或服务的主要消费群体，报告期内各期向前五名客户合计的销售额占当期销售总额的百分比；

b. 报告期内主要产品或服务的原材料、能源及其供应情况，占成本的比重，报告期内各期向前五名供应商合计的采购额占当期采购总额的百分比；

c. 所从事的业务需要取得许可资格或资质的，还应当披露当前许可资格或资质的情况。

（4）与其业务相关的资源要素，主要包括：

a. 产品或服务所使用的主要技术；

b. 主要生产设备、房屋建筑物的取得和使用情况、成新率或尚可使用年限等；

c. 主要无形资产的取得方式和时间、使用情况、使用期限或保护期、最近1期末账面价值；

d. 拟购买所从事的业务需要取得许可资格或资质的，还应当披露当前许可资格或资质的情况；

e. 特许经营权的取得、期限、费用标准；

f. 员工的简要情况，其中核心业务和技术人员应披露姓名、年龄、主要业务经历及职务、现任职务及任期以及持有公众公司股份情况；

g. 其他体现所属行业或业态特征的资源要素。

4. 资产交易涉及重大资产出售的，公众公司应当按照前述第3项中(1)、(2)的要求进行披露，简要介绍拟出售资产主要业务及与其相关的资源要素的基本情况。

5. 资产交易涉及债权债务转移的，应当披露该等债权债务的基本情况、债权人同意转移的情况及与此相关的解决方案。

6. 资产交易中存在的可能妨碍权属转移的其他情形。

(五)本次交易合同的主要内容

1. 合同主体、签订时间；

2. 交易价格、定价依据以及支付方式(一次或分次支付的安排及特别条款、股份发行条款等)；

3. 资产交付或过户的时间安排；

4. 交易标的自定价基准日至交割日期间损益的归属和实现方式；

5. 合同的生效条件和生效时间；合同附带的任何形式的保留条款、补充协议和前置条件；

6. 与资产相关的人员安排。

(六)本次资产交易中相关当事人的公开承诺事项及提出的未能履行承诺时的约束措施(如有)。

(七)财务会计信息

1. 交易标的为完整经营性资产的，应当披露最近2年的简要财务报表；交易标的不构成完整经营性资产的，应当披露相关资产最近2年经审计的财务数据，包括但不限于资产总额、资产净额、可准确核算的收入或费用额。

2. 拟购买资产盈利预测的主要数据(如有)。

(八)独立财务顾问和律师对本次交易出具的结论性意见

独立财务顾问不是为其提供持续督导业务的主办券商的，还应当详细披露主办券商不适宜担任独立财务顾问的具体原因。

(九)本次交易聘请的独立财务顾问、律师事务所、会计师事务所、资产评估机构(如有)等专业机构名称、法定代表人、住所、联系电话、传真，以及有关经办人员的姓名。

第九条　公众公司重大资产重组以发行普通股作为对价向特定对象购买资产(以下简称发行股份购买资产)的，重组报告书中除包括前条规定的内容外，还应当包括以下内容：

在本准则第八条规定的“交易标的”部分后，加入第(五)部分“发行股份情况”，其以下各部分依次顺延。在“发行股份情况”部分应当披露以下内容：

1. 公众公司发行股份的价格及定价原则，并充分说明定价的合理性；

2. 公众公司拟发行股份的种类、每股面值；

3. 公众公司拟发行股份的数量、占发行后总股本的比例；

4. 特定对象所持股份的转让或交易限制，股东关于自愿锁定所持股份的相关承诺；

5. 公众公司发行股份前后主要财务数据(如每股收益、每股净资产等)和其他重要财务指标的对照表；

6. 本次发行股份前后公众公司的股权结构，说明本次发行股份是否导致公众公司控制权发生变化。

公众公司重大资产重组以优先股、可转换债券等支付手段作为支付对价的，还应当按照中国证监会关于优先股、可转换债券的相关规定进行披露。

第三章　中介机构的意见

第十条　独立财务顾问应当按照本准则及有关业务准则的规定出具独立财务顾问报告，报告应当至少包括以下内容：

(一)说明本次重组是否符合《重组办法》的规定；

(二)说明本次交易所涉及的资产定价和支付手段定价的合理性；

(三)说明本次交易完成后公众公司的财务状况及是否存在损害股东合法权益的问题；

(四)对交易合同约定的资产交付安排是否可能导致公众公司交付现金或其他资产后不能及时获得对价的风险、相关的违约责任是否切实有效发表明确意见；

(五)对本次重组是否构成关联交易进行核查，并依据核查确认的相关事实发表明确意见。涉及关联交易的，还应当充分分析本次交易的必要性及本次交易是否损害公众公司及非关联股东的利益。

第十一条　公众公司应当提供由律师按照本准则及有关业务准则的规定出具的法律意见书。律师应当对照中国证监会的各项规定，在充分核查验证的基础上，至少就公众公司本次重组涉及的以下法律问题和事项发表明确的结论性意见：

(一)公众公司和交易对方是否具备相应的主体资格、是否依法有效存续；

(二)本次交易是否已履行必要的批准或授权程序，相关的批准和授权是否合法有效；本次交易是否构成关联交易，构成关联交易的，是否已依法履行必要的审议批准程序和信息披露义务；本次交易涉及的须呈报有关主管部门批准的事项是否已获得有效批准；本次交易的相关合同和协议是否合法有效；

(三)标的资产(包括标的股权所涉及企业的主要资产)的权属状况是否清晰，权属证书是否完备有效，尚未取得完备权属证书的，应说明取得权属证书是否存在法律障碍；标的资产是否存在产权纠纷或潜在纠纷，如有，应说明对本次交易的影响；标的资产是否存在抵押、担保或其他权利受到限制的情况，如有，应说明对本次交易的影响；

(四)本次交易所涉及的债权债务的处理及其他相关权利、义务的处理是否合法有效，其实施或履行是否存在法律障碍和风险；

(五)公众公司、交易对方和其他相关各方是否已履行法定的披露和报告义务，是否存在应当披露而未披露的合同、协议、安排或其他事项；

(六)本次交易是否符合《重组办法》和相关规范性文件规定的原则和条件；

(七)参与公众公司本次交易活动的证券服务机构是否具备必要的资格；

(八)本次交易是否符合相关法律、行政法规、部门规章和规范性文件的规定，是否存在法律障碍，是否存在其他可能对本次交易构成影响的法律问题和风险。

第十二条　公众公司应当提供本次交易所涉及的相关资产最近2年的财务会计报表(财务数据)和审计报告；存在本

准则第四条规定情况的，还应当提供最近 1 期的财务会计报表和审计报告。

第十三条　公众公司重大资产重组以评估值或资产估值报告中的估值金额作为交易标的定价依据的，应当提供相关资产的资产评估报告或资产估值报告。

第十四条　公众公司可视自身情况决定是否披露拟购买资产经审核的盈利预测报告。

第四章　声明及附件

第十五条　公众公司全体董事、监事、高级管理人员应当在重组报告书正文的尾页声明：

"本公司全体董事、监事、高级管理人员承诺本重大资产重组报告书不存在虚假记载、误导性陈述或重大遗漏，并对其真实性、准确性、完整性承担个别和连带的法律责任。"

声明应由全体董事、监事、高级管理人员签名，并加盖公众公司公章。

第十六条　独立财务顾问应当对重组报告书的真实性、准确性、完整性进行核查，并在重组报告书正文后声明：

"本公司已对重大资产重组报告书进行了核查，确认不存在虚假记载、误导性陈述或重大遗漏，并对其真实性、准确性和完整性承担相应的法律责任。"

声明应由法定代表人或授权代表人、项目负责人、独立财务顾问主办人签名，并由独立财务顾问加盖公章。

第十七条　为公众公司重大资产重组提供服务的其他证券服务机构应在重组报告书正文后声明：

"本机构及经办人员（经办律师、签字注册会计师、签字注册资产评估师）已阅读重大资产重组报告书，确认重大资产重组报告书与本机构出具的专业报告（法律意见书、审计报告、资产评估报告）无矛盾之处。本机构及经办人员对公众公司在重大资产重组报告书中引用的专业报告的内容无异议，确认重大资产重组报告书不致因上述内容而出现虚假记载、误导性陈述或重大遗漏，并对其真实性、准确性和完整性承担相应的法律责任。"

声明应由经办人员及所在机构负责人签名，并由机构加盖公章。

第十八条　重组报告书结尾应列明附件并披露。附件应包括下列文件：

（一）独立财务顾问报告；

（二）财务会计报表及审计报告；

（三）法律意见书；

（四）资产评估报告、资产估值报告（如有）；

（五）拟购买资产盈利预测报告（如有）；

（六）公众公司及其董事、监事、高级管理人员，交易对方及其董事、监事、高级管理人员（或主要负责人），相关专业机构及其他知悉本次重大资产交易内幕信息的法人和自然人，以及上述相关人员的直系亲属买卖该公众公司股票及其他相关证券情况的自查报告及说明；

（七）其他与公开转让有关的重要文件。

第五章　持续披露

第十九条　公众公司发行股份购买资产申请获得中国证监会核准的，公众公司及相关证券服务机构应当根据中国证监会的审核情况重新修订重组报告书及相关证券服务机构的报告或意见，并作出补充披露。

第二十条　公众公司重大资产重组实施完毕后应当编制并披露至少包含以下内容的重大资产重组实施情况报告书：

（一）本次重组的实施过程，相关资产过户或交付、相关债权债务处理以及证券发行登记等事宜的办理状况；

（二）相关实际情况与此前披露的信息是否存在差异；

（三）相关协议、承诺的履行情况及未能履行承诺时相关约束措施的执行情况；

（四）其他需要披露的事项。

独立财务顾问应当对前款所述内容逐项进行核查，并发表明确意见。律师应当对前款所述内容涉及的法律问题逐项进行核查，并发表明确意见。

第六章　附则

第二十一条　本准则由中国证监会负责解释。

第二十二条　本准则自 2014 年 7 月 23 日起施行。

非上市公众公司信息披露内容与格式准则第 7 号——定向发行优先股说明书和发行情况报告书

第一章　总则

第一条　为了规范非上市公众公司（以下简称申请人）定向发行优先股的信息披露行为，根据《公司法》、《证券法》、《非上市公众公司监督管理办法》（证监会令第 96 号）、《优先股试点管理办法》（证监会令第 97 号）的规定，制定本准则。

第二条　申请人定向发行优先股，应按照本准则编制定向发行优先股说明书并披露。发行后普通股与优先股股东人数合并累计超过 200 人的非上市公众公司定向发行优先股，应当向中国证券监督管理委员会（以下简称中国证监会）申请核准；发行后普通股与优先股股东人数合并累计不超过 200 人的非上市公众公司定向发行优先股，中国证监会豁免核准，由全国中小企业股份转让系统（以下简称全国股份转让系统）自律管理。

注册在境内的境外上市公司在境内发行优先股，参照本准则的规定披露，应当向中国证监会申请核准。

第三条　申请人定向发行结束后，应按照本准则的要求编制并披露发行情况报告书。

第四条　在不影响信息披露的完整并保证阅读方便的前提下，对于曾在定期报告、临时公告或者其他信息披露文件中披露过的信息，如事实未发生变化，申请人可以采用索引的方法进行披露。

第五条　本准则某些具体要求对本次定向发行确实不适用或者需要豁免适用的，申请人可以根据实际情况调整，但应在提交申请文件时作出专项说明。

第六条　申请人发行的优先股在全国股份转让系统转让的，应在全国中小企业股份转让系统有限责任公司（以下简称全国股份转让系统公司）指定的信息披露平台（www. neeq. com. cn 或 www. neeq. cc）披露定向发行优先股说明书及其备查文件、发行情况报告书和中国证监会要求披露的其他文件，供投资者查阅。

第二章　定向发行优先股说明书

第七条　定向发行优先股说明书扉页应载有如下声明：

"本公司及全体董事、监事、高级管理人员承诺定向发行优先股说明书不存在虚假记载、误导性陈述或重大遗漏，并对其真实性、准确性、完整性承担个别和连带的法律责任。

"本公司负责人和主管会计工作的负责人、会计机构负责人保证定向发行优先股说明书中财务会计资料真实、完整。

"中国证监会、全国股份转让系统公司对本公司定向发行优先股所作的任何决定或意见，均不表明其对本公司优先股的价值或投资者的收益作出实质性判断或者保证。任何与之相反的声明均属虚假不实陈述。

"根据《证券法》的规定，本公司经营与收益的变化，由本公司自行负责，由此变化引致的投资风险，由投资者自行负责。"

第八条　申请人应披露本次定向发行的基本情况：

（一）发行目的和发行总额。拟分次发行的，披露分次发行安排；

（二）发行方式、发行对象及公司现有股东认购安排（如有）。

如董事会未确定具体发行对象的，应披露发行对象的范围和确定方法；

（三）票面金额、发行价格或定价原则；

（四）本次发行优先股的种类、数量或数量上限；

（五）募集资金投向；

（六）本次发行涉及的主管部门审批、核准或备案事项情况。

除上述内容外，申请人还应披露本准则第十四条规定的附生效条件的优先股认购合同的内容摘要。

第九条　申请人应在基本情况中披露本次定向发行的优先股的具体条款设置：

（一）优先股股东参与利润分配的方式，包括：票面股息率或其确定原则、股息发放的条件、股息支付方式、股息是否累积、是否可以参与剩余利润分配等；涉及财务数据或财务指标的，应注明相关报表口径；

（二）优先股的回购条款，包括：回购选择权的行使主体、回购条件、回购期间、回购价格或确定原则及其调整方法等；

（三）优先股转换为普通股的条款（仅商业银行适用），包括：转换权的行使主体、转换条件（含触发事项）、转换时间、转换价格或确定原则及其调整方法等；

（四）表决权的限制和恢复，包括表决权恢复的情形及恢复的具体计算方法；

（五）清偿顺序及每股清算金额的确定方法；

（六）有评级安排的，需披露信用评级情况；

（七）有担保安排的，需披露担保及授权情况；

（八）其他中国证监会认为有必要披露的重大事项。

第十条　以资产认购本次定向发行优先股的，申请人还应按照本准则第十一条、第十二条、第十三条的规定披露相关内容，同时披露本准则第十四条规定的附生效条件的资产转让合同的内容摘要。

第十一条　以资产认购本次定向发行优先股、其资产为非股权资产的，申请人应披露相关资产的下列基本情况：

（一）资产名称、类别以及所有者和经营管理者的基本情况；

（二）资产权属是否清晰、是否存在权利受限、权属争议或者妨碍资产转移的其他情况；

（三）资产独立运营和核算的，披露最近1年及1期经会计师事务所审计的主要财务数据；

（四）资产的交易价格及定价依据。披露相关资产经审计的账面值；交易价格以资产评估结果作为依据的，应披露资产评估方法和资产评估结果。

第十二条　以资产认购本次定向发行优先股、其资产为股权的，申请人应披露相关股权的下列基本情况：

（一）股权所投资的公司的名称、企业性质、注册地、主要办公地点、法定代表人、注册资本；股权及控制关系，包括公司的主要股东及其持股比例、最近2年控股股东或实际控制人的变化情况、股东出资协议及公司章程中可能对本次交易产生影响的主要内容、原高管人员的安排；

（二）股权所投资的公司主要资产的权属状况及对外担保和主要负债情况；

（三）股权所投资的公司最近1年及1期的业务发展情况和经会计师事务所审计的主要财务数据和财务指标；

（四）股权的资产评估价值（如有）、交易价格及定价依据。

第十三条　资产交易价格以经审计的账面值为依据的，公司董事会应对定价的合理性予以说明。

资产交易根据资产评估结果定价的，公司董事会应对定价的合理性予以说明，并对资产定价是否存在损害公司和股东合法权益等情形发表意见。

第十四条　董事会决议确定具体发行对象的，应披露附生效条件的优先股认购合同，应包括以下内容：

（一）合同主体、签订时间；

（二）认购价格、认购方式、支付方式；

（三）合同的生效条件和生效时间；

（四）合同附带的任何保留条款、前置条件；

（五）违约责任条款；

（六）优先股股东参与利润分配和剩余财产分配的相关约定；

（七）优先股回购的相关约定；

（八）优先股股东表决权限制与恢复的约定；

（九）其他与定向发行相关的条款。

附生效条件的资产转让合同的内容摘要除前款第（一）项至第（五）项内容外，至少还应包括：

（一）目标资产及其价格或定价依据；

（二）资产交付或过户时间安排；

（三）资产自评估截止日至资产交付日所产生收益的归属（如有）；

（四）与资产相关的人员安排。

第十五条　申请人应披露已发行在外优先股的简要情况，包括发行时间、发行总量及融资总额、现有发行在外数量、已回购优先股的数量、各期股息实际发放情况等。

申请人应列表披露本次优先股与已发行在外优先股主要条款的差异比较。

第十六条　本次定向发行对申请人的影响。申请人应披露以下内容：

（一）本次发行对申请人经营管理的影响；

（二）本次发行后申请人财务状况、盈利能力、偿债能力及现金流量的变动情况，申请人应重点披露本次发行优先股后公司资产负债结构的变化；

（三）本次发行对公司股本、净资产（净资本）、资产负债率、净资产收益率、归属于普通股股东的每股收益等主要财务数据和财务指标的影响；

（四）申请人与控股股东及其关联人之间的业务关系、管理关系、关联交易及同业竞争等变化情况；

（五）以资产认购优先股的行为是否导致增加本公司的债务或者或有负债；

（六）本次发行对申请人的税务影响；

（七）申请人应有针对性、差异化的披露属于本公司或者本行业的特有风险以及经营过程中的不确定性因素；

（八）银行、证券、保险等金融行业公司还需披露本次发行对其资本监管指标的影响及相关行业资本监管要求。

第十七条　申请人应披露本次定向发行对申请人普通股股东权益的影响；已发行优先股的，还应说明对其他优先股股东权益的影响。

第十八条　申请人应结合自身的实际情况及优先股的条款设置，披露可能直接或间接对申请人以及优先股投资者产生重大不利影响的相关风险因素，如不能足额派息的风险、表决权受限的风险、回购风险、交易风险、分红减少和权益摊薄风险、税务风险等。

第十九条　申请人应披露本次定向发行相关的会计处理方法以及本次发行的优先股发放的股息是否在所得税前列支及政策依据。

第二十条　申请人应披露投资者与本次发行的优先股转让、股息发放、回购等相关的税费、征收依据及缴纳方式。

第二十一条　申请人应披露公司最近一期末的对外担保情况，并披露对公司财务状况、经营成果、声誉、业务活动、未来前景等可能产生较大影响的未决诉讼或仲裁事项，可能出现的处理结果或已生效法律文书的执行情况。

第二十二条　注册在境内的境外上市公司在境内发行优先股的，应披露公司的基本情况、控股股东和实际控制人的基本情况、公司组织架构和管理模式以及董事、监事、高级管理人员名单。实际控制人应披露到最终的国有控制主体、集体企业或自然人为止。

注册在境内的境外上市公司应结合所处的行业特点、财务信息、分部报告、主要对外投资等情况披露公司从事的主要业务、主要产品及各业务板块的经营状况。

第二十三条　注册在境内的境外上市公司在境内发行优先股的，应当按照《企业会计准则》的规定编制财务报表，并经具有证券期货相关业务资格的会计师事务所审计。最近2年财务报表被具有证券期货相关业务资格的会计师事务所出具非标准无保留意见审计报告的，公司应披露董事会关于非标准无保留意见审计报告所涉及事项的说明和具有证券期货相关业务资格的会计师事务所及注册会计师关于非标准无保留意见审计报告的补充意见。

注册在境内的境外上市公司应简要披露财务会计信息，主要包括：最近2年及1期资产负债表、利润表及现金流量表简表。编制合并财务报表的，应披露合并财务报表。最近2年及1期合并财务报表范围发生重大变化的，应披露具体变化情况。最近2年内发生重大资产重组的，应披露重组完成后各年的财务报表以及重组时编制的重组前模拟财务报表和编制基础；最近2年及1期的主要财务指标。

第二十四条　注册在境内的境外上市公司还应提示投资者，如需完整了解公司财务会计信息、股份变动情况等详细内容，可在境外上市地指定披露平台查阅公司日常信息披露文件。

第二十五条　申请人应披露下列机构的名称、法定代表人、住所、联系电话、传真，同时应披露有关经办人员的姓名：

（一）证券公司；

（二）律师事务所；

（三）会计师事务所；

（四）资产评估机构（如有）；

（五）资信评级机构（如有）；

（六）优先股登记机构；

（七）担保人（如有）；

（八）其他与本次发行有关的机构。

第二十六条　申请人全体董事、监事、高级管理人员应在定向发行优先股说明书正文的尾页声明：

“本公司全体董事、监事、高级管理人员承诺本定向发行优先股说明书不存在虚假记载、误导性陈述或重大遗漏，并对其真实性、准确性、完整性承担个别和连带的法律责任。”

声明应由全体董事、监事、高级管理人员签名，并由申请人加盖公章。

第二十七条　证券公司应对申请人定向发行优先股说明书的真实性、准确性、完整性进行核查，并在定向发行优先股说明书正文后声明：

“本公司已对定向发行优先股说明书进行了核查，确认不存在虚假记载、误导性陈述或重大遗漏，并对其真实性、准确性和完整性承担相应的法律责任。”

声明应由法定代表人、项目负责人签名，并由证券公司加盖公章。

第二十八条　为申请人定向发行优先股提供服务的证券服务机构应在定向发行优先股说明书正文后声明：

“本机构及经办人员（经办律师、签字注册会计师、签字注册资产评估师、资信评级人员）已阅读定向发行优先股说明书，确认定向发行优先股说明书与本机构出具的专业报告（法律意见书、审计报告、资产评估报告或资产估值报告、资信评级报告等）无矛盾之处。本机构及经办人员对申请人在定向发行优先股说明书中引用的专业报告的内容无异议，确认定向发行优先股说明书不致因上述内容而出现虚假记载、误导性陈述或重大遗漏，并对其真实性、准确性和完整性承担相应的法律责任。”

声明应由经办人员及所在机构负责人签名，并由机构加盖公章。

第二十九条　定向发行优先股说明书结尾应列明备查文件，备查文件应包括：

（一）申请人最近2年及1期的财务报告及审计报告；

（二）定向发行优先股推荐工作报告；

（三）法律意见书；

（四）中国证监会核准本次定向发行的文件（如有）；

（五）公司章程及其修订情况的说明；

（六）其他与本次定向发行有关的重要文件。

如有下列文件，也应作为备查文件披露：

（一）资产评估报告或资产估值报告；

（二）资信评级报告；

（三）担保合同和担保函；

（四）申请人董事会关于非标准无保留意见审计报告涉及事项处理情况的说明；

（五）会计师事务所及注册会计师关于非标准无保留意见审计报告的补充意见；

（六）通过本次定向发行拟进入资产的资产评估报告或资产估值报告及有关审核文件。

第三章　发行情况报告书

第三十条　申请人应在发行情况报告书中披露本次定向

发行履行的相关程序、优先股的类型及主要条款、发行对象及认购数量、相关机构及经办人员。

第三十一条　申请人应披露本次发行前后股本结构、股东人数、资产结构、业务结构、主要财务指标的变化情况。

第三十二条　申请人应在发行情况报告书中披露证券公司关于本次定向发行过程、结果和发行对象合规性的结论意见。内容至少包括：

（一）关于本次定向发行过程、定价方法及结果的合法、合规性的说明；

（二）关于本次定向发行对象是否符合《优先股试点管理办法》的规定，是否符合公司及其全体股东的利益的说明；

（三）证券公司认为需要说明的其他事项。

第三十三条　申请人应在发行情况报告书中披露律师关于本次定向发行过程、结果和发行对象合规性的结论意见。内容至少包括：

（一）关于发行对象资格的合规性的说明；

（二）关于本次定向发行过程及结果合法、合规性的说明；

（三）关于本次定向发行相关合同等法律文件的合规性的说明；

（四）本次定向发行涉及资产转让或者其他后续事项的，应陈述办理资产过户或者其他后续事项的程序、期限，并对因资产瑕疵导致不能过户的法律风险进行评估；

（五）律师认为需要说明的其他事项。

第三十四条　由于情况发生变化，导致董事会决议中关于本次定向发行的有关事项需要修正或者补充说明的，申请人应在发行情况报告书中作出专门说明。

第三十五条　申请人全体董事、监事、高级管理人员应在发行情况报告书的首页声明：

“公司全体董事、监事、高级管理人员承诺本发行情况报告书不存在虚假记载、误导性陈述或重大遗漏，并对其真实性、准确性、完整性承担个别和连带的法律责任。”

声明应由全体董事、监事、高级管理人员签名，并由申请人加盖公章。

第四章　附则

第三十六条　本准则由中国证监会负责解释。

第三十七条　本准则自公布之日起施行。

非上市公众公司信息披露内容与格式准则第8号——定向发行优先股申请文件

第一条　为了规范非上市公众公司（以下简称申请人）定向发行优先股申请文件的内容和格式，根据《公司法》、《证券法》、《非上市公众公司监督管理办法》（证监会令第96号）、《优先股试点管理办法》（证监会令第97号）的规定，制定本准则。

第二条　申请人定向发行优先股，应按本准则要求制作和报送申请文件。

注册在境内的境外上市公司在境内发行优先股，参照本准则要求制作和报送申请文件。

第三条　本准则规定的申请文件目录（见附录）是定向发行优先股申请文件的最低要求。根据审核或审查需要，中国证券监督管理委员会（以下简称中国证监会）、全国中小企业股份转让系统有限责任公司（以下简称全国股份转让系统公司）可以要求申请人和相关证券服务机构补充文件。如果某些文件对申请人不适用，可不提供，但应向中国证监会、全国股份转让系统公司作出书面说明。

第四条　申请文件一经受理，未经中国证监会、全国股份转让系统公司同意，不得增加、撤回或者更换。

第五条　申请人报送申请文件，初次报送应提交原件一份，复印件二份。

申请人不能提供有关文件原件的，应由申请人律师提供鉴证意见，或由出文单位盖章，以保证与原件一致。如原出文单位不再存续，由承继其职权的单位或作出撤销决定的单位出文证明文件的真实性。

第六条　申请文件所有需要签名处，均应为签名人亲笔签名，不得以名章、签名章等代替。

申请文件中需要由申请人律师鉴证的文件，申请人律师应在该文件首页注明“以下第××页至第××页与原件一致”，并签名和签署鉴证日期，律师事务所应在该文件首页加盖公章，并在第××页至第××页侧面以公章加盖骑缝章。

第七条　申请人应根据中国证监会、全国股份转让系统公司对申请文件的反馈意见提供补充材料。相关证券服务机构应对反馈意见相关问题进行核查或补充出具专业意见。

第八条　申请文件的封面和侧面应标明“××公司定向发行优先股申请文件”字样。

第九条　申请文件的扉页应标明申请人信息披露事务负责人及相关证券服务机构项目负责人的姓名、电话、传真及其他方便的联系方式。

第十条　申请文件的各章、各节之间应有明显的分隔标识。

第十一条　申请人在报送书面申请文件、材料的同时，应报送一份相应的电子文件（doc或rtf格式文件）。

第十二条　未按本准则的要求制作和报送申请文件的，中国证监会、全国股份转让系统公司按照有关规定不予受理。

第十三条　申请人的普通股在全国中小企业股份转让系统公开转让的，申请文件中的审计报告、资产评估报告应由具有证券期货相关业务资格的会计师事务所、资产评估机构出具。

第十四条　发行后普通股与优先股股东人数合并累计不超过200人的非上市公众公司定向发行优先股，申请文件目录由全国股份转让系统公司另行规定。

第十五条　本准则自公布之日起施行。

非上市公众公司重大资产重组管理办法

第一章　总则

第一条　为了规范非上市公众公司（以下简称公众公司）重大资产重组行为，保护公众公司和投资者的合法权益，促进公众公司质量不断提高，维护证券市场秩序和社会公共利益，根据《公司法》、《证券法》、《国务院关于全国中小企业股份转让系统有关问题的决定》、《国务院关于进一步优化企业兼并重组市场环境的意见》及其他相关法律、行政法规，制定本办法。

第二条　本办法适用于股票在全国中小企业股份转让系统（以下简称全国股份转让系统）公开转让的公众公司重大

资产重组行为。

本办法所称的重大资产重组是指公众公司及其控股或者控制的公司在日常经营活动之外购买、出售资产或者通过其他方式进行资产交易，导致公众公司的业务、资产发生重大变化的资产交易行为。

公众公司及其控股或者控制的公司购买、出售资产，达到下列标准之一的，构成重大资产重组：

（一）购买、出售的资产总额占公众公司最近一个会计年度经审计的合并财务会计报表期末资产总额的比例达到50%以上；

（二）购买、出售的资产净额占公众公司最近一个会计年度经审计的合并财务会计报表期末净资产额的比例达到50%以上，且购买、出售的资产总额占公众公司最近一个会计年度经审计的合并财务会计报表期末资产总额的比例达到30%以上。

公众公司发行股份购买资产触及本条所列指标的，应当按照本办法的相关要求办理。

第三条　公众公司实施重大资产重组，应当符合下列要求：

（一）重大资产重组所涉及的资产定价公允，不存在损害公众公司和股东合法权益的情形；

（二）重大资产重组所涉及的资产权属清晰，资产过户或者转移不存在法律障碍，相关债权债务处理合法；所购买的资产，应当为权属清晰的经营性资产；

（三）实施重大资产重组后有利于提高公众公司资产质量和增强持续经营能力，不存在可能导致公众公司重组后主要资产为现金或者无具体经营业务的情形；

（四）实施重大资产重组后有利于公众公司形成或者保持健全有效的法人治理结构。

第四条　公众公司实施重大资产重组，有关各方应当及时、公平地披露或者提供信息，保证所披露或者提供信息的真实、准确、完整，不得有虚假记载、误导性陈述或者重大遗漏。

第五条　公众公司的董事、监事和高级管理人员在重大资产重组中，应当诚实守信、勤勉尽责，维护公众公司资产的安全，保护公众公司和全体股东的合法权益。

第六条　公众公司实施重大资产重组，应当聘请独立财务顾问、律师事务所以及具有证券、期货相关业务资格的会计师事务所等证券服务机构出具相关意见。公众公司应当聘请为其提供督导服务的主办券商为独立财务顾问，但存在影响独立性、财务顾问业务受到限制等不宜担任独立财务顾问情形的除外。公众公司也可以同时聘请其他机构为其重大资产重组提供顾问服务。

为公众公司重大资产重组提供服务的证券服务机构及人员，应当遵守法律、行政法规和中国证券监督管理委员会（以下简称中国证监会）的有关规定，遵循本行业公认的业务标准和道德规范，严格履行职责，不得谋取不正当利益，并应当对其所制作、出具文件的真实性、准确性和完整性承担责任。

第七条　任何单位和个人对知悉的公众公司重大资产重组信息在依法披露前负有保密义务，不得利用公众公司重大资产重组信息从事内幕交易、操纵证券市场等违法活动。

第二章　重大资产重组的信息管理

第八条　公众公司与交易对方就重大资产重组进行初步磋商时，应当采取有效的保密措施，限定相关敏感信息的知悉范围，并与参与或知悉本次重大资产重组信息的相关主体签订保密协议。

第九条　公众公司及其控股股东、实际控制人等相关主体研究、筹划、决策重大资产重组事项，原则上应当在相关股票暂停转让后或者非转让时间进行，并尽量简化决策流程、提高决策效率、缩短决策时限，尽可能缩小内幕信息知情人范围。如需要向有关部门进行政策咨询、方案论证的，应当在相关股票暂停转让后进行。

第十条　公众公司筹划重大资产重组事项，应当详细记载筹划过程中每一具体环节的进展情况，包括商议相关方案、形成相关意向、签署相关协议或者意向书的具体时间、地点、参与机构和人员、商议和决议内容等，制作书面的交易进程备忘录并予以妥当保存。参与每一具体环节的所有人员应当即时在备忘录上签名确认。

公众公司应当按照全国股份转让系统的规定及时做好内幕信息知情人登记工作。

第十一条　在筹划公众公司重大资产重组的阶段，交易各方初步达成实质性意向或者虽未达成实质性意向，但相关信息已在媒体上传播或者预计该信息难以保密或者公司股票转让出现异常波动的，公众公司应当及时向全国股份转让系统申请股票暂停转让。

第十二条　筹划、实施公众公司重大资产重组，相关信息披露义务人应当公平地向所有投资者披露可能对公众公司股票转让价格产生较大影响的相关信息，不得有选择性地向特定对象提前泄露。

公众公司的股东、实际控制人以及参与重大资产重组筹划、论证、决策等环节的其他相关机构和人员，应当及时、准确地向公众公司通报有关信息，并配合公众公司及时、准确、完整地进行披露。

第三章　重大资产重组的程序

第十三条　公众公司进行重大资产重组，应当由董事会依法作出决议，并提交股东大会审议。

第十四条公众公司召开董事会决议重大资产重组事项，应当在披露决议的同时披露本次重大资产重组报告书、独立财务顾问报告、法律意见书以及重组涉及的审计报告、资产评估报告（或资产估值报告）。董事会还应当就召开股东大会事项作出安排并披露。

如公众公司就本次重大资产重组首次召开董事会前，相关资产尚未完成审计等工作的，在披露首次董事会决议的同时应当披露重大资产重组预案及独立财务顾问对预案的核查意见。公众公司应在披露重大资产重组预案后6个月内完成审计等工作，并再次召开董事会，在披露董事会决议时一并披露重大资产重组报告书、独立财务顾问报告、法律意见书以及本次重大资产重组涉及的审计报告、资产评估报告（或资产估值报告）等。董事会还应当就召开股东大会事项作出安排并披露。

第十五条　股东大会就重大资产重组事项作出的决议，必须经出席会议的股东所持表决权的2/3以上通过。公众公司股东人数超过200人的，应当对出席会议的持股比例在10%以下的股东表决情况实施单独计票。公众公司应当在决议后及时披露表决情况。

前款所称持股比例在10%以下的股东，不包括公众公司董事、监事、高级管理人员及其关联人以及持股比例在10%以上股东的关联人。

公众公司重大资产重组事项与本公司股东或者其关联人存在关联关系的，股东大会就重大资产重组事项进行表决时，关联股东应当回避表决。

第十六条　公众公司可视自身情况在公司章程中约定是否提供网络投票方式以便于股东参加股东大会；退市公司应当采用安全、便捷的网络投票方式为股东参加股东大会提供便利。

第十七条　公众公司重大资产重组可以使用现金、股份、可转换债券、优先股等支付手段购买资产。

使用股份、可转换债券、优先股等支付手段购买资产的，其支付手段的价格由交易双方自行协商确定，定价可以参考董事会召开前一定期间内公众公司股票的市场价格、同行业可比公司的市盈率或市净率等。董事会应当对定价方法和依据进行充分披露。

第十八条　公众公司重大资产重组不涉及发行股份或者公众公司向特定对象发行股份购买资产后股东累计不超过200人的，经股东大会决议后，应当在2个工作日内将重大资产重组报告书、独立财务顾问报告、法律意见书以及重组涉及的审计报告、资产评估报告（或资产估值报告）等信息披露文件报送全国股份转让系统。

全国股份转让系统应当对上述信息披露文件的完备性进行审查。

第十九条　公众公司向特定对象发行股份购买资产后股东累计超过200人的重大资产重组，经股东大会决议后，应当按照中国证监会的有关规定编制申请文件并申请核准。

中国证监会受理申请文件后，依法进行审核，在20个工作日内作出核准、中止审核、终止审核、不予核准的决定。

第二十条　股东大会作出重大资产重组的决议后，公众公司拟对交易对象、交易标的、交易价格等作出变更，构成对原重组方案重大调整的，应当在董事会表决通过后重新提交股东大会审议，并按照本办法的规定向全国股份转让系统重新报送信息披露文件或者向中国证监会重新提出核准申请。

股东大会作出重大资产重组的决议后，公众公司董事会决议终止本次交易或者撤回有关申请的，应当说明原因并披露，并提交股东大会审议。

第二十一条　公众公司收到中国证监会就其发行股份购买资产的重大资产重组申请作出的核准、中止审核、终止审核、不予核准的决定后，应当在2个工作日内披露。

中国证监会不予核准的，自中国证监会作出不予核准的决定之日起3个月内，中国证监会不受理该公众公司发行股份购买资产的重大资产重组申请。

第二十二条　公众公司实施重大资产重组，相关当事人作出公开承诺事项的，应当同时提出未能履行承诺时的约束措施并披露。

全国股份转让系统应当加强对相关当事人履行公开承诺行为的监督和约束，对不履行承诺的行为及时采取自律监管措施。

第二十三条　公众公司重大资产重组完成相关批准程序后，应当及时实施重组方案，并在本次重大资产重组实施完毕之日起2个工作日内，编制并披露实施情况报告书及独立财务顾问、律师的专业意见。

退市公司重大资产重组涉及发行股份的，自收到中国证监会核准文件之日起60日内，本次重大资产重组未实施完毕的，退市公司应当于期满后2个工作日内披露实施进展情况；此后每30日应当披露一次，直至实施完毕。

第二十四条　独立财务顾问应当按照中国证监会的相关规定，对实施重大资产重组的公众公司履行持续督导职责。持续督导的期限自公众公司完成本次重大资产重组之日起，应当不少于一个完整会计年度。

第二十五条　独立财务顾问应当结合公众公司重大资产重组实施当年和实施完毕后的第一个完整会计年度的年报，自年报披露之日起15日内，对重大资产重组实施的下列事项出具持续督导意见，报送全国股份转让系统，并披露：

（一）交易资产的交付或者过户情况；

（二）交易各方当事人承诺的履行情况及未能履行承诺时相关约束措施的执行情况；

（三）公司治理结构与运行情况；

（四）本次重大资产重组对公司运营、经营业绩影响的状况；

（五）盈利预测的实现情况（如有）；

（六）与已公布的重组方案存在差异的其他事项。

第二十六条　本次重大资产重组涉及发行股份的，特定对象以资产认购而取得的公众公司股份，自股份发行结束之日起6个月内不得转让；属于下列情形之一的，12个月内不得转让：

（一）特定对象为公众公司控股股东、实际控制人或者其控制的关联人；

（二）特定对象通过认购本次发行的股份取得公众公司的实际控制权；

（三）特定对象取得本次发行的股份时，对其用于认购股份的资产持续拥有权益的时间不足12个月。

第四章　监督管理与法律责任

第二十七条　全国股份转让系统对公众公司重大资产重组实施自律管理。

全国股份转让系统应当对公众公司涉及重大资产重组的股票暂停与恢复转让、防范内幕交易等作出制度安排；加强对公众公司重大资产重组期间股票转让的实时监管，建立相应的市场核查机制，并在后续阶段对股票转让情况进行持续监管。

全国股份转让系统应当督促公众公司及其他信息披露义务人依法履行信息披露义务，发现公众公司重大资产重组信息披露文件中有违反法律、行政法规和中国证监会规定行为的，应当向中国证监会报告，并采取相应的自律监管措施；情形严重的，应当要求其暂停重大资产重组。

全国股份转让系统应当督促为公众公司提供服务的独立财务顾问诚实守信、勤勉尽责，发现独立财务顾问有违反法律、行政法规和中国证监会规定行为的，应当向中国证监会报告，并采取相应的自律监管措施。

第二十八条　中国证监会依法对公众公司重大资产重组实施监督管理。

中国证监会发现公众公司进行重大资产重组未按照本办法的规定履行信息披露及相关义务、存在可能损害公众公司或者投资者合法权益情形的，有权要求其补充披露相关信息、暂停或者终止其重大资产重组；有权对公众公司、证券服务机构采取《证券法》第一百八十条规定的措施。

第二十九条　重大资产重组实施完毕后，凡不属于公众公司管理层事前无法获知且事后无法控制的原因，购买资产实现的利润未达到盈利预测报告或者资产评估报告预测金额的80%，或者实际运营情况与重大资产重组报告书存在较大差距的，公众公司的董事长、总经理、财务负责人应当在公众公司披露年度报告的同时，作出解释，并向投资者公开道歉；实现利润未达到预测金额的50%的，中国证监会可以对公众公司及相关责任人员采取监管谈话、出具警示函、责令定期报告等监管措施。

第三十条　公众公司或其他信息披露义务人未按照本办法的规定披露或报送信息、报告，或者披露或报送的信息、报告有虚假记载、误导性陈述或者重大遗漏的，责令改正，依照《证券法》第一百九十三条予以处罚；情节严重的，责令停止重大资产重组，并可以对有关责任人员采取市场禁入的措施。

中国证监会还可以采取自确认之日起36个月内不受理公众公司定向发行申请的监管措施。

第三十一条　公众公司董事、监事和高级管理人员在重大资产重组中，未履行诚实守信、勤勉尽责义务，导致重组方案损害公众公司利益的，采取责令改正、监管谈话、出具警示函等监管措施；情节严重的，进行行政处罚，并可以采取市场禁入的措施；涉嫌犯罪的，依法移送司法机关追究刑事责任。

第三十二条　为重大资产重组出具财务顾问报告、审计报告、法律意见书、资产评估报告（或资产估值报告）及其他专业文件的证券服务机构及其从业人员未履行诚实守信、勤勉尽责义务，违反行业规范、业务规则的，采取责令改正、监管谈话、出具警示函等监管措施；情节严重的，依照《证券法》第二百二十六条予以处罚。

前款规定的证券服务机构及其从业人员所制作、出具的文件存在虚假记载、误导性陈述或者重大遗漏的，责令改正，依照《证券法》第二百二十三条予以处罚；情节严重的，可以采取市场禁入的措施；涉嫌犯罪的，依法移送司法机关追究刑事责任；除此之外，中国证监会视情节轻重，自确认之日起采取3个月至12个月内不接受该机构出具的相关专项文件、12个月至36个月内不接受相关签字人员出具的专项文件的监管措施。

第三十三条　违反本办法的规定构成证券违法行为的，比照《证券法》等法律法规的规定追究法律责任。

第三十四条　中国证监会将公众公司重大资产重组中的当事人的违法行为和整改情况记入诚信档案。

第五章　附则

第三十五条　计算本办法第二条规定的比例时，应当遵守下列规定：

（一）购买的资产为股权的，且购买股权导致公众公司取得被投资企业控股权的，其资产总额以被投资企业的资产总额和成交金额二者中的较高者为准，资产净额以被投资企业的净资产额和成交金额二者中的较高者为准；出售股权导致公众公司丧失被投资企业控股权的，其资产总额、资产净额分别以被投资企业的资产总额以及净资产额为准。

除前款规定的情形外，购买的资产为股权的，其资产总额、资产净额均以成交金额为准；出售的资产为股权的，其资产总额、资产净额均以该股权的账面价值为准。

（二）购买的资产为非股权资产的，其资产总额以该资产的账面值和成交金额二者中的较高者为准，资产净额以相关资产与负债账面值的差额和成交金额二者中的较高者为准；出售的资产为非股权资产的，其资产总额、资产净额分别以该资产的账面值、相关资产与负债账面值的差额为准；该非股权资产不涉及负债的，不适用第二条第三款第（二）项规定的资产净额标准。

（三）公众公司同时购买、出售资产的，应当分别计算购买、出售资产的相关比例，并以二者中比例较高者为准。

（四）公众公司在12个月内连续对同一或者相关资产进行购买、出售的，以其累计数分别计算相应数额。已按照本办法的规定履行相应程序的资产交易行为，无须纳入累计计算的范围。

交易标的资产属于同一交易方所有或者控制，或者属于相同或者相近的业务范围，或者中国证监会认定的其他情形下，可以认定为同一或者相关资产。

第三十六条　特定对象以现金认购公众公司定向发行的股份后，公众公司用同一次定向发行所募集的资金向该特定对象购买资产达到重大资产重组标准的适用本办法。

第三十七条　公众公司重大资产重组涉及发行可转换债券、优先股等其他支付手段的，应当遵守《证券法》、《国务院关于开展优先股试点的指导意见》和中国证监会的相关规定。

第三十八条　为公众公司重大资产重组提供服务的独立财务顾问业务许可、业务规则及法律责任等，按照《上市公司并购重组财务顾问业务管理办法》的相关规定执行。

第三十九条　退市公司符合中国证监会和证券交易所规定的重新上市条件的，可依法向证券交易所提出申请。

第四十条　股票不在全国股份转让系统公开转让的公众公司重大资产重组履行的决策程序和信息披露内容比照本办法的相关规定执行。

第四十一条　本办法自2014年7月23日起施行。

第二节　业务规章

综合类

关于暂免征收民族自治地区挂牌公司挂牌费用的公告

股转系统公告〔2015〕30号

各市场参与人：

为加大全国中小企业股份转让系统支持民族自治地区企业发展的力度，减轻民族自治地区挂牌公司费用负担，经中国证监会批准，自2015年1月1日起，暂免征收注册在内蒙古、广西、西藏、宁夏和新疆5个民族自治地区的挂牌公司挂牌费用（包括挂牌初费和挂牌年费）。

特此公告。

全国中小企业股份转让系统有限责任公司

2015年4月1日

全国中小企业股份转让系统业务规则（试行）

（2013年2月8日发布，2013年12月30日修改修改）

第一章　总则

1.1　为规范全国中小企业股份转让系统（以下简称"全国股份转让系统"）运行，维护市场正常秩序，保护投资者合法权益，根据《中华人民共和国公司法》（以下简称《公司法》）、《中华人民共和国证券法》、《国务院关于全国中小企业股份转让系统有关问题的决定》以及《非上市公众公司监督管理办法》（以下简称《管理办法》）、《全国中小企业股份转让系统有限责任公司管理暂行办法》等法律、行政法规、部门规章，制定本业务规则。

1.2　在全国股份转让系统挂牌的股票、可转换公司债券及其他证券品种，适用本业务规则。本业务规则未作规定的，适用全国中小企业股份转让系统有限责任公司（以下简称"全国股份转让系统公司"）的其他有关规定。

1.3　全国股份转让系统的证券公开转让及相关活动，实行公开、公平、公正的原则，禁止证券欺诈、内幕交易、操纵市场等违法违规行为。

市场参与人应当遵循自愿、有偿、诚实信用的原则。

1.4　申请挂牌公司、挂牌公司及其董事、监事、高级管理人员、股东、实际控制人，主办券商、会计师事务所、律师事务所、其他证券服务机构及其相关人员，投资者应当遵守法律、行政法规、部门规章、本业务规则及全国股份转让系统公司其他业务规定。

1.5　申请挂牌公司、挂牌公司及其他信息披露义务人、主办券商应当真实、准确、完整、及时地披露信息，不得有虚假记载、误导性陈述或者重大遗漏。

申请挂牌公司、挂牌公司的董事、监事、高级管理人员应当忠实、勤勉地履行职责，保证公司披露信息的真实、准确、完整、及时、公平。

申请挂牌公司、挂牌公司及其他信息披露义务人、主办券商依法披露的信息，应当第一时间在全国股份转让系统指定信息披露平台（www.neeq.com.cn或www.neeq.cc）公布。

1.6　全国股份转让系统实行主办券商制度。主办券商应当对所推荐的挂牌公司履行持续督导义务。

1.7　主办券商、会计师事务所、律师事务所、其他证券服务机构及其相关人员在全国股份转让系统从事相关业务，应严格履行法定职责，遵守行业规范，勤勉尽责，诚实守信，并对出具文件的真实性、准确性、完整性负责。

1.8　全国股份转让系统实行投资者适当性管理制度。投资者应当具备一定的证券投资经验和相应的风险识别和承担能力，知悉相关业务规则，自行承担投资风险。

1.9　挂牌公司、主办券商、投资者等市场参与人，应当按照规定交纳相关税费。

1.10　挂牌公司是纳入中国证监会监管的非上市公众公司，股东人数可以超过二百人。

股东人数未超过二百人的股份有限公司，直接向全国股份转让系统公司申请挂牌。

股东人数超过二百人的股份有限公司，公开转让申请经中国证监会核准后，可以按照本业务规则的规定向全国股份转让系统公司申请挂牌。

1.11　全国股份转让系统公司依法对申请挂牌公司、挂牌公司及其他信息披露义务人、主办券商等市场参与人进行自律监管。

第二章　股票挂牌

2.1　股份有限公司申请股票在全国股份转让系统挂牌，不受股东所有制性质的限制，不限于高新技术企业，应当符合下列条件：

（一）依法设立且存续满两年。有限责任公司按原账面净资产值折股整体变更为股份有限公司的，存续时间可以从有限责任公司成立之日起计算；

（二）业务明确，具有持续经营能力；

（三）公司治理机制健全，合法规范经营；

（四）股权明晰，股票发行和转让行为合法合规；

（五）主办券商推荐并持续督导；

（六）全国股份转让系统公司要求的其他条件。

2.2　申请挂牌公司应当与主办券商签订推荐挂牌并持续督导协议，按照全国股份转让系统公司的有关规定编制申请文件，并向全国股份转让系统公司申报。

2.3　全国股份转让系统公司对挂牌申请文件审查后，出具是否同意挂牌的审查意见。

2.4　申请挂牌公司取得全国股份转让系统公司同意挂牌的审查意见后，按照全国股份转让系统公司规定的有关程序办理挂牌手续。

申请挂牌公司应当在其股票挂牌前与全国股份转让系统公司签署挂牌协议，明确双方的权利、义务和有关事项。

2.5　申请挂牌公司应当在其股票挂牌前依照全国股份转让系统公司的规定披露公开转让说明书等文件。

2.6　申请挂牌公司在其股票挂牌前实施限制性股票或股票期权等股权激励计划且尚未行权完毕的，应当在公开转让说明书中披露股权激励计划等情况。

2.7　申请挂牌公司在其股票挂牌前，应当与中国证券登记结算有限责任公司（以下简称"中国结算"）签订证券登记及服务协议，办理全部股票的集中登记。

2.8　挂牌公司控股股东及实际控制人在挂牌前直接或间接持有的股票分三批解除转让限制，每批解除转让限制的数量均为其挂牌前所持股票的三分之一，解除转让限制的时间分别为挂牌之日、挂牌期满一年和两年。

挂牌前十二个月以内控股股东及实际控制人直接或间接持有的股票进行过转让的，该股票的管理按照前款规定执行，主办券商为开展做市业务取得的做市初始库存股票除外。

因司法裁决、继承等原因导致有限售期的股票持有人发生变更的，后续持有人应继续执行股票限售规定。

2.9　股票解除转让限制，应由挂牌公司向主办券商提出，由主办券商报全国股份转让系统公司备案。全国股份转让系统公司备案确认后，通知中国结算办理解除限售登记。

第三章　股票转让

第一节　一般规定

3.1.1　股票转让采用无纸化的公开转让形式，或经中国证监会批准的其他转让形式。

3.1.2　股票转让可以采取协议方式、做市方式、竞价方式或其他中国证监会批准的转让方式。经全国股份转让系统公司同意，挂牌股票可以转换转让方式。

3.1.3　挂牌股票采取协议转让方式的，全国股份转让系统公司同时提供集合竞价转让安排。

3.1.4　挂牌股票采取做市转让方式的，须有2家以上从事做市业务的主办券商（以下简称"做市商"）为其提供做市报价服务。

做市商应当在全国股份转让系统持续发布买卖双向报价，并在报价价位和数量范围内履行与投资者的成交义务。做市转让方式下，投资者之间不能成交。全国股份转让系统公司另有规定的除外。

3.1.5　全国股份转让系统为证券转让提供相关设施，包括交易主机、交易单元、报盘系统及相关通信系统等。

3.1.6　主办券商进入全国股份转让系统进行证券转让，应当先向全国股份转让系统公司申请取得转让权限，成为转让参与人。

3.1.7　股票转让时间为每周一至周五上午9:15至11:30，下午13:00至15:00。转让时间内因故停市，转让时间不作顺延。

遇法定节假日和全国股份转让系统公司公告的休市日，全国股份转让系统休市。

3.1.8　全国股份转让系统对股票转让不设涨跌幅限制。全国股份转让系统公司另有规定的除外。

3.1.9　投资者买卖挂牌公司股票，应当开立证券账户和资金账户，并与主办券商签订证券买卖委托代理协议。

投资者开立证券账户，应当按照中国结算的相关规定办理。

3.1.10　主办券商接受投资者的买卖委托后，应当确认投资者具备相应股票或资金，并按照投资者委托的时间先后顺序向全国股份转让系统申报。

3.1.11　买卖挂牌公司股票，申报数量应当为1000股或其整数倍。

卖出挂牌公司股票时，余额不足1000股部分，应当一次性申报卖出。

3.1.12　股票转让的计价单位为"每股价格"。股票转让的申报价格最小变动单位为0.01元人民币。

3.1.13　全国股份转让系统公司可以根据市场需要，调整股票单笔买卖申报数量和申报价格的最小变动单位。

3.1.14　申报当日有效。投资者可以撤销委托申报的未成交部分。

3.1.15　买卖申报经交易主机成交确认后，转让即告成立，买卖双方必须承认转让结果，履行清算交收义务，本规则另有规定的除外。

3.1.16　中国结算作为共同对手方，为股票转让提供清算和多边净额担保交收服务；或不作为共同对手方，提供其他清算、交收等服务。

3.1.17　投资者卖出股票，须委托代理其买入该股票的主办券商办理。如需委托另一家主办券商卖出该股票，须办理股票转托管手续。

3.1.18　投资者因司法裁决、继承等特殊原因需要办理股票过户的，依照中国结算的规定办理。

第二节　转让信息

3.2.1　全国股份转让系统公司每个转让日发布股票转让即时行情、股票转让公开信息等转让信息，及时编制反映市场转让情况的各类报表，并通过全国股份转让系统指定信息披露平台或其他媒体予以公布。

3.2.2　全国股份转让系统公司负责全国股份转让系统信息的统一管理和发布。未经全国股份转让系统公司许可，任何机构和个人不得发布、使用和传播转让信息。经全国股份转让系统公司许可使用转让信息的机构和个人，未经同意不得将转让信息提供给其他机构和个人使用或予以传播。

3.2.3　全国股份转让系统公司可以根据市场发展需要，编制综合指数、成份指数、分类指数等证券指数，随即时行情发布。

证券指数的设置和编制方法，由全国股份转让系统公司另行规定。

第三节　监控与异常情况处理

3.3.1　全国股份转让系统公司对股票转让中出现的异常转让行为进行重点监控，并可以视情况采取盘中临时停止股票转让等措施。

3.3.2　发生下列转让异常情况之一，导致部分或全部转让不能正常进行的，全国股份转让系统公司可以决定单独或同时采取暂缓进入清算交收程序、技术性停牌或临时停市等措施：

（一）不可抗力；

（二）意外事件；

（三）技术故障；

（四）全国股份转让系统公司认定的其他异常情况。

3.3.3　全国股份转让系统公司对暂缓进入清算交收程序、技术性停牌或临时停市决定予以公告。技术性停牌或临时停市原因消除后，全国股份转让系统公司可以决定恢复转让，并予以公告。

因转让异常情况及全国股份转让系统公司采取的相应措

施造成损失的，全国股份转让系统公司不承担赔偿责任。

3.3.4　转让异常情况处理的具体规定，由全国股份转让系统公司另行制定并报中国证监会批准。

第四章　挂牌公司

第一节　公司治理

4.1.1　挂牌公司应当按照法律、行政法规、部门规章、全国股份转让系统公司相关业务规定完善公司治理，确保所有股东，特别是中小股东享有平等地位，充分行使合法权利。

4.1.2　挂牌公司应当依据《公司法》及有关非上市公众公司章程必备条款的规定制定公司章程并披露。

挂牌公司应当依照公司章程的规定，规范重大事项的内部决策程序。

4.1.3　挂牌公司与控股股东、实际控制人及其控制的其他企业应实行人员、资产、财务分开，各自独立核算、独立承担责任和风险。

4.1.4　控股股东、实际控制人及其控制的其他企业应切实保证挂牌公司的独立性，不得利用其股东权利或者实际控制能力，通过关联交易、垫付费用、提供担保及其他方式直接或者间接侵占挂牌公司资金、资产，损害挂牌公司及其他股东的利益。

4.1.5　挂牌公司董事会做出的对公司治理机制的讨论评估应当在年度报告中披露。

4.1.6　挂牌公司可以实施股权激励，具体办法另行规定。

第二节　信息披露

4.2.1　挂牌公司应当按照全国股份转让系统公司相关规定编制并披露定期报告和临时报告；上述文件披露前，挂牌公司应当依据公司章程履行内部程序。

挂牌公司应当按照《企业会计准则》的要求编制财务报告，全国股份转让系统公司另有规定的除外。

挂牌公司发生的或者与之有关的事件没有达到全国股份转让系统公司规定的披露标准，或者全国股份转让系统公司没有具体规定，但公司董事会认为该事件对公司股票转让价格可能产生较大影响的，公司应当及时披露。

4.2.2　若挂牌公司有充分依据证明其拟披露的信息属于国家机密、商业秘密，可能导致其违反国家有关保密法律、行政法规规定或者严重损害挂牌公司利益的，可以向全国股份转让系统公司申请豁免披露或履行相关义务。

4.2.3　挂牌公司应当制定并执行信息披露事务管理制度。

挂牌公司设有董事会秘书的，由董事会秘书负责信息披露管理事务，未设董事会秘书的，挂牌公司应指定一名具有相关专业知识的人员负责信息披露管理事务，并向全国股份转让系统公司报备。负责信息披露管理事务的人员应列席公司的董事会和股东大会。

4.2.4　挂牌公司及其他信息披露义务人应当对其披露信息内容的真实性、准确性、完整性承担责任。

4.2.5　挂牌公司、相关信息披露义务人和其他知情人不得泄露内幕信息。

4.2.6　主办券商应对挂牌公司拟披露的信息披露文件进行审查，履行持续督导职责。

4.2.7　全国股份转让系统公司对挂牌公司及其他信息披露义务人已披露的信息进行审查。

4.2.8　挂牌公司出现下列情形之一的，全国股份转让系统公司对股票转让实行风险警示，在公司股票简称前加注标识并公告：

（一）最近一个会计年度的财务会计报告被出具否定意见或者无法表示意见的审计报告；

（二）最近一个会计年度经审计的期末净资产为负值；

（三）全国股份转让系统公司规定的其他情形。

第三节　股票发行

4.3.1　本业务规则规定的股票发行，是指申请挂牌公司、挂牌公司向符合全国股份转让系统投资者适当性管理要求的对象发行股票的行为。

股票发行可以采取路演、询价等方式选定投资者。

4.3.2　申请挂牌公司、挂牌公司股票发行应当符合全国股份转让系统公司有关投资者适当性管理、信息披露等规定。

4.3.3　按照《管理办法》应申请核准的股票发行，挂牌公司在取得中国证监会核准文件后，按照全国股份转让系统公司的规定办理股票发行新增股份的挂牌手续。

4.3.4　按照《管理办法》豁免申请核准的股票发行，主办券商应履行持续督导职责并发表意见，挂牌公司在发行验资完毕后填报备案登记表，办理新增股份的登记及挂牌手续。

4.3.5　申请挂牌公司申请股票在全国股份转让系统挂牌的同时股票发行的，应在公开转让说明书中披露。

第四节　暂停与恢复转让

4.4.1　挂牌公司发生下列事项，应当向全国股份转让系统公司申请暂停转让，直至按规定披露或相关情形消除后恢复转让：

（一）预计应披露的重大信息在披露前已难以保密或已经泄露，或公共媒体出现与公司有关传闻，可能或已经对股票转让价格产生较大影响的；

（二）涉及需要向有关部门进行政策咨询、方案论证的无先例或存在重大不确定性的重大事项，或挂牌公司有合理理由需要申请暂停股票转让的其他事项；

（三）向中国证监会申请公开发行股票并在证券交易所上市，或向证券交易所申请股票上市；

（四）向全国股份转让系统公司主动申请终止挂牌；

（五）未在规定期限内披露年度报告或者半年度报告；

（六）主办券商与挂牌公司解除持续督导协议；

（七）出现依《公司法》第一百八十一条规定解散的情形，或法院依法受理公司重整、和解或者破产清算申请。

挂牌公司未按规定向全国股份转让系统公司申请暂停股票转让的，主办券商应当及时向全国股份转让系统公司报告并提出处理建议。

4.4.2　全国股份转让系统公司可以根据中国证监会的要求或者基于维护市场秩序的需要，决定挂牌公司股票的暂停与恢复转让事宜。

第五节　终止与重新挂牌

4.5.1　挂牌公司出现下列情形之一的，全国股份转让系统公司终止其股票挂牌：

（一）中国证监会核准其公开发行股票并在证券交易所上市，或证券交易所同意其股票上市；

（二）终止挂牌申请获得全国股份转让系统公司同意；

（三）未在规定期限内披露年度报告或者半年度报告的，自期满之日起两个月内仍未披露年度报告或半年度报告；

（四）主办券商与挂牌公司解除持续督导协议，挂牌公司未能在股票暂停转让之日起三个月内与其他主办券商签署持续督导协议的；

（五）挂牌公司经清算组或管理人清算并注销公司登记的；

（六）全国股份转让系统公司规定的其他情形。

4.5.2 全国股份转让系统公司在作出股票终止挂牌决定后发布公告，并报中国证监会备案。

挂牌公司应当在收到全国股份转让系统公司的股票终止挂牌决定后及时披露股票终止挂牌公告。

4.5.3 对因本业务规则 4.5.1 条第（三）、（四）项情形终止挂牌的公司，全国股份转让系统公司可以为其提供股票非公开转让服务。

4.5.4 导致公司终止挂牌的情形消除后，经公司申请、主办券商推荐及全国股份转让系统公司同意，公司股票可以重新挂牌。

第五章 主办券商

5.1 主办券商是指在全国股份转让系统从事下列部分或全部业务的证券公司：

（一）推荐业务：推荐申请挂牌公司股票挂牌，持续督导挂牌公司，为挂牌公司股票发行、并购重组等提供相关服务；

（二）经纪业务：代理开立证券账户、代理买卖股票等业务；

（三）做市业务；

（四）全国股份转让系统公司规定的其他业务。

从事前款第一项业务的，应当具有证券承销与保荐业务资格；从事前款第二项业务的，应当具有证券经纪业务资格；从事前款第三项业务的，应当具有证券自营业务资格。

5.2 证券公司在全国股份转让系统开展相关业务前，应向全国股份转让系统公司申请备案。

全国股份转让系统公司同意备案的，与其签订协议，出具备案函并公告。

5.3 主办券商应在取得全国股份转让系统公司备案函后五个转让日内，在全国股份转让系统指定信息披露平台披露公司基本情况、主要业务人员情况及全国股份转让系统公司要求披露的其他信息。

主办券商在全国股份转让系统开展业务期间，应按全国股份转让系统公司要求报送并披露相关执业情况等信息。

主办券商所披露信息内容发生变更的，应按规定及时报告全国股份转让系统公司并进行更新。

5.4 主办券商在全国股份转让系统开展业务，应当建立健全各项业务管理制度和业务操作流程，建立健全风险管理制度和合规管理制度，保障业务依法合规进行，严格防范和控制业务风险。

5.5 主办券商应当实现推荐业务、经纪业务、做市业务以及其他业务之间的有效隔离，防范内幕交易，避免利益冲突。

5.6 主办券商开展推荐业务，应勤勉尽责地进行尽职调查和内核，并承担相应责任。

5.7 主办券商应持续督导所推荐挂牌公司诚实守信、规范履行信息披露义务、完善公司治理机制。

主办券商与挂牌公司解除持续督导协议前，应当报告全国股份转让系统公司并说明理由。

5.8 主办券商应当建立健全投资者适当性管理工作制度和业务流程，严格执行全国股份转让系统投资者适当性管理各项要求。

5.9 主办券商发现投资者存在异常交易行为，应提醒投资者；对可能严重影响正常交易秩序的异常交易行为，应及时报告全国股份转让系统公司。

5.10 主办券商开展做市业务不得利用信息优势和资金优势，通过单独或者合谋，以串通报价或相互买卖操纵股票转让价格，损害投资者利益。

5.11 全国股份转让系统公司对主办券商及其从业人员的执业行为进行持续管理，开展现场检查和非现场检查，记录其执业情况、违规行为等信息。

第六章 监管措施与违规处分

6.1 全国股份转让系统公司可以对本业务规则 1.4 条规定的监管对象采取下列自律监管措施：

（一）要求申请挂牌公司、挂牌公司及其他信息披露义务人或者其董事（会）、监事（会）和高级管理人员、主办券商、证券服务机构及其相关人员对有关问题作出解释、说明和披露；

（二）要求申请挂牌公司、挂牌公司聘请中介机构对公司存在的问题进行核查并发表意见；

（三）约见谈话；

（四）要求提交书面承诺；

（五）出具警示函；

（六）责令改正；

（七）暂不受理相关主办券商、证券服务机构或其相关人员出具的文件；

（八）暂停解除挂牌公司控股股东、实际控制人的股票限售；

（九）限制证券账户交易；

（十）向中国证监会报告有关违法违规行为；

（十一）其他自律监管措施。

监管对象应当积极配合全国股份转让系统公司的日常监管，在规定期限内回答问询，按照全国股份转让系统公司的要求提交说明，或者披露相应的更正或补充公告。

6.2 申请挂牌公司、挂牌公司、相关信息披露义务人违反本业务规则、全国股份转让系统公司其他相关业务规定的，全国股份转让系统公司视情节轻重给予以下处分，并记入证券期货市场诚信档案数据库（以下简称“诚信档案”）：

（一）通报批评；

（二）公开谴责。

6.3 申请挂牌公司、挂牌公司的董事、监事、高级管理人员违反本业务规则、全国股份转让系统公司其他相关业务规定的，全国股份转让系统公司视情节轻重给予以下处分，并记入诚信档案：

（一）通报批评；

（二）公开谴责；

（三）认定其不适合担任公司董事、监事、高级管理人员。

6.4 主办券商违反本业务规则、全国股份转让系统公司其他相关业务规定的，全国股份转让系统公司视情节轻重给予以下处分，并记入诚信档案：

（一）通报批评；

（二）公开谴责；

（三）限制、暂停直至终止其从事相关业务。

6.5 主办券商的相关业务人员违反本业务规则、全国股份转让系统公司其他相关业务规定的，全国股份转让系统公司视情节轻重给予以下处分，并记入诚信档案：

（一）通报批评；

（二）公开谴责。

6.6 会计师事务所、律师事务所、其他证券服务机构及其工作人员违反本业务规则、全国股份转让系统公司其他相关业务规定的，全国股份转让系统公司视情节轻重给予以下处分，记入诚信档案并向相关行业自律组织通报：

（一）通报批评；

（二）公开谴责。

6.7　全国股份转让系统公司设立纪律处分委员会对本业务规则规定的纪律处分事项进行审核，作出独立的专业判断并形成审核意见。全国股份转让系统公司根据纪律处分委员会的审核意见，作出是否给予纪律处分的决定。

监管对象不服全国股份转让系统公司作出的纪律处分决定的，可自收到处分通知之日起15个工作日内向全国股份转让系统公司申请复核，复核期间该处分决定不停止执行。

第七章　附则

7.1　原证券公司代办股份转让系统挂牌的STAQ、NET系统公司和退市公司的股票转让、信息披露等事项另行规定。

7.2　本业务规则所称"以上"、"以内"含本数，"超过"不含本数。

7.3　本业务规则由全国股份转让系统公司负责解释。

7.4　本业务规则经中国证监会批准后生效，自发布之日起实施。

关于境内企业挂牌全国中小企业股份转让系统有关事项的公告

股转系统公告〔2013〕54号

为贯彻落实《国务院关于全国中小企业股份转让系统有关问题的决定》（国发〔2013〕49号）和《非上市公众公司监督管理办法》，做好全国中小企业股份转让系统（以下简称全国股份转让系统）市场覆盖范围扩大至全国的工作，现就有关事项公告如下：

一、自本公告发布之日起，境内符合条件的各种所有制、各种行业的企业均可申请股票在全国股份转让系统挂牌。

申请时股东人数未超过200人（含200人）的股份公司，直接向全国中小企业股份转让系统有限责任公司（以下简称"全国股份转让系统公司"）申请挂牌；申请时股东人数超过200人的股份公司，取得中国证监会核准文件后，向全国股份转让系统公司申请办理挂牌手续。

二、自本公告发布之日起，市场参与人应遵循修订后的《全国中小企业股份转让系统投资者适当性管理细则（试行）》（以下简称《适当性管理细则》）。不符合投资者适当性管理要求的投资者，可通过证券公司、基金公司等金融机构设计推出的定向投资产品，间接参与全国股份转让系统挂牌证券的投资。

本公告发布前，满足300万元人民币以上（含300万元）资产要求且已参与全国股份转让系统的自然人投资者，合格投资人资格继续有效，可以买卖所有挂牌公司的股票。

本公告发布前，股票发行方案已经挂牌公司董事会决议通过的，发行对象可按原投资者适当性管理制度的要求执行；股票发行方案尚未经挂牌公司董事会决议通过的，发行对象应当满足修订后的《适当性管理细则》的要求。挂牌公司的股东、董事、监事、高级管理人员及核心员工参与本公司的股票发行，如不符合参与挂牌公司股票公开转让条件的，只能买卖本公司的股票。

三、在全国股份转让系统交易结算相关技术系统正式上线前，挂牌股票交易结算相关事项仍按《全国中小企业股份转让系统过渡期股票转让暂行办法》和《全国中小企业股份转让系统过渡期登记结算暂行办法》等规定执行。

全国股份转让系统公司和中国证券登记结算有限责任公司将抓紧推进交易结算相关技术系统的开发和测试工作，计划明年二季度起分步上线。

四、各市场参与主体应当严格守法、归位尽责。主办券商等中介机构应按照法律、法规、部门规章，以及全国股份转让系统业务规则等要求，勤勉尽责、诚实守信，依法合规地开展各项业务，推动全国股份转让系统稳定、健康发展。

五、全国股份转让系统公司设服务窗口接收申请挂牌材料，地址为北京市西城区金融大街丁26号金阳大厦；并设热线电话，接受市场咨询和监督。

具体咨询电话如下：

接收服务：010－63889512

市场发展：010－63889551

挂牌业务：010－63889583

公司业务：010－63889549

机构业务：010－63889557

交易监察：010－63889700

信息服务：010－63889548

监督电话：010－63889775

特此公告。

全国中小企业股份转让系统有限责任公司

2013年12月30日

全国中小企业股份转让系统挂牌公司股票转让服务收费明细表

收费对象	收费项目	收费标准
投资者	转让经手费	按股票成交金额的0.5‰双边取。
挂牌公司	挂牌初费	总股本2000万（含）以下，3万元； 总股本2000－5000万股（含），5万元； 总股本5000万－1亿股（含），8万元； 总股本1亿股以上，10万元。
	挂牌年费	总股本2000万股（含）以下，2万元/年； 总股本2000－5000万股（含），3万元/年； 总股本5000万－1亿股（含），4万元/年； 总股本1亿股以上，5万元/年。

全国中小企业股份转让系统两网公司及退市公司股票转让服务收费（及代收税项）明细表

收费对象	收费项目	收费标准	备注
投资者	转让经手费	A股转让按成交金额的0.6‰双边收取； B股转让按成交金额的0.8‰双边收取。	
	证券交易印花税	对A股、B股出让方均按成交金额的1‰征收，对受让方不征税。	代国家税务机关扣缴

收费对象	收费项目	收费标准	备注
挂牌公司	挂牌初费	总股本 2000 万股(含)以下,3 万元; 总股本 2000－5000 万股(含),5 万元; 总股本 5000 万－1 亿股(含),8 万元; 总股本 1 亿股以上,10 万元。	暂免片收
	挂牌年费	总股本 2000 万股(含)以下,2 万元/年; 总股本 2000－5000 万股(含),3 万元/年; 总股本 5000 万－1 亿股(含),4 万元/年 总股本 1 亿股以上,5 万元/年。	暂免片收

注:两网公司指在原证券公司代办股份转让系统挂牌的 STAQ、NET 公司

挂牌业务类

全国中小企业股份转让系统挂牌业务问答

——关于挂牌条件适用若干问题的解答(一)

为了明确全国中小企业股份转让系统挂牌业务工作中出现的问题,现就《全国中小企业股份转让系统业务规则(试行)》及《全国中小企业股份转让系统股票挂牌条件适用基本标准指引(试行)》适用中的申请挂牌公司子公司、环保、持续经营能力、财务规范性、实际控制人变更或主要业务转型等问题,解答如下:

一、申请挂牌公司的子公司应满足哪些条件、相关的信息披露及核查要求?

答:(一)申请挂牌公司子公司是指申请挂牌主体全资、控股或通过其他方式纳入合并报表的公司。

(二)子公司的股票发行和转让行为应合法、合规,并在业务资质、合法规范经营方面须符合《全国中小企业股份转让系统股票挂牌条件适用基本标准指引(试行)》的相应规定。申请挂牌公司应充分披露其股东、董事、监事、高级管理人员与子公司的关联关系。

(三)主办券商应按照《全国中小企业股份转让系统主办券商尽职调查工作指引(试行)》的规定,对申请挂牌公司子公司逐一核查。

(四)对业务收入占申请挂牌公司 10% 以上的子公司,应按照《全国中小企业股份转让系统公开转让说明书内容与格式指引(试行)》第二章第二节公司业务的要求披露其业务情况。

(五)子公司的业务为小贷、担保、融资性租赁、城商行、投资机构等金融或类金融业务的,不但要符合《全国中小企业股份转让系统股票挂牌条件适用基本标准指引(试行)》的规定,还应符合国家、地方及其行业监管部门颁布的法规和规范性文件的要求。申请挂牌公司参股公司的业务属于前述金融或类金融业务的,须参照前述规定执行。

二、申请挂牌公司及其子公司的环保应满足哪些要求?

答:(一)推荐挂牌的中介机构应核查申请挂牌公司及其子公司所属行业是否为重污染行业。重污染行业认定依据为国家和各地方的相应监管规定,没有相关规定的,应参照环保部、证监会等有关部门对上市公司重污染行业分类规定执行。

(二)申请挂牌公司及其子公司所属行业为重污染行业,根据相关法规规定应办理建设项目环评批复、环保验收、排污许可证以及配置污染处理设施的,应在申报挂牌前办理完毕;如公司尚有在建工程,则应按照建设进程办理完毕相应环保手续。

(三)申请挂牌公司及其子公司所属行业不属于重污染行业但根据相关法规规定必须办理排污许可证和配置污染处理设施的,应在申报挂牌前应办理完毕。

(四)申请挂牌公司及其子公司按照相关法规规定应制定环境保护制度、公开披露环境信息的,应按照监管要求履行相应义务。

(五)申请挂牌公司及其子公司最近 24 个月内不应存在环保方面的重大违法违规行为,重大违法行为的具体认定标准按照《全国中小企业股份转让系统股票挂牌条件适用基本标准指引(试行)》相应规定执行。

三、申请挂牌公司存在哪些情形应认定其不具有持续经营能力?

答:根据《全国中小企业股份转让系统股票挂牌条件适用基本标准指引(试行)》第二款持续经营能力的相关规定,申请挂牌公司存在以下情形之一的,应被认定其不具有持续经营能力:

(一)未能在每一个会计期间内形成与同期业务相关的持续营运记录;

(二)报告期连续亏损且业务发展受产业政策限制;

(三)报告期期末净资产额为负数;

(四)存在其他可能导致对持续经营能力产生重大影响的事项或情况。

四、申请挂牌公司在财务规范方面需要满足哪些要求?

答:(一)申请挂牌公司财务机构及人员独立并能够独立作出财务决策、财务会计制度及内控制度健全且得到有效执行、会计基础工作规范,符合《会计法》、《会计基础工作规范》以及《公司法》、《现金管理条例》等其他法律法规要求。

(二)申请挂牌公司财务报表的编制符合企业会计准则和相关会计制度的规定,在所有重大方面公允地反映了申请挂牌公司的财务状况、经营成果和现金流量,财务报表及附注不得存在虚假记载、重大遗漏以及误导性陈述。

(三)申请挂牌公司存在以下情形的应视为财务不规范,不符合挂牌条件:

1. 报告期内未按照《企业会计准则》的要求进行会计处理且需要修改申报报表;

2. 控股股东、实际控制人及其控制的其他企业占用公司款项未在申报前归还;

3. 因财务核算不规范情形被税务机关采取核定征收企业所得且未规范;

4. 其他财务不规范情形。

五、报告期内申请挂牌公司发生实际控制人变更或者主要业务转型的是否可申请挂牌?

答:申请挂牌公司在报告期内存在实际控制人变更或主要业务转型的,在符合《全国中小企业股份转让系统股票挂牌条件适用基本标准指引(试行)》以及本解答的要求的前提下可以申请挂牌。

全国中小企业股份转让系统主办券商推荐业务规定

(试行)

第一章 总则

第一条 为规范主办券商推荐业务,明确主办券商职责,

根据《全国中小企业股份转让系统业务规则(试行)》(以下简称《业务规则》),制定本规定。

第二条　主办券商推荐股份公司股票进入全国中小企业股份转让系统(以下简称"全国股份转让系统")挂牌,应与申请挂牌公司签订推荐挂牌并持续督导协议。

第三条　主办券商应对申请挂牌公司进行尽职调查和内核。同意推荐的,主办券商向全国中小企业股份转让系统有限责任公司(以下简称"全国股份转让系统公司")提交推荐报告及其他有关文件(以下简称"推荐文件")。

第四条　全国股份转让系统公司对主办券商推荐业务进行自律管理,审查推荐文件,履行审查程序。

第五条　主办券商及相关人员应勤勉尽责、诚实守信地开展推荐业务,履行保密义务,不得利用在推荐业务中获取的尚未公开信息谋取利益。

第二章　机构与人员

第一节　项目小组与人员

第六条　主办券商应针对每家申请挂牌公司设立专门项目小组,负责尽职调查,起草尽职调查报告,制作推荐文件等。

第七条　项目小组应由主办券商内部人员组成,其成员须取得证券执业资格,其中注册会计师、律师和行业分析师至少各一名。

行业分析师应具有申请挂牌公司所属行业的相关专业知识,并在最近一年内发表过有关该行业的研究报告。

第八条　主办券商应在项目小组中指定一名负责人,对项目负全面责任,项目小组负责人应具备下列条件之一:

(一)参与两个以上推荐挂牌项目,且负责财务会计事项、法律事项或相关行业事项的尽职调查工作;

(二)具有三年以上投资银行从业经历,且具有主持境内外首次公开发行股票或者上市公司发行新股、可转换公司债券的主承销项目经历。

第九条　存在以下情形之一的人员,不得成为项目小组成员:

(一)最近三年内受到中国证监会行政处罚或证券行业自律组织纪律处分;

(二)本人及其配偶直接或间接持有申请挂牌公司股份;

(三)在申请挂牌公司或其控股股东、实际控制人处任职;

(四)未按要求参加全国股份转让系统公司组织的业务培训;

(五)全国股份转让系统公司认定的其他情形。

第二节　内核机构与人员

第十条　主办券商应设立内核机构,负责推荐文件和挂牌申请文件的审核,并对下述事项发表审核意见:

(一)项目小组是否已按照尽职调查工作的要求对申请挂牌公司进行了尽职调查;

(二)申请挂牌公司拟披露的信息是否符合全国股份转让系统公司有关信息披露的规定;

(三)申请挂牌公司是否符合挂牌条件;

(四)是否同意推荐申请挂牌公司股票挂牌。

第十一条　主办券商应制订内核机构工作制度,对内核机构的职责、人员构成、审核程序、表决办法、自律要求和回避制度等事项作出规定。

第十二条　内核机构应独立、客观、公正履行职责,内核机构成员中由推荐业务部门人员兼任的,不得超过内核机构总人数的三分之一。

第十三条　内核机构应由十名以上成员组成,可以外聘。最近三年内受到中国证监会行政处罚或证券行业自律组织纪律处分的人员,不得聘请为内核机构成员。

内核机构成员应具备下列条件之一:

(一)具有注册会计师或律师资格并在其专业领域或投资银行领域有三年以上从业经历;

(二)具有五年以上投资银行领域从业经历;

(三)具有相关行业高级职称的专家或从事行业研究五年以上的分析人员。

第十四条　主办券商应将内核机构工作制度、成员名单及简历在全国股份转让系统指定信息披露平台上披露。内核机构工作制度或内核成员发生变动的,主办券商应及时报全国股份转让系统公司备案,并在五个工作日内更新披露。

第三章　尽职调查

第十五条　项目小组进行尽职调查前,主办券商应与申请挂牌公司签署保密协议。

第十六条　项目小组应遵循勤勉尽责、诚实守信的原则,通过实地考察、查阅、访谈等方法,对申请挂牌公司进行尽职调查,以有充分理由确信申请挂牌公司符合挂牌条件以及在挂牌申请文件中披露的信息真实、准确、完整。

第十七条　项目小组尽职调查应以形成有助于投资者做出投资决策的信息披露文件为目的,调查范围至少应包括公开转让说明书和推荐报告中所涉及的事项。

第十八条　项目小组中应指定注册会计师、律师、行业分析师各一名分别负责对申请挂牌公司的财务会计事项、法律事项、相关行业事项进行尽职调查,并承担相应责任。

第十九条　项目小组的尽职调查可以在注册会计师、律师等外部专业人士意见的基础上进行。

项目小组应判断专业人士发表意见所基于的工作是否充分,对专业人士意见有疑义、或认为专业人士发表的意见所基于的工作不够充分的,项目小组应进行独立调查。

第二十条　对推荐文件、挂牌申请文件中无证券服务机构及其签字人员专业意见支持的内容,项目小组应当获得充分的尽职调查证据,在对各种证据进行综合分析的基础上对申请挂牌公司提供的资料和披露的内容进行独立判断,并有充分理由确信所作的判断与挂牌申请文件、推荐文件的内容不存在实质性差异。

第二十一条　项目小组完成尽职调查工作后,应出具尽职调查报告,各成员应在尽职调查报告上签名,承诺已参加尽职调查工作并对其负责。

第二十二条　主办券商应当建立健全尽职调查工作底稿制度,要求项目小组真实、准确、完整地记录整个尽职调查过程。

第四章　内核

第二十三条　主办券商内核机构根据项目小组的申请召开内核会议。每次会议须七名以上内核机构成员出席,其中律师、注册会计师和行业专家至少各一名。

第二十四条　主办券商内核机构应针对每个项目在内核会议成员中指定一名内核专员。内核专员除承担与其他内核会议成员相同的审核工作外,还应承担以下职责:

(一)整理内核意见;

(二)跟踪审核项目小组对内核意见的落实情况;

(三)审核推荐文件和挂牌申请文件的补充或修改意见;

（四）就该项目内核工作的有关事宜接受全国股份转让系统公司质询。

第二十五条　内核机构成员存在以下情形之一的，不得参与该项目的内核：

（一）担任该项目小组成员的；

（二）本人及其配偶直接或间接持有申请挂牌公司股份；

（三）在申请挂牌公司或其控股股东、实际控制人处任职的；

（四）其他可能影响公正履行职责的情形。

第二十六条　内核会议成员应独立、客观、公正地对推荐文件和挂牌申请文件进行审核，制作审核工作底稿并签名。

审核工作底稿应包括审核工作的起止日期、发现的问题、建议补充调查核实的事项以及对推荐挂牌的意见等内容。

第二十七条　内核会议应在成员中指定注册会计师、律师及行业专家各一名分别对项目小组中的财务会计事项调查人员、法律事项调查人员及行业分析师出具的调查意见进行审核，分别在其工作底稿中发表独立的审核意见，提交内核会议。

第二十八条　项目小组成员可以列席内核会议，向内核会议汇报尽职调查情况和需提请关注的事项，回答质询。

第二十九条　内核会议可采取现场会议、电话会议或视频会议的形式召开。内核机构成员应以个人身份出席内核会议，发表独立审核意见并行使表决权。因故不能出席的内核会议成员应委托他人出席并提交授权委托书及独立制作的审核工作底稿。每次会议委托他人出席的内核会议成员，不得超过应出席成员的三分之一。

第三十条　内核会议应对是否同意推荐申请挂牌公司股票挂牌进行表决。表决应采取记名投票方式，每人一票，三分之二以上赞成且指定注册会计师、律师和行业专家均为赞成票为通过。

第三十一条　主办券商应对内核会议过程形成记录，在内核会议表决的基础上形成内核意见。内核意见应包括以下内容：审核意见、表决结果、出席会议的内核机构成员名单和投票记录。内核会议成员均应在内核意见上签名。

第三十二条　主办券商应根据内核意见，决定是否向全国股份转让系统公司推荐申请挂牌公司股票挂牌。决定推荐的，应出具推荐报告。

第五章　推荐挂牌规程

第三十三条　存在下列情形之一的，主办券商不得推荐申请挂牌公司股票挂牌：

（一）主办券商直接或间接合计持有申请挂牌公司百分之七以上的股份，或者是其前五名股东之一；

（二）申请挂牌公司直接或间接合计持有主办券商百分之七以上的股份，或者是其前五名股东之一；

（三）主办券商前十名股东中任何一名股东为申请挂牌公司前三名股东之一；

（四）主办券商与申请挂牌公司之间存在其他重大影响的关联关系。

主办券商以做市目的持有的申请挂牌公司股份，不受本条第一款限制。

第三十四条　主办券商应对申请挂牌公司进行风险评估，审慎推荐该公司股票挂牌。

第三十五条　主办券商推荐申请挂牌公司股票挂牌，应当向全国股份转让系统公司提交推荐报告及全国股份转让系统公司要求的其他文件，推荐报告应包括下列内容：

（一）尽职调查情况；

（二）逐项说明申请挂牌公司是否符合《业务规则》规定的挂牌条件；

（三）内核程序及内核意见；

（四）推荐意见；

（五）提醒投资者注意事项；

（六）全国股份转让系统公司要求的其他内容。

第三十六条　主办券商可以根据申请挂牌公司的委托，组织编制挂牌申请文件，并协调证券服务机构及其签字人员参与该公司股票挂牌的相关工作。

第三十七条　主办券商向全国股份转让系统公司报送推荐文件后，应当配合全国股份转让系统公司的审查，并承担下列工作：

（一）组织申请挂牌公司及证券服务机构对全国股份转让系统公司的意见进行答复；

（二）按照全国股份转让系统公司的要求对涉及本次挂牌的特定事项进行尽职调查或核查；

（三）指定项目小组成员与全国股份转让系统公司进行专业沟通；

（四）全国股份转让系统公司规定的其他工作。

第三十八条　主办券商应将尽职调查工作底稿、内核会议成员审核工作底稿、内核会议记录、内核意见等妥善保存，保存期限不少于十年。

第六章　持续督导

第三十九条　主办券商应与所推荐挂牌公司签订持续督导协议，持续督导挂牌公司诚实守信、规范履行信息披露义务、完善公司治理机制。

第四十条　主办券商应建立持续督导工作制度，明确持续督导工作职责、工作流程和内部控制机制。

第四十一条　主办券商应至少配备两名具有财务或法律专业知识的专职督导人员，履行督导职责。

主办券商在任免专职督导人员时，应将相关人员名单及简历及时报送全国股份转让系统公司备案。

第四十二条　主办券商与挂牌公司因特殊原因确需解除持续督导协议的，应当事前报告全国股份转让系统公司并说明合理理由。

解除持续督导协议后，挂牌公司应与承接督导事项的主办券商另行签订持续督导协议，报全国股份转让系统公司备案并公告。

第四十三条　承接督导事项的主办券商应当自持续督导协议签订之日起开展督导工作并承担相应的责任。原主办券商在履行督导职责期间未勤勉尽责的，其责任不因主办券商的更换而免除。

第七章　监管措施和违规处理

第四十四条　全国股份转让系统公司可以对主办券商及其相关人员从事推荐业务的情况进行现场和非现场检查，主办券商及其相关人员应当积极配合检查，如实提供有关资料，不得以任何理由拒绝或者拖延提供有关资料，不得提供虚假、误导性或者不完整的资料。

第四十五条　全国股份转让系统公司对主办券商及其从业人员从事推荐业务进行持续管理，记录其执业情况、违法违规行为、其他不良行为以及对其采取的监管措施等。

第四十六条　主办券商及其从业人员违反本规定，全国股份转让系统公司依据《业务规则》、《全国中小企业股份转让系统主办券商管理细则（试行）》对其采取监管措施或进行自律处分。

第八章　附则

第四十七条　本规定所称“至少”、“以上”含本数。

第四十八条　本规定由全国股份转让系统公司负责解释。

第四十九条　本规定自发布之日起施行。

全国中小企业股份转让系统股票挂牌条件适用基本标准指引（试行）

全国中小企业股份转让系统有限责任公司按照“可把控、可举证、可识别”的原则，对《全国中小企业股份转让系统业务规则（试行）》规定的六项挂牌条件进行细化，形成基本标准如下：

一、依法设立且存续满两年

（一）依法设立，是指公司依据《公司法》等法律、法规及规章的规定向公司登记机关申请登记，并已取得《企业法人营业执照》。

1. 公司设立的主体、程序合法、合规。

（1）国有企业需提供相应的国有资产监督管理机构或国务院、地方政府授权的其他部门、机构关于国有股权设置的批复文件。

（2）外商投资企业须提供商务主管部门出具的设立批复文件。

（3）《公司法》修改（2006 年 1 月 1 日）前设立的股份公司，须取得国务院授权部门或者省级人民政府的批准文件。

2. 公司股东的出资合法、合规，出资方式及比例应符合《公司法》相关规定。

（1）以实物、知识产权、土地使用权等非货币财产出资的，应当评估作价，核实财产，明确权属，财产权转移手续办理完毕。

（2）以国有资产出资的，应遵守有关国有资产评估的规定。

（3）公司注册资本缴足，不存在出资不实情形。

（二）存续两年是指存续两个完整的会计年度。

（三）有限责任公司按原账面净资产值折股整体变更为股份有限公司的，存续时间可以从有限责任公司成立之日起计算。整体变更不应改变历史成本计价原则，不应根据资产评估结果进行账务调整，应以改制基准日经审计的净资产额为依据折合为股份有限公司股本。申报财务报表最近一期截止日不得早于改制基准日。

二、业务明确，具有持续经营能力

（一）业务明确，是指公司能够明确、具体地阐述其经营的业务、产品或服务、用途及其商业模式等信息。

（二）公司可同时经营一种或多种业务，每种业务应具有相应的关键资源要素，该要素组成应具有投入、处理和产出能力，能够与商业合同、收入或成本费用等相匹配。

1. 公司业务如需主管部门审批，应取得相应的资质、许可或特许经营权等。

2. 公司业务须遵守法律、行政法规和规章的规定，符合国家产业政策以及环保、质量、安全等要求。

（三）持续经营能力，是指公司基于报告期内的生产经营状况，在可预见的将来，有能力按照既定目标持续经营下去。

1. 公司业务在报告期内应有持续的营运记录，不应仅存在偶发性交易或事项。营运记录包括现金流量、营业收入、交易客户、研发费用支出等。

2. 公司应按照《企业会计准则》的规定编制并披露报告期内的财务报表，公司不存在《中国注册会计师审计准则第 1324 号——持续经营》中列举的影响其持续经营能力的相关事项，并由具有证券期货相关业务资格的会计师事务所出具标准无保留意见的审计报告。

财务报表被出具带强调事项段的无保留审计意见的，应全文披露审计报告正文以及董事会、监事会和注册会计师对强调事项的详细说明，并披露董事会和监事会对审计报告涉及事项的处理情况，说明该事项对公司的影响是否重大、影响是否已经消除、违反公允性的事项是否已予纠正。

3. 公司不存在依据《公司法》第一百八十一条规定解散的情形，或法院依法受理重整、和解或者破产申请。

三、公司治理机制健全，合法规范经营

（一）公司治理机制健全，是指公司按规定建立股东大会、董事会、监事会和高级管理层（以下简称“三会一层”）组成的公司治理架构，制定相应的公司治理制度，并能证明有效运行，保护股东权益。

1. 公司依法建立“三会一层”，并按照《公司法》、《非上市公众公司监督管理办法》及《非上市公众公司监管指引第 3 号—章程必备条款》等规定建立公司治理制度。

2. 公司“三会一层”应按照公司治理制度进行规范运作。在报告期内的有限公司阶段应遵守《公司法》的相关规定。

3. 公司董事会应对报告期内公司治理机制执行情况进行讨论、评估。

（二）合法合规经营，是指公司及其控股股东、实际控制人、董事、监事、高级管理人员须依法开展经营活动，经营行为合法、合规，不存在重大违法违规行为。

1. 公司的重大违法违规行为是指公司最近 24 个月内因违犯国家法律、行政法规、规章的行为，受到刑事处罚或适用重大违法违规情形的行政处罚。

（1）行政处罚是指经济管理部门对涉及公司经营活动的违法违规行为给予的行政处罚。

（2）重大违法违规情形是指，凡被行政处罚的实施机关给予没收违法所得、没收非法财物以上行政处罚的行为，属于重大违法违规情形，但处罚机关依法认定不属于的除外；被行政处罚的实施机关给予罚款的行为，除主办券商和律师能依法合理说明或处罚机关认定该行为不属于重大违法违规行为的外，都视为重大违法违规情形。

（3）公司最近 24 个月内不存在涉嫌犯罪被司法机关立案侦查，尚未有明确结论意见的情形。

2. 控股股东、实际控制人合法合规，最近 24 个月内不存在涉及以下情形的重大违法违规行为：

（1）控股股东、实际控制人受刑事处罚；

（2）受到与公司规范经营相关的行政处罚，且情节严重；情节严重的界定参照前述规定；

（3）涉嫌犯罪被司法机关立案侦查，尚未有明确结论意见。

3. 现任董事、监事和高级管理人员应具备和遵守《公司法》规定的任职资格和义务，不应存在最近 24 个月内受到中国证监会行政处罚或者被采取证券市场禁入措施的情形。

（三）公司报告期内不应存在股东包括控股股东、实际控制人及其关联方占用公司资金、资产或其他资源的情形。如有，应在申请挂牌前予以归还或规范。

（四）公司应设有独立财务部门进行独立的财务会计核算，相关会计政策能如实反映企业财务状况、经营成果和现金流量。

四、股权明晰，股票发行和转让行为合法合规

（一）股权明晰，是指公司的股权结构清晰，权属分明，真实确定，合法合规，股东特别是控股股东、实际控制人及其关联股东或实际支配的股东持有公司的股份不存在权属争议或潜在纠纷。

1. 公司的股东不存在国家法律、法规、规章及规范性文件规定不适宜担任股东的情形。

2. 申请挂牌前存在国有股权转让的情形，应遵守国资管理规定。

3. 申请挂牌前外商投资企业的股权转让应遵守商务部门的规定。

（二）股票发行和转让合法合规，是指公司的股票发行和转让依法履行必要内部决议、外部审批（如有）程序，股票转让须符合限售的规定。

1. 公司股票发行和转让行为合法合规，不存在下列情形：

（1）最近 36 个月内未经法定机关核准，擅自公开或者变相公开发行过证券；

（2）违法行为虽然发生在 36 个月前，目前仍处于持续状态，但《非上市公众公司监督管理办法》实施前形成的股东超 200 人的股份有限公司经中国证监会确认的除外。

2. 公司股票限售安排应符合《公司法》和《全国中小企业股份转让系统业务规则（试行）》的有关规定。

（三）在区域股权市场及其他交易市场进行权益转让的公司，申请股票在全国股份转让系统挂牌前的发行和转让等行为应合法合规。

（四）公司的控股子公司或纳入合并报表的其他企业的发行和转让行为需符合本指引的规定。

五、主办券商推荐并持续督导

（一）公司须经主办券商推荐，双方签署了《推荐挂牌并持续督导协议》。

（二）主办券商应完成尽职调查和内核程序，对公司是否符合挂牌条件发表独立意见，并出具推荐报告。

六、全国股份转让系统公司要求的其他条件

无

全国中小企业股份转让系统
公开转让说明书内容与格式指引（试行）

（2013 年 2 月 8 日发布，2013 年 12 月 30 日修改）

第一章　总则

第一条　为规范公开转让股票的信息披露行为，保护投资者合法权益，根据《非上市公众公司监督管理办法》（证监会令第 85 号）、《非上市公众公司监管指引第 1 号》（证监会公告〔2013〕1 号）、《全国中小企业股份转让系统业务规则（试行）》等规定，制定本指引。

第二条　股东人数未超过 200 人的股份公司（以下简称申请挂牌公司）申请股票在全国中小企业股份转让系统（以下简称全国股份转让系统）挂牌，应按本指引编制公开转让说明书并披露。

第三条　本指引的规定是对公开转让说明书信息披露的最低要求。不论本指引是否有明确规定，凡对投资者投资决策有重大影响的信息，均应披露。

申请挂牌公司可根据自身及所属行业或业态特征，在本指引基础上增加有利于投资者判断和决策的相关内容。

本指引部分条款具体要求不适用的，申请挂牌公司可根据实际情况，在不影响内容完整性的前提下作适当调整，但应在申报时作书面说明；由于涉及特殊原因申请豁免披露的，应有充分依据，主办券商及律师应出具意见。

第四条　申请挂牌公司在公开转让说明书中披露的所有信息应真实、准确、完整，不得有虚假记载、误导性陈述或重大遗漏。

第五条　公开转让说明书的编制和披露应便于投资者理解和判断，符合下列一般要求：

（一）通俗易懂、言简意赅。要切合公司具体情况，用词要符合社会公众的认知习惯，对有特定含义的专业术语应作出释义。为避免重复，可采用相互引证的方法，对相关部分进行合理的技术处理。

（二）表述客观、逻辑清晰。不得有夸大性、广告性、诋毁性的词句。可采用图形、表格、图片等较为直观的方式进行披露。

（三）业务、产品（服务）、行业等方面的统计口径应前后一致。

（四）引用的数字采用阿拉伯数字，货币金额除特别说明外，指人民币金额，并以元、万元、亿元为单位。

第六条　申请挂牌公司编制公开转让说明书应准确引用有关中介机构的专业意见、报告和财务会计资料，并有充分的依据。

所引用的财务报表应由具有证券期货相关业务资格的会计师事务所审计，财务报表在其最近一期截止日后 6 个月内有效。特殊情况下申请挂牌公司可申请延长，但延长期至多不超过 1 个月。

第七条　申请挂牌公司应在全国股份转让系统指定信息披露平台披露公开转让说明书及其附件，并作提示性公告：”本公司股票挂牌公开转让股票申请已经全国中小企业股份转让系统有限责任公司（以下简称全国股份转让系统公司）审查同意，中国证监会豁免核准，本公司的股票将在全国股份转让系统挂牌公开转让，公开转让说明书及附件披露于全国股份转让系统指定信息披露平台 www.neeq.com.cn 或 www.neeq.cc，供投资者查阅。

第八条　公开转让说明书封面应标有“×××公司公开转让说明书”字样，扉页应载有如下声明：

“本公司及全体董事、监事、高级管理人员承诺公开转让说明书不存在虚假记载、误导性陈述或重大遗漏，并对其真实性、准确性、完整性承担个别和连带的法律责任。”

“本公司负责人和主管会计工作的负责人、会计机构负责人保证公开转让说明书中财务会计资料真实、完整。”

“全国股份转让系统公司对本公司股票公开转让所作的任何决定或意见，均不表明其对本公司股票的价值或投资者的收益作出实质性判断或者保证。任何与之相反的声明均属虚假不实陈述。”

“根据《证券法》的规定，本公司经营与收益的变化，由本公司自行负责，由此变化引致的投资风险，由投资者自行承担。”

申请挂牌公司应针对实际情况在公开转让说明书首页作“重大事项提示”，提醒投资者给予特别关注。

第二章 公开转让说明书

第一节 基本情况

第九条 申请挂牌公司应简要披露下列情况：公司名称、法定代表人、设立日期、注册资本、住所、邮编、董事会秘书或信息披露事务负责人、所属行业、主要业务、组织机构代码等。

第十条 申请挂牌公司应披露股票代码、股票简称、股票种类、每股面值、股票总量、挂牌日期，股东所持股份的限售安排及股东对所持股份自愿锁定的承诺。

第十一条 申请挂牌公司应披露公司股权结构图，并披露控股股东、实际控制人、前十名股东及持有5%以上股份股东的名称、持股数量及比例、股东性质、直接或间接持有的股份是否存在质押或其他争议事项的具体情况及股东之间关联关系。

申请挂牌公司应披露控股股东和实际控制人基本情况以及实际控制人最近两年内是否发生变化。

申请挂牌公司应简要披露设立以来股本的形成及其变化和重大资产重组情况。如果股权变化情况较复杂，可采用流程图、表格或其他形式梳理归并，并作为附件披露。

第十二条 申请挂牌公司应扼要披露董事、监事、高级管理人员的情况，主要包括：姓名、国籍及境外居留权、性别、年龄、学历、职称、现任职务及任期、职业经历。

第十三条 最近两年及一期的主要会计数据和财务指标简表，主要包括：营业收入、净利润、归属于申请挂牌公司股东的净利润、扣除非经常性损益后的净利润、归属于申请挂牌公司股东的扣除非经常性损益后的净利润、毛利率、净资产收益率、扣除非经常性损益后净资产收益率、应收账款周转率、存货周转率、基本每股收益、稀释每股收益、经营活动产生的现金流量净额、每股经营活动产生的现金流量净额、总资产、股东权益合计、归属于申请挂牌公司股东权益合计、每股净资产、归属于申请挂牌公司股东的每股净资产、资产负债率（以母公司报表为基础）、流动比率、速动比率。

除特别指出外，上述财务指标应以合并财务报表的数据为基础进行计算。相关指标的计算应执行中国证监会的有关规定。

第十四条 申请挂牌公司挂牌同时进行股票发行的，应披露拟发行股数、发行对象或范围、发行价格或区间、预计募集资金金额。同时，按照全国股份转让系统公司有关股票发行信息披露要求，在公开转让说明书”公司财务“后增加”股票发行“章节，披露相关信息。

第十五条 申请挂牌公司应披露下列机构的名称、法定代表人、住所、联系电话、传真，同时应披露有关经办人员（包括项目小组负责人、项目小组成员）的姓名：

（一）主办券商

（二）律师事务所

（三）会计师事务所

（四）资产评估机构

（五）证券登记结算机构

（六）做市商（如有）

（七）其他与公开转让有关的机构

第二节 公司业务

第十六条 申请挂牌公司应披露主要业务、主要产品或服务及其用途。

第十七条 申请挂牌公司应结合内部组织结构（包括部门、生产车间、子公司、分公司等），披露主要生产或服务流程及方式（包括服务外包、外协生产等）。

第十八条 申请挂牌公司应遵循重要性原则披露与其业务相关的关键资源要素，包括：

（一）产品或服务所使用的主要技术。

（二）主要无形资产的取得方式和时间、实际使用情况、使用期限或保护期、最近一期末账面价值。

（三）取得的业务许可资格或资质情况。

（四）特许经营权（如有）的取得、期限、费用标准。

（五）主要生产设备等重要固定资产使用情况、成新率或尚可使用年限。

（六）员工情况，包括人数、结构等。其中核心技术（业务）人员应披露姓名、年龄、主要业务经历及职务、现任职务与任期及持有申请挂牌公司的股份情况。核心技术（业务）团队在近两年内发生重大变动的，应披露变动情况和原因。

（七）其他体现所属行业或业态特征的资源要素。

第十九条 申请挂牌公司应扼要披露与业务相关的情况，包括：

（一）报告期业务收入的主要构成及各期主要产品或服务的规模、销售收入。

（二）产品或服务的主要消费群体，报告期内各期向前五名客户的销售额及占当期销售总额的百分比。

（三）报告期内主要产品或服务的原材料、能源及供应情况，占成本的比重，报告期内各期向前五名供应商的采购额及占当期采购总额的百分比。

（四）报告期内对持续经营有重大影响的业务合同及履行情况。

第二十条 申请挂牌公司应归纳总结其商业模式，说明如何使用产品或服务、关键资源要素获取收入、利润及现金流。

第二十一条 申请挂牌公司应扼要披露其所处行业概况、市场规模及基本风险特征（如行业风险、市场风险、政策风险），并可分析公司在行业中的竞争地位。

第三节 公司治理

第二十二条 申请挂牌公司应披露最近两年内股东大会、董事会、监事会的建立健全及运行情况，说明上述机构和人员履行职责的情况。

申请挂牌公司可结合股东结构、董事会及监事会构成等方面，说明投资者（如专业投资机构）参与公司治理以及职工代表监事履行责任的实际情况。

第二十三条 申请挂牌公司董事会应充分讨论现有公司治理机制能否给所有股东提供合适的保护以及能否保证股东充分行使知情权、参与权、质询权和表决权等权利，说明投资者关系管理、纠纷解决机制、累积投票制（如有）、独立董事制度（如有）、关联股东和董事回避制度（如有）以及与财务管理、风险控制相关的内部管理制度建设情况，并披露董事会对公司治理机制执行情况的评估结果。

第二十四条 申请挂牌公司应披露公司及其控股股东、实际控制人最近两年内是否存在违法违规及受处罚的情况。

第二十五条 申请挂牌公司应披露与控股股东、实际控制人及其控制的其他企业在业务、资产、人员、财务、机构方面的分开情况。

第二十六条　申请挂牌公司应披露是否存在与控股股东、实际控制人及其控制的其他企业从事相同、相似业务的情况。对存在相同、相似业务的，应对是否存在同业竞争做出合理解释。

申请挂牌公司应披露控股股东、实际控制人为避免同业竞争采取的措施及做出的承诺。

第二十七条　申请挂牌公司应披露最近两年内是否存在资金被控股股东、实际控制人及其控制的其他企业占用，或者为控股股东、实际控制人及其控制的其他企业提供担保，以及为防止股东及其关联方占用或者转移公司资金、资产及其他资源的行为发生所采取的具体安排。

第二十八条　申请挂牌公司董事、监事、高级管理人员存在下列情形的，应披露具体情况：

（一）本人及其直系亲属以任何方式直接或间接持有申请挂牌公司股份的。

（二）相互之间存在亲属关系的。

（三）与申请挂牌公司签订重要协议或做出重要承诺的。

（四）在其他单位兼职的。

（五）对外投资与申请挂牌公司存在利益冲突的。

（六）最近两年受到中国证监会行政处罚或者被采取证券市场禁入措施、受到全国股份转让系统公司公开谴责的。

（七）其他对申请挂牌公司持续经营有不利影响的情形。

第二十九条　申请挂牌公司董事、监事、高级管理人员在近两年内发生变动的，应披露变动情况和原因。

第四节　公司财务

第三十条　申请挂牌公司应按照《企业会计准则》的规定编制并披露最近两年及一期的财务报表，在所有重大方面公允反映公司财务状况、经营成果和现金流量，并由注册会计师出具无保留意见的审计报告。编制合并财务报表的，应同时披露合并财务报表和母公司财务报表。

申请挂牌公司应披露财务报表的编制基础、合并财务报表范围及变化情况。

第三十一条　申请挂牌公司应披露会计师事务所的审计意见类型。财务报表被出具带强调事项段的无保留审计意见的，应全文披露审计报告正文以及董事会、监事会和注册会计师对强调事项的详细说明。

第三十二条　申请挂牌公司应结合业务特点充分披露报告期内采用的主要会计政策、会计估计及其变更情况和对公司利润的影响。

申请挂牌公司的重大会计政策或会计估计与可比公司（如有）存在较大差异，或者按规定将要进行变更的，应分析重大会计政策或会计估计的差异或变更对公司利润产生的影响。

第三十三条　申请挂牌公司应对最近两年及一期的主要会计数据和财务指标进行比较，发生重大变化的应说明原因。

（一）根据业务特点披露各类收入的具体确认方法，以表格形式披露报告期内各期营业收入、利润、毛利率的主要构成及比例，按照产品（服务）类别及业务、地区分部列示，报告期内发生重大变化的应予以说明。

（二）披露报告期内各期主要费用（含研发）、占营业收入的比重和变化情况。

（三）披露报告期内各期重大投资收益情况、非经常性损益情况、适用的各项税收政策及缴纳的主要税种。

（四）披露报告期内各期末主要资产情况及重大变动分析，包括但不限于：

主要应收款项的账面余额、坏账准备、账面价值、账龄、各期末前五名情况；主要存货类别、账面余额、跌价准备、账面价值；主要固定资产类别、折旧年限、原价、累计折旧、净值；主要对外投资的投资期限、初始投资额、期末投资额及会计核算方法；主要无形资产的取得方式、初始金额、摊销方法、摊销年限、最近一期末的摊余价值及剩余摊销年限；主要资产减值准备的计提依据及计提情况。

（五）披露报告期内各期末主要负债情况。有逾期未偿还债项的，应说明其金额、未按期偿还的原因、预计还款期等。

（六）披露报告期内各期末股东权益情况，主要包括股本、资本公积、盈余公积、未分配利润及少数股东权益的情况。

如果在挂牌前实施限制性股票或股票期权等股权激励计划且尚未行权完毕的，应披露股权激励计划内容及实施情况、对资本公积和各期利润的影响。

第三十四条　申请挂牌公司应根据《公司法》和《企业会计准则》的相关规定披露关联方、关联关系、关联交易，并说明相应的决策权限、决策程序、定价机制、交易的合规性和公允性、减少和规范关联交易的具体安排等。

申请挂牌公司应根据交易的性质和频率，按照经常性和偶发性分类披露关联交易及其对财务状况和经营成果的影响。

如果董事、监事、高级管理人员、核心技术（业务）人员、主要关联方或持有公司5%以上股份股东在主要客户或供应商中占有权益的，应予以说明。

第三十五条　申请挂牌公司应扼要披露会计报表附注中的资产负债表日后事项、或有事项及其他重要事项，包括对持续经营可能产生较大影响的诉讼或仲裁、担保等事项。

第三十六条　申请挂牌公司在报告期内进行资产评估的，应简要披露资产评估情况。

第三十七条　申请挂牌公司应披露最近两年股利分配政策、实际股利分配情况以及公开转让后的股利分配政策。

第三十八条　申请挂牌公司应简要披露其控股子公司或纳入合并报表的其他企业的情况，主要包括注册资本、主要业务、股东构成及持股比例、最近一年及一期末的总资产、净资产、最近一年及一期的营业收入、净利润。

第三十九条　申请挂牌公司应遵循重要性原则，结合自身及所处行业实际情况，对可能影响公司持续经营的风险因素进行自我评估，重点披露特有风险，其中对持续经营有严重不利影响的风险应作"重大事项提示"。

鼓励申请挂牌公司建立以风险为导向的内部管理机制，提高识别和承受风险的能力，形成符合自身及所处行业特征的风险评估和管理体系。

第四十条　申请挂牌公司可披露公司经营目标和计划。如披露，应遵循诚信原则，并说明合理依据。

对可能导致经营目标和计划不能实现的重大不确定性因素，申请挂牌公司应做出有针对性和实质性的"重大事项提示"，提醒投资者审慎判断和决策。

第五节　有关声明

第四十一条　申请挂牌公司全体董事、监事、高级管理人员应在公开转让说明书正文的尾页签名，并由申请挂牌公司加盖公章。

第四十二条　主办券商应对公开转让说明书的真实性、准确性、完整性进行核查，并在公开转让说明书正文后声明：

"本公司已对公开转让说明书进行了核查，确认不存在虚假记载、误导性陈述或重大遗漏，并对其真实性、准确性和完整性承担相应的法律责任。”

声明应由法定代表人、项目负责人及项目小组成员签名，并由主办券商加盖公章。

第四十三条　为申请挂牌公司股票公开转让提供服务的机构应在公开转让说明书正文后声明：

“本机构及经办人员（经办律师、签字注册会计师、签字注册资产评估师）已阅读公开转让说明书，确认公开转让说明书与本机构出具的专业报告（法律意见书、审计报告、资产评估报告）无矛盾之处。本机构及经办人员对申请挂牌公司在公开转让说明书中引用的专业报告的内容无异议，确认公开转让说明书不致因上述内容而出现虚假记载、误导性陈述或重大遗漏，并对其真实性、准确性和完整性承担相应的法律责任。”

声明应由经办人员及所在机构负责人签名，并由机构加盖公章。

第六节　附件

第四十四条　公开转让说明书结尾应列明附件，并在全国股份转让系统指定信息披露平台披露。附件应包括下列文件：

（一）主办券商推荐报告；

（二）财务报表及审计报告；

（三）法律意见书；

（四）公司章程；

（五）全国股份转让系统公司同意挂牌的审查意见；

（六）其他与公开转让有关的重要文件。

第三章　附则

第四十五条　本指引由全国股份转让系统公司负责解释。

第四十六条　本指引自公布之日起施行。

全国中小企业股份转让系统
挂牌申请文件内容与格式指引（试行）

（2013 年 2 月 8 日发布，2013 年 12 月 30 日修改）

第一条　为规范挂牌申请文件内容与格式，根据《非上市公众公司监督管理办法》（证监会令第 85 号）、《非上市公众公司监管指引第 2 号》（证监会公告〔2013〕2 号）、《全国中小企业股份转让系统业务规则（试行）》等规定，制定本指引。

第二条　股份公司（以下简称“申请挂牌公司”）申请股票在全国中小企业股份转让系统（以下简称“全国股份转让系统”）挂牌，应按照本指引的要求制作和报送申请文件。

第三条　本指引规定的申请文件目录是对挂牌申请文件的最低要求。根据审查需要，全国中小企业股份转让系统有限责任公司（以下简称“全国股份转让系统公司”）可以要求申请挂牌公司和相关中介机构补充文件。如部分文件对申请挂牌公司不适用，可不提供，但应书面说明。

申请挂牌同时股票发行的，应按照全国股份转让系统公司规定在挂牌申请文件中增加有关内容。

第四条　申请文件一经接收，非经全国股份转让系统公司同意，不得增加、撤回或更换。

第五条　申请时股东人数未超过 200 人的股份公司报送申请文件应提交原件一份，复印件两份；申请时股东人数超过 200 人的股份公司报送申请文件应提交原件一份（单行本）。每次报送书面文件的同时，应报送一份与书面文件一致的电子文件（WORD、EXCEL、PDF 及全国股份转让系统公司要求的其他文件格式）。

申请挂牌公司不能提供有关文件原件的，应由申请挂牌公司律师提供鉴证意见，或由出文单位盖章，以保证与原件一致。

第六条　申请文件所有需要签名处，均应为签名人亲笔签名，不得以名章、签名章等代替。

申请文件中需要由申请挂牌公司律师鉴证的文件，申请挂牌公司律师应在该文件首页注明“以下第××页至第××页与原件一致”，并签名和签署鉴证日期，律师事务所应在该文件首页加盖公章，并在第××页至第××页侧面以公章加盖骑缝章。

第七条　申请挂牌公司应根据全国股份转让系统公司对申请文件的反馈意见提供补充材料。相关中介机构应对反馈意见相关问题进行尽职调查或补充出具专业意见。对公开转让说明书修改或补充的，应进行标示。

第八条　申请文件的封面和侧面应标有“××公司股票挂牌申请文件”字样，扉页应标明申请挂牌公司法定代表人、信息披露事务负责人，主办券商主管领导、项目负责人，以及相关中介机构项目负责人姓名、电话、传真等联系方式。

第九条　申请文件章与章之间、章与节之间应有明显的分隔标识，文件中的页码应与目录中的页码相符。

第十条　申请文件应采用标准 A4 纸张双面印刷（需提供原件的历史文件除外）.

第十一条　未按本指引要求制作和报送申请文件的，全国股份转让系统公司不予接收。

第十二条　本指引由全国股份转让系统公司负责解释。

第十三条　本指引自发布之日起施行。

全国中小企业股份转让系统
主办券商尽职调查工作指引

（试行）

第一章　总则

第一条　为指导主办券商做好对申请股票在全国中小企业股份转让系统（以下简称“全国股份转让系统”）公开转让的股份有限公司（以下简称“公司”）的尽职调查工作，制定本指引。

第二条　尽职调查是指主办券商遵循勤勉尽责、诚实守信原则，以形成有利于投资者做出投资决策的信息披露文件为目的，对公司进行调查，以有充分理由确信：

（一）公司符合《全国中小企业股份转让系统业务规则（试行）》规定的挂牌条件；

（二）公开转让说明书中所披露的信息真实、准确和完整。

第三条　本指引是对主办券商尽职调查工作的一般要求。主办券商应按照本指引要求，认真履行尽职调查义务。

除对本指引已列示的一般性内容进行调查外，主办券商还应根据公司的具体情况，对其在公开转让说明书中应披露的、足以影响投资者决策的其他事项进行调查。

除本指引已列示的调查方法外，主办券商可针对具体调查事项，采用其他适当的调查方法进行调查。

第四条　项目小组的尽职调查可以在注册会计师、律师等外部专业人士意见的基础上进行，如果认为专业人士发表意见所基于的工作不够充分，或对专业人士的意见有疑义，项目小组应进行独立调查。

项目小组在引用专业人士意见时，应对所引用的意见负责。

第五条　项目小组应在尽职调查工作完成后，出具尽职调查报告，各成员应在尽职调查报告上签名并声明对其负责。

第六条　主办券商应建立健全尽职调查工作底稿制度，真实、准确、完整地反映其所实施的尽职调查工作。尽职调查工作底稿应成为主办券商出具尽职调查报告、推荐报告和编制挂牌申请文件的基础。

第二章　尽职调查主要内容和方法

第一节　业务调查

第七条　业务调查主要包括分析公司所处细分行业的情况和风险，调查公司商业模式、经营目标和计划。

公司的商业模式是指公司如何使用其拥有的关键资源，通过有效的业务流程，形成一个完整的运行系统，并通过这一运行系统向客户提供产品或服务，满足客户需求并向客户提供了价值，从而获得收入、利润和现金流。

第八条　通过搜集与公司所处行业有关的行业研究或报道，与公司管理层交谈，比较市场公开数据，搜集行业主管部门制定的发展规划、行业管理方面的法律法规及规范性文件，以及主办券商内部行业分析师的分析研究等方法，审慎、客观分析公司所处细分行业的基本情况和特有风险（如行业风险、市场风险、政策风险等）。包括但不限于：

（一）行业所处的生命周期和行业规模；

（二）行业与行业上下游的关系（即行业价值链的构成）；

（三）行业的竞争程度及行业壁垒；

（四）国家对该行业的监管体制和政策扶持或限制，以及产业政策对该行业的影响；

（五）影响该行业发展的有利和不利因素。

第九条　通过与公司经营管理层交谈，实地考察公司产品或服务，访谈公司客户等方法，调查公司产品或服务及其用途，了解产品种类、功能或服务种类及其满足的客户需求。包括但不限于：

（一）产品或服务的种类；

（二）调查每种产品的功能和用途以及特定消费群体，或服务所满足的客户需求及特定消费群体；

（三）每种产品的技术含量（所应用的关键技术及所达到的技术指标）或服务的质量；

（四）每种产品或服务是否向消费者提供保障（售后服务等）；

（五）报告期内各期每种产品或服务的规模，需求状况及其对价格的影响；

（六）各类产品或服务在公司业务中的重要性，包括在销售收入及利润中的比重，在行业中所占的市场份额和变动趋势；

（七）公司对提高现有产品或服务质量、增强竞争力等方面将采取的措施以及公司新产品或服务种类的开发计划。

第十条　通过实地考察、与管理层交谈、查阅公司主要知识产权文件等方法，结合公司行业特点，调查公司业务所依赖的关键资源，包括但不限于：

（一）公司独特的、可持续的技术优势（包括分析主要产品或服务的核心技术、可替代性以及核心技术的保护措施等）；

（二）研发能力和技术储备（包括分析公司的研发机构和研发人员情况、研发费用投入占公司业务收入的比重、自主技术占核心技术的比重等）；

（三）商标、专利、非专利技术等无形资产的数量、取得情况、实际使用情况、使用期限或保护期、最近一期末账面价值、存在纠纷情况等；

（四）取得的业务许可资格或资质情况；

（五）特许经营权（如有）的取得、期限、费用标准；

（六）提供产品或服务时所使用主要设备和固定资产的情况；

（七）公司高级管理人员与核心技术（业务）人员的简要情况，主要包括：姓名、国籍等基本信息、职业经历（参加工作以来的职业及职务情况）、曾经担任的重要职务及任期、现任职务及任期，根据其业务经历、行业或专业背景，评价高级管理人员的经验和能力，整体评价整个管理团队是否有互补性；

（八）调查公司管理层及核心技术（业务）人员的薪酬，持股情况和激励政策（包括股权激励）。最近两年上述人员的主要变动情况、原因和对公司经营的影响，了解公司为稳定上述人员已采取或拟采取的措施，并评价管理层及核心技术（业务）人员的稳定性；

（九）公司的员工情况，主要包括：员工人数、年龄和工龄结构、任职分布、学历学位结构、地域分布等；

（十）其他体现所处行业或业态特征的资源要素；

（十一）在公司所处细分行业中，从公司的技术优势、产品的技术指标或服务的标准要求、研发投入能力和技术储备、专利数量等方面，分析公司与竞争对手及潜在竞争对手之间的优劣势。如果竞争对手的信息不存在，可分析公司与行业平均水平相比的优劣势。

第十一条　通过查阅公司业务制度、实地考察企业经营过程涉及的业务环节、对主要供应商和客户访谈等方法，结合公司行业特点，了解公司关键业务流程。包括但不限于：

（一）供应链及其管理，公司对供应商的依赖程度及存在的经营风险；

（二）主要产品的生产流程或服务流程、生产工艺、质量控制、安全生产等；

（三）营销体系，包括销售方式、是否有排他性销售协议等壁垒、市场推广计划、客户管理，公司对客户的依赖程度及存在的风险；

（四）核心产品或服务的研发流程、周期以及更新换代计划；

（五）根据产业链分工情况，调查公司是否将营运环节交给利益相关者，如有，阐明其合作关系或商业联盟关系以及风险利益分配机制；

（六）重要资本投资项目（如规模化生产、重要设备投资等）的投资流程，包括投资决策机制、可行性和投资回报分析等；

（七）其他体现所处行业或业态特征的业务环节。

第十二条　通过查阅商业合同，走访客户和供应商等方法，结合对公司产品或服务、关键资源和关键业务流程的调查，了解公司如何获得收益。包括但不限于：

（一）收入构成情况，包括产品或服务的规模、订价方式和依据；收入变化情况和影响其变化的原因；

（二）成本结构及其变动情况和变动原因；

（三）分析每种产品或服务的毛利率及其变动趋势和变动原因；

（四）公司的现金流情况，尤其是与经营活动有关的现金流量，即经营的现金收入是否能抵补有关支出；

（五）在公司所处的细分行业中，分析比较公司与竞争对手之间在产品或服务分布、成本结构、营销模式和产品或服务毛利率等方面的优劣势，并预估公司在细分行业的发展趋势（主要地区或市场的占有率及其变化）。如果竞争对手的信息不存在，可分析公司与行业平均水平相比的优劣势。

第十三条　通过与公司管理层交谈，查阅董事会会议记录、重大业务合同等方法，结合公司所处行业的发展趋势及公司目前所处的发展阶段，了解公司整体发展规划和各个业务板块的中长期发展目标，分析公司经营目标和计划是否与现有商业模式一致，揭示公司业务发展过程中的主要风险（区别一般风险和特殊风险）及风险管理机制。

第二节　公司治理调查

第十四条　通过查阅公司章程，了解公司组织结构，查阅股东大会、董事会、监事会（以下简称“三会”）有关文件，调查公司三会的建立健全及运行情况，说明上述机构和人员履行职责的情况，关注公司章程和三会议事规则是否合法合规，是否建立健全投资者关系管理制度，是否在公司章程中约定纠纷解决机制。

第十五条　公司董事会对公司治理机制进行讨论评估，内容包括现有公司治理机制在给股东提供合适的保护以及保证股东充分行使知情权、参与权、质询权和表决权等权利方面所发挥的作用、所存在的不足及解决方法等。

第十六条　调查公司治理机制的执行情况并出具核查意见，调查内容包括但不限于：

（一）是否依据有关法律法规和公司章程发布通知并按期召开三会；会议文件是否完整，会议记录中时间、地点、出席人数等要件是否齐备，会议文件是否归档保存；会议记录是否正常签署；

（二）董事会和监事会是否按照有关法律法规和公司章程及时进行换届选举；

（三）董事会是否参与了公司战略目标的制订，检查其执行情况；董事会对管理层业绩进行评估的机制和执行情况；

（四）涉及关联董事、关联股东或其他利益相关者应当回避的，公司是否建立了表决权回避制度，检查其执行情况；

（五）监事会是否正常发挥作用，是否具备切实的监督手段，包括职工代表监事履行职责的情况；

（六）三会决议的实际执行情况，未能执行的会议决议，相关执行者是否向决议机构汇报并说明原因。

第十七条　调查公司股东的情况，核实公司股东股权的合法性和真实性，包括但不限于：

（一）通过查阅公司股权结构图、股东名册、公司重要会议记录、决议以及公司历次股权变动的相关文件，调查公司的股权结构，股东持股比例（包括直接和间接持股比例），以及直接或间接持股是否存在质押或其他有争议的情况，判断公司控股股东及实际控制人。

（二）通过查阅具有资格的中介机构出具的验资报告，咨询公司律师或法律顾问，询问管理层和会计人员，到工商行政管理部门查询公司注册登记资料，调查公司股东的出资是否及时到位，出资方式是否符合有关法律、法规的规定。

通过查阅资产评估报告，询问资产评估机构等方法，对以实物、工业产权、非专利技术、土地使用权等非现金资产出资的，调查所使用的评估方法与评估值的合理性。

（三）调查公司股东之间是否存在关联情况，股东中是否有专业投资机构以及其参与公司治理的情况。

（四）调查公司管理层及核心技术人员的持股情况和所持股份的锁定情况。

第十八条　调查公司董事、监事的简要情况，主要包括：姓名、国籍及境外居留权、性别、年龄、学历、职称；职业经历（参加工作以来的职业及职务情况）；曾经担任的重要职务及任期；现任职务及任期；本人及其近亲属持有公司股份的情况；是否存在对外投资与公司存在利益冲突的情况。

第十九条　调查公司与控股股东、实际控制人及其控制的其他企业在业务、资产、人员、财务和机构方面的分开情况，判断其独立性，包括但不限于：

（一）通过查阅公司组织结构文件，结合公司的生产、采购和销售记录考察公司的产、供、销系统，分析公司是否具有完整的业务流程、独立的生产经营场所以及供应、销售部门和渠道，通过计算公司的关联采购额和关联销售额分别占公司当期采购总额和销售总额的比例，分析是否存在影响公司独立性的重大或频繁的关联方交易，判断公司业务独立性。

（二）通过查阅相关会议记录、资产产权转移合同、资产交接手续和购货合同及发票，确定公司固定资产权属情况；通过查阅房产证、土地使用权证等权属证明文件，了解公司的房产、土地使用权、专利与非专利技术及其他无形资产的权属情况；关注金额较大、期限较长的其他应收款、其他应付款、预收及预付账款产生的原因及交易记录、资金流向等；判断公司资产独立性。

调查公司最近两年内是否存在资产被控股股东、实际控制人及其控制的其他企业占用，或者为控股股东、实际控制人及其控制的其他企业提供担保的情形；调查公司为防止股东及关联方资金占用或者转移公司资金、资产及其他资源的行为所采取的措施和相应的制度安排；对不存在以上情形的，应取得公司的说明，并根据调查结果判断公司资产独立性。

（三）通过查阅股东单位员工名册及劳务合同、公司工资明细表、公司福利费缴纳凭证、与管理层及员工交谈，取得高级管理人员的书面声明等方法，调查公司高级管理人员从公司关联企业领取报酬及其他情况，调查公司员工的劳动、人事、工资报酬以及相应的社会保障是否完全独立管理，判断其人员独立性。

（四）通过与管理层和相关业务人员交谈，查阅公司财务会计制度、银行开户资料、纳税资料等方法，调查公司会计核算体系，财务管理和风险控制等内部管理制度的建立健全情况，并判断公司财务独立性。

（五）通过实地调查、查阅股东大会和董事会决议关于设立相关机构的记录、查阅各机构内部规章制度，了解公司的机构是否与控股股东完全分开且独立运作，是否存在混合经营、合署办公的情形，是否完全拥有机构设置自主权等，判断其机构独立性。

第二十条　调查公司与控股股东、实际控制人及其控制的其他企业是否存在同业竞争。

通过询问公司控股股东、实际控制人，查阅营业执照，实地走访生产或销售部门等方式，调查公司控股股东、实际控制人及其控制的其他企业的业务范围，从业务性质、客户对象、可替代性、市场差别等方面判断是否与公司从事相同、相似业务，从而构成同业竞争。

对存在同业竞争的，要求公司就其合理性作出解释，并调查公司为避免同业竞争采取的措施以及作出的承诺。

第二十一条　调查公司对外担保、重大投资、委托理财、关联方交易等重要事项的政策及制度安排，调查决策权限及程序等规定，并核查最近两年的执行情况，包括对上述事项的决策是否符合股东大会、董事会的职责分工，对该事项的表决是否履行了公司法和公司章程中规定的程序，以及决策是否得到有效执行。

取得管理层就公司对外担保、重大投资、委托理财、关联方交易等事项的情况、是否符合法律法规和公司章程的规定，及其对公司影响的书面声明。

第二十二条　调查公司管理层的诚信情况，取得经公司管理层签字的关于诚信状况的书面声明，书面声明至少包括以下内容：

（一）最近二年内是否因违反国家法律、行政法规、部门规章、自律规则等受到刑事、民事、行政处罚或纪律处分；

（二）是否存在因涉嫌违法违规行为处于调查之中尚无定论的情形；

（三）最近二年内是否对所任职（包括现任职和曾任职）公司因重大违法违规行为而被处罚负有责任；

（四）是否存在个人负有数额较大债务到期未清偿的情形；

（五）是否有欺诈或其他不诚实行为等情况。

通过查询中国人民银行征信系统、工商行政管理部门的企业信用信息系统等公共诚信系统，咨询税务部门、公司贷款银行等部门或机构，咨询公司律师或法律顾问，查阅相关记录以及其他合理方式，核实公司管理层是否存在不诚信行为的记录，评价公司管理层的诚信状况。

第三节　公司财务调查

第二十三条　通过考察控制环境、风险识别与评估、控制活动与措施、信息沟通与反馈、监督与评价等基本要素，评价公司内部控制制度是否充分、合理、有效。

第二十四条　通过与公司管理层及员工交谈，查阅公司规章制度等方法，调查公司是否建立会计核算体系、财务管理和风险控制等制度，确保公司财务报告真实可靠及行为合法合规。

第二十五条　通过与公司管理层及员工交谈，查阅董事会、总经理办公会等会议记录，查阅公司规章制度等方法，评价公司是否有积极的控制环境：包括考察董事会是否负责批准并定期审查公司的经营战略和重大决策、确定经营风险的可接受水平；考察高级管理人员是否执行董事会批准的战略和政策，以及高级管理人员和董事会间的责任、授权和报告关系是否明确；考察管理层是否促使公司员工了解公司内部控制制度并在其中发挥作用等。

第二十六条　通过与公司管理层交谈、查阅公司相关规章制度和风险评估报告等，考察管理层为识别和评估对公司实现整体目标有负面影响的风险因素所建立的制度或采取的措施，评价公司风险识别与评估体系的有效性。

第二十七条　通过与公司管理层及主要业务流程所涉及部门的负责人交谈，查阅业务流程相关文件，了解业务流程和其中的控制措施，包括授权与审批、复核与查证、业务规程与操作程序、岗位权限与职责分工、相互独立与制衡、应急与预防等措施。

项目小组应选择一定数量的控制活动样本，采取验证、观察、询问、重新操作等测试方法，评价公司的内部控制措施是否有效实施。

第二十八条　通过与公司管理层和员工交谈，查阅公司相关规章制度等，评价信息沟通与反馈是否有效，包括公司是否建立了能够涵盖其全部重要活动，并对内部和外部信息进行搜集和整理的有效信息系统，以及公司是否建立了有效的信息沟通和反馈渠道，确保员工能充分理解和执行公司政策和程序，并保证相关信息能够传达到应被传达到的人员。

第二十九条　通过与公司管理层及内部审计部门交谈，采用询问、验证、查阅内部审计报告和监事会报告等方法，考察公司内部控制监督和评价制度的有效性。

第三十条　调查公司在报告期内的主要会计政策和会计估计是否有针对性地结合了公司的业务特点，是否起到有效防范公司特有财务风险的作用。

第三十一条　在上述调查基础上，听取注册会计师意见，评价公司现有内部控制制度在合理保证公司遵守现行法律法规、提高经营效率、保证财务报告的可靠性等方面的效果，关注内部控制制度的缺陷及其可能导致的财务和经营风险。

第三十二条　通过调查公司的财务风险，综合评价公司财务风险和经营风险，判断公司财务状况是否良好。可通过以下方法调查公司的财务风险：

根据经审计的财务报告，分析公司最近两年及一期的主要财务指标，并对其进行逐年比较。主要包括毛利率、净资产收益率（包括扣除非经常性损益后净资产收益率）、基本每股收益、稀释每股收益、每股净资产、每股经营活动产生的现金流量净额、资产负债率（以母公司报表为基础）、流动比率、速动比率、应收账款周转率和存货周转率等。除特别指出外，上述财务指标应以合并财务报表的数据为基础进行计算。相关指标的计算应执行中国证监会的有关规定。

在此基础上，分析公司的盈利能力、长短期偿债能力、营运能力及获取现金能力，综合评价公司财务风险和经营风险，判断公司财务状况是否良好。各项财务指标与同行业公司平均水平相比有较大偏离的，或各项财务指标及相关会计项目有较大变动或异常的，应分析原因并进行重点调查。

根据经审计的财务报告，对公司收入、成本、费用的配比性进行分析性复核。通过分析公司收入、成本、费用的变动趋势、比例关系等，比较同行业其他公司的情况，评价公司收入与成本、费用，成本、费用与相关资产摊销等财务数据之间的配比或勾稽关系是否合理。对明显缺乏合理的配比或勾稽关系的事项，应要求公司管理层作出说明。

第三十三条　调查公司应收款项的真实性、准确性、完整性和合理性。

查阅公司应收账款明细资料，结合公司行业特点和业务收入状况等因素，评价应收账款余额及其变动是否合理。抽查大额应收账款，调查其真实性、收回可能性及潜在的风险。

取得公司其他应收款明细资料，了解大额其他应收款余额的形成原因，分析其合理性、真实性、收回可能性及潜在的风险。

核查大额预付账款产生的原因、时间和相关采购业务的执行情况。调查应收票据取得、背书、抵押和贴现等情况，关注由此产生的风险。

分析公司应收款项账龄，评价账龄的合理性，了解账龄较长款项的形成原因及公司采取的措施，查核公司是否按规定提取坏账准备、提取是否充分。

第三十四条　调查公司存货的真实性、准确性、完整性和合理性。

通过查阅公司存货明细资料，结合生产循环特点，分析原材料、在产品、产成品余额之间的比例及其变动是否合理。通过实地查看存货，评估其真实性和完整性。

分析比较公司存货账龄，评价账龄是否合理，了解是否有账龄较长的存货，查核公司是否按规定提取存货跌价准备、提取是否充分。

第三十五条　调查公司投资的真实性、准确性、完整性和合理性。

通过与公司管理层及相关负责人交谈，了解公司投资的决策程序、管理层对投资风险及其控制所采取的措施，重点关注风险较大的投资项目。

采用与公司管理层交谈，查阅股东大会、董事会、总经理办公会等会议记录，查阅投资合同，查阅账簿、股权或债权投资凭证等方法，调查公司长短期投资的计价及收益确认方法是否符合会计准则的相关规定。

关注公司对纳入合并财务报表范围子公司的投资核算方法是否恰当。听取注册会计师的意见，关注影响子公司财务状况的重要方面，评价其财务报表信息的真实性。

第三十六条　调查公司固定资产和折旧的真实性、准确性、完整性和合理性。

通过查阅公司经审计的财务报告，询问会计人员，了解公司固定资产的计价政策、固定资产折旧方法、固定资产使用年限和残值率的估计，评价相关会计政策和估计是否符合会计准则的相关规定。通过查阅账簿、实地查看等方法，考察公司固定资产的构成及状况。

根据公司固定资产折旧政策，对固定资产折旧进行重新计算。分析累计折旧占固定资产原值的比重，判断固定资产是否面临淘汰、更新、大修、技术升级等情况，并评价其对公司财务状况和持续经营能力的影响程度。

关注公司购建、处置固定资产等是否履行了必要的审批程序，手续是否齐全。

第三十七条　调查公司无形资产的真实性、准确性、完整性和合理性。

通过查阅公司经审计的财务报告、询问会计人员，了解公司无形资产的计价政策、摊销方法、摊销年限，评价相关会计政策和估计是否符合会计准则的相关规定，判断其合理性。

通过查阅投资合同、资产评估报告、资产权属证明、账簿等方法，对股东投入的无形资产，评价无形资产的入账价值是否有充分的依据，关注投资方取得无形资产的方式是否合法；对公司购买的无形资产，关注出售方与公司是否存在关联方关系，无形资产定价是否合理；对公司自行开发的无形资产，关注其确认时间和价值是否符合会计准则的相关规定。

关注处置无形资产是否履行了必要的审批程序，手续是否齐全。当预计某项无形资产已经不能带来未来经济效益时，关注公司是否已将该项无形资产的账面价值予以转销。

第三十八条　调查公司资产减值准备的真实性、准确性、完整性和合理性。

通过查阅公司经审计的财务报告、询问会计人员等方法，了解公司各项资产减值准备的计提方法是否符合会计准则的相关规定，依据是否充分，比例是否合理。

采用重新计算、分析等方法，考察公司资产减值准备的计提情况是否与资产质量状况相符。

关注公司资产减值准备的计提、冲销和转回等是否履行了必要的审批程序，计提方法和比例是否随意变更，金额是否异常，分析是否存在利用资产减值准备调节　利润的情形。

第三十九条　调查公司历次资产评估情况。

通过查阅公司董事会决议，相关的资产评估报告，与公司相关业务人员交谈，咨询专业资产评估机构，调查公司自成立之日起的历次资产评估情况，包括资产评估的原因及相关用途；资产评估机构的名称及主要评估方法，资产评估前的账面值，评估值及增减情况，增减变化幅度较大的，应说明原因。

第四十条　调查公司应付款项的真实性、准确性、完整性和合理性。

查阅公司应付账款明细资料，结合公司行业特点和业务状况等因素，评价应付账款余额及其变动是否合理。抽查大额应付账款，调查其真实性、产生的原因、时间和相关采购业务的执行情况。核查应付票据的产生以及票据的利息核算，关注由此产生的风险。

分析公司应付账款和其他应付款账龄的合理性，了解账龄较长款项的形成原因及公司采取的措施。

第四十一条　调查公司收入的真实性、准确性、完整性和合理性。

通过询问会计人员，查阅银行存款、应收账款、收入等相关账簿，查阅公司销售商品或提供劳务的合同、定单、发出商品或提供劳务的凭证、收款凭证、发票、增值税、关税等完税凭证、销售退回凭证等，了解公司的收入确认会计政策是否符合会计准则的相关规定，核查公司是否虚计收入、是否存在提前或延迟确认收入的情况；了解公司收入构成，分析公司产品的价格、销量等影响因素的变动情况，判断收入是否存在异常变动或重大变动，并调查原因。关注公司销售模式对其收入确认的影响及是否存在异常。

第四十二条　调查公司成本的真实性、准确性、完整性和合理性。

通过查阅公司的生产流程管理文件和财务文件，与公司业务人员、会计人员访谈等方法，了解公司生产经营各环节的成本核算方法和步骤，确认公司的成本核算方法是否与业务情况相符，报告期内是否发生变化；取得公司主要产品或服务的成本明细表，分析产品或服务的单位成本构成情况，并结合公司生产经营情况、市场和同行业企业情况（如原材料市场价格、燃料和动力的耗用量、员工工资水平等），判断公司成本的合理性；关注公司是否存在未及时结转成本的情况。

第四十三条　调查公司广告费、研发费用、利息费等费用项目的真实性、准确性、完整性和合理性。

通过查阅重要广告合同、付款凭证等，分析广告费的确认时间和金额是否符合会计准则的相关规定，关注公司是否存在提前或延迟确认广告费的情况。

查阅账簿、凭证，询问相关业务人员等，调查公司是否存在将研究费用资本化的不合理情况。

通过查阅资本支出凭证、利息支出凭证、开工证明等资料，现场查看固定资产购建情况，重新计算利息费用等方法，调查公司利息费用资本化的情况是否符合会计准则的相关规定。对计入当期损益的利息费用，通过查阅借款合同、资金使用合同、利息支出凭证，重新计算等方法，调查公司利息费用是否真实、完整，关注逾期借款利息、支付给关联方的资金使用费等，评价公司是否存在财务费用负担较重的风险以及有关利息费用支付合同的有效性和公允性。

第四十四条　调查公司非经常性损益的真实性、准确性、完整性和合理性。

取得公司非经常性损益明细表，计算非经常损益及其占利润总额的比例，对非经常性损益占利润总额比例较高的，应通过查阅相关事项法律文件、审批记录、账簿、凭证、合同等方法，分析相关损益同公司正常经营业务的关联程度以及可持续性，判断其对公司财务状况和经营成果的影响。

第四十五条　调查公司最近两年的股利分配政策、实际股利分配情况以及公司股票公开转让后的股利分配政策。

第四十六条　调查公司合并财务报表。

通过查阅公司及其子公司经审计的财务报告，结合对公司投资事项的调查，了解公司与其子公司的股权关系，调查公司合并范围的确定及变动是否合理、公司与其子公司会计期间和会计政策是否一致及不一致时的处理是否符合相关规定、尽职调查所涵盖期间内合并范围是否发生变动，评价公司合并财务报表合并抵销的内容和结果是否准确。

对于纳入合并范围的子公司，应对其财务状况按照本指引的要求一并进行调查。

第四十七条　调查公司的关联方、关联方关系及关联方交易，说明相应的决策权限、决策程序、定价机制等情况，并根据交易的性质和频率，分别评价经常性和偶发性关联交易对公司财务状况和经营成果的影响。

通过与公司管理层交谈、查阅公司股权结构图和组织结构图、查阅公司重要会议记录和重要合同等方法，确认公司的关联方及关联方关系。

通过与公司管理层、会计机构和主要业务部门负责人交谈、查阅账簿和相关合同、听取律师及注册会计师意见等方法，调查公司关联方交易的以下内容：

（一）决策是否按照公司章程或其他规定履行了必要的审批程序；尤其是定价是否公允，与市场独立第三方价格是否有较大差异。如有，管理层应说明原因；

（二）来自关联方的收入占公司主营业务收入的比例、向关联方采购额占公司采购总额的比例；

（三）关联方的应收、应付款项余额分别占公司应收、应付款项余额的比例是否较高，关注关联方交易的真实性和关联方应收款项的可收回性；

（四）关联方交易产生的利润占公司利润总额的比例是否较高；

（五）关联方交易有无大额销售退回情况。如有，关注其对公司财务状况的影响；

（六）是否存在关联方关系非关联化的情形，例如，与非正常业务关系单位或个人发生的偶发性或重大交易，缺乏明显商业理由的交易，实质与形式明显不符的交易，交易价格、条件、形式等明显异常或显失公允的交易，应当考虑是否为虚构的交易、是否实质上是关联方交易、该交易背后是否还有其他安排；

（七）关联方交易存在的必要性和持续性，以及减少和规范关联交易的具体安排。

第四十八条　核查注册会计师对公司财务报告的审计意见。

通过查阅审计报告，核实注册会计师对公司财务报告出具的审计意见类型。如审计意见为带强调事项段的无保留意见，应要求公司董事会和监事会对审计报告涉及事项的处理情况作出说明，并关注该事项对公司的影响是否重大、影响是否已经消除、违反公允性的事项是否已予纠正。

第四十九条　公司最近二年更换会计师事务所的，项目小组应通过咨询会计人员、查阅会议记录、取得公司管理层说明等方法，调查公司更换会计师事务所的原因，履行审批程序情况，以及前后任会计师事务所的专业意见情况等。

第四节　公司合法合规调查

第五十条　调查公司设立及存续情况。

（一）通过查阅公司的设立批准文件、营业执照、公司章程、工商变更登记资料、工商年检等文件，判断公司设立、存续的合法性，核实公司设立、存续是否满二年。

（二）调查公司历次股权变动的情况，包括转让协议，转让价格、资产评估报告（如有），新股东所取得的各种特殊权利（如优先清算权、优先购买权、随售权等），此次转让后变更的公司章程以及董事会的变化情况。

（三）主办券商应对有限责任公司整体变更为股份有限公司（以下简称"改制"）进行重点调查，调查内容包括：查阅公司改制的批准文件、营业执照、公司章程、工商登记资料等文件，判断公司改制的合法合规性；查阅审计报告、验资报告等，调查公司改制时是否以变更基准日经审计的原账面净资产额为依据，折合股本总额是否不高于公司净资产；通过咨询公司律师或法律顾问，查阅董事会和股东会决议等文件，调查公司最近二年内主营业务和董事、高级管理人员是否发生重大变化，实际控制人是否发生变更，如发生变化或变更，判断对公司持续经营的影响。

第五十一条　调查公司最近二年股权变动的合法合规性以及股本总额和股权结构是否发生变化。

第五十二条　调查公司最近二年是否存在重大违法违规行为。

通过咨询公司律师或法律顾问，查阅已生效的判决书、行政处罚决定书以及其他能证明公司存在违法违规行为的证据性文件，判断公司是否存在重大违法违规行为。

通过询问公司管理层，查阅公司档案，向税务部门等查询，了解公司是否有违法违规记录。

第五十三条　通过与公司股东或股东的法定代表人交谈，查阅工商变更登记资料等，调查公司股份是否存在转让限制的情形，并取得公司股东或股东的法定代表人的股份是否存在质押等转让限制情形、是否存在股权纠纷或潜在纠纷的书面声明。

第五十四条　调查公司主要财产的合法性，是否存在法律纠纷或潜在纠纷以及其他争议。

通过查阅公司房产，土地使用权，商标、专利、版权、特许经营权等无形资产，以及主要生产经营设备等主要财产的权属凭证、相关合同等资料，咨询公司律师或法律顾问的意见，必要时进行实地查看，重点关注公司是否具备完整、合法的财产权属凭证，商标权、专利权、版权、特许经营权等的权利期限情况，判断是否存在法律纠纷或潜在纠纷。

第五十五条　调查公司的重大债务，重点关注将要履行、正在履行以及虽已履行完毕但可能存在潜在纠纷的重大合同的合法性、有效性；是否有因环境保护、知识产权、产品质量、劳动安全、人身权等原因产生的债务；以及公司金额较大的其他应付款是否因正常的生产经营活动发生，是否合法。

第五十六条　调查了解公司的纳税情况是否符合法律、法规和规范性文件的要求。

通过询问公司税务负责人，查阅公司税务登记证，了解公司及其控股子公司执行的税种、税率，查阅公司的纳税申报表、税收缴款书、税务处理决定书或税务稽查报告等资料，关注公司纳税情况是否符合法律、法规和规范性文件的要求，公司是否存在拖欠税款的情形，是否受过税务部门的处罚。

通过查阅公司有关税收优惠、财政补贴的依据性文件，判断公司享受优惠政策、财政补贴是否合法、合规、真实、有效。

第五十七条　调查公司环境保护和产品质量、技术标准是否符合相关要求。

通过询问公司管理层及相关部门负责人，咨询公司律师或法律顾问，取得公司有关书面声明等，关注公司生产经营活动是否符合环境保护的要求，是否受过环境保护部门的处罚；公司产品是否符合有关产品质量及技术标准，是否受过产品质量及技术监督部门的处罚。

第五十八条　通过对公司控股股东、实际控制人、董监高、核心技术（业务）人员访谈，询问公司律师或法律顾问，核查公司是否存在违约金或诉讼、仲裁费用的支出，走访公司住所地的法院和仲裁机构等方法，调查公司是否存在重大诉讼、仲裁和其他重大或有事项，分析该等已决和未决诉讼、仲裁与其他重大或有事项对公司的重大影响，并取得管理层对公司重大诉讼、仲裁和其他重大或有事项情况及其影响的书面声明。

第三章　尽职调查报告

第五十九条　在尽职调查报告扉页，财务会计调查人员、法律事项调查人员、行业分析师应分别声明：其已按照本指引的要求，对公司的财务会计相关事项、对公司的法律相关事项、对公司的行业和业务相关事项进行了尽职调查，有充分理由确信尽职调查报告内容不致因上述内容出现虚假记载、误导性陈述及重大遗漏，并对报告的真实性、准确性和完整性承担相应责任。

此外，项目小组负责人应声明：其已按照本指引的要求，对公司进行了尽职调查，有充分理由确信尽职调查报告无虚假记载、误导性陈述及重大遗漏，并对报告真实性、准确性和完整性承担相应责任。

第六十条　项目小组应在尽职调查报告中说明尽职调查涵盖的期间、调查范围、调查事项、调查程序和方法、发现的问题及存在的风险、评价或判断的依据等。项目小组应在尽职调查报告中说明公司对不规范事项的整改情况。

第六十一条　项目小组应在尽职调查报告中对公司的下列事项发表独立意见：

（一）公司控股股东、实际控制人情况及持股数量；

（二）公司的独立性；

（三）公司治理情况；

（四）公司规范经营风险；

（五）公司的法律风险；

（六）公司的财务风险；

（七）公司的持续经营能力；

（八）公司是否符合挂牌条件。

第六十二条　项目小组各成员应在尽职调查报告上签字，并加盖主办券商公章和注明报告日期。

第六十三条　除诸如有关公司基本情况等介绍性内容外，尽职调查报告应避免与挂牌申请文件中其他材料的有关内容重复。

第四章　尽职调查工作底稿

第六十四条　尽职调查工作底稿（以下简称“工作底稿”），是指项目小组在尽职调查过程中获取和制作的、与推荐挂牌业务相关的各种工作记录和重要资料的总称。

第六十五条　工作底稿应真实、准确、完整地反映所实施的尽职调查工作，并应成为出具尽职调查报告、推荐报告的基础。工作底稿是评价项目小组是否诚实守信、勤勉尽责地开展尽职调查工作的重要依据。

第六十六条　主办券商及相关人员对工作底稿中的未公开披露的信息负有保密责任。

第六十七条　本章的规定仅是对工作底稿的一般要求。无论本章是否有明确规定，凡对项目小组履行尽职调查职责有重大影响的文件资料及信息，均应作为工作底稿予以留存。

公司子公司对公司业务经营或财务状况有重大影响的，主办券商应参照本章根据重要性和合理性原则对该子公司单独编制工作底稿。

第六十八条　工作底稿包括工作记录和附件，其中工作记录用于记录调查过程、调查内容、方法和结论等；附件是项目小组取得或制作的、能够证明所实施的调查工作、支持调查结论的相关资料，是进一步说明工作记录的支撑性文件；附件应直接附于工作记录之后。

第六十九条　工作底稿应内容完整、格式规范、记录清晰、结论明确。工作记录内容至少包括：公司名称、调查事项的时间或期间、调查人员、调查日期、调查地点、调查过程、调查内容、方法和结论、其他应说明的事项等。工作底稿应有调查人员及与调查相关人员的签字。

对于从公司或第三方取得并经确认的相关资料，除注明资料来源外，调查人员还应实施必要的调查程序，形成相应的调查记录和必要的签字。

第七十条　对于取得的附件，如为公司出具的，应要求公司加盖公章；如为第三方出具的，应由第三方加盖公章；如第三方无法加盖公章，应由公司加盖公章，以确认与原件一致。对于访谈笔录，应由访谈人和被访谈人签字确认。项目小组成员自行制作的附件，项目小组成员应签字确认。

第七十一条　工作底稿可以纸质文档、电子文档或者其他介质形式的文档留存，其中重要的工作底稿应采用纸质文档的形式。以纸质以外的其他介质形式存在的工作底稿，应以可独立保存的形式留存。

第七十二条　主办券商应对工作底稿建立统一目录以便于查阅与核对。

工作底稿中的工作记录和附件均应标有索引编号。索引编号应统一规范、清晰有序。工作底稿各章节　之间应有明显的分隔标识。相关工作底稿之间，应保持清晰的勾稽关系。相互引用时，相关工作底稿上应交叉注明索引编号。

第七十三条　主办券商应建立工作底稿管理制度，明确工作底稿收集整理的责任人员、归档保管流程、借阅程序与检查办法等。

工作底稿的纸制与电子文档保存期不少于十年。

第五章　附则

第七十四条　本指引由全国股份转让系统公司负责解释。

第七十五条　本指引自发布之日起施行。

公司业务类

全国中小企业股份转让系统优先股业务指引（试行）

第一章　总则

第一条　为规范全国中小企业股份转让系统（以下简称“全国股转系统”）的优先股试点工作，保护投资者合法权益，根据《国务院关于开展优先股试点的指导意见》(以下简称《指导意见》)、《优先股试点管理办法》(以下简称《试点办法》)、《非上市公众公司监督管理办法》(以下简称《管理办法》)等有关规定,以及《全国中小企业股份转让系统业务规则(试行)》(以下简称《业务规则》)等业务规则,制定本指引。

第二条　发行人向符合《试点办法》规定的合格投资者发行优先股并在全国股转系统进行转让的,适用本指引的规定。

前款所称的发行人包括:

(一)普通股在全国股转系统挂牌的公司(以下简称"挂牌公司")、申请其普通股在全国股转系统挂牌的公司(以下简称"申请挂牌公司");

(二)符合中国证监会规定的其他非上市公众公司;

(三)注册在境内的境外上市公司。

第三条　发行人应当遵守《指导意见》、《试点办法》等关于非上市公众公司优先股发行、转让和信息披露的相关规定。

第四条　普通股股东人数与优先股股东人数合并累计不超过二百人的挂牌公司,按照本指引的规定发行优先股的,应当向全国中小企业股份转让系统有限责任公司(以下简称"全国股转公司")履行备案程序。

前款所称的"普通股股东人数与优先股股东人数合并累计不超过二百人"是指挂牌公司董事会确定的,审议本次优先股发行的股东大会的股权登记日,在册的普通股股东人数和优先股股东人数,与本次发行的优先股股东人数,合并累计之和不超过二百人。

经中国证监会核准发行优先股的非上市公众公司、注册在境内的境外上市公司,其优先股拟在全国股转系统进行转让的,应当在中国证监会核准并完成发行后,向全国股转公司办理优先股挂牌手续。

第五条　优先股的发行备案或挂牌,应由在全国股转系统从事推荐业务的主办券商推荐。

第六条　主办券商和律师事务所应当在尽职调查基础上,分别对本次优先股发行出具推荐工作报告和法律意见书。

第七条　申请挂牌公司发行优先股并在全国股转系统进行转让的,参照适用本指引的相关规定。

第八条　优先股在全国股转系统进行转让的,发行人应当在其优先股挂牌前,与全国股转公司签署优先股转让服务协议,明确双方的权利、义务和有关事项。

第九条　优先股的登记、存管和结算等业务,按中国证券登记结算有限责任公司(以下简称"中国结算")的相关业务规则办理。

第二章　发行

第十条　发行人应当符合《试点办法》第四十一条、第四十二条的规定。

第十一条　发行人存在下列情形之一的,不得发行优先股:

(一)本次发行申请文件有虚假记载、误导性陈述或重大遗漏;

(二)最近十二个月内受到过中国证监会的行政处罚;

(三)因涉嫌犯罪正被司法机关立案侦查或涉嫌违法违规正被中国证监会立案调查;

(四)发行人的权益被控股股东或实际控制人严重损害且尚未消除;

(五)发行人及其附属公司违规对外提供担保且尚未解除;

(六)存在可能严重影响公司持续经营的担保、诉讼、仲裁、市场重大质疑或其他重大事项;

(七)其董事和高级管理人员不符合法律、行政法规和规章规定的任职资格;

(八)严重损害投资者合法权益和社会公共利益的其他情形。

第十二条　发行人应当向符合《试点办法》第六十五条规定的合格投资者发行优先股。每次发行对象不得超过二百人,且持有相同条款优先股的发行对象累计不得超过二百人。

第十三条　发行对象可以用现金或非现金资产认购发行的优先股。发行对象以非现金资产认购优先股的,应当按照《全国中小企业股份转让系统股票发行业务细则(试行)》(以下简称《股票发行细则》)等相关规定,履行相应的程序和信息披露义务。

第十四条　发行人的董事会、股东大会就优先股发行作出决议,应当符合《试点办法》第四十四条、第四十五条的规定。

第十五条　发行人须修改公司章程,以明确优先股股东参与利润和剩余财产分配、优先股股东的表决权限制与恢复等事项的,发行人董事会应就修改公司章程和发行优先股一并作出决议,并提交股东大会审议。

第十六条　普通股股东人数与优先股股东人数合并累计不超过二百人的挂牌公司,其优先股的发行、备案等程序按照《股票发行细则》等业务规则的相关规定办理。发行人应当在验资完成后的十个转让日内,编制和报送备案材料,全国股转公司对备案材料进行审查后,根据审查结果出具优先股登记函。

第十七条　经中国证监会核准发行优先股的非上市公众公司、注册在境内的境外上市公司,其优先股在全国股转系统进行转让的,应当在验资完成后的十个转让日内,向全国股转公司办理优先股挂牌手续。

第三章　转让服务

第十八条　优先股的计价单位为"每股价格",每股票面金额为100元人民币,申报价格最小变动单位为0.01元人民币。买卖优先股的申报数量应当为1000股或其整数倍;卖出优先股时,余额不足1000股部分,应当一次性申报卖出。

第十九条　全国股转系统接受优先股转让申报的时间为每个转让日的9:15至11:30,13:00至15:00。

第二十条　在全国股转系统转让的优先股可以采取以下申报方式:

(一)定价申报。投资者可以委托主办券商按其指定的价格买卖不超过其指定数量优先股,定价申报应包括证券账户号码、证券代码、交易单元代码、证券营业部识别码、买卖方向、申报数量、申报价格等内容。

(二)成交确认申报。转让双方就品种、价格、数量达成成交协议,或投资者拟与定价申报成交,可以委托主办券商以指定价格和数量与指定对手方确认成交,成交确认申报应包括:证券账户号码、证券代码、交易单元代码、证券营业部识别码、买卖方向、申报数量、申报价格、成交约定号等内容;转让双方达成成交协议、均拟委托主办券商通过成交确认申报成交的,还应注明对手方交易单元代码和对手方证券账户号码。

第二十一条　全国股转系统收到拟与定价申报成交的成

交确认申报后，如系统中无对应的定价申报，该成交确认申报以撤单处理。

第二十二条　每个转让日的9:30至11:30、13:00至15:00为优先股转让的成交确认时间。

第二十三条　全国股转系统按照申报时间先后顺序，将成交确认申报和与该成交确认申报证券代码、申报价格相同，买卖方向相反及成交约定号一致的定价申报进行确认成交。

成交确认申报与定价申报可以部分成交。

成交确认申报数量小于定价申报的，以成交确认申报的数量为成交数量。定价申报未成交部分当日继续有效。

成交确认申报数量大于定价申报的，以定价申报的数量为成交数量。成交确认申报未成交部分以撤单处理。

第二十四条　全国股转系统对证券代码、申报价格和申报数量相同，买卖方向相反，指定对手方交易单元、证券账户号码相符及成交约定号一致的成交确认申报进行确认成交。

第二十五条　投资者买入的优先股，在交收前不得卖出。

第二十六条　优先股的除息处理独立于普通股进行，并单独公布相应的除息参考价格。

第二十七条　优先股转让环节的投资者适当性标准应当与发行环节保持一致。相同条款的优先股经转让后，投资者不得超过二百人。

根据本指引所述成交原则，全国股转系统按照申报时间先后顺序对转让申报进行确认成交，对导致投资者超过二百人的转让不予确认。

第二十八条　主办券商应当切实履行投资者适当性管理职责，通过现场问询、核对资料、签订确认书等方式，审查参与优先股转让的投资者是否为符合规定的合格投资者，并留存有关资料。

主办券商应当向首次参与优先股转让的投资者全面介绍优先股的产品特征和相关制度规则，充分揭示投资风险，并要求其签署优先股投资风险揭示书。

第二十九条　开盘价，为当日该优先股的第一笔成交价。

第三十条　收盘价，为当日该优先股所有转让的成交量加权平均价；当日无成交的，以前收盘价为当日收盘价。优先股挂牌首日，以发行价为前收盘价。

第三十一条　主办券商应保证参与优先股转让的投资者账户具备与申报相对应的优先股或资金。

持有或者租用全国股转系统交易单元的机构参与优先股转让，应当通过持有或者租用的交易单元申报，并确保具备与申报相对应的优先股或资金。

第三十二条　全国股转系统向主办券商实时发送申报及成交信息，主办券商应当向其符合投资者适当性要求的投资者即时提供该信息。

第三十三条　全国股转公司每个转让日收市后公布当日每笔成交信息，内容包括证券代码、证券简称、成交价格、成交数量、买卖双方主办券商证券营业部或交易单元的名称等。

优先股转让公开信息涉及机构专用交易单元的，公布名称为“机构专用”。

第三十四条　主办券商应对优先股的转让信息予以独立显示。

第三十五条　优先股的暂停、恢复转让事宜，按照《业务规则》关于暂停、恢复转让的有关规定执行。

挂牌公司的普通股暂停、恢复转让的，其优先股应当同时暂停、恢复转让。

第三十六条　优先股的终止、重新挂牌事宜，按照《业务规则》关于终止、重新挂牌的有关规定执行。

挂牌公司的普通股终止转让的，其优先股应当同时终止转让。

第三十七条　优先股转让的相关事宜，本指引未规定的，参照《全国中小企业股份转让系统股票转让细则(试行)》中关于协议转让的有关规定执行。

第四章　信息披露

第一节　发行披露

第三十八条　发行人应当分别在董事会和股东大会通过优先股发行决议之日起两个转让日内披露董事会、股东大会决议公告。

第三十九条　发行人的董事会决议公告，应当按照《试点办法》第四十四条的规定包含下列事项及其表决结果：

(一)本次发行优先股的方案，包括发行数量、优先股股东参与分配利润的方式、赎回或回售条款(如有)等；

(二)董事会决议确定具体发行对象的，应当确定具体的发行对象名称及其认购价格或定价原则、认购数量或数量区间等；董事会决议未确定具体发行对象的，董事会决议应当明确发行对象的范围和资格、定价原则等；

(三)本次发行优先股对公司各类股东权益的影响；

(四)发行目的与募集资金用途；

(五)公司章程的修订方案；

(六)其他事项。

第四十条　发行人应当在缴款期前披露优先股认购公告，明确缴款安排。本次发行安排现有优先股股东优先认购的，应明确优先认购安排。

第四十一条　发行人在优先股挂牌转让前，应当披露优先股转让公告。

第四十二条　发行人在披露优先股转让公告的同时，应当披露定向发行优先股说明书、发行情况报告书、主办券商推荐工作报告和法律意见书。

第四十三条　发行人应当按照中国证监会《非上市公众公司信息披露内容与格式准则第7号》的规定，编制并披露定向发行优先股说明书和发行情况报告书。

经中国证监会核准发行优先股的非上市公众公司、注册在境内的境外上市公司，应遵守中国证监会对其信息披露的相关规定，并参照适用本指引的规定。

第二节　持续信息披露

第四十四条　发行人披露定期报告时，应当按照《试点办法》等规定，披露优先股的有关情况。相关业务规则另行制定。

第四十五条　发行人应当按照挂牌公司信息披露的相关业务规则，及时披露对优先股转让价格产生较大影响的信息，包括但不限于优先股挂牌、付息、调息、赎回、回售，优先股股东表决权的恢复、行使、变动，优先股股东分类表决，优先股募集资金的存放、使用，分配利润或剩余财产，以及转换为普通股等。

挂牌公司按照全国股转系统信息披露的相关业务规则，对重大事件发布临时公告时，如该重大事件对优先股价格或优先股股东权益可能产生较大影响的，应当在临时公告中予以专门说明。

第四十六条　优先股付息日前的两个转让日内，发行人应当披露优先股付息公告。完成股息支付后的两个转让日内，发行人应当披露优先股股东的利润分配情况。

第四十七条　发行人应当在满足优先股赎回条件或回售条件的两个转让日内，披露赎回或回售的提示性公告。赎回提示性公告中应当明确披露是否行使赎回权。发行人还应当在赎回期或回售期结束前至少发布三次赎回提示性公告（如决定行使赎回权）或回售提示性公告。公告中应当载明赎回或回售的程序、价格、付款方法、付款时间等。

优先股赎回或回售实施完成后，发行人应当披露优先股赎回或回售结果公告。

第四十八条　优先股股东按照法律法规和公司章程的规定，对股东大会审议的特定事项享有表决权的，发行人应当在召开股东大会的通知中，予以提示。

第四十九条　发行人累计三个会计年度或连续两个会计年度未按约定支付优先股股息的，应当在披露批准当年利润分配方案的股东大会决议同时，披露优先股表决权恢复的提示性公告。公告应当载明优先股表决权恢复的起始期限、每股优先股享有的表决权比例等内容。

对于股息可累积到下一会计年度的优先股，发行人应当在其全额支付所欠股息后的两个转让日内，披露表决权恢复终止的提示性公告。对于股息不可累积的优先股，发行人应当在其全额支付当年股息后的两个转让日内，披露表决权恢复终止的提示性公告。

发行人出现公司章程规定的其他优先股表决权恢复情形的，应当参照前两款规定发布提示公告。

第五十条　商业银行发行触发条件发生时强制可转换为普通股的优先股，应当在触发条件发生后的两个转让日内，披露优先股转换为普通股的提示性公告。转换完成后，应当披露股权结构的变动情况。

第五十一条　投资者通过转让或其它方式取得可转换优先股达到该优先股发行总量的20%后，应在该事实发生之日起两个转让日内予以公告，同时报告全国股转公司并通知发行人；自该事实发生之日起至披露后两个转让日内，不得再行买卖该发行人的优先股和普通股。

投资者持有的可转换优先股达到该优先股发行总量的20%后，其持有的优先股占该优先股发行总量的比例每增加或减少10%，应当依照前述规定进行报告和公告；自该事实发生之日起至披露后两个转让日内，不得再行买卖该发行人的优先股和普通股。

第五十二条　优先股的风险警示事宜，按照《业务规则》关于风险警示的规定执行，并予以公告。

发行人的普通股被实施风险警示的，其优先股应当同时实施风险警示。

第五章　监管措施和违规处分

第五十三条　发行人及其董事、监事、高级管理人员、股东、实际控制人及其他相关信息披露义务人，主办券商、会计师事务所、律师事务所及其他证券服务机构，以及投资者等市场主体违反本指引及有关规定的，全国股转公司依据《业务规则》采取相应监管措施及纪律处分。

第六章　附则

第五十四条　优先股的转让限制与解除转让限制应当符合《试点办法》第十四条的规定，具体程序按照挂牌公司普通股转让限制与解除转让限制的相关规定办理。

第五十五条　发行人在全国股转系统发行优先股涉及重大资产重组的，按照中国证监会和全国股转公司的相关规定办理。

第五十六条　发行优先股并在全国股转系统进行转让的，应缴纳优先股挂牌初费、优先股挂牌年费和优先股转让经手费。

发行人应按照每次发行的优先股股本缴纳优先股挂牌初费。

发行人应按照上一年度年末的优先股股本缴纳挂牌年费。挂牌当年的挂牌年费，按照该次发行的优先股股本和实际挂牌月份（自挂牌日的次月起计算）予以折算，与挂牌初费一并缴纳。

投资者应按优先股转让成交金额缴纳优先股转让经手费。

试点期间，优先股挂牌初费、优先股挂牌年费和优先股转让经手费的收费标准按照全国股转系统普通股相应收费标准收取。

第五十七条　本指引由全国股转公司负责解释。

第五十八条　本指引自发布之日起施行。

全国中小企业股份转让系统非上市公众公司重大资产重组业务指引

（试行）

第一章　总则

第一条　为规范股票在全国中小企业股份转让系统（以下简称全国股份转让系统）公开转让的公众公司（以下简称公司）重大资产重组的信息披露和相关业务办理流程，根据《非上市公众公司监督管理办法》、《非上市公众公司重大资产重组管理办法》（以下简称《重组办法》）等部门规章以及全国中小企业股份转让系统有限责任公司（以下简称全国股份转让系统公司）相关业务规则，制定本指引。

第二条　本指引所称重大资产重组，是指公司及其控股或者控制的企业在日常经营活动之外购买、出售资产或者通过其他方式进行资产交易，导致公司业务、资产发生重大变化的资产交易行为。公司重大资产重组的判断标准，适用《重组办法》的有关规定。

公司进行重大资产重组，应当符合《重组办法》中关于公众公司重组的各项要求。

第三条　公司必须保证重大资产重组事项（以下简称重大重组事项）的真实性并及时进行信息披露，不得虚构重大重组事项向全国股份转让系统公司申请暂停转让或发布信息，损害投资者权益。

第四条　全国股份转让系统公司对公司重大资产重组信息披露文件的完备性进行审查。

为公司提供持续督导的主办券商未担任公司独立财务顾问的，应当遵守《全国中小企业股份转让系统业务规则（试行）》的规定，履行持续督导义务。

第二章　暂停转让与内幕知情人报备

第五条　公司与交易对方筹划重大重组事项时，应当做好保密工作和内幕信息知情人登记工作，密切关注媒体传闻、公司股票及其他证券品种（以下简称证券）的转让价格变动情况，并结合重大重组事项进展，及时申请公司证券暂停转让并报送材料。

在公司证券暂停转让前，全国股份转让系统公司不接受任何与该公司重大重组事项相关的业务咨询，也不接收任何与重大资产重组相关的材料。

第六条　公司出现下列情形之一时，应当立即向全国股份转让系统公司申请公司证券暂停转让：

（一）交易各方初步达成实质性意向；

（二）虽未达成实质意向，但在相关董事会决议公告前，相关信息已在媒体上传播或者预计该信息难以保密或者公司证券转让价格出现异常波动；

（三）本次重组需要向有关部门进行政策咨询、方案论证。

除挂牌公司申请证券暂停转让的情形外，全国股份转让系统有权在必要情况下对挂牌公司证券主动实施暂停转让。

第七条　公司因本指引第六条规定情形申请暂停转让的，应当按照《全国中小企业股份转让系统挂牌公司暂停与恢复转让业务指南（试行）》（以下简称《暂停与恢复转让业务指南》）的规定办理证券暂停转让与恢复转让的相关事宜。

第八条　在公司证券转让时段，全国股份转让系统公司不接受任何关于公司重大重组事项的暂停转让申请及材料报送。全国股份转让系统公司设立专门的纸质文件传真机（传真号010－63889872），在转让日收市后15时30分至16时30分之间接收公司的暂停转让申请。公司通过其他方式、其他渠道提交的暂停转让申请不得早于通过前述专门用途传真机的提交时间。

全国股份转让系统公司对公司重大重组事项暂停转让申请实行统一登记、集中管理。公司必须在确认公司证券已暂停转让后才能开始与我司工作人员沟通重大重组事项相关业务。

第九条　公司须根据《暂停与恢复转让业务指南》发布公司证券暂停转让的公告，并在公告中明确恢复转让的最晚时点。证券暂停转让时间由公司自主确定，但原则上不应超过3个月，且恢复转让日与重大重组事项首次董事会召开的时间间隔不得少于9个转让日。

暂停转让时间确需超过3个月的，应当向全国股份转让系统公司说明理由，并在取得全国股份转让系统公司的同意后发布关于公司证券长期暂停转让的公告。

挂牌公司证券暂停转让后，应当每月披露一次重大资产重组进展情况报告，说明重大资产重组的谈判、批准、定价等事项进展情况和可能影响重组的不确定因素。

第十条　公司应当在证券暂停转让之日起5个转让日内，按照《全国中小企业股份转让系统重大资产重组业务指南第1号：非上市公众公司重大资产重组内幕信息知情人报备指南》的要求，向全国股份转让系统公司提交完整的内幕信息知情人及直系亲属名单、相关人员买卖公司证券的自查报告、公司重大资产重组交易进程备忘录及公司全体董事对内幕信息知情人报备文件真实性、准确性和完整性的承诺书。

公司预计证券暂停转让日距离重大资产重组首次董事会召开不足5个转让日的，应当在申请暂停转让的同时提交上述材料。

第十一条　全国股份转让系统公司在收到内幕信息知情人名单及自查报告后，将对内幕信息知情人在暂停转让申请日前六个月的公司证券转让情况进行核查。

发现异常转让情况，全国股份转让系统有权要求公司、独立财务顾问及其他相关主体对转让情况做出进一步核查；涉嫌利用公司重大资产重组信息从事内幕交易、操纵证券市场等违法活动的，全国股份转让系统有权采取自律管理措施，并向中国证监会报告。

第三章　信息披露与恢复转让

第十二条　公司应当在重大重组事项首次董事会召开后2个转让日内，按《重组办法》及相关规范性文件的要求制作并披露相关的信息披露文件。

第十三条　全国股份转让系统在公司信息披露后的5个转让日内对信息披露的完备性进行审查；全国股份转让系统对信息披露未提出异议的，公司应当在审查期满后向全国股份转让系统申请证券恢复转让。

发现信息披露存在完备性问题的，全国股份转让系统有权要求公司对存在问题的信息披露内容进行解释、说明和更正；公司预计在原定最晚恢复转让日仍无法恢复转让的，应当在接到全国股份转让系统关于信息披露异议的同时，申请延后最晚恢复转让日。

发现公司重大资产重组信息披露涉嫌虚假披露、误导性陈述、重大遗漏或存在程序不规范问题的，全国股份转让系统有权采取自律监管措施并向中国证监会报告，公司应当同时申请证券持续暂停转让。

第十四条　公司预计在最晚恢复转让日前7个转让日仍无法进行首次信息披露的，应当至少在最晚恢复转让日前9个转让日将相关情况书面告知全国股份转让系统公司，并同时申请延后最晚恢复转让日。

暂停转让延后申请获得全国股份转让系统公司批准后，公司应当在2个转让日内发布重大资产重组进展情况报告，说明延迟披露的原因、更改后的最晚恢复转让日以及重大资产重组的最新进展情况。此后，公司应当每5个转让日比照上述要求进行一次信息披露。

因全国股份转让系统公司对信息披露提出异议申请延后最晚恢复转让日的，公司须按上述要求履行相关的信息披露程序。

第十五条　公司聘请的独立财务顾问应当对公司是否可以及时披露信息进行判断，发现公司可能或确定无法及时披露信息的，应当督促公司主动书面告知全国股份转让系统并申请延后最晚恢复转让日。

公司根据本指引第十四条需要披露重大资产重组进展报告的，独立财务顾问应当同时披露风险揭示公告，就延后披露信息的原因及可能造成的风险向投资者进行解释说明。

第十六条　公司未向全国股份转让系统申请延后最晚恢复转让日，且在最晚恢复转让日前7个转让日仍未能进行首次信息披露的，全国股份转让系统有权要求独立财务顾问对相关情况进行核查，并根据核查结果采取自律管理措施。情节严重的，可以给予纪律处分、要求其暂停重大资产重组行为并报告中国证监会。

公司聘请的独立财务顾问应当在最晚恢复转让日后2个转让日内发布风险提示公告，就公司未能进行信息披露的原因及可能造成的风险向投资者进行解释说明。

第十七条　公司证券暂停转让期内，证监会对其作出终止重大资产重组决定的，全国股份转让系统公司有权强制恢复公司证券转让，并要求公司及其独立财务顾问履行相应的信息披露义务。

第十八条　因公司拟对交易对象、交易标的、交易价格等作出变更，构成原重组方案重大调整的，应当在董事会表决后重新提交股东大会审议，并重新履行申请暂停转让、内幕知情人报备、信息披露及申请恢复转让等程序。

支付手段发生变更的，应当视为重组方案的重大调整，并履行前款规定的相关程序。

第四章　发行股份购买资产

第十九条　公司发行股份购买资产构成重大资产重组且发行结束后股东人数不超过两百人的，应当向全国股份转让系统公司申请备案。

涉及重大资产重组的股票发行信息披露及具体操作流程，须遵守《重组办法》及本指引的要求，不再适用《全国中小企业股份转让系统股票发行业务细则（试行）》的有关规定。

涉及以发行股份和其他支付手段混合认购资产构成重大资产重组的，按照发行股份购买资产构成重大资产重组的规定办理。

第二十条　公司发行股份购买资产构成重大资产重组的，发行对象需满足中国证监会及全国股份转让系统公司关于投资者适当性的有关规定。

第二十一条　涉及以优先股、债券等其他支付手段购买资产构成重大资产重组的，应当适用《重组办法》的有关规定，并遵守中国证监会和全国股份转让系统公司的相关规范性文件。

第二十二条　公司涉及发行股份购买资产构成重大资产重组的，应当在验资完成后 10 个转让日内，根据《全国中小企业股份转让系统重大资产重组业务指南第 2 号：非上市公众公司发行股份购买资产构成重大资产重组文件报送指南》的要求，向全国股份转让系统公司报送股票发行备案或股票登记申请文件。

公司在取得全国股份转让系统出具的股份登记函后，应当及时办理新增股份登记。

第五章　退市公司补充规定

第二十三条　退市公司进行重大资产重组的，应当遵守《重组办法》及本指引的有关规定，并执行《重组办法》关于退市公司重大资产重组的特别规定。

第二十四条　退市公司在披露重大资产重组报告书时应当同时发布特别提示，对本次重大资产重组是否符合《重组办法》的要求以及公司在信息披露、公司治理方面的规范性进行说明。

第六章　附则

第二十五条　本指引由全国股份转让系统公司负责解释。

第二十六条　本指引自发布之日起实施。

全国中小企业股份转让系统股票发行业务细则

（试行）

第一章　总则

第一条　为了规范挂牌公司的股票发行行为，保护投资者合法权益，根据《非上市公众公司监督管理办法》（以下简称《管理办法》）、《全国中小企业股份转让系统有限责任公司管理暂行办法》、《全国中小企业股份转让系统业务规则（试行）》（以下简称《业务规则》）等有关规定，制定本细则。

第二条　本细则规定的股票发行，是指挂牌公司向符合规定的投资者发行股票，发行后股东人数累计不超过 200 人的行为。

实施本细则规定的股票发行，应当按照规定向全国中小企业股份转让系统有限责任公司（以下简称“全国股份转让系统公司”）履行备案程序。

第三条　挂牌公司股票发行，必须真实、准确、完整、及时、公平地披露信息，不得有虚假记载、误导性陈述或者重大遗漏。

挂牌公司的控股股东、实际控制人、股票发行对象及其他信息披露义务人，应当按照有关规定及时向公司提供信息，配合公司履行信息披露义务。

第四条　挂牌公司的董事、监事、高级管理人员、控股股东及实际控制人，主办券商、会计师事务所、律师事务所等证券服务机构及其相关人员，应当遵守有关法律法规、规章、规范性文件及业务规定，勤勉尽责，不得利用挂牌公司股票发行谋取不正当利益，禁止泄露内幕信息和利用内幕信息进行股票转让或者操纵股票转让价格。

第五条　挂牌公司、主办券商选择发行对象、确定发行价格或者发行价格区间，应当遵循公平、公正原则，维护公司及其股东的合法权益。

第六条　发行股票导致挂牌公司的控股股东或者实际控制人发生变化的，相关规定另行制定。

发行股票购买资产导致重大资产重组，且发行后股东人数累计不超过 200 人的，相关规定另行制定。

第二章　发行要求与认购规定

第七条　挂牌公司股票发行应当满足《管理办法》规定的公司治理、信息披露及发行对象的要求。

第八条　挂牌公司股票发行以现金认购的，公司现有股东在同等条件下对发行的股票有权优先认购。每一股东可优先认购的股份数量上限为股权登记日其在公司的持股比例与本次发行股份数量上限的乘积。

公司章程对优先认购另有规定的，从其规定。

第九条　发行对象承诺对其认购股票进行转让限制的，应当遵守其承诺，并予以披露。

第十条　发行对象可用现金或者非现金资产认购发行股票。

第三章　董事会与股东大会决议

第十一条　挂牌公司董事会应当就股票发行有关事项作出决议。

第十二条　挂牌公司董事会作出股票发行决议，应当符合下列规定：

（一）董事会决议确定具体发行对象的，董事会决议应当明确具体发行对象（是否为关联方）及其认购价格、认购数量或数量上限、现有股东优先认购办法等事项。认购办法中应当明确现有股东放弃优先认购股票份额的认购安排。

已确定的发行对象（现有股东除外）与公司签署的附生效条件的股票认购合同应当经董事会批准。

（二）董事会决议未确定具体发行对象的，董事会决议应当明确发行对象的范围、发行价格区间、发行价格确定办法、发行数量上限、现有股东优先认购办法等事项。

（三）发行对象用非现金资产认购发行股票的，董事会决议应当明确交易对手（应当说明是否为关联方）、标的资产、作价原则及审计、评估等事项。

（四）董事会应当说明本次发行募集资金的用途。

第十三条　董事会决议确定具体发行对象的，挂牌公司应当与相关发行对象签订附生效条　件的股票认购合同。

前款所述认购合同应当载明该发行对象拟认购股票的数量或数量区间、认购价格、限售期，同时约定本次发行经公司董事会、股东大会批准后，该合同即生效。

第十四条　挂牌公司股东大会应当就股票发行等事项作出决议。

第十五条　挂牌公司股东大会审议通过股票发行方案后，董事会决议作出重大调整的，公司应当重新召开股东大会并按照第十四条的规定进行审议。

第四章　发行与备案

第十六条　董事会决议确定具体发行对象的，挂牌公司应当按照本细则及有关要求，依据股票认购合同的约定发行股票；有优先认购安排的，应当办理现有股东优先认购手续。

第十七条　董事会决议未确定具体发行对象的，挂牌公司及主办券商可以向包括挂牌公司股东、主办券商经纪业务客户、机构投资者、集合信托计划、证券投资基金、证券公司资产管理计划以及其他个人投资者在内的询价对象进行询价，询价对象应当符合投资者适当性的规定。

第十八条　挂牌公司及主办券商应当在确定的询价对象范围内接收询价对象的申购报价；主办券商应根据询价对象的申购报价情况，按照价格优先的原则，并考虑认购数量或其他因素，与挂牌公司协商确定发行对象、发行价格和发行股数。

现有股东优先认购的，在相同认购价格下应优先满足现有股东的认购需求。

第十九条　依据第十八条规定确定发行价格后，挂牌公司应当与发行对象签订正式认购合同，发行对象应当按照合同约定缴款。

第二十条　挂牌公司应当在股票发行认购结束后及时办理验资手续，验资报告应当由具有证券、期货相关业务资格的会计师事务所出具。

第二十一条　主办券商和律师事务所应当在尽职调查基础上，分别对本次股票发行出具书面意见。

第二十二条　挂牌公司在验资完成后十个转让日内，按照规定向全国股份转让系统公司报送材料，履行备案程序。

第二十三条　全国股份转让系统公司对材料进行审查，并根据审查结果出具股份登记函，送达挂牌公司并送交中国证券登记结算有限责任公司（以下简称“中国结算”）和主办券商。

以非现金资产认购股票的情形，尚未完成相关资产权属过户或相关资产存在重大法律瑕疵的，全国股份转让系统公司不予出具股份登记函。

第二十四条　挂牌公司按照中国结算相关规定，向中国结算申请办理股份登记，并取得股份登记证明文件。

主办券商应当协助挂牌公司持股份登记函向中国结算办理股份登记手续。

挂牌公司完成股份登记的办理后，新增股票按照挂牌转让公告中安排的时间在全国中小企业股份转让系统挂牌转让。

第五章　信息披露

第二十五条　挂牌公司应当分别在董事会和股东大会通过股票发行决议之日起两个转让日内披露董事会、股东大会决议公告。

第二十六条　以非现金资产认购股票涉及资产审计、评估的，资产审计结果、评估结果应当最晚和召开股东大会的通知同时公告。

第二十七条　挂牌公司应当在披露董事会决议的同时，披露经董事会批准的股票发行方案。

第二十八条　挂牌公司应当在缴款期前披露股票发行认购公告，其中应当披露缴款的股权登记日、投资者参与询价、定价情况，股票配售的原则和方式及现有股东优先认购安排（如有），并明确现有股东及新增投资者的缴款安排。

第二十九条　挂牌公司应当按照要求披露股票发行情况报告书、股票发行法律意见书、主办券商关于股票发行合法合规性意见和股票挂牌转让公告。

第六章　监管措施和违规处分

第三十条　挂牌公司及其董事、监事、高级管理人员、股东、实际控制人及其他相关信息披露义务人，主办券商、会计师事务所、律师事务所及其他证券服务机构，违反本细则及有关规定的，全国股份转让系统公司依据《业务规则》等有关规定采取相应监管措施及纪律处分。

第七章　附则

第三十一条　申请挂牌同时股票发行，应当在《公开转让说明书》中披露董事会、股东大会决议等内容，并遵守全国股份转让系统公司相关业务规则。

第三十二条　经中国证监会核准的股票发行，公司应当在取得中国证监会的核准文件后，按照全国股份转让系统公司的规定办理股票挂牌手续。

第三十三条　挂牌公司发行优先股的具体业务规则由全国股份转让系统公司另行制定。

第三十四条　本细则由全国股份转让系统公司负责解释。

第三十五条　本细则自发布之日起施行。

全国中小企业股份转让系统票发行务指引第1号——备案文件的内容与格式
（试行）

第一条　为了规范股票发行备案文件的内容与格式，根据《全国中小企业股份转让系统业务规则（试行）》、《全国中小企业股份转让系统股票发行业务细则（试行）》等有关规定，制定本指引。

第二条　向全国股份转让系统公司履行股票发行备案程序的挂牌公司，应按照本指引要求制作和报送备案文件。

第三条　公司报送备案文件应提交原件一份，复印件二份。每次报送书面备案文件的同时，应报送一份与书面文件一致的电子文件（WORD、EXCEL、PDF 及全国股份转让系统公司要求的其他文件格式）。

第四条　涉及非现金资产认购的，非现金资产若为股权资产，应当提供具有证券、期货相关业务资格的会计师事务所出具的标的资产最近一年及一期（如有）的审计报告，审计截止日距审议该交易事项的股东大会召开日不得超过 6 个月；非现金资产若为股权以外的其他非现金资产，应当提供资产评估事务所出具的评估报告，评估基准日距审议该交易事项的股东大会召开日不得超过 1 年。

第五条　本指引附录规定的备案文件目录是对股票发行备案文件的最低要求。根据备案审查需要，全国股份转让系统公司可以要求公司、主办券商、律师事务所及其他证券服务机构补充材料。

第六条　备案文件所有需要签名处，均应为签名人亲笔签名，不得以名章、签名章等代替。

第七条　备案文件的封面和侧面应标明“××公司股票发行备案文件”字样，扉页应标明挂牌公司法定代表人、董事会秘书或信息披露事务负责人，主办券商主管领导、项目负责人，以及相关中介机构项目负责人姓名、电话、传真等联系方式。

第八条　备案文件章与章之间、节与节之间应有明显的分隔标识，文件中的页码应与目录中的页码相符。

第九条　备案文件应采用标准 A4 纸张双面印刷（需提供原件的历史文件除外）。

第十条　本指引由全国股份转让系统公司负责解释。

第十一条　本指引自发布之日起施行。

全国中小企业股份转让系统股票发行业务指引第 2 号——股票发行方案及发行情况报告书的内容与格式

（试行）

第一章　总则

第一条　为了规范挂牌公司股票发行的信息披露行为，根据《全国中小企业股份转让系统业务规则（试行）》、《全国中小企业股份转让系统股票发行业务细则（试行）》等有关规定，制定本指引。

第二条　向全国股份转让系统公司履行股票发行备案程序的挂牌公司，编制并披露的股票发行方案和发行情况报告书应当符合本指引的要求。

第三条　在不影响信息披露完整性并保证阅读方便的前提下，对定期报告、临时公告或者其他信息披露文件中曾经披露过的信息，如未发生变化，公司可以采取索引的方法进行披露。

第四条　本指引有关要求对本次发行不适用或者需要豁免适用的，公司应当向全国股份转让系统公司提出申请，经同意后，公司可根据实际情况进行调整，并在提交发行申请文件时作出书面说明。

第二章　股票发行方案

第五条　股票发行方案文本封面应标有“×××公司股票发行方案”字样，并载明公司、主办券商的名称和住所。

第六条　股票发行方案扉页应载有如下声明：

“本公司全体董事、监事、高级管理人员承诺股票发行方案不存在虚假记载、误导性陈述或重大遗漏，并对其真实性、准确性和完整性承担个别和连带的法律责任。”

“根据《证券法》的规定，本公司经营与收益的变化，由本公司自行负责，由此变化引致的投资风险，由投资者自行负责。”

第七条　公司应在股票发行方案的目录标明各章、节的标题及相应的页码，内容编排也应符合通行惯例。对可能造成投资者理解障碍及有特定含义的术语，公司应作出释义，并在目录次页排印。

第八条　股票发行方案应当至少包括以下内容：

（一）公司基本信息；

（二）发行计划；

（三）非现金资产的基本信息，包括资产名称、权属关系，及其审计或资产评估情况等；

（四）董事会关于资产定价合理性的讨论与分析（如有）；

（五）董事会关于本次发行对公司影响的讨论与分析；

（六）其他需要披露的重大事项；

（七）有关声明。

第九条　公司应当披露以下基本信息：

（一）公司名称、证券简称、证券代码；

（二）公司的注册地址、联系方式；

（三）公司的法定代表人、董事会秘书或信息披露负责人。

第十条　公司应在发行计划中披露以下内容：

（一）发行目的；

（二）发行对象或发行对象的范围，以及现有股东的优先认购安排；

（三）发行价格或价格区间，以及定价方法；

（四）发行股份数量或数量上限，预计募集资金总额；

（五）在董事会决议日至股份认购股权登记日期间预计将发生除权、除息的，应说明发行数量和发行价格是否相应调整；此外，还应说明公司挂牌以来的分红派息、转增股本及其对公司价格的影响；

（六）本次发行股票的限售安排或发行对象自愿锁定的承诺，如无限售安排或自愿锁定承诺，也应予以说明；

（七）募集资金用途；

（八）本次发行前滚存未分配利润的处置方案；

（九）本次发行拟提交股东大会批准和授权的相关事项；

（十）本次发行涉及主管部门审批、核准或备案事项情况。

第十一条　发行对象以非现金资产认购发行股票的，还应按照第十二条、第十三条、第十四条的有关规定以及第十七条中关于“资产转让合同的内容摘要”的规定披露相关内容。

第十二条　以非股权资产认购发行股票的，应披露相关资产的下列基本情况：

（一）相关资产的名称、类别以及所有者和经营管理者的基本情况；

（二）资产权属是否清晰，是否存在权利受限、权属争议或者妨碍权属转移的其他情况；

相关资产涉及许可他人使用，或者作为被许可方使用他人资产的，应当简要披露许可合同的主要内容；资产交易涉及债权债务转移的，应当披露相关债权债务的基本情况、债权人同意转移的证明及与此相关的解决方案；所从事业务需要取得许可资格或资质的，还应当披露当前许可资格或资质的状况；涉及需呈报有关主管部门批准的，应说明是否已获得有效批准；

（三）相关资产独立运营和核算的，披露最近一年及一期

（如有）经具有证券、期货相关业务资格的会计师事务所审计的财务报表及审计意见，被出具非标准审计意见的应当披露涉及事项及其影响；

（四）资产的交易价格、定价依据，资产评估方法及资产评估价值。

第十三条　以股权资产认购发行股票的，应披露相关股权的下列基本情况：

（一）股权所在公司的名称、企业性质、注册地、主要办公地点、法定代表人、注册资本、实收资本；股权及控制关系，包括公司的主要股东及其持股比例、最近两年控股股东或实际控制人的变化情况、股东出资协议及公司章程中可能对本次交易产生影响的主要内容、原高管人员的安排；

（二）股权权属是否清晰、是否存在权利受限、权属争议或者妨碍权属转移的其他情况；

股权资产为有限责任公司股权的，股权转让是否已取得其他股东同意，或有证据表明其他股东已放弃优先购买权；股权对应公司所从事业务需要取得许可资格或资质的，还应当披露当前许可资格或资质的状况；涉及需呈报有关主管部门批准的，应说明是否已获得有效批准；

（三）股权对应公司主要资产的权属状况及对外担保和主要负债情况；

（四）披露最近一年及一期（如有）经具有证券、期货相关业务资格的会计师事务所审计的财务报表及审计意见，被出具非标准审计意见的应当披露涉及事项及其影响；

（五）股权的交易价格、定价依据，资产评估方法及资产评估价值（如有）.

第十四条　资产交易价格以经审计的账面值为依据的，公司董事会应当对定价合理性予以说明。

资产交易根据资产评估结果定价的，在评估机构出具资产评估报告后，公司董事会应当对评估机构的独立性、评估假设前提和评估结论的合理性、评估方法的适用性、主要参数的合理性、未来收益预测的谨慎性等问题发表意见，并说明定价的合理性，资产定价是否存在损害公司和股东合法权益的情形。

第十五条　董事会应当就股票发行对公司的影响，披露以下内容：

（一）公司与控股股东及其关联人之间的业务关系、管理关系、关联交易及同业竞争等变化情况；

（二）发行对象以非现金资产认购发行股票的，说明相关资产占公司最近一年期末总资产、净资产的比重；相关资产注入是否导致公司债务或者或有负债的增加，是否导致新增关联交易或同业竞争；

（三）本次发行对其他股东权益或其他类别股东权益的影响；

（四）与本次发行相关特有风险的说明。

第十六条　为增加公司信息披露透明度，公司还应披露以下重大事项：

（一）是否存在公司的权益被股东及其关联方严重损害且尚未消除的情形；

（二）是否存在公司及其附属公司违规对外提供担保且尚未解除的情形；

（三）是否存在现任董事、监事、高级管理人员最近二十四个月内受到过中国证监会行政处罚（指被处以罚款以上行政处罚的行为；被处以罚款的行为，除主办券商和律师能依法合理说明或处罚机关认定该行为不属于重大违法违规行为的外，都应当披露）或者最近十二个月内受到过全国股份转让系统公司公开谴责的情形；

（四）是否存在其他严重损害股东合法权益或者社会公共利益的情形；

（五）附生效条件的股票认购合同的内容摘要（如有）.

第十七条　董事会决议确定具体发行对象的，应当披露股票认购合同的内容摘要，至少应包括以下内容：

（一）合同主体、签订时间；

（二）认购方式、支付方式；

（三）合同的生效条件和生效时间；

（四）合同附带的任何保留条款、前置条件；

（五）自愿限售安排；

（六）估值调整条款（例如以达到约定业绩为条件的股权质押、股权回购或现金支付等）；

（七）违约责任条款。

资产转让合同的内容摘要除满足前款规定外，至少还应包括：

（一）目标资产及其价格或定价依据；

（二）资产交付或过户时间安排；

（三）资产自评估截止日至资产交付日或过户日所产生收益的归属；

（四）与资产相关的负债及人员安排。

第十八条　公司应披露下列机构的名称、法定代表人、住所、联系电话、传真，同时应披露有关经办人员的姓名：

（一）主办券商；

（二）律师事务所；

（三）会计师事务所；

（四）资产评估机构（如有）；

（五）其他与股票发行有关的机构。

第十九条　公司全体董事、监事、高级管理人员应在股票发行方案的尾页签名，并加盖公司公章。

第三章　股票发行情况报告书

第二十条　股票发行情况报告书应至少包括以下内容：

（一）本次发行的基本情况；

（二）发行前后相关情况对比；

（三）新增股份限售安排（如有）；

（四）主办券商关于本次股票发行合法合规性的结论性意见；

（五）律师事务所关于本次股票发行的结论性意见；

（六）公司全体董事、监事、高级管理人员的公开声明；

（七）备查文件。

第二十一条　发行基本情况应包括本次发行股票的数量、发行价格、现有股东优先认购的情况、其他发行对象情况及认购股份数量等。

第二十二条　发行前后相关情况对比应至少包括以下内容：

（一）本次发行前后前 10 名股东持股数量、持股比例及股票限售等比较情况；

（二）本次发行前后股本结构、股东人数、资产结构、业务结构、公司控制权以及董事、监事、高级管理人员及核心员工持股的变动情况；

（三）发行后主要财务指标变化。最近两年主要财务指标、按股票发行完成后总股本计算的每股收益等指标的变化情况。

第二十三条　本次股票发行股份如有限售安排的，应当予以说明；如无限售安排的，也应说明。

第二十四条　发行情况报告书应披露主办券商关于本次发行合法合规性的结论性意见，至少包括以下内容：

（一）关于本次股票发行是否符合豁免申请核准条件的意见；

（二）关于公司治理规范性的意见；

（三）关于公司是否规范履行了信息披露义务的意见；

（四）关于本次股票发行对象是否符合投资者适当性要求的意见；

（五）关于发行过程及结果是否合法合规的意见；

（六）关于发行定价方式、定价过程是否公正、公平，定价结果是否合法有效的意见；

（七）关于公司本次股票发行现有股东优先认购安排规范性的意见；

（八）主办券商认为应当发表的其他意见。

第二十五条　发行情况报告书应披露律师事务所关于本次股票发行法律意见书的结论性意见，至少包括以下内容：

（一）公司是否符合豁免向中国证监会申请核准股票发行的条件；

（二）发行对象是否符合中国证监会及全国股份转让系统公司关于投资者适当性制度的有关规定；

（三）发行过程及结果合法合规性的说明，包括但不限于：董事会、股东大会议事程序是否合规，是否执行了公司章程规定的表决权回避制度，发行结果是否合法有效等；

（四）与本次股票发行相关的合同等法律文件是否合法合规；

（五）安排现有股东优先认购的，应当对优先认购的相关程序及认购结果进行说明；依据公司章程排除适用的，也应当对相关情况进行说明；

（六）以非现金资产认购发行股份的，应当说明资产评估程序是否合法合规，是否存在资产权属不清或者其他妨碍权属转移的法律风险；标的资产尚未取得完备权属证书的，应说明取得权属证书是否存在法律障碍；

以非现金资产认购发行股份涉及需呈报有关主管部门批准的，应说明是否已获得有效批准；资产相关业务需要取得许可资格或资质的，应说明是否具备相关许可资格或资质；

（七）律师认为需要说明的其他问题。

律师已勤勉尽责仍不能发表肯定性意见的，应发表保留意见，并说明相应的理由及其对本次股票发行的影响。

第二十六条　股票发行方案首次披露后，公司就本次发行的有关事项作出调整的，董事会应在发行情况报告书中做出专门说明，说明调整的内容及履行的审议程序。

第二十七条　公司全体董事、监事、高级管理人员应在发行情况报告书正文后声明：

“公司全体董事、监事、高级管理人员承诺本发行情况报告书不存在虚假记载、误导性陈述或重大遗漏，并对其真实性、准确性和完整性承担个别和连带的法律责任”。

公司全体董事、监事、高级管理人员应在股票发行方案的尾页签名，并加盖公司公章。

第四章　附则

第二十八条　本指引由全国股份转让系统公司负责解释。

第二十九条　本指引自发布之日起施行。

全国中小企业股份转让系统股票发行业务指引第3号——主办券商关于股票发行合法合规性意见的内容与格式

（试行）

第一章　总则

第一条　为了规范挂牌公司股票发行的信息披露行为，根据《全国中小企业股份转让系统业务规则（试行）》、《全国中小企业股份转让系统股票发行业务细则（试行）》等有关规定，制定本指引。

第二条　主办券商为根据《非上市公众公司监督管理办法》（以下简称《管理办法》）向全国股份转让系统公司履行股票发行备案程序的挂牌公司出具股票发行合法合规性意见，应当按照本指引第二章的要求编制，并与股票发行情况报告书一同披露。

第三条　主办券商出具股票发行合法合规性意见，应建立在充分了解公司经营状况、风险等现存问题的基础之上，切实对公司股票发行履行尽职调查职责，保证报告相关内容的真实、准确、完整及报告结论的客观性。

第四条　主办券商应在合法合规性意见中对照本指引及有关规定逐项发表明确的结论性意见，并载明得出每项结论的查证过程及事实依据。

第二章　股票发行合法合规性意见必备内容

第五条　股票发行主办券商合法合规性意见应当包括以下内容：

（一）关于本次股票发行是否符合豁免申请核准条件的意见；

（二）关于公司治理规范性的意见；

（三）关于公司是否规范履行了信息披露义务的意见；

（四）关于本次股票发行对象是否符合投资者适当性要求的意见；

（五）关于发行过程及结果是否合法合规的意见；

（六）关于发行定价方式、定价过程是否公正、公平，定价结果是否合法有效的意见；

（七）关于公司本次股票发行现有股东优先认购安排规范性的意见；

（八）主办券商认为应当发表的其他意见。

第六条　主办券商应对公司符合《管理办法》中豁免申请核准股票发行的情形进行说明。

第七条　主办券商应当对公司治理是否存在违反《管理办法》第二章规定的情形发表明确意见；如不存在违规情形，也应当进行说明。

第八条　主办券商应对公司是否已按照相关规定，真实、准确、完整、及时、公平地披露了本次股票发行应当披露的信息发表明确意见。

主办券商还应对公司在申请挂牌及挂牌期间是否规范履行了信息披露义务，是否曾因信息披露违规或违法，被全国股份转让系统公司依法采取监管措施或纪律处分、被中国证监会采取监管措施或给予行政处罚进行说明。

对于曾被给予行政处罚、采取监管措施或纪律处分的挂牌公司，主办券商应在合法合规性意见中就被惩处事项对公司的影响、是否已督促挂牌公司及时改正、相关责任人处理情况及相关信息披露事项的整改情况进行说明。

第九条　主办券商应当对本次股票发行新增股东是否符合投资者适当性要求发表明确意见，并列明做出判断的主要依据。

第十条　主办券商应对本次股票发行过程的规范性及结果的有效性发表明确意见，包括但不限于：董事会、股东大会议事程序是否合规，是否执行了公司章程规定的表决权回避制度，发行结果是否合法有效等。

第十一条　主办券商应对本次股票发行定价程序的规范性及结果的有效性发表意见。

发行对象使用非现金资产认购发行股票的，主办券商应在合法合规性意见中对交易对手是否为关联方、标的资产权属是否清晰、审计或资产评估是否规范等事项发表明确意见。

涉及需呈报有关主管部门批准的，主办券商需对是否已获得有效批准发表明确意见；资产相关业务需要取得许可资格或资质的，主办券商需对是否具备相关许可资格或资质发表明确意见。

第十二条　安排现有股东优先认购的，应当对优先认购的相关程序及认购结果进行说明；依据公司章程排除适用的，也应当对相关情况进行说明。

第十三条　若主办券商认为公司尚有未披露或未充分披露且对本次股票发行有影响的重大信息或事项，可以进行补充披露，并提示该信息或事项对本次股票发行可能造成的影响。

第十四条　主办券商法定代表人或法定代表人授权的代表、项目负责人应在合法合规性意见上签字，并加盖主办券商公章，注明报告日期。

主办券商法定代表人授权他人代为签字的，需同时提供授权委托书原件。

第三章　附则

第十五条　本指引由全国股份转让系统公司负责解释。

第十六条　本指引自发布之日起实施。

全国中小企业股份转让系统股票发行业务指引第4号——法律意见书的内容与格式

（试行）

第一章　总则

第一条　为了规范挂牌公司股票发行的信息披露行为，根据《全国中小企业股份转让系统业务规则（试行）》、《全国中小企业股份转让系统股票发行业务细则（试行）》等有关规定，制定本指引。

第二条　律师事务所为根据《非上市公众公司监督管理办法》向全国股份转让系统公司履行股票发行备案程序的挂牌公司出具股票发行法律意见书，应当按照本指引第二章的要求编制，并与股票发行情况报告书一同披露。

第三条　公司聘请的律师事务所及其委派的律师（以下“律师”均指签名律师及其所任职的律师事务所），应在尽职调查基础上，按本指引的要求出具法律意见书，对照本指引及有关规定逐项发表明确意见或结论。

本指引仅是股票发行法律意见书内容的最低要求，本指引未明确要求，但律师认为对公司股票发行有重大影响的法律问题，律师应当发表意见。

第四条　律师应在法律意见书中详尽、完整地阐述所发表意见或结论的依据、进行有关核查验证的过程、所涉及的必要资料或文件。

第五条　对不符合有关法律、法规和中国证监会、全国股份转让系统公司有关规定的事项，或已勤勉尽责仍不能对其法律性质或其合法性作出准确判断的事项，律师应发表保留意见，并说明相应的理由。

第六条　法律意见书应由2名以上（含2名）经办律师和其所在律师事务所的负责人签名，并经该律师事务所加盖公章、签署日期。

第二章　法律意见书的必备内容

第七条　律师应在充分核查验证的基础上，对本次股票发行的下列（包括但不限于）事项明确发表结论性意见。所发表的结论性意见应包括是否合法合规、是否真实有效、是否存在纠纷或潜在风险；不存在下列事项的，也应明确说明：

（一）公司是否符合豁免向中国证监会申请核准股票发行的条件；

（二）发行对象是否符合中国证监会及全国股份转让系统公司关于投资者适当性制度的有关规定；

（三）发行过程及结果合法合规性的说明，包括但不限于董事会、股东大会议事程序是否合规，是否执行了公司章程规定的表决权回避制度，发行结果是否合法有效等；

（四）与本次股票发行相关的合同等法律文件是否合法合规；

（五）安排现有股东优先认购的，应当对优先认购的相关程序及认购结果进行说明；依据公司章程排除适用的，也应当对相关情况进行说明；

（六）以非现金资产认购发行股份的，应当说明资产评估程序是否合法合规，是否存在资产权属不清或者其他妨碍权属转移的法律风险；标的资产尚未取得完备权属证书的，应说明取得权属证书是否存在法律障碍；

以非现金资产认购发行股份涉及需呈报有关主管部门批准的，应说明是否已获得有效批准；资产相关业务需要取得许可资格或资质的，应说明是否具备相关许可资格或资质；

（七）律师认为需要说明的其他问题。

第八条　有下列情形之一的，律师应当发表保留意见并予以说明，充分揭示其对本次股票发行的影响程度及存在的风险：

（一）公司股票发行的全部或者部分事项不符合中国证监会和全国股份转让系统公司相关规定；

（二）股票发行的事实不清楚，材料不充分，不能全面反映客观情况；

（三）核查和验证范围受到客观条件的限制，律师无法取得应有证据；

（四）律师已要求公司纠正、补充，而公司未予以纠正、补充；

（五）律师已依法履行勤勉尽责义务，仍不能对全部或者部分事项作出准确判断；

（六）律师认为应当予以说明的其他情形。

律师出具保留意见的，全国股份转让系统公司可以要求公司予以说明或改正。

第三章　附则

第九条　本规则由全国股份转让系统公司负责解释。

第十条　本规则自公布之日起施行。

全国中小企业股份转让系统挂牌公司信息披露细则（试行）

第一章　总则

第一条　为规范挂牌公司及相关信息披露义务人的信息披露行为，保护投资者合法权益，根据《非上市公众公司监督管理办法》（证监会令第 85 号）、《非上市公众公司监管指引第 1 号》（证监会公告〔2013〕1 号）、《全国中小企业股份转让系统业务规则（试行）》（以下简称"《业务规则》"）等规定，制定本细则。

第二条　在全国股份转让系统挂牌的股票、可转换公司债券及其他证券品种适用本细则。

全国中小企业股份转让系统有限责任公司（以下简称"全国股份转让系统公司"）对上述证券品种的信息披露、暂停及恢复转让、终止及重新挂牌以及挂牌公司并购重组等事宜另有规定的，从其规定。

第三条　挂牌公司信息披露包括挂牌前的信息披露及挂牌后持续信息披露，其中挂牌后持续信息披露包括定期报告和临时报告。

第四条　挂牌公司及相关信息披露义务人应当及时、公平地披露所有对公司股票及其他证券品种转让价格可能产生较大影响的信息（以下简称"重大信息"），并保证信息披露内容的真实、准确、完整，不存在虚假记载、误导性陈述或重大遗漏。

第五条　挂牌公司应当制定信息披露事务管理制度，经董事会审议后及时向全国股份转让系统公司报备并披露。

公司应当将董事会秘书或信息披露事务负责人的任职及职业经历向全国股份转让系统公司报备并披露，发生变更时亦同。上述人员离职无人接替或因故不能履行职责时，公司董事会应当及时指定一名高级管理人员负责信息披露事务并披露。

第六条　挂牌公司应当在挂牌时向全国股份转让系统公司报备董事、监事及高级管理人员的任职、职业经历及持有挂牌公司股票情况。

有新任董事、监事及高级管理人员或上述报备事项发生变化的，挂牌公司应当在两个转让日内将最新资料向全国股份转让系统公司报备。

第七条　董事、监事及高级管理人员应当在公司挂牌时签署遵守全国股份转让系统公司业务规则及监管要求的《董事（监事、高级管理人员）声明及承诺书》（以下简称"承诺书"），并向全国股份转让系统公司报备。

新任董事、监事应当在股东大会或者职工代表大会通过其任命后五个转让日内，新任高级管理人员应当在董事会通过其任命后五个转让日内签署上述承诺书并报备。

第八条　挂牌公司披露重大信息之前，应当经主办券商审查，公司不得披露未经主办券商审查的重大信息。

挂牌公司在其他媒体披露信息的时间不得早于指定披露平台的披露时间。

第九条　挂牌公司发生的或者与之有关的事件没有达到本细则规定的披露标准，或者本细则没有具体规定，但公司董事会认为该事件对股票价格可能产生较大影响的，公司应当及时披露。

第十条　主办券商应当指导和督促所推荐挂牌公司规范履行信息披露义务，对其信息披露文件进行事前审查。

发现拟披露的信息或已披露信息存在任何错误、遗漏或者误导的，或者发现存在应当披露而未披露事项的，主办券商应当要求挂牌公司进行更正或补充。挂牌公司拒不更正或补充的，主办券商应当在两个转让日内发布风险揭示公告并向全国股份转让系统公司报告。

第二章　定期报告

第十一条　挂牌公司应当披露的定期报告包括年度报告、半年度报告，可以披露季度报告。挂牌公司应当在本细则规定的期限内，按照全国股份转让系统公司有关规定编制并披露定期报告。

挂牌公司应当在每个会计年度结束之日起四个月内编制并披露年度报告，在每个会计年度的上半年结束之日起两个月内披露半年度报告；披露季度报告的，公司应当在每个会计年度前三个月、九个月结束后的一个月内披露季度报告。

披露季度报告的，第一季度报告的披露时间不得早于上一年的年度报告。

第十二条　挂牌公司应当与全国股份转让系统公司约定定期报告的披露时间，全国股份转让系统公司根据均衡原则统筹安排各挂牌公司定期报告披露顺序。

公司应当按照全国股份转让系统公司安排的时间披露定期报告，因故需要变更披露时间的，应当告知主办券商并向全国股份转让系统公司申请，全国股份转让系统公司视情况决定是否调整。

第十三条　挂牌公司年度报告中的财务报告必须经具有证券、期货相关业务资格的会计师事务所审计。

挂牌公司不得随意变更会计师事务所，如确需变更的，应当由董事会审议后提交股东大会审议。

第十四条　挂牌公司董事会应当确保公司定期报告按时披露。董事会因故无法对定期报告形成决议的，应当以董事会公告的方式披露，说明具体原因和存在的风险。公司不得以董事、高级管理人员对定期报告内容有异议为由不按时披露。

公司不得披露未经董事会审议通过的定期报告。

第十五条　挂牌公司应当在定期报告披露前及时向主办券商送达下列文件：

（一）定期报告全文、摘要（如有）；

（二）审计报告（如适用）；

（三）董事会、监事会决议及其公告文稿；

（四）公司董事、高级管理人员的书面确认意见及监事会的书面审核意见；

（五）按照全国股份转让系统公司要求制作的定期报告和财务数据的电子文件；

（六）主办券商及全国股份转让系统公司要求的其他文件。

第十六条　年度报告出现下列情形的，主办券商应当最迟在披露前一个转让日向全国股份转让系统公司报告：

(一)财务报告被出具否定意见或者无法表示意见的审计报告；

(二)经审计的期末净资产为负值。

第十七条　挂牌公司财务报告被注册会计师出具非标准审计意见的，公司在向主办券商送达定期报告的同时应当提交下列文件：

(一)董事会针对该审计意见涉及事项所做的专项说明，审议此专项说明的董事会决议以及决议所依据的材料；

(二)监事会对董事会有关说明的意见和相关决议；

(三)负责审计的会计师事务所及注册会计师出具的专项说明；

(四)主办券商及全国股份转让系统公司要求的其他文件。

第十八条　负责审计的会计师事务所和注册会计师按本细则第十七条出具的专项说明应当至少包括以下内容：

(一)出具非标准审计意见的依据和理由；

(二)非标准审计意见涉及事项对报告期公司财务状况和经营成果的影响；

(三)非标准审计意见涉及事项是否违反企业会计准则及其相关信息披露规范性规定。

第十九条　本细则第十七条所述非标准审计意见涉及事项属于违反会计准则及其相关信息披露规范性规定的，主办券商应当督促挂牌公司对有关事项进行纠正。

第二十条　挂牌公司和主办券商应当对全国股份转让系统公司关于定期报告的事后审查意见及时回复，并按要求对定期报告有关内容作出解释和说明。

主办券商应当在公司对全国股份转让系统公司回复前对相关文件进行审查。如需更正、补充公告或修改定期报告并披露的，公司应当履行相应内部审议程序。

第三章　临时报告

第一节　临时报告的一般规定

第二十一条　临时报告是指挂牌公司按照法律法规和全国股份转让系统公司有关规定发布的除定期报告以外的公告。

临时报告应当加盖董事会公章并由公司董事会发布。

第二十二条　挂牌公司应当在临时报告所涉及的重大事件最先触及下列任一时点后及时履行首次披露义务：

(一)董事会或者监事会作出决议时；

(二)签署意向书或者协议(无论是否附加条件或者期限)时；

(三)公司(含任一董事、监事或者高级管理人员)知悉或者理应知悉重大事件发生时。

第二十三条　对挂牌公司股票转让价格可能产生较大影响的重大事件正处于筹划阶段，虽然尚未触及本细则第二十二条规定的时点，但出现下列情形之一的，公司亦应履行首次披露义务：

(一)该事件难以保密；

(二)该事件已经泄漏或者市场出现有关该事件的传闻；

(三)公司股票及其衍生品种交易已发生异常波动。

第二十四条　挂牌公司履行首次披露义务时，应当按照本细则规定的披露要求和全国股份转让系统公司制定的临时公告格式指引予以披露。

在编制公告时若相关事实尚未发生的，公司应当客观公告既有事实，待相关事实发生后，应当按照相关格式指引的要求披露事项进展或变化情况。

第二十五条　挂牌公司控股子公司发生的对挂牌公司股票转让价格可能产生较大影响的信息，视同挂牌公司的重大信息，挂牌公司应当披露。

第二节　董事会、监事会和股东大会决议

第二十六条　挂牌公司召开董事会会议，应当在会议结束后及时将经与会董事签字确认的决议(包括所有提案均被否决的董事会决议)向主办券商报备。

董事会决议涉及本细则规定的应当披露的重大信息，公司应当以临时公告的形式及时披露；决议涉及根据公司章程规定应当提交经股东大会审议的收购与出售资产、对外投资(含委托理财、委托贷款、对子公司投资等)的，公司应当在决议后及时以临时公告的形式披露。

第二十七条　挂牌公司召开监事会会议，应当在会议结束后及时将经与会监事签字的决议向主办券商报备。

涉及本细则规定的应当披露的重大信息，公司应当以临时公告的形式及时披露。

第二十八条　挂牌公司应当在年度股东大会召开二十日前或者临时股东大会召开十五日前，以临时公告方式向股东发出股东大会通知。

挂牌公司在股东大会上不得披露、泄漏未公开重大信息。

第二十九条　挂牌公司召开股东大会，应当在会议结束后两个转让日内将相关决议公告披露。年度股东大会公告中应当包括律师见证意见。

第三十条　主办券商及全国股份转让系统公司要求提供董事会、监事会及股东大会会议记录的，挂牌公司应当按要求提供。

第三节　关联交易

第三十一条　挂牌公司的关联交易，是指挂牌公司与关联方之间发生的转移资源或者义务的事项。

第三十二条　挂牌公司的关联方及关联关系包括《企业会计准则第36号——关联方披露》规定的情形，以及挂牌公司、主办券商或全国股份转让系统公司根据实质重于形式原则认定的情形。

第三十三条　挂牌公司董事会、股东大会审议关联交易事项时，应当执行公司章程规定的表决权回避制度。

第三十四条　对于每年发生的日常性关联交易，挂牌公司应当在披露上一年度报告之前，对本年度将发生的关联交易总金额进行合理预计，提交股东大会审议并披露。对于预计范围内的关联交易，公司应当在年度报告和半年度报告中予以分类，列表披露执行情况。

如果在实际执行中预计关联交易金额超过本年度关联交易预计总金额的，公司应当就超出金额所涉及事项依据公司章程提交董事会或者股东大会审议并披露。

第三十五条　除日常性关联交易之外的其他关联交易，挂牌公司应当经过股东大会审议并以临时公告的形式披露。

第三十六条　挂牌公司与关联方进行下列交易，可以免予按照关联交易的方式进行审议和披露：

(一)一方以现金认购另一方发行的股票、公司债券或企业债券、可转换公司债券或者其他证券品种；

(二)一方作为承销团成员承销另一方公开发行的股票、公司债券或企业债券、可转换公司债券或者其他证券品种；

(三)一方依据另一方股东大会决议领取股息、红利或者报酬。

(四)挂牌公司与其合并报表范围内的控股子公司发生

的或者上述控股子公司之间发生的关联交易。

第四节　其他重大事件

第三十七条　挂牌公司对涉案金额占公司最近一期经审11计净资产绝对值10%以上的重大诉讼、仲裁事项应当及时披露。

未达到前款标准或者没有具体涉案金额的诉讼、仲裁事项，董事会认为可能对公司股票及其他证券品种转让价格产生较大影响的，或者主办券商、全国股份转让系统公司认为有必要的，以及涉及股东大会、董事会决议被申请撤销或者宣告无效的诉讼，公司也应当及时披露。

第三十八条　挂牌公司应当在董事会审议通过利润分配或资本公积转增股本方案后，及时披露方案具体内容，并于实施方案的股权登记日前披露方案实施公告。

第三十九条　股票转让被全国股份转让系统公司认定为异常波动的，挂牌公司应当于次一股份转让日披露异常波动公告。如果次一转让日无法披露，公司应当向全国股份转让系统公司申请股票暂停转让直至披露后恢复转让。

第四十条　公共媒体传播的消息（以下简称"传闻"）可能或者已经对公司股票转让价格产生较大影响的，挂牌公司应当及时向主办券商提供有助于甄别传闻的相关资料，并决定是否发布澄清公告。

第四十一条　实行股权激励计划的挂牌公司，应当严格遵守全国股份转让系统公司的相关规定，并履行披露义务。

第四十二条　限售股份在解除转让限制前，挂牌公司应当按照全国股份转让系统公司有关规定披露相关公告或履行相关手续。

第四十三条　在挂牌公司中拥有权益的股份达到该公司总股本5%的股东及其实际控制人，其拥有权益的股份变动达到全国股份转让系统公司规定的标准的，应当按照要求及时通知挂牌公司并披露权益变动公告。

第四十四条　挂牌公司和相关信息披露义务人披露承诺事项的，应当严格遵守其披露的承诺事项。

公司未履行承诺的，应当及时披露原因及相关当事人可能承担的法律责任；相关信息披露义务人未履行承诺的，公司应当主动询问，并及时披露原因，以及董事会拟采取的措施。

第四十五条　全国股份转让系统公司对挂牌公司实行风险警示或作出股票终止挂牌决定后，公司应当及时披露。

第四十六条　挂牌公司出现以下情形之一的，应当自事实发生之日起两个转让日内披露：

（一）控股股东或实际控制人发生变更；

（二）控股股东、实际控制人或者其关联方占用资金；

（三）法院裁定禁止有控制权的大股东转让其所持公司股份；

（四）任一股东所持公司5%以上股份被质押、冻结、司法拍卖、托管、设定信托或者被依法限制表决权；

（五）公司董事、监事、高级管理人员发生变动；董事长或者总经理无法履行职责；

（六）公司减资、合并、分立、解散及申请破产的决定；或者依法进入破产程序、被责令关闭；

（七）董事会就并购重组、股利分派、回购股份、定向发行股票或者其他证券融资方案、股权激励方案形成决议；

（八）变更会计师事务所、会计政策、会计估计；

（九）对外提供担保（挂牌公司对控股子公司担保除外）；

（十）公司及其董事、监事、高级管理人员、公司控股股东、实际控制人在报告期内存在受有权机关调查、司法纪检部门采取强制措施、被移送司法机关或追究刑事责任、中国证监会稽查、中国证监会行政处罚、证券市场禁入、认定为不适当人选，或收到对公司生产经营有重大影响的其他行政管理部门处罚；

（十一）因前期已披露的信息存在差错、未按规定披露或者虚假记载，被有关机构责令改正或者经董事会决定进行更正；

（十二）主办券商或全国股份转让系统公司认定的其他情形。

发生违规对外担保、控股股东或者其关联方占用资金的公司应当至少每月发布一次提示性公告，披露违规对外担保或资金占用的解决进展情况。

第四章　监管措施和违规处分

第四十七条　挂牌公司及其董事、监事、高级管理人员、股东、实际控制人、收购人及其他相关信息披露义务人、律师、主办券商和其他证券服务机构违反本细则的，全国股份转让系统公司依据《业务规则》采取相应监管措施及纪律处分。

第五章　释义

第四十八条　本细则下列用语具有如下含义：

（一）披露：指挂牌公司或者相关信息披露义务人按法律、行政法规、部门规章、规范性文件、本细则和全国股份转让系统公司其他有关规定在全国股份转让系统公司网站上公告信息。

（二）重大事件：指对挂牌公司股票转让价格可能产生较大影响的事项。

（三）及时：指自起算日起或者触及本细则规定的披露时点的两个转让日内，另有规定的除外。

（四）高级管理人员：指公司经理、副经理、董事会秘书（如有）、财务负责人及公司章程规定的其他人员。

（五）控股股东：指其持有的股份占公司股本总额50%以上的股东；或者持有股份的比例虽然不足50%，但依其持有的股份所享有的表决权已足以对股东大会的决议产生重大影响的股东。

（六）实际控制人：指通过投资关系、协议或者其他安排，能够支配、实际支配公司行为的自然人、法人或者其他组织。

（七）控制：指有权决定一个公司的财务和经营政策，并能据以从该公司的经营活动中获取利益。有下列情形之一的，为拥有挂牌公司控制权：

1. 为挂牌公司持股50%以上的控股股东；

2. 可以实际支配挂牌公司股份表决权超过30%；

3. 通过实际支配挂牌公司股份表决权能够决定公司董事会半数以上成员选任；

4. 依其可实际支配的挂牌公司股份表决权足以对公司股东大会的决议产生重大影响；

5. 中国证监会或全国股份转让系统公司认定的其他情形。

（八）挂牌公司控股子公司：指挂牌公司持有其50%以上股份，或者能够决定其董事会半数以上成员组成，或者通过协议或其他安排能够实际控制的公司。

（九）承诺：指挂牌公司及相关信息披露义务人就重要事项向公众或者监管部门所作的保证和相关解决措施。

（十）违规对外担保：是指挂牌公司及其控股子公司未经其内部审议程序而实施的担保事项。

（十一）净资产：指挂牌公司资产负债表列报的所有者 16

权益；挂牌公司编制合并财务报表的为合并资产负债表列报的归属于母公司所有者权益，不包括少数股东权益。

（十二）日常性关联交易及偶发性关联交易：日常性关联交易指挂牌公司和关联方之间发生的购买原材料、燃料、动力，销售产品、商品，提供或者接受劳务，委托或者受托销售，投资（含共同投资、委托理财、委托贷款），财务资助（挂牌公司接受的）等的交易行为；公司章程中约定适用于本公司的日常关联交易类型。

除了日常性关联交易之外的为偶发性关联交易。

（十三）控股股东、实际控制人或其关联方占用资金：

指挂牌公司为控股股东、实际控制人及其附属企业垫付的工资、福利、保险、广告等费用和其他支出；代控股股东、实际控制人及其附属企业偿还债务而支付的资金；有偿或者无偿、直接或者间接拆借给控股股东、实际控制人及其附属企业的资金；为控股股东、实际控制人及其附属企业承担担保责任而形成的债权；其他在没有商品和劳务对价情况下提供给控股股东、实际控制人及其附属企业使用的资金或者全国股份转让系统公司认定的其他形式的占用资金情形。

（十四）以上：本规则中“以上”均含本数，“超过”不含本数。

第六章　附则

第四十九条　本细则由全国股份转让系统公司负责解释。

第五十条　本细则自发布之日起施行。

全国中小企业股份转让系统
挂牌公司年度报告内容与格式指引
（试行）

第一章　总则

第一条　为规范挂牌公司年度报告的编制及披露行为，保护投资者合法权益，根据相关法律法规、《全国中小企业股份转让系统业务规则（试行）》（以下简称“《业务规则》”）及有关规定，制定本指引。

第二条　挂牌公司应当按照本指引的要求编制和披露年度报告。

第三条　本指引的规定是对挂牌公司年度报告信息披露的最低要求；凡公司认为对投资者决策有重大影响的信息，不论本指引是否有明确规定，公司均应当披露。

第四条　挂牌公司年度报告的全文应当遵循本指引第二章的要求进行编制和披露，年度报告摘要的内容应摘自年度报告正文，并按照附件的格式进行编制。

第五条　挂牌公司年度报告中的财务报告应经具有证券、期货相关业务资格的会计师事务所审计，审计报告须由该所至少两名注册会计师签字。

第六条　挂牌公司在编制年度报告时应遵循以下一般要求：

（一）年度报告中引用的数字应当采用阿拉伯数字，有关货币金额除特别说明外，通常指人民币金额，并以元、万元或亿元为单位。

（二）年度报告正文前可刊载宣传本公司的照片、图表或致投资者信，但不得刊登任何祝贺性、推荐性的词句、题字或照片，不得含有夸大、欺诈、误导或内容不准确、不客观的词句。

（三）年度报告中若涉及行业分类，可参照中国证监会有关上市公司行业分类的规定，亦可增加披露使用其他行业分类标准的数据、资料。

（四）年度报告披露内容应侧重说明本指引要求披露事项与公开转让说明书或上一年度披露内容上的重大变化之处，如无变化，亦应说明。

第七条　全国股份转让系统公司对特殊行业公司信息披露另有规定的，公司应当遵循其规定。

行业主管部门对公司另有规定的，公司在编制和披露年度报告时应当遵循其规定。

第八条　由于国家机密、商业秘密等特殊原因导致本指引规定的某些信息不便披露的，挂牌公司可向全国股份转让系统公司申请豁免，经全国股份转让系统公司同意后，可以不予披露。公司应当在年度报告相关章节说明未按本准则要求进行披露的原因。

第二章　年度报告正文

第一节　重要提示、目录和释义

第九条　挂牌公司应在年度报告文本扉页刊登如下重要提示：公司董事会及其董事、监事会及其监事、公司高级管理人员保证本报告所载资料不存在任何虚假记载、误导性陈述或者重大遗漏，并对其内容的真实性、准确性和完整性承担个别及连带责任。

公司负责人、主管会计工作负责人及会计机构负责人（会计主管人员）应当声明并保证年度报告中财务报告的真实、完整。

如有董事、监事、高级管理人员对年度报告内容存在异议或无法保证其真实、准确、完整的，应当声明×××无法保证本报告内容的真实、准确、完整，并说明理由，请投资者特别关注。同时，单独列示未出席董事会审议年度报告的董事姓名及原因。

如执行审计的会计师事务所对公司出具了非标准审计报告，重要提示中应当声明×××会计师事务所为本公司出具了带强调事项段或其他事项段的无保留意见、保留意见、否定意见或无法表示意见的审计报告，本公司董事会、监事会对相关事项已有详细说明，请投资者注意阅读。

第十条　挂牌公司应当对可能造成投资者理解障碍以及具有特定含义的术语作出通俗易懂的解释，年度报告的释义应当在目录次页排印。

年度报告目录应当标明各章、节的标题及其对应的页码。

第十一条　挂牌公司应当在年度报告目录后单独刊登重大风险提示。公司对风险因素的描述应当围绕自身经营状况展开，遵循关联性原则和重要性原则，客观披露公司重大特有风险。公司应当重点说明与上一年度所提示重大风险的变化之处。

第二节　公司简介

第十二条　挂牌公司应当披露如下内容：

（一）公司的中文名称及简称，外文名称及缩写（如有）。

（二）公司的法定代表人。

（三）公司董事会秘书或信息披露事务负责人的姓名、联系地址、电话、传真、电子信箱。

（四）公司注册地址，公司办公地址及其邮政编码，公司网址、电子信箱。

（五）公司登载年度报告的指定信息披露平台的网址，公司年度报告备置地。

（六）公司股票公开转让场所，股票简称、股票代码及挂牌时间。

（七）公司年度内的注册变更情况，包括企业法人营业执照、税务登记、组织机构代码注册信息变更情况。

上述注册信息未发生变化的，可以简要索引说明。

（八）其他有关资料：公司聘请的年度内履行持续督导职责的主办券商的名称、办公地址；公司聘请的会计师事务所名称、办公地址及签字会计师姓名。

第三节　会计数据和财务指标摘要

第十三条　挂牌公司应采用数据列表方式，提供截至本年度末公司近2年的主要会计数据和财务指标，包括但不限于：总资产、归属于挂牌公司股东的净资产、营业收入、归属于挂牌公司股东的净利润、归属于挂牌公司股东的扣除非经常性损益后的净利润、经营活动产生的现金流量净额、净资产收益率、每股收益、归属于挂牌公司股东的每股净资产。

公司在披露“归属于挂牌公司股东的扣除非经常性损益后的净利润”时，应当同时说明本年度内非经常性损益的项目及金额。

第十四条　挂牌公司主要会计数据和财务指标的计算和披露应当遵循如下要求：

（一）因会计政策变更及会计差错更正等追溯调整或重述以前年度会计数据的，应当同时披露调整前后的数据。

（二）编制合并财务报表的公司应当以合并财务报表数据填列或计算以上数据和指标。

（三）财务数据按照时间顺序自左至右排列，左起为本年度的数据，向右依次列示前一期的数据。

（四）对非经常性损益、净资产收益率和每股收益的确定和计算，中国证监会另有规定的，应当遵照执行。

第四节　管理层讨论与分析

第十五条　挂牌公司应结合挂牌公司财务报告进一步解释和分析公司本年度财务报表及附注中的重要历史信息，对本年度公司经营情况进行回顾。公司应对持续经营能力进行评价与说明。

公司可对下一年度的经营计划或目标进行说明。

第十六条　披露内容应具有充分的可靠性。分析中如引用第三方资料及数据，应注明来源及发布者，并判断第三方资料、数据是否拥有足够的权威性；公司自行整理编制的资料及数据，应说明，并注明编制依据。

披露内容应突出重要性，避免过多披露不重要的信息而掩盖重要信息。

第十七条　挂牌公司应回顾分析本年度内的主要经营情况，尤其应着重分析导致公司财务状况、经营成果、现金流量发生重大变化的事项或原因。分析内容包括但不限于：

（一）本年度内业务、产品或服务有关经营计划的实现情况；业务、产品或服务的重大变化及对公司经营情况的影响。

（二）本年度内行业发展、周期波动等情况；应说明行业发展因素、行业法律法规等的变动及对公司经营情况的影响。

（三）结合产品或服务、收入模式、成本结构、采购、生产或业务组织过程、销售、知识产权、研发、竞争、市场规模等因素及公司所掌握的内外部资源，说明公司的商业模式是否较公开转让说明书或上年度披露内容发生重大变化，并说明上述变化及对公司经营情况的影响。

（四）对财务报表中主要财务数据进行讨论、分析，可以采用逐年比较、数据列表或其他方式。对与上一年度相比变动达到或超过30%的重要财务数据或指标，公司应充分解释导致变动的原因，以便于投资者充分了解其财务状况、经营成果及未来变化情况。

如本条规定披露的部分内容与财务报表附注相同的，公司可以建立相关查询索引，避免重复。内容包括但不限于：

1. 公司资产、负债构成（应收款项、存货、投资性房地产、长期股权投资、固定资产、在建工程、短期借款、长期借款等占总资产的比重）同比发生重大变动的，应当说明产生变化的主要影响因素。

2. 若公司的收入构成、利润构成和利润来源发生重大变动，应当详细说明具体变动情况及原因。

3. 结合公司现金流量表相关数据，说明公司经营活动、投资活动和筹资活动产生的现金流量的构成情况，若相关数据同比发生重大变动，公司应当分析主要影响因素。若本年度公司经营活动产生的现金流量与本年度净利润存在重大差异的，公司应当详细解释原因。

4. 主要控股子公司、参股公司经营情况及业绩分析。其中对于参股公司应当重点披露其与公司从事业务的关联性，并说明持有目的。

公司存在其控制的特殊目的主体时，应介绍公司对其控制权方式和内容，并说明从中可以获取的利益及承担的风险。

5. 本年度内及以前年度定向发行募集资金的使用情况。

6. 公司本年度财务报告被会计师事务所出具非标准意见审计报告的，董事会应当就所涉及事项作出说明。说明中应当明确说明非标准审计意见涉及事项是否违反企业会计准则及其相关信息披露规范性规定。

7. 公司作出会计政策、会计估计变更或重大会计差错更正的，应当披露变更、更正的原因及影响；涉及追溯调整或重述的，应当披露对以往各年度经营成果和财务状况的影响金额。

（五）公司在公开转让说明书中披露的经营计划或目标延续到本年度的，公司应对计划或目标的实施进度进行分析，实施进度与计划不符的，应说明原因。

上一年度披露年度经营计划的公司，应对经营计划的实现情况进行分析，与经营计划不符的，应说明原因。

第十八条　挂牌公司应当对持续经营能力进行评价。公司应分析并说明可能对公司持续经营能力有重大影响的事项。

第十九条　挂牌公司可对下一年度经营计划或目标进行说明。说明应当结合行业发展趋势、公司发展战略及其他可能影响经营计划或目标实现的不确定性因素展开。说明包括但不限于：

（一）行业发展趋势。公司可介绍与公司业务关联的宏观经济层面或行业环境层面的发展趋势、公司的行业地位或区域市场地位的变动趋势，并说明上述发展趋势对公司未来经营业绩和盈利能力的影响。

（二）公司发展战略。公司应披露公司发展战略或规划，以及拟开展的新业务、拟开发的新产品、拟投资的新项目等。若公司存在多种业务的，还应当说明各项业务的发展战略或规划。

（三）经营计划或目标。披露经营计划或目标的，公司应同时简要披露公司经营计划涉及的投资资金的来源、成本及使用情况。

披露计划或目标时应说明该经营计划并不构成对投资者

的业绩承诺，提示投资者对此保持足够的风险意识，并且应当理解经营计划与业绩承诺之间的差异。

（四）不确定性因素。公司应遵循关联性原则和重要性原则披露对未来发展战略或经营计划有重大影响的不确定性因素并进行说明与分析。

第二十条 挂牌公司应当对公开转让说明书中披露的存续到本年度的风险因素、本年度较上一年度新增的风险因素进行逐一分析，说明其持续或产生的原因、对公司的影响及已经采取或拟采取的措施及风险管理效果。在分析影响程度时公司应当尽可能定量分析。

第五节 重要事项

第二十一条 挂牌公司应当披露本年度内发生的所有诉讼、仲裁事项涉及的累计金额，如果上述金额不超过本年度末净资产（经审计）绝对值10%的，可以免于披露。

已在上一年发生的以临时公告形式披露的，但尚未结案的重大诉讼、仲裁事项，公司应当披露案件进展情况、涉及金额、是否形成预计负债，以及对公司未来的影响；对已经结案的重大诉讼、仲裁事项，公司应当披露案件执行情况。

如本年度内无按照《全国中小企业股份转让系统挂牌公司信息披露细则》规定应当披露的重大诉讼、仲裁事项，应当明确说明“本年度公司无重大诉讼、仲裁事项”。

第二十二条 挂牌公司应当披露本年度内履行的及尚未履行完毕的对外担保合同（不包括对控股子公司担保），包括担保金额、担保期限、担保对象、担保类型（一般担保或连带责任担保）、担保的决策程序等；对于未到期担保合同，如有明显迹象表明有可能承担连带清偿责任，应明确说明。

应当披露公司及其控股子公司为股东、实际控制人及其关联方提供担保的金额，公司直接或间接为资产负债率超过70%（不含本数）的被担保对象提供的债务担保金额，以及公司担保总额超过净资产50%（不含本数）部分的金额。

公司应当说明本年度是否存在违规担保的情形。

第二十三条 本年度内发生股东及其关联方以各种形式占用或者转移公司的资金、资产及其他资源的，挂牌公司应当说明发生原因及整改情况，其中发生控股股东、实际控制人及其关联方占用资金情形的，应当充分披露相关的决策程序，以及占用资金的期初金额、发生额、期末余额、占用资金原因、预计归还方式及时间。

如果不存在上述情形，公司应当予以明确说明。

第二十四条 挂牌公司应当披露本年度内日常性关联交易的预计及执行情况。

公司应当说明本年度内发生的偶发性关联交易的金额，与关联方的交易结算及资金回笼情况，并说明偶发性关联交易的必要性和持续性及对公司生产经营的影响。

第二十五条 挂牌公司应当披露本年度内经过股东大会审议过的收购及出售资产、对外投资，以及本年度内发生的企业合并事项的简要情况及进展，分析上述事项对公司业务连续性、管理层稳定性及其他方面的影响。

第二十六条 挂牌公司应披露股权激励计划的变动，及已披露股权激励计划在本年度的具体实施情况。

第二十七条 挂牌公司及其董事、监事、高级管理人员或股东、实际控制人及其他信息披露义务人如存在本年度或持续到本年度已披露的承诺，应当披露承诺的履行情况。

如果没有已披露承诺事项，公司亦应予以说明。

第二十八条 挂牌公司应披露本年度末资产（经审计）中被查封、扣押、冻结或者被抵押、质押的资产类别、发生原因、账面价值和累计值及其占总资产的比例，并说明对公司的影响。

第二十九条 公司及其董事、监事、高级管理人员、公司控股股东、实际控制人在报告期内存在受有权机关调查、司法纪检部门采取强制措施、被移送司法机关或追究刑事责任、中国证监会稽查、中国证监会行政处罚、证券市场禁入、认定为不适当人选，或收到对公司生产经营有重大影响的其他行政管理部门处罚及全国股份转让系统公司公开谴责的情形，应当说明原因及结论。

第三十条 若上述事项已在临时报告披露且后续实施无变化的，仅需披露该事项概述，并提供所披露的临时报告的相关查询索引。

第六节 股本变动及股东情况

第三十一条 挂牌公司应当披露本年度期初、期末的股本结构，并对股本变动及本年度内股份限售解除情况进行说明。

第三十二条 挂牌公司应当披露前十名股东、持股数量及占总股本比例、本年度内持股变动情况、本年度末持有的无限售股份数量，并对前十名股东相互间关系及持股变动情况进行说明。如所持股份中包括无限售条件股份、有限售条件股份，应当分别披露其数量。

第三十三条 挂牌公司如存在控股股东，应对控股股东进行介绍，内容包括但不限于：若控股股东为法人的，应当披露名称、单位负责人或法定代表人、成立日期、组织机构代码、注册资本；若控股股东为自然人的，应当披露其姓名、国籍、是否取得其他国家或地区居留权、职业经历。首次披露后控股股东上述信息没有变动时，可以索引披露。

第三十四条 挂牌公司应当比照第三十三条披露公司实际控制人的情况，并以方框图及文字的形式披露公司与实际控制人之间的产权和控制关系。实际控制人应当披露到自然人、国有资产管理部门，包括股东之间达成某种协议或安排的其他机构或自然人，以及以信托方式形成实际控制的情况。首次披露后实际控制人上述信息没有变动时，可以索引披露。

第七节 董事、监事、高级管理人员及核心员工情况

第三十五条 挂牌公司应当披露本年度内董事、监事、高级管理人员的变动情况。公司应当披露发生变更的董事、监事和高级管理人员的情况，内容包括但不限于：现任董事、监事、高级管理人员的姓名、性别、年龄、任期起止日期、职业经历、年初和年末持有本公司股份、本年度内股份增减变动量、持股比例、与股东之间的关系。

第三十六条 挂牌公司应披露包括核心技术团队或关键技术人员（非董事、监事、高级管理人员）在内的核心员工以及其他对公司有重大影响的人员变动情况，并说明变动对公司经营的影响及公司采取的应对措施。

第三十七条 挂牌公司应当披露母公司和主要子公司的员工情况，包括在职员工的数量、人员构成（如管理人员、生产人员、销售人员、技术人员、财务人员、行政人员等）、教育程度、员工薪酬政策、培训计划以及需公司承担费用的离退休职工人数。其中，人员构成和教育程度须以柱状图或饼状图等统计图表列示。

第八节 公司治理及内部控制

第三十八条 挂牌公司应当披露公司治理的基本状况，列示公司本年度内建立的各项公司治理制度，董事会应当对公司治理机制是否给所有股东提供合适的保护和平等权利等

情况进行评估。

第三十九条　挂牌公司应当披露对公司治理的改进情况，包括来自控股股东及实际控制人以外的股东或其代表参与公司经营管理的情况，以及公司管理层是否引入职业经理人等情况。

第四十条　挂牌公司应当披露董事会下设专门委员会在本年度内履行职责时所提出的重要意见和建议（如有）。

第四十一条　监事会在本年度内的监督活动中发现挂牌公司存在风险的，公司应当披露监事会就有关风险的简要意见；否则，公司应当披露监事会对本年度内的监督事项无异议。

第四十二条　监事会应当对定期报告进行审核并提出书面审核意见，说明董事会对定期报告的编制和审核程序是否符合法律、行政法规、中国证监会及全国股份转让系统公司的规定和公司章程，报告的内容是否能够真实、准确、完整地反映公司实际情况。

第四十三条　挂牌公司应当就与控股股东或实际控制人在业务、人员、资产、机构、财务等方面存在的不能保证独立性、不能保持自主经营能力的情况进行说明。

第四十四条　挂牌公司应当对会计核算体系、财务管理和风险控制等重大内部管理制度进行评价，披露本年度内发现上述管理制度重大缺陷的具体情况，包括对缺陷的具体描述、缺陷对财务报告的潜在影响，已实施或拟实施的整改措施、时间、责任人及效果。

第四十五条　挂牌公司应当披露年度报告重大差错责任追究制度的建立与执行情况，披露董事会对有关责任人采取的问责措施及处理结果。

第九节　财务报告

第四十六条　挂牌公司的财务报告包括财务报表和其他应当在财务报告中披露的相关信息和资料。

第四十七条　财务报表包括挂牌公司年度末及其前一个年度末的比较式资产负债表、现金流量表、所有者权益（股东权益）变动表、比较式利润表及其附注。编制合并财务报表的公司，除提供合并财务报表外，还应提供母公司财务报表。

第四十八条　财务报表附注参照《公开发行证券的公司信息披露编报规则第 15 号——财务报告的一般规定》（2010 年修订）的相关规定编制，由于国家机密、商业秘密等特殊原因导致上述规定的某些信息不便披露的，挂牌公司可依据第八条规定向全国股份转让系统公司申请豁免披露。

第十节　备查文件目录

第四十九条　挂牌公司应当披露备查文件的目录，包括：

（一）载有公司负责人、主管会计工作负责人、会计机构负责人（会计主管人员）签名并盖章的财务报表。

（二）载有会计师事务所盖章、注册会计师签名并盖章的审计报告原件。

（三）年度内在指定信息披露平台上公开披露过的所有公司文件的正本及公告的原稿。

公司应当在办公场所置备上述文件的原件。全国股份转让系统公司要求提供时，或股东依据法律、法规或公司章程要求查阅时，公司应当及时提供。

第三章　监管措施和违规处分

第五十条　挂牌公司及其董事、监事、高级管理人员、股东、实际控制人及其他相关信息披露义务人、律师、主办券商和其他证券服务机构违反本指引的，全国股份转让系统公司依据《业务规则》采取相应的监管措施或纪律处分。

第四章　附则

第五十一条　本指引由全国股份转让系统公司负责解释。

第五十二条　本指引自发布之日起施行。

全国中小企业股份转让系统
挂牌公司半年度报告内容与格式指引
（试行）

第一章　总则

第一条　为规范挂牌公司半年度报告的编制及披露行为，保护投资者合法权益，根据相关法律法规、《全国中小企业股份转让系统业务规则（试行）》（以下简称《业务规则》）及有关规定，制定本指引。

第二条　挂牌公司应当按照本指引的要求编制和披露半年度报告。挂牌公司半年度报告的编制应当按照附件《全国中小企业股份转让系统挂牌公司半年度报告内容与格式模板》的格式进行。

第三条　半年度报告的报告期是指年初至半年度期末。半年度报告中的财务报告可以不经审计，但中国证券监督管理委员会（以下简称“中国证监会”）和全国中小企业股份转让系统有限责任公司（以下简称“全国股份转让系统公司”）另有规定的除外。如需审计的，应当经过具有证券、期货相关业务资格的会计师事务所审计，有关审计报告由上述会计师事务所盖章及由两名或两名以上注册会计师签字盖章。

第四条　本指引是对挂牌公司半年度报告信息披露的最低要求；凡公司认为对投资者决策有重大影响的信息，不论本指引是否有明确规定，公司均应披露。

第五条　由于国家机密、商业秘密等特殊原因导致本指引规定的某些信息不便披露的，挂牌公司应当在登记预披露时间的同时向全国股份转让系统公司申请豁免披露，经全国股份转让系统公司同意后，可以不予披露。

第六条　挂牌公司在编制半年度报告时应遵循以下一般要求：

（一）半年度报告中引用的数字应当采用阿拉伯数字，有关货币金额除特别说明外，通常指人民币金额，并以元、万元或亿元为单位。

（二）半年度报告中若涉及行业分类，可以参照中国证监会有关上市公司行业分类的规定；公司也可以增加披露适用其他行业分类标准的数据、资料。

第二章　格式与内容

第一节　格式要求

第七条　半年度报告应当包括封面、公司半年大事记、声明与提示、目录、正文及备查文件目录等内容。正文包括基本信息、财务信息和非财务信息。

第八条　半年度报告封面应当载明公司的名称、“半年度报告”的字样、报告期年份和证券代码，也可以载有公司标识、公司照片等。鼓励公司本着简洁、创新、展现个性的目的设计半年度报告封面。

第九条　半年度报告扉页应当载有以“公司半年大事记”为主题的信息。“公司半年大事记”可以报道公司报告期内的重要新闻、对公司有重大影响的事件、承担社会责任的实践活动、所处行业的重要资讯等信息，公司可以自行选择披露事件的数量和类型。如果所披露事件已经对外公布的，应注明源引何处。公司可以自选标题、刊载图片或者设计版式。

第十条　在声明与提示部分，挂牌公司应当刊载如下声明：公司董事会及其董事、监事会及其监事、公司高级管理人员保证本报告所载材料不存在任何虚假记载、误导性陈述或者重大遗漏，并对内容的真实性、准确性和完整性承担个别及连带责任。

如有董事、监事、高级管理人员对半年度报告中内容存在异议或无法保证其真实、准确、完整的，应当声明无法保证本报告内容的真实、准确、完整，并说明理由，请投资者特别关注。

公司负责人、主管会计工作负责人及会计机构负责人（会计主管人员）应当声明并保证半年度报告中财务信息的真实、完整。

第二节　基本信息

第十一条　基本信息包括公司概览、主要会计数据与关键指标、管理层讨论与分析三个部分。

第十二条　公司概览包括公司信息、联系人、运营概况和自愿披露四个部分。

（一）公司信息包括法定代表人、注册地址、办公地址、主办券商、会计师事务所（如有）。

（二）联系人包括董事会秘书或信息披露事务负责人的姓名、电话、传真、电子邮箱、联系地址。

（三）运营概况包括公司股份公司成立时间、挂牌时间、行业分类、主要产品与服务项目、总股本、无限售条件的股份数量、控股股东、实际控制人及持股比例、截至报告期末的股东人数、截至报告期末的员工人数（包含子公司）、是否拥有高新技术企业资格、公司拥有的重要经营资质。

（四）在自愿披露部分，公司可以根据实际情况选择与企业经营关联性强、体现企业核心竞争力的信息进行披露，如企业拥有的各项专利技术、重要的合作伙伴、已完成的业务案例等。

第十三条　主要会计数据与关键指标包括盈利能力、偿债能力、营运情况、成长情况和自愿披露指标五个部分。挂牌公司应采用数据列表方式，提供截止报告期末和上年期末（或报告期和上年同期）的数据和指标。编制合并财务报表的公司应当以合并财务报表数据填列或计算以上数据和指标。

（一）盈利能力包括营业收入、毛利率、归属于挂牌公司股东的净利润、加权平均净资产收益率和基本每股收益。

（二）偿债能力包括总资产、归属于挂牌公司股东的每股净资产、资产负债率、流动比率和利息保障倍数。

（三）营运情况包括经营活动产生的现金流量净额、应收账款周转率和存货周转率。

（四）成长情况包括总资产增长率、营业收入增长率和净利润增长率。

（五）在自愿披露部分，公司可以选择与经营关联性强、体现企业核心竞争力的关键指标进行披露，例如市场份额、客户保持率、研发投入与当期营业收入比、新产品投资回报率等。自愿披露指标应有助于投资者判断企业经营状况，列示指标时应当说明计算的方法及所用数据的来源。

第十四条　挂牌公司应当结合财务报告及附注中的重要历史信息，对报告期内的经营情况进行回顾，尤其应着重分析导致公司财务状况、经营成果、现金流量发生重大变化的原因。分析中如引用第三方资料及数据，应注明来源。

（一）结合行业、产品与服务、客户、关键资源、销售渠道、收入模式等要素，简要说明公司的商业模式及是否较上年度发生重大变化。

（二）报告期内的财务状况、经营成果（如营业收入、营业利润、净利润）的实现、现金流量情况，相对于同期或上年度末的增长（下降）情况，年度经营计划（如有）在报告期内的执行情况，并结合行业波动、商业模式、企业季节性、周期性特征，详细分析变动的原因。

尤其应说明行业的发展情况、市场竞争、产品或服务重大变化与调整、重要研发项目的进展、核心团队与关键技术的变化、供应商和客户的变化、销售渠道变动、成本结构、收入模式变动、季节性、周期性特征等对于经营的影响情况。

（三）对公开转让说明书或年度报告中披露的存续到报告期的风险因素进行分析，回顾企业在报告期内经营管理上遇到的困难，例如政策变动、财务风险、客户投诉、成本提高、人才流失及研发失败等。分析报告期内企业通过何种措施来应对这些困难、改善企业经营，例如定向发行、并购重组、人才引进、研究开发以及公司治理改进等，分析其对于提升企业价值的影响。

第三节　财务信息

第十五条　财务信息包括财务报表和财务报表附注两个部分。财务报表及其附注未经会计师事务所审计的，挂牌公司应当注明“未经审计”字样。经会计师事务所审计的，若注册会计师出具标准审计报告，挂牌公司应当明确说明注册会计师出具标准审计报告；若注册会计师出具非标准审计报告，挂牌公司应当披露审计报告正文，并且董事会应当对涉及事项作出说明。

第十六条　财务报表包括比较式资产负债表、利润表和现金流量表。编制合并报表的公司，除提供合并财务报表外，还应提供母公司财务报表。

公司提供的财务报表中会计数据的填列应自左至右，最左侧为最近一期数据，表内各主要报表项目应标有注释编号，并与财务报表注释编号一致。

第十七条　半年度报告财务报表附注包括详情以及项目注释，应当以年初至报告期末为基础披露，详情应当至少包括以下信息：

（一）半年度报告所采用的会计政策与上年度财务报表是否一致。会计政策发生变更的，应当说明会计政策变更的性质、内容、原因及其影响数；无法追溯调整的，应当说明原因。

（二）半年度报告所采用的会计估计与上年度财务报表是否一致。会计估计发生变更的，应当说明会计估计变更的内容、原因及其影响数；影响数不能确定的，应当说明原因。

（三）是否存在前期差错更正。若存在前期差错更正，应当说明前期差错的性质及其更正金额；无法追溯调整的，应当说明原因。

（四）企业经营是否存在季节性或者周期性特征。若存在，应当说明季节性或者周期性特征的内容及其影响。

（五）合并财务报表的合并范围是否发生变化。若发生变化，应当说明变化的原因。

（六）是否存在需要根据《企业会计准则第 35 号——分部报告》规定披露分部报告的信息。若存在，应当披露主要报告形式的分部收入和分部利润（亏损）。

（七）是否存在半年度资产负债表日至半年度财务报告批准报出日之间的非调整事项。若存在，说明具体情况。

（八）上年度资产负债表日以后所发生的或有负债和或

有资产是否发生变化。若变化,应当说明具体情况。

(九)重大的长期资产是否转让或者出售。若存在,说明具体情况。

(十)重大的固定资产和无形资产是否发生变化。若变化,说明具体情况。

(十一)是否存在重大的研究和开发支出。若存在,说明具体情况。

(十二)是否存在重大的资产减值损失。若存在,说明具体情况。

第十八条　具体的报表项目注释参照《公开发行证券的公司信息披露编报规则第 15 号——财务报告的一般规定》(2010 年修订)的规定编制。

第四节　非财务信息

第十九条　非财务信息包括重要事项、股东变动及股东情况、董事、监事、高级管理人员及核心员工情况三个部分。重要事项包括但不限于利润分配或公积金转增股本、定向发行、重大诉讼与仲裁、对外担保、资金占用、关联交易、收购、出售资产、对外投资、企业合并、资产权利受限情况、股权激励、承诺履行等。

第二十条　挂牌公司应披露报告期内实施的利润分配方案或公积金转增股本方案的执行情况,并说明是否存在已经批准但尚未实施的利润分配方案或公积金转增股本方案的情况。

第二十一条　挂牌公司应当披露报告期内进行的定向发行的基本情况,内容包括但不限于发行次数、发行股份总量、募集资金数量等。

第二十二条　挂牌公司应当披露报告期内发生的所有诉讼、仲裁事项的概况及涉及的累计金额,如果上述金额不超过报告期末净资产绝对值 10% 的,可以免于披露。以前年度发生并以临时公告形式披露,但尚未结案的重大诉讼、仲裁事项在报告期内存在重大进展的,公司应当披露案件进展情况;已经审结的重大诉讼、仲裁事项,公司应当披露报告期内案件的执行情况。

第二十三条　挂牌公司应当披露报告期内履行的及尚未履行完毕的对外担保合同(不包括对控股子公司担保),包括担保金额、担保期限、担保类型(一般担保或连带责任担保)等。

挂牌公司应当披露公司及其控股子公司为股东、实际控制人及其关联方提供担保的金额,公司直接或间接为资产负债率超过 70%(不含本数)的被担保对象提供的债务担保金额,以及公司担保总额超过净资产 50%(不含本数)部分的金额。公司还应当说明报告期内是否存在违规担保的情形。

第二十四条　挂牌公司应当披露报告期内发生并持续到报告期的股东及其关联方以各种形式占用或者转移公司资金、资产及其他资源的情形,应当说明发生的原因及整改情况,其中发生控股股东、实际控制人及其关联方占用资金情形的,应当充分披露相关的决策程序,预计归还方式及时间。

第二十五条　挂牌公司应当披露报告期内日常性关联交易的执行情况。同时说明报告期内发生的偶发性关联交易的金额、履行的程序,并说明偶发性关联交易的必要性和持续性及对公司生产经营的影响。

第二十六条　挂牌公司应当披露报告期内经股东大会审议通过的收购及出售资产、对外投资情况,以及报告期内发生的企业合并事项的简要情况及进展,并分析上述事项对公司业务持续性、管理层稳定性及其他方面的影响。

第二十七条　挂牌公司应披露报告期末资产中被查封、扣押、冻结或者被抵押、质押的资产类别、账面价值和累计值及其占总资产的比例。

第二十八条　挂牌公司应披露报告期内通过的股权激励计划、以前年度通过的股权激励计划是否存在变动情况,并说明已披露的股权激励计划在报告期内的实施情况。

第二十九条　挂牌公司及其董事、监事、高级管理人员或股东、实际控制人及其他信息披露义务人如存在报告期内或持续到报告期已披露的承诺,应当披露承诺的履行情况。

第三十条　挂牌公司应当披露报告期期初、期末的股本结构;报告期期末前十名股东持股情况,并对前十名股东相互间关系及持股变动情况进行说明。

挂牌公司应当披露控股股东和实际控制人情况,并对控股股东和实际控制人的变动情况进行说明。

第三十一条　挂牌公司应当披露报告期内董事、监事、高级管理人员的职务、性别、任期及持股情况。

挂牌公司应当披露报告期内董事、监事、高级管理人员及核心员工的变动情况,说明变动对公司经营的影响。

第五节　备查文件目录

第三十二条　挂牌公司应当披露备查文件的目录,内容包括:

(一)载有公司负责人、主管会计工作负责人、会计机构负责人(会计主管人员)签名并盖章的财务报表。

(二)载有会计师事务所盖章、注册会计师签名并盖章的审计报告原件(如有)。

(三)报告期内在指定网站上公开披露过的所有公司文件的正本及公告的原稿。

公司应当在办公场所备置上述文件的原件。全国股份转让系统公司要求提供时,或股东依据法律、法规或公司章程要求查阅时,公司应当及时提供。

第三章　监管措施和违规处分

第三十三条　挂牌公司及其董事、监事、高级管理人员、股东、实际控制人及其他相关信息披露义务人、律师、主办券商和其他证券服务机构违反本指引的,全国股份转让系统公司依据《业务规则》采取相应的监管措施或纪律处分。

第四章　附则

第三十四条　本指引包括附件《全国中小企业股份转让系统挂牌公司半年度报告内容与格式模板》。

第三十五条　本指引由全国股份转让系统公司负责解释。

第三十六条　本指引自发布之日起施行。

交易监察类

全国中小企业股份转让系统
转让异常情况处理办法

（试行）

第一条　为妥善处置转让异常情况,及时防范、化解全国中小企业股份转让系统(以下简称全国股转系统)市场风险,保障证券转让秩序，维护市场稳定，依据《证券法》、《突发事件应对法》、《国务院关于全国中小企业股份转让系统有关问题的决定》、《全国中小企业股份转让系统有限责任公司管理暂行办法》和《全国中小企业股份转让系统业务规则（试行）》等规定，制定本办法。

第二条　本办法所称转让异常情况是指导致或可能导致全国股转系统证券转让部分或全部不能正常进行（以下简称转让不能进行）的情形。

第三条　引发转让异常情况的原因包括不可抗力、意外事件、技术故障等。

第四条　引发转让异常情况的不可抗力是指全国股转系统市场所在地或全国其他部分区域出现或据灾情预警可能出现严重自然灾害、出现重大公共卫生事件或社会安全事件等情形。

第五条　引发转让异常情况的意外事件是指全国股转系统市场所在地发生火灾或电力供应出现故障等情形。

第六条　引发转让异常情况的技术故障是指：

（一）全国股转系统交易、通信系统中的网络、硬件设备、应用软件等无法正常运行；

（二）全国股转系统交易、通信系统在运行、主备系统切换、软硬件系统及相关程序升级、上线时出现意外；

（三）全国股转系统交易、通信系统被非法侵入或遭受其他人为破坏等情形；

（四）全国中小企业股份转让系统有限责任公司（以下简称全国股转公司）认定的其他情形。

第七条　转让不能进行是指无法正常开始转让、无法连续转让、转让结果异常、转让无法正常结束等情形。

第八条　无法正常开始转让是指：

（一）全国股转系统交易、通信系统在开市前无法正常启动；

（二）暂停、恢复证券转让、除权除息等重要操作在开市前未及时、准确处理完毕；

（三）前一转让日的日终清算交收处理未按时完成或虽已完成但清算交收数据出现重大差错而导致无法正确转让；

（四）10%以上的主办券商营业部因系统故障无法正常接入全国股转系统交易系统等情形；

（五）因做市商系统故障，导致相关挂牌公司股票正常履行开盘报价义务的做市商不足2家。

第九条　无法连续转让是指：

（一）全国股转系统交易、通信系统出现10分钟以上中断；

（二）全国股转系统行情发布系统出现10分钟以上中断；

（三）10%以上主办券商营业部无法正常发送转让申报、接收实时行情或成交回报；

（四）10%以上的证券中断交易；

（五）因做市商无法正常发送转让申报、接收实时行情或成交回报，导致部分挂牌股票正常履行报价义务的做市商不足2家。

第十条　转让结果异常是指转让结果出现严重错误、行情发布出现错误、全国股转公司认定的指数计算出现重大偏差等可能严重影响整个市场正常转让的情形。

第十一条　转让无法正常结束是指尾市转让异常、可能导致无法正常完成，收市处理无法正常结束等可能对市场造成重大影响的情形。

第十二条　转让异常情况出现后，全国股转公司将及时向市场公告，并可视情况需要单独或者同时采取技术性停牌、临时停市、暂缓进入交收等措施。

全国股转公司采取前款规定措施的，及时报告中国证监会。对技术性停牌或临时停市的决定，全国股转公司通过指定信息披露平台及相关媒体及时予以公告。

第十三条　技术性停牌或临时停市原因消除后，全国股转公司可以决定恢复转让，并向市场公告。

恢复转让后，全国股转公司对转让异常情况相关背景、原因、应对措施进行总结、分析，并书面报告中国证监会。

第十四条　证券转让相关部门或机构在与证券转让相关的业务实施、流程衔接、操作运行等环节出现重大误差或失误等情形，导致或可能导致转让不能进行，需要采取技术性停牌、临时停市等措施的，参照本办法执行。

第十五条　国内外已经或可能出现对中国证券市场稳定及正常运行造成重大影响的事件或者出现其他全国性事件的，应国家有关部门要求临时停市的，参照本办法执行。

第十六条　本办法中相关用语的含义：

（一）全国股转系统市场所在地：是指全国股转系统交易、通信及清算交收系统所在地；

（二）自然灾害：包括但不限于台风、地震、海啸、暴雪、日凌、洪涝灾害；

（三）重大公共卫生事件：包括但不限于传染病疫情、群体性不明原因疾病、食品安全事件以及其他严重影响公众健康和生命安全的事件；

（四）社会安全事件：包括但不限于恐怖袭击事件、经济安全事件、涉外突发事件以及其他严重影响公共安全的事件。

第十七条　本办法由全国股转公司负责解释。

第十八条　本办法自发布之日起施行。

全国中小企业股份转让系统股票转让方式确定及变更指引（试行）

第一章　总则

第一条　为明确全国中小企业股份转让系统（以下简称全国股份转让系统）申请挂牌公司、挂牌公司股票（以下简称股票）转让方式的确定、变更以及做市商加入、退出等相关事宜，根据《全国中小企业股份转让系统业务规则（试行）》、《全国中小企业股份转让系统股票转让细则（试行）》（以下简称《转让细则》）等有关规定，制定本指引。

第二条　股票可以采取做市转让方式、协议转让方式或竞价转让方式之一进行转让。挂牌公司提出申请并经全国中小企业股份转让系统有限责任公司（以下简称全国股份转让系统公司）同意，可以变更股票转让方式。

股票采取竞价转让方式的，竞价转让的实施条件、竞价转让方式的确定及有关变更要求，由全国股份转让系统公司另行制定。

第三条　申请挂牌公司股东大会应当就股票采取何种转让方式作出决议。

挂牌公司拟申请变更股票转让方式的，其股东大会应当就股票转让方式变更事宜作出决议。挂牌公司应当在股东大会会议结束后2个转让日内在全国股份转让系统公司指定信息披露平台（以下简称指定网站）公告决议内容。

第二章　申请挂牌公司股票转让方式的确定

第四条　股票挂牌时拟采取协议转让方式的，申请挂牌公司应当在提交挂牌申请材料的同时，向全国股份转让系统公司提交以下材料：

（一）关于股票采取协议转让方式的申请；

（二）关于同意公司股票采取协议转让方式的决议；

（三）全国股份转让系统公司要求提交的其他材料。

第五条　股票挂牌时拟采取做市转让方式的，应当具备以下条件：

（一）2 家以上做市商同意为申请挂牌公司股票提供做市报价服务，且其中一家做市商为推荐该股票挂牌的主办券商或该主办券商的母（子）公司；

（二）做市商合计取得不低于申请挂牌公司总股本 5% 或 100 万股（以孰低为准），且每家做市商不低于 10 万股的做市库存股票；

（三）全国股份转让系统公司规定的其他条件。

第六条　股票挂牌时拟采取做市转让方式的，申请挂牌公司应当在提交挂牌申请材料的同时，向全国股份转让系统公司提交以下材料：

（一）关于股票采取做市转让方式的申请；

（二）关于同意公司股票采取做市转让方式的决议；

（三）做市商为申请挂牌公司股票提供做市报价服务申请；

（四）全国股份转让系统公司要求的其他材料。

第七条　全国股份转让系统公司在出具同意挂牌审查意见时，确认申请挂牌公司股票的转让方式。

第八条　股票采取做市转让方式的，申请挂牌公司应当在股票挂牌前确认做市商做市库存股票已经按照中国证券登记结算有限责任公司（以下简称中国结算）要求登记于做市商做市专用证券账户，并将做市商做市库存股票登记结果向全国股份转让系统公司报告。

第九条　申请挂牌公司应当按照全国股份转让系统公司的要求在公开转让说明书和挂牌提示性公告（附件 4、附件 5）中披露其股票转让方式。

第三章　协议转让方式变更为做市转让方式

第十条　采取协议转让方式的股票，挂牌公司申请变更为做市转让方式的，应当符合以下条件：

（一）2 家以上做市商同意为该股票提供做市报价服务，并且每家做市商已取得不低于 10 万股的做市库存股票；

（二）全国股份转让系统公司规定的其他条件。

第十一条　挂牌公司应当在作出有关变更转让方式的决议后 3 个月内，向全国股份转让系统公司提交以下申请材料：

（一）变更股票转让方式为做市转让方式申请；

（二）挂牌公司关于变更股票转让方式的决议；

（三）做市商为挂牌公司股票提供做市报价服务申请；

（四）全国股份转让系统公司要求的其他材料。

第十二条　全国股份转让系统公司收到申请材料后，在 3 个转让日内出具意见，并于出具意见当日（T 日）收市后通知挂牌公司和相关做市商。挂牌公司应当于 T 日在指定网站公告。

第十三条　全国股份转让系统公司同意挂牌公司股票转让方式变更为做市转让方式的，自 T+2 转让日起该股票转让方式变更为做市转让方式，相关做市商应当履行对该股票的做市报价义务。

第四章　做市转让方式变更为协议转让方式

第十四条　采取做市转让方式的股票，挂牌公司申请变更为协议转让方式的，应当符合以下条件：

（一）该股票所有做市商均已满足《转让细则》关于最低做市期限的要求，且均同意退出做市；

（二）全国股份转让系统公司规定的其他条件。

第十五条　挂牌公司应当在作出有关变更转让方式的决议后 5 个转让日内，向全国股份转让系统公司提交以下申请材料：

（一）变更股票转让方式为协议转让方式申请；

（二）挂牌公司关于变更股票转让方式的决议；

（三）做市商同意退出做市声明；

（四）全国股份转让系统公司要求的其他材料。

第十六条　全国股份转让系统公司收到申请材料后，在 3 个转让日内出具意见，并于出具意见当日（T 日）收市后通知挂牌公司和相关做市商。挂牌公司应当于 T 日在指定网站公告。

第十七条　全国股份转让系统公司同意挂牌公司股票转让方式变更为协议转让方式的，自 T+2 转让日起该股票转让方式变更为协议转让方式，相关做市商停止为该股票提供做市报价服务，并应当按照《转让细则》有关规定将该挂牌公司股票转出做市专用证券账户。

第五章　申请后续加入为股票做市

第十八条　挂牌时采取做市转让方式的股票，拟后续加入的做市商须在该股票挂牌满 3 个月后方可经申请同意后为该股票提供做市报价服务。

做市商退出做市后，1 个月内不得申请再次为该股票做市。

第十九条　采取做市转让方式的股票，做市商拟后续加入为该股票做市的，应事先向全国股份转让系统公司提交后续加入做市申请（附件 10）。全国股份转让系统公司接受申请的时间为每个转让日的 15:00 至 17:00。

第二十条　全国股份转让系统公司收到申请后，在 3 个转让日内出具意见，并于出具意见当日（T 日）收市后通知提出申请的做市商。

全国股份转让系统公司同意申请的，该做市商应当于 T 日在指定网站公告，并于 T+1 转让日开始履行对该股票的做市报价义务。

第二十一条　挂牌公司提交将股票由做市转让方式变更为协议转让方式申请后，全国股份转让系统公司停止接受做市商后续加入为该股票做市的申请，已经接受申请的，中止审查。

第六章　申请退出为股票做市

第二十二条　挂牌时采取做市转让方式的股票和由协议转让方式变更为做市转让方式的股票，其初始做市商为股票做市不满 6 个月的，不得申请退出为该股票做市。后续加入的做市商为相关股票做市不满 3 个月的，不得申请退出为该股票做市。

第二十三条　做市商拟退出为股票做市的，应事先向全国股份转让系统公司提交退出做市申请。全国股份转让系统公司接受申请的时间为每个转让日的15:00至17:00。

第二十四条　全国股份转让系统公司收到申请后，在3个转让日内出具意见，并于出具意见当日（T日）收市后通知申请退出的做市商。

全国股份转让系统公司同意申请的，该做市商应当于T日在指定网站公告，自T+1转让日起停止履行为相关股票提供做市报价服务，并应当按照《转让细则》有关规定将该挂牌公司股票转出做市专用证券账户。

第七章　特殊情形处理

第二十五条　采取做市转让方式的股票发生下列情形之一，将导致该股票做市商不足2家时，全国股份转让系统公司于有关情形发生当日（T日）收市后在公司网站公告相关情况：

（一）该股票做市商提出申请并经全国股份转让系统公司同意，退出为该股票做市；

（二）该股票做市商被暂停、终止从事做市业务，或被禁止为该股票做市。

自T+1转让日起，该股票暂停转让。暂停转让期间，挂牌公司应当每5个转让日在指定网站发布一次提示性公告。

第二十六条　发生第二十五条所述情形导致股票暂停转让的，相关股票在以下情形发生后恢复转让：

（一）该股票做市商在T+30个转让日内恢复为2家以上；

（二）挂牌公司在T+30个转让日内提出申请并经全国股份转让系统公司同意，股票转让方式变更为协议转让方式；

（三）依据《转让细则》第十八条规定，全国股份转让系统公司强制将股票转让方式变更为协议转让方式。

因发生上述（一）、（三）情形，股票恢复转让的，全国股份转让系统公司于恢复转让前一转让日在公司网站公告相关情况。

第八章　附则

第二十七条　本指引所称“以上”包含本数，“不足”不包含本数。

第二十八条　本指引由全国股份转让系统公司负责解释。

第二十九条　本指引自发布之日起施行。

全国中小企业股份转让系统股票异常转让实时监控指引（试行）

第一条　为维护全国中小企业股份转让系统（以下简称全国股份转让系统）交易秩序，保护投资者合法权益，根据《全国中小企业股份转让系统业务规则（试行）》（以下简称《业务规则》）、《全国中小企业股份转让系统股票转让细则（试行）》（以下简称《股票转让细则》）、《全国中小企业股份转让系统主办券商管理细则（试行）》等规定，制定本指引。

第二条　全国中小企业股份转让系统有限责任公司（以下简称全国股份转让系统公司）对挂牌公司股票的转让过程进行实时监控，并依法对实时监控中发现的异常情况及行为实施自律监管。

第三条　全国股份转让系统公司在实时监控中，发现股票价格异常波动、股票转让行为异常或做市商报价与转让行为涉嫌违法违规的，可以采取公告转让双方基本情况和转让相关信息、电话问询、要求提交书面承诺、出具警示函、暂停转让、限制证券账户交易、向中国证监会报告等措施。

第四条　股票转让出现下列情形之一的，属于异常波动，挂牌公司应当于次一转让日披露异常波动公告。

（一）协议转让方式下，股票当日换手率超过10%，或连续三个转让日换手率累计超过20%；

（二）做市转让方式下，股票连续三个转让日涨跌幅累计超过50%；

（三）全国股份转让系统公司认定的其他情形。

如果次一转让日无法披露，挂牌公司应当向全国股份转让系统公司申请股票暂停转让直至披露后恢复转让。

第五条　采取协议转让方式的股票，投资者买卖出现下列情形之一的，全国股份转让系统公司于次一转让日进行公告：

（一）成交价格较前收盘价变动幅度超过50%；

（二）全国股份转让系统公司认定的其他情形。

公告内容包括：证券代码、证券简称、成交价格、成交数量、买卖双方证券账户名称、主办券商证券营业部或交易单元的名称等。

第六条　采取做市转让方式的股票，出现下列情形之一的，相关做市商应当及时向全国股份转让系统公司报告，并说明情况：

（一）当日成交量加权平均价较前收盘价变动幅度超过20%；

（二）当日最高报卖价、最低报买价较前收盘价变动幅度超过30%；

（三）全国股份转让系统公司或做市商认为需要报告并说明情况的其他情形。

第七条　全国股份转让系统公司可以单独或联合其他有关单位，对异常及涉嫌违法违规转让行为采取现场或非现场方式进行调查，相关主办券商及其营业部、投资者应当予以配合。

第八条　全国股份转让系统公司对异常转让的当事人采取要求提交书面承诺、出具警示函等措施的，通过相关证券账户所在的主办券商或营业部向当事人发出。相关主办券商或营业部应当及时向客户转告有关警示、督促客户提交书面承诺，并保留相关证据。

做市商或使用专用交易单元的机构投资者进行做市或参与交易的，全国股份转让系统公司直接要求相关当事人提交书面承诺、向其出具警示函。

第九条　全国股份转让系统公司做出限制证券账户交易决定的，通过相关证券账户所在主办券商向当事人发出有关书面决定。该主办券商应当在收到限制证券账户交易决定的当日将其送达相关当事人；确实无法在当天送达的，应保留相关证据并及时向全国股份转让系统公司报告。

做市商、使用专用交易单元的机构投资者进行做市或参与交易的，全国股份转让系统公司直接向相关当事人发出有关书面决定。

第十条　投资者被全国股份转让系统公司采取自律监管措施后仍拒不配合或未按要求整改，主办券商未按照全国股份转让系统公司业务规则履行客户管理责任或不配合监管，或者做市商不配合监管或未按要求整改的，全国股份转让系统公司可依据《股票转让细则》等，采取进一步处理措施。

第十一条　本指引所称“超过”不含本数。

第十二条　本指引由全国股份转让系统公司负责解释。

第十三条　本指引自发布之日起实施。

全国中小企业股份转让系统交易单元管理办法

（试行）

第一章　总则

第一条　为规范全国中小企业股份转让系统有限责任公司（以下简称全国股份转让系统公司）交易单元的管理，维护市场秩序，保障交易安全，根据《全国中小企业股份转让系统业务规则（试行）》、《全国中小企业股份转让系统股票转让细则（试行）》、《全国中小企业股份转让系统主办券商管理细则（试行）》及其他相关规定，制定本办法。

第二条　全国中小企业股份转让系统（以下简称全国股份转让系统）交易单元的管理，适用本办法。本办法未作规定的，适用全国股份转让系统公司其他规定。

第三条　主办券商和全国股份转让系统公司认可的其他机构（以下统称转让参与人）通过交易单元参与全国股份转让系统证券转让活动的，按照全国股份转让系统公司规定行使相关转让权利，获取相关转让服务，并接受全国股份转让系统公司管理。

全国股份转让系统公司认可的其他机构通过设立交易单元参与全国股份转让系统证券转让活动的，相关规定由全国股份转让系统公司另行制定。

第四条　转让参与人应当遵守本办法和全国股份转让系统公司其他相关规定，制定有关交易单元的内部管理制度，规范相关操作流程，防范业务风险，并承担所属交易单元相关证券业务的法律责任。

第二章　一般规定

第五条　转让参与人设立交易单元后，方可参与全国股份转让系统的证券转让。

转让参与人可根据业务需要向全国股份转让系统公司申请设立一个或一个以上的交易单元。

第六条　转让参与人从事证券经纪、证券自营、做市和证券资产管理等业务，应当使用不同的交易单元，但全国段份转让系统公司另有规定的除外。

第七条　全国股份转让系统公司根据转让参与人的申请和业务范围，为其设立的交易单元设定下列交易或业务权限：

（一）参与不同类别证券品种的转让；

（二）参与不同类型的交易申报；

（三）参与特定证券的做市申报；

（四）其他交易或业务权限。

第八条　全国股份转让系统公司可根据转让参与人的风险承受能力、技术系统、内部控制、业务资格变化及遵守全国股份转让系统公司规则的情况等，调整或取消相关交易或业务权限。

第九条　根据转让参与人的申请，全国股份转让系统公司可以为其交易单元设置以下使用全国股份转让系统公司交易系统资源和获取交易系统服务的功能：

（一）申报买卖指令及其他业务指令；

（二）获取实时及盘后交易回报；

（三）获取证券转让即时行情、证券转让公开信息等交易信息及相关新闻公告；

（四）获取交易系统提供的其他服务。

第十条　转让参与人设立的交易单元通过网关与全国股份转让系统公司交易系统连接。

转让参与人可通过多个网关进行一个交易单元的交易申报，也可通过一个网关进行多个交易单元的交易申报，但不得通过其他转让参与人的网关进行交易申报。

第十一条　全国股份转让系统公司为转让参与人设立的每个交易单元自动配备一个免费标准流速。转让参与人可向全国股份转让系统公司申请一个以上的标准流速，并可将所拥有的总流速配置到一个或一个以上的网关上。

一个标准流速为每秒 10 笔，全国股份转让系统公司可根据市场需要进行调整。配置到网关上的流速应当为标准流速的整数倍，单个网关最多可配置 10 个标准流速。

第三章　设立、变更与注销

第十二条　转让参与人可根据业务需要，向全国股份转让系统公司申请设立交易单元。转让参与人申请设立交易单元的，应当按照全国股份转让系统公司的要求提供相关文件。

全国股份转让系统公司自受理之日起 5 个转让日内作出是否同意的决定。

第十三条　转让参与人购买标准流速或设立网关，应当向全国股份转让系统公司提出申请。

全国股份转让系统公司自受理之日起 2 个转让日内作出是否同意的决定。

第十四条　全国股份转让系统公司对第十二条、第十三条所述的申请审核同意的，核定相应的交易单元编码及所涉业务类型、标准流速数量与网关编码等。

第十五条　转让参与人可向全国股份转让系统公司申请变更其交易单元业务类型、交易权限与标准流速数量或网关编码等。

全国股份转让系统公司自受理之日起 3 个转让日内作出是否同意的决定。

第十六条　转让参与人可向全国股份转让系统公司申请注销其交易单元、标准流速或网关。

全国股份转让系统公司自受理之日起 3 个转让日内作出是否同意的决定。

第十七条　转让参与人在办理网关注销手续时，应当同时办理使用该网关的交易单元的变更或注销手续。

转让参与人在办理全部交易单元注销手续时，应同时办理网关的注销手续。

第十八条　因转让参与人发生重组、合并、破产、清算等情况涉及交易单元或者网关变动的，转让参与人应及时向全国股份转让系统公司申请办理相关的变更或者注销等手续。

第十九条　转让参与人不得转让交易单元。未经全国股份转让系统公司同意，转让参与人不得以出租等方式将设立的交易单元交予他人使用。

第四章　收费

第二十条　转让参与人通过交易单元从事证券转让业

务，应当向全国股份转让系统公司交纳交易单元开设初费、使用费、流速费与流量费等费用。

第二十一条　转让参与人设立首个交易单元时，应交纳人民币 50 万元的交易单元开设初费。转让参与人设立首个交易单元后，增设交易单元的，不必再交纳交易单元开设初费。

第二十二条　转让参与人申请使用的每个交易单元（含首个交易单元）按每年人民币 3 万元交纳交易单元使用费。

第二十三条　转让参与人申请使用的总流速不超过其享有的免费标准流速之和时，不需交纳流速费；申请使用的总流速超出其享有的免费标准流速之和的部分，按每个标准流速每年人民币 5000 元交纳流速费。

第二十四条　转让参与人应当按年向全国股份转让系统公司交纳流量费。转让参与人每年流量费总额按下列公式计算：转让参与人每年流量费总额 =（转让参与人所属各交易单元的年交易类申报笔数总和 - 该转让参与人享受的年交易类免费申报笔数）× 每笔交易类申报收费单价 +（转让参与人所属各交易单元的年非交易类申报笔数总和 - 该转让参与人享有的年非交易类免费申报笔数）× 每笔非交易类申报收费单价。其中：

（一）交易类申报包括买申报、卖申报和撤销申报；非交易类申报指除交易类申报外的其他申报，包括新股申购申报、转托管申报、可转债转股和回售申报等。

（二）每个交易单元享受的年免费申报笔数为交易类申报、非交易类申报各 5000 笔。

（三）每笔交易类申报收费单价为人民币 0.15 元，每笔非交易类申报收费单价为人民币 0.01 元。

按上述规则计算的转让参与人应交纳的流量费，每年不足人民币 2000 元的，按人民币 2000 元计。

第五章　附则

第二十五条　本规则下列用语的含义：

（一）交易单元，是指转让参与人向全国股份转让系统公司申请设立的、参与全国股份转让系统证券转让，并接受全国股份转让系统公司服务及监管的基本业务单位。

（二）网关，是指放置在转让参与人处、用于连接转让参与人与全国股份转让系统公司交易系统的软硬件设施的总称。

（三）标准流速，是指转让参与人在单位时间内通过网关向全国股份转让系统公司交易系统发送的标准的申报笔数。

第二十六条　本办法由全国股份转让系统公司负责解释。

第二十七条　本办法自发布之日起施行。

全国中小企业股份转让系统过渡期股票转让暂行办法

第一条　全国中小企业股份转让系统（以下简称“全国股份转让系统”）挂牌公司股票的转让适用本暂行办法。

第二条　挂牌公司股票应当通过全国股份转让系统转让，法律法规另有规定的除外。

第三条　挂牌公司股票转让时间为每周一至周五上午 9:30 至 11:30，下午 13:00 至 15:00。遇法定节假日和其他特殊情况，暂停转让。

第四条　深圳证券交易所为全国股份转让系统提供交易主机等设施。中国证券登记结算有限责任公司（以下简称“中国结算”）为全国股份转让系统提供登记结算服务。

第五条　投资者买卖挂牌公司股票，应持有中国结算深圳市场人民币普通股票账户（含原非上市股份有限公司股份转让账户，以下简称“证券账户”）。

第六条　投资者买卖挂牌公司股票，应与主办券商签订证券买卖委托代理协议，委托主办券商办理。

投资者卖出股票，须委托代理其买入该股票的主办券商办理。如需委托另一家主办券商卖出该股票，须办理股票转托管手续。

第七条　投资者委托分为意向委托、定价委托和成交确认委托。委托当日有效。

意向委托是指投资者委托主办券商按其指定价格和数量买卖股票的意向指令，意向委托不具有成交功能。

定价委托是指投资者委托主办券商按其指定的价格买卖不超过其指定数量股票的指令。

成交确认委托是指投资者买卖双方达成成交协议，或投资者拟与定价委托成交，委托主办券商以指定价格和数量与指定对手方确认成交的指令。

第八条　意向委托、定价委托和成交确认委托均可撤销，但已经全国股份转让系统确认成交的委托不得撤销或变更。

第九条　意向委托和定价委托应注明股票名称、股票代码、证券账户、买卖方向、买卖价格、买卖数量、联系方式等内容。

成交确认委托应注明股票名称、股票代码、证券账户、买卖方向、成交价格、成交数量、拟成交对手的主办券商、约定号等内容。

第十条　委托的股票数量以“股”为单位，每笔委托股票数量应为 3 万股以上。

投资者证券账户某一股票余额不足 3 万股的，只能一次性委托卖出。

第十一条　股票转让的计价单位为“每股价格”。股票转让的申报价格最小变动单位为 0.01 元。

第十二条　主办券商应通过专用通道，按接受投资者委托的时间先后顺序向全国股份转让系统申报。

第十三条　主办券商收到投资者卖出股票的意向委托后，应验证其证券账户，如股票余额不足，不得向全国股份转让系统申报。

主办券商收到投资者定价委托和成交确认委托后，应验证卖方证券账户和买方资金账户，如果卖方股票余额不足或买方资金余额不足，不得向全国股份转让系统申报。

第十四条　主办券商应按有关规定保管委托、申报记录和凭证。

第十五条　投资者达成转让意向后，可各自委托主办券商进行成交确认申报。

投资者拟与定价委托成交的，可委托主办券商进行成交确认申报。

第十六条　全国股份转让系统收到主办券商的定价申报和成交确认申报后，验证卖方证券账户。如果卖方股票余额不足，全国股份转让系统不接受该笔申报，并发送至主办券商。

第十七条　全国股份转让系统收到拟与定价申报成交的成交确认申报后，如系统中无对应的定价申报，该成交确认申报以撤单处理。

第十八条　全国股份转让系统对通过验证的成交确认申报和定价申报信息进行匹配核对。核对无误的,全国股份转让系统予以确认成交,并向中国结算发送成交确认结果。

第十九条　多笔成交确认申报与一笔定价申报匹配的,按时间优先的原则匹配成交。

第二十条　成交确认申报与定价申报可以部分成交。

成交确认申报股票数量小于定价申报的,以成交确认申报的股票数量为成交股票数量。定价申报未成交股票数量不小于3万股的,该定价申报继续有效;小于3万股的,以撤单处理。

成交确认申报股票数量大于定价申报的,以定价申报的股票数量为成交股票数量。成交确认申报未成交部分以撤单处理。

第二十一条　主办券商在全国股份转让系统从事代理买卖挂牌公司股票业务,应取得中国结算的结算参与人资格。

第二十二条　股票和资金的结算实行分级结算原则。中国结算根据成交确认结果办理结算参与人之间股票和资金的清算交收;结算参与人负责办理其与客户之间的清算交收。

结算参与人与客户之间的股票划付,应当委托中国结算代为办理。

第二十三条　中国结算按照货银对付的原则,为挂牌公司股票转让提供逐笔全额非担保交收服务。

第二十四条　投资者因司法裁决、继承等特殊原因需要办理股票过户的,依照中国结算的规定办理。

第二十五条　全国中小企业股份转让系统有限责任公司(以下简称"全国股份转让系统公司")每个转让日发布委托和成交等转让信息,并通过全国股份转让系统指定信息披露平台或其他媒体公布。

主办券商应在营业网点揭示委托和成交信息。

第二十六条　全国股份转让系统公司发布的委托信息包括:委托类别、股票名称、股票代码、主办券商、买卖方向、拟买卖价格、股票数量、联系方式等。

全国股份转让系统公司发布的成交信息包括:股票名称、股票代码、成交价格、成交数量、买方代理主办券商和卖方代理主办券商等。

第二十七条　当日加权平均成交价为挂牌公司股票的收盘价;当日无成交的,以上一转让日的收盘价为收盘价。

第二十八条　挂牌公司股票发生权益分派、公积金转增股本情况,全国股份转让系统公司在权益登记日(R日)对该股票作除权除息处理。

第二十九条　除权(息)参考价计算公式为:

除权(息)参考价=[前一转让日(R-1日)收盘价-现金红利]÷(1+股份变动比例)

除权(息)日股票买卖,按除权(息)参考价作为计算涨跌幅度的基准,全国股份转让系统公司另有规定的除外。

第三十条　挂牌公司股票发生其他涉及除权除息处理情况的有关规定,由全国股份转让系统公司另行制定。

第三十一条　投资者买卖挂牌公司股票,应按照规定交纳相关税费。

第三十二条　投资者以异常价格进行定价委托或意向委托的,主办券商应对投资者及时进行提醒,要求其撤销该笔委托。异常价格包括但不限于以下情形:

(一)同时低于挂牌公司上年度经审计的每股净资产值与每股面值1元;

(二)涨幅高于挂牌公司股票前收盘价的100%(若前日成交中存在以异常价格成交情形的,则以最近一个未发生异常成交的转让日收盘价为计价标准);

(三)全国股份转让系统公司或主办券商认定的其他情形。

第三十三条　主办券商应对存在异常委托行为的投资者建立记录,进行持续动态管理:对首次发生异常委托行为的投资者进行提醒;对再次发生异常委托行为的投资者予以警示;对三次以上发生异常委托行为的投资者,可在六个月内暂停接受其委托或终止证券买卖委托代理协议。

第三十四条　买卖双方投资者欲通过成交确认委托方式以异常价格(异常价格认定标准参照第三十二条)进行转让的,应事先通过挂牌公司发布股票转让提示性公告,公告次一转让日再进行相关委托转让。公告内容应当包括:转让双方基本情况,拟转让价格,拟转让数量,转让原因,预计转让日期,转让双方之间、转让双方与挂牌公司之间是否存在关联关系。

买卖双方投资者事先未公告即实施转让行为的,代理其买卖挂牌公司股票的主办券商应督促投资者在该转让行为发生后的两个转让日内,通过挂牌公司发布股票转让公告。公告内容应当包括:转让双方基本情况,转让价格,转让数量,转让原因,转让日期,转让双方之间、转让双方与挂牌公司之间是否存在关联关系。

投资者不配合主办券商调查或拒绝提供相关情况导致无法进行公告的,代理其买卖挂牌公司股票的主办券商可在转让发生后的两个转让日内公示投资者的基本情况,并在六个月内拒绝接受其委托。

第三十五条　全国股份转让系统公司对股票转让过程中出现的下列事项,予以重点监控:

(一)可能影响股票转让价格或者股票交易量的异常转让行为;

(二)股票转让价格或者股票交易量明显异常的情形;

(三)涉嫌内幕交易、操纵市场等违法违规行为;

(四)投资者买卖股票的品种、时间、数量等受到法律法规、全国股份转让系统公司规定限制的行为;

(五)全国股份转让系统公司认为需要重点监控的其他事项。

第三十六条　全国股份转让系统公司可以单独或联合有关单位,对异常转让行为等情形进行调查。相关主办券商和投资者应当配合。

第三十七条　全国股份转让系统公司在现场或非现场调查中,可以根据需要要求主办券商和投资者提供下列文件和资料:

(一)投资者的开户资料、授权委托书、资金账户情况和相关证券账户的转让情况等;

(二)相关证券账户或资金账户的实际控制人和操作人情况、资金来源以及相关账户间是否存在关联的说明等;

(三)对股票转让中重点监控事项的解释;

(四)其他与全国股份转让系统公司重点监控事项有关的资料。

第三十八条　全国股份转让系统公司可以视情形对挂牌公司股票转让中出现的异常转让行为采取以下监管措施:

(一)口头或书面警示;

(二)约见谈话;

(三)要求提交书面承诺;

（四）限制相关证券账户转让；

（五）盘中临时停止股票转让；

（六）上报证监会。

第三十九条　原代办股份转让系统挂牌的 STAQ、NET 系统公司和退市公司股票转让相关事项另行规定。

第四十条　本暂行办法由全国股份转让系统公司负责解释。

全国中小企业股份转让系统过渡期登记结算暂行办法

第一条　全国中小企业股份转让系统（以下简称“全国股份转让系统”）挂牌公司股票的登记结算适用本暂行办法。

第二条　投资者应持有中国证券登记结算有限责任公司（以下简称“中国结算”）深圳市场人民币普通股票账户（含原非上市股份有限公司股份转让账户，以下简称“证券账户”）参与挂牌公司股票的转让。

证券账户的开立、挂失补办、资料查询、资料变更和账户注销等业务，按照中国结算证券账户管理相关业务规则办理。

第三条　申请挂牌公司应在获得全国中小企业股份转让系统有限责任公司（以下简称“全国股份转让系统公司”）同意挂牌的审查意见和中国证监会核准文件、证券简称和证券代码后，与中国结算签订股份登记及服务协议，申请办理全部股份的集中登记。股份登记采取申报制，中国结算对申请挂牌公司提交的申请材料进行形式审核。申请挂牌公司应对申请材料的真实、准确与完整负责。

第四条　申请挂牌公司申请办理股份初始登记时，应当提供以下材料：

（一）股份登记申请；

（二）全国股份转让系统公司同意挂牌的审查意见和中国证监会核准文件；

（三）股份公司设立的相关文件；

（四）申请挂牌公司已签字盖章的《股份登记及服务协议》；

（五）涉及司法冻结或质押登记的，还需提供司法协助执行、质押登记相关申请材料；

（六）申请挂牌公司法人有效营业执照复印件、法人代表证明书、法定代表人授权委托书；

（七）中国结算要求提供的其他材料。

第五条　中国结算对上述材料审核无误后，办理股份预登记，向申请挂牌公司出具《网下登记持有人名册清单》。

申请挂牌公司核对确认《网下登记持有人名册清单》无误后，中国结算完成股份登记，并出具《股份登记确认书》。

第六条　挂牌公司申请定向发行股份登记，参照初始登记业务流程办理。

第七条　中国结算依据全国股份转让系统股票转让的交收结果，办理挂牌公司股份的变更登记。

挂牌公司股票涉及司法裁决、继承、赠与、依法进行的财产分割、法人资格丧失等特殊原因需要办理非交易过户的，参照中国结算相关业务规则办理。

第八条　投资者应当委托主办券商托管其持有的挂牌公司股份，主办券商应当将其托管的挂牌公司股份交由中国结算存管，但法律、行政法规和中国证监会另有规定的除外。

第九条　投资者需要变更托管主办券商的，应当通过转出的主办券商办理转托管。

第十条　挂牌公司进行送股、转增或派息等权益分派，应当向中国结算提出申请，并与中国结算商定股权登记日（R日）。

送股、转增或派息等权益于 R+1 日到账。

第十一条　挂牌公司委托中国结算派息，必须在 R-1 日前将派息款及相关税费足额划至中国结算指定账户。中国结算于 R+1 日将派息款划至主办券商在中国结算的结算备付金账户，再由主办券商划入投资者资金账户。

挂牌公司不能在规定期限内划入相关款项的，应及时通知中国结算，并刊登延期实施公告。

第十二条　中国结算根据挂牌公司的申报，并依据全国股份转让系统公司的确认办理挂牌公司股份的限售或解除限售的登记。

第十三条　挂牌公司董事、监事及高级管理人员持有的股份按规定需进行限售或解除限售的，挂牌公司应向全国股份转让系统公司报备并取得确认。

中国结算依据全国股份转让系统公司的确认办理挂牌公司董事、监事及高级管理人员持股的限售或解除限售的登记。

第十四条　挂牌公司因召开股东大会、自行派息或中国结算认可的其他原因，可以向中国结算申请领取持有人名册。

第十五条　挂牌公司可通过名册系统或书面的方式申领持有人名册，可通过名册系统、当面或邮寄等方式接收持有人名册。

第十六条　挂牌公司股票终止挂牌后，需要办理退出登记手续的，应当及时到中国结算办理。

第十七条　挂牌公司未按规定办理股份退出登记手续的，中国结算可将其证券登记数据和资料送达该挂牌公司或其代办机构，并由公证机关进行公证，视同该挂牌公司退出登记手续办理完毕。

第十八条　挂牌公司退出登记办理完毕后，中国结算通过全国股份转让系统指定信息披露平台和其他媒体发布关于终止为挂牌公司提供登记服务的公告。

第十九条　主办券商及其他机构参与挂牌公司股票转让结算业务，应取得中国结算的结算参与人资格，遵守《中国证券登记结算有限责任公司结算参与人管理规则》的有关规定。

第二十条　中国结算按照货银对付的原则，为挂牌公司的股票转让提供逐笔全额非担保交收服务。

第二十一条　股票和资金的结算实行分级结算原则。中国结算负责办理结算参与人之间的清算交收；结算参与人负责办理其与客户之间的清算交收。

结算参与人与客户之间的股票划拨，应当委托中国结算代为办理。

第二十二条　主办券商应当与其客户签订协议，至少明确以下事项：

（一）主办券商依据客户的委托，负责办理与客户的股票和资金的清算交收。客户只与主办券商发生结算关系，不与中国结算发生结算关系。

（二）客户同意在清算交收过程中，由主办券商委托中国结算办理其证券账户与主办券商证券交收账户之间的股票划拨。

第二十三条　中国结算使用结算参与人在中国结算已开设的结算备付金账户完成全国股份转让系统股票转让的资金

交收，使用结算参与人的证券交收账户完成股票交收。

中国结算在完成担保交收证券品种的交收后，再按照非担保交收原则办理挂牌公司股票的股份和资金交收。

第二十四条　全国股份转让系统股票转让的交收日为T+1日（T日为股票转让日），最终交收时点为16:00。

第二十五条　中国结算根据全国股份转让系统成交确认结果，于T日日终进行股票和资金的逐笔清算，并将清算结果发送各结算参与人。

第二十六条　T+1日最终交收时点，中国结算根据全国股份转让系统成交顺序，逐笔检查卖出方结算参与人负责结算的相关投资者证券账户中可用股票和买入方结算参与人结算备付金账户中可用资金是否足额。股票和资金均足额的，中国结算办理相关股票和资金的交收；任何一方股票或资金不足额的，视为交收失败，中国结算不办理相关股票和资金的交收，不承担相关法律责任。

T+1日日终中国结算将交收结果发送各结算参与人。

第二十七条　对交收失败的违约方结算参与人，中国结算将其交收违约纪录记入相关诚信档案。

第二十八条　中国结算根据规定的收费标准，在提供服务时收取相关费用。

第二十九条　原代办股份转让系统挂牌的STAQ、NET系统公司和退市公司股票的登记结算事项另行规定。

第三十条　本暂行办法由中国结算负责解释。

第三十一条　本暂行办法自发布之日起施行，《中国证券登记结算有限责任公司证券公司代办股份转让系统中关村科技园区非上市股份有限公司股份报价转让登记结算业务实施细则》同时废止。

全国中小企业股份转让系统股票转让细则（试行）

第一章　总则

第一条　为规范全国中小企业股份转让系统（以下简称全国股份转让系统）股票转让行为，维护证券市场运行秩序，保护投资者合法权益，根据《中华人民共和国证券法》、《全国中小企业股份转让系统有限责任公司管理暂行办法》等法律、行政法规、部门规章、其他规范性文件及《全国中小企业股份转让系统业务规则（试行）》（以下简称《业务规则》）等相关规定，制定本细则。

第二条　在全国股份转让系统挂牌股票的转让，适用本细则。本细则未作规定的，适用全国股份转让系统其他有关规定。

第三条　股票转让及相关活动实行公开、公平、公正的原则，禁止证券欺诈、内幕交易、操纵市场等违法违规行为。

第四条　主办券商、投资者等市场参与人应当遵守法律、行政法规、部门规章、其他规范性文件及全国股份转让系统有关业务规则，遵循自愿、有偿、诚实信用原则。

第五条　全国中小企业股份转让系统有限责任公司（以下简称全国股份转让系统公司）为股票转让活动提供服务，并依法对相关股票转让活动进行自律管理。

第六条　股票转让采用无纸化的公开转让形式，或经中国证券监督管理委员会（以下简称中国证监会）批准的其他转让形式。

第二章　转让市场

第一节　转让设施与转让参与人

第七条　全国股份转让系统为股票转让提供相关设施，包括交易主机、交易单元、报盘系统及相关通信系统等。

第八条　主办券商进入全国股份转让系统进行股票转让，应当向全国股份转让系统公司申请取得转让权限，成为转让参与人。

第九条　转让参与人应当通过在全国股份转让系统申请开设的交易单元进行股票转让。

第十条　交易单元是转让参与人向全国股份转让系统公司申请设立的、参与全国股份转让系统证券转让，并接受全国股份转让系统公司服务及监管的基本业务单位。

第十一条　主办券商在全国股份转让系统开展证券经纪、证券自营和做市业务，应当分别开立交易单元。

第十二条　交易单元和转让权限的具体规定，由全国股份转让系统公司另行制定。

第二节　转让方式

第十三条　股票可以采取做市转让方式、协议转让方式、竞价转让方式之一进行转让。

第十四条　股票采取做市转让方式的，应当有2家以上做市商为其提供做市报价服务。

申请挂牌公司股票拟采取做市转让方式的，其中一家做市商应为推荐其股票挂牌的主办券商或该主办券商的母（子）公司。

第十五条　股票采取竞价转让方式的，应当符合全国股份转让系统公司规定的条件。具体条件由全国股份转让系统公司另行制定。

第十六条　挂牌公司提出申请并经全国股份转让系统公司同意，可以变更股票转让方式。

第十七条　采取做市转让方式的股票，拟变更为协议或竞价转让方式的，挂牌公司应事前征得该股票所有做市商同意。

第十八条　采取做市转让方式的股票，为其做市的做市商不足2家，且未在30个转让日内恢复为2家以上做市商的，如挂牌公司未按规定提出股票转让方式变更申请，其转让方式将强制变更为协议转让方式。

第三节　转让时间

第十九条　股票转让时间为每周一至周五9:15至11:30，13:00至15:00。转让时间内因故停市，转让时间不作顺延。

遇法定节假日和全国股份转让系统公司公告的休市日，全国股份转让系统休市。

第二十条　经中国证监会批准，全国股份转让系统公司可以调整转让时间。

第三章　股票转让一般规定

第二十一条　投资者买卖股票，应当以实名方式开立证券账户和资金账户，与主办券商签订证券买卖委托代理协议，并签署相关风险揭示书。

投资者开立证券账户，应当按照中国证券登记结算有限责任公司（以下简称中国结算）的规定办理。

第二十二条　投资者可以通过书面委托方式或电话、自助终端、互联网等自助委托方式委托主办券商买卖股票。

投资者进行自助委托的，应按相关规定操作，主办券商应当记录投资者委托的电话号码、网卡地址、IP 地址等信息。

第二十三条　主办券商接受投资者的买卖委托后，应当确认投资者具备相应股票或资金，并按照委托的内容向全国股份转让系统申报，承担相应的交易、交收责任。

主办券商接受投资者买卖委托达成交易的，投资者应当向主办券商交付其委托主办券商卖出的股票或其委托主办券商买入股票的款项，主办券商应当向投资者交付卖出股票所得款项或买入的股票。

第二十四条　投资者可以撤销委托的未成交部分。

被撤销或失效的委托，主办券商应当在确认后及时向投资者返还相应的资金或股票。

第二十五条　主办券商应按照接受投资者委托的时间先后顺序及时向全国股份转让系统申报。

第二十六条　申报指令应当按全国股份转让系统公司规定的格式传送。全国股份转让系统公司可以根据市场需要，调整申报的内容及方式。

第二十七条　主办券商应当按有关规定妥善保管委托和申报记录。

第二十八条　买卖股票的申报数量应当为 1000 股或其整数倍。卖出股票时，余额不足 1000 股部分，应当一次性申报卖出。

第二十九条　股票转让的计价单位为"每股价格"。股票转让的申报价格最小变动单位为 0.01 元人民币。

按成交原则达成的价格不在最小价格变动单位范围内的，按照四舍五入原则取至相应的最小价格变动单位。

第三十条　股票转让单笔申报最大数量不得超过 100 万股。

第三十一条　全国股份转让系统公司可以根据市场需要，调整股票单笔申报数量、申报价格的最小变动单位和单笔申报最大数量。

第三十二条　申报当日有效。

买卖申报和撤销申报经全国股份转让系统交易主机确认后方为有效。

第三十三条　主办券商通过报盘系统向全国股份转让系统交易主机发送买卖申报指令。买卖申报经交易主机撮合成交后，转让即告成立。按本细则各项规定达成的交易于成立时生效，交易记录由全国股份转让系统公司发送至主办券商。

因不可抗力、意外事件、交易系统被非法侵入等原因造成严重后果的转让，全国股份转让系统公司可以采取适当措施或认定无效。

对显失公平的转让，经全国股份转让系统公司认定，可以采取适当措施。

第三十四条　违反本细则，严重破坏证券市场正常运行的转让，全国股份转让系统公司有权宣布取消转让。由此造成的损失由违规转让者承担。

第三十五条　依照本细则达成的交易，其成交结果以交易主机记录的成交数据为准。

第三十六条　全国股份转让系统对股票转让不设涨跌幅限制。全国股份转让系统公司另有规定的除外。

第三十七条　投资者买入的股票，买入当日不得卖出；做市商买入的股票，买入当日可以卖出。全国股份转让系统公司另有规定的除外。

第三十八条　按照本细则达成的交易，买卖双方必须承认交易结果，履行清算交收义务。

股票买卖的清算交收业务，应当按照中国结算的规定办理。

第三十九条　全国股份转让系统公司每个转让日发布股票转让即时行情、股票转让公开信息等转让信息，及时编制反映市场转让情况的各类报表，并通过全国股份转让系统指定信息披露平台或其他媒体予以公布。

第四十条　全国股份转让系统对采取做市、协议和竞价转让方式的股票即时行情实行分类揭示。

第四十一条　全国股份转让系统公司负责全国股份转让系统信息的统一管理和发布。未经全国股份转让系统公司许可，任何机构和个人不得发布、使用和传播转让信息。经全国股份转让系统公司许可使用转让信息的机构和个人，未经同意不得将转让信息提供给其他机构和个人使用或予以传播。

第四十二条　全国股份转让系统公司可以根据市场需要，调整即时行情和股票转让公开信息发布的内容和方式。

第四十三条　全国股份转让系统公司可以根据市场发展需要，编制综合指数、成份指数、分类指数等股票指数，随即时行情发布。

股票指数的设置和编制方法，由全国股份转让系统公司另行规定。

第四章　做市转让方式

第一节　委托与申报

第四十四条　做市商应在全国股份转让系统持续发布买卖双向报价，并在其报价数量范围内按其报价履行与投资者的成交义务。做市转让方式下，投资者之间不能成交。全国股份转让系统公司另有规定的除外。

第四十五条　投资者可以采用限价委托方式委托主办券商买卖股票。

限价委托是指投资者委托主办券商按其限定的价格买卖股票的指令，主办券商必须按限定的价格或低于限定的价格申报买入股票；按限定的价格或高于限定的价格申报卖出股票。

限价委托应包括证券账户号码、证券代码、买卖方向、委托数量、委托价格等内容。

第四十六条　全国股份转让系统接受主办券商的限价申报、做市商的做市申报。全国股份转让系统公司另有规定的除外。

限价申报应包括证券账户号码、证券代码、交易单元代码、证券营业部识别码、买卖方向、申报数量、申报价格等内容。

做市申报是指做市商为履行做市义务，向全国股份转让系统发送的，按其指定价格买卖不超过其指定数量股票的指令。做市申报应包括证券账户号码、证券代码、交易单元代码、买卖申报数量和价格等内容。

第四十七条　全国股份转让系统接受限价申报、做市申报的时间为每个转让日的 9:15 至 11:30、13:00 至 15:00。全国股份转让系统公司可以调整接受申报的时间。

第四十八条　做市商应最迟于每个转让日的 9:30 开始发布买卖双向报价，履行做市报价义务。

第四十九条　做市商每次提交做市申报应当同时包含买入价格与卖出价格，且相对买卖价差不得超过 5%。相对买卖价差计算公式为：

相对买卖价差 =（卖出价格 - 买入价格）÷ 卖出价格 ×

100%

卖出价格与买入价格之差等于最小价格变动单位的，不受前款限制。

第五十条　做市商提交新的做市申报后，前次做市申报的未成交部分自动撤销。

第五十一条　做市商前次做市申报撤销或其申报数量经成交后不足1000股的，做市商应于5分钟内重新报价。

第五十二条　做市商持有库存股票不足1000股时，可以免于履行卖出报价义务。

出现前款所述情形，做市商应及时向全国股份转让系统公司报告并调节库存股票数量，并最迟于该情形发生后第3个转让日恢复正常双向报价。

第五十三条　单个做市商持有库存股票达到挂牌公司总股本20%时，可以免于履行买入报价义务。

出现前款所述情形，做市商应及时向全国股份转让系统公司报告，并最迟于该情形发生后第3个转让日恢复正常双向报价。

第二节　成交

第五十四条　每个转让日的9:30至11:30、13:00至15:00为做市转让撮合时间。

做市商每个转让日提供双向报价的时间应不少于做市转让撮合时间的75%。

第五十五条　全国股份转让系统对到价的限价申报即时与做市申报进行成交；如有2笔以上做市申报到价的，按照价格优先、时间优先原则成交。成交价以做市申报价格为准。

做市商更改报价使限价申报到价的，全国股份转让系统按照价格优先、时间优先原则将到价限价申报依次与该做市申报进行成交。成交价以做市申报价格为准。

到价是指限价申报买入价格等于或高于做市申报卖出价格，或限价申报卖出价格等于或低于做市申报买入价格。

限价申报之间、做市申报之间不能成交。

第三节　做市商管理

第五十六条　证券公司在全国股份转让系统开展做市业务前，应向全国股份转让系统公司申请备案。

第五十七条　做市商开展做市业务，应通过专用证券账户进行。做市专用证券账户应向中国结算和全国股份转让系统公司报备。

做市商不再为挂牌公司股票提供做市报价服务的，应将库存股票转出做市专用证券账户。

第五十八条　做市商证券自营账户不得持有其做市股票或参与做市股票的买卖。

第五十九条　挂牌时采取做市转让方式的股票，初始做市商应当取得合计不低于挂牌公司总股本5%或100万股（以孰低为准），且每家做市商不低于10万股的做市库存股票。

除前款所述情形外，做市商在做市前应当取得不低于10万股的做市库存股票。

第六十条　做市商的做市库存股票可通过以下方式取得：

（一）股东在挂牌前转让；

（二）股票发行；

（三）在全国股份转让系统买入；

（四）其他合法方式。

第六十一条　挂牌时采取做市转让方式的股票，后续加入的做市商须在该股票挂牌满3个月后方可为其提供做市报价服务。

采取做市转让方式的股票，后续加入的做市商应当向全国股份转让系统公司提出申请。

第六十二条　挂牌时采取做市转让方式的股票和由其他转让方式变更为做市转让方式的股票，其初始做市商为股票做市不满6个月的，不得退出为该股票做市。后续加入的做市商为股票做市不满3个月的，不得退出为该股票做市。

做市商退出做市的，应当事前提出申请并经全国股份转让系统公司同意。做市商退出做市后，1个月内不得申请再次为该股票做市。

第六十三条　出现下列情形时，做市商自动终止为相关股票做市：

（一）该股票摘牌；

（二）该股票因其他做市商退出导致做市商不足2家而变更转让方式；

（三）做市商被暂停、终止从事做市业务或被禁止为该股票做市；

（四）全国股份转让系统公司认定的其他情形。

第四节　做市商间转让

第六十四条　做市商间为调节库存股等进行股票转让的，可以通过互报成交确认申报方式进行。

第六十五条　做市商的成交确认申报是指做市商之间按指定价格和数量与指定对手方确认成交的指令。

做市商的成交确认申报应包括证券账户号码、证券代码、交易单元代码、买卖方向、申报数量、申报价格、对手方交易单元、对手方证券账户号码以及成交约定号等内容。

第六十六条　全国股份转让系统接受做市商成交确认申报和对做市商成交确认申报进行成交确认的时间为每个转让日的15:00至15:30。

第六十七条　全国股份转让系统对证券代码、申报价格和申报数量相同，买卖方向相反，指定对手方交易单元、证券账户号码相符及成交约定号一致的做市商成交确认申报进行确认成交。

做市商间转让股票，其成交价格应在该股票当日最高、最低成交价之间；当日无成交的，其成交价格不得高于前收盘价的110%且不低于前收盘价的90%。

第六十八条　做市商当日从其他做市商处买入的股票，买入当日不得卖出。

第六十九条　做市商间转让不纳入即时行情和指数的计算，成交量在每个转让日做市商间转让结束后计入该股票成交总量。

第七十条　每个转让日做市商间转让结束后，全国股份转让系统公司逐笔公布做市商间转让信息，包括证券名称、成交量、成交价以及买卖双方做市商名称等。

第五节　其他规定

第七十一条　采取做市转让方式的股票，开盘价为该股票当日第一笔成交价。

第七十二条　采取做市转让方式的股票，收盘价为该股票当日最后一笔成交价。

当日无成交的，以前收盘价为当日收盘价。

第七十三条　全国股份转让系统为做市商提供其做市股票实时最高10个价位的买入限价申报价格和数量、最低10个价位的卖出限价申报价格和数量等信息，以及为该股票提供做市报价服务做市商的实时最优10笔买入和卖出做市申报价格和数量等信息。

第七十四条　采取做市转让方式的股票，全国股份转让系统每个转让日 9:30 开始发布即时行情，其内容主要包括证券代码、证券简称、前收盘价、最近成交价、当日最高价、当日最低价、当日累计成交数量、当日累计成交金额、做市商实时最高 3 个价位买入申报价格和数量、做市商实时最低 3 个价位卖出申报价格和数量等。

第五章　协议转让方式

第一节　委托与申报

第七十五条　投资者委托分为意向委托、定价委托和成交确认委托。

意向委托是指投资者委托主办券商按其确定价格和数量买卖股票的意向指令，意向委托不具有成交功能。意向委托应包括证券账户号码、证券代码、买卖方向、委托数量、委托价格、联系人、联系方式等内容。

定价委托是指投资者委托主办券商按其指定的价格买卖不超过其指定数量股票的指令。定价委托应包括证券账户号码、证券代码、买卖方向、委托数量、委托价格等内容。

成交确认委托是指投资者买卖双方达成成交协议，或投资者拟与定价委托成交，委托主办券商以指定价格和数量与指定对手方确认成交的指令。成交确认委托应包括：证券账户号码、证券代码、买卖方向、委托数量、委托价格、成交约定号等内容；拟与对手方通过互报成交确认委托方式成交的，还应注明对手方交易单元代码和对手方证券账户号码。

第七十六条　全国股份转让系统接受主办券商的意向申报、定价申报和成交确认申报。

意向申报应包括证券账户号码、证券代码、交易单元代码、证券营业部识别码、买卖方向、申报数量、申报价格、联系人、联系方式等内容。

定价申报应包括证券账户号码、证券代码、交易单元代码、证券营业部识别码、买卖方向、申报数量、申报价格等内容。

成交确认申报应包括：证券账户号码、证券代码、交易单元代码、证券营业部识别码、买卖方向、申报数量、申报价格、成交约定号等内容；若投资者成交确认委托中包括对手方交易单元代码和对手方证券账户号码，其对应成交确认申报指令也应包括相关内容。

第七十七条　交易主机接受申报的时间为每个转让日的 9:15 至 11:30、13:00 至 15:00。

全国股份转让系统公司可以调整接受申报的时间。

第七十八条　全国股份转让系统收到拟与定价申报成交的成交确认申报后，如系统中无对应的定价申报，该成交确认申报以撤单处理。

第二节　成交

第七十九条　每个转让日的 9:30 至 11:30、13:00 至 15:00 为协议转让的成交确认时间。

第八十条　全国股份转让系统按照时间优先原则，将成交确认申报和与该成交确认申报证券代码、申报价格相同，买卖方向相反及成交约定号一致的定价申报进行确认成交。

成交确认申报与定价申报可以部分成交。成交确认申报股票数量小于定价申报的，以成交确认申报的股票数量为成交股票数量；成交确认申报股票数量大于定价申报的，以定价申报的股票数量为成交股票数量。成交确认申报未成交部分以撤单处理。

第八十一条　全国股份转让系统对证券代码、申报价格和申报数量相同，买卖方向相反，指定对手方交易单元、证券账户号码相符及成交约定号一致的成交确认申报进行确认成交。

第八十二条　每个转让日 15:00，全国股份转让系统按照时间优先原则，将证券代码和申报价格相同、买卖方向相反的未成交定价申报进行匹配成交。

第三节　其他规定

第八十三条　采取协议转让方式的股票，开盘价为当日该股票的第一笔成交价。

第八十四条　采取协议转让方式的股票，以当日最后 30 分钟转让时间的成交量加权平均价为当日收盘价。最后 30 分钟转让时间无成交的，以当日成交量加权平均价为当日收盘价。当日无成交的，以前收盘价为当日收盘价。

第八十五条　采取协议转让方式的股票，每个转让日的即时行情内容主要包括前收盘价、最近成交价、当日最高成交价、当日最低成交价、当日累计成交数量以及定价申报的价格、数量、成交约定号等。

第八十六条　采取协议转让方式的股票，全国股份转让系统公司公布当日每笔成交信息，内容包括证券代码、证券简称、成交价格、成交数量、买卖双方主办券商证券营业部或交易单元的名称等。

股票转让公开信息涉及机构专用交易单元的，公布名称为“机构专用”。

第六章　竞价转让方式

第一节　委托与申报

第八十七条　股票竞价转让采用集合竞价和连续竞价两种方式。集合竞价，是指对一段时间内接受的买卖申报一次性集中撮合的竞价方式。连续竞价，是指对买卖申报逐笔连续撮合的竞价方式。

第八十八条　股票采取竞价转让方式的，每个转让日的 9:15 至 9:25 为开盘集合竞价时间，9:30 至 11:30、13:00 至 14:55 为连续竞价时间，14:55 至 15:00 为收盘集合竞价时间。

第八十九条　投资者可以采用限价委托方式委托主办券商买卖股票。

限价委托是指投资者委托主办券商按其限定的价格买卖股票的指令，主办券商必须按限定的价格或低于限定的价格申报买入股票；按限定的价格或高于限定的价格申报卖出股票。

限价委托应包括证券账户号码、证券代码、买卖方向、委托数量、委托价格等内容。

第九十条　全国股份转让系统接受主办券商的限价申报。

限价申报应包括证券账户号码、证券代码、交易单元代码、证券营业部识别码、买卖方向、申报数量、申报价格等内容。

第九十一条　全国股份转让系统接受主办券商限价申报的时间为每个转让日 9:15 至 11:30、13:00 至 15:00。

每个转让日 9:20 至 9:25、14:55 至 15:00，交易主机不接受撤销申报；在其他接受申报的时间内，未成交申报可以撤销。

每个转让日 9:25 至 9:30,交易主机只接受申报,但不对买卖申报或撤销申报作处理。

全国股份转让系统公司可以调整接受申报的时间。

第九十二条　全国股份转让系统对申报设置有效价格区间。开盘集合竞价的申报有效价格区间为前收盘价的上下20%以内。连续竞价、收盘集合竞价的申报有效价格区间为最近成交价的上下 20% 以内;当日无成交的,申报有效价格区间为前收盘价的上下 20% 以内。

不在有效价格区间范围内的申报不参与竞价,暂存于交易主机;当成交价波动使其进入有效价格区间时,交易主机自动取出申报,参加竞价。

挂牌后无成交的股票,对申报不设置有效价格区间。

第二节　成交

第九十三条　股票竞价转让按价格优先、时间优先的原则撮合成交。

第九十四条　集合竞价时,成交价的确定原则为:

(一) 可实现最大成交量;

(二) 高于该价格的买入申报与低于该价格的卖出申报全部成交;

(三) 与该价格相同的买方或卖方至少有一方全部成交。

两个以上价格符合上述条件的,取在该价格以上的买入申报累计数量与在该价格以下的卖出申报累计数量之差最小的价格为成交价;若买卖申报累计数量之差仍存在相等情况的,按如下方式确定成交价:

(一)开盘集合竞价时取最接近前收盘价的价格为成交价;无前收盘价的,取其平均价为成交价;

(二)收盘集合竞价时取最接近最近成交价的价格为成交价;当日无成交的,收盘集合竞价时取最接近前收盘价的价格为成交价;无前收盘价的,取其平均价为成交价。

集合竞价的所有转让以同一价格成交。

第九十五条　连续竞价时,成交价的确定原则为:

(一)最高买入申报与最低卖出申报价格相同,以该价格为成交价;

(二)买入申报价格高于集中申报簿当时最低卖出申报价格时,以集中申报簿当时的最低卖出申报价格为成交价;

(三)卖出申报价格低于集中申报簿当时最高买入申报价格时,以集中申报簿当时的最高买入申报价格为成交价。

第三节　其他规定

第九十六条　采取竞价转让方式的股票,开盘价为当日该股票的第一笔成交价。

开盘价通过集合竞价方式产生,不能通过集合竞价产生的,以连续竞价方式产生。

第九十七条　采取竞价转让方式的股票,收盘价通过集合竞价的方式产生。收盘集合竞价不能产生收盘价或未进行收盘集合竞价的,以该转让日最后一笔成交价为收盘价。当日无成交的,以前收盘价为当日收盘价。

第九十八条　集合竞价期间,即时行情内容包括证券代码、证券简称、前收盘价、集合竞价参考价、匹配量和未匹配量等。

连续竞价期间,即时行情内容包括证券代码、证券简称、前收盘价、最近成交价、当日最高成交价、当日最低成交价、当日累计成交数量、当日累计成交金额、实时最高 5 个价位买入申报价格和数量、实时最低 5 个价位卖出申报价格和数量等。

第九十九条　采取竞价转让方式的股票出现下列情形之一的,全国股份转让系统公司分别公布相关股票当日买入、卖出金额最大 5 家主办券商证券营业部或交易单元的名称及其各自的买入、卖出金额:

(一)当日价格振幅达到 30% 的前 5 只股票;

价格振幅的计算公式为:价格振幅 =(当日最高价 - 当日最低价)/当日最低价 × 100%

(二)当日换手率达到 10% 的前 5 只股票;

换手率的计算公式为:换手率 = 成交股数/无限售条件股份总数 × 100%

价格振幅或换手率相同的,依次按成交金额和成交量选取。

股票转让公开信息涉及机构专用交易单元的,公布名称为"机构专用"。

第七章　其他转让事项

第一节　转托管

第一百条　投资者可以以同一证券账户在单个或多个主办券商的不同证券营业部买入股票。

第一百零一条　投资者买入的股票可以通过原买入股票的交易单元委托卖出,也可以向原买入股票的交易单元发出转托管指令,转托管完成后,在转入的交易单元委托卖出。

转托管的具体规定,由中国结算制定。

第二节　挂牌、摘牌、暂停与恢复转让

第一百零二条　全国股份转让系统对股票实行挂牌转让。

第一百零三条　股票依法不再具备挂牌条件的,全国股份转让系统公司终止其挂牌转让,予以摘牌。

第一百零四条　全国股份转让系统公司可以对出现异常转让情况的股票采取盘中临时停止转让措施并予以公告。

具体暂停与恢复转让时间,以相关公告为准。

第一百零五条　挂牌公司股票暂停转让时,全国股份转让系统公司发布的行情中包括该股票的信息;股票摘牌后,行情中无该股票的信息。

第一百零六条　股票的挂牌、摘牌、暂停与恢复转让,由全国股份转让系统公司予以公告。相关信息披露义务人应当按照全国股份转让系统公司的要求及时公告。

第一百零七条　股票挂牌、摘牌、暂停与恢复转让的其他规定,按照全国股份转让系统公司其他有关规定执行。

第三节　除权与除息

第一百零八条　股票发生权益分派、公积金转增股本等情况,全国股份转让系统在权益登记日的次一转让日对该股票作除权除息处理。全国股份转让系统公司另有规定的除外。

第一百零九条　除权(息)参考价计算公式为:

除权(息)参考价 =(前收盘价 - 现金红利)÷(1%2B 股份变动比例)

挂牌公司认为有必要调整上述计算公式时,可以向全国股份转让系统公司提出调整申请并说明理由。经全国股份转让系统公司同意的,挂牌公司应当向市场公布该次除权(息)适用的除权(息)参考价计算公式。

第一百一十条　除权(息)日股票买卖,按除权(息)参考价作为计算涨跌幅度和有效申报价格区间的基准,全国股份转让系统公司另有规定的除外。

第一百一十一条　在除权(息)日,挂牌公司应变更股票简称,在简称前冠以"XR"、"XD"、"DR"等字样。

"XR"代表除权;"XD"代表除息;"DR"代表除权并除息。

第八章　转让行为自律监管

第一百一十二条　全国股份转让系统公司对股票转让过程中出现的下列事项，予以重点监控：

（一）涉嫌内幕交易、操纵市场等违法违规行为；

（二）可能影响股票转让价格或者股票成交量的异常转让行为；

（三）股票转让价格或者股票成交量明显异常的情形；

（四）买卖股票的范围、时间、数量、方式等受到法律、行政法规、部门规章、其他规范性文件、《业务规则》及全国股份转让系统其他规定限制的行为；

（五）全国股份转让系统公司认为需要重点监控的其他事项。

第一百一十三条　可能影响股票转让价格或者股票成交量的异常转让行为包括：

（一）可能对股票转让价格产生重大影响的信息披露前，大量或持续买入或卖出相关股票；

（二）单个证券账户，或两个以上固定的或涉嫌关联的证券账户之间，大量或频繁进行反向交易；

（三）单个证券账户，或两个以上固定的或涉嫌关联的证券账户，大笔申报、连续申报、密集申报或申报价格明显偏离该证券行情揭示的最近成交价；

（四）频繁申报或撤销申报，或大额申报后撤销申报，以影响股票转让价格或误导其他投资者；

（五）集合竞价期间以明显高于前收盘价的价格申报买入后又撤销申报，随后申报卖出该证券，或以明显低于前收盘价的价格申报卖出后又撤销申报，随后申报买入该证券；

（六）对单一股票在一段时期内进行大量且连续交易；

（七）大量或者频繁进行高买低卖交易；

（八）单独或者合谋，在公开发布投资分析、预测或建议前买入或卖出相关股票，或进行与自身公开发布的投资分析、预测或建议相背离的股票转让；

（九）申报或成交行为造成市场价格异常或秩序混乱；

（十）涉嫌编造并传播交易虚假信息，诱骗其他投资者买卖股票；

（十一）全国股份转让系统公司认为需要重点监控的其他异常转让。

主办券商发现客户存在上述异常转让行为，应提醒客户；对可能严重影响交易秩序的异常转让行为，应及时报告全国股份转让系统公司。

第一百一十四条　股票转让价格或者股票成交量明显异常的情形包括：

（一）同一证券营业部或同一地区的证券营业部集中买入或卖出同一股票且数量较大；

（二）股票转让价格连续大幅上涨或下跌，且挂牌公司无重大事项公告；

（三）全国股份转让系统公司认为需要重点监控的其他异常转让情形。

第一百一十五条　全国股份转让系统公司对做市商的以下行为进行重点监控：

（一）不履行或不规范履行报价义务；

（二）频繁触发豁免报价条件；

（三）涉嫌以不正当方式影响其他做市商做市；

（四）库存股数量异常变动；

（五）报价异常变动，或通过频繁更改报价涉嫌扰乱市场秩序；

（六）做市商之间涉嫌串通报价或私下交换交易策略、做市库存股票数量等信息以谋取不正当利益；

（七）做市商与特定投资者在一段时间内对特定股票进行大量且连续交易；

（八）其他涉嫌违法违规行为。

第一百一十六条　全国股份转让系统公司可根据监管需要，对主办券商相关业务活动中的风险管理、技术系统运行、做市义务履行等情况进行监督检查。

第一百一十七条　全国股份转让系统公司可以单独或联合其他有关单位，对异常转让行为等情形进行现场或非现场调查。相关主办券商和投资者应当予以配合。

第一百一十八条　全国股份转让系统公司在现场或非现场调查中，可以根据需要要求主办券商及其证券营业部、投资者及时、准确、完整地提供下列文件和资料：

（一）投资者的开户资料、授权委托书、资金账户情况和相关账户的转让情况等；

（二）相关证券账户或资金账户的实际控制人、操作人和受益人情况、资金来源以及相关账户间是否存在关联的说明等；

（三）对股票转让中重点监控事项的解释；

（四）其他与全国股份转让系统公司重点监控事项有关的资料。

第一百一十九条　对第一百一十二条、第一百一十三条、第一百一十四条、第一百一十五条所述重点监控事项中情节严重的行为，全国股份转让系统公司可以视情况采取以下措施：

（一）约见谈话；

（二）要求提交书面承诺；

（三）出具警示函；

（四）限制证券账户转让；

（五）向中国证监会报告有关违法违规行为；

（六）其他自律监管措施。

第一百二十条　转让参与人及相关业务人员违反本细则的，全国股份转让系统公司可根据《业务规则》及全国股份转让系统其他相关业务规定，对其进行纪律处分，并记入诚信档案。

第九章　转让异常情况处理

第一百二十一条　发生下列转让异常情况之一，导致部分或全部转让不能正常进行的，全国股份转让系统公司可以决定单独或同时采取暂缓进入清算交收程序、技术性停牌或临时停市等措施：

（一）不可抗力；

（二）意外事件；

（三）技术故障；

（四）全国股份转让系统公司认定的其他异常情况。

第一百二十二条　出现无法申报或行情传输中断情况的，主办券商应及时向全国股份转让系统公司报告。无法申报或行情传输中断的证券营业部数量超过全部主办券商所属证券营业部总数10%以上的，属于转让异常情况，全国股份转让系统公司可以实行临时停市。

第一百二十三条　全国股份转让系统公司认为可能发生第一百二十一条、第一百二十二条规定的转让异常情况，并严重影响转让正常进行的，可以决定技术性停牌或临时停市。

第一百二十四条　全国股份转让系统公司对暂缓进入清算交收程序、技术性停牌或临时停市决定予以公告。技术性停牌或临时停市原因消除后，全国股份转让系统公司可以决定恢复转让，并予以公告。

因转让异常情况及全国股份转让系统公司采取的必要措施造成损失的，全国股份转让系统公司不承担责任。

第一百二十五条　转让异常情况处理的具体规定，由全国股份转让系统公司另行制定，并报中国证监会批准。

第十章　转让纠纷

第一百二十六条　主办券商之间、主办券商和客户之间发生转让纠纷，相关主办券商应当记录有关情况，以备全国股份转让系统公司查阅。转让纠纷影响正常转让的，主办券商应当及时向全国股份转让系统公司报告。

第一百二十七条　主办券商之间、主办券商和客户之间发生转让纠纷，全国股份转让系统公司可以按有关规定，提供必要的交易数据。

第一百二十八条　客户对转让有疑义的，主办券商有义务协调处理。

第十一章　转让费用

第一百二十九条　投资者买卖股票成交的，应当按规定向代理股票买卖的主办券商交纳佣金。

第一百三十条　主办券商应当按规定向全国股份转让系统交纳转让经手费及其他费用。

第一百三十一条　股票转让的收费项目、收费标准和收费方式等按有关规定执行。

第十二章　附则

第一百三十二条　原 STAQ、NET 系统公司和退市公司挂牌股票转让相关事项另行规定。

第一百三十三条　本细则所述时间，以全国股份转让系统交易主机的时间为准。

第一百三十四条　本细则下列用语具有如下含义：

（一）“做市商”是指经全国股份转让系统公司同意，在全国股份转让系统持续发布买卖双向报价，并在其报价数量范围内按其报价履行与投资者成交义务的证券公司。

（二）“委托”是指投资者向主办券商进行具体授权买卖股票的行为。

（三）“申报”是指转让参与人向全国股份转让系统交易主机发送股票买卖指令的行为。

（四）“集中申报簿”是指交易主机某一时点按买卖方向以及价格优先、时间优先顺序排列的所有未成交申报队列。

（五）“集合竞价参考价”是指截至揭示时集中申报簿中所有申报按照集合竞价规则形成的虚拟集合竞价成交价。

（六）“匹配量”是指截至揭示时集中申报簿中所有申报按照集合竞价规则形成的虚拟成交数量。

（七）“未匹配量”是指截至揭示时集中申报簿中在集合竞价参考价位上的不能按照集合竞价参考价虚拟成交的买方或卖方申报剩余量。

第一百三十五条　本细则所述价格优先的原则是指较高价格买入申报优先于较低价格买入申报，较低价格卖出申报优先于较高价格卖出申报；时间优先的原则是指买卖方向、价格相同的，先申报者优先于后申报者，先后顺序按交易主机接受申报的时间确定。

第一百三十六条　本细则所称“超过”、“低于”、“高于”、“不足”、“大于”不含本数，“以内”、“达到”、“以上”、“以下”含本数。

第一百三十七条　本细则由全国股份转让系统公司负责解释。

全国中小企业股份转让系统证券代码、证券简称编制管理暂行办法

第一章　总则

第一条　为加强全国中小企业股份转让系统（以下简称全国股份转让系统）证券代码、证券简称的管理，确保证券代码、证券简称编制工作安全、稳定、有序地开展，降低系统运行风险，有效利用证券代码资源，制定本办法。

第二条　本办法适用于在全国股份转让系统挂牌证券品种的证券代码、证券简称编制和使用工作。

第二章　管理职责

第三条　全国中小企业股份转让系统有限责任公司（以下简称全国股份转让系统公司）设立证券编码工作委员会负责全国股份转让系统证券代码、证券简称的编制管理工作，统筹规划证券代码体系，制定证券代码和证券简称编制原则，监督证券代码资源的使用情况。

第四条　证券编码工作委员会由全国股份转让系统公司综合事务部、财务管理部、法律事务部、挂牌业务部、公司业务部、交易监察部、机构业务部、信息服务部、技术服务部等相关部门人员组成。

第五条　证券编码工作委员会以会议形式履行职责。证券编码小组会议由交易监察部召集，并可视情形邀请中国证券登记结算有限责任公司有关人员列席。

第六条　证券代码、证券简称日常编制工作由挂牌业务部、公司业务部、机构业务部、信息服务部发起，交易监察部进行确认。

挂牌业务部负责编制和分配与首次挂牌相关的股票、债券、期权及关联衍生品种的证券代码，受理其证券简称申请并核定其证券简称。

公司业务部负责编制和分配非首次挂牌股票、债券、期权及关联衍生品种的证券代码，受理其证券简称申请并核定其证券简称。

机构业务部负责编制和分配基金、专项资产管理计划和其他证券公司创新产品的证券代码，受理其相关简称申请并核定其简称。

信息服务部负责编制和分配指数的证券代码，受理其指数的简称申请并核定其简称。

第七条　证券发行人可以向全国股份转让系统公司提出 ISIN 代码申请，由全国股份转让系统公司统一向全国金融标准化技术委员会证券分技术委员会申请对应的 ISIN 代码。ISIN 代码的有关编制方法参见国际号码代理人协会的 ISO6166 条例。

第三章　编制原则

第八条　全国股份转让系统证券代码采用六位数的数字型编制方法。

第九条　证券代码的编制原则上应当在所属证券品种区间内，可采用连续编制或其他经全国股份转让系统公司批准的方式进行编制。

第十条　按本办法编制的证券代码原则上不得与全国股份转让系统已挂牌证券代码重复。网络投票等必须重复使用证券代码的业务除外。

按本办法编制的证券代码应尽量避免与境内交易所已挂牌或上市证券代码重复。

第十一条　增加或者减少证券代码号段，应当经过证券编码工作委员会批准。

第十二条　证券简称应参考发行人名称、所属证券品种编制，不得超过八个字符（单字节字符），且应尽量避免与全国股份转让系统和境内交易所已挂牌或上市证券的证券简称重复。

第四章　股票及其衍生品种

第一节　挂牌公司股票

第十三条　挂牌公司普通股票证券代码首两位代码为83、87、88。

第十四条　挂牌公司优先股票证券代码首两位代码为82。

第十五条　挂牌公司股票证券简称原则上从公司名称中选取。

挂牌公司股票转让被实行特别处理风险警示，其证券简称首两位字符应改为“ST”，其他字符原则上从公司名称中选取。

第二节　两网公司及退市公司股票

第十六条　两网公司及退市公司A股股票证券代码首三位代码为400。

第十七条　退市公司B股股票证券代码首三位代码为420。

第十八条　退市公司既有A股股票，又有B股股票，其后三位代码应相同。

第十九条　退市公司纯B股公司内资股的证券代码首三位代码为400，后三位代码与该公司B股股票代码后三位代码相同；其证券简称前六位字符取自该公司B股股票简称，后两位字符为“内”。

第二十条　除纯B股公司内资股外，两网公司及退市公司A股股票证券简称的末位字符应为标识其每周转让天数的阿拉伯数字，其他字符原则上从公司名称中选取；B股股票证券简称的后两位字符应为“B”加上其每周转让天数的阿拉伯数字，其他字符原则上从公司名称中选取。

第三节　股权激励期权

第二十一条　股权激励期权证券代码首三位代码为850。

第二十二条　股权激励期权证券简称首四位字符从公司股票证券简称中选取，后四位字符按照期数依次为“JLC1”、“JLC2”等。

第四节　要约收购

第二十三条　要约收购证券代码首三位代码为840.

第二十四条　要约收购证券简称首四位字符从公司股票证券简称中选取，后四位字符为“收购”。

第五章　附则

第二十五条　本办法由全国股份转让系统公司负责解释。

机构业务类

全国中小企业股份转让系统主办券商执业质量评价办法（试行）

第一章　总则

第一条　为提高主办券商执业工作质量，督促主办券商勤勉尽责，促进市场持续健康发展，切实保护投资者的合法权益，根据《全国中小企业股份转让系统业务规则（试行）》、《全国中小企业股份转让系统主办券商管理细则（试行）》等有关规定，制定本办法。

第二条　主办券商执业质量评价是指全国股份转让系统有限责任公司（以下简称“全国股转公司”）以主办券商各项业务出现的执业质量负面行为记录为基础，结合自律监管措施、纪律处分、行政监管措施和行政处罚，以及主办券商对全国股转系统发展的贡献及其他对评价有重要影响的事项，按照本办法规定对主办券商执业质量进行的评价。

第三条　本办法适用于在全国股转公司已取得推荐、经纪或做市业务备案函的所有主办券商。

第四条　全国股转公司组织实施主办券商执业质量评价工作，并接受中国证券监督管理委员会（以下简称“证监会”）的指导、监督。

第二章　组织实施

第五条　主办券商的评价周期分为月度和年度。

（一）月度公示。全国股转公司于每月10日前，在全国股转系统指定信息披露平台（www. neeq. com. cn或www. neeq. cc）公示主办券商推荐挂牌、挂牌后督导、交易管理、综合管理四类业务执业质量情况。

（二）年度评价。年度评价期为上一年度5月1日至本年度4月30日，与证监会对证券公司分类评价的周期保持一致。全国股转公司于每年8月31日前，按照综合点值、扣点原则和加点原则，确定主办券商上年的评价点值，按本办法第五章的规定进行分档，在全国股转系统指定信息披露平台公示所有主办券商分档结果。

第六条　主办券商对评价结果有异议的，应自公示后的5个转让日内向全国股转公司申请复议，并提交相关证明材料。

全国股转公司应于15个转让日完成复议，并将结果反馈主办券商。主办券商或相关方提供、补正复议申请材料的时间不计入复议期。

经复核确需调整主办券商评价结果的，全国股转公司在结果反馈后3个转让日内公布该主办券商更正后的评价结果。

第三章　评价指标

第七条　主办券商执业质量评价指标包括执业质量负面行为记录、被采取自律监管措施、纪律处分、行政监管措施和行政处罚情况、对市场发展的贡献以及其他对评价有重要影响的事项。

第八条　执业质量负面行为记录是指主办券商在推荐挂

牌、挂牌后督导、交易管理、综合管理等执业过程中因未勤勉尽责而出现的工作质量低或不规范但尚未被采取自律监管措施的记录。

（一）推荐挂牌负面行为记录。主要反映主办券商推荐挂牌业务在尽职调查、申报文件质量、信息披露、股份登记、内核及质量控制等方面涉及执业质量的事项。

（二）挂牌后督导负面行为记录。主要反映主办券商持续督导挂牌公司信息披露、日常业务（如权益变动公告、限售/解除限售、暂停/恢复转让、权益分派等）、并购重组、股票发行等方面涉及执业质量的事项。

（三）交易管理负面行为记录。主要反映主办券商开展经纪业务和做市业务过程中在风险揭示、交易监控、做市报价、做市资金及股票管理等方面涉及执业质量的事项。

（四）综合管理负面行为记录。主要反映主办券商在业务备案、信息披露、人员资质、配合提交有关数据及报告、投资者适当性管理等活动中涉及执业质量的事项。

第九条　被采取自律监管措施、纪律处分、行政监管措施和行政处罚情况，是指主办券商及其业务人员因违反全国股转系统业务规则而被全国股转公司采取自律监管措施或实施纪律处分，及在从事涉及非上市公众公司业务过程中因违法违规被证监会及其派出机构采取行政处罚、行政监管措施的情况。

第十条　对市场发展的贡献是指评价期内主办券商在推荐、做市、股票发行、并购重组等业务方面市场份额占比及业务开展质量排名靠前的情况。

第十一条　其他对评价有重要影响的事项，是指主办券商在持续合规经营方面表现突出及其他由全国股转公司认定的情况。

第四章　评价方法

第一节　计值方法

第十二条　在推荐挂牌、挂牌后督导、交易管理、综合管理负面行为记录的基础上，计算各主办券商下列四类指标数值："推荐挂牌负面行为记录数量/推荐挂牌企业家数"、"挂牌后督导负面行为记录数量/持续督导企业家数"、"交易管理负面行为记录数量/做市企业家数"、"综合管理负面行为记录数量/持续督导企业家数"。

第十三条　设定无执业质量负面行为记录的主办券商基准点值为100点。其中，推荐挂牌、挂牌后督导、交易管理、综合管理业务四类业务按一定权重计算业务基准点值。

有执业质量负面行为记录的主办券商，按照第十二条计算四类指标数值的排名区间情况，按照给定区间系数乘以各业务基准点值，分别计算各主办券商单项业务的点值，加总后得出主办券商综合点值。

执业质量评价指标构成、相关业务权重及区间系数等具体评值标准见附表2。

第十四条　全国股转公司可根据市场变化在征求市场意见的基础上适时对附表1和附表2中的评价指标、相关业务权重及区间系数等具体评值标准进行调整。

第二节　扣点标准

第十五条　评价期内，主办券商因违反法律法规或全国股转系统业务规则而被全国股转公司采取自律监管措施或实施纪律处分的，按以下原则给予相应扣点：

（一）主办券商被采取要求主办券商及其相关人员对有关问题作出解释、说明和披露，约见谈话，要求提交书面承诺的，每次扣1点。

（二）主办券商被采取出具警示函，责令改正，每次扣2点。

（三）主办券商或其相关人员被采取暂不受理出具的文件的，限制证券账户交易的，每次扣3点。

（五）主办券商及其相关业务人员被采取通报批评，公开谴责的，每次扣4点。

（六）主办券商被采取限制、暂停直至终止从事相关业务的，每次扣8点。

第十六条　评价期内，主办券商从事涉及非上市公众公司业务过程中出现违法违规行为而被证监会及其派出机构采取行政监管措施的，每次扣5点，被证监会及其派出机构采取行政处罚的，每次扣8点。

第十七条　主办券商因同一事项在同一评价期被采取多项自律监管措施、纪律处分的，按最高点值扣点，不重复扣点。

主办券商因同一事项在同一评价期同时被采取行政措施和自律措施的，按最高点值扣点，不重复扣点。

第三节　加点标准

第十八条　评价期内，主办券商对市场发展的贡献符合以下条件的，按以下原则给予相应加点：

（一）主办券商推荐有行为挂牌企业家数位于行业前5名、前10名、前20名的，分别加2点、1点、0.5点。

（二）主办券商持续督导企业股票发行次数位于行业前5名、前10名、前20名的，分别加3点、2点、1点。

（三）主办券商做市股票成交量数值位于行业前5名、前10名、前20名，分别加1.5点、1点、0.5点。

（四）主办券商做市即时性指标位于行业前5名、前10名、前20名的，分别加1.5点、1点、0.5点。

（五）主办券商提供重组服务数量位于行业前2名、前5名的，分别加2点、1点。

第十九条　主办券商符合以下条件的，按以下原则给予相应加点：

（一）主办券商最近6个月评价期内实施加点之前的点值持续位于行业前5名的，年评时加5点。

（二）主办券商建立起适应全国股转系统特点的证券业务体系，设立专门的一级部门或专业子公司开展全国股转系统业务的，在年评时加2点。

（三）全国股转公司认定的其他情形酌情加点。

第五章　评价结果分档

第二十条　根据主办券商年度内执业质量评价点值高低，将主办券商分为一档、二档、三档、四档：

（一）一档为排名前20%（含）的主办券商；

（二）二档为排名前20% －60%（含）的主办券商；

（三）三档为排名前60% －80%（含）的主办券商；

（四）四档为排名80%之后的主办券商。

第二十一条　年评时主办券商存在以下情形的，按以下认定结果和评价点值分档结果孰低的原则确定档位：

（一）评价期末没有已推荐挂牌公司或正在推荐挂牌公司，且评价期内没有对任一家挂牌公司进行做市的，直接认定为三档；

（二）在评价期内因涉嫌犯罪正被司法机关立案侦查或者受到刑事处罚的，认定为四档；

（三）在评价期内被采取责令停业整顿、被采取临时接管监管措施的，直接认定为四档。

第二十二条　主办券商年评结果公布后一年内出现以下情形的，从出现之日起按以下原则调整其上年度评价档位，年中的档位调整不影响当年度的年评结果。

（一）从事全国股转系统相关业务过程中出现突发事件，给市场造成重大不利影响的，评价档位下调至四档。

（二）因从事全国股转系统相关业务涉嫌违法违规被证监会及其派出机构立案调查的，评价档位下调至四档。

第六章　评价运用

第二十三条　全国股转公司每月对上月评价点值排名后十位的主办券商进行电话问询，必要时要求提交书面说明或现场检查，并视情况将处置结果报告证监会及主办券商注册地证监会派出机构。

第二十四条　全国股转公司可以根据年评分档结果，分别在推荐挂牌、持续督导、并购重组、股票发行和做市等业务方面针对主办券商实施差异化制度安排。

评价结果可作为新业务或新产品的优先试点顺序的依据。

全国股转公司对不同类别的主办券商在日常报告频率、现场和非现场检查频率、定期接受培训的频率等方面实行区别对待。

第二十五条　年度评价的结果报送证监会，同时抄报证监会各派出机构，供监管机构在证券公司日常监管中参考使用。

第二十六条　全国股转公司在日常监管工作中，发现主办券商存在违规行为的，应及时采取自律监管措施或纪律处分，并计入主办券商质量评价档案。

第二十七条　全国股转公司采取的“出具警示函”、“责令改正”、“暂不受理相关主办券商出具的文件”、“限制证券账户交易”及其他全国股转公司认定的自律监管措施报送证监会分类评价统筹考量；“约见谈话”、“要求提交书面承诺”及其他全国股转公司认定的自律监管措施由全国股转公司视情况报送证监会作为分类评价扣分项。

第七章　附则

第二十八条　主办券商控股的证券子公司参与全国股转系统相关业务，合并纳入母公司评价。

第二十九条　本办法下列用语的含义：

（一）推荐挂牌企业家数，是指评价期内各主办券商推荐的企业中已由全国股转公司出具同意挂牌函的企业数量，以同意挂牌函盖章日期为统计节点。

（二）持续督导企业家数，是指评价期内期初和期末时点各主办券商提供持续督导服务企业数量的算数平均数，以签订持续督导协议日期为统计节点。

（三）做市企业家数，是指评价期初和期末时点各主办券商提供做市服务企业数量的算数平均数，以开始做市日期为统计节点。

（四）推荐有行为挂牌企业家数，是指评价期内主办券商推荐的企业做市、融资或者有重组操作的企业数量。融资和重组按照下述第（五）项和第（八）项的统计指标为准。

（五）持续督导企业股票发行次数，是指评价期内主办券商持续督导的挂牌公司已办理新增股份登记手续的发行次数，以披露新增股份挂牌的提示性公告为统计节点。

（六）做市股票成交量，是指评价期内做市商成交股份总数，不含做市商间为调节库存股等进行股票转让的成交股份数。

（七）做市即时性指标，是指评价期内做市商做市申报成交笔数/投资者限价委托笔数。

（八）提供重组服务数量，是指评价期内主办券商持续督导的挂牌公司发生重大资产重组事项的累计次数，以披露重大资产重组实施情况报告书日为统计节点。

第三十条　本办法第五条规定的评价结果公示日遇有节、假日时顺延，以休假日结束的次日为公示日。

第三十一条　本办法由全国股转公司负责解释。

第三十二条　本办法自2016年4月1日起施行。

全国中小企业股份转让系统
主办券商持续督导工作指引

（试行）

第一章　总则

第一条　为规范主办券商持续督导工作，提高挂牌公司信息披露质量和公司治理水平，促进挂牌公司规范运作，根据《全国中小企业股份转让系统业务规则（试行）》（以下简称《业务规则》）、《全国中小企业股份转让系统挂牌公司信息披露细则（试行）》（以下简称《信息披露细则》）、《全国中小企业股份转让系统主办券商推荐业务规定（试行）》等规定，制定本指引。

第二条　主办券商及其持续督导人员应当遵守法律法规和全国中小企业股份转让系统（以下简称“全国股份转让系统”）相关规定，诚实守信，勤勉尽责，持续督导挂牌公司履行信息披露、规范运作、信守承诺等义务，不断完善公司治理机制。

第三条　主办券商及其持续督导人员不得通过持续督导工作谋取不正当利益。

第四条　挂牌公司应当配合主办券商持续督导工作，接受主办券商的指导和督促，及时向主办券商提供相关材料、告知重大事项，为主办券商开展持续督导工作创造必要条件。

第五条　全国中小企业股份转让系统有限责任公司（以下简称“全国股份转让系统公司”）对主办券商持续督导工作进行自律管理。

第二章　持续督导内容

第六条　主办券商应履行以下督导职责：

（一）指导、督促挂牌公司完善公司治理机制，提高挂牌公司规范运作水平；

（二）指导、督促挂牌公司规范履行信息披露义务，事前审查挂牌公司信息披露文件，发布风险揭示公告；

（三）开展挂牌公司现场检查工作，督促挂牌公司进行整改；

（四）建立与挂牌公司日常联系机制，对挂牌公司进行培训和业务指导；

（五）关注挂牌公司重大变化，向全国股份转让系统公司报告挂牌公司重大事项，调查或协助调查指定事项，并配合做好挂牌公司的日常监管；

（六）全国股份转让系统公司规定的其他职责。

第七条　主办券商应督导挂牌公司依照《公司法》、《非上市公众公司监管指引第3号——章程必备条款》等法律法规制定并完善公司章程。

第八条　主办券商应督导挂牌公司建立健全并有效执行公司治理制度,包括但不限于股东大会、董事会、监事会议事规则及董事、监事和高级管理人员的行为规范等。

第九条　主办券商应督导挂牌公司建立健全并有效执行内部管理制度,包括但不限于会计核算体系、财务管理和风险控制等制度,以及对外担保、重大投资、委托理财、关联交易等重大经营决策的程序与规则等。

第十条　主办券商持续督导人员可以列席挂牌公司股东大会、董事会和监事会。

第十一条　挂牌公司应在召开股东大会、董事会、监事会后,及时向主办券商提供有关决议及备查文件,并在相关文件披露前为主办券商预留必要的事前审查时间。

主办券商应检查股东大会、董事会、监事会的召集、提案审议、通知时间、召开程序、授权委托、关联方回避、表决和决议是否符合法律法规和公司章程的规定,会议记录是否正常签署、保存完整,重点检查董事会是否在职权范围内和股东大会授权范围内对审议事项作出决议。

第十二条　主办券商应督导挂牌公司建立健全信息披露事务管理制度,明确挂牌公司应履行的信息披露义务,信息披露的内容、格式及时间要求,挂牌公司内部对拟披露信息的报告、流转、审查、披露流程以及相关职责划分。

第十三条　挂牌公司应及时向主办券商提供定期报告和临时报告所涉及的文件,并在相关文件披露前为主办券商预留必要的事前审查时间。

主办券商应当按照《业务规则》、《信息披露细则》、《全国中小企业股份转让系统挂牌公司年度报告内容与格式指引(试行)》、《全国中小企业股份转让系统挂牌公司半年度报告内容与格式指引(试行)》、《全国中小企业股份转让系统临时公告格式模板》等信息披露相关规定的要求对挂牌公司信息披露文件进行事前审查,督导挂牌公司规范履行信息披露义务。

主办券商事前审查发现挂牌公司信息披露文件存在虚假记载、误导性陈述或重大遗漏的,应要求挂牌公司及时改正,挂牌公司不予配合的,主办券商应向全国股份转让系统公司报告并发布风险揭示公告。

第十四条　主办券商应对挂牌公司信息披露文件进行事后核对,发现挂牌公司已披露的公告存在重大错误、遗漏或者误导的,应督导挂牌公司进行更正或补充。

全国股份转让系统公司事后审查发现挂牌公司公告不符合信息披露相关规定,公告存在重大错误、遗漏或者误导的,或者发现挂牌公司存在应当披露但未披露事项的,主办券商应按照全国股份转让系统公司要求,督促挂牌公司进行更正或补充。

第十五条　挂牌公司存在以下情形的,主办券商应在知悉或者应当知悉之日起十五个转让日内对其现场检查:

(一)股东大会、董事会、监事会和高级管理层不能按照公司治理要求履行职责或者规范运作;

(二)公司不能规范履行信息披露义务;

(三)控股股东、实际控制人或者其他关联方占用或者转移公司的资金、资产及其他资源;

(四)关联交易显失公允或未履行审批程序和信息披露义务;

(五)公司违规为他人提供担保;

(六)公司及其董事、监事、高级管理人员、控股股东、实际控制人涉嫌重大违法违规行为;

(七)公司经营业绩异常波动;

(八)全国股份转让系统公司要求进行现场检查的其他情形。

第十六条　主办券商应当明确现场检查工作要求,现场检查至少应有两人参加,事前根据引发现场检查的相应情形确定现场检查内容,制定现场检查工作方案,事中形成现场检查工作底稿,事后完成现场检查工作报告。

第十七条　主办券商可以采取以下现场检查手段,以获取充分和恰当的现场检查资料和证据:

(一)对挂牌公司董事、监事、高级管理人员及有关人员进行访谈;

(二)察看挂牌公司的主要生产、经营、管理场所;

(三)对有关文件、原始凭证及其他资料进行查阅、复制、记录;

(四)察看或者走访对挂牌公司损益影响重大的控股或参股公司;

(五)走访或者函证挂牌公司的控股股东、实际控制人及其关联方;

(六)走访或函证挂牌公司重要的供应商或者客户;

(七)主办券商认为必要的其他合法手段。

第十八条　主办券商应当在现场检查结束后的十个转让日内完成《现场检查工作报告》,报送全国股份转让系统公司备案。报告至少应当包括检查时间、检查地点、检查人员、检查涉及的事项、检查方法和措施、检查获取的资料和证据、检查结果、整改建议(如有)等内容。

主办券商应将检查结果和整改建议(如有)以书面方式告知挂牌公司,并督促挂牌公司就整改情况向全国股份转让系统公司报告。

第十九条　主办券商每年至少应对其所督导的挂牌公司的董事会秘书或者信息披露事务负责人进行一次培训,培训内容包括但不限于全国股份转让系统业务规则、细则、规定、指引、指南、通知等相关规定以及挂牌公司违规案例等。

第二十条　挂牌公司出现以下情形的,主办券商应在十个转让日内对其董事、监事、高级管理人员、董事会秘书或者信息披露事务负责人、控股股东和实际控制人等相关人员进行培训:

(一)控股股东或者实际控制人发生变更;

(二)受到中国证监会行政处罚或者被全国股份转让系统公司实施监管措施、纪律处分;

(三)全国股份转让系统公司要求培训的其他情形。

第二十一条　主办券商应当在培训前制作课件,参加培训的人员应签字确认,培训课件和培训人员签字作为持续督导工作底稿保存。

第二十二条　主办券商应指导和督促挂牌公司规范办理信息披露、股票限售及解除限售、证券简称或公司全称变更、暂停与恢复转让等业务,对挂牌公司进行必要的业务指导,使其知悉并遵守相关法律、法规和全国股份转让系统业务规则。

第二十三条　主办券商应建立与挂牌公司的日常联系机制,通过现场走访、电话、电子邮件等方式及时了解挂牌公司情况,解答挂牌公司业务咨询。

第二十四条　挂牌公司应当将业务、公司治理、财务等方面发生的重大变化及时告知主办券商,包括但不限于经营环境和业务、控股股东及实际控制人、管理层、采购和销售、核心技术、财务状况等。

主办券商应当主动、持续关注并了解挂牌公司上述事项发生的重大变化，如达到信息披露标准，应督促挂牌公司及时履行信息披露义务。

第二十五条　挂牌公司董事长、总经理、财务负责人、董事会秘书或者信息披露事务负责人、会计师事务所发生变更，主办券商应及时对变更原因等进行核查或者现场检查，涉及重大未披露事项的，应督促挂牌公司履行信息披露义务。

第二十六条　主办券商应当关注公共传媒关于挂牌公司的报道，涉及重大未披露事项的，应及时进行核查或者现场检查，督促挂牌公司履行必要的信息披露义务或者发布澄清公告。

第二十七条　主办券商应当根据全国股份转让系统公司的要求，调查或者协助调查指定事项，并将调查结果及时报告全国股份转让系统公司。

第二十八条　主办券商在持续督导过程中发现挂牌公司存在重大风险或重大违法违规情况的，以及挂牌公司不予配合或者拒绝按照要求整改的，应及时报告全国股份转让系统公司。

第二十九条　主办券商应当在每年5月31日前向全国股份转让系统公司报送持续督导年度工作报告，说明上一年度持续督导工作总体情况、存在问题以及挂牌公司配合情况等。

第三章　持续督导工作要求

第三十条　主办券商应建立健全并有效执行持续督导工作制度，包括持续督导工作职责、工作流程和内部控制机制等。

第三十一条　主办券商应建立健全持续督导工作底稿管理制度，为每家挂牌公司建立独立的工作底稿。持续督导工作底稿应当内容完整、记录清晰、结论明确，真实、准确、完整地反映整个持续督导工作的全过程，包括但不限于信息披露督导、公司治理督导、现场检查、培训、业务指导、日常沟通、关注、调查或协助调查、报告、年度工作报告等与持续督导工作相关的所有重要事项。

第三十二条　工作底稿应当载明下列事项：

（一）工作底稿编制的时间；

（二）持续督导工作履行的程序；

（三）核查的文件、现场检查的资料，培训、指导、沟通、关注、调查、报告的记录等；

（四）发表的结论性意见；

（五）执行人员签名和执行日期；

（六）其他需要记载的事项等。

第三十三条　持续督导工作底稿的保存期应当不少于十年。

第三十四条　主办券商应根据需要配备适当数量的持续督导人员负责持续督导工作，全国股份转让系统公司鼓励主办券商设立专门的持续督导工作部门。

第三十五条　持续督导人员应具备以下条件：

（一）具有财务或法律专业知识；

（二）从事证券发行承销、收购兼并、固定收益、全国股份转让系统推荐业务等投资银行相关业务一年以上；

（三）熟悉证券市场相关法律、行政法规、部门规章、规范性文件，准确理解和把握全国股份转让系统相关业务规则；

（四）诚实守信，品行良好，无不良诚信记录，最近三年未受到中国证监会行政处罚或全国股份转让系统公司、证券交易所、证券业协会、基金业协会等行业自律组织纪律处分；

（五）全国股份转让系统公司规定的其他条件。

第三十六条　主办券商应在持续督导工作制度中明确持续督导人员的工作要求和职责，加强对持续督导人员的专业培训和内部管理，为其开展持续督导工作提供必要条件。

主办券商应建立持续督导内部责任划分机制，明确推荐挂牌人员与持续督导人员之间的责任划分。

第三十七条　主办券商应为其所督导的每家挂牌公司指定至少一名持续督导人员具体负责该公司的持续督导工作，并向全国股份转让系统公司报备。

挂牌公司的持续督导人员发生变更的，主办券商应及时报告全国股份转让系统公司。

第三十八条　主办券商应当参照中国证券业协会《证券公司信息隔离墙制度指引》有关规定建立持续督导工作与做市、自营、资产管理、研究、经纪等部门业务之间的信息隔离制度，主办券商及其持续督导人员不得透露挂牌公司未公开的重大信息，严禁进行内幕交易。

第三十九条　主办券商与挂牌公司应在持续督导协议中就持续督导费用进行约定，包括支付金额（或比例）、支付方式、支付时间等。

主办券商应遵循覆盖成本的基本原则，合理收取持续督导费用。

第四章　持续督导变更

第四十条　主办券商应与所推荐挂牌公司签订持续督导协议，自公司挂牌之日起履行持续督导工作职责。

第四十一条　出现以下情形之一的，主办券商和挂牌公司可以解除持续督导协议：

（一）主办券商不再从事推荐业务；

（二）挂牌公司股票终止挂牌；

（三）主办券商和挂牌公司协商一致决定解除持续督导协议；

（四）全国股份转让系统公司规定的其他情形。

因情形（三）解除持续督导协议的，应有其他主办券商承接持续督导工作，主办券商和挂牌公司应事前报告全国股份转让系统公司。

第四十二条　主办券商履行持续督导职责期间未勤勉尽责的，其责任不因解除持续督导协议而免除。

第四十三条　承接持续督导工作的主办券商应与挂牌公司签订持续督导协议，并自持续督导协议签订之日起履行持续督导职责。

第五章　自律管理

第四十四条　全国股份转让系统公司对主办券商持续督导工作进行自律管理，记录并视情况公示主办券商及其持续督导人员的执业情况、违规行为等信息。

第四十五条　主办券商及其持续督导人员出现以下情形之一的，全国股份转让系统公司视情形对主办券商及其相关人员采取约见谈话、责令接受培训、出具警示函、责令改正等自律监管措施：

（一）未建立或者未有效执行持续督导工作制度、工作底稿管理制度、信息隔离制度；

（二）未按规定对挂牌公司信息披露文件进行事前审查；

（三）未按规定对挂牌公司进行核查或者现场检查；

（四）未按规定对挂牌公司相关人员进行培训；

（五）未按规定向全国股份转让系统公司报告挂牌公司重大情况；

（六）全国股份转让系统公司规定的其他情形。

第四十六条　主办券商及其持续督导人员出现以下情形之一的，全国股份转让系统公司视情形对主办券商及其相关人员采取出具警示函、暂不受理文件、通报批评、公开谴责等自律监管措施或纪律处分；情形严重的，限制、暂停直至终止主办券商从事推荐业务；并视情节轻重，及时向中国证监会报告：

（一）持续督导工作底稿等与督导相关的文件存在虚假记载、误导性陈述或者重大遗漏，或者未按规定建立持续督导工作底稿；

（二）唆使、协助或者参与挂牌公司披露存在虚假记载、误导性陈述或者重大遗漏的信息；

（三）不配合全国股份转让系统公司自律管理工作；

（四）通过持续督导工作谋取不正当利益；

（五）严重违反诚实守信、勤勉尽责义务的其他情形。

第六章　附则

第四十七条　本指引由全国股份转让系统公司负责解释。

第四十八条　本指引自发布之日起施行。

全国中小企业股份转让系统做市商做市业务管理规定（试行）

第一条　为加强对做市商做市业务的监督管理，规范做市商行为，保护投资者合法权益，根据《全国中小企业股份转让系统业务规则（试行）》（以下简称《业务规则》）、《全国中小企业股份转让系统股票转让细则（试行）》（以下简称《转让细则》）、《全国中小企业股份转让系统主办券商管理细则》（以下简称《管理细则》）等相关规定，制定本规定。

第二条　本规定所称做市商是指经全国中小企业股份转让系统有限责任公司（以下简称全国股份转让系统公司）同意，在全国中小企业股份转让系统（以下简称全国股份转让系统）发布买卖双向报价，并在其报价数量范围内按其报价履行与投资者成交义务的证券公司或其他机构。

第三条　做市商及其做市业务人员应当遵守法律法规和全国股份转让系统相关规定，勤勉尽责、诚实守信，接受全国股份转让系统公司的自律管理。

第四条　证券公司在全国股份转让系统开展做市业务前，应当向全国股份转让系统公司申请备案。其他机构在全国股份转让系统开展做市业务的具体规定，由全国股份转让系统公司另行制定。

第五条　证券公司申请在全国股份转让系统开展做市业务，应当具备下列条件：

（一）具备证券自营业务资格；

（二）设立做市业务专门部门，配备开展做市业务必要人员；

（三）建立做市业务管理制度；

（四）具备做市业务专用技术系统；

（五）全国股份转让系统公司规定的其他条件。

第六条　证券公司在全国股份转让系统开展做市业务申请备案，应向全国股份转让系统公司提交下列文件：

（一）申请书；

（二）证券公司基本情况申报表；

（三）《经营证券业务许可证》（副本）复印件；

（四）做市业务实施方案，包括做市业务部门设置、人员配备与分工情况、做市业务管理制度、做市业务专用技术系统准备情况说明、做市业务实施方案的合规审查意见等；

（五）最近一年度经审计的财务报告、净资本计算表、风险控制指标监管报表、风险资本准备计算表；

（六）全国股份转让系统公司要求提交的其他文件。

第七条　证券公司申请文件齐备的，全国股份转让系统公司予以受理。全国股份转让系统公司自受理之日起十个转让日内向证券公司出具是否同意从事做市业务的备案函，并予以公告。

第八条　全国股份转让系统公司根据审慎原则，可对做市商做市业务专用技术系统、业务实施情况等进行现场检查。

第九条　做市商做市业务人员应当具备下列条件：

（一）已取得证券从业资格；

（二）具备证券投资、投资顾问、投资银行、研究或类似从业经验；

（三）熟悉相关法律、行政法规、部门规章以及做市业务规则；

（四）具备良好的诚信纪录和职业操守，最近二十四个月内未受到过中国证监会行政处罚，最近十二个月内未受到过全国股份转让系统公司、证券交易所、证券业协会、基金业协会等自律组织处分；

（五）全国股份转让系统公司规定的其他条件。

做市业务人员应当签署《做市业务人员自律承诺书》，并向全国股份转让系统公司报备。

第十条　做市商做市专用技术系统应当满足以下要求：

（一）符合《全国中小企业股份转让系统交易支持平台数据接口规范》；

（二）具备开展做市业务所需的委托、报价、成交、行情揭示、数据汇总、统计和查询等必要功能；

（三）系统操作全程留痕；

（四）全国股份转让系统公司规定的其他条件。

做市商应当制定做市专用技术系统安全运行管理制度，并设置必要的数据接口，便利监管部门及时了解和检查做市业务相关情况。

第十一条　做市商应当建立健全下列做市业务内部管理制度：

（一）做市股票报价管理制度，包括做市股票报价的决策与执行程序、报价调整和报价监控机制等；

（二）做市库存股票管理制度，包括做市股票论证、获取、处置的决策程序和库存股票动态调节机制等；

（三）做市资金管理制度，包括做市资金审批、调拨和使用流程等；

（四）业务隔离制度，确保做市业务与推荐业务、证券投资咨询、证券自营、证券经纪、证券资产管理等业务在机构、人员、信息、账户、资金上严格分离；

（五）风险控制与合规管理制度，包括做市业务风险识别、评估和控制机制、做市业务的合规检查与评估机制等；

（六）异常情况处理制度，包括突发事件处理预案、异常情况处理机制等；

（七）内部报告与留痕制度，包括业务运作、风险监控、合规管理及其他相关信息的报告路径及反馈机制、强制留痕制度等；

（八）全国股份转让系统公司规定的其他制度。

第十二条　做市商应当对做市业务进行集中统一管理，建立做市业务相关决策、授权与执行体系。明确做市业务决策机构与决策机制，合理确定做市业务规模和可承受的风险限额。

第十三条　做市商应设立做市业务部门，专职负责做市业务的具体管理和运作。做市业务部门应制定规范的做市业务操作规程，明确部门内部岗位设置及职责分工。

第十四条　做市商及其做市业务人员应依法、合规开展做市业务，不得从事下列行为：

（一）不履行或不规范履行报价义务；

（二）利用内幕信息进行投资决策和交易；

（三）利用信息优势和资金优势，单独或者通过合谋，制造异常价格波动；

（四）以不正当方式影响其他做市商做市；

（五）与其他做市商通过串通报价或私下交换做市策略、做市库存股票数量等信息谋取不正当利益；

（六）与所做市的挂牌公司及其股东就股权回购、现金补偿等作出约定；

（七）做市业务人员通过做市向自身或利益相关者进行利益输送；

（八）全国股份转让系统公司规定的其他行为。

第十五条　做市商应当于每月的前五个转让日内向全国股份转让系统公司报送上月做市业务情况报告，包括但不限于合规情况、履行做市义务情况、做市股票库存、做市业务盈亏及相关风险控制指标等信息。

第十六条　做市商应当积极配合全国股份转让系统公司的自律管理，按照全国股份转让系统公司要求及时说明情况，提供相关文件、资料，不得拒绝或者拖延提供有关资料，不得提供虚假、误导性或者不完整的资料。

第十七条　全国股份转让系统公司对做市商及其做市业务人员执业情况进行持续记录，建立做市业务评价体系，并可将相关信息予以公开。

第十八条　做市商主动终止从事做市业务的，应当向全国股份转让系统公司提出申请。全国股份转让系统公司同意其终止从事做市业务的，自受理之日起 10 个转让日内书面通知该做市商并公告。

做市商因违反本规定或其他全国股份转让系统相关规定被终止从事做市业务的，全国股份转让系统公司书面通知该做市商并公告。

第十九条　做市商终止从事做市业务，应当制定业务处置方案，做好业务终止后续处置工作，包括做市库存股票处理、做市专用证券账户注销等，并将处置方案、处置情况及时报告全国股份转让系统公司。

第二十条　做市商违反本规定的，全国股份转让系统公司可以视情况采取以下措施，并记入诚信档案：

（一）约见谈话；

（二）要求提交书面承诺；

（三）出具警示函；

（四）责令改正；

（五）通报批评；

（六）公开谴责；

（七）暂停、限制直至终止其从事做市业务；

（八）向中国证监会报告有关违法违规行为。

第二十一条　做市业务人员违反本规定的，全国股份转让系统公司可以视情况采取以下措施，并记入诚信档案：

（一）约见谈话；

（二）责令参加培训；

（三）责令所在机构给予处分；

（四）通报批评；

（五）公开谴责；

（六）向中国证监会报告有关违法违规行为。

第二十二条　本规定由全国股份转让系统公司负责解释。

第二十三条　本规定自发布之日起施行。

全国中小企业股份转让系统
主办券商管理细则

（试行）

第一章　总则

第一条　为规范证券公司在全国中小企业股份转让系统（以下简称“全国股份转让系统”）从事相关业务，维护市场正常秩序，保护投资者合法权益，根据《全国中小企业股份转让系统业务规则（试行）》（以下简称“业务规则”）等相关规定，制定本细则。

第二条　证券公司在全国股份转让系统开展相关业务前，应当向全国中小企业股份转让系统有限责任公司（以下简称“全国股份转让系统公司”）申请备案，成为主办券商。

未经备案的证券公司不得在全国股份转让系统开展相关业务。

第三条　主办券商及其董事、监事、高级管理人员和相关业务人员，应当遵守法律法规和全国股份转让系统相关规定，勤勉尽责、诚实守信，接受全国股份转让系统公司的自律管理。

第二章　业务申请

第四条　主办券商可在全国股份转让系统从事以下部分或全部业务：推荐业务、经纪业务、做市业务，以及全国股份转让系统公司规定的其他业务。

第五条　证券公司申请在全国股份转让系统从事推荐业务应具备下列条件：

（一）具备证券承销与保荐业务资格；

（二）设立推荐业务专门部门，配备合格专业人员；

（三）建立尽职调查制度、工作底稿制度、内核工作制度、持续督导制度及其他推荐业务管理制度；

（四）全国股份转让系统公司规定的其他条件。

证券公司的子公司具备证券承销与保荐业务资格的，证券公司可以申请从事推荐业务，但不得与子公司同时在全国股份转让系统从事推荐业务。

第六条　证券公司申请在全国股份转让系统从事经纪业务应具备下列条件：

（一）具备证券经纪业务资格；

（二）配备开展经纪业务必要人员；

（三）建立投资者适当性管理工作制度、交易结算管理制度及其他经纪业务管理制度；

（四）具备符合全国股份转让系统公司要求的交易技术系统；

（五）全国股份转让系统公司规定的其他条件。

第七条　证券公司申请在全国股份转让系统从事做市业务应具备下列条件：

（一）具备证券自营业务资格；

（二）设立做市业务专门部门，配备开展做市业务必要人员；

（三）建立做市股票报价管理制度、库存股管理制度、做市风险监控制度及其他做市业务管理制度；

（四）具备符合全国股份转让系统公司要求的做市交易技术系统；

（五）全国股份转让系统公司规定的其他条件。

第八条　证券公司在全国股份转让系统开展业务前，应向全国股份转让系统公司申请备案，提交下列文件：

（一）申请书；

（二）公司设立的批准文件；

（三）公司基本情况申报表；

（四）《经营证券业务许可证》（副本）复印件；

（五）《企业法人营业执照》（副本）复印件；

（六）申请从事的业务及业务实施方案，包括：部门设置、人员配备与分工情况说明，内部控制体系的说明，主要业务管理制度，技术系统说明等；

（七）最近年度经审计财务报表和净资本计算表；

（八）公司章程；

（九）全国股份转让系统公司要求提交的其他文件。

证券公司应当按照全国股份转让系统公司规定的方式和要求，提交上述文件。

第九条　证券公司申请文件齐备的，全国股份转让系统公司予以受理。全国股份转让系统公司同意备案的，自受理之日起十个转让日内与证券公司签订《证券公司参与全国中小企业股份转让系统业务协议书》（以下简称《协议书》），向其出具主办券商业务备案函（以下简称"业务备案函"），并予以公告。公告后，主办券商可在公告业务范围内开展业务。

第十条　主办券商应在取得业务备案函后五个转让日内，在全国股份转让系统指定信息披露平台（www.neeq.com.cn 或 www.neeq.cc）披露公司基本情况、主要业务人员情况及全国股份转让系统公司要求披露的其他信息。

主办券商所披露信息内容发生变更的，应自变更之日起五个转让日内报告全国股份转让系统公司并进行更新。

第十一条　主办券商名称发生变更的，应当办理名称变更备案，向全国股份转让系统公司提交下列文件：

（一）申请书；

（二）机构名称变更的批准文件；

（三）变更后的《经营证券业务许可证》（副本）复印件和《企业法人营业执照》（副本）复印件；

（四）变更后的公司章程；

（五）原业务备案函；

（六）全国股份转让系统公司要求提交的其他文件。

第十二条　主办券商名称变更备案文件齐备的，全国股份转让系统公司自收到变更备案申请之日起五个转让日内与主办券商重新签订《协议书》，换发业务备案函，并予以公告。

第十三条　主办券商申请新增业务的，应当向全国股份转让系统公司提交第八条所列（一）、（四）、（六）项文件及全国股份转让系统公司要求的其他文件。

第十四条　全国股份转让系统公司同意主办券商新增业务备案的，自受理申请文件之日起十个转让日内与申请主办券商签订补充协议，出具业务备案函，并予以公告。

第十五条　主办券商申请终止从事全国股份转让系统相关业务或不再具备相关业务备案条件的，全国股份转让系统公司终止其从事全国股份转让系统相关业务，书面通知该主办券商并公告。

主办券商终止从事全国股份转让系统相关业务的，应制定业务处置方案，做好业务终止后续处置工作，并将处置方案、处置情况及时报告全国股份转让系统公司。

第十六条　主办券商被中国证监会依法指定托管、接管的，托管方或者其他相关机构对所托管的主办券商业务行使经营管理权时，应当确保其遵守全国股份转让系统规定，承担相关义务。

第三章　业务管理

第一节　一般规定

第十七条　主办券商开展全国股份转让系统相关业务，应当建立健全合规管理、内部风险控制与管理机制，严格防范和控制风险。

第十八条　主办券商及其业务人员应当对开展全国股份转让系统业务中获取的非公开信息履行保密义务，不得利用该信息谋取不正当利益。

第十九条　主办券商应当加强业务人员的职业道德和诚信教育，强化业务人员的勤勉尽责意识、合规操作意识、风险控制意识和保密意识。

第二十条　主办券商应按全国股份转让系统公司要求在全国股份转让系统指定信息披露平台披露其执业情况、接受全国股份转让系统公司处分等信息。

第二十一条　主办券商应当根据全国股份转让系统公司要求，调查或协助调查指定事项，并将调查结果及时报告全国股份转让系统公司。

第二十二条　主办券商应按要求组织相关人员参加全国股份转让系统公司举办的业务和技术培训。未按规定参加培训的，全国股份转让系统公司可暂不受理主办券商及其相关人员出具的文件。

主办券商首次推荐公司挂牌前，应接受全国股份转让系统公司的业务培训。

第二十三条　主办券商应当按照全国股份转让系统公司要求建立开展相关业务所需的技术系统，包括交易系统、做市报价系统、行情系统和通信系统及其备份系统等，并制定相应的安全运行管理制度。

第二十四条　主办券商应遵守全国股份转让系统公司有关转让信息管理的规定，按要求使用全国股份转让系统转让信息。

未经全国股份转让系统公司许可，主办券商不得将转让信息提供给客户从事自身股票转让以外的其他活动，不得将转让信息提供给客户以外的其他机构和个人，不得在营业场所外使用转让信息。

第二节　推荐业务

第二十五条　主办券商推荐股份公司股票挂牌，应与申请挂牌公司签订推荐挂牌并持续督导协议，约定双方权利和义务，并对申请挂牌公司董事、监事、高级管理人员及其他信息披露义务人进行培训，使其了解相关法律、法规、规则、协议所规定的权利和义务。

第二十六条　主办券商应对申请挂牌公司进行尽职调查，并在全面、真实、客观、准确调查的基础上出具尽职调查报告。

第二十七条　主办券商应设立内核机构，负责审核股份公司股票挂牌申请，并在审核基础上出具内核意见。

第二十八条　主办券商应根据内核意见决定是否推荐股份公司股票挂牌。同意推荐的，出具推荐报告。

主办券商可以根据申请挂牌公司委托，组织编制申请文件。

第二十九条　主办券商应持续督导所推荐挂牌公司诚实守信、规范履行信息披露义务、完善公司治理机制。

主办券商应配备合格专业人员，建立健全持续督导工作制度，勤勉履行审查挂牌公司拟披露的信息披露文件、对挂牌公司进行现场检查、发布风险警示公告等督导职责。

第三节　经纪业务

第三十条　主办券商代理投资者买卖挂牌公司股票，应当与投资者签订证券买卖委托代理协议，并按照全国股份转让系统的股票转让制度要求接受投资者的买卖委托。

第三十一条　主办券商应当按照全国股份转让系统公司要求，建立健全投资者适当性管理制度。主办券商代理投资者买卖挂牌公司股票前，应当充分了解投资者的身份、财务状况、证券投资经验等情况，评估投资者的风险承受能力和风险识别能力。

主办券商不得为不符合投资者适当性要求的投资者提供代理买卖服务，全国股份转让系统公司另有规定的除外。

第三十二条　主办券商在与投资者签订证券买卖委托代理协议前，应着重向投资者说明投资风险自担的原则，详细讲解风险揭示书的内容，要求投资者认真阅读并签署风险揭示书。

第三十三条　主办券商应利用各种方式告知投资者全国股份转让系统业务规则及相关信息，持续揭示投资风险。

第三十四条　主办券商不得欺骗和误导投资者，不得利用自身的技术、设备及人员等业务优势侵害投资者合法权益。

第三十五条　主办券商接受客户股票买卖委托时，应当查验客户股票和资金是否足额，法律、行政法规、部门规章另有规定的除外。

第三十六条　主办券商应设立交易监控系统，对自身及客户转让行为进行有效监督，防范违规转让行为。

第三十七条　主办券商对客户的资金、股票以及委托、成交数据应当有完整、准确、详实的记录或者凭证，按户分账管理，并向客户提供对账与查询服务。

主办券商应当采取有效措施，妥善保存上述文件资料，保存期限不得少于二十年。

第三十八条　主办券商应当加强证券账户管理，不得为他人违法违规使用证券账户进行股票转让提供便利。

第三十九条　主办券商应当在营业场所及时准确地公布转让信息，供从事股票转让的客户使用。

主办券商应当告知客户不得将转让信息用于自身股票转让以外的其他活动，并对客户使用转让信息的行为进行有效管理。

第四节　做市业务

第四十条　主办券商开展做市业务，应通过专用证券账户、专用交易单元进行。做市业务专用证券账户应向中国证券登记结算有限责任公司和全国股份转让系统公司报备。

第四十一条　主办券商应建立做市资金的管理制度，明确做市资金的审批、调拨、使用流程，确保做市资金安全。

第四十二条　主办券商应建立做市股票的管理制度，明确做市股票获取、处置的决策程序、以及库存股票头寸管理制度。

第四十三条　主办券商应当建立以净资本为核心的做市业务规模监控和调整机制，根据自身财务状况和中国证监会关于证券公司风险监控指标规定等要求，合理确定做市业务规模。

第四十四条　主办券商应建立做市业务内部报告制度，明确业务运作、风险监控、业务稽核及其他有关信息的报告路径和反馈机制。

第四十五条　主办券商应当建立健全做市业务动态风险监控机制，监控做市业务风险的动态变化，提高动态监控效率。

第四十六条　主办券商开展做市业务，不得利用信息优势和资金优势，单独或者通过合谋，以串通报价或相互买卖等方式制造异常价格波动，损害投资者利益。

第四十七条　主办券商开展做市业务，不得干预挂牌公司日常经营，其业务人员不得在挂牌公司兼职。

第四十八条　主办券商开展做市业务，对报价和成交数据等应有完整、准确、详实的记录或者凭证，并采取有效措施妥善保存，保存期限不得少于二十年。

第四十九条　主办券商应按全国股份转让系统公司要求报告其做市股票库存、做市业务盈亏及相关风险监控指标等信息。

第四章　日常管理

第一节　业务联络

第五十条　主办券商应指定一名公司高级管理人员（以下简称“指定高管）负责组织、协调主办券商与全国股份转让系统公司的各项业务往来，并指定业务联络人协助履行相应职责。

指定高管及业务联络人的任职、变更应及时报告全国股份转让系统公司。

第五十一条　指定高管和业务联络人应履行下列职责：

（一）负责报送全国股份转让系统公司要求的文件；

（二）组织相关业务人员按时参加全国股份转让系统公司举办的培训；

（三）协调主办券商与全国股份转让系统公司相关技术系统的改造、测试等；

（四）及时接收全国股份转让系统公司发送的业务文件，并予以协调落实；

（五）及时更新全国股份转让系统指定信息披露平台上主办券商相关信息；

（六）督促主办券商及时履行报告与公告义务；

（七）督促主办券商及时缴纳各项费用；

（八）全国股份转让系统公司要求履行的其他职责。

第五十二条　指定高管与业务联络人出现下列情形之一的，主办券商应当自该情形发生之日起五个转让日内予以更换并报告全国股份转让系统公司：

（一）指定高管不再分管全国股份转让系统相关业务或不再担任高级管理人员职务；

（二）连续三个月不能履行职责；

（三）在履行职责时出现重大错误，产生严重后果的；

（四）全国股份转让系统公司认为不适宜继续担任指定

高管或业务联络人的其他情形。

第五十三条　指定高管空缺期间，主办券商法定代表人应当履行指定高管的职责，直至主办券商向全国股份转让系统公司报备新的指定高管。

第二节　报告与公告

第五十四条　主办券商向全国股份转让系统公司报送的信息和资料应当真实、准确、完整。

第五十五条　主办券商应向全国股份转让系统公司履行下列定期报告义务：

（一）每年四月三十日前报送上年度经审计财务报表和从事全国股份转让系统相关业务情况报告；

（二）全国股份转让系统公司规定的其他定期报告义务。

全国股份转让系统公司可根据需要调整上述报告的报送时间及内容要求。

第五十六条　有下列情形之一的，主办券商应当自该情形发生之日起五个转让日内向全国股份转让系统公司报告：

（一）根据本规则第八条提交的相关文件所涉事项发生变更的；

（二）公司总部、分支机构发生证券法第一百二十九条规定情形的；

（三）净资本等风险控制指标不符合中国证监会规定标准的；

（四）全国股份转让系统公司规定的其他事项。

第五十七条　主办券商发生下列情形的，应当立即向全国股份转让系统公司报告，并持续报告进展情况：

（一）重大业务风险；

（二）进入风险处置；

（三）重大技术故障；

（四）不可抗力或者意外事件可能影响客户正常转让的；

（五）其他影响公司正常经营的重大事件。

主办券商发生前款第（三）、（四）项异常情况的，应当立即在其营业场所予以公告。

第五十八条　主办券商出现证券法第一百五十条至第一百五十四条规定情形的，应当向全国股份转让系统公司报告事件产生的原因、中国证监会采取的措施、主办券商整改结果等情况。

第五十九条　全国股份转让系统公司可以根据审慎监管原则，要求主办券商对从事全国股份转让系统相关业务情况进行自查，并提交专项自查报告。

第六十条　主办券商被依法托管或接管的，托管方或接管方应当自中国证监会批准托管或接管方案之日起二个转让日内将托管或接管方案等文件报送全国股份转让系统公司。

第三节　收费

第六十一条　主办券商应按照规定的收费项目、收费标准与收费方式，按时交纳相关费用。

第六十二条　主办券商欠缴全国股份转让系统公司相关费用的，全国股份转让系统公司可视情况暂停受理或者办理其相关业务。

第六十三条　主办券商被中国证监会依法指定托管、接管的，主办券商应当按照全国股份转让系统公司要求交纳相关费用，如不能按时交纳的，全国股份转让系统公司可视情况采取相应措施。

第四节　纠纷解决

第六十四条　主办券商应当指定部门受理客户投诉，并按要求将相关业务投诉及处理情况向全国股份转让系统公司报告。

第六十五条　主办券商之间、主办券商与挂牌公司之间、主办券商与客户之间发生的业务纠纷可能影响市场正常秩序的，相关主办券商应当自该情形出现之日起二个转让日内向全国股份转让系统公司报告。

第五章　自律监管

第六十六条　全国股份转让系统公司可根据监管需要，对主办券商业务活动中的风险管理、技术系统运行、做市义务履行、推荐挂牌及持续督导等情况进行监督检查。

第六十七条　主办券商应当积极配合全国股份转让系统公司监管，按照全国股份转让系统公司要求及时说明情况，提供相关文件、资料，不得拒绝或者拖延提供有关资料，不得提供虚假、误导性或者不完整的资料。

第六十八条　全国股份转让系统公司对主办券商及从业人员执业情况进行持续记录，并可将记录信息予以公开。

第六十九条　主办券商及相关业务人员违反本细则的，全国股份转让系统公司可依据《业务规则》采取相应的监管措施或纪律处分。

主办券商因违反本细则被终止从事相关业务的，全国股份转让系统公司将在终止其从事相关业务之日起 12 个月内不再受理其申请。

第六章　附则

第七十条　本细则由全国股份转让系统公司负责解释。

第七十一条　本细则自发布之日起施行。

投资者服务类

全国中小企业股份转让系统投资者适当性管理细则（试行）

（2013 年 2 月 8 日发布，2013 年 12 月 30 日修改）

第一条　为促进全国中小企业股份转让系统（以下简称全国股份转让系统）平稳、有序发展，提示市场风险，引导投资者理性参与挂牌公司股票公开转让等相关业务，保护投资者合法权益，根据中国证券监督管理委员会（以下简称中国证监会）有关规定及《全国中小企业股份转让系统业务规则（试行）》（以下简称《业务规则》），制定本细则。

第二条　投资者参与挂牌公司股票公开转让等相关业务，应当熟悉全国股份转让系统相关规定，了解挂牌公司股票风险特征，结合自身风险偏好确定投资目标，客观评估自身的心理和生理承受能力、风险识别能力及风险控制能力，审慎决定是否参与挂牌公司股票公开转让等业务。

第三条　下列机构投资者可以申请参与挂牌公司股票公开转让：

（一）注册资本 500 万元人民币以上的法人机构；

（二）实缴出资总额 500 万元人民币以上的合伙企业。

第四条　集合信托计划、证券投资基金、银行理财产品、证券公司资产管理计划，以及由金融机构或者相关监管部门认可的其他机构管理的金融产品或资产，可以申请参与挂牌公司股票公开转让。

第五条　同时符合下列条件的自然人投资者可以申请参

与挂牌公司股票公开转让：

（一）投资者本人名下前一交易日日终证券类资产市值500万元人民币以上。证券类资产包括客户交易结算资金、在沪深交易所和全国股份转让系统挂牌的股票、基金、债券、券商集合理财产品等，信用证券账户资产除外。

（二）具有两年以上证券投资经验，或具有会计、金融、投资、财经等相关专业背景或培训经历。

投资经验的起算时间点为投资者本人名下账户在全国股份转让系统、上海证券交易所或深圳证券交易所发生首笔股票交易之日。

第六条　下列投资者可以参与挂牌公司股票定向发行：

（一）《非上市公众公司监督管理办法》第三十九条规定的投资者；

（二）符合参与挂牌公司股票公开转让条件的投资者。

第七条　公司挂牌前的股东、通过定向发行持有公司股份的股东等，如不符合参与挂牌公司股票公开转让条件，只能买卖其持有或曾持有的挂牌公司股票。

已经参与挂牌公司股票买卖的投资者保持原有交易权限不变。

第八条　主办券商应当根据中国证监会有关规定及本细则要求，制定投资者适当性管理实施方案，建立健全工作制度，完善内部分工和业务流程，并报全国中小企业股份转让系统有限责任公司（以下简称全国股份转让系统公司）备案。

第九条　主办券商应当切实履行投资者适当性管理职责，了解投资者的身份、财务状况、证券投资经验等相关信息，评估投资者的风险承受能力和风险识别能力，有针对性地开展风险揭示、投资者知识普及、投资者服务等工作，引导投资者审慎参与挂牌公司股票公开转让等相关业务。

第十条　主办券商应当认真审核投资者提交的相关材料，并与投资者书面签署《买卖挂牌公司股票委托代理协议》和《挂牌公司股票公开转让特别风险揭示书》。

投资者应抄录《挂牌公司股票公开转让特别风险揭示书》中的特别声明。

第十一条　投资者应当配合主办券商投资者适当性管理工作，如实提供申报材料。投资者不予配合或提供虚假信息的，主办券商可以拒绝为其办理挂牌公司股票公开转让相关业务。

第十二条　主办券商应当妥善保管投资者的档案资料，除依法配合调查和检查外，应当为投资者保密。

第十三条　主办券商应当结合所了解的投资者信息和投资者参与挂牌公司股票转让的情况，定期开展对投资者风险承受能力的持续评估工作，并留存评估结果备查。

第十四条　主办券商应当针对不同类别的投资者制订服务方案和管理流程，根据客户的不同特点，讲解全国股份转让系统业务规则和风险特点，提示参与挂牌公司股票公开转让可能面临的风险。

第十五条　主办券商应当妥善保存业务办理、投资者服务过程中风险揭示的语音或影像留痕。

第十六条　主办券商发现客户存在异常交易行为或者违法违规行为时，应当根据全国股份转让系统公司相关规定及时提醒客户，并向全国股份转让系统公司报告。

第十七条　全国股份转让系统公司对存在异常交易行为的投资者采取口头或书面警示等监管措施的，主办券商应当及时与投资者取得联系，告知其有关监管要求和采取的监管措施。

对出现异常交易行为的投资者，全国股份转让系统公司可以限制其交易，主办券商应当予以配合。

第十八条　主办券商应当为投资者提供合理的投诉渠道，指定专门部门受理投诉，妥善处理与投资者的矛盾和纠纷，并认真做好记录工作。

第十九条　主办券商应当配合全国股份转让系统公司对其投资者适当性管理执行情况进行检查，如实提供投资者开户资料、资金账户情况等信息，不得隐瞒、阻碍和拒绝。

第二十条　主办券商及其相关业务人员违反本细则规定，全国股份转让系统公司可依据《业务规则》等有关规定采取相应的监管措施或纪律处分。

第二十一条　本细则所称“以上”含本数。

第二十二条　本细则由全国股份转让系统公司负责解释。

第二十三条　本细则自发布之日起施行。

两网及退市公司类

关于两网公司及退市公司股票除权除息、缩股相关事项的通知

股转系统公告〔2015〕32号

各市场参与人：

为明确两网公司及退市公司（以下简称公司）股票权益分派、公积金转增股本、缩股等业务处理要求，保护投资者合法权益，现就有关事项通知如下：

一、股票权益分派、公积金转增股本

（一）股票发生权益分派、公积金转增股本等情况，全国中小企业股份转让系统（以下简称全国股份转让系统）在权益登记日（B股为最后交易日）的次一转让日，按照除权（息）参考价计算公式对该股票作除权除息处理。全国中小企业股份转让系统有限责任公司（以下简称全国股转公司）另有规定的除外。

（二）在除权（息）日，股票简称应进行变更，在简称前冠以“XR”、“XD”、“DR”等字样。

“XR”代表除权；“XD”代表除息；“DR”代表除权并除息。

（三）公司股票权益分派业务流程参照《全国中小企业股份转让系统挂牌公司权益分派业务指南（试行）》执行。

二、股票缩股

（一）股票发生缩股等情况，全国股份转让系统在缩股股权登记日（B股为最后交易日）的次一转让日（以下简称缩股日），参照除权参考价计算公式调整该股票当日开盘参考价。全国股转公司另有规定的除外。

（二）在缩股日，股票简称不变。

（三）公司应于实施方案的缩股股权登记日（B股为最后交易日）前披露方案实施公告。

三、除权（息）参考价

（一）除权（息）参考价计算公式

除权（息）参考价＝（前收盘价－现金红利）÷（1＋股份变动比例）

公司认为有必要调整上述计算公式时，可以向全国股转公司提出调整申请并说明理由。经全国股转公司同意的，公司应当向市场公布该次除权（息）、缩股适用的除权（息）参考

价计算公式。

（二）除权（息）日股票买卖，按除权（息）参考价作为计算涨跌幅度的基准；缩股日股票买卖，按开盘参考价作为计算涨跌幅度的基准。全国股转公司另有规定的除外。

四、本通知自 2015 年 4 月 15 日起执行。

全国中小企业股份转让系统有限责任公司

2015 年 4 月 14 日

全国中小企业股份转让系统两网公司及退市公司股票转让暂行办法

第一条　为规范原证券公司代办股份转让系统挂牌的 STAQ、NET 系统公司（以下简称“两网公司”）、退市公司（包括本暂行办法发布后新挂牌的退市公司）股票在全国中小企业股份转让系统（以下简称“全国股份转让系统”）转让及相关活动，根据有关法律法规，制定本暂行办法。

第二条　两网公司和退市公司（以下简称“公司”）股票可以在全国股份转让系统进行转让。

本暂行办法发布后依法完成退市手续的公司，按照有关规定确定推荐公司股票挂牌的主办券商，公司股东办理股票确权登记后，其股票可以在全国股份转让系统进行挂牌转让。

第三条　公司股东必须按照有关规定重新履行股份确权、登记和托管手续后方可进行转让。

推荐公司股票挂牌的主办券商负责到中国结算办理有关退出证券交易所市场股份登记及进入全国股份转让系统登记结算事宜。

主办券商相互委托股份确权的相关事项由全国股份转让系统公司另行规定。

第四条　中国证券登记结算有限责任公司（以下简称“中国结算”）为公司股票转让提供登记、存管、结算等服务。

第五条　公司及推荐公司股票挂牌的主办券商应当至少在一种中国证监会指定的信息披露媒体及全国股份转让系统指定信息披露平台（www. neeq. com. cn 或 www. neeq. cc）上发布股份确权公告，股份确权公告中应说明公司股票终止上市的情况，通知投资者办理股份确权登记手续、时间安排以及股票开始转让的时间。

第六条　持有公司流通股的股东可到任一主办券商办理股份重新确权、登记和托管手续；持有公司非流通股或限售股的股东须到推荐公司股票挂牌的主办券商办理重新确权、登记和托管手续。

公司股东办理重新确权、登记和托管手续应向相关主办券商提交下列材料：

（一）个人投资者

1. 本人身份证；

2. 原挂牌交易场所的股票账户卡（如有）；

3. 证券账户卡；

4.《非上市公司股票转让股票登记托管申请表》。

委托他人代办的，还须提供代办人身份证。

（二）机构投资者

1. 法人营业执照或注册登记证书（副本）；

2. 原挂牌交易场所的股票账户卡（如有）；

3. 证券账户卡；

4. 法定代表人身份证明书、法定代表人授权委托书；

5. 法定代表人和经办人身份证；

6.《非上市公司股票转让股票登记托管申请表》。

第七条　有下列情形之一的，还须提交以下相关材料或办理相关手续：

（一）机构投资者因企业已注销、被吊销营业执照或歇业，而无法提供企业法人营业执照的，需出具以下材料：

1. 发证机关出具的关于法人已破产或注销的证明；

2. 原持有人的股东与现持有人签署的转让协议；

3. 法院裁决书、清算组或管理人、上级主管单位文件、证明。

（二）机构投资者原法人已变更名称、合并、分立、兼并、重组的，须提供发证机关出具的名称变更相关证明，和变更名称后的法人或相关承接法人承诺承担原法人债权债务的证明文件。

（三）实际出资的投资者无法提供股票持有人的身份证明原件、原挂牌交易场所股票账户卡原件等，需提供以下证明材料之一方可办理确权、登记和托管手续：

1. 原挂牌交易场所的托管券商出具出资证明，证明其为实际出资人，并承诺承担由此而引起的任何法律责任；

2. 股票持有人与实际出资人之间签订的股权转让协议，股票持有人需声明该股份属实际出资人，并承诺承担因转让引起的任何法律责任。该协议书需经公证处公证；

3. 法院裁决书；

4. 公司要求提供的其他材料。

第八条　在股东重新履行股份确权手续后，主办券商应向股票持有人出具股票确认书。

第九条　公司已确认的可进行转让的股票应当登记在中国结算。

第十条　推荐公司股票挂牌的主办券商办理公司股票登记应当向中国结算提交下列材料：

（一）全国股份转让系统公司关于委托股份登记托管的函；

（二）主办券商与退市公司、副主办券商签订的《推荐恢复上市、委托股票转让协议书》，或证券交易所指定主办券商为退市公司提供股票转让服务的文件；

（三）中国结算要求的其他材料。

第十一条　经确权、登记和托管的股票可以由主办券商向中国结算办理股票存管后开始转让。未经确权的股票，由推荐公司股票挂牌的主办券商按照前述规定及中国结算的有关规定，继续进行确权、登记和托管工作。经确权、登记、托管的股票可以由主办券商向中国结算办理股票存管后开始转让。

第十二条　公司退市前已签订《推荐恢复上市、股票转让协议书》的，由推荐公司股票挂牌的主办券商办理退市公司股票在全国股份转让系统挂牌手续；截至交易所作出终止上市决定时仍未签订《推荐恢复上市、股票转让协议书》、由证券交易所指定主办券商的，由指定推荐公司股票挂牌的主办券商办理退市公司股票在全国股份转让系统挂牌手续。

推荐公司股票挂牌的主办券商办理挂牌手续应严格按照下列程序和时间要求：

（一）在证券交易所公告股票终止上市决定、退市整理期届满或接到交易所指定通知后的 5 个转让日内，向中国结算取得相关资料，刊登“股份确权公告”；

（二）在 20 个转让日内开始为投资者办理股份确权手续；

（三）在 40 个转让日内到中国结算办理公司股票重新登

记手续,并在全国股份转让系统指定信息披露平台刊登“股票转让公告”;

(四)第45个转让日公司股票开始在全国股份转让系统转让。

推荐公司股票挂牌的主办券商在办理退市公司股票挂牌过程中,如果退市公司对证券交易所退市决定提起行政复

议或诉讼,在中国证监会受理其行政复议申请或法院受理其行政诉讼申请后,主办券商应暂停其股票进入全国股份转让系统挂牌工作,并根据行政复议和诉讼结果决定是否恢复其股票的挂牌工作;如果退市公司提出终止办理股票挂牌,在获得其所在地省级人民政府批准后,主办券商应停止办理其股票挂牌。

第十三条 退市公司股票开始在全国股份转让系统转让后,全国股份转让系统公司将向退市公司所在地省级人民政府通报相关情况。

第十四条 投资者参与公司股票转让,应当委托主办券商办理,并到主办券商或其所属营业部阅读《风险揭示书》,主办券商应向投资者充分揭示公司股票转让的各类风险,投资者应在充分了解投资风险的基础上签署《风险揭示书》,并签订委托协议。委托协议应列明投资者接受并遵守本暂行办法。

主办券商对投资者在公司股票转让时出现的违规行为,应当依据委托协议,及时提出警示,并按双方约定采取必要措施。

第十五条 公司流通股份以集合竞价方式成交,非流通股份(或限售股)可以办理协议转让。协议转让或投资者因司法裁决、继承等特殊原因需办理股票过户的,需依照全国股份转让系统公司和中国结算相关规定办理。

第十六条 主办券商接受投资者委托办理公司股票转让业务,投资者申报指令以集合竞价方式撮合成交。

主办券商不得自营所推荐公司的股票。

第十七条 公司股票转让的转让日为每周一至周五,转让委托申报时间为上午9:30至11:30,下午1:00至3:00;全国股份转让系统分别于转让日的10:30、11:30、14:00揭示一次可能的成交价格,最后一个小时即14:00后每十分钟揭示一次可能的成交价格,最后十分钟即14:50后每分钟揭示一次可能的成交价格。在转让日下午15:00进行集中撮合成交。

转让期间遇法定节假日或其他特殊情况,暂停转让服务业务。

第十八条 全国股份转让系统公司根据公司不同情况,实行区别对待,分类转让:

(一)规范履行信息披露义务、股东权益为正值或净利润为正值、最近年度财务报告未被注册会计师出具否定意见或无法表示意见的公司,其股票每周转让五次(每星期一、二、三、四、五各转让一次),其股票简称最后一个字符为阿拉伯数字“5”。

(二)股东权益和净利润均为负值,或最近年度财务报告被注册会计师出具否定意见或无法表示意见的公司,其股票每周转让三次(每星期一、三、五各转让一次),其股票

简称最后一个字符为阿拉伯数字“3”。

(三)未与推荐公司股票挂牌的主办券商签订《推荐恢复上市、股票转让协议书》,或不履行基本信息披露义务的,其股票每周转让一次(每星期五转让一次),其股票简称最后一个字符为阿拉伯数字“1”。

上述股东权益为正值是指最近会计年度经审计的股东权益扣除注册会计师不予确认的部分后为正值;净利润为正值是指最近会计年度经审计的扣除非经常性损益后的净利润为正值。

第十九条 股票转让以“手”为单位,一手为100股。申报买入股票,数量应当为一手的整数倍。不足一手的股票,只能一次性申报卖出。

第二十条 转让股票“每股价格”的最小变动单位:A股为人民币0.01元,B股为0.001美元。

第二十一条 股票转让价格实行涨跌幅限制,涨跌幅比例限制为前一转让日转让价格的5%。

第二十二条 投资者委托主办券商进行公司股票转让可采用柜台委托、电话委托、互联网委托等委托方式。

第二十三条 投资者应根据上一转让日的股票价格,在涨跌幅限制范围内进行委托。

第二十四条 主办券商在公司股票转让业务中可以接受投资者的限价委托,但不得接受全权委托。

限价委托是指投资者限定价格,要求主办券商营业部以限价或低于限价买入股票、以限价或高于限价卖出股票的委托。

投资者委托当日有效。

第二十五条 投资者委托卖出的股票必须是其证券账户上实有的股票,不得进行融券。

第二十六条 投资者委托买入股票必须以其资金账户上实有的资金支付,不得进行融资。

第二十七条 主办券商应妥善保管投资者的委托记录和凭证,保存期不少于20年。

第二十八条 转让日申报时间内接受的所有转让申报采用一次性集中竞价方式撮合成交。

第二十九条 集合竞价确定转让价格的原则依次是:

(一)可实现最大成交量;

(二)高于该价格的买入申报与低于该价格的卖出申报全部成交;

(三)与该价格相同的买方或卖方至少有一方全部成交。

两个以上价格符合上述条件的,取在该价格以上的买入申报累计数量与在该价格以下的卖出申报累计数量之差最小的价格为成交价;买卖申报累计数量之差仍存在相等情况的,开盘集合竞价时取最接近即时行情显示的前收盘价为成交价,盘中、收盘集合竞价时取最接近最近成交价的价格为成交价。

集合竞价的所有申报以同一价格成交。

第三十条 经集中撮合后,转让即告成立。

第三十一条 集合竞价结束后,通过通信系统将转让数据即时发送至主办券商,内容包括:主办券商专用交易单元号、合同序号、投资者证券账户卡号、股票代码、转让数量、转让价格等。

第三十二条 公司股票转让的价格信息通过通信系统传送至主办券商所属营业部,主办券商必须在营业场所单独发布。

公司股票转让不设指数。

第三十三条 转让日当天的价格信息发布内容为:股票代码和名称,上一转让日转让价格和数量,当日转让价格和数量。

第三十四条 中国结算根据全国股份转让系统发送的转让成交数据完成与主办券商之间的股份与资金的清算交收,并将清算交收结果数据发送主办券商,主办券商再据此完成与投资者之间的股份与资金的清算交收。

第三十五条　公司派发红利的，可自行派发或委托中国结算办理；派发红股或公积金转增股本的，应委托中国结算办理。

委托中国结算办理上述业务时，应提交股东大会决议、分配方案公告及其他所需资料。

第三十六条　投资者委托股票转让和非转让过户（挂失除外），应当按规定交纳相关税费。

第三十七条　公司或推荐公司股票挂牌的主办券商应当按照《两网公司及退市公司信息披露暂行办法》的规定，在全国股份转让系统指定信息披露平台进行信息披露。

第三十八条　公司出现以下情形之一的，全国股份转让系统公司或推荐公司股票挂牌的主办券商报经全国股份转让系统公司同意后可以对其股票暂停转让，直至导致暂停转让的原因消除后恢复转让：

（一）公司违反《推荐恢复上市、股票转让协议书》；

（二）公司发生影响股票转让的其他重大事件。

第三十九条　出现下列情形之一的，公司或推荐公司股票挂牌的主办券商应当公告并终止股票转让，按照中国结算的规定办理退出登记：

（一）公司获准上市、重新上市或被收购；

（二）公司解散、依法被撤销、破产；

（三）全国股份转让系统公司规定的其他情形。

第四十条　股票转让参与人违反本暂行办法规定的，全国股份转让系统公司可以依据《全国中小企业股份转让系统业务规则》采取相应的自律监管措施和纪律处分。

第四十一条　本暂行办法由全国股份转让系统公司负责解释。

全国中小企业股份转让系统
两网公司及退市公司信息披露暂行办法

第一条　为规范原证券公司代办股份转让系统挂牌的STAQ、NET系统公司（以下简称“两网公司”）、退市公司（包括本暂行办法发布后新挂牌的退市公司）在全国股份转让系统的信息披露行为，根据有关法律法规，制定本暂行办法。

第二条　两网公司和退市公司（以下简称“公司”）应当履行下列信息披露的基本义务：

（一）及时披露所有可能对公司股票转让价格产生重大影响的信息；

（二）及时澄清与公司有关的、非正式披露的信息；

（三）保证信息披露内容真实、准确、完整，没有虚假记载、误导性陈述或者重大遗漏，并就其保证承担法律责任。

公司不能确定有关事件是否需及时披露，或对履行以上基本义务有任何疑问的，应当及时向主办券商咨询。

第三条　公司及其董事、监事、高级管理人员不得泄露内幕信息，不得进行内幕交易或配合他人操纵股票转让价格。

第四条　公司应当公开披露的信息包括定期报告和临时报告。年度报告、半年度报告和季度报告为定期报告，其他报告为临时报告。

第五条　公司公开披露的信息应当第一时间在全国股份转让系统指定信息披露平台公布。

第六条　公司公开披露的信息必须按照规定格式编制，公告文稿应为打印件并经董事会全体成员签字或加盖董事会公章，并同时采用书面和电子文件的形式报送主办券商。

公开披露的信息应当用中文表述。转让境内流通外资股股份的公司公开披露信息，如有必要，还可以用英文表述，并在境外英文报纸予以发布；中英文本不一致的，以中文文本为准。

第七条　公司在其他公共传媒披露的信息不得先于在全国股份转让系统指定信息披露平台的正式公告。公司不得以新闻发布或答记者问等形式代替公司的正式公告。

第八条　公司董事会全体成员及其他知情人员在公司的信息公开披露前，应当将该信息的知情人控制在最小范围内。

第九条　公司的信息披露不够及时、充分、完整或可能误导投资者的，存在任何虚假记载、误导性陈述或者重大遗漏及其他技术性错误的，公司应当主动或应主办券商的要求及时予以公开更正、说明或补充；公司未按主办券商要求做出修改或补充的，主办券商应对投资者以公告的方式做出风险提示。

第十条　公司应当将信息披露文件和备查文件在公告的同时备置于公司住所及其他指定场所，供公众查阅。

第十一条　公司根据国家有关法律、法规向有关部门报送涉及未披露信息的文件时，应当以书面形式向其申明该文件涉及未公开的信息并提请对方注意保密。除此以外，公司不得对外提供任何涉及未披露信息的文件。

第十二条　公司有充分理由认为披露某一信息会损害公司的利益，且该信息对其转让价格不会产生重大影响，经主办券商报全国股份转让系统公司同意，可以免予披露。

第十三条　公司认为应披露的信息可能导致其违反国家有关法规的，应当向主办券商提出并陈述不宜披露的理由；确有法律依据的，经主办券商报全国股份转让系统公司同意，可以免予披露。

第十四条　公司应当配备信息披露所必要的通讯工具和计算机等办公设备，保证计算机可以连接国际互联网和对外咨询电话的畅通。

第十五条　董事和监事应当在股票开始转让后两个月内，新任董事、监事应当在股东大会通过其任命后两个月内，签署《董事（监事）声明及承诺书》并送达主办券商备案。董事、监事签署该文件时必须由律师见证，向董事、监事解释《董事（监事）声明及承诺书》的内容，董事、监事在充分理解后签字。

第十六条　董事应当履行以下职责并在《董事声明及承诺书》中作出承诺：

（一）遵守法律法规，履行诚信勤勉义务；

（二）遵守公司章程；

（三）遵守全国股份转让系统相关规则，接受主办券商的督促与指导；

（四）对主办券商认为应当承诺的其他事项作出承诺。

第十七条　监事除同样应当履行上条所述职责并在《监事声明及承诺书》中作出承诺外，还应当承诺促使公司董事遵守其承诺。

第十八条　董事、监事应当在《董事（监事）声明及承诺书》中声明：

（一）本人持有所在公司股票的情况；

（二）有无违反法律法规受查处情况；

（三）参加证券业务培训情况；

（四）其他任职情况；

（五）拥有其他国家或地区的国籍、长期居留权的情况；

（六）主办券商认为应当由其说明的其他情况。

第十九条　《董事（监事）声明及承诺书》中声明的事项发生变化时，董事、监事应当在该等情况发生变化之日起五个工作日内向主办券商提交有关最新资料披露并备案，并保证该资料的真实与完整。

第二十条　公司必须设立一名董事会秘书。董事会秘书为公司与主办券商之间的指定联络人。

第二十一条　董事会秘书应当遵守公司章程和有关法律法规，对公司负有诚信和勤勉义务，不得利用职权为自己或他人谋取利益。

第二十二条　董事会秘书应当履行下列与信息披露相关的职责：

（一）负责准备和提交主办券商及全国股份转让系统公司要求的有关信息披露的文件；

（二）准备和提交董事会和股东大会的报告和文件；

（三）按照法定程序筹备董事会会议和股东大会会议，列席董事会会议并作记录，保证记录的准确性，并在会议记录上签字；

（四）协调和组织公司信息披露事项，包括建立信息披露的制度，接待来访，回答咨询，联系股东，向投资者提供公司公开披露的资料，促使公司及时、合法、真实和完整地进行信息披露；

（五）负责信息的保密工作，制订保密措施。在发生内幕信息泄露时，及时采取补救措施，报告主办券商并公告；

（六）负责保管公司股东名册、董事名册、股东及董事持股资料，公司董事会和股东大会的会议文件和记录；

（七）帮助公司董事、监事、高级管理人员了解法律法规、公司章程等对其信息披露责任的规定；

（八）协助董事会依法行使职权，在董事会作出违反法律法规、公司章程及主办券商有关规定的决议时，及时提醒董事会，如果董事会坚持作出上述决议时，应当予以记录，并将会议纪要立即提交公司全体董事和监事。

第二十三条　公司应当向董事会秘书提供信息披露所需要的资料和信息。公司做出重大决定之前，应当从信息披露角度征询董事会秘书的意见。

第二十四条　公司应当在原董事会秘书离职后三个月内聘任董事会秘书。在此之前，公司应当临时指定人选代行董事会秘书的职责。

第二十五条　董事会秘书的任职资格应当具备以下条件：

（一）具有大学专科以上学历，从事秘书、管理、股权事务等工作三年以上；

（二）有一定财务、税收、法律、金融、企业管理、计算机应用等方面知识，具有良好的个人品质和职业道德，严格遵守有关法律、法规和规章，能够忠诚地履行职责；

（三）公司董事可以兼任董事会秘书，但监事不得兼任；

（四）公司聘任的会计师事务所的会计师和律师事务所的律师不得兼任董事会秘书；

（五）有《中华人民共和国公司法》第 147 条规定情形之一的人士不得担任董事会秘书；

（六）全国股份转让系统公司规定的其他条件。

第二十六条　公司聘任董事会秘书，应当向主办券商提交以下文件并报全国股份转让系统公司备案：

（一）董事会出具的聘任书；

（二）董事会秘书的个人简历、学历证明；

（三）董事会秘书的联系方式；

（四）公司法定代表人的联系方式。

第二十七条　公司董事会解聘董事会秘书应当具有充分理由，解聘董事会秘书或董事会秘书辞职时，公司董事会应当向主办券商报告、说明原因并公告。

第二十八条　董事会秘书离任前，公司应当要求董事会秘书承诺在离任后持续履行保密义务，直至有关信息公开披露为止，并在监事会的监督下移交有关档案和文件。

第二十九条　公司董事会在聘任董事会秘书的同时，可以聘任一名董事会证券事务代表，以保证在董事会秘书不能履行职责时代行董事会秘书的职责。

第三十条　主办券商仅接受董事会秘书或证券事务代表办理公司的信息披露事务。

第三十一条　公司董事会通过委托主办券商办理股份转让决议后，应将决议内容及召开股东大会的通知至少在一种中国证监会指定的信息披露媒体及全国股份转让系统指定信息披露平台上予以公告。

第三十二条　公司股东大会通过委托主办券商办理股票转让决议后，应至少在一种中国证监会指定的信息披露媒体及全国股份转让系统指定信息披露平台上予以公告。

第三十三条　公司与主办券商签订委托办理股票转让协议后，应于 30 个工作日内，就证券帐户开立、股份确权、登记、托管等事项，至少在一种中国证监会指定的信息披露媒体及全国股份转让系统指定信息披露平台上予以公告。受托办理股票转让的主办券商，也应同时公告办理股票转让公告，明确股票托管操作等事项。

第三十四条　公司应当在股票首次转让前编制并披露股票转让公告书。

股票转让公告书至少应包括如下内容：公司基本信息、股本和股东情况、原股票发行及交易情况、公司治理情况、经具有证券期货相关业务资格的会计师事务所审计的财务报告、主要业务、产品或者服务及公司所属行业、业务发展目标、同业竞争与关联交易、公司重大事项、董事会承诺以

及董事、监事、高级管理人员及核心技术人员情况、主办券商等情况。

原股票发行及交易情况包括（但不限于）：发行价格，发行日期，发行数量，流通（上市）日期，原股票上市交易所，转让公告日前股东总数，转让公告日前总股本，转让公告日前流通股数量、非流通股数量、已确权股份数量等。

董事会承诺包括（但不限于）：已任董事和新任董事将分别在本暂行办法第十五条规定时间内签署《董事声明及承诺书》，其他内容可参照本暂行办法第十六条。

主办券商情况包括（但不限于）：公司名称、法定代表人、住所、联系电话、传真等。

第三十五条　公司应当在每个会计年度结束之日起四个月内编制完成并披露年度报告。年度报告内容参照中国证监会《公开发行证券的公司信息披露内容与格式准则第 2 号－年度报告的内容与格式》正文部分相关内容进行编制。

第三十六条　公司应当在每个会计年度的前六个月结束之日起两个月内编制完成并披露半年度报告。半年度报告内容参照中国证监会《公开发行证券的公司信息披露内容与格式准则第 3 号－半年度报告的内容与格式》正文部分相关内容进行编制。

第三十七条　公司应当在每个会计年度的前三个月、九个月结束后的一个月内编制完成并披露季度报告。季度报告内容参照中国证监会《公开发行证券的公司信息披露编报规则第 13 号－季度报告内容与格式特别规定》正文部分相关内容进行编制。

第三十八条　公司年度的财务报告必须经具有证券期货相关业务资格的会计师事务所审计；半年度财务报告可以不经会计师事务所审计，但拟在下半年进行利润分配或公积金转增的须经会计师事务所审计；季度报告的财务报告无需审计，但全国股份转让系统公司或主办券商另有规定的除外。

第三十九条　公司应当在董事会审议通过定期报告之日起两个工作日内向主办券商报送下列文件并公告：

（一）定期报告全文；

（二）定期报告摘要；

（三）审计报告及财务报告；

（四）董事会决议及其公告文稿；

（五）按主办券商要求载有上述文件的电子文件；

（六）主办券商要求的其他文件。

第四十条　公司召开董事会会议，应当在会议结束后两个工作日内将董事会决议报送主办券商备案。

第四十一条　公司董事会决议涉及需要经股东大会表决的事项和本暂行办法第四十七条至第八十七条的事项的，必须公告；其他事项，主办券商认为有必要的，也应当公告。

第四十二条　公司召开监事会会议，应当在会议结束后两个工作日内将监事会决议报送主办券商并公告。

第四十三条　公司应当在股东大会结束后两个工作日内将股东大会决议公告文稿报送主办券商并公告。

第四十四条　股东大会因故延期或取消，应当在原定股东大会召开日的五个工作日之前发布通知，通知中应当说明延期或取消的具体原因。如属延期，应当公布延期后的召开日期。

第四十五条　股东大会对董事会预案做出修改，或对董事会预案以外的事项做出决议，或会议期间因突发事件致使会议不能正常召开的，公司应当向主办券商说明原因并公告。

第四十六条　股东大会决议公告应当包括下列内容：

（一）出席会议的股东人数、所持股份及占公司有表决权总股本的比例；

（二）每项议案的表决方式及表决统计结果，包括赞成、反对和弃权的股份，占出席会议有表决权股份的比例；

（三）关联交易股东回避表决的情况；

（四）对股东提案做出决议的，应当列明提案股东的名称或姓名、持股比例和提案内容；

（五）发行 B 股的公司还应当在公告中说明股东会议通知情况、公司 A 股股东和 B 股股东出席会议及表决情况；

（六）公司聘请的律师关于股东大会及决议是否合法有效的法律意见。

第四十七条　公司拟收购、出售资产达到以下标准之一时，经董事会批准后两个工作日内，向主办券商报告并公告：

（一）按照最近一期经审计的财务报告、评估报告或验资报告，收购、出售资产的资产总额占公司最近一期经审计的总资产值的 10% 以上；

（二）被收购资产相关的净利润或亏损的绝对值（按上一年度经审计的财务报告）占公司经审计的上一年度净利润或亏损绝对值的 10% 以上，且绝对金额在 50 万元以上；被收购资产的净利润或亏损值无法计算的，不适用本款；收购企业所有者权益的，被收购企业的净利润或亏损值以与这部分产权相关的净利润或亏损值计算；

（三）被出售资产相关的净利润或亏损绝对值或该转让行为所产生的利润或亏损绝对值占公司经审计的上一年度净利润或亏损绝对值的 10% 以上，且绝对金额在 50 万元以上；被出售资产的净利润或亏损值无法计算的，不适用本款；出售企业所有者权益的，被出售企业的净利润或亏损值以与这部分资产相关的净利润或亏损值计算；

（四）收购、出售资产的转让金额（承担债务、费用等，应当一并加总计算）占公司最近一期经审计的净资产总额 10% 以上。

本暂行办法所称收购、出售资产是指公司收购、出售企业所有者权益、实物资产或其他财产权利的行为。

第四十八条　公司在十二个月内连续对同一或相关资产分次进行收购、出售的，以其在此期间转让的累计金额确定是否公告。

第四十九条　公司直接或间接持股比例超过 50% 的子公司收购、出售资产，视同公司行为。公司的参股公司（持股 50% 以下）收购、出售资产，转让标的有关金额指标乘以参股比例计算。

第五十条　公司必须在收购、出售资产协议生效之日起三个月内向主办券商报告其转让实施情况（包括所有必需的产权变更或登记过户手续完成情况）、相关证明文件并公告。

第五十一条　公司披露上述收购、出售资产事项，应当向主办券商提交以下文件备案：

（一）转让公告文稿；

（二）收购、出售资产的协议书；

（三）董事会决议及公告（如有）；

（四）被收购、出售资产涉及的政府批文（如有）；

（五）被收购、出售资产的财务报告；

（六）主办券商要求提供的其他文件。

第五十二条　公司收购、出售资产的公告应当包括以下内容：

（一）转让概述及协议生效时间；

（二）协议有关各方的基本情况，包括企业名称、工商登记类型、注册地点、法定代表人、主营业务等；

（三）被收购、出售资产的基本情况，包括该资产名称、中介机构名称、资产的帐面值及评估值、资产运营情况、资产质押、抵押以及在该资产上设立的其他财产权利的情况、涉及该财产的重大争议的情况。

被收购、出售的资产系企业所有者权益，还应当介绍公司（或企业）的基本情况和最近一期经审计的财务报告中的财务数据，包括资产总额、负债总额、所有者权益、主营收入、净利润等，并附收购、出售基准日资产负债表和损益表（如果基准日不是年底，还需披露上一年度损益表）；

（四）公司预计从该项转让中获得的利益及该转让对公司未来经营的影响；

（五）转让金额（包括定价基准）及支付方式（现金、股权、资产置换等，还包括有关分期付款安排的条款）；

（六）该转让所涉及的人员安置、土地租赁、债务重组等情况；

（七）出售资产的，应当说明出售所得款项的用途；

（八）需要经股东大会或有权部门批准的事项，应当说明需履行的合法程序和进展情况；

（九）如果收购资产后，可能产生关联交易，应当披露有关情况；

（十）如果收购资产后，可能产生关联人同业竞争，应当披露规避的方法或其他安排（包括有关协议或承诺等）；

（十一）收购资产后，公司与控股股东在人员、资产、财务上分开的安排计划。

第五十三条　公司的关联交易是指公司或者其控股子公司与公司关联人之间发生的转移资源或义务的事项。包括但不限于下列事项：

（一）购买或者出售资产；

（二）对外投资（含委托理财、委托贷款、对子公司投资等）；

（三）提供财务资助；

（四）提供担保；

（五）租入或者租出资产；

（六）签订管理方面的合同（含委托经营、受托经营等）；

（七）赠与或者受赠资产；

（八）债权或者债务重组；

（九）研究与开发项目的转移；

（十）签订许可协议；

（十一）购买原材料、燃料、动力；

（十二）销售产品、商品；

（十三）提供或者接受劳务；

（十四）委托或者受托销售；

（十五）关联双方共同投资；

（十六）其他通过约定可能造成资源或者义务转移的事项。

公司关联人包括关联法人和关联自然人。

第五十四条　具有以下情形之一的法人，为公司的关联法人：

（一）直接或者间接控制公司的法人或其他组织；

（二）由上述第（一）项直接或者间接控制的除公司及其控股子公司以外的法人或其他组织；

（三）由本暂行办法第五十五条所列的关联自然人直接或者间接控制的，或者由关联自然人担任董事、高级管理人员的除公司及其控股子公司以外的法人或其他组织；

（四）持有公司5%以上股份的法人或其他组织；

（五）中国证监会、全国股份转让系统公司或者公司根据实质重于形式原则认定的其他与公司有特殊关系，可能导致公司利益对其倾斜的法人或其他组织。

第五十五条　公司的关联自然人是指：

（一）直接或间接持有公司5%以上股份的自然人；

（二）公司的董事、监事及高级管理人员；

（三）本暂行办法第五十四条所列法人的董事、监事及高级管理人员；

（四）本条第（一）、（二）项所述人士的关系密切的家庭成员，包括配偶、父母及配偶的父母、兄弟姐妹及其配偶、年满18周岁的子女及其配偶、配偶的兄弟姐妹和子女配偶的父母；

（五）中国证监会、全国股份转让系统公司或者公司根据实质重于形式原则认定的其他与公司有特殊关系，可能导致公司利益对其倾斜的自然人。

第五十六条　具有以下情形之一的法人或其他组织或者自然人，视同公司的关联人：

（一）根据与公司或者其关联人签署的协议或者作出的安排，在协议或者安排生效后，或在未来十二个月内，将具有第五十三条或者第五十四条规定的情形之一；

（二）过去十二个月内，曾经具有第五十四条或者第五十五条规定的情形之一。

第五十七条　公司的第一大债权人、债务人之间发生的关联交易和重大事项，按公司关联交易进行披露。披露时除了第五十三条规定的“提供担保”和“债权或者债务重组”外，还应包括债权人变更，债务人变更等。

第五十八条　公司关联交易应当遵循以下基本原则：

（一）符合诚实信用的原则；

（二）关联方如享有公司股东大会表决权，除特殊情况外，应当回避行使表决；

（三）与关联方有任何利害关系的董事，在董事会对该事项进行表决时，应当予以回避；

（四）公司董事会应当根据客观标准判断该关联交易是否对公司有利。

第五十九条　公司关联人与公司签署涉及关联交易的协议，应当采取必要的回避措施：

（一）任何个人只能代表一方签署协议；

（二）关联人不得以任何方式干预公司的决定；

（三）公司董事会就关联交易表决时，有利害关系的当事人属以下情形的，不得参与表决：

1. 董事个人与公司的关联交易；

2. 董事个人在关联企业任职或拥有关联企业的控股权，该关联企业与公司的关联交易；

3. 按法律、法规和公司章程规定应当回避的。

（四）公司股东大会就关联交易进行表决时，关联股东不得参加表决。关联股东因特殊情况无法回避时，应由董事会委托律师，与有关各方充分协商，作出决定。如决定关联股东可以参加表决，公司应当在股东大会决议中做出详细说明，同时对非关联方的股东投票情况进行专门统计，并在决议公告中予以披露。

第六十条　公司与其关联人达成的关联交易总额在100万元以下或低于公司最近经审计净资产值的0.5%的，可以不适用本暂行办法。

第六十一条　公司与其关联人达成的关联交易总额在100万元至1000万元之间或占公司最近经审计净资产值的0.5%至5%之间的，公司应当在签订协议后两个工作日内按照第六十三条的规定进行公告，并在下次定期报告中披露有关交易的详细资料。

第六十二条　公司披露关联交易，应当比照第五十条规定向主办券商提交文件备案。

第六十三条　公司就关联交易发布的临时报告应当包括以下内容：

（一）转让日期、转让地点；

（二）有关各方的关联关系；

（三）转让及其目的的简要说明；

（四）转让的标的、价格及定价政策；

（五）关联人在交易中所占权益的性质及比重；

（六）关联交易涉及收购或出售某一公司权益的，应当说明该公司的实际持有人的详细情况，包括实际持有人的名称及其业务状况；

（七）董事会关于本次关联交易对公司影响的意见；

（八）独立董事（如有）、监事会关于关联交易表决程序及公平性的意见；

（九）若涉及对方或他方向公司支付款项的，必须说明付款方近三年或自成立之日起至协议签署期间的财务状况，董事会应当对该等款项收回或成为坏账的可能作出判断和说明；

（十）独立财务顾问意见。

第六十四条　公司拟与其关联人达成的关联交易总额高于1000万元或高于公司最近经审计净资产值的5%的，应当提交股东大会批准并予以披露。任何与该关联交易有利害关系的关联人应当在股东大会上放弃对该议案的投票权。公司应当在有关关联交易的公告中特别载明:“此项交易需经股东大会批准,与该关联交易有利害关系的关联人放弃在股东大会上对该议案的投票权”。

第六十五条　公司与其关联人就同一标的或者公司与同一关联人在连续 12 个月内达成的关联交易累计金额达到第六十一条所述标准的,公司应当按该条的规定予以披露。

第六十六条　公司与其关联人就同一标的或者公司与同一关联人在连续 12 个月内达成的关联交易累计金额达到第六十四条所述标准的,公司应当按该条的规定予以披露。

第六十七条　公司与其关联人达成的以下关联交易,可以免予按照关联交易的方式表决和披露:

(一)关联人依据股东大会决议领取股息或者红利;

(二)关联人购买公司发行的企业债券;

(三)公司与其控股子公司之间发生的关联交易。

第六十八条　公司必须在重大关联交易实施完毕之日起两个工作日内向主办券商报告并公告。

第六十九条　公司会计年度结束时,预计出现亏损的,应当在会计年度结束后的 30 个工作日内发布首次风险提示公告。

第七十条　公司尚未披露的诉讼或仲裁事项涉及的金额或 12 个月内累计金额占公司最近经审计的净资产值 10% 以上的,公司应当在知悉该事件后及时报告主办券商并披露下列内容:

(一)诉讼或仲裁受理日期,诉讼或仲裁各方当事人、代理人及其所在单位的姓名或名称;

(二)受理法院或仲裁机构的名称及所在地,诉讼或仲裁的原因和依据;

(三)诉讼或仲裁的请求;

(四)判决或裁决的结果和日期;

(五)各方当事人对结果的意见或拟采取的进一步的法律行动等。

第七十一条　公司发生重大担保事项应当提交董事会或者股东大会进行审议,及时向主办券商报告并公告:

下述担保事项应当在董事会审议通过后提交股东大会审议:

(一)单笔担保额超过公司最近一期经审计净资产 10% 的担保;

(二)公司及其控股子公司的对外担保总额,超过公司最近一期经审计净资产 50% 以后提供的任何担保;

(三)为资产负债率超过 70% 的担保对象提供的担保;

(四)按照担保金额连续十二个月内累计计算原则,超过公司最近一期经审计总资产 30% 的担保;

(五)按照担保金额连续十二个月内累计计算原则,超过公司最近一期经审计净资产的 50%,且绝对金额超过 5000 万元以上;

(六)全国股份转让系统公司或者公司章程规定的其他担保。

对于董事会权限范围内的担保事项,除应当经全体董事的过半数通过外,还应当经出席董事会会议的三分之二以上董事同意;前款第(四)项担保,应当经出席会议的股东所持表决权的三分之二以上通过。

第七十二条　对担保事项的披露,应当说明担保协议签署及生效日期,债权人名称,担保的方式、期限、金额,担保协议中的其他重要条款,被担保人的基本情况等;

被担保人为法人的,应当包括企业名称、注册地点、法定代表人、经营范围、与公司的关联关系或其他关系;

被担保人为个人的,应当包括姓名、与公司的关联关系或其他关系。

第七十三条　公司出现以下情况所涉及的数额达到最近一期经审计的总资产或净资产或净利润的 10% 以上的,应当及时向主办券商报告并公告。

(一)重要合同(借贷、委托经营、受托经营、委托理财、赠与、承包、租赁等)的订立、变更、解除和终止;

(二)大额银行退票;

(三)重大经营性或非经营性亏损;

(四)遭受重大损失;

(五)重大投资行为;

(六)可能依法承担的赔偿责任;

(七)重大行政处罚。

第七十四条　公司出现以下情况,应当自事实发生之日起两个工作日内向主办券商报告并公告:

(一)公司章程、注册资本、注册地址、名称的变更,其中公司章程发生变更的,还应当将新的公司章程在指定网站上刊登;

(二)经营方针和经营范围的重大变化;

(三)涉及金额占公司最近经审计净资产 10% 以上的重大债务或未清偿到期重大债务;

(四)公司超过净资产 10% 以上的债权、债务在第三方之间发生移转;

(五)公司的第一大股东发生变更;

(六)公司的董事长、三分之一以上董事或经理发生变动;

(七)生产经营环境发生重大变化,包括全部或主要业务停顿、生产资料采购、产品销售发生重大变化;

(八)减资、合并、分立;

(九)直接或间接持有另一挂牌公司发行在外的普通股 5% 以上;

(十)持有公司总股份百分之五以上股份的股东,其持有股份增减变化为总股份的百分之五以上;

(十一)新的法律法规、规章、政策可能对公司的经营产生显著影响;

(十二)更换为公司审计的会计师事务所;

(十三)法院裁定禁止公司有控制权的大股东转让其所持公司股份;

(十四)持有公司百分之五以上股份的股东所持股份被质押;

(十五)公司进入破产清算状态;

(十六)公司预计出现资不抵债;

(十七)获悉主要债务人出现资不抵债或进入破产程序,公司对相应债权未提取足额坏账准备;

(十八)因涉嫌违反法律、法规被有关部门调查或受到行政处罚的;

(十九)主办券商和全国股份转让系统公司认为需要披露的其他事项。

第七十五条　公司在申请上市、重新上市过程中,发生以下情况时须即时向主办券商及全国股份转让系统公司报告并公告:

(一)公司董事会通过拟申请上市或重新上市的决议;

(二)公司股东大会通过拟申请上市或重新上市的议案;

（三）有关单位受理或接受公司上市或重新上市的申请；

（四）公司上市或重新上市的申请因故撤回或被有关单位退回；

（五）有关单位审议公司上市或重新上市申请；

（六）有关单位同意公司股票上市或重新上市的申请；

（七）主办券商和全国股份转让系统公司认定的其他情况。

第七十六条　公司出现财务状况或其他状况异常，投资者难以判定公司前景，权益可能受到损害，公司应当即时向主办券商和全国股份转让系统公司报告，并在全国股份转让系统指定信息披露平台和证券营业网点作出特别风险提示的公告。

第七十七条　公司出现以下情况之一的，为财务状况异常：

（一）预计出现资不抵债的情形；

（二）最近两个会计年度审计结果显示的净利润均为负值；

（三）最近一个会计年度审计结果显示其股东权益低于注册资本，即每股净资产低于股票面值；

（四）注册会计师对最近一个会计年度的财务报告出具无法表示意见或否定意见的审计报告；

（五）最近一个会计年度经审计的股东权益扣除注册会计师不予确认的部分，低于注册资本；

（六）最近一份经审计的财务报告对上年度利润进行调整，导致连续两个会计年度亏损；

（七）主办券商或全国股份转让系统公司认定的其他情形。

第七十八条　公司出现以下情况之一的，为其他状况异常：

（一）因自然灾害、重大事故等原因导致公司主要经营设施遭受损失，公司生产经营活动基本中止，在三个月以内不能恢复的；

（二）公司涉及负有赔偿责任的诉讼或仲裁案件，依照法院或仲裁机构的判决或裁决的赔偿金额累计超过公司最近经审计的净资产的20%的；

（三）公司主要银行帐号被冻结，影响公司正常经营活动的；

（四）人民法院受理公司破产案件，可能依法宣告公司破产的；

（五）公司董事会无法正常召开会议并形成董事会决议的；

（六）公司的主要债务人被法院宣告进入破产程序，而公司相应债权未能计提足额坏帐准备致使公司将面临重大财务风险的；

（七）公司出现其他异常情况，董事会或监事会认为有必要作出特别风险提示公告的；

（八）主办券商或全国股份转让系统公司认定的其他情形。

第七十九条　自法院受理公司破产案件的公告发布之日起，主办券商对该公司股票暂停转让。

公司应当在收到法院有关法律文书的当日，立即向主办券商报告，经主办券商审核后公告。公告日后第一个交易日公司股票恢复转让。

第八十条　公司进入破产程序后，公司或其他有信息披露义务的主体应当于第一时间向主办券商和全国股份转让系统公司报告债权申报情况、债权人会议情况、和解和整顿等重大情况并公告。公司刊登上述公告当日，其股票暂停转让一天。

第八十一条　上述第七十七条、第七十八条所列情形已经消除的，公司应当就该情形消除的事实向主办券商和全国股份转让系统公司报告并公告。

第八十二条　公司应当关注本公司股票的转让以及新闻媒介、网站关于本公司的报道。

第八十三条　出现以下情况之一的，公司应当及时向主办券商报告，经全国股份转让系统公司同意后可以要求公司比照第八十六条的规定发布公告：

（一）股票转让发生异常波动；

（二）新闻媒介或网站传播的消息可能对公司的股票转让产生影响；

（三）全国股份转让系统公司认为其他属于异常波动的情况。

主办券商报经全国股份转让系统公司同意，可以对出现上述情形的公司股票实施暂停转让，直至公司对该消息做出澄清公告后的第一个转让日恢复转让。

第八十四条　股票转让出现以下情况之一的，主办券商根据市场情况，认定是否属股票转让异常波动：

（一）某股票的转让价格连续三个转让日达到涨幅或跌幅限制；

（二）某股票的日均成交金额连续五个转让日逐日增加50%；

（三）某股票转让日的成交量与上月日均成交量相比连续五个转让日放大十倍；

（四）全国股份转让系统公司认为属于异常波动的其他情况。

出现本条所列情形被认定为异常波动的股票，其异常波动的计算从公告之日起重新开始。

第八十五条　公司针对有关传闻发布公告，应当向主办券商和全国股份转让系统公司报送公告文稿以及传闻在新闻媒介传播的证明。

第八十六条　公司针对有关传闻的公告应当包括以下内容：

（一）传闻内容及其来源；

（二）公司的真实情况；

（三）经主办券商同意的其他内容。

第八十七条　公司认为股票转让的异常波动与公司或公司内外部环境的变化无关，应当在公告中做出说明；认为与公司有关，应当披露可能影响其股票价格的信息。

第八十八条　公司的合并、分立应符合现行法律法规的规定。

第八十九条　涉及公司股份变动的合并、分立方案应当报全国股份转让系统公司同意并报告主办券商。

第九十条　涉及公司股份变动的合并、分立方案未经全国股份转让系统公司同意的，主办券商对有关公告文稿不予审查，并报告全国股份转让系统公司。

第九十一条　公司及其他信息披露义务人违反本暂行办法规定的，全国股份转让系统公司可以依据《全国中小企业股份转让系统业务规则》采取相应的自律监管措施和纪律处分。

第九十二条　本暂行办法由全国股份转让系统公司负责解释。

第三节 服务指南

综合类

股份公司申请在全国中小企业股份转让系统公开转让、股票发行的审查工作流程

（2013 年 3 月 19 日发布，2013 年 12 月 30 日修改）

根据《非上市公众公司监督管理办法》、《全国中小企业股份转让系统有限责任公司管理暂行办法》等规章，股东人数未超过 200 人股份公司申请到全国中小企业股份转让系统（以下简称全国股份转让系统）挂牌公开转让须经全国中小企业股份转让系统有限责任公司（以下简称全国股份转让系统公司）审查同意，中国证监会豁免核准，纳入非上市公众公司统一监管。

按照标准公开、程序透明、行为规范、高效便民的原则，股东人数未超过 200 人股份公司申请股票在全国股份转让系统挂牌公开转让、股票发行（包括股份公司申请挂牌同时发行、挂牌公司申请股票发行）的审查工作流程如下：

一、全国股份转让系统公司接收材料

全国股份转让系统公司设接收申请材料的服务窗口。申请挂牌公开转让、股票发行的股份公司（以下简称申请人）通过窗口向全国股份转让系统公司提交挂牌（或股票发行）申请材料。申请材料应符合《全国中小企业股份转让系统业务规则（试行）》、《全国中小企业股份转让系统挂牌申请文件内容与格式指引（试行）》等有关规定的要求。

全国股份转让系统公司对申请材料的齐备性、完整性进行检查：需要申请人补正申请材料的，按规定提出补正要求；申请材料形式要件齐备，符合条件的，全国股份转让系统公司出具接收确认单。

二、全国股份转让系统公司审查反馈

（一）反馈

对于审查中需要申请人补充披露、解释说明或中介机构进一步核查落实的主要问题，审查人员撰写书面反馈意见，由窗口告知、送达申请人及主办券商。

（二）落实反馈意见

申请人应当在反馈意见要求的时间内向窗口提交反馈回复意见；如需延期回复，应提交申请，但最长不得超过三十个工作日。

三、全国股份转让系统公司出具审查意见

申请材料和回复意见审查完毕后，全国股份转让系统公司出具同意或不同意挂牌或股票发行（包括股份公司申请挂牌同时发行、挂牌公司申请股票发行）的审查意见，窗口将审查意见送达申请人及相关单位。

全国中小企业股份转让系统申请材料接收须知

各申请人：

为方便各申请人办理业务申请事项，我司在公司南门一层设立接收服务窗口，设专职人员负责材料接收工作。请各位申请人按照以下须知要求到接收服务大厅办理业务：

一、提出申请前，请及时了解、熟悉《非上市公众公司监督管理办法》、《全国中小企业股份转让有限责任公司管理暂行办法》等中国证监会部门规章及我司公布的各项业务规则中关于业务申请项目的有关规定，具体情况可登陆我司网站进行查阅。

二、如对我司公示内容有疑问，可向相关业务部门或接收服务窗口进行咨询。

三、接收服务大厅是我司对外接收材料的窗口，统一负责材料接收、法定文件发送等工作。目前我司仅接收现场报送材料，不接收以邮寄、传真等非现场方式提交的材料。

四、报送申请材料和领取公文时，请出具单位介绍信、身份证（附身份证复印件）等身份证明文件。如受他人委托报送申请材料和领取公文时，应提交相关授权委托书及受托人身份证明文件。

五、报送申请材料时，首先应对照各项业务申请材料目录核查材料的齐备性。

六、申请材料接收后，我司接收服务窗口将为申请人开具《申请材料接收确认单》，并于当日将所接收申请材料移交相关部门。

七、根据要求应当提供申报材料原件而不能提供的，应提供复印件，并由申请人律师提供鉴证意见，或由出文单位盖章，以保证与原件一致。申请人在每次报送书面原件的同时，应按我司要求报送相应份数的复印件和标准电子文件。电子文件应以光盘形式提交。

八、申请材料应统一编制目录，按目录标明页码，并以 A4 纸打印、硬壳文件夹装订。申请文件章节之间应有明显的分隔标识。报送材料首页应列明公司经办人员和有关中介机构的姓名（或名称）和联系电话。文件夹立面应注明公司名称和所办事项。

九、申请书应当以公司红头文件印制，由公司法定代表人签发。

十、中介机构出具的专项报告，应附有签字律师、会计师、评估师及其所在机构的证券从业资格证书复印件，该复印件须由该机构盖章确认并说明用途。法律意见书应由律师事务所负责人和两名经办律师签字。

十一、我司接收服务窗口工作时间为每个交易日的上午 8:30 - 11:30，下午 1:30 - 5:00。

十二、接收服务窗口咨询电话：010 - 63889513。

接收服务窗口地址：北京市西城区金融大街丁 26 号金阳大厦南门一层

关于做好申请材料接收工作有关注意事项的通知

各申请人：

为进一步明确各申请人到我司接收服务窗口（以下简称“窗口”）办理业务的相关要求，现将有关事项通知如下：

一、有关申请文件的制作

（一）申请人应严格按照《全国中小企业股份转让系统业务规则（试行）》和相关实施细则、工作指引、工作指南，以及《全国中小企业股份转让系统申请材料接收须知》的要求制作和报送申请文件。

（二）申请文件的编排应严格按照相关业务规则要求的文件目录顺序编排。

电子文档包含“书面文件扫描版”和“书面文件 WORD 版”，其中“书面文件扫描版”包括通过扫描所有书面文件形成的电子文档，通常为 PDF 格式（即＊.pdf 格式）。

二、关于签名和盖章

（一）申请材料的主申请报告原则上应当以红头文件印制，标明文号，且必须由法定代表人签发并加盖公章。

具体签发形式，可以在红头中印制签发人，也可以在申请报告落款处加盖法定代表人印章或由本人签字。

（二）申请材料包含多份文件的，应当以隔页纸区分，每份文件应由出文单位加盖骑缝章，并在落款处加盖公章。

公司章程、制度等无落款的文件，应当在章程或制度首页标题上加盖公章。

（三）申请文件中的签名均应为签名人亲笔签名，不得以名章、签名章等代替。

董监高的声明和承诺文件，还应当附见证律师的从业资格证明文件。

三、关于身份证明文件

办事人员代表申请主体到窗口办理业务应当提交身份证明文件。

如申请主体在授权书或介绍信中明确指明＊＊自然人代表办理相应业务的，身份证明文件包括该授权书或介绍信，以及办事人员的身份证复印件。

如申请主体在授权书中指明＊＊单位代表办理业务，被指明的单位应当出具介绍信明确具体办事人员，身份证明文件包括授权书、被授权的单位出具的介绍信和办事人员的身份证复印件。

四、关于书面反馈回复

（一）书面反馈回复必须加盖出文单位公章。

（二）书面反馈回复应当按照书面反馈要求提交相应份数的书面材料和电子版材料。如书面材料较多可以装订成硬壳夹。

（三）提交书面反馈回复，应当同时附《审查反馈意见通知书》复印件，便于窗口工作人员对照检查。

（四）书面反馈回复应当以问答形式对书面反馈要求逐一作出回应。根据书面反馈要求不同，回复意见应当区别说明：

1. 回复意见属于补充、完善、说明类型，应当具体说明补充、完善的内容；

2. 回复意见属于修改类型，应当对比说明原内容和修改后的内容，如回复修改内容比较复杂，可以直接说明修改内容；

3. 回复意见属于删除类型，可以在回复中直接说明“此内容已删除，在＊＊＊（文件）中体现”；

4. 回复意见属于格式修改，如编号、页码、文件位置等格式问题，可以在回复中说明“已修改，在＊＊＊（文件）中体现”。

（五）关于申请挂牌业务的其他要求

在窗口办理挂牌业务的申请人，除需符合以上工作要求以外，还应当注意以下事项：

1. 对需要申请挂牌公司补充披露的，公司应在反馈回复中说明补充披露的内容、中介机构结论性意见（如有），并说明需披露的内容在公开转让说明书中相应章节的修改情况，同时在公开转让说明书中以楷体加粗的格式进行修改。

2. 对需要中介机构补充提供、调查或发表意见的，中介机构应在各自需提交反馈文件的相应部分补充提供尽职调查过程中的基础性资料、进一步尽职调查的内容以及结论性意见。

3. 反馈回复材料应当在主办券商盖章页同时附内核专员、项目负责人、项目小组成员的签字。

4. 整套申请材料目录前，应单独制作《挂牌公司基本信息和联系方式表》（含电子版，具体格式详见附件）。其中联系方式的座机栏，应当填写直拨座机号码（如是分机，需提供分机号码）。

本通知自下发之日起实施。如有问题，请与我司相关工作人员联系。

接收服务电话：010－63889512

全国中小企业股份转让系统有限责任公司
2013 年 06 月 13 日

关于收取挂牌公司挂牌年费的通知

各挂牌公司：

依据《关于全国中小企业股份转让系统有限责任公司有关收费事宜的通知》（股转系统公告〔2013〕7 号，以下简称《收费通知》）的规定及《全国中小企业股份转让系统挂牌协议》的约定，挂牌公司应当向我司缴纳挂牌年费。现将挂牌公司缴纳 2013 年挂牌年费的相关事宜通知如下：

一、缴费对象

挂牌公司。2013 年挂牌的公司，挂牌年费已与挂牌初费一并缴纳的除外。

二、缴费期限

2013 年 7 月 15 日之前一次性缴纳。

缴费日期以银行收款回单载明的日期为准。

三、缴费标准

2013 年度的挂牌年费按照挂牌公司 2012 年末的总股本，自我司《收费通知》发布之日的次月（即：2013 年 3 月）起计算收取，共计 10 个月费用，挂牌公司 2012 年末的总股本以 2012 年年报披露的数据为准。根据我司《收费通知》公布的收费标准进行按月折算，2013 年度挂牌公司须缴纳挂牌年费的具体金额如下：

总股本 2000 万股（含）以下：16 666.67 元；

总股本 2000 万－5000 万股（含）：25 000.00 元；

总股本 5000 万股－1 亿股（含）：33 333.33 元；

总股本 1 亿股以上：41 666.67 元。

四、缴费方式

银行汇款方式缴至下列账户：

账户名称：全国中小企业股份转让系统有限责任公司

开户行：中国建设银行复兴支行

账号：11001046500053013355

挂牌公司汇款完成，我司取得银行收款回单后，将出具发票，并邮寄至挂牌公司。

请各挂牌公司按本通知的要求，按期足额缴纳挂牌年费。逾期缴纳的，我司将按照《全国中小企业股份转让系统挂牌协议》的约定，每日按应缴纳金额的3‰收取滞纳金。经催告后，在10个工作日内仍未缴纳的，我司有权采取相应的监管措施，并保留追究违约责任的权利。

全国中小企业股份转让系统有限责任公司
2013年6月14日

挂牌业务类

全国中小企业股份转让系统股票挂牌业务操作指南（试行）
（2015年10月修订）

为规范申请挂牌公司、主办券商在全国中小企业股份转让系统（以下简称"全国股转系统"）办理股票挂牌业务，根据相关法律法规、《全国中小企业股份转让系统业务规则（试行）》等有关规定，制定本指南。

一、股东开户

除股东存在外资、个人独资企业等特殊情形外，其他境内股东均应于申请挂牌公司向全国中小企业股份转让系统有限责任公司（以下简称"全国股转公司"）报送申请挂牌文件前，完成开立证券账户的工作。

二、申请证券简称和代码

申请挂牌公司应于向全国股转公司报送申请挂牌文件时一并提交《证券简称及证券代码申请书》，证券简称应避免与已挂牌公司和上市公司重复。

三、提交股票初始登记申请表

申请挂牌公司在审查期间对第一次反馈意见进行回复时，无论是否存在首批解除转让限制情形，均需向全国股转公司挂牌业务部提交股票初始登记申请表（加盖主办券商公章）扫描件及可编辑的WORD版本；存在申请挂牌同时股票发行情形的，股票初始登记申请表中应列示发行完成后的股东及持股数量。

除法定限售股份外，申请挂牌公司股东存在自愿限售股份情形的，应根据《关于向全国中小企业股份转让系统申请协助出具自愿限售登记函有关事项的公告》（股转系统公告〔2014〕65号）的要求，向全国股转公司挂牌业务部提交申请挂牌公司和自愿限售股东共同签字盖章的申请书（扫描件），并提交主办券商出具的审查意见（扫描件）。

四、领取同意挂牌函和缴费通知单

申请挂牌公司或主办券商接到领取通知后，于第二个转让日派人持申请挂牌公司出具的介绍信和经办人身份证复印件前往全国股转公司受理窗口领取《同意挂牌函》和《缴费通知单》。

五、缴费

根据《缴费通知单》的要求，申请挂牌公司缴纳挂牌初费和当年年费。

六、领取发票

缴纳挂牌初费和当年年费后，申请挂牌公司应向全国股转公司挂牌业务部 fapiao@neeq.com.cn 发送准确的收信人姓名、单位、地址、邮编、联系电话，全国股转公司将以中国邮政EMS形式向申请挂牌公司寄送发票。

七、办理信息披露

（一）挂牌前首次信息披露

申请挂牌公司缴纳挂牌初费和当年年费后，主办券商应协助其通过全国股转系统业务支持平台进行首次信息披露操作。

挂牌前首次信息披露文件包括：

1. 公开转让说明书；
2. 财务报表及审计报告；
3. 补充审计期间的财务报表及审计报告（如有）；
4. 法律意见书；
5. 补充法律意见书（如有）；
6. 公司章程；
7. 主办券商推荐报告；
8. 股票发行情况报告书（如有）；
9. 全国股转公司同意挂牌的函；
10. 中国证监会核准文件（如有）；
11. 其他公告文件。

上述1－7文件系统将自动提取反馈回复的最后一稿，无须主办券商再次上传。

（二）首次信息披露操作流程

主办券商登录业务支持平台，在确认申请挂牌文件在已归档的前提下，进入首次信息批露模块，找到待披露的项目，打开并点击"处理"即可进入传送公告页面。

在该页面，系统将自动抓取"七（一）1－7"列示的文件，券商需要上传同意挂牌函等其他披露文件；确认无误后，选择披露日期，点击"披露"，系统将在转让日的15:30后在www.neeq.com.cn或www.neeq.cc上进行披露。

（三）更正公告

文件披露后，不得随意更改、替换或撤销。如确需修改，申请挂牌公司和主办券商通过全国股转系统业务支持平台提交申请挂牌公司出具的更正公告、更正后的信息披露文件、主办券商出具的情况说明（如涉及法律意见书更正的，由律师事务所出具说明；涉及审计报告及财务报表更正的，由会计师事务所出具说明），上述文件均需加盖公章；经挂牌业务部确认后，发布更正公告及更正后的信息披露文件。

凡涉及公司股票挂牌时股东所持可流通股份数量、行业种类及代码更正的，更正完成后，申请挂牌公司方可办理挂牌手续。

八、填写挂牌进度计划

主办券商应在获知申请挂牌公司代码和简称的当日或第二个转让日，填写《股份公司股票挂牌进度计划表》并通过邮件方式发送给全国股转公司挂牌业务部，合理安排申请挂牌公司办理挂牌手续的时间，并严格执行。

九、股份初始登记

（一）申请挂牌公司应在收到全国股转公司出具的申请挂牌材料受理通知书后，在中国证券登记结算有限责任公司北京分公司（以下简称"中国结算北京分公司"）网站 http://www.chinaclear.cn/办理在线登记平台注册。

（二）信息填报无误的，中国结算北京分公司将在两个转让日内邮寄在线登记平台 U - KEY 及用户手册。

（三）申请挂牌公司取得中国结算邮寄的 U - KEY 和全国股转公司出具的同意挂牌函后，根据中国结算北京分公司的要求在线办理股票初始登记，取得电子版的《股份登记确认书》。

十、办理股票挂牌

申请挂牌公司取得中国结算北京分公司出具的《股份登记确认书》的当日 11 时前，将《股份登记确认书》、《公开转让记录表》（加盖主办券商和申请挂牌公司公章）扫描件、《做市商持有证券信息表》（如有）提交至全国股转公司挂牌业务部，确定公司挂牌日期（挂牌日为取得《股份登记确认书》当日起算的第三个转让日）以便办理股份进入交易系统的操作。

十一、挂牌前的第二次信息披露

（一）披露时间

T - 1 日（T 日为挂牌日，下同），申请挂牌公司及主办券商通过全国股转系统业务支持平台报送第二次信息披露文件。

系统将在转让日的 15：30 后在 www. neeq. com. cn 或 www. neeq. cc 上进行披露。

（二）披露文件

1. 关于公司股票将在全国股转系统挂牌公开转让的提示性公告；

2. 关于公司挂牌同时发行的股票将在全国股转系统挂牌公开转让的公告（如有）；

3. 其他公告文件。

十二、申请挂牌同时发行股票融资的流程

全国股转系统是公开市场，为提高投融资对接的效率，满足申请挂牌公司的融资需求，申请挂牌公司可在申请挂牌时或挂牌审查期间提出股票发行申请，履行董事会、股东大会审议程序，自主决定发行方式、发行价格和发行比例。申请挂牌同时股票发行后股东不超过 200 人的，中国证监会豁免核准。

（一）报送备案材料

在完成股票认购、验资后，参照《全国中小企业股份转让系统股票发行业务细则（试行）》及其指引的有关规定，申请挂牌公司向全国股转公司 shouli@ neeq. com. cn 报送全套备案材料，取得《受理通知书》（电子版）后，再通过业务支持平台上传全套材料；取得全国股转公司出具的股份登记函。

（二）办理股份登记

取得股份登记函后，申请挂牌公司根据中国结算北京分公司的要求办理股份初始登记，初始登记的股份为发行完成后的全部股份。

（三）披露发行的股份等文件

取得《股份登记确认书》后，申请挂牌公司披露《关于公司挂牌同时股票发行的股票将在全国股转系统挂牌公开转让的公告》等文件。

（四）披露工商变更登记公告

申请挂牌公司完成工商变更登记后，发布《关于完成工商变更登记的公告》。

（五）通过股票发行持有公司股份的股东

根据《全国中小企业股份转让系统投资者适当性管理细则（试行）》的规定，通过申请挂牌同时股票发行持有公司股份的股东，如不符合参与挂牌公司公开转让条件，只能买卖其持有或曾持有的挂牌公司股票。

（六）挂牌日后完成股票发行的

申请挂牌公司拟于挂牌日后完成股票发行的，其发行程序及投资者适当性要求按照已挂牌公司股票发行的规定办理。

十三、挂牌仪式

申请挂牌公司拟举办挂牌仪式的，请填写《全国股转公司挂牌仪式申请》，发邮件至 guapaiyishi@ neeq. com. cn，与全国股转公司信息研究部沟通具体事宜。

十四、临时公告

申请挂牌公司在首次信息披露至股票挂牌期间应遵守《关于申请挂牌期间公司信息披露相关问题的通知》（股转系统公告〔2014〕26 号）的规定，履行信息披露义务。

在此期间需进行信息披露的，应通过电子邮件方式向全国股转公司挂牌业务部财务和非财务审查员提交公告文件（加盖申请挂牌公司公章或其他信息披露主体公章）、主办券商情况说明（加盖主办券商公章）、信息披露业务流转表（加盖主办券商公章）等文件的扫描件，同时将抄送 xxpl@ neeq. com. cn。经同意后，相关公告文件在转让日的 15：30 后在 www. neeq. com. cn 或 www. neeq. cc 上进行披露。

挂牌审查一般问题内核参考要点（试行）

1. 合法合规

1.1 股东主体适格

请主办券商及律师核查以下事项并发表相应意见：

（1）请核查公司股东是否存在或曾经存在法律法规、任职单位规定不得担任股东的情形或者不满足法律法规规定的股东资格条件等主体资格瑕疵问题，并对公司股东适格性发表明确意见。

（2）若曾存在股东主体资格瑕疵问题，请核查规范措施是否真实、合法、有效，以及规范措施对公司的影响，并就股东资格瑕疵问题是否影响公司股权明晰、公司设立或存续的合法合规性发表明确意见。

请公司就相应未披露事项作补充披露。

1.2 出资合法合规

请主办券商及律师核查以下事项并发表相应意见：

（1）请核查公司历次出资的缴纳、非货币资产评估和权属转移情况（如有）、验资情况，并就公司股东出资的真实性、充足性发表明确意见。

（2）请核查出资履行程序、出资形式及相应比例等是否符合当时有效法律法规的规定，对出资程序完备性和合法合规性发表明确意见。

（3）请核查公司是否存在出资瑕疵，若存在，请核查以下事项并发表明确意见：①核查出资瑕疵的形成原因、具体情形，出资瑕疵对公司经营或财务的影响；②对公司前述出资瑕疵是否存在虚假出资事项、公司是否符合挂牌条件发表意见；③核查公司针对出资瑕疵所采取的规范措施情况，并对规范措施是否履行相应程序并合法有效、是否足以弥补出资瑕疵、出资瑕疵及其规范措施是否会导致公司面临相应的法律风险发表意见；④另请主办券商及会计师核查公司采取的规范措施涉及的会计处理方式是否符合《企业会计准则》的规定。请公司就相应未披露事项作补充披露。

1.3 公司设立与变更

1.3.1 公司设立

请主办券商及律师核查以下事项并发表明确意见：

（1）设立（改制）的出资审验情况，如以评估值入资设立股份公司，补充说明是否合法、合规，是否构成“整体变更设立”。

（2）自然人股东纳税情况，如未缴纳，说明其合法合规性及规范措施。

（3）是否存在股东以未分配利润转增股本的情形，公司代缴代扣个人所得税的情况。若未代缴个人所得税，请说明若发生追缴税费的情形，相关防范措施情况。请公司就相应未披露事项作补充披露。

1.3.2 股本变化

请主办券商及律师核查公司历次增资、减资等股本变化情况及履行的内部决议、外部审批程序，并就公司历次的增资、减资等是否依法履行必要程序、是否合法合规、有无纠纷及潜在纠纷发表明确意见。

请公司就相应未披露事项作补充披露。

1.4 股权

1.4.1 股权明晰

请主办券商及律师：

（1）核查公司是否存在或曾经存在股权代持的情形，若存在，请核查股权代持的形成、变更及解除情况以及全部代持人与被代持人的确认情况，并对代持形成与解除的真实有效性、有无纠纷或潜在纠纷发表意见。

（2）核查公司是否存在影响公司股权明晰的问题以及相关问题的解决情况，以及公司现有股权是否存在权属争议纠纷情形。

（3）结合核查的具体事实情况对公司是否符合“股权明晰、股票发行和转让合法合规”的挂牌条件发表明确意见。

请公司就相应未披露事项作补充披露。

1.4.2 股权变动与股票发行合法合规

请主办券商及律师：（1）核查公司历次股权转让是否依法履行必要程序、是否合法合规、有无纠纷及潜在纠纷并发表明确意见。（2）核查公司历次股票发行情况（如有）并就公司股票发行的合法合规性发表意见。

请公司就相应未披露事项作补充披露。

1.4.3 子公司股票发行及股权转让合法合规

请主办券商及律师核查公司的控股子公司或纳入合并报表的其他企业的股票发行及股权转让情况并对其合法合规性发表意见。请公司就相应未披露事项作补充披露。

1.5 控股股东与实际控制人

1.5.1 控股股东、实际控制人认定

请主办券商及律师核查控股股东、实际控制人的认定的理由和依据，并对认定依据是否充分、合法并发表意见。

请公司就相应未披露事项作补充披露。

1.5.2 控股股东与实际控制人合法合规

请主办券商及律师核查公司的控股股东、实际控制人最近24个月内是否存在重大违法违规行为，对控股股东、实际控制人的合法合规情况发表意见。

请公司就相应未披露事项作补充披露。

1.6 董监高及核心员工

1.6.1 董事、监事、高管任职资格

请主办券商及律师核查以下事项并发表明确意见：

（1）现任董事、监事、高级管理人员是否存在不具备法律法规规定的任职资格或违反法律法规规定、所兼职单位规定的任职限制等任职资格方面的瑕疵，若存在，请核查具体瑕疵、解决情况和对公司的影响；（2）现任董事、监事和高级管理人员最近24个月内是否存在受到中国证监会行政处罚或者被采取证券市场禁入措施的情形；（3）对公司董事、监事和高级管理人员的任职资格发表明确意见。

请公司就相应未披露事项作补充披露。

1.6.2 董事、监事、高管合法合规

请主办券商及律师核查以下事项并发表相应意见：（1）现任董事、监事、高管是否存在违反法律法规规定或章程约定的董事、监事、高管义务的问题，若存在，请核查具体情况、对公司的具体影响以及公司的解决措施。（2）公司的董事、监事、高管最近24个月内是否存在重大违法违规行为。（3）请对公司董事、监事、高管的合法合规情况发表意见。

请公司就相应未披露事项作补充披露。

1.6.3 竞业禁止

请主办券商及律师核查以下事项：

（1）公司董监高、核心员工（核心技术人员）是否存在违反竞业禁止的法律规定或与原单位约定的情形，是否存在有关上述竞业禁止事项的纠纷或潜在纠纷，若存在请核查具体解决措施、对公司经营的影响；

（2）公司董监高、核心员工（核心技术人员）是否存在与原任职单位知识产权、商业秘密方面的侵权纠纷或潜在纠纷，若存在，请核查纠纷情况、解决措施、对公司经营的影响。请公司就相应未披露事项作补充披露。1.6.5 董事、监事、高管重大变化 请主办券商核查报告期内管理层人员发生重大变化的原因、对公司经营的影响。

请公司就相应未披露事项作补充披露。

1.7 合法规范经营

1.7.1 业务资质

请主办券商及律师核查以下事项并发表明确意见：

（1）公司是否具有经营业务所需的全部资质、许可、认证、特许经营权，并对公司业务资质的齐备性、相关业务的合法合规性发表意见。

（2）公司是否存在超越资质、经营范围、使用过期资质的情况，若存在，请核查公司的规范措施、实施情况以及公司所面临的法律风险、相应风险控制措施，并对其是否构成重大违法行为发表意见。

（3）公司是否存在相关资质将到期的情况，若存在，请核查续期情况以及是否存在无法续期的风险，若存在无法续期的风险请核查该事项对公司持续经营的影响。请公司就相应未披露事项作补充披露。

1.7.2 环保

请主办券商及律师：

（1）核查公司所处行业是否为重污染行业，以及认定的依据或参考。

（2）若公司不属于前述重污染行业，请核查：①公司建设项目的环保合规性，包括且不限于公司建设项目的环评批复、环评验收及“三同时”验收等批复文件的取得情况；②公司是否需要办理排污许可证以及取得情况；③结合公司的业务流程核查公司日常环保合规情况，是否存在环保违法和受处罚的情况。

（3）若公司属于重污染行业，请核查：

①关于公司建设项目，请核查公司建设项目的环评批复、环评验收及“三同时”验收等批复文件的取得情况。建设项目未完工或尚未取得相关主管部门的验收文件的，请核查环评批复文件中的环保要求的执行情况。对建设项目环保事项的合法合规性发表意见。

②关于污染物排放，请结合公司的业务流程核查公司是

否存在污染物排放，若存在污染物排放，请核查公司的排污许可证取得和排污费缴纳情况，公司是否属于污染物减排对象，公司的排放是否符合标准，是否遵守重点污染物排放总量控制指标。

③关于公司的日常环保运转，请核查：公司有关污染处理设施是否正常有效运转；公司的环境保护责任制度和突发环境应急预案建设情况；公司是否存在公司工业固体废物和危险废物申报和处理情况；公司是否有禁止使用或重点防控的物质处理问题。

④公司是否被环保监管部门列入重点排污单位名录，是否依法公开披露环境信息。

⑤公司是否存在环保事故、环保纠纷或潜在纠纷、是否存在处罚等；公司曾受到处罚的，是否构成重大违法行为，以及公司的相关整改情况。

(4)请核查公司是否存在排污许可、环评等行政许可手续未办理或未办理完成等等环保违法情形，若存在，请核查违法原因以及公司的补救措施，相应补救措施的进展及是否可行、可预期，请说明向环保监管机构的尽职调查情况，并分析公司存在的风险、相应的风险管理措施及其有效性、风险可控性，以及是否影响公司的持续经营能力。

(5)请主办券商及律师综合以上事项对公司的环保事项的合法合规性发表明确意见。

请公司就相应未披露事项作补充披露。

1.7.3 安全生产

请主办券商及律师核查以下事项并发表明确意见：

(1)公司是否需要并取得相关部门的安全生产许可，建设项目安全设施验收情况；(2)公司日常业务环节安全生产、安全施工防护、风险防控等措施；(3)公司报告期以及期后是否发生安全生产方面的事故、纠纷、处罚，若发生，请核查其具体情况、公司的整改措施、对公司持续经营的影响，就其是否构成重大违法行为发表明确意见。请主办券商及律师就公司安全生产事项的合法合规性发表意见。

请公司就相应未披露事项作补充披露。

1.7.4 质量标准

请主办券商及律师核查以下事项：

(1)公司采取的质量标准；(2)公司的质量标准是否符合法律法规规定。

请公司就相应未披露事项作补充披露。

1.7.5 公司或其股东的私募基金备案

自2015年3月20日之日起申报的公司或其股东属于私募投资基金管理人或私募投资基金的，请核查其私募基金备案问题。

请主办券商、律师核查以下事项：

(1)应核查公司或其股东是否按照《证券投资基金法》、《私募投资基金监督管理暂行办法》及《私募投资基金管理人登记和基金备案办法(试行)》等相关规定履行了登记备案程序，并请分别在《推荐报告》、《法律意见书》中说明核查对象、核查方式、核查结果并发表意见。

(2)申请挂牌同时发行股票的，应核查公司股票认购对象中是否存在私募投资基金管理人或私募投资基金，是否按照《证券投资基金法》、《私募投资基金监督管理暂行办法》及《私募投资基金管理人登记和基金备案办法(试行)》等相关规定履行登记备案程序，并请分别在《推荐报告》、《法律意见书》或其他关于股票发行的专项意见中说明核查对象、核查方式、核查结果并发表意见。

请公司就相应未披露事项作补充披露。

1.7.6 公司违法行为

请主办券商及律师核查以下事项并发表意见：

(1)公司最近24个月是否存在违法行为，并对以上违法行为是否构成重大违法行为发表意见。

(2)针对公司受到处罚的情况，请核查公司受处罚的原因、公司的整改措施及其有效性，处罚事项对公司经营的影响以及公司风险管理措施的有效性。

请公司就相应未披露事项作补充披露。

1.7.7 其他合规经营问题

请主办券商及律师核查公司是否存在其他如劳动社保、消防、食品安全、海关、工商、质检等等合规经营方面的问题和法律风险。

请公司就相应未披露事项作补充披露。

1.7.8 未决诉讼或仲裁

公司存在未决诉讼或仲裁的，请主办券商及律师核查：(1)公司诉讼、仲裁的具体事由和进展情况；(2)诉讼、仲裁事项对公司经营的具体影响，若存在不利影响，公司应披露所采取的措施。

请公司就相应未披露事项作补充披露。

2. 公司业务

2.1 技术与研发

请公司披露并请主办券商核查以下事项：

(1)公司所使用的技术工艺及其在公司产品或服务中的作用，公司技术或工艺的创新性、比较优势及可替代情况。

(2)研发基本情况，包括且不限于研发机构的部门设置情况、研发人员数量和构成、核心技术(业务)人员情况、研发支出的具体情况及其占营业收入比例、研发项目与成果。

(3)公司所取得的技术的明细，以及是否存在侵犯他人知识产权情形。请公司区分技术的不同取得形式进行披露：①若是原始取得，应披露是否存在其他单位的职务发明问题、是否侵犯他人知识产权、是否存在竞业禁止问题；②若是合作研发取得，应披露合作概况、相关权属和利益分配的约定；③若是受让取得，应披露受让的原因、受让概况、技术是否存在权属瑕疵。针对以上情况，公司应披露相应技术是否存在纠纷或潜在纠纷，公司的相应应对措施。

(4)若公司为高新技术企业，请结合研发投入、收入、研发人员等情况核查公司申请通过高新技术企业资格复审所存在的风险。

请律师核查(3)、(4)所述事项。

2.2 业务情况

2.2.1 业务描述

请公司结合报告期内业务收入分类，准确、具体的阐述公司的业务、业务分类的标准、产品或服务。请主办券商核查前述披露事项并就公司业务描述是否准确、公司披露的产品或服务与营业收入分类是否匹配发表意见。

2.2.2 商业模式

请公司结合自身实际情况清晰准确披露商业模式，可参照“公司业务立足或属于哪个行业，具有什么关键资源要素(如技术、渠道、专利、模式等)，利用该关键资源要素生产出什么产品或提供什么服务，面向那些客户(列举一两名典型客户)，以何种销售方式销售给客户，报告内利润率，高于或低于同行业利润率的概要原因”总结公司的商业模式(鼓励企业家自我归纳)。

请主办券商对公司商业模式的可持续性发表意见。

2.2.3 重大业务合同

请公司披露报告期内对公司持续经营有重大影响的业务合同及履行情况，包括披露标准、合同主体、合同标的、合同期间、合同总价，披露的合同应与报告期内收入成本相匹配，包括履行完毕的、仍在履行的；并请按采购合同、销售合同、借款合同、担保合同（若有）等分别列示。请主办券商及律师对前述事项予以核查。

2.3 资产

2.3.1 资产权属

请主办券商及律师核查公司的以下事项并发表明确意见：

（1）公司资产是否权属清晰、证件齐备，是否存在权利瑕疵、权属争议纠纷或其他权属不明的情形，若存在，请核查相应事项的规范情况。

（2）是否存在资产产权共有的情形以及是否存在对他方重大依赖的情形，是否影响公司资产、业务的独立性。

请公司就相应未披露事项作补充披露。

2.3.2 知识产权

请主办券商及律师核查以下事项并相应发表意见：（1）是否存在权利瑕疵、权属争议纠纷或权属不明的情形，公司相对应的解决措施及其有效性；（2）公司在知识产权方面是否存在对他方的依赖，是否影响公司资产、业务的独立性。（3）存在知识产权纠纷的诉讼或仲裁的，量化分析诉讼或仲裁对公司持续经营能力的影响。

请公司就相应未披露事项作补充披露。

2.4 人员、资产、业务的匹配性

请公司披露并请主办券商核查以下事项：（1）公司是否拥有生产经营所必需的资产；（2）请结合公司员工的教育背景、学历、职业经历、员工结构情况等分析并披露员工状况与公司业务的匹配性、互补性；（2）公司主要资产与业务、人员的匹配性、关联性。

3. 财务与业务匹配性

请主办券商、会计师结合行业特点、产品或服务类型、关键资源要素、采购模式、销售模式、盈利模式、收付款政策、客户及供应商类型、主要业务合同等，比照《企业会计准则》核查公司财务报表相关科目的会计政策及会计处理、列报是否与实际业务相匹配。

3.1 公司收入

请公司：（1）结合产品类别、销售模式、销售区域等列表披露收入构成，如：自有产品与代销产品、自主产品与 OEM 产品、提供劳务与销售商品、外销产品与内销产品、经销收入与直销收入等；（2）结合产品及服务类别、销售模式等实际生产经营特点披露具体收入确认原则以及具体时点；如存在同类业务采用不同经营模式在不同时点确认收入的，请分别披露。如公司按完工百分比法确认收入，披露确定合同完工进度的依据和方法。

请主办券商及会计师：（1）核查收入确认是否符合公司经营实际情况，是否存在特殊处理方式及其合理性（净额确认、完工百分比等），如是，请补充披露；（2）说明针对收入真实性、完整性、准确性履行的尽调程序及审计程序，确认的金额占总金额的比重，并说明取得的相关的内外部证据；（3）核查是否存在虚增收入以及隐藏收入的情形，并针对收入的真实性、完整性、准确性发表专业意见。

3.2 成本

请公司：（1）披露成本构成，结合直接材料、直接人工、制造费用等分析成本的主要影响因素，发生较大波动的，请公司披露波动原因；（2）说明成本的归集、分配、结转方法；（3）结合存货变动情况说明采购总额、营业成本之间的勾稽关系。

请主办券商及会计师核查：（1）公司成本归集、分配、结转是否准确，是否存在通过成本调整业绩的情形；（2）公司成本构成与可比公司相比是否存在异常情况，若存在，核查是否合理；（3）核查公司采购的真实性、成本的真实性及完整性，并发表专业意见。

3.3 毛利率

请公司：（1）披露毛利的构成明细，如在报告期间波动较大的，请结合销售价格及单位成本的内外部影响因素的变动情况分析并披露各项毛利波动的原因；（2）结合同行业情况、公司自身优劣势等分析公司毛利率水平与同行业可比公司是否存在重大差异，如存在，请披露原因。

请主办券商及会计师：（1）核查毛利水平以及波动是否合理；（2）针对公司营业成本和期间费用的各组成项目的划分归集是否合规发表意见，并针对公司报告期内收入、成本的配比关系是否合理核查并发表意见。

3.4 期间费用

请公司披露期间费用的明细，并结合影响期间费用的内外部因素的变动情况披露公司期间费用波动的合理性。

请主办券商、会计师：（1）结合预付款项、其他应收款、应付款项、其他应付款等资产负债类科目核查公司是否存在跨期确认费用的情形；（2）结合固定资产、在建工程、长期待摊费用等科目核查公司是否存在将期间费用资本化的情形；（3）针对公司期间费用的真实性、准确性、完整性发表专业意见。

3.5 应收账款

请公司：（1）结合收款政策、客户对象、业务特点等说明公司应收账款余额水平以及占当期收入的比例的合理性；（2）存在长期未收回款项的，请披露原因，并结合客户资信情况说明可回收性；（3）报告期内或期后有大额冲减的，请公司披露冲减原因；（4）结合同行业公司以及公司自身特点分析坏账计提政策的谨慎性；（5）说明期后收款情况。

请主办券商及会计师核查坏账政策是否谨慎，并结合应收账款期后收款情况核查收入的真实性，结合收入确认依据核查是否存在提前确认收入的情形。

3.6 存货

请公司：（1）披露存货构成及波动原因；结合经营模式、生产周期、生产模式等补充分析并说明存货构成的合理性；（2）说明公司对存货内控管理制度的建立及执行情况；（3）结合生产模式分析公司的生产核算流程与主要环节，说明如何区分存货明细项目的核算时点，存货各项目的确认、计量与结转是否符合会计准则的规定。（4）存货期末余额中含有建造合同形成的已完工未结算资产的，汇总披露累计已发生成本、累计已确认毛利、预计损失、已办理结算的金额。

请主办券商及会计师：（1）结合公司盘点报告补充核查公司盘点情况，并说明履行的监盘程序；（2）存货跌价准备计提及转回的具体依据、测算过程，并进一步核查公司存货跌价准备是否谨慎合理；（3）公司存货各项目的发生、计价、分配与结转情况，是否与实际生产流转一致、分配及结转方法是否合理、计算是否准确，是否存在通过存货科目调节利润的情形。

3.7 现金流量表

请公司：（1）分析并披露经营活动现金流波动的合理性，

经营活动现金流量净额与净利润的匹配性;(2)说明各报告期内所有大额现金流量变动项目的内容、发生额、是否与实际业务的发生相符,是否与相关科目的会计核算勾稽,特别是“销售商品、提供劳务收到的现金”、“购买商品、接受劳务支付的现金”、“收到的其他与经营活动有关的现金”、“支付的其他与经营活动有关的现金”、收到的其他与筹资活动有关的现金”、“支付的其他与筹资活动有关的现金”、“构建固定资产、无形资产和其他长期资产支付的现金”等;

请主办券商、会计师核查并发表意见。

4. 财务规范性

4.1 内控制度有效性及会计核算基础规范性

请公司:(1)说明报告期内公司财务制度的制定及执行情况;(2)说明财务机构设置情况、财务人员是否独立,并结合财务人员数量、执业能力、公司业务特点等情况补充说明公司的财务人员是否能满足财务核算的需要。

请主办券商、会计师核查:(1)公司销售与收款循环、购货与付款循环、生产循环、筹资与投资循环、货币资金循环等五大循环相关的内控制度,结合职责分离、授权审批、内部凭证记录等核查相关制度是否有效,是否得到有效执行;(2)公司会计核算基础是否符合现行会计基础工作规范要求,说明在尽职调查及审计过程中发现的与公司内控及会计核算相关的主要问题以及后续规范措施,并对报告期内公司财务管理制度是否健全、会计核算是否规范发表专业意见。

4.2 税收缴纳

请公司分别披露报告期内公司及其子公司的流转税与所得税税率、征收方式、税收优惠情况,如公司业绩对税收优惠政策存在依赖,请披露享受税收优惠的期限以及对公司经营业绩的影响。

主办券商、会计师、律师应结合公司业务特点、客户对象、报告期内发生的重大资产重组、非货币资产出资规范等实际情况,核查公司税收缴纳的合法合规性,包括但不限于:(1)公司缴纳税种以及税率情况;(2)公司税收缴纳情况、是否存在少计税款、未足额缴纳税款、延期缴纳税款等不规范行为;(3)公司是否存在偷税、漏税等重大违法违规行为。

5. 财务指标与会计政策、估计

5.1 主要财务指标

请公司:(1)按照反馈督查报告模板格式在公开转让说明书中填列主要会计数据及财务指标简表;资产收益率、每股收益应按照证监会《公开发行证券的公司信息披露编报规则第9号—净资产收益率和每股收益的计算机披露(2010年修订)》的要求计算;公司整体变更为股份有限公司的,应模拟计算并披露有限公司阶段的每股净资产、每股收益、每股经营活动现金流等指标,并披露计算方法。(2)披露公司盈利能力、偿债能力、营运能力、获取现金流能力,结合同行业公司情况补充分析公司相关指标的合理性,并针对财务指标的波动原因进行分析并披露。

请主办券商、会计师结合上述情况核查公司财务指标及其波动的合理性,如存在异常,请核查异常会计数据的真实性及准确性。

5.2 会计政策及会计估计

请公司披露与公司行业、业务特点相符的会计政策与估计。报告期发生的重要会计政策和会计估计变更,量化分析影响,包括但不限于重要性判断标准、内容、原因、审批程序、受影响的报表项目名称和金额及会计估计变更开始适用的时点。

请主办券商和会计师核查上述情况,分析公司选用会计政策和会计估计的适当性、会计政策和会计估计是否与同行业公司存在明显差异、报告期内会计政策的一致性、分析其是否利用会计政策和会计估计变更操纵利润,如改变收入确认方式、调整坏账计提比例、调整存货计价方式等。

6. 持续经营能力

6.1 自我评估

公司应结合营运记录(可采用多维度界定,如:现金流量、营业收入、交易客户、研发费用、合同签订情况、行业特有计量指标等情况)、资金筹资能力(如:挂牌并发行)等量化指标,以及行业发展趋势、市场竞争情况、公司核心优势(如:技术领先性)、商业模式创新性、风险管理、主要客户及供应商情况、期后合同签订以及盈利情况等方面评估公司在可预见的未来的持续经营能力。如果评估结果表明对持续经营能力产生重大怀疑的,公司应在公开转让说明书中披露导致对持续经营能力产生重大怀疑的因素以及公司拟采取的改善措施。6.2 分析意见 * 请主办券商结合上述情况论证公司持续经营能力,并就公司 是否满足《全国中小企业股份转让系统挂牌条件适用基本标准指引(试行)》中关于持续经营能力的要求发表意见。

7. 关联交易

7.1 关联方

请公司按照《公司法》、《企业会计准则》等规定的要求完整披露和列示关联方名称、主体资格信息以及与公司的关联关系。

请主办券商、律师、会计师根据《公司法》及《企业会计准则》的要求核查公司关联方认定和披露,并就其认定是否准确、披露是否全面、是否存在为规避披露关联交易将关联方非关联化的情形发表明确意见。

7.2 关联交易类型

请公司区分经常性及偶发性关联交易分别披露。

请主办券商及会计师核查以下事项并发表意见:(1)公司对经常性及偶发性关联交易的区分是否合理。(2)公司披露的关联交易是否真实、准确、完整。

7.3 必要性与公允性

请公司:(1)结合交易的决策程序、内容、目的、市场价格或其他可比价格等要素,披露公司关联交易的必要性及公允性,未来是否持续;(2)如报告期内存在关联交易显失公允或存在其他利益安排,请量化分析并披露对公司财务状况的影响,并披露对关联交易的规范措施,并作重大事项提示;(3)如报告期关联交易占比较大,分析是否对关联方存在重大依赖,并披露关联交易对公司业务完整性及持续经营能力的具体影响,并作重大事项提示。

请主办券商、会计师核查关联交易的必要性及公允性,发表专业意见,并着重说明对关联交易真实性的核查方法及程序。

请主办券商及律师核查报告期内关联交易的内部决策程序的履行及规范情况。

7.4 规范制度

请公司披露针对关联方交易的内部管理制度。请主办券商及律师就公司是否制定了规范关联交易的制度,是否切实履行,并发表明确意见。

7.5 关联方资金(资源)占用

请公司披露并请主办券商及律师核查以下事项:

(1)报告期内公司是否存在控股股东、实际控制人及其关联方占用公司资源(资金)的情形,若存在,请披露、核查其发生和解决情况。

(2)公司防范关联方占用资源(资金)的制度及执行情况。

8. 同业竞争

请公司披露以下事项:(1)控股股东、实际控制人及其控制的其他企业的经营范围以及主要从事业务,是否与公司从事相同、相似业务,相同、相似业务(如有)的情况及判断依据;(2)该等相同、相似业务(如有)是否存在竞争;(3)同业竞争的合理性解释,同业竞争规范措施的执行情况,公司作出的承诺情况;(4)同业竞争情况及其规范措施对公司经营的影响;(5)重大事项提示(如需)。

请主办券商及律师核查以下事项并发表明确意见:

(1)公司与控股股东、实际控制人及其控制的其他企业是否从事相同或相似业务、是否存在同业竞争,判断依据是否合理;

(2)同业竞争规范措施是否充分、合理,是否有效执行,是否影响公司经营。

9. 财务、机构、人员、业务、资产的分开情况

请公司披露公司的财务、机构、人员、业务、资产与控股股东和实际控制人及其控制的其他企业的分开情况。

请主办券商及律师就以下事项核查并发表明确意见:(1)公司的财务、机构、人员、业务、资产是否与控股股东和实际控制人及其控制的其他企业分开;(2)核查公司是否存在对关联方的依赖,其是否影响公司的持续经营能力。

全国中小企业股份转让系统挂牌协议

甲方:全国中小企业股份转让系统有限责任公司
法定代表人:
住所:
联系电话:

乙方:____________________股份有限公司
法定代表人:
住所:
联系电话:

第一条　甲方是全国中小企业股份转让系统(以下简称"全国股份转让系统")的运营管理机构,负责组织和监督挂牌公司的股票转让及相关活动,实行自律管理。乙方是经中国证监会核准的非上市公众公司,申请其股票在全国股份转让系统挂牌。乙方已向甲方提交了挂牌申请及相关文件,并取得了甲方同意挂牌的审查意见及中国证监会核准。

第二条　为规范乙方股票在全国股份转让系统挂牌行为,明确双方权利与义务,甲乙双方根据《合同法》、《公司法》、《证券法》、《非上市公众公司监督管理办法》、《全国中小企业股份转让系统有限责任公司管理暂行办法》、《全国中小企业股份转让系统业务规则(试行)》等规定,签订本协议。

第三条　甲方的权利:

(一)甲方有权在有关法律、行政法规、中国证监会相关规定授权范围内对乙方实施日常监管;甲方有权依据全国股份转让系统业务规则、细则、指引、通知等规定(以下简称"甲方业务规则")对乙方的股票挂牌、公开转让、终止挂牌等行为进行管理。

(二)甲方有权依据经中国证监会批准的收费标准收取挂牌费。

第四条　甲方的义务:

(一)甲方应当依据有关法律、行政法规及中国证监会相关规定制定甲方业务规则并及时公布,为乙方及其他市场主体参与市场活动提供制度保障。

(二)甲方负责运营、管理全国股份转让系统、发布市场信息,为乙方及其他市场参与主体提供正常的信息环境。

(三)甲方负责提供股票转让平台及相关设施,安排乙方股票挂牌,组织乙方股票转让活动。

(四)甲方负责提供信息披露服务平台,安排乙方首次挂牌信息披露及日常信息披露。

(五)甲方应当接受乙方的咨询,对其股票挂牌操作提供必要的指导。

第五条　乙方的权利:

(一)乙方有权向甲方咨询股票挂牌操作事宜,并获得甲方的指导。

(二)乙方有权获得甲方提供的股票转让、信息披露平台及相关设施服务。

第六条　乙方的义务:

(一)乙方同意接受甲方的日常监管及管理。

(二)乙方承诺遵守法律、法规、规章等规范性法律文件。乙方进一步承诺遵守甲方业务规则,履行包括但不限于规范公司治理、信息披露等义务。乙方应保证并责成其包括董事、监事、高级管理人员在内的全体员工理解并遵守本协议内容。

(三)乙方及其董事、监事和高级管理人员在挂牌时和挂牌后作出的承诺文件为本协议不可分割的一部分,是本协议的附件。乙方应保证其董事、监事和高级管理人员签署该等承诺文件。

(四)乙方应按本协议约定向甲方缴纳挂牌费。

(五)乙方应按要求参加甲方组织的业务培训。

(六)乙方应当以书面形式及时通知甲方任何导致乙方不再符合挂牌要求的公司行为或其他事件。

第七条　挂牌费:

(一)挂牌费包括挂牌初费和挂牌年费,由甲方依据经中国证监会批准的收费标准收取。

(二)乙方应当在挂牌日前缴纳按照挂牌首日总股本计算的挂牌初费,并在每年7月15日以前一次性缴纳按照公司上一年度末总股本计算的本年度挂牌年费。

(三)挂牌当年的挂牌年费按照挂牌首日的总股本和实际挂牌月份(自挂牌日的次月起计算)予以折算,与挂牌初费一并缴纳。

(四)乙方逾期缴纳挂牌费,甲方有权每日按应缴纳金额的3‰收取滞纳金。

(五)经甲方催告后,乙方于10个工作日内仍未缴纳的,甲方有权对乙方采取监管措施,并保留向乙方主张其违约造成之全部损失的权利。

(六)乙方股票终止挂牌后,已经交纳的挂牌费不予返还。

第八条　本协议的执行与解释适用中华人民共和国法律。

第九条　本协议未尽事宜,双方应依照有关法律、法规、规章及甲方业务规则执行。

第十条　与本协议的解释或执行有关的争议及纠纷,应首先由甲乙双方通过友好协商解决。若自争议或者纠纷发生

之日起的30天内未能通过协商解决，任何一方均可将该项争议提交中国国际经济贸易仲裁委员会按照当时适用的仲裁规则进行仲裁，仲裁地点为北京。仲裁裁决为最终裁决，对双方均具有法律约束力。

第十一条　双方一致同意，本协议生效后，如因适用的法律、法规、规章等规范性法律文件及甲方业务规则发生变化，导致本协议相关条款内容与修订或新颁布的上述法律、法规、规章、甲方业务规则等内容相抵触，本协议该部分条款将自动变更并以修订或新颁布的相关法律、法规、规章、甲方业务规则内容为准。

尽管有前款内容，本协议其他不与有关法律、法规、规章、甲方业务规则内容相抵触的条款持续有效。

第十二条　乙方申请终止或被甲方终止在全国股份转让系统挂牌的，本协议自终止挂牌之日自动解除。本协议解除不影响甲方依法向乙方主张本协议项下未结费用、滞纳金支付的权利。

第十三条　本协议自双方签字盖章之日起生效。双方可以以书面方式对本协议作出补充，经双方签字盖章的有关本协议的补充协议是本协议的组成部分，与本协议具有同等法律效力。

第十四条　本协议一式肆份，双方各执贰份。

甲方（公章）：__________　　乙方（公章）：__________

法定代表人　　　　　　　　法定代表人
或授权代表（签字）：______　或授权代表（签字）：______

_______年____月____日　　_______年____月____日

推荐挂牌并持续督导协议书

本协议由以下各方于______年____月____日在________
_________（签约地点）签订：

甲方：____________________股份有限公司
法定代表人：
住　　所：

乙方：____________________（主办券商）
法定代表人：
住　　所：

甲方委托乙方负责推荐甲方股票在全国中小企业股份转让系统（以下简称“全国股份转让系统”）挂牌，组织编制挂牌申请文件，并指导和督促甲方诚实守信、规范履行信息披露义务、完善公司治理机制；乙方同意接受委托。

根据《中华人民共和国合同法》、《中华人民共和国公司法》（以下简称“《公司法》”）、《中华人民共和国证券法》（以下简称“《证券法》”）、《非上市公众公司监督管理办法》（以下简称“《管理办法》”）、《全国中小企业股份转让系统业务规则（试行）》（以下简称“《业务规则》”）、《全国中小企业股份转让系统主办券商管理细则（试行）》（以下简称“《主办券商管理细则》”）、《全国中小企业股份转让系统主办券商推荐业务规定（试行）》（以下简称“《推荐规定》”）、《全国中小企业股份转让系统挂牌公司信息披露细则（试行）》（以下简称“《信息披露细则》”）等相关规定，甲、乙双方本着平等互利原则，经充分协商，达成如下协议：

第一章　甲方的承诺及权利、义务

第一条　甲方基本情况：

（一）股份公司设立时间。

（二）股本总额。

（三）股东人数。

（四）股权结构。

（五）董事、监事、高级管理人员及其持股明细。

第二条　甲方就委托乙方担任推荐其公司股票在全国股份转让系统挂牌并持续督导的主办券商事宜，向乙方作出如下承诺：

（一）保证遵守《管理办法》、《业务规则》、《信息披露细则》等相关规定。

（二）接受乙方依据《公司法》、《证券法》、《管理办法》、《业务规则》、《推荐规定》、《信息披露细则》及中国证监会、全国中小企业股份转让系统有限责任公司（以下简称“全国股份转让系统公司”）发布的其他规定对甲方作出的督促指导，并配合乙方采取的相关措施。

（三）按照相关规定和要求修改公司章程，完善公司治理机制，确保所有股东，特别是中小股东充分行使法律、行政法规和公司章程规定的合法权利。

（四）在同等条件下，优先选择乙方为其定向发行、并购重组等提供服务。

第三条　甲方就委托乙方担任推荐其公司股票在全国股份转让系统挂牌并持续督导的主办券商事宜，享有以下权利：

（一）甲方董事、监事、高级管理人员及相关人员有权就相关业务规则获得乙方指导。

（二）甲方有权就公司治理、财务及会计制度、挂牌申请文件制作、信息披露等方面获得乙方业务指导。

第四条　甲方就委托乙方担任推荐其公司股票在全国股份转让系统挂牌并持续督导的主办券商事宜，应履行以下义务：

（一）甲方应积极配合乙方的推荐挂牌工作，向乙方提交挂牌所需文件，并保证所提交文件均真实、准确、完整、及时、有效，不存在任何虚假记载、误导性陈述或重大遗漏。

（二）甲方应于正式挂牌前完成以下工作：

1. 通知并协助股东办理股份登记、存管。

2. 核对并向乙方提交股东持股明细以及董事、监事、高级管理人员名单及持股数量。

3. 与证券登记结算机构签订证券登记服务协议，将公司全部股票进行初始登记。

（三）甲方应保证所提供的股东名册真实、准确、完整、有效，如因工作失误造成股东股权争议或纠纷的，由甲方承担全部责任。

（四）甲方应严格按照有关规定，履行信息披露义务。

（五）甲方拟披露信息须经乙方审查后在全国股份转让系统指定的信息披露平台进行披露。

（六）甲方及董事会全体成员应保证信息披露内容的真实、准确、完整，不存在任何虚假记载、误导性陈述或重大遗漏，并承担个别及连带责任。

（七）甲方披露信息，应经董事长或其授权董事签字确认；若有虚假陈述，董事长应承担相应责任。

（八）甲方及其董事、监事、高级管理人员不得利用公司内幕信息直接或间接为本人或他人谋取利益。

（九）甲方董事会秘书负责股权管理与信息披露事务；未设董事会秘书的，应指定一名信息披露事务负责人负责股权管理与信息披露事务。

董事会秘书或信息披露事务负责人为甲方与乙方之间的联络人。

（十）甲方应将董事会秘书或信息披露事务负责人的联络方式（办公电话、住宅电话、移动电话、电子信箱、传真、通信地址等）和其变更情况及时告知乙方。

（十一）董事会秘书被解聘或辞职、信息披露事务负责人被更换或辞职的，甲方应及时告知乙方。

（十二）甲方应配备信息披露必需的通讯工具和计算机等办公设备，保证计算机可以连接互联网，对外咨询电话保持畅通。

（十三）甲方拟披露信息应以纸质文档（包括传真）和电子文档形式及时报送乙方，并保证电子文档与纸质文档内容一致。

（十四）甲方应于每一会计年度结束之日起四个月内编制完成并披露年度报告。

公司年度财务报告须经有证券期货相关业务资格的会计师事务所审计。

（十五）甲方应于每一会计年度的上半年结束之日起两个月内编制完成并披露半年度报告。

（十六）甲方应按《信息披露细则》的规定，编制年度报告、半年度报告，并在披露前经乙方审查。

（十七）甲方应按《信息披露细则》的规定，在发生相关事项时及时编制并披露临时报告，临时报告披露前应经乙方审查。

（十八）董事长不能正常履行职责超过三个月的，甲方应及时将该事实告知乙方。

（十九）甲方发起人、控股股东、实际控制人及董事、监事、高级管理人员持有的公司股票，按相关规定在限售期间不得转让；甲方应将新任及离职董事、监事、高级管理人员名单及其持股数量在2个转让日内告知乙方，并按有关规定向乙方提出限售或解除限售申请。

（二十）甲方股东所持股票解除限售，甲方应提前（ ）个转让日向乙方提出申请。

（二十一）甲方应积极配合乙方的问询、调查或核查，不得阻挠或人为制造障碍，并按乙方要求办理公告事宜。

（二十二）甲方应积极配合乙方的现场调查：

1. 提供必要的办公条件。

2. 保证相关人员及时提供现场调查所必需的资料，认真接受乙方调查访谈，不进行阻挠或人为制造障碍。

3. 乙方现场调查发现甲方已披露的公告存在错误、不充分或不完整情况的，甲方应及时进行更正及补充披露。

4. 积极配合乙方的整改要求，整理规范相关事项。

第二章　乙方的承诺及权利、义务

第五条　乙方就担任推荐甲方股票在全国股份转让系统挂牌并持续督导的主办券商事宜，向甲方作出如下承诺：

（一）经全国股份转让系统公司备案可以从事推荐业务。

（二）具有符合《主办券商管理细则》、《推荐规定》规定的从事推荐业务的机构设置和人员配备。

（三）勤勉尽责、诚实守信地履行主办券商推荐职责。

第六条　乙方就担任推荐甲方股票在全国股份转让系统挂牌并持续督导的主办券商事宜，享有以下权利：

（一）乙方有权对甲方提出的公司股东所持股票限售或解除限售的申请进行审查，并向全国股份转让系统公司报备。

（二）乙方有权依据《业务规则》、《信息披露细则》等规定，指导和督促甲方诚实守信、规范履行信息披露义务、完善公司治理机制。

（三）乙方有权对甲方拟披露的信息披露文件进行审查，可对甲方拟披露或已披露信息的真实性提出合理怀疑，并对相关事项进行专项调查。

（四）乙方有权根据相关规定及全国股份转让系统公司要求对甲方进行现场调查，必要时可聘请相关中介机构协助调查。

（五）甲方未规范履行信息披露等相关义务的，乙方有权要求其限期改正；拒不改正的，乙方可以发布风险揭示公告，并向全国股份转让系统公司报告。

第七条　乙方就担任推荐甲方公司股票在全国股份转让系统挂牌并持续督导的主办券商事宜，应履行以下义务：

（一）乙方应依据《业务规则》、《推荐规定》、《信息披露细则》等规定，勤勉尽责、诚实守信地履行推荐挂牌并持续督导职责，不得损害甲方的合法权益。

（二）乙方应配备符合规定的专门督导人员，负责具体履行持续督导职责。督导人员为乙方与甲方的联络人，须与甲方保持密切联系。

（三）乙方应依据《推荐规定》的规定，推荐甲方股票在全国股份转让系统挂牌。

（四）对甲方董事、监事、高级管理人员及相关信息披露义务人采取培训等相关措施，促使其熟悉和理解全国股份转让系统相关业务规则。

（五）乙方应督促和协助甲方及时按照《公司法》、《业务规则》及其他有关规定办理股份登记、信息披露、限售登记及解除限售登记等事宜。

（六）乙方及其推荐挂牌业务人员、内核业务人员、专门持续督导人员不得泄露尚未披露的信息，不得利用所知悉的尚未披露信息直接或间接为本人或他人谋取利益。

第三章　费用

第八条　经甲方与乙方协商一致，甲方应向乙方支付下列费用：

（一）推荐挂牌费（　　）元。

（二）持续督导费（　　）元/年。

（三）其他费用（　　）元/年。

费用的支付方式和时间为（　　）。

第九条　甲方终止股票挂牌的，已经支付的费用不予返还。

第四章　协议的变更与解除

第十条　本协议依据《管理办法》、《业务规则》、《信息披露细则》等规定签订，如因相关规定修订或颁布实施新的规定而导致本协议相关条款内容与修订或新颁布的规定内容不一致的，本协议与之相抵触的有关条款自动变更，并以修订或新颁布后的规定为准，其他条款继续有效；任何一方不得以此为由解除本协议。

第十一条　出现下列情况之一，甲乙双方可以解除本协议：

（一）甲方股票挂牌申请未获全国股份转让系统公司同意。

（二）乙方不再从事推荐业务。

（三）甲方股票终止挂牌。

第十二条　除第十一条规定的情形外，甲乙双方不得随意解除本协议；确需解除协议的，应在解除前向全国股份转让系统公司报告并说明合理理由，且应有其他主办券商承接持续督导服务。

第五章　免责条款

第十三条　因不可抗力因素导致任一方损失，另一方不承担赔偿责任。

第十四条　发生不可抗力时，双方均应及时采取措施防止损失进一步扩大。

第六章　争议解决

第十五条　本协议项下产生的任何争议，各方首先应协商解决；协商解决不成的，可选择以下方式解决：

（一）仲裁。

（二）向有管辖权的人民法院提起诉讼。

第七章　其他事项

第十六条　本协议规定的事项发生重大变化或存在未尽之事宜，甲、乙双方应当重新签订协议或签订补充协议。补充协议与本协议不一致的，以补充协议为准。补充协议为本协议有效组成部份，报全国股份转让系统公司备案。

第十七条　本协议自甲、乙双方签字盖章后生效。

第十八条　本协议一式（　　　）份，甲、乙双方各执（　　　）份，报全国股份转让系统公司（　　　）份，每份均具有同等法律效力。

甲方（盖章）：

法定代表人或授权代表（签字）：

乙方（盖章）：

法定代表人或授权代表（签字）：

持续督导协议书

本协议由以下各方于______年____月____日在__________________（签约地点）签订：

甲方：______________________股份有限公司

法定代表人：

住　　所：

乙方：______________________（主办券商）

法定代表人：

住　　所：

甲方委托乙方担任为甲方提供持续督导服务的主办券商，负责指导和督促甲方诚实守信、规范履行信息披露义务、完善公司治理机制；乙方同意接受委托。

根据《中华人民共和国合同法》、《中华人民共和国公司法》（以下简称“《公司法》”）、《中华人民共和国证券法》（以下简称“《证券法》”）、《非上市公众公司监督管理办法》（以下简称“《管理办法》”）、《全国中小企业股份转让系统业务规则（试行）》（以下简称“《业务规则》”）、《全国中小企业股份转让系统主办券商管理细则（试行）》（以下简称“《主办券商管理细则》”）、《全国中小企业股份转让系统主办券商推荐业务规定（试行）》（以下简称“《推荐规定》”）、《全国中小企业股份转让系统挂牌公司信息披露细则（试行）》（以下简称“《信息披露细则》”）等相关规定，甲、乙双方本着平等互利原则，经充分协商，达成如下协议：

第一章　甲方的承诺及权利、义务

第一条　甲方基本情况：

（一）挂牌时间。

（二）股票简称。

（三）股票代码。

（四）股本总额。

（五）股东人数。

（六）股权结构。

（七）董事、监事、高级管理人员及其持股明细。

第二条　甲方就委托乙方担任为甲方提供持续督导服务的主办券商事宜，向乙方作出如下承诺：

（一）已与原负责持续督导的主办券商终止持续督导协议。

（二）保证遵守《管理办法》、《业务规则》、《信息披露细则》等相关规定。

（三）接受乙方依据《公司法》、《证券法》、《管理办法》、《业务规则》、《推荐规定》、《信息披露细则》及中国证监会、全国中小企业股份转让系统有限责任公司（以下简称“全国股份转让系统公司”）发布的其他规定对甲方作出的督促指导，并配合乙方采取的相关措施。

（四）在同等条件下，优先选择乙方为其定向发行、并购重组等提供服务。

第三条　甲方就委托乙方担任为甲方提供持续督导服务的主办券商事宜，享有以下权利：

（一）甲方董事、监事、高级管理人员及相关人员有权就相关业务规则获得乙方指导。

（二）甲方有权就公司治理、财务及会计制度、信息披露等方面获得乙方业务指导。

第四条　甲方就委托乙方担任为甲方提供持续督导服务的主办券商事宜，应履行以下义务：

（一）甲方应积极配合乙方的持续督导工作，向乙方提交所需文件，并保证所提交文件均真实、准确、完整、及时、有效，不存在任何虚假记载、误导性陈述或重大遗漏。

（二）甲方应于本合同正式生效前（ ）个转让日内，核对并向乙方提交股东持股明细以及董事、监事、高级管理人员名单及持股数量。

（三）甲方应保证所提供的股东名册真实、准确、完整、有效，如因工作失误造成股东股权争议或纠纷的，由甲方承担全部责任。

（四）甲方应严格按照有关规定，履行信息披露义务。

（五）甲方拟披露信息须经乙方审查后在全国股份转让系统指定的信息披露平台进行披露。

（六）甲方及董事会全体成员应保证信息披露内容的真

实、准确、完整，不存在任何虚假记载、误导性陈述或重大遗漏，并承担个别及连带责任。

（七）甲方披露信息，应经董事长或其授权董事签字确认；若有虚假陈述，董事长应承担相应责任。

（八）甲方及其董事、监事、高级管理人员不得利用公司内幕信息直接或间接为本人或他人谋取利益。

（九）甲方董事会秘书负责股权管理与信息披露事务；未设董事会秘书的，应指定一名信息披露事务负责人负责股权管理与信息披露事务。

董事会秘书或信息披露事务负责人为甲方与乙方之间的联络人。

（十）甲方应将董事会秘书或信息披露事务负责人的联络方式（办公电话、住宅电话、移动电话、电子信箱、传真、通信地址等）和其变更情况及时告知乙方。

（十一）董事会秘书被解聘或辞职、信息披露事务负责人被更换或辞职的，甲方应及时告知乙方。

（十二）甲方应配备信息披露必需的通讯工具和计算机等办公设备，保证计算机可以连接互联网，对外咨询电话保持畅通。

（十三）甲方拟披露信息应以纸质文档（包括传真）和电子文档形式及时报送乙方，并保证电子文档与纸质文档内容一致。

（十四）甲方应于每一会计年度结束之日起四个月内编制完成并披露年度报告。

公司年度财务报告须经有证券期货相关业务资格的会计师事务所审计。

（十五）甲方应于每一会计年度的上半年结束之日起两个月内编制完成并披露半年度报告。

（十六）甲方应按《信息披露细则》的规定，编制年度报告、半年度报告，并在披露前经乙方审查。

（十七）甲方应按《信息披露细则》的规定，在发生相关事项时及时编制并披露临时报告，临时报告披露前应经乙方审查。

（十八）董事长不能正常履行职责超过三个月的，甲方应及时将该事实告知乙方。

（十九）甲方发起人、控股股东、实际控制人和董事、监事、高级管理人员持有的公司股票，按规定在限售期间不得转让；甲方应将新任及离职董事、监事、高级管理人员名单及其持股数量在2个转让日内告知乙方，并按有关规定向乙方提出限售或解除限售申请。

（二十）甲方股东所持股票解除限售，甲方应提前（ ）个转让日向乙方提出申请。

（二十一）甲方应积极配合乙方的问询、调查或核查，不得阻挠或人为制造障碍，并按乙方要求办理公告事宜。

（二十二）甲方应积极配合乙方的现场调查：

1. 提供必要的办公条件。

2. 保证相关人员及时提供现场调查所必需的资料，认真接受乙方调查访谈，不进行阻挠或人为制造障碍。

3. 乙方现场调查发现甲方已披露的公告存在错误、不充分或不完整情况的，甲方应及时进行更正及补充披露。

4. 积极配合乙方的整改要求，整理规范相关事项。

第二章　乙方的承诺及权利、义务

第五条　乙方就担任为甲方提供持续督导服务的主办券商事宜，向甲方作出如下承诺：

（一）经全国股份转让系统公司备案可以从事推荐业务。

（二）具有符合《主办券商管理细则》、《推荐规定》规定的从事推荐业务的机构设置和人员配备。

（三）勤勉尽责、诚实守信地履行主办券商持续督导职责。

第六条　乙方就担任为甲方提供持续督导服务的主办券商事宜，享有以下权利：

（一）乙方有权对甲方提出的公司股东所持股票限售或解除限售的申请进行审查，并报全国股份转让系统公司。

（二）乙方有权依据《业务规则》、《信息披露细则》等规定，指导和督促甲方诚实守信、规范履行信息披露义务、完善公司治理机制。

（三）乙方有权对甲方拟披露的信息披露文件进行审查，对甲方拟披露或已披露信息的真实性提出合理怀疑，并对相关事项进行专项核查。

（四）乙方有权根据相关规定及全国股份转让系统公司要求对甲方进行现场调查，必要时可聘请相关中介机构协助调查。

（五）甲方未规范履行信息披露等相关义务的，乙方有权要求其限期改正；拒不改正的，乙方可以发布风险揭示公告，并向全国股份转让系统公司报告。

第七条　乙方就担任为甲方提供持续督导服务的主办券商事宜，应履行以下义务：

（一）乙方应依据《业务规则》、《推荐规定》、《信息披露细则》等规定，勤勉尽责、诚实守信地履行主办券商持续督导职责，不得损害甲方的合法权益。

（二）乙方应配备符合规定的专门督导人员，负责具体履行持续督导职责。督导人员为乙方与甲方的联络人，须与甲方保持密切联系。

（三）乙方应对甲方董事、监事、高级管理人员及相关信息披露人员采取培训等相应措施，促使其熟悉和理解全国股份转让系统相关业务规则。

（四）乙方应督促和协助甲方及时按照《公司法》、《业务规则》及其他有关规定办理信息披露、限售登记及解除限售登记等事宜。

（五）乙方及其专门持续督导人员不得泄露在持续督导过程中获知的尚未披露的信息，不得利用所知悉的尚未披露信息直接或间接为本人或他人谋取利益。

第三章　费用

第八条　经甲方与乙方协商一致，甲方应向乙方支付下列费用：

（一）持续督导费（　　）元/年；

（二）其他费用（　　）元/年；

费用的支付方式和时间为（　　）。

第九条　甲方终止股票挂牌的，已经支付的费用不予返还。

第四章　协议的变更与解除

第十条　本协议依据《管理办法》、《业务规则》、《信息披露细则》等规定签订，如因相关规定进行修订或颁布实施新的规定而导致本协议相关条款内容与修订或新颁布的规定内容不一致，本协议与之相抵触的有关条款自动变更，并以修订或新颁布后的规定为准，其他条款继续有效；任何一方不得以此为由解除本协议。

第十一条　出现下列情况之一，甲乙双方可以解除本协议：

（一）乙方不再从事推荐业务。

（二）甲方股票终止挂牌。

第十二条　除第十一条规定的情形外，甲乙双方不得随意解除持续督导协议；确需解除协议的，应在解除前向全国股份转让系统公司报告并说明合理理由，且应有其他主办券商承接持续督导服务。

第五章　免责条款

第十三条　因不可抗力因素导致任一方损失，另一方不承担赔偿责任。

第十四条　发生不可抗力时，双方均应及时采取措施防止损失进一步扩大。

第六章　争议解决

第十五条　本协议项下产生的任何争议，各方首先应协商解决；协商解决不成的，可选择以下方式解决：

（一）仲裁。

（二）向有管辖权的人民法院提起诉讼。

第七章　其他事项

第十六条　本协议规定的事项发生重大变化或存在未尽之事宜，甲、乙双方应当重新签订协议或签订补充协议。补充协议与本协议不一致的，以补充协议为准。补充协议为本协议有效组成部份，报全国股份转让系统公司备案。

第十七条　本协议自甲、乙双方签字盖章后生效。

第十八条　本协议一式（　　）份，甲、乙双方各执（　　）份，报全国股份转让系统公司（　　）份，每份均具有同等法律效力。

甲方（盖章）：

法定代表人或授权代表（签字）：

乙方（盖章）：

法定代表人或授权代表（签字）：

公司业务类

挂牌公司信息披露及会计业务问答（一）——利润分配与公积金转增股本

问：挂牌公司进行利润分配和资本公积转增股本，请问财务数据应当以什么时间作为基准日？

答：实践中，部分挂牌公司进行利润分配和资本公积转增股本时，以验资报告或除定期报告之外的任意时点的财务数据为依据进行利润分配和资本公积转增股本（以下称“权益分派”），这种做法存在超额分配，损害投资者及债权人利益的可能性。

全国股份转让系统是公开转让股份的全国性证券交易场所，而验资报告仅是对股东是否实缴出资到位发表审验意见的书面文件，除定期报告之外的任意时点的财务数据也并不具有公开性，不能全面直观反映挂牌公司的财务状况和经营成果，因此，不能以验资报告或除定期报告之外的任何时点的财务数据为基准进行权益分派。

为规范挂牌公司的权益分派行为，拟进行权益分派的挂牌公司，权益分派方案中应当以公开披露过的仍在有效期内（报告期末日起 6 个月内）的最近一期定期报告期末日作为基准日，也就是说挂牌公司进行权益分派，应当以已披露的年度报告、半年度报告或季度报告的财务数据为依据。如未披露季度报告的，可以以年度报告、半年度报告为基础。基准日的财务数据指的是未分配利润和资本公积，实施权益分派的股本基数如无特殊安排，均以股权登记日的股本数为准。权益分派方案经股东大会审议通过后 2 个月必须实施完毕，如未能实施则须重新履行审议程序。

权益分派应当依据的财务数据基准日如下表：

权益分派方案审议日期	依据的财务数据基准日
1 月 1 日 –3 月 31 日	上年度 12 月 31 日
4 月 1 日 –6 月 30 日	上年度 12 月 31 日或本年度 3 月 31 日，如已披露一季报，依据一季报分派
7 月 1 日 –9 月 30 日	本年度 6 月 30 日
10 月 1 日 –12 月 31 日	本年度 6 月 30 日或本年度 9 月 30 日，如已披露三季报依据三季报分派

本监管问答自发布之日实施，发布之日权益分派预案未经股东大会审议通过的适用本监管问答。

挂牌公司信息披露及会计业务问答（二）——发行费用的会计核算

问：挂牌公司在发行权益性证券过程中发生的各种费用，应如何进行会计核算？

答：近期，随着市场功能的完善，挂牌公司融资日趋活跃。实践中，部分挂牌公司对发行权益性证券过程中发行费用的会计处理不规范，造成投资者对财务信息的误判误读。因此，根据《企业会计准则第 37 号—金融工具列报》的规定，参照《上市公司执行企业会计准则监管问题解答（第四期）》的要求，特发布本问答。

挂牌公司为发行权益性证券发生的承销费、财务顾问费、备案材料印刷费、律师费、评估费、会计师费等与发行权益性证券直接相关的新增外部费用，冲减溢价形成的资本公积；在权益性证券发行无溢价或溢价金额不足以扣减的情况下，冲减盈余公积和未分配利润。发行权益性证券过程中发行的路演费、财经公关费、酒会费等其他费用应在发生时计入当期损益。

挂牌公司以权益性证券作为企业合并的对价，在此过程中涉及的费用一般包括合并费用与权益性证券发行费用。通常情况下，针对被收购方的尽职调查、评估和审计、为申报重大资产重组而发生的费用，属于企业合并费用；为验资、权益性证券发行备案、股份登记而发生的费用，属于发行证券的费用。公司需要合理区分属于企业合并交易的费用和属于发行证券的费用，合并费用应在发生当期计入损益，发行费用直接扣减发行股份产生的溢价。

挂牌公司股票发行常见问题解答(二)
——连续发行

问:实践中,部分挂牌公司连续召开董事会审议通过不同的股票发行方案,同时进行多个股票发行,请问挂牌公司连续发行股票应当如何操作?

答:实践中,部分挂牌公司连续启动决策程序进行多次股票发行,这种做法客观上提高了挂牌公司股权融资效率,但在监管实践中逐步凸显出一些问题。例如,有的挂牌公司连续启动多个股票发行程序,前一次发行备案通过后,一直不进行新增股份登记。这种做法一是导致前一次发行的认购对象在股份登记完成前无法就下一次发行行使股东表决权,使其合法权益陷于不确定状态,可能产生纠纷的隐患;二是若连续发行后股东人数累计超过 200 人,还会存在涉嫌违反股票发行监管程序的违规情形。还有的挂牌公司连续启动股票发行程序,但在定价环境没有明显变化的情况下定价差异较大,扰乱了公司股票的合理估值和二级市场交易价格。因此,为规范挂牌公司股票连续发行行为,保护投资者合法权益,明确市场预期,有必要规范挂牌公司股票连续发行行为。

根据《非上市公众公司监督管理办法》、《全国中小企业股份转让系统业务规则(试行)》和《全国中小企业股份转让系统股票发行业务细则(试行)》的规定,拟连续发行股票的挂牌公司,应当在前一次股票发行的新增股份登记手续完成后,才能召开董事会审议下一次股票发行方案,也就是说挂牌公司前一次股票发行新增股份没有登记完成前,不得启动下一次股票发行的董事会决策程序。

此外,挂牌公司股票发行在取得全国股转系统出具的新增股份登记函后,应当在 10 个工作日内向中国结算申请办理新增股份登记手续。

全国中小企业股份转让系统
优先股业务指南第 1 号
——发行备案和办理挂牌的文件与程序

第一条　为了规范优先股发行备案和申请办理挂牌的文件与程序,根据《全国中小企业股份转让系统优先股业务指引(试行)》(以下简称《业务指引》)等业务规则,制定本指南。

第二条　发行人办理优先股发行备案和挂牌手续,适用本指南的规定。

第三条　发行人应当在验资完成后的 10 个转让日内,向全国中小企业股份转让系统有限责任公司(以下简称“全国股转公司”)接收申请材料的服务窗口(北京市西城区金融大街丁 26 号金阳大厦南门)报送以下文件。

办理豁免申请核准的优先股发行备案,发行人应当提交备案登记表和该登记表中列明的备案文件。

优先股发行经中国证监会核准的,发行人申请办理优先股挂牌手续,应当提交优先股发行登记表和该登记表中列明的文件。

经接收服务窗口人员核对,确认提交的文件齐备后,向发行人出具《材料接收确认单》。文件一经接收,未经全国股转公司同意,不得变更或撤回。

第四条　发行人在提交备案文件或申请挂牌文件的同时,应当向全国股转公司申请本次发行优先股的证券代码和证券简称,并提交经发行人的法定代表人或其授权代表签字和加盖发行人公章的优先股转让服务协议。发行人的法定代表人授权他人代为签字的,需同时提供授权委托书原件。

优先股证券代码和证券简称的申请、编制和分配等应当按照《全国中小企业股份转让系统证券代码、证券简称编制管理暂行办法》等相关规定办理。

第五条　全国股转公司对提交的文件的审查程序参照《全国中小企业股份转让系统股票发行业务指南》等规定办理。

第六条　全国股转公司对文件审查后出具优先股登记函,送达发行人并送交中国证券登记结算有限责任公司(以下简称“中国结算”)和主办券商。

发行人在领取优先股登记函之前,应当按规定缴纳挂牌费用。发行人在领取优先股登记函的同时,可一并领取本次发行优先股的证券代码和证券简称、优先股转让服务协议。

第七条　发行人按照中国结算的要求向中国结算申请办理优先股登记。

发行人在取得中国结算出具的优先股登记证明文件后,将优先股登记证明文件扫描件提交全国股转公司(扫描件可发送至电子邮箱:ywbl@ neeq. org. cn),并确定优先股挂牌转让日期。

发行人在优先股挂牌转让前,应当披露优先股挂牌转让公告。挂牌转让公告应当明确本次登记优先股的转让日。

发行人在披露优先股转让公告的同时,应当披露定向发行优先股说明书、发行情况报告书、主办券商推荐工作报告和法律意见书。

全国中小企业股份转让系统
优先股业务指南第 2 号
——主办券商推荐工作报告的内容与格式

第一章　总则

第一条　为规范全国中小企业股份转让系统(以下简称“全国股转系统”)主办券商优先股推荐工作报告的编制与披露,根据《全国中小企业股份转让系统优先股业务指引(试行)》(以下简称《业务指引》)等业务规则,制定本指南。

第二条　主办券商向全国中小企业股份转让系统有限责任公司(以下简称“全国股转公司”)推荐优先股发行备案或挂牌的,应当按照本指南的要求编制和披露推荐工作报告。

第三条　本指南对主办券商推荐工作报告的格式未明确规定的,可参照《全国中小企业股份转让系统股票发行业务指引第 3 号——主办券商关于股票发行合法合规性意见的内容与格式(试行)》的相关规定。

第四条　主办券商出具推荐工作报告,应建立在充分了解发行人经营状况、财务状况和风险因素等相关信息的基础之上,切实履行尽职调查职责,保证报告相关内容的真实、准确、完整及报告结论的客观性。

第五条　主办券商应在推荐工作报告中对照本指南及有关规定逐项发表明确的结论性意见,并载明得出每项结论的查证过程及事实依据。

第二章　推荐工作报告必备内容

第六条　主办券商推荐工作报告应当包括以下内容：

（一）本次优先股发行是否符合豁免申请核准的条件；

（二）发行人是否符合《优先股试点管理办法》（以下简称《试点办法》）规定的发行条件；

（三）发行人是否存在《试点办法》规定的不得发行优先股的情形；

（四）发行人的财务状况、偿付能力；

（五）发行人的对外担保情况、未决诉讼或仲裁事项；

（六）本次发行优先股决策程序的合法合规性；

（七）本次优先股发行的规模、募集金额、票面股息率或发行价格的合法合规性；

（八）本次发行优先股具体条款设置的合法合规性；

（九）本次优先股发行对象的投资者适当性；

（十）本次发行优先股的风险因素；

（十一）本次发行优先股对发行人、普通股股东、其他优先股股东（如有）的影响；

（十二）本次发行涉及公司章程修改的事项；

（十三）本次发行优先股的会计处理方法，以及相关税费政策和依据；

（十四）非现金资产认购的相关事项（如有）；

（十五）主办券商认为需要说明的其他事项。

第七条　主办券商应当对本次优先股发行是否符合豁免申请核准的条件发表明确意见。

第八条　主办券商应当对发行人是否符合《试点办法》规定的发行条件逐项发表明确意见：

（一）发行人是否符合合法规范经营的条件。包括但不限于：发行人及其控股股东、实际控制人、董事、监事和高级管理人员最近十二个月内是否受到刑事处罚，或因重大违法行为受到行政处罚，或受到全国股转公司的纪律处分。发行人及其控股股东、实际控制人、董事、监事和高级管理人员是否因涉嫌犯罪正被司法机关立案侦查，或因重大违法行为受到行政机关的立案调查。重大违法行为的标准参照《全国中小企业股份转让系统股票挂牌条件适用基本标准指引（试行）》的相关规定；

（二）发行人是否符合公司治理机制健全的条件。包括但不限于：发行人是否按照《公司法》、《非上市公众公司监督管理办法》的规定，建立股东大会、董事会、监事会和高级管理层组成的公司治理架构，是否制定相应的公司治理制度，并有效实施。董事会是否对公司治理的有效性进行讨论、评估；

（三）发行人是否符合依法履行信息披露义务的条件。包括但不限于：发行人是否按照相关规定，真实、准确、完整、及时、公平地披露了本次优先股发行应当披露的信息。发行人在申请普通股挂牌及挂牌期间是否规范履行了信息披露义务；是否曾因信息披露违规或违法，被全国股转公司依法采取纪律处分、被中国证监会采取监管措施或给予行政处罚。

第九条　主办券商应当对发行人是否存在《试点办法》规定的不得发行优先股的情形发表明确意见。

第十条　主办券商应根据发行人最近两个完整会计年度的财务报表和审计报告，以及最近一期（如有）的会计报表，重点分析发行人的盈利能力、偿债能力及现金流等各项财务指标。各项财务指标及相关会计科目有较大变动或异常的，应分析其原因。

第十一条　主办券商应对发行人是否真实、准确、完整的披露了以下内容发表明确意见：

（一）发行人最近一期末的对外担保情况；

（二）对发行人财务状况、经营成果、声誉、业务活动、未来前景等可能产生较大影响的未决诉讼或仲裁，可能出现的处理结果或已生效法律文书的执行情况。

第十二条　主办券商应当对本次优先股发行的董事会、股东大会决策程序是否合法合规，是否执行了《试点办法》规定的表决权回避、分类表决（如有）等制度发表明确意见。

第十三条　主办券商应当对本次优先股发行的规模、募集金额、票面股息率或发行价格是否符合《试点办法》的规定发表明确意见。

第十四条　主办券商应当对本次发行优先股的具体条款设置是否合法合规发表明确意见，包括：

（一）优先股股东参与分配的股息率或其确定方式、股息发放的条件、股息支付方式、股息是否累积、是否参与剩余利润分配等是否明确，是否符合《试点办法》的规定；

（二）优先股设置有赎回、回售、转换为普通股（如有）等特殊条款的，特殊条款是否明确，是否符合《试点办法》的规定；

（三）优先股股东参与分类表决、优先股股东表决权的限制与恢复等安排是否明确，是否符合《试点办法》的规定；

（四）优先股的清偿顺序，每股清算金额是否明确，是否符合《试点办法》的规定。

第十五条　主办券商应当对优先股发行对象的人数和投资者适当性发表意见，包括但不限于：

（一）优先股的发行对象是否符合《试点办法》规定的投资者人数限制；

（二）优先股的发行对象是否符合《试点办法》规定的投资者适当性的要求；

（三）发行人的董事、高级管理人员及其配偶是否参与认购本公司发行的优先股。

第十六条　主办券商应当对发行人是否真实、准确、完整的披露了优先股的风险因素发表意见。

第十七条　主办券商应对发行人是否真实、准确、完整的披露了发行优先股对发行人、普通股股东、其他优先股股东（如有）的影响发表意见。

第十八条　本次优先股发行须修改公司章程的，主办券商应当对发行人是否履行了相应的修改程序，公司章程修改内容是否与定向发行优先股说明书和发行情况报告书的相关内容一致发表明确意见。

第十九条　主办券商应对本次发行优先股相关会计处理与税费政策的适用是否准确发表明确意见，包括：

（一）本次发行优先股的会计处理；

（二）本次发行优先股的股息是否在所得税前列支及其政策依据；

（三）投资者与本次发行的优先股转让、股息发放、回购等相关的税费、征收依据及缴纳方式。

第二十条　发行对象以非现金资产认购优先股的，主办券商应当参照全国股转系统股票发行的相关业务规则在推荐工作报告中发表意见。

第二十一条　若主办券商认为公司尚有未披露或未充分披露且对本次优先股发行有影响的重大信息或事项，可以进行补充披露，并提示该信息或事项对本次优先股发行可能造成的影响。

第二十二条　主办券商法定代表人或法定代表人授权的代表、项目负责人应在推荐工作报告上签字，并加盖主办券商公章，注明报告日期。

主办券商法定代表人授权他人代为签字的，需同时提供授权委托书原件。

第三章　附则

第二十三条　本指南由全国股转公司负责解释。

第二十四条　本指南自发布之日起实施。

全国中小企业股份转让系统
优先股业务指南第3号
——法律意见书的内容与格式

第一章　总则

第一条　为了规范全国中小企业股份转让系统（以下简称"全国股转系统"）优先股法律意见书的编制与披露，根据《全国中小企业股份转让系统优先股业务指引（试行）》（以下简称《业务指引》）等业务规则，制定本指南。

第二条　律师事务所根据《业务指引》为优先股发行出具的法律意见书应当包括本指南第二章规定的内容。

第三条　本指南对法律意见书的格式未明确规定的，可参照《全国中小企业股份转让系统股票发行业务指引第4号——法律意见书的内容与格式（试行）》的相关规定。

第四条　公司聘请的律师事务所及其委派的律师（以下"律师"均指签名律师及其所任职的律师事务所），应在尽职调查基础上，按本指南的要求出具法律意见书，对照本指南及有关规定逐项发表明确意见或结论。

本指南仅是对法律意见书内容的一般性要求，本指南未明确要求，但律师认为对优先股发行有重大影响的法律问题，律师应当发表意见。

第五条　律师应在法律意见书中详尽、完整地阐述所发表意见或结论的依据、进行有关核查验证的过程、所涉及的必要资料或文件。

第六条　对不符合有关法律、法规和中国证监会、全国中小企业股份转让系统有限责任公司（以下简称"全国股转公司"）有关规定的事项，或已勤勉尽责仍不能对其法律性质或其合法性作出准确判断的事项，律师应发表保留意见，并说明相应的理由。

第七条　法律意见书应由二名以上（含两名）经办律师和其所在律师事务所的负责人签名，并经该律师事务所加盖公章、签署日期。

第二章　法律意见书的必备内容

第八条　律师应在进行充分核查验证的基础上，对本次优先股发行的下列（包括但不限于）事项明确发表结论性意见。所发表的结论性意见应包括是否合法合规、是否真实有效、是否存在纠纷或潜在风险；不存在下列事项的，也应明确说明：

（一）关于发行人是否符合《优先股试点管理办法》（以下简称《试点办法》）第四十一条规定的发行条件；

（二）发行人是否存在《试点办法》第二十五条规定的不得发行优先股相关情形；

（三）本次优先股发行是否符合豁免申请核准的条件；

（四）优先股发行规模和募集金额是否合法合规；

（五）优先股股东的表决权、分配权等条款设置，以及优先股的赎回、回售和转股（如有）等特殊条款是否合法合规；

（六）发行优先股的决策程序和定价结果是否合法合规；

（七）发行对象是否符合投资者适当性和投资者人数限制的规定；

（八）认购合同、公司章程等法律文件是否真实、合法、有效；

（九）本次优先股发行涉及的公司章程修改内容是否与定向发行优先股说明书和发行情况报告书的相关内容一致；

（十）律师事务所认为需要说明的其他事项。

第三章　附则

第九条　本指南由全国股转公司负责解释。

第十条　本指南自公布之日起施行。

全国中小企业股份转让系统
挂牌公司持续信息披露业务指南
（试行）

为规范挂牌公司、主办券商及其他信息披露义务人的信息披露业务办理，根据相关法律法规、《全国中小企业股份转让系统业务规则（试行）》（以下简称《业务规则》）及《全国中小企业股份转让系统挂牌公司信息披露细则（试行）》（以下简称《信息披露细则》）等有关规定，制定本指南。

持续信息披露业务通过全国中小企业股份转让系统业务支持平台信息披露系统（以下简称"信息披露系统"）实现披露文件的电子化填写与报送，信息披露系统由信息披露文件编制端（以下简称"编制端"）和信息披露文件报送端（以下简称"报送端"）组成。

挂牌公司应当通过编制端编制披露文件；主办券商使用"全国中小企业股份转让系统数字证书"（以下简称"数字证书"）通过报送端报送披露文件。数字证书是主办券商登陆报送端的身份证明，使用数字证书在报送端进行的操作行为均代表主办券的行为，主办券商承担相应法律责任；信息披露系统在规定的时间段中将披露文件自动发送至全国中小企业股份转让系统指定信息披露平台（以下简称"信息披露平台"）。

一、挂牌公司编制披露文件并报主办券商审查

（一）挂牌公司董事会秘书或者信息披露事务负责人应按照《业务规则》、《信息披露细则》、《全国中小企业股份转让系统挂牌公司年度报告内容与格式指引（试行）》、《全国中小企业股份转让系统挂牌公司半年度报告内容与格式指引（试行）》和《全国中小企业股份转让系统临时公告格式模板》等规定，在编制端使用信息披露文件编制工具填写披露内容，生成信息披露文件。编制工具里没有明确给出模板的临时报告，由挂牌公司根据有关规定自行编制。

挂牌公司在使用编制工具完成信息披露文件编制工作后，应当对编制工具生成的信息披露文件内容的真实性、准确性、完整性进行核查，确保不存在虚假记载、误导性陈述或者重大遗漏，并对其真实性、准确性、完整性承担相应的法律责任。

（二）挂牌公司将编制好的信息披露文件及备查文件送达主办券商。一般情况下，上述材料包括加盖董事会章的信息披露纸质文件及相应电子文件，其中电子文件包括定期报告或临时报告正文及相应 XBRL 文件（自行编制的除外）。

（三）进行定期报告披露的，挂牌公司应与主办券商商定披露日期。主办券商通过报送端的电子化预约功能协助挂牌公司完成披露时间的预约。特殊原因需变更披露预约时间的，主办券商应协助挂牌公司在原预约披露日 5 个转让日前通过报送端进行修改；在 5 个转让日内需要变更预约披露时间的，挂牌公司还应发布《关于变更××年度（半年度）报告披露日期的提示性公告》。

信息披露系统根据均衡披露原则，限制每日预约量以及修改次数。预计披露日期、变更情况及最终披露日期将在信息披露平台上公布。

（四）挂牌公司申请豁免披露涉及国家机密或商业秘密的信息，应通过主办券商向全国中小企业股份转让系统有限责任公司（以下简称"全国股转公司"）申请并提出豁免披露的充分依据。豁免定期报告相关信息披露的，主办券商应协助挂牌公司在申报预约披露日期的同时通过报送端申请；豁免临时报告披露的，应及时在线下向全国股转公司提出申请。

二、主办券商事前审查并上传至信息披露系统

（一）主办券商对拟披露的信息披露文件进行事前审查，发现拟披露的信息披露文件与全国股转系统相关规定不符的，主办券商应与挂牌公司沟通，了解相关情况，督导挂牌公司进行更正或补充，直至符合全国股转系统有关规定的要求。拟披露的信息披露文件存在虚假记载、误导性陈述或重大遗漏的，主办券商应要求挂牌公司及时改正，挂牌公司拒不改正的，主办券商应通过报送端向全国股转公司报告，并在挂牌公司信息披露文件披露当日同时发布风险揭示公告。

主办券商对年度报告进行事前审查中，如发现挂牌公司的财务报告被出具了否定意见或者无法表达意见的审计报告，或期末净资产为负值，或全国股转系统规定的其他情形的，主办券商应通过报送端向全国股转公司报告。

（二）主办券商事前审查后，无论是否有异议，均应通过报送端将信息披露文件正文（PDF 格式）及 XBRL 文件（自行编制的除外）上传至信息披露系统；主办券商如有异议的应按本条第（一）项的规定执行。

主办券商最迟应在披露日 20:00 前完成事前审查并上传。信息披露文件一经上传将不可撤回。

三、信息披露系统将信息披露文件发送至信息披露平台

（一）主办券商在转让日 15:30 前提交信息披露文件，且拟披露日期为当日的，信息披露系统于当日 15:30 后自动将信息披露文件发送至信息披露平台披露。

（二）主办券商在转让日 15:30 后提交信息披露文件，且拟披露日期为当日的，信息披露系统自动将信息披露文件发送至信息披露平台披露。

四、信息披露文件披露后的审查和处理

（一）更正或补充公告的处理

全国股转公司监管人员在信息披露系统上对信息披露文件进行审查，若发现信息披露文件不符合全国股转系统信息披露有关规定，或信息披露文件存在重大错误或遗漏的，将通过信息披露系统向主办券商发送反馈意见。主办券商对有关问题核实后应及时通过信息披露系统向全国股转公司进行回复。

信息披露文件在信息披露平台披露后，如因错误或遗漏需要更正或补充的，挂牌公司需发布更正或补充公告，并重新披露相关信息披露文件，原已披露的信息披露文件不做撤销。

（二）撤销或替换公告的处理

已披露的信息披露文件不得撤销或替换。

（三）补发公告的处理

挂牌公司不能按照规定的时间披露信息披露文件，或发现存在应当披露但尚未披露的信息披露文件的，挂牌公司应发布补发公告并补发信息披露文件。

全国股转公司若发现挂牌公司存在应披露但未披露信息披露文件的，通知主办券商督促挂牌公司发布补发公告并补发信息披露文件。

五、信息披露文件无法正常披露的处理

主办券商通过报送端完成信息披露文件的提交后，应及时查看信息披露文件是否在本指南第三条规定的时间段中成功披露至信息披露平台。如发现信息披露文件无法在规定的时间段中成功披露的，主办券商应立即向全国股转公司报告，经全国股转公司确认后进行处理。

全国中小企业股份转让系统重大资产重组业务指南第 1 号：非上市公众公司重大资产重组内幕信息知情人报备指南

第一条　根据《全国中小企业股份转让系统非上市公众公司公司重大资产重组业务指引（试行）》的规定，股票在全国中小企业股份转让系统（以下简称全国股份转让系统）公开转让的公众公司（以下简称公司）应当在证券暂停转让之日起 5 个转让日内，向全国中小企业股份转让系统有限责任公司（以下简称全国股份转让系统公司）提交挂牌公司重大资产重组内幕信息知情人登记表、相关人员买卖公司证券的自查报告、公司重大资产重组交易进程备忘录及公司全体董事对内幕信息知情人报备文件真实性、准确性和完整性的承诺书。

公司暂停转让日距离首次董事会召开之日不足 5 个转让日的，应当在申请暂停转让的同时报送上述材料。

第二条　内幕信息知情人的范围包括但不限于：

（一）公司的董事、监事、高级管理人员；

（二）持有公司 10% 以上股份的股东和公司的实际控制人，以及其董事、监事、高级管理人员；

（三）由于所任公司职务可以获取公司本次重组相关信息的人员；

（四）本次重大资产重组的交易对方及其关联方，以及其董事、监事、高级管理人员；

（五）为本次重大资产重组方案提供服务以及参与本次方案的咨询、制定、论证等各环节的相关单位和人员；

（六）参与本次重大资产重组方案筹划、制定、论证、审批等各环节的相关单位和人员；

（七）前述自然人的直系亲属（配偶、父母、子女及配偶的父母）。

第三条　公司重大资产重组内幕信息知情人登记表应当加盖公司公章或公司董事会公章，并写明填报日期。

第四条　自然人的自查报告应当列明自然人的姓名、职务、身份证号码、股票账户、有无买卖股票行为，并经本人签字确认;机构的自查报告中应当列明机构的名称、注册号、股票账户、有无买卖股票行为并盖章确认。

第五条　相关人员存在买卖公司股票行为的,当事人应当书面说明其买卖股票行为是否利用了相关内幕信息;公司及相关方应当书面说明与买卖股票人员相关事项的动议时间,买卖股票人员是否参与决策,买卖行为与该事项是否存在关联关系以及是否签订了保密协议书等。

第六条　公司应当同时提交全体董事对内幕信息知情人报备文件真实性、准确性和完整性的承诺书,由全体董事签字并加盖公司公章。

第七条　除公司重大资产重组交易进程备忘录外,公司报送上述文件应提交原件一份,复印件二份,以及一份与书面文件一致的电子文件(WORD、EXCEL、PDF 或全国股份转让系统公司要求的其他文件格式)。

公司应提交三份重大资产重组交易进程备忘录的复印件,并由律师对该复印件提供鉴证意见。鉴证律师应当在文件首页注明"以下第××页至第××页与原件一致',并签名和签署鉴证日期,律师事务所应该在该文件首页加盖公章,并在第××页至第××页侧面以公章加盖骑缝章。

报备文件所有需要签名处,均应为签名人亲笔签名,不得以名章、签名章等代替。

第八条　本指南规定的报送文件是全国股份转让系统公司对内幕信息知情人报备文件的最低要求。根据审查需要,全国股份转让系统公司可以要求公司、独立财务顾问、律师事务所、其他证券服务机构以及相关的自然人、法人和其他组织补充材料。

第九条　本指南由全国股份转让系统公司负责解释。

第十条　本指南自发布之日起实施。

全国中小企业股份转让系统重大资产重组业务指南第2号:非上市公众公司发行股份购买资产构成重大资产重组文件报送指南

第一条　为规范股票在全国中小企业股份转让系统公开转让的公众公司(以下简称公司)发行股份购买资产构成重大资产重组的文件报送,根据《非上市公众公司重大资产重组管理办法》、《全国中小企业股份转让系统非上市公众公司公司重大资产重组业务指引》等规定,制定本指南。

第二条　公司发行股份购买资产构成重大资产重组且发行后股东人数不超过200人的,应当在验资完成后10个转让日内,根据本指南的要求报送股份发行备案文件。

公司发行股份购买资产构成重大资产重组且发行后股东人数超过200人的,经中国证监会核准后,应当在验资完成后10个转让日内,根据本指南的要求报送股份登记申请文件。

独立财务顾问、律师事务所等中介机构应当根据《非上市公众公司信息披露内容与格式准则第6号——重大资产重组报告书》的有关规定,出具中介机构意见书或报告书。

第三条　公司报送申请文件应提交原件一份,复印件二份。每次报送书面申请文件的同时,应报送一份与书面文件一致的电子文件(WORD、EXCEL、PDF 或全国中小企业股份转让系统公司(以下简称全国股份转让系统公司)规定的其他格式。

第四条　本目录规定的报送文件是全国股份转让系统公司对相关文件的最低要求。根据备案或股份登记需要,全国股份转让系统公司可以要求公司、独立财务顾问、律师事务所及其他证券服务机构补充相关材料。

第五条　报送文件所有需要签名处,均应为签名人亲笔签名,不得以名章、签名章等代替。报送文件的封面和侧面应标明"××公司发行股份购买资产暨重大资产重组备案申请文件"或"××公司发行股份购买资产暨重大资产重组股份登记申请文件"的字样,扉页应标明挂牌公司法定代表人、董事会秘书或信息披露事务负责人,独立财务顾问主管领导、项目负责人,以及相关中介机构项目负责人姓名、电话、传真等联系方式。

第六条　报送文件章与章之间、节与节之间应有明显的分隔标识,文件中的页码应与目录中的页码相符。

第七条　报送文件应采用标准 A4 纸张双面印刷(需提供原件的历史文件除外)。公司不能提供有关文件的原件的,应由其聘请的律师提供鉴证意见,或由出文单位盖章,以保证与原件一致。如原出文单位不再存续,由继承其职权的单位或作出撤销决定的单位出文证明文件的真实性。

第八条　文件一旦受理,未经全国股份转让系统公司同意,不得增加、撤回或更换。

第九条　本指南由全国股份转让系统公司负责解释。

第十条　本指南自发布之日起实施。

全国中小企业股份转让系统挂牌公司证券简称或公司全称变更业务指南

(试行)

为规范挂牌公司证券简称或公司全称变更工作,根据《全国中小企业股份转让系统业务规则(试行)》(以下简称《业务规则》)及有关规定,制定本指南。

一、挂牌公司向主办券商提交证券简称或公司全称变更申请材料,包括申请书(附件(1))及相关证明材料。挂牌公司变更公司全称的,应以新公司名称提出申请,并加盖新的公司印章。

相关证明材料至少包括变更公司全称后的《企业法人营业执照》复印件(加盖新公司印章)或工商行政管理部门关于公司变更全称的证明复印件(加盖新公司印章)。

挂牌公司如果是申请证券简称变更的,还应事先与全国中小企业股份转让系统有限责任公司(以下简称"全国股份转让系统公司")公司业务部进行沟通,核实新证券简称的可行性。

二、主办券商审核确定证券简称或公司全称变更申请材料后,填写《挂牌公司证券简称或公司全称变更业务申请表》(附件(2))并加盖主办券商公章。

三、主办券商须于T-4日(T日为证券简称或公司全称变更生效日)下午15点前将上述业务表和其他证明材料一同传真(传真号:010-63889674)至全国股份转让系统公司,并将所有材料的电子扫描件发送至全国股份转让系统公司(电邮地址:ywbl@neeq.org.cn),同时电话确认收悉(电话:010-63889549)。

四、挂牌公司或主办券商发布相关公告的,最迟应于T-1日进行信息披露。

五、T日挂牌公司证券简称或公司全称变更生效。

全国中小企业股份转让系统挂牌公司暂停与恢复转让业务指南

（试行）

为规范挂牌公司股票暂停与恢复转让业务办理，根据《全国中小企业股份转让系统业务规则（试行）》（以下简称《业务规则》）及有关规定，制定本指南。

一、挂牌公司如存在《业务规则》所列的需进行暂停转让或恢复转让申请情形的，应与主办券商、全国中小企业股份转让系统有限责任公司（以下简称“全国股份转让系统公司”）监管员进行预沟通，以统筹协调好暂停转让或恢复转让业务办理的时间。

二、挂牌公司填写《暂停（恢复）转让申请表》（见附件）并提供相关证明材料送主办券商审查。

三、主办券商审查无误后，最迟应于T－4日（T日为暂停或恢复转让生效日，且为转让日）下午15点前将加盖主办券商公章的《暂停（恢复）转让申请表》和其他证明材料一同传真（传真号：010－63889674）至全国股份转让系统公司，并将所有材料的电子扫描件发送至全国股份转让系统公司（电邮地址：ywbl@neeq.org.cn），同时电话确认收悉（电话：010－63889549）。

四、主办券商应协助挂牌公司最迟在T－1日发布股票暂停（恢复）转让公告。

五、T日挂牌公司暂停（恢复）转让生效。

全国中小企业股份转让系统挂牌公司权益分派业务指南

（试行）

为规范挂牌公司的业务办理行为，根据《全国中小企业股份转让系统业务规则（试行）》（以下简称《业务规则》）及有关规定，制定本指南。

挂牌公司应当在股东大会通过分配方案后2个月内根据以下流程完成实施权益分派的工作。挂牌公司近期如有股票发行等业务的，应当综合考虑该业务与权益分派业务的衔接，在具体操作时应当完成一项业务后再开始另一项，两种以上业务不应并行。

一、最迟R－6日向中国结算提交办理权益分派业务的材料

挂牌公司最迟应在R－6日（R为股权登记日），根据中国证券登记结算有限公司（以下简称“中国结算”）发布的《中国结算北京分公司证券发行人业务指南》（以下简称《中国结算指南》），向中国结算提交委托权益分派实施业务的相关材料。

其中，权益分派实施公告应按中国结算的要求编写，并按照中国结算的审核意见修改。

二、最迟R－4日完成权益分派实施公告的披露

挂牌公司在收到中国结算《委托代理权益分派申请表》反馈后，最迟应于R－4日根据《全国中小企业股份转让系统挂牌公司持续信息披露业务指南（试行）》的规定，披露权益分派实施公告。

披露的公告应与中国结算审查过的公告一致，如不一致应在R－1日14点前完成公告更正。

三、R－1日前完成权益分派相关款项的划拨

挂牌公司按照《中国结算指南》的要求做好权益分派相关款项的划拨工作。

如果挂牌公司不能按照中国结算规定的时间完成相关款项的划拨工作，全国中小企业股份转让系统有限责任公司（以下简称“全国股份转让系统公司”）在接到中国结算的“推迟现金红利派发通知书”后，对其股票实施暂停转让直至推迟的分红派息日，或相关不良后果已消除之日。

四、R＋1日权益分派业务办理完成

全国股份转让系统公司完成除权除息，中国结算完成权益分派。

全国中小企业股份转让系统股票发行业务指南

（2013年4月25日发布，2013年12月30日修改）

为规范挂牌公司、主办券商等相关主体在全国中小企业股份转让系统（以下简称“全国股份转让系统”）办理股票发行业务，根据《全国中小企业股份转让系统股票发行业务细则（试行）》（以下简称《业务细则》）等有关规定，制定本指南。

一、原则性规定

（一）适用范围

挂牌公司向符合规定的投资者发行股票，发行后股东人数累计不超过200人的，向全国中小企业股份转让系统有限责任公司（以下简称“全国股份转让系统公司”）履行事后备案程序，以及按规定股票发行经中国证监会核准的公司，申请办理股票挂牌手续，适用本指南的规定。

前款所称的“发行后股东人数累计不超过200人”，是指股票发行方案确定或预计的新增股东人数（或新增股东人数上限）与审议本次股票发行的股东大会规定的股权登记日（以下简称“股权登记日”）在册股东人数之和不超过200人。

（二）现有股东的认定标准

本次股票发行安排现有股东优先认购，或者本次股票发行方案的发行对象或发行对象范围包括现有股东的，现有股东是指股权登记日的在册股东。

（三）路演与询价

采用询价发行的，挂牌公司和主办券商可以进行路演，并按照股票发行方案确定的发行对象范围，向符合投资者适当性规定的特定投资者发送认购邀请书。

挂牌公司及主办券商应当在认购邀请书约定的时间内接收询价对象的申购报价。

在申购报价结束后，挂牌公司与主办券商按照《业务细则》的规定，协商确定发行对象、发行价格和发行股数。

（四）募集资金使用

挂牌公司在取得股份登记函之前，不得使用本次股票发行募集的资金。

二、业务流程

（一）决议

1. 董事会与股东大会决议

挂牌公司董事会、股东大会应当对股票发行等事项作出决议。董事会、股东大会表决应当执行公司章程规定的表决权回避制度。

2. 股票发行方案重大调整的认定标准

《业务细则》规定的对股票发行方案作出重大调整，是指以下两种情形：

（1）发行对象名称（现有股东除外）、认购价格、认购数量或数量上限、现有股东优先认购办法的调整；

（2）发行对象范围、发行价格区间、发行价格确定办法、发行数量或数量上限的调整。

（二）发行与认购 3

1. 发行方式

董事会决议确定具体发行对象的，挂牌公司应当按照股票发行方案和认购合同的约定发行股票。

董事会决议未确定具体发行对象的，可以通过询价确定发行对象、发行价格和发行股数。

2. 披露认购公告

挂牌公司最迟应当在缴款起始日前的两个转让日披露股票发行认购公告。

本次股票发行如有优先认购安排的，认购公告中还应披露现有股东的优先认购安排。公司章程已约定不安排优先认购或全体现有股东在发行前放弃优先认购的，也应予以专门说明。

优先认购安排包括但不限于以下内容：

（1）现有股东在本次发行前放弃优先认购的情况（如有）；

（2）现有股东优先认购的缴款期限和缴款方式；

（3）现有股东放弃优先认购股份的处理方式。

3. 认购与缴款

发行对象可用现金、非现金资产，以及同时以非现金资产和现金认购发行股票。

参与认购的投资者和现有股东应按照认购公告和认购合同的约定，在缴款期内进行缴款认购。

（三）验资

认购完成后，挂牌公司应当按照相关规定，办理验资手续。

（四）提交文件

挂牌公司应当在股票发行验资完成后的 10 个转让日内，向全国股份转让系统公司接收申请材料的服务窗口（北京市西城区金融大街丁 26 号金阳大厦南门）报送以下文件。

办理豁免申请核准的股票发行备案，公司应当提交附件 1 规定的文件。

股票发行经中国证监会核准的，公司申请办理股票挂牌手续，应当提交附件 2 规定的文件。

经接收服务窗口人员核对，确认提交的文件齐备后，向公司出具《材料接收确认单》。文件一经接收，未经全国股份转让系统公司同意，不得变更或撤回。

（五）材料审查

全国股份转让系统公司对提交的文件进行审查。如发现问题将通过电子邮件（feedback@ neeq. org. cn）向主办券商发送问题清单。

主办券商应协助公司落实问题清单中的问题，并在收到问题清单后的 10 个转让日内将对问题清单的回复发送至 feedback@ neeq. org. cn。

全国股份转让系统公司在备案审查过程中，发现公司、主办券商、律师事务所及其他证券服务机构有需要补充披露或说明的情形，可以要求其提供补充材料或进行补充披露。

（六）出具股份登记函

全国股份转让系统公司对文件审查后出具股份登记函，送达公司并送交中国证券登记结算有限责任公司（以下简称“中国结算”）和主办券商。

（七）披露相关公告并办理股份登记

公司按照中国结算发布的《全国中小企业股份转让系统股份登记结算业务指南》的要求向中国结算申请办理股份登记。

公司办理股份登记前，应与中国结算协商确定股票发行情况报告书和本次登记股份的挂牌转让公告的披露日；豁免申请核准的挂牌公司还应当同时披露股票发行法律意见书和主办券商关于股票发行合法合规性意见。挂牌转让公告应当明确本次登记股份的转让日，并符合中国结算的有关规定。

挂牌转让公告披露后，中国结算进行股份登记并出具股份登记证明文件。

（八）公开转让

完成股份登记后，本次股票发行中无限售条件和无锁定承诺的股份按照挂牌转让公告中安排的时间在全国股份转让系统公开转让。

三、以非现金资产认购股份的特别规定

（一）以非现金资产认购股票，董事会应当在发行方案中对资产定价合理性进行讨论与分析。

（二）以股权资产认购的，股权资产应当经过具有证券、期货等相关业务资格的会计师事务所审计；以非股权资产认购的，非股权资产应当经过具有证券、期货等相关业务资格的资产评估机构评估。

（三）以资产评估结果作为定价依据的，应当由具有证券、期货等相关业务资格的资产评估机构出具评估报告。

（四）以非现金资产认购股票涉及资产审计、评估或者盈利预测的，资产审计结果、评估结果和经具有证券、期货相关业务资格的会计师事务所审核的盈利预测报告应当最晚和召开股东大会的通知同时公告。

交易监察类

全国中小企业股份转让系统交易单元业务办理指南（试行）

为了规范主办券商在全国中小企业股份转让系统（以下简称全国股份转让系统）办理交易单元初次开通、新增、变更、出租、撤销、缴费等业务流程，根据《全国中小企业股份转让系统股票转让细则（试行）》、《全国中小企业股份转让系统交易单元管理办法（试行）》等有关规定，制定本指南。

一、交易单元业务办理的责任主体及职责

（一）全国中小企业股份转让系统有限责任公司（以下简称全国股份转让系统公司）负责对主办券商交易单元申请的审查及编号分配、交易单元维护、收费等事宜。

（二）中国证券登记结算有限责任公司北京分公司（以下简称中国结算北分）负责主办券商交易单元结算路径申请的审查及结算路径的维护等事宜。

（三）深圳证券通信有限公司（以下简称深证通）负责办理相关通信网关建站、开通及维护等事宜。

二、申请材料接收部门及接收时间

接收部门:全国股份转让系统公司机构业务部

接收时间:每个转让日的8:30－17:00

三、初次开通交易单元

“初次开通交易单元”适用于主办券商通过业务备案后,首次申请开通交易单元的情形。

(一)建立通信网关

申请初次开通交易单元前,主办券商应与深证通市场部联系,签署建站合同,完成网关建站及安装调试工作。具体操作根据深证通相关规定进行。

(二)申请

主办券商应向全国股份转让系统公司提交以下书面申请文件:

1.经营证券业务许可证(复印件并加盖公章);

2.《交易单元开通申请表》;

3.《全国中小企业股份转让系统入网开通申请表》;

4.经办人身份证复印件(加盖公章)。

(三)审查

全国股份转让系统公司收到符合要求的申请材料后,于两个转让日内完成材料审查。

(四)预配交易单元编号及通知办理交易单元结算路径业务

对通过审查的主办券商,全国股份转让系统公司当日为其预配交易单元编号,同时通知主办券商向中国结算北分结算业务部提交《资金合并清算表》,申请办理交易单元结算路径业务。具体要求以中国结算北分的规定为准。

(五)缴费

主办券商根据全国股份转让系统公司开具的《交易单元缴费通知单》(附件2),于5个转让日内交纳交易单元开设初费(缴费发票到全国股份转让系统公司机构业务部领取)。

(六)交易单元开通

1.主办券商完成缴费且其交易单元结算路径业务申请材料获中国结算北分结算业务部受理之日为T日。

2.T+1日,全国股份转让系统公司通知中国结算北分维护“交易单元—托管单元—结算账户”的结算路径关系;全国股份转让系统公司完成交易单元配置。

3.T+2日,全国股份转让系统公司通知深证通维护网关;全国股份转让系统公司通知主办券商经办人业务办理完毕,交易单元于次一转让日可用。

四、新增交易单元

“新增交易单元”适用于已开通交易单元的主办券商为满足业务发展需要,增加新的交易单元等情形。

(一)申请

主办券商应向全国股份转让系统公司提交以下书面申请文件:

1.经营证券业务许可证(复印件并加盖公章);

2.《交易单元开通申请表》(附件1);

3.《全国中小企业股份转让系统入网开通申请表》(适用于为新增交易单元配置新网关的申请人);

4.《全国中小企业股份转让系统网关配置变更申请表》(附件8,适用于新增交易单元适配原有网关的申请人);

5.经办人身份证复印件(加盖公章)。

(二)审查

全国股份转让系统公司收到符合要求的申请材料后,于两个转让日内完成材料审查。

(三)预配交易单元编号及通知办理交易单元结算路径业务

对通过审查的主办券商,全国股份转让系统公司当日为其预配交易单元编号,同时通知主办券商向中国结算北分结算业务部提交《资金合并清算表》,申请办理交易单元结算路径业务。具体要求以中国结算北分的规定为准。

(四)新增交易单元开通

1.中国结算北分结算业务部受理主办券商交易单元结算路径业务申请材料之日为T日。

2.T+1日,全国股份转让系统公司通知中国结算北分维护“交易单元—托管单元—结算账户”的结算路径关系;全国股份转让系统公司完成交易单元配置。

3.T+2日,全国股份转让系统公司通知深证通维护网关;全国股份转让系统公司通知主办券商经办人业务办理完毕,交易单元于次一转让日可用。

五、出租交易单元

“出租交易单元”适用于主办券商(出租方)将其名下交易单元租用给投资基金、保险公司等特殊机构(以下简称“承租方”)的情形。

(一)申请

主办券商应向全国股份转让系统公司提交以下书面申请文件:

1.《交易单元出租申请表》(附件3);

2.承租方营业执照(复印件加盖公章);

3.承租方承诺书(附件4);

4.交易单元租用协议(复印件并加盖双方公章);

5.经办人身份证复印件(加盖公章)。

若新增交易单元用于出租,主办券商还应提交以下材料:

1.经营证券业务许可证(复印件并加盖公章);

2.《全国中小企业股份转让系统入网开通申请表》(适用于为新增交易单元配置新网关的申请人);

3.《全国中小企业股份转让系统网关配置变更申请表》(适用于新增交易单元适配原有网关的申请人)。

(二)审查

全国股份转让系统公司收到符合要求的申请材料后,于两个转让日内完成材料审查。

若新增交易单元用于出租,则参照新增交易单元的业务流程办理。

(三)提交交易单元结算路径业务申请

对通过审查的主办券商,全国股份转让系统公司于当日即通知主办券商向中国结算北分结算业务部提交《解除资金合并清算申请表》;主办券商通知托管人向中国结算北分提交《资金合并清算申请表》,办理交易单元结算路径业务申请。具体要求以中国结算北分的规定为准。

(四)交易单元出租的办理

1.T日,中国结算北分结算业务部受理主办券商的《解除资金合并清算申请表》及托管人的《资金合并清算申请表》。

2.T+1日,全国股份转让系统公司通知中国结算北分维护“交易单元—托管单元—结算账户”的结算路径关系;全国股份转让系统公司完成交易单元配置。

3.T+2日,全国股份转让系统公司通知深证通维护网关;全国股份转让系统公司通知主办券商经办人业务办理完毕,出租交易单元于次一转让日可用。

六、变更交易单元

“变更交易单元”适用于主办券商因发生重组、合并、更名等事项导致的交易单元名称变更,以及因自身业务发展和内部管理需要导致的交易单元业务类别、业务权限和流速权的变更等情形。

（一）交易单元名称、业务类别、业务权限的变更流程

1. 申请

主办券商应向全国股份转让系统公司提交以下书面申请文件：

（1）经营证券业务许可证（复印件并加盖公章）；

（2）《交易单元变更申请表》（附件5）；

（3）经办人身份证复印件（加盖公章）。

同时，主办券商应向中国结算北分结算业务部提交结算路径变更相关申请材料。具体要求以中国结算北分的规定为准。

2. 审查

全国股份转让系统公司收到符合要求的申请材料后，于一个转让日内完成材料审查。

3. 办理

在中国结算北分完成交易单元结算路径维护后的一个转让日内，全国股份转让系统公司完成交易单元配置，并通知经办人相关业务办理完毕。

（二）流速权变更流程

1. 申请

主办券商应向全国股份转让系统公司提交以下书面申请文件：

（1）《全国中小企业股份转让系统网关配置变更申请表》（附件8）；

（2）经办人身份证复印件（加盖公章）。

2. 审查

全国股份转让系统公司收到符合要求的申请材料后，于一个转让日内完成材料审查。

3. 办理

深证通完成网关维护后，全国股份转让系统公司通知经办人业务办理完毕。

七、撤销交易单元

“撤销交易单元”适用于主办券商因发生重组、合并等事项，以及因自身业务发展导致的需要撤销已开通交易单元等情形。

（一）办理解除交易单元结算路径业务

主办券商提交申请前，应向中国结算北分结算业务部提交《解除资金合并清算表》，并确保拟撤销的交易单元已停止所有交易；如果该交易单元为托管单元，还应确保无卖空、无挂账，且托管证券余额为零。具体要求以中国结算北分的规定为准。

（二）申请及办理

1. 主办券商向全国股份转让系统公司提交以下书面申请文件：

（1）《交易单元撤销申请表》（附件6）。

（2）经办人身份证复印件（加盖公章）。

2. T 日，全国股份转让系统公司完成审查；且主办券商向中国结算北分提交解除交易单元结算路径业务申请材料。具体要求以中国结算北分的规定为准。

3. T+1 日，全国股份转让系统公司通知中国结算北分解除交易单元结算路径；全国股份转让系统公司完成交易单元撤销工作。

4. T+2 日，全国股份转让系统公司通知深证通维护网关；全国股份转让系统公司通知经办人业务办理完毕。

若拟撤销的交易单元为该网关的唯一交易单元，主办券商应向深证通申请撤销该网关，否则，该网关将继续产生通信服务费。

八、交易单元的缴费

主办券商通过交易单元从事证券转让业务，应当向全国股份转让系统公司交纳交易单元开设初费、使用费、流速费与流量费等费用。

（一）缴费标准

1. 交易单元开设初费

主办券商首次申请开通交易单元时，应交纳人民币 50 万元的交易单元开设初费。此后增设交易单元的，不再交纳开设初费。

2. 交易单元使用费

主办券商申请使用的每个交易单元（含初次开通交易单元）按每年人民币 3 万元交纳交易单元使用费。

3. 流速费

每年每个交易单元享受 1 个免费标准流速（10 笔/秒）。主办券商申请使用的总流速不超过其享有的免费标准流速之和时，不需交纳流速费；申请使用的总流速超出其享有的免费标准流速之和的部分，按每个标准流速每年人民币 5000 元交纳流速费。

4. 流量费

每个交易单元享受的年免费申报笔数为交易类申报、非交易类申报各 5000 笔；超出免费部分，按每笔交易类申报收费单价为人民币 0.15 元、每笔非交易类申报收费单价为人民币 0.01 元的标准交纳。

按上述规则计算的主办券商应交纳的流量费，每年不足人民币 2000 元的，按人民币 2000 元交纳。

（二）缴费方式

交易单元开设初费于主办券商初次开通交易单元时一次性交纳；交易单元使用费、流速费及流量费按年收取，按日计费，计费期间为上年 12 月 1 日至当年 11 月 30 日，于每年 12 月 25 日前交纳。

主办券商每年应按要求，向全国股份转让系统公司指定账户交纳交易单元开设初费、使用费、流速费及流量费。指定账户信息如下：

开户名：全国中小企业股份转让系统有限责任公司

开户行：建设银行北京复兴支行

账户号：11001046500053013355

九、其他

本指南由全国股份转让系统公司负责解释，自发布之日起施行。

机构业务类

全国中小企业股份转让系统机构业务问答（一）——关于资产管理计划、契约型私募基金投资拟挂牌公司股权有关问题

一、基金子公司资产管理计划、证券公司资产管理计划、契约型私募基金能否投资拟在全国股转系统挂牌的公司的股权？在挂牌审查时是否需要还原至实际股东？

根据《基金管理公司特定客户资产管理业务试点办法》

第九条，基金子公司资产管理计划资产应当用于下列投资："……（二）未通过证券交易所转让的股权、债权及其他财产权利；（三）中国证监会认可的其他资产。投资于前款第（二）项和第（三）项规定资产的特定资产管理计划称为专项资产管理计划。"故基金子公司可通过设立专项资产管理计划投资拟挂牌全国股转系统的公司股权。

根据《证券公司定向资产管理业务实施细则》第二十五条，"定向资产管理业务的投资范围由证券公司与客户通过合同约定，不得违反法律、行政法规和中国证监会的禁止规定，并且应当与客户的风险认知与承受能力，以及证券公司的投资经验、管理能力和风险控制水平相匹配……"；根据《证券公司客户资产管理业务管理办法》第十四条，"证券公司为客户办理特定目的的专项资产管理业务，应当签订专项资产管理合同，针对客户的特殊要求和基础资产的具体情况，设定特定投资目标，通过专门账户为客户提供资产管理服务。……证券公司可以通过设立综合性的集合资产管理计划办理专项资产管理业务。"因此，证券公司定向、专项资产管理计划可由券商与客户约定投资拟挂牌全国股转系统的公司股权。

根据《私募投资基金监督管理暂行办法》第二条，私募基金财产的投资包括买卖股票、股权、债券、期货、期权、基金份额及投资合同约定的其他投资标的。故私募基金（包括契约型私募基金）的投资范围包括拟挂牌全国股转系统的公司股权。

根据《非上市公众公司监管指引第4号——股东人数超过200人的未上市股份有限公司申请行政许可有关问题的审核指引》（证监会公告〔2013〕54号），"以私募股权基金、资产管理计划以及其他金融计划进行持股的，如果该金融计划是依据相关法律法规设立并规范运作，且已经接受证券监督管理机构监管的，可不进行股份还原或转为直接持股。"因此，依法设立、规范运作、且已经在中国基金业协会登记备案并接受证券监督管理机构监管的基金子公司资产管理计划、证券公司资产管理计划、契约型私募基金，其所投资的拟挂牌公司股权在挂牌审查时可不进行股份还原，但须做好相关信息披露工作。

二、上述基金子公司及证券公司资产管理计划（以下简称资产管理计划）、契约型私募基金所投资公司申请在全国股转系统挂牌时，股份能否直接登记为产品名称？

可以。具体操作要点如下：

1. 资产管理计划或契约型私募基金所投资的公司申请挂牌时，主办券商在《公开转让说明书》中将资产管理计划或契约型私募基金列示为股东，并在《公开转让说明书》充分披露资产管理计划或契约型私募基金与其管理人和管理人名下其他产品的关系。同时，主办券商就以下事项进行核查并发表明确意见：一是该资产管理计划或契约型私募基金是否依法设立、规范运作并已履行相关备案或者批准手续；二是该资产管理计划或契约型私募基金的资金来源及其合法合规性；三是投资范围是否符合合同约定，以及投资的合规性；四是资产管理计划或契约型私募基金权益人是否为拟挂牌公司控股股东、实际控制人或董监高。

2. 资产管理计划或契约型私募基金所投资的公司通过挂牌备案审查，办理股份初始登记时，挂牌业务部负责核对《股票初始登记申请表》涉及股东信息与《公开转让说明书》中披露信息的一致性。

3. 中国结算发行人业务部核对股份登记信息与披露信息的一致性后，将股份直接登记在资产管理计划或契约型私募基金名下。

全国中小企业股份转让系统
做市业务备案申请文件内容与格式指南

为规范证券公司做市业务备案等申请文件的内容与格式，根据《全国中小企业股份转让系统做市商做市业务管理规定（试行）》有关要求，制定本指南。

一、申请在全国中小企业股份转让系统（以下简称"全国股份转让系统"）从事做市业务的证券公司应当按照本指南制作和报送申请文件。

二、申请文件接收后，经全国股份转让系统公司同意，证券公司可以增加、撤回或者更换。

三、申请文件应提交书面文件以及与书面文件一致的电子文件（PDF格式）各一套，其中《证券公司基本情况申报表》和《业务实施方案》还须另附一套word格式的电子文件。电子文件以光盘形式提交，并须在盘面上标明申请人名称。

四、书面文件应为原件，如不能提供原件的，可提供复印件，由申请人律师提供鉴证意见或由申请人盖章，保证与原件一致。申请文件应加盖骑缝章，其中《证券公司基本情况申报表》、《业务实施方案》还应在首页加盖公章。

五、申请书应为申请人正式发文，须标明文号、签发人。

六、《证券公司基本情况申报表》、《做市业务人员自律承诺书》、《证券公司参与全国股份转让系统业务协议书》及其附件《证券公司从事做市业务自律承诺书》，应采用全国股份转让系统公司提供的标准格式文本（可到全国股份转让系统公司网站（www.neeq.com.cn）下载）。

七、申请文件所有需要签名处，均应为签名人亲笔签名，不能以名章、签名章等替代。

八、申请文件应包括封面、目录和内容。

申请文件的封面和侧面应标有"××公司做市业务备案申请文件"字样，扉页应标明申请证券公司法定代表人、指定高管、联系人姓名、电话、传真等联系方式。

九、每份申请文件之间应有明显的分隔标识，文件中的页码应与目录中的页码相符。

十、申请文件应采用标准A4纸张印刷（须提供原件的历史文件除外）。

申请人签署的业务协议书及其附件（一式四份），无需打孔，应单独装订。

全国中小企业股份转让系统投资者
适当性管理证券账户信息报送业务指南

为加强主办券商投资者适当性管理，规范投资者适当性管理证券账户信息报送标准及流程，根据《全国中小企业股份转让系统投资者适当性管理细则（试行）》、《全国中小企业股份转让系统交易支持平台数据接口规范》等有关规定，制定本指南。

一、投资者适当性管理证券账户信息报送内容、格式、时限

主办券商应于每个转让日15:00－15:30期间，按照《全国中小企业股份转让系统交易支持平台数据接口规范》第七章"投资者适当性管理信息库"有关要求，通过深圳证券通信

有限公司金融数据交换平台（以下简称 FDEP），向全国中小企业股份转让系统有限责任公司（以下简称全国股份转让系统公司）报送当日新增合格投资者证券账户信息。包括如下内容：

1. 合格投资者业务开通流水号。为该主办券商内部当日唯一流水序号。

2. 证券账户。

3. 账户名称。对于合格个人投资者，填写姓名；对于合格机构投资者，填写机构全称。

4. 签署日期。为合格投资者签署适当性协议的日期，格式为 CCYYMMDD。

5. 申请日期。为主办券商上报该投资者为合格投资者的日期，格式为 CCYYMMDD。

6. 类别标识。“1”为买卖挂牌公司股票合格投资者新增。

7. 营业部编码。证券营业部识别码，为主办券商内部唯一 2 位编码。

8. 备用标识。为空。

主办券商未按时申报的，全国股份转让系统公司按其当日无新增合格投资者进行处理；当日多次报送的，全国股份转让系统公司以其最后一次报送的证券账户信息为准；若同一报送文件中存在同一证券账户重复报送的情形，则以流水号最小的证券账户信息为准。当日无新增合格投资者的，应报送空表。

二、投资者适当性管理证券账户信息的处理流程

1. 证券账户信息接收。

每个转让日收市后，全国股份转让系统公司接收中国证券登记结算有限责任公司北京分公司（以下简称中国结算北京分公司）发送的增量证券账户信息。

2. 投资者适当性管理证券账户信息生成。

每个转让日 19:30 后，全国股份转让系统公司对各主办券商上报的投资者适当性管理证券账户信息进行汇总，生成《当日新增合格投资者汇总信息库》，主要包括当日新增的全部合格投资者证券账户、适当性协议签署日期及申请开通的交易类别标识等信息。随后，全国股份转让系统公司将主办券商报送的合格投资者证券账户信息与中国结算北京分公司发送的曾持股证券账户信息（不包括违规买入证券的证券账户信息）进行比对处理，生成《受限投资者可交易证券信息库》，主要包括全部受限投资者证券账户及可交易证券等信息。

3. 证券账户信息下发

每个转让日 20:00 后，全国股份转让系统公司通过 FDEP 向各主办券商下发《当日新增合格投资者汇总信息库》以及《受限投资者可交易证券信息库》。

每月第一个转让日 20:00 后，全国股份转让系统公司将向各主办券商下发截至当日的全部合格投资者证券账户信息。

三、报送错误信息的反馈与处理

次一转让日 9:00 前，全国股份转让系统公司将前一日数据处理过程中发现的错误证券账户信息按主办券商进行分类，并通过指定电子邮箱向相关主办券商发送。错误证券账户信息包括：

1. 合格投资者业务开通流水号。

2. 错误原因。

主办券商应更正后随当日新增合格投资者证券账户信息于当日 15:00 – 15:30 进行补报。

四、主办券商证券账户信息联系人

主办券商应当指定专人负责证券账户信息的统计、报送、接收及维护工作，并按要求将相关工作人员的名单及联系方式报全国股份转让系统公司。

五、本指南自全国股份转让系统交易支持平台上线之日起实施。

全国中小企业股份转让系统主办券商和挂牌公司协商一致解除持续督导协议操作指南

为规范全国中小企业股份转让系统（以下简称“全国股份转让系统”）主办券商和挂牌公司协商一致解除持续督导协议的操作流程，根据《全国中小企业股份转让系统业务规则（试行）》（以下简称《业务规则》）、《全国中小企业股份转让系统主办券商管理细则（试行）》、《全国中小企业股份转让系统推荐业务规定（试行）》等规定，制定本指南。

一、适用范围

主办券商和挂牌公司协商一致决定解除持续督导协议的，适用本指南。

二、操作流程

（一）原承担持续督导职责的主办券商（以下简称“原主办券商”）与挂牌公司协商并达成解除持续督导协议的一致意见；挂牌公司与承接督导事项的主办券商（以下简称“承接主办券商”）达成签订持续督导协议的一致意见。

（二）挂牌公司召开董事会会议审议与原主办券商解除持续督导协议并与承接主办券商签署持续督导协议的有关议案，包括拟向全国股份转让系统公司提交的说明报告、拟与原主办券商签订的终止协议、拟与承接主办券商签订的持续督导协议等，挂牌公司应当在董事会会议结束后两个转让日内以临时公告的形式及时披露更换主办券商相关事宜。

挂牌公司将董事会审议通过的议案提交股东大会表决，在股东大会结束后两个转让日内以临时公告的形式及时披露。

（三）挂牌公司、原主办券商和承接主办券商应在挂牌公司股东大会表决通过后五个转让日内，向全国股份转让系统公司提交说明报告和相关文件。

（四）全国股份转让系统公司接收材料后认为与相关要求不符的，于五个转让日内提出反馈意见，要求挂牌公司、原主办券商或者承接主办券商补充、完善相关文件。全国股份转让系统公司收到反馈回复意见后重新计算五个转让日。

（五）全国股份转让系统公司接收材料或者反馈回复意见后五个转让日内未提出异议的，挂牌公司与原主办券商签订终止协议，与承接主办券商签订持续督导协议。终止协议与新签订的持续督导协议的生效日期应相同，挂牌公司、原主办券商和承接主办券商均应在上述协议生效的两个转让日内分别按照公告模板（附件 1、2、3）在全国股份转让系统网站（www. neeq. com. cn）进行公告。

三、文件要求

（一）挂牌公司向全国股份转让系统公司提交解除持续督导协议的说明报告、董事会决议、股东大会决议、拟与原主办券商签订的终止协议、拟与承接主办券商签订的持续督导协议。挂牌公司应在说明报告中简要介绍其自挂牌以来的基本情况，介绍原主办券商督导工作情况并作出评价，说明双方

解除督导协议的原因和具体安排，评估更换主办券商对挂牌公司的影响。

（二）原主办券商向全国股份转让系统公司提交解除持续督导协议的说明报告。原主办券商应在说明报告中简要介绍挂牌公司的基本情况、公司治理和信息披露情况，对持续督导工作进行总结，说明挂牌公司配合持续督导工作情况、落实主办券商整改意见、缴纳持续督导费用等情况，说明双方解除持续督导协议的原因，并作出声明：本公司在履行持续督导职责期间未勤勉尽责的，相应的责任不因解除持续督导协议而免除。

（三）承接主办券商向全国股份转让系统公司提交承接持续督导工作的说明报告。承接主办券商应在说明报告中声明：本公司已对挂牌公司业务、公司治理、财务以及自挂牌以来的信息披露情况进行必要的调查，将自持续督导协议生效之日起开展持续督导工作并承担相应的责任。

（四）以上材料应提交书面文件以及与书面文件一致的电子文件（PDF格式）各一套。电子文件以光盘形式提交，并须在盘面上标明提交人名称。

（五）说明报告应载有联络人姓名、电话、邮箱等联系方式。说明报告及相关文件均应盖公章和骑缝章。

四、附则

主办券商或挂牌公司单方面解除持续督导协议的，应按照《业务规则》第4.4.1条和第4.5.1条规定及《推荐挂牌并持续督导协议书》（或《持续督导协议书》）中相关约定处理。

全国中小企业股份转让系统主办券商相关业务备案申请文件内容与格式指南

为规范主办券商业务备案等申请文件的内容与格式，根据《全国中小企业股份转让系统业务规则（试行）》、《全国中小企业股份转让系统主办券商管理细则（试行）》，制定本指南。

一、申请在全国中小企业股份转让系统（以下简称“全国股份转让系统”）从事主办券商相关业务的证券公司以及已经开展相关业务的主办券商（以下简称“申请人”）应当按照本指南制作和报送申请文件。

二、本指南规定的申请文件目录是对主办券商相关业务备案申请文件的最低要求。根据审查需要，全国中小企业股份转让系统有限责任公司（以下简称“全国股份转让系统公司”）可要求申请人补充文件。

三、申请文件接收后，经全国股份转让系统公司同意，可以增加、撤回或者更换。

四、申请文件应提交书面文件以及与书面文件一致的电子文件（PDF格式）各一套，其中《证券公司基本情况申报表》和《业务实施方案》还须另附一套word格式的电子文件。电子文件以光盘形式提交，并须在盘面上标明申请人名称。

五、书面文件应为原件，如不能提供原件的，可提供复印件，由申请人律师提供鉴证意见或由申请人盖章，保证与原件一致。申请文件应加盖骑缝章，其中《证券公司基本情况申报表》、《业务实施方案》、《公司章程》还应在首页加盖公章。

六、申请书为申请人正式发文，须标明文号、签发人。

七、《证券公司基本情况申报表》、《证券公司参与全国股份转让系统业务协议书》及其附件自律承诺书，应采用全国股份转让系统公司提供的标准格式文本（可到全国股份转让系统公司网站（www.neeq.com.cn）下载）。

八、申请文件所有需要签名处，均应为签名人亲笔签名，不要以名章、签名章等替代。

九、申请文件应包括封面、目录和内容。

申请文件的封面和侧面应标有“××公司主办券商××业务备案申请文件”字样，扉页应标明申请证券公司法定代表人、指定高管、联系人姓名、电话、传真等联系方式。

十、每份申请文件之间应有明显的分隔标识，文件中的页码应与目录中的页码相符。

十一、申请文件应采用标准A4纸张印刷（须提供原件的历史文件除外）。

申请人签署的业务协议书及其附件（一式四份），无需打孔，应单独装订。

证券公司参与全国中小企业股份转让系统业务协议书

甲方：全国中小企业股份转让系统有限责任公司

乙方：

根据《中华人民共和国合同法》以及《全国中小企业股份转让系统业务规则（试行）》（以下简称《业务规则》）、《全国中小企业股份转让系统主办券商管理细则（试行）》等相关规定，甲、乙双方达成如下协议：

第一条　经甲方同意，乙方在全国中小企业股份转让系统（以下简称“全国股份转让系统”）可从事以下业务：

____

（注：根据申请从事的业务种类如推荐业务、经纪业务等进行填写）

第二条　乙方充分理解并同意遵守全国股份转让系统业务规则、细则、指引通知等相关规定（以下统称为“全国股份转让系统业务规定”），勤勉尽责、诚实守信、规范运作，接受甲方的自律管理。

第三条　甲方的权利：

（一）对乙方在全国股份转让系统开展本协议第一条中的业务进行自律管理。

（二）对乙方违反全国股份转让系统业务规定的行为，依据《业务规则》及相关细则的规定，采取相应监管措施或者纪律处分。

（三）按规定收取乙方相关费用。乙方欠缴相关费用的，甲方可视情况限制、暂停直至终止乙方在全国股份转让系统从事相关业务。乙方主动申请终止并经甲方同意或者因违规等原因被甲方终止从事全国股份转让系统相关业务的，乙方已缴纳的费用不予返还。

第四条　甲方的义务：

（一）为乙方提供股份转让平台及相关设施。

（二）为乙方在全国股份转让系统开展本协议第一条中的业务提供指导和培训。

第五条　乙方的权利：

（一）可在全国股份转让系统开展本协议第一条中的业务并使用甲方提供的服务和设施。

（二）在全国股份转让系统开展本协议第一条中的业务时，获得甲方指导和培训。

第六条　乙方的义务：

（一）恪守乙方为从事本协议第一条中的业务作出的各

项自律承诺。

（二）建立健全内部控制体系及各项内部管理制度并严格执行，诚实守信、勤勉尽责地开展业务，有效防范业务风险，维护全国股份转让系统稳定运行。

（三）按规定配备合格业务人员，对业务人员在全国股份转让系统从事相关业务活动进行严格管理。业务人员不能胜任相关职责的，乙方应及时更换；业务人员违反全国股份转让系统业务规定时，乙方应视情节轻重对其进行处分。

（四）配合甲方的监督检查，按照甲方要求及时说明情况，提供相关的业务报表、账册、原始凭证及其他文件、资料，不以任何理由拒绝或者拖延提供有关资料，不提供虚假、误导性或者不完整的资料。

（五）按照规定的收费项目、收费标准与收费方式，按时向甲方交纳相关费用。

第七条　协议的变更与解除

（一）因修订或者颁布实施新的法律、法规、监管部门的规定或者全国股份转让系统业务规定，导致本协议相关条款内容与修订或者新颁布的相关规定内容相抵触的，本协议与之相抵触的有关条款自动变更，以修订或者新颁布的相关规定内容为准，其他条款继续有效；任何一方不得以此为由解除本协议。

（二）乙方主动申请终止或者因违规等原因被甲方终止在全国股份转让系统从事本协议第一条所指部分业务的，本协议中关于所终止业务的专门规定自动失效。

（三）乙方主动申请终止或者因违规等原因被甲方终止在全国股份转让系统从事本协议第一条所指全部业务的，本协议自动解除。

第八条　违约责任、免责以及争议解决

（一）乙方因违反全国股份转让系统业务规定被甲方实施暂停、限制或者终止业务等纪律处分，导致与投资者或者其他利益相关者产生纠纷的，由乙方自行处理，并承担相应的法律责任。

（二）乙方违反全国股份转让系统业务规定而遭受的损失，包括但不限于受到暂停、限制或者终止相关业务等处分而造成的损失，均由乙方自行承担。

（三）除上述第（一）、（二）款外，因乙方违反法律法规、部门规章、全国股份转让系统业务规定，或者因乙方其他经营活动而造成甲方损失的，甲方保留全部依法向乙方主张赔偿的权利。

（四）因不可抗力因素导致本协议部分条款不能履行或不能按约定条件履行时，遇有上述情形的一方不承担违约责任，但应在知晓上述情况后立即将情况通知对方，并采取措施防止损失的扩大。

（五）本协议项下产生的任何争议，甲、乙双方应首先通过友好协商解决。若争议或纠纷未能通过协商解决，任何一方均可将该项争议提交中国国际经济贸易仲裁委员会按照当时适用的仲裁规则进行仲裁。仲裁裁决为最终裁决，对双方均具有法律约束力。

第九条　协议附件

（一）本协议附件包括证券公司从事相关业务自律承诺书。

（二）本协议的各项附件为本协议所必不可缺的组成部分，同时亦为履行本协议所必不可少的条件，与本协议具有同等约束力。

第十条　本协议规定的事项发生重大变化或存在未尽事宜，甲、乙双方应当重新签订协议或签订补充协议。补充协议与本协议不一致的，以补充协议为准。

第十一条　本协议自甲、乙双方签字盖章后生效。

本协议一式肆份，甲、乙双方各执贰份，均具有同等法律效力。

甲方（盖章）：全国中小企业股份转让系统有限责任公司
法定代表人或授权代表（签字）：
签署日期：

乙方（盖章）：
法定代表人或授权代表（签字）：
签署日期：

投资者服务类

买卖挂牌公司股票委托代理协议

甲方（投资者）：____________________
证券账户卡号：____________________
身份证号（或营业执照号）：__________（盖章）
通讯地址：____________________________
乙方：__________公司__________营业部

依照《中华人民共和国合同法》、《全国中小企业股份转让系统业务规则（试行）》（以下简称“《业务规则》”）和其他有关法律、法规、规章制度，甲乙双方就甲方委托乙方代理股票公开转让及其他相关业务，达成如下协议，供双方共同遵守。

第一章　双方声明及承诺

第一条　甲方向乙方作如下声明和承诺：

1. 甲方具有合法的证券投资资格，不存在法律、法规和规章制度限制从事证券投资的情形；

甲方属于符合《全国股份转让系统投资者适当性管理细则（试行）》规定的投资者。

2. 甲方保证在其与乙方委托代理关系存续期内向乙方提供的所有证件、资料均真实、准确、完整、合法、有效；

3. 甲方保证其资金来源合法，不存在任何第三方或共有人对此主张权利的情形；

4. 甲方已认真阅读并充分理解乙方向其提供的《股票公开转让特别风险揭示书》，充分认识并愿意承担股票公开转让的投资风险；甲方已详细阅读本协议书所有条款，并准确理解其含义，特别是其中有关乙方的免责条款；

5. 甲方已认真阅读并承诺遵守《业务规则》和其他股票公开转让业务相关规定；

6. 甲方承诺遵守自愿、有偿、诚实信用的原则，不进行内幕交易；不操纵市场价格；不以虚假报价或其他违规行为扰乱正常的股票公开转让秩序，误导他人的投资决策；

7. 甲方接受并配合乙方对涉嫌违规行为的调查和处理；

8. 甲方承诺遵守本协议，并承诺遵守乙方的相关管理制度。

第二条　乙方向甲方作如下声明和承诺：

1. 乙方是依法设立的证券经营机构，符合从事代理投资者买卖挂牌公司股票业务的条件，且已实施客户交易结算资金第三方存管；

2. 乙方具备开展股票公开转让业务的必要条件，能够为甲方的股票公开转让提供相应的服务；

3. 乙方确认其向甲方提供的委托方式以双方约定方式为准；

4. 乙方对甲方的开户资料、委托记录等资料负有保密义务，非经法定有权机关或甲方指示，不得向第三方透露。乙方承担因其擅自泄露甲方资料给甲方造成的损失；

5. 乙方保证严格按照有关法律、法规和规章制度的规定从事股票公开转让业务；

6. 乙方承诺遵守本协议，按本协议为甲方提供股票公开转让委托代理服务。

第二章　业务开通

第三条　甲方初次参与股票公开转让，应具有人民币普通股票账户（以下简称“证券账户”）和资金账户。

第四条　甲方申请开通股票公开转让业务权限时，应按照要求如实填写申报资料。由于甲方提供不实资料引起的法律责任，由甲方承担。

第五条　甲方应严格按照法律、法规、规章、证券登记结算机构业务规则及其他规则开立银行结算账户、办理客户交易结算资金存入或转出及有关银行业务事项。因甲方违反相关规则所造成的损失，由甲方自行承担。

第三章　委托

第六条　甲方委托乙方代理股票公开转让前，必须设置交易密码。甲方必须牢记交易密码，并对交易密码负有保密责任。

甲方可持有效证件到乙方柜台或通过自助委托系统修改交易密码。

第七条　乙方接受甲方委托，为甲方办理下列事项：

1. 接受并执行甲方下达的合法有效委托；

2. 应甲方要求提供其委托、成交及账户股份变动情况的清单；

3. 代理甲方进行资金、证券的清算、交收；

4. 代理甲方领取红利股息及其他利息分配；

5. 代理保管甲方买入或存入的有价证券；

6. 双方依法约定的其他事项；

7. 中国证监会规定提供的其他服务。

第八条　甲方采取的委托方式由双方书面约定。委托方式包括柜台委托及自助委托等，自助委托包括电话委托、网上委托以及乙方认可的其他合法委托方式。

甲方应充分了解各种委托系统的操作方法，乙方对此有解答咨询的义务。

第九条　乙方在代理股票公开转让业务中可以接受甲方的限价委托、成交确认委托等方式。

乙方认为甲方存在虚假委托或操纵价格的行为时，有权拒绝接受。

第十条　乙方接受甲方委托前，应充分了解甲方的财务状况和投资需求，可以要求甲方提供相关证明性资料。

第十一条　如甲方为不符合股票公开转让准入标准的投资者，其只能委托乙方买卖其持有或曾持有的公司股票。

第十二条　甲方卖出的股份，不得超过其托管在乙方的股份余额。甲方在发出买入股份的限价委托、成交确认委托时，应保证其资金账户中有足额的资金。

第十三条　乙方发现甲方存在违规行为的，将予以警示，必要时可以拒绝甲方的委托或终止本协议。

第十四条　甲方通过自助委托系统下达的委托指令，以乙方电脑数据为准；柜台委托以甲方签字确认的委托凭证为准；甲方以电话语音、传真、信函下达的委托指令，如乙方无法确认，将不作为对乙方的有效指令；甲方对其委托行为所产生的一切经济和法律后果承担全部责任。

第十五条　甲方需查询委托结果或打印回单的，应在委托后三个交易日内办理；如有疑问，须在查询结果或打印回单当日向乙方书面质询。

第四章　信息服务

第十六条　乙方应在其营业场所披露最新的价格、成交等信息。

第十七条　乙方应及时揭示最新的股票公开转让业务规则、制度及相关信息。

第五章　变更和撤销

第十八条　甲方重要资料发生变更的，应及时通知乙方，并按乙方要求办理变更手续。

前款所述甲方重要资料包括但不限于甲方的姓名、联系方式、居住地址、有效证件号码、授权代理人及授权事项、委托交易方式等。

第十九条　有下列情形之一的，乙方可要求甲方限期纠正，甲方不能按期纠正或拒不纠正的，乙方可视情形依法撤销其与甲方的委托代理关系或暂停甲方对其账户的使用（包括但不限于限制存取款、限制交易等）：

1. 甲方提供虚假资料、证件；

2. 甲方的资金来源不合法；

3. 甲方有严重损害乙方合法权益，影响其正常经营秩序的行为；

4. 甲方违反全国中小企业股份转让系统业务规则，通过乙方进行违法违规交易的；

5. 法律、法规规定的其他情形。

第二十条　乙方若不符合从事代理投资者买卖挂牌公司股票业务的条件，股票公开转让委托协议自行终止。

第二十一条　乙方撤销其与甲方的委托代理关系，需及时通知甲方，并说明理由。

第二十二条　甲方在收到乙方撤销委托代理关系通知后，应及时到乙方办理相关手续。在此期间，乙方不接受除卖出甲方持有证券外的所有委托买卖指令。

第六章　甲方授权代理人委托

第二十三条　甲方可以授权他人作为办理股票公开转让委托及相关事项的代理人。甲方代理人办理上述事项时，应当出示授权委托书，并提交代理人的有效证件。相关材料应交乙方存档。

第二十四条　授权委托书至少应载明下列内容：代理人姓名及身份证件号码、授权权限、代理期限及乙方要求明示的其他事项。

第二十五条　甲方在授权委托有效期内变更授权事项或撤销授权时，应当及时书面通知乙方，并办理有关手续。乙方在收到甲方书面通知前，原授权委托书仍然有效。

因未及时通知乙方所造成的损失由甲方自行承担。

第七章　免责条款

第二十六条　乙方郑重提醒甲方注意密码的保密。任何使用甲方密码进行的委托均视为有效的甲方委托。甲方自行承担由于其密码失密造成的损失。

第二十七条　甲方如果遗失证券账户卡、身份证明等证件,应立即向乙方及其他相关机构挂失。由于甲方未及时挂失而导致其遭受损失的,由甲方自行承担,乙方不承担任何责任。

第二十八条　甲方通过私下协商达成的转让意向因对方不申报成交确认委托或申报不匹配的成交确认委托,无法成交的,乙方对此不承担责任。

第二十九条　因地震、台风、水灾、火灾、战争及其他不可抗力因素导致的甲方损失,乙方不承担任何赔偿责任。

第三十条　因乙方不可预测或无法控制的系统故障、设备故障、通讯故障、停电等突发事故,给甲方造成的损失,乙方不承担任何赔偿责任。

第三十一条　当发生不可抗力、意外事故时,乙方应当及时采取措施防止甲方损失的进一步扩大。

第八章　附则

第三十二条　乙方按照有关法律、法规及业务规则的规定收取佣金及其他服务费用、代扣代缴有关税费。佣金标准如发生变动,甲方同意乙方按新的规定执行。

乙方依法提供其他有偿服务的,可按双方约定标准向甲方收取合理服务费用。

第三十三条　本协议书与有关法律、法规及业务规则有抵触的,协议书与之不相适应的内容及条款自行失效,相关内容及条款按新修订的法律、法规、规章制度及行业规章办理。但本协议其他内容和条款继续有效。

第三十四条　若相关的法律、法规和业务规则发生变更,需要修改或增补本协议,由乙方在其营业场所以公告形式通知甲方。若甲方在七个工作日内不提出异议,则公告内容即成为本协议组成部分。

第三十五条　当双方出现争议时,可选择如下方式解决:

1. 协商;

2. 向乙方所在地有管辖权的法院起诉;

3. 其他合法方式。

第三十六条　本协议自双方签署之日起生效。股票公开转让特别风险揭示书及甲方填写的申报文件均视为本协议附件,同时生效。

第三十七条　本协议一式两份,甲乙双方各执一份,具有同等的法律效力。

甲方(个人):__________　　乙方:__________证券公司

甲方(机构):________(签章)　　　　(盖章)

_____年_____月_____日　　_____年_____月_____日

两网及退市公司类

全国中小企业股份转让系统两网公司及退市公司股票分类转让变更业务指南

(试行)

为规范两网公司(原证券公司代办股份转让系统挂牌的STAQ、NET系统公司)、退市公司(包括新挂牌的退市公司)股票转让方式变更工作,根据《全国中小企业股份转让系统业务规则(试行)》及《全国中小企业股份转让系统两网公司及退市公司股票转让暂行办法》(以下简称"《暂行办法》")有关规定,制定本指南。

一、主办券商填写《分类转让变更业务申请表》并加盖公章。

二、二、主办券商须于T-4日(T日为分类转让变更生效日)下午15点前将上述业务表和其他所需证明文件一同传真(传真号:010-63889674)至全国中小企业股份转让系统有限责任公司(以下简称"全国股份转让系统公司"),并将所有材料的电子扫描件发送至全国股份转让系统公司(电邮地址:ywbl@neeq.org.cn),同时电话确认收悉(电话:010-63889549)。

三、T日公司分类转让变更生效。

第八编

中国证券业人物纪实与访谈

德恒律师事务所
Deheng Law Offices

德行天下，恒信自然

栏目协办

2016 年中国证券业人物纪实与访谈

做有特色的大型上市银行

——访中国邮政储蓄银行董事长李国华

记者：感谢您接受《中国金融》杂志的专访。首先对邮储银行在香港上市表示祝贺。请您介绍一下邮储银行 H 股上市的基本情况。

李国华：邮储银行此次上市，行使超额配售选择权后共计发行 124.3 亿股，募集资金 591.5 亿港元。从募集金额看，是近两年来全球最大的 IPO，也是近六年来最大的 H 股 IPO。可以说，邮储银行本次发行上市在近年的香港市场，乃至全球资本市场，都是比较成功的交易。

从市场认购方面来看，邮储银行受到了国际资本市场的认可。邮储银行绿鞋前全球发行 121.1 亿股 H 股，其中 5% 在香港公开发售，95% 在国际市场公开发售。香港公开发售方面，超额认购 2.6 倍。国际配售部分也获得多倍超额认购，引发全球投资者的高度关注。

我们这次发行吸引了众多境内外优质投资者。其中，有中船重工、国家电网、上港集团、海航集团、中国诚通和长城资管 6 家基石投资者，还有众多境内外知名投资者积极踊跃的认购，体现了对邮储银行未来成长性的高度认可。从发行定价来看，4.76 港币/股的价格，市净率较银行股均值有较大幅度溢价，也反映了资本市场及投资者对邮储银行长期投资价值的认可。

记者：邮储银行此前曾引入 10 家战略投资者，此次 IPO 又引入 6 家基石投资者。这样的引资方式基于什么样的考虑？

李国华：关于引进 10 家战略投资者，可以说，邮储银行引进的战略投资者都是行业翘楚，他们为邮储银行注入了丰富的战略资源。邮储银行与战略投资者之间，以平等互利、资源共享、优势互补、长期合作、共同发展为原则，着眼于商业银行转型发展趋势，合作涉及诸多领域。

例如，在零售信贷、财富管理、投资银行等业务领域，瑞银集团、星展银行将利用自身经验与技术，助力邮储银行打造业务竞争优势，进一步加快零售业务升级、公司业务拓展和金融市场业务创新；在渠道建设和风险管理领域，摩根大通将对邮储银行进行全面支持，结合实际情况为我们研究定制成套的网点转型和风险控制技术；在互联网金融领域，蚂蚁金服、腾讯公司、中国电信将充分发挥其技术优势，与我们分享应用支撑经验，共同开发互联网金融创新产品，协助邮储银行建设面向未来的统一平台技术方案；在公司治理领域，FMPL（淡马锡全资子公司）和加拿大养老基金投资公司，将通过咨询项目合作、高级管理层培训等方式协助我们提升公司治理水平。此外，邮储银行还将与国际金融公司在构建绿色金融体系、加强“三农”和小微金融服务等方面开展合作，以巩固邮储银行普惠金融优势、践行社会责任；与中国人寿在银保产品销售、资产管理等方面加深合作。

关于引进 6 家基石投资者，邮储银行此次引入了中船重工、国家电网、上港国际、海航集团、中国诚通、长城资管 6 家知名机构作为基石投资者，体现了这些机构对邮储银行投资价值的认可。

在选择基石投资者时，我们综合考虑了业务契合度、市场影响力等因素，并致力于双方的长期合作。上述 6 家基石投资者均是国民经济各领域占据重要分量的企业，不仅为邮储银行成功上市提供了有力助推，未来邮储银行也将与其在相关领域进一步加强沟通、交流与合作，推动业务发展，为股东创造良好的投资回报。

记者：作为近两年来全球最大的 IPO，H 股上市对于邮储银行来说有着怎样的重大意义？

李国华：作为国有大型商业银行，邮储银行成功上市，是我国经济金融体制改革框架下，国有商业银行改革的又一项新成果。这反映了党中央、国务院、金融监管部门对邮储银行改革思路和举措的正确性；充分表明境内外投资者对邮储银行零售银行发展战略，独特的“自营 + 代理”经营模式，庞大的网络、客户基础和资金实力，优异的资产质量以及显著的成长潜力的肯定；也充分表明投资者对中国经济的发展前景有期望，对中国银行业的稳健性和盈利能力有信心。

邮储银行作为国有大型商业银行，在港 IPO 既是落实政府及监管机构对我们改革发展的要求，也是银行自身发展的内在需求。上市后，通过建立资本金补充长效机制，邮储银行将进一步完善公司治理、提升服务能力，更好地落实国家战略，切实做好“三农”、小微企业和社区金融服务，同时大力支持企业“走出去”和国际化发展需求，努力打造成为最受信赖、最具价值的一流大型零售银行。

记者：从 2015 年年底引进战略投资者，到如今正式登陆 H 股，邮储银行为上市之路做了哪些重要工作？

李国华：在国务院制定的“股改、引战、上市”三步走路线图下，邮储银行从 2012 年完成股改后就开始酝酿后续的改革工作，2014 年拉开了上市前引战的序幕，用了一年多的时间，成功引入了 10 家境内外知名战略投资者，融资规模达 451 亿元。2016 年 2 月 18 日，邮储银行启动发行上市工作，仅用 7 个月时间就完成了正式挂牌，创造了资本市场一系列新纪录。

但近年来，受全球经济不景气影响，全球银行估值基本都处于“潜水”状态，股价绝大多数都低于每股净资产。一些投资者对中国银行业不良暴露心存疑虑，主要是质疑不良率的真实性，认为一些隐形的、潜在的不良没有充分地暴露出来。

而邮储银行恰恰拥有一张干净的资产负债表。优异的资产质量和巨大的发展潜力，成为邮储银行能够吸引投资者的重要因素，也是我们成功引战、上市的重要筹码。截至 2016 年 6 月末，邮储银行不良贷款率为 0.78%，拨备覆盖率为 293.41%，均持续优于行业平均水平。过去 3 年，邮储银行净利润复合增长率达到 8.4%。2016 年上半年，邮储银行净利润为 232.16 亿元，同比增长 10.8%。

从酝酿 IPO，直到上市，邮储银行一方面要全力以赴、高质量地完成大量基础准备工作，另一方面，要在有限时间内，加强与投资者和资本市场的沟通，单就上市阶段，管理层就先后进行了六轮非交易路演、近 300 场一对一会议，覆盖投资者超过 500 家。在境内外监管的支持下、项目团队的努力下，仅 7 个月的时间，我们就完成了上市相关工作，最终实现了 9 月 28 日在港挂牌上市。

这一路以来，我们让投资者从最初对银行股不感兴趣、不了解邮储银行，到愿意坐下来了解邮储银行的投资故事，再到被我们的投资故事所吸引和打动，直至最终愿意拿出真金白银，给出溢价于银行股市净率均值的估值水平，最终实现挂牌上市，为之付出了巨大的努力，也收获了比较满意的成果。

记者：相较于其他商业银行，邮储银行的优势比较明显，比如说网点多、没有历史包袱等。邮储银行将如何发挥优势成为一家有特色的大型上市银行？

李国华：一是发挥网络优势，为客户提供更加便捷高效的金融服务。邮储银行拥有 4 万多个实体网点，覆盖了我国 100% 的城市和近 99% 的县域地区（不含港澳台）。多年来，凭借网点众多、覆盖广泛的优势，邮储银行为广大城乡客户提供了便捷的金融服务。下一步，邮储银行将在巩固渠道数量优势的同时，进一步提升质量优势。一方面，进一步优化物理网点布局，加快推进网点转型，实施流程优化，改进客户体验，为客户提供更加便捷的服务。另一方面，借助现代信息技术，积极发展移动金融，构建线上线下一体化的金融服务渠道体系。

二是发挥客户优势，推动零售金融升级。邮储银行拥有丰富的个人客户资源。截至 2016 年 6 月末，邮储银行个人客户数达 5.13 亿，超过中国人口的三分之一，电子银行客户数达 1.67 亿。下一步，我们将顺应居民消费升级趋势，不断创新产品及服务模式，深挖客户金融需求，加快推进零售金融转型升级。

三是发挥资金优势，支持国家重大战略工程建设。依托中国邮政集团公司的代理网点，邮储银行建立了中国银行业唯一的“自营 + 代理”运营模式，拥有数量最多、覆盖最广的分销网络，能够为广大客户提供便捷的金融服务，同时获得长期、稳定的资金来源。通过公开上市，邮储银行服务实体经济的能力将进一步得到提升。未来，我们将在综合考虑市场需求、风险水平、资本情况等因素的基础上，加强与政府、企业等各方面的联系与合作，进一步加大对国家重大战略工程、重点项目和经济结构转型升级的金融服务力度。

四是发挥金融服务模式优势，服务国家经济薄弱环节。从成立伊始，结合我国城乡发展趋势与自身资源禀赋，邮储银行选择服务社区、服务中小企业、服务“三农”的战略定位，并初步探索出一条行之有效的“三农”和小微企业金融服务模式，在支持国家“三农”、小微企业等经济薄弱领域上发挥了重要作用。当前和今后一个时期，邮储银行将以创新体制机制为保障，以优化服务模式为引领，以服务“三农”和小微企业为重点，努力构建一整套服务“三农”、小微企业的新模式，助力国家经济和社会发展。

记者：作为一家上市银行，邮储银行在公司内部治理结构方面有哪些考虑？

李国华：邮储银行成立近 10 年来，就是公司治理不断完善的 10 年。我们从一家储汇机构，逐步发展壮大成一家大型零售银行，公司治理结构的不断完善功不可没。

一是公司治理架构有效建立并持续完善。2012 年，在财政部、人民银行、银监会等相关部委的关心与大力支持下，我们完成了股份制改造，同时也调整、充实了董事会、监事会和高级管理层的组成人员，之后，随着引战上市工作的推进，我们进一步选聘了一批银行管理经验丰富的人员充实了董事会和监事会成员，增强了董事会的专业性，提升了董事会的决策能力，强化了公司治理机制的监督与约束。二是根据上市相关内外部要求，制定和修订了一系列公司治理制度，细化公司治理运作流程和规则，建立起一套完善的公司治理制度体系，有效保障公司治理机制规范运作。三是股东大会、董事会、监事会和高级管理层规范运作，各司其职，真正实现了所有权、决策权、经营管理权和监督权的相互分离、相互配合、相互制衡，促进了邮储银行的健康、快速发展。四是加强企业党建，确保企业健康长远发展。邮储银行党委在经营管理中，切实履行领导责任，坚持问题导向和底线思维，抓好顶层设计和全程把关，在深化改革中坚持“四同步”，实现“四对接”，坚定不移把邮储银行做强做优做大，实现党的建设与改革发展的双向互促、同频共振。

记者：在之前的披露文件中，邮储银行对于构建全面风险管理体系进行了论述，请详细介绍下关于风控的建设。

李国华：邮储银行一直以来坚持建设和完善全面风险管理体系，持续提升全行风险管理能力，增强核心竞争力。

一是培育审慎的风险管理文化。邮储银行一直倡导审慎稳健的风险管理文化，自上而下确立了“风险管理人人有责、风险管理创造价值”的理念，不断提高全行人员的风险责任意识，强化合规经营、风险为本的理念。

二是确立风险偏好和风险管理政策。邮储银行始终遵循“适度风险、适度回报、稳健经营”的风险偏好，并且建立了分层次的风险偏好制度和传导机制，制定有针对性的风险管理政策。

三是完善风险管理组织体系。邮储银行建立了健全的风险管理组织架构，提高风险管理的集约性和控制力，并且不断加强风险管理部门与各业务部门的工作衔接，为风险管理提供组织保障。

四是优化风险管理制度与流程。针对各类具体风险设定有针对性的风险管理制度和管理流程，明确了风险识别、计量、监测和控制环节的具体内容和管理要求，并且持续推进风险管理的制度化、标准化和规范化建设，实现风险管理与业务管理相互融合、有机统一。

五是丰富风险管理方法和工具。邮储银行结合自身特点与国外先进技术，不断丰富小额贷款业务等各项业务的风险管理方法，提高自身风险管理精细化水平。

六是提高资本管理约束力。邮储银行开展资本规划，坚持资本与风险相匹配、风险与收益相匹配的原则，完善资本充足率管理和资本限额控制。

七是强化风险评价、考核与问责机制。邮储银行通过构建机构风险评价等考核机制，推动各分支机构了解并提升自身风险管理水平，深化风险评价等机制在全行经营管理、特别是绩效考核和责任追究中的应用，提升风险管理的约束力。

八是不断为风险管理提供人才和科技保障。邮储银行拥有一支专业、高效的风险管理队伍，主要风险管理人员在理论和实践上均具有较高的专业素养。同时，邮储银行不断升级风险管理信息系统，已经将风险管理信息系统项目群建设纳入全行信息系统总体规划。不断健全完善风险管理信息系统，增强风险管理技术的支撑力度。

记者：经济下行的大环境下，银行业也面临更多困难与挑战。作为一家后起的大型商业银行，上市后的邮储银行对于综合化经营有怎样的规划？

李国华：邮储银行作为以传统商业银行业务为主营业务、以零售业务为主体的银行，未来几年仍会专注于主营业务，巩固在传统业务领域的优势并努力寻找未来利润的增长点，坚持稳健的发展步伐，并重点发展对银行利润贡献度大的业务。

随着未来客户需求不断增长并趋向多元化发展，邮储银行将充分发挥大股东中国邮政集团的资金流、物流、信息流和商流"四流合一"的先天优势，通过与外部其他机构的合作，满足客户多元化的金融服务需求。充分利用网络与资金优势，借助中国邮政集团现有布局及与战略投资者的合作，积极探索与邮政集团旗下其他金融机构的合作，为客户提供多元化产品及服务。

邮储银行将会进一步推动现有非银机构筹建及发展，以向客户提供增值服务。邮储银行旗下首家控股子公司——中邮消费金融有限公司已于2015年11月成立。后续，我们将考虑综合化经营所涉业务与银行现有业务的协同性、紧迫程度、资本约束等相关因素，依照业务发展的客观规律，从实质功能需要出发，加快探索中邮消费金融公司的有效经营模式，满足城乡居民日益增长和多元化的消费金融需求。加快金融租赁公司筹建步伐，着力于为中小企业和"三农"、物流、教育、文化、旅游、轨道交通投资建设、新型城镇化建设等领域提供专业的融资租赁服务。

记者：邮储银行未来有哪些境外布局的构想？对于下一步的发展考虑是什么样的？

李国华：香港是重要的国际金融市场，邮储银行选择在港上市，充分考虑了自身发展需要、宏观经济及市场环境等各方面因素，有助于吸引多元化的国际投资者，进一步优化银行股权结构及治理机制。作为国内网点最多的大型商业银行，伴随着人民币走出去战略的深化、全球经济一体化进程的加快、客户需求多元化的推动，也要求自身不断发展和完善。按照"立足本土、融入国际、布局合理、经营稳健、风险可控"的总体要求，邮储银行将有序进行境外布局，拟在香港首先设立代表处，并争取尽快设立分行，未来不排除在其他区域设立分支机构。

（记者：植凤寅）

在供给侧改革中充分发挥金融资产管理公司独特功能

——访中国华融资产管理股份有限公司党委书记、董事长赖小民

供给侧改革，是引领中国经济适应新常态、寻找新动力、实现新发展的破题之举。习近平总书记强调，供给侧改革是我国"十三五"时期发展的"衣领子"、"牛鼻子"，是全面建成小康社会决胜阶段获得全胜的关键。在以"去产能、去库存、去杠杆、降成本、补短板"为中心任务的供给侧改革中，如何充分发挥中国金融资产管理公司不良资产经营主业与综合金融服务的独特功能作用，是一个十分重要的课题。全国两会前夕，本报记者就此专访了全国人大代表、中国华融资产管理股份有限公司党委书记、董事长赖小民。

记者：在国家提出的供给侧改革中，金融资产管理公司具有哪些独特优势？

赖小民：金融资产管理公司在服务供给侧改革中具有三大独特优势。

在僵尸企业退出中具有不良资产处置的专业优势。供给侧改革的一大突出难题是僵尸企业如何平稳退出。在煤炭、钢铁等过剩行业淘汰、整合、转型升级过程中，对于经营陷入困境、技术水平低下的大量僵尸企业，不论是实行政策性破产还是市场化处置，金融资产管理公司在不良资产的组合出售、打包处置、资产转让、资产置换、资产重组等方面都具有丰富的专业经验、成熟的技术手段。

在困难企业"债转股"中具有成熟经验和先天优势。供给侧改革"去产能"过程中，对于部分重点行业中发展前景较好、技术水平较强但遭遇暂时困难的大中型国有企业或优质民营企业，实施"债转股"是有效降低企业融资杠杆和资金成本、妥善化解经济金融风险的重要债务重组工具。金融资产管理公司1999年成立以来，通过"债转股"方式已经成功帮助一大批国有企业摆脱财务负担，提升了国企活力和市场竞争力，同时也培养了具有丰富股权重组经验的高素质队伍，是"债转股"实施过程中的金融主力军。

在实体企业降成本、转型升级中具有综合金融服务优势。近年来，金融资产管理公司在市场化转型中不断完善综合金融功能，普遍具备银行、证券、租赁、信托、基金等多种金融牌照，形成了较为完备的金融控股集团架构。在供给侧改革中推进企业降成本、转型升级，金融资产管理公司可以充分发挥综合金融优势，通过业务"组合拳"，以"存量+增量、金融+产业、债权+股权、自主资金+结构化融资"等金融手段，为企业提供全生命周期、全产业链金融服务，有效解决实体企业融资难、融资贵问题，真正实现"金融机构让利于企业"。

记者：供给侧改革是支持实体经济发展的一项重大举措。金融资产管理公司在支持实体经济发展方面有哪些创新实践？

赖小民：作为国有金融企业，中国华融始终以"金融服务实体经济、金融支持经济增长"为重要使命，有力支持了实体经济转型升级和地方经济创新发展。

不辱政策使命，完成三大历史任务。支持国有银行改制发展；支持国有企业减债脱困；维护金融稳定，成功托管"中创"、"德隆系"等危机机构，化解系统性风险，避免了风险对实体经济的冲击。

紧跟国家发展战略，服务产业转型升级。配合国家"一带一路"战略，搭建华融（香港）国际、深圳前海财富管理、华融西部开发投资公司等平台，支持中国企业"走出去"；落实自贸区战略，在上海、天津、广东自贸区设立分支机构；服务"京津冀一体化"战略，累计在京津冀地区开展合作项目300余个，覆盖制造、能源、地产、水利等多个领域。

推行"大客户战略"，支持地方经济发展。与包括4个直辖市在内的20家省级政府、众多金融机构、大型企业签署了全面战略合作协议，成为与地方政府签署战略合作协议最多的金融央企。截至2015年末，客户总数超过7100家，合作领域遍及50多个产业和行业，有力支持了地方经济发展。

做强不良资产主业，支持实体经济发展。不良资产管理业务收入和规模连续6年快速增长，对公司收入贡献度近60%。不良资产包业务连续3年"三分天下有其一"，非金融债业务快速增长成为公司常态业务，对主业收入贡献度超过60%。公司累计商业化收购不良资产原值超过8000亿元，在

显著降低金融不良资产规模和不良率、化解经济金融系统性风险方面发挥了重要作用。

发挥逆周期金融救助功能，帮助实体企业脱困。通过债务展期、重组等方式，最大限度地帮助实体企业客户缓解流动性困难，实现近期解危、远期解困。探索开展问题企业重组业务，通过清理债务、整合债权、盘活资产等手段，帮助危机企业再生造血功能。

记者：中国华融在服务供给侧改革方面会采取哪些具体做法？

赖小民：按照习近平总书记"推进国有企业改革，要有利于国有资本保值增值，有利于提高国有经济竞争力，有利于放大国有资本功能"的要求，要严格防止出现系统性、区域性风险。新常态下实施供给侧改革，必然伴随不良资产和破产重整的产生，作为国有金融机构，金融资产管理公司完全有责任也有能力为不良资产化解、"僵尸企业"退出、困难企业脱困、实体经济转型升级，发挥应有的"安全网"、"稳定器"、"助推器"乃至"主力军"作用。

以市场化原则创新不良资产化解模式。大量国有企业、商业银行、资产管理公司已经成为上市公众公司，不良资产处置应按照市场化原则，使市场在资源配置中起决定性作用。在推进商业银行向资产管理公司公开批量转让不良资产的同时，应大力创新不良资产证券化、公募基金、私募基金、并购基金等新型手段。可以由金融资产管理公司发起不良资产证券化，充当收购人、发起人、发行人、管理人、投资人（次级）、增信人等 6 个角色，全程参与不良资产化解。由资产管理公司作为实质管理人，分行业、分区域组建专项不良资产基金，以基金名义收购和持有不良资产等。

以基金化手段参与"去产能、去库存、去杠杆"。资产管理公司依托丰富的问题企业重组和投行业务经验以及多元化的产融结合资本运作平台，可以在配合国家实施化解过剩产能、出清"僵尸企业"以及防范因担保链等引起的局部金融风险，促进产业结构优化和转型升级等方面发挥创新引领作用。由资产管理公司成立专门的基金管理公司，同时选择有政府背景的机构，合作设立重组并购基金（双 GP），运用财政注资、贴息（专项奖补）、增信等方式引导 LP 资金参与，重大重组和破产重整过程中，由政府提供职工安置、"僵尸企业"等呆坏账的核销、税收优惠等政策配合。

以合作化方式参与地方金融风险化解。依托金融资产管理公司长期积累的专业技术和人才优势，加强与地方政府合作，通过联合组建地方资产管理公司，或成立产业整合基金、重组并购基金等"引子基金"方式，在地方政府支持下，以国家支持整合的重大项目为切入点，加大对新兴产业和市场竞争力强的企业的扶持力度，对过剩产能和"僵尸企业""消化一批"、"转移一批"、"整合一批"、"淘汰一批"，助力地方经济结构调整和转型升级。

记者：作为全国人大代表，您认为政府部门在供给侧改革方面还有哪些工作要做？

赖小民：需要呼吁的是，新常态下供给侧改革将是一个系统工程，"去产能、去库存、去杠杆、降成本、补短板"任重道远，为更好地发挥金融资产管理公司功能作用，建议相关政府部门和监管机构能在市场准入、金融产品创新、政策性业务财税减免优惠、不良资产核销等方面给予更大的支持，以促进金融资产管理公司在我国经济结构调整中发挥更大的作用。

（来源：金融时报　作者：杜金）

以股改为契机　以转型为动力
全面开启中国长城资产改革发展新征程

——记中国长城资产管理股份有限公司董事长、总裁张晓松

2016 年 11 月 25 日，经国务院批准，由财政部、全国社会保障基金理事会和中国人寿保险（集团）公司共同发起设立，中国长城资产管理股份有限公司创立大会在京成功召开。中国长城资产管理公司整体改制为中国长城资产管理股份有限公司（以下简称"中国长城资产"），标志着中国国有金融资产管理公司股份制改革圆满收官，也是中国银行业金融机构深化改革的重要里程碑。中国长城资产由政策性金融机构彻底转型为完全市场化经营的现代金融企业，从此踏上改革发展的新征程。

一、回首创业奋斗史：中国长城资产在艰难探索中不忘初心、矢志不渝、开拓进取

中国长城资产的发展之路，是中国国有金融企业深化改革和创新发展的一个缩影。自成立以来，中国长城资产在党中央、国务院的正确领导下，在财政部、银监会和人民银行等主管监管部门的关心指导下，坚持改革创新、稳健发展，走出了一条符合中国长城资产自身特色的市场化改革转型之路，长期以来为维护国家金融安全、化解金融风险、支持实体经济发展和促进经济结构转型升级发挥了重要作用。

1999 年，经国务院批准，中国长城资产管理公司作为四大国有金融资产管理公司之一正式成立，主要负责收购、管理和处置国有银行剥离的不良资产，经过近八年的持续奋战，全体长城人不辱使命，不负重托，不仅超额完成了财政部核定的目标任务，而且在促进国有银行改革上市、帮助国有企业减负脱困、解决社会就业、维护社会稳定等方面发挥了重要作用，圆满完成了国家赋予的政策性使命。2007 年，中国长城资产开始了商业化转型的破冰之旅，主动面向市场，迎接市场化机制和商业化业务的考验，向市场要效益，以改革促发展，通过业务转型、产品创新、客户拓展，初步奠定了商业化转型的业务基础，股份制改造的条件逐渐具备。2011 年国务院常务会议研究确定金融资产管理公司"一司一策"，实施商业化转型。中国长城资产的商业化发展开始提速，逐渐构建了金融全牌照的综合经营格局，形成了以不良资产经营管理为主业，以并购重组为核心，以集团协同为依托的金融控股集团运营模式。2015 年，中国长城资产的股份制改革正式获得国务院批准，经过一年多的精心筹备，于 2016 年 11 月整体改制为股份有限公司，标志着中国长城资产成功实现了从政策性不良资产处置机构向国有大型金融控股集团的华丽转身。

17 年的拼搏努力，中国长城资产始终坚持以不良资产经营管理为主业，已形成了涵盖不良资产收购处置、投资及资产管理、多元平台综合金融服务等近 100 余种金融产品的综合经营业务体系，并构建起以 32 家分公司（业务部）、11 家平台子公司和总部事业部等经营板块协同发展的金融集团架构，业务范围涵盖全国各省、自治区直辖市、和香港特别行政区，可以向客户提供资产管理、银行、证券、保险、信托、金融租赁、基金、投资、咨询、置业等全牌照、多功能、一揽子的综合金融服务，形成了自身的核心竞争力，有效地履行了中央金融企业的社会责任，支持了国民经济发展，树立了良好社会品牌，得

到了上级部门和社会各界的密切关注和大力支持。截至2016年11月末，集团管理的资产合计6447亿元，净资产569亿元，归属母公司所有者权益523亿元，与1999年成立时国家投入的100亿元资本金相比，实现国有资产保值增值率523%。1—9月，集团共实现利润95.3亿元，同比增长35.1%。集团年化ROA和ROE分别为3.26%和19.8%。9月末，集团法人口径资本充足率16.24%，一级资本充足率和核心一级资本充足率均为15.09%；拨备覆盖率388%，保持了较快的发展速度和较好的发展质量，为未来发展打下了坚实基础。

二、翻开改制新篇章：中国长城资产在转型发展中坚持创新、突出特色、稳健发展

中国长城资产通过自身的发展实践证明，党中央、国务院关于金融资产管理公司改革的决策是科学正确的，金融资产管理公司在金融体制改革中的地位作用是与时俱进的，在经济社会发展中的作用是丰富立体的。公司改制后，中国长城资产将始终坚定不移地贯彻执行党中央、国务院的改革方针，按照财政部、银监会的要求，秉承"化解金融风险、提升资产价值、服务经济发展"的神圣使命，坚持以不良资产经营处置为主业，以并购重组为核心，实现全牌照综合金融服务，助推公司进入新的发展阶段。中国长城资产将朝着以下六大目标和方向继续努力：

一是制定清晰明确的发展规划。2011年，中国长城资产制定了第一个五年规划，提出将公司打造为"专业的资产管理服务商、优秀的综合金融服务商和领先的金融创新探索者"。当前，公司的第一个五年规划临近收官，第二个五年规划即将出台。未来5年，中国长城资产将继续坚持"创新、协调、绿色、开放、共享"的发展理念，以引战、上市和国际化发展为重点，进一步夯实发展基础，打造品牌优势，增强集团核心竞争力，全面提升公司的发展水平和发展质量。

二是建立科学合理的治理结构。改制后，中国长城资产将按照现代企业制度的要求，进一步完善集团法人治理结构，围绕"党组织是政治核心、股东会是战略中心、董事会是决策中心、高管层是经营中心、监事会是监督中心"的基本框架，进一步理顺党委与"三会一层"的关系，确保"权责明确、相互配合、彼此协调、有效制衡"，促进公司决策的民主化、科学化、规范化，推动公司各项经营决策、业务运行、内部管理和监督检查都有据可依、平稳运行。

三是树立转型发展的经营理念。改制后，中国长城资产将进一步加快思维转换，加速业务"六大转型"，即：从传统业务向创新业务转型，从单一注重"量的增长"向"量的适度增长和质的提升并重"转型，从重资产向轻资产转型，从经营单位的独立运作向集团的协同运作转型，从表内业务为主向表内外业务并重发展转型，从国内业务为主向国内外业务并重发展转型，推动集团发展再上新台阶、再获新突破。

四是打造持续稳定的业务模式。改制后，中国长城资产将以不良资产经营和第三方资产管理为核心构建"大资管"，以并购重组为核心构建"大投行"，以金融全牌照综合金融服务为核心构建"大协同"，通过发挥不良资产收购处置的技术优势、并购重组的品牌优势和金融平台的协同优势，全面加强资源共享，实现业务、技术、客户和网络等的有效整合，并不断创新业务模式和工具手段，为客户提供一揽子量身定制的个性化综合金融服务，为公司业务增长和科学发展提供稳定支撑。

五是构建稳健规范的风控体系。改制后，中国长城资产将积极借鉴国际风险管理的成功经验，继续推进和建设立体、多维、全覆盖的全面风险管理体系，形成系统、规范、高效的风险管理机制，全面提升风险管理水平。同时，要进一步推进集团管控的精细化，在实现资源共享、业务联动、协同发展的同时，在各个经营板块之间全面打造风险防范的"防火墙"和"隔离带"，有效保障整个集团的持续、稳健和可持续发展。

六是培育团结拼搏的企业文化。改制后，中国长城资产将进一步坚定理想信念，深入打造团结奋进、拼搏进取的集团金控文化，积极倡导"共同创造、共同承担、共同分享、共同成长"的发展理念，继续发扬"团结拼搏、求实创新"的奋斗精神，全面增强全体长城人的荣誉感和自豪感，努力形成强大的凝聚力和推动力，同时不断加强集团系列品牌建设，为公司可持续发展提供坚强保证。

三、追逐梦想再起航：中国长城资产还将在国家供给侧结构性改革中坚守使命、主动承担、履行责任

中国长城资产的发展永远在路上。在经济新常态和国家供给侧改革中，中国长城资产将始终坚守中央国有金融企业的神圣职责，秉承"化解金融风险、提升资产价值、服务经济发展"的光荣使命，主动承担、履行责任，始终延续"突出主业、综合经营、体现特色"的发展之路，坚持把自身改革发展融入国家经济金融改革发展的大局之中。一方面，中国长城资产将继续发挥自身核心技术优势，在不良资产风险化解中发挥重要作用。作为公司的主营业务和核心业务，中国长城资产将进一步创新不良资产的收购处置技术，通过不良资产收购处置基金、合作处置、不良资产证券化等方式，进一步加大与各金融机构、地方政府及大型企业集团的合作力度，做大不良资产收购处置规模，努力盘活社会存量资产，有力保障国家金融系统安全。另一方面，中国长城资产将通过各种途径积极参与国家供给侧结构性改革，围绕中央提出的"去产能、去库存、去杠杆、补短板、降成本"五大目标，全面发挥"盘活社会存量、优化资源配置"职能，支持和服务产业升级转型和经济结构调整。比如，以不良资产收购为切入点，促使落后企业关停并转，助推过剩行业"去产能"；以城镇化"四改一保"和养老房地产为切入点，通过基金模式，助推房地产行业"去库存"；以债转股为切入点，运用投行手段和合作嫁接方式，助推企业"去杠杆"；以问题企业债务重组为切入点，综合采用并购重组手段，帮助行业主导性企业"降成本"；综合运用集团综合金融优势和功能，帮助发展不均衡企业"补短板"，做强优势企业。近期，中国长城资产已成立了3支百亿规模的母基金，包括"不良资产收购处置基金"、"并购重组基金"和"城镇化建设基金"。下一步将以这三支母基金为依托，吸引更多的社会资金，未来3年，将形成一个3000亿规模的产业基金集群，引导社会资金回流实体经济，促进我国经济转型发展。

长风破浪会有时，直挂云帆济沧海。回首过往，中国长城资产拥有团结拼搏、开拓奋进的辉煌历史；展望未来，中国长城资产怀有披荆斩棘、一往无前的坚定信心。在经济社会改革全面深入的过程中，中国长城资产将不忘初心、坚守使命、履行责任、主动承担，不断夯实业务基础，持续提升自身内涵价值和核心竞争力，积极运用多年积累的专业经验，充分发挥好自身的独特功能，为国家金融安全稳定和经济的健康发展履行好金融"稳定器"、资源"优化器"和经济"助推器"的职责，并向实现打造"百年金融老店"的"长城梦"而努力奋斗。

国企改革大潮带来新机遇
——访北京首都开发股份有限公司董事长、党委书记潘利群

作为北京国资体系内规模最大、综合实力最强的地产开发企业，首开股份 2015 年以 20% 以上业绩增速领先同业。首开股份董事长潘利群在接受中国证券报记者专访时表示，尽管一线城市陆续进入调控周期，北京市场仍然有着巨大的价值潜力，公司项目总规模超过 800 万平方米；而且，首开具有丰富的企业重组经验，有能力在国企改革大潮中迎接新机遇和挑战。

看好北京市场

记者：今年以来，深圳、上海经历了一轮房价快速上涨。如何看待一线房地产市场走势？

潘利群：房地产市场出现了明显分化，三四线及以下城市面临较大库存压力，而一二线城市量价齐升，房价涨幅明显。上海、深圳已经率先收紧调控政策，北京也重启 90/70 政策。在新常态供给侧改革的大背景下，政策导向是稳定住房消费市场、促进房地产行业持续健康发展。北京集中了全国丰富的资金、信息、人才、就业、教育、医疗资源，京津冀协同发展国家战略、非首都功能疏解等也为市场提供了新的机会。北京城市土地资源严重稀缺，土地和楼市供应量相对不足，纯商品住宅处于低库存状态，都反映出北京市场仍然有着巨大的价值潜力。

记者：公司在北京的土地储备情况如何？在一线城市地价屡创新高的情况下，公司通过哪些手段控制高地价对财务、流动资金方面的影响？

潘利群：公司在京项目有 40 多个，项目总规模超过 800 万平方米，无论项目个数还是总体规模，确实当之无愧"北京地主"。2015 年，我们又在北京摘得 3 块土地，地上规模 160 万平方米，位居北京土地市场排行榜前茅。当年公司在北京地区销售签约 120 万平方米，拿地规模完全补充了北京地区的土地消耗。在通州新的行政副中心区域，我们有香溪郡、缇香郡、公园里等多个项目，总规模有 150 万平方米。

2015 年，公司签约面积 210 万平方米，同比上升 17.5%；签约金额 327 亿元，同比上升 30.2%。其中，北京区域销售接近 220 亿元。2016 年一季度，公司签约额达到 130 亿元。其中，北京区域 90 多亿元。

面对竞争激烈的市场，合作共赢是顺势而为。近几年，首开与万科、保利、龙湖、中海、华润、平安、北京城建、融侨等企业开展了广泛深入合作，为公司未来发展积累了优质土地资源和丰富合作资源。

加快转型创新

记者：首开股份在转型升级方面思路如何？

潘利群：在房地产结合互联网创新方面，近年来公司做了一些初步探索。为促进主营业务发展，借助微信平台等新媒体，扩展营销服务体系。用"互联网 +"创新营销模式，开创"房地产 + 互联网"发展新生态，寻求"十三五"发展模式转型。另外，与松下电器、野村不动产战略合作，寻求在绿色建筑、被动式住宅、智能家居、项目开发运营、养老地产、海外业务等领域的联合发展空间。我们还与银行进行合作，发行众筹产品，拓展融资渠道。同时，积极尝试多元化投资，向金融和投资领域扩展，寻求新的发展机会。

未来，公司将统筹协调住宅、商业、产业三大板块。公司商业地产招商和运营能力不断提升，以社区商业为核心的三大产品线运营初见成效，商业与住宅协调互动发展的业务布局基本形成。继"首开广场"改造满租运营后，"首开福茂"商业中心成功开业，创建了首开第一家自主运营的商业综合体，取得了良好的经济和社会效益。我们还积极探讨文创产业的空间运营和资产管理模式，发掘存量资源价值，开拓物业盈利空间。对产业园区的开发运营，公司也开展了探索，目前与多家公司合作发起设立基金，共同参与厦门海西国际商贸物流城地块的投资建设，计划未来有更多的实质进展。

记者：公司提出"城市复兴官"这一发展方向的原因是什么？看点在哪里？

潘利群：首开要做"城市复兴官"，是基于城市功能疏解和内城更新提出的，是对房地产市场从增量时代转向存量时代的主动调整。首开一直是北京新城建设、旧城改造和社区管理的主力军。未来，在增量上，积极争取京津冀协同发展、长江经济带、珠三角、海西经济区等重点城市群发展中的机会；在存量上，积极争取城市棚户区改造的机会，积极参与北京行政副中心和新城改建设，主动投身旧住宅区有机更新的研究和实操。

目前首开正在积极推进的北京棚户区改造项目主要包括复兴门内、建国门内和饮马井城中村改造等项目，三个项目占地总面积近 150 公顷。这些项目均处于城市成熟核心区位，区域位置优势突出，未来有很大的盈利空间。

改革发展是趋势

记者：北京/张家口冬奥会项目建设中，首开股份将发挥怎样的作用？

潘利群：每个北京重要时刻都有首开参与。作为大型综合性体育赛事基础建设的主力军，首开曾先后承担了亚运会、大运会和北京 2008 奥运会运动员村和主要场馆建设任务，为保障体育盛会的成功举办做出了贡献，在国家重点工程建设方面具有丰富经验和较强能力。对冬奥会建设的机会，首开一定会凭借自身的优势积极争取参与。

记者：公司作为北京市国资委旗下规模最大的地产行业上市公司，在地方国企改革快速推进的背景下，未来在国企改革方面有何看点？

潘利群：促进房地产业兼并重组，提高产业集中度；重组整合一批国有企业，推进国有资本优化重组、加快推动国有资本向具有核心竞争力的优势企业集中，是中央和北京市对房地产行业发展和国资国企改革的要求。目前，北京国资上市公司分布在 10 多个行业，其中从事房地产开发和经营的有 10 多家。房地产行业的整合、国有房地产企业及国资系统房地产资源的重组，是改革发展的趋势。

2015 年是首开合并重组 10 周年。10 年前，北京市国资委所属的两大房地产开发集团天鸿集团和城开集团合并重组为首开集团。2008 年初，首开集团又完成了主营业务整体上市工作。近 10 年来，公司从行业地位、经济效益、市场化转型等各方面都实现了新的飞跃。

在北京国有房地产开发领域，首开具有丰富的企业重组经验，具有强大的人力资源优势和科技创新优势，具有成功的资本运作实践和强有力的品牌竞争力。我们有信心、有能力在国企改革的大潮中迎接新的机遇和挑战。

（来源：中国证券报　作者：张玉洁）

证券行业里的盐阜赤子

——记海通证券股份有限公司董事长王开国

心中有“道”，才有定力。人生有跌宕起伏，事业有跌宕起伏，而那条使你平安长久、能够通往成功人生的路，就是“道”。

在中国证券行业里有一位知名企业家，他是海通证券股份有限公司董事长王开国。

我们慕名采访了这位从盐阜大地走出来的海通证券领军人物。采访中，他深沉睿智，谈人生，语含机锋，谈家乡，一往情深，令人记忆深刻。

寒窗苦读

王开国出生在阜宁县羊寨农村。从记事起，农民面朝黄土背朝天，天寒地冻、风霜雨雪，忍饥挨饿，辛苦劳作的情景，就在他脑海里烙下了深深印记。

上世纪六十年代初遇到自然灾害，他亲眼看到乡邻吃糠咽树叶，由于穷，山芋管饱曾经是他幼年时最大的梦想；由于穷，他总是穿父亲穿过的旧棉衣旧棉鞋，破旧且不保暖……

为了读得起书，他拿起了镰刀背起柳篓，跟着大人到野外拾草。他把所有希望都寄托在读书高考跳出“农门”这根救命稻草上。

历经寒窗苦读，王开国终于考上了名牌大学——吉林大学。他第一次走出交通闭塞的家乡，过两道渡船，徒步四十多里，第一次来到了县城，领取高考录取通知书，到照相馆拍了平生第一张照片。

走进大学门，王开国无比珍惜来之不易的学习机会，更加刻苦地求知求学。本科毕业之后，考取硕士研究生。再之后，又考取了厦门大学的博士生。那年月，一个专业全国只招几个研究生，博士生更是凤毛麟角啊。就这样，走出家乡的王开国，一口气读了十年书，成了饱学之士。

京城历练

从厦门大学毕业后，王开国到国家国有资产管理局工作。当时，建立社会主义市场经济体制是一个全新的课题，可谓百废待举，纷繁复杂。王开国和同事们全身心地投入到这一全新的事业中。

在政策法规司工作时，王开国和同事们组织起草国有资产管理办法、法规、制度，监督检查各项国有资产管理法规的执行情况，进行国有资产管理体制改革的研究并提出政策建议，会同有关部门协调解决重大国有资产产权纠纷。

在研究所工作时，王开国和同事们倾心钻研国有企业改革、产权制度改革，指导和策应国有经济战略性改组，还研究股份制。王开国撰写的论文《国有股权转让研究》得到了时任国务院总理朱镕基的赞扬，并批转各地学习研究和推行。

王开国还撰写出版了《公债经济学》、《市场经济条件下的企业财务管理》、《现代西方财政学》、《中国企业产权交易事务问答》、《中国证券市场跨世纪发展思考》、《资产证券化研究》等16部著作，发表60余篇论文，成为“学者型官员、官员型学者”。

学者下海

1994年，王开国“下海”，来到了海通证券公司，1997年升任海通董事长兼党委书记，开始全面主持工作。

1994年底，公司在一笔期货交易当中亏损3亿余元；1995年，全国几个金融交易市场因出现问题被关掉，由此产生的金融三角债务又令海通深陷其中；1996年初，刚刚摆脱低谷开始起步发展的海通，又因其自营业务涉嫌操纵二级市场而遭到证监会处罚，其自营业务也被停止一年。

不仅海通如此，摆在王开国眼前的还有外国的巴林银行、国内的申银万国、君安证券等机构因没有控制好风险而倒塌的悲剧殷鉴。

受命于危难之际的王开国，一方面开拓业务，一方面控制风险，这才有了海通持续稳定的利润增长。

从1998年开始，海通证券公司在国内券商行业里独占鳌头，到2002年，它已连续四年成为券商行业里的利润冠军。2001年6月里的股市雪崩，使全国120余家券商首次出现半数亏损的局面，而海通证券这一年的利润额达10亿元。

力挽狂澜

2002年，能够畅谈赢利数字的只是极少数券商，而大部分券商都在忙着裁员以节约成本。但王开国领导的海通证券却在2002年11月，完成了公司发展史上规模最大的一次增资扩股活动——以私募的形式新筹集资金47亿元，使海通证券以87亿元的资本规模，跃上国内资本规模最大券商位置。

在市场信心跌至谷底、众多证券公司度日如年的环境里，海通此番私募可谓逆市而动，从2002年7月发布公告启动私募到最终完成只花了4个多月，并且“全部是现金，没有一分钱属于债转股的形式”。海通原计划私募资金30亿元，但收到的认购意向资金总额超过120亿元。

在全国证券行业景况糟糕的2002年，海通的利润只有几亿元，但在集体大滑坡的券商行业里这依然是个名列前茅的利润数字。

稳健第一

学者出身的王开国以保守内敛的个人风格，带领海通成功躲开了股市一阵又一阵寒风，以稳健的赢利能力博得了投资者的信任，一举成为中国资本规模最大的券商。

作为一个脱胎于国有银行的证券公司，原有各项制度也带着强烈的国有金融企业特色，缺乏积极主动性是员工的通病。

1998年，一整套推进经纪业务的新措施开始推行，海通不仅在国内证券公司里较早实施客户经理制并加强客户咨询服务与市场营销拓展，而且还对分支机构实行三等九级的管理制度，每年评一次等级，奖励、工资分配与营业部的效益挂钩。海通的经纪业务成为业界公认的强项。

为了推动公司内较为弱势的投资银行业务的发展，王开国给了投资银行部门以完全的经营自主权，在上海、北京、广州分别成立三个投资银行部，其运作及财务核算独立于总部之外。

在金融领域，海通的投资银行业务保持着自己的优势，民生银行、浦发行等金融大盘股的上市、深发展的配股是它的经典项目。

长线经营

王开国领导的公司在稳健中寻找做大做强的机会。每一次公司改制和增资扩股，都因选择了恰当时机而异常成功。

使各项业务均衡发展也是王开国的策略之一。海通是靠做债券业务起家的。但现在，在海通证券的利润构成里，证券经纪业务是绝对的主力。

证券经纪业务、承销、推荐上市、配股销售、自营业务、委托理财、咨询顾问——海通所从事的每一项业务，作为单项业务来讲，都很少能占据到行业销售收入和利润额第一的位置。

2002年因为受到所做项目质量的影响，投资银行业务这一块的收入甚至排不进行业前10名，但海通却连续四年利润额居券商行业第一,这是因为,它不是靠单项取胜,而是靠"总体表现优秀"。

王开国接连下了几步"好棋":2002 年初提出了"增资扩股与上市、集团化、国际化"三步走的战略,在当年海通就完成了增资扩股。

在此后的几年中,海通公司拥有了海富通基金管理有限公司、海富产业投资基金管理公司、海通期货有限公司、海通开元投资有限公司和海通国际控股有限公司等,初步实现了当初提出的目标。

利用募得的资金,王开国打造了一个更大规模的海通。

人生感悟

王开国喜爱老子的《道德经》。他说,心中有"道",才有定力。人生有跌宕起伏,事业有跌宕起伏,而那条使你平安长久、能够通往成功人生的路,就是"道"。

对道家的"无为",王开国有独到的见解:道家无为是讲顺应自然,有多大能力做多大的事,既要顺应社会,又要自强不息。

我们的家乡过去异常贫穷,但文化底蕴深厚,"一耕二读"世代相传,牛背上的牧童会背唐诗宋词,目不识丁的农人说起《三国演义》来口若悬河。

封建社会考取探花、状元的农家子弟颇多,他们的故事人们口口相传,津津乐道。我们小的时候,老人总是把我们拉到身边"对对子":江河湖海清波浪,通达逍遥远近遊。上联全用水字旁,下联全用走之旁。

新中国成立之后,家乡学校的墙上写的标语"再苦也不能苦孩子,再穷也不能穷教育",随处可见,尊师重教一脉相承啊!而农家的孩子,生活极艰苦,可他们"贫穷不坠青云志"。一个个在逆境中努力学习,渴望着用知识改变命运。生活的强者,会把苦难作为自己奋进的风帆。

老子的《道德经》中有这样的思想:五光十色让人眼花缭乱,靡靡之音乱人心智,美味佳肴让人饱食终日,骑马狩猎让人心放荡,金银财宝让人产生贪欲。所以圣人追求的是修炼自己的心境、丰富自己的知识,而不为眼前的诱惑所动。

王开国说,老子的这一思想是要我们修炼平和的心境,有思想,有理想,有方向。无"道"的情况是有的,但你心中要有"道",要战胜"无道"。

无论外界变化如何充满诱惑,都不能放弃自己追求的目标、迷失自己的方向。在市场经济还没有完全成熟的情况下,有的行业的企业经营场上"五色"、"五音"、"五味"、"驰骋狩猎"、"难得之货"样样俱全。企业苦不堪言,但又无可奈何。

如何才能有效回避这些不良行为呢?王开国的回答是打造高文化素养的企业文化。拥有高文化素养的人,遇到文化水平不高的有钱人,会受到仰慕和佩服;遇到有文化的成功人士,会感到相识恨晚。

在商场上体现出高文化素养,就像下围棋,抢到了"先手",主动而又顺手。我寻找一切机会引导局面朝着能够体现自己和企业文化素养方向发展,一旦对方把"公事公办"变成了"文化交流",局面就打开了。

创造机会的方法有很多,如:一本书、一封信、一件工具、一幅画、汽车、足球、动物、少数民族、建筑、乃至于小孩……只要能够按照自己专长的任何物品、事件都行。

提高企业全员的文化素养,是企业文化的重要组成部分。企业全员的文化素养提高了,企业形象就大大提高了一步。遭到别人蔑视的可能性就减小了,企业在经营活动中就可以远离"五色"、"五音"、"五味"、"驰骋狩猎"、"难得之货"的困扰。

王开国还说,老子在《道德经》里强调:"上善若水,水善利万物而不争。"这就是说,最高境界的善行就像水的品性一样,泽被万物而不争名利。不义且富贵,于我如浮云。君子爱财,取之有道。还阐述了"信言不美,美言不信",即可信的话不加修饰,加以修饰的话不可信。

诚信是一个企业、一个人安身立命的根基。还有"无为,而无所不为","不争,而天下莫能与之争","以其无私,故能成其私"等等,这些磨练意志、修炼心境的精辟论述值得我们悉心领悟。

用真心忠于责任 以诚信托起使命

——记华宝兴业基金管理有限公司董事长郑安国

郑安国同志出生于以文人墨客享誉中国的楚鄂之地,15岁便考取大学,17 岁时就已开始在中学教授数学,3 年后重新高考选读了历史专业,后考取中南财经大学的研究生,从数学、历史转轨到金融领域,并拿到了复旦大学的博士学位。

郑安国同志自 1992 年进入金融证券行业以来,积极投身中国资本市场的发展和建设事业,取得了优秀的投资业绩。在南方证券工作期间,他带领的团队在国内最早创立发行部,开国内专业投行之先;最早之一开展行业研究,创办研究所,开基本面研究之先。1998 年作为宝钢集团引进的重要金融人才,郑安国同志为宝钢集团积极发起筹建了华宝信托投资公司、华宝兴业基金管理公司、华宝证券公司等金融企业。在郑安国同志领导和带领下,宝钢金融板块在近几年取得了长足的发展。

在郑安国同志的领导下,将由原舟山信托更名增资设立的华宝信托从业内默默无闻的公司变为赢利能力最强,综合影响力最强的公司,连续获得业内最有影响的"诚信托"唯一大奖,特别是在 2001 年至 2005 年的股市 5 年熊市中,华宝信托以良好的投资业绩和另类的投资方法傲视整个投资界,法人股信托不仅为投资者日后带来丰厚回报,更使华宝信托上了几个台阶,结构化信托为国内首创,至今仍是信托业的重要赢利支柱。

郑安国同志抓住机遇,2003 年创立国内首批合资基金公司之一的华宝兴业基金公司,使宝钢金融板块进入了发展潜力巨大的主流资产管理市场,并亲自设计了基金公司最早的两个产品,获得市场的广泛认可。在郑安国同志的带领下,经过 13 年的不懈努力,华宝兴业走过了从单纯的基金管理公司发展为综合性资产管理公司的历程,在资产管理规模和完善产品线上取得了较好的经营成果,旗下特色鲜明的四条业务线已在业内建立了初步优势地位。在此期间,华宝兴业基金管理公司的资产管理规模实现了从 2003 年创立初的 34 亿飞升到 2016 年超 2000 亿的管理规模。截至 2016 年年底,已有 49 只公募基金产品及 6 只专户产品,资产管理规模 1168 亿,位居行业第 19 位。

在郑安国同志的悉心带领下,华宝兴业基金管理公司打造出了一系列明星产品如华宝添益、华宝油气、香港中小等。其中公司旗下旗舰产品华宝添益(511990)成立于 2012 年 12 月,并于 2013 年 1 月 28 日登陆上交所挂牌上市。上市交易后,立刻受到投资者的追捧,上市首日交易额就达到 6.1 亿元,一举成为每日成交量最大的交易所挂牌基金之一。至 2014 年一季度末,该基金就以 244.5 亿元的规模,一举成为场内最大货币基金、两市最大交易型基金，在同类产品当中占据半壁江山。2015年6月24日，华宝添益单日成交额突破1450亿元，超越历史上所有个股、基金、权证等交易型产品，创下沪深两市的单日单产品成交最高纪录。截至2016年末的规模为755亿，稳居场内货币基金第一名，占据了场内货币基金近33.6%的市场份额。华宝添益的优秀业绩离不开每个华宝人的努力，也离不开郑安国同志英明的决断和优秀的领导。

此外，在郑安国同志的领导下，华宝兴业基金管理有限公司不仅注重公司业绩的提升，更是以稳健的投资风格和理性的投资决断，始终将持有人的利益摆在第一位，13年间历经"牛熊市"的风雨考验，虽时代在变，但初心未改。

2007年8月，华宝兴业在郑安国同志的带领下在业内首推"基金经理投资持基计划"。其后，该计划全面升级为"核心员工持基激励计划"。持基人员范围包括基金经理、基金经理助理、核心研究员及公司高管等其他核心员工。此举旨在紧密捆绑公司、员工以及持有人利益，以落实"持有人利益至上"的经营宗旨。

2007年9月至12月，基金发行热潮达到历史最高点，新基平均募集规模近200亿元。2007年12月19日，华宝海外中国成长(QDII)获批。但考虑到次贷泡沫刚刚破灭，海外投资风险激增，华宝兴业在郑安国同志的带领下，严格奉行稳健的投资理念，果断推迟该基金发行。直至2008年3月24日，华宝兴业判断海外市场企稳，方才启动该基金发行。尽管该基金仅募集4.63亿元，但成立后业绩稳健，远超同期获批即发行的其他QDII。

2011年12月，新股IPO市场远非合理：发行价格居高不下，赚钱效应剧减，投资人权益难保。基于此，2011年12月28日，华宝兴业率先宣布暂停参与新股询价。2012年2月，郑安国同志通过公众媒体，公开、系统地建言"新股发行制度改革"，一定程度上推动A股IPO定价回归理性。

2015年5月，A股牛市演绎半年有余，沪指立于5000点关口，风险正在逐渐积累。过去一个月，仅有6只公募基金进行了主动分红。不一样的华宝兴业基金，发出了不一样的"理性最强音"——在郑安国同志的率领下，华宝兴业对旗下4只公募绩优基金执行集中高额主动分红，为持有人落袋为安。

虽然在过去的十几年间华宝兴业取得了一定的优秀成绩，但郑安国同志深知"一粥一饭来之不易，一分一毫聚之为艰"，在其带领下华宝兴业不骄不躁，始终奉行着"持有人利益高于股东利益"的铁律，把持有人的利益摆在第一位，永远"以诚信、以真心"对待华宝兴业的每一个客户，"受人之托，忠人之事"，将一诺千金视为行动的信条。在华宝兴业基金投资研究业务中，郑安国同志自公司成立之初就提出"策略胜过预测"的原则，并且强调研究部门的"两个独立"即"内部研究独立于外部研究，研究独立于投资"。公司的投资研究中正是一直坚持了这些原则，才使得投资业绩在近些年的市场起伏中和人员高度流动的基金业一直保持较好的基金投资业绩。

直面挑战，苦练内功，打造企业持久动力

——记易方达资产管理(香港)有限公司行政总裁黄高慧

2015年下半年以来，这些外部发展机会正逐渐消失，香港的中资资管企业发展也因此面临巨大的挑战。中国经济发展步入"新常态"，人民币双向波动压力犹存。同时，RQFII额度向外资开放、沪深港通等新渠道的开通，使得中资金融机构的牌照价值大幅降低。而另一方面，伴随着国内"去杠杆"，投资收益下降以及美元加息周期的来临，促使国内金融机构投资"走出去"以及全球资产配置的需求不断升温，满足它们在海外的投资需求是中资资产管理公司所面临的历史性机遇。

因应外部环境变化，香港公司近年来改变以往"政策性、阶段性、短平快"的发展模式，着眼于增强核心竞争力，夯实长远发展基础，从两方面入手推动业务转型，即由单一业务结构向多元化业务结构转型，由单向跨境向双向跨境资产管理转型。我们希望通过这两个转型，来构筑全面的海外资产配置平台，拓宽资金渠道和客户基础，以适应新的发展形势。按照上述策略和方向，近年来，香港公司多管齐下，专注在投资、运营、交易及风控等多方面打造核心的行业竞争优势。

一、务实的国际投研团队与专业的产品研发能力。从2008年开始，易方达香港即全力打造内部的投研团队，经过多年积累，投研实力不断提升。目前，国际投研团队超过20人，大多具有国际名校及著名金融机构背景，其中超过一半投研人员从业经验超过5年。在产品研发方面，公司已经建立了三个不同方向的产品线，分别是：大中华区固定收类产品系列(包括通过QFII、RQFII投资于中国内地债券市场的产品，和投资于海外中资债券的产品)；大中华区权益类产品系列(包括QDII产品)；另类投资产品(包括一级及一级半市场的产品，如私募股权及IPO项目)系列。从机构投资者境外资产配置的角度，香港公司着力打造了需求旺盛、市场容量大且可复制性强的核心基金产品。权益投资产品大幅领先同类指数，大中华优选20基金及港股高派息专户从成立至2016年底总回报率分别达到0.85%及6.16%。固定收益方面，离岸债券策略切中客户需求，客户满意度高，王牌产品人民币固定收益基金自成立以来的5年多累计收益达37.3%(截至至2017年3月31日)，始终优于同类产品。

二、多市场、多币种、多策略、跨时区的运营能力。易方达香港拥有多个国家的多项资产管理资格，能够满足在中国内地、中国香港、开曼、欧洲、美国等不同国家和地区的产品高效运作。

三、交易品种多、基础工具库齐全。易方达香港交易品种覆盖中国内地、中国香港、美国、中国台湾的股票、ETF、债券、可转债、银行资本证券、货币市场工具等权益和固收类品种，以及各类金融衍生品，是港交所人民币/美元期货市场的最大机构参与者之一。同时，香港公司亦与多家券商签订了收益互换/远期(ISDA/CSA)、结构性票据(Structured Notes)和买断式回购(GMRA)，是香港市场上为数不多的一家能够提供多种场内及场外对冲工具的中资基金公司，这不仅能够有效避免对手方的风险，而且还保障了交易的准确性、安全性和合规性。

四、产品布局均衡，规模行业领先。与其他在港中资同业的产品类别相比，易方达香港的产品布局最为均衡，旗下32只产品囊括了固定收益基金、权益基金、QDII产品、专户及另类投资项目等种类。

五、自主开发的后台系统。易方达香港实现了业务流程的系统化、前台门户的动态化、监控措施的常态化和办公系统自动化。高效的后台系统有力地支持了公司投资管理、风控管理、客户关系管理和运营等各项业务，并为今后业务的跨越式发展奠定了基础。

六、合规体系完善、风险管理到位。易方达香港秉承全程风控的理念，将风险管理贯穿于业务发展的各个方面和环节，建设了完善的制度和流程体系，开发和使用了专业高效的系统，有效保障客户利益，确保稳健合规经营。截至 2017 年 4 月底，易方达香港保持了 0 违规、0 处罚的记录，是在香港证监会常规检查中没有收到任何整改意见的中资资产管理公司之一。

总体来说，香港公司通过发挥以上核心的优势，保持了资产管理规模稳中有升的态势，截至 2016 年底，易方达香港管理资产约 400 亿人民币，更难能可贵的是我们的客户及产品线均布局非常均衡。可以说，业务转型初见成效。因此，虽然中资资产管理公司的国际化面临着内部及外部的激烈竞争和重重困难，易方达香港有信心通过持续地推进业务转型升级，同时建立具有可持续性的激励机制，从根本上破解发展的难题，为公司的长远发展注入持久的动力。

大资管时代的大托管战略

——访平安银行股份有限公司资产托管事业部总裁陈正涛

随着利率市场化、金融脱媒、互联网金融以及金融政策的放开，我国经济的金融化程度不断加深，"金融深化"正在以前所未有的进程向前推进。

在此背景下，中国银行业长期以来"被动负债"与"存款立行"的发展逻辑受到严重冲击。今后，银行业的发展路径将从负债端的竞争驱动，逐步向资产端演进，即过去重在争夺低成本负债，今后则更加注重争夺收益较高而风险相对较低的优质资产，新的竞争优势将来源于资产的经营能力。

新形势下，打造资产端的核心竞争优势，为客户提供受托投资和全方位融资等资产管理服务的大资管业务，已不再是银行业可有可无的点缀，而是应对外部形势变化的战略举措。

与此同时，资产管理市场的快速发展也吸引了诸多"非银行"机构的积极参与，形成了银行、信托公司、券商、基金以及其他理财机构等"百花齐放"的局面。谁能独领风骚、谁将领跑市场？或许目前进行判断为时过早。

但我们可以预见的是，随着财富的积累与逐步增长，资产管理的需求日益旺盛，资产管理市场必将进入一个竞争、创新、混业、跨界合作经营的新生态。

未来，为适应不同资产管理机构的服务需求，资产托管行业提供的服务逐步从以资产安全保管、清算交收为核心的基础服务，向以基金行政、现金管理、绩效分析与评估等高附加值、综合型的增值服务升级？

2016 年，我国资产管理行业驶入高速发展的"快车道"。

一方面，资产管理市场日益庞大。截至 2015 年底，泛资产管理市场管理资产总规模达到约 93 万亿元人民币，资产管理成为金融体系内最具活力和成长潜力的板块。麦肯锡的一份研究报告显示，中国未来十年可望以 25% 的年复合增长率成为全球增长最快的资管市场，每年可创造 30 亿美元以上的利润。

另一方面，资产管理行业进入一个竞争、创新、混业经营的大资管时代。银行、信托、保险、证券、基金、期货、私募等各类金融机构均全面介入资管领域，资产管理行业的发展呈现出开放、多元、包容的竞争格局。

大资管时代，既带来了诸多的机会也蕴藏着巨大的风险，谁来守护投资者权益、防范金融风险？谁具备足够的专业化水准，能提供高附加值、综合型的增值服务？

平安银行资产托管事业部总裁、中国银行业协会托管专业委员会常务副主任陈正涛可谓资产管理行业的"老兵"，他在平安银行工作的 8 年期间，先后负责过包括对公理财产品在内的产品设计和资产托管业务。从曾经的资产管理人到目前的资产托管人，他如何看大资管时代下的托管业务？

近日，陈正涛在接受《贸易金融》专访时表示，大资管时代呼吁"大托管"战略。那么，资产管理为什么需要托管？什么是"大托管"？它是否预示着资产托管行业未来的发展方向与趋势？

用托管机制保障资金安全

据陈正涛介绍，资产托管是指商业银行等金融机构接受客户委托，作为独立的第三方对所托管的资产提供安全保管、资金清算、资产估值、会计核算、投资监督和信息披露等专业性的金融服务。

资产托管是现代金融市场的制度基础和必要载体。

对于投资者而言，托管银行提供安全保管、清算结算、投资监督、信息披露等服务，能有效地保障投资资产的安全性和独立性，从制度设计上严格控制了资产管理人的道德风险和信用风险，从而成为完善的市场经济关系下不可或缺的制度载体。

对商业银行自身发展而言，资产托管业务不占用经济资本、与直接融资市场密切关联等优势显著，成为银行综合化经营的有效抓手和重要平台。

正是因为资产托管的价值获得广泛认可，托管行业发展迅猛，从公募基金托管扩展到信托、券商、保险、私募、银行理财、企业年金等各金融细分领域，也广泛应用于民商事交易、公用事业、慈善、互联网等方面。

从 2008 年到 2015 年，全行业托管规模已增长 22 倍，达到 87.7 万亿元。

陈正涛介绍了我国资产托管行业大体经过了三个发展阶段。

萌芽阶段：1997 年国务院颁布了《证券投资基金管理暂行办法》，五大行获得证券投资基金托管业务资格，托管行业开始发展，并且以公募基金的托管为主。

多元化发展阶段：从 2007 年开始，随着资本市场的扩张，资管产品及业务种类不断增加，保险资管、银行理财、券商理财、产业基金、QFII、QDII、企业年金等托管产品如雨后春笋般相继出现，此时托管业务主要与资本市场及资产管理等相关。

创新服务阶段：2013 年以后，托管业务里各项创新产品结束了井喷式增长，同时随着托管牌照的限制逐渐放宽，越来越多的城商行、证券公司、外资银行也纷纷开拓出自己的托管业务。资产托管业务已经在服务资本市场、资产管理业务的基础上，拓展到商业银行客户资金托管、金融账户托管，托管人实现从单一托管服务商向全面投资者服务机构的转变，并不再简单局限于资产托管、交收清算等基础性服务，而是立足于综合金融，为客户提供全领域的一站式金融服务与一体化解决方案。

同时，随着托管牌照逐步放开，托管参与主体日趋多元化，多家证券公司及外资银行获得了资产托管业务资格。当前，我国金融市场蓬勃发展，资产托管业务已成为中间业务的重要组成部分，与传统业务形成良性互动，有效地服务于各项业务的健康发展。

用托管机制护航大资管走稳行远

谈及资产托管对大资管市场的意义和价值，陈正涛总结了资产托管机制在以下三方面的价值。

首先，资产托管机制是金融市场重要的基础设施。

近年来，我国正在加快探索关于金融改革和转型。而金融安全是国家安全体系的核心组成部分，金融的两大本质是配置资源和控制风险，这两者的关系又是矛和盾的关系，资本是趋利的，收益和风险又是相伴而生，因此金融机构的经营就是要不断地在这二者中间寻求平衡。资产托管作为一种风控控制的制度安排，顺应目前的大资管发展浪潮，为金融体系的运转保驾护航，同时也有效补充了社会诚信体系。

其次，资产托管机制是我国金融改革和创新的重要配套措施。

一方面，资本市场的全面改革吸引了大量资金流入，为资产托管行业提供了发展的内生动力，比如新三板市场和资产证券化业务发展提速，其中的资金安全问题备受关注；

另一方面，互联网金融爆发式增长过程中暴露出来的一些风险，也需要存管或者托管等制度作为解决方案。

最后，资产托管机制适应了大资管时代对资金安全的要求。

资产管理行业规模日益增长、受众面不断拓宽、业务范围交叉融合，亟需托管机制作为资金安全保障，资管产品融通灵活、创新层出不穷，对托管产品、服务、系统提出了更为专业化、多样化的要求，未来资产托管将围绕大资管发展方向，提供更加全面的托管解决方案。

显而易见，资产托管机制在安全保卫、风险隔离、波动减震、优化配置等方面发挥了积极作用。

顺应多样、多元、规范化趋势

不谋万世者，不足以谋一时；不谋全局者，不足以谋一域。因势而变，借势转型，方为正道。

对托管行业来说，大资管市场的形成和发展，就是这样的“势”。随着“大资管”时代的来临，资产托管行业迎来了前所未有的发展机遇，而在机遇来临的背后也同样面临着越来越严厉的监管政策，未来，资产托管行业将呈现出以下几方面的发展趋势。

行业竞争加剧，优胜劣汰速度加快。政策上的鼓励促使越来越多的金融机构加入到资产托管行业中，同时也对资产托管业务提出了更高的要求。这就意味着托管业从业人员必须不断研究新政策，并及时调整产品和业务以符合市场及政策监管要求，同时能为客户提供更加高质量的服务。激烈的竞争会促进行业内部迅速更新，并使金融机构更快更准确地适应市场、占领市场。

行业发展更加规范。资产托管行业短时间内的蓬勃发展已经暴露出诸多问题，尤其在操作风险与声誉风险上也逐渐引起各金融机构的重视。随着对相关风险防范意识提升，金融机构在未来将着手全程、全面地把控托管业务操作风险，从而将托管业务引领至更加流程化、规范化、合理化的发展方向。

产品与服务会更加多元化。客户的多元化与其需求的多元化要求资产托管行业不断增加创新服务品种，进一步扩展到为证券交易提供全套服务。

业务将高度信息化、网络化。目前，托管行业致力于提升内部信息系统与网络托管服务，降低了托管的服务成本的同时也增强了服务效率，实现了信息的有效传递与产品合规运作。

加大人才培养体系建设。专业的高素质人才是托管服务高质量的保证。托管业的未来蓬勃发展也将为该领域带来了大批量专业人才，各大托管银行也将继续加大对人才的培养力度，从而在未来的市场格局中占据有利位置。

大资管时代呼吁“大托管”

“资产托管与资产管理行业之间密切相依，资管行业的大发展带动了托管行业的繁荣，但与此同时，快速扩张下的资管市场产生的相关风险积聚、监管政策变化及创新增值需求等也成为资产托管行业面临的严峻考验。”陈正涛表示，大资管时代的托管面临以下几方面挑战。

一是业务风险防范要求提升。随着金融脱媒活跃资本市场，利率市场化繁荣财富管理，互联网金融促进模式创新，人民币国际化利好跨境资管，整个资管行业快速扩张，在经济下行周期风险显著加剧。而资产托管行业作为保障金融经济安全的重要风险防线，资产管理行业的扩张和风险必然导致托管行业的运营能力和风险防范承压，产生声誉及操作风险。

二是提供创新增值服务考验资源配置能力。随着托管牌照的增加，行业竞争加剧，为保证竞争优势，需不断创新增值服务，从客户体验、技术系统、业务撮合、流动性支持、现金管理、跨境服务、外汇兑换、投资分析评价等多方面进行尝试，因此需要与内外部多个公司及部门进行协同合作，极大地考验托管人的资源配置和协同响应能力。

三是托管运营及人才培养的约束。

一方面，业务规模扩张及模式演变加大了托管运营载荷和难度，托管人需加快扩充托管集中运营能力或建立托管运营分支机构；

另一方面，由于托管业务广泛且深入涉入各大金融市场和产业领域，从业人员的专业素质要求高，无法满足行业的快速发展和旺盛的人才需求，因而机构与人员的短缺成为业务扩张的约束。

“为适应不同资产管理机构的服务需求，资产托管行业提供的服务逐步从以资产安全保管、清算交收为核心的基础服务向以基金行政、现金管理、绩效分析与评估等高附加值、综合型的增值服务升级。”陈正涛表示，从国外经验来看，国外先进托管银行的增值服务已经成为主要利润来源，与之相比，我国托管银行的增值服务发展还处于初级阶段，我国资产托管行业的综合化服务的发展空间巨大。

在陈正涛看来，资产托管行业的综合化服务就是所谓的“大托管”，而这正是托管行业未来的发展方向。

首先，资产托管行业可以充分发挥“信息汇聚中心、资源整合中心、产品设计中心”的综合服务优势，整合投资、融资双方的需求，将托管服务从投资链条的后端向投资链条的各个环节渗透，通过当事各方紧密协作，将各方利益与托管业务平台的利益连接形成一个有机整体，建立互补共生的行业生态系统。

其次，资产托管行业可以为资产管理人提供行政外包即中后台外包服务。主要内容包括投资运营：交易管理、记录保存及会计、现金管理、企业行动处理、数据管理、性能分析、报告、抵押品管理、交易合规、风险分析。基金会计：总帐、资产定价、资产净值计算、净值计算、数据分布、定时报告。全球托管：保管资产、贸易结算、现金供应、收入/税务。客户通过投资管理人服务得到的收益：直接的成本节省，通过减少技术花费，专注于提高核心投资管理，开发性能和新产品，保持/提高服务质量和降低经营风险。提高运营效率，降低运营风险，同时使客户能够在自己的专业领域不断扩大的研究和咨询服务投入更多的时间和精力。

最后，资产托管行业可以为资产管理提供全面的绩效评估服务。内容包括净值表现评估服务、组合数据分析服务、风险管理服务、内控服务，还包括自动投资合规审核、战略整合等。这些服务以报表的形式体现在网站上，供客户下载查阅。其中资产净值表现评估服务是每日、每月或者一定时间内对投资组合的净值分析。范围很广和甚至涵盖另类投资以及房地产。风险管理服务包括：根据产品投资周期所产生的所有可能发生的风险都在考虑范围内，为客户进行评估。

未来，在供给侧改革、金融全球化、业态综合化、渠道互联网化的背景下，托管行业将面临着更多的机遇和挑战。唯有坚守资金安全底线、维护金融生态稳定、提供高附加值综合型的增值服务，才是托管业的发展之道。

行路当致远　山高愈前行

——记正平路桥建设股份有限公司董事长金生光

挥别“铁饭碗”　融入“创业潮”

1985 年 8 月，金生光从青海省交通学校公路与桥梁专业毕业后，被分配到青海省路桥公司。先后担任公司技术员、技术主管、工程队队长等，期间多次负责重点工程项目的施工组织，参与了西宁曹家堡机场、果洛拉加寺黄河大桥、享堂大桥、德令哈巴音河大桥、治曲通天河大桥、青藏公路北麓河大桥等多项工程的建设任务。

1994 年，在目睹了改革开放十几年所发生的沧桑巨变，切身感受到了青海这片神奇而偏远的土地所呈现出的盎然生机后，他毅然辞去了令人羡慕的国营单位工作，彻底挥别了“铁饭碗”。1994 年 2 月，在经过精心筹划和深思熟虑后，金生光与 4 位伙伴一起组建成立了“青海省湟中县正平公路工程公司”，从此开启了他们的创业史，也积极融入到风起云涌的创业大潮当中。

艰难起步　扎实基础

在公司起步的初期阶段，企业的发展非常艰难，他带领自己的团队起早贪黑，不知疲倦地奔走在西宁周边的几个县城，皇天不负有心人，精诚所至，金石为开，两个月后，他们终于拿到了公司设立后的第一个项目——平安上滩湟水河大桥。面对设备、资金不足的困难，金生光和他的团队就自己加工设备，自己装卸车，还经常到旧货市场和废品收购站，寻找别人已经淘汰的旧设备进行改装后继续使用。就这样，正平迈出了发展历程中最为关键的一步。

企业刚刚成立，在众多的建筑大军中只是个毫不起眼的小包工队，能够承接的项目也大都是条件最艰苦、别人都不愿意干的工程。在 1994 年年底，公司又承接了武警二支队中尼公路日喀则往西接近尼泊尔边境两座桥的桩基工程。工地离家比较远，一出去就是几个月，风餐露宿是家常便饭。

1995 年，在金生光的带领下，他的团队又承接了玉树州杂多县丹莫荣大桥工程，该项目地处青藏交界线的生命禁区，海拔 4700 米，气候条件非常恶劣，这是一个在青海地图上根本找不到名字的地方，但这也是正平公司成立以来独立完成的第一个工程，为了确保施工，金生光亲自带队，拼凑了 4 辆汽车，拉着大煤，一边修路一边行进，整整走了 16 天，一车煤烧完了，才到达工地现场。施工中生活物资常常不能按时供到位，他们就以吃野菜、打猎来维持。他们笃定一个信念：受人之托，忠人之事，纵有千难万险，也要把桥梁起来。经过几个月的奋战，大桥如期落成，该座桥经交通主管部门验收后，被评为优质工程。该项目的顺利完工，也打响了正平人“能打硬仗、敢打硬仗”的好名声。在随后的几年里，金生光带领正平相继承建了青藏公路万宝沟中桥、国道 109 线平安白沈家沟桥加固拓宽工程、西宁建国路火车站桥、报社桥等数十个项目，逐步树立了正平路桥“质量至上、服务至上、信誉至上”的品牌，为企业的快速发展、跨越发展奠定了坚实的基础。

遇时而动　顺势而为

1999 年，国家实施西部大开发战略以来，青海省政府大力发展交通基础设施建设，为路桥施工行业的发展带来了春天。国内实力强劲的同行企业不断进驻青海，面对激烈的市场竞争，作为青海地区的一家本土企业，正平路桥占据了天时地利，最关键的是经过 6 年的经营实践，正平路桥已经积累了十分丰富的高海拔和盐渍土地区路桥施工经验，在西部大开发、青海大发展的洪流中也发挥了积极的作用。

2001 年春节，正平成功中标了京藏高速西宁至湟源一级公路第八合同段，合同价为 8320 万元，这是公司创建以来承接的最大的工程项目，也标志着正平首次进入了高等级公路施工市场，该工程于 2003 年顺利完工，由于在整个施工过程中管理规范，项目完成质量优良，正平公司受到了社会各界的广泛好评，此后公司的规模迅速扩大。其间，金生光带领他的团队先后承建了天峻桥、巴音河大桥、门源县克图浩门河大桥、G315 线湟源至察汗诺 A 标段等工程，每个承建的项目都受到业主的好评，其中有多项工程还被评为优质工程。

凡事预则立，适应形势调整战略，方能使企业占领制高点。到了 2004 年，正平路桥已经有了近 400 名员工，资产和年产值也达到 1.5 亿元，基本形成了一个具有一定规模的企业，并进入了青海企业 50 强。他对企业走向与前景作了透彻分析，提出了“一体化渗透经营”战略和“五年五亿、十年十亿”的奋斗目标。为了实现这一目标，他坚持在内部实施“五个统一”的管控方式，实行以核心技术加外包、创牌与贴牌并举的经营模式，推行“深化两层分离、注重过程控制、实施流程管理、做实目标管理、责任成本目标、实行末位淘汰制”等六项管理手段，使公司在市场、人才、生产、技术、资金、管理等方面得到全面提升，推动了正平产业快速发展。2008 年公司产值已经突破 5 亿元，2010 年突破 10 亿元大关，提前实现了“五年五亿、十年十亿”的奋斗目标，2013 年产值已经达到 18.83 亿元，2014 年产值首次突破 20 亿元，达到了 25.7 亿元。

锐意进取　创新发展

在企业规模迅速扩张的同时，他也一直在思考着企业未来的发展方向和战略布局。寻找如何能继续把企业做大、做强的金钥匙。他认为，正平的成功就是靠管理，靠坚持走正平特色的管理之路。而正平多年来也从未停止过对管理的探索和研究，面对工作中出现的新问题及时研究解决，每年组织召开管理研讨会，探寻和分析一年来公司管理中存在的问题，研究对策，统一思想，安排部署来年的工作任务，这种来自于实践，来自于基层和一线的管理改进，以及集思广益的管理提升，使正平在施工企业管理方面有了更深、更细、更独到的认识和思考，尤其是在企业管控和人才成长方面反复地进行了研究和实践，逐步形成了独具正平特色的“十大管理体系”，有许多措施都是国内首创的，这些措施紧紧抓住了施工企业管理分散、点多面广，不好管控的关键，实行多层级的管理委员会控制运行体系，充分发挥企业骨干的力量和作用，既增加了控制的有效性，又提高了决策的正确性和效率。

经过二十年的探索与发展，目前，正平的总资产已达到25.4亿元，业务范围已涉及公路桥梁工程施工、养护、勘测设计、试验检测以及钢制波纹涵管等产品的生产与销售等，具有2项施工总承包一级资质和5项专业承包一级资质，是青藏高原资质最全、等级最高的路桥施工企业。通过多年的施工总结，打造了一支技术过硬、作风优良的团队，积累了丰富的高海拔、严寒、冻土，盐渍土地区的施工经验，业绩辐射青海、西藏、内蒙古、河北、湖南、四川、新疆、河北、河南等地，累计完成各等级公路建设2700余公里、桥梁280余座，多项工程被评为“江河源”杯省级优质工程。先后投资成立了蓝图设计、金运交通、金丰交通、正和路桥、路拓制造、正通检测、正平养护等7家全资子公司，并以良好的市场信誉、过硬的工程质量，在业内树立了“正平”品牌的良好形象。公司连续12年进入青海企业50强，连续11年被评为“重合同、守信用”单位，连续4年被青海省交通厅评为“AA”级信用企业，连续2年被交通部评为公路施工“AA”级信用企业，“正平”商标被国家工商总局认定为“中国驰名商标”。

在做大、做强以路桥为主业的同时，产业也多元发展，成立了青海金阳光投资集团有限公司，业务板块涉及投融资、商业管理、物流仓储、现代农业、教育咨询、进出口贸易、房地产开发及电子材料、特种钢材生产等。目前，青海金阳光投资集团有限公司总资产13亿元，年产值达5亿元。

泽被一方　和谐发展

在分享西部大开发成果的同时，他没有忘记履行一名企业家的社会责任，他多方筹资，为农牧区修致富路、架爱心桥，开展“节日慰问”、“捐资助学”、“党政军企共建示范村”等活动。捐资400余万元，在平安、玛多、玉树地区修建了三座桥梁。主动吸纳转业军人、下岗职工和毕业大学生，为他们安排工作岗位。利用施工企业劳动力密集的有利条件，每年安置数千名农民工就业，增加青海地区农牧民的收入。2004年，金生光又投资了40余万元在湟中县大才乡中沟村修建了希望小学，配齐了桌椅和文体器材，并为该校设立了助学金。每年还开展“金秋助学”活动，资助公司困难员工的孩子上学。

2008年汶川大地震时，他在第一时间派遣20名员工和8台机械前往灾区一线参加抗震救灾。2010年玉树大地震时，他更是亲自带领183名员工和40台机械连续奋战20多天，从废墟中抢救出45名幸存者，搜寻出44名遇难者遗体，并确保了玉树州地震中心到巴塘机场生命线的畅通。灾后，在他带领下，公司还一直坚持参与玉树的灾后重建工作。由于正平在玉树抗震救灾中做出的突出贡献，被中共中央、国务院、中央军委授予“全国抗震救灾英雄集体”，被中华全国总工会授予“工人先锋号”，被青海省委、省政府授予“全省抗震救灾模范集体”。

20多年来，在管理好企业，带领正平不断发展壮大的同时，他始终坚持“让我和更多的人生活得更美好”的宗旨，不断进行自我提升，积极参与社会扶贫和光彩事业，受到了社会各界广泛赞誉和高度评价，先后荣获了“青海省优秀民营企业家”、“优秀中国特色社会主义事业建设者”、“全国关爱员工优秀民营企业家”、“青海省企业信用体系建设工作先进个人”、“抗震救灾先进个人”、“全国建筑业优秀企业家”、“青海省优秀专家”、“全省非公经济组织创先争优优秀出资人”、“全国五一劳动奖章”、“光彩事业二十周年先进个人”等荣誉称号，真正实现了“完成一个项目、留下一份真情、树立一个形象、带动一地发展”的目标。

化“危”为“机”：今年银行经营如何破局

——访兴业银行股份有限公司董事长高建平

“今年，将是国内商业银行经营非常困难的一年。其中，既有来自宏观经济持续下行的挑战，也有经济金融改革持续深化的挑战。”近日，兴业银行董事长高建平在接受本报记者采访时如此表示。

2016年是“十三五”开局之年，经济形势愈加错综复杂，银行业如何适应形势变化，在推动供给侧结构性改革过程中实现自身的华丽蜕变，无疑将是严峻的考验。高建平认为，改革必然带来阵痛，但从中长期看，银行业机遇大于挑战。

一年之计在于春。时值年初谋篇布局的关键时点，作为兴业银行的掌门人，高建平向记者深入分析了未来一年银行业面临的形势，并详细阐述了该行的应对之策和业务布局。

记者：今年是“十三五”开局之年，中央作出了推进供给侧结构性改革的重大部署，提出了“三去一降一补”的五大任务。以此为背景，您对今年银行经营形势怎么看？

高建平：首先，从宏观形势看，全球各主要经济体的经济形势都不太乐观。美国经济尽管有所复苏，但力度不如预期。这也是美联储加息一再犹豫、推迟的主要原因。欧洲、日本尽管已经采取了力度空前的量化宽松政策，进入负利率时代，但其经济复苏的效果、可持续性还有待观察。具体到我国，尽管经济增速仍然明显高于主要发达经济体，但下行压力很大，经济结构调整、“三去一降一补”的任务非常艰巨，这些最终都会反映到银行的经营上，给银行的资产质量、业务和盈利增长带来巨大挑战。

其次，从经济金融改革深化看，挑战也非常大。在经济改革方面，去年底以来，中央审时度势，以极大的政治勇气和魄力作出了推进供给侧结构性改革的重大部署，这个决策非常正确、英明，我们坚决拥护、坚决贯彻。但也必须看到，改革必然带来阵痛，短期内不可避免会加大银行资产质量的压力。

更重要的是，供给侧结构性改革是一项复杂的系统性工程，对经济发展的思路、对金融服务的方式都提出了很多新的要求，商业银行究竟应该如何去主动服务和适应，很多工作还需要摸索。这是更大的挑战。比如信贷投放，过去银行比较擅长、投入比较大的主要是传统产业尤其是重资产行业，但现在这些行业普遍产能过剩，是供给侧改革的主要对象，有效信贷需求事实上在萎缩；与此同时，正在兴起的新经济、新产业，其实并不缺贷款，而如何做好对这些行业、企业的金融服务，银行本身在能力上还有欠缺。金融改革方面，利率市场化改革已经基本完成，汇率形成机制改革在加快推进，近两年金融脱媒、息差收窄的趋势非常明显，速度超出预期，这些对银行业务经营特别是盈利稳定的冲击都非常大。

第三，从市场和社会信心角度看，对商业银行的资本补充以至业务的安全稳健运营也存在着巨大挑战。

当然，事物发展从来都是一分为二的，一件事情从一个角度看是挑战，但换个角度看可能就是机遇。比如经济结构调整、去产能、去库存、去杠杆，短期看是压力，但中长期看却是机遇大于挑战。因为通过这种调整，传统产业会取得新的平衡，新产业、新经济、新动力会孕育而生，同时系统性风险会得到有效释放，利大于弊。又比如金融改革深化，一方面会压缩商业银行传统的业务和盈利空间；另一方面也会带来很多新的业务机遇，比如综合经营、兼并重组以及利率、汇率、跨境业务的发展等，同时还会倒逼银行加快改革，强身健体，进一步做实做优做强。对商业银行个体而言，关键是看你如何应对，有没有充分的准备和能力去化危为机。只要应对得当，我认为商业银行的发展空间还是非常广阔的。

记者：面对形势变化，今年兴业银行将重点在哪些方面着力、如何谋篇布局？有什么新的改革、转型、创新举措？

高建平：面对经济金融环境的巨大变局，今年我行业务经营的基本策略是突出"五个更加"：

更加强调稳健。要充分估计经济结构调整、供给侧改革可能造成的冲击，特别是对银行资产质量的冲击，在资产结构、客户结构、产品结构、区域结构等方面加大前瞻性调整力度，保证全行经营和资产质量的总体平稳。要更加合理把握速度、规模、质量与效益之间的关系，把业务发展的质量和效益放在更加重要的位置。

更加强调创新。要进一步加大业务产品、业务模式创新，在有效提升客户服务水平和市场竞争能力的同时，积极开辟新的业务和盈利增长渠道。要进一步加快风险管理的思维、方法、手段和工具创新，既有效把握实质风险，又有力促进创新业务、转型业务落地。

更加强调联动。要持续加大跨条线、跨机构、跨板块以及母子公司之间、子公司之间、境内境外之间、本币外币之间的协同联动，通过联动切实提高获客能力和效率，加大客户和业务价值的挖掘。要继续整合商行业务、投行业务、资产管理、财富管理、资金业务、一二级市场等的资源，形成更加完整的服务链条、价值链条。

更加强调精细化。要统一规划并加快推动内部转移计价、管理会计等管理工具建设，提高管理精细化水平。要更加重视业务经营管理的数字化、智能化建设，更加深入地推广应用移动互联、大数据、云计算、人工智能等先进技术，以科技改造业务、以科技推动创新。

更加强调体制机制改革。要把握金融深化改革的大趋势，积极寻找并努力争取好的政策机会，在体制机制特别是企业管理体制、激励约束机制上继续推进改革创新，保持并增强银行集团的竞争软实力。

具体到业务经营和创新的着力点，今年我们的基本考虑是坚持"两手抓"、"两条腿走路"，努力打造并培育"六大金融"业务格局。即：一手抓传统优势业务的巩固拓展，包括同业金融、环境金融、养老金融这三大特色业务，争取进一步扩大业务优势，巩固市场地位，树立鲜明品牌。一手抓新兴战略业务培育，拓展业务边界和业务空间，争取形成新的业务和盈利增长点，具体包括三方面：

综合金融方面，我们将着力发挥牌照资源比较丰富、综合服务能力较强这方面的优势，紧紧围绕国家重大战略布局比如"一带一路"建设，以及市场需求热点比如国企改革、兼并重组等，努力做好综合金融这篇大文章，争取培育形成核心竞争优势。

跨境金融方面，伴随着"一带一路"、人民币国际化等国家重大战略的实施，跨境金融业务将迎来重大发展机遇。目前，我行香港分行、境内自贸区机构等业务发展已经上轨道，今年我们还计划在香港设立兴银国际控股公司。下一步，我们将以这些机构平台为依托，进一步加强境内境外业务联动，争取在跨境金融业务上形成突破。

普惠金融方面，去年以来，中央提出要实施精准扶贫战略，确保到2020年全部贫困人口如期脱贫。这是史无前例的宏大战略，其中也蕴含巨大商机。我们将严格贯彻中央精神，进一步强化履行社会责任，大力发展普惠金融业务，把企业的社会价值与商业价值更加有机地统一起来。

记者：兴业银行 2015 年经营情况如何？您能否透露一下 2016 年的经营目标包括盈利目标？

高建平：2015 年，商业银行面临的内外部经营环境总体复杂严峻，压力较大。尽管困难大、挑战不少，但得益于全行上下的共同努力，特别是主动灵活调整经营策略，积极有效抢抓市场机遇，我行各项业务继续保持平稳健康发展，顺利完成年度各项经营目标，为"十二五"期间画上一个圆满的句号。具体到 2015 年末的经营情况和经营特点，我简单地把它概括成"五个 5"：

第一个"5"是，业务发展迈上新台阶，资产总额突破 5 万亿元。到 2015 年末，集团资产总额达到 52973 亿元，比年初增长 20.22%。

第二个"5"是，经济效益创历史新高，年实现净利润突破 500 亿元。2015 年，我行实现归属于母公司股东净利润 502.57亿元，同比增长 6.62%。

第三个"5"是，人才队伍保持稳定，员工总数超过 5 万人。

第四个"5"是，主动充分暴露风险，年处置不良资产超过 500 亿元。

第五个"5"是，行业地位获得新的提升，全面跻身全球银行 50 强和世界企业 500 强行列。

2016 年，商业银行面临的经营压力有增无减。我们的经营目标是，希望通过努力，争取实现业务合理增长、资产质量和盈利水平总体稳定，为新一轮五年发展开好局、起好步。

（来源：金融时报　作者：李岚）

完善推广"保险 + 期货"为农业现代化贡献"期货力量"

——访华泰证券副总裁、华泰期货董事长张涛

华泰证券副总裁、华泰期货董事长张涛昨日接受中国证券报记者专访时表示，"保险 + 期货"作为期货行业联合金融同业的一项创新，体现了行业在落实供给侧结构性改革、落实脱贫攻坚战略方面的努力，体现了行业服务实体经济的本质要求，体现了行业创新发展的最新方向和成果。在农业"保险 + 期货"这一模式下，期货公司成为创新主体，通过充分与"服务三农"相结合，有利于场外期权这一创新工具的风险管理功能在更广的范围、更深的层次上发挥，并通过多方联动共同筑就农业各类经营主体的收入安全网，充分保障了市场化背景下各方的利益，为农业现代化贡献了"期货力量"。

记者：作为打通金融服务"三农"的"最后一公里"，当前开展的"保险 + 期货"有哪些具体内容？

张涛：今年中央"一号文件"提出，"改革完善粮食等重要农产品价格形成机制和收储制度"，"坚持市场化改革取向与保护农民利益并重"，"完善农产品市场调控制度"，"稳步扩大'保险 + 期货'试点"。响应这一号召，华泰期货参与了大连商品交易所和郑州商品交易所分别推出的玉米和白糖两个品种的"保险 + 期货"试点项目。

"保险 + 期货"的模式，本质上就是将期货打包为保险产品来管理农产品价格风险。具体来说，分为两个层面的内容：第一是保险层面，保险公司向普通农户或者新型农业经营主体（以下统称受保对象）提供一个农产品价格保险，在此保险下，

如果未来新作的农产品价格在收割销售期内下跌到保护价以下时，保险公司即赔付受保对象因价格下跌而蒙受的损失，从而保障了农户的基本收益，达到保险保障的效果。第二是期货层面，即保险公司向期货公司及其风险管理子公司买入相应的场外期权，将价格变动的风险转移到期货公司手中；而期货公司利用其风险管理的专业能力，在期货市场上参与交易，对冲价格变动的风险，充分发挥期货市场风险管理的职能。

总结来说，"保险＋期货"模式，就是期货公司利用自身在期货、期权等金融衍生产品方面积累的经验，借助保险公司的通道，帮助农民管理价格风险。

记者：请详述华泰期货如何开展"保险＋期货"业务？有哪些创新亮点？

张涛：如前所述，华泰期货今年联合中国大地财产保险有限公司，参与了大连商品交易所和郑州商品交易所分别推出的玉米和白糖两个品种的"保险＋期货"试点项目。

玉米品种的"保险＋期货"的试点项目，我们是在内蒙古自治区通辽市科左后旗开展的。在开展过程中，我们将大商所预备给予的200万的项目补贴全数捐赠给了科左后旗政府的扶贫机构，帮助扶贫机构以非常低廉的代价向大地保险购买了今年12月底到期、3万吨的玉米价格保险，进而将此份保险免费提供给当地贫困的玉米种植农户，以保障他们的基本收益。该项目在创新上主要有三个亮点：首先，该项目适时地配合了国家玉米价格市场化改革的步伐，在取消玉米临储保护价格政策的过程中，通过保险的方式，很好地保护了玉米种植农户的基本收益。其次，该模式首次覆盖了内蒙古自治区的少数民族地区，促进了少数民族经济的共同发展。最后，由于该项目的资金有限，我们采用了精准扶贫的思路，对国家级贫困县科左后旗的贫困农户进行了试点扶助，也为国家的扶贫事业贡献了自身的力量。

而白糖品种的"保险＋期货"的试点项目，我们是在广东湛江地区开展的，这也是在广东省内首次引入该模式。不同于玉米，白糖的情况更为复杂。湛江农户的种植品是甘蔗，目前金融市场上不具备管理甘蔗价格风险的工具，只能通过白糖期货来管理甘蔗风险。但这样的话，就不可避免地要面对风险如何从甘蔗转移到白糖上的问题——解决这个问题的关键就在于糖厂。在这个项目中，我们不仅联合了保险公司，还与广东农垦集团下属的湛江广垦糖业有限公司合作来开展试点工作。在湛江广垦实行的"农户＋土地"的模式下，糖厂和蔗农成为了一个利益共同体，也使得从甘蔗到白糖风险的转移成为了水到渠成之事——这也是我们开展该项目的一大亮点。

记者：从华泰期货的实践来看，大力推广"保险＋期货"模式，进一步深化服务三农工作，还存在哪些困难？如何解决？

张涛：开展该项目的过程中，我们在如下几个方面遇到了困难：

首先是农民对该模式的接受程度问题。以玉米为例，前几年国家对于玉米采取临储保护价收购的政策，东北地区的玉米一直存在着政府托底收购价，今年首次采用市场化定价方式，农民采用金融工具来保护自己收益的意识还偏薄弱，农产品价格保险的推广面临重重困难。

其次是保费的资金缺口问题。目前"保险＋期货"模式之所以能试点性地开展，是因为交易所对项目有一定的资金补贴，从而解决了保费来源不足的问题。但这一模式一旦推广开来，交易所的补贴远不能从根本上解决与日俱增的需求，迫切需要创新模式解决保费来源问题。

最后是信用风险问题。由于保险公司对期权产品的不熟悉，以及保险公司与期货子公司体量的不对称，导致保险公司对期货子公司卖出期权之后的兑付能力存在着一些疑虑。在未来"保险＋期货"规模扩大时，这个问题很可能会成为部分实力不强公司的掣肘之处。

针对上述这些问题，我们认为应该进一步加大"保险＋期货"模式的宣导工作，增强农民风险管理的意识以及金融保险知识，认识到价格保险的必要性和益处，加强跨行业的交流和沟通，尤其是期货公司和保险公司互通有无，普及各自的专业知识，监管部门也应该构建沟通平台，了解业务开展进程以及相应的风险点，对业务开展方向及时把控及引导。另外，我们希望在"保险＋期货"模式中引入加强政府参与的分量，这也意味着和政府的沟通和交流也要进一步加强。以上工作，可以由保险公司和期货公司分工合作，协作完成。

（来源：中国证券报·中证网　作者：王超）

金融市场有通过对外开放完善机制的需求

——访光大证券首席经济学家徐高

中美高层经济对话机制启动10年之际，双方议题逐渐向针对性与具体性的方向不断迈进。6月8日，《第八轮中美战略与经济对话框架下经济对话联合成果情况说明》（以下简称《经济对话联合成果情况说明》）对外发布，"促进金融稳定与改革"成为重要的组成部分，资本市场和金融市场的诸多方面成为中美双方"绕不过去"的共同关注点。

不过，《经济对话联合成果情况说明》洋洋洒洒近万字，什么才是中美各自在金融领域的核心诉求？人民币交易和清算、银行间债券市场、期货市场，这些被纳入对话成果的具体事项又有着怎样的来龙去脉？一揽子承诺与安排中，什么才是业内人士看重和关注的？带着这些问题，记者采访了光大证券首席经济学家徐高。

记者：徐先生您好，可否整体解读一下《经济对话联合成果情况说明》对金融稳定与改革部分的表述以及中美双方在金融市场领域的核心诉求？

徐高：在《经济对话联合成果情况说明》中，金融稳定与改革是很重要的一部分。从表述中可以看出，中方的主要诉求在于进一步推动人民币的国际化；而美方的主要诉求则是要求中方进一步向国际投资者放开国内金融市场。

但必须要强调的是，中美战略与经济对话是一个互利共赢的机制，不应将其看成是一个你输我赢的零和博弈。在对话中，双方都会提出自己的需求，也都会做出一些妥协。但要看到，相当多的对话成果都是双方的共同诉求所在。美方给人民币国际化提供便利，事实上也能避免美国未来在人民币国际化的大潮中被边缘化。而中国金融市场本身也有通过对外开放来完善其机制的需求。

记者：《经济对话联合成果情况说明》提到，中美双方强调保持中国和外国金融机构公平参与人民币交易和提供清算服务的重要性，并给予美方2500亿元人民币合格境外机构投资者（RQFII）额度。能否介绍一下目前在便利外国金融机构参与人民币交易和清算业务方面取得了哪些进展以及未来的推动方向？

徐高：目前，我国的RQFII已扩大到了17个国家和地区，而人民币业务清算行已扩大至20个国家或地区。同时，外国金融机构在人民币外汇市场和债券市场的参与渠道也被逐渐打开。

2016 年 1 月份，我国允许境外人民币业务行参与银行间外汇市场。2016 年人民银行 3 号公告进一步扩充了银行间债券市场的准入机构。2016 年 6 月，人民银行还批准了那些已进入银行间债券市场的境外人民币清算行和参加行开展债券回购交易，且回购资金可调出境外使用。

未来对于外国机构参与人民币交易的机构资质标准可能进一步放宽，交易额度和交易权还会进一步扩大。同时进一步简化流程、提高资质审批效率。但是开放的步伐会建立在审慎的基础上，循序渐进。

记者：《经济对话联合成果情况说明》还提到了合格境外投资者直接投资银行间债券市场。目前合格境外投资者直接投资银行间债券市场方面的市场开放已经取得了哪些进展，在哪些实施细则方面还需要进一步推动，这样一贯的推动具有怎样的意义？

徐高：随着人民币跨境使用的逐步扩大，我国债券市场对外开放步伐不断加快。自 2010 年以来，人民银行先后允许符合条件的境外央行或货币当局、主权财富基金、国际金融组织、人民币境外清算行和参加行、境外保险机构、人民币合格境外机构投资者（RQFII）和合格境外机构投资者（QFII）投资银行间债券市场。

今年，人民银行 3 号文向更多符合条件的境外机构投资者打开了国内债市的大门。经人民银行认可的境外商业银行、保险公司、证券公司、基金管理公司及其他资产管理机构等各类金融机构，这些金融机构发行的投资产品以及养老基金、慈善基金、捐赠基金等类型都能按规定投资银行间债券市场。而且，符合条件的境外机构投资者可自主决定投资规模，没有投资额度限制。下一步，我国还会继续审慎地推进银行间债券市场的开放，同时明确和细化实施细则，进一步简化管理流程。

目前，还有两个问题可能是境外投资者比较关心，需要我国进一步响应的制度建设。一是在比较极端的债券违约的情况下，境外债权人利益如何得到保障。二是投资收益能否顺利的结算和跨境流动。

记者：关于"支持资本市场的发展和金融稳定"，中美双方达成承诺的领域非常广泛，这些成果覆盖了监管沟通、公众公司审计、跨境执法合作等等领域，合计达到 9 条之多。就实质性和重要性而言，您关注哪些内容，能否解读一下他们的意义和影响？

徐高：9 条成果中，第 5 条在衍生品业务方面着墨较多；第 8 条涉及了期货交易所层面的合作。

在我看来，这可能是中国的衍生品行业发展提速的一个契机。中国的衍生品行业，由于种种原因，基础设施建设仍然不足，对外开放程度也有明显提升空间。但是衍生品确实是现代金融创新的一个重要载体，也是防控风险的重要工具。此次的第 5 条和第 8 条，通过该行业的开放和国际合作，可能是衍生品行业发展的一个契机。

（作者：刘泉江）

从小舢舨到行业旗舰

——访天齐锂业股份有限公司董事长蒋卫平

作为集上游资源储备、开发和中游锂产品加工为一体的锂电新能源核心原材料重要供应商，天齐锂业掌门蒋卫平既不骄傲自雄，也不仰人鼻息，而是保持着一惯的平和，他说，厚积薄发的天齐锂业，要扛起引导行业健康有序发展的大旗。

"天齐的今天，是努力＋机遇"

蒋卫平认为，世间成功之事，离不开两个条件，一是努力，二是机遇。

天齐锂业是国内最早研发生产电池级碳酸锂的企业之一，而时光倒退到二十年前，那时锂是什么东西、用在哪里，蒋卫平根本不知道。看似不经意间入行，摸爬滚打二十年，成就了今天的一番事业。

二十多年前，偶然机会下蒋卫平涉足了锂矿行业，但他当时对锂矿及锂材料并不了解。彼时，锂矿还没有在新能源领域得以广泛应用，在欧美市场更多用于陶瓷玻璃行业，国内市场尚未开拓。当第一批锂矿到货之后，蒋卫平把推销目标放在陶瓷玻璃产业上，一点一点开始涉入。之后几年，随着锂产业的逐渐复苏，他开始向国内锂材料生产商供应锂矿。

目前，天齐锂业其中一个生产基地在四川射洪，拥有年产 10500 吨的碳酸锂生产能力，而这个基地归于天齐锂业旗下，还有一段历史渊源。

射洪工厂始建时，是一家县属国企，由于国内锂矿品位限制等诸多因素，生产一直不稳定，成本居高不下，产品质量不达标。工厂负责人找到蒋卫平，希望通过他进口澳大利亚的矿石。1997 年开始，射洪工厂便使用澳矿至今。后来，该厂由于市场、管理、体制等各种原因，投产之时就是亏损开始，经营一度陷入困境，濒临破产。2004 年，射洪县政府和天齐集团通过竞争性谈判，最后决定由天齐集团整体并购了这家工厂。收购之后，蒋卫平通过稳定职工队伍、强化基础管理、深耕市场、强化营销和加大研发等一系列举措，使射洪基地于 2005 年实现连续稳定生产，并于 2006 年开始盈利，走上了一条良性发展的可持续之路。

2013 年开始，天齐锂业并购动作频现：先是并购泰利森母公司文菲尔德 51% 股权，间接控股了泰利森，获得了稳定的海外资源保障；2014 年 8 月，出资收购了国内盐湖锂资源储量和禀赋最好的西藏日喀则扎布耶锂业高科技有限公司 20% 的股权；2015 年 4 月，完成了对银河锂业国际公司 100% 股权的收购，将该公司在江苏省张家港市建立的中国首个全自动化碳酸锂生产线收入囊中。今年 4 月 23 日天齐锂业发布公告，将启动"2 万吨电池级氢氧化锂项目"的可行性研究，项目预计投入不超过 16 亿元，为全球主流正极材料和锂电池厂商配套。至此公司全球产业布局的脉络和路径日渐清晰，一个具有明显国际化、资源性、科技型标签的综合性锂工业公司初露峥嵘。

"那场海外并购，惊心动魄"

在资源为王的时代，如何"走出去"、在海外开疆拓土，保证公司可持续发展同时，参与国际锂电市场竞争，提升行业地位？天齐锂业 2013 年并购泰利森一役，惊心动魄，险象环生，精彩纷呈，堪称范例。

全球品位最高的固体锂辉石矿格林布什矿位于西澳大利亚。长期以来，天齐锂业一直唯一从这里进口锂矿石。蒋卫平每年与外商进行商务谈判都非常艰苦，吃尽了苦头。他心中逐渐有了收购的念头，一直观察和等待合适的机会。

2012 年 8 月，全球第二大锂生产商美国洛克伍德公司发出公告，与泰利森签署了《协议安排实施协议》，拟以每股

6.50加元的对价全面收购泰利森。蒋卫平敏锐地觉察到，如果置之不理，不仅公司战略目标无法实现，而且可持续经营也将面临巨大挑战。“必须出手！”但是，不到三个月时间，天齐锂业能否完成这个比蜀道还难的挑战？“我和管理层商量，哪怕面前是一条险路，也要不惜代价冲一把，死马当成活马医。”蒋卫平回忆说。

短时间内，天齐集团聘请中介，设计收购方案，向国家商务部、发改委、外管局、四川省政府递交申请，开路条，拿批文，各种动作串联起来。然而，资金又从哪里筹措呢？几十亿人民币的资金，把天齐集团的有效资产和蒋卫平的家产股票房子全部抵押，也远远不够。蒋卫平坦言，随着谈判的推进，他心里越来越感觉没底，竞争对手太强大了，但是，既然下了决心了，蒋卫平和管理层破釜沉舟了：此事必须做成，开弓没有回头箭。

令蒋卫平纠结的是，因为民企的身份，天齐锂业与国有政策性银行谈判无果。他转而找到中投公司，中投恰恰一直在关注锂产业，也在伺机而动，在振兴民族锂工业的关键时刻，中投果断出手，决定支持天齐集团的跨境并购。“特别感谢中投。”蒋卫平满怀感激之情。

在很短时间内，国内各部委的路条拿到了，资金到位了，澳大利亚政府也批准了，顺利完成并购。竞争对手根本没有想到，没有央企背景的这家四川小企业，能在短时间内完成不可能达到的目标。

“这是天时、地利、人和俱备的结果。”蒋卫平说：“那时我们负债累累，假如此事没有谈成，前期律师、投行、审计评估和2500万美金的分手费等之类的费用，天齐集团将承担不菲的损失。”

并购之后，天齐锂业定向增发股票收购泰利森母公司文菲尔德51%的权益，实现了对泰利森的控制，在为公司的腾飞奠定了坚实基础的同时，避免了优质资源被外国竞争对手掌控的格局。

这是一场成功的战役。“按照我的性格，我会慢慢来，但突发事件逼得我只能背水一战。”听蒋卫平叙述整个过程，尽管他语气平和，谈笑风生，但是，字里行间透露着惊心动魄的经过和四两拨千斤的奇迹。

“谁知道我们坐了十几年的冷板凳”

成功的花，人们只惊羡她现时的明艳，然而当初她的芽儿，浸透了奋斗的泪泉。

天齐锂业在行业低谷时逆向进入，从一家名不见经传的内地民企，到跨国企业集团，再到全球锂产业的重要一员；从最初的亏损，到如今成为行业和资本市场皆具有影响力的锂业旗舰，期间经历了近二十年的寂寞和艰苦。

蒋卫平说：“前几年，锂产业艰难度日。从去年到现在，受益于新能源汽车的发展和国家的政策红利，我们的日子才好过一些。”

从2015年四季度至今，天齐锂业仿佛处在风口浪尖上。在外界看来，一路走高的碳酸锂价格和股价，让天齐锂业赚了不少真金白银，当然也有同行和客户投来异样的目光，对此，蒋卫平表示理解。“我们的主打产品是碳酸锂。在国家政策鼓励下，新能源汽车陆续放量，下游厂家抓紧时间投放产品、占领市场，导致对原材料需求大幅提升，碳酸锂价格从去年四季度开始暴涨。涨价是大势所趋，市场需求爆发才是根本原因。”

蒋卫平认为，天齐锂业要做强做大，扛起行业的大旗。“我们目前的成绩不是撞大运撞来的，属于厚积薄发吧。作为公平竞争环境下的市场微观主体，我们有权利选择有能力、有技术、有潜力的客户合作。外界的一些异议我们有注意到，属于公司成长的烦恼。我们心态要放平和，有些事情是水到渠成的，我们做好自己的事就行了。”

“我喜爱机械行业”

蒋卫平今年61岁。20世纪70年代时，当他高中毕业之后，上山下乡到农村劳动。1977年恢复高考之后，第一批考入了大学。

当年，蒋卫平放弃了端在手里的“铁饭碗”，走上创业之路。回忆起当初离职自主创业的动因，蒋卫平说：“大学毕业工作后，我觉得还是与自己的初衷不一样，单位里总是少了一点什么，使不上劲，还是想自己出来做一些事情，也没有太多的想法和顾虑。”

蒋卫平说他起初也没有太多的规划和目标，只是想低头做事，赚钱养家。但是，他有一个原则，不去做一夜暴富的事。“方向看好看准了，就埋头去做，五年、十年不怕晚，我不追风。”

除了走路、爬山、阅读外，蒋卫平没有什么爱好，但唯独喜欢机械。从天齐集团创办到现在，蒋卫平始终不忘初心，他介绍说，天齐集团在国内的企业以及在加拿大、在印度的公司，一直没有放弃机械行业。“我觉得我喜欢这个。我去看机器展览，站在展台前能看很长时间。现在，集团公司已经开始涉足3D金属打印这个领域。”

对话：在轮回中把握机遇

记者：随着中国新能源汽车的飞速发展，动力锂电池原料需求爆发，碳酸锂价格上涨，如果引发投资热潮，锂产业是否也会重蹈产能过剩的覆辙？

蒋卫平：从钢铁、电解铝、稀土、多晶硅等行业可以看出，前期都是行情暴涨，然后资本集中，最终产能过剩，大家都赔钱。在锂行业内，我们不要再走老路子，一定要避免低端产能过剩，高端产品不足的现象发生。

我一直在思考天齐锂业应该为行业健康发展做些什么。我认为天齐锂业要做一个负责任、对行业有贡献的公司。我希望：一是在资源上要合理有序开发；二是投资要有规律，要理智地分析市场的供给比例和保有量、增长率，不能盲目，每年锂电池材料保持在合理的增长率，生态环境也是可以消化的；三是国家要严格准入条件，从环保、生产规模、劳动生产率等各个方面进行有序控制。

记者：您个人如何看待当前和今后几年的锂市场？

蒋卫平：这一轮的价格上涨，从另一种角度来看，本身就是一个淘汰高成本、低质量的企业的过程。市场是有规律的，价格涨到一定程度就会趋稳，或者回调。供需平衡、价格合理是靠市场的无形之手，而不是靠某家企业人为抬高或打压。

我从开始接触这个产业至今，差不多20年时间，其间经过了几个轮回。我认为，任何一个行业都有其规律，和其他产业一样，锂产业也有兴衰期，每一个轮回中，价格都是波浪式前进的。我认为，供需关系会通过市场自发的调节逐步回归平衡，暴利是不可持续的，天齐不追求暴利，希望分享行业稳步增长的合理利润。

另外，除了新能源汽车之外，根据《中国制造2025》战略规划，随着机器人穿戴式智能产品、储能设备的快速发展和更新，锂材料需求量还会增长。

记者：天齐锂业制定的发展战略目标是什么？

蒋卫平：天齐锂业的战略目标是夯实上游，做强中游，渗透下游。

夯实上游，资源为王。我们收购了泰利森，并参股西藏扎比耶，拥有甘孜甲基卡措拉矿，公司资源储备日益丰富与多元，是支撑公司未来发展和壮大的先决条件。

做强中游，稳定生产。目前射洪基地的碳酸锂产能是10500 吨/年，张家港基地检修结束之后，争取今年年底实现17000 吨/年的产能目标，要让射洪和张家港这两个生产基地的产能稳定释放出来，与精矿产能匹配，满足市场的需求。另外，这些年我们一直摸索氢氧化锂的技术路线和产品质量，已经比较成熟了，所以目前天齐锂业已经启动了年产2 万吨电池级氢氧化锂生产线的可行性研究，在进一步加强公司上下游的匹配程度，为新能源行业提供可持续的原料保障的同时，进入国际主流锂电池材料供应链，实现把公司打造成具有国际竞争力的一流锂材料供应商的战略目标。

渗透下游，谨慎行事。虽然说锂电池产业飞速发展，但是各种锂电材料都有它的不足，技术路线还有一段时间的探索，到底走哪条路，我们还不是很清楚。作为上市公司，风险是公司必须首要考量和权衡的，要对全体股东负责。所以，下游肯定要渗透，但我们决不贸然行动。

（来源：《中国有色金属》杂志人物专访）

引领企业发展的“头雁”

——记吉林敖东药业集团股份有限公司副董事长、总经理朱雁

在吉林敖东药业集团股份有限公司，朱雁除了担任党委书记一职，还是公司的副董事长和总经理。尽管工作十分繁忙，但他始终不忘自己的党委书记这个身份。朱雁说：“无论是党的工作、董事会的工作、公司的管理工作，我都把它们有机地结合起来。公司董事会作出重大的决策，或者是经理层作出重大的决策，我就从党委书记这个角度上，发动基层党的组织和党员带头来执行决定，带头去执行决策。”

1993 年，企业实行股份制改造，要求职工全员持股。而对于大多数员工来说，股份制、股票这些概念还都非常陌生，对公司作出的这个决定并不认可。朱雁组织召开党委会，要求党委成员耐心细致地做员工的思想工作，转变员工思想观念，使得企业股份制改造顺利进行。最终，95% 以上的员工持有了公司股份。

企业的转制，促进了企业的快速发展，同时也带来了员工思想上的变化。有的员工集体观念开始淡化，把个人利益看得很重。有的党员降低了约束自我的标准，丢掉了无私奉献的精神，先锋模范带头作用开始弱化。以经济建设为中心，党的工作怎么开展？朱雁缜密思考，使党务工作不断适应新的形势。为了充分发挥党组织的凝聚力、战斗力和党员的先锋模范带头作用，党委适时提出了“我是党员，向我看齐，接受监督”的口号。在企业里设立党员先锋岗，亮明党员身份，接受普通员工监督。公司员工有了标杆，有了榜样。党员们有了压力，有了约束，时时处处注意自身形象，在群众中起表率作用。

围绕发展抓党建，凝神聚力谋发展。发展强，党建才有说服力；党建强，发展才有持续力。企业要发展，就必须不断创新；要创新，就要大力培养和引进人才，这是朱雁和党委班子成员形成的共识。多年来，朱雁始终高度重视人才工作，通过职业经理人队伍建设，外聘高端人才，解决了企业营销人才紧缺的问题。市场总监应钢是朱雁从西安杨森聘任来的，当时他的工资比董事长的工资还高。他的到来，给企业带来了新的机制，新的团队，把敖东的营销，在原有基础上提高到一个新的层次、一个新水平。朱雁还把年轻大学生看作是企业的未来，在生活中关心他们，在工作中给他们压担子，为他们学习深造和素质能力提升创造条件。朱雁说：“要把这些年轻的员工培养成业务骨干、培养成党员，让他既有组织纪律，又有工作能力，积极参与企业的建设，成为企业发展的栋梁。”企业建立了一套完善的党员队伍和人才队伍培养机制，注重把业务骨干培养成党员，把党员培养成业务骨干，把党员中的业务骨干培养成中高层管理人员和科技研发带头人。到目前为止，企业中的中高层管理人员和技术骨干中的党员比例已经达到了 90% 。

朱雁还把企业文化建设作为党建工作的一项重要内容，努力塑造“世人健康，敖东的职责”的企业宗旨和“专注于人，专精于药”的经营理念，在员工中牢固树立“诚信为本，品格第一”的价值观，通过企业文化建设，为企业员工打造一个积极健康向上的精神家园。董事会秘书陈永丰介绍说，在集团推行了“企业内部无公关”的一种文化，就是你不要搞公关，不要搞歪门邪道，只要你有能力，肯定能体现出你的价值来。这已经深深根植于每一位职工的心中。

在企业的困难时期，朱雁从来没有向困难低过头，也从来没有过走的想法。为了企业的发展，他只有默默地付出和奉献，从来没有抱怨。虽身居要职，却依然朴素谦和，坚忍不拔，用人格魅力感染和影响着身边的人。为了提高企业管理能力，掌握先进的医药生产技术，朱雁先后在吉林农业大学函授学习 5 年、在长春中医学院函授学习 3 年，成为既有理论、又有实践经验的医药行业专家。1989 年，朱雁根据当时医药企业所面临的形势，向集团总部提出对企业进行第三期技术改造方案，得到总部认可和支持。朱雁决定技术改造和生产同时进行。为了抢工期，他和员工们一起加班加点，昼夜奋战，对新引进的生产设备进行安装调试。实践证明朱雁的决策是正确的，把握住了企业发展的机遇。企业完成第三期技术改造后，当年就收回了 1800 万元的投资，同时实现了 2000 万元的利润。

辛勤的耕耘换来丰硕的成果。如今的吉林敖东已发展成为拥有 21 家子公司，员工 4189 人，资产总额 198 亿元的中国制药工业百强企业，“敖东”品牌连续 13 年入选世界品牌研究院发布的“中国 500 最具价值品牌”，品牌价值评估80.26亿元，先后荣获延边州先进基层党组织、吉林省先进基层党组织、全国医药行业思想政治工作优秀企业，全国非公企业双强百佳党组织等荣誉称号。朱雁个人先后获得吉林省科学技术奖、国家级一等企业管理现代化创新成果奖和国家科学技术进步奖以及延边州党务工作者标兵、吉林省劳动模范等荣誉称号。

2015 年 7 月 16 日，习近平总书记来到吉林敖东药业集团股份有限公司视察，叮嘱企业要把好药品质量关，让人民群众吃上安全、可靠、放心药。这让朱雁倍感亲切，深受鼓舞，有了继续前进的方向和动力。

有人把吉林敖东药业集团比喻成一棵在风雨中逐渐成长起来的“常青树”。为了呵护这棵“常青树”，朱雁，付出了自己宝贵的青春。为了企业的发展，为了人类的健康，朱雁，这个引领企业健康发展的“领头雁”，将牢记总书记的嘱托，继续谱写更加绚丽的华章。

跨界融合，构建零售新生态

——访深圳市远望谷信息技术股份有限公司总裁汤军

以“时尚物联新生态”为主题的2017深圳市服装行业年度盛典已于2016年12月23日在深圳福田香格里拉大酒店隆重举行。作为此次活动的协办单位，深圳市远望谷信息技术股份有限公司（下称“远望谷”）携新零售RFID整体解决方案参加了本次盛会。在企业沙龙环节，远望谷总裁汤军先生带来了以“零售进化：新生态，跨界融合，时尚物联”为主题的精彩演讲，并在会后接受了RFID世界网记者的专访。

记者：您好，汤总裁！非常高兴您能接受RFID世界网的专访！从今天的活动以及近期媒体对远望谷一系列的收购举动的报道来看，贵司非常看好RFID在服装领域的应用，请问如此看好的理由是哪些？

汤军：我们知道，物联网的应用领域相当广泛，而对于RFID技术来讲，今天我们在这里讨论的服装行业应用应该仅次于工业制造。首先，根据我们前期市场调查发现，服装零售应用增速是最快的，其年复合增长率达到40%。另外，零售与人们的生活息息相关，目前远望谷希望以服装零售作为切入口，未来逐渐向鞋帽、箱包、珠宝、眼镜等归属于服饰的大零售行业拓展。第二，从当前服装行业的发展现状来看，企业以及行业发展都遇到一定的瓶颈，如库存高企，库存不精准，人力盘点效率低、仓储物流效率低，人口红利消失导致人力成本日益渐高等痛点。远望谷RFID新零售整体解决方案可以很好地解决上述这些问题。

记者：目前，全球的服装产业对RFID的需求“痛点”主要体现在哪儿方面？国内外的行业形势有哪些异同？

汤军：零售行业的核心竞争力就是低成本且高效率的物流供应链体系。而目前库存成本高、服务效率低、信息准确性低等问题给零售商带来了极大的困扰。

国外的特点是，许多的服装品牌已经大量应用RFID系统来加强对成品的供应链管理，利用RFID提高成品出入库效率和仓库盘点效率，降低成品发货差错率，避免特定商品的断货，防窜货等。可以这么说，RFID服装供应链管理解决了端到端的细节问题，它的效率体现到了供应链的后端。而目前国内则更强调O2O，将线下的商务机会与互联网结合，让互联网成为线下交易的平台，实际上这个概念最早源于美国，而O2O更强调商业模式。因此，国内外目前对RFID的认识还存在很大的不同，RFID企业就需要肩负起普及应用的使命，从技术的角度去解决服装企业所面临的问题。

记者：远望谷一直是RFID行业的龙头企业，请问面向服装应用市场，远望谷的技术和市场优势分别是什么？

汤军：针对服装应用的痛点，远望谷推出了一套完整的“端对端智能零售整体解决方案”。这套系统，应用RFID技术建立安全可靠的管理模式，在收发货、盘点、库内管理、门店管理、门店防盗等环节实现产品的快速扫描与读取，进而实现产品从原料到半成品、成品、运输、仓储、配送、上架、销售、甚至退货处理等环节的实时监控。

远望谷新零售RFID整体解决方案，是目前及未来市场上最强大的单品级（item level）RFID应用解决方案。该方案针对服饰品牌商与零售商的业务流程而开发，采用尖端的物联网技术和大数据架构，是一个端到端（E2E）的单品级供应链与门店管理解决方案，具有出色的可扩容性、整合性和可升级性，简化RFID零售应用部署，并实现最大化的投资回报（ROI）；同时可以根据用户需求发展不断迭代，保持产品的先进性与适用性。

在这次服装行业盛典上，远望谷将以沙龙与现场演示的方式，展现新零售RFID整体解决方案的各种场景应用，以及为服装行业在库存、效率、效益与成本上带来的创新与变革。应用远望谷整体解决方案，建立数据安全、可靠、透明的新零售管理模式，可解决当前服装行业库存高、数据不精准、物流效率低、盘点耗时长等痛点。

远望谷公司成立20多年来，一直聚焦于RFID技术，没有丝毫的偏移，在技术上，我们对RFID电子标签和读写设备的设计、多样化、性能上保持了国内一流水平，目前已累积拥有400多项技术专利。作为中国第一家真正意义上的物联网上市公司，远望谷已晋级为全球第二大服装应用RFID产品、服务与解决方案供应商。远望谷可提供优质的硬件、中间件和云平台，目前各类电子标签年产能6亿枚，其中inlay标签8亿枚，特种标签超1亿枚，而各类读写设备的年产出为15万台。

此外，远望谷制定了全球化的市场战略，并通过兼并购行动，建立起了全球的销售网络、营销网络和研发网络。例如，我们此前战略投资SML公司，SML的网点遍及全球30多个国家、在全球拥有64个销售与服务中心，在零售物联网领域处于全球领先地位。我们是希望双方未来将在优势互补的基础上，在解决方案开发、销售渠道和供应链等方面开展深入合作，充分实现产业链协同效应，打造全球化的销售与服务体系。这将有利于促进远望谷零售业务的营销推广，提升解决方案开发和系统集成能力，进而提升公司综合实力，进一步助推公司全球战略目标的实现。

记者：除了服装，远望谷还瞄准哪些行业应用？并做了怎样的技术储备？

汤军：远望谷目前聚焦于铁路、图书和零售三大RFID行业应用，同时我们也在积极布局纺织洗涤行业应用，并已经收购了法国的塔格希（TAGSYS）纺织品服务和RFID业务，该应用之下的RFID芯片要求耐高温、耐腐蚀。除此之外，我们也重视智慧旅游的行业应用，典型项目为“上海迪斯尼RFID梦想护照项目”；还有车联网应用，提供的主要产品为RFID电子车牌，并已经过相关部委的标准测试。

记者：您认为中国RFID产业接下来会发生哪些最明显的变化？远望谷的中长期战略是什么？

汤军：我个人认为，未来几年中国RFID行业最明显的变化将是“产业聚集化”。首先表现为，RFID企业间将出现越来越多的兼、并购；第二，RFID产品趋势将逐渐走向应用端，从原材料到产品，到软件，未来更多将走向大数据应用层，其原因是RFID只是感知层里的一项技术，整个物联网体系还需要综合其它各项技术。所以，未来肯定是朝着整体应用解决方案的方向发展。

此次，远望谷将作为中国物联网产业的先行者与服装产业的变革者，凭借我们二十多年技术沉淀，为中国以及全球的服装品牌提供从电子标签、硬件设备到系统平台等多层次物联网应用产品与解决方案。借助此次协办深圳市服装行业年度盛典的机会，我们想充分展示远望谷“促进物联网技术与服装行业的跨界融合，引领时尚行业迈向智能化”的美好希望。

未来是大数据的时代，远望谷将继续以RFID技术为核心竞争力，与行业各界共谋发展。

据悉，远望谷已与“中国国际物联网博览会（春季展）”签约，将于 2017 年 3 月 29 日至 31 日在苏州国际博览中心展出新一代 RFID 服装应用解决方案，并将会在同期的“2017RFID 世界大会”上解读远望谷 RFID 智能零售解决方案在服装领域的最新探索。

秉承责任追逐梦想

——访冠城大通股份有限公司董事长韩国龙

全国政协委员、冠城大通股份有限公司（简称冠城大通）董事长韩国龙在今年的全国两会上再次递交了关于鼓励民营企业参与海外投资与并购的提案。这是韩国龙第二次就这个内容递交提案，这次提案在 2013 年提案的基础上进行了完善，并结合自己去年在钟表业领域进行的国际并购实践给出了操作层面的具体建议。韩国龙表示：“企业家要有创新精神，更要有担当精神，只要是利国利民的好事，就要坚持做下去，我现在正在思考的就是如何帮助更多的中国企业跨出国门，走向世界。”从政协提案到自己的并购实践，再到旗下企业不断扩张的商业版图，最后回归到社会责任，韩国龙描绘了一幅充满活力的多彩画卷。

国家要支持优秀的民营企业“走出去”

记者：您已连续两年在全国两会期间就支持民营企业海外并购事宜递交提案，为什么这么重视海外并购这个问题？

韩国龙：之所以如此关注民营企业参与海外并购，是因为我看到了中国民营企业的活力。民营企业已经加入到新一轮的改革大潮中，它们的崛起有助于推进国家实体经济的转型发展，有助于进一步提高科技水平，更好地推动中国由“制造大国”变为“品牌大国”。我所接触的一些民营企业家，他们更加吃苦耐劳，他们有目标、有胆识，执行的速度快、效率高。新一代优秀的民营企业家兼具老一代企业家这些特质的同时，有更多的创新思维和魄力，他们怀着一颗热爱祖国和家乡的心，带着更加雄厚的资金去海外打拼，希望对祖国发展和家乡建设作出更大的贡献。所以我非常希望国家能在政策导向和资金支持上给这些优秀的民营企业切实的帮助，让他们成长得更快，发展得更好。

重视这个问题，还源于我对当前形势的认识。新世纪以来，“走出去”作为一项重要国家战略，取得了显著成绩，是当前对外开放的重要抓手。加快实施“走出去”战略，将为打造中国经济升级版提供重要支撑，为实现“中国梦”提供动力和保障。跨国并购在我国对外直接投资中所占的比重越来越大，在当前特殊的国际金融形势下，欧美企业的投资门槛进一步降低，我国企业尤其是一些优秀的民营企业迎来了并购国外优势企业的有利时机。通过并购可以引进先进的管理理念和技术，加快拓展国际市场，促进企业在更大范围开展结构调整和产业升级，实现持续快速增长。我希望民营企业在海外并购中能发挥新优势，成长为新主力。

关注这个领域，还因为我的亲身实践。2007 年开始进军钟表业市场，以中国海淀集团统领“罗西尼”、“依波”两个民族品牌，2011 年趁欧洲资产价格低，收购了瑞士百年品牌“绮年华”。去年，为了收购另一个瑞士表业知名品牌“昆仑”，我曾先后 9 次去欧洲考察，做市场调研，最终获得了成功。在国际钟表业的摸爬滚打，让我深深体会到民营企业的不易，也是在这样的历程中让我认识到民营企业参与海外并购可能遇到的困难，让我感受到民营企业最需要在哪些方面得到支持和援助。作为政协委员，我所肩负的一项重任就是要为所处的行业正确发声，因此一定要认真代表行业，把自己在一线的感受说出来，积极建言献策。

记者：您认为当前民营企业海外投资并购遇到的主要困难是什么？国家应从哪些方面给予支持？

韩国龙：2012 年 7 月，发改委、外交部等 13 个部门联合发布《关于引进和引导民营企业开展境外投资的实施意见》，支持民营企业海外并购。但在实际的项目准入方面，贷款仍然无法得到金融机构的有效支持。融资渠道少、难度大、融资成本高依然是民营企业海外投资并购遇到的最大困难。所以，我建议国家要对国内企业尤其是民营企业的海外发展给予大力扶持，可以依托我们充裕的现有外汇储备，为民营企业海外并购提供资金支持，这不仅利于国家资金安全，更利于推动国内经济和民营企业的发展。

最直接的做法就是通过各类金融机构提供贷款支持，鼓励金融机构的海外分支机构向企业提供信贷支持，并对这类贷款给予一定程度的优惠。此外，还可研究设立公募或私募型海外并购基金，为民营企业贷款申请提供“绿色通道”等等。除了资金扶持，政府还应建立一系列相配套的服务体系。这些措施要利于中国民营企业在更大范围、更高水平上参与国际经济合作和竞争，并推动和实现新一轮的跨越发展。

在海外并购过程中，资金风险是最大的风险，现金流不能断。投资并购讲求“财、势、力”，“财”就是指资金，“势”是各方面的支持，“力”讲究的是人才和队伍。但我始终认为投资并购有其游戏规则，参与的企业是施行并购的主体，不能过度依赖国家与行政力量，给国家造成负担。国家给予支持应该是“锦上添花”的事情，而绝不是“雪中送炭”的事情，参与投资并购的民营企业必须有实力来做这件事情，并有能力承担相应的风险和责任。

让梦想和激情推动我们的产业发展不断向前

记者：在钟表业的成功并购给您最大的感触是什么？请谈谈中国海淀旗下钟表业的布局和规划。

韩国龙：近几年对瑞士几个知名钟表品牌的收购，让我越来越认同梦想的力量。进军钟表业，我是由梦想和兴趣开始的。由冠城大通的传统制造业和房地产业到钟表业，我认为这是由相对粗线条的产业走到了一个精细化产业的代表，它加深了我对细节的认识。实施海外并购，则源自我打造钟表业“五朵金花”的梦想，这个梦想还包括“一个向日葵”——打造一个世界顶级的手表品牌，做中国钟表业的“斯沃琪”。有梦想，赋予自身责任，咬牙坚持下来，才能有成果。欧洲的收购对我启发很大，我们要善于交朋友，去理解市场，仔细钻研，你会发现他们非常欢迎中国人的到来。我们有资金、有市场，他们有人才、有品牌，两方结合只会带来提升和更大的发展，所以我们要更大胆地走出去。通过收购“绮年华”、“昆仑”等知名品牌，“五朵金花”的目标很快就要实现了。

进入钟表业，是梦想赋予的力量，当然还源自一种朴素的民族意识。钟表业欧洲强而东方弱。当年第一次考察瑞士钟表业的时候，站在工厂的大门口，我的内心有一个强烈的声音——世界钟表业应该有我们的一席之地，正是这种来自内心的触动催生出了梦想和激情。

对于未来的布局和规划，实现“五朵金花”的梦想之后，“十全十美”的梦又到了我的脑海，我希望自己能够继续挑战，打造十个品质过硬的钟表品牌，打造国际化的民族表业品牌，为成就中国“斯沃琪”的梦想不断前进。

记者：冠城大通一直以“双主业”战略著称，2013 年又提

出“进军金融业，深耕长三角”的口号，请谈谈冠城大通在几个产业上的布局情况。

韩国龙：“稳健”一直是冠城大通发展的最大特色，这与我们始终坚持“稳中求进”的发展战略有关。房地产是公司最核心的产业，这方面我们确立了聚焦北京、南京，以经济较为活跃的环渤海、长三角、海西经济区、珠三角为重点拓展区域，以“创新人居生活”的开发理念为消费者提供宜居、乐居产品的发展战略。这个领域同样离不开梦想和激情，我们必须敢想敢做，那就是今后要逐步转变开发方式，研究多元产品线，在工业地产、旅游地产、教育地产、文化地产、医疗地产等不同风格的战线上找做点，分担风险，稳健前行。在建的海西文化创意产业园投资额高达32.5亿元，这正是我们多种地产类型和概念的实验场，我们希望通过这样的综合项目提升竞争力。此外，在老龄化社会到来的背景下，我们看到了养老地产的价值，在国家的新型城镇化发展战略背后，我们也看到了机会，这些都有利于推进房地产产业的进一步升级发展。

漆包线业务，是响应国家倡导做实体经济的号召，更是回报乡梓的重要板块，这是我们坚守的部分，我们必须在履行责任的基础上做得出彩、做得漂亮。所以必须坚持以市场为导向，继续发挥行业龙头作用，积极推动科技创新和产品结构调整，根据用户需求不断完善和开发新产品，继续保持在生产规模、研发水平及品牌影响力等方面的行业领先地位。我甚至畅想以漆包线企业为载体参与更多高科技含量的自动化仪器项目的生产，坚守以科技创新为特色的实体经济。

2011年，公司开始进行跨界整合，投资金融业，这又是一个全新的梦想。这一年，我们参股设立小额贷款公司；2012年，出资12.1亿元参与富滇银行的增资扩股。“进军金融业，深耕长三角”一方面说明了我们要在金融领域尝试开辟新的利润增长点，另一方面说明我们要在房地产领域积极布局长三角。

总体而言，我们所追求的依然是离不开三个关键词——实体经济、创新经济和科技经济，公司需要在发展传统漆包线和地产业务的同时，尝试产业上的创新，深入稳妥地深化产业转型。

履行社会责任，实现财富的真正价值

记者：无论是海外并购，坚守实业，还是在房地产行业坚守品质和做好主业，都体现了您及旗下企业的责任意识，您怎么看待财富与责任的关系？

韩国龙：作为企业，一方面讲求社会效益，同时还必须讲求经济效益，所以就需要随时随地捕捉商机、不断修正自身的发展战略以更好地适应市场的需要。在早年创业初期，确实是偏重于讲求经济效益，做一个“经济人”，但慢慢地我就感觉到这是不够的，还必须对社会、企业、股东和员工尽责，做一名“社会人”。追求财富应该是为了更好地回报和服务社会，实现财富的真正价值，这才是持续发展的过程。在冠城大通我们的共识就是：首先做好主业，产品要过硬；其次，要对利益相关者负责；最后，为所在社区、为弱势群体提供帮助。这是我们企业秉承的社会责任所包含的三个层次的内容。

记者：公益事业是冠城大通企业社会责任的重要组成部分，公益方面近几年有什么新的尝试？

韩国龙：在公益捐助方面，我们很早就提出了“微爱冠溉”的口号，强调慈心为人，善举济世，从微小的事情开始做起，把公益理念落实到具体的行动中。这个概念在公司里已经成为一个公益品牌，大家齐动手、共行动塑造出了“学子·情”“爱晚·行”“幸福·汇”几个子品牌。去年，我们通过这个平台捐赠四川雅安地震灾区，捐助福建永泰县教育基础设施建设，并策划组织了“爱在行动——冠城大通2013‘微爱冠溉’公益回访之旅”活动，对以往捐助对象持续跟进和关注。这种持续实在的公益行为得到了社会好评。下一步，我也有很多想法，一是计划在福建某些经济落后的地方规划旅游开发，以旅游带动地方经济和民生发展，另一个计划就是要成立慈善基金，更规范地做一些实实在在的捐助。我希望在这方面的投入越来越多，给社会带来好的影响。

激情创新　用心造“芯”

——记杭州华澜微电子股份有限公司总经理骆建军

集成电路，作为信息时代的心脏，已超过石油、铁矿石，成为中国第一大单项进口商品。半导体芯片产业是对信息安全、国民经济极其重要的战略性产业。与国内市场的庞大需求相比，中国国产半导体芯片体量仍然较小，我国大部分芯片需要从欧美国家进口。同时，斯诺顿事件，揭示了全球信息安全存在的巨大隐患，而其根本的隐患在于信息电子产品的芯片。

中国信息经济，正遭受着“缺芯”之痛。

众所周知，电脑最核心是中央处理器（CPU）、硬盘和操作系统。近年来，“龙芯”针对CPU国产化，“麒麟”针对操作系统国产化，针对电脑硬盘的国产化产品，一直没有出现。

骆建军，从学校到企业，从杭州到硅谷，从硅谷回到杭州，从企业兼职学校，转辗国内外，只为一颗“芯”。他成功积累了技术、凝聚了团队，实现了我国新一代电脑硬盘——固态硬盘核心控制器芯片的国产化。他领导的公司，倡导“激情创新，用心造芯”的企业文化，在中国集成电路行业严重依赖海外进口的背景下，坚持自主设计芯片，并赢得海外市场，成为中国极少数逆向出口国际市场的集成电路公司之一。

这是一个类似唐僧西天取经的故事，是一个平凡学者实现不平凡目标的故事。

一、海外收购，尽显科技浙商风采

2016年新春伊始，来自美国硅谷圣塔克拉拉新闻，华澜微电子股份有限公司（英文Sage Microelectronics Corp.）收购美国老牌芯片公司Initio Corporation（简称为Initio），华澜微获得了Initio桥接芯片的完整产品线，以及该公司积累20余年的全部技术、相关知识产权（IP）、商标、品牌等高价值资产。

美国的Initio公司，成立于1994年，是全球颇具声望的桥接芯片半导体公司。它专注高速传输介面的控制技术，包含SATA，USB以及其他高速介面的各种桥接晶片，是全球著名桥接晶片供应商，其客户包含全球主要光碟机与硬盘供应商，如WD等大厂。

美国媒体DigiTimes率先报道了该收购案，评价：中国政府力挺清华紫光等大鳄的高调行动，同时鼓励所谓“全民创新、万众创业”的科技政治运动，类似华澜微这些活力四射的科技新星如狼群跟踪出击，国际存储产业热气蒸腾”。DigiTimes特别强调了收购案低调进行，称赞华澜微的执行者“不仅仅经验丰富，而且特别老练稳重，体现了传统中国浙商低调、务实、高效的风格”。除了看好中国大陆科技创新前景，该媒体也以此为例，看到了中国大陆产业转型的意义，并对比台湾地区科技业始终围绕PC产业，提醒业者重新审视过去对大陆的陈旧看法，关注大陆产业界创新驱动、日新月异的

动态。

华澜微,作为一家初创公司,不声不响完成了收购美国老牌芯片公司的动作,在国内外引起了不小的反响。这是一家什么样的科技公司呢?

二、十年一剑,亮出中国硬盘之芯

集成电路芯片通常只有几毫米的尺寸,比指甲盖还小好几倍,很不起眼,难以想象包含了世界顶尖的技术水平。对此,骆建军做了一个形象的比喻,把设计集成电路比作设计一个超级大城市。比如,上海市有千万级的人口(好比晶体管),有数百万家庭(好比门电路)、主干道(好比是数据总线)、水电管道(好比是电源和地),也有广场(好比是缓冲内存)、市民中心(好比是嵌入式处理器核),以及居民区、工厂区、商业区、小学/中学/大学等(好比是各种功能模块),设计一颗大规模集成电路,就好比是设计这样子的一个大城市,要求每个人、每扇门窗、每个家庭都按时间(精确到亿分之一秒)进出和开关,不出任何差错。这里每个人和门窗的尺寸是纳米数量级,相当于100个原子的大小,只有在电子显微镜下,才能够看得清。由此可见集成电路设计的难度之大。

杭州华澜微电子股份有限公司(Sage Microelectronics Corp.),专业从事数据存储和信息安全的核心技术研究,是我国唯一全系列拥有数码存储控制器芯片的高科技公司,并在存储控制器芯片内融入商密算法、提供芯片极的安全防护。

公司由骆建军博士领导创立,团队深耕数据存储领域十几年,具有在美国创立多个高科技公司(包括成功上市)的经验。自2011年成立以来,当年9月便成功诞生SD/TF卡主控芯片、MMC/eMMC主控芯片,后者被鉴定为"我国第一颗自主知识产权的eMMC片上系统芯片";2012年6月,华澜微固态硬盘主控芯片诞生,被倪光南院士主持的鉴定专家组评价为"我国第一颗自主设计的多CPU架构的固态硬盘控制器芯片"。很多倾心关注我国核心技术产业突破的专家,如周立伟院士等,也给予了热心扶持。……《光明日报》刊登新闻,报道该成果为"我国实现固态硬盘控制芯片技术重大突破,对我国信息安全、国防信息化具有重要意义"。

中央领导和省市地方领导对公司发展非常关心,马凯副总理批示工信部开展以华澜微为例、在固态存储和信息安全方面科研和产业的调研,工信部在2014年5月26日专门组织召开了"我国固态硬盘控制芯片技术和产业发展座谈会",听取公司汇报。浙江省省长李强做出两次重要批示,并亲自到公司考察,对华澜微给予高度评价和期望。

2014年11月,CCTV-4在《中国新闻》栏目中,对华澜微固态硬盘控制器芯片进行了专题报道,肯定了华澜微固态硬盘控制器芯片的研制成功,是我国在基础电子领域的又一技术突破。

2015年,华澜微参加中国国际国防电子展,英国《简式防务周刊》刊登此次展览中国国防基础科学技术的进展:"对于武器涉及至关重要的若干技术和元件如今都在中国设计和生产,两个显著的例子是用于精确制导武器的微电子机械系统部件,和在许多武器上用来载入瞄准数据和任务概述算法的大容量固态数据存储驱动器。"(引自《参考消息》翻译文章),前者指用于陀螺仪的MEMS芯片,后者即指华澜微的参展产品即固态硬盘控制器芯片。

三、专利架构,成就最高存储密度

评价电脑硬盘最主要的两个参数:一个是存储密度,即通常说的容量大小,另一个是存储性能,即数据写入和读出的速度。继固态硬盘核心控制器芯片取得中国第一的突破之后,骆建军带领团队打造出了一个世界第一。

2014年11月3日,美国主流电子技术媒体EE-Times率先报道:华澜微科技有限公司发布了支持5TB容量固态硬盘的控制器芯片,并披露华澜微已经对国际市场量产交货单印制电路板的2.5英寸标准固态硬盘产品。相比较,同时期业界标准尺寸(2.5英寸外壳、9mm厚度)固态硬盘的容量最大是1TB。

紧接着,11月4日,另一美国主流电子技术媒体DigiTimes以"Solid State Disk Innovator Emerges from Stealth Mode"(固态硬盘创新者从隐形状态显身)为主标题,报道"华澜微的新技术以5TB SSD控制器突破SSDTerabyte门槛",引起业界强烈反响。英文媒体Embedded(嵌入式)报道该5TB固态硬盘"Achieving an industry first in high density and small form-factor"(在高密度和小尺寸方面达到了业界第一)。

短短几天内,其他专业杂志如CDRLabs等纷纷转载,并扩展到全球各种语言的专业评论,对该公司进行了连续不断的新闻挖掘和跟踪报道,包括详细刊载技术架构、披露公司主要人员背景等。

固态硬盘是近年来半导体技术的发展热点,平板电脑、智能手机、云存储都依赖于固态硬盘的发展,它将毫无悬念地战胜传统硬盘,成为信息产业的核心支柱之一。在硬盘产业一直被美国企业Seagate和西部电子垄断的情况下,该技术出自一个中国公司,美国媒体不惜用Stealth(隐形飞机)来描述其"突然冒出"的惊讶之外,也包含着该公司不显山露水却让人觉得技术深不可测的意思。

四、自主可控,铸造信息安全长城

华澜微不仅仅是信息存储领域的开拓者,也是集成电路芯片国产化的耕耘者,更是实现我国电子信息产业"自主可控"保障我国信息安全的前锋战士。

2015年5月,一篇名为《美国国家安全局硬盘固件入侵技术揭秘》的报道,引起了全世界对于电脑硬盘安全性的关注和担忧。文摘如下:"……曝光此事的卡巴斯基研究人员称,这一颠覆计算机胃肠道一样的存在——硬盘固件的能力,他们闻所未闻。这种黑客工具被认为是美国国家安全局(NSA)的杰作,它通过重写硬盘固件获得对计算机系统神一般的控制权,即使软件更新都不能阻止它长期潜伏。……它还具备另一个能力:在硬盘上开辟隐藏存储空间以备攻击者在一段时间后取回盗取的数据。这一能力使得像方程小组一类的间谍,通过将想要获取的文档藏入不会被加密的存储空间来规避硬盘加密。"

骆建军评价说:"俄国人震惊也没有用,全世界都知道美国人在利用他们的芯片优势'偷窥'。全世界的硬盘都是WD和Seagate两家美国公司造的,硬盘芯片也是美国人设计的,人家有这个条件'偷窥'。唯一的解决办法,就是使用自己的芯片制造自己的硬盘。"他严肃地说:"这就是我们华澜微的中国梦:把中国人的信息存放在中国人自己的硬盘中!"

作为国内唯一具有固态硬盘核心芯片并产业化的公司,华澜微电子股份有限公司以自主知识产权的控制器芯片,采取针对性的措施,包括:自定义的固件更新通道,固件代码的架构,固件防护罩,设置固件"封条",数据防护罩等。杜绝了卡巴斯基研究人员揭示的入侵硬盘的漏洞,真正实现了"中国人的信息存放在中国人自己的硬盘上"的梦想,实现了芯片级别的信息安全防护。

华澜微还掌握了全球大多数商用加密算法技术,包括AES,RSA,3DES/DES,SHA,ECC,CPRM等;同时,公司积极推动中国算法的产业化，取得了商密资质、掌握了商密算法。华澜微把这些加密算法打造成芯片硬件内核，集成到了所有华澜微的国产芯片中，囊括存储卡控制器、USB 盘控制器、SSD 控制器、存储桥接芯片；公司还提供各种量身定做的安全功能，包括数据加密、隐藏区、分级密码管理、数据自销毁，甚至硬盘物理自毁，推出了 MeDisk 加密 U 盘、玄盾高密度 SSD、NaDisk 自毁型 SSD、澜盾加密型 SSD 等全系列特色信息安全产品，成功进入国内外市场，广泛应用于工业控制、个人消费、航空航天等领域。

五、锤炼感悟，毅然取经西方硅谷

骆建军毕业于上海交通大学，但是，在专业领域真正启蒙他的是两位中国著名的半导体专家。

邓先灿教授，是骆建军的硕士研究生导师。这位曾经参与中国第一个晶体管设计制造的半导体专家，执掌过中国半导体界有名的 13 研究所。邓教授做科研，出名的严苛，正是这样的教育，"严格要求、日夜奋斗，几乎成为了你与生俱来的习惯，让你觉得这种习惯是一种能力，一种战斗力。"骆建军感激地说。事实上，除了学术方面的严苛，在生活方面，邓老师对待弟子却情同慈母。骆建军回忆说："我的毕业论文答辩就是邓老师特地安排在我的生日那天，答辩完毕，邓老师和大家帮我一起庆祝。这么多年过去了，邓老师一直记得我的生日，今年 83 岁高龄的她仍安排师弟在我生日那天送来蛋糕和祝福。"

骆建军的博士学位是在浙江大学获得的，阙端麟和邓先灿两位博士导师一起带领他。对于阙端麟院士，骆建军最感谢的是他的大家风范和因材施教。阙老师本身是单晶硅技术方面的学术泰斗，但是，知道骆建军对半导体材料兴趣不大、对电路设计情有独钟，他便鼓励骆建军按自己兴趣跟邓教授做科研、做电路。

在两位老师的悉心指导下，博士毕业后，骆建军便成为了杭州东方通信股份有限公司集成电路设计技术的带头人。东方通信是我国产业化生产手机的开创企业。骆建军在那里深深感觉到了中国电子产业的落后，与此同时，他也看到了中国集成电路芯片行业潜在的巨大经济效益和产业驱动力。有个案例深深刺激了他。当时，东信生产某个型号的手机电池，是引进技术生产，其中有个小小的 SPI 接口的存储器，用来存放电池信息参数、厂家品牌等内容，市场价格也就几元人民币，但是美国人不标示型号，说是专用集成电路，每颗 10 多美元，这个"秘密"被骆建军研究发现。仅此一项，每个电池就可以节约 100 多人民币，经济效益相当可观。"那是 1997 年前后，外方如此直接地获得超额利润，便是从来没有把中国集成电路设计业、把中国工程师放在眼里，欺负我们不懂啊！"骆建军感叹地说。此事不久之后，骆建军便领导团队成功设计浙江省第一套用于光纤通信的集成电路芯片，获得了浙江省"讲理想比贡献先进青年"称号，当时的浙江省委书记张德江亲自在人民大会堂为骆建军颁奖。

这样的成功，让骆建军感到了作为中国集成电路人所肩负的重任，中国与西方发达国家在集成电路行业方面的巨大差距让他彻夜难眠。自己所谓的成绩恰好是中国集成电路基础薄弱的最好体现。他说："当年，我知道自己的水平才入门级，毕竟出校门才四五年，水平是肯定高不到哪里去，这些所谓的成绩也是因为中国基础低而已，放在美国硅谷根本不算什么。"所以，他下定了去美国学习深造的决心。去美国硅谷，拜会高手，提高眼界。

"到现在还有很多人想当然地把我称为留学归国人员。实际上，我去美国学习，不是留学，是直接去美国公司担任设计师的，不能算海归。作为一个出国学习的集成电路工程师，我不是海龟，不是海带，也不是海鸥，当然，也没人认为我是土鳖，有兴趣的朋友可以替我想个词出来。"骆建军风趣地说。

初到美国的一年多时间里，骆建军就遇到了一生中重要的创业伙伴——楚传仁先生。楚总具有在 IBM、Maxtor、Oak 等公司从事硬盘、光盘驱动芯片研究的丰富经验，也是Syntera 公司的副总裁。2003 年，楚总筹集到了一笔钱，比预期的少很多，五个原先兴致勃勃的创业伙伴，只剩下楚和骆两个人。心怀忐忑，两个人开始了创业旅程。此后，一路坎坷，有失败，有成功。骆建军说："就好像唐僧经历九九八十一难，艰辛波折，事后都是传奇。创业有句话：活着就有希望。"

六、齐心协力，回国打造中国之芯

在美国，骆建军在崇尚"丛林法则"的产业界得到了锤炼。完成了从学者到企业家的转型，也凝聚了在硅谷集成电路产业界的几位百战老兵，包括担任华澜微 CTO 的楚传仁、工程副总裁的柯明宏先生，同时，培养和锻炼了一支年轻扎实的工程师队伍，包括楼向雄副教授、刘海銮、丁塔、王时、陈振超、陶航等，具备了回国创业的"人"的要素。

2011 年，在国内有志之士周斌、杨永刚、付建云等的帮助下，在包括金昌集团、银江集团等风险投资公司的支持下，骆建军带领团队回国，成立了针对信息存储领域的芯片设计公司，取名字为"华澜微电子股份有限公司"，寓借技术之力量，掀起"中华之波澜"。

在骆建军的带领和感召下，团队迅速扩大，包括郭建平、朱毅、廖安仁等资深行业先锋纷纷加入，截至 2015 年年底，华澜微已有成员 90 多人，其中 70% 以上是研发人员，拥有高级职称和博士学位员工多人，核心团队成员均有美国硅谷高科技公司从业和创业经历，是一支具有世界先进水平的科研队伍。团队成员组成结构合理，覆盖微电子、电子信息、计算机技术、集成电路系统、通信系统、以及密码学等专业。形成了以电子为核心基础，多专业多领域技术互补的优势。

在公司全体研发人员的努力下，为了更快更好地吸收全球信息、交流技术、拓展全球市场，骆建军在美国硅谷建立了华澜微美国办事处，积极活跃于国际存储业界，赢得了一定的声誉。全球每年一度的 Flash Memory Summit（FMS，即闪存峰会）专门邀请骆建军做专题演讲。2014 年，在他的建议并组织下，闪存峰会开辟了中国分会场，作为该专场的主席，骆建军邀请了国内相关企业和高校的同仁展示中国存储业界的成果；中国存储业界首次有组织地参与峰会，引起了极大的反响，峰会主席汤姆考林对此极为赞赏。从此，中国分会场每年都成为闪存峰会的专场之一。骆建军认为：中国企业要敢于走出去，在高科技领域固步自封是不行的，要有国际的产业视野。

公司已在国内外获得专利 20 多项、申请专利 20 多项，取得软件著作权、软件产品证书超过 20 项，登记集成电路布图设计 4 项，获得多个省部级科技进步奖励。

作为中小企业的华澜微，在国际产业界掀起一次次的"中华之波澜"，很快引起了浙江省科技厅、经信委等领导的重视，成为浙江省第一个领军型创新创业团队。杭州华澜微电子股份有限公司还被认定为"浙江省重点企业研究院"、"浙江省省级重点实验室"。在邓先灿教授的推荐下，骆建军的母校杭州电子科技大学，特聘骆建军为微电子研究中心主任，传承老一辈中国半导体专家邓先灿教授的衣钵，实现了企业家和学者的完美融合。

七、激情创新，实践天堂硅谷梦想

转辗国内外，只为一颗“芯”，骆建军朴素却不普通的创业事迹感染了行业人员，感染了学校师生，感染了浙江省的父老乡亲。经过短信、网络公开投票，经过专家讨论评选，骆建军作为企业界、科技界的代表人物，被授予2015年十大“浙江骄傲”人物称号。成为继马云之后，第二个入选“浙江骄傲”的企业家。事实上，正如浙江省省委宣传部对骆建军博士的颁奖词所评价的那样，集企业家、学者于一体，他领导华澜微团队，倡导“激情创新，用心造芯”的企业文化，在中国信息产业依赖海外进口集成电路的背景下，坚持自主设计芯片且被海外业界广泛接受，成为中国极少数逆向出口国际市场的集成电路公司之一。

华澜微成立以来，业绩每年以三倍速度增长，2015年成功登陆新三板（代码834203），成为科技产业界的黑马，也是从创业到上市最快的公司之一。“技术的跃升，铸就中国制造的尊严，核心的力量，筑牢信息安全的国防堤坝。华澜微团队，正在引领制造业尖端技术突围，示范制造强国的微观样板！”

关于未来，骆建军信心满满。华澜微在完成对Initio的收购之后，除整合Initio产品线之外，将成为业内少有的拥有SATA、USB、PCIe接口实体层技术、知识产权核及相关专利的公司，极大地提升其在下一代SAS/SATA接口及固态存储接口领域的话语权与产品技术实力。华澜微更前瞻性的深度融合加密技术于存储控制芯片内，致力于个人电脑、视频资讯和大数据存储的信息安全，积极布局于企业级存储与数据加密服务，有望成为业界新一代存储晶片公司的标杆，实现骆建军的中国梦：“把中国人的信息存放在中国人自己的硬盘中！”

刷新天地，美化生活

——记安徽菱湖漆股份有限公司董事长陈怀德

作为人大代表，他恪守“人民选我当代表，我当代表为人民”诺言，尽心尽责为党和政府分忧，在依法履职的实践中彰显他对宜城这片热土的忠贞与热爱。

作为一名企业家，他爱岗敬业，无私奉献，带领全体干部员工办好企业，为推动企业发展，促进就业，回报社会，锲而不舍，无怨无悔。

他就是安庆市第十四届、十五届、十六届人大代表、安庆市创业模范、安徽菱湖漆股份有限公司党委书记、董事长兼总经理陈怀德。

深化企业改革，推动企业持续健康发展

1997年，陈怀德临危受命，担任安庆市造漆厂负责人，他以敏锐的创新意识、炽热的敬业精神和超常的人格魅力，带领全体员工艰苦创业。2004年，陈怀德积极响应市委市政府号召，在上级有关部门的大力支持下，克服重重困难，深化企业改革，在企业内部成功实施企业体制和职工身份双置换，不仅彻底打破了企业几十年的大锅饭思想，而且进一步明晰了企业产权，充分调动和激发了广大员工工作积极性。改制当年，企业就一举摘掉了连续14年亏损的帽子，实现扭亏为盈，企业从此走上了健康稳定发展的道路，企业经济效益也以每年20%以上增幅持续增长，一跃成为安庆市利税均过千万的骨干企业；企业生产经营场所实现整体搬迁；2015年1月成功在全国中小企业股份转让系统挂牌上市，2015年12月在安徽省证券监管局IPO成功备案。2015年公司的总销量、营业收入、利税、员工工资、全员劳动生产率分别是公司改制之前的2003年的3.22倍、4.79倍、67.11倍、11.04倍、8.73倍。企业连续三十年安全生产无事故，企业连续多年被市委、市政府及有关部门评为先进企业、优秀创新型企业、模范纳税人、安全先进企业、安庆工业四十强、迎江区工业十强企业、大观区工业十强企业，中国涂料工业百年百强企业。

陈怀德深知，在激烈的市场竞争中，企业要生存发展，就必须打出自己的品牌，为客户提供高质量的产品和服务。因此，他提出“坚持品牌战略，走质量效益型发展道路”的经营方针，并将它贯穿于企业所有生产经营活动当中。经过多年的精心建设，“菱湖”牌商标被评为中国驰名商标，“菱湖”牌涂料、“白莲”牌氧化锌荣获安徽省名牌产品称号。“菱湖”品牌已家喻户晓，“菱湖”产品已成为消费者质量信得过产品。

技术创新是加快产品结构调整，提高企业核心竞争力，实现企业可持续发展的重要保证。作为技术管理干部出身陈怀德对此有更加深刻地认识，他提出了“以人为本，科技为先”的发展理念，在企业内部制定了《公司技术创新中长期规划》、《公司技术创新激励办法》，在资源配置、收入分配、福利待遇等方面向工程技术人员倾斜，极大激发了广大技术人员工作热情技术创新成果倍出，公司目前已获得专利11项；发明专利4项，制定国家标准7项，行业标准3项，安徽省地方标准1项。2007年，公司被认定为安徽省高新技术企业，企业技术中心被认定为安徽省省级技术中心。

在公司新厂区建设过程中，尽管工程建设资金十分紧张，但陈怀德力排众议，千方百计自筹资金近四百万元，淘汰了高能耗、高污染的燃煤锅炉，不等不靠自己花钱铺设天然气管道，新上了一台天然气蒸汽锅炉和一台天然气导热油锅炉，自建了一个污水处理站和地下污水收集系统，使工厂“三废”达标排放，实现了节能减排、保护环境、清洁文明生产目标。在经济发展过程中应该也必须把节约资源，保护环境作为自己应尽的社会责任和义务。

企业自创立以来，陈怀德始终坚持以人为本的发展理念，全心全意依靠工人阶级办企业，把创建健康和谐劳动关系作为企业稳定发展的基石。在企业内部，严格按照《劳动法》等有关法律法规的规定，建立了集体平等协商制度，依法签订《集体合同》、《工资专项合同》、《女职工特殊权益保护专项合同》；与每位职工签订了劳动合同，并为他们及时足额缴纳各种社会保险，公司连续四年被安庆市劳动社会保障局评为“安庆市劳动诚信A级单位”、“安庆市和谐劳动关系企业”

履行代表职责，彰显社会责任

当选为市人大代表14年来，人代会期间不论企业事务如何繁忙，陈怀德都挤出时间积极参加大会、代表团会议和小组讨论会，多次在代表团会议和小组会议上，针对“一府两院”和有关部门的工作报告，结合自己学到的理论知识、调研结果和实践经验踊跃发言，提出意见和建议。积极参加市人大常委会组织的有关重大市政、交通、民生工程建设现场考察，深入选区，了解人民群众的重大关切，关注民生，关注弱势群体，关心社会公益事业，先后就食品安全、未成年人保护、城区交通及社会养老等民生问题提出建议和议案——《进一步完善征地农民工社保待遇的建议》、《关于规范房改房的物业管理，加强文明城市建设的建议》、《企业离退休职工全部纳入社会化管理的建议》、《关于改善城区交通的建议》，许多意见和建议都得到采纳和落实。

作为一个具有社会责任感的企业家，陈怀德长期以来热心社会公益事业，尽企业所能，开展帮困济贫、赈灾募捐等公益事业。当青海玉树发生突如其来的地震灾害时，公司正面临整体搬迁带来的前所未有的资金压力，陈怀德在董事会上深情地说，“一方有难，八方支援”是我们中华民族优良传统，尽管我们现在资金比较困难，但灾区同胞现在更困难，作为一个有社会责任感公民，我们应该尽我们的一份义务和责任，伸出我们的援助之手。他要求财务部想方设法挤出10万元捐献给地震灾区；在得知大观区新建的山口敬老院老人缺少过冬棉被时，他又让工会购买了80床毛毯送给敬老院，在隆隆寒冬给老人们送去春天的温暖。

刷新天地，美化生活。作为为老百姓生活增光添彩的涂料企业领头人，陈怀德代表始终心系百姓，关注民生，忠实地履行了代表职责。

勇立潮头　敢为人先

——记浙江联众智慧科技股份有限公司副董事长兼总裁苗彧

1999年参与创建浙江联众卫生信息科技有限公司。2008年9月至2010年7月，苗彧在中欧国际工商学院完成深造并取得工商管理学硕士学位。2013年，“浙江联众卫生信息科技有限公司”改为“浙江联众智慧科技股份有限公司（国家工商总局已核准改名为“联众智慧科技股份有限公司”），是中国领先的智慧医疗整体解决方案提供商和服务商。公司致力于移动医疗和医疗大数据创新发展，其总部设立在天堂硅谷——杭州，并在北京、上海等地设立了分支机构。苗彧现任联众智慧副董事长兼总裁。

此外，苗彧致力于医疗产业链的投资，并以VC身份介入了多个移动互联项目投资。以专家、导师、投资人身份活跃于业界：中国创翼大赛评委、CCTV2《创业英雄汇》特邀投资嘉宾、浙江大学元空间孵化器投资合伙人兼导师、湾西加速器（梦想小镇创业基地）导师、重庆市青年创业导师、浙江省医疗卫生信息化技术研究发展中心主任、浙江省中医药大学本科教学指导委员会委员、《计算机时代》理事会理事、《中国数字医学》杂志社常务理事、浙江省软件行业协会常务理事、浙江省健康服务促进会常务理事等。

崭露头角，百尺竿头

1997年6月，苗彧进入浙江正元电子有限公司工作，在职期间受命赴南昌市创办了江西分公司并担任首届经理。与此同时，他成功拓展了江西省“教育信息化管理业务”，参与树立了江西财经大学、江西师范大学、江西农业大学、江西机械职工大学、南昌高专及南昌陆军学院等样板用户，业务覆盖江西全省，涵盖军事院校、省教委、高校、中专、中学等教育行业各个层面，有力地推动了江西省教育信息化建设。把江西分公司从一人发展至十几人，并培养出了一批业务骨干，在复杂的工作局面中开创性地完成了公司赋予的任务。

1999年，他参与创建浙江联众卫生信息科技有限公司（现改制更名为浙江联众智慧科技股份有限公司，以下简称联众），历任系统集成部经理、总经理助理、副总经理、总裁，现任浙江联众智慧科技股份有限公司副董事长兼总裁。

苗彧在联众创造了辉煌事业，这在业界中享有盛誉。联众是浙江省政府唯一认定的“浙江省医疗卫生信息化技术研究发展中心”，同时也是医疗信息国际咨询委员会核心成员单位，作为业界翘楚的它还是全球华人社区领先的健康城市运营商。

2003年非典期间，苗彧顶着巨大压力实施了“浙江省非典指定医院——杭州市第六人民医院信息系统”方案，并取得成功，为浙江省抗击非典奠定了坚实的信息化基础，赢得了用户单位和卫生厅的高度评价。

2005年，社区卫生服务软件被列入国家重点支助项目，并于2005年得到时任中央政治局常委、国务院副总理吴仪的高度评价，2006年，联众医疗服务价格监督管理系统软件被评为“国家推荐优秀软件产品”，2007年，电子病历信息系统软件被列为“国家火炬计划项目”，医院成本核算与经营决策信息系统被评为“国家优秀产品奖”，2006年至2007年联众还完成了科技部卫生示范应用项目，基于国产软件下数字化医院发展应用研究，由苗彧主持的多个项目被中青网、千龙网、中国电子政务网等主流网络媒体作为经典案例刊登。

2008年，苗彧凭借丰富的行业经验助力奥运，为奥运重点保障单位、中国的医学圣殿——北京协和医院量身定制方案，于奥运会前夕成功上线了门诊系统、后勤物流系统、办公协同系统及实验室管理系统，有效提升了医院的核心竞争力，促进了北京协和医院的可持续发展。同年，苗彧与阿里巴巴CEO马云等3人入选由中国信息协会组织评选的“中国信息化30年突出贡献人物”。

独具慧眼，开创先河

近年来，苗彧更在全国各地掀起了一股建设智慧医院的浪潮，他步于人前，引领业界，首开了多项行业先河，如主持研发的“信息集成平台”是业界第一个在三级医院实现全面基于HL7国际标准协议、第一个供区域范围内所有公立医院上线使用的全院级应用，他建成了一个新型的基于集成平台的区域医院信息化案例；首创了智慧医院（诊间挂号报到、智慧结算、分时段预约等）模式，打造的“医学有局限、服务无止境”中的“杭州智慧医疗模式”被CCTV、人民日报、浙江日报等媒体作为业界标杆广为宣传。

2010年始，苗彧将智慧医院推向了新的高度，主持研发了业界首创的“先诊疗，后付费系统”，此系统首次在北京协和医院开通使用，实现了患者、医院、银行之间的共赢，现已在全国推广。

2012年他又与杭州市卫生局、杭州市市民卡公司合作研发了基于杭州市民卡账户“边诊疗、边结算”之上的“门诊智慧医疗结算系统”以及“床边智慧医疗结算系统”，这些系统在浙江省中西医结合医院被率先启用，大大缓解了“看病难”的问题，引领着中国医疗信息化变革的方向。至今，智慧医疗已经拥有12项专利、90余项软件著作权，获得产品登记证书25项，还拥有包括北京协和医院、北京大学肿瘤医院、中国人民解放军总医院301医院等在内的3000余家医疗平台用户。

在关注智慧医院的同时，苗彧也将目光投向了中国养老产业。2013年他与慈爱嘉形成战略合作，研发了“慈爱嘉科技养老信息化平台”，整个平台处处体现着健康管理、区域医疗结合、远程监控、集成的呼叫中心、移动定位、评估护理服务智能知识库等新的管理理念。2013年11月21日，浙江省民政厅苏长聪副厅长等一行莅临联众，重点考察慈爱嘉居家养老照护服务模式，充分肯定其在养老产业做出的成绩。

精英荟萃，共话创业

苗彧在实业运营联众公司的同时，凭借丰富的行业和人脉资源，以合伙人身份活跃于医药行业、互联网行业等投资领域。他参与或主持了多项投资，以社会资本形式控股医院、投资药企等，并以VC形式介入了一些移动互联网投资项目。

作为一名成功的投资人，苗弢也十分关注那些具有创新意识、行动能力的青年创业者。在 2015 年 9 月 11 日，苗弢以投资人身份亮相 CCTV2 的《创业英雄汇》节目（一个汇聚了中国成功创业家与青年创业者并致力于鼓励青年人创业、创新的综艺节目），成为特邀投资嘉宾，与闯关成功的青年创业者进行了融资谈判、创业项目交流等。

同时，苗弢还积极参与了大学生的互联网创业模式的运作。在 2015 年 10 月 23 日上午，他以浙江大学 NEOSPACE 众创元空间的投资合伙人及创业导师的身份，向浙江大学吴朝晖校长详细介绍了 NEOSPACE 的运作情况和创办以来所取得的项目成果及社会影响力，并和吴校长就互联网的大时代背景下大学生创新创业模式及创业教育工作进行了探讨。当日下午，NEOSPACE 众创元空间又迎来了教育部袁贵仁部长一行的亲切慰问。作为 NEOSPACE 的导师，苗弢对创业团队的路演作品进行了点评，并与袁部长一行进行了深入的交流。

至今，苗弢获得的荣誉及其贡献有：2008 年获“全国优秀企业家创业奖章”；2009 年获“中国软件行业魅力领军人物”；2012 年获“和谐中国 2012 年度影响力人物中国医疗卫生信息化行业十大创新标兵”；2014 年获“浙江省经营管理大师”奖；2014 年负责研发的“一种通用数据处理演示模型”获国家专利证书。

除了实业方面的成就，苗弢在著作学说方面也是颇有造诣的。他根据多年来所积累的行业经验和实践心得，2013 年撰写了《医院 IT 运维托管学 · 标杆研究》一书，2014 年撰写了《从医院删除患者付费的脚步》一书，2015 年撰写了《智慧医疗互联互通之路》一书；另外，他还先后撰写了十几篇论文，陆续在《中国计算机报》、《网络世界》、《计算机世界》、《Sm@ rtPartner 计算机产品与流通》、《通讯技术》等权威媒体上发表。

证券行业反洗钱工作成效显著

——访广州证券副总裁、合规总监王毅

《中华人民共和国反洗钱法》（以下简称《反洗钱法》）自 2007 年实施至今 10 年，国内证券公司在人民银行的监管指导下建立了较为完善的反洗钱内控体系，部分证券公司的反洗钱工作取得了一定成效，保障了证券行业的健康稳定及广大投资者的合法权益。

在《反洗钱法》颁布十周年之际，本报记者日前专访了广州证券股份有限公司（以下简称“广州证券”）副总裁、合规总监王毅，就证券行业反洗钱工作开展情况以及广州证券这 10 年来的工作心得进行了采访。

资料显示，广州证券成立于 1988 年，是全国最早设立的证券公司之一，注册资本 53.6 亿元，旗下拥有 5 家子公司和 53 家证券营业部，经营范围涵盖了国内证券行业所有综合性业务。

记者：请您谈谈如何看待证券行业开展反洗钱工作？

王毅：从国内外洗钱犯罪趋势来看，证券行业由于自身具有的交易复杂、流动性高等特点，资金的隐蔽性相对较高，逐渐成为洗钱犯罪新的重点领域。

近年来，我国证券行业综合治理深入推进，证券市场的规范化程度和监管效果明显改善，但仍然存在一些问题，主要有：上市公司运作不规范、财务信息失真、公司高管人员违规侵占公司利益；市场投机过度，内幕交易、操纵股价等不正当交易行为屡见不鲜；市场法制建设不健全，信息不透明，对投资者权益保障制度不完善等。这些问题为不法资金浑水摸鱼提供了潜在机会，这就要求证券业从维护政治稳定、社会安定和经济金融安全的大局以及保障自身信誉、稳健经营、规避风险的角度出发，提高认识，转变观念，加强组织，主动依法开展反洗钱工作。

记者：针对上述洗钱风险，证券行业比如广州证券都采取了哪些应对措施？

王毅：证券公司在人民银行的统一指导下开展反洗钱工作，从广州证券的实践来说，主要措施包括四个方面。

首先，遵循“了解你的客户”原则，做好客户身份识别，把好反洗钱第一道关，从源头上防控洗钱风险。如：在办理新开户业务时，要求客户本人亲自办理，通过居民身份证联网核查客户身份证明文件的真实性、完整性、合法性，详细了解客户有关情况；妥善保存客户开立账户资料以及各类身份证明文件信息，做好客户档案管理，完整记录每笔交易信息，确保能够还原交易全貌等。

其次，以“风险为本”原则进行风险识别与防控，主要包括：一是建立客户洗钱风险等级划分制度，根据客户的地域、职业（行业）、业务特征等，划分客户的洗钱风险等级，对高风险客户加强识别和监控措施；二是建立“黑名单”库制度，杜绝为洗钱及恐怖分子提供金融服务；加强客户异常交易监控，系统自动监控与人工分析相结合，甄别可疑交易，及时向中国反洗钱监测分析中心报送可疑交易报告；三是定期开展内部洗钱风险评估，针对高风险业务，加强控制措施，堵住洗钱漏洞等。

再次，加强反洗钱宣传、培训工作，对内针对不同层级员工进行有计划的反洗钱工作技能培训与考核，督促员工熟悉反洗钱的法律法规和内部规章制度，掌握反洗钱工作技能和胜任工作的能力，培养反洗钱专业人才团队；对外则持续开展形式多样的反洗钱宣传，向社会公众普及反洗钱知识，帮助公众加强反洗钱防控意识，提高客户对证券公司身份识别工作的配合度等。

最后，配合、协助反洗钱监管机关开展洗钱案件调查，提供必要的人员、技术和设备支持；对要求协查的客户身份信息的核实和了解，对有关客户在本机构办理的业务进行核查和分析，根据具体的反洗钱调查内容，向人民银行提供其他有关资料；对依法履行反洗钱义务获得的客户身份资料和交易信息予以保密，非依法律规定，不得向任何单位和个人提供。

记者：《反洗钱法》颁布实施后，证券行业反洗钱工作取得了哪些进展？

王毅：以广州证券为例，我认为在四个方面进展明显。

首先，反洗钱制度不断健全。根据《反洗钱法》、《金融机构反洗钱规定》、《金融机构大额交易和可疑交易报告管理办法》、《金融机构客户身份识别和客户身份资料及交易记录保存管理办法》等法律法规，人民银行、中国证监会及行业自律组织制订了一系列证券行业的反洗钱规章制度，并指导证券公司不断完善和加强反洗钱内控制度建设。广州证券及分支机构内部制订实施的反洗钱相关制度、细则、操作规程等已经达到 70 项。

其次，反洗钱理念不断提升。以广州证券为例，在中国人民银行广州分行的指导下，广州证券将洗钱风险的防范作为公司风险管理的核心理念和可持续发展的必备要件之一，公司已经实现了以“风险为本”原则主动进行风险识别与防控，

主动建立健全反洗钱内控机制，“反洗钱从高层做起”、“人人反洗钱”等行为规范念已经在证券公司内部蔚然成风。

再次，反洗钱资源不断改善。广州证券在中国人民银行广州分行的督导下，持续加强反洗钱组织机构设置，建立专业反洗钱团队，在各分支机构设置反洗钱岗位，并不断加大反洗钱信息技术投入，完善核心账户、交易系统管理，建设反洗钱监控系统，使信息技术能够支持反洗钱工作开展。

最后，反洗钱内部监督不断加强。以广州证券为例，公司合规部门采取资料报送、定期听取汇报、绩效考核、现场与非现场检查等各种指导和监管措施，督导各分支机构落实反洗钱职责；审计部门将反洗钱工作列为审计常规项目，每个审计项目均对被审计单位反洗钱工作落实情况进行稽核检查，并对存在的问题进行持续跟踪，督促落实整改措施。

记者：您认为证券行业大力度开展反洗钱工作对证券行业健康发展有何作用？

王毅：在证券公司开展反洗钱工作的初期，因需按照法规制度要求核实客户身份信息并保持持续关注，并可能需要客户提供个人收入、家庭财产来源等敏感性信息，可能会影响部分客户的服务体验。

但随着监管部门、金融机构坚持不懈的反洗钱宣传，社会公众的反洗钱意识和觉悟不断提高，大家认识到开展反洗钱工作既是金融机构和每个公民的法律义务，而且也能有效避免客户被不法分子利用，更好地保护投资者的合法权益，同时证券公司也有针对性地持续提高和改善工作服务效率，保证了客户的良好服务体验。

国际国内实践表明，证券行业开展和加强反洗钱工作主要有五方面的积极意义：一是有利于及时发现洗钱活动，追查并没收犯罪所得，遏制洗钱犯罪及其上游犯罪，维护经济安全和社会稳定；二是有利于消除洗钱行为给金融机构带来的潜在金融风险和法律风险，维护金融安全；三是有利于发现和切断资助犯罪行为的资金来源和渠道，防范新的犯罪行为；四是有利于保护上游犯罪受害人的财产权，维护法律尊严和社会正义；五是有利于参与反洗钱国际合作，维护国家良好的国际形象。

记者：您能否简单介绍和评价广州证券公司反洗钱工作情况？证券公司开展反洗钱工作对保护消费者合法权益的意义何在？

王毅：证券公司开展反洗钱工作，通过客户适当性管理、投资者教育等具体措施，积极引导客户合法合规进行投资和交易，防范了广大投资者被不法分子利用而导致财产损失甚至是牵涉到违法犯罪，如2015年证券行业打击非法场外配资，反洗钱工作中开展的异常交易监控等就起到了较好的防控作用，对维护整个证券市场的健康发展起到了积极作用，维护了广大证券市场投资者的合法权益。

在中国人民银行广州分行、中国证监会广东证监局的关心与指导下，广州证券以“服务经济发展，增值社会财富”为经营理念，以维护金融秩序、保障投资者合法权益为自身社会责任，坚持“合规经营、稳健发展”，严格贯彻落实《反洗钱法》赋予金融机构的反洗钱义务，不断完善反洗钱内控机制，坚持按照“风险为本”的反洗钱工作思路，以规范发展为理念，做好反洗钱各项工作，夯实反洗钱防线。

广州证券于2013年作为全国36家试点金融机构之一，参与了金融机构大额交易和可疑交易报告综合试点工作。在中国人民银行广州分行的指导帮助下，公司针对证券行业特点，深入剖析洗钱手法，自行创新建立了异常交易监测指标体系及可疑交易筛选模型，提高了公司可疑交易监测针对性、有效性。今后，将继续创新加强广州证券的反洗钱工作，构筑好国家打击洗钱犯罪的坚实防线，切实维护好广大投资者的合法权益。

（作者：高国华）

志高存远，做资本市场的守护神

——记北京德恒律师事务所副主任、管理合伙人徐建军

徐建军律师多次被亚洲权威法律杂志评选为推荐或领先律师，于2016年7月当选为中国证监会第六届上市公司并购重组审核委员会委员，目前担任中国证监会上市公司并购重组委委员、北京市律师协会证券法律专业委员会副主任、人力资源与社会保障部年金资格评选专家以及中国银行间市场交易商协会非金融企业债务融资工具注册专家。

70年代生人，少时敏而好学，1992年以高考文科探花的成绩从淮河畔边一个小县城考入北京大学法律学系经济法专业，后保送攻读北京大学民商法专业研究生，师从票据法专家王小能教授，毕业后进入中国银行总行法律部工作。因1996年至1998年分别追随过证券业界的几位前辈级律师张宏久、白维等，他耳濡目染后便有了下海创业的念头，于2002年从中国银行辞职做起证券律师，先后就职于竞天公诚律师事务所以及德恒律师事务所，风雨十四载，承办了上百起的A股、H股、再融资、并购重组项目，其中不乏创造全世界最大融资纪录的中国农业银行上市项目、中国A股市场最大的合并交易中国平安保险集团收购深圳发展银行项目、中国电力市场最大的出售项目电监会920万千瓦发电资产出售、中国国有企业最大的重组中国华润收购中国华源项目、全球最大的可转换债券发行中国平安可转换债券发行项目、中国企业最大的企业债券发行中国长江三峡集团数百亿企业债券发行项目以及中金公司股东摩根士坦利股权境外转让项目等一大批在中国资本市场乃至全球资本市场具有影响力的大型项目，涉及的交易金融超过了万亿元规模。

近年来，因业绩斐然，他多次被亚洲权威法律杂志评选为亚洲顶尖或优秀律师，并入选过中国证监会第四届创业板发审委候选人；曾担任过北京市大型国企首创集团外部董事以及鲁泰A独立董事、人社部年金资格评审专家；担任了全国律协金融证券委委员，第九届、第十届北京律协证券法律专业委员会副主任，此外，他在债券市场也声誉卓著，目前担任中国银行间市场交易商协会非金融企业债务融资工具注册专家、法律专业委员会委员，并入选中国保险业千人计划核心律师成员。

学习工作之余，也不忘初心，先后撰写、主编、与他人合著了包括《热点行业上市重点法律问题解析》、《去红筹：实战案例分析与法律风险防范》、《中国票据法律制度研究》、《新合同法全方位解析》在内的多部出版物，其中与导师王小能教授合著的《中国票据法律制度研究》至今仍作为北京大学法学本科专业教材。此外他还积极参与合同法、物权法、担保法司法解释、公司法司法解释、票据法司法解释等法律、法规的立法调研及修订工作，在与梁慧星、王利明、孙宪忠等知名学者一起工作的经历中，养成了他认真、严谨、求实的学习、工作作风。2013年为进一步开阔视野，又攻读了上海交通大学上海高级金融学院的EMBA，其间在哥伦比亚大学商学院和沃

顿商学院短暂访问学习，上海高级金融学院全球顶级的金融学教授和课程不但丰富了他的金融知识，还让他学会用全新的金融视角看待他所服务的资本市场。

十年的法律、金融学习生涯、十六年的法律职业生涯的历练，他日趋成熟、从容，在资本市场法律服务领域有了更多的理解和更丰富的实践能力，在德恒律师事务所他成为德恒近三百名证券律师的一面旗帜，首席合伙人王丽主任评价他能力超群、专业精湛、敢于担当、勇于负责，被誉为德恒第一“军”。在他及德恒其他一些重要合伙人的带领下，德恒在境内外股票债券发行法律服务市场以及新三板法律服务领域近年来一直稳居行业前列，在服务大型国有企业及大型金融机构、民营创新企业方面取得瞩目的成绩，随着中国资本市场不断走向市场化和规范化，他和他的同事们倍感责任重大，一直在以当好资本市场的守护神目标而不断努力，他常说的一句话是：我们还在路上，大家要加油。

德恒原名中国律师事务中心，经中华人民共和国司法部批准，一九九三年一月创建于北京，一九九五年七月更名为德恒，现已形成遍布中国和世界主要城市的服务网络和客户群，为中国最大规模的合伙制律师事务所之一。

十多年来，德恒多次获得司法行政机关、行业协会、权威国际刊物等评选的各类奖项，在国际权威媒体 ALB《亚洲法律》公布的“中国律所排名”和“亚洲律所排名”中，自 2007 年起德恒在全国律所规模二十强中排名一直位于前列，是国内法律服务机构的第一梯队代表。

德恒总部设在北京，在上海、广州、深圳、长春、天津、大连、长沙、武汉、沈阳、西安、济南、杭州、郑州、乌鲁木齐、重庆、福州、南京等地设立了 25 个国内分所，在纽约、海牙、巴黎、布鲁塞尔以及迪拜设立了 5 家国外分支机构，在全球范围内（包括美国、法国、荷兰、德国、瑞士、澳大利亚、日本、韩国、芬兰、阿联酋、巴西、中国香港等国家和地区）共有上百个合作机构。

德恒拥有一流的律师队伍，全球律师专业人员逾 1700 人，德恒以中国律师为主体，部分律师曾在国外深造或工作，熟悉外国法律，分别持有美国联邦最高法院、联邦上诉法院、纽约州、新泽西州、佛罗里达州、俄亥俄州、加利福尼亚州、欧洲共同体、法国巴黎上诉法院等律师执照，能熟练运用英语、法语、德语、日语等多种语言从事法律服务。

德恒从 1993 年开始从事证券法律服务，是经司法部、中国证监会批准的首批获得从事证券法律业务及从事涉及境内权益境外公司相关业务的律师事务所，主办的资本市场大型交易多次获得 ALB 大奖，在 IPO、新三板法律服务市场稳居前列。

历经二十余年的磨砺，德恒以公司与证券、金融与保险、重组并购、诉讼仲裁、基础建设与房地产、知识产权、科技法律、外商投资、国际贸易、税务结构、劳动法以及政府事务等方面的业务专长和经验形成了核心竞争力，赢得了广泛、持久、稳定的一流客户群，其中包括财政部、卫生部、国家能源局、中国烟草总公司、中国科学院、全国社会保障基金理事会、中国农业银行股份有限公司、中国煤炭科工集团有限公司、国家开发投资公司、中国石油化工股份有限公司、中国移动通信集团公司、中国黄金集团、中国人寿资产管理有限公司、上海证券交易所以及中国银河证券股份有限公司等，已发展成为中国内地少数营业收入超过人民币十亿元级的大型律师事务所之一。2010 年习近平同志专程在德恒进行了工作调研，肯定了德恒在中国法律服务领域取得的成绩。

加强行业自律管理　推动市场创新发展

——访中国期货业协会会长王明伟

2016 年，我国期货市场及行业扎实推进各项工作，取得了不错成绩。2017 年伊始，期货日报记者围绕市场及行业发展现状、前景等业界关心的问题，专访了中国期货业协会会长王明伟。

记者：2016 年，我国期货市场步入创新、发展、变革的新阶段。回首过去一年，您认为我国期货市场发展有哪些特点？

王明伟：2016 年是中国全面建成小康社会决胜阶段的开局之年，供给侧改革主线的提出给期货市场功能深化、创新发展提出了更高的目标和要求。在证监会“依法、从严、全面”监管的要求下，期货行业坚守合规经营和风险防范的底线，围绕供给侧结构性改革，稳步推进业务创新，进一步提升服务实体经济的能力和效率。总体来看，2016 年中国期货市场呈现出以下四个特点：

一是商品期货市场交易活跃，市场功能得到进一步发挥。在供给侧改革大背景下，实体产业调结构、去库存、稳增长过程使得大宗商品价格出现了较大波动，期货市场价格发现的先导作用更加突显，风险管理功能被更多的企业所认识，以钢铁、有色行业为代表的越来越多的企业利用期货市场价格信息，进行生产运营管理和风险管理。期货市场在稳健企业经营、改善产业链运行机制、服务国家产业政策和宏观经济管理等方面的作用进一步显现，一些较为成熟的品种如铜、铁矿石、PTA 等期货价格已成为国内外贸易的重要定价参考。

目前我国上市期货期权品种 52 个，其中商品期货 46 个，金融期货 5 个，金融期权 1 个，覆盖了农产品、金属、能源、化工、金融等国民经济主要产业领域。2016 年全国期货市场累计成交量约 41.38 亿手，累计成交额约 195.63 万亿元，与 2015 年相比，分别增长 15.65% 和下降 64.70%。截至 2016 年 11 月底，我国期货市场客户权益总额 4605.12 亿元，与 2015 年相比增加了 26.36%，分别是 2013 年和 2014 年的 2.32倍和 1.68 倍。

二是商品期权推出得到确认，市场风险管理工具进一步丰富，期货市场体系得到健全和完善。经过市场各方多年的努力和准备，白糖期权、豆粕期权获证监会批准。虽然商品期权距离正式挂牌交易还需要一段时间，但仍是 2016 年期货市场取得的最大成绩。期权作为期货交易基础上产生的一种全新的衍生产品和有效的风险管理工具，在风险管理上具有独特优势。期权的推出，将极大降低企业套期保值的资金成本，丰富风险管理策略和手段，有效推动场外市场发展，将对深化“保险 + 期货”试点，更好促进期货市场服务“三农”起到积极作用。

三是期货公司诚实守信、合规经营理念增强，服务实体经济实力稳步提升。2016 年，国内商品期货价格剧烈波动，在证监会的指导下，市场各方主动协同应对，多措并举坚决抑制商品期货市场过度投机，保证了市场的平稳有序运行，赢得了政府和社会各界的普遍理解和支持。同时，期货公司恪守诚实守信、合规经营的理念，面对市场波动保持理性思维，积极履行市场“看门人”的职责，自觉协助维护市场秩序，守住了风险底线。在做好经纪业务的同时，期货公司风险管理业务、资产管理业务和投资咨询业务稳步推进，经营模式不断完善，业务规模不断扩大，期货公司已经从单一的经纪业务模式走向差异化、专业化发展道路。与此同时，期货公司积极拓展融资渠道，共有11家期货公司通过次级债融资，9家公司排队申请挂牌新三板，为创新业务发展和公司转型升级提供了资本支持。截至2016年11月底，149家期货公司总资产5632.95亿元，净资本655.19亿元，同比分别增长24.99%和16.50%；营业收入209.93亿元，同比小幅下降2.79%，主要是受股指期货交易限制影响，但净利润达58.88亿元，同比增长4.95%。

四是以"保险+期货"服务"三农"试点为代表的期货公司创新业务进一步扩大和深化，服务实体经济渠道进一步拓宽。作为解决农产品价格补贴问题的新路径探索，"保险+期货"已写入中央一号文件。2016年，大商所和郑商所围绕玉米、大豆、棉花、白糖四个品种，相继启动"保险+期货"试点工作，共有22家期货公司的"保险+期货"试点项目和15家期货公司的场外期权服务产业链试点获批。51家风险管理公司、11家资产管理子公司围绕实体企业风险管理需求，开展了仓单服务、场外期权、基差交易、"保险+期货"、资产管理等创新业务，服务实体经济能力得到有效提升。此外，国内首家期货系公募基金公司获批，改变了期货行业没有交叉持牌的历史，扩宽了期货公司的业务发展路径。

在2016年期货市场取得进步的同时，我们也应该看到，我国期货市场的发展与实体经济的需求相比还有较大差距，特别是在市场化、法治化、国际化建设方面，还需要进一步加快。

记者：2016年，协会职能不断丰富，在推动期货业发展中发挥了积极作用。请您简要谈谈协会2016年的主要工作及取得的成果。

王明伟：2016年，协会积极发挥自律组织的职能，不断推进自律规则的完善，重点开展了以下三方面工作：

一是落实依法、从严、全面监管理念，进一步加强行业自律管理。协会积极开展行业风险监测监控，与有关机构联合开展了期货经营机构压力测试，初步构建了风险管理公司风险监测指标体系，参与了风险管理业务和资产管理业务专项检查和现场检查工作；重点关注期现货跨市场联动，机构跨市场、跨行业经营可能产生的风险和合规问题，发布实施了《期货公司诚信评估方案》，修订了《中国期货业协会会员管理办法》等，不断优化调整各种自律规则和管理办法，促进行业诚信合规经营。

二是引导期货经营机构围绕供给侧结构性改革和服务实体经济的主线提高竞争力。协会研究制定了《期货经营机构服务实体经济行动纲要（2017－2020）》（下称《行动纲要》），组织修订了《期货公司风险管理子公司业务试点办法》，制订了《风险管理公司业务行为规范》，起草了《期货公司资产管理子公司管理规则（征求意见稿）》《关于进一步完善期货公司子公司监管工作的建议》《关于规范期货行业资产管理业务的细则》，引导风险管理业务和资产管理业务围绕服务实体经济规范有序发展。

三是积极推动行业交流与宣传，夯实行业发展基础。通过组织召开首届"中德衍生品论坛"、第10届期货分析师暨场外衍生品论坛和第12届中国（深圳）国际期货大会，推动境内外、业内外同仁围绕金融衍生品与风险管理等行业热点开展研讨交流。另外，协会与中国钢铁工业协会、东京商品交易所签署了合作备忘录，目前协会已和13个国际组织签署了合作备忘录，希望通过跨境、跨市场合作与交流，向国际同行介绍中国期货行业及协会情况，进一步扩大期货市场的国际影响力。

四是不断加强会员管理和服务。一方面扩充会员队伍，广泛吸纳银行、券商、实体企业等入会；另一方面，优化、完善会员管理和期货从业人员管理，通过与境内外机构、高校学术机构合作，开展多形式、多层次的培训，加强期货人才培养，提升了行业从业人员整体素质。

下一步，在"依法、全面、从严"监管的前提下，协会将继续履行"自律、服务、传导"的职能，不断推进期货市场的建设和完善，稳步推进行业创新，提升服务实体经济的能力和效率，促进期货市场长期、健康、稳定发展。

记者：请您介绍一下2016年期货公司各项创新业务发展情况。

王明伟：近两年，期货公司在合规诚信经营的前提下，稳步推进创新步伐，在进一步提升经纪业务服务质量的同时，不断探索风险管理业务、资产管理业务和投资咨询业务，创新业务呈现出业务模式多样、规模增长迅速等特点。

首先是风险管理业务，通过仓单购销、仓单质押（与银行合作）、仓单回购（仓单返售）等多种方式，解决中小企业和涉农企业资金困难，拓宽企业供销渠道，提高其抗风险的能力，助力企业实现平稳发展；以合作套保的方式帮助缺乏专业能力的中小企业或不便于利用期货市场的国有企业管理价格风险，满足企业的风险管理需求；开展商品基差报价业务，为中小企业提供即期和远期采购服务，降低企业采购成本，优化库存管理；借助场外期权工具，探索新型订单农业模式，为农户提供保底价收购服务；尝试开展场外衍生产品的设计和交易业务，为客户提供个性化的风险管理工具。2016年前11个月，风险管理公司仓单购销总额1232亿元，较2015年同期增长11.5%；仓单约定购回累积金额36.4亿元，同比增长501%；合作套保新增业务合同笔数266笔，同比增长113%；商品场外期权新增名义本金128.8亿元，同比增长319%；商品场外掉期新增名义本金131.1亿元，同比增长680%；上证50ETF期权交易量（双边）112.5万张，同比增长1447%。

其次是资产管理业务。自2012年年底试点以来，期货公司资管业务4年来取得了长足发展。特别是2016年7月《证券期货经营机构私募资产管理业务运作管理暂行规定》的出台，给期货公司资产管理业务带来了新的机遇和挑战。面对监管环境趋严，期货公司积极调整经营策略，转变以通道业务为主的业务模式，注重发展以自主管理能力为基础的资管业务，降低产品杠杆比例，主动寻求业务模式转型，取得了一定成效。截至2016年11月30日，有129家期货公司具备开展资产管理业务的资格，11家公司以资产管理子公司的形式开展业务；期货公司正式运作的资管产品数量由2015年年底的3478只增长到3635只，产品规模从2015年年底的1063.75亿元增长到2769.53亿元，增长1.6倍。同时，主动管理规模由2015年年末的420.54亿元增至804.76亿元，增长近1倍。2016年前11个月，期货资管业务实现累计收入7.55亿元，较2015年同期的3.99亿元增长89.22%。

记者：期货市场功能发挥和更好服务实体经济方面还有哪些潜力可挖，协会将如何进一步推动期货市场功能发挥？

王明伟：随着商品期权的推出，2017年期货市场整体将会发生较大变化。一是商品期权将降低企业利用期货市场进行套期保值的成本，会有更多的实体企业参与期货市场交易。二是商品期权将极大丰富投资策略，更有利于调动机构投资者参与期货市场的积极性。三是场内期权的推出，为场外业务提供了对冲风险的工具，有助于场外衍生品业务的开展。

作为行业自律组织，协会一直致力于引导期货经营机构在依法、合规经营的前提下，围绕供给侧结构性改革目标和服务实体经济的主线提高竞争力。2016 年，协会研究起草了《行动纲要》，明确了期货经营机构服务实体经济的重点行动措施，涉及助力产业结构调整与企业转型、风险管理、平台建设、期现对接、跨境服务、风险防范等多个业务领域，目前已向全行业和社会各方三次公开征求意见。

2017 年，协会将正式发布并进一步贯彻落实《行动纲要》，以钢铁、有色、煤炭、化工及棉花、玉米等重点行业为突破口，按照"分步实施、重点突出、由点及面、多措并举、合力推进"的基本原则，扎实做好落实《行动纲要》的各项基础性工作。加强与重点行业协会、商品期货交易所协作，大力推进期现结合，探索联合开展期货经营机构服务"三农"试点工作；鼓励期货经营机构打造实体企业风险管理咨询服务平台，围绕定价和风险管理进行产品和业务创新；开展优秀团队评选及典型案例总结，积极、客观反映期货市场功能；通过专题调研等方式，推动解决实体企业利用期货市场在会计、税收方面的制度障碍，改善市场生态环境。此外，加强服务实体经济效果评估等工作，保证《行动纲要》落实的实际效果和作用。

记者：当前，我国期货市场正处于重要的战略发展机遇期，行业对 2017 年充满了期待，协会 2017 年有哪些工作安排？

王明伟：2017 年是供给侧结构性改革的深化之年，协会将总结经验，在推动创新发展的同时，加强行业自律管理，进一步引导推动期货行业提升自身能力，服务国家供给侧结构性改革，服务实体经济。协会将主要落实以下几方面工作：

一是引导期货经营机构以创新业务为抓手，进一步提升服务实体经济的能力。进一步贯彻落实《行动纲要》，引导和帮助实体企业积极运用期货及衍生品工具进行定价和管理风险，改善经营方式。继续推动风险管理和资产管理业务平稳有序开展，持续开展并深化试点业务调研和评估，宣传推广典型案例和成功经验；鼓励和促进统一、高效、低成本的场外交易平台发展。

二是进一步修订、完善自律规则体系，提升自律管理水平。加强监测监控和事中事后管理。进一步增加与监管部门、其他自律组织的配合与合作，更好地发挥协会的自律管理效能，形成监管合力。

三是借助会计师事务所等外部专业机构的力量，加强对期货公司各项业务的监督检查，提高自律规则执行的严肃性，加大违规行为的检查和处理力度，提高行业自律管理效率。

四是进一步加大会员管理和服务，丰富和完善会员类别。扩大会员范围，吸引更多的境内外金融机构、实体企业及贸易商成为协会会员，为行业健康发展创造良好的环境。

五是扩大视野，加强与相关领域合作，促进衍生品人才的交流培养。持续开展主营业务和核心业务培训，加强合规风控等专项培训。

六是加强行业基础性研究，促进有利于行业的政策出台落实。推动期货行业与科研院所交流合作，促进研究工作的深入开展，为监管提供科学的依据。加强与媒体特别是高端主流媒体的沟通联系，主动向高层反映期货市场发展中取得的成绩和面临的问题，促进有利于行业发展的相关政策出台。

七是加强投资者教育和保护，维护投资者合法权益。继续加强投资者教育，持续推进投教基地建设，制订期货行业执行投资者适当性的自律规则，做好规则制定、实施及解读工作。

八是推动行业进一步开展扶贫工作，切实履行社会责任。推动行业更好地发挥行业特点，开展形式多样、内容丰富的精准扶贫，定点扶贫。以"保险 + 期货"为立足点，发掘、总结相关案例和经验，积极宣传期货市场功能作用。同时，组织扶贫效果评价，并将其纳入期货公司年度评价体系，保障扶贫工作取得实效。

九是加强协会自身建设，不断提升自律服务水平。

（来源：期货日报　作者：曲德辉）

认真履职尽责全力服务监管积极支持创新

——访中国期货市场监控中心党委书记冉华

2016 年，由中国期货市场监控中心（下称监控中心）开发的"期货互联网开户云平台"完整运行一个年度，55 万自然人投资者通过开户云申请开户，期货市场步入"互联网 + "时代。新年伊始，监控中心党委书记冉华就我国期货市场互联网开户、保证金规模、监控中心 2017 年工作安排等市场关心的问题接受了期货日报记者专访。

记者：近年来，监控中心为我国期货市场的健康发展发挥了积极作用，请您简要谈谈 2016 年监控中心的主要工作及取得的成果。

冉华：2016 年，监控中心认真履职尽责，发挥自身优势，全力服务依法、全面、从严监管，积极支持、服务市场创新，主要做了以下工作：

第一，认真履行统一开户、资金监控、市场监控、机构监控等各项职能。一是继续运行和维护统一开户系统及期货互联网开户云平台，落实期货市场实名制的各项要求，定期开展期货市场开户情况和客户结构统计分析。同时，根据市场需求和监管要求，继续完善开户规则，配合做好期现账户连接工作，开展期货互联网开户云平台二期建设。2016 年，开户总量约 51 万个，市场有效客户约 118 万个。二是认真开展数据催报核对、基础信息维护、预警信息分析处理和数据统计分析等日常监控工作，进一步完善投资者查询服务系统。2016 年，共发出预警 30 份。三是针对市场舆情热点、结合市场创新发展热点，及时排查风险并研究分析实际情况；密切跟踪热点板块运行情况，对热点品种进行风险全面排查；继续完善交割合约风险排查机制；长假期间跟踪内外盘市场情况，防范长假市场风险；持续做好交易所制度改革的分析评估工作，针对交易所规则制度修改后的市场运行情况及时进行跟踪、分析，并评估运行效果。四是积极应对期货市场异常波动。2016 年 4 月以后黑色系商品期货大幅波动，11 月全市场主要商品期货在短时间内出现大幅波动行情，监控中心及时全面分析相关期货品种的市场参与者情况及市场运行情况，多次进行风险排查，进行全市场压力测试，为监管机构提供了大量数据与分析报告。五是推进期货经营机构综合监管系统（FISS 系统）改造，开展期货经营机构监测监控工作。继续完善 FISS 系统功能模块，并与期货业协会共同完成对全市场期货公司经纪业务、资管业务、风险管理业务的专项压力测试。

第二，发挥数据中心优势，加强数据的深度挖掘，持续开展宏观经济和产业研究。一是持续汇集和维护国内外的宏观、产业、期货、现货等数据，在多维数据基础上，剖析经济及产业运行情况。二是建立汇集各期货品种的期现货数据平台及评估系统，对51个期货品种的经济功能进行了系统地分析和梳理。三是做好期货市场调查工作，自2016年4月起，按月持续开展市场形势预期调查，形成调查报告，为监管部门制定、完善相关业务规则及监管政策提供参考。四是不断完善监控中心商品指数系统，实现了实时系统整体上线以及现货数据自动采集入库。做好运用商品指数预测CPI、PPI工作，为国家宏观决策部门提供参考。

第三，完成修订《期货投资者保障基金管理暂行办法》（下称《暂行办法》），管好用好投资者保障基金。一是配合证监会期货部继续推进并完成《暂行办法》修订工作，2016年11月，证监会、财政部发布关于修改《暂行办法》的决定及相关配套文件。二是积极开展投资者教育，监控中心与黑龙江证监局合作，先后开展了两期期货市场服务黑龙江农业经济发展培训班。三是继续做好北亚期货风险处置后续工作。

第四，积极参与行业IT基础设施建设。监控中心作为行业标准化工作牵头单位之一，持续推进证券期货行业数据模型项目，继续完善数据模型和管理平台，开展基于数据模型的智能挖掘研究工作；作为证联网核心节点之一，做好日常网络运维管理工作；积极参与行业各类规范制订和现场检查等工作。

记者：请您介绍一下2016年期货公司网上开户业务情况及云平台建设情况。

冉华：2016年期货互联网开户云平台平稳运行。互联网开户率显著提高，从2015年上线之初的24%提高至目前的79%。2016年，共有144家期货公司的约55万个自然人投资者通过开户云申请开户，其中约49万个投资者开户成功，占同期全部开户自然人投资者约72%。

在此基础上，监控中心开展了期货市场互联网开户调研，启动期货互联网开户云平台优化项目，完成了涉及业务流程及界面的变更、系统安全加固、外部系统对接、移动端、系统运维等方面共59个功能点的优化，并增加了客户资料导出功能，进一步满足期货公司个性化需要，积极支持期货市场创新。

记者：请您介绍一下监控中心编制发布的系列指数运行情况，另请您谈一下监控中心对指数未来发展的规划。

冉华：监控中心先后发布了政策研究型商品指数、实时期货指数两套商品指数系列。中国商品综合指数（CCCI）属于政策研究型商品指数系列，其横跨期现货市场，对国内宏观经济形势有一定的先行表征作用。数据显示，其走势与PPI有较强的契合度，可以提前1—2个月反映PPI的拐点。2016年CCCI上涨30.06%，反映了供给侧改革深入推进的背景下大宗商品价格触底回暖，并对同期PPI同比由负转正和快速回升起到一定的表征作用。

中国农产品期货指数（CAFI）、中国工业品期货指数（CIFI）、中国商品期货指数（CCFI）属于实时期货指数系列。2016年，在商品市场整体回暖的大环境下，商品期货市场更是强劲反弹，CCFI上涨37.96%，CAFI上涨19.83%，CIFI上涨51.05%。CIFI下的能化期货子指数上涨37.8%，钢铁期货子指数上涨101.6%。

未来，监控中心一方面会继续维护好现有商品指数系列，完善指数编制条款，优化指数运维系统结构，加强指数运维保障机制，另一方面，还将继续与监管机构和市场机构加强沟通交流，进一步提升商品指数研发水平，进一步拓展指数体系和层级，以更好地服务监管、服务市场。

记者：期货市场多项创新工作正扎实推进，为打好期权交易、原油期货及境外期货经纪业务的推出基础，监控中心进行了哪些准备工作？

冉华：2016年12月，证监会已批准郑商所开展白糖期权交易、大商所开展豆粕期权交易，原油期货、境外期货经纪业务相关工作也在稳步推进。按证监会部署，监控中心一直积极配合并扎实做好相关准备工作。

监控中心的原油期货各项工作已于2015年基本准备就绪。2016年，监控中心继续积极支持上海国际能源交易中心推进原油期货国际平台筹建，持续测试完善保证金监控系统，并研究非期货公司受托结算会员保证金监控模式；继续完善原油期货的市场运行监控系统，加强对国内外原油期货的研究。

期权交易方面，监控中心修订了《特殊单位客户统一开户业务操作指引》，明确了期权做市商的开户要求和开户流程，持续做好股票期权业务的保证金监控工作，同时研究商品期权相关业务规则，积极做好商品期权保证金监控的各项准备工作，开展商品期权仿真数据报送测试。此外，积极筹备期权监测监控系统建设。

有关境外期货经纪业务方面的统一开户业务规则和技术系统，监控中心已于2015年基本准备就绪。

记者：目前国内期货市场的保证金总量达到怎样的水平？与2015年相比，2016年期货市场客户结构有什么变化？

冉华：截至2016年年底，全市场保证金总量约5000亿元，同比增长约25%。专业机构投资者的数量与资金持续攀升，2016年以来，私募基金、资产管理等各类产品市场参与程度提升，产品规模较上年同期增长约14%。

记者：在我国期货市场创新发展提速的新形势下，2017年监控中心有哪些工作安排？

冉华：2017年，监控中心将在证监会党委的坚强领导下，继续履职尽责，在做好统一开户、资金监控及市场监测监控等日常工作基础上，立足服务依法、从严、全面监管，重点做好以下工作：

一是配合原油期货、商品期权上市等各项市场创新，继续做好统一开户、保证金监控和市场监测监控工作。继续配合大商所研究推进铁矿石国际化业务。

二是持续提升期货市场监测监控水平，继续研究期货市场实际控制关系账户管理工作机制及程序化交易报备及统计工作，建设并完善期货市场客户交易终端信息采集报送系统及风险指标预警系统，全面做好期货经营机构监测监控工作，丰富完善FISS系统风险监测功能。

三是做好宏观和产业研究以及物价形势分析预测工作，服务宏观及产业形势研判需要。

四是做好修订后的《期货投资者保障基金管理办法》实施衔接工作，完善保障基金管理。

（来源：期货日报　作者：曲德辉）

期货服务“三农”模式升级

——访长江证券副总裁、长江期货董事长谭显荣

国家“十三五”规划纲要和2016年中央“一号文件”都明确提出，要“稳步扩大‘期货＋保险’试点”。期货市场各方积极响应，努力开展试点建设工作，以探索建立保障农户稳收增收新途径，不断开启了我国农业保险和农产品期货

力做好农业风险管理、服务农业现代化发展的序幕。长江期货董事长谭显荣近日在接受中国证券报记者采访时表示，大力推广“期货＋保险”模式，探索和创新农产品价格风险管理工具，用发展新理念破解“三农”难题，将有利于增强农业发展内生动力，有利于促进农民增收和农业发展方式的转变。

记者：作为打通金融服务“三农”的“最后一公里”，当前开展的“期货＋保险”有哪些具体内容？

谭显荣：自试点实践以来，“期货＋保险”模式不断完善和成熟，作为金融创新服务“三农”的重要模式，打通金融服务“三农”的“最后一公里”，今年更是被写入中央一号文件、国家“十三五”规划纲要和《全国农业现代化规划（2016－2020年）》。目前，我国正在改革完善粮食等重要农产品价格形成机制和收储制度，新疆棉花、东北地区大豆目标价格改革试点将深入推进，玉米等品种要市场定价、价补分离。在这个背景下，大力推广“保险＋期货”模式，探索和创新农产品价格风险管理工具，用发展新理念破解“三农”难题，将有利于增强农业发展内生动力，有利于促进农民增收和农业发展方式的转变。

“期货＋保险”模式，涉及主体包括农业经营主体、保险公司、期货公司的风险管理公司和政府部门等，基于农产品价格保险产品，实现农业经营风险的承接、转移和对冲管理。在“保险＋期货”模式中，对保险来说，除开传统的为农业生产提供自然、意外事故和疫病风险保障之外，与期货的合作创造了市场价格风险保障的可能性；对于期货来说，以期货价格保险为纽带，实际上是帮助期货市场解决了对接“三农”、小微企业等实体经济的“最后一公里”问题。在这个过程中，政府部门也发挥着重要的角色，通过对农业补贴政策进行适当调整，逐步降低直接补贴，扩大农业保险补贴，不仅提升补贴效率，也能减轻国家的农业补贴压力。

可以说，“期货＋保险”是期货服务“三农”模式的再升级。十年来，随着市场主体对期货工具认识的不断深入，“期货农业”（核心为“订单农业＋期货”、“农业龙头企业＋农户”）的理念和模式逐步得到了湖北等省市涉农企业、农村经济组织的认可和接受。农业龙头企业作为风险管理主体，参考期货市场价格来确定订单价格，并参与期货市场进行套期保值，规避农产品价格波动风险，提前锁定收益，进行生产组织安排。“期货农业”取得了较好的实践成果，让涉农企业、农村经济合作组织和农户获得了良好收益。而“期货＋保险”模式的创新，则是“期货农业”模式的再次升级。它将期货市场价格管理和农业保险联系起来，引入保险公司和期货公司风险管理子公司承接、转移风险，实现了农产品价格风险向期货市场的分散和转移，并进一步降低农业经营主体直接进行风险管理的专业性要求，提高农业经营效率和效益。可以说，农业需要、国家重视以及行业探索共同促成了“期货＋保险”模式的形成和发展。

记者：请详述长江期货如何开展“期货＋保险”业务？有哪些创新亮点？

谭显荣：期货公司设立子公司开展风险管理服务试点以来，“场外期权”产品得到广泛关注，该产品具有成本更低、风险可控、灵活多变的特征，为企业风险管理提供了更为个性化地选择，并获得众多产业链上下游企业的青睐。经过数年的摸索和实践，“期货＋保险”模式的两个核心载体——风险管理公司和场外期权产品逐步成熟，期货公司携手保险公司推出“期货＋保险”模式也就水到渠成。

在交易所的支持下，自去年以来，长江期货的风险管理子公司——武汉长江产业金融服务有限公司先后开展了多笔场外期权业务，涉及品种包括玉米、鸡蛋等品种，成功帮助企业达到低成本管理风险的效果。目前，长江期货正积极与保险机构开展“期货＋保险”项目合作，将以棉花品种为切入点，争取政府部门支持，探索使用创新金融工具，促进地方经济可持续发展。

在业务开展上，我们的思路是先树立典型，再由点到面逐步扩大品种与服务对象的范围。在模式的可行性被确认之后，再在不同品种、不同区域的涉农主体之间复制推广。

具体到业务落实层面，公司与保险机构在合作上进行了多次沟通，以寻求更好的解决保险产品与场外期权产品之间存在的差异问题。同时，作为业务的服务对象，涉农主体对模式的认识、认可程度也起着十分重要的作用，公司也对其进行了多次专业上的辅导。

整个业务能否持续，期货公司及其风险管理子公司的角色尤为关键，因为期货公司是最终的风险承担者，风险管理能力和对冲能力也是体现行业优势的地方。目前，公司内部已经有相对完善的对冲操作流程来解决这一问题。

此外，公司在具体业务模式上进行了一定创新，以期尽量减少农业经营主体的负担。比如，合作社作为保险的受益人，但并不实际支付全部保费，共同分担保费的是其下游的涉农企业。涉农企业为保证货源的稳定性，愿意支付一定的成本来获得与合作社之间的约定买卖协议。这样一来，涉农企业与农民实际上是实现了双赢。

记者：从长江期货的实践来看，大力推广“期货＋保险”模式，进一步深化服务三农工作，还存在哪些困难？如何解决？

谭显荣：作为服务“三农”的重要创新工具，“保险＋期货”的跨界合作对农产品价格风险管理有积极作用。大力推广“期货＋保险”模式，引导更多金融资源投向“三农”，加大对“三农”和小微企业的金融支持力度，提升农村金融服务水平，有利于进一步深化服务“三农”工作。在这个过程中，主要面临政府部门的引导和支持力度，保险机构、农业经营主体对“保险＋期货”模式的认知和参与度，以及场外期权产品的风险对冲等问题。主要有以下几点建议：

首先，在“期货＋保险”模式推广过程中，需要政府部门参与进来，对项目推广给予政策、资金支持。如借鉴美国农业补贴政策，推动农业补贴政策的调整和完善，扩大农业保险项目覆盖范围和补贴额度，建议以农业保险费补贴的形式，引导、支持农业经营主体参与和使用“期货＋保险”工具。

其次，支持推动保险机构参与推广“期货＋保险”模式。“期货＋保险”模式的成功推广，要求保险机构具有较为成熟的人才队伍、相对丰富的经验及产业基础，只有设计合理的、适应农村经济组织需要的“保险＋期货”产品，才能发挥农业保险效果，强化保险在防范农业生产风险中的作用。

最后，加快场外期权市场建设工作。“期货＋保险”模式的核心是场外期权产品，而我国国内场外期权市场发展仍处于初期阶段，仍有较多问题需要解决，如场权期权产品的报价和清算机制、市场流动性等。随着场外期权市场的建设成熟，期货公司风险管理子公司的风险管理和风险对冲能力将会进一步增强，“期货＋保险”产品也将进一步丰富，从而更好发挥期货市场服务农业的功能，促进现代农业发展。

（来源：中国证券报）

不忘初心　做坚定的期市守望者
——记中粮期货有限公司总经理吴浩军

吴浩军从事期货行业多年，从基层做起，从事过交易、营销、管理等多个岗位，对期货相关产业了解颇深，熟知期货行业的发展和运作规律，并积极推动公司的产业服务和专业化水平，在业内有较大影响力。

作为金融皇冠上的璀璨明珠，期货市场以其独特的魅力，一直吸引着众多精英型人才的加入。但随着近年来行业的迅猛发展、创新转型，期货公司高管离职现象日渐突出。与之对比鲜明的是，也有着这样一批人，从期货公司成立的那一刻起，就一路追随，一步一个脚印，从底层员工一路成长，成为期货公司的一把手。

中粮期货总经理吴浩军，便是这样一位一直驻守在期货市场的"老人"。

1996年，中粮期货成立之初，他便成为中粮期货上海营业部的一名普通员工，二十多年如一日，他对中粮期货始终不离不弃。如今，他已位居中粮期货总经理一职，回顾这些年的经历，他坦言，自己对中粮期货有太多感情，中粮期货值得他去守护。

从教书先生到期市拓荒者

吴浩军是上海人。从小到大，在上海成长，大学也选择了上海师范大学。

"我在上海师范大学学的是化学专业，虽然与期货专业跨度很大，但大学的学习为我的整个逻辑思维的锻炼、对数字的理解都打下了较好的基础。"吴浩军告诉笔者，如同化学反应一般，自己经过不断的磨炼，已成为一个拥有较强适应能力的人，包括对团队变化、市场变化，都能很快适应。

1990年毕业后，吴浩军在上海市卢湾区教育局顺理成章地当了三年老师，且是班主任。回顾这段经历，他心存感激："当老师的那三年对我来说，还是一个比较不错的经历。"

在他看来，他管理的小孩子也是一个"团队"，他还要跟学校、家长进行沟通和协调，为日后的管理工作积累了最原生态的管理经验。

与期货的初次结缘是在1993年。当年5月份，上海粮油商品交易所（下称粮交所）进入筹备阶段，吴浩军参加了粮交所第一期培训。"当时我也是非常有运气，中粮集团正好在粮交所招人，他们的培训和考试我全部都经历过，还考了第一名，比较顺利地被中粮粮谷处处长招进了中粮粮谷处期货部，那时恰逢中粮期货部刚筹备。"

当时被招进中粮期货部的都是跟他一样的毛头小伙子，对于这份工作，大家全部都是从零开始，一起筹备新的市场业务工作，所有业务包括账单都是他们自己设计。

"所有的工作都是从无到有，我们要了解所有的业务和岗位，比如交易、风控、清算、客户服务等，这些业务流程我都要熟悉，这为我日后管理中粮期货打下了一个比较好的基础。"吴浩军告诉记者。

当时，吴浩军主要负责交易和清算工作，是粮交所的第一代交易员。"从教师到交易员，虽然两个行业跨度大，但我很快就适应了。"

"90年代的这些经历，对我后来的从事管理工作产生了重要影响，一方面使我对业务的理解更扎实；另一方面，市场的波动以及不规范性也让我认识到了整个行业的规范发展有多么重要。"

中粮在农产品领域参与较多，在中粮期货部工作期间，吴浩军也经历了几波大的市场行情，并参与其中，迄今他依然对这些行情记忆犹新。其中，他经历的第一轮大的行情是1994年的大米行情。

当时中粮的领导陪同朱镕基总理去日本考察。日本正值谷物减产，他们跟中国签了一笔大的粳米进口单子。中粮就做了一个安排，在签订出口单子的同时，期货上做了买入套期保值操作，随后就出现了一轮大米上涨行情。

1994年春节前后，受国家大幅提高粮食收购价格的影响，粳米期价从1900元/吨涨到2200元/吨；1994年6月下旬至8月底，在南涝北旱自然灾害预期减产的心理作用下，粳米期货价格从2050元/吨上扬到2300元/吨。

至7月，粳米期货交易出现了多空对峙局面。中粮也成为粳米期货市场一个非常重要的多头。吴浩军回忆，虽然当时期货交易没有持仓排行榜，但可以肯定的是，他们的仓位非常大。"当时单边多头基本上是我们，国内的期货市场刚刚起步，很多规则都不是太完善，没有对席位限仓的规定。"

不过，吴浩军也坦言，当时公司内部也面临较大压力。整体行情持续了3至4个月，行情做完之后，对他们来说也是一场洗礼。"这是中粮的一次比较全面地参与农产品期货的套保经验。"

"通过这一次大规模地参与国内期货市场的套保，整个中粮集团的管理层对期货有了更全面的认识。这个工具对实体企业来说，是一个非常好的风险管理工具。"

吴浩军认为，企业在进行套期保值操作的过程中，管理层对期货了解与否非常重要，"他们懂这个工具，就会支持期货套保工作"。同时，他表示，现金流的安排在整个套保操作执行过程当中起到了决定性的作用。此外，在考核和财务处理的过程中，企业也需要统一的筹划。

坚守一线　在转型中历练自己

1994年之后，中粮集团在绿豆、红小豆方面的套保都参与得非常多。"1994年这场大米期货套保交易，无论是在交易、风险管理，还是在资金规划和交易策略方面，都给整个中粮的套保业务打下了较好的基础。"

事实上，中粮期货发展到后来，配合集团参与套期保值的自营业务一直比较活跃。"我们既做内盘，也做外盘，我们外盘也是以自营为主。"

1996年，中粮集团收购中农信期货，成立了中粮期货经纪有限公司，其团队成员仍为中粮期货部原班人马，大概20－30人，吴浩军也成为中粮期货上海营业部员工，并且在这个营业部一待就是17年。

当时的中粮期货虽然不大，但在行业中还是具有较大影响力。公司以自营为主，参与了较多的大行情交易，特别是农产品方面，一些大的行情的交易中都能见到中粮期货的影子。

"中粮期货上海营业部是我成长的地方，我对它的体会比较深，在这里，我经历了行业最好的时刻，也经历了行业治理整顿最难受的阶段。"吴浩军向记者坦言。

2004年，吴浩军升任中粮期货上海营业部总经理。他刚接手上海营业部时，保证金规模不足5000万元，2011年他离开上海营业部时，保证金规模日均达到30多亿。

"那时，我们营业部保证金规模相当于一个中型的期货公司。"他无比自豪地说。谈及他任职期间保证金快速增长的原因，他说2003年之后，上期所的发展速度很快，他们正好抓住了这个机遇。

"2005 年，中粮期货进行了业务模式转型，将营业部转型成为事业部，其中，大连、郑州、上海、北京营业部分别转型为农产品事业部、软商品事业部、工业品事业部及交易部，公司在短短数月调整了四个事业部的团队、客户与机制，实现了团队的跨区域管理，成功转型为提供专业化服务的期货公司。工业品事业部主要做的都是一些非农产品，非农产品在中粮里面又比较另类，一个事业部的保证金做到整个公司业务的三分之一，得益于公司领导授权比较大。我们能够按照自己的一些设想来制定一些激励措施，比如我们制定了与业务动态捆绑的激励机制，这样使业务人员不仅能够多劳多得，而且能够及时地进行奖励，这对调动员工积极性是非常有利的。"

当时他们的团队建设也做得不错，吴浩军刚接手时人员还比较少，不足 10 人，离开时团队已有 30 多人。在工业品事业部任总经理的这些年，吴浩军积累了很多一线管理和服务的经验。

在吴浩军看来，从中粮的期货部到中粮期货的经历，是一次比较成功的转型。另外，中粮期货从自营转为代理，从单一股东变成多股东，从单一经纪业务转型为综合型期货公司（场内、场外，国内、国际），这些转型过程他都经历过。应该说，中粮的每一次转型他都亲历其中。

谈及这些年的管理经历，让他感悟最深的是，踏踏实实做好本职工作，同时一切从团队利益和公司利益出发去考虑和处理问题，特别是开展代理业务后，服务好客户，特别是产业客户，成为公司发展的一项重要任务。

比如，期货公司服务产业的内容很多，其中了解产业客户的需求特别重要。不同客户处在产业链的不同位置，同时这些客户还有自身的股东背景，他们的业务模式、对风险的偏好可能不同，企业的内部规章也不同，这些都会成为客户在做套保业务时的个性化要求，这也将决定他们的套保需求。

因此，期货公司必须了解客户的背景和真实需求，为企业设计符合他们特点的套保模式与方案。单纯从期货公司的角度去考虑问题，往往解决不了产业客户的需求。

"了解客户真实需求和情况，了解他们到底要去对冲什么风险，再去制定客户的套保方案，这会事半功倍。"吴浩军说。

回顾期货市场的发展历程，吴浩军坦言，他经历了期货市场比较初级的阶段，比如市场不健全、法制不完善，导致行业出现了许多不合规的现象。"无论过去还是现在，期货公司的合规、行业规范发展是极其重要的，期货公司必须在每一个环节都要合规，无论是业务营销还是管理，合规发展要放到第一位。"

事实上，90 年代期货行业所经历的起起伏伏，让现在的期货人也更加珍惜和感恩。"我们现在行业的发展碰到了一个好的时代，这是所有期货人都必须要珍惜的。"

坚守对期货的执念

1996 年加入中粮期货，2004 年晋升为上海营业部总经理，2009 年，升任中粮期货总经理助理，2011 年升任副总经理，2015 年荣升总经理，吴浩军的"期货事业"可谓一路顺风顺水。

而近年来，许多期货"老人"离开，进入贸易公司或私募机构、证券基金行业，可吴浩军从未动过此种念头。他认为，这些期货"老人"不是离开了期货行业，只是从乙方变成了甲方，角色进行了转换。

"期货行业的发展前景是非常好的，因为它建立在中国整体大金融发展的基础上，而中国的金融市场才刚刚起步，相对于证券、信托，以及银行、保险，期货还是非常弱小，将来的发展空间还是非常大的。"吴浩军说。

在他看来，中国的衍生品市场还有很大一块没有起步，特别是金融衍生品市场，只要一步一步去做，期货行业在未来的十年、二十年内还是有很大发展空间的。他坦言，在目前的情况下他不会选择转换身份。

除了看好期货行业本身的发展前景，中粮的平台也让吴浩军有家的归属感。"现在不管是中粮集团，还是中粮集团的金融板块，对于中粮期货来说，是很好的股东和一个较好的平台，股东的发展为中粮期货业务的开展提供了相当大的推进助力，不管是从行业整合来说，还是国际化，我们集团的未来跟金融行业的发展方向都是吻合的。"

此外，中粮期货的团队和企业文化也都让他留恋。在他看来，他们的团队是非常优秀的，包括管理层，都是十年以上的老同事，大家都有归属感和认同感，工作起来默契度非常好，这个团队值得他去守护。

"我们合规敬业的文化传承下来都不错，整个团队都是比较融洽的。"吴浩军表示，他对目前的生活状态比较满意。他坦言，作为中粮期货的一把手，现在不仅仅是业务工作要做，团队、股东方面还有非常多的工作。因此还是要依靠团队，做好分工和授权，这样就能安排出时间享受生活。

（来源：《中国期货》 作者：阙燕梅）